MaBiblio

LES OUTILS NUMÉRIQUES

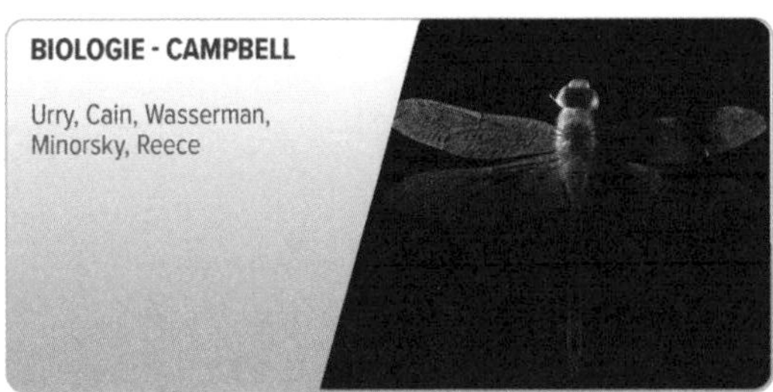

Manuel numérique
MonLab
Multimédia
Anatomie interactive

Un seul accès pour tout le matériel numérique

INSCRIPTION de l'étudiant

1. Rendez-vous à l'adresse **mabiblio.pearsonerpi.com**
2. Suivez les instructions à l'écran. Lorsqu'on vous demandera votre code d'accès, **utilisez le code fourni sous l'étiquette bleue.**

Vous pouvez retourner en tout temps à l'adresse de connexion pour consulter le matériel numérique.

L'accès est valide pendant 60 MOIS à compter de la date de votre inscription.

CODE D'ACCÈS DE L'ÉTUDIANT

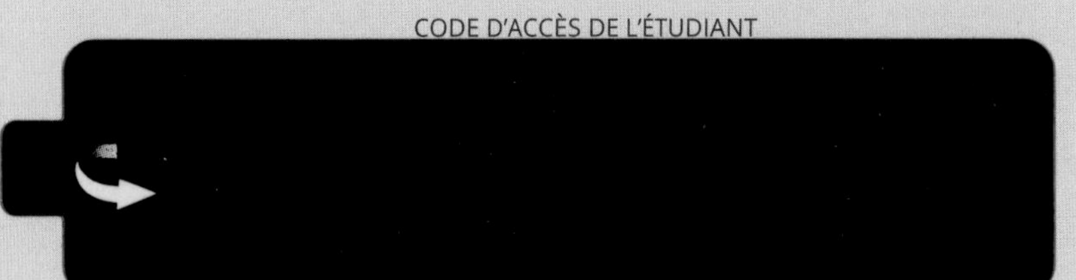

AVERTISSEMENT : Ce livre NE PEUT ÊTRE RETOURNÉ si la case ci-dessus est découverte.

ACCÈS de l'enseignant

Du matériel complémentaire à l'usage exclusif de l'enseignant est offert sur adoption de l'ouvrage. Certaines conditions s'appliquent. Demandez votre code d'accès à **information@pearsonerpi.com**

 pearsonerpi.com / aide

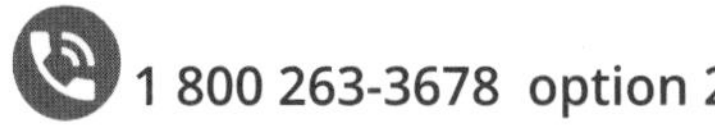 1 800 263-3678 option 2

W20731 (A6104116)

Toujours aussi rigoureuse, détaillée et clairement structurée,

la nouvelle édition de *Biologie* tient compte des découvertes récentes et permet aux étudiants de faire les liens nécessaires pour comprendre la biologie.

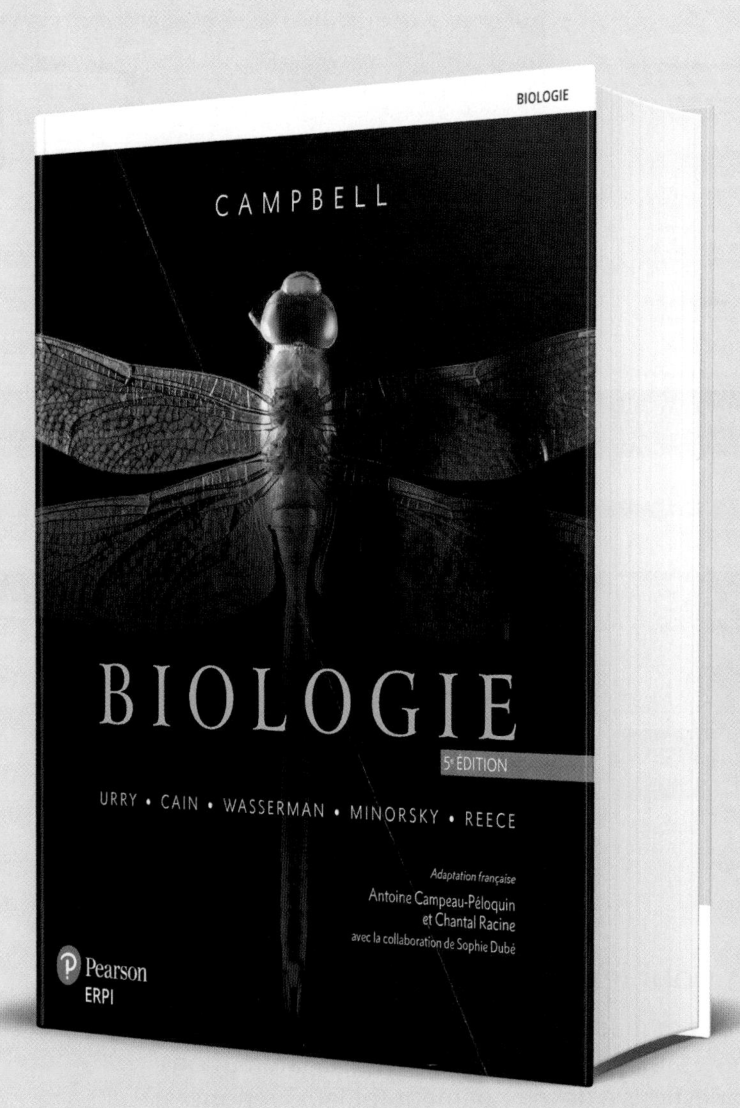

LE MANUEL NUMÉRIQUE : VOTRE MANUEL OÙ ET QUAND VOUS LE VOULEZ

L'intégralité du manuel à portée de main, avec un outil d'annotation personnalisée et un moteur de recherche, ainsi que des ancrages vers les animations de la page Multimédia et vers l'Anatomie interactive.

Un ouvrage clé en main pour les enseignants

Les enseignants ont accès dans le manuel numérique à une foule d'outils qui facilitent leur enseignement : tableaux et figures du manuel, animations, outil d'Anatomie interactive, questions à développement (et leurs réponses) ainsi que corrigés des questions proposées dans les rubriques Habiletés scientifiques et Résolution de problème.

L'ANATOMIE INTERACTIVE : VOIR POUR MIEUX COMPRENDRE

Ce nouvel outil d'exploration du corps humain permet d'examiner et d'identifier n'importe quelle structure. Une méthode de révision des connaissances anatomiques vraiment efficace.

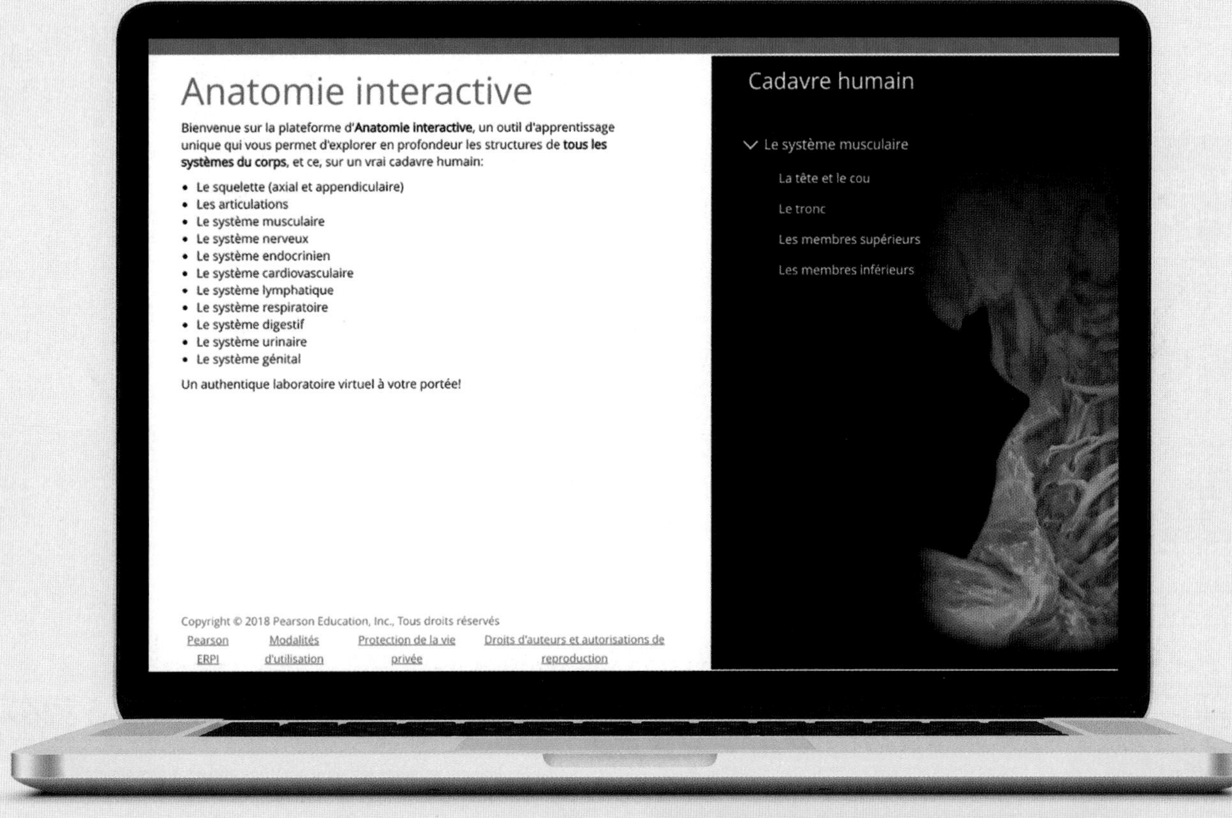

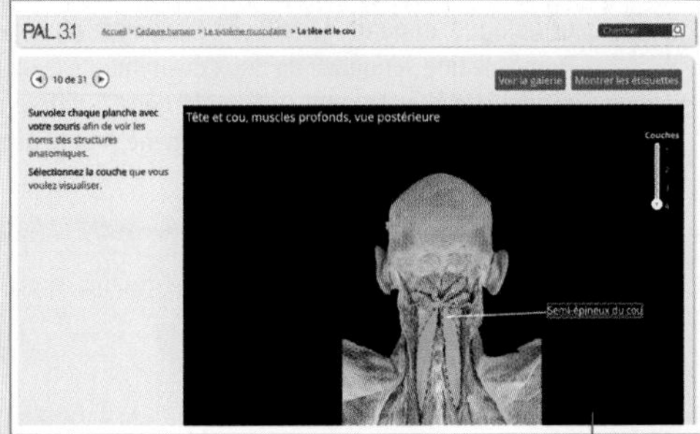

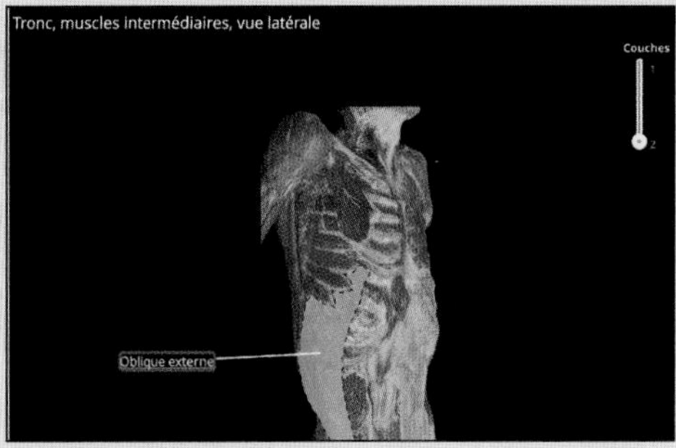

On peut afficher ou masquer les étiquettes de **chacune des couches de chaque structure**.

UN OUVRAGE ARTICULÉ AUTOUR DES CONCEPTS CLÉS

Chaque chapitre s'articule autour de trois à sept concepts clés qui permettent de ne pas perdre de vue l'essentiel et aident à mettre les idées secondaires en contexte.

Après avoir étudié la section sur un concept clé, les étudiants peuvent évaluer leurs connaissances en répondant aux questions du **Retour sur le concept**.

Chaque chapitre commence par une photographie saisissante, accompagnée d'une **question captivante** qui invite les étudiants à explorer le chapitre.

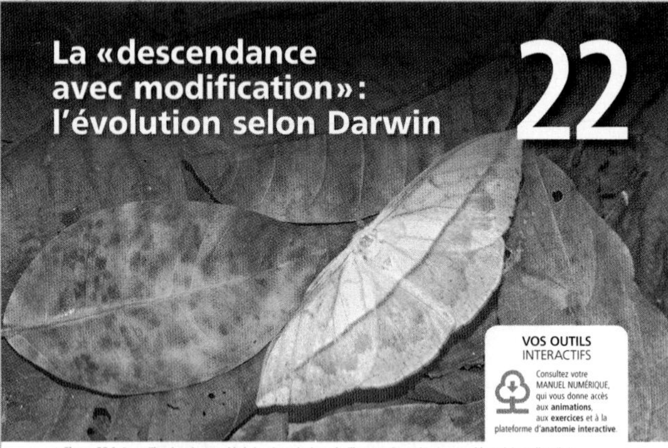

La «descendance avec modification»: l'évolution selon Darwin
22
VOS OUTILS INTERACTIFS
Consultez votre MANUEL NUMÉRIQUE, qui vous donne accès aux animations, aux exercices et à la plateforme d'anatomie interactive

▲ Figure 22.1 Ce papillon de nuit ressemble à s'y méprendre à une feuille morte. En quoi cette ressemblance lui est-elle utile?

CONCEPTS CLÉS

22.1 La théorie de Darwin a révolutionné l'idée d'une Terre jeune et peuplée d'espèces immuables

22.2 La descendance avec modification par sélection naturelle explique les adaptations des organismes ainsi que l'unité et la diversité de la vie

22.3 Une somme considérable de données scientifiques atteste l'évolution

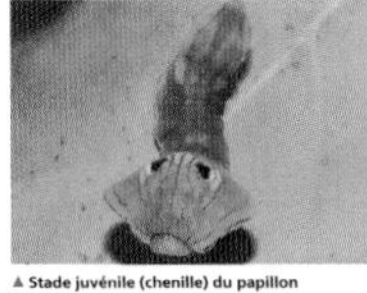

▲ Stade juvénile (chenille) du papillon feuille-morte.

L'infinité des formes les plus belles

Dans la forêt tropicale péruvienne, un oiseau affamé aurait du mal à repérer un «papillon feuille-morte» (*Oxytenis modestia*), qui se confond parfaitement avec les feuilles jonchant le sol, son habitat (**figure 22.1**). Ce papillon nocturne particulier fait partie des insectes lépidoptères (papillons), un ordre diversifié réunissant plus de 120 000 espèces. Tous les lépidoptères passent par un stade larvaire caractérisé par une tête bien développée et de très nombreuses pièces buccales masticatrices: à cette période de leur vie, ce sont des broyeurs voraces et efficaces que nous appelons chenilles. (La chenille du papillon feuille-morte a également un comportement qui la protège: devant une menace, elle ondule de la tête comme un serpent prêt à attaquer.) Les lépidoptères parvenus au stade adulte ont d'autres caractéristiques communes: ils ont tous trois paires de pattes et deux paires d'ailes recouvertes de petites écailles. Toutefois, les nombreuses espèces diffèrent sensiblement les unes des autres. Comment se fait-il qu'il y ait tant d'espèces de papillons diurnes et nocturnes, et comment expliquer leurs ressemblances et leurs différences?

Le papillon nocturne de la figure 22.1 et ses nombreux proches parents illustrent trois observations sur le vivant:

- la façon frappante dont les organismes sont adaptés à la vie dans leur environnement (ici et tout au long de cet ouvrage, le terme *environnement* fait référence aussi bien aux aspects physiques du milieu d'un organisme qu'aux autres organismes qui s'y trouvent);
- les nombreuses caractéristiques communes, même entre différentes espèces (l'unité du vivant);
- la très grande diversité du vivant.

511

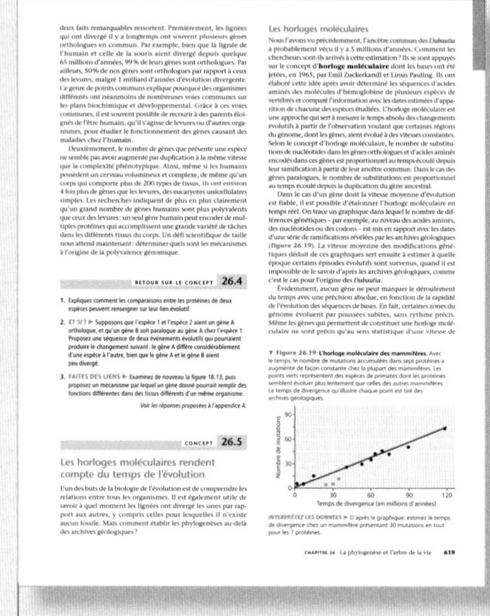

Les questions incitent les étudiants à **faire une lecture active du texte**.

RETOUR SUR LE CONCEPT 26.4

1. Expliquez comment les comparaisons entre les protéines de deux espèces peuvent renseigner sur leur lien évolutif.

2. **ET SI ?** ▶ Supposons que l'espèce 1 et l'espèce 2 aient un gène A orthologue, et qu'un gène B soit paralogue au gène A chez l'espèce 1. Proposez une séquence de deux événements évolutifs qui pourraient produire le changement suivant: le gène A diffère considérablement d'une espèce à l'autre, bien que le gène A et le gène B aient peu divergé.

Les questions **Et si ?** invitent les étudiants à mettre leurs apprentissages en pratique.

CONCEPTS CLÉS

22.1 La théorie de Darwin a révolutionné l'idée d'une Terre jeune et peuplée d'espèces immuables

22.2 La descendance avec modification par sélection naturelle explique les adaptations des organismes ainsi que l'unité et la diversité de la vie

22.3 Une somme considérable de données scientifiques atteste l'évolution

La **liste des concepts clés** présente les idées maîtresses du chapitre.

3. **FAITES DES LIENS** ▶ Examinez de nouveau la figure 18.13, puis proposez un mécanisme par lequel un gène donné pourrait remplir des fonctions différentes dans des tissus différents d'un même organisme.

Voir les réponses proposées à l'appendice A.

Les questions **Faites des liens** demandent aux étudiants de relier des notions du chapitre à des notions apprises dans un chapitre antérieur.

À la fin de chaque chapitre, un **Résumé des concepts clés** permet aux étudiants de revoir les principales idées du chapitre.

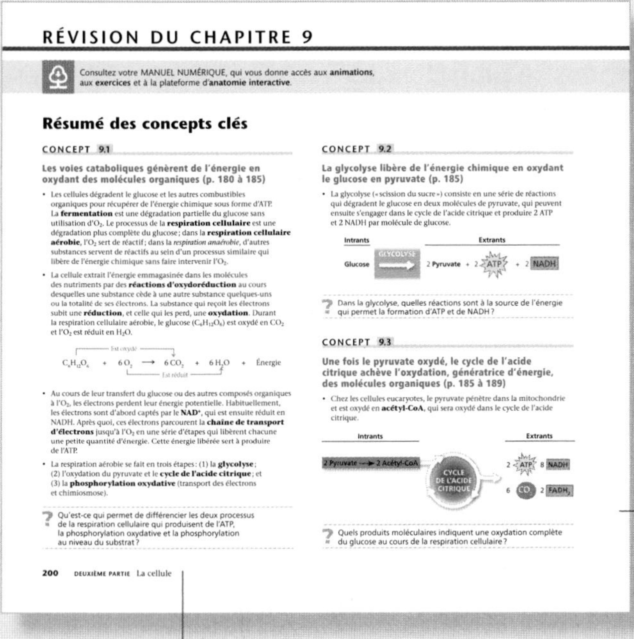

RÉVISION DU CHAPITRE 9

Consultez votre MANUEL NUMÉRIQUE, qui vous donne accès aux **animations**, aux **exercices** et à la plateforme d'**anatomie interactive**.

Résumé des concepts clés

CONCEPT 9.1

Les voies cataboliques génèrent de l'énergie en oxydant des molécules organiques (p. 180 à 185)

- Les cellules dégradent le glucose et les autres combustibles organiques pour récupérer de l'énergie chimique sous forme d'ATP. La **fermentation** est une dégradation partielle du glucose sans utilisation d'O_2. Le processus de la **respiration cellulaire** est une dégradation plus complète du glucose; dans la **respiration cellulaire aérobie**, l'O_2 sert de réactif; dans la *respiration anaérobie*, d'autres substances servent de réactifs au sein d'un processus similaire qui libère de l'énergie chimique sans faire intervenir l'O_2.
- La cellule extrait l'énergie emmagasinée dans les molécules des nutriments par des **réactions d'oxydoréduction** au cours desquelles une substance cède à une autre substance quelques-uns ou la totalité de ses électrons. La substance qui reçoit les électrons subit une **réduction**, et celle qui les perd, une **oxydation**. Durant la respiration cellulaire aérobie, le glucose ($C_6H_{12}O_6$) est oxydé en CO_2 et l'O_2 est réduit en H_2O.

$$C_6H_{12}O_6 + 6\,O_2 \longrightarrow 6\,CO_2 + 6\,H_2O + \text{Énergie}$$

Est oxydé / Est réduit

- Au cours de leur transfert du glucose ou des autres composés organiques à l'O_2, les électrons perdent leur énergie potentielle. Habituellement, les électrons sont d'abord captés par le **NAD⁺**, qui est ensuite réduit en NADH. Après quoi, ces électrons parcourent la **chaîne de transport d'électrons** jusqu'à l'O_2 en une série d'étapes qui libèrent chacune une petite quantité d'énergie. Cette énergie libérée sert à produire de l'ATP.
- La respiration aérobie se fait en trois étapes: (1) la **glycolyse**; (2) l'oxydation du pyruvate et le **cycle de l'acide citrique**; et (3) la **phosphorylation oxydative** (transport des électrons et chimiosmose).

? Qu'est-ce qui permet de différencier les deux processus de la respiration cellulaire qui produisent de l'ATP, la phosphorylation oxydative et la phosphorylation au niveau du substrat?

CONCEPT 9.2

La glycolyse libère de l'énergie chimique en oxydant le glucose en pyruvate (p. 185)

- La glycolyse (« scission du sucre ») consiste en une série de réactions qui dégradent le glucose en deux molécules de pyruvate, qui peuvent ensuite s'engager dans le cycle de l'acide citrique et produire 2 ATP et 2 NADH par molécule de glucose.

Intrants / Extrants

Glucose — GLYCOLYSE → 2 Pyruvate + 2 ATP + 2 NADH

? Dans la glycolyse, quelles réactions sont à la source de l'énergie qui permet la formation d'ATP et de NADH?

CONCEPT 9.3

Une fois le pyruvate oxydé, le cycle de l'acide citrique achève l'oxydation, génératrice d'énergie, des molécules organiques (p. 185 à 189)

- Chez les cellules eucaryotes, le pyruvate pénètre dans la mitochondrie et est oxydé en **acétyl-CoA**, qui sera oxydé dans le cycle de l'acide citrique.

Intrants / Extrants

2 Pyruvate → 2 Acétyl-CoA — CYCLE DE L'ACIDE CITRIQUE → 2 ATP, 8 NADH, 6 CO_2, 2 $FADH_2$

? Quels produits moléculaires indiquent une oxydation complète du glucose au cours de la respiration cellulaire?

200 DEUXIÈME PARTIE La cellule

? Qu'est-ce qui permet de différencier les deux processus de la respiration cellulaire qui produisent de l'ATP, la phosphorylation oxydative et la phosphorylation au niveau du substrat?

Dans le **Résumé des concepts clés**, chaque concept se termine par une **question** qui vérifie la compréhension qu'ont les étudiants d'une des idées maîtresses de ce concept.

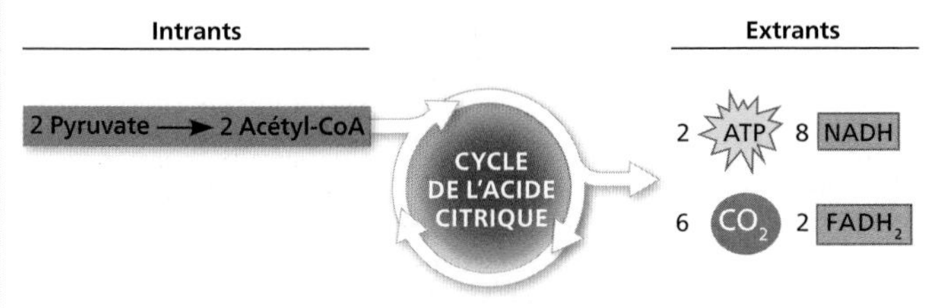

Les **figures** du **Résumé des concepts clés** offrent une récapitulation visuelle de la matière la plus importante.

L'**évolution**, thème fondamental en biologie, occupe une place prépondérante tout au long du manuel. Chaque chapitre renferme une section expressément consacrée aux liens qui existent entre le contenu du chapitre et l'évolution.

L'évolution du code génétique

ÉVOLUTION Le code génétique est presque universel; il est le même chez des organismes aussi différents que la plus simple des bactéries jusqu'aux animaux et aux végétaux les plus complexes. Par exemple, la traduction du codon CCG de l'ARNm donne l'acide aminé proline chez tous les organismes dont on a examiné le code génétique. Au cours d'expériences de laboratoire, on a réussi à traduire des ARNm et à transcrire et traduire des gènes d'une espèce après les avoir transplantés chez une autre, parfois avec des résultats très étonnants, comme le montre la **figure 17.7**. Par exemple, il est possible de programmer des bactéries en y insérant un gène humain pour leur faire produire certaines protéines utiles sur le plan médical, comme l'insuline humaine. Dans le domaine de la biotechnologie, des applications de cette nature ont abouti à de nombreux développements très intéressants, dont nous parlerons au concept 20.4.

Malgré un petit nombre d'exceptions, la signification évolutive de la *quasi*-universalité du code génétique est claire. Ce langage a dû apparaître assez tôt dans l'histoire de la vie pour se retrouver chez les ancêtres communs à tous les organismes actuels. L'existence d'un vocabulaire génétique commun nous rappelle les liens de parenté qui unissent toutes les formes de vie.

▼ **Figure 17.7 Un témoignage de l'évolution: l'expression des gènes de différentes espèces.** Comme les diverses formes de vie possèdent un code génétique commun en raison d'une ascendance partagée, il est possible de programmer une espèce afin qu'elle produise des protéines propres à une autre espèce; pour ce faire, on y introduit de l'ADN provenant de cette dernière.

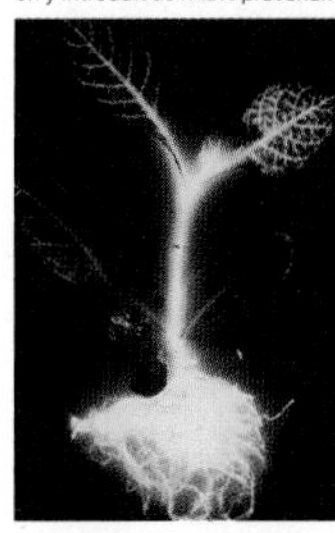

(a) Plant de tabac exprimant un gène de luciole. La luminescence jaune est produite au cours d'une réaction chimique catalysée par la protéine synthétisée à partir d'un gène de luciole.

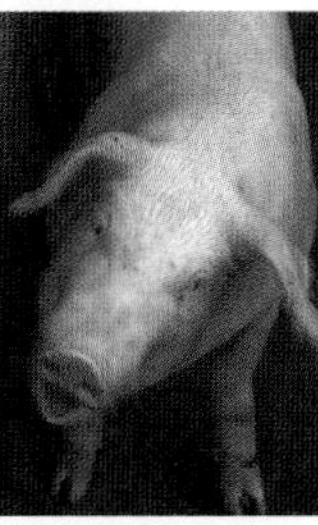

(b) Porc exprimant un gène de méduse. Le gène d'une protéine fluorescente a été injecté dans des ovules de porc après leur fécondation. Un des embryons s'est développé pour donner ce porc fluorescent.

Des recherches sur plusieurs générations de bactéries, de souris et même d'humains indiquent cependant que la transmission des caractères pourrait être influencée par des facteurs environnementaux agissant sur les gènes.

POUR APPROFONDIR ■ Les deux principes de Lamarck trouvent plus aisément leur application chez les bactéries. Puisque ces petites cellules procaryotes se reproduisent de façon asexuée, elles transfèrent directement la totalité de leurs gènes à leur descendance. Elles peuvent donc transmettre aisément une adaptation acquise au cours de leur vie, si cette adaptation modifie

L'intitulé **Pour approfondir** encadre des passages traitant de notions complexes. Ces passages permettent d'en savoir plus, mais ne sont pas essentiels à la compréhension globale du concept.

UN OUVRAGE AXÉ SUR LA DÉMARCHE SCIENTIFIQUE

La démarche scientifique, un fil directeur de cet ouvrage, est illustrée dans ses différents aspects, avec les rubriques **Habiletés scientifiques**, **Investigation** et **Méthode de recherche**.

■ **L'ÂGE INFLUE-T-IL SUR L'ABSORPTION DU GLUCOSE PAR LES CELLULES ?** ■ Le glucose, source d'énergie importante pour les animaux, est transporté dans les cellules par des transporteurs au

Chaque exercice Habiletés scientifiques est basé sur une **expérience reliée au contenu du chapitre**.

■ **RÉSULTATS** ■ Lorsqu'on a deux ensembles de données, comme ici, il peut être utile de tracer les deux courbes dans le même graphique afin de faciliter la comparaison. Dans le graphique ci-contre, chaque

La plupart des exercices Habiletés scientifiques utilisent des **données de travaux de recherche** publiés dont on donne la référence.

INTERPRÉTEZ LES DONNÉES ▼

1. Assurez-vous d'abord que vous comprenez bien les différentes parties du diagramme. (a) Quelle variable est la variable

Les **questions** intègrent des difficultés qui permettent aux étudiants de développer graduellement de nouvelles habiletés, leur donnant ainsi l'occasion d'améliorer leur pensée critique. Les réponses à ces questions sont fournies aux enseignants dans le manuel numérique.

Le développement des habiletés scientifiques

■ **NOUVEAU !** ■ Les exercices **Habiletés scientifiques** utilisent des données réelles pour consolider des habiletés essentielles en biologie, dont l'**analyse des données**, la **représentation graphique des données**, le **plan d'expérience** et les **compétences mathématiques**. Chacun des chapitres compte un de ces exercices.

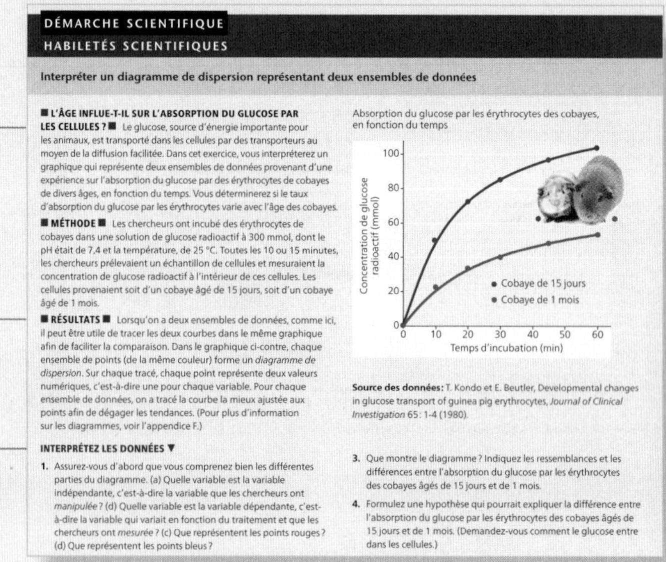

DÉMARCHE SCIENTIFIQUE
HABILETÉS SCIENTIFIQUES

Interpréter un diagramme de dispersion représentant deux ensembles de données

■ **L'ÂGE INFLUE-T-IL SUR L'ABSORPTION DU GLUCOSE PAR LES CELLULES ?** ■ Le glucose, source d'énergie importante pour les animaux, est transporté dans les cellules par des transporteurs au moyen de la diffusion facilitée. Dans cet exercice, vous interpréterez un graphique qui représente deux ensembles de données provenant d'une expérience sur l'absorption du glucose par des érythrocytes de cobayes de divers âges, en fonction du temps. Vous déterminerez si le taux d'absorption du glucose par les érythrocytes varie avec l'âge des cobayes.

■ **MÉTHODE** ■ Les chercheurs ont incubé des érythrocytes de cobayes dans une solution de glucose radioactif à 300 mmol, dont le pH était de 7,4 et la température, de 25 °C. Toutes les 10 ou 15 minutes, les chercheurs prélevaient un échantillon de cellules et mesuraient la concentration de glucose radioactif à l'intérieur de ces cellules. Les cellules provenaient soit d'un cobaye âgé de 15 jours, soit d'un cobaye âgé de 1 mois.

■ **RÉSULTATS** ■ Lorsqu'on a deux ensembles de données, comme ici, il peut être utile de tracer les deux courbes dans le même graphique afin de faciliter la comparaison. Dans le graphique ci-contre, chaque ensemble de points (de la même couleur) forme un *diagramme de dispersion*. Sur chaque tracé, chaque point représente deux valeurs numériques, c'est-à-dire une pour chaque variable. Pour chaque ensemble de données, on a tracé la courbe la mieux ajustée aux points afin de dégager les tendances. (Pour plus d'information sur les diagrammes, voir l'appendice F.)

Source des données: T. Kondo et E. Beutler, Developmental changes in glucose transport of guinea pig erythrocytes, *Journal of Clinical Investigation* 65: 1-4 (1980).

INTERPRÉTEZ LES DONNÉES ▼

1. Assurez-vous d'abord que vous comprenez bien les différentes parties du diagramme. (a) Quelle variable est la variable indépendante, c'est-à-dire la variable que les chercheurs ont *manipulée* ? (d) Quelle variable est la variable dépendante, c'est-à-dire la variable qui variait en fonction du traitement et que les chercheurs ont *mesurée* ? (c) Que représentent les points rouges ? (d) Que représentent les points bleus ?

3. Que montre le diagramme ? Indiquez les ressemblances et les différences entre l'absorption du glucose par les érythrocytes des cobayes âgés de 15 jours et de 1 mois.
4. Formulez une hypothèse qui pourrait expliquer la différence entre l'absorption du glucose par les érythrocytes des cobayes âgés de 15 jours et de 1 mois. (Demandez-vous comment le glucose entre dans les cellules.)

Exercices Habiletés scientifiques

Les habiletés scientifiques au service de la résolution de problème

■ **NOUVEAU !** ■ Des exercices **Résolution de problème** apprennent aux étudiants à mettre en pratique leurs habiletés scientifiques et à interpréter des données réelles pour résoudre un problème du monde réel.

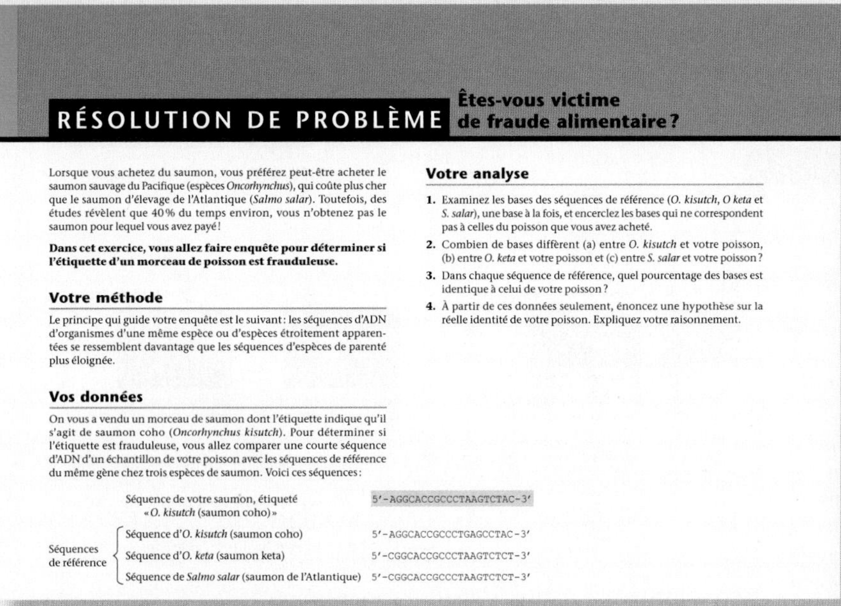

RÉSOLUTION DE PROBLÈME **Êtes-vous victime de fraude alimentaire ?**

Lorsque vous achetez du saumon, vous préférez peut-être acheter le saumon sauvage du Pacifique (espèces *Oncorhynchus*), qui coûte plus cher que le saumon d'élevage de l'Atlantique (*Salmo salar*). Toutefois, des études révèlent que 40 % du temps environ, vous n'obtenez pas le saumon pour lequel vous avez payé !

Dans cet exercice, vous allez faire enquête pour déterminer si l'étiquette d'un morceau de poisson est frauduleuse.

Votre méthode

Le principe qui guide votre enquête est le suivant : les séquences d'ADN d'organismes d'une même espèce ou d'espèces étroitement apparentées se ressemblent davantage que les séquences d'espèces de parenté plus éloignée.

Vos données

On vous a vendu un morceau de saumon dont l'étiquette indique qu'il s'agit de saumon coho (*Oncorhynchus kisutch*). Pour déterminer si l'étiquette est frauduleuse, vous allez comparer une courte séquence d'ADN d'un échantillon de votre poisson avec les séquences de référence du même gène chez trois espèces de saumon. Voici ces séquences :

	Séquence de votre saumon, étiqueté « *O. kisutch* (saumon coho) »	5′-AGGCACCGCCCTAAGTCTAC-3′
Séquences de référence	Séquence d'*O. kisutch* (saumon coho)	5′-AGGCACCGCCCTGAGCCTAC-3′
	Séquence d'*O. keta* (saumon keta)	5′-CGGCACCGCCCTAAGTCTCT-3′
	Séquence de *Salmo salar* (saumon de l'Atlantique)	5′-CGGCACCGCCCTAAGTCTCT-3′

Votre analyse

1. Examinez les bases des séquences de référence (*O. kisutch*, *O keta* et *S. salar*), une base à la fois, et encerclez les bases qui ne correspondent pas à celles du poisson que vous avez acheté.
2. Combien de bases diffèrent (a) entre *O. kisutch* et votre poisson, (b) entre *O. keta* et votre poisson et (c) entre *S. salar* et votre poisson ?
3. Dans chaque séquence de référence, quel pourcentage des bases est identique à celui de votre poisson ?
4. À partir de ces données seulement, énoncez une hypothèse sur la réelle identité de votre poisson. Expliquez votre raisonnement.

Exercices Résolution de problème

UN OUVRAGE AXÉ SUR LA DÉMARCHE SCIENTIFIQUE

Les figures **Investigation** montrent d'où viennent nos connaissances en présentant comment les chercheurs conçoivent une expérience, interprètent ses résultats et en tirent des conclusions.

DÉMARCHE SCIENTIFIQUE
INVESTIGATION

▼ **Figure 1.25**
Le camouflage modifie-t-il le taux de prédation de deux populations de souris ?

■ **HYPOTHÈSE** ■ Hopi Hoekstra et ses collègues ont vérifié l'hypothèse voulant que la couleur du pelage serve de camouflage qui protège de la prédation deux populations de souris (*Peromyscus polionotus*), l'une vivant sur les plages, et l'autre, à l'intérieur des terres.

■ **EXPÉRIENCE** ■ Les chercheurs ont fabriqué et peint de fausses souris de façon qu'elles ressemblent à celles vivant sur la plage (couleur claire) ou à celles vivant à l'intérieur des terres (couleur foncée). Ensuite, ils ont éparpillé les deux sortes de fausses souris dans chaque habitat. Le lendemain matin, ils ont compté les fausses souris endommagées ou manquantes.

■ **RÉSULTATS** ■ Pour chaque habitat, les chercheurs ont calculé le pourcentage de fausses souris claires et foncées qui avaient été attaquées durant la nuit. Dans un habitat comme dans l'autre, les [...] avaient été attaquées beaucoup plus [...]uris indigènes.

Habitat : plage

[...]es souris [...]ènes (claires) — Fausses souris non indigènes (foncées)

[...]ur indigène [...]e témoin) — Couleur non indigène (groupe expérimental)

Habitat : intérieur des terres

Fausses souris non indigènes (claires) — Fausses souris indigènes (foncées)

Couleur non indigène (groupe expérimental) — Couleur indigène (groupe témoin)

■ **CONCLUSION** ■ Les résultats corroborent la prédiction des chercheurs, à savoir que les fausses souris indigènes seraient attaquées moins souvent par les prédateurs que les fausses souris non indigènes. L'expérience a donc permis de confirmer l'hypothèse de départ.

Source des données : S. N. Vignieri, J. G Larson et H. E. Hoekstra, The selective advantage of crypsis in mice, *Evolution* 64 : 2153-2158 (2010).

INTERPRÉTEZ LES DONNÉES ▶ Les bandes du tableau indiquent le pourcentage de fausses souris claires ou foncées qui ont été attaquées. Supposez que 100 fausses souris ont été attaquées dans chaque habitat. Sur la plage, combien de souris de couleur claire ont été attaquées, et combien de souris foncées ? Répondez à la même question, mais pour l'intérieur des terres.

DÉMARCHE SCIENTIFIQUE
MÉTHODE DE RECHERCHE

▼ **Figure 5.21**
La cristallographie par diffraction de rayons X

■ **APPLICATION** ■ Les scientifiques utilisent la cristallographie par diffraction de rayons X pour déterminer la structure tridimensionnelle (3D) de macromolécules telles que des acides nucléiques et des protéines.

■ **TECHNIQUE** ■ On dirige un faisceau de rayons X sur une protéine cristallisée ou sur un acide nucléique cristallisé. Les atomes du cristal diffractent (dévient) les rayons X selon une disposition ordonnée qu'un détecteur numérique enregistre sous la forme d'un ensemble de points qui détermine une « figure de diffraction des rayons X », dont on voit une illustration ci-dessous.

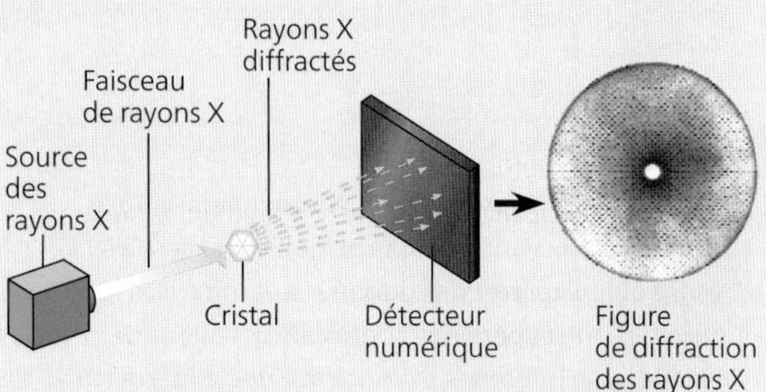

■ **RÉSULTATS** ■ À l'aide des données provenant des différentes figures de diffraction des rayons X, ainsi que de la séquence des acides aminés déterminée par des méthodes chimiques, les chercheurs peuvent élaborer un modèle informatique tridimensionnel de la macromolécule étudiée, comme la transthyrétine qu'on voit ici avec ses quatre sous-unités (voir la figure 5.18).

Les figures **Méthode de recherche** initient les étudiants aux techniques et aux outils de la biologie d'aujourd'hui.

UN OUVRAGE FAVORISANT LE DÉVELOPPEMENT DES HABILETÉS VISUELLES

■ **NOUVEAU !** ■ Les figures **Coup d'œil** montrent comment interpréter des schémas et des modèles en biologie. Les questions qui les accompagnent permettent aux étudiants de s'exercer à utiliser leurs habiletés visuelles pendant qu'ils examinent attentivement la figure.

■ **NOUVEAU !** ■ Les questions **Habiletés visuelles** donnent aux étudiants de multiples occasions d'interpréter des illustrations et des photos du manuel.

COUP D'ŒIL ▼ **Figure 26.5** **La représentation des liens phylogénétiques**

Un arbre phylogénétique est une représentation visuelle des liens présumés entre différents groupes d'organismes. Cette figure montre en quoi la forme d'un arbre est révélatrice.

Les parties d'un arbre

Cet arbre représente les liens entre les cinq groupes d'organismes situés à l'extrémité de chaque branche, ou taxon. Chaque point de bifurcation (nœud) représente l'ancêtre commun à partir duquel des lignées ont divergé.

Ce point de bifurcation représente l'ancêtre commun de tous les groupes d'animaux figurant dans cet arbre.

Poissons
Grenouilles
Lézards
Chimpanzés
Humains

Chaque branche horizontale correspond à une **lignée évolutive**. La longueur de la branche est arbitraire, sauf s'il est précisé qu'elle porte un sens et qu'elle représente par exemple le temps ou le nombre de changements génétiques (voir la figure 26.13).

Chaque position le long d'une branche représente un ancêtre de la lignée menant au taxon situé à l'extrémité de la branche.

Les **groupes frères** regroupent des animaux dont l'ancêtre commun n'appartient à aucun autre groupe; ils forment donc des groupes apparentés. Dans cet arbre, les chimpanzés et les humains sont un exemple de groupes frères.

? **1.** Selon cet arbre, quels groupes d'animaux sont le plus étroitement apparentés aux grenouilles ?

? **2.** Indiquez quelle partie du diagramme représente l'ancêtre commun le plus récent des grenouilles et des humains.

Autres formes d'arbres

On considère ces diagrammes comme des arbres parce qu'ils utilisent l'analogie visuelle des branches pour représenter des lignées évolutives divergeant au fil du temps. Dans ce manuel, les arbres sont généralement présentés sous forme horizontale, comme ci-dessus. Cependant, il est possible de construire le même arbre à la verticale ou en diagonale sans que les liens qu'il représente soient modifiés.

Poissons Grenouilles Lézards Chimpanzés Humains
Arbre vertical

Poissons Grenouilles Lézards Chimpanzés Humains
Arbre diagonal

? **3.** Combien de groupes frères trouve-t-on dans ces deux arbres ? Où sont-ils situés ?

? **4.** Redessinez l'arbre horizontal de la figure 26.2 sous forme d'arbre vertical et d'arbre diagonal.

La rotation autour de l'axe d'un point de bifurcation

La rotation des branches d'un arbre autour de l'axe d'un point de bifurcation ne modifie pas les liens évolutifs. En effet, l'ordre dans lequel les taxons apparaissent au bout des branches n'a aucune importance. C'est la disposition des nœuds qui est importante, car elle illustre l'ordre dans lequel les lignées ont divergé à partir d'ancêtres communs.

Poissons
Grenouilles
Lézards
Chimpanzés
Humains

Remarque: L'ordre des taxons ne représente PAS une séquence de l'évolution ayant conduit au dernier taxon représenté (dans cet arbre, les humains).

L'arbre de droite résulte d'une rotation des branches de l'arbre de gauche autour des trois nœuds en bleu.

Grenouilles
Humains
Chimpanzés
Lézards
Poissons

? **5.** Redessinez l'arbre de droite en effectuant une rotation autour du point de bifurcation en vert. Indiquez quels sont les deux animaux le plus étroitement apparentés aux humains, comme le montre chacun des trois arbres. Expliquez votre réponse.

608 CINQUIÈME PARTIE La diversité biologique à travers l'évolution

▼ **Figure 7.2 Une bicouche de phospholipides (en coupe transversale).**

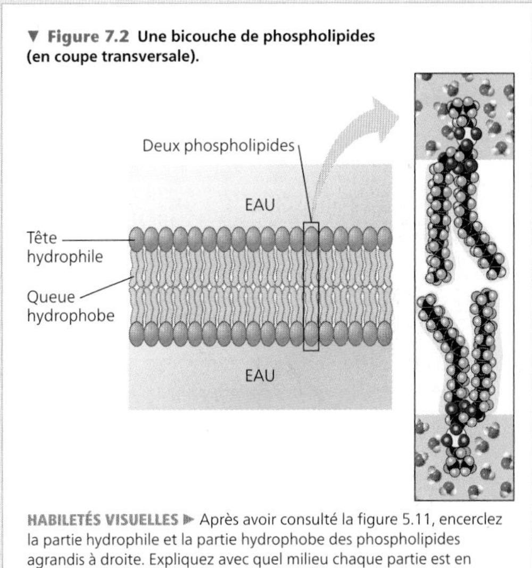

HABILETÉS VISUELLES ► Après avoir consulté la figure 5.11, encerclez la partie hydrophile et la partie hydrophobe des phospholipides agrandis à droite. Expliquez avec quel milieu chaque partie est en contact lorsque ces phospholipides forment une membrane plasmique.

Figures Coup d'œil

■ **AMÉLIORATION** ■
En répondant aux questions **Faites un dessin**, les étudiants s'exercent à la représentation visuelle. Ils doivent dessiner une structure, annoter une figure ou représenter graphiquement des données expérimentales.

◄ **Figure 2.17 La photosynthèse: une réorganisation de la matière grâce à l'énergie lumineuse.** Cette élodée (*Elodea canadensis*), une plante d'eau douce, produit un sucre en combinant différemment les atomes de dioxyde de carbone et d'eau grâce à un processus biochimique appelé photosynthèse. La lumière du Soleil fournit l'énergie nécessaire à cette transformation chimique. Une grande partie du sucre produit est convertie par la suite en d'autres molécules nutritives. L'oxygène gazeux (O_2) est un produit secondaire de la photosynthèse; notez les bulles d'O_2 qui s'échappent des feuilles submergées.

FAITES UN DESSIN ► Ajoutez des flèches et des mots sur la photo pour représenter les réactifs et les produits de la photosynthèse telle qu'elle a lieu dans une feuille.

UN OUVRAGE FAVORISANT L'ÉTABLISSEMENT DE LIENS

■ **NOUVEAU !** ■ Onze figures **Faites des liens** puisent du contenu dans différents chapitres et offrent une représentation visuelle globale des relations entre ces contenus.

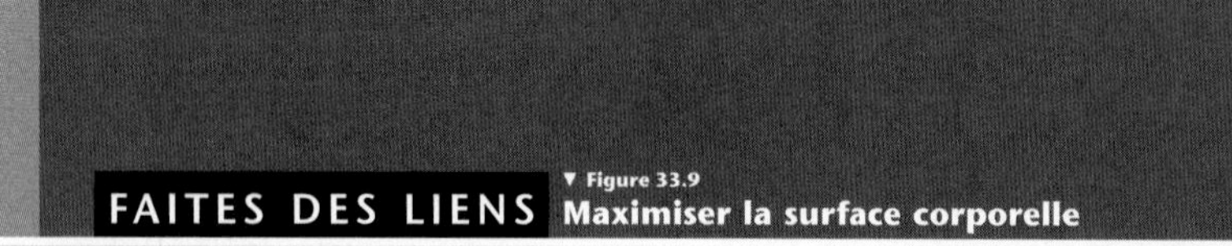

FAITES DES LIENS ▼ Figure 33.9 **Maximiser la surface corporelle**

En général, l'activité métabolique ou chimique d'un organisme est proportionnelle à sa masse ou à son volume. L'optimisation du métabolisme exige toutefois la capacité de capter efficacement l'énergie et les matières premières (nutriments, O_2) et celle d'éliminer les résidus. Or, les processus d'échanges risquent d'être limités par de simples règles géométriques pour les cellules de grande taille et chez les végétaux et les animaux. En effet, quand une cellule ou un organisme croissent sans changer de forme, leur volume augmente plus rapidement que leur surface (voir la figure 6.7). Par conséquent, lorsque la taille augmente, la surface sur laquelle se déroulent les processus d'échange est proportionnellement inférieure. Ce défi découlant de la relation entre la surface corporelle et le volume se pose dans différents contextes et touche divers organismes, mais les adaptations évolutives acquises pour y remédier sont similaires. Les structures qui maximisent la surface corporelle, que ce soit par leur forme aplatie, leurs replis, la formation de ramifications ou la présence de projections, jouent un rôle essentiel dans les systèmes biologiques.

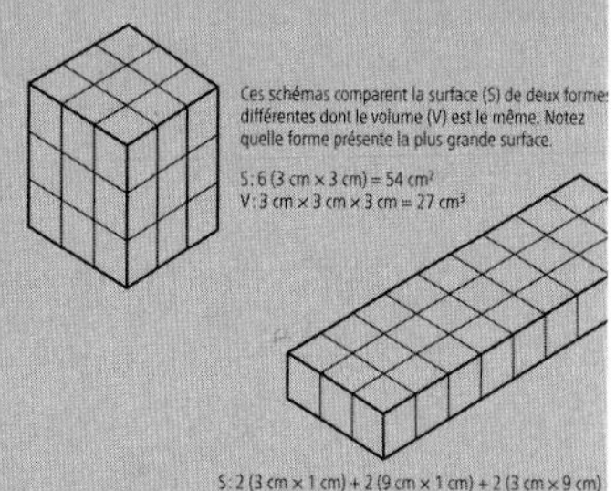

Ces schémas comparent la surface (S) de deux formes différentes dont le volume (V) est le même. Notez quelle forme présente la plus grande surface.
S : 6 (3 cm × 3 cm) = 54 cm²
V : 3 cm × 3 cm × 3 cm = 27 cm³
S : 2 (3 cm × 1 cm) + 2 (9 cm × 1 cm) + 2 (3 cm × 9 cm)
V : 1 cm × 3 cm × 9 cm = 27 cm³

▸ **Forme aplatie**

Un organisme dont le corps n'a que quelques cellules d'épaisseur, comme ce ver plat, peut consacrer l'ensemble de sa surface corporelle aux échanges. (Voir la figure 40.3.)

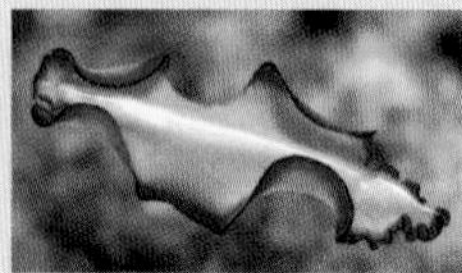

▾ **Ramifications**

L'absorption de l'eau repose sur le transport passif. Les filaments extrêmement ramifiés du mycélium d'un champignon augmentent la surface d'absorption de l'eau et des minéraux provenant de l'environnement. (Voir la figure 31.2.)

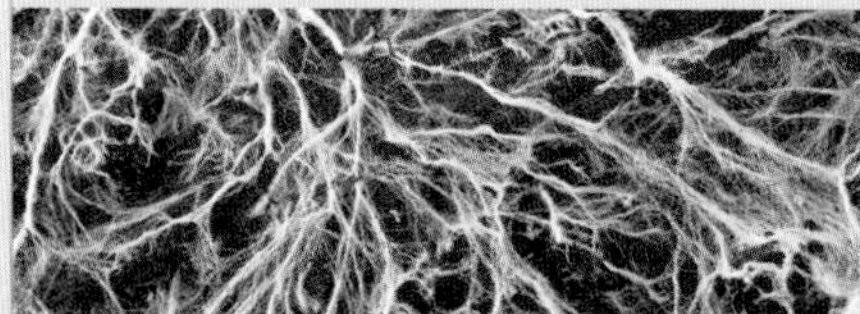

▸ **Replis**

Cette MET montre certaines parties de deux chloroplastes situés dans la feuille d'une plante. La photosynthèse a lieu dans les chloroplastes, constitués de regroupements aplatis et interconnectés de membranes internes connues sous le nom de membranes des thylakoïdes (un empilement de membranes thylakoïdes se nomme *granum*). Les replis de ces membranes augmentent la surface globale de la structure, ce qui accroît l'exposition à la lumière et le taux de photosynthèse. (Voir la figure 10.4.)

▾ **Projections**

Chez les vertébrés, l'intestin grêle est tapissé de villosités formées de projections filiformes à travers lesquelles sont absorbés les nutriments libérés par la digestion des aliments. Chacune des villosités représentées dans cette figure est couverte d'un grand nombre de projections microscopiques appelées microvillosités. Ainsi, chez les humains, la surface totale de l'intestin atteint près de 300 m², soit l'équivalent d'un terrain de tennis. (Voir la figure 41.12.)

FAITES DES LIENS ▸ Nommez d'autres exemples de formes aplaties, de replis, de ramifications et de projections (voir les chapitres 6, 9, 35 et 42). Pour chaque exemple, expliquez pourquoi la maximisation de la surface est importante par rapport à la fonction exercée par la structure.

762 CINQUIÈME PARTIE La diversité biologique à travers l'évolution

Figures Faites des liens

Dans chaque chapitre, les questions **Faites des liens** demandent aux étudiants de relier le contenu de ce chapitre à des notions présentées plus tôt dans le cours.

UN REGARD INDISPENSABLE SUR LES PROBLÉMATIQUES D'AUJOURD'HUI

Signe des temps, les enjeux environnementaux – et plus spécialement les changements climatiques – sont largement abordés, tant dans le contenu théorique que dans les exemples illustrés. Une approche nécessaire pour mieux préparer les scientifiques de demain.

Par exemple, une figure concerne les effets des changements climatiques sur la répartition d'une espèce clé.

▼ **Figure 52.20 L'extension de l'aire naturelle de l'ou à longues épines.** Depuis 1950, l'aire de répartition de l'ou *C. rodgersii* vers le sud s'est étendue à la suite de l'élévatior température des eaux le long de la côte de Tasmanie. Les d orangé indiquent les années où des oursins de cette espèce observés à cet endroit pour la première fois. Lorsque les pc d'oursins sont bien établies, elles éli les communautés de varech.

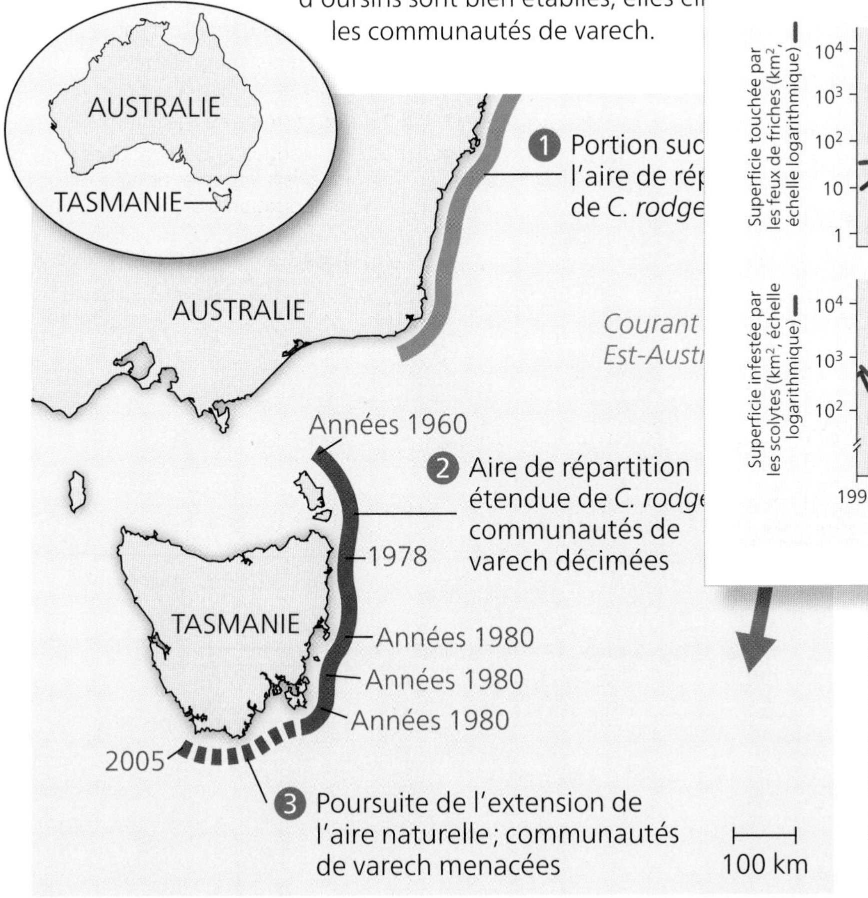

▼ **Figure 55.8 Les changements climatiques, les feux de friches et les infestations d'insectes.** Les forêts du Sud-Ouest américain subissent de longs épisodes de sécheresse accompagnés de températures plus élevées qu'auparavant parce que les étés sont plus chauds, et les hivers, moins neigeux. L'indice du stress causé par la sécheresse montre à quel point ces conditions fragilisent les arbres. Plus la valeur de l'indice est élevée, plus la sécheresse est grave et plus la superficie touchée par les feux de friches (en haut) et infestée par les scolytes (en bas) est élevée. Ces coléoptères xylophages (mangeurs de bois) s'attaquent spécifiquement aux arbres dont les défenses sont affaiblies par le stress occasionné par le manque d'eau.

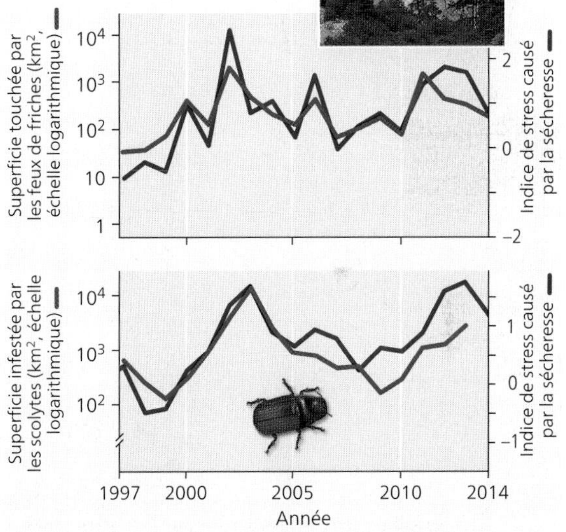

Une figure illustre la façon dont les changements climatiques causent une augmentation des feux de friches et des infestations d'insectes.

CAMPBELL

BIOLOGIE

5e ÉDITION

LISA A. URRY • MICHAEL L. CAIN • STEVEN A. WASSERMAN • PETER V. MINORSKY • JANE B. REECE

Adaptation française

Antoine Campeau-Péloquin
et Chantal Racine

avec la collaboration de Sophie Dubé

ERPI

Développement de projet
Philippe Dubé et Karine Bastin

Gestion de projet
Sylvie Chapleau

Traduction
Annie Desbiens et Karine Quessy

Révision linguistique
Jean-Pierre Regnault

Correction d'épreuves
Marie-Claude Rochon (Scribe Atout)

Recherche iconographique et libération de droits
Marie-Joëlle Charron

Direction artistique
Hélène Cousineau

Gestion des réalisations graphiques
Estelle Cuillerier

Conception et réalisation de la couverture
Carla da Silva Flor

Conception et réalisation graphique
Marquis Interscript inc.

Authorized translation from the English language edition entitled CAMPBELL BIOLOGY, 11th edition by LISA URRY ; MICHAEL CAIN ; STEVEN WASSERMAN ; PETER MINORSKY ; JANE REECE, published by Pearson Education, Inc, publishing as Benjamin Cummings, Copyright © 2017 Pearson Education, Inc.

All rights reserved. No part of this book may be reproduced or transmitted in any form or by any means, electronic or mechanical, including photocopying, recording or by any information storage retrieval system, without permission from Pearson Education, Inc.

FRENCH language edition published by ERPI, Copyright © 2020.

Cet ouvrage est une version française de la onzième édition de *Campbell Biology* de Lisa Urry, Michael Cain, Steven Wasserman, Peter Minorsky, Jane Reece, publiée et vendue à travers le monde avec l'autorisation de Pearson Education, Inc.

© ÉDITIONS DU RENOUVEAU PÉDAGOGIQUE INC. (ERPI), 2020
Membre du groupe Pearson Education depuis 1989

1611, boulevard Crémazie Est, 10e étage
Montréal (Québec) H2M 2P2
Canada
Téléphone : 514 334-2690
Télécopieur : 514 334-4720
information@pearsonerpi.com
pearsonerpi.com

DANGER
LE
PHOTOCOPILLAGE
TUE LE LIVRE

Tous droits réservés.
On ne peut reproduire aucun extrait de ce livre sous quelque forme ou par quelque procédé que ce soit — sur machine électronique, mécanique, à photocopier ou à enregistrer, ou autrement — sans avoir obtenu, au préalable, la permission écrite des ÉDITIONS DU RENOUVEAU PÉDAGOGIQUE INC.

Dépôt légal – Bibliothèque et Archives nationales du Québec, 2020
Dépôt légal – Bibliothèque et Archives Canada, 2020

Imprimé au Canada

ISBN 978-2-7613-6797-4 1234567890 II 24 23 22 21 20
(82021490) 20731 ABCD SM9

À PROPOS DES AUTEURS

Lisa A. Urry est professeure de biologie et présidente du Département de biologie du Mills College. Après l'obtention de son baccalauréat à la Tufts University, elle a obtenu un doctorat du Massachusetts Institute of Technology (MIT). Lisa a réalisé des recherches sur l'expression génique durant le développement embryonnaire et larvaire des oursins verts. Profondément engagée à promouvoir les possibilités en science pour les femmes et les minorités sous-représentées, elle a donné différents cours d'introduction à la biologie et de biologie du développement de même qu'un cours destiné aux personnes se spécialisant dans des domaines autres que scientifiques intitulé *Evolution for Future Presidents* (L'évolution pour les futurs présidents).

Michael L. Cain est un écologiste et un biologiste évolutionniste qui se consacre maintenant à temps plein à l'écriture. Michael a obtenu un baccalauréat du Bowdoin College, une maîtrise de la Brown University et un doctorat de la Cornell University. Professeur à la New Mexico State University, il a donné des cours d'introduction à la biologie, d'écologie, d'évolution, de botanique et de biologie de conservation. Michael a rédigé des douzaines d'articles scientifiques sur de nombreux sujets, notamment sur les comportements ravageurs chez les insectes et les végétaux, la dissémination des graines sur de longues distances et la spéciation chez les grillons. Il est coauteur d'un manuel d'écologie.

Steven A. Wasserman est professeur de biologie à la University of California à San Diego (UCSD). Il a obtenu un baccalauréat de la Harvard University et un doctorat du MIT. Steven s'est servi des drosophiles pour mener différentes recherches dans les domaines de la biologie du développement, de la reproduction et de l'immunité. À titre de professeur, il a enseigné la génétique, le développement et la physiologie à des étudiants du premier cycle et des cycles supérieurs, ainsi qu'à des étudiants en médecine. Il donne maintenant un cours d'introduction à la biologie pour lequel il a reçu le prix d'excellence en enseignement de la UCSD.

Peter V. Minorsky est professeur de biologie au Mercy College à New York, où il donne des cours d'introduction à la biologie, d'écologie et de botanique. Il a obtenu un baccalauréat du Vassar College et un doctorat de la Cornell University. Peter a enseigné au Kenyon College, à l'Union College, à la Western Connecticut State University et au Vassar College; il est également rédacteur scientifique pour la revue *Plant Physiology*. Dans le cadre de ses recherches, il s'intéresse à la façon dont les végétaux perçoivent les changements environnementaux. Peter a reçu le prix d'excellence en enseignement 2008 du Mercy College.

Jane B. Reece a été la chef de l'équipe d'auteurs des éditions 8 à 10 de l'ouvrage *Campbell Biology*, après avoir été la collaboratrice de longue date de Neil Campbell. Jane a enseigné la biologie au Middlesex County College et au Queensborough Community College. Elle détient un baccalauréat de la Harvard University, une maîtrise de la Rutgers University et un doctorat de la University of California (UC) à Berkeley. Durant son doctorat à la UC à Berkeley, et son stage postdoctoral à la Stanford University, ses travaux de recherche portaient sur la recombinaison génétique chez les bactéries.

Neil A. Campbell (1946-2004) a obtenu sa maîtrise de la University of California à Los Angeles, et son doctorat de la University of California (UC) à Riverside. Ses travaux de recherche portaient sur les végétaux du désert et des régions côtières. Pendant 30 ans, Neil a enseigné des cours d'introduction à la biologie à la Cornell University, au Pomona College et au San Bernardino Valley College, où il a reçu en 1986 le tout premier prix d'excellence en enseignement du collège. Pendant de nombreuses années, il a également été chercheur invité à la UC à Riverside. Neil a été le premier auteur de l'ouvrage *Campbell Biology*.

À PROPOS DES ADAPTATEURS

Antoine Campeau-Péloquin enseigne depuis 2003 l'évolution et la diversité ainsi que l'anatomie et la physiologie du vivant aux étudiants en sciences de la nature de même que la culture cellulaire, la biologie moléculaire et le génie génétique aux étudiants en techniques de biotechnologies. Il détient une maîtrise en biologie moléculaire, un baccalauréat en écologie ainsi qu'un certificat en enseignement collégial. Très engagé dans tous les aspects de son travail, il a été coordinateur de son département et des programmes de Biotechnologies et de Sciences de la nature au Cégep de Saint-Hyacinthe ainsi que professeur chercheur dans un centre de transfert de technologie. En 2017, il reçoit la mention d'honneur de l'AQPC pour la qualité de son travail et sa contribution à l'évolution de l'enseignement. Il est également coauteur d'un manuel sur la culture cellulaire.

Chantal Racine a longtemps enseigné la biologie et les biotechnologies au Collège Ahuntsic où elle est actuellement directrice adjointe aux études. Formée d'abord en microbiologie à l'Université Laval puis en génie génétique, elle été chercheuse en biochimie à l'Université de Montréal tout en complétant un certificat en pédagogie de niveau collégial à l'UQÀM. Lauréate de l'ACFAS en 2002, elle a fait de la vulgarisation scientifique à la télé et dans des magazines, a rédigé et révisé du matériel didactique en science et techno pour le secondaire (papier et numérique) et enseigné dans de nombreux contextes forts différents (cégeps, université du troisième âge, écoles privées, entreprises). Après une maîtrise en sciences de l'éducation de l'Université de Sherbrooke (2016), elle a été conseillère pédagogique à la réussite au collégial et a donné des ateliers-conférences sur les stratégies pédagogiques favorisant l'engagement étudiant. Sa passion : stimuler les esprits !

REMERCIEMENTS

Nous tenons d'abord à remercier les membres de l'équipe Pearson ERPI : Philippe Dubé, Karine Bastin et Sylvie Chapleau. À souligner, le rôle indispensable de Sylvie, gestionnaire de projets, présente depuis la toute première édition ; rien n'échappe à son œil critique et ses sages avis assurent un résultat d'une qualité exceptionnelle. Merci ensuite à Annie Desbiens et à Karine Quessy pour la traduction de la 11e édition américaine. Leur précision et leur rigueur ont grandement facilité le travail d'adaptation. Un grand merci à Jean-Pierre Regnault, pour son immense travail de révision linguistique. Toujours prêt et disponible, c'est un collaborateur précieux et rigoureux. Ses suggestions et ses conseils ont grandement contribué à la clarté de cet ouvrage. Merci également à Marie-Claude Rochon pour la correction d'épreuves, son œil de lynx et sa grande précision ont été essentiels à l'uniformité de ce livre de référence.

Antoine Campeau-Péloquin et Chantal Racine

Je tiens à remercier chaleureusement Sophie Roy et Marc Dufour, enseignants de biologie, dont les conseils et suggestions ont permis de clarifier certaines sections portant sur l'anatomie et la physiologie végétales et animales ; merci aux enseignants de biologie du Cégep de Saint-Hyacinthe, pour votre dynamisme, vos encouragements et votre passion de la biologie ; merci à mes amis et collègues (Félix, Marc, Claude, Maryse, Nicolas et Dominic), pour votre soutien et vos encouragements ; merci à mes deux filles, Capucine et Pénélope, et à Sophie, pour votre amour, votre patience, votre compréhension et votre soutien ; merci à mes parents, Solange Campeau et Jean Péloquin, pour leur amour, leur soutien, et pour avoir partagé avec moi le goût de la nature, de l'aventure et des nouveaux projets.

Antoine Campeau Péloquin

Je tiens à remercier chaleureusement François-Joseph Lapointe, dont les critiques pertinentes ont permis de bonifier certaines sections traitant de l'évolution et de la taxonomie ; merci à Nathalie Vallée et à Charles Duffy, respectivement directrice générale et directeur des études au Collège Ahuntsic, pour leur grand professionnalisme et leurs valeurs inspirantes ; merci aux enseignants de biologie et biotechnologies aussi, dont l'enthousiasme et l'esprit critique se combinent en parfait équilibre pour la réussite étudiante ; merci à mes amis (Danielle, Alain, Lizabel, Éric, Dominique, Samaël et mes chers amis de l'ensemble vocal jazz *Bémol 9*, en particulier), pour leur curiosité et leurs encouragements qui sont toujours appréciés ; merci à mes quatre filles, Claudiane, Éloïse, Noémie et Anouk, mes plus beaux projets biologiques ; merci à Michel Huneault pour son amour indéfectible et à mes parents, Yvette Michelin, flécherande, et le défunt Jean Racine, mes tout premiers éducateurs qui m'ont légué ce désir d'apprendre qui m'habite encore aujourd'hui.

Chantal Racine

L'éditeur tient à remercier les enseignants qui ont pris le temps de donner leurs commentaires dans les sondages en ligne portant sur cette nouvelle édition.

Il remercie également les enseignants ayant évalué les versions anglaises du Campbell afin de déterminer si elles offraient des nouveautés pertinentes pour l'enseignement :

- Annick Caron, Collège Lionel-Groulx
- Martin Chouinard, Cégep de l'Outaouais
- Danielle Cloutier, Cégep de Sherbrooke
- Marc-Olivier D'Astous, Collège Montmorency
- Patrick Fillion, Cégep de l'Outaouais
- Edith Gruslin, Collège Ahuntsic

- Geneviève Lebel, Collège André-Grasset
- Louis-Philippe Ménard, Collège Édouard-Montpetit
- Nicolas Parent, Cégep de Drummondville
- Martin Soucy, Cégep de l'Outaouais
- Fabienne Vozy, Cégep Saint-Jean-sur-Richelieu

Un merci spécial à Chantal Proulx du Collège de Bois-de-Boulogne qui travaille sur les ressources numériques et les animations de biologie depuis plusieurs années. Merci également à Hugo Larouche-Trottier du Cégep de l'Outaouais pour ses suggestions et commentaires à propos de l'offre numérique. Nous tenons à souligner l'excellent travail de Marielle Morand-Contant du Cégep de Chicoutimi sur les ressources numériques offertes avec cette nouvelle édition.

Merci à Louis Tessier et à ses étudiants du Cégep de Shawinigan pour leur participation au projet d'Etext 2.0. Vos commentaires ont été très appréciés.

PRÉFACE

Nous sommes heureux de présenter la 5e édition française de *Biologie*. Depuis trois décennies, *Biologie* est le manuel préféré en sciences biologiques dans les cégeps. Traduit en 19 langues, *Biologie* a permis à des millions d'étudiants d'acquérir des bases solides en biologie de niveau collégial. Cette réussite témoigne non seulement de la vision fondatrice de Neil Campbell, mais aussi du dévouement des centaines de réviseurs qui, avec les rédacteurs, les graphistes et les autres collaborateurs, ont donné forme à cet ouvrage.

Nos objectifs pour cette 5e édition sont les suivants:

- **Améliorer la littératie visuelle** des étudiants par l'ajout de figures, de questions et d'exercices qui aident à développer les compétences nécessaires pour comprendre et créer des représentations visuelles de structures et processus biologiques.
- Donner aux étudiants des occasions d'**exercer leurs habiletés scientifiques** dans des contextes où ils doivent interpréter les données recueillies au cours d'expériences faites par de vrais chercheurs ou résoudre un problème du monde réel.
- Préparer les futurs scientifiques à résoudre les problématiques de demain par l'étude des notions fondamentales de l'écologie et des enjeux environnementaux.

Notre point de départ, comme toujours, réside dans notre volonté de créer un texte et des représentations graphiques qui sont exacts et actuels, et qui reflètent notre passion pour l'enseignement de la biologie.

Comme dans toute nouvelle édition de *Biologie*, la 5e édition française intègre du **nouveau contenu** et des **améliorations pédagogiques**. L'actualisation de *Biologie* tient compte des changements incessants qui ont fait avancer la technologie et les connaissances dans plusieurs domaines: la génomique, l'édition génique (le système CRISPR), la biologie évolutionniste, la microbiologie et plus encore. En outre, une révision notable de la huitième partie, consacrée à l'écologie, a permis d'améliorer le cadre conceptuel de la matière essentielle (comme la croissance démographique, les interactions entre espèces et la dynamique des communautés) et d'intégrer plus en profondeur les principes de l'évolution.

Les caractéristiques distinctives de cet ouvrage

Les enseignants de cours d'introduction à la biologie ont une tâche complexe à accomplir: aider les étudiants à acquérir un cadre conceptuel dans lequel organiser une quantité d'information qui ne cesse d'augmenter. Les caractéristiques distinctives de *Biologie* permettent de faciliter la mise en place de ce cadre tout en favorisant une meilleure compréhension de la biologie et de la démarche scientifique. Dans chaque chapitre du manuel, au moins une section porte expressément sur les aspects relatifs à l'évolution dans le contenu de ce chapitre.

Pour aider les étudiants à «distinguer la forêt des arbres», chaque chapitre s'articule autour de trois à sept **concepts clés** soigneusement choisis. Le texte du chapitre, les questions de *Retour sur le concept* et le *Résumé des concepts clés* concourent tous à la consolidation de ces concepts clés et des faits essentiels.

Comme le texte et les illustrations sont d'importance égale dans l'étude de la biologie, l'**intégration des figures et du texte** est également une caractéristique distinctive de *Biologie* depuis sa conception. En plus des nouvelles figures *Coup d'œil* et *Faites des liens*, nos populaires figures *Panorama* contribuent à cette intégration. Chacun des *Panorama* constitue une unité d'apprentissage essentielle qui réunit illustrations et texte.

Pour stimuler l'**apprentissage par l'action**, cette édition intègre de multiples occasions pour les étudiants de s'arrêter afin de réfléchir à ce qu'ils lisent, et ils sont alors souvent appelés à prendre crayon et papier pour faire un dessin, annoter une figure ou représenter graphiquement des données. Nombre de questions contribuent à l'apprentissage par l'action: *Habiletés visuelles, Faites un dessin, Faites des liens, Et si?, Interprétez les données*, sans oublier les questions des figures et du résumé des concepts clés. Pour répondre à ces questions, les étudiants doivent demeurer actifs, et réfléchir bien sûr, ce qui les aide à développer une des compétences de base: communiquer des résultats scientifiques.

Enfin, l'ouvrage *Biologie* s'est toujours intéressé à la **recherche scientifique**, une composante essentielle à tout cours de biologie. Conçues pour enrichir le récit de découvertes scientifiques décrites dans le texte, les figures *Investigation* aident les étudiants à comprendre d'où viennent nos connaissances et leur fournissent un modèle de raisonnement scientifique. Chaque *Investigation* commence par une question de recherche, puis décrit comment les chercheurs ont conçu l'expérience et interprété ses résultats avant d'en tirer des conclusions. Ces questions de recherche permettent aux étudiants de mettre en pratique la pensée scientifique, tout comme les exercices des rubriques *Résolution de problème* et *Habiletés scientifiques* ainsi que les questions *Interprétez les données*. Collectivement, ces activités sont autant d'occasions de mettre en pratique le raisonnement logique et la démarche scientifique.

FIGURES CLÉS

Coup d'œil

Faites des liens

Panorama

Investigation

Méthode de recherche

TABLE DES MATIÈRES

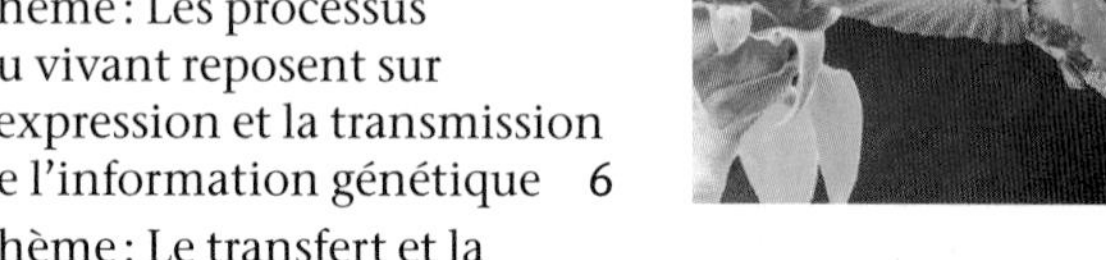

DEUXIÈME PARTIE

LA CELLULE

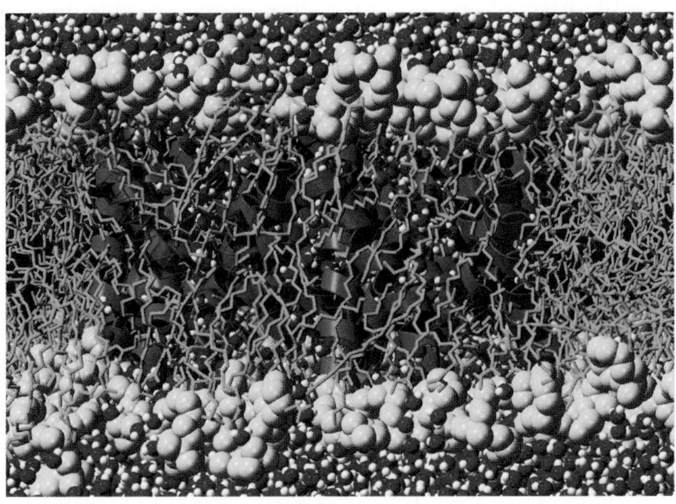

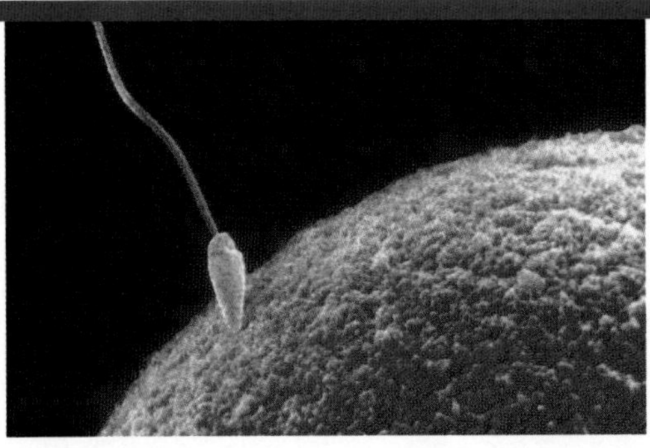

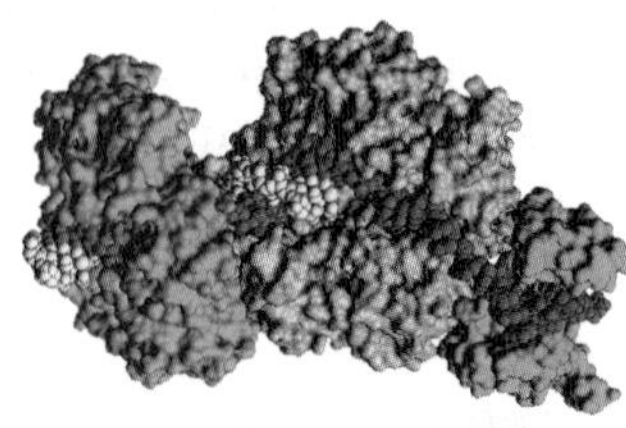

17 L'expression génétique : du gène à la protéine 369

18 La régulation de l'expression génétique 399

CINQUIÈME PARTIE

LA DIVERSITÉ BIOLOGIQUE À TRAVERS L'ÉVOLUTION

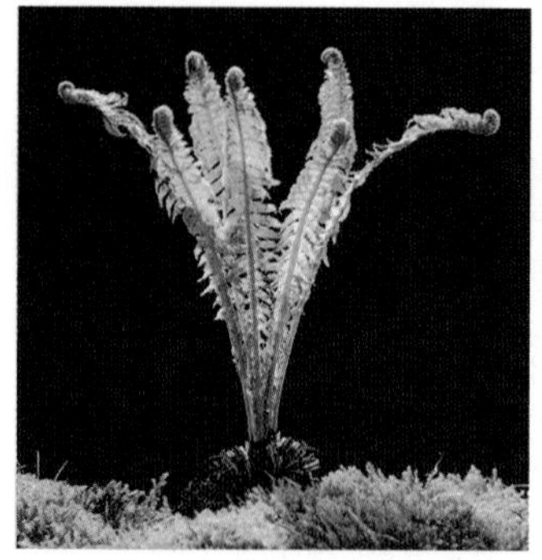

SIXIÈME PARTIE

ANATOMIE ET PHYSIOLOGIE VÉGÉTALES

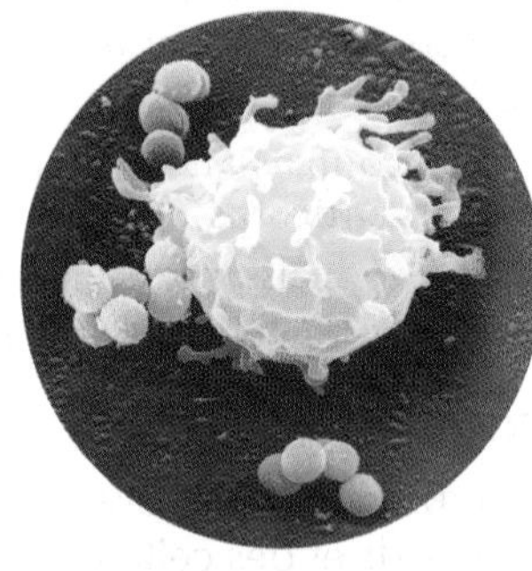

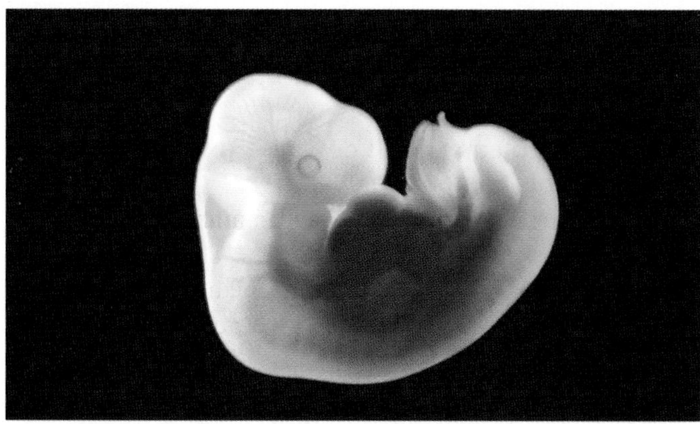

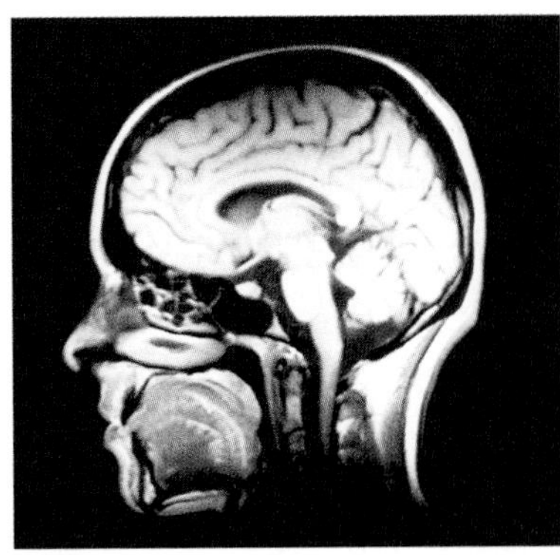

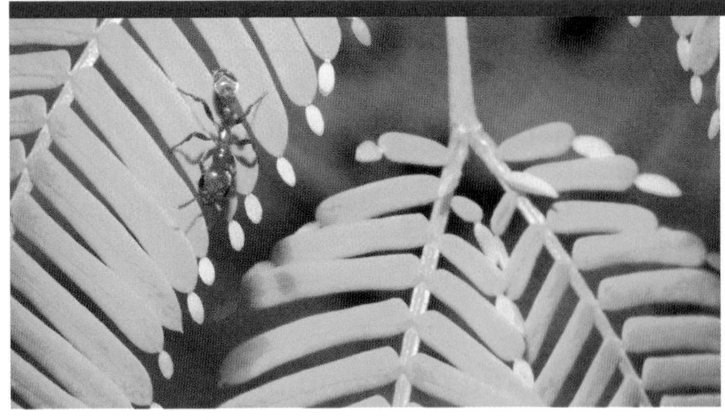

54 L'écologie des communautés 1331

55 Les écosystèmes et l'écologie de la restauration 1357

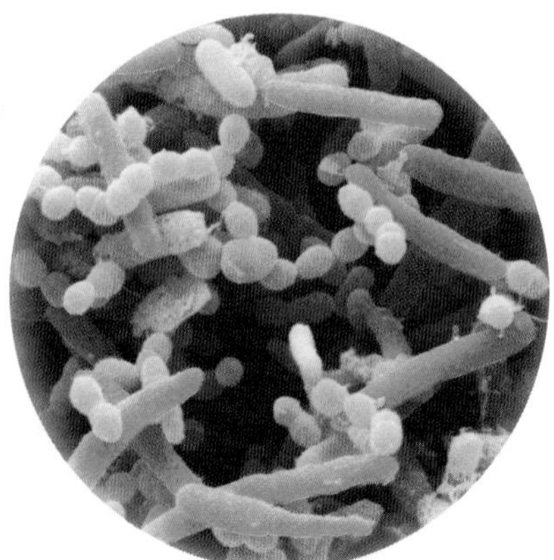

L'évolution, les thèmes de l'étude du vivant et la démarche scientifique

1

VOS OUTILS
INTERACTIFS

Consultez votre MANUEL NUMÉRIQUE, qui vous donne accès aux **animations**, aux **exercices** et à la plateforme d'**anatomie interactive**.

▲ **Figure 1.1 Que nous apprend cette souris des sables (*Peromyscus polionotus*) au sujet de la biologie ?**

CONCEPTS CLÉS

1.1 L'étude du vivant révèle des thèmes unificateurs

1.2 Le thème central, l'évolution, donne un sens à l'unité et à la diversité de la vie

1.3 Les scientifiques étudient la nature en faisant des observations, à partir desquelles ils formulent et testent des hypothèses

1.4 L'approche multidisciplinaire et la diversité des points de vue contribuent à l'avancement des sciences

▲ **Souris de l'espèce *Peromyscus polionotus* vivant à l'intérieur des terres.** Le pelage de cette souris est beaucoup plus foncé sur le dos et la face que celui de la même espèce qui vit sur la plage.

L'exploration du vivant

Sur la côte de la Floride, aux États-Unis, les dunes de sable blanc et les touffes clairsemées de végétation qui y poussent ici et là offrent bien peu d'endroits où se cacher pour une souris. Heureusement, les souris des sables ont un pelage clair et tacheté qui se fond dans l'environnement (**figure 1.1**). On trouve des souris de cette même espèce (*Peromyscus polionotus*) dans des régions de l'intérieur des terres, mais leur pelage est beaucoup plus foncé, tout comme le sol et la végétation de ces régions (voir la petite photo). Pour ces deux populations de souris, l'une vivant sur les dunes et l'autre à l'intérieur des terres, la fine adéquation entre la couleur du pelage et l'environnement est indispensable à la survie puisque les faucons, les hérons et d'autres prédateurs à la vue perçante survolent périodiquement ces régions à la recherche de proies. Comment le pelage de chacune de ces populations de souris en est-il venu à prendre une couleur aussi bien assortie, aussi bien *adaptée*, à la couleur d'ensemble de leur habitat ?

Les adaptations d'un organisme à son environnement, comme les adaptations qui permettent aux souris de se fondre dans l'environnement, sont le fruit de l'**évolution**, le processus de changement qui s'effectue avec le temps et qui a abouti à l'extraordinaire diversité d'organismes qui peuplent la planète aujourd'hui. L'évolution est le principe organisateur fondamental de la biologie et le thème central de cet ouvrage.

Les biologistes connaissent déjà beaucoup de choses au sujet de la vie sur Terre, mais il reste encore à percer de nombreux mystères. Poser des questions sur le monde vivant et chercher des réponses fondées sur la recherche scientifique sont les activités centrales de la **biologie**, l'étude scientifique des êtres vivants. Les questions auxquelles tentent de répondre les biologistes sont parfois ambitieuses. Par exemple, comment une cellule microscopique peut-elle devenir un arbre ou un chien ? Comment l'esprit humain fonctionne-t-il ? Comment les divers organismes vivants d'une forêt interagissent-ils ? Lorsque vous vous posez des questions sur la nature, vous pensez alors déjà comme un biologiste. La biologie est une quête plus que toute autre chose, une recherche permanente sur la nature de la vie.

À l'échelle la plus vaste, on peut se demander : qu'est-ce que la vie ? Même un jeune enfant conçoit d'instinct qu'un insecte ou une plante sont vivants, alors qu'un caillou ou une automobile ne le sont pas. Et pourtant, il est bien difficile de définir en une seule phrase le phénomène que nous appelons la vie. On reconnaît les êtres vivants par ce qu'ils sont capables de faire. La **figure 1.2** illustre quelques-unes des propriétés et des processus associés au vivant.

Avec ces quelques photographies, la figure 1.2 nous rappelle que la diversité du monde vivant est prodigieuse. Comment les biologistes arrivent-ils à comprendre cette diversité et cette complexité ? Ce premier chapitre propose un cadre de travail qui permettra de répondre à cette question. La première partie du chapitre présente un panorama de la biologie organisé autour de quelques thèmes intégrateurs. Nous nous concentrerons ensuite sur le thème central de la biologie, l'évolution, qui explique l'unité et la diversité du vivant. Ensuite, nous nous pencherons sur la recherche scientifique, le moyen par lequel les scientifiques

▼ **Figure 1.2 Quelques propriétés de la vie.**

▲ **Ordre.** Ce gros plan d'une fleur de tournesol (*Helianthus annuus*) illustre la structure hautement ordonnée qui caractérise la vie.

▲ **Reproduction.** Un organisme (être vivant) produit des organismes qui lui ressemblent.

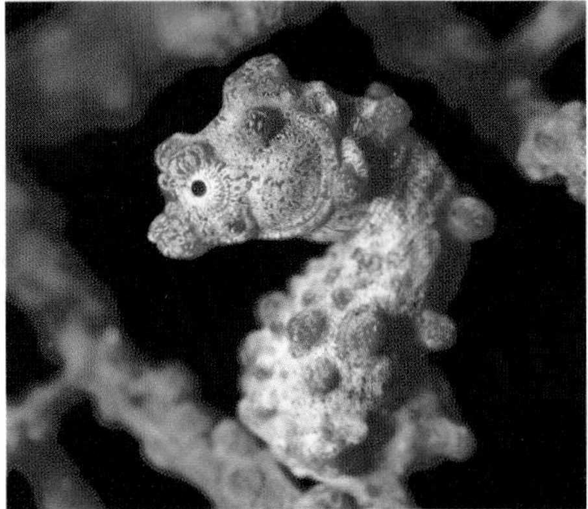

▲ **Adaptation évolutive.** Cet hippocampe nain (*Hippocampus bargibanti*) est capable de modifier son apparence pour se confondre avec son environnement. Acquis au cours des générations successives, ce genre d'adaptation se maintient en raison du succès reproducteur supérieur des individus dont les caractères héréditaires sont les mieux adaptés à leur environnement.

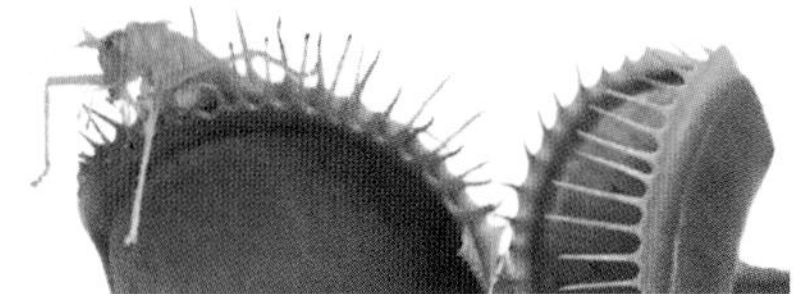

▲ **Réactions aux stimulus de l'environnement.** Une sauterelle s'est aventurée sur le bord des feuilles ouvertes d'une dionée gobe-mouches (*Dionaea muscipula*). La dionée a fermé rapidement son «piège» en réaction à ce stimulus.

▲ **Utilisation d'énergie.** Ce papillon puise son énergie dans le nectar des fleurs. Il utilise l'énergie chimique stockée dans cette nourriture pour voler et accomplir ses autres activités.

▲ **Homéostasie.** Les très grandes oreilles de ce lièvre de Californie (*Lepus californicus*) sont utiles à la régulation du volume sanguin circulant. Elles aident à ajuster les pertes de chaleur aux conditions extérieures et, par le fait même, à conserver une température corporelle constante.

▲ **Croissance et développement.** Les informations héréditaires transmises par les gènes déterminent la croissance et le développement des organismes, comme pour cette pousse de chêne.

posent des questions sur le monde physique, chimique et biologique, et tentent d'y répondre. Enfin, nous nous intéresserons à la culture scientifique et à ses effets sur la société.

CONCEPT **1.1**

L'étude du vivant révèle des thèmes unificateurs

La biologie est un domaine qui englobe un large éventail d'intérêts, et les bulletins de nouvelles en révèlent chaque jour les découvertes excitantes. Comment, alors, organiser en un tout cohérent l'immense matière que vous verrez dans votre étude des vastes domaines de la biologie ? Le fait de vous concentrer sur quelques grandes idées générales vous aidera sûrement à organiser vos connaissances et à comprendre la signification de toutes les informations que vous découvrirez en étudiant la biologie. Pour vous faciliter la tâche, nous vous proposons cinq thèmes unificateurs, qui sont autant de manières d'aborder le vivant et qui seront encore pertinents dans des dizaines d'années.

- Organisation
- Information
- Énergie et matière
- Interactions
- Évolution

Dans la présente section et la suivante, nous définirons et nous explorerons brièvement chacun de ces thèmes.

Thème: De nouvelles propriétés émergent à chaque niveau hiérarchique de l'organisation biologique

ORGANISATION L'étude du vivant sur la Terre commence à l'échelle microscopique, celle des molécules et des cellules composant les organismes, et s'étend jusqu'à celle de la planète entière. Les biologistes séparent habituellement ce vaste ensemble en différents niveaux d'organisation biologique. À la **figure 1.3**, nous passons d'un niveau à l'autre pour observer la vie dans une prairie. Cette exploration, présentée ici en une série de niveaux numérotés, met en évidence la hiérarchie de l'organisation biologique.

L'examen de plus en plus rapproché des niveaux d'organisation biologique illustre le *réductionnisme*, une stratégie ainsi nommée parce qu'elle consiste à fragmenter les systèmes complexes en éléments plus simples et plus faciles à manipuler en vue de les étudier. Il s'agit d'une stratégie fort efficace en biologie. Par exemple, c'est en se penchant sur la structure moléculaire d'une substance extraite de cellules que James Watson et Francis Crick ont déduit que l'ADN constitue le fondement chimique de l'hérédité. Le réductionnisme a permis de nombreuses et importantes découvertes, encore qu'il fournisse une vue nécessairement incomplète de la vie sur la Terre, comme nous le verrons maintenant.

Les propriétés émergentes des systèmes

Examinons encore la hiérarchie de l'organisation biologique de la figure 1.3, mais cette fois à rebours, c'est-à-dire en partant du niveau moléculaire. Cette approche du plus petit au plus grand nous permet de voir apparaître de nouvelles propriétés, les **propriétés émergentes**, qui n'étaient pas présentes au niveau précédent. Ces propriétés résultent de l'arrangement des composants et de leurs interactions de plus en plus complexes. Par exemple, même si on mélange de la chlorophylle et toutes les molécules d'un chloroplaste dans une éprouvette, la photosynthèse ne peut se dérouler, car les processus coordonnés de cette réaction dépendent de la façon très spécifique dont la chlorophylle et les autres molécules sont organisées dans un chloroplaste intact. Les constituants isolés de systèmes vivants (objets d'étude de l'approche réductionniste) sont dépourvus de plusieurs des propriétés importantes qui émergent à un niveau d'organisation plus élevé.

Les propriétés émergentes ne sont pas exclusives au vivant. Une boîte contenant toutes les pièces d'une bicyclette ne vous mènera nulle part, mais si celles-ci sont assemblées de la bonne façon, vous pourrez pédaler jusqu'où bon vous semble. Cet exemple illustre l'importance du concept d'organisation, mais rien ne peut rivaliser avec les systèmes biologiques en matière de complexité. Celle-ci fait des propriétés émergentes de la vie un sujet d'étude particulièrement stimulant.

De nos jours, pour explorer à fond les propriétés émergentes, les biologistes adjoignent à l'approche réductionniste la **biologie des systèmes**, une approche qui consiste à étudier un système biologique à la lumière des interactions entre ses composants. Dans la biologie des systèmes, une simple cellule de feuille est considérée comme un système, tout comme une grenouille, une colonie de fourmis ou l'écosystème d'un désert. Le fait d'étudier et de modéliser le comportement dynamique de systèmes biologiques entiers permet de formuler de nouveaux types de questions. Par exemple, comment les réseaux d'interactions moléculaires du corps humain produisent-ils notre cycle veille-sommeil de 24 heures ? Ou, à plus large échelle, comment une augmentation graduelle du dioxyde de carbone (CO_2) atmosphérique altère-t-elle les écosystèmes et l'ensemble de la biosphère ? La biologie des systèmes permet d'étudier la vie à tous ses niveaux d'organisation.

La structure et la fonction

À tous les niveaux d'organisation, on trouve une corrélation entre structure et fonction. La feuille présentée dans la figure 1.3 en est un exemple : sa forme mince et aplatie maximise la quantité de lumière que peuvent absorber ses chloroplastes. L'analyse d'une structure biologique fournit des indices sur sa fonction et son fonctionnement. De même, le fait de connaître la fonction d'un objet nous renseigne sur sa constitution. Le règne animal regorge d'exemples de corrélation entre la structure et la fonction. Ainsi, l'anatomie du colibri fait en sorte que les ailes possèdent une très grande flexibilité au niveau de l'articulation des épaules, ce qui lui permet de voler à reculons ou de faire du surplace, une caractéristique unique parmi les oiseaux. En faisant du surplace, le colibri peut plonger son long bec effilé dans les fleurs et se nourrir de nectar. Cette harmonieuse adéquation entre la structure et la fonction du vivant relève de la sélection naturelle, comme nous le verrons bientôt.

▼ Figure 1.3

PANORAMA La hiérarchie de l'organisation biologique

▸ 1 La biosphère

Même de l'espace, un observateur peut voir des signes de vie, ne serait-ce que dans la mosaïque verte que forment les forêts de la planète. Il peut aussi apercevoir la **biosphère**, qui comprend tout ce qui vit sur la planète et tous les lieux où la vie existe, c'est-à-dire la plupart des régions terrestres, la plupart des étendues d'eau telles que les océans, les lacs et les rivières, l'atmosphère jusqu'à une altitude de quelques kilomètres, et même les sédiments accumulés dans les fonds marins.

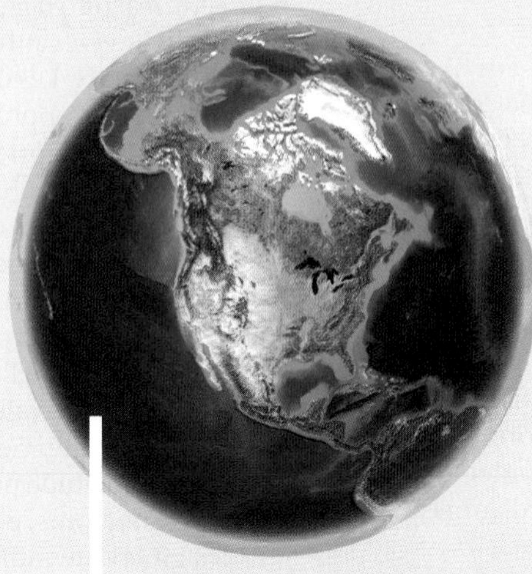

▸ 2 Les écosystèmes

À mesure qu'on se rapproche de la surface de la Terre, on peut distinguer une prairie nord-américaine, un exemple d'écosystème, tout comme le sont les forêts tropicales, les déserts et les récifs de corail. Un **écosystème** renferme tous les êtres vivants d'une même région, de même que tout le non-vivant qui compose l'environnement de ces êtres vivants, c'est-à-dire le sol, l'eau, les gaz atmosphériques et la lumière. L'ensemble de tous les écosystèmes de la Terre forme la biosphère.

▸ 3 Les communautés biologiques

L'ensemble des organismes qui peuplent un même écosystème est appelé **communauté** biologique. La communauté qui appartient à l'écosystème donné ici en exemple (une prairie) abrite de nombreux types de plantes, toutes sortes d'animaux, de champignons et autres eumycètes, ainsi qu'une quantité faramineuse de microorganismes qui, comme les bactéries, sont invisibles à l'œil nu. Chacune de ces formes de vie appartient à une **espèce**, c'est-à-dire à un groupe d'étroite similarité génétique, dont les membres ne peuvent en général se reproduire qu'avec d'autres membres de leur groupe.

▾ 4 Les populations

Une **population** est l'ensemble des individus d'une même espèce qui vivent dans une même région. Par exemple, la prairie compte entre autres une population de lupins (*Lupinus angustifolius*), dont quelques-uns sont montrés sur la photo, et une population de cerfs mulets (*Odocoileus hemionus*). Une communauté biologique est donc constituée de l'ensemble des populations vivant dans une même région.

▴ 5 Les organismes

Les **organismes** sont les êtres vivants considérés individuellement. Chacune des plantes de la prairie est un organisme, de même que chaque animal, chaque champignon ou chaque bactérie.

▼ 6 Les organes et les systèmes

La hiérarchie structurale de la vie continue de se déployer à mesure qu'on explore l'architecture des organismes plus complexes. Une feuille est un exemple d'**organe**, une partie d'un organisme constituée d'au moins deux tissus et ayant des fonctions spécifiques. Les feuilles, les tiges et les racines sont les organes principaux des plantes. Au sein d'un organe, chaque tissu est disposé d'une certaine manière et possède des propriétés qui contribuent à la fonction de l'organe.

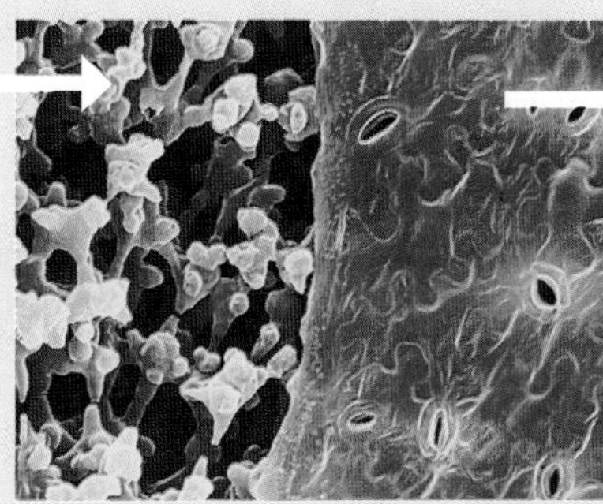

50 μm (200×)

▲ 7 Les tissus

Les **tissus** d'une feuille ne sont visibles qu'au microscope. Chaque tissu se compose d'un groupe de cellules qui travaillent en coopération à l'exécution d'une fonction spécialisée. La feuille ci-dessus a été coupée obliquement. Le tissu en nid d'abeille qui se trouve à l'intérieur de la feuille (le côté gauche de la micrographie) est le siège principal de la photosynthèse, un processus qui convertit l'énergie lumineuse en énergie chimique, sous la forme de glucides et d'autres nutriments. La micrographie montre également le tissu perforé qui correspond à l'épiderme; l'épiderme est la « peau » qui recouvre la feuille (la moitié droite de la micrographie). Les pores de l'épiderme laissent entrer les molécules de dioxyde de carbone (CO_2), la matière première qui sera transformée en glucides par la photosynthèse. À cette échelle microscopique, on peut voir également que chaque tissu a sa structure cellulaire propre.

▼ 8 Les cellules

La **cellule** est l'unité structurale et fonctionnelle des organismes. Certains organismes sont formés d'une seule cellule qui exécute toutes les fonctions vitales. D'autres organismes sont multicellulaires et sont constitués de cellules spécialisées qui se répartissent les tâches. Nous voyons ici une vue grossie de cellules contenues dans le tissu d'une feuille. Cette cellule ne mesure que quelque 40 μm (micromètres) de largeur. Il faudrait en juxtaposer plus de 500 pour égaler le diamètre d'une pièce de 5 cents. Et dans ces minuscules cellules se trouvent des structures encore plus petites, de couleur verte, qu'on appelle chloroplastes et dans lesquels se déroule la photosynthèse.

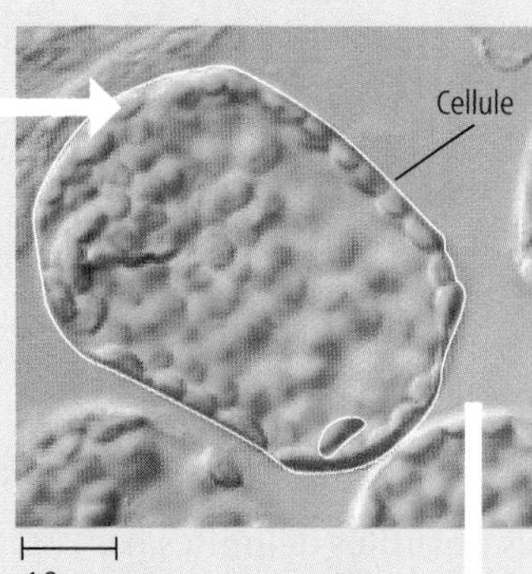

10 μm (800×)

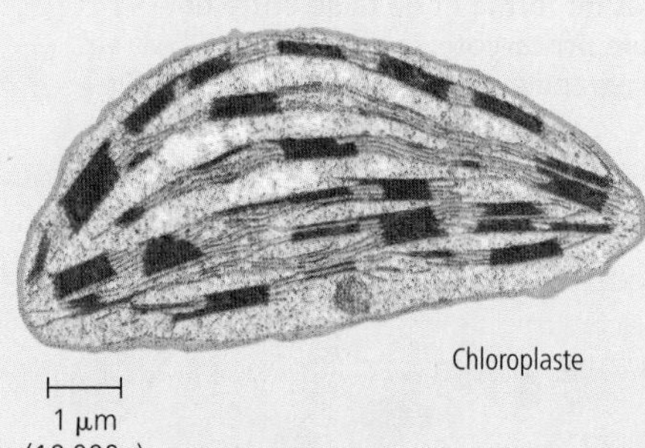

1 μm (10 000×)

◀ 9 Les organites

Le chloroplaste est un exemple d'**organite**. Les organites sont les différents éléments fonctionnels qui composent une cellule. L'image ci-contre, prise à l'aide d'un microscope puissant, nous montre un chloroplaste.

◀ 10 Les molécules

Le niveau moléculaire est le dernier niveau d'organisation dans la hiérarchie de la vie. On voit ici une des molécules de chlorophylle que renferme un chloroplaste. Une **molécule** est une structure chimique qui comprend au moins deux de ces petites unités appelées atomes, représentés ici sous forme de boules par infographie moléculaire. La chlorophylle est la molécule de pigment qui donne à la feuille sa couleur verte et qui absorbe la lumière solaire durant la première étape de la photosynthèse. À l'intérieur de chaque chloroplaste, des millions de molécules de chlorophylle se partagent la tâche de convertir l'énergie lumineuse en énergie chimique nourricière.

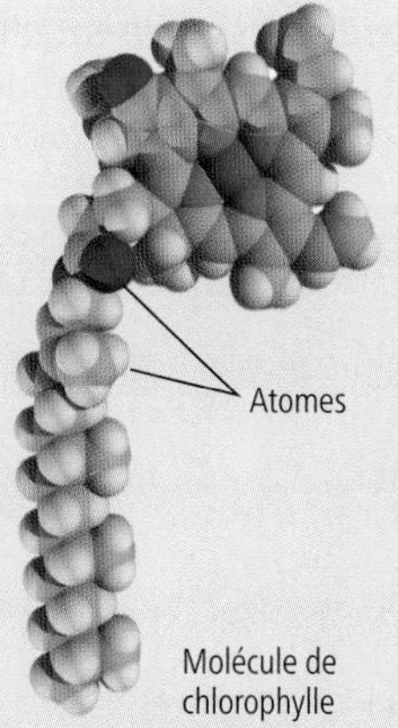

La cellule, unité élémentaire de la structure et de la fonction d'un organisme

Dans la hiérarchie structurale de la vie, la cellule est la plus petite unité capable d'accomplir toutes les activités nécessaires à la vie. La théorie cellulaire, comme on l'appelle, a été formulée dans les années 1800 à partir des observations de nombreux scientifiques. D'après cette théorie, tous les organismes vivants se composent de cellules et celles-ci forment les unités de base du vivant. En fait, les activités des organismes reposent toutes sur celles des cellules. Par exemple, le mouvement de vos yeux pour lire ces mots dépend de l'activité de cellules musculaires et de neurones. Même un processus se déroulant à l'échelle globale, comme le recyclage des atomes de carbone, est le produit des fonctions cellulaires, y compris la photosynthèse qui se déroule dans les chloroplastes des cellules d'une plante.

Toutes les cellules ont en commun certaines caractéristiques. Par exemple, elles sont entourées d'une membrane qui régit le passage des matières entre le milieu interne et l'environnement. Et toutes les cellules utilisent l'ADN comme information génétique. On distingue néanmoins deux grands types de cellules : les cellules procaryotes (du latin *pro*, « avant », et du grec *karuon*, « noyau ») et les cellules eucaryotes (du grec *eu*, « vrai », et *karuon*, « noyau »). Les microorganismes unicellulaires (constitués d'une seule cellule) appelés bactéries et archées sont des procaryotes. Tous les autres êtres vivants, dont les plantes et les animaux, sont composés de cellules eucaryotes.

La **cellule eucaryote** contient des organites délimités par une membrane (**figure 1.4**). Certains organites, comme le noyau abritant l'ADN, sont présents dans les cellules de tous les eucaryotes ; d'autres ne se trouvent que dans certains types de cellules. Par exemple, le chloroplaste de la figure 1.3 est un organite spécifique des cellules eucaryotes capables de photosynthèse. Contrairement aux cellules eucaryotes, la **cellule procaryote** est dépourvue de noyau et d'autres organites membraneux. De plus, elle est généralement plus petite que la cellule eucaryote, comme on peut le voir dans la figure 1.4. Dans une cellule procaryote, l'ADN ne se trouve pas dans un noyau séparé du cytosol par une enveloppe membraneuse. En outre, ce type de cellule est dépourvu des organites membraneux caractéristiques de la cellule eucaryote. Les propriétés de tout organisme, qu'il se compose de cellules eucaryotes ou procaryotes, reposent sur la structure et la fonction de ses cellules.

▼ **Figure 1.4 Les différences de forme et de taille entre une cellule eucaryote et une cellule procaryote.** Les cellules sont illustrées à l'échelle ici. (Pour une image agrandie d'une cellule procaryote, voir la figure 6.5.)

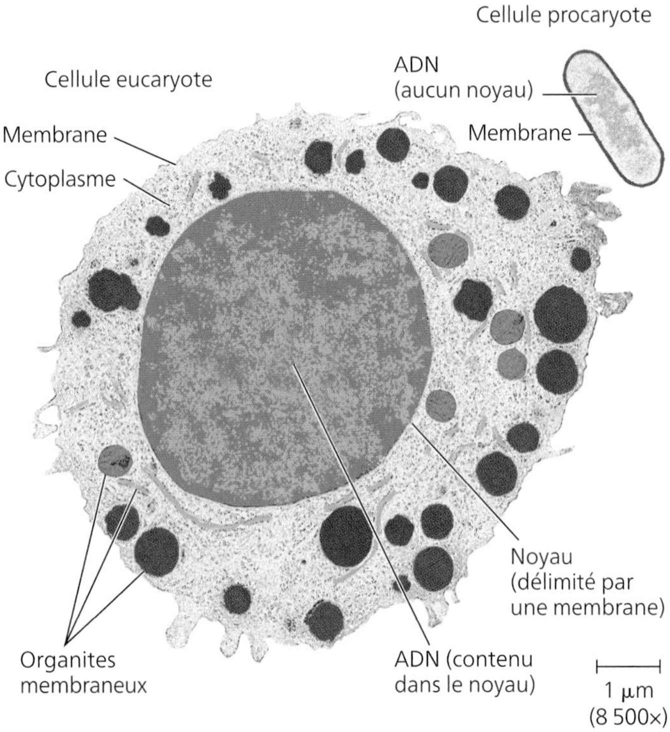

HABILETÉS VISUELLES ▶ Mesurez l'échelle graphique et utilisez ce repère pour estimer la longueur de la cellule procaryote ainsi que la plus longue dimension de la cellule eucaryote.

Thème : Les processus du vivant reposent sur l'expression et la transmission de l'information génétique

INFORMATION À l'intérieur des cellules, les structures appelées chromosomes contiennent du matériel génétique sous la forme d'**ADN** (**acide désoxyribonucléique**). Dans les cellules sur le point de se diviser, on peut mettre en évidence les chromosomes avec un colorant qui devient bleu lorsqu'il se lie à l'ADN (**figure 1.5**).

L'ADN : le matériel génétique

Avant la division d'une cellule, l'ADN est d'abord répliqué, ou copié, et chacune des deux cellules filles qui en résultent hérite d'un ensemble complet de chromosomes, identique à celui de la cellule mère. Chaque chromosome est constitué d'une seule et très longue molécule d'ADN le long de laquelle sont disposés des centaines ou des milliers de **gènes** ; chaque gène étant une partie de l'ADN du chromosome. Les gènes sont les éléments d'information que transmettent les parents à leur progéniture. Les gènes contiennent l'information nécessaire à la fabrication de toutes les molécules synthétisées dans une cellule ; ils constituent le code qui établit l'identité et la fonction de la cellule. Chacun de nous n'a d'abord été qu'une cellule unique contenant l'ADN provenant de nos deux parents. La réplication de cet ADN avant chaque division cellulaire a ensuite transmis les gènes aux billions (10^{12}) de cellules qui nous composent. Et à mesure que nos cellules croissent et se divisent, l'information génétique codée par l'ADN régit le développement de notre organisme (**figure 1.6**).

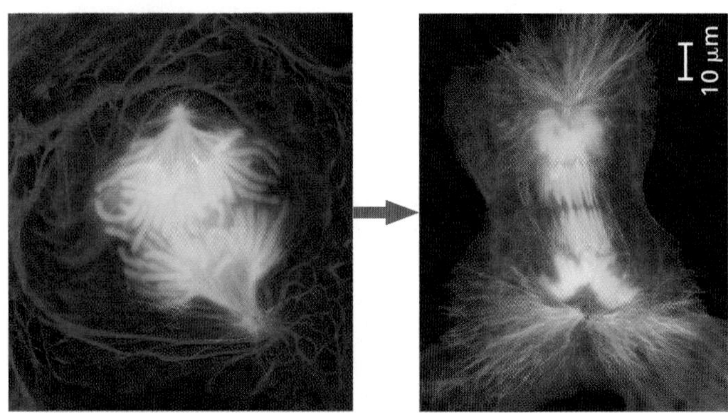

▲ **Figure 1.5 Une cellule pulmonaire de triton se divise en cellules plus petites qui grossissent et se divisent à leur tour.**

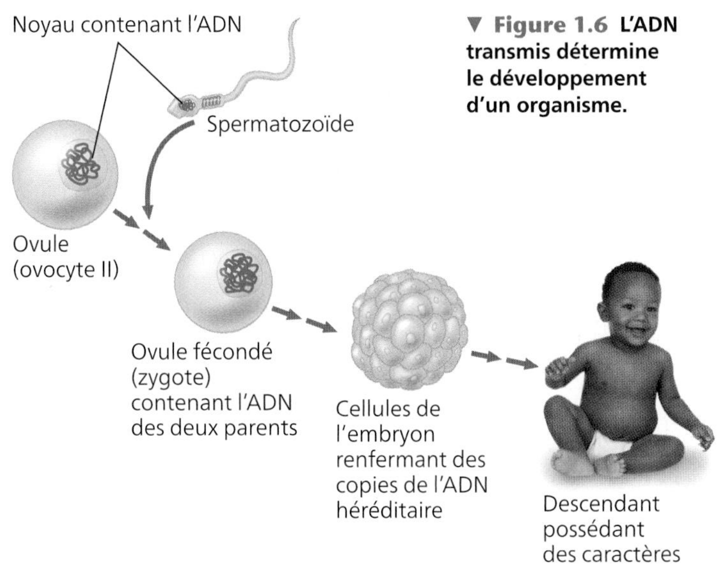

▼ **Figure 1.6 L'ADN transmis détermine le développement d'un organisme.**

La structure moléculaire de l'ADN explique sa capacité à emmagasiner l'information. Chaque molécule d'ADN est constituée de deux longues chaînes, appelées brins, formant une double hélice. Chaque chaîne est formée à partir de quatre unités structurales chimiques appelées nucléotides et désignées par les lettres A, T, C et G (**figure 1.7**). L'information génétique réside dans l'enchaînement particulier de ces quatre nucléotides. L'ADN transmet l'information d'une manière analogue à notre façon de combiner les lettres de l'alphabet en des mots et phrases précis correspondant à des significations spécifiques. Vous savez que, selon leur enchaînement, les lettres de l'alphabet forment des mots ayant des sens distincts. Le mot *rat*, par exemple, désigne un rongeur, alors que le mot *art*, qui contient les mêmes lettres, mais agencées de manière différente, a une tout autre signification. Nous pouvons considérer les quatre nucléotides comme l'alphabet de l'hérédité.

Pour beaucoup de gènes, l'ADN fournit la recette pour fabriquer une protéine. Par exemple, l'information contenue dans un gène bactérien donné peut définir une certaine protéine (une enzyme) nécessaire pour dégrader une molécule de sucre, alors que l'information contenue dans un autre gène humain correspondra à une protéine différente (un anticorps) qui, elle, aide à combattre une infection. La majorité des protéines jouent un rôle essentiel dans l'édification ainsi que l'entretien de la cellule et de ses activités.

Les protéines sont encodées dans des gènes qui régissent leur production en faisant appel à un type de molécule parente, l'acide ribonucléique (ARN), qui leur sert d'intermédiaire (**figure 1.8**). La séquence de nucléotides le long d'un gène est d'abord transcrite en ARN, lequel est ensuite traduit en une chaîne d'unités de base protéiques appelées acides aminés. Une fois complète, la chaîne d'acides aminés forme une protéine spécifique dotée d'une forme et d'une fonction uniques. Tout le processus par lequel l'information d'un gène dicte la fabrication d'un produit cellulaire s'appelle l'**expression génétique**.

Lorsqu'elles expriment leurs gènes, toutes les formes de vie utilisent essentiellement le même code génétique. Une séquence particulière de nucléotides exprime le même message d'un organisme à l'autre. Les différences entre les organismes ne reflètent pas les différences entre leur code génétique respectif, mais bien les différences dans les séquences de leurs nucléotides. L'universalité du code génétique témoigne de façon probante que tous les êtres vivants sont apparentés. La comparaison des séquences de plusieurs espèces quant à un gène constituant le code pour une certaine protéine peut fournir des données précieuses tant sur la protéine elle-même que sur la relation entre ces espèces.

La molécule d'ARNm de la figure 1.8 est traduite en protéine, mais d'autres molécules d'ARN remplissent un rôle différent. Par exemple, nous savions depuis plusieurs décennies que certains types d'ARN font partie de la machinerie cellulaire qui fabrique des protéines, mais nous avons appris récemment que des classes entières d'ARN jouent d'autres rôles au sein de la cellule, notamment en régulant l'expression des gènes responsables du codage de protéines. Les gènes déterminent tous ces ARN également, et leur production fait également partie de l'expression génétique. L'ADN garantit la transmission fidèle du bagage génétique d'une génération à l'autre en conservant les instructions pour produire des protéines et des molécules d'ARN, et en se répliquant à chaque division cellulaire.

▼ **Figure 1.7 Le matériel génétique: l'ADN.**

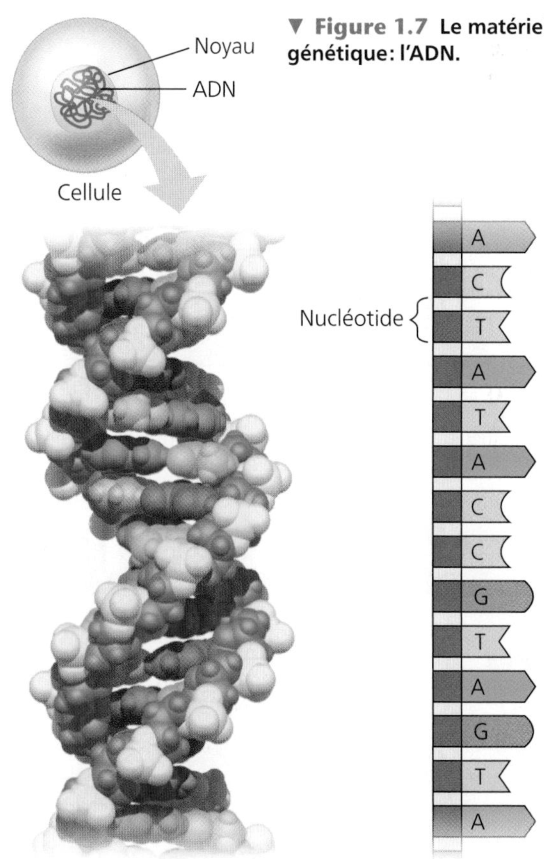

(a) La double hélice de l'ADN. Dans ce modèle, les atomes d'un segment d'ADN sont représentés par de petites sphères colorées. La molécule d'ADN est formée de deux longues chaînes d'unités structurales appelées nucléotides qui s'enroulent l'une autour de l'autre en formant une double hélice.

(b) Un brin d'ADN. Ces lettres et ces formes géométriques représentent les nucléotides contenus dans un court segment d'une des deux chaînes d'une molécule d'ADN. L'information génétique réside dans l'enchaînement particulier des quatre nucléotides (leurs noms sont abrégés ici avec les lettres A, T, C et G).

▼ Figure 1.8 L'expression génétique: les cellules utilisent l'information codée dans un gène pour synthétiser une protéine fonctionnelle.

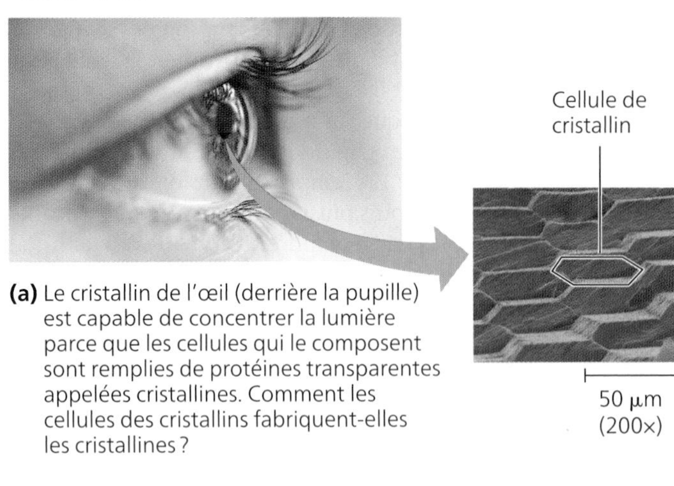

(a) Le cristallin de l'œil (derrière la pupille) est capable de concentrer la lumière parce que les cellules qui le composent sont remplies de protéines transparentes appelées cristallines. Comment les cellules des cristallins fabriquent-elles les cristallines?

(b) Une cellule de cristallin utilise l'information contenue dans l'ADN pour fabriquer des protéines appelées cristallines.

Gène de la cristalline

Le gène de la cristalline occupe une portion de l'ADN d'un chromosome.

ADN (portion occupée par le gène de la cristalline)

A C C A A A C C G A G T

T G G T T T G G C T C A

TRANSCRIPTION

À partir de l'information contenue dans la séquence de nucléotides de l'ADN, la cellule fabrique (transcrit) une molécule d'ARN spécifique appelée ARNm.

ARNm

U G G U U U G G C U C A

TRADUCTION

La cellule traduit l'information contenue dans la séquence nucléotidique de l'ARN pour fabriquer une protéine, c'est-à-dire une chaîne d'acides aminés.

Chaîne d'acides aminés

REPLIEMENT DE LA CHAÎNE

La chaîne d'acides aminés se replie pour prendre la forme spécifique de la cristalline. Les molécules de cristallines peuvent ensuite se regrouper afin de concentrer la lumière et de permettre la vision.

Protéine

Cristalline

La génomique: l'analyse à grande échelle de séquences d'ADN

L'ensemble des directives génétiques dont un organisme hérite est appelé **génome**. Chaque cellule humaine comporte deux jeux de chromosomes semblables, et l'ADN de chaque jeu totalise environ trois milliards de paires de nucléotides. Si la taille des «lettres» chimiques des nucléotides d'un seul brin était identique à celle des lettres que vous lisez actuellement, il faudrait environ 700 manuels du même format que celui-ci pour les écrire toutes.

Depuis le début des années 1990, grâce à la révolution technologique, la cadence de séquençage des génomes s'est accélérée pour atteindre un rythme incroyable. Nous connaissons maintenant le génome (la séquence complète de nucléotides composant un organisme) de l'humain et de nombreux autres animaux, de même que le génome d'une foule de bactéries, d'archées, d'eumycètes et de plantes.

Pour comprendre l'avalanche de données émanant des projets de séquençage génomique et organiser le répertoire grandissant de fonctions géniques connues, les scientifiques utilisent une approche systémique aux niveaux moléculaire et cellulaire. Plutôt que d'enquêter sur un gène à la fois, les chercheurs étudient plutôt des ensembles complets de gènes (ou d'autres séquences d'ADN) propres à une ou plusieurs espèces. Cette approche s'appelle la **génomique**. La **protéomique**, quant à elle, est l'étude des différents groupes de protéines et de leurs propriétés. (L'ensemble complet des protéines exprimées par une cellule, un tissu ou un organisme est un **protéome**.)

Les approches génomique et protéomique ont vu le jour grâce à trois grandes percées. La première est la technologie de haut débit, qui fait appel à divers appareils permettant d'analyser très rapidement du matériel biologique. La deuxième grande percée est celle de la **bio-informatique**, un domaine qui réunit l'ensemble des concepts et des techniques de l'informatique pour stocker, organiser et analyser la masse de données produites par la technologie à haut débit. Enfin, la troisième innovation est la création d'équipes de recherche interdisciplinaires réunissant divers spécialistes issus de différents champs d'activité: informaticiens, mathématiciens, ingénieurs, chimistes, physiciens et, bien sûr, biologistes. Les chercheurs rassemblés dans de telles équipes tentent d'apprendre comment les activités de toutes les protéines et de toutes les molécules d'ARN codées par l'ADN se coordonnent dans les cellules et dans l'ensemble d'un organisme.

Thème: Le transfert et la transformation d'énergie et de matière sont essentiels à la vie

ÉNERGIE ET MATIÈRE L'utilisation de l'énergie pour mener à bien les activités de la vie est une des caractéristiques fondamentales des êtres vivants. Pour se déplacer, croître, se reproduire et accomplir ses autres fonctions, un être vivant a besoin d'énergie. La vie est possible grâce à l'absorption d'énergie, qui vient principalement du soleil, et à la transformation de l'énergie d'une forme à une autre (**figure 1.9**). Lorsque les feuilles d'une plante absorbent la lumière du soleil, les molécules de chlorophylle qu'elles contiennent convertissent l'énergie lumineuse en énergie chimique, tels des glucides, par le processus de la photosynthèse. L'énergie chimique des molécules de glucides est alors relayée par les plantes et d'autres organismes photosynthétiques

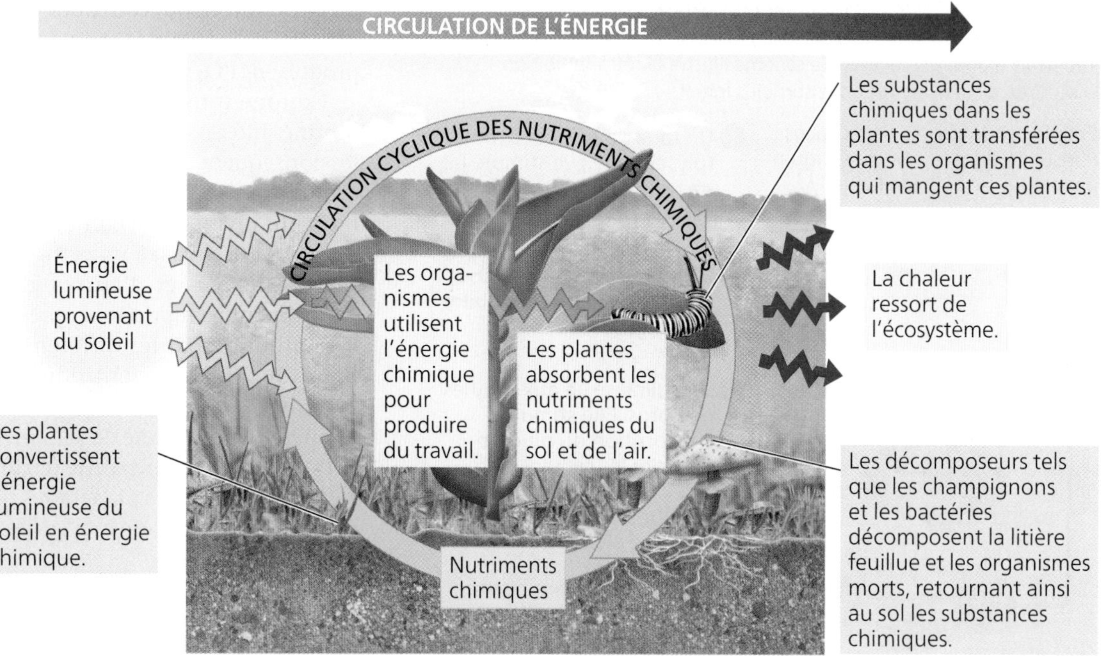
CIRCULATION DE L'ÉNERGIE
CIRCULATION CYCLIQUE DES NUTRIMENTS CHIMIQUES
Les substances chimiques dans les plantes sont transférées dans les organismes qui mangent ces plantes.
Énergie lumineuse provenant du soleil
Les organismes utilisent l'énergie chimique pour produire du travail.
Les plantes absorbent les nutriments chimiques du sol et de l'air.
La chaleur ressort de l'écosystème.
Les plantes convertissent l'énergie lumineuse du soleil en énergie chimique.
Nutriments chimiques
Les décomposeurs tels que les champignons et les bactéries décomposent la litière feuillue et les organismes morts, retournant ainsi au sol les substances chimiques.

▶ **Figure 1.9**
La circulation de l'énergie et le recyclage des nutriments. Dans un écosystème, l'énergie circule dans une seule direction: durant la photosynthèse, les plantes convertissent l'énergie lumineuse du soleil en énergie chimique (emmagasinée dans des molécules comme les glucides). Cette énergie chimique est utilisée par les plantes et d'autres organismes pour effectuer du travail et finit par ressortir de l'écosystème sous forme de chaleur. Contrairement à l'énergie, les nutriments chimiques se recyclent entre les organismes et leur environnement.

(des **producteurs**) jusqu'aux consommateurs. Les **consommateurs** sont les organismes, comme les animaux, qui se nourrissent d'autres organismes ou de leurs cadavres.

Lorsqu'un organisme utilise de l'énergie pour effectuer un travail, comme une contraction musculaire ou une division cellulaire, une partie de l'énergie se dissipe dans l'environnement sous forme de chaleur. Par conséquent, l'énergie *traverse* l'écosystème dans une seule direction, c'est-à-dire qu'elle y pénètre sous forme de lumière et en ressort sous forme de chaleur. Contrairement à l'énergie, les nutriments chimiques *suivent un cycle* à l'intérieur de l'écosystème, où ils sont utilisés et recyclés (voir la figure 1.9). Les substances chimiques qu'une plante absorbe de l'air ou du sol peuvent s'incorporer aux tissus de la plante et être transférées à un animal qui mangera la plante. Et plus tard, ces mêmes substances chimiques retourneront à l'environnement sous l'action des décomposeurs, comme les bactéries et les champignons, qui dégradent les déchets, la litière végétale et les cadavres d'animaux. Ces substances chimiques redeviennent alors disponibles aux plantes, et le cycle peut recommencer.

Thème: Les interactions jouent un rôle important dans les systèmes biologiques, de la simple molécule à l'écosystème

INTERACTIONS À tous les niveaux de la hiérarchie biologique, les interactions entre les composants du système assurent la bonne intégration qui permet à ce système de fonctionner dans son ensemble. Il en est ainsi aussi bien pour les molécules d'une cellule que pour les composants d'un écosystème. Nous allons expliquer les deux en guise d'exemples.

Les molécules et leurs interactions dans les organismes

À la base de l'organisation biologique, les interactions entre les composants d'un organisme vivant (organes, tissus, cellules et molécules) sont indispensables à leur bon fonctionnement. Prenons l'exemple de la régulation de la glycémie (taux de glucose sanguin). Les cellules de l'organisme doivent faire en sorte que l'apport d'énergie (de glucides) correspond à la dépense d'énergie et, pour y arriver, il est nécessaire de réguler deux processus opposés: la dégradation du glucose et sa mise en réserve. La clé réside dans la capacité de nombreux processus biologiques de s'autoréguler par un mécanisme appelé rétroaction.

Dans la **régulation par rétroaction**, le produit d'un processus est le régulateur de ce même processus. Chez les êtres vivants, la forme de régulation la plus répandue est la *rétro-inhibition*, qui fait que l'accumulation du produit final d'un processus ralentit ce même processus. Comme on le voit dans l'exemple de la signalisation de l'insuline (**figure 1.10**), votre taux de glucose sanguin (votre glycémie) augmente après un repas, ce qui stimule la sécrétion d'insuline par les cellules de votre pancréas. L'insuline stimule l'absorption du glucose par votre corps et incite les cellules de votre foie à en emmagasiner, si bien que votre glycémie diminue. Cette baisse de la glycémie inhibe le stimulus menant à la sécrétion de l'insuline et ferme ainsi la voie. Le processus est donc régulé négativement par son propre produit: c'est de la rétro-inhibition.

Il existe également des processus biologiques dont la régulation se fait par *rétroactivation*; ce type de régulation est cependant moins courant que la rétro-inhibition. Dans la rétroactivation, le produit final d'un processus biologique *accélère* sa propre production. La coagulation de votre sang en réaction à une blessure illustre bien ce mécanisme. Quand un vaisseau sanguin est endommagé, les éléments sanguins appelés thrombocytes (plaquettes) commencent à s'agréger dans la zone de la lésion. La rétroactivation se produit quand les substances chimiques libérées par les thrombocytes attirent encore *plus* de thrombocytes. Ceux-ci s'accumulent, puis amorcent un processus complexe qui scelle la lésion avec un caillot.

▼ **Figure 1.10 La régulation par rétroaction.** Le corps humain régule l'utilisation et le stockage du glucose, une source d'énergie importante pour les cellules. Ce schéma illustre la rétro-inhibition : la réponse à l'insuline réduit le stimulus initial.

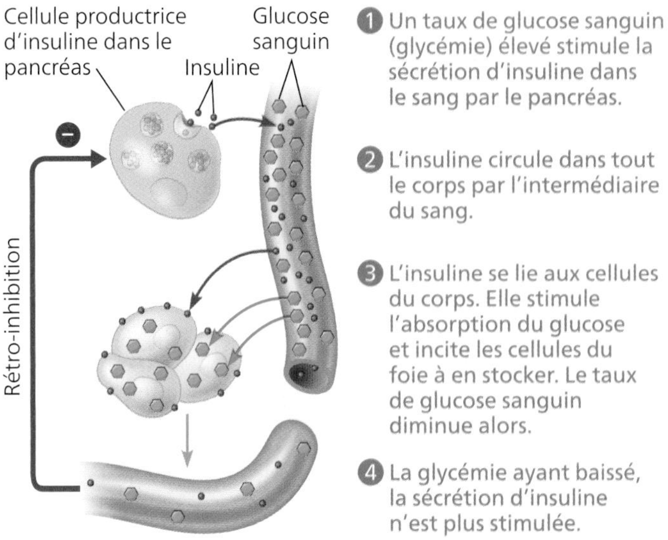

Cellule productrice d'insuline dans le pancréas

Glucose sanguin

Insuline

Rétro-inhibition

1. Un taux de glucose sanguin (glycémie) élevé stimule la sécrétion d'insuline dans le sang par le pancréas.
2. L'insuline circule dans tout le corps par l'intermédiaire du sang.
3. L'insuline se lie aux cellules du corps. Elle stimule l'absorption du glucose et incite les cellules du foie à en stocker. Le taux de glucose sanguin diminue alors.
4. La glycémie ayant baissé, la sécrétion d'insuline n'est plus stimulée.

HABILETÉS VISUELLES ▸ Dans cet exemple, quelle est la réponse de l'organisme à l'insuline ? Quel stimulus initial est diminué lors de cette réponse ?

Les écosystèmes : les interactions d'un organisme avec d'autres organismes et avec l'environnement physique

À l'échelle d'un écosystème, chaque organisme interagit avec d'autres organismes. Par exemple, un acacia interagit avec les microorganismes du sol qui sont associés à ses racines, avec les insectes qui vivent sur lui et avec les animaux qui se nourrissent de ses feuilles et de ses fruits (**figure 1.11**). Les interactions entre les organismes comprennent les interactions mutuellement bénéfiques (comme lorsqu'un « poisson nettoyeur » mange les petits parasites sur une tortue) et les interactions nuisibles (comme lorsqu'un lion tue un zèbre et le dévore). Dans certaines interactions entre les espèces, les deux subissent des dommages, par exemple lorsque deux plantes se font concurrence pour une ressource peu abondante dans le sol. Les interactions entre les organismes contribuent à réguler le fonctionnement de l'écosystème dans son ensemble.

Chaque organisme est en relation permanente avec son environnement. Les feuilles d'un arbre, par exemple, absorbent la lumière du soleil et des molécules de dioxyde de carbone (CO_2) contenues dans l'air et libèrent des molécules d'oxygène (O_2) dans l'air (voir la figure 1.11). L'environnement subit également les effets de ces interactions avec les organismes. Par exemple, en plus d'absorber l'eau et les minéraux contenus dans le sol, les racines d'une plante désagrègent la roche à mesure qu'elle croît, ce qui contribue à la formation du sol. À l'échelle planétaire, les plantes et autres organismes photosynthétiques produisent l'O_2 contenu dans l'air.

Comme tous les organismes, les êtres humains que nous sommes interagissent avec l'environnement. Malheureusement, les conséquences de certaines de nos interactions sont parfois dramatiques. Ainsi, au cours des 150 dernières années, les humains ont accru la combustion de carburants fossiles (charbon, pétrole et gaz) à un rythme effréné. Les quantités faramineuses de CO_2 et d'autres gaz libérés dans l'atmosphère contribuent à emprisonner près de la surface de la Terre la chaleur produite par les différentes activités humaines (voir la figure 56.29). Les scientifiques estiment que le CO_2 ajouté à l'atmosphère par l'activité humaine a haussé d'environ 1 °C la température moyenne de la planète depuis 1900. Si le CO_2 et les autres gaz continuent d'être rejetés dans l'atmosphère au même rythme, les modèles planétaires prédisent une hausse additionnelle de la température moyenne d'au moins 3 °C avant la fin du présent siècle.

Ce réchauffement planétaire continu est un aspect important du **changement climatique mondial**. Un changement climatique mondial est un changement directionnel du climat planétaire qui dure depuis au moins trois décennies (contrairement aux changements climatiques de courte durée). Mais le réchauffement planétaire s'accompagne d'autres changements climatiques : on observe aussi des changements dans les régimes des vents et des précipitations, ainsi qu'un plus grand nombre d'événements climatiques extrêmes comme les sécheresses et les ouragans. Le changement climatique mondial entraîne déjà des effets nuisibles sur les formes de vie et leurs habitats partout sur la Terre. Par exemple, les ours polaires ont perdu une portion importante de la couverture de glace qui leur tient lieu de territoire de chasse, ce qui provoque un manque de nourriture et une

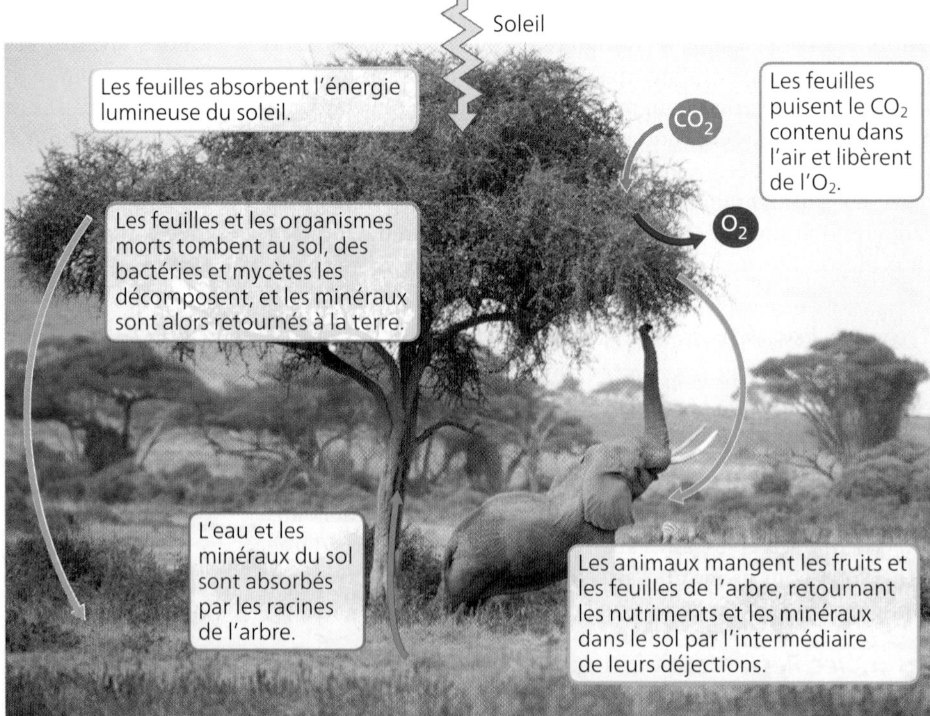
Soleil
Les feuilles absorbent l'énergie lumineuse du soleil.
CO_2
Les feuilles puisent le CO_2 contenu dans l'air et libèrent de l'O_2.
O_2
Les feuilles et les organismes morts tombent au sol, des bactéries et mycètes les décomposent, et les minéraux sont alors retournés à la terre.
L'eau et les minéraux du sol sont absorbés par les racines de l'arbre.
Les animaux mangent les fruits et les feuilles de l'arbre, retournant les nutriments et les minéraux dans le sol par l'intermédiaire de leurs déjections.

▲ **Figure 1.11 Les interactions d'un acacia avec d'autres êtres vivants et leur environnement physique en Afrique.**

augmentation du taux de mortalité. À mesure que les habitats se dégradent, l'aire de répartition de centaines d'espèces d'animaux et de plantes s'est étendue vers des régions mieux appropriées, mais certaines espèces font face à un manque d'habitats adéquats et d'autres sont tout simplement incapables de migrer assez rapidement. On assiste donc à la diminution de la taille des populations ou, carrément, à la disparition de certaines espèces (**figure 1.12**). Cette tendance peut effectivement entraîner l'extinction d'espèces, c'est-à-dire leur disparition définitive. Comme nous le verrons au concept 56.4, les humains et les autres organismes pourraient subir des changements profonds.

Nous avons survolé quatre des cinq thèmes unificateurs (organisation ; information ; énergie et matière ; et interactions). Tournons-nous maintenant vers l'évolution, que la très grande majorité des biologistes reconnaissent comme le thème central de la biologie. Nous y consacrons la prochaine section.

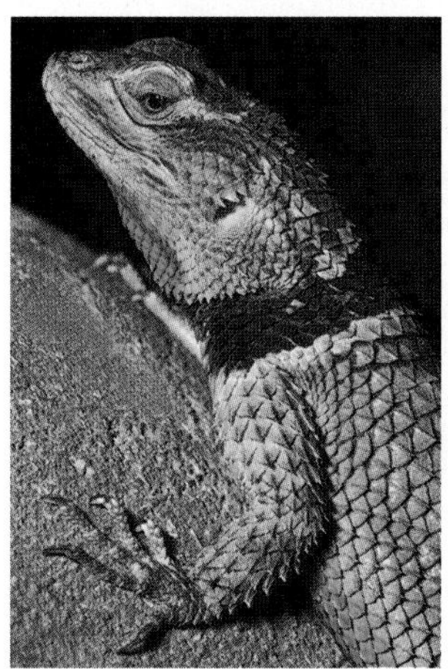

◄ **Figure 1.12 Menacés par le réchauffement de la planète.** Lorsque leur environnement est plus chaud, les lézards du genre *Sceloporus* doivent rester plus longtemps à l'abri de la chaleur. Ce faisant, ils disposent de moins de temps pour chercher de la nourriture. Leur apport alimentaire décline alors, de même que leur taux de reproduction. Des études montrent que 12 % des 200 populations du Mexique ont disparu depuis 1975. La figure 56.30 présente d'autres exemples d'organismes qui se ressentent du réchauffement de la planète.

RETOUR SUR LE CONCEPT 1.1

1. En commençant par le niveau moléculaire illustré à la figure 1.3, rédigez une phrase qui comporte des éléments du niveau « inférieur » immédiat de l'organisation biologique. Exemple : « Une molécule se compose d'*atomes* liés entre eux. » Poursuivez avec les organites, en remontant la hiérarchie biologique.
2. Nommez le thème ou les thèmes illustrés par les exemples suivants : (a) les piquants acérés du porc-épic, (b) le développement d'un organisme multicellulaire à partir d'un œuf fécondé et (c) un colibri qui « carbure » au glucose pour voler ?
3. Pour chacun des thèmes présentés dans cette section, trouvez un exemple qui n'a pas été mentionné dans ces pages.

Voir les réponses proposées à l'appendice A.

CONCEPT 1.2

Le thème central, l'évolution, donne un sens à l'unité et à la diversité de la vie

ÉVOLUTION L'évolution est la notion qui donne un sens à tout ce que nous savons sur les organismes. Les registres fossiles le montrent clairement : la vie sur Terre évolue depuis des milliards d'années et elle a donné lieu à une vaste diversité d'organismes disparus ou encore vivants. Or, cette diversité présente quand même de nombreuses caractéristiques communes. Par exemple, malgré leurs différences visibles, l'hippocampe, le lièvre, le colibri, le crocodile et les girafes présentent tous un squelette fondamentalement semblable.

L'explication scientifique de cette unité et de cette diversité – et de l'adaptation de chaque organisme à son environnement – est l'**évolution**, selon laquelle tous les organismes vivant sur la Terre aujourd'hui sont les descendants modifiés d'ancêtres communs. Autrement dit, nous pouvons expliquer que deux organismes partagent certains caractères (unité) par le fait qu'ils descendent d'un ancêtre commun, et nous pouvons aussi expliquer ce qui les distingue (diversité) par le fait que des transformations héréditaires se sont produites en cours de route. De très nombreuses et très diverses données permettent de documenter le principe de l'évolution et la théorie qui décrit comment elle s'est déroulée. C'est ce que nous verrons en détail aux chapitres 22 à 25. Comme le dit l'un des fondateurs de la théorie moderne de l'évolution, Theodosius Dobzhansky : « Rien en biologie n'a de sens, si ce n'est à la lumière de l'évolution. » Nous devons, pour comprendre l'énoncé de Dobzhansky, examiner la façon dont les biologistes conçoivent cette fabuleuse diversité.

Classifier la diversité de la vie

La diversité est la caractéristique essentielle du vivant. Jusqu'à présent, les biologistes ont répertorié environ 1 800 000 espèces d'organismes. Chaque espèce porte un nom en deux parties : la première partie est le nom du genre auquel l'espèce appartient, et la seconde partie est unique à l'espèce de ce genre. (Par exemple, *Homo sapiens* est le nom de notre espèce.)

À ce jour, cette diversité se manifeste par la présence d'au moins 100 000 eumycètes, 290 000 végétaux, 57 000 vertébrés (les animaux possédant une colonne vertébrale) et plus de 1 000 000 d'insectes (plus de la moitié de toutes les formes de vie connues), sans compter la myriade de types d'organismes unicellulaires. Les espèces recensées ne constituent qu'une partie de la grande diversité existante : chaque année, la liste s'enrichit de milliers d'espèces nouvellement découvertes. On estime que le nombre total d'espèces vivant actuellement sur la planète se situerait quelque part entre 10 millions et plus de 100 millions. Quel que soit ce nombre, toutefois, la fabuleuse diversité du monde vivant fait de la biologie une discipline très vaste. Les biologistes qui tentent de comprendre cette variété ont tout un défi à relever.

Les trois domaines du vivant

Dans le passé, les scientifiques ont classifié la diversité des formes de vie par espèces et par regroupements plus larges en comparant la structure, la fonction et d'autres caractéristiques observables. Au cours des dernières décennies, cependant, de nouvelles méthodes d'évaluation des liens entre les espèces, notamment la comparaison de séquences d'ADN, ont entraîné une réévaluation incessante de la classification du vivant. Bien que cette réévaluation soit loin d'être terminée, les biologistes divisent actuellement tous les organismes en trois groupes appelés domaines : les bactéries, les archées et les eucaryotes (**figure 1.13**).

(a) Domaine des bactéries

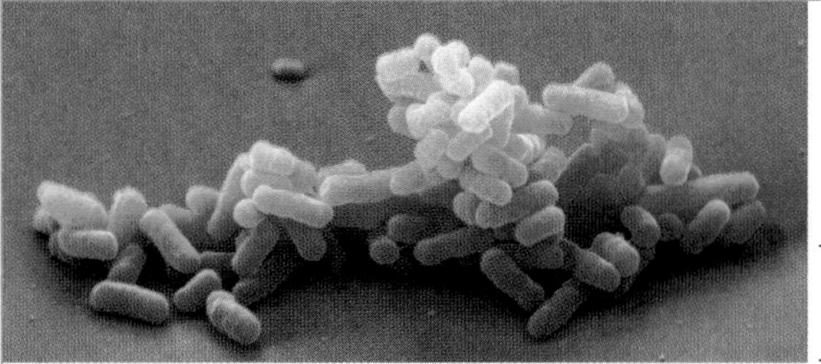

Les membres du domaine des **bactéries** sont les organismes procaryotes les plus diversifiés et les plus répandus. Chacune des structures en bâtonnet de cette micrographie est une cellule bactérienne.

(b) Domaine des archées

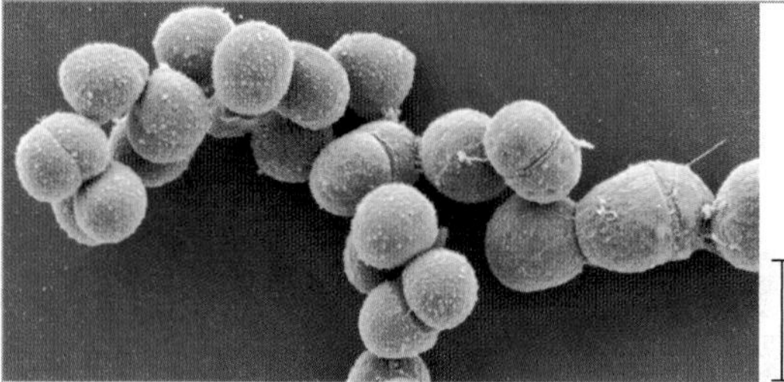

Le domaine des **archées** comprend des organismes procaryotes vivant dans des milieux extrêmes, comme les lacs salés et les sources hydrothermales. Chacune des structures rondes de cette micrographie est une archée.

(c) Domaine des eucaryotes

► Le règne des **végétaux** (les plantes terrestres) comprend les eucaryotes multicellulaires terrestres capables de photosynthèse, laquelle convertit l'énergie lumineuse en énergie chimique.

▲ Le règne des **eumycètes** regroupe des organismes qui, comme ce champignon, absorbent les nutriments par la paroi extérieure de leur corps.

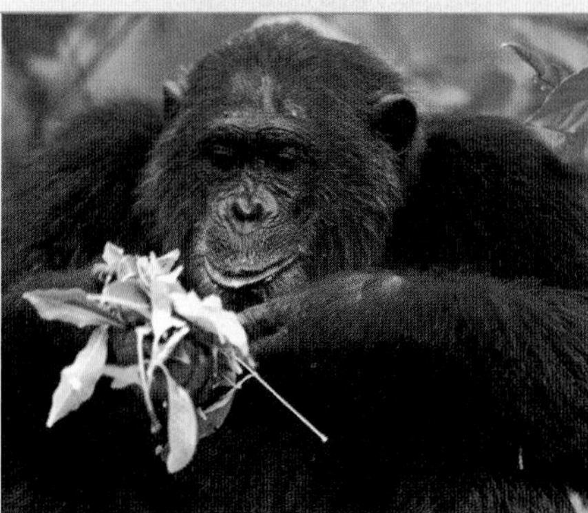

▲ Le règne des **animaux** est composé d'organismes eucaryotes multicellulaires qui ingèrent d'autres organismes.

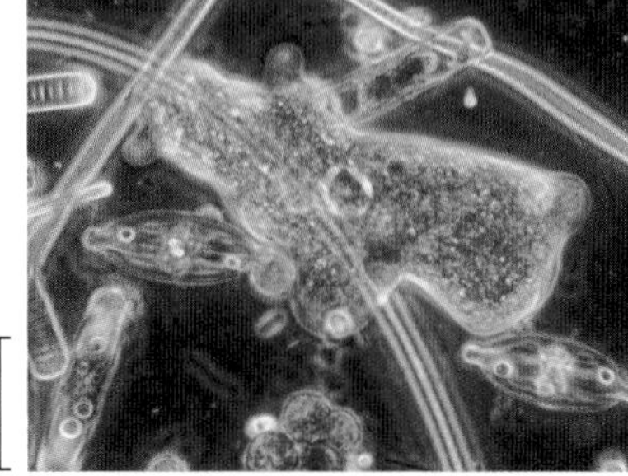

◄ Les **protistes** comprennent principalement les organismes eucaryotes unicellulaires et quelques organismes eucaryotes multicellulaires relativement simples qui leur sont apparentés. On voit ici divers protistes en suspension dans l'eau d'un étang. Actuellement, des scientifiques travaillent sur la classification des protistes de manière à bien rendre compte de leur évolution et de leur diversité.

▲ **Figure 1.13 Les trois domaines du vivant.**

Les organismes formant deux des trois domaines, celui des **bactéries** et celui des **archées**, sont des procaryotes (donc unicellulaires). Quant au domaine des **eucaryotes**, il comprend bien évidemment tous les organismes constitués de cellules eucaryotes, qu'ils soient unicellulaires ou pluricellulaires. Ce domaine comprend quatre sous-groupes : les protistes, le règne des végétaux, le règne des eumycètes, et le règne des animaux. Les trois règnes se distinguent en partie par leur mode de nutrition. Les végétaux produisent eux-mêmes leur matière organique au moyen de la photosynthèse ; les eumycètes absorbent des nutriments qu'ils trouvent dissous dans leur environnement ; et les animaux se nourrissent en ingérant et en digérant des proies de toute provenance. L'humain, bien entendu, appartient au règne des animaux.

Les protistes, dont la plupart sont des organismes unicellulaires, forment le groupe d'eucaryotes le plus vaste et le plus diversifié. Auparavant, les protistes avaient droit à leur propre règne, mais ils sont aujourd'hui classés en plusieurs sous-groupes, notamment parce que les récentes recherches sur l'ADN ont montré que certains protistes sont moins étroitement apparentés à d'autres protistes qu'à des végétaux, à des animaux ou à des eumycètes.

L'unité et la diversité

La diversité de la vie cache une unité étonnante, surtout aux niveaux moléculaire et cellulaire de l'organisation biologique. Pensons, par exemple, à la ressemblance entre différents animaux sur le plan du squelette de même qu'au langage génétique universel que constitue l'ADN (le code génétique), comme nous l'avons mentionné plus haut. En fait, on observe des ressemblances entre les organismes à tous les niveaux de l'organisation biologique. Par exemple, l'unité s'exprime dans de nombreuses caractéristiques de la structure cellulaire, même entre organismes peu apparentés (**figure 1.14**).

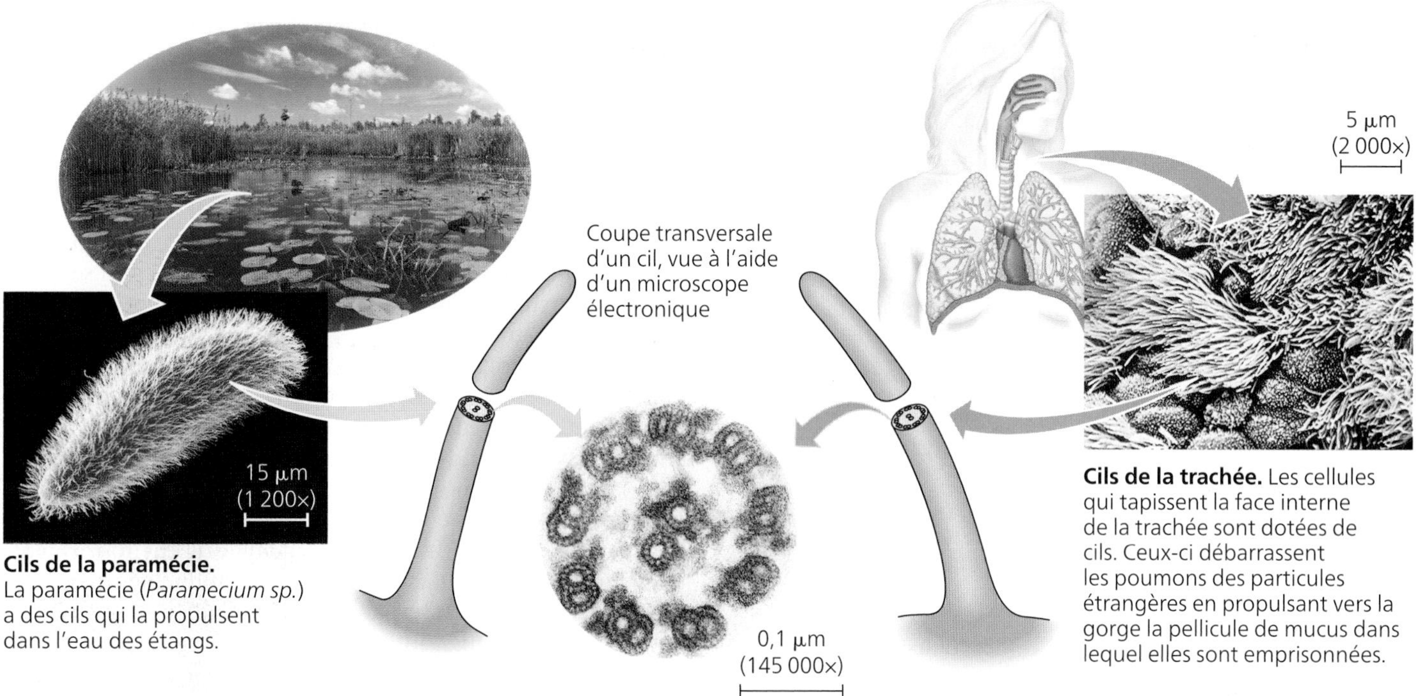

5 µm
(2 000×)
Coupe transversale d'un cil, vue à l'aide d'un microscope électronique
15 µm
(1 200×)
0,1 µm
(145 000×)
Cils de la paramécie. La paramécie (*Paramecium sp.*) a des cils qui la propulsent dans l'eau des étangs.
Cils de la trachée. Les cellules qui tapissent la face interne de la trachée sont dotées de cils. Ceux-ci débarrassent les poumons des particules étrangères en propulsant vers la gorge la pellicule de mucus dans lequel elles sont emprisonnées.

▲ **Figure 1.14** **Un exemple de l'unité au sein de la diversité des êtres vivants: l'architecture des cils chez les eucaryotes.** Les cils sont des appendices locomoteurs émergeant de cellules. Des organismes eucaryotes aussi différents qu'une paramécie (qui vit dans les étangs) et un humain possèdent des cils sur certaines de ces cellules. Même si ces deux organismes sont très différents, les cils de leurs cellules possèdent une organisation structurale commune, soit un système complexe de tubules que l'on voit ici dans les coupes transversales.

Comment expliquer la coexistence de l'unité et de la diversité chez les organismes? Le processus de l'évolution, que nous expliquons plus loin, permet de dégager les ressemblances et les différences entre les organismes. Il introduit également une autre dimension de la biologie: le passage du temps. L'histoire de la vie, telle qu'elle est révélée par les fossiles et d'autres données, s'étend sur des milliards d'années. Elle a pour toile de fond une planète en constant bouleversement, peuplée par une succession d'êtres vivants (**figure 1.15**).

Charles Darwin et la théorie de la sélection naturelle

Une vision évolutive de la vie a attiré l'attention en novembre 1859, quand Charles Robert Darwin a publié un des ouvrages les plus importants et les plus controversés jamais écrits jusqu'alors: *De l'origine des espèces au moyen de la sélection naturelle ou la conservation des espèces dans la lutte pour la survie* (**figure 1.16**). Le propos de Charles Darwin dans *De l'origine des espèces* était double. En premier lieu, Darwin montrait de façon convaincante que les espèces contemporaines étaient l'aboutissement d'une succession d'ancêtres différents d'elles. Darwin disait de l'évolution des espèces qu'elle correspondait à une «descendance avec modification», c'est-à-dire à une succession d'ancêtres ayant subi des transformations progressives au fil des générations. Cette explication rendait compte à la fois de l'unité et de la diversité de la vie: d'une part, on comprend que les espèces ont des caractères communs qui proviennent de leurs ancêtres communs; d'autre part, on comprend que leurs différences résultent de modifications apparues au fur et à mesure que ces espèces se sont séparées de leurs ancêtres communs (**figure 1.17**). En second lieu, Darwin proposait la «sélection naturelle» comme principale explication de cette descendance avec modification.

▲ **Figure 1.15** **À la recherche du passé.** Des paléontologues exhument délicatement la patte arrière d'un dinosaure à long cou (*Rapetosaurus krausei*) emprisonné dans la roche à Madagascar.

▶ **Figure 1.16 Le jeune Charles Darwin.** Son livre, *De l'origine des espèces*, publié pour la première fois en 1859, a révolutionné le monde.

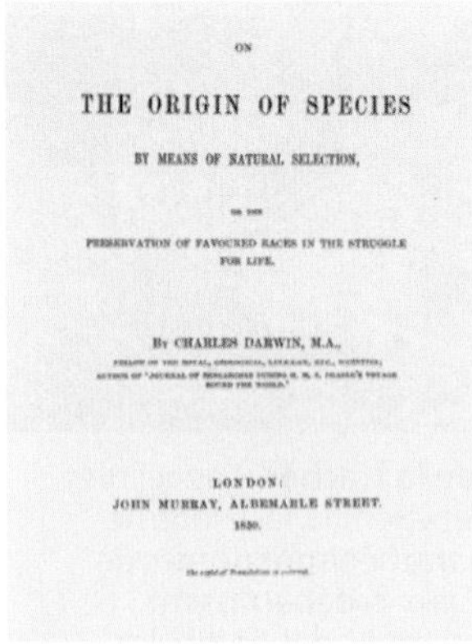

ON

THE ORIGIN OF SPECIES

BY MEANS OF NATURAL SELECTION,

PRESERVATION OF FAVOURED RACES IN THE STRUGGLE FOR LIFE.

By CHARLES DARWIN, M.A.,

LONDON:
JOHN MURRAY, ALBEMARLE STREET.

▼ **Figure 1.17 L'unité et la diversité chez les oiseaux.** Ces quatre oiseaux sont des variantes sur un même plan corporel. Par exemple, chacun de ces oiseaux a des plumes, un bec et des ailes, mais ces caractéristiques communes sont hautement spécialisées selon le mode de vie de chacun.

▲ **Buse à épaulettes.**

▲ **Flamant des Caraïbes.**

▲ **Manchot papou.**

▲ **Rouge-gorge familier.**

Darwin a formulé le concept de sélection naturelle à partir d'observations qui n'étaient ni nouvelles ni très poussées. En fait, les pièces du casse-tête étaient déjà connues, mais il a su comment les agencer. Il a entrepris sa réflexion à partir de trois observations sur la nature. La première veut que, dans une population donnée, de nombreux caractères héréditaires (c'est-à-dire transmis par les parents) varient d'un individu à l'autre. Deuxièmement, une population a la capacité de produire un nombre de descendants supérieur au nombre pouvant survivre et se reproduire, compte tenu des ressources limitées du milieu. Cette surnatalité entraîne inévitablement une lutte pour la survie. Troisièmement, les espèces sont généralement faites pour vivre dans leur environnement; autrement dit, elles sont adaptées à leur mode de vie. Par exemple, les oiseaux qui se nourrissent principalement de graines à enveloppe dure ont un bec particulièrement robuste.

Les conclusions que Darwin a tirées de ces observations lui ont permis de formuler sa théorie de l'évolution. Il a déduit que les individus possédant les caractères les mieux adaptés à leur milieu de vie engendrent généralement beaucoup plus de descendants féconds que les autres. Au fil des générations, une proportion grandissante d'individus d'une population présenteront les caractères héréditaires les mieux adaptés à l'environnement. L'évolution survient lorsque le succès reproducteur inégal des individus finit par rendre la population adaptée à son environnement, tant et aussi longtemps que l'environnement reste inchangé.

Darwin a appelé ce mécanisme d'adaptation évolutive la **sélection naturelle**, parce que l'environnement naturel fait continuellement une « sélection » des caractères les mieux adaptés parmi une variété de caractères que présentent naturellement les individus. L'exemple de la **figure 1.18** illustre le mécanisme par lequel la sélection naturelle peut faire le « tri » dans les variations héréditaires d'une population. Les effets de la sélection naturelle sont révélés par l'adaptation parfois raffinée des organismes aux contraintes de leur environnement. Les ailes de la chauve-souris, présentées à la **figure 1.19**, constituent un excellent exemple d'adaptation.

L'arbre de la vie

Examinez de nouveau l'architecture squelettique des ailes de la chauve-souris à la figure 1.19. Ces ailes sont différentes de celles des oiseaux à plumes, car la chauve-souris est un mammifère. Ses membres antérieurs sont adaptés au vol, mais ils possèdent les mêmes os, les mêmes articulations, les mêmes nerfs et les mêmes vaisseaux sanguins que ceux des membres d'autres espèces, comme le bras humain, la patte antérieure du cheval ou la nageoire de la baleine. En fait, les membres antérieurs des mammifères sont des variations anatomiques d'une architecture commune. Selon le principe de la « descendance avec modification » de Darwin, l'unité qui se dégage de l'anatomie des membres des mammifères montre que cette structure provient d'un ancêtre commun, sorte de « prototype » de mammifère dont descendent tous les autres. La diversité de leurs membres antérieurs témoigne des modifications produites par sélection naturelle sur des millions d'années dans différents contextes environnementaux. Les fossiles et d'autres preuves corroborent l'unité anatomique et appuient la théorie voulant que les mammifères descendent tous d'un ancêtre commun.

Darwin expliquait qu'en raison de ses effets cumulatifs au fil de nombreuses générations, la sélection naturelle permettait d'envisager qu'une espèce ancestrale se « scinde » en de nouvelles espèces. Un tel phénomène peut se produire, par exemple, lorsqu'une même population se fragmente en plusieurs

▼ **Figure 1.18 La sélection naturelle.** Cette population imaginaire de coléoptères a colonisé un lieu dont le sol a été noirci par un feu de brousse. Au départ, la coloration des individus varie considérablement dans la population: elle va d'un gris très pâle à un gris très sombre. Les individus pâles sont repérés plus facilement par les oiseaux affamés qui se nourrissent de coléoptères.

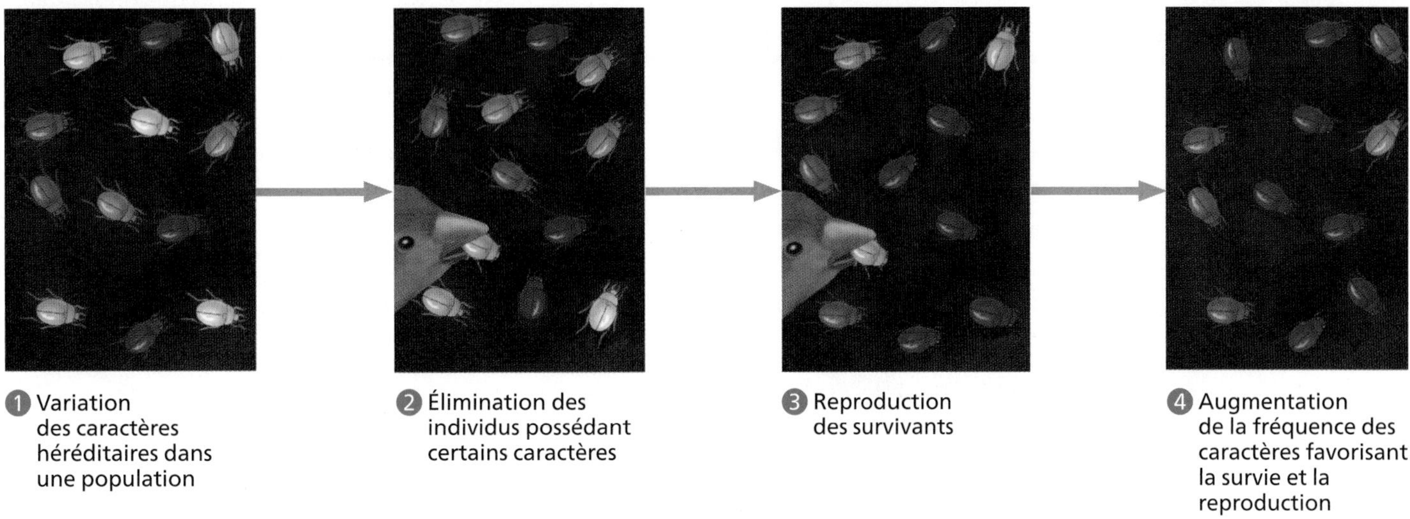

1 Variation des caractères héréditaires dans une population
2 Élimination des individus possédant certains caractères
3 Reproduction des survivants
4 Augmentation de la fréquence des caractères favorisant la survie et la reproduction

FAITES UN DESSIN ▶ Peu à peu, le sol prendra une couleur plus claire. Dessinez une autre étape qui montre comment un pâlissement de la couleur du sol influera sur la sélection naturelle. Ensuite, expliquez comment la population changera au fil du temps, à mesure que le sol pâlira.

▲ **Figure 1.19 L'adaptation évolutive.** Les chauves-souris sont les seuls mammifères capables de voler. Leurs ailes sont constituées d'une mince couche de peau tendue comme une toile entre leurs longs doigts, formant ainsi une sorte de cape. Selon la théorie de Darwin, ce genre d'adaptation est dû à la sélection naturelle.

populations géographiquement isolées et vivant dans des environnements différents. À mesure qu'elles s'adaptent chacune de leur côté à un environnement particulier, celles-ci peuvent former des espèces distinctes.

Les géospizes des îles Galápagos sont un exemple notoire du processus de radiation d'une espèce ancestrale en nouvelles espèces. Darwin a recueilli des spécimens de ces oiseaux lorsqu'il a visité les îles Galápagos en 1835. Cet archipel volcanique relativement jeune est situé dans l'océan Pacifique à environ 900 km des côtes de l'Amérique du Sud. Il abrite de nombreuses espèces végétales et animales qui n'existent nulle part ailleurs dans le monde, encore qu'elles soient manifestement apparentées aux espèces du continent sud-américain. Les géospizes descendent vraisemblablement d'une espèce ancestrale provenant du continent sud-américain ou des Caraïbes et qui s'est arrêtée là. Au fil du temps, à partir de leur ancêtre, les géospizes se sont diversifiés à mesure que leurs populations s'adaptaient à leurs sources de nourriture, qui diffèrent d'une île à l'autre. Des années après la visite de Darwin aux îles Galápagos, des chercheurs ont commencé à étudier l'apparentement évolutif entre les différentes espèces de géospizes, d'abord à partir de données anatomiques et géographiques puis, plus récemment, à partir de la comparaison des séquences d'ADN.

Les schémas que les biologistes créent pour représenter l'évolution ont souvent la forme simplifiée d'un arbre, mais le portrait global est plus complexe, comme l'illustre la **figure 1.20a**. Les trois grands domaines du vivant (eucaryotes, archées et bactéries) regroupent de nombreuses lignées qui se sont métissées à plusieurs reprises, comme si le tronc était en fait composé d'un entrelacs de branchages qui ont fusionné par endroits. Les origines les plus anciennes de ces lignées sont encore nébuleuses, mais, en raison des grandes similitudes génétiques et structurales entre toutes les formes de vie connues, on soupçonne qu'elles ont une origine unique et commune à toutes: une forme de vie unicellulaire nommée DACU, acronyme pour «Dernier ancêtre commun universel» (LUCA ou «*Last Unknown Common Ancestor*» en anglais). D'autres formes de vie auraient pu exister avant, en même temps ou même après ce DACU, mais aucune de ces autres formes des temps anciens n'aurait donné de descendants vivants actuellement.

Lorsqu'on s'intéresse plus particulièrement à une ou plusieurs lignées spécifiques dans l'un ou l'autre des trois domaines, on simplifie la représentation de ce «buisson évolutif» en ne gardant que les branchages les plus élevés, l'extrémité des branches et leurs plus petits rameaux. Le plus souvent, cette partie de l'arbre évolutif est représenté horizontalement (couché sur le côté), comme dans la **figure 1.20b.** Ce schéma arborescent convient

▼ Figure 1.20

PANORAMA Des schémas créés par les biologistes pour représenter l'évolution

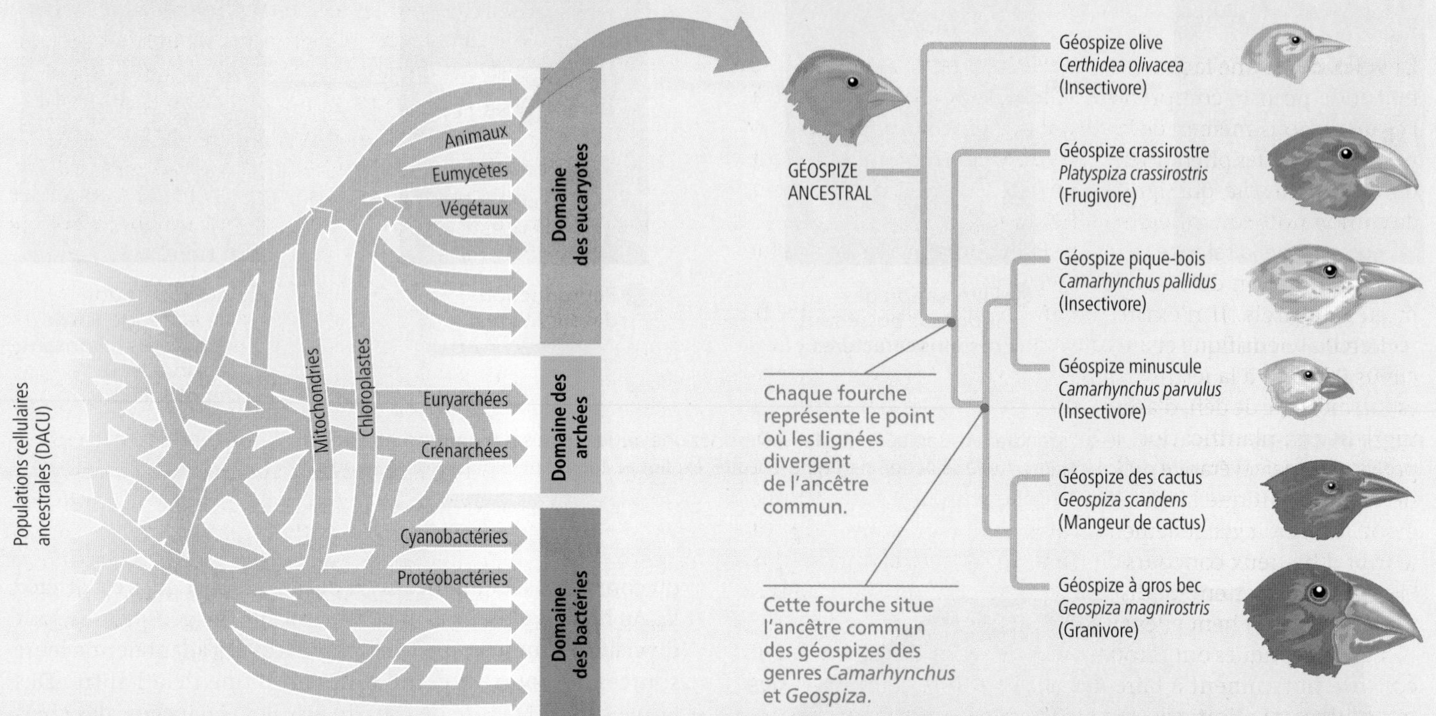

(a) L'arbre de la vie est en fait un buisson dense aux branchages entrelacés. Les trois grands domaines du vivant (eucaryotes, archées et bactéries) sont composés de lignées qui se sont entremêlées à leurs débuts (portion du bas), formant un réseau complexe plutôt qu'un simple tronc commun. Ces lignées auraient toutefois une origine commune, un organisme surnommé DACU, qui faisait partie d'une population de cellules ancestrales.

(b) Un exemple d'arbre évolutif partiel: la diversification des géospizes dans les îles Galápagos. Ce diagramme arborescent (équivalent à un rameau de l'arbre de gauche, qui croît horizontalement) représente un modèle courant de l'évolution des géospizes dans les îles Galápagos. Remarquez comment les becs se sont adaptés aux diverses sources de nourriture présentes sur les différentes îles. Par exemple, un bec trapu casse plus efficacement les graines qu'un bec effilé qui, lui, saisit mieux les insectes.

particulièrement à la représentation des liens évolutifs: tout comme une personne possède une histoire familiale qu'on peut représenter par un arbre généalogique, chaque espèce occupe l'extrémité d'une branche de l'arborescence. En parcourant les ramifications à rebours, on remonte jusqu'aux espèces ancestrales. Les espèces très semblables, comme les géospizes des îles Galápagos, descendent d'un ancêtre commun. En remontant plus loin dans le temps, toutefois, on s'aperçoit que les géospizes sont apparentés aux pinsons, aux faucons, aux pingouins et à tous les autres oiseaux. Par ailleurs, les géospizes et d'autres oiseaux ont un ancêtre commun encore plus ancien. Si nous remontions extrêmement loin dans le temps, nous arriverions aux tout premiers procaryotes qui habitaient la Terre il y a plus de 3,5 milliards d'années. Nous en retrouvons d'ailleurs des vestiges dans nos propres cellules, en l'occurrence dans le code génétique universel. En somme, tous les êtres vivants sont apparentés, et l'essence de ce lien réside dans l'évolution.

RETOUR SUR LE CONCEPT 1.2

1. Expliquez pourquoi l'expression *faire le tri* illustre bien le mécanisme de la sélection naturelle sur la variation héréditaire d'une population.
2. Examinez la figure 1.20b et tentez d'expliquer comment, sur une très longue période de temps, le géospize olive a acquis son long bec effilé.
3. **FAITES UN DESSIN ▶** Les trois domaines décrits dans le concept 1.2 peuvent représenter les trois principales branches de l'arbre de l'évolution, celle des Eucaryotes comportant trois ramifications, soit le règne des végétaux, celui des eumycètes et celui des animaux. Mais supposons un instant que les eumycètes et les animaux soient plus étroitement apparentés entre eux qu'ils ne le sont aux végétaux, comme le suggèrent fortement les données les plus récentes. Dessinez un diagramme arborescent simple qui illustre la relation proposée ici entre ces trois règnes eucaryotes.

Voir les réponses proposées à l'appendice A.

CONCEPT **1.3**

Les scientifiques étudient la nature en faisant des observations, à partir desquelles ils formulent et testent des hypothèses

La **science** est une façon de connaître le monde naturel et une méthode pour le comprendre. Elle naît de notre curiosité à l'égard de nous-mêmes, de la vie qui nous entoure, de notre planète et de tous les phénomènes de l'univers. Le mot *science* vient du verbe latin *scire*, qui signifie « savoir ». Il semble que le besoin de comprendre soit inhérent à l'humain.

Au cœur de la science se trouve la **recherche**. La recherche vise l'acquisition de nouvelles connaissances sur des phénomènes naturels. Il n'existe aucune recette pour faire de la recherche scientifique et aucune méthode unique que les chercheurs suivent à la lettre. Comme dans toute quête, la science est un mélange de défi, d'aventure et de chance, enrichi de divers ingrédients : planification soignée, raisonnement, créativité, patience et persévérance malgré les insuccès. Ce mélange plutôt hétérogène fait que la science est beaucoup moins structurée qu'on ne le croit généralement et que certaines découvertes sont le fruit d'heureux concours de circonstances. Cela dit, certains éléments permettent de distinguer la science des autres disciplines qui s'attachent elles aussi à décrire la nature.

Les scientifiques ont recours à une méthode de recherche qui consiste notamment à faire des observations, à formuler des hypothèses (explications) logiques et vérifiables, et à les mettre à l'épreuve. La démarche est forcément répétitive : la vérification d'une hypothèse peut nécessiter une reformulation ou exiger une nouvelle formulation, qu'on devra vérifier elle aussi. De cette façon, les scientifiques cernent de plus en plus étroitement les lois de la nature.

L'exploration et l'observation

La curiosité nous incite souvent à nous interroger sur la cause naturelle des phénomènes que nous observons partout dans le monde. Par exemple, pourquoi les racines d'une semence poussent-elles vers le bas plutôt que vers le haut ? Lorsque les biologistes veulent préciser davantage leurs questions, ils s'en remettent essentiellement à la littérature scientifique, c'est-à-dire aux travaux publiés par leurs consœurs et confrères. En lisant ces travaux et en approfondissant sans cesse leur compréhension, les scientifiques peuvent non seulement bonifier le savoir existant, mais également articuler leurs propres recherches autour d'observations originales et d'hypothèses compatibles avec les résultats de recherche existants. Il est plus facile que jamais aujourd'hui de repérer des publications en lien avec une nouvelle piste de recherche grâce aux bases de données électroniques qui sont indexées et dotées de moteurs de recherche.

Au cours de leur travail, les scientifiques consignent minutieusement leurs observations. Lorsqu'ils recueillent des données, ils ont souvent recours à des outils tels que microscopes, thermomètres de précision ou caméras à haute vitesse afin d'obtenir des mesures rigoureuses ou d'élargir la portée de leurs perceptions. Les observations peuvent fournir des détails précieux sur le monde naturel. Par exemple, c'est une série d'observations détaillées qui a façonné notre compréhension de la structure de la cellule. C'est également un ensemble d'observations qui nous permet d'enrichir les bases de données sur le génome de diverses espèces de même que les bases de données sur les gènes dont l'expression erronée cause des maladies.

Les observations consignées sont appelées **données**. Autrement dit, les données sont les éléments d'information sur lesquels s'appuie la recherche scientifique. Beaucoup de gens s'imaginent que les *données* se présentent sous forme de nombres. Pourtant, les données ne sont pas nécessairement *quantitatives* ; elles peuvent aussi être *qualitatives*, c'est-à-dire consister en une description plutôt qu'en une mesure chiffrée. Par exemple, Jane Goodall a passé des décennies à noter ses observations sur le comportement des chimpanzés lors de ses recherches sur le terrain dans la jungle tanzanienne (**figure 1.21**). Ses recherches ont enrichi le domaine du comportement animal d'innombrables données *qualitatives* (descriptions, dessins, photos, films) et *quantitatives*, comme la fréquence ou la durée de certains comportements chez divers individus d'un groupe de chimpanzés dans toutes sortes de situations. Les données quantitatives sont généralement exprimées en mesures chiffrées et souvent présentées dans des tableaux ou des graphiques. Lorsqu'ils analysent leurs données, les scientifiques ont recours à la *statistique*, une branche des mathématiques qui leur permet de vérifier si leurs résultats sont significatifs ou simplement attribuables à des variations aléatoires. Tous les résultats de recherche présentés dans ce manuel sont réputés significatifs sur le plan statistique.

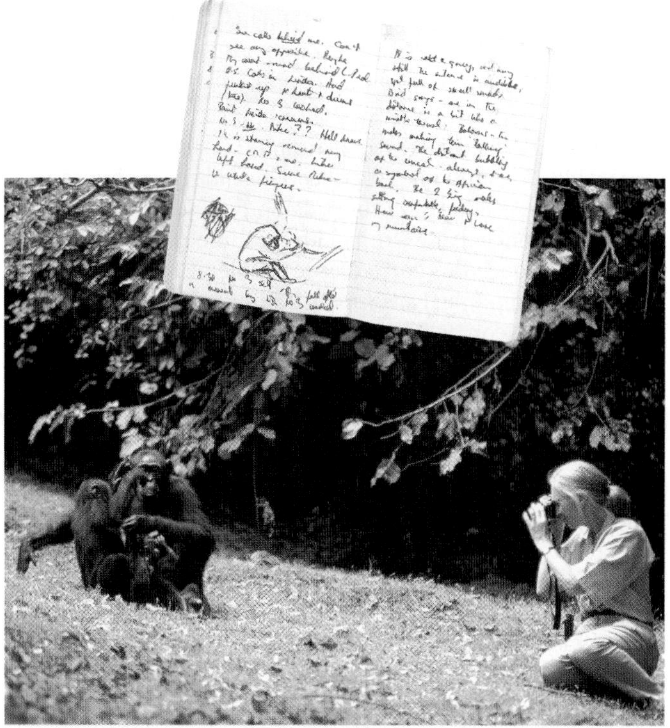

▲ **Figure 1.21 Jane Goodall recueillant des données sur le comportement des chimpanzés (*Pan troglodytes*).** Goodall consignait ses observations dans des cahiers réservés à son travail sur le terrain. Elle y esquissait également des dessins représentant le comportement de ces animaux.

La collecte et l'analyse de données peuvent déboucher sur des conclusions importantes fondées sur une forme de logique appelée induction, ou **raisonnement inductif**. Par induction, on peut faire des généralisations basées sur un grand nombre d'observations spécifiques. C'est ainsi qu'on peut dire, par exemple, « Le soleil se lève toujours à l'est » et « Tous les organismes sont formés de cellules ». Pour formuler cette dernière généralisation qui fait aujourd'hui partie de la théorie cellulaire, il a fallu deux siècles pendant lesquels des biologistes ont observé au microscope des cellules de divers spécimens d'organismes. Les observations minutieuses, l'analyse rigoureuse des données et les généralisations inductives auxquelles cette analyse mène parfois sont essentielles à notre compréhension de la nature.

La formulation et la vérification d'hypothèses

Après les observations préliminaires, la collecte des données et leur analyse, les scientifiques peuvent tenter de répondre à leurs questions initiales et vérifier leurs hypothèses. En science, une **hypothèse** scientifique est une explication, formulée à partir d'observations et de suppositions, qui débouche sur une prédiction vérifiable. Autrement dit, une hypothèse est une explication qu'on doit vérifier. Elle consiste habituellement en un énoncé rationnel d'un ensemble d'observations reposant sur les données disponibles et guidé par un raisonnement inductif. Une hypothèse scientifique doit conduire à des prédictions qu'on peut vérifier en consignant d'autres observations ou en réalisant des expériences. Une **expérience** est un test scientifique qu'on effectue dans des conditions contrôlées.

Il nous arrive tous de faire des observations et de formuler des questions et des hypothèses pour résoudre les problèmes que nous éprouvons dans la vie de tous les jours. Supposez, par exemple, que votre lampe de bureau est bien branchée, mais que l'ampoule ne s'allume pas. Voilà pour l'observation. La question qui se pose, évidemment, est la suivante : Pourquoi la lampe ne fonctionne-t-elle plus ? En vous fondant sur votre expérience, vous émettez deux hypothèses plausibles : (1) l'ampoule n'est pas bien vissée ; (2) l'ampoule est grillée. Chacune de ces hypothèses entraîne une prédiction que vous pouvez vérifier au moyen d'une expérience. Par exemple, l'hypothèse de l'ampoule mal vissée prédit que vous corrigerez le problème en revissant correctement l'ampoule. La **figure 1.22** illustre le problème de la lampe. Cette façon de résoudre un problème par tâtonnements (par essais et erreurs) est une approche par hypothèses.

Le raisonnement déductif

L'approche par hypothèses comporte un type de raisonnement qu'on qualifie de *déductif*. La déduction s'oppose à l'induction. Tandis que l'induction consiste à formuler une conclusion générale à partir d'une série d'observations particulières, le **raisonnement déductif** fait appel à un raisonnement inverse, qui va du général au particulier. On pose des prémisses générales, puis on extrapole les résultats particuliers qui devraient se produire si elles sont vraies.

Dans la démarche scientifique, la déduction consiste habituellement à prévoir les résultats que l'on obtiendrait si l'hypothèse émise (soit la prémisse) est vraie. On vérifie ensuite celle-ci en menant une expérience pour voir si oui ou non on obtient les résultats attendus. Cette vérification déductive fait appel à la formulation logique « Si..., alors... ». Dans le cas de l'exemple

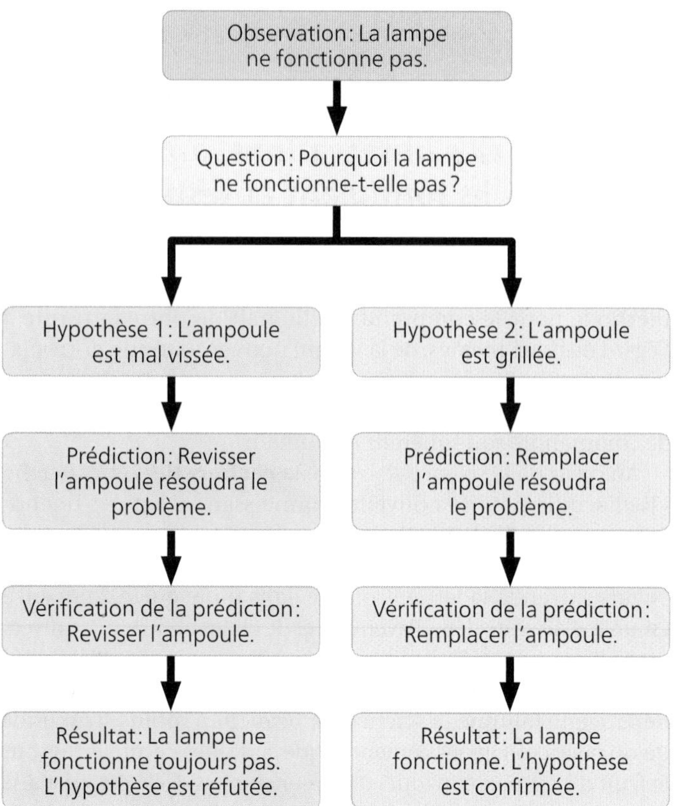

▲ **Figure 1.22 Un schéma de la démarche scientifique.** L'organigramme ci-dessous montre les étapes qu'on devrait idéalement suivre dans le cadre d'une « démarche scientifique », aussi appelée méthode scientifique. La démarche est ici appliquée pour illustrer la vérification d'hypothèses au sujet d'une lampe qui ne fonctionne pas.

de la lampe, la formulation serait la suivante : *si* l'hypothèse de l'ampoule grillée est correcte, *alors* la lampe de votre bureau fonctionnera lorsque vous remplacerez l'ampoule.

On peut se servir de l'exemple de la lampe pour illustrer deux autres éléments clés au sujet du rôle des hypothèses en science. Premièrement, on peut toujours formuler des hypothèses supplémentaires pour expliquer une série d'observations. Par exemple, dans le problème de la lampe, une autre hypothèse pourrait être que la douille est cassée. Vous pourriez concevoir une expérience pour vérifier cette hypothèse, mais jamais vous ne pourrez vérifier toutes les hypothèses possibles. Deuxièmement, on ne peut jamais *prouver* qu'une hypothèse est vraie. Selon les expériences de la figure 1.22, l'hypothèse de l'ampoule grillée est l'explication la plus plausible, mais l'étape de la vérification appuie l'hypothèse *non pas* en prouvant qu'elle est correcte, mais en ne pouvant pas prouver qu'elle est incorrecte. Par exemple, même si le remplacement de l'ampoule a résolu le problème, il demeure possible qu'il y ait eu une panne électrique momentanée qui a pris fin à l'instant où l'on changeait l'ampoule.

Même si on ne peut pas prouver une hypothèse au-delà de tout doute, on peut augmenter considérablement sa validité en la vérifiant de diverses façons. C'est souvent en formulant et en vérifiant à plusieurs reprises des hypothèses que les chercheurs arrivent à un consensus scientifique ; ils seront alors nombreux à conclure qu'une hypothèse donnée explique bien un ensemble de données connu et qu'elle reste plausible après maintes vérifications.

Les questions pour lesquelles la science n'offre pas de réponse

La recherche scientifique est un moyen éprouvé de faire des découvertes sur la nature, mais elle ne peut répondre à tous les types de questions. Une hypothèse doit être *vérifiable*, c'est-à-dire qu'il doit exister une observation ou une expérience susceptible de montrer qu'une supposition est vraie ou fausse. Par exemple, l'hypothèse voulant que l'ampoule grillée soit la *seule* cause du non-fonctionnement de la lampe pourrait être réfutée si la lampe ne fonctionne toujours pas après en avoir remplacé l'ampoule.

Par ailleurs, les hypothèses ne répondent pas toutes aux critères qu'impose la science. Aucun test ne vous permettrait de vérifier l'hypothèse voulant que des fantômes aient trafiqué votre lampe. La science ne concerne que les explications naturelles et vérifiables à des phénomènes naturels; elle ne peut donc valider ou réfuter l'hypothèse des fantômes, ni d'autres hypothèses qui voudraient que des esprits ou des elfes puissent causer des tempêtes, des arcs-en-ciel ou des maladies. De telles explications surnaturelles dépassent les limites de la science, tout comme les questions religieuses, qui relèvent de la foi personnelle. La science et la religion ne sont pas mutuellement exclusives ou contradictoires; elles n'ont tout simplement pas la même façon d'appréhender les phénomènes.

La flexibilité de la démarche scientifique

Dans l'exemple de la lampe de la figure 1.22, nous avons décrit les étapes de façon idéalisée, dans l'ordre, en suivant un processus de recherche qu'on appelle *démarche scientifique*. Toutefois, rares sont les situations où les scientifiques suivent exactement ces étapes dans cet ordre. Par exemple, un scientifique peut commencer à concevoir une expérience et ensuite, au milieu de son expérimentation, faire un retour en arrière pour changer son hypothèse ou modifier son expérience parce qu'il se rend compte qu'il a oublié de prendre en compte certaines observations. Dans d'autres cas, les observations demeurent trop obscures pour permettre de formuler des questions bien définies, et on attendra alors qu'un autre projet de recherche apporte un contexte nouveau dans lequel il sera possible d'examiner ces observations ou de formuler une hypothèse. Par exemple, ce n'est qu'*après* la découverte de la structure de l'ADN (en 1953) que les scientifiques ont pu comprendre de façon détaillée comment le code contenu dans les gènes détermine la synthèse des protéines.

La **figure 1.23** montre un modèle de démarche scientifique plus réaliste. Cette démarche s'articule autour d'un ensemble d'activités : la formulation et la vérification d'hypothèses (cercle au centre de la figure). Cet ensemble d'activités est au cœur de la démarche scientifique et permet de comprendre pourquoi la science arrive si bien à expliquer les phénomènes du monde naturel. Toutefois, ces activités sont déterminées par l'exploration et la découverte (cercle dans le haut de la figure), et elles sont également influencées par les interactions avec d'autres chercheurs et, plus généralement, avec la société (cercles du bas). Par exemple, la communauté scientifique détermine en bonne partie quelles hypothèses on vérifiera, comment on interprétera les résultats et quelle valeur on leur accordera. De son côté, la société (plus précisément ses besoins, comme trouver un traitement contre le cancer ou comprendre les changements climatiques) peut jouer un rôle dans les décisions relatives au financement de certains projets de recherche et à la diffusion de leurs résultats.

Maintenant que nous avons dégagé les principaux éléments de la démarche scientifique (observations, formulation d'hypothèses et vérification d'hypothèses), vous devriez être capable de les reconnaître dans une étude de cas réelle.

Une étude de cas dans la recherche scientifique : les différences de couleur du pelage des populations de *Peromyscus polionotus*

Pour commencer, considérons un ensemble d'observations et de généralisations inductives. La couleur des animaux varie beaucoup dans la nature, et parfois même au sein d'une même espèce. Qu'est-ce qui explique cette variation ? Comme vous vous rappelez peut-être, les deux souris décrites au début du chapitre appartiennent à la même espèce (*Peromyscus polionotus*), mais elles ont des robes de couleurs différentes et elles habitent dans des environnements différents. Une population de ces souris vit sur la côte floridienne parmi les touffes de végétation clairsemées qui poussent sur les dunes de sable blanc, tandis qu'une autre population de la même espèce vit à l'intérieur des terres sur un sol plus foncé et plus fertile (**figure 1.24**). Un simple coup d'œil aux photos de la figure 1.24 suffit pour voir à quel point la couleur de chaque population ressemble à celle de son habitat. Les prédateurs naturels de ces souris, dont le faucon, le hibou, le renard et le coyote, sont des chasseurs qui se servent de leurs yeux pour repérer leurs proies. Il était donc logique, pour Francis Bertody Sumner, un naturaliste qui a étudié les souris de ces populations dans les années 1920, de formuler l'hypothèse voulant que les couleurs de ces souris soient des adaptations évolutives parce qu'elles permettaient aux souris de se fondre dans leur environnement respectif, ce qui les protégeait des prédateurs.

Même si l'hypothèse du camouflage semble aller de soi, elle demeurait à vérifier. En 2010, la biologiste Hopi Hoekstra et un groupe d'étudiants de la Harvard University se sont rendus en Floride pour vérifier la prédiction suivante : les souris dont la couleur ne se fond pas avec l'environnement sont plus souvent attaquées par les prédateurs que les souris dont la couleur favorise le camouflage. La **figure 1.25** résume cette expérience de terrain.

Hopi et ses étudiants ont fabriqué des centaines de fausses souris, puis ils les ont colorées avec de la peinture en aérosol afin d'avoir des fausses souris semblables à celles vivant sur la plage et d'autres semblables à celles vivant à l'intérieur des terres. Les fausses souris ne différaient donc que par leur couleur. L'équipe de chercheurs a ensuite éparpillé les fausses souris en nombres égaux dans les deux habitats et les a laissées là toute une nuit. Dans chaque habitat, les fausses souris de la même couleur que les souris indigènes (que nous appellerons ici « fausses souris indigènes ») formaient le *groupe témoin*, tandis que les fausses souris de l'autre couleur (les « souris non indigènes ») formaient le *groupe expérimental*. Donc, sur la plage, les fausses souris indigènes (de couleur claire) formaient le groupe témoin, tandis que les fausses souris non indigènes (de couleur foncée) formaient le groupe expérimental. Le lendemain matin, l'équipe de chercheurs a compté et noté les signes de prédation, qui pouvaient être aussi bien des marques de dents, de bec ou de griffes que la disparition pure et simple de fausses souris.

DÉMARCHE SCIENTIFIQUE

▼ **Figure 1.23**

Un modèle réaliste de démarche scientifique

Dans la réalité, la démarche scientifique n'est pas linéaire, mais plutôt circulaire. Elle suppose des retours en arrière, des répétitions et des interactions entre les différentes parties du processus. Le modèle montré ici, appelé *How Science Works* (Comment fonctionne la science), est basé sur le modèle proposé par *Understanding Science* (www.understandingscience.org).

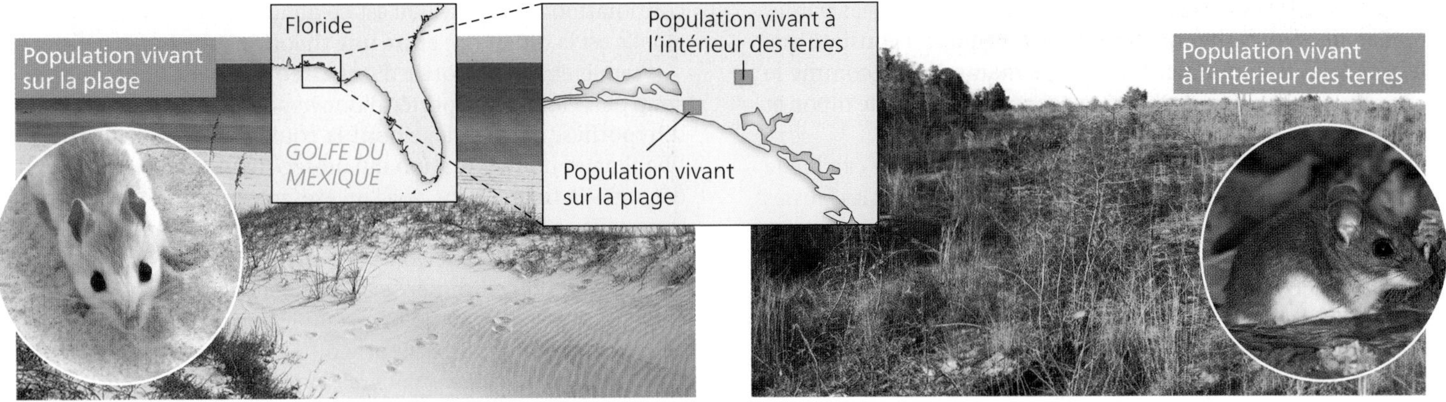

Les souris vivant sur les dunes presque dépourvues de végétation de la côte floridienne ont un pelage dorsal de couleur claire, légèrement tacheté, qui leur permet de se fondre dans l'environnement.

Les souris vivant à l'intérieur des terres, à environ 30 km de la côte, ont un pelage dorsal foncé qui leur permet de passer inaperçues sur le sol foncé de leur habitat.

▲ **Figure 1.24 Les pelages de couleurs différentes des populations de *Peromyscus polionotus* vivant sur la plage ou à l'intérieur des terres.**

DÉMARCHE SCIENTIFIQUE

INVESTIGATION

▼ **Figure 1.25**

Le camouflage modifie-t-il le taux de prédation de deux populations de souris?

■ **HYPOTHÈSE** ■ Hopi Hoekstra et ses collègues ont vérifié l'hypothèse voulant que la couleur du pelage serve de camouflage qui protège de la prédation deux populations de souris (*Peromyscus polionotus*), l'une vivant sur les plages, et l'autre, à l'intérieur des terres.

■ **EXPÉRIENCE** ■ Les chercheurs ont fabriqué et peint de fausses souris de façon qu'elles ressemblent à celles vivant sur la plage (couleur claire) ou à celles vivant à l'intérieur des terres (couleur foncée). Ensuite, ils ont éparpillé les deux sortes de fausses souris dans chaque habitat. Le lendemain matin, ils ont compté les fausses souris endommagées ou manquantes.

■ **RÉSULTATS** ■ Pour chaque habitat, les chercheurs ont calculé le pourcentage de fausses souris claires et foncées qui avaient été attaquées durant la nuit. Dans un habitat comme dans l'autre, les fausses souris non indigènes avaient été attaquées beaucoup plus souvent que les fausses souris indigènes.

■ **CONCLUSION** ■ Les résultats corroborent la prédiction des chercheurs, à savoir que les fausses souris indigènes seraient attaquées moins souvent par les prédateurs que les fausses souris non indigènes. L'expérience a donc permis de confirmer l'hypothèse de départ.

Source des données: S. N. Vignieri, J. G. Larson et H. E. Hoekstra, The selective advantage of crypsis in mice, *Evolution* 64: 2153-2158 (2010).

INTERPRÉTEZ LES DONNÉES ▶ Les bandes du tableau indiquent le pourcentage de fausses souris claires ou foncées qui ont été attaquées. Supposez que 100 fausses souris ont été attaquées dans chaque habitat. Sur la plage, combien de souris de couleur claire ont été attaquées, et combien de souris foncées? Répondez à la même question, mais pour l'intérieur des terres.

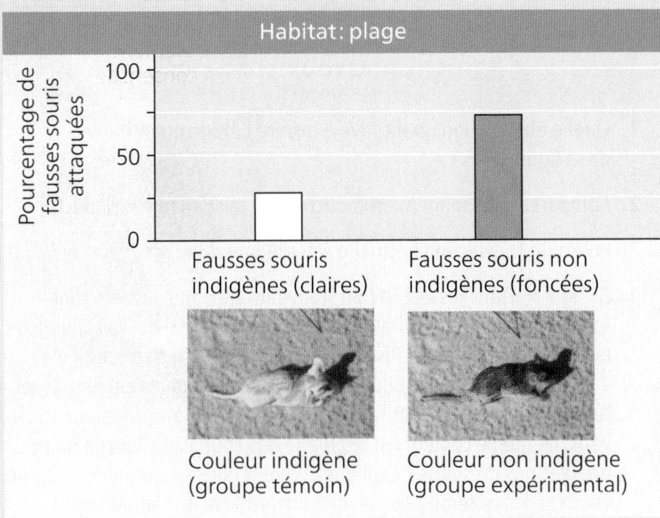

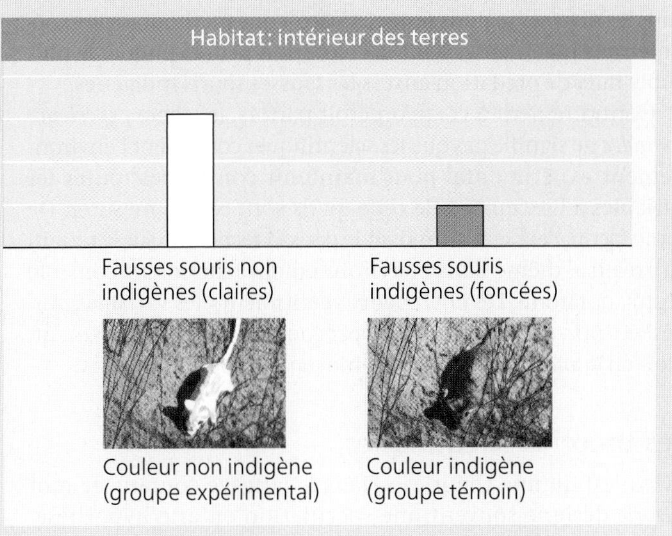

Selon la forme des morsures et des empreintes laissées par les prédateurs sur les sites de l'expérience, l'équipe a constaté que les prédateurs comptaient autant de mammifères (comme le renard et le coyote) que d'oiseaux (comme le héron, le hibou et le faucon).

Pour chaque habitat, les chercheurs ont ensuite calculé le pourcentage d'événements de prédation qui ciblaient les fausses souris indigènes. Les résultats n'ont laissé aucun doute : les fausses souris indigènes, dont la couleur servait de camouflage, étaient beaucoup moins souvent attaquées par les prédateurs que les fausses souris non indigènes, tant sur la plage (où les souris de couleur claire étaient moins vulnérables) qu'à l'intérieur des terres (où les souris foncées étaient moins vulnérables). Les résultats de l'expérience ont donc appuyé l'hypothèse de départ.

Les variables observables et le contrôle expérimental

Souvent, lorsqu'un chercheur réalise une expérience, il manipule un facteur faisant partie d'un système et observe les effets de cette manipulation. L'expérience sur le camouflage des souris, illustrée dans la figure 1.25, est un exemple d'**expérience contrôlée**, c'est-à-dire une expérience visant à comparer un groupe expérimental (les fausses souris non indigènes) avec un groupe témoin (les fausses souris indigènes). Le facteur manipulé et le facteur subséquemment mesuré sont des **variables** expérimentales de deux types différents. Une variable expérimentale est une caractéristique ou une quantité qui varie au cours de l'expérience. Dans notre exemple, la couleur de la fausse souris est le facteur manipulé, appelé **variable indépendante**. La **variable dépendante**, elle, est le facteur qui sera mesuré et dont on prédit qu'il variera en fonction de la variable indépendante. Dans notre exemple des souris, les chercheurs ont mesuré le taux de prédation en fonction de la différence de couleur des fausses souris. Idéalement, le groupe expérimental et le groupe témoin ne doivent différer que par une seule variable indépendante ; dans le cas qui nous occupe, c'est la couleur.

Sans groupe témoin, les chercheurs n'auraient pu écarter d'autres causes possibles pour expliquer la fréquence accrue des attaques sur les fausses souris non indigènes, par exemple un nombre différent de prédateurs ou des écarts de température dans les diverses régions testées. Grâce à une méthodologie expérimentale ingénieuse, seule la coloration peut expliquer le plus faible taux de prédation envers les fausses souris indigènes.

Contrairement à ce qu'on croit parfois, le terme *expérience contrôlée* ne signifie pas que les scientifiques contrôlent l'environnement expérimental pour maintenir constantes toutes les variables à l'exception de celle qu'ils sont censés mesurer. De toute façon, cela serait impossible dans la recherche sur le terrain et irréaliste même dans l'environnement hautement contrôlé d'un laboratoire. Les chercheurs « contrôlent » les variables non désirées non pas en les *éliminant* par contrôle de l'environnement, mais en *annulant* leurs effets au moyen de groupes témoins.

Les théories scientifiques

« Ce n'est qu'une théorie ! » Dans le langage courant, le mot *théorie* désigne souvent une spéculation ou une hypothèse. Dans le langage scientifique, cependant, le mot *théorie* a une connotation différente. Qu'est-ce qu'une théorie scientifique ? Quelle est la différence entre une théorie et une hypothèse ?

Premièrement, la portée d'une **théorie** scientifique est beaucoup plus vaste que la portée d'une hypothèse. Voici un exemple d'hypothèse : « Un pelage dont la couleur ressemble à celle de l'habitat est une adaptation qui protège les souris contre les prédateurs. » Et maintenant, voici un exemple de théorie : « Les adaptations évolutives sont favorisées par la sélection naturelle. » Selon cette théorie, la sélection naturelle est un mécanisme évolutif qui explique l'immense diversité des adaptations, dont la couleur du pelage n'est qu'un exemple parmi tant d'autres.

Deuxièmement, une théorie diffère d'une hypothèse en ce qu'elle est suffisamment générale pour couvrir plusieurs hypothèses nouvelles qui peuvent être vérifiées. Par exemple, la théorie de la sélection naturelle a incité Peter et Rosemary Grant, de la Princeton University, à vérifier l'hypothèse spécifique selon laquelle les becs des géospizes des îles Galápagos évoluent en fonction du type de nourriture disponible. (Les résultats qu'ils ont obtenus valident leur hypothèse ; voir l'introduction du chapitre 23.)

Troisièmement, comparativement à une hypothèse, une théorie repose habituellement sur une multitude de données probantes. La théorie de la sélection naturelle s'appuie sur d'abondantes preuves qui, encore aujourd'hui, continuent de s'ajouter, et elle n'a été réfutée par aucune donnée scientifique. Les théories scientifiques qui sont universellement acceptées (comme la théorie de la sélection naturelle et la théorie de la gravité) s'appuient sur une longue série d'observations et sur une accumulation importante de preuves.

Malgré l'ensemble de preuves qui étaye une théorie universellement reconnue, les scientifiques doivent parfois modifier ou même rejeter une théorie lorsque de nouvelles méthodes de recherche produisent des résultats qui ne concordent pas avec cette théorie. Par exemple, les biologistes considéraient que les bactéries et les archées faisaient partie du même règne de procaryotes jusqu'à ce que de nouvelles méthodes pour comparer les cellules et les molécules permettent de vérifier le classement de ces organismes. Ils n'ont pu alors que rejeter la théorie voulant que les bactéries et les archées appartiennent au même règne. S'il existe une vérité en science, elle est, au mieux, conditionnelle et repose sur le poids des preuves.

RETOUR SUR LE CONCEPT 1.3

1. Quelle observation qualitative a inspiré l'étude quantitative de la figure 1.25 ?
2. Comparez le raisonnement inductif et le raisonnement déductif.
3. Pourquoi la sélection naturelle est-elle une théorie ?
4. **ET SI ?** ▶ Dans les déserts du Nouveau-Mexique, les sols sont essentiellement sablonneux, mais on trouve aussi des sols de roche noire laissée par les coulées de lave qui se sont répandues il y a 1 000 ans environ. Des souris vivent dans les régions sablonneuses et les régions rocheuses, et les hiboux font partie des prédateurs. Selon vous, de quelle couleur est le pelage des souris de chacune de ces populations de souris ? Expliquez votre réponse. Comment utiliseriez-vous cet écosystème pour vérifier l'hypothèse du camouflage ?

Voir les réponses proposées à l'appendice A.

CONCEPT **1.4**

L'approche multidisciplinaire et la diversité des points de vue contribuent à l'avancement des sciences

Le cinéma, la télévision et la bande dessinée véhiculent parfois l'image du savant asocial qui travaille en blouse blanche dans un laboratoire isolé. En réalité, la science est une pratique éminemment sociale. La plupart des scientifiques travaillent en équipe. Dans les milieux universitaires, les groupes de recherche sont souvent formés d'étudiants de tous les cycles. Et pour réussir en science, il faut être un bon communicateur. Les résultats d'une recherche n'ont aucun impact tant qu'ils ne sont pas diffusés à la communauté scientifique lors d'un colloque, dans une publication ou sur un site web. En fait, les rapports de recherche ne sont publiés qu'après avoir été validés par des consœurs et des confrères dans le cadre d'un processus appelé « évaluation par les pairs ». Ainsi, les études présentées en guise d'exemples dans le présent manuel ont toutes été publiées dans des revues scientifiques après approbation d'un comité de lecture (le comité de lecture est responsable de l'évaluation par les pairs).

Construire à partir du travail des autres

Sir Isaac Newton, le célèbre scientifique, a déclaré un jour: « Expliquer les secrets de la nature est une tâche trop difficile pour un seul homme, voire pour une seule époque. Il vaut nettement mieux faire peu avec certitude et laisser à ceux qui suivront le soin de trouver le reste... » Ceux qui, poussés par le désir de comprendre le fonctionnement de la nature, choisissent une carrière scientifique ont l'assurance de pouvoir puiser dans le vaste bagage de découvertes que d'autres ont faites avant eux. En fait, l'expérience de la biologiste Hopi Hoekstra repose sur des travaux effectués 40 ans plus tôt par un autre chercheur du nom de D. W. Kaufman. Dans la rubrique **Habiletés scientifiques**, à la page suivante, vous aurez l'occasion d'étudier le plan de l'expérience de Kaufman et d'en interpréter les résultats.

Les résultats de travaux de recherche sont scrutés à la loupe chaque fois que des chercheurs refont des séries d'observations et reproduisent des expériences. Les membres de la communauté scientifique examinent les travaux de ceux qui ont choisi le même domaine de recherche qu'eux. Il leur arrive même souvent de vérifier les conclusions des autres en essayant de reproduire leurs expériences. Lorsque des confrères scientifiques n'arrivent pas à reproduire les résultats d'une expérience, ce peut être parce que l'hypothèse de départ comportait une faiblesse sous-jacente (elle devra alors être revue), ou encore que les paramètres de l'expérimentation étaient mal contrôlés. À cet égard, la science s'autoréglemente. L'intégrité et le respect de normes professionnelles élevées dans la diffusion des résultats font partie des règles de l'aventure scientifique puisque la validité des données expérimentales est un élément clé pour tracer de futures pistes de recherche.

Il n'est pas rare que plusieurs scientifiques travaillent sur le même sujet de recherche. Certains membres de la communauté scientifique sont motivés par le désir d'être les premiers à faire une découverte importante ou à procéder à une expérience clé, alors que d'autres tirent plus de satisfaction à coopérer avec d'autres confrères à la résolution d'un problème.

La coopération est plus facile lorsque les scientifiques travaillent sur le même type d'organisme. Il s'agit souvent d'un **organisme modèle** qu'utilisent de nombreux chercheurs, c'est-à-dire une espèce facile à reproduire en laboratoire et qui se prête particulièrement bien aux projets en cours d'étude. Dans la mesure où les espèces sont génétiquement liées, on peut se servir d'un organisme modèle pour comprendre la biologie des autres espèces et leurs maladies. Par exemple, les études en génétique réalisées sur la mouche drosophile (*Drosophila melanogaster*) nous ont appris beaucoup de choses sur le fonctionnement des gènes chez d'autres espèces, y compris l'espèce humaine. Les organismes modèles populaires comptent aussi *Arabidopsis thaliana* (une plante connue sous le nom d'arabette), *Caenorhabditis elegans* (un nématode), *Danio rerio* (le poisson-zèbre), *Mus musculus* (la souris commune) et *Escherichia coli* (une bactérie). Au fil des chapitres de ce manuel, vous remarquerez combien l'étude du vivant s'est enrichie des nombreuses contributions de ces organismes modèles, et de bien d'autres. Vous pourrez également constater en comparant les descriptions d'expériences que la façon dont on traite les animaux en recherche a beaucoup changé depuis les années 2000. De nos jours, les protocoles de recherche doivent être approuvés par des comités d'éthique qui s'assurent que la souffrance animale est évitée ou alors atténuée le plus possible. Cependant, les données recueillies au cours d'expériences passées menées selon des protocoles qui seraient difficilement approuvés aujourd'hui peuvent encore nous apporter de précieuses informations.

Les biologistes abordent des questions intéressantes selon des angles différents. Les uns se concentrent sur les écosystèmes, alors que d'autres étudient des phénomènes naturels au niveau des organismes et des cellules. Ce manuel est divisé en modules qui considèrent la biologie selon différents niveaux hiérarchiques de l'organisation biologique et qui examinent des problèmes sous différents angles. Il est néanmoins possible d'examiner n'importe quel problème selon diverses perspectives qui se révéleront complémentaires. Par exemple, les travaux de la biologiste Hopi Hoesktra ont permis d'élucider au moins une mutation génétique qui explique les différences de coloration entre les souris des plages et celles vivant à l'intérieur des terres. Dans le laboratoire d'Hoesktra travaillent également des biologistes qui se spécialisent dans différents niveaux de l'organisation biologique, de sorte que l'équipe peut faire des liens entre les adaptations évolutives sur lesquelles Hoekstra travaille et leur fondement moléculaire dans les séquences d'ADN.

Puisque vous faites vos premiers pas dans l'étude de la biologie, vous aurez avantage à établir ce type de liens entre les divers niveaux de cette science. Vous pouvez commencer en remarquant comment certains sujets reviennent sans cesse d'un module à l'autre. C'est le cas, notamment, de l'anémie falciforme (aussi appelée drépanocytose), une maladie génétique qui n'a plus de secret pour les biologistes et dont la prévalence est particulièrement élevée parmi les populations d'Afrique et d'autres régions tropicales, ainsi que chez leurs descendants. L'anémie falciforme est un sujet sur lequel nous reviendrons souvent dans ce manuel, mais chaque fois sous un angle différent. Vous trouverez également un certain nombre de figures qui établissent des liens entre le contenu de différents chapitres,

DÉMARCHE SCIENTIFIQUE

HABILETÉS SCIENTIFIQUES

Interpréter une paire de diagrammes à bandes

■ DANS QUELLE MESURE LE CAMOUFLAGE INFLUE-T-IL SUR LA PRÉDATION DES SOURIS PAR LES HIBOUX EN PRÉSENCE OU EN L'ABSENCE DE LUMIÈRE DE LA LUNE ? ■ Le chercheur D. W. Kaufman a formulé l'hypothèse suivante: l'importance du contraste entre la couleur du pelage d'une souris et la couleur de son environnement influe sur le taux de prédation nocturne par les hiboux. Il a également émis l'hypothèse que ce contraste dépendait de la luminosité de la lune. Dans cet exercice, vous allez analyser les données des expériences que Kaufman a réalisées sur la prédation des souris par les hiboux pour vérifier ses hypothèses.

■ MÉTHODE ■ L'expérience consistait à faire entrer simultanément deux souris (*Peromyscus polionotus*) dont le pelage était de couleur différente, l'un brun clair et l'autre brun foncé, dans un enclos où se trouvait un hibou affamé. Kaufman notait alors la couleur de la première souris attaquée par le hibou. Si le hibou n'avait attaqué aucune des deux souris après 15 minutes, Kaufman notait zéro comme résultat du test. Le test a été répété à plusieurs reprises, et ce, dans un enclos au sol foncé et dans un enclos au sol clair. Kaufman notait également la présence ou l'absence de lumière de la lune.

■ RÉSULTATS ■

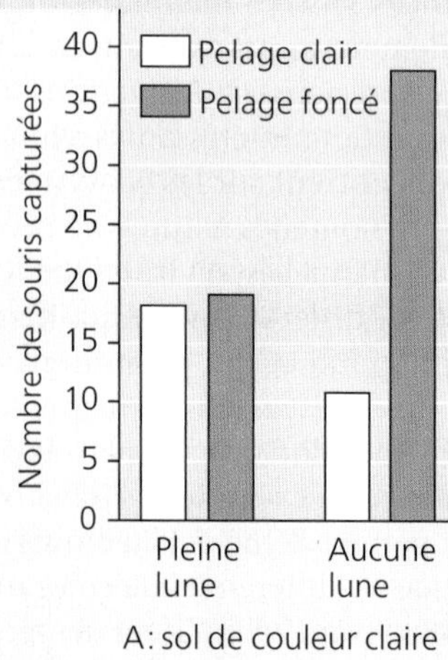

A: sol de couleur claire

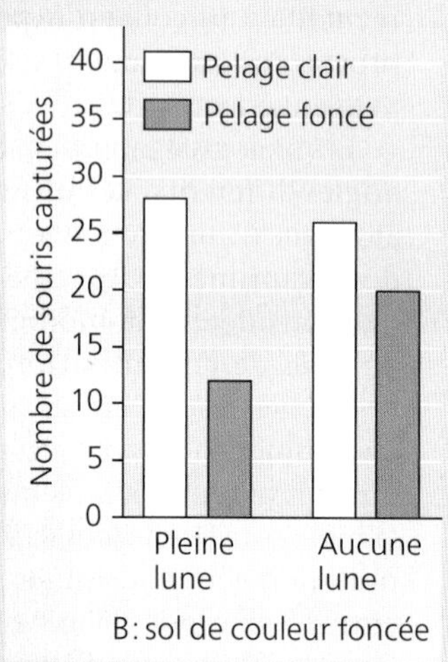

B: sol de couleur foncée

Source des données: D. W. Kaufman, Adaptive coloration in *Peromyscus polionotus*: Experimental selection by owls, *Journal of Mammalogy* 55: 271-283 (1974).

INTERPRÉTEZ LES DONNÉES ▼

1. Premièrement, assurez-vous que vous comprenez comment les diagrammes sont construits. Le diagramme A montre les données relatives à l'enclos au sol clair, tandis que le diagramme B montre les données relatives à l'enclos au sol foncé. Autrement, les deux diagrammes sont pareils. (a) Il y a plus d'une variable indépendante dans ces diagrammes. Quelles sont les variables indépendantes, c'est-à-dire les variables testées par le chercheur ? Quel axe des diagrammes représente ces variables indépendantes ? (b) Quelle est la variable dépendante, c'est-à-dire la variable qui varie en réponse aux variables indépendantes ?
2. (a) Combien de souris brun foncé ont-elles été capturées dans l'enclos au sol clair un soir de lune ? (b) Combien de souris brun foncé ont-elles été capturées dans l'enclos au sol foncé un soir de lune ? (c) En présence de la lumière de la lune, une souris brun foncé a-t-elle plus de chances d'échapper au hibou sur un sol foncé ou sur un sol clair ? Expliquez votre réponse.
3. (a) Une souris brun foncé sur un sol foncé a-t-elle plus de chances d'échapper à un prédateur un soir de lune ou un soir sans lune ? (b) Et qu'en est-il pour une souris brun clair sur un sol clair ? Expliquez votre réponse.
4. (a) Dans quelles conditions une souris brun foncé a-t-elle le plus de chances d'échapper à son prédateur durant la nuit ? (b) Répondez à la même question, mais pour une souris brun clair.
5. (a) Dans l'enclos au sol clair, quelle combinaison de variables indépendantes a donné lieu au taux de prédation le plus élevé ? (b) Dans l'enclos au sol foncé, quelle combinaison de variables indépendantes a donné lieu au taux de prédation le plus élevé ?
6. À la lumière de vos réponses à la question 5, formulez un énoncé simple qui décrit les conditions particulièrement mauvaises pour les souris, quelle que soit la couleur de leur pelage.
7. En combinant les données des deux diagrammes, estimez le nombre de souris capturées un soir de lune comparativement à un soir sans lune. Quelle condition est la meilleure pour le hibou ? Expliquez votre réponse.

ainsi que des questions qui vous demanderont de faire vous-même ces liens. Nous espérons que ces caractéristiques vous aideront à intégrer la matière et à rendre la biologie encore plus captivante en vous permettant d'en voir les applications.

Science, technologie et société

Les biologistes forment une communauté qui fait partie intégrante de la société dans son ensemble, et le lien entre la science et la société s'est précisé avec l'avènement de la technologie. La science et la technologie recourent parfois à des processus de recherche similaires, mais leurs objectifs fondamentaux diffèrent. La science a pour but de *comprendre* les phénomènes naturels, tandis que la **technologie** *applique* le savoir scientifique à quelque objet. Les biologistes et les autres scientifiques parleront de « découvertes », alors que les ingénieurs et autres technologues parleront d'« inventions ». Et parmi ceux qui bénéficient de ces inventions se trouvent les scientifiques, qui utilisent la nouvelle technologie dans leurs recherches. En somme, la science et la technologie sont indissociables.

L'interdépendance de la science et de la technologie peut avoir des répercussions considérables sur la société. Quelquefois, les applications les plus bénéfiques de la recherche fondamentale ont vu le jour de façon inattendue à la suite d'observations recueillies en cours d'exploration scientifique. Prenons par exemple la découverte par Watson et Crick de la structure de l'ADN il y a plus de 60 ans. Cette percée a suscité une foule d'activités scientifiques qui ont débouché sur l'apparition de nombreuses technologies d'analyse de l'ADN, lesquelles ont à leur tour révolutionné plusieurs domaines, dont la médecine, l'agriculture et la médecine légale (**figure 1.26**). Watson et Crick ont peut-être pensé que leur découverte trouverait un jour des applications importantes, mais ils ne pouvaient certainement pas en prévoir la nature de façon précise.

L'orientation que prend la technologie dépend moins de la curiosité qui anime la science que des besoins et désirs actuels de la société et de l'environnement du moment. Les débats concernant la technologie portent plus souvent sur la question «*Devrions*-nous le faire?» que sur la question «*Pouvons*-nous le faire?». Les progrès technologiques s'accompagnent de choix difficiles. Dans quelles circonstances, par exemple, est-il acceptable de se servir de la technologie de l'ADN pour dépister les maladies héréditaires? Et ce dépistage devrait-il être volontaire, ou existe-t-il des circonstances où il devrait être obligatoire? Les compagnies d'assurances et les employeurs devraient-ils avoir accès à cette information comme ils ont accès à plusieurs autres données de nature personnelle? Ces questions deviennent de plus en plus pressantes à mesure que diminuent le coût et le temps requis pour le séquençage de génomes individuels.

Les enjeux éthiques soulevés par de telles questions relèvent autant de la politique, de l'économie et de la culture que de la science et de la technologie. Il incombe à tous – et non aux seuls scientifiques – de se renseigner sur le fonctionnement de la science et sur les risques et les bienfaits potentiels des technologies. La relation fondamentale entre la science, la technologie et la société donne encore plus d'importance à tout cours de biologie.

Les mérites de la diversité des points de vue en science

Parmi les innovations technologiques les plus marquantes sur la société humaine, plusieurs ont vu le jour dans des établissements situés le long de routes commerciales, où le riche mélange de cultures favorisait l'émergence d'idées nouvelles. Par exemple, la presse à imprimer – qui a permis la diffusion des connaissances auprès de toutes les classes sociales – a été inventée par Johannes Gutenberg, vers 1440. Or cette invention repose sur plusieurs innovations venues de Chine, notamment le papier et l'encre. Le papier s'est rendu jusqu'à nous par les routes commerciales, de la Chine jusqu'à Bagdad, berceau de la technologie qui en a permis la production de masse. Cette technologie a ensuite fait son chemin jusqu'en Europe, tout comme l'encre à base d'eau, venue de Chine, dont s'est inspiré Gutenberg pour inventer l'encre à base d'huile. Comme beaucoup d'autres inventions importantes, la presse à imprimer est le fruit de nombreuses contributions culturelles.

Dans le même ordre d'idées, la science ne peut que profiter d'une diversité d'expertises et de points de vue. Mais jusqu'à quel point la population de scientifiques présente-t-elle cette nécessaire diversité en ce qui a trait au genre, à la culture, à l'origine ethnique ou autre?

La communauté scientifique reflète les normes culturelles et les comportements de la société. Il n'est donc pas surprenant que, dans de nombreux pays, les femmes et certaines minorités ethniques aient dû surmonter d'énormes obstacles pour embrasser une carrière scientifique. Au cours des 50 dernières années, le changement de mentalité à l'égard des choix de carrière a cependant accru la présence des femmes en biologie et dans d'autres domaines scientifiques, si bien que celles-ci représentent près de la moitié des effectifs dans les programmes de biologie de premier cycle jusqu'au doctorat.

▲ **Figure 1.26 Technologie de l'ADN et enquête criminelle.** En 2011, l'analyse judiciaire d'échantillons d'ADN prélevés sur les lieux d'un crime a conduit à la libération de Michael Morton, qui a passé près de 25 ans en prison pour un crime qu'il n'avait pas commis, soit le meurtre brutal de son épouse. L'analyse d'ADN a permis d'arrêter un autre homme, déjà accusé d'un autre meurtre. Sur la photo, on voit M. Morton qui serre ses parents dans ses bras après avoir été innocenté. Nous examinons en détail l'analyse judiciaire de l'ADN au chapitre 20.

La progression est cependant plus lente aux échelons supérieurs de la profession, et les femmes de même que les membres de nombreux groupes ethniques et raciaux sont toujours considérablement sous-représentés dans de nombreuses branches scientifiques et technologiques. Ce manque de diversité nuit au progrès scientifique. Plus nombreux seront les participants à la table de discussion, plus solides, plus riches et plus productifs seront les échanges scientifiques. Les auteurs de ce manuel vous souhaitent la bienvenue au sein de la communauté de biologistes et vous invitent à goûter les joies et la satisfaction que procure ce domaine scientifique des plus excitants: la biologie.

RETOUR SUR LE CONCEPT 1.4

1. En quoi la science et la technologie se distinguent-elles?
2. **FAITES DES LIENS ▶** La population de l'Afrique subsaharienne est porteuse du gène responsable de l'anémie falciforme à une fréquence nettement supérieure à celle observée chez les Afro-Américains dont les ancêtres venaient de cette région. Même si la présence de ce gène cause l'anémie falciforme, elle confère une certaine protection contre la malaria, une maladie endémique grave qui sévit également en Afrique subsaharienne, mais pas aux États-Unis. Quel rôle l'évolution pourrait-elle avoir joué dans l'écart de pourcentage du gène de l'anémie falciforme entre les résidents des deux régions? (Voir le concept 1.2.)

Voir les réponses proposées à l'appendice A.

RÉVISION DU CHAPITRE 1

Consultez votre MANUEL NUMÉRIQUE, qui vous donne accès aux **animations**, aux **exercices** et à la plateforme d'**anatomie interactive**.

Résumé des concepts clés

CONCEPT 1.1

L'étude du vivant révèle des thèmes unificateurs (p. 3 à 11)

Thème de l'organisation : De nouvelles propriétés émergent à chaque niveau hiérarchique de l'organisation biologique

- La hiérarchie de l'organisation biologique se déploie comme suit, du plus grand au plus petit : biosphère > écosystème > communauté biologique > population > organisme > système organique > organe > tissu > cellule > organite > molécule > atome. En partant de l'atome, chaque fois qu'on atteint un niveau supérieur, on observe l'apparition de nouvelles **propriétés émergentes** résultant des interactions entre les composants aux niveaux inférieurs. Le réductionnisme est une démarche visant à décomposer des systèmes complexes en éléments plus simples et plus faciles à étudier. Par la **biologie des systèmes**, les scientifiques tentent de modéliser le comportement dynamique de systèmes biologiques entiers en étudiant les interactions qui s'établissent entre leurs différents composants.
- La structure et la fonction sont corrélées à tous les niveaux de l'organisation biologique. La cellule, unité de base de tout organisme, est le plus bas niveau d'organisation capable d'effectuer toutes les activités caractéristiques des organismes vivants. Les cellules sont de type procaryote ou eucaryote. Les **cellules eucaryotes** renferment des organites membraneux, dont un noyau contenant l'ADN. Les **cellules procaryotes** sont dépourvues d'organites membraneux.

Thème de l'information : Les processus du vivant reposent sur l'expression et la transmission de l'information génétique

- L'information génétique est codée dans les séquences de nucléotides d'**ADN**. L'ADN contient l'information génétique que les parents transmettent à leurs descendants. Les séquences d'ADN (appelées **gènes**) programment la fabrication des protéines d'une cellule par la transcription en ARNm et ensuite par la traduction en une protéine spécifique, dotée d'une forme et d'une fonction qui lui sont propres. L'ensemble de ce processus porte le nom d'**expression génétique**. L'expression des gènes produit aussi des molécules d'ARN qui ne sont pas traduites en protéines, mais qui accomplissent d'autres tâches importantes. La **génomique** étudie et analyse à grande échelle les séquences d'ADN d'une espèce (son génome) et compare des séquences d'ADN d'espèces différentes. La **bio-informatique** utilise des outils informatiques pour organiser d'immenses volumes de données sur les séquences.

Thème de l'énergie et de la matière : Le transfert et la transformation d'énergie et de matière sont essentiels à la vie

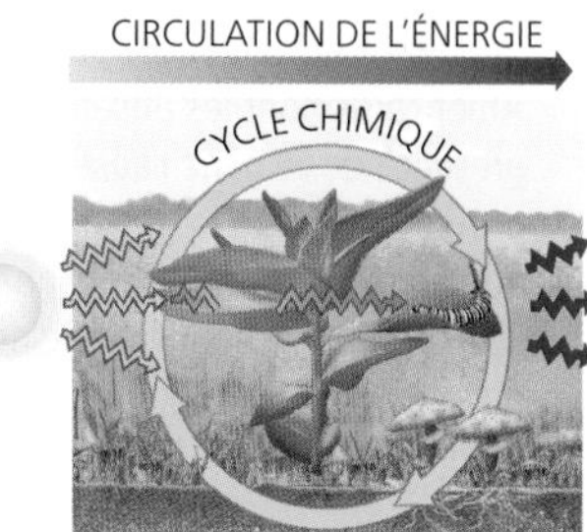

- L'énergie traverse l'écosystème. Tous les organismes accomplissent diverses activités, ce qui requiert de l'énergie. Les **producteurs** convertissent l'énergie solaire en énergie chimique ; une partie de celle-ci est transmise aux **consommateurs** et le reste se perd sous forme de chaleur. Les substances chimiques circulent de manière cyclique entre les organismes et l'environnement.

Thème des interactions : Les interactions jouent un rôle important dans les systèmes biologiques, de la simple molécule à l'écosystème

- La **rétroactivation** est un mécanisme de rétroaction par lequel l'accumulation du produit final accélère le processus. La **rétro-inhibition** est le mécanisme inverse par lequel l'accumulation du produit final d'un processus ralentit ce même processus.
- Les organismes interagissent continuellement avec les facteurs physiques. Les végétaux puisent des nutriments dans le sol et des substances chimiques dans l'air, et utilisent l'énergie du soleil.

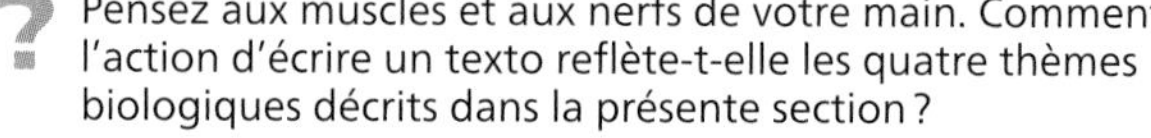

? Pensez aux muscles et aux nerfs de votre main. Comment l'action d'écrire un texto reflète-t-elle les quatre thèmes biologiques décrits dans la présente section ?

CONCEPT 1.2

Le thème central, l'évolution, donne un sens à l'unité et à la diversité de la vie (p. 11 à 16)

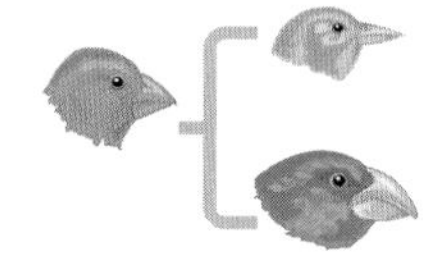

- L'**évolution**, ce processus de modification qui a transformé la vie sur la Terre, donne un sens à l'unité et à la diversité du vivant. Elle explique également l'adaptation évolutive, c'est-à-dire l'adéquation entre les organismes et leur environnement.
- Les biologistes classifient les espèces selon un système de catégories de plus en plus larges. Le domaine des **bactéries** et le domaine des **archées** comprennent des **procaryotes**. Le domaine des **eucaryotes** renferme divers groupes de protistes ainsi que les règnes des végétaux, des eumycètes et des animaux. Malgré sa grande diversité, la vie montre les signes d'une remarquable unité, dont témoignent les ressemblances entre diverses espèces.
- Darwin a proposé la théorie de la **sélection naturelle** pour expliquer comment les populations s'adaptent à leur environnement au fil de leur évolution. La sélection naturelle est le processus évolutif par lequel une population est exposée à des facteurs environnementaux qui, au fil du temps, font en sorte que les individus possédant certains caractères héréditaires se reproduisent davantage que les individus possédant d'autres caractères héréditaires.

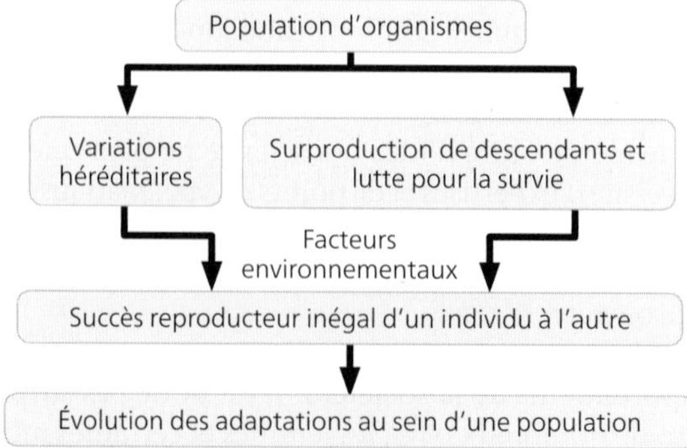

- Chaque espèce occupe l'extrémité d'une branche d'un arbre généalogique. En parcourant les ramifications, on remonte jusqu'aux espèces ancestrales. Tous les êtres vivants sont donc apparentés, et l'essence de ce lien réside dans l'évolution.

? Comment la sélection naturelle a-t-elle influé sur l'évolution d'adaptations comme la couleur du pelage qui permet aux souris des plages de se fondre dans leur environnement ?

CONCEPT 1.3

Les scientifiques étudient la nature en faisant des observations, à partir desquelles ils formulent et testent des hypothèses (p. 17 à 22)

- Les chercheurs qui font de la **recherche** scientifique procèdent à des observations et les notent (collecte de **données**), puis ils utilisent le **raisonnement inductif** pour tirer des conclusions générales et formuler des **hypothèses** vérifiables. Le **raisonnement déductif** consiste à faire des prédictions dans le but de vérifier des hypothèses. Une hypothèse doit être testable et réfutable ; la science ne s'occupe pas de vérifier la possibilité de phénomènes surnaturels ou la validité de croyances religieuses. On peut vérifier des hypothèses par des **expériences** ou, si cela n'est pas possible, par une série d'observations. En science, l'activité centrale consiste à vérifier des idées et se déroule sous l'influence de plusieurs facteurs : l'exploration et la découverte, les analyses et les commentaires de la communauté scientifique ainsi que les besoins de la société.
- Les **expériences contrôlées**, comme l'étude de la couleur du pelage au sein des populations de souris, visent à montrer l'effet d'une **variable** sur un groupe témoin et sur un groupe expérimental qui diffèrent seulement par cette variable.
- Une **théorie** scientifique a une large portée, elle génère de nouvelles hypothèses et repose sur une multitude de données probantes.

? Quels sont les rôles de la collecte et de l'interprétation des données dans la recherche scientifique ?

CONCEPT 1.4

L'approche multidisciplinaire et la diversité des points de vue contribuent à l'avancement des sciences (p. 23 à 25)

- La science est une activité sociale. Les travaux de chaque scientifique reposent sur ceux de ses prédécesseurs. Les scientifiques doivent pouvoir reproduire les résultats qu'ont obtenus leurs confrères, ce qui garantit l'intégrité de la recherche. Les biologistes abordent les sujets de recherche sous différents angles ; leurs approches sont complémentaires.
- La **technologie** est un ensemble de savoirs, de méthodes et d'appareils fondés sur des connaissances scientifiques ; elle est utilisée à des fins précises qui influent sur la société. La recherche fondamentale entraîne parfois des répercussions inattendues.
- La diversité au sein de la communauté scientifique favorise le progrès scientifique.

? Pourquoi est-il important que les scientifiques disposent d'une variété d'approches et d'expériences ?

Évaluation

NIVEAU 1 : CONNAISSANCES ET COMPRÉHENSION

1. L'ensemble des organismes de votre campus forment :
a) un écosystème.
b) une communauté.
c) une population.
d) un domaine taxinomique.

2. La biologie des systèmes s'applique surtout :
a) à analyser les génomes de diverses espèces.
b) à décomposer un système complexe en le fragmentant en parties plus petites et plus simples.
c) à comprendre le comportement de systèmes biologiques entiers.
d) à concevoir des technologies de haut débit pour obtenir rapidement des données biologiques.

3. Parmi les propositions suivantes, laquelle illustre le mieux l'unité parmi les organismes ?
a) Les propriétés émergentes.
b) La « descendance avec modification ».
c) La structure et la fonction de l'ADN.
d) La sélection naturelle.

4. Une expérience contrôlée est une expérience qui :
a) se déroule suffisamment lentement pour que le chercheur puisse consigner les résultats.
b) peut inclure des groupes expérimentaux et des groupes témoins sur lesquels on effectue l'expérience en parallèle.
c) est reproduite plusieurs fois pour s'assurer que les résultats sont exacts.
d) garde constantes toutes les variables.

5. Parmi les énoncés suivants, lequel fait le mieux la distinction entre une hypothèse et une théorie scientifique ?
a) Les théories sont des hypothèses qui ont été prouvées.
b) Les hypothèses sont des suppositions ; les théories sont les bonnes réponses.
c) Les hypothèses ont généralement une portée relativement limitée, tandis que les théories ont une portée plus vaste.
d) Les théories ont toujours été prouvées ; les hypothèses sont souvent réfutées par des expériences.

NIVEAU 2 : APPLICATION ET ANALYSE

6. Parmi les énoncés suivants, lequel est un exemple de données qualitatives ?
a) Le poisson nage en zigzag.
b) Le contenu de l'estomac est mélangé toutes les 20 secondes.
c) La température est passée de 20 °C à 15 °C.
d) Les six couples de pinsons ont couvé en moyenne trois oisillons.

7. Parmi les énoncés suivants, lequel décrit le mieux la logique de l'approche par hypothèses ?
a) Si je formule une hypothèse vérifiable, des expérimentations et des observations l'appuieront.
b) Si ma prédiction est correcte, elle générera une hypothèse vérifiable.
c) Si mes observations sont justes, elles appuieront mon hypothèse.
d) Si mon hypothèse est correcte, mon expérimentation devrait donner certains résultats.

8. **FAITES UN DESSIN ▶** À l'aide de croquis, illustrez une hiérarchie biologique semblable à celle de la figure 1.3, en utilisant le récif de corail comme écosystème, un poisson en guise d'organisme, son estomac en guise d'organe et son ADN en guise de molécule. Votre dessin doit présenter tous les niveaux de la hiérarchie.

Voir les réponses proposées à l'appendice A.

L'organisation chimique de la vie

2

VOS OUTILS INTERACTIFS

Consultez votre MANUEL NUMÉRIQUE, qui vous donne accès aux **animations**, aux **exercices** et à la plateforme d'**anatomie interactive**.

▲ **Figure 2.1** **Quelle arme ces fourmis rousses projettent-elles dans les airs?**

CONCEPTS CLÉS

2.1 La matière est constituée d'éléments chimiques purs ou combinés; les éléments combinés forment des composés

2.2 Les propriétés d'un élément sont déterminées par la structure de ses atomes

2.3 La formation et la fonction des molécules dépendent des liaisons chimiques entre les atomes

2.4 Les réactions chimiques établissent et rompent des liaisons chimiques

Un lien entre la biologie et la chimie

Comme d'autres animaux, les fourmis possèdent des structures et des mécanismes qui les protègent des attaques. Les fourmis rousses forment des colonies comptant des centaines ou des milliers d'individus et, ensemble, elles ont une façon particulièrement efficace d'affronter des ennemis. Par exemple, lorsque la menace vient d'en haut, comme celle que représente un oiseau affamé, elles font gicler de l'acide formique de leur abdomen, et l'acide ainsi projeté dans les airs asperge l'éventuel prédateur (**figure 2.1**). L'acide formique (du latin *formica*: fourmi) est produit par plusieurs espèces de fourmis, mais bon nombre d'entre elles n'utilisent pas cette substance dans un but défensif; elle leur servirait plutôt, tel un désinfectant, à se prémunir contre des parasites microbiens. Les scientifiques savent depuis longtemps que les substances chimiques jouent un rôle essentiel dans la communication entre les insectes, dans l'attraction des partenaires sexuels et dans leur défense contre d'éventuels agresseurs.

La recherche sur les fourmis et les autres insectes est un bon exemple de la pertinence de la chimie dans l'étude de la vie. Contrairement à la liste de cours d'un programme, la nature ne se résume pas à une série de disciplines scientifiques bien délimitées: biologie, chimie, physique, etc. Les biologistes se spécialisent dans l'étude de la vie, mais pour expliquer certains phénomènes du vivant, ils doivent utiliser des concepts fondamentaux de chimie et de physique qui s'appliquent aux organismes et au monde dans lequel ils évoluent. Science d'intégration, la biologie est multidisciplinaire.

Les chapitres de cette première partie constituent une introduction à certains concepts clés de la chimie qui s'appliquent à l'étude de la vie. Nous établirons des liens avec les thèmes présentés au chapitre 1. L'un de ces thèmes est l'organisation de la vie en une hiérarchie de niveaux structuraux, chaque niveau présentant des propriétés que le niveau précédent ne possède pas (concept d'émergence). Dans cette partie, nous verrons comment cette émergence se manifeste aux paliers les plus bas de l'organisation biologique. Nous traiterons de l'agencement des atomes en molécules, puis des interactions des molécules au sein des cellules. Ce faisant, nous franchirons la frontière qui sépare le non-vivant du vivant. Ce chapitre porte sur les composants chimiques qui forment toute matière.

CONCEPT **2.1**

La matière est constituée d'éléments chimiques purs ou combinés; les éléments combinés forment des composés

Les organismes sont constitués de matière. On appelle **matière** tout ce qui occupe un espace et possède une masse. Notez qu'on utilise parfois le terme «poids» pour désigner une quantité de matière, même si ce terme désigne plutôt l'intensité de la force avec laquelle une masse subit l'action de la gravité. Le poids d'un homme qui marche sur la Lune est approximativement le sixième de celui qu'il a sur Terre, mais sa masse reste la même. Sur Terre, le poids d'un objet donne une mesure de sa masse; c'est pourquoi on peut utiliser indifféremment les deux termes dans le langage courant. La matière existe sous toutes sortes de formes; les pierres, les métaux, le pétrole, les gaz et les humains en sont quelques exemples.

Les éléments et les composés

La matière est formée d'éléments. Un **élément** est une substance impossible à décomposer en d'autres substances plus simples au cours de réactions chimiques. Les chimistes ont identifié 92 éléments naturels, dont l'or, le cuivre, le carbone et l'oxygène. Ils ont attribué à chacun un symbole, le plus souvent constitué de la première ou des deux premières lettres de son nom. Quelques symboles dérivent de noms latins ou allemands; par exemple, celui du sodium est Na, du mot latin *natrium*, alors que celui du tungstène est W, du mot allemand *wolfram*.

Un **composé** est une substance formée de deux ou de plusieurs éléments combinés dans des proportions définies. Le sel de table, par exemple, est en fait du chlorure de sodium (NaCl); il est constitué des éléments sodium (Na) et chlore (Cl) dans un rapport de 1:1. Le sodium pur est un métal, alors que le chlore pur est un gaz toxique. Cependant, une fois qu'ils sont liés chimiquement, ils forment un composé comestible. L'eau (H_2O), un autre composé, est constituée des éléments hydrogène (H) et oxygène (O) dans un rapport 2:1. Ces exemples illustrent bien le concept d'émergence: un composé possède des caractéristiques que n'ont pas ses éléments pris individuellement (**figure 2.2**).

Les éléments chimiques de la matière vivante

Des 92 éléments naturels, environ 20 à 25% sont des **éléments essentiels**, c'est-à-dire dont un organisme a besoin pour mener une vie saine et pour se reproduire. Les éléments essentiels sont semblables parmi les organismes, mais il existe certaines variations; par exemple, les humains ont besoin de 25 éléments, alors que les végétaux n'en exigent que 17.

Quatre d'entre eux, soit l'oxygène (O), le carbone (C), l'hydrogène (H) et l'azote (N), constituent à eux seuls environ 96% de toute la **biomasse** (masse de la matière vivante). Le calcium (Ca), le phosphore (P), le potassium (K), le soufre (S) et quelques autres éléments forment presque tout le reste de la masse d'un organisme (4%). L'organisme a besoin de certains éléments en infimes quantités; ces **oligoéléments** sont essentiels à son fonctionnement. Quelques-uns d'entre eux, comme le fer (Fe), sont indispensables à toutes les formes de vie, alors que d'autres le sont uniquement pour quelques espèces. Par exemple, chez les vertébrés (animaux dotés d'une colonne vertébrale), l'iode (I) est un constituant essentiel d'une hormone produite par la glande thyroïde. Un apport quotidien de 0,15 mg d'iode suffit au bon fonctionnement de la thyroïde humaine, mais un régime alimentaire déficient en iode fait augmenter le volume de cette glande, ce qui se manifeste par une déformation appelée goitre. La consommation de fruits de mer ou de sel iodé diminue l'incidence du goitre. Tous les éléments qui entrent dans la composition du corps humain figurent dans le **tableau 2.1**.

Certains éléments naturels sont toxiques pour les organismes. Chez les humains, par exemple, l'arsenic est associé à de nombreuses maladies et ses effets peuvent être mortels. Dans certaines régions du monde, l'arsenic est naturellement présent dans le sol et peut être entraîné dans les eaux souterraines. Après avoir consommé de l'eau riche en arsenic provenant de puits forés en Asie du Sud, des millions de personnes ont été accidentellement contaminées. Les autorités publiques tentent de remédier à ce problème afin de réduire les taux d'arsenic dans l'eau potable.

Étude de cas: l'évolution de la tolérance aux éléments toxiques

ÉVOLUTION Certaines espèces se sont adaptées à des milieux contenant des éléments habituellement toxiques: les communautés végétales qui se développent dans un sol riche en serpentine en sont un exemple. Ressemblant au jade par sa couleur, la serpentine est un minerai riche en divers éléments toxiques

▲ **Figure 2.2 L'émergence (apparition de nouvelles propriétés) au moment de la formation d'un composé.** Le sodium, un métal alcalin, se combine au chlore, un gaz toxique, pour former un composé comestible, le chlorure de sodium ou sel de table.

Tableau 2.1 Les éléments constituant le corps humain				
Abondance relative	Élément chimique	Symbole	Pourcentage de la masse corporelle (incluant l'eau)	
Éléments majeurs	Oxygène	O	65,0 %	96,3 %
	Carbone	C	18,5 %	
	Hydrogène	H	9,5 %	
	Azote	N	3,3 %	
Éléments mineurs	Calcium	Ca	1,5 %	3,7 %
	Phosphore	P	1,0 %	
	Potassium	K	0,4 %	
	Soufre	S	0,3 %	
	Sodium	Na	0,2 %	
	Chlore	Cl	0,2 %	
	Magnésium	Mg	0,1 %	
Oligoéléments	(moins de 0,01 %) Bore (B), chrome (Cr), cobalt (Co), cuivre (Cu), fluor (F), iode (I), fer (Fe), manganèse (Mn), molybdène (Mo), sélénium (Se), silicium (Si), étain (Sn), vanadium (V) et zinc (Zn)			

INTERPRÉTEZ LES DONNÉES ▶ Compte tenu de la composition du corps humain, quel composé explique, d'après vous, la présence d'un fort pourcentage d'oxygène ?

comme le chrome, le nickel et le cobalt. La plupart des végétaux ne survivent pas dans un sol contenant de la serpentine, à l'exception d'un petit nombre d'espèces spécialement adaptées à ce milieu (**figure 2.3**). On suppose que les végétaux de ces communautés serpentinicoles sont des variantes d'espèces ancestrales devenues capables de survivre dans ce type de sols. Après une sélection naturelle, ces espèces ont réussi à coloniser ces lieux inhospitaliers. On a entrepris des recherches pour déterminer si les plantes qui se sont adaptées à la serpentine pourraient servir à absorber les métaux lourds toxiques qui contaminent certains sols. On pourrait ainsi concentrer ces métaux et les éliminer de manière plus sécuritaire.

RETOUR SUR LE CONCEPT 2.1

1. **FAITES DES LIENS ▶** Expliquez pourquoi le sel de table possède des propriétés émergentes. (Voir le concept 1.1.)
2. Un coligoélément est-il un élément essentiel ? Expliquez votre réponse.
3. **ET SI ? ▶** Le fer est un oligoélément nécessaire aux humains pour le bon fonctionnement de l'hémoglobine, la molécule qui transporte l'oxygène dans les globules rouges. Quels seraient les effets d'une carence en fer ?
4. **FAITES DES LIENS ▶** Expliquez comment la sélection naturelle pourrait avoir joué un rôle dans l'évolution des espèces capables de croître dans les sols de serpentine. (Voir le concept 1.2.)

Voir les réponses proposées à l'appendice A.

▲ **Figure 2.3 Une communauté végétale serpentinicole.** Ces plantes poussent dans un sol riche en serpentine, une roche contenant des éléments habituellement toxiques. Les deux photos en gros plan montrent la serpentine et un lis Tiburon Mariposa (*Calochortus tiburonensis*). Cette espèce adaptée pousse uniquement sur les collines de Tiburon, une péninsule qui s'avance dans la baie de San Francisco.

CONCEPT 2.2

Les propriétés d'un élément sont déterminées par la structure de ses atomes

Chaque élément est constitué d'un type d'atome qui lui est propre. L'**atome** est la plus petite unité de matière possédant les mêmes propriétés que l'élément auquel il appartient. Il est si petit qu'il en faudrait environ un million pour tracer le diamètre du point imprimé à la fin de cette phrase. On emploie le même symbole pour désigner l'atome et l'élément dont il fait partie. Par exemple, le symbole C représente aussi bien l'élément carbone qu'un seul atome de carbone.

Les particules élémentaires

Bien qu'il soit la plus petite unité possédant les propriétés d'un élément, l'atome est formé de parties encore plus petites, appelées particules élémentaires. Grâce aux accélérateurs générant des collisions à haute énergie, les physiciens ont réussi à produire plus d'une centaine de types de particules à partir de l'atome, mais nous n'en mentionnerons que trois dans le présent chapitre : les **neutrons**, les **protons** et les **électrons**. Les protons et les électrons ont une charge électrique. Chaque proton possède une unité de charge positive, et chaque électron, une unité de charge négative. Quant au neutron, il est, comme son nom l'indique, électriquement neutre.

Les protons et les neutrons se trouvent au centre de l'atome et forment un noyau dense, le **noyau atomique** ; les protons confèrent au noyau une charge positive. Quant aux électrons, ils forment une sorte de nuage de charge négative orbitant rapidement autour du noyau ; c'est l'attraction des charges positives qui les retient dans le voisinage du noyau. La **figure 2.4** montre en exemple deux modèles couramment utilisés de la structure d'un atome d'hélium.

Le neutron et le proton possèdent une masse presque identique, de l'ordre de $1{,}7 \times 10^{-24}$ gramme (g). Les grammes et les autres conventions d'unités ne sont pas très utiles pour décrire des objets aussi minuscules. Par conséquent, pour les atomes et les particules élémentaires (et pour les molécules également), on utilise le **dalton**, une unité de mesure nommée en l'honneur de John Dalton, le scientifique britannique qui a contribué au développement de la théorie atomique autour de 1800. Le dalton est la même chose que l'unité de masse atomique (u ou uma), une unité avec laquelle vous avez peut-être fait connaissance dans une autre discipline. Les neutrons et les protons possèdent des masses autour de 1 dalton. Comme la masse d'un électron ne représente qu'environ 1/2 000 de celle d'un neutron ou d'un proton, on peut l'ignorer lorsqu'on calcule la masse totale d'un atome.

Le numéro atomique et le nombre de masse

Les atomes des différents éléments se distinguent par le nombre de particules élémentaires qu'ils contiennent. Tous les atomes d'un même élément ont un nombre égal de protons dans leur noyau. Ce nombre, le **numéro atomique**, est placé en indice à gauche du symbole de l'élément. Par exemple, l'abréviation ${}_{2}He$ montre que chaque atome d'hélium a deux protons dans son noyau. À moins d'une indication contraire, un atome est électriquement neutre, c'est-à-dire qu'il a autant de protons que d'électrons. En conséquence, dans un atome électriquement neutre, le numéro atomique indique à la fois le nombre de protons et le nombre d'électrons.

Il est possible de déduire le nombre de neutrons à partir du **nombre de masse**. Ce dernier correspond à la somme des protons et des neutrons contenus dans le noyau d'un atome. Il est exprimé au moyen d'un exposant placé à gauche du symbole de l'élément. Par exemple, pour désigner un atome d'hélium, on peut employer l'abréviation ${}^{4}_{2}He$. Puisque le numéro atomique indique le nombre de protons, il est possible de déterminer la quantité de neutrons en soustrayant le numéro atomique du nombre de masse. L'atome d'hélium, ${}^{4}_{2}He$, possède deux neutrons. Pour un atome de sodium (Na) :

${}^{23}_{11}Na$

Nombre de masse = nombre de protons + nombre de neutrons
= 23 pour le sodium

Numéro atomique = nombre de protons
= nombre d'électrons dans un atome neutre
= 11 pour le sodium

Nombre de neutrons = nombre de masse – numéro atomique
= 23 – 11 = 12 pour le sodium

L'atome le plus simple est l'hydrogène (${}^{1}_{1}H$) ; il ne possède aucun neutron. Il est constitué d'un seul proton et d'un seul électron.

Puisque la masse des électrons est négligeable, presque toute la masse de l'atome se concentre dans le noyau. Les neutrons et les protons ayant chacun une masse approximative de 1 dalton, le nombre de masse constitue alors une bonne estimation de la masse atomique moyenne. La **masse atomique moyenne** nous indique, à peu de chose près, la masse de l'atome entier. Ainsi, la masse atomique du sodium (${}_{11}Na$) est de 23 daltons (22,9898 daltons exactement).

Les isotopes

Tous les atomes d'un élément donné possèdent le même nombre de protons ; seul le nombre de neutrons peut varier dans le noyau d'un élément, ce qui fait varier la masse totale de l'atome. Les différentes formes atomiques d'un élément sont nommées **isotopes**. Dans la nature, les éléments se trouvent sous forme d'un mélange d'isotopes ; on compte plus de 300 isotopes différents pour l'ensemble des éléments du tableau périodique. Prenons, par exemple, le carbone, dont le numéro atomique est 6. Il existe trois isotopes de cet élément. Le plus courant est le carbone 12 (${}^{12}_{6}C$) ; il constitue environ 99 % du carbone naturel et possède six neutrons. La majeure partie du 1 % restant consiste en atomes de l'isotope ${}^{13}_{6}C$, qui a sept neutrons. Quant au troisième isotope, le ${}^{14}_{6}C$, qui est encore plus rare, il a huit neutrons. Même si leurs masses sont différentes, les isotopes d'un élément se comportent de la même façon dans les réactions chimiques. La masse atomique d'un élément possédant plus d'un isotope naturel est en fait une moyenne des masses atomiques de ses différents isotopes, calculée en fonction de leur abondance. Ainsi, le carbone a une masse atomique de 12,01 daltons.

Les isotopes ${}^{12}C$ et ${}^{13}C$ sont stables, c'est-à-dire que leur noyau n'a pas tendance à perdre de particules subatomiques, un processus appelé désintégration. Par contre, l'isotope ${}^{14}C$ est instable, ou radioactif. Un isotope radioactif, ou **radio-isotope**, est un isotope dont le noyau se désintègre spontanément en libérant des particules et de l'énergie. Lorsque cette désintégration radioactive (nucléaire) donne lieu à une modification du nombre de protons présents dans le noyau, l'atome se transforme en un atome d'un autre élément. Par exemple, lorsqu'un atome de carbone 14 (${}^{14}C$) se désintègre, il perd un proton et devient un atome d'azote (${}^{14}N$). Les radio-isotopes ont de nombreuses applications pratiques en biologie.

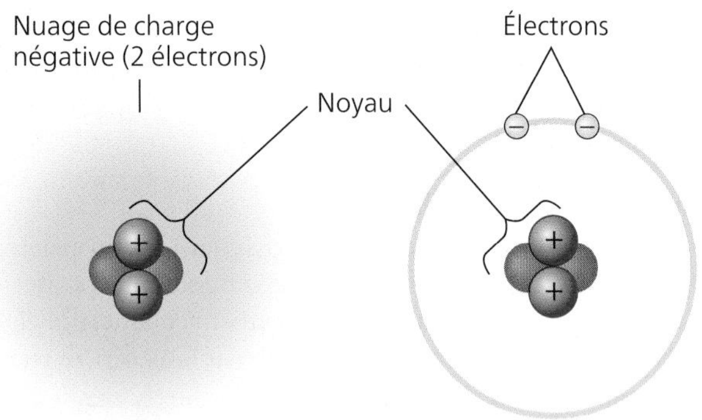

(a) En raison de leur mouvement autour du noyau, les deux électrons sont représentés par un nuage de charge négative.

(b) Dans ce modèle plus simplifié, les électrons sont représentés par de petites sphères jaunes sur un cercle autour du noyau.

▲ **Figure 2.4 Deux modèles simplifiés d'un atome d'hélium (He).** Le noyau de l'hélium comporte deux neutrons (en brun) et deux protons (en rose). Deux électrons (en jaune) sont situés à l'extérieur du noyau. Ces modèles ne sont pas à l'échelle; la taille du noyau est très exagérée par rapport à celle du nuage d'électrons.

Les traceurs radioactifs

En médecine, les isotopes radioactifs sont des outils diagnostiques fort utiles. Les cellules du corps peuvent utiliser les isotopes radioactifs d'un élément de la même manière que les isotopes non radioactifs de ce même élément. Il est possible d'intégrer des isotopes radioactifs dans des molécules biologiquement actives qui peuvent servir de traceurs permettant de suivre le devenir des atomes dans le métabolisme (c'est-à-dire l'ensemble des réactions chimiques qui ont lieu dans un organisme). Par exemple, il est possible de diagnostiquer certaines maladies rénales en injectant de petites doses de traceurs radioactifs dans le sang d'une personne pour ensuite analyser les molécules de ce traceur excrétées dans l'urine. De plus, grâce à des techniques d'imagerie sophistiquées, comme la tomographie par émission de positons (TEP), on peut suivre l'évolution des cancers dans l'organisme ainsi que leurs activités métaboliques (**figure 2.5**).

Au-delà de leur grande utilité dans les domaines de la recherche biologique et médicale, les rayonnements émis au cours de la désintégration des isotopes comportent des risques, parce qu'ils endommagent les molécules constituant les cellules. La gravité des lésions dépend du type et de la quantité de radiations absorbées par l'organisme. Les retombées radioactives causées par des accidents nucléaires constituent l'une des menaces environnementales les plus sérieuses. En médecine, cependant, les faibles doses de la plupart des isotopes utilisés comportent peu de risques.

La datation radiométrique

ÉVOLUTION Les chercheurs mesurent la désintégration radioactive dans les fossiles pour déterminer l'âge de ces vestiges de la vie passée. Les fossiles fournissent une mine de données sur l'évolution. Ces données nous éclairent sur ce qu'il y a de différent entre les organismes d'hier et d'aujourd'hui, et nous renseignent sur les espèces qui ont disparu au fil du temps. L'ordre des fossiles dans les strates rocheuses permet d'établir que les fossiles des couches profondes sont plus vieux que les fossiles des couches moins profondes, mais l'âge réel (en années) des fossiles de chaque strate ne peut pas être déterminé par leur seule présence dans une strate. C'est ici que les isotopes radioactifs sont utiles.

Un isotope radioactif se désintègre à une vitesse fixe et se transforme alors en sa version plus stable. Cette vitesse de désintégration s'exprime par la **demi-vie**, qui est le temps nécessaire à la désintégration de 50 % de l'isotope de départ. Chaque isotope radioactif a sa demi-vie caractéristique que ne modifient ni la température, ni la pression, ni aucune autre variable environnementale. C'est au moyen d'une technique de **datation radiométrique** que les scientifiques mesurent le taux de divers isotopes et calculent combien de demi-vies (en années) se sont écoulées depuis la fossilisation d'un organisme ou la formation d'une roche. La demi-vie de certains isotopes est très courte et se mesure en secondes ou en jours, alors que celle d'autres isotopes est très longue, comme 4,5 milliards d'années dans le cas de l'uranium 238 ! Ainsi, en connaissant la demi-vie d'un isotope donné, il est possible d'estimer l'âge d'une strate rocheuse. Par exemple, en utilisant l'uranium 238, il a été possible d'établir que les roches lunaires ont environ 4,5 milliards d'années, soit l'âge approximatif estimé de la Terre. Dans la rubrique **Habiletés scientifiques**, à la page suivante, vous travaillerez avec les données d'une expérience où l'on a utilisé le carbone 14 pour déterminer l'âge d'un important fossile. (Le concept 25.2 explique plus en détail la datation radiométrique des fossiles.)

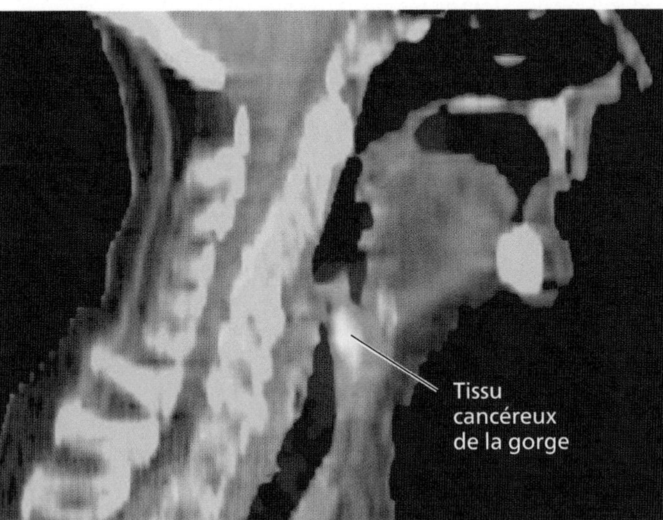

▲ **Figure 2.5 Une image obtenue grâce à la tomographie par émission de positons, une application médicale des radio-isotopes.** La tomographie par émission de positons (TEP) détecte les sites d'activité chimique intense dans l'organisme. Le point jaune clair révèle une région où la concentration de glucose marqué par un isotope radioactif est élevée, ce qui indique une intense activité métabolique, une caractéristique d'un tissu cancéreux.

Les niveaux énergétiques des électrons

Dans la figure 2.4, qui montre deux modèles simplifiés d'un atome, la taille du noyau est disproportionnée par rapport à celle de l'atome. Si l'atome d'hélium avait la taille d'un stade de football, le noyau ne serait pas plus gros que la gomme à effacer d'un crayon planté au centre du terrain. De plus, les électrons auraient l'allure de deux minuscules moucherons gravitant dans le stade. Les atomes se composent en grande partie d'espace vide. Même lorsque deux atomes s'approchent l'un de l'autre au cours d'une réaction chimique, les noyaux demeurent trop éloignés pour interagir. Ainsi, parmi les trois particules élémentaires dont nous avons parlé, seuls les électrons participent directement aux réactions chimiques entre les atomes.

Chaque électron possède sa propre quantité d'énergie. L'**énergie** est la capacité de provoquer un changement, par exemple de produire du travail. L'**énergie potentielle** est l'énergie que la matière possède grâce à sa structure ou à sa position par rapport à d'autres objets. Par exemple, l'eau contenue dans un réservoir situé sur une colline possède de l'énergie potentielle en raison de la hauteur à laquelle elle se trouve. Lorsque les vannes du réservoir s'ouvrent, l'énergie se libère et sert à produire du travail, par exemple à faire tourner une turbine pour produire de l'électricité. L'eau qui arrive au pied de la colline a moins d'énergie que celle du réservoir. La tendance naturelle de la matière est d'occuper le niveau d'énergie potentielle le plus bas possible. Pour rétablir l'énergie potentielle de l'eau ayant coulé, il faut produire du travail ; celui-ci permettra de faire remonter l'eau jusqu'au réservoir en s'opposant à la force gravitationnelle.

DÉMARCHE SCIENTIFIQUE

HABILETÉS SCIENTIFIQUES

Graduer la courbe de désintégration d'un isotope radioactif standard et en interpréter les données

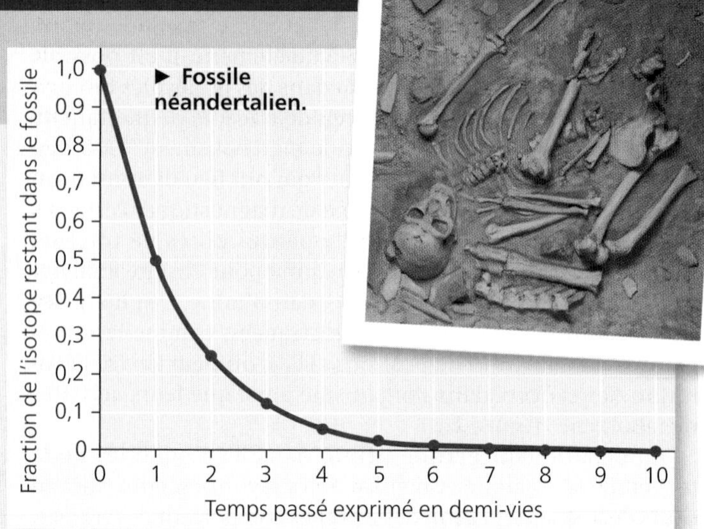

Source des données: R. Pinashi et coll., Revised age of late Neanderthal occupation and the end of Middle Paleolithic in the northern Caucasus, *Proceedings of the National Academy of Sciences* 147: 8611-8616 (2011).

■ COMBIEN DE TEMPS LES NÉANDERTALIENS ONT-ILS VRAISEMBLABLEMENT COEXISTÉ AVEC LES HUMAINS MODERNES (*HOMO SAPIENS*) ? ■ Les néandertaliens (*Homo neanderthalensis*) ont vécu en Europe il y a environ 350 000 ans. Pendant des centaines ou des milliers d'années avant leur extinction, ils ont peut-être coexisté avec les premiers *Homo sapiens* dans certaines régions de l'Eurasie. Des chercheurs ont tenté de déterminer plus précisément la durée de cette coexistence en établissant le dernier moment où les néandertaliens vivaient encore dans ces territoires. Pour ce faire, ils ont utilisé la datation au carbone 14 afin de déterminer l'âge d'un fossile néandertalien découvert dans la couche archéologique la plus récente (la plus superficielle) qui contenait des ossements néandertaliens. Dans cet exercice, vous devez graduer une courbe de désintégration standard du carbone 14 et l'utiliser pour déterminer l'âge de ce fossile néandertalien. L'âge établi vous aidera à estimer le dernier moment où les deux espèces ont coexisté dans la région où ce fossile a été découvert.

■ MÉTHODE ■ Le carbone 14 (^{14}C) est un isotope radioactif du carbone qui se désintègre en ^{14}N à vitesse constante. L'isotope ^{14}C est présent dans l'atmosphère en petites quantités et dans une proportion constante avec le ^{13}C et le ^{12}C, deux autres isotopes du carbone. Lorsqu'une plante absorbe le carbone de l'atmosphère au cours de la photosynthèse, les isotopes ^{12}C, ^{13}C et ^{14}C sont incorporés dans la plante dans les mêmes proportions que celles de l'atmosphère. Et ces proportions resteront les mêmes dans les tissus de l'animal qui mangera la plante. Tant qu'un organisme est en vie, le carbone 14 qu'il contient se désintègre en ^{14}N tout en étant constamment remplacé par du nouveau carbone provenant de l'environnement. Lorsque l'organisme meurt, il cesse d'absorber du nouveau carbone 14; celui-ci continue de se dégrader pendant que le carbone 12, lui, reste inchangé parce qu'il n'est pas radioactif et ne se désintègre pas. Les proportions de ^{14}C diminuent donc, après la mort, par rapport à celles du ^{12}C. Par conséquent, pour savoir pendant combien de temps la quantité initiale de ^{14}C s'est désintégrée dans un fossile, il faut mesurer le rapport du ^{14}C au ^{12}C et le comparer au rapport du ^{14}C au ^{12}C qui se trouvait à l'origine dans l'atmosphère. Il est ensuite possible de convertir en années la fraction de ^{14}C présente dans un fossile comparativement à la fraction originale de ^{14}C puisque nous savons que la demi-vie du ^{14}C est de 5 730 ans – autrement dit que la moitié du ^{14}C se trouvant dans un fossile se désintègre tous les 5 730 ans.

■ RÉSULTATS ■ Les scientifiques ont établi que la quantité de ^{14}C contenue dans ce fossile néandertalien était d'environ 0,0078 fois celle présente dans l'atmosphère (ou, en notation scientifique, $7{,}8 \times 10^{-3}$). Les questions ci-dessous vous aideront à traduire cette fraction en années pour obtenir l'âge du fossile.

INTERPRÉTEZ LES DONNÉES ▼

1. Dans le coin supérieur droit de cette page se trouve une courbe standard qui représente la désintégration d'un isotope radioactif. Le diagramme montre la fraction de l'isotope radioactif en fonction du temps (passé), exprimé en demi-vies. Rappelez-vous qu'une demi-vie est le temps nécessaire à la désintégration de 50 % de l'isotope radioactif. Pour vous aider à comprendre le diagramme, indiquez la fraction correspondant à chaque point. Tracez une flèche jusqu'au point qui représente une demi-vie, puis indiquez la fraction de ^{14}C restante après une demi-vie. Pour chaque demi-vie, calculez la fraction de ^{14}C restante et indiquez-la sur le diagramme, près de la flèche correspondante. Convertissez chaque fraction en nombre décimal et arrondissez à trois chiffres significatifs tout au plus (les zéros au début du nombre ne comptent pas pour des chiffres significatifs). Écrivez également chaque nombre décimal en notation scientifique.
2. Rappelez-vous que la demi-vie du ^{14}C est de 5 730 ans. Pour graduer l'axe des *x*, qui représente la désintégration de ^{14}C, écrivez le temps passé en années sous chaque demi-vie.
3. Les chercheurs ont établi que ce fossile néandertalien contient environ 0,0078 fois la quantité de ^{14}C présente à l'origine dans l'atmosphère. (a) À l'aide des valeurs portées sur votre diagramme, déterminez le nombre de demi-vies écoulées depuis la mort du néandertalien. (b) Utilisez la graduation du ^{14}C sur l'axe des *x* pour trouver l'âge approximatif du fossile néandertalien en années (arrondi au millier près). (c) Selon cette étude, à quel moment environ les néandertaliens ont-ils disparu ? (d) Les chercheurs font état de données probantes qui montrent que l'humain moderne (*Homo sapiens*) s'est établi dans la même région que les derniers néandertaliens à une époque se situant entre 39 000 et 42 000 ans environ avant notre ère. Que peut-on supposer au sujet de la coexistence des néandertaliens et des humains modernes ?
4. La datation au carbone 14 permet de déterminer l'âge de fossiles âgés d'environ 75 000 ans et moins. Au-delà de cette limite, les fossiles contiennent une quantité de ^{14}C trop faible pour être détectable. La plupart des dinosaures avaient disparu il y a 65,5 millions d'années. (a) Peut-on dater des ossements de dinosaures au carbone 14 ? (b) L'uranium 235 radioactif a une demi-vie de 704 millions d'années. S'il s'est incorporé aux os des dinosaures, peut-on s'en servir pour dater des fossiles de dinosaures ? Expliquez votre réponse.

Les électrons d'un atome, qui sont chargés négativement, possèdent eux aussi de l'énergie potentielle en raison de leur distance par rapport au noyau, chargé positivement (**figure 2.6**). Les électrons de charge négative sont attirés par le noyau de charge positive. Plus ils sont éloignés du noyau, plus leur énergie potentielle est élevée, étant donné qu'il faut fournir un travail pour éloigner un électron donné du noyau. Contrairement à la variation continue de l'énergie potentielle de l'eau qui s'écoule vers le bas, les changements d'énergie potentielle des électrons s'effectuent par étapes, de façon discontinue. Un électron possédant une certaine énergie potentielle peut se comparer à une balle descendant un escalier (**figure 2.6a**). La balle possède différentes quantités d'énergie potentielle selon la marche sur laquelle elle se trouve, et elle ne peut passer beaucoup de temps entre les marches. De même, l'énergie potentielle d'un électron est déterminée par son niveau d'énergie. Un électron ne peut exister qu'à certains niveaux précis d'énergie, et non entre ces niveaux.

Le niveau énergétique d'un électron est donc lié à sa distance moyenne du noyau. Les électrons occupent différentes **couches électroniques**, chacune se caractérisant par une distance moyenne et un niveau énergétique particuliers. Dans des schémas, on peut représenter les couches électroniques par des anneaux concentriques, comme l'illustre la **figure 2.6b**. La première couche est la plus proche du noyau, et les électrons qui s'y trouvent possèdent l'énergie la plus faible. Les électrons situés dans la deuxième couche ont plus d'énergie, ceux de la troisième couche, plus encore. Un électron peut passer d'une couche à une autre, mais seulement en absorbant ou en perdant une quantité d'énergie égale à la différence d'énergie potentielle entre l'ancienne couche et la nouvelle. Pour atteindre une couche plus éloignée du noyau, l'électron doit absorber de l'énergie. Par exemple, la lumière peut exciter un électron et le faire passer à un niveau énergétique supérieur. En fait, il s'agit là de la première étape de la photosynthèse, durant laquelle les végétaux captent l'énergie lumineuse. C'est le processus qui leur permet de produire des composés organiques à partir de molécules de dioxyde de carbone (CO_2) et d'eau. (Vous en apprendrez davantage sur la photosynthèse au chapitre 10.) Au contraire, pour regagner une couche située plus près du noyau, l'électron doit perdre de l'énergie, habituellement en la libérant dans l'environnement sous forme de chaleur. Ainsi, quand les rayons du Soleil excitent les électrons contenus à la surface d'une voiture, ceux-ci passent à des niveaux énergétiques supérieurs, plus loin du noyau. L'automobile chauffe pendant que les électrons regagnent leur niveau énergétique initial en se rapprochant du noyau. Cette énergie thermique peut être transférée à l'air ou à la main si on touche l'automobile.

(a) Une balle qui rebondit de marche en marche dans un escalier ne peut s'arrêter que sur les marches, jamais entre deux marches. De même, un électron ne peut exister qu'à certains niveaux d'énergie, jamais entre deux niveaux d'énergie.

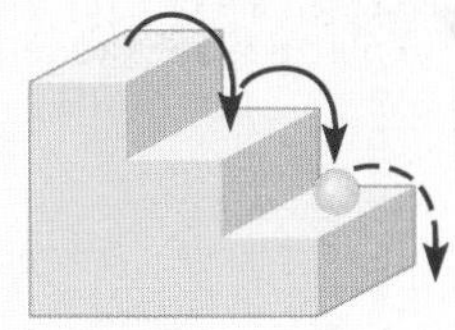

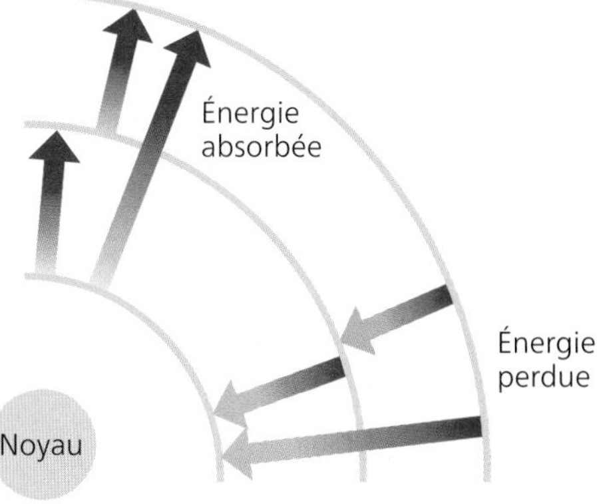

(b) Un électron peut passer d'une couche à une autre uniquement si l'énergie qu'il gagne ou qu'il perd correspond exactement à la différence d'énergie entre les niveaux des deux couches. Les flèches dans ce modèle indiquent quelques-uns des changements possibles de niveaux d'énergie potentielle.

▲ **Figure 2.6 Les niveaux énergétiques des électrons.** Les électrons occupent certains niveaux déterminés d'énergie potentielle, les couches électroniques.

La répartition électronique et les propriétés chimiques

Le comportement chimique d'un atome est déterminé par la répartition des électrons dans les couches électroniques de l'atome. En commençant par l'hydrogène, l'atome le plus simple, nous pouvons représenter les atomes des autres éléments, dans l'ordre du tableau périodique, en ajoutant un proton et un électron à la fois (de même que le nombre approprié de neutrons). La **figure 2.7** présente une version modifiée du tableau périodique des éléments, qui permet de visualiser la répartition électronique des 18 premiers éléments, soit de l'hydrogène ($_1H$) à l'argon ($_{18}Ar$). Ces éléments figurent sur trois lignes, appelées périodes, correspondant au nombre de couches électroniques contenues dans leurs atomes. De gauche à droite, la suite des éléments de chaque ligne correspond à l'addition séquentielle d'électrons et de protons. (Le tableau périodique complet est donné à l'appendice C.)

Comme toute matière, les électrons cherchent à atteindre l'état d'énergie potentielle le plus bas, ce qui est possible lorsqu'ils se trouvent dans la première couche électronique. L'unique électron de l'hydrogène et les deux électrons de l'hélium, par exemple, occupent la première couche. Or, celle-ci ne peut contenir plus de deux électrons ; donc, la première rangée du tableau ne peut contenir plus de deux éléments (l'hydrogène et l'hélium). Quand un atome en possède plus de deux, les électrons supplémentaires se distribuent sur les couches électroniques supérieures puisque la première est saturée. L'élément suivant, le lithium, a trois électrons : deux électrons remplissent sa première couche, et le troisième est localisé dans sa deuxième couche. Cette dernière peut contenir un maximum de huit électrons. Quant au néon, qui se situe à la fin de la deuxième ligne, il compte 8 électrons dans sa seconde couche ; cet élément a donc 10 électrons au total.

Un atome a des propriétés chimiques qui dépendent principalement du nombre d'électrons présents dans sa couche périphérique, qui constitue le dernier niveau énergétique. Ces électrons se nomment **électrons de valence** (ou électrons périphériques). Le lithium, par exemple, qui a deux couches, possède seulement un électron de valence. Les atomes qui ont le même nombre d'électrons dans leur dernier niveau énergétique affichent un comportement chimique semblable.

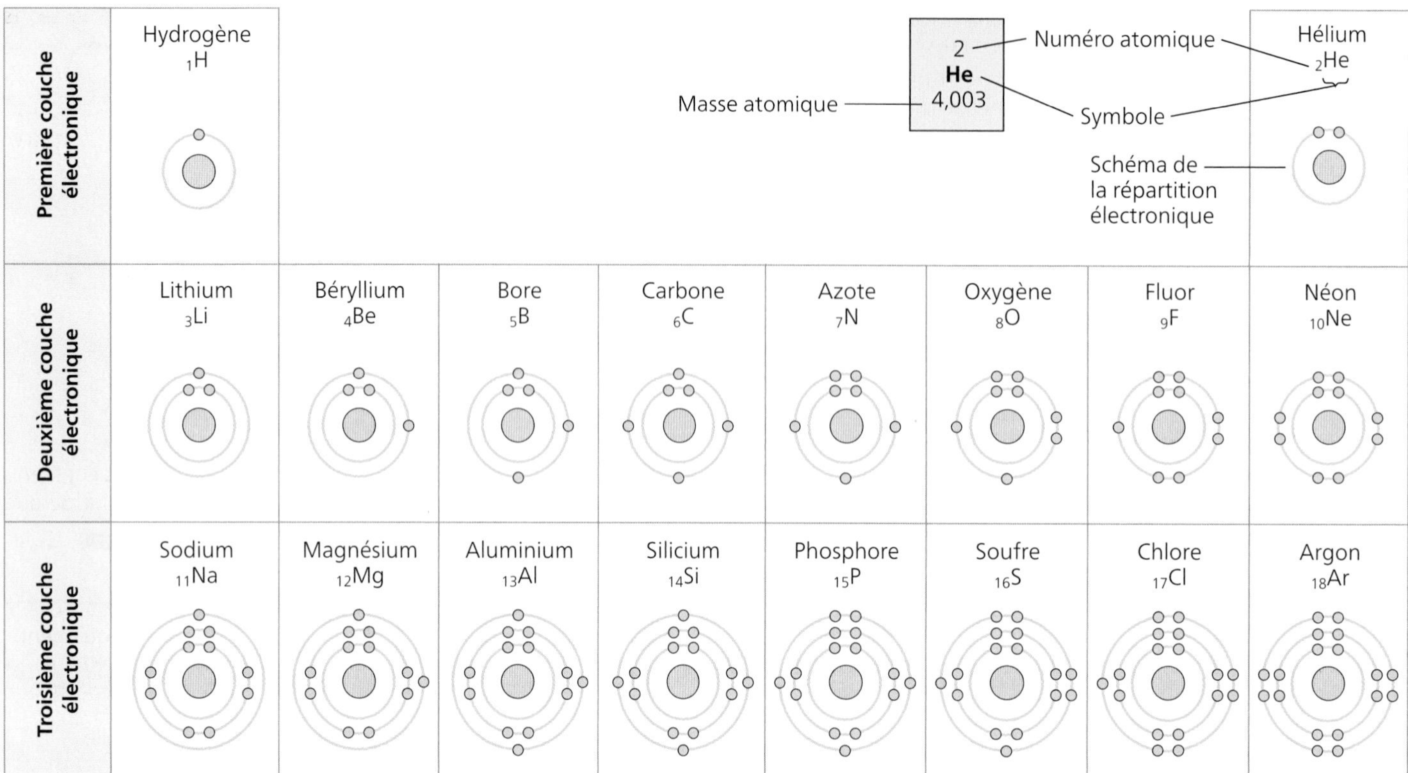

▲ **Figure 2.7 Les schémas de la répartition électronique des 18 premiers éléments du tableau périodique.** Dans un tableau périodique de base (voir l'appendice C), l'information est présentée comme dans le médaillon illustrant l'hélium. Dans les schémas de ce tableau, les électrons sont symbolisés par des points jaunes, et les couches électroniques, par des anneaux concentriques (correspondant aux niveaux énergétiques). La schématisation des couches électroniques constitue un moyen commode d'illustrer la répartition des électrons d'un atome selon leurs niveaux énergétiques, mais ces modèles simplifiés ne rendent pas compte de façon exacte de la forme de l'atome ou de la localisation de ses électrons. Quant aux éléments, ils figurent sur trois lignes (ou périodes), selon le nombre de leurs couches et le nombre d'électrons contenus dans celles-ci. Chaque ligne représente le remplissage d'un niveau énergétique. À mesure qu'ils s'ajoutent, les électrons occupent le plus bas niveau énergétique disponible.

HABILETÉS VISUELLES ▶ Examinez les schémas d'atomes du tableau et indiquez le numéro atomique du magnésium. Combien de protons et d'électrons possède-t-il ? Combien de couches électroniques ? Combien d'électrons de valence ?

Par exemple, le fluor (F) et le chlore (Cl) possèdent tous deux sept électrons de valence, et chacun d'eux peut se combiner au sodium et former des composés (voir la figure 2.2). Par ailleurs, un atome dont le dernier niveau énergétique est saturé ne réagit pas spontanément avec d'autres atomes. À l'extrême droite du tableau périodique se trouvent l'hélium, le néon et l'argon ; il s'agit des trois seuls éléments présentés à la figure 2.7 dont le dernier niveau énergétique est saturé. Ils sont dits inertes en raison de leur stabilité chimique. Tous les autres atomes de la figure 2.7 ont la capacité de réagir chimiquement, parce que leur dernier niveau énergétique est insaturé.

Les orbitales électroniques

Les électrons se déplacent autour du noyau de l'atome sur des trajectoires formant des couches de différents niveaux d'énergie qu'on nomme orbitales.

POUR APPROFONDIR ■ Au début des années 1900, les scientifiques percevaient les couches électroniques comme des trajectoires concentriques décrites par les électrons se déplaçant autour du noyau, un peu comme les orbites des planètes tournant autour du Soleil. Aujourd'hui, on se sert encore des cercles concentriques à deux dimensions, comme dans la figure 2.7, pour illustrer les couches électroniques tridimensionnelles, mais il faut se rappeler que les anneaux concentriques sont une représentation de la position relative des différentes couches électroniques par rapport au noyau. Par conséquent, les schémas d'anneaux concentriques ne donnent en rien une représentation réelle d'un atome. En fait, il est impossible de connaître la trajectoire exacte d'un électron. Par contre, nous pouvons déterminer le volume de l'espace dans lequel il passe la majeure partie de son temps. L'espace tridimensionnel où l'électron passe 90 % de son temps est l'**orbitale**.

Chaque couche électronique contient des électrons dans un niveau énergétique particulier, distribués parmi un nombre déterminé d'orbitales de formes et d'orientations particulières. La **figure 2.8** illustre en exemple les orbitales du néon accompagné de son schéma de répartition électronique en référence. On peut se représenter une orbitale comme une composante d'une couche électronique. La première couche électronique a une seule orbitale de forme sphérique, nommée 1*s*, mais la deuxième couche a quatre orbitales : une grande orbitale sphérique s (nommée 2*s*) et trois orbitales *p* (nommées 2*p*) qui ont la forme d'haltères. La troisième couche électronique, de même que les couches supérieures, possède également des orbitales *s* et *p*, en plus d'orbitales de formes plus complexes.

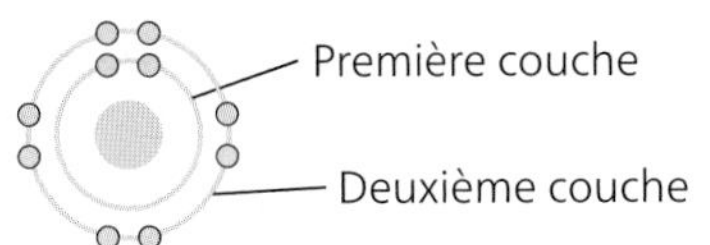

(a) Schéma de la répartition électronique. Le schéma ci-dessus représente la répartition électronique d'un atome de néon qui possède au total 10 électrons. Chaque anneau concentrique représente une couche électronique, laquelle peut être subdivisée en orbitales électroniques.

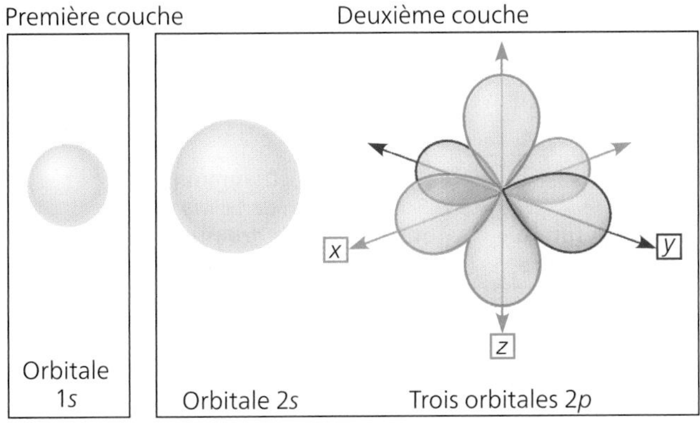

(b) Orbitales électroniques séparées. Les formes tridimensionnelles représentent les orbitales électroniques, des régions de l'espace dans lesquelles les électrons ont la plus grande probabilité de se trouver. Chaque orbitale contient un maximum de deux électrons. La première couche électronique, à gauche, possède une orbitale sphérique (*s*), nommée 1*s*. La deuxième couche, à droite, a une orbitale *s* plus grande (nommée 2*s*), ainsi que trois orbitales en forme d'haltères nommées orbitales *p* (elles se nomment 2*p* dans le cas de la deuxième couche). Les trois orbitales 2*p* se trouvent à angle droit les unes par rapport aux autres sur des axes imaginaires *x*, *y* et *z*. Dans la figure, le contour de chaque orbitale 2*p* est représenté par une couleur différente.

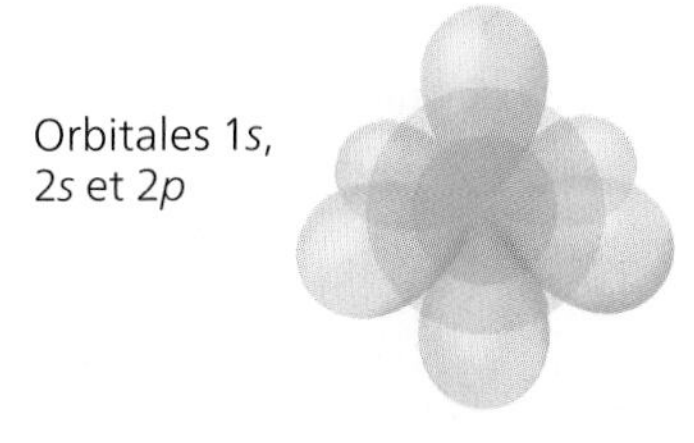

(c) Orbitales électroniques superposées. Pour révéler la représentation complète des orbitales électroniques du néon, on superpose l'orbitale 1*s* de la première couche et l'orbitale 2*s* et les trois orbitales 2*p* de la deuxième couche.

▲ **Figure 2.8 Les orbitales électroniques.**

Une même orbitale ne peut contenir plus de deux électrons. La première couche électronique peut donc loger un maximum de deux électrons dans son orbitale s. L'unique électron de l'atome d'hydrogène et les deux électrons de l'atome d'hélium occupent donc l'orbitale 1s. La deuxième couche électronique a quatre orbitales et peut loger jusqu'à huit électrons, deux dans chaque orbitale. Les électrons de chacune de ces quatre orbitales possèdent à peu près la même énergie, mais ils se déplacent dans des espaces différents. ■

La réactivité d'un atome dépend de la présence d'électrons non appariés, ou célibataires, dans une ou plusieurs orbitales de son dernier niveau énergétique. Comme vous le verrez dans la prochaine section, les atomes interagissent pour combler leur dernier niveau énergétique et ce sont les électrons célibataires qui entrent alors en jeu.

RETOUR SUR LE CONCEPT 2.2

1. Un atome de lithium a trois protons et quatre neutrons. Quel est son nombre de masse ?
2. Un atome d'azote a sept protons, et l'isotope le plus abondant de l'azote a sept neutrons. Un isotope radioactif de l'azote a huit neutrons. Écrivez le numéro atomique et le nombre de masse de cet azote radioactif sous forme de symbole chimique accompagné des nombres placés en indice et en exposant.
3. Combien d'électrons le fluor a-t-il ? Combien de couches électroniques ? Nommez les orbitales occupées. Combien d'électrons sont nécessaires pour remplir le dernier niveau énergétique ?
4. **HABILETÉS VISUELLES ▶** Dans la figure 2.7, s'il y a deux éléments ou plus dans la même rangée, qu'ont-ils en commun ? S'il y a deux éléments ou plus dans la même colonne, qu'ont-ils en commun ?

Voir les réponses proposées à l'appendice A.

CONCEPT **2.3**

La formation et la fonction des molécules dépendent des liaisons chimiques entre les atomes

Montons maintenant dans la hiérarchie de l'organisation biologique pour comprendre comment les atomes se combinent de façon à former des molécules et des composés ioniques. Les atomes dont le dernier niveau énergétique est incomplet (c'est le cas des éléments les plus abondants dans la matière vivante) interagissent avec certains autres atomes de manière à remplir leur dernière couche électronique. Pour ce faire, ils doivent soit mettre en commun leurs électrons de valence, soit les transférer complètement. Cela fait, ils restent habituellement proches l'un de l'autre : ils sont retenus par des forces d'attraction nommées **liaisons chimiques**. Les liaisons chimiques les plus fortes sont les liaisons covalentes, suivies des liaisons ioniques. Dans les solutions aqueuses, c'est-à-dire à base d'eau, les liaisons ioniques peuvent se rompre facilement, contrairement aux liaisons covalentes, comme nous le verrons plus loin.

La liaison covalente

Une **liaison covalente** se forme quand deux atomes mettent en commun une ou plusieurs paires d'électrons de valence. C'est ce qui arrive, par exemple, quand deux atomes d'hydrogène s'approchent l'un de l'autre pour former une molécule d'hydrogène (H_2). Rappelez-vous que l'hydrogène possède un électron de valence situé dans sa première couche, mais que celle-ci peut en contenir deux. Lorsqu'ils sont assez près pour que leurs orbitales 1*s* se chevauchent, ces deux atomes d'hydrogène mettent en commun leur unique électron (**figure 2.9**). Chaque atome d'hydrogène est alors associé à deux électrons dans son dernier niveau énergétique complet. Quand ils sont unis par des liaisons covalentes, deux atomes ou plus forment une **molécule**. Dans l'exemple ci-dessus, il s'agit d'une molécule de dihydrogène.

La **figure 2.10a** illustre plusieurs façons de représenter une molécule de dihydrogène. Sa formule moléculaire, H_2, indique simplement que la molécule consiste en deux atomes d'hydrogène. On peut décrire le partage des électrons à l'aide d'un schéma de répartition électronique ou par un diagramme de Lewis, dans lequel les symboles des éléments sont entourés de points qui représentent les électrons de valence (H : H). On peut également utiliser une formule développée, H—H, dans laquelle le tiret indique une **liaison simple**, c'est-à-dire un doublet d'électrons mis en commun. Quant au modèle compact, c'est celui qui se rapproche le plus de la forme réelle de la molécule. Il se peut que le modèle à boules et à bâtonnets vous soit également familier, tel qu'il est représenté à la figure 2.15.

Ayant six électrons dans sa deuxième couche électronique, l'atome d'oxygène a besoin de deux électrons supplémentaires pour combler son dernier niveau énergétique. Deux atomes d'oxygène qui se rencontrent doivent mettre en commun deux doublets d'électrons de valence afin de former une molécule (**figure 2.10b**). Ils sont alors unis par une **liaison double** (O═O).

Chaque atome qui peut mettre en commun des électrons de valence possède une capacité de liaison correspondant au nombre de liaisons covalentes qu'il peut établir. Une fois que celles-ci sont formées, le dernier niveau énergétique de l'atome est comblé. Cette capacité de liaison est donnée par le **nombre d'oxydation** d'un atome. Il représente le nombre d'électrons qu'un atome doit perdre (signe +), gagner (signe –) ou mettre en commun pour remplir son dernier niveau énergétique. Le nombre d'oxydation de l'hydrogène est de +1. Cette valeur signifie que l'électron a plutôt tendance à s'éloigner du noyau de l'hydrogène et à se rapprocher d'un autre atome ; l'électron éloigne, par le fait même, sa charge négative du noyau de l'hydrogène. Dans ce cas, le proton du noyau, de charge positive, prédomine au sein de l'hydrogène, d'où le +1 correspondant au nombre d'oxydation de cet atome. Quant au nombre d'oxydation de l'oxygène, il est de –2. Parfois, un élément comporte plusieurs nombres d'oxydation, selon le type de molécule auquel il appartient ; ainsi, ceux de l'azote sont de ±3, +5, +4 et +2. Cependant, la situation est plus compliquée pour les éléments de la troisième période du tableau périodique. Le phosphore (P), par exemple, peut avoir un nombre d'oxydation de ±3, ainsi que

Atomes d'hydrogène (2 H)

1 Dans chaque atome d'hydrogène, l'attraction du proton dans le noyau retient l'unique électron dans son orbitale.

2 Si deux atomes d'hydrogène s'approchent l'un de l'autre, l'électron de chaque atome subit l'attraction du proton de l'autre noyau.

3 Les deux électrons deviennent partagés dans une liaison covalente qui forme une molécule de H_2.

Molécule d'hydrogène (H_2)

▲ **Figure 2.9 La formation d'une liaison covalente.**

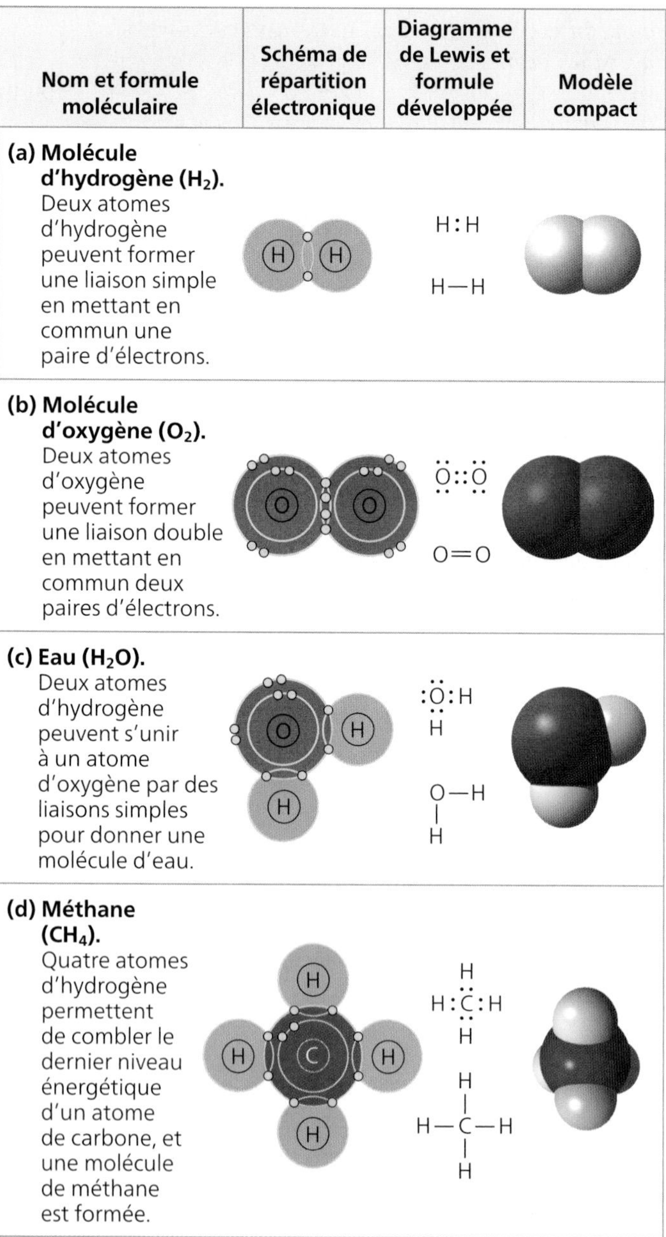

Nom et formule moléculaire	Schéma de répartition électronique	Diagramme de Lewis et formule développée	Modèle compact
(a) Molécule d'hydrogène (H_2). Deux atomes d'hydrogène peuvent former une liaison simple en mettant en commun une paire d'électrons.		H:H H—H	
(b) Molécule d'oxygène (O_2). Deux atomes d'oxygène peuvent former une liaison double en mettant en commun deux paires d'électrons.		Ö::Ö O═O	
(c) Eau (H_2O). Deux atomes d'hydrogène peuvent s'unir à un atome d'oxygène par des liaisons simples pour donner une molécule d'eau.		:Ö:H H O—H H	
(d) Méthane (CH_4). Quatre atomes d'hydrogène permettent de combler le dernier niveau énergétique d'un atome de carbone, et une molécule de méthane est formée.		H H:C:H H H H—C—H H	

▲ **Figure 2.10 Quatre molécules comprenant au moins une liaison covalente.** Le nombre d'électrons requis pour remplir le dernier niveau énergétique d'un atome détermine généralement le nombre de liaisons covalentes que cet atome peut former. Cette figure illustre plusieurs façons de représenter les liaisons covalentes.

ses trois électrons célibataires permettent de le prédire. Cependant, lorsqu'il fait partie d'une molécule essentielle à la vie, il a généralement un nombre d'oxydation de +5 : il forme trois liaisons simples et une liaison double. Il peut aussi avoir un nombre d'oxydation de +4.

Les molécules H_2 et O_2 constituent des éléments purs et non des composés, car un composé est une combinaison de deux ou de plusieurs éléments différents. L'eau, dont la formule moléculaire est H_2O, est un composé. Il faut deux atomes d'hydrogène pour combler le dernier niveau énergétique d'un atome d'oxygène. La **figure 2.10c** montre la structure d'une molécule d'eau. (L'eau revêt tellement d'importance pour la vie que nous consacrerons tout le chapitre 3 à sa structure et à ses propriétés.)

Le méthane, dont la formule moléculaire est CH_4, représente un autre exemple de composé. C'est en fait le constituant principal du gaz naturel. Il faut quatre atomes d'hydrogène (chacun ayant un nombre d'oxydation de +1) pour combler le dernier niveau énergétique d'un atome de carbone (dont le nombre d'oxydation est de ±4) (**figure 2.10d**). (Nous étudierons de nombreux autres composés du carbone au chapitre 4.)

Il arrive que des atomes ou des molécules contenant des électrons de valence non appariés (ou célibataires) se forment dans un organisme (O_2^-, NO et OH, par exemple). Ces substances, les **radicaux libres**, sont très instables et réactives, car elles sont, en quelque sorte, à la recherche de l'électron manquant. Elles peuvent « voler » celui-ci à n'importe quel autre atome, y compris des atomes appartenant à des substances utiles pour un organisme, comme ses protéines. Les radicaux libres peuvent donc avoir des effets physiologiques nocifs.

Les atomes dans une molécule attirent les électrons partagés à divers degrés, selon la nature de l'élément. L'attraction qu'un atome exerce sur les électrons qu'il met en commun dans le cadre d'une liaison covalente est nommée **électronégativité**. Plus un atome est électronégatif, plus il attire fortement vers lui les électrons mis en commun. Dans une liaison covalente entre deux atomes du même élément, le partage est égal, étant donné que ceux-ci possèdent la même électronégativité ; la partie est donc nulle. On parle alors de **liaison covalente non polaire**. Ainsi, la liaison simple de H_2 n'est pas polaire, tout comme la liaison double de O_2. Par contre, quand un atome est lié à un autre plus électronégatif, les électrons de la liaison ne sont pas partagés également. On parle alors de **liaison covalente polaire**. La polarité de ces liaisons varie en fonction de l'électronégativité relative des deux atomes. Par exemple, les liaisons entre les atomes d'oxygène et d'hydrogène d'une molécule d'eau sont très polaires (**figure 2.11**). L'oxygène est un des éléments les plus électronégatifs ; l'attraction qu'il exerce sur les électrons mis en commun est beaucoup plus forte que celle de l'hydrogène. En conséquence, dans une liaison covalente entre l'oxygène et l'hydrogène, les électrons passent plus de temps autour du noyau de l'oxygène que du noyau de l'hydrogène. Comme les électrons possèdent une charge négative et qu'ils sont attirés vers l'oxygène dans une molécule d'eau, l'atome d'oxygène possède une charge partielle négative (symbolisée par la lettre grecque δ suivie du signe moins, δ– ou « delta moins »), et chacun des atomes d'hydrogène, une charge partielle positive (δ+, ou « delta plus »). Par contre, les liaisons du méthane (CH_4) sont beaucoup moins polaires, parce que les électronégativités du carbone et de l'hydrogène sont semblables.

La liaison ionique

Dans certains cas, deux atomes proches l'un de l'autre exercent des attractions tellement inégales sur leurs électrons de valence que le plus électronégatif arrache complètement un électron à l'autre atome. Les deux atomes (ou les deux molécules) de charges opposées qui en résultent se nomment **ions**. Un ion chargé positivement est un **cation**, tandis qu'un ion chargé négativement est un **anion**. En raison de leurs charges opposées, les cations et les anions s'attirent mutuellement et forment des **liaisons ioniques**. Notez que ce n'est pas à proprement parler le transfert d'un électron qui forme une liaison ; il permet plutôt la formation d'une liaison parce que deux ions de charges opposées sont ainsi créés. Deux ions de charges opposées peuvent former une liaison ionique sans qu'ils aient effectué un transfert mutuel d'électrons pour acquérir leur charge.

Une telle liaison se forme, par exemple, quand un atome de sodium ($_{11}Na$) rencontre un atome de chlore ($_{17}Cl$) (**figure 2.12**). L'atome de sodium possède au total 11 électrons, dont un seul

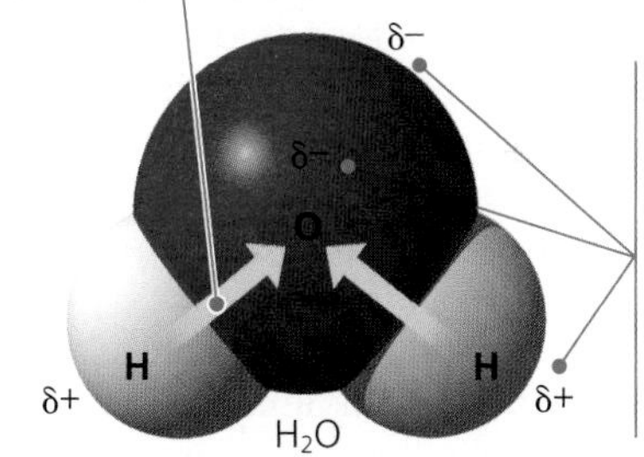
L'oxygène (O), qui est beaucoup plus électronégatif que l'hydrogène (H), attire les électrons mis en commun dans la liaison.
δ–
O
H
H
δ+
δ+
H_2O
Cette répartition inégale confère à l'atome d'oxygène deux régions de charge partielle négative, et à chaque atome d'hydrogène, une charge partielle positive.

▲ **Figure 2.11 Les liaisons covalentes polaires dans une molécule d'eau.**

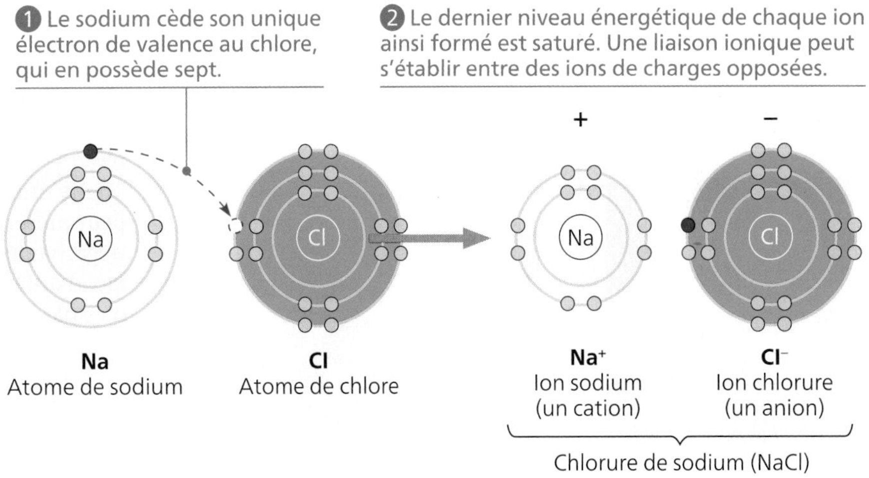

① Le sodium cède son unique électron de valence au chlore, qui en possède sept.

② Le dernier niveau énergétique de chaque ion ainsi formé est saturé. Une liaison ionique peut s'établir entre des ions de charges opposées.

+ –

Na Atome de sodium

Cl Atome de chlore

Na^+ Ion sodium (un cation)

Cl^- Ion chlorure (un anion)

Chlorure de sodium (NaCl)

▲ **Figure 2.12 Le transfert d'un électron et la liaison ionique.** L'attraction qui unit les atomes de charges opposées, ou ions, constitue une liaison ionique. L'ion peut se lier non seulement à l'atome avec lequel il a réagi, mais aussi à tout autre ion de charge opposée.

de valence. L'atome de chlore possède 17 électrons, dont sept de valence. Lorsque ces deux atomes se rencontrent, le sodium cède son unique électron de valence au chlore; les deux atomes ont alors leur dernier niveau énergétique saturé. (Comme le sodium n'a plus d'électron dans sa troisième couche, sa deuxième couche devient le dernier niveau énergétique.) Le transfert d'un électron du sodium au chlore déplace vers celui-ci une unité de charge négative. Avec ses 11 protons et seulement 10 électrons, le sodium possède maintenant une charge électrique nette de 1+ : l'atome de sodium est devenu un cation. Par contre, comme l'atome de chlore a gagné un électron, il se retrouve avec 17 protons et 18 électrons, ce qui lui donne une charge électrique nette de 1– : l'atome de chlore est devenu un ion chlorure, un anion.

Les composés formés par des liaisons ioniques sont appelés **composés ioniques** ou **sels**. Nous connaissons tous le sel de table (**figure 2.13**) ; il s'agit d'un composé ionique, le chlorure de sodium (NaCl). Dans la nature, les sels ont souvent l'aspect de cristaux de taille et de forme diverses. Ce sont des agrégats formés d'un grand nombre de cations et d'anions unis par leur attraction électrique et assemblés en réseaux tridimensionnels. Un composé covalent est constitué de molécules ayant une taille et un nombre d'atomes déterminés, ce qui n'est pas le cas d'un composé ionique. La formule d'un composé ionique, comme NaCl, indique seulement le rapport entre les éléments que le cristal de sel renferme. La formule NaCl ne représente pas une molécule individualisée, mais plutôt un réseau d'ions sodium et d'ions chlorure en proportions égales.

Tous les sels ne possèdent pas un nombre égal de cations et d'anions. Par exemple, le chlorure de magnésium ($MgCl_2$), un composé ionique, comprend deux ions chlorure pour chaque ion magnésium. Le magnésium ($_{12}Mg$) doit perdre ses deux électrons de valence pour que son dernier niveau énergétique soit saturé; il devient alors un cation, dont la charge est de 2+ (Mg^{2+}). Un cation magnésium peut ainsi former des liaisons ioniques avec deux anions chlorure (Cl^-).

Le terme *ion* s'applique également à des molécules entières qui portent une charge électrique. Dans le cas du chlorure d'ammonium (NH_4Cl), par exemple, l'anion est un ion monoatomique chlorure (Cl^-), mais le cation est l'ion ammonium (NH_4^+), un composé formé d'un atome d'azote lié par covalence à quatre atomes d'hydrogène. L'ion ammonium possède une charge électrique de 1+ parce qu'il a cédé un électron, il lui en manque donc un.

▲ **Figure 2.13 Le cristal de chlorure de sodium (NaCl).** Les ions sodium (Na^+) et les ions chlorure (Cl^-) sont maintenus ensemble par des liaisons ioniques. La formule NaCl nous indique que le rapport entre les ions Na^+ et Cl^- est de 1:1.

L'environnement influe sur la force des liaisons ioniques. Lorsqu'il est sec, un cristal de sel pur possède des liaisons tellement fortes qu'il faut un marteau et un ciseau pour le casser en morceaux. Cependant, si le même cristal de sel est dissous dans l'eau, la liaison entre les deux ions devient relativement plus faible parce que les interactions avec les molécules d'eau s'interposent entre ces ions. Cette observation explique pourquoi la plupart des médicaments sont fabriqués sous forme de sels : ils sont très stables lorsqu'ils sont secs, mais ils se dissocient (se séparent) facilement dans l'eau. (Au concept 3.2, vous en apprendrez davantage sur la dissolution des sels dans l'eau.)

Les interactions chimiques faibles

Chez les êtres vivants, les liaisons chimiques les plus fortes sont les liaisons covalentes unissant des atomes et formant les molécules d'une cellule. Mais des interactions intermoléculaires et intramoléculaires plus faibles sont également indispensables; en fait, elles contribuent dans une large mesure aux propriétés émergentes de la vie. Grâce aux interactions faibles, de nombreuses grosses molécules biologiques peuvent maintenir leur forme tridimensionnelle, responsable de leur fonction. De plus, lorsqu'elles entrent en contact dans une cellule, deux molécules peuvent s'associer de façon temporaire grâce à des interactions chimiques faibles. Le caractère réversible de telles interactions constitue un avantage : deux molécules s'associent, réagissent l'une à l'autre d'une certaine manière, puis se séparent.

Plusieurs types d'interactions chimiques faibles jouent un rôle important dans les organismes. Mentionnons la liaison ionique, dont nous venons de parler, telle qu'elle existe entre des ions dissociés dans l'eau, ainsi que la liaison hydrogène et les forces de Van der Waals, qui sont également essentielles à la vie.

La liaison hydrogène

La liaison hydrogène, ou pont hydrogène, est une liaison chimique faible tellement vitale qu'elle mérite une attention particulière. Lorsqu'un atome d'hydrogène se lie par covalence à un atome électronégatif, il a une charge partielle positive qui lui permet de subir l'attraction d'un autre atome électronégatif situé à proximité. La **liaison hydrogène** est cette attraction entre un atome d'hydrogène et un atome électronégatif. Dans les cellules, les atomes électronégatifs susceptibles de donner lieu à des liaisons hydrogène sont habituellement l'oxygène et l'azote. La **figure 2.14** illustre le cas simple de la liaison hydrogène entre l'eau (H_2O) et l'ammoniac (NH_3).

Les forces de Van der Waals

Même une molécule avec des liaisons covalentes non polaires peut présenter des régions chargées positivement, et d'autres, négativement. Les électrons ne sont pas toujours répartis de façon uniforme. Ils peuvent à tout moment se retrouver rassemblés par hasard dans l'une ou l'autre de ses parties. Par conséquent, les régions chargées positivement et négativement changent constamment, ce qui permet à tous les atomes et à toutes les molécules de s'attirer mutuellement. Ces **forces** (ou **interactions**) **de Van der Waals** sont faibles individuellement et apparaissent seulement quand les atomes et les molécules sont très proches les uns des autres. Lorsqu'un grand nombre de ces interactions se produisent simultanément, elles peuvent cependant être puissantes : ce sont les forces de

▼ Figure 2.14 La liaison hydrogène.

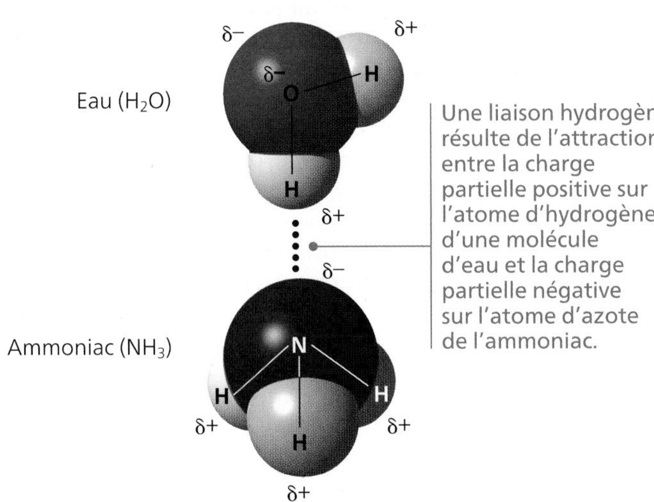

FAITES UN DESSIN ▶ Dessinez une molécule d'eau entourée de quatre autres molécules d'eau en les disposant de telle sorte qu'elles puissent établir des liaisons hydrogène entre elles. Tracez simplement les contours des molécules représentés selon le modèle compact. Dessinez les charges partielles sur les molécules d'eau et représentez les liaisons hydrogène par des points.

Van der Waals qui permettent au lézard gecko qu'on voit ci-dessous (*Gekko gecko*) d'escalader les murs. C'est l'anatomie particulière des membres du gecko qui lui permet de se déplacer de la sorte: avec ses doigts recouverts d'innombrables poils minuscules et ses puissants tendons sous la peau, notamment, il bénéficie d'un contact maximal avec le mur et ses pattes restent suffisamment rigides pour l'empêcher de tomber. Les interactions de Van der Waals qui s'établissent entre les molécules des pattes et les molécules à la surface d'un mur sont tellement nombreuses que, malgré leur faiblesse individuelle, l'animal arrive à supporter son propre poids et adhère au mur. Cette découverte a d'ailleurs inspiré la mise au point d'un adhésif de synthèse appelé Geckskin («peau de gecko»). La pièce adhésive, de la taille d'une fiche de carton, permet de suspendre sur un mur un poids de plus de 300 kg!

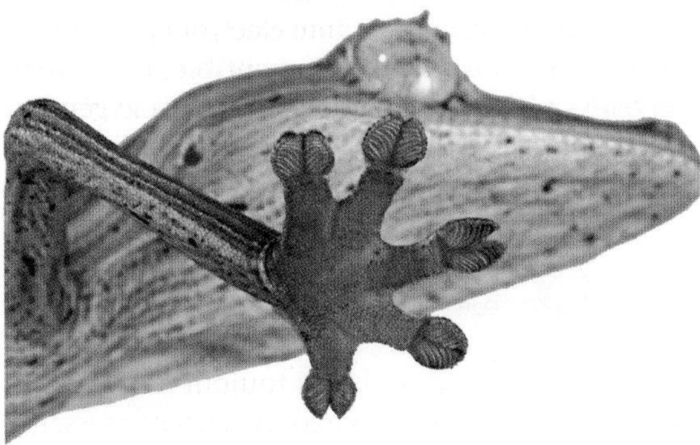

Les forces de Van der Waals, les liaisons hydrogène et les liaisons ioniques en milieu aqueux, ainsi que d'autres sortes d'interactions faibles, peuvent se former non seulement entre des molécules, mais aussi entre des parties d'une molécule volumineuse, comme une protéine. L'effet cumulatif des liaisons faibles renforce la forme tridimensionnelle des grosses molécules. (Vous en apprendrez davantage sur les rôles biologiques des liaisons chimiques faibles au chapitre 5.)

La forme moléculaire et la fonction biologique

Une molécule possède une taille et une forme tridimensionnelle caractéristiques qui contribuent grandement à la fonction de la molécule dans la cellule. Les molécules constituées de deux atomes, comme H_2 ou O_2, sont toujours linéaires. Celles qui comportent plus de deux atomes ont des formes plus complexes, déterminées par la position des orbitales de ces atomes (**figure 2.15**). Quand un atome établit des liaisons covalentes avec un autre atome, les orbitales de son dernier niveau énergétique subissent un réarrangement. S'il possède des électrons de valence dans les orbitales *s* et *p* (revoir la figure 2.8), l'unique orbitale *s* et les trois orbitales *p* forment quatre nouvelles orbitales, dites hybrides. Celles-ci ont la forme de gouttes d'eau identiques émergeant du noyau atomique (**figure 2.15a**). Si on relie les grosses extrémités des gouttes d'eau par des droites, on obtient un tétraèdre (une pyramide à base triangulaire).

Dans la molécule d'eau (H_2O), l'atome d'oxygène met en commun deux des orbitales hybrides de son dernier niveau énergétique avec les atomes d'hydrogène (**figure 2.15b**). La

▼ Figure 2.15 Les formes moléculaires tridimensionnelles découlant des orbitales hybrides.

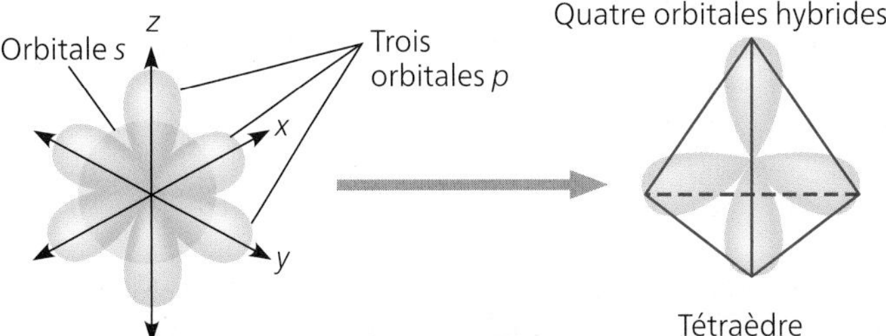

(a) Hybridation des orbitales. Dans une liaison covalente, l'unique orbitale *s* et les trois orbitales *p* du dernier niveau énergétique se combinent pour former quatre orbitales hybrides ayant la forme de gouttes d'eau. Ces orbitales pointent vers les quatre sommets d'un tétraèdre imaginaire (tracé en rose).

Modèle compact	Modèle à boules et bâtonnets	Modèle des orbitales hybrides (boules et bâtonnets en surimpression)
Eau (H_2O)	O, H, H, 104,5°	Doublet d'électrons libres; O, H, H
Méthane (CH_4)	C, H, H, H, H	C, H, H, H, H

(b) Modèles représentant la géométrie moléculaire. Trois modèles représentent la géométrie moléculaire de l'eau et du méthane. L'orientation des orbitales hybrides détermine les formes des molécules.

molécule qui en résulte ressemble grossièrement à un V (inversé dans la figure 2.15b), ses deux liaisons covalentes formant un angle de 104,5°.

La molécule de méthane (CH_4) a la forme d'un tétraèdre parce que les quatre orbitales hybrides de l'atome de carbone sont mises en commun avec les atomes d'hydrogène (voir la figure 2.15b). Le noyau de l'atome de carbone se trouve au centre, et ses quatre liaisons covalentes pointent vers les noyaux d'hydrogène situés aux sommets du tétraèdre. Les molécules plus volumineuses contenant plusieurs atomes de carbone (dont de nombreuses molécules composant la matière organique) ont des formes tridimensionnelles plus complexes. Cependant, la forme tétraédrique que prend un atome de carbone uni à quatre autres atomes est un motif courant.

La géométrie moléculaire joue un rôle important, car elle détermine la façon dont la plupart des molécules se reconnaissent et établissent entre elles des interactions spécifiques. Les molécules biologiques peuvent se lier entre elles temporairement en établissant des interactions faibles, mais seulement si elles possèdent des formes complémentaires. Pensons aux effets des opiacés, qui sont dérivés de l'opium et dont font partie la morphine et l'héroïne. Les opiacés soulagent la douleur et modifient l'humeur en se fixant faiblement à des molécules spécifiques, les récepteurs, situés sur la surface des neurones, des cellules du système nerveux. Comment se fait-il que les cellules du système nerveux portent des récepteurs pour les opiacés, alors que ce sont des composés que notre organisme ne synthétise même pas ? C'est la découverte des endorphines, en 1975, qui a permis de répondre à cette question. Les endorphines sont des molécules messagères synthétisées par l'hypophyse qui se fixent à des récepteurs pour soulager la douleur et procurer à l'individu un sentiment d'euphorie durant des périodes de stress, comme un exercice intense. Or, les opiacés ont des formes semblables à celles des endorphines et les imitent en se fixant aux récepteurs des endorphines dans le système nerveux. C'est la raison pour laquelle les opiacés (comme la morphine) et les endorphines exercent des effets semblables (**figure 2.16**). Le rôle de la géométrie moléculaire dans la chimie du système nerveux montre comment l'organisation biologique repose sur l'adéquation entre structure et fonction, l'un des fils conducteurs de la biologie.

▼ **Figure 2.16 Le mimétisme moléculaire.** La morphine modifie la perception de la douleur et l'état affectif en imitant les endorphines naturelles du système nerveux central.

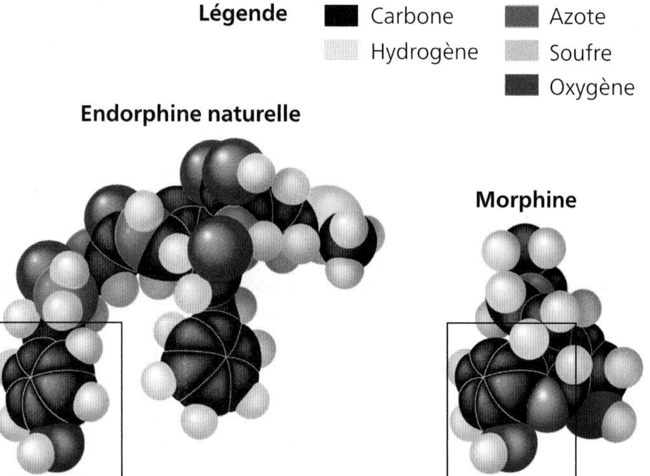

(a) Structures de l'endorphine et de la morphine. La partie encadrée de la molécule d'endorphine (à gauche) se fixe sur les molécules réceptrices situées sur des récepteurs spécifiques des neurones dans le cerveau. Remarquez la ressemblance avec la partie encadrée de la molécule de morphine (à droite).

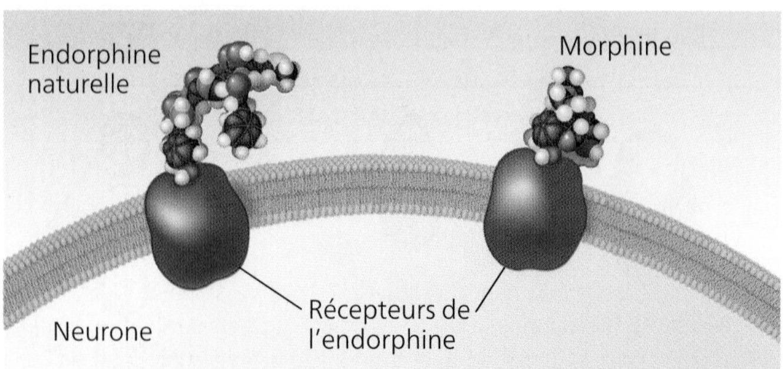

(b) Fixation sur les récepteurs de l'endorphine. L'endorphine et la morphine peuvent toutes les deux se fixer aux récepteurs de l'endorphine présents à la surface des neurones.

RETOUR SUR LE CONCEPT 2.3

1. Pourquoi la formule chimique H—C=C—H n'a-t-elle pas de sens ?
2. Qu'est-ce qui retient ensemble les atomes dans un cristal de chlorure de magnésium ($MgCl_2$) ?
3. **ET SI ?** ▶ Si vous étiez chercheur en pharmacologie, pourquoi voudriez-vous connaître les formes tridimensionnelles des molécules messagères naturelles ?

Voir les réponses proposées à l'appendice A.

CONCEPT 2.4

Les réactions chimiques établissent et rompent des liaisons chimiques

La formation et la rupture de liaisons chimiques, qui provoquent des modifications dans la composition de la matière, constituent les **réactions chimiques**. La réaction qui se produit entre une molécule d'hydrogène (H_2) et une molécule d'oxygène (O_2) pour former de l'eau (H_2O) en est un exemple :

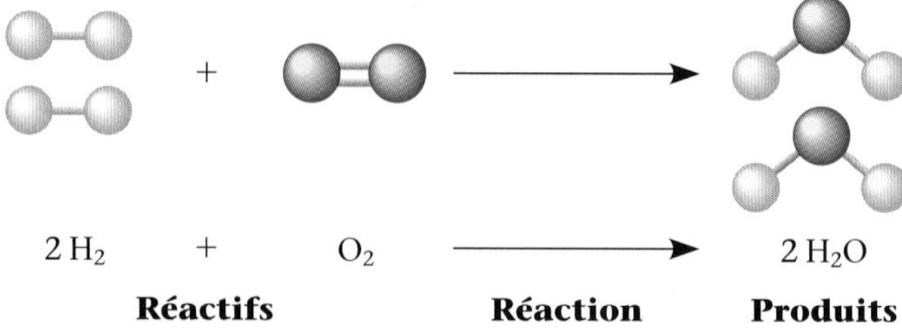

$$2\,H_2 + O_2 \longrightarrow 2\,H_2O$$

Réactifs **Réaction** **Produits**

Cette réaction rompt les liaisons covalentes de H_2 et de O_2. De nouvelles liaisons sont établies entre les atomes d'hydrogène et d'oxygène, et il se forme des molécules de H_2O. Pour exprimer une réaction chimique, on utilise une flèche représentant la transformation des substances de départ, les **réactifs**, en une ou plusieurs nouvelles substances, les **produits**. Les coefficients indiquent le nombre de molécules participantes. Le coefficient 2 devant H_2 signifie que la réaction commence avec deux molécules de dihydrogène. Remarquez que tous les atomes des réactifs se retrouvent dans les produits. Dans toute réaction chimique, la matière est conservée : les réactions ne peuvent ni la créer ni la détruire ; elles ne peuvent que réorganiser (répartir autrement) les électrons qui composent la matière.

En biologie, la photosynthèse est un bon exemple de réactions chimiques qui réorganisent la matière. Grâce à ce processus qui se déroule chez les végétaux, les animaux (dont l'humain fait partie) trouvent les substances dont ils ont besoin pour se nourrir et pour respirer. La photosynthèse constitue la base de presque tous les écosystèmes. Voici un résumé de la réaction de la photosynthèse :

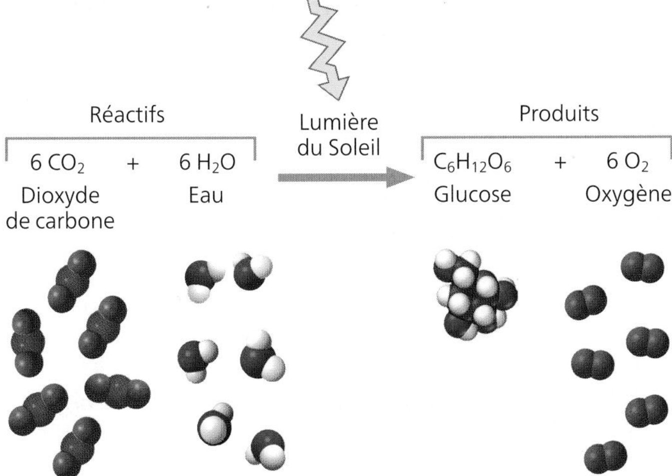

Les matériaux bruts de la photosynthèse sont le dioxyde de carbone (CO_2) et l'eau (H_2O) provenant respectivement de l'air et du sol. La lumière du Soleil fournit aux cellules capables de photosynthèse l'énergie nécessaire à la transformation de ces ingrédients en un sucre, le glucose ($C_6H_{12}O_6$), et en molécules d'oxygène (O_2), un produit secondaire libéré dans l'environnement (**figure 2.17**). Même si la photosynthèse est une suite de nombreuses réactions biochimiques, on retrouve en fin de compte le même nombre et les mêmes types d'atomes qu'au début du processus. En somme, les réactions réorganisent simplement la matière grâce à l'énergie fournie par le Soleil.

Toutes les réactions chimiques sont réversibles en théorie : les produits de la réaction directe deviennent les réactifs de la réaction inverse. Par exemple, les molécules de dihydrogène (H_2) et de diazote (N_2) peuvent se combiner pour former de l'ammoniac, et celui-ci peut se décomposer pour reformer du dihydrogène et du diazote :

$$3\,H_2 + N_2 \rightleftharpoons 2\,NH_3$$

Les flèches superposées et pointant dans un sens opposé indiquent que la réaction est réversible.

La concentration des réactifs est l'un des facteurs qui déterminent la vitesse d'une réaction chimique. Plus les molécules des réactifs sont concentrées, plus elles se heurtent fréquemment les unes aux autres et plus elles ont l'occasion de réagir et de former des produits. Le même principe vaut pour ces derniers : à mesure qu'ils s'accumulent, leurs collisions deviennent plus fréquentes, ce qui aboutit à la formation des réactifs de départ. En fin de compte, la réaction directe et la réaction inverse ont lieu à la même vitesse, et la concentration relative des produits et des réactifs demeure constante. L'**équilibre chimique** est

◀ **Figure 2.17 La photosynthèse : une réorganisation de la matière grâce à l'énergie lumineuse.** Cette élodée (*Elodea canadensis*), une plante d'eau douce, produit un sucre en combinant différemment les atomes de dioxyde de carbone et d'eau grâce à un processus biochimique appelé photosynthèse. La lumière du Soleil fournit l'énergie nécessaire à cette transformation chimique. Une grande partie du sucre produit est convertie par la suite en d'autres molécules nutritives. L'oxygène gazeux (O_2) est un produit secondaire de la photosynthèse ; notez les bulles d'O_2 qui s'échappent des feuilles submergées.

FAITES UN DESSIN ▶ Ajoutez des flèches et des mots sur la photo pour représenter les réactifs et les produits de la photosynthèse telle qu'elle a lieu dans une feuille.

atteint à ce moment précis où les réactions inverses s'annulent. En fait, il s'agit d'un équilibre dynamique ; les réactions continuent toujours de se dérouler dans les deux sens, mais elles n'ont aucune influence sur les concentrations des réactifs et des produits. Notez que l'équilibre ne signifie pas que les concentrations des réactifs et des produits sont égales, mais seulement qu'elles sont arrivées à un certain rapport stable. La réaction de l'ammoniac dont nous avons parlé plus haut atteint l'équilibre quand ce composé se dissocie aussi rapidement qu'il se forme. Dans certaines réactions chimiques, le point d'équilibre se déplace tellement vers la droite (vers les produits) que ces réactions sont en pratique complètes ; c'est-à-dire que presque tous les réactifs sont transformés en produits.

Nous reverrons les réactions chimiques après avoir étudié en détail les différents types de molécules essentielles à la vie. Dans le chapitre suivant, nous nous concentrerons sur l'eau, une substance dans laquelle toutes les réactions chimiques ont lieu chez les êtres vivants.

RETOUR SUR LE CONCEPT 2.4

1. **FAITES DES LIENS** ▶ Reportez-vous à la réaction entre l'hydrogène (H_2) et l'oxygène (O_2) qui forme de l'eau (cette réaction est illustrée au tout début du concept 2.4 à l'aide du modèle à boules et bâtonnets). Après avoir étudié la figure 2.10, tracez les diagrammes de Lewis représentant cette réaction et indiquez les différentes parties.
2. Quel type de réaction chimique, le cas échéant, se produit le plus rapidement à l'équilibre : la formation des produits à partir des réactifs ou celle des réactifs à partir des produits ?
3. **ET SI ?** ▶ Écrivez une réaction qui utilise les produits de la photosynthèse comme réactifs et les réactifs comme produits. Ajoutez l'énergie comme un autre produit. Cette nouvelle réaction décrit un processus qui se déroule dans nos cellules. Décrivez cette équation avec des mots. Comment cette réaction s'apparente-t-elle à la respiration ?

Voir les réponses proposées à l'appendice A.

RÉVISION DU CHAPITRE 2

Consultez votre MANUEL NUMÉRIQUE, qui vous donne accès aux **animations**, aux **exercices** et à la plateforme d'**anatomie interactive**.

Résumé des concepts clés

CONCEPT 2.1

La matière est constituée d'éléments chimiques purs ou combinés; les éléments combinés forment des composés (p. 30 et 31)

- Les éléments ne peuvent être décomposés chimiquement en des substances plus simples. Un **composé** comporte deux ou plusieurs éléments dans des proportions définies. Quatre éléments principaux, le carbone, l'oxygène, l'hydrogène et l'azote, forment environ 96 % de la matière vivante.

Comparez un élément et un composé.

CONCEPT 2.2

Les propriétés d'un élément sont déterminées par la structure de ses atomes (p. 31 à 37)

- L'**atome**, la plus petite unité d'un élément, possède les composants suivants:

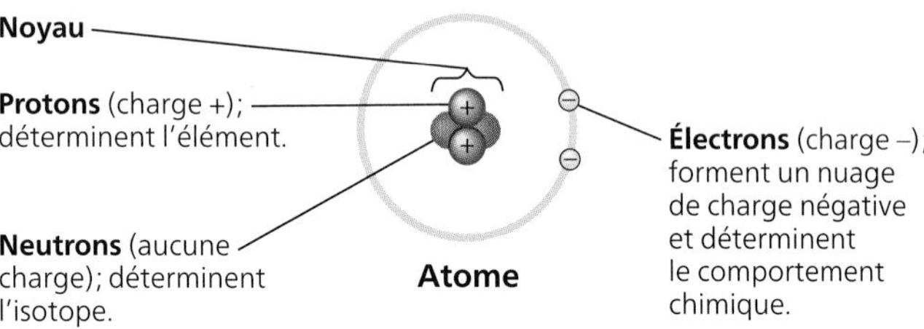

- Dans un atome électriquement neutre, le nombre d'électrons est égal au nombre de protons; le nombre de protons détermine le **numéro atomique**. La **masse atomique** est mesurée en **daltons** et est sensiblement égale au nombre de masse, c'est-à-dire à la somme des protons et des neutrons. Les **isotopes** d'un élément diffèrent par le nombre de leurs neutrons et par leur masse. Les isotopes instables émettent des particules et de l'énergie sous forme de radioactivité.
- Dans un atome, les électrons occupent des **couches électroniques** spécifiques; les électrons dans une couche possèdent un niveau d'énergie particulier. Le comportement chimique d'un atome dépend de la répartition électronique dans les couches. Un atome dont la dernière **couche de valence** est incomplète est réactif.
- Les électrons sont localisés dans des **orbitales**, soit des espaces tridimensionnels aux formes particulières qui sont des composants des couches électroniques.

Orbitales électroniques

FAITES UN DESSIN ▶ Faites les schémas représentant la répartition électronique pour le néon ($_{10}Ne$) et pour l'argon ($_{18}Ar$). À l'aide de ces schémas, expliquez pourquoi ces éléments sont inertes chimiquement.

CONCEPT 2.3

La formation et la fonction des molécules dépendent des liaisons chimiques entre les atomes (p. 37 à 42)

- Quand des atomes interagissent, des **liaisons chimiques** se forment entre eux et leur permettent de combler leur dernier niveau énergétique. Une **liaison covalente** est la mise en commun de paires d'électrons de valence.

H· + H· ⟶ H:H
Liaison covalente simple

:Ö· + ·Ö: ⟶ Ö::Ö
Liaison covalente double

- Les **molécules** sont constituées de deux atomes ou plus unis par covalence. L'**électronégativité** d'un atome est son pouvoir d'attraction des électrons d'une liaison covalente. Si les deux atomes sont identiques, ils possèdent la même électronégativité et partagent une **liaison covalente non polaire**. Les électrons engagés dans une **liaison covalente polaire** sont surtout attirés par l'atome le plus électronégatif, comme l'oxygène dans H_2O.
- Un **ion** se forme quand un atome ou une molécule gagne ou cède un électron et devient chargé. Une **liaison ionique** est l'attraction entre deux ions de charges opposées.

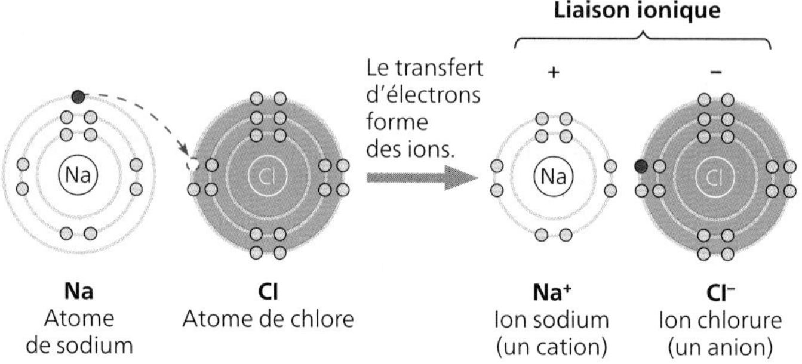

- Les interactions faibles renforcent la forme tridimensionnelle des grosses molécules et permettent l'association des molécules. Une **liaison hydrogène** est une attraction entre un atome d'hydrogène portant une charge partielle positive (δ+) et un atome électronégatif portant une charge partielle négative (δ–). Les **forces de Van der Waals** apparaissent entre les régions provisoirement positives et négatives de deux molécules.
- La forme moléculaire est déterminée par la position des orbitales du dernier niveau énergétique des atomes qui composent la molécule. Les liaisons covalentes forment des orbitales hybrides responsables de la forme tridimensionnelle des molécules d'H_2O, de CH_4 et de nombreuses molécules organiques complexes. La forme tridimensionnelle d'une molécule biologique est habituellement la base de la reconnaissance de cette molécule par une autre.

? Sur le plan du partage d'électrons entre des atomes, comparez les liaisons covalentes non polaires, les liaisons polaires et la formation d'ions.

CONCEPT 2.4

Les réactions chimiques établissent et rompent des liaisons chimiques (p. 42 et 43)

- Les **réactions chimiques** transforment les **réactifs** en **produits** tout en conservant la matière. Elles sont toutes réversibles théoriquement. L'**équilibre chimique** est atteint quand les réactions directe et inverse se produisent à la même vitesse.

? Qu'arriverait-il à la concentration des produits si on ajoutait plus de réactifs à une réaction déjà à l'équilibre ? Quelle serait l'influence de cette addition sur l'équilibre ?

Évaluation

NIVEAU 1 : CONNAISSANCES ET COMPRÉHENSION

1. Dans le terme *oligoélément*, le préfixe « oligo- » signifie que :
a) l'organisme en a besoin en quantités infimes.
b) cet élément peut servir de marqueur pour suivre le cheminement des atomes dans le métabolisme d'un organisme vivant.
c) cet élément est très rare sur la Terre.
d) cet élément améliore l'état de santé, mais n'est pas essentiel pour la survie à long terme d'un organisme.

2. En comparaison du ^{31}P, le radio-isotope ^{32}P possède :
a) un numéro atomique différent.
b) un proton de plus.
c) un électron de plus.
d) un neutron de plus.

3. La réactivité d'un atome provient de :
a) la distance moyenne entre son dernier niveau énergétique et son noyau.
b) la présence d'électrons célibataires dans le dernier niveau énergétique.
c) la somme des énergies potentielles de toutes les couches électroniques.
d) l'énergie potentielle du dernier niveau énergétique.

4. Parmi les affirmations suivantes, laquelle concerne tous les atomes qui sont des anions ?
a) L'atome possède plus d'électrons que de protons.
b) L'atome possède plus de protons que d'électrons.
c) L'atome possède moins de protons qu'un atome neutre du même élément.
d) L'atome possède plus de neutrons que de protons.

5. Parmi les affirmations suivantes, laquelle décrit correctement toute réaction chimique au point d'équilibre ?
a) La concentration des produits est égale à la concentration des réactifs.
b) La réaction est maintenant irréversible.
c) Les réactions directe et inverse ont toutes les deux cessé.
d) La vitesse de la réaction est égale dans les deux sens.

NIVEAU 2 : APPLICATION ET ANALYSE

6. On peut représenter les atomes en précisant le nombre de leurs protons, de leurs neutrons et de leurs électrons ; par exemple, $2p^+$; $2n^0$; $2e^-$ correspond à l'hélium. Parmi les expressions suivantes, laquelle représente l'isotope ^{18}O de l'oxygène ?
a) $7p^+$; $2n^0$; $9e^-$
b) $8p^+$; $10n^0$; $8e^-$
c) $9p^+$; $9n^0$; $9e^-$
d) $10p^+$; $8n^0$; $9e^-$

7. Le numéro atomique du soufre est 16. Le soufre se combine à l'hydrogène par une liaison covalente pour former un composé, le sulfure d'hydrogène. En vous basant sur le nombre d'électrons de valence du soufre, déterminez la formule moléculaire du composé.
a) HS b) HS_2 c) H_2S d) H_4S

8. Quels coefficients faut-il placer devant les produits de cette réaction pour rendre compte de tous les atomes qui y participent ?
$C_6H_{12}O_6 \rightarrow$ ___ C_2H_6O + ___ CO_2
a) 2 ; 1
b) 3 ; 1
c) 1 ; 3
d) 2 ; 2

9. **FAITES UN DESSIN ▶** Dessinez des diagrammes de Lewis pour chacune des molécules hypothétiques ci-dessous. Pour chaque atome, utilisez le bon nombre d'électrons de valence. Déterminez quelle molécule est le plus susceptible d'exister parce que le dernier niveau énergétique de chaque atome est saturé et que chaque liaison possède le bon nombre d'électrons. Expliquez ce qui rend les autres molécules impossibles, étant donné le nombre de liaisons que chaque atome peut établir.

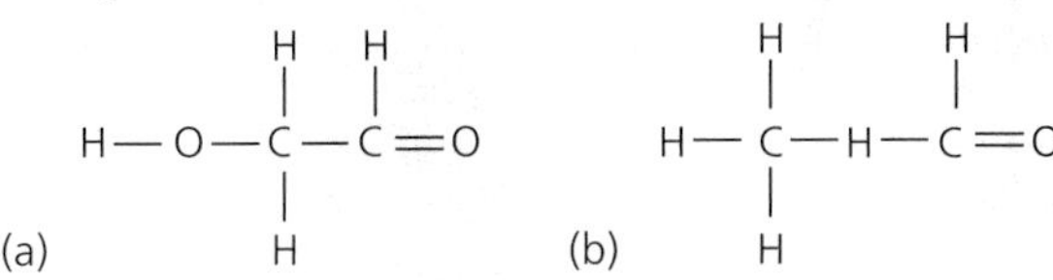

Voir les réponses proposées à l'appendice A.

L'eau et la vie

3

VOS OUTILS
INTERACTIFS

Consultez votre MANUEL NUMÉRIQUE, qui vous donne accès aux **animations**, aux **exercices** et à la plateforme d'**anatomie interactive**.

▲ **Figure 3.1 En quoi la vie sur la Terre dépend-elle de la chimie de l'eau ?**

CONCEPTS CLÉS

3.1 Les liaisons covalentes polaires dans les molécules d'eau permettent les liaisons hydrogène

3.2 Quatre propriétés émergentes de l'eau contribuent à maintenir l'environnement terrestre propice à la vie

3.3 Les conditions acides ou basiques influent sur les organismes vivants

▲ **Les guillemots à miroir sont menacés par les changements climatiques.**

La molécule qui permet toute forme de vie

La vie sur notre planète a débuté dans l'eau, et elle y a évolué pendant trois milliards d'années avant de s'établir sur la terre ferme. L'eau est la substance qui permet la vie telle que nous la connaissons sur Terre et probablement sur d'autres corps célestes aussi. Tous les organismes qui nous sont familiers sont principalement composés d'eau et vivent dans un environnement où elle est omniprésente.

L'eau recouvre les trois quarts de la surface de la Terre. Bien qu'elle existe surtout sous forme liquide, on la trouve aussi sous forme solide (glace) et gazeuse (vapeur d'eau). Dans l'environnement naturel, c'est la seule substance courante qui existe dans les trois états physiques de la matière. De plus, l'eau à l'état solide flotte sur celle qui se trouve à l'état liquide, une propriété particulière qu'explique la chimie de la molécule.

Les changements climatiques entraînent le réchauffement de la planète (voir le concept 1.1), de sorte que la proportion de glace par rapport à l'eau est en train de changer. La fonte des glaces et des glaciers de l'océan Arctique a des effets sur la vie partout autour. Dans l'Arctique, le réchauffement des eaux et l'amincissement de la banquise permettent au phytoplancton (organismes photosynthétiques microscopiques vivant dans l'eau) de proliférer momentanément, ce qui, vu de l'espace, peut donner à l'eau de mer l'apparence d'un ciel ennuagé, comme on peut le voir sur la **figure 3.1**. Contrairement au phytoplancton, les organismes qui dépendent des glaces de l'Arctique souffrent de cette situation. Par exemple, le réchauffement climatique et l'amincissement des glaces font en sorte que les ours polaires ont de la difficulté à se nourrir et qu'il y a de moins en moins de guillemots à miroir en Alaska.

Dans ce chapitre, vous apprendrez comment la structure d'une molécule d'eau rend possible son interaction avec d'autres molécules, y compris d'autres molécules d'eau. Cette capacité est à l'origine des propriétés émergentes particulières qui contribuent à maintenir un environnement propice à la vie sur la Terre.

CONCEPT **3.1**

Les liaisons covalentes polaires dans les molécules d'eau permettent les liaisons hydrogène

L'eau fait tellement partie de notre existence qu'on ne réalise pas toujours qu'elle possède des qualités extraordinaires. Le concept de l'émergence nous permet d'expliquer son comportement unique d'après la structure et les interactions de ses molécules.

La molécule d'eau est très simple. Elle a la forme d'un V évasé et est constituée de deux atomes d'hydrogène et d'un atome d'oxygène unis par des liaisons covalentes simples. L'oxygène étant plus électronégatif que l'hydrogène, les électrons mis en commun dans les liaisons covalentes passent plus de temps aux environs de l'atome d'oxygène que de l'hydrogène ; ce sont des **liaisons covalentes polaires** (voir la figure 2.11). Ce partage inégal des électrons et sa forme en V évasé font de l'eau une **molécule polaire**, ce qui signifie que sa charge globale est inégalement distribuée : dans l'eau, les deux régions de la molécule occupées par l'oxygène possèdent une charge partielle négative (δ–), et les régions où se trouvent les atomes d'hydrogène ont une charge partielle positive (δ+).

Les propriétés de l'eau résultent des attractions entre des atomes de charges opposées de différentes molécules d'eau : l'atome d'hydrogène (de charge partielle positive) d'une molécule subit l'attraction de l'atome d'oxygène (de charge partielle négative) de la molécule voisine. Il se forme alors une liaison hydrogène entre les deux molécules (**figure 3.2**). Dans l'eau, les liaisons hydrogène bougent constamment. Elles se forment, se brisent et se reforment continuellement, chacune d'elles ne durant que quelques billionièmes de seconde (10^{-12} s). Ainsi, à tout moment, un bon pourcentage de toutes les molécules d'eau sont liées à leurs voisines par des liaisons hydrogène. Ces liaisons, qui agencent les molécules en une structure plus ordonnée, donnent à l'eau ses qualités extraordinaires.

▼ **Figure 3.2 Des liaisons hydrogène entre des molécules d'eau.**

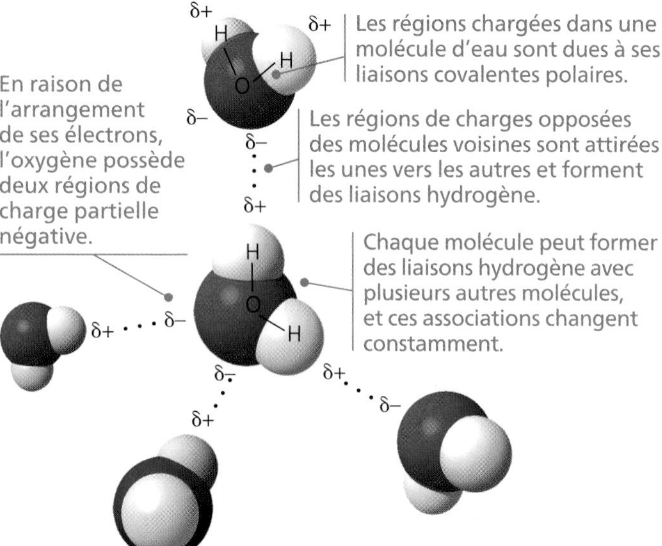
δ+
H
O
H
δ+
Les régions chargées dans une molécule d'eau sont dues à ses liaisons covalentes polaires.
En raison de l'arrangement de ses électrons, l'oxygène possède deux régions de charge partielle négative.
δ–
δ–
δ+
Les régions de charges opposées des molécules voisines sont attirées les unes vers les autres et forment des liaisons hydrogène.
Chaque molécule peut former des liaisons hydrogène avec plusieurs autres molécules, et ces associations changent constamment.
δ+
δ–
δ–
δ+
δ+
δ–

FAITES UN DESSIN ▶ Dessinez les charges partielles de la molécule d'eau située complètement à gauche. Dessinez également trois autres molécules d'eau qui y sont associées par des liaisons hydrogène.

RETOUR SUR LE CONCEPT **3.1**

1. **FAITES DES LIENS ▶** Qu'est-ce que l'électronégativité et comment influe-t-elle sur les interactions entre les molécules d'eau ? (Revoyez la figure 2.11.)
2. **HABILETÉS VISUELLES ▶** Examinez la figure 3.2 et expliquez pourquoi la molécule d'eau au centre peut former des liaisons hydrogène avec *quatre* autres molécules d'eau (et non trois ou cinq autres molécules d'eau) ?
3. Pourquoi est-il improbable que deux molécules d'eau voisines s'associent ainsi ?

   ```
     /H H\
   O       O
     \H H/
   ```

4. **ET SI ? ▶** Quel serait l'effet sur les propriétés de la molécule d'eau si l'électronégativité de l'oxygène et celle de l'hydrogène étaient égales ?

Voir les réponses proposées à l'appendice A.

CONCEPT **3.2**

Quatre propriétés émergentes de l'eau contribuent à maintenir l'environnement terrestre propice à la vie

Nous nous pencherons ici sur quatre propriétés émergentes de l'eau qui contribuent à rendre l'environnement terrestre propice à la vie : la cohésion, la capacité de stabiliser la température (ou d'en réduire les écarts), la dilatation sous l'effet du gel et la polyvalence en tant que solvant.

La cohésion des molécules d'eau

Les liaisons hydrogène font en sorte que les molécules d'eau se maintiennent à proximité les unes des autres. Dans l'eau, de nombreuses molécules sont à tout moment unies de cette façon, ce qui rend l'eau plus structurée que la plupart des autres liquides. Prises collectivement, les liaisons hydrogène maintiennent ensemble les molécules d'eau, un phénomène appelé **cohésion**.

Dans les plantes, la cohésion assurée par les liaisons hydrogène contribue au transport de l'eau et des nutriments en solution en contrant la force gravitationnelle. Comme nous le verrons en détail au chapitre 36, l'eau atteint les feuilles en se déplaçant dans un réseau de cellules conductrices depuis les racines (**figure 3.3**). L'eau qui s'évapore d'une feuille est remplacée par l'eau des nervures. Grâce à la force des liaisons hydrogène, les molécules d'eau sortant des nervures attirent les molécules d'eau voisines, et ainsi de suite jusqu'aux molécules situées plus bas. Cette traction vers le haut se transmet tout le long des cellules conductrices jusqu'à la racine. Quant à l'**adhérence**, issue de l'attraction mutuelle entre deux molécules polaires de substances différentes, elle joue aussi un rôle dans le transport de l'eau : grâce aux liaisons hydrogène, l'eau adhère à la paroi des cellules qui forment les vaisseaux conduisant la sève, ce qui lui permet de contrer la force gravitationnelle (voir la figure 3.3).

La **tension superficielle**, une force résultant de la cohésion, exprime la difficulté d'étirer ou de briser la surface d'un liquide. La tension superficielle est plus grande dans l'eau que dans la plupart des autres liquides ; seul le mercure a une valeur plus élevée. À la surface de l'eau, les molécules sont attirées par les molécules situées en dessous et de chaque côté d'elles (mais pas par l'air au-dessus) grâce aux liaisons hydrogène. Cette asymétrie donne à l'eau une tension superficielle particulièrement élevée, si bien qu'il se forme une sorte de pellicule invisible qui occupe la plus petite surface possible. Pour s'en rendre compte, il suffit de remplir un verre un peu plus qu'à ras bord (par exemple, en y ajoutant des pièces de monnaie une à une) : le volume d'eau qui dépasse le bord du verre prend la forme d'un dôme. C'est également la tension superficielle qui permet à l'araignée de la **figure 3.4** de se déplacer sur l'eau sans en briser la surface... et sans se noyer.

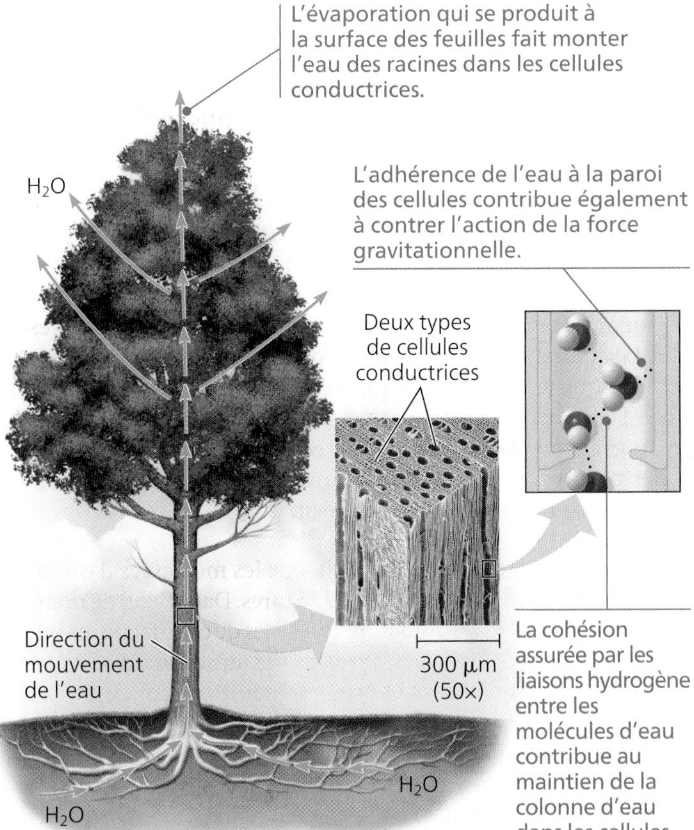
L'évaporation qui se produit à la surface des feuilles fait monter l'eau des racines dans les cellules conductrices.
H_2O
L'adhérence de l'eau à la paroi des cellules contribue également à contrer l'action de la force gravitationnelle.
Deux types de cellules conductrices
Direction du mouvement de l'eau
300 µm (50×)
La cohésion assurée par les liaisons hydrogène entre les molécules d'eau contribue au maintien de la colonne d'eau dans les cellules.
H_2O
H_2O

▲ **Figure 3.3 Le transport de l'eau dans les plantes.** Grâce aux propriétés de cohésion et d'adhérence, les grands arbres peuvent faire monter l'eau à plus de 100 m, ce qui correspond à peu près au tiers de la hauteur de la tour Eiffel.

▲ **Figure 3.4 Marcher sur l'eau.** La tension superficielle élevée de l'eau, une force résultant de la cohésion de l'eau (elle-même issue de l'ensemble des liaisons hydrogène établies entre les molécules), permet à la dolomède, ou araignée radeau (*Dolomedes fimbriatus*), de marcher sur un étang sans en briser la surface.

La stabilisation de la température par l'eau

L'eau stabilise la température atmosphérique en absorbant la chaleur de l'air plus chaud et en libérant sa propre chaleur dans l'air plus froid. Elle forme un réservoir thermique efficace : un léger changement dans sa propre température s'accompagne de l'absorption ou de la libération d'une quantité relativement grande de chaleur. Pour comprendre cette propriété, nous devons d'abord étudier brièvement les notions de température et de chaleur.

La température et la chaleur

Tout ce qui se déplace possède de l'**énergie cinétique**, soit l'énergie du mouvement. Les atomes et les molécules ont également de l'énergie cinétique, parce qu'ils bougent continuellement, bien qu'ils ne suivent aucune direction particulière. Plus une molécule se déplace rapidement, plus son énergie cinétique est grande. L'énergie cinétique associée aux mouvements aléatoires des atomes ou des molécules est appelée **énergie thermique**. L'énergie thermique et la température sont liées, mais il s'agit de deux notions distinctes. La **température** représente l'énergie cinétique *moyenne* des molécules d'un corps, indépendamment de son volume, alors que l'énergie thermique d'un corps est la quantité d'énergie cinétique *totale*, donc celle-ci dépend du volume de ce corps. Lorsqu'on chauffe de l'eau dans une cafetière, la vitesse moyenne des molécules augmente et le thermomètre indiquera une hausse de la température du liquide. Dans ce cas, la quantité totale d'énergie thermique augmente également. Notez toutefois que la température de l'eau de la cafetière peut être beaucoup plus élevée que celle d'une piscine, mais c'est cette dernière qui contient la plus grande quantité d'énergie thermique en raison de son volume plus grand.

Chaque fois que deux corps de températures différentes s'approchent l'un de l'autre, l'énergie thermique de celui qui est le plus chaud se transmet à celui qui est le plus froid, jusqu'à ce que les deux atteignent la même température. Les molécules du corps froid accélèrent donc leur mouvement au détriment de l'énergie cinétique du corps chaud. Ainsi, un glaçon refroidit une boisson non pas en lui donnant du froid, mais en absorbant l'énergie thermique du liquide à mesure que la glace fond. L'énergie thermique qui est transférée d'un corps à un autre est appelée **chaleur**.

L'unité de mesure servant à quantifier toute énergie est le **joule** (J). Mais, dans les domaines de la médecine et de la diététique, notamment, l'usage de la calorie prend encore beaucoup de place. La **calorie** (cal) est une unité de mesure qui correspond à la quantité de chaleur nécessaire pour élever de 1 °C la température de 1 g d'eau et, réciproquement, à la quantité de chaleur libérée par 1 g d'eau quand sa température diminue de 1 °C. Une **kilocalorie** (kcal) – ou 1 000 cal – est la quantité de chaleur requise pour élever de 1 °C la température de 1 kg d'eau. (Les « calories » qu'on trouve sur les emballages d'aliments sont en fait des « kilocalories ».) Un joule équivaut à 0,239 calorie et une calorie équivaut à 4,184 joules.

La chaleur spécifique élevée de l'eau

La capacité de l'eau à stabiliser la température ambiante découle de sa chaleur spécifique relativement élevée. La **chaleur spécifique** d'une substance représente la quantité de chaleur absorbée ou perdue par 1 g de cette substance pour changer sa température de 1 °C. Nous connaissons déjà la chaleur spécifique de l'eau puisque nous avons défini la calorie comme étant la quantité d'énergie nécessaire pour augmenter de 1 °C la température de 1 g d'eau. La chaleur spécifique de l'eau correspond donc à 1 calorie par gramme par degré Celsius, qu'on écrit de façon abrégée 1 cal/g • °C. La chaleur spécifique varie selon les substances ; par exemple, l'éthanol contenu dans les boissons alcoolisées a une chaleur spécifique de 0,6 cal/g • °C, c'est-à-dire qu'il faut seulement 0,6 cal pour augmenter de 1 °C la température de 1 g d'éthanol.

L'eau ayant une chaleur spécifique plus élevée que la plupart des autres substances (l'ammoniaque liquide est la seule substance naturelle ayant une valeur plus élevée), sa température varie moins quand elle absorbe ou libère une certaine quantité de chaleur. Par exemple, la raison pour laquelle vous pouvez vous brûler les doigts sur la poignée métallique d'une casserole alors que l'eau dans le contenant est encore tiède, c'est que la chaleur spécifique de l'eau est 10 fois plus élevée que celle du fer : cela signifie qu'il faut apporter seulement 0,1 cal pour augmenter de 1 °C la température de 1 g de fer. Autrement dit, pour une même quantité de chaleur, la température de 1 g de fer s'élève beaucoup plus vite que celle de 1 g d'eau. On peut concevoir la chaleur spécifique d'une substance comme une mesure de sa résistance aux changements de température quand elle absorbe ou libère de la chaleur. L'eau résiste aux variations de température ; quand sa température change, elle absorbe ou perd une quantité de chaleur relativement grande pour chaque degré de changement.

Comme pour bon nombre de ses propriétés, ce sont les liaisons hydrogène de l'eau qui lui confèrent sa chaleur spécifique élevée. En effet, pour que celles-ci se brisent, il faut apporter de la chaleur ; inversement, il se produit un dégagement de chaleur lorsque ces liaisons se forment. Une quantité de chaleur de 1 cal provoque une variation relativement petite de la température de l'eau. Ce phénomène s'explique par le fait qu'une bonne partie de cette énergie thermique sert à rompre les liaisons hydrogène avant que le reste fournisse aux molécules d'eau l'énergie nécessaire pour qu'elles se mettent en mouvement et s'agitent plus intensément. De plus, lorsque la température de l'eau baisse légèrement, beaucoup d'autres liaisons hydrogène se forment, libérant une quantité considérable d'énergie sous forme de chaleur.

Quelle est l'importance de la chaleur spécifique élevée de l'eau pour la vie sur la Terre ? Une grande étendue d'eau peut absorber et emmagasiner une énorme quantité de chaleur solaire durant le jour et au cours de l'été, tout en se réchauffant de quelques degrés seulement. La nuit et au cours de l'hiver, elle se refroidit graduellement et peut réchauffer l'air. C'est pourquoi le climat des régions côtières est généralement plus doux qu'à l'intérieur des terres (**figure 3.5**). La chaleur spécifique élevée de l'eau tend également à stabiliser la température des océans, créant un environnement favorable à la vie marine. L'eau, qui recouvre la majeure partie de la surface de la Terre, permet en fait de maintenir la température des continents et des océans dans des limites compatibles avec la vie. De même, comme les organismes vivants se composent principalement d'eau, ils résistent plus facilement aux variations de température que s'ils étaient constitués d'un liquide possédant une chaleur spécifique plus faible.

Le refroidissement par évaporation

Dans tout liquide, les molécules demeurent groupées parce qu'elles s'attirent mutuellement. Celles qui se déplacent assez rapidement pour vaincre cette attraction peuvent s'échapper du liquide et se mélanger à l'air sous forme de gaz (vapeur). Ce passage de l'état liquide à l'état gazeux s'appelle *évaporation* (on peut utiliser aussi le terme vaporisation, lorsque cette transformation est associée à une ébullition). Rappelez-vous que la vitesse du mouvement moléculaire varie et que la température constitue une mesure de l'énergie cinétique *moyenne* des molécules. Même à une basse température, les molécules les plus rapides peuvent s'échapper dans l'air. Il se produit donc une évaporation, quelle que soit la température ; par exemple, l'eau contenue dans un verre placé à la température ambiante finit par s'évaporer complètement. Si l'on chauffe un liquide, l'énergie cinétique moyenne des molécules augmente et il s'évapore plus rapidement.

La **chaleur d'évaporation** est la quantité de chaleur qu'il faut apporter, à une température constante, à 1 g de liquide pour passer de l'état liquide à l'état gazeux. L'eau possède une chaleur d'évaporation plus élevée que la plupart des autres liquides, pour les mêmes raisons qu'elle possède une chaleur spécifique élevée. L'évaporation de 1 g d'eau à 25 °C exige 580 cal de chaleur, soit presque le double de la quantité nécessaire pour que s'évapore 1 g d'alcool ou d'ammoniac. C'est la force des liaisons hydrogène qui donne à l'eau une chaleur d'évaporation élevée ; celles-ci doivent être rompues avant que les molécules quittent le liquide sous forme de vapeur d'eau.

▼ **Figure 3.5 Les températures de l'océan Pacifique et du Sud de la Californie un jour du mois d'août.**

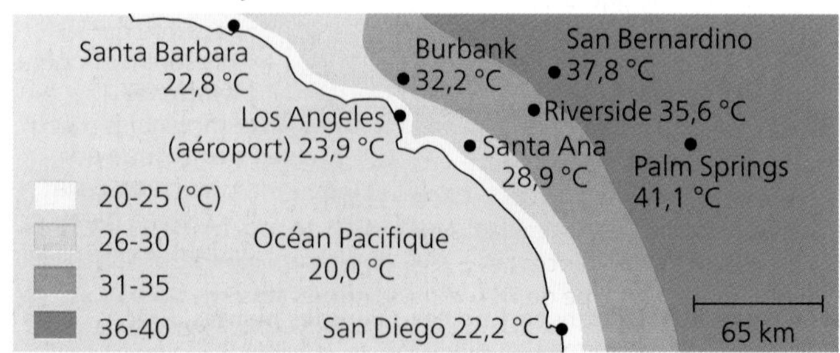

INTERPRÉTEZ LES DONNÉES ▶ Expliquez les tendances des températures indiquées dans cette illustration.

La quantité élevée d'énergie nécessaire à l'évaporation de l'eau a des conséquences très variées. À l'échelle planétaire, cette chaleur d'évaporation élevée contribue à tempérer le climat de la Terre. Durant l'évaporation de l'eau de surface, une quantité considérable de la chaleur solaire absorbée par les mers tropicales est consommée et transférée à l'air. Puis, lors de son déplacement vers les pôles, l'air tropical humide libère cette chaleur en se condensant, et l'humidité retombe sous forme de pluie ou de neige. Chez les organismes, la chaleur d'évaporation élevée de l'eau explique la gravité des brûlures causées par la vapeur, car celle-ci libère beaucoup d'énergie calorifique quand elle se condense en liquide sur la peau.

Au cours de l'évaporation d'une substance, la surface du liquide résiduel refroidit (sa température diminue). Ce **refroidissement par évaporation** se produit parce que les molécules les plus « chaudes », celles qui possèdent l'énergie cinétique la plus grande, sont les plus susceptibles de s'échapper sous forme de gaz. C'est comme si on envoyait les 100 coureurs les plus rapides d'une école dans une autre ; la vitesse moyenne des élèves qui restent diminuerait.

Le refroidissement par évaporation contribue à stabiliser la température des lacs et des étangs. Il empêche également la surchauffe des organismes terrestres. Par exemple, l'évaporation de l'eau des feuilles d'une plante empêche les tissus des feuilles de devenir trop chauds au soleil. De même, par une chaude journée ou lors d'un exercice intense, l'évaporation de la sueur sur la peau d'une personne rafraîchit la surface du corps et aide à prévenir l'hyperthermie. Lorsque le taux d'humidité est élevé au cours d'une journée chaude, nous avons l'impression d'avoir plus chaud, parce que la vapeur d'eau contenue dans l'air empêche l'évaporation de la sueur à la surface de la peau.

La glace flotte à la surface de l'eau liquide

L'eau est une des rares substances qui possèdent une masse volumique plus petite à l'état solide qu'à l'état liquide. En d'autres termes, la glace flotte à la surface de l'eau liquide. Alors que d'autres substances se contractent en se solidifiant, l'eau se dilate. Ce comportement singulier résulte, encore une fois, des liaisons hydrogène. À des températures supérieures à 4 °C, l'eau se comporte comme les autres liquides : elle se dilate quand elle se réchauffe et elle se contracte lorsqu'elle refroidit. Cependant, lorsque la température passe de 4 °C à 0 °C, l'eau commence à geler parce qu'un nombre croissant de ses molécules se déplacent trop lentement pour briser leurs liaisons hydrogène. À 0 °C, l'eau forme alors un réseau cristallin, chacune de ses molécules demeurant liée à quatre de ses voisines par des liaisons hydrogène (**figure 3.6**). Les liaisons hydrogène gardent les molécules assez éloignées les unes des autres pour que la masse volumique de la glace soit inférieure d'environ 10 % (il y a 10 % moins de molécules pour un même volume) à celle de l'eau liquide à 4 °C. Lorsque la glace absorbe suffisamment de chaleur pour que sa température grimpe au-dessus de 0 °C, les liaisons hydrogène entre les molécules se rompent. À mesure que le cristal s'affaisse, la glace fond, il y a de moins en moins de liaisons hydrogène entre les molécules qui se rapprochent les unes des autres. L'eau atteint sa masse volumique maximale à 4 °C et commence à se dilater de nouveau en raison de la vitesse accrue de ses molécules. Même dans l'eau liquide, nombre de molécules sont maintenues ensemble par des liaisons hydrogène. Rappelons que ces liaisons hydrogène sont transitoires : elles se brisent et se reforment constamment.

La flottabilité de la glace due à sa masse volumique plus faible contribue grandement à rendre l'environnement propice à la vie. Si la glace ne flottait pas, les étangs, les lacs et même les océans gèleraient complètement à partir du fond ; la vie sur Terre telle que nous la connaissons n'existerait pas. En été, seuls quelques centimètres à la surface des océans dégèleraient, comme l'ont démontré des expériences effectuées sur des réservoirs d'eau. Au lieu de cela, quand une étendue d'eau profonde refroidit, la glace qui flotte isole l'eau liquide qui se trouve en dessous et l'empêche de geler, rendant possible l'existence de la vie sous la surface, comme le montre la photo de la figure 3.6. Si l'étendue d'eau était plutôt une étendue d'huile, elle finirait par geler entièrement, car l'huile n'a pas la flottabilité de l'eau à l'état solide. En plus d'isoler l'eau située en dessous, la glace fournit également un habitat solide pour certains animaux, comme les ours polaires et les phoques.

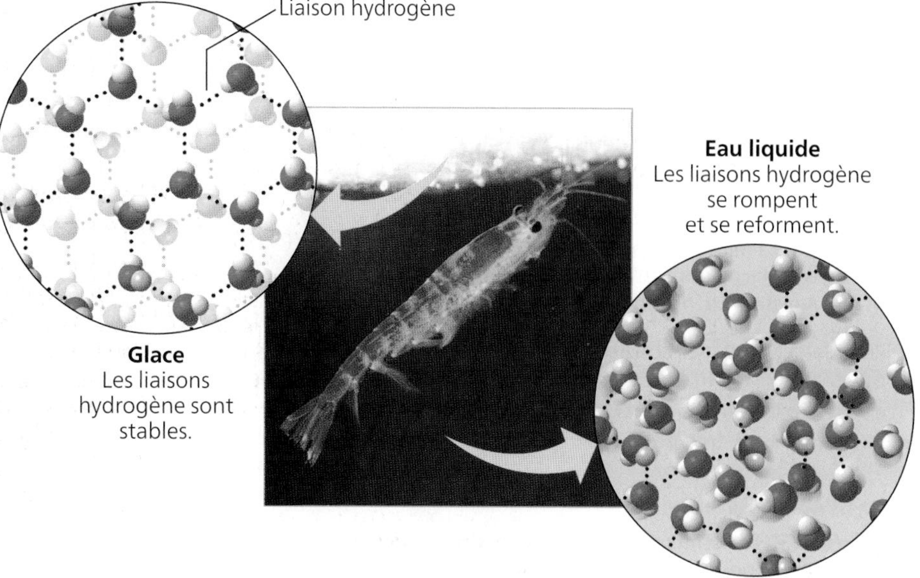

Liaison hydrogène
Glace
Les liaisons hydrogène sont stables.
Eau liquide
Les liaisons hydrogène se rompent et se reforment.

▶ **Figure 3.6 La glace : structure cristalline et barrière flottante.** Dans la glace, chaque molécule s'associe, par des liaisons hydrogène, à quatre molécules voisines, formant un cristal tridimensionnel poreux. Les molécules contenues dans un certain volume de glace sont moins nombreuses que celles qui se trouvent dans un volume égal d'eau liquide, parce que dans le solide, les liaisons hydrogène plutôt stables tiennent les molécules d'eau plus éloignées les unes des autres. Les cristaux étant relativement volumineux, la masse volumique est inférieure à celle de l'eau liquide, et c'est pourquoi la glace flotte à la surface de l'eau. Ce faisant, l'eau qui se trouve en dessous se trouve isolée de l'air froid. Cet animal, photographié sous la glace flottante dans l'océan Austral près de l'Antarctique, est un type de crevette appelé krill.

ET SI ? ▶ Si l'eau ne formait pas de liaisons hydrogène, qu'arriverait-il à l'habitat de la crevette, illustré ici ?

De nombreux scientifiques s'inquiètent du risque de disparition des grandes étendues glacées formées par les glaciers et les calottes polaires. Le réchauffement planétaire, causé par la présence dans l'atmosphère de dioxyde de carbone (CO_2) et d'autres gaz à effet de serre (voir la figure 56.28), influe profondément sur les environnements de glace autour de la Terre. Seulement depuis 1961, la température moyenne de l'air de l'Arctique a augmenté de 2,2 °C. Cet accroissement de la température a modifié l'équilibre saisonnier entre la glace de mer et l'eau liquide de l'Arctique : la glace se forme plus tard dans l'année, elle fond plus tôt et recouvre une plus petite surface. Le rythme auquel les glaciers et la glace de mer de l'Arctique disparaissent pose un défi extrême aux animaux dont la survie dépend de ce support (**figure 3.7**).

L'eau : le solvant fondamental de la vie

Si l'on met un cube de saccharose (sucre) dans un verre d'eau et que l'on remue un peu, il se dissout graduellement. Quand la dissolution est complète, on obtient un mélange homogène de saccharose et d'eau ; la concentration du saccharose dissous est la même dans tout le verre. Un liquide formé d'un mélange homogène de deux ou de plusieurs substances s'appelle **solution**. L'agent dissolvant d'une solution est le **solvant**, et la substance dissoute, le **soluté**. Dans l'exemple ci-dessus, l'eau constitue le solvant, et le saccharose, le soluté. Une **solution aqueuse** est une solution dont l'eau est le solvant.

L'eau est un solvant très polyvalent grâce à la polarité de ses molécules. Supposons, par exemple, que nous placions dans l'eau une cuillerée de sel de table, le chlorure de sodium (NaCl), un composé ionique (**figure 3.8**). Les ions sodium et chlorure qui se trouvent à la surface de chaque grain, ou cristal, sont exposés au solvant. Ces ions et les régions partiellement chargées des molécules d'eau sont mutuellement attirés en raison de leurs charges opposées. Les régions de charge partielle négative de l'atome d'oxygène des molécules d'eau s'associent aux cations sodium, tandis que les régions de charge partielle positive des atomes d'hydrogène subissent l'attraction des anions chlorure. Résultat : les molécules d'eau entourent chacun des ions sodium et chlorure, les séparant les uns des autres et formant un écran entre eux. L'enveloppe de molécules d'eau qui entoure chaque ion dissous s'appelle **couche d'hydratation**. L'eau pénètre petit à petit à l'intérieur de chaque cristal de sel et finit par dissoudre tous les ions. La solution qui en résulte est formée de deux solutés, les cations sodium et les anions chlorure, mélangés de façon homogène avec l'eau, le solvant. D'autres composés ioniques sont solubles dans l'eau. L'eau de mer, par exemple, contient une grande variété d'ions en solution, à l'instar des cellules vivantes.

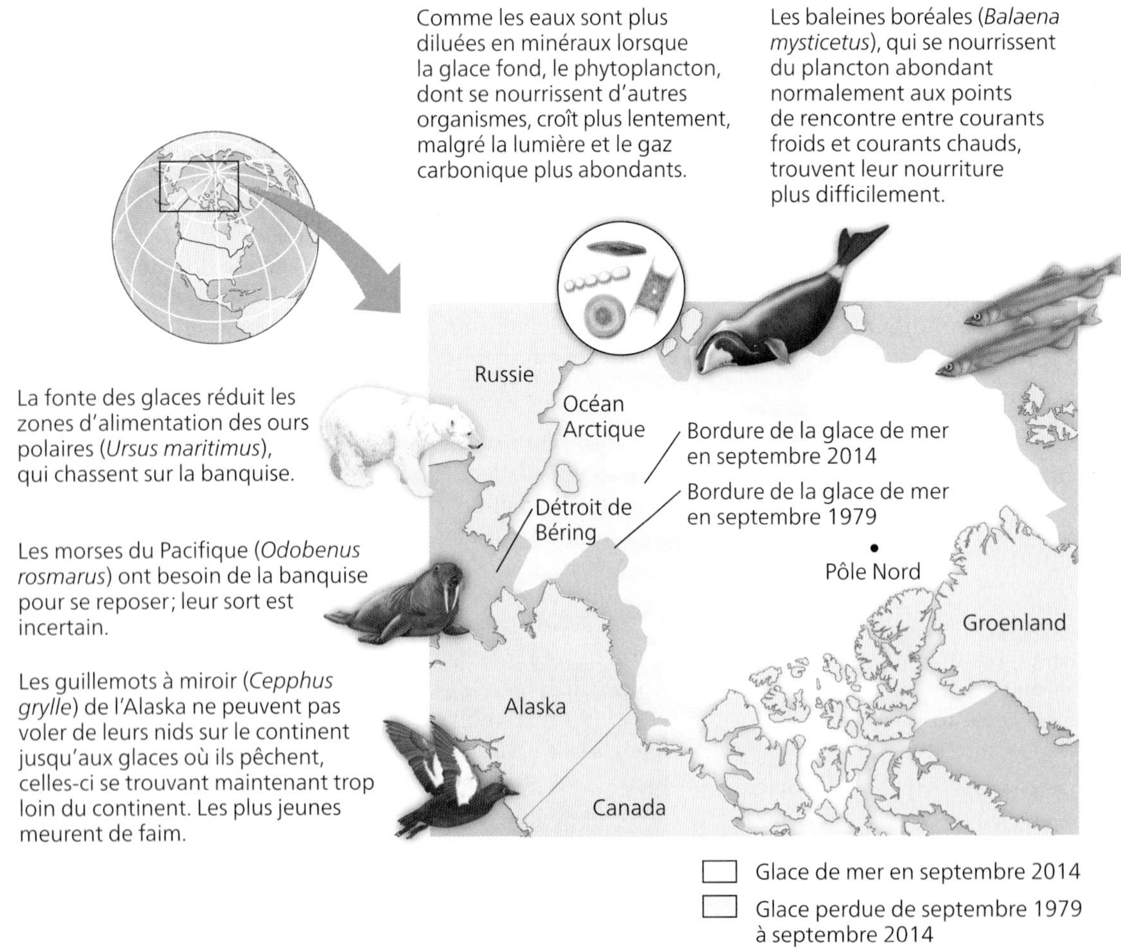

Comme les eaux sont plus diluées en minéraux lorsque la glace fond, le phytoplancton, dont se nourrissent d'autres organismes, croît plus lentement, malgré la lumière et le gaz carbonique plus abondants.
Les baleines boréales (*Balaena mysticetus*), qui se nourrissent du plancton abondant normalement aux points de rencontre entre courants froids et courants chauds, trouvent leur nourriture plus difficilement.
Certaines espèces telles que la morue (*Gadus morhua*) ou le capelan (*Mallotus villosus*) pourraient bénéficier du réchauffement de l'Arctique en profitant d'une plus grande abondance de leurs proies à ces latitudes.
La fonte des glaces réduit les zones d'alimentation des ours polaires (*Ursus maritimus*), qui chassent sur la banquise.
Les morses du Pacifique (*Odobenus rosmarus*) ont besoin de la banquise pour se reposer; leur sort est incertain.
Les guillemots à miroir (*Cepphus grylle*) de l'Alaska ne peuvent pas voler de leurs nids sur le continent jusqu'aux glaces où ils pêchent, celles-ci se trouvant maintenant trop loin du continent. Les plus jeunes meurent de faim.
Russie
Océan Arctique
Bordure de la glace de mer en septembre 2014
Bordure de la glace de mer en septembre 1979
Détroit de Béring
Pôle Nord
Groenland
Alaska
Canada
Glace de mer en septembre 2014
Glace perdue de septembre 1979 à septembre 2014

▲ **Figure 3.7 Les effets des changements climatiques sur l'Arctique.** En raison de l'augmentation des températures dans l'Arctique, une plus grande quantité de glace de mer fond en été, ce qui affecte plusieurs espèces.

Un composé n'a pas besoin d'être ionique pour se dissoudre dans l'eau; beaucoup de composés formés de molécules polaires, comme le cube de saccharose mentionné plus haut, sont aussi hydrosolubles. Ils se dissolvent quand les molécules d'eau entourent chacune de leurs molécules, en établissant avec elles des liaisons hydrogène. Même les grosses molécules, comme certaines protéines, peuvent se dissoudre dans l'eau si leur surface présente des régions ioniques et polaires (**figure 3.9**). De nombreux types de composés polaires se dissolvent (en même temps que des ions) dans l'eau contenue dans le sang, la sève ou le liquide intracellulaire, ce qui fait de l'eau un excellent agent de transport entre les différentes parties d'un organisme ou d'une cellule. L'eau est le solvant fondamental de la vie.

Les atomes d'oxygène de charge partielle négative subissent l'attraction des cations sodium (Na^+).

Les atomes d'hydrogène de charge partielle positive subissent l'attraction des anions chlorure (Cl^-).

▲ **Figure 3.8 Des cristaux de sel se dissolvant dans l'eau.** Une enveloppe de molécules d'eau que l'on appelle couche d'hydratation entoure chaque ion du soluté.

ET SI ? ▶ Qu'arriverait-il si l'on chauffait cette solution pendant longtemps ?

▼ **Figure 3.9 Une protéine hydrosoluble.** Le lysozyme humain est une protéine qui est présente dans les larmes et la salive et qui possède une activité antibactérienne (voir la figure 5.16). Ce modèle illustre une molécule de lysozyme (violet) dans un milieu aqueux. Les régions ioniques et polaires à la surface d'une protéine attirent les molécules d'eau.

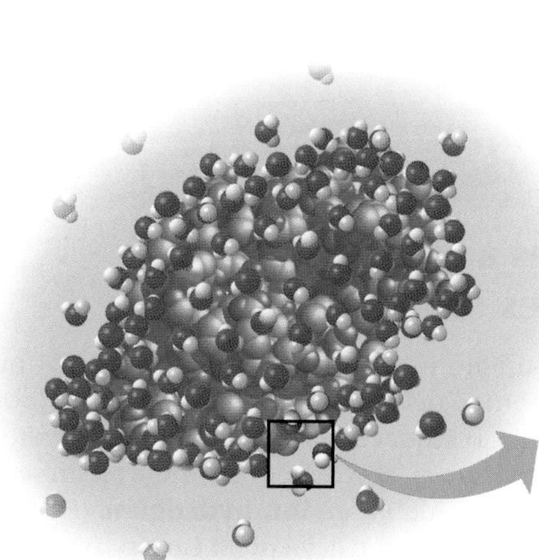

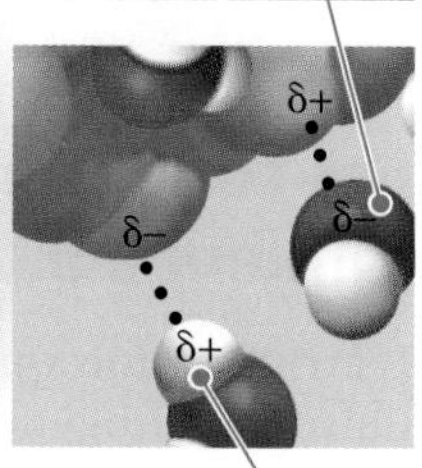

Une charge partielle positive sur la molécule de lysozyme attire cet oxygène.
δ+
δ−
δ−
δ+
Une charge partielle négative sur la molécule de lysozyme attire cet hydrogène.

Les substances hydrophiles et les substances hydrophobes

Toute substance ayant une affinité avec l'eau est dite **hydrophile** (du grec *hudôr*, « eau », et *philos*, « qui aime »). Certaines molécules sont hydrophiles sans pour autant se dissoudre dans l'eau. Par exemple, certaines molécules des cellules sont très volumineuses, de sorte qu'elles ne se dissolvent pas. C'est le cas du coton, une substance végétale hydrophile, mais qui ne se dissout pas. Constitué de molécules géantes de cellulose, ce composé comporte de nombreuses régions de charges partielles positives et négatives qui peuvent former des liaisons hydrogène avec l'eau. L'eau adhère aux fibres de cellulose. C'est pourquoi une serviette de coton fait très bien l'affaire pour se sécher après la douche, sans pour autant se dissoudre dans la machine à laver. La cellulose est aussi un composant de la paroi des cellules conductrices des plantes où l'eau circule; nous avons vu au début du chapitre que l'eau adhère à ces parois hydrophiles et que cette propriété l'aide à monter dans la plante contre la force gravitationnelle.

Évidemment, il existe des substances qui n'ont aucune affinité avec l'eau. En fait, celles qui ne sont ni ioniques ni polaires (ou encore qui ne peuvent pas former de liaisons hydrogène) semblent repousser l'eau; elles sont dites **hydrophobes** (du grec *phobos*, « qui craint »). C'est le cas de l'huile, qu'il est impossible de mélanger à l'eau. Le comportement hydrophobe des molécules d'huile résulte de la prédominance des liaisons covalentes très peu polaires unissant le carbone et l'hydrogène, qui se répartissent presque également les électrons. Certaines molécules apparentées aux huiles sont des constituants importants des membranes cellulaires hydrophobes. (Imaginez ce qui arriverait à une cellule si sa membrane se dissolvait dans les milieux aqueux extracellulaires et intracellulaires !)

Les concentrations des solutés dans les solutions aqueuses

La plupart des réactions chimiques qui se produisent chez les êtres vivants mettent en jeu des solutés dissous dans de l'eau. Si l'on veut comprendre ces réactions, il faut connaître le nombre d'atomes et de molécules en question et apprendre à calculer les concentrations des solutés en solution aqueuse (le nombre de molécules de soluté dans un certain volume de solution).

Lorsqu'on réalise des expériences, on utilise la masse pour calculer le nombre de molécules. On calcule d'abord la **masse moléculaire**, c'est-à-dire la somme des masses de tous les atomes dans une molécule. Par exemple, calculons la masse moléculaire d'un glucide granulé (saccharose; $C_{12}H_{22}O_{11}$) en multipliant le nombre d'atomes par la masse atomique de chaque élément (voir le tableau périodique dans l'appendice B à la fin du manuel). Si on arrondit les nombres d'unités de masse atomique, la masse d'un atome de carbone est 12, celle d'un atome d'hydrogène est 1 et celle d'un atome d'oxygène est 16. Le saccharose a donc une masse moléculaire de $(12 \times 12) + (22 \times 1) + (11 \times 16) = 342$ daltons. Comme on ne peut pas peser de petites quantités de molécules, on quantifie habituellement les substances en unités appelées moles. Tout comme une douzaine signifie 12 objets, une **mole** (mol) représente un nombre exact d'objets, soit $6,02 \times 10^{23}$, appelé nombre d'Avogadro. À cause de la façon dont le nombre d'Avogadro et les unités de masse atomique ont été définis au départ, il y a $6,02 \times 10^{23}$ daltons dans 1 g. Après avoir déterminé la masse moléculaire d'une molécule comme le saccharose, on peut utiliser le même nombre (342) mais l'exprimer en *grammes* pour représenter la masse de $6,02 \times 10^{23}$ molécules, ou 1 mol de saccharose. On appelle parfois ce nombre la *masse molaire*. Par conséquent, pour obtenir 1 mol de saccharose, on en pèse 342 g.

Le grand intérêt d'utiliser des moles pour mesurer des substances chimiques découle du fait que 1 mol d'une substance donnée possède exactement le même nombre de molécules que 1 mol d'une autre substance. Si la masse moléculaire d'une substance A est de 342 daltons, et celle d'une substance B, de 10 daltons, 342 g de A contiendront le même nombre de molécules que 10 g de B. Une mole d'éthanol (C_2H_6O) contient également $6,02 \times 10^{23}$ molécules, mais elle ne pèse que 46 g, parce que ses molécules sont plus petites que celles du saccharose. La mesure en moles permet également aux scientifiques travaillant dans des laboratoires de combiner des substances en respectant des proportions définies de molécules.

Comment préparer 1 litre (L) d'une solution formée de 1 mol de saccharose dissous dans de l'eau ? Il faut d'abord peser 342 g de saccharose, puis ajouter graduellement de l'eau dans le contenant tout en agitant celui-ci jusqu'à dissolution complète du glucide. On verse par la suite suffisamment d'eau pour amener le volume total de la solution à 1 L. À ce stade, on a une solution de saccharose de 1 mol/L. La **concentration molaire volumique** (c), soit le nombre de moles de soluté par litre de solution, est l'unité de concentration la plus couramment employée en biologie dans le cas de solutions aqueuses. On peut aussi exprimer la concentration en pourcentage masse/volume (g/100 mL) pour faciliter la préparation des solutions. Ainsi, une solution de saccharose à 1 mol/L correspondrait à une solution de 34,2 % (ce qui nous indique que, pour l'obtenir, il faut peser 34,2 g de saccharose et les dissoudre dans un volume total de 100 mL).

L'apparition possible de la vie sur d'autres planètes

ÉVOLUTION Les biologistes qui cherchent la présence de vie ailleurs dans l'Univers (appelés *exobiologistes*) ont concentré leurs recherches sur les planètes susceptibles de contenir de l'eau. À ce jour, on a découvert plus de 800 planètes hors de notre système solaire et démontré la présence d'eau sur une ou deux d'entre elles. Dans notre propre système solaire, les exobiologistes s'intéressent surtout à la planète Mars. Comme la Terre, Mars possède une calotte glaciaire aux deux pôles. Des images prises par une sonde spatiale envoyée sur Mars ont montré que de la glace est présente juste sous la surface de la planète et que l'atmosphère martienne contient suffisamment de vapeur d'eau pour qu'il se forme du givre. En 2015, des scientifiques ont découvert des signes d'écoulement d'eau sur Mars (**figure 3.10**), tandis que d'autres études donnent à penser que cette planète a déjà connu des conditions vraisemblablement propices à la vie de microorganismes. La prochaine étape de la recherche de signes de vie sur Mars consistera peut-être à forer le sol. Si on y découvre des formes de vie ou des fossiles, leur étude éclairera le processus de l'évolution dans une perspective entièrement nouvelle.

▼ **Figure 3.10 Des indices de la présence d'eau liquide sur Mars.** L'eau semble avoir contribué à former ces traînées sombres qui descendent des hauteurs sur Mars au cours de l'été. Les chercheurs de la NASA ont également constaté la présence de sels hydratés, ce qui indique qu'il y aurait de l'eau sur Mars. (Cette photo traitée numériquement a été prise par la sonde spatiale Reconnaissance Orbiter.)

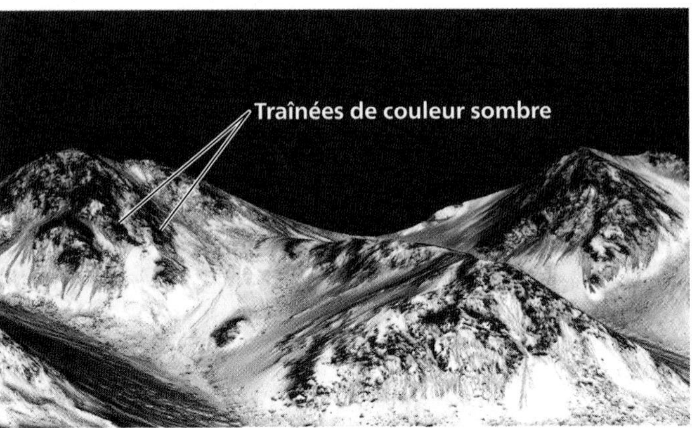

RETOUR SUR LE CONCEPT **3.2**

1. Décrivez comment les propriétés de l'eau contribuent à la faire monter à l'intérieur d'un arbre.
2. Expliquez cette expression populaire : « Ce n'est pas la chaleur, c'est l'humidité qui est pénible à supporter ! »
3. Expliquez comment la roche peut se casser sous l'action du gel.
4. **ET SI ?** ▶ Le gerris, plus connu sous le nom de patineur (*Gerris paludium*), se déplace rapidement à la surface de l'eau grâce à ses pattes recouvertes d'une substance hydrophobe. Quel en est l'avantage ? Qu'arriverait-il si la substance était hydrophile ?
5. **INTERPRÉTEZ LES DONNÉES** ▶ La concentration de la ghréline, une hormone qui stimule l'appétit, est d'environ $1,3 \times 10^{-10}$ mol/L chez une personne à jeun. Combien y a-t-il de molécules de ghréline dans 1 L de sang ?

Voir les réponses proposées à l'appendice A.

CONCEPT **3.3**

Les conditions acides ou basiques influent sur les organismes vivants

Il arrive parfois qu'un atome d'hydrogène participant à une liaison hydrogène entre deux molécules d'eau se déplace d'une molécule à l'autre. Lorsque cela se produit, l'atome d'hydrogène abandonne son électron, et l'élément transféré est un seul proton portant une charge de 1+, ou **ion hydrogène** (H^+). La molécule d'eau qui perd un proton devient un **ion hydroxyde** (OH^-), dont la charge est de 1–. Le proton se lie à l'autre molécule d'eau, formant ainsi un **ion hydronium** (ou ion oxonium, H_3O^+). On peut représenter cette réaction chimique de la façon suivante :

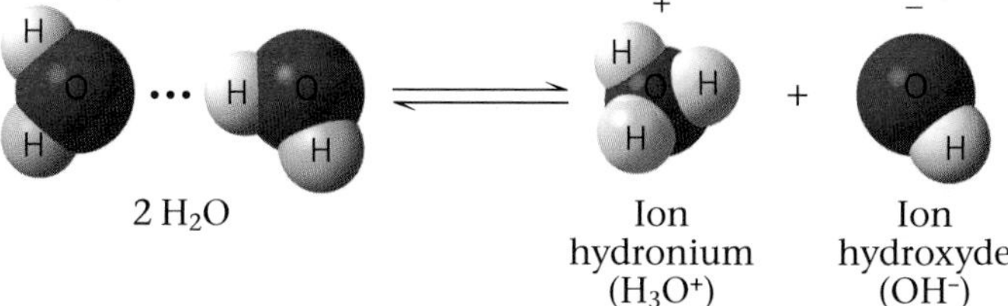

$2\ H_2O$ Ion hydronium (H_3O^+) Ion hydroxyde (OH^-)

Dans ce manuel, nous suivons la convention selon laquelle H^+ (l'ion hydrogène) représente H_3O^+ (l'ion hydronium). Notez bien cependant que H^+ n'existe pas seul dans une solution aqueuse. Il est toujours associé avec une molécule d'eau sous la forme H_3O^+.

Comme l'indique la flèche double, il s'agit d'une réaction réversible. Celle-ci atteint un état d'équilibre dynamique lorsque l'eau se dissocie à la même vitesse qu'elle se reforme à partir de H^+ et de OH^-. Au point d'équilibre, la concentration des molécules d'eau excède énormément celles de H^+ et de OH^-. Dans l'eau pure, seulement une molécule d'eau sur 555 millions se dissocie ; la concentration molaire volumique de H^+ et de OH^- contenus dans de l'eau pure est donc de 10^{-7} mol/L (à 25 °C). Cela signifie que 1 L d'eau pure contient 1 dix-millionième de mole de protons et un nombre égal d'ions hydroxyde (ce qui fait tout de même une énorme quantité de chacun de ces ions dans 1 L d'eau pure : plus de 6×10^{16}, soit 60 000 *millions de millions* !).

Bien qu'elle soit réversible et rare sur le plan statistique, la dissociation de l'eau joue un rôle crucial dans la chimie de la vie. H^+ et OH^- sont très réactifs. Une variation de leur concentration peut affecter dramatiquement les protéines et les autres molécules complexes d'une cellule. Comme nous l'avons vu, les concentrations de H^+ et de OH^- sont égales dans l'eau pure, mais l'ajout d'acides ou de bases perturbe cet équilibre. On utilise une échelle de pH pour décrire le degré d'acidité ou de basicité (alcalinité) d'une solution. Dans cette dernière partie du chapitre, vous en apprendrez davantage sur les acides, les bases et le pH ; vous saurez également pourquoi une variation du pH peut porter atteinte aux organismes vivants.

Les acides et les bases

Qu'est-ce qui peut provoquer un déséquilibre dans les concentrations des ions H^+ et OH^- en solution aqueuse ? Lorsqu'ils se dissolvent dans de l'eau, les acides augmentent le nombre des ions H^+. Un **acide** est une substance qui accroît la concentration des protons d'une solution. Par exemple, quand on met du chlorure d'hydrogène (HCl) – aussi nommé acide chlorhydrique – dans de l'eau, les protons et les ions chlorure se dissocient :

$$HCl \rightarrow H^+ + Cl^-$$

Cette deuxième source de H^+ (la dissociation de l'eau en est la première) fournit un plus grand nombre d'ions H^+ que d'ions OH^-.

Inversement, une substance qui réduit la concentration des protons d'une solution est une **base**. Certaines bases réduisent la concentration des ions H^+ en les acceptant directement. Par exemple, l'ammoniac (NH_3) agit comme une base quand le doublet d'électrons libres du dernier niveau énergétique de l'azote attire un proton de la solution, ce qui donne un ion ammonium (NH_4^+) :

$$NH_3 + H^+ \rightleftharpoons NH_4^+$$

D'autres bases réduisent indirectement la concentration des protons en se dissociant pour former des ions hydroxyde. Ces derniers se combinent avec les protons de la solution pour former de l'eau. L'hydroxyde de sodium (NaOH) est une base qui agit de cette façon ; elle se dissocie en ions dans l'eau :

$$NaOH \rightarrow Na^+ + OH^-$$

Dans les deux cas, la base fait diminuer la concentration de H^+. Une solution dont la concentration de OH^- est plus élevée que celle de H^+ est dite basique. Une solution dont les concentrations molaires volumiques de H^+ et de OH^- s'équivalent est dite neutre.

Remarquez le type et le sens des flèches indiquant le sens dans lequel se déroulent les réactions. Les flèches simples dans les réactions où interviennent HCl et NaOH indiquent que ces composés se dissocient complètement quand on les mélange à de l'eau. Donc, le chlorure d'hydrogène est un acide *fort*, et l'hydroxyde de sodium, une base *forte*. Par contre, les flèches doubles de la réaction avec NH_3 indiquent que la liaison ou la libération du proton sont réversibles : l'ammoniac est une base relativement *faible*. En conséquence, à l'équilibre, le rapport entre NH_4^+ et NH_3 est constant.

Les acides faibles sont des acides qui libèrent puis acceptent à nouveau des protons. L'acide carbonique en est un exemple :

$$\underset{\text{Acide carbonique}}{H_2CO_3} \rightleftharpoons \underset{\text{Ion hydrogénocarbonate}}{HCO_3^-} + \underset{\text{Proton}}{H^+}$$

L'équilibre favorise tellement la réaction vers la gauche que, lorsqu'on ajoute de l'acide carbonique à de l'eau, seulement 1 % de ses molécules se dissocient. Cela suffit pourtant à déplacer l'équilibre des ions H^+ et OH^- du point de neutralité.

L'échelle de pH

Dans toute solution aqueuse à 25 °C, le *produit* des concentrations molaires volumiques de H^+ et de OH^- est toujours de 10^{-14}. Il peut s'écrire ainsi :

$$[H^+][OH^-] = 10^{-14}\ (mol/L)^2$$

(Les crochets indiquent la concentration molaire volumique.) Comme nous l'avons déjà mentionné, dans une solution neutre à 25 °C, $[H^+] = 10^{-7}$ mol/L et $[OH^-] = 10^{-7}$ mol/L. Donc, le produit de $[H^+]$ et $[OH^-]$ dans une solution neutre à 25 °C est $10^{-7} \times 10^{-7} = 10^{-14}\ (mol/L)^2$. Si l'on ajoute suffisamment d'acide à la solution pour porter $[H^+]$ à 10^{-5} mol/L, $[OH^-]$ diminue par un facteur équivalent, jusqu'à atteindre 10^{-9} mol/L ($10^{-5} \times 10^{-9} = 10^{-14}$). Cette relation constante explique le comportement des acides et des bases dans une solution aqueuse. Un acide ne fait pas qu'ajouter des protons à une solution ; il enlève également des ions hydroxyde en raison de la tendance de H^+ à se combiner avec OH^- pour former de l'eau. Une base produit l'effet opposé : elle augmente la concentration molaire volumique de OH^- tout en réduisant la concentration molaire volumique de H^+ par la formation d'eau. Si l'on ajoute assez de base à une solution pour porter la concentration molaire volumique de OH^- à 10^{-4} mol/L, il s'ensuit une diminution de celle de H^+ à 10^{-10} mol/L. Quand on connaît la concentration molaire volumique de H^+ dans une solution aqueuse, on peut déduire la concentration molaire volumique de OH^-, et inversement.

Étant donné que les concentrations molaires volumiques de H^+ et de OH^- peuvent varier d'un facteur pouvant atteindre 100 billions (10^{14}), les scientifiques ont conçu une échelle de pH (**figure 3.11**) beaucoup plus commode à manipuler que les moles par litre pour exprimer ce changement. Elle réduit la plage des concentrations molaires volumiques de H^+ et de OH^- au moyen de logarithmes. Le **pH** («potentiel hydrogène») d'une solution se définit comme le logarithme négatif, en base 10, de la concentration molaire volumique des protons:

$$pH = -\log [H^+]$$

Par ailleurs, on peut transformer le logarithme en exposant, de sorte que $[H^+] = 10^{-pH}$. Comme un exposant ne comporte jamais d'unité, toutes les valeurs de pH apparaissent sans unité. Une augmentation (ou une diminution) de « 1 » dans la valeur du pH correspond à des concentrations de protons $[H^+]$ 10 fois plus faibles ou 10 fois plus élevées.

Dans le cas d'une solution neutre, $[H^+]$ égale 10^{-7} mol/L, ce qui donne:

$$pH = -\log 10^{-7} = -(-7) = 7$$

Remarquez que le pH *diminue* à mesure que la concentration molaire volumique de H^+ *augmente* (voir la figure 3.11). Notez également que, même si elle se base sur la concentration molaire volumique de H^+, l'échelle de pH reflète également celle de OH^-. Une solution dont le pH est 10 possède une concentration molaire volumique de protons de 10^{-10} mol/L et une concentration molaire volumique d'ions hydroxyde de 10^{-4} mol/L.

Le pH d'une solution neutre est 7 à 25 °C, ce qui correspond au milieu de l'échelle de pH. Une valeur inférieure à ce chiffre désigne une solution acide; plus cette valeur est faible, plus la solution est acide. Le pH d'une solution basique est supérieur à 7. Le pH de la plupart des liquides biologiques se situe entre 6 et 8. Il existe toutefois quelques exceptions, comme le suc gastrique de l'estomac humain, fortement acide: son pH est d'environ 2.

Rappelez-vous qu'une variation d'une «unité» dans la valeur du pH représente une différence d'un facteur de 10 dans les concentrations molaires volumiques de H^+ et de OH^-. C'est cette propriété mathématique qui permet de condenser l'échelle de pH. Ainsi, une solution de pH 3 n'est pas 2 fois, mais 1 000 fois (10 × 10 × 10) plus acide qu'une autre de pH 6. Lorsque le pH d'une solution change légèrement, les concentrations molaires volumiques de H^+ et de OH^- varient de façon importante.

▼ **Figure 3.11 L'échelle de pH et les valeurs de pH de quelques solutions aqueuses.**

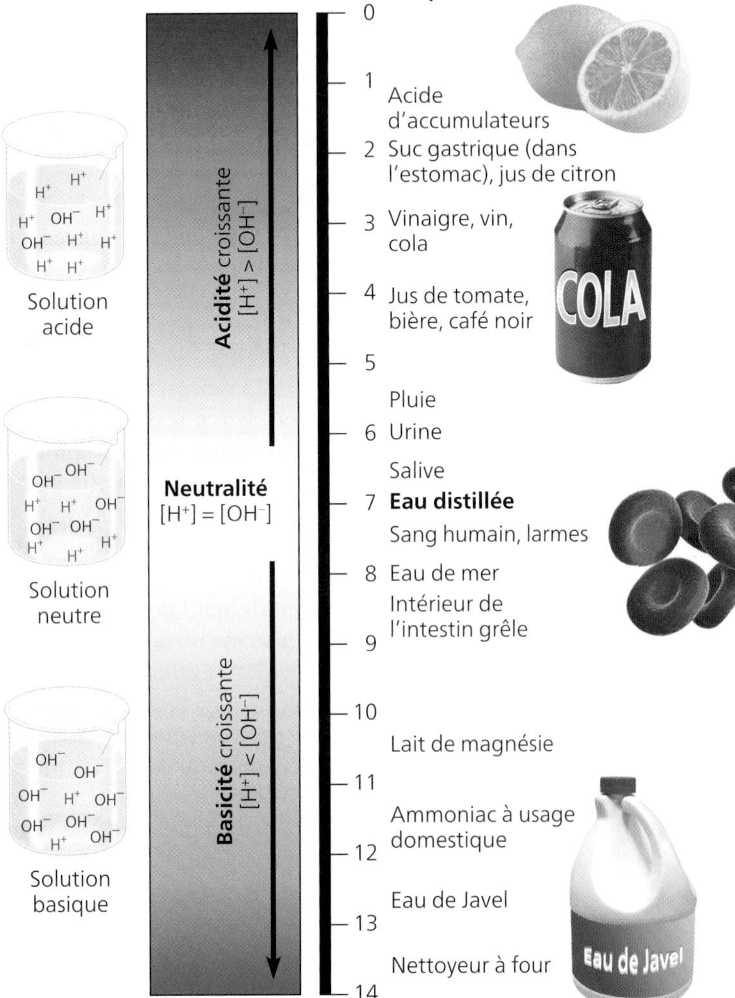

Les solutions tampons

Le pH de la plupart des cellules se situe autour de 7. Le moindre changement de leur pH peut s'avérer dommageable, parce que leurs processus chimiques sont très sensibles aux variations des concentrations des protons et des ions hydroxyde. Le pH du sang humain est très près de 7,4, ou légèrement basique. Une personne ne peut survivre plus de quelques minutes si le pH de son sang chute à 7 (neutre) ou grimpe à 7,8; c'est pourquoi il existe plusieurs systèmes chimiques chargés de maintenir constant le pH du sang. Si l'on ajoute 0,01 mol d'un acide fort dans 1 L d'eau pure, le pH diminue de 7,0 à 2,0. Par contre, si on ajoute la même quantité d'acide à 1 L de sang, le pH diminue seulement de 7,4 à 7,3. Pourquoi l'addition d'un acide a-t-elle un effet beaucoup plus faible sur le pH du sang que sur celui de l'eau?

C'est grâce à la présence de substances appelées tampons que le pH des liquides biologiques demeure à peu près constant malgré l'ajout d'un acide ou d'une base. Une **solution tampon** contient des solutés qui réduisent au minimum la variation des concentrations de H^+ et de OH^-. Les solutions tampons fonctionnent de la façon suivante: elles acceptent des protons quand la solution en renferme trop, et elles en donnent quand il n'y en a plus assez. La plupart d'entre elles se composent d'un acide faible et de son sel (une base), ce dernier se combinant de façon réversible aux protons.

Il existe plusieurs solutions tampons qui contribuent à stabiliser le pH du sang et de nombreux autres liquides biologiques. L'une d'elles est l'acide carbonique (H_2CO_3) qui se forme quand le CO_2 réagit avec l'eau dans le plasma sanguin. Comme nous l'avons mentionné, l'acide carbonique se dissocie pour produire un ion hydrogénocarbonate (ou ion bicarbonate, HCO_3^-) et un proton (H^+).

$$\underset{\text{Donneur de } H^+ \text{ (acide)}}{H_2CO_3} \; \underset{\text{Réaction à une baisse du pH}}{\overset{\text{Réaction à une hausse du pH}}{\rightleftharpoons}} \; \underset{\text{Accepteur de } H^+ \text{ (base)}}{HCO_3^-} + \underset{\text{Proton}}{H^+}$$

L'équilibre chimique entre l'acide carbonique et l'ion hydrogénocarbonate agit comme un régulateur de pH. La réaction se déplace vers la gauche ou la droite lorsque d'autres processus qui ont lieu dans la solution ajoutent ou enlèvent des protons. Si la concentration de H^+ dans le sang se met à baisser (c'est-à-dire si le pH augmente), la réaction se déplace vers la droite : l'acide carbonique se dissocie et libère des protons. Par contre, lorsque la concentration de H^+ dans le sang augmente (donc, quand le pH diminue), la réaction se déplace vers la gauche : HCO_3^- agit alors comme une base et enlève les protons dans la solution pour former H_2CO_3. En fait, la solution tampon acide carbonique-hydrogénocarbonate se compose d'un acide et d'une base à l'état d'équilibre. La plupart des autres solutions tampons sont aussi des paires acide-base.

L'acidification : une menace pour nos océans

L'utilisation des combustibles fossiles qui libèrent des composés gazeux dans l'atmosphère constitue une des nombreuses menaces que l'activité humaine fait peser sur la qualité de l'eau. L'accroissement du taux de CO_2 atmosphérique qui en résulte contribue au réchauffement planétaire et à d'autres aspects des changements climatiques (voir le concept 56.4). De plus, les océans absorbent environ 25 % du CO_2 attribuable à l'activité humaine. Malgré l'énorme volume d'eau des océans, les scientifiques s'inquiètent des conséquences de cette absorption massive de CO_2 sur les écosystèmes marins.

Des données récentes ont montré que ces craintes sont bien fondées. Lorsque le CO_2 se dissout dans les océans, il réagit avec l'eau de mer pour former l'acide carbonique, ce qui diminue le pH des océans. Ce processus, appelé **acidification des océans**, ébranle le fragile équilibre des conditions propices à la vie dans les océans (**figure 3.12**). En se basant sur des mesures de taux de CO_2 dans des bulles d'air emprisonnées dans la glace depuis des milliers d'années, les scientifiques ont calculé que le pH des océans est aujourd'hui inférieur de 0,1 unité de pH, une variation d'une ampleur jamais subie depuis 420 000 ans. Selon des études récentes, le pH diminuera encore de 0,3 à 0,5 unité d'ici la fin du siècle.

Quand l'eau de mer s'acidifie, les ions hydrogène supplémentaires se combinent avec les ions carbonate (CO_3^{2-}) pour former des ions hydrogénocarbonate (HCO_3^-), ce qui réduit la concentration des ions carbonate (figure 3.12). Les scientifiques estiment que, vers l'année 2100, l'acidification des océans réduira la concentration d'ions carbonate de 40 %. C'est un grave problème, car les ions carbonate sont nécessaires à la calcification, la production de carbonate de calcium ($CaCO_3$) par de nombreux organismes marins, dont les coraux qui construisent des récifs et les animaux qui élaborent des coquilles. Dans la rubrique **Habiletés scientifiques**, vous aurez l'occasion de travailler avec les données d'une expérience qui a permis à des chercheurs d'observer les effets de la concentration d'ions carbonate sur les récifs coralliens. Les récifs coralliens sont des écosystèmes fragiles qui abritent une grande variété d'organismes marins. La disparition de leurs écosystèmes serait une lourde perte pour la diversité biologique.

Nous possédons heureusement une meilleure connaissance de ce qui influe sur les équilibres chimiques fragiles des océans, lacs et rivières. Un progrès soutenu ne peut se réaliser que grâce à des personnes bien renseignées, comme vous, qui se préoccupent de la qualité de l'environnement. Une partie essentielle de l'éducation devrait porter sur la compréhension du rôle crucial qu'une eau saine joue dans le maintien de la vie sur Terre.

▼ **Figure 3.12 Le CO_2 atmosphérique attribuable à l'activité humaine et son devenir dans l'océan.**

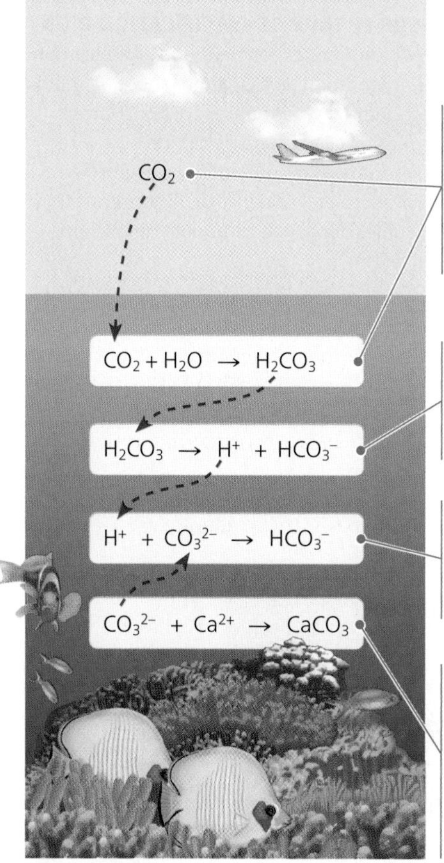

CO_2
$CO_2 + H_2O \rightarrow H_2CO_3$
$H_2CO_3 \rightarrow H^+ + HCO_3^-$
$H^+ + CO_3^{2-} \rightarrow HCO_3^-$
$CO_3^{2-} + Ca^{2+} \rightarrow CaCO_3$
Une certaine quantité de dioxyde de carbone (CO_2) atmosphérique se dissout dans l'océan, où il réagit avec l'eau pour former de l'acide carbonique (H_2CO_3).
L'acide carbonique se dissocie en ions hydrogène (H^+) et en ions hydrogénocarbonate (HCO_3^-).
Les ions H^+ ajoutés se combinent avec les ions carbonate (CO_3^{2-}) pour former plus de HCO_3^-.
Il y a alors réduction du CO_3^{2-} disponible pour la calcification, la formation de carbonate de calcium ($CaCO_3$), par les organismes marins comme les coraux.

HABILETÉS VISUELLES ▶ Examinez les équations chimiques ci-dessus et résumez comment un excès de CO_2 dans les océans se répercuterait sur le processus de calcification dans la dernière équation.

RETOUR SUR LE CONCEPT 3.3

1. Une solution acide dont le pH est 4 possède ____ fois plus de protons (H^+) qu'une solution de même volume, mais dont le pH est 9.
2. HCl est un acide fort qui se dissocie dans l'eau : $HCl \rightarrow H^+ + Cl^-$. Quel est le pH d'une solution de HCl à 0,01 mol/L ?
3. L'acide acétique (CH_3COOH) peut former une solution tampon, de la même façon que l'acide carbonique. Écrivez la réaction de dissociation et identifiez l'acide, la base, l'accepteur de H^+ et le donneur de H^+.
4. **ET SI ? ▶** De façon générale, que deviendrait le pH de 1 L d'eau pure et de 1 L d'une solution d'acide acétique si on ajoutait dans chacun des récipients 0,01 mol d'un acide fort ? Utilisez l'équation de la réaction de la question 3 pour expliquer le résultat.

Voir les réponses proposées à l'appendice A.

DÉMARCHE SCIENTIFIQUE
HABILETÉS SCIENTIFIQUES

Interpréter un diagramme de dispersion à l'aide d'une droite de régression

■ COMMENT LA CONCENTRATION D'IONS CARBONATE DE L'EAU DE MER INFLUE-T-ELLE SUR LE TAUX DE CALCIFICATION D'UN RÉCIF CORALLIEN ? ■ Les scientifiques estiment que l'acidification des océans causée par l'augmentation du CO_2 atmosphérique réduira la concentration d'ions carbonate dissous que les coraux vivants utilisent pour élaborer les récifs de carbonate de calcium. Dans cet exercice, vous analyserez les données d'une expérience contrôlée qui a permis à des chercheurs d'observer l'influence de la concentration d'ions carbonate ($[CO_3^{2-}]$) sur les dépôts de carbonate de calcium, un processus appelé calcification.

■ MÉTHODE ■ Les chercheurs ont étudié l'acidification des océans sur une période de plusieurs années, dans un grand aquarium de récifs coralliens du site expérimental Biosphere 2 en Arizona. Ils ont mesuré le taux de calcification des organismes de ce récif et observé comment le taux de calcification variait selon différentes quantités d'ions carbonate dissous dans l'eau de mer.

■ RÉSULTATS ■ Les points noirs sur le graphique forment une droite diffuse (nuage de points). Le trait rouge représente le meilleur lissage, une fonction de régression linéaire.

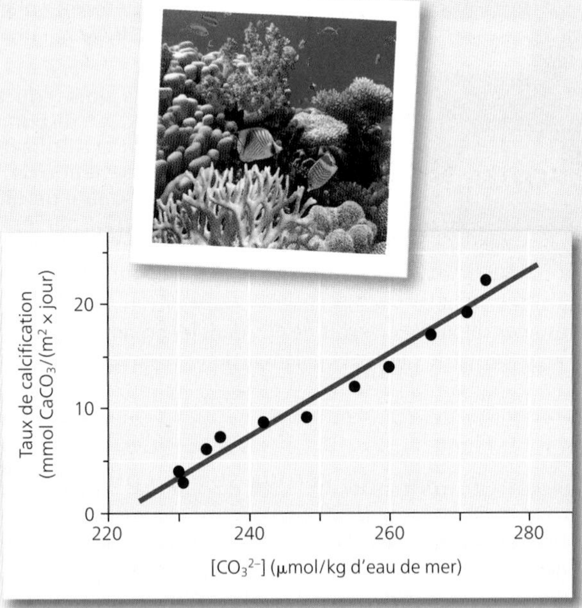

Source des données: C. Langdon et coll., Effect of calcium carbonate saturation state on the calcification rate of an experimental coral reef, *Global Biogeochemical Cycles* 14: 639-654 (2000).

INTERPRÉTEZ LES DONNÉES ▼

1. Lorsqu'on doit analyser un diagramme de données expérimentales, la première chose à faire est de déterminer ce que chaque axe représente. (a) Expliquez ce que représente l'axe des *x*. Assurez-vous d'indiquer les unités. (b) Que représente l'axe des *y* (indiquez les unités) ? (c) Quelle variable est la variable indépendante, c'est-à-dire la variable que les chercheurs ont *manipulée* ? (d) Quelle variable est la variable dépendante, c'est-à-dire la variable qui variait en fonction du traitement et que les chercheurs ont *mesurée* ? (Pour plus d'information sur les diagrammes, consultez l'appendice F à la fin du manuel.)
2. À partir des données du diagramme, décrivez la relation entre la concentration d'ions carbonate et le taux de calcification.
3. (a) Si la concentration d'ions carbonate de l'eau de mer est de 270 μmol/kg, quel est le taux de calcification approximatif, et environ combien de jours faudrait-il à 1 m^2 de récif pour accumuler 30 mmol de carbonate de calcium ($CaCO_3$) ? (b) Si la concentration d'ions carbonate de l'eau de mer est de 250 μmol/kg, quel est le taux de calcification approximatif, et environ combien de jours faudrait-il à 1 m^2 de récif pour accumuler 30 mmol de carbonate de calcium ($CaCO_3$) ? (c) Si la concentration d'ions carbonate diminue, comment le taux de calcification variera-t-il et quel en sera l'effet sur le temps de croissance du corail ?
4. (a) Examinez les équations de la figure 3.12 et indiquez quelle étape du processus on mesure dans l'expérience effectuée en Arizona. (b) Les résultats de cette expérience concordent-ils avec l'hypothèse selon laquelle l'augmentation de la concentration du CO_2 atmosphérique ralentira la croissance de récifs coralliens ? Expliquez pourquoi.

RÉVISION DU CHAPITRE 3

Consultez votre MANUEL NUMÉRIQUE, qui vous donne accès aux **animations**, aux **exercices** et à la plateforme d'**anatomie interactive**.

Résumé des concepts clés

CONCEPT 3.1

Les liaisons covalentes polaires dans les molécules d'eau permettent les liaisons hydrogène (p. 48)

- L'eau est une **molécule polaire**. Il se forme une liaison hydrogène quand une région de charge partielle négative de l'atome d'oxygène d'une molécule d'eau subit l'attraction d'un des atomes d'hydrogène de charge partielle positive d'une molécule voisine. L'eau tient ses propriétés des liaisons hydrogène qui s'établissent entre ses molécules.

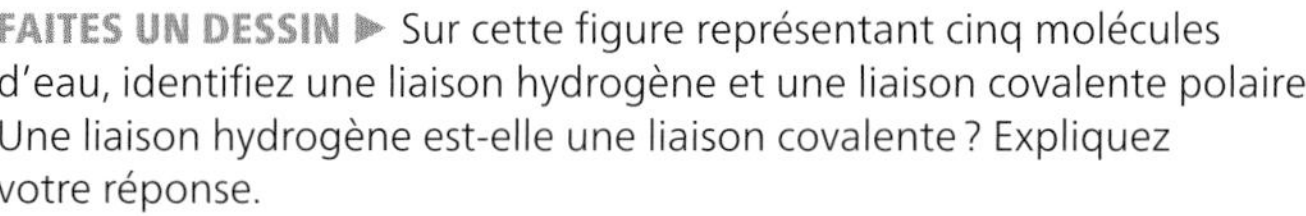

FAITES UN DESSIN ▶ Sur cette figure représentant cinq molécules d'eau, identifiez une liaison hydrogène et une liaison covalente polaire. Une liaison hydrogène est-elle une liaison covalente ? Expliquez votre réponse.

CONCEPT 3.2

Quatre propriétés émergentes de l'eau contribuent à maintenir l'environnement terrestre propice à la vie (p. 48 à 54)

- Les molécules d'eau sont maintenues ensemble grâce à des liaisons hydrogène, ce qui confère à l'eau sa **cohésion**. Les liaisons hydrogène expliquent également le fait que l'eau ait une **tension superficielle** élevée.
- L'eau a une **chaleur spécifique** élevée : elle absorbe de la chaleur lorsque les liaisons hydrogène se brisent, et en libère lorsqu'elles se forment. Ce phénomène maintient les **températures** relativement stables, dans des limites compatibles avec la vie. Le **refroidissement par évaporation** se fait grâce à la **chaleur d'évaporation** élevée de l'eau. La perte d'énergie liée à l'évaporation des molécules d'eau refroidit la surface où se déroule le phénomène.
- La glace flotte parce que sa masse volumique est inférieure à celle de l'eau. Cette propriété permet à la vie d'exister sous les surfaces gelées des lacs et des eaux polaires.
- L'eau est un **solvant** polyvalent, ses molécules polaires subissant l'attraction des ions et des substances polaires, qui peuvent former des liaisons hydrogène. Les substances **hydrophiles** attirent l'eau, alors que les substances **hydrophobes** la repoussent. On utilise habituellement la **concentration molaire volumique**, soit le nombre de moles de **soluté** par litre de **solution**, comme mesure de concentration. Une **mole** correspond à un nombre constant de molécules, quelle que soit la nature de la molécule. La masse d'une mole d'une substance en grammes est la même que sa **masse moléculaire** en unités de masse atomique (daltons).
- Les propriétés émergentes de l'eau permettent la vie sur la Terre et pourraient rendre possibles d'éventuelles formes de vie sur d'autres planètes.

? Décrivez comment différents types de solutés se dissolvent dans l'eau. Expliquez ce qu'est une solution.

CONCEPT 3.3

Les conditions acides ou basiques influent sur les organismes vivants (p. 54 à 57)

- Une molécule d'eau peut transférer un H^+ à une autre molécule d'eau pour former H_3O^+ (symbolisé simplement par H^+) et OH^-.
- Le **pH** exprime la concentration de H^+ ; pH = –log [H^+]. Une **solution tampon** est constituée d'une paire acide-base qui se combine de façon réversible avec les protons, ce qui lui permet de résister aux variations de pH.
- L'utilisation des combustibles fossiles augmente la quantité de CO_2 dans l'atmosphère. Une partie du CO_2 se dissout dans les océans, ce qui provoque l'**acidification des océans**, laquelle risque de nuire gravement aux organismes marins qui dépendent de la calcification.

0
Acide
$[H^+] > [OH^-]$
Les **acides** cèdent des ions H^+ dans les solutions aqueuses.
Neutre
$[H^+] = [OH^-]$
7
Les **bases** donnent des ions OH^- ou acceptent des ions H^+ dans les solutions aqueuses.
Basique
$[H^+] < [OH^-]$
14

? Expliquez ce qui arrivera à la concentration d'ions hydrogène d'une solution aqueuse si vous ajoutez une base et augmentez ainsi la concentration de OH^- à 10^{-3} ? Quel sera le pH de la solution ?

Évaluation

NIVEAU 1 : CONNAISSANCES ET COMPRÉHENSION

1. Laquelle des substances suivantes est hydrophobe ?
a) Le papier. c) La cire.
b) Le sel de table. d) Le saccharose.

2. Nous savons avec certitude que 1 mol de saccharose et 1 mol de vitamine C ont :
a) la même masse. c) le même nombre d'atomes.
b) le même volume. d) le même nombre de molécules.

3. Des mesures montrent que le pH d'un lac est 4,0. Quelle est la concentration molaire volumique des protons dans ce lac ?
a) 4,0 mol/L. c) 10^{-4} mol/L.
b) 10^{-10} mol/L. d) 10^4 mol/L.

4. Quelle est la concentration molaire volumique des ions hydroxyde dans le lac de la question précédente ?
a) 10^{-10} mol/L. c) 10^{-7} mol/L.
b) 10^{-4} mol/L. d) 10,0 mol/L.

NIVEAU 2 : APPLICATION ET ANALYSE

5. Une pointe de pizza renferme 500 kcal. Si on brûlait la pizza et utilisait toute la chaleur pour chauffer un récipient d'eau de 50 L, quelle serait l'augmentation approximative de la température de l'eau ? (*Remarque :* 1 L d'eau froide pèse environ 1 kg.)
a) 50 °C. b) 5 °C. c) 100 °C. d) 10 °C.

6. FAITES UN DESSIN ▶ Dessinez les couches d'hydratation qui se forment autour de l'ion potassium et de l'ion chlorure lorsque le chlorure de potassium (KCl) se dissout dans l'eau. Identifiez les charges positives, négatives et partielles sur les atomes.

NIVEAU 3 : **SYNTHÈSE ET ÉVALUATION**

7. Les agriculteurs suivent attentivement les prévisions météorologiques. Quand on prévoit qu'il va geler pendant la nuit, ils arrosent d'eau leurs cultures pour protéger les plants. À partir des propriétés de l'eau, expliquez le bien-fondé de cette pratique. Prenez soin de mentionner le rôle des liaisons hydrogène dans ce phénomène.

8. **FAITES DES LIENS ▶** Qu'ont en commun le réchauffement climatique (voir le concept 1.1 et le concept 3.2) et l'acidification des océans ?

Voir les réponses proposées à l'appendice A.

Le carbone et la diversité moléculaire de la vie

4

VOS OUTILS
INTERACTIFS

Consultez votre MANUEL NUMÉRIQUE, qui vous donne accès aux **animations**, aux **exercices** et à la plateforme d'**anatomie interactive**.

▲ **Figure 4.1 Quelles propriétés font du carbone l'élément fondamental de tous les êtres vivants ?**

CONCEPTS CLÉS

4.1 La chimie organique étudie les composés du carbone

4.2 Les atomes de carbone peuvent former une grande variété de molécules en se liant à quatre autres atomes

4.3 Le comportement chimique des molécules dépend de quelques groupements fonctionnels

▲ **Le carbone peut se lier à quatre autres atomes ou groupes d'atomes, ce qui permet la formation de molécules d'une diversité presque infinie.**

Le carbone: l'élément fondamental des êtres vivants

Le carbone constitue l'élément fondamental de la plupart des substances chimiques qui composent les êtres vivants, comme les plantes et les singes dorés au nez camus (*Rhinopithecus roxellana*) qui vivent dans les monts de Qinling, en Chine, et que l'on voit à la **figure 4.1**. Le carbone entre dans la biosphère grâce à l'action de producteurs, en l'occurrence les végétaux et autres organismes photosynthétiques, qui captent l'énergie solaire pour convertir les molécules de dioxyde de carbone (CO_2) atmosphérique en molécules carbonées indispensables à la vie. Ces molécules sont ensuite absorbées par les consommateurs, c'est-à-dire les organismes qui se nourrissent d'autres organismes.

De tous les éléments chimiques, le carbone n'a pas son pareil pour former des molécules volumineuses, complexes et variées. Cette diversité moléculaire a rendu possible la diversité des organismes qui ont évolué sur Terre. Les protéines, l'ADN, les glucides et les autres molécules qui caractérisent la matière vivante contiennent tous des atomes de carbone. Ceux-ci sont liés les uns aux autres et à des atomes d'autres éléments. Bien que les molécules complexes renferment d'autres éléments, tels que l'hydrogène (H), l'oxygène (O), l'azote (N) et parfois du soufre (S) ou du phosphore (P), c'est aux multiples possibilités de liaisons du carbone (C) que nous devons l'infinie variété des molécules organiques.

Le chapitre 5 portera tout particulièrement sur les molécules biologiques volumineuses, comme les protéines, mais ce sont les molécules plus petites et leurs propriétés que nous étudierons dans le présent chapitre. Nous les utiliserons pour illustrer des concepts d'architecture moléculaire qui aident à comprendre l'importance que le carbone revêt pour la vie et qui mettent en lumière, une fois de plus, le thème de l'émergence: l'organisation de la matière vivante fait apparaître des propriétés que chacun de ses composants pris isolément ne possède pas.

CONCEPT **4.1**

La chimie organique étudie les composés du carbone

Pour des raisons historiques, les substances qui contiennent du carbone s'appellent composés organiques, et la branche de la chimie qui les étudie se nomme **chimie organique**. Au début des années 1800, les chimistes ont appris à fabriquer en laboratoire de nombreux composés simples en combinant des éléments dans les conditions appropriées, mais ils croyaient qu'il était impossible d'effectuer la synthèse artificielle de molécules complexes, comme celles que l'on peut extraire de la matière vivante. À cette époque, on considérait que seuls les êtres vivants, investis d'une force vitale échappant aux lois physiques et chimiques, pouvaient vraisemblablement fabriquer les composés organiques.

Les chimistes commencèrent à s'éloigner de cette conception lorsqu'ils apprirent enfin à synthétiser des composés organiques en laboratoire. En 1828, Friedrich Wöhler, un chimiste allemand qui avait reçu l'enseignement de Berzelius, un des fondateurs de la chimie moderne, essaya de fabriquer un sel «inorganique», le cyanate d'ammonium, en mélangeant des solutions d'ions ammonium (NH_4^+) et d'ions cyanate (CNO^-). Il s'aperçut avec stupéfaction qu'il avait fabriqué de l'urée, un composé organique présent dans le plasma et l'urine des animaux.

Au cours des décennies suivantes, les chimistes réussirent à synthétiser en laboratoire des composés organiques de plus en plus complexes, renforçant ainsi l'idée que les processus de la vie obéissaient à des lois physiques et chimiques. La définition de la chimie organique fut alors étendue à l'étude de tous les composés du carbone, quelle que soit leur origine. Les composés organiques varient des molécules simples, telles que le méthane (CH_4), aux molécules gigantesques, comme les protéines, qui possèdent chacune des milliers d'atomes.

Les molécules organiques et l'origine de la vie sur Terre

ÉVOLUTION En 1953, Stanley Miller, qui faisait des études supérieures sous la direction de Harold Urey à la University of Chicago, contribua à situer la synthèse abiotique (qui n'exige pas de recourir aux êtres vivants) des composés organiques dans le contexte de l'évolution. Étudiez la **figure 4.2** pour prendre connaissance de cette expérience marquante. À partir de ses résultats, Miller tira la conclusion qu'il était possible de synthétiser spontanément des molécules organiques complexes dans ce qu'il croyait être les conditions environnementales de la Terre primitive. Dans la rubrique **Habiletés scientifiques**, vous aurez l'occasion de travailler avec les données d'une expérience qui, à l'instar de celle de Miller, montre que la synthèse abiotique de composés organiques pourrait constituer une des premières étapes de l'origine de la vie et avoir débuté tout près des volcans (voir la figure 25.2).

D'un être vivant à l'autre, on trouve à peu près les mêmes pourcentages des principaux éléments constitutifs de la vie (C, H, O, N, S et P), ce qui témoigne du fait que tous les organismes ont évolué à partir de la même origine. Cet ensemble d'éléments constitutifs peut paraître limité, mais grâce à la capacité du carbone d'engager quatre liaisons, les agencements possibles sont si nombreux qu'ils permettent la formation d'une variété inépuisable de molécules organiques. Les diverses espèces ainsi que les différents individus d'une même espèce se distinguent par les variations des types de molécules organiques qu'ils peuvent synthétiser. Dans un sens, l'immense diversité des organismes qui vivent sur la planète (et ceux qui se trouvent dans les restes fossiles) ne pourrait exister sans la polyvalence chimique unique du carbone.

RETOUR SUR LE CONCEPT **4.1**

1. Pourquoi Wöhler était-il étonné de constater qu'il avait produit de l'urée?
2. **HABILETÉS VISUELLES** ▶ Revoyez la figure 4.2. Lorsque Miller a essayé son expérience sans production d'étincelles, il ne trouva aucun composé organique. Qu'est-ce qui pourrait expliquer ce résultat?

Voir les réponses proposées à l'appendice A.

CONCEPT **4.2**

Les atomes de carbone peuvent former une grande variété de molécules en se liant à quatre autres atomes

La clé des propriétés chimiques d'un atome réside dans sa configuration électronique. Celle-ci détermine le type et le nombre de liaisons que l'atome forme avec d'autres atomes. Rappelez-vous que ce sont les électrons de valence, c'est-à-dire ceux présents dans la couche périphérique, qui peuvent participer à l'établissement de liaisons avec d'autres atomes.

La formation de liaisons avec le carbone

Le carbone possède au total six électrons: deux dans sa première couche électronique et quatre dans sa seconde; il a donc quatre électrons de valence dans une couche qui peut en contenir jusqu'à huit. Afin de combler son dernier niveau énergétique, il partage ses quatre électrons avec d'autres atomes, obtenant ainsi huit électrons dans ce niveau. Chaque paire d'électrons mis en commun constitue une liaison covalente (voir la figure 2.10d). Dans les molécules organiques, le carbone forme généralement des liaisons covalentes simples ou doubles. En fait, chaque atome de carbone se comporte comme un point d'intersection à partir duquel une molécule peut se ramifier dans quatre directions. C'est cette propriété qui permet au carbone de former de grosses molécules complexes.

Si un atome de carbone forme quatre liaisons covalentes simples, celles-ci pointent vers les sommets d'un tétraèdre en raison de la position des quatre orbitales hybrides.

DÉMARCHE SCIENTIFIQUE

INVESTIGATION

▼ **Figure 4.2**

Des molécules organiques peuvent-elles se former dans des conditions censées simuler celles de la Terre primitive ?

■ HYPOTHÈSE ■ Si des molécules organiques ont pu se former spontanément dans les conditions qui existaient sur la Terre aux origines de la vie, alors il serait possible actuellement, en simulant ces conditions d'origine, de retrouver quelques-unes de ces molécules organiques dans le milieu réactionnel.

■ EXPÉRIENCE ■ En 1953, Stanley Miller mit au point un système fermé pour imiter en laboratoire ce qu'on croyait être à l'époque les conditions environnementales de la Terre primitive. La mer primitive est simulée par un ballon d'eau que Miller chauffe jusqu'à ébullition. La vapeur d'eau passe alors dans un second ballon situé plus haut contenant un mélange de gaz (l'«atmosphère»). Des décharges électriques dans l'atmosphère synthétique imitent les éclairs.

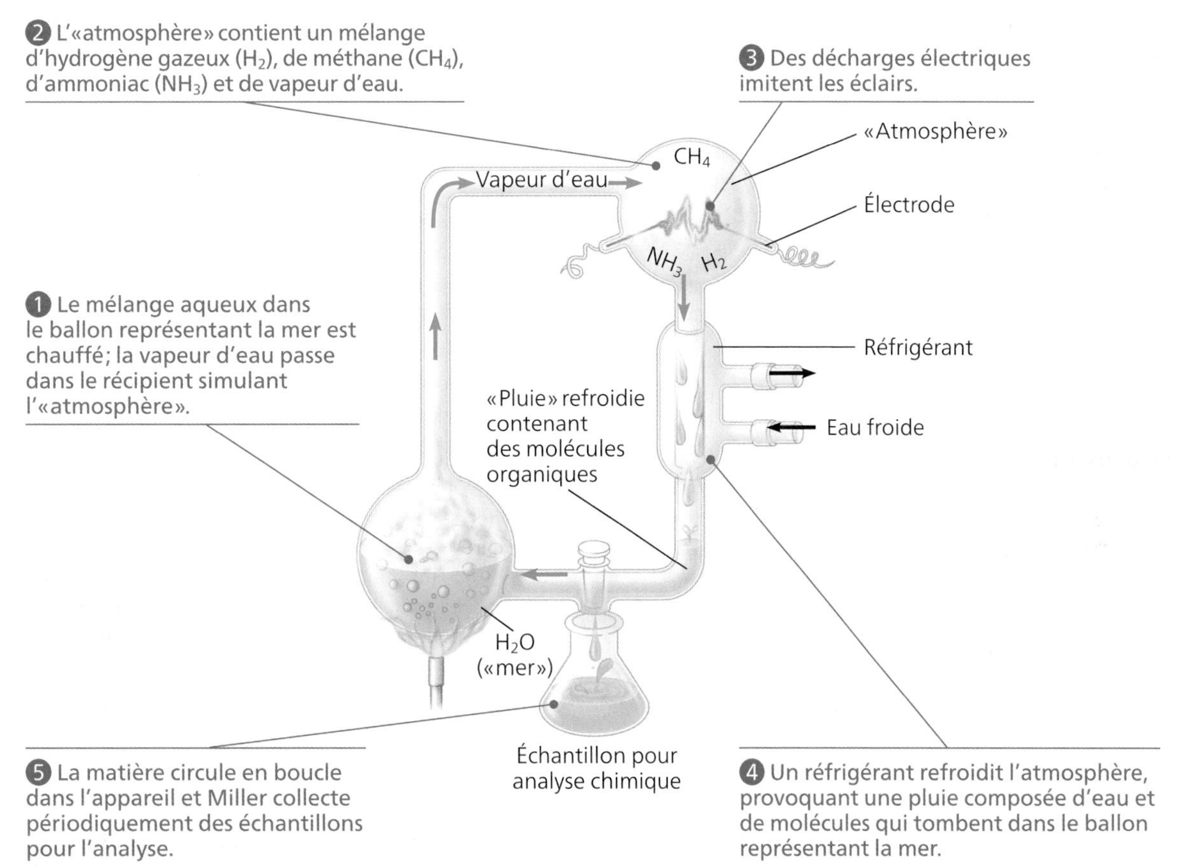
2 L'«atmosphère» contient un mélange d'hydrogène gazeux (H_2), de méthane (CH_4), d'ammoniac (NH_3) et de vapeur d'eau.
3 Des décharges électriques imitent les éclairs.
«Atmosphère»
CH_4
Vapeur d'eau
Électrode
NH_3
H_2
1 Le mélange aqueux dans le ballon représentant la mer est chauffé; la vapeur d'eau passe dans le récipient simulant l'«atmosphère».
Réfrigérant
«Pluie» refroidie contenant des molécules organiques
Eau froide
H_2O («mer»)
5 La matière circule en boucle dans l'appareil et Miller collecte périodiquement des échantillons pour l'analyse.
Échantillon pour analyse chimique
4 Un réfrigérant refroidit l'atmosphère, provoquant une pluie composée d'eau et de molécules qui tombent dans le ballon représentant la mer.

■ RÉSULTATS ■ Miller identifia diverses molécules organiques communément présentes chez les êtres vivants. Il isola des composés simples, comme le formaldéhyde (CH_2O) et le cyanure d'hydrogène (HCN), et diverses molécules plus complexes, comme des acides aminés et de longues chaînes de carbone et d'hydrogène nommées hydrocarbures.

■ CONCLUSION ■ Il est bien possible que les conditions régnant sur la Terre primitive aient permis la synthèse abiotique de molécules organiques, une première étape dans l'origine de la vie. On sait aujourd'hui que l'atmosphère de la Terre primitive est différente de l'atmosphère simulée par Miller, mais des expériences récentes réalisées à partir de la liste révisée des substances chimiques présentes à l'origine ont également permis de produire des molécules organiques. (Nous étudierons cette hypothèse plus en détail au concept 25.1.)

Source des données: S. L. Miller, A production of amino acids under possible primitive Earth conditions, *Science* 117 : 528-529 (1953).

ET SI ? ▶ Si Miller avait augmenté la concentration de NH_3 dans son expérience, comment les quantités relatives des produits HCN et CH_2O auraient-elles varié ?

Dans le méthane (CH_4), les angles des liaisons sont de 109,5° (**figure 4.3a**), et ils devraient être sensiblement les mêmes dans toutes les molécules où le carbone établit quatre liaisons simples. Par exemple, l'éthane (C_2H_6) prend la forme de deux tétraèdres réunis par un de leurs sommets (**figure 4.3b**). Dans les molécules contenant plusieurs atomes de carbone engagés dans des liaisons simples, chaque groupement constitué d'un atome de carbone lié à quatre autres atomes forme un tétraèdre. Cependant, lorsque deux atomes de carbone sont réunis par une liaison double, comme dans l'éthène (C_2H_4), tous les atomes réunis à ces carbones se trouvent dans un même plan (**figure 4.3c**). Bien qu'on écrive leur formule développée comme si elles étaient

DÉMARCHE SCIENTIFIQUE

HABILETÉS SCIENTIFIQUES

Calculer des rapports molaires

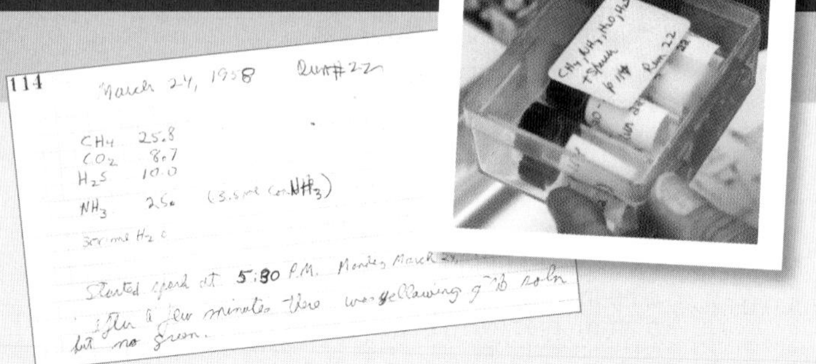

▲ **Quelques notes prises par Stanley Miller au cours de son expérience de 1958 à l'aide de sulfure d'hydrogène (H_2S) et ses flacons originaux.**

■ LES PREMIÈRES MOLÉCULES BIOLOGIQUES ONT-ELLES PU SE FORMER PRÈS DES VOLCANS DE LA TERRE PRIMITIVE ? ■ En 2007, Jeffrey Bada, un étudiant qui avait fait ses études supérieures sous la direction de Stanley Miller, a découvert des éprouvettes d'échantillons qui n'avaient jamais été analysés à la suite de l'expérience réalisée par Miller en 1958. Parmi les gaz dont Miller s'était servi dans son expérience pour obtenir son mélange de réactifs se trouvait le sulfure d'hydrogène (H_2S). Le H_2S est libéré par les volcans et permettait à Miller de simuler les conditions autour des volcans sur la Terre primitive. En 2011, Bada et ses collègues ont publié les résultats de l'analyse de ces échantillons «oubliés». Dans le présent exercice, vous allez calculer les rapports molaires des réactifs et des produits de l'expérience réalisée avec le H_2S.

■ MÉTHODE ■ Selon ses notes de laboratoire, Miller utilisait le même appareil de laboratoire que dans son expérience originale (voir la figure 4.2), à la différence que son mélange de réactifs gazeux incluait le méthane (CH_4), le dioxyde de carbone (CO_2), le sulfure d'hydrogène (H_2S) et l'ammoniac (NH_3). Après avoir simulé durant trois jours des conditions régnant autour des volcans, Miller a recueilli des échantillons du liquide obtenu, a purifié partiellement les substances chimiques et a conservé ses échantillons dans des flacons stériles hermétiques. En 2011, Bada et son équipe de chercheurs ont utilisé des méthodes modernes pour analyser les produits de ces flacons, plus précisément pour rechercher la présence d'acides aminés, éléments constitutifs des protéines.

■ RÉSULTATS ■ Le tableau ci-dessous montre 4 des 23 acides aminés identifiés par l'analyse de 2011 dans les échantillons provenant de l'expérience que Miller a réalisée en 1958 sur le H_2S.

Composé obtenu	Formule moléculaire	Rapport molaire (à la glycine)
Glycine	$C_2H_5NO_2$	1,0
Sérine	$C_3H_7NO_3$	$3{,}0 \times 10^{-2}$
Méthionine	$C_5H_{11}NO_2S$	$1{,}8 \times 10^{-3}$
Alanine	$C_3H_7NO_2$	1,1

Source des données: E. T. Parker et coll., Primordial synthesis of amines and amino acids in 1958 Miller H_2S-rich spark discharge experiment, *Proceedings of the National Academy of Sciences* 108: 5526-5531 (2011).

INTERPRÉTEZ LES DONNÉES ▼

1. Une *mole* est le nombre de particules d'une substance dont la masse équivaut à sa masse moléculaire (ou atomique) en daltons. Il y a $6{,}02 \times 10^{23}$ molécules (ou atomes) dans 1,0 mol (nombre d'Avogadro; voir le concept 3.2). Le tableau de données montre les «rapports molaires» de quelques-uns des produits obtenus dans l'expérience de Miller avec le H_2S. Dans un rapport molaire, chaque valeur sans unité est exprimée par rapport à l'étalon établi par le protocole d'une expérience. Ici, l'étalon est le nombre de moles de glycine, un acide aminé, dont la valeur a été établie à 1,0. Ainsi, la sérine a un rapport molaire de $3{,}0 \times 10^{-2}$, ce qui signifie que pour chaque mole de glycine, il y a $3{,}0 \times 10^{-2}$ mol de sérine. (a) Trouvez le rapport molaire de la méthionine à la glycine et expliquez ce que cela signifie. (b) Combien de molécules de glycine y a-t-il dans 1,0 mol? (c) Pour chaque mole de glycine présente dans l'échantillon, combien de molécules de méthionine y a-t-il? (Rappelez-vous que pour multiplier deux nombres dotés chacun d'un exposant, vous devez additionner leurs exposants; pour les diviser, vous soustrayez l'exposant du dénominateur de l'exposant du numérateur.)
2. (a) Quel acide aminé est présent en quantité supérieure à celle de la glycine? (b) Combien de molécules de cet acide aminé y a-t-il de plus que le nombre de molécules dans 1,0 mol de glycine?
3. La synthèse de produits est limitée par la quantité de réactifs. (a) Si on introduit 1 mol de CH_4, de NH_3, de H_2S et de CO_2, respectivement, dans un flacon contenant 1 L d'eau (= 55,5 mol de H_2O), combien de moles d'hydrogène, de carbone, d'oxygène, d'azote et de soufre y a-t-il dans le flacon? (b) En vous basant sur la formule moléculaire indiquée dans le tableau, combien faudrait-il de moles de chaque élément pour obtenir 1,0 mol de glycine? (c) Quel est le nombre maximum de moles de glycine que l'on pourrait synthétiser dans ce flacon, avec les ingrédients mentionnés, si aucune autre molécule n'est synthétisée? Expliquez votre réponse. (d) Si la sérine ou la méthionine était synthétisée une à la fois, quel élément serait utilisé en premier, pour chacune? Quelle quantité de chaque produit pourrait être synthétisée?
4. Dans l'expérience qu'il avait antérieurement réalisée et publiée, Miller n'utilisait pas le H_2S comme réactif (voir la figure 4.2). Parmi les composés du tableau, lesquels est-il possible de synthétiser dans l'expérience utilisant le H_2S, mais non dans l'expérience réalisée par Miller lui-même?

▼ Figure 4.3 La géométrie de trois molécules organiques simples.

Molécule et forme moléculaire	Formule moléculaire	Formule développée	Modèle à boules et bâtonnets (géométrie moléculaire en rose)	Modèle compact
(a) Méthane. Un atome de carbone peut former quatre liaisons simples; la molécule est alors tétraédrique.	CH_4	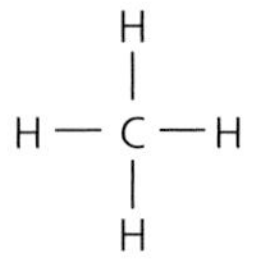 H—C—H, avec un H au-dessus et un H au-dessous du C	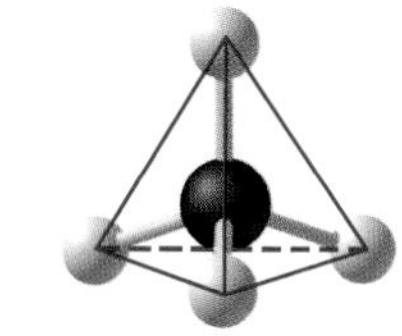	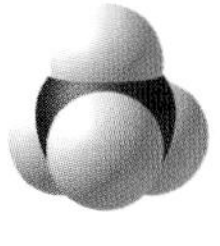
(b) Éthane. Une molécule peut posséder plus d'un regroupement tétraédrique d'atomes unis par des liaisons simples. (L'éthane est constitué de deux regroupements de ce type.)	C_2H_6	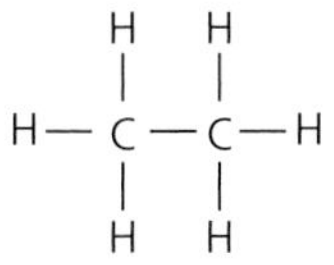 H—C—C—H, avec un H au-dessus et un H au-dessous de chaque C	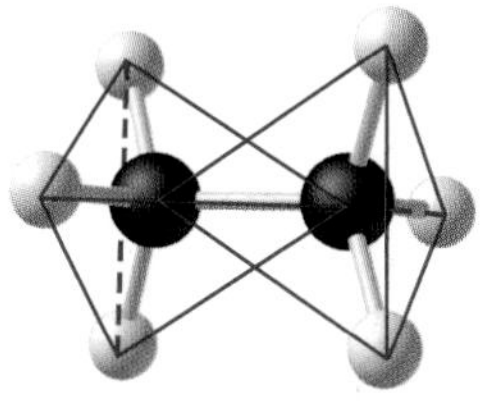	
(c) Éthène (éthylène). Deux atomes de carbone peuvent s'unir par une liaison double; toutes les liaisons qui se trouvent autour d'eux se situent alors dans un même plan, de sorte que la molécule est plane.	C_2H_4	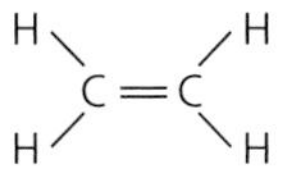 C=C, avec deux H sur chaque C	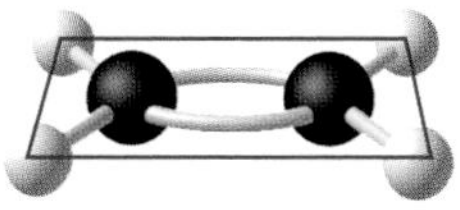	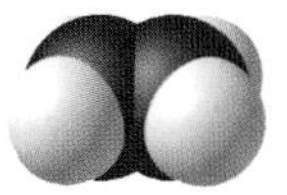

planes, la plupart des molécules organiques contiennent au moins quelques groupes d'atomes qui leur donnent une forme tridimensionnelle, et c'est bien souvent la géométrie de ces molécules en trois dimensions qui détermine leur fonction dans une cellule.

La **valence** d'un atome correspond au nombre d'électrons non appariés de sa dernière couche électronique (couche de valence) et détermine généralement le nombre de liaisons covalentes qu'il peut former. La **figure 4.4** présente la valence du carbone et de ses partenaires les plus fréquents : l'oxygène, l'hydrogène et l'azote. Ces quatre atomes sont les principaux composants des molécules organiques.

L'atome de carbone a une configuration électronique qui lui permet de former des liaisons covalentes avec d'autres atomes de carbone ou avec les atomes de plusieurs éléments différents. Voyons maintenant comment s'appliquent les règles de formation des liaisons covalentes entre les atomes de carbone et des partenaires autres que l'hydrogène. Nous examinerons deux exemples : les molécules simples de dioxyde de carbone et d'urée.

Dans une molécule de dioxyde de carbone (CO_2), un seul atome de carbone est uni à deux atomes d'oxygène par des liaisons covalentes doubles. La formule développée du CO_2 est donc :

$$O=C=O$$

Chaque trait représente une paire d'électrons mis en commun. Par conséquent, les deux liaisons doubles dans CO_2 possèdent le même nombre d'électrons partagés que quatre liaisons simples. Cet agencement permet à tous les atomes de la molécule de combler leur niveau énergétique.

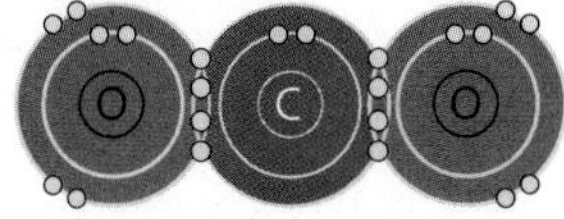

Étant donné que le CO_2 est une molécule très simple qui ne renferme pas d'hydrogène, on le considère généralement comme inorganique, même s'il contient du carbone. Qu'on le qualifie d'organique ou d'inorganique, le CO_2 est essentiel pour le monde vivant, car il constitue, par l'intermédiaire des organismes **autotrophes**, la source de carbone de toutes les molécules organiques qui composent les êtres vivants (voir le concept 2.4).

L'urée, $CO(NH_2)_2$, est le composé organique présent dans le plasma et l'urine que Wöhler a synthétisé au début des années 1800. Encore une fois, chaque atome possède le bon nombre de liaisons covalentes. Ici, l'atome de carbone participe à deux liaisons simples et à une liaison double.

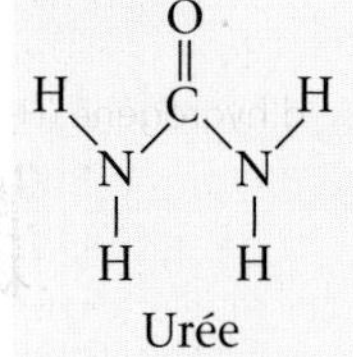

Urée

Les molécules d'urée et de dioxyde de carbone ne comportent qu'un seul atome de carbone. Cependant, comme le montre la figure 4.3, un atome de carbone peut également utiliser un ou plusieurs électrons de valence pour former

▼ Figure 4.4 Schémas des couches électroniques montrant la valence des principaux éléments qui composent les molécules organiques. La valence d'un élément représente sa capacité de liaison. Il correspond au nombre d'électrons que les atomes doivent partager pour conserver des couches électroniques complètes. Tous les électrons sont illustrés dans les schémas de répartition électronique (en haut). Par contre, les diagrammes de Lewis (en bas) ne mettent en évidence que les électrons du dernier niveau énergétique. Notez que le carbone peut former quatre liaisons.

Hydrogène (valence = 1)	**Oxygène** (valence = 2)	**Azote** (valence = 3)	**Carbone** (valence = 4)
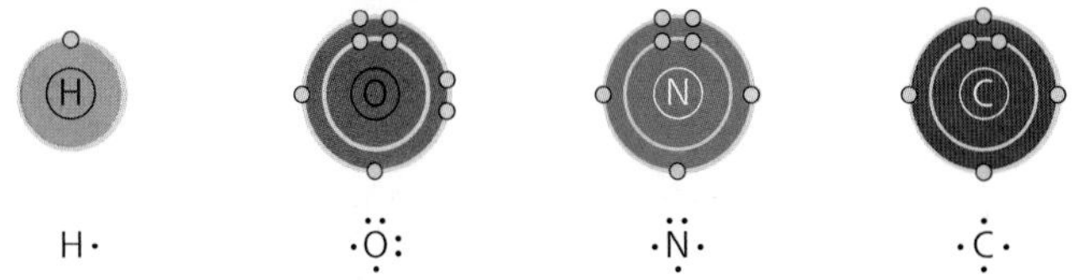 H	O	N	C
H·	·Ö:	·N̈·	·Ċ·

FAITES DES LIENS ▶ Tracez les diagrammes de Lewis pour le sodium, le phosphore, le soufre et le chlore (reportez-vous à la figure 2.7).

des liaisons covalentes avec d'autres atomes de carbone, chacun pouvant former quatre liaisons. La variété des chaînes que les atomes peuvent former est ainsi presque illimitée.

La diversité des molécules organiques découle des variations dans les squelettes carbonés

Les chaînes carbonées forment le squelette des molécules organiques. Elles varient en longueur et peuvent être linéaires, ramifiées ou cycliques (**figure 4.5**). Certaines portent des liaisons doubles, dont le nombre et la position varient. De telles différences contribuent de façon importante à la complexité et à la diversité moléculaires qui caractérisent la matière vivante. De plus, les atomes d'autres éléments peuvent se lier aux chaînes, isolément ou par groupes d'atomes, là où il y a des sites libres.

▼ **Figure 4.5 Quatre variations possibles dans les chaînes carbonées.**

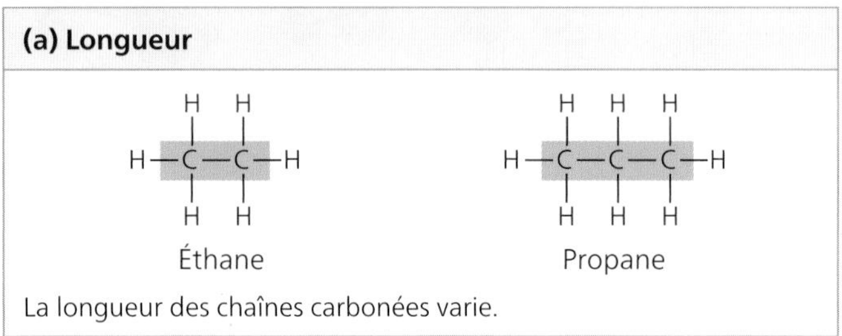

(a) Longueur
Éthane
Propane
La longueur des chaînes carbonées varie.

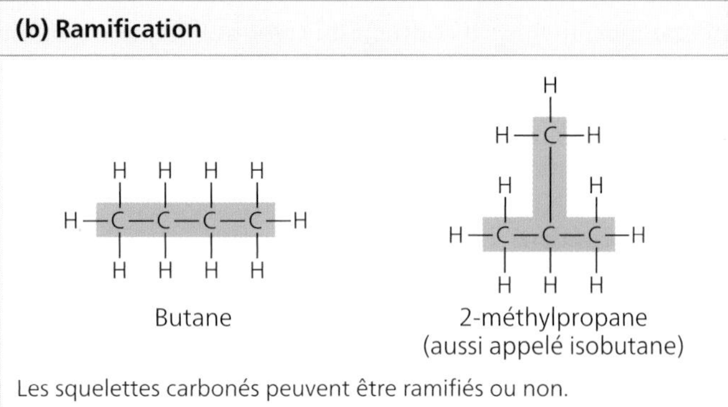

(b) Ramification
Butane
2-méthylpropane
(aussi appelé isobutane)
Les squelettes carbonés peuvent être ramifiés ou non.

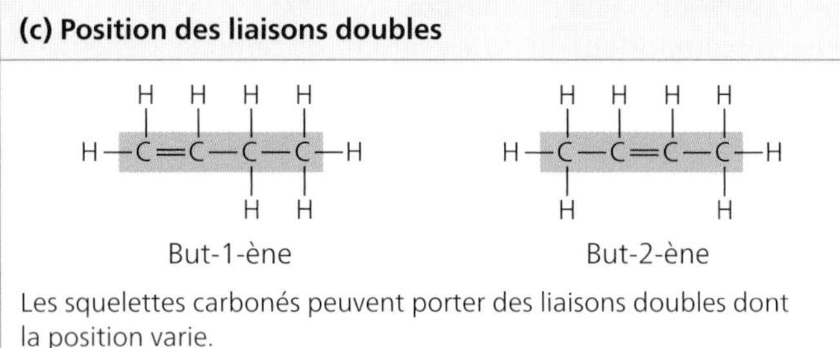

(c) Position des liaisons doubles
But-1-ène
But-2-ène
Les squelettes carbonés peuvent porter des liaisons doubles dont la position varie.

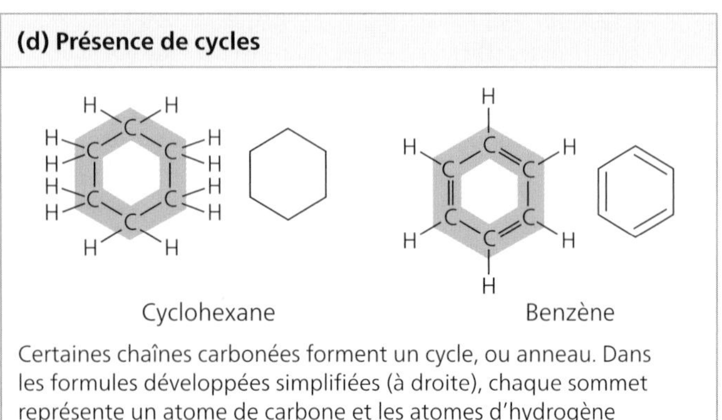

(d) Présence de cycles
Cyclohexane
Benzène
Certaines chaînes carbonées forment un cycle, ou anneau. Dans les formules développées simplifiées (à droite), chaque sommet représente un atome de carbone et les atomes d'hydrogène qui lui sont rattachés.

Les hydrocarbures

Toutes les molécules illustrées aux figures 4.3 et 4.5 sont des **hydrocarbures**, soit des molécules organiques formées uniquement de carbone et d'hydrogène. Les atomes d'hydrogène se lient aux chaînes carbonées partout où des électrons sont disponibles pour former des liaisons covalentes. Les hydrocarbures sont les principaux composants du pétrole, que l'on appelle combustible fossile parce qu'il provient des restes partiellement décomposés d'organismes ayant vécu il y a des millions d'années.

Bien que les hydrocarbures soient peu abondants dans la plupart des êtres vivants, certaines parties des molécules organiques qui se trouvent dans les cellules comportent principalement du carbone et de l'hydrogène. Par exemple, les graisses sont des molécules qui possèdent de longues chaînes d'hydrocarbures, nommées acides gras, liées à un autre constituant (**figure 4.6**).

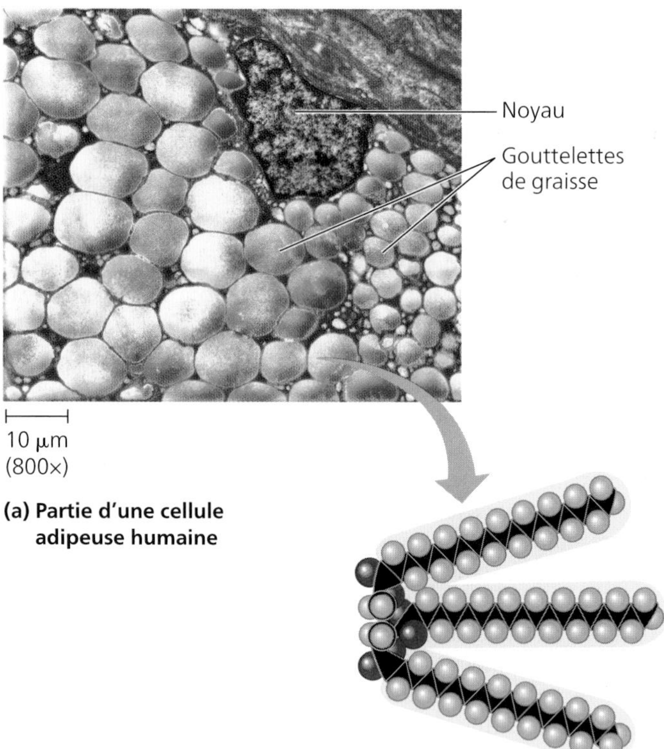

▲ **Figure 4.6 Le rôle des hydrocarbures dans les graisses.** **(a)** Les cellules adipeuses des mammifères accumulent les molécules de graisse pour mettre de l'énergie en réserve. Cette micrographie prise au microscope électronique à transmission (MET) a été colorisée pour mettre en évidence les nombreuses gouttelettes de graisse contenues dans un fragment de cellule adipeuse humaine. Chaque gouttelette accumule une énorme quantité de molécules de graisse. **(b)** Une molécule de graisse est constituée de trois chaînes d'hydrocarbures, responsables du comportement hydrophobe des graisses, rattachées à un autre composant. En se décomposant, les chaînes d'hydrocarbures fournissent de l'énergie. (Noir = carbone; gris = hydrogène; rouge = oxygène.)

FAITES DES LIENS ▶ Comment les chaînes hydrocarbonées sont-elles à l'origine de la nature hydrophobe des graisses? (Voir le concept 3.2.)

Ni le pétrole ni les graisses ne sont solubles dans l'eau. Ce sont des composés hydrophobes, parce que la grande majorité de leurs liaisons sont des liaisons carbone-hydrogène relativement peu polaires. Les hydrocarbures se caractérisent également par leur capacité à réagir en libérant une quantité d'énergie relativement élevée. Ainsi, l'essence que nous utilisons comme carburant dans les automobiles est composée d'hydrocarbures; chez les animaux, les réserves des molécules de graisse contenant des chaînes d'hydrocarbures leur servent de source d'énergie.

Les isomères

Les **isomères** sont des composés ayant la même formule moléculaire, mais des propriétés différentes, parce qu'ils n'ont pas la même configuration. Ils illustrent bien les variations qui existent dans l'architecture des molécules organiques. Nous examinerons trois types d'isomères: les isomères de structure, les isomères *cis-trans* et les énantiomères.

Les **isomères de structure** diffèrent par la disposition de leurs liaisons covalentes. Comparez, par exemple, les deux molécules à cinq atomes de carbone de la **figure 4.7a**. Toutes les deux ont la formule moléculaire C_5H_{12}, mais elles diffèrent dans l'agencement de leur squelette carboné. Un des composés est linéaire, alors que l'autre est ramifié. Le nombre d'isomères possibles augmente considérablement à mesure que les chaînes carbonées s'allongent. Le composé C_5H_{12} a 3 isomères de structure (dont deux sont illustrés à la figure 4.7a), mais C_8H_{18} en a 18 et $C_{20}H_{42}$ en compte 366 319. Les isomères de structure peuvent également différer par la position de leurs liaisons doubles.

Dans les ***isomères cis-trans*** (appelés auparavant *isomères géométriques*), les carbones forment des liaisons covalentes avec les mêmes atomes, mais l'arrangement spatial de ces derniers diffère en raison de la rigidité de la liaison double. Contrairement aux liaisons simples qui permettent aux atomes qu'elles relient d'effectuer des rotations libres autour de l'axe de liaison sans changer le composé, les liaisons doubles ne le permettent pas. Cependant, pour qu'il existe deux isomères *cis-trans* différents, il faut, en plus d'une liaison double, que les carbones de la liaison double portent deux atomes (ou groupes d'atomes) différents. Examinez une molécule simple avec deux carbones liés par des liaisons doubles dont chacun est attaché à un H et à un atome (ou groupe d'atomes) X (**figure 4.7b**). Lorsque ces atomes (ou groupes d'atomes) X se trouvent du même côté de la double liaison, l'isomère prend la forme *cis*. Lorsqu'ils se situent à l'opposé, l'isomère prend la forme *trans*. Cette légère différence de conformation peut avoir un effet important sur l'activité biologique des molécules organiques. Par exemple, le processus complexe de la vision fonctionne grâce à la conversion, sous l'effet de la lumière, de l'isomère *cis* en isomère *trans* du rétinal, un composé synthétisé à partir de la vitamine A (voir la figure 50.17). Les gras *trans*, des gras nocifs qui se forment au cours de la transformation des aliments, dont nous traitons au concept 5.3, en sont un autre exemple.

Les **énantiomères** sont des molécules qui forment une image inversée l'une de l'autre (comme dans un miroir) et dont la structure est différente en raison de la présence d'un *carbone asymétrique* qui porte quatre atomes ou groupes d'atomes différents. (Voir le carbone central dans les modèles à boules et bâtonnets illustrés à la **figure 4.7c**.) Les quatre groupes peuvent s'agencer de deux façons différentes dans l'espace entourant l'atome de carbone asymétrique. Chacune de ces dispositions donne une image inversée de l'autre, comme dans un miroir. Les énantiomères sont un peu comme nos deux mains, l'une gauche et l'autre droite. Tout comme nous ne pouvons faire entrer notre main droite dans le gant de la main gauche, une molécule «droite» ne peut pas être superposée à une molécule «gauche». Généralement, un seul isomère est biologiquement actif, car seulement cette forme peut se lier à des molécules spécifiques dans un être vivant.

▼ **Figure 4.7 Les trois types d'isomères.** Les isomères sont des composés de formules moléculaires identiques, mais de structures différentes.

(a) Isomères de structure

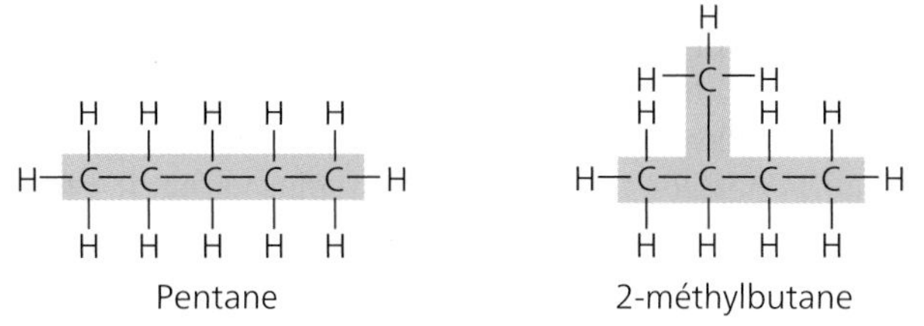

Les isomères de structure sont des composés qui diffèrent par l'ordre d'enchaînement de leurs atomes, comme ces deux isomères de C_5H_{12}.

(b) Isomères *cis-trans*

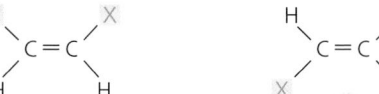

Isomère ***cis***: les deux X se situent du même côté.

Isomère ***trans***: les deux X se situent à l'opposé.

Les isomères *cis-trans* diffèrent par la disposition dans l'espace des H et des X autour de la liaison double. Dans ces diagrammes, X représente un atome ou un groupe d'atomes liés au carbone porteur de la liaison double.

(c) Énantiomères

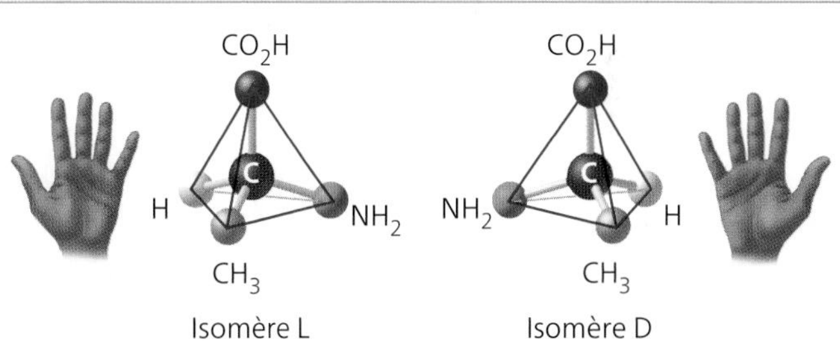

Les énantiomères diffèrent par leur arrangement autour d'un carbone asymétrique. Il en résulte des molécules qui sont l'image inversée l'une de l'autre, comme dans un miroir, telles la main gauche et la main droite. Les deux isomères montrés ici sont appelés isomères L et D (du latin *laevus* et *dexter* pour gauche et droite). Les énantiomères ne peuvent pas se superposer.

FAITES UN DESSIN ▶ Il existe trois isomères de structure de C_5H_{12}; dessinez celui qui n'est pas illustré en (a).

Cette caractéristique revêt une grande importance dans l'industrie pharmaceutique, car les énantiomères d'un médicament peuvent posséder des propriétés différentes, comme c'est le cas pour l'ibuprofène, un médicament contre la douleur et l'inflammation, et pour l'albutérol, un médicament contre l'asthme (**figure 4.8**). De même, les deux énantiomères de la méthamphétamine exercent des effets très différents. L'un d'eux est la drogue stimulante qui engendre la dépendance, aussi appelée « crystal meth » dans le commerce illicite de la drogue, tandis que l'autre possède un effet beaucoup plus faible ; il est même l'ingrédient actif d'une préparation médicamenteuse par inhalation en vente libre pour le traitement de la congestion nasale ! Ces effets très différents des énantiomères sur l'organisme montrent à quel point ce dernier est sensible à de légères variations de l'architecture moléculaire. Une fois encore, nous constatons que les molécules acquièrent leurs propriétés émergentes en fonction de l'arrangement particulier de leurs atomes.

▼ **Figure 4.8 L'importance des énantiomères dans l'industrie pharmaceutique.** L'ibuprofène et l'albutérol sont des exemples de médicaments dont les énantiomères exercent des effets différents. (Les lettres *S* et *R* sont utilisées ici pour distinguer ces énantiomères.) L'ibuprofène réduit l'inflammation et la douleur. Il est couramment vendu sous forme de mélange des deux énantiomères, mais l'énantiomère *S* est 100 fois plus efficace que l'énantiomère *R*. L'albutérol est synthétisé et vendu uniquement sous la forme *R* de ce médicament ; la forme *S* neutralise la forme active *R*.

Médicament	Effets	Énantiomère efficace	Énantiomère inefficace
Ibuprofène	Réduit la douleur et l'inflammation.	*S*-ibuprofène	*R*-ibuprofène
Albutérol	Améliore l'écoulement de l'air dans l'appareil respiratoire des personnes asthmatiques en favorisant le relâchement des muscles des bronches.	*R*-albutérol	*S*-albutérol

RETOUR SUR LE CONCEPT **4.2**

1. **FAITES UN DESSIN ▶** (a) Écrivez la formule développée de C_2H_4. (b) Dessinez l'isomère *trans* de $C_2H_2Cl_2$.
2. **HABILETÉS VISUELLES ▶** Dans la figure 4.5, indiquez les deux paires de molécules qui sont des isomères. Pour chaque paire, dites de quel type d'isomères il s'agit.
3. Qu'ont en commun l'essence et les graisses ?
4. **HABILETÉS VISUELLES ▶** Examinez les figures 4.5a et 4.7. Le propane (C_3H_8) peut-il former des isomères ? Expliquez votre réponse.

Voir les réponses proposées à l'appendice A.

CONCEPT **4.3**

Le comportement chimique des molécules dépend de quelques groupements fonctionnels

Les propriétés d'une molécule organique reposent non seulement sur l'arrangement de son squelette carboné, mais aussi sur les groupements chimiques qui se rattachent à ce squelette. On peut considérer les hydrocarbures, les molécules organiques les plus simples, comme la structure de base de molécules organiques plus complexes. Un certain nombre de groupements chimiques peuvent venir remplacer un ou plusieurs atomes d'hydrogène de l'hydrocarbure. Ces groupements participent à des réactions chimiques ou exercent une influence indirecte sur la fonction d'une molécule en affectant sa géométrie. En somme, ils contribuent à conférer à chaque molécule ses propriétés uniques.

Les groupements chimiques les plus importants dans les processus de la vie

Examinons la différence entre l'œstradiol (un type d'œstrogène) et la testostérone. Ces composés sont les hormones sexuelles femelle et mâle, respectivement, chez les humains et les autres vertébrés. Il s'agit de stéroïdes, c'est-à-dire de molécules organiques dont le squelette carboné est formé de quatre cycles (anneaux) accolés. Ces hormones diffèrent seulement par les groupements chimiques rattachés aux cycles (représentés ici dans leur forme simplifiée) ; les distinctions dans l'architecture moléculaire sont en bleu :

Les différentes actions que ces deux molécules exercent sur de nombreuses cellules cibles de l'organisme déterminent le sexe femelle ou mâle chez les vertébrés et provoquent l'apparition de leurs caractères anatomiques et physiologiques distinctifs. Dans ce cas, les groupements chimiques sont importants puisqu'ils ont un effet sur la géométrie moléculaire et, donc, sur la fonction de la molécule.

Dans d'autres cas, les groupements chimiques participent directement à des réactions chimiques ; ces groupements chimiques sont appelés **groupements fonctionnels**. Chaque groupement fonctionnel est doté de certaines propriétés, comme la forme et la charge, qui déterminent la façon dont il participera aux réactions chimiques.

Les sept groupements chimiques les plus importants dans les processus biologiques sont les groupements hydroxyle, carbonyle, carboxyle, amine, thiol (ou sulfhydryle), phosphate et méthyle. Les six premiers peuvent être chimiquement actifs et, à l'exception du cinquième (le thiol), ils sont hydrophiles et augmentent donc la solubilité des composés organiques dans l'eau.

Quant au septième groupement, le groupement méthyle, il n'est pas réactif, mais il se comporte souvent comme un marqueur reconnaissable sur des molécules biologiques. Avant de poursuivre, prenez le temps d'étudier la **figure 4.9** pour vous familiariser avec les groupements chimiques qui sont importants du point de vue biologique.

L'ATP: une importante source d'énergie pour les processus cellulaires

Dans la figure 4.9, la formule du glycérophosphate représente un exemple simple d'une molécule de phosphate organique. Un autre exemple plus complexe, l'**adénosine triphosphate**, ou **ATP**, mérite que l'on s'y attarde, car sa fonction dans la cellule est particulièrement importante. L'ATP est constituée d'une molécule organique appelée adénosine attachée à une chaîne de trois groupements phosphate.

$$^{-}O-\overset{\overset{O}{\|}}{\underset{\underset{O^-}{|}}{P}}-O-\overset{\overset{O}{\|}}{\underset{\underset{O^-}{|}}{P}}-O-\overset{\overset{O}{\|}}{\underset{\underset{O^-}{|}}{P}}-O-\boxed{\text{Adénosine}}$$

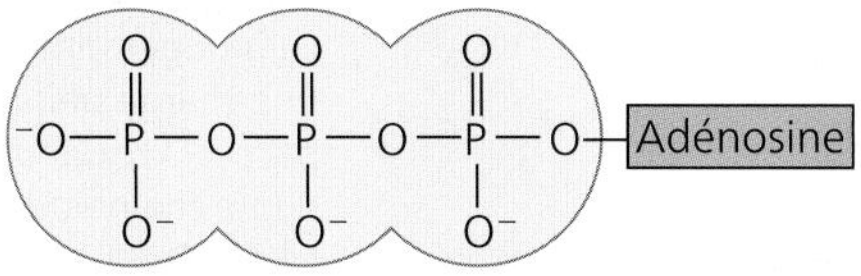

Dans une molécule qui comporte une série de trois groupements phosphate telle que l'ATP, l'un des groupements phosphate peut se séparer des autres à l'issue d'une réaction avec l'eau. Dans le présent livre, nous utilisons le symbole Ⓟ$_i$ pour représenter l'ion phosphate inorganique ($HOPO_3^{2-}$) et le symbole Ⓟ pour un groupement phosphate appartenant à une molécule organique. En perdant un groupement phosphate, l'ATP devient l'adénosine

▼ **Figure 4.9 Quelques groupements chimiques importants en biologie.**

Groupement chimique	Propriétés du groupe et nom des composés	Exemples
Groupement hydroxyle (—OH) 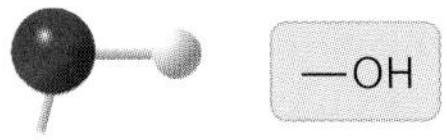 —OH (peut s'écrire HO—)	Le groupement hydroxyle est polaire en raison de son oxygène électronégatif. Il forme des liaisons hydrogène avec l'eau, contribuant à dissoudre des composés tels que les glucides. Nom des composés: **alcools** (leurs noms se terminent habituellement en *-ol*, comme *éthanol*)	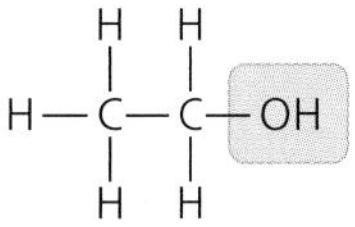 CH_3-CH_2-OH **Éthanol**, un alcool présent dans les boissons alcoolisées
Groupement carbonyle (>C=O) 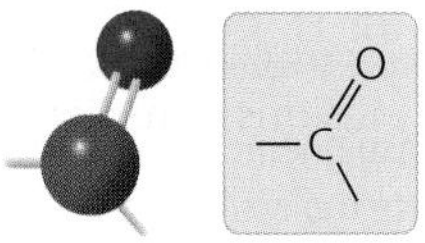	Le groupement carbonyle peut se retrouver à l'intérieur de glucides comportant un groupement cétone (sucres nommés cétoses) ou un groupement aldéhyde (aldoses). Nom des composés: **cétones** (lorsque le groupement carbonyle est à l'intérieur d'une chaîne carbonée) ou **aldéhydes** (lorsque le groupement carbonyle est à l'extrémité d'une chaîne carbonée)	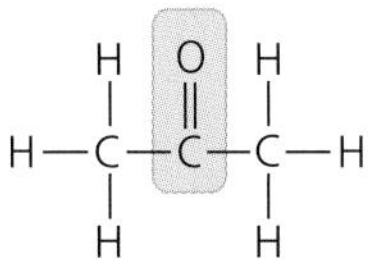 $CH_3-CO-CH_3$ **Acétone**, la cétone la plus simple 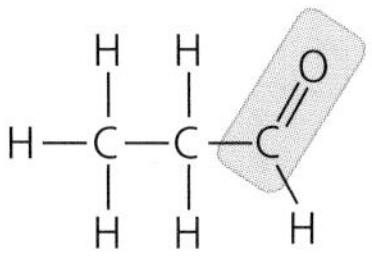 CH_3-CH_2-CHO **Propanal**, un aldéhyde
Groupement carboxyle (—COOH) 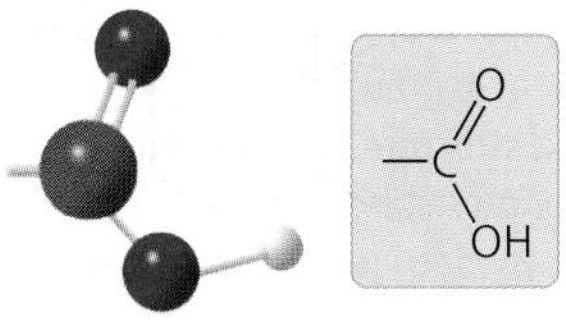	Le groupement carboxyle se comporte comme un acide (il peut donner un H^+) parce que la liaison covalente entre l'oxygène et l'hydrogène est fortement polaire. Nom des composés: **acides carboxyliques** ou **acides organiques**	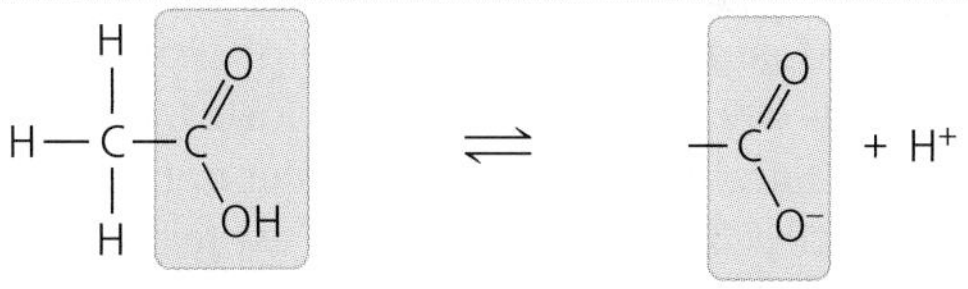 $CH_3-COOH \rightleftharpoons -COO^- + H^+$ **Acide acétique,** qui donne au vinaigre un goût aigre Forme ionisée de —COOH (ion carboxylate), présent dans les cellules
Groupement amine (—NH_2) 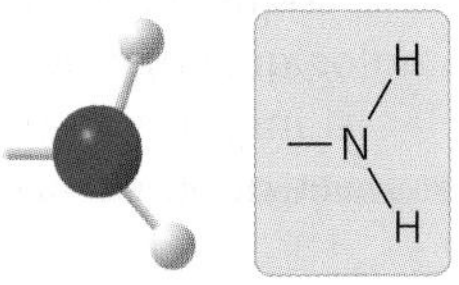	Le groupement amine se comporte comme une base; l'atome d'azote peut accepter un H^+ de la solution dans laquelle la réaction se produit (en milieu aqueux, chez les organismes vivants). Nom des composés: **amines**	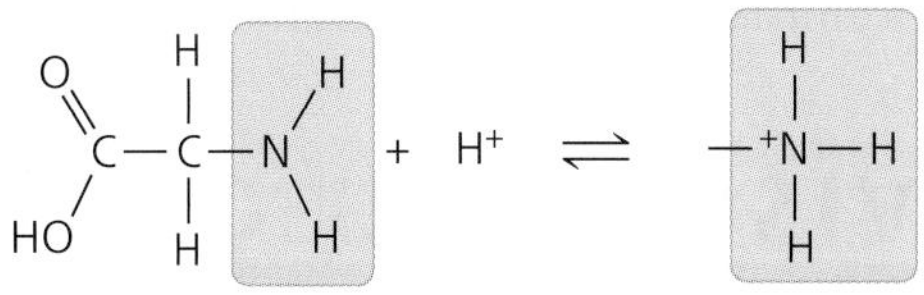 $HOOC-CH_2-NH_2 + H^+ \rightleftharpoons -{}^{+}NH_3$ **Glycine**, un acide aminé (noter son groupement carboxyle) Forme ionisée de —NH_2, présent dans les cellules
Groupement thiol (—SH) —SH 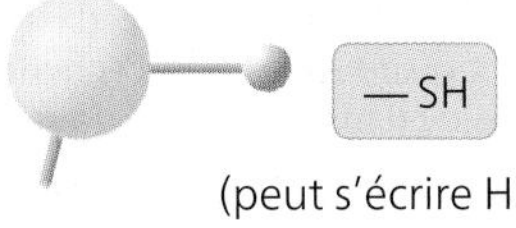 (peut s'écrire HS—)	Deux groupements thiol peuvent réagir pour former une liaison covalente. Ces liaisons croisées contribuent ensemble à stabiliser la structure des protéines. Les liaisons croisées des cystéines dans les protéines des cheveux maintiennent les cheveux bouclés ou raides. On peut friser les cheveux raides de façon «permanente» en leur donnant une forme autour de rouleaux, puis en rompant et en reformant les liaisons croisées. Nom des composés: **thiols**	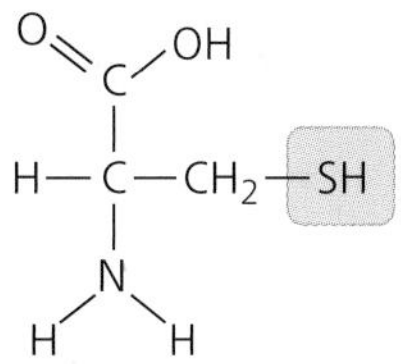 $HOOC-CH(NH_2)-CH_2-SH$ **Cystéine**, un acide aminé contenant du soufre

▼ **Figure 4.9 Quelques groupements chimiques importants en biologie.** (*suite*)

Groupement chimique	Propriétés du groupe et nom des composés	Exemples
Groupement phosphate (—OPO_3^{2-})	Le groupement phosphate contribue à donner une charge négative à la molécule dont il fait partie : (1) quand il est situé à l'intérieur d'une chaîne de phosphates ; (2) quand il est à l'extrémité d'une molécule. Les molécules qui comportent des groupements phosphate ont la capacité de réagir avec l'eau en libérant de l'énergie. Nom des composés : **phosphates organiques**	**Glycérophosphate**, qui participe à de nombreuses réactions chimiques importantes dans les cellules
Groupement méthyle (—CH_3)	Ce groupement influe sur l'expression des gènes quand il se trouve sur l'ADN ou sur des protéines liées à l'ADN. Il a également un effet sur la forme et la fonction des hormones sexuelles mâles et femelles. Nom des composés : **composés méthylés**	**5-méthylcytidine**, un composant de l'ADN qui a été modifié par l'addition d'un groupement méthyle

*di*phosphate, ou ADP. L'ATP constitue une source d'énergie pour la cellule, en raison de ces liens entre les groupements phosphate qui peuvent aisément réagir avec l'eau pour libérer leur énergie, comme vous le verrez en détail au concept 8.3.

Ⓟ-Ⓟ-Ⓟ-Adénosine (ATP) —Réaction avec l'eau→ Ⓟ-Ⓟ-Adénosine (ADP) + $Ⓟ_i$ (Phosphate inorganique) + Énergie

Les éléments chimiques de la vie : *une révision*

Vous savez maintenant que la matière vivante se compose principalement de carbone, d'oxygène, d'hydrogène et d'azote, et, en plus petites quantités, de soufre et de phosphore. Ces éléments forment tous des liaisons covalentes fortes, une caractéristique essentielle à l'architecture des molécules organiques complexes. Parmi tous ces éléments, le carbone est le maître de la liaison covalente. Son comportement chimique en fait un élément constitutif irremplaçable des molécules organiques. Il est doté de propriétés exceptionnelles : il peut établir quatre liaisons covalentes, s'unir à d'autres atomes de carbone de façon à former des molécules complexes et se lier à plusieurs éléments différents. Grâce aux innombrables possibilités du carbone, les molécules organiques sont très diversifiées et possèdent des propriétés spéciales associées à l'arrangement unique de leur squelette carboné et de leurs groupements fonctionnels. La riche diversité des organismes de notre planète repose sur cette variation moléculaire.

RETOUR SUR LE CONCEPT 4.3

1. **HABILETÉS VISUELLES ▶** Quels renseignements le terme *acide aminé* donne-t-il sur la structure de cette molécule ? Voir la figure 4.9.
2. Quel changement chimique se produit dans l'ATP lorsqu'elle réagit avec l'eau et libère de l'énergie ?
3. **FAITES UN DESSIN ▶** Considérons une molécule organique comme la cystéine (voir la figure 4.9, l'exemple d'un groupement thiol). Vous décidez d'enlever chimiquement le groupement —NH_2 et de le remplacer par —COOH. Dessinez la structure obtenue. En quoi ce remplacement modifie-t-il les propriétés chimiques de la molécule de cystéine ? Le carbone central est-il asymétrique avant le changement ? Après le changement ?

Voir les réponses proposées à l'appendice A.

RÉVISION DU CHAPITRE 4

Consultez votre MANUEL NUMÉRIQUE, qui vous donne accès aux **animations**, aux **exercices** et à la plateforme d'**anatomie interactive**.

Résumé des concepts clés

CONCEPT 4.1

La chimie organique étudie les composés du carbone (p. 61)

- On a déjà cru que les composés organiques ne pouvaient provenir que des êtres vivants, mais les chimistes ont réussi à synthétiser de tels composés en laboratoire.
- La matière vivante se compose principalement de carbone, d'oxygène, d'hydrogène et d'azote (C, O, H et N, respectivement). À l'échelle moléculaire, la diversité biologique réside dans la capacité du carbone à produire une myriade de molécules aux formes et aux propriétés chimiques particulières.

? Comment les expériences de Stanley Miller appuient-elles la théorie selon laquelle les processus de la vie obéissent aux lois physiques et chimiques, et ce, depuis le tout début de l'histoire de la vie ?

CONCEPT 4.2

Les atomes de carbone peuvent former une grande variété de molécules en se liant à quatre autres atomes (p. 61 à 68)

- Grâce à sa capacité d'établir quatre liaisons covalentes, le carbone peut former des molécules très variées. Il peut se lier à différents atomes, dont O, H et N. Les atomes de carbone peuvent également s'unir entre eux et former des chaînes ; c'est le cas dans les molécules organiques, dont ils forment le squelette.
- Les squelettes carbonés des molécules organiques varient par leur longueur et par leur structure ; leurs atomes de carbone peuvent former des liaisons avec des atomes d'autres éléments.
- Les **hydrocarbures** se composent uniquement de carbone et d'hydrogène (C et H).
- Les **isomères** sont des composés possédant la même formule moléculaire, mais présentant une architecture différente et, donc, des propriétés distinctes. Il existe trois types d'isomères : les **isomères de structure**, les **isomères *cis-trans*** et les **énantiomères**.

HABILETÉS VISUELLES Reportez-vous à la figure 4.9. Quel type d'isomères sont l'acétone (propanone) et le propanal ? Combien de carbones asymétriques y a-t-il dans l'acide acétique, la glycine et le glycérophosphate ? Ces trois molécules peuvent-elles exister sous forme d'énantiomères ?

CONCEPT 4.3

Le comportement chimique des molécules dépend de quelques groupements chimiques (p. 68 à 70)

- Les groupements chimiques attachés aux chaînes de carbone des molécules organiques participent aux réactions chimiques (**groupements fonctionnels**) ou déterminent leurs fonctions en affectant la géométrie moléculaire (voir la figure 4.9).
- L'**adénosine triphosphate** (**ATP**) est constituée de l'adénosine attachée à trois groupements phosphate. L'ATP peut réagir avec l'eau et former de l'ADP (adénosine diphosphate) et un phosphate inorganique. Cette réaction libère de l'énergie qui peut être utilisée par les cellules.

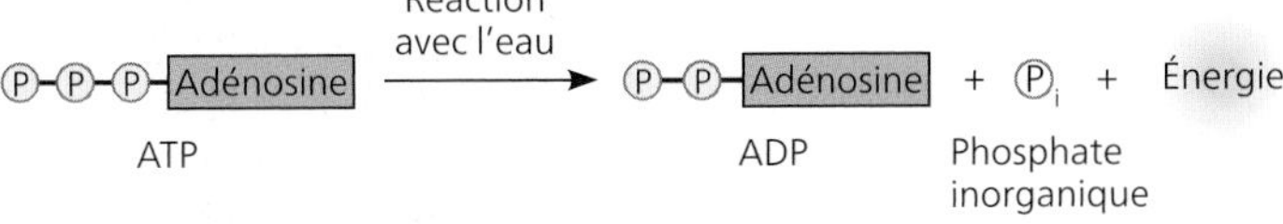

? En quoi un groupement méthyle diffère-t-il chimiquement des six autres groupements chimiques importants illustrés à la figure 4.9 ?

Évaluation

NIVEAU 1 : CONNAISSANCES ET COMPRÉHENSION

1. Quelle est la définition moderne de la chimie organique ?
   a) C'est l'étude des composés qui ne peuvent être élaborés que par des cellules.
   b) C'est l'étude des composés du carbone.
   c) C'est l'étude des composés naturels (par opposition aux composés synthétiques).
   d) C'est l'étude des hydrocarbures.

2. HABILETÉS VISUELLES ▶ Quel groupement fonctionnel est absent dans cette molécule ?
   a) Carboxyle.
   b) Thiol.
   c) Hydroxyle.
   d) Amine.

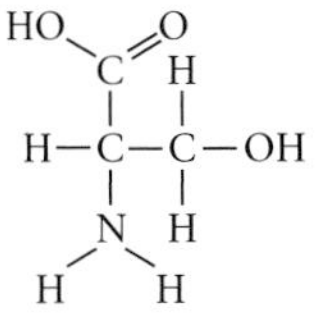

```
HO    O
  \  //
   C    H
   |    |
H—C—C—OH
   |    |
   N    H
  / \
 H   H
```

3. FAITES DES LIENS ▶ À quel groupement fonctionnel doit-on principalement le comportement basique d'une molécule organique (voir le concept 3.3) ?
   a) À un hydroxyle.
   b) À un carbonyle.
   c) À une amine.
   d) À un phosphate.

NIVEAU 2 : APPLICATION ET ANALYSE

4. HABILETÉS VISUELLES ▶ Visualisez la formule structurale de chacun des hydrocarbures ci-dessous. Lequel porte une liaison double dans sa chaîne carbonée ?
   a) C_3H_8
   b) C_2H_6
   c) C_2H_4
   d) C_2H_2

5. HABILETÉS VISUELLES ▶ Choisissez l'expression qui décrit correctement ces deux molécules de glucide.
   a) Isomères de structure.
   b) Isomères *cis-trans*.
   c) Énantiomères.
   d) Isotopes du carbone.

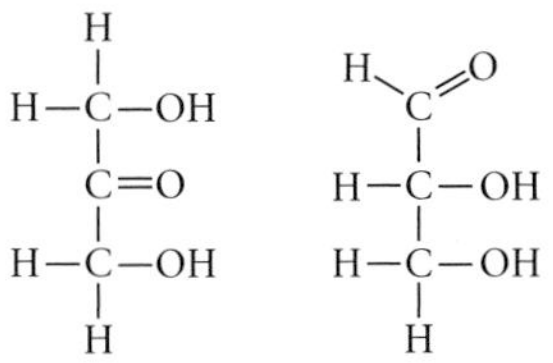

```
   H            H    O
   |             \  //
H—C—OH            C
   |              |
   C=O         H—C—OH
   |              |
H—C—OH         H—C—OH
   |              |
   H              H
```

6. HABILETÉS VISUELLES ▶ Repérez l'atome de carbone asymétrique dans cette molécule.

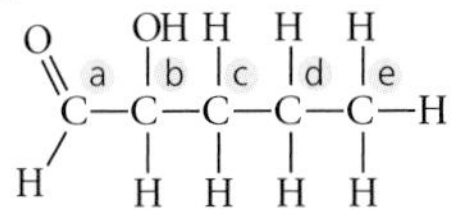

```
O     OH H  H  H
\\  a |b |c |d |e
  C—C—C—C—C—H
 /    |  |  |  |
H     H  H  H  H
```

7. Pour obtenir un groupement carbonyle, on peut :
   a) remplacer le —OH par un hydrogène dans un groupement carboxyle.
   b) ajouter un thiol à un hydroxyle.
   c) ajouter un hydroxyle à un phosphate.
   d) remplacer l'azote par l'oxygène dans une amine.

8. HABILETÉS VISUELLES ▶ Laquelle des deux molécules illustrées à la question 5 possède un carbone asymétrique ? Lequel de ses atomes de carbone est asymétrique ?

NIVEAU 3 : SYNTHÈSE ET ÉVALUATION

9. LIEN AVEC L'ÉVOLUTION

FAITES UN DESSIN ▶ Des scientifiques pensent que si la vie extraterrestre existait, elle pourrait être fondée sur le silicium plutôt que sur le carbone comme sur Terre. Examinez le schéma de la répartition électronique pour le silicium à la figure 2.7 et dessinez son diagramme de Lewis. Quelle propriété de cet élément, partagée avec le carbone, rendrait plus vraisemblable la vie basée sur le silicium plutôt que, disons, sur le néon ou l'aluminium ?

Voir les réponses proposées à l'appendice A.

Structure et fonction des molécules organiques complexes

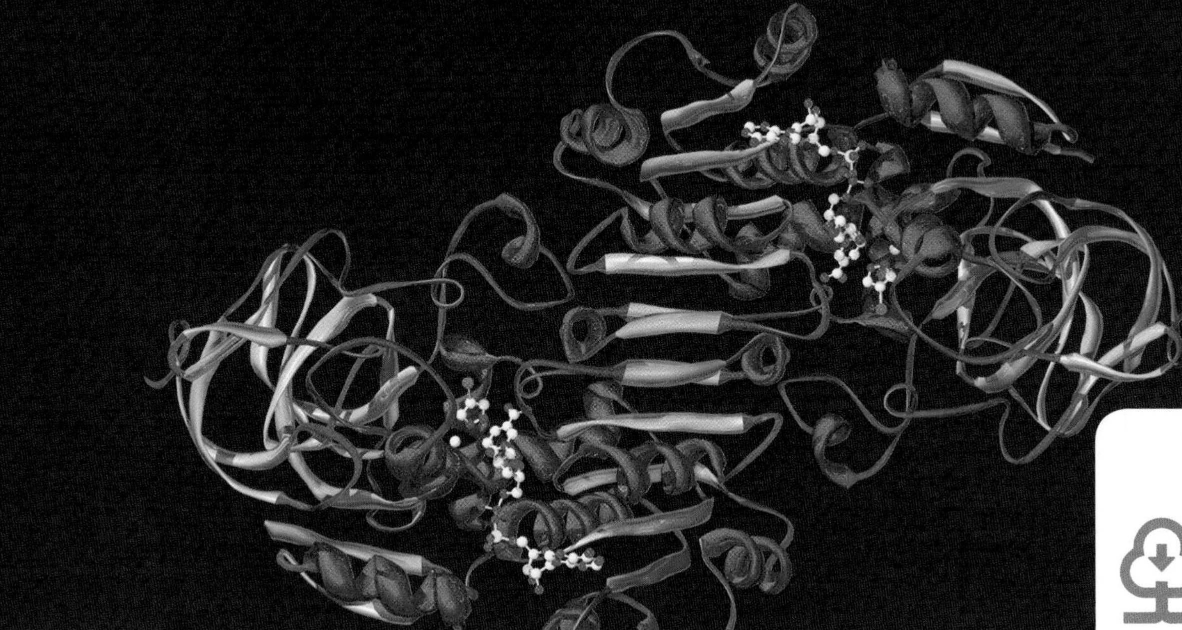

VOS OUTILS INTERACTIFS

Consultez votre MANUEL NUMÉRIQUE, qui vous donne accès aux **animations**, aux **exercices** et à la plateforme d'**anatomie interactive**.

▲ **Figure 5.1 Pourquoi la structure d'une protéine est-elle à ce point importante pour sa fonction ?**

CONCEPTS CLÉS

5.1 Les macromolécules sont des polymères synthétisés à partir de monomères

5.2 Les glucides servent de sources d'énergie et de matériaux de structure

5.3 Les lipides sont des molécules hydrophobes de structures, de propriétés et de fonctions variées

5.4 Les protéines possèdent plusieurs niveaux de structure, ce qui leur confère des fonctions très diversifiées

5.5 Les acides nucléiques emmagasinent et transmettent l'information génétique tout en contribuant à son expression

5.6 La génomique et la protéomique ont transformé la recherche et ses applications en biologie

◄ **La scientifique à l'avant-plan porte des lunettes stéréoscopiques pour visualiser la structure spatiale de la protéine affichée sur son écran.**

Les molécules de la vie

Étant donné la richesse et la complexité de la vie sur Terre, on peut s'étonner que les molécules complexes les plus importantes pour tous les êtres vivants (des bactéries aux éléphants) appartiennent à seulement quatre grandes catégories : les lipides, les glucides, les protéines et les acides nucléiques. Les molécules des trois dernières classes étant particulièrement volumineuses à l'échelle moléculaire, on les qualifie de **macromolécules**. Par exemple, les protéines peuvent comporter des milliers d'atomes et constituer de véritables colosses moléculaires dont la masse peut largement dépasser 100 000 Da (daltons). Les macromolécules sont si grosses et si incroyablement complexes qu'il peut paraître surprenant que les biochimistes aient réussi à déterminer la structure détaillée d'un si grand nombre d'entre elles. La **figure 5.1** montre un modèle moléculaire de l'alcool-déshydrogénase, une protéine qui dégrade l'alcool dans l'organisme.

La fonction d'une macromolécule dépend largement de son architecture. Comme l'eau et les molécules organiques simples, les molécules biologiques complexes présentent des propriétés émergentes uniques que leur confère l'arrangement ordonné de leurs atomes. Dans ce chapitre, nous étudierons d'abord comment sont synthétisées les macromolécules. Puis, nous examinerons la structure et la fonction des molécules organiques complexes appartenant aux quatre classes, les glucides, les lipides, les protéines et les acides nucléiques.

CONCEPT **5.1**

Les macromolécules sont des polymères synthétisés à partir de monomères

Les macromolécules appartenant aux glucides, aux protéines et aux acides nucléiques sont des **polymères** (du grec *polus*, « plusieurs », et *meros*, « partie »). Un polymère est une molécule constituée d'un grand nombre d'unités structurales identiques ou semblables rattachées par des liaisons covalentes, comme un train formé d'une chaîne de wagons. Chacune des petites unités structurales formant un polymère s'appelle **monomère** (du grec *monos*, « un seul »). En plus de former des polymères, certains monomères remplissent une fonction qui leur est propre.

La synthèse et la dégradation des polymères

Chaque classe de polymères est constituée d'un type différent de monomères, mais les mécanismes chimiques par lesquels les cellules synthétisent ou dégradent les macromolécules sont toujours les mêmes. Dans les cellules, ces processus font intervenir des **enzymes**, des macromolécules spécialisées qui accroissent la vitesse des réactions chimiques (**figure 5.2**). La réaction qui entraîne la liaison des monomères est un bon exemple de **réaction de déshydratation** (ou **condensation**), une réaction dans laquelle deux molécules s'associent par une liaison covalente en même temps qu'il se forme une molécule d'eau (**figure 5.2a**). Chaque fois que deux monomères s'unissent, chacun fournit une partie de la molécule d'eau éliminée au cours de la réaction : l'un d'eux perd un groupement hydroxyle (—OH), l'autre, un atome d'hydrogène (—H). Cette réaction de condensation, ou polymérisation, se répète chaque fois qu'un monomère est ajouté à la chaîne et aboutit à la formation du polymère.

Inversement, les polymères se scindent en monomères par hydrolyse, le processus inverse de la réaction de déshydratation (**figure 5.2b**). Le terme **hydrolyse** signifie « briser à l'aide de l'eau » (du grec *hudôr*, « eau », et *lusis*, « briser »). L'addition de molécules d'eau rompt la liaison entre les monomères ; l'atome d'hydrogène provenant de l'eau s'attache à un monomère, tandis que le groupement hydroxyle s'attache au monomère adjacent. Le processus de la digestion constitue un exemple d'hydrolyse. La majeure partie de la matière organique présente dans nos aliments se compose de polymères beaucoup trop volumineux pour entrer dans nos cellules. Dans le tube digestif, diverses enzymes accélèrent l'hydrolyse des polymères. Les monomères ainsi libérés traversent la paroi du tube digestif et passent dans la circulation sanguine, qui les distribue à toutes les cellules de l'organisme. Les cellules peuvent alors faire appel aux réactions de déshydratation pour assembler les monomères en nouveaux polymères différents qui répondent à leurs besoins particuliers. (Les réactions de déshydratation ainsi que l'hydrolyse interviennent aussi dans la formation et la dégradation de molécules qui ne sont pas des polymères, tels certains lipides.)

La diversité des polymères

Chaque cellule d'un organisme contient des milliers de macromolécules différentes, dont un grand nombre varie d'un tissu à l'autre. Les différences héréditaires qui existent entre proches parents (entre frères et sœurs, par exemple) témoignent de légères variations dans les polymères, notamment dans l'ADN et les protéines. Les différences moléculaires sont plus importantes entre les individus sans liens de parenté, et encore plus entre les espèces. La diversité des macromolécules dans le monde vivant est considérable ; son potentiel tend vers l'infini.

▼ **Figure 5.2 La synthèse et la dégradation des polymères.**

(a) Réaction de déshydratation : synthèse d'un polymère

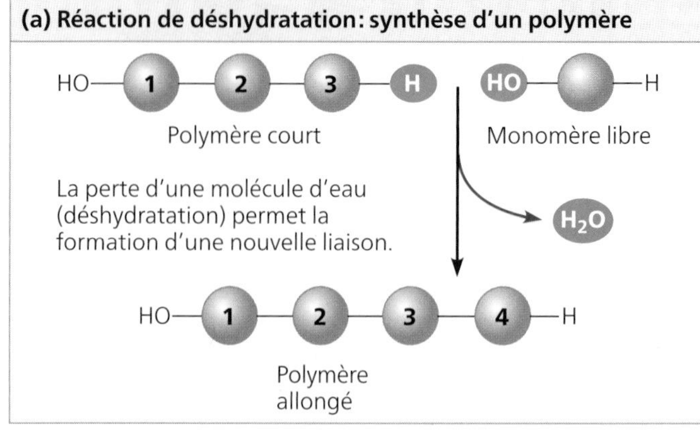
HO—1—2—3—H
HO——H
Polymère court
Monomère libre
La perte d'une molécule d'eau (déshydratation) permet la formation d'une nouvelle liaison.
H_2O
HO—1—2—3—4—H
Polymère allongé

(b) Réaction d'hydrolyse : dégradation d'un polymère

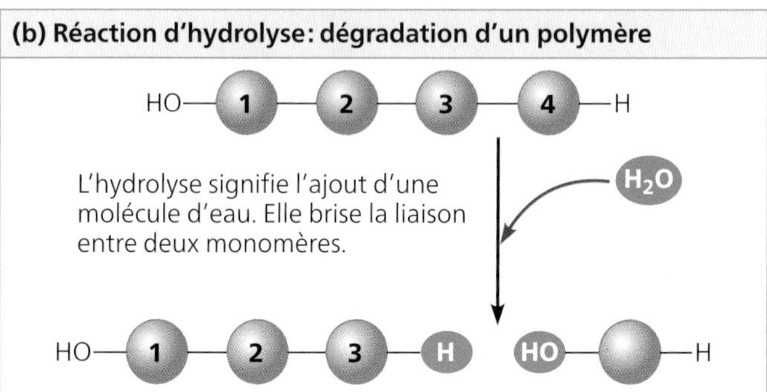
HO—1—2—3—4—H
L'hydrolyse signifie l'ajout d'une molécule d'eau. Elle brise la liaison entre deux monomères.
H_2O
HO—1—2—3—H
HO——H

D'où provient la pluralité des polymères ? Ceux-ci ne s'élaborent qu'à partir de 40 à 50 monomères communs et de quelques autres plus rares. Créer une énorme variété de polymères à partir d'un nombre aussi limité de monomères, c'est comme former des centaines de milliers de phrases différentes à partir des 26 lettres de l'alphabet. Tout réside dans l'arrangement, c'est-à-dire dans la façon particulière de combiner en séquence linéaire les unités structurales de base. Toutefois, l'analogie avec l'écriture ne rend pas bien compte de la grande diversité des macromolécules, car la plupart des polymères biologiques comportent beaucoup plus de monomères que le nombre de mots des phrases les plus longues. Les protéines, par exemple, sont fabriquées à partir de 20 acides aminés différents arrangés en chaînes qui peuvent compter plusieurs centaines d'acides aminés. La vie s'articule autour de cette logique moléculaire simple, mais efficace : de petites molécules communes à tous les organismes sont les unités structurales qui s'agencent en macromolécules distinctes.

Malgré cette immense diversité, il est possible de regrouper les structures moléculaires et les fonctions de façon générale en catégories. Examinons chacune des quatre principales catégories de macromolécules biologiques. Nous allons voir que les molécules complexes de chacune de ces catégories ont des propriétés que leurs monomères ne possèdent pas, une autre manifestation de l'émergence.

RETOUR SUR LE CONCEPT **5.1**

1. Nommez les quatre principales catégories de macromolécules biologiques. Laquelle n'est pas constituée de polymères ?
2. Combien de molécules d'eau faut-il pour hydrolyser complètement un polymère formé de 10 monomères ?
3. ET SI ? ▶ Si vous mangez une portion de poisson, quelles réactions doivent se produire pour convertir les acides aminés (monomères) contenus dans les protéines de poisson en nouvelles protéines de votre organisme ?

Voir les réponses proposées à l'appendice A.

CONCEPT **5.2**

Les glucides servent de sources d'énergie et de matériaux de structure

La classe des **glucides** comprend des glucides simples et des polymères de glucides. Les glucides les plus simples sont les monosaccharides ; ce sont des monomères à partir desquels sont synthétisés les glucides plus complexes. Les disaccharides sont des glucides doubles qui résultent de l'union de deux monosaccharides unis par une liaison covalente. Les glucides comprennent également des macromolécules appelées polysaccharides, c'est-à-dire des polymères formés de nombreux monosaccharides (monomères).

Les monosaccharides et les disaccharides

Les **monosaccharides** (du grec *monos*, « un seul », et *sakkharon*, « sucre ») ont habituellement des formules moléculaires qui sont des multiples de CH_2O. Le glucose ($C_6H_{12}O_6$), le monosaccharide le plus courant, joue un rôle capital dans la chimie des êtres vivants. Il a la structure typique d'un glucide : la molécule possède un groupement carbonyle $>C{=}O$ et de nombreux groupements hydroxyle (—OH) (**figure 5.3**). Selon la position du groupement carbonyle, un monosaccharide est soit un aldose (le carbonyle fait partie de la classe fonctionnelle des aldéhydes), soit un cétose (le carbonyle fait partie des cétones). Par exemple, le glucose est un aldose, alors que le fructose, un isomère du glucose, est un cétose. (La plupart des noms de glucides se terminent en *-ose*.) La longueur des chaînes carbonées est un autre facteur de classification des monosaccharides ; celles-ci sont constituées de trois à sept atomes de carbone. Le glucose, le fructose et les autres monosaccharides qui possèdent six atomes de carbone se nomment hexoses. Les trioses (qui ont trois atomes de carbone) et les pentoses (qui en ont cinq) sont également répandus dans la nature.

L'arrangement spatial autour d'un atome de carbone, parfois asymétrique, contribue à la diversité des monosaccharides, qui forment de nombreux isomères. (Nous avons vu qu'un atome de carbone asymétrique est lié à quatre atomes ou groupes d'atomes différents.) Par exemple, le glucose et le galactose diffèrent seulement par la disposition de leurs groupements hydroxyle autour d'un carbone asymétrique (voir les sections violettes dans la figure 5.3). Cette différence peut sembler minime, mais elle suffit à donner à ces deux monosaccharides une forme et des affinités de liaison distinctes, et donc des comportements différents.

▼ **Figure 5.3 Structure et classification de quelques monosaccharides.** Les monosaccharides se distinguent selon la position de leur groupement carbonyle (orange), la longueur de leur chaîne carbonée et la façon dont leurs parties sont arrangées dans l'espace autour d'un atome de carbone asymétrique (comparez, par exemple, les parties en violet dans le glucose et le galactose).

Aldoses (fonction aldéhyde) Le groupement carbonyle se situe à l'extrémité de la chaîne de carbone.	**Cétoses (fonction cétone)** Le groupement carbonyle se situe à l'intérieur de la chaîne de carbone.
Trioses : glucides à trois atomes de carbone ($C_3H_6O_3$)	
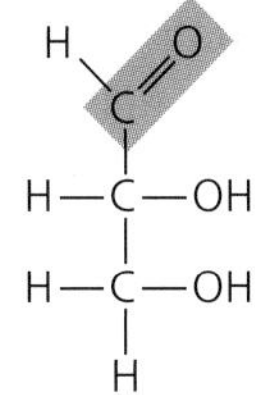 **Glycéraldéhyde** Un produit initial de la dégradation du glucose	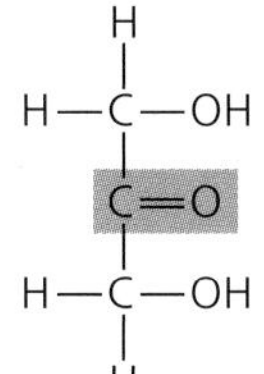 **Dihydroxyacétone** Un produit initial de la dégradation du glucose
Pentoses : glucides à cinq atomes de carbone ($C_5H_{10}O_5$)	
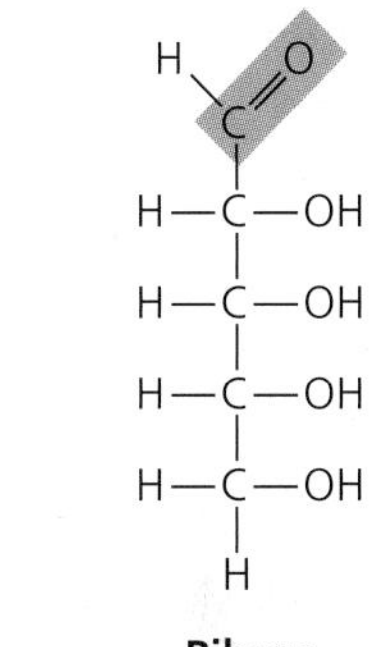 **Ribose** Un composant de l'ARN	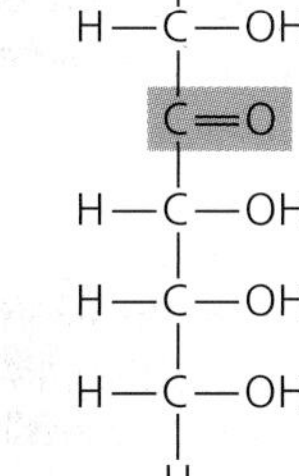 **Ribulose** Un intermédiaire dans la photosynthèse
Hexoses : glucides à six atomes de carbone ($C_6H_{12}O_6$)	
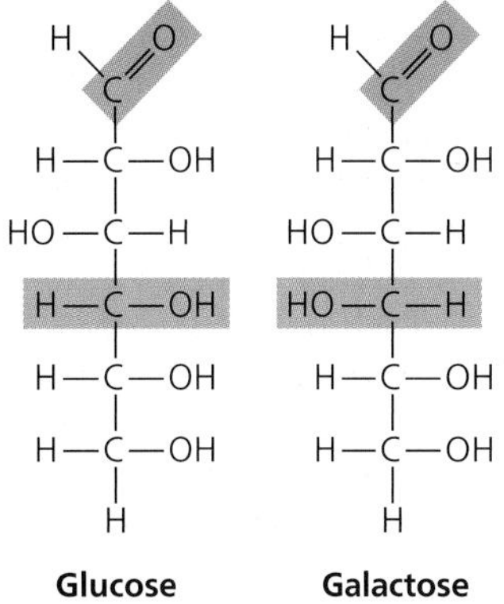 **Glucose** **Galactose** Des sources d'énergie pour les organismes	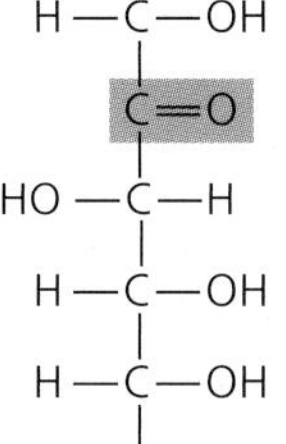 **Fructose** Une source d'énergie pour les organismes

FAITES DES LIENS ▶ Dans les années 1970, on a mis au point un procédé permettant de convertir le glucose contenu dans le sirop de maïs en fructose, un isomère au pouvoir sucrant plus puissant. Le sirop de maïs à haute teneur en fructose, un ingrédient courant dans les boissons gazeuses et les aliments transformés, est un mélange de glucose et de fructose. Quel type d'isomères représentent le glucose et le fructose ? Voir la figure 4.7.

Bien qu'il soit commode de représenter le glucose sous forme de chaîne carbonée linéaire, cette schématisation n'est pas tout à fait exacte. En effet, dans une solution aqueuse, les molécules de glucose se présentent surtout sous une forme cyclique, comme la majorité des autres monosaccharides à cinq ou à six carbones, parce que cette forme est la forme la plus stable de ces monosaccharides dans des conditions physiologiques (**figure 5.4**).

Les monosaccharides sont des nutriments essentiels aux cellules, le glucose en particulier. Au cours des processus appelés respiration cellulaire et fermentation, les cellules récupèrent l'énergie des molécules de glucose en les dégradant dans une série de réactions. Les monosaccharides ne constituent pas seulement une source d'énergie importante pour le travail cellulaire; leur squelette carboné sert également de matière première à la synthèse d'autres petites molécules organiques, comme les acides aminés et les acides gras. Lorsque leur énergie ou leurs atomes de carbone ne sont pas immédiatement utilisés pour le travail cellulaire, ils s'incorporent à titre de monomères à des disaccharides ou à des polysaccharides.

Un **disaccharide** se compose de deux monosaccharides unis par une liaison covalente, ou **liaison glycosidique**, qui se forme lors d'une réaction de déshydratation (le préfixe *glyco* fait référence au glucose). Par exemple, le maltose est un disaccharide formé par la liaison de deux molécules de glucose (**figure 5.5a**). Il est également appelé sucre de malt, et il constitue un ingrédient important dans la fabrication de la bière. Le disaccharide le plus répandu est le saccharose, plus connu sous le nom de sucre granulé. Les deux monomères qui le constituent sont le glucose et le fructose (**figure 5.5b**). C'est sous forme de saccharose que les glucides élaborés dans les feuilles des plantes se rendent jusqu'aux racines et aux autres organes non photosynthétiques. Le glucide présent dans le lait, le lactose, est aussi un disaccharide; celui-ci est formé d'une molécule de glucose liée à une molécule de galactose. Les disaccharides doivent être décomposés en monosaccharides avant de servir de source d'énergie aux organismes. L'intolérance au lactose est courante chez les humains dépourvus de lactase, l'enzyme qui dégrade le lactose. En l'absence de lactase, le lactose est dégradé par les bactéries intestinales, ce qui cause la formation de gaz et provoque des flatuosités et des crampes abdominales. Pour éviter ces désagréments, les personnes intolérantes au lactose peuvent prendre un supplément de lactase au moment de consommer des produits laitiers ou bien ne consommer que des produits laitiers préalablement traités à la lactase.

Les polysaccharides

Les **polysaccharides** sont des macromolécules, soit des polymères composés de quelques centaines à quelques milliers de monosaccharides unis par des liaisons glycosidiques. Certains polysaccharides jouent le rôle de substances de réserve et sont hydrolysés en fonction des besoins de la cellule en monosaccharides. D'autres polysaccharides servent de matière première destinée à l'édification des structures protégeant la cellule ou l'organisme entier. L'architecture et la fonction d'un polysaccharide sont déterminées par la nature de ses monomères et par la position des liaisons glycosidiques.

Les polysaccharides de réserve

Les végétaux et les animaux emmagasinent des monosaccharides sous forme de polysaccharides de réserve pour un usage ultérieur (**figure 5.6**). Les végétaux emmagasinent l'**amidon**, un polymère formé de glucose, sous forme de granules dans des structures cellulaires appelées plastes (les chloroplastes sont un autre type de plastes). En synthétisant l'amidon, les végétaux constituent des réserves de glucose, une source d'énergie cellulaire importante. La cellule végétale peut ultérieurement puiser dans ces réserves en faisant appel à des réactions d'hydrolyse qui rompent les liaisons entre les monomères de glucose. La plupart des animaux, y compris les êtres humains, possèdent également des enzymes hydrolysant l'amidon des nutriments pour libérer du glucose qui servira de nutriment aux cellules. La pomme de terre et les céréales (comme le blé, le maïs, le riz et les autres graminées) sont les principales sources d'amidon du régime alimentaire des humains.

▼ **Figure 5.4 Les représentations linéaire et cyclique du glucose.**

(a) Représentations linéaire et cyclique. L'équilibre chimique entre les structures linéaire et cyclique favorise grandement la formation cyclique (en forme de polygone). Les carbones du monosaccharide sont numérotés de 1 à 6, comme illustré. Lorsque le carbone 1 (en rose) de la chaîne linéaire se lie à l'oxygène (en bleu) attaché au carbone 5, un cycle est formé.

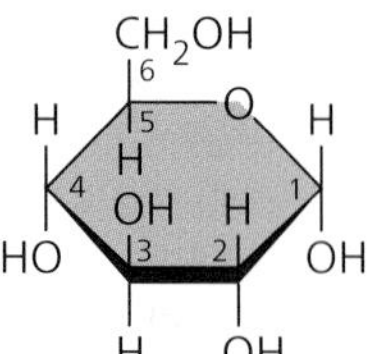

(b) Représentation cyclique abrégée. Chaque sommet (non marqué) représente un atome de carbone. Le côté du cycle qui apparaît en gras est orienté vers vous; ainsi, les composantes attachées à l'anneau se situent au-dessus et au-dessous du plan du cycle.

FAITES UN DESSIN ▶ À partir de la structure linéaire du fructose que vous aurez préalablement tracée (voir la figure 5.3), dessinez la formation du cycle du fructose en procédant en deux étapes, comme on le voit en (a). Commencez par numéroter les atomes de carbone en partant du sommet de la structure linéaire, puis dessinez la molécule selon sa structure cyclique et reliez le carbone 5 par l'intermédiaire de son atome d'oxygène au carbone 2. Comparez le nombre d'atomes de carbone dans les cycles de fructose et de glucose.

▼ Figure 5.5 Exemples de la synthèse de disaccharides.

(a) Synthèse du maltose par une réaction de déshydratation. La combinaison de deux molécules de glucose donne une molécule de maltose. Une liaison glycosidique s'établit entre le carbone 1 d'un glucose et le carbone 4 de l'autre glucose. L'union de ces deux monomères à un autre emplacement aboutirait à la formation d'un disaccharide différent.

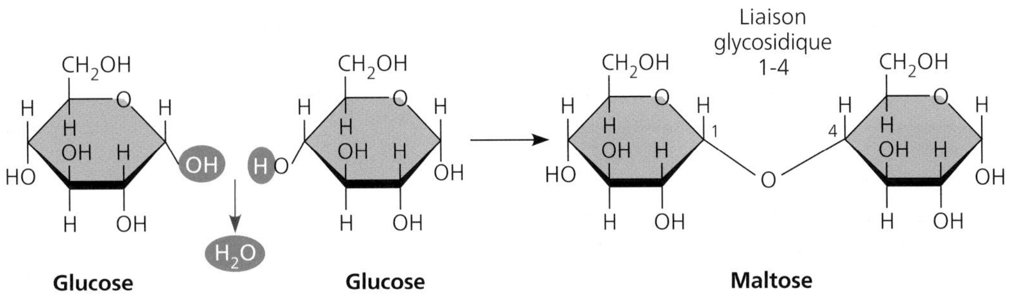

(b) Synthèse du saccharose par une réaction de déshydratation. Le saccharose est un disaccharide formé d'une molécule de glucose et d'une molécule de fructose. Remarquez que le fructose forme un cycle à cinq côtés plutôt qu'à six côtés, bien qu'il soit un hexose comme le glucose.

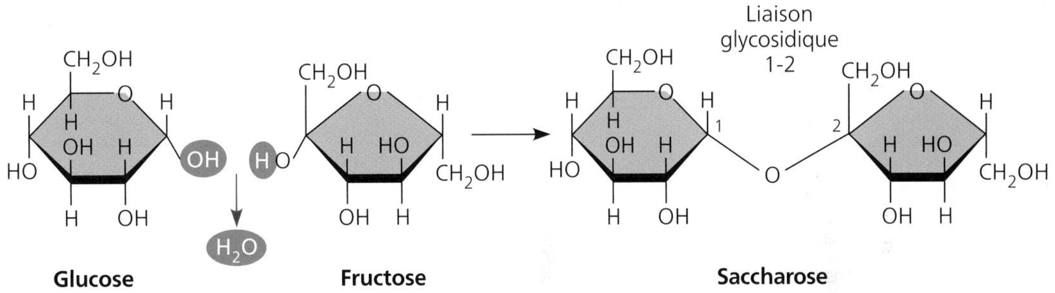

FAITES UN DESSIN ▶ En vous reportant aux figures 5.3 et 5.4, numérotez les carbones sur chaque glucide de la présente figure. En quoi la numérotation concorde-t-elle avec le nom de chaque liaison glycosidique ?

La plupart des monomères de glucose qui composent l'amidon sont unis par des liaisons glycosidiques 1-4 (entre le carbone 1 d'une molécule de glucose et le carbone 4 de la suivante), comme les unités de glucose dans le maltose (voir la figure 5.5a). L'amidon a deux composantes : la plus simple, l'amylose, est constituée d'une chaîne non ramifiée ; la plus complexe, l'amylopectine, est faite d'une chaîne ramifiée comportant des liaisons glycosidiques 1-6 aux embranchements. Ces deux formes d'amidon sont illustrées à la **figure 5.6a**.

Les animaux emmagasinent un polysaccharide appelé **glycogène**, un polymère du glucose semblable à l'amylopectine, mais plus ramifié (**figure 5.6b**) : les ramifications se rencontrent à tous les 30 monomères dans le cas de l'amylopectine et à tous les 10 à 12 monomères dans le cas du glycogène. Les vertébrés emmagasinent du glycogène principalement dans les cellules du foie et dans les muscles. L'hydrolyse de ce polysaccharide libère du glucose dans ces cellules lorsque les besoins en monosaccharides augmentent. La structure abondamment ramifiée du glycogène est ainsi bien adaptée à sa fonction puisqu'elle compte davantage d'extrémités libres pouvant subir l'hydrolyse. Cependant, cette énergie de réserve ne soutient pas un animal bien longtemps. La réserve de glycogène des êtres humains, par exemple, s'épuise en un jour environ si aucun aliment ne vient la réapprovisionner. C'est d'ailleurs un sujet de préoccupation dans les régimes pauvres en glucides, qui peuvent entraîner faiblesse et fatigue.

Les polysaccharides structuraux

Certains organismes fabriquent des matériaux solides à partir de polysaccharides structuraux. Par exemple, le polysaccharide appelé **cellulose** est un constituant important, car il est à l'origine de la grande résistance de la paroi des cellules végétales (**figure 5.6c**). Pris dans leur ensemble, les végétaux de la biosphère produisent environ 10^{14} kg de cellulose par année, soit 100 milliards de tonnes ; il s'agit du composé organique le plus abondant sur la Terre.

Comme l'amidon, la cellulose est un polymère de glucose à liaisons glycosidiques 1-4 ; toutefois, les liaisons glycosidiques de ces deux polymères ne sont pas identiques. En effet, le cycle du glucose existe sous deux formes (**figure 5.7a**) : le groupement hydroxyle lié au carbone 1 peut se situer soit au-dessous, soit au-dessus du plan de l'anneau. Ces deux formes cycliques du glucose se nomment respectivement alpha (α) et bêta (β). Les lettres grecques sont souvent employées pour désigner les différentes variantes de structures biologiques (un peu comme on utilise les lettres *a*, *b*, *c*, etc. pour énumérer les parties d'une question ou d'une figure). Dans l'amidon, tous les monomères de glucose présentent la configuration α (**figure 5.7b**), l'arrangement que nous avons vu aux figures 5.4 et 5.5. Dans la cellulose, par contre, tous les monomères prennent la configuration β, de sorte que chaque monomère de glucose est inversé par rapport aux monomères adjacents (**figure 5.7c** ; voir aussi la figure 5.6c).

Étant donné que les molécules d'amidon et de cellulose ont des liaisons glycosidiques différentes, elles diffèrent aussi par leur structure tridimensionnelle. Certaines molécules d'amidon sont essentiellement hélicoïdales, et c'est là une structure bien adaptée à leur fonction qui consiste à emmagasiner efficacement du glucose. Quant à la molécule de cellulose, elle est droite, jamais ramifiée, et quelques-uns de ses groupements hydroxyle situés sur les monomères de glucose peuvent former des liaisons hydrogène avec des groupements hydroxyle d'autres molécules de cellulose parallèles. Dans la paroi d'une cellule végétale, des

▼ Figure 5.6 Les polysaccharides de réserve des végétaux et des animaux. L'amidon emmagasiné dans les cellules végétales (en **a**), le glycogène emmagasiné dans des cellules musculaires (en **b**) et les fibres de cellulose structurale dans la paroi d'une cellule végétale (en **c**) sont tous des polysaccharides entièrement constitués de monomères de glucose (hexagones verts). Dans l'amidon et le glycogène, l'angle des liaisons entre les molécules de glucose confère aux chaînes polymériques une forme hélicoïdale dans les parties non ramifiées. Il existe deux sortes d'amidon : l'amylose et l'amylopectine. La cellulose, dont les liaisons entre des molécules de glucose sont d'un type différent, n'est jamais ramifiée.

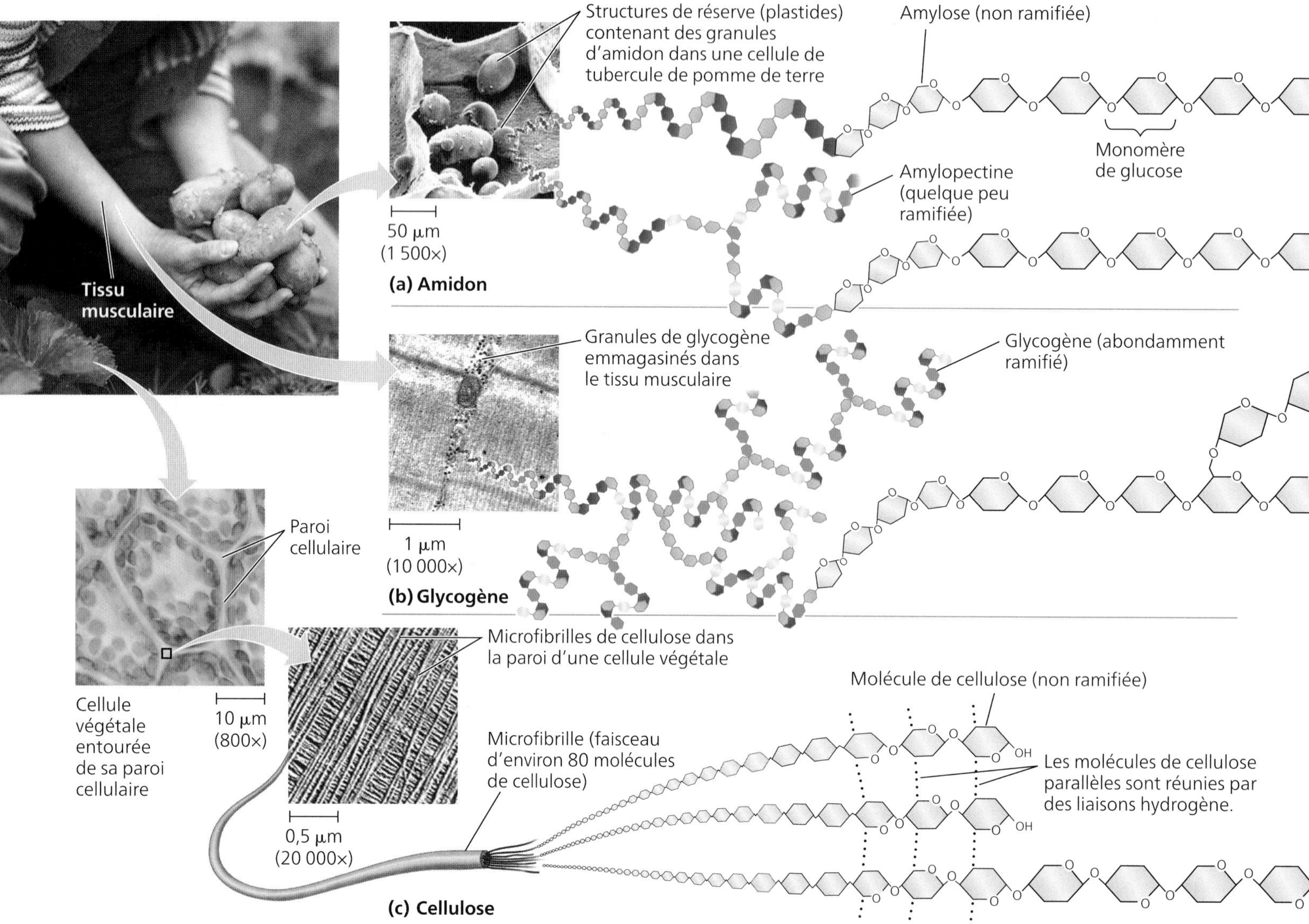

molécules de cellulose parallèles, retenues ensemble de cette façon, s'associent en unités appelées microfibrilles (figure 5.6c). Semblables à des câbles, ces microfibrilles forment un matériau de soutien résistant pour les végétaux qui permet de consolider différentes parties de la plante. Notons que la cellulose est aussi une substance importante pour les êtres humains, car elle est le principal constituant du papier et la seule composante du coton.

Les enzymes qui digèrent l'amidon en hydrolysant les liaisons glycosidiques α sont incapables d'hydrolyser les liaisons glycosidiques β de la cellulose en raison des configurations distinctes de ces deux molécules. En fait, peu d'organismes produisent des enzymes capables d'hydrolyser la cellulose, ce qui est un atout très important compte tenu de la fonction structurale de cette substance. Ni les animaux ni les êtres humains ne peuvent dégrader la cellulose. Celle que contiennent les aliments n'est pas digérée : elle passe tout droit dans le tube digestif et elle est éliminée avec les matières fécales. En érodant les parois du tube digestif, la cellulose stimule la sécrétion de mucus, lequel facilite le passage des aliments. Donc, même si la cellulose ne constitue pas un nutriment pour les humains, elle fait partie de tout régime alimentaire sain. On en trouve en grande quantité dans la plupart des fruits, dans les légumes et dans les céréales. Le terme *fibres insolubles* qui figure sur les emballages des produits alimentaires désigne surtout la cellulose.

Certains microorganismes digèrent la cellulose en la décomposant en monomères de glucose. Par exemple, les premiers compartiments de l'estomac d'une vache abritent une grande variété de microorganismes capables d'assurer la digestion de cette molécule. Dans ces compartiments appelés panse et bonnet, ces microorganismes hydrolysent la cellulose du foin et de l'herbe pour libérer le glucose et le transformer en d'autres composés qui deviennent des nutriments pour la vache. De même, les termites ne peuvent digérer la cellulose provenant du bois dont ils se nourrissent, mais les microorganismes qui colonisent leur intestin

▼ **Figure 5.7** **Les structures de l'amidon et de la cellulose.**

(a) Structures cycliques α et β du glucose. Ces deux formes interchangeables du glucose diffèrent par la position du groupement hydroxyle (en bleu) attaché au carbone 1.

(b) Amidon: liaison glycosidique 1-4 entre les monomères de glucose α. Tous les monomères possèdent la même orientation. Comparez les positions des groupements —OH surlignés en jaune avec ceux de la cellulose (c).

(c) Cellulose: liaison glycosidique 1-4 entre les monomères de glucose β. Dans la cellulose, chaque monomère de glucose β est inversé par rapport aux monomères adjacents. (Remarquez l'alternance des groupements —OH surlignés en jaune.)

peuvent effectuer cette tâche. Certaines moisissures (champignons microscopiques) hydrolysent la cellulose dans le sol et les troncs d'arbres morts; elles accomplissent ainsi une fonction essentielle à la circulation de la matière dans les écosystèmes.

La **chitine** est également un polysaccharide structural important. Les arthropodes, parmi lesquels figurent les insectes, les araignées et les crustacés, synthétisent de la chitine pour construire leur exosquelette (**figure 5.8**). Un exosquelette est une enveloppe rigide qui recouvre les parties molles d'un animal, telle la carapace d'un homard. Composé de chitine enchâssée dans une couche de protéines, l'exosquelette est d'abord flexible et semblable à du cuir, mais il durcit lorsque ces protéines se lient chimiquement les unes aux autres (comme chez les insectes) ou lorsqu'il est imprégné de carbonate de calcium (comme chez les crabes). On trouve également de la chitine chez les champignons (eumycètes), où ce polysaccharide remplace la cellulose comme matériau de construction de leur paroi cellulaire. Avec ses liaisons β, la chitine ressemble à la cellulose, sauf pour ce qui est de son monomère de glucose, qui possède une chaîne latérale contenant de l'azote (voir la figure 5.8, en haut à droite).

▼ **Figure 5.8** **La chitine, un polysaccharide structural.**

► **Structure d'un monomère de chitine.**

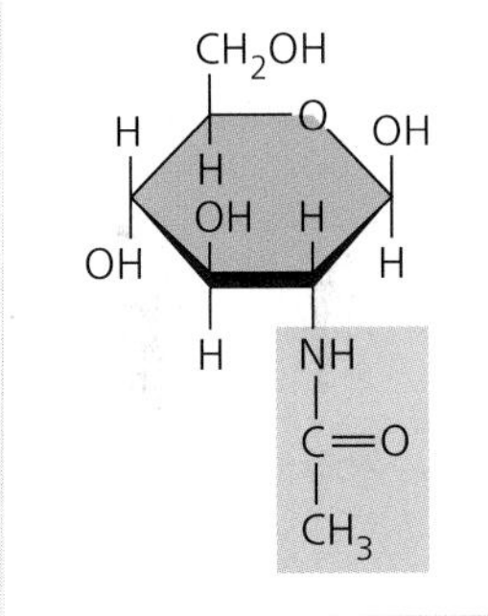

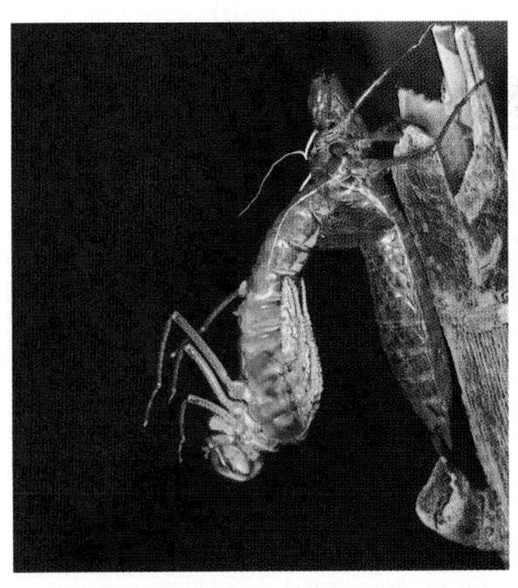

◄ **L'exosquelette des arthropodes est constitué de chitine enchâssée dans des protéines.** Cet anax empereur (*Anax imperator*) est en train de muer: la libellule se dépouille de son vieil exosquelette pour apparaître dans sa forme adulte.

RETOUR SUR LE CONCEPT **5.2**

1. Écrivez la formule d'un monosaccharide à trois carbones.
2. Une réaction de déshydratation unit deux molécules de glucose pour former le maltose. Si la formule du glucose est $C_6H_{12}O_6$, quelle est celle du maltose?
3. **ET SI?** ► Après avoir traité une vache par des antibiotiques pour une infection, un vétérinaire lui fait prendre un breuvage contenant diverses espèces microbiennes intestinales. Pourquoi ce traitement est-il nécessaire?

Voir les réponses proposées à l'appendice A.

CONCEPT **5.3**

Les lipides sont des molécules hydrophobes de structures, de propriétés et de fonctions variées

La classe des lipides est formée de molécules biologiques plus ou moins complexes qui ne sont pas de vrais polymères et ne sont pas assez grosses pour être considérées comme des macromolécules. Les **lipides** sont des composés regroupés en fonction d'une caractéristique commune importante: ils ne se mélangent pas, sinon très peu, avec l'eau. Leur comportement hydrophobe repose sur leur structure moléculaire. Bien qu'ils contiennent quelques liaisons polaires associées à l'oxygène, ils sont en majeure partie constitués d'hydrocarbures, donc de chaînes carbonées non polaires. Ils forment un groupe très hétérogène, dont les éléments varient par leur structure et leur fonction. Les lipides comprennent notamment les cires (qui imperméabilisent les feuilles des plantes) ainsi que certains pigments végétaux ou animaux, mais nous ne nous attarderons ici que sur les familles les plus importantes: les triglycérides, les phospholipides (phosphoglycérolipides) et les stéroïdes.

Les triglycérides

Les triglycérides sont de grosses molécules construites à partir de molécules plus petites qui s'associent par des réactions de déshydratation, comme celles décrites pour la polymérisation des monomères à la figure 5.2a. Un *triglycéride* se compose de deux types de molécules: glycérol et acides gras (**figure 5.9a**). Le glycérol est un alcool à trois atomes de carbone, qui portent chacun un groupement hydroxyle. Chaque **acide gras** possède une longue chaîne d'hydrocarbures qui compte habituellement de 16 à 18 atomes de carbone. À l'une des extrémités de cette chaîne se trouve un groupement carboxyle, le groupement fonctionnel qui confère à cette molécule le nom d'*acide gras*. Le reste de la molécule est constitué d'une chaîne d'hydrocarbures dont les liaisons C—H sont relativement non polaires, ce qui explique le caractère hydrophobe des triglycérides. Ces chaînes ne se dissolvent pas dans l'eau, parce que les molécules d'eau établissent des liaisons hydrogène entre elles, repoussant ainsi les triglycérides. C'est la raison pour laquelle, dans une vinaigrette, l'huile végétale (un triglycéride liquide à la température ambiante) se sépare de la solution aqueuse de vinaigre.

Un triglycéride se forme lorsque trois molécules d'acides gras s'unissent par des liaisons ester avec une molécule commune de glycérol. (Une liaison ester est une liaison résultant d'une réaction de déshydratation entre un groupement hydroxyle et un groupement carboxyle.) Le triglycéride produit est aussi appelé **triacylglycérol**. On trouve souvent le terme *triglycéride* dans la liste des ingrédients figurant sur les emballages alimentaires. Dans une molécule de triglycéride, les acides gras peuvent être identiques ou ils peuvent être différents, comme dans la **figure 5.9b**.

En nutrition, on utilise souvent les expressions *gras saturés* et *gras insaturés* (**figure 5.10**). Celles-ci font référence à la structure de la chaîne hydrocarbonée des acides gras. S'il n'y a pas de liaisons doubles entre des atomes du squelette carboné, un maximum d'atomes d'hydrogène est lié à l'acide gras. Une telle structure est dite *saturée* d'hydrogène et forme ainsi un **acide gras saturé** (**figure 5.10a**). Par contre, un **acide gras insaturé** renferme une ou plusieurs liaisons doubles. Il y a un atome d'hydrogène en moins sur chaque carbone engagé dans une telle liaison; on parlera alors d'acide gras *mono-insaturé* (une seule liaison double) ou *polyinsaturé* (deux liaisons doubles ou plus). Presque toutes les liaisons doubles dans les acides gras d'origine naturelle prennent une configuration *cis*, ce qui crée un angle dans la chaîne d'hydrocarbures partout où elles s'établissent (**figure 5.10b**). (Voir la figure 4.7b pour vous rappeler les notions de liaisons doubles *cis* et *trans*.)

Un triglycéride composé d'acides gras saturés est dit saturé. C'est le cas de la plupart des triglycérides animaux: leurs chaînes carbonées (les «queues» des molécules de triglycéride) ne portent aucune liaison double, et leur flexibilité permet aux molécules de triglycérides de s'agglomérer fermement. C'est pourquoi les triglycérides animaux saturés, comme le saindoux et le beurre, sont solides à la température ambiante; on leur donne communément le nom de graisses. Par contre, les triglycérides végétaux (extraits des graines des plantes) et ceux des poissons sont généralement insaturés: ils comportent un ou plusieurs types d'acides gras insaturés. Ils sont habituellement liquides à la température ambiante, et on les appelle huiles (on dit, par exemple, huile d'olive et huile de foie de morue). Dans une huile, les liaisons doubles *cis* forment des angles prononcés qui empêchent les molécules de s'agglomérer pour former un solide à la température ambiante. L'expression «huile végétale hydrogénée», souvent mentionnée sur les étiquettes des aliments, signifie que des triglycérides insaturés ont été convertis en triglycérides plus ou moins saturés par l'addition d'hydrogène grâce à un procédé industriel, ce qui leur permet de rester solides à plus haute température. Le beurre d'arachide, la margarine et de nombreux autres produits sont hydrogénés pour empêcher les lipides de se séparer et de se liquéfier.

Un régime alimentaire riche en triglycérides saturés est un des facteurs qui contribuent à l'apparition de l'athérosclérose, une maladie cardiovasculaire. Dans cette affection, des dépôts appelés athéromes se forment sur les parois des vaisseaux

▼ **Figure 5.9 La synthèse et la structure d'un triglycéride, ou triacylglycérol.** Le triglycéride se compose d'une molécule de glycérol et de trois molécules d'acides gras. **(a)** Il y a libération d'une molécule d'eau chaque fois qu'un acide gras se lie au glycérol. **(b)** Cette molécule de triglycéride possède trois acides gras, dont deux sont identiques. Les atomes de carbone des chaînes d'acides gras sont disposés en zigzag, ce qui indique les orientations réelles des quatre liaisons simples qui émergent de chacun d'eux (voir les figures 4.3a et 4.6b).

H_2O

Acide gras
(dans le cas présent, l'acide palmitique ou hexadécanoïque)

Glycérol

(a) Une des trois réactions de déshydratation dans la synthèse d'un triglycéride

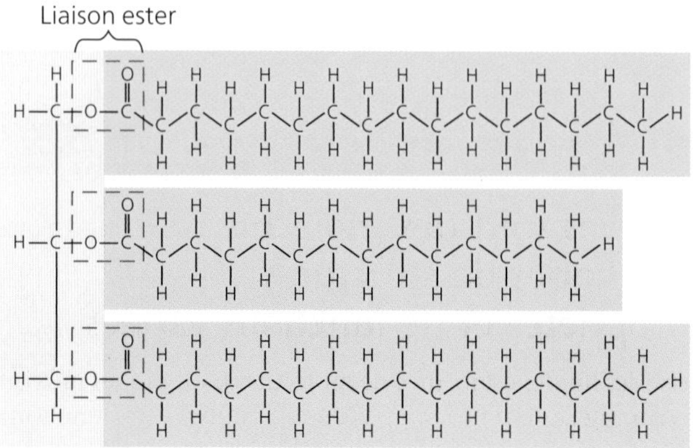

(b) Molécule de triglycéride (triacylglycérol)

▼ Figure 5.10 Les triglycérides et les acides gras saturés et insaturés.

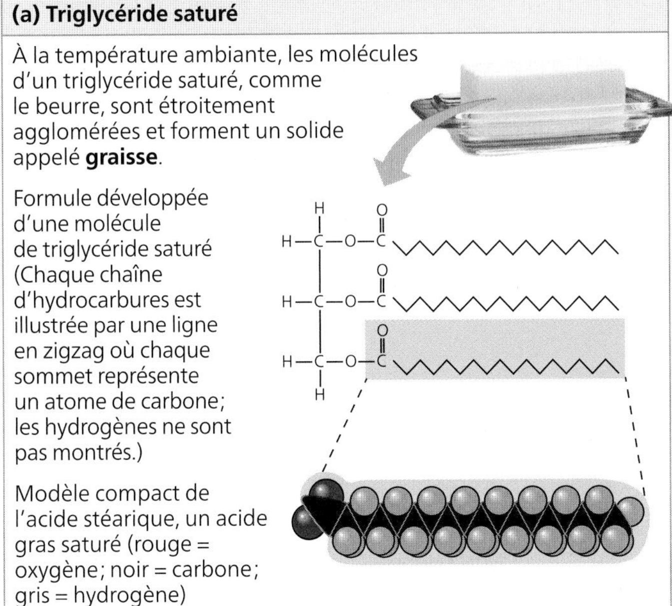

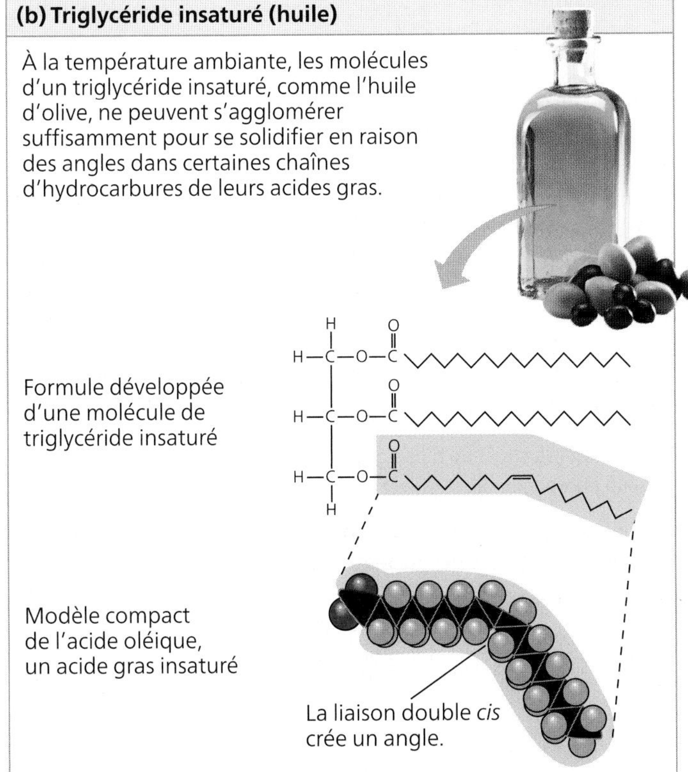

sanguins, créant des saillies internes qui entravent la circulation et réduisent l'élasticité des vaisseaux. L'hydrogénation des triglycérides végétaux produit non seulement des gras saturés, mais aussi des gras insaturés comportant des liaisons doubles *trans*, liaisons rares dans les acides gras naturels (voir la figure 4.7b). Il s'avère que les **gras *trans*** peuvent contribuer à la maladie coronarienne (voir le concept 42.4). Santé Canada limite la teneur totale en acides gras *trans* à 2 % de la teneur totale en graisses pour les huiles végétales et les margarines molles et tartinables, et à 5 % de la teneur totale en graisses pour tous les autres aliments, y compris ceux vendus dans les restaurants. Quelques pays, dont le Danemark et la Suisse, ont déjà banni l'utilisation des gras *trans* dans les aliments.

(b) Triglycéride insaturé (huile)
À la température ambiante, les molécules d'un triglycéride insaturé, comme l'huile d'olive, ne peuvent s'agglomérer suffisamment pour se solidifier en raison des angles dans certaines chaînes d'hydrocarbures de leurs acides gras.
Formule développée d'une molécule de triglycéride insaturé
Modèle compact de l'acide oléique, un acide gras insaturé
La liaison double *cis* crée un angle.

La fonction principale des triglycérides consiste à emmagasiner de l'énergie. Les hydrocarbures qu'ils contiennent ressemblent aux molécules d'essence et sont aussi riches en énergie. Un gramme de triglycéride emmagasine plus de deux fois la quantité d'énergie contenue dans un gramme de polysaccharide comme l'amidon. En raison de leur relative immobilité, les végétaux peuvent très bien fonctionner avec des réserves énergétiques volumineuses sous forme d'amidon. Les triglycérides végétaux proviennent généralement des graines, dont les réserves moins volumineuses constituent un atout pour la plante sur le plan de la reproduction. Les animaux, par contre, doivent transporter leur bagage d'énergie avec eux, de sorte qu'il est avantageux pour eux d'avoir une réserve d'énergie plus compacte : les triglycérides solides. Les humains et les autres mammifères accumulent leurs réserves d'énergie à long terme dans leurs cellules adipeuses (voir la figure 4.6a), qui s'emplissent ou se vident selon que le triglycéride y est emmagasiné ou en est retiré. Le tissu adipeux sert aussi d'amortisseur protégeant les organes vitaux (les reins, par exemple). Le tissu adipeux sous-cutané assure également une isolation thermique; il est particulièrement épais chez les baleines, les phoques et la plupart des autres mammifères marins, afin de les protéger des eaux froides de la mer.

Les phospholipides

Les **phospholipides** (phosphoglycérolipides)* sont un autre type de lipides est essentiel à l'existence des cellules telles que nous les connaissons. En effet, ils composent les membranes cellulaires dans une large proportion. Leur structure présente un exemple classique de la relation entre structure et fonction. Comme le montre la **figure 5.11**, un phospholipide ressemble aux triglycérides, mais il ne possède que deux acides gras au lieu de trois. En effet, le troisième groupement hydroxyle du glycérol est lié à un groupement phosphate porteur de charges négatives. Des molécules additionnelles, habituellement chargées ou polaires, peuvent se lier à ce groupement phosphate pour former divers phosphoglycérolipides (telle que la choline) ou des sphingolipides (lorsque le phosphate est lié à une sphingosine). La grande variété des molécules ou groupements liés au phosphate porté par le glycérol permet la formation de phospholipides diversifiés qui confèrent aux membranes des propriétés importantes, comme nous le verrons plus loin.

Les deux extrémités des phospholipides manifestent un comportement différent à l'égard de l'eau. Les queues hydrocarbonées sont hydrophobes et sont isolées de l'eau. Par contre, le groupement phosphate et les molécules qui s'y rattachent forment une tête hydrophile, qui a une affinité pour l'eau. Dans l'eau, les phospholipides s'agglomèrent pour former des structures en doubles couches, nommées « bicouches », qui cachent leurs queues d'acides gras hydrophobes (figure 5.11d).

Les phospholipides à la surface d'une cellule sont disposés de telle sorte qu'ils constituent une bicouche. Leurs queues, hydrophobes, se font face et pointent vers l'intérieur de la membrane, ce qui leur permet de s'éloigner de l'eau, alors que leurs têtes, hydrophiles, se trouvent complètement à l'opposé et sont en

* Les phospholipides membranaires englobent notamment les phosphoglycérolipides et les sphingomyélines, qui exercent des fonctions différentes.

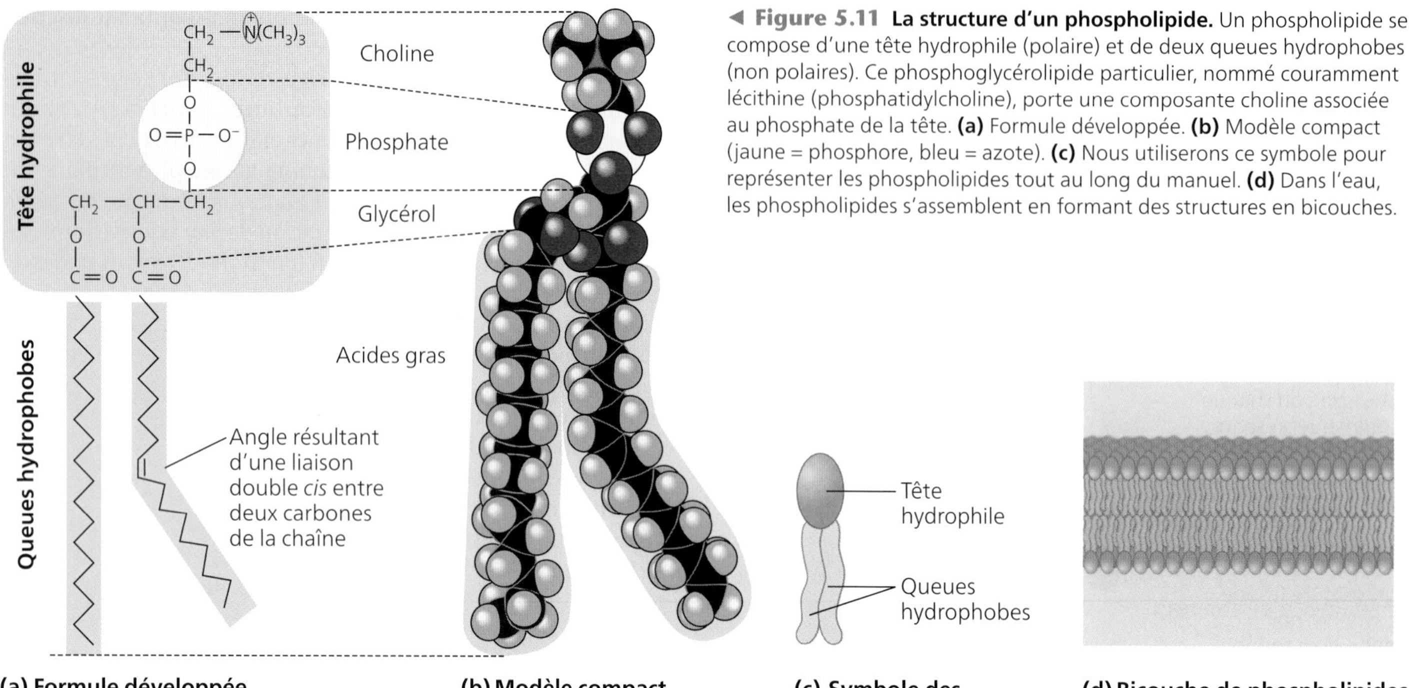

◄ **Figure 5.11 La structure d'un phospholipide.** Un phospholipide se compose d'une tête hydrophile (polaire) et de deux queues hydrophobes (non polaires). Ce phosphoglycérolipide particulier, nommé couramment lécithine (phosphatidylcholine), porte une composante choline associée au phosphate de la tête. **(a)** Formule développée. **(b)** Modèle compact (jaune = phosphore, bleu = azote). **(c)** Nous utiliserons ce symbole pour représenter les phospholipides tout au long du manuel. **(d)** Dans l'eau, les phospholipides s'assemblent en formant des structures en bicouches.

FAITES UN DESSIN ► Tracez un ovale autour de la tête hydrophile du modèle compact.

contact avec les solutions aqueuses de part et d'autre de la membrane cellulaire. La bicouche de phospholipides forme une frontière entre la cellule et son environnement externe; en fait, les cellules ne pourraient pas exister sans les phospholipides.

Les stéroïdes

Les **stéroïdes** sont classés parmi les lipides en raison de leur faible affinité pour l'eau et non à cause de leur structure; ces molécules se différencient des graisses et des huiles par leur squelette carboné formé de quatre cycles accolés. Différents stéroïdes se distinguent par les groupements fonctionnels particuliers attachés à l'ensemble des cycles. Le **cholestérol**, un type de stéroïde, est une molécule essentielle aux animaux (**figure 5.12**). Présent dans les membranes cellulaires animales, le cholestérol constitue également le précurseur d'autres stéroïdes, comme les hormones sexuelles des vertébrés. Chez les vertébrés, une partie du cholestérol est synthétisée dans le foie et l'autre provient du régime alimentaire. Un taux sanguin élevé de cette molécule peut causer de l'athérosclérose, mais certains chercheurs s'interrogent sur le rôle réel du cholestérol et des gras saturés dans l'apparition de cette affection.

▼ **Figure 5.12 Le cholestérol: un stéroïde.** Le cholestérol est le précurseur d'autres stéroïdes, comme les hormones sexuelles. Les stéroïdes diffèrent par les groupements chimiques qui se fixent à leurs quatre cycles accolés (illustrés en doré).

H_3C CH_3 CH_3 CH_3 CH_3 HO

FAITES DES LIENS ► Comparez le cholestérol avec les hormones sexuelles illustrées au concept 4.3. Encerclez les groupements chimiques communs au cholestérol et à l'estradiol; tracez un carré autour des groupements chimiques communs au cholestérol et à la testostérone.

RETOUR SUR LE CONCEPT 5.3

1. Comparez la structure d'une graisse (triglycéride) avec celle d'un phospholipide.
2. Pourquoi les hormones sexuelles des êtres humains sont-elles considérées comme des lipides ?
3. **ET SI ? ►** Supposons qu'une membrane entoure une gouttelette d'huile, comme c'est le cas dans les cellules des graines de végétaux et dans certaines cellules animales. Décrivez et expliquez la forme qu'elle pourrait prendre.

Voir les réponses proposées à l'appendice A.

CONCEPT 5.4

Les protéines possèdent plusieurs niveaux de structure, ce qui leur confère des fonctions très diversifiées

Chez les êtres vivants, la quasi-totalité des fonctions dynamiques dépend des protéines. En fait, le terme *protéines* exprime en lui-même l'importance de ces molécules; il vient du grec *prôtos*, qui signifie «premier», «essentiel». Les protéines représentent plus de 50% de la masse sèche de la plupart des cellules et interviennent dans presque toutes les activités cellulaires. Certaines accélèrent la vitesse des réactions chimiques, alors que d'autres jouent un rôle de défense, emmagasinent et transportent des substances, interviennent dans les communications cellulaires, permettent de produire le mouvement et soutiennent les tissus. La **figure 5.13** montre des exemples de protéines qui possèdent ces fonctions; vous en apprendrez davantage à ce sujet dans des chapitres subséquents.

Sans les enzymes, qui sont pour la plupart des protéines, la vie serait impossible. Les enzymes constituent la classe de protéines la plus importante. Elles régulent le métabolisme en agissant comme **catalyseurs**, c'est-à-dire comme des agents

▼ **Figure 5.13 Résumé des fonctions des protéines.**

Protéines enzymatiques

Fonction: Accélération sélective de la vitesse des réactions chimiques

Exemple: Les enzymes digestives catalysent l'hydrolyse des liaisons dans les aliments.

Enzyme

Protéines de défense

Fonction: Protection contre la maladie

Exemple: Les anticorps inactivent et aident à détruire les virus et les bactéries.

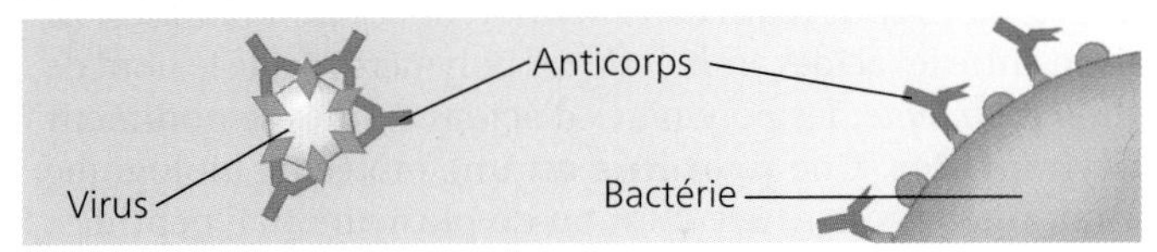

Protéines d'entreposage

Fonction: Mise en réserve d'acides aminés

Exemples: La caséine, une protéine du lait, constitue la principale source d'acides aminés des petits des mammifères avant leur sevrage. Les végétaux emmagasinent des protéines dans les graines. L'ovalbumine est la protéine du blanc d'œuf; elle est employée comme source d'acides aminés par l'embryon de l'oiseau en développement.

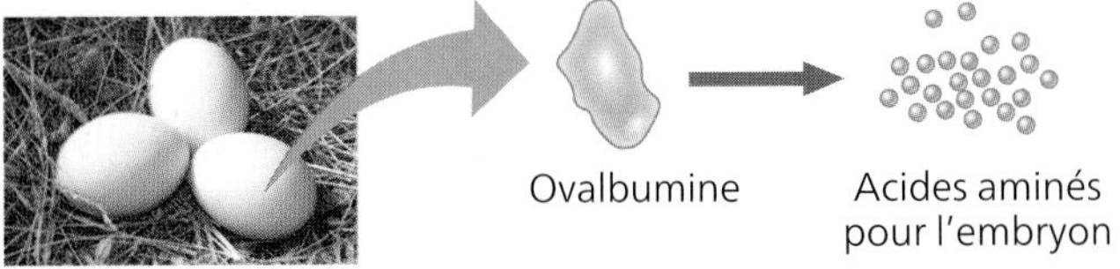

Protéines de transport

Fonction: Transport de substances

Exemples: Chez les vertébrés, l'hémoglobine, une protéine sanguine contenant du fer, transporte l'oxygène des poumons vers les différentes parties de l'organisme. D'autres protéines de transport font passer des molécules à travers la membrane cellulaire, comme illustré ci-dessous.

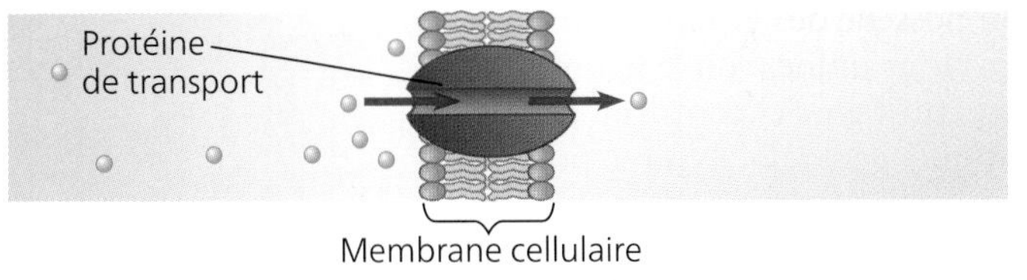

Protéines hormonales

Fonction: Coordination des activités d'un organisme

Exemple: L'insuline, une hormone sécrétée par le pancréas, provoque l'absorption de glucose par d'autres tissus, contribuant ainsi à la régulation de la concentration de glucose dans le sang (glycémie).

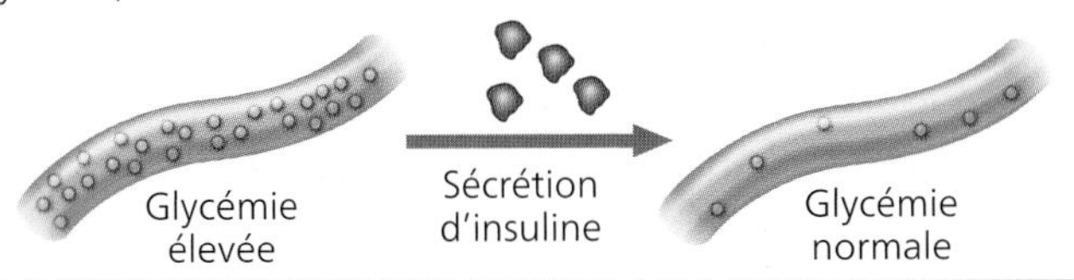

Protéines réceptrices

Fonction: Réaction des cellules à des stimulus chimiques

Exemple: Les protéines réceptrices intégrées à la membrane d'une cellule nerveuse détectent les molécules messagères émises par d'autres cellules nerveuses.

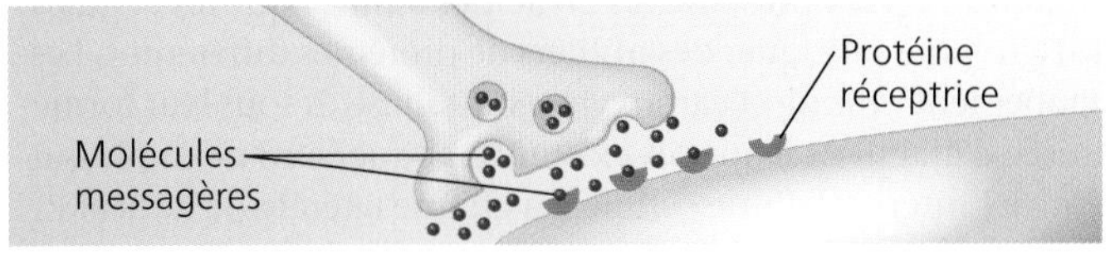

Protéines contractiles et motrices

Fonction: Mouvement

Exemples: Les protéines motrices permettent de faire onduler les cils et les flagelles propulsant de nombreuses cellules. L'actine et la myosine sont des protéines servant à la contraction des muscles.

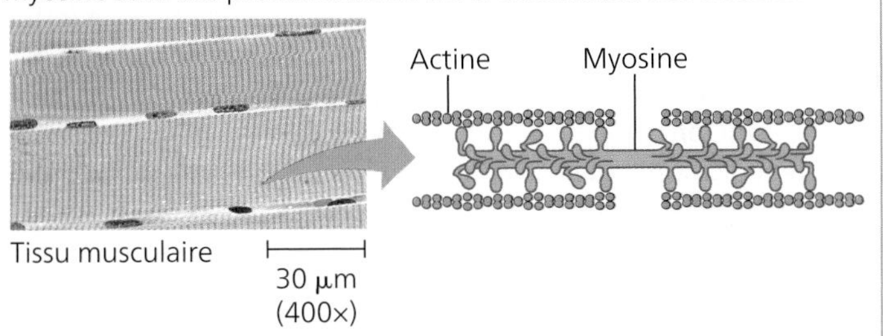

Protéines structurales

Fonction: Soutien

Exemples: La kératine est la protéine des cheveux, des cornes, des plumes, des griffes, des écailles, etc. Certains insectes et la plupart des araignées utilisent des fibres de soie pour construire leur cocon et leur toile. Le collagène et l'élastine composent la structure fibreuse des tissus conjonctifs des animaux.

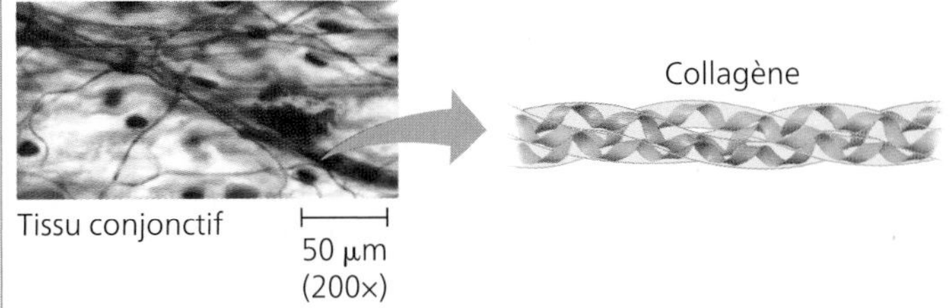

chimiques qui accélèrent la vitesse des réactions tout en restant inchangés. Comme les enzymes peuvent remplir continuellement leur fonction, on les considère comme le moteur qui permet aux cellules d'effectuer les processus de la vie.

L'être humain possède des dizaines de milliers de protéines différentes, chacune ayant une structure et une fonction spécifiques; en fait, sur le plan de la structure, les protéines sont les molécules les plus complexes que l'on connaisse. Tout comme leurs fonctions, leurs structures varient considérablement: chaque type de protéine possède une forme tridimensionnelle unique.

Toutes les protéines sont élaborées à partir du même ensemble de 20 acides aminés en proportions variables et leurs acides aminés sont reliés dans des polymères non ramifiés. La liaison entre les acides aminés de ces polymères porte le nom de *liaison peptidique*; les polymères d'acides aminés se nomment **polypeptides**. Une **protéine** est une molécule biologique fonctionnelle constituée d'un ou de plusieurs polypeptides, chacun étant replié et enroulé dans une structure tridimensionnelle spécifique.

Les monomères d'acides aminés

Tous les acides aminés partagent une structure commune. Un **acide aminé** est une molécule organique qui possède des groupements carboxyle et amine (voir la figure 4.9). La petite figure ci-contre montre sa formule générale. Excepté pour la glycine, un acide aminé comporte en son centre un atome de carbone asymétrique, nommé *carbone alpha* (α). Sur cet atome se fixent quatre atomes ou groupes d'atomes différents: un groupement amine, un groupement carboxyle, un atome d'hydrogène et un radical variable symbolisé par la lettre R. Celui-ci est également appelé chaîne latérale et il varie d'un acide aminé à l'autre.

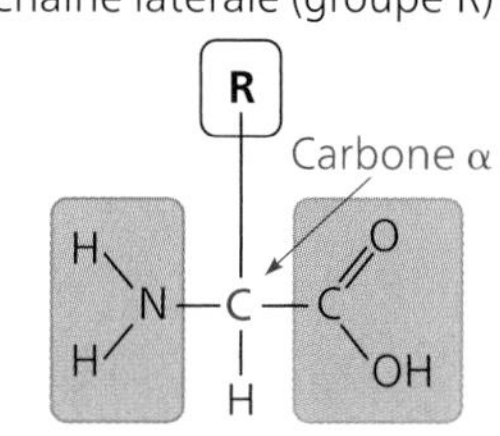

La **figure 5.14** présente les 20 acides aminés que les cellules utilisent pour fabriquer des milliers de protéines différentes. Les groupements amine et carboxyle y sont illustrés sous leur forme ionisée, l'état dans lequel ils existent habituellement au pH qui règne à l'intérieur d'une cellule. La chaîne latérale (le radical R) peut aussi bien être un simple atome d'hydrogène, comme dans la glycine, qu'une chaîne carbonée portant divers groupements fonctionnels, comme dans la glutamine.

Les propriétés physiques et chimiques de la chaîne latérale déterminent les caractéristiques particulières d'un acide aminé, influant ainsi sur son rôle dans un polypeptide. La figure 5.14 classe les acides aminés selon les propriétés de leur chaîne latérale. Le premier groupe est constitué de ceux qui portent une chaîne latérale non polaire et hydrophobe. Le deuxième groupe réunit ceux qui ont une chaîne latérale polaire, donc hydrophile. Dans le troisième groupe figurent les acides aminés dits acides et ceux dits basiques. Les premiers, qui sont les deux seuls acides aminés dont l'appellation débute par le mot «acide», portent une chaîne latérale ayant un groupement carboxyle qui a tendance (quoique plus faiblement que celui du carbone α) à se dissocier (en s'ionisant) dans un milieu intracellulaire, qui a un pH de 7 environ; en conséquence, la charge de la chaîne est généralement négative. Les deuxièmes (les acides aminés basiques) ont une chaîne latérale de charge généralement positive, un atome d'azote ayant accepté un proton. (*Remarque: Tous* les acides aminés possèdent des groupements carboxyle et amine; les termes *acide* et *basique* font ici uniquement référence à la nature des chaînes latérales.) Les chaînes latérales acides et basiques sont hydrophiles en raison de leur caractère ionique.

Les polypeptides (polymères d'acides aminés)

Maintenant que nous avons passé en revue les acides aminés, voyons comment ils se lient pour former des polymères (**figure 5.15**). Lorsque deux acides aminés sont placés de telle sorte que le groupement carboxyle de l'un se trouve à côté du groupement amine de l'autre, une réaction de déshydratation peut provoquer leur union avec perte d'une molécule d'eau. Une liaison covalente appelée **liaison peptidique** s'établit ainsi entre eux. Lorsque cette réaction se répète un certain nombre de fois, il se forme un polypeptide: il s'agit d'un polymère constitué de nombreux acides aminés unis par des liaisons peptidiques. Au concept 17.4, vous en apprendrez davantage sur la façon dont les cellules synthétisent des polypeptides.

La structure répétitive des atomes, encadrée de violet dans la figure 5.15, se nomme *chaîne polypeptidique*. Cette dernière porte les différentes chaînes latérales (radicaux R) des acides aminés. La longueur d'une chaîne polypeptidique va de quelques-uns à plus de 1 000 monomères. Chaque polypeptide spécifique possède une séquence linéaire unique d'acides aminés. Notez qu'à une extrémité (à gauche par convention) se trouve un groupement amine libre (côté N-terminal du polypeptide), alors qu'à l'autre extrémité figure un groupement carboxyle libre (côté C-terminal). Le type et la séquence de ces chaînes déterminent la façon dont un polypeptide se repliera et définissent la molécule dans son ensemble, donc la forme finale qu'elle prendra ainsi que les caractéristiques chimiques qu'elle possédera. L'immense diversité des polypeptides présents dans la nature provient de la capacité des cellules à utiliser un nombre limité d'acides aminés et à les assembler en polymères selon une variété étonnante de séquences, comme nous le verrons dans la section suivante.

Structure et fonction d'une protéine

Les activités spécifiques des protéines découlent de leur architecture tridimensionnelle complexe, dont le niveau le plus simple est la séquence des acides aminés. Que peut nous apprendre la séquence des acides aminés d'un polypeptide sur la structure tridimensionnelle (désignée couramment par le simple terme «structure») d'une protéine et sur sa fonction? Le terme *polypeptide* n'est pas synonyme de *protéine*. Même dans le cas d'une protéine composée d'un seul polypeptide, la relation entre ces termes est analogue à celle qui existe entre un long fil de laine et un chandail de forme et de taille particulières que l'on peut tricoter avec le fil. Une protéine fonctionnelle n'est pas *seulement* une chaîne polypeptidique, mais un ou plusieurs polypeptides entortillés, pliés et enroulés de façon à créer une molécule de forme unique, qu'on peut représenter au moyen de divers types de modèles (**figure 5.16**). C'est la séquence des acides aminés de chaque polypeptide qui détermine la structure tridimensionnelle que la protéine prendra dans des conditions cellulaires normales.

▼ Figure 5.14 Les 20 acides aminés qui servent à la synthèse des protéines. Les acides aminés sont regroupés ici en fonction des propriétés de leur chaîne latérale (radical R), et illustrés dans leur forme ionisée dominante au pH intracellulaire de 7,2. Vous trouverez entre parenthèses leur abréviation en trois lettres suivie de leur symbole en une lettre. Tous les acides aminés qui participent à la synthèse des protéines se présentent sous la forme L de leurs isomères optiques, ce qui constitue encore une énigme pour les biologistes (voir la figure 4.7c).

Chaînes latérales non polaires: hydrophobes

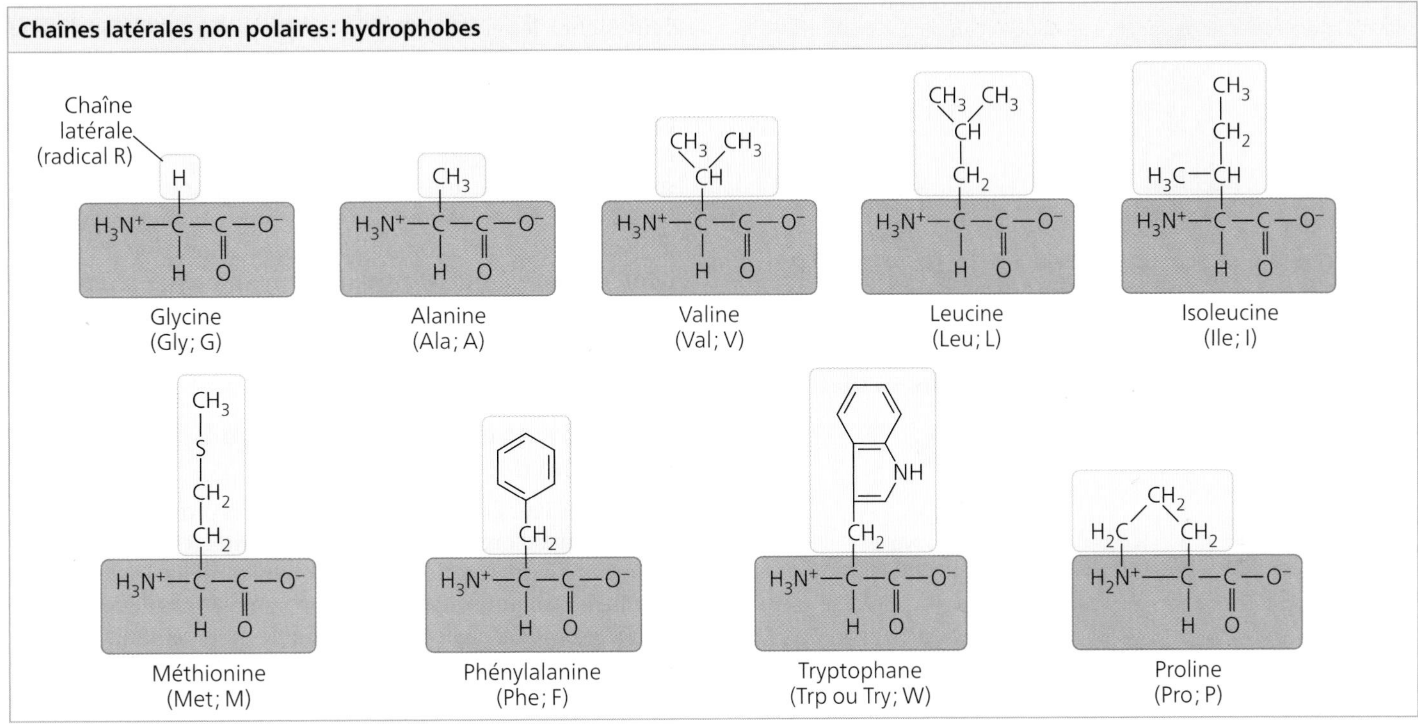

Chaînes latérales polaires: hydrophiles

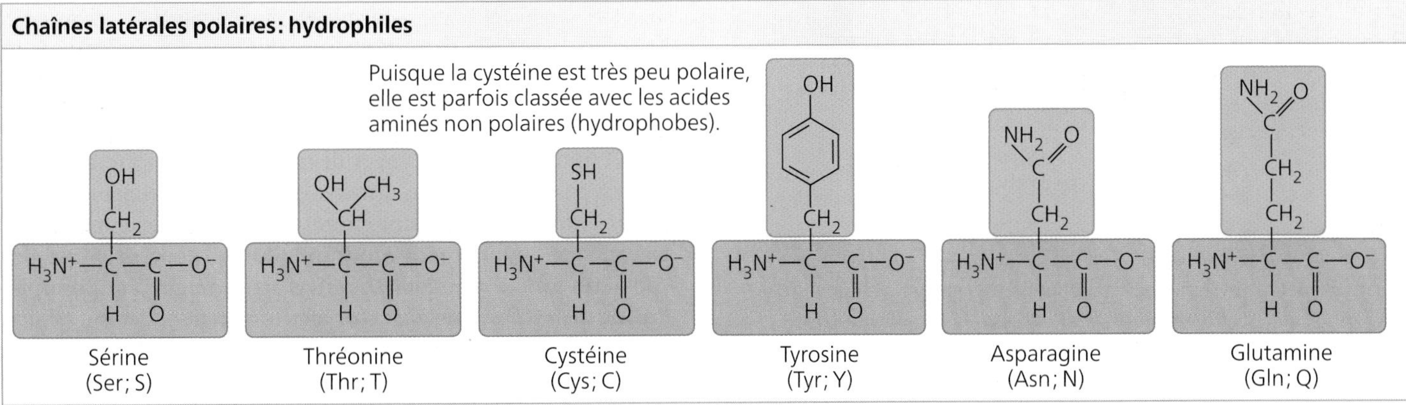

Chaînes latérales ionisées: hydrophiles

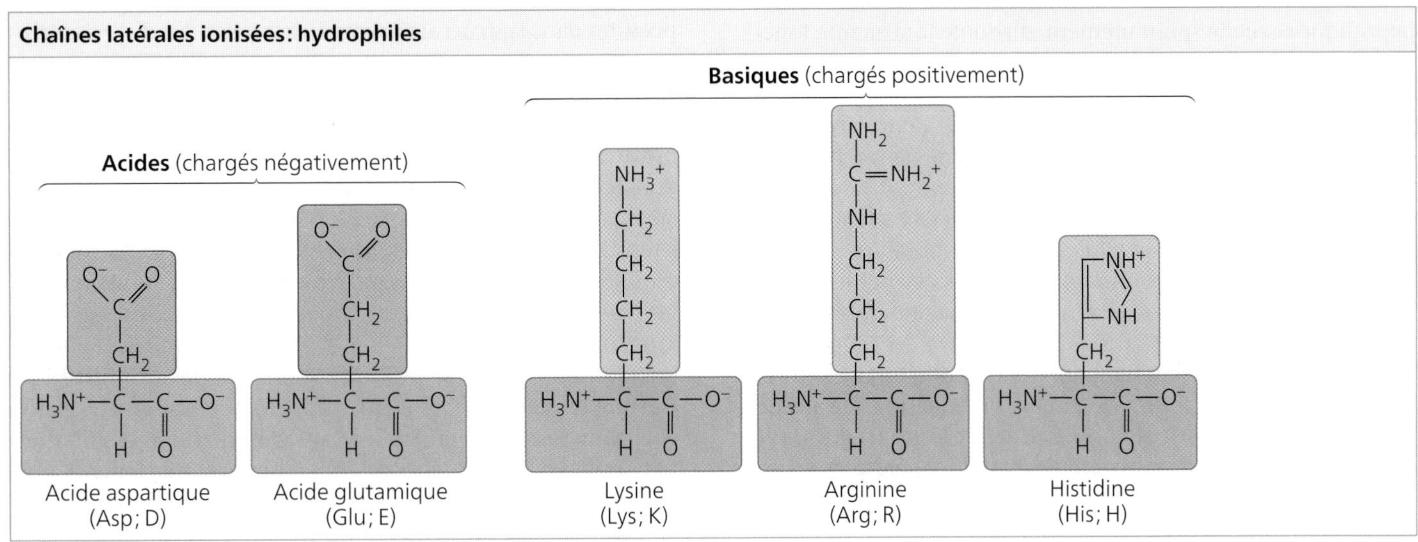

▼ Figure 5.15 La formation d'une chaîne polypeptidique. La liaison peptidique formée au cours d'une réaction de déshydratation unit le groupement carboxyle d'un acide aminé au groupement amine d'un autre acide aminé. Les liaisons peptidiques s'établissent une à une, en commençant par l'acide aminé de l'extrémité amine (N-terminale). Le polypeptide possède une structure répétitive (en violet) à laquelle les chaînes latérales des acides aminés (en jaune et en vert) sont attachées.

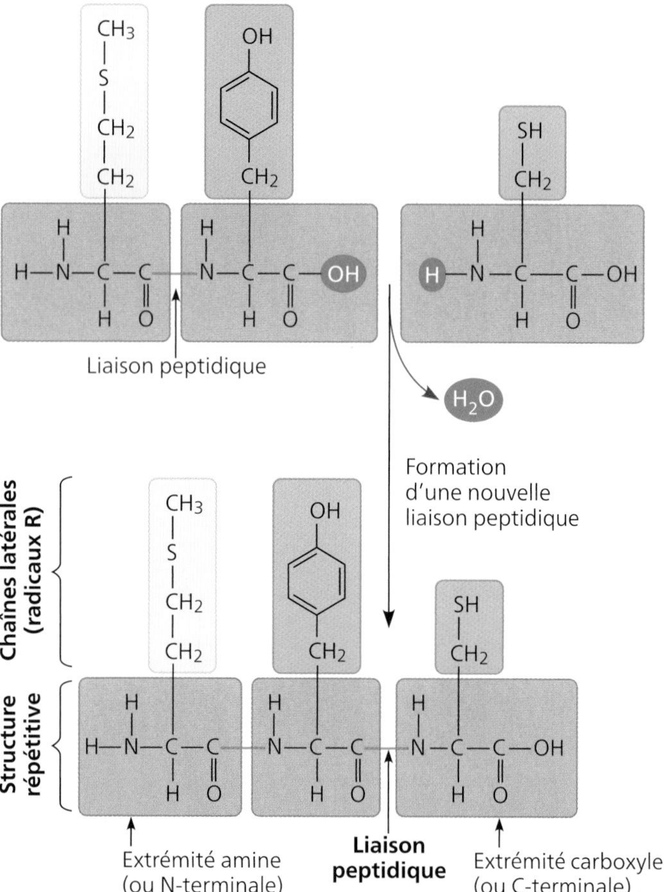

FAITES UN DESSIN ▶ Écrivez les trois acides aminés du haut de la figure à l'aide des abréviations en trois lettres et des symboles en une lettre. Ensuite, encerclez et désignez les groupements carboxyle et amine qui vont former la nouvelle liaison peptidique.

Lorsqu'une cellule synthétise un polypeptide, la chaîne polypeptidique se replie spontanément et adopte la structure fonctionnelle convenant à la protéine. Ce processus est assuré et renforcé par les différentes liaisons chimiques s'établissant entre les parties de la chaîne et dépendant de la séquence des acides aminés. De nombreuses protéines sont grossièrement sphériques (*protéines globulaires*), tandis que d'autres prennent la forme de longues fibres (*protéines fibreuses*). À l'intérieur de ces deux vastes catégories, les variations possibles sont innombrables.

La fonction d'une protéine dépend de sa structure particulière et, dans presque tous les cas, de sa capacité à reconnaître une autre molécule et à se lier à elle. La **figure 5.17** illustre un exemple particulièrement frappant de la relation étroite entre la forme et la fonction : elle révèle en effet l'adéquation parfaite de la forme entre un anticorps (une protéine intervenant dans l'organisme) et une substance étrangère particulière du virus de la grippe. L'anticorps s'y attache et enclenche le processus qui conduira à sa destruction. Au concept 2.3, vous avez vu un autre exemple de molécules particulières, les endorphines, dont les formes sont adaptées aux fonctions qu'elles exercent. La molécule d'endorphine (produite par le corps) et la molécule de morphine (un médicament) se lient aussi bien l'une que l'autre à des protéines réceptrices spécifiques à la surface des cellules nerveuses chez les êtres humains, ce qui provoque l'euphorie et apaise la douleur. La morphine, l'héroïne et d'autres opiacés peuvent imiter les endorphines parce que ces drogues ont une forme semblable, ce qui leur permet de s'ajuster et de se fixer aux récepteurs spécifiques des endorphines. Ce processus est très spécifique, comme une clé qui est adaptée à une serrure (voir la figure 2.16). Le récepteur de l'endorphine, comme les autres molécules réceptrices, est une protéine. La fonction d'une protéine (par exemple, la capacité d'une protéine réceptrice à reconnaître une molécule messagère analgésique particulière et à s'y lier) résulte d'une organisation moléculaire précise. Il s'agit d'une autre manifestation de l'émergence.

Les quatre niveaux de l'organisation structurale des protéines

En dépit de leur grande diversité, toutes les protéines partagent trois niveaux d'organisation structurale intégrés : un niveau primaire, un niveau secondaire et un niveau tertiaire. Un quatrième niveau, la structure quaternaire, apparaît quand une protéine se compose de deux ou de plusieurs chaînes polypeptidiques. Dans les deux pages suivantes, la **figure 5.18** décrit ces quatre niveaux d'organisation structurale des protéines. Étudiez bien cette figure avant de passer à la section suivante.

L'anémie à hématies falciformes : une modification de la structure primaire

La plupart du temps, le remplacement de plusieurs acides aminés à l'intérieur d'un polypeptide n'affecte pas sa fonction, mais ce n'est pas toujours le cas. Il arrive qu'un petit changement dans la structure primaire d'une protéine entraîne des effets désastreux : si le changement modifie la forme de la protéine, ses capacités fonctionnelles risquent d'être altérées. Par exemple, l'**anémie à hématies falciformes** (ou drépanocytose) est une maladie sanguine héréditaire causée par la substitution d'un seul acide aminé (l'acide glutamique, qui est assez fortement hydrophile) par un autre (la valine, qui est très hydrophobe), à la sixième position dans la structure primaire de la chaîne β de l'hémoglobine normale. L'hémoglobine est la protéine des globules rouges (ou hématies, érythrocytes) qui transporte la molécule d'oxygène (O_2). Les globules rouges normaux ont la forme d'un disque biconcave (un peu à l'image d'une chambre à air bien gonflée) dont le centre est occupé par une fine membrane. Dans l'anémie à hématies falciformes, l'hémoglobine anormale, moins soluble, a tendance à s'agréger en chaînes lorsque la concentration d'O_2 est faible, ce qui entraîne une déformation caractéristique des globules rouges (**figure 5.19**), qui ressemblent alors à des croissants ou à des faucilles (d'où le qualificatif de falciforme). Des crises douloureuses se produisent chez la personne atteinte lorsque les cellules falciformes s'agglomèrent dans les petits vaisseaux sanguins, obstruant par le fait même la circulation. Les ravages de la maladie constituent un exemple remarquable de l'effet dévastateur que peut entraîner un simple changement dans la structure primaire sur la fonction d'une protéine.

COUP D'ŒIL ▼ Figure 5.16 Les protéines

On peut représenter les protéines selon différents modèles, selon ce qu'on veut mettre en évidence.

Modèles structuraux

À partir des données des études réalisées sur la structure des protéines, on peut générer divers modèles par ordinateur. Chaque modèle fait ressortir un aspect différent de la structure de la protéine, mais aucun ne montre à quoi elle ressemble réellement. Les trois modèles ci-contre représentent le lysozyme, une protéine présente dans les larmes et la salive, et qui aide à prévenir l'infection en se liant avec certaines molécules cibles des bactéries.

? Quel modèle permet de suivre le plus facilement la chaîne du polypeptide?

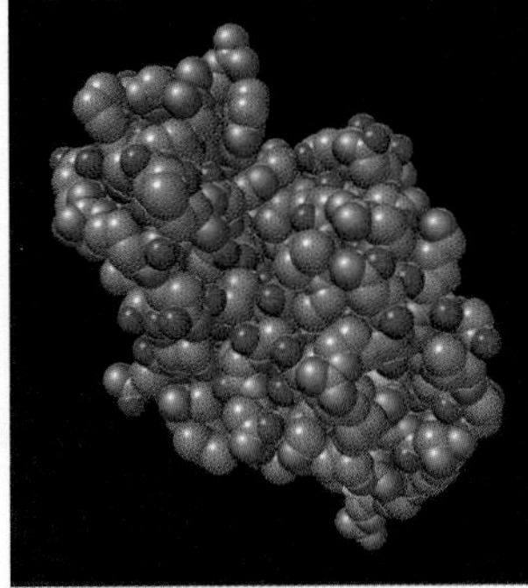

Modèle compact. Mise en évidence de tous les atomes de la protéine (sauf l'hydrogène) et de sa forme globulaire. Les atomes sont présentés selon un code de couleurs: gris = carbone; rouge = oxygène; bleu = azote et jaune = soufre.

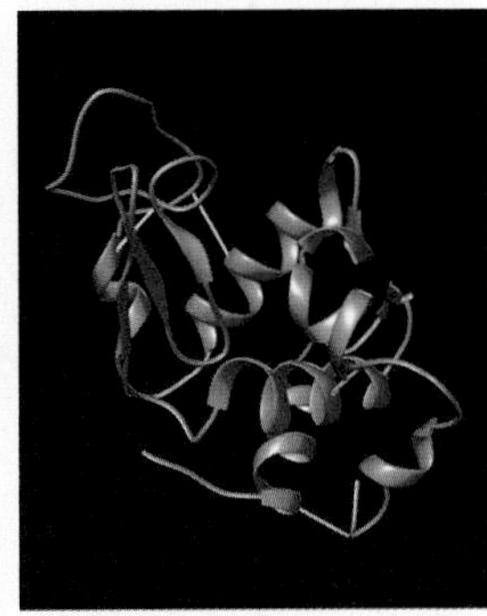

Modèle en ruban. Représentation de la chaîne polypeptidique, de son repliement et de son enroulement. On obtient une forme tridimensionnelle, ici stabilisée par des liaisons intramoléculaires (traits jaunes).

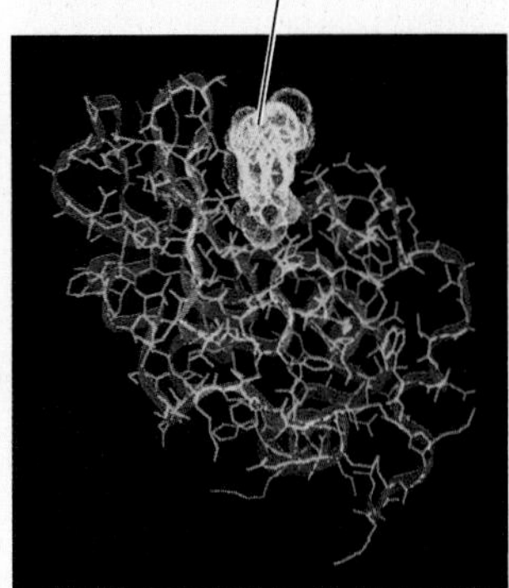

Modèle fil de fer (en bleu). Représentation de la chaîne polypeptidique et des chaînes latérales (radicaux R) sur le pourtour (voir la figure 5.15). Un modèle en ruban (en violet) est superposé au modèle fil de fer.

Schémas simplifiés

Il n'est pas toujours nécessaire de recourir à un modèle détaillé produit par ordinateur. Lorsqu'une figure veut illustrer la fonction d'une protéine, et non sa structure, un schéma simplifié peut suffire.

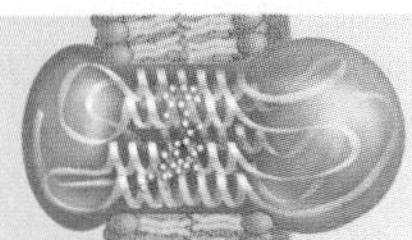

Dans ce schéma de la protéine rhodopsine, on a dessiné une forme simple et transparente par-dessus un modèle en ruban afin de montrer la forme globale de la molécule ainsi que quelques détails internes.

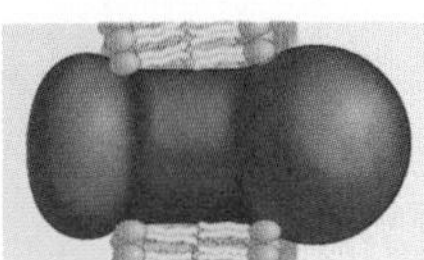

Lorsqu'il n'est pas nécessaire de détailler la structure, on peut représenter une protéine à l'aide d'une simple forme pleine.

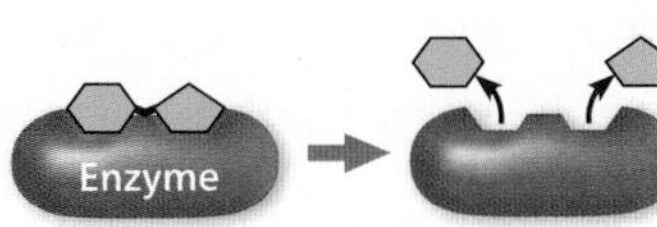

Ici, on a utilisé une forme simple pour représenter une enzyme non spécifique, car le but du schéma est de montrer l'action générale de l'enzyme.

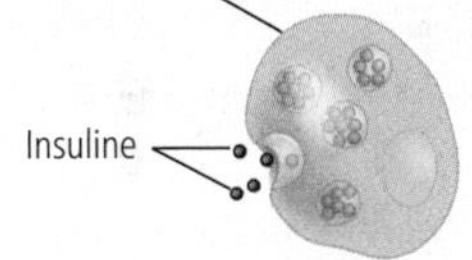

Parfois, c'est un simple point qui représente une protéine, comme ici pour l'insuline.

? Dans le schéma ci-dessus, pourquoi n'est-il pas nécessaire de montrer la véritable forme de l'insuline?

? En vous inspirant des modèles moléculaires au haut de cette figure, dessinez un modèle simple de lysozyme qui montre sa forme générale.

▶ **Figure 5.17 La complémentarité de forme entre les surfaces de deux protéines.** Une technique appelée cristallographie par diffraction des rayons X a été utilisée pour générer un modèle informatique d'une protéine d'anticorps (en bleu et en orange, à gauche) liée à la protéine d'un virus de la grippe (en jaune et en vert, à droite). Il s'agit d'un modèle fil de fer modifié par l'ajout d'une «carte de densité électronique» dans la région où les deux protéines se rencontrent. À l'aide d'un logiciel, les images ont été écartées l'une de l'autre, révélant ainsi la parfaite complémentarité de forme entre les deux surfaces des protéines.

HABILETÉS VISUELLES ▶ Que révèlent ces deux modèles informatiques au sujet des deux protéines qu'ils représentent?

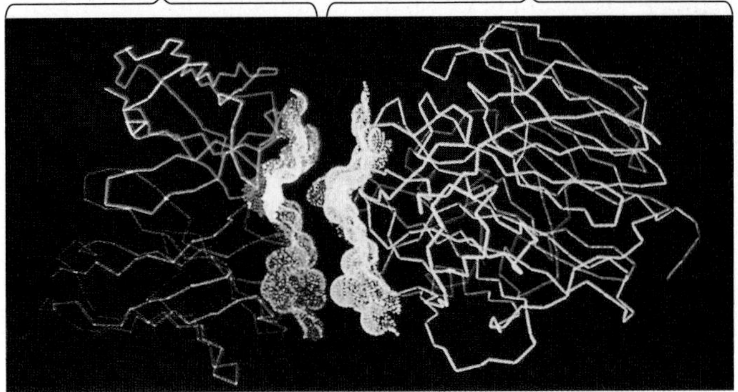

▼ Figure 5.18

PANORAMA Les niveaux de l'organisation structurale des protéines

Structure primaire

Chaîne linéaire d'acides aminés

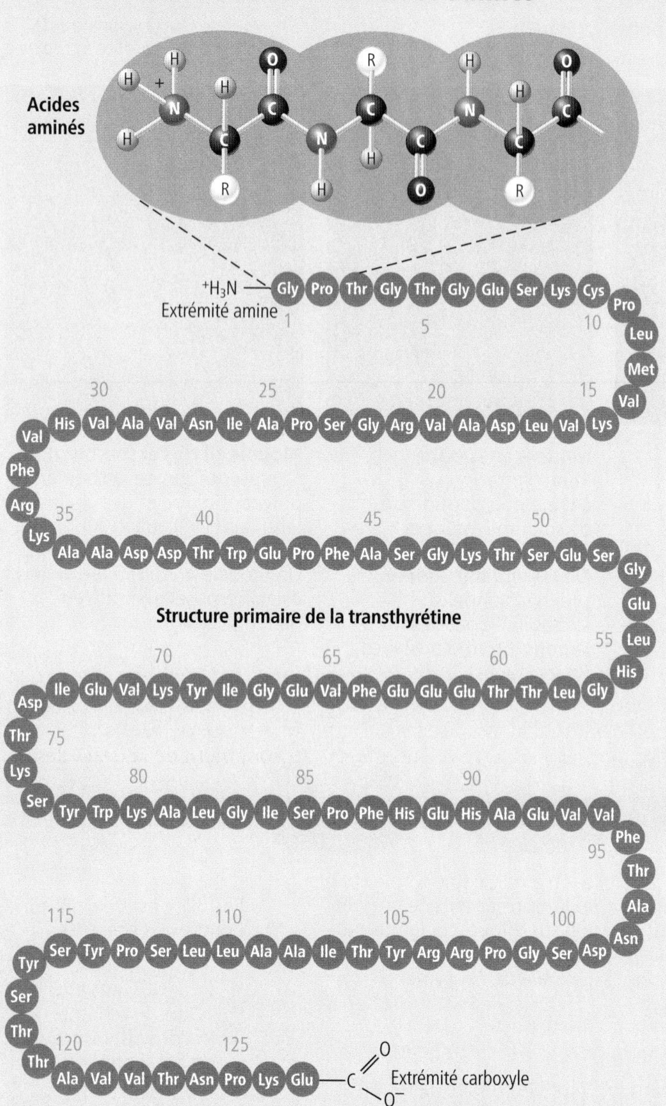

La **structure primaire** d'une protéine correspond à sa séquence d'acides aminés. À titre d'exemple, examinons la transthyrétine, une protéine sanguine globulaire assurant le transport dans l'organisme de la vitamine A et d'une hormone thyroïdienne. La transthyrétine est constituée de quatre chaînes polypeptidiques identiques, chacune comportant 127 acides aminés. Le schéma ci-dessus montre l'une d'elles alors qu'elle est déroulée, ce qui facilite l'observation de la structure primaire. Chacune des 127 positions de la chaîne est occupée par un des 20 acides aminés, indiqués ici par l'abréviation de trois lettres correspondant à leur nom.

La structure primaire fait penser à l'ordre des lettres dans un texte. S'il était laissé au hasard, l'arrangement des 127 acides aminés d'une telle chaîne pourrait se faire de 20^{127} façons. Cependant, la structure primaire d'une protéine n'est pas déterminée par l'association aléatoire des acides aminés, mais par l'information génétique qui préside à son assemblage. La structure primaire elle-même dicte les structures secondaire et tertiaire, qui sont déterminées par la nature chimique de la chaîne polypeptidique et des chaînes latérales (radicaux R) des acides aminés positionnés le long du polypeptide.

Structure secondaire

Régions stabilisées par des liaisons hydrogène établies entre les atomes de la chaîne polypeptidique

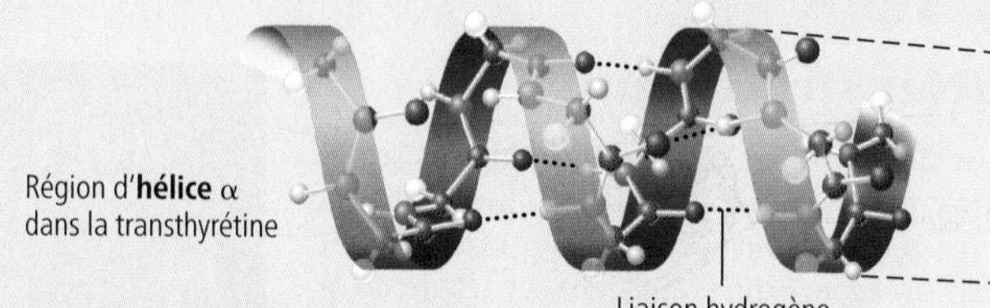

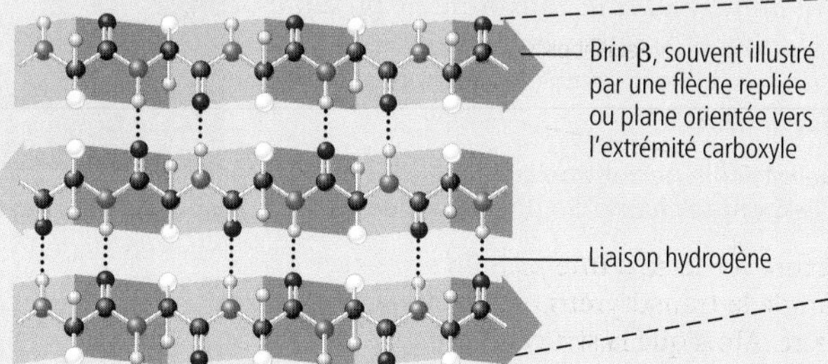

Dans la plupart des protéines, certains segments de la chaîne polypeptidique sont enroulés ou pliés de façon répétitive, ce qui détermine des motifs qui contribuent à la forme globale de la protéine. L'ensemble de ces motifs constitue la **structure secondaire** de la macromolécule et provient de liaisons hydrogène qui se forment le long de la chaîne polypeptidique. Seuls les atomes d'hydrogène ou d'oxygène fixés à la structure répétitive du polypeptide participent à ces liaisons. Les atomes d'oxygène de la chaîne polypeptidique portent une charge partielle négative, tandis que l'atome d'hydrogène qui est attaché à l'atome d'azote porte une charge partielle positive (voir la figure 2.14); des liaisons hydrogène peuvent donc s'établir entre ces atomes. Individuellement, ces liaisons hydrogène sont faibles, mais comme elles se forment en grand nombre sur une section relativement longue de la chaîne polypeptidique, elles peuvent ensemble conférer une forme particulière à cette section de la protéine.

L'**hélice alpha** (α), un enroulement délicat maintenu en place par des liaisons hydrogène tous les quatre acides aminés, est un exemple de structure secondaire, illustré ci-dessus dans le cas de la transthyrétine. Dans cette molécule, seule une région de chaque chaîne polypeptidique forme une hélice α (voir la partie Structure tertiaire de la présente figure), mais d'autres protéines globulaires présentent plusieurs parties en hélice α séparées par des régions complètement déployées (voir la partie Structure quaternaire de la présente figure, section sur l'hémoglobine). Certaines protéines fibreuses comme la kératine α, une protéine structurale des cheveux, présentent des hélices α sur la majeure partie de leur longueur.

Le **feuillet plissé bêta** (β) représente un autre des principaux types de structure secondaire où, comme on le voit ci-dessus, deux ou plusieurs brins (appelés brins β) de la même chaîne polypeptidique repliée se déploient côte à côte, dans le même plan, grâce à la formation de liaisons hydrogène entre les deux structures répétitives parallèles; les chaînes peuvent aussi être antiparallèles, c'est-à-dire disposées en sens opposé, ce qui augmente la stabilité de la molécule. Les feuillets plissés β constituent la partie dense de nombreuses protéines globulaires, comme la transthyrétine (voir la partie Structure tertiaire de la présente figure). Cet agencement prédomine aussi dans certaines protéines fibreuses, comme la fibroïne, qui compose la soie des fils d'araignée. C'est le travail d'équipe de tant de liaisons hydrogène qui rend chaque fibre de soie plus forte qu'un fil d'acier de même masse.

► **Les araignées sécrètent des fibres de soie formées d'une protéine structurale constituée de feuillets plissés β, ce qui permet à la toile de s'étirer et de s'enrouler.**

Structure tertiaire

Forme tridimensionnelle stabilisée par les interactions entre les chaînes latérales

Structure quaternaire

Association d'au moins deux polypeptides (quelques protéines seulement)

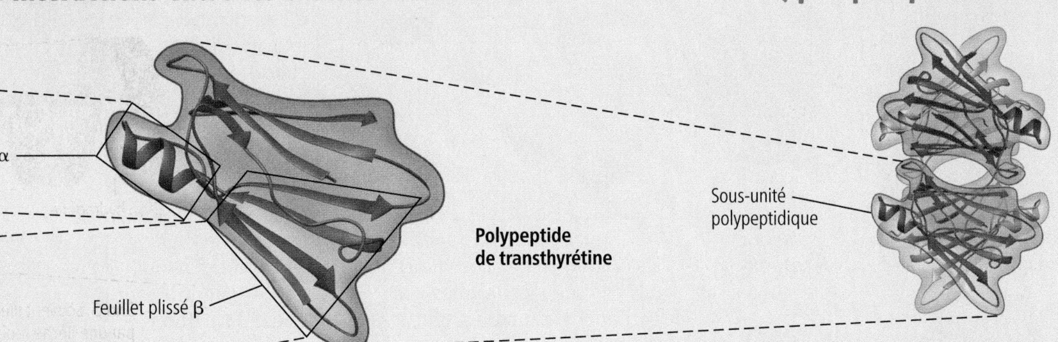

La structure tertiaire d'une protéine, illustrée ci-dessus par le modèle en ruban de la transthyrétine, se superpose aux motifs de la structure secondaire. Alors que la structure secondaire fait intervenir les interactions entre les structures répétitives, la **structure tertiaire** correspond à la forme globale découlant des interactions entre les chaînes latérales (radicaux R) d'acides aminés différents. Les **interactions hydrophobes** (une dénomination quelque peu trompeuse) font partie de ces interactions qui aident à stabiliser la structure tertiaire. Les acides aminés et les chaînes latérales hydrophobes (non polaires) d'une protéine se rassemblent au cœur de celle-ci; ils sont donc isolés de l'eau. En conséquence, une «interaction hydrophobe» est, en fait, causée par l'exclusion des molécules d'eau lorsque des substances non polaires se rapprochent. Une fois que les chaînes latérales non polaires des acides aminés se font face, les forces de Van der Waals (voir le chapitre 2) contribuent à les maintenir ensemble. Les **liaisons hydrogène** entre les chaînes latérales polaires, ainsi que les **liaisons ioniques** entre les chaînes latérales chargées positivement et négativement, aident également à stabiliser la structure tertiaire. Malgré leur faiblesse relative, ces interactions dans le milieu cellulaire aqueux contribuent à doter la protéine d'une forme particulière, étant donné leur très grand nombre.

La forme d'une protéine peut se stabiliser davantage sous l'action de liaisons covalentes fortes appelées ponts disulfure. Un **pont disulfure** se forme quand deux monomères de cystéine, un acide aminé portant un groupement thiol (—SH) dans sa chaîne latérale (voir la figure 4.9), se rapprochent l'un de l'autre lors du repliement de la protéine. Le soufre d'un monomère de cystéine se lie alors au soufre de l'autre, et ce pont disulfure (—S—S—) assure la cohésion de certaines parties de la protéine (voir les lignes jaunes dans le modèle en ruban de la figure 5.16). Remarquez que ces quatre types d'interactions peuvent contribuer à la structure tertiaire d'une protéine, ainsi que le montre l'exemple ci-dessous d'une petite section d'une protéine hypothétique.

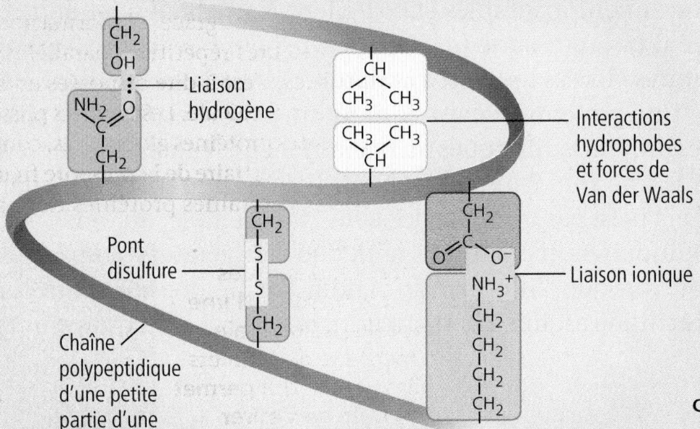

Beaucoup de protéines se composent de deux ou de plusieurs chaînes polypeptidiques assemblées de façon à former une macromolécule fonctionnelle. (La plupart n'ont que deux, trois ou quatre chaînes, mais certaines en possèdent plusieurs dizaines.) Chaque chaîne polypeptidique constitue une sous-unité. La **structure quaternaire** est la structure générale d'une protéine; elle résulte des interactions (liaisons hydrogène et forces de Van der Waals surtout) entre les sous-unités. Par exemple, la figure ci-dessus illustre la forme complète de la transthyrétine, une protéine globulaire composée de quatre polypeptides.

Le collagène, illustré ci-dessous, est un autre exemple; c'est une protéine fibreuse qui possède trois polypeptides hélicoïdaux identiques enroulés en une triple hélice qui confère à ses longues fibres une résistance exceptionnelle. Cela permet aux fibres de collagène de remplir leur fonction, qui consiste à soutenir le tissu conjonctif de la peau, des os, des tendons, des ligaments et d'autres parties du corps (le collagène représente 40% des protéines du corps humain).

Collagène

L'hémoglobine (illustrée ci-dessous), qui fixe la molécule d'oxygène (O_2) dans les globules rouges, constitue un exemple de protéine globulaire à structure quaternaire. Elle comporte quatre sous-unités polypeptidiques de deux sortes: deux chaînes α identiques et deux chaînes β identiques. Celles-ci se caractérisent principalement par une structure secondaire en hélice α. Chaque sous-unité a une composante non polypeptidique, l'hème, portant un ion fer qui se lie à l'O_2.

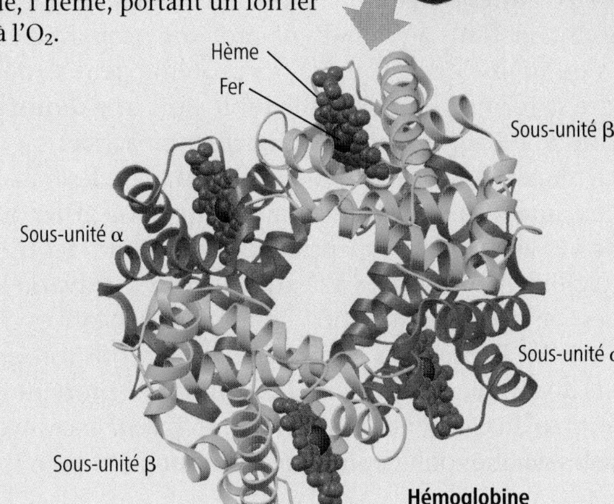

▼ **Figure 5.19 La substitution, dans une protéine, d'un seul acide aminé par un autre acide aminé provoque l'anémie à hématies falciformes.**

	Structure primaire	Structures secondaire et tertiaire	Structure quaternaire	Fonction	Forme des globules rouges
Hémoglobine normale	1 Val 2 His 3 Leu 4 Thr 5 Pro 6 Glu 7 Glu	Sous-unité β normale 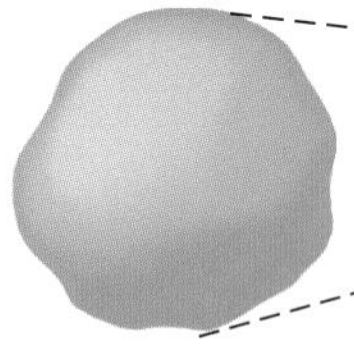	Hémoglobine normale 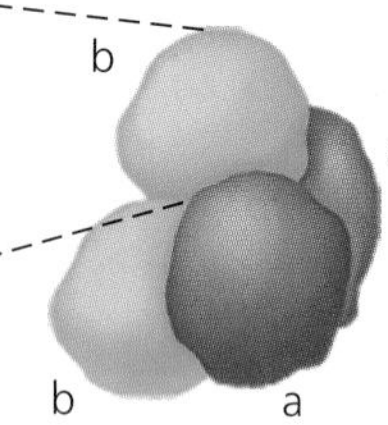 b, a, b, a	Les molécules d'hémoglobine normales ne s'associent pas; chacune transporte l'O_2. 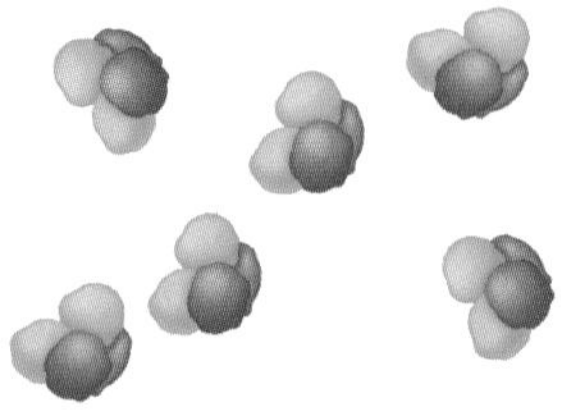	Les cellules normales sont remplies de molécules d'hémoglobine individuelles, chacune transportant l'O_2. 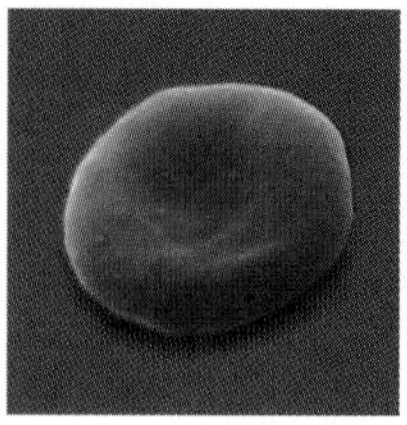 5 μm (3 500×)
Hémoglobine des hématies falciformes	1 Val 2 His 3 Leu 4 Thr 5 Pro **6 Val** 7 Glu	Sous-unité β falciforme 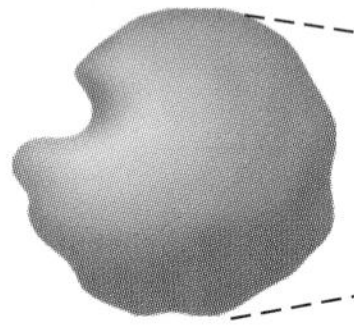	Hémoglobine falciforme 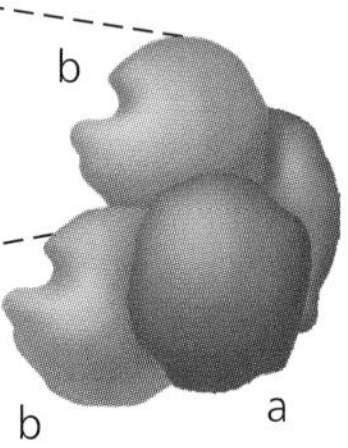 b, a, b, a	Les interactions hydrophobes entre les hémoglobines anormales des hématies falciformes entraînent leur agrégation en fibres insolubles; la capacité de transport de l'O_2 s'en trouve considérablement réduite. 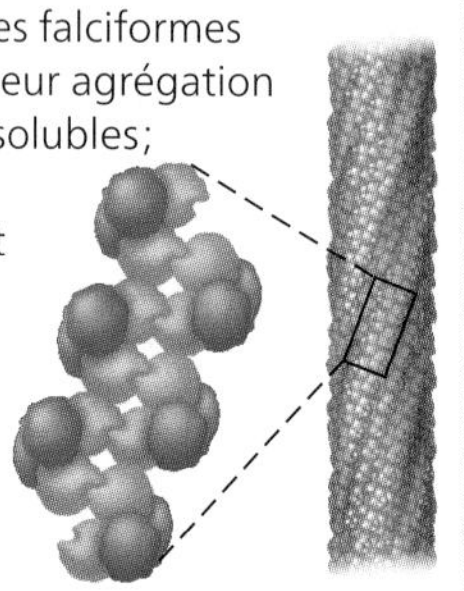	Les fibres insolubles de l'hémoglobine anormale entraînent une déformation caractéristique des globules rouges: ceux-ci ressemblent à des faucilles ou à des croissants. 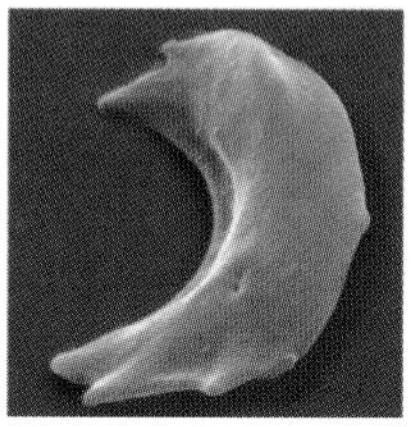 5 μm (3 500×)

FAITES DES LIENS ▶ Revoyez les caractéristiques chimiques des acides aminés valine et acide glutamique (figure 5.14). Selon vous, pourquoi la simple substitution de l'acide glutamique par la valine a-t-elle un effet aussi grave sur la fonction d'une protéine?

Les facteurs déterminant la structure d'une protéine

Nous avons appris que la forme unique de chaque protéine confère à celle-ci une fonction spécifique; mais quels sont les facteurs qui déterminent cette structure? Nous connaissons déjà une bonne partie de la réponse: une chaîne polypeptidique comportant une séquence particulière d'acides aminés peut prendre une forme tridimensionnelle qui résulte des interactions déterminant des structures secondaire et tertiaire de la protéine. Le repliement qui préside à cette forme tridimensionnelle se produit normalement lors de la synthèse de la protéine dans un environnement cellulaire encombré, avec l'aide d'autres protéines, mais il dépend également des conditions physiques et chimiques dans lesquelles baigne la protéine: si le pH, la concentration en sels, la température ou d'autres facteurs changent, les liaisons chimiques faibles et les interactions au sein d'une protéine risquent d'être modifiées ou même de se rompre. La protéine peut se dérouler et perdre sa forme originelle. Elle subit alors une **dénaturation** (**figure 5.20**) et devient biologiquement inactive.

La plupart des protéines se dénaturent si on les transfère d'un milieu aqueux à un solvant non polaire, tels l'éther ou le chloroforme; la chaîne polypeptidique se replie de façon à orienter ses régions hydrophobes à l'extérieur vers le solvant. Parmi les autres agents de dénaturation figurent les substances chimiques qui brisent les liaisons hydrogène, les liaisons ioniques et les ponts disulfure, dont dépend la forme d'une protéine. La dénaturation peut également résulter d'une chaleur excessive; celle-ci agite les chaînes polypeptidiques suffisamment pour vaincre les

▼ **Figure 5.20 Dénaturation et renaturation d'une protéine.** Des températures élevées ou divers traitements chimiques dénaturent la protéine. Ils lui font perdre sa forme, donc sa capacité de fonctionner. Si elle reste dissoute, la protéine dénaturée peut retrouver sa forme originelle lorsque le milieu revient à la normale.

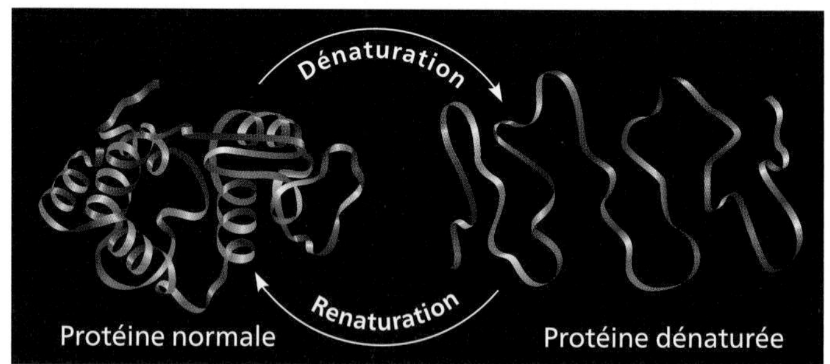

interactions faibles qui stabilisent la structure d'une protéine. Ainsi, le blanc d'œuf devient opaque pendant la cuisson, car les protéines qui le composent sont dénaturées par la chaleur: elles deviennent insolubles et coagulent. Ce facteur explique également pourquoi une très forte fièvre peut être fatale: les températures élevées tendent à dénaturer les protéines du sang.

Une protéine dénaturée dans une éprouvette, que ce soit par des produits chimiques ou par la chaleur, peut parfois reprendre sa forme fonctionnelle quand l'agent dénaturant disparaît. (Cela n'est pas toujours possible: par exemple, un œuf poêlé ne se liquéfiera pas si on le remet au réfrigérateur!) On peut en conclure que l'information conduisant à l'adoption d'une forme spécifique est liée à la structure primaire; il en est souvent ainsi pour les petites protéines. C'est donc la séquence des acides aminés qui détermine la forme d'une protéine, c'est-à-dire les endroits où se formeront des hélices α, des feuillets plissés β, des ponts disulfure, des liaisons ioniques, etc. Mais comment le repliement d'une protéine se produit-il dans la cellule ?

Le repliement des protéines dans la cellule

Les biochimistes connaissent maintenant la séquence des acides aminés de quelque 65 millions de protéines (il s'en ajoute environ 1,5 million par mois) et la forme tridimensionnelle de plus de 50 000 protéines. Les chercheurs ont essayé d'établir une corrélation entre la structure primaire de nombreuses protéines et la structure tridimensionnelle afin de déterminer les règles régissant le repliement de ces macromolécules. Malheureusement, le processus n'est pas aussi simple. La plupart des protéines passent probablement par plusieurs étapes intermédiaires avant d'adopter une forme stable. L'étude de cette structure ne révèle pas ces étapes. Cependant, les biochimistes ont élaboré des méthodes pour suivre les étapes intermédiaires de la formation d'une protéine et en apprendre toujours davantage sur cet important processus.

Le repliement inadéquat des polypeptides dans les cellules constitue un problème sérieux qui intéresse de plus en plus les chercheurs en médecine. De nombreuses maladies, dont la fibrose kystique, la maladie d'Alzheimer, la maladie de Parkinson et l'encéphalopathie spongiforme bovine (maladie de la vache folle), sont associées à une accumulation de protéines anormalement repliées. En fait, des versions mal repliées de la transthyrétine, la protéine représentée à la figure 5.18, ont été mises en cause dans plusieurs maladies, dont une forme de démence sénile.

Même lorsque les scientifiques sont en présence d'une protéine repliée correctement, ils ont parfois de la difficulté à déterminer sa structure tridimensionnelle exacte, car elle est composée de milliers d'atomes. La méthode la plus utilisée pour déterminer la structure tridimensionnelle d'une protéine est la **cristallographie par diffraction de rayons X**, qui utilise la diffraction d'un faisceau de rayons X par les atomes d'une molécule cristallisée. Cette technique permet aux chercheurs de construire un modèle tridimensionnel qui révèle la position exacte de chaque atome d'une molécule de protéine (**figure 5.21**). Parmi les autres méthodes d'analyse, mentionnons la spectroscopie par résonance magnétique nucléaire (RMN), une technique qui ne nécessite pas la cristallisation d'une protéine, de même que la bio-informatique (voir le concept 5.6), une approche toute nouvelle qui permet de prédire la structure tridimensionnelle des polypeptides à partir de la séquence de leurs acides aminés. La cristallographie par diffraction de rayons X, la spectroscopie par RMN et la bio-informatique constituent des approches complémentaires à la compréhension de la structure et de la fonction des protéines.

RETOUR SUR LE CONCEPT 5.4

1. Quelles parties d'une chaîne polypeptidique participent aux liaisons contribuant à fixer la structure secondaire ? La structure tertiaire ?
2. Jusqu'à maintenant, dans ce chapitre, nous avons utilisé les lettres grecques α et β pour distinguer au moins trois paires de structures. Nommez-les et donnez-en une brève description.
3. **ET SI ?** ▶ À quel endroit, dans un polypeptide, peut-on s'attendre à trouver une région contenant une grande quantité des acides aminés suivants : valine, leucine et isoleucine ? Expliquez votre réponse.

Voir les réponses proposées à l'appendice A.

DÉMARCHE SCIENTIFIQUE

MÉTHODE DE RECHERCHE

▼ **Figure 5.21**

La cristallographie par diffraction de rayons X

■ **APPLICATION** ■ Les scientifiques utilisent la cristallographie par diffraction de rayons X pour déterminer la structure tridimensionnelle (3D) de macromolécules telles que des acides nucléiques et des protéines.

■ **TECHNIQUE** ■ On dirige un faisceau de rayons X sur une protéine cristallisée ou sur un acide nucléique cristallisé. Les atomes du cristal diffractent (dévient) les rayons X selon une disposition ordonnée qu'un détecteur numérique enregistre sous la forme d'un ensemble de points qui détermine une « figure de diffraction des rayons X », dont on voit une illustration ci-dessous.

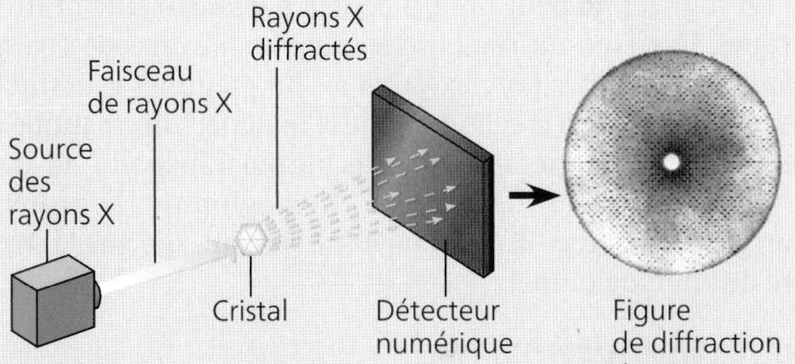

■ **RÉSULTATS** ■ À l'aide des données provenant des différentes figures de diffraction des rayons X, ainsi que de la séquence des acides aminés déterminée par des méthodes chimiques, les chercheurs peuvent élaborer un modèle informatique tridimensionnel de la macromolécule étudiée, comme la transthyrétine qu'on voit ici avec ses quatre sous-unités (voir la figure 5.18).

CONCEPT 5.5

Les acides nucléiques emmagasinent et transmettent l'information génétique tout en contribuant à son expression

Nous avons vu que la structure primaire des polypeptides détermine la forme d'une protéine, mais qu'est-ce qui détermine la structure primaire ? En fait, la séquence d'acides aminés est programmée par une unité d'information génétique appelée **gène**. Les gènes sont formés d'ADN, lequel appartient à la classe des acides nucléiques. Les **acides nucléiques** sont des polymères composés de monomères appelés nucléotides.

Les rôles des acides nucléiques

Les deux types d'acides nucléiques, l'**acide désoxyribonucléique** (**ADN**) et l'**acide ribonucléique** (**ARN**), permettent aux organismes de reproduire leurs composantes complexes d'une génération à l'autre. Molécule unique en son genre, l'ADN fournit les directives de sa propre réplication. Il dirige également la synthèse de l'ARN et, ce faisant, il contrôle la synthèse des protéines. On a donné le nom d'**expression génétique** à l'intégralité de ce processus (**figure 5.22**).

L'ADN constitue le matériel génétique que les parents lèguent à leur progéniture. Chaque chromosome contient une longue molécule d'ADN qui porte des centaines de gènes, ou plus. Lorsqu'une cellule se reproduit en se divisant, ses molécules d'ADN sont copiées et transmises à la génération suivante. Les instructions qui programment toutes les activités de la cellule sont encodées dans la structure de l'ADN. Cependant, l'ADN ne participe pas directement aux opérations de la cellule, pas plus qu'un logiciel ne peut lire un code à barres sur une boîte de céréales. Tout comme il faut un lecteur pour lire un code à barres, il faut des protéines pour exécuter les programmes génétiques. Les protéines sont à la cellule ce que le matériel informatique est à l'ordinateur. Par exemple, la molécule qui transporte l'O_2 dans les globules rouges du sang est l'hémoglobine (la protéine illustrée à la figure 5.18) et non l'ADN, qui, lui, spécifie la structure de l'hémoglobine.

▼ **Figure 5.22 L'expression génétique: ADN → ARN → protéine.** Dans une cellule eucaryote, l'ADN nucléaire programme la production de protéines en dictant la synthèse de l'ARN messager (ARNm).

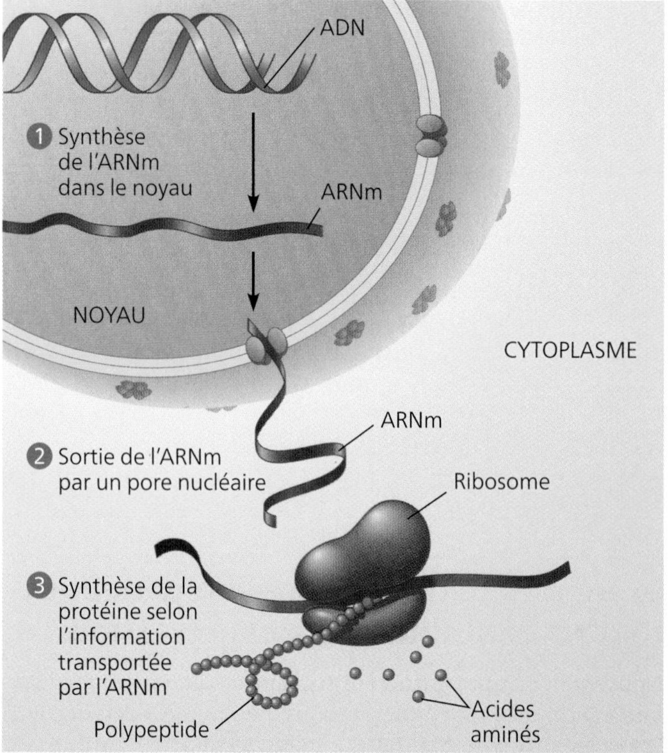

Comment l'ARN, l'autre type d'acide nucléique, sert-il d'intermédiaire dans l'expression génétique, la circulation de l'information génétique de l'ADN aux protéines ? Un gène présent sur la molécule d'ADN peut diriger la synthèse d'un type d'ARN appelé *ARN messager* (*ARNm*). La molécule d'ARNm interagit avec le mécanisme de la synthèse protéique pour diriger la production d'un polypeptide qui se replie pour former une protéine complète ou une partie de protéine. Nous pouvons résumer cette circulation de l'information génétique de la manière suivante: ADN → ARN → protéine (voir la figure 5.22). Les sites de la synthèse protéique sont des structures cellulaires appelées ribosomes. Dans une cellule eucaryote, les ribosomes baignent dans le cytoplasme (situé entre le noyau et la membrane plasmique, laquelle circonscrit la cellule), alors que l'ADN se trouve dans le noyau. C'est donc du noyau au cytoplasme que l'ARN messager transmet les instructions génétiques relatives à l'élaboration des protéines. Les cellules procaryotes, qui sont dépourvues de noyau, utilisent également l'ARNm pour transmettre un message de l'ADN aux ribosomes et à d'autres éléments de la cellule ; ceux-ci traduisent l'information codée en séquences d'acides aminés. Plus loin dans cet ouvrage, vous en apprendrez davantage sur les fonctions de certaines molécules d'ARN récemment découvertes ; les segments d'ADN qui dirigent la synthèse de ces molécules d'ARN sont également qualifiés de gènes (voir le concept 18.3).

Les constituants des acides nucléiques

Les acides nucléiques sont des macromolécules qui existent sous forme de polymères appelés **polynucléotides** (**figure 5.23a**). Comme son nom l'indique, chaque polynucléotide se compose de monomères nommés **nucléotides**. Un nucléotide est généralement constitué de trois parties: un monosaccharide à cinq atomes de carbone (un pentose), une base contenant de l'azote (base azotée) et un ou plusieurs groupements phosphate (**figure 5.23b**). Chaque monomère qui entre dans la construction d'un polynucléotide porte trois groupements phosphate, mais il en perd deux durant sa polymérisation. Dans un nucléotide, la portion dépourvue de groupement phosphate (base et pentose seulement) est nommée *nucléoside*.

Pour comprendre la structure d'un nucléotide, commençons par examiner les bases azotées (**figure 5.23c**). Chaque base azotée possède un ou deux cycles contenant des atomes d'azote. Les atomes d'azote tendent à capter des ions H^+ de la solution et agissent ainsi comme des bases, ce qui explique l'appellation *base azotée*. (On appelle *acide* nucléique le polymère de nucléotide complet en raison des groupements phosphate – PO_4^{3-} – jouant le rôle d'acide en solution.) Il existe deux familles de bases azotées: les pyrimidines et les purines. Une **pyrimidine** possède un seul cycle contenant quatre atomes de carbone et deux d'azote. Les membres de la famille des pyrimidines sont la cytosine (C), la thymine (T) et l'uracile (U). Quant aux **purines**, elles ont une masse moléculaire plus importante, puisqu'elles se composent d'un cycle de six atomes accolé à un autre de cinq atomes. Les purines sont l'adénine (A) et la guanine (G). Comme les pyrimidines, elles se distinguent par les groupements fonctionnels attachés aux cycles. L'adénine, la guanine et la cytosine entrent dans la composition des deux types d'acides nucléiques, l'ADN et l'ARN ; on trouve la thymine seulement dans l'ADN et l'uracile seulement dans l'ARN.

▼ Figure 5.23 Les constituants des acides nucléiques. (a) Un polynucléotide est constitué d'un squelette pentose-phosphate sur lequel se rattachent différentes chaînes latérales, les bases azotées. **(b)** Dans un polynucléotide, chaque monomère comporte une base azotée, un monosaccharide (pentose) et un groupement phosphate. Notez que les numéros attribués aux atomes de carbone du pentose sont marqués du symbole prime ('). **(c)** Les constituants d'un nucléoside sont une base azotée (une pyrimidine ou une purine) et un monosaccharide à cinq atomes de carbone (un désoxyribose ou un ribose).

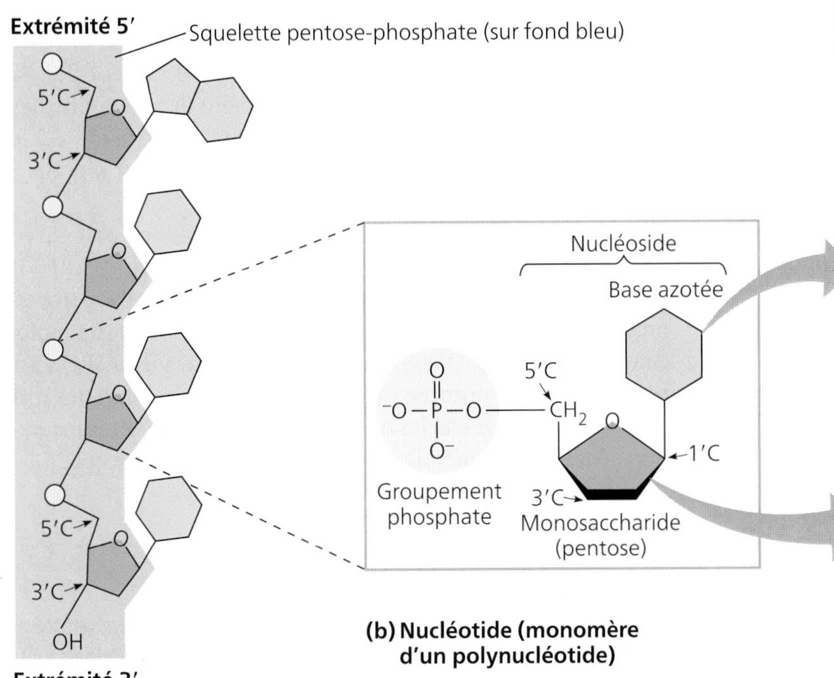

(b) Nucléotide (monomère d'un polynucléotide)

(a) Polynucléotide, ou acide nucléique

BASES AZOTÉES

Pyrimidines

Cytosine (C) | Thymine (T, dans l'ADN) | Uracile (U, dans l'ARN)

Purines

Adénine (A) | Guanine (G)

MONOSACCHARIDES

Désoxyribose (dans l'ADN) | Ribose (dans l'ARN)

(c) Constituants des nucléosides

Ajoutons maintenant le monosaccharide auquel est fixée la base azotée. Celui qui est lié à la base azotée des nucléotides de l'ADN est le **désoxyribose**, tandis que celui qui est lié à la base azotée des nucléotides de l'ARN est le **ribose** (voir la figure 5.23c). Il n'existe qu'une seule différence entre ces deux monosaccharides: il n'y a pas d'oxygène lié au deuxième atome de carbone du cycle du désoxyribose, d'où son nom *désoxy*ribose.

Jusqu'ici, nous avons construit un nucléoside, c'est-à-dire une molécule contenant une base associée à un pentose. Pour faire un nucléotide, nous devons attacher un groupement phosphate au cinquième atome de carbone (5') du pentose (voir la figure 5.23b). Pourvue d'un groupement phosphate, cette molécule est un nucléotide. Notez qu'il existe plusieurs types de nucléotides qui n'entrent pas dans la composition des acides nucléiques: nous avons déjà parlé au chapitre 4 de l'ATP, une molécule importante permettant les transferts d'énergie, et nous en verrons d'autres (transporteurs d'électrons et messagers intracellulaires) lorsque nous étudierons la cellule et le métabolisme.

Les polymères des nucléotides

L'assemblage des nucléotides en un polynucléotide fait intervenir des réactions de déshydratation. (Vous en apprendrez davantage à ce sujet au concept 16.2.) Dans un polynucléotide, les monomères sont unis par une liaison phosphodiester, qui consiste en un groupement phosphate attaché aux monosaccharides de deux nucléotides. Cette liaison contribue à former un squelette dont la séquence d'unités pentose-phosphate se répète et qu'on nomme *squelette pentose-phosphate* (voir la figure 5.23a). (Notez que les bases azotées ne font pas partie de ce squelette.) Les deux extrémités libres du polymère sont différentes l'une de l'autre: l'une se termine par un groupement phosphate attaché à un carbone 5', tandis que l'autre porte un groupement hydroxyle sur un carbone 3'. On les appelle respectivement l'extrémité 5'—Ⓟ et l'extrémité 3'—OH. On peut donc affirmer que chaque brin d'ADN possède une orientation intégrée le long de son squelette pentose-phosphate, semblable à une rue à sens unique. Les bases sont attachées tout le long du squelette pentose-phosphate.

La séquence des bases azotées du polymère d'ADN (ou d'ARNm) constitue sa structure primaire, typique de chaque gène, et elle fournit une information très spécifique à la cellule. Comme les gènes comprennent habituellement des centaines ou des milliers de nucléotides, le nombre de séquences possibles est pratiquement illimité. L'information portée par un gène se trouve encodée dans la séquence spécifique de ses quatre bases d'ADN. Par exemple, la séquence génétique 5'-AGGTAACTT-3' a une signification tout à fait différente de celle de la séquence 5'-CGCTTTAAC-3'. (Évidemment, tous les gènes comportent des séquences beaucoup plus longues que celles-ci.) C'est l'ordre linéaire des quatre bases tel qu'il est encodé dans un gène qui détermine la séquence des acides aminés (la structure primaire) d'une protéine. Cette séquence détermine à son tour la structure tridimensionnelle de la protéine, ce qui lui permet ainsi d'accomplir sa fonction dans la cellule.

La structure des molécules d'ADN et d'ARN

Les molécules d'ADN se composent de deux chaînes de nucléotides, ou «brins», enroulées en spirale autour d'un axe central de façon à former une **double hélice** (**figure 5.24a**). Les deux chaînes hélicoïdales s'enroulent dans des directions opposées $5' \rightarrow 3'$; on qualifie cet arrangement d'**antiparallèle**, un peu comme une route à chaussées séparées. Les deux squelettes désoxyribose-phosphate se trouvent sur les bordures extérieures de l'hélice, alors que les bases azotées s'apparient à l'intérieur de l'hélice. Les deux brins demeurent attachés ensemble grâce aux liaisons hydrogène qui unissent les bases azotées appariées (deux ou trois liaisons, selon les bases azotées) (voir la figure 5.24a). La majorité des molécules d'ADN sont très longues ; elles possèdent des milliers, voire des millions, de paires de bases reliant les deux chaînes. Dans un chromosome d'eucaryote, une double hélice d'ADN compte un grand nombre de gènes, chacun occupant un segment particulier de la molécule.

Lors de l'appariement des bases dans la double hélice, chacune des bases azotées a un complément exclusif, une purine étant toujours unie à une pyrimidine : l'adénine (A) dans un brin forme toujours une paire avec la thymine (T) dans l'autre brin, et la guanine (G), avec la cytosine (C). Ainsi, quand nous lisons la séquence des bases d'un brin de la double hélice, nous pouvons déduire la séquence des bases de l'autre brin. Par exemple, si un bout de brin possède la séquence de bases 5′-AGGTCCG-3′, la règle d'appariement des bases nous dit que le bout de brin opposé doit avoir la séquence 3′-TCCAGGC-5′. Les deux brins de la double hélice sont *complémentaires,* chacun représentant la contrepartie prévisible de l'autre. Par ailleurs, la complémentarité des deux brins de l'ADN permet de produire deux copies identiques de chaque molécule d'ADN dans une cellule qui s'apprête à se diviser. Au moment de la division, les copies sont distribuées dans les cellules filles, les rendant génétiquement identiques à la cellule mère. Ainsi, la structure de l'ADN explique sa fonction de transmission de l'information génétique quand une cellule se reproduit : il s'agit d'un autre exemple de la corrélation entre la structure et la fonction à l'échelle moléculaire.

En revanche, les molécules d'ARN n'existent qu'en brins individuels. L'appariement de bases complémentaires peut néanmoins se produire entre des régions de deux molécules d'ARN ou même entre deux segments de nucléotides dans la *même* molécule d'ARN. En fait, l'appariement des bases dans une molécule d'ARN lui permet d'adopter la forme tridimensionnelle particulière nécessaire à sa fonction. Examinons, par exemple, le type d'ARN appelé *ARN de transfert* (*ARNt*), qui achemine les acides aminés au ribosome durant la synthèse d'un polypeptide. Une molécule d'ARNt a une longueur d'environ 80 nucléotides. Sa forme fonctionnelle résulte de l'appariement de bases entre des nucléotides où les segments complémentaires de la molécule peuvent être disposés de façon antiparallèle l'un par rapport à l'autre (**figure 5.24b**).

Notez que dans l'ARN, l'adénine (A) forme une paire avec l'uracile (U) ; la thymine (T) n'est pas présente dans l'ARN. Il existe une autre différence entre l'ADN et l'ARN : l'ADN se trouve presque toujours sous forme de double hélice, alors que les molécules d'ARN prennent diverses formes. Les molécules d'ARN sont polyvalentes, et nombre de biologistes estiment qu'elles ont peut-être bien précédé les molécules d'ADN et porté l'information génétique des premières formes de vie (voir le concept 25.1).

RETOUR SUR LE CONCEPT 5.5

1. **FAITES UN DESSIN ▶** Reportez-vous à la figure 5.23a. Numérotez tous les carbones dans les monosaccharides des trois nucléotides du haut; encerclez les bases azotées et marquez d'un astérisque les groupements phosphate.
2. **FAITES UN DESSIN ▶** Dans la double hélice d'ADN, une région dans un des brins possède la séquence de bases azotées suivante : 5′-TAGGCCT-3′. Copiez cette séquence et écrivez son brin complémentaire, en indiquant clairement les extrémités 5′ et 3′ de ce brin.

Voir les réponses proposées à l'appendice A.

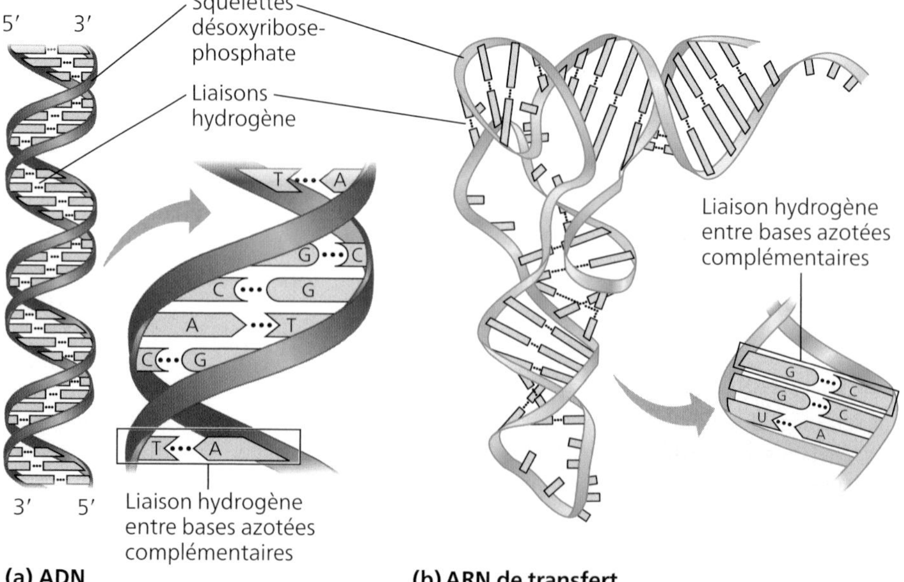

▶ **Figure 5.24 La structure des molécules d'ADN et d'ARNt. (a)** La molécule d'ADN est généralement une double hélice. Les squelettes désoxyribose-phosphate des brins antiparallèles du polynucléotide forment les bordures extérieures de la double hélice (les parties en bleu). Les paires de bases azotées se trouvent à l'intérieur de celle-ci. Elles maintiennent les deux brins ensemble par des liaisons hydrogène. Comme on le voit dans la figure, l'adénine (A) s'apparie seulement avec la thymine (T), et la guanine (G), avec la cytosine (C). Chaque brin d'ADN illustré ici est l'équivalent structural du polynucléotide dessiné à la figure 5.23a. **(b)** L'appariement de bases complémentaires de régions antiparallèles confère à la molécule d'ARNt une structure qui ressemble vaguement à un L. Dans l'ARN, A forme des paires avec U.

CONCEPT 5.6

La génomique et la protéomique ont transformé la recherche et ses applications en biologie

Dans la première moitié du 20e siècle, la recherche expérimentale a permis d'établir le rôle de l'ADN en tant que support de l'information génétique qui se transmet d'une génération à l'autre et qui détermine le fonctionnement des cellules vivantes et des organismes. Dès lors qu'on a pu décrire la structure de la molécule d'ADN, en 1953, et compris que la séquence linéaire des bases nucléotidiques déterminait la séquence des acides aminés des protéines, on a voulu «décoder» les gènes en mettant au jour leurs séquences de nucléotides (souvent appelées «séquences de bases»).

Les premières techniques chimiques de *séquençage de l'ADN* ont vu le jour durant les années 1970 et, grâce à cette innovation, il est devenu possible de déterminer la séquence des nucléotides d'un brin d'ADN, un nucléotide à la fois. Les chercheurs ont alors commencé à étudier les séquences des gènes, un par un, et plus ils apprenaient, plus ils se questionnaient: Qu'est-ce qui régit l'expression des gènes? Les gènes et les protéines qui en sont les produits interagissent, certes, mais de quelle façon? Quelle est la fonction, si fonction il y a, de l'ADN qui ne fait pas partie des gènes? Pour bien comprendre le fonctionnement génétique d'un organisme vivant, il leur fallait connaître la séquence de l'ensemble de son ADN, c'est-à-dire son *génome.* À la fin des années 1980, malgré l'apparente infaisabilité de l'entreprise, quelques biologistes réputés ont proposé un audacieux projet dont la mission serait de séquencer l'intégralité du génome humain, ce qui représentait pas moins de 3 milliards de bases! Contre toute attente, cet ambitieux programme amorcé en 1990 s'est achevée en 2003.

Le Projet du génome humain a eu comme effet inattendu, mais crucial, de susciter la mise au point rapide de techniques de séquençage moins coûteuses et plus rapides que la technique originale. Et cette tendance n'a pas cessé depuis: le séquençage de 1 million de bases coûtait plus de 5 000 $ US en 2001, mais moins de 0,02 $ US en 2016, et le séquençage d'un génome humain prend aujourd'hui quelques jours, alors qu'il a fallu plus de 10 années pour séquencer le tout premier (**figure 5.25**). Le nombre de génomes séquencés dans leur intégralité a explosé.

◄ **Figure 5.25**
Les machines qui séquencent automatiquement l'ADN et la puissance des ordinateurs d'aujourd'hui permettent de séquencer promptement des gènes et des génomes.

Il en a résulté une mine de données et la naissance de la **bio-informatique**, qui consiste à utiliser divers logiciels et d'autres outils de calcul capables de traiter et d'analyser de très volumineux ensembles de données en biologie.

Ces développements ont transformé l'étude de la biologie et plusieurs domaines connexes. De nos jours, pour mieux comprendre les questions qu'ils abordent, les biologistes utilisent souvent de grands ensembles de données ou, même, comparent des génomes entiers de différentes espèces, une méthode appelée **génomique**. Une autre méthode similaire, la **protéomique**, consiste à analyser des ensembles de protéines, y compris leurs structures primaires. (On peut déterminer les séquences des protéines au moyen de techniques biochimiques ou en traduisant les séquences d'ADN qui codent pour ces protéines.) Ces techniques d'analyse se sont propagées dans tous les domaines de la biologie, comme nous le montrent les exemples de la **figure 5.26**.

C'est probablement dans le domaine de l'évolution que la génomique et la protéomique ont le plus fait progresser la compréhension des biologistes. En plus de confirmer les données fournies par les archives fossiles et les caractéristiques des espèces contemporaines au sujet de l'évolution, la génomique nous a aidés à élucider les relations entre différents groupes d'organismes que les données d'avant ne nous avaient pas permis de comprendre. En somme, la génomique et la protéomique ont étendu notre connaissance de l'histoire évolutive.

L'ADN et les protéines: reflets de l'évolution

ÉVOLUTION Nous sommes habitués à considérer les caractères communs, par exemple la pilosité et la production de lait chez les mammifères, comme une preuve de l'existence d'ancêtres communs. Étant donné que l'ADN transmet les informations héréditaires sous la forme de gènes (ADN), ceux-ci et leurs produits (protéines) nous documentent sur le bagage héréditaire d'un organisme. Les séquences linéaires de nucléotides dans les molécules d'ADN se transmettent des parents à leurs descendants, et l'ADN détermine les séquences d'acides aminés des protéines. Il s'ensuit que l'ADN et les protéines des enfants issus des mêmes parents se ressemblent davantage que ceux des individus sans lien de parenté.

D'un point de vue évolutionniste, on peut appliquer ce concept de «généalogie moléculaire» aux relations qui existent entre les espèces. Donc, si deux espèces semblent apparentées en raison de leur morphologie et de données anatomiques similaires (dont les données fossiles), a-t-on raison de s'attendre à ce que leurs ADN et leurs protéines se ressemblent davantage que ceux de deux espèces moins proches? La réponse est oui. La comparaison de la chaîne polypeptidique β de l'hémoglobine humaine avec le polypeptide de l'hémoglobine correspondant chez d'autres vertébrés en constitue un exemple. Dans cette chaîne de 146 acides aminés, les êtres humains et les gorilles ne diffèrent que par 1 seul acide aminé, tandis que les humains et les grenouilles (deux espèces plus éloignées l'une de l'autre) diffèrent par 67 acides aminés. La biologie moléculaire offre aux chercheurs un nouvel outil pour évaluer la filiation entre les espèces. Dans la rubrique **Habiletés scientifiques**, vous aurez l'occasion d'aborder ce type de description pour d'autres espèces. Et la conclusion demeure la même après la comparaison des génomes entiers: le génome humain est identique à celui

▼ Figure 5.26

FAITES DES LIENS Les apports de la génomique et de la protéomique à la biologie

Grâce à l'avancement de la technologie et du traitement de l'information, il est désormais possible d'effectuer rapidement et à peu de frais le séquençage des nucléotides et d'analyser de vastes ensembles de données sur les gènes et les protéines. Ensemble, la génomique et la protéomique ont permis d'approfondir notre compréhension de la biologie dans plusieurs de ses champs d'activité.

► La paléontologie

Les nouvelles techniques de séquençage d'ADN permettent de décoder des quantités infimes d'ADN trouvées dans les tissus de nos ancêtres disparus, les Néanderthaliens (*Homo neanderthalensis*). Le séquençage du génome des Néanderthaliens nous donne une bonne idée de leur apparence physique (voir la reconstitution ci-contre) et de leur parenté avec les êtres humains modernes. (Voir les figures 34.51 et 34.52.)

▼ La biologie évolutionniste

La biologie évolutionniste a notamment pour but de nous aider à comprendre les liens de parenté entre les espèces, tant celles qui existent encore que les espèces éteintes. Par exemple, grâce à la comparaison de génomes, on sait aujourd'hui que l'hippopotame est le mammifère terrestre qui partage avec les baleines l'ancêtre commun le plus récent. (Voir la figure 22.20.)

Hippopotame

Globicéphale du Pacifique

► La biologie de conservation

La génétique moléculaire et la génomique sont des outils de plus en plus prisés par les écologistes légistes pour identifier les espèces animales et végétales qui sont tuées de manière illégale. Par exemple, des écologistes légistes ont utilisé les séquences génomiques d'ADN provenant d'envois illégaux de défenses d'éléphant pour retrouver des braconniers et repérer le territoire où ils se livraient au braconnage. (Voir la figure 56.9.)

▼ La recherche médicale

La détermination des causes génétiques de certaines maladies humaines, comme le cancer, aide les scientifiques à orienter leurs recherches pour trouver des traitements. À l'heure actuelle, le séquençage des ensembles de gènes qui s'expriment dans la tumeur d'une personne permet de cibler le traitement anticancéreux le plus approprié. C'est la « médecine personnalisée ». (Voir les figures 12.20 et 18.27.)

▼ Les interactions entre espèces

La plupart des plantes vivent un compagnonnage mutuellement avantageux avec des champignons (à droite) et des bactéries fixées sur leurs racines ; ces interactions favorisent la croissance des plantes. Le séquençage génomique et l'analyse de l'expression génétique permettent de caractériser les communautés végétales, aident à mieux comprendre les interactions entre les espèces et contribueront vraisemblablement à améliorer les pratiques agricoles. (Voir la rubrique Habiletés scientifiques du chapitre 31 et la figure 37.11.)

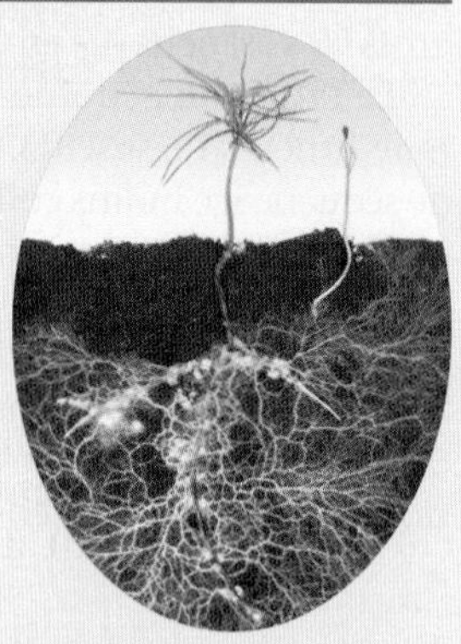

FAITES DES LIENS ► À partir des exemples présentés sur cette page, décrivez comment les activités de génomique et de protéomique nous aident à étudier toutes sortes de questions en biologie.

DÉMARCHE SCIENTIFIQUE

HABILETÉS SCIENTIFIQUES

Analyser des séquences polypeptidiques

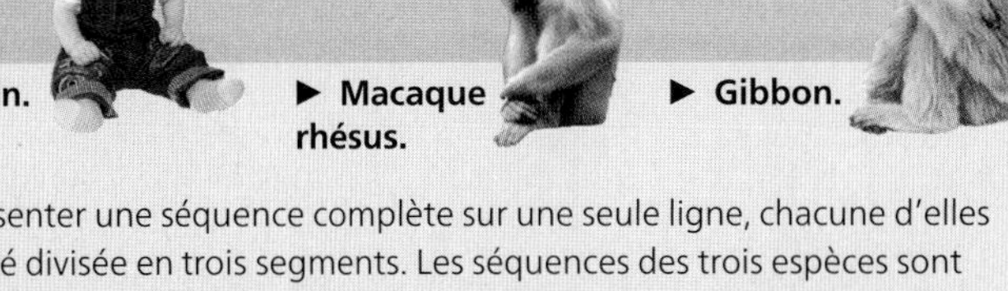

▶ Humain. ▶ Macaque rhésus. ▶ Gibbon.

■ QUELS SINGES SONT LES PLUS ÉTROITEMENT APPARENTÉS AUX HUMAINS : LES MACAQUES RHÉSUS OU LES GIBBONS ? ■ Dans cet exercice, vous examinerez des données provenant des séquences d'acides aminés de la chaîne polypeptidique β de l'hémoglobine, souvent appelée β-globine. Ensuite, vous interpréterez ces données et vous émettrez une hypothèse, à savoir si c'est le macaque rhésus ou le gibbon qui est le plus proche parent de l'humain.

■ MÉTHODE ■ Les chercheurs peuvent isoler un polypeptide appartenant à un organisme afin de déterminer la séquence de ses acides aminés. Le plus souvent, ils séquencent l'ADN du gène qui les intéresse et déduisent la séquence d'acides aminés du polypeptide appartenant à l'ADN de ce gène.

■ RÉSULTATS ■ Dans les données ci-dessous, les lettres représentent la séquence des 146 acides aminés de la β-globine des humains, des macaques rhésus et des gibbons. Comme il n'est pas possible de présenter une séquence complète sur une seule ligne, chacune d'elles a été divisée en trois segments. Les séquences des trois espèces sont alignées, de sorte que vous pouvez aisément les comparer. Par exemple, vous pouvez voir, pour les trois espèces, que le premier acide aminé est V (valine) et que le 146ᵉ acide aminé est H (histidine).

Source des données: Humain: www.ncbi.nlm.nih.gov/protein/AAA21113.1; macaque rhésus: www.ncbi.nlm.nih.gov/protein/122634; gibbon: www.ncbi.nlm.nih.gov/protein/122616.

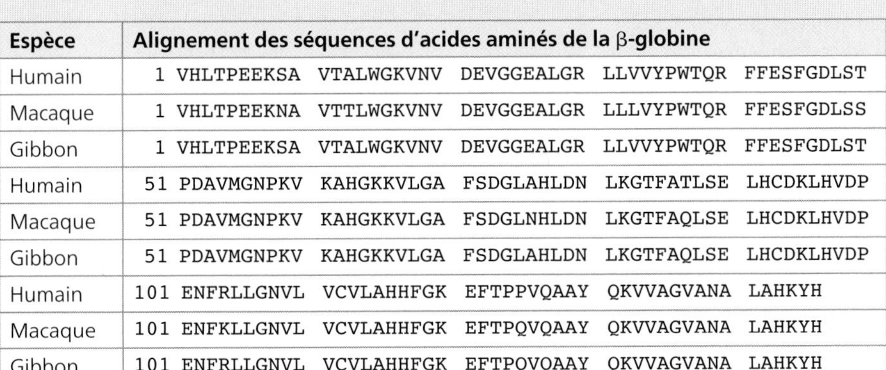

Espèce	Alignement des séquences d'acides aminés de la β-globine
Humain	1 VHLTPEEKSA VTALWGKVNV DEVGGEALGR LLVVYPWTQR FFESFGDLST
Macaque	1 VHLTPEEKNA VTTLWGKVNV DEVGGEALGR LLLVYPWTQR FFESFGDLSS
Gibbon	1 VHLTPEEKSA VTALWGKVNV DEVGGEALGR LLVVYPWTQR FFESFGDLST
Humain	51 PDAVMGNPKV KAHGKKVLGA FSDGLAHLDN LKGTFATLSE LHCDKLHVDP
Macaque	51 PDAVMGNPKV KAHGKKVLGA FSDGLNHLDN LKGTFAQLSE LHCDKLHVDP
Gibbon	51 PDAVMGNPKV KAHGKKVLGA FSDGLAHLDN LKGTFAQLSE LHCDKLHVDP
Humain	101 ENFRLLGNVL VCVLAHHFGK EFTPPVQAAY QKVVAGVANA LAHKYH
Macaque	101 ENFKLLGNVL VCVLAHHFGK EFTPQVQAAY QKVVAGVANA LAHKYH
Gibbon	101 ENFRLLGNVL VCVLAHHFGK EFTPQVQAAY QKVVAGVANA LAHKYH

INTERPRÉTEZ LES DONNÉES ▼

1. Examinez les séquences des macaques et des gibbons, lettre par lettre, et encerclez les acides aminés différents de ceux des humains. (a) Combien y a-t-il d'acides aminés différents entre les macaques et les humains ? (b) Entre les gibbons et les humains ?
2. Quel pourcentage des acides aminés des macaques est identique aux acides aminés de la β-globine humaine ? Quel pourcentage des acides aminés des gibbons est identique aux acides aminés de la β-globine humaine ?
3. À partir de ces données, rédigez une hypothèse indiquant laquelle des deux espèces animales est la plus étroitement apparentée aux humains. Expliquez votre raisonnement.
4. Quelles autres données pourriez-vous utiliser pour appuyer votre hypothèse ?

des chimpanzés à plus de 94 %, mais seulement à 85 % environ à celui de la souris, un parent plus éloigné dans l'évolution. La biologie moléculaire dote les biologistes d'un nouvel outil pour évaluer l'évolution des liens de parenté entre les espèces.

Terminons en précisant que le séquençage de génomes comporte également des applications pratiques. Dans la rubrique **Résolution de problème**, vous verrez comment l'analyse génomique peut aider à déceler les fraudes contre le consommateur.

RETOUR SUR LE CONCEPT 5.6

1. En quoi le séquençage du génome entier d'un organisme aujourd'hui disparu peut-il aider les scientifiques à comprendre son fonctionnement ?
2. Sachant la fonction de l'ADN, pourquoi peut-on s'attendre à ce que deux espèces ayant des caractères très semblables aient aussi des génomes très semblables ?

Voir les réponses proposées à l'appendice A.

RÉSOLUTION DE PROBLÈME Êtes-vous victime de fraude alimentaire ?

Lorsque vous achetez du saumon, vous préférez peut-être acheter le saumon sauvage du Pacifique (espèces *Oncorhynchus*), qui coûte plus cher que le saumon d'élevage de l'Atlantique (*Salmo salar*). Toutefois, des études révèlent que 40 % du temps environ, vous n'obtenez pas le saumon pour lequel vous avez payé !

Dans cet exercice, vous allez faire enquête pour déterminer si l'étiquette d'un morceau de poisson est frauduleuse.

Votre méthode

Le principe qui guide votre enquête est le suivant : les séquences d'ADN d'organismes d'une même espèce ou d'espèces étroitement apparentées se ressemblent davantage que les séquences d'espèces de parenté plus éloignée.

Vos données

On vous a vendu un morceau de saumon dont l'étiquette indique qu'il s'agit de saumon coho (*Oncorhynchus kisutch*). Pour déterminer si l'étiquette est frauduleuse, vous allez comparer une courte séquence d'ADN d'un échantillon de votre poisson avec les séquences de référence du même gène chez trois espèces de saumon. Voici ces séquences :

	Séquence de votre saumon, étiqueté « *O. kisutch* (saumon coho) »	5′-CGGCACCGCCCTAAGTCTCT-3′
Séquences de référence	Séquence d'*O. kisutch* (saumon coho)	5′-AGGCACCGCCCTGAGCCTAC-3′
	Séquence d'*O. keta* (saumon keta)	5′-CGGCACCGCCCTAAGTCTCT-3′
	Séquence de *Salmo salar* (saumon de l'Atlantique)	5′-CGGCACCGCCCTAAGTCTCT-3′

Votre analyse

1. Examinez les bases des séquences de référence (*O. kisutch*, *O keta* et *S. salar*), une base à la fois, et encerclez les bases qui ne correspondent pas à celles du poisson que vous avez acheté.
2. Combien de bases diffèrent (a) entre *O. kisutch* et votre poisson, (b) entre *O. keta* et votre poisson et (c) entre *S. salar* et votre poisson ?
3. Dans chaque séquence de référence, quel pourcentage des bases est identique à celui de votre poisson ?
4. À partir de ces données seulement, énoncez une hypothèse sur la réelle identité de votre poisson. Expliquez votre raisonnement.

RÉVISION DU CHAPITRE 5

Consultez votre MANUEL NUMÉRIQUE, qui vous donne accès aux **animations**, aux **exercices** et à la plateforme d'**anatomie interactive**.

Résumé des concepts clés

CONCEPT 5.1

Les macromolécules sont des polymères synthétisés à partir de monomères (p. 74 et 75)

- Les glucides complexes (polysaccharides), les protéines et les acides nucléiques sont des **polymères**, c'est-à-dire des chaînes de **monomères**. Les composants des lipides varient. Les monomères forment des molécules plus complexes grâce à des **réactions de déshydratation**, au cours desquelles des molécules d'eau sont libérées. Les polymères peuvent se dissocier au cours de la réaction inverse, l'**hydrolyse**. On peut construire une infinité de polymères à partir d'un petit ensemble de monomères différents.

Quelle est la base fondamentale des différences entre les glucides complexes, les protéines et les acides nucléiques ?

Molécules organiques complexes	Composants	Exemples	Fonctions
CONCEPT 5.2 **Les glucides servent de sources d'énergie et de matériaux de structure (p. 75 à 79)** ? Comparez la composition, la structure et la fonction de l'amidon et de la cellulose. Quels rôles jouent l'amidon et la cellulose dans l'organisme humain ?	CH_2OH, H, O, H, H, OH, H, HO, OH, H, OH Monomère de monosaccharide	**Monosaccharides:** glucose, fructose **Disaccharides:** lactose, saccharose	Énergie; sources de carbone susceptibles d'être converties en d'autres types de molécules ou de servir de monomères entrant dans la constitution des polymères
		Polysaccharides: • Cellulose (végétaux) • Amidon (végétaux) • Glycogène (animaux) • Chitine (animaux et champignons)	• Consolidation des parois des cellules végétales • Réserve de glucose pour l'énergie • Réserve de glucose pour l'énergie • Consolidation des exosquelettes et des parois cellulaires des champignons
CONCEPT 5.3 **Les lipides sont des molécules hydrophobes de structures, de propriétés et de fonctions variées (p. 79 à 82)** ? Pourquoi les lipides ne sont-ils pas considérés généralement comme des macromolécules ou des polymères ?	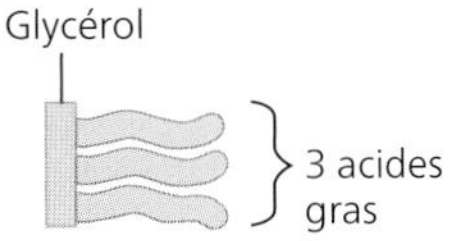 Glycérol 3 acides gras	**Triglycérides** (graisses ou huiles): glycérol + trois acides gras	Importante source d'énergie 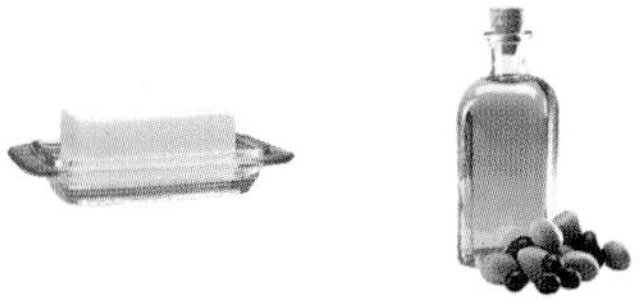
	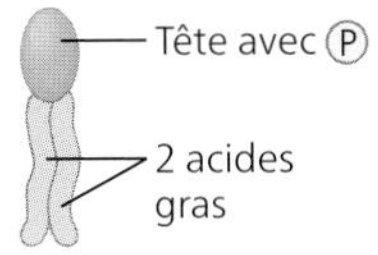 Tête avec Ⓟ 2 acides gras	**Phospholipides:** glycérol + groupement phosphate + 2 acides gras	Principaux constituants des bicouches lipidiques des membranes 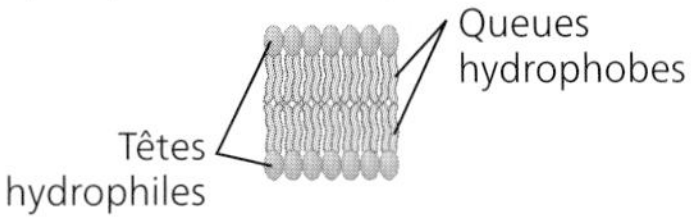 Queues hydrophobes Têtes hydrophiles
	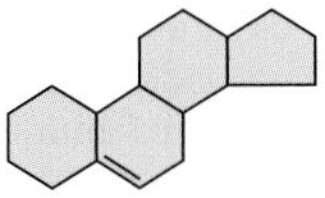 Représentation schématisée d'un stéroïde	**Stéroïdes:** quatre cycles accolés avec des groupements chimiques attachés	• Constituants des membranes cellulaires (cholestérol) • Molécules messagères circulant dans l'organisme (hormones)
CONCEPT 5.4 **Les protéines possèdent plusieurs niveaux de structure, ce qui leur confère des fonctions très diversifiées (p. 82 à 91)** ? Expliquez le principe fondamental de la grande diversité des protéines.	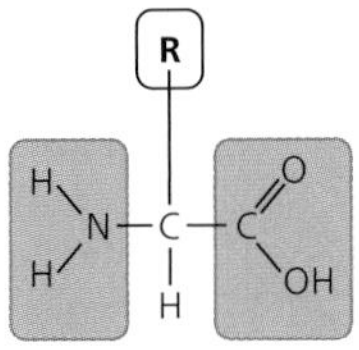 R, H, N, C, C, O, H, H, OH Monomère d'acide aminé (20 types)	• Enzymes • Protéines de défense • Protéines d'entreposage • Protéines de transport • Hormones • Protéines réceptrices • Protéines motrices • Protéines structurales	• Catalyseur des réactions chimiques • Protection contre les maladies • Mise en réserve des acides aminés • Transport des substances • Coordination des activités de l'organisme • Réception des signaux des cellules externes • Participation au mouvement des cellules • Contribution au soutien structural
CONCEPT 5.5 **Les acides nucléiques emmagasinent et transmettent l'information génétique tout en contribuant à son expression (p. 91 à 94)** ? Quel rôle joue la formation des paires de bases complémentaires dans les fonctions des acides nucléiques ?	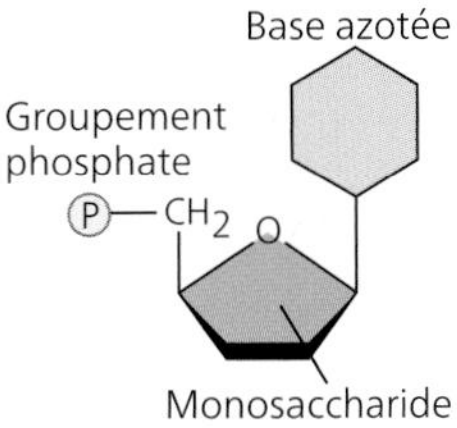 Base azotée Groupement phosphate Ⓟ—CH_2 O Monosaccharide Nucléotide (monomère d'un polynucléotide)	**ADN:**  • Monosaccharide = désoxyribose • Bases azotées = C, G, A, T • Généralement à double brin	Emmagasinage des informations héréditaires
		ARN:  • Monosaccharide = ribose • Bases azotées = C, G, A, U • Généralement à simple brin	Contribution à diverses fonctions touchant l'expression génétique, dont le transport des instructions de l'ADN aux ribosomes

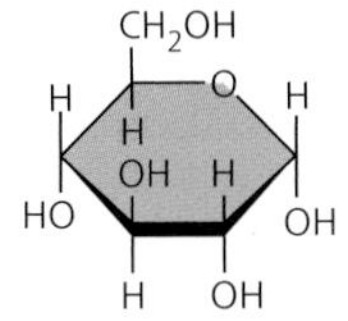

CONCEPT 5.6

La génomique et la protéomique ont transformé la recherche et ses applications en biologie (p. 95 et 97)

- Les récents progrès technologiques ayant permis de perfectionner le séquençage de l'ADN ont donné naissance à la génomique, qui rend possible l'étude de vastes ensembles de gènes ou de génomes entiers, ainsi qu'à la protéomique, qui permet d'étudier de vastes ensembles de protéines. La **bio-informatique** consiste à utiliser des outils de calculs et des logiciels pour analyser les ensembles de données accumulées.
- Plus deux espèces sont étroitement apparentées au niveau de leur histoire évolutive, plus leurs séquences d'ADN se ressemblent. Les données issues des séquences d'ADN confirment les modèles évolutionnistes fondés sur les archives fossiles et les données anatomiques.

? À partir des séquences d'un gène donné de drosophile, de poisson, de souris et d'humain, prédisez la ressemblance relative entre la séquence humaine et la séquence de chacune des autres espèces.

Évaluation

NIVEAU 1 : CONNAISSANCES ET COMPRÉHENSION

1. Parmi les catégories suivantes, laquelle inclut toutes les autres ?
a) Disaccharide.
b) Polysaccharide.
c) Amidon.
d) Glucide.

2. L'amylase est une enzyme qui peut rompre les liaisons glycosidiques entre les molécules de glucose seulement si ces monomères sont de la forme α. Parmi les molécules suivantes, lesquelles l'amylase peut-elle décomposer ?
a) Le glycogène, l'amidon et l'amylopectine.
b) Le glycogène et la cellulose.
c) La cellulose et la chitine.
d) L'amidon, l'amylopectine et la cellulose.

3. Parmi les énoncés ci-dessous au sujet des triglycérides *insaturés*, lequel est correct ?
a) Ils sont plus répandus chez les animaux que chez les végétaux.
b) Les chaînes carbonées de leurs acides gras possèdent des liaisons doubles.
c) Ils se solidifient généralement à la température ambiante.
d) Ils contiennent plus d'hydrogène que les triglycérides saturés portant le même nombre d'atomes de carbone.

4. Le niveau de structure d'une protéine le *moins* affecté par le bris de liaisons hydrogène est :
a) la structure primaire.
b) la structure secondaire.
c) la structure tertiaire.
d) la structure quaternaire.

5. Les enzymes qui dégradent l'ADN catalysent l'hydrolyse des liaisons entre les nucléotides. Qu'arrive-t-il aux molécules d'ADN soumises à l'action de ces enzymes ?
a) Les deux brins de la double hélice se séparent.
b) Les liaisons phosphodiester de la chaîne de nucléotides se rompent.
c) Les pyrimidines se séparent des molécules de désoxyribose.
d) Toutes les bases se séparent des molécules de désoxyribose.

NIVEAU 2 : APPLICATION ET ANALYSE

6. La formule moléculaire du glucose est $C_6H_{12}O_6$. Quelle serait la formule moléculaire d'un polymère de 10 molécules de glucose obtenu par des réactions de déshydratation ?
a) $C_{60}H_{120}O_{60}$.
b) $C_{60}H_{102}O_{51}$.
c) $C_{60}H_{100}O_{50}$.
d) $C_{60}H_{111}O_{51}$.

7. Quelles paires de séquences de bases peuvent s'apparier pour former une petite séquence d'une double hélice normale d'ADN ?
a) 5′-AGCT-3′ avec 5′-TCGA-3′.
b) 5′-GCGC-3′ avec 5′-TATA-3′.
c) 5′-ATGC-3′ avec 5′-GCAT-3′.
d) Toutes ces paires sont correctes.

8. Construisez un tableau qui organise les termes suivants et nommez les colonnes et les rangées.

Monosaccharides	Polypeptides	Liaisons phosphodiester
Acides gras	Triglycérides	Liaisons peptidiques
Acides aminés	Polynucléotides	Liaisons glycosidiques
Nucléotides	Polysaccharides	Liaisons ester

9. **FAITES UN DESSIN ▶** Copiez le brin de nucléotide de la figure 5.23a et placez-y les bases G, T, C et A, en commençant par l'extrémité 5′. En supposant qu'il s'agit d'un polynucléotide d'ADN, dessinez le brin complémentaire, en utilisant les mêmes symboles pour les groupements phosphate (cercles), les monosaccharides (pentagones) et les bases. Identifiez les bases. Tracez des flèches indiquant la direction 5′ → 3′ de chaque brin. Utilisez les flèches pour bien indiquer que le deuxième brin est antiparallèle au premier. *Suggestion :* Après avoir dessiné le premier brin verticalement, tournez le papier à 180° (le haut vers le bas) ; il est plus facile de dessiner le deuxième brin dans la direction 5′ → 3′ en allant de haut en bas.

Voir les réponses proposées à l'appendice A.

Exploration de la cellule

6

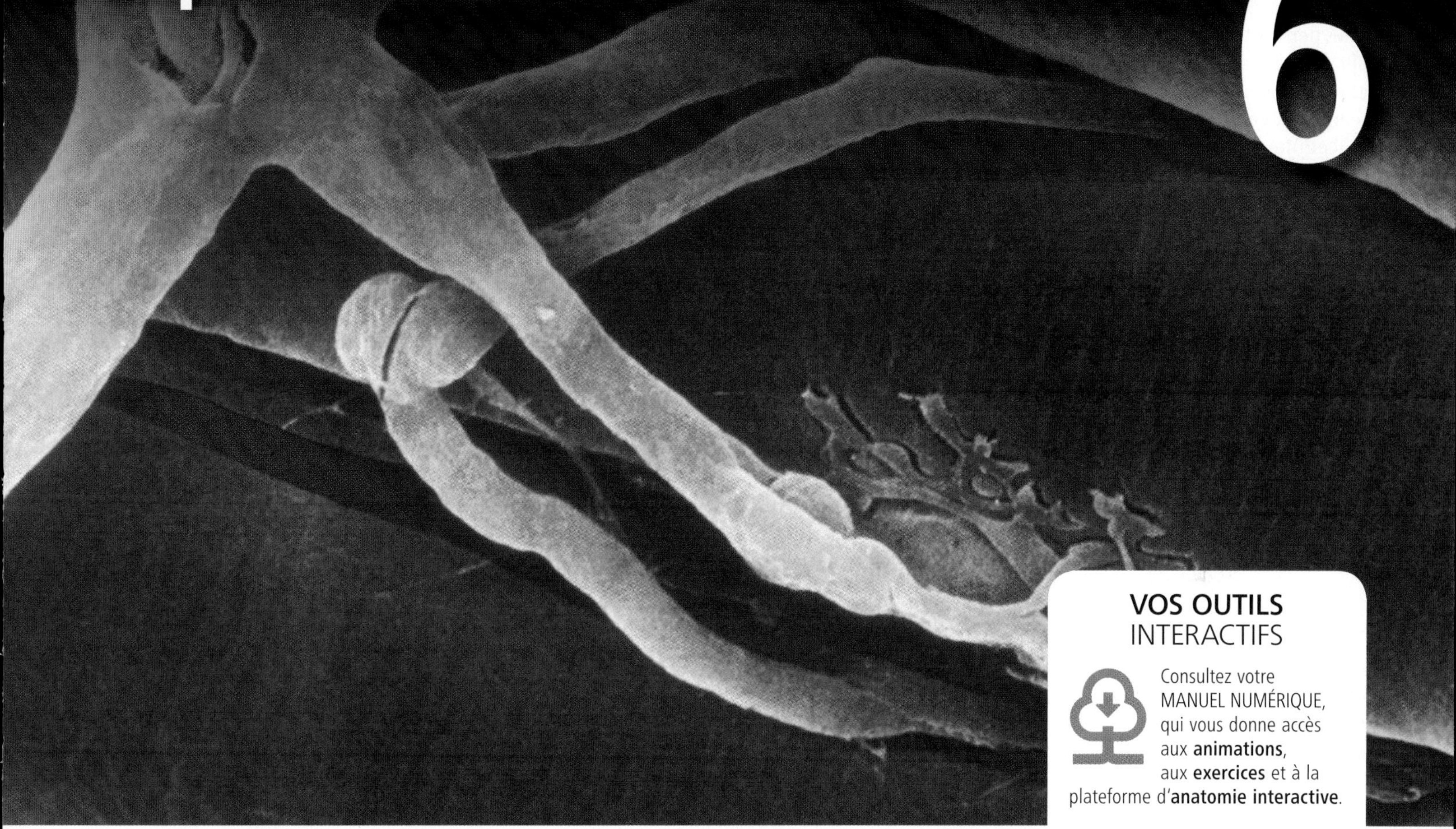

VOS OUTILS INTERACTIFS

Consultez votre MANUEL NUMÉRIQUE, qui vous donne accès aux **animations**, aux **exercices** et à la plateforme d'**anatomie interactive**.

▲ **Figure 6.1 Comment vos cellules vous aident-elles à apprendre la biologie ?**

CONCEPTS CLÉS

6.1 Les biologistes étudient les cellules à l'aide de microscopes et de diverses techniques biochimiques

6.2 Chez les eucaryotes, la compartimentation de l'espace cellulaire contribue au fonctionnement biochimique

6.3 Le noyau de la cellule eucaryote renferme les instructions génétiques que les ribosomes utilisent pour fabriquer les protéines

6.4 Le réseau de membranes intracellulaires dirige la circulation des protéines et remplit des fonctions métaboliques

6.5 Les mitochondries et les chloroplastes convertissent l'énergie d'une forme à une autre

6.6 Le cytosquelette est un réseau de fibres qui organise les structures et les activités de la cellule

6.7 Les constituants extracellulaires et les jonctions intercellulaires contribuent à la coordination des activités de la cellule

6.8 Le tout que forme la cellule est supérieur à la somme de ses parties

Les unités fondamentales de la vie

Les cellules sont aussi essentielles aux systèmes vivants de la biologie que les atomes le sont aux molécules de la chimie. Plusieurs types de cellules travaillent pour vous en ce moment même. La contraction des cellules des muscles oculaires déplace vos yeux pendant que vous lisez cette phrase. Les mots de cette page sont traduits en signaux que des cellules nerveuses transmettent à votre cerveau, où ils sont acheminés à d'autres cellules nerveuses. Lorsque vous étudiez, vos cellules établissent des connexions entre les cellules nerveuses pour consolider la mémoire et permettre l'apprentissage. La **figure 6.1** illustre ce propos en montrant les prolongements d'une cellule nerveuse (en orange) qui se connectent à des cellules musculaires (en rouge).

Tous les organismes se composent de cellules. Dans la hiérarchie de l'organisation biologique, la cellule est le premier ensemble de matière qu'il est possible de considérer comme une entité vivante. D'ailleurs, bien des êtres vivants ne sont constitués que d'une seule cellule, comme la paramécie (*Paramecium*) illustrée ici, un eucaryote qui vit dans l'eau des étangs. Les organismes plus complexes et de plus grande taille, dont les végétaux et les animaux, sont multicellulaires et comportent plusieurs sortes de cellules spécialisées incapables de survivre par elles-mêmes. Cependant, même lorsqu'elles s'unissent à d'autres pour constituer un niveau d'organisation supérieur, comme dans les tissus et les organes, les cellules demeurent les unités fondamentales de la structure et du fonctionnement des organismes.

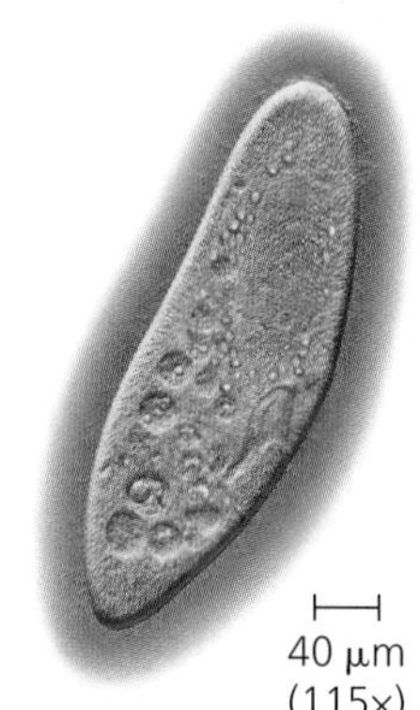

Toutes les cellules sont apparentées, car elles descendent de cellules ancestrales. Au cours de la longue histoire évolutive de la vie sur Terre, les cellules ont subi de nombreuses modifications. Elles peuvent différer considérablement les unes des autres, mais elles ont aussi de nombreux points en commun. Dans le présent chapitre, nous nous familiariserons avec les instruments et les techniques expérimentales qui nous permettent de comprendre les cellules, puis nous explorerons la cellule et ses constituants.

CONCEPT **6.1**

Les biologistes étudient les cellules à l'aide de microscopes et de diverses techniques biochimiques

Comment les biologistes cellulaires (cytologistes) réussissent-ils à étudier le fonctionnement d'une entité comme la cellule, généralement invisible à l'œil nu? Avant d'explorer la cellule, penchons-nous sur les techniques qui permettent de l'observer.

La microscopie

La mise au point d'instruments qui permettent à l'être humain de dépasser les limites de ses sens a permis de découvrir et d'étudier les cellules. Les microscopes ont été inventés en 1590 et perfectionnés au 17e siècle. Robert Hooke a été le premier, en 1665, à distinguer les parois d'une cellule lorsqu'il a regardé au microscope les cellules mortes de l'écorce d'un chêne. Mais il lui a fallu attendre les lentilles de très grande qualité fabriquées par Antoni van Leeuwenhoek pour observer des cellules vivantes. Imaginez son émerveillement lorsqu'il a rendu visite à van Leeuwenhoek en 1674 et que le monde des microorganismes – des animalcules, comme les appelait son hôte – s'est révélé à lui!

Les microscopes qu'utilisaient les scientifiques de la Renaissance tout comme ceux de votre laboratoire sont des **microscopes photoniques** (**MP**). Dans ces instruments, la lumière visible traverse la préparation (l'échantillon), puis des lentilles de verre. Ces lentilles réfractent (dévient) la lumière, de façon à grossir l'image projetée dans l'œil ou dans un appareil photo (voir l'appendice D).

Le grossissement, la résolution et le contraste sont trois paramètres importants en microscopie. Le *grossissement* est le rapport entre les dimensions de l'image obtenue et celles de l'objet réel. Les microscopes photoniques (MP) peuvent grossir d'environ 1 000 fois la taille réelle du spécimen; de plus forts grossissements ne permettent pas toujours d'observer clairement les détails les plus fins. La *résolution* est une mesure de la netteté de l'image ou, plus précisément, de la distance minimale séparant deux points pour que ceux-ci restent distincts (pour l'œil humain, cette distance est de 100 μm). Par exemple, là où l'œil nu voit une seule étoile dans le ciel, le télescope, qui a un plus grand pouvoir de résolution, permet d'apercevoir des étoiles jumelles. De même, en utilisant les techniques classiques, le microscope photonique peut grossir les objets tant qu'on veut, mais son pouvoir de résolution s'arrêtera toujours à 0,2 micromètre (μm), soit 200 nanomètres (nm), ce qui représente la taille d'une petite bactérie (**figure 6.2**). Le troisième paramètre, le *contraste*, est la différence de brillance entre les parties claires et sombres d'une image. Des méthodes améliorant le contraste, comme la coloration ou le marquage des constituants cellulaires, permettent de mieux faire ressortir les détails. La **figure 6.3** montre différents types de microscopie; il sera utile de vous y référer pendant que vous lirez cette section.

▼ **Figure 6.2 Les dimensions comparées des cellules.** La plupart des cellules (zones en jaune) mesurent entre 1 et 100 μm de diamètre, et leurs constituants sont encore plus petits (voir la figure 6.32), tout comme les virus. Par conséquent, elles ne sont visibles qu'au microscope. Étant donné l'écart entre les dimensions représentées, nous avons opté pour une échelle logarithmique: chaque mesure indiquée à gauche de la graduation est 10 fois inférieure à celle qui est inscrite au-dessus d'elle. L'appendice C présente un tableau complet du système international d'unités.

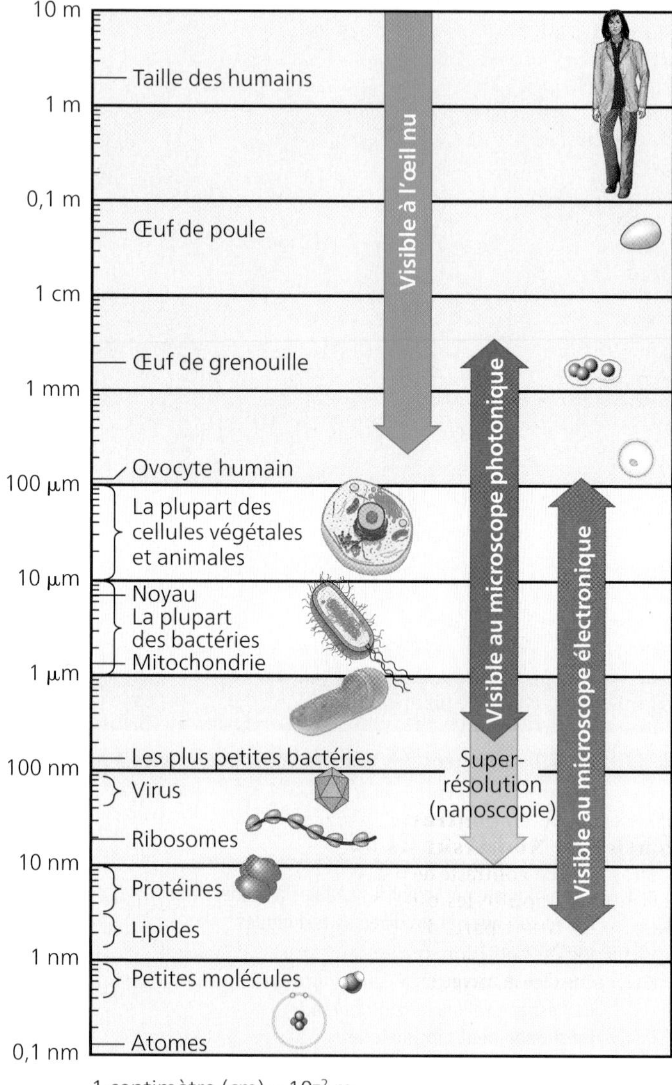

1 centimètre (cm) = 10^{-2} m
1 millimètre (mm) = 10^{-3} m
1 micromètre (μm) = 10^{-3} mm = 10^{-6} m
1 nanomètre (nm) = 10^{-3} μm = 10^{-9} m

L'obstacle de la résolution empêche les biologistes cellulaires d'utiliser la microscopie photonique classique pour étudier les **organites**, c'est-à-dire les diverses structures des cellules eucaryotes contenues dans une membrane (noyau, chloroplastes, mitochondries, etc.). Pour observer les détails de ces structures, il fallait mettre au point un instrument plus puissant, le **microscope électronique** (**ME**). Inventé dans les années

▼ Figure 6.3

PANORAMA Les techniques de microscopie

La microscopie photonique (MP)

Microscopie à fond clair (échantillon non coloré). La lumière passe directement à travers l'échantillon; si la cellule n'est ni naturellement pigmentée ni artificiellement colorée, le contraste est faible. (Les quatre premières micrographies photoniques montrent des cellules épithéliales de la joue humaine; l'échelle est la même pour les quatre.)

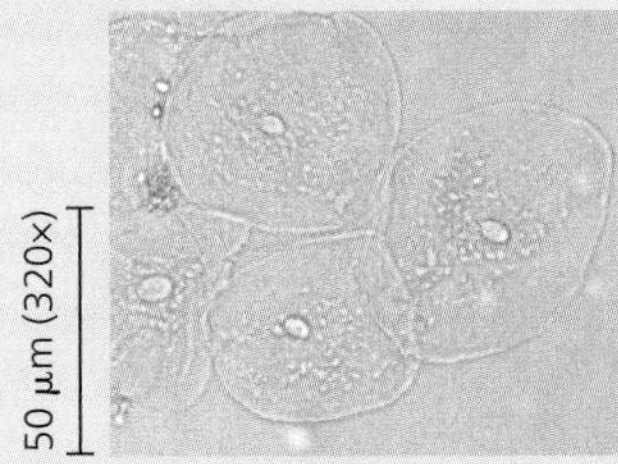

Microscopie à fond clair (échantillon coloré). Divers colorants accentuent le contraste. La plupart des techniques de coloration exigent que la cellule soit fixée (rendue inerte par un fixateur), ce qui la tue.

Microscopie en contraste de phase. Cette technique amplifie les variations de densité et accentue le contraste dans des cellules non colorées, ce qui est particulièrement utile pour l'examen des cellules vivantes dépourvues de pigments.

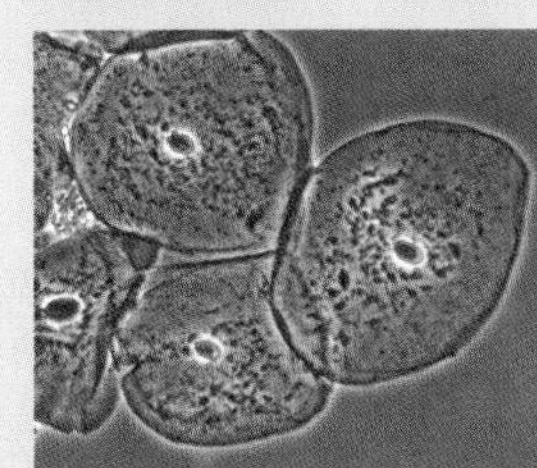

Microscopie en contraste interférentiel de Nomarski. Comme la microscopie en contraste de phase, cette technique amplifie les différences de densité en tirant parti des propriétés optiques de l'échantillon, produisant un effet proche d'une image en 3-D.

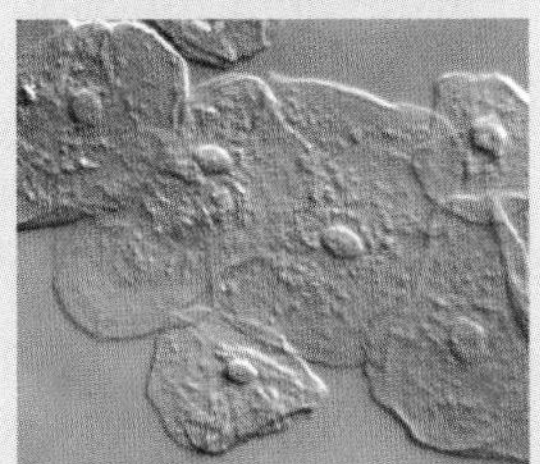

Microscopie à fluorescence. Cette technique fait ressortir certaines molécules de la cellule en les marquant avec des colorants fluorescents ou avec des anticorps fluorescents (on parle alors d'immunofluorescence). Certaines cellules contiennent des molécules fluorescentes. Ces substances absorbent les rayons ultraviolets et émettent de la lumière visible. Dans cette micrographie à fluorescence d'une cellule utérine, le contenu du noyau est bleu, des organites qu'on appelle mitochondries sont orangés, et le «squelette» de la cellule apparaît en vert.

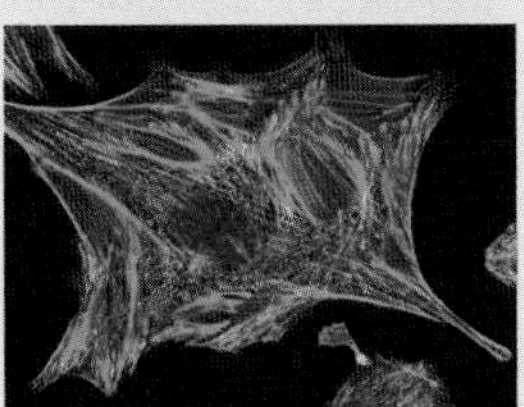

Microscopie confocale. La photo du haut est une micrographie à fluorescence classique de tissu nerveux coloré (les cellules nerveuses sont vertes, les cellules de soutien, orangées, et les régions communes, jaunes). La photo du dessous montre une image confocale du même tissu. Réalisée avec un laser, cette technique de «coupe optique» élimine les zones lumineuses hors foyer d'un échantillon relativement épais, créant un seul plan de fluorescence dans l'image. La captation d'images nettes de divers plans permet de procéder à une reconstruction en 3-D. L'image classique (en haut) est floue parce qu'on n'en a pas éliminé les zones lumineuses hors foyer.

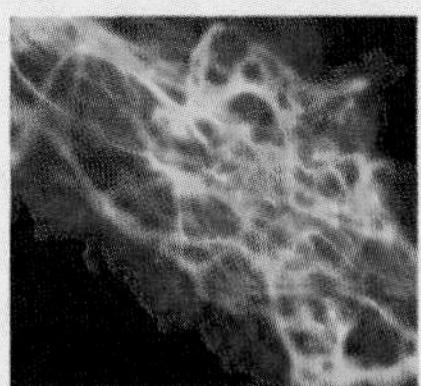

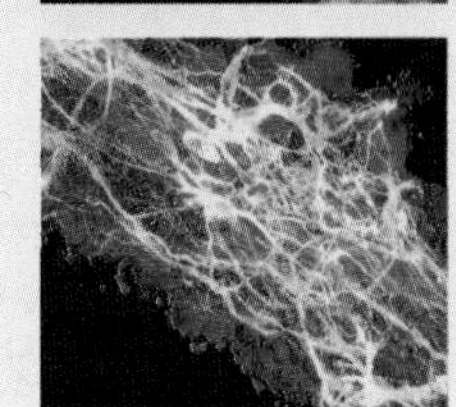

Microscopie avec déconvolution. Dans cette image divisée, la partie supérieure représente une image reconstituée à partir de la superposition de micrographies à fluorescence classiques dans l'épaisseur d'un globule blanc du sang. La partie inférieure montre la même cellule reconstituée à partir de plusieurs images floues de différents plans, traitées une à une avec un logiciel de déconvolution. Ce processus numérique élimine la lumière hors foyer, créant ainsi une image 3-D beaucoup plus nette.

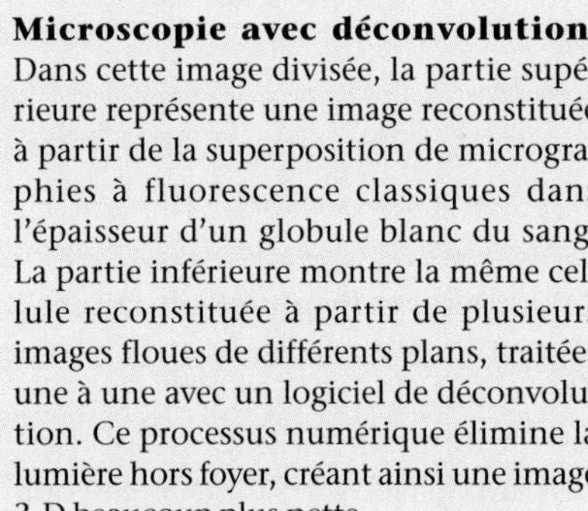

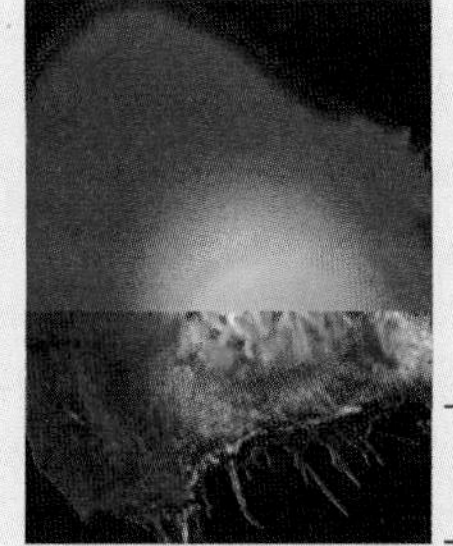

Microscopie de superrésolution ou nanoscopie. En haut, on voit une image confocale d'une partie d'une cellule nerveuse réalisée à l'aide d'un marqueur fluorescent qui se lie à des molécules agglomérées dans des vésicules (petits sacs) de 40 nm de diamètre. Les taches jaune vert sont floues parce que ces 40 nm sont en deçà du pouvoir de résolution de la microscopie photonique classique (200 nm). La photo du bas représente une image de la même partie de la cellule, mais réalisée au moyen d'une nouvelle technique de superrésolution. Un dispositif complexe permet d'illuminer des molécules fluorescentes individuelles et d'enregistrer leur position. La combinaison de l'information provenant de nombreuses molécules dans différentes positions permet de dépasser la limite du pouvoir de résolution, produisant les points jaune vert très nets qu'on voit ici. (Chaque point correspond à une vésicule de 40 nm.)

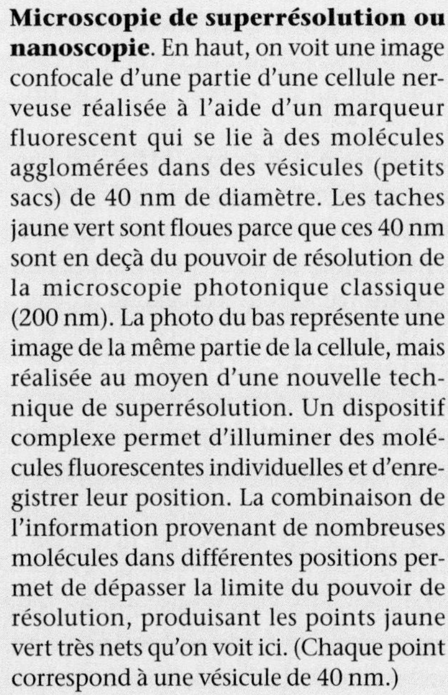

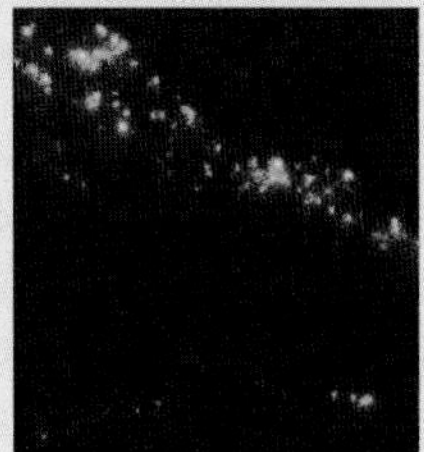

Suite ▶

PANORAMA ▼ Figure 6.3 Les techniques de microscopie (*suite*)

La microscopie électronique (ME)

Microscopie électronique à balayage (MEB). Les micrographies obtenues avec un microscope électronique à balayage produisent une image tridimensionnelle de la surface d'un échantillon. La MEB que l'on voit ici montre la surface d'une cellule de la trachée couverte de cils. Le battement des cils qui tapissent la trachée propulse les débris inhalés jusque dans la gorge.

La MEB et la MET qu'on voit ici ont été colorées artificiellement. (Les micrographies électroniques sont en noir et blanc, mais on les colore souvent pour rendre certaines structures plus apparentes.)

Abréviations utilisées dans les légendes des figures de cet ouvrage:
MP = micrographie photonique
MEB = micrographie électronique à balayage
MET = micrographie électronique à transmission

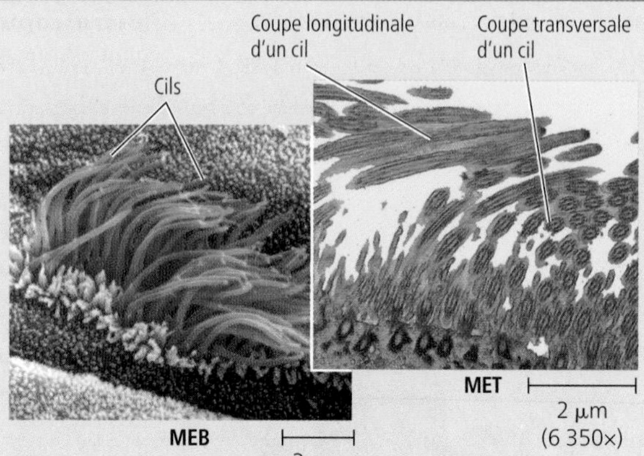

Microscopie électronique à transmission (MET). Une MET permet d'examiner une coupe fine d'un échantillon. Cette MET montre une coupe de cellule trachéale qui révèle sa structure interne. Lors de la préparation de l'échantillon, quelques cils ont été coupés dans le sens de la longueur (coupes longitudinales), et d'autres dans le sens de la largeur (coupes transversales).

HABILETÉS VISUELLES ▶ Lorsqu'on a coupé le tissu pour la MET, quelle était l'orientation des cils dans le haut de la photo à gauche? Dans la photo à droite? Expliquez en quoi cette orientation détermine le type de coupe que l'on voit.

1950, le ME n'utilise pas la lumière, mais plutôt un faisceau d'électrons qui traverse la préparation ou en balaie la surface (voir l'appendice D). Le pouvoir de résolution est inversement proportionnel à la longueur d'onde de la lumière (ou électrons) utilisée, et la longueur d'onde des faisceaux d'électrons est de beaucoup inférieure à celle de la lumière visible. Théoriquement, les microscopes électroniques modernes peuvent atteindre une résolution d'environ 0,002 nm, mais en pratique leur limite est généralement de 2 nm, ce qui représente tout de même une résolution 100 fois plus grande que celle du microscope photonique.

Le **microscope électronique à balayage (MEB)** est particulièrement utile pour étudier la topographie (surface) d'un échantillon (voir la figure 6.3). On commence par recouvrir l'échantillon d'une mince pellicule d'or ou de platine, puis un faisceau d'électrons balaie la surface. Le faisceau excite les électrons de la pellicule, laquelle émet des électrons secondaires. Ces derniers sont détectés par un instrument qui convertit la disposition des électrons en signal électronique visible sur un écran. Le microscope électronique à balayage se distingue par sa grande profondeur de champ, grâce à laquelle il produit des images qui semblent tridimensionnelles.

Le **microscope électronique à transmission (MET)** sert à étudier la structure interne d'une cellule (voir la figure 6.3). Le MET envoie un faisceau d'électrons à travers une coupe très mince d'un spécimen, tout comme le faisceau lumineux du microscope photonique traverse un échantillon placé sur une lame. Le spécimen a été coloré au moyen d'atomes de métaux lourds qui se fixent à certaines structures cellulaires, accentuant ainsi la densité électronique de certaines parties de la cellule par rapport à d'autres. Les électrons qui traversent l'échantillon sont plutôt dispersés dans les régions plus denses, de sorte que moins d'électrons sont transmis (ces régions paraissent plus sombres). L'image révèle la disposition des électrons transmis. Au lieu de comporter des lentilles de verre, le microscope électronique à transmission fonctionne au moyen d'électroaimants qui mettent l'image au point et la grossissent en déviant la trajectoire des électrons. L'image est finalement projetée sur un écran.

Les microscopes électroniques ont permis de découvrir un grand nombre de structures intracellulaires invisibles au microscope photonique. Toutefois, le MP a des avantages, notamment celui de permettre l'étude des cellules vivantes, alors que la microscopie électronique exige une fixation préalable des cellules, une opération qui les tue. Pour tout type de microscopie, la préparation des échantillons risque d'introduire des artéfacts, c'est-à-dire des altérations ou des anomalies structurales inexistantes dans les cellules intactes (ce qui est vrai de toutes les techniques de microscopie).

Ces dernières décennies, des percées techniques majeures ont donné un second souffle au microscope photonique (voir la figure 6.3). L'utilisation de marqueurs fluorescents a rendu possible l'observation de plus en plus détaillée des molécules et des structures cellulaires individuelles. De plus, la microscopie confocale et la microscopie avec déconvolution ont donné des images en 3-D beaucoup plus nettes des cellules et des tissus. Finalement, les récentes années ont été marquées par l'introduction d'un ensemble de nouvelles techniques et de nouvelles méthodes de marquage des molécules. Grâce à ces outils, les chercheurs ont réussi à dépasser la limite de la résolution et à distinguer des structures intracellulaires dont la taille est d'environ 10 à 20 nm. Avec l'essor de cette *microscopie de superrésolution*, ou nanoscopie, les images de cellules vivantes qu'on obtient de nos jours sont aussi impressionnantes pour nous que celles de van Leeuwenhoek l'ont été pour Robert Hooke il y a 350 ans.

Les microscopes de tous genres sont les principaux outils de la *cytologie*, soit l'étude des structures de la cellule. Cependant, pour comprendre le fonctionnement des structures, il a fallu intégrer la cytologie et la *biochimie*, c'est-à-dire l'étude des molécules et des processus chimiques (métabolisme) des cellules.

Le fractionnement cellulaire

La technique biochimique du **fractionnement cellulaire** (**figure 6.4**) consiste à décomposer les cellules et à en isoler les principaux organites et autres structures intracellulaires. Cette technique est particulièrement utile pour étudier la structure et le fonctionnement des cellules. Le fractionnement se fait à l'aide d'une centrifugeuse, un instrument capable de faire tourner à des vitesses de plus en plus élevées des éprouvettes contenant des cellules préalablement dissociées dans un mélangeur. À chacune de ces vitesses, la force centrifuge produite isole des constituants de la cellule qui se déposent au fond du tube, formant un culot. Aux vitesses les plus basses, le précipité est formé des composants les plus gros, et aux vitesses les plus hautes, des plus petits.

Il est souvent nécessaire de faire suivre la *centrifugation différentielle* d'une autre centrifugation qui, elle, sépare des constituants différents contenus dans un même culot, selon leur masse volumique. Le fractionnement cellulaire permet alors d'isoler (sans les détruire) des constituants cellulaires en grande quantité pour étudier leur fonctionnement, ce qui est généralement impossible avec des cellules intactes. Ainsi, ayant recueilli par

DÉMARCHE SCIENTIFIQUE

MÉTHODE DE RECHERCHE

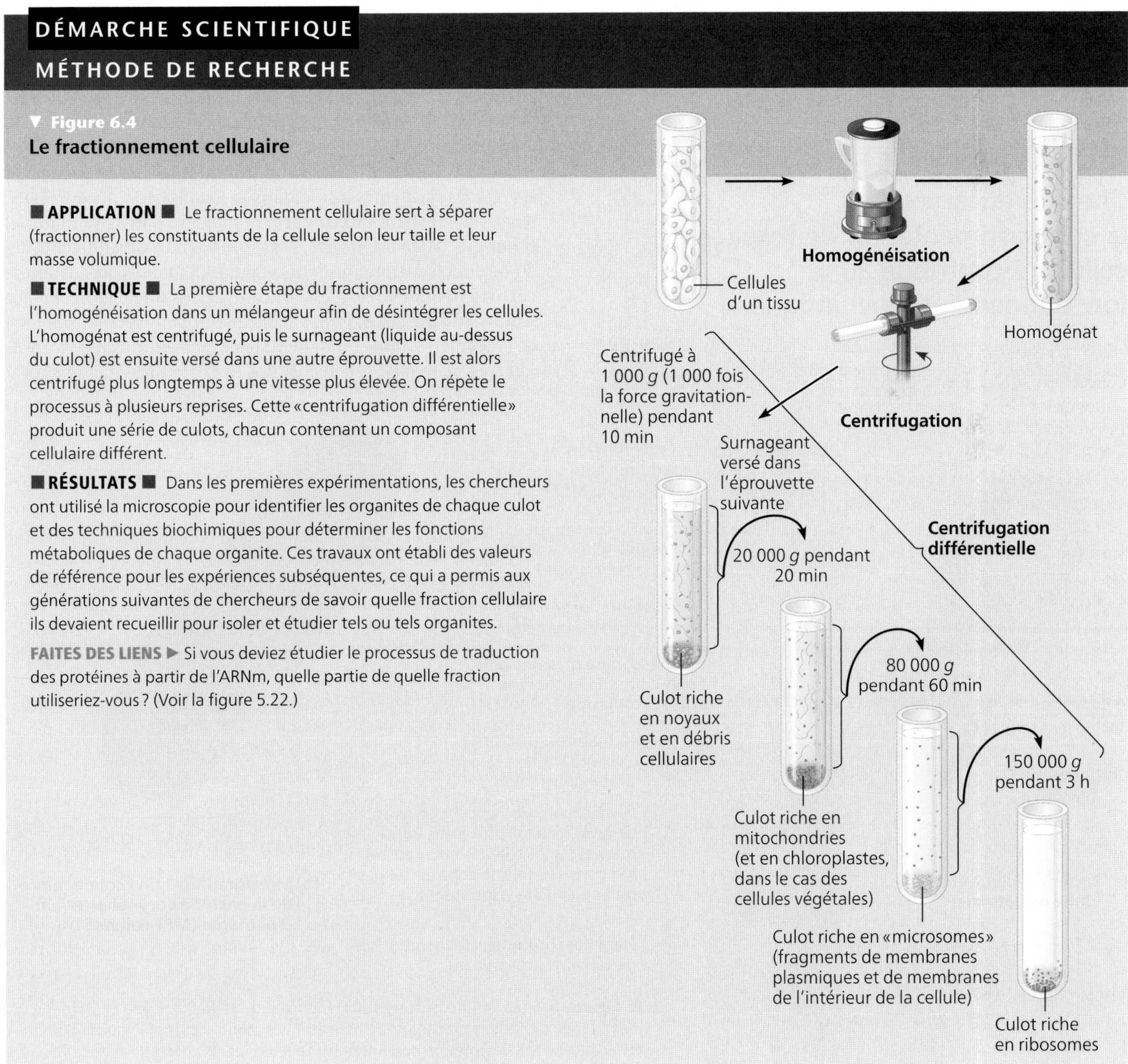

▼ **Figure 6.4**
Le fractionnement cellulaire

■ **APPLICATION** ■ Le fractionnement cellulaire sert à séparer (fractionner) les constituants de la cellule selon leur taille et leur masse volumique.

■ **TECHNIQUE** ■ La première étape du fractionnement est l'homogénéisation dans un mélangeur afin de désintégrer les cellules. L'homogénat est centrifugé, puis le surnageant (liquide au-dessus du culot) est ensuite versé dans une autre éprouvette. Il est alors centrifugé plus longtemps à une vitesse plus élevée. On répète le processus à plusieurs reprises. Cette «centrifugation différentielle» produit une série de culots, chacun contenant un composant cellulaire différent.

■ **RÉSULTATS** ■ Dans les premières expérimentations, les chercheurs ont utilisé la microscopie pour identifier les organites de chaque culot et des techniques biochimiques pour déterminer les fonctions métaboliques de chaque organite. Ces travaux ont établi des valeurs de référence pour les expériences subséquentes, ce qui a permis aux générations suivantes de chercheurs de savoir quelle fraction cellulaire ils devaient recueillir pour isoler et étudier tels ou tels organites.

FAITES DES LIENS ▶ Si vous deviez étudier le processus de traduction des protéines à partir de l'ARNm, quelle partie de quelle fraction utiliseriez-vous? (Voir la figure 5.22.)

centrifugation une fraction cellulaire contenant des enzymes de la respiration cellulaire et ayant constaté que cette même fraction cellulaire contenait aussi beaucoup de mitochondries, un type d'organite mis en évidence par microscopie électronique, les cytologistes ont pu déterminer que la mitochondrie est le site de la respiration cellulaire. La cytologie et la biochimie se complètent avantageusement, car elles concourent toutes les deux à préciser le lien entre la structure et la fonction cellulaires.

RETOUR SUR LE CONCEPT 6.1

1. Comparez l'utilisation de la coloration en microscopie photonique et en microscopie électronique.
2. ET SI ? ▶ Quel type de microscope utiliseriez-vous pour étudier (a) les changements de forme d'un leucocyte (globule blanc) vivant et (b) les détails de la surface d'un cheveu ?

Voir les réponses proposées à l'appendice A.

CONCEPT 6.2

Chez les eucaryotes, la compartimentation de l'espace cellulaire contribue au fonctionnement biochimique

Unités structurales et fonctionnelles de base de tout organisme, les cellules sont soit de type procaryote, soit de type eucaryote. Seuls les organismes appartenant aux domaines des bactéries et des archées sont constitués de cellules procaryotes. En revanche, les protistes, les végétaux, les eumycètes et les animaux sont constitués de cellules eucaryotes. (Le terme « protiste » désigne un groupe diversifié comprenant essentiellement des eucaryotes unicellulaires.)

Cellules procaryotes et cellules eucaryotes: ressemblances et différences

Toutes les cellules présentent certaines caractéristiques communes. Elles sont toutes entourées d'une barrière sélective, la *membrane plasmique* (aussi appelée membrane cellulaire ou cytoplasmique), qui circonscrit leurs organites, lesquels baignent dans une substance semi-liquide semblable à de la gelée, le **cytosol**. Toutes les cellules contiennent des *chromosomes* qui portent des gènes constitués d'ADN. De même, toutes les cellules possèdent des *ribosomes*, minuscules complexes qui synthétisent les protéines en suivant les instructions inscrites dans les gènes. Enfin, les grands mécanismes biochimiques qui entretiennent la vie s'effectuent selon un plan de base similaire dans toutes les cellules.

L'une des grandes différences entre les *cellules procaryotes* et les *cellules eucaryotes* réside dans la localisation de leur ADN. Dans une **cellule eucaryote**, la majeure partie du matériel génétique (ADN) se trouve dans le *noyau*, un organite entouré d'une double membrane (voir la figure 6.8), tandis que, dans une **cellule procaryote**, il est concentré dans une région appelée **nucléoïde** (**figure 6.5**) qu'aucune membrane ne sépare du reste de la cellule. Comme l'indiquent leurs racines, le terme *eucaryote* (du grec *eu*, « vrai », et *karyon*, « noyau ») signifie « vrai noyau » et

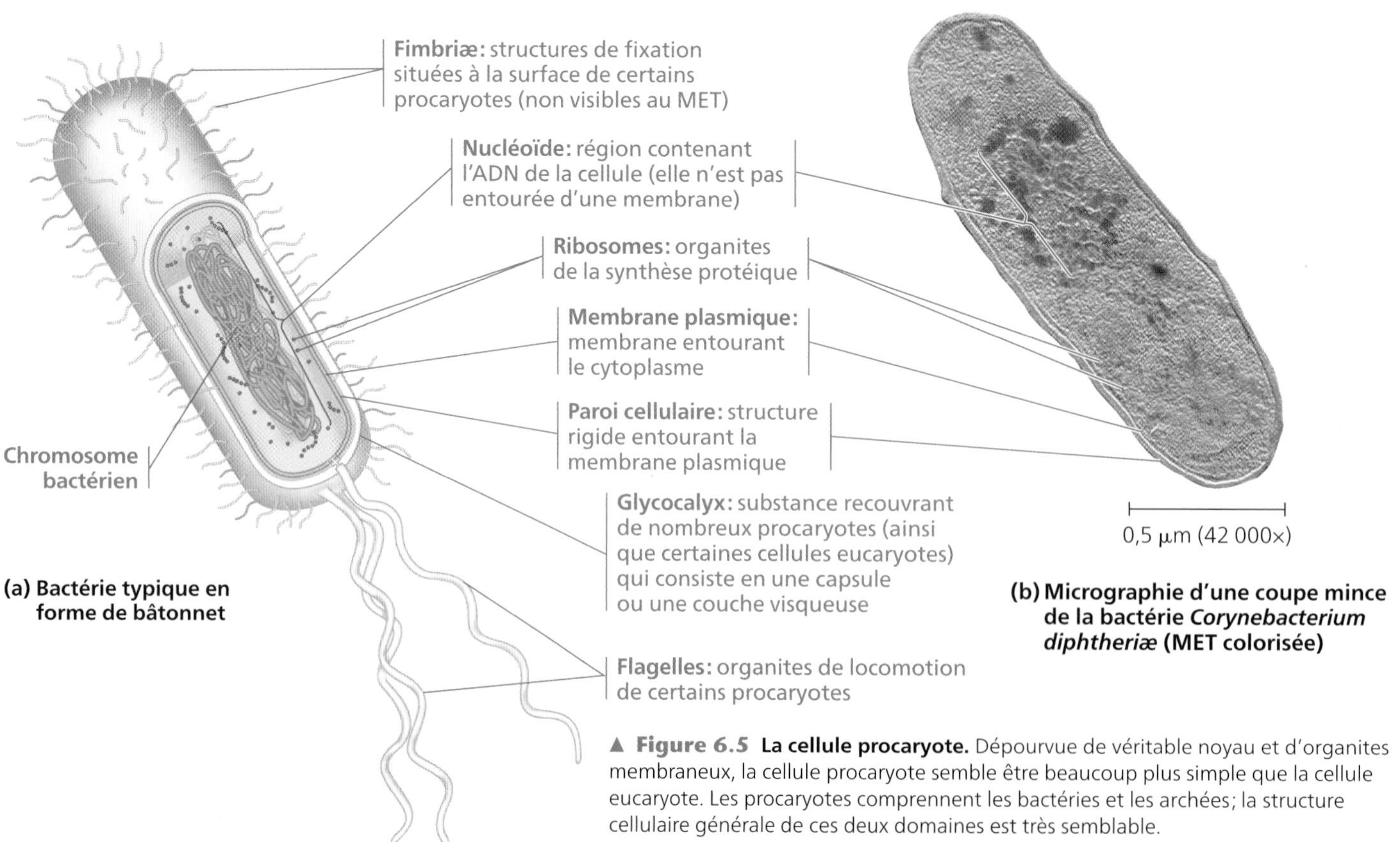
Fimbriæ: structures de fixation situées à la surface de certains procaryotes (non visibles au MET)
Nucléoïde: région contenant l'ADN de la cellule (elle n'est pas entourée d'une membrane)
Ribosomes: organites de la synthèse protéique
Membrane plasmique: membrane entourant le cytoplasme
Paroi cellulaire: structure rigide entourant la membrane plasmique
Glycocalyx: substance recouvrant de nombreux procaryotes (ainsi que certaines cellules eucaryotes) qui consiste en une capsule ou une couche visqueuse
Flagelles: organites de locomotion de certains procaryotes
Chromosome bactérien
0,5 μm (42 000×)
(a) Bactérie typique en forme de bâtonnet
(b) Micrographie d'une coupe mince de la bactérie *Corynebacterium diphtheriæ* (MET colorisée)

▲ **Figure 6.5 La cellule procaryote.** Dépourvue de véritable noyau et d'organites membraneux, la cellule procaryote semble être beaucoup plus simple que la cellule eucaryote. Les procaryotes comprennent les bactéries et les archées; la structure cellulaire générale de ces deux domaines est très semblable.

le terme *procaryote* (du grec *pro*, « avant ») veut dire « prénoyau » – les cellules procaryotes ayant précédé les cellules eucaryotes dans l'évolution.

L'intérieur des deux types de cellules s'appelle **cytoplasme** ; pour les cellules eucaryotes, ce terme ne s'applique qu'à la région située entre le noyau et la membrane plasmique. Le cytoplasme de la cellule eucaryote contient divers organites spécialisés qui baignent dans le cytosol et qui diffèrent par leurs formes et leurs fonctions. Ces structures séparées par des membranes sont absentes de presque toutes les cellules procaryotes, et c'est là une autre différence entre les cellules procaryotes et eucaryotes. Dépourvu d'organites, le cytoplasme des cellules procaryotes n'est pas pour autant un bouillon clair. Certaines cellules procaryotes, par exemple, contiennent des régions entourées de protéines (et non de membranes) à l'intérieur desquelles des réactions spécifiques se produisent.

En général, les cellules eucaryotes sont beaucoup plus imposantes que les cellules procaryotes (voir la figure 6.2). Or, comme d'autres caractéristiques générales de la structure cellulaire, la taille est liée à la fonction. Pour remplir ses fonctions métaboliques, la cellule ne doit être ni trop petite ni trop grande. Les plus petites cellules connues appartiennent au domaine des bactéries et se nomment mycoplasmes ; leur diamètre mesure entre 0,1 et 1 μm. Il s'agit peut-être là du volume minimal pouvant renfermer suffisamment d'ADN pour programmer le métabolisme, et assez d'enzymes et d'équipement cellulaire pour accomplir les activités nécessaires au maintien de la vie et à la reproduction. Les bactéries mesurent généralement de 1 à 5 μm de diamètre ; elles sont donc une dizaine de fois plus grosses que les mycoplasmes. Les cellules eucaryotes, quant à elles, mesurent habituellement de 10 à 100 μm de diamètre.

Les exigences du métabolisme cellulaire imposent également une limite aux dimensions que peut atteindre la cellule, en raison de la vitesse à laquelle les molécules peuvent se déplacer à l'intérieur de la cellule, mais surtout à cause des échanges nécessaires entre la cellule et son milieu. La **membrane plasmique**, qui délimite la périphérie de chaque cellule, tient lieu de barrière sélective assurant le passage d'une quantité suffisante de molécules d'oxygène (O_2), de nutriments et de déchets pour desservir la totalité de la cellule (**figure 6.6**). Toutefois, il y a des limites à la capacité d'une surface membranaire à laisser diffuser ou à faire passer une substance donnée en un temps donné (disons un micromètre carré de membrane par seconde). C'est pourquoi le rapport surface/volume est crucial. Lorsqu'une cellule (ou tout autre objet) grandit, sa surface augmente moins, toutes proportions gardées, que son volume. (L'aire est proportionnelle au carré de la dimension linéaire, tandis que le volume est proportionnel au cube de la dimension linéaire.) Par conséquent, plus un objet est petit, plus le rapport surface/volume est élevé (**figure 6.7**). La rubrique **Habiletés scientifiques** vous donnera l'occasion de calculer les volumes et les surfaces de deux cellules réelles : une cellule de levure mature et sa cellule fille. Pour voir les diverses façons dont la surface des cellules est maximisée chez les organismes, reportez-vous à la partie Faites des liens de la figure 33.9.

Plus la surface de la membrane plasmique est grande par rapport au volume de la cellule, plus les échanges satisfont les besoins cellulaires, ce qui explique la taille microscopique de la plupart des cellules et la forme allongée des autres, comme

▼ **Figure 6.6 La membrane plasmique.** La membrane plasmique et les membranes des organites de la cellule renferment diverses protéines spécialisées attachées ou incorporées dans une double couche (bicouche) de phospholipides. En raison de leurs propriétés hydrophiles et hydrophobes, ces molécules contribuent à l'organisation des membranes cellulaires. En effet, les parties hydrophobes des phospholipides et des protéines membranaires se trouvent à l'intérieur de la membrane, tandis que les parties hydrophiles sont en contact avec la solution aqueuse de part et d'autre de la membrane. Des chaînes glucidiques latérales peuvent être attachées à des protéines ou à des lipides sur la surface externe de la membrane plasmique.

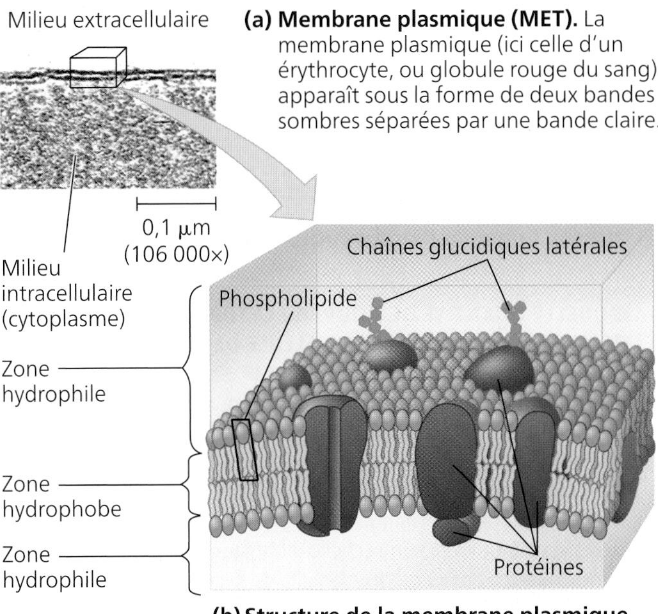

(a) Membrane plasmique (MET). La membrane plasmique (ici celle d'un érythrocyte, ou globule rouge du sang) apparaît sous la forme de deux bandes sombres séparées par une bande claire.

(b) Structure de la membrane plasmique.

HABILETÉS VISUELLES ▶ Quelles parties du schéma de la partie (b) correspondent aux bandes foncées de la MET de la partie (a) ? Quelles parties correspondent à la bande claire ? (Revoyez la figure 5.11.)

▼ **Figure 6.7 La géométrie du rapport surface/volume.** Dans ce schéma, les cellules sont représentées par des cubes. À l'aide d'unités de longueur arbitraires, on peut calculer leur surface (en unités carrées, ou unités^2), leur volume (en unités cubes, ou unités^3) ainsi que leur rapport surface/volume. Un rapport surface/volume élevé favorise les échanges entre la cellule et son environnement.

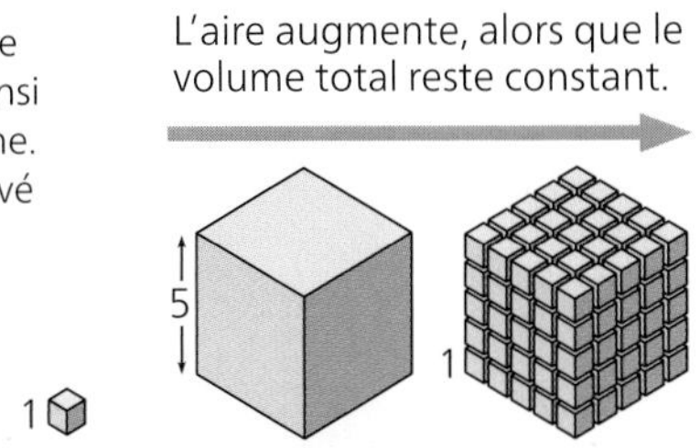

L'aire augmente, alors que le volume total reste constant.

	1	5	1
Surface totale (somme des aires de la surface [hauteur × largeur] de tous les côtés × nombre de cubes)	6	150	750
Volume total (hauteur × largeur × longueur × nombre de cubes)	1	125	125
Rapport surface/volume (aire de la surface ÷ volume)	6	1,2	6

les cellules nerveuses. Généralement, les cellules des organismes les plus grands ne sont pas *plus grandes* que celles des petits organismes, elles sont seulement *plus nombreuses* (voir la figure 6.7). Un rapport surface/volume suffisamment élevé est particulièrement important dans les cellules qui échangent beaucoup de matières avec leur milieu, par exemple les cellules intestinales. La surface de ce genre de cellule est parfois pourvue de longs et fins prolongements, les *microvillosités*, qui augmentent la surface d'échange de la cellule sans accroître significativement son volume.

Plus loin dans ce chapitre, nous décrirons les relations qu'ont entretenues les cellules procaryotes et les cellules eucaryotes au fil de l'évolution. La majeure partie du texte qui suit concerne les cellules eucaryotes; nous décrirons la cellule procaryote en détail plus loin (au chapitre 27).

Une vue d'ensemble de la cellule eucaryote

En plus de sa membrane plasmique, la cellule eucaryote possède un réseau étendu et élaboré de membranes internes (les organites membraneux déjà mentionnés) qui la compartimentent. Les compartiments cellulaires constituent des microenvironnements propices à certaines fonctions métaboliques spécialisées, ce qui permet à des processus opposés de se dérouler simultanément

DÉMARCHE SCIENTIFIQUE

HABILETÉS SCIENTIFIQUES

Utiliser une échelle graphique pour calculer le volume et la surface d'une cellule

■ QUELLE QUANTITÉ DE NOUVEAU CYTOPLASME ET DE MEMBRANE PLASMIQUE UNE CELLULE DE LEVURE EN CROISSANCE PEUT-ELLE PRODUIRE ? ■ La levure unicellulaire *Saccharomyces cerevisiæ* se reproduit par bourgeonnement et donne naissance à une petite cellule qui croît jusqu'à pleine maturité (voir les cellules de levure au bas de la figure 6.8). Durant sa croissance, la cellule fille (bourgeon) synthétise du cytoplasme, qui augmente son volume, et de la membrane plasmique, qui augmente sa surface. Dans cet exercice, vous utiliserez une échelle graphique pour déterminer la taille d'une cellule de levure mère et la taille de sa cellule fille. Vous calculerez le volume et la surface de chaque cellule, puis vous déterminerez la quantité de cytoplasme et de membrane plasmique que la cellule fille devra produire jusqu'à maturité.

■ MÉTHODE ■ Les chercheurs ont mis en culture les cellules de levure dans des conditions propices à leur reproduction par bourgeonnement. Ils les ont ensuite observées par microscopie en contraste interférentiel de Nomarski et photographiées.

■ RÉSULTATS ■ Cette micrographie photonique montre une cellule de levure en bourgeonnement qui s'apprête à donner naissance à une cellule.

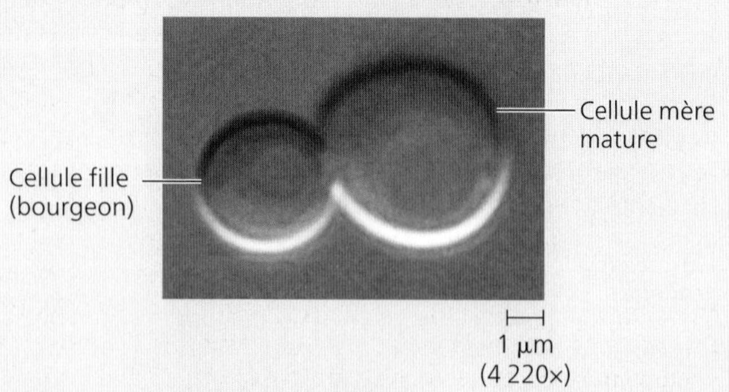

Source de la micrographie: Kelly Tatchell, utilisant des cellules de levure cultivées pour une experience décrite dans L. Kozubowski et coll., Role of the septin ring in the asymmetric localization of proteins at the mother-bud neck, *Saccharomyces cerevisiae, Molecular Biology of the Cell* 16: 3455-3466 (2005).

INTERPRÉTEZ LES DONNÉES ▼

1. Examinez la micrographie photonique des cellules de levure. L'échelle graphique sous la photo indique 1 μm. Cette échelle fonctionne de la même façon que l'échelle d'une carte géographique où, par exemple, 1 cm correspond à 1 km. Dans cet exercice, l'échelle représente un millième de millimètre. En vous servant de l'échelle comme unité de base, déterminez le diamètre de la cellule mère et celui de la cellule fille. Commencez par mesurer l'échelle graphique et le diamètre de chaque cellule. Les unités que vous utilisez importent peu, mais il demeure commode de travailler en millimètres. Divisez chaque diamètre par la longueur de l'échelle graphique, puis multipliez par la valeur correspondante pour obtenir le diamètre en micromètres.
2. La forme d'une cellule de levure ressemble à celle d'une sphère. (a) Calculez le volume de chaque cellule à l'aide de la formule utilisée pour calculer le volume d'une sphère, soit:

$$V = \frac{4}{3}\pi r^3$$

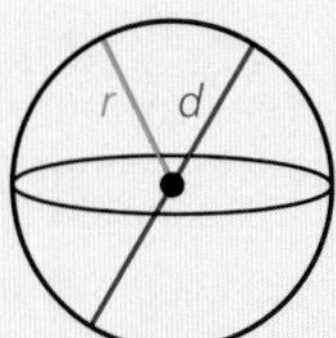

Notez que le symbole π (la lettre grecque pi) est une constante dont la valeur est égale à environ 3,14, que d est le diamètre et que r est le rayon, dont la valeur est la moitié du diamètre. (b) Quel volume de nouveau cytoplasme la cellule fille devra-t-elle synthétiser durant sa croissance ? Pour le savoir, calculez la différence entre le volume de la cellule mère et le volume de la cellule fille.

3. À mesure que la cellule fille croît, sa membrane plasmique doit s'agrandir elle aussi afin de pouvoir contenir le cytoplasme de plus en plus abondant (le volume de plus en plus grand). (a) Calculez la surface de chaque cellule à l'aide de la formule utilisée pour calculer la surface d'une sphère, soit: $S = 4\pi r^2$. (b) Déterminez la surface que la cellule fille devra ajouter à sa membrane plasmique durant sa croissance.
4. Lorsque la cellule fille parviendra à maturité, combien de fois plus grand sera son volume et combien de fois plus grande sera sa surface (membrane) par rapport à son volume et à sa surface actuels ?

dans une même cellule. Par exemple, les enzymes digestives confinées dans les lysosomes n'entravent pas les processus de synthèse qui ont cours dans le cytoplasme. En outre, la membrane plasmique et les membranes des organites participent directement au métabolisme cellulaire, puisque de nombreuses enzymes y sont incorporées.

La plupart des membranes biologiques sont constituées d'une double couche de phospholipides et d'autres lipides. Diverses protéines associées à ces lipides sont incorporées à la double couche ou fixées à sa surface (voir la figure 6.6). Toutefois, chacune présente une composition lipidique et protéique conforme à ses fonctions spécifiques. Par exemple, plusieurs enzymes de la respiration cellulaire sont insérées dans la membrane interne des mitochondries. Comme les membranes jouent un rôle fondamental dans l'organisation de la cellule, nous en traiterons au chapitre 7.

Avant de poursuivre, examinez la **figure 6.8**. Ces représentations schématiques de cellules animales et végétales montrent les divers organites de la cellule eucaryote et en font ressortir les principales différences. Les micrographies au bas des pages vous donnent un aperçu des cellules de divers organismes eucaryotes.

RETOUR SUR LE CONCEPT **6.2**

1. Décrivez brièvement la structure et la fonction de chacun des organites suivants: noyau, mitochondrie, chloroplaste, vacuole centrale, réticulum endoplasmique et complexe golgien.
2. **FAITES UN DESSIN ▶** Dessinez une cellule simplifiée de forme allongée qui mesure 125 × 1 × 1 unités arbitraires. Une cellule nerveuse aurait à peu près cette forme. Selon vous, comment son rapport surface/volume se compare-t-il à ceux de la figure 6.7 ? Vérifiez votre prédiction en calculant ce rapport.

Voir les réponses proposées à l'appendice A.

CONCEPT **6.3**

Le noyau de la cellule eucaryote renferme les instructions génétiques que les ribosomes utilisent pour fabriquer les protéines

Nous commencerons notre exploration approfondie de la cellule eucaryote par deux des constituants cellulaires intervenant dans l'expression des gènes: le noyau, qui héberge la plus grande partie de l'ADN cellulaire, et les ribosomes, qui fabriquent les protéines à partir de l'information codée dans l'ADN.

Le noyau: porteur de l'information génétique de la cellule

Le **noyau** contient la plupart des gènes qui régissent la cellule eucaryote; les autres gènes se trouvent dans les mitochondries et dans les chloroplastes. Il y a habituellement un seul noyau par cellule, mais il existe plusieurs exceptions dont, chez les mammifères, les érythrocytes qui n'en possèdent pas et les cellules hépatiques (cellules du foie) qui en ont souvent deux. Son diamètre moyen étant de 5 µm, il constitue généralement l'organite le plus visible d'une cellule eucaryote (voir la structure mauve dans la micrographie à fluorescence). Il est entouré d'une membrane *double*, appelée **enveloppe nucléaire** (**figure 6.9**), qui sépare son contenu du cytoplasme.

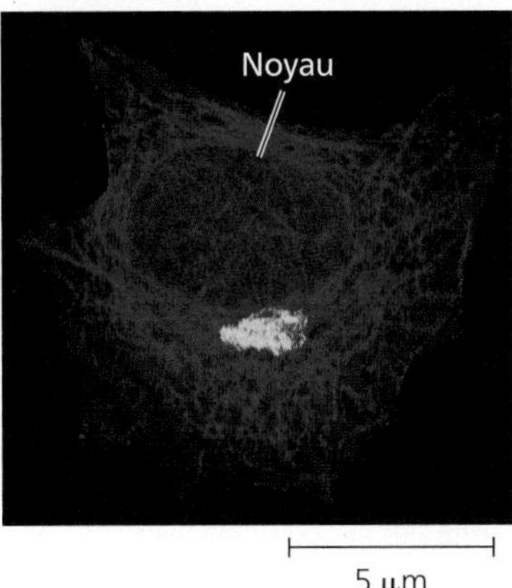

Les deux membranes de l'enveloppe nucléaire, formées chacune d'une double couche de lipides associée à des protéines, sont séparées par un espace de 20 à 40 nm environ. L'enveloppe nucléaire est percée de milliers de pores, mesurant chacun environ 100 nm de diamètre. Les membranes interne et externe de l'enveloppe nucléaire se rejoignent à l'embouchure de ces pores. Chacun d'eux est constitué d'une structure formée de quelques dizaines de protéines qui déterminent le *complexe du pore nucléaire*, ressemblant à un bouchon sur le pore. Ce complexe régule le passage de certaines macromolécules et particules. La **lamina nucléaire** tapisse la face interne de l'enveloppe nucléaire, sauf au niveau des pores; elle consiste en un entrelacement de filaments protéiques (appelés *filaments intermédiaires* dans les cellules animales) qui soutient mécaniquement l'enveloppe du noyau, lui donne sa forme et la maintient. Des données incontestables indiquent la présence d'une *matrice nucléaire,* un réseau de fibres protéiques qui s'étend dans le noyau. La lamina et la matrice nucléaires contribueraient à organiser le matériel génétique de manière à assurer son bon fonctionnement.

À l'intérieur du noyau, l'ADN est réparti dans des structures distinctes, les **chromosomes**, qui portent l'information génétique. Chaque chromosome contient une longue molécule d'ADN associée à de nombreuses protéines. Certaines de ces protéines facilitent l'enroulement de la molécule d'ADN de chaque chromosome pour lui permettre de se loger dans le noyau. Le complexe d'ADN et de protéines qui forment les chromosomes s'appelle **chromatine**. Lorsque la cellule n'est pas en train de se diviser, la chromatine colorée apparaît comme un amas diffus, tant au microscope photonique qu'au microscope électronique. Même en présence de chromosomes séparés, il est impossible de les distinguer les uns des autres. Cependant, au moment où la cellule s'apprête à se diviser, les chromosomes se condensent (ils se resserrent) et s'épaississent suffisamment pour qu'on puisse distinguer leurs structures respectives au microscope. Chaque espèce eucaryote possède un nombre caractéristique de chromosomes. Ainsi, le noyau des cellules humaines en contient 46, exception faite des gamètes, ou cellules sexuelles (l'ovocyte et le spermatozoïde), qui en comptent seulement 23. La drosophile (*Drosophila melanogaster*, ou mouche du vinaigre) en possède 8 dans la plupart de ses cellules et 4 dans ses gamètes.

Entre les périodes de division cellulaire, la structure intranucléaire la plus visible est le **nucléole**. Au microscope électronique, celui-ci apparaît sous la forme d'une masse opaque de granules et de fibres associée à la chromatine. Un ARN particulier, l'*ARN ribosomique* (ARNr), y est synthétisé à partir de l'information contenue dans l'ADN. Des protéines importées du

PANORAMA ▼ Figure 6.8

Les cellules eucaryotes

Cellule animale (coupe d'une cellule théorique)

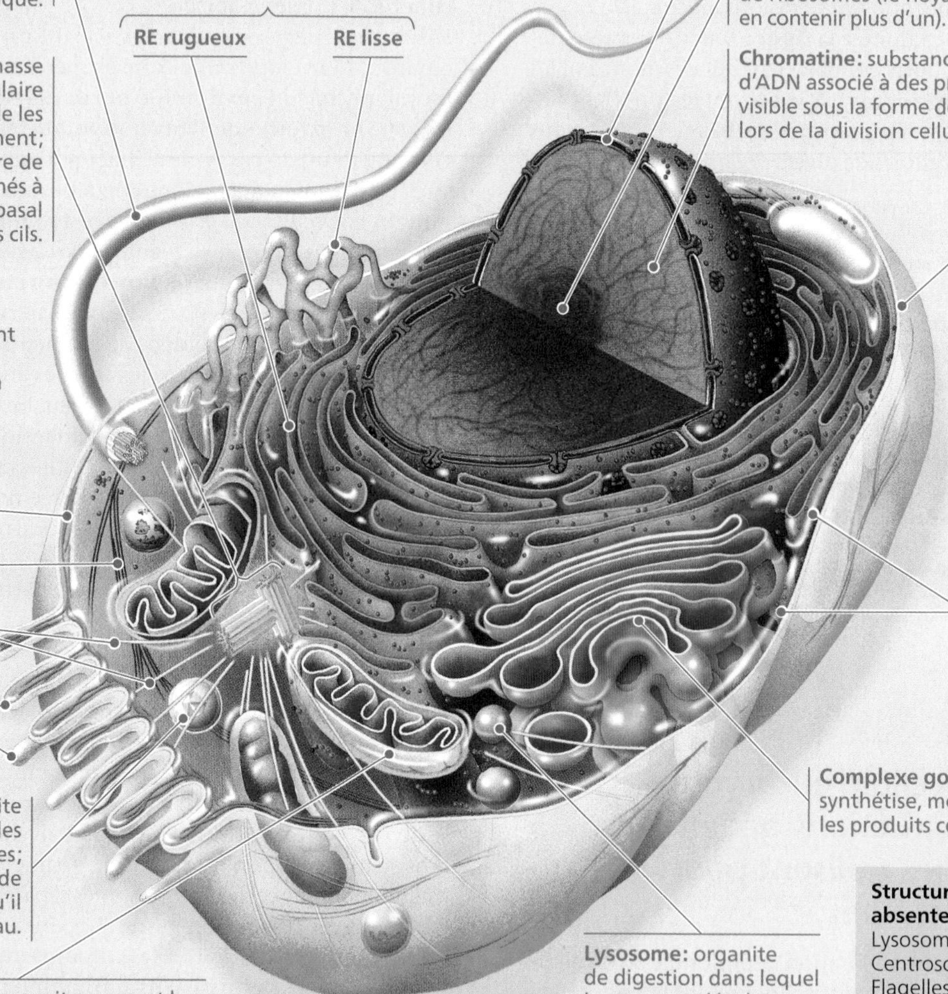

Flagelle: organite de locomotion présent dans certains types de cellules animales et composé d'un amas de microtubules formant une extension de la membrane plasmique.
RÉTICULUM ENDOPLASMIQUE (RE): labyrinthe de sacs et de tubules membraneux qui joue un rôle dans la fabrication de membranes ainsi que dans d'autres réactions synthétiques et métaboliques, et qui possède des zones rugueuses (parsemées de ribosomes) et des zones lisses.
RE rugueux
RE lisse
Enveloppe nucléaire: membrane double entourant le noyau, perforée de pores et contiguë au RE.
Nucléole: organite sans membrane qui participe à la production de ribosomes (le noyau peut en contenir plus d'un).
Chromatine: substance constituée d'ADN associé à des protéines et visible sous la forme de chromosomes lors de la division cellulaire.
NOYAU
Centrosome: masse finement granulaire à partir de laquelle les microtubules rayonnent; contient une paire de centrioles destinés à former le corpuscule basal du flagelle et des cils.
Membrane plasmique: membrane qui délimite la cellule.
CYTOSQUELETTE: squelette qui maintient la forme de la cellule et joue un rôle dans la motilité; constitué de structures protéiques. Il inclut:
Microfilaments
Filaments intermédiaires
Microtubules
Ribosomes: organites sans membrane (petits points bruns) qui fabriquent les protéines; existent à l'état libre dans le cytoplasme, ou sont fixés au RE rugueux ou à la membrane externe de l'enveloppe nucléaire.
Microvillosités: projections augmentant la surface de la cellule.
Complexe golgien: organite qui synthétise, modifie, trie et sécrète les produits cellulaires.
Peroxysome: organite spécialisé, aux multiples fonctions métaboliques; produit du peroxyde d'hydrogène, qu'il convertit ensuite en eau.
Lysosome: organite de digestion dans lequel les macromolécules sont hydrolysées, et des organites, décomposés.
Mitochondrie: organite assurant la respiration cellulaire et la production de la majeure partie de l'ATP.

Structures de la cellule animale absentes de la cellule végétale:
Lysosomes
Centrosomes avec centrioles
Flagelles (présents dans les spermatozoïdes de certains végétaux)

Cellules animales

10 µm (900×)
Cellule
Noyau
Nucléole

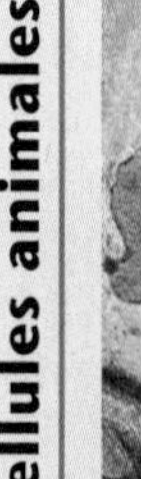

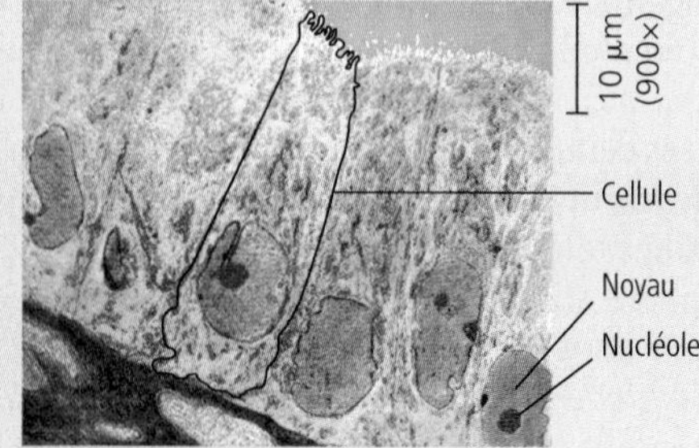

Cellules de la paroi d'un utérus humain (MET colorisée).

Cellules d'eumycètes

Cellule mère
Bourgeons
5 µm (1 600×)

1 µm (8 500×)
Paroi cellulaire
Vacuole
Noyau
Mitochondrie

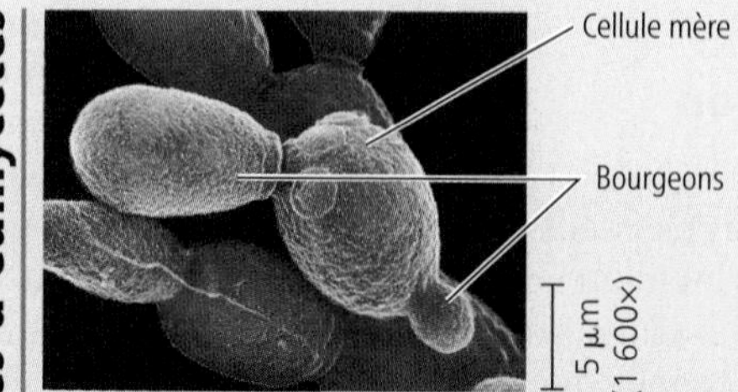

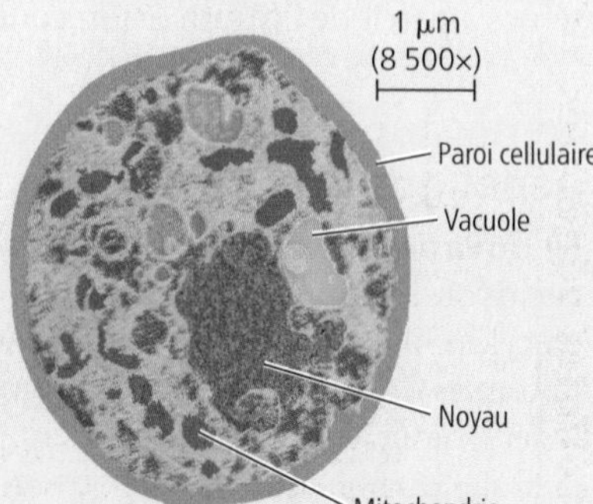

Cellules de levure: cellules se reproduisant par bourgeonnement (ci-dessus, MEB colorisée) et cellule seule (à droite, MET colorisée). La paroi cellulaire se compose de protéines et de polysaccharides, dont la chitine. La vacuole entrepose diverses substances.

Cellule végétale (coupe d'une cellule théorique)

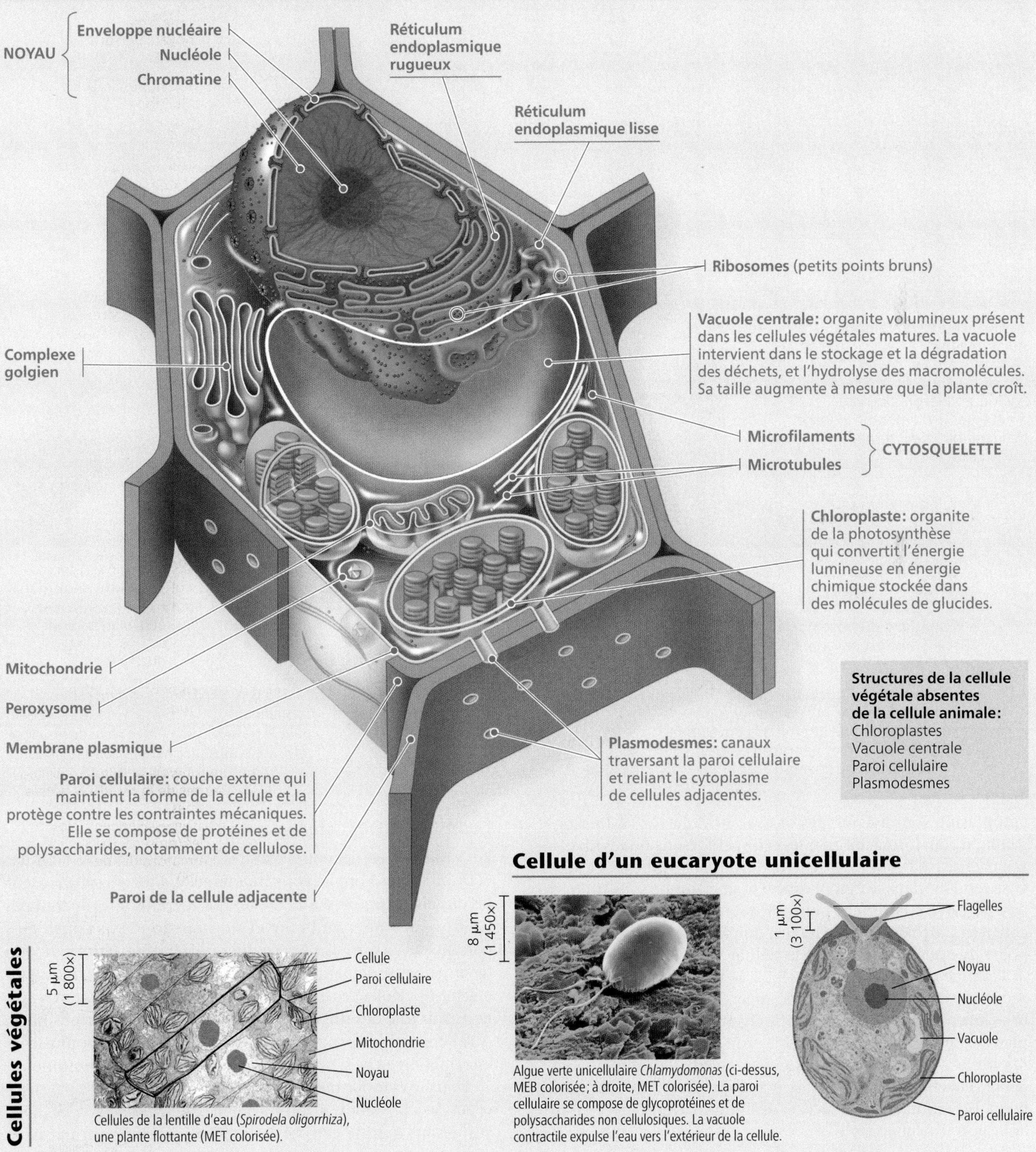

NOYAU
Enveloppe nucléaire
Nucléole
Chromatine
Réticulum endoplasmique rugueux
Réticulum endoplasmique lisse
Ribosomes (petits points bruns)
Vacuole centrale: organite volumineux présent dans les cellules végétales matures. La vacuole intervient dans le stockage et la dégradation des déchets, et l'hydrolyse des macromolécules. Sa taille augmente à mesure que la plante croît.
Complexe golgien
Microfilaments
Microtubules
CYTOSQUELETTE
Chloroplaste: organite de la photosynthèse qui convertit l'énergie lumineuse en énergie chimique stockée dans des molécules de glucides.
Mitochondrie
Peroxysome
Membrane plasmique
Paroi cellulaire: couche externe qui maintient la forme de la cellule et la protège contre les contraintes mécaniques. Elle se compose de protéines et de polysaccharides, notamment de cellulose.
Paroi de la cellule adjacente
Plasmodesmes: canaux traversant la paroi cellulaire et reliant le cytoplasme de cellules adjacentes.
Structures de la cellule végétale absentes de la cellule animale:
Chloroplastes
Vacuole centrale
Paroi cellulaire
Plasmodesmes
Cellule d'un eucaryote unicellulaire
Cellules végétales
5 µm (1 800×)
Cellule
Paroi cellulaire
Chloroplaste
Mitochondrie
Noyau
Nucléole
8 µm (1 450×)
1 µm (3 100×)
Flagelles
Noyau
Nucléole
Vacuole
Chloroplaste
Paroi cellulaire

Cellules de la lentille d'eau (*Spirodela oligorrhiza*), une plante flottante (MET colorisée).

Algue verte unicellulaire *Chlamydomonas* (ci-dessus, MEB colorisée; à droite, MET colorisée). La paroi cellulaire se compose de glycoprotéines et de polysaccharides non cellulosiques. La vacuole contractile expulse l'eau vers l'extérieur de la cellule.

▼ **Figure 6.9 Le noyau et l'enveloppe nucléaire.** Le noyau contient les chromosomes, qu'on voit ici sous la forme d'une masse de chromatine (association d'ADN et de protéines), ainsi qu'un ou plusieurs nucléoles, qui participent à la synthèse des sous-unités ribosomiques. L'enveloppe nucléaire, formée de deux membranes séparées par un espace étroit, est percée de pores; la lamina nucléaire tapisse la membrane interne.

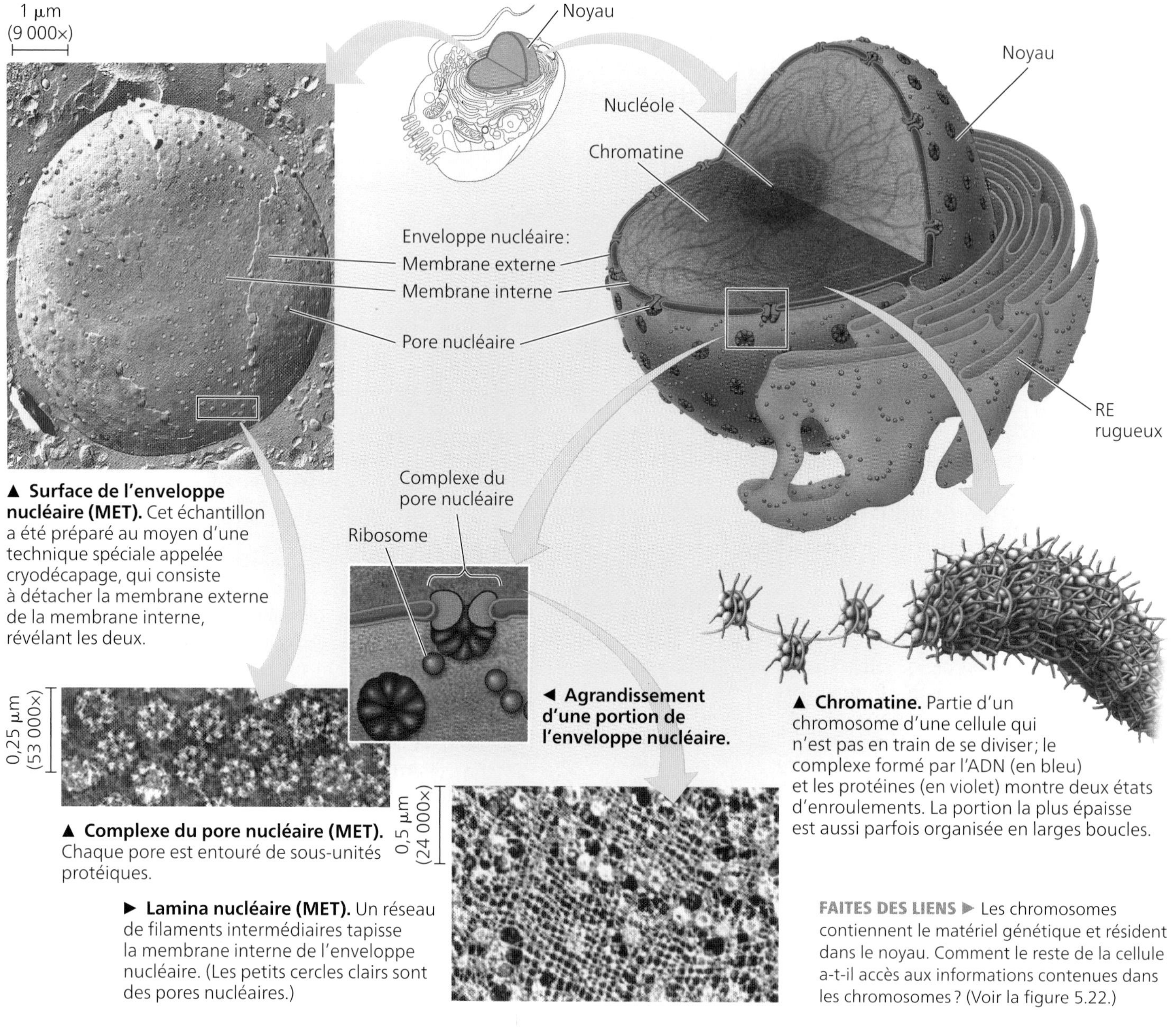

▲ **Surface de l'enveloppe nucléaire (MET).** Cet échantillon a été préparé au moyen d'une technique spéciale appelée cryodécapage, qui consiste à détacher la membrane externe de la membrane interne, révélant les deux.

◀ **Agrandissement d'une portion de l'enveloppe nucléaire.**

▲ **Chromatine.** Partie d'un chromosome d'une cellule qui n'est pas en train de se diviser; le complexe formé par l'ADN (en bleu) et les protéines (en violet) montre deux états d'enroulements. La portion la plus épaisse est aussi parfois organisée en larges boucles.

▲ **Complexe du pore nucléaire (MET).** Chaque pore est entouré de sous-unités protéiques.

▶ **Lamina nucléaire (MET).** Un réseau de filaments intermédiaires tapisse la membrane interne de l'enveloppe nucléaire. (Les petits cercles clairs sont des pores nucléaires.)

FAITES DES LIENS ▶ Les chromosomes contiennent le matériel génétique et résident dans le noyau. Comment le reste de la cellule a-t-il accès aux informations contenues dans les chromosomes? (Voir la figure 5.22.)

cytoplasme sont assemblées dans le noyau avec l'ARN ribosomique pour former de grandes et de petites sous-unités ribosomiques. Ces sous-unités sortent du noyau par les pores nucléaires et se rendent dans le cytoplasme. Là, une grande sous-unité et une petite se combinent pour former un ribosome. Le noyau contient parfois deux nucléoles, ou plus, selon l'espèce et la phase du cycle reproductif de la cellule.

Comme on l'a vu à la figure 5.22, le noyau régit la synthèse protéique en élaborant l'ARN messager (ARNm) selon les directives fournies par l'ADN. Il expédie ensuite l'ARNm dans le cytoplasme par les pores nucléaires. Lorsqu'une molécule d'ARNm rejoint le cytoplasme, les ribosomes convertissent son message génétique en polypeptide de structure primaire. (Ce processus de transcription et de traduction de l'information génétique est approfondi au chapitre 17.)

Les ribosomes: des usines de protéines

Les **ribosomes**, des complexes constitués d'ARN ribosomiques et de protéines, sont les constituants cellulaires qui synthétisent les protéines (**figure 6.10**). (Notez que les ribosomes ne sont pas limités par une membrane et ne sont donc pas considérés comme des organites.) Les cellules qui synthétisent beaucoup de protéines se démarquent par leur grand nombre de ribosomes et leurs nucléoles proéminents, ce qui n'est pas surprenant si l'on pense au rôle des nucléoles dans la formation des ribosomes. Ainsi, une cellule pancréatique humaine, qui fabrique plusieurs enzymes digestives, possède quelques millions de ribosomes.

Dans le cytoplasme, les protéines sont assemblées par deux types de ribosomes. À tout moment, des *ribosomes libres* sont suspendus dans le cytosol et des *ribosomes liés* sont fixés à la

▼ Figure 6.10 Les ribosomes. Cette micrographie électronique d'une cellule pancréatique montre de nombreux ribosomes libres ou liés. Le schéma simplifié et le modèle par ordinateur illustrent les deux sous-unités d'un ribosome.

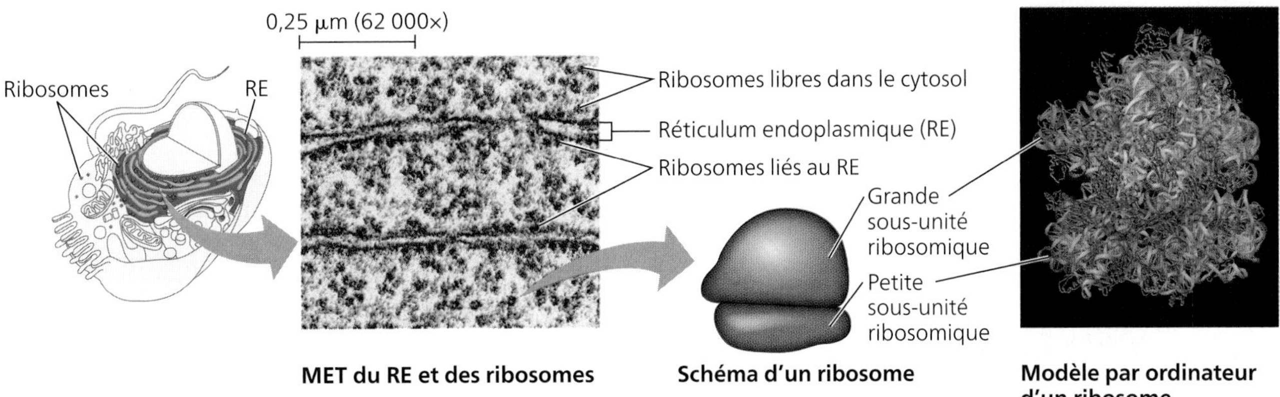

FAITES UN DESSIN ▶ Après avoir lu la section sur les ribosomes, encerclez sur la micrographie un ribosome qui pourrait être en train de fabriquer une protéine qui sera sécrétée.

surface externe du réticulum endoplasmique ou de l'enveloppe nucléaire (voir la figure 6.10). Qu'ils soient liés ou libres, les ribosomes sont structuralement identiques, et un même ribosome peut être tantôt libre, tantôt lié. La plupart des protéines fabriquées sur des ribosomes libres interviennent dans le cytosol; c'est notamment le cas des enzymes qui catalysent les premières étapes du métabolisme des glucides. Quant aux ribosomes liés, ils synthétisent généralement des protéines qui seront insérées dans les membranes ou dans certains organites comme les lysosomes (voir la figure 6.8), ou qui seront exportées (sécrétion). Les cellules spécialisées dans la sécrétion de protéines – comme les cellules du pancréas qui sécrètent des enzymes digestives – présentent pour la plupart une forte proportion de ribosomes liés. (Vous approfondirez vos connaissances sur la structure et la fonction des ribosomes au concept 17.4.)

RETOUR SUR LE CONCEPT 6.3

1. Quel est le rôle des ribosomes dans l'expression des instructions génétiques fournies par l'ADN ?
2. Décrivez la composition moléculaire des nucléoles et expliquez leur fonction.
3. **ET SI ? ▶** Lorsqu'une cellule entame son processus de division, ses chromosomes deviennent plus courts et plus épais, et l'examen en microscopie photonique permet de distinguer chacun d'eux. Expliquez ce qui se produit à l'échelle moléculaire.

Voir les réponses proposées à l'appendice A.

CONCEPT 6.4

Le réseau de membranes intracellulaires dirige la circulation des protéines et remplit des fonctions métaboliques

Dans la cellule eucaryote, plusieurs organites limités par une membrane font partie intégrante du **réseau de membranes intracellulaires** (aussi appelé réseau intracellulaire de membranes), qui comprend l'enveloppe nucléaire, le réticulum endoplasmique, le complexe golgien, les lysosomes, divers types de vésicules et de vacuoles ainsi que la membrane plasmique. Ce système accomplit diverses tâches dans la cellule, dont la synthèse des protéines et leur transport vers des membranes et des organites ou vers l'extérieur de la cellule. Il intervient également dans le métabolisme et le mouvement des lipides, ainsi que dans la détoxication des substances nocives et des médicaments. Les membranes du réseau de membranes intracellulaires sont liées de deux façons : ou bien elles se prolongent les unes les autres, ou bien elles échangent des portions d'elles-mêmes par l'intermédiaire de minuscules **vésicules** (sacs membraneux). Toutes n'ont pas pour autant la même structure ni la même fonction. L'épaisseur de ces membranes, leur composition moléculaire et le type de réactions chimiques auxquelles participent les protéines dans une membrane donnée peuvent changer à plusieurs reprises au cours de la vie de la membrane. Comme nous avons déjà décrit l'enveloppe nucléaire, nous nous concentrerons ici sur le réticulum endoplasmique et sur les autres membranes internes auxquelles il donne naissance.

Le réticulum endoplasmique : une usine biosynthétique

Le **réticulum endoplasmique** (**RE**) forme un labyrinthe membraneux si étendu que, dans beaucoup de cellules eucaryotes, il représente plus de la moitié de la substance membraneuse. (Le terme *endoplasmique* signifie « à l'intérieur » du cytoplasme et le terme *réticulum* vient d'un mot latin qui signifie « réseau ».) Le RE comprend un réseau de tubules et de sacs membraneux appelés citernes (du latin *cisterna*, « réservoir »). Sa membrane isole du cytosol le compartiment interne du RE, appelé *lumière du RE* (ou cavité de la citerne). Et comme la membrane du RE est en continuité avec l'enveloppe nucléaire, le contenu des citernes communique avec l'espace situé entre les deux membranes de l'enveloppe nucléaire (**figure 6.11**).

Le réticulum endoplasmique se divise en deux régions présentant certaines différences moléculaires et fonctionnelles : le RE rugueux et le RE lisse. Le **réticulum endoplasmique lisse** (REL) est ainsi qualifié parce qu'il ne porte pas de ribosomes sur sa face cytoplasmique. Quant au **réticulum endoplasmique rugueux** (RER), il a un aspect granulaire lorsqu'il est observé au microscope électronique. Il est parsemé de ribosomes sur sa face cytoplasmique. On trouve aussi des ribosomes sur la face externe cytoplasmique de l'enveloppe nucléaire, que prolonge le RE rugueux.

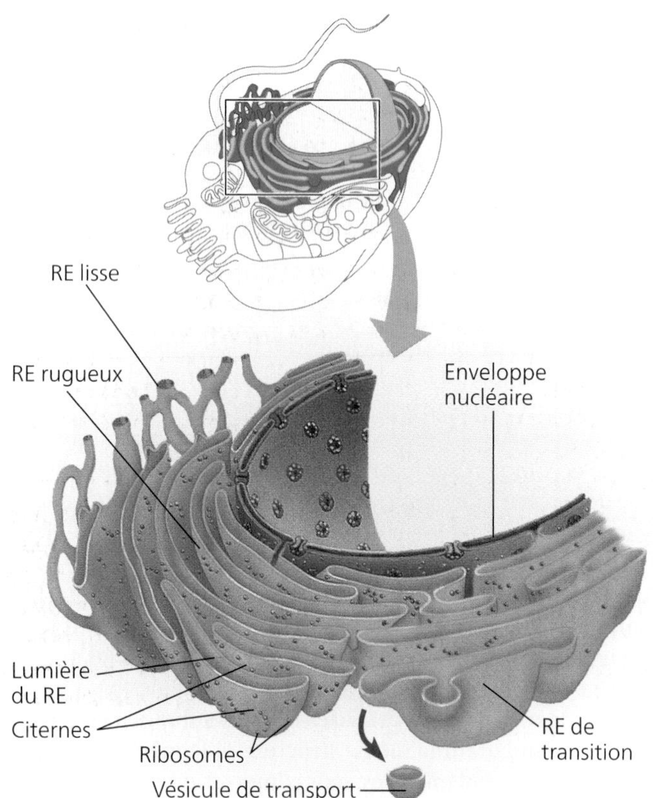

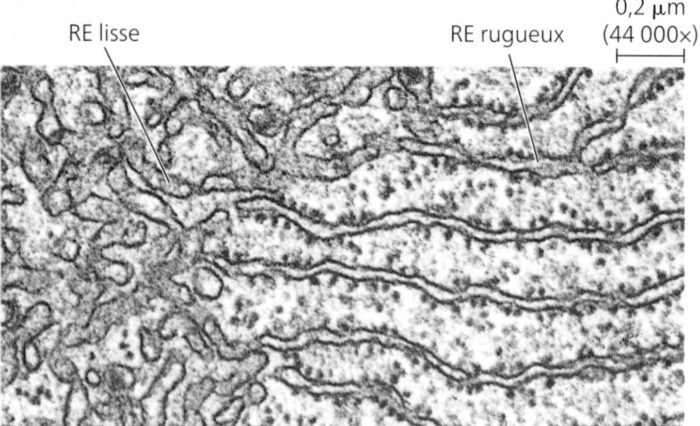

▲ **Figure 6.11 Le réticulum endoplasmique (RE).** Le réticulum endoplasmique (RE) est un réseau membraneux de tubules et de sacs aplatis appelés citernes. La membrane du réticulum endoplasmique prolonge l'enveloppe nucléaire et délimite une cavité remplie de solutions diverses appelée lumière du RE (ou cavité de la citerne). Cette micrographie électronique illustrant une coupe du RE permet de distinguer le réticulum endoplasmique rugueux (ou granulaire), parsemé de ribosomes sur sa face cytoplasmique, du réticulum endoplasmique lisse (MET). Les vésicules de transport se détachent d'une région du réticulum endoplasmique rugueux appelée réticulum endoplasmique de transition, puis se dirigent vers le complexe golgien ou ailleurs.

Les fonctions du réticulum endoplasmique lisse

Le RE lisse participe à divers processus métaboliques, qui varient selon le type cellulaire, dont la synthèse des lipides, le métabolisme des glucides, la détoxication des médicaments, des drogues et des substances nocives, ainsi que le stockage des ions calcium.

Les enzymes du RE lisse jouent un rôle important dans la synthèse des lipides, notamment des graisses, des stéroïdes et de nouveaux phospholipides membranaires. Parmi les stéroïdes produits par le RE lisse des cellules animales, on compte les hormones sexuelles des vertébrés et les diverses hormones stéroïdes sécrétées par les glandes surrénales. Les cellules spécialisées qui synthétisent et sécrètent ces hormones, celles des testicules et des ovaires, par exemple, sont riches en RE lisse, une caractéristique structurale conforme à leur fonction.

Dans le RE lisse, d'autres enzymes contribuent à ces fonctions de détoxication, en particulier dans les cellules hépatiques. La détoxication se fait habituellement par l'ajout de groupements hydroxyle, qui augmentent la solubilité des produits nocifs et facilitent leur élimination. Par exemple, le phénobarbital, un sédatif, et d'autres barbituriques font partie des substances métabolisées de cette façon par le RE lisse des cellules hépatiques. En fait, la consommation de barbituriques, d'alcool et de bien d'autres substances entraîne une prolifération du RE lisse et de ses enzymes de détoxication, augmentant du même coup le taux de détoxication. C'est pourquoi l'organisme acquiert une plus grande tolérance aux produits en question ; autrement dit, le sujet doit ingérer des doses croissantes pour ressentir les mêmes effets. Et comme certaines enzymes de détoxication ont un spectre d'action relativement étendu, la prolifération du RE lisse consécutive à l'usage d'une substance risque d'accroître la tolérance à d'autres substances. Ainsi, la prise excessive de barbituriques peut diminuer l'efficacité de certains antibiotiques et d'autres médicaments.

Le RE lisse emmagasine également des ions calcium. Dans les cellules musculaires, par exemple, une membrane spécialisée du réticulum sarcoplasmique (une forme de RE lisse) extrait des ions calcium du cytosol et les accumule dans les citernes. Quand un signal nerveux atteint une cellule musculaire, le calcium fait le chemin inverse : il retraverse la membrane du réticulum sarcoplasmique, pénètre dans le cytosol et déclenche la contraction musculaire. Dans d'autres types de cellules, la libération d'ions calcium du RE lisse déclenche des réactions différentes, comme la sécrétion de vésicules portant des protéines nouvellement synthétisées.

Les fonctions du réticulum endoplasmique rugueux

Plusieurs cellules sécrètent les protéines produites par les ribosomes liés au RE rugueux. Par exemple, certaines cellules pancréatiques synthétisent la protéine insuline dans le RE rugueux et sécrètent cette hormone dans la circulation sanguine. Lorsqu'un ribosome lié synthétise une chaîne polypeptidique, celle-ci traverse la membrane du RE, vraisemblablement par un pore formé d'un complexe protéique. En entrant dans la lumière du RE, le nouveau polypeptide se replie et prend sa forme native. La plupart des protéines de sécrétion sont des **glycoprotéines**, c'est-à-dire des protéines auxquelles sont fixés des glucides par des liaisons covalentes. Les glucides sont liés aux protéines dans la lumière du RE par des enzymes incorporées dans la membrane du RE.

Une fois les protéines de sécrétion formées, la membrane du RE les isole des protéines du cytosol qui, elles, sont produites par les ribosomes libres. Les protéines de sécrétion quittent le RE emballées dans des **vésicules de transport**; celles-ci se détachent d'une région spécialisée appelée *réticulum endoplasmique de transition* (voir la figure 6.11). Nous verrons dans la prochaine section ce qu'il advient des vésicules de transport.

En plus de fabriquer des protéines de sécrétion, le RE rugueux est une usine à membrane pour la cellule; il fait croître sa propre membrane en y ajoutant des protéines et des phospholipides. Certains polypeptides nouvellement formés par les ribosomes et destinés à devenir des protéines membranaires s'insèrent dans sa membrane et s'y ancrent à l'aide de leurs parties hydrophobes. Comme le RE lisse, le RE rugueux produit également ses propres phospholipides membranaires, que des enzymes incorporées à sa membrane assemblent à partir de précurseurs venant du cytosol. Ainsi, grâce à l'agencement de protéines adéquates et de phospholipides, le RE étend sa membrane; le nouveau matériel peut aussi être transféré sous la forme de vésicules de transport à d'autres composantes du réseau de membranes intracellulaires.

Le complexe golgien: un centre d'expédition et de réception

À leur sortie du réticulum endoplasmique, beaucoup de vésicules de transport se dirigent vers le **complexe golgien** (ou appareil de Golgi). On peut comparer ce dernier à un centre de réception, d'entreposage, de triage, d'expédition et même, dans une certaine mesure, de fabrication. Les produits du RE, comme les protéines, y sont modifiés, entreposés, puis expédiés vers d'autres destinations. Comme on pouvait s'y attendre, le complexe golgien est particulièrement étendu dans les cellules sécrétrices.

Un complexe golgien, situé généralement près du noyau, est constitué d'un certain nombre d'ensembles de saccules membraneux aplatis (citernes), chacun de ces ensembles ressemblant à une pile de pains pitas (**figure 6.12**). Une cellule animale peut contenir une vingtaine de ces empilements (appelés *dictyosomes*) alors qu'une cellule végétale peut en contenir jusqu'à plusieurs centaines. La membrane des saccules sépare le contenu de ceux-ci du cytosol. Les *vésicules de sécrétion*, concentrées au voisinage du complexe golgien, véhiculent des matières entre ce dernier et d'autres structures cellulaires.

Le complexe golgien présente une nette polarité structurale: les membranes des saccules situés aux extrémités opposées d'un empilement n'ont ni la même épaisseur ni la même composition moléculaire. Les deux pôles d'un empilement s'appellent face ***cis*** et face ***trans***; ils ont respectivement pour fonction de recevoir et d'expédier les matières. Le terme *cis* signifie « du même côté », et la face *cis* est habituellement située près du RE. Des vésicules de transport acheminent des matières du RE au complexe golgien. Une fois que celles-ci se sont détachées du RE, elles incorporent leur membrane et leur contenu à la face *cis* d'un

▼ **Figure 6.12 Le complexe golgien.** Le complexe golgien est formé par l'empilement de saccules (citernes) membraneux et aplatis. Contrairement aux citernes du RE, ces saccules ne sont pas reliés en réseau (voir le schéma). Un empilement de saccules reçoit les vésicules de transport provenant du RE, modifie les matières qu'elles contiennent et les emmagasine en attendant leur exportation vers la membrane plasmique ou vers d'autres organites. Le complexe golgien présente une polarité structurale et fonctionnelle: il comporte une face *cis*, qui reçoit les vésicules de transport en provenance du RE, et une face *trans*, qui libère des vésicules de sécrétion. Selon le modèle de maturation des saccules, ceux-ci subissent eux-mêmes une maturation et se déplacent de la face *cis* à la face *trans* tout en transportant avec eux leurs charges de protéines. De plus, certaines vésicules recyclent des enzymes qui ont été apportées plus loin par les saccules en mouvement, les ramenant vers des saccules moins matures où leur action est requise (MET).

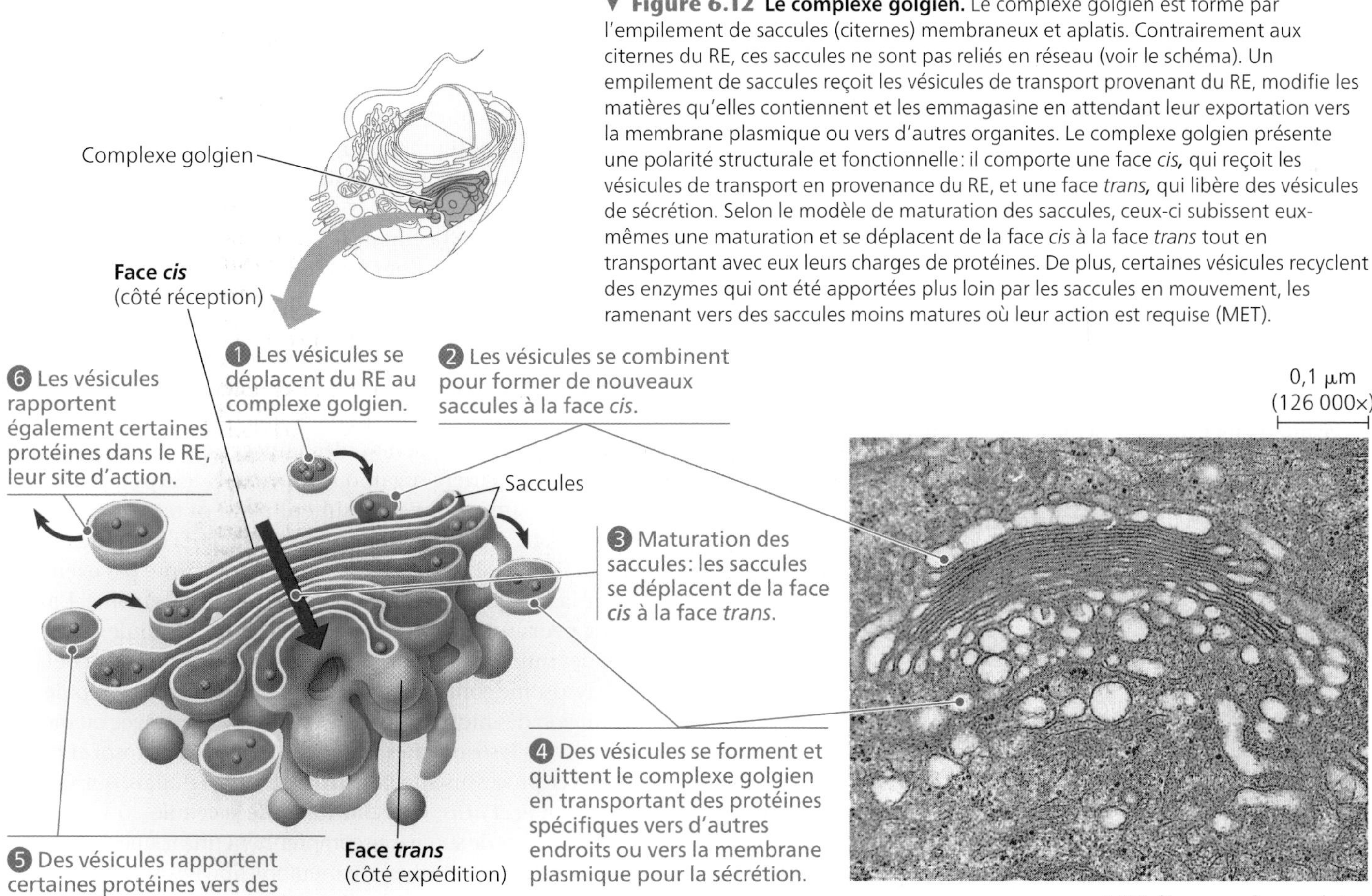

Complexe golgien
Face *cis* (côté réception)
1 Les vésicules se déplacent du RE au complexe golgien.
2 Les vésicules se combinent pour former de nouveaux saccules à la face *cis*.
6 Les vésicules rapportent également certaines protéines dans le RE, leur site d'action.
Saccules
3 Maturation des saccules: les saccules se déplacent de la face *cis* à la face *trans*.
4 Des vésicules se forment et quittent le complexe golgien en transportant des protéines spécifiques vers d'autres endroits ou vers la membrane plasmique pour la sécrétion.
5 Des vésicules rapportent certaines protéines vers des saccules de Golgi moins matures où leur action est requise.
Face *trans* (côté expédition)
0,1 μm (126 000×)

MET d'un complexe golgien

empilement en fusionnant avec la membrane du saccule supérieur. La face *trans* (« du côté opposé ») concave donne naissance à des vésicules de sécrétion qui s'acheminent vers d'autres sites.

En général, les produits du réticulum endoplasmique subissent une modification au cours de leur transit entre la face *cis* et la face *trans* du complexe golgien. Par exemple, la partie glucidique des glycoprotéines formées dans le RE est modifiée lors du passage de ces dernières dans le reste du RE et dans le complexe golgien. Ce dernier déloge certains monomères des polysaccharides et les remplace par d'autres ; il produit ainsi une grande variété de glucides, différents de ce qu'ils étaient à l'origine. Les phospholipides membranaires peuvent aussi être modifiés dans le complexe golgien.

En plus d'accomplir ce travail de finition, le complexe golgien fabrique certaines macromolécules, notamment de nombreux polysaccharides sécrétés par les cellules. C'est là, par exemple, que sont fabriqués les pectines et certains autres polysaccharides non cellulosiques qui seront incorporés avec la cellulose dans les parois des cellules végétales. Les produits du complexe golgien destinés à la sécrétion quittent la face *trans* dans des vésicules de sécrétion qui fusionneront ultérieurement avec la membrane plasmique.

Le complexe golgien élabore et affine ses produits par étapes ; celles-ci correspondent aux différents saccules compris entre la face *cis* et la face *trans* d'un empilement, qui renferment chacun des enzymes particulières. Jusqu'à récemment, on considérait ce complexe comme une structure statique dont les produits, à différentes étapes de traitement, passaient d'un saccule à l'autre, par l'intermédiaire de vésicules de transport. Bien que cette conception (appelée *modèle du transport vésiculaire*) puisse être correcte, les travaux entrepris dans plusieurs laboratoires ont amené des chercheurs à proposer de revenir au *modèle* dit *de maturation des saccules* (ou modèle de maturation des citernes), qui avait cours avant celui du transport vésiculaire. Selon ce modèle, le complexe golgien est une structure dynamique dont les saccules, constamment produits, se déplacent de la face *cis* à la face *trans*, transportant et modifiant leur cargaison au fil de leur déplacement. La figure 6.12 illustre les détails de ce modèle. La réalité se situe probablement à mi-chemin entre les deux modèles. Des travaux de recherche récents donnent à penser que les régions centrales des saccules seraient fixes, tandis que les régions en bordure seraient plus dynamiques.

Avant d'émettre des vésicules de sécrétion par sa face *trans*, le complexe golgien doit trier ses produits et déterminer leur destination. Cette opération est facilitée par une sorte d'apposition d'étiquettes moléculaires, comme des groupements phosphate, qui jouent un peu le même rôle qu'un code postal dans une adresse. On croit que les vésicules de sécrétion provenant du complexe golgien portent des molécules externes qui reconnaissent les sites récepteurs spécifiques à la surface des organites ou sur la membrane plasmique, ce qui permet de les cibler.

Les lysosomes : des compartiments destinés à la digestion

Un **lysosome** est un sac membraneux rempli d'une cinquantaine d'enzymes hydrolytiques que beaucoup de cellules eucaryotes utilisent pour digérer (hydrolyser) des macromolécules. Les enzymes lysosomiales ont une efficacité maximale dans le milieu acide des lysosomes, à un pH de 5 environ. Si un lysosome fuit ou se désagrège, ses enzymes deviennent inactives dans le milieu neutre du cytosol. Néanmoins, un écoulement excessif d'enzymes résultant de la fuite simultanée de plusieurs lysosomes peut détruire une cellule.

Les enzymes hydrolytiques et la membrane du lysosome sont produites par le RE rugueux, puis transférées séparément dans le complexe golgien, où leur traitement se poursuit. Il semble que certains lysosomes se forment par bourgeonnement de la face *trans* du complexe golgien (voir la figure 6.12). Comment les protéines de la face interne de la membrane du lysosome et les enzymes digestives échappent-elles à l'autodestruction ? Apparemment, leur forme tridimensionnelle protège leurs liaisons vulnérables contre l'activité enzymatique.

La fonction de digestion intracellulaire des lysosomes intervient dans diverses circonstances. Certaines cellules se nourrissent par **endocytose**, un processus au cours duquel elles ingèrent des nutriments et que nous verrons plus en détail au chapitre 7. En fait, la membrane plasmique laisse passer les particules nutritives en formant des vacuoles. Les amibes et plusieurs autres eucaryotes unicellulaires se nourrissent en ingérant de plus petits organismes ou de minuscules particules de nourriture. Ce processus est appelé **phagocytose** (du grec *phagein*, qui signifie « manger », et *kytos*, « récipient », qui renvoie à la cellule). Il s'agit d'un processus par lequel une cellule se déforme afin d'entourer complètement un corps étranger. Ce dernier se trouve ainsi emprisonné dans un *phagosome* (ou vacuole digestive). Ce phagosome se détache de la membrane, puis fusionne avec un lysosome pour donner un *phagolysosome*, dont le contenu est digéré par des enzymes (**figure 6.13a**, en bas). Les produits de la digestion, dont les glucides simples, les acides aminés et d'autres monomères, retournent dans le cytosol et fournissent à nouveau de la matière et de l'énergie à la cellule. Certaines cellules humaines, notamment les macrophages, des cellules du système immunitaire aussi appelées macrophagocytes, détruisent des bactéries, des virus et des substances étrangères par phagocytose (figure 6.13a, en haut, et figure 6.32).

Le lysosome a aussi pour fonction de recycler la matière organique intracellulaire, un processus appelé *autophagie*. Au cours de ce processus, un organite défectueux ou endommagé ou une petite quantité de cytosol s'entourent d'une double membrane (d'origine inconnue) et forment une vésicule, appelée *autophagosome*, qui fusionne avec un lysosome (**figure 6.13b**). Ce dernier, à l'aide de ses enzymes, décompose la membrane interne contenant la matière organique ingérée, et les composés organiques plus simples qui en résultent peuvent retourner dans le cytosol et être réutilisés. Grâce à l'autophagie, la cellule se renouvelle sans cesse. Une cellule hépatique humaine, par exemple, recycle la moitié de ses macromolécules chaque semaine. L'autophagie peut aussi constituer une façon pour la cellule de se procurer des nutriments et de l'énergie lorsque ceux-ci font défaut.

Le lysosome contribue également à la dégradation rapide des organites et des molécules d'une cellule endommagée ou morte. Les enzymes lysosomiales sont libérées dans le cytosol et participent à ce processus appelé **autolyse** (du grec *autos*, qui signifie « soi-même », et *lusis*, « dissolution ») de la cellule.

Les maladies de surcharge comprennent un groupe de troubles héréditaires qui perturbent le métabolisme lysosomial. Elles se caractérisent par l'absence d'une des enzymes hydrolytiques actives normalement présentes dans les lysosomes. Chez les

▼ Figure 6.13 **Les lysosomes.**

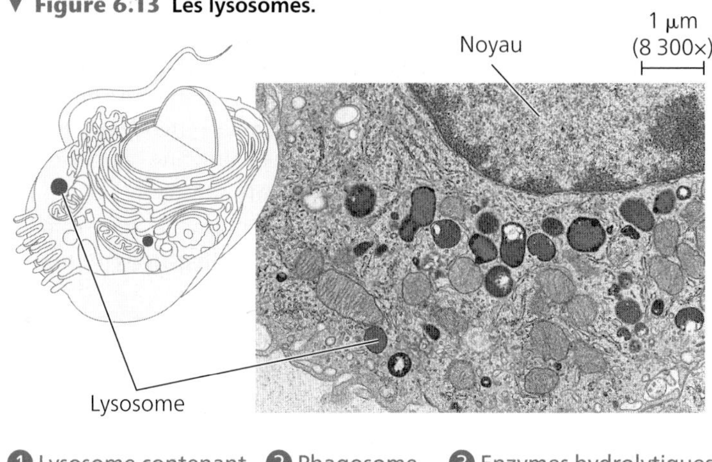

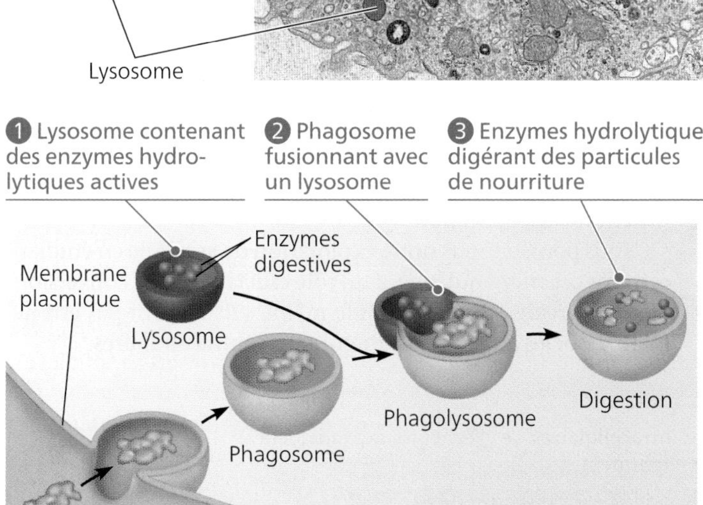

(a) Phagocytose. Dans la phagocytose, les lysosomes digèrent (hydrolysent) les matières absorbées par la cellule. *En haut:* Les lysosomes de ce macrophage (un type de globule blanc) de rat sont très sombres, parce que le colorant utilisé réagit avec l'un des produits de la digestion qu'ils contiennent (MET). Les macrophages ingèrent les agresseurs bactériens ou viraux et les détruisent dans leurs lysosomes. *En bas:* Ce schéma illustre un lysosome fusionnant avec un phagosome durant le processus de phagocytose par un eucaryote unicellulaire.

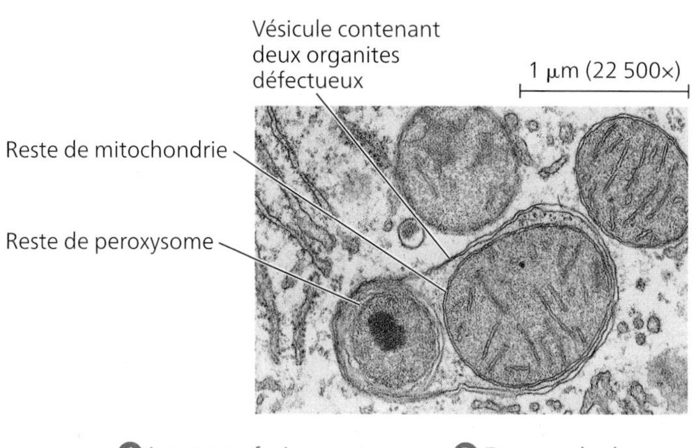

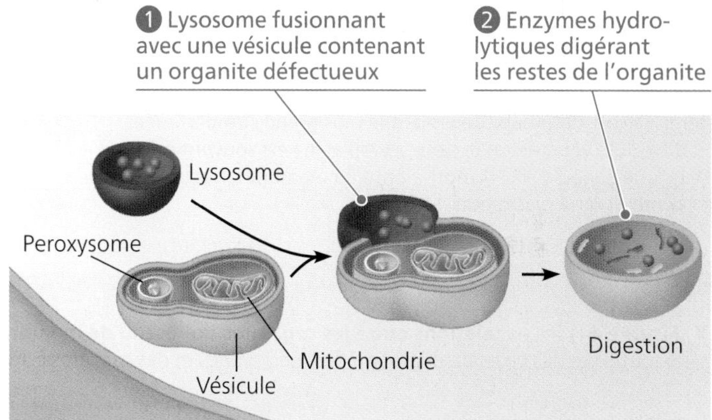

(b) Autophagie. Dans l'autophagie, les lysosomes recyclent les déchets intracellulaires. *En haut:* Dans le cytoplasme de cette cellule hépatique de rat, on peut voir une vésicule contenant deux organites défectueux (MET); la vésicule fusionnera avec un lysosome au cours du processus d'autophagie, qui recycle les déchets intracellulaires. *En bas:* Ce schéma illustre la fusion d'une telle vésicule avec un lysosome. Ce type de vésicule est doté d'une double membrane (d'origine inconnue). La membrane externe fusionne avec le lysosome et la membrane interne est détruite avec les organites défectueux.

personnes atteintes, les lysosomes s'engorgent de substrats non utilisables, ce qui nuit aux autres fonctions cellulaires. Dans la maladie de Tay-Sachs, par exemple, une lipase (une enzyme digérant les lipides) est absente ou inactive, et l'accumulation de lipides dans les cellules nerveuses entrave le fonctionnement de l'encéphale. Heureusement, les maladies de surcharge sont rares.

Les vacuoles: divers compartiments d'entretien

Les **vacuoles** sont de grosses vésicules provenant du réticulum endoplasmique et du complexe golgien; elles font donc partie intégrante du réseau de membranes intracellulaires. Comme toutes les membranes cellulaires, la membrane vacuolaire transporte les ions de manière sélective, ce qui explique que la composition de la solution contenue dans la vacuole diffère de celle du cytosol.

Les vacuoles remplissent diverses fonctions dans différents types de cellules. Nous avons déjà parlé des phagosomes, qui sont des **vacuoles digestives** formées lors de la phagocytose (voir la figure 6.13a). Beaucoup d'eucaryotes unicellulaires d'eau douce expulsent l'excès d'eau de leur unique cellule pour maintenir une concentration appropriée de sels et d'autres molécules grâce à des **vacuoles pulsatiles** (ou contractiles, voir la figure 7.13). Chez les végétaux et les eumycètes, certaines vacuoles procèdent à l'hydrolyse enzymatique, une fonction remplie par les lysosomes dans les cellules animales. (Certains biologistes considèrent d'ailleurs ces vacuoles hydrolytiques comme un type de lysosome.) Chez les végétaux, les petites vacuoles peuvent emmagasiner d'importants composés organiques, comme les réserves de protéines accumulées dans les cellules nutritives des graines produites par une plante. Les vacuoles protègent certaines plantes contre les herbivores ou les champignons en stockant des composés désagréables au goût ou des substances toxiques. Par ailleurs, certaines vacuoles végétales contiennent des pigments (comme les pigments rouges et bleus qui attirent les insectes pollinisateurs vers les pétales des fleurs).

Les cellules végétales matures contiennent généralement une grande **vacuole centrale** (**figure 6.14**), délimitée par une membrane appelée **tonoplaste**, qui se développe par la fusion de vacuoles plus petites. Dans une cellule végétale, la solution contenue dans la vacuole centrale, la sève cellulaire, est le principal dépôt d'ions inorganiques, comme les ions potassium et chlorure, et de substances organiques telles que les protéines ou les polysaccharides. La vacuole centrale joue aussi un rôle primordial dans la croissance de la cellule végétale, laquelle grossit

Vacuole centrale
Cytosol
5 µm
(2 800×)
Vacuole centrale
Noyau
Paroi cellulaire
Chloroplaste

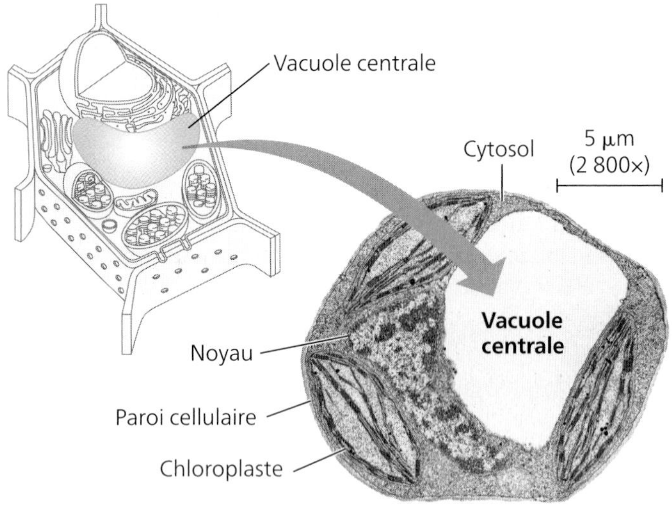

▲ **Figure 6.14 La vacuole de la cellule végétale.** La vacuole centrale constitue habituellement le plus grand compartiment de la cellule végétale mature. Le cytoplasme est souvent confiné dans une zone étroite comprise entre la membrane vacuolaire et la membrane plasmique (MET).

à mesure que la vacuole absorbe de l'eau, et ce, avec un investissement minimal en nouveau cytoplasme. Le rapport entre la surface membranaire et le volume cytoplasmique reste élevé, même dans une cellule végétale de grande dimension, pour deux raisons: la cellule tend à se dilater sous l'effet de la pression intravacuolaire, et le cytosol se résume à une fine couche entre la vacuole centrale et la membrane plasmique.

Le réseau de membranes intracellulaires: *une révision*

La **figure 6.15** passe en revue le réseau de membranes intracellulaires et décrit la circulation des lipides et des protéines au sein des différents organites. Au fur et à mesure que la membrane progresse du RE vers le complexe golgien puis vers d'autres organites, sa composition moléculaire, ses fonctions métaboliques et son contenu changent. Le réseau de membranes intracellulaires joue donc un rôle dynamique complexe dans la compartimentation de la cellule.

Nous poursuivrons notre exploration de la cellule en étudiant certains organites qui jouent un rôle crucial dans les conversions d'énergie réalisées par la cellule même s'ils ne sont pas étroitement associés au réseau de membranes intracellulaires.

▼ **Figure 6.15 Les relations entre les organites du réseau de membranes intracellulaires.** Les flèches rouges indiquent quelques-unes des voies de migration des membranes et des matières qu'elles renferment.

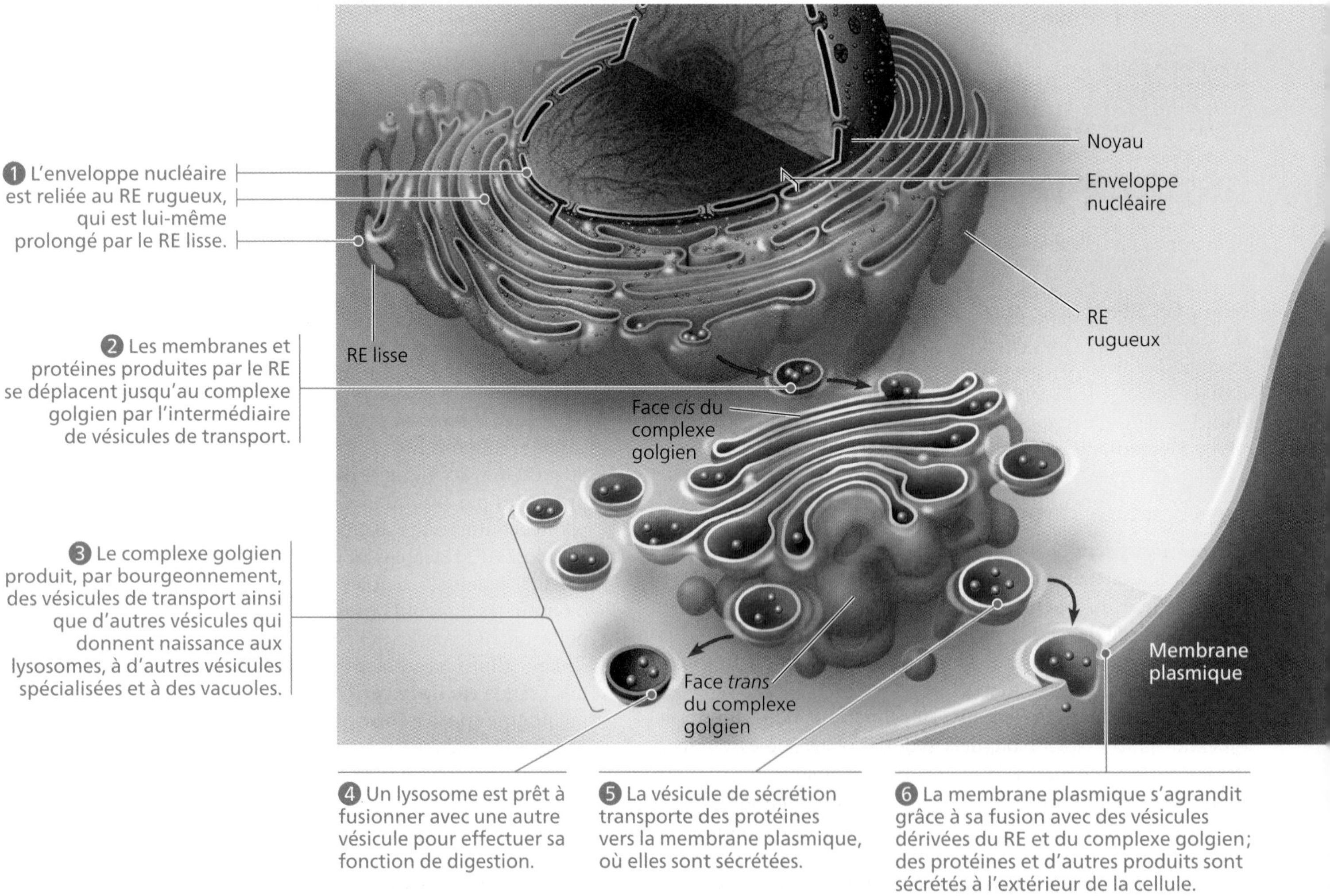

1 L'enveloppe nucléaire est reliée au RE rugueux, qui est lui-même prolongé par le RE lisse.
2 Les membranes et protéines produites par le RE se déplacent jusqu'au complexe golgien par l'intermédiaire de vésicules de transport.
3 Le complexe golgien produit, par bourgeonnement, des vésicules de transport ainsi que d'autres vésicules qui donnent naissance aux lysosomes, à d'autres vésicules spécialisées et à des vacuoles.
Noyau
Enveloppe nucléaire
RE lisse
RE rugueux
Face *cis* du complexe golgien
Face *trans* du complexe golgien
Membrane plasmique
4 Un lysosome est prêt à fusionner avec une autre vésicule pour effectuer sa fonction de digestion.
5 La vésicule de sécrétion transporte des protéines vers la membrane plasmique, où elles sont sécrétées.
6 La membrane plasmique s'agrandit grâce à sa fusion avec des vésicules dérivées du RE et du complexe golgien; des protéines et d'autres produits sont sécrétés à l'extérieur de la cellule.

RETOUR SUR LE CONCEPT **6.4**

1. Expliquez les différences structurales et fonctionnelles entre le RE rugueux et le RE lisse.
2. Comment les vésicules de transport participent-elles au fonctionnement du réseau de membranes intracellulaires ?
3. **ET SI ?** ▶ Imaginez une protéine qui exerce une fonction dans le RE, mais qui doit être modifiée dans le complexe golgien avant de pouvoir la remplir. Décrivez la voie qu'emprunte cette protéine dans la cellule en commençant par la molécule d'ARNm qui lui confère sa spécificité.

Voir les réponses proposées à l'appendice A.

CONCEPT **6.5**

Les mitochondries et les chloroplastes convertissent l'énergie d'une forme à une autre

Les organismes transforment l'énergie puisée dans leur environnement par l'intermédiaire des mitochondries et des chloroplastes. Ce sont, en effet, ces organites des cellules eucaryotes qui convertissent l'énergie captée en formes utilisables par la cellule. Les **mitochondries** sont le site de la respiration cellulaire aérobie, un processus métabolique qui utilise de l'O_2 pour produire de l'ATP en extrayant l'énergie des glucides, des lipides et d'autres substances. Les **chloroplastes**, des organites propres aux végétaux et aux algues, sont le site de la photosynthèse. Ils convertissent l'énergie solaire en énergie chimique en absorbant la lumière et en l'utilisant pour procéder à la synthèse de composés organiques comme les glucides à partir de molécules de dioxyde de carbone (CO_2) et d'eau.

En plus de remplir des fonctions apparentées, les mitochondries et les chloroplastes ont une origine évolutive commune ; nous en discuterons brièvement avant d'aborder leur structure. Nous traiterons également, dans cette section, des peroxysomes, des organites oxydatifs dont l'origine évolutive et les relations avec les autres organites font encore l'objet d'un certain débat.

Les origines évolutives des mitochondries et des chloroplastes

ÉVOLUTION Les similarités que les mitochondries et les chloroplastes présentent avec les bactéries sont à l'origine de la **théorie de l'endosymbiose** (**figure 6.16**). Selon cette théorie, un ancêtre lointain des cellules eucaryotes a absorbé une cellule procaryote non photosynthétique aérobie. Avec le temps, la cellule absorbée a établi une relation avec la cellule hôte, devenant ainsi un endosymbionte (une cellule qui vit dans une autre cellule). Au fil de l'évolution, la cellule hôte et son endosymbionte ont fusionné pour ne former qu'un seul organisme, soit une cellule eucaryote renfermant une mitochondrie. Au moins l'une de ces cellules a acquis un procaryote photosynthétique, devenant ainsi l'ancêtre des cellules eucaryotes contenant des chloroplastes.

Nous examinerons la théorie de l'endosymbiose (maintenant largement acceptée) plus en profondeur au concept 25.3, mais précisons ici que cette théorie concorde avec plusieurs caractéristiques des mitochondries et des chloroplastes. Premièrement, plutôt que d'être entourés d'une seule membrane, comme le sont les organites du réseau de membranes intracellulaires, les mitochondries et les chloroplastes typiques sont recouverts de deux membranes. (Les chloroplastes ont également un système interne de sacs membraneux.) Or, tout indique que les procaryotes ancestraux qui ont été absorbés possédaient deux membranes externes, et que ces dernières sont devenues les doubles membranes des mitochondries et des chloroplastes. Deuxièmement, comme les procaryotes, les mitochondries et les chloroplastes recèlent des ribosomes de même que des molécules d'ADN circulaire (à l'instar des chromosomes bactériens) attachées à leurs membranes internes. L'ADN contenu dans ces organites programme la synthèse de certains organites protéiques fabriqués sur des ribosomes qui y ont eux aussi été synthétisés et assemblés. Troisièmement, les mitochondries et les chloroplastes sont des organites autonomes (relativement indépendants) qui croissent et se reproduisent dans la cellule, ce qui concorde également avec une origine cellulaire.

Nous allons maintenant traiter de la structure des mitochondries et des chloroplastes ainsi que fournir une vue d'ensemble de leurs fonctions. (Aux chapitres 9 et 10, nous verrons les processus par lesquels les mitochondries et les chloroplastes transforment l'énergie.)

▼ **Figure 6.16 La théorie de l'endosymbiose de l'origine des mitochondries et des chloroplastes dans les cellules eucaryotes.** Selon cette théorie, les ancêtres des mitochondries étaient des procaryotes non photosynthétiques aérobies, et les ancêtres des chloroplastes, des procaryotes photosynthétiques. Les grandes flèches indiquent le changement au fil de l'évolution; les petites flèches dans les cellules montrent le processus par lequel l'endosymbionte est devenu un organite, également sur une longue période de temps.

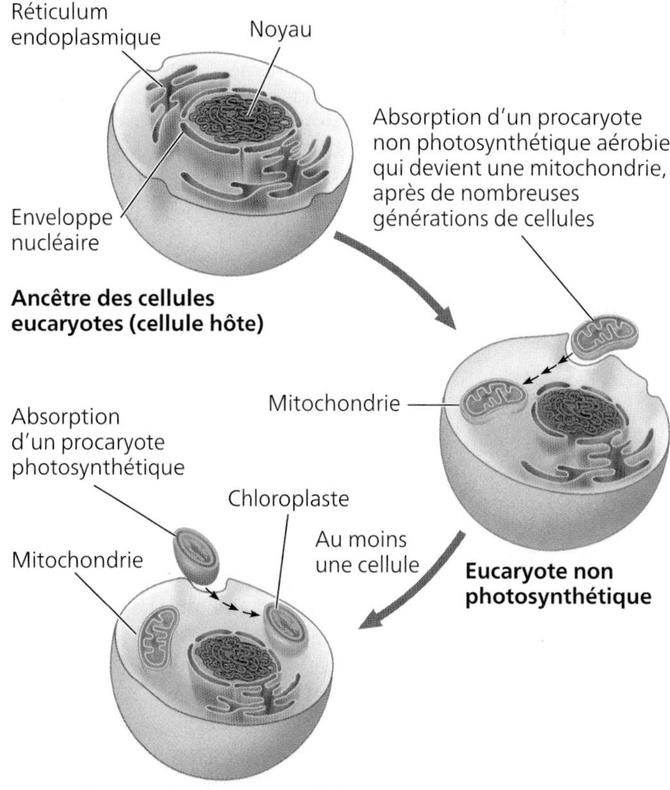

Les mitochondries : des convertisseurs d'énergie chimique

On trouve des mitochondries dans presque toutes les cellules eucaryotes, dont celles des végétaux, des animaux, des eumycètes et de la plupart des eucaryotes unicellulaires. Certaines cellules n'en contiennent qu'une seule, qui est volumineuse, mais la plupart en comportent des centaines, voire des milliers. Leur nombre dépend généralement de l'activité métabolique de la cellule. Par exemple, les cellules mobiles et les cellules contractiles ont proportionnellement plus de mitochondries par volume que les cellules moins actives.

Chacune des deux membranes qui entourent une mitochondrie est une double couche de phospholipides dans laquelle s'insère un assemblage de protéines (**figure 6.17**), mais les proportions de lipides et de protéines varient pour chacune des membranes. La membrane externe est lisse, alors que la membrane interne est repliée sur elle-même et dessine des **crêtes** dont la forme varie selon le type de cellule. La membrane interne divise la mitochondrie en deux compartiments : un espace intermembranaire, situé entre la membrane interne et la membrane externe, et une **matrice mitochondriale**, située dans l'espace délimité par la membrane interne. La matrice contient plusieurs sortes d'enzymes ainsi que de l'ADN mitochondrial et des ribosomes dont la taille est inférieure à celle des ribosomes cytoplasmiques. Plusieurs de ces enzymes catalysent certaines étapes de la respiration cellulaire. D'autres protéines nécessaires à la respiration cellulaire, dont l'enzyme qui produit l'ATP, sont intégrées à la membrane interne. Grâce à leur surface très plissée, les crêtes augmentent jusqu'à cinq fois l'aire de la membrane interne, soit l'aire consacrée à la respiration cellulaire. Voilà un autre exemple de corrélation entre structure et fonction.

Les mitochondries mesurent de 1 à 10 μm de long environ. Projetées en accéléré, des prises de vue image par image de cellules vivantes ont révélé que les mitochondries se déplacent, modifient leur forme, fusionnent ou se divisent en deux. Elles sont donc loin d'être les cylindres statiques que montrent les micrographies électroniques de cellules mortes. Ces études ont aidé les biologistes cellulaires à comprendre que les mitochondries d'une cellule vivante peuvent former un réseau tubulaire ramifié, comme on le voit à la figure 6.17b, c'est-à-dire dans un état de flux dynamique.

Les chloroplastes : des capteurs d'énergie lumineuse

Les chloroplastes contiennent plusieurs pigments, dont la chlorophylle, ainsi que les enzymes et les molécules nécessaires à la production de glucides lors de la photosynthèse. Les chloroplastes sont biconvexes ; ce sont de très gros organites qui mesurent environ 2 μm par 5 à 10 μm. Ils se trouvent dans les feuilles et dans les autres organes verts des végétaux, de même que chez les algues (**figure 6.18** ; voir aussi la figure 6.26c).

Le contenu d'un chloroplaste est isolé du cytosol par une enveloppe composée de deux membranes séparées par un espace intermembranaire très mince. À l'intérieur du chloroplaste se trouve un autre réseau membraneux organisé en sacs aplatis, les **thylakoïdes**. Dans certaines régions du chloroplaste, les thylakoïdes (jusqu'à plusieurs dizaines) s'empilent comme des jetons de poker et forment des structures appelées **grana** (*granum* au singulier). C'est dans la membrane des thylakoïdes que se trouvent les molécules de chlorophylle. Le liquide, appelé **stroma**, où baignent les thylakoïdes contient de l'ADN circulaire et des ribosomes, de même que de nombreuses enzymes.

▼ **Figure 6.17 La mitochondrie, site de la respiration cellulaire. (a)** La membrane interne et la membrane externe de la mitochondrie apparaissent clairement sur cette illustration et sur cette micrographie électronique (MET). Des crêtes sont formées par les replis de la membrane interne ce qui en augmente la surface. Comme le montre bien le schéma en trois dimensions, la membrane interne délimite deux compartiments : l'espace intermembranaire et la matrice mitochondriale. On trouve de nombreuses enzymes respiratoires dans la membrane interne et dans la matrice mitochondriale. Des ribosomes libres sont aussi présents dans la matrice. Habituellement circulaires (comme chez les bactéries), les molécules d'ADN sont attachées à la membrane interne de la mitochondrie. **(b)** Cette micrographie photonique montre un eucaryote unicellulaire entier (*Euglena gracilis*), à un grossissement beaucoup plus faible que la MET. La matrice mitochondriale est colorée en vert. Les mitochondries forment un réseau tubulaire ramifié. L'ADN nucléaire est coloré en rouge ; les molécules d'ADN mitochondrial correspondent aux taches jaune brillant.

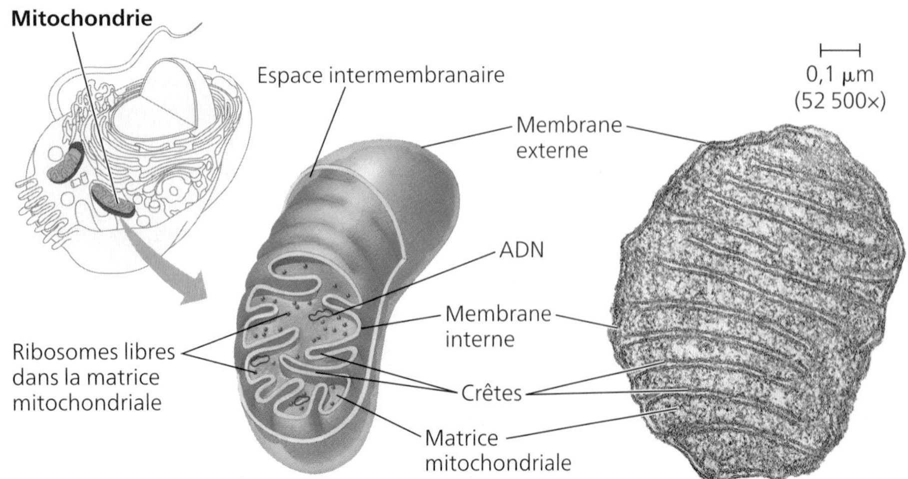

(a) Représentation schématique et MET d'une mitochondrie

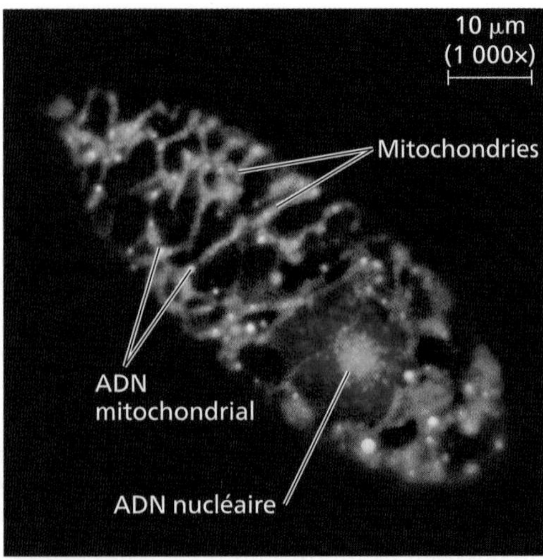

(b) Réseau de mitochondries chez *Euglena* (MP)

▼ **Figure 6.18 Le chloroplaste, site de la photosynthèse. (a)** De nombreuses plantes possèdent des chloroplastes lentiformes (en forme de lentille), comme ceux du schéma et de la MET. Un chloroplaste présente habituellement trois compartiments: l'espace intermembranaire, le stroma et l'espace intrathylakoïdien. Le stroma contient des ribosomes libres et des copies des molécules d'ADN du chloroplaste. **(b)** Cette micrographie à fluorescence, dont le grossissement est bien inférieur à celui de la MET, montre une cellule de l'algue verte *Spirogyra crassa*, ainsi nommée en raison de ses chloroplastes spiralés. Sous la lumière naturelle, les chloroplastes semblent verts, mais sous la lumière ultraviolette ils émettent naturellement une fluorescence rouge, comme on le voit ici.

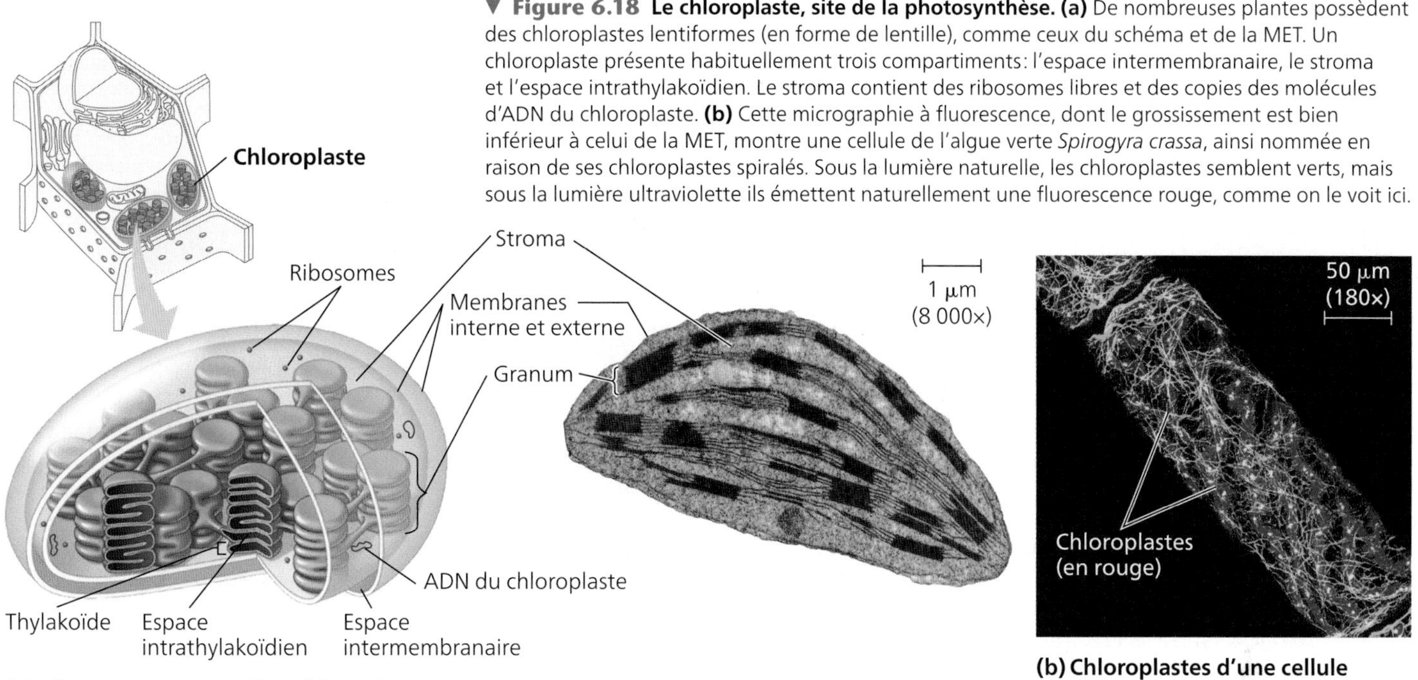

(a) Diagramme et MET d'un chloroplaste

(b) Chloroplastes d'une cellule d'algue

Les membranes du chloroplaste divisent l'intérieur de celui-ci en trois compartiments: l'espace intermembranaire, le stroma et l'espace intrathylakoïdien. Cette compartimentation permet au chloroplaste de convertir l'énergie lumineuse en énergie chimique pendant la photosynthèse. (Vous en apprendrez davantage sur la photosynthèse au chapitre 10.)

Comme pour les mitochondries et d'autres organites, les chloroplastes que montrent les micrographies et les illustrations schématiques présentent une apparence statique et rigide qui ne correspond pas à leur comportement dynamique dans les cellules vivantes. En effet, en plus d'avoir une forme malléable, ils croissent et se divisent parfois en deux pour se reproduire. De plus, comme les mitochondries et d'autres organites, ils se déplacent d'un endroit à l'autre le long des «voies» du cytosquelette, un réseau structural que nous examinerons plus loin au concept 6.6.

Le chloroplaste est un membre spécialisé de la famille des **plastes**, des organites végétaux étroitement apparentés. Ainsi, l'*amyloplaste* (aussi appelé leucoplaste) est un organite incolore qui stocke de l'amidon, particulièrement dans les racines et les tubercules. Quant aux *chromoplastes*, ils renferment des pigments qui donnent aux fruits et aux fleurs leurs teintes orangées et jaunes.

Les peroxysomes: des organites oxydatifs

Les **peroxysomes** sont des compartiments métaboliques spécialisés délimités par une membrane simple (**figure 6.19**). Ils contiennent plus d'une cinquantaine d'enzymes qui transfèrent l'hydrogène de divers substrats à de l'O_2. Ils doivent leur nom au sous-produit de ce transfert, le peroxyde d'hydrogène (ou dioxyde de dihydrogène, H_2O_2). Ils exercent diverses fonctions. Certains utilisent l'O_2 pour décomposer les acides gras des lipides (par bêta-oxydation) en petites molécules qui serviront de sources d'énergie pour la respiration cellulaire dans les mitochondries. Les peroxysomes des cellules hépatiques détoxiquent l'alcool et d'autres composés nocifs en transférant l'hydrogène de ces substances à de l'O_2. Le H_2O_2 formé par le métabolisme des peroxysomes est toxique, mais ce composé est rapidement converti en eau par une enzyme, la catalase. Voilà un autre exemple éloquent de la relation entre la structure (ici la compartimentation de la cellule) et la fonction. Les enzymes qui produisent du H_2O_2 et celles qui en disposent sont séquestrées loin des autres composants cellulaires, qui pourraient être endommagés par ce composé très réactif.

▼ **Figure 6.19 Les peroxysomes.** Les peroxysomes ont une forme plutôt sphérique. Ils présentent souvent une matrice granulaire ou cristalline constituée vraisemblablement d'un amas d'enzymes. Les mitochondries et les chloroplastes coopèrent avec les peroxysomes pour accomplir certaines fonctions métaboliques.

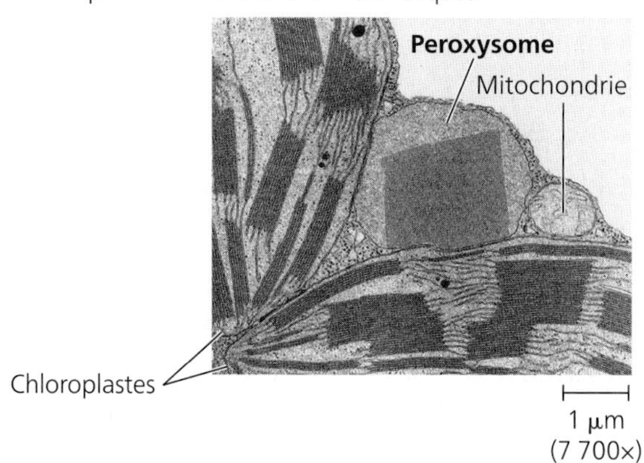

Les tissus riches en lipides des graines de végétaux contiennent des peroxysomes spécialisés appelés *glyoxysomes*. Ces organites renferment des enzymes qui déclenchent la conversion des acides gras en glucides, ce qui constitue la source d'énergie et de carbone du jeune plant, jusqu'à ce qu'il soit en mesure de produire lui-même ses glucides par photosynthèse.

La façon dont les peroxysomes sont reliés aux autres organites reste à élucider. Ils croissent en taille en incorporant des protéines produites dans le cytosol et dans le RE, des lipides synthétisés dans le RE ou dans le peroxysome lui-même. Les peroxysomes et les glyoxysomes peuvent se multiplier par scissiparité (division en deux parties égales) quand ils atteignent une certaine taille, ce qui pourrait constituer un argument en faveur d'une origine endosymbiotique, mais il ne convainc pas tous les biologistes. Des études récentes démontrent que les peroxysomes se formeraient à partir du RE lisse par le biais de vésicules qui s'en détachent. La recherche demeure ouverte. L'importance des peroxysomes pour le bon fonctionnement cellulaire est un fait acquis, comme en témoignent les effets nocifs de leur mauvais fonctionnement (problèmes neurologiques, hépatiques, endocriniens, etc.).

RETOUR SUR LE CONCEPT **6.5**

1. Décrivez deux points communs entre les chloroplastes et les mitochondries. Examinez à la fois la fonction et la structure membranaires.
2. Les cellules végétales recèlent-elles des mitochondries ? Expliquez votre réponse.
3. ET SI ? ▶ Un camarade de classe soutient que les mitochondries et les chloroplastes doivent être considérés comme des organites du réseau de membranes intracellulaires. Vous n'êtes pas d'accord. Quels sont vos arguments ?

Voir les réponses proposées à l'appendice A.

CONCEPT **6.6**

Le cytosquelette est un réseau de fibres qui organise les structures et les activités de la cellule

Au moment de l'invention du microscope électronique, les biologistes imaginaient que les organites des cellules eucaryotes baignaient librement dans le cytosol. Cependant, les avancées en matière de microscopies photonique et électronique ont permis de découvrir le **cytosquelette** (**figure 6.20**), un réseau de fibres protéiques qui parcourt le cytoplasme. Les cellules bactériennes ont elles aussi des fibres qui forment une sorte de cytosquelette composé de protéines (d'ailleurs semblables à celles des eucaryotes), mais nous ne traiterons ici que des cellules eucaryotes. Le cytosquelette eucaryote joue un rôle fondamental dans l'organisation des structures et des activités cellulaires. Il se compose de trois types de structures moléculaires : les microtubules, les microfilaments et les filaments intermédiaires.

Les rôles du cytosquelette : soutien et motilité

La fonction la plus évidente du cytosquelette consiste à assurer le soutien mécanique et le maintien de la forme de la cellule. Cette fonction est particulièrement importante dans les cellules animales, qui sont dépourvues de paroi. Le cytosquelette doit sa résistance remarquable et son élasticité à son architecture. Comme une tente en forme de dôme, il se stabilise en équilibrant les forces opposées exercées par ses éléments structuraux. De la même façon que le squelette d'un animal aide à fixer la position des parties du corps, le cytosquelette fournit des points d'ancrage à de nombreux organites et même à des enzymes du cytosol. Il joue cependant un rôle beaucoup plus actif qu'un squelette, car il peut être démonté puis remonté ailleurs ; il modifie ainsi la forme de la cellule.

▼ **Figure 6.20 Le cytosquelette.** Comme on le voit sur cette micrographie à fluorescence, le cytosquelette s'étend à toute la cellule. Les éléments cytosquelettiques ont été mis en évidence à l'aide de diverses molécules fluorescentes : vertes pour les microtubules et orange pour les microfilaments. Un troisième constituant du cytosquelette, les filaments intermédiaires, ne sont pas visibles ici. (Le bleu correspond à l'ADN contenu dans le noyau.)

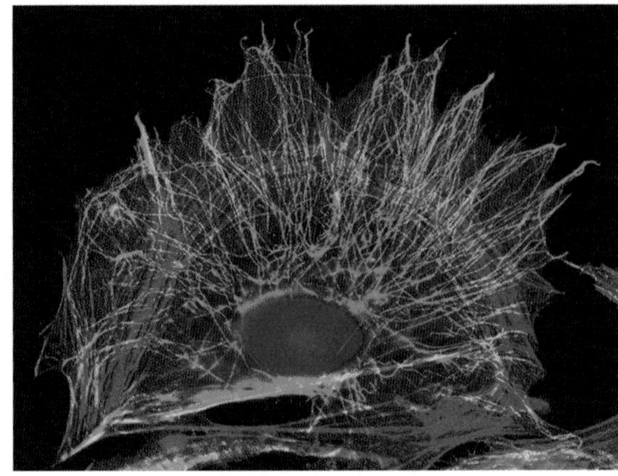

Certains types de motilité (mouvement) cellulaire font appel au cytosquelette. Le terme *motilité cellulaire* s'applique autant à la cellule entière qu'aux organites qu'elle contient. La motilité cellulaire nécessite habituellement l'interaction du cytosquelette et des **protéines motrices** – des molécules spécifiques dont font partie la dynéine, la myosine et la kinésine. Les exemples de motilité cellulaire abondent. Les éléments du cytosquelette et les protéines motrices collaborent avec les molécules de la membrane plasmique pour permettre à certaines cellules de se déplacer le long des fibres à l'extérieur de la cellule. Dans d'autres cas, les protéines motrices produisent le mouvement des cils et des flagelles en forçant les microtubules de ces organites à glisser les uns contre les autres. Un mécanisme similaire faisant appel aux microfilaments intervient lors de la contraction des cellules musculaires. À l'intérieur de la cellule, les vésicules et les autres organites utilisent souvent les « pieds » des protéines motrices pour « marcher » le long de la voie fournie par le cytosquelette. À titre d'exemple, les vésicules porteuses de neurotransmetteurs utilisent ce moyen pour migrer vers les extrémités d'un axone, le prolongement principal des cellules nerveuses, qui libèrent ces molécules. Celles-ci agissent comme des signaux chimiques qui stimulent les cellules nerveuses voisines (**figure 6.21**). C'est aussi le cytosquelette qui entraîne l'invagination de la membrane plasmique et la formation de vacuoles digestives. Enfin, c'est lui qui provoque le mouvement du cytoplasme (cyclose), lequel assure la circulation des matériaux dans de nombreuses cellules végétales.

▼ Figure 6.21 Les protéines motrices et le cytosquelette.

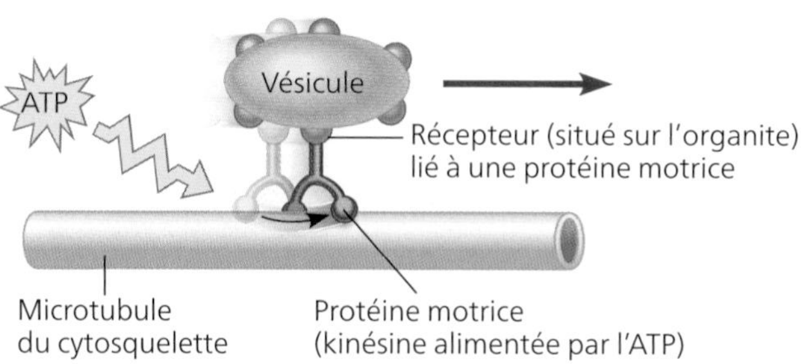

(a) Les protéines motrices fixées aux récepteurs des organites font glisser ces derniers le long de microtubules ou, parfois, le long de microfilaments.

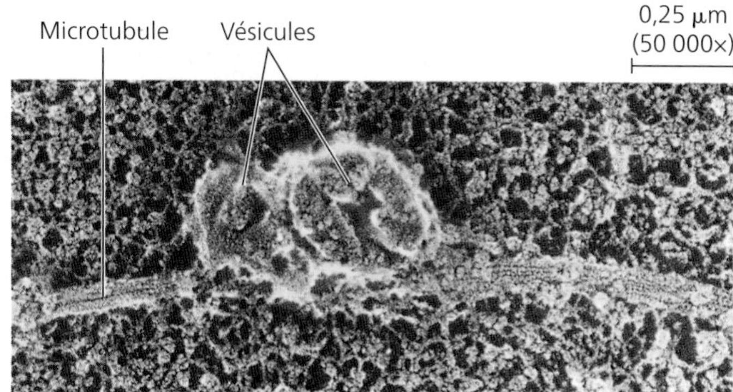

(b) Deux vésicules se déplacent le long d'un microtubule pour migrer vers les extrémités d'un prolongement de cellule nerveuse appelé axone (MEB).

Les constituants du cytosquelette

Le cytosquelette comprend principalement trois types de fibres, d'épaisseurs variables, que nous allons examiner plus en détail. Les plus épaisses sont les *microtubules* ; les plus fines sont les *microfilaments* (aussi appelés filaments d'actine) ; quant aux *filaments intermédiaires*, ils sont d'épaisseur moyenne (**tableau 6.1**).

Tableau 6.1 Structure et fonction du cytosquelette

Propriétés	**Microtubules (polymères de tubuline)**	**Microfilaments (filaments d'actine)**	**Filaments intermédiaires**
Structure	Cylindres creux	Deux brins d'actine entrelacés	Protéines fibreuses enroulées en câbles
Diamètre	25 nm ; lumière de 15 nm de diamètre	7 nm environ	De 8 à 12 nm
Sous-unités protéiques	Tubuline, un dimère constitué de tubuline α et de tubuline β	Actine	Une protéine parmi plusieurs autres (comme celles de la famille des kératines)
Fonctions principales	Maintien de la forme cellulaire (charpente résistant à la compression) Motilité cellulaire (ils sont l'un des composants des cils et des flagelles) Mouvements des chromosomes lors de la division cellulaire Mouvements des organites	Maintien de la forme cellulaire (éléments supportant la tension) Modification de la forme cellulaire Contraction musculaire Cyclose dans les cellules végétales Motilité cellulaire (comme dans le mouvement amiboïde) Division des cellules animales	Maintien de la forme cellulaire (éléments supportant la tension) Fixation du noyau et de certains organites Formation de la lamina nucléaire
Micrographies à fluorescence de fibroblastes, un type de cellules du tissu conjonctif souvent utilisé en cytologie, parce qu'elles s'étendent et s'aplatissent, ce qui facilite l'observation de leurs structures internes. Chaque fibroblaste a été coloré avec une substance fluorescente pour faire ressortir la structure étudiée. Dans la première et la troisième micrographie, l'ADN du noyau a aussi été coloré (en bleu ou en orange)	10 μm (900×) Colonne de dimères de tubuline 25 nm α β Dimère de tubuline	10 μm (400×) Sous-unité d'actine 7 nm	5 μm (1 800×) Protéines (kératines) Sous-unité fibreuse (kératines enroulées) 8-12 nm

Les microtubules

On trouve des **microtubules** dans le cytoplasme de toutes les cellules eucaryotes. Ce sont des cylindres creux qui se composent de protéines globulaires appelées tubulines. Chaque tubuline existe sous deux formes légèrement différentes, la tubuline α et la tubuline β. Chaque molécule de tubuline est un dimère constitué d'une sous-unité de tubuline α et d'une autre de tubuline β. Les microtubules s'allongent par l'ajout de dimères de tubuline à une de leurs extrémités. Ils peuvent aussi se démonter; la tubuline libre sert alors à former un autre microtubule ailleurs dans la cellule. À cause de l'agencement de leurs composants, des dimères de tubuline, les deux extrémités du microtubule diffèrent légèrement. On observe en effet que l'une de ces extrémités peut accumuler (polymérisation) ou libérer (dépolymérisation) des dimères de tubuline beaucoup plus rapidement que l'autre, de sorte qu'elle grandit et rapetisse de manière évidente au cours des activités cellulaires. (On l'appelle « extrémité plus », non pas parce qu'elle ne peut qu'ajouter des protéines tubulines, mais parce que les ajouts et retraits s'y produisent plus rapidement [de trois à quatre fois] qu'à « l'extrémité moins ».)

En plus de façonner et de soutenir la cellule, les microtubules servent de « voies » de circulation pour les organites associés à des protéines motrices. En plus de l'exemple donné à la figure 6.21, ils guident les vésicules du RE au complexe golgien et du complexe golgien vers la membrane plasmique. Ils participent en outre à la séparation des chromosomes pendant la division cellulaire, comme le montre la figure 12.7.

Centrosomes et centrioles Dans les cellules animales, c'est autour d'un **centrosome**, une masse finement granulaire souvent située près du noyau, que s'organise la disposition rayonnante des microtubules. Ces derniers servent alors de poutres résistantes à la compression dans la charpente cellulaire qu'est le cytosquelette. Le centrosome d'une cellule animale contient une paire de **centrioles**. Chacun d'eux comprend neuf triplets de microtubules formant un cercle (**figure 6.22**). Bien que les centrosomes dotés de centrioles concourent probablement à l'assemblage des microtubules dans les cellules animales, les centrosomes de beaucoup d'autres cellules eucaryotes ne renferment pas de centrioles et organisent les microtubules par d'autres moyens.

Cils et flagelles La disposition particulière des microtubules permet les battements des **flagelles** et des **cils**, ces prolongements émis par les cellules eucaryotes (le flagelle bactérien présenté à la figure 6.5 a une structure complètement différente). Beaucoup d'organismes unicellulaires eucaryotes se propulsent dans l'eau au moyen de cils ou de flagelles; de même, les gamètes mâles des animaux (les spermatozoïdes), des algues et de certains végétaux sont flagellés. Mais les cils et les flagelles ne servent pas seulement au déplacement cellulaire. Ils créent un courant dans la mince couche de liquide qui recouvre la surface des tissus comportant des cellules ciliées ou flagellées, lesquelles ne se déplacent pas. Par exemple, les cils des cellules qui tapissent la trachée expulsent des poumons le mucus chargé de débris (voir la figure 6.3). De même, dans les voies génitales de la femme, les cils recouvrant les trompes utérines aident à propulser l'ovocyte (ovule non fécondé) vers l'utérus. Chez les invertébrés, le battement des cils sert à capter des particules de nourriture.

▼ **Figure 6.22 Le centrosome et sa paire de centrioles.** La plupart des cellules animales possèdent un centrosome, une zone près du noyau où se forment les microtubules. Ce centrosome contient une paire de centrioles, chacun d'un diamètre d'environ 250 nm (0,25 μm), disposés à angle droit l'un par rapport à l'autre et se composant chacun de neuf triplets de microtubules. Les parties bleues du schéma représentent les protéines autres que la tubuline qui relient les triplets.

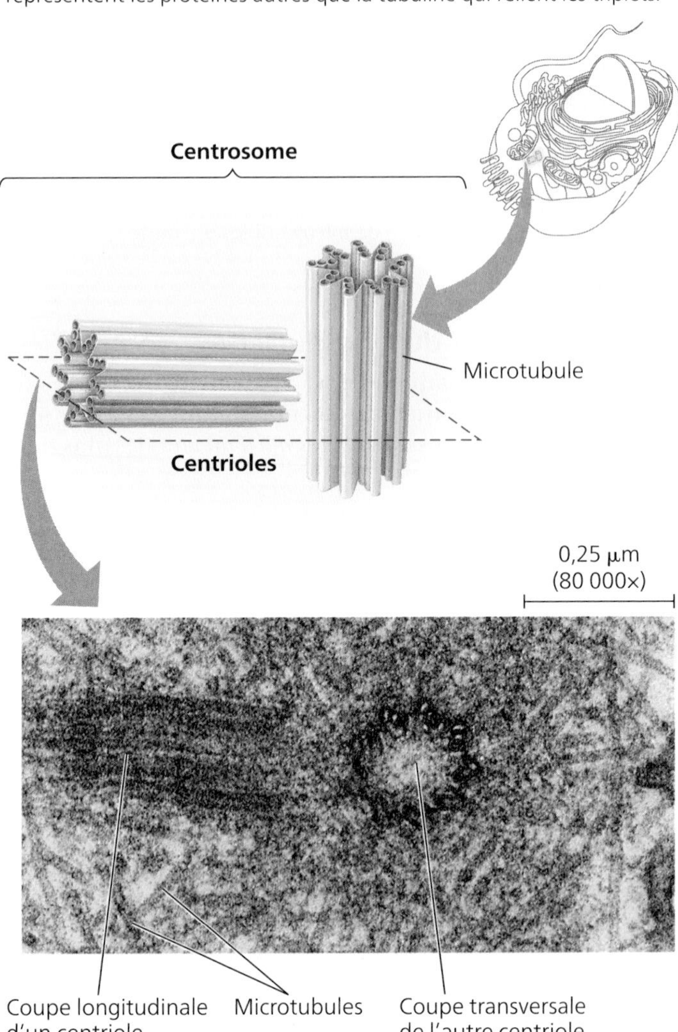

HABILETÉS VISUELLES ▶ Combien de microtubules un centrosome contient-il ? Dans le schéma, encerclez et pointez un microtubule, puis décrivez-en la nature. Ensuite, encerclez un triplet de microtubules.

Lorsqu'une cellule est dotée de cils, ceux-ci sont généralement très abondants. Les flagelles sont moins nombreux que les cils: une cellule n'en porte généralement que quelques-uns, et ils sont plus longs que les cils. Les flagelles et les cils ne battent pas de la même façon. Le flagelle produit un mouvement ondulatoire semblable à celui de la queue d'un poisson. Le mouvement ciliaire, en revanche, fait alterner un battement de propulsion et un battement de récupération, un peu comme les rames d'une embarcation (**figure 6.23**).

Un cil peut aussi agir comme une antenne qui reçoit les signaux de la cellule. Les cils qui remplissent cette fonction n'ont généralement aucune motilité et on n'en compte qu'un seul par cellule. (Chez les vertébrés, presque toutes les cellules semblent dotées d'un tel cil, qu'on appelle « cil primaire ».) Les protéines membranaires de ce type de cil transmettent des signaux

▼ **Figure 6.23 Comparaison entre le battement des flagelles et celui des cils.**

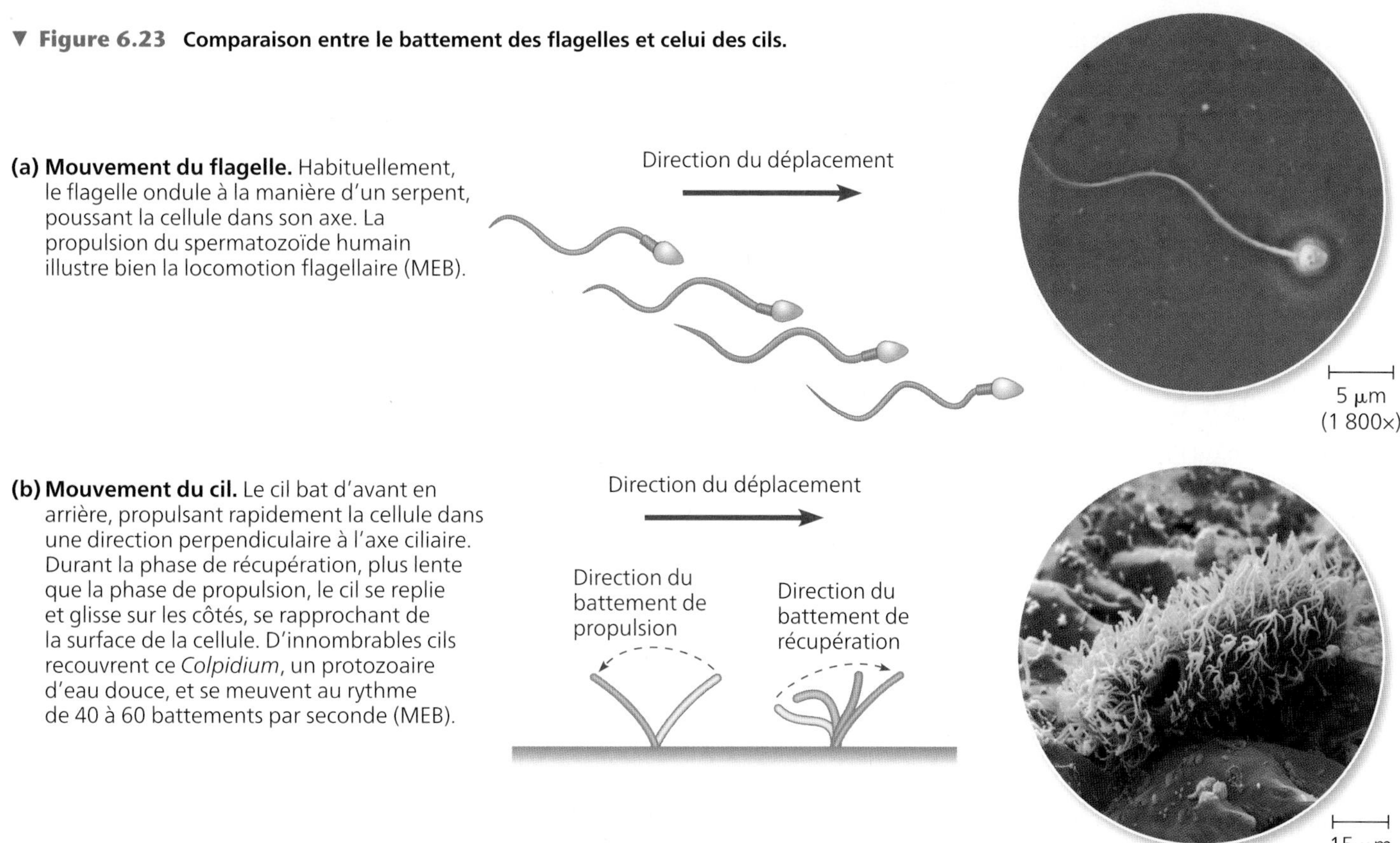

(a) Mouvement du flagelle. Habituellement, le flagelle ondule à la manière d'un serpent, poussant la cellule dans son axe. La propulsion du spermatozoïde humain illustre bien la locomotion flagellaire (MEB).

(b) Mouvement du cil. Le cil bat d'avant en arrière, propulsant rapidement la cellule dans une direction perpendiculaire à l'axe ciliaire. Durant la phase de récupération, plus lente que la phase de propulsion, le cil se replie et glisse sur les côtés, se rapprochant de la surface de la cellule. D'innombrables cils recouvrent ce *Colpidium*, un protozoaire d'eau douce, et se meuvent au rythme de 40 à 60 battements par seconde (MEB).

moléculaires de l'extérieur de la cellule jusqu'à l'intérieur, déclenchant des mécanismes moléculaires qui modifient les activités cellulaires selon les informations captées. La signalisation moléculaire associée au cil primaire semble cruciale dans le fonctionnement cérébral et le développement embryonnaire.

Bien qu'ils diffèrent par leur longueur, leur nombre et leurs battements, les cils motiles et les flagelles présentent la même structure. Ils se composent d'un groupe de microtubules recouverts par un prolongement de la membrane plasmique (**figure 6.24a**). Neuf doublets de microtubules forment un anneau autour de deux microtubules non jumelés. Les microtubules de chaque doublet adhèrent l'un à l'autre (**figure 6.24b**). Cette disposition de type « 9 + 2 » s'observe dans presque tous les cils motiles et les flagelles des cellules eucaryotes. (Les cils primaires non motiles présentent une disposition de « 9 + 0 » et sont dépourvus de la paire de microtubules centraux.) L'assemblage de microtubules d'un cil ou d'un flagelle est ancré à la cellule par un **corpuscule basal** structuralement très semblable à un centriole, avec une disposition « 9 + 0 » (**figure 6.24c**). En fait, chez de nombreux animaux (incluant l'être humain), le corpuscule basal du flagelle du spermatozoïde pénètre dans l'ovule et devient un centriole.

Comment l'assemblage de microtubules produit-il les mouvements de flexion des flagelles et des cils motiles ? La flexion fait intervenir de grosses protéines motrices qu'on appelle **dynéines** (en rouge dans le schéma de la figure 6.24) et qui sont réparties sur chaque doublet périphérique. La molécule de dynéine typique comporte deux « pieds » qui marchent le long du microtubule du doublet adjacent, l'ATP fournissant l'énergie nécessaire. Un pied reste en contact avec le microtubule, tandis que l'autre s'en détache pour y reprendre appui un pas plus loin (voir la figure 6.21). Les doublets périphériques et les deux microtubules centraux sont maintenus en place par des protéines de liaison flexibles (en bleu dans le schéma de la figure 6.24), et le mouvement de « marche » est ainsi coordonné qu'il s'effectue d'un seul côté du cercle à la fois. Si les doublets n'étaient pas retenus par ces entraves, ils glisseraient les uns contre les autres. Au lieu de cela, les mouvements des « pieds » de la dynéine font fléchir les microtubules (et l'organite dans son ensemble).

Les microfilaments (filaments d'actine)

Les **microfilaments** sont minces et rigides et ont une forme cylindrique. Ils se composent de molécules d'**actine**, une protéine globulaire, unies les unes aux autres. Chaque microfilament est formé de deux chaînes torsadées de sous-unités d'actine (voir le tableau 6.1). Les microfilaments peuvent être de simples filaments linéaires, mais ils peuvent aussi former des réseaux structuraux en raison de la présence de protéines qui se lient le long d'un filament d'actine et permettent à un nouveau filament de former une ramification. On trouve des microfilaments, semble-t-il, dans toutes les cellules eucaryotes.

Alors que les microtubules aident le cytosquelette à résister à la compression (écrasement), les microfilaments, eux, l'aident à supporter la tension (étirement) à laquelle il est soumis. Un réseau fibreux tridimensionnel à l'intérieur de la membrane plasmique (les *microfilaments corticaux*) aide la cellule à maintenir sa forme (voir la figure 6.8). C'est ce réseau fibreux qui donne au **cortex** cellulaire (la couche périphérique du cytoplasme) sa consistance gélatineuse (*gel*), tandis que l'intérieur du cytoplasme est plus liquide. Dans certains types de cellules animales, comme les cellules intestinales, qui absorbent des nutriments,

▼ **Figure 6.24** **La structure du flagelle et du cil motile.**

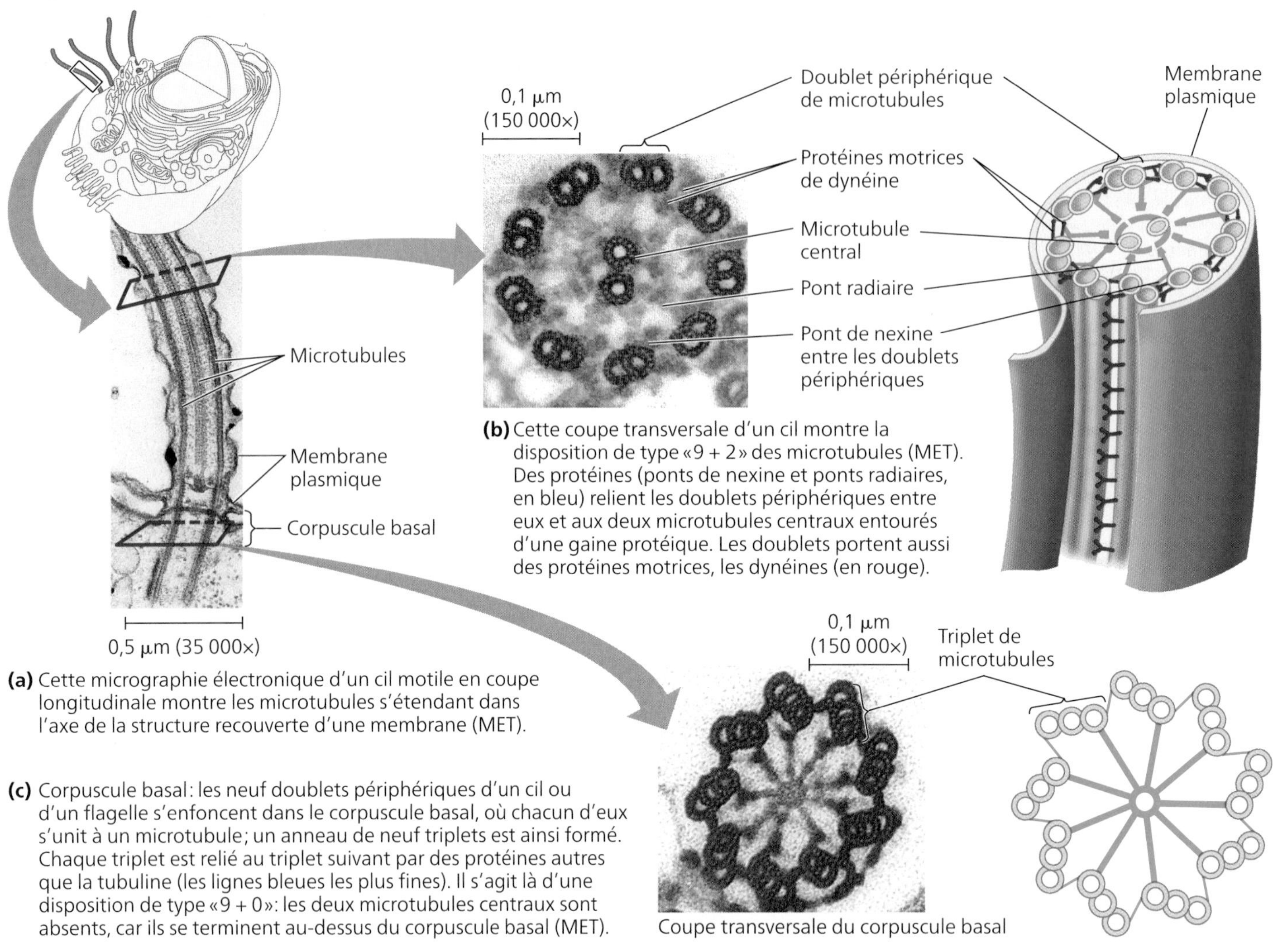

(a) Cette micrographie électronique d'un cil motile en coupe longitudinale montre les microtubules s'étendant dans l'axe de la structure recouverte d'une membrane (MET).

(b) Cette coupe transversale d'un cil montre la disposition de type « 9 + 2 » des microtubules (MET). Des protéines (ponts de nexine et ponts radiaires, en bleu) relient les doublets périphériques entre eux et aux deux microtubules centraux entourés d'une gaine protéique. Les doublets portent aussi des protéines motrices, les dynéines (en rouge).

(c) Corpuscule basal : les neuf doublets périphériques d'un cil ou d'un flagelle s'enfoncent dans le corpuscule basal, où chacun d'eux s'unit à un microtubule ; un anneau de neuf triplets est ainsi formé. Chaque triplet est relié au triplet suivant par des protéines autres que la tubuline (les lignes bleues les plus fines). Il s'agit là d'une disposition de type « 9 + 0 » : les deux microtubules centraux sont absents, car ils se terminent au-dessus du corpuscule basal (MET).

FAITES UN DESSIN ▶ Dans les parties (a) et (b), encerclez et identifiez la paire de microtubules centraux. Dans la partie (a), montrez où ils se terminent et expliquez pourquoi on ne les voit pas dans la coupe transversale du corpuscule basal en (c).

des faisceaux de microfilaments remplissent les fins prolongements cytoplasmiques, ou microvillosités, qui augmentent la surface d'échange (**figure 6.25**).

Les microfilaments (d'actine) sont surtout connus pour leur rôle dans la motilité cellulaire. Des milliers de microfilaments et de filaments plus épais, composés de molécules d'une protéine appelée **myosine**, interagissent pour faire se contracter les cellules musculaires (**figure 6.26a**) ; la contraction musculaire est expliquée en détail dans le concept 50.5. Chez *Amoeba*, un eucaryote unicellulaire, et dans certains de nos leucocytes, des contractions localisées provoquées par l'actine et la myosine sont à l'origine du mouvement amiboïde (reptation) des cellules. La cellule rampe sur une surface en formant des prolongements cellulaires rétractiles appelés **pseudopodes** (du grec *pseudês*, qui signifie « faux », et *podos*, « pied ») et en se déplaçant vers eux (**figure 6.26b**). Dans les cellules végétales, les interactions actine-myosine concourent à la **cyclose**, un phénomène par lequel une partie du cytoplasme circule continuellement dans l'espace séparant la vacuole centrale du cortex cellulaire sous la membrane plasmique (**figure 6.26c**). Ce mouvement, particulièrement répandu dans les grosses cellules végétales, accélère le mouvement des organites et la distribution intracellulaire des substances.

Les filaments intermédiaires

Les **filaments intermédiaires** doivent leur nom à leur diamètre, qui est supérieur à celui des microfilaments, mais inférieur à celui des microtubules (voir le tableau 6.1). Toutes les cellules eucaryotes renferment des microtubules et des microfilaments, mais seules les cellules de certains animaux, dont des vertébrés, possèdent des filaments intermédiaires. Capables de résister à la tension (comme les microfilaments), les filaments intermédiaires sont un groupe diversifié d'éléments constitutifs du cytosquelette. Chaque type de filament intermédiaire est formé par l'assemblage de sous-unités protéiques particulières – appartenant à une famille de protéines dont font partie les kératines – et a donc un diamètre distinct. À l'opposé, les microtubules et les microfilaments ont le même diamètre et la même composition dans toutes les cellules eucaryotes.

Les filaments intermédiaires sont plus stables que les microfilaments et les microtubules, lesquels sont assemblés et démontés

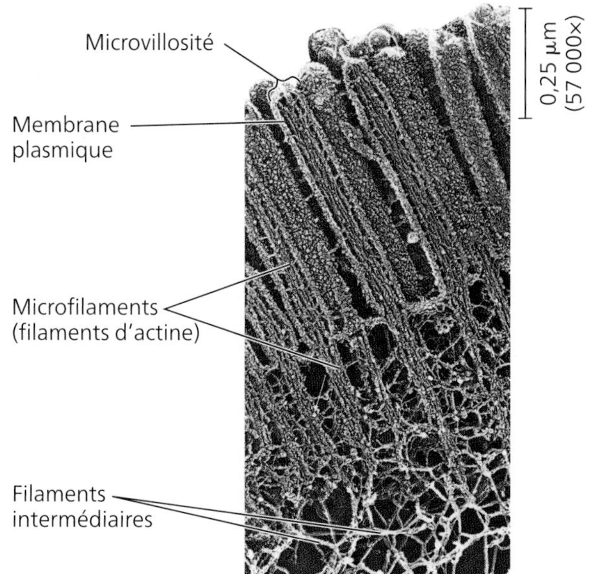

▲ **Figure 6.25 Le rôle structural des microfilaments.** La présence de prolongements cytoplasmiques, ou microvillosités, à la surface de cette cellule intestinale en augmente la surface d'échange. Ces prolongements sont renforcés par des faisceaux de microfilaments, eux-mêmes ancrés à un réseau de filaments intermédiaires (MET).

successivement dans diverses parties de la cellule. Même après la mort des cellules, les réseaux de filaments intermédiaires persistent souvent ; par exemple, la couche externe de notre peau est formée de cellules cutanées mortes, mais pleines de kératine. Les traitements chimiques qui séparent les microfilaments et les microtubules du cytoplasme des cellules vivantes laissent intact le réseau de filaments intermédiaires. Ces expériences semblent indiquer que ces filaments sont particulièrement robustes et qu'ils jouent un rôle important dans le maintien de la forme de la cellule et dans l'ancrage de certains organites. Par exemple, le noyau réside généralement dans une cage formée de filaments intermédiaires et maintenue en place par les ramifications de filaments qui s'étendent jusque dans le cytoplasme. Des filaments intermédiaires constitués de lamines composent la lamina nucléaire, une structure qui tapisse l'intérieur de l'enveloppe nucléaire, et participent à son démantèlement lors de la division cellulaire (voir la figure 6.9). En maintenant la forme de la cellule, les filaments intermédiaires aident celle-ci à remplir ses fonctions. Ainsi, le réseau de filaments intermédiaires illustré à la figure 6.25 permet d'ancrer les microfilaments qui supportent les microvillosités de l'intestin. Par conséquent, il se pourrait que les divers types de filaments intermédiaires constituent l'armature permanente de la cellule entière.

RETOUR SUR LE CONCEPT 6.6

1. Décrivez comment s'effectue la flexion des cils et des flagelles.
2. **ET SI ?** ▶ Les hommes atteints du syndrome de Kartagener – un trouble d'origine génétique – sont stériles en raison du fait que leurs spermatozoïdes sont incapables de se mouvoir. De plus, ils sont sujets aux infections pulmonaires. Quelle pourrait être la défectuosité sous-jacente à ce syndrome ?

Voir les réponses proposées à l'appendice A.

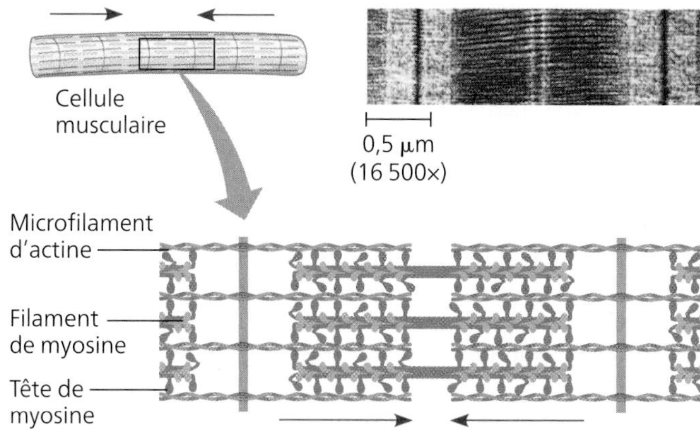

(a) Rôle de la myosine dans la contraction des cellules musculaires. Le déplacement des projections de myosine (appelées têtes) fait glisser les microfilaments d'actine le long des filaments de myosine, de sorte que les filaments d'actine se rapprochent les uns des autres vers le milieu (flèches rouges), et la cellule musculaire se raccourcit. La contraction musculaire nécessite la contraction simultanée de nombreuses cellules musculaires (MET).

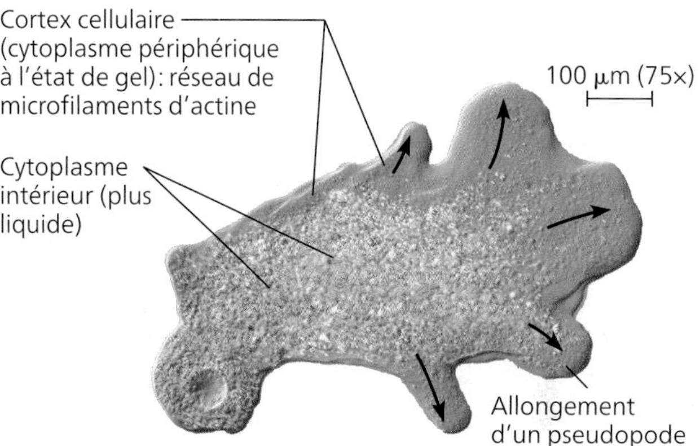

(b) Mouvement amiboïde. L'interaction des microfilaments d'actine et des filaments de myosine entraîne la contraction de la cellule, attirant la « queue » de la cellule (à gauche) vers l'avant (à droite) (MP).

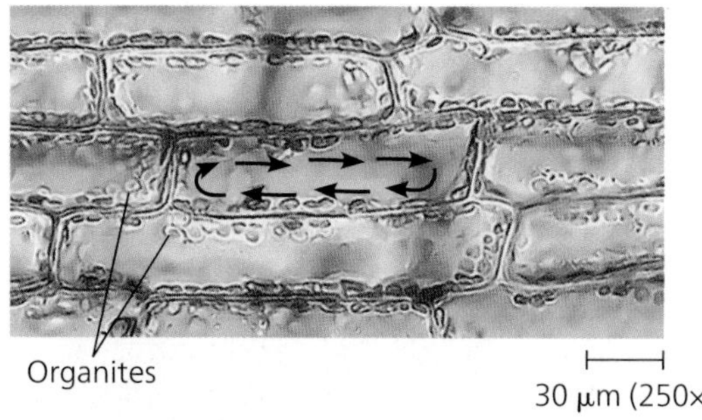

(c) Mouvement de cyclose dans les cellules végétales. Une couche de cytoplasme tourne autour de la vacuole centrale. Elle se déplace au-dessus des traînées de microfilaments d'actine. Les molécules motrices formées de myosine et fixées à des organites peuvent provoquer ce mouvement de cyclose lorsqu'elles interagissent avec l'actine (MP).

▲ **Figure 6.26 Les microfilaments et la motilité.** Dans les trois exemples de cette figure, les interactions entre les microfilaments d'actine et les protéines motrices permettent le mouvement.

CONCEPT 6.7

Les constituants extracellulaires et les jonctions intercellulaires contribuent à la coordination des activités de la cellule

Après avoir fait le tour des composants cellulaires internes, nous terminerons notre exploration de la cellule par les importantes structures disposées à sa surface. On considère généralement la membrane plasmique comme la frontière de la cellule vivante, mais la plupart des cellules synthétisent et sécrètent des matières vers l'extérieur de la cellule. Même si ces matières et ces structures sont extérieures à la cellule, elles participent à plusieurs de ses fonctions vitales, ce qui explique pourquoi leur étude est essentielle en biologie cellulaire.

La paroi cellulaire des cellules végétales

La **paroi cellulaire** fait partie des structures extracellulaires de la cellule végétale (**figure 6.27**). C'est une des caractéristiques qui la distinguent de la cellule animale. Cette paroi maintient la forme de la cellule végétale, prévient l'absorption excessive d'eau et la protège contre les agresseurs. La paroi résistante formée par les cellules spécialisées d'une plante permet à celle-ci de lutter contre la force gravitationnelle et de rester érigée. Les procaryotes, les eumycètes et certains eucaryotes unicellulaires possèdent également une paroi cellulaire, comme le montrent les figures 6.5 et 6.8, mais nous n'en traiterons que dans la cinquième partie de ce manuel.

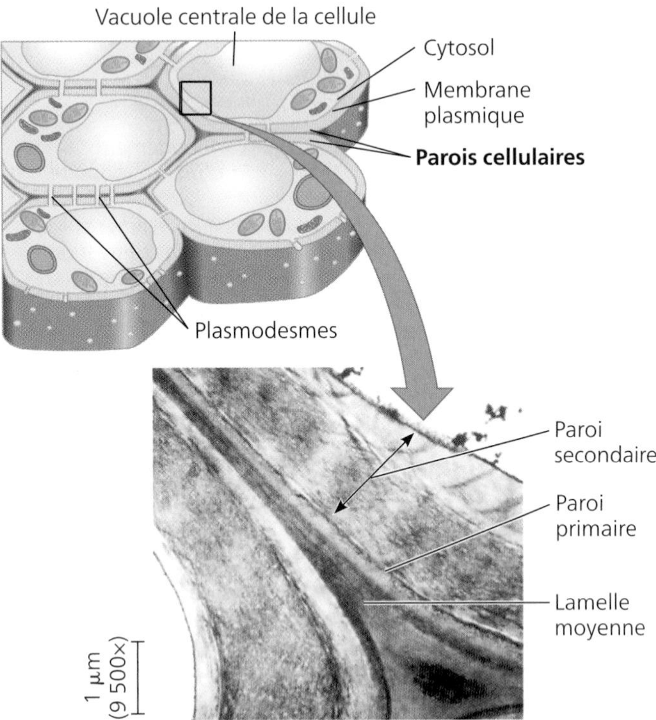

▲ **Figure 6.27 La paroi cellulaire végétale.** Le schéma illustre plusieurs cellules, chacune possédant une paroi cellulaire, une grande vacuole, un noyau et quelques chloroplastes et mitochondries. La micrographie (MET) montre les parois cellulaires de deux cellules voisines; chacune des deux cellules adjacentes a sécrété les différentes couches de sa propre paroi. Les parois cellulaires ne sont pas étanches: des canaux appelés plasmodesmes les traversent et établissent un lien entre les cytoplasmes des cellules voisines (MET).

L'épaisseur de la paroi cellulaire végétale varie de 0,1 µm à plusieurs micromètres; elle est donc beaucoup plus épaisse que la membrane plasmique. Sa composition chimique précise varie (d'une espèce à l'autre ou même d'un type de cellule à l'autre dans une même plante), mais son architecture de base présente une composition assez uniforme. Les microfibrilles de 10 à 25 nm de diamètre qui la composent sont constituées d'un polysaccharide, la cellulose (voir la figure 5.6); elles sont synthétisées par une enzyme située dans la membrane plasmique, appelée cellulose synthase, puis sécrétées dans l'espace extracellulaire. À cet endroit, elles s'associent pour former des macrofibrilles dont le diamètre peut atteindre 0,5 µm, puis elles s'insèrent dans une matrice constituée d'autres polysaccharides et de protéines. Cette combinaison de matériaux – des fibres résistantes dans une « substance fondamentale » (matrice) – est similaire à la configuration architecturale qu'on trouve dans le béton armé et la fibre de verre.

Les cellules végétales immatures commencent par sécréter une paroi relativement mince et flexible, appelée **paroi primaire** (figure 6.27). Entre les parois primaires des cellules adjacentes se trouve la **lamelle moyenne**, une couche mince riche en pectines, des polysaccharides adhésifs et hydrophiles, donc capables d'absorber beaucoup d'eau. La lamelle moyenne colle les cellules les unes aux autres. (D'ailleurs, on utilise de la pectine pour épaissir les confitures et les gelées.) Quand les cellules arrivent à maturité et cessent de croître, leur paroi devient rigide. Pour ce faire, certaines sécrètent simplement des substances raffermissantes dans leur paroi primaire. D'autres élaborent une **paroi secondaire** entre la membrane plasmique et la paroi primaire. Souvent construite par l'apposition de couches successives, la paroi secondaire se compose d'une matrice durable qui protège et soutient la cellule; elle peut devenir très épaisse. Le bois, par exemple, se compose principalement de parois secondaires dans lesquelles un polymère très résistant, la lignine, vient s'ajouter à la cellulose. La paroi cellulaire de la cellule végétale est souvent traversée par des canaux appelés plasmodesmes qui la relient au cytoplasme de cellules voisines. Nous y reviendrons plus loin.

La matrice extracellulaire des cellules animales

Bien qu'elles ne possèdent pas de parois cellulaires comme celles des cellules végétales, les cellules animales s'entourent d'une **matrice extracellulaire (MEC)** complexe qu'elles sécrètent. Cette matrice est composée de protéines fibreuses, principalement des glycoprotéines ainsi que d'autres molécules composées de glucides. (Rappelez-vous que les glycoprotéines sont des protéines liées de façon covalente à des glucides courts.) Le **collagène**, dont il existe une vingtaine de types différents, est la glycoprotéine la plus abondante de la MEC. Il compte en fait pour environ 40 % des protéines humaines. Il forme des fibres solides à l'extérieur de la cellule (voir la figure 5.18). Les fibres de collagène traversent un réseau tissé de **protéoglycanes**, sécrétés par les cellules (**figure 6.28**). Un protéoglycane se compose d'une molécule de protéine centrale comportant plusieurs longues chaînes de polysaccharides liées par covalence, de sorte qu'il peut renfermer plus de 95 % de glucides. Ces glucides sont des *glycosaminoglycanes*, d'où le nom de protéoglycanes. D'imposants complexes peuvent se former quand des centaines de protéoglycanes se lient de façon non covalente à une longue molécule de polysaccharide, comme le montre la figure 6.28. On trouve des

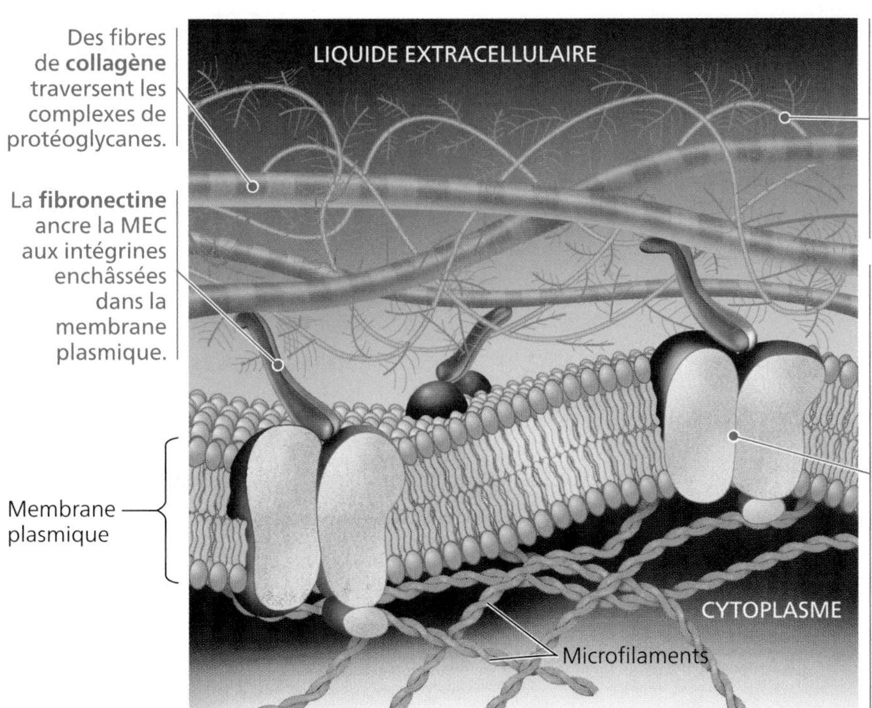
Des fibres de **collagène** traversent les complexes de protéoglycanes.
La **fibronectine** ancre la MEC aux intégrines enchâssées dans la membrane plasmique.
LIQUIDE EXTRACELLULAIRE
Membrane plasmique
CYTOPLASME
Microfilaments
Un **complexe de protéoglycanes** se compose de centaines de molécules de protéoglycane liées de manière non covalente à une longue molécule de polysaccharide.
Les **intégrines** sont des protéines transmembranaires faites de deux sous-unités et fixées, sur l'extérieur, à la MEC et, sur l'intérieur, à d'autres protéines associées, qui sont liées à des microfilaments du cytosquelette. Du fait de leur position, elles transmettent des informations de part et d'autre de la membrane plasmique et peuvent modifier l'action de la cellule.

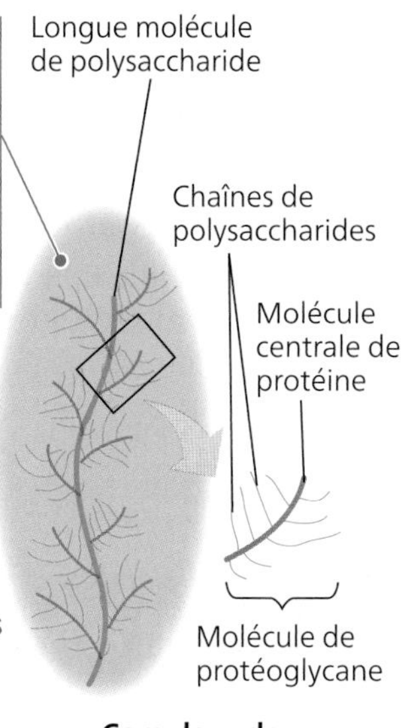
Longue molécule de polysaccharide
Chaînes de polysaccharides
Molécule centrale de protéine
Molécule de protéoglycane
Complexe de protéoglycanes

▲ **Figure 6.28 La matrice extracellulaire (MEC) d'une cellule animale.** La structure et la composition de la matrice extracellulaire varient selon le type de cellule. Dans cet exemple, trois sortes de molécules de la MEC sont illustrées: le collagène, la fibronectine et les protéoglycanes.

complexes de ce genre dans le cartilage, par exemple. D'autres protéines de la MEC – dont les **fibronectines** – concourent à fixer les cellules à la MEC. Dans les cellules des animaux, les fibronectines et d'autres protéines de la MEC se lient à des récepteurs protéiques appelés **intégrines** enchâssés dans la membrane plasmique. Les intégrines traversent cette membrane et, du côté du cytoplasme, s'attachent à des protéines associées qui sont liées à des microfilaments du cytosquelette. Le terme *intégrine* vient du mot *intégrer*: de fait, les intégrines peuvent passer d'une forme inactive à une forme active sous l'effet d'un signal. Elles sont bien placées pour «informer» le cytosquelette des modifications subies par la MEC et, donc, pour intégrer les changements qui se produisent à l'extérieur et à l'intérieur de la cellule.

La recherche sur les fibronectines, les autres molécules de la MEC et les intégrines a mis en évidence le rôle déterminant de la MEC dans la vie des cellules. En communiquant avec le cytoplasme au moyen des intégrines, cette matrice peut influer sur le comportement de la cellule. Par exemple, certaines cellules embryonnaires migrent vers une destination précise en faisant concorder l'orientation de leurs microfilaments avec celle des fibres de la matrice extracellulaire. Par ailleurs, les chercheurs ont constaté aussi que la MEC autour d'une cellule peut modifier l'activité des gènes de son noyau. L'information provenant de la MEC atteint probablement le noyau par diverses voies de signalisation mécanique et chimique. Des changements d'ordre mécanique se transmettent successivement aux fibronectines, aux intégrines et aux filaments du cytosquelette. Une modification dans la disposition du cytosquelette peut à son tour déclencher une cascade de réactions. Ces réactions peuvent entraîner des changements dans l'ensemble de protéines synthétisé par la cellule et, donc, dans le fonctionnement de la cellule. Ainsi, la MEC d'un tissu particulier pourrait favoriser la coordination de toutes les cellules de ce tissu. Cette coordination s'effectue également au moyen d'un lien direct, comme nous le verrons dans la section qui suit.

Les jonctions cellulaires

Les cellules d'un animal ou d'une plante sont organisées en tissus, en organes et en systèmes. Généralement, les cellules adjacentes adhèrent les unes aux autres, interagissent et communiquent directement entre elles par des zones de contact.

Chez les végétaux: les plasmodesmes

On pourrait penser que la paroi cellulaire végétale isole les cellules les unes des autres. En fait, de très nombreux canaux appelés **plasmodesmes** (du grec *desma*, qui signifie «liaison») relient les cellules (**figure 6.29**). Le cytosol qui traverse les plasmodesmes fait communiquer les milieux chimiques des cellules voisines. Ainsi, la plante en entier forme un continuum: les membranes plasmiques et celles du RE des cellules adjacentes se prolongent à travers le plasmodesme et en tapissent le canal; l'eau et les petits solutés diffusent librement d'une cellule à l'autre; des protéines spécifiques et des molécules d'ARN transitent également par ces canaux dont l'ouverture peut se dilater dans des circonstances

▼ **Figure 6.29 Les plasmodesmes entre les cellules végétales.** Le cytoplasme d'une cellule végétale communique avec le cytoplasme des cellules voisines par les plasmodesmes, des canaux qui traversent la paroi cellulaire (MET).

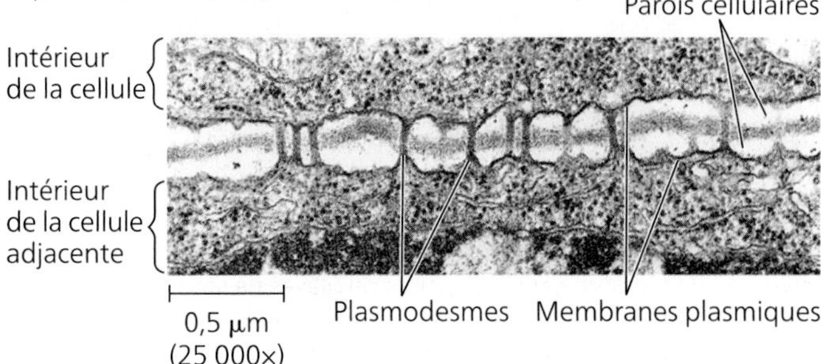
Parois cellulaires
Intérieur de la cellule
Intérieur de la cellule adjacente
0,5 μm
(25 000×)
Plasmodesmes
Membranes plasmiques

particulières (voir le concept 36.6). Certaines macromolécules destinées à des cellules voisines atteignent les plasmodesmes en se déplaçant le long des fibres du cytosquelette.

Chez les animaux : les jonctions serrées, les desmosomes et les jonctions ouvertes

Dans le règne animal, il existe plusieurs types de jonctions cellulaires, dont trois principaux : les *jonctions serrées*, les *desmosomes* et les *jonctions ouvertes* (qui ressemblent aux plasmodesmes des plantes, quoique les jonctions ouvertes ne sont pas couvertes de membrane). Le tissu épithélial, qui tapisse les cavités internes de l'organisme, regorge particulièrement de ces trois sortes de jonctions. La **figure 6.30** illustre celles qu'on trouve dans les cellules de l'épithélium intestinal. Il serait souhaitable que vous regardiez attentivement cette figure avant de passer à la prochaine section.

▼ Figure 6.30

PANORAMA Les jonctions intercellulaires dans les tissus animaux

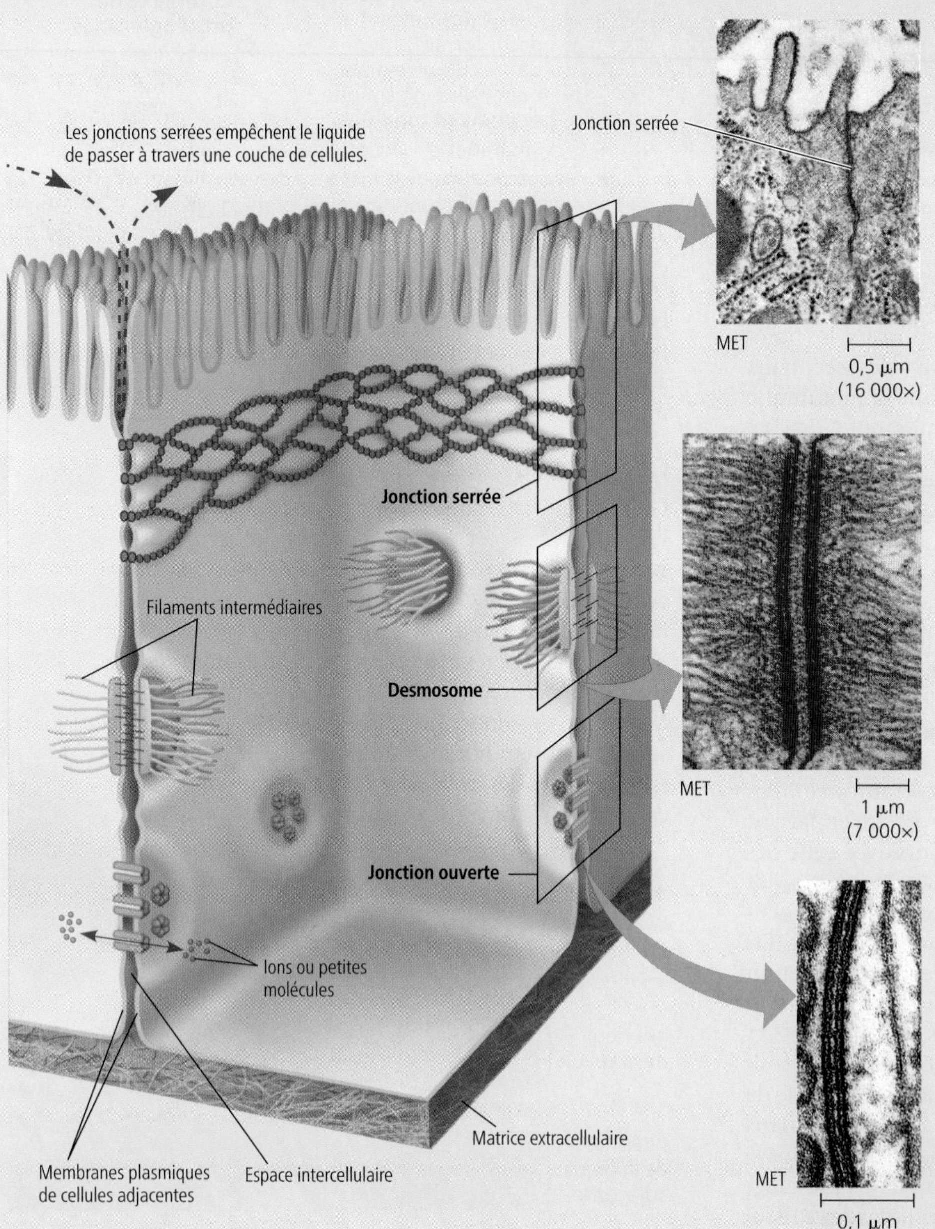

Jonctions serrées

Aux **jonctions serrées**, aussi appelées jonctions étanches, les membranes des cellules voisines sont accolées les unes contre les autres et liées ensemble par des protéines spécifiques. En formant des ceintures continues autour des cellules, du côté de la cellule exposé au milieu extérieur, ces jonctions servent de barrières qui empêchent le liquide extracellulaire de s'infiltrer entre les cellules épithéliales (flèche rouge en pointillé). Par exemple, les jonctions serrées entre les cellules de la peau rendent celles-ci étanches, alors que les jonctions serrées entre les cellules qui tapissent l'intestin empêchent le contenu intestinal d'entrer dans les vaisseaux sanguins en passant entre les cellules.

Desmosomes

Les **desmosomes** (un type de *jonctions d'ancrage* parmi plusieurs) fonctionnent à la manière de rivets : ils retiennent les cellules solidement entre elles de façon à former des tissus résistant à la compression et à l'étirement. Des filaments intermédiaires constitués de kératine, une protéine résistante, ancrent les desmosomes au cytoplasme. Les desmosomes attachent les cellules musculaires les unes aux autres dans le muscle. Certaines « déchirures musculaires » supposent une rupture des desmosomes. Des structures semblables appelées *hémidesmosomes* attachent solidement les cellules d'un tissu à la lame basale (voir la figure 40.5) ou à d'autres matrices extracellulaires.

Jonctions ouvertes

Les **jonctions ouvertes**, aussi appelées jonctions communicantes, sont des canaux reliant le cytoplasme de cellules animales adjacentes ; elles exercent une fonction similaire à celle des plasmodesmes des végétaux. Les jonctions ouvertes se composent de protéines membranaires (les *connexines*) entourant un canal dont le diamètre est assez grand pour permettre le passage des ions, des glucides, des acides aminés et d'autres petites molécules. Les jonctions ouvertes sont nécessaires à la communication entre les cellules de plusieurs types de tissus, dont le muscle cardiaque et les embryons animaux.

RETOUR SUR LE CONCEPT 6.7

1. Du point de vue de l'organisation et des jonctions cellulaires, qu'est-ce qui différencie les cellules animales et végétales des eucaryotes multicellulaires de celles des eucaryotes unicellulaires ?
2. **ET SI ?** ▶ Si la paroi de la cellule végétale ou la matrice extracellulaire de la cellule animale étaient imperméables, quel effet cela aurait-il sur la fonction cellulaire ?
3. **FAITES DES LIENS** ▶ Une jonction serrée est constituée d'une chaîne polypeptidique formée de quatre hélices transmembranaires, avec deux boucles à l'extérieur de la cellule et une boucle dans le cytoplasme. Cette dernière porte les extrémités C-terminale et N-terminale. En observant la figure 5.14, que pouvez-vous prédire quant à la séquence d'acides aminés de la protéine de la jonction serrée ?

Voir les réponses proposées à l'appendice A.

CONCEPT 6.8

Le tout que forme la cellule est supérieur à la somme de ses parties

De la compartimentation cellulaire à la structure des organites, l'exploration de la cellule nous a fourni de nombreuses occasions de souligner la relation entre structure et fonction. La figure 6.8 présente un résumé des structures et des fonctions cellulaires.

Toutefois, même si l'on doit compartimenter la cellule dans le but de l'étudier, il faut se rappeler que tous les organites travaillent en coopération avec un ou plusieurs autres organites. Pour mieux comprendre la profondeur de cette intégration cellulaire, examinez la scène microscopique reproduite à la **figure 6.31**. La grosse cellule est un macrophage (voir la figure 6.13a). Elle défend l'organisme contre les infections en phagocytant des bactéries (les petites cellules) au moyen de phagosomes (vacuoles digestives). Elle rampe sur une surface et se sert de prolongements minces appelés filopodes pour atteindre les bactéries, un mouvement rendu possible par l'interaction des microfilaments et des autres constituants du cytosquelette. À l'intérieur du macrophage, les bactéries sont détruites par des lysosomes produits par le très complexe réseau de membranes intracellulaires. Les enzymes digestives des lysosomes et les protéines du cytosquelette, elles, sont fabriquées par des ribosomes. Et la synthèse des protéines est programmée par les messages génétiques que l'ADN envoie du noyau. Tous ces processus requièrent de l'énergie, que les mitochondries fournissent sous forme d'ATP.

Les fonctions cellulaires naissent de l'organisation cellulaire : la cellule est une entité supérieure à la somme de ses parties. La cellule de la figure 6.31 est un bon exemple de l'intégration des processus cellulaires, tels qu'on peut les observer de l'extérieur. Mais à quoi ressemblerait l'organisation d'une cellule vue de l'intérieur ? En continuant votre étude de la biologie et des différents processus cellulaires, il vous sera utile d'arriver à visualiser mentalement l'architecture et les éléments de la cellule. La **figure 6.32** vous aidera à vous représenter plus clairement la taille relative des principales molécules et macromolécules biologiques, leur organisation, les organites et les autres structures de la cellule. En étudiant cette figure, essayez d'imaginer que vous êtes minuscule comme une protéine et que vous explorez de l'intérieur cet environnement qu'on appelle la cellule.

RETOUR SUR LE CONCEPT 6.8

1. *Colpidium colpoda* est un eucaryote unicellulaire qui vit dans l'eau douce; il se nourrit de bactéries et se déplace à l'aide de cils (voir la figure 6.23b). Décrivez la coopération des différentes parties de la cellule de *C. colpoda*. Dans votre description, incluez le plus possible d'organites et de structures cellulaires.

Voir les réponses proposées à l'appendice A.

▼ **Figure 6.31 Les fonctions cellulaires résultent de la coopération entre les organites.** La capacité de ce macrophage (en brun) de reconnaître, d'emprisonner et de détruire les bactéries *Staphylococcus* (en orange) est le fruit de la coordination entre toutes les parties de la cellule. Le cytosquelette, les lysosomes et la membrane plasmique font partie des constituants cellulaires qui interviennent dans la phagocytose (MEB colorisée).

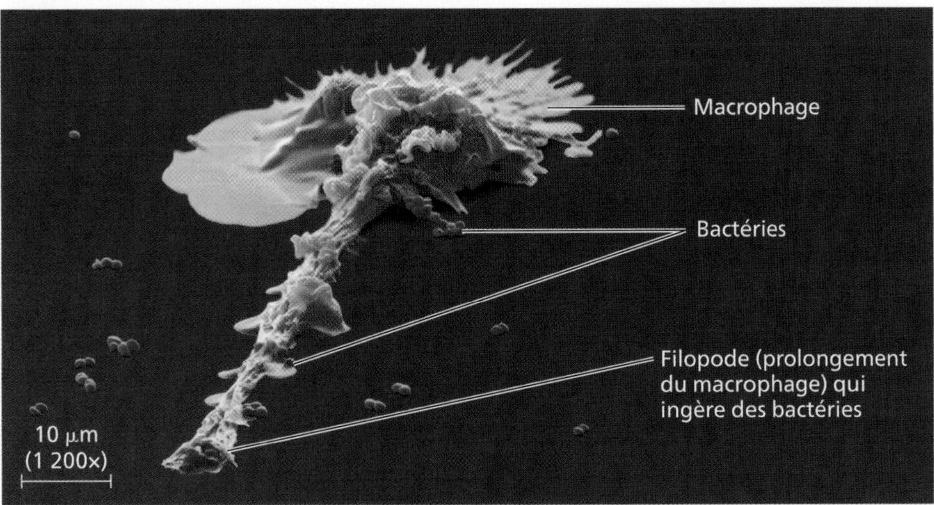

COUP D'ŒIL ▼ Figure 6.32 Les rouages d'une cellule à l'échelle moléculaire

L'illustration du centre montre une coupe de l'intérieur d'une cellule végétale. Toutes les structures et les molécules y sont dessinées à l'échelle. Certaines molécules et structures figurent à part, dans les médaillons au-dessus et en dessous de l'illustration centrale, agrandies par le même facteur afin de vous permettre une comparaison juste de leurs tailles. Toutes les structures représentant les protéines et les acides nucléiques sont basées sur les données de la Protein Data Bank; les régions dont la structure n'a pas encore été déterminée sont en gris.

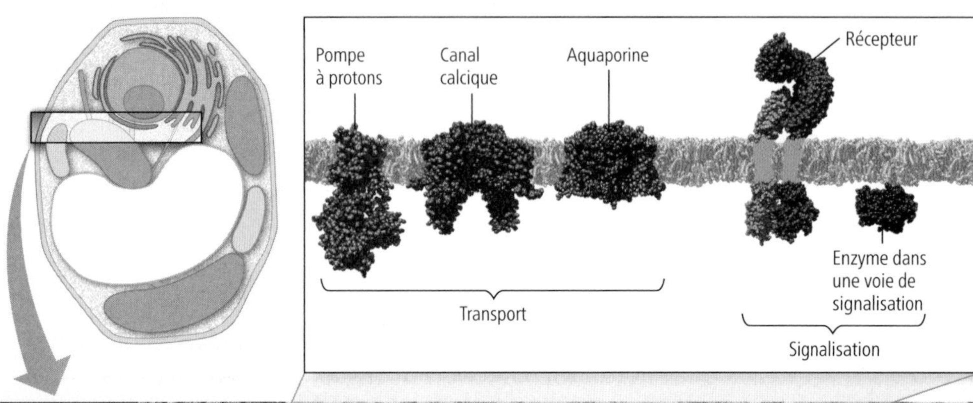

Protéines membranaires: Les protéines enchâssées dans la membrane plasmique ou d'autres membranes cellulaires aident les substances à traverser des membranes, acheminent des signaux de part et d'autre de la membrane et participent à d'autres fonctions cellulaires vitales. Bon nombre de protéines sont capables de se déplacer à l'intérieur de la membrane.

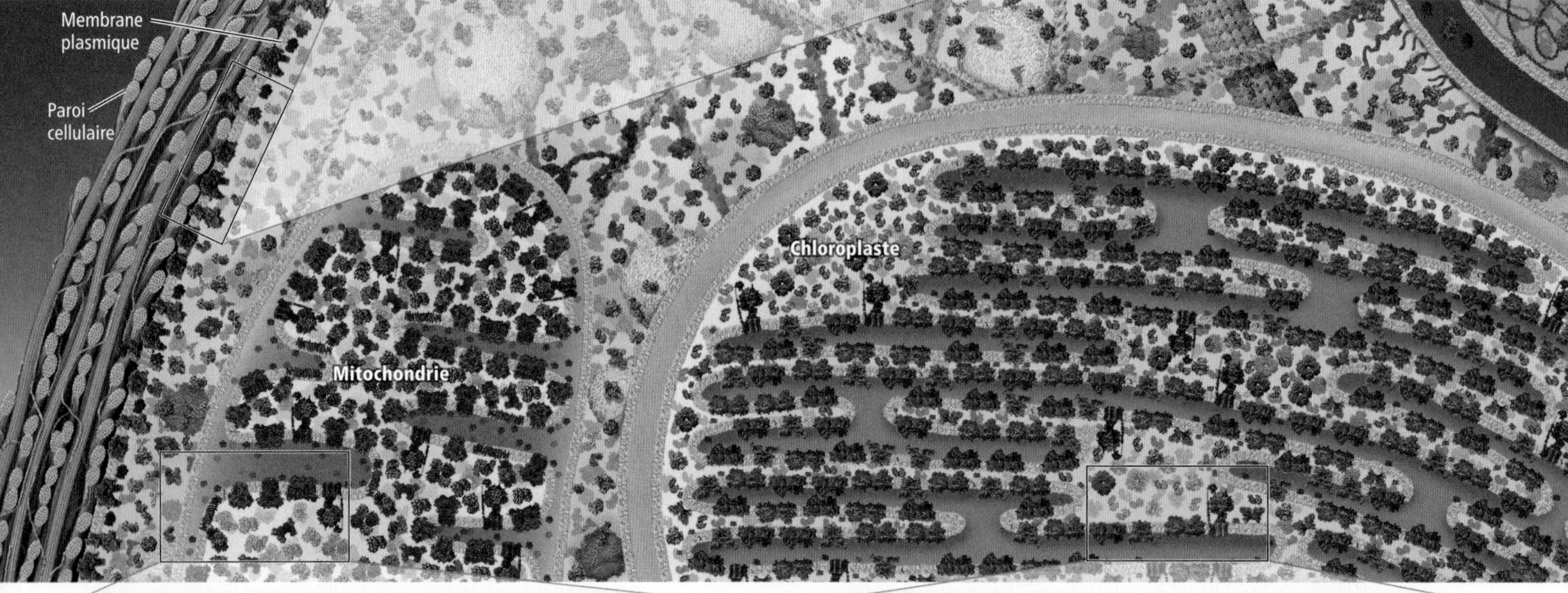

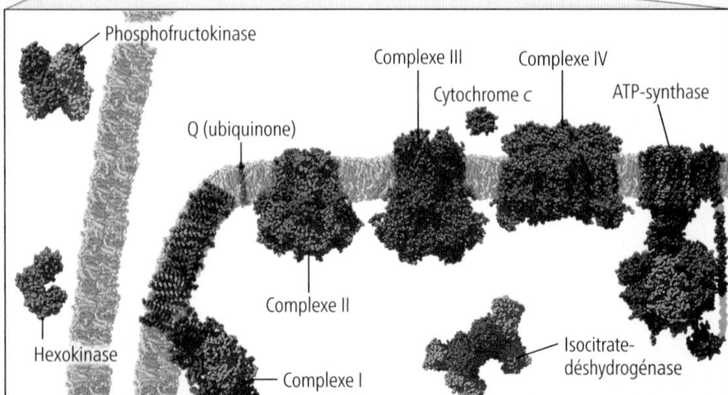

Respiration cellulaire: La respiration cellulaire comporte plusieurs étapes, dont certaines font intervenir des protéines individuelles ou des complexes protéiques du cytoplasme et de la matrice mitochondriale. D'autres protéines et complexes protéiques participent à la production d'ATP à partir des nutriments et forment une «chaîne» à l'intérieur de la membrane mitochondriale.

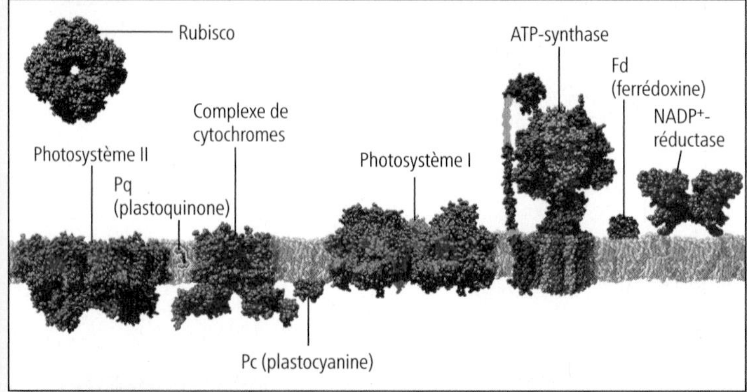

Photosynthèse: De volumineux complexes de protéines, associés à des molécules non protéiques, sont enchâssés dans les membranes du chloroplaste. Ensemble, ils peuvent emmagasiner l'énergie lumineuse dans des molécules que d'autres protéines utilisent ensuite à l'intérieur du chloroplaste pour fabriquer des sucres. C'est la base du fonctionnement de tous les organismes vivants de la planète.

Transcription : Dans le noyau, l'information contenue dans une séquence d'ADN est acheminée à l'ARN messager (ARNm) par une enzyme appelée ARN-polymérase. Après leur synthèse, les molécules d'ARNm quittent le noyau par les pores nucléaires.

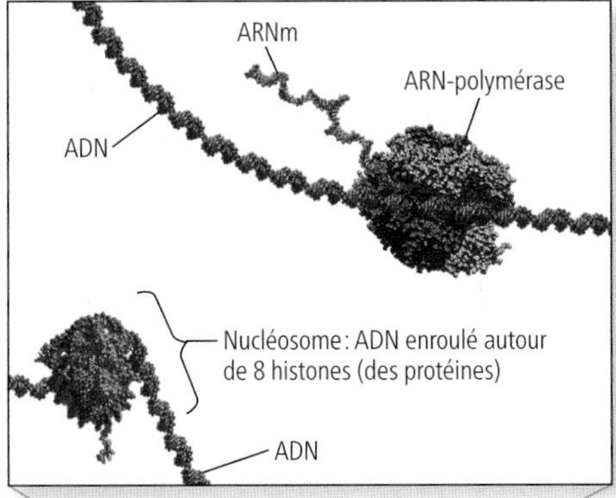

Pore nucléaire : Le complexe de pores nucléaires régule la circulation des molécules qui entrent dans le noyau (limité par une double membrane) et en sortent. Les sous-unités ribosomales fabriquées dans le noyau sont parmi les plus grosses structures pouvant passer par les pores.

Traduction : Dans le cytoplasme, l'information contenue dans l'ARNm est utilisée pour assembler un polypeptide constitué d'une séquence spécifique d'acides aminés. Les molécules d'ARN de transfert (ARNt) et un ribosome ont leur rôle à jouer. Le ribosome eucaryote, formé d'une grande sous-unité et d'une petite sous-unité, est un complexe énorme formé de quatre grosses molécules d'ARN ribosomique (ARNr) et de plus de 80 protéines. C'est au moyen de la transcription et de la traduction, et par l'intermédiaire de l'ARNm, que la séquence nucléotidique de l'ADN détermine la séquence d'acides aminés d'un polypeptide.

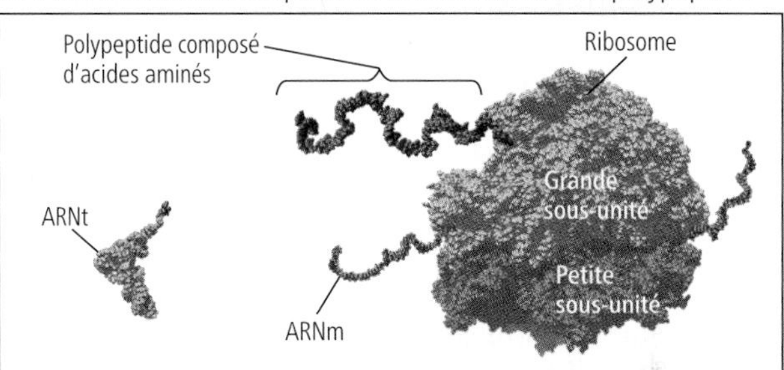

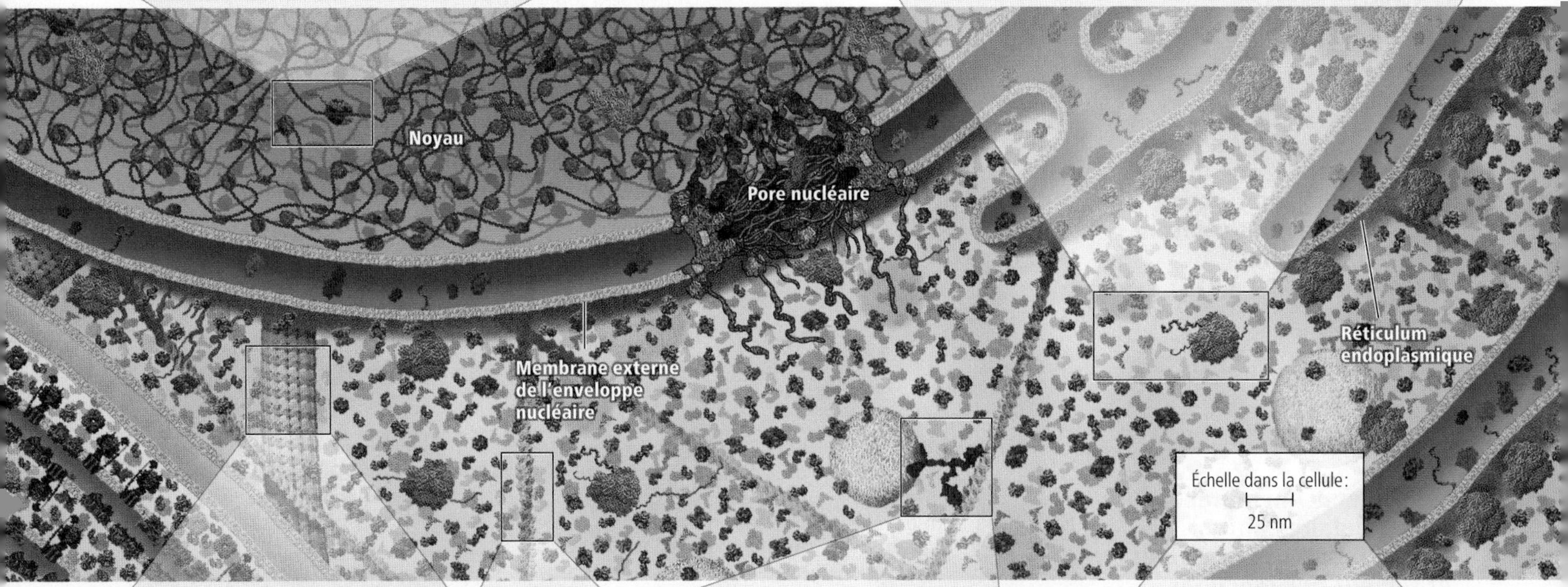

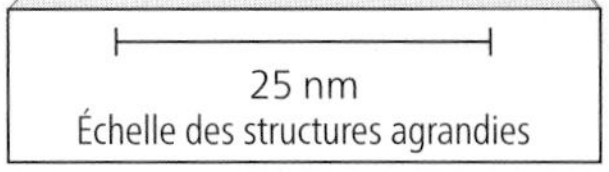

Noyau

Pore nucléaire

Membrane externe de l'enveloppe nucléaire

Réticulum endoplasmique

Échelle dans la cellule :
25 nm

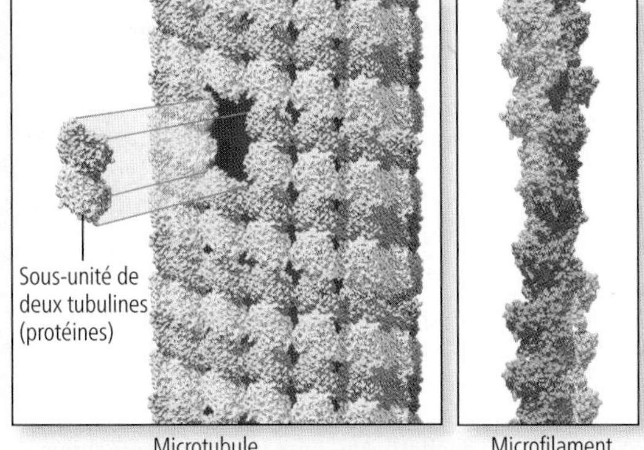

Microtubule

Microfilament

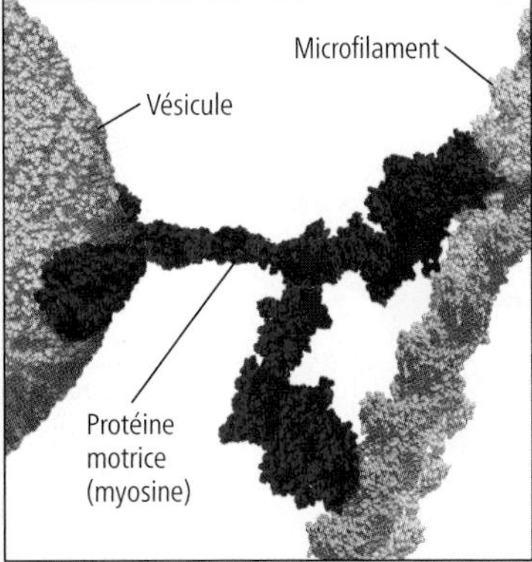

25 nm
Échelle des structures agrandies

Cytosquelette : Les structures du cytosquelette sont des polymères de sous-unités protéiques. Les microtubules sont des cylindres structuraux creux composés de sous-unités de tubuline, tandis que les microfilaments sont des câbles faits de deux chaînes d'actine enroulées l'une autour de l'autre.

Protéines motrices : Ces protéines sont responsables du transport des vésicules et du mouvement des organites dans la cellule. L'énergie nécessaire provient souvent de l'hydrolyse de l'ATP.

?

1. Ordonnez les structures suivantes selon leur taille, de la plus grande à la plus petite : pompe à protons, pore nucléaire, cytochrome *c*, ribosome.

2. Compte tenu de la structure du nucléosome et de l'ARN-polymérase, décrivez ce qui doit se produire, selon vous, avant que l'ARN-polymérase puisse transcrire l'ADN enroulé autour des histones d'un nucléosome.

3. Dans ce schéma, trouvez une autre myosine (protéine motrice) qui « marche » sur un microfilament. Quel organite est déplacé par cette myosine ?

RÉVISION DU CHAPITRE 6

Consultez votre MANUEL NUMÉRIQUE, qui vous donne accès aux **animations**, aux **exercices** et à la plateforme d'**anatomie interactive**.

Résumé des concepts clés

CONCEPT 6.1

Les biologistes étudient les cellules à l'aide de microscopes et de diverses techniques biochimiques (p. 102 à 106)

- Les avancées techniques qui ont amélioré les principaux paramètres de la microscopie – le grossissement, la résolution et le contraste – ont permis d'importants progrès dans l'étude de la structure de la cellule. Les diverses techniques de **microscopie photonique** (MP) et de **microscopie électronique** (ME) en constituent les principaux instruments.
- Les biologistes cellulaires peuvent obtenir des culots riches en tel ou tel constituant cellulaire par **fractionnement cellulaire**, un procédé qui consiste à centrifuger à diverses vitesses des cellules préalablement lysées.

? Comment la microscopie et la biochimie se complètent-elles dans l'étude de la structure de la cellule et des fonctions cellulaires ?

CONCEPT 6.2

Chez les eucaryotes, la compartimentation de l'espace cellulaire contribue au fonctionnement biochimique (p. 106 à 109)

- Toutes les cellules sont entourées d'une barrière sélective, la **membrane plasmique**.
- Les **cellules procaryotes** sont dépourvues de vrai noyau et de la plupart des **organites** séparés par des membranes qu'on trouve dans les **cellules eucaryotes**. Dans ces dernières, des membranes internes compartimentent les fonctions cellulaires.
- Le rapport surface/volume est un paramètre important dans la détermination de la taille et de la forme de la cellule.
- Les cellules végétales et animales comportent essentiellement les mêmes organites – un noyau, un réticulum endoplasmique, un complexe golgien et des mitochondries. Les chloroplastes ne sont présents que dans les cellules eucaryotes photosynthétiques.

? Expliquez comment la compartimentation de la cellule eucaryote contribue à son fonctionnement biochimique.

	Constituant cellulaire	Structure	Fonction
CONCEPT 6.3 **Le noyau de la cellule eucaryote renferme les instructions génétiques que les ribosomes utilisent pour fabriquer les protéines (p. 109 à 113)** ? Décrivez la relation entre le noyau et les ribosomes.	Noyau (RE)	Entouré de l'enveloppe nucléaire (double membrane); percée de milliers de pores nucléaires, celle-ci est en continuité avec le réticulum endoplasmique (RE).	Conservation des chromosomes, qui sont faits de chromatine (combinaison d'ADN et de protéines); participation d'un ou de plusieurs nucléoles à la synthèse des sous-unités ribosomiques; régulation par les pores nucléaires de l'entrée et de la sortie des matières qui traversent l'enveloppe nucléaire
	Ribosome	Formé de deux sous-unités composées d'ARN ribosomique et de protéines; peut être libre dans le cytosol ou lié au réticulum endoplasmique.	Synthèse des protéines
CONCEPT 6.4 **Le réseau de membranes intracellulaires dirige la circulation des protéines et remplit des fonctions métaboliques (p. 113 à 119)** ? Décrivez le rôle clé que jouent les vésicules de transport et de sécrétion dans le réseau de membranes intracellulaires.	Réticulum endoplasmique (RE) (Enveloppe nucléaire)	Constitué d'un labyrinthe de sacs (citernes) et de tubules membraneux; leur lumière est isolée du cytosol par une membrane en continuité avec l'enveloppe nucléaire.	*RE lisse:* synthèse des lipides, métabolisme des glucides; stockage des ions calcium et détoxication des médicaments, des drogues et des substances toxiques *RE rugueux:* synthèse des protéines de sécrétion et d'autres protéines liées aux ribosomes; incorporation des glucides aux protéines pour produire des glycoprotéines; croissance de sa propre membrane
	Complexe golgien	Constitué de piles de saccules membraneuses et aplaties; comporte une polarité (face *cis* et face *trans*).	Modification des protéines, des glucides protéiques, des phospholipides; synthèse de nombreux polysaccharides; triage des produits du complexe golgien, qui sont ensuite libérés dans les vésicules
	Lysosome	Fait d'un sac membraneux rempli de dizaines d'enzymes hydrolytiques (dans les cellules animales).	Dégradation des substances ingérées, des macromolécules cellulaires et des organites endommagés, afin de les recycler
	Vacuole	Grosse vésicule liée délimitée par une membrane provenant du réticulum endoplasmique et du complexe golgien; les vacuoles font partie intégrante du réseau de membranes intracellulaires.	Digestion, stockage, évacuation des déchets, équilibre hydrique, croissance et protection de la cellule

	Constituant cellulaire	Structure	Fonction
CONCEPT 6.5 **Les mitochondries et les chloroplastes convertissent l'énergie d'une forme à une autre (p. 119 à 122)** ? Que propose la théorie de l'endosymbiose quant à l'origine des mitochondries et des chloroplastes ?	Mitochondrie	Entourée d'une double membrane; la membrane interne présente des crêtes.	Respiration cellulaire
	Chloroplaste	Isolé du cytosol par deux membranes; contient des thylakoïdes empilés qui forment des grana.	Photosynthèse (les chloroplastes se trouvent dans les cellules des eucaryotes photosynthétiques, dont les végétaux)
	Peroxysome	Délimité par une membrane simple; c'est un compartiment métabolique spécialisé.	Siège de réactions enzymatiques qui transfèrent les atomes d'hydrogène de divers substrats à de l'O_2, ce qui donne comme sous-produit du H_2O_2 (peroxyde d'hydrogène), lequel est converti en eau par une autre enzyme; réactions de bêta-oxydation des acides gras

CONCEPT 6.6

Le cytosquelette est un réseau de fibres qui organise les structures et les activités de la cellule (p. 122 à 127)

- Le **cytosquelette** assure le soutien structural, la motilité de la cellule et la transmission des signaux.
- Les **microtubules** soutiennent la cellule et maintiennent sa forme, guident les mouvements des organites et participent à la séparation des chromosomes au cours de la division cellulaire. Les **cils** et les **flagelles** sont des appendices motiles formés de microtubules. Les cils primaires jouent aussi un rôle sensoriel et un rôle dans la transmission des signaux. Les **microfilaments** sont de fins cylindres qui interviennent dans la contraction musculaire, le mouvement amiboïde, la **cyclose** et le soutien des microvillosités. Les **filaments intermédiaires** concourent à maintenir la forme de la cellule et à ancrer les organites.

? Décrivez le rôle joué par les protéines motrices à l'intérieur de la cellule eucaryote et dans le mouvement de la cellule entière.

CONCEPT 6.7

Les constituants extracellulaires et les jonctions intercellulaires contribuent à la coordination des activités de la cellule (p. 128 à 131)

- La paroi cellulaire de la cellule végétale est constituée de fibres de cellulose mêlées à d'autres polysaccharides et protéines.
- Les cellules animales sécrètent des glycoprotéines qui constituent la matrice extracellulaire (MEC), laquelle contribue au soutien, à l'adhésion, au mouvement et à la régulation cellulaires.
- Chez les végétaux et les animaux, des jonctions cellulaires relient les cellules adjacentes. Les végétaux possèdent des plasmodesmes qui traversent les parois cellulaires voisines. Chez les animaux, le contact entre les cellules met en jeu des jonctions serrées, des desmosomes et des jonctions ouvertes.

? Comparez la structure et les fonctions de la paroi cellulaire végétale avec celles de la matrice extracellulaire de la cellule animale.

CONCEPT 6.8

Le tout que forme la cellule est supérieur à la somme de ses parties (p. 131 à 133)

- De nombreuses composantes travaillent en coopération dans une cellule vivante.

? Lorsqu'une cellule ingère une bactérie, quel est le rôle du noyau ?

Évaluation

NIVEAU 1 : CONNAISSANCES ET COMPRÉHENSION

1. Parmi les organites suivants, lequel *ne* fait *pas* partie du réseau de membranes intracellulaires ?
a) L'enveloppe nucléaire.
b) Le chloroplaste.
c) Le complexe golgien.
d) La membrane plasmique.

2. Parmi les structures suivantes, laquelle se trouve à la fois dans les cellules végétales *et* dans les cellules animales ?
a) Le chloroplaste.
b) La vacuole centrale.
c) La mitochondrie.
d) Le centriole.

3. Parmi les composants cellulaires suivants, lequel se trouve dans les cellules procaryotes ?
a) La mitochondrie.
b) Le ribosome.
c) L'enveloppe nucléaire.
d) Le chloroplaste.

NIVEAU 2 : APPLICATION ET ANALYSE

4. Le cyanure se lie avec au moins une des molécules qui jouent un rôle dans la production d'ATP. Si l'on expose des cellules à du cyanure, la plus grande partie de cette substance devrait se trouver dans :
a) les mitochondries.
b) les ribosomes.
c) les peroxysomes.
d) les lysosomes.

5. Laquelle des cellules suivantes convient le mieux à l'étude des lysosomes ?
a) La cellule musculaire.
b) Le neurone.
c) La bactérie.
d) Le globule blanc.

6. **FAITES UN DESSIN ▶** De mémoire, dessinez deux cellules eucaryotes, nommez et pointez les structures suivantes et montrez tous les liens entre les structures internes de chaque cellule : noyau, RE rugueux, RE lisse, mitochondrie, centrosome, chloroplaste, vacuole, lysosome, microtubule, paroi cellulaire, MEC, microfilament, complexe golgien, filament intermédiaire, membrane plasmique, peroxysome, ribosome, nucléole, pore nucléaire, vésicule, flagelle, microvillosité, plasmodesme.

Voir les réponses proposées à l'appendice A.

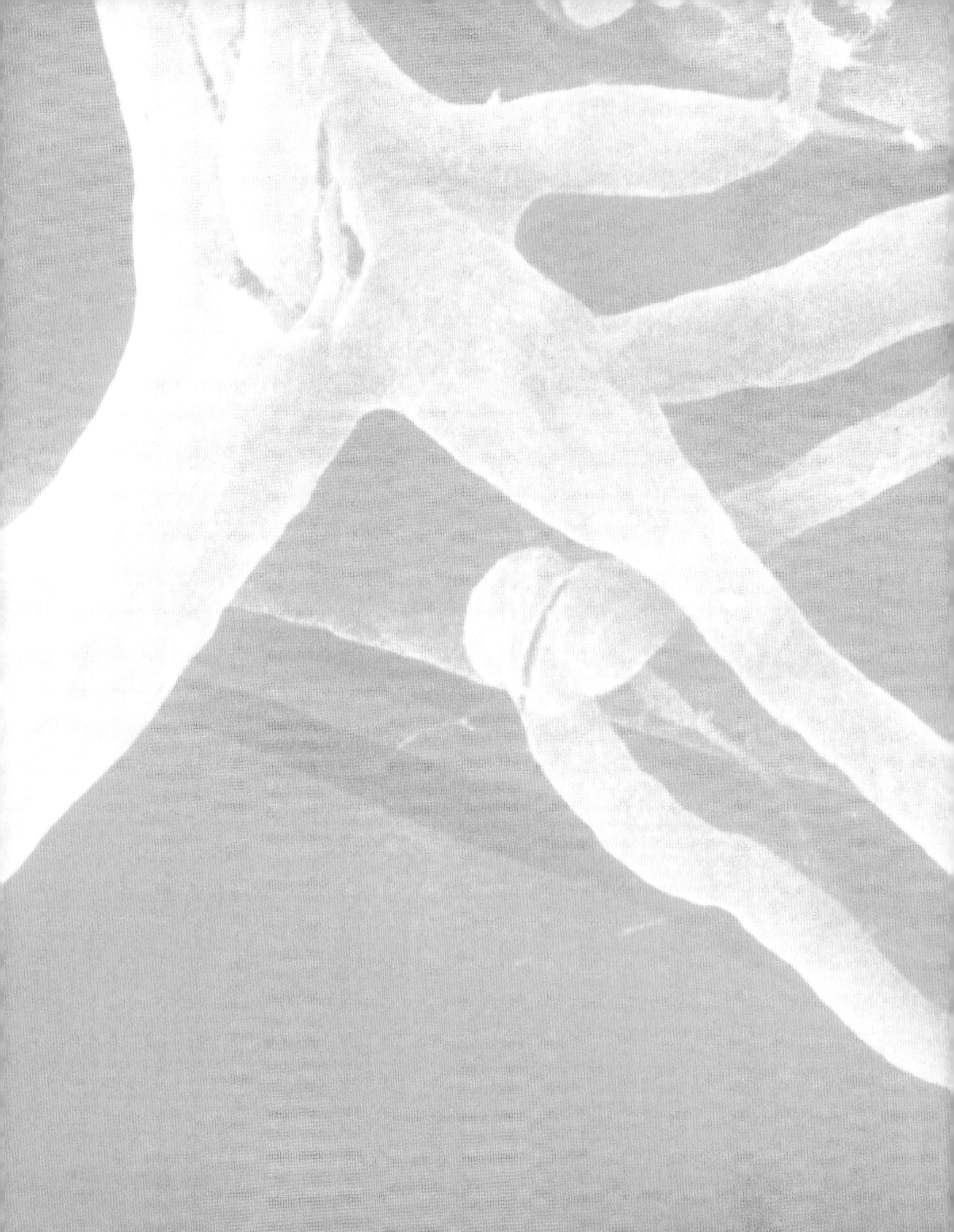

Structure et fonction des membranes

7

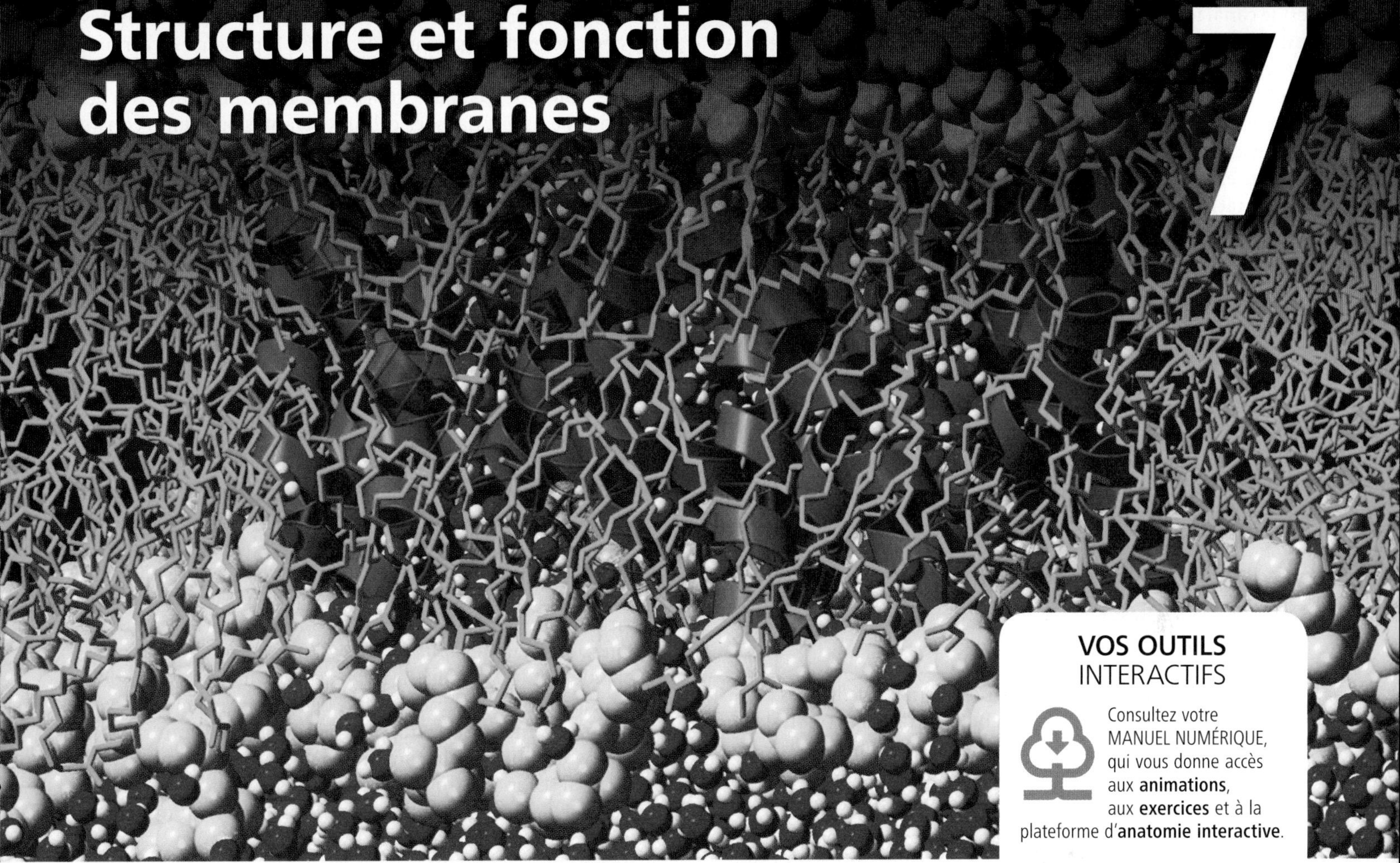

VOS OUTILS INTERACTIFS

Consultez votre MANUEL NUMÉRIQUE, qui vous donne accès aux **animations**, aux **exercices** et à la plateforme d'**anatomie interactive**.

▲ **Figure 7.1 Comment les protéines de la membrane cellulaire, comme cette aquaporine (en bleu), aident-elles à réguler la circulation des substances chimiques ?**

CONCEPTS CLÉS

7.1 Les membranes cellulaires sont des mosaïques fluides de lipides et de protéines

7.2 La perméabilité sélective des membranes résulte de leur structure

7.3 Le transport passif est la diffusion à travers une membrane sans dépense d'énergie

7.4 Le transport actif utilise de l'énergie pour déplacer des solutés à l'encontre de leur gradient de concentration

7.5 Les macromolécules et les particules traversent la membrane plasmique par exocytose et endocytose

▼ **Canal protéique d'ions potassium.**

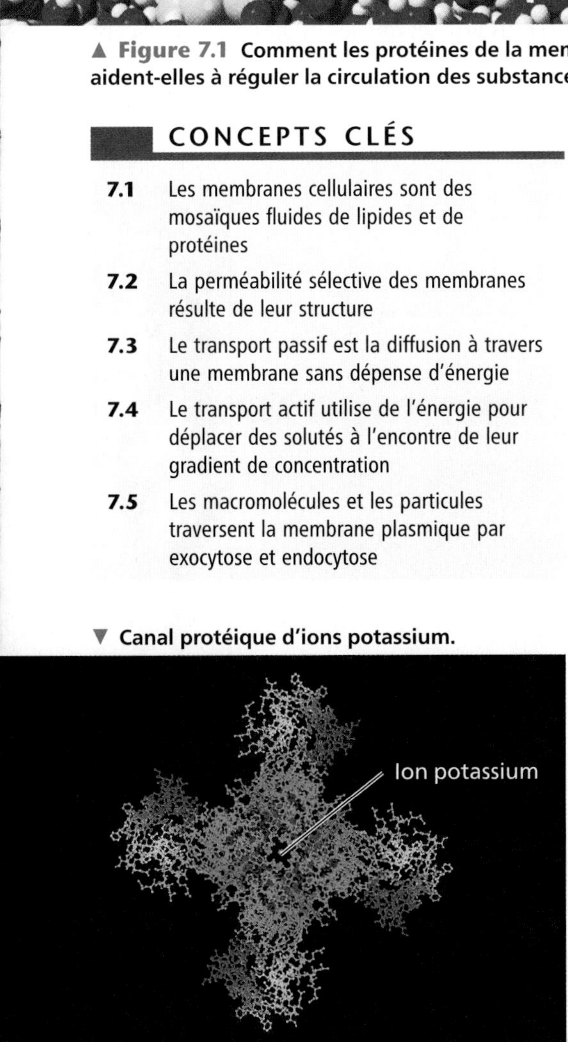

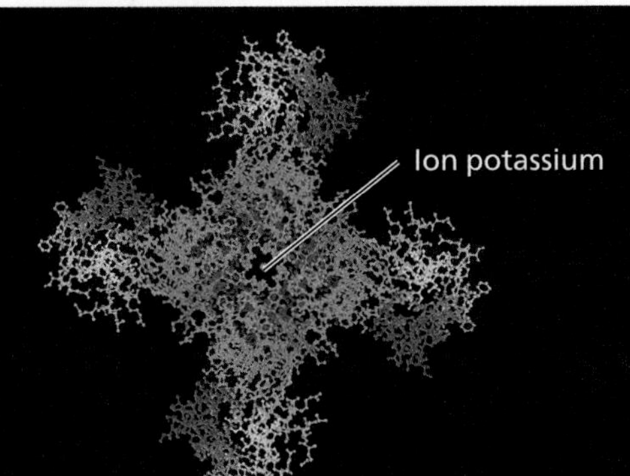

La frontière de la vie

La membrane plasmique qui circonscrit la cellule peut être considérée comme la frontière de la vie, la ligne de démarcation qui sépare la cellule et son environnement. Ce mince film qui possède une épaisseur d'à peine 8 nm – il faudrait empiler 8 000 membranes pour atteindre l'épaisseur de cette page – détermine ce qui entre dans la cellule et ce qui en sort. En effet, comme toutes les membranes biologiques, la membrane plasmique présente une **perméabilité sélective** ; autrement dit, elle se laisse traverser plus facilement par certaines substances que par d'autres. La vie telle que nous la connaissons aurait sans doute été impossible sans la formation des membranes à l'ère prébiotique. En effet, grâce à leurs constituants, ces membranes pouvaient délimiter une solution différente de la solution environnante, tout en leur permettant d'absorber sélectivement des nutriments et d'éliminer des déchets. La capacité des cellules à sélectionner lors des échanges chimiques est fondamentale à la vie, et c'est la membrane plasmique et ses constituants moléculaires qui rendent possible cette sélectivité.

Ce chapitre porte sur les membranes cellulaires et sur leur capacité à régir le passage des substances, souvent à l'aide de protéines de transport. Par exemple, la **figure 7.1** montre un modèle informatique d'une courte section de la bicouche de phospholipides d'une membrane (les têtes hydrophiles sont jaunes et les queues hydrophobes sont vertes). Les rubans bleus à l'intérieur de la bicouche représentent des régions hélicoïdales d'une protéine-canal de transport membranaire appelée aquaporine. Une molécule de cette protéine permet le passage de milliards de molécules d'eau (rouge et gris) à travers la membrane chaque seconde, beaucoup plus que ce qui pourrait traverser sans ce canal. Un autre type de protéine de transport est le canal ionique montré sur cette figure. Cette protéine fournit aux ions potassium (K^+) un canal pour sortir de la cellule nerveuse à un moment déterminé après une stimulation nerveuse, restaurant ainsi la capacité de la cellule de déclencher un nouveau signal nerveux. La membrane plasmique et ses protéines ne servent donc pas seulement à séparer la cellule du milieu externe ; elles l'aident à exercer ses fonctions. Cette constatation s'applique également aux divers types de membranes qui divisent l'intérieur de la cellule eucaryote : l'arrangement moléculaire particulier de chacune d'elles permet la spécialisation des compartiments cellulaires. Pour comprendre comment les membranes plasmiques et leurs protéines permettent aux cellules de survivre et de fonctionner, nous commencerons par examiner leur structure, puis nous explorerons comment les membranes plasmiques contrôlent le transport dans et hors des cellules.

CONCEPT 7.1

Les membranes cellulaires sont des mosaïques fluides de lipides et de protéines

Les membranes se composent principalement de lipides et de protéines et, accessoirement, de glucides. Les phospholipides, notamment les phosphoglycérolipides et les sphingolipides, sont les lipides les plus abondants dans la plupart des membranes à cause de leur structure moléculaire même. Un phospholipide est une molécule **amphipathique**, qui se caractérise par la présence de deux régions particulières. L'une est hydrophile (du grec signifiant « ami de l'eau ») ; elle est constituée d'un phosphate et d'un autre groupement, et elle forme la « tête » de la molécule. L'autre est hydrophobe (du grec signifiant « peur de l'eau ») et se compose de deux chaînes hydrocarbonées semblables à des queues (voir la figure 5.11). D'autres types de lipides membranaires (par exemple, les glycolipides, les galactolipides et les gangliosides) sont également amphipathiques. Une bicouche de phospholipides peut constituer une barrière stable entre deux compartiments aqueux, car ses molécules sont disposées de telle façon que les queues hydrophobes ne soient pas en contact avec l'eau, alors que les têtes hydrophiles y sont exposées (**figure 7.2**).

À l'instar des lipides membranaires, la majorité des protéines membranaires sont également amphipathiques. Ces protéines sont enchâssées dans la bicouche de phospholipides, et seules leurs parties hydrophiles en émergent. Une telle orientation des molécules maximise le contact des parties hydrophiles des protéines et des phospholipides avec l'eau du cytosol et du liquide extracellulaire, tout en fournissant aux parties hydrophobes un milieu non aqueux. La **figure 7.3** illustre le modèle actuellement accepté pour décrire l'arrangement des molécules dans la membrane plasmique. Selon le **modèle de la mosaïque fluide**, la membrane est une mosaïque de molécules de protéines baignant dans une bicouche fluide de phospholipides.

Les protéines ne sont toutefois pas réparties aléatoirement dans la membrane. On observe souvent que des protéines se regroupent de façon durable pour former dans la membrane des zones spécialisées où s'accomplissent des fonctions communes. Les chercheurs ont également découvert la présence de certains lipides dans ces regroupements de protéines et proposé de les appeler *radeaux lipidiques,* mais on se demande encore si ces structures existent dans les cellules vivantes ou si elles constituent un artéfact résultant des techniques biochimiques utilisées pour observer les cellules. Comme tout modèle, le modèle de la mosaïque liquide est continuellement affiné, les recherches révélant constamment de nouvelles données sur la structure de la membrane plasmique.

La fluidité des membranes

Les membranes ne sont pas des couches statiques de molécules maintenues rigidement en place. Leurs constituants sont stabilisés par des attractions hydrophobes, plus faibles que les liaisons covalentes (voir la figure 5.18). La plupart des lipides et certaines protéines peuvent dériver latéralement dans le plan de la membrane, tels des fêtards jouant du coude pour se frayer un chemin à travers une foule. Très rarement, aussi, une molécule « bascule » et passe d'une couche de phospholipides à l'autre. Mais ce déplacement exige un apport d'énergie (parce que la partie hydrophile de la molécule doit traverser le centre hydrophobe de la membrane) et la participation d'enzymes intramembranaires, les flippases (de l'expression anglaise *flip-flop,* qui signifie « basculer »). Un phospholipide met 100 fois plus de temps à franchir une distance donnée lorsqu'il bascule que lorsqu'il se déplace latéralement

Les mouvements latéraux des phospholipides sont rapides. Les phospholipides adjacents changent de position environ 10^7 fois par seconde, ce qui signifie qu'un phospholipide peut se déplacer à la vitesse moyenne d'environ 2 μm (la longueur de nombreuses bactéries) par seconde. Les protéines membranaires, elles, sont beaucoup plus grosses que les lipides et se déplacent

▼ **Figure 7.2 Une bicouche de phospholipides (en coupe transversale).**

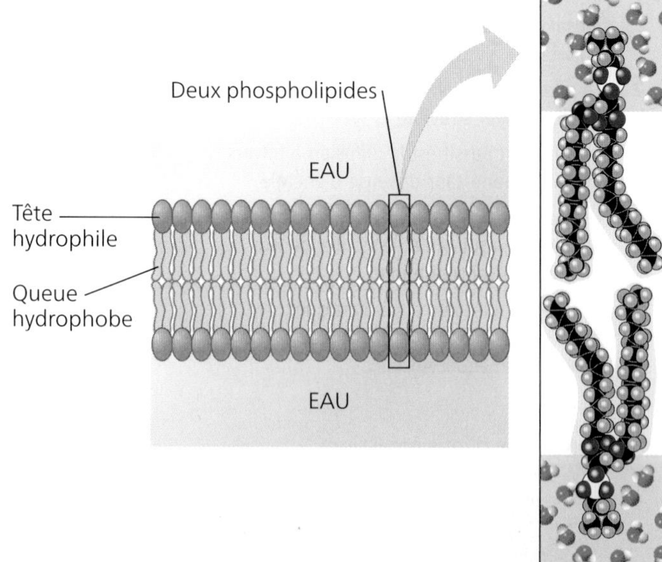

HABILETÉS VISUELLES ▶ Après avoir consulté la figure 5.11, encerclez la partie hydrophile et la partie hydrophobe des phospholipides agrandis à droite. Expliquez avec quel milieu chaque partie est en contact lorsque ces phospholipides forment une membrane plasmique.

plus lentement; certaines dérivent latéralement (**figure 7.4**), alors que d'autres bougent de manière organisée, vraisemblablement en glissant le long des filaments du cytosquelette. Ce mouvement nécessite l'aide des protéines motrices cytoplasmiques, elles-mêmes associées aux protéines de la couche cytoplasmique (feuillet interne) de la membrane. Toutefois, la majorité des protéines semblent immobiles, parce qu'elles sont rattachées au cytosquelette ou à la matrice extracellulaire (voir la figure 7.3).

Une membrane demeure fluide lorsque la température baisse. Cependant, lorsque ses phospholipides se mettent à former des agrégats, elle se solidifie comme de la graisse de bacon qui refroidit. La température à laquelle se produit ce phénomène varie selon la composition lipidique de la membrane. Lorsque la température baisse, la membrane résiste mieux à la solidification si elle contient beaucoup de phospholipides portant des queues hydrocarbonées insaturées (voir les figures 5.10 et 5.11). Les inflexions marquent l'emplacement des liaisons doubles; les queues hydrocarbonées insaturées ne peuvent pas s'entasser autant que les queues hydrocarbonées saturées et l'espace créé entre ces dernières diminue les interactions hydrophobes, ce qui rend la membrane plus fluide (**figure 7.5a**).

Le cholestérol, un stéroïde dont le noyau hydrophobe s'insère entre les queues hydrocarbonées des molécules de phospholipides de la membrane plasmique des cellules animales, exerce des effets complexes sur la fluidité membranaire (**figure 7.5b**). À des températures relativement élevées (par exemple, à 37 °C, soit la température corporelle moyenne des humains), il limite partiellement le mouvement des phospholipides et diminue donc la fluidité membranaire. Mais, comme il entrave aussi l'entassement des phospholipides, il abaisse le point de fusion des membranes. Par conséquent, le cholestérol peut être vu comme un «tampon thermique» de la membrane; il résiste aux variations de fluidité entraînées par les changements thermiques. Comparativement aux animaux, les végétaux renferment très peu de cholestérol; ce sont d'autres lipides (des stéroïdes autres que le cholestérol) qui protègent la fluidité membranaire des cellules végétales.

Les membranes doivent rester fluides pour exercer adéquatement leurs fonctions; leur fluidité influe à la fois sur leur perméabilité et sur la capacité des protéines membranaires de se rendre là où elles doivent accomplir leurs fonctions. Habituellement, elles sont aussi fluides que l'huile végétale dont on se sert pour faire la cuisine. Lorsqu'elles se solidifient, leur perméabilité change et certaines de leurs enzymes sont inactivées (notamment si leur rôle exige qu'elles se déplacent latéralement dans la membrane). Toutefois, des membranes trop fluides ne peuvent pas non plus remplir leurs fonctions. Les climats extrêmes posent donc un défi à la vie, ce qui, au fil de l'évolution, a donné lieu à des adaptations dans la composition lipidique membranaire.

L'évolution des différences dans la composition lipidique membranaire

ÉVOLUTION Les différences de composition lipidique de la membrane cellulaire de nombreuses espèces semblent être le fruit de l'évolution – des adaptations qui maintiennent la fluidité membranaire requise par telles ou telles conditions environnementales. Ainsi, les poissons qui vivent dans des eaux très froides

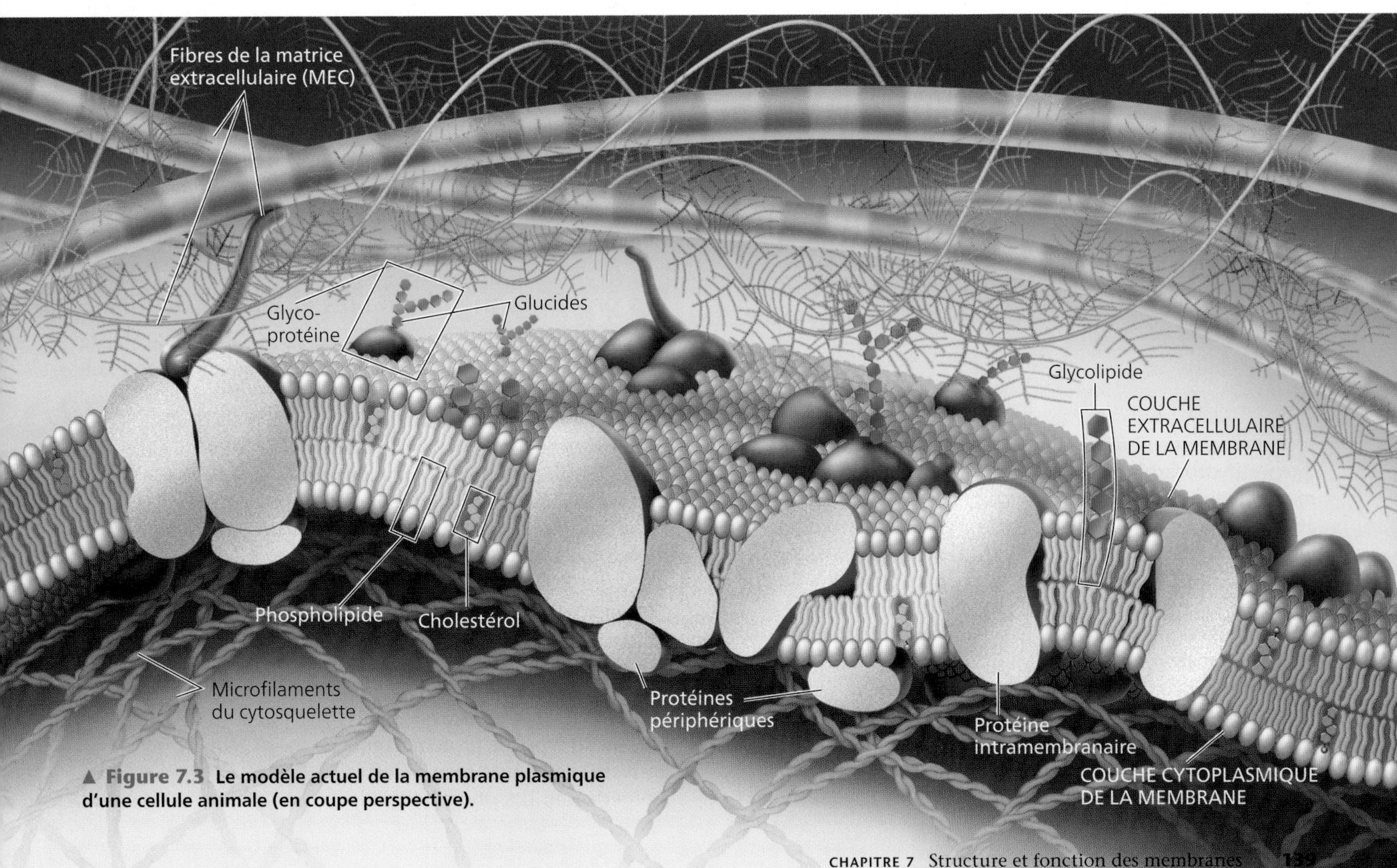

▲ **Figure 7.3 Le modèle actuel de la membrane plasmique d'une cellule animale (en coupe perspective).**

DÉMARCHE SCIENTIFIQUE

INVESTIGATION

▼ **Figure 7.4**

Les protéines membranaires se déplacent-elles ?

■ **HYPOTHÈSE** ■ Les chercheurs Larry Frye et Michael Edidin, de l'Université John Hopkins, ont voulu vérifier l'hypothèse selon laquelle les protéines membranaires se déplacent à l'intérieur de la membrane.

■ **EXPÉRIENCE** ■ Pour vérifier cette hypothèse, ils ont coloré les protéines de la membrane plasmique d'une cellule de souris et d'une cellule humaine avec deux marqueurs différents, puis ils ont fusionné les cellules. À l'aide d'un microscope, ils ont ensuite observé le comportement des marqueurs sur la cellule hybride. Si l'hypothèse des chercheurs est bonne, après un certain temps, les protéines membranaires de la cellule de souris et de la cellule humaine, marquées différemment, devraient s'entremêler.

■ **RÉSULTATS** ■

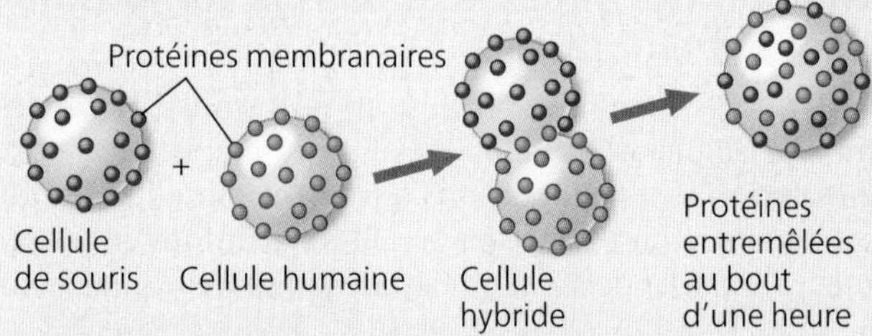

■ **CONCLUSION** ■ La fusion des protéines membranaires d'une souris et d'un humain indique qu'au moins quelques protéines membranaires se déplacent latéralement dans le plan de la membrane plasmique.

Source des données: L. D. Frye et M. Edidin, The rapid intermixing of cell surface antigens after formation of mouse-human heterokaryons, *Journal of Cell Science* 7 : 319-335 (1970).

ET SI ? ▶ Supposez que, plusieurs heures après la fusion, les protéines ne se soient pas mélangées dans la cellule hybride. Pourriez-vous en conclure que les protéines ne se déplacent pas à l'intérieur de la membrane ? Quelle autre explication pourriez-vous donner ?

▼ **Figure 7.5 Les facteurs influant sur la fluidité des membranes cellulaires.**

(a) Queues hydrocarbonées insaturées et saturées

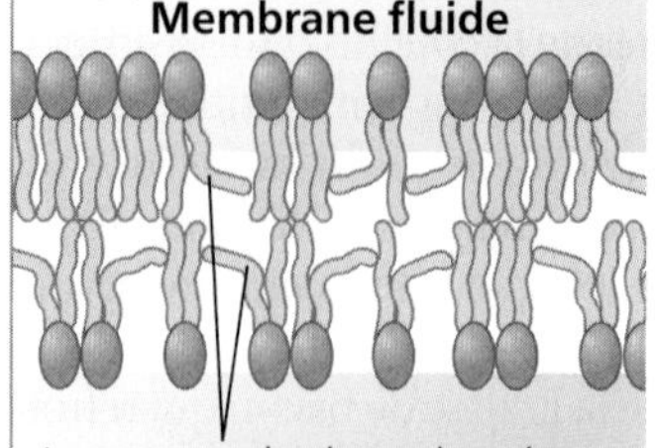

Les queues hydrocarbonées insaturées présentent des inflexions qui empêchent les molécules de s'entasser, d'où l'augmentation de la fluidité membranaire.

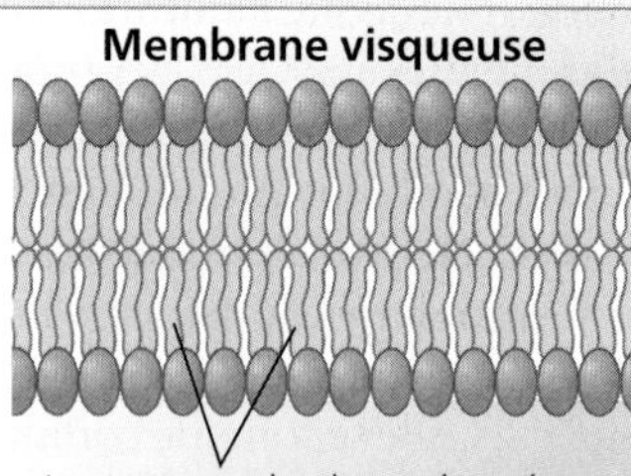

Les queues hydrocarbonées saturées sont entassées les unes sur les autres, ce qui accroît la viscosité membranaire.

(b) Rôle du cholestérol dans la membrane de la cellule animale

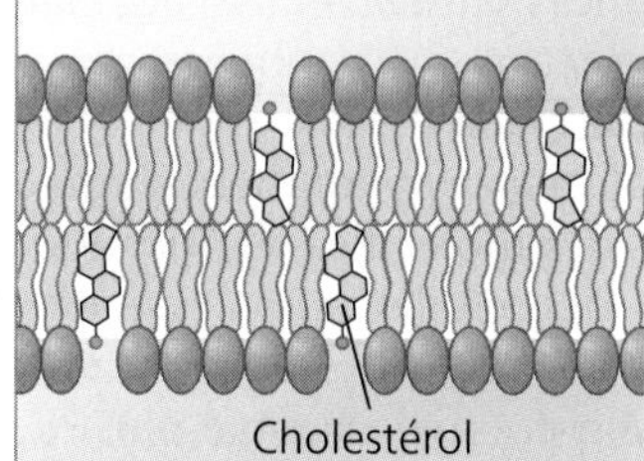

À une température relativement élevée, le cholestérol réduit la fluidité membranaire en restreignant les mouvements des phospholipides. À basse température, il prévient la solidification de la membrane en empêchant les phospholipides de s'entasser.

sont dotés de membranes comportant une forte proportion de queues hydrocarbonées insaturées qui préservent la fluidité membranaire (voir la figure 7.5a). Par contre, les bactéries et les archées vivant dans des sources thermales et des geysers, dont la température dépasse parfois les 90 °C, possèdent des membranes comportant des lipides inhabituels, capables d'éviter la fluidité excessive qu'entraînerait normalement une telle chaleur.

Qui plus est, les organismes exposés à des variations de température ont acquis au fil de l'évolution la capacité de modifier la composition lipidique de leurs membranes cellulaires. Ainsi, chez les végétaux qui tolèrent les grands froids, comme le blé d'hiver (*Triticum æstivum*), le pourcentage de phospholipides insaturés augmente à l'automne, ce qui empêche les membranes cellulaires de se solidifier durant l'hiver. Dans les régions côtières du Québec, les crustacés vivant dans des eaux traversées par le courant froid du Labrador concentrent davantage de cholestérol dans leurs membranes cellulaires afin d'en préserver la souplesse. Certaines bactéries et archées peuvent également modifier le pourcentage de phospholipides insaturés de leurs membranes cellulaires selon la température à laquelle elles sont exposées durant leur croissance. Dans l'ensemble, la sélection naturelle semble avoir favorisé les organismes dont les membranes contiennent une combinaison de lipides qui assure la fluidité membranaire requise par leur environnement.

Les protéines membranaires et leurs fonctions

Nous arrivons maintenant à la notion de *mosaïque* telle qu'elle s'entend dans le modèle de la mosaïque fluide. Comme une mosaïque (montrée ci-contre), une membrane est un assemblage de diverses protéines insérées dans la matrice fluide d'une bicouche de phospholipides (voir la figure 7.3). La membrane plasmique et les membranes des différents organites possèdent chacune leur propre ensemble de protéines et celui-ci varie selon le type de cellules. Par exemple, la membrane plasmique des érythrocytes (globules rouges) contient, à elle seule, plus de 50 types de protéines, et il en reste sans doute bien d'autres à répertorier. Les phospholipides

forment la trame de la membrane, mais ce sont les protéines qui en déterminent la plupart des fonctions spécifiques.

La figure 7.3 montre qu'il existe deux grandes populations de protéines membranaires : les protéines intramembranaires et les protéines périphériques. Les **protéines intramembranaires** sont insérées dans la membrane ; elles s'y enfoncent assez profondément pour que leurs parties hydrophobes soient entourées par les parties hydrocarbonées des lipides. La majorité des protéines intramembranaires sont dites *transmembranaires* parce qu'elles traversent la membrane de part en part, mais ce n'est pas le cas de toutes. La partie hydrophobe des protéines intramembranaires contient au moins une séquence d'acides aminés non polaires (voir la figure 5.14), longue de 20 à 30 acides aminés habituellement, qui peut adopter une forme en hélice α (**figure 7.6**) ou en feuillet plissé β. Ces protéines comportent aussi une partie hydrophile en contact avec les solutions aqueuses de part et d'autre de la membrane. Certaines protéines sont également traversées par un ou plusieurs canaux hydrophiles qui permettent le passage de substances hydrophiles dans la membrane (y compris l'eau ; voir la figure 7.1). Les **protéines périphériques**, quant à elles, ne sont pas du tout enchâssées dans la membrane ; elles sont plutôt attachées lâchement à la surface membranaire, souvent aux parties émergentes des protéines intramembranaires (par l'intermédiaire de liaisons non covalentes) ou à des lipides membranaires (par des liaisons covalentes) comme on le voit à la figure 7.3. La distribution de certaines protéines membranaires le long de la membrane dépend des besoins particuliers de la cellule et peut varier au cours de sa vie.

Sur le feuillet interne (couche cytoplasmique) de la membrane plasmique, des microfilaments du cytosquelette aident à maintenir certaines protéines en place. Sur le feuillet externe (couche extracellulaire), certaines protéines membranaires peuvent fixer des substances extracellulaires. Par exemple, dans les cellules animales, les diverses fibres de la matrice extracellulaire peuvent fixer bon nombre de protéines (voir la figure 6.28 ; les *intégrines* font partie des protéines intramembranaires qui sont également transmembranaires). Ces dispositifs contribuent à renforcer la membrane plasmique des cellules animales et, par conséquent, leur charpente.

Il faut savoir que les protéines membranaires d'une seule cellule peuvent remplir plusieurs fonctions différentes, comme le transport dans la membrane plasmique, l'activité enzymatique ou l'adhérence d'une cellule à une cellule voisine ou bien à la matrice extracellulaire. De plus, une seule et même protéine peut jouer plusieurs rôles. En ce sens, les membranes sont des mosaïques non seulement du point de vue structural, en incorporant de nombreuses protéines dans leur composition, mais également du point de vue fonctionnel, en étant le siège de multiples fonctions. La **figure 7.7** illustre six fonctions importantes dont s'acquittent les protéines de la membrane plasmique.

Les protéines de surface d'une cellule sont importantes en médecine. Par exemple, le virus de l'immunodéficience humaine (VIH) se sert d'une protéine appelée CD4 présente à la surface de certaines cellules immunitaires pour les infecter, ce qui peut causer le syndrome d'immunodéficience humaine (sida). On a toutefois constaté que, malgré de multiples expositions au VIH, un petit nombre de gens ne contractent pas le sida et que leurs cellules ne présentent aucun signe d'infection par le VIH. En comparant les gènes des personnes résistantes avec ceux des personnes contaminées, les chercheurs ont découvert que les sujets résistants possédaient une forme rare d'un gène codant pour une protéine de surface des cellules immunitaires dite CCR5. Des travaux ont montré que le VIH se lie à la principale protéine réceptrice (CD4) sur une cellule immunitaire, mais que presque tous les types de VIH ne peuvent pénétrer dans la cellule sans se lier également à une autre protéine (CCR5), qui agit comme « corécepteur » altéré (**figure 7.8a**). L'absence de ce corécepteur sur les cellules des sujets résistants, en raison de la modification génétique sur le gène codant pour CCR5, empêche le virus de pénétrer dans les cellules (**figure 7.8b**).

Les progrès de nos connaissances sur les protéines qui se lient au VIH à la surface des cellules du système immunitaire ont été d'une importance cruciale dans la mise au point d'un traitement contre l'infection par le VIH. Toutefois, en tant que principale protéine réceptrice, la protéine CD4 remplit plusieurs fonctions cellulaires importantes qu'il n'est pas souhaitable de bloquer en raison d'éventuels effets secondaires dangereux. C'est pourquoi la découverte du corécepteur CCR5 a fourni aux chercheurs une cible plus sûre et leur a permis de mettre au point des médicaments qui inhibent ou masquent cette protéine et empêchent le VIH d'entrer dans les cellules. L'un de ces médicaments, le maraviroc, approuvé pour le traitement de l'infection par le VIH depuis 2007 est testé actuellement pour savoir s'il pourrait aussi servir à prévenir l'infection par le VIH chez les patients à risque non infectés.

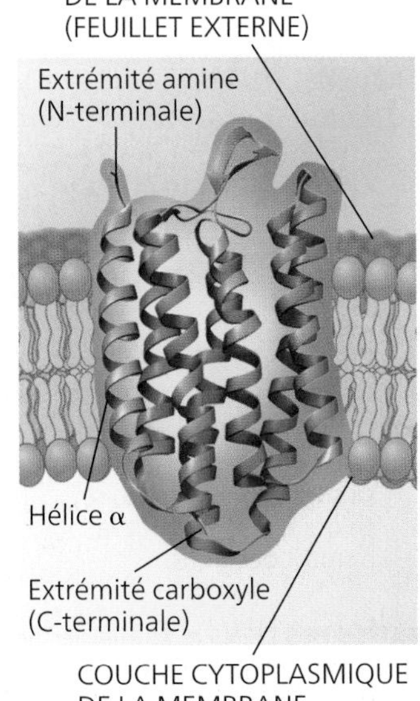

▶ **Figure 7.6 La structure d'une protéine transmembranaire.** La protéine illustrée ici est une bactériorhodopsine (une protéine de transport bactérienne) qui traverse la membrane cellulaire avec une orientation particulière : son extrémité amine (N-terminale) est tournée vers l'extérieur de la cellule, tandis que son extrémité carboxyle (C-terminale) baigne dans le cytoplasme à l'intérieur de la cellule. Cette représentation en ruban met en évidence la structure secondaire des portions hydrophobes, dont les sept hélices α transmembranaires, qui se trouvent généralement dans la portion hydrophobe de la bicouche membranaire. De part et d'autre de la membrane, les parties hydrophiles non hélicoïdales sont en contact avec les solutions aqueuses des couches extracellulaire et cytoplasmique de la membrane.

Le rôle des glucides membranaires dans la reconnaissance intercellulaire

La reconnaissance intercellulaire, c'est-à-dire la capacité d'une cellule à distinguer les types de cellules de l'organisme dont elle fait partie, revêt une importance capitale dans le fonctionnement d'un organisme. Chez l'embryon animal, par exemple, cette fonction permet aux cellules de même type de se regrouper en tissus et en organes. Elle détermine aussi le rejet des cellules étrangères par le système immunitaire, un mécanisme de

▼ Figure 7.7 Quelques fonctions des protéines membranaires. Souvent, une protéine membranaire remplit plusieurs fonctions.

(a) Transport. *À gauche* Une protéine qui traverse la membrane de part en part peut constituer un canal hydrophile dans lequel s'écoule un seul type de soluté. *À droite* D'autres protéines de transport déplacent des substances d'un côté à l'autre de la membrane en changeant de forme (voir la figure 7.14b). Certaines protéines de transport hydrolysent l'ATP afin d'en tirer l'énergie nécessaire pour pomper des substances à travers la membrane.

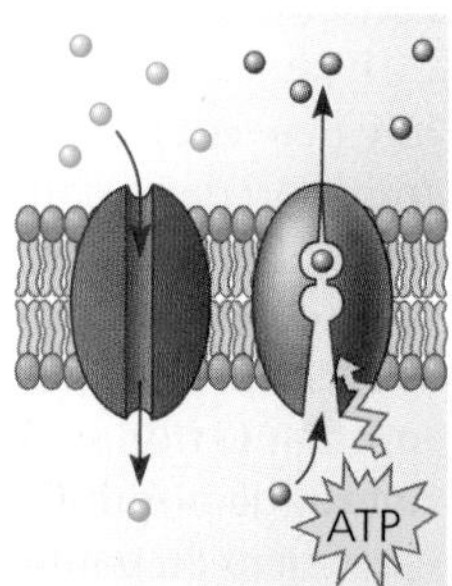

(b) Activité enzymatique. Une protéine intramembranaire peut être une enzyme dont le site actif (l'endroit où le substrat se lie) se trouve exposé aux substances de la solution adjacente. Dans certains cas, la membrane comporte un alignement ordonné d'enzymes qui accomplissent les étapes d'un processus métabolique, selon une séquence déterminée.

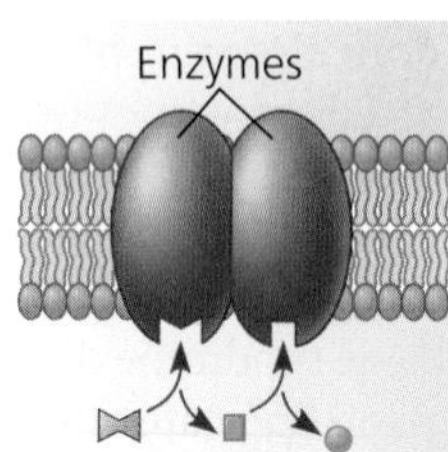

(c) Transduction des signaux. Une protéine membranaire (réceptrice) peut porter un site de liaison dont la forme épouse celle d'un messager chimique, comme une hormone. Le messager externe (la molécule de signalisation) amène la protéine à changer de forme, lui permettant ainsi de transmettre le message à l'intérieur de la cellule, généralement en s'attachant à une protéine cytoplasmique (voir la figure 11.6).

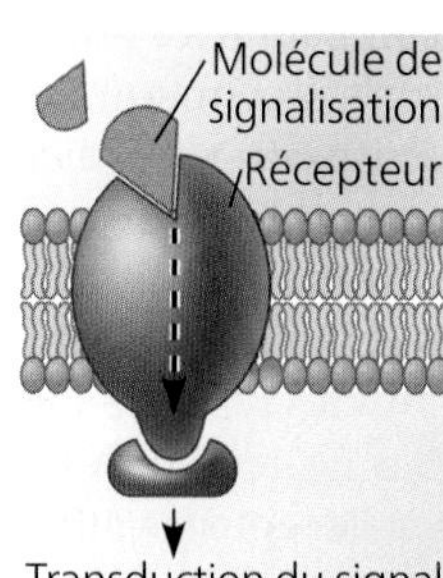

(d) Reconnaissance intercellulaire. Certaines glycoprotéines servent à identifier les cellules et sont spécifiquement reconnues par les autres cellules. Ce type de lien intercellulaire est habituellement de plus courte durée que celui décrit en (e).

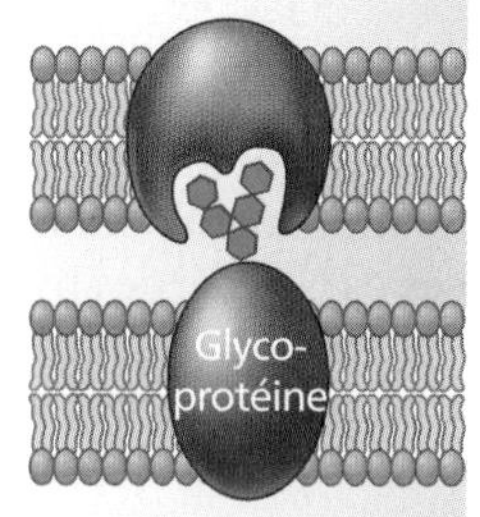

(e) Adhérence intercellulaire. Les protéines intramembranaires des cellules adjacentes se lient et s'associent par l'intermédiaire de plusieurs types de jonctions, comme les jonctions ouvertes ou les jonctions serrées (voir la figure 6.30). Cette propriété permet la formation de tissus. Ce type de lien intercellulaire est plus durable que celui décrit en (d).

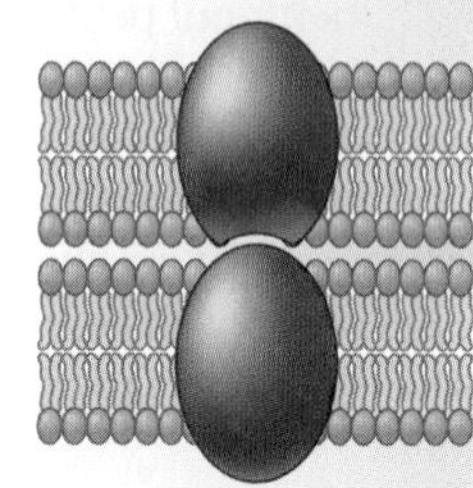

(f) Fixation au cytosquelette et à la matrice extracellulaire (MEC). Des microfilaments ou d'autres éléments du cytosquelette s'unissent en établissant des liens non covalents avec les protéines membranaires. Cette fonction joue un rôle important dans le maintien de la forme cellulaire et dans la stabilité de certaines protéines intramembranaires. Les protéines qui adhèrent aux molécules de la MEC peuvent coordonner des changements extracellulaires ou intracellulaires (voir la figure 6.28).

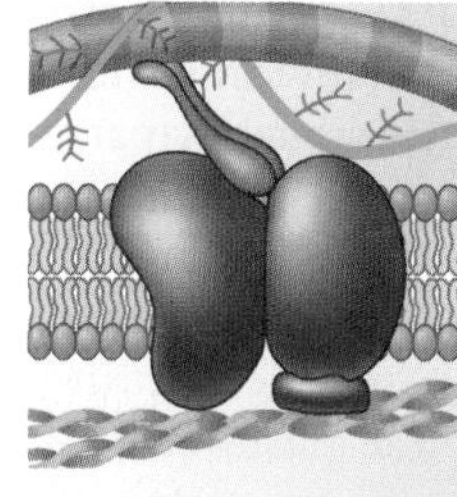

HABILETÉS VISUELLES ▶ Certaines protéines transmembranaires peuvent se fixer à une molécule particulière de la MEC et, ensuite, transmettre un signal à l'intérieur de la cellule. Utilisez les protéines montrées en (c) et en (f) pour expliquer comment se déroule ce processus.

défense important chez les vertébrés (voir le concept 43.1). Les cellules se reconnaissent entre elles en se liant aux molécules – comportant généralement des glucides – qui se trouvent à la surface du feuillet externe de leur membrane plasmique (voir la figure 7.7d).

Les glucides membranaires sont souvent de courtes chaînes ramifiées comptant moins de 15 monomères. Certains s'unissent aux lipides (**glycolipides**) par des liaisons covalentes, mais la plupart se lient à des protéines (**glycoprotéines**), également par covalence (voir la figure 7.3). On nomme *glycocalyx* la région collante du feuillet externe de la membrane formée de l'ensemble des glucides.

Les petits glucides associés au feuillet externe de la membrane plasmique varient selon les espèces, selon les individus d'une même espèce, voire selon les types de cellules d'un même organisme. Étant donné leur diversité et leurs différentes positions, on les considère comme des marqueurs qui permettent de distinguer les cellules, notamment celles des différents groupes sanguins. Par exemple, les quatre groupes sanguins chez l'humain (A, B, AB et O) reflètent des variations de la partie glucidique des glycoprotéines présentes à la surface des érythrocytes.

▼ Figure 7.8 La génétique de la résistance au VIH.

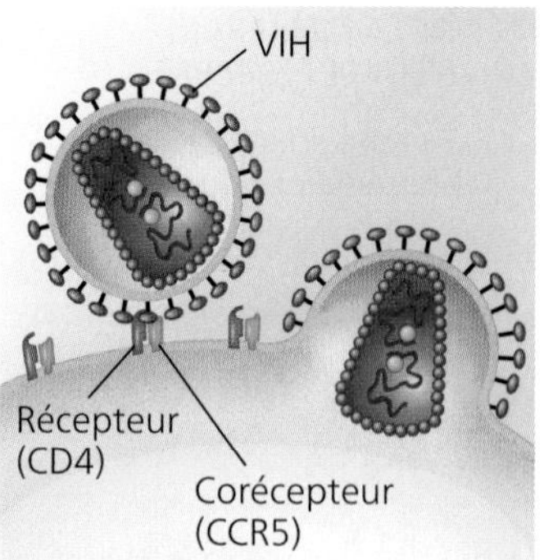

a) Le VIH peut infecter une cellule portant le CCR5 sur sa surface membranaire, ce qui est le cas chez la plupart des gens.

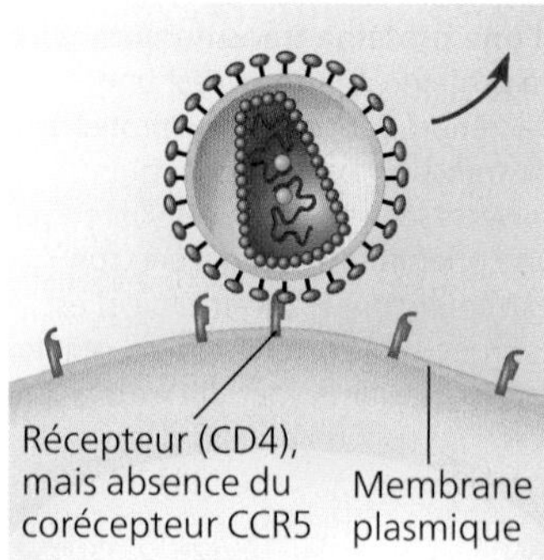

b) Le VIH ne peut pas infecter une cellule qui ne porte pas le corécepteur CCR5 sur sa surface membranaire, ce qui est le cas chez les sujets résistants.

FAITES DES LIENS ▶ Étudiez les figures 2.16 et 5.17; chacune montre des paires de molécules en train de se lier. Quelle(s) caractéristique(s) du CCR5 permettrait(ent) au VIH de s'y lier? Comment une molécule médicamenteuse pourrait-elle empêcher cette liaison?

La synthèse et la structure asymétrique des membranes

Les couches extracellulaire et cytoplasmique des membranes se distinguent par leur organisation asymétrique. La composition lipidique particulière de ces deux couches de lipides peut différer et chaque protéine a une orientation particulière dans la membrane (voir la figure 7.6). La **figure 7.9** montre comment s'installe cette asymétrie. La disposition asymétrique des protéines, des lipides et de leurs glucides dans la membrane plasmique est déterminée au cours de la synthèse de la membrane par le réticulum endoplasmique (RE) et par le complexe golgien, qui font partie du réseau de membranes intracellulaires (voir la figure 6.15).

RETOUR SUR LE CONCEPT 7.1

1. **HABILETÉS VISUELLES ▶** Les glucides sont liés à des protéines de la membrane plasmique dans le RE (voir la figure 7.9). De quel côté de la membrane de la vésicule les glucides se trouvent-ils durant le transport jusqu'à la surface de la cellule ?
2. **ET SI ? ▶** Quelle comparaison pouvez-vous faire entre les compositions lipidiques des membranes de deux herbes indigènes, l'une vivant dans le sol très chaud entourant une source thermale et l'autre vivant dans un sol plus froid ? Expliquez votre réponse.

Voir les réponses proposées à l'appendice A.

▼ **Figure 7.9 La synthèse des constituants membranaires et la détermination de leur orientation particulière dans la membrane.** La couche cytoplasmique (orange) de la membrane plasmique diffère de sa couche extracellulaire (aqua). Celle-ci naît de la couche interne du RE, du complexe golgien et des membranes vésiculaires.

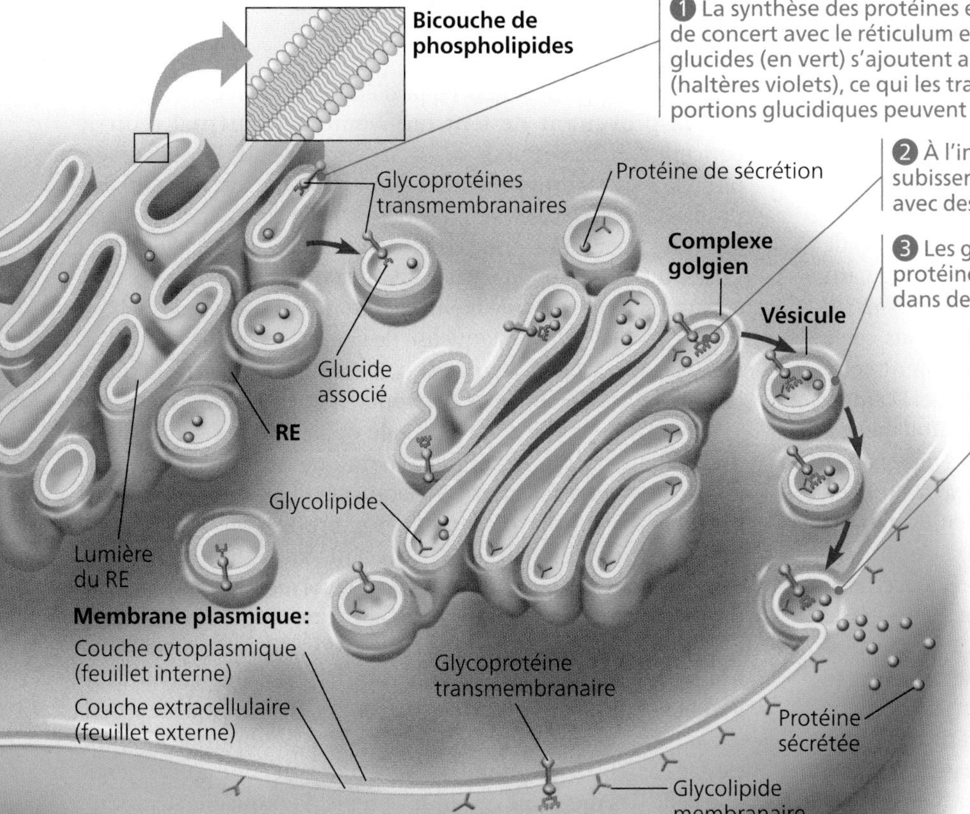

❶ La synthèse des protéines et des lipides membranaires se déroule de concert avec le réticulum endoplasmique (RE). Dans le RE, des glucides (en vert) s'ajoutent aux protéines transmembranaires (haltères violets), ce qui les transforme en glycoprotéines. Les portions glucidiques peuvent alors être modifiées.

❷ À l'intérieur du complexe golgien, les glycoprotéines subissent d'autres modifications; les lipides s'associent avec des glucides, devenant des glycolipides.

❸ Les glycoprotéines, les glycolipides membranaires et les protéines de sécrétion (sphères violettes) sont transportés dans des vésicules jusqu'à la membrane plasmique.

❹ À mesure que les vésicules fusionnent avec la membrane plasmique, une continuité s'établit entre leur couche externe et la couche cytoplasmique (interne) de la membrane plasmique, ce qui libère les protéines de sécrétion de la cellule (processus appelé *exocytose*) et place les glucides des glycoprotéines et des glycolipides sur la couche extracellulaire (externe) de la membrane plasmique.

FAITES UN DESSIN ▶ Dessinez une protéine intramembranaire qui s'étend de la membrane du RE jusqu'à la lumière du RE. Placez ensuite la protéine là où elle devrait être localisée dans une série d'étapes numérotées se terminant à la membrane plasmique. La protéine serait-elle en contact avec le cytoplasme ou avec le liquide extracellulaire ? Expliquez votre réponse.

CONCEPT 7.2

La perméabilité sélective des membranes résulte de leur structure

Une membrane biologique est un exemple merveilleux de structure supramoléculaire : ses propriétés dépassent celles des molécules qui la constituent. Il s'agit d'un bel exemple d'émergence. Tout le reste de ce chapitre traite de l'une des propriétés les plus importantes d'une membrane biologique : sa perméabilité sélective. Vous aurez encore une fois l'occasion de constater la corrélation entre structure et fonction. Le modèle de la mosaïque fluide vous aidera à comprendre le passage des substances à travers les membranes biologiques. Les notions concernant le transport membranaire revêtent une importance primordiale pour la compréhension du fonctionnement des êtres vivants.

De petites molécules et des ions traversent régulièrement la membrane plasmique dans les deux sens. Une cellule musculaire, par exemple, procède à de nombreux échanges chimiques avec le liquide extracellulaire. Elle laisse entrer les monosaccharides, les acides aminés et les autres nutriments, alors qu'elle fait sortir les sous-produits (déchets) du métabolisme. Elle laisse pénétrer les molécules d'oxygène (O_2) nécessaire à sa respiration et expulse les molécules de dioxyde de carbone (CO_2). Enfin, elle régularise ses concentrations en ions inorganiques monoatomiques (tels que H^+, Na^+, K^+, Ca^{2+} et Cl^-) et en ions inorganiques polyatomiques (tels que NH_4^+, OH^-, HCO_3^-) en leur faisant traverser la membrane plasmique dans un sens ou dans l'autre. Si la circulation intense peut porter à penser le contraire, la membrane n'en forme pas moins une barrière à la perméabilité sélective : les substances ne la traversent pas toutes sans distinction. La cellule a la capacité d'admettre certains ions et petites molécules, et de refuser l'accès à d'autres.

La perméabilité de la bicouche phospholipidique

Les molécules hydrophobes (non polaires) comme les hydrocarbures, les lipides, le CO_2 et l'O_2 se dissolvent dans la bicouche de la membrane et la traversent lentement mais aisément, sans l'aide de protéines membranaires. Toutefois, la partie interne, hydrophobe, de la membrane empêche les ions et les molécules polaires, qui sont hydrophiles, de passer directement à travers la membrane. Les molécules polaires comme le glucose et d'autres sucres ne traversent que très lentement la bicouche phospholipidique ; même l'eau ne franchit pas facilement la bicouche, comparativement aux molécules non polaires. Un certain passage, toujours marginal, est toutefois possible en raison de la très petite taille de ces molécules, malgré leur polarité. L'eau arrive alors à se faufiler lentement entre les phospholipides d'une membrane très fluide (possédant peu de cholestérol). Avec leur revêtement aqueux (voir la figure 3.8), les ions et les molécules chargées (certains acides aminés, par exemple) ont encore plus de mal à franchir la partie interne, hydrophobe, de la membrane. De plus, le mécanisme de perméabilité sélective de la membrane cellulaire ne repose pas strictement sur la bicouche phospholipidique. La membrane plasmique renferme également des protéines qui jouent un rôle clé dans la régulation des transports.

Les protéines de transport

Certains ions et certaines molécules polaires ne peuvent pas traverser les membranes par eux-mêmes. Toutefois, ces substances hydrophiles peuvent éviter le contact avec la bicouche en traversant les membranes au niveau de leurs **protéines de transport**.

Certaines protéines de transport, les *canaux,* remplissent leur fonction en servant de canal hydrophile à différentes substances (voir la figure 7.7a, à gauche). Par exemple, le passage de molécules d'eau à travers la membrane de certaines cellules est grandement facilité par des canaux appelés **aquaporines** (voir la figure 7.1). Chaque aquaporine permet à plus de *3 milliards* de molécules d'eau par seconde de passer à la queue leu leu dans son canal protéique, qui peut en contenir 10 à la fois. Sans les aquaporines qui accélèrent considérablement le processus, seule une petite partie de ces molécules d'eau traverseraient cette même zone de la membrane cellulaire en une seconde. D'autres protéines, les *transporteurs* et les *pompes*, se lient faiblement à leurs passagers et changent de forme de façon à les faire passer de l'autre côté de la membrane (voir la figure 7.7a, à droite).

Ces protéines peuvent transporter des molécules de plus grande taille que celles qui empruntent les canaux ; de plus, les transporteurs et les pompes sont généralement très sélectifs et ne permettent qu'à une seule substance (ou à un petit groupe de substances) de traverser la membrane. Par exemple, un transporteur de la membrane plasmique des érythrocytes transporte le glucose à travers la membrane 50 000 fois plus rapidement qu'il le ferait en l'absence de mécanisme. Ce « véhicule à glucose » est si spécifique qu'il ne transporte même pas le fructose, qui est pourtant un isomère structural du glucose. La perméabilité sélective de la membrane repose donc à la fois sur les protéines de transport spécifiques qui y sont insérées et sur les propriétés chimiques de la bicouche de phospholipides.

Mais qu'est-ce qui détermine la *direction* des déplacements à travers la membrane ? Et quels mécanismes assurent le passage des molécules de part et d'autre de la membrane ? Dans la section suivante, nous répondrons à ces questions en étudiant deux modes de transport : le transport passif et le transport actif.

RETOUR SUR LE CONCEPT 7.2

1. Quelle propriété permet à l'O_2 et au CO_2 de traverser une bicouche de phospholipides sans l'aide des protéines membranaires ?
2. **HABILETÉS VISUELLES ▶** Examinez la figure 7.2. Pourquoi les molécules d'eau ont-elles besoin d'une protéine de transport (l'aquaporine) pour traverser une membrane rapidement et en masse ?
3. **FAITES DES LIENS ▶** Les aquaporines bloquent le passage des ions hydronium (H_3O^+), mais certaines aquaporines permettent le passage du glycérol, un trialcool à trois atomes de carbone (voir la figure 5.9), et de l'eau. Sachant que la taille de l'ion hydronium est beaucoup plus proche de celle d'une molécule d'eau que de celle d'une molécule de glycérol, et sachant qu'elle ne peut pourtant pas traverser, comment pourrait s'expliquer cette sélectivité ?

Voir les réponses proposées à l'appendice A.

CONCEPT 7.3

Le transport passif est la diffusion à travers une membrane sans dépense d'énergie

Les molécules possèdent un type d'énergie appelée énergie thermique provenant de leur mouvement perpétuel (voir le concept 3.2). La **diffusion**, soit la tendance que les substances ont à se répartir uniformément dans un milieu, découle de cette propriété. Le déplacement de chaque molécule se fait de façon aléatoire, mais la diffusion d'une *population* de molécules peut s'orienter dans une direction précise. Pour comprendre ce processus, imaginez qu'une membrane synthétique sépare de l'eau distillée d'une solution aqueuse de colorant. Étudiez attentivement la **figure 7.10a** pour saisir comment la diffusion amènerait les molécules de colorant à se répartir de part et d'autre de la membrane en concentration égale dans les deux solutions. Il s'ensuivrait alors un équilibre dynamique : le nombre de molécules de colorant traversant à chaque seconde la membrane vers la gauche serait à peu près égal au nombre de molécules de colorant qui la franchiraient en se dirigeant vers la droite.

Nous pouvons maintenant énoncer une règle de base de la diffusion : dans des conditions normales, une substance diffuse de l'endroit où elle est le plus concentrée vers l'endroit où elle l'est le moins. En d'autres termes, toute substance diffuse suivant son **gradient de concentration** – la zone le long de laquelle la densité d'une substance chimique augmente ou diminue (comme c'est le cas ici). Ce phénomène ne nécessite aucune autre énergie que celle des molécules en mouvement : la diffusion se produit spontanément. Remarquez que chaque substance se répand suivant son *propre* gradient de concentration, sans égard aux différences de concentration des autres substances (**figure 7.10b**).

Une bonne partie des échanges transmembranaires se fait par diffusion. Chaque fois qu'elle se trouve plus concentrée d'un côté de la membrane que de l'autre, une substance tend à diffuser, suivant son gradient de concentration, à travers la membrane (à condition que celle-ci lui soit perméable). L'absorption d'O_2 en vue de la respiration cellulaire constitue un excellent exemple de diffusion simple. L'O_2 dissous diffuse à travers la membrane plasmique vers l'intérieur de la cellule. Cela se poursuit tant que la respiration cellulaire le consomme, car le gradient de concentration favorise le mouvement dans cette direction.

Ce processus est efficace en raison des dimensions microscopiques de la cellule : si elle était plus volumineuse, les distances à franchir seraient trop grandes et la vitesse avec laquelle se produit la diffusion ne pourrait répondre adéquatement aux besoins cellulaires (il a été démontré que le temps de diffusion est proportionnel au carré de la distance à franchir).

La diffusion d'une substance à travers une membrane biologique est un mode de **transport passif**, car elle ne requiert aucune dépense d'énergie de la part de la cellule. Le gradient de concentration lui-même représente de l'énergie potentielle (voir le concept 2.2 et la figure 8.5b) et alimente la diffusion. Rappelez-vous, cependant, que les membranes ont une perméabilité sélective, ce qui influe sur la vitesse de diffusion des différentes molécules. Souvenez-vous que la présence d'aquaporines permet à l'eau de diffuser très rapidement à travers la membrane de certaines cellules, ce qui ne se produirait pas en leur absence. Le passage de l'eau à travers la membrane plasmique a des conséquences importantes pour les cellules.

Les effets de l'osmose sur l'équilibre hydrique

Pour voir comment interagissent deux solutions présentant des concentrations de solutés différentes, imaginez un récipient en forme de U dans lequel une membrane synthétique, dont la perméabilité est sélective, sépare deux solutions de glucose (**figure 7.11**). La membrane est perméable à l'eau parce que ses

▼ **Figure 7.10 La diffusion de solutés à travers une membrane synthétique.** Les flèches de couleur sous les schémas montrent la diffusion nette des molécules de colorant de cette couleur.

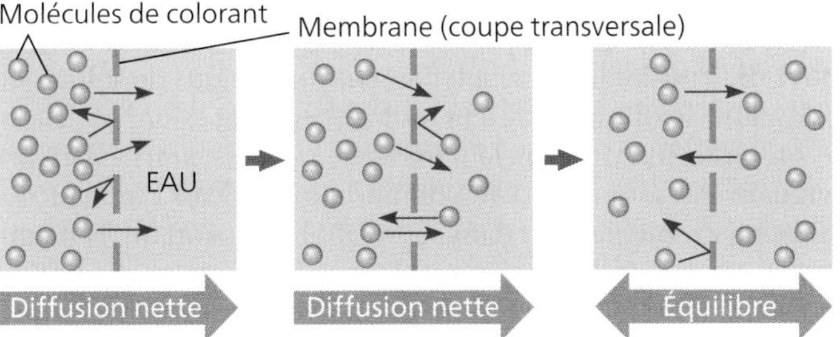

(a) Diffusion d'un soluté en milieu aqueux. Les pores de la membrane sont assez grands pour laisser passer l'eau et les molécules de colorant dissoutes. Le mouvement aléatoire des molécules de colorant fait passer quelques molécules par les pores; cela se produit plus souvent du côté où il y a davantage de molécules de colorant. Le colorant diffuse de la zone où il est le plus concentré vers la zone où il est le moins concentré, c'est-à-dire suivant son gradient de concentration, et ce, jusqu'à l'équilibre dynamique. Les molécules de soluté continuent de traverser la membrane, mais à vitesse à peu près égale dans les deux directions.

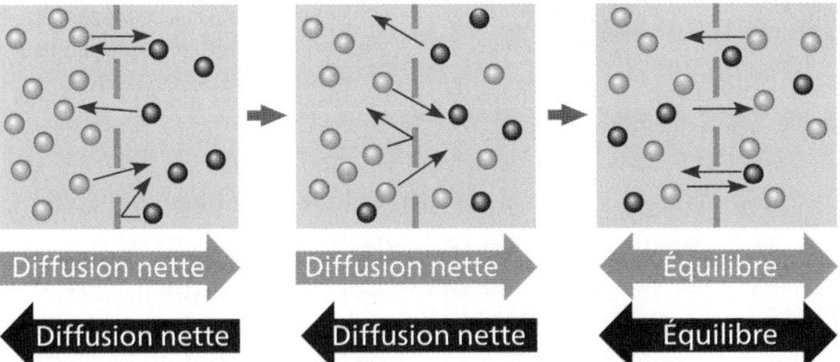

(b) Diffusion simultanée de deux solutés en milieu aqueux. Deux solutions de couleurs différentes sont séparées par une membrane perméable aux deux colorants. Les molécules de chaque colorant diffusent suivant leur propre gradient de concentration. Le colorant violet diffuse vers la gauche, même si la concentration totale des solutés était initialement plus forte à gauche qu'à droite.

▼ **Figure 7.11 L'osmose.** Deux solutions de glucose de concentrations différentes sont séparées par une membrane dont la perméabilité est sélective. La membrane est perméable au solvant (l'eau), mais imperméable au soluté (le glucose). Les molécules d'eau se déplacent de manière aléatoire et peuvent traverser la membrane dans l'une ou l'autre direction, mais, dans l'ensemble, l'eau diffuse de la solution la moins concentrée en soluté (hypotonique) vers la solution la plus concentrée (hypertonique). Ce transport passif de l'eau, ou osmose, finit par rendre plus semblables les concentrations des solutions de glucose de chaque côté de la membrane. (En réalité, les concentrations ne deviennent pas exactement les mêmes, la pression de l'eau ayant un effet du côté le plus concentré, mais il est plus simple ici de ne pas élaborer plus avant.)

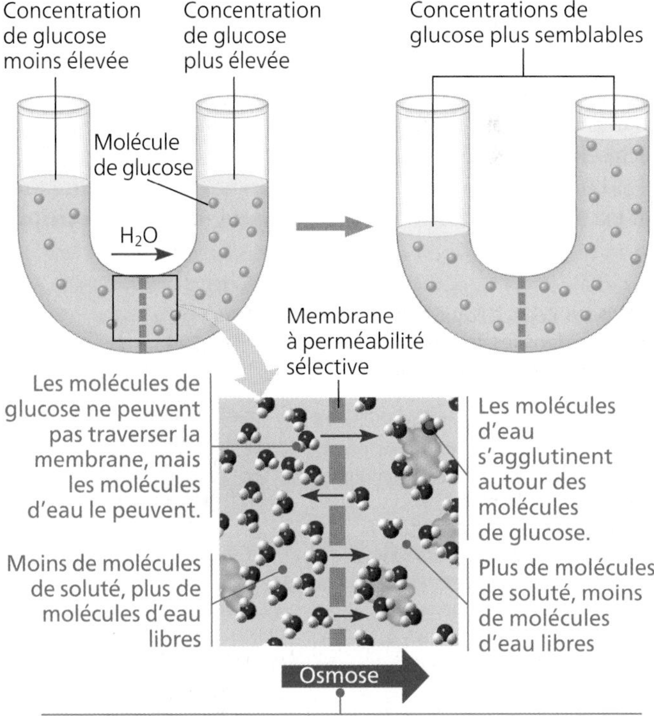

L'eau se déplace de la solution dont la concentration d'eau libre est la plus élevée vers la solution dont la concentration d'eau libre est la moins élevée (de la moins concentrée en soluté vers la plus concentrée en soluté).

HABILETÉS VISUELLES ▶ Si on ajoutait un colorant orangé capable de traverser la membrane dans le côté gauche du tube, comment serait-il distribué à la fin de l'expérience (voir la figure 7.10) ? Le niveau des solutions contenues dans le tube serait-il modifié ?

pores sont assez grands pour laisser traverser les molécules d'eau, mais imperméable au glucose parce que ses pores sont trop petits pour laisser passer les molécules de glucose. Cependant, l'agglomération des molécules d'eau autour des molécules de soluté hydrophiles fait en sorte que certaines molécules d'eau sont incapables de traverser la membrane ; d'une certaine façon, elles sont accaparées par les molécules de soluté. Résultat : la solution dont la concentration de soluté est la plus élevée possède une plus faible concentration en eau *libre*. L'eau diffuse à travers la membrane de la solution dont la concentration en eau libre est la plus élevée (concentration de soluté plus faible) vers la solution dont la concentration en eau libre est la moins élevée (concentration de soluté plus élevée) jusqu'à ce que les concentrations soient plus égales de part et d'autre de la membrane. On appelle **osmose** la diffusion de l'eau libre à travers une membrane (artificielle ou cellulaire) à la perméabilité sélective. La diffusion de l'eau à travers les membranes cellulaires ainsi que l'équilibre hydrique entre la cellule et son milieu sont essentiels aux organismes. Appliquons maintenant aux cellules vivantes ce que nous venons d'apprendre à propos de l'osmose.

L'équilibre hydrique dans les cellules dépourvues de paroi cellulaire

Pour expliquer le comportement d'une cellule dans une solution, il faut tenir compte à la fois de la concentration de soluté et de la perméabilité de la membrane. Ces deux facteurs renvoient au concept de **tonicité**. La tonicité fait référence à la capacité d'une solution de permettre à l'eau d'entrer dans une cellule ou d'en sortir. La tonicité d'une solution dépend en partie de sa concentration de solutés incapables de traverser la membrane (solutés non pénétrants) par rapport à la concentration de ces solutés dans la cellule elle-même. S'il y a plus de solutés non pénétrants dans la solution, l'eau aura tendance à sortir de la cellule, et vice versa.

Si l'on immerge une cellule dépourvue de paroi cellulaire, par exemple une cellule animale, dans un milieu **isotonique** (*iso* signifie « même »), il n'y a pas de diffusion nette d'eau à travers la membrane plasmique. De l'eau traverse bien celle-ci, mais elle le fait autant dans un sens que dans l'autre. Bref, dans un milieu isotonique, le volume d'une cellule animale reste stable (**figure 7.12a**).

Par contre, dans une solution **hypertonique** (*hyper* signifie « plus », en l'occurrence plus de solutés non pénétrants), la cellule animale perd de l'eau, prend un aspect crénelé (ratatiné) et meurt. C'est pourquoi l'augmentation de la salinité d'un lac (causée par des déversements de neige usée, par exemple) peut tuer les animaux qui y vivent (si l'eau du lac devient hypertonique par rapport aux cellules des animaux, celles-ci se ratatinent et meurent). Précisons ici qu'une entrée d'eau excessive s'avère aussi dommageable pour une cellule animale qu'une importante perte d'eau. Si l'on place une cellule dans une solution **hypotonique** (*hypo* signifie « moins »), l'eau entre plus vite dans la cellule qu'elle n'en sort : la cellule enfle et se lyse (éclate) comme un ballon trop gonflé.

Une cellule dépourvue de paroi rigide ne peut tolérer les entrées ou les sorties d'eau excessives. Le problème de l'équilibre hydrique ne se pose pas si elle vit dans un milieu isotonique. Ainsi, beaucoup d'invertébrés marins sont isotoniques par rapport à l'eau de mer et les cellules de la plupart des animaux terrestres baignent dans un liquide isotonique (par rapport à ces cellules). Dans un milieu hypertonique ou hypotonique, les organismes dépourvus de paroi cellulaire doivent avoir acquis des adaptations qui leur permettent d'effectuer une **osmorégulation**, c'est-à-dire de réguler les concentrations de solutés et l'équilibre hydrique entre leur milieu et eux. Par exemple, l'eucaryote unicellulaire appelé paramécie (*Paramecium caudatum*) vit dans des eaux stagnantes hypotoniques. L'eau a tendance à entrer continuellement dans cette cellule. Cependant, la membrane plasmique de la paramécie est beaucoup moins perméable à l'eau que celle de la plupart des autres cellules. Notons que cette adaptation ne fait que ralentir l'entrée d'eau, qui est continue. Si la paramécie n'éclate pas, c'est parce qu'elle possède une

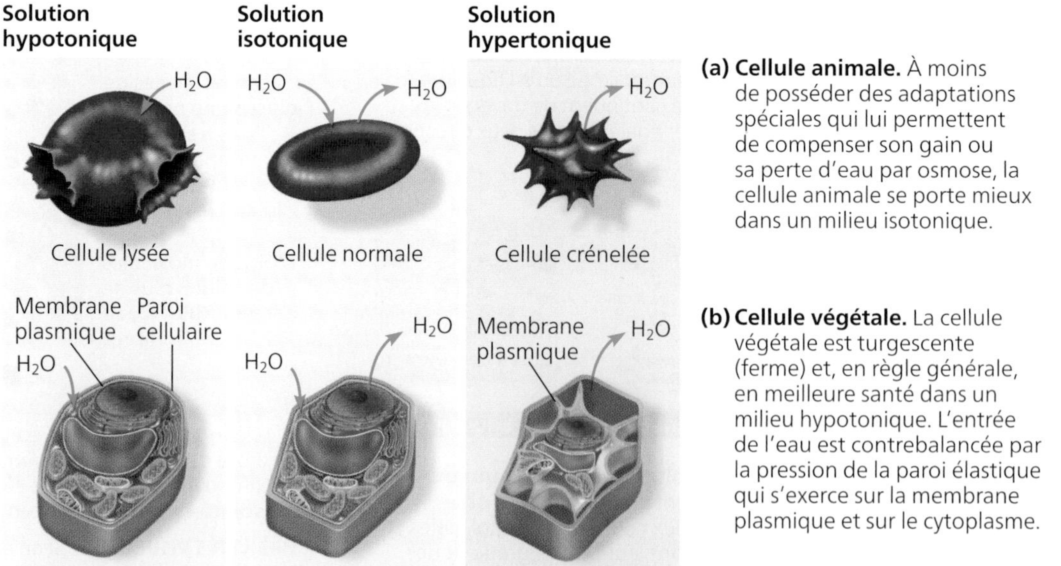

(a) Cellule animale. À moins de posséder des adaptations spéciales qui lui permettent de compenser son gain ou sa perte d'eau par osmose, la cellule animale se porte mieux dans un milieu isotonique.

(b) Cellule végétale. La cellule végétale est turgescente (ferme) et, en règle générale, en meilleure santé dans un milieu hypotonique. L'entrée de l'eau est contrebalancée par la pression de la paroi élastique qui s'exerce sur la membrane plasmique et sur le cytoplasme.

▶ **Figure 7.12 L'équilibre hydrique dans les cellules.** Suivant qu'elles possèdent ou non une paroi cellulaire, les cellules réagissent différemment aux variations de concentration des solutés de leur milieu. **(a)** La cellule animale, comme cet érythrocyte, est dépourvue de paroi cellulaire. **(b)** La cellule végétale possède une paroi cellulaire. (Les flèches indiquent la diffusion nette de l'eau depuis l'immersion des cellules dans les solutions.)

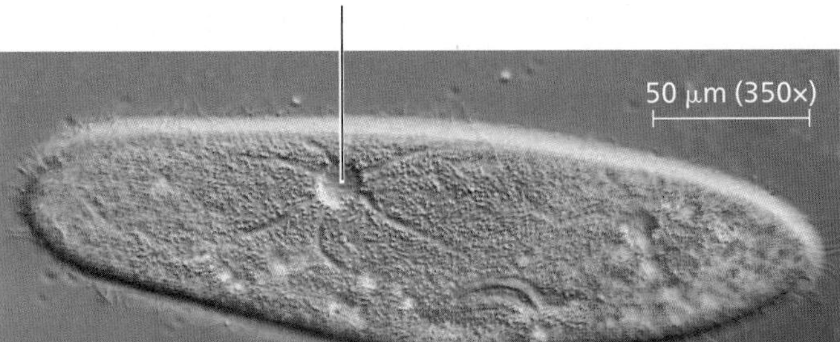

▲ **Figure 7.13 La vacuole pulsatile chez la paramécie (*Paramecium caudatum*).** La vacuole pulsatile recueille l'eau provenant de canaux dans le cytoplasme. Lorsqu'elle est remplie, la vacuole et les canaux se contractent et expulsent l'eau à l'extérieur de la cellule (MP).

vacuole pulsatile, un organite qui expulse l'eau à mesure qu'elle entre par osmose (**figure 7.13**). En revanche, les bactéries et les archées qui vivent dans des milieux hypersalins (excessivement salés; voir la figure 27.1) possèdent des mécanismes cellulaires qui permettent d'équilibrer les concentrations de solutés internes et externes afin que l'eau ne sorte pas de la cellule. Nous étudierons d'autres mécanismes d'osmorégulation chez les animaux au concept 44.1.

L'équilibre hydrique dans les cellules pourvues d'une paroi cellulaire

Les cellules des végétaux, des procaryotes, des eumycètes et de quelques eucaryotes unicellulaires sont entourées d'une paroi cellulaire (voir la figure 6.27). Lorsqu'elles se trouvent dans une solution hypotonique (dans de l'eau de pluie, par exemple), leur paroi cellulaire concourt à l'équilibre hydrique. Comme la cellule animale, la cellule végétale gagne de l'eau par osmose et enfle (figure 7.12b). Cependant, la paroi relativement inélastique ne se distend que jusqu'à un certain point, après quoi elle exerce sur la cellule une pression qui empêche l'eau d'entrer; c'est la *pression de turgescence*. La cellule est alors **turgescente** (très ferme). La turgescence est l'état idéal pour la plupart des cellules végétales; elle apporte d'ailleurs un soutien mécanique essentiel aux plantes non ligneuses qui ornent nos intérieurs. Si les cellules d'une plante baignent dans un milieu isotonique, il n'y a pas de diffusion nette de l'eau vers l'intérieur et elles deviennent **flasques**; la plante flétrit.

Par contre, si une cellule végétale baigne dans un milieu hypertonique, sa paroi n'est pas d'une grande utilité: la cellule perd de l'eau et rétrécit, comme le ferait une cellule animale dans les mêmes conditions. À mesure qu'elle se ratatine, sa membrane plasmique s'écarte de la paroi cellulaire en plusieurs endroits. Ce phénomène, appelé **plasmolyse**, fait flétrir la plante et peut être fatal. Les bactéries, les archées et les eumycètes subissent le même sort dans un milieu hypertonique.

La diffusion facilitée: un mode de transport passif facilité par des protéines

Examinons en détail comment l'eau et certains solutés hydrophiles traversent une membrane. Comme nous l'avons mentionné précédemment, beaucoup de molécules polaires ou plus ou moins polaires et les ions refoulés par la bicouche arrivent à diffuser à l'intérieur de la cellule à l'aide des protéines de transport disséminées dans la membrane. On appelle ce phénomène **diffusion facilitée**. Les cytologistes ne savent pas encore exactement comment les protéines de transport facilitent la diffusion. La plupart de ces protéines sont très spécifiques; elles transportent seulement certaines substances et pas d'autres. Contrairement à la diffusion simple, la diffusion facilitée est un mouvement dont la vitesse atteint une limite; quand toutes les protéines de transport sont occupées, l'augmentation du gradient de concentration ne fera pas accélérer le processus.

On l'a vu, les trois types de protéines de transport sont les canaux, les transporteurs et les pompes. Les canaux sont des tunnels, de véritables couloirs hydrophiles, qui permettent aux molécules d'eau ou à des petits ions spécifiques de traverser très rapidement la membrane (**figure 7.14a**). Spécialisées dans le transport de l'eau, les aquaporines facilitent la diffusion massive d'eau qui se produit dans les cellules végétales et dans certaines cellules animales, comme les érythrocytes (voir la figure 7.12). Certaines cellules rénales possèdent également un grand nombre d'aquaporines, ce qui leur permet de réabsorber de l'eau de l'urine avant de l'excréter. Si les reins ne remplissaient pas cette fonction, vous élimineriez environ 180 L d'urine par jour et vous devriez boire la même quantité d'eau!

D'autres canaux, appelés canaux ioniques, assurent le transport des ions. De nombreux canaux ioniques fonctionnent comme des **canaux à ouverture contrôlée** (ou canaux à fonction active), qui s'ouvrent ou se ferment en réponse à un signal de nature chimique, mécanique ou électrique. Dans une cellule nerveuse, par exemple, le canal ionique s'ouvre en

▼ **Figure 7.14 La diffusion facilitée est effectuée par deux types de protéines de transport.** Dans les deux cas, la protéine de transport peut déplacer le soluté dans une direction ou dans l'autre, la diffusion nette s'effectuant toujours suivant le gradient de concentration du soluté.

(a) Un canal comporte un tunnel par lequel diffusent les molécules d'eau ou celles d'un soluté spécifique.

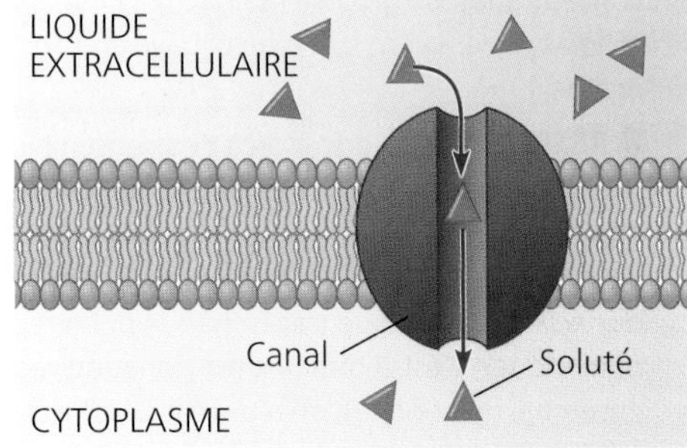

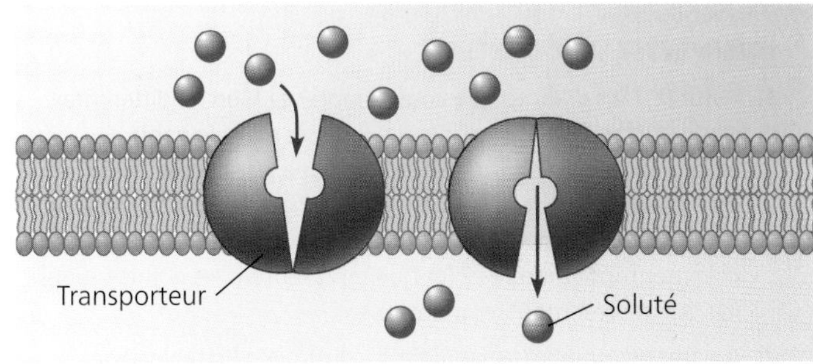

(b) Un transporteur oscille entre deux conformations; en changeant de forme, il déplace un soluté à travers la membrane.

réponse à un signal électrique, permettant aux ions potassium de quitter la cellule. (Voir le canal d'ions potassium au début de ce chapitre.) La cellule nerveuse peut ainsi continuer de fonctionner. D'autres canaux à ouverture contrôlée s'ouvrent ou se ferment lorsqu'une substance particulière, autre que celle qui doit être transportée (signal chimique), se lie à eux. Ces canaux à ouverture contrôlée jouent un rôle important dans le fonctionnement du système nerveux, comme vous le verrez aux concepts 48.2 et 48.3.

Les transporteurs (comme le véhicule à glucose mentionné plus haut) semblent subir un changement de forme subtil qui transfère le site de liaison d'un côté à l'autre de la membrane (**figure 7.14b**). Ce changement de forme peut être déclenché par la liaison et la libération de la molécule transportée. Comme les canaux ioniques, les transporteurs participant à la diffusion facilitée entraînent la diffusion nette d'une substance suivant son gradient de concentration. Aucune énergie n'est requise ; il s'agit d'un transport passif. Dans la rubrique **Habiletés scientifiques**, vous interpréterez des données obtenues lors d'une expérience au sujet du transport du glucose.

RETOUR SUR LE CONCEPT 7.3

1. Selon vous, comment la cellule se débarrasse-t-elle du CO_2 produit par la respiration cellulaire ?
2. ET SI ? ▶ Si une paramécie passe d'un milieu hypotonique à un milieu isotonique, l'activité de sa vacuole pulsatile va-t-elle augmenter ou diminuer ? Pourquoi ?

Voir les réponses proposées à l'appendice A.

DÉMARCHE SCIENTIFIQUE
HABILETÉS SCIENTIFIQUES

Interpréter un diagramme de dispersion représentant deux ensembles de données

■ L'ÂGE INFLUE-T-IL SUR L'ABSORPTION DU GLUCOSE PAR LES CELLULES ? ■ Le glucose, source d'énergie importante pour les animaux, est transporté dans les cellules par des transporteurs au moyen de la diffusion facilitée. Dans cet exercice, vous interpréterez un graphique qui représente deux ensembles de données provenant d'une expérience sur l'absorption du glucose par des érythrocytes de cobayes de divers âges, en fonction du temps. Vous déterminerez si le taux d'absorption du glucose par les érythrocytes varie avec l'âge des cobayes.

■ MÉTHODE ■ Les chercheurs ont incubé des érythrocytes de cobayes dans une solution de glucose radioactif à 300 mmol, dont le pH était de 7,4 et la température, de 25 °C. Toutes les 10 ou 15 minutes, les chercheurs prélevaient un échantillon de cellules et mesuraient la concentration de glucose radioactif à l'intérieur de ces cellules. Les cellules provenaient soit d'un cobaye âgé de 15 jours, soit d'un cobaye âgé de 1 mois.

■ RÉSULTATS ■ Lorsqu'on a deux ensembles de données, comme ici, il peut être utile de tracer les deux courbes dans le même graphique afin de faciliter la comparaison. Dans le graphique ci-contre, chaque ensemble de points (de la même couleur) forme un *diagramme de dispersion*. Sur chaque tracé, chaque point représente deux valeurs numériques, c'est-à-dire une pour chaque variable. Pour chaque ensemble de données, on a tracé la courbe la mieux ajustée aux points afin de dégager les tendances. (Pour plus d'information sur les diagrammes, voir l'appendice F.)

Absorption du glucose par les érythrocytes des cobayes, en fonction du temps

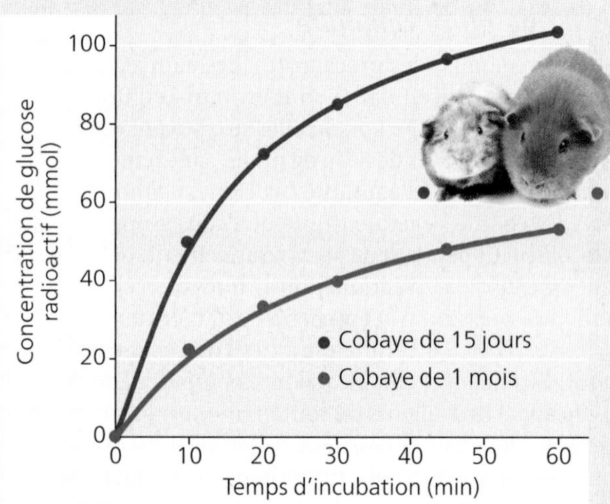

Source des données: T. Kondo et E. Beutler, Developmental changes in glucose transport of guinea pig erythrocytes, *Journal of Clinical Investigation* 65: 1-4 (1980).

INTERPRÉTEZ LES DONNÉES ▼

1. Assurez-vous d'abord que vous comprenez bien les différentes parties du diagramme. (a) Quelle variable est la variable indépendante, c'est-à-dire la variable que les chercheurs ont *manipulée* ? (d) Quelle variable est la variable dépendante, c'est-à-dire la variable qui variait en fonction du traitement et que les chercheurs ont *mesurée* ? (c) Que représentent les points rouges ? (d) Que représentent les points bleus ?
2. À partir des points du diagramme, construisez un tableau de données. Nommez la colonne de gauche «Temps d'incubation (min)».
3. Que montre le diagramme ? Indiquez les ressemblances et les différences entre l'absorption du glucose par les érythrocytes des cobayes âgés de 15 jours et de 1 mois.
4. Formulez une hypothèse qui pourrait expliquer la différence entre l'absorption du glucose par les érythrocytes des cobayes âgés de 15 jours et de 1 mois. (Demandez-vous comment le glucose entre dans les cellules.)
5. Concevez une expérience qui permettrait de vérifier votre hypothèse.

CONCEPT **7.4**

Le transport actif utilise de l'énergie pour déplacer des solutés à l'encontre de leur gradient de concentration

Malgré l'intervention d'une protéine de transport, on considère la diffusion facilitée comme un mode de transport passif, car le soluté transporté suit son gradient de concentration, ce qui n'exige aucune énergie. La diffusion facilitée accélère le transport d'un soluté en ouvrant un corridor spécifique dans la membrane, mais elle ne modifie pas la direction du déplacement. Il existe cependant des protéines de transport qui peuvent aller à l'encontre du gradient de concentration du soluté et acheminer celui-ci du côté de la membrane où il est le moins concentré (que ce soit le côté interne ou le côté externe) vers le côté où il est le plus concentré.

L'énergie nécessaire au transport actif

Pour faire passer une substance à travers une membrane à l'encontre du gradient de concentration, la cellule doit dépenser de l'énergie, c'est-à-dire de l'ATP. Par conséquent, cette forme de transport membranaire s'appelle **transport actif**. Les protéines de transport qui déplacent des solutés à l'encontre d'un gradient de concentration sont toutes des pompes, de structure semblable aux transporteurs, et non des canaux. En effet, lorsqu'ils sont ouverts, les canaux ne font que diffuser les solutés selon leur gradient de concentration, et non en sens inverse.

Le transport actif permet à la cellule de maintenir des concentrations intracellulaires différentes des concentrations extracellulaires. Par exemple, la cellule animale possède une concentration d'ions potassium (K^+) beaucoup plus élevée que celle du milieu environnant, alors que sa concentration d'ions sodium (Na^+) est beaucoup plus faible. La membrane plasmique maintient ces fortes différences de gradients en expulsant le Na^+ de la cellule et en y pompant du K^+.

Comme dans le cas d'autres formes de travail cellulaire, c'est l'ATP qui fournit l'énergie nécessaire au processus en cédant son groupement phosphate terminal à la protéine de transport. Ce transfert entraîne un changement dans la conformation de la protéine. Grâce à ce phénomène, le soluté faiblement lié à la protéine est transporté de l'autre côté de la membrane. Il semble que la **pompe à sodium et à potassium** (pompe à Na^+-K^+), qui échange du Na^+ contre du K^+ en faisant passer ceux-ci à travers les membranes des cellules animales, fonctionne de cette façon (**figure 7.15**). Cette pompe consiste en une protéine formée de sept hélices transmembranaires, soit une structure analogue à celle de la bactériorhodopsine présentée plus haut (voir la figure 7.6). Son fonctionnement, d'une importance capitale pour les cellules, consomme environ le tiers de leur puissance énergétique totale. Outre la pompe à Na^+-K^+, on trouve dans les membranes des pompes à H^+, à H^+-K^+, à Ca^{2+}, à Cl^-, et d'autres encore. La **figure 7.16** compare les transports passif et actif.

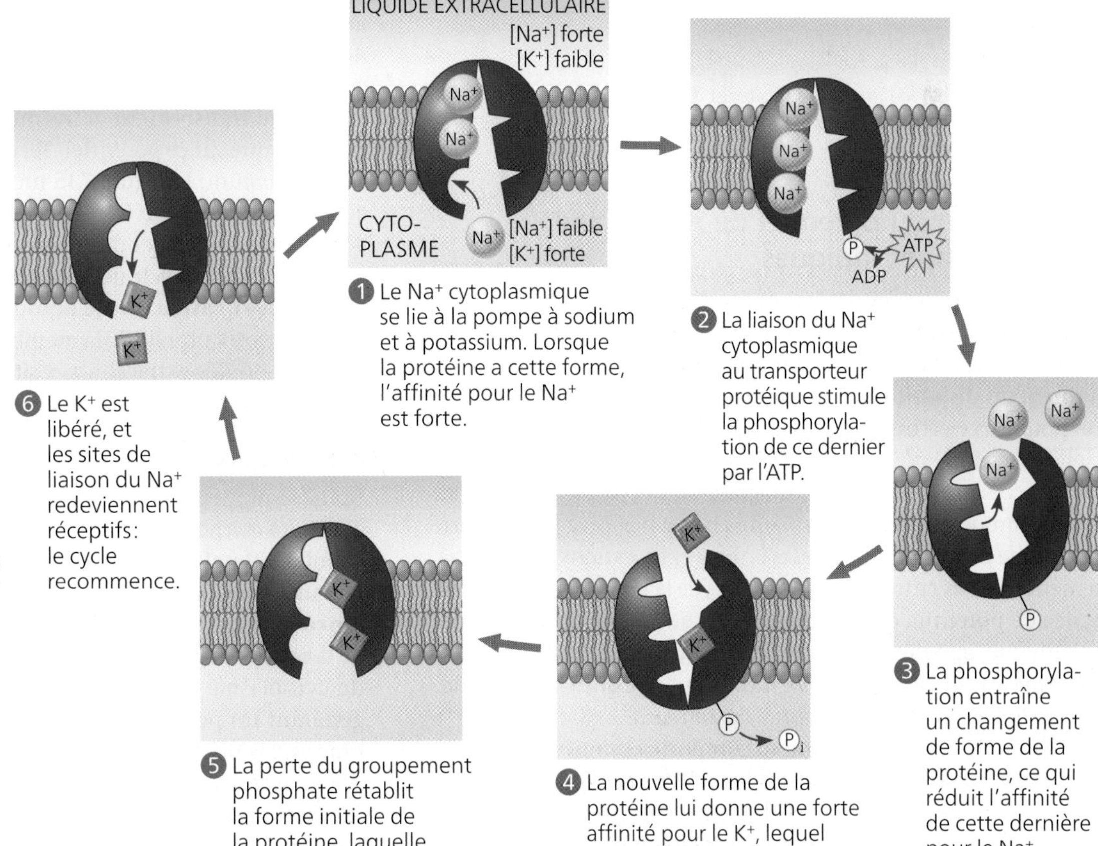

LIQUIDE EXTRACELLULAIRE
[Na⁺] forte
[K⁺] faible
CYTO-PLASME
[Na⁺] faible
[K⁺] forte
Na⁺
K⁺
ATP
ADP
P
Pi
1 Le Na⁺ cytoplasmique se lie à la pompe à sodium et à potassium. Lorsque la protéine a cette forme, l'affinité pour le Na⁺ est forte.
2 La liaison du Na⁺ cytoplasmique au transporteur protéique stimule la phosphorylation de ce dernier par l'ATP.
3 La phosphorylation entraîne un changement de forme de la protéine, ce qui réduit l'affinité de cette dernière pour le Na⁺, lequel est expulsé.
4 La nouvelle forme de la protéine lui donne une forte affinité pour le K⁺, lequel s'attache du côté extracellulaire et déclenche la libération du groupement phosphate.
5 La perte du groupement phosphate rétablit la forme initiale de la protéine, laquelle a une affinité plus faible pour le K⁺.
6 Le K⁺ est libéré, et les sites de liaison du Na⁺ redeviennent réceptifs: le cycle recommence.

► **Figure 7.15 Un cas particulier de transport actif: la pompe à sodium et à potassium.** La pompe à sodium et à potassium transporte des ions à l'encontre de leur gradient de concentration. La concentration d'ions sodium (représentée par [Na^+]) est élevée à l'extérieur de la cellule et faible à l'intérieur, tandis que la concentration d'ions potassium, [K^+], est faible à l'extérieur de la cellule et élevée à l'intérieur. Oscillant entre deux formes au cours de son cycle, la pompe protéique (soit la protéine de transport) expulse trois ions Na^+ (étapes 1 à 3) chaque fois qu'elle fait entrer deux ions K^+ (étapes 4 à 6). Les deux formes ont des affinités de liaison différentes pour le Na^+ et le K^+. L'hydrolyse de l'ATP alimente les changements de forme de cette protéine de transport en la phosphorylant, c'est-à-dire en lui cédant un groupement phosphate.

▼ **Figure 7.16 Une révision: comparaison entre les modes de transport actif et passif.**

Transport passif. Les substances diffusent spontanément suivant leur gradient de concentration. Leur transport ne nécessite aucune dépense d'énergie métabolique (ATP) de la part de la cellule. La vitesse de la diffusion peut être considérablement accrue par les protéines de transport se trouvant dans la membrane.

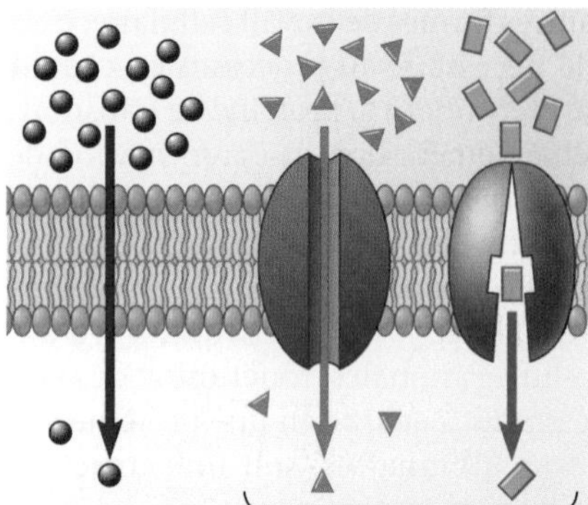

Diffusion simple. Les molécules hydrophobes ainsi que de très petites molécules polaires non ionisées (par exemple, l'eau, mais à une vitesse moindre) diffusent à travers la bicouche.

Diffusion facilitée. De nombreuses substances hydrophiles diffusent rapidement à travers la membrane avec l'aide des canaux (à gauche) ou des transporteurs (à droite).

Transport actif. Certaines protéines de transport agissent à la manière d'une pompe: elles transfèrent des substances de part et d'autre de la membrane à l'encontre de leur gradient de concentration (ou gradient électrochimique). L'hydrolyse de l'ATP alimente habituellement ce processus.

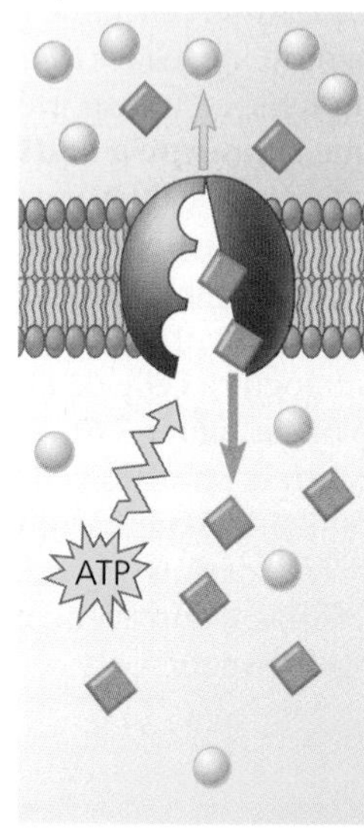

HABILETÉS VISUELLES ▶ Décrivez la direction du mouvement de chacun des solutés de l'image de droite, et dites s'il suit son gradient de concentration ou s'il va contre lui.

Le maintien du potentiel de membrane par les pompes ioniques

Toutes les membranes déterminent une différence de potentiel électrique (ou tension) entre le milieu externe et le milieu interne des cellules. En fait, elles jouent le rôle d'un condensateur, c'est-à-dire d'un dispositif qui emmagasine les charges et qui génère un potentiel électrique. Cette tension représente l'énergie potentielle électrique qui naît de la séparation de charges opposées (voir le concept 2.2, qui traite du gradient électrique). La couche cytoplasmique (interne) porte une charge négative par rapport au liquide extracellulaire, car les anions et les cations sont inégalement répartis entre les deux couches de la membrane. La différence de potentiel électrique existant de part et d'autre d'une membrane, appelée **potentiel de membrane**, varie de –50 à –200 mV (millivolts). (Le signe moins indique que l'intérieur de la cellule est négatif par rapport à l'extérieur.)

Le potentiel de membrane se comporte comme une pile et il influe sur le passage de toutes les substances chargées à travers la membrane: il favorise l'entrée des cations et la sortie des anions. Les cations pénètrent plus facilement dans la cellule parce que l'intérieur de celle-ci est négatif, contrairement au milieu extracellulaire. En résumé, deux forces président au transport passif (diffusion) des ions à travers les membranes: l'énergie associée au gradient de concentration des ions et le potentiel électrique, qui produit une attraction des cations vers l'intérieur de la cellule et une attraction des anions vers l'extérieur. Cette combinaison de forces influant sur les ions est appelée **gradient électrochimique**.

Dans le cas des ions, on ne devrait pas dire qu'ils diffusent toujours suivant leur gradient de *concentration*, mais plutôt qu'ils se déplacent suivant leur gradient *électrochimique* (certains auteurs considèrent même que le terme *diffusion* ne devrait pas s'appliquer aux mouvements des ions). La concentration intracellulaire de Na^+ d'un neurone au repos, par exemple, est beaucoup moins élevée que la concentration extracellulaire de Na^+. Lorsque le neurone est stimulé, les canaux ioniques qui facilitent la diffusion de Na^+ s'ouvrent. Ces ions se déplacent suivant leur gradient électrochimique. Ce déplacement est influencé à la fois par le gradient de concentration de Na^+ et par le gradient électrique qui attire les cations vers le côté de la membrane chargé négativement, c'est-à-dire vers l'intérieur du neurone. Dans cet exemple, les apports électriques et chimiques au gradient électrochimique agissent dans la même direction à travers la membrane, mais ce n'est pas toujours le cas. Lorsque les forces électriques du potentiel de membrane s'opposent à la simple diffusion d'un ion suivant son gradient de concentration, le transport actif peut devenir nécessaire. Aux concepts 48.2 et 48.3, nous reviendrons sur le rôle des gradients électrochimiques et des potentiels de membrane dans la transmission des signaux nerveux.

Plusieurs facteurs contribuent au potentiel de membrane d'une cellule. Au pH cellulaire, les protéines et d'autres macromolécules portent une charge négative. Ces gros anions se trouvent emprisonnés dans la cellule et contribuent faiblement à son potentiel de membrane. Quant aux protéines membranaires qui transportent activement des ions, elles ont un effet plus marqué sur ce potentiel. Tel est le cas de la pompe à sodium et à potassium. La figure 7.15 montre qu'elle n'échange pas un ion Na^+ contre un ion K^+: elle rejette plutôt trois ions Na^+ chaque fois qu'elle fait entrer deux ions K^+. Au rythme de 100 fois par seconde, chaque cycle de cette pompe transfère une charge positive du cytoplasme vers le liquide extracellulaire. Ce pompage aide le cytosol proche de la membrane à garder une charge négative, et le liquide extracellulaire situé à proximité de la membrane à garder une charge positive. Ce processus emmagasine l'énergie sous forme de potentiel électrique. Une protéine de transport qui engendre un potentiel électrique de part et d'autre d'une membrane se nomme **pompe électrogène**. Il semble que la pompe à sodium et à potassium soit la principale pompe électrogène des cellules animales. Chez les végétaux, les bactéries, les archées et les eumycètes, la principale pompe électrogène est une **pompe à protons** qui transporte activement des protons (ions H^+) hors de la cellule. Ce pompage d'ions H^+ transfère des charges positives du cytoplasme vers la solution extracellulaire (**figure 7.17**). En générant un potentiel électrique de part et d'autre des membranes, les pompes électrogènes créent une réserve d'énergie pouvant servir au travail cellulaire. La formation d'ATP lors de la respiration cellulaire est d'ailleurs une utilisation importante du gradient de protons dans une cellule, comme nous le verrons au concept 9.4. Le *cotransport*, une autre forme de transport membranaire, dépend aussi du gradient de protons.

▼ **Figure 7.17 La pompe électrogène.** La pompe à protons, la principale pompe électrogène des végétaux, des eumycètes, des archées et des bactéries, est un exemple de protéine membranaire qui crée une réserve d'énergie en engendrant un potentiel électrique (à la suite d'une séparation des charges) de part et d'autre de la membrane. Alimentée par l'hydrolyse de l'ATP, la pompe véhicule des charges positives sous forme de protons (H^+). Le potentiel électrique et le gradient de concentration d'H^+ constituent une double source d'énergie que la cellule utilise pour alimenter d'autres processus, tels que le transport de certains nutriments.

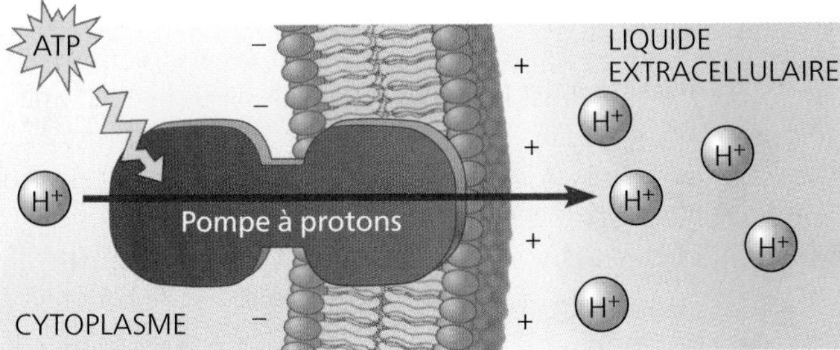

Le cotransport: un transport couplé par une protéine membranaire

Un soluté présent à différentes concentrations dans une membrane peut produire du travail en traversant la membrane par diffusion descendante suivant son gradient de concentration, tout comme l'eau pompée vers le haut d'une pente peut produire du travail en descendant celle-ci. Par un mécanisme appelé **cotransport**, une protéine de transport, ou cotransporteur, agissant à la fois comme un transporteur et comme une pompe, couple la diffusion « descendante » de cette substance au transport « ascendant » d'une seconde substance qui se déplace contre son gradient de concentration. Par exemple, chez la cellule végétale, le gradient électrochimique engendré par sa pompe à protons, elle-même alimentée par l'hydrolyse de l'ATP, participe au transport des acides aminés, de certains glucides et d'autres nutriments vers l'intérieur de la cellule. Dans l'exemple montré à la **figure 7.18**, un cotransporteur couple le retour des protons dans la cellule au transport du saccharose. Elle déplace donc simultanément (cotransport) deux solutés différents. Le saccharose est importé dans la cellule à l'encontre de son gradient de concentration, à condition qu'il se déplace en compagnie d'un proton qui, lui, suit son gradient électrochimique (maintenu par la pompe à protons). Ce mécanisme permet aux végétaux d'acheminer le saccharose produit par photosynthèse vers des cellules spécialisées situées dans les nervures des feuilles. Un tissu conducteur le distribue ensuite aux organes non photosynthétiques de la plante qui ne fabriquent pas leur propre énergie, tels que les fruits et les racines. Dans cet exemple, le cotransport est de type *symport*, car le transport des deux substances (proton et saccharose) se fait dans la même direction. Dans d'autres types de cotransport, les deux substances transportées se déplacent en direction opposée : on parle alors de transport *antiport*. C'est le cas, par exemple, des ions bicarbonate (HCO_3^-) et des ions chlorure (Cl^-) quand ils traversent la membrane d'un érythrocyte.

Ce que nous savons sur les protéines de cotransport, l'osmose et l'équilibre hydrique dans les cellules animales a permis d'améliorer le traitement de la déshydratation due à la diarrhée, un problème grave, très répandu dans les pays en voie de développement. Normalement, le sodium du contenu intestinal est réabsorbé dans le côlon pour maintenir constant son taux dans l'organisme, mais l'expulsion trop rapide du contenu intestinal empêche cette réabsorption et le taux de sodium chute rapidement. Le traitement consiste à faire boire au malade une solution à forte concentration en glucose et en sel (NaCl). Les cotransporteurs sodium-glucose qui se trouvent à la surface des cellules intestinales captent les solutés et les acheminent dans le sang. Si simple soit-il, ce traitement a diminué de beaucoup la mortalité infantile dans le monde.

RETOUR SUR LE CONCEPT 7.4

1. Les pompes à sodium et à potassium aident les cellules nerveuses à créer une différence de potentiel électrique dans leur membrane. Ces pompes utilisent-elles de l'ATP ou en produisent-elles ? Expliquez.
2. **HABILETÉS VISUELLES ▶** Comparez la pompe à sodium de la figure 7.15 avec le cotransporteur de la figure 7.18. Expliquez pourquoi la pompe à sodium et à potassium n'est pas considérée comme un cotransporteur.
3. **FAITES DES LIENS ▶** Revoyez les caractéristiques du lysosome (voir le concept 6.4). Compte tenu de la nature du milieu interne d'un lysosome, quelle protéine de transport peut-on s'attendre à voir dans sa membrane ?

Voir les réponses proposées à l'appendice A.

▼ **Figure 7.18 Le cotransport: un mode de transport actif alimenté par un gradient de concentration.** Une protéine de transport spéciale, comme ce cotransporteur d'H^+ et de saccharose (en haut), est capable d'utiliser la diffusion d'H^+ suivant son gradient électrochimique dans la cellule pour alimenter le transport de saccharose. (La paroi cellulaire n'est pas illustrée.) Le schéma montre une pompe à protons (en bas), bien que, techniquement, elle ne fait pas partie du processus de transport. Des protons sont concentrés à l'extérieur de la cellule. Il en résulte un gradient d'H^+ qui représente l'énergie emmagasinée utilisable pour le transport actif d'une substance, dans ce cas-ci le saccharose. Par conséquent, l'hydrolyse de l'ATP fournit indirectement l'énergie nécessaire au cotransport.

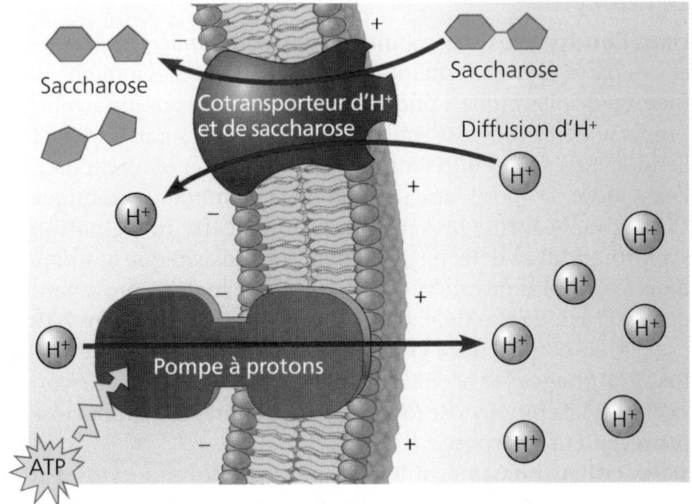

CONCEPT **7.5**

Les macromolécules et les particules traversent la membrane plasmique par exocytose et endocytose

Comme nous venons de le voir, l'eau et les petits solutés diffusent vers l'intérieur ou vers l'extérieur de la cellule en traversant directement la bicouche de la membrane, pompés ou déplacés par les protéines de transport. Les macromolécules (comme les protéines et les polysaccharides) et les plus grosses particules traversent généralement la membrane emballées dans des vésicules. Comme le transport actif, ces processus exigent de l'énergie.

L'exocytose

Comme vous l'avez vu à la figure 6.15, la cellule sécrète des macromolécules en fusionnant des vésicules de sécrétion avec la membrane plasmique au cours d'un processus appelé **exocytose**. Durant l'exocytose, le cytosquelette transporte vers la membrane plasmique une vésicule de sécrétion qui s'est détachée du complexe golgien. Lorsque la membrane de la vésicule et la membrane plasmique entrent en contact, des protéines spécifiques réarrangent les molécules phospholipidiques des deux bicouches. Les membranes fusionnent et deviennent continues, et le contenu de la vésicule se déverse à l'extérieur de la cellule (voir la figure 7.9, étape 4).

Beaucoup de cellules de sécrétion exportent leurs produits par exocytose. Ainsi, les cellules pancréatiques productrices d'insuline et les cellules de la paroi intestinale qui produisent du mucus utilisent ce processus pour déverser leurs sécrétions dans le liquide extracellulaire et dans la lumière de l'intestin. De même, les neurones recourent à l'exocytose pour libérer les neurotransmetteurs qui stimulent d'autres neurones ou des cellules musculaires. Les cellules végétales font également appel à ce mécanisme lorsqu'elles élaborent leur paroi cellulaire: des vésicules de sécrétion en provenance du complexe golgien transportent des protéines et des glucides vers l'extérieur de la membrane plasmique.

L'endocytose

Dans l'**endocytose**, la cellule fait entrer des macromolécules et des particules en formant de nouvelles vésicules à même sa membrane plasmique. L'endocytose est un processus qui semble l'inverse de l'exocytose, bien que les protéines participant à l'endocytose soient différentes de celles qui interviennent dans l'exocytose. D'abord, une portion de la membrane plasmique s'invagine et forme une poche. Ensuite, cette invagination s'approfondit, se détache de la membrane plasmique et forme dans le cytoplasme une vésicule remplie de matière provenant de l'extérieur de la cellule. Étudiez attentivement la **figure 7.19** pour bien comprendre chacune des trois formes d'endocytose: la phagocytose (du grec *phagein,* « manger », et *cytos,* « cellule »), la pinocytose (du grec *pinein,* boire) et l'endocytose par récepteur interposé.

Les cellules humaines utilisent le processus de l'endocytose par récepteur interposé pour absorber du cholestérol et synthétiser leurs membranes et d'autres stéroïdes. Le sang transporte le cholestérol sous forme de complexes moléculaires de lipides et de protéines appelés lipoprotéines de basse densité, ou LDL. Ces particules se lient aux récepteurs membranaires des LDL, puis pénètrent dans les cellules par endocytose. Chez les humains atteints d'hypercholestérolémie familiale, une maladie héréditaire caractérisée par une très forte concentration de cholestérol dans le sang, les récepteurs auxquels devraient se lier les lipoprotéines de basse densité sont défectueux ou manquants, empêchant toute fixation à la membrane au niveau du puits:

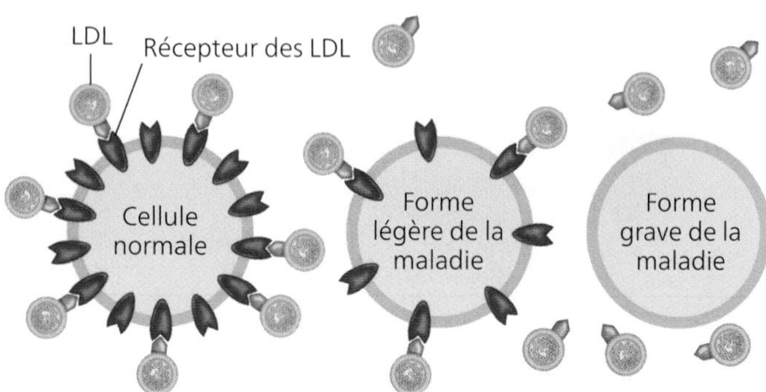

Ne pouvant donc pénétrer dans les cellules, le cholestérol s'accumule dans le sang, ce qui contribue à l'athérosclérose, autrement dit à la formation de dépôts lipidiques sur la paroi des vaisseaux sanguins. Ces dépôts rendent les vaisseaux plus étroits et, par le fait même, entravent la circulation du sang, augmentant ainsi les risques de maladies cardiovasculaires comme l'infarctus du myocarde et l'accident vasculaire cérébral (AVC).

L'endocytose et l'exocytose fournissent également à la membrane plasmique un moyen de se renouveler. Ces processus s'effectuent continuellement dans la plupart des cellules eucaryotes, même si la quantité de membrane plasmique des cellules matures varie peu à long terme. L'ajout de membrane consécutif à l'exocytose compense la perte résultant de l'endocytose.

Notre étude des membranes a révélé le caractère indispensable du travail cellulaire et de l'énergie. Dans les trois chapitres qui suivent, nous montrerons de manière plus approfondie comment les cellules obtiennent l'énergie chimique nécessaire à leur fonctionnement.

RETOUR SUR LE CONCEPT **7.5**

1. Lorsqu'une cellule grossit, sa membrane plasmique croît également. Ce processus relève-t-il de l'endocytose ou de l'exocytose ? Expliquez.
2. **FAITES UN DESSIN ▶** Reportez-vous à la figure 7.9 et encerclez une zone de la membrane plasmique qui provient d'une vésicule ayant participé à l'exocytose.
3. **FAITES DES LIENS ▶** Dans le concept 6.7, vous avez appris que les cellules animales fabriquent une matrice extracellulaire (MEC). Décrivez le processus cellulaire de synthèse et de dépôt d'une glycoprotéine de la MEC.

Voir les réponses proposées à l'appendice A.

PANORAMA ▼ **Figure 7.19**

L'endocytose dans la cellule animale

Phagocytose

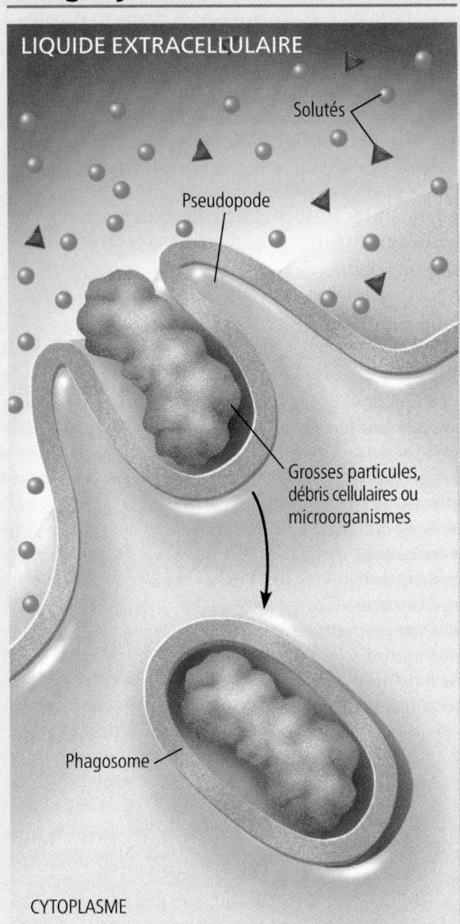

Au cours de la **phagocytose**, une cellule laisse entrer une particule en l'entourant de ses pseudopodes et l'« emballe » dans un sac membraneux appelé phagosome. Celle-ci fusionne avec un lysosome rempli d'enzymes hydrolytiques qui digèrent la particule (voir la figure 6.13).

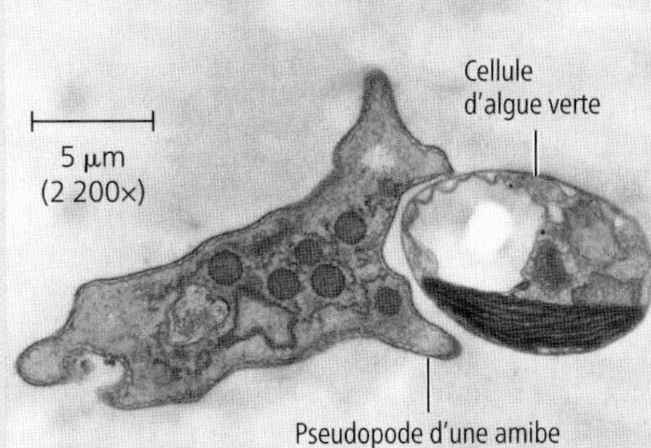

Amibe ingérant une cellule d'algue verte par phagocytose (MET).

Pinocytose

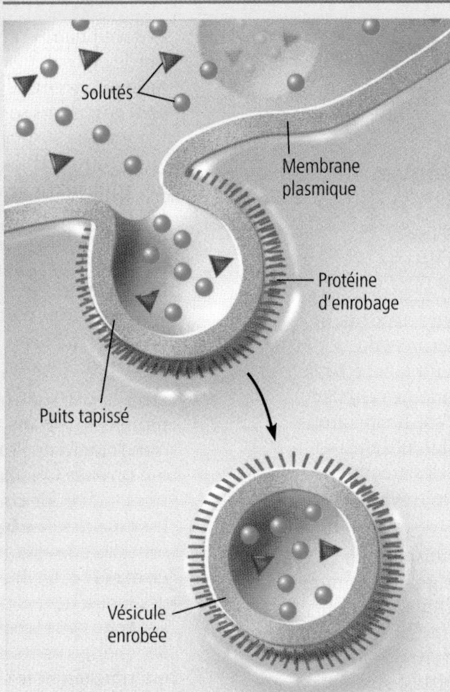

Dans la **pinocytose**, la cellule absorbe continuellement des gouttelettes de liquide extracellulaire dans de minuscules vésicules formées par des invaginations de la membrane plasmique. La cellule recueille ainsi les molécules dissoutes dans les gouttelettes. Comme tous les solutés présents dans les gouttelettes sont englobés sans discrimination, la pinocytose telle qu'illustrée ici ne constitue pas une forme de transport sélectif. Dans de nombreux cas, comme ici, les régions de membrane plasmique qui forment des vésicules sont recouvertes, sur leur face cytoplasmique, d'une couche duveteuse de protéine d'enrobage; les « puits » et les vésicules ainsi formés sont dits « tapissés » et « enrobés », respectivement.

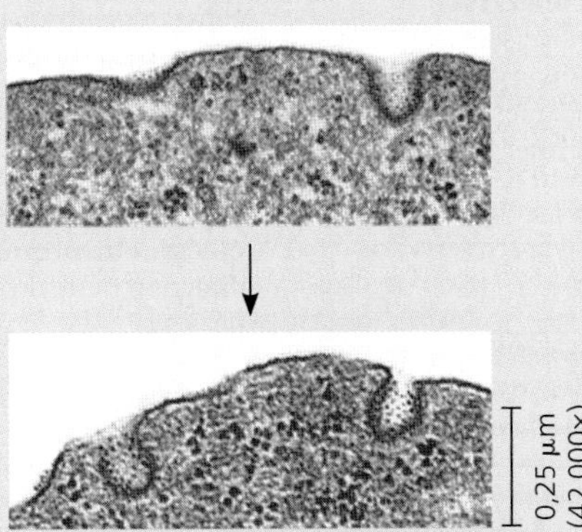

La micrographie électronique montre des vésicules en cours de formation (MET).

Endocytose par récepteur interposé

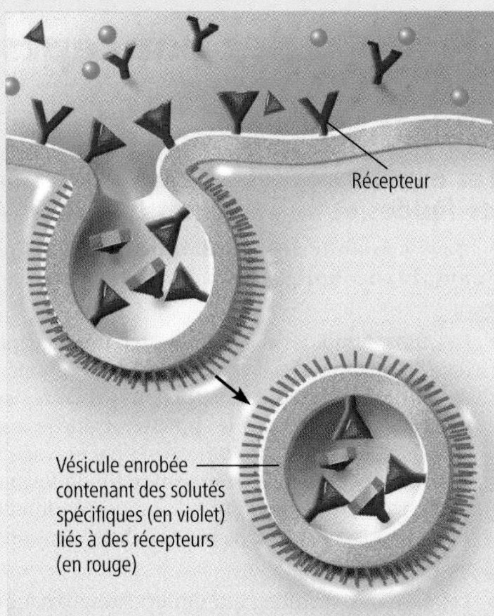

L'**endocytose par récepteur interposé** est un type spécialisé de pinocytose qui permet à la cellule de faire entrer rapidement de grandes quantités de substances spécifiques, même si ces dernières ne sont pas très concentrées dans le liquide extracellulaire. Des protéines enchâssées dans la membrane comportent des sites récepteurs exposés au liquide extracellulaire auxquels se lient des solutés spécifiques. Ensuite, les protéines réceptrices s'agglomèrent dans des puits tapissés. Chaque puits tapissé se referme ensuite sur lui-même pour former une vésicule enrobée contenant les molécules liées. Le schéma montre seulement les molécules liées (triangles violets) dans la vésicule, mais d'autres molécules provenant du milieu extracellulaire sont présentes. Une fois les substances libérées des vésicules, les récepteurs retournent à la membrane plasmique par les mêmes vésicules.

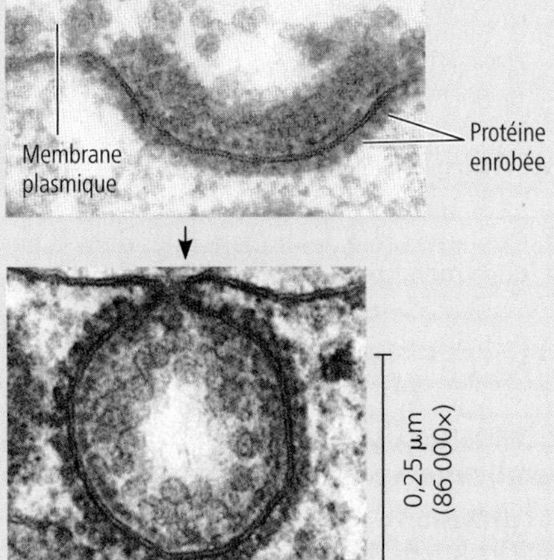

En haut : puits tapissé.
En bas : vésicule enrobée en formation durant l'endocytose par récepteur interposé (MET).

HABILETÉS VISUELLES ▶ Utilisez les échelles graphiques pour estimer (a) le diamètre du phagosome qui se formera autour de la cellule d'algue verte (micrographie à gauche) et (b) le diamètre de la vésicule enrobée (micrographie en bas à droite). (c) Laquelle des deux structures est la plus grande, et de combien de fois ?

RÉVISION DU CHAPITRE 7

Consultez votre MANUEL NUMÉRIQUE, qui vous donne accès aux **animations**, aux **exercices** et à la plateforme d'**anatomie interactive**.

Résumé des concepts clés

CONCEPT 7.1

Les membranes cellulaires sont des mosaïques fluides de lipides et de protéines (p. 138 à 143)

- Dans le **modèle de la mosaïque fluide**, des **protéines amphipathiques** sont enchâssées dans une bicouche de phospholipides.
- Les phospholipides et certaines protéines se déplacent latéralement dans les membranes. Les queues hydrocarbonées insaturées de certains phospholipides préservent la fluidité des membranes à basse température, tandis que le cholestérol aide les membranes à résister aux changements de fluidité causés par les variations de température. Les différences dans la composition lipidique membranaire ainsi que la capacité de modifier la composition lipidique des membranes sont des adaptations qui résultent de l'évolution et préservent la fluidité membranaire.
- Les protéines membranaires interviennent dans le transport des substances, l'activité enzymatique, la réception des signaux chimiques, l'adhérence intercellulaire, la reconnaissance intercellulaire et la fixation au cytosquelette et à la matrice extracellulaire. Sur son feuillet externe, le glycocalyx de la membrane plasmique comporte des protéines (**glycoprotéines**) et des lipides (**glycolipides**) auxquels sont liés des polysaccharides courts. Ces glucides interagissent avec les molécules situées à la surface des autres cellules.
- Les protéines et les lipides membranaires sont synthétisés dans le RE et modifiés dans le RE et le complexe golgien. Les couches cytoplasmiques et extracellulaires des membranes se distinguent par leur composition.

? En quoi les membranes cellulaires sont-elles indispensables à la vie ?

CONCEPT 7.2

La perméabilité sélective des membranes résulte de leur structure (p. 143 à 144)

- La cellule échange de petites molécules et des ions avec son milieu. Le passage de ces substances est régi par la **perméabilité sélective** de la membrane plasmique. Les substances hydrophobes traversent rapidement la membrane plasmique, car elles se dissolvent dans la bicouche de phospholipides, tandis que les molécules polaires et les ions passent à travers la membrane grâce à des **protéines de transport** spécifiques.

? Quel est le rôle des aquaporines dans la perméabilité de la membrane cellulaire ?

CONCEPT 7.3

Le transport passif est la diffusion à travers une membrane sans dépense d'énergie (p. 144 à 148)

- La **diffusion** est le mouvement spontané d'une substance qui suit son **gradient de concentration**. L'eau diffuse vers l'extérieur à travers la membrane perméable d'une cellule (**osmose**) si la solution extracellulaire est plus concentrée en solutés (**solution hypertonique**) que le cytosol. L'eau pénètre la cellule si la solution extracellulaire est moins concentrée en solutés (**solution hypotonique**). Si les concentrations sont égales des deux côtés (**solutions isotoniques**), il n'y a pas d'osmose nette. La survie de la cellule dépend de l'équilibre entre l'entrée d'eau et sa sortie. Les cellules dépourvues de paroi (celles des animaux et de certains eucaryotes unicellulaires) sont isotoniques par rapport à leur milieu ; quand ce n'est pas le cas, des adaptations les rendent aptes à l'**osmorégulation**. Les cellules des végétaux, des procaryotes, des eumycètes ainsi que des autres eucaryotes unicellulaires sont entourées d'une paroi relativement élastique qui les empêche d'éclater dans un milieu hypotonique.
- Dans la **diffusion facilitée**, des protéines de transport accélèrent le mouvement de l'eau ou du soluté qui traverse une membrane suivant son gradient de concentration. Les **canaux ioniques**, dont certains sont des **canaux à ouverture contrôlée**, facilitent la diffusion des ions à travers une membrane. Les **transporteurs** peuvent connaître des changements de forme subtils qui transfèrent le site de liaison (et le soluté qui y est lié) d'un côté à l'autre de la membrane.

Transport passif : diffusion facilitée

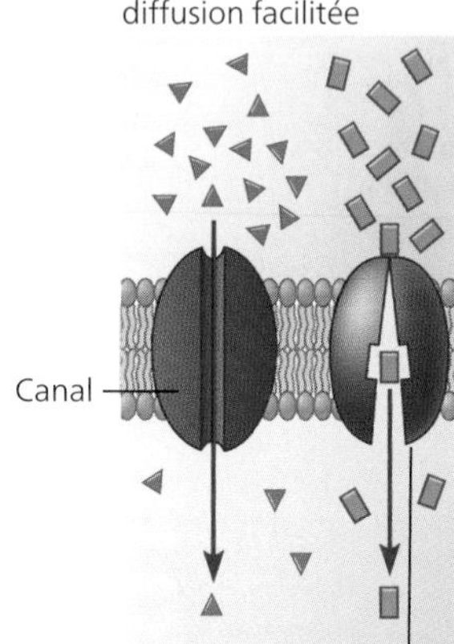

? Qu'advient-il d'une cellule placée dans une solution hypertonique ? Décrivez la concentration d'eau libre à l'intérieur et à l'extérieur de la cellule.

CONCEPT 7.4

Le transport actif utilise de l'énergie pour déplacer des solutés à l'encontre de leur gradient de concentration (p. 149 à 151)

- Des protéines de transport spécifiques, appelées **pompes**, utilisent de l'énergie, généralement sous forme d'ATP, pour effectuer le **transport actif**.
- Les ions ont à la fois un gradient de concentration (chimique) et un gradient électrique (potentiel électrique). Ces deux gradients constituent le **gradient électrochimique**, qui détermine la direction nette de la diffusion des ions.
- Il y a **cotransport** de deux solutés lorsqu'une protéine membranaire permet à la diffusion « descendante » de l'un d'entraîner le transport « ascendant » de l'autre.

Transport actif

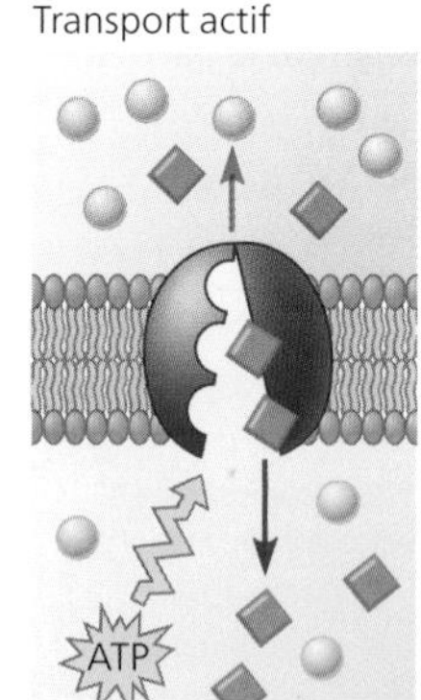

? L'ATP ne participe pas directement au fonctionnement d'un cotransporteur, alors pourquoi le cotransport est-il considéré comme un transport actif ?

CONCEPT 7.5

Les macromolécules et les particules traversent la membrane plasmique par exocytose et endocytose (p. 152 à 153)

- Dans l'**exocytose**, des vésicules intracellulaires migrent vers la membrane plasmique, fusionnent avec elle et libèrent leur contenu à l'extérieur de la cellule. Dans l'**endocytose**, des macromolécules pénètrent dans la cellule au moyen de vésicules qui se forment par invagination de la membrane plasmique. Il existe trois types d'endocytose : la **phagocytose**, la **pinocytose** et l'**endocytose par récepteur interposé.**

? Quel type d'endocytose suppose la liaison de substances spécifiques du liquide extracellulaire aux récepteurs de protéines membranaires ? Qu'est-ce que ce type de transport permet à la cellule d'accomplir ?

Évaluation

NIVEAU 1 : CONNAISSANCES ET COMPRÉHENSION

1. Qu'est-ce qui distingue les diverses membranes d'une cellule eucaryote ?
  a) Elles ne contiennent pas toutes des phospholipides.
  b) Elles ne contiennent pas toutes les mêmes protéines.
  c) Elles n'ont pas toutes une perméabilité sélective.
  d) Elles ne se composent pas toutes de molécules amphipathiques.

2. Selon le modèle de la mosaïque fluide, les protéines membranaires sont :
  a) répandues en une couche ininterrompue sur les faces interne et externe de la membrane.
  b) restreintes au centre hydrophobe de la membrane.
  c) insérées dans une bicouche de phospholipides.
  d) orientées au hasard dans la membrane, sans polarité précise.

3. Parmi les facteurs suivants, lequel tend à augmenter la fluidité membranaire ?
  a) Une forte proportion de phospholipides insaturés.
  b) Une forte proportion de phospholipides saturés.
  c) Une faible température.
  d) Une teneur en protéines relativement élevée dans la membrane.

NIVEAU 2 : APPLICATION ET ANALYSE

4. Quel processus englobe tous les autres ?
  a) L'osmose.
  b) La diffusion d'un soluté à travers la membrane.
  c) Le transport passif.
  d) Le transport d'un ion suivant son gradient électrochimique.

5. En vous appuyant sur la figure 7.18, dites lequel des traitements suivants augmenterait la vitesse du transport du saccharose vers le cytoplasme.
  a) Une diminution de la concentration extracellulaire de saccharose.
  b) Une baisse du pH extracellulaire.
  c) Une baisse du pH cytoplasmique.
  d) L'ajout d'une substance rendant la membrane plus perméable aux protons.

6. **FAITES UN DESSIN ▶** Une cellule artificielle consistant en une solution aqueuse enveloppée par une membrane à perméabilité sélective est immergée dans un bécher contenant une solution différente (le « milieu extracellulaire »). La membrane est perméable à l'eau ainsi qu'au glucose et au fructose (des monosaccharides), mais complètement imperméable au saccharose (un disaccharide).

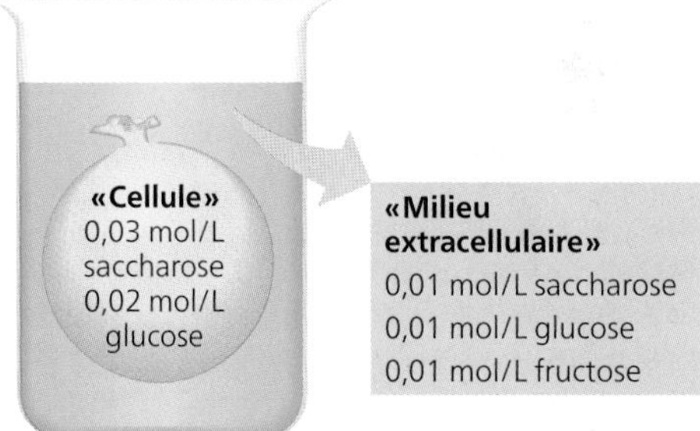

  a) Dessinez des flèches pleines indiquant le mouvement net des solutés qui entrent dans la cellule ou qui en sortent.
  b) La solution extracellulaire est-elle isotonique, hypotonique ou hypertonique ?
  c) Dessinez une flèche pointillée pour indiquer l'osmose nette, s'il y en a une.
  d) La cellule artificielle deviendra-t-elle plus flasque ou plus turgescente, ou restera-t-elle inchangée ?

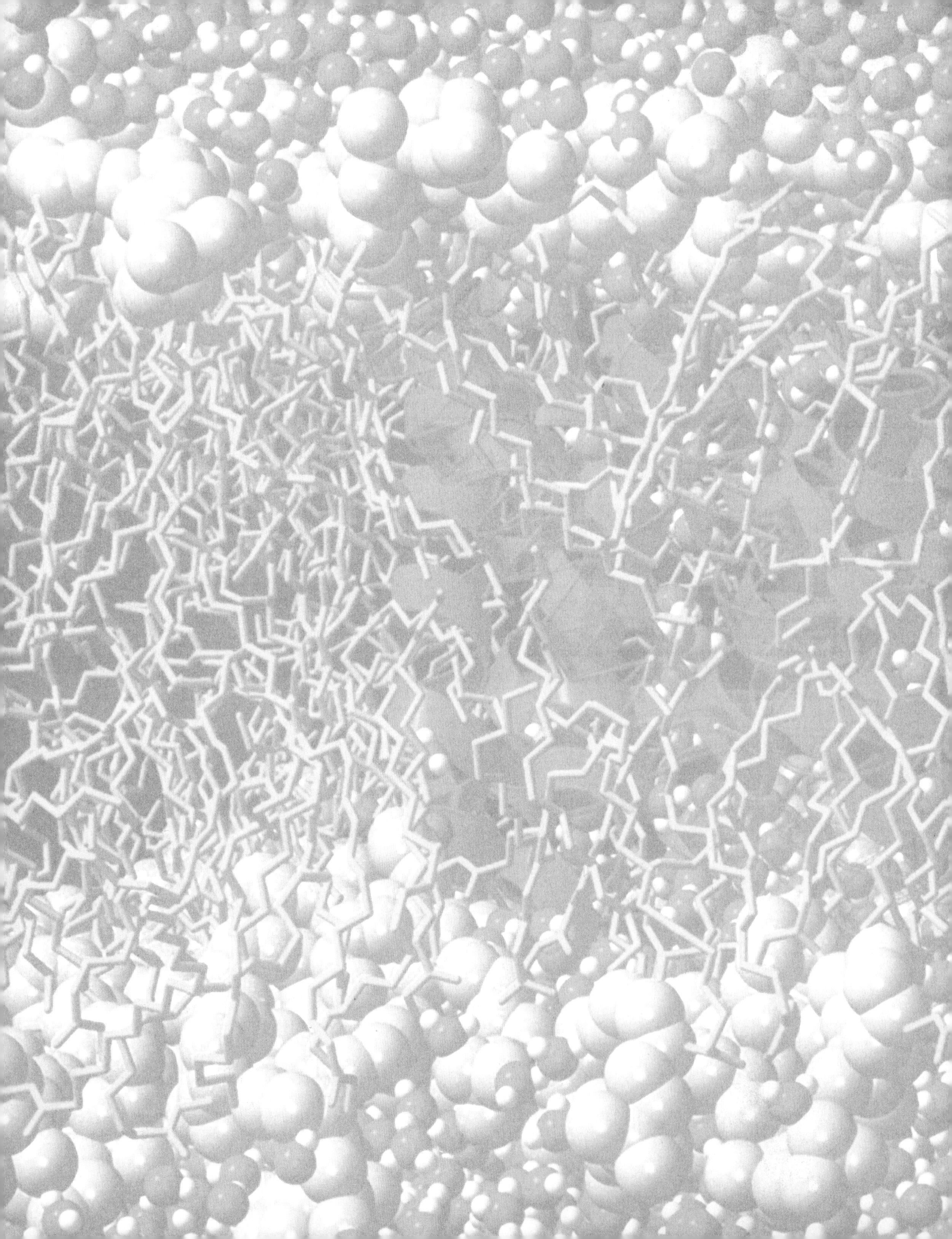

Introduction au métabolisme

VOS OUTILS
INTERACTIFS

Consultez votre MANUEL NUMÉRIQUE, qui vous donne accès aux **animations**, aux **exercices** et à la plateforme d'**anatomie interactive**.

▲ **Figure 8.1 Pourquoi ces vagues déferlantes scintillent-elles dans l'obscurité ?**

CONCEPTS CLÉS

8.1 Le métabolisme d'un organisme transforme la matière et l'énergie selon les principes de la thermodynamique

8.2 Les variations de l'énergie libre dans une réaction indiquent si la réaction a lieu spontanément

8.3 L'ATP permet le travail cellulaire en couplant les réactions exergoniques aux réactions endergoniques

8.4 Les enzymes accélèrent les réactions métaboliques en abaissant les barrières énergétiques

8.5 La régulation de l'activité enzymatique contribue à la régulation du métabolisme

▼ **Luciole.**

L'énergie vitale

La cellule est une usine chimique miniature où se produisent des milliers de réactions dans un espace microscopique. Les glucides peuvent être convertis en acides aminés qui se lient pour former des protéines en cas de besoin. Inversement, durant la digestion, les protéines sont décomposées en acides aminés qui pourront à leur tour être convertis en glucides. Chez les organismes multicellulaires, de nombreuses cellules exportent des produits chimiques d'une partie de l'organisme vers d'autres parties. Le processus chimique appelé respiration cellulaire assure le fonctionnement de la cellule en utilisant l'énergie emmagasinée dans les glucides et d'autres sources d'énergie. La cellule se sert de cette énergie pour accomplir ses différentes fonctions, comme le transport de solutés à travers la membrane plasmique dont nous avons parlé au concept 7.4.

Certaines fonctions sont plutôt surprenantes. Par exemple, ce sont des algues marines unicellulaires flottant librement dans l'eau et appelées dinoflagellés qui font scintiller ainsi les vagues de la **figure 8.1**. Les dinoflagellés convertissent en lumière l'énergie stockée dans certaines de leurs molécules organiques, un processus appelé bioluminescence. La plupart des organismes bioluminescents vivent dans les océans, bien qu'il en existe quelques espèces terrestres, comme la luciole bioluminescente (un coléoptère de la famille des lampyridés) montrée ci-contre. La bioluminescence et les réactions qui ont lieu dans une cellule sont coordonnées et régulées avec précision. Par sa complexité, son efficacité, son intégration et sa sensibilité aux moindres changements, la cellule présente une activité chimique unique en son genre. Les concepts portant sur le métabolisme que vous apprendrez dans ce chapitre vous aideront à mieux comprendre comment la matière et l'énergie circulent au cours des processus vitaux, et comment est régie cette circulation de matière et d'énergie.

CONCEPT **8.1**

Le métabolisme d'un organisme transforme la matière et l'énergie selon les principes de la thermodynamique

Le **métabolisme** (du grec *metabolê*, « changement ») correspond à l'ensemble des réactions biochimiques d'un organisme. Le métabolisme est une propriété émergente de la vie qui découle des interactions entre les molécules présentes dans l'environnement ordonné d'une cellule.

L'organisation de la chimie de la vie en voies métaboliques

Nous pouvons imaginer le métabolisme d'une cellule comme une carte routière complexe montrant les voies suivies par les milliers de réactions qui se produisent dans la cellule, formant un vaste réseau de voies métaboliques. Une **voie métabolique** est une séquence d'étapes au cours desquelles une même molécule subit des modifications jusqu'à l'obtention d'un produit donné. Chaque étape de la voie est catalysée par une enzyme spécifique :

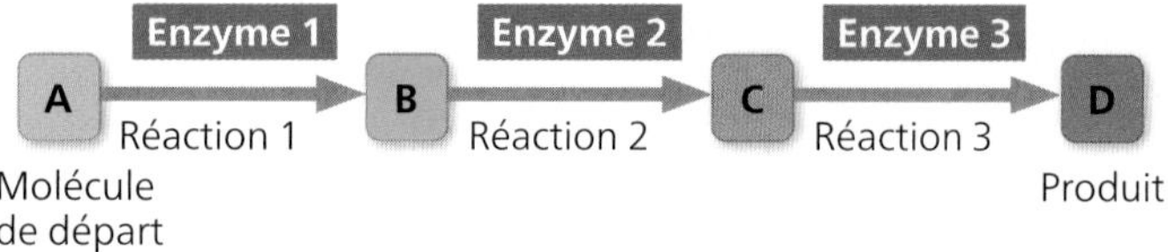

Un peu comme les feux de circulation règlent le déplacement des automobiles, les mécanismes de la régulation enzymatique équilibrent les besoins et les apports métaboliques. Les voies métaboliques peuvent être linéaires, ramifiées ou cycliques.

Dans l'ensemble, le rôle du métabolisme consiste à gérer les ressources énergétiques et matérielles de la cellule. Certaines voies métaboliques libèrent de l'énergie en décomposant des molécules complexes en composés plus simples. Ces processus de dégradation s'appellent **voies cataboliques**, ou voies de dégradation. La respiration cellulaire est une des principales voies cataboliques ; en présence de molécules d'oxygène (O_2), la respiration cellulaire décompose le glucose et d'autres molécules organiques en molécules de dioxyde de carbone (CO_2) et en eau. (Il peut y avoir plus d'une molécule au départ d'une voie ou plus d'un produit à son terme.) L'énergie ainsi libérée peut alors contribuer au travail effectué dans la cellule, comme le battement ciliaire ou le passage d'une substance à travers une membrane. Inversement, les **voies anaboliques** consomment de l'énergie et permettent d'élaborer des molécules complexes à partir de molécules plus simples, elles sont parfois appelées voies de biosynthèse. La synthèse d'un acide aminé à partir de molécules plus simples et la synthèse d'une protéine à partir d'acides aminés sont des exemples d'anabolisme. Les voies cataboliques et anaboliques constituent les avenues qui « montent » et qui « descendent » dans le réseau métabolique. L'énergie libérée par les réactions cataboliques peut être emmagasinée, puis servir aux réactions anaboliques.

Dans ce chapitre, nous nous intéresserons aux mécanismes communs aux voies métaboliques. Comme l'énergie joue un rôle fondamental dans tous les processus métaboliques, il est essentiel de bien cerner ce concept pour comprendre le fonctionnement de la cellule. Pour ce faire, nous utiliserons plusieurs exemples empruntés au domaine de la physique, sachant que les principes illustrés par ces exemples s'appliquent aussi à la **bioénergétique**, c'est-à-dire à l'étude de la circulation de l'énergie dans les cellules.

Les formes d'énergie

L'**énergie** est la capacité de causer un changement. Dans la vie de tous les jours, l'énergie est importante parce que ses diverses formes peuvent produire un travail, c'est-à-dire imprimer un mouvement à la matière pour vaincre les forces opposées qui s'exercent sur elle, comme la force gravitationnelle et la friction. Autrement dit, l'énergie, c'est le pouvoir de changer la disposition d'une portion de matière. Par exemple, vous dépensez de l'énergie pour tourner les pages de ce manuel, au même titre que vos cellules dépensent de l'énergie pour transporter certaines substances à travers des membranes. L'énergie existe sous différentes formes, et la vie dépend de la capacité des cellules à la transformer d'un type en un autre.

L'énergie peut être associée au mouvement relatif des objets ; cette énergie est appelée **énergie cinétique**. Un objet qui se déplace effectue un travail en faisant bouger un autre objet : ainsi, un joueur de billard utilise le mouvement de la queue de billard pour pousser la bille de choc qui fera bouger les autres billes ; l'eau qui coule dans un barrage actionne des turbines ; la contraction des muscles des jambes permet de faire tourner les pédales d'une bicyclette. L'**énergie thermique** est une énergie cinétique qui résulte du mouvement aléatoire d'atomes ou de molécules entrant en collision ; l'énergie thermique qui est transférée d'un corps à un autre est appelée **chaleur**. La lumière, ou énergie de rayonnement, est également un type d'énergie cinétique pouvant servir à effectuer un travail comme la photosynthèse que réalisent les plantes vertes. L'énergie électrique peut servir à déplacer des électrons ou d'autres particules chargées et est utilisée comme mode de communication par le système nerveux des animaux.

Un objet qui n'est pas en mouvement peut posséder lui aussi de l'énergie. Cette énergie non cinétique est appelée **énergie potentielle**, une forme d'énergie que la matière possède en raison de sa position ou de sa structure. Par exemple, l'eau en amont d'un barrage possède une réserve d'énergie en raison de son élévation au-dessus du niveau de la mer. Les molécules emmagasinent de l'énergie grâce à la disposition des électrons dans les liaisons entre leurs atomes. (Nous avons vu, au chapitre 2, que les électrons situés sur la couche externe d'un atome disposent d'une énergie potentielle plus grande que ceux qui sont situés sur les couches internes, plus près du noyau.) Les biologistes appellent **énergie chimique** l'énergie potentielle qui peut être libérée au cours d'une réaction chimique. Rappelez-vous que les voies cataboliques libèrent de l'énergie en dégradant des molécules complexes. Les biologistes disent que ces molécules complexes (le glucose, par exemple) sont riches en énergie chimique. Au cours d'une réaction catabolique, certaines liaisons sont brisées et d'autres se forment, ce qui libère de l'énergie et génère des produits de dégradation moins riches en énergie. Cette transformation a également lieu dans le moteur d'une voiture quand les hydrocarbures de l'essence réagissent de manière explosive avec l'O_2 et libèrent une énergie qui pousse les pistons et produit des gaz d'échappement. Bien que moins explosive, une réaction similaire se produit dans les cellules entre les molécules provenant des aliments et l'oxygène. Cette réaction leur fournit l'énergie chimique et libère des déchets sous forme de CO_2 et d'eau. C'est grâce à ses structures et à ses voies biochimiques que la cellule peut récupérer l'énergie chimique des aliments et l'utiliser pour effectuer les processus vitaux. Le gradient de concentration et le potentiel électrique (réunis sous le gradient électrochimique; voir le concept 7.4) créés autour des membranes cellulaires sont d'autres exemples d'énergie potentielle.

Comment l'énergie passe-t-elle d'une forme à une autre? Examinons les plongeurs de la **figure 8.2**. La femme qui monte l'échelle libère l'énergie chimique des aliments ingérés au repas précédent et utilise une partie de cette énergie pour exécuter le travail de la montée vers le tremplin. L'énergie cinétique des mouvements musculaires est donc transformée en énergie potentielle parce que la plongeuse s'élève de plus en plus haut au-dessus du niveau de la mer. L'homme qui plonge convertit son énergie potentielle en énergie cinétique, laquelle est alors transférée à l'eau au moment où il y entre, provoquant un éclaboussement, du bruit et une augmentation du mouvement des molécules d'eau. Une petite quantité de cette énergie est perdue en chaleur à cause de la friction.

Maintenant, demandons-nous d'où viennent les molécules organiques des aliments qui ont fourni aux plongeurs l'énergie chimique dont ils ont besoin pour monter les échelons jusqu'au tremplin. Cette énergie chimique provient de l'énergie lumineuse transformée par les végétaux au cours de la photosynthèse. En somme, les organismes transforment l'énergie.

Un plongeur a plus d'énergie potentielle sur le tremplin que dans l'eau.
La plongée convertit l'énergie potentielle en énergie cinétique.
La remontée sur le tremplin convertit l'énergie cinétique des mouvements musculaires en énergie potentielle.
Un plongeur a moins d'énergie potentielle dans l'eau que sur le tremplin.

▲ **Figure 8.2 Les transformations de l'énergie potentielle en énergie cinétique, et vice versa.**

Les principes de la transformation d'énergie

L'étude des transformations d'énergie qui se produisent dans une portion de matière se nomme **thermodynamique**. Les scientifiques emploient le terme *système* pour désigner la portion de matière étudiée, et *environnement* pour faire référence à ce qui est extérieur à celle-ci, soit au reste de l'Univers. Un *système isolé*, qu'on peut imaginer comme un liquide dans un thermos, ne peut pas réaliser d'échanges énergétiques avec son environnement. Dans un *système ouvert*, il y a des échanges d'énergie et de matière entre le système et son environnement. Les organismes sont des systèmes ouverts. Ils absorbent de l'énergie (par exemple, de l'énergie lumineuse ou de l'énergie chimique sous la forme de molécules organiques), dégagent de la chaleur et rejettent dans leur environnement des déchets métaboliques tels que le CO_2. La transformation d'énergie dans les organismes et dans toute portion de matière obéit à deux principes de la thermodynamique.

Le premier principe de la thermodynamique

Selon le **premier principe de la thermodynamique**, la quantité d'énergie dans l'Univers ou dans tout système isolé demeure constante. *L'énergie peut être transférée et transformée, mais elle ne peut être ni détruite ni créée.* Ce principe porte aussi le nom de *principe de la conservation de l'énergie*. Les centrales électriques ne fabriquent pas de l'énergie; elles ne font que la transformer en une forme utilisable. De même, la plante qui change l'énergie lumineuse en énergie chimique joue le rôle de convertisseur d'énergie, non de producteur.

L'ours brun (*Ursus arctos*) de la **figure 8.3a** convertit l'énergie chimique des aliments ingérés en énergie cinétique et en d'autres formes d'énergie. Qu'advient-il de cette énergie une fois qu'elle a mené à bien différents processus biologiques? Le second principe de la thermodynamique répond à cette question.

Le deuxième principe de la thermodynamique

Si l'énergie ne peut pas être détruite, alors pourquoi les organismes ne recyclent-ils pas simplement leur énergie au fur et à mesure? En fait, à chaque transfert ou transformation d'énergie, une certaine quantité d'énergie devient inutilisable, non disponible pour effectuer du travail. Autrement dit, aucun processus énergétique n'est efficace à 100%. Dans la plupart des transformations d'énergie, les formes d'énergie utilisable sont converties au moins partiellement en énergie thermique et libérées sous forme de chaleur. Seule une petite fraction de l'énergie chimique contenue dans les aliments que mange l'ours brun (figure 8.3a) est transformée en énergie cinétique qui lui permet de courir (**figure 8.3b**); le reste se perd sous forme de chaleur, laquelle se disperse rapidement dans l'environnement.

Lorsque des réactions chimiques effectuent diverses formes de travail, les cellules vivantes convertissent inévitablement en chaleur d'autres formes organisées d'énergie. Un système peut utiliser cette énergie pour accomplir un travail seulement si une différence de température provoque la diffusion de l'énergie thermique (sous forme de chaleur) d'un endroit plus chaud vers un endroit plus froid. Si la température est uniforme, comme à l'intérieur d'une cellule (trop petite pour qu'il y ait des variations

Figure 8.3 Les deux principes de la thermodynamique.

(a) Premier principe de la thermodynamique. L'énergie ne peut être ni créée ni détruite, seulement transférée ou transformée. Par exemple, l'énergie chimique (potentielle) des aliments sera convertie en énergie cinétique durant la course de l'ours brun, en (b).

(b) Deuxième principe de la thermodynamique. Chaque transfert ou transformation d'énergie accroît le désordre (l'entropie) de l'Univers. Ainsi, quand cet ours court, la libération de chaleur et de petites molécules (sous-produits métaboliques) augmente le désordre autour de son corps. Un ours brun peut atteindre une vitesse de plus de 56 km/h, soit celle d'un cheval de course.

thermiques significatives), la chaleur produite par une réaction chimique ne fera que réchauffer une portion de matière, comme un organisme. (La chaleur ainsi produite peut rendre inconfortable une pièce bondée, car une multitude de réactions chimiques se déroulent dans le corps de chaque personne.)

Cette perte d'énergie utilisable sous forme de chaleur lors d'un transfert ou d'une transformation d'énergie a une conséquence : chacun de ces événements rend l'Univers plus désordonné. Nous utilisons souvent le mot « désordre » pour décrire l'état d'une pièce mal rangée. Toutefois, dans son sens scientifique – plus précisément dans son sens moléculaire –, le terme « désordre » décrit la dispersion de l'énergie dans un système et dans les nombreux niveaux d'énergie qui s'y trouvent. Dans la section qui suit, nous emploierons le mot désordre selon son sens commun (une chambre mal rangée), qui permet une excellente analogie avec le désordre moléculaire tel qu'il existe.

Les scientifiques utilisent une fonction appelée **entropie** pour mesurer ce désordre. Plus un système tend vers le désordre, plus son entropie est élevée. Nous pouvons donc formuler ainsi le **deuxième principe de la thermodynamique** : *tout échange d'énergie augmente l'entropie de l'Univers*. Bien que l'ordre puisse croître localement, l'Univers entier tend irrémédiablement vers un désordre accru.

La dégradation physique de la structure organisée d'un système est un bon exemple d'augmentation de l'entropie : il suffit d'observer une chambre qu'on ne range jamais. Cependant, une grande partie de l'entropie croissante de l'Univers est moins apparente, parce qu'elle prend la forme d'une augmentation de la quantité de chaleur et d'une désorganisation accrue de la matière. En convertissant l'énergie chimique en énergie cinétique, l'ours brun de la figure 8.3b accroît le désordre de son environnement sous forme de chaleur et de petites molécules, qui sont les produits de la dégradation des aliments ingérés.

Le concept d'entropie nous aide à comprendre pourquoi certains processus sont thermodynamiquement favorisés et se produisent spontanément. Si un processus donné peut, de lui-même, entraîner une augmentation de l'entropie, cela signifie qu'il peut le faire sans apport énergétique extérieur. On dit alors que c'est un **processus spontané**. Notez qu'ici le qualificatif *spontané* ne signifie pas qu'il se produira rapidement, mais plutôt qu'il sera *thermodynamiquement favorisé* et se produira de lui-même. (En fait, vous comprendrez mieux ce qui suit si vous pensez à l'expression *thermodynamiquement favorisé* quand vous lirez *spontané*, le terme que les chimistes emploient.) Certains processus spontanés sont pratiquement instantanés, comme une explosion, mais d'autres sont beaucoup plus lents, comme la rouille d'une vieille voiture au fil du temps.

Un processus qui, de lui-même, entraîne une diminution de l'entropie est dit non spontané. Il a lieu seulement si de l'énergie s'ajoute au système. Nous savons par expérience que certains événements surviennent spontanément, et d'autres non. Par exemple, l'eau coule spontanément vers le bas, tandis qu'elle a besoin d'énergie pour monter (une machine devra la pousser, par exemple, contre la force gravitationnelle). Une partie de l'énergie se perd inévitablement sous forme de chaleur, augmentant l'entropie dans l'environnement. Donc, l'utilisation d'énergie signifie qu'un processus non spontané entraîne également une augmentation de l'entropie de l'Univers dans son ensemble.

Ordre et désordre biologiques

Les systèmes vivants accroissent l'entropie de leur environnement, comme le prévoit le deuxième principe de la thermodynamique. Il est vrai que les cellules créent des structures complexes et ordonnées à partir de matériaux de départ simples et moins ordonnés. Ainsi, les molécules les plus simples sont agencées de manière à former une structure plus complexe, un acide aminé par exemple, et à leur tour les acides aminés s'associent pour former des chaînes polypeptidiques. De même, à l'échelle des organismes, les structures complexes et magnifiquement ordonnées comme celles qu'on voit à la **figure 8.4** résultent de processus biologiques qui utilisent des matériaux de départ plus simples.

Cependant, un organisme peut également puiser dans son environnement des formes organisées de matière et d'énergie et les remplacer par des formes moins ordonnées. Ainsi, en consommant des aliments, un animal obtient de l'amidon, des

▲ **Figure 8.4 L'ordre en tant que caractéristique de la vie.** L'ordre saute aux yeux lorsqu'on regarde cette étoile de mer ou cet agave. En tant que systèmes ouverts, les organismes peuvent accroître leur ordre, pourvu que l'ordre de leur environnement diminue, avec pour résultat une augmentation globale de l'entropie de l'Univers.

protéines et d'autres molécules complexes. En les dégradant par des voies cataboliques, il libère du CO_2 et de l'eau, de petites molécules simples qui emmagasinent moins d'énergie que les aliments de départ (voir la figure 8.3b). C'est la chaleur générée par les réactions de dégradation qui explique cette réduction de l'énergie chimique. À une plus vaste échelle, l'énergie pénètre dans un écosystème sous forme de lumière et le quitte sous forme de chaleur (voir la figure 1.11).

Lorsque la vie est apparue, des organismes complexes ont évolué à partir d'ancêtres plus simples. Par exemple, il est possible de remonter la lignée du règne végétal à partir des algues vertes, des êtres vivants très simples, jusqu'aux plantes à fleurs, très complexes. L'accroissement de l'organisation des organismes avec le temps ne va pas à l'encontre du deuxième principe de la thermodynamique. En effet, l'entropie d'un système donné peut diminuer, pourvu que l'entropie totale de l'Univers (soit le système et son environnement) augmente. En conséquence, les organismes sont des îlots de faible entropie dans un Univers de plus en plus désordonné. L'évolution du caractère ordonné des êtres vivants est donc parfaitement en harmonie avec les principes de la thermodynamique.

RETOUR SUR LE CONCEPT 8.1

1. **FAITES DES LIENS ▶** En quoi le deuxième principe de la thermodynamique contribue-t-il à expliquer la diffusion d'une substance à travers une membrane ? (Voir la figure 7.10.)
2. Décrivez les formes d'énergie qui se trouvent dans une pomme lorsqu'elle pousse dans l'arbre, puis lorsqu'elle tombe et enfin lorsqu'elle est digérée par quelqu'un qui l'a mangée.
3. **ET SI ? ▶** Si vous mettez une cuillerée à café de sucre dans un verre d'eau, le sucre finira par se dissoudre complètement. Ensuite, avec le temps, l'eau finira par disparaître et les cristaux de sucre réapparaîtront. Expliquez ces phénomènes du point de vue de l'entropie.

Voir les réponses proposées à l'appendice A.

CONCEPT **8.2**

Les variations de l'énergie libre dans une réaction indiquent si la réaction a lieu spontanément

Les principes de la thermodynamique que nous venons de voir s'appliquent à l'Univers dans son ensemble. Les biologistes aspirent à comprendre les réactions chimiques de la vie : par exemple, quelles réactions surviennent spontanément et lesquelles nécessitent de l'énergie. Mais comment y arriver sans examiner les variations de l'énergie et de l'entropie dans tout l'Univers pour chacune de ces réactions ?

La variation de l'énergie libre, ΔG

Rappelez-vous que l'Univers a deux constituants : « le système » et « l'environnement ». En 1878, J. Willard Gibbs, un physicien américain, a défini une fonction très utile appelée *énergie libre* d'un système (sans tenir compte de son environnement), symbolisée par la lettre G (en l'honneur de Gibbs). L'**énergie libre** d'un système est la portion de l'énergie de ce système qui peut produire du travail à une température et à une pression constantes, comme c'est le cas dans une cellule.

L'énergie totale, ou *enthalpie* (H), l'énergie libre, ou utilisable (G), et l'énergie non utilisable (S) d'un système sont liées de la façon suivante :

$$H = G + TS$$

où T est la température absolue en degrés Kelvin (K = °C + 273).

Voyons maintenant comment on détermine les variations de l'énergie libre lorsqu'un système change, par exemple au cours d'une réaction chimique. Dans toute réaction chimique, la variation de l'énergie libre, ΔG, se calcule à l'aide de la formule suivante, qu'on peut déduire de celle que nous venons tout juste de présenter :

$$\Delta G = \Delta H - T\Delta S$$

Cette formule ne tient compte que des propriétés du système lui-même (la réaction) : ΔH symbolise le changement qui se produit dans l'enthalpie du système (dans un système biologique, l'enthalpie est égale à l'énergie totale) ; ΔS est le changement qui se produit dans l'entropie du système. Notez que, par convention, le symbole Δ (la lettre grecque delta) désigne la variation d'une valeur.

À l'aide de méthodes chimiques, nous pouvons mesurer la valeur de ΔG pour n'importe quelle réaction. (Cette valeur dépend de facteurs tels que le pH, la température et les concentrations de réactifs et de produits.) Quand on connaît la valeur de ΔG dans un processus, on peut s'en servir pour déterminer si le processus sera spontané (s'il se produira sans apport d'énergie). Plus d'un siècle d'expérimentation a montré que seuls les processus où la valeur de ΔG est négative surviennent spontanément.

Pour que la valeur de ΔG soit négative, la valeur de ΔH doit être négative (le système subit une perte d'enthalpie et H diminue) ou celle de $T\Delta S$ doit être positive (le système subit un accroissement de son désordre et S augmente), ou les deux simultanément. Une fois les valeurs de ΔH et de $T\Delta S$ calculées, ΔG a une valeur négative ($\Delta G < 0$) dans tous les processus spontanés. En d'autres termes, tout processus spontané réduit l'énergie libre du système, et les processus où la valeur de ΔG est positive ou égale à 0 ne sont jamais spontanés.

Ces données intéressent les biologistes au plus haut point, car elles leur permettent de dire quel type de variation peut se produire sans apport énergétique extérieur. De telles variations spontanées peuvent servir à effectuer un travail. Ce principe est très important dans l'étude du métabolisme, dont le but premier est de déterminer les réactions qui peuvent fournir l'énergie nécessaire à l'exécution d'un travail cellulaire.

Énergie libre, stabilité et équilibre

Comme nous venons de le voir, lorsqu'un processus survient spontanément dans un système, c'est que la valeur de ΔG est négative. Pour mieux comprendre la signification de ΔG, vous pouvez aussi vous dire qu'elle représente la différence entre l'énergie libre des produits et l'énergie libre des réactifs:

$$\Delta G = G_{\text{produits}} - G_{\text{réactifs}}$$

Donc, la valeur de ΔG ne peut être négative que lorsque le processus comporte une perte d'énergie libre en passant des réactifs aux produits. Étant donné qu'il a moins d'énergie libre, le système, à l'étape des produits, a moins tendance à changer et est donc plus stable qu'il ne l'était.

On peut considérer l'énergie libre comme la mesure de l'instabilité d'un système, c'est-à-dire de sa tendance à évoluer vers un état plus stable. Les systèmes instables (valeur de G élevée) tendent en effet à évoluer vers un état plus stable (valeur de G faible). Par exemple, un plongeur sur un tremplin est moins stable (plus susceptible de tomber) qu'un nageur qui flotte sur l'eau, une goutte de colorant concentré est moins stable (plus susceptible de se disperser) que si le colorant est dispersé au hasard dans le liquide. De même, une molécule de glucose est moins stable (plus susceptible de se dégrader) que les molécules plus simples qui peuvent résulter de sa dégradation (**figure 8.5**). À moins qu'il y ait un obstacle, chacun de ces systèmes aura tendance à évoluer vers un état plus stable: le plongeur sautera à l'eau, la solution se colorera uniformément, la molécule de glucose sera dégradée en plus petites molécules.

Le terme *équilibre* exprime un état de stabilité maximale, comme nous l'avons vu au concept 2.4 en ce qui a trait aux réactions chimiques. Il existe une relation importante entre l'énergie libre et l'équilibre, y compris l'équilibre chimique. Nous avons vu que la plupart des réactions chimiques sont réversibles et

▼ **Figure 8.5 Les rapports entre énergie libre, stabilité, changement spontané et travail.** Les systèmes instables (illustrations du haut) possèdent beaucoup d'énergie libre, *G*. Ils ont tendance à changer spontanément pour atteindre un état plus stable (illustrations du bas). Il est possible d'utiliser cette diminution d'énergie pour produire du travail.

- Énergie libre accrue (*G* plus élevée)
- Stabilité réduite
- Capacité de travail accrue

Lors d'un **changement spontané**:
- L'énergie libre du système diminue ($\Delta G < 0$).
- Le système devient plus stable.
- L'énergie libre relâchée peut servir à effectuer un travail.

- Énergie libre réduite (*G* plus faible)
- Stabilité accrue
- Capacité de travail réduite

(a) Mouvement gravitationnel. Les objets se déplacent spontanément du haut vers le bas.

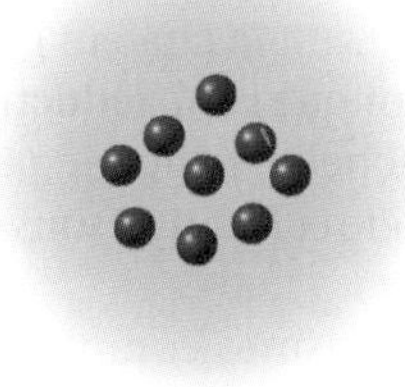

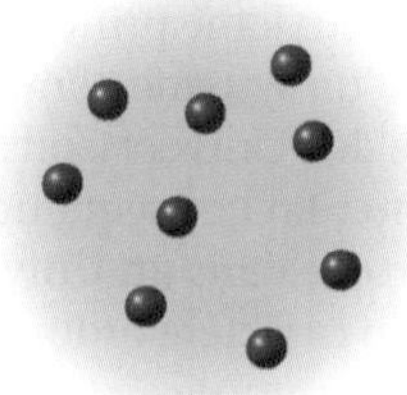

(b) Diffusion. Les molécules d'une goutte de colorant diffusent jusqu'à ce qu'elles soient dispersées au hasard.

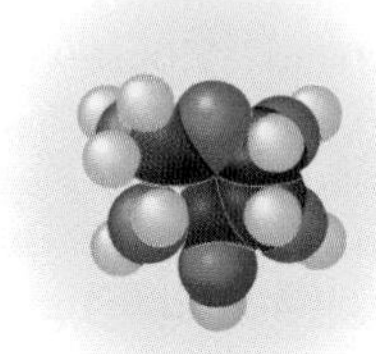

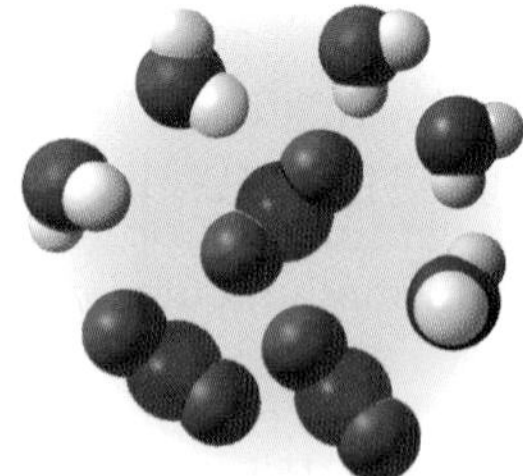

(c) Réaction chimique. Dans une cellule, une molécule de glucose est dégradée en molécules plus simples.

FAITES DES LIENS ▶ Comparez la redistribution des molécules de l'illustration (b) avec le transport des ions hydrogène (H^+) à travers une membrane par une pompe à protons, ce qui crée un gradient de concentration comme celui de la figure 7.17. Quel(s) processus donne(nt) lieu à une augmentation de l'énergie libre? Quel(s) système(s) peut(vent) effectuer du travail?

qu'elles s'effectuent jusqu'à ce que les réactions directe et inverse se produisent à la même vitesse. On dit alors qu'elles ont atteint l'équilibre chimique. Lorsque c'est le cas, les réactifs et les produits demeurent toujours dans les mêmes proportions.

L'énergie libre du mélange de réactifs et de produits diminue lorsque la réaction tend vers l'équilibre. Inversement, elle augmente lorsque la réaction s'éloigne de son point d'équilibre, comme ce sera le cas si on enlève une partie des produits (ce qui change leur concentration par rapport à celle des réactifs). Dans une réaction en équilibre, la valeur de ΔG est à son minimum pour le système. Le moindre changement par rapport à l'équilibre correspond à une valeur de ΔG positive et à un changement non spontané. C'est pourquoi les systèmes ne s'éloignent jamais spontanément de leur point d'équilibre. Comme il ne peut pas changer spontanément, un système en équilibre ne peut pas produire de travail. *Seul un processus qui se dirige vers son point d'équilibre est spontané et peut effectuer du travail.*

Énergie libre et métabolisme

Nous pouvons maintenant appliquer le concept d'énergie libre à la chimie de la vie.

Les réactions exergoniques et endergoniques dans le métabolisme

Selon les variations d'énergie libre qu'elles entraînent, les réactions chimiques sont soit exergoniques («énergie vers l'extérieur»), soit endergoniques («énergie vers l'intérieur»). Une **réaction exergonique** s'accompagne d'un dégagement net d'énergie libre (**figure 8.6a**). Comme le mélange chimique perd de l'énergie libre (G diminue), la valeur de ΔG est négative. La valeur de ΔG nous indique que les réactions exergoniques se produisent spontanément. (Rappelez-vous que le mot *spontané* signifie thermodynamiquement favorisé et qu'il n'est pas synonyme d'*instantané*, ni même de *rapide*.) La valeur de ΔG d'une réaction exergonique correspond à la quantité maximale de travail que la réaction peut produire*. Plus la perte d'énergie libre est forte, plus la quantité de travail possible est élevée.

Prenons comme exemple la réaction globale de la respiration cellulaire aérobie :

$$C_6H_{12}O_6 + 6\ O_2 \rightarrow 6\ CO_2 + 6\ H_2O$$
$$\Delta G = -2\ 870\ \text{kJ/mol}$$

Remarquez d'abord la valeur négative de ΔG dans cette réaction où, pour chaque mole de glucose (180 g) décomposée par la respiration dans des conditions dites «normales» (1 mole de chaque réactif et de chaque produit, 25 °C, pH 7), 2 870 kJ d'énergie sont libérés pour produire du travail. Comme l'énergie se conserve et que les *produits* de la respiration ($6\ CO_2 + 6\ H_2O$) ont 2 870 kJ d'énergie libre de moins que les *réactifs* ($C_6H_{12}O_6 + 6\ O_2$), nous savons que la différence d'énergie libre a servi à produire du travail, qu'elle a participé à une autre réaction, autrement dit que l'énergie stockée dans les liaisons des molécules de glucides a alimenté un travail cellulaire.

Il importe de comprendre que le bris des liaisons ne libère pas nécessairement de l'énergie ; au contraire, comme nous le verrons plus loin, il en exige. L'expression «l'énergie stockée dans les liaisons» est un raccourci : il s'agit en fait de l'énergie potentielle qui peut être libérée lorsque de nouvelles liaisons se forment après le bris des liaisons, et ce, à condition que l'énergie libre des produits soit moins élevée que celle des réactifs†.

La **réaction endergonique**, elle, absorbe l'énergie libre de son environnement (**figure 8.6b**). Étant donné qu'elle *emmagasine* plus d'énergie libre qu'elle n'en libère (G augmente), ΔG est positif. Elle n'est pas spontanée et la valeur de ΔG correspond à la quantité minimale d'énergie requise par la réaction. Si elle est exergonique dans un sens, la réaction chimique est obligatoirement endergonique dans le sens inverse. Une réaction réversible ne peut libérer de l'énergie dans les deux directions. Par exemple, si $\Delta G = -2\ 870$ kJ/mol dans le cas de la respiration cellulaire, qui convertit le glucose en CO_2 et en eau, alors le processus inverse, c'est-à-dire la conversion du CO_2 et de l'eau en glucose, doit être fortement endergonique : $\Delta G = +2\ 870$ kJ/mol. Une réaction de ce genre n'aurait jamais lieu spontanément (autrement dit sans apport d'énergie).

Alors, comment les végétaux produisent-ils le glucose dont les organismes ont besoin pour vivre ? L'énergie nécessaire pour produire du glucose (2 870 kJ/mol pour 1 mole de glucose) leur

▼ **Figure 8.6 Les variations de l'énergie libre (ΔG) dans les réactions exergoniques et endergoniques.**

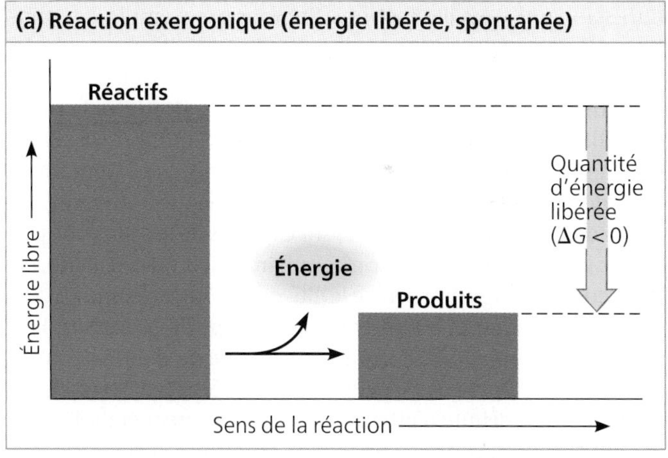

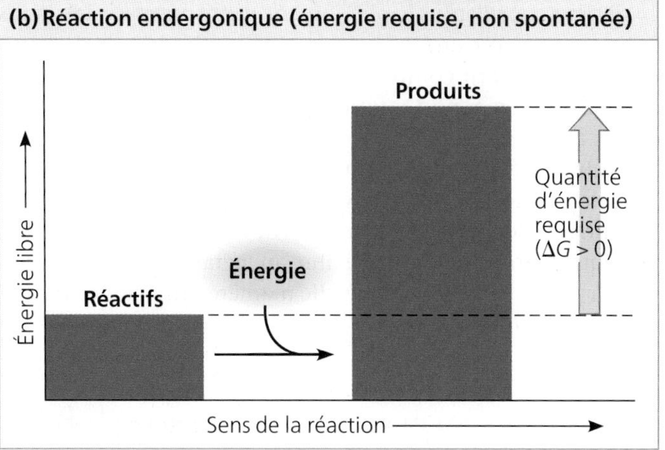

* On emploie ici le mot maximale pour qualifier la quantité de travail, parce qu'une partie de l'énergie libre est libérée sous forme de chaleur et ne peut effectuer aucun travail. Donc, ΔG représente une limite supérieure théorique pour l'énergie disponible.

† Cette phrase mérite d'être relue au besoin, car elle contient des principes essentiels à la bonne compréhension des notions présentées dans ce chapitre.

provient de l'environnement; ils captent l'énergie lumineuse qu'ils convertissent en énergie chimique. Ensuite, en une longue série d'étapes endergoniques, les végétaux utilisent graduellement cette énergie chimique pour assembler des molécules de glucose.

Équilibre et métabolisme

Les réactions qui se produisent dans un système isolé finissent par atteindre l'équilibre et sont alors incapables de produire du travail, comme l'illustre le système hydroélectrique de la **figure 8.7a**, dans lequel l'écoulement de l'eau vers le bas actionne une génératrice. Les réactions chimiques du métabolisme sont réversibles; elles atteindraient l'équilibre si elles se produisaient de manière isolée dans une éprouvette (système isolé). Comme les systèmes à l'état d'équilibre sont au minimum de G et ne peuvent produire aucun travail, une cellule qui atteindrait l'équilibre métabolique mourrait! *Le fait que le métabolisme dans son ensemble ne soit jamais en équilibre est l'une des caractéristiques de la vie.*

Comme la plupart des systèmes, les cellules de notre corps ne sont pas en état d'équilibre, même si l'organisme dans son ensemble est, lui, à la recherche constante de l'équilibre. La fuite et l'apport constants de matière empêchent ses voies métaboliques d'atteindre l'équilibre, lui permettant ainsi de produire du travail sa vie durant. Le système hydroélectrique ouvert (plus réaliste que le premier) de la **figure 8.7b** illustre bien ce principe, à la différence que la voie catabolique d'une cellule libère l'énergie libre selon une suite de réactions. Prenons par exemple la respiration cellulaire, que le système de la **figure 8.7c** illustre par analogie. Certaines de ses réactions réversibles doivent s'effectuer dans un seul sens: elles ne peuvent donc jamais atteindre le point d'équilibre. Pour prolonger cette absence d'équilibre, la cellule doit faire en sorte que les produits d'une réaction ne s'accumulent pas; alors, elle fait d'eux les réactifs de la réaction suivante. Au terme du processus, les déchets sont expulsés de la cellule. Le processus global de la respiration cellulaire a lieu grâce à l'énorme différence d'énergie libre entre le glucose et l'O_2, au sommet de la pente énergétique, et le CO_2 et l'eau, au terme du processus. Tant qu'elle reçoit un apport constant de glucose ou d'autres sources d'énergie et d'O_2 et qu'elle peut rejeter les déchets dans son environnement, la cellule n'atteint jamais l'équilibre métabolique et elle continue à accomplir son travail, essentiel à la vie.

Si nous considérons le phénomène dans son ensemble, nous constatons encore une fois à quel point il est important de considérer l'être vivant comme un système ouvert. La lumière du Soleil assure un apport quotidien d'énergie libre aux végétaux et aux autres organismes photosynthétiques d'un écosystème. Les animaux et les autres organismes non photosynthétiques de cet écosystème doivent disposer d'une source d'énergie libre, en l'occurrence les produits organiques de la photosynthèse. Ayant appliqué le concept d'énergie libre au métabolisme, nous pouvons à présent examiner de quelle manière une cellule effectue le travail essentiel à la vie.

RETOUR SUR LE CONCEPT 8.2

1. La respiration cellulaire consomme du glucose et de l'O_2, riches en énergie libre, et libère du CO_2 et de l'eau, pauvres en énergie libre. La respiration cellulaire est-elle un processus spontané ou non? Est-elle exergonique ou endergonique? Qu'arrive-t-il à l'énergie libérée par le glucose?
2. **HABILETÉS VISUELLES ▶** En quoi le catabolisme et l'anabolisme sont-ils reliés à la figure 8.5c?
3. **ET SI? ▶** C'est la nuit de la Saint-Jean et des fêtards portent des colliers phosphorescents. Ces colliers s'illuminent une fois qu'on les a activés, ce qui se fait généralement en attachant les extrémités du collier de manière à mettre deux produits chimiques en contact, et produire ainsi une réaction et une émission de chimiluminescence. Un ami vous demande si cette réaction chimique est exergonique ou endergonique; que lui répondez-vous? Expliquez votre réponse.

Voir les réponses proposées à l'appendice A.

▼ **Figure 8.7 Équilibre et travail dans des systèmes hydroélectriques isolés et ouverts.**

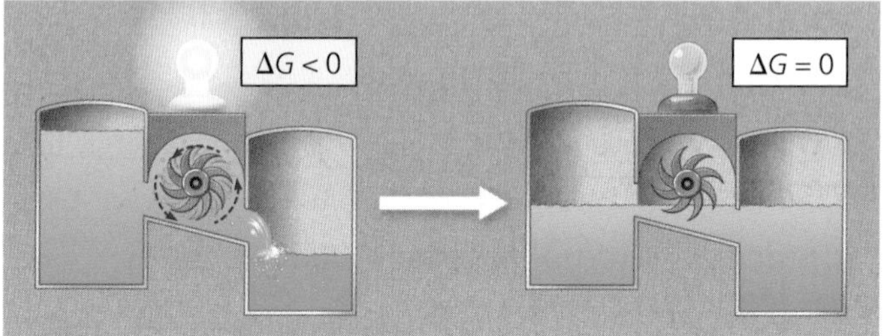

(a) Système hydroélectrique isolé. L'écoulement de l'eau vers le bas actionne la génératrice qui alimente une ampoule électrique, mais seulement jusqu'à ce que le système atteigne l'équilibre.

(b) Système hydroélectrique ouvert. L'écoulement de l'eau ne cesse jamais d'actionner la génératrice, parce que l'apport et l'évacuation de l'eau empêchent le système d'atteindre l'équilibre.

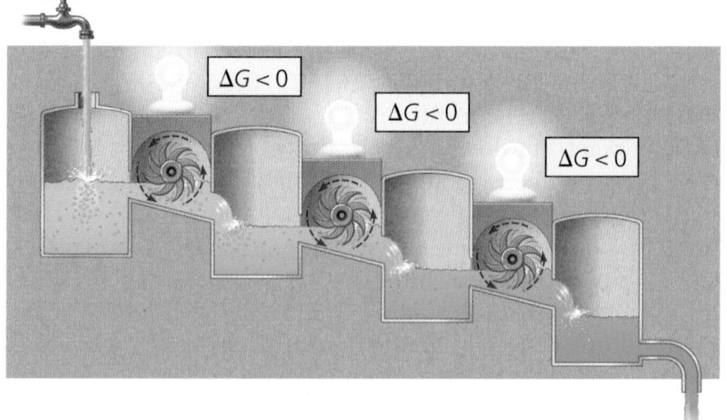

(c) Système hydroélectrique ouvert multiniveaux. La respiration cellulaire ressemble à ce mécanisme: le glucose se dégrade selon une série de réactions exergoniques qui fournissent l'énergie nécessaire au fonctionnement de la cellule. Le produit de chaque réaction devient le réactif de la suivante, de sorte qu'aucune réaction n'atteint l'équilibre.

CONCEPT 8.3

L'ATP permet le travail cellulaire en couplant les réactions exergoniques aux réactions endergoniques

Une cellule produit principalement trois types de travail:

- un *travail chimique*, soit le déclenchement de réactions endergoniques qui ne se produiraient pas spontanément, comme la synthèse de polymères à partir de monomères (le travail chimique est le sujet du présent chapitre, et nous en donnerons des exemples aux chapitres 9 et 10);
- un *travail de transport*, comme le passage transmembranaire de substances dans le sens inverse du mouvement spontané (voir le concept 7.4);
- un *travail mécanique*, comme le changement de forme d'une cellule, le battement des cils (voir le concept 6.6), la contraction des cellules musculaires ou le mouvement des chromosomes au cours de la reproduction cellulaire.

Le **couplage énergétique** est un processus clé de la bioénergétique. Il consiste à employer l'énergie dégagée par une réaction exergonique pour déclencher une réaction endergonique, en grande partie grâce à l'ATP. Dans la majorité des cas, l'ATP est la source d'énergie directe qui permet à la cellule de produire du travail.

La structure et l'hydrolyse de l'ATP

Nous avons déjà parlé de l'**ATP** (**adénosine triphosphate**) au chapitre 4, lorsque nous avons expliqué que le groupement phosphate était un groupement fonctionnel (voir le concept 4.3). Examinons de plus près la structure de la molécule d'ATP. Celle-ci se compose du ribose, auquel sont liées la base azotée adénine et une chaîne de trois groupements phosphate (le groupement triphosphate) (**figure 8.8a**). En plus de son rôle dans le couplage énergétique, l'ATP est l'un des nucléosides triphosphate utilisés pour produire l'ARN (voir la figure 5.23).

Les liaisons entre les groupements phosphate de l'ATP peuvent être rompues par une réaction d'hydrolyse. Lorsque l'ajout d'une molécule d'eau brise la liaison du phosphate terminal, il y a libération d'une molécule de phosphate inorganique ($HOPO_3^{2-}$, que nous exprimerons dorénavant par le symbole $\textcircled{P}_i$). L'ATP devient alors l'adénosine diphosphate, ou ADP (**figure 8.8b**). Il s'agit d'une réaction exergonique; dans des conditions normales, elle dégage 30,5 kJ d'énergie par mole d'ATP hydrolysée:

$$ATP + H_2O \rightarrow ADP + \textcircled{P}_i$$
$$\Delta G = -30{,}5 \text{ kJ/mol (conditions normales)}$$

POUR APPROFONDIR ■ Il s'agit là de la variation d'énergie libre mesurée en laboratoire dans des conditions normales. Cependant, dans la cellule, les conditions ne sont pas normales, principalement parce que la concentration du produit et du réactif diffère de 1 mole. Par exemple, quand l'hydrolyse de l'ATP se déroule dans les conditions du milieu cellulaire, la valeur réelle de ΔG est d'environ −54,4 kJ/mol, soit 78 % de plus que l'énergie libérée par l'hydrolyse de l'ATP dans des conditions normales.

Étant donné que l'hydrolyse des liaisons phosphate de l'ATP libère de l'énergie, on dit parfois que ces liaisons possèdent une énergie élevée, mais cette expression est trompeuse, car elles ne sont pas exceptionnellement fortes. En fait, si les réactifs (l'ATP et l'eau) ont beaucoup d'énergie, c'est par rapport aux produits (ADP et $\textcircled{P}_i$). Le dégagement d'énergie au cours de l'hydrolyse de l'ATP ne provient pas des liaisons phosphate elles-mêmes, mais d'un réarrangement des électrons sur les orbitales qui aboutit à une baisse d'énergie libre.

L'ATP est utile à la cellule parce que l'énergie qu'il libère lors de l'hydrolyse d'un groupement phosphate est légèrement supérieure à l'énergie que la plupart des autres molécules pourraient dégager. Mais pourquoi cette hydrolyse libère-t-elle tant d'énergie? Si nous examinons de nouveau la molécule d'ATP à la figure 8.8a, nous pouvons voir que les trois groupements phosphate portent une charge négative. Comme ces trois charges de même signe sont rapprochées les unes des autres, il se produit une répulsion mutuelle entre les groupements phosphate. Celle-ci contribue à l'instabilité de ce segment de la molécule d'ATP. La queue triphosphate de la molécule d'ATP est l'équivalent chimique d'un ressort comprimé. ■

▼ **Figure 8.8 La structure et l'hydrolyse de l'adénosine triphosphate (ATP).** Tout au long du présent ouvrage, nous représenterons la structure chimique du groupement triphosphate montrée en (a) par trois cercles jaunes reliés l'un à l'autre, comme on le voit ici en (b).

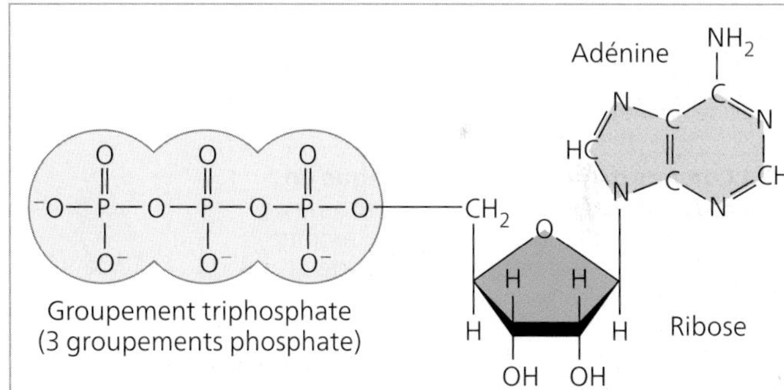

(a) Structure de l'ATP. Dans la cellule, la plupart des groupements hydroxyle fixés aux groupements phosphate sont ionisés ($-O^-$).

Adénosine triphosphate (ATP)

H_2O

\+ $\textcircled{P}_i$ + Énergie

Adénosine diphosphate (ADP)

Phosphate inorganique

(b) Hydrolyse de l'ATP. L'hydrolyse de l'ATP produit de l'ADP, un phosphate inorganique ($\textcircled{P}_i$) et de l'énergie.

Comment l'hydrolyse de l'ATP produit du travail

Quand on hydrolyse de l'ATP dans une éprouvette, le dégagement d'énergie libre qui en résulte ne fait que réchauffer l'eau du contenant. Dans un organisme, il arrive que la même production de chaleur soit bénéfique. Par exemple, le frisson utilise l'hydrolyse de l'ATP durant la contraction musculaire pour réchauffer le corps. Cependant, dans la cellule, la production de chaleur employée seule reviendrait le plus souvent à utiliser inefficacement (et même dangereusement) une source d'énergie précieuse. Au lieu de cela, les protéines de la cellule utilisent l'énergie dégagée durant l'hydrolyse de l'ATP de plusieurs manières pour accomplir trois types de travail cellulaire – le travail chimique, le travail de transport et le travail mécanique.

Ainsi, avec l'aide d'enzymes spécifiques, la cellule peut utiliser directement l'énergie dégagée par l'hydrolyse de l'ATP pour réaliser des réactions chimiques qui, en elles-mêmes, sont endergoniques. Si la valeur de ΔG d'une réaction endergonique est inférieure à la quantité d'énergie dégagée par l'hydrolyse de l'ATP, les deux réactions pourront alors être couplées, de sorte qu'au total les réactions couplées sont exergoniques. Ce couplage suppose habituellement une phosphorylation, c'est-à-dire le transfert d'un groupement phosphate de l'ATP à une autre molécule, comme le réactif. La molécule qui reçoit le groupement phosphate lié à lui par covalence s'appelle alors **intermédiaire phosphorylé**. La clé du couplage des réactions exergoniques et endergoniques réside dans la formation de cet intermédiaire particulier, qui est plus réactif (moins stable et dont l'énergie libre est plus élevée) que la molécule originale non phosphorylée (**figure 8.9**).

De même, le travail de transport et le travail mécanique dans la cellule sont presque toujours mis en œuvre par l'hydrolyse de l'ATP. Dans ces deux cas, l'hydrolyse de l'ATP modifie la forme de la protéine et, souvent, sa capacité de se lier à une autre molécule. Parfois, l'action se produit grâce à un intermédiaire phosphorylé, comme c'est le cas pour la protéine de transport de la **figure 8.10a**. En général, quand le travail mécanique suppose que des protéines motrices «circulent» le long d'éléments du cytosquelette (**figure 8.10b**), l'action se déroule de façon cyclique. D'abord, l'ATP se lie de façon non covalente à la protéine motrice. Puis, l'ATP est hydrolysée, libérant ADP et Ⓟ_i. Une autre molécule d'ATP peut alors se lier. À chaque étape, la protéine motrice change de forme et modifie sa capacité à se lier au cytosquelette, ce qui permet le mouvement de la protéine le long de la voie cytosquelettique. La phosphorylation et la déphosphorylation favorisent des changements de forme essentiels dans de nombreux autres processus cellulaires importants.

La régénération de l'ATP

Un organisme au travail utilise continuellement de l'ATP. Heureusement, celui-ci constitue une ressource renouvelable qui peut être régénérée par l'ajout d'un phosphate à de l'ADP

▼ **Figure 8.9 Comment l'ATP effectue du travail chimique: le couplage énergétique au moyen de l'hydrolyse de l'ATP.** Dans cet exemple, le processus exergonique qu'est l'hydrolyse de l'ATP fournit l'énergie nécessaire à un processus endergonique: la synthèse cellulaire de la glutamine (un acide aminé) à partir d'acide glutamique (un autre acide aminé) et d'ammoniac.

(a) Conversion de l'acide glutamique en glutamine. En elle-même, la synthèse de la glutamine à partir d'acide glutamique (Glu) est endergonique (la valeur de ΔG est positive), de sorte qu'elle n'est pas spontanée.

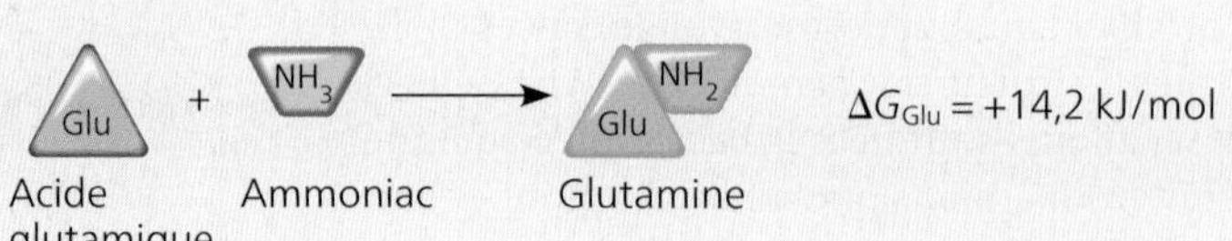

$\Delta G_{Glu} = +14,2$ kJ/mol

(b) Réaction de conversion couplée avec l'hydrolyse de l'ATP. Dans la cellule, la synthèse de la glutamine se déroule en deux étapes, couplée par un intermédiaire phosphorylé. ❶ L'ATP phosphoryle l'acide glutamique, le rendant moins stable et lui donnant plus d'énergie libre. ❷ L'ammoniac déplace le groupement phosphate, formant la glutamine.

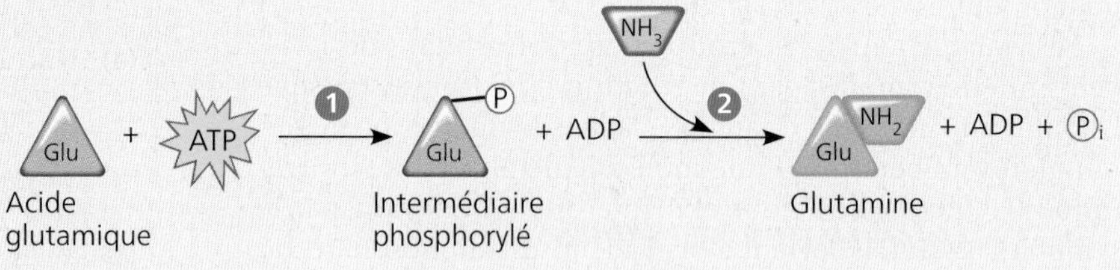

(c) Variation de l'énergie libre pour une réaction couplée. L'addition de ΔG pour la conversion de l'acide glutamique en glutamine (+14,2 kJ/mol) et de ΔG pour l'hydrolyse de l'ATP (–30,5 kJ/mol) donne la variation d'énergie pour la réaction totale (–16,3 kJ/mol). L'ensemble du processus étant exergonique (la variation nette de ΔG est négative), il se produit spontanément.

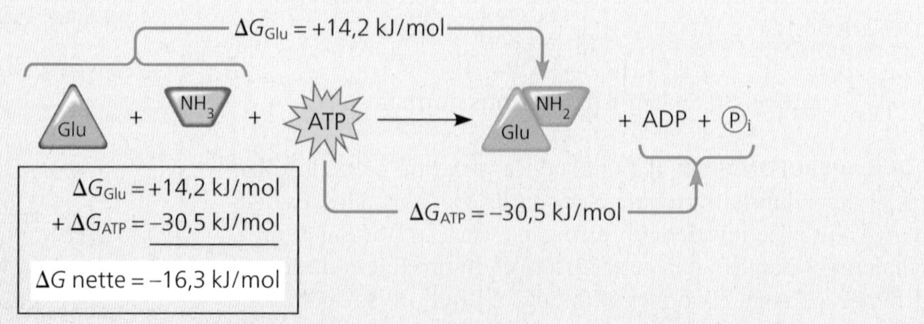

$\Delta G_{Glu} = +14,2$ kJ/mol
$+ \Delta G_{ATP} = -30,5$ kJ/mol
ΔG nette $= -16,3$ kJ/mol

FAITES DES LIENS ▶ En vous référant à la figure 5.14, expliquez pourquoi on représente la glutamine (Gln) comme une molécule d'acide glutamique (Glu) liée à un groupement amine.

▼ **Figure 8.10 Comment l'ATP fournit l'énergie nécessaire au travail de transport et au travail mécanique de la cellule.** L'hydrolyse de l'ATP modifie la forme et les affinités de liaisons des protéines. Cet apport d'énergie peut se produire soit **(a)** directement, par phosphorylation, comme dans le cas d'une protéine membranaire qui réalise le transport actif d'un soluté (voir aussi la figure 7.15), ou **(b)** indirectement, par la liaison non covalente de l'ATP et de ses produits hydrolytiques, comme dans le cas des protéines motrices qui déplacent des vésicules (et d'autres organites) le long des «voies» cytosquelettiques dans la cellule (voir aussi la figure 6.21).

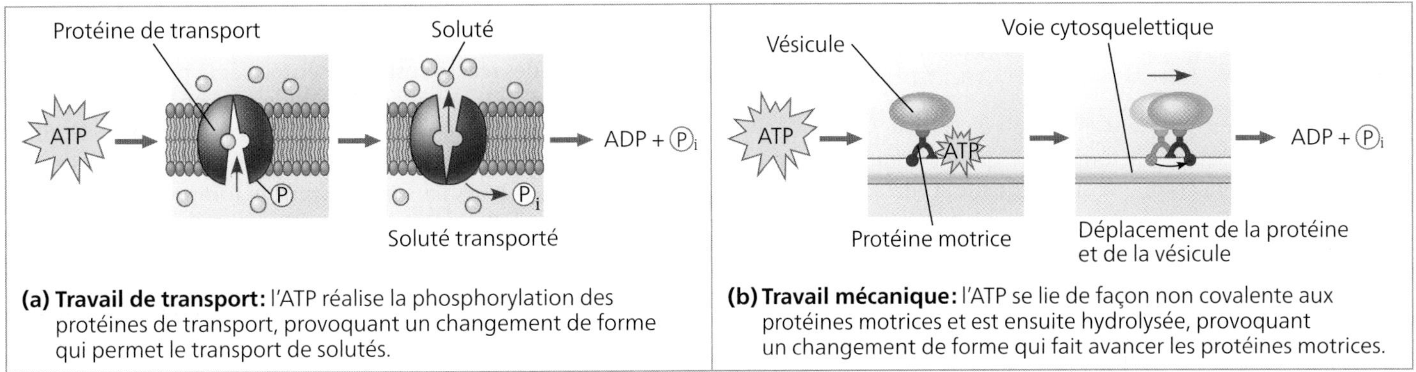

(a) Travail de transport: l'ATP réalise la phosphorylation des protéines de transport, provoquant un changement de forme qui permet le transport de solutés.

(b) Travail mécanique: l'ATP se lie de façon non covalente aux protéines motrices et est ensuite hydrolysée, provoquant un changement de forme qui fait avancer les protéines motrices.

▼ **Figure 8.11 Le cycle de l'ATP.** Dans les cellules, l'énergie dégagée par les réactions de dégradation (catabolisme) sert à la phosphorylation de l'ADP, c'est-à-dire à la régénération de l'ATP. L'énergie chimique potentielle emmagasinée dans l'ATP assure la majeure partie du travail cellulaire.

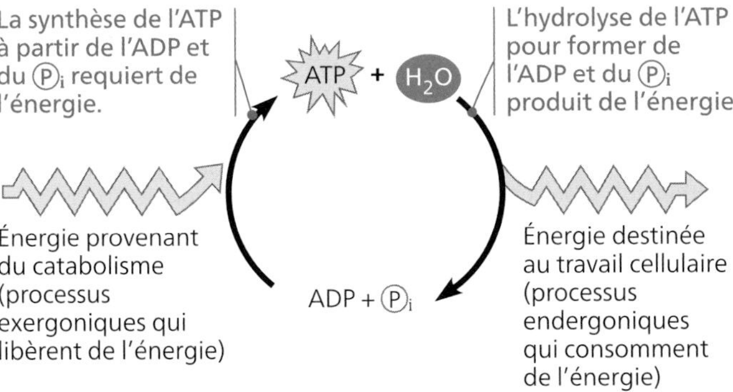

(**figure 8.11**). Ce sont les réactions exergoniques de dégradation (catabolisme) qui fournissent l'énergie libre nécessaire à la phosphorylation de l'ADP. Ce va-et-vient entre le phosphate inorganique et l'énergie se nomme cycle de l'ATP. Dans la cellule, les processus consommateurs d'énergie (endergoniques) sont couplés aux processus producteurs d'énergie (exergoniques). Le cycle de l'ATP fonctionne à un rythme extrêmement intense. Par exemple, une cellule musculaire au travail renouvelle la totalité de son ATP en moins de 1 minute: toutes les secondes, 10 millions de molécules d'ATP sont utilisées et régénérées. Sans la régénération de l'ATP grâce à la phosphorylation de l'ADP, les humains devraient consommer quotidiennement une quantité d'ATP équivalant à leur masse corporelle.

Puisqu'un processus réversible ne peut libérer de l'énergie dans les deux sens, la régénération de l'ATP est nécessairement endergonique:

$$\text{ADP} + \text{P}_i \rightarrow \text{ATP} + H_2O$$

$$\Delta G = +30{,}5 \text{ kJ/mol (dans des conditions normales)}$$

Comme elle n'est pas spontanée, la formation d'ATP à partir d'ADP et de P_i nécessite une dépense d'énergie libre. Ce sont les voies cataboliques (exergoniques), notamment la respiration cellulaire, qui fournissent l'énergie nécessaire à la fabrication de l'ATP, un processus endergonique. Les végétaux, eux, utilisent l'énergie lumineuse pour produire l'ATP. Le cycle de l'ATP est donc une sorte de tourniquet que l'énergie traverse lors de son passage des voies cataboliques aux voies anaboliques.

RETOUR SUR LE CONCEPT 8.3

1. Dans la plupart des cas, comment l'ATP transfère-t-elle de l'énergie d'un processus exergonique à un processus endergonique dans la cellule ?
2. Lequel des groupes suivants a le plus d'énergie libre: acide glutamique + ammoniac + ATP, ou glutamine + ADP + P_i ? Expliquez votre réponse.
3. **FAITES DES LIENS ▶** Diriez-vous que la figure 8.10a montre un transport passif ou un transport actif ? Pourquoi ? (Voir les concepts 7.3 et 7.4.)

Voir les réponses proposées à l'appendice A.

CONCEPT 8.4

Les enzymes accélèrent les réactions métaboliques en abaissant les barrières énergétiques

Les principes de la thermodynamique nous renseignent sur la spontanéité des réactions chimiques dans certaines conditions, mais pas sur leur vitesse. Une réaction spontanée se produit sans l'apport d'énergie extérieure, mais elle peut se produire lentement, au point d'être imperceptible. Par exemple, l'hydrolyse du saccharose (sucre de table) en glucose et en fructose est exergonique; elle a lieu spontanément et s'accompagne d'un dégagement d'énergie libre ($\Delta G = -29{,}3$ kJ/mol). Cependant, il peut se passer des années avant qu'une solution de saccharose ajoutée à de l'eau stérile et placée à la température ambiante ne soit hydrolysée de façon appréciable. Par contre, si nous versons dans la solution une petite quantité de catalyseur, par exemple l'enzyme appelée *saccharase*, tout le saccharose s'hydrolysera en quelques secondes, selon la réaction suivante :

Saccharase

Saccharose ($C_{12}H_{22}O_{11}$) + H_2O → Glucose ($C_6H_{12}O_6$) + Fructose ($C_6H_{12}O_6$)

Comment l'enzyme parvient-elle à agir de la sorte ?

Une **enzyme** est une macromolécule qui agit comme un **catalyseur**, soit un agent chimique qui augmente la vitesse d'une réaction (en la multipliant par un facteur pouvant atteindre 10^{12} fois) sans être lui-même modifié au cours de cette réaction. Dans ce chapitre, nous nous concentrerons sur les catalyseurs protéiniques. (Aux concepts 17.3 et 25.1, nous étudierons une autre classe de catalyseurs biologiques, les ribozymes, qui sont constitués d'ARN.) Sans la régulation enzymatique, la circulation chimique sur les voies métaboliques serait désespérément congestionnée, car bien des réactions chimiques se dérouleraient beaucoup trop lentement. Dans les deux sections suivantes, nous verrons ce qui empêche les réactions spontanées de se produire plus rapidement et comment les enzymes remédient à la situation.

La barrière de l'énergie d'activation

Toute réaction chimique entre des molécules suppose la rupture des liaisons existant dans les réactifs et la formation de nouvelles liaisons (qui donneront les produits). Par exemple, lors de l'hydrolyse du saccharose, la liaison entre les deux monomères, le glucose et le fructose, ainsi que l'une des liaisons d'une molécule d'eau sont brisées, puis deux nouvelles liaisons sont établies, comme on le voit ci-dessus. Pour qu'une molécule se transforme en une autre molécule, il faut habituellement que la molécule de départ se déforme de manière à devenir très instable. On peut comparer cette déformation à l'état de l'anneau de métal d'un porte-clés qu'on force à s'entrouvrir pour y faire passer une nouvelle clé. L'anneau est très instable dans sa forme entrouverte, mais il reprend un état stable dès que la clé est complètement passée dans l'anneau. Pour atteindre cet état déformé où les liaisons peuvent changer, les molécules de réactifs doivent absorber de l'énergie de leur environnement. Quand les nouvelles liaisons des molécules de produits se forment, l'énergie est libérée sous forme de chaleur, et les molécules reprennent une forme stable, moins riche en énergie que dans l'état déformé.

L'énergie requise pour déclencher une réaction, c'est-à-dire pour déformer les molécules de réactifs de façon que les liaisons se rompent, s'appelle *énergie libre d'activation*, ou **énergie d'activation** (E_A dans ce manuel). On peut comparer l'énergie d'activation à la quantité d'énergie nécessaire pour pousser un objet situé au sommet d'une colline afin qu'il dévale la pente. Il s'agit, en fait, de l'énergie requise pour amener les réactifs au-delà d'une barrière, ou seuil énergétique, à partir de laquelle la réaction pourra démarrer. Dans l'environnement, l'énergie d'activation est souvent fournie par la chaleur sous forme d'énergie thermique que les molécules de réactifs absorbent. L'absorption d'énergie thermique augmente la vitesse moléculaire des réactifs, de sorte que les collisions deviennent plus fréquentes et plus fortes. De plus, l'agitation thermique des atomes dans les molécules facilite la rupture des liaisons. Quand les molécules ont absorbé assez d'énergie pour que les liaisons se brisent, les réactifs atteignent ce qu'on appelle l'*état de transition*.

La **figure 8.12** illustre les variations d'énergie d'une réaction exergonique hypothétique qui troque certaines parties de deux molécules de réactifs :

$$\underset{\text{Réactifs}}{AB + CD} \rightarrow \underset{\text{Produits}}{AC + BD}$$

L'activation des réactifs est représentée par la partie ascendante du graphique, qui correspond à l'augmentation de l'énergie libre des molécules de réactifs. Au sommet, lorsque l'énergie équivalant à E_A a été absorbée, les réactifs sont en état de transition : ils sont activés, et leurs liaisons peuvent se rompre. Puis, pendant que les atomes s'installent dans leur nouvel état plus stable, de l'énergie se dégage dans leur environnement. Ce dégagement correspond à la partie descendante de la courbe, qui illustre la perte d'énergie libre des molécules. La diminution totale de l'énergie libre signifie que E_A est remboursée avec dividendes puisque la formation de nouvelles liaisons dégage plus d'énergie que ce qui a été investi dans la rupture des anciennes liaisons.

La réaction illustrée à la figure 8.12 est exergonique et se produit spontanément ($\Delta G < 0$). Cependant, l'énergie d'activation crée une barrière qui détermine la vitesse de la réaction. Les réactifs doivent absorber suffisamment d'énergie pour franchir cette barrière d'activation avant que la réaction ne démarre. Dans certaines réactions, E_A est si peu élevée (la barrière est si basse)

▼ **Figure 8.12 Le profil énergétique d'une réaction exergonique.** Dans cette réaction hypothétique, A, B, C et D représentent des *portions* de molécules. Sur le plan thermodynamique, il s'agit d'une réaction exergonique, la valeur de ΔG est négative et la réaction se produit spontanément. Cependant, l'énergie d'activation (E_A) représente une barrière qui détermine la vitesse de la réaction.

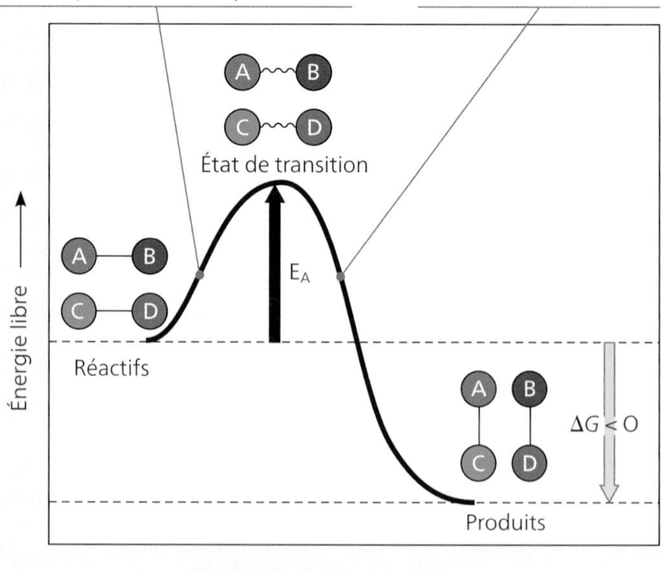
Les réactifs AB et CD doivent absorber suffisamment d'énergie de l'environnement pour atteindre l'état de transition instable où des liaisons peuvent se rompre.
Des liaisons se rompent, et d'autres se forment. Ce processus dégage de l'énergie dans l'environnement.
État de transition
E_A
Énergie libre
Réactifs
Produits
$\Delta G < 0$
Sens de la réaction

FAITES UN DESSIN ▶ Représentez graphiquement le progrès d'une réaction endergonique où EF et GH forment les produits EG et FH, en tenant compte du fait que les réactifs doivent passer par un état de transition.

que l'énergie thermique qui existe à la température ambiante suffit à mener les réactifs à l'état de transition. Cependant, dans la plupart des cas, la barrière de E_A est tellement élevée, et l'état de transition si rarement atteint, que la réaction ne peut s'amorcer. Il faut de l'énergie, habituellement sous forme de chaleur, pour que la réaction se produise à une vitesse perceptible. Ainsi, la réaction de l'essence et de l'O_2 est exergonique et se produit spontanément, mais il faut fournir de l'énergie aux molécules pour qu'elles atteignent l'état de transition requis et réagissent. C'est seulement lorsque les bougies d'allumage produisent une étincelle dans le moteur d'une automobile que se déclenche la réaction explosive libérant l'énergie qui pousse les pistons. Sans étincelle, le mélange composé des hydrocarbures de l'essence et d'O_2 ne réagit pas parce que la barrière de E_A est trop élevée.

L'accélération des réactions par les enzymes

Sans la barrière créée par l'énergie d'activation, les protéines, l'ADN et les autres molécules cellulaires complexes, qui sont riches en énergie libre, pourraient se décomposer spontanément. En effet, les principes de la thermodynamique favorisent leur dégradation. Heureusement, la plupart de ces molécules sont incapables de franchir l'état de transition aux températures habituelles des cellules. Il faut toutefois que certaines réactions puissent avoir lieu pour que la cellule assure le bon fonctionnement de ses processus vitaux. La chaleur peut accélérer une réaction en permettant aux réactifs d'atteindre l'état de transition plus souvent, mais cela ne fonctionnerait pas bien dans des systèmes biologiques. Tout d'abord, les températures élevées dénaturent les protéines et tuent les cellules. Deuxièmement, la chaleur accélère *toutes* les réactions, même celles qui ne sont pas nécessaires. L'organisme doit donc faire appel à la **catalyse**, un processus par lequel un catalyseur (une enzyme, par exemple) accélère sélectivement une réaction sans être lui-même modifié. (Vous avez déjà vu la notion de catalyseur au concept 5.4.)

Une enzyme catalyse une réaction en abaissant l'énergie d'activation (**figure 8.13**). Ce faisant, les molécules de réactifs peuvent absorber suffisamment d'énergie pour atteindre l'état de transition, même aux températures habituelles, comme nous le verrons un peu plus loin. Il est impératif de se rappeler qu'*une enzyme ne change pas le ΔG d'une réaction; elle ne peut rendre exergonique une réaction endergonique.* Elle ne fait qu'accélérer un processus qui, de toute façon, finirait par se produire. Elle permet seulement à la cellule d'avoir un métabolisme dynamique, une circulation chimique «fluide». Et, comme les enzymes sont très spécifiques aux réactions qu'elles catalysent, elles déterminent les processus chimiques qui se déroulent en tout temps dans la cellule.

▼ **Figure 8.13 L'effet d'une enzyme sur l'énergie d'activation.** Une enzyme augmente la vitesse d'une réaction en réduisant son énergie d'activation (E_A), sans en changer le ΔG.

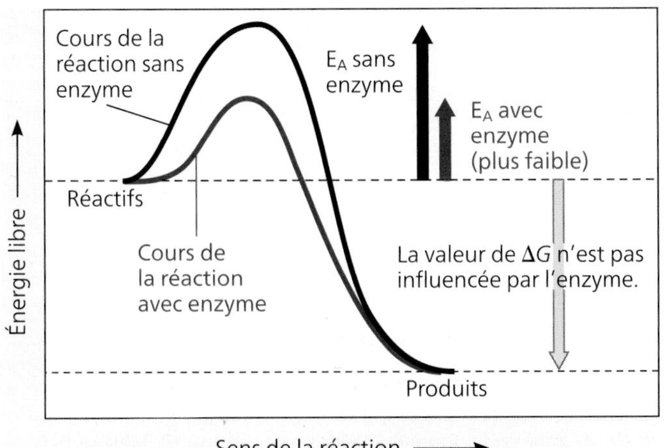

La spécificité des enzymes pour leurs substrats

On appelle **substrat** le réactif sur lequel une enzyme agit. L'enzyme se lie à son substrat (ou à ses substrats, lorsqu'il y a deux ou plusieurs réactifs), et cette liaison forme un **complexe enzyme-substrat**. Pendant que les deux sont réunis, l'action catalytique de l'enzyme convertit le substrat en produit (ou en produits) de la réaction. Nous pouvons résumer ce processus de la façon suivante:

Enzyme + Substrat(s)	⇌	Complexe enzyme-substrat	⇌	Enzyme + Produit(s)

La plupart des noms d'enzyme se terminent par *-ase*. Par exemple, l'enzyme appelée saccharase catalyse l'hydrolyse du saccharose (un disaccharide) en ses deux monosaccharides, le glucose et le fructose (voir la réaction présentée au début du concept 8.4):

Saccharase + Saccharose + H_2O	⇌	Complexe saccharase-saccharose-H_2O	⇌	Saccharase + Glucose + Fructose

Contrairement à ce qui se produit dans le cas des catalyseurs non biologiques, la réaction catalysée par une enzyme est très spécifique. Une enzyme peut reconnaître son substrat, même parmi des composés très apparentés. Par exemple, la saccharase n'agit que sur le saccharose et ne se lie pas à d'autres disaccharides, comme le maltose. Comment expliquer cette reconnaissance moléculaire? Rappelez-vous que les enzymes sont pour la plupart des protéines, et que ces dernières sont des macromolécules possédant une forme tridimensionnelle unique. C'est cette forme dictée par leur séquence d'acides aminés qui détermine leur spécificité.

En fait, seule une petite partie de la molécule d'enzyme se lie au substrat. Cette partie, appelée **site actif**, se trouve habituellement dans une poche ou un sillon à la surface de la protéine (**figure 8.14a**; voir aussi la figure 5.16). En général, le site actif n'est constitué que de quelques-uns des acides aminés qui composent l'enzyme (une dizaine tout au plus); le reste façonne une charpente qui détermine la forme du site actif. La spécificité d'une enzyme réside d'abord dans le fait que la forme de son site actif est exactement complémentaire à celle de son substrat.

Une enzyme n'est pas une structure rigide confinée à une forme donnée. En fait, les travaux récents des biochimistes démontrent clairement que les enzymes (comme les autres protéines) prennent des formes subtilement différentes dans un équilibre dynamique, avec de légères différences d'énergie libre pour chaque état. La forme qui convient le mieux au substrat n'est pas nécessairement celle qui exige le moins d'énergie, mais durant le très court moment où les enzymes prennent cette forme, son site actif peut se lier au substrat. Le site actif lui-même n'est pas un réceptacle rigide pour le substrat. Lorsque le substrat entre dans le site actif, l'enzyme change légèrement de forme en raison des interactions entre les groupements chimiques du substrat et les groupements chimiques des chaînes latérales des acides aminés qui forment le site actif. Le site actif épouse alors

▼ **Figure 8.14 L'ajustement induit entre une enzyme et son substrat.**

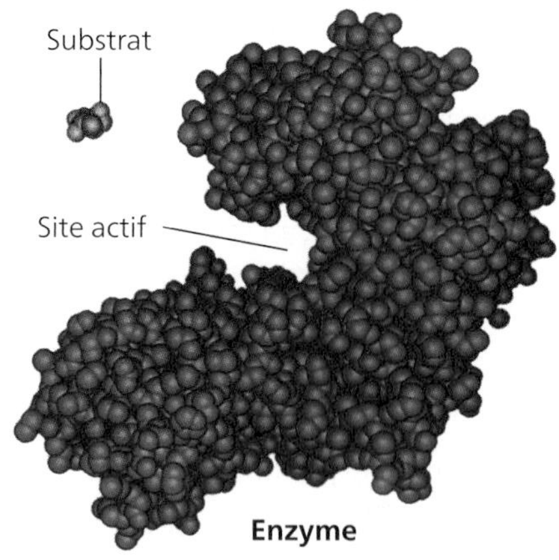

Substrat
Site actif
Enzyme

(a) Dans ce modèle compact, le site actif de l'enzyme hexokinase (en bleu) forme un creux à la surface. Le substrat de l'hexokinase est le glucose (en rouge).

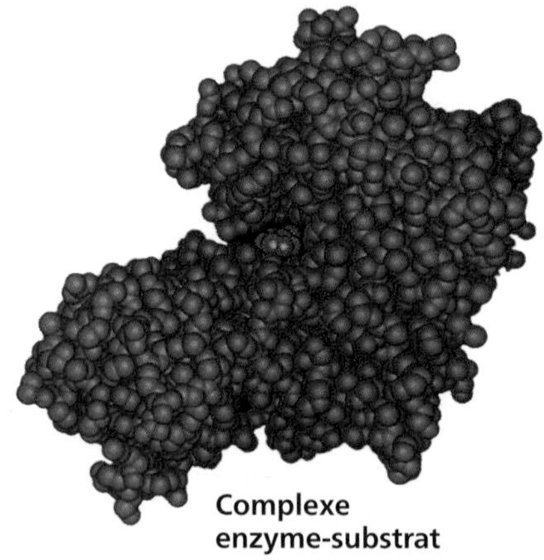

Complexe
enzyme-substrat

(b) Lorsqu'il pénètre dans le site actif, le substrat forme des liaisons faibles avec l'enzyme, laquelle change légèrement de forme. Cette modification favorise la formation d'autres liaisons faibles; le site actif s'ajuste alors au substrat et le maintient en place.

encore mieux le contour du substrat (**figure 8.14b**). Le resserrement de la liaison (appelé **ajustement induit**) après ce premier contact se compare à une poignée de main. Il positionne les groupements fonctionnels du site actif de manière à favoriser leur capacité à catalyser la réaction chimique.

La catalyse dans le site actif d'une enzyme

Dans la plupart des réactions enzymatiques, le substrat est maintenu dans le site actif de l'enzyme par des *liaisons non covalentes* (liaisons faibles), comme des liaisons hydrogène et des liaisons ioniques. Les chaînes latérales (radicaux R) de quelques-uns des acides aminés qui constituent le site actif catalysent la transformation du substrat en produit. Une fois celle-ci terminée, le produit quitte le site actif. Ce dernier est donc libre d'accepter une autre molécule de substrat. Le cycle entier se produit tellement vite qu'une seule molécule d'enzyme transforme habituellement 1 000 molécules de substrat par seconde, et certaines enzymes sont encore plus rapides. Par ailleurs, comme nous l'avons expliqué plus haut, les enzymes demeurent inchangées après une réaction, à l'instar des autres catalyseurs, et sont réutilisables comme le sont des outils. Bref, le cycle se répétant encore et encore, de très petites quantités d'enzymes peuvent avoir d'énormes répercussions sur le métabolisme. La **figure 8.15** montre un cycle catalytique comportant deux substrats et deux produits.

La plupart des réactions métaboliques sont réversibles. Certaines exigent la participation de deux enzymes différentes : une pour la réaction directe et une autre pour la réaction inverse. Il arrive cependant qu'une même enzyme catalyse les réactions directe et inverse selon la direction qui présente un ΔG négatif, facteur qui lui-même dépend surtout des concentrations relatives des réactifs et des produits. Le résultat net tend toujours vers l'équilibre.

Les enzymes utilisent différents mécanismes pour abaisser l'énergie d'activation d'une réaction et accélérer celle-ci (voir la figure 8.15, étape ③).

- Dans les réactions où interviennent deux ou plusieurs réactifs, le site actif d'une enzyme sert de gabarit, ce qui aide les substrats à se rapprocher l'un de l'autre et à adopter une orientation qui leur permet d'entrer en réaction. (Il faut se rappeler que les électrons chargés négativement sur les couches externes des atomes des réactifs exercent une force de répulsion entre ces derniers.)
- Tandis que le site actif de l'enzyme épouse de plus en plus étroitement les contours des substrats liés, l'enzyme étire les molécules de réactifs pour qu'elles s'approchent de la forme correspondant à leur état de transition : elle exerce une pression et déforme les liaisons chimiques qui doivent être rompues pour que la réaction se produise. Étant donné que E_A est proportionnelle au degré de difficulté de la rupture des

▼ **Figure 8.15 Le site actif et le cycle catalytique d'une enzyme.** Une enzyme peut convertir une ou plusieurs molécules de réactif en une ou plusieurs molécules de produit. L'enzyme illustrée ici transforme deux molécules de substrat en deux molécules de produit.

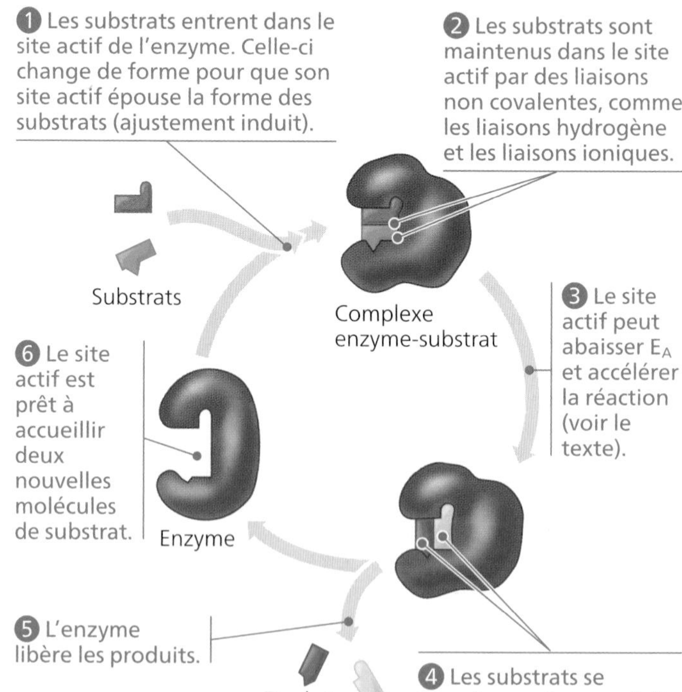

① Les substrats entrent dans le site actif de l'enzyme. Celle-ci change de forme pour que son site actif épouse la forme des substrats (ajustement induit).
② Les substrats sont maintenus dans le site actif par des liaisons non covalentes, comme les liaisons hydrogène et les liaisons ioniques.
Substrats
Complexe enzyme-substrat
③ Le site actif peut abaisser E_A et accélérer la réaction (voir le texte).
⑥ Le site actif est prêt à accueillir deux nouvelles molécules de substrat.
Enzyme
⑤ L'enzyme libère les produits.
Produits
④ Les substrats se transforment en produits.

FAITES UN DESSIN ▶ Le complexe enzyme-substrat franchit un état de transition (voir la figure 8.12). Indiquez la partie du cycle où l'état de transition est atteint.

liaisons, la torsion des substrats les rapproche de leur état de transition et réduit la quantité d'énergie libre qui doit être absorbée pour atteindre l'état de transition.

- Le site actif peut également fournir un microenvironnement plus propice à un type particulier de réaction que la solution sans enzyme à elle seule. Par exemple, s'il se compose d'acides aminés portant une chaîne latérale (radical R) acide, le site actif constitue un sillon de faible pH dans une cellule qui, par ailleurs, est neutre. Dans un tel cas, un acide aminé acide peut faciliter le transfert d'ions H^+ au substrat, ce qui constitue une étape clé dans la catalyse de la réaction. De même, le site actif peut créer une région polaire dans un environnement non polaire.
- Les acides aminés se trouvant dans le site actif participent directement à la réaction chimique. Parfois, il arrive même que des liaisons covalentes de courte durée se forment entre le substrat et le radical d'un acide aminé de l'enzyme. Toutefois, les étapes subséquentes de la réaction redonnent leur forme initiale aux chaînes latérales, de sorte que le site actif retrouve son état original après la réaction.

La vitesse à laquelle une quantité donnée d'enzyme convertit les molécules de substrat en produits dépend en partie de la concentration initiale du substrat : plus il y a de molécules de substrat, plus elles occupent les sites actifs des molécules d'enzyme. Toutefois, on ne peut augmenter indéfiniment la vitesse d'une réaction en ajoutant du substrat à une concentration fixe d'enzyme. À un moment donné, la concentration du substrat sera suffisamment élevée pour que tous les sites actifs des molécules d'enzyme soient occupés. On dit alors que l'enzyme est *saturée*. Dès que le produit quitte son site actif, une molécule de substrat s'y attache. La vitesse de la réaction correspond alors à la vitesse à laquelle le site actif peut convertir le substrat en produit ; c'est la **vitesse maximale** (V_{max}). En cas de saturation enzymatique, la seule façon d'augmenter la V_{max} est d'accroître le nombre de molécules d'enzyme, ce que la cellule fait parfois. Dans la rubrique **Habiletés scientifiques**, vous aurez l'occasion de représenter graphiquement le processus d'ensemble d'une réaction enzymatique.

Les effets des conditions locales sur l'activité d'une enzyme

Les facteurs environnementaux, comme la température et le pH, influent sur l'activité d'une enzyme, c'est-à-dire sur l'efficacité de son fonctionnement. Certaines substances chimiques influent également sur l'activité des enzymes. En fait, les chercheurs ont beaucoup appris sur le fonctionnement des enzymes en utilisant diverses substances chimiques.

Les effets de la température et du pH

Comme nous l'avons vu dans la figure 5.20, l'environnement influe sur la structure tridimensionnelle des protéines. En conséquence, chaque enzyme fonctionne mieux dans certaines conditions que dans d'autres, car ces *conditions optimales* favorisent la forme la plus active de l'enzyme. Un organisme peut toutefois s'adapter à son environnement en synthétisant des enzymes sous plusieurs formes légèrement différentes, appelées *isoenzymes*, chacune d'elles possédant ses conditions optimales particulières. Différents organes ou différents tissus d'un même organisme peuvent posséder différentes isoenzymes.

La température et le pH constituent des facteurs environnementaux importants qui influent sur l'activité d'une enzyme. Jusqu'à un certain point, la vitesse d'une réaction enzymatique augmente avec la température, en partie parce que les substrats heurtent les sites actifs plus fréquemment lorsque les molécules se déplacent plus vite. Cependant, au-delà d'une certaine température, la vitesse de la réaction chute brusquement. C'est que la molécule d'enzyme devient si agitée thermiquement que les liaisons hydrogène, les liaisons ioniques et les autres interactions qui stabilisent sa forme active se rompent. La protéine finit par se dénaturer. Par ailleurs, la chaleur peut altérer la structure des chaînes polypeptidiques de l'enzyme. Comme le site actif est souvent constitué d'acides aminés non adjacents dans la structure primaire mais regroupés par suite du repliement des chaînes polypeptidiques, la structure tertiaire peut donc être modifiée sous l'effet de la chaleur. Si l'altération structurale est importante, le site actif risque de ne plus pouvoir jouer son rôle. À chaque type d'enzyme correspond une température optimale à laquelle la vitesse de réaction est maximale. C'est également à cette température que la conversion des réactifs en molécules de produit est la plus rapide et que peut avoir lieu le plus grand nombre possible de collisions moléculaires sans dénaturer l'enzyme. Les températures optimales de la plupart des enzymes humaines se situent entre 35 °C et 40 °C, ce qui correspond aux températures du corps. Les bactéries thermophiles qui vivent dans les sources hydrothermales possèdent des enzymes dont la température optimale est de 70 °C, voire plus (**figure 8.16a**). À l'autre extrémité du spectre, certaines bactéries, dites psychrophiles, possèdent des enzymes aux propriétés particulières, ce qui leur permet de vivre dans des milieux froids comme ceux de l'Antarctique et d'avoir des températures optimales se situant aux alentours de 12 °C.

Il existe aussi un pH optimal qui assure à chaque enzyme une activité maximale. C'est que la structure d'une enzyme dépend notamment des interactions entre les acides aminés portant des charges opposées ; ces interactions sont elles-mêmes influencées par la concentration en protons (pH) du milieu dans lequel l'enzyme agit. Le pH optimal de la majorité des enzymes se situe entre 6 et 8, mais il y a des exceptions. Par exemple, la pepsine, une enzyme digestive de l'estomac, fonctionne le mieux lorsque le pH est très bas. Un environnement aussi acide dénature la plupart des protéines, mais la forme active de la pepsine est adaptée : elle maintient sa structure tridimensionnelle dans l'environnement acide de l'estomac. En revanche, la trypsine, une enzyme digestive agissant dans l'environnement plus alcalin de l'intestin, serait dénaturée dans l'estomac (**figure 8.16b**).

Les cofacteurs

Bien des enzymes ont besoin d'auxiliaires non protéiques pour accomplir leur fonction catalytique, qui consiste souvent à assurer des processus chimiques que les acides aminés des protéines ne peuvent pas effectuer facilement, comme des transferts d'électrons. Ces auxiliaires, appelés **cofacteurs**, peuvent se lier fortement et de façon permanente à l'enzyme, ou ils peuvent se lier à celle-ci faiblement et de façon réversible, en même temps que le substrat. Les cofacteurs de certaines enzymes sont inorganiques : c'est le cas des atomes de métaux tels que le zinc, le fer, le magnésium et le cuivre dont les formes ioniques se lient à l'enzyme. Quand le cofacteur est une molécule organique (autre qu'une protéine) qui se lie temporairement à l'enzyme, on l'appelle plus spécifiquement **coenzyme** ; l'enzyme complète, l'**holoenzyme**, est alors constituée de la partie protéinique, l'**apoenzyme**, et de la partie non protéinique (la coenzyme). La plupart des vitamines sont importantes en nutrition, car elles jouent le rôle de coenzymes ou sont des précurseurs de coenzymes.

Les inhibiteurs enzymatiques

Certaines substances chimiques bloquent de façon sélective l'action de certaines enzymes. Parfois, l'inhibiteur se lie à l'enzyme au moyen de liaisons covalentes, auquel cas l'inhibition est habituellement irréversible. Cependant, dans de nombreux cas, l'inhibiteur se lie à l'enzyme par des liaisons faibles, et l'inactivation est alors réversible. Certains inhibiteurs réversibles ressemblent aux molécules normales de substrat et entrent en compétition avec elles pour occuper les sites actifs de l'enzyme appropriée (**figures 8.17a** et **8.17b**). Ces imitateurs, analogues du substrat et appelés **inhibiteurs compétitifs**, réduisent la

DÉMARCHE SCIENTIFIQUE

HABILETÉS SCIENTIFIQUES

Construire un diagramme linéaire et calculer une pente

■ LE TAUX D'ACTIVITÉ DE L'ENZYME GLUCOSE 6-PHOSPHATASE VARIE-T-IL EN FONCTION DU TEMPS DANS DES CELLULES HÉPATIQUES ISOLÉES ? ■ La glucose 6-phosphatase, une enzyme présente dans les cellules hépatiques des mammifères, joue un rôle clé dans la régulation de la glycémie (le taux de glucose sanguin). Elle catalyse la dégradation du glucose 6-phosphate en glucose et en phosphate inorganique (Ⓟ$_i$). Ces deux produits quittent ensuite les cellules hépatiques pour se rendre dans le sang où ils augmentent la glycémie. Dans le présent exercice, vous représenterez graphiquement les résultats d'une expérience qui a permis de mesurer, durant le temps de l'expérience, la concentration de Ⓟ$_i$ dans un tampon entourant des cellules hépatiques isolées et, par le fait même, de mesurer indirectement l'activité de la glucose 6-phosphatase à l'intérieur des cellules.

■ MÉTHODE ■ Les chercheurs ont isolé des cellules hépatiques de rat et les ont déposées dans un récipient contenant un tampon, et ce, dans des conditions physiologiques (pH de 7,4, température de 37 °C). Ils ont alors ajouté le glucose 6-phosphate (le substrat) afin qu'il soit absorbé par les cellules et dégradé par l'enzyme glucose 6-phosphatase. Ils ont ensuite prélevé un échantillon de tampon toutes les 5 minutes et déterminé la concentration de Ⓟ$_i$ qui avait été transporté à l'extérieur des cellules.

■ RÉSULTATS ■

Temps (min)	Concentration de Ⓟ$_i$ (μmol/mL)
0	0
5	10
10	90
15	180
20	270
25	330
30	355
35	355
40	355

Source des données: S. R. Commerford et coll., Diets enriched in sucrose or fat increase gluconeogenesis and G-6-Pase but not basal glucose production in rats, *American Journal of Physiology – Endocrinology and Metabolism* 283: E545-E555 (2002).

INTERPRÉTEZ LES DONNÉES ▼

1. Pour dégager des tendances dans les données d'une expérience comme celle-ci, il est utile de représenter graphiquement les données. En premier lieu, déterminez l'axe sur lequel vous représenterez chaque ensemble de données. (a) Quel facteur les chercheurs ont-ils intentionnellement fait varier au cours de leur expérience ? Ce facteur est la variable indépendante, que vous placerez sur l'axe des *x*. (b) Dans quelles unités (abrégées) s'exprime la variable indépendante ? Expliquez ce que signifie l'abréviation de ces unités. (c) Quel facteur les chercheurs ont-ils mesuré ? Ce facteur est la variable dépendante, que vous placerez sur l'axe des *y*. (d) Que signifie l'abréviation des unités utilisées pour cette variable ? Sur chaque axe, inscrivez ce que l'axe représente, ainsi que les unités.
2. En second lieu, vous diviserez les axes en parties égales avec des traits fins. Tracez juste assez de traits pour y inscrire l'ensemble de données. Pour chaque axe, déterminez l'étendue des données. (a) Quelle est la plus grande donnée à représenter sur l'axe des *x* ? Quel devrait être l'espacement entre les traits et quelle sera la valeur du dernier trait ? (b) Quelle est la plus grande donnée à représenter sur l'axe des *y* ? Quel devrait être l'espacement entre les traits et quelle sera la valeur du dernier trait ?
3. Tracez les points sur le diagramme: appariez chaque valeur de *x* avec la valeur de *y* correspondante et dessinez un point à l'emplacement de la coordonnée obtenue. Reliez ensuite les points par une ligne. (Pour plus d'information sur les diagrammes, voir l'appendice F à la fin du manuel.)
4. Examinez votre diagramme et voyez si vous pouvez dégager des tendances. (a) La concentration de Ⓟ$_i$ augmente-t-elle de manière uniforme durant l'expérience ? Pour répondre à cette question, décrivez la tendance qui se dégage du diagramme. (b) Quelle partie du diagramme montre le plus haut taux d'activité ? Supposez que le taux d'activité enzymatique est fonction de la pente, soit $\Delta y/\Delta x$ (distance verticale/distance horizontale), en μmol/(mL·min). Autrement dit, l'inclinaison la plus grande correspond au taux d'activité le plus élevé. Calculez le taux d'activité enzymatique (la pente) là où l'inclinaison est la plus forte. (c) Comment expliqueriez-vous, d'un point de vue biologique, la tendance que vous observez ?
5. Si votre glycémie est basse parce que vous avez sauté un repas, quelle réaction (dont il est question dans cet exercice) se produira dans les cellules de votre foie ? Écrivez cette réaction et indiquez le nom de l'enzyme au-dessus de la flèche de la réaction. Quel effet cette réaction aura-t-elle sur votre glycémie ?

▼ Figure 8.16 Les facteurs environnementaux exerçant une influence sur l'activité enzymatique. Chaque enzyme possède **(a)** une température optimale et **(b)** un pH optimal, lesquels favorisent la forme la plus active de la protéine.

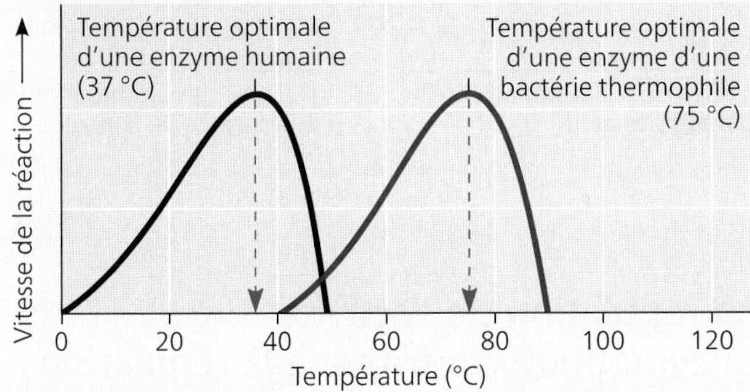

(a) La photo ci-dessus montre des cyanobactéries thermophiles (en vert) qui vivent dans l'eau chaude d'un geyser du Nevada. Le diagramme compare les températures optimales d'une enzyme de la bactérie thermophile *Thermus oshimai* (75 °C) aux températures optimales des enzymes humaines (température du corps de 37 °C).

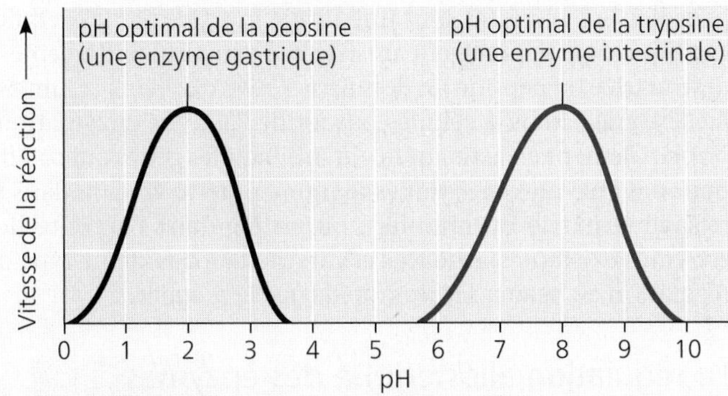

(b) Ce diagramme montre la vitesse de réaction de deux enzymes digestives en fonction de différents pH.

INTERPRÉTEZ LES DONNÉES ▶ Selon le diagramme (b), quel est le pH optimal de la pepsine ? Comment la sélection naturelle pourrait-elle expliquer le pH optimal de la pepsine, une enzyme gastrique (voir la figure 3.11). Quel est le pH optimal de la trypsine ?

productivité de l'enzyme en bloquant l'accès des molécules de substrat aux sites actifs. L'augmentation de la concentration de substrat peut contrer ce type d'inhibition : quand des sites actifs se libèrent, il y a alors plus de molécules de substrat que de molécules d'inhibiteur dans leur voisinage.

Par contre, les **inhibiteurs non compétitifs** n'entrent pas directement en compétition avec les molécules de substrat pour occuper les sites actifs des enzymes (**figure 8.17c**). Ils entravent les réactions enzymatiques en se liant plutôt à une partie de l'enzyme qui est éloignée du site actif. Cette interaction déforme la molécule enzymatique de telle manière que le site actif catalyse la réaction beaucoup moins efficacement. L'inhibition enzymatique peut aussi être mixte, c'est-à-dire se produire à la fois au niveau du site actif (inhibition compétitive) et au niveau d'un autre site (inhibition non compétitive).

Plusieurs toxines et poisons agissent comme des inhibiteurs enzymatiques irréversibles. C'est le cas du sarin, un gaz neurotoxique utilisé lors d'un attentat terroriste dans le métro de Tokyo dans les années 1990, causant la mort d'une douzaine de personnes en plus d'en intoxiquer beaucoup d'autres. Cette petite molécule se lie de façon covalente au groupement R de la sérine, un acide aminé se trouvant dans le site actif de l'acétylcholinestérase, une enzyme importante du système nerveux qui détruit l'acétylcholine. (L'acétylcholine est un neurotransmetteur qui

▼ Figure 8.17 L'inhibition de l'activité enzymatique.

(a) Liaison normale

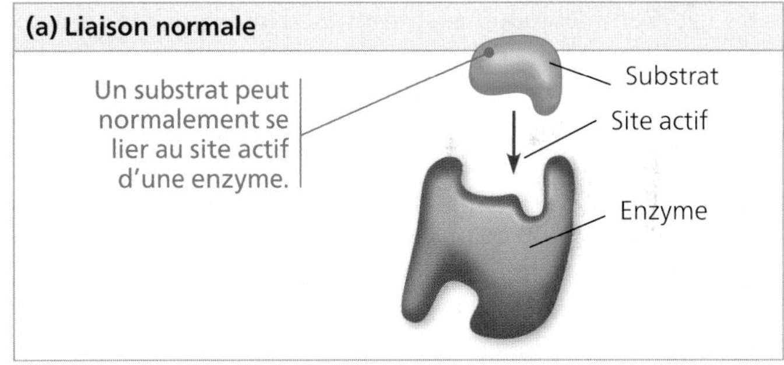

(b) Inhibition compétitive

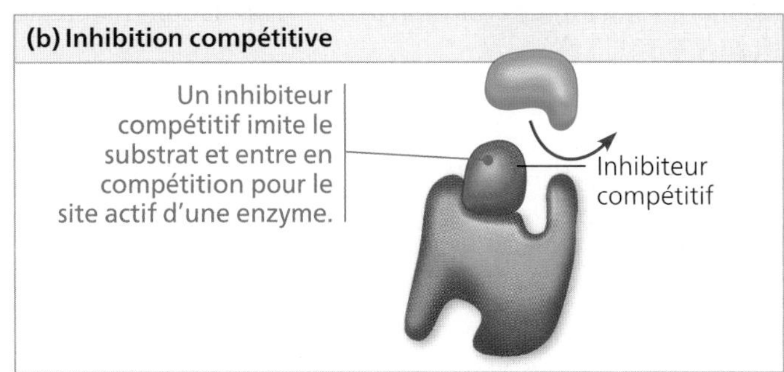

(c) Inhibition non compétitive

Un inhibiteur non compétitif se lie à l'enzyme à un endroit éloigné du site actif, mais il altère la forme de l'enzyme; même si le substrat peut encore se lier au site actif, celui-ci fonctionne moins efficacement, voire pas du tout.

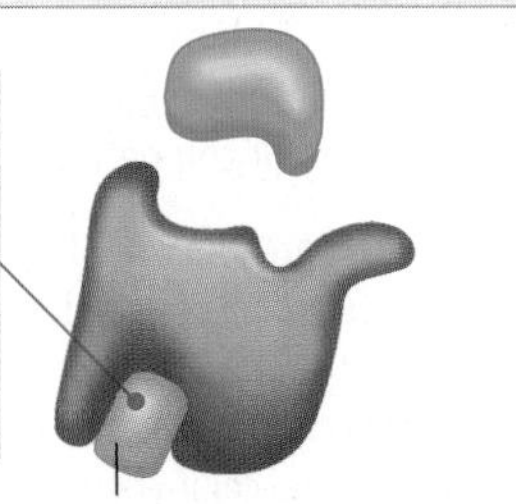

permet la propagation des signaux nerveux et la contraction musculaire.) En l'absence d'acétylcholinestérase, la contraction musculaire devient permanente. Des pesticides comme le DDT et le parathion sont aussi des inhibiteurs d'enzymes importantes du système nerveux. De même, un grand nombre d'antibiotiques inhibent des enzymes spécifiques chez les bactéries. La pénicilline, par exemple, bloque le site actif d'une enzyme que de nombreuses bactéries utilisent pour fabriquer leur paroi cellulaire.

Ces exemples de «poisons» métaboliques peuvent donner à penser que l'inhibition enzymatique est généralement anormale et dommageable. En fait, certaines molécules naturellement présentes dans une cellule ont une fonction inhibitrice qui permet de moduler l'activité enzymatique. Cette inhibition sélective constitue un mécanisme essentiel de régulation métabolique, comme nous le verrons au concept 8.5.

L'évolution des enzymes

ÉVOLUTION À ce jour, les biochimistes ont découvert et nommé plus de 4 000 enzymes différentes chez diverses espèces, ce qui ne représente probablement qu'une très petite partie des catalyseurs biologiques existants. Comment expliquer cette profusion ? Souvenez-vous que la plupart des enzymes sont des protéines et que les protéines sont codées par des gènes. Une *mutation*, c'est-à-dire un changement permanent dans un gène, peut entraîner la production d'une protéine dont un ou plusieurs acides aminés ont été modifiés. Dans le cas d'une enzyme, si les acides aminés modifiés se trouvent dans le site actif ou dans une autre zone cruciale, l'enzyme peut exercer une activité différente ou se lier à un autre substrat. Dans des conditions environnementales où les nouvelles fonctions sont avantageuses pour l'organisme, la sélection naturelle tend à favoriser la forme mutée du gène, de sorte qu'il persiste dans la population.

C'est de cette façon qu'on explique généralement l'apparition d'une multitude d'enzymes au cours des quelques milliards d'années de l'histoire de la vie. Des chercheurs ont recueilli des données à l'appui de ce modèle en utilisant une technique de laboratoire qui imite l'évolution dans les populations naturelles (**figure 8.18**).

RETOUR SUR LE CONCEPT 8.4

1. De nombreuses réactions spontanées se produisent très lentement. Pourquoi les réactions spontanées ne sont-elles pas toutes instantanées ?
2. Pourquoi les enzymes agissent-elles seulement sur des substrats très spécifiques ?
3. **ET SI ?** ▶ Le malonate est un inhibiteur de l'enzyme succinate-déshydrogénase. Comment détermineriez-vous si le malonate est un inhibiteur compétitif ou non compétitif ?
4. **FAITES UN DESSIN** ▶ Un lysosome mature a un pH interne de 4,5 environ. En vous aidant de la figure 8.16b, prédisez la vitesse de réaction d'une enzyme lysosomiale et construisez un diagramme illustrant votre prédiction. Indiquez le pH optimal de l'enzyme en présumant que celui-ci est approprié à son environnement.

Voir les réponses proposées à l'appendice A.

▼ **Figure 8.18 Une expérience imitant l'évolution d'une enzyme.** Un groupe de chercheurs a tenté de vérifier si le fonctionnement de la β-galactosidase, qui dégrade le lactose (un sucre), pouvait changer avec le temps dans des populations de bactéries *Escherichia coli* (*E. coli*). Après sept phases de mutations et de sélection en laboratoire, la β-galactosidase s'est transformée en enzyme spécialisée dans la dégradation d'un sucre différent du lactose. Ce modèle en ruban montre une des sous-unités de l'enzyme modifiée dont six acides aminés ont été modifiés.

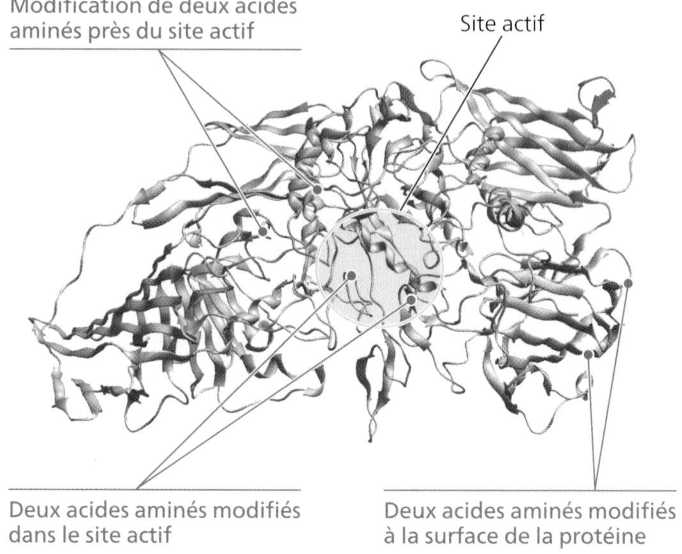

CONCEPT 8.5

La régulation de l'activité enzymatique contribue à la régulation du métabolisme

Si toutes les voies métaboliques d'une cellule fonctionnaient simultanément, il en résulterait un chaos chimique indescriptible. La capacité de la cellule de régler rigoureusement le fonctionnement de toutes ses voies métaboliques est essentielle à la vie. La cellule détermine le moment et l'endroit où ses différentes enzymes sont actives. Par exemple, certaines enzymes comme la pepsine sont sécrétées sous une forme inactive par les cellules gastriques, qui se protègent ainsi de leur action potentiellement destructrice, la pepsine ne devenant active que dans la lumière de l'estomac. Mais la cellule coordonne l'activité enzymatique principalement en activant ou en inhibant les gènes qui codent pour des enzymes spécifiques (comme nous le verrons dans la troisième partie du manuel), ou en régulant l'activité des enzymes existantes. Chez les eucaryotes, ce deuxième type de régulation est beaucoup plus rapide que le premier.

La régulation allostérique des enzymes

Dans de nombreux cas, les molécules qui régulent naturellement l'activité enzymatique dans une cellule agissent comme des inhibiteurs non compétitifs réversibles (voir la figure 8.17c). Elles modifient la forme et le fonctionnement du site actif d'une enzyme en se liant de façon non covalente à un site se trouvant ailleurs sur la molécule d'enzyme. Dans la **régulation allostérique**, la fonction d'un des sites d'une protéine est modifiée par la liaison d'une molécule régulatrice à un autre site (*allo* signifie «autre»). La régulation allostérique peut aboutir à l'inhibition ou à la stimulation de l'activité enzymatique et constitue un moyen de gérer le métabolisme avec précision et rapidité.

L'activation et l'inhibition allostériques

La plupart des enzymes qu'on sait régulées par allostérie ont une structure quaternaire constituée de deux ou de plusieurs sous-unités, chacune composée d'une chaîne polypeptidique qui possède son propre site actif. Le complexe entier oscille entre deux formes: l'une est active du point de vue catalytique, l'autre inactive (**figure 8.19a**). Dans la régulation allostérique la plus simple, un effecteur, c'est-à-dire une molécule activatrice ou inhibitrice, se lie à un site de régulation (parfois appelé site allostérique) souvent situé à l'endroit où les sous-unités se joignent. Lorsqu'il se lie à un site de régulation, un *activateur* stabilise la configuration qui a des sites actifs fonctionnels. Par contre, quand un *inhibiteur* s'unit à un site de régulation, il stabilise la forme inactive de l'enzyme. Les sous-unités d'une enzyme allostérique s'articulent de telle sorte qu'un changement qui se produit dans la forme d'une sous-unité se transmet à toutes les autres sous-unités. Grâce à cette interaction, la fixation d'une seule molécule d'activateur ou d'inhibiteur à un site de régulation modifie tous les sites actifs de l'enzyme.

Les fluctuations de la concentration de régulateurs peuvent entraîner un enchaînement complexe dans l'activité des enzymes cellulaires. Par exemple, les produits de l'hydrolyse de l'ATP (ADP et Ⓟ$_i$) contribuent, par leurs effets sur des enzymes clés, à la bonne circulation sur les voies anaboliques et cataboliques. La liaison allostérique de l'ATP à certaines enzymes cataboliques réduit l'affinité de ces enzymes avec le substrat et, par le fait même, inhibe leur activité. L'ADP, cependant, agit comme activateur de ces mêmes enzymes. Ce phénomène est logique, car les fonctions du catabolisme consistent à régénérer l'ATP. Si la production d'ATP est trop lente par rapport à son utilisation, l'ADP s'accumule et active les enzymes clés qui accélèrent le catabolisme. Par contre, si la formation d'ATP excède la demande, le catabolisme ralentit à mesure que l'ATP s'accumule; la liaison de l'ATP aux enzymes du catabolisme les inhibe. (Nous verrons des exemples plus précis de ce type de régulation, comme à la figure 9.20, lorsque nous étudierons la respiration cellulaire au chapitre suivant.) L'ATP, l'ADP et d'autres molécules associées ont également des effets sur les enzymes clés des voies anaboliques. Ainsi, les enzymes allostériques régulent la vitesse des réactions clés dans les deux types de voies métaboliques.

Il existe un autre mécanisme d'activation allostérique dans lequel une molécule de substrat (plutôt qu'une molécule activatrice) liée à un des sites actifs d'une enzyme possédant plusieurs sous-unités peut stimuler le pouvoir catalytique de cette enzyme en influant sur les autres sites actifs (**figure 8.19b**). Si une enzyme possède deux ou plusieurs sous-unités, l'ajustement induit qu'une molécule de substrat entraîne dans une de celles-ci déclenche un ajustement dans toutes les autres. En d'autres termes, la présence d'une molécule de substrat fait en sorte que l'enzyme accepte plus facilement d'autres molécules de substrat. Ce mécanisme, appelé **coopérativité**, accroît donc la réponse de l'enzyme au substrat. La coopérativité est considérée comme une régulation allostérique parce que la liaison du substrat à un site actif influe sur la catalyse dans un autre site actif.

▼ **Figure 8.19** **La régulation allostérique de l'activité enzymatique.**

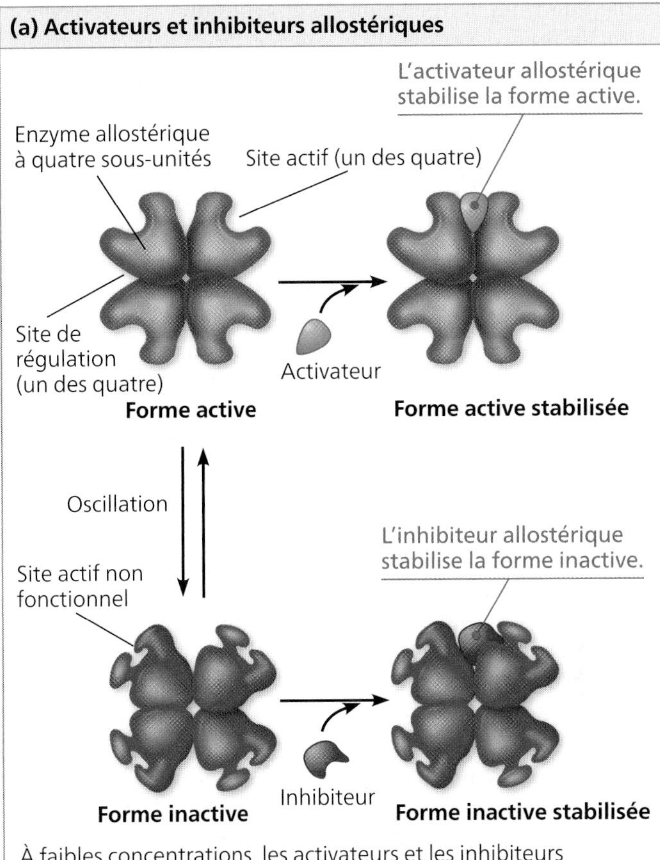

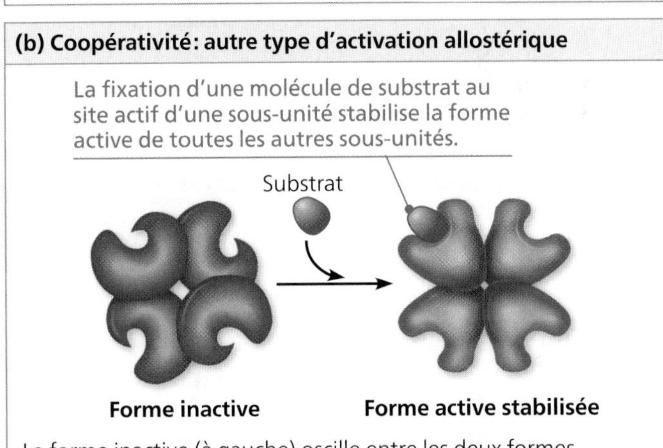

(b) Coopérativité: autre type d'activation allostérique
La fixation d'une molécule de substrat au site actif d'une sous-unité stabilise la forme active de toutes les autres sous-unités.
Substrat
Forme inactive
Forme active stabilisée
La forme inactive (à gauche) oscille entre les deux formes (active et inactive) quand la forme active n'est pas stabilisée par le substrat.

L'hémoglobine n'est pas une enzyme (elle assure le transport de l'O_2 et non la catalyse d'une réaction), mais cette protéine a fait l'objet d'études désormais classiques qui ont permis d'élucider le principe de la coopérativité. L'hémoglobine se compose de quatre sous-unités, chacune possédant un site de liaison de l'O_2 (voir la figure 5.18). La liaison d'une molécule d'oxygène à l'un de ces sites accroît l'affinité avec l'O_2 des autres sites de liaison. Par conséquent, là où l'O_2 est présent en grande quantité, comme dans les poumons ou les branchies, plus les sites de liaison sont saturés, plus l'affinité de l'hémoglobine avec l'O_2 est forte. Inversement, dans les tissus où l'oxygène se trouve en faible quantité, la libération de chaque molécule d'oxygène réduit l'affinité des autres sites de liaison avec l'oxygène, de sorte que l'oxygène est libéré là où il est le plus nécessaire. La coopérativité fonctionne de la même manière dans ces structures multi-sous-unitaires que sont les enzymes étudiées jusqu'ici.

La rétro-inhibition

Plus haut dans ce chapitre, nous avons décrit l'inhibition allostérique d'une enzyme par l'ATP elle-même dans une voie productrice d'ATP. Il s'agit d'un processus de **rétro-inhibition**, un des principaux mécanismes de la régulation métabolique. La rétro-inhibition, qui peut être compétitive ou non compétitive, consiste à ralentir ou à fermer une voie métabolique grâce à l'intervention de son produit final, qui inhibe une enzyme de cette voie. La **figure 8.20** illustre ce type de régulation. Elle montre une voie anabolique composée de cinq étapes. Certaines cellules utilisent cette voie pour synthétiser l'isoleucine, un acide aminé, à partir de la thréonine, un autre acide aminé. En s'accumulant, l'isoleucine, qui représente le produit final, ralentit sa propre synthèse. Cela est possible parce qu'elle constitue un inhibiteur allostérique de l'enzyme qui catalyse la toute première étape de la voie. Ainsi, la rétro-inhibition empêche la cellule de synthétiser plus d'isoleucine que nécessaire et de gaspiller ainsi ses ressources chimiques et son énergie.

▼ **Figure 8.20 La rétro-inhibition de la synthèse de l'isoleucine.**

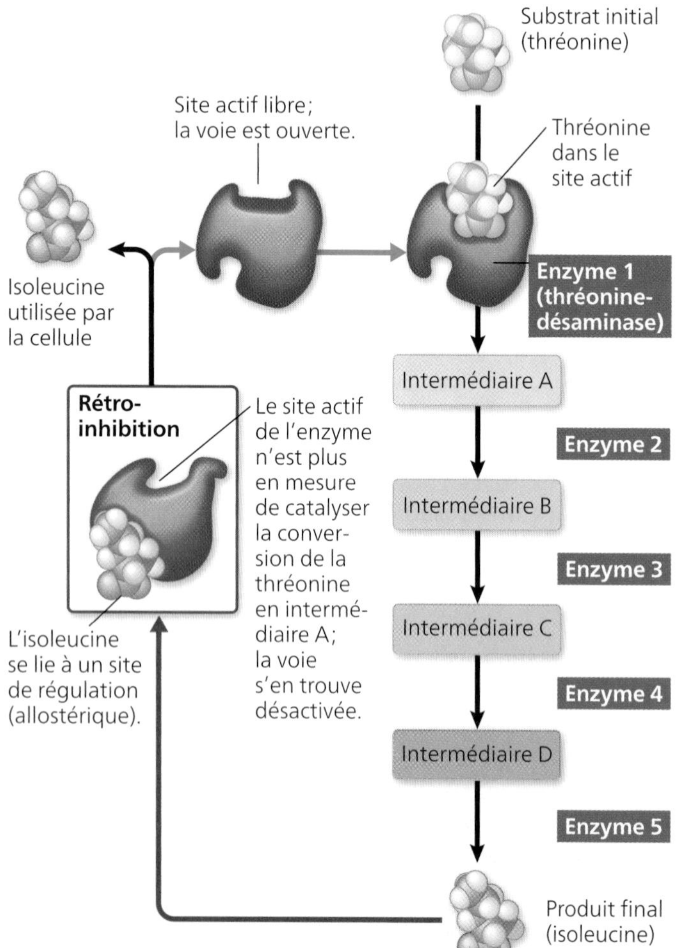

L'organisation spécifique des enzymes dans la cellule

La cellule n'est pas qu'une masse de substances chimiques, d'enzymes diverses et de substrats se mélangeant au hasard. Elle est compartimentée et possède des structures qui assurent l'organisation des voies métaboliques. Dans certains cas, diverses enzymes régulant plusieurs étapes d'une voie métabolique peuvent s'associer et former un complexe multienzymatique. Cet assemblage régule et accélère la séquence des réactions: le produit de la première enzyme devient le substrat de l'enzyme adjacente du complexe, et ainsi de suite jusqu'à l'obtention du produit final. Certaines enzymes et certains complexes d'enzymes se trouvent à des endroits fixes dans la cellule et servent de composants structuraux à certaines membranes. D'autres se trouvent en solution à l'intérieur d'organites eucaryotes délimités par des membranes, chaque organite possédant son propre environnement chimique interne. Par exemple, dans les cellules eucaryotes, les enzymes qui participent aux deuxième et troisième étapes de la respiration cellulaire aérobie logent dans les mitochondries (**figure 8.21**).

Dans ce chapitre, nous avons présenté les principes de la thermodynamique qui régissent le métabolisme, ce réseau de voies chimiques caractéristique de la vie. Nous avons également exploré la bioénergétique de la dégradation des molécules biologiques et de leur formation. Dans le prochain chapitre, nous poursuivrons sur le thème de la bioénergétique et nous nous pencherons sur la respiration cellulaire, la principale voie catabolique qui dégrade les molécules organiques et libère ainsi l'énergie nécessaire aux processus vitaux.

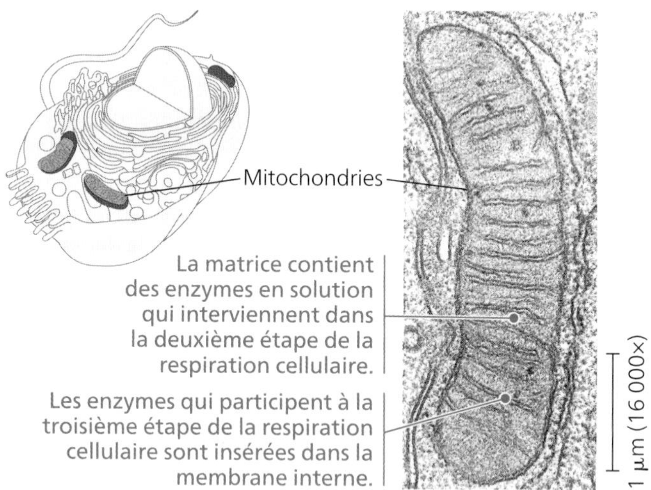

▲ **Figure 8.21 Le rôle de la compartimentation dans le métabolisme.** Des organites comme ces mitochondries (MET) contiennent des enzymes qui remplissent des fonctions bien définies, ici les deuxième et troisième étapes de la respiration cellulaire.

RETOUR SUR LE CONCEPT 8.5

1. En quoi l'effet d'un activateur et l'effet d'un inhibiteur diffèrent-ils dans une enzyme régulée par allostérie ?
2. **ET SI ?** ▶ La régulation de la synthèse d'isoleucine est un exemple de rétro-inhibition d'une voie anabolique. À la lumière de cet exemple, décrivez comment l'ATP pourrait participer à la rétro-inhibition d'une voie *catabolique*.

Voir les réponses proposées à l'appendice A.

RÉVISION DU CHAPITRE 8

Consultez votre MANUEL NUMÉRIQUE, qui vous donne accès aux **animations**, aux **exercices** et à la plateforme d'**anatomie interactive**.

Résumé des concepts clés

CONCEPT **8.1**

Le métabolisme d'un organisme transforme la matière et l'énergie selon les principes de la thermodynamique (p. 157 à 161)

- On appelle **métabolisme** l'ensemble des réactions chimiques qui se produisent dans un organisme. Les **enzymes** catalysent les réactions en suivant des **voies métaboliques** qui se croisent; celles-ci peuvent être **cataboliques** (dégradation de molécules, libération d'énergie) ou **anaboliques** (construction de molécules, consommation d'énergie). La **bioénergétique** est l'étude de la circulation de l'énergie chez les êtres vivants.
- L'**énergie** est la capacité d'engendrer un changement; certaines formes d'énergie agissent en mettant la matière en mouvement. L'**énergie cinétique** est associée au mouvement et inclut l'**énergie thermique** associée au déplacement aléatoire des atomes ou des molécules. La **chaleur** est l'énergie thermique transférée d'un objet à un autre. L'**énergie potentielle** est reliée à la position ou à la structure de la matière; elle comprend l'**énergie chimique** emmagasinée dans la structure moléculaire.
- Selon le **premier principe de la thermodynamique**, il y a conservation de l'énergie et cette énergie ne peut être ni créée ni détruite; elle peut uniquement être transférée ou transformée. Le **deuxième principe de la thermodynamique** stipule que les **changements spontanés**, c'est-à-dire ceux qui ne nécessitent aucune énergie extérieure, augmentent l'**entropie** (le désordre moléculaire) de l'Univers.

? Expliquez pourquoi la structure très ordonnée d'une cellule ne contredit pas le deuxième principe de la thermodynamique.

CONCEPT **8.2**

Les variations de l'énergie libre dans une réaction indiquent si la réaction a lieu spontanément (p. 161 à 164)

- L'**énergie libre** d'un système vivant est l'énergie qui peut produire un travail au sein de la cellule. La variation de l'énergie libre (ΔG) au cours d'un processus biologique est directement reliée à la variation de l'énergie totale, ou enthalpie (ΔH), et à la variation de l'entropie (ΔS) : $\Delta G = \Delta H - T\Delta S$. Les organismes vivants fonctionnent aux dépens de l'énergie libre. Un changement spontané est un changement qui se produit sans apport énergétique; lors d'un tel changement, l'énergie libre diminue et la stabilité du système augmente. Au point de stabilité maximale, le système est en équilibre et ne peut faire aucun travail.
- Dans une réaction chimique **exergonique** (spontanée), les produits possèdent moins d'énergie libre que les réactifs ($-\Delta G$). Les réactions **endergoniques** (non spontanées), elles, requièrent un apport d'énergie ($+\Delta G$). L'apport des substances de départ et le retrait des produits finaux empêchent le métabolisme d'atteindre l'état d'équilibre.

? Expliquez la signification de chaque composant de l'équation du changement de l'énergie libre dans une réaction chimique spontanée. Pourquoi les réactions spontanées sont-elles importantes dans le métabolisme d'une cellule ?

CONCEPT **8.3**

L'ATP permet le travail cellulaire en couplant les réactions exergoniques aux réactions endergoniques (p. 165 à 167)

- L'**ATP** est le transporteur d'énergie dans les cellules. L'hydrolyse de son groupement phosphate terminal produit de l'ADP et un Ⓟ$_i$; il dégage aussi de l'énergie libre.
- Grâce au **couplage énergétique**, le processus exergonique de l'hydrolyse de l'ATP active les réactions endergoniques par phosphorylation, c'est-à-dire par le transfert d'un groupement phosphate à des réactifs spécifiques, formant ainsi un **intermédiaire phosphorylé** plus réactif. L'hydrolyse de l'ATP (parfois avec phosphorylation protéique) entraîne aussi des changements de forme et des affinités de liaison dans les protéines de transport et les protéines motrices.
- Les voies cataboliques assurent la régénération de l'ATP à partir de l'ADP et du Ⓟ$_i$.

? Décrivez le cycle de l'ATP. Comment l'ATP est-elle utilisée et régénérée dans une cellule ?

CONCEPT **8.4**

Les enzymes accélèrent les réactions métaboliques en abaissant les barrières énergétiques (p. 167 à 174)

- Dans une réaction chimique, l'énergie nécessaire à la rupture des liaisons des réactifs est l'**énergie d'activation** (E_A).
- Les **enzymes** abaissent la barrière E_A :

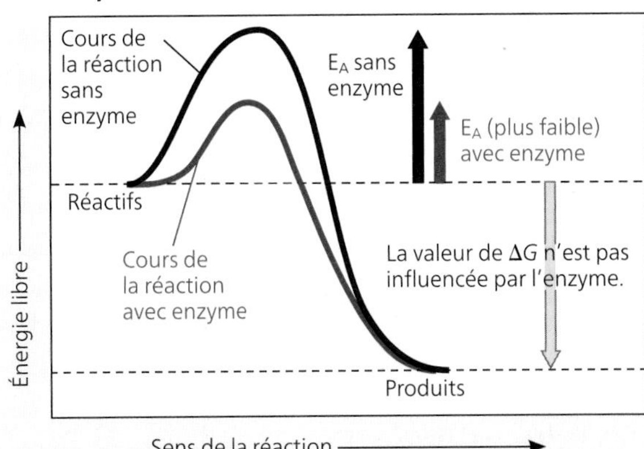

- Chaque enzyme possède un **site actif** unique qui se lie avec un ou plusieurs **substrats.** Le substrat est la molécule de réactif sur laquelle une enzyme agit. L'enzyme change alors de forme et se lie plus étroitement au substrat (**ajustement induit**).
- Le site actif peut abaisser l'E_A d'une réaction en orientant correctement les substrats, en déformant leurs liaisons, en fournissant un microenvironnement propice à la réaction et même en se liant temporairement par covalence au substrat.
- Chaque enzyme a des conditions optimales de température et de pH qui lui sont propres. Les inhibiteurs réduisent l'activité de l'enzyme. Un **inhibiteur compétitif** se lie au site actif de l'enzyme, alors qu'un **inhibiteur non compétitif** se lie à un site différent, situé sur l'enzyme.

- La sélection naturelle, qui agit sur les organismes possédant des gènes mutés codant pour des enzymes modifiées, est le principal facteur de l'évolution pouvant expliquer la multiplicité des enzymes présentes dans les organismes.

? Comment les barrières énergétiques d'activation et les enzymes contribuent-elles au maintien de l'ordre métabolique et structural de la vie ?

CONCEPT 8.5

La régulation de l'activité enzymatique contribue à la régulation du métabolisme (p. 174 à 176)

- De nombreuses enzymes se conforment à la **régulation allostérique** : elles changent de forme quand des molécules de régulation (activateurs ou inhibiteurs) se lient aux sites de régulation spécifiques qu'elles possèdent. Cette liaison influe sur la fonction enzymatique. Dans la **coopérativité**, la liaison d'une molécule de substrat à un site actif peut stimuler la liaison ou l'activité des autres sites actifs de l'enzyme. Dans la **rétro-inhibition**, le produit final d'une voie métabolique inhibe l'enzyme d'une étape précédente de la voie.
- Certaines enzymes se regroupent en complexes ; certaines sont incorporées dans des membranes ; d'autres se trouvent à l'intérieur de certains organites ; il s'ensuit une plus grande efficacité des processus métaboliques.

? Quels rôles la régulation allostérique et la rétro-inhibition jouent-elles dans le métabolisme d'une cellule ?

Évaluation

NIVEAU 1 : CONNAISSANCES ET COMPRÉHENSION

1. Le catabolisme est à l'anabolisme ce que _______ est à _______.
a) la réaction exergonique ; la réaction spontanée
b) la réaction exergonique ; la réaction endergonique
c) l'énergie libre ; l'entropie
d) le travail ; l'énergie

2. La plupart des cellules ne peuvent pas utiliser la chaleur pour produire du travail :
a) parce que la chaleur ne fait pas intervenir un transfert d'énergie.
b) parce que les cellules ne possèdent pas beaucoup de chaleur ; elles sont relativement froides.
c) parce que la température est habituellement uniforme dans toute la cellule.
d) parce qu'il n'existe pas de mécanisme capable d'utiliser la chaleur pour produire du travail.

3. Parmi les processus métaboliques suivants, lequel peut se produire sans un apport net d'énergie provenant d'un autre processus ?
a) ADP + Ⓟ$_i$ → ATP + H_2O.
b) $C_6H_{12}O_6 + 6\ O_2 \rightarrow 6\ CO_2 + 6\ H_2O$.
c) $6\ CO_2 + 6\ H_2O \rightarrow C_6H_{12}O_6 + 6\ O_2$.
d) acides aminés → protéine.

4. Si une solution enzymatique est saturée de substrat, la façon la plus efficace d'augmenter le rendement de la réaction serait :
a) d'ajouter davantage d'enzyme.
b) de chauffer la solution à 90 °C.
c) d'ajouter du substrat.
d) d'ajouter un inhibiteur non compétitif.

5. Certaines bactéries ont un métabolisme actif dans les sources hydrothermales :
a) parce qu'elles sont capables de maintenir une température interne plus basse que celle de l'eau environnante.
b) parce que la température élevée rend inutile la catalyse.
c) parce que leurs enzymes possèdent des températures optimales élevées.
d) parce que leurs enzymes sont complètement insensibles aux variations de température.

NIVEAU 2 : APPLICATION ET ANALYSE

6. Si on ajoute une enzyme à une solution dans laquelle son substrat et ses produits sont en équilibre, que se passera-t-il ?
a) Une quantité additionnelle de substrat se formera.
b) La réaction endergonique deviendra exergonique.
c) L'énergie libre du système changera.
d) Il ne se passera rien : la réaction restera en équilibre.

NIVEAU 3 : SYNTHÈSE ET ÉVALUATION

7. **FAITES UN DESSIN ▶** À l'aide d'une série de flèches, dessinez la voie ramifiée de la réaction métabolique décrite par les énoncés ci-dessous, puis répondez à la question qui suit ces énoncés. Utilisez des flèches rouges et des signes moins (–) pour indiquer une inhibition.

L peut former M ou N.

M peut former O.

O peut former P ou R.

P peut former Q.

R peut former S.

O inhibe la réaction de L pour former M.

Q inhibe la réaction de O pour former P.

S inhibe la réaction de O pour former R.

Quelle réaction l'emporterait si de fortes concentrations de Q *et* de S se trouvaient dans la cellule ?
a) L → M b) M → O c) L → N d) O → P

8. **DÉMARCHE SCIENTIFIQUE**

FAITES UN DESSIN ▶ Une chercheuse a élaboré un test visant à mesurer l'activité d'une importante enzyme présente dans des cellules pancréatiques cultivées en laboratoire. Elle a ajouté le substrat de la réaction enzymatique à l'échantillon de cellules, puis elle a mesuré l'apparition des produits de la réaction. Après avoir reporté les résultats sur un graphique, en inscrivant la quantité de produits sur l'axe des *y* et le temps sur l'axe des *x*, elle a remarqué que la courbe se divisait en quatre parties. Pendant une courte période, aucun produit ne s'est formé (partie A). Puis, la vitesse de la réaction s'est accélérée, la pente de la courbe étant prononcée (partie B). Ensuite, la réaction a ralenti graduellement (partie C). Enfin, la courbe est devenue plate (partie D). Tracez ce graphique ; accompagnez-le d'une légende, puis proposez un modèle pouvant expliquer les événements moléculaires qui se produisent à chaque stade de cette réaction.

Voir les réponses proposées à l'appendice A.

La respiration cellulaire et la fermentation

9

VOS OUTILS INTERACTIFS

Consultez votre MANUEL NUMÉRIQUE, qui vous donne accès aux **animations**, aux **exercices** et à la plateforme d'**anatomie interactive**.

▲ **Figure 9.1 Comment la nourriture, comme les lançons capturés par ce macareux moine, fournissent-ils l'énergie nécessaire au travail de la vie ?**

CONCEPTS CLÉS

9.1 Les voies cataboliques génèrent de l'énergie en oxydant des molécules organiques

9.2 La glycolyse libère de l'énergie chimique en oxydant le glucose en pyruvate

9.3 Une fois le pyruvate oxydé, le cycle de l'acide citrique achève l'oxydation, génératrice d'énergie, des molécules organiques

9.4 Durant la phosphorylation oxydative, la chimiosmose couple le transport d'électrons à la synthèse d'ATP

9.5 La fermentation et la respiration anaérobie permettent à certaines cellules de produire de l'ATP en l'absence de molécules d'oxygène

9.6 La glycolyse et le cycle de l'acide citrique sont liés à de nombreuses autres voies métaboliques

Vivre demande de l'énergie

Pour exécuter les nombreuses tâches essentielles à la vie, les cellules doivent recevoir de l'énergie de sources extérieures, sinon elles ne pourraient assembler des polymères, transporter des substances à travers leurs membranes, se déplacer ou se reproduire. Le macareux moine (*Fratercula arctica*) de la **figure 9.1** puise l'énergie nécessaire à ses cellules dans les lançons (des poissons de la famille des ammodytidés) et les autres organismes aquatiques qu'il ingère. Beaucoup d'autres animaux se nourrissent d'organismes photosynthétiques tels que des végétaux et des algues pour obtenir l'énergie dont ils ont besoin.

L'énergie emmagasinée dans les molécules organiques des aliments vient, en fin de compte, du Soleil. Elle entre dans l'écosystème sous forme de lumière solaire et en sort sous forme de chaleur. En revanche, les substances chimiques essentielles à la vie sont recyclées (**figure 9.2**). La photosynthèse génère des molécules d'oxygène (O_2) et des molécules organiques, qui servent de combustible pour la respiration cellulaire effectuée dans les mitochondries chez les eucaryotes (y compris chez les organismes photosynthétiques). La respiration cellulaire décompose ces molécules, utilisant de l'O_2 et produisant de l'ATP. Les déchets de la respiration, soit le dioxyde de carbone (CO_2) et l'eau, sont la matière première de la photosynthèse.

▼ **Figure 9.2 Le flux de l'énergie et le recyclage chimique dans les écosystèmes.** L'énergie entre dans un écosystème sous forme de lumière solaire et en sort sous forme de chaleur, tandis que les substances chimiques nécessaires à la vie sont recyclées.

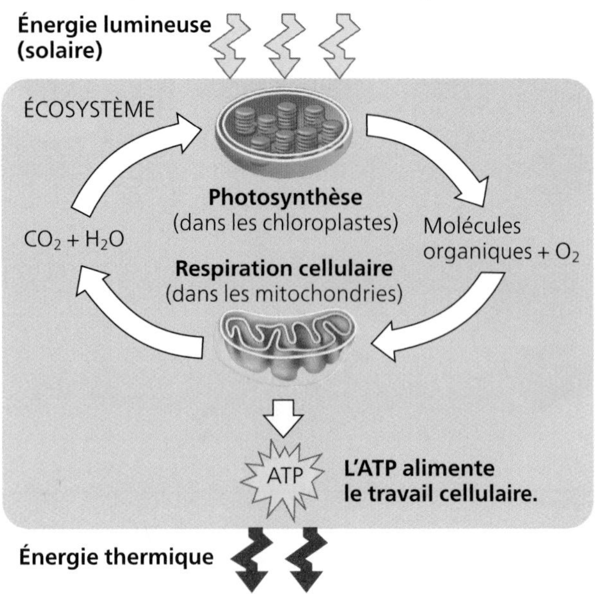

Dans ce chapitre, nous verrons comment la respiration cellulaire extrait l'énergie emmagasinée dans les combustibles organiques pour produire de l'ATP, la substance qui alimente la majeure partie du travail cellulaire. Après avoir décrit les mécanismes généraux de la respiration cellulaire, nous nous concentrerons sur ses trois principales voies : (1) la glycolyse ; (2) l'oxydation du pyruvate et le cycle de l'acide citrique ; et (3) la phosphorylation oxydative. Nous nous pencherons aussi sur la fermentation. Cette voie métabolique un peu plus simple, couplée à la glycolyse, est un processus aux origines très anciennes du point de vue de l'évolution.

CONCEPT **9.1**

Les voies cataboliques génèrent de l'énergie en oxydant des molécules organiques

Les voies cataboliques sont des voies métaboliques qui libèrent l'énergie emmagasinée en dégradant des molécules complexes (voir le concept 8.1) ; le transfert d'électrons à partir de molécules de combustible (comme le glucose) joue à cet égard un rôle clé. Dans cette section, nous examinerons ces processus essentiels à la respiration cellulaire.

Les voies cataboliques et la production d'ATP

Les composés organiques possèdent une énergie potentielle qui résulte de la disposition des électrons dans les liaisons entre leurs atomes. Les composés qui participent aux réactions exergoniques peuvent agir comme combustibles. Toute substance organique contient de l'énergie qui peut être libérée à différentes fins. À l'aide d'enzymes, la cellule dégrade des molécules organiques complexes, riches en énergie potentielle, et les transforme en produits résiduels plus simples et renfermant moins d'énergie. Une partie de l'énergie tirée des réserves chimiques sert à accomplir du travail et le reste se dissipe sous forme de chaleur.

L'un de ces processus cataboliques, la **fermentation**, dégrade le glucose ou d'autres combustibles biologiques, en l'absence d'O_2. Cependant, la voie catabolique la plus répandue et la plus efficace est la **respiration cellulaire aérobie** (le terme *aérobie* vient du grec *aer*, « air », et *bios*, « vie »). Ses réactifs sont l'O_2 et les combustibles organiques. Les cellules de la plupart des organismes eucaryotes et de nombreux organismes procaryotes sont capables de respiration aérobie. Certaines cellules procaryotes utilisent comme réactifs des substances autres que l'O_2, dans un processus similaire à celui qui capte l'énergie chimique sans faire intervenir l'O_2 ; il s'agit de la *respiration anaérobie* (le préfixe *an-* signifiant « sans »). Techniquement, le terme **respiration cellulaire** inclut les processus aérobies et anaérobies, mais à l'origine on y voyait un synonyme de respiration aérobie en raison de la relation de ce processus avec la *respiration* par laquelle les organismes animaux inspirent de l'O_2. Encore aujourd'hui, on utilise couramment le terme *respiration cellulaire* pour désigner le processus catabolique aérobie ; c'est d'ailleurs ce que nous ferons la plupart du temps dans ce chapitre.

Bien que son mécanisme diffère, la respiration cellulaire repose sur un principe similaire à celui de la combustion de l'essence dans un moteur, une fois que l'O_2 est mis en présence du combustible (hydrocarbures). Les combustibles de la respiration sont les nutriments, et les produits d'échappement sont le CO_2 et l'eau. Le processus peut se résumer comme suit :

$$\text{Composés organiques} + \text{Molécules d'oxygène} \rightarrow \text{Molécules de dioxyde de carbone} + \text{Eau} + \text{Énergie}$$

Les glucides, les lipides et les protéines peuvent tous servir de combustibles après avoir été transformés, comme nous le verrons plus loin. Dans l'alimentation des animaux, l'amidon représente une importante source de glucides. L'amidon est un polysaccharide de réserve qui peut être dégradé en sous-unités de glucose ($C_6H_{12}O_6$). Nous étudierons les étapes de la respiration cellulaire en décrivant la dégradation du glucose ($C_6H_{12}O_6$) :

$$C_6H_{12}O_6 + 6\,O_2 \rightarrow 6\,CO_2 + 6\,H_2O + \text{Énergie (ATP et chaleur)}$$

La dégradation du glucose est exergonique : elle correspond à une variation de l'énergie libre de 2 870 kJ par mole de glucose dégradée ($\Delta G = -2\,870$ kJ/mol) dans des conditions normales. Rappelez-vous qu'une valeur négative de ΔG ($\Delta G < 0$) indique que les produits de la réaction chimique renferment moins d'énergie que les réactifs et que la réaction peut se produire spontanément, sans énergie extérieure (voir le concept 8.2).

Les voies cataboliques ne prennent pas directement part au mouvement des flagelles, au transport actif des solutés, à la polymérisation des monomères et à la contraction musculaire, bref, aux processus cellulaires vitaux. Le catabolisme est lié au travail cellulaire par un intermédiaire chimique, l'ATP (voir le concept 8.3). Pour survivre, la cellule doit refaire ses réserves d'ATP à partir d'ADP et de phosphate inorganique (P_i) (voir la figure 8.11). Pour comprendre comment la respiration cellulaire alimente la synthèse de l'ATP, examinons deux processus chimiques fondamentaux : l'oxydation et la réduction.

Les réactions d'oxydoréduction: oxydation et réduction

Comment les voies cataboliques de dégradation du glucose et d'autres combustibles organiques fournissent-elles de l'énergie? La réponse à cette question réside dans le transfert d'électrons qui survient pendant les réactions chimiques appelées oxydation et réduction: ce transfert d'électrons libère l'énergie emmagasinée dans les molécules organiques, et cette énergie sert, ultimement, à synthétiser de l'ATP.

Les principes de l'oxydoréduction

Dans beaucoup de réactions chimiques, un ou plusieurs électrons (e^-) passent d'un réactif à un autre. Ces transferts sont appelés **réactions d'oxydoréduction** (ou **réactions rédox**): la perte d'électrons correspond à l'**oxydation**, et le gain d'électrons, à la **réduction**. (Remarquez que l'*ajout* d'électrons s'appelle *réduction*; quand ils s'ajoutent à un cation, les électrons [charge négative] *réduisent* la quantité de charges positives du cation.)

Examinons, par exemple, la réaction dans laquelle du sel de table se forme à partir de deux éléments, le sodium (Na) et le chlore (Cl):

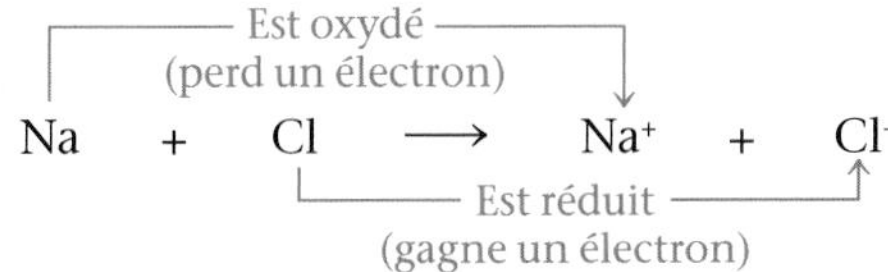

Nous pouvons généraliser comme suit les réactions d'oxydoréduction:

$$Xe^- + Y \longrightarrow X + Ye^-$$

(Est oxydé: Xe^- → X; Est réduit: Y → Ye^-)

Dans la réaction hypothétique ci-dessus, la substance Xe^-, qui est le donneur d'électrons, s'appelle **agent réducteur**: celui-ci réduit Y, qui accepte l'électron donné. La substance Y, qui est l'accepteur d'électrons, est l'**agent oxydant**: il oxyde X en lui enlevant son électron. Comme un transfert d'électrons exige qu'il y ait à la fois un donneur et un accepteur, l'oxydation et la réduction vont toujours de pair.

Les réactions d'oxydoréduction ne supposent pas nécessairement un transfert complet des électrons d'une substance à une autre; certaines ne font que modifier le *degré* de la mise en commun des électrons dans les liaisons covalentes. La combustion du méthane, représentée à la **figure 9.3**, en est un exemple. Les électrons covalents du méthane sont mis en commun presque également par les atomes liés, parce que le carbone et l'hydrogène ont une affinité presque égale pour les électrons de valence. Ils possèdent tous deux à peu près la même électronégativité (voir le concept 2.3). Toutefois, quand le carbone du méthane réagit avec l'O_2 et forme du CO_2, les électrons s'éloignent de l'atome de carbone pour se rapprocher de ses nouveaux partenaires covalents, les atomes d'oxygène, qui possèdent une forte électronégativité. En effet, l'atome de carbone a partiellement «perdu» ses électrons mis en commun; le méthane est alors oxydé.

Maintenant, examinons ce qu'il advient du réactif O_2 dans cette dernière réaction. Les deux atomes de la molécule d'oxygène (O_2), eux, partagent également leurs électrons. Par ailleurs, quand l'O_2 réagit avec l'hydrogène du méthane pour former de l'eau, les électrons des liaisons covalentes restent plus longtemps à proximité de l'oxygène (voir la figure 9.3). En effet, chaque atome d'oxygène ayant partiellement «gagné» des électrons, l'O_2 est réduit. Étant donné sa forte électronégativité, l'O_2 figure parmi les agents oxydants les plus puissants.

▼ **Figure 9.3 Exemple de réaction d'oxydoréduction: la combustion du méthane.** Cette réaction libère de l'énergie, car les électrons perdent de l'énergie potentielle lorsqu'ils sont partagés inégalement et qu'ils passent plus de temps à proximité d'atomes électronégatifs comme l'oxygène.

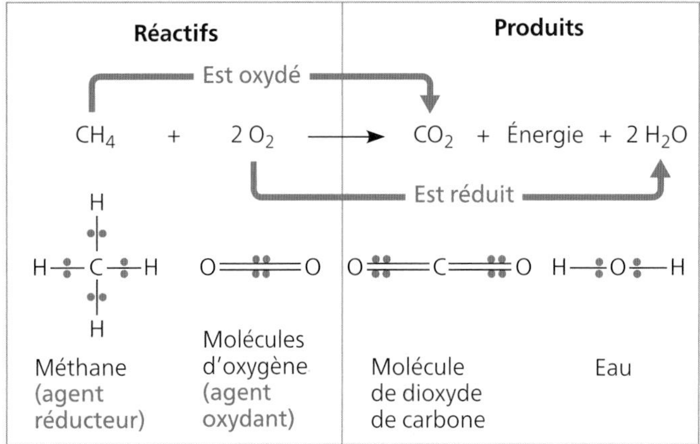

Il faut de l'énergie pour séparer un électron d'un atome, tout comme il faut de l'énergie pour pousser un ballon vers le haut d'une pente. Plus un atome est électronégatif (plus il attire les électrons), plus il faut d'énergie pour en éloigner un électron, tout comme il faut un surcroît d'énergie pour pousser un ballon vers le haut d'une pente abrupte. Un électron *perd* de l'énergie potentielle quand il va d'un atome faiblement électronégatif *vers* un atome fortement électronégatif, tout comme un ballon perd de l'énergie potentielle quand il roule vers le bas d'une pente. Par conséquent, une réaction d'oxydoréduction qui rapproche les électrons des atomes d'oxygène, telle que la combustion (l'oxydation) du méthane, libère de l'énergie chimique pouvant servir à produire du travail.

L'oxydation des molécules organiques au cours de la respiration cellulaire

L'oxydation du propane (C_3H_8) par l'O_2 (suivant les mêmes principes que ceux que nous venons d'illustrer pour le méthane) constitue la principale réaction de combustion qui se produit dans les brûleurs d'une cuisinière à gaz. La combustion de l'essence dans un moteur d'automobile représente aussi une réaction d'oxydoréduction, et l'énergie qu'elle libère actionne les pistons. Mais la réaction d'oxydoréduction qui nous intéresse ici est la respiration cellulaire, c'est-à-dire l'oxydation du glucose et d'autres molécules provenant des aliments. Analysons de nouveau l'équation de la respiration cellulaire, cette fois sous l'angle de l'oxydoréduction:

$$C_6H_{12}O_6 + 6\,O_2 \longrightarrow 6\,CO_2 + 6\,H_2O + \text{Énergie}$$

(Est oxydé: $C_6H_{12}O_6$ → $6\,CO_2$; Est réduit: $6\,O_2$ → $6\,H_2O$)

Comme dans la combustion du méthane et de l'essence, il y a oxydation du combustible (le glucose) et réduction de l'O_2; par la même occasion, les électrons perdent de l'énergie potentielle, et de l'énergie est libérée.

En général, les molécules organiques riches en hydrogène sont d'excellents combustibles, car leurs liaisons renferment des électrons à forte énergie potentielle, susceptibles de se rapprocher des atomes d'oxygène et de libérer de l'énergie. L'équation de la respiration cellulaire indique que l'hydrogène du glucose est transféré à l'O_2. Cependant, elle ne rend pas compte d'un fait important : l'état énergétique des électrons change quand l'hydrogène (avec ses électrons) est transféré à l'O_2 (la valeur de ΔG est négative). Dans la respiration cellulaire, l'oxydation aérobie du glucose transfère des électrons vers un état énergétique plus faible, libérant l'énergie qui y était emmagasinée et la rendant disponible pour la synthèse de l'ATP. En général, donc, on voit des combustibles à multiples liaisons C—H oxydés en produits à multiples liaisons C—O.

Les principaux nutriments énergétiques, soit les glucides et les lipides, sont des réservoirs d'électrons associés à de l'hydrogène, souvent sous la forme de liaisons C—H. Seule la barrière formée par l'énergie d'activation empêche qu'il y ait un raz-de-marée d'électrons tendant à adopter l'état énergétique le plus bas (voir la figure 8.12). Sans elle, une substance nutritive comme le glucose se combinerait spontanément à l'O_2. Si on fournit l'énergie d'activation en déclenchant la combustion – c'est-à-dire l'oxydation rapide d'un combustible et la libération d'une énorme quantité d'énergie sous forme de chaleur –, chaque mole de glucose (environ 180 g) brûle dans l'air en libérant 2 870 kJ de chaleur. Évidemment, la température corporelle n'est pas assez élevée pour amorcer seule la combustion du glucose. Par contre, si vous ingérez du glucose, les enzymes présentes dans vos cellules se chargeront d'abaisser la barrière de l'énergie d'activation et le glucose sera oxydé lentement, en une série d'étapes.

Le transfert des électrons en une série d'étapes par l'entremise du NAD⁺ et de la chaîne de transport des électrons

Il est difficile d'exploiter l'énergie de façon efficace et productive quand elle se libère en bloc d'un combustible. L'explosion d'un réservoir d'essence, par exemple, ne ferait guère avancer une voiture. De même, il ne servirait à rien que la respiration cellulaire oxyde le glucose (ou tout autre combustible organique) en une seule étape explosive. La respiration cellulaire se produit autrement : le glucose est dégradé en une série d'étapes, toutes catalysées par une enzyme. Aux étapes clés, des électrons sont arrachés au glucose. Comme c'est souvent le cas dans les réactions d'oxydation, chaque électron se déplace avec un proton, autrement dit sous forme d'atome d'hydrogène. Les atomes d'hydrogène ne joignent pas directement l'O_2. Généralement, ils doivent d'abord passer par un transporteur d'électrons, une coenzyme appelée nicotinamide adénine dinucléotide, un dérivé de la niacine (vitamine B_3). Cette coenzyme est un bon transporteur d'électrons, car elle peut facilement passer de sa forme oxydée, **NAD^+**, à sa forme réduite, **NADH**, et vice versa. En tant qu'accepteur d'électrons, le NAD^+ joue le rôle d'agent oxydant dans la respiration.

Comment le NAD^+ capte-t-il les électrons du glucose et des autres molécules combustibles des aliments ? Des enzymes appelées déshydrogénases retirent une paire d'atomes d'hydrogène (deux électrons et deux protons) du substrat (le glucose, dans l'exemple précédent), et l'oxydent du même coup. Cette réaction porte le nom de *déshydrogénation*. Elles apportent ensuite les *deux* électrons et *un* proton (H^+) au NAD^+, formant du NADH (**figure 9.4**). Quant au proton restant, il est libéré dans la solution environnante :

$$\text{H}-\overset{|}{\underset{|}{\text{C}}}-\text{OH} + \text{NAD}^+ \xrightarrow{\text{Déshydrogénase}} \overset{|}{\underset{|}{\text{C}}}=\text{O} + \text{NADH} + \text{H}^+$$

Lorsqu'il reçoit les deux électrons (de charge négative) mais un seul proton (de charge positive), le nicotinamide du NAD^+ est neutralisé lorsque le NAD^+ est réduit en NADH. L'appellation NADH indique le gain d'un atome d'hydrogène au cours de la réaction. Le NAD^+ est l'accepteur d'électrons le plus polyvalent dans la respiration cellulaire et il intervient dans plusieurs des étapes d'oxydoréduction caractéristiques de la dégradation des monosaccharides comme le glucose.

Les électrons perdent très peu de leur énergie potentielle quand les déshydrogénases les transfèrent des nutriments au

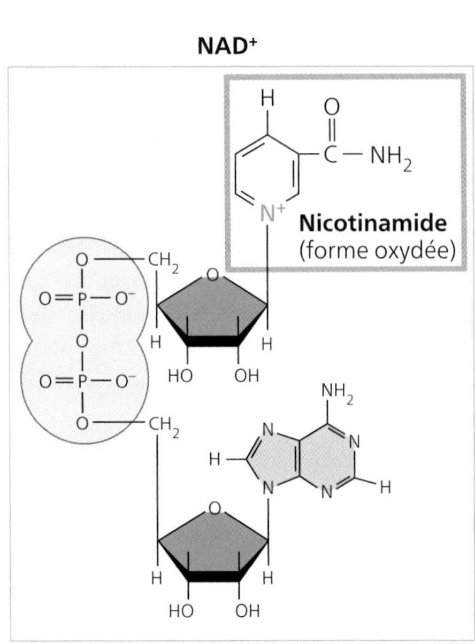

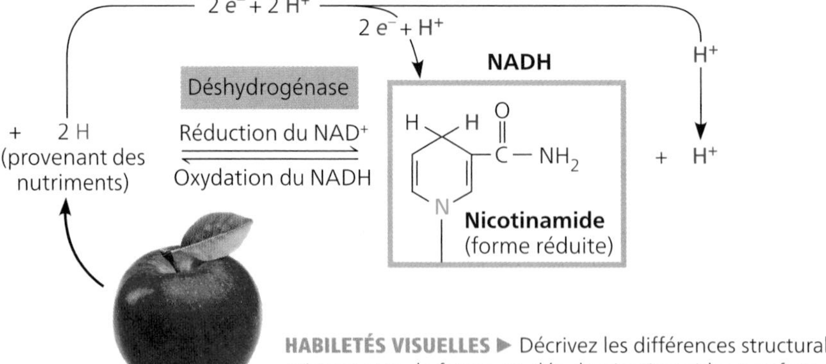

HABILETÉS VISUELLES ▶ Décrivez les différences structurales qui existent entre la forme oxydée du nicotinamide et sa forme réduite.

▲ **Figure 9.4 Le NAD⁺ : un transporteur d'électrons.** Son nom, « nicotinamide adénine dinucléotide », décrit la structure de cette molécule : elle est constituée de deux nucléotides reliés par leurs groupements phosphate (en jaune). (Le nicotinamide est une base azotée différente de celle qui est contenue dans l'ADN ou dans l'ARN ; voir la figure 5.23.) Le transfert enzymatique au NAD^+ de deux électrons et d'un proton (H^+) issus d'une molécule organique réduit le NAD^+ en NADH : la plupart des électrons retirés des nutriments sont d'abord transférés au NAD^+, formant du NADH. Le second proton (H^+) retiré des nutriments est libéré dans la solution environnante.

NAD^+. Par conséquent, chaque molécule de NADH formée pendant la respiration cellulaire aérobie représente une réserve d'énergie. Cette énergie pourra servir à produire de l'ATP quand les électrons auront fini, en une série d'étapes, de « descendre » la pente énergétique menant du NADH à l'O_2.

▼ **Figure 9.5 Un aperçu de la chaîne de transport d'électrons.**

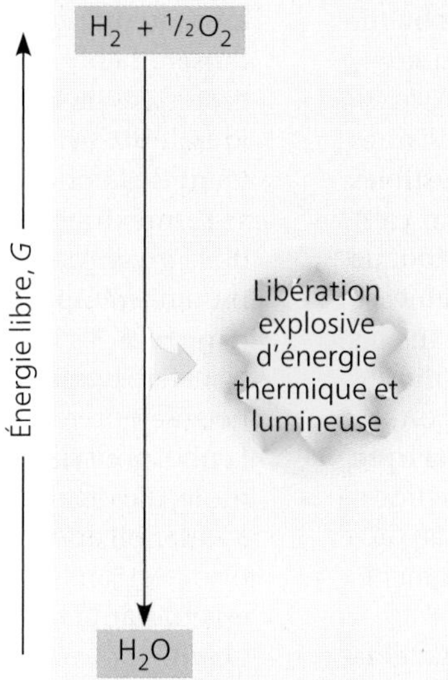

(a) Réaction non contrôlée. La réaction exergonique en une seule étape par laquelle le dihydrogène et l'O_2 forment de l'eau libère une grande quantité d'énergie sous forme de chaleur et de lumière, autrement dit sous forme d'explosion.

2 H + $1/2\,O_2$
(provenant de nutriments, par l'entremise du NADH)
$2\,H^+ + 2\,e^-$
Libération graduelle d'énergie servant à la synthèse de l'ATP
Énergie libre, G
Chaîne de transport d'électrons
ATP
ATP
ATP
$2\,e^-$
$2\,H^+$
$1/2\,O_2$
H_2O

(b) Respiration cellulaire. Dans la respiration cellulaire, cette même réaction se produit par étapes. Une chaîne de transport d'électrons échelonne la « descente » des électrons en une série d'étapes et emmagasine une partie de l'énergie libérée sous une forme qui peut servir à produire de l'ATP. (Le reste de l'énergie est libéré sous forme de chaleur.)

Comment les électrons extraits du glucose et mis en réserve dans le NADH rejoignent-ils enfin l'O_2 ? Pour mieux faire comprendre les réactions d'oxydoréduction complexes de la respiration cellulaire, faisons une analogie avec une réaction beaucoup plus simple, celle qui produit de l'eau à partir de dihydrogène et d'O_2 (**figure 9.5a**). Mélangez ces deux gaz et fournissez-leur l'énergie d'activation requise sous la forme d'une étincelle : ils se combineront de manière explosive. D'ailleurs, on a utilisé la combustion de dihydrogène liquide et d'O_2 pour faire fonctionner les principaux moteurs projetant les navettes spatiales et les satellites en orbite après le décollage. L'explosion produite correspond à la libération d'énergie qui survient quand les électrons de l'hydrogène se rapprochent des atomes d'oxygène électronégatifs. La respiration cellulaire rapproche elle aussi de l'hydrogène et de l'oxygène en formant de l'eau, mais à deux importantes différences près. Premièrement, l'hydrogène qui réagit avec l'O_2 provient de molécules organiques plutôt que du dihydrogène. Deuxièmement, au lieu de se produire dans une réaction explosive, la respiration cellulaire utilise une *chaîne de transport d'électrons* pour échelonner la « descente » des électrons vers l'O_2 en une série d'étapes libératrices d'énergie (**figure 9.5b**). Une **chaîne de transport d'électrons** se compose de plusieurs molécules (des protéines pour la plupart) insérées dans la membrane interne des mitochondries des cellules eucaryotes (et dans la membrane plasmique des cellules procaryotes qui pratiquent la respiration aérobie). Le NADH apporte au « sommet » de la chaîne, où le niveau énergétique est le plus élevé, les électrons retirés des nutriments. Au « bas » de la chaîne, où le niveau énergétique est le moins élevé, l'O_2 capture ces électrons en même temps que les protons (H^+), et de l'eau se forme. (Les procaryotes qui accomplissent la respiration anaérobie fonctionnent selon le même principe, à la différence que l'accepteur d'électrons à l'extrémité de la chaîne n'est pas l'O_2.)

Le transfert d'électrons du NADH à l'O_2 est exergonique, puisqu'il entraîne une variation de l'énergie libre de –222 kJ/mol environ. Mais cette énergie ne se libère pas d'un coup : les électrons descendent progressivement la chaîne en passant d'un transporteur à l'autre par une série d'étapes, perdant chaque fois une petite quantité d'énergie jusqu'à ce qu'ils atteignent l'O_2, le dernier accepteur d'électrons tout au bas de la chaîne qui a une très grande affinité pour les électrons. Chaque transporteur est plus électronégatif que le suivant situé en amont, l'O_2 se trouvant au bas de la pente. Les électrons transférés des nutriments par le NAD^+, lequel est par conséquent réduit en NADH, descendent graduellement la pente énergétique de la chaîne de transport jusqu'à ce qu'ils atteignent une position beaucoup plus stable dans l'atome d'oxygène électronégatif. En d'autres termes, l'O_2 attire à lui les électrons de la chaîne de transport dans une cascade énergétique, de la même manière qu'un corps subissant la loi de la gravitation est attiré vers le bas.

En résumé, au cours de la respiration cellulaire, la majorité des électrons descendent la pente suivante : nutriment → NADH → chaîne de transport d'électrons → O_2. Plus loin dans ce chapitre, vous en apprendrez davantage sur la synthèse de l'ATP à partir de l'énergie libérée par la « descente » exergonique des électrons. À présent que nous avons exposé les mécanismes de base de l'oxydoréduction appliqués à la respiration cellulaire, étudions dans son ensemble le processus par lequel l'énergie est récupérée des combustibles organiques.

Les étapes de la respiration cellulaire : *un aperçu*

L'extraction de l'énergie du glucose par la respiration cellulaire est une fonction cumulative de trois stades métaboliques. Nous les indiquons ci-dessous en précisant le code de couleurs que nous utiliserons tout au long du chapitre pour vous aider à garder à l'esprit le processus d'ensemble :

1. la GLYCOLYSE (représentée en bleu tout au long du chapitre);
2. l'OXYDATION DU PYRUVATE et le CYCLE DE L'ACIDE CITRIQUE (représentés en orangé clair et orangé foncé);
3. la PHOSPHORYLATION OXYDATIVE : transport des électrons et chimiosmose (représentés en violet).

Les biochimistes réservent habituellement le terme *respiration cellulaire* aux stades 2 et 3 ensemble. Dans le présent ouvrage, cependant, nous incluons aussi la glycolyse dans la respiration cellulaire, car la plupart des cellules aérobies qui respirent et tirent leur énergie du glucose utilisent ce processus pour obtenir le matériel nécessaire à l'amorce du cycle de l'acide citrique.

Comme le montre la **figure 9.6**, la glycolyse et, ensuite, l'oxydation du pyruvate et le cycle de l'acide citrique sont les voies cataboliques qui dégradent le glucose et les autres combustibles organiques. La **glycolyse**, qui a lieu dans le cytosol (car c'est là que se trouvent les enzymes nécessaires), marque le début de la dégradation du glucose: elle scinde une molécule de glucose en deux molécules d'un composé appelé pyruvate. Dans les cellules eucaryotes, le pyruvate pénètre dans les mitochondries où il est oxydé, ce qui donne un composé appelé acétyl-CoA, ou acétyl-coenzyme A, qui entre dans le **cycle de l'acide citrique** où s'achève la dégradation du glucose en CO_2. (Chez les procaryotes, tous ces processus se déroulent dans le cytosol.) Le CO_2 expiré par la respiration cellulaire représente donc des fragments de molécules organiques oxydées.

Quelques-unes des étapes de la glycolyse et du cycle de l'acide citrique sont des réactions d'oxydoréduction dans lesquelles les déshydrogénases transfèrent des électrons du substrat au NAD^+, ou à un transporteur d'électron apparenté, la FAD, en formant du NADH ou de la $FADH_2$. (Vous en apprendrez davantage sur la FAD et la $FADH_2$ un peu plus loin.) Au cours du troisième stade de la respiration cellulaire, la chaîne de transport d'électrons accepte les électrons provenant des produits des deux premiers stades (le plus souvent par l'entremise du NADH ou de la $FADH_2$) et elle les transmet d'une molécule à une autre. À la fin de la chaîne, les électrons se combinent à des protons (H^+) et à de l'O_2, et ils forment de l'eau (voir la figure 9.5b). L'énergie libérée à chaque maillon de la chaîne est emmagasinée sous une forme que la mitochondrie peut utiliser pour produire de l'ATP. Ce mode de synthèse de l'ATP s'appelle **phosphorylation oxydative**, car il est alimenté par les réactions d'oxydoréduction de la chaîne de transport d'électrons; le mot *phosphorylation* renvoie au fait que le phosphate transféré est le radical «phosphoryle».

Chez les cellules eucaryotes, c'est sur la membrane interne des mitochondries que s'effectuent le transport des électrons ainsi qu'un processus appelé chimiosmose, qui, ensemble, produisent la phosphorylation oxydative. (Chez les cellules procaryotes, ces processus se déroulent dans la membrane plasmique.) Près de 90% de l'ATP engendrée par la respiration cellulaire provient de la phosphorylation oxydative. Une quantité moindre se forme directement au cours d'un petit nombre de réactions de la glycolyse et du cycle de l'acide citrique, et ce, grâce à un mécanisme appelé **phosphorylation au niveau du substrat** (**figure 9.7**). Dans ce mode de synthèse de l'ATP, une enzyme transfère un groupement phosphate d'un substrat à de l'ADP au lieu d'ajouter un phosphate inorganique à l'ADP comme lors de la phosphorylation oxydative. (Le substrat fait ici référence à une molécule organique produite comme un intermédiaire pendant le catabolisme du glucose.) Nous verrons des exemples de phosphorylation au niveau du substrat plus loin dans ce chapitre, en étudiant la glycolyse et le cycle de l'acide citrique.

Vous pouvez vous représenter le processus d'ensemble comme suit: lorsque vous retirez une somme d'argent relativement élevée d'un guichet automatique, la machine ne vous remet pas la somme en une seule grosse coupure, mais plutôt en plusieurs petites coupures que vous pourrez utiliser plus facilement. Cette analogie s'applique tout à fait à la production d'ATP durant la respiration cellulaire. On estime que, pour chaque mole de glucose dégradée en CO_2 et en H_2O au cours de la respiration cellulaire, la cellule produit environ 32 mol d'ATP, chacune contenant environ 30,5 kJ/mol d'énergie libre. La respiration change les «grosses coupures» de l'énergie du glucose (une seule molécule contenant 2 870 kJ/mol) en «petite monnaie», l'ATP (plusieurs molécules de 30,5 kJ/mol), que la cellule peut écouler plus aisément.

Vous venez d'entrevoir comment la glycolyse, l'oxydation du pyruvate et le cycle de l'acide citrique ainsi que la phosphorylation oxydative engendrent la respiration cellulaire. Entreprenons maintenant une étude plus approfondie de chacun de ces trois stades.

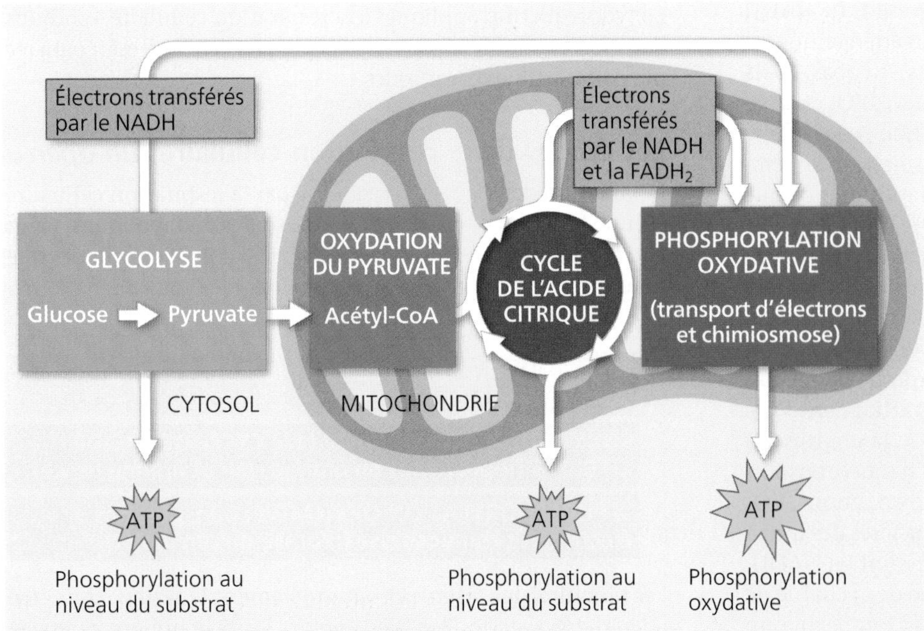

◄ **Figure 9.6 Un aperçu de la respiration cellulaire.** Pendant la glycolyse, chaque molécule de glucose est transformée en deux molécules d'un composé appelé pyruvate. Chez les cellules eucaryotes, le pyruvate entre dans les mitochondries, où il est oxydé en CO_2 au cours du cycle de l'acide citrique. Les transporteurs d'électrons NADH et $FADH_2$ transfèrent les électrons provenant du glucose à des chaînes de transport d'électrons. Durant la phosphorylation oxydative, les chaînes de transport d'électrons convertissent l'énergie chimique en une forme d'énergie qui sert à la synthèse de l'ATP au cours d'un processus appelé chimiosmose. (Durant les premières étapes de la respiration cellulaire, il y a synthèse de quelques molécules d'ATP au cours d'un processus appelé phosphorylation au niveau du substrat.) Pour visualiser ces processus dans leur contexte cellulaire, reportez-vous à la figure 6.32.

▼ **Figure 9.7 La phosphorylation au niveau du substrat.** Une partie de l'ATP est produite grâce au transfert enzymatique direct d'un groupement phosphate provenant d'un substrat organique à de l'ADP. (Pour des exemples en relation avec la glycolyse, voir la figure 9.9, étapes 7 et 10.)

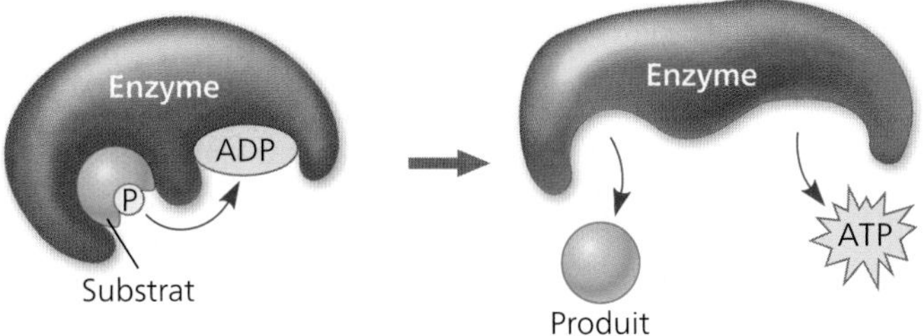

FAITES DES LIENS ▶ Étudiez la figure 8.8. Dans la réaction ci-dessus, l'énergie potentielle est-elle plus élevée chez les réactifs ou chez les produits ? Expliquez votre réponse.

RETOUR SUR LE CONCEPT 9.1

1. Comparez la respiration aérobie et la respiration anaérobie, y compris les processus qu'elles comprennent.
2. **ET SI ? ▶** Dans la réaction d'oxydoréduction suivante, quel élément est oxydé et lequel est réduit ? $C_4H_6O_5 + NAD^+ \longrightarrow C_4H_4O_5 + NADH + H^+$

Voir les réponses proposées à l'appendice A.

CONCEPT 9.2

La glycolyse libère de l'énergie chimique en oxydant le glucose en pyruvate

Le mot *glycolyse* signifie « dégradation du glucose », et c'est exactement ce qui se produit le long de cette voie catabolique. Le glucose, un monosaccharide possédant six atomes de carbone, se scinde en deux monosaccharides ayant chacun trois atomes de carbone. Ces petits monosaccharides sont ensuite oxydés, et les atomes restants se réarrangent en deux molécules de pyruvate. (Le pyruvate est la forme ionisée d'un acide possédant trois atomes de carbone, l'acide pyruvique.)

Comme le montre la **figure 9.8**, on peut diviser la glycolyse en deux phases : l'investissement d'énergie et la libération d'énergie. Pendant la phase d'investissement d'énergie, la cellule doit dépenser de l'ATP, mais elle récolte les dividendes de son investissement durant la phase de libération d'énergie, lorsque la phosphorylation au niveau du substrat produit de l'ATP et que l'oxydation de la molécule organique (le glucose dans cet exemple) réduit le NAD^+ en NADH. Le rendement net de la glycolyse est de deux molécules d'ATP et de deux molécules de NADH par molécule de glucose. La **figure 9.9** résume les 10 étapes de la voie glycolytique.

Tout le carbone contenu à l'origine dans le glucose se retrouve dans les deux molécules de pyruvate ; il n'y a donc pas de libération de CO_2 pendant la glycolyse. Notez aussi que cette série de réactions se produit en présence ou en l'absence d'O_2. *En présence d'O_2*, l'énergie chimique emmagasinée dans le pyruvate et le NADH peut toutefois être extraite au cours de l'oxydation du pyruvate, du cycle de l'acide citrique et de la phosphorylation oxydative.

▼ **Figure 9.8 La glycolyse : investissement et rendement énergétique.**

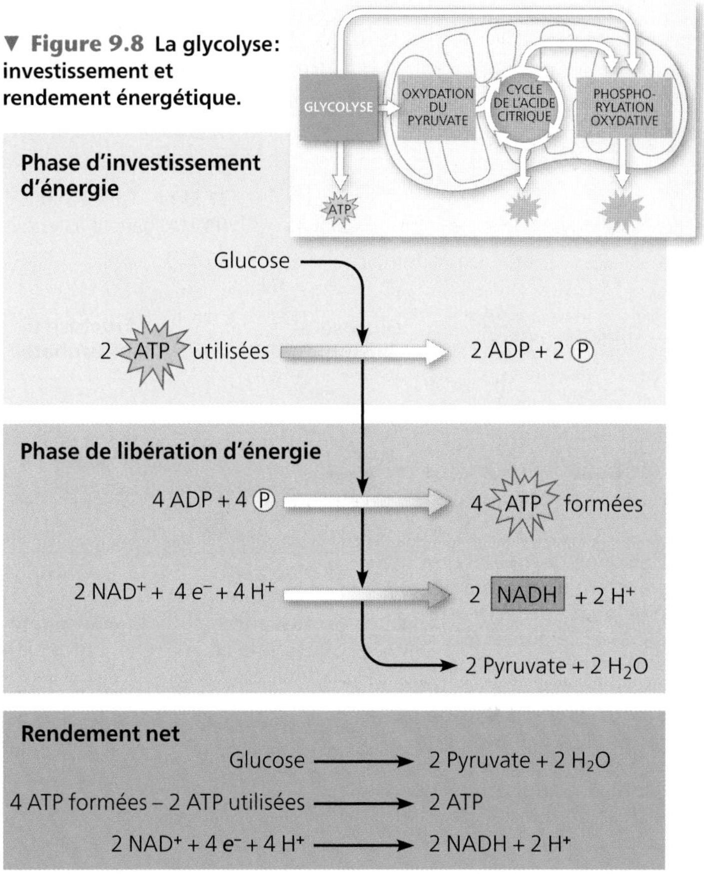

GLYCOLYSE — OXYDATION DU PYRUVATE — CYCLE DE L'ACIDE CITRIQUE — PHOSPHORYLATION OXYDATIVE — ATP

Phase d'investissement d'énergie

Glucose

2 ATP utilisées → 2 ADP + 2 Ⓟ

Phase de libération d'énergie

4 ADP + 4 Ⓟ → 4 ATP formées

$2\ NAD^+ + 4\ e^- + 4\ H^+$ → 2 NADH + 2 H^+

→ 2 Pyruvate + 2 H_2O

Rendement net

Glucose → 2 Pyruvate + 2 H_2O

4 ATP formées – 2 ATP utilisées → 2 ATP

$2\ NAD^+ + 4\ e^- + 4\ H^+ \longrightarrow 2\ NADH + 2\ H^+$

RETOUR SUR LE CONCEPT 9.2

1. **HABILETÉS VISUELLES ▶** Dans la réaction d'oxydoréduction de la glycolyse (l'étape 6 de la figure 9.9), quelle molécule est l'agent oxydant ? Laquelle est l'agent réducteur ?

Voir les réponses proposées à l'appendice A.

CONCEPT 9.3

Une fois le pyruvate oxydé, le cycle de l'acide citrique achève l'oxydation, génératrice d'énergie, des molécules organiques

La glycolyse libère moins du quart de l'énergie chimique emmagasinée dans le glucose ; tout le reste est stocké dans les deux molécules de pyruvate. En présence d'O_2, chez les cellules eucaryotes, le pyruvate entre dans la mitochondrie où l'oxydation du glucose se termine. Chez les cellules procaryotes qui accomplissent la respiration aérobie, ce processus s'effectue dans le cytosol. (Plus loin dans ce chapitre, nous verrons ce qui arrive au pyruvate en l'absence d'O_2 ou chez un procaryote qui ne peut pas utiliser l'O_2.)

La conversion du pyruvate en acétyl-CoA

Après être entré dans la mitochondrie par transport actif, le pyruvate est d'abord converti en un composé appelé acétyl

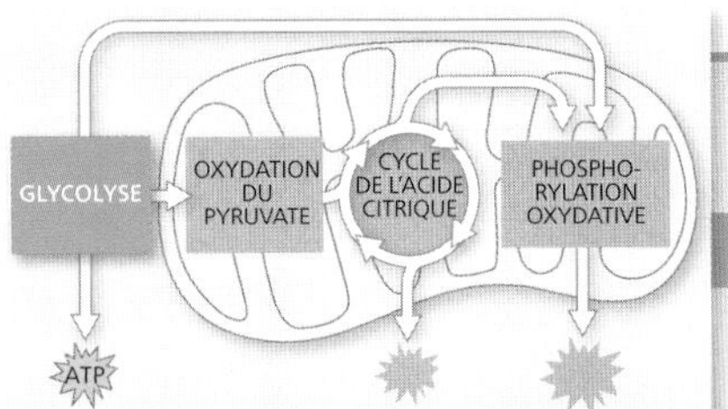

▼ **Figure 9.9 Les 10 étapes de la glycolyse.** Ne perdez pas de vue la fonction de la glycolyse: fournir de l'ATP et du NADH.

GLYCOLYSE: phase d'investissement d'énergie

ET SI ? ▶ Qu'arriverait-il si on retirait le phosphodihydroxyacétone (PDHA) généré à l'étape 4 au fur et à mesure qu'il est produit ?

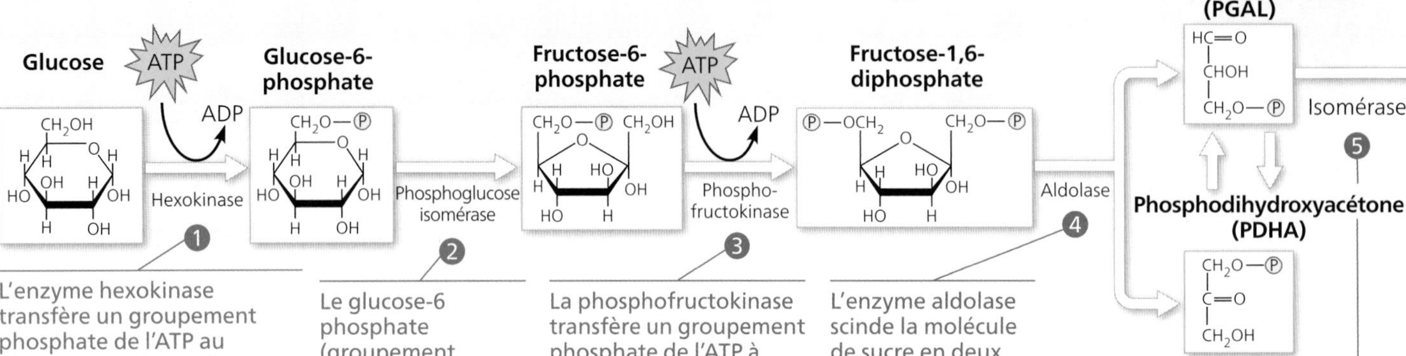

1 L'enzyme hexokinase transfère un groupement phosphate de l'ATP au glucose, ce qui accroît sa réactivité chimique. La charge électrique négative du groupement phosphate retient le glucose dans la cellule et attire vers l'intérieur le glucose additionnel qui diffuse dans la cellule.

2 Le glucose-6 phosphate (groupement phosphate lié au sixième atome de carbone du glucose) est converti en son isomère, le fructose-6-phosphate.

3 La phosphofructokinase transfère un groupement phosphate de l'ATP à l'autre extrémité du sucre (carbone 1), investissant une deuxième molécule d'ATP. Il s'agit là d'une étape clé de la régulation de la glycolyse.

4 L'enzyme aldolase scinde la molécule de sucre en deux glucides ayant chacun trois atomes de carbone.

5 L'isomérase catalyse la conversion réversible du PDHA et du PGAL, deux isomères. Dans la cellule, cette réaction n'atteint jamais l'équilibre. Le PGAL sert de substrat à l'étape suivante à mesure qu'il se forme.

coenzyme A ou **acétyl-CoA** (**figure 9.10**). Cette étape charnière entre la glycolyse et le cycle de l'acide citrique est catalysée par un complexe multienzymatique, le complexe pyruvate déshydrogénase, formé de trois enzymes (le substrat passe d'une enzyme à l'autre sans être libéré) et de cinq cofacteurs. Trois réactions s'ensuivent: ❶ Le groupement carboxyle ($—COO^-$) du pyruvate, qui possède peu d'énergie chimique compte tenu du fait qu'il est déjà quelque peu oxydé, est maintenant complètement oxydé et libéré sous forme de CO_2 (*décarboxylation*). La respiration cellulaire dégage pour la première fois du CO_2. ❷ Ensuite, le fragment restant, qui possède deux atomes de carbone, est oxydé (*déshydrogénation*), et une enzyme transfère au NAD^+ les électrons et les H^+ arrachés au cours de ce processus, ce qui emmagasine l'énergie sous forme de NADH. (Notez que la figure 9.10 ne montre pas l'origine des H^+ extraits, car ceux-ci proviennent de réactions, non représentées, avec des cofacteurs.) ❸ Finalement, la coenzyme A (CoA), un composé contenant du soufre et dérivé d'une vitamine du groupe B, s'attache à l'intermédiaire à deux carbones par son atome de soufre pour former l'acétyl-CoA, qui possède une grande énergie potentielle. Cette énergie sert au transfert du groupement acétyle à une molécule du cycle de l'acide citrique, une réaction qui est donc fortement exergonique.

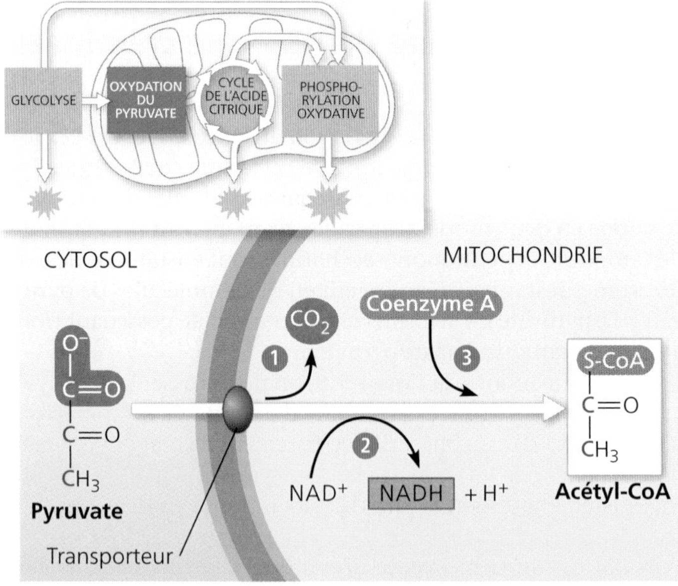

▲ **Figure 9.10 La conversion du pyruvate en acétyl-CoA, l'étape charnière qui précède le cycle de l'acide citrique.** Le pyruvate est une molécule chargée, de sorte que dans le cas des cellules eucaryotes il doit entrer dans la mitochondrie par transport actif, avec l'aide d'un transporteur. Ensuite, un complexe de trois enzymes (le complexe pyruvate déshydrogénase) catalyse les trois étapes numérotées, également décrites dans l'exposé. Le groupement acétyle de l'acétyl-CoA entre dans le cycle de l'acide citrique. Le CO_2 diffuse simplement hors de la mitochondrie, puis de la cellule. Par convention, lorsque la coenzyme A est attachée à une molécule, on la désigne par l'abréviation S-CoA pour mettre l'accent sur l'atome de soufre (S). (Le gène qui code pour le transporteur a finalement été identifié il y a quelques années, après quelque 40 ans de recherche.)

Le cycle de l'acide citrique

Le cycle de l'acide citrique fonctionne comme une fournaise métabolique qui poursuit l'oxydation du combustible organique dérivé du pyruvate. La **figure 9.11** présente le sommaire des entrées (intrants) et des sorties (extrants) pour ce cycle, alors que le pyruvate est dégradé en trois molécules de CO_2, dont celle qui

La phase de libération d'énergie s'effectue après la scission du glucose en deux glucides à trois carbones. Cette série de réactions se produit successivement deux fois pendant la phase de libération d'énergie.

GLYCOLYSE : phase de libération d'énergie

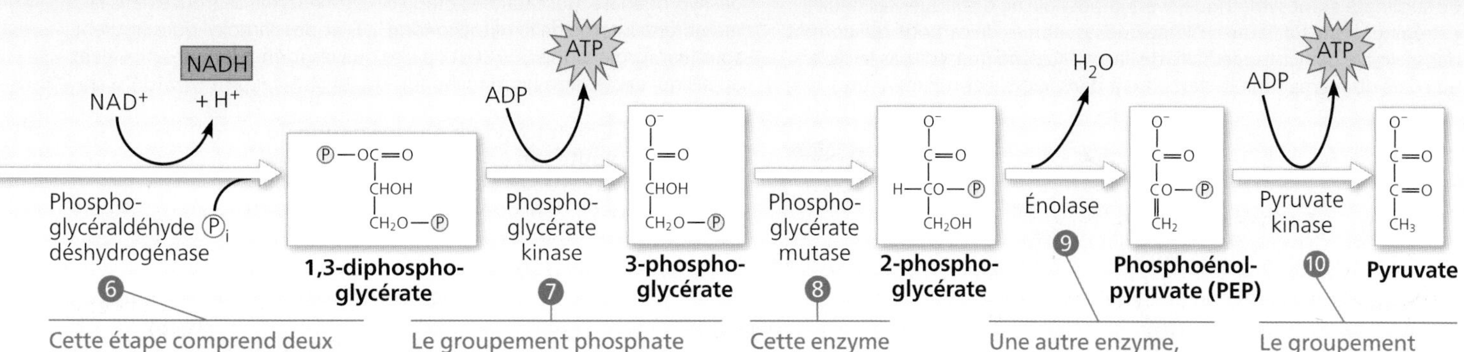

Cette étape comprend deux réactions successives : (1) Le PGAL est oxydé par le transfert d'électrons et de H^+ au NAD^+, ce qui forme du NADH. Puis, (2) l'énergie libérée par cette réaction d'oxydoréduction exergonique sert à attacher un groupement phosphate au substrat oxydé, lequel acquiert une forte énergie potentielle.

Le groupement phosphate rejoint l'ADP (phosphorylation au niveau du substrat) lors d'une réaction exergonique. Le groupement carbonyle de PGAL a été oxydé en un groupement carboxyle ($-COO^-$), le signe distinctif des acides organiques (3-phosphoglycérate).

Cette enzyme déplace le groupement phosphate résiduel.

Une autre enzyme, l'énolase, forme une double liaison dans le substrat en extrayant une molécule d'eau, ce qui produit du phosphoénolpyruvate (PEP), un composé très fortement réactif.

Le groupement phosphate est transféré du PEP à l'ADP (un deuxième exemple de phosphorylation au niveau du substrat), formant du pyruvate.

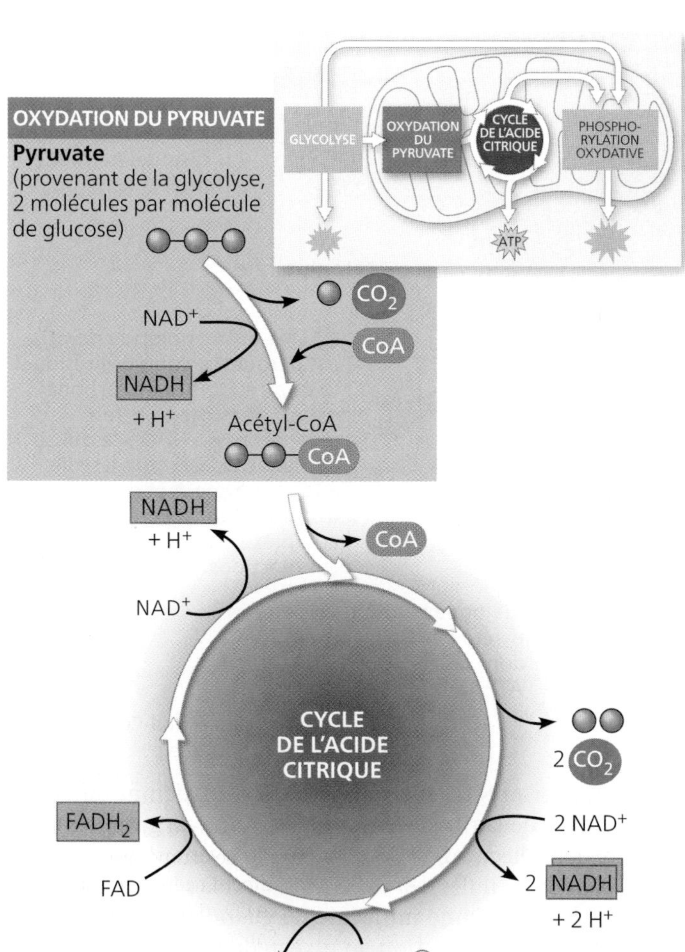

◄ **Figure 9.11 Une vue d'ensemble de l'oxydation du pyruvate et du cycle de l'acide citrique.** Cette figure montre les intrants et les extrants par molécule de pyruvate. Pour calculer les apports et les acquisitions par molécule de glucose, il faut multiplier par deux, car chaque molécule de glucose est scindée en deux molécules de pyruvate au cours de la glycolyse.

est libérée au cours de la conversion du pyruvate en acétyl-CoA. La phosphorylation au niveau du substrat produit une molécule d'ATP par cycle, mais une grande partie de l'énergie chimique est transférée au NAD^+ et à la coenzyme FAD durant les réactions d'oxydoréduction. Une fois réduites, les coenzymes NADH et $FADH_2$ acheminent leur chargement d'électrons très riches en énergie vers la chaîne de transport d'électrons. Le cycle de l'acide citrique est également appelé cycle des acides tricarboxyliques (car un certain nombre d'acides formés dans ce cycle possèdent trois groupements carboxyle). Il est aussi appelé cycle de Krebs, en l'honneur de Hans Adolf Krebs, un biochimiste d'origine allemande, qui a décrit cette voie métabolique dans les années 1930, ce qui lui a valu un prix Nobel en 1953.

Maintenant, examinons de plus près le cycle de l'acide citrique. Il comprend huit étapes, qui sont toutes catalysées par une enzyme spécifique. Comme vous pouvez le voir dans le schéma de la **figure 9.12**, à chaque tour du cycle de l'acide citrique, deux atomes de carbone (en rouge) entrent sous la forme relativement réduite d'un groupement acétyle (étape 1), et deux autres atomes de carbone (en bleu) sortent sous la forme complètement oxydée de molécules de CO_2 (décarboxylations, étapes 3 et 4). Le groupement acétyle de l'acétyl-CoA entre dans le cycle lorsqu'une enzyme le lie à l'oxaloacétate, ce qui forme du citrate (étape 1). (Le citrate est la forme ionisée de

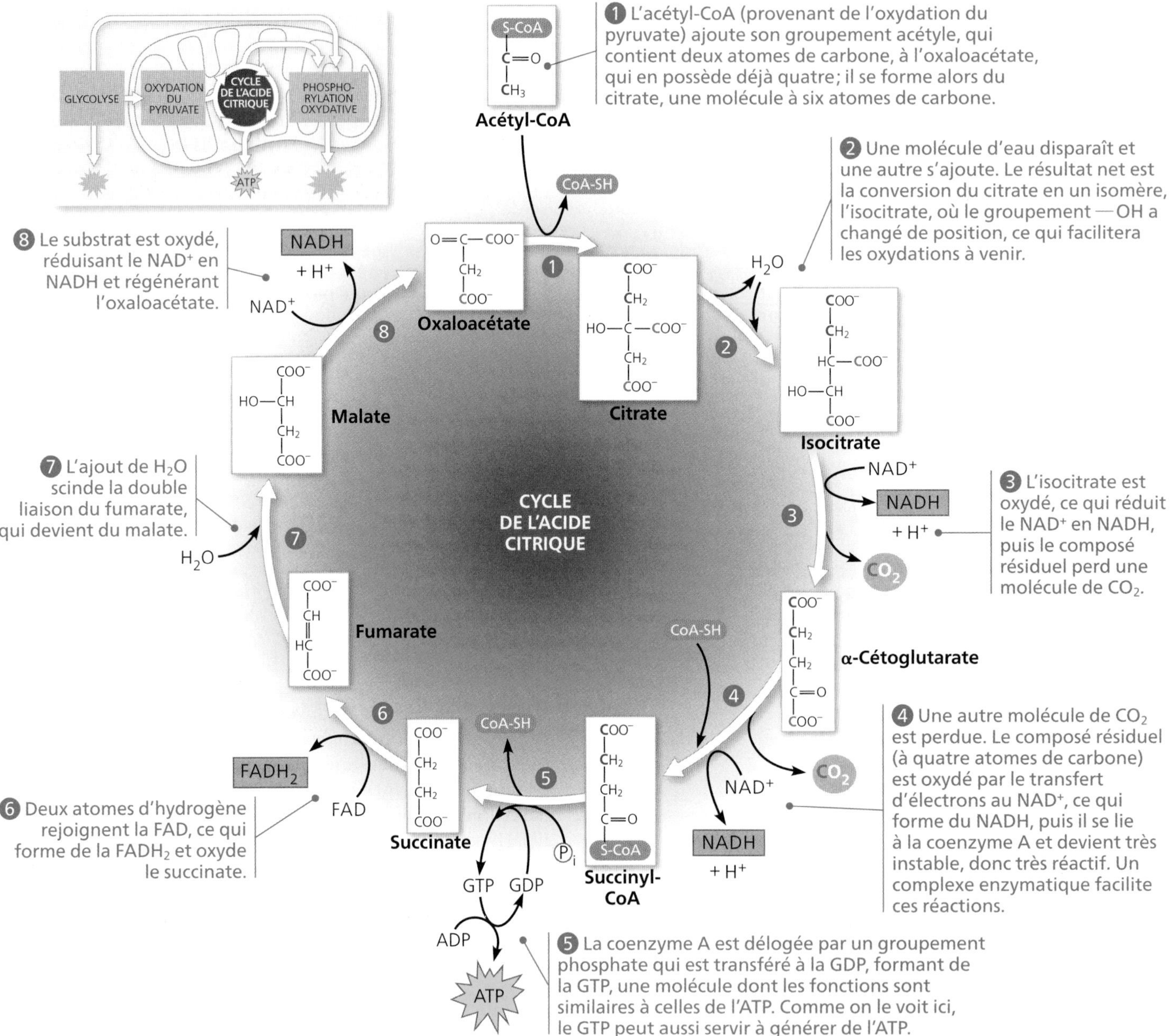
GLYCOLYSE
OXYDATION DU PYRUVATE
CYCLE DE L'ACIDE CITRIQUE
PHOSPHO-RYLATION OXYDATIVE
ATP
S-CoA
C=O
CH₃
Acétyl-CoA
❶ L'acétyl-CoA (provenant de l'oxydation du pyruvate) ajoute son groupement acétyle, qui contient deux atomes de carbone, à l'oxaloacétate, qui en possède déjà quatre; il se forme alors du citrate, une molécule à six atomes de carbone.
CoA-SH
❷ Une molécule d'eau disparaît et une autre s'ajoute. Le résultat net est la conversion du citrate en un isomère, l'isocitrate, où le groupement —OH a changé de position, ce qui facilitera les oxydations à venir.
❽ Le substrat est oxydé, réduisant le NAD⁺ en NADH et régénérant l'oxaloacétate.
NADH
+ H⁺
NAD⁺
O=C—COO⁻
CH₂
COO⁻
Oxaloacétate
H₂O
COO⁻
CH₂
HO—C—COO⁻
CH₂
COO⁻
Citrate
COO⁻
CH₂
HC—COO⁻
HO—CH
COO⁻
Isocitrate
COO⁻
HO—CH
CH₂
COO⁻
Malate
CYCLE DE L'ACIDE CITRIQUE
❼ L'ajout de H₂O scinde la double liaison du fumarate, qui devient du malate.
H₂O
NAD⁺
NADH
+ H⁺
CO₂
❸ L'isocitrate est oxydé, ce qui réduit le NAD⁺ en NADH, puis le composé résiduel perd une molécule de CO₂.
COO⁻
CH
HC
COO⁻
Fumarate
CoA-SH
COO⁻
CH₂
CH₂
C=O
COO⁻
α-Cétoglutarate
FADH₂
FAD
❻ Deux atomes d'hydrogène rejoignent la FAD, ce qui forme de la FADH₂ et oxyde le succinate.
COO⁻
CH₂
CH₂
COO⁻
Succinate
CoA-SH
Pᵢ
GTP
GDP
ADP
ATP
COO⁻
CH₂
CH₂
C=O
S-CoA
Succinyl-CoA
NAD⁺
NADH
+ H⁺
CO₂
❹ Une autre molécule de CO₂ est perdue. Le composé résiduel (à quatre atomes de carbone) est oxydé par le transfert d'électrons au NAD⁺, ce qui forme du NADH, puis il se lie à la coenzyme A et devient très instable, donc très réactif. Un complexe enzymatique facilite ces réactions.
❺ La coenzyme A est délogée par un groupement phosphate qui est transféré à la GDP, formant de la GTP, une molécule dont les fonctions sont similaires à celles de l'ATP. Comme on le voit ici, le GTP peut aussi servir à générer de l'ATP.

▼ **Figure 9.12 Les huit étapes du cycle de l'acide citrique.** La couleur rouge représente le cheminement des deux atomes de carbone qui entrent dans le cycle par l'intermédiaire de l'acétyl-CoA (étape 1). Les deux atomes de carbone libérés sous forme de CO_2 aux étapes 3 et 4 sont en bleu. (La couleur rouge disparaît après l'étape 5 parce que, la molécule de succinate étant symétrique, il est impossible de distinguer ses deux extrémités l'une de l'autre.) Notez que les atomes de carbone qui entrent dans le cycle par l'intermédiaire de l'acétyl-CoA ne quittent pas le cycle au cours du même tour. Ils demeurent dans le cycle et occupent un emplacement différent lorsque l'étape 1 repasse et qu'un autre groupement acétyle s'ajoute. L'oxaloacétate régénéré à l'étape 8 est donc composé d'atomes de carbone différents à chaque tour de cycle. Dans les cellules eucaryotes, toutes les enzymes intervenant dans le cycle de l'acide citrique logent dans la matrice mitochondriale, sauf la succinate déshydrogénase, qui catalyse l'étape 6; cette enzyme se trouve dans la membrane interne de la mitochondrie. Les acides carboxyliques figurent sous leur forme ionisée, $—COO^-$, parce que les formes ionisées prévalent au pH qui existe dans les mitochondries.

l'acide citrique, d'où le nom du cycle.) Durant les sept étapes subséquentes, le citrate est dégradé et, de nouveau, de l'oxaloacétate est formé. C'est la régénération de l'oxaloacétate qui explique pourquoi tout ce processus forme un *cycle*.

En étudiant la figure 9.12, voyons maintenant ce qu'il advient des molécules hautement énergétiques produites par le cycle de l'acide citrique. Pour chaque groupement acétyle qui entre dans le cycle, trois molécules de NAD^+ sont réduites en NADH (étapes ❸, ❹ et ❽). Au cours de l'étape ❻, les électrons ne sont pas transférés au NAD, mais à la FAD (flavine adénine dinucléotide, dérivée de la riboflavine, une vitamine du groupe B), qui accepte deux électrons et deux protons, devenant de la $FADH_2$. Dans bien des cellules des tissus animaux, la réaction décrite à l'étape ❺ produit une molécule de guanosine triphosphate (GTP) par phosphorylation au niveau du substrat. Similaire à l'ATP par sa structure et ses fonctions cellulaires, cette molécule de GTP peut être employée pour former une molécule d'ATP (tel qu'illustré) ou pour produire directement du travail dans la cellule. Dans les cellules des végétaux, des bactéries et de certains tissus animaux, l'étape ❺ aboutit directement à la formation d'une molécule d'ATP par phosphorylation au niveau du substrat. L'ATP qui résulte de l'étape ❺ est la seule ATP directement produite par le cycle de l'acide citrique. Rappelez-vous que chaque molécule de glucose produit deux molécules d'acétyl-CoA qui entrent dans le cycle. Comme les nombres indiqués plus haut correspondent à un seul groupement acétyle s'engageant dans la voie, chaque molécule de glucose du cycle de l'acide citrique produit 6 NADH, 2 $FADH_2$ et l'équivalent de 2 ATP.

La majeure partie de l'ATP produite par la respiration cellulaire résulte de la phosphorylation oxydative, lorsque le NADH et la $FADH_2$ engendrés par le cycle de l'acide citrique et les étapes antérieures transmettent les électrons extraits des nutriments à la chaîne de transport d'électrons. Ce faisant, ils fournissent l'énergie nécessaire à la phosphorylation de l'ADP en ATP. Nous explorerons ce processus dans la section suivante.

RETOUR SUR LE CONCEPT **9.3**

1. **HABILETÉS VISUELLES ▶** Dans quelles molécules la majeure partie de l'énergie provenant des réactions d'oxydoréduction du cycle de l'acide citrique est-elle conservée (voir la figure 9.12) ? Comment ces molécules convertissent-elles leur énergie en une forme qui peut être utilisée pour synthétiser de l'ATP ?
2. Quels processus cellulaires produisent le CO_2 que vous expirez ?
3. **HABILETÉS VISUELLES ▶** Chacune des conversions observées à la figure 9.10 et à l'étape 4 de la figure 9.12 est catalysée par un gros complexe multienzymatique. Quelles sont les similitudes entre ces deux réactions ?

Voir les réponses proposées à l'appendice A.

CONCEPT **9.4**

Durant la phosphorylation oxydative, la chimiosmose couple le transport d'électrons à la synthèse d'ATP

L'objectif principal de ce chapitre est d'expliquer comment les cellules extraient l'énergie du glucose et d'autres nutriments provenant des aliments pour former de l'ATP. Or, chacun des stades de la respiration cellulaire que nous avons étudiés jusqu'à maintenant, soit la glycolyse, l'oxydation du pyruvate et le cycle de l'acide citrique, ne produit directement que deux molécules d'ATP par molécule de glucose grâce à la phosphorylation au niveau du substrat (pour un total de 4 molécules d'ATP, soit 2 pour la glycolyse et 2 pour le cycle de l'acide citrique). Il revient donc au NADH et à la $FADH_2$ de libérer la plus grande partie de l'énergie extraite de chaque molécule de glucose. Ces transporteurs d'électrons relient la glycolyse et le cycle de l'acide citrique au mécanisme de la phosphorylation oxydative, lequel alimente la synthèse de l'ATP en se servant de l'énergie libérée par la chaîne de transport d'électrons. Dans cette section, nous étudierons d'abord le fonctionnement de la chaîne de transport d'électrons, puis nous verrons comment la mitochondrie couple la descente énergétique des électrons le long de la chaîne à la synthèse de l'ATP.

La chaîne de transport d'électrons

La chaîne de transport d'électrons est un ensemble de molécules enchâssées dans la membrane interne de la mitochondrie des cellules eucaryotes (dans le cas des cellules procaryotes, ces molécules se trouvent dans la membrane plasmique). Grâce à ses crêtes, cette membrane a une grande superficie, ce qui permet à chaque mitochondrie de contenir des milliers d'exemplaires de chacun des éléments de la chaîne de transport d'électrons. Les crêtes remplies de molécules de transport d'électrons sont parfaitement équipées pour permettre le déroulement de la série de réactions d'oxydoréduction qui se succèdent dans la chaîne de transport. Par exemple, il y aurait 20 000 de ces molécules dans une mitochondrie de cellule cardiaque. (Une fois de plus, nous assistons à un exemple de corrélation entre structure et fonction.) La chaîne de transport d'électrons comprend surtout des protéines, qui se trouvent dans des complexes multiprotéiques numérotés de I à IV. Ces protéines sont étroitement liées à des *groupements prosthétiques* (c'est-à-dire à des composants non protéiques tels les cofacteurs et coenzymes) essentiels aux fonctions catalytiques de certaines enzymes.

La **figure 9.13** illustre la succession des transporteurs d'électrons dans la chaîne et la baisse de l'énergie libre qui accompagne le transfert des électrons. Durant le transport des électrons dans la chaîne, les transporteurs d'électrons oscillent entre l'état réduit et l'état oxydé. Chaque élément de la chaîne adapte la forme réduite lorsqu'il accepte des électrons de son voisin d'amont (qui a moins d'affinité pour les électrons), puis il retrouve sa forme oxydée en cédant des électrons à son voisin d'aval (qui a plus d'affinité pour les électrons). L'utilisation des rayons ultraviolets (les différents transporteurs ont différents types d'absorption) et l'emploi de poisons (différents poisons bloquent la chaîne de transport à différents endroits) ont permis de déterminer l'ordre dans lequel les transporteurs interviennent. Par exemple, l'exposition à l'ion cyanure (CN^-), un poison, provoque l'arrêt de la chaîne respiratoire en raison de la fixation de l'ion au dernier accepteur d'électrons de la chaîne (le cytochrome a_3) et du blocage du passage des électrons vers l'O_2.

Examinons de plus près les électrons alors qu'ils perdent de l'énergie en passant progressivement d'un transporteur à l'autre dans la chaîne de transport d'électrons représentée à la figure 9.13. Nous commencerons par décrire de manière assez détaillée le passage des électrons dans le complexe I pour illustrer les principes généraux du transport d'électrons. Les électrons extraits du glucose par le NAD^+ au cours de la glycolyse, de l'oxydation du pyruvate et du cycle de l'acide citrique sont transférés par le NADH à la première molécule de la chaîne de transport d'électrons dans le complexe I (appelée aussi NADH déshydrogénase). Cette molécule est une flavoprotéine, ainsi nommée parce qu'elle possède un groupement prosthétique appelé flavine mononucléotide (FMN). Au cours de la réaction d'oxydoréduction suivante, la flavoprotéine retrouve sa forme oxydée en donnant des électrons à une protéine contenant du soufre et du fer fermement liés (Fe·S dans le complexe I). À son tour, celle-ci transmet les électrons à un lipide appelé ubiquinone (Q dans la figure 9.13). Ce transporteur d'électrons est une petite molécule hydrophobe, le seul élément de la chaîne qui ne soit pas une protéine. L'ubiquinone, à cause de sa queue hydrophobe et donc soluble dans les lipides, est mobile dans (ou sur) la membrane ; elle ne loge pas dans un des complexes. (L'autre nom de

▼ **Figure 9.13 La variation de l'énergie libre pendant le transport d'électrons.** Du NADH à l'O_2, la diminution globale de l'énergie (ΔG) est d'environ 220 kJ/mol, mais cette «chute» s'effectue graduellement, en une série d'étapes. (Le «½ O_2» désigne un atome d'oxygène; on veut ainsi souligner que la chaîne de transport d'électrons réduit la molécule d'oxygène, O_2, et non les atomes d'oxygène pris individuellement.)

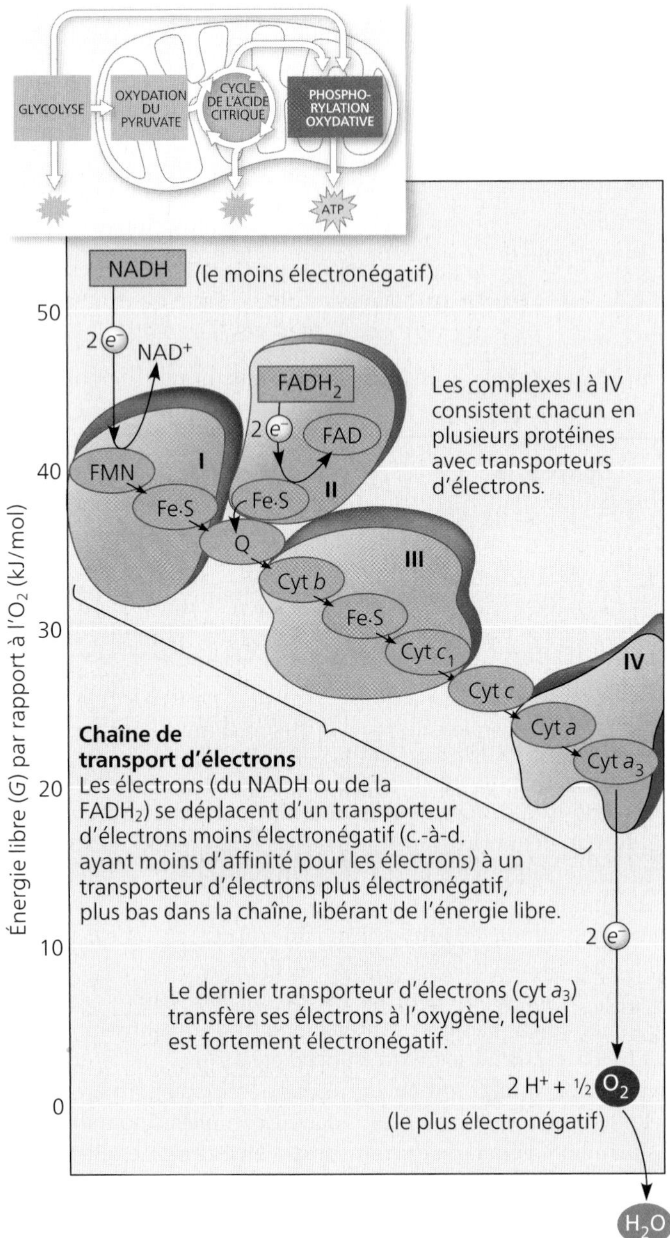

l'ubiquinone est coenzyme Q, ou CoQ; il se vend comme supplément alimentaire.)

La plupart des transporteurs d'électrons entre l'ubiquinone (Q) et l'O_2 sont des protéines appelées **cytochromes** (cyt). Leur groupement prosthétique, nommé *groupement hème*, possède un atome de fer qui accepte les électrons et les cède, un à la fois. (Ce groupement hème ressemble au groupement hème de l'hémoglobine, la protéine des érythrocytes des vertébrés, sauf que le fer de l'hémoglobine transporte de l'O_2 et non des électrons.) La chaîne de transport d'électrons comprend divers cytochromes. Chaque cytochrome porte le nom «cyt» suivi d'une lettre et d'un nombre qui le distinguent en tant que protéine porteuse d'un groupement hème (transporteur d'électrons) légèrement différent. Le dernier cytochrome de la chaîne, le cytochrome a_3 (cyt a_3) cède ses électrons à l'O_2, qui est *très* électronégatif. Chaque atome d'oxygène recueille également une paire d'ions hydrogène (protons) dans le milieu aqueux, neutralisant la charge –2 des électrons ajoutés et formant de l'eau.

La $FADH_2$, l'autre coenzyme réduite du cycle de l'acide citrique, fournit elle aussi des électrons à la chaîne de transport. La figure 9.13 montre que le niveau d'énergie auquel la $FADH_2$ donne ses électrons à la chaîne, celui du complexe II (ou succinate déshydrogénase), est inférieur à celui du NADH. Par conséquent, même si le NADH et la $FADH_2$ donnent un nombre d'électrons équivalent (deux chacun) pour la réduction de l'O_2, la chaîne de transport d'électrons procure environ 33 % d'énergie en moins à la synthèse de l'ATP quand le donneur d'électrons est la $FADH_2$ plutôt que le NADH. Nous verrons pourquoi il en est ainsi dans la section suivante.

La chaîne de transport d'électrons ne produit pas d'ATP directement. Sa fonction consiste à faire passer les électrons des nutriments à l'O_2 en une série d'étapes qui libèrent l'énergie de manière régulée. Alors, comment la mitochondrie (ou la membrane plasmique lorsqu'il s'agit d'une cellule procaryote) couple-t-elle ce processus à la synthèse de l'ATP? Par un mécanisme appelé chimiosmose.

La chimiosmose: un mécanisme de couplage énergétique

La membrane interne de la mitochondrie ou la membrane plasmique procaryote renferme de nombreux exemplaires d'un complexe protéique appelé **ATP synthase**, l'enzyme qui fabrique réellement l'ATP à partir de l'ADP et du phosphate inorganique (**figure 9.14**). L'ATP synthase ressemble à une pompe ionique qui fonctionne à rebours. Les pompes ioniques utilisent habituellement l'ATP comme source d'énergie pour transporter des ions contre leur gradient de concentration.

Les enzymes peuvent catalyser une réaction dans une direction ou dans l'autre, selon la ΔG de la réaction, sur laquelle influent les concentrations locales des réactifs et des produits (voir les concepts 8.2 et 8.3). Dans la respiration cellulaire, l'ATP synthase n'hydrolyse pas l'ATP pour pomper des protons contre leur gradient de concentration, elle utilise l'énergie d'un gradient ionique existant pour activer la synthèse de l'ATP. C'est la différence de concentration des H^+ de part et d'autre de la membrane mitochondriale interne qui constitue la source d'énergie nécessaire au travail de l'ATP synthase. On appelle **chimiosmose** (du grec *osmos*, qui signifie «pousser») le processus au cours duquel l'énergie emmagasinée sous forme de gradient électrochimique de part et d'autre d'une membrane est utilisée pour effectuer du travail cellulaire. Nous avons employé précédemment le terme *osmose* pour désigner la pression osmotique (la poussée de l'eau); le terme *chimiosmose*, quant à lui, désigne le déplacement des ions H^+ à travers une membrane.

En étudiant la structure de l'ATP synthase, les scientifiques ont découvert comment la circulation des H^+ alimente la synthèse de l'ATP au moyen de cette enzyme plutôt volumineuse. L'ATP synthase est un complexe formé de sous-unités regroupées en quatre parties, chacune constituée de plusieurs polypeptides (voir la figure 9.14). Les protons se rendent un à un à leur site de liaison sur l'une des quatre parties (le rotor), déclenchant une

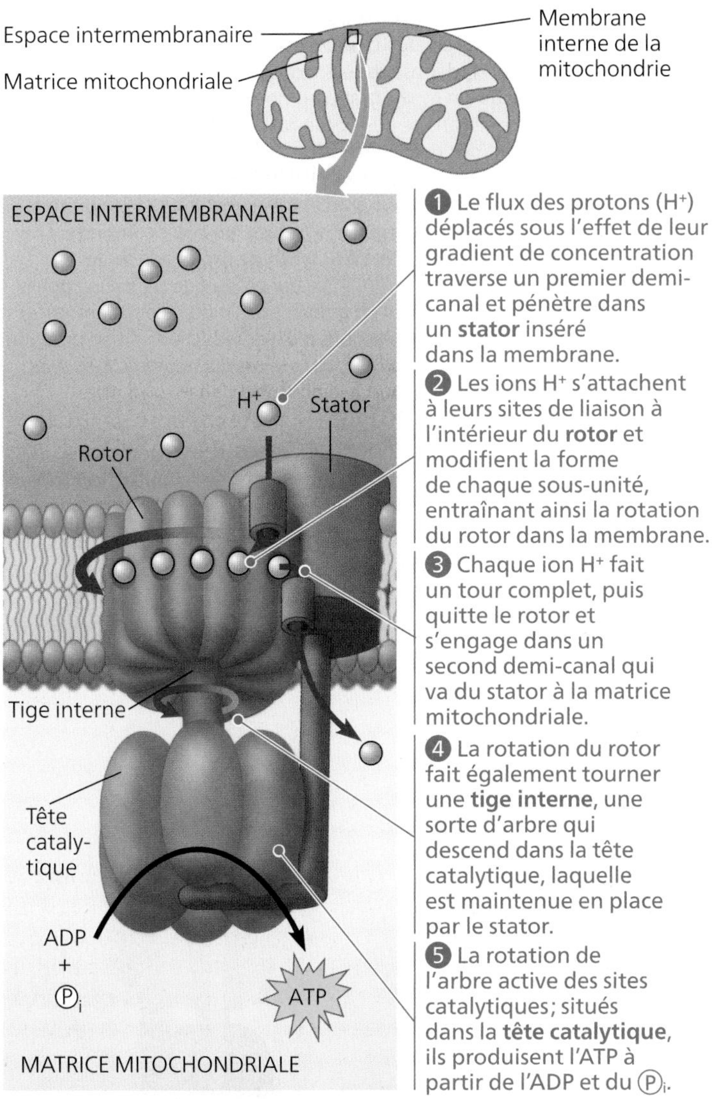

1 Le flux des protons (H^+) déplacés sous l'effet de leur gradient de concentration traverse un premier demi-canal et pénètre dans un **stator** inséré dans la membrane.

2 Les ions H^+ s'attachent à leurs sites de liaison à l'intérieur du **rotor** et modifient la forme de chaque sous-unité, entraînant ainsi la rotation du rotor dans la membrane.

3 Chaque ion H^+ fait un tour complet, puis quitte le rotor et s'engage dans un second demi-canal qui va du stator à la matrice mitochondriale.

4 La rotation du rotor fait également tourner une **tige interne**, une sorte d'arbre qui descend dans la tête catalytique, laquelle est maintenue en place par le stator.

5 La rotation de l'arbre active des sites catalytiques; situés dans la **tête catalytique**, ils produisent l'ATP à partir de l'ADP et du Ⓟi.

▲ **Figure 9.14 L'ATP synthase, une turbine moléculaire.** De nombreuses ATP synthases sont enchâssées dans la membrane des mitochondries et des chloroplastes eucaryotes, ainsi que dans la membrane plasmique des procaryotes.

rotation qui catalyse la production d'ATP à partir de l'ADP et du phosphate inorganique, un peu comme l'eau entraîne la rotation d'une roue à aubes.

Alors, comment la membrane mitochondriale interne ou la membrane plasmique procaryote crée-t-elle et maintient-elle le gradient de H^+ qui entraîne la synthèse d'ATP dans le complexe protéique de l'ATP synthase? Par la chaîne de transport d'électrons, que la **figure 9.15** situe dans sa localisation mitochondriale. En effet, la chaîne est un convertisseur d'énergie qui utilise le flux exergonique d'électrons du NADH et de la $FADH_2$ pour déplacer les H^+ à travers la membrane, de la matrice vers l'espace intermembranaire. Les H^+ ont ensuite tendance à refluer à travers la membrane, suivant le gradient électrochimique. Or, les ATP synthases sont pratiquement les seuls sites membranaires perméables aux H^+. (On a cependant montré que la membrane interne pouvait laisser passer un certain nombre de protons.) Comme nous l'avons vu, le passage des H^+ dans une ATP synthase utilise le flux exergonique des H^+ pour phosphoryler l'ADP. Bref, l'énergie emmagasinée dans un gradient électrochimique de H^+ couple les réactions d'oxydoréduction de la chaîne de transport d'électrons à la synthèse de l'ATP.

Vous vous demandez peut-être comment la chaîne de transport d'électrons véhicule les protons. Les chercheurs ont découvert que certains composants de la chaîne de transport captent et libèrent des protons (H^+) en même temps que les électrons. (La solution aqueuse qui se trouve autour et à l'intérieur de la cellule est une source toute prête de H^+.) Par conséquent, à certaines étapes de la chaîne, les transporteurs, des pompes protéiques, captent les H^+ d'un côté de la membrane et, en changeant de forme, les libèrent de l'autre côté. Dans la cellule eucaryote, les transporteurs d'électrons sont disposés dans la membrane de manière à ce que les H^+ soient prélevés dans la matrice mitochondriale, puis déposés dans l'espace intermembranaire (voir la figure 9.15). Le gradient électrochimique de H^+ ainsi créé est qualifié de **force protonmotrice**, une expression qui souligne la capacité du gradient électrochimique à produire du travail. Cette force renvoie les H^+ à travers la membrane au moyen des canaux spécifiques fournis par les ATP synthases.

En résumé, *la chimiosmose constitue un mécanisme de couplage énergétique qui utilise l'énergie emmagasinée sous la forme d'un gradient de H^+ de part et d'autre d'une membrane pour alimenter le travail cellulaire.* Dans la mitochondrie, l'énergie du gradient provient de réactions chimiques exergoniques le long de la chaîne de transport des électrons, et la synthèse de l'ATP représente le travail effectué. Des variantes de la chimiosmose ont également lieu dans d'autres organites. Les chloroplastes font appel à ce mécanisme pour produire de l'ATP pendant la photosynthèse. Cependant, dans ces organites, c'est l'énergie lumineuse et non l'énergie chimique qui permet l'entrée des électrons dans la chaîne de transport et la formation du gradient de H^+. On l'a dit, les procaryotes, qui ne possèdent ni mitochondries ni chloroplastes, créent des gradients électrochimiques de H^+ à travers leur membrane plasmique. Ils utilisent ensuite la force protonmotrice pour produire de l'ATP à l'intérieur de la cellule, mais aussi pour agiter leurs flagelles et pour transporter des nutriments et des déchets à travers leur membrane. En raison de son importance capitale pour les conversions d'énergie chez les procaryotes et les eucaryotes, la chimiosmose a contribué à unifier l'étude de la bioénergétique. Peter Mitchell a reçu le prix Nobel de chimie en 1978, pour récompenser la présentation inédite du modèle de la chimiosmose qu'il avait proposé en 1961.

Bilan de la production d'ATP par la respiration cellulaire

Dans les sections précédentes, nous avons examiné d'assez près les processus clés de la respiration cellulaire. Revenons maintenant à sa fonction principale : extraire l'énergie du glucose pour alimenter la synthèse de l'ATP.

Pendant la respiration cellulaire, la majeure partie de l'énergie suit cette séquence : glucose → NADH → chaîne de transport d'électrons → force protonmotrice → ATP. Faisons un bilan du profit net en ATP réalisé chaque fois qu'une molécule de glucose est oxydée en six molécules de CO_2. Les trois principaux services de l'entreprise métabolique qu'est la respiration cellulaire correspondent à trois voies : (1) la glycolyse ; (2) l'oxydation du pyruvate et le cycle de l'acide citrique ; et (3) la chaîne de transport d'électrons, qui alimente la phosphorylation oxydative. La **figure 9.16** présente un bilan détaillé du rendement

▼ **Figure 9.15 Le couplage de la chaîne de transport d'électrons à la synthèse de l'ATP par la chimiosmose.** ❶ La $FADH_2$ et le NADH véhiculent les électrons de haute énergie extraits des nutriments pendant la glycolyse et le cycle de l'acide citrique vers la chaîne de transport d'électrons située dans la membrane mitochondriale interne. Les flèches jaunes indiquent le trajet des électrons qui aboutissent au dernier accepteur d'électrons (l'O_2 dans le cas de la respiration cellulaire), dernier élément de la descente énergétique. Il se forme de l'eau à cette étape. La plupart des transporteurs d'électrons de la chaîne se trouvent réunis en quatre complexes (complexes I à IV). Les électrons sont relayés entre ces complexes par deux transporteurs mobiles, l'ubiquinone (Q) et le cytochrome *c* (cyt *c*), qui se déplacent rapidement dans le plan de la membrane. Chaque fois que les complexes acceptent, puis cèdent, des électrons, des protons sont prélevés dans la matrice et transportés dans l'espace intermembranaire (chez les procaryotes, les protons sont pompés à l'extérieur de la membrane plasmique); le nombre total de molécules de protons ainsi prélevées est de 10 pour chaque molécule de NADH. Remarquez que la $FADH_2$ dépose ses électrons par l'intermédiaire du complexe II, de sorte qu'un moins grand nombre de protons sont pompés dans l'espace intermembranaire qu'avec le NADH. L'énergie chimique provenant initialement des nutriments est donc transformée en force protonmotrice sous la forme d'un gradient de H^+ de part et d'autre de la membrane. ❷ Tout en suivant leur gradient électrochimique, les protons refluent dans un canal formé dans l'ATP synthase, un autre complexe protéique situé dans la membrane. L'ATP synthase exploite la force protonmotrice pour phosphoryler l'ADP, ce qui produit de l'ATP. On appelle chimiosmose le procédé par lequel un gradient de H^+ (force protonmotrice) transfère de l'énergie à l'aide de réactions d'oxydoréduction afin de produire du travail cellulaire (la synthèse de l'ATP, dans le cas qui nous occupe). Avec le transport des électrons, il concourt à la phosphorylation oxydative.

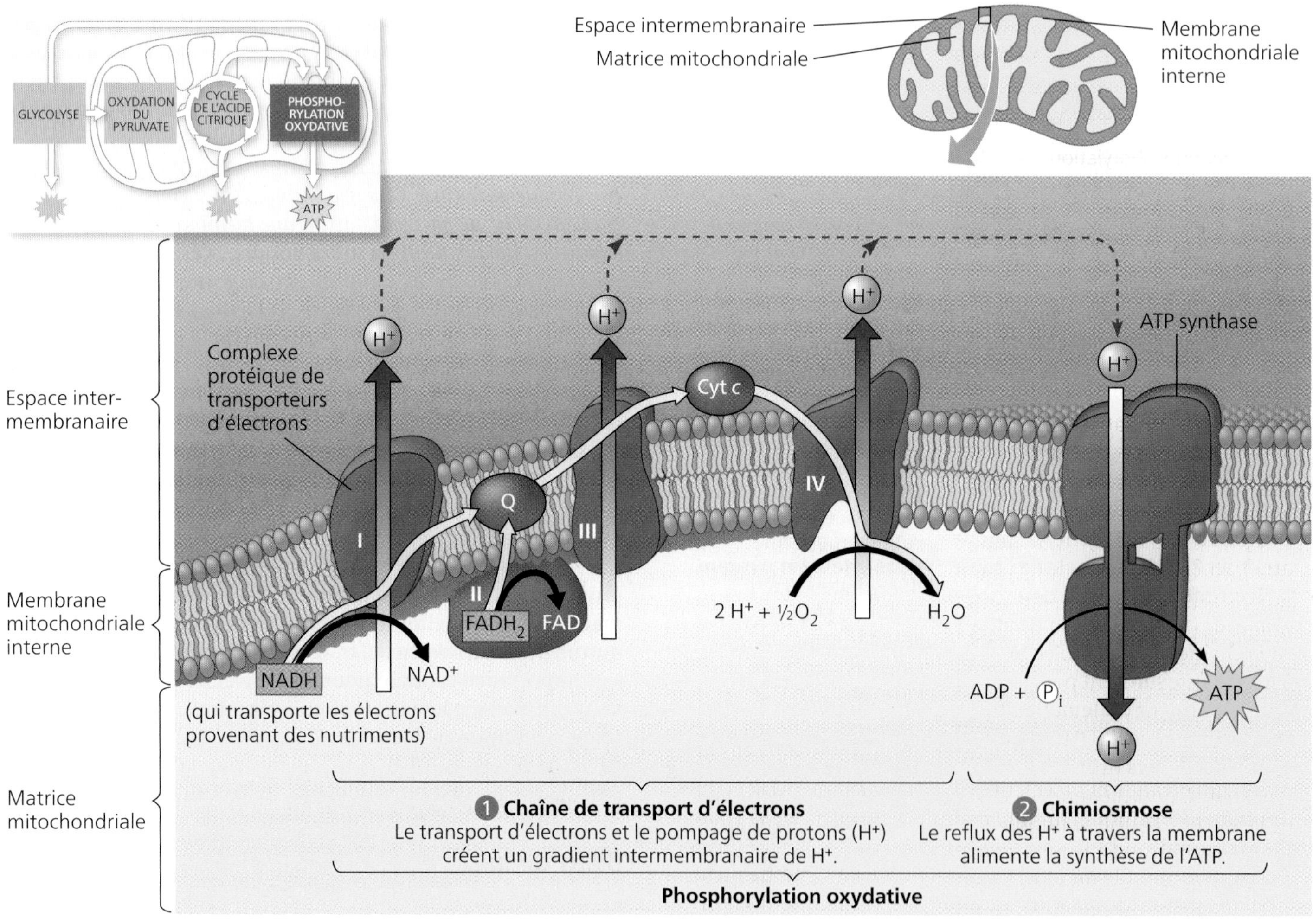

ET SI ? ▶ Si le complexe IV n'était pas fonctionnel, la chimiosmose pourrait-elle produire de l'ATP et, le cas échéant, en quoi la vitesse de la synthèse différerait-elle ?

en ATP par molécule de glucose oxydée. Dénombrons d'abord les quatre molécules d'ATP produites directement par phosphorylation au niveau du substrat, au cours de la glycolyse et du cycle de l'acide citrique. (Ces chiffres apparaissent à la ligne jaune des résultats de la figure 9.16.) À ce nombre ajoutons les molécules d'ATP engendrées par la phosphorylation oxydative. Chaque molécule de NADH qui transfère des électrons des nutriments à la chaîne de transport d'électrons contribue suffisamment à la force protonmotrice pour produire environ trois molécules d'ATP, au maximum.

Pourquoi les chiffres de la figure 9.16 sont-ils approximatifs ? Trois raisons permettent d'expliquer pourquoi il est impossible d'indiquer le nombre exact de molécules d'ATP générées par la dégradation d'une molécule de glucose.

Premièrement, la phosphorylation et les réactions d'oxydoréduction ne sont pas couplées directement, de sorte que le rapport entre le nombre de molécules de NADH et le nombre de molécules d'ATP n'est pas un nombre entier. On sait que, avec 1 NADH, 10 H^+ sont transportés à travers la membrane mitochondriale interne, mais le nombre exact de H^+ qui doivent

▼ **Figure 9.16 Le rendement en ATP de chaque molécule de glucose oxydée pendant la respiration cellulaire.**

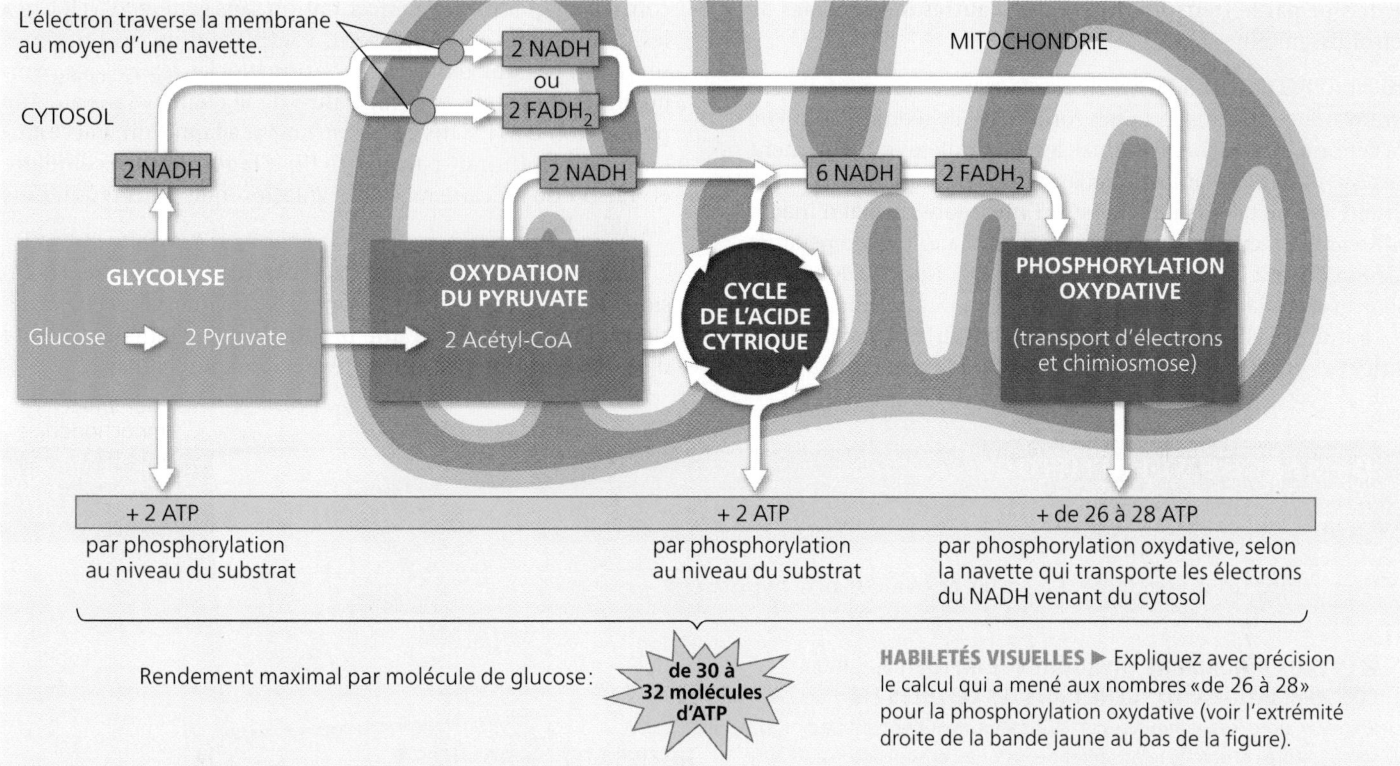

HABILETÉS VISUELLES ▶ Expliquez avec précision le calcul qui a mené aux nombres «de 26 à 28» pour la phosphorylation oxydative (voir l'extrémité droite de la bande jaune au bas de la figure).

retourner dans la matrice mitochondriale par l'intermédiaire de l'ATP synthase pour générer 1 ATP a fait l'objet d'un long débat. Cependant, les données expérimentales ont convaincu la plupart des biochimistes que le nombre le plus précis était de 4 H^+. Par conséquent, 1 NADH génère assez de force protonmotrice pour synthétiser 2,5 ATP. Le cycle de l'acide citrique fournit également des électrons à la chaîne de transport d'électrons par l'intermédiaire de la $FADH_2$; cependant, comme celle-ci arrive plus tard dans la chaîne, chaque molécule assure le transport d'un nombre de H^+ tout juste suffisant pour synthétiser 1,5 molécule d'ATP. Ces nombres tiennent également compte du léger coût énergétique du déplacement de l'ATP formée dans la mitochondrie jusqu'au cytosol, où elle sera utilisée.

Deuxièmement, le rendement en ATP dépend en partie du type de navette utilisé pour transporter les électrons du cytosol à la mitochondrie. La membrane interne de la mitochondrie étant imperméable à un grand nombre de molécules, dont le NADH, le NADH du cytosol se trouve isolé de la machinerie de la phosphorylation oxydative. Les deux électrons du NADH captés dans la glycolyse doivent être transportés vers la mitochondrie par un des nombreux systèmes de navette. Selon le type de navette utilisé par la cellule, les électrons sont transférés au NAD^+ ou à la FAD dans la matrice mitochondriale (voir les figures 9.15 et 9.16). Si les électrons sont captés par la FAD, comme c'est le cas dans les cellules du cerveau, chaque $FADH_2$ ne produit qu'environ 1,5 molécule d'ATP à partir d'une molécule de NADH initialement produite dans le cytosol. En revanche, s'ils sont transférés au NAD^+ mitochondrial, comme c'est le cas dans les cellules du foie et dans celles du cœur, ce rendement se rapproche de 2,5 molécules d'ATP par molécule de NADH.

Enfin, une troisième variable peut réduire le rendement en ATP: la force protonmotrice générée par les réactions d'oxydoréduction de la respiration cellulaire peut être utilisée à d'autres fins. Elle peut, par exemple, servir au transport du pyruvate à partir du cytosol à travers la membrane interne de la mitochondrie ou au transport du calcium dans la mitochondrie, ce qui réduit le rendement en ATP. Donc, si toute la force protonmotrice générée par la chaîne de transport d'électrons servait à alimenter la synthèse de l'ATP, une seule molécule de glucose pourrait produire un maximum de 28 molécules d'ATP par phosphorylation oxydative, en plus des 4 molécules dérivant de la phosphorylation au niveau du substrat. Au total, nous obtenons donc 32 molécules d'ATP (ou seulement 30 dans le cas où intervient la navette la moins efficace).

On peut maintenant évaluer grossièrement l'efficacité de la respiration cellulaire, c'est-à-dire le pourcentage de l'énergie chimique du glucose qui a servi à produire de l'ATP. Rappelez-vous que l'oxydation complète de 1 mol de glucose libère 2 870 kJ d'énergie dans des conditions normales ($\Delta G = -2\,870$ kJ/mol). Dans les conditions chimiques déterminées par le milieu cellulaire, la phosphorylation de l'ADP emmagasine environ 30,5 kJ/mol dans les liaisons de 1 mol d'ATP. L'efficacité de la respiration équivaut donc à 30,5 kJ/mol d'ATP, multiplié par 32 mol d'ATP par mole de glucose, divisé par 2 870 kJ par mole de glucose, ce qui donne 0,34. Par conséquent, environ 34 % de l'énergie chimique potentielle a été transférée à l'ATP; en fait, le pourcentage réel varie, car le ΔG fluctue selon les conditions cellulaires. La respiration cellulaire est donc remarquablement efficace pour ce qui est de la transformation de l'énergie, car en comparaison, le plus efficace des moteurs de voiture ne convertit qu'environ 25 % de l'énergie emmagasinée dans l'essence en énergie servant à propulser la voiture.

Le reste de l'énergie du glucose se perd sous forme de chaleur. Nous, les humains, utilisons une partie de cette chaleur pour maintenir notre température corporelle (37 °C), et le reste se dissipe par la transpiration et par d'autres mécanismes de refroidissement.

POUR APPROFONDIR ■ Même si cela semble étonnant, il peut être avantageux, dans certaines conditions, de réduire l'efficacité de la respiration cellulaire. Ainsi, les mammifères qui hibernent disposent d'un mécanisme d'adaptation remarquable; ils ralentissent leur métabolisme et passent l'hiver dans un état d'inactivité relative. Bien que plus basse que la normale, leur température corporelle doit être maintenue nettement au-dessus de la température ambiante. Le tissu adipeux brun est un type de tissu constitué de cellules bourrées de mitochondries. La membrane mitochondriale interne contient un canal protéique, appelé protéine découplante, qui permet aux protons de se déplacer contre leur gradient de concentration sans générer d'ATP. Chez les mammifères qui hibernent, l'activation de ces protéines se traduit par une oxydation continuelle des réserves de combustibles (graisses), générant ainsi de la chaleur sans aucune production d'ATP. Sans ce mécanisme d'adaptation, l'accumulation d'ATP finirait par mettre fin à la respiration cellulaire en raison de mécanismes de régulation que nous étudierons bientôt. ■

Dans la rubrique **Habiletés scientifiques**, vous aurez l'occasion de travailler sur un sujet connexe, sauf que dans cette expérience il est question d'une production de chaleur par suite d'une diminution de l'efficacité métabolique cellulaire.

DÉMARCHE SCIENTIFIQUE

HABILETÉS SCIENTIFIQUES

Construire un diagramme à bandes et évaluer une hypothèse

■ LE TAUX D'HORMONE THYROÏDIENNE INFLUE-T-IL SUR LA CONSOMMATION D'OXYGÈNE DANS LES CELLULES ? ■ Certains animaux, dont les mammifères et les oiseaux, maintiennent une température corporelle relativement constante, et supérieure à celle de leur environnement, en utilisant la chaleur produite par le métabolisme. Lorsque la température corporelle de ces animaux baisse sous sa valeur interne de référence, leurs cellules se mettent à réduire l'efficacité de la production d'ATP par les chaînes de transport d'électrons dans les mitochondries. À cause de cette réduction de l'efficacité, l'organisme doit utiliser une plus grande quantité de combustible pour produire le même nombre de molécules d'ATP, ce qui produit plus de chaleur. Comme cette réponse cellulaire est modérée par le système endocrinien, les chercheurs ont formulé l'hypothèse que l'hormone thyroïdienne pourrait être le déclencheur de ce mécanisme. Dans le présent exercice, vous utiliserez un diagramme à bandes pour visualiser les données d'une expérience qui consistait à comparer la vitesse du métabolisme (en mesurant la consommation d'O_2) dans les mitochondries des cellules animales en fonction de différents taux d'hormone thyroïdienne.

■ MÉTHODE ■ Les chercheurs ont isolé des cellules hépatiques provenant de rats d'une même portée qui présentaient des taux d'hormone thyroïdienne de trois types: faibles, normaux ou élevés. Ensuite, dans des conditions contrôlées et pour chaque type de cellule (taux faibles, normaux ou élevés), ils ont mesuré le taux de consommation d'O_2 attribuable à l'activité des chaînes de transport d'électrons dans les mitochondries.

■ RÉSULTATS ■

Taux d'hormone thyroïdienne	Taux de consommation d'oxygène [nmol de O_2/(min · mg de cellules)]
Faible	4,3
Normal	4,8
Élevé	8,7

Source des données: M. E. Harper et M. D. Brand, The quantitative contributions of mitochondrial proton leak and ATP turnover reactions to the changed respiration rates of hepatocytes from rats of different thyroid status, *Journal of Biological Chemistry* 268: 14850-14860 (1993).

INTERPRÉTEZ LES DONNÉES ▼

1. Pour bien mettre en évidence les différences de consommation d'O_2 selon que les cellules ont un taux d'hormone thyroïdienne faible, normal ou élevé, il vous sera utile de représenter les résultats de l'expérience dans un diagramme à bandes. Tout d'abord, tracez les deux axes. (a) Quelle est la variable indépendante (la variable que les chercheurs ont délibérément fait varier), qui doit être représentée sur l'axe des *x* ? Indiquez les taux sur l'axe des *x*. Comme les taux sont des valeurs discrètes plutôt que continues, vous pouvez les indiquer dans n'importe quel ordre. (b) Quelle est la variable dépendante (celle mesurée par les chercheurs), qui doit être représentée sur l'axe des *y* ? (c) Quelles unités (en abrégé) vont sur l'axe des *y* ? Indiquez ce que représente l'axe des *y*, suivi des unités déjà indiquées dans le tableau de données. Déterminez l'étendue des données que vous représentez sur l'axe des *y*. Quelle est la plus grande donnée ? Divisez l'axe avec des traits également espacés et, pour chaque trait, indiquez la valeur adéquate, la valeur 0 étant au bas de l'axe.
2. Représentez graphiquement les données de chaque échantillon. Appariez chaque valeur de *x* à la valeur de *y* qui lui correspond, tracez le point de cette coordonnée dans le diagramme, puis, en partant de l'axe des *x*, dessinez une bande qui monte jusqu'à ce point. Faites la même chose pour chaque coordonnée. Pourquoi un diagramme à bandes est-il ici plus approprié qu'un diagramme de dispersion ou qu'un diagramme linéaire ? (Pour plus d'information sur les diagrammes, voir l'appendice F.)
3. Examinez votre diagramme et voyez s'il s'en dégage une tendance. (a) Dans quel type de cellule observe-t-on le plus haut taux de consommation d'O_2 ? Et le plus bas taux ? (b) Les résultats confirment-ils l'hypothèse des chercheurs ? Expliquez votre réponse. (c) À partir de ce que vous savez du transport des électrons dans les mitochondries et de la production de chaleur, déterminez chez quels rats la température corporelle est la plus élevée, et chez lesquels elle est la plus basse.

RETOUR SUR LE CONCEPT **9.4**

1. **ET SI ?** ▶ Quel effet l'absence d'O_2 aurait-elle sur le processus illustré à la figure 9.15 ?
2. **ET SI ?** ▶ En l'absence d'O_2, comme à la question précédente, qu'arriverait-il selon vous si vous abaissiez le pH de l'espace intermembranaire de la mitochondrie ? Expliquez votre réponse.
3. **FAITES DES LIENS** ▶ Vous savez que les membranes doivent être fluides pour fonctionner adéquatement (comme vous l'avez appris dans le concept 7.1). Comment le mécanisme de la chaîne de transport d'électrons renforce-t-il cette affirmation ?

Voir les réponses proposées à l'appendice A.

CONCEPT **9.5**

La fermentation et la respiration anaérobie permettent à certaines cellules de produire de l'ATP en l'absence de molécules d'oxygène

Comme la majeure partie de l'ATP produite par la respiration cellulaire aérobie provient de la phosphorylation oxydative, notre estimation de son rendement est conditionnelle à un apport suffisant d'O_2 à la cellule. En l'absence d'O_2, très électronégatif, qui attire les électrons vers le bas de la chaîne, la phosphorylation oxydative cesse. Cependant, deux grands mécanismes permettent à certaines cellules d'oxyder leur combustible organique et de générer de l'ATP *sans* utiliser d'O_2 : la respiration cellulaire anaérobie et la fermentation. Ces deux processus se distinguent l'un de l'autre par le fait que la respiration anaérobie fait appel à une chaîne de transport d'électrons, contrairement à la fermentation. (Cette chaîne de transport d'électrons est aussi qualifiée de chaîne respiratoire, en raison de son rôle dans les deux types de respiration cellulaire.)

Il a été question plus haut de la respiration cellulaire anaérobie, à laquelle font appel certains procaryotes vivant dans des milieux dépourvus d'O_2. Ces organismes disposent d'une chaîne de transport d'électrons, mais l'O_2 n'en est pas le dernier accepteur. L'O_2 remplit très bien cette fonction parce qu'il est extrêmement électronégatif, mais d'autres substances moins électronégatives peuvent aussi servir de dernier accepteur d'électrons. Ainsi, certaines bactéries marines réductrices de sulfates utilisent l'ion sulfate (SO_4^{2-}) à la fin de leur chaîne respiratoire. Le travail de la chaîne accumule une force protonmotrice qui sert à produire de l'ATP, mais le sous-produit de l'opération est le sulfure de dihydrogène (H_2S) plutôt que l'eau. L'odeur d'œufs pourris qui se dégage de certaines zones marécageuses ou de certains bancs de vase dénote la présence d'une bactérie qui réduit le sulfate. D'autres bactéries utilisent le CO_2 comme accepteur final d'électrons et certaines produisent du méthane (CH_4), d'autres, de l'acétate (CH_3COO^-).

La fermentation, quant à elle, permet d'extraire de l'énergie chimique en l'absence d'O_2 et de chaîne de transport d'électrons – autrement dit, en l'absence de respiration cellulaire. Comment les aliments peuvent-ils être oxydés sans respiration cellulaire ? Rappelez-vous qu'*oxydation* signifie simplement perte d'électrons, sans présumer de la nature de l'accepteur susceptible de les capter : n'importe quel accepteur d'électrons peut faire l'affaire, pas seulement l'O_2. La glycolyse oxyde une molécule de glucose en deux molécules de pyruvate ; l'agent oxydant est le NAD^+ (et *non* l'O_2), et il n'y a ni O_2 ni chaîne de transport d'électrons. Dans l'ensemble, la glycolyse est exergonique, et une partie de l'énergie libérée est utilisée pour produire deux molécules d'ATP (net) par phosphorylation au niveau du substrat. En présence d'O_2, il y a production de molécules d'ATP additionnelles par phosphorylation oxydative quand le NADH transfère les électrons du glucose à la chaîne de transport d'électrons. Cependant, que l'O_2 soit présent ou non, c'est-à-dire que les conditions soient aérobies ou anaérobies, la glycolyse à elle seule, autrement dit sans la contribution d'une chaîne de transport d'électrons, génère toujours deux molécules d'ATP.

Le catabolisme anaérobie des nutriments organiques peut emprunter la voie de la fermentation plutôt que celle de l'oxydation respiratoire. La fermentation est un prolongement de la glycolyse ; elle engendre de l'ATP par phosphorylation au niveau du substrat tant qu'il y a suffisamment de NAD^+ pour accepter les électrons pendant la phase d'oxydation de la glycolyse. Sans mécanisme de recyclage du NADH en NAD^+, la glycolyse épuiserait vite la réserve cellulaire de NAD^+ en la réduisant entièrement en NADH, puis elle s'arrêterait, faute d'agent oxydant. Dans des conditions aérobies (aérobiose), le NADH est recyclé en NAD^+ par le transfert des électrons à la chaîne de transport, tandis que, dans des conditions anaérobies (anaérobiose), les électrons peuvent être transférés du NADH au pyruvate, le produit terminal de la glycolyse.

Les types de fermentation

La fermentation consiste en une glycolyse à laquelle s'ajoutent des réactions qui régénèrent le NAD^+ en transférant les électrons du NADH au pyruvate ou à des dérivés du pyruvate. Le NAD^+ peut alors servir de nouveau pour l'oxydation du glucose dans la glycolyse et produire deux molécules d'ATP grâce à la phosphorylation au niveau du substrat. Il existe plusieurs types de fermentation, qui se distinguent par les sous-produits formés à partir du pyruvate. La fermentation alcoolique et la fermentation lactique sont deux types de fermentation exploités par les humains pour la production alimentaire et industrielle.

Dans la **fermentation alcoolique** (**figure 9.17a**), le pyruvate est converti en éthanol, en deux étapes. Dans la première, du CO_2 est enlevé au pyruvate ; celui-ci devient de l'acétaldéhyde, un composé à deux atomes de carbone. Au cours de la seconde étape, le NADH réduit l'acétaldéhyde en éthanol, régénérant ainsi le NAD^+ nécessaire à la glycolyse. Beaucoup de bactéries réalisent la fermentation alcoolique dans des conditions anaérobies. Les levures (qui appartiennent au règne des eumycètes) peuvent également, en plus de la respiration aérobie, réaliser la fermentation alcoolique. Depuis des milliers d'années, les humains utilisent des levures pour fabriquer de la bière, du vin et du pain. Outre l'alcool, les levures produisent du CO_2, sous forme de bulles qui s'accumulent dans la pâte et font lever le pain, ou qui engendrent l'effervescence de la bière et de vins comme le champagne.

Au cours de la **fermentation lactique** (**figure 9.17b**), le pyruvate se fait réduire directement par le NADH : du lactate est ainsi formé sans libération de CO_2. (Le lactate est la forme

▼ **Figure 9.17 La fermentation.** En l'absence d'O_2, plusieurs types de cellules font appel à la fermentation pour produire de l'ATP par phosphorylation au niveau du substrat. Le NAD^+ est réutilisé dans la glycolyse lorsque le pyruvate (produit final de la glycolyse) sert d'accepteur d'électrons dans l'oxydation du NADH. **(a)** L'éthanol et **(b)** le lactate, la forme ionisée de l'acide lactique, sont deux des principaux produits de la fermentation.

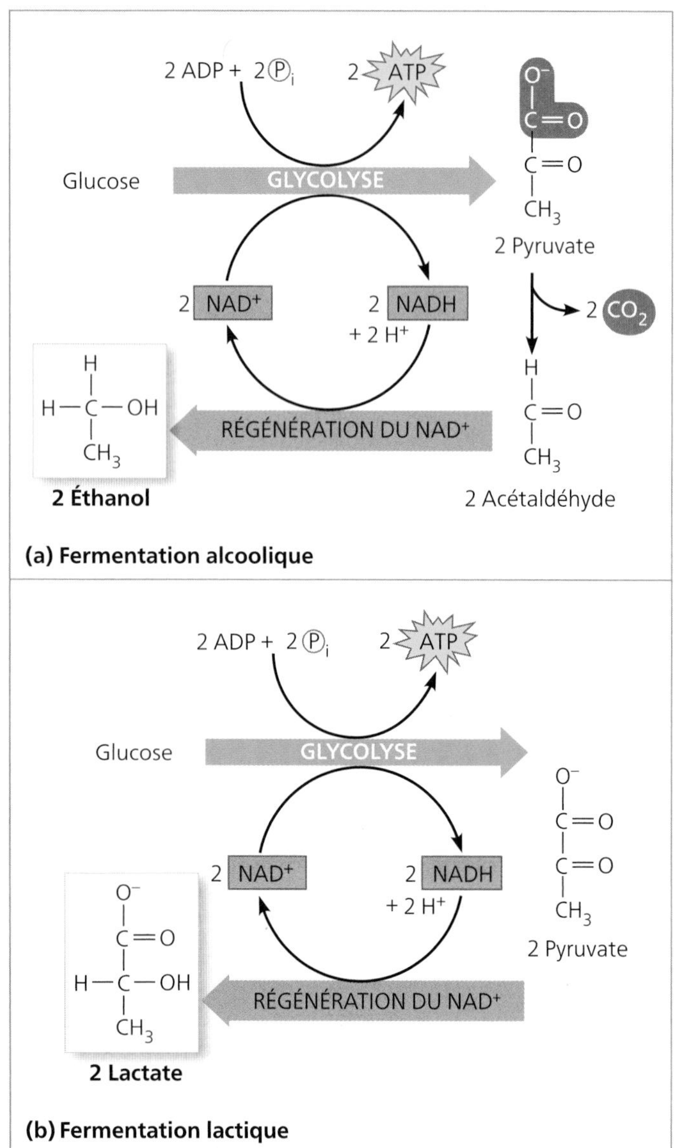

ionisée de l'acide lactique.) Dans l'industrie laitière, la fermentation lactique due à des levures et à des bactéries donne des fromages et du yogourt.

Les cellules musculaires humaines produisent de l'ATP par fermentation lactique lorsque l'O_2 vient à manquer. Cela arrive notamment pendant un exercice exigeant, quand le catabolisme des glucides pour produire de l'ATP se fait plus rapide que l'apport d'O_2 nécessaire aux muscles. Les cellules passent alors de la respiration cellulaire aérobie à la fermentation. On croyait que l'accumulation de lactate dans les muscles était à l'origine de la fatigue et de la douleur ressenties un jour ou deux après un effort intense. Toutefois, des recherches indiquent que dans l'heure suivant son accumulation, le sang transporte le surplus de lactate des muscles jusqu'au foie où les cellules hépatiques le reconvertissent en pyruvate. Comme de l'O_2 est disponible, ce pyruvate peut alors pénétrer dans les mitochondries des cellules hépatiques et y poursuivre sa dégradation au cours de la respiration cellulaire. (Les courbatures du lendemain sont vraisemblablement causées par des microtraumatismes musculaires, qui provoquent inflammation et douleur.)

Comparaison entre la fermentation et la respiration cellulaire aérobie et anaérobie

La fermentation, la respiration anaérobie et la respiration aérobie sont trois façons de produire de l'ATP à partir de l'énergie chimique des aliments. Ces trois voies métaboliques passent toutes par la glycolyse pour oxyder le glucose et d'autres combustibles organiques en pyruvate. Elles fournissent, pendant la glycolyse, un rendement net de deux molécules d'ATP au moyen de la phosphorylation au niveau du substrat. Tant dans la fermentation que dans la respiration cellulaire, le NAD^+ est l'agent oxydant qui accepte les électrons dérivés de la transformation des nutriments au cours de la glycolyse.

La grande différence réside dans le mécanisme d'oxydation du NADH en NAD^+, une étape nécessaire à la poursuite de la glycolyse. Dans la fermentation, le dernier accepteur d'électrons est une molécule organique comme le pyruvate (fermentation lactique) ou l'acétaldéhyde (fermentation alcoolique). Pendant la respiration cellulaire, des électrons transportés par le NADH sont transférés à une chaîne de transport d'électrons qui régénère le NAD^+ nécessaire à la glycolyse.

Une autre importante différence est la quantité d'ATP obtenue. La fermentation produit deux molécules d'ATP au moyen de la phosphorylation au niveau du substrat. En l'absence de chaîne de transport d'électrons, l'énergie emmagasinée dans le pyruvate reste inaccessible. Dans la respiration cellulaire, toutefois, le pyruvate est complètement oxydé dans la mitochondrie. La majeure partie de l'énergie chimique issue de ce processus est transportée à la chaîne de transport d'électrons par le NADH et la $FADH_2$. Ces derniers y sont oxydés et les électrons cédés à la chaîne de transport participent à une série d'oxydoréductions jusqu'à un dernier accepteur d'électrons. (Dans la respiration aérobie, le dernier accepteur d'électrons est l'O_2 ; dans la respiration anaérobie, c'est une autre molécule, électronégative elle aussi, mais toujours moins électronégative que l'O_2.) Le transport des électrons par une série d'étapes accomplit la phosphorylation oxydative et produit de l'ATP. C'est pourquoi la respiration cellulaire produit beaucoup plus d'ATP par molécule de glucose que la fermentation. En fait, la respiration aérobie produit jusqu'à 32 molécules d'ATP contre 2 molécules d'ATP produites par fermentation.

Certains organismes qualifiés d'**anaérobies stricts** (ou anaérobies obligatoires) ne pratiquent que la fermentation ou la respiration anaérobie. En fait, ces organismes sont incapables de survivre en présence d'oxygène, dont certaines formes peuvent être vraiment toxiques si la cellule ne dispose pas de mécanismes protecteurs. De rares types de cellules, comme celles du cerveau des vertébrés, s'en tiennent strictement à l'oxydation aérobie du pyruvate. D'autres organismes, comme les levures et de nombreuses bactéries, peuvent produire assez d'ATP pour survivre en utilisant la fermentation ou la respiration ; on les appelle **anaérobies facultatifs**. C'est aussi le cas de nos cellules musculaires dans lesquelles le pyruvate représente un carrefour qui mène à deux voies cataboliques distinctes (**figure 9.18**). En aérobiose, il est converti en acétyl-CoA, et l'oxydation prend la voie du cycle de l'acide citrique; en anaérobiose, il n'entre pas dans le cycle de l'acide citrique et sert plutôt d'accepteur d'électrons pour le recyclage du NAD^+, et l'oxydation prend alors la voie de la fermentation. Pour produire la même quantité d'ATP, un organisme anaérobie facultatif doit donc métaboliser le glucose beaucoup plus rapidement lors de la fermentation que lors de la respiration cellulaire aérobie.

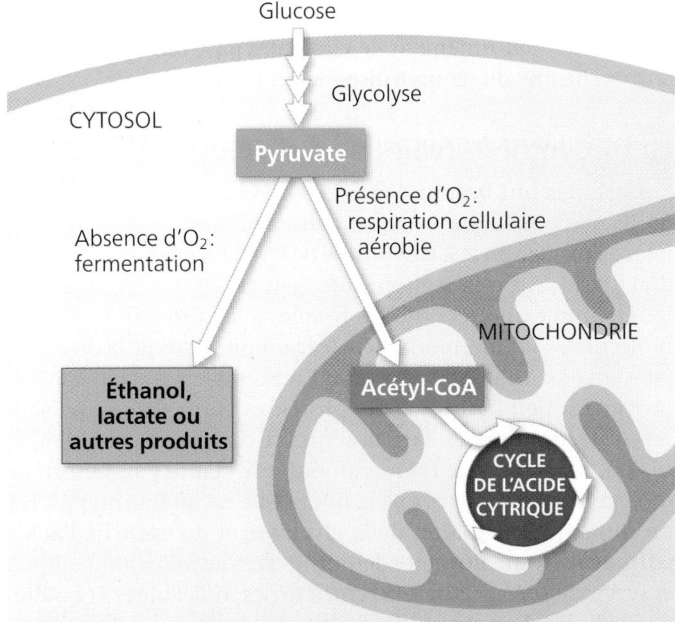

▲ **Figure 9.18 Le pyruvate au carrefour de deux voies cataboliques.** La glycolyse est un processus commun à la fermentation et à la respiration cellulaire. Le pyruvate, qui en est le produit final, représente un carrefour dans l'oxydation du glucose. Dans une cellule capable de pratiquer la respiration cellulaire aérobie et la fermentation, comme une cellule musculaire ou une cellule d'un anaérobie facultatif, le pyruvate prend une voie ou l'autre, en fonction de la présence ou de l'absence d'O_2.

L'importance de la glycolyse dans l'évolution

ÉVOLUTION La glycolyse est commune à la fermentation et à la respiration cellulaire, et cette similitude s'explique par l'évolution. Les procaryotes primitifs se servaient probablement des étapes de la deuxième phase de la glycolyse pour produire leur ATP bien avant que l'atmosphère terrestre ne renferme de l'O_2. Les fossiles de bactéries les plus anciens datent de 3,5 milliards d'années environ, mais l'O_2 ne s'est probablement accumulé en quantités appréciables dans l'atmosphère terrestre qu'il y a 2,7 milliards d'années. Les cyanobactéries ont commencé à produire cet O_2 lorsqu'elles ont fait appel à la photosynthèse. Par conséquent, les premiers procaryotes ont dû produire leur ATP uniquement par fermentation. En outre, la glycolyse constitue la voie métabolique la plus répandue, ce qui laisse croire qu'elle est apparue très tôt dans l'histoire de la vie. Le fait qu'elle se déroule dans le cytosol donne également à penser qu'elle date d'il y a très longtemps; elle ne nécessite aucun des organites membraneux de la cellule eucaryote, qui est apparue près de un milliard d'années après la cellule procaryote. Héritage métabolique des premières cellules, la glycolyse existe encore chez tous les organismes modernes, aussi bien dans la fermentation que comme étape de la dégradation des molécules organiques par la respiration.

RETOUR SUR LE CONCEPT 9.5

1. La glycolyse conduit à la formation de NADH. Quel est le dernier accepteur d'électrons durant la fermentation ? Durant la respiration cellulaire aérobie ? Durant la respiration anaérobie ?
2. **ET SI ?** ▶ Une cellule de levure nourrie de glucose est transférée d'un milieu aérobie à un milieu anaérobie. Pour que la cellule continue de produire de l'ATP à la même vitesse, de quelle façon son taux de consommation de glucose doit-il être modifié ?

Voir les réponses proposées à l'appendice A.

CONCEPT 9.6

La glycolyse et le cycle de l'acide citrique sont liés à de nombreuses autres voies métaboliques

Jusqu'à maintenant, nous avons traité du catabolisme du glucose sans tenir compte des autres voies métaboliques de la cellule. Dans cette section, nous apprendrons que la glycolyse et le cycle de l'acide citrique sont au carrefour de plusieurs voies cataboliques (de dégradation) et anaboliques (de biosynthèse).

La polyvalence du catabolisme

Jusqu'ici, le seul combustible de la respiration cellulaire et de la fermentation que nous avons étudié est le glucose. Pourtant, les molécules libres de glucose ne représentent pas une portion abondante du régime alimentaire animal. L'être humain, en particulier, tire la majeure partie de son énergie des lipides, des protéines et de glucides tels que le saccharose et d'autres disaccharides, ainsi que de l'amidon et du glycogène, deux polysaccharides. Nous allons voir que la respiration cellulaire peut produire de l'ATP à partir de toutes ces molécules (**figure 9.19**).

La glycolyse s'effectue à partir d'une grande variété de glucides. Dans le système digestif, l'amidon est hydrolysé et transformé en glucose, que les cellules dégradent ensuite au cours de la glycolyse et du cycle de l'acide citrique. Le glycogène, le polysaccharide emmagasiné dans les cellules hépatiques et musculaires animales, peut aussi être hydrolysé en glucose entre les repas. La digestion des disaccharides, dont le saccharose et le lactose, fournit du glucose ainsi que d'autres monosaccharides, que les enzymes peuvent convertir. On voit donc que, dans le catabolisme, le glucose soumis à la glycolyse peut provenir de divers glucides.

Les protéines peuvent aussi servir de combustible pour la respiration cellulaire. Elles doivent d'abord être dégradées en leurs acides aminés constituants. Parmi ceux-ci, un bon nombre servent, bien entendu, à fabriquer de nouvelles protéines. Cependant, des enzymes convertissent l'excédent en divers produits

▼ **Figure 9.19 Le catabolisme de divers nutriments.** Les glucides, les lipides et les protéines peuvent servir de combustibles pour la respiration cellulaire. Leurs monomères entrent dans la glycolyse ou dans le cycle de l'acide citrique en divers points. La glycolyse et le cycle de l'acide citrique représentent des entonnoirs cataboliques à travers lesquels les électrons provenant de tous les nutriments amorcent leur descente exergonique vers le dernier accepteur d'électrons.

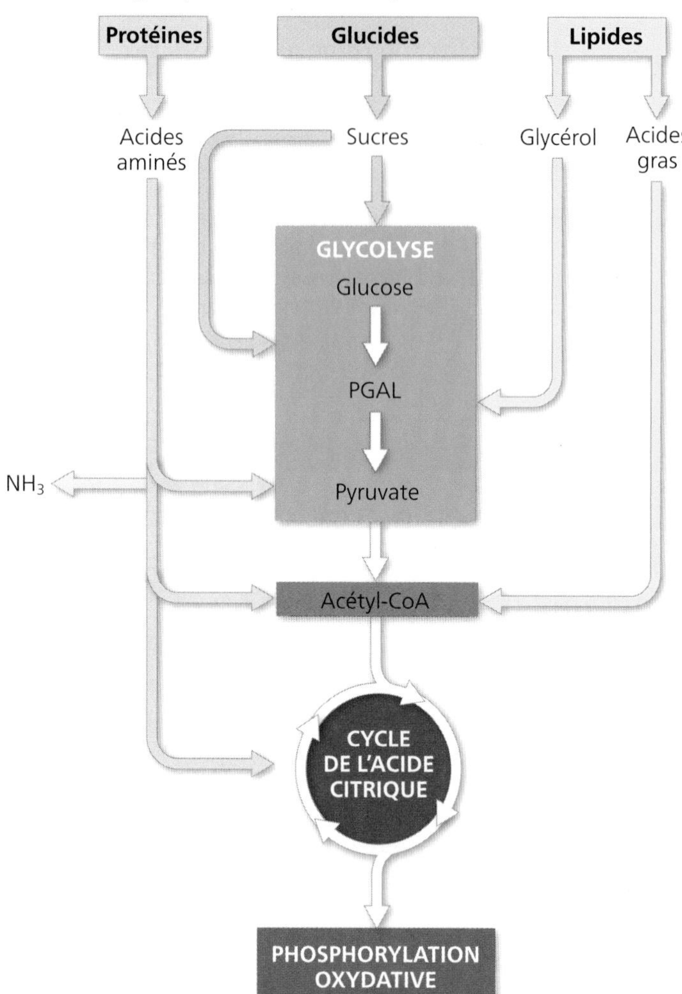

intermédiaires (ou métabolites) de la glycolyse et du cycle de l'acide citrique. Avant d'entrer dans la glycolyse ou dans le cycle de l'acide citrique, ils doivent perdre leur groupement amine, un processus appelé *désamination*. Il en résulte un acide organique, qui sera utilisé, et un déchet azoté, qui est excrété sous forme d'ammoniac (NH_3), d'urée (CH_4N_2O) ou d'autres substances.

Enfin, le catabolisme peut extraire l'énergie stockée dans les lipides provenant des aliments ou mis en réserve dans les cellules adipeuses des organismes multicellulaires. Une fois les lipides digérés et transformés en glycérol et en acides gras, le glycérol est converti en 3-phosphoglycéraldéhyde (PGAL), un produit intermédiaire de la glycolyse. Mais l'essentiel de l'énergie d'un lipide se trouve dans ses acides gras. Ceux-ci sont dégradés en fragments contenant deux atomes de carbone (groupements acétyle) au cours de la **bêta-oxydation** (ainsi appelée car l'oxydation survient au niveau du carbone 3, ou carbone bêta [β], de l'acide gras). Cette séquence métabolique s'élabore dans la matrice des mitochondries. Ces fragments d'acides gras entrent dans le cycle de l'acide citrique sous forme d'acétyl-CoA. Une molécule de NADH et une molécule de $FADH_2$ sont également produites au cours de chaque séquence de bêta-oxydation et peuvent entrer dans la chaîne de transport d'électrons, entraînant une production additionnelle d'ATP. Les lipides font d'excellents combustibles, en bonne partie grâce à leur structure et au niveau d'énergie élevé de leurs électrons (présents dans beaucoup de liaisons C—H, partagés également entre le carbone et l'hydrogène), comparativement au niveau d'énergie des électrons des glucides. Un gramme de lipides oxydés par la respiration cellulaire produit deux fois plus d'ATP qu'un gramme de glucides. Malheureusement, cela signifie aussi qu'une personne suivant un régime doit s'armer de patience : comme les lipides contiennent énormément de kilojoules par gramme, la graisse corporelle met du temps à disparaître.

La biosynthèse (voies anaboliques)

Les cellules ont besoin d'énergie, mais aussi de matière. Les molécules organiques de la nourriture ne sont pas toutes destinées à l'oxydation et à la synthèse de l'ATP. En effet, la nourriture doit fournir aux cellules non seulement des kilojoules, mais aussi les chaînes carbonées indispensables à la fabrication de leurs molécules. Certains monomères organiques issus de la digestion peuvent être utilisés directement. Par exemple, les acides aminés provenant de l'hydrolyse des protéines alimentaires peuvent servir de monomères dans la synthèse des protéines de l'organisme. Mais il arrive fréquemment que celui-ci ait besoin de molécules particulières que la nourriture ne lui fournit pas. Les produits intermédiaires de la glycolyse et du cycle de l'acide citrique peuvent alors être détournés vers les voies anaboliques et servir de précurseurs à la synthèse des molécules nécessaires aux cellules. Le corps humain, par exemple, peut synthétiser environ la moitié des 20 acides aminés en modifiant des composés détournés du cycle de l'acide citrique ; l'autre moitié, soit les « acides aminés essentiels », doit provenir de l'alimentation. De même, il peut fabriquer du glucose à partir du pyruvate et des acides gras à partir de l'acétyl-CoA. En outre, les produits des premières étapes de la glycolyse peuvent servir d'intermédiaires dans la synthèse des nucléotides. Il va sans dire que ces voies anaboliques, ou de biosynthèse, ne produisent pas d'ATP : au contraire, elles en consomment. Il faut aussi noter qu'une voie anabolique n'est pas toujours identique à la même voie catabolique inversée. Il arrive en effet que certaines réactions d'une voie anabolique diffèrent de la voie catabolique et fassent intervenir d'autres enzymes.

Enfin, la glycolyse et le cycle de l'acide citrique permettent à nos cellules de convertir certaines molécules selon les besoins et les circonstances. Par exemple, le dihydroxyacétone phosphate, un produit intermédiaire de la glycolyse (voir la figure 9.9, étape 5), peut être converti en un des principaux précurseurs des lipides. Si notre apport alimentaire dépasse nos besoins, nous engraissons, même si notre régime ne comporte pas de matières grasses. Le métabolisme est un processus complexe, polyvalent et adaptable. Mais il faut bien comprendre que tout, dans le métabolisme, est d'abord une affaire d'enzymes. Si l'enzyme indispensable à une réaction n'est pas présente, la réaction ne se produira pas. Si les acides gras ne peuvent être convertis en glucose ni chez l'humain ni chez la plupart des animaux, c'est en raison de l'absence de l'enzyme qui permettrait de transformer l'acétyl-CoA en acide pyruvique.

La régulation de la respiration cellulaire par des mécanismes de rétro-inhibition

L'économie métabolique obéit aux lois fondamentales de l'offre et de la demande. La cellule ne gaspille pas d'énergie à produire davantage d'une substance qu'il ne lui en faut. Par exemple, s'il y a un surplus d'un acide aminé donné, la voie anabolique qui en assure la synthèse à partir d'un produit intermédiaire du cycle de l'acide citrique se ferme. Cette régulation repose principalement sur un mécanisme de rétro-inhibition : le produit terminal de la voie anabolique inhibe l'enzyme qui catalyse la première étape de cette voie (voir la figure 8.20). L'organisme évite ainsi de consacrer des produits intermédiaires à des usages non essentiels.

La cellule gère aussi son catabolisme. Si elle travaille dur et que sa concentration en ATP commence à diminuer, la respiration cellulaire s'accélère. Quand il y a suffisamment d'ATP pour satisfaire à la demande, la respiration cellulaire ralentit, ce qui permet à la cellule d'économiser de précieuses molécules organiques en vue d'autres fonctions. Ici encore, la régulation porte principalement sur l'activité d'enzymes intervenant en des points stratégiques de la voie catabolique. Comme l'illustre la **figure 9.20**, l'une d'entre elles est la phosphofructokinase, qui catalyse l'étape 3 de la glycolyse (figure 9.9). C'est la première étape durant laquelle un substrat est irréversiblement dirigé vers la voie glycolytique. En régulant le débit de cette étape, la cellule peut accélérer ou ralentir le processus catabolique tout entier. La phosphofructokinase détermine donc la vitesse de la respiration cellulaire. Par ailleurs, le complexe pyruvate déshydrogénase, qui catalyse l'oxydation du pyruvate et qui est inhibé par le NADH, détermine la vitesse de réaction du cycle de l'acide citrique.

La phosphofructokinase est une enzyme allostérique. Elle possède un site actif qui reçoit l'ATP, l'hydrolyse en ADP et en $ⓟ_i$, et lie le phosphate inorganique au fructose 6-phosphate. De plus, elle a des sites récepteurs destinés à des inhibiteurs et à des activateurs spécifiques. L'ATP l'inhibe, alors que l'AMP (l'adénosine monophosphate, un dérivé de l'ADP) l'active. L'ATP peut donc s'unir soit au site actif, soit au site de régulation allostérique. Donc, lorsque l'ATP s'accumule, l'inhibition de la phosphofructokinase ralentit la glycolyse. Inversement, l'enzyme est réactivée quand le travail cellulaire convertit l'ATP en ADP (et en AMP). En outre, la phosphofructokinase est sensible au citrate, le premier produit du cycle de l'acide citrique. S'il augmente beaucoup dans les mitochondries, une certaine quantité passe dans le cytosol à l'aide d'un transporteur et inhibe la phosphofructokinase. Ce mécanisme contribue à synchroniser la glycolyse et le cycle de l'acide citrique. À mesure que le citrate s'accumule, la glycolyse ralentit, diminuant ainsi l'entrée du pyruvate, donc de groupement acétyle, dans le cycle de l'acide citrique. Si, au contraire, la consommation de citrate augmente, à la suite d'un accroissement de la demande d'ATP ou à cause de l'utilisation de produits intermédiaires du cycle de l'acide citrique à des fins anaboliques, la glycolyse s'accélère et s'adapte à la demande. D'autres enzymes interviennent aussi en des points clés de la glycolyse et du cycle de l'acide citrique. Elles sont régulées par des mécanismes qui favorisent l'équilibre métabolique. Le métabolisme cellulaire est un processus économique, efficace et adaptable.

La respiration cellulaire et les voies métaboliques jouent un rôle central dans la vie des organismes. Examinons la figure 9.2 une fois de plus pour inscrire la respiration cellulaire dans les processus énergétiques et chimiques des écosystèmes. L'énergie qui nous maintient en vie est *libérée* et non pas *produite* par la respiration cellulaire. Nos cellules extraient l'énergie que la photosynthèse a préalablement stockée dans notre nourriture. Dans le chapitre suivant, nous verrons comment la photosynthèse capte la lumière et la convertit en énergie chimique.

▼ **Figure 9.20 La régulation de la respiration cellulaire.** Des enzymes allostériques interviennent en certains points de la voie catabolique. Elles réagissent à des inhibiteurs et à des activateurs. Elles déterminent ainsi la vitesse de la glycolyse et du cycle de l'acide citrique. La phosphofructokinase, qui catalyse l'étape 3 de la glycolyse (voir la figure 9.9), est l'une de ces enzymes clés. L'AMP (qui dérive de l'ADP) l'active, mais l'ATP et le citrate l'inhibent. Par ailleurs, le NADH inhibe le complexe pyruvate déshydrogénase, qui catalyse l'oxydation du pyruvate. Ces mécanismes de rétro-inhibition ajustent la vitesse de la respiration cellulaire aux variations des besoins cataboliques et anaboliques de la cellule.

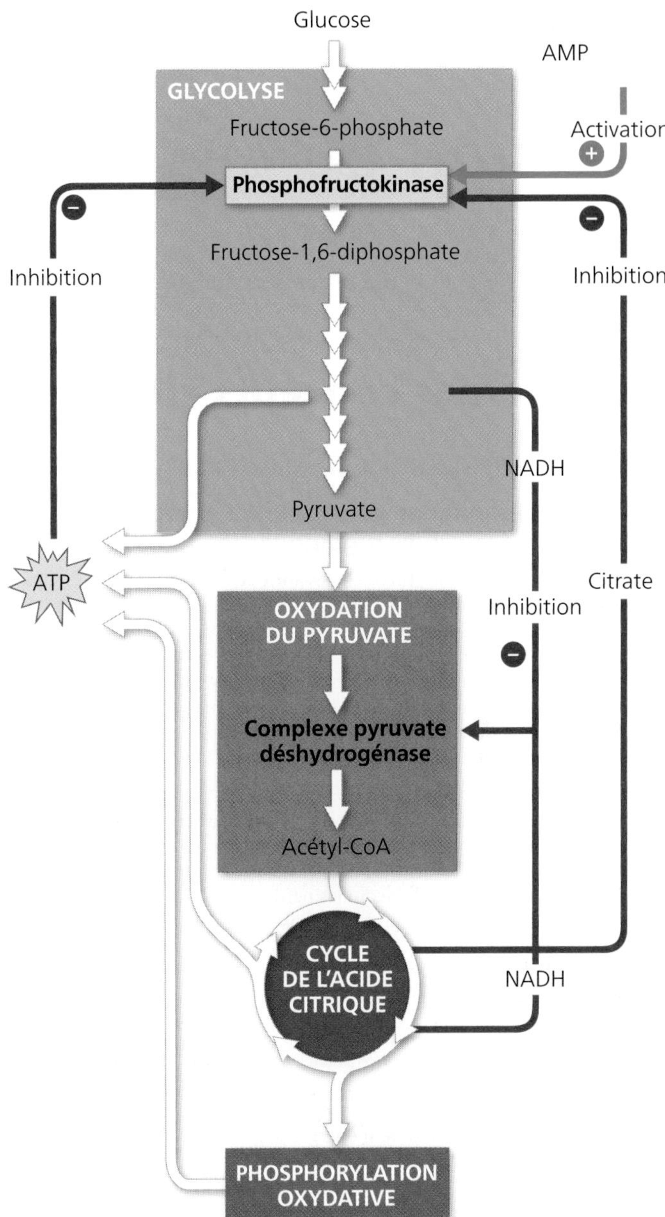

RETOUR SUR LE CONCEPT 9.6

1. **FAITES DES LIENS ▶** Comparez la structure d'un lipide (voir la figure 5.9) avec celle d'un glucide (voir la figure 5.3). En raison de quelles caractéristiques structurales les lipides sont-ils de meilleurs combustibles ?
2. Dans quelles circonstances votre organisme synthétise-t-il des molécules de lipides ?
3. **HABILETÉS VISUELLES ▶** Qu'arrive-t-il à une cellule musculaire qui a épuisé toutes ses réserves d'oxygène et d'ATP ? (Revoyez les figures 9.18 et 9.20.)
4. **HABILETÉS VISUELLES ▶** Lors d'un exercice intense, une cellule musculaire peut-elle utiliser la graisse comme source d'énergie chimique concentrée ? Pourquoi ? (Revoyez les figures 9.18 et 9.19.)

Voir les réponses proposées à l'appendice A.

RÉVISION DU CHAPITRE 9

Consultez votre MANUEL NUMÉRIQUE, qui vous donne accès aux **animations**, aux **exercices** et à la plateforme d'**anatomie interactive**.

Résumé des concepts clés

CONCEPT 9.1

Les voies cataboliques génèrent de l'énergie en oxydant des molécules organiques (p. 180 à 185)

- Les cellules dégradent le glucose et les autres combustibles organiques pour récupérer de l'énergie chimique sous forme d'ATP. La **fermentation** est une dégradation partielle du glucose sans utilisation d'O_2. Le processus de la **respiration cellulaire** est une dégradation plus complète du glucose ; dans la **respiration cellulaire aérobie**, l'O_2 sert de réactif ; dans la *respiration anaérobie*, d'autres substances servent de réactifs au sein d'un processus similaire qui libère de l'énergie chimique sans faire intervenir l'O_2.
- La cellule extrait l'énergie emmagasinée dans les molécules des nutriments par des **réactions d'oxydoréduction** au cours desquelles une substance cède à une autre substance quelques-uns ou la totalité de ses électrons. La substance qui reçoit les électrons subit une **réduction**, et celle qui les perd, une **oxydation**. Durant la respiration cellulaire aérobie, le glucose ($C_6H_{12}O_6$) est oxydé en CO_2 et l'O_2 est réduit en H_2O.

Est oxydé

$$C_6H_{12}O_6 \quad + \quad 6\,O_2 \quad \longrightarrow \quad 6\,CO_2 \quad + \quad 6\,H_2O \quad + \quad \text{Énergie}$$

Est réduit

- Au cours de leur transfert du glucose ou des autres composés organiques à l'O_2, les électrons perdent leur énergie potentielle. Habituellement, les électrons sont d'abord captés par le **NAD⁺**, qui est ensuite réduit en NADH. Après quoi, ces électrons parcourent la **chaîne de transport d'électrons** jusqu'à l'O_2 en une série d'étapes qui libèrent chacune une petite quantité d'énergie. Cette énergie libérée sert à produire de l'ATP.
- La respiration aérobie se fait en trois étapes : (1) la **glycolyse** ; (2) l'oxydation du pyruvate et le **cycle de l'acide citrique** ; et (3) la **phosphorylation oxydative** (transport des électrons et chimiosmose).

? Qu'est-ce qui permet de différencier les deux processus de la respiration cellulaire qui produisent de l'ATP, la phosphorylation oxydative et la phosphorylation au niveau du substrat ?

CONCEPT 9.2

La glycolyse libère de l'énergie chimique en oxydant le glucose en pyruvate (p. 185)

- La glycolyse (« scission du sucre ») consiste en une série de réactions qui dégradent le glucose en deux molécules de pyruvate, qui peuvent ensuite s'engager dans le cycle de l'acide citrique et produire 2 ATP et 2 NADH par molécule de glucose.

? Dans la glycolyse, quelles réactions sont à la source de l'énergie qui permet la formation d'ATP et de NADH ?

CONCEPT 9.3

Une fois le pyruvate oxydé, le cycle de l'acide citrique achève l'oxydation, génératrice d'énergie, des molécules organiques (p. 185 à 189)

- Chez les cellules eucaryotes, le pyruvate pénètre dans la mitochondrie et est oxydé en **acétyl-CoA**, qui sera oxydé dans le cycle de l'acide citrique.

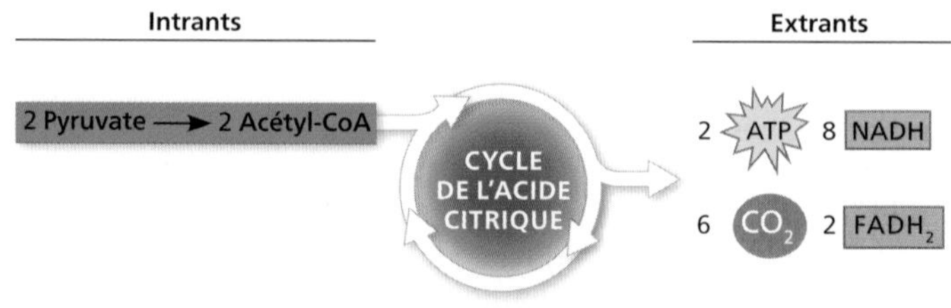

? Quels produits moléculaires indiquent une oxydation complète du glucose au cours de la respiration cellulaire ?

CONCEPT 9.4

Durant la phosphorylation oxydative, la chimiosmose couple le transport d'électrons à la synthèse d'ATP (p. 189 à 195)

- Dans la chaîne de transport d'électrons, les électrons du NADH et de la $FADH_2$ perdent graduellement de l'énergie, en plusieurs étapes. Au bout de la chaîne, les électrons sont transférés à l'O_2, qu'ils réduisent en eau (H_2O).

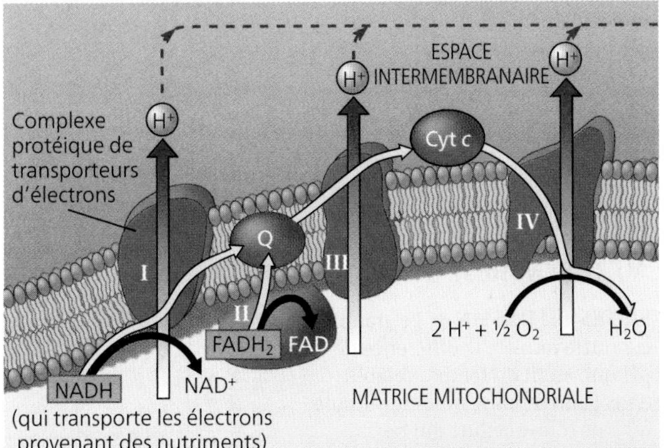

- Dans la chaîne de transport des électrons, des complexes protéiques transporteurs d'électrons font passer des H^+ de la matrice mitochondriale (chez les eucaryotes) à l'espace intermembranaire. L'énergie se trouve ainsi emmagasinée dans un gradient électrochimique appelé **force protonmotrice**. Les protons diffusent dans la matrice en passant à travers l'**ATP synthase**; ce passage exergonique alimente la phosphorylation endergonique de l'ADP pour former l'ATP, un processus appelé **chimiosmose**.

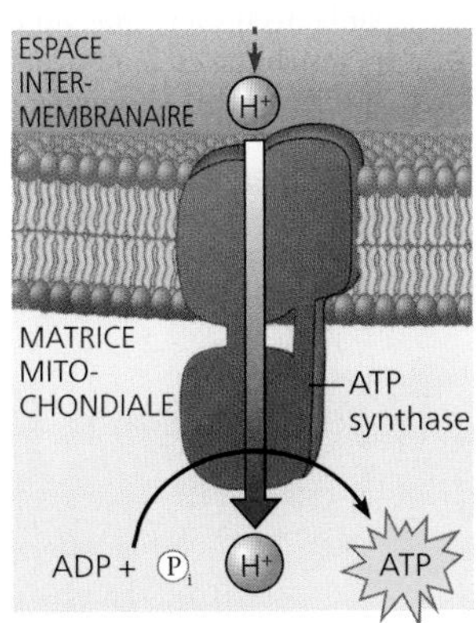

- Environ 34 % de l'énergie emmagasinée dans 1 mol de glucose est transférée à l'ATP durant la respiration cellulaire, ce qui produit 32 mol d'ATP au maximum.

? Expliquez brièvement les mécanismes par lesquels l'ATP synthase produit de l'ATP. Énumérez trois endroits où l'on trouve de l'ATP synthase.

CONCEPT 9.5

La fermentation et la respiration anaérobie permettent à certaines cellules de produire de l'ATP en l'absence de molécules d'oxygène (p. 195 à 197)

- La glycolyse fournit deux molécules d'ATP par phosphorylation au niveau du substrat, en présence ou en l'absence d'O_2. En anaérobiose, il peut y avoir respiration anaérobie ou fermentation. La respiration anaérobie fait appel à une chaîne de transport d'électrons, mais le dernier accepteur d'électrons n'est pas l'O_2. Dans la fermentation, les électrons du NADH sont transférés au pyruvate ou à un dérivé du pyruvate, ce qui régénère le NAD^+ nécessaire à l'oxydation d'autres molécules de glucose. La **fermentation alcoolique** et la **fermentation lactique** sont deux types de fermentation courants.
- La respiration cellulaire (aérobie et anaérobie) et la fermentation utilisent toutes deux la glycolyse pour oxyder le glucose, mais elles diffèrent par leurs derniers accepteurs d'électrons et par la présence d'une chaîne de transport d'électrons (dans le cas de la respiration) ou son absence (dans le cas de la fermentation). De plus, la respiration génère davantage d'ATP ; ainsi, la respiration aérobie, dont l'O_2 est le dernier accepteur d'électrons, produit environ 16 fois plus d'ATP que la fermentation.
- La glycolyse a lieu dans presque tous les organismes et remonte probablement aux premiers procaryotes, à l'époque où il n'y avait pas encore d'O_2 dans l'atmosphère.

? Quel processus produit le plus d'ATP : la fermentation ou la respiration anaérobie ? Pourquoi ?

CONCEPT 9.6

La glycolyse et le cycle de l'acide citrique sont liés à de nombreuses autres voies métaboliques (p. 197 à 200)

- Les voies cataboliques font converger les électrons provenant de divers types de molécules organiques vers la respiration cellulaire. La glycolyse peut s'effectuer à partir de nombreux glucides, le plus souvent après leur conversion en glucose. Les acides aminés des protéines doivent être désaminés avant d'être oxydés. Les acides gras des lipides sont dégradés par **bêta-oxydation** en acétyl-CoA. Ces fragments contenant deux atomes de carbone entrent dans le cycle de l'acide citrique. Les voies anaboliques peuvent utiliser directement les petites molécules des aliments ingérés ou synthétiser d'autres substances en utilisant les produits intermédiaires de la glycolyse ou du cycle de l'acide citrique.
- La respiration cellulaire est régie par des enzymes allostériques qui interviennent en des points clés de la glycolyse et du cycle de l'acide citrique.

? Décrivez comment les voies cataboliques de la glycolyse et du cycle de l'acide citrique croisent plusieurs voies anaboliques dans le métabolisme de la cellule.

Évaluation

NIVEAU 1 : CONNAISSANCES ET COMPRÉHENSION

1. La source d'énergie qui alimente *directement* la synthèse de l'ATP par l'intermédiaire de l'ATP synthase pendant la phosphorylation oxydative est :
a) l'oxydation du glucose et d'autres composés organiques.
b) le flux des électrons dans la chaîne de transport d'électrons.
c) le gradient de concentration de H^+ de part et d'autre de la membrane abritant l'ATP synthase.
d) le transfert du phosphate à l'ADP.

2. Pour une molécule de glucose, quelle est la voie métabolique commune à la fermentation et à la respiration cellulaire aérobie ?
a) Le cycle de l'acide citrique.
b) La chaîne de transport d'électrons.
c) La glycolyse.
d) La réduction du pyruvate en lactate.

3. Quel est le dernier accepteur d'électrons de la chaîne de transport d'électrons dans la phosphorylation oxydative aérobie ?
a) L'O_2.
b) L'eau.
c) Le NAD^+.
d) Le pyruvate.

4. Dans les mitochondries, les réactions d'oxydoréduction exergoniques :
a) sont une source d'énergie qui alimente la synthèse de l'ATP chez les procaryotes.
b) fournissent l'énergie nécessaire à l'établissement d'un gradient de protons (H^+).
c) réduisent les atomes de carbone en CO_2.
d) sont couplées à des processus endergoniques par l'entremise de produits intermédiaires phosphorylés.

NIVEAU 2 : **APPLICATION ET ANALYSE**

5. Dans la réaction suivante, quel est l'agent oxydant ?

Pyruvate + NADH + H^+ → Lactate + NAD^+

a) L'oxygène.
b) Le NADH.
c) Le lactate.
d) Le pyruvate.

6. Parmi les changements suivants, lequel se produit lorsque les électrons descendent dans la chaîne de transport d'électrons à l'intérieur des mitochondries ?

a) Le pH de la matrice augmente.
b) L'ATP synthase pompe des protons par transport actif.
c) Les électrons gagnent de l'énergie libre.
d) Le NAD^+ est oxydé.

7. Lors du catabolisme aérobie, la plus grande partie du CO_2 est libérée pendant :

a) la glycolyse.
b) le cycle de l'acide citrique.
c) la fermentation lactique.
d) le transport des électrons.

8. **FAITES DES LIENS ▶** L'étape 3 de la figure 9.9 est importante dans la régulation de la glycolyse. L'enzyme phosphofructokinase est soumise à la régulation allostérique de l'ATP et des molécules associées (voir le concept 8.5). Connaissant le résultat d'ensemble de la glycolyse, diriez-vous que l'ATP inhibe ou stimule l'activité de cette enzyme ? Expliquez votre réponse. (*Indice :* Considérez l'ATP comme un régulateur allostérique de cette enzyme, et non comme son substrat.)

9. **FAITES DES LIENS ▶** La pompe à protons illustrée aux figures 7.17 et 7.18 est un type d'ATP synthase (voir la figure 9.14). Comparez les processus montrés dans ces figures et indiquez s'il s'agit de transport actif ou passif (voir les concepts 7.3 et 7.4).

10. **HABILETÉS VISUELLES ▶** Ce modèle informatisé montre les quatre parties de l'ATP synthase, chaque partie contenant un certain nombre de sous-unités polypeptidiques (la structure en gris reste à élucider). En vous aidant de la figure 9.14, indiquez l'emplacement du rotor, du stator, de la tige interne et de la tête catalytique de cette turbine moléculaire.

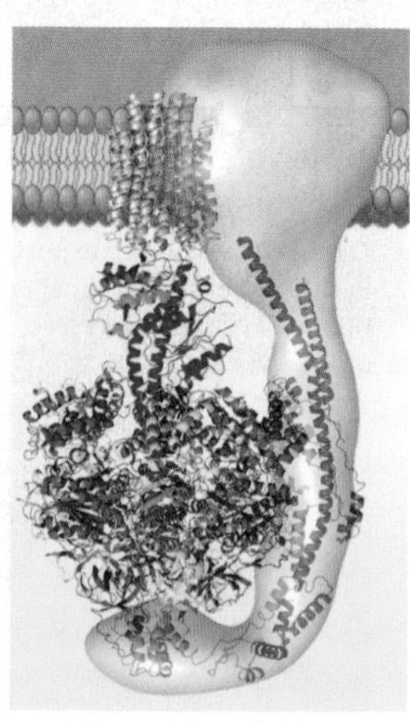

NIVEAU 3 : **SYNTHÈSE ET ÉVALUATION**

11. **FAITES UN DESSIN ▶** Le graphique ci-contre montre la différence de pH qui, au fil du temps, s'établit dans la membrane mitochondriale interne d'une cellule qui respire activement. Au moment indiqué par la flèche verticale, un poison métabolique est ajouté qui inhibe sélectivement et complètement la fonction de l'ATP synthase mitochondriale. Prédisez comment se continuera le graphique après l'ajout du poison, puis tracez le reste du graphique et expliquez votre prédiction.

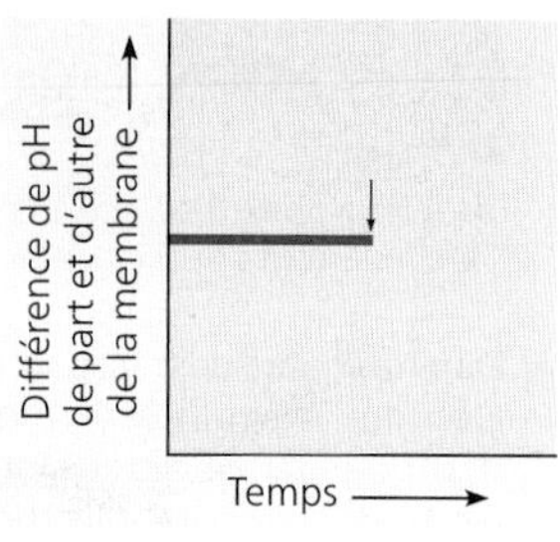

Voir les réponses proposées à l'appendice A.

La photosynthèse

10

VOS OUTILS INTERACTIFS

Consultez votre MANUEL NUMÉRIQUE, qui vous donne accès aux **animations**, aux **exercices** et à la plateforme d'**anatomie interactive**.

▲ **Figure 10.1** **Comment la lumière du Soleil contribue-t-elle à la croissance du tronc, des branches et des feuilles de cet arbre ?**

CONCEPTS CLÉS

10.1 La photosynthèse convertit l'énergie lumineuse en énergie chimique

10.2 L'énergie chimique de l'ATP et du NADPH provient de l'énergie solaire transformée par les réactions photochimiques

10.3 Le cycle de Calvin réduit le CO_2 en glucides à l'aide de l'énergie chimique de l'ATP et du NADPH

10.4 Les climats chauds et arides ont favorisé l'apparition de nouveaux modes de fixation du carbone

10.5 La vie dépend de la photosynthèse

▲ **D'autres organismes profitent également de la photosynthèse.**

Le processus qui alimente la biosphère

La vie sur Terre existe grâce à l'énergie solaire. Les cellules des végétaux et des autres organismes photosynthétiques renferment des organites appelés **chloroplastes**. Dans ces organites, des complexes moléculaires spécialisés captent l'énergie lumineuse qui vient de parcourir les quelque 150 millions de kilomètres qui nous séparent du Soleil. Ensuite, ils la convertissent en énergie chimique et l'emmagasinent dans des glucides et dans d'autres molécules organiques. Ce processus de conversion s'appelle **photosynthèse**. Pour commencer ce chapitre, situons la photosynthèse dans le contexte de l'écologie.

La photosynthèse nourrit presque tous les êtres vivants, directement ou indirectement. Un organisme se procure les composés organiques nécessaires à la production de l'ATP et des chaînes carbonées soit par autotrophie, soit par hétérotrophie. Les **autotrophes** ne sont autosuffisants pour leur carbone organique que dans la mesure où ils ne doivent manger ni les autres organismes ni les substances qui en sont dérivées. Ils élaborent leurs molécules organiques à partir du dioxyde de carbone (CO_2) et d'autres matières premières inorganiques tirées de leur milieu. Pour les organismes hétérotrophes, par contre, ce sont les autotrophes qui représentent l'ultime source de matière organique. C'est pourquoi les biologistes désignent les autotrophes comme les *producteurs* de la biosphère (l'ensemble des écosystèmes), et les hétérotrophes, comme les *consommateurs*.

Presque tous les végétaux sont autotrophes : les seuls « nutriments » dont ils ont besoin sont le CO_2 de l'air ainsi que l'eau et les minéraux du sol. Plus précisément, ils sont **photoautotrophes**, c'est-à-dire qu'ils utilisent la lumière comme source d'énergie pour synthétiser les matières organiques (**figure 10.1**). La photosynthèse s'observe aussi chez les algues, certains eucaryotes unicellulaires et certains procaryotes (**figure 10.2**). Dans le présent chapitre, nous mentionnerons ces groupes en passant, mais nous nous intéresserons surtout à la photosynthèse chez les végétaux. (Nous traiterons des particularités de l'autotrophie chez les algues et les procaryotes au concept 27.3.

Incapables de produire eux-mêmes leur nourriture, les **hétérotrophes** se nourrissent de composés synthétisés par d'autres organismes (le préfixe grec *heteros* signifie « autre »). Ce sont les *consommateurs* de la biosphère. Les animaux représentent l'exemple le plus manifeste de ce type de nutrition, puisqu'ils consomment des végétaux ou d'autres animaux. Mais la nutrition hétérotrophe peut prendre des formes plus subtiles. Ainsi, certains hétérotrophes ingèrent et décomposent des résidus organiques : les organismes morts, les matières fécales, les feuilles mortes, etc. On appelle *décomposeurs* ces types d'hétérotrophes. La plupart des eumycètes et de nombreux procaryotes font partie de ce groupe. Toujours est-il que presque tous les hétérotrophes, l'humain compris, ont absolument besoin des photoautotrophes, non seulement pour se nourrir, mais également pour respirer, la molécule d'oxygène (O_2) étant un sous-produit de la photosynthèse.

Les réserves de combustibles fossiles de la Terre sont constituées des restes d'organismes morts il y a des millions d'années. D'une certaine manière, les combustibles fossiles stockent l'énergie solaire d'un lointain passé. Comme nous utilisons ces ressources beaucoup plus rapidement qu'elles ne se renouvellent, les chercheurs explorent des moyens de domestiquer le processus photosynthétique pour obtenir d'autres types de combustibles (**figure 10.3**).

Le présent chapitre traite du mécanisme de la photosynthèse. Pour commencer, nous en examinerons les principes généraux. Ensuite, nous étudierons les deux étapes de la photosynthèse : les réactions photochimiques, lors desquelles l'énergie solaire est captée et transformée en énergie chimique ; et le cycle de Calvin, au cours duquel l'énergie chimique est utilisée pour fabriquer des molécules organiques. Pour terminer, nous examinerons la photosynthèse du point de vue de l'évolution. Notez que, dans ce chapitre, nous n'aborderons l'action de la lumière solaire sur les végétaux qu'au regard de son rôle dans la photosynthèse. Le photopériodisme, une autre fonction importante de la lumière dans la vie des végétaux, est abordé au chapitre 39.

▼ **Figure 10.2 Les photoautotrophes.** Les organismes photoautotrophes utilisent l'énergie lumineuse pour synthétiser des molécules organiques à partir de CO_2 et (généralement) d'eau. Ils assurent ainsi leur nutrition et celle de la très grande majorité des êtres vivants. **(a)** Dans le milieu terrestre, les végétaux sont les principaux producteurs de nourriture. Dans les milieux aquatiques, les photoautotrophes sont : des algues unicellulaires ou **(b)** multicellulaires, comme cette algue brune ; **(c)** certains eucaryotes unicellulaires non algaux, comme les euglènes ; **(d)** les procaryotes appelés cyanobactéries ; et **(e)** d'autres procaryotes photosynthétiques, comme ces bactéries pourpres sulfureuses qui produisent du soufre, ce dont témoignent les petites sphères jaunes dans les cellules (c, d et e : MP).

(a) Végétaux

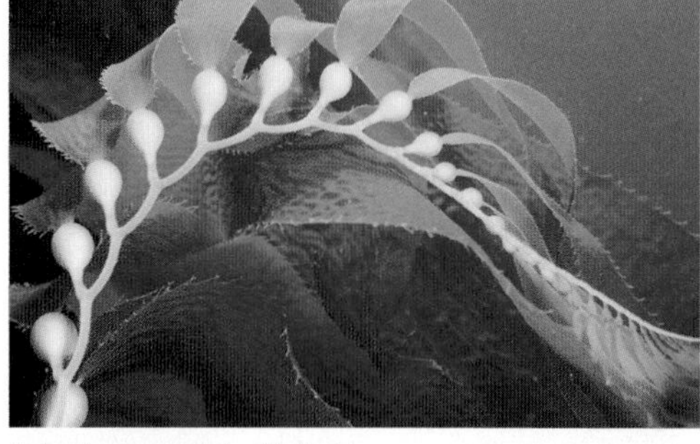

(b) Algue multicellulaire

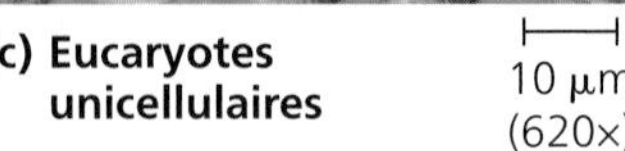

(c) Eucaryotes unicellulaires 10 µm (620×)

(d) Cyanobactéries 40 µm (200×)

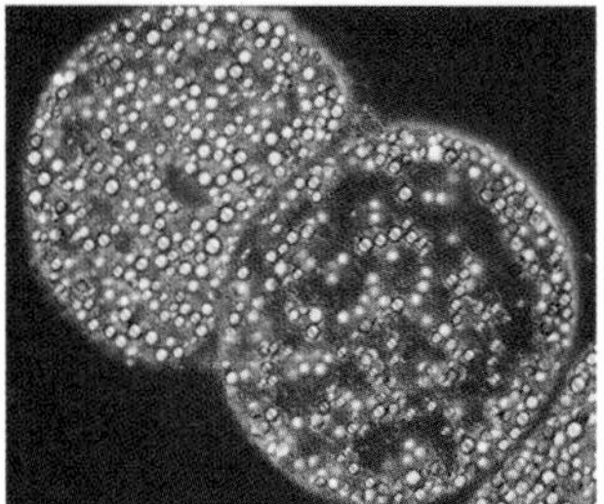

(e) Bactéries pourpres sulfureuses 1 µm (6 800×)

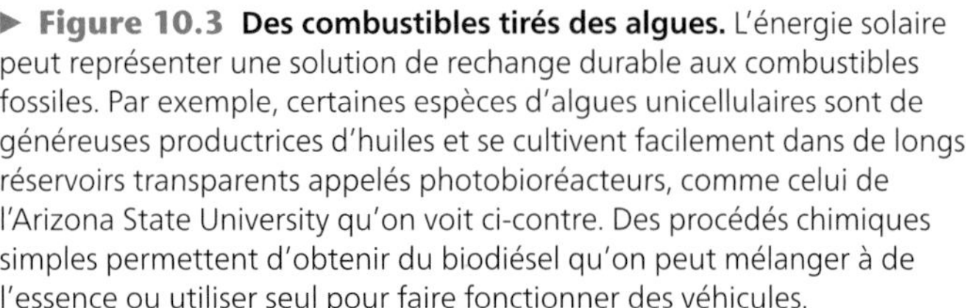

► **Figure 10.3 Des combustibles tirés des algues.** L'énergie solaire peut représenter une solution de rechange durable aux combustibles fossiles. Par exemple, certaines espèces d'algues unicellulaires sont de généreuses productrices d'huiles et se cultivent facilement dans de longs réservoirs transparents appelés photobioréacteurs, comme celui de l'Arizona State University qu'on voit ci-contre. Des procédés chimiques simples permettent d'obtenir du biodiésel qu'on peut mélanger à de l'essence ou utiliser seul pour faire fonctionner des véhicules.

ET SI ? ► Le principal produit de la combustion d'un combustible fossile est le CO_2 ; on attribue cette combustion à l'augmentation de la concentration de CO_2 dans l'atmosphère. Les scientifiques ont proposé de placer des contenants remplis de ces algues à des endroits stratégiques, près des usines comme ci-dessus ou près des voies urbaines les plus congestionnées. Compte tenu du processus de la photosynthèse, cette proposition vous semble-t-elle judicieuse ? Pourquoi ?

CONCEPT **10.1**

La photosynthèse convertit l'énergie lumineuse en énergie chimique

L'organisation structurelle de la cellule est à l'origine de la formidable capacité d'un organisme à capter l'énergie lumineuse et à l'utiliser pour synthétiser des composés organiques. En effet, les enzymes et les autres molécules photosynthétiques sont regroupées dans une membrane biologique, ce qui permet à la série de réactions chimiques requises de se dérouler efficacement. Le processus de la photosynthèse a probablement pris naissance dans un groupe de bactéries dont les replis de la membrane plasmique abritaient des amas de ces molécules. Chez ces bactéries photosynthétiques actuelles, les membranes photosynthétiques plissées fonctionnent comme les membranes internes du chloroplaste, un organite typique des eucaryotes. Selon ce qu'on appelle maintenant la théorie de l'endosymbiose (dont il a été question au concept 6.5 et que nous décrirons plus en détail au concept 25.3), le chloroplaste était à l'origine un procaryote photosynthétique qui vivait à l'intérieur d'une cellule eucaryote ancestrale. Divers groupes d'organismes capables de photosynthèse contiennent des chloroplastes (voir quelques exemples à la figure 10.2), mais nous nous en tiendrons ici aux chloroplastes des végétaux.

Les chloroplastes: les sites de la photosynthèse chez les végétaux

Toutes les parties vertes d'une plante, y compris les tiges vertes et les fruits qui ne sont pas mûrs, contiennent des chloroplastes, mais chez la plupart des végétaux les feuilles sont les principaux sites de la photosynthèse (**figure 10.4**): on compte environ un demi-million de chloroplastes par millimètre carré de feuille. Les chloroplastes abondent tout particulièrement dans le **mésophylle**, le tissu interne de la feuille. Des pores microscopiques appelés **stomates** (du mot grec *stroma*, qui signifie «bouche») permettent au CO_2 d'entrer dans la feuille et à l'O_2 d'en sortir. L'eau absorbée par les racines, elle, se rend aux feuilles en passant par les tissus conducteurs regroupés dans les nervures. Ces nervures interviennent également dans le transport du sucre des feuilles vers les racines et les autres parties non photosynthétiques de la plante.

Les cellules du mésophylle contiennent en général de 30 à 40 chloroplastes mesurant de 4 à 7 μm de longueur et de 2 à 4 μm d'épaisseur. Chaque chloroplaste est formé de deux membranes entourant un liquide dense, le **stroma**, qui renferme des molécules d'ADN circulaires, des ribosomes et un système membraneux constitué de sacs aplatis communicants, les **thylakoïdes**. La membrane de chaque thylakoïde délimite un compartiment appelé *espace intrathylakoïdien*, ce qualificatif signifiant «à l'intérieur du thylakoïde». Ici et là, les thylakoïdes forment des empilements denses appelés *grana* (granum au singulier). Les membranes des thylakoïdes des chloroplastes renferment la **chlorophylle**, ce pigment vert qui donne leur couleur aux feuilles. (Les membranes internes photosynthétiques de certains organismes procaryotes s'appellent également thylakoïdes; voir la figure 27.8b). C'est l'énergie lumineuse absorbée

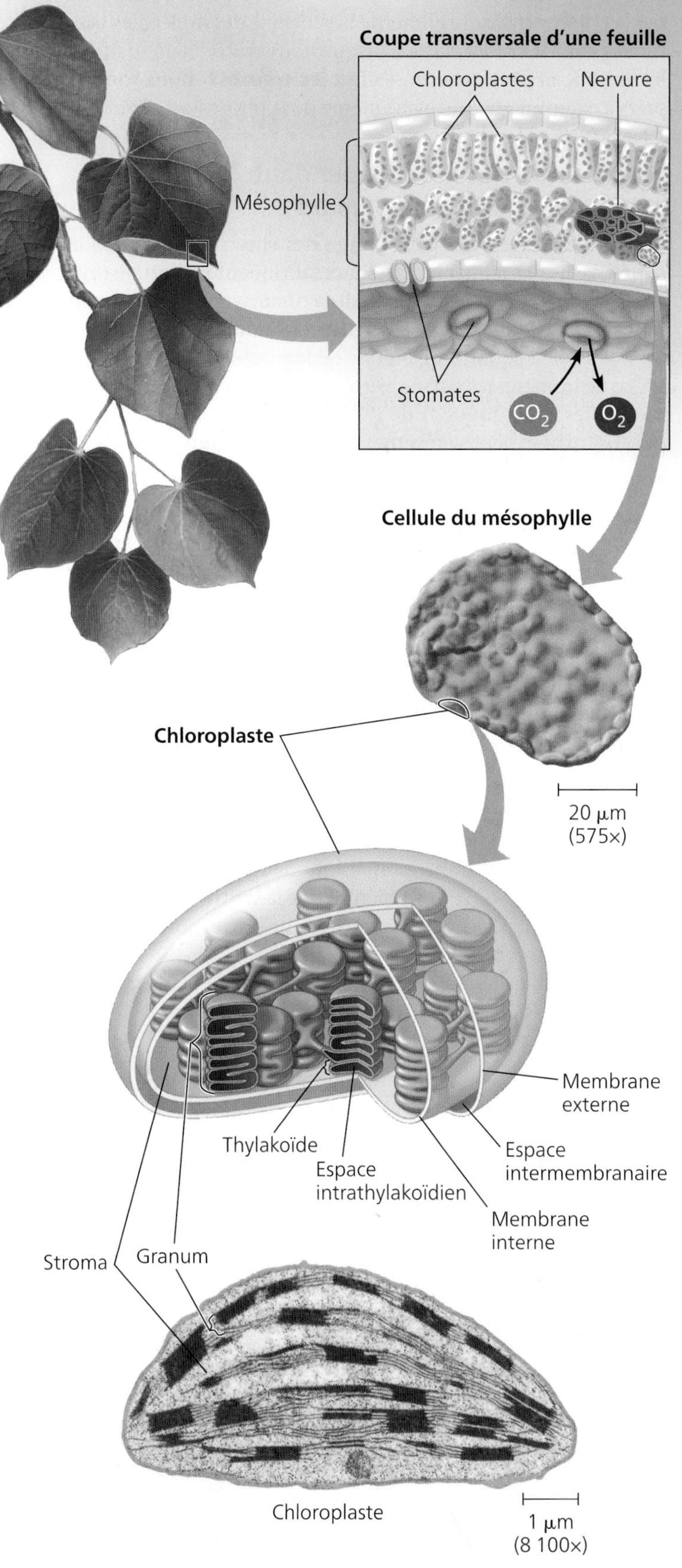

▲ **Figure 10.4 Le site de la photosynthèse dans une plante.** Les feuilles sont les principaux organes de la photosynthèse chez les végétaux. Ces illustrations montrent des agrandissements successifs, allant de la feuille à la cellule, puis à un chloroplaste, site de la photosynthèse (au milieu: MP; en bas: MET).

par la chlorophylle qui alimente la synthèse des molécules organiques dans le chloroplaste. Puisque nous avons vu où se situent les sites de la photosynthèse chez les végétaux, nous sommes prêts à examiner le processus même de la photosynthèse.

Le parcours des atomes pendant la photosynthèse: *investigation*

Durant des siècles, les scientifiques ont cherché à comprendre le processus par lequel les végétaux fabriquent la matière organique. Bien que certaines étapes de la photosynthèse échappent encore aux explications de la science, on connaît depuis le début du 19e siècle l'équation générale de la photosynthèse: en présence de lumière, les parties vertes des végétaux produisent des molécules organiques et de l'O_2 à partir de CO_2 et d'eau. La photosynthèse peut se résumer par l'équation suivante:

$$6\ CO_2 + 12\ H_2O + \text{Énergie lumineuse} \rightarrow C_6H_{12}O_6 + 6\ O_2 + 6\ H_2O$$

La formule $C_6H_{12}O_6$ est celle du glucose, mais le résultat immédiat de la photosynthèse est un sucre à trois atomes de carbone, lequel peut être utilisé pour synthétiser du glucose (ici, on prend le glucose pour simplifier les relations entre la photosynthèse et la respiration cellulaire aérobie). On trouve de l'eau des deux côtés de l'équation parce que la photosynthèse consomme 12 molécules d'eau et en produit 6. Simplifions l'équation en nous en tenant à la consommation nette d'eau:

$$6\ CO_2 + 6\ H_2O + \text{Énergie lumineuse} \rightarrow C_6H_{12}O_6 + 6\ O_2$$

Cette équation simplifiée révèle que le changement chimique réalisé pendant la photosynthèse est l'inverse de celui qui a lieu pendant la respiration cellulaire aérobie (voir le concept 9.1). Ces deux processus métaboliques ont lieu dans la cellule végétale. Toutefois, nous verrons bientôt que la synthèse des glucides par les chloroplastes ne se résume pas à une inversion des étapes de la respiration cellulaire aérobie.

Écrivons maintenant l'équation sous sa forme la plus simple:

$$CO_2 + H_2O \rightarrow [CH_2O] + O_2$$

Ici, les crochets indiquent que CH_2O ne désigne pas un glucide en particulier, et qu'il s'agit plutôt de la formule générale des glucides (voir le concept 5.2). Cette équation réduite à sa plus simple expression est celle de la synthèse d'une molécule de glucose lorsqu'on prend un carbone à la fois (théoriquement, si on la répète six fois, on obtient une molécule de glucose complète: $C_6H_{12}O_6$). Cette formule simplifiée nous aidera à voir comment les chercheurs ont suivi le trajet des éléments chimiques de la photosynthèse (C, H et O), des réactifs jusqu'aux produits.

La scission de la molécule d'eau

Le mécanisme de la photosynthèse a commencé à livrer ses secrets lorsque les scientifiques ont découvert que l'O_2 libéré par les stomates des végétaux dérive de l'eau (H_2O) et non du CO_2. En effet, les chloroplastes scindent les molécules d'eau en hydrogène (protons H^+) et en O_2. Avant cette découverte, l'hypothèse la plus répandue voulait que la photosynthèse scinde la molécule de dioxyde de carbone ($CO_2 \rightarrow C + O_2$), puis ajoute de l'eau au carbone ($C + H_2O \rightarrow [CH_2O]$); on pensait donc que l'O_2 libéré provenait du CO_2. Dans les années 1930, C. B. Van Niel, de la Stanford University, a remis en question ce modèle en étudiant la photosynthèse chez certaines bactéries qui produisent leurs glucides à partir du CO_2, sans libération d'O_2. Il a avancé que ces organismes, à tout le moins, ne scindent pas le CO_2 en carbone et en O_2. Sa démonstration repose sur des observations effectuées sur des bactéries qui utilisent du sulfure de dihydrogène (H_2S) à la place de l'eau et qui rejettent du soufre sous forme de petites sphères jaunes (comme le montre la figure 10.2e), selon l'équation suivante:

$$CO_2 + 2\ H_2S \rightarrow [CH_2O] + H_2O + 2\ S$$

Van Niel en a déduit que les bactéries scindent le H_2S et forment un glucide à partir du dihydrogène. Il a conclu que tous les organismes photosynthétiques ont besoin d'une source d'hydrogène jouant le rôle de réducteur, mais que cette source varie:

$$\begin{aligned} \text{Bactéries sulfureuses: } & CO_2 + 2\ H_2S \rightarrow [CH_2O] + H_2O + 2\ S \\ \text{Végétaux: } & CO_2 + 2\ H_2O \rightarrow [CH_2O] + H_2O + O_2 \\ \text{En général: } & CO_2 + 2\ H_2X \rightarrow [CH_2O] + H_2O + 2\ X \end{aligned}$$

Sur sa lancée, Van Niel a supposé que les végétaux scindent les molécules d'eau pour se procurer du dihydrogène, ce qui les amène à rejeter de l'O_2. Donc, la photosynthèse peut être *oxygénique*, comme chez les végétaux, ou *non oxygénique*, comme chez les bactéries sulfureuses.

Près de 20 ans plus tard, des scientifiques ont confirmé l'hypothèse de Van Niel. Ils ont commencé par fournir à des végétaux de l'eau marquée à l'oxygène 18 (^{18}O), un isotope lourd qui permettrait de suivre le cheminement des atomes d'oxygène durant la photosynthèse; le CO_2 fourni, lui, était non marqué (expérience 1). Les végétaux ont émis de l'O_2 marqué (^{18}O), qui ne pouvait provenir que de l'eau marquée. Dans un deuxième temps, ils ont fourni aux végétaux de l'eau naturelle ($H_2{}^{16}O$) et du CO_2 marqué ($C^{18}O_2$). Cette fois, elles ont libéré de l'O_2 non marqué (^{16}O) (expérience 2). Dans les équations suivantes, les atomes d'oxygène marqués (^{18}O) apparaissent en rouge:

$$\begin{aligned} \text{Expérience 1: } & CO_2 + 2\ H_2O \rightarrow [CH_2O] + H_2O + O_2 \\ \text{Expérience 2: } & CO_2 + 2\ H_2O \rightarrow [CH_2O] + H_2O + O_2 \end{aligned}$$

Un des principaux résultats du brassage d'atomes réalisé pendant la photosynthèse est l'extraction du dihydrogène de l'eau et son incorporation au glucide. Le résidu de la photosynthèse, soit l'O_2, est libéré dans l'atmosphère. La **figure 10.5** illustre le trajet de tous les atomes pendant la photosynthèse.

▼ **Figure 10.5 La localisation des atomes de réactifs dans les produits de la photosynthèse.** Les atomes du CO_2 sont en rose, et les atomes de H_2O, en bleu.

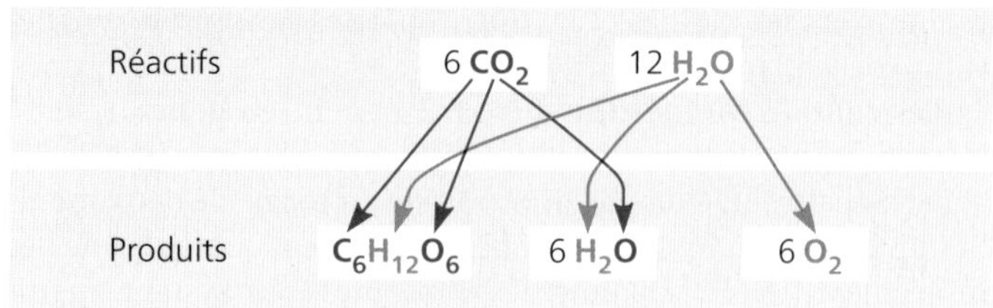

La photosynthèse et l'oxydoréduction

Comparons brièvement la photosynthèse avec la respiration cellulaire aérobie. Les deux processus comportent des réactions d'oxydoréduction. Pendant la respiration cellulaire, l'énergie est libérée du glucose quand les transporteurs acheminent vers l'O_2 les électrons associés à l'hydrogène. Il y a libération d'eau comme sous-produit (voir le concept 9.1). Les électrons perdent de l'énergie potentielle à mesure que l'O_2 électronégatif les attire vers le bas de la chaîne de transport et les mitochondries utilisent cette énergie pour synthétiser de l'ATP (voir la figure 9.15). La photosynthèse inverse le flux d'électrons, c'est-à-dire qu'elle puise ses électrons dans l'eau et, à l'aide de la lumière, leur redonne une grande énergie potentielle. La molécule d'eau se scinde et les électrons sont transférés, de même que les protons, de l'eau au CO_2, ce qui réduit ce dernier en glucide.

$$\text{Énergie} + 6\ CO_2 + 6\ H_2O \rightarrow C_6H_{12}O_6 + 6\ O_2$$

(Est réduit : $CO_2 \rightarrow C_6H_{12}O_6$; Est oxydé : $H_2O \rightarrow O_2$)

Comme les électrons doivent gagner de l'énergie potentielle en passant de l'eau au glucide, ce processus est endergonique : il nécessite un apport d'énergie, qui vient de la lumière.

Les deux étapes de la photosynthèse : *un aperçu*

L'équation de la photosynthèse, en apparence assez simple, représente un processus fort complexe. Les travaux du physiologiste anglais F. F. Blackman, effectués en 1905, ont révélé que la photosynthèse était influencée par la température autant que par la lumière. On sait à présent que ce processus physiologique comprend deux phases, elles-mêmes divisées en de nombreuses étapes. Les deux phases sont les **réactions photochimiques** et le **cycle de Calvin**, aussi nommé phase de la fixation du carbone (**figure 10.6**).

Les réactions photochimiques incluent les étapes de la photosynthèse qui conduisent à la conversion de l'énergie solaire en énergie chimique. La molécule d'eau est scindée ; elle devient une source d'électrons et de protons (H^+), et rejette de l'O_2. La lumière absorbée par la chlorophylle déclenche le transfert des électrons et des protons de l'eau vers un accepteur appelé **NADP**$^+$ (nicotinamide adénine dinucléotide phosphate), qui les stocke temporairement. Précisons que cet accepteur d'électrons des réactions photochimiques, le $NADP^+$, est apparenté au NAD^+, un transporteur d'électrons de la respiration cellulaire. En fait, la molécule de $NADP^+$ ne se distingue de la molécule de NAD^+ que par un groupement phosphate supplémentaire. En bref, les réactions photochimiques utilisent l'énergie solaire pour réduire le $NADP^+$ en **NADPH** en lui ajoutant une paire d'électrons et deux protons (H^+). (Pour alléger le texte et puisque le deuxième proton est libéré dans la solution environnante, nous utiliserons l'expression $NADPH + H^+$ seulement dans les équations de réactions chimiques.) De plus, ces réactions produisent de l'ATP par **photophosphorylation**, un processus utilisant la chimiosmose pour permettre l'ajout d'un groupement phosphate à l'ADP. Par conséquent, la conversion initiale de l'énergie lumineuse en énergie chimique donne deux composés : le NADPH et l'ATP. Le NADPH, une source d'électrons riches en énergie, possède le potentiel réducteur qui peut être transféré à un accepteur d'électrons, ce qui le réduit, tandis que l'ATP est la devise énergétique des cellules. Soulignons que le glucide n'est produit qu'au cours de la deuxième phase de la photosynthèse, le cycle de Calvin.

Le cycle de Calvin a été décrit par Melvin Calvin, un biochimiste américain, et ses collègues Andrew Benson et James Bassham à la fin des années 1940 (Calvin a reçu en 1961 le prix Nobel pour ses travaux). Ce cycle commence par l'incorporation de CO_2 atmosphérique dans les molécules organiques présentes dans le chloroplaste. On appelle cette étape **fixation du carbone**. Le carbone fixé est ensuite réduit en glucide par l'ajout d'électrons. Le potentiel réducteur provient du NADPH, qui a acquis des électrons hautement énergétiques pendant les réactions photochimiques. Pour que le CO_2 soit converti en glucide, le cycle de Calvin a aussi besoin d'énergie chimique sous forme d'ATP. Celle-ci provient également des réactions photochimiques. Bref, c'est le cycle de Calvin qui élabore le glucide, mais seulement avec l'aide du NADPH et de l'ATP produits au cours des réactions photochimiques. Le chloroplaste produit des glucides à l'aide de l'énergie lumineuse en coordonnant les deux phases de la photosynthèse. Les étapes métaboliques du cycle de Calvin sont

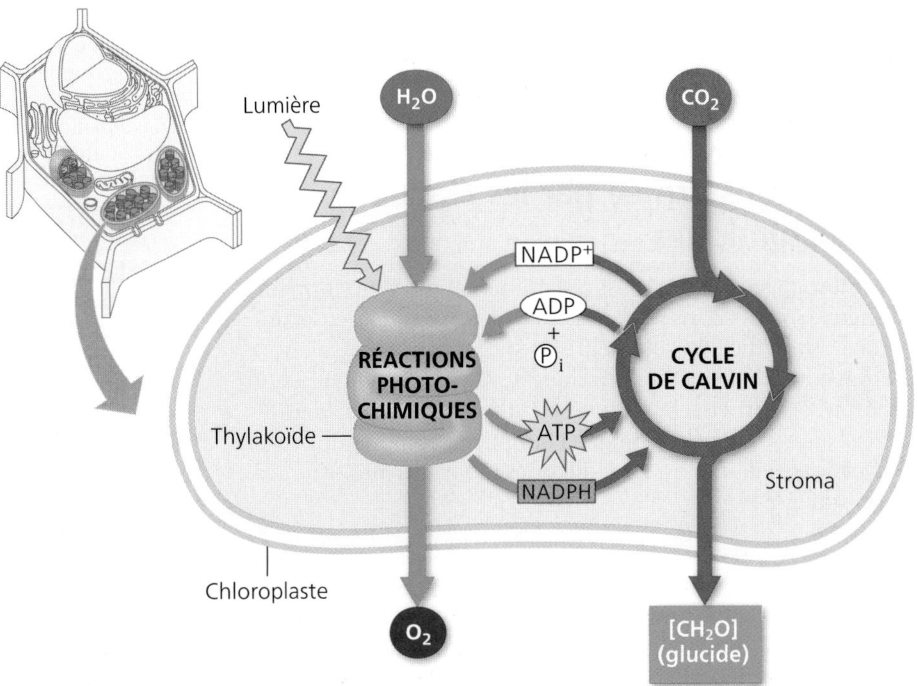

▶ **Figure 10.6 Une vue d'ensemble de la photosynthèse : intégration des réactions photochimiques et des réactions du cycle de Calvin.** Dans les chloroplastes, les réactions photochimiques se déroulent dans la membrane des thylakoïdes (en vert), formant les grana, tandis que le cycle de Calvin a lieu dans le stroma (en gris). Les réactions photochimiques utilisent l'énergie solaire pour produire de l'ATP et du NADPH, qui servent respectivement de source d'énergie chimique et de potentiel réducteur dans le cycle de Calvin. Au cours de cette série de réactions, le CO_2 sert à produire des molécules organiques qui seront ultérieurement transformées en glucides. (Souvenez-vous que la formule de la majorité des sucres simples est un multiple de $[CH_2O]$.) Pour visualiser ces processus dans leur contexte cellulaire, voir la figure 6.32.

parfois appelées phase obscure (ou sombre), car aucune ne nécessite *directement* de la lumière. Ces termes ne sont toutefois pas très appropriés, puisque chez la plupart des végétaux le cycle de Calvin se déroule pendant le jour, seul moment où les réactions photochimiques peuvent fournir le NADPH et l'ATP dont le cycle de Calvin a besoin. En outre, la lumière intervient dans la régulation du cycle, en activant ou en inhibant certaines enzymes du cycle de Calvin.

Comme le montre la figure 10.6, les réactions photochimiques se déroulent dans les thylakoïdes des chloroplastes, tandis que le cycle de Calvin a lieu dans le stroma. Sur la face externe des thylakoïdes, les molécules de $NADP^+$ et d'ADP captent respectivement des électrons et du phosphate, puis elles sont libérées dans le stroma, où elles jouent un rôle crucial dans le cycle de Calvin. La figure 10.6 présente les deux phases de la photosynthèse comme des engrenages métaboliques qui captent des réactifs et libèrent des produits. Dans les deux sections suivantes, nous décrirons ces deux phases en détail, en commençant par les réactions photochimiques.

RETOUR SUR LE CONCEPT 10.1

1. **FAITES DES LIENS ▶** Comment les molécules de CO_2 qui participent à la photosynthèse parviennent-elles dans les chloroplastes des feuilles ? (Voir le concept 7.2.)
2. Expliquez comment une expérience comportant l'utilisation d'un isotope d'oxygène a aidé à élucider la chimie de la photosynthèse.
3. **ET SI ? ▶** Le cycle de Calvin requiert de l'ATP et du NADPH, des produits issus des réactions photochimiques. Si quelqu'un soutenait devant vous que ces réactions photochimiques ne dépendent pas du cycle de Calvin et que, si la lumière était continue, elles pourraient poursuivre leur production d'ATP et de NADPH, que lui répondriez-vous ?

Voir les réponses proposées à l'appendice A.

CONCEPT 10.2

L'énergie chimique de l'ATP et du NADPH provient de l'énergie solaire transformée par les réactions photochimiques

Les chloroplastes sont des usines chimiques qui fonctionnent à l'énergie solaire. Dans les thylakoïdes, l'énergie lumineuse captée (avec une efficacité supérieure à celle des panneaux solaires) est transformée en énergie chimique de l'ATP et du NADPH, qui serviront à synthétiser du glucose et d'autres molécules utilisables comme sources d'énergie. Pour mieux comprendre cette conversion, il faut connaître quelques propriétés importantes de la lumière.

La nature de la lumière solaire

La lumière constitue une forme d'énergie appelée énergie électromagnétique, ou rayonnement électromagnétique. Cette énergie se propage en ondes rythmiques semblables à celles qu'un caillou crée en tombant dans une mare. Toutefois, les ondes électromagnétiques sont des perturbations des champs électriques et magnétiques, et non des perturbations d'un milieu matériel comme l'eau.

Toutes les ondes électromagnétiques se déplacent à la même vitesse dans le vide, soit à 300 000 km/s. La distance qui sépare les crêtes de ces ondes, correspondant à la **longueur d'onde**, est cependant variable : elle peut aller de moins de 1 nanomètre (nm) (dans le cas des rayons gamma) à plus de 1 km (dans le cas de certaines ondes radio). Considérées comme un tout, on leur donne le nom de **spectre électromagnétique** (**figure 10.7**). Pour les êtres vivants, le segment le plus important de ce spectre correspond à l'étroite bande des longueurs d'onde comprises entre 380 et 750 nm. Ce rayonnement forme la **lumière visible**, que l'œil humain perçoit comme des couleurs.

La lumière se comporte parfois comme une onde, parfois comme un flot de particules possédant de l'énergie ; ces particules sont appelées **photons**. Les photons ne sont pas des objets tangibles ; toutefois, ils agissent comme s'ils l'étaient puisque chacun d'entre eux possède une quantité déterminée d'énergie. La quantité d'énergie est inversement proportionnelle à la longueur d'onde de la lumière : plus la longueur d'onde est courte, plus les photons possèdent de l'énergie. Par conséquent, un photon de lumière violette renferme près de deux fois plus d'énergie qu'un photon de lumière rouge (voir la figure 10.7).

Le Soleil émet le spectre complet de l'énergie électromagnétique, mais l'atmosphère se comporte comme un filtre : elle laisse passer la lumière visible et bloque une fraction substantielle des autres rayons. La lumière visible correspond justement au rayonnement qui alimente la photosynthèse. Le fait que les longueurs d'onde essentielles pour les vivants sont celles que nous avons mentionnées plus haut s'explique par la constatation suivante : les ondes ayant une longueur inférieure à 380 nm seraient néfastes pour la structure des molécules organiques (comme les acides nucléiques), tandis que les ondes ayant une longueur supérieure à 750 nm seraient absorbées par l'eau, substance abondante chez les vivants.

▼ **Figure 10.7 Le spectre électromagnétique.** La lumière blanche est une combinaison de toutes les longueurs d'onde de la lumière visible. Un prisme peut décomposer la lumière blanche en ses couleurs constituantes en déviant la lumière de différentes longueurs d'onde. (Des gouttes d'eau dans l'atmosphère peuvent former un prisme et produire un arc-en-ciel.) La lumière visible alimente la photosynthèse.

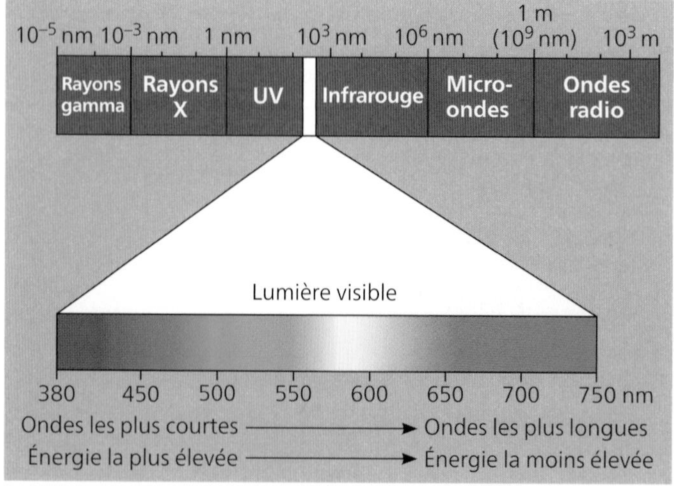

Les pigments photosynthétiques: des capteurs de lumière

Lorsque la lumière rencontre la matière, celle-ci peut la réfléchir, la transmettre ou l'absorber. Les substances qui absorbent la lumière visible chez les organismes photoautotrophes s'appellent **pigments**. Chaque pigment absorbe des longueurs d'onde déterminées de la lumière et les fait ainsi disparaître. Si on illumine un pigment avec de la lumière blanche, la couleur que nos yeux perçoivent (grâce aussi aux pigments présents dans la rétine) est celle que le pigment illuminé diffuse le plus, que ce soit par réflexion ou par transmission. Si un pigment absorbe toutes les longueurs d'onde, il paraît noir. Les feuilles nous semblent vertes parce que la chlorophylle absorbe, entre autres choses, la lumière rouge et la lumière bleu-violet en même temps qu'elle diffuse la lumière verte (**figure 10.8**). Les algues rouges, au contraire, nous paraissent rouges parce que leurs pigments absorbent surtout la lumière verte. On peut mesurer la capacité d'un pigment à absorber diverses longueurs d'onde en utilisant un **spectrophotomètre**. Cet appareil dirige un faisceau lumineux de plusieurs longueurs d'onde à travers une solution du pigment en question et mesure la proportion de lumière transmise selon chaque longueur d'onde. Le graphique qui représente la capacité d'absorption du pigment en fonction de la longueur d'onde s'appelle **spectre d'absorption** (**figure 10.9**).

Le spectre d'absorption des pigments du chloroplaste montre que différentes longueurs d'onde activent la photosynthèse. Rappelez-vous que la lumière exerce un effet qui dépend de son absorption par cet organite. La **figure 10.10a** montre les spectres d'absorption de trois types de pigments présents dans les chloroplastes: la **chlorophylle *a***, le pigment principal, qui participe directement aux réactions photochimiques; la **chlorophylle *b***, un pigment accessoire; et une famille de pigments à part, les *caroténoïdes*. Le spectre de la chlorophylle *a* donne à penser que la lumière bleu-violet et la lumière rouge sont les plus favorables à la photosynthèse chez les végétaux,

▼ **Figure 10.8 La couleur verte des feuilles: le résultat de l'interaction entre la lumière et les chloroplastes.** Les molécules de chlorophylle des chloroplastes absorbent la lumière bleu-violet et rouge (les couleurs les plus favorables à la photosynthèse), et reflètent ou transmettent la lumière verte, d'où la couleur des feuilles.

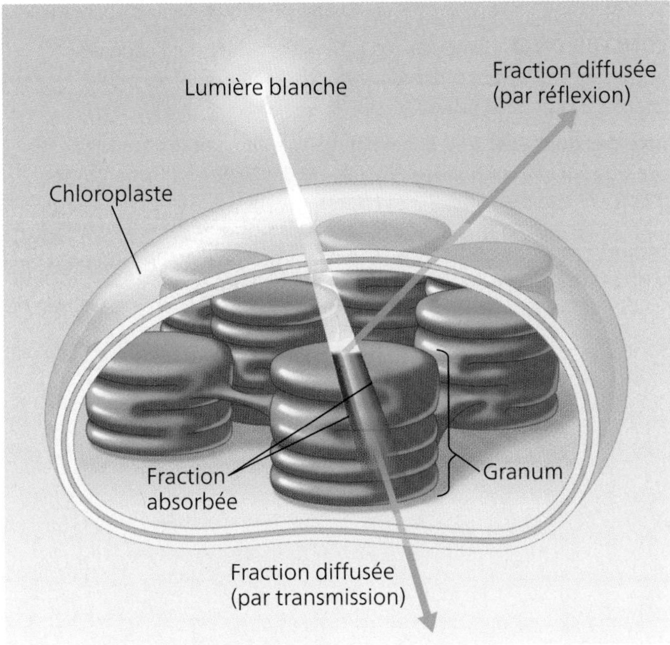

DÉMARCHE SCIENTIFIQUE

MÉTHODE DE RECHERCHE

▼ **Figure 10.9**

La détermination d'un spectre d'absorption

■ **APPLICATION** ■ Un spectre d'absorption est une représentation visuelle de la façon dont un pigment donné absorbe les différentes longueurs d'onde de la lumière visible. Les spectres d'absorption des divers pigments des chloroplastes aident les scientifiques à cerner le rôle de chaque pigment dans une plante.

■ **TECHNIQUE** ■ Un spectrophotomètre mesure les proportions de lumière de différentes longueurs d'onde absorbées et transmises par une solution d'un pigment donné.

1. Un prisme logé à l'intérieur de l'instrument décompose la lumière blanche en différentes couleurs (longueurs d'onde).
2. On dirige celles-ci une à une à travers la solution (dans ce cas-ci, une solution de chlorophylle). La lumière verte et la lumière bleue sont montrées ici.
3. La lumière transmise par la solution frappe un tube photoélectrique, qui convertit l'énergie lumineuse en électricité.
4. Un ampèremètre mesure l'intensité du courant électrique. L'instrument indique la proportion de lumière transmise par la solution, ce qui permet de déduire la quantité de lumière absorbée.

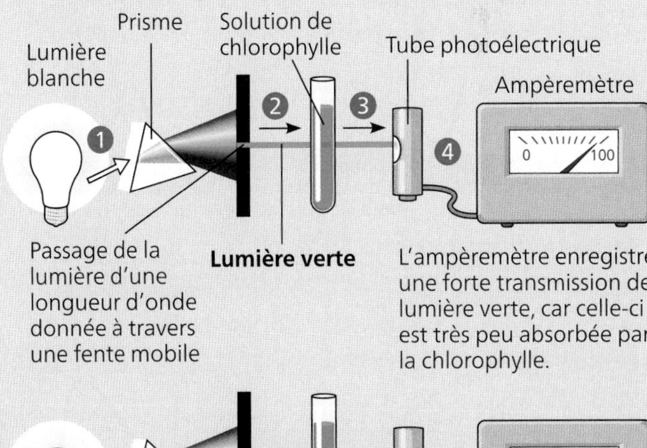

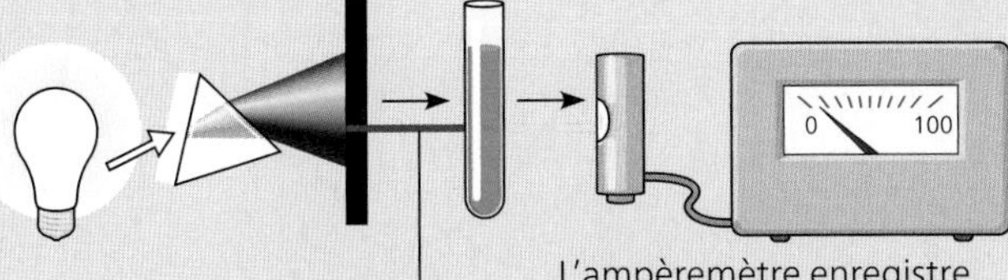

■ **RÉSULTATS** ■ Consultez la figure 10.10a pour connaître le spectre d'absorption des trois types de pigments des chloroplastes.

parce qu'elles sont absorbées, tandis que la lumière verte est la moins favorable. Cette observation est confirmée par le **spectre d'action** de la photosynthèse, qui indique l'efficacité des différentes longueurs d'onde de la radiation alimentant le processus (**figure 10.10b**). Pour établir le spectre d'action de la photosynthèse, on illumine des chloroplastes avec de la lumière de différentes couleurs et on porte sur un graphique la mesure du rendement de la photosynthèse – par exemple, la quantité libérée d'O_2 ou la consommation de CO_2 – en fonction de la longueur d'onde. Le botaniste allemand Theodor W. Engelmann a fait la démonstration du spectre d'action de la photosynthèse en 1883. Comme les appareils de mesure de l'O_2 n'existaient pas encore à cette époque, il a réalisé une expérience ingénieuse dans laquelle il s'est servi de bactéries pour mesurer le rendement photosynthétique d'algues filamenteuses (**figure 10.10c**). Ses résultats concordent de manière frappante avec le spectre d'action moderne présenté à la figure 10.10b.

En comparant les figures 10.10a et 10.10b, vous pouvez constater que le spectre d'action de la photosynthèse est beaucoup plus large que le spectre d'absorption de la chlorophylle *a*. Il faut savoir qu'à lui seul, le spectre d'absorption de la chlorophylle *a* minimise le rôle de certaines longueurs d'onde dans la photosynthèse. Également présents dans les chloroplastes, les pigments accessoires (dont la chlorophylle *b* et les caroténoïdes),

DÉMARCHE SCIENTIFIQUE

INVESTIGATION

▼ **Figure 10.10**

Quelles sont les longueurs d'onde les plus efficaces pour la photosynthèse ?

■ **HYPOTHÈSE** ■ Les longueurs d'onde les plus efficaces pour la photosynthèse devraient se situer dans le spectre de la lumière visible et inclure la lumière bleu-violet et la lumière rouge, mais pas la lumière verte puisqu'elle est réfléchie par les chloroplastes.

■ **EXPÉRIENCE** ■ Les spectres d'absorption et d'action, ainsi que l'expérience désormais classique de Theodor W. Engelmann, révèlent les longueurs d'onde les plus favorables à la photosynthèse.

■ **RÉSULTATS** ■

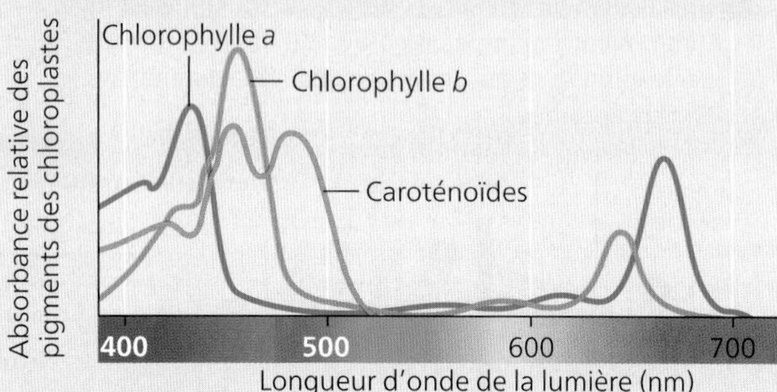

(a) Spectre d'absorption. Les trois courbes correspondent aux longueurs d'onde absorbées par trois types de pigments extraits des chloroplastes.

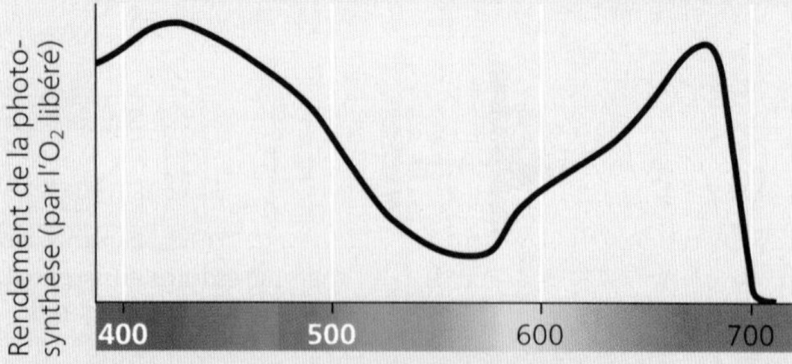

(b) Spectre d'action. Ce graphique indique la vitesse de la photosynthèse par rapport à la longueur d'onde. Le spectre d'action qui en résulte ressemble au spectre d'absorption de la chlorophylle *a*, mais il est différent (voir la partie a). Cela s'explique entre autres par le fait que la chlorophylle *b* et les caroténoïdes absorbent aussi la lumière.

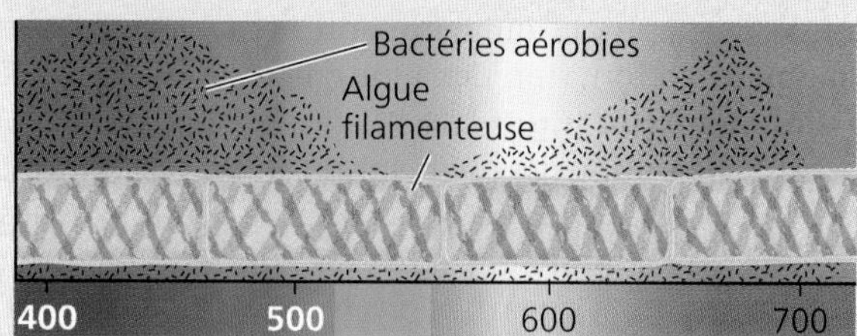

(c) Expérience de Engelmann. En 1883, le botaniste allemand Theodor W. Engelmann a dirigé sur une algue filamenteuse de la lumière qu'il avait préalablement fait passer à travers un prisme. Il a ainsi exposé des segments distincts de l'algue à des longueurs d'onde différentes. Il a utilisé des bactéries aérobies (qui ont besoin d'O_2 et qui, par aérotactisme, sont attirées vers lui) pour repérer les segments libérant le plus d'O_2, ce qui permet de savoir à quels endroits la photosynthèse est la plus productive. Les bactéries se sont agglutinées plus densément autour des parties de l'algue exposées à la lumière rouge et à la lumière bleu-violet.

■ **CONCLUSION** ■ Les spectres d'action, confirmés par l'expérience d'Engelmann, montrent quels domaines du spectre sont les plus favorables à la photosynthèse.

Source des données: T. W. Engelmann, *Bacterium photometricum.* Ein Beitrag zur vergleichenden Physiologie des Licht-und Farbensinnes, *Archiv. für Physiologie* 30: 95-124 (1883).

INTERPRÉTEZ LES DONNÉES ▶ Selon le graphique, quelles longueurs d'onde sont les plus favorables à la photosynthèse ?

qui ont des spectres d'absorption différents, aussi élargissent le spectre des longueurs d'onde pouvant alimenter la photosynthèse. La **figure 10.11** compare la structure de la chlorophylle *a* et de la chlorophylle *b*: une légère variation de la composition chimique suffit à leur donner des spectres d'absorption différents dans les portions rouge et bleue du spectre (voir la figure 10.10a). Par le fait même, leur couleur diffère: la chlorophylle *a* paraît bleu-vert, tandis que la chlorophylle *b* paraît jaune-vert sous la lumière visible.

Le chloroplaste renferme aussi une autre famille de pigments appelés **caroténoïdes** (des chaînes hydrocarbonées comprenant les carotènes et les xanthophylles), dont la couleur varie du jaune (pour ce qui est des xanthophylles, comme chez le maïs) à l'orangé (pour ce qui est des carotènes, comme chez la tomate ou la carotte); les caroténoïdes absorbent la lumière violet et bleu-vert (voir la figure 10.10a). Dans les feuilles des arbres, la couleur des caroténoïdes est, en été, masquée par celle de la chlorophylle, mais à l'automne, dans les forêts de l'hémisphère Nord et dans les érablières québécoises en particulier, elle devient magnifiquement visible lorsque la chlorophylle disparaît. Les caroténoïdes élargissent le spectre des longueurs d'onde de la lumière visible capables d'alimenter la photosynthèse. En outre, certains d'entre eux semblent jouer un rôle encore plus important: la *photoprotection*. Ces caroténoïdes absorbent et dissipent le surplus d'énergie qui, autrement, endommagerait le pigment ou interagirait avec l'O_2, ce qui formerait des molécules oxydantes dangereuses pour la cellule. Il est intéressant de préciser que certains caroténoïdes apparentés aux pigments photoprotecteurs du chloroplaste protègent également l'œil humain. Les carottes, réputées pour favoriser la vision nocturne, sont riches en caroténoïdes, particulièrement le β-carotène. Ce dernier se compose de deux molécules de vitamine A liées ensemble. C'est cette vitamine A qui, une fois oxydée, permet la formation du rétinal, le pigment qui permet la vision chez les vertébrés (y compris l'humain; voir la figure 50.17). Les caroténoïdes et d'autres molécules apparentées, dont certaines possèdent des vertus antioxydantes, sont présents naturellement dans beaucoup de fruits et de légumes. Les étiquettes des aliments santé l'indiquent parfois en ajoutant le terme *phytochimique* (du grec *phyton*, «plante»). Les végétaux peuvent synthétiser tous les antioxydants dont ils ont besoin, tandis que les humains et les autres animaux doivent puiser certains d'entre eux dans leur alimentation.

▼ **Figure 10.11 La structure des molécules de chlorophylle dans les chloroplastes des végétaux.** La chlorophylle *b* ne se distingue de la chlorophylle *a* que par un des groupements fonctionnels liés à l'anneau porphyrique. (Voir aussi le modèle de chlorophylle produit par infographie moléculaire, à la figure 1.3.)

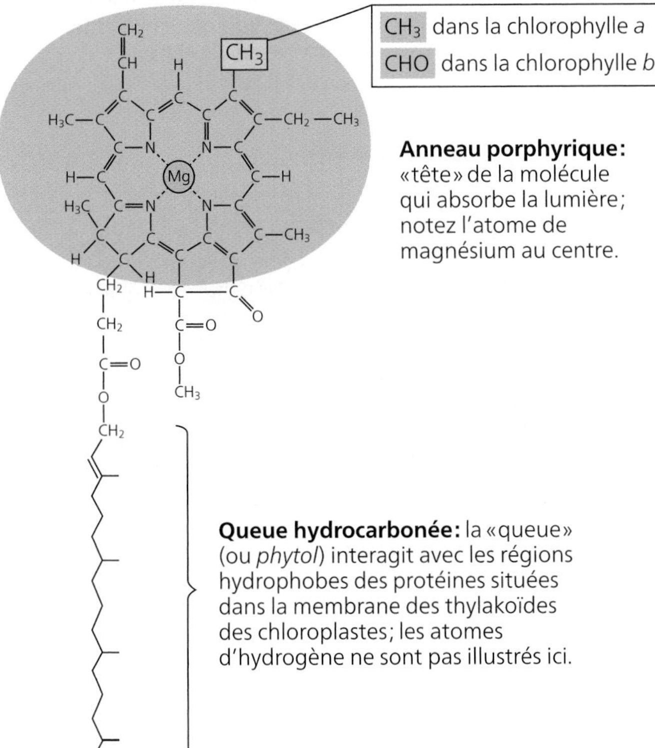

CH3 dans la chlorophylle a
CHO dans la chlorophylle b
Anneau porphyrique: «tête» de la molécule qui absorbe la lumière; notez l'atome de magnésium au centre.
Queue hydrocarbonée: la «queue» (ou phytol) interagit avec les régions hydrophobes des protéines situées dans la membrane des thylakoïdes des chloroplastes; les atomes d'hydrogène ne sont pas illustrés ici.

L'excitation de la chlorophylle

Les amas de pigments situés dans la membrane des thylakoïdes absorbent des photons (voir la figure 10.9). Qu'arrive-t-il alors? Les couleurs correspondant aux longueurs d'onde absorbées par la chlorophylle ou par d'autres pigments disparaissent du spectre de la lumière diffusée, mais pas leur énergie. En effet, quand une molécule absorbe un photon, un de ses électrons passe à une orbitale où il possède davantage d'énergie potentielle (voir la figure 2.6b). La molécule de pigment se trouve alors à l'état excité. Inversement, lorsque l'électron se trouve dans son orbitale normale, la molécule de pigment est à l'état fondamental. Notez que sont absorbés uniquement les photons dont l'énergie équivaut exactement à la différence d'énergie entre son état fondamental et son état excité. Cette différence varie d'un atome et d'une molécule à l'autre. Par conséquent, un composé donné absorbe seulement les photons correspondant à des longueurs d'onde précises; chaque pigment a son propre spectre d'absorption. La chlorophylle n'absorbe pas la lumière verte parce que la différence énergétique entre les deux états des électrons ne correspond pas exactement à la quantité d'énergie apportée par un photon de lumière verte.

Lorsqu'une molécule de pigment absorbe l'énergie d'un photon, un de ses électrons passe de l'état fondamental à l'état excité; ce changement d'état représente de l'énergie potentielle. Mais l'électron ne peut rester longtemps à l'état excité, parce que c'est un état instable, comme tous les états fortement énergétiques. Il revient généralement à l'état fondamental en 10^{-9} seconde et libère son excédent d'énergie sous forme de chaleur. C'est cette conversion de l'énergie lumineuse en chaleur qui rend le toit d'une automobile si chaud lors d'une journée ensoleillée. (Il fait moins chaud dans une voiture blanche, car sa peinture réfléchit toutes les longueurs d'onde de la lumière visible.) Certains pigments pris isolément, dont la chlorophylle, émettent de la lumière en plus de la chaleur après avoir absorbé des photons. Lors de leur retour à l'état fondamental, les électrons excités émettent chacun un photon. On appelle *fluorescence* cette émission de lumière. Si on illumine une solution pure de chlorophylle, elle dégage de la chaleur et émet de la fluorescence dans la partie rouge du spectre (la longueur d'onde de la lumière émise est plus longue que celle de la lumière absorbée et son contenu énergétique est donc plus faible), comme le montre la **figure 10.12**. La meilleure façon d'observer cette fluorescence est d'exposer la solution à la lumière ultraviolette, que la chlorophylle peut également absorber (voir les figures 10.7 et 10.10a). Sous la lumière visible, la fluorescence serait difficile à voir contre la couleur verte de la solution.

▼ **Figure 10.12 L'excitation par la lumière de la chlorophylle pure, isolée *in vitro*. (a)** L'absorption d'un photon fait passer la molécule de chlorophylle de l'état fondamental à l'état excité. Le photon propulse un électron vers une orbitale où il possède davantage d'énergie potentielle. Si on illumine de la chlorophylle pure, isolée *in vitro*, son électron excité retourne immédiatement à l'état fondamental; il libère son excédent d'énergie sous forme de chaleur et de fluorescence (lumière). **(b)** Une solution de chlorophylle illuminée à la lumière ultraviolette émet une fluorescence orangée.

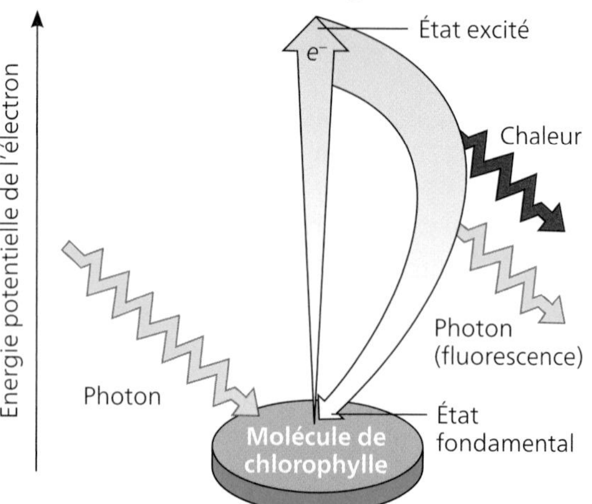

(a) Excitation d'une molécule de chlorophylle isolée

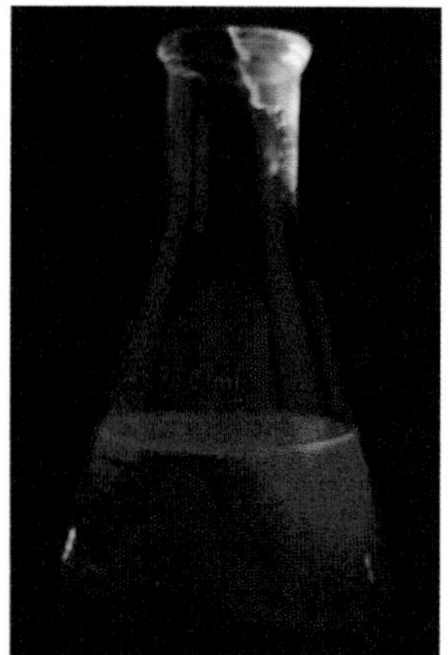

(b) Fluorescence

ET SI ? ▶ Si on exposait à la même lumière ultraviolette une feuille contenant la même concentration de chlorophylle que la solution, on n'observerait aucune fluorescence. Tentez d'expliquer pourquoi il y a une différence d'émission de fluorescence entre la solution et la feuille.

Le photosystème: un complexe du centre réactionnel associé à des complexes moléculaires collecteurs de lumière

L'illumination de la chlorophylle pure, isolée *in vitro*, ne donne pas les mêmes résultats que l'illumination de la chlorophylle à l'intérieur d'un chloroplaste intact (voir la figure 10.12). Dans la membrane des thylakoïdes, la chlorophylle s'associe à des protéines et à d'autres petites molécules organiques pour former des photosystèmes.

Un **photosystème** se compose d'un complexe du centre réactionnel, entouré d'un certain nombre de complexes collecteurs de lumière (**figure 10.13**). Le **complexe du centre réactionnel** est une association de protéines possédant une

▼ **Figure 10.13 La structure et le fonctionnement d'un photosystème.**

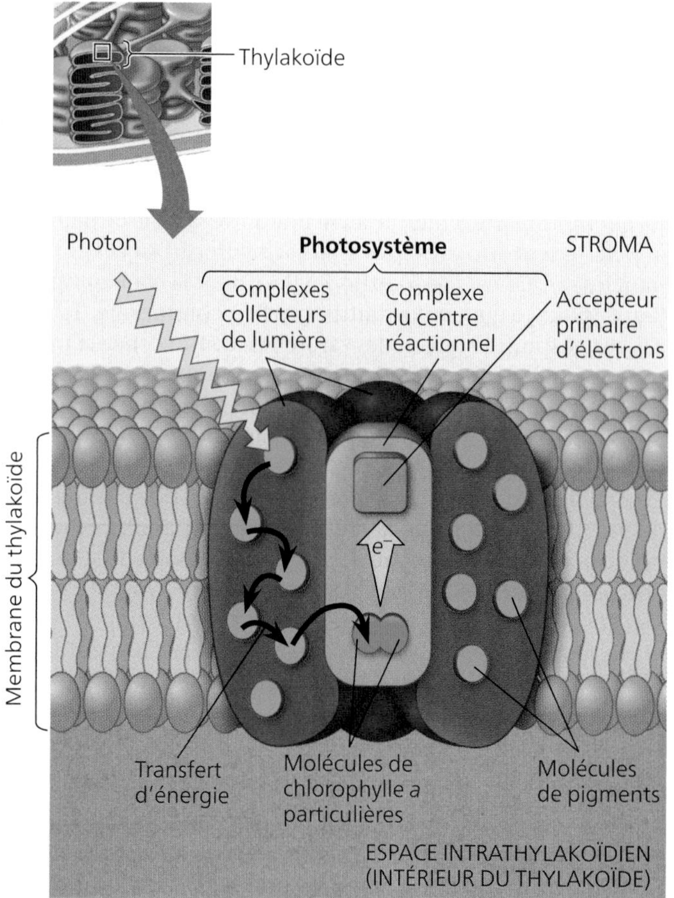

(a) Réception de la lumière par un photosystème. Quand un photon frappe une molécule de pigment dans un complexe collecteur de lumière, l'énergie passe de molécule en molécule jusqu'à ce qu'elle atteigne le complexe du centre réactionnel. Là, une des deux molécules de chlorophylle *a* particulières transmet l'électron excité à un accepteur primaire d'électrons.

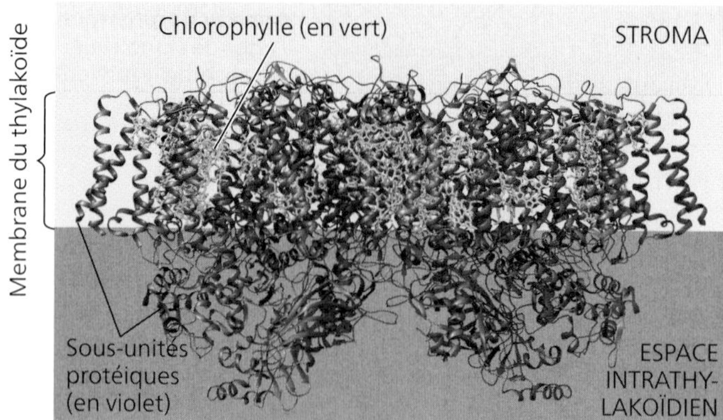

(b) Structure d'un photosystème. Basée sur une cristallographie aux rayons X, cette modélisation informatique d'un photosystème montre deux de ses complexes côte à côte. Les molécules de chlorophylle (modèles à boules et bâtonnets verts à l'intérieur de la membrane; les queues ne sont pas illustrées) s'entremêlent aux sous-unités protéiques (rubans violets; notez les nombreuses hélices α sur la membrane). Pour simplifier, nous représenterons le photosystème comme un complexe formant un tout dans le reste du chapitre.

paire particulière de molécules de chlorophylle *a* et un accepteur primaire d'électrons. Chaque **complexe collecteur de lumière** réunit diverses molécules de pigments (qui peuvent être de la chlorophylle *a*, de la chlorophylle *b* ou des caroténoïdes) liées à des protéines particulières. (On estime qu'un photosystème peut contenir de 200 à 300 molécules de pigments.) Le grand nombre et la variété des molécules de pigments qu'il contient lui permettent d'élargir le spectre et la surface d'absorption. Agissant ensemble, ces complexes collecteurs de lumière se comportent comme des antennes pour le complexe du centre réactionnel. Quand une molécule de pigment absorbe un photon, l'énergie se transmet d'un pigment à un autre au sein d'un complexe collecteur de lumière jusqu'à la paire de molécules de chlorophylle *a* d'un centre réactionnel, un peu comme une vague humaine se propageant sur les gradins d'un centre sportif. Les deux molécules de chlorophylle *a* du complexe du centre réactionnel se distinguent des autres par leur environnement moléculaire (leur position et les molécules qui leur sont associées). En effet, cet agencement leur permet d'utiliser l'énergie de la lumière non seulement pour faire accéder un de leurs électrons à un niveau énergétique supérieur, mais aussi pour le transférer à une autre molécule : l'**accepteur primaire d'électrons**, qui peut accepter des électrons et être réduit.

La lumière solaire déclenche le transfert d'un électron de la paire de molécules de chlorophylle *a* du centre réactionnel à l'accepteur primaire d'électrons ; ce transfert marque la première étape des réactions photochimiques. Dès que l'électron de la chlorophylle accède à un niveau énergétique supérieur, l'accepteur primaire d'électrons le capte ; il s'agit là d'une réaction d'oxydoréduction. Dans le bécher de la figure 10.12b, la chlorophylle isolée est fluorescente parce qu'en l'absence d'accepteur primaire, les électrons excités par la lumière de la chlorophylle retournent spontanément à l'état fondamental. Cependant, dans l'environnement structuré d'un chloroplaste, l'énergie potentielle de l'électron excité ne se dissipe pas en lumière et en chaleur, car un accepteur d'électrons est disponible au sein du photosystème. Ainsi, chaque photosystème (constitué du complexe du centre réactionnel, entouré de complexes collecteurs de lumière) fonctionne comme une unité dans le chloroplaste. Il convertit l'énergie lumineuse en énergie chimique qui finira par servir à la synthèse du sucre.

La membrane des thylakoïdes abrite deux types de photosystèmes qui participent aux réactions photochimiques de la photosynthèse : le **photosystème II** (**PS II**) et le **photosystème I** (**PS I**). (Ils sont numérotés selon l'ordre de leur découverte, mais ils fonctionnent l'un après l'autre, le PS II fonctionnant en premier.) Chacun possède un centre réactionnel spécifique ; un accepteur primaire d'électrons particulier côtoie une paire de molécules de chlorophylle *a* associées à une vingtaine de protéines. La chlorophylle *a* située dans le centre réactionnel du photosystème II est appelée P680 (P pour « pigment »), parce qu'elle absorbe mieux que les autres pigments la lumière ayant une longueur d'onde de 680 nm (dans la partie rouge du spectre). La chlorophylle *a* située dans le centre réactionnel du photosystème I, elle, est appelée P700 ; ce pigment doit son appellation au fait qu'il absorbe mieux que les autres pigments la lumière dont la longueur d'onde est de 700 nm (dans la partie rouge du spectre également). En fait, les pigments P700 et P680 sont des molécules de chlorophylle *a* presque identiques, mais associées à des protéines différentes dans les deux pigments, ce qui explique la légère différence que présentent leurs spectres d'absorption respectifs. Voyons maintenant comment les deux types de photosystèmes travaillent de concert et utilisent l'énergie lumineuse pour fabriquer de l'ATP et du NADPH, les deux principaux produits des réactions photochimiques.

Le transport non cyclique d'électrons

La lumière alimente la synthèse du NADPH et de l'ATP en fournissant de l'énergie aux deux photosystèmes enchâssés dans la membrane des thylakoïdes des chloroplastes. Le flux d'électrons qui traverse les photosystèmes et d'autres composants moléculaires insérés dans la membrane des thylakoïdes constitue l'élément clé de la conversion de l'énergie. Ce **transport non cyclique d'électrons** se produit durant les réactions photochimiques de la photosynthèse, comme le montre la **figure 10.14**. Les chiffres qui précèdent les huit étapes décrites dans les paragraphes qui suivent correspondent aux étapes illustrées dans cette figure.

1. Un photon frappe une des molécules de pigment dans un complexe collecteur de lumière du PS II, faisant accéder un de ses électrons à un niveau énergétique supérieur. Lorsque cet électron retourne à son état fondamental, un électron d'une molécule de pigment voisine passe simultanément à l'état excité. Le processus se poursuit, l'énergie passant ainsi d'une molécule de pigment à l'autre jusqu'à ce qu'elle atteigne la paire de molécules de chlorophylle *a* P680 du complexe du centre réactionnel du PS II. Cette énergie amène un électron de la paire de molécules de chlorophylle *a* à un état énergétique supérieur.

2. Cet électron est transféré du P680 à l'accepteur primaire d'électrons ; le P680 qui vient de perdre la charge négative de cet électron est appelé $P680^+$. *C'est à ce moment précis que l'énergie lumineuse est transformée en énergie chimique.*

3. Une enzyme (un complexe protéique associé à des ions manganèse) catalyse la scission d'une molécule d'eau en deux électrons, deux protons et un atome d'oxygène. Ces électrons sont transmis un à un aux molécules de $P680^+$, chaque électron remplaçant celui qui vient d'être cédé à l'accepteur primaire d'électrons. (Comme il manque un électron à la molécule $P680^+$, celle-ci est un agent oxydant ; en fait, il s'agit de l'agent oxydant biologique le plus puissant : le « vide » doit absolument être comblé. Cela facilite grandement le transfert d'électrons de la molécule d'eau scindée.) Les H^+ sont libérés dans l'espace intrathylakoïdien. L'atome d'oxygène se combine immédiatement avec un atome d'oxygène généré par la scission d'une autre molécule d'eau ; cette combinaison forme de l'O_2.

4. Chaque électron excité par la lumière passe de l'accepteur primaire d'électrons du photosystème II au photosystème I par l'intermédiaire d'une chaîne de transport d'électrons située dans le chloroplaste ; les composants de cette chaîne ressemblent beaucoup à ceux de la chaîne de transport de la respiration cellulaire. La chaîne de transport d'électrons située entre le PS II et le PS I est constituée du transporteur d'électrons appelé plastoquinone (Pq), une petite molécule hydrophobe mobile dans la membrane du thylakoïde, d'un complexe de cytochromes et d'une protéine appelée

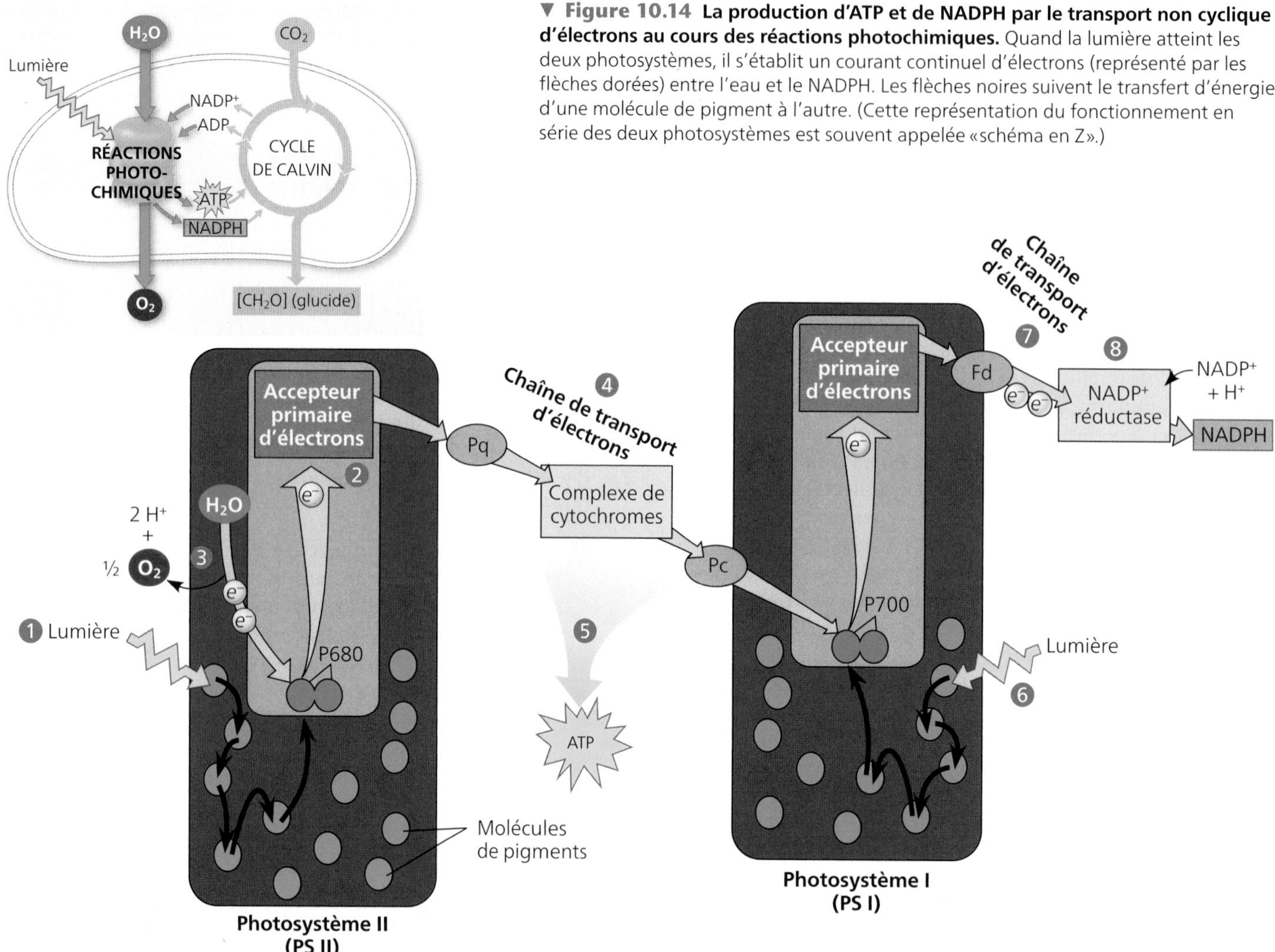

▼ **Figure 10.14 La production d'ATP et de NADPH par le transport non cyclique d'électrons au cours des réactions photochimiques.** Quand la lumière atteint les deux photosystèmes, il s'établit un courant continuel d'électrons (représenté par les flèches dorées) entre l'eau et le NADPH. Les flèches noires suivent le transfert d'énergie d'une molécule de pigment à l'autre. (Cette représentation du fonctionnement en série des deux photosystèmes est souvent appelée «schéma en Z».)

plastocyanine (Pc). Chaque composant participe à des réactions d'oxydoréduction pendant que les électrons descendent la chaîne de transport. Durant ce trajet, ils libèrent de l'énergie libre qui sert à pomper des protons (H^+) dans l'espace intrathylakoïdien et contribuent à la création du gradient de protons à travers la membrane thylakoïdienne.

5 L'énergie potentielle emmagasinée dans ce gradient de protons alimente la production d'ATP dans un processus appelé chimiosmose, que nous décrivons un peu plus loin.

6 Entre-temps, de l'énergie lumineuse a été transférée au centre réactionnel du PS I par l'intermédiaire d'un complexe collecteur de lumière et ce transfert a excité un électron de la paire de molécules de chlorophylle *a* P700 qui s'y trouvait. L'électron excité par la lumière est alors capté par l'accepteur primaire d'électrons du PS I, ce qui a créé un «vide» dans le P700, qu'on peut maintenant appeler P700+. Autrement dit, le P700+ qui peut maintenant agir comme accepteur d'électrons, en récupère un qui atteint le bas de la chaîne de transport du PS II.

7 Au cours d'une série de réactions d'oxydoréduction, l'accepteur primaire d'électrons du photosystème I cède alors les électrons excités par la lumière à une deuxième chaîne de transport d'électrons par l'intermédiaire de la ferrédoxine (Fd), une protéine contenant du fer. (Cette chaîne ne crée pas de gradient de protons et ne produit donc pas d'ATP.)

8 L'enzyme NADP+ réductase transfère alors les électrons de la Fd au NADP+. Il faut deux électrons pour réduire celui-ci en NADPH. Les électrons ont un niveau énergétique plus grand dans le NADPH que dans l'eau (d'où ils proviennent) et sont donc plus facilement disponibles pour les réactions du cycle de Calvin que ceux de l'eau. Ce processus retire également un H^+ du stroma.

La variation d'énergie subie par les électrons au cours des réactions photochimiques s'apparente à celle qui est illustrée à la **figure 10.15**. Même si les schémas des figures 10.14 et 10.15 paraissent compliqués, ne perdez pas de vue la fonction première des réactions photochimiques: utiliser l'énergie solaire pour générer de l'ATP et du NADPH, et ainsi fournir de l'énergie chimique et offrir un potentiel réducteur aux réactions du cycle de Calvin à l'issue duquel des glucides sont produits.

Le transport cyclique d'électrons

Dans certains cas, les électrons excités par la lumière suivent la voie du **transport cyclique d'électrons**, laquelle fait intervenir

▼ **Figure 10.15 La variation d'énergie des électrons pendant les réactions photochimiques: une analogie inspirée de la mécanique.**

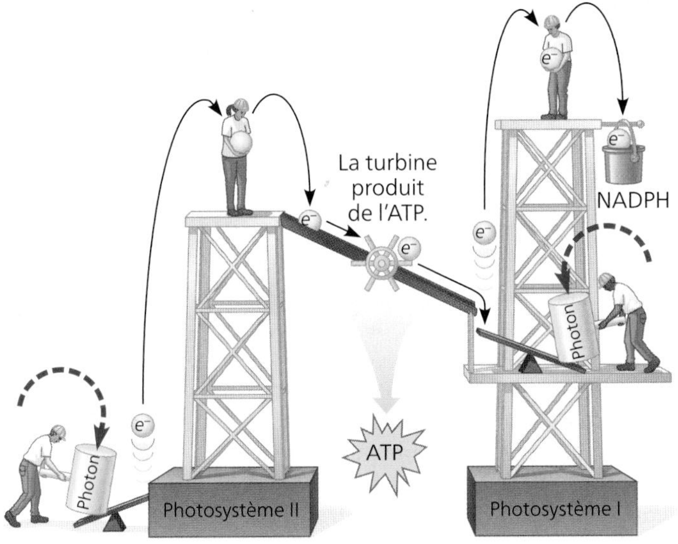

le photosystème I et non le photosystème II. Le transport cyclique est un petit circuit fermé (**figure 10.16**) qui a été découvert en 1961 : les électrons quittent la ferrédoxine (Fd), s'acheminent vers le complexe de cytochromes (plutôt que vers le $NADP^+$), puis, par l'intermédiaire d'une molécule de plastocyanine (Pc), atteignent la chlorophylle P700 dans le centre réactionnel du PS I, avant de retourner à la Fd. Le cycle ne produit donc pas de NADPH, pas plus qu'il ne libère d'O_2, puisque la molécule d'eau n'est pas scindée. Il génère cependant de l'ATP.

Les deux types de transport d'électrons (cyclique et non cyclique) produisent donc de l'ATP. Cette fonction est vitale pour les végétaux. Les herbicides les plus répandus sont d'ailleurs des molécules naturelles ou synthétiques qui interfèrent avec le transport des électrons permettant la photophosphorylation.

Plusieurs groupes de bactéries photosynthétiques vivant aujourd'hui ne sont dotés que d'un seul des deux photosystèmes (soit le PS II, soit le PS I). Pour ces espèces, dont font notamment partie la bactérie pourpre sulfureuse (voir la figure 10.2e) et la bactérie verte sulfureuse, le transport cyclique d'électrons est le seul et unique à générer de l'ATP dans la photosynthèse. Pour les biologistes de l'évolution, ces groupes de bactéries descendraient de la bactérie chez qui la photosynthèse est apparue sous une forme similaire à celle du transport cyclique d'électrons.

Le transport cyclique d'électrons s'observe aussi chez les espèces photosynthétiques dotées des deux photosystèmes, ce qui inclut certains procaryotes comme les cyanobactéries (voir la figure 10.2d) ainsi que toutes les espèces photosynthétiques eucaryotes testées jusqu'ici. Bien qu'il s'agisse probablement d'un vestige de l'évolution, la recherche donne à penser que ce processus joue encore un rôle bénéfique chez ces organismes. En effet, les plantes qui subissent des mutations les rendant incapables d'effectuer le transport cyclique d'électrons poussent très bien sous une lumière faible, mais dépérissent sous une lumière intense, ce qui étaye l'idée que le transport cyclique d'électrons a un rôle photoprotecteur. Plus loin dans ce chapitre (section « Les plantes de type C_4 », voir le concept 10.4), vous en apprendrez davantage sur le transport cyclique d'électrons en relation avec une adaptation particulière à la photosynthèse.

Que la synthèse d'ATP soit alimentée par un transport d'électrons non cyclique ou cyclique, le mécanisme demeure le même : il fait intervenir la chimiosmose. Avant de passer à l'étude du cycle de Calvin, revenons sur ce processus qui couple les réactions d'oxydoréduction à la synthèse d'ATP dans les membranes. Nous avons approfondi l'étude de ce mécanisme au chapitre 9. Au besoin, reportez-vous-y.

Comparaison de la chimiosmose dans les chloroplastes et dans les mitochondries

Les chloroplastes et les mitochondries produisent de l'ATP par le même mécanisme : la chimiosmose (voir la figure 9.15). Une chaîne de transport d'électrons située dans une membrane achemine des protons (H^+) à travers celle-ci à mesure que des électrons sont transférés à des transporteurs de plus en plus électronégatifs. C'est ainsi que la chaîne de transport d'électrons convertit l'énergie des réactions d'oxydoréduction en force protonmotrice, c'est-à-dire en énergie potentielle emmagasinée

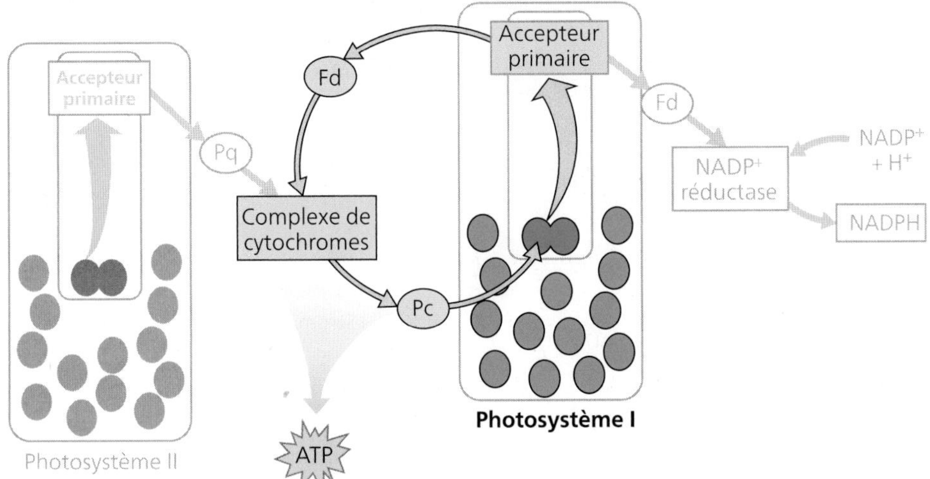

◀ **Figure 10.16 Le transport cyclique d'électrons.** En quittant la ferrédoxine (Fd), les électrons du PS I excités par la lumière retournent parfois à la chlorophylle en passant par le complexe de cytochromes et la plastocyanine (Pc). Ce détournement d'électrons fournit un surplus d'ATP (par la chimiosmose), mais il ne produit pas de NADPH. La partie ombrée, qui correspond au transport non cyclique d'électrons, est incluse dans le diagramme à des fins de repérage. Les deux molécules de ferrédoxine illustrées sont en fait une seule et même molécule, c'est-à-dire le dernier transporteur de la chaîne de transport d'électrons du PS I. Si elle apparaît deux fois, c'est pour mieux montrer son rôle dans les deux parties du processus.

HABILETÉS VISUELLES ▶ Étudiez la figure 10.15 et expliquez comment vous la modifieriez pour illustrer une analogie mécanique avec le transport cyclique d'électrons.

sous la forme d'un gradient de H^+ à travers la membrane. Cette dernière renferme une ATP synthase qui couple la diffusion des protons à la phosphorylation de l'ADP pour former de l'ATP.

Certains des transporteurs d'électrons (dont les cytochromes, des protéines contenant du fer) qui se trouvent dans les chloroplastes et dans les mitochondries sont similaires. Les ATP synthases de ces deux organites se ressemblent également beaucoup. Il existe cependant des différences importantes entre la photophosphorylation, qui se produit dans les chloroplastes, et la phosphorylation oxydative, qui a lieu dans les mitochondries. Les deux s'effectuent par chimiosmose, mais dans les chloroplastes, les électrons riches en énergie véhiculés par la chaîne de transport proviennent de l'eau, tandis que dans les mitochondries, ils viennent de molécules organiques (qui sont alors oxydées). Les chloroplastes n'ont pas à oxyder des molécules provenant de nutriments pour produire de l'ATP ; leurs photosystèmes captent l'énergie lumineuse et l'utilisent pour acheminer des électrons au sommet de la chaîne de transport. Autrement dit, les mitochondries utilisent la chimiosmose pour transférer à l'ATP l'énergie chimique des molécules nutritives, tandis que les chloroplastes l'utilisent pour transformer l'énergie lumineuse en énergie chimique dans l'ATP. Il s'agit là d'une distinction importante.

Même si l'organisation spatiale de la chimiosmose diffère légèrement entre les chloroplastes et les mitochondries, leurs similarités sautent aux yeux (**figure 10.17**). Dans une mitochondrie, les protéines de la chaîne de transport d'électrons de la membrane interne acheminent les protons de la matrice vers l'espace intermembranaire, qui sert alors de réservoir de protons en vue de la synthèse de l'ATP. De même, dans un chloroplaste, les protéines de la chaîne de transport d'électrons de la membrane des thylakoïdes acheminent les protons du stroma vers l'espace intrathylakoïdien, qui sert de réservoir de protons. Si vous imaginez les crêtes de la mitochondrie comme des replis de la membrane interne, vous comprendrez mieux la similitude des espaces intrathylakoïdien et intermembranaire dans les deux organites, ainsi que la similitude entre la matrice mitochondriale et le stroma du chloroplaste.

Dans la mitochondrie, les protons diffusent suivant leur gradient de concentration de l'espace intermembranaire à la matrice, en passant par les complexes ATP synthases, procédant ainsi à la synthèse de l'ATP. Dans le chloroplaste, l'ATP est synthétisée à mesure que les protons diffusent de l'espace intrathylakoïdien vers le stroma en passant par les complexes ATP synthases (**figure 10.18**), dont la tête catalytique se trouve du côté du stroma. Par conséquent, l'ATP se forme dans le stroma, où il intervient dans la synthèse des glucides pendant le cycle de Calvin.

Le gradient de protons (H^+), ou gradient de pH, établi à travers la membrane des thylakoïdes est élevé. Dans des conditions expérimentales, lorsque les chloroplastes reçoivent de la lumière, le pH dans l'espace intrathylakoïdien tombe à 5 environ (augmentation de la concentration de H^+), alors qu'il atteint 8 environ dans le stroma (diminution de la concentration de H^+).

▼ **Figure 10.17 Comparaison entre la chimiosmose dans une mitochondrie et la chimiosmose dans un chloroplaste.** Dans les deux organites, la chaîne de transport d'électrons transfère les protons (H^+) à travers la membrane de la région où ils sont le moins concentrés (en gris clair) à la région où ils sont le plus concentrés (en gris foncé). Les protons retournent à leur site initial en diffusant à travers les ATP synthases. Ce passage alimente la synthèse de l'ATP.

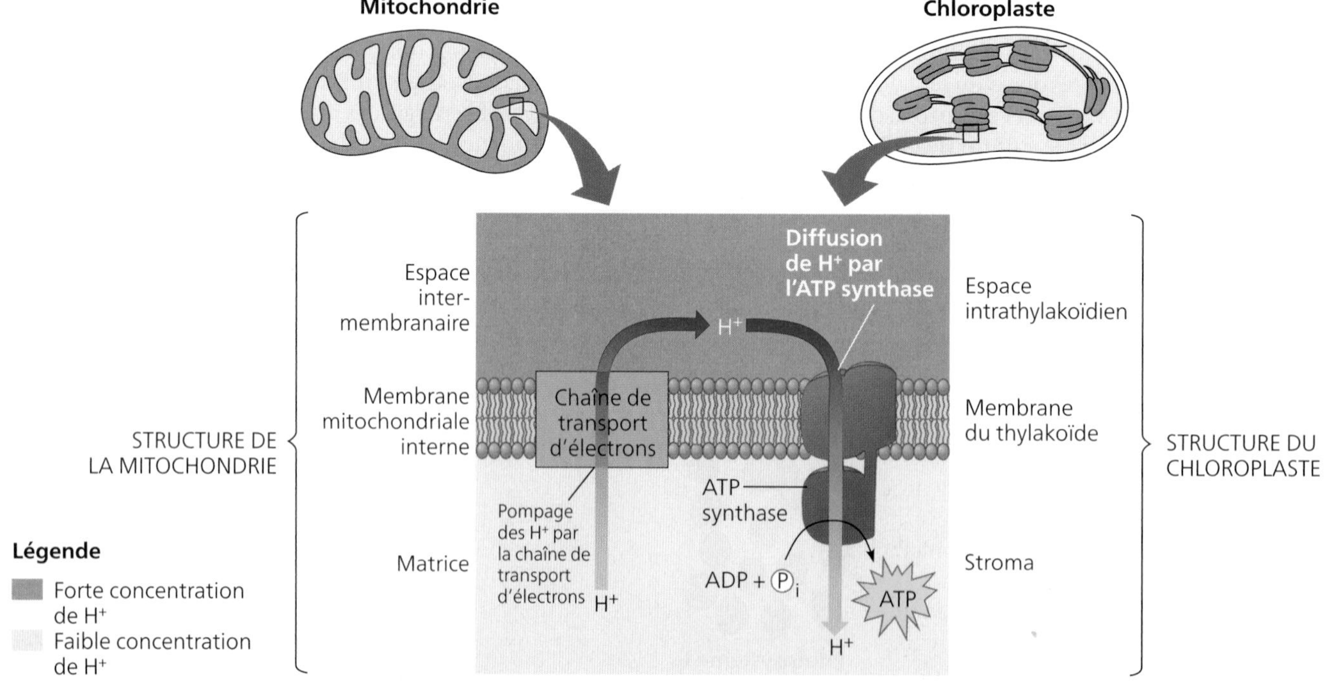

FAITES DES LIENS ▶ Décrivez quelle modification du pH provoquerait une synthèse d'ATP (a) à l'extérieur d'une mitochondrie isolée (en présumant que le H^+ peut traverser librement la membrane; voir la figure 9.15) et (b) dans le stroma d'un chloroplaste. Expliquez votre réponse.

▼ Figure 10.18 Les réactions photochimiques et la chimiosmose: modèle actuel de la membrane des thylakoïdes. Les flèches dorées représentent le trajet des électrons du transport non cyclique d'électrons esquissé à la figure 10.14. Au moins trois étapes des réactions photochimiques contribuent au gradient de protons à travers la membrane des thylakoïdes. ❶ Le photosystème II entraîne la scission d'une molécule d'eau dans l'espace intrathylakoïdien grâce à une déshydrogénase. ❷ Quand la plastoquinone (Pq), un transporteur mobile, transfère les électrons au complexe de cytochromes, quatre protons sont importés dans l'espace intrathylakoïdien. ❸ Le $NADP^+$ capte un proton dans le stroma lors de sa réduction en NADPH. Notez qu'à l'étape 2 les ions hydrogène sont extraits du stroma et acheminés vers l'espace intrathylakoïdien (comme à la figure 10.17). Le retour des protons, qui diffusent de l'espace intrathylakoïdien vers le stroma (suivant le gradient de concentration), alimente l'ATP synthase. Ces réactions déclenchées par la lumière emmagasinent de l'énergie chimique dans le NADPH et dans l'ATP, qui transfèrent cette énergie au cycle de Calvin, producteur de glucides.

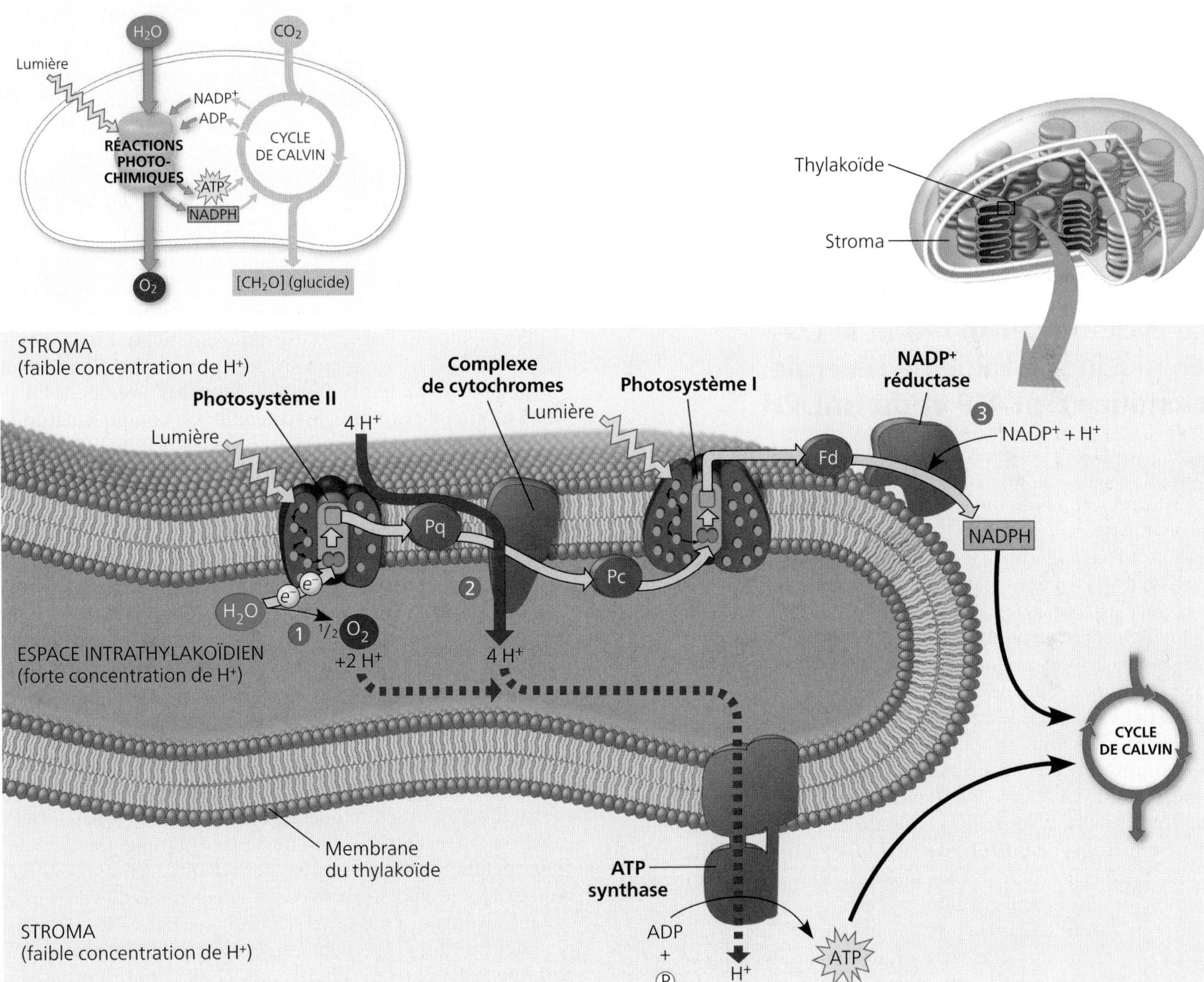

Autrement dit, les protons sont 1 000 fois moins concentrés dans le stroma que dans l'espace intrathylakoïdien. En laboratoire, on abolit le gradient de pH en faisant l'obscurité, mais on peut le rétablir rapidement en allumant des lumières. Voilà un puissant argument en faveur du modèle chimiosmotique.

Le modèle actuellement reconnu de l'organisation de la membrane d'un thylakoïde repose sur des études réalisées dans plusieurs laboratoires. Chaque thylakoïde renferme un très grand nombre d'exemplaires des molécules de pigments et des complexes moléculaires représentés dans cette figure. Remarquez aussi que le NADPH, comme l'ATP, est produit du côté du stroma, là où le cycle de Calvin synthétise les glucides.

Résumons maintenant les réactions photochimiques. Le transport non cyclique d'électrons entraîne les électrons hors de l'eau, où ils possèdent peu d'énergie potentielle, vers le NADPH, où ils renferment beaucoup d'énergie potentielle. Le flux d'électrons engendré par la lumière produit en outre de l'ATP. Par conséquent, l'organisation moléculaire de la membrane des thylakoïdes rend possible la conversion de l'énergie lumineuse en énergie chimique emmagasinée dans le NADPH et dans l'ATP. L'O_2 constitue un sous-produit des réactions photochimiques. À présent, voyons comment les produits des réactions photochimiques servent, au cours du cycle de Calvin, à synthétiser des glucides à partir de CO_2.

RETOUR SUR LE CONCEPT 10.2

1. Parmi les couleurs de la lumière, laquelle est la moins favorable à la photosynthèse ? Expliquez votre réponse.
2. Dans les réactions photochimiques, quel est le donneur initial d'électrons ? Où les électrons se retrouvent-ils à la fin de ces réactions ?
3. ET SI ? ▶ Lors d'une expérience, des chloroplastes isolés peuvent synthétiser de l'ATP quand ils sont placés dans une solution exposée à la lumière et contenant les substances chimiques appropriées. Si l'on ajoute à la solution un composé qui rend les membranes complètement perméables aux ions hydrogène, à quelle vitesse la synthèse de l'ATP s'effectuera-t-elle ?

Voir les réponses proposées à l'appendice A.

CONCEPT 10.3

Le cycle de Calvin réduit le CO_2 en glucides à l'aide de l'énergie chimique de l'ATP et du NADPH

Le cycle de Calvin et le cycle de l'acide citrique ont un point commun : l'un et l'autre régénèrent une molécule initiale après que des molécules ont intégré et d'autres quitté le cycle. Mais les ressemblances s'arrêtent là : le cycle de l'acide citrique est catabolique (il oxyde l'acétyl-CoA et utilise l'énergie pour synthétiser de l'ATP), alors que le cycle de Calvin est anabolique (il fabrique des glucides à partir de molécules plus petites et il consomme de l'énergie). Du carbone entre dans le cycle de Calvin sous forme de CO_2 et en sort sous forme de glucide. L'ATP fournit l'énergie nécessaire au déroulement du cycle ; le NADPH procure des électrons riches en énergie et des protons à l'une des molécules du cycle de Calvin afin de produire un glucide.

Comme on l'a vu au concept 10.1, le glucide produit directement par le cycle de Calvin n'est pas du glucose, mais plutôt un monosaccharide à trois atomes de carbone appelé **3-phosphoglycéraldéhyde (PGAL)**. Pour en synthétiser *une* molécule, le cycle doit fixer *trois* molécules de CO_2, donc se dérouler trois fois, à raison d'une molécule par cycle. (Rappelez-vous que le terme *fixation du carbone* désigne l'incorporation de CO_2 dans une molécule organique.) En étudiant les étapes du cycle, ne perdez pas de vue que vous suivez le parcours de trois molécules de CO_2. La **figure 10.19** divise le cycle de Calvin en trois étapes : fixation du carbone, réduction et régénération de l'accepteur de CO_2.

Étape 1 : fixation du carbone. Le cycle de Calvin attache une à une chaque molécule de CO_2 à une molécule de ribulose diphosphate (en abrégé RuDP), un glucide à cinq atomes de carbone. L'enzyme qui catalyse cette première étape est la **RuDP carboxylase/oxygénase** ; c'est la protéine la plus abondante dans les chloroplastes et probablement sur Terre. (Cette enzyme est souvent appelée **rubisco** : « ru » pour ribulose, « bis » pour bisphosphate, « c » pour carboxylase et « o » pour oxygénase. Le terme *oxygénase* associé au nom de l'enzyme provient du fait que celle-ci peut aussi oxygéner le RuDP lors de la photorespiration, que nous verrons plus loin.) La réaction donne un intermédiaire à six atomes de carbone qui est éphémère parce qu'il est si instable qu'il se scinde aussitôt en deux molécules de 3-phosphoglycérate (pour chaque molécule de CO_2 fixé).

Étape 2 : réduction. Chaque molécule de 3-phosphoglycérate reçoit un groupement phosphate provenant de l'ATP ; du 1,3-diphosphoglycérate est ainsi formé. Ensuite, une paire d'électrons donnée par le NADPH réduit le 1,3-diphosphoglycérate, qui perd aussi un groupement phosphate, en PGAL. Par l'intermédiaire du 1,3-diphosphoglycérate, c'est donc le groupement carboxyle du 3-phosphoglycérate que les électrons du NADPH ont réduit en groupement aldéhyde du PGAL (plus riche en énergie potentielle). Le PGAL est un glucide : le même glucide à trois atomes de carbone qui est formé dans la glycolyse par la scission du glucose (voir la figure 9.9). La figure 10.19 montre que l'on obtient *six* molécules de PGAL pour *trois* molécules de CO_2 qui entrent dans le cycle. Cependant, une seule molécule de PGAL compte pour un gain net en glucides, car le reste est nécessaire pour terminer le cycle. Le cycle a commencé avec un capital glucidique valant 15 atomes de carbone, c'est-à-dire avec 3 molécules de RuDP à 5 atomes de carbone. Maintenant, on compte 18 atomes de carbone sous la forme de 6 molécules de PGAL. Une molécule sort du cycle pour être utilisée par la cellule végétale, alors que les cinq autres doivent aller régénérer les trois molécules de RuDP.

Étape 3 : régénération de l'accepteur de CO_2 (RuDP). Au cours d'une série complexe de réactions, les dernières étapes du cycle réarrangent les chaînes de carbone des cinq molécules de PGAL qui demeurent dans le cycle en trois molécules de RuDP. Pour ce faire, il faut utiliser trois autres molécules d'ATP. Le RuDP est alors de nouveau prêt à recevoir du CO_2. Le cycle recommence.

Pour synthétiser une molécule de PGAL, le cycle de Calvin consomme neuf molécules d'ATP et six molécules de NADPH. Les réactions photochimiques régénèrent l'ATP et le NADPH. Le PGAL issu du cycle de Calvin devient la matière première des voies métaboliques qui synthétisent d'autres composés organiques, dont le glucose (provenant de deux molécules de PGAL), le sucrose (un disaccharide) et d'autres glucides. Ni les réactions photochimiques ni le cycle de Calvin pris séparément ne fabriquent des glucides à partir du CO_2. La photosynthèse est une propriété émergente du chloroplaste intact qui en intègre les deux phases.

RETOUR SUR LE CONCEPT 10.3

1. Pour fabriquer une molécule de glucose, le cycle de Calvin utilise ______ moles de CO_2, ______ molécules d'ATP et ______ molécules de NADPH.
2. Expliquez en quoi le grand nombre de molécules d'ATP et de NADPH employées au cours du cycle de Calvin concorde avec la valeur énergétique élevée du glucose.
3. ET SI ? ▶ Expliquez pourquoi un poison qui inhibe une enzyme du cycle de Calvin inhibera aussi les réactions photochimiques.

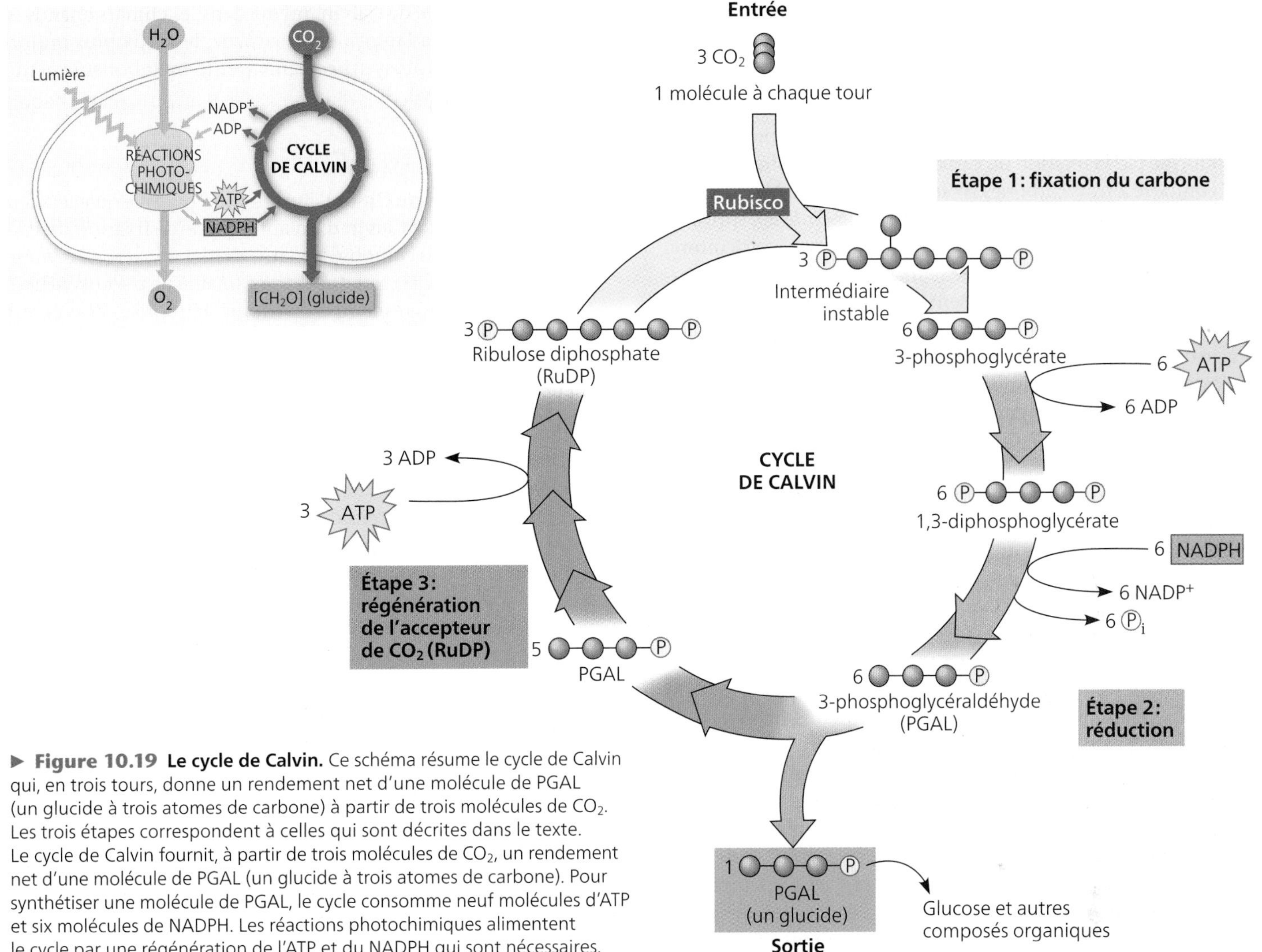

▶ **Figure 10.19 Le cycle de Calvin.** Ce schéma résume le cycle de Calvin qui, en trois tours, donne un rendement net d'une molécule de PGAL (un glucide à trois atomes de carbone) à partir de trois molécules de CO_2. Les trois étapes correspondent à celles qui sont décrites dans le texte. Le cycle de Calvin fournit, à partir de trois molécules de CO_2, un rendement net d'une molécule de PGAL (un glucide à trois atomes de carbone). Pour synthétiser une molécule de PGAL, le cycle consomme neuf molécules d'ATP et six molécules de NADPH. Les réactions photochimiques alimentent le cycle par une régénération de l'ATP et du NADPH qui sont nécessaires.

4. **FAITES UN DESSIN ▶** Redessinez le cycle de la figure 10.19 en utilisant des chiffres plutôt que des boules grises pour indiquer le nombre d'atomes de carbone. Assurez-vous de les multiplier à chaque étape pour ne pas en oublier. Sous quelle forme les atomes de carbone entrent-ils dans le cycle et sous quelle forme en sortent-ils ?

5. **FAITES DES LIENS ▶** Réexaminez les figures 9.9 et 10.19, puis décrivez le rôle d'intermédiaire et de produit que joue le 3-phosphoglycéraldéhyde (PGAL) dans les deux processus qu'illustrent ces figures.

Voir les réponses proposées à l'appendice A.

CONCEPT **10.4**

Les climats chauds et arides ont favorisé l'apparition de nouveaux modes de fixation du carbone

ÉVOLUTION Depuis leur implantation sur la terre ferme, il y a environ 475 millions d'années, les végétaux se sont adaptés aux problèmes inhérents à la vie terrestre, en particulier à la déshydratation. Au concept 36.4, nous examinerons les adaptations anatomiques qui favorisent la conservation de l'eau chez les végétaux. Pour le moment, concentrons-nous sur leurs adaptations métaboliques. On remarque que, souvent, la recherche d'une solution à un problème aboutit à un compromis, comme l'illustre, par exemple, l'équilibre entre la photosynthèse et la prévention de la déshydratation de la plante. Le CO_2 nécessaire à la photosynthèse entre dans les feuilles (alors que l'O_2 qui en résulte en sort) par les stomates, les pores situés sur toute la surface des feuilles (voir la figure 10.4). Or, ces orifices servent aussi à la transpiration et les plantes perdent donc de l'eau par évaporation. Par une journée chaude et sèche, la plupart des plantes ferment leurs stomates, ce qui les aide à conserver leur eau, mais réduit la concentration de CO_2. Cependant, cette réaction à la chaleur ralentit aussi la photosynthèse, car l'accès au CO_2 se trouve réduit. En raison de la fermeture partielle des stomates, la concentration de CO_2 décroît dans les lacunes des feuilles (les lacunes sont les espaces intercellulaires dont la taille est supérieure à celle des cellules environnantes), alors que la concentration de l'O_2 libéré par les réactions photochimiques augmente. Tous ces facteurs favorisent la mise en œuvre d'un processus qui ressemble à du gaspillage : la photorespiration.

La photorespiration: un vestige de l'évolution?

Dans la majorité des végétaux, la rubisco, l'enzyme qui ajoute un CO_2 au ribulose diphosphate, fixe le carbone au cours de la première étape du cycle de Calvin. Les végétaux qui font appel à ce processus sont appelés **plantes de type C_3**, car le premier produit formé par la fixation du carbone est le 3-phosphoglycérate, un composé à trois carbones (voir la figure 10.19). Les végétaux de ce type, comme le riz (*Oryza sativa*), le blé (*Triticum* spp) et le soya (*Glycine max*), ont une grande importance en agriculture. Par temps chaud et sec, lorsque leurs stomates se ferment partiellement, ces plantes produisent moins de nutriments, car la baisse de la concentration de CO_2 dans leurs feuilles ralentit le cycle de Calvin. Qui plus est, la rubisco est une enzyme capable de catalyser la fixation de l'O_2 plutôt que celle du CO_2: les deux substances se lient au même site actif de l'enzyme. Or, à mesure que la concentration de CO_2 baisse dans les lacunes des feuilles et que l'O_2 s'y accumule, l'enzyme fournit de l'O_2 au cycle de Calvin au lieu du CO_2. Le ribulose diphosphate (possédant cinq carbones) est alors scindé en deux: un composé à trois carbones (le phosphoglycérate) et un autre à deux carbones (le phosphoglycolate). Ce dernier est exporté par les chloroplastes vers les mitochondries et les peroxysomes de la cellule végétale, où il est réarrangé et scindé de nouveau, ce qui libère du CO_2. Ce processus, qui n'est vraiment connu que depuis 1969, est appelé **photorespiration**, parce qu'il nécessite de la lumière (*photo*) et de l'O_2, tout en produisant du CO_2 (*respiration*). Toutefois, à l'inverse de la respiration cellulaire, la photorespiration consomme de l'ATP au lieu d'en générer. Et à l'inverse de la photosynthèse, elle ne conduit pas à la production de glucides. En somme, la photorespiration peut *réduire* de 50% le rendement de la photosynthèse en soutirant de la matière organique au cycle de Calvin et en relâchant du CO_2 qui, autrement, serait fixé. Ce CO_2 pourra ultérieurement être fixé s'il est encore présent dans la feuille quand la concentration de CO_2 redeviendra suffisamment élevée. Dans l'intervalle, toutefois, le processus consomme de l'énergie, un peu comme un hamster qui court sur sa roue.

Comment expliquer l'existence d'un processus métabolique qui semble nuisible aux plantes? Certains croient que la photorespiration est un vestige métabolique des temps reculés où l'atmosphère contenait moins d'O_2 et plus de CO_2 qu'aujourd'hui. Selon cette hypothèse, quand la rubisco est apparue, l'atmosphère était encore primitive et il importait peu que le site actif de cette enzyme soit capable de lier l'O_2. Les tenants de cette hypothèse supposent que la rubisco moderne a gardé un peu de son affinité ancestrale pour l'O_2, qui est si concentré dans l'atmosphère actuelle qu'une certaine part de photorespiration demeure inévitable. Certaines données indiquent également que la photorespiration pourrait atténuer les effets nocifs des produits de réactions photochimiques qui s'accumulent lorsqu'une faible concentration de CO_2 limite la progression du cycle de Calvin.

Chez beaucoup de végétaux, dont de nombreuses plantes cultivées, la photorespiration rejette jusqu'à 50% du carbone fixé par le cycle de Calvin. De fait, si nous pouvions la réduire chez certaines espèces végétales sans influer sur la productivité de la photosynthèse, les rendements agricoles et les ressources alimentaires pourraient augmenter.

Certaines espèces de plantes ont acquis des modes de fixation du carbone qui réduisent la photorespiration au minimum et optimisent le cycle de Calvin, même dans les climats chauds et arides. Parmi les adaptations de ce type, les deux plus importantes sont la photosynthèse en C_4 et le métabolisme acide crassulacéen (CAM).

Les plantes de type C_4

Les **plantes de type C_4** sont ainsi nommées parce qu'elles font précéder le cycle de Calvin d'un autre mode de fixation du carbone qui donne un composé à quatre atomes de carbone comme premier produit. On croit que ce mécanisme de photosynthèse a évolué indépendamment à au moins 45 reprises et qu'il est utilisé par plusieurs milliers d'espèces végétales réparties en une vingtaine de familles. C'est le cas, notamment, de la canne à sucre (*Saccharum officinarum*), du maïs (*Zea mays*) et du sorgho (*Sorghum bicolor*), qui appartiennent à la famille des graminées.

POUR APPROFONDIR ■ Le mécanisme de la photosynthèse en C_4 s'explique par l'anatomie particulière des feuilles où il s'effectue. On trouve deux types de cellules photosynthétiques dans les plantes de type C_4: les cellules de la gaine fasciculaire et les cellules du mésophylle. Les **cellules de la gaine fasciculaire** sont grandes et entassées autour de nervures souvent proéminentes (**figure 10.20**), tandis que les cellules du mésophylle forment une assise entre la surface foliaire et les cellules de la gaine fasciculaire. Dans une plante de type C_4, les cellules du mésophylle sont tassées les unes contre les autres et ne sont jamais situées à plus de deux ou trois cellules de distance des cellules de la gaine fasciculaire. La disposition régulière des cellules du mésophylle distingue les plantes de type C_4 des plantes de type C_3, car chez ces dernières la disposition est irrégulière, les cellules du mésophylle étant tantôt espacées, tantôt serrées les unes contre les autres. Le cycle de Calvin se déroule seulement dans les chloroplastes des cellules de la gaine fasciculaire. Toutefois, il est précédé par l'incorporation, dans le cytosol des cellules du mésophylle, du CO_2 à des composés organiques. Notez que la numérotation des étapes illustrées à la figure 10.20 correspond à celle des trois paragraphes qui suivent.

❶ Une enzyme appelée **PEP carboxylase** qu'on ne trouve que dans les cellules du mésophylle se charge de la première étape: du CO_2 est incorporé au phosphoénolpyruvate (PEP) afin de former de l'oxaloacétate, un composé à quatre atomes de carbone. L'affinité de la PEP carboxylase pour le CO_2 est une dizaine de fois supérieure à celle de la rubisco, et la PEP carboxylase n'a aucune affinité pour l'O_2. Par conséquent, la PEP carboxylase fixe efficacement le carbone lorsque la rubisco en est incapable, c'est-à-dire par temps chaud et sec, alors que les stomates se ferment partiellement, entraînant la baisse de la concentration du CO_2 et l'augmentation relative de celle de l'O_2 dans les feuilles.

❷ Une fois le carbone du CO_2 fixé dans les cellules du mésophylle, leurs produits à quatre atomes de carbone (le malate dans l'exemple de la figure 10.20) sont exportés vers les cellules de la gaine fasciculaire en passant par les plasmodesmes (voir la figure 6.29).

❸ Dans les cellules de la gaine fasciculaire, les composés à quatre atomes de carbone libèrent le CO_2, et ce dernier s'y accumule jusqu'à ce que la rubisco et le cycle de Calvin

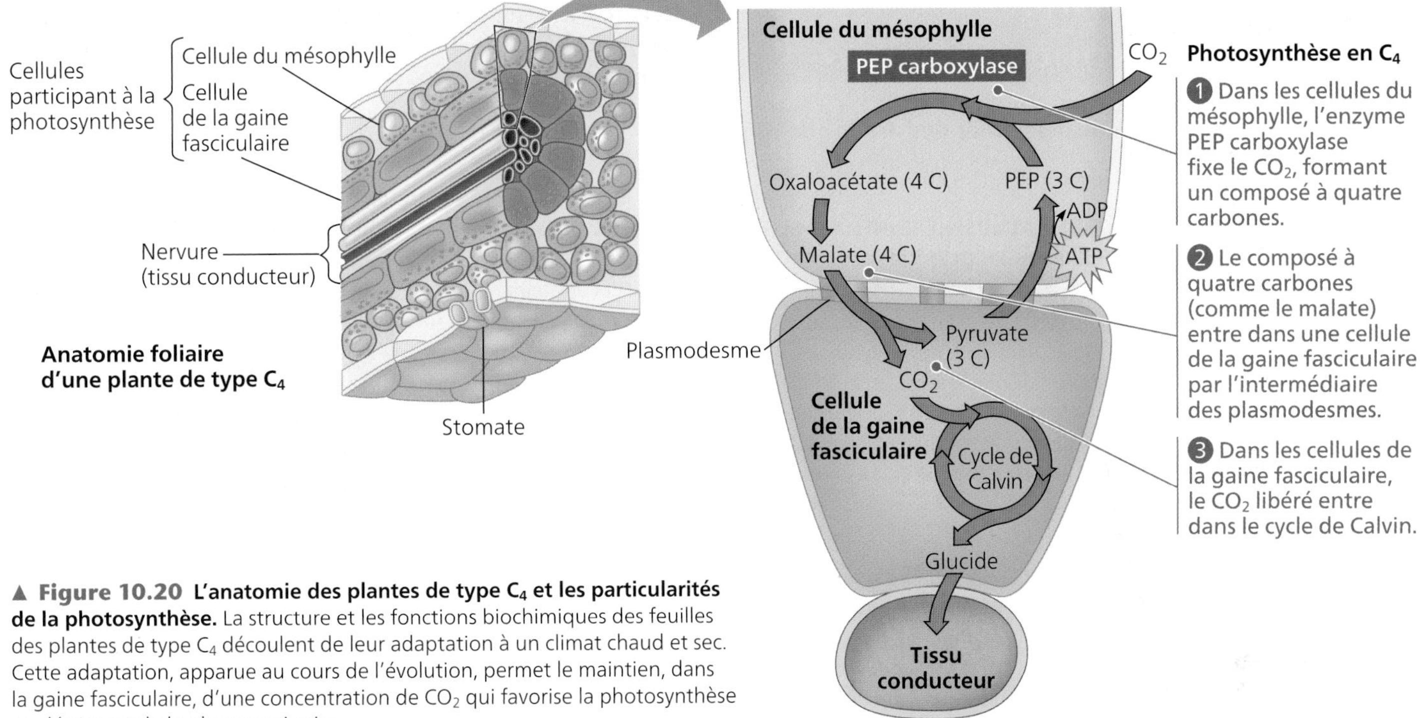

▲ **Figure 10.20 L'anatomie des plantes de type C_4 et les particularités de la photosynthèse.** La structure et les fonctions biochimiques des feuilles des plantes de type C_4 découlent de leur adaptation à un climat chaud et sec. Cette adaptation, apparue au cours de l'évolution, permet le maintien, dans la gaine fasciculaire, d'une concentration de CO_2 qui favorise la photosynthèse au détriment de la photorespiration.

l'incorporent à nouveau à de la matière organique, comme dans les plantes en C_3. (La rubisco agit dans ces cellules comme une carboxylase, puisque la concentration de CO_2 y est élevée.) Cette même réaction régénère le pyruvate qui est transporté jusqu'aux cellules du mésophylle, où il est reconverti en PEP (qui peut accepter l'ajout d'un autre CO_2) par une réaction nécessitant de l'ATP, ce qui permet à la réaction de se poursuivre. Ces ATP utilisées sont en quelque sorte le « prix » de la concentration du carbone dans les cellules de la gaine fasciculaire ; pour le générer, ces dernières misent sur le transport cyclique d'électrons, processus que nous avons décrit précédemment dans ce chapitre (voir la figure 10.16). En fait, ces cellules fasciculaires contiennent un PS I, mais pas de PS II, de sorte que le transport cyclique d'électrons est leur seul mode photosynthétique de production d'ATP.

Ainsi, les cellules du mésophylle fournissent du CO_2 aux cellules de la gaine fasciculaire ; sa concentration est donc suffisamment élevée pour permettre à la rubisco de capter ce CO_2 plutôt que l'O_2. Le cycle de réactions faisant intervenir la PEP carboxylase et la régénération du PEP peut être considéré comme une pompe alimentée par de l'ATP et servant à concentrer du CO_2. De cette manière, la photosynthèse en C_4 réduit au minimum la photorespiration et favorise la production de glucides. Voilà pourquoi le rendement de la photosynthèse peut être jusqu'à trois fois plus élevé chez les plantes de type C_4 que chez les plantes de type C_3. Cette adaptation est particulièrement avantageuse dans les régions chaudes et très ensoleillées où les stomates se ferment partiellement durant la journée ; c'est d'ailleurs dans ces milieux que les plantes de type C_4 sont apparues et qu'elles prospèrent de nos jours. ■

Depuis le début de la révolution industrielle, dans les années 1800, la concentration de CO_2 dans l'atmosphère a augmenté de façon importante, et cet accroissement se poursuit en raison des activités humaines, notamment l'utilisation des combustibles fossiles. Les changements climatiques, comme l'augmentation de la température moyenne dans toute la planète, risquent d'avoir des effets considérables sur les espèces végétales. Les scientifiques craignent que la concentration accrue de CO_2 et le réchauffement de la température planétaire agissent différemment sur les plantes de type C_3 et de type C_4, et que l'abondance relative de ces espèces dans des communautés végétales données en soit modifiée.

À quel type de plantes une concentration accrue de CO_2 profiterait-elle le plus ? Souvenez-vous que, chez les plantes de type C_3, la liaison de la rubisco avec le O_2 plutôt qu'avec le CO_2 mène à la photorespiration, laquelle réduit l'efficacité de la photosynthèse. Les plantes de type C_4 surmontent ce problème en concentrant le CO_2 dans les cellules de la gaine fasciculaire, ce qui a un coût en ce qui a trait aux ATP (la photosynthèse exige beaucoup plus d'ATP chez les plantes en C_4 que chez les plantes en C_3). Une plus forte concentration de CO_2 devrait profiter aux plantes C_3, car elle entraînerait une réduction de la photorespiration. Simultanément, les hausses de température ont l'effet contraire : elles augmentent la photorespiration (et d'autres facteurs, comme la disponibilité de l'eau, peuvent également entrer en jeu). Par contre, une concentration accrue de CO_2 ou une hausse de la température n'influeraient pas, ou très peu, sur la plupart des plantes de type C_4. Cette question a fait l'objet de plusieurs études par des chercheurs, et vous aurez l'occasion de travailler avec les données d'une de leurs expériences dans la rubrique **Habiletés scientifiques.** Selon les régions, des combinaisons particulières de ces deux facteurs (la concentration de CO_2 et la température) peuvent modifier diversement l'équilibre des plantes de type C_3 et de type C_4. Les effets de changements

DÉMARCHE SCIENTIFIQUE

HABILETÉS SCIENTIFIQUES

Faire un diagramme de dispersion et des droites de régression

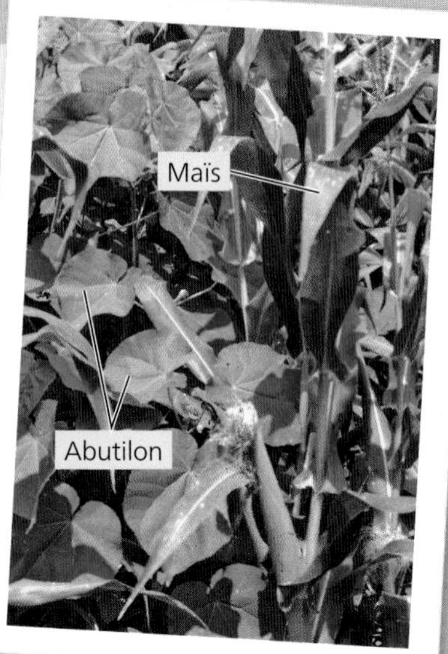

▲ **Plant de maïs entouré de plants d'abutilon à fleurs jaunes, une mauvaise herbe envahissante.**

■ LA CONCENTRATION DE CO_2 DE L'ATMOSPHÈRE INFLUE-T-ELLE SUR LA PRODUCTIVITÉ DES TERRES AGRICOLES ? ■ La concentration de CO_2 dans l'atmosphère a augmenté partout dans le monde, et les scientifiques se demandent si cette augmentation nuit aux plantes de type C_3 de la même façon qu'aux plantes de type C_4. Dans cet exercice, vous construirez un diagramme de dispersion afin d'examiner la relation entre la concentration de CO_2 et la croissance du maïs, une plante de culture de type C_4, et l'abutilon à fleurs jaunes (*Abutilon theophrasti*), une mauvaise herbe de type C_3 qui pousse dans les champs de maïs.

■ MÉTHODE ■ Les chercheurs ont fait pousser du maïs et de l'abutilon dans des conditions contrôlées pendant 45 jours. Durant cette période, toutes les plantes ont reçu les mêmes quantités d'eau et de lumière. Les chercheurs ont divisé les plantes en trois groupes et exposé chaque groupe à une concentration de CO_2 atmosphérique différente : 350 ppm, 600 ppm ou 1 000 ppm (ppm = parties par million).

■ RÉSULTATS ■ Le tableau ci-dessous montre la masse sèche (en grammes) des plants de maïs et d'abutilon cultivés aux trois concentrations de CO_2. Les masses sèches indiquées sont les masses sèches moyennes des feuilles, tiges et racines de huit plants.

	350 ppm de CO_2	**600 ppm de CO_2**	**1 000 ppm de CO_2**
Masse sèche moyenne de 1 plant de maïs (g)	91	89	80
Masse sèche moyenne de 1 plant d'abutilon (g)	35	48	54

Source des données : D. T. Patterson et E. P. Flint, Potential effects of global atmospheric CO_2 enrichment on the growth and competitiveness of C_3 and C_4 weed and crop plants, *Weed Science* 28(1) : 71-75 (1980).

INTERPRÉTEZ LES DONNÉES ▼

1. Pour explorer la relation entre les deux variables, représentez les données dans un diagramme de dispersion et tracez une droite de régression. (a) Premièrement, indiquez la variable dépendante et la variable indépendante sur leurs axes respectifs. Expliquez vos choix. (b) Ensuite, tracez les points des coordonnées du maïs et de l'abutilon en utilisant un symbole différent pour chaque ensemble de données, puis ajoutez une légende pour ces deux symboles. (Pour plus d'information sur les diagrammes, consultez l'appendice F).
2. Tracez la droite de meilleur ajustement pour chaque ensemble de points. La droite de meilleur ajustement n'a pas à passer par tous les points, ou même par la majorité des points. Il s'agit plutôt d'une ligne droite qui passe aussi près que possible de tous les points d'un ensemble. Donc, tracez la droite de meilleur ajustement pour chaque ensemble. Comme cette droite dépend du jugement de la personne qui la trace, elle ne sera pas nécessairement identique à celle que tracerait une autre personne pour le même ensemble de données. La droite qui est réellement de meilleur ajustement est en fait une droite de régression. On peut la déterminer en élevant au carré la distance de chaque point par rapport à une droite provisoire, puis en choisissant la droite qui réduit au minimum la somme de ces carrés. (Vous trouvez un exemple de droite de régression dans le graphique de la rubrique Habiletés scientifiques du chapitre 3.) Certains logiciels, dont *Excel*, ainsi que les calculatrices graphiques, peuvent tracer une droite de régression à partir des coordonnées qu'on leur fournit. À l'aide d'*Excel* ou d'une calculatrice scientifique, entrez les coordonnées de chaque ensemble et tracez les deux droites de régression. Comparez-les aux droites que vous avez tracées.
3. Décrivez les tendances qui se dégagent des droites de régression de votre diagramme de dispersion. (a) Comparez la concentration croissante de CO_2 et la masse sèche du maïs avec celles de l'abutilon. (b) Sachant que l'abutilon est une mauvaise herbe envahissante pour le maïs, prédisez comment une augmentation de la concentration de CO_2 influera sur les interactions entre les deux espèces.
4. À partir des données du diagramme de dispersion, estimez le taux de variation de la masse sèche du maïs et de l'abutilon si la concentration de CO_2 dans l'atmosphère augmente de 390 ppm (concentration actuelle) à 800 ppm. (a) À combien estimez-vous la masse sèche du maïs et de l'abutilon si la concentration est de 390 ppm ? De 800 ppm ? (b) Pour calculer le taux de variation de la masse de chaque plante, soustrayez la masse correspondant à 390 ppm de la masse correspondant à 800 ppm (variation de la masse). Ensuite, divisez le résultat par la masse correspondant à 390 ppm (masse initiale), puis multipliez par 100. À combien estimez-vous le taux de variation de la masse sèche du maïs ? De l'abutilon ? (c) Ces résultats appuient-ils la conclusion des autres expériences, à savoir que les plantes de type C_3 poussent mieux que les plantes de type C_4 lorsque la concentration de CO_2 est plus élevée ? Expliquez pourquoi.

si variables et si répandus sur les structures des communautés sont imprévisibles, ce qui suscite des inquiétudes justifiées.

On considère que la photosynthèse en C_4 est plus efficace que celle en C_3 parce qu'elle utilise moins d'eau et de ressources. À l'heure actuelle, sur notre planète, la population mondiale croît rapidement, tout comme les besoins en ressources alimentaires. Parallèlement, la surface des terres cultivables diminue en raison des effets du changement climatique mondial, qui s'accompagne notamment d'une augmentation du niveau de la mer et du réchauffement et de l'assèchement du climat dans beaucoup de régions. Pour aider à résoudre les problèmes d'approvisionnement alimentaire, des scientifiques des Philippines ont fait des expériences sur du riz génétiquement modifié (un aliment de base qui est une plante de type C_3) afin de déterminer si ce riz pourrait effectuer la photosynthèse en C_4 plutôt qu'en C_3. À ce jour, les résultats sont prometteurs. Les chercheurs estiment que, pour un même apport d'eau et de ressources, on pourrait obtenir de récoltes de riz de type C_4 dont le rendement serait de 30 à 50 % supérieur aux récoltes de riz de type C_3.

Les plantes de type CAM

Une deuxième adaptation photosynthétique à l'aridité est apparue chez bien des plantes succulentes (qui ont de grandes réserves d'eau dans leurs tissus et des feuilles charnues) dont font partie les ananas, les orpins (*Sedum* spp), de nombreux cactus et les membres d'une vingtaine de familles végétales. Ces plantes ouvrent leurs stomates pendant la nuit et les ferment durant le jour, à l'inverse de ce que font les autres plantes. La fermeture des stomates pendant le jour protège les plantes désertiques contre la déshydratation, mais elle empêche le CO_2 de pénétrer dans les feuilles. C'est donc pendant la nuit, quand les stomates sont ouverts, que le CO_2 doit être absorbé et utilisé dans la production d'une variété d'acides organiques. Ce mode de fixation du carbone a été qualifié de **métabolisme acide crassulacéen** (de l'anglais *crassulacean acid metabolism*, ou **CAM**), par suite de sa découverte chez des plantes de la famille des crassulacées. Ce processus s'effectue, comme dans le cas des plantes de type C_4, grâce à l'enzyme PEP carboxylase. Les cellules du mésophylle des **plantes de type CAM** emmagasinent les acides organiques dans des vacuoles jusqu'au matin, moment où les stomates se ferment. Durant le jour, lorsque les réactions photochimiques fournissent de l'ATP et du NADPH au cycle de Calvin, les acides organiques élaborés la nuit précédente libèrent du CO_2, qui sert à former des glucides dans les chloroplastes; les acides organiques synthétisés remplissent aussi d'autres fonctions chez ce type de plantes.

Les plantes de type CAM et les plantes de type C_4 ont ceci de commun qu'elles se servent du CO_2 pour élaborer des intermédiaires organiques avant le début du cycle de Calvin (cette similitude est mise en évidence à la **figure 10.21**). La différence est que, dans les plantes de type C_4, la fixation du carbone est séparée physiquement du cycle de Calvin (les deux étapes ne se déroulent pas dans la même cellule), tandis que, dans les plantes de type CAM, les deux étapes se produisent dans la même cellule, mais elles n'ont pas lieu simultanément. (Rappelez-vous que les plantes de type CAM, de type C_4 et de type C_3 finissent toutes par utiliser le cycle de Calvin pour produire des glucides à partir de CO_2.)

▼ **Figure 10.21 Comparaison entre la photosynthèse chez les plantes de type C_4 et les plantes de type CAM.** La photosynthèse en C_4 et le CAM représentent deux solutions au problème posé issues de l'évolution, que les plantes poussant en milieu aride ont adoptées afin de pouvoir poursuivre la photosynthèse alors que leurs stomates sont partiellement ou complètement fermés. Les deux adaptations se caractérisent ❶ par la fixation du CO_2 dans des acides organiques et, ensuite, ❷ par un transfert du CO_2 au cycle de Calvin.

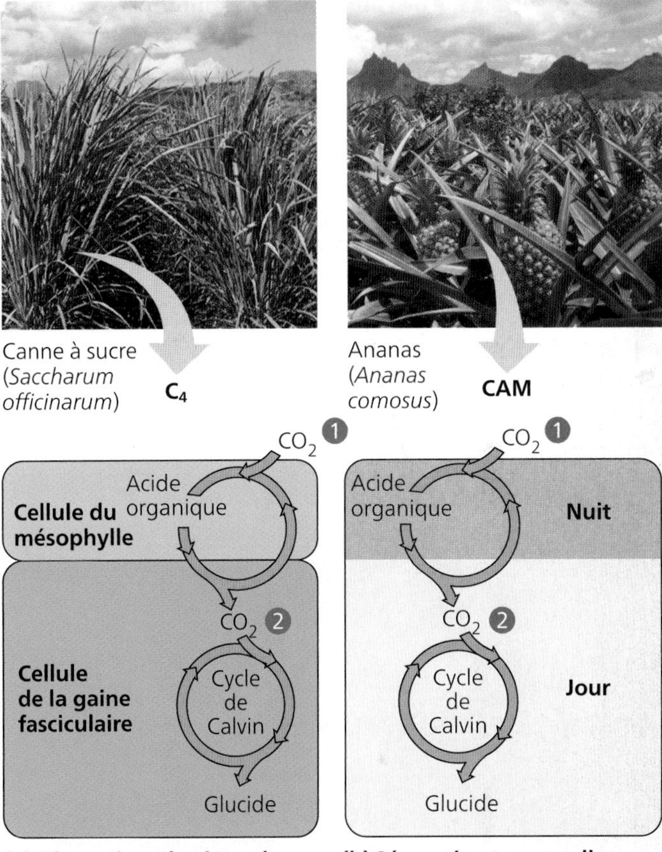

(a) Séparation physique des étapes. Chez les plantes de type C_4, la fixation du carbone et le cycle de Calvin se déroulent dans des cellules différentes.

(b) Séparation temporelle des étapes. Dans les plantes de type CAM, la fixation du carbone et le cycle de Calvin se déroulent dans les mêmes cellules, mais à des moments différents.

RETOUR SUR LE CONCEPT 10.4

1. Décrivez comment la photorespiration ralentit la photosynthèse.
2. La présence de PS I, et non de PS II, dans les cellules de la gaine fasciculaire des plantes de type C_4 a un effet sur la concentration d'O_2. Quel est cet effet et comment peut-il être avantageux pour la plante ?
3. **FAITES DES LIENS ▶** Revenez à ce que vous avez appris sur l'acidification des océans (concept 3.3). On pourrait penser que ce phénomène et les modifications dans la distribution des plantes de type C_3 et des plantes de type C_4 sont des problèmes très différents, mais qu'ont-ils en commun ? Expliquez votre réponse.
4. **ET SI ? ▶** À votre avis, qu'arriverait-il à l'abondance relative des plantes de type C_3 par rapport aux plantes de type C_4 et de type CAM dans une région où le climat deviendrait beaucoup plus chaud et beaucoup plus sec (et cela sans variation du CO_2) ?

Voir les réponses proposées à l'appendice A.

CONCEPT 10.5

La vie dépend de la photosynthèse

L'importance de la photosynthèse: *une révision*

Dans ce chapitre, nous avons expliqué le déroulement de la photosynthèse, de l'étape de l'absorption des photons à celle de la synthèse des glucides. Les réactions photochimiques captent l'énergie solaire et l'exploitent pour produire de l'ATP et pour transférer des électrons de l'eau au $NADP^+$ et ainsi former du NADPH. Le cycle de Calvin utilise l'ATP et le NADPH pour élaborer un glucide à trois carbones (le PGAL) à partir de CO_2. L'énergie incorporée dans les chloroplastes sous forme de lumière solaire se trouve emmagasinée sous forme d'énergie chimique dans des composés organiques. La **figure 10.22** présente une révision de tout le processus de la photosynthèse, de surcroît dans son contexte naturel.

En ce qui concerne les produits de la photosynthèse, les enzymes situées dans les chloroplastes et dans le cytosol convertissent le PGAL, le produit direct du cycle de Calvin, en plusieurs autres composés organiques. En fait, les glucides formés dans les chloroplastes fournissent à la plante entière l'énergie chimique et les chaînes carbonées nécessaires à la synthèse des principales molécules organiques des cellules végétales. Environ 50 % de la matière organique issue de la photosynthèse sert de combustible à la respiration cellulaire, au sein des mitochondries. Dans certains cas, la photorespiration « gaspille » les produits de la photosynthèse.

Techniquement, les cellules vertes sont les seules parties autotrophes d'une plante. Les autres parties se nourrissent des molécules organiques qui leur parviennent des feuilles par les

▼ **Figure 10.22 Un résumé de la photosynthèse.** Ce schéma présente les principaux réactifs et produits de la photosynthèse à mesure qu'ils se déplacent dans les tissus d'un arbre (à gauche) et d'un chloroplaste (à droite).

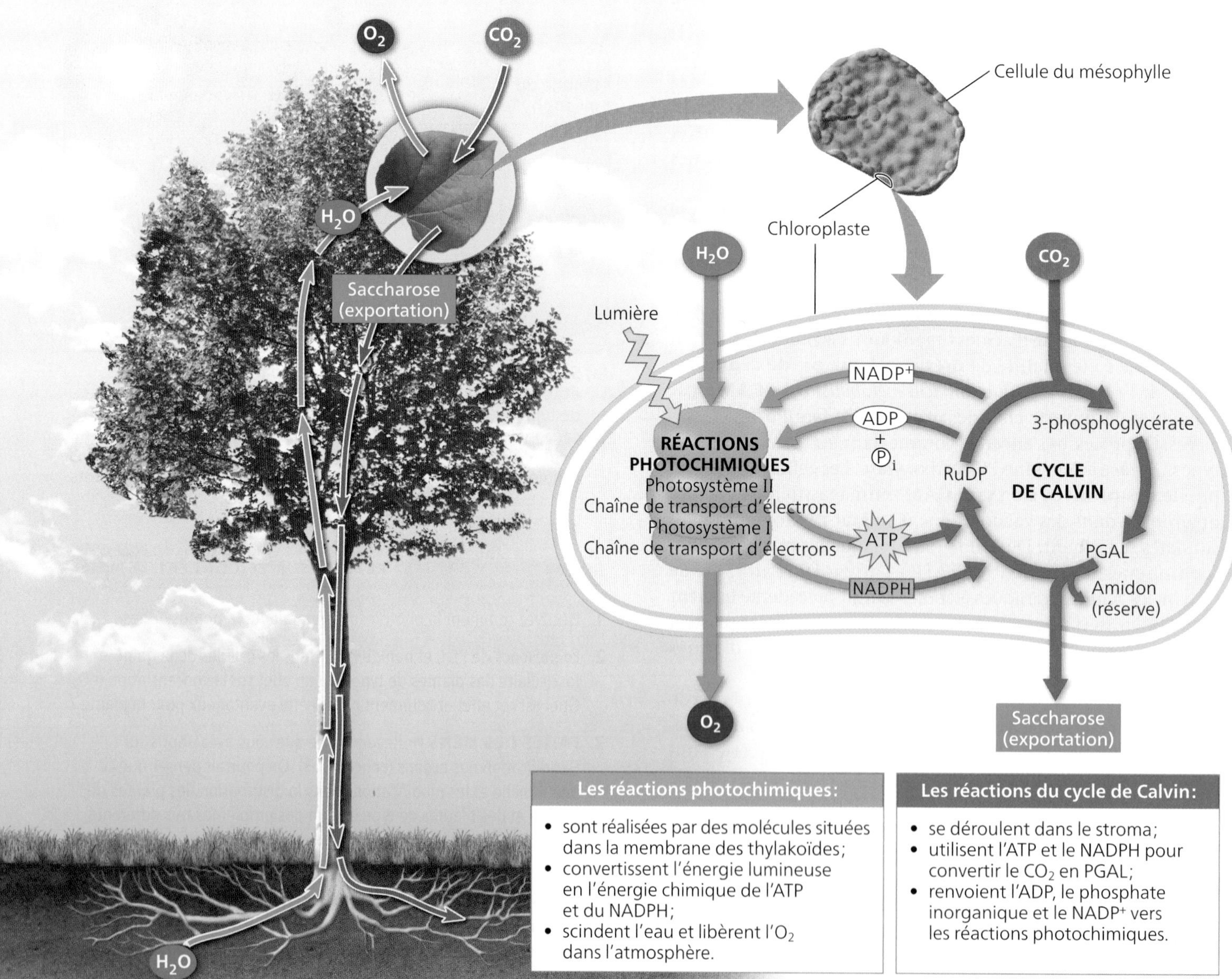

O_2
CO_2
H_2O
Saccharose (exportation)
Cellule du mésophylle
Chloroplaste
H_2O
CO_2
Lumière
$NADP^+$
ADP + Ⓟi
RÉACTIONS PHOTOCHIMIQUES
Photosystème II
Chaîne de transport d'électrons
Photosystème I
Chaîne de transport d'électrons
ATP
NADPH
3-phosphoglycérate
RuDP
CYCLE DE CALVIN
PGAL
Amidon (réserve)
O_2
Saccharose (exportation)
H_2O
Les réactions photochimiques:
• sont réalisées par des molécules situées dans la membrane des thylakoïdes;
• convertissent l'énergie lumineuse en l'énergie chimique de l'ATP et du NADPH;
• scindent l'eau et libèrent l'O_2 dans l'atmosphère.
Les réactions du cycle de Calvin:
• se déroulent dans le stroma;
• utilisent l'ATP et le NADPH pour convertir le CO_2 en PGAL;
• renvoient l'ADP, le phosphate inorganique et le $NADP^+$ vers les réactions photochimiques.

nervures (voir au haut de la figure 10.22). Chez la plupart des végétaux, les glucides formés lors de la photosynthèse quittent les feuilles vers le reste de la plante sous forme de saccharose, un disaccharide. Une fois que celui-ci a atteint les cellules non photosynthétiques, il est utilisé dans la respiration cellulaire et dans une multitude de voies anaboliques synthétisant des protéines, des lipides et d'autres produits. Une quantité considérable de glucides sous la forme de molécules de glucose se lient pour former un polysaccharide appelé cellulose (voir la figure 5.6c), particulièrement dans les cellules en cours de croissance et de maturation. La cellulose, le principal composant de la paroi cellulaire, est la molécule organique la plus abondante dans les plantes, et sans doute sur la planète.

En 24 heures, la plupart des végétaux et des autres organismes photosynthétiques fabriquent plus de matière organique qu'il ne leur en faut pour la respiration et la biosynthèse. Elles emmagasinent le surplus en synthétisant de l'amidon et en le stockant dans les chloroplastes eux-mêmes, ainsi que dans les racines, les tubercules, les graines et les fruits. N'oublions pas que les molécules organiques produites par la photosynthèse nourrissent non seulement les plantes elles-mêmes, mais aussi les hétérotrophes, comme nous, qui dévorent les feuilles, les racines, les tiges, les fruits, voire les plantes entières.

À l'échelle planétaire, c'est grâce à la photosynthèse que notre atmosphère renferme de l'O_2. Si la photosynthèse venait à s'arrêter complètement, la respiration des organismes viderait l'atmosphère de son oxygène en quelques milliers d'années. En outre, même si les chloroplastes sont minuscules, leur productivité au regard de la production de nourriture défie l'imagination ; on estime que 1 g de matière végétale (masse en matière sèche) fixe de 20 à 40 mg de CO_2 à l'heure et que le processus de la photosynthèse qu'effectuent plus de 400 000 espèces vivantes à l'échelle de la planète produit environ 150 milliards de tonnes de glucides par année, soit l'équivalent de la masse d'environ 60 trillions (10^{18}) de copies de ce manuel ! Aucun autre processus chimique se déroulant sur la Terre n'a un rendement équivalent ni ne contribue autant à la vie.

Dans les chapitres 5 à 10, vous avez étudié plusieurs des activités de la cellule. La **figure 10.23** résume ces activités cellulaires dans le contexte d'une cellule végétale au travail. En étudiant cette figure, gardez toujours à l'esprit le processus d'ensemble : la cellule est l'unité de base de tout organisme vivant, et à ce titre elle accomplit toutes les fonctions essentielles à la vie.

RETOUR SUR LE CONCEPT 10.5

1. **FAITES DES LIENS ▶** Les plantes peuvent-elles utiliser les glucides qu'elles produisent durant la photosynthèse pour alimenter directement le travail de la cellule ? Expliquez votre réponse. (Voir les figures 8.9, 8.10 et 9.6.)

FAITES DES LIENS

▼ **Figure 10.23**
La cellule au travail

Cette figure illustre le fonctionnement général d'une cellule végétale et intègre les activités cellulaires que vous avez étudiées dans les chapitres 5 à 10.

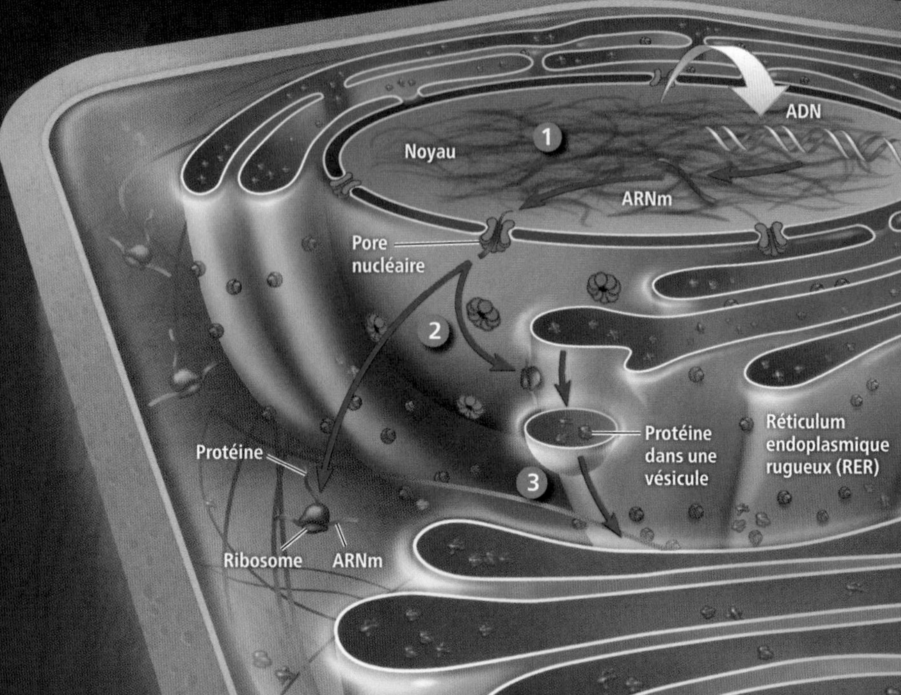

La circulation de l'information génétique dans la cellule : ADN → ARN → Protéine (chapitres 5 à 7)

1. Dans le noyau, l'ADN sert de matrice pour la synthèse de l'ARNm, qui se dirige vers le cytoplasme. (Voir les figures 5.22 et 6.9.)
2. L'ARNm s'associe avec un ribosome, qui flotte librement dans le cytosol ou se lie au RER. Des protéines sont synthétisées. (Voir les figures 5.22 et 6.10.)
3. Les protéines et membranes produites par le RER sont transportées dans des vésicules jusqu'au complexe golgien où elles subissent des modifications. (Voir les figures 6.15 et 7.9.)
4. Les vésicules de transport contenant les protéines se détachent du complexe golgien telles des navettes autonomes. (Voir la figure 6.15.)
5. Certaines vésicules fusionnent avec la membrane plasmique pour relâcher les protéines par exocytose. (Voir la figure 7.9.)
6. Quant aux protéines synthétisées sur des ribosomes flottant librement dans le cytosol, elles demeurent dans la cellule et y accomplissent des fonctions spécifiques ; parmi ces protéines se trouvent, par exemple, des enzymes qui catalysent les réactions de la respiration cellulaire et de la photosynthèse. (Voir les figures 9.7, 9.9 et 10.19.)

Les transformations de l'énergie dans la cellule: photosynthèse et respiration cellulaire (chapitres 8 à 10)

7 Dans les chloroplastes, la photosynthèse utilise l'énergie lumineuse pour convertir le CO_2 et le H_2O en molécules organiques; l'O_2 en est le sous-produit. (Voir la figure 10.22.)

8 Dans la mitochondrie, les molécules organiques sont dégradées par la respiration cellulaire et l'énergie libérée est emmagasinée dans les molécules d'ATP. Cette énergie permet d'effectuer des activités cellulaires telles que la synthèse des protéines et le transport actif. Le CO_2 et le H_2O sont les sous-produits. (Voir les figures 8.8 à 8.10, 9.2 et 9.16.)

Les déplacements transmembranaires (chapitre 7)

9 C'est par diffusion que l'eau entre dans la cellule et en sort, directement à travers la membrane plasmique et par diffusion facilitée par l'intermédiaire des aquaporines. (Voir la figure 7.1.)

10 Par transport passif, le CO_2 utilisé dans la photosynthèse diffuse dans la cellule, et l'O_2, sous-produit de la photosynthèse, sort de la cellule par diffusion simple. Les deux solutés se déplacent en suivant leurs gradients de concentration. (Voir les figures 7.10 et 10.22.)

11 Dans le transport actif, l'énergie (habituellement fournie par l'ATP) sert à transporter un soluté contre son gradient de concentration. (Voir la figure 7.16.)

Les matières volumineuses entrent dans la cellule et en sortent par exocytose (montrée à l'étape 5) et endocytose. (Voir les figures 7.9 et 7.19.)

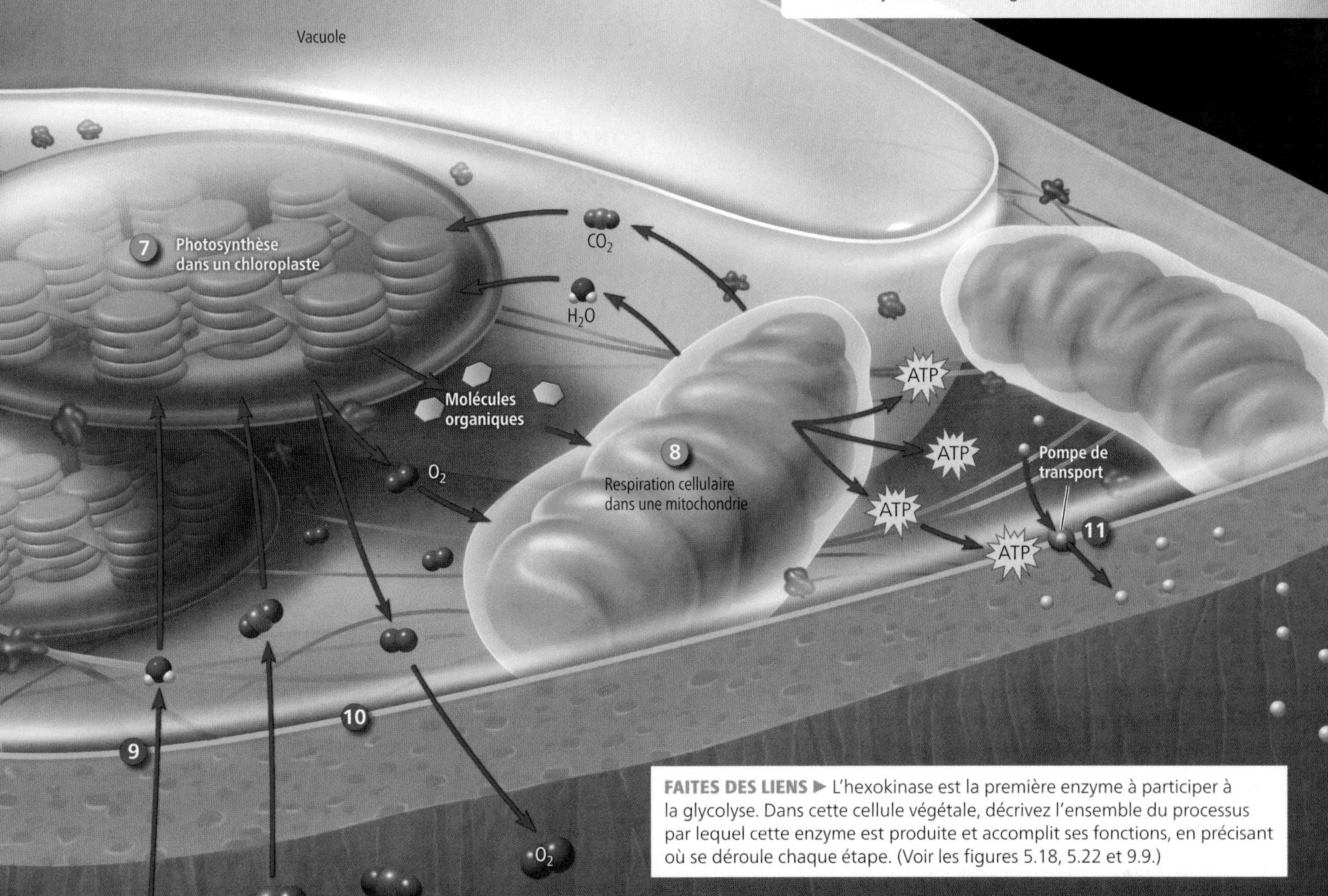

FAITES DES LIENS ▶ L'hexokinase est la première enzyme à participer à la glycolyse. Dans cette cellule végétale, décrivez l'ensemble du processus par lequel cette enzyme est produite et accomplit ses fonctions, en précisant où se déroule chaque étape. (Voir les figures 5.18, 5.22 et 9.9.)

RÉVISION DU CHAPITRE 10

Consultez votre MANUEL NUMÉRIQUE, qui vous donne accès aux **animations**, aux **exercices** et à la plateforme d'**anatomie interactive**.

Résumé des concepts clés

CONCEPT 10.1

La photosynthèse convertit l'énergie lumineuse en énergie chimique (p. 205 à 208)

- Chez les eucaryotes **autotrophes**, la photosynthèse a lieu dans les **chloroplastes**. Ces organites contiennent des **thylakoïdes**, des sacs membraneux qui forment ici et là des empilements appelés grana. Le processus de la **photosynthèse** se résume par l'équation suivante :

$$6\ CO_2 + 12\ H_2O + \text{Énergie lumineuse} \rightarrow C_6H_{12}O_6 + 6\ O_2 + 6\ H_2O$$

Les chloroplastes scindent la molécule d'eau en dihydrogène et en oxygène, et ils incorporent les électrons du dihydrogène dans les liaisons des molécules de glucides. La photosynthèse est donc un processus d'oxydoréduction au cours duquel l'eau est oxydée et le CO_2, réduit. Les **réactions photochimiques**, qui se déroulent dans les thylakoïdes, produisent de l'ATP et scindent les molécules d'eau ; elles libèrent de l'O_2 et forment du **NADPH** en transférant des électrons de l'eau au $NADP^+$. Le **cycle de Calvin** a lieu dans le **stroma** ; utilisant l'ATP comme source d'énergie et le NADPH comme potentiel réducteur, il forme un glucide à partir de CO_2.

? Comparez le rôle du CO_2 et celui de l'eau dans la respiration cellulaire et la photosynthèse.

CONCEPT 10.2

L'énergie chimique de l'ATP et du NADPH provient de l'énergie solaire transformée par les réactions photochimiques (p. 208 à 218)

- La lumière est une énergie électromagnétique qui se propage sous forme d'ondes. Les couleurs de la **lumière visible** – celles que nous percevons – comprennent les **longueurs d'onde** qui alimentent la photosynthèse. Un pigment est une substance qui absorbe des longueurs d'onde précises de la lumière. La **chlorophylle *a*** est le principal pigment des végétaux. Des pigments accessoires absorbent des longueurs d'onde différentes et transmettent leur énergie à la chlorophylle *a*.
- Une molécule de pigment passe de l'état fondamental à l'état excité lorsqu'un **photon** propulse un de ses électrons à un niveau énergétique supérieur. Cet état est instable. Les électrons de pigments isolés ont tendance à retourner à l'état fondamental en libérant de la chaleur et (ou) de la lumière.
- Un **photosystème** se compose d'un **complexe du centre réactionnel**, entouré de **complexes collecteurs de lumière** qui canalisent l'énergie des photons vers le centre réactionnel. Quand une paire de molécules de chlorophylle *a* du centre réactionnel absorbe de l'énergie, un de ses électrons passe à l'état excité et est capté par l'**accepteur primaire d'électrons**. Le **photosystème II** contient les molécules P680 dans le complexe du centre réactionnel ; le **photosystème I** renferme les molécules de chlorophylle *a* P700.
- Le **transport non cyclique d'électrons** utilise les deux photosystèmes et produit du NADPH, de l'ATP et de l'O_2.
- Pour synthétiser l'ATP, le **transport cyclique d'électrons** fait appel à un seul photosystème ; il ne produit ni NADPH ni O_2.
- Au cours de la chimiosmose, tant dans les mitochondries que dans les chloroplastes, la chaîne de transport d'électrons engendre un gradient de H^+ à travers une membrane. L'ATP synthase se sert de cette force protonmotrice pour former de l'ATP.

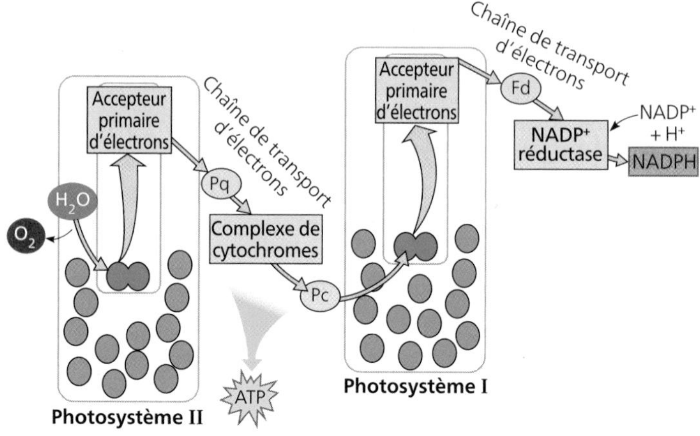

? Le spectre d'absorption de la chlorophylle *a* diffère du spectre d'action de la photosynthèse. Expliquez le sens de cette observation.

CONCEPT 10.3

Le cycle de Calvin réduit le CO_2 en glucides à l'aide de l'énergie chimique de l'ATP et du NADPH (p. 218 et 219)

- Le cycle de Calvin se déroule dans le stroma ; il utilise les électrons du NADPH et l'énergie fournie par l'ATP. Une molécule de **PGAL** sort du cycle pour trois molécules de CO_2 fixées et elle est convertie en molécules de glucose et en d'autres molécules organiques essentielles.

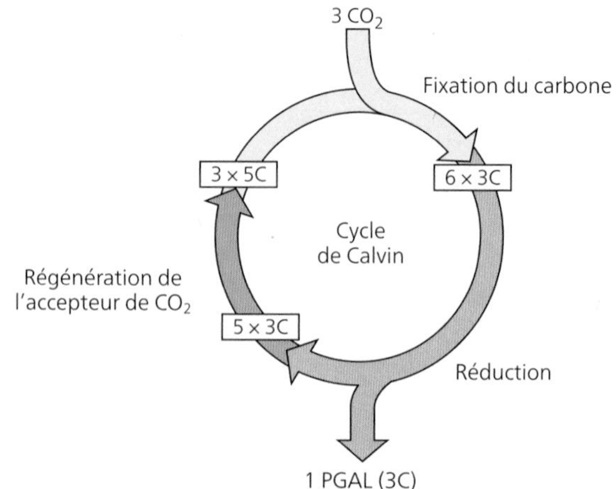

FAITES UN DESSIN ▶ Dans la figure ci-dessus, indiquez où l'ATP et le NADPH sont utilisés et où la rubisco intervient. Décrivez ces étapes.

CONCEPT 10.4

Les climats chauds et arides ont favorisé l'apparition de nouveaux modes de fixation du carbone (p. 219 à 223)

- Par temps chaud et sec, les **plantes de type C_3** ferment leurs stomates afin de prévenir les pertes d'eau tout en gardant le CO_2 à l'extérieur et l'O_2 à l'intérieur. Dans ces conditions, la **photorespiration** peut avoir lieu : la **rubisco** se lie à l'O_2 plutôt qu'au CO_2 ; il y a alors consommation d'ATP et libération de CO_2 sans production d'ATP ni de glucide. Même s'il s'agit probablement d'un vestige de l'évolution, la photorespiration pourrait jouer un rôle photoprotecteur.
- Les **plantes de type C_4** réduisent le coût de la photorespiration en fixant le CO_2 dans un composé à quatre atomes de carbone. Ce processus se déroule dans des cellules spécialisées du mésophylle qui contiennent une enzyme possédant une affinité pour le CO_2 bien supérieure à celle de la rubisco et aucune affinité pour l'O_2. Le composé à quatre atomes de carbone est exporté vers les **cellules de la gaine fasciculaire**, où il libère du CO_2 qui sera utilisé pour le cycle de Calvin.
- Les **plantes de type CAM** ouvrent leurs stomates durant la nuit et fixent le CO_2 dans des acides organiques qu'elles emmagasinent dans les cellules du mésophylle. Pendant la journée, les stomates se ferment et le CO_2 est libéré des acides organiques qui seront métabolisés dans le cycle de Calvin.

? Pourquoi la photosynthèse est-elle plus coûteuse en énergie pour les plantes de type C_4 et de type CAM que la photosynthèse des plantes de type C_3 ? Quelles conditions climatiques favoriseraient les plantes de type C_4 et de type CAM ?

CONCEPT 10.5

La vie dépend de la photosynthèse (p. 224 à 226)

- Les composés organiques dérivés de la photosynthèse fournissent de l'énergie et des matériaux aux écosystèmes de la Terre.

? Expliquez comment toute forme de vie dépend de la photosynthèse.

Évaluation

NIVEAU 1 : CONNAISSANCES ET COMPRÉHENSION

1. Les réactions photochimiques de la photosynthèse fournissent au cycle de Calvin :
a) de l'énergie lumineuse.
b) du CO_2 et de l'ATP.
c) de l'H_2O et du NADPH.
d) de l'ATP et du NADPH.

2. Dans quel ordre le transport des électrons pendant la photosynthèse s'effectue-t-il ?
a) NADPH $\longrightarrow O_2 \longrightarrow CO_2$.
b) $H_2O \longrightarrow$ NADPH $\longrightarrow$ Cycle de Calvin.
c) $H_2O \longrightarrow$ Photosystème I $\longrightarrow$ Photosystème II.
d) NADPH $\longrightarrow$ Chaîne de transport d'électrons $\longrightarrow O_2$.

3. Quelle est la ressemblance entre les adaptations photosynthétiques des plantes de type C_4 et celles des plantes de type CAM ?
a) Dans les deux cas, seul le photosystème I est utilisé.
b) Les deux types de plantes produisent des glucides en dehors du cycle de Calvin.
c) Chez les deux types de plantes, une enzyme autre que la rubisco catalyse la première étape de la fixation du carbone.
d) Les deux types de plantes produisent la majeure partie de leurs glucides dans l'obscurité.

4. Lequel des énoncés suivants exprime une véritable distinction entre les autotrophes et les hétérotrophes ?
a) Les autotrophes, contrairement aux hétérotrophes, sont capables de synthétiser les molécules organiques dont ils ont besoin à partie du CO_2 et d'autres substances inorganiques.
b) Seuls les hétérotrophes ont besoin des composés chimiques présents dans leur milieu.
c) La respiration cellulaire est propre aux hétérotrophes.
d) Seuls les hétérotrophes ont des mitochondries.

5. Quel processus *n'a pas* lieu durant le cycle de Calvin ?
a) La fixation du carbone.
b) L'oxydation du NADPH.
c) La libération d'O_2.
d) La régénération de l'accepteur de CO_2.

NIVEAU 2 : APPLICATION ET ANALYSE

6. Du point de vue de son mécanisme, la photophosphorylation ressemble :
a) à la phosphorylation au niveau du substrat pendant la glycolyse.
b) à la phosphorylation oxydative pendant la respiration cellulaire.
c) à la fixation du carbone.
d) à la réduction du $NADP^+$.

7. Parmi les processus suivants, lequel est alimenté *directement* par l'énergie lumineuse ?
a) L'établissement d'un gradient de pH par un transfert de protons à travers la membrane des thylakoïdes.
b) La réduction des molécules de $NADP^+$.
c) Le transfert d'énergie d'une molécule de pigment à une autre.
d) La synthèse d'ATP.

NIVEAU 3 : SYNTHÈSE ET ÉVALUATION

8. INVESTIGATION

FAITES DES LIENS ▶ La figure ci-dessous représente une expérience réalisée avec des thylakoïdes isolés. On commence par rendre ces organites acides en les plongeant dans une solution dont le pH est de 4. Une fois que le pH de leur espace intrathylakoïdien a atteint 4, on les transfère dans une solution basique dont le pH est de 8. Lorsqu'ils sont placés dans le noir, les thylakoïdes produisent alors de l'ATP. (Voir le concept 3.3 pour réviser la notion de pH.)

Dessinez un agrandissement d'une partie de la membrane d'un thylakoïde dans le bécher qui contient la solution de pH 8. Dessinez l'ATP synthase. Marquez les zones à forte et à faible concentration de H^+. Indiquez la direction du flux de protons à travers l'enzyme et montrez la réaction conduisant à la synthèse de l'ATP. Cette synthèse s'achève-t-elle dans le thylakoïde ou hors de lui ? Expliquez pourquoi les thylakoïdes de cette expérience ont pu fabriquer de l'ATP dans le noir.

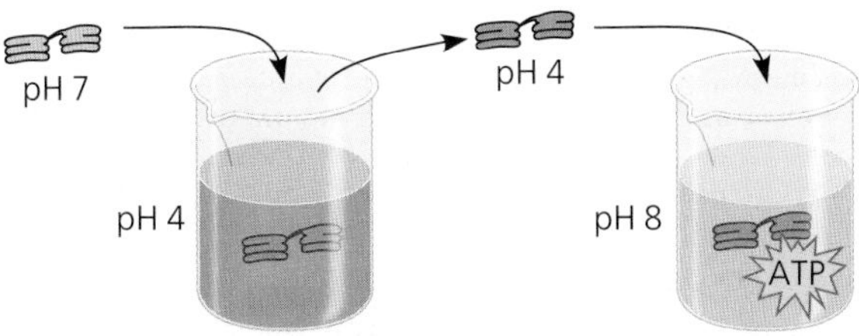

Voir les réponses proposées à l'appendice A.

La communication cellulaire

11

VOS OUTILS
INTERACTIFS

Consultez votre MANUEL NUMÉRIQUE, qui vous donne accès aux **animations**, aux **exercices** et à la plateforme d'**anatomie interactive**.

▲ **Figure 11.1 Comment la communication cellulaire déclenche-t-elle la fuite désespérée de cet impala ?**

CONCEPTS CLÉS

11.1 Les signaux externes sont convertis en réponses à l'intérieur de la cellule

11.2 La réception: une molécule de signalisation se lie à un récepteur protéique et en modifie la forme

11.3 La transduction: des cascades d'interactions moléculaires transmettent les signaux des récepteurs aux molécules cibles intracellulaires

11.4 La réponse: la communication cellulaire aboutit à la régulation de la transcription ou des fonctions cytoplasmiques

11.5 L'apoptose intègre de nombreuses voies de communication cellulaire

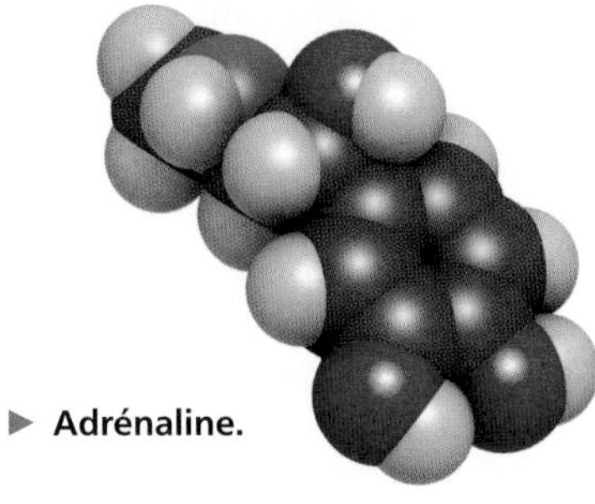

► **Adrénaline.**

La messagerie cellulaire

L'impala (*Aepyceros melampus*) que l'on voit à la **figure 11.1** fuit dans une tentative désespérée d'échapper au guépard (*Acinonyx jubatus*) qui l'a pris en chasse. Sa respiration est rapide, son cœur bat très fort et les muscles de ses pattes fonctionnent à plein régime. Ces modifications physiologiques font partie d'une réaction «de lutte ou de fuite» régulée par les hormones que libèrent les surrénales dans les moments de stress, comme celui où l'impala a décelé l'odeur du guépard. Quels systèmes permettent aux milliards de cellules de l'impala de se «parler» pour coordonner leurs activités ?

Les cellules peuvent communiquer entre elles et interpréter les signaux qu'elles reçoivent des autres cellules et de leur environnement. Il peut s'agir de signaux lumineux ou tactiles, mais ils sont le plus souvent de nature chimique. Ainsi, la réaction de lutte ou de fuite de l'impala de la figure 11.1 est déclenchée par une molécule de signalisation nommée adrénaline (on l'appelle également épinéphrine; voir le modèle compact ci-contre). En étudiant la communication cellulaire, les biologistes ont découvert une foule de preuves qui montrent que toutes les formes de vie terrestre sont reliées et découlent d'une évolution. En effet, le même petit ensemble de mécanismes de communication cellulaire s'observe encore et encore chez les diverses espèces, dans des processus biologiques allant de la signalisation bactérienne au développement embryonnaire en passant par le cancer. Dans le présent chapitre, nous nous concentrerons sur les mécanismes principaux par lesquels les cellules reçoivent et traitent les signaux chimiques envoyés par d'autres cellules, et sur la façon dont elles y répondent. Nous jetterons aussi un coup d'œil sur l'*apoptose*, une forme de mort cellulaire programmée qui intègre de nombreuses voies de communication.

CONCEPT **11.1**

Les signaux externes sont convertis en réponses à l'intérieur de la cellule

Que dit une cellule qui «parle» à une cellule qui «écoute»? Et comment cette dernière fait-elle pour répondre au message? Nous aborderons ces questions en nous penchant d'abord sur la communication entre les microorganismes.

L'évolution de la communication cellulaire

ÉVOLUTION L'un des sujets de «conversation» des cellules est l'activité sexuelle. L'organisme unicellulaire *Saccharomyces cerevisiæ*, une levure qui entre dans la fabrication du pain, du vin et de la bière, reconnaît son partenaire sexuel grâce à des signaux (ou stimulus) chimiques, en l'occurrence des phéromones. Ces substances chimiques sont libérées par un organisme dans le but d'influer sur le comportement d'un autre individu de la même espèce (aux chapitres 46 et 51, nous traiterons de ces questions plus en détail). Chez cette levure, il existe deux types sexuels, que l'on appelle **a** et α (**figure 11.2**). Chaque type sexuel sécrète un facteur de reconnaissance sexuelle spécifique qui se lie seulement aux récepteurs de l'autre type sexuel. Dans les deux cas, il s'agit de cellules haploïdes, c'est-à-dire contenant un seul assortiment de chromosomes, *n* (nous approfondirons cette notion au chapitre 13). Lorsqu'elle est exposée aux facteurs de reconnaissance sexuelle du type sexuel opposé, une cellule de levure change de forme, puis se déplace vers l'autre cellule de levure et fusionne. La nouvelle cellule de type **a/**α contient tous les gènes des deux cellules originales; elle est diploïde. Cette combinaison de gènes procure des avantages aux descendants de la cellule fusionnée qui apparaissent lors de divisions cellulaires subséquentes. Lorsque la nourriture abonde, les cellules diploïdes subissent la mitose et produisent des cellules filles identiques. Au contraire, en cas de pénurie de nourriture, les cellules diploïdes subissent la méiose et produisent chacune quatre cellules filles haploïdes.

▼ Figure 11.2 La communication préalable à la fusion de deux cellules de levure. C'est au moyen d'un signal chimique que les cellules de la levure *Saccharomyces cerevisiæ* identifient le type sexuel de leur partenaire éventuelle et qu'elles amorcent leur fusion. Les deux types sexuels et les signaux chimiques qui leur correspondent, soit les facteurs de reconnaissance sexuelle, sont nommés **a** et α.

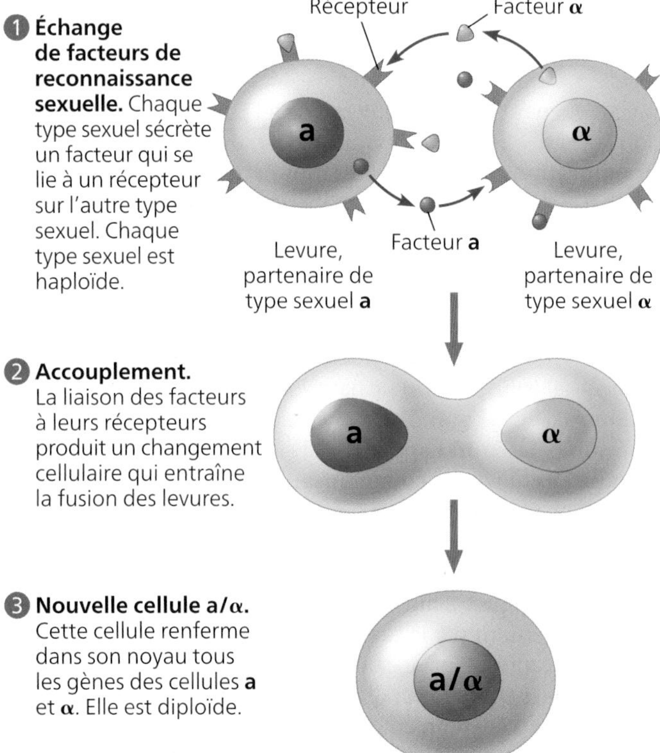

1 Échange de facteurs de reconnaissance sexuelle. Chaque type sexuel sécrète un facteur qui se lie à un récepteur sur l'autre type sexuel. Chaque type sexuel est haploïde.
Récepteur
Facteur α
a
α
Facteur a
Levure, partenaire de type sexuel a
Levure, partenaire de type sexuel α
2 Accouplement. La liaison des facteurs à leurs récepteurs produit un changement cellulaire qui entraîne la fusion des levures.
a
α
3 Nouvelle cellule a/α. Cette cellule renferme dans son noyau tous les gènes des cellules a et α. Elle est diploïde.
a/α

L'adéquation unique entre le facteur de reconnaissance sexuelle et le récepteur du facteur est essentielle pour que s'accouplent uniquement des cellules de la même espèce de levure. Récemment, des chercheurs ont réussi à modifier génétiquement des cellules de levure dont les facteurs et les récepteurs ont été altérés de manière que les protéines altérées puissent se lier les unes aux autres, mais pas aux protéines originales des cellules mères. Les cellules de levure génétiquement modifiées se sont effectivement accouplées les unes avec les autres, et pas avec des cellules de la population parentale. Cette expérience plaide en faveur de l'hypothèse soutenant qu'il est possible de créer de nouvelles espèces en modifiant les gènes qui codent pour les protéines de reconnaissance sexuelle (facteurs et récepteurs).

Une fois le facteur de reconnaissance sexuelle lié au récepteur à la surface de la cellule de levure, comment cette liaison provoque-t-elle la réponse cellulaire de l'accouplement? En fait, cette réponse se déroule en une série d'étapes appelée *voie de transduction du signal*. De telles voies existent tant chez les levures que chez les animaux. En fait, du point de vue moléculaire, la transduction d'un signal chez ces deux types d'organismes est très similaire, bien que leur ancêtre commun le plus proche remonte à plus d'un milliard d'années. Ces similarités donnent à penser que les premiers mécanismes de communication cellulaire sont apparus sur la Terre bien avant l'apparition du premier organisme multicellulaire.

Selon certains scientifiques, les mécanismes de communication se sont manifestés chez de très anciens procaryotes et eucaryotes unicellulaires (comme les levures), puis, au fil de l'évolution, leurs descendants multicellulaires les ont adoptés et utilisés à de nouvelles fins. La communication cellulaire est également d'une importance cruciale chez les procaryotes. Par exemple, les cellules bactériennes sécrètent de petites molécules de communication que d'autres cellules bactériennes peuvent détecter (**figure 11.3**), ce qui leur permet d'évaluer la densité locale des cellules avoisinantes, un phénomène appelé la *détection du quorum*.

Grâce à la détection du quorum, les populations bactériennes peuvent coordonner leurs comportements et rendre possibles des activités qui ne sont productives que si un nombre donné de cellules s'y livrent en synchronie. La formation d'un *biofilm*, agrégation de cellules bactériennes adhérant à une surface, en est un exemple; les cellules du biofilm tirent souvent leur nourriture de la surface où elles se trouvent. Les biofilms vous sont déjà familiers, qu'il s'agisse de la fine couche visqueuse qui se dépose sur les branches et les feuilles tombées au sol en forêt... ou de celle que vous sentez sur vos dents le matin. En fait, les biofilms sont responsables des caries et des maladies des gencives, d'où la nécessité de se brosser les dents et d'utiliser de la soie dentaire pour s'en débarrasser!

▼ **Figure 11.3 La communication entre bactéries.** Les myxobactéries, un ordre de bactéries vivant dans le sol, utilisent des signaux chimiques pour échanger de l'information sur la disponibilité des nutriments. Lorsque les aliments sont rares, les cellules affamées sécrètent une molécule de signalisation qui pousse les bactéries adjacentes à s'agréger, formant ainsi une structure appelée appareil sporifère. Cette structure produit des spores, c'est-à-dire des cellules à paroi épaisse capables de survivre jusqu'à ce que les conditions de l'environnement s'améliorent. Les myxobactéries qu'on voit ici appartiennent à l'espèce *Myxococcus xanthus* (étapes 1 à 3, MEB; photo du bas, MP).

❶ Cellules individuelles en forme de bâtonnets

0,5 mm (20×)

❷ Agrégation en cours

2,5 mm (2,75×)

❸ Structure productrice de spores (appareil sporifère)

Appareils sporifères

La sécrétion de toxines par des bactéries infectieuses est un autre exemple de comportement bactérien qui relève de la détection du quorum et dont l'incidence en médecine est considérable. Parfois, on ne peut venir à bout d'une infection en raison de la résistance que certaines souches bactériennes ont acquise à l'égard des antibiotiques utilisés pour le traitement. Or, une méthode prometteuse pour traiter les infections réfractaires pourrait faire appel au blocage des voies de signalisation utilisées par la détection du quorum. Dans la rubrique **Résolution de problème**, vous aurez l'occasion de prendre part à la démarche scientifique inspirée par cette nouvelle méthode.

La communication à proximité et à distance

Comme les bactéries et les levures, les cellules d'un organisme multicellulaire communiquent généralement en libérant des molécules de signalisation, lesquelles ciblent des cellules adjacentes ou non. Comme on l'a vu aux concepts 6.7 et 7.1, les cellules eucaryotes peuvent communiquer par contact direct, l'une des formes de la communication locale (**figure 11.4**). Ainsi, un contact direct entre les cytoplasmes de cellules adjacentes est assuré par les jonctions ouvertes des cellules animales et par les plasmodesmes des cellules végétales (**figure 11.4a**); les substances de communication dissoutes dans le cytosol peuvent ainsi se propager librement entre cellules voisines. De plus, les cellules animales peuvent établir un contact entre elles par l'entremise de molécules situées à leur surface (**figure 11.4b**). Appelé reconnaissance intercellulaire, ce type de communication joue un rôle crucial dans des processus comme le développement embryonnaire et la réponse immunitaire.

Dans de nombreux autres cas, la cellule qui doit émettre un message sécrète des molécules de signalisation. Certaines de ces molécules parcourent seulement de courtes distances; il s'agit de régulateurs locaux qui agissent sur les cellules avoisinantes. Chez les animaux, cette sorte de communication locale et généralement de courte durée est appelée *communication paracrine* (**figure 11.5a**). Les *facteurs de croissance*, une catégorie de régulateurs locaux que l'on trouve chez les animaux, sont des composés qui incitent des cellules cibles adjacentes à croître et à se diviser. De nombreuses cellules peuvent recevoir des facteurs de croissance libérés par une seule cellule située dans le voisinage et y répondre. Dans certaines situations, il arrive même que les molécules influent sur la cellule qui les a émises: on parle alors de *communication autocrine*.

Le système nerveux des animaux est le siège d'un autre type de communication locale spécialisée, appelée *communication synaptique* (**figure 11.5b**). Un potentiel électrique (signal électrique) propagé le long du neurone déclenche la sécrétion de molécules de neurotransmetteurs. Ces molécules agissent comme des signaux chimiques; elles diffusent dans la fente synaptique – l'espace étroit séparant le neurone et la cellule cible – et provoquent une réponse dans la cellule cible. Chez les végétaux, certaines facettes de la communication locale demeurent mystérieuses. À cause de la paroi cellulaire, les mécanismes de communication locale sont quelque peu distincts de ceux des animaux.

▼ **Figure 11.4 La communication intercellulaire par contact direct.**

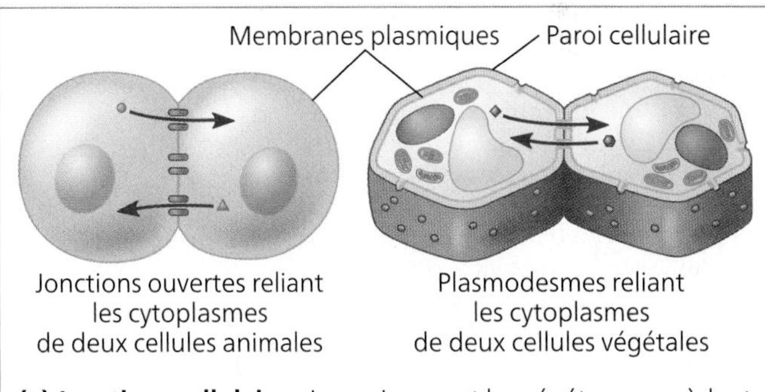

(a) Jonctions cellulaires. Les animaux et les végétaux possèdent des jonctions cellulaires permettant à des molécules, y compris à des molécules de signalisation, de passer directement d'une cellule à une autre qui lui est contiguë, et ce, sans avoir à traverser la membrane plasmique.

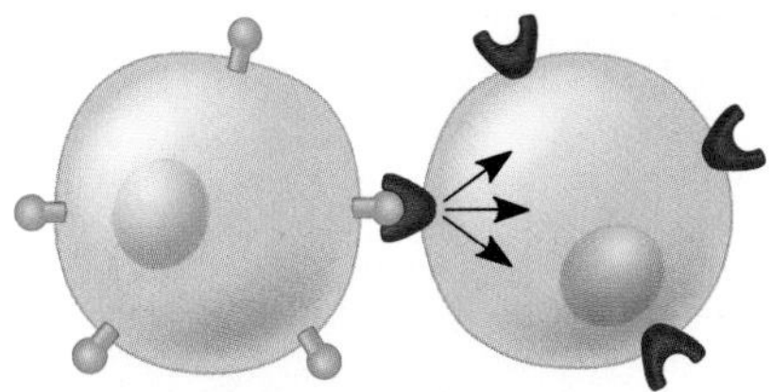

(b) Reconnaissance intercellulaire. Deux cellules animales peuvent établir un contact direct et communiquer entre elles par l'entremise de molécules membranaires.

RÉSOLUTION DE PROBLÈME Une simple lésion cutanée peut-elle devenir fatale ?

« On dirait que cette égratignure que je me suis faite la semaine dernière durant le match s'est infectée. Je me demande si je devrais consulter un médecin ? » Les sports de contact peuvent être éprouvants pour le corps, même si vous êtes en grande forme. Il n'est pas rare que les coups reçus provoquent des lésions cutanées qui finissent par s'infecter. De telles infections peuvent devenir fatales si elles sont causées par une bactérie résistante aux antibiotiques.

L'acronyme SARM signifie *Staphylococcus aureus* résistant à la méthicilline, mais il désigne en réalité les souches bactériennes devenues résistantes à plusieurs types d'antibiotiques, et pas seulement à la méthicilline comme le laisse croire cette abréviation. Heureusement, la plupart des infections staphylococciques ne sont pas résistantes aux antibiotiques et se traitent à l'aide de ces médicaments.

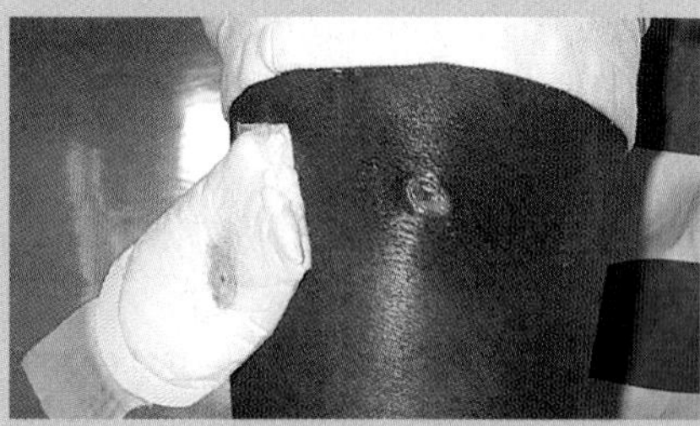

Staphylococcus aureus (*S. aureus*) est une espèce bactérienne commune sans danger quand elle se trouve sur la peau saine, mais qui peut devenir dangereuse si elle s'introduit dans les tissus plus profonds à l'occasion d'une coupure ou d'une égratignure. Une fois à l'intérieur du corps, et si sa population atteint une certaine densité, *S. aureus* se met à sécréter une toxine qui détruit les cellules de l'hôte, provoque une forte inflammation et cause des dommages importants. Comme 1 personne sur 100 est porteuse d'une souche de *S. aureus* résistante aux antibiotiques courants, une infection mineure peut avoir des effets néfastes permanents, voire mortels.

Dans cet exercice, vous allez étudier le mécanisme par lequel les cellules perçoivent la densité de leur propre population (appelé *détection du quorum*) afin de déterminer si le blocage de ce mécanisme permet d'empêcher *S. aureus* de produire sa toxine.

Votre méthode

Pour effectuer votre recherche, vous prenez connaissance des faits suivants. Chez *S. aureus*, la détection du quorum fait intervenir deux voies distinctes de transduction du signal qui mènent éventuellement à la production de la toxine. L'hypothèse de départ est que deux peptides synthétiques (protéines courtes), appelés peptide 1 et peptide 2, pourraient interférer avec ces voies de détection du quorum de *S. aureus*. Votre tâche consiste à tester ces deux inhibiteurs potentiels de la détection du quorum afin de déterminer s'ils bloquent une des deux voies (ou les deux) qui mènent à la production de la toxine.

Pour réaliser votre expérience, vous faites croître quatre cultures de *S. aureus* jusqu'à ce que leur population atteigne une densité élevée prédéterminée, puis vous mesurez la concentration de toxine dans chacune des quatre cultures. La culture témoin ne contient aucun peptide, tandis que dans les trois autres cultures, vous avez introduit dès le départ le peptide 1, le peptide 2 et les deux peptides, respectivement.

Vos données

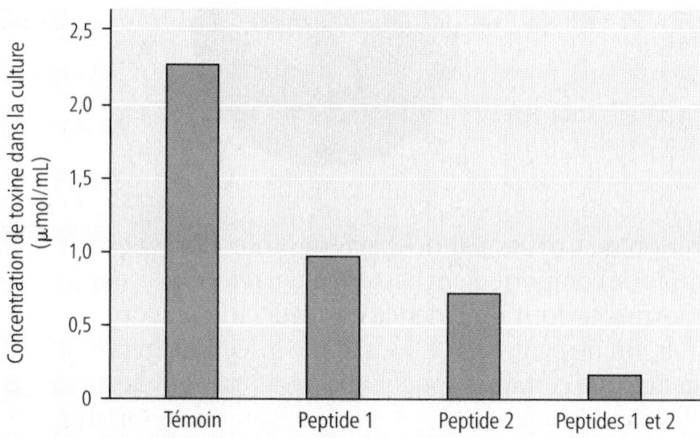

Source des données : N. Balaban et coll., Treatment of *Staphylococcus aureus* biofilm infection by the quorum-sensing inhibitor RIP, *Antimicrobial Agents and Chemotherapy* 51(6) : 2226-2229 (2007).

Votre analyse

1. Classez les cultures selon leur production de toxine, en ordre décroissant.
2. Parmi les cultures renfermant des peptides, y en a-t-il une qui contient une concentration de toxine comparable à celle de la culture témoin ? Comment le savez-vous ?
3. Observez-vous un effet additif sur la production de toxine lorsque les peptides 1 et 2 sont tous deux présents dans le milieu de croissance ? Comment le savez-vous ?
4. À partir des données dont vous disposez, énonceriez-vous l'hypothèse que les peptides 1 et 2 agissent sur la même voie de détection du quorum ou qu'ils agissent sur deux voies différentes ? Expliquez votre raisonnement.
5. Les résultats de cette expérience ouvrent-ils la voie à la possibilité d'un traitement contre les infections par SARM ? Que vous faudrait-il savoir d'autre pour explorer plus avant cette possibilité ?

▼ **Figure 11.5 La communication cellulaire locale ou à distance chez les animaux.** Dans la communication locale ou à distance, seules les cellules cibles reconnaissent le signal chimique et y répondent.

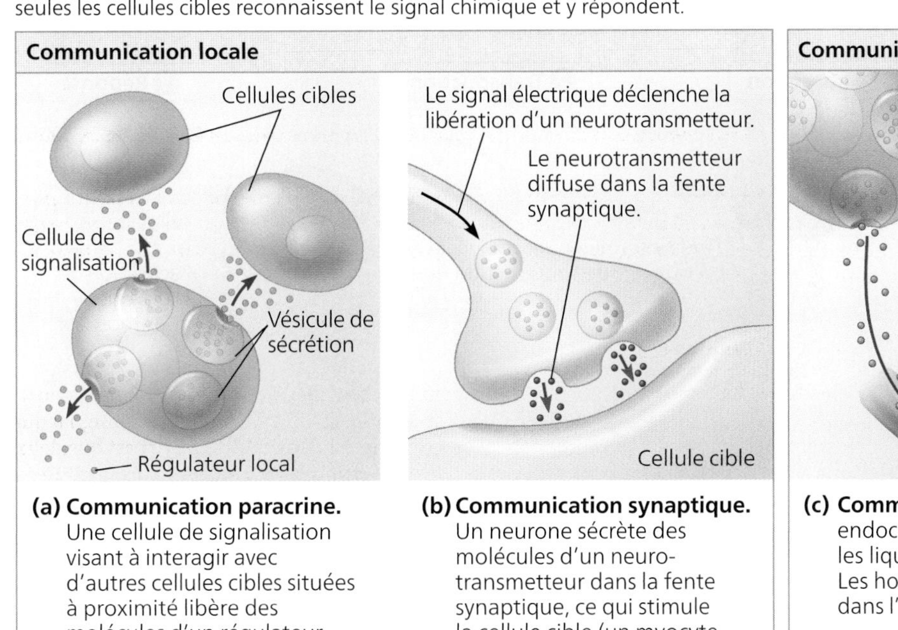

(a) Communication paracrine. Une cellule de signalisation visant à interagir avec d'autres cellules cibles situées à proximité libère des molécules d'un régulateur local (un facteur de croissance, par exemple).

(b) Communication synaptique. Un neurone sécrète des molécules d'un neurotransmetteur dans la fente synaptique, ce qui stimule la cellule cible (un myocyte ou un autre neurone, par exemple).

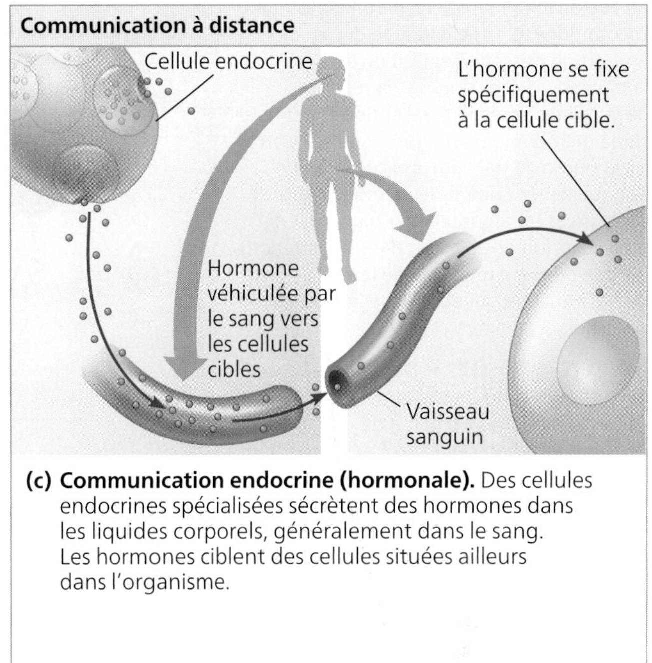

(c) Communication endocrine (hormonale). Des cellules endocrines spécialisées sécrètent des hormones dans les liquides corporels, généralement dans le sang. Les hormones ciblent des cellules situées ailleurs dans l'organisme.

Les animaux, comme les végétaux, font appel à des molécules appelées **hormones** pour communiquer à distance. Au cours de la communication hormonale animale, aussi connue sous le nom de *communication endocrine*, des cellules spécialisées libèrent des hormones dans les vaisseaux du système cardiovasculaire, qui les acheminent vers les cellules cibles (**figure 11.5c**). Les régulateurs de croissance végétaux (souvent appelés *hormones végétales* ou *phytohormones*) empruntent parfois les tissus conducteurs de sève, mais, la plupart du temps, elles atteignent leur destination en passant de cellule en cellule ou diffusent sous forme de gaz dans l'atmosphère (voir le concept 39.2). La taille et la nature des hormones varient, tout comme celles des régulateurs locaux. Par exemple, le régulateur de croissance végétal appelé éthylène, un gaz qui stimule le mûrissement des fruits et qui aide à réguler la croissance, est un hydrocarbure qui contient seulement six atomes (C_2H_4) assez petits pour traverser les parois cellulaires. En comparaison, l'insuline, l'hormone animale qui régule la concentration de glucose sanguin, est une protéine formée de 51 acides aminés et donc de plusieurs centaines d'atomes.

Que se passe-t-il quand une cellule cible potentielle est exposée à un signal ? En fait, la capacité d'une cellule de répondre dépend de la présence ou de l'absence d'une molécule réceptrice spécifique qui peut se lier à la molécule de signalisation. L'information véhiculée par cette liaison, le signal, doit être convertie sous une autre forme – c'est ce qu'on appelle la transduction – à l'intérieur de la cellule pour que cette dernière puisse répondre. Le reste de ce chapitre traite de ce processus, en s'attardant surtout aux cellules animales.

Les trois phases de la communication cellulaire : *un aperçu*

Les travaux pionniers d'Earl W. Sutherland, qui a d'ailleurs reçu un prix Nobel en 1971, sont à l'origine de nos connaissances sur les molécules de signalisation des voies de transduction du signal. Dans les années 1950, Sutherland et ses collègues de la Vanderbilt University ont étudié le mode d'action de l'adrénaline, une hormone animale. Plus précisément, ils se sont demandé comment l'adrénaline déclenchait la réaction « de lutte ou de fuite » en activant l'hydrolyse du glycogène stocké dans les cellules hépatiques ou musculaires. L'hydrolyse du glycogène libère du glucose-1-phosphate, que la cellule transforme en glucose-6-phosphate. Ce dernier, qui constitue un intermédiaire précoce de la glycolyse, peut servir à produire de l'énergie dans les cellules du foie et des muscles (voir la figure 9.9) ; il peut aussi se faire enlever son phosphate et sortir des cellules hépatiques pour se retrouver dans le sang sous forme de glucose destiné à d'autres cellules. Ainsi, en réaction à un stress physique ou émotionnel, l'adrénaline sécrétée par les glandes surrénales mobilise les réserves de combustible, que l'animal peut utiliser pour s'échapper (fuite) ou pour se défendre (lutte). (De toute évidence, l'impala de la figure 11.1 a choisi de fuir.)

L'équipe de Sutherland a découvert que l'adrénaline stimule la dégradation du glycogène en activant indirectement une enzyme cytoplasmique, la glycogène phosphorylase. Toutefois, l'ajout d'adrénaline à un mélange acellulaire contenant cette enzyme et son substrat (le glycogène) ne conduit pas à l'hydrolyse. Cette observation s'explique par le fait que l'hormone active la glycogène phosphorylase seulement lorsqu'elle est ajoutée à une solution physiologique contenant des cellules *intactes*. En se fondant sur ce résultat, Sutherland a tiré deux conclusions. Premièrement, l'adrénaline n'interagit pas directement avec l'enzyme de dégradation du glycogène, ce qui semble indiquer l'existence d'une étape intermédiaire, ou de plusieurs. Deuxièmement, la transmission du signal ne peut s'effectuer qu'en présence d'une cellule intacte et délimitée par une membrane.

Les travaux de Sutherland indiquent que la communication cellulaire comporte trois phases : la réception du signal, la transduction du signal et la réponse (**figure 11.6**).

▶ **Figure 11.6 Une vue d'ensemble de la communication cellulaire.** Du point de vue de la cellule qui reçoit un «message», la communication cellulaire se divise en trois phases: la réception du signal, la transduction du signal et la réponse de la cellule. Lorsque la réception a lieu sur la membrane plasmique, comme illustré ici, la phase de transduction comprend habituellement une série de modifications successives faisant intervenir plusieurs molécules (on en voit trois dans l'illustration). C'est la dernière molécule de la voie de transduction qui déclenche la réponse cellulaire.

HABILETÉS VISUELLES ▶ Dans l'expérience de Sutherland, où devrait-on placer l'adrénaline dans ce schéma de la communication cellulaire ?

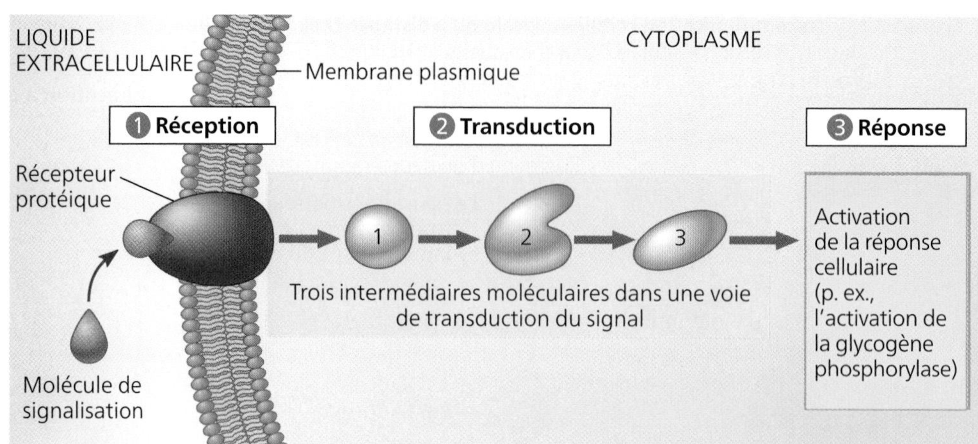

1 Réception. La réception consiste pour une cellule cible à détecter un signal externe. Un signal chimique est « détecté » lorsque la molécule de signalisation se lie à un récepteur protéique, situé à la surface de la cellule cible (ou à l'intérieur, comme nous le verrons plus loin).

2 Transduction. Lorsqu'elle se lie au récepteur protéique, la molécule de signalisation modifie celui-ci de façon à amorcer la phase de transduction. Pendant cette phase, le signal est converti en une forme capable d'engendrer une ou plusieurs réponses cellulaires. Dans le système étudié par Sutherland, l'union de l'adrénaline au récepteur protéique membranaire des cellules hépatiques mène à l'activation de la glycogène phosphorylase dans le cytosol. Parfois, la phase de transduction du signal s'effectue en une seule étape ; la plupart du temps, elle requiert des modifications successives de plusieurs molécules – ce que l'on appelle une **voie de transduction du signal**. Les molécules dans cette voie sont souvent appelées intermédiaires moléculaires ; la figure 11.6 en montre trois exemples.

3 Réponse. Dans la troisième phase, le signal transformé et parfois amplifié déclenche une réponse cellulaire particulière. Celle-ci peut prendre la forme de n'importe quelle activité au sein d'une cellule, notamment la catalyse par une enzyme (comme la glycogène phosphorylase), le réarrangement du cytosquelette ou l'activation de certains gènes du noyau. Grâce à la communication intercellulaire, des fonctions cruciales se produisent dans les cellules appropriées au moment opportun, ce qui garantit la coordination des activités des cellules de l'organisme. Approfondissons maintenant les mécanismes de la communication cellulaire, y compris les mécanismes de mise au point et de cessation de la réponse.

RETOUR SUR LE CONCEPT 11.1

1. Expliquez comment la communication fait en sorte que les cellules de levure ne fusionnent qu'avec des cellules du type sexuel opposé.

2. À l'intérieur des cellules du foie, la glycogène phosphorylase intervient dans une phase de la communication associée à un signal déclenché par l'adrénaline. Laquelle ?

3. **ET SI ?** ▶ Si on mélange de l'adrénaline avec de la glycogène phosphorylase et du glycogène dans une éprouvette contenant une solution acellulaire, obtient-on du glucose-1-phosphate ? Pourquoi ?

Voir les réponses proposées à l'appendice A.

CONCEPT 11.2

La réception: une molécule de signalisation se lie à un récepteur protéique et en modifie la forme

Un routeur sans fil diffuse son signal réseau dans toutes les directions, mais, souvent, seuls les ordinateurs possédant le mot de passe peuvent le capter : la réception du signal dépend du récepteur. De même, les signaux émis par une cellule de levure de type **a** ne sont « entendus » que par ses partenaires sexuelles éventuelles, les cellules α. Dans le cas de l'adrénaline qui circule dans tout le corps de l'impala de la figure 11.1, l'hormone rencontre plusieurs sortes de cellules à mesure qu'elle est véhiculée par le sang, mais elle n'est reconnue que par des cellules bien précises, chez qui elle provoque une réponse. Un récepteur protéique situé à la surface ou à l'intérieur de la cellule cible permet à la cellule de « percevoir » le signal et d'y répondre. Différents types de récepteurs sont associés à différents types de tissus et le nombre de récepteurs d'un type particulier peut varier au cours de la vie d'une cellule pour s'ajuster à ses besoins changeants. Un site spécifique du récepteur et la molécule de signalisation sont en fait complémentaires : ils peuvent se lier à la manière d'une main qui entre dans un gant ou d'un substrat qui se fixe sur le site actif d'une enzyme. La molécule de signalisation se comporte comme un **ligand** ; ce terme décrit une molécule qui s'attache de manière spécifique à une autre molécule, souvent plus grosse. Habituellement, la liaison d'un ligand modifie la forme du récepteur. Pour plusieurs récepteurs, ce changement de forme active le récepteur et déclenche une interaction avec d'autres molécules cellulaires. Cependant, pour d'autres types de récepteurs, la liaison d'un ligand a pour effet immédiat d'aboutir à l'agrégation de deux protéines réceptrices ou plus, ce qui provoque d'autres changements moléculaires dans la cellule. La majorité des récepteurs sont des protéines (glycoprotéines) membranaires, mais d'autres récepteurs sont situés à l'intérieur de la cellule. La section suivante porte sur ces deux types de récepteurs.

Les récepteurs situés dans la membrane plasmique

Les molécules qui constituent les récepteurs transmembranaires à la surface d'une cellule jouent un rôle crucial dans les systèmes biologiques des animaux. Chez l'humain, la plus grande famille de récepteurs de surface est celle des récepteurs couplés à une protéine G (RCPG). Il en existe plus de 800. La **figure 11.7** en montre un exemple. Un autre exemple est le corécepteur que le VIH (virus de l'immunodéficience humaine) détourne pour entrer dans les cellules immunitaires (voir la figure 7.8). Ce RCPG est d'ailleurs la cible du maraviroc, un médicament qui s'avère quelque peu prometteur pour le traitement du sida.

La plupart des molécules de signalisation hydrosolubles se lient à des sites particuliers sur des récepteurs membranaires qui transmettent l'information de l'extérieur de la cellule vers l'intérieur. Nous pouvons maintenant examiner le fonctionnement des récepteurs membranaires en nous penchant sur trois types de récepteurs importants : les récepteurs couplés à une protéine G (RCPG), les récepteurs à activité tyrosine kinase (RTK) et les récepteurs couplés à un canal ionique. Ces trois types de récepteurs sont décrits et illustrés à la **figure 11.8** qui occupe les prochaines pages. Prenez le temps d'étudier ces pages avant de poursuivre l'étude de ce chapitre.

Les récepteurs de surface cellulaire accomplissent beaucoup de fonctions importantes dans les systèmes biologiques, et il n'est donc pas étonnant que leurs dysfonctions soient associées à de nombreuses maladies humaines, notamment le cancer, les maladies cardiaques et l'asthme. Pour mieux comprendre et mieux traiter ces maladies, les équipes de recherche des universités et des entreprises pharmaceutiques ont consacré beaucoup de ressources à l'étude de la structure et de la fonction des récepteurs de surface cellulaire.

Pourtant, même si les récepteurs de surface cellulaire représentent 30 % de toutes les protéines humaines, il s'est avéré difficile de caractériser leur structure : à ce jour, les récepteurs de surface cellulaire ne représentent que 1 % des protéines dont on a réussi à établir la structure grâce à la radiocristallographie (voir la figure 5.21). Il faut dire que les récepteurs de surface sont souvent flexibles et foncièrement instables, et donc difficiles à cristalliser. Il a fallu des années de travail acharné aux chercheurs pour arriver à déterminer la structure des quelques premiers récepteurs, comme le RCPG illustré à la figure 11.7. Dans ce cas précis, le récepteur β-adrénergique était suffisamment stable pour être cristallisé, mais seulement lorsqu'il se trouvait parmi des molécules membranaires et en présence d'une molécule imitant son ligand.

Le fonctionnement anormal des récepteurs à activité tyrosine kinase (RTK) est associé à de nombreux types de cancers. Par exemple, le pronostic est plus pessimiste chez les patientes atteintes de cancer du sein qui présentent des taux excessifs d'un récepteur à activité tyrosine kinase appelé HER2 (voir la fin du concept 12.3 et la figure 18.27). En recourant à des techniques de biologie moléculaire, les chercheurs ont mis au point une protéine appelée trastuzumab, qui se lie au HER2 sur les cellules et inhibe leur division, ce qui enraie le développement tumoral. Des études cliniques indiquent que le taux de survie des patientes traitées par le trastuzumab s'est amélioré de plus du tiers. L'un des objectifs des recherches en cours sur ces récepteurs de surface et autres protéines de communication cellulaire est la mise au point de nouveaux traitements plus efficaces.

▼ **Figure 11.7 La structure d'un récepteur couplé à une protéine G (RCPG).** L'illustration montre un modèle de récepteur β_2-adrénergique humain qui se lie à l'adrénaline et qu'on a pu cristalliser en présence d'une molécule similaire à l'adrénaline (en vert) et de cholestérol dans la membrane (en orange). Remarquez aussi (de chaque côté) deux molécules réceptrices (en bleu) en forme de ruban. La caféine peut aussi se lier à ce récepteur ; reportez-vous à la question 10 à la fin du présent chapitre.

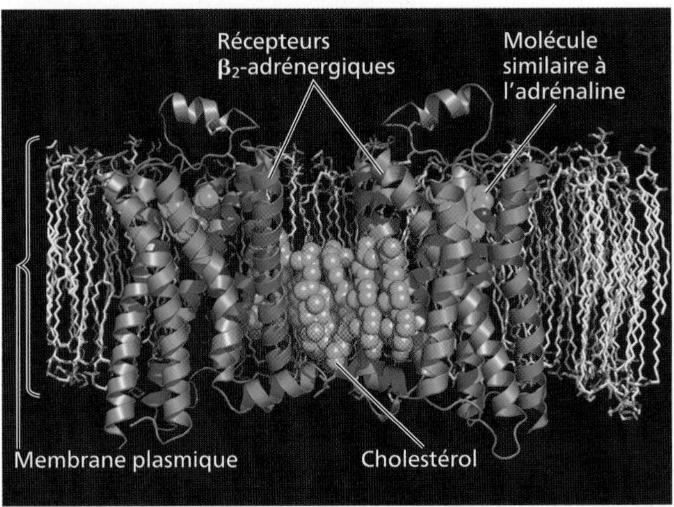

Les récepteurs intracellulaires

Les récepteurs protéiques intracellulaires logent soit dans le cytoplasme, soit dans le noyau des cellules cibles. Pour les atteindre, les molécules de signalisation doivent traverser la membrane plasmique de la cellule cible. Beaucoup de molécules de signalisation importantes y parviennent parce qu'elles sont suffisamment hydrophobes (liposolubles) ou suffisamment petites pour traverser les phospholipides (voir le concept 7.1). Parmi les molécules de signalisation hydrophobes, citons les hormones stéroïdes et thyroïdiennes animales et la vitamine D. Le monoxyde d'azote (NO) est une autre molécule de signalisation reconnue par un récepteur intracellulaire ; la molécule de ce gaz est très petite et se glisse aisément entre les phospholipides membranaires. Le NO intervient notamment dans la dilatation des vaisseaux sanguins, la contraction des parois de l'intestin et l'érection. Une fois qu'une hormone est à l'intérieur d'une cellule, sa liaison avec un récepteur intracellulaire transforme ce récepteur en complexe récepteur d'hormone capable de déclencher une réponse, c'est-à-dire, dans beaucoup de cas, d'activer ou de désactiver certains gènes.

Le comportement de l'aldostérone est représentatif du fonctionnement des hormones stéroïdes. Sécrétée par les cellules des glandes surrénales situées juste au-dessus des reins, l'aldostérone circule dans le sang et pénètre dans toutes les cellules du corps. Toutefois, seules les cellules cibles y répondent, c'est-à-dire les

▼ Figure 11.8

PANORAMA Les récepteurs de surface transmembranaires

Les récepteurs couplés à une protéine G

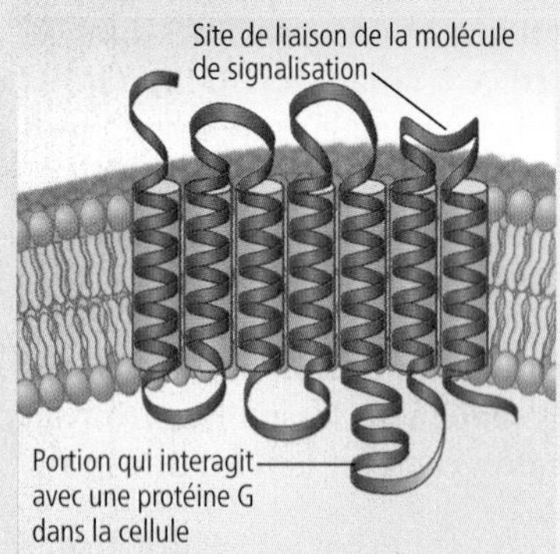

Récepteur couplé à une protéine G

Un **récepteur couplé à une protéine G** (RCPG) est un récepteur de surface transmembranaire qui fonctionne à l'aide de la **protéine G,** laquelle se lie à la molécule GTP riche en énergie. Beaucoup de molécules de signalisation se lient aux RCPG, notamment les facteurs de reconnaissance sexuelle des levures et les neurotransmetteurs ainsi que l'adrénaline et de nombreuses autres hormones.

Bien que la similarité de leur structure soit frappante, ces récepteurs diffèrent par leur site de liaison à leur ligand et par leur capacité à reconnaître différentes protéines G internes. Les RCPG constituent une grande famille de récepteurs des cellules eucaryotes et se caractérisent par leur structure secondaire composée d'un polypeptide (représenté ici par un modèle en ruban) replié en sept hélices α transmembranaires (schématisées par des cylindres et disposées côte à côte par souci de clarté). Les boucles entre les hélices (ici, celles à droite) forment les sites de liaison des molécules de signalisation extracellulaires ou des protéines G intracellulaires.

Les systèmes comportant des RCPG sont très répandus et remplissent des fonctions très variées. Ils jouent notamment un rôle important dans le développement de l'embryon, l'immunité et la réception des sensations. Chez les humains, par exemple, le fonctionnement des sens (comme la vue, l'odorat et le goût) dépend des RCPG (voir le concept 50.4). Les diverses protéines G ainsi que les récepteurs qui y sont couplés ont une structure apparentée qui laisse croire qu'ils sont apparus très tôt dans l'évolution chez les eucaryotes.

Beaucoup de maladies humaines, incluant les infections bactériennes, impliquent un dysfonctionnement des protéines G associées. Par exemple, les bactéries responsables du choléra (*Vibrio choleræ*), de la coqueluche (*Bordetella pertussis*) et du botulisme (*Clostridium botulinum*) sécrètent des toxines qui nuisent au bon fonctionnement des protéines G. Jusqu'à 60 % de tous les médicaments utilisés de nos jours exercent leurs effets grâce à leur action sur les voies où les protéines G interviennent.

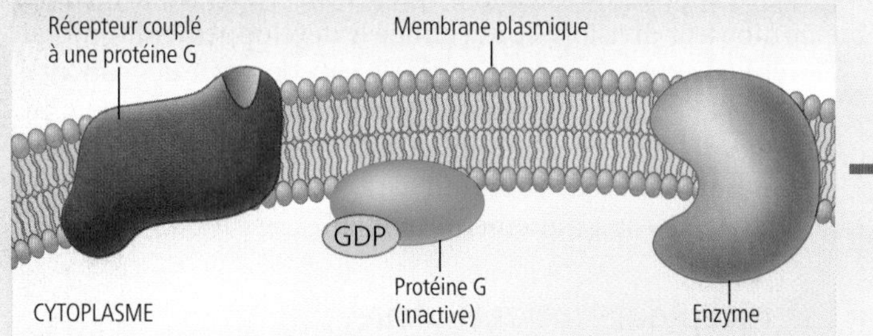

❶ Retenue au récepteur sur le côté cytoplasmique de la membrane par des liaisons suffisamment faibles pour permettre le déplacement, la protéine G fonctionne comme un interrupteur qui est activé ou inactivé selon le nucléotide qui y est attaché : elle est inactivée par le GDP (guanosine diphosphate), mais activée par le GTP (guanosine triphosphate). (C'est la guanosine qui a donné son nom à la «protéine G».) Le récepteur et la protéine G agissent conjointement avec une autre protéine, habituellement une enzyme.

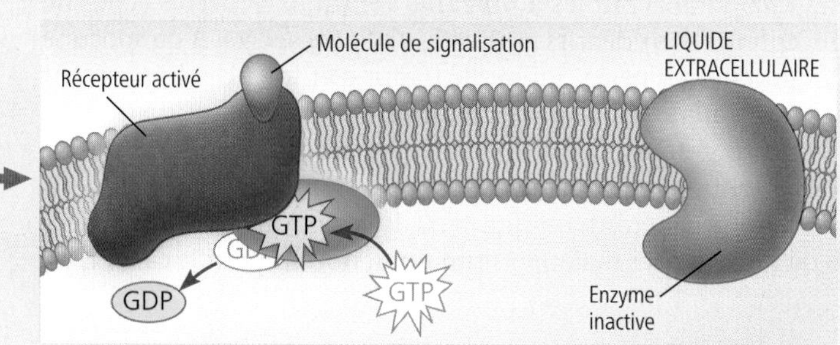

❷ Lorsque la molécule de signalisation se lie à la partie extracellulaire du récepteur, celui-ci est activé et change de forme. La protéine G change aussi de forme et se lie à une molécule de GTP (celle-ci prend la place d'une molécule de GDP). La protéine G se trouve ainsi activée.

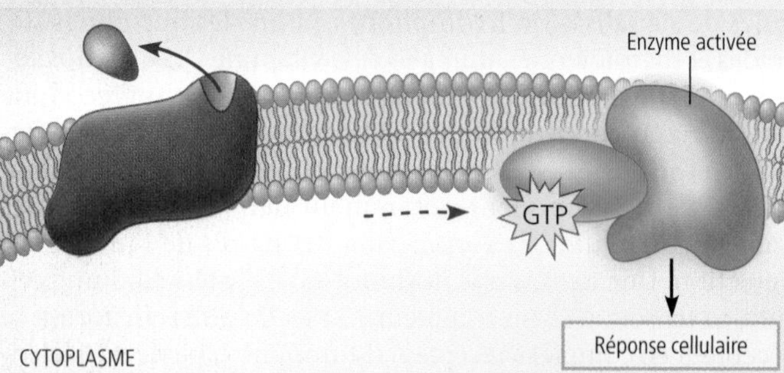

❸ La protéine G activée se détache du récepteur, diffuse le long de la membrane, puis se lie à une enzyme dont elle modifie la forme et l'activité. Une fois activée, l'enzyme peut déclencher l'étape suivante, entraînant une réponse cellulaire. Les molécules de signalisation se lient de manière réversible : comme les autres ligands, elles se lient et se dissocient plusieurs fois. La concentration du ligand à l'extérieur de la cellule détermine combien de fois ce ligand se lie et communique un signal.

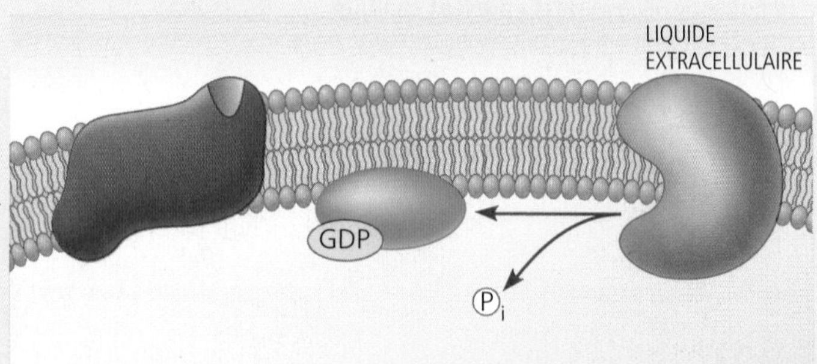

❹ Les changements au sein de l'enzyme et de la protéine G sont temporaires, car une des sous-unités de la protéine G agit également comme une GTPase (une enzyme) : elle hydrolyse le GTP qui lui est fixée en GDP et en P_i. Elle se trouve ainsi inactivée, et elle se libère de l'enzyme. Les sous-unités de la protéine G se réassocient et celle-ci est à nouveau disponible. La GTPase permet d'arrêter rapidement la transduction à l'arrêt du signal, c'est-à-dire lorsque la molécule de signalisation n'est plus présente.

Les récepteurs à activité tyrosine kinase

Le **récepteur à activité tyrosine kinase** (RTK) appartient à l'une des principales familles de récepteurs membranaires : les récepteurs enzymatiques. Un RTK est une *protéine kinase*, c'est-à-dire une enzyme qui catalyse le transfert de groupements phosphate. Le *domaine* (région d'une protéine) du récepteur qui donne sur le cytoplasme agit plus spécifiquement comme une tyrosine kinase, une enzyme qui catalyse le transfert d'un groupement phosphate de l'ATP à l'acide aminé tyrosine d'une protéine. En somme, les RTK sont des récepteurs membranaires enzymatiques qui attachent du phosphate aux molécules de tyrosine. Les végétaux ont des récepteurs similaires, quoique leurs kinases agissent sur les sérines et les thréonines.

Une fois lié à un ligand tel qu'un facteur de croissance, un seul RTK peut activer simultanément plus de 10 protéines intracellulaires différentes et déclencher autant de voies de transduction et de réponses cellulaires. Souvent, deux ou plusieurs voies de transduction du signal peuvent se déclencher en même temps, ce qui aide la cellule à réguler et à coordonner de nombreux aspects de la croissance et de la reproduction cellulaires. La distinction fondamentale entre les RCPG et les RTK repose sur la capacité de ces derniers à déclencher différentes voies, alors que les RCPG n'activent habituellement qu'une seule voie de transduction du signal. Ainsi, l'insuline, qui se fixe à un récepteur de ce type, agit sur le glucose en amenant les molécules de transport du glucose vers la membrane plasmique ; elle peut également stimuler la synthèse de protéines ou de lipides, la division cellulaire et la transcription de gènes particuliers. Certains cancers résultent de la présence de RTK déficients qui fonctionnent même en l'absence de ligand et laissent les cellules se multiplier de façon anarchique.

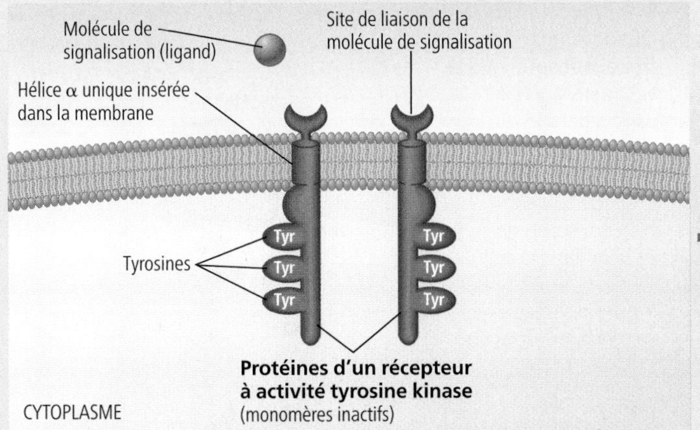

1 De nombreux récepteurs à activité tyrosine kinase ont une structure identique à celle de cette figure. Avant que les molécules de signalisation se lient à eux, les récepteurs à activité tyrosine kinase existent sous la forme de polypeptides individuels (monomères). Chaque monomère possède un site de liaison extracellulaire, une seule hélice α traversant la membrane et une queue intracellulaire constituée de plusieurs molécules de tyrosine.

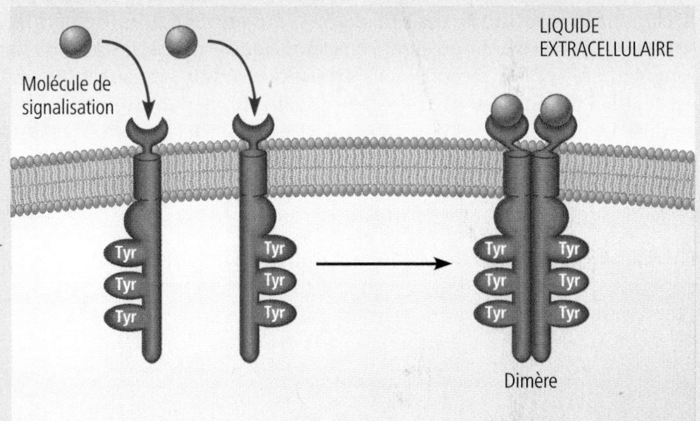

2 La liaison d'une molécule de signalisation (un facteur de croissance, par exemple) entraîne un rapprochement puis l'association étroite de deux polypeptides récepteurs, ce qui forme un dimère au cours d'un processus appelé dimérisation. (Dans certains cas, des amas plus volumineux se forment. L'association des monomères fait l'objet de recherches à l'heure actuelle.)

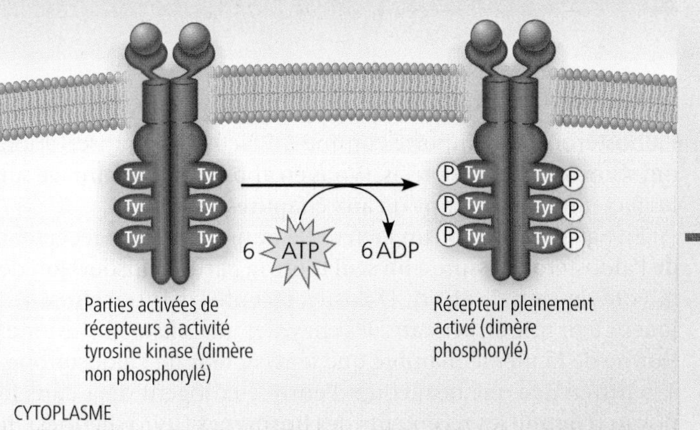

3 La dimérisation active la tyrosine kinase de chaque polypeptide. Chacune de ces enzymes ajoute alors un groupement phosphate provenant d'une molécule d'ATP aux tyrosines de la queue de l'autre polypeptide, ce qui produit une réaction d'autophosphorylation.

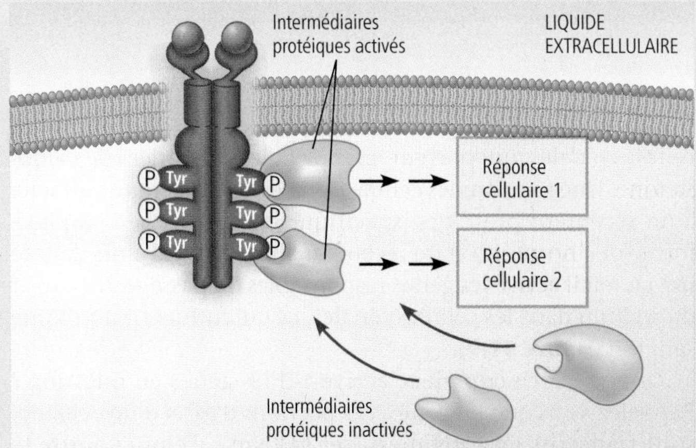

4 Maintenant qu'il est activé, le récepteur est reconnu par des intermédiaires protéiques intracellulaires spécifiques. Chaque intermédiaire protéique se fixe à une tyrosine phosphorylée particulière et il s'active en changeant de forme. Chaque protéine activée amorce une voie de transduction qui aboutit à une réponse cellulaire.

Suite ▶

▼ Figure 11.8

PANORAMA Les récepteurs de surface transmembranaires (*suite*)

Les récepteurs couplés à un canal ionique

Un **canal ionique ligand-dépendant** (aussi appelé canal ionique à ouverture régulée par un ligand ou encore récepteur ionotrope) est un type de récepteur membranaire doté d'un canal protéique qui sert d'« écluse » quand le récepteur change de forme. Lorsqu'un ligand se lie à ce type de récepteur, le canal protéique s'ouvre ou se ferme de manière sélective pour faire pénétrer ou non des ions tels que Na^+, K^+ ou Ca^{2+}. Comme les autres récepteurs que nous venons d'étudier, les récepteurs couplés à un canal ionique fixent leur ligand sur un site particulier de leur domaine extracellulaire.

Les canaux ioniques à ouverture régulée jouent un rôle crucial dans le système nerveux. Par exemple, les neurotransmetteurs agissant comme ligands et libérés à la synapse reliant deux neurones (voir la figure 11.5b) se lient aux canaux ioniques de la cellule réceptrice, ce qui déclenche l'ouverture de ces canaux. Les ions entrent alors (ou parfois sortent) et déclenchent un signal électrique qui se propage sur toute la longueur de la cellule réceptrice. L'ouverture de certains canaux ioniques est régulée par un potentiel électrique plutôt que par un ligand ; ces canaux ioniques dits voltage-dépendants (tensiodépendants) jouent également un rôle essentiel dans le fonctionnement du système nerveux, comme nous le verrons au chapitre 48. Certains canaux ioniques sont présents sur les membranes d'organites, comme le RE.

FAITES DES LIENS ▶ Le flux d'ions dans un canal ionique ligand-dépendant est-il un exemple de transport actif ou de transport passif ? (Revoyez les concepts 7.3 et 7.4.)

1 Ici, on voit un récepteur couplé à un canal ionique ligand-dépendant qui demeure fermé jusqu'à ce qu'un ligand s'y lie.

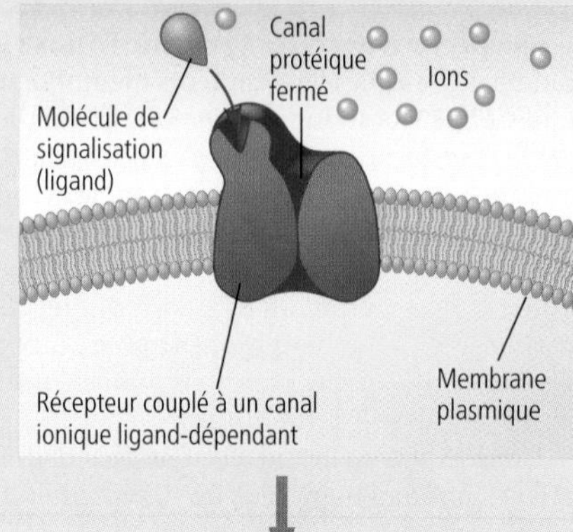

2 Quand le ligand se fixe au récepteur, le canal s'ouvre à un ion particulier. Ce passage provoque une modification immédiate de la concentration de cet ion dans la cellule. Ce changement peut influer directement sur certaines fonctions cellulaires.

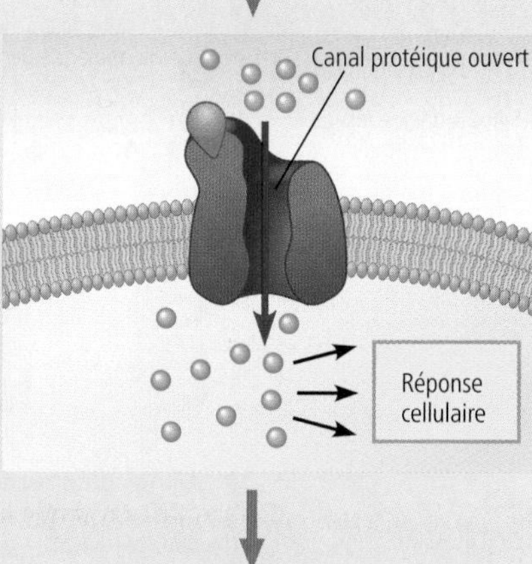

3 Quand le ligand se dissocie du récepteur, le canal protéique se referme et bloque le passage aux ions.

Canal protéique fermé

cellules rénales, qui portent les molécules réceptrices de l'aldostérone. Une fois dans les cellules rénales, l'aldostérone s'attache à un récepteur protéique spécifique et l'active. Le complexe formé de l'hormone et du récepteur activé se rend alors dans le noyau, où il active les gènes responsables du passage de l'eau et du sodium dans les cellules rénales, ce qui influe sur le volume sanguin (**figure 11.9**).

Comment ce complexe active-t-il les gènes en question ? Rappelez-vous que les gènes, ces portions d'ADN d'une cellule, sont transcrits en ARN messager (ARNm). Celui-ci quitte le noyau pour être traduit en une protéine spécifique par les ribosomes cytoplasmiques (voir la figure 5.22). Des protéines spécialisées appelées *facteurs de transcription* déterminent les gènes à activer, c'est-à-dire qui seront transcrits en ARNm à un moment précis, dans une cellule donnée. Une fois activé, le récepteur de l'aldostérone se comporte comme un facteur de transcription qui stimule des gènes précis. (Vous en apprendrez davantage sur les facteurs de transcription aux chapitres 17 et 18.)

En agissant comme un facteur de transcription, le récepteur de l'aldostérone assure à lui seul toute la partie transduction de la voie de signalisation. D'autres récepteurs intracellulaires jouent leur rôle en activant des enzymes, mais la majorité fonctionne de la même manière que le récepteur de l'aldostérone, à la différence que beaucoup d'entre eux logent déjà dans le noyau (comme les récepteurs des hormones thyroïdiennes). Il est intéressant de noter la similarité de structure de plusieurs récepteurs intracellulaires. Cette similitude évoque une origine commune au regard de l'évolution. Au chapitre 45, nous examinerons en détail les hormones qui se fixent aux récepteurs intracellulaires.

▼ **Figure 11.9 L'interaction entre une hormone stéroïde et un récepteur intracellulaire.**

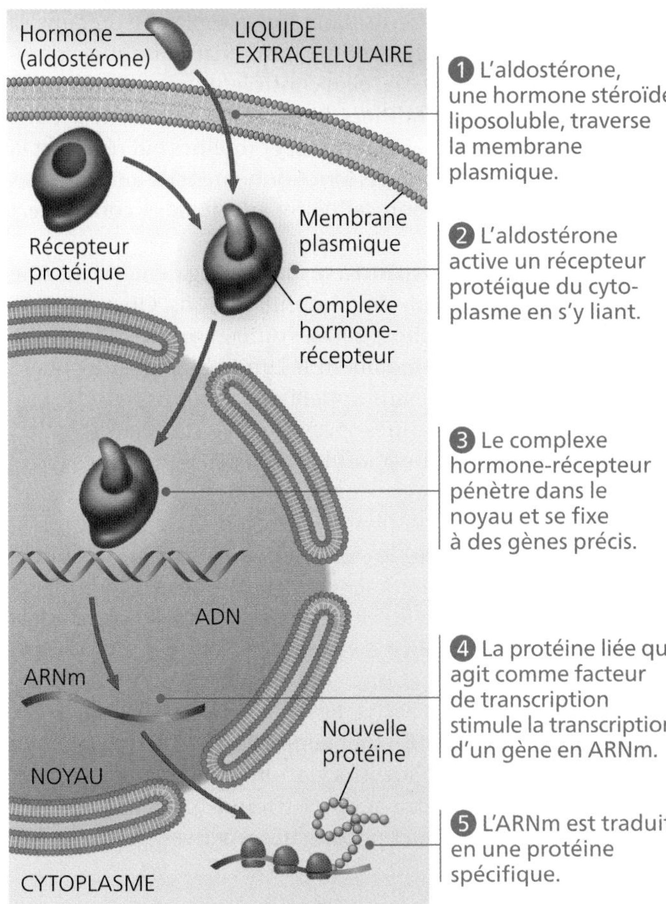

❶ L'aldostérone, une hormone stéroïde liposoluble, traverse la membrane plasmique.

❷ L'aldostérone active un récepteur protéique du cytoplasme en s'y liant.

❸ Le complexe hormone-récepteur pénètre dans le noyau et se fixe à des gènes précis.

❹ La protéine liée qui agit comme facteur de transcription stimule la transcription d'un gène en ARNm.

❺ L'ARNm est traduit en une protéine spécifique.

FAITES DES LIENS ▶ Pourquoi l'hormone aldostérone pénètre-t-elle dans la cellule sans l'intervention d'une protéine réceptrice de surface ?

RETOUR SUR LE CONCEPT **11.2**

1. Le facteur de croissance neuronal (*nerve growth factor*, ou NGF) est une molécule de signalisation hydrosoluble. À votre avis, le récepteur du NGF est-il situé dans la cellule ou dans la membrane plasmique ? Pourquoi ?
2. **ET SI ?** ▶ Que se passerait-il si une cellule fabriquait des protéines réceptrices à activité tyrosine kinase incapables de dimérisation ?
3. **FAITES DES LIENS** ▶ En quoi la liaison avec un ligand est-elle similaire au processus de régulation allostérique des enzymes ? (Reportez-vous à la figure 8.20.)

Voir les réponses proposées à l'appendice A.

CONCEPT **11.3**

La transduction : des cascades d'interactions moléculaires transmettent les signaux des récepteurs aux molécules cibles intracellulaires

Quand les récepteurs des molécules de signalisation sont des protéines membranaires, comme c'est le cas de la plupart des récepteurs que nous avons étudiés, la transduction du signal comporte une série d'étapes à laquelle participent beaucoup de molécules. Ces étapes comportent souvent l'activation de protéines par l'ajout ou le retrait de groupements phosphate ou par la libération d'autres petites molécules ou d'ions agissant comme molécules de signalisation. Ces étapes multiples ont l'avantage de permettre une amplification considérable d'un signal. Par exemple, si chaque molécule transmet un signal à de nombreuses molécules de l'étape subséquente, il en résulte une augmentation exponentielle du nombre de molécules activées à la fin de la voie (voir la figure 11.16). En outre, contrairement aux voies plus simples, les voies à multiples étapes facilitent la coordination et la régulation, ce qui permet de régler plus précisément la réponse, comme nous le verrons plus loin dans ce chapitre.

Les voies de transduction du signal

La liaison d'une molécule de signalisation à un récepteur membranaire déclenche la première étape de la voie de transduction, c'est-à-dire de la chaîne d'interactions moléculaires qui provoque la réponse cellulaire. Le récepteur activé stimule une autre protéine, qui active à son tour une autre molécule, et ainsi de suite, jusqu'au déclenchement de l'activation de la protéine responsable de la réponse cellulaire (effet en cascade). Les molécules intermédiaires qui transmettent l'« information » sont généralement des protéines. Les interactions entre protéines sont fondamentales dans la communication cellulaire. De fait, toute la régulation cellulaire repose sur des interactions protéiques.

Gardez à l'esprit que la molécule de signalisation ne se déplace pas physiquement le long de la voie de transduction. La plupart du temps, elle ne pénètre même pas dans la cellule. Les intermédiaires se transmettent l'information et non la molécule captée par le récepteur. À chaque étape de la voie, les produits prennent une forme différente de celle des réactifs. Souvent, ce changement de forme est dû à une phosphorylation.

La phosphorylation et la déphosphorylation des protéines

Dans les chapitres précédents, nous avons vu qu'une protéine peut être activée par l'ajout d'un ou de plusieurs groupements phosphate (voir la figure 8.10a). À la figure 11.8, nous avons exposé le rôle de la phosphorylation dans l'activation des récepteurs à activité tyrosine kinase. La phosphorylation et la déphosphorylation des protéines sont des mécanismes cellulaires régulateurs de l'activité protéique très répandus. On appelle généralement **protéine kinase** une enzyme qui transfère des groupements phosphate de l'ATP vers une protéine. Plus particulièrement, une kinase échange le groupement phosphate contre un groupement hydroxyle (OH) d'un acide aminé qui en contient dans sa chaîne latérale ; ce sont les acides aminés polaires sérine, thréonine et tyrosine (voir la figure 5.14) qui interviennent dans ces échanges. Rappelez-vous qu'un récepteur à activité tyrosine kinase est un type particulier de kinase qui phosphoryle les tyrosines de l'autre récepteur à activité tyrosine kinase dans un dimère. Cependant, la majorité des protéines kinases cytoplasmiques agissent sur des protéines différentes d'elles-mêmes. Autre particularité, la plupart de ces enzymes phosphorylent leurs substrats sur des sérines ou des thréonines, plutôt que sur des tyrosines. Ces sérines ou thréonines kinases interviennent largement dans les voies de transduction dans les cellules animales et végétales, ainsi que chez les eumycètes.

De nombreux intermédiaires des différentes voies sont des protéines kinases, qui agissent souvent sur d'autres protéines kinases se trouvant sur la même voie. La **figure 11.10** décrit une voie hypothétique constituée de deux protéines kinases différentes créant une **cascade de phosphorylations**. La séquence d'étapes illustrée dans cette figure ressemble à beaucoup de voies connues, notamment à celles que les facteurs de reconnaissance sexuelle déclenchent chez les cellules de levures et à celles que de nombreux facteurs de croissance stimulent dans les cellules animales. L'activation engendrée par un signal se transmet par une cascade de phosphorylations protéiques; chaque phosphorylation entraîne un changement de forme de la protéine phosphorylée résultant de l'interaction entre le groupement phosphate chargé et des acides aminés polaires ou chargés sur la protéine en cours de phosphorylation (voir la figure 5.14). Sous l'effet de ce changement, la fonction de la protéine se modifie; le plus souvent, il activera cette fonction, mais il arrive que la phosphorylation la *diminue*. Par ailleurs, des chercheurs ont récemment montré que la phosphorylation ne produit pas toujours que deux états de la substance phosphorylée, comme un interrupteur qui ne pourrait être qu'à la position OUVERT (forme activée) ou à la position FERMÉ (forme inhibée). En effet, on a découvert qu'une protéine pouvait comporter un nombre variable de sites phosphorylés, ce qui lui permet d'agir à la manière d'un rhéostat qui module une activité cellulaire par le biais de phosphorylations graduelles.

Près de 2 % de nos gènes codent pour des protéines kinases, ce qui est considérable. Une seule cellule peut en contenir plusieurs centaines de types différents dans son cytoplasme ou dans sa membrane plasmique, chacune phosphorylant un substrat protéique particulier. Ensemble, elles contrôlent probablement une proportion élevée des milliers de protéines renfermées dans une cellule. Parmi celles-ci figurent les protéines qui régissent la division cellulaire. Le mauvais fonctionnement de telles kinases cause souvent une division cellulaire anormale et contribue à l'apparition des cancers.

Les **protéines phosphatases** jouent également un rôle important dans la cascade de phosphorylations. On a identifié plus d'une centaine de phosphatases différentes chez l'humain. Ces enzymes retirent rapidement les groupements phosphate des protéines, un processus appelé déphosphorylation; certaines phosphatases sont très spécifiques quant à leur substrat, alors que d'autres déphosphorylent plusieurs protéines différentes. Lorsqu'elles inactivent des protéines kinases en les déphosphorylant, les phosphatases désactivent la voie de transduction du signal quand le signal initial disparaît. Les phosphatases rendent également les protéines kinases disponibles à nouveau, ce qui permet à la cellule de répondre une nouvelle fois à un signal extracellulaire. Le système de phosphorylation-déphosphorylation agit donc comme un interrupteur moléculaire qui active ou inactive les processus en cours dans la cellule, selon les besoins. En tout temps, l'activité d'une protéine donnée contrôlée par phosphorylation repose sur l'équilibre, au sein de la cellule, entre la proportion de protéines kinases actives et celle de protéines phosphatases actives.

▶ Figure 11.10 Une cascade de phosphorylations. Dans une cascade de phosphorylations, une variété de molécules protéiques sont phosphorylées tour à tour: chacune ajoute un groupement phosphate à la protéine située en aval. Ici, la phosphorylation active chaque protéine, et la déphosphorylation la ramène à sa forme inactive. Pour vous rappeler que les molécules changent généralement de forme lorsqu'elles sont activées, nous vous présentons les protéines actives et les protéines inactives sous des formes différentes.

ET SI ? ▶ Qu'arriverait-il si une mutation dans la protéine kinase 2 la rendait incapable d'être phosphorylée ?

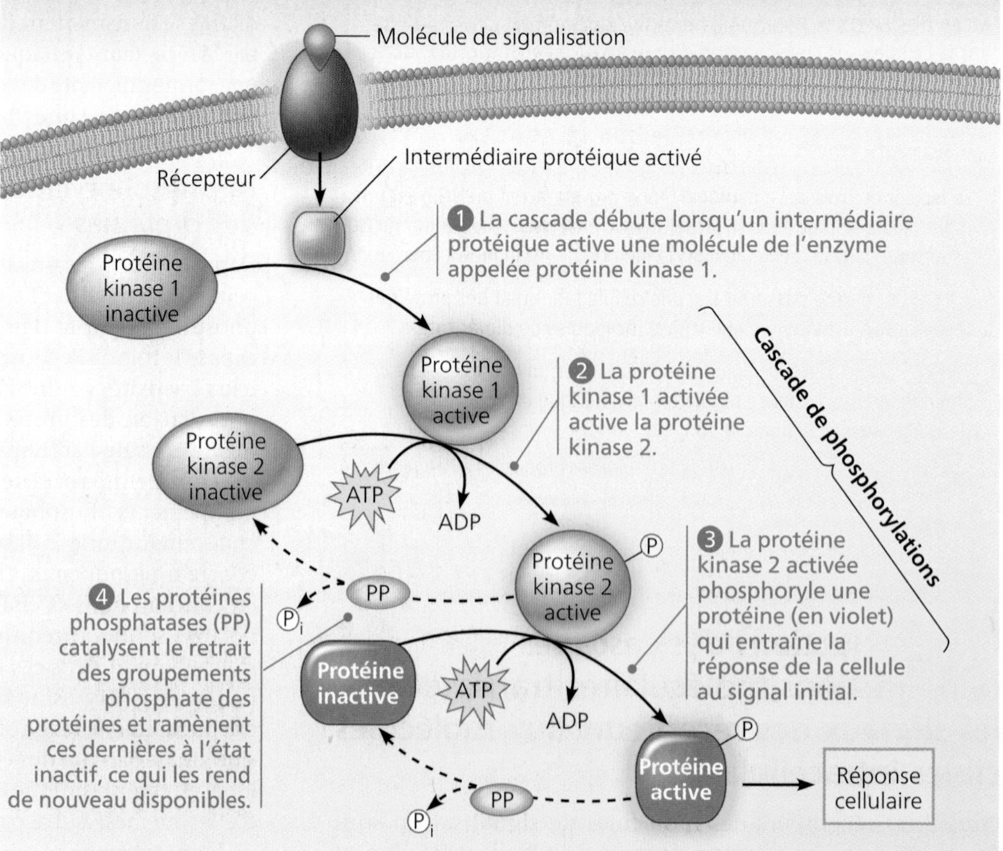

Molécule de signalisation
Récepteur
Intermédiaire protéique activé
1 La cascade débute lorsqu'un intermédiaire protéique active une molécule de l'enzyme appelée protéine kinase 1.
Protéine kinase 1 inactive
Protéine kinase 1 active
2 La protéine kinase 1 activée active la protéine kinase 2.
Cascade de phosphorylations
Protéine kinase 2 inactive
ATP
ADP
Protéine kinase 2 active
P
PP
Pi
3 La protéine kinase 2 activée phosphoryle une protéine (en violet) qui entraîne la réponse de la cellule au signal initial.
4 Les protéines phosphatases (PP) catalysent le retrait des groupements phosphate des protéines et ramènent ces dernières à l'état inactif, ce qui les rend de nouveau disponibles.
Protéine inactive
Protéine active
Réponse cellulaire

Les petites molécules et les ions servant de seconds messagers

Tous les éléments d'une voie de transduction du signal ne sont pas nécessairement des protéines. De petites molécules solubles d'origine non protéique et des ions interviennent aussi dans de nombreuses voies de transduction. Ils sont appelés **seconds messagers**, par opposition aux « premiers messagers » que sont les molécules de signalisation extracellulaires (les ligands) qui s'attachent aux récepteurs membranaires. Étant donné leur petite taille et leur hydrosolubilité, ils diffusent facilement dans le milieu intracellulaire. Par exemple, un second messager appelé AMP cyclique transmet l'information du signal généré par l'adrénaline à travers la membrane plasmique d'une cellule hépatique ou musculaire jusqu'à son cytoplasme. Cette opération déclenche la dégradation du glycogène à l'intérieur de la cellule cible. Les seconds messagers prennent part aux voies amorcées par les récepteurs couplés à une protéine G et à celles amorcées par les récepteurs à activité tyrosine kinase. Les deux seconds messagers les plus courants sont l'AMP cyclique et les ions calcium (Ca^{2+}). La variation de la concentration cytosolique de ces substances influe sur une grande variété d'intermédiaires protéiques.

L'AMP cyclique

Après avoir établi que l'adrénaline cause la dégradation du glycogène à l'intérieur d'une cellule, et ce, sans traverser la membrane plasmique, Earl Sutherland s'est mis à chercher un « second messager » (l'expression est de lui) responsable de la transmission de l'information entre la membrane plasmique et les voies métaboliques du cytoplasme.

Sutherland a constaté que la fixation de l'adrénaline à la membrane plasmique des cellules hépatiques provoque l'augmentation de la concentration cytosolique d'**AMP cyclique** (ou **AMPc** : adénosine monophosphate cyclique). Comme le montre la **figure 11.11**, l'**adénylate cyclase**, une enzyme enchâssée dans la membrane plasmique transforme l'ATP en AMPc en réponse à un signal extracellulaire – l'adrénaline dans le cas qui nous concerne. Toutefois, l'adrénaline ne stimule pas directement l'adénylate cyclase. Quand l'adrénaline extracellulaire se lie à un RCPG, c'est ce dernier qui active l'adénylate cyclase, laquelle peut alors catalyser la synthèse de nombreuses molécules d'AMPc. Ainsi, la concentration cellulaire d'AMPc peut devenir 20 fois plus grande en quelques secondes. L'AMPc transmet l'information au cytoplasme. En l'absence d'adrénaline, la durée de vie de l'AMPc est très courte, car l'enzyme phosphodiestérase convertit l'AMPc en un produit inactif, l'AMP. Il faut qu'une nouvelle poussée d'adrénaline se produise pour augmenter de nouveau la concentration cytosolique de l'AMPc.

Des recherches ultérieures ont montré que l'adrénaline et de nombreuses autres molécules de signalisation entraînent l'activation de l'adénylate cyclase par des protéines G et la formation d'AMPc (**figure 11.12**). L'effet immédiat habituel de l'AMPc est l'activation d'une sérine-thréonine kinase appelée *protéine kinase A* (PKA). L'AMPc se fixe à un site allostérique d'une sous-unité de régulation de la PKA (voir le concept 8.5). Celle-ci phosphoryle alors d'autres protéines, dont la nature dépend de la cellule. Les protéines phosphorylées peuvent donc varier selon le type de cellule, de sorte que les réponses produites seront différentes : c'est ce qui explique qu'une même hormone puisse induire des réponses différentes selon le type de tissu sur lequel elle agit. (La voie conduisant à la dégradation de glycogène en réponse à une stimulation provoquée par l'adrénaline dans les cellules hépatiques est illustrée à la figure 11.16.)

Des mécanismes mettant en jeu des protéines G *inhibant* l'adénylate cyclase permettent de réguler plus finement le métabolisme cellulaire. Dans ces systèmes, une molécule de signalisation spécifique active un récepteur qui active à son tour une protéine G *inhibitrice* qui bloque l'activation de l'adénylate cyclase.

Maintenant que nous connaissons le rôle de l'AMPc dans les voies de transduction faisant intervenir des protéines G, nous pouvons expliquer, sur le plan moléculaire, l'étiologie de certaines maladies d'origine bactérienne. Prenons l'exemple du choléra, une maladie contagieuse qu'on attrape lorsqu'on boit de l'eau contaminée par des matières fécales de personnes contaminées. La maladie est causée par le vibrion cholérique, *Vibrio choleræ*, une bactérie qui sécrète une toxine et qui colonise les cellules épithéliales de l'intestin grêle (en y formant un biofilm). La toxine cholérique est constituée d'une enzyme qui modifie chimiquement une protéine G régulant la sécrétion d'eau et de sels dans la lumière intestinale. Incapable d'hydrolyser le GTP en GDP, la protéine G modifiée demeure active et stimule continuellement l'adénylate cyclase, qui ne cesse de produire de l'AMPc (voir la question de la figure 11.12). Sous l'effet de ces concentrations élevées d'AMPc, les intestins se mettent à sécréter

▼ **Figure 11.11 L'AMP cyclique.** L'adénylate cyclase, une enzyme de la membrane plasmique, produit le second messager AMP cyclique (AMPc) et le pyrophosphate (deux phosphates inorganiques liés) à partir de l'ATP. Notez que le groupement phosphate de l'AMPc est attaché au carbone 5′ autant qu'au carbone 3′ ; la molécule tire son nom de cette disposition cyclique. La molécule d'AMPc est inactivée par la phosphodiestérase, une enzyme qui la transforme en AMP.

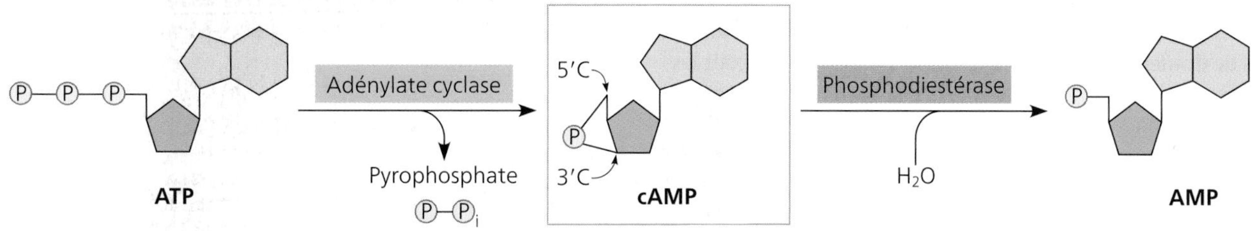

ET SI ? ▶ Que se passerait-il si on introduisait dans la cellule une molécule qui inactive la phosphodiestérase ?

▼ **Figure 11.12 L'AMPc, un second messager dans une voie de transduction où les protéines G interviennent.**

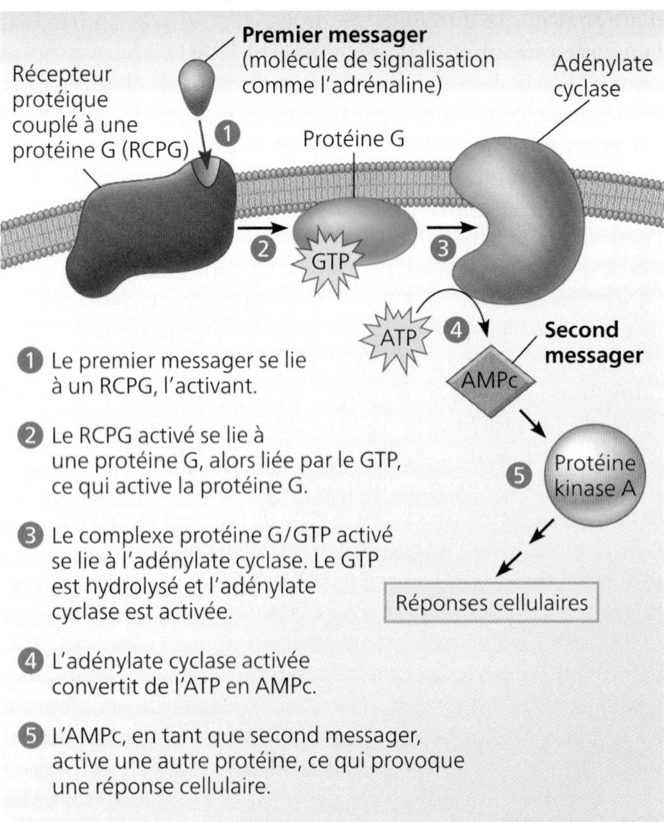

Premier messager
(molécule de signalisation comme l'adrénaline)
Récepteur protéique couplé à une protéine G (RCPG)
Adénylate cyclase
Protéine G
GTP
ATP
AMPc
Second messager
Protéine kinase A
Réponses cellulaires
1 Le premier messager se lie à un RCPG, l'activant.
2 Le RCPG activé se lie à une protéine G, alors liée par le GTP, ce qui active la protéine G.
3 Le complexe protéine G/GTP activé se lie à l'adénylate cyclase. Le GTP est hydrolysé et l'adénylate cyclase est activée.
4 L'adénylate cyclase activée convertit de l'ATP en AMPc.
5 L'AMPc, en tant que second messager, active une autre protéine, ce qui provoque une réponse cellulaire.

FAITES UN DESSIN ▶ La bactérie qui cause le choléra produit une toxine qui maintient la protéine G dans son état activé. Réexaminez la figure 11.8, puis redessinez la figure ci-dessus en y indiquant les modifications causées par la présence de la toxine du choléra. (Vous n'avez pas besoin de dessiner la molécule de la toxine.)

d'énormes quantités de sels qui entraînent l'eau par osmose. Cette eau passe dans les selles, causant rapidement une diarrhée intense qui peut être mortelle si elle n'est pas traitée.

La recherche sur les voies de transduction faisant intervenir l'AMP cyclique ou des messagers apparentés a permis de mettre au point des traitements pour certaines maladies humaines. Une de ces voies de transduction utilise le *GMP cyclique*, ou *GMPc*, une molécule de communication semblable à l'AMPc qui est produite par une cellule musculaire en réponse au monoxyde d'azote (NO) après que celui-ci a été libéré par une cellule voisine. Le GMPc agit alors comme un second messager et favorise notamment la relaxation des muscles lisses, comme ceux des parois artérielles. Un composé issu de cette recherche inhibe l'enzyme qui catalyse l'hydrolyse du GMPc en GMP, ce qui a pour effet de maintenir une concentration élevée de GMPc et de prolonger le signal. À l'origine, on prescrivait ce produit aux personnes atteintes de douleurs thoraciques (angine) parce qu'il relaxait les vaisseaux sanguins et augmentait la circulation sanguine vers le cœur. Commercialisé sous le nom de Viagra, ce composé est maintenant un traitement très connu de la dysfonction érectile. Le Viagra, ainsi que d'autres médicaments du même genre, provoque une dilatation des vaisseaux sanguins, ce qui accroît l'apport sanguin vers le pénis, créant de ce fait des conditions physiologiques favorables à l'érection.

Les ions calcium et l'inositol triphosphate

Chez les animaux, un grand nombre de molécules de signalisation, notamment les neurotransmetteurs, les facteurs de croissance et certaines hormones, suscitent des réponses cellulaires grâce à des voies de transduction du signal qui augmentent la concentration cytosolique d'ions calcium (Ca^{2+}). Bien que l'AMPc ait été découvert en premier, les recherches ont montré que le calcium est un second messager beaucoup plus commun que l'AMPc. L'augmentation de la concentration d'ions Ca^{2+} peut déclencher plusieurs types de réponses chez les cellules animales, notamment la contraction, l'exocytose de molécules (sécrétion) ou la division cellulaire. Chez les cellules végétales, toutes sortes de signaux hormonaux et environnementaux provoquent de brèves augmentations de la concentration de Ca^{2+} dans le cytosol, ce qui amorce diverses voies de transduction, par exemple celle du verdissement en réaction à la lumière (voir la figure 39.4). Que ce soit dans les cellules animales ou végétales, le calcium réalise ses différentes fonctions en s'unissant d'abord à une protéine comme la calmoduline. En se liant à quatre ions calcium, la molécule de calmoduline change sa forme, ce qui la rend apte à activer d'autres protéines cellulaires, notamment des kinases. Les cellules utilisent ce second messager dans les voies activées par des RCPG et des RTK.

Bien que les cellules contiennent toujours du calcium, celui-ci peut agir en tant que second messager parce que, en temps normal, sa concentration dans le cytosol est beaucoup plus faible que sa concentration extracellulaire (**figure 11.13**). De

▼ **Figure 11.13 La régulation de la concentration de calcium dans le cytosol des cellules eucaryotes.** La concentration de calcium dans le cytosol est habituellement beaucoup plus faible (partie en orangé clair) que la concentration de calcium dans le liquide extracellulaire ou dans le RE (en vert). En effet, des pompes protéiques alimentées par l'ATP et insérées dans la membrane plasmique et dans la membrane du RE transportent le calcium du cytosol à l'extérieur de la cellule et dans la lumière du RE. Quant aux pompes mitochondriales, elles fonctionnent grâce à la chimiosmose (voir le concept 9.4). Elles transfèrent les ions Ca^{2+} à l'intérieur des mitochondries quand la concentration cytosolique augmente sensiblement.

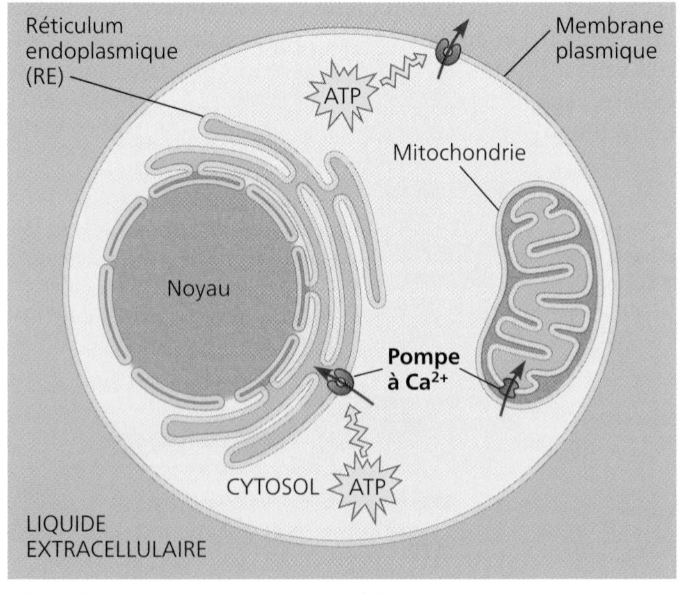

fait, la quantité de Ca^{2+} dans le sang et à l'extérieur des cellules est souvent 10 000 fois supérieure à celle du cytosol. Des pompes protéiques transportent activement les ions calcium hors de la cellule, ou encore du cytosol au réticulum endoplasmique ou à la vacuole (et, dans certaines conditions, aux mitochondries et aux chloroplastes). Par conséquent, la concentration de calcium dans le RE ou dans la vacuole est habituellement bien supérieure à celle du cytosol. Comme ce dernier contient une faible concentration de calcium, une toute petite augmentation ou une diminution infime du nombre de ses ions calcium modifie de manière importante la concentration de cet élément.

En réponse à un signal et grâce à un mécanisme libérant des ions Ca^{2+} du RE ou de la vacuole, la concentration de calcium peut augmenter dans le cytosol. Une des voies qui conduisent à cet état fait intervenir deux autres seconds messagers, l'**inositol triphosphate** (**IP_3**) et le **diacylglycérol** (**DAG**). Ceux-ci dérivent de l'hydrolyse d'un phospholipide particulier de la membrane plasmique, le PIP_2 (phosphatidylinositol 4,5-diphosphate). La **figure 11.14** illustre comment un signal conduit l'IP_3 à stimuler la libération de calcium par le RE. Puisque l'IP_3 agit avant le calcium dans cette voie, ce dernier pourrait être considéré comme un *troisième messager*. Cependant, les scientifiques utilisent le terme *second messager* pour décrire tout élément non protéique de petite taille qui joue un rôle dans les voies de transduction du signal.

RETOUR SUR LE CONCEPT 11.3

1. Qu'est-ce qu'une protéine kinase et quel est son rôle dans une voie de transduction du signal ?
2. Lorsqu'une voie de transduction du signal fait intervenir une cascade de phosphorylations, comment la réponse cellulaire prend-elle fin ?
3. En quoi consiste le véritable «signal» qui subit une transduction dans toutes les voies, comme celles que montrent les figures 11.6 et 11.10 ? De quelle manière cette information est-elle transmise de l'extérieur à l'intérieur de la cellule ?
4. **ET SI ?** ▶ Supposez que vous exposez une cellule à un ligand qui se lie à un récepteur et active la phospholipase C. Prédisez l'effet que le canal calcique ligand-dépendant à ouverture régulée par l'IP_3 aurait sur la concentration de Ca^{2+} dans le cytosol.

Voir les réponses proposées à l'appendice A.

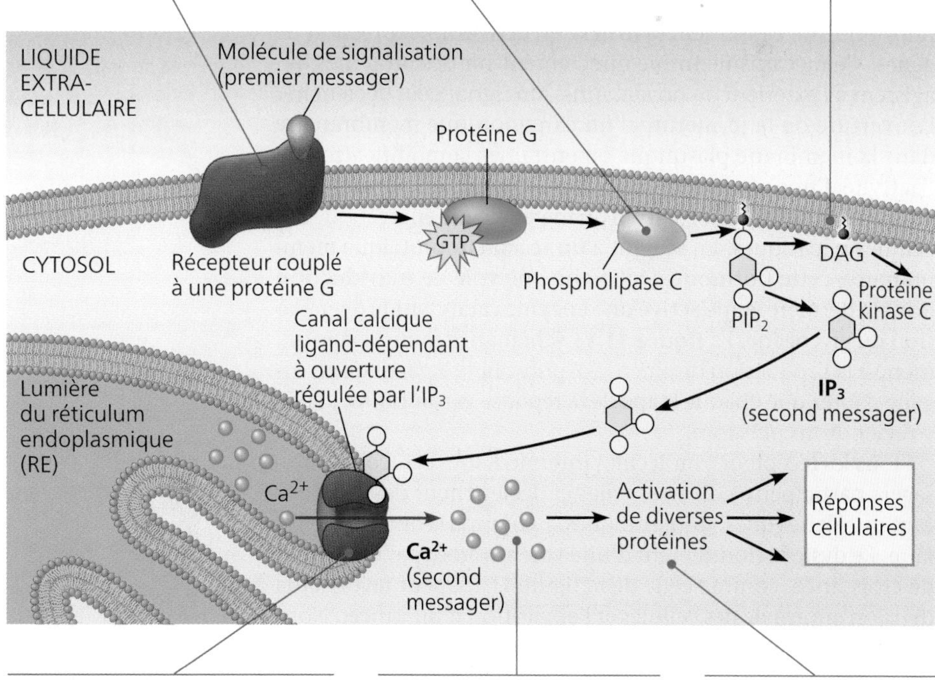

1 Une molécule de signalisation se lie à un récepteur, ce qui active la phospholipase C, du côté interne de la membrane.
2 La phospholipase C scinde un phospholipide de la membrane plasmique appelé PIP2 en DAG et en IP3.
3 Le DAG, molécule hydrophobe, reste près de la membrane et y joue un rôle de second messager; il active la protéine kinase C dans d'autres voies de transduction (non illustrées) intervenant dans le contrôle de la croissance et de la différenciation cellulaire.
LIQUIDE EXTRA-CELLULAIRE
Molécule de signalisation (premier messager)
Protéine G
GTP
CYTOSOL
Récepteur couplé à une protéine G
Phospholipase C
DAG
PIP2
Protéine kinase C
Canal calcique ligand-dépendant à ouverture régulée par l'IP3
IP3 (second messager)
Lumière du réticulum endoplasmique (RE)
Ca2+
Activation de diverses protéines
Réponses cellulaires
Ca2+ (second messager)
4 L'IP3 diffuse rapidement dans le cytosol, où il se lie à un canal protéique spécifique inséré dans la membrane du RE et réservé au déplacement du calcium. Cette liaison déclenche l'ouverture du canal.
5 Les ions calcium quittent le RE dans le sens de leur gradient de concentration; celle-ci augmente alors dans le cytosol.
6 Les ions calcium activent la protéine de l'étape subséquente d'une ou de plusieurs voies de transduction.

▶ **Figure 11.14 Le rôle du calcium et de l'inositol triphosphate dans les voies de transduction du signal.** Les ions calcium (Ca^{2+}) et l'inositol triphosphate (IP_3) sont des seconds messagers dans beaucoup de voies de transduction du signal. Dans cette figure, la transmission de l'information est amorcée par la liaison d'une molécule de signalisation sur un récepteur couplé à une protéine G. Un récepteur à activité tyrosine kinase (non illustré) peut également amorcer cette voie en activant la phospholipase C.

CONCEPT **11.4**

La réponse: la communication cellulaire aboutit à la régulation de la transcription ou des fonctions cytoplasmiques

Examinons maintenant la réponse de la cellule au signal extracellulaire transporté par la molécule de signalisation. Quelle est la nature de la dernière phase de la communication cellulaire?

Les réponses cytoplasmiques et nucléaires

De nombreuses voies de transduction du signal aboutissent à la régulation d'une ou de plusieurs fonctions cellulaires. À la fin de la voie, la réponse peut avoir lieu dans le noyau ou dans le cytoplasme de la cellule.

Un grand nombre de voies de transduction aboutissent à la régulation de la *synthèse* de protéines, habituellement par l'activation ou la désactivation de gènes particuliers dans le noyau. À l'instar d'un récepteur de stéroïdes activé (voir la figure 11.9), la dernière molécule activée d'une voie de transduction peut servir de facteur de transcription. La **figure 11.15** illustre l'exemple d'une voie de transduction qui active un facteur de transcription, lequel active à son tour un gène. La réponse au signal du facteur de transcription est la synthèse d'une ou de plusieurs molécules d'ARNm spécifiques, lesquelles seront traduites dans le cytoplasme en protéines spécifiques. Dans d'autres cas, le facteur de transcription peut réguler un gène en le désactivant. Souvent, le facteur de transcription régule plusieurs gènes différents.

Parfois, une voie de transduction régule l'*activité* de protéines plutôt que de causer leur synthèse en activant l'expression de gènes. Ce mécanisme influe directement sur des protéines qui agissent à l'extérieur du noyau. Ainsi, un signal peut déclencher l'ouverture ou la fermeture d'un canal ionique membranaire dans la membrane plasmique ou entraîner la modification de l'activité d'une enzyme métabolique. Comme on l'a vu, l'adrénaline contribue à la régulation du métabolisme énergétique des cellules hépatiques. En se liant à un récepteur protéique membranaire, cette hormone déclenche une voie de transduction dont la dernière étape active une enzyme catalysant la dégradation du glycogène. La **figure 11.16** schématise toute la voie qui mène à la production de glucose-1-phosphate à partir de glycogène. Notez que chaque étape de la réponse est amplifiée; nous y reviendrons plus loin.

Tous les récepteurs, molécules intermédiaires et seconds messagers participent à diverses voies et déclenchent des réponses tant nucléaires que cytoplasmiques, y compris la division cellulaire. Le dysfonctionnement d'une voie amorcée par un facteur de croissance, comme celle de la figure 11.15, peut favoriser la division anormale des cellules et l'apparition d'un cancer. Nous y reviendrons au concept 18.5.

La régulation de la réponse cellulaire

Qu'elle se produise dans le noyau ou dans le cytoplasme, la réponse n'est pas seulement activée ou inactivée. L'ampleur et la spécificité de la réponse sont régulées de multiples manières. Nous examinerons ici quatre aspects de cette régulation. Premièrement, on l'a vu, les voies de signalisation ont habituellement pour effet d'amplifier la réponse cellulaire à l'égard d'un seul événement de signalisation. Le degré d'amplification dépend de la fonction du type de molécules se trouvant dans la voie. Deuxièmement, les nombreuses étapes d'une voie à étapes multiples constituent autant de points de contrôle qui permettent de réguler plus finement la réponse cellulaire et, donc, de la rendre plus spécifique et d'en améliorer la coordination avec d'autres voies de signalisation. Troisièmement, la présence de protéines appelées *protéines d'échafaudage* augmente l'efficacité de la réponse. Quatrièmement, la cessation du signal est une étape cruciale du réglage de la réponse cellulaire.

L'amplification du signal

Une cascade enzymatique élaborée amplifie la réponse de la cellule à un signal, car le nombre de produits activés augmente à chaque étape catalysée. Par exemple, dans la voie déclenchée par l'adrénaline à la figure 11.16, chaque molécule d'adénylate cyclase catalyse la formation d'une centaine de molécules d'AMPc; chaque molécule de protéine kinase A phosphoryle une

▼ **Figure 11.15 La réponse du noyau à un signal extracellulaire: l'activation d'un gène précis par un facteur de croissance.** Ce schéma montre une voie de transduction typique menant à la régulation d'un gène dans le noyau. La molécule de signalisation, ici un facteur de croissance, déclenche une cascade de phosphorylations, comme dans la figure 11.10. (Les molécules d'ATP et les groupements phosphate ne sont pas illustrés.) Une fois phosphorylée, la dernière kinase de la séquence pénètre dans le noyau et active un facteur de transcription, lequel stimule la transcription d'un gène (ou de gènes) en particulier, ce qui donne lieu à la synthèse d'un ARNm. Cet ARNm dirige ensuite la synthèse d'une protéine bien précise.

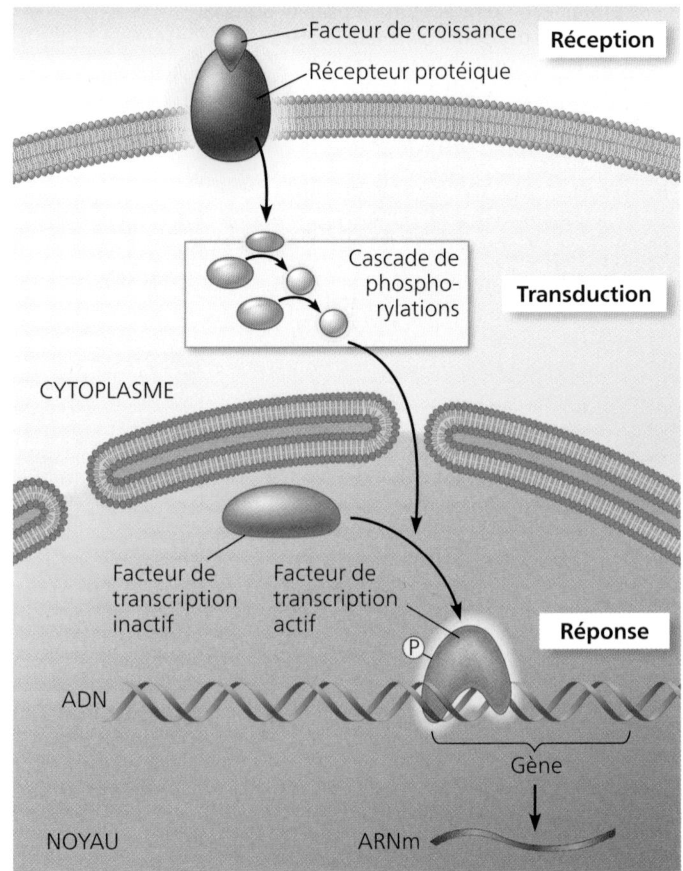

▼ **Figure 11.16 L'activation de la dégradation de glycogène par l'adrénaline: la réponse cellulaire à un signal.** Dans cette voie de communication, l'adrénaline se fixe à un récepteur couplé à une protéine G, ce qui entraîne l'activation d'une série d'intermédiaires, dont l'AMPc et deux protéines kinases (voir aussi la figure 11.12). La dernière protéine qui est activée est la glycogène phosphorylase, une enzyme qui utilise du phosphate inorganique pour libérer des monomères de glucose du glycogène sous forme de molécules de glucose-1-phosphate. Cette voie amplifie un signal hormonal, parce que le récepteur protéique peut activer une centaine de molécules de protéine G et que chaque enzyme de la voie peut transformer un très grand nombre de molécules de substrat en des produits qui deviennent les réactifs suivants de la cascade. Nous avons estimé le nombre de molécules activées à chaque étape.

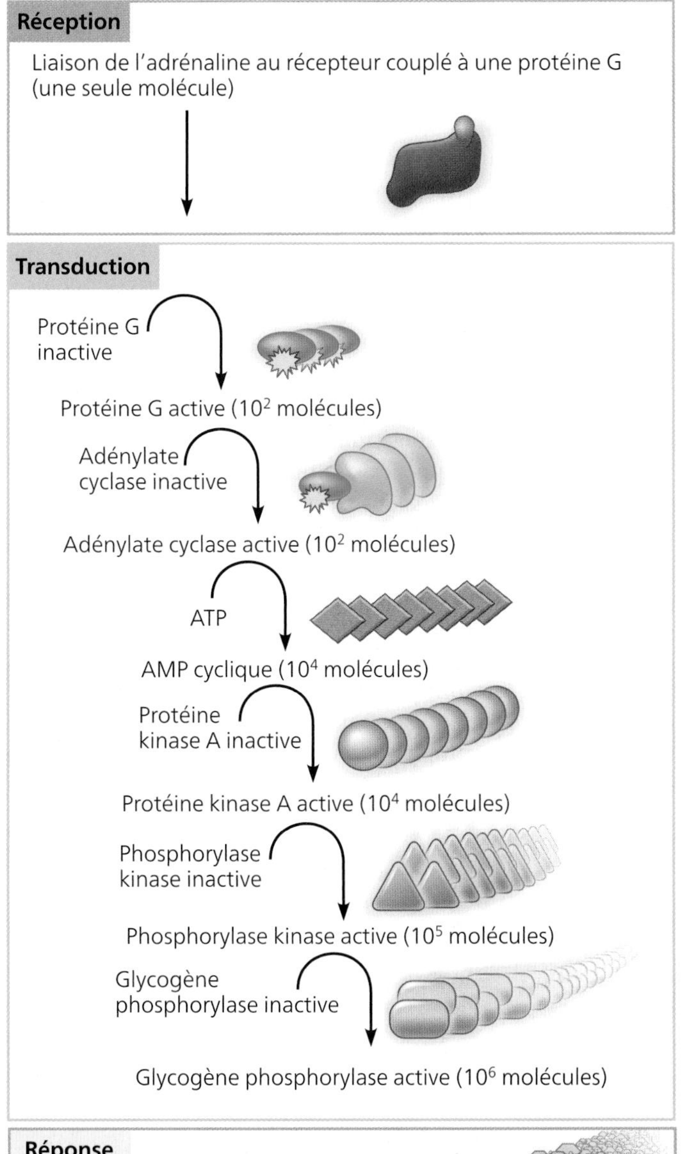

HABILETÉS VISUELLES ▶ Dans cette figure, combien de molécules de glucose-1-phosphate sont libérées en réponse à une seule molécule de signalisation? Calculez le facteur par lequel la réponse est amplifiée d'une étape à l'autre.

dizaine de kinases qui agiront à l'étape subséquente, et ainsi de suite. L'amplification découle du fait que ces protéines restent assez longtemps sous une forme active pour transformer de nombreuses molécules de substrat, avant de redevenir inactives. L'amplification des signaux résultant de la liaison d'un petit nombre de molécules d'adrénaline aux récepteurs membranaires d'une cellule hépatique ou musculaire se traduit donc par la libération de centaines de millions de molécules de glucose produites à partir de glycogène. C'est ce phénomène qui explique pourquoi les hormones en général peuvent agir à des doses très faibles.

La spécificité de la communication cellulaire et la coordination de la réponse

Prenons deux cellules différentes de l'organisme: une cellule hépatique et une cellule musculaire cardiaque. Les deux sont irriguées par le sang et sont, par conséquent, toujours exposées aux effets d'hormones diverses, de même qu'aux régulateurs locaux sécrétés par les cellules voisines. Pourtant, la cellule hépatique, tout comme la cellule cardiaque, répond uniquement à certains signaux. Par ailleurs, les mêmes signaux peuvent entraîner des réponses distinctes chez des cellules différentes. Par exemple, l'adrénaline pousse les cellules hépatiques à dégrader le glycogène, alors qu'elle stimule la contraction des cellules musculaires cardiaques, ce qui augmente le pouls. Comment est-ce possible?

En fait, la spécificité que montrent les réponses cellulaires aux signaux s'explique de la même façon que la plupart des autres différences entre les cellules: parce que différents types de cellules activent différents types de gènes, *les différents types de cellules ont chacun un ensemble unique de protéines*. Une cellule répond à un signal en fonction de ses récepteurs protéiques, de ses intermédiaires protéiques et de ses protéines cytoplasmiques. Une cellule hépatique, par exemple, est prête à répondre à l'adrénaline parce qu'elle produit toutes les protéines énumérées à la figure 11.16, ainsi que celles qui servent à fabriquer le glycogène.

Deux cellules qui répondent différemment au même signal se distinguent par une ou plusieurs protéines convertissant le signal ou y répondant. Remarquez à la **figure 11.17** que des voies dissemblables peuvent faire intervenir un certain nombre de molécules semblables. Par exemple, les cellules A, B et C utilisent toutes le même récepteur protéique pour lier la molécule de signalisation orangée. Cependant, leur réponse au signal diffère, car elles ne possèdent pas toutes les mêmes protéines. Dans la cellule D, un récepteur protéique différent sert pour la même molécule de signalisation, ce qui provoque une nouvelle réponse. Dans la cellule B, un seul signal déclenche une bifurcation de la voie, ce qui entraîne deux réponses. Les voies qui se ramifient mettent souvent en jeu des récepteurs à activité tyrosine kinase (activant plusieurs intermédiaires protéiques) ou des seconds messagers (régulant un grand nombre de protéines). Dans la cellule C, deux signaux distincts amorcent deux voies convergentes qui modulent une seule réponse. La ramification et la convergence des voies jouent un rôle important dans la régulation et la coordination de la réponse cellulaire consécutive à la réception d'une information provenant de divers endroits de l'organisme. (Vous en apprendrez davantage sur cette coordination dans le concept 11.5.) En outre, l'utilisation des mêmes protéines dans plusieurs voies permet à la cellule de diminuer le nombre de protéines à synthétiser.

L'efficacité de la communication cellulaire : les protéines d'échafaudage et les complexes de communication

Les voies de transduction de la figure 11.17 (de même que d'autres illustrations dans ce chapitre) sont très simplifiées. Les schémas montrent peu d'intermédiaires protéiques et, pour plus de clarté, les représentent étalés dans le cytosol. Or, si ces protéines baignaient simplement dans le cytosol, les voies de transduction seraient inefficaces, parce que la plupart des intermédiaires protéiques sont trop volumineux pour diffuser rapidement dans le cytosol, qui est visqueux. Alors, comment une protéine kinase trouve-t-elle la protéine qui est son substrat ?

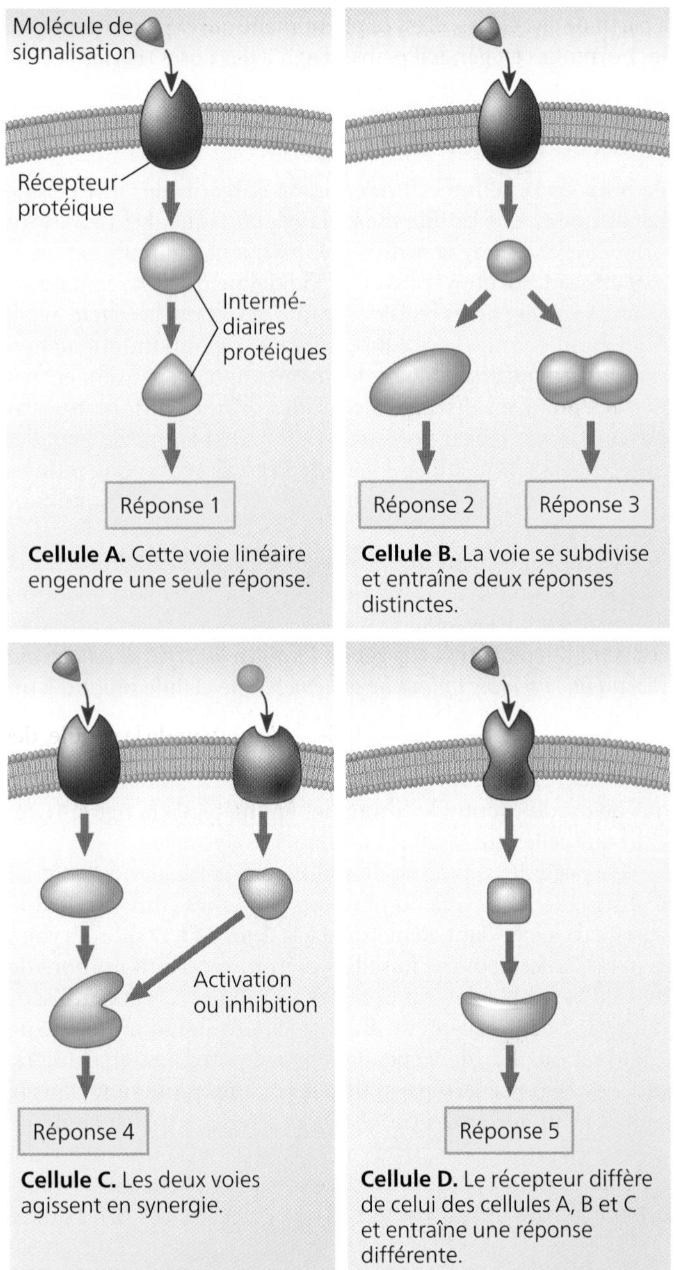

▲ **Figure 11.17 La spécificité de la communication cellulaire.** Les protéines que possède une cellule déterminent le type de signaux auxquels elle répondra et la façon dont elle le fera. Les quatre cellules illustrées dans ces schémas sont stimulées par la même sorte de molécule de signalisation (triangle orangé), mais elles ne réagissent pas de la même manière, parce que chacune possède un ensemble unique de protéines (en vert et en violet). Remarquez que certaines protéines peuvent intervenir dans plus d'une voie.

HABILETÉS VISUELLES ▶ Étudiez la voie de transduction illustrée à la figure 11.14 et expliquez comment la situation décrite ci-dessus pour la cellule B pourrait s'appliquer à cette voie.

De récentes recherches indiquent que, dans bien des cas, des **protéines d'échafaudage** (ou protéines adaptatrices) facilitent la transduction d'un signal. Il s'agit d'intermédiaires de grande taille qui rassemblent plusieurs autres intermédiaires protéiques (**figure 11.18**). Des chercheurs ont trouvé dans des cellules encéphaliques des protéines d'échafaudage qui maintiennent ensemble de manière *permanente* des réseaux de protéines de communication dans les synapses. Ce « câblage » des protéines augmente la vitesse et la précision de la transmission de l'information entre les cellules parce que la vitesse de l'interaction protéine-protéine n'est pas limitée par le temps de diffusion. En outre, les protéines d'échafaudage elles-mêmes peuvent parfois activer directement les intermédiaires protéiques.

Le rôle crucial joué par les intermédiaires protéiques au carrefour des voies de transduction est mis en évidence par les problèmes résultant de leur carence ou de leur déficience. Par exemple, la maladie héréditaire appelée syndrome de Wiskott-Aldrich (ou WAS), qui se caractérise par l'absence d'un intermédiaire protéique particulier, conduit à diverses manifestations cliniques, comme des saignements anormaux, de l'eczéma, une prédisposition aux infections et à la leucémie, etc. On soupçonne que ces symptômes découlent principalement de l'absence de cet intermédiaire protéique dans les cellules du système immunitaire. Dans les cellules normales, la protéine WAS est située juste en dessous de la membrane plasmique. Elle interagit avec les microfilaments du cytosquelette et avec plusieurs éléments des voies de transduction qui transmettent l'information à partir de la membrane (notamment les voies régulant la prolifération des cellules immunitaires). Cet intermédiaire protéique aux multiples fonctions est donc au cœur d'un réseau complexe de voies de transduction du signal qui régit le comportement des cellules immunitaires. En son

▼ **Figure 11.18 Une protéine d'échafaudage.** La protéine d'échafaudage illustrée ici se lie simultanément à un récepteur membranaire précis activé et à trois protéines kinases distinctes. Cet arrangement favorise la transduction du signal par ces molécules. Les numéros 1, 2 et 3 sur les protéines kinases représentent la séquence des étapes de la transduction du signal.

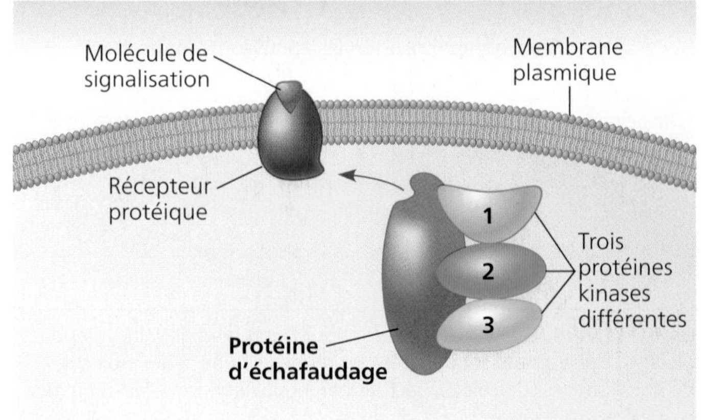

absence, le cytosquelette présente un défaut de structure, et les voies de transduction sont altérées, ce qui explique les symptômes de la maladie de Wiskott-Aldrich.

La cessation du signal

Pour simplifier la figure 11.17, nous n'avons pas indiqué les mécanismes d'*inactivation*, même s'ils sont essentiels à toutes les voies de la communication cellulaire. Mais rappelez-vous que, pour que les cellules d'un organisme multicellulaire restent alertes et capables de répondre à des signaux, chaque modification moléculaire qui survient dans une voie de communication doit être brève. Comme vous l'avez vu dans l'exemple du choléra, si un intermédiaire protéique reste bloqué dans un état – que celui-ci soit actif ou inactif –, un déséquilibre de l'organisme pourrait s'ensuivre.

La capacité d'une cellule à recevoir de nouveaux signaux dépend de la réversibilité des changements qu'ont entraînés les signaux précédents. Ainsi, l'association des molécules de signalisation et des récepteurs est réversible. Lorsque la concentration externe des molécules de signalisation diminue, moins de récepteurs sont liés à tout moment, et les récepteurs qui ne sont pas liés reviennent à leur forme inactive. La réponse cellulaire ne se produit que lorsque la concentration des récepteurs portant des molécules de signalisation dépasse un certain seuil. Lorsque le nombre de récepteurs actifs tombe sous ce seuil, la réponse cellulaire cesse. Puis, par différents moyens, les intermédiaires protéiques reprennent leur forme inactive : l'activité GTPase inhérente à la protéine G hydrolyse le GTP lié ; l'enzyme phosphodiestérase transforme l'AMPc en AMP ; les protéines phosphatases inactivent les protéines kinases phosphorylées ainsi que d'autres protéines, et ainsi de suite. Il s'ensuit que la cellule est rapidement prête à répondre à un autre signal. Enfin, un processus d'*internalisation* peut également inactiver les RTK. Les récepteurs sont invaginés dans une vésicule d'endocytose puis dégradés dans le cytoplasme.

Dans cette section, nous avons exploré la complexité du début et de la fin de la communication cellulaire dans une seule voie de transduction, et nous avons vu que les voies de transduction peuvent se croiser. Dans la prochaine section, nous nous pencherons sur un réseau de voies particulièrement important dans la cellule.

RETOUR SUR LE CONCEPT 11.4

1. Comment la réponse d'une cellule cible à une seule molécule d'hormone peut-elle être amplifiée de telle sorte qu'elle affecte un million d'autres molécules ?
2. **ET SI ?** ▶ Supposons deux cellules dont les protéines d'échafaudage sont différentes. Expliquez comment elles pourraient réagir différemment à la même molécule de signalisation.
3. **ET SI ?** ▶ Certaines maladies humaines sont associées au dysfonctionnement des protéines phosphatases. Comment de telles protéines influent-elles sur les voies de transduction ? (Relisez le passage sur les protéines phosphatases au concept 11.3 et revoyez la figure 11.10.)

Voir les réponses proposées à l'appendice A.

CONCEPT **11.5**

L'apoptose intègre de nombreuses voies de communication cellulaire

Lorsque les chercheurs ont découvert les voies de communication, ils les croyaient linéaires et indépendantes. On comprend beaucoup mieux la communication cellulaire depuis qu'on s'est rendu compte que les composants des voies de communication sont plutôt interdépendants et qu'ils interagissent de toutes sortes de manières. Pour qu'une cellule exprime la réponse appropriée, il faut souvent que les protéines cellulaires intègrent des signaux multiples. En guise d'exemple, examinons de plus près un processus cellulaire important : le suicide cellulaire.

Les cellules infectées, endommagées ou arrivées à la fin de leur vie utile subissent souvent une mort cellulaire programmée (**figure 11.19**). Le type de suicide cellulaire programmé que nous comprenons le mieux est l'**apoptose**. Ce terme vient du grec *apo* (« distant, éloigné ») et *ptôsis* (« chute ») ; en grec ancien, le mot *apoptosis* désignait la chute des feuilles des arbres en automne. Durant l'apoptose, des agents cellulaires coupent l'ADN et fragmentent les organites et autres composants cytoplasmiques. La cellule rétrécit et forme des lobes, et les diverses parties de la cellule sont emballées dans des vésicules, puis avalées et digérées par des cellules phagocytaires voisines, qui n'en laissent aucune trace. L'apoptose protège les cellules avoisinantes des dommages qu'elles subiraient si une cellule à l'agonie se vidait de son contenu, notamment de ses nombreuses enzymes digestives.

Le signal qui déclenche l'apoptose peut provenir de l'extérieur ou de l'intérieur de la cellule. À l'extérieur de la cellule, des molécules de signalisation libérées par d'autres cellules peuvent activer une voie de transduction du signal, et celle-ci, à son tour, active les gènes et les protéines responsables d'induire la mort cellulaire. À l'intérieur d'une cellule dont l'ADN est irrémédiablement endommagé, une série d'interactions protéine-protéine peut transmettre un signal qui déclenche lui aussi la mort cellulaire. Quelques exemples d'apoptose vous aideront à voir comment les voies de communication sont intégrées dans les cellules.

▼ **Figure 11.19 L'apoptose de leucocytes humains.** On voit ici un leucocyte normal (à gauche) et un leucocyte subissant l'apoptose (à droite). La cellule apoptotique rétrécit et forme des protubérances (lobes) qui finissent par se séparer sous forme de fragments cellulaires liés à la membrane (MEB colorisée).

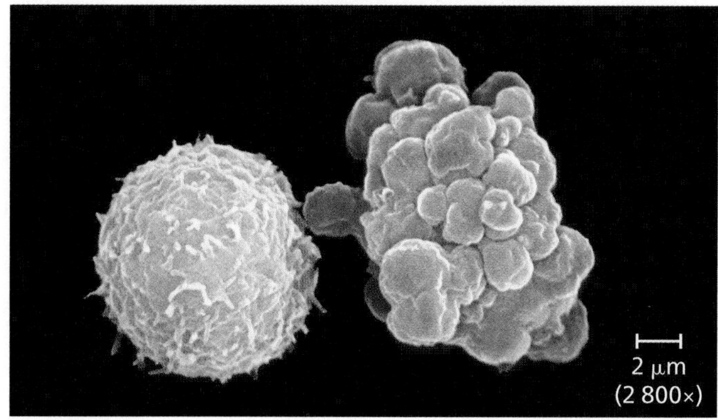

L'apoptose chez le ver *Caenorhabditis elegans*

Les mécanismes moléculaires de l'apoptose ont été examinés en détail par des chercheurs qui étudiaient le développement embryonnaire d'un petit ver vivant dans le sol, un nématode appelé *Caenorhabditis elegans*. Comme le ver adulte ne possède que 1 000 cellules environ, les chercheurs ont pu étudier toute la lignée cellulaire dérivant de chacune des cellules. Le suicide cellulaire programmé survient précisément 131 fois au cours du développement normal de *C. elegans*, et ce, toujours à la même génération dans la lignée cellulaire de chaque nouvel individu. Chez les vers et d'autres espèces, des signaux déclenchent l'activation d'une cascade de protéines de « suicide » dans les cellules destinées à mourir.

Le criblage génétique de *C. elegans* a d'abord mené à la découverte de deux gènes clés de l'apoptose : *ced-3* et *ced-4* (*ced*, pour *cell death*, « mort cellulaire »). Ces gènes codent pour les protéines essentielles à l'apoptose, qui portent respectivement les noms de Ced-3 et de Ced-4. Les protéines Ced-3 et Ced-4, de même que la plupart des autres protéines intervenant dans l'apoptose, sont continuellement présentes dans les cellules, mais sous une forme inactive. C'est donc l'*activité* des protéines qui est régulée dans ce cas et non la transcription ou la traduction. Chez *C. elegans*, une protéine de la membrane mitochondriale externe, la protéine Ced-9 (produit du gène *ced-9*) est le régulateur principal de l'apoptose. Elle agit comme un frein en l'absence d'un signal favorisant la mort des cellules (**figure 11.20**). Si une cellule reçoit le signal de son autodestruction, la transduction du signal entraîne une modification de la protéine Ced-9 qui désactive ce frein, et la voie de l'apoptose active des protéases et des nucléases, des enzymes découpant respectivement les protéines et l'ADN de la cellule. Les protéases principales de l'apoptose sont appelées *caspases*. Chez les nématodes, la caspase principale est la protéine Ced-3.

Les voies apoptotiques et les signaux qui les activent

Chez les humains et les autres mammifères, plusieurs voies différentes, qui font intervenir environ 15 caspases, peuvent mener à l'apoptose. La voie empruntée dépend du type de cellule et du signal particulier qui déclenche l'apoptose. Une voie importante met en jeu des protéines mitochondriales qui déclenchent la formation de pores dans la membrane mitochondriale externe, provoquant des fuites et libérant d'autres protéines apoptotiques. Étonnamment, ces dernières incluent le cytochrome *c* qui assure le transport d'électrons dans les cellules saines (voir la figure 9.15), mais qui agit comme facteur de destruction cellulaire lorsqu'il est libéré par les mitochondries. L'apoptose mitochondriale des mammifères fait intervenir des protéines homologues à celles qui sont présentes chez les vers : Ced-3, Ced-4 et Ced-9. On peut concevoir ces dernières comme des intermédiaires protéiques capables d'effectuer la transduction du signal de destruction.

À certains points clés du programme apoptotique, des intermédiaires protéiques intègrent les signaux provenant de diverses sources et peuvent aiguiller une cellule vers l'apoptose. Souvent, le signal provient de l'*extérieur* de la cellule ; ainsi, la molécule porteuse du signal d'autodestruction décrite à la figure 11.20b a probablement été libérée par une cellule voisine. Lorsqu'un ligand apoptotique occupe un récepteur de surface, cette liaison active les caspases et d'autres enzymes apoptotiques sans faire intervenir la voie mitochondriale. Ce processus de réception du signal, de sa transduction et de la réponse cellulaire qu'il induit, ressemble à celui que nous avons déjà décrit dans ce chapitre. Dans une variation du scénario classique, deux autres types de signal d'alarme pouvant commander l'apoptose proviennent de l'*intérieur* de la cellule plutôt que d'un récepteur de surface.

▼ **Figure 11.20 Le fondement moléculaire de l'apoptose chez *C. elegans*.** Trois protéines (Ced-3, Ced-4 et Ced-9) sont essentielles à l'apoptose et à sa régulation chez le nématode. L'apoptose est plus complexe chez les mammifères, mais elle fait intervenir des protéines semblables à celles de *C. elegans*.

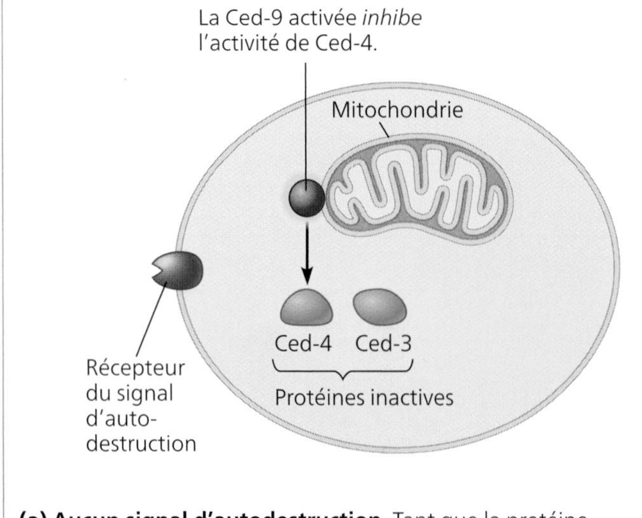

(a) Aucun signal d'autodestruction. Tant que la protéine Ced-9, située sur la membrane mitochondriale externe, reste active, l'apoptose est inhibée et la cellule reste en vie.

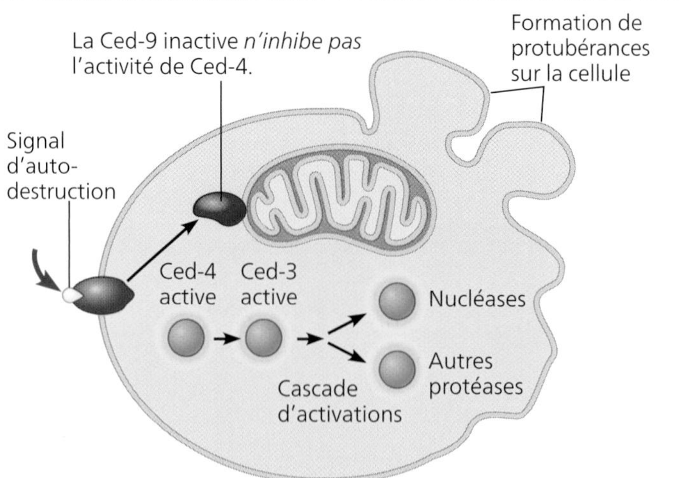

(b) Signal d'autodestruction. Lorsqu'une cellule reçoit un signal d'autodestruction, Ced-9 est inactivée, ce qui fait cesser l'inhibition de Ced-4. Quand elle est activée, Ced-4 active à son tour Ced-3, une protéase, qui déclenche une cascade de réactions qui activent les nucléases et les protéases. Par leur action, ces enzymes modifient les cellules apoptotiques et finissent par les tuer.

Le premier type de signal vient du noyau et il est généré lorsque l'ADN a subi une lésion irréparable ; le deuxième vient du réticulum endoplasmique et se manifeste lorsqu'il y a trop de mauvais repliements de protéines. Les cellules des mammifères prennent des « décisions » de vie ou de mort en intégrant les signaux de vie et les signaux de destruction qu'ils reçoivent de ces sources externes et internes.

Le mécanisme intégré du suicide cellulaire est essentiel au développement et à l'entretien de tous les animaux. Les ressemblances entre les gènes de l'apoptose chez les nématodes et chez les mammifères, ainsi que le constat que l'apoptose a lieu chez les eumycètes multicellulaires et les levures unicellulaires, montrent que ce mécanisme fondamental est apparu au début de l'évolution des eucaryotes. L'apoptose est essentielle au développement normal du système nerveux des vertébrés, au bon fonctionnement de leur système immunitaire et à la morphogenèse des mains et des pieds des humains, et des pattes chez d'autres mammifères (**figure 11.21**). Un niveau inférieur d'apoptose dans les membres en voie de développement explique les pattes palmées des canards et d'autres oiseaux aquatiques, contrairement aux poulets et aux autres oiseaux terrestres qui n'ont pas ce type de pattes. Dans le cas des humains, l'absence d'apoptose normale peut entraîner la formation de doigts et d'orteils palmés.

Des résultats de recherche indiquent que l'apoptose pourrait être en cause dans certaines maladies dégénératives du système nerveux comme la maladie de Parkinson et la maladie d'Alzheimer. Dans la maladie d'Alzheimer, une accumulation de protéines agrégées dans les neurones active une enzyme qui déclenche l'apoptose, d'où la perte de fonction cérébrale chez les personnes atteintes de la maladie. Le cancer, lui, pourrait résulter d'un échec du suicide cellulaire ; ainsi, il y aurait un lien entre certains cas de mélanome humain et des formes défectueuses de la version humaine de la protéine Ced-4 de *C. elegans*. Il n'est donc pas surprenant que les voies qui mènent à l'apoptose soient assez élaborées. Après tout, la question de la vie ou de la mort est la plus fondamentale pour une cellule.

Ce chapitre vous a permis de découvrir plusieurs mécanismes généraux de la communication, comme la liaison des ligands, les interactions protéine-protéine ainsi que les changements de forme, les cascades d'interactions et la phosphorylation des protéines. Vous trouverez de nombreux exemples de communication cellulaire durant votre étude de la biologie.

RETOUR SUR LE CONCEPT 11.5

1. Donnez un exemple d'apoptose au cours du développement embryonnaire et expliquez sa fonction chez l'embryon en développement.

2. **ET SI ?** ▶ Quel type de défectuosité protéique pourrait entraîner une apoptose qui n'a pas lieu d'être ? Inversement, quel type pourrait entraîner l'absence d'une apoptose qui devrait avoir lieu ?

Voir les réponses proposées à l'appendice A.

▼ Figure 11.21 L'effet de l'apoptose pendant le développement des pattes chez la souris. Chez la souris, l'humain et d'autres mammifères, de même que chez les oiseaux terrestres, la région de l'embryon qui se développe pour former des pieds ou des mains présente à l'origine une structure solide en forme de plaque. L'apoptose élimine les cellules dans les régions interdigitales, formant ainsi les doigts. Les pattes de la souris embryonnaire illustrées dans ces micrographies prises en lumière fluorescente sont colorées de sorte que les cellules qui subissent l'apoptose apparaissent en vert brillant. L'apoptose des cellules commence à la limite de chaque région interdigitale (à gauche), atteint un maximum quand le tissu de ces régions est en voie de destruction (au centre) et n'est plus visible une fois le tissu interdigital éliminé (à droite).

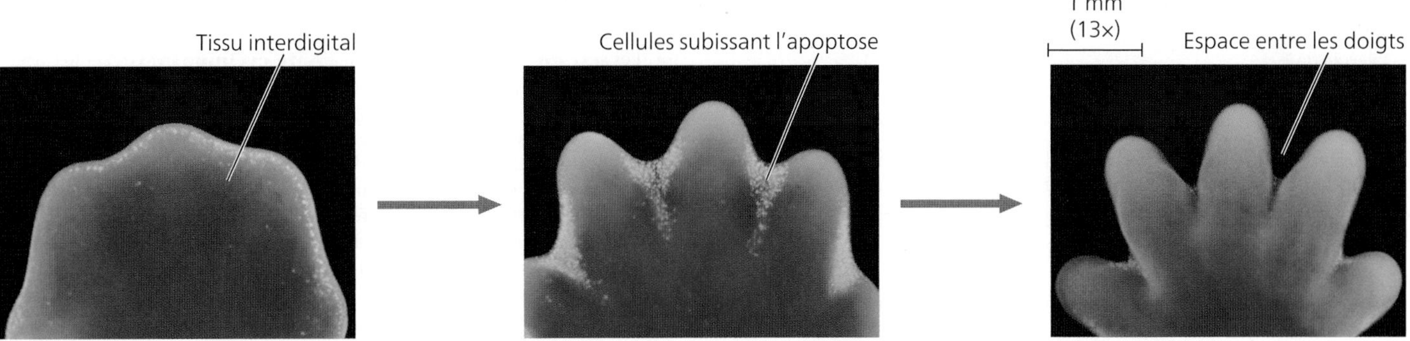

RÉVISION DU CHAPITRE 11

Consultez votre MANUEL NUMÉRIQUE, qui vous donne accès aux **animations**, aux **exercices** et à la plateforme d'**anatomie interactive**.

Résumé des concepts clés

CONCEPT 11.1

Les signaux externes sont convertis en réponses à l'intérieur de la cellule (p. 232 à 236)

- Les **voies de transduction du signal** jouent un rôle crucial dans de nombreux processus de communication cellulaire. La communication cellulaire qui survient lors de la reproduction sexuée des levures ressemble beaucoup à celle qui a lieu dans les organismes multicellulaires, ce qui donne à penser que la communication cellulaire est apparue très tôt dans l'histoire de la vie. Les cellules bactériennes sécrètent de petites molécules que d'autres cellules bactériennes peuvent détecter. Ces molécules de communication pouvant être perçues par des bactéries permettent à ces dernières d'évaluer la densité locale des cellules (*détection du quorum*).
- Chez les animaux, les cellules voisines communiquent entre elles par contact direct ou par l'entremise de régulateurs locaux comme les facteurs de croissance ou les neurotransmetteurs. Lorsqu'elles doivent communiquer à distance, les cellules tant animales que végétales transmettent des signaux chimiques sous forme d'**hormones**; les cellules animales propagent également des signaux électriques le long des neurones.
- Comme l'adrénaline, d'autres hormones qui se lient à des récepteurs de surface déclenchent un processus de communication en trois étapes:

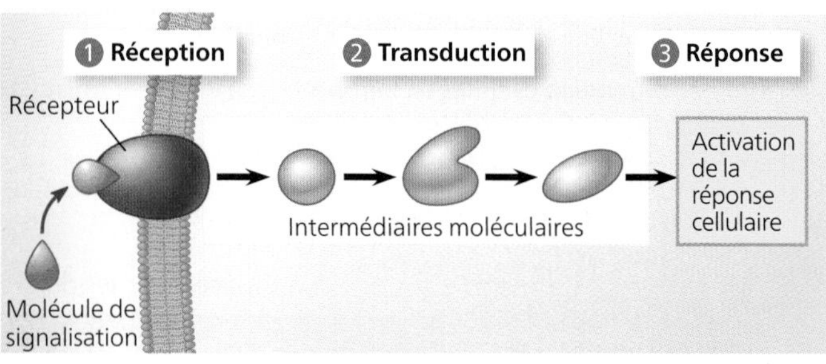

? Qu'est-ce qui détermine si une cellule répond ou non à une hormone comme l'adrénaline, et qu'est-ce qui détermine la manière dont elle y répond?

CONCEPT 11.2

La réception: une molécule de signalisation se lie à un récepteur protéique et en modifie la forme (p. 236 à 241)

- La liaison entre une molécule de signalisation (**ligand**) et le récepteur est très spécifique. Un changement spécifique dans la forme d'un récepteur constitue souvent la transduction initiale du signal.
- Il existe trois grands types de récepteurs de surface transmembranaires. (1) Les **récepteurs couplés à une protéine G** (**RCPG**) fonctionnent avec l'aide de **protéines G** cytoplasmiques. La liaison à un ligand active le récepteur, ce qui active une protéine G spécifique, laquelle active à son tour une autre protéine, propageant le signal. (2) Les **récepteurs à activité tyrosine kinase** (**RTK**) réagissent à la liaison de molécules de signalisation en formant des dimères, puis en ajoutant des groupements phosphate aux tyrosines de la portion cytoplasmique de l'autre monomère. Les tyrosines phosphorylées activent des intermédiaires protéiques en s'y liant. C'est ainsi que ce type de récepteur déclenche simultanément plusieurs voies. (3) Certaines **molécules de signalisation** provoquent l'ouverture et la fermeture de **canaux ioniques ligand-dépendants**, ce qui contrôle le flux d'un ion spécifique à travers la membrane.
- L'activité des trois types de récepteurs est essentielle; les RCPG et les RTK anormaux sont associés à de nombreuses maladies humaines.
- Les récepteurs intracellulaires sont des protéines cytoplasmiques ou nucléaires. Les molécules de signalisation qui sont hydrophobes ou suffisamment petites pour traverser la membrane plasmique se lient à ces récepteurs à l'intérieur de la cellule.

? En quoi les structures d'un RCPG et celles d'un RTK se ressemblent-elles? Quelle est la différence clé entre ces deux types de récepteurs quant au déclenchement des voies de transduction du signal?

CONCEPT 11.3

La transduction: des cascades d'interactions moléculaires transmettent les signaux des récepteurs aux molécules cibles intracellulaires (p. 241 à 245)

- À chacune des multiples étapes d'une voie de transduction du signal, le signal prend une forme différente, qui, le plus souvent, suppose un changement de forme d'une protéine. Beaucoup de voies de transduction du signal comprennent des **cascades de phosphorylations**, au cours desquelles de nombreuses **protéines kinases** ajoutent tour à tour un groupement phosphate à la protéine kinase en aval afin de l'activer. Des enzymes appelées **protéines phosphatases** éliminent rapidement les groupements phosphate. L'équilibre entre la phosphorylation et la déphosphorylation régule l'activité des protéines qui interviennent dans les étapes successives de la voie de transduction du signal.
- Les **seconds messagers**, tels que l'**AMP cyclique** (**AMPc**) et le Ca^{2+}, diffusent rapidement dans le cytosol; par conséquent, ils accélèrent la transmission de l'information. De nombreuses protéines G activent l'**adénylate cyclase**, l'enzyme qui fabrique de l'AMPc à partir d'ATP. Les cellules utilisent les ions Ca^{2+} comme seconds messagers tant dans les voies des RCPG que celles des RTK. Les voies des RTK peuvent également comporter deux autres seconds messagers, le **diacylglycérol** (**DAG**) et l'**inositol trisphosphate** (**IP_3**). L'IP_3 peut entraîner une augmentation de la concentration intracellulaire de Ca^{2+}.

? Quelle est la différence entre une protéine kinase et un second messager? Les deux peuvent-ils agir dans la même voie de transduction du signal?

CONCEPT 11.4

La réponse: la communication cellulaire aboutit à la régulation de la transcription ou des fonctions cytoplasmiques (p. 246 à 249)

- Certaines voies de signalisation aboutissent à une réponse nucléaire: elles régulent des gènes en activant des facteurs de transcription, c'est-à-dire les protéines qui activent ou inhibent certains gènes. D'autres voies assurent une régulation cytoplasmique.

- Les réponses cellulaires ne sont pas simplement activées ou inactivées, elles sont finement réglées par les multiples étapes du processus. Chaque protéine catalytique d'une voie de transduction amplifie le signal reçu en activant plusieurs copies de la protéine qui lui succède dans la voie. Dans le cas de voies plus complexes, l'amplification peut se traduire par la libération de plusieurs millions de molécules. Par ailleurs, une cellule renferme une combinaison unique de protéines qui lui confère une spécificité quant à la réception d'un signal et à la réponse. Des **protéines d'échafaudage** rassemblent plusieurs éléments d'une voie et accroissent ainsi l'efficacité de la transduction. Les embranchements des voies favorisent aussi la coordination des signaux et des réponses. L'association des molécules de signalisation et des récepteurs est réversible; lorsque le ligand est libéré, le signal cesse rapidement.

? Quels mécanismes intracellulaires mettent fin à la réponse de la cellule et maintiennent sa capacité de répondre à de nouveaux signaux?

CONCEPT **11.5**

L'apoptose intègre de nombreuses voies de communication cellulaire (p. 249 à 251)

- L'**apoptose** est un type d'autodestruction cellulaire programmée au cours de laquelle les composants cellulaires sont éliminés de manière coordonnée, et ce, sans endommager les cellules voisines. Les études sur le ver de terre *Caenorhabditis elegans* ont éclairé certains aspects moléculaires du mécanisme de l'apoptose. Un signal de destruction permet l'activation des caspases et des nucléases, principales enzymes de l'apoptose.
- Les cellules des humains et d'autres mammifères comportent plusieurs voies apoptotiques et il existe plusieurs façons de les déclencher. Les signaux responsables de cette réponse peuvent provenir de l'extérieur ou de l'intérieur de la cellule.

? Comment peut-on expliquer les similarités entre les gènes qui régulent l'apoptose chez les levures, les nématodes et les mammifères?

Évaluation

NIVEAU 1: **CONNAISSANCES ET COMPRÉHENSION**

1. Quel type de récepteur modifie la répartition des ions de part et d'autre de la membrane quand une molécule de signalisation s'y lie?
a) Les récepteurs protéiques intracellulaires.
b) Les récepteurs couplés à une protéine G.
c) Les dimères de tyrosine kinase phosphorylés.
d) Les canaux ioniques ligand-dépendants.

2. L'activation d'un récepteur à activité tyrosine kinase se caractérise par:
a) une dimérisation et des phosphorylations.
b) une dimérisation et la liaison d'IP_3.
c) une cascade de phosphorylations.
d) l'hydrolyse de GTP.

3. Les molécules de signalisation liposolubles, comme l'aldostérone, traversent les membranes cellulaires de toutes les cellules; pourtant, elles n'exercent des effets que sur les cellules cibles. Pourquoi?
a) Parce que seules les cellules cibles contiennent les portions d'ADN nécessaires.
b) Parce que les récepteurs intracellulaires ne se trouvent que dans les cellules cibles.
c) Parce que seules les cellules cibles possèdent les enzymes qui dégradent l'aldostérone.
d) Parce que c'est seulement dans les cellules cibles que l'aldostérone est capable d'engager la cascade de phosphorylations qui active des gènes.

4. Dans la voie suivante: adrénaline → récepteur couplé à une protéine G → protéine G → adénylate cyclase → AMPc, quel est le second messager?
a) L'AMPc.
b) La protéine G.
c) Le GTP.
d) L'adénylate cyclase.

5. L'apoptose comporte tous ces mécanismes sauf un. Lequel?
a) La fragmentation de l'ADN.
b) Des voies de communication cellulaire.
c) La lyse de la cellule.
d) La digestion du contenu cellulaire par des cellules phagocytes.

NIVEAU 2: **APPLICATION ET ANALYSE**

6. Quelle observation a conduit Sutherland à conclure que la stimulation des cellules hépatiques par l'adrénaline faisait intervenir un second messager?
a) L'activité enzymatique était proportionnelle à la quantité de calcium ajoutée à un extrait sans cellules.
b) Les études portant sur les récepteurs montraient que l'adrénaline était un ligand.
c) Quand de l'adrénaline était ajoutée à des cellules intactes, du glycogène était hydrolysé.
d) Une dégradation du glycogène résultait de la combinaison de l'adrénaline et de la glycogène phosphorylase.

7. La phosphorylation des protéines s'observe dans tous les événements cellulaires suivants, sauf un. Lequel?
a) L'activation de récepteurs à activité tyrosine kinase.
b) L'activation de protéines kinases.
c) L'activation de récepteurs couplés à une protéine G.
d) La régulation de la transcription par des molécules de signalisation extracellulaires.

NIVEAU 3: **SYNTHÈSE ET ÉVALUATION**

8. **FAITES UN DESSIN ▶** Dessinez la voie apoptotique suivante, que l'on observe dans les cellules immunitaires humaines. Lorsqu'une molécule appelée Fas se lie à son récepteur de surface, la cellule reçoit un signal de destruction. La liaison de nombreuses molécules Fas à leurs récepteurs cause une agglomération de récepteurs. Une fois réunies, les régions intracellulaires des récepteurs s'attachent à des protéines appelées protéines d'échafaudage. À leur tour, ces protéines se lient à des molécules de caspase-8 inactives; celles-ci sont alors activées; l'activation des caspases-8 provoque celle des caspases-3. Ces dernières déclenchent l'apoptose.

Voir les réponses proposées à l'appendice A.

Le cycle cellulaire

12

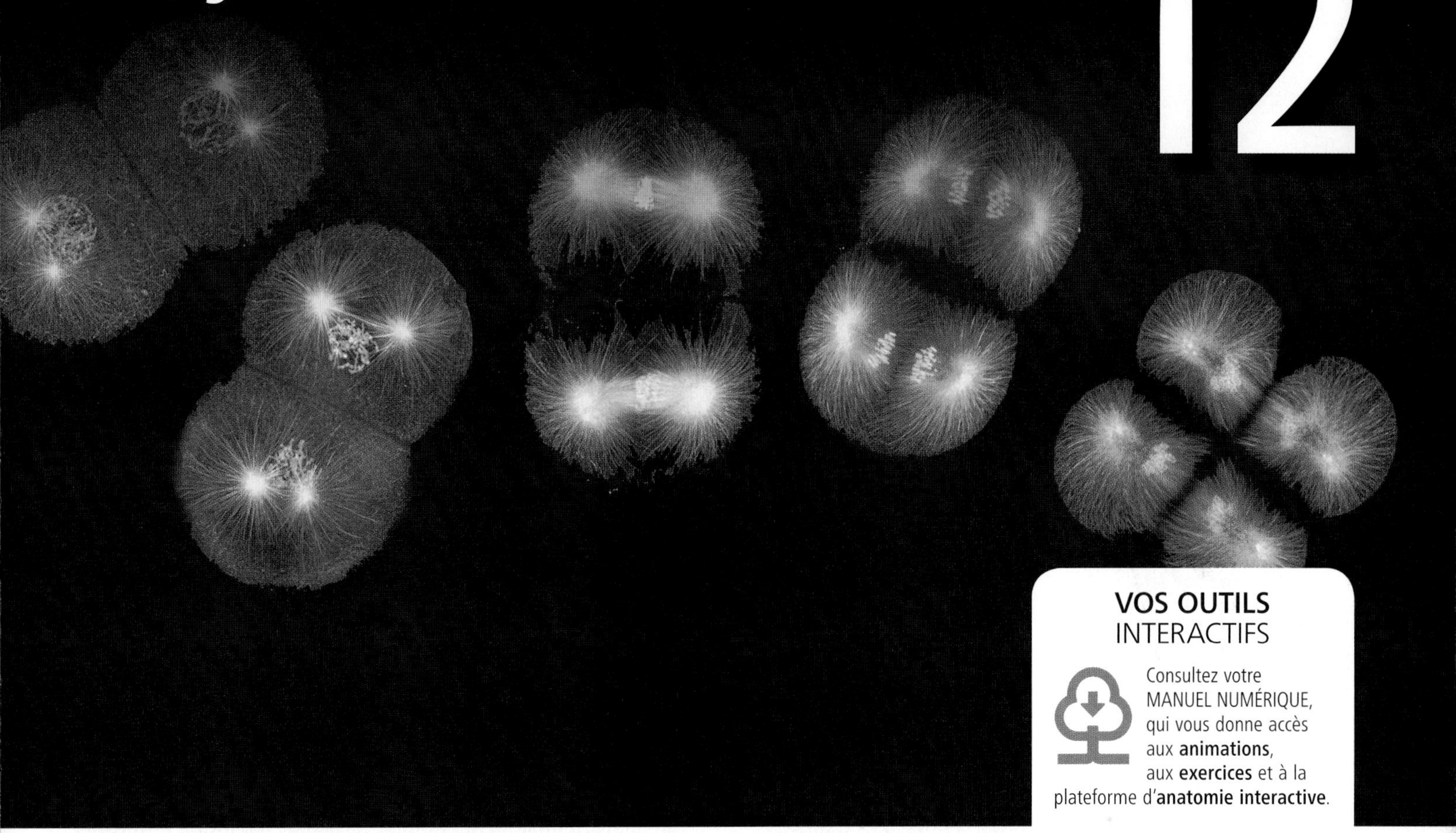

VOS OUTILS INTERACTIFS

Consultez votre MANUEL NUMÉRIQUE, qui vous donne accès aux **animations**, aux **exercices** et à la plateforme d'**anatomie interactive**.

▲ **Figure 12.1 Comment les cellules en division répartissent-elles leurs chromosomes entre les cellules filles ?**

CONCEPTS CLÉS

12.1 La plupart des divisions cellulaires donnent des cellules filles génétiquement identiques

12.2 La phase mitotique alterne avec l'interphase au cours du cycle cellulaire

12.3 Un mécanisme de régulation moléculaire gouverne le cycle cellulaire des eucaryotes

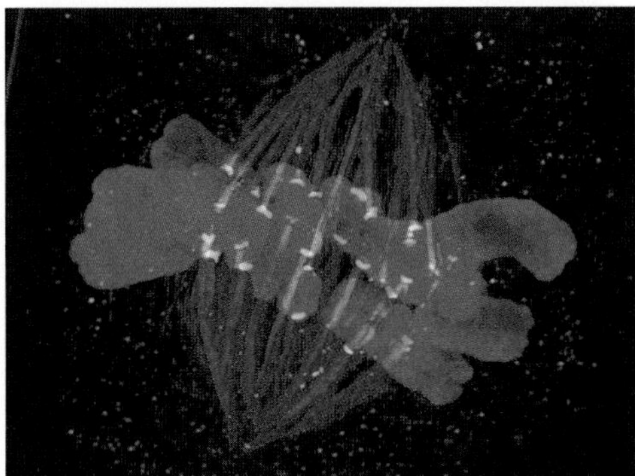

▲ **Au cours de la division d'une cellule de potorou à long nez (*Potorous tridactylus*), les chromosomes (en bleu) sont arrimés sur des protéines spécifiques (en vert) par des structures cellulaires (en rouge) et sont déplacés.**

Les rôles clés de la division cellulaire

La capacité de se reproduire est l'une des caractéristiques qui distinguent les êtres vivants du monde inanimé ; comme toutes les fonctions biologiques, elle a des fondements cellulaires. En 1855, Rudolf Virchow, un médecin allemand, a formulé cette idée comme suit : « L'existence d'une cellule suppose obligatoirement la préexistence d'une autre cellule, de la même manière que l'animal ne peut naître que d'un animal, et la plante d'une plante. » Il a résumé sa pensée en un axiome, *Omnis cellula e cellula*, qui signifie : « Chaque cellule naît d'une cellule. » La perpétuation de la vie repose sur la reproduction des cellules, ou la **division cellulaire**. Les micrographies confocales par fluorescence de la **figure 12.1** mettent en relief, en partant du coin supérieur gauche, les chromosomes au cours des différentes étapes de la division cellulaire d'un embryon de ver marin à deux cellules qui devient un embryon à quatre cellules.

La division cellulaire joue plusieurs rôles importants dans la vie d'un organisme. Lorsqu'une cellule procaryote se divise, c'est qu'elle se reproduit puisque le processus donne naissance à un nouvel organisme (une autre cellule). Et cela est également vrai de n'importe quel eucaryote unicellulaire, comme l'amibe de la **figure 12.2a**. Pour ce qui est des eucaryotes multicellulaires, la division cellulaire leur permet de se développer à partir d'une seule cellule : le zygote (cellule issue de la fécondation). L'embryon à deux cellules est la première étape du processus, illustré à la **figure 12.2b**. Et une fois que l'organisme multicellulaire a atteint la maturité, la division cellulaire se poursuit, renouvelant et remplaçant les cellules détruites par l'usure normale ou par les lésions. Ainsi, la division des cellules de la moelle osseuse produit sans cesse de nouvelles cellules sanguines (**figure 12.2c**).

▼ **Figure 12.2 Les fonctions de la division cellulaire.**

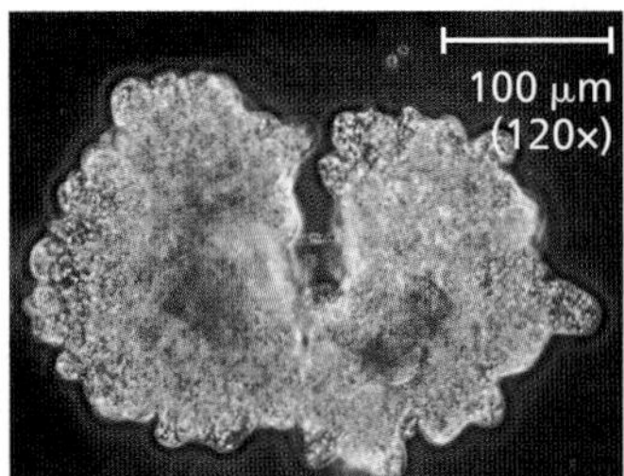

(a) Reproduction asexuée. L'amibe, un organisme eucaryote unicellulaire, se divise en deux cellules, chacune formant un individu complet (MP).

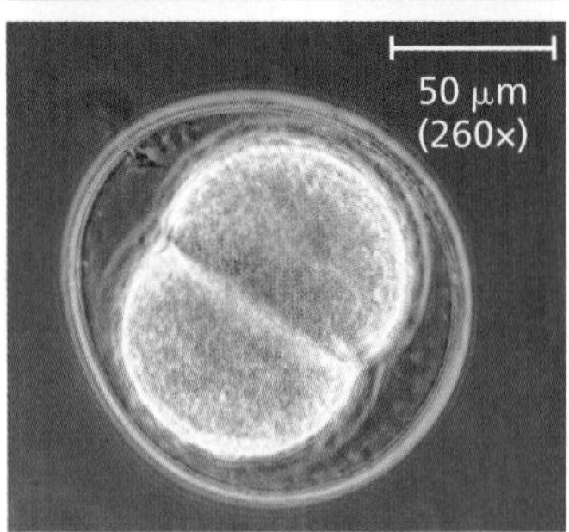

(b) Croissance et développement. Cette micrographie montre un embryon de dollar des sables (embranchement des échinodermes) peu après la division du zygote en deux cellules (MP).

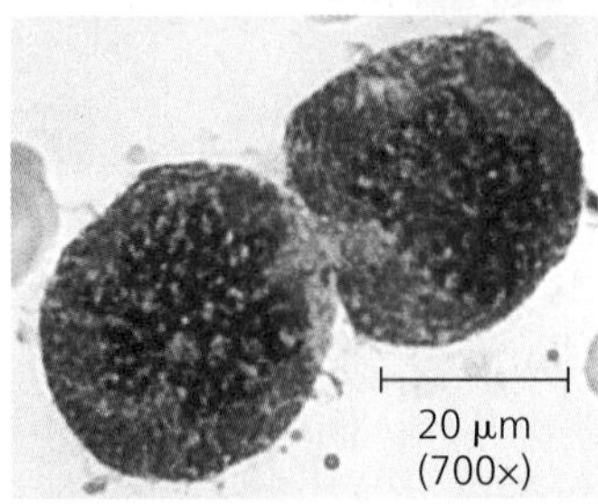

(c) Régénération des tissus. Ces cellules de moelle osseuse, issues de la division d'une cellule mère, donneront naissance à de nouvelles cellules sanguines (MP).

Le processus de division cellulaire fait partie intégrante du **cycle cellulaire**, qui se définit comme la suite ordonnée d'événements qui marquent la vie d'une cellule depuis le moment où elle est formée à partir de la cellule mère jusqu'à sa propre division en deux cellules filles. (Ici, les qualificatifs *mère* et *fille* décrivent la relation qu'entretiennent les cellules et n'ont aucune connotation de genre.) Une des fonctions capitales de la division cellulaire est de transmettre un matériel génétique identique aux cellules filles. Dans ce chapitre, vous apprendrez comment la division cellulaire permet de distribuer du matériel génétique identique aux deux cellules issues de la division. Après l'étude détaillée de la division cellulaire chez les eucaryotes et les bactéries, vous examinerez le mécanisme de régulation moléculaire qui gouverne le cycle cellulaire et vous verrez ce qui peut arriver quand ce mécanisme se dérègle. Comme le dysfonctionnement du cycle cellulaire joue un rôle important dans l'apparition du cancer, ce domaine de la biologie cellulaire occupe de nombreux chercheurs.

CONCEPT **12.1**

La plupart des divisions cellulaires donnent des cellules filles génétiquement identiques

Une entité aussi complexe que la cellule ne se reproduit pas par simple segmentation ; ce n'est pas une bulle de savon qui grossit et se scinde en deux. Chez les eucaryotes comme chez les procaryotes, la division cellulaire par mitose distribue un matériel génétique identique (soit le même ADN) aux deux cellules filles. (L'exception à cette règle est la méiose, le type particulier de division cellulaire eucaryote qui peut produire des spermatozoïdes et des ovules.) Sa propriété la plus remarquable est la fidélité de la transmission du génome d'une génération de cellules à la suivante. Une cellule en voie de division copie tout son ADN, le répartit également à ses deux extrémités, puis se divise en deux cellules filles.

L'organisation cellulaire du matériel génétique

L'information génétique (ADN) dont une cellule hérite est le **génome**. Alors que celui des cellules procaryotes est souvent constitué d'une longue et unique molécule d'ADN, celui des cellules eucaryotes se compose d'un grand nombre de molécules d'ADN. La longueur de toutes les molécules d'ADN d'une cellule eucaryote mises bout à bout est considérable. Par exemple, l'ADN d'une cellule humaine typique mesure environ 2 m, ce qui équivaut à 250 000 fois le diamètre de la cellule. Cependant, pour que la cellule puisse se diviser pour former des cellules filles génétiquement identiques, tout cet ADN doit être répliqué (copié), et les deux exemplaires qui en résultent doivent être distribués de façon que chacune des cellules filles reçoive un génome complet.

Si la réplication et la distribution d'une si grande quantité d'ADN sont possibles, c'est parce que les molécules d'ADN forment des **chromosomes**. Ceux-ci doivent leur nom au fait qu'ils retiennent certains colorants en microscopie (du grec *khrôma*, « couleur », et *sôma*, « corps ») (**figure 12.3**). Chaque chromosome eucaryote consiste en une très longue molécule d'ADN associée à de nombreuses protéines (voir la figure 6.9) et divisée en des centaines ou des milliers de gènes – les unités d'information qui déterminent les caractères d'un organisme. Les diverses protéines associées à l'ADN maintiennent la structure des chromosomes ou concourent à la régulation de l'activité des gènes. On appelle **chromatine** ce complexe d'ADN et de protéines qui

▼ **Figure 12.3 Les chromosomes d'une cellule eucaryote.** Les chromosomes (en violet) sont bien visibles dans le noyau de cette cellule de ce lys de sang africain (*Scadoxus multiflorus*), une plante de la famille des amaryllidacées. Les fins filaments rouges qu'on voit dans le cytoplasme entourant le noyau appartiennent au cytosquelette. Cette cellule se prépare à se diviser (MP).

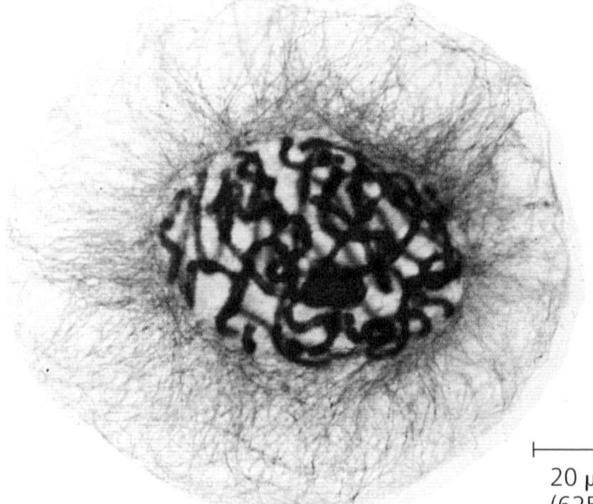

constitue le matériau de base du chromosome. Comme vous le verrez bientôt, le degré de condensation de la chromatine d'un chromosome varie au cours de la division cellulaire.

Toute espèce eucaryote possède dans le noyau de ses cellules un nombre caractéristique de chromosomes. Ainsi, chez l'humain, les **cellules somatiques** (toutes les cellules de l'organisme, sauf les cellules reproductrices matures) contiennent 46 chromosomes répartis en deux jeux de 23, chacun provenant d'un des deux parents. Les **gamètes** matures (les spermatozoïdes et les ovules) en contiennent deux fois moins, soit un seul jeu de 23 chromosomes. Le nombre de chromosomes dans les cellules somatiques varie considérablement selon les espèces; les choux (*Brassica olearacea*) en ont 18; les chats (*Felis domesticus*), 38; les chimpanzés (*Pan troglodytes*), 48; les éléphants d'Asie et d'Afrique (*Elephas maximus* et *Loxodonta spp.*), 56; les chiens (*Canis familiaris*), 78; les hérissons africains (*Atelerix spp.*), 90; et les nénuphars (*Nymphea alba*), 160. Deux espèces différentes peuvent évidemment avoir le même nombre de chromosomes, mais les gènes portés par ces chromosomes sont différents. Nous allons maintenant nous pencher sur le comportement des chromosomes durant la division cellulaire.

La distribution des chromosomes durant la division cellulaire eucaryote

Sauf durant la division cellulaire et même pendant la réplication de l'ADN qui prépare à la division, chaque chromosome a la forme d'une longue et fine fibre de chromatine. Après la réplication, cependant, les chromosomes se condensent. Comme nous le verrons au chapitre 16 (voir le concept 16.3), chaque fibre de chromatine s'enroule alors sur elle-même et se replie de manière très serrée, ce qui raccourcit environ un millier de fois les chromosomes et les épaissit à un point tel qu'on peut les voir au microscope photonique.

Chaque chromosome dédoublé se compose de deux **chromatides sœurs**, qui sont les copies exactes du chromosome initial (**figure 12.4**). Les deux chromatides, chacune contenant une molécule d'ADN identique, sont d'abord unies sur toute leur longueur par des complexes protéiques, les *cohésines*; c'est ce qu'on appelle la *cohésion des chromatides sœurs*. Chaque chromatide sœur possède un **centromère**, c'est-à-dire une zone spécialisée qui porte des séquences répétitives de l'ADN chromosomique et où les deux chromatides sont attachées plus étroitement. Ce lien étroit s'établit par l'intermédiaire de protéines qui reconnaissent l'ADN du centromère et s'y lient; d'autres protéines liées condensent l'ADN, ce qui donne au chromosome répliqué sa « taille fine ». Les parties d'une chromatide situées de part et d'autre du centromère s'appellent les bras (un chromosome non répliqué possède un centromère, reconnaissable par les protéines liées à cet endroit, et deux bras: le bras le plus court est appelé, par convention, le *bras p*, et le plus long, le *bras q*).

Plus tard dans le processus de la division cellulaire, les deux chromatides sœurs de chaque chromosome répliqué se séparent et se déplacent vers les deux nouveaux noyaux qui se forment, un à chaque extrémité de la cellule. Après leur séparation, chacune des chromatides sœurs devient un chromosome à part entière; c'est essentiellement l'étape où double le nombre de chromosomes durant la division cellulaire. Chaque nouveau noyau reçoit donc un jeu de chromosomes identiques à ceux du jeu de la cellule mère (**figure 12.5**). Généralement, la **mitose**

▼ **Figure 12.4 Un chromosome humain répliqué et très condensé (MEB).**

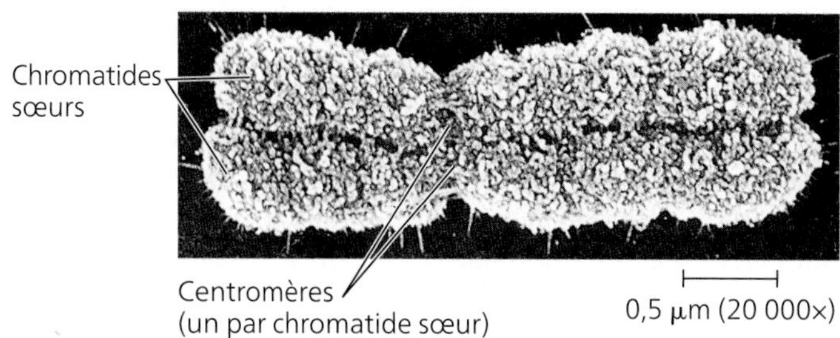

FAITES UN DESSIN ▶ Encerclez une chromatide sœur du chromosome qu'on voit sur cette micrographie.

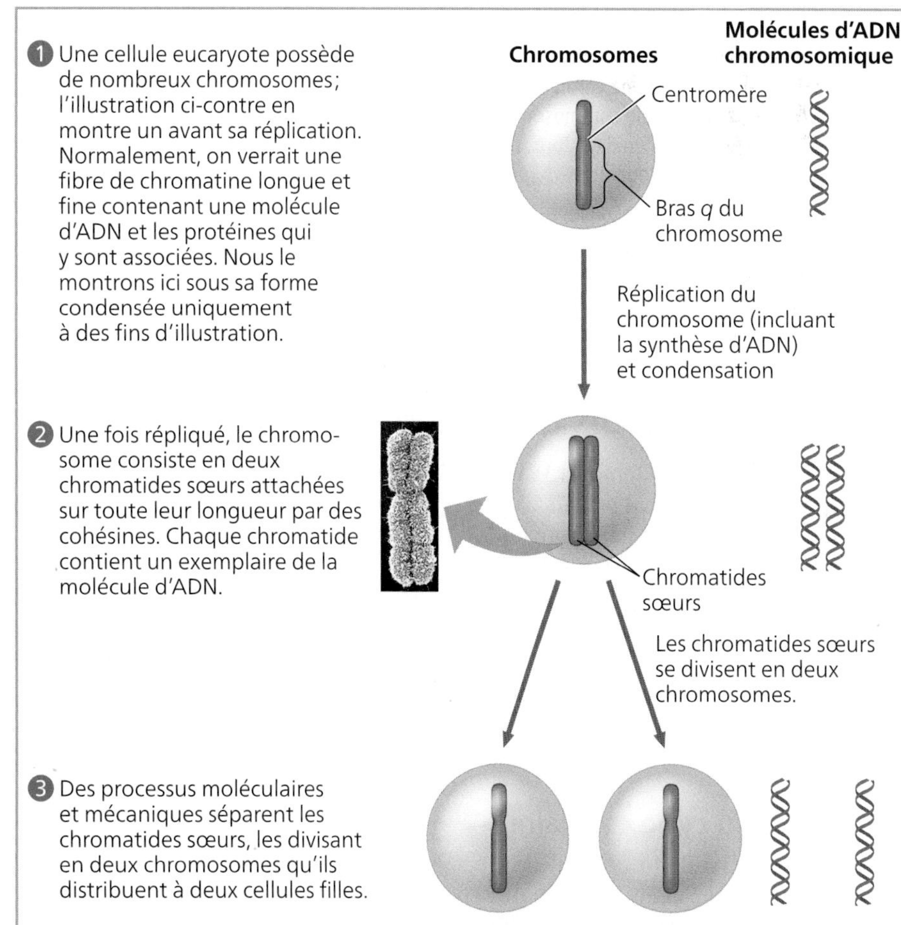

Chromosomes
Molécules d'ADN chromosomique
1 Une cellule eucaryote possède de nombreux chromosomes; l'illustration ci-contre en montre un avant sa réplication. Normalement, on verrait une fibre de chromatine longue et fine contenant une molécule d'ADN et les protéines qui y sont associées. Nous le montrons ici sous sa forme condensée uniquement à des fins d'illustration.
Centromère
Bras q du chromosome
Réplication du chromosome (incluant la synthèse d'ADN) et condensation
2 Une fois répliqué, le chromosome consiste en deux chromatides sœurs attachées sur toute leur longueur par des cohésines. Chaque chromatide contient un exemplaire de la molécule d'ADN.
Chromatides sœurs
Les chromatides sœurs se divisent en deux chromosomes.
3 Des processus moléculaires et mécaniques séparent les chromatides sœurs, les divisant en deux chromosomes qu'ils distribuent à deux cellules filles.

▶ **Figure 12.5 La réplication et la répartition des chromosomes pendant la mitose.**

? Combien de bras possède le chromosome au numéro 2? Indiquez le moment dans la figure où un chromosome se divise en deux chromosomes.

– la division du matériel génétique du noyau – est immédiatement suivie de la **cytocinèse**, la division du cytoplasme. Là où il n'y avait qu'une cellule, il s'en trouve désormais deux, chacune étant l'équivalent génétique de la cellule mère.

C'est à partir d'un simple zygote que la mitose et la cytocinèse ont abouti aux 200 billions de cellules somatiques (200×10^{12}) qui composent votre organisme aujourd'hui. Et le même processus continue d'engendrer de nouvelles cellules pour remplacer celles qui sont mortes ou endommagées. Quant à vos cellules reproductrices matures (l'opposé des cellules somatiques), c'est-à-dire vos ovules ou vos spermatozoïdes, elles sont produites par une variante de la division cellulaire, la *méiose*. Celle-ci produit des cellules filles contenant un seul jeu de chromosomes, soit deux fois moins que la cellule mère. La méiose se produit uniquement dans des cellules spéciales des ovaires et des testicules (ou gonades). Chez l'humain, à la puberté, elle fait passer le nombre de chromosomes de 46 (deux jeux) à 23 (un jeu). (Attention ! Les cellules somatiques, toujours issues de la mitose, contiennent 46 chromosomes; ce sont seulement les cellules reproductrices, issues de la méiose, qui en contiennent 23.) La fécondation ramène le nombre de chromosomes à 46 (deux jeux). Au chapitre 13, nous examinerons de plus près le rôle de la méiose dans la reproduction et l'hérédité. Pour l'instant, penchons-nous sur la mitose et sur l'ensemble du cycle cellulaire chez les eucaryotes.

RETOUR SUR LE CONCEPT 12.1

1. Combien de chromosomes a-t-on dessiné dans chaque partie de la figure 12.5 ? (Ne tenez pas compte de la micrographie de l'étape 2.)

2. **ET SI ?** ▶ Les cellules somatiques du poulet (*Gallus gallus*) possèdent 78 chromosomes. Combien de chromosomes le poulet hérite-t-il de chaque parent ? Combien de chromosomes y a-t-il dans chaque gamète de poulet ? Combien de chromosomes y a-t-il dans chaque cellule somatique de la progéniture du poulet ?

Voir les réponses proposées à l'appendice A.

CONCEPT 12.2

La phase mitotique alterne avec l'interphase au cours du cycle cellulaire

En 1882, l'anatomiste allemand Walther Flemming a mis au point un colorant qui lui a permis d'observer pour la première fois le comportement des chromosomes durant la mitose et la cytocinèse chez des embryons de salamandre. (En fait, c'est Walther Flemming qui a inventé les termes *mitose* et *chromatine*.) Durant l'intervalle séparant une division cellulaire de la division cellulaire suivante, Flemming a cru que la cellule ne faisait que croître. Toutefois, on sait aujourd'hui qu'un certain nombre d'événements critiques ont lieu durant ce stade de développement de la cellule.

Les phases du cycle cellulaire

Le cycle cellulaire se définit comme le processus correspondant à la vie d'une cellule, depuis sa formation par division de la cellule mère jusqu'à la fin de sa propre division en deux cellules filles. La mitose ne constitue qu'une étape de ce processus (**figure 12.6**). En fait, la **phase M** (phase mitotique), qui comprend la mitose et la cytocinèse, est l'étape la plus courte du cycle cellulaire. Elle alterne avec une période de croissance cellulaire appelée **interphase**, une étape beaucoup plus longue représentant généralement 90 % de la durée du cycle. On subdivise l'interphase en trois phases, soit, dans l'ordre, la **phase G_1** (G_1 pour *first gap* ou premier intervalle), la **phase S** (S pour « synthèse d'ADN ») et la **phase G_2** (deuxième intervalle). Les phases G ont été nommées *gap* (signifiant « interruption ») au moment de leur découverte parce que les cellules semblaient être inactives, mais on sait maintenant que l'activité métabolique et la croissance sont intenses tout au long de l'interphase. Durant les trois phases de l'interphase, la cellule croît en synthétisant des protéines et en produisant des organites cytoplasmiques, comme les mitochondries et le réticulum endoplasmique. La réplication des chromosomes, cruciale pour la division cellulaire à venir, n'a toutefois lieu que pendant la phase S (nous reviendrons sur la synthèse, ou réplication, de l'ADN au concept 16.2). En somme, la cellule croît (G_1), copie ses chromosomes tout en continuant de croître (S), finit de se préparer pour la division cellulaire sans cesser de croître (G_2) et, enfin, se divise (M). Les cellules filles peuvent ensuite répéter le cycle.

Une cellule humaine type peut se diviser une fois en 24 heures. La phase M dure moins de 1 heure, tandis que la phase S prend environ de 10 à 12 heures, c'est-à-dire presque la moitié du cycle. Les phases G_1 et G_2 occupent le reste du temps. La phase G_2 prend habituellement de 4 à 6 heures. La phase G_1 a la durée la plus variable dans les différents types de cellules; dans notre exemple, G_1 dure environ de 5 à 6 heures. La durée du cycle cellulaire et la localisation relative des différentes phases dans le cycle varient considérablement d'une espèce à l'autre et d'un type de cellules à l'autre (embryonnaires ou

▼ **Figure 12.6 Le cycle cellulaire.** Dans une cellule en voie de division, la phase M (phase mitotique) alterne avec l'interphase, une période de croissance. La première partie de l'interphase s'appelle G_1. Elle correspond à une phase de croissance. Elle est suivie de la phase S, au cours de laquelle se produisent la réplication des chromosomes et une croissance cellulaire. Puis vient la dernière partie de l'interphase, la phase G_2. Pendant celle-ci, la croissance se poursuit. À l'interphase succède la phase M, durant laquelle la mitose divise le noyau de la cellule mère et répartit les chromosomes entre les noyaux fils, et accomplit la cytocinèse en divisant le cytoplasme, produisant ainsi deux cellules filles.

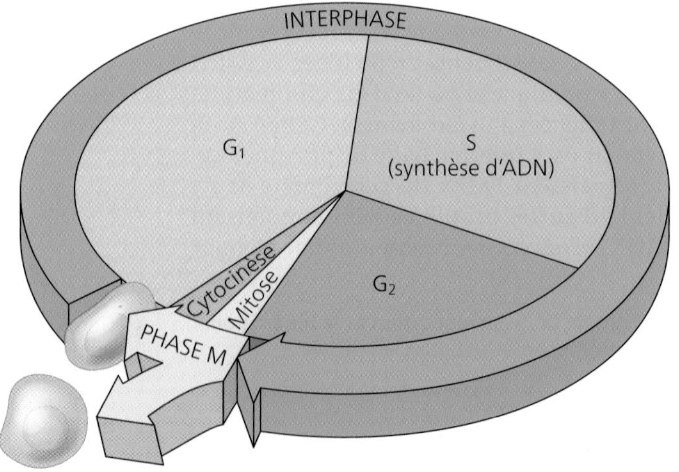

adultes, par exemple). Certaines cellules d'un organisme multicellulaire se divisent rarement ou ne se divisent pas du tout; elles restent en phase G_1 (ou dans une phase reliée appelée phase G_0, dont nous parlerons plus loin dans ce chapitre) pour accomplir leur travail dans l'organisme – par exemple, sécréter des enzymes digestives dans le cas d'une cellule pancréatique.

Les films en accéléré montrant des cellules en cours de division révèlent que la mitose et la cytocinèse représentent un ensemble de changements ininterrompus. Pour les besoins de la description, toutefois, on subdivise la mitose en cinq phases: la **prophase**, la **prométaphase**, la **métaphase**, l'**anaphase** et la **télophase**. La cytocinèse chevauche les dernières étapes de la mitose et la termine. La **figure 12.7** montre les détails de ces phases dans une cellule animale. Nous vous recommandons d'examiner cette figure attentivement avant d'aborder les deux prochaines sections, qui traiteront en détail de la mitose et de la cytocinèse.

Le fuseau de division: *une étude détaillée*

Plusieurs événements de la mitose reposent sur une structure appelée **fuseau de division**, qui commence à se former dans le cytoplasme pendant la prophase. Le fuseau de division est un ensemble de fibres constituées de microtubules assemblés en faisceaux et associés à des protéines. Comme ils se désorganisent pendant la formation du fuseau de division, les autres microtubules du cytosquelette fournissent ses matériaux au fuseau de division. Les microtubules du fuseau de division allongent (se polymérisent) en incorporant des sous-unités de tubuline (voir le tableau 6.1) et raccourcissent (se dépolymérisent) en perdant des sous-unités.

Dans les cellules animales, l'assemblage des microtubules du fuseau de division commence dans le **centrosome**, un organite non membraneux qui organise les microtubules tout au long du cycle cellulaire (on le nomme également *centre organisateur des microtubules*). On trouve une paire de centrioles au cœur du centrosome, mais ces structures ne sont toutefois pas essentielles à la division cellulaire: si l'on détruit les centrioles de cellules animales au moyen d'un faisceau laser, on n'empêche ni la formation ni le fonctionnement du fuseau de division pendant la mitose. D'ailleurs, on ne trouve pas le moindre centriole dans les cellules végétales, ce qui n'empêche pas ces dernières de former des fuseaux de division.

Pendant l'interphase, dans les cellules animales, le centrosome se réplique et forme deux centrosomes situés à côté du noyau (voir la figure 12.7). Ceux-ci s'éloignent l'un de l'autre pendant la prophase et la prométaphase, et c'est à partir de ces deux centrosomes que les microtubules du fuseau de division rayonnent. À la fin de la prométaphase, les deux centrosomes se trouvent aux pôles de la cellule et deviennent les pôles du fuseau. Un *aster*, un ensemble de courts microtubules qui irradient autour du centrosome, apparaît. Le fuseau de division comprend les centrosomes, les microtubules du fuseau et les asters.

Chacune des deux chromatides sœurs d'un chromosome répliqué possède un **kinétochore**, une structure constituée de protéines qui se sont assemblées sur certaines portions d'ADN de chaque centromère. Les deux kinétochores d'un chromosome font face aux extrémités opposées de la cellule. Durant la prométaphase, certains microtubules du fuseau de division s'attachent à eux; on les appelle *microtubules kinétochoriens*. (Le nombre de microtubules attachés au kinétochore varie selon les espèces. Ainsi, on en trouve un seul dans les cellules de levure et une quarantaine dans certaines cellules des mammifères.) Quand un microtubule «capture» un kinéthochore, le chromosome commence à migrer vers le pôle d'origine du microtubule. Toutefois, ce mouvement est contré dès qu'un microtubule provenant de l'autre pôle s'attache au kinétochore de l'autre chromatide. Il se produit alors une partie de souque-à-la-corde, qui se termine par un score nul. Le chromosome se déplace dans une direction, puis dans l'autre, et ce, pendant un moment. Il s'arrête finalement à l'équateur de la cellule. Lors de la métaphase, les centromères de tous les chromosomes dédoublés s'alignent sur un plan imaginaire, situé au point milieu entre les deux pôles du fuseau, appelé **plaque équatoriale** (**figure 12.8**). Entre-temps, les microtubules qui ne s'attachent pas aux kinétochores interagissent: ceux qui sont issus d'un pôle du fuseau de division chevauchent ceux qui sont issus du pôle opposé. Ces microtubules non reliés aux kinétochores sont appelés *microtubules polaires*. À la métaphase, les microtubules des asters se sont également développés et touchent la membrane plasmique. Le fuseau de division est alors complet.

Étudions maintenant la fine adéquation entre la structure et la fonction du fuseau de division pendant l'anaphase. L'anaphase débute quand les cohésines retenant les chromatides sœurs sont clivées par une enzyme appelée *séparase*; jusque-là, cette enzyme était maintenue à l'état inactif par une protéine, la *sécurine*. Les chromatides sœurs sont désormais indépendantes et forment des chromosomes à part entière, qui se déplacent vers les pôles de la cellule.

Quel rôle jouent les microtubules kinétochoriens dans cette migration des chromosomes? Apparemment, deux mécanismes entrent en jeu, chacun mettant en jeu des protéines motrices. (Pour une révision du mouvement des protéines motrices le long des microtubules, voir la figure 6.21.) Les résultats d'une expérience ingénieuse réalisée en 1987 semblaient indiquer que les kinétochores possèdent des protéines motrices qui font «marcher» les chromosomes le long des microtubules, lesquelles raccourcissent en se dépolymérisant du côté de leur extrémité kinétochorienne après le passage des protéines motrices (**figure 12.9**). (On décrit ce phénomène comme le mécanisme du Pac-Man à cause de sa ressemblance avec un jeu d'arcade dont le personnage se déplace en mangeant tous les points sur son chemin.) Cependant, les études effectuées par certains chercheurs sur d'autres cellules ou d'autres espèces ont montré que les chromosomes sont «rembobinés» par des protéines motrices aux pôles du fuseau et que les microtubules se dépolymérisent après le passage de ces protéines motrices aux pôles. À l'heure actuelle, on s'accorde pour dire que les deux mécanismes entrent en jeu et que leur contribution relative varie selon les types de cellules.

À quoi servent les microtubules polaires? Dans une cellule animale en division, ils font allonger la cellule entière dans l'axe polaire durant l'anaphase. Les microtubules polaires des pôles opposés se chevauchent considérablement les uns les autres pendant la métaphase (voir la figure 12.8). Durant l'anaphase, la région du chevauchement est de moins en moins grande, car des protéines motrices liées aux microtubules polaires font glisser ceux-ci les uns sur les autres grâce à l'énergie fournie par de l'ATP (le fuseau contient une ATPase). À mesure que les microtubules s'éloignent les uns des autres, les pôles de leur fuseau s'éloignent également, ce qui contribue à l'étirement de la

▼ Figure 12.7

PANORAMA Les phases de la mitose dans une cellule animale

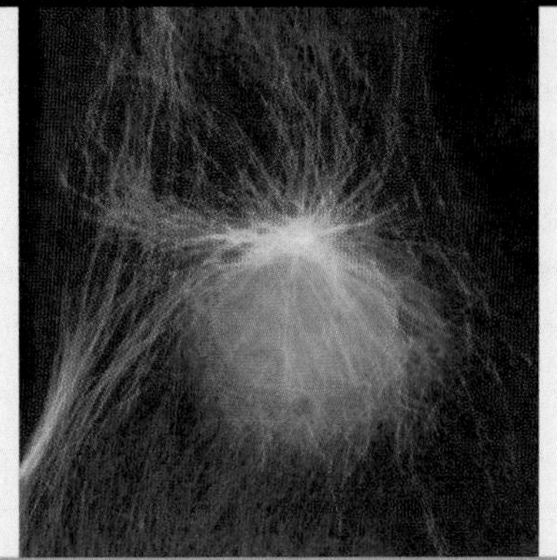

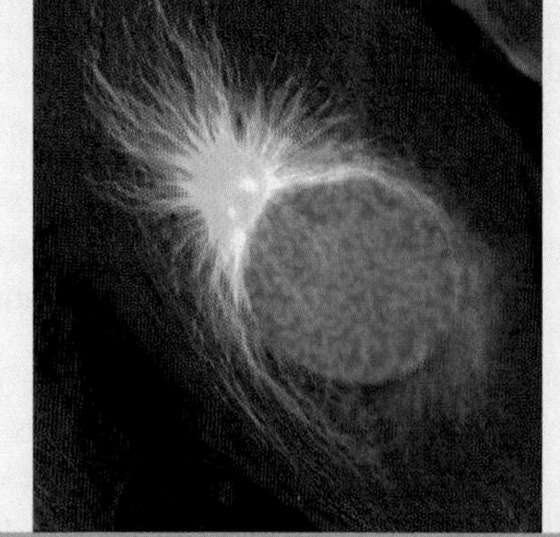

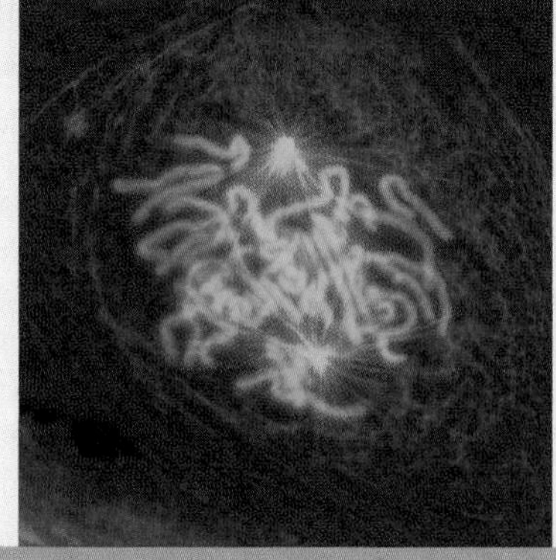

Phase G_2 de l'interphase

Prophase

Prométaphase

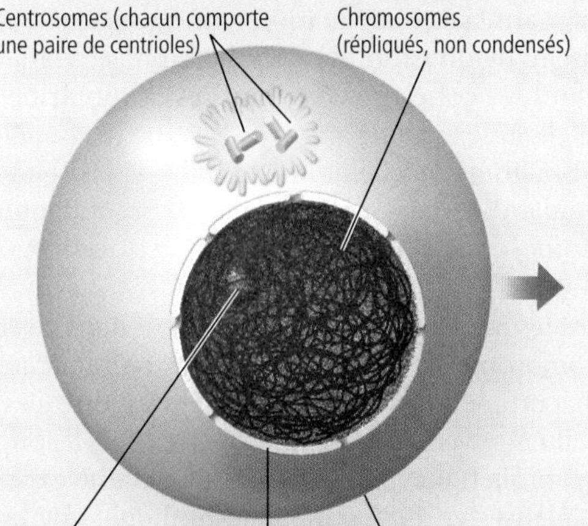

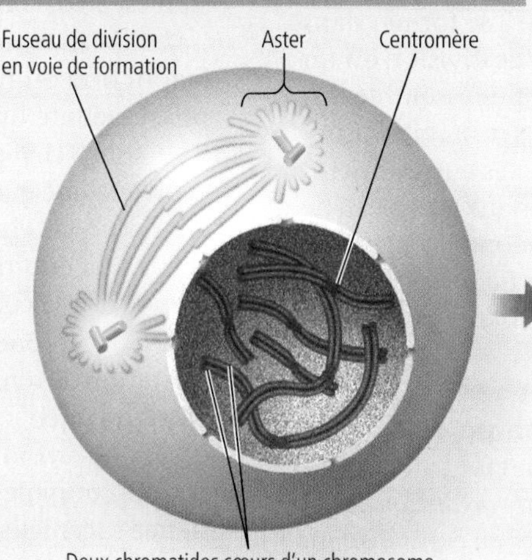

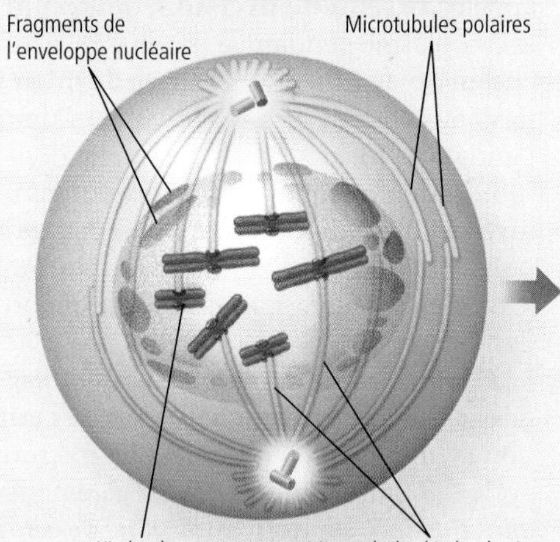

Phase G_2 de l'interphase

- Le noyau est entouré de l'enveloppe nucléaire.
- Le noyau contient un ou plusieurs nucléoles.
- Deux centrosomes se forment à la suite de la réplication d'un centrosome unique. Les centrosomes sont les zones des cellules animales qui organisent les microtubules du fuseau. Chaque centrosome contient une paire de centrioles.
- La réplication des chromosomes a déjà eu lieu durant la phase S, mais on ne peut les distinguer: ils ne se présentent pas encore sous la forme condensée.

Les micrographies par fluorescence montrent un pneumocyte (une cellule pulmonaire) du triton de l'Oregon (*Taricha granulosa*) en train de se diviser. Les cellules somatiques de cette espèce possèdent chacune 22 chromosomes. Les chromosomes apparaissent en bleu, les microtubules, en vert, et les filaments intermédiaires, en rouge. Pour simplifier les schémas, on ne montre que six chromosomes.

Prophase

- Les fibres de chromatine s'enroulent et se replient, formant alors des chromosomes visibles au microscope photonique.
- Dans le noyau, les nucléoles s'estompent et disparaissent.
- Chaque chromosome répliqué prend la forme de deux chromatides sœurs identiques réunies dans la région du centromère, et sur toute leur longueur chez certaines espèces, par les cohésines (cohésion des chromatides sœurs).
- Dans le cytoplasme, le fuseau de division (ainsi nommé en raison de sa forme) se constitue. Il se compose des centrosomes et d'un assemblage de fibres du cytosquelette, les microtubules, qui se prolongent entre les deux centrosomes. Les microtubules rayonnent des centrosomes en une formation étoilée appelée aster (du latin *aster*, « étoile »).
- Les centrosomes s'éloignent l'un de l'autre, propulsés en partie par l'allongement des microtubules qui les relient (les fibres du fuseau de division).

Prométaphase

- L'enveloppe nucléaire achève sa fragmentation, qui avait débuté en prophase.
- Les microtubules qui prolongent chaque centrosome peuvent maintenant envahir la région du noyau.
- Les chromosomes continuent de se condenser.
- Une structure spécialisée appelée kinétochore s'est maintenant formée au centromère de chaque chromatide (deux par chromosome).
- Certains des microtubules s'attachent aux kinétochores et deviennent des « microtubules kinétochoriens ». Les microtubules kinétochoriens amorcent le mouvement saccadé des chromosomes.
- Les microtubules polaires (ou non kinétochoriens) interagissent avec leur vis-à-vis du pôle opposé, de sorte que la cellule s'allonge.

? Combien de molécules d'ADN y a-t-il dans l'illustration de la prométaphase ? Combien y a-t-il de molécules par chromosome ? Combien de doubles hélices y a-t-il par chromosome ? Par chromatide ?

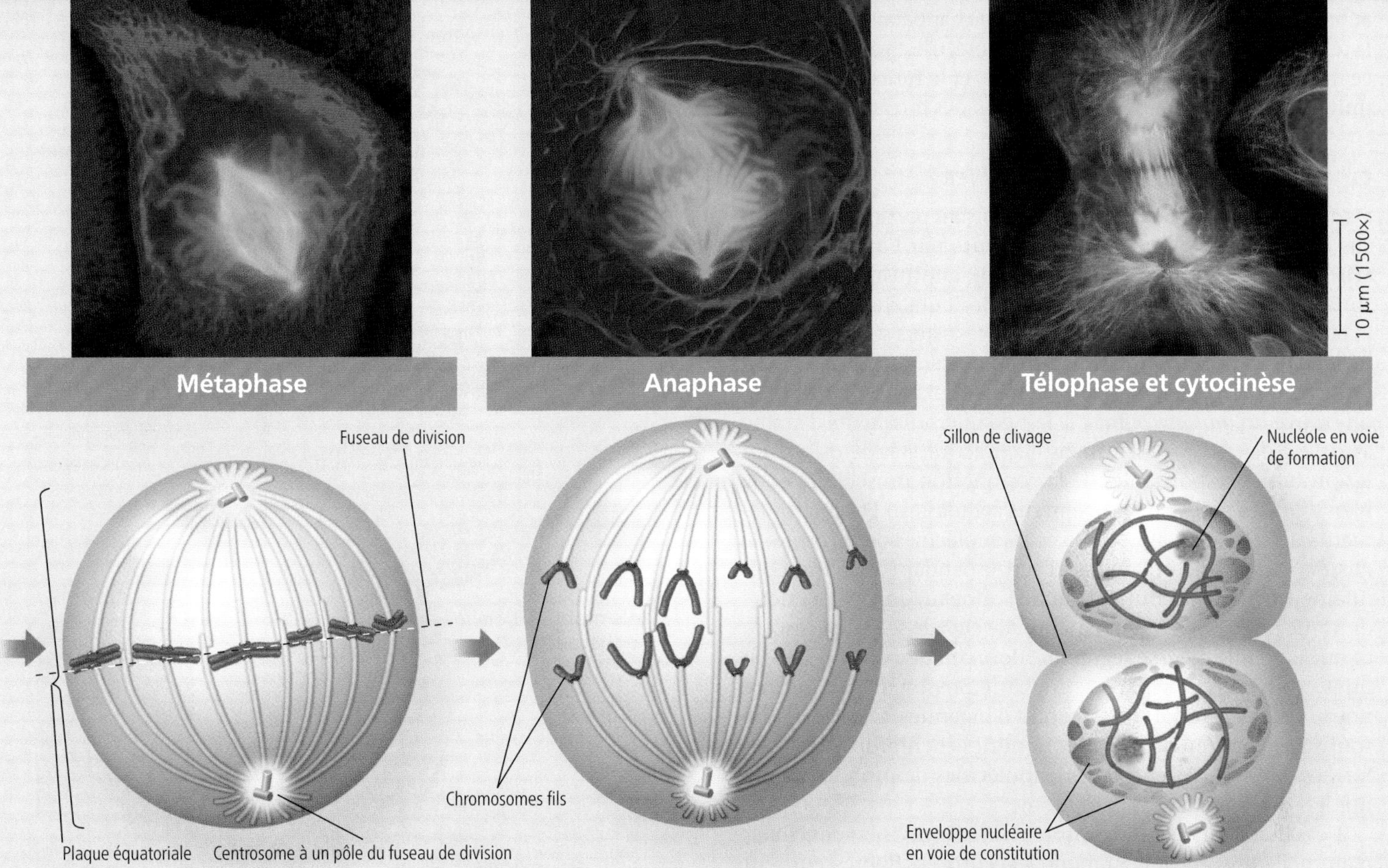

Métaphase

- Les centrosomes se trouvent maintenant aux extrémités opposées de la cellule.
- Les chromosomes s'alignent sur la *plaque équatoriale*, un plan imaginaire qui est situé à égale distance des deux pôles du fuseau de division et sur lequel tous les centromères sont alignés.
- Pour chaque chromosome, les kinétochores des chromatides sœurs sont attachés à des microtubules kinétochoriens provenant de pôles opposés.

Anaphase

- L'anaphase est la phase la plus courte de la mitose; elle ne dure que quelques minutes.
- L'anaphase commence quand les cohésines sont clivées. Le centromère dédoublé de chaque chromosome se sépare en deux, libérant les chromatides sœurs. Ce phénomène se produit simultanément pour tous les chromosomes.
- Les chromatides sœurs deviennent des chromosomes à part entière qui se dirigent vers des pôles opposés, à mesure que les microtubules kinétochoriens raccourcissent. Ce mouvement des chromosomes est parfois appelé « anaphase A ».
- Les microtubules kinétochoriens exercent une traction sur les centromères, qui prennent les devants et traînent le reste du chromosome vers les pôles (à une vitesse d'environ 1 μm/min, ce qui est considéré comme très lent par rapport à l'ensemble des mouvements cellulaires).
- L'allongement des microtubules polaires éloigne les pôles l'un de l'autre. Cet allongement du fuseau est parfois appelé « anaphase B ».
- À la fin de l'anaphase, les deux pôles de la cellule possèdent des jeux équivalents et complets de chromosomes.

Télophase

- Des noyaux fils commencent à se former aux pôles de la cellule; l'enveloppe nucléaire se reforme autour de chacun à partir des fragments de l'enveloppe nucléaire de la cellule mère et d'autres portions du réseau de membranes intracellulaire.
- Les nucléoles réapparaissent.
- Les chromosomes commencent à perdre leur organisation spatiale compacte.
- Tous les microtubules de fuseau qui restent se sont dépolymérisés.
- La mitose, c'est-à-dire la division d'un noyau en deux noyaux génétiquement identiques, vient de se terminer.

Cytocinèse

- En général, la division du cytoplasme est déjà bien amorcée vers la fin de la télophase, de sorte que deux cellules filles distinctes apparaissent peu de temps après la mitose.
- Dans les cellules animales, la cytocinèse est associée à la formation d'un sillon de clivage, qui étrangle la cellule mère et la sépare en deux cellules filles.

cellule. Simultanément, les microtubules s'allongent au fur et à mesure que des sous-unités de tubuline s'ajoutent à leurs extrémités qui se chevauchent. Par conséquent, ils continuent de se chevaucher.

À la fin de l'anaphase, deux jeux de chromosomes identiques se trouvent aux extrémités opposées de la cellule mère, qui s'est allongée dans l'axe de ses pôles. Les noyaux apparaissent pendant la télophase, la dernière phase de la mitose. C'est généralement à ce moment que la cytocinèse s'amorce, et le fuseau de division finit par se défaire, par dépolymérisation des microtubules.

La cytocinèse: *une étude détaillée*

Dans les cellules animales, la cytocinèse fait partie d'un processus appelé **segmentation**. Elle débute par l'apparition du **sillon de clivage** (ou sillon de division), une invagination de la surface cellulaire qui se produit à l'endroit qui était occupé par la plaque équatoriale (**figure 12.10a**); les asters semblent jouer un rôle dans la détermination de l'emplacement et de l'orientation du sillon de clivage. Sur la face cytoplasmique du sillon, on trouve un *anneau contractile* fait de microfilaments d'actine associés à des molécules de myosine. (L'actine et la myosine sont les protéines responsables de la contraction musculaire et de bien d'autres types de mouvements cellulaires.) Les microfilaments d'actine interagissent avec les molécules de myosine; le glissement des microfilaments d'actine pendant la division cellulaire provoque la contraction de l'anneau, dont le diamètre diminue progressivement. Le sillon de clivage se creuse jusqu'à ce que la cellule mère se segmente, donnant deux nouvelles cellules complètes et séparées, chacune possédant son propre noyau et sa propre part de cytosol et d'organites. Ces derniers se sont soit divisés en deux (mitochondries et chloroplastes), soit formés par synthèse à partir de molécules de protéines et de lipides présentes dans le cytoplasme.

Des chercheurs ayant récemment filmé la division de cellules mammaliennes après avoir rendu les centrioles fluorescents ont constaté qu'un des deux centrioles (le centriole père) de l'un ou des deux centrosomes quitte son poste, au pôle de la cellule, et vient se placer près du mince pont reliant encore les deux cellules avant que le sillon de clivage ne les ait complètement séparées. Tout se passe comme s'il venait vérifier que la division se déroule correctement. Il regagne ensuite sa position polaire et, là seulement, la séparation des deux cellules peut se compléter.

Dans les cellules végétales, qui ont une paroi épaisse et rigide, la cytocinèse prend une tout autre tournure. Au lieu qu'un sillon de clivage apparaisse, c'est une structure appelée **plaque cellulaire** qui se constitue à l'équateur de la cellule mère pendant la télophase. La plaque cellulaire se forme quand des vésicules de sécrétion issues du complexe golgien avancent sur des microtubules jusqu'au milieu de la cellule, où elles fusionnent (**figure 12.10b**). Ces microtubules forment un organite particulier, le *phragmoplaste*. Le contenu des vésicules de sécrétion fournit les matériaux nécessaires à la formation de la nouvelle paroi de séparation. La fusion des vésicules concourt à étendre la plaque cellulaire qui finit par s'unir latéralement avec la membrane plasmique. Le résultat: deux cellules filles possédant chacune leur membrane plasmique. Dans l'intervalle, la plaque cellulaire a produit une nouvelle paroi entre les cellules filles, en laissant des ouvertures, les plasmodesmes, par lesquelles le réticulum endoplasmique passe d'une cellule à l'autre.

▼ **Figure 12.8 Le fuseau de division pendant la métaphase.** Les kinétochores des deux chromatides sœurs d'un chromosome font face aux extrémités opposées de la cellule. Ici, chaque kinétochore est attaché à plusieurs microtubules kinétochoriens issus du centrosome le plus rapproché. Les microtubules polaires se chevauchent sur la plaque équatoriale (MET).

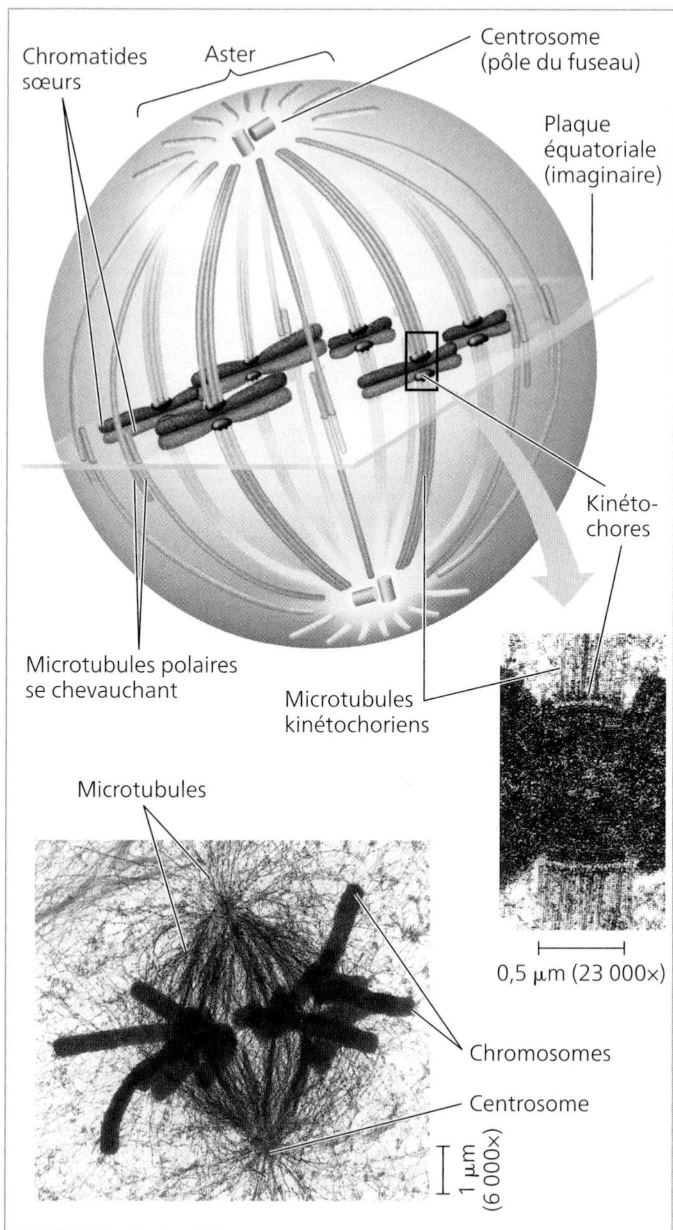

FAITES UN DESSIN ▶ Sur la micrographie du bas, tracez une ligne indiquant la position de la plaque équatoriale. Encerclez un aster. Tracez des flèches qui indiquent les directions du mouvement d'un chromosome lorsque l'anaphase commence.

La **figure 12.11** montre des micrographies d'une cellule végétale en train de se diviser. Observez-les; cela vous permettra de réviser les processus de la mitose et de la cytocinèse.

POUR APPROFONDIR ■ Chez certains organismes, la division du noyau (appelée aussi *caryocinèse*) n'est pas suivie de la cytocinèse: cela peut mener, chez les eumycètes par exemple, à la formation de *coenocytes*, ou masses cytoplasmiques contenant plusieurs centaines de noyaux (voir le chapitre 31). Parfois même, l'ADN

DÉMARCHE SCIENTIFIQUE

INVESTIGATION

▼ Figure 12.9

Durant l'anaphase, les microtubules kinétochoriens raccourcissent-ils aux pôles de leur fuseau de division ou aux pôles des kinétochores ?

■ HYPOTHÈSE ■ Si les microtubules kinétochoriens se dépolymérisent du côté de leur extrémité kinétochorienne, leur longueur entre le kinétochore et la zone marquée devrait diminuer. Au contraire, s'ils se dépolymérisent du côté de leur extrémité polaire, leur longueur entre le pôle et la zone marquée devrait diminuer.

■ EXPÉRIENCE ■ Gary Borisy et ses collègues de la University of Wisconsin ont voulu savoir si les microtubules kinétochoriens se dépolymérisent du côté de leur extrémité kinétochorienne ou du côté de leur extrémité polaire lorsque les chromosomes se déplacent vers les pôles durant la mitose. Pour commencer, ils ont teint en jaune fluorescent les microtubules d'une cellule rénale de porc en début d'anaphase (voir ci-dessous). (Les microtubules non kinétochoriens ne sont pas montrés.)

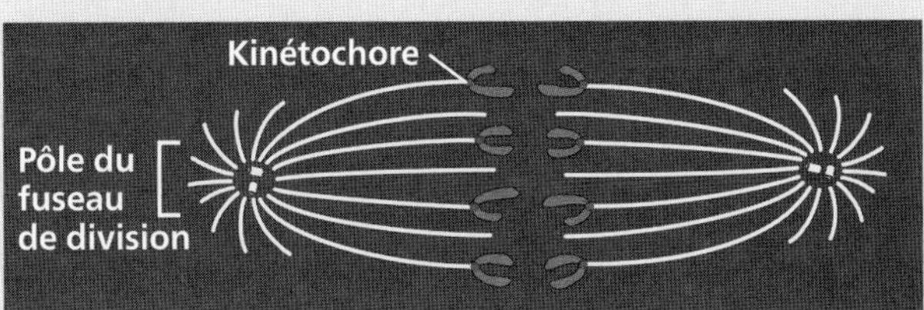

Puis, à l'aide d'un faisceau laser, les chercheurs ont marqué les microtubules kinétochoriens en éliminant leur fluorescence dans une zone située à mi-chemin environ entre le pôle et le kinétochore, tout en laissant les microtubules intacts (voir ci-dessous). Lorsque l'anaphase a commencé, les chercheurs ont surveillé les variations de longueur des microtubules de part et d'autre de la zone marquée.

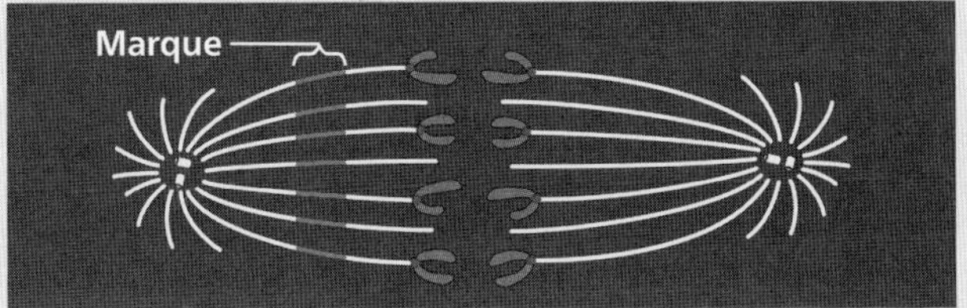

■ RÉSULTATS ■ À mesure que les chromosomes se rapprochent des pôles, les segments de microtubules situés du côté des kinétochores raccourcissent, alors que les segments situés du côté du pôle du fuseau de division gardent la même longueur.

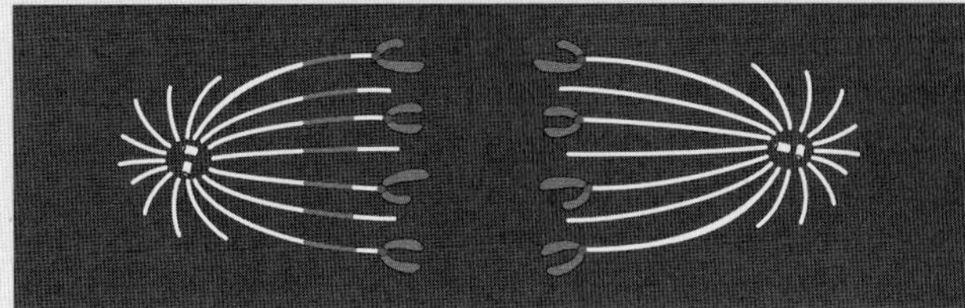

■ CONCLUSION ■ Durant l'anaphase, chez ce type de cellule, il y a corrélation entre le mouvement des chromosomes et le raccourcissement des microtubules kinétochoriens du côté de leur extrémité kinétochorienne et non du côté de l'extrémité du pôle du fuseau de division. Cette expérience s'ajoute à plusieurs autres qui soutiennent l'hypothèse selon laquelle les microtubules se dépolymérisent du côté de leur extrémité kinétochorienne en libérant des sous-unités de tubuline.

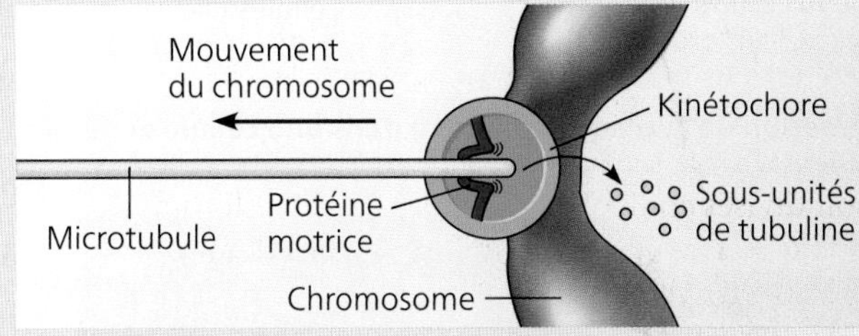

Source des données: G. J. Gorbsky, P. J. Sammak et G. G. Borisy, Chromosomes move poleward in anaphase along stationary microtubules that coordinately disassemble from their kinetochore ends, *Journal of Cell Biology* 104: 9-18 (1987).

ET SI ? ▶ Si cette expérience avait été réalisée sur un type de cellules dans lesquelles le rembobinage aux pôles est la principale cause du mouvement des chromosomes, comment la marque se serait-elle déplacée par rapport aux pôles ? Comment les portions de microtubules de chaque côté de la marque auraient-elles varié ?

se réplique un certain nombre de fois dans un noyau sans qu'il y ait ni caryocinèse, ni cytocinèse : c'est le cas des cellules des glandes salivaires de la drosophile (petite mouche du vinaigre ou mouche à fruit), où les chromosomes subissent une dizaine de réplications de l'ADN sans séparation des chromatides et forment ce qu'on appelle des chromosomes géants, très utiles en recherche dans le domaine de la génétique. ■

La scissiparité chez les bactéries

Les procaryotes (bactéries et archées) peuvent recourir à un mode de reproduction où la cellule double de taille puis se divise en deux. Le terme **scissiparité** (ou fissiparité) désigne ce processus ainsi que la reproduction asexuée d'eucaryotes unicellulaires comme l'amibe de la figure 12.2a. Cependant, chez les eucaryotes, ce processus suppose une mitose, ce qui n'est pas le cas chez les procaryotes.

Chez les bactéries, la plupart des gènes sont portés par un chromosome unique composé d'une molécule circulaire d'ADN associée à des protéines. Bien que les bactéries et les archées soient plus petites et plus simples que les cellules eucaryotes, le problème que pose la réplication fidèle de leur génome et la distribution équitable des génomes aux deux cellules filles demeure colossal. Considérons, par exemple, le chromosome de la bactérie *Escherichia coli*. Une fois étalé complètement, il est quelque

▼ **Figure 12.10 La cytocinèse dans la cellule animale et dans la cellule végétale.**

(a) Segmentation d'une cellule animale (MEB)

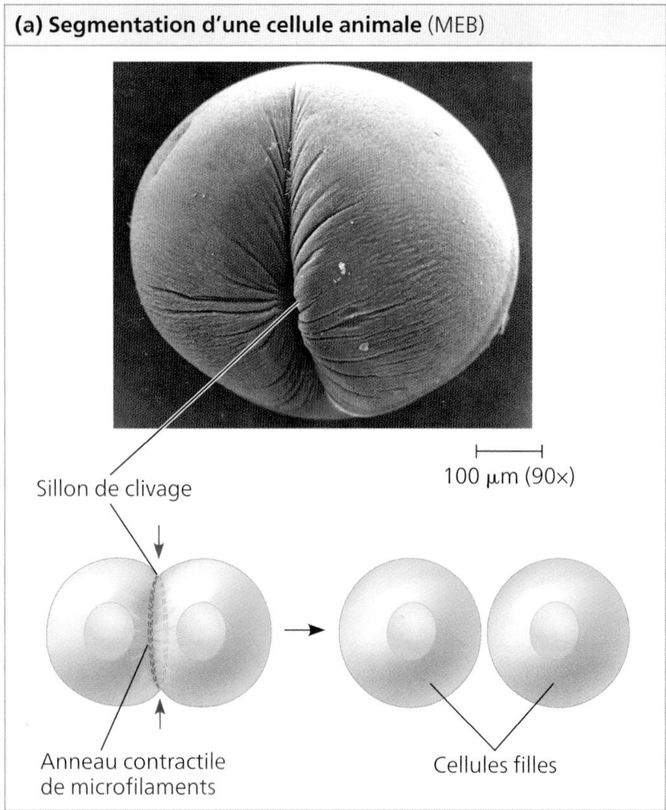

(b) Formation de la plaque cellulaire dans une cellule végétale (MET)

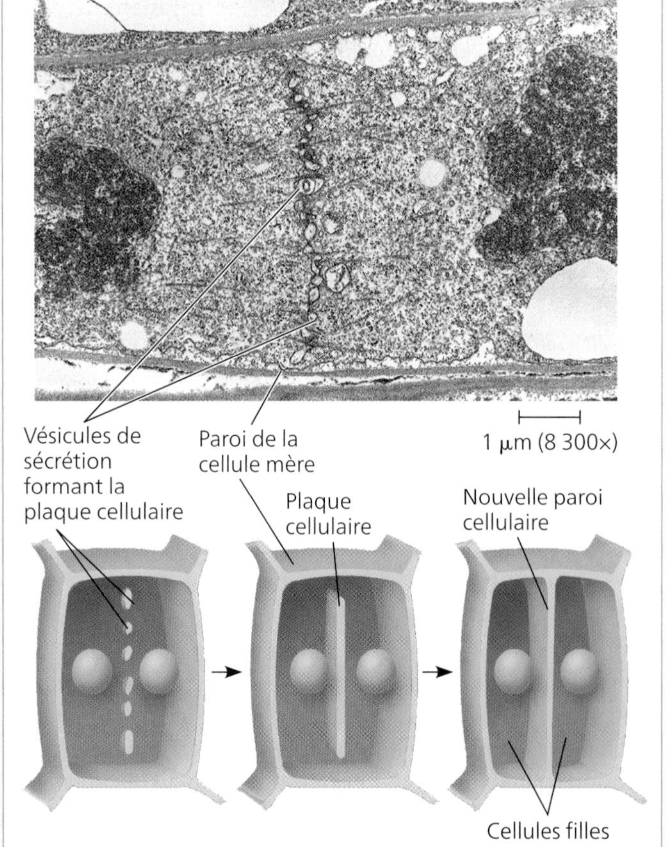

500 fois plus long que la cellule elle-même. On devine qu'il doit être replié plusieurs fois pour tenir dans la cellule.

Chez certaines bactéries, le processus de la division cellulaire se met en branle quand l'ADN du chromosome bactérien commence à se répliquer dans une zone particulière du chromosome appelée **origine de réplication**, ce qui produit deux origines. À mesure que le chromosome se dédouble, une des origines se déplace rapidement vers l'extrémité opposée de la cellule (**figure 12.12**). Pendant la réplication du chromosome bactérien, la cellule s'allonge. Une fois que la réplication est achevée et que la taille initiale de la bactérie a doublé, la membrane plasmique s'invagine et divise la cellule mère en deux cellules filles. Chacune reçoit un génome complet.

En faisant appel à des techniques récentes de préparation d'ADN permettant de marquer les origines de réplication avec des molécules qui se colorent en vert quand elles sont observées au microscope à fluorescence (voir la figure 6.3), les chercheurs ont pu observer directement le mouvement de chromosomes bactériens. Celui-ci rappelle le déplacement des centromères des chromosomes eucaryotes vers les pôles durant l'anaphase, mais chez les bactéries, il n'y a ni fuseau de division ni microtubules. Chez la plupart des espèces bactériennes étudiées, les deux origines de réplication se retrouvent aux extrémités opposées de la cellule ou dans une zone très spécifique, où elles sont vraisemblablement ancrées par une ou plusieurs protéines. Nous commençons à comprendre le mouvement des chromosomes bactériens ainsi que l'établissement et le maintien de leur emplacement, car ces domaines de recherche intéressent plusieurs scientifiques. Ce que nous savons à l'heure actuelle, c'est que plusieurs protéines jouent des rôles importants. L'une de ces protéines, similaire à l'actine des eucaryotes, interviendrait par polymérisation dans le mouvement du chromosome bactérien durant la division cellulaire. Une autre de ces protéines ressemble à la tubuline et favoriserait l'invagination de la membrane plasmique, et donc la séparation des deux cellules filles bactériennes.

L'évolution de la mitose

ÉVOLUTION Comme les cellules procaryotes sont apparues sur la Terre deux milliards d'années avant les cellules eucaryotes, on peut émettre l'hypothèse que la mitose trouve son origine dans les mécanismes élémentaires de la reproduction cellulaire bactérienne. Cette hypothèse est d'ailleurs soutenue par le fait que certaines des protéines intervenant dans la scissiparité bactérienne présentent quelques similitudes avec des protéines eucaryotes qui participent à la mitose.

Au fur et à mesure que les eucaryotes dotés d'enveloppes nucléaires et de génomes toujours plus volumineux se sont transformés, le processus primitif de la scissiparité, qu'on observe aujourd'hui chez les bactéries, a évolué vers la mitose. Certaines variations dans la division cellulaire existent chez différents types d'organismes. Ces variantes pourraient ressembler à celles observées chez des espèces primitives et donc correspondre à des étapes de l'évolution vers la mitose à partir du processus similaire à la scissiparité qu'utilisaient vraisemblablement toutes les bactéries primitives. On observe aujourd'hui chez certains eucaryotes unicellulaires – les dinoflagellés, les diatomées et les eumycètes (**figure 12.13**) – deux types inhabituels de division nucléaire qui donnent à penser que des étapes

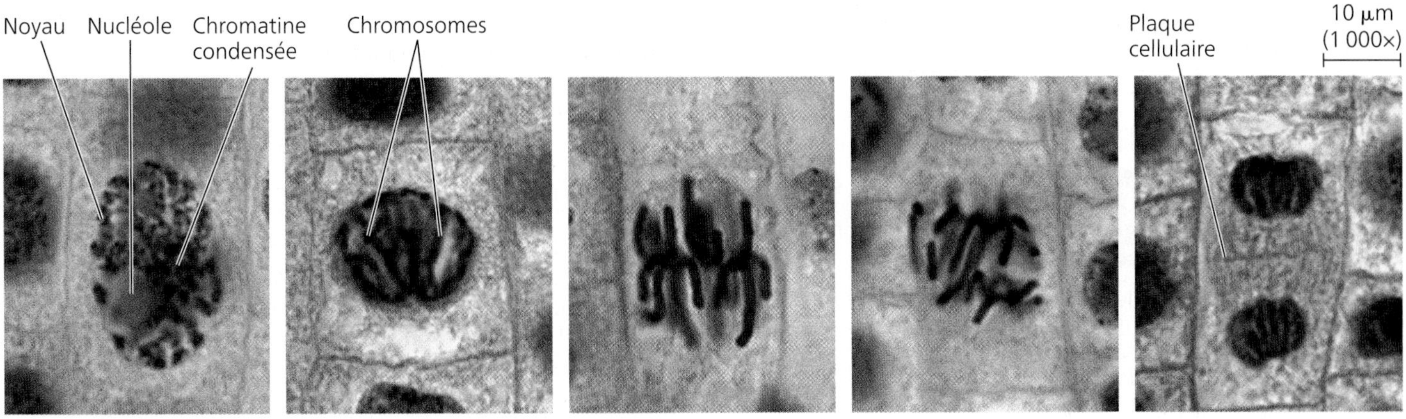

Noyau
Nucléole
Chromatine condensée

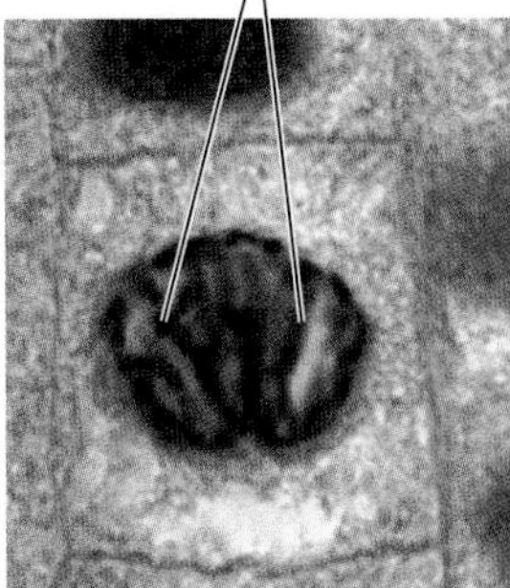

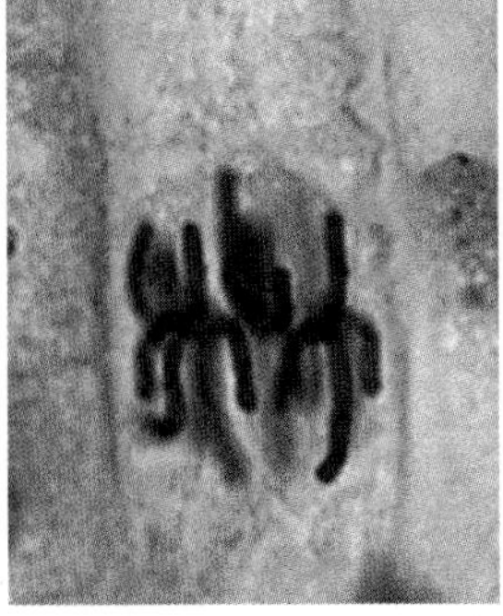

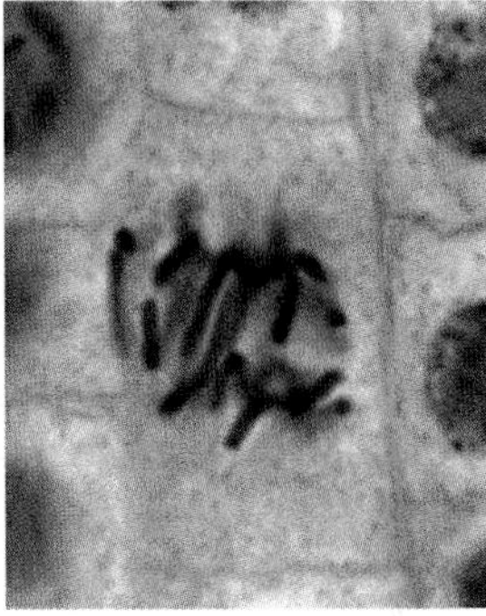

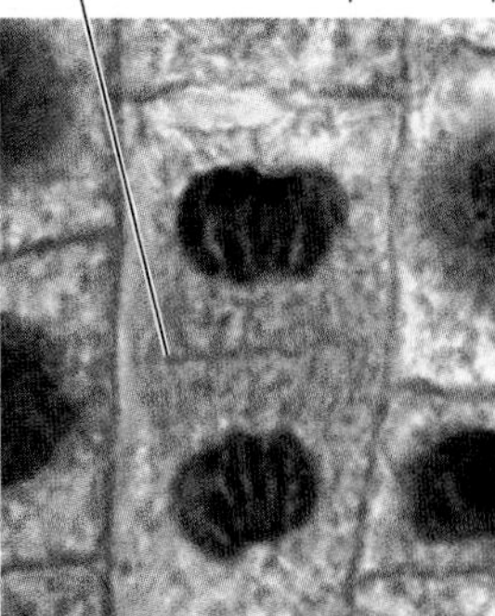

➊ **Prophase.** La chromatine se condense. Le nucléole commence à disparaître. Le fuseau de division se forme progressivement (il n'est pas visible sur cette micrographie).

➋ **Prométaphase.** Les chromosomes distincts sont maintenant bien visibles; chacun est constitué de deux chromatides sœurs identiques. Plus tard durant la prométaphase, l'enveloppe nucléaire se fragmente.

➌ **Métaphase.** Le fuseau de division est complet; les chromosomes, qui sont attachés aux microtubules par leurs kinétochores, se retrouvent tous sur la plaque équatoriale.

➍ **Anaphase.** Les chromatides sœurs de chacun des chromosomes sont séparées et deviennent des chromosomes à part entière. Ces derniers se déplacent vers les pôles de la cellule à mesure que leurs microtubules kinétochoriens raccourcissent.

➎ **Télophase.** Le noyau des cellules filles se forme. Entre-temps, la cytocinèse a débuté: la plaque cellulaire, qui divise le cytoplasme en deux, croît en direction de la membrane plasmique et de la paroi de la cellule mère.

▲ **Figure 12.11 La mitose dans une cellule végétale.** Ces micrographies photoniques montrent une cellule de racine d'oignon (*Allium cepa*) durant la mitose.

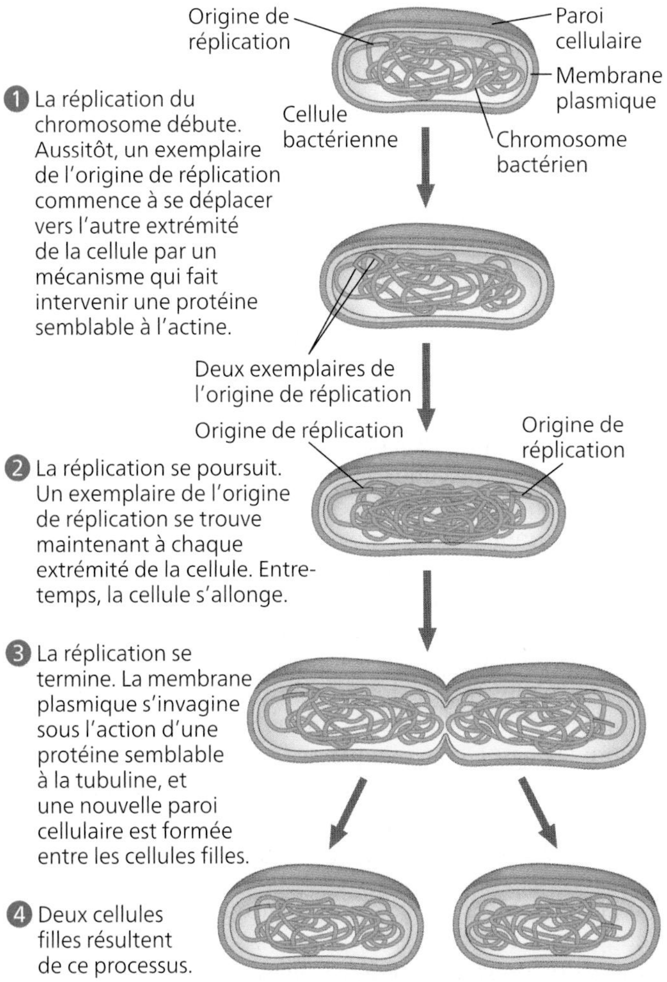

Origine de réplication
Paroi cellulaire
Membrane plasmique
Cellule bactérienne
Chromosome bactérien

➊ La réplication du chromosome débute. Aussitôt, un exemplaire de l'origine de réplication commence à se déplacer vers l'autre extrémité de la cellule par un mécanisme qui fait intervenir une protéine semblable à l'actine.

Deux exemplaires de l'origine de réplication

Origine de réplication
Origine de réplication

➋ La réplication se poursuit. Un exemplaire de l'origine de réplication se trouve maintenant à chaque extrémité de la cellule. Entre-temps, la cellule s'allonge.

➌ La réplication se termine. La membrane plasmique s'invagine sous l'action d'une protéine semblable à la tubuline, et une nouvelle paroi cellulaire est formée entre les cellules filles.

➍ Deux cellules filles résultent de ce processus.

▲ **Figure 12.12 La division de la cellule bactérienne: la scissiparité.** La bactérie qu'on voit ici est dotée d'un unique chromosome circulaire.

intermédiaires ont peut-être existé dans cette évolution. Dans ces deux modes de division nucléaire, l'hypothèse est que les mécanismes ancestraux n'auraient pratiquement pas subi de changements au cours de l'évolution. Dans les deux cas, l'enveloppe nucléaire reste intacte, contrairement à ce qui se passe dans la plupart des cellules eucaryotes. Cela dit, n'oublions pas qu'il est impossible d'observer la division cellulaire chez les espèces disparues. L'hypothèse dont il est question se fonde uniquement sur les espèces qui vivent encore et ne tient donc pas compte des mécanismes intermédiaires que des espèces depuis longtemps éteintes auraient pu utiliser.

RETOUR SUR LE CONCEPT 12.2

1. Combien de chromosomes la figure 12.8 représente-t-elle ? Sont-ils répliqués ? Combien de chromatides peut-on observer ?
2. Comparez la cytocinèse des cellules animales avec celle des cellules végétales.
3. Durant quels stades du cycle cellulaire un chromosome est-il composé de deux chromatides identiques ?
4. Comparez les rôles de la tubuline et de l'actine dans la division des cellules eucaryotes avec les rôles des protéines similaires à la tubuline et à l'actine lors de la scissiparité chez les bactéries.
5. On a comparé le kinétochore à un attelage qui relie un moteur au chargement qu'il transporte. Expliquez cette analogie.
6. **FAITES DES LIENS ▶** Quelles autres fonctions l'actine et la tubuline remplissent-elles ? Nommez les protéines avec lesquelles elles interagissent pour remplir ces fonctions. (Revoyez les figures 6.21a et 6.26a.)

Voir les réponses proposées à l'appendice A.

▼ **Figure 12.13 Les mécanismes de division cellulaire chez plusieurs groupes d'organismes.** Certains eucaryotes unicellulaires modernes utilisent des mécanismes de division cellulaire rappelant des stades intermédiaires de l'évolution vers la mitose. Sauf pour (a), ces schémas ne montrent pas la paroi cellulaire.

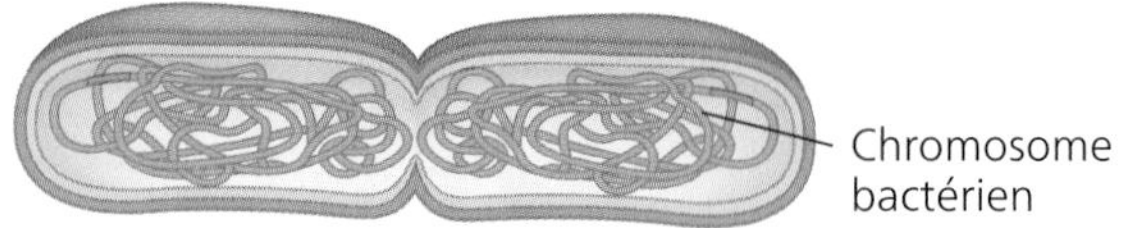

(a) Les procaryotes. Chez les bactéries et les archées, les origines de réplication des chromosomes fils se séparent au cours de la scissiparité et se déplacent vers des extrémités opposées de la cellule. Le mécanisme fait intervenir la polymérisation de molécules semblables à l'actine et probablement aussi des protéines qui ancrent les chromosomes fils à des sites spécifiques de la membrane plasmique.

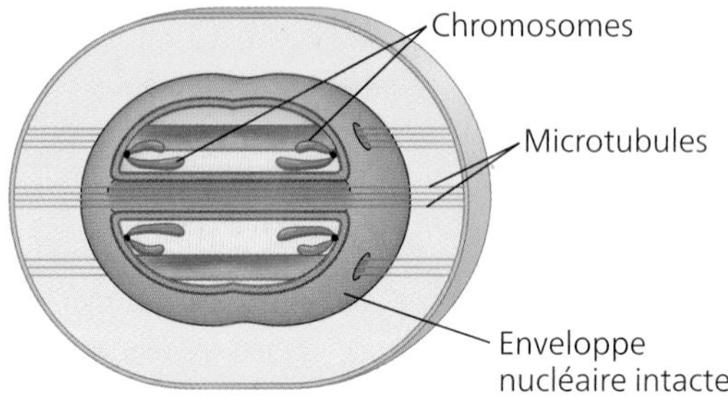

(b) Les dinoflagellés. Chez les dinoflagellés, des eucaryotes unicellulaires, les chromosomes s'attachent à l'enveloppe nucléaire, et celle-ci reste intacte durant la division cellulaire. Chez ces organismes, les microtubules empruntent des canaux cytoplasmiques qui traversent le noyau de part en part. La disposition des faisceaux de microtubules détermine le plan de fission du noyau, qui se divise selon un processus rappelant la scissiparité bactérienne.

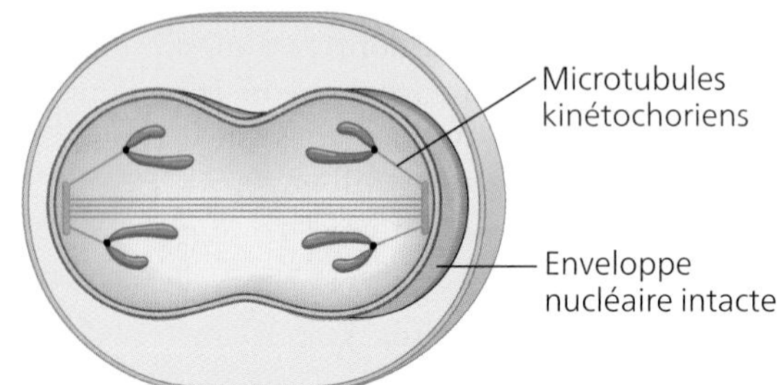

(c) Les diatomées et les eumycètes. Chez ces deux groupes d'eucaryotes unicellulaires, l'enveloppe nucléaire reste aussi intacte pendant la division cellulaire. Les microtubules forment un fuseau de division *à l'intérieur* du noyau ; ils séparent les chromosomes, et le noyau se divise en deux noyaux fils.

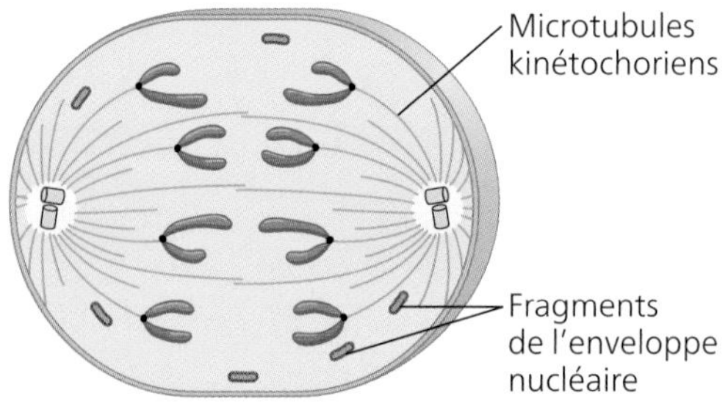

(d) La plupart des eucaryotes. Chez la plupart des eucaryotes, dont les végétaux et les animaux, le fuseau de division se forme à l'extérieur du noyau, et l'enveloppe nucléaire se rompt durant la mitose. Les microtubules séparent les chromatides sœurs, et deux enveloppes nucléaires se reconstituent par la suite.

CONCEPT **12.3**

Un mécanisme de régulation moléculaire gouverne le cycle cellulaire des eucaryotes

Pour que les différentes parties d'une plante ou d'un animal croissent, se développent et se régénèrent normalement, la division cellulaire doit absolument se dérouler au moment opportun et à un rythme approprié. La fréquence de la division cellulaire varie suivant le type de cellules. Les cellules aux extrémités des rameaux et à la pointe des racines chez les végétaux se divisent fréquemment, de même que les cellules épithéliales humaines, comme celles de l'intestin (qui peuvent se diviser deux fois par jour) ou de la peau. Les cellules hépatiques humaines, elles, se divisent à un rythme rapide (une division par jour) seulement si les circonstances l'exigent, en cas de lésion ou lors de l'ablation chirurgicale d'une partie de l'organe. Autrement, il se peut qu'elles ne se divisent qu'une seule fois par année. Il en va de même pour les cellules immunitaires (lymphocytes) qui prolifèrent après être entrées en contact avec une substance étrangère. Enfin, certaines cellules, telles que les neurones, les myocytes et les érythrocytes, ne se divisent pas chez l'adulte. La mitose demeure quand même un processus très actif chez l'humain adulte puisque, selon certaines estimations, 25 millions de cellules se divisent chaque seconde. Ces disparités sont imputables à une régulation du cycle cellulaire sur le plan moléculaire. On étudie les mécanismes régissant cette régulation, non seulement pour comprendre le cycle de cellules normales, mais également pour découvrir comment les cellules tumorales y échappent.

Le mécanisme de régulation du cycle cellulaire

Qu'est-ce qui régit le cycle cellulaire ? Au début des années 1970, au terme de diverses expériences, des chercheurs ont formulé l'hypothèse selon laquelle le cycle cellulaire serait régi par des signaux chimiques précis présents dans le cytoplasme. Certains indices convaincants à l'appui de cette hypothèse proviennent d'expériences réalisées sur des cellules mammaliennes mises en culture. Au cours de l'une d'elles, on a fusionné deux cellules se trouvant dans différentes phases du cycle de façon à former une seule cellule munie de deux noyaux (**figure 12.14**). On a observé que, quand l'une des cellules initiales est en phase S, et l'autre, en phase G_1, le noyau en phase G_1 entre immédiatement en phase S, comme si la cellule était activée par des substances chimiques présentes dans le cytoplasme de la cellule initiale. De la même manière, si une cellule en voie de mitose (phase M) fusionne avec une cellule dans une autre phase de son cycle (y compris la phase G_1), le second noyau entre immédiatement en mitose : sa chromatine se condense, et le fuseau de division se forme. D'autres expériences au cours desquelles du cytoplasme d'une cellule en phase M était injecté dans une cellule en interphase ont aussi confirmé cette hypothèse.

Les expériences illustrées à la figure 12.14, ainsi que bien d'autres effectuées chez les levures et des cellules animales, ont montré que l'enchaînement des phases du cycle cellulaire est commandé par un **mécanisme de régulation du cycle cellulaire** particulier et que ce mécanisme fait intervenir des molécules qui déclenchent et coordonnent périodiquement les événements clés du cycle (**figure 12.15**). À l'instar du système de contrôle d'une machine à laver, le mécanisme de régulation du cycle cellulaire fonctionne par lui-même, gouverné par une horloge interne. Cependant, tout comme le cycle d'une machine à laver peut faire l'objet d'un contrôle interne (les capteurs détectent le remplissage de la cuve) et externe (par exemple, l'activation du mécanisme de démarrage), le cycle cellulaire est régulé par des mécanismes internes et externes à des points de contrôle bien précis. Un **point de contrôle** du cycle cellulaire représente un moment critique où un signal dicte l'arrêt ou la poursuite du cycle. Les trois points de contrôle principaux se situent vers la fin de la phase G_1, à la toute fin de la phase G_2 et au point de transition entre la métaphase et l'anaphase à la phase M (barrières rouges dans la figure 12.15), que nous verrons bientôt.

Pour comprendre la régulation aux points de contrôle, penchons-nous d'abord sur les molécules qui gouvernent le cycle cellulaire (le fondement moléculaire de l'horloge du cycle cellulaire) et sur la façon dont une cellule change au cours de ce cycle. Ensuite, nous examinerons les signaux internes et externes qui commandent le fonctionnement de l'horloge.

DÉMARCHE SCIENTIFIQUE

INVESTIGATION

▼ **Figure 12.14**

Le cycle cellulaire est-il régulé par des signaux moléculaires présents dans le cytoplasme ?

■ **HYPOTHÈSE** ■ Si la progression du cycle cellulaire est régulée par des molécules cytoplasmiques, alors la fusion d'une cellule en train de se diviser et d'une cellule en phase G_1 devrait induire la division du noyau de cette dernière.

■ **EXPÉRIENCE** ■ Des chercheurs de la University of Colorado ont voulu savoir si la progression du cycle cellulaire était régulée par des molécules cytoplasmiques. Ils ont provoqué la fusion de cellules mammaliennes cultivées à différentes phases du cycle cellulaire, comme on le voit ci-dessous.

■ **RÉSULTATS** ■

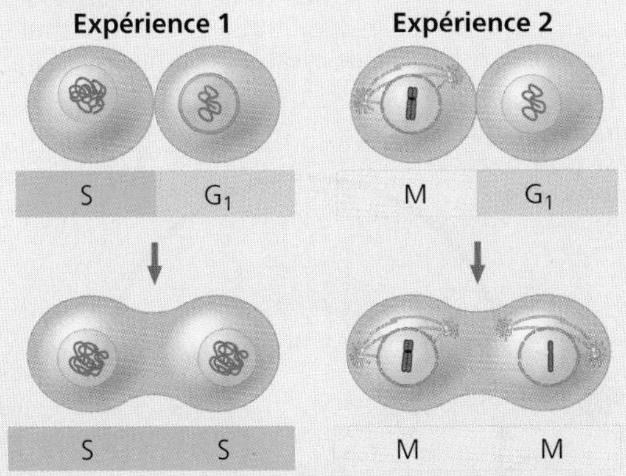

Expérience 1

S | G_1

↓

S | S

Lorsqu'une cellule en phase S fusionne avec une cellule en phase G_1, le noyau de la cellule en G_1 entre immédiatement en phase S; il y a synthèse d'ADN.

Expérience 2

M | G_1

↓

M | M

Lorsqu'une cellule en phase M fusionne avec une cellule en phase G_1, le noyau de la cellule en G_1 entre immédiatement en phase M (mitose); un fuseau de division se forme, et les chromosomes se condensent même s'ils ne se sont pas répliqués.

■ **CONCLUSION** ■ Les résultats de la fusion d'une cellule en phase G_1 avec une cellule en phase S ou M laissent supposer que les molécules présentes dans le cytoplasme des cellules en phase S ou M déclenchent ces phases.

Source des données: R. T. Johnson et P. N. Rao, Mammalian cell fusion: Induction of premature chromosome condensation in interphase nuclei, *Nature* 226: 717-722 (1970).

ET SI ? ▶ Si l'évolution des phases du cycle cellulaire ne dépendait pas de molécules cytoplasmiques et que chaque phase s'amorçait à la fin de la phase précédente, quels auraient été les résultats de ces expériences ?

L'horloge du cycle cellulaire: les cyclines et les kinases cycline-dépendantes

Les fluctuations rythmiques de la quantité et de l'activité des molécules régulatrices du cycle cellulaire contrôlent la vitesse de progression des phases. Deux types de protéines interviennent: les kinases et les cyclines. Les protéines kinases sont des enzymes qui activent ou inactivent d'autres protéines par phosphorylation (voir le concept 11.3).

Un grand nombre de kinases qui régulent le cycle cellulaire se trouvent en concentration constante dans une cellule en croissance. La plupart du temps, elles sont inactives. Pour sortir de cet état d'inactivité, elles doivent se lier à une **cycline** (cette protéine doit son nom à la fluctuation cyclique de sa concentration dans la cellule). Ces kinases sont appelées **kinases cycline-dépendantes**, ou **Cdk**. Leur activité varie suivant l'augmentation ou la diminution de la concentration de leur cycline associée. (On a aussi découvert que les Cdk sont elles-mêmes phosphorylées et que le site moléculaire où se fixe le groupement phosphate déterminerait si la Cdk est activée ou

▼ **Figure 12.15 La régulation du cycle cellulaire: une analogie.** Dans ce diagramme, les différentes sections représentent les étapes du cycle cellulaire. À l'instar du système de contrôle d'une machine à laver, le mécanisme de régulation du cycle cellulaire fonctionne par lui-même, gouverné par une horloge interne. Toutefois, il peut subir une régulation interne ou externe à différents points de contrôle (dont trois sont représentés ici, en rouge).

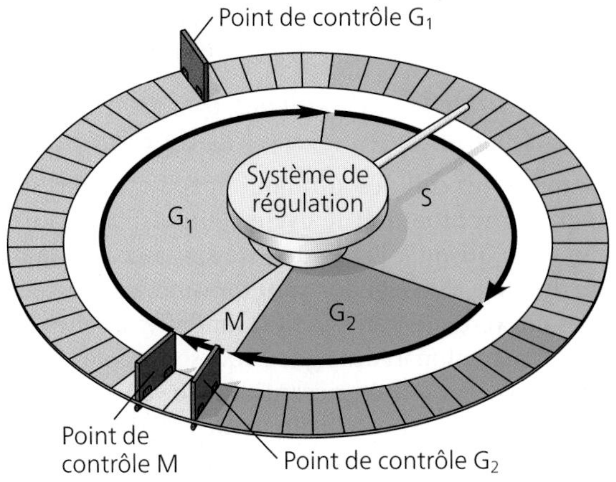

inhibée.) Il existe plusieurs types de cyclines et de Cdk, et certains types participent à d'autres fonctions que le cycle cellulaire. Les cyclines et les Cdk intervenant dans le cycle cellulaire peuvent s'associer pour former différents complexes. Le passage d'une phase à l'autre du cycle dépend d'associations spécifiques. La **figure 12.16a** illustre l'activité cyclique du premier complexe cycline-Cdk découvert, chez les ovules de grenouille, le **MPF** (de l'anglais *maturation-promoting factor* ou *M-phase-promoting factor*). Remarquez que les pics d'activité de ce facteur concordent avec les pics de concentration de la cycline. La quantité de cycline augmente très rapidement durant les phases S et G_2, et elle chute brutalement pendant la phase M.

Comme un de ses noms l'indique, le MPF est un facteur qui favorise la maturation. Mais il peut aussi être considéré comme un facteur qui amorce la phase M (d'où son second nom), puisqu'il déclenche cette phase au point de contrôle en G_2. Quand la cycline accumulée durant la phase G_2 s'associe avec des molécules de Cdk, le complexe MPF qui en résulte amorce la mitose en phosphorylant une variété de protéines (**figure 12.16b**). Le MPF agit directement en tant que kinase et indirectement en tant qu'activateur d'autres kinases. Par exemple, il amorce la phosphorylation de diverses protéines de la lamina nucléaire (voir la figure 6.9), ce qui favorise la fragmentation de l'enveloppe nucléaire durant la prométaphase de la mitose. Le MPF contribuerait également à la condensation du chromosome en phosphorylant des sous-unités d'un complexe enzymatique appelé *condensine* et interviendrait dans la formation du fuseau de division durant la prophase.

Durant l'anaphase, le MPF s'inactive lui-même en activant un complexe enzymatique qui dégrade sa cycline. Quant à la partie Cdk du MPF, elle demeure dans la cellule sous une forme inactive, et ce, jusqu'à sa prochaine liaison avec des molécules de cycline nouvellement synthétisées (durant les phases S et G_2). La Cdk étant inactive, des phosphatases effectuent la déphosphorylation des molécules qui avaient été phosphorylées par elle (voir le chapitre 11).

Les activités cycliques des divers complexes cycline-Cdk jouent un rôle essentiel dans la régulation de toutes les phases du cycle cellulaire. Elles donnent également les signaux d'autorisation permettant de franchir certains points de contrôle. Comme on l'a mentionné, le MPF régule la progression du cycle cellulaire au point de contrôle G_2. Le comportement de la cellule au point de contrôle G_1 est également régulé par les activités cycliques de divers complexes cycline-Cdk. Les cellules animales semblent disposer d'au moins trois kinases cycline-dépendantes, et plusieurs cyclines jouent un rôle à ce point de contrôle. Examinons maintenant les points de contrôle plus en détail.

Les signaux internes et externes aux points de contrôle : des messages d'arrêt et de démarrage

Généralement, les cellules animales obéissent à des signaux intrinsèques qui bloquent le cycle cellulaire aux points de contrôle, et ce, jusqu'à l'émission de signaux commandant la reprise du cycle. (Les signaux sont transmis à l'intérieur de la cellule par des voies de transduction similaires à celles décrites au chapitre 11.) La plupart des signaux qui sont captés aux points de contrôle proviennent de mécanismes de veille cellulaire ; ils indiquent si les processus cellulaires cruciaux (la réplication de l'ADN, par exemple) ont été réalisés correctement et autorisent

▼ **Figure 12.16 Le mécanisme de régulation moléculaire du cycle cellulaire au point de contrôle de la phase G_2.** Les étapes du cycle cellulaire fluctuent en fonction des variations rythmiques de l'activité de protéines kinases cycline-dépendantes (Cdk). Dans ce schéma, nous examinons le complexe cycline-Cdk appelé MPF, dont le rôle est de déclencher la mitose au point de contrôle G_2. Bien que la figure ne le montre pas, l'activité du MPF au point de contrôle G_2 dépend d'un équilibre entre des kinases et des phosphatases qui peuvent toutes deux activer ou inhiber le MPF selon les signaux reçus.

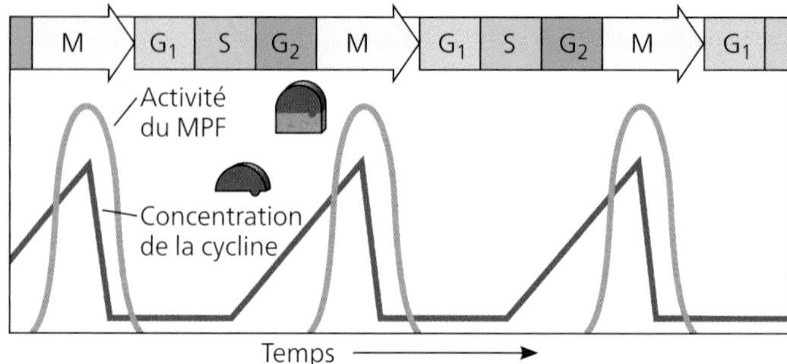

(a) Fluctuation de l'activité du MPF et de la concentration de la cycline pendant le cycle cellulaire

1 La synthèse de la cycline commence vers la fin de la phase S et se poursuit pendant la phase G_2. Comme elle est protégée de la dégradation durant ce stade, la cycline s'accumule.

5 Durant la phase G_1, la dégradation de la cycline se poursuit, et la portion Cdk du MPF est recyclée.

G1
S
M
G2
Accumulation de cycline
Cdk
Cycline dégradée
La cycline est dégradée.
Point de contrôle G_2
Cdk
MPF
Cycline

4 Durant l'anaphase, la portion cycline du MPF est dégradée, ce qui met fin à la phase M. La cellule entre en phase G_1.

3 Le MPF déclenche la mitose en phosphorylant diverses protéines. L'activité du MPF atteint son maximum durant la métaphase.

2 La cycline se combine à la Cdk, produisant du MPF. Lorsqu'il y a suffisamment de molécules de MPF, la cellule passe le point de contrôle G_2 et amorce la mitose.

(b) Mécanismes moléculaires de régulation du cycle cellulaire

HABILETÉS VISUELLES ▶ Expliquez comment les événements du diagramme (b) sont reliés à l'axe du temps du graphique (a), en commençant par la gauche.

ou non la progression du cycle. Les points de contrôle captent également des signaux externes

Les points de contrôle des phases G_1, G_2 et M sont importants. Pour de nombreuses cellules animales, le point de contrôle G_1, couramment appelé point de restriction (ou START chez les levures), semble intervenir de façon primordiale puisque c'est à ce moment qu'est décelée toute anomalie (ADN mal répliqué, taille de la cellule insuffisante, absence de facteurs chimiques essentiels, etc.) qui empêchera la cellule de poursuivre le cycle. Lorsque l'ADN est endommagé, une protéine (la protéine p53 codée par un gène dont l'altération est très souvent mise en cause dans la formation de tumeurs) peut déclencher les opérations nécessaires pour le réparer ou enclencher le processus d'autodestruction de la cellule (apoptose). Si elle reçoit un signal de poursuite du cycle au point de contrôle G_1, une cellule complète les phases S, G_2 et M, puis se divise. Si elle n'en reçoit pas au point de contrôle G_1, une cellule peut entrer dans un état de « repos » appelé **phase G_0**. La majorité des cellules humaines se trouvent en phase G_0 (**figure 12.17a**). Comme nous l'avons déjà mentionné, les neurones matures et les myocytes atteignent un stade où ils ne sont plus censés se diviser. Chez d'autres cellules, comme les cellules hépatiques, des signaux environnementaux peuvent réenclencher le cycle cellulaire, notamment la libération de facteurs de croissance à la suite d'une lésion.

Les biologistes travaillent à l'heure actuelle à élucider les voies de transduction reliant les signaux intracellulaires et extracellulaires aux réponses des kinases cycline-dépendantes et autres protéines. Ainsi, il existe un signal interne au troisième point de contrôle, celui de la phase M (**figure 12.17b**). L'anaphase, l'étape de la séparation des chromatides sœurs, ne débute pas avant que tous les chromosomes ne soient retenus par les fibres du fuseau de division et adéquatement alignés sur la plaque équatoriale. Des recherches ont révélé que tant que certains kinétochores ne sont pas encore attachés à des microtubules du fuseau, les chromatides sœurs restent ensemble, ce qui retarde l'anaphase. Ce n'est que lorsque les kinétochores de tous les chromosomes sont bien attachés au fuseau de division que le complexe protéique régulateur s'active. Dans ce cas, la molécule régulatrice est un complexe multiprotéique nommé APC (pour *anaphase promoting complex*), qui a lui-même été activé par un complexe kinase cycline-dépendante. Une fois activé, l'APC déclenche une chaîne d'événements moléculaires, dont la lyse de la sécurine, une protéine déjà mentionnée. Cette lyse active l'enzyme séparase, laquelle dissocie les cohésines, permettant aux chromatides sœurs de se désunir. Ce mécanisme fait en sorte que les cellules filles n'ont pas de chromosomes manquants ou surnuméraires.

Il existe d'autres points de contrôle que ceux des phases G_1, G_2 et M. Dans la phase S, par exemple, un point de contrôle empêche

▶ **Figure 12.17 Deux points de contrôle importants.** À certains points de contrôle dans le cycle cellulaire (barrières rouges), les cellules accomplissent différentes tâches selon les signaux qu'elles reçoivent. Sont illustrés ici les événements des points de contrôle **(a)** G_1 et **(b)** M. En (b), le point de contrôle G_2 a déjà été franchi par la cellule.

ET SI ? ▶ Qu'arriverait-il si la cellule ignorait les points de contrôle et poursuivait son cycle ?

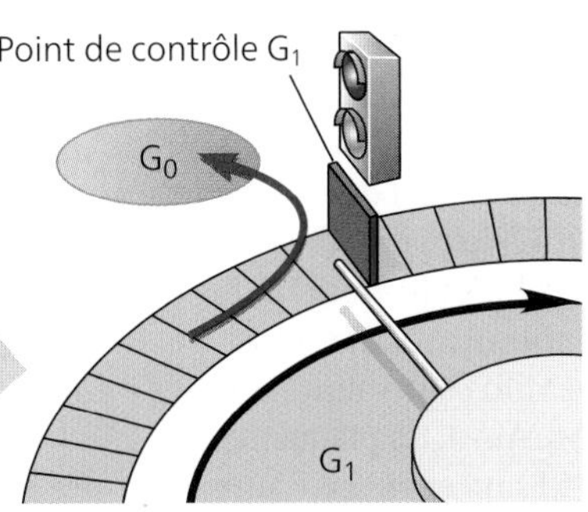

Si la cellule ne reçoit pas de signal d'autorisation au point de contrôle G_1, le cycle cellulaire s'interrompt et la cellule entre en phase G_0, un état de non-division.

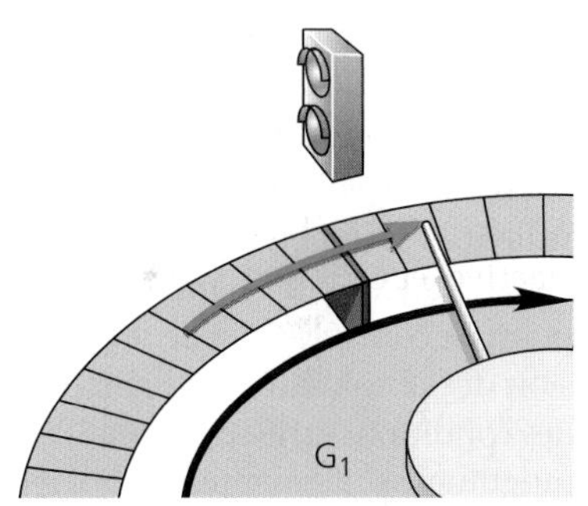

Si la cellule reçoit un signal d'autorisation au point de contrôle G_1, le cycle cellulaire se poursuit.

(a) Point de contrôle G_1

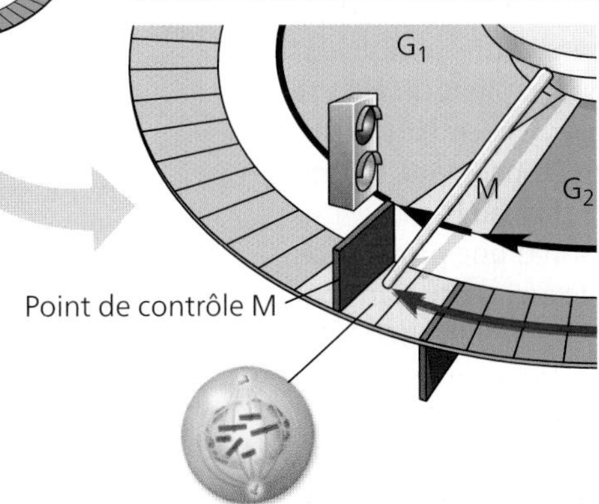

Une cellule en cours de mitose reçoit un signal d'arrêt si un de ses chromosomes n'est pas attaché aux fibres du fuseau.

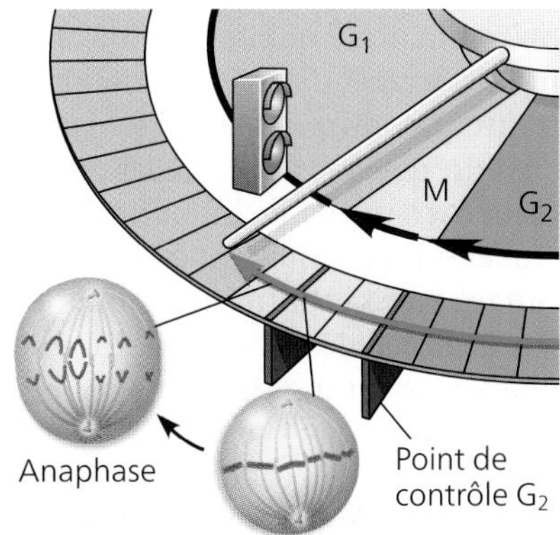

Lorsque tous les chromosomes sont attachés aux fibres du fuseau des deux pôles, un signal d'autorisation lui permet d'aller en anaphase.

(b) Point de contrôle M

la poursuite du cycle cellulaire chez les cellules dont l'ADN est endommagé. De même, en 2014, des travaux de recherche ont mis en évidence un autre point de contrôle, celui-là entre l'anaphase et la télophase, qui assure le bon achèvement de l'anaphase et la bonne séparation des chromosomes avant l'amorce de la cytocinèse, évitant ainsi les anomalies chromosomiques.

Qu'en est-il des signaux d'autorisation et d'arrêt ? Quelles molécules de signalisation en sont responsables ? Des études sur des cellules animales ont permis de découvrir bon nombre de facteurs externes physicochimiques susceptibles d'influer sur la division cellulaire. Par exemple, les cellules ne se divisent pas s'il manque un nutriment essentiel dans leur milieu de culture. (C'est comme essayer de faire fonctionner une machine à laver automatique sans avoir branché l'entrée d'eau ; un capteur interne empêchera le cycle de se poursuivre au-delà du moment où il faut de l'eau.) Et même quand toutes les autres conditions sont favorables, certaines cellules mammaliennes en culture ne se divisent qu'en présence de facteurs de croissance bien précis. Comme nous l'avons expliqué au concept 11.1, un **facteur de croissance** est une protéine libérée par certaines cellules afin de stimuler la division d'autres cellules. Les différents types cellulaires répondent spécifiquement à différents facteurs de croissance ou à des combinaisons de facteurs de croissance.

Considérons, par exemple, le *facteur de croissance dérivé des plaquettes* (PDGF) qui est produit par les cellules sanguines appelées plaquettes. L'expérience illustrée à la **figure 12.18** montre que les fibroblastes (un type de cellules du tissu conjonctif) mis en culture ont besoin de ce facteur de croissance pour se diviser. Leur membrane plasmique possède des récepteurs à PDGF à activité tyrosine kinase (RTK ; voir la figure 11.8) qui servent à cette fin. Lorsqu'elles se lient à ces récepteurs, des molécules du PDGF activent une voie de transduction du signal qui permet aux cellules de franchir le point de contrôle G_1 et de se diviser. Cette stimulation de la division des fibroblastes par le PDGF se réalise non seulement dans des conditions artificielles, mais aussi *in vivo*. Ainsi, les plaquettes sanguines se fragmentent et libèrent le PDGF aux environs d'une lésion. La division cellulaire des fibroblastes se trouve ainsi stimulée dans la région, ce qui favorise la cicatrisation.

L'effet d'un facteur physique externe sur la division cellulaire est très évident dans l'**inhibition de contact**, le phénomène par lequel des cellules entassées les unes sur les autres arrêtent de se diviser (**figure 12.19a**). Il y a de nombreuses années déjà, on a remarqué que les cellules mises en culture se divisent jusqu'à former une couche simple dans le récipient où elles se trouvent, après quoi elles cessent de se diviser. Cependant, si l'on en retire quelques-unes, celles qui bordent l'espace vide recommencent à se diviser, jusqu'à combler de nouveau l'espace. Des études subséquentes ont révélé que la liaison d'une protéine de surface avec sa contrepartie sur une cellule adjacente transmet aux deux cellules un message inhibiteur qui les empêche d'aller plus loin dans le cycle cellulaire, même en présence de facteurs de croissance.

La plupart des cellules animales en division ont également besoin d'avoir un **point d'ancrage** (voir la figure 12.19a). Pour se diviser, elles doivent adhérer à un substrat, qu'il s'agisse de l'intérieur d'un récipient de culture ou de la matrice extracellulaire d'un tissu. Des expériences indiquent que, comme dans le cas de la densité cellulaire, le mécanisme de régulation du cycle cellulaire reçoit l'information de l'ancrage de la cellule grâce à

◄ **Figure 12.18 L'effet du facteur de croissance dérivé des plaquettes (PDGF) sur la division cellulaire.**

Scalpels
1 On fragmente un échantillon de tissu conjonctif humain.
Boîte de Pétri
2 On utilise des enzymes pour digérer la matrice extracellulaire du tissu fragmenté, ce qui permet d'obtenir une suspension de fibroblastes dissociés.
3 On transfère les cellules dans des flacons de culture stériles qui contiennent le milieu de culture fondamental constitué d'un mélange complexe de glucose, d'acides aminés, de sels et d'antibiotiques (une précaution contre la croissance bactérienne).
4 On ajoute le PDGF à la moitié des flacons. On incube à 37 °C pendant 24 heures.

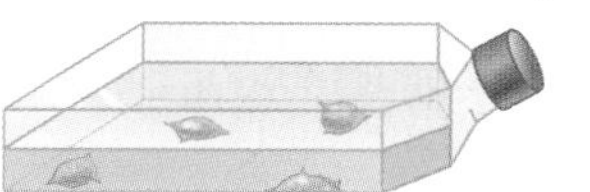

Sans PDGF

Dans un milieu de culture fondamental sans PDGF (le milieu témoin), il n'y a pas de division cellulaire.

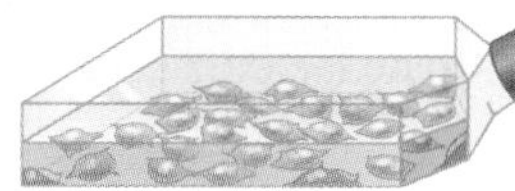

Avec PDGF

Dans un milieu de culture fondamental enrichi de PDGF, les cellules se divisent. La MEB montre des fibroblastes en culture.

FAITES DES LIENS ► Le PDGF communique avec les cellules en se liant à un récepteur de surface à activité tyrosine kinase (RTK). Si vous ajoutiez un produit chimique qui bloque la phosphorylation, en quoi les résultats de l'expérience différeraient-ils ? (Voir la figure 11.8.)

des voies qui font intervenir des protéines membranaires et des éléments du cytosquelette.

Ces mécanismes de régulation par inhibition de contact et par point d'ancrage se réalisent probablement dans les tissus autant que dans les cultures. Ce faisant, les populations cellulaires sont maintenues à une densité optimale au meilleur point d'ancrage possible au cours du développement embryonnaire et tout au long de la vie d'un organisme. Les cellules tumorales, dont nous traiterons plus loin, ne subissent pas l'inhibition de contact et n'ont plus besoin d'avoir un point d'ancrage (**figure 12.19b**).

Les cellules tumorales échappent à la régulation du cycle cellulaire

Les cellules tumorales n'obéissent pas aux mécanismes de régulation du cycle cellulaire. Elles se divisent d'une manière excessive et anarchique, et elles envahissent d'autres tissus. Les

▼ **Figure 12.19 L'inhibition de contact et le point d'ancrage.** La taille des cellules apparaissant dans cette figure est exagérée.

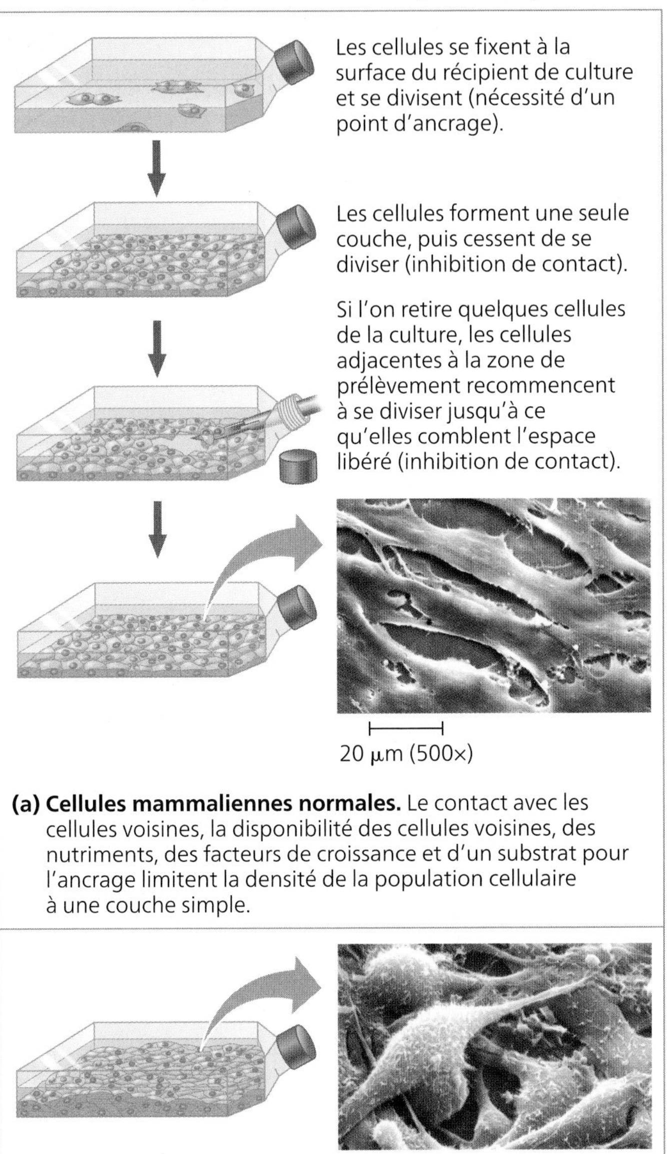

Les cellules se fixent à la surface du récipient de culture et se divisent (nécessité d'un point d'ancrage).
Les cellules forment une seule couche, puis cessent de se diviser (inhibition de contact).
Si l'on retire quelques cellules de la culture, les cellules adjacentes à la zone de prélèvement recommencent à se diviser jusqu'à ce qu'elles comblent l'espace libéré (inhibition de contact).
20 µm (500×)
20 µm (500×)

(a) Cellules mammaliennes normales. Le contact avec les cellules voisines, la disponibilité des cellules voisines, des nutriments, des facteurs de croissance et d'un substrat pour l'ancrage limitent la densité de la population cellulaire à une couche simple.

(b) Cellules tumorales. Les cellules tumorales continuent généralement de se diviser, même après avoir formé une couche complète. Il en résulte des amas de cellules superposées. Les cellules tumorales ne s'ancrent pas à une surface et échappent à l'inhibition de contact.

cellules cancéreuses mises en culture continuent de se diviser lorsque les facteurs de croissance sont épuisés. Logiquement, cela signifie que de telles cellules ne requièrent pas de facteurs de croissance dans leur milieu de culture pour croître et se diviser. Il est possible qu'elles produisent elles-mêmes le facteur de croissance dont elles ont besoin ou qu'elles présentent une défaillance dans la voie de transduction, de sorte que celle-ci transmet le signal du facteur de croissance au mécanisme de régulation du cycle cellulaire, même en l'absence de ce facteur. Il est possible également que le mécanisme de régulation du cycle cellulaire soit tout simplement déficient. Dans tous ces scénarios, l'anomalie repose presque toujours sur la modification d'un ou de plusieurs gènes (une mutation, par exemple) qui dérègle le fonctionnement de leurs produits protéiques, et par le fait même, le cycle cellulaire.

Il existe d'autres différences notoires entre les cellules normales et les cellules tumorales qui reflètent une perturbation du cycle cellulaire. Ainsi, quand elles arrêtent de se diviser, les cellules tumorales le font de manière aléatoire, à n'importe quel moment du cycle, et non aux points de contrôle habituels. En outre, dans les milieux de culture, elles peuvent continuer à se multiplier indéfiniment si elles reçoivent continuellement des nutriments. En ce sens, elles sont « immortelles ». À preuve, il existe une lignée dans les grands laboratoires de recherche, un peu partout dans le monde, qui se reproduit en culture depuis 1951 (ces cellules ont notamment été utilisées pour les fusions cellulaires dont il est question à la figure 12.14). Les cellules issues de cette lignée sont appelées HeLa, car elles dérivent d'une tumeur retirée de l'utérus d'une jeune femme, une Américaine du nom d'*He*nrietta *La*cks. On dit des cellules mises en culture qui acquièrent la capacité de se diviser indéfiniment qu'elles subissent une **transformation**, c'est-à-dire qu'elles passent de l'état normal à l'état prolifératif; elles se comportent alors comme des cellules tumorales. En comparaison, presque toutes les cellules mammaliennes normales (non transformées) qui croissent en culture se divisent pendant de 20 à 50 générations; après quoi, le tissu vieillit et meurt. Finalement, les cellules cancéreuses échappent à la régulation normale qui pousse une cellule à l'apoptose lorsqu'elle est défectueuse – par exemple, lorsqu'une erreur irréparable s'est produite durant la réplication de l'ADN qui précède la mitose.

Le comportement des cellules tumorales peut avoir des conséquences catastrophiques. Le problème commence lorsqu'une première cellule subit une des altérations qui la rend cancéreuse. Souvent, l'altération affecte les protéines de surface de la cellule, de sorte que la cellule devient une « étrangère » qui devrait être reconnue comme telle et détruite par le système immunitaire. Mais si cette cellule réussit d'une manière ou d'une autre à échapper à cette destruction, elle peut proliférer au point de former une tumeur (ou néoplasme), une masse de cellules transformées logées à l'intérieur d'un tissu. Les cellules anormales peuvent demeurer en leur lieu d'origine si elles n'ont pas suffisamment de modifications cellulaires et génétiques pour pouvoir survivre ailleurs. Dans ce cas, il s'agit d'une **tumeur bénigne**. Les tumeurs bénignes se présentent sous une forme compacte souvent encapsulée, et elles se développent plutôt lentement. Généralement, elles ne causent pas de problèmes graves (selon leur emplacement), et on peut en faire l'ablation complète au cours d'une intervention chirurgicale. Par contre, une **tumeur maligne** (ou néoplasme malin) comporte des cellules qui, à cause de leurs modifications génétiques et cellulaires, peuvent envahir de nouveaux tissus et nuire ainsi au fonctionnement d'un ou de plusieurs organes; ces cellules sont parfois dites *transformées* (quoique l'usage de ce terme soit généralement réservé aux cellules en culture). On dit d'une personne qui a une tumeur maligne qu'elle est atteinte de cancer (**figure 12.20**).

Les changements qui se produisent dans les cellules des tumeurs malignes sont loin de se limiter à une prolifération excessive. Par exemple, les cellules peuvent contenir un nombre anormal de chromosomes. Les scientifiques ne s'entendent pas encore pour dire si cette anomalie est une cause ou un effet des

▼ **Figure 12.20 Croissance et métastases d'une tumeur maligne du sein.** Une série de modifications génétiques et cellulaires contribuent à rendre maligne (cancéreuse) une tumeur. Les cellules d'une tumeur maligne croissent anarchiquement. Elles peuvent se propager et atteindre les tissus adjacents. Elles peuvent aussi toucher d'autres parties de l'organisme par l'intermédiaire des vaisseaux sanguins et lymphatiques. Elles forment alors ce qu'on appelle des métastases.

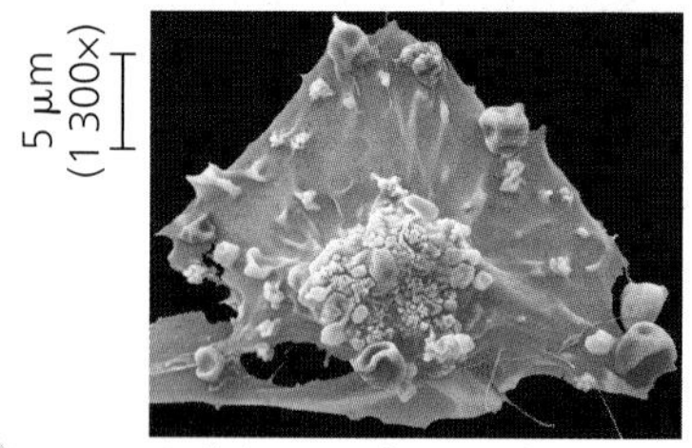

Tumeur

Tissu glandulaire

Vaisseau sanguin

Vaisseau lymphatique

Cellule cancéreuse

Métastase

5 µm (1 300×)

Cellule cancéreuse du sein (MEB colorisée)

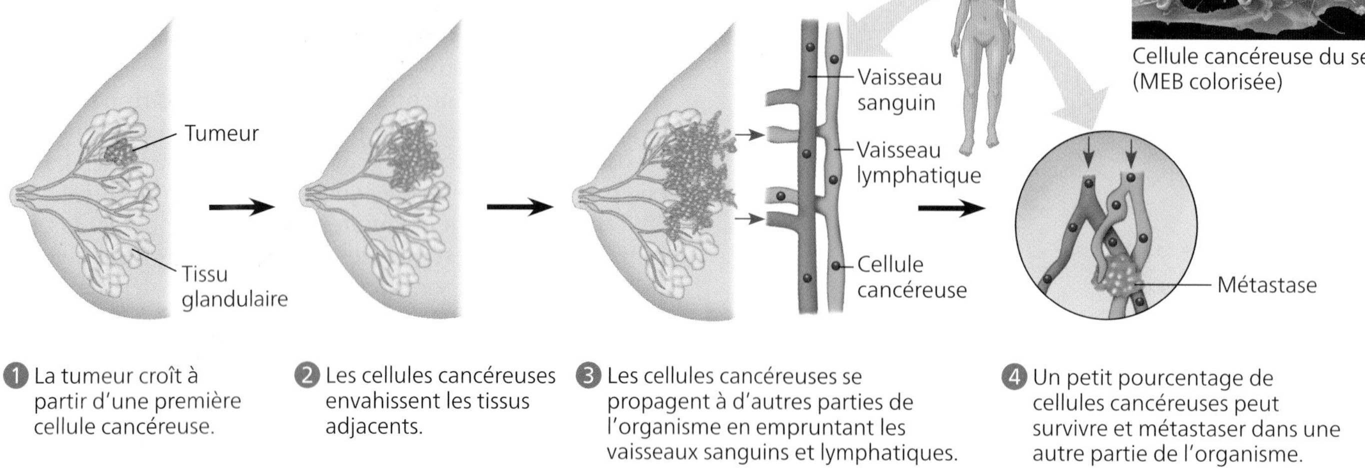

1 La tumeur croît à partir d'une première cellule cancéreuse.

2 Les cellules cancéreuses envahissent les tissus adjacents.

3 Les cellules cancéreuses se propagent à d'autres parties de l'organisme en empruntant les vaisseaux sanguins et lymphatiques.

4 Un petit pourcentage de cellules cancéreuses peut survivre et métastaser dans une autre partie de l'organisme.

changements associés aux tumeurs. Le métabolisme des cellules malignes peut être altéré, de sorte que leur fonctionnement devient totalement désordonné. Leur surface présente des changements atypiques, et elles perdent ou détruisent les liens qui les unissent aux cellules adjacentes et au substrat extracellulaire, ce qui leur permet de s'étendre dans les tissus avoisinants. Les cellules cancéreuses sécrètent également des molécules de signalisation qui incitent les vaisseaux sanguins à croître en direction de la tumeur. Si des cellules cancéreuses se séparent de la tumeur primitive, elles peuvent pénétrer dans les vaisseaux sanguins et lymphatiques et être transportées dans d'autres parties de l'organisme où elles proliféreront et formeront une nouvelle tumeur. Le nouveau foyer où se multiplient des cellules cancéreuses, un tissu ou un organe situé à distance de la tumeur primitive, est appelé **métastase** (voir la figure 12.20).

On utilise la radiothérapie pour traiter une tumeur qui semble localisée. La radiothérapie endommage l'ADN des cellules cancéreuses beaucoup plus que l'ADN des cellules normales, probablement parce que les cellules cancéreuses ont perdu la capacité de réparer ce genre de dommages. Pour traiter des tumeurs ayant produit ou pouvant avoir produit des métastases, on a recours à la chimiothérapie, qui consiste à introduire dans le système circulatoire des médicaments toxiques pour les cellules en division active. Comme on pourrait s'en douter, les médicaments employés en chimiothérapie interfèrent avec certaines étapes du cycle cellulaire. Par exemple, le Taxol immobilise le fuseau de division en inhibant la dépolymérisation des microtubules, ce qui empêche les cellules en division active d'aller plus loin que la métaphase et entraîne leur destruction. Les effets secondaires sont dus aux effets des médicaments sur les cellules normales, selon leur fonction dans l'organisme. Par exemple, la nausée est causée par les effets de la chimiothérapie sur les cellules intestinales, la perte de cheveux provient de ses effets sur les cellules des follicules pileux, et la sensibilité aux infections, de ses effets sur les cellules du système immunitaire. Dans la rubrique **Habiletés scientifiques**, vous aurez l'occasion de travailler avec les données d'une expérience concernant un nouvel agent chimiothérapeutique.

Ces dernières décennies, les chercheurs ont découvert une masse d'informations utiles à propos des voies de signalisation cellulaires et de la façon dont leur dysfonctionnement contribue à la cancérisation par ses effets sur le cycle cellulaire. Grâce à ces nouvelles connaissances et à de nouvelles techniques moléculaires comme le séquençage rapide de l'ADN des cellules d'une tumeur particulière, les traitements médicaux du cancer deviennent de plus en plus personnalisés.

Par exemple, les cellules d'environ 20 % des cancers du sein présentent des quantités anormalement élevées d'un récepteur de surface à activité tyrosine kinase appelé HER2, et beaucoup de ces cellules présentent un nombre accru de molécules de récepteurs des œstrogènes (RE), des molécules intracellulaires qui peuvent déclencher la division cellulaire. En se basant sur les résultats des analyses de laboratoire, le médecin peut prescrire une chimiothérapie avec une molécule qui inhibe le fonctionnement de la protéine en cause (le trastuzumab pour les HER2 et le tamoxifène pour les RE). Les traitements appropriés au moyen de ces agents chimiothérapeutiques ont amélioré le taux de survie et réduit le nombre de récidives.

RETOUR SUR LE CONCEPT 12.3

1. Dans la figure 12.14, pourquoi les noyaux provenant de l'expérience 2 contiennent-ils des quantités différentes d'ADN ?
2. Comment le MPF permet-il à une cellule de passer le point de contrôle de la phase G_2 et d'entrer en mitose ? (Voir la figure 12.16.)
3. **FAITES DES LIENS ▶** Expliquez le rôle que pourraient jouer les récepteurs à activité tyrosine kinase et les récepteurs intracellulaires dans le déclenchement de la division cellulaire. (Revoyez les figures 11.8 et 11.9 ainsi que le concept 11.2.)

Voir les réponses proposées à l'appendice A.

DÉMARCHE SCIENTIFIQUE

HABILETÉS SCIENTIFIQUES

Interpréter des histogrammes

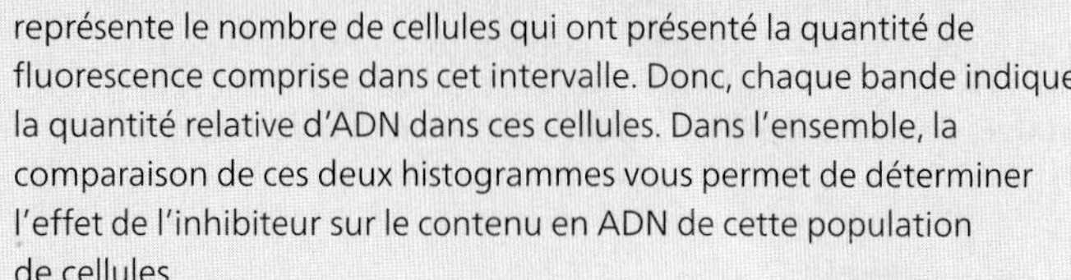

■ À QUELLE PHASE UN INHIBITEUR MET-IL FIN AU CYCLE CELLULAIRE ? ■ Bon nombre de traitements médicaux visent à arrêter la prolifération des cellules cancéreuses en bloquant le cycle cellulaire des cellules tumorales. Un des traitements à l'étude est un inhibiteur du cycle cellulaire qu'on synthétise à partir de cellules souches de cordon ombilical humain. Dans le présent exercice, vous allez comparer deux histogrammes afin de déterminer à quel moment du cycle cellulaire cet inhibiteur bloque la division des cellules cancéreuses.

■ MÉTHODE ■ Pour préparer l'échantillon expérimental (traité), on a mis en culture des cellules de glioblastome humain (cancer du cerveau) en présence de l'inhibiteur. Pour préparer l'échantillon témoin (non traité), on a également mis en culture des cellules de glioblastome, mais sans l'inhibiteur. Après 72 heures de croissance, on a recueilli les deux échantillons de cellules. Pour obtenir un «instantané» de la phase où se trouvait le cycle cellulaire au moment de la collecte, on a traité les échantillons avec un produit chimique fluorescent qui se lie à l'ADN. Ensuite, on a effectué une cytométrie de flux (à l'aide d'un cytofluorimètre, afin de déterminer le taux de fluorescence de chaque cellule). Au moyen d'un logiciel, on a ensuite représenté graphiquement, pour chaque échantillon, le nombre de cellules présentant les différents taux de fluorescence, comme illustré ci-dessous.

■ RÉSULTATS ■

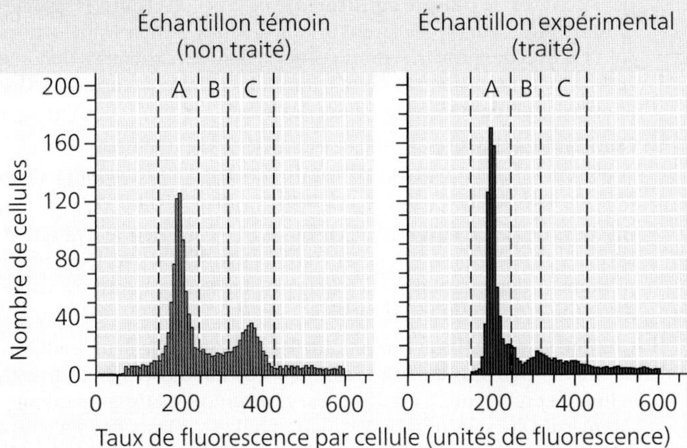

Les résultats sont représentés dans un diagramme appelé histogramme (ci-dessus), qui regroupe les valeurs d'une variable numérique dans des intervalles sur l'axe des ***x***. Un histogramme permet d'observer la distribution des sujets expérimentaux (ici des cellules) par rapport à une variable continue (ici la quantité de fluorescence). Dans un histogramme, les bandes sont si étroites que les données semblent suivre une courbe dont vous pouvez repérer les pics et les creux. Chaque bande étroite représente le nombre de cellules qui ont présenté la quantité de fluorescence comprise dans cet intervalle. Donc, chaque bande indique la quantité relative d'ADN dans ces cellules. Dans l'ensemble, la comparaison de ces deux histogrammes vous permet de déterminer l'effet de l'inhibiteur sur le contenu en ADN de cette population de cellules.

Source des données: K. K. Velpula et coll., Regulation of glioblastoma progression by cord blood stem cells is mediated by downregulation of cyclin D1, *PLoS ONE* 6(3): e18017 (2011).

INTERPRÉTEZ LES DONNÉES ▼

1. Examinez les données des histogrammes. (a) Quel axe montre indirectement la quantité relative d'ADN par cellule ? Expliquez votre réponse. (b) Dans l'histogramme de l'échantillon témoin, comparez le premier pic (dans la région A) avec le second pic (dans la région C). Quel pic montre la population dont chacune des cellules renferme la plus grande quantité d'ADN ? Expliquez votre réponse. (Pour plus d'information sur les diagrammes, voir l'appendice F.)
2. (a) Dans l'histogramme de l'échantillon témoin, indiquez la phase du cycle cellulaire (G_1, S ou G_2) de la population cellulaire de chaque région délimitée par des lignes verticales. Écrivez ces phases sur l'histogramme et expliquez votre réponse. (b) L'histogramme montre-t-il un pic distinct pour la population cellulaire en phase S ? Pourquoi ?
3. L'histogramme de l'échantillon expérimental montre ce qui arrive lorsque des cellules cancéreuses sont mises en culture avec des cellules souches de cordon ombilical qui produisent l'inhibiteur à l'étude. (a) Indiquez les phases du cycle cellulaire sur l'histogramme. Dans quelle phase du cycle observez-vous le plus grand nombre de cellules provenant de l'échantillon expérimental ? Expliquez votre réponse. (b) Comparez la distribution des cellules témoins et des cellules expérimentales dans les phases G_1, S et G_2. Que pouvez-vous en déduire au sujet de l'échantillon expérimental ? (c) À partir de ce que vous avez appris au concept 12.3, proposez un mécanisme par lequel l'inhibiteur provenant des cellules souches pourrait interrompre le cycle cellulaire des cellules cancéreuses à ce stade. (Plus d'une réponse est possible.)

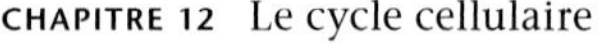

RÉVISION DU CHAPITRE 12

Consultez votre MANUEL NUMÉRIQUE, qui vous donne accès aux **animations**, aux **exercices** et à la plateforme d'**anatomie interactive**.

Résumé des concepts clés

Les organismes unicellulaires se reproduisent par **division cellulaire**; les organismes multicellulaires dépendent de la division cellulaire pour leur développement à partir d'un zygote pour leur croissance et pour la réparation de leurs tissus. La division cellulaire fait partie du **cycle cellulaire**, c'est-à-dire de la suite ordonnée d'événements qui marquent la vie d'une cellule.

CONCEPT 12.1

La plupart des divisions cellulaires donnent des cellules filles génétiquement identiques (p. 255 à 258)

- Le matériel génétique (l'ADN) d'une cellule – son **génome** – est distribué entre ses **chromosomes**. Chaque chromosome eucaryote consiste en une molécule d'ADN associée à de nombreuses protéines. L'ensemble du complexe ADN et des protéines associées s'appelle la **chromatine**. Le degré de condensation de la chromatine d'un chromosome varie au cours du cycle cellulaire. Chez les animaux, les **gamètes** n'ont qu'un jeu de chromosomes, tandis que les **cellules somatiques** en ont deux.
- Les cellules répliquent leur matériel génétique avant de se diviser, de sorte que chaque cellule fille reçoit une copie exacte de l'ADN. Avant la division cellulaire, les chromosomes se répliquent et forment ainsi deux **chromatides sœurs** identiques reliées sur toute leur longueur par la cohésion des chromatides sœurs et attachées plus étroitement à leurs **centromères**. Lorsque cette cohésion est brisée, les chromatides se séparent pendant la division cellulaire et deviennent les chromosomes des nouvelles cellules filles. La division d'une cellule eucaryote inclut deux processus : la **mitose** (division du noyau) et la **cytocinèse** (division du cytoplasme).

? Expliquez la différence entre chromosome, chromatine et chromatide.

CONCEPT 12.2

La phase mitotique alterne avec l'interphase au cours du cycle cellulaire (p. 258 à 266)

- Entre les divisions mitotiques, la cellule connaît une période de croissance active, l'**interphase**, qui se subdivise elle-même en trois phases : $\mathbf{G_1}$, **S** et $\mathbf{G_2}$. La réplication de l'ADN n'a lieu que pendant la phase S (synthèse). Quant à la **phase M** du cycle cellulaire, elle comprend la mitose et la cytocinèse.

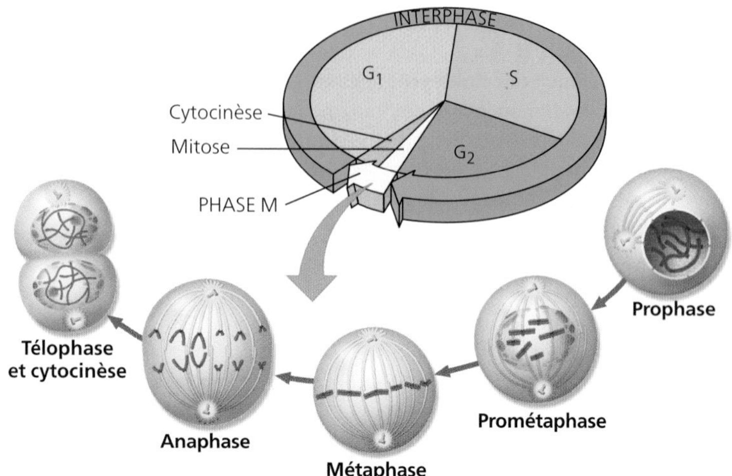

- Le **fuseau de division** est un complexe de microtubules qui orchestre le mouvement des chromosomes pendant la mitose. Chez les animaux, le fuseau de division commence à se former à partir des **centrosomes** et comprend les microtubules du fuseau et les asters. Certains des microtubules s'attachent aux **kinétochores** des chromosomes et les déplacent vers la **plaque équatoriale** de la cellule. Une fois séparées, les chromatides sœurs se déplacent le long des microtubules kinétochoriens sous l'action des protéines motrices et gagnent les extrémités opposées de la cellule. Le glissement des microtubules polaires les uns sur les autres allonge la cellule entière dans l'axe des pôles.
- Dans la plupart des cas, la mitose est suivie de la cytocinèse ; celle-ci comporte la formation d'un **sillon de clivage** dans les cellules animales et la formation d'une **plaque cellulaire** dans les cellules végétales.
- Au cours de la **scissiparité**, le chromosome bactérien se réplique et les deux chromosomes fils se séparent de manière active. Certaines des protéines intervenant dans la scissiparité bactérienne sont similaires à l'actine et à la tubuline eucaryotes.
- Comme les procaryotes ont précédé les eucaryotes de deux milliards d'années, il est possible que la mitose ait évolué à partir de la division cellulaire procaryote. Certains eucaryotes unicellulaires présentent des mécanismes de division cellulaire similaires à ceux des ancêtres des eucaryotes actuels. Ces mécanismes ressemblent à des étapes intermédiaires dans l'évolution de la mitose.

? Dans lesquelles des trois phases de l'interphase et des étapes de la mitose les chromosomes existent-ils à l'état de molécules d'ADN non répliquées (simples) ?

CONCEPT 12.3

Un mécanisme de régulation moléculaire gouverne le cycle cellulaire des eucaryotes (p. 266 à 273)

- Les molécules de signalisation présentes dans le cytoplasme régissent le déroulement du cycle cellulaire.
- Le **mécanisme de régulation du cycle cellulaire** repose sur des phénomènes moléculaires. Les modifications cycliques des protéines régulatrices font office d'horloge mitotique. Les régulateurs clés sont les **cyclines** et les **kinases cycline-dépendantes (Cdk)**. L'horloge dispose de **points de contrôle** où le cycle cellulaire s'arrête jusqu'à ce qu'un signal d'autorisation le remette en marche; les phases G_1, G_2 et M comprennent des points de contrôle importants. La culture cellulaire a permis aux chercheurs d'étudier les processus moléculaires de la division cellulaire. Des signaux internes et externes régulent le cycle cellulaire par l'intermédiaire de voies de transduction du signal. La plupart des cellules ont besoin d'un **point d'ancrage** pour se diviser et subissent une **inhibition de contact** qui met fin à la division.
- Les cellules cancéreuses échappent aux mécanismes normaux de régulation du cycle cellulaire. Elles se divisent anarchiquement et forment des **tumeurs**. Les **tumeurs malignes** envahissent les tissus environnants ou se disséminent à distance et exportent des cellules cancéreuses vers d'autres parties du corps par l'intermédiaire des vaisseaux sanguins ou lymphatiques - autrement dit, elles forment des **métastases**. Grâce à la recherche sur le cycle cellulaire et la communication cellulaire et aux nouvelles techniques de séquençage de l'ADN, le traitement médical du cancer s'est amélioré.

? Expliquez le rôle des points de contrôle G_1, G_2, et M ainsi que les signaux d'autorisation dans le mécanisme de régulation du cycle cellulaire.

Évaluation

NIVEAU 1 : CONNAISSANCES ET COMPRÉHENSION

1. Vous observez au microscope la formation d'une plaque cellulaire à l'équateur d'une cellule; vous voyez aussi des noyaux qui se reconstituent de chaque côté de la plaque cellulaire. Il s'agit vraisemblablement d'une cellule :
a) animale pendant la cytocinèse.
b) végétale pendant la cytocinèse.
c) bactérienne en voie de division.
d) végétale pendant la métaphase.

2. La vinblastine est un médicament d'usage courant en chimiothérapie contre le cancer. Puisqu'elle perturbe l'assemblage des microtubules et bloque la mitose en métaphase, son effet s'explique vraisemblablement par :
a) une altération du fuseau de division pendant sa formation.
b) une répression de la production de cycline.
c) une dénaturation de la myosine et une inhibition de la formation du sillon de clivage.
d) une inhibition de la synthèse d'ADN.

3. Parmi les caractéristiques suivantes, laquelle distingue les cellules cancéreuses des cellules normales ? Les cellules cancéreuses :
a) ne synthétisent pas d'ADN.
b) ont un cycle cellulaire bloqué à la phase S.
c) continuent de se diviser même si elles sont entassées.
d) fonctionnent mal, parce qu'elles subissent une inhibition de contact.

4. Parmi les événements suivants, lequel cause la diminution de la concentration de MPF actif à la fin de la mitose ?
a) La dégradation de la protéine kinase (Cdk).
b) La diminution de la synthèse de la cycline.
c) La dégradation de la cycline.
d) L'accumulation de la cycline.

5. Dans certains organismes, la mitose survient sans cytocinèse. Dans ce cas particulier :
a) les cellules possèdent plus d'un noyau.
b) les cellules sont exceptionnellement petites.
c) les cellules ne possèdent pas de noyau.
d) la phase S n'a pas lieu au cours du cycle cellulaire.

6. Lequel de ces événements *ne se produit pas* durant la mitose ?
a) La condensation des chromosomes.
b) La réplication de l'ADN.
c) La séparation des chromatides sœurs.
d) La formation du fuseau de division.

NIVEAU 2 : APPLICATION ET ANALYSE

7. La cellule A contient deux fois moins d'ADN que les cellules B, C et D d'un tissu en phase mitotique active. La cellule A se trouve vraisemblablement en :
a) phase G_1.
b) phase G_2.
c) prophase.
d) métaphase.

8. La cytochalasine B est un médicament qui inhibe la fonction de l'actine. Lequel des aspects suivants du cycle cellulaire la cytochalasine B perturbera-t-elle le plus ?
a) La formation du fuseau de division.
b) L'attachement du fuseau aux kinétochores.
c) L'allongement de la cellule durant l'anaphase.
d) La formation d'un sillon de clivage et la cytocinèse.

9. **HABILETÉS VISUELLES ▶** La micrographie photonique ci-dessous montre des cellules en cours de division près de l'extrémité d'une racine d'oignon (*Allium cepa*). Trouvez une cellule en prophase, une autre en prométaphase, une autre en métaphase, une autre en anaphase et une en télophase. Décrivez les principaux événements qui surviennent à chacune de ces étapes.

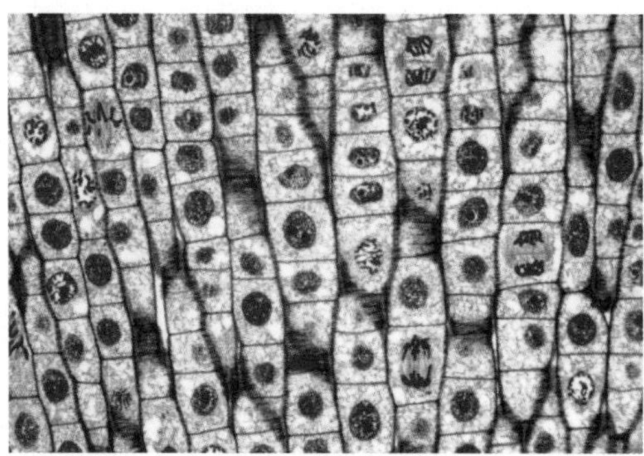

10. **FAITES UN DESSIN ▶** Dessinez un chromosome eucaryote comme il apparaîtrait au cours de l'interphase, durant chacun des stades de la mitose et durant la cytocinèse. Dessinez et nommez aussi l'enveloppe nucléaire et tous les microtubules attachés au(x) chromosome(s).

Voir les réponses proposées à l'appendice A.

La méiose et les cycles de développement sexués

13

VOS OUTILS INTERACTIFS

Consultez votre MANUEL NUMÉRIQUE, qui vous donne accès aux **animations**, aux **exercices** et à la plateforme d'**anatomie interactive**.

▲ **Figure 13.1 Comment expliquer les ressemblances entre les membres d'une même famille ?**

CONCEPTS CLÉS

13.1 Les gènes des parents sont transmis à leurs enfants par l'intermédiaire des chromosomes

13.2 La fécondation, la mitose et la méiose se complètent dans le cycle de reproduction sexuée

13.3 La méiose est la réduction de moitié du nombre de jeux de chromosomes permettant le passage du stade diploïde au stade haploïde

13.4 L'évolution résulte de la variation génétique qui prend sa source dans la reproduction sexuée

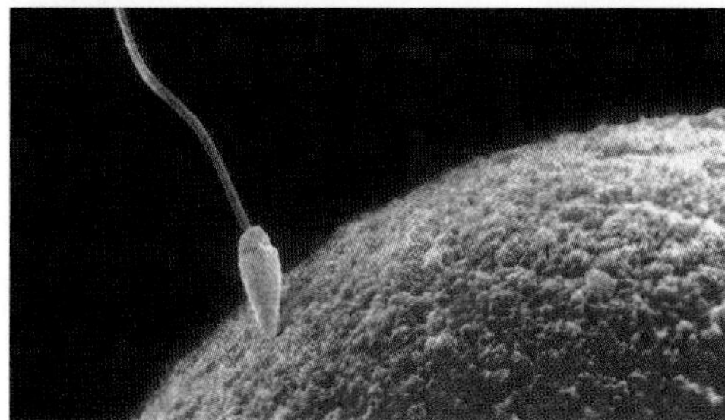

▲ **Fécondation d'un ovule par un spermatozoïde.**

Variations sur un thème

Comme nous le savons tous, les enfants ressemblent davantage à leurs parents qu'aux personnes avec qui ils n'ont aucun lien de parenté. Observez les membres de la famille représentée à la **figure 13.1** et vous pourrez distinguer certaines ressemblances entre ces personnes. La transmission des caractères d'une génération à la suivante est appelée **hérédité** (du latin *heres*, « héritier »). Toutefois, les fils et les filles ne sont pas des copies exactes de leurs parents, ni de leurs frères et sœurs. Bien qu'elle entraîne des ressemblances, l'hérédité produit également une certaine **variation**. Quels sont les mécanismes biologiques à l'origine des « ressemblances familiales » évidentes chez les membres de la famille apparaissant sur cette photo ? Les réponses détaillées à cette question ont échappé aux biologistes jusqu'aux découvertes de la génétique, au 20e siècle.

La **génétique** est l'étude scientifique de l'hérédité et de la variation chez les individus. Dans cette partie du manuel, nous aborderons cette branche de la biologie aux niveaux de l'organisme, de la cellule et de la molécule. Nous commencerons par étudier le mode de transmission des chromosomes des parents à leurs descendants chez les organismes qui se reproduisent par voie sexuée. Dans la reproduction sexuée, les processus de la méiose (un type particulier de division cellulaire) et de la fécondation (la fusion du spermatozoïde et de l'ovule, comme le montre la photo ci-contre) permettent de conserver le même nombre de chromosomes d'une génération à l'autre pour une même espèce. Nous décrirons le mécanisme cellulaire de la méiose et nous expliquerons en quoi elle diffère de la mitose. Enfin, nous verrons comment la méiose et la fécondation contribuent à la variation génétique, qui paraît évidente entre les membres de la famille représentée dans la figure 13.1.

CONCEPT **13.1**

Les gènes des parents sont transmis à leurs enfants par l'intermédiaire des chromosomes

Les amis de votre famille vous disent peut-être que vous avez le nez de votre mère ou les yeux de votre père. Au sens strict, bien sûr, les parents ne « donnent » pas à leur progéniture leur nez, leurs yeux, leurs cheveux ou d'autres traits. Alors, que transmettent-ils effectivement ?

La transmission héréditaire des gènes

En fait, les enfants reçoivent de leurs parents une information codée contenue dans des unités héréditaires appelées **gènes**. Les gènes apportés par notre mère et notre père constituent notre lien génétique avec nos parents ; c'est ce qui explique la ressemblance entre les membres d'une même famille, telles la couleur des yeux ou les taches de rousseur. Ce sont les gènes qui déterminent l'apparition des caractères de chaque individu au cours de son développement, de la conception à l'âge adulte.

Le programme génétique est écrit dans le langage de l'ADN, le polymère constitué de quatre nucléotides différents décrit aux concepts 1.1 et 5.5. L'information héréditaire est contenue dans les séquences de nucléotides de l'ADN propres à chaque gène, tout comme l'information écrite est contenue dans les séquences de lettres qui forment des mots. Dans les deux cas, le langage est abstrait. Tout comme notre cerveau traduit le mot *pomme* en une image mentale du fruit, les cellules traduisent les gènes en taches de rousseur et en d'autres caractères. La plupart des gènes programment les cellules pour qu'elles synthétisent des enzymes ou d'autres protéines, dont l'effet cumulatif produit les caractères héréditaires d'un organisme donné. Cette programmation héréditaire inscrite dans l'ADN est l'un des fils conducteurs de la biologie.

La transmission des caractères héréditaires repose sur la réplication exacte de l'ADN, c'est-à-dire sur le recopiage des gènes qui passent d'une génération à la suivante. Chez les animaux et les végétaux, les gènes sont transmis d'une génération à l'autre par des cellules reproductrices appelées **gamètes**. Au cours de la fécondation, les gamètes mâle et femelle (spermatozoïde et ovule) s'unissent et les gènes des deux parents sont transmis à leurs descendants.

Dans une cellule eucaryote, l'ADN est presque entièrement contenu dans les chromosomes situés à l'intérieur du noyau, à l'exception de quelques petites quantités d'ADN qui sont situées dans les mitochondries et les chloroplastes. Chaque espèce possède un nombre de chromosomes qui lui est propre. Par exemple, les humains ont 46 chromosomes dans leurs **cellules somatiques**. (On nomme ainsi toute cellule de l'organisme qui n'est pas un gamète ou un de ses précurseurs.) Un chromosome est constitué d'une seule molécule d'ADN, très longue, enroulée de façon complexe et associée à diverses protéines. Chaque chromosome contient plusieurs centaines de gènes, voire quelques milliers, et chacun de ces gènes est formé d'une séquence bien précise de nucléotides dans la molécule d'ADN. L'emplacement exact d'un gène sur un chromosome est appelé **locus** (du latin « lieu »). Notre bagage génétique (notre génome) est l'ensemble des gènes et des autres composants de l'ADN qui font partie des chromosomes que nous ont transmis nos parents.

Comparaison entre la reproduction sexuée et la reproduction asexuée

Seuls les organismes qui se reproduisent par voie asexuée ont des descendants qui sont des copies génétiques identiques à leurs parents. Dans la **reproduction asexuée**, un seul individu (comme une cellule de levure ou une amibe ; voir la figure 12.2a) joue le rôle de parent et transmet une copie de son génome entier à chacun de ses descendants, sans fusion de gamètes. Par exemple, les organismes eucaryotes unicellulaires peuvent se reproduire de façon asexuée grâce au processus de division cellulaire appelé mitose : l'ADN de la cellule d'origine commence par se répliquer ; puis il est réparti également entre deux cellules filles. Les gènes de ces dernières sont donc virtuellement identiques à ceux de la cellule mère (ou cellule d'origine). Certains organismes multicellulaires peuvent aussi se reproduire par voie asexuée (**figure 13.2**). Parce que les cellules d'un descendant résultent de mitoses qui ont eu lieu à partir de l'organisme parental, ce descendant est d'ordinaire génétiquement identique au parent. De nombreux végétaux supérieurs se reproduisent par des stolons (tiges rampantes sur le sol, comme le fraisier) ou par des rhizomes (tiges rampantes dans le sol, comme les iris, les bambous ou le chiendent), ce qui constitue également une forme de reproduction asexuée. Un organisme qui se reproduit par voie asexuée donne naissance à un **clone**, c'est-à-dire à un groupe d'organismes génétiquement identiques. Il arrive que des différences génétiques apparaissent chez des organismes à reproduction asexuée : elles seraient dues à des mutations, soit des modifications de l'ADN ; nous en reparlerons au concept 17.5.

Dans la **reproduction sexuée**, chaque individu reçoit une combinaison unique de gènes provenant de ses deux parents.

▼ **Figure 13.2 La reproduction asexuée chez deux organismes multicellulaires. (a)** Cet animal relativement simple, l'hydre, se reproduit par bourgeonnement. Le bourgeon (masse compacte de cellules qui se divisent par mitose) se transforme en une petite hydre qui finit par se détacher du parent. Image obtenue par microscopie photonique (MP). **(b)** Tous les arbres dans ce groupe de séquoias sont apparus par voie asexuée à partir d'un seul parent dont on voit la souche au centre du cercle.

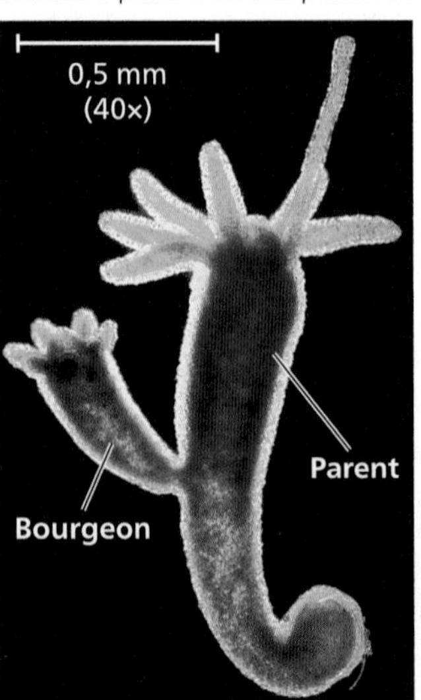

(a) Hydre (MP)

(b) Séquoias

Contrairement à ce qui se passe dans un clone, les individus nés de la reproduction sexuée sont génétiquement différents de leurs frères et sœurs et aussi de leurs parents: ce ne sont pas des répliques exactes, mais des variations sur un thème commun de ressemblances familiales. La variation génétique illustrée à la figure 13.1 est l'une des conséquences principales de la reproduction sexuée. Quel est son mécanisme? Pour le découvrir, il faut examiner le comportement des chromosomes pendant le cycle de la reproduction sexuée.

RETOUR SUR LE CONCEPT **13.1**

1. **FAITES DES LIENS ▶** En vous basant sur ce que vous savez de l'expression génétique au sein des cellules, expliquez pourquoi certains caractères des parents (comme la couleur des cheveux) sont transmis aux enfants. (Voir le concept 5.5.)
2. Comment les organismes eucaryotes se reproduisant par voie asexuée donnent-ils naissance à des rejetons génétiquement identiques entre eux et à leurs parents?
3. **ET SI? ▶** Une horticultrice cultive des orchidées en espérant obtenir une plante qui possédera une combinaison particulière de caractères. Après de nombreuses années, elle réussit enfin. Pour produire d'autres plantes comme celle qu'elle vient d'obtenir, doit-elle la croiser avec une autre plante ou la cloner? Expliquez votre réponse.

Voir les réponses proposées à l'appendice A.

CONCEPT **13.2**

La fécondation, la mitose et la méiose se complètent dans le cycle de reproduction sexuée

On nomme **cycle de développement** la suite d'étapes qui se déroulent à partir du moment où un organisme est conçu jusqu'au moment où il produit ses propres descendants – soit les étapes constituant l'histoire reproductive d'un organisme. Dans cette section, nous suivrons le comportement des chromosomes en prenant un exemple bien connu, celui du cycle de développement humain. Nous nous pencherons d'abord sur le nombre de chromosomes dans les cellules somatiques et les gamètes chez l'humain. Nous verrons ensuite comment le comportement des chromosomes lors de la division cellulaire est lié au cycle de développement humain et à d'autres types de cycles de développement.

Les jeux de chromosomes dans les cellules humaines

Chez l'humain, chaque cellule somatique renferme 46 chromosomes. Pendant la mitose, les chromosomes deviennent suffisamment condensés pour être observés à l'aide d'un microscope photonique. On peut alors distinguer les différents chromosomes par leur taille, par les positions de leurs centromères et par le motif des bandes qui apparaissent lorsqu'on leur ajoute certains colorants se liant à la chromatine.

Si on observe attentivement une micrographie des 46 chromosomes humains d'une seule cellule pendant la mitose, on constate qu'il y a 2 exemplaires de chacun des 23 types. Cela devient évident lorsqu'on les regroupe par paires et par ordre décroissant de taille. La représentation ordonnée obtenue est appelée **caryotype** (**figure 13.3**). Les deux chromosomes qui forment une paire présentent la même longueur, des centromères situés au même endroit et les mêmes bandes de couleur: ce sont des **chromosomes homologues** et ils portent les gènes qui déterminent les mêmes caractères héréditaires. Par exemple, pour un gène déterminant la couleur des yeux qui occupe un certain locus sur un chromosome donné, il existe une autre version de ce gène qui se trouve au locus équivalent du chromosome homologue. Cette version ne contiendra pas nécessairement la même information; elle pourrait par exemple coder pour une couleur des yeux différente.

Dans les cellules somatiques humaines, les chromosomes X et Y constituent une importante exception à la règle des chromosomes homologues. En général, la femelle de l'espèce humaine possède une paire de chromosomes X homologues (XX), tandis que le mâle a un chromosome X et un chromosome Y (XY; voir la figure 13.3). Seules de petites portions des X et des Y sont homologues. La plupart des gènes portés par le chromosome X n'ont pas d'équivalent sur le chromosome Y. Ce dernier est de taille très réduite et porte également des gènes absents du chromosome X. Parce qu'ils déterminent le sexe de l'individu, les chromosomes X et Y sont appelés **chromosomes sexuels** (ou hétérochromosomes). Les autres sont appelés **autosomes**.

La présence de paires de chromosomes homologues dans chaque cellule somatique humaine découle de notre origine sexuée. Chacun de nos parents nous transmet un seul chromosome de chaque paire (pour chacune de leurs 23 paires de chromosomes); nos cellules somatiques proviennent donc de 2 jeux de 23 chromosomes, l'un d'origine maternelle, et l'autre, paternelle, totalisant ainsi 46 chromosomes. On représente le nombre de chromosomes dans un jeu par n. Les cellules qui ont deux jeux de chromosomes sont des **cellules diploïdes**, et le nombre diploïde est abrégé en $2n$. Chez l'être humain, le nombre diploïde est de 46 ($2n = 46$), soit le nombre de chromosomes dans nos cellules somatiques. Dans une cellule, après la synthèse de l'ADN, tous les chromosomes sont répliqués et chacun est donc constitué de deux chromatides sœurs reliées étroitement au niveau du centromère et le long des bras. (Même si les chromosomes sont répliqués, la cellule reste diploïde [$2n$]. En effet, elle compte toujours deux jeux de chromosomes, peu importe le nombre de chromatides. En fait, une chromatide n'est qu'une copie de l'information contenue dans un chromosome donné.) La **figure 13.4** nous aide à clarifier les différents termes utilisés pour décrire les chromosomes répliqués dans une cellule diploïde.

Contrairement aux cellules somatiques, les gamètes n'ont qu'un seul jeu de chromosomes. De telles cellules sont des **cellules haploïdes**, et chacune possède un nombre haploïde de chromosomes; ces cellules sont dites n (on ne met pas de « 1 » devant le « n »). Chez l'humain, le nombre haploïde est de 23 ($n = 23$). Le jeu de 23 comprend 22 autosomes et un seul chromosome sexuel. Dans un ovule non fécondé, ce chromosome sexuel est un chromosome X, mais dans un spermatozoïde, il peut s'agir d'un chromosome X ou d'un chromosome Y.

Chaque espèce à reproduction sexuée a un nombre haploïde et diploïde caractéristique. Par exemple, la drosophile

DÉMARCHE SCIENTIFIQUE

MÉTHODE DE RECHERCHE

▼ **Figure 13.3**
La préparation d'un caryotype

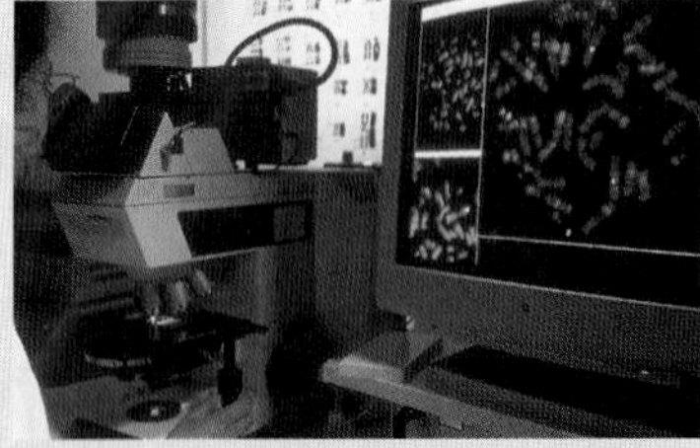

■ APPLICATION ■ Le caryotype est une représentation de chromosomes condensés, ordonnés en paires. Le caryotype permet de déceler des anomalies de la structure ou du nombre de chromosomes. Certaines anomalies chromosomiques sont à l'origine de plusieurs affections congénitales, tel le syndrome de Down (trisomie 21).

■ TECHNIQUE ■ On prépare les caryotypes à partir de cellules somatiques préalablement isolées puis traitées avec une substance stimulant la mitose. Après plusieurs jours de culture, on colore les cellules dont la mitose est arrêtée à la métaphase, au cours de laquelle les chromosomes sont le plus condensés. On les examine ensuite à l'aide d'un microscope muni d'un appareil photo numérique. On affiche une image des chromosomes sur un écran d'ordinateur, et les chromosomes sont regroupés par paires, selon leur apparence, au moyen d'un logiciel spécialisé.

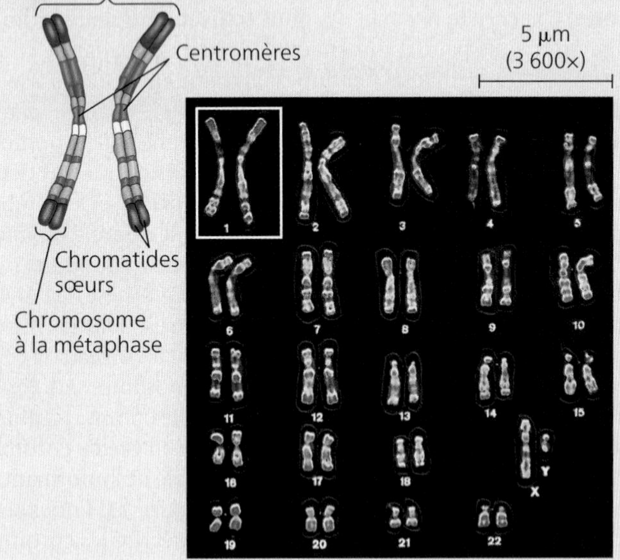

■ RÉSULTATS ■ Le caryotype ci-dessus montre les chromosomes provenant d'un homme (comme l'indique la présence d'une paire de chromosomes XY) en bonne santé. Ces chromosomes ont été colorés pour mettre en évidence les patrons de bandes. La taille du chromosome, la position du centromère et les motifs de bandes colorées permettent de reconnaître les chromosomes spécifiques. Bien qu'il soit difficile de l'observer sur un caryotype, chaque chromosome à la métaphase est formé de deux chromatides sœurs étroitement liées par le centromère (voir le schéma de la première paire de chromosomes homologues répliqués).

▼ **Figure 13.4 Les chromosomes: terminologie.** La cellule représentée ici est celle d'un organisme de nombre diploïde 6 ($2n = 6$) à la suite de la réplication et de la condensation des chromosomes. Chacun des six chromosomes dédoublés se compose de deux chromatides sœurs reliées étroitement sur leur longueur. Chaque paire de chromosomes homologues est formée d'un chromosome provenant du jeu maternel (rouge) et d'un chromosome du jeu paternel (bleu). Dans cet exemple, chaque jeu est constitué de trois chromosomes (longs, moyens et courts). Une chromatide maternelle et une chromatide paternelle faisant partie d'une paire de chromosomes homologues forment des chromatides non sœurs.

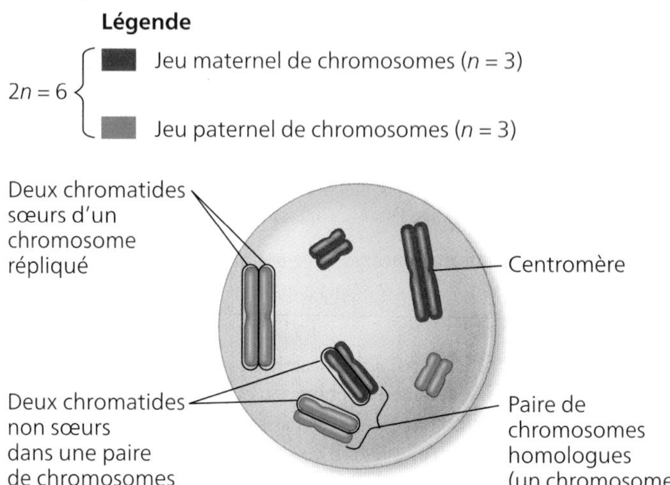

HABILETÉS VISUELLES ▶ Combien de jeux de chromosomes y a-t-il dans cette figure ? Combien de paires de chromosomes homologues y a-t-il ?

(*Drosophila melanogaster*) a un nombre diploïde ($2n$) de 8 et un nombre haploïde (n) de 4, alors que les chiens (*Canis lupus familiaris*) ont un nombre diploïde de 78 ($2n$) et un nombre haploïde (n) de 39. En général, le nombre de chromosomes n'est pas lié à la taille ou à la complexité du génome d'une espèce. Il reflète uniquement le nombre de fragments linéaires d'ADN composant le génome, ce qui dépend de l'histoire évolutive de l'espèce (voir le concept 21.5).

Maintenant, considérons le comportement des chromosomes au cours d'un cycle de développement. Nous utiliserons en exemple le cycle de développement humain.

Le comportement des jeux de chromosomes pendant le cycle de développement humain

Le cycle de développement humain commence quand un spermatozoïde haploïde venant du père fusionne avec un ovule haploïde de la mère (**figure 13.5**). Cette union des gamètes, qui aboutit à la fusion des noyaux, se nomme **fécondation**. L'ovule fécondé qui en résulte, le **zygote**, est diploïde parce qu'il contient deux jeux haploïdes de chromosomes, dont les gènes représentent les lignées paternelle et maternelle. Tout au long du développement de l'être humain jusqu'à la maturité sexuelle et l'âge adulte, la mitose du zygote et de ses descendants génère toutes les cellules somatiques de l'organisme. Les deux jeux de chromosomes du zygote et tous leurs gènes sont transmis avec précision à nos cellules somatiques.

Les seules cellules de l'organisme humain qui ne sont pas produites par mitose sont les gamètes : ces derniers se développent à partir de cellules spécialisées, les *cellules germinales*,

▶ **Figure 13.5 Le cycle de développement humain.** À chaque génération, le nombre de jeux de chromosomes est réduit de moitié durant la méiose, mais il double lors de la fécondation. Chez l'humain, chaque cellule haploïde renferme 23 chromosomes, soit un jeu ($n = 23$); quant au zygote diploïde et à toutes les cellules somatiques qui en sont issues (par mitose), ils en ont 46 ($2n = 46$).

Cette figure est illustrée à l'aide d'un «code de couleurs» que nous emploierons pour tous les cycles de développement présentés dans ce manuel: les flèches bleu-vert représentent les phases haploïdes, et les flèches beiges les phases diploïdes.

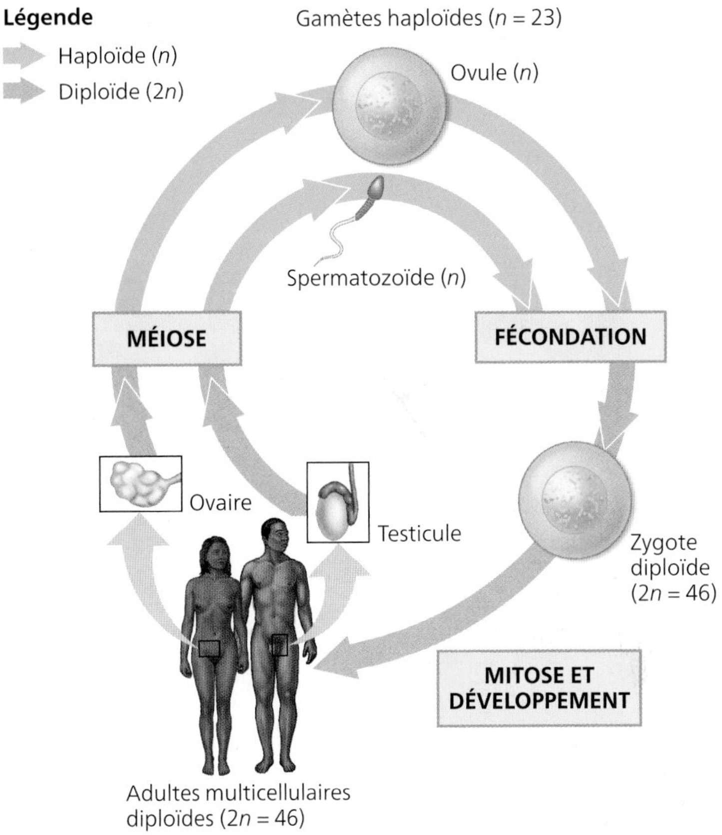

présentes dans les gonades (soit les ovaires, chez les femelles, et les testicules, chez les mâles) (figure 13.5). Imaginez ce qui se passerait si les gamètes humains se formaient par mitose! Ils seraient diploïdes, comme les cellules somatiques. À la fécondation suivante, le nombre de chromosomes doublerait, passant alors de 46 à 92. En fait, il doublerait à chaque génération. Ce n'est pas ce qui se produit, cependant, parce que chez les organismes à reproduction sexuée la formation des gamètes fait intervenir une forme particulière de division cellulaire appelée **méiose**. Ce processus réduit de deux à un le nombre de jeux de chromosomes des gamètes, ce qui compense le doublement qui a lieu à la fécondation. Chaque spermatozoïde et chaque ovule humains sont haploïdes ($n = 23$), parce qu'ils résultent de la méiose. Au cours de la fécondation, les deux jeux haploïdes se rassemblent, et le nombre de chromosomes redevient diploïde. Le cycle de développement de l'humain peut ainsi se poursuivre d'une génération à l'autre (voir la figure 13.5).

D'une manière générale, on trouve les mêmes phases du cycle de développement chez de nombreux animaux à reproduction sexuée: la méiose et la fécondation caractérisent la reproduction sexuée des végétaux, des eumycètes et des protistes, tout comme celle des animaux. La méiose précède la fécondation au cours du cycle de développement sexué. Ces deux processus exercent un effet opposé sur le nombre de chromosomes d'une espèce donnée, assurant ainsi le maintien d'un nombre constant de chromosomes d'une génération à l'autre, et ce, dans chaque espèce.

La diversité des cycles de développement sexués

Bien que la complémentarité de la méiose et de la fécondation s'observe chez tous les organismes à reproduction sexuée, le moment où elles ont lieu dans le cycle de développement diffère d'une espèce à l'autre. Ces variantes permettent de distinguer trois principaux types de cycles de développement. Dans celui qu'on observe chez l'humain et la plupart des animaux, de même que chez plusieurs protistes, les gamètes sont les seules cellules haploïdes (**figure 13.6a**). La méiose se déroule dans les cellules germinales lors de la formation des gamètes, qui ne se divisent plus avant la fécondation. Après la fécondation, le zygote diploïde se divise par mitose et donne naissance à un organisme multicellulaire également diploïde.

Chez les végétaux et certaines espèces d'algues, il existe un deuxième type de cycle de développement, appelé **alternance de générations** (**figure 13.6b**). Celle-ci comprend deux phases multicellulaires: l'une est diploïde, et l'autre, haploïde. La phase diploïde se nomme *sporophyte*. Chez le sporophyte, la méiose produit des cellules haploïdes appelées *spores*. Contrairement au gamète, une spore haploïde ne fusionne pas avec une autre cellule. Elle se divise plutôt par mitose et devient une phase haploïde multicellulaire appelée *gamétophyte*. Les cellules du gamétophyte forment des gamètes par mitose. La fusion de deux gamètes haploïdes à la fécondation produit ensuite un zygote diploïde, qui devient le sporophyte de la génération suivante. Par conséquent, dans ce genre de cycle de développement, la génération du sporophyte engendre un gamétophyte comme descendant, et la génération du gamétophyte engendre la génération suivante du sporophyte. Le terme *alternance de générations* convient bien à ce type de cycle de développement. Une des deux générations l'emporte cependant habituellement sur l'autre sur le plan de la taille: le gamétophyte d'un érable argenté (*Acer saccharinum*), par exemple, n'est composé que de quelques cellules, alors que le sporophyte est l'arbre lui-même.

▼ **Figure 13.6 Trois types de cycles de développement sexués.** La caractéristique commune à ces trois cycles est l'alternance entre mitose, méiose et fécondation. Seuls ces deux derniers événements contribuent à la variation génétique des descendants, mais ils ont lieu à des moments différents dans le cycle. (Les petits cercles correspondent aux cellules; les grands cercles correspondent aux organismes.)

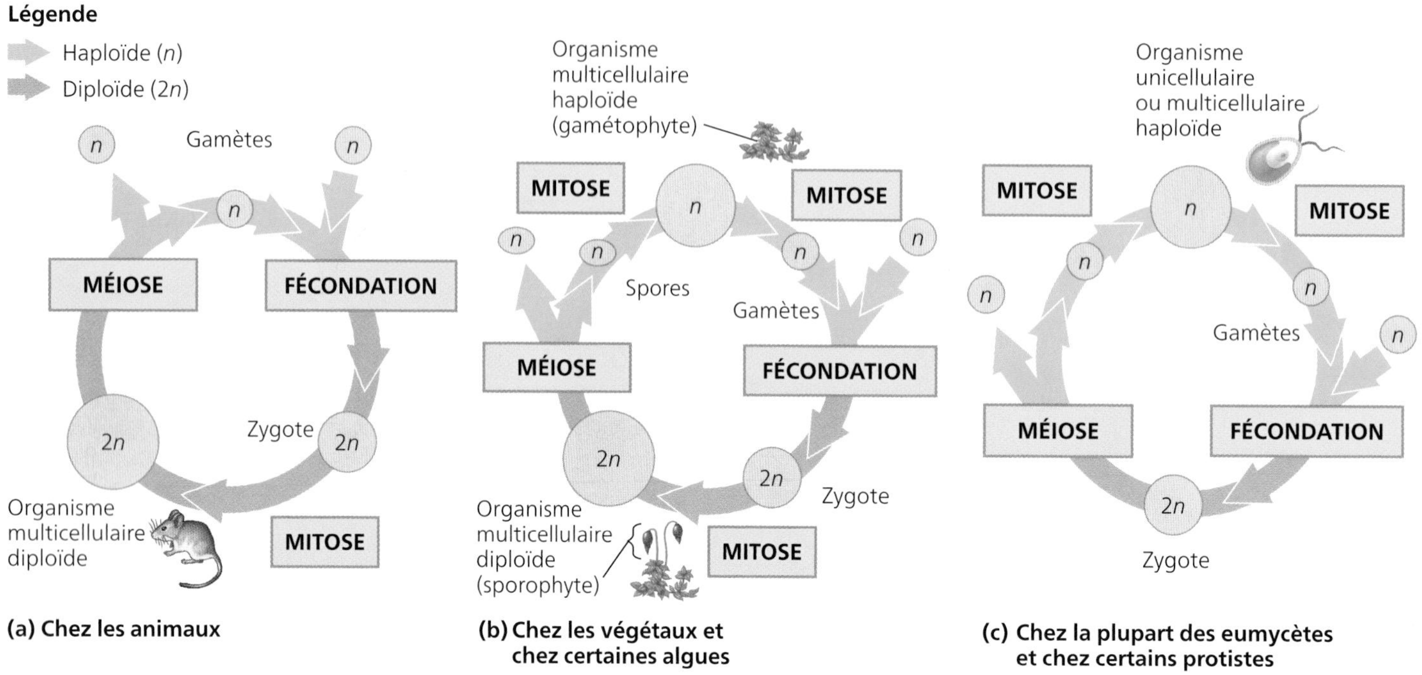

(a) Chez les animaux

(b) Chez les végétaux et chez certaines algues

(c) Chez la plupart des eumycètes et chez certains protistes

HABILETÉS VISUELLES ▶ Pour chaque type de cycle de développement, indiquez si les cellules haploïdes se divisent par mitose, et si tel est le cas, décrivez les cellules qui en résulteront.

Le troisième type de cycle de développement s'observe chez de nombreux eumycètes (telles les moisissures) et quelques protistes, y compris certaines algues (**figure 13.6c**). Après la fusion des gamètes et la formation d'un zygote diploïde, la méiose a lieu sans qu'il y ait développement d'un individu multicellulaire diploïde. La méiose donne non pas des gamètes, mais des cellules haploïdes, qui se divisent ensuite par mitose et donnent naissance à des descendants unicellulaires ou à un organisme adulte multicellulaire haploïde. Plus tard, l'organisme haploïde effectue d'autres mitoses, produisant les cellules qui se transforment en gamètes. Chez ces espèces, le zygote unicellulaire représente donc la seule phase diploïde.

Notez que, selon le cycle de développement considéré, la division par mitose peut se dérouler chez les cellules haploïdes ou chez les cellules diploïdes, mais que la méiose survient uniquement chez des cellules diploïdes. En effet, les cellules haploïdes ont un seul jeu de chromosomes qui ne peut pas être réduit davantage. Dans ces trois types de cycles de développement, la méiose et la fécondation interviennent à des moments différents. Toutefois, ces processus fondamentaux ont en commun le même résultat: une variation génétique à la génération suivante.

RETOUR SUR LE CONCEPT 13.2

1. **FAITES DES LIENS ▶** Dans la figure 13.4, combien comptez-vous de molécules d'ADN (doubles hélices) (voir la figure 12.5)? Quel est le nombre haploïde de cette cellule? Un jeu de chromosomes est-il haploïde ou diploïde?
2. **HABILETÉS VISUELLES ▶** Dans le caryotype présenté à la figure 13.3, combien y a-t-il de paires de chromosomes? Combien de jeux de chromosomes comptez-vous?
3. **ET SI? ▶** Un eucaryote vit comme un organisme unicellulaire, mais sous l'effet d'un stress environnemental, il produit des gamètes. Après la fusion des gamètes, il se forme un zygote qui subit la méiose, donnant naissance à de nouvelles cellules uniques. De quel type d'organisme peut-il s'agir?

Voir les réponses proposées à l'appendice A.

CONCEPT **13.3**

La méiose est la réduction de moitié du nombre de jeux de chromosomes permettant le passage du stade diploïde au stade haploïde

Certaines étapes de la méiose ressemblent beaucoup aux étapes correspondantes de la mitose. Avant la méiose, comme avant la mitose, les chromosomes se répliquent. Dans le cas de la méiose, cependant, cette duplication est suivie non pas d'une, mais de deux divisions cellulaires consécutives, appelées **méiose I** et **méiose II**, qui produisent quatre cellules filles différentes (au lieu des deux cellules filles identiques dans le cas de la mitose). Chacune de ces cellules porte la moitié du nombre de chromosomes de la cellule mère, donc un jeu de chromosomes, plutôt que deux.

Les phases de la méiose

La présentation générale de la méiose à la **figure 13.7** montre que, dans une cellule diploïde, les deux membres d'une même paire de chromosomes homologues se sont répliqués et que les copies sont réparties en quatre cellules filles haploïdes. Rappelez-vous que les chromatides sœurs sont deux copies d'*un même* chromosome, étroitement liées sur toute leur longueur par des complexes de *cohésine*; cette association est appelée *cohésion des chromatides sœurs*. Ensemble, elles forment un chromosome répliqué (voir la figure 13.4). Par contre, les deux chromosomes homologues d'une même paire sont différents, parce que chacun provient d'un des parents. Ils ont la même apparence lorsqu'on les observe au microscope, mais ils portent des versions différentes de gènes sur certains de leurs locus; chaque version est l'*allèle* d'un gène (voir la figure 14.4). Par exemple, un chromosome peut porter un allèle pour des taches de rousseur, et le chromosome homologue peut porter, au même locus, un autre allèle qui peut être l'absence de taches de rousseur. Les chromosomes homologues sont généralement indépendants les uns des autres et ne sont pas regroupés en paires, sauf au cours de la méiose.

La **figure 13.8** montre de façon détaillée les phases des deux divisions issues de la méiose d'une cellule animale, dont le nombre diploïde est de 6. Étudiez bien la figure avant de passer à la section suivante.

▼ **Figure 13.7 Une vue d'ensemble de la méiose: comment la méiose réduit de moitié le nombre de chromosomes.** Après la réplication des chromosomes pendant l'interphase, la cellule diploïde se divise *deux fois*, produisant ainsi quatre cellules filles haploïdes. Cette représentation schématique montre le cheminement d'une seule paire de chromosomes homologues. Pour faciliter votre compréhension, nous les avons dessinés à l'état condensé à toutes les étapes même s'ils ne le sont pas habituellement durant l'interphase.

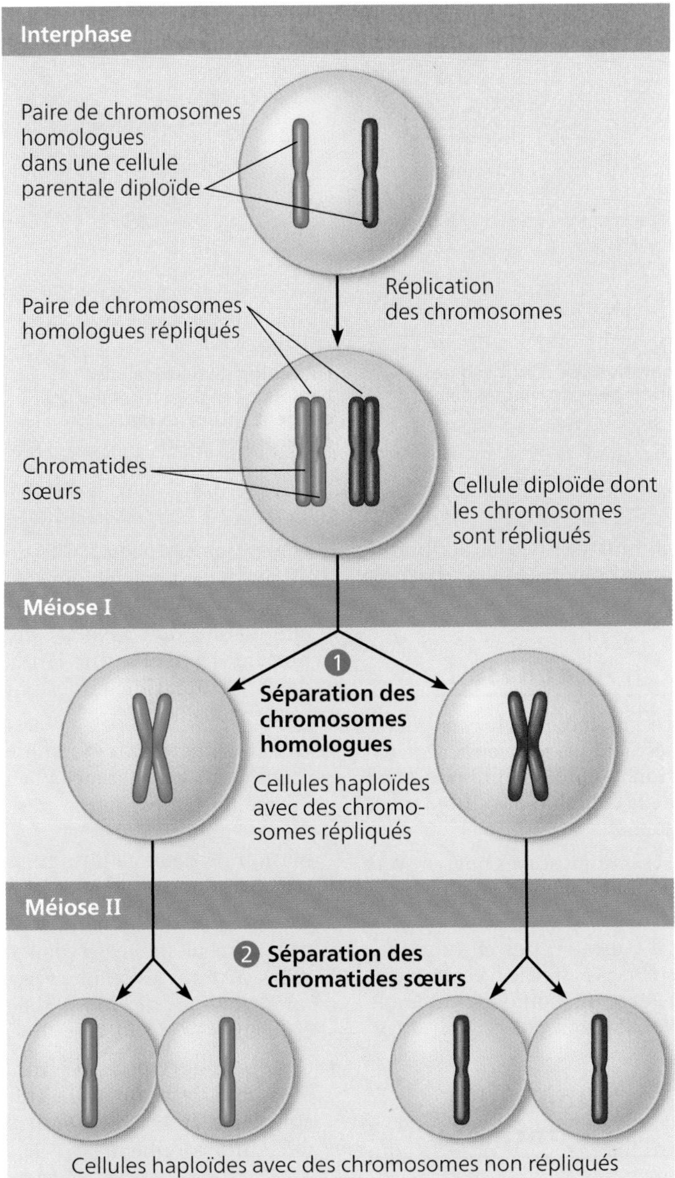

FAITES UN DESSIN ▶ Redessinez les cellules de cette figure en représentant chaque molécule d'ADN par une simple double hélice.

L'enjambement et la synapsis pendant la prophase I

Au cours de la prophase I, les chromosomes homologues restent ensemble grâce à des protéines de cohésion (des cohésines), qui leur permettent de rester bien alignés en s'échangeant du matériel génétique.

POUR APPROFONDIR ■ La prophase I de la méiose est une période très animée. La cellule de la figure 13.8 se trouve à un stade plutôt avancé de la prophase I, alors que se sont déjà produits l'appariement des chromosomes homologues, l'enjambement et la condensation des chromosomes. La **figure 13.9** présente de façon plus détaillée la séquence des événements menant à ce stade.

Lorsque l'interphase est terminée, les chromosomes sont répliqués et les chromatides sœurs sont maintenues ensemble par des protéines connues sous le nom de cohésines. ① Très tôt au cours de la prophase I, les chromosomes homologues d'une même paire s'apparient grossièrement sur leur longueur. Chaque gène d'un chromosome homologue est positionné de façon précise vis-à-vis de l'allèle correspondant du même gène sur le deuxième chromosome homologue. Des protéines spécifiques rompent l'ADN des deux chromatides non sœurs – l'une maternelle et l'autre paternelle – en des points correspondants déterminés. ② Il se forme ensuite une structure particulière appelée *complexe synaptonémal*, qui, à la manière d'une fermeture à glissière, relie étroitement les deux chromosomes homologues. ③ Pendant cette étape d'association nommée *synapsis*, les cassures de l'ADN se rapprochent afin que chaque extrémité rompue joigne le segment correspondant de la chromatide non sœur. Par conséquent, une chromatide paternelle est réunie à un morceau de chromatide maternelle à partir du point de croisement vers l'extrémité du chromosome, et vice versa. ④ Après le désassemblage du complexe synaptonémal et un léger détachement des deux chromosomes homologues, les points d'enjambement se présentent sous forme de *chiasmas*. Les deux chromosomes homologues demeurent liés parce que la cohésion retient encore ensemble les deux chromatides sœurs d'origine, même quand une partie de l'ADN n'est plus rattachée à son chromosome d'origine. Au moins un enjambement par chromosome doit avoir lieu afin que les chromosomes homologues d'une même paire restent ensemble pendant leur déplacement vers la plaque équatoriale de la métaphase I, pour des raisons qui vous seront expliquées sous peu.

▼ **Figure 13.8**

PANORAMA La méiose dans une cellule animale

MÉIOSE I: séparation des chromosomes homologues

Prophase I	Métaphase I	Anaphase I	Télophase I et cytocinèse

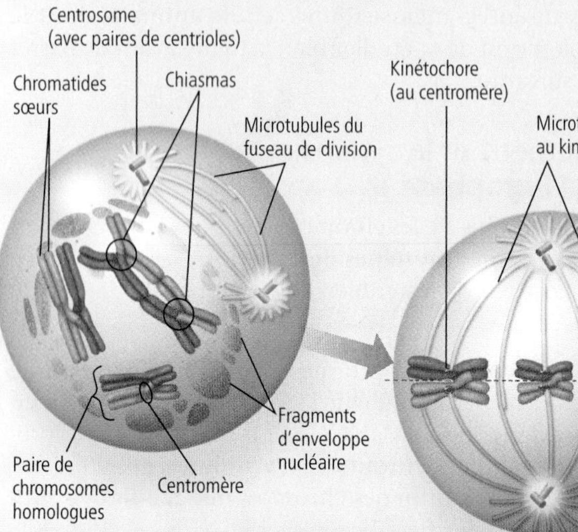

Appariement des chromosomes homologues répliqués (rouges et bleus) et échange de segments entre eux; dans cet exemple, 2*n* = 6.

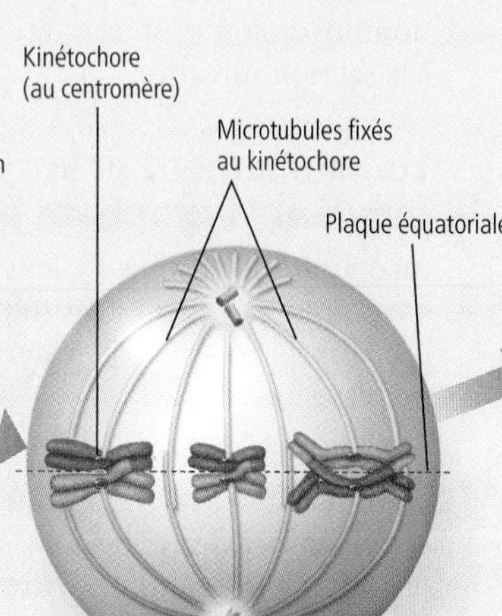

Alignement des chromosomes par paires homologues.

Séparation des chromosomes homologues de chaque paire.

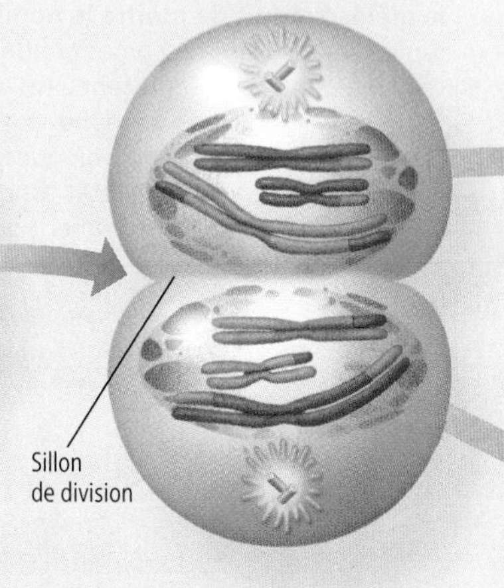

Formation de deux cellules haploïdes; chaque chromosome contient encore les deux chromatides sœurs.

Prophase I

- Il y a mouvement des centrosomes, formation des fuseaux de division et effacement de l'enveloppe du noyau, comme pendant la mitose. Les chromosomes se condensent progressivement tout au long de la prophase I.
- Au stade initial de la prophase I, avant le moment illustré ci-dessus, chaque chromosome s'est apparié avec son homologue, les gènes correspondants étant alignés face à face, et des **enjambements** ont eu lieu: les molécules d'ADN des chromatides non sœurs ont été coupées (par les protéines) et se sont ressoudées entre elles.
- Au cours de cette étape, chaque paire de chromosomes homologues comporte un ou plusieurs points d'entrecroisement ressemblant à des X; ces régions, nommées **chiasmas**, se forment aux endroits où l'enjambement a eu lieu.
- Vers la fin de la prophase I, les microtubules de l'un des pôles s'attachent aux kinétochores, lesquels sont situés aux centromères des deux chromosomes homologues. (Les deux kinétochores situés sur les chromatides sœurs d'un chromosome homologue sont reliés par des protéines et agissent en tant qu'un seul kinétochore.) Les microtubules migrent pour déplacer les paires de chromosomes homologues vers la plaque équatoriale (voir le schéma de la métaphase I).

Métaphase I

- Les paires de chromosomes homologues sont maintenant alignées sur la plaque équatoriale, un chromosome de chaque paire faisant face à chaque pôle.
- Les deux chromatides d'un chromosome homologue sont fixées aux microtubules des kinétochores de l'un des pôles; les chromatides de l'autre chromosome homologue sont attachées aux microtubules du pôle opposé.

Anaphase I

- Les chromosomes homologues se séparent par suite de la dégradation des protéines responsables de la cohésion des chromatides sœurs.
- Les chromosomes migrent vers les pôles opposés, guidés par le fuseau de division.
- La cohésion des chromatides sœurs persiste à leur centromère; elles se dirigent donc ensemble vers le même pôle.

Télophase I et cytocinèse

- Au début de la télophase I, chaque moitié de cellule contient un jeu haploïde complet de chromosomes répliqués. Chacun de ces jeux est encore formé de deux chromatides sœurs; une chromatide, ou les deux, comportent des régions de l'ADN de la chromatide non sœur correspondante.
- Généralement, la cytocinèse (division du cytoplasme) a lieu en même temps que la télophase I: elle aboutit à la formation de deux cellules filles haploïdes.
- Un sillon de division apparaît dans les cellules animales comme celles-ci. (Dans les cellules végétales, il se forme une plaque cellulaire.)
- Chez certaines espèces, les chromosomes quittent leur état condensé et les membranes nucléaires se forment.
- Entre la méiose I et la méiose II, il ne se produit aucune nouvelle réplication de chromosomes.

MÉIOSE II : séparation des chromatides sœurs

Prophase II	Métaphase II	Anaphase II	Télophase II et cytocinèse

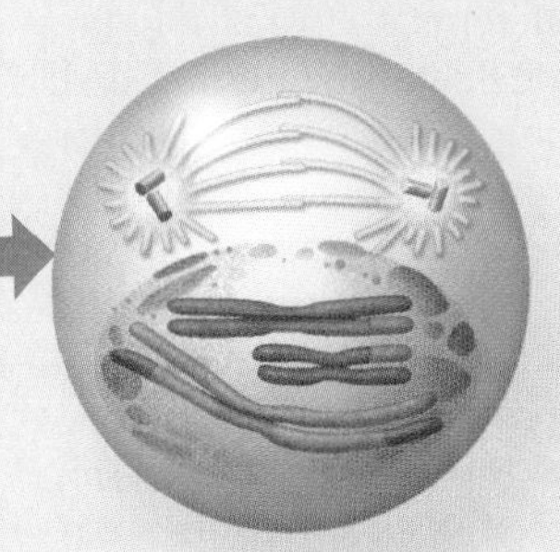
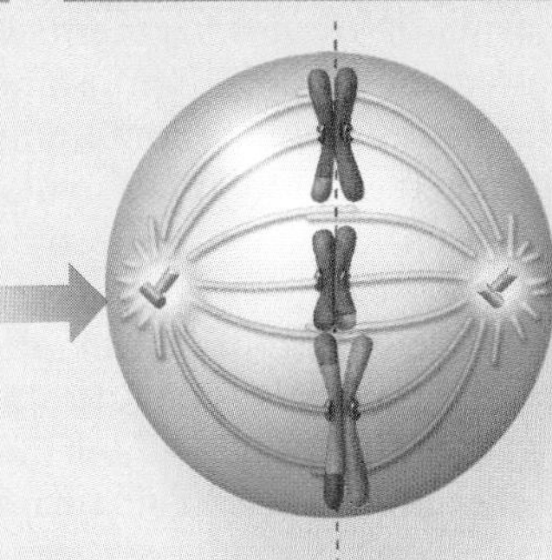
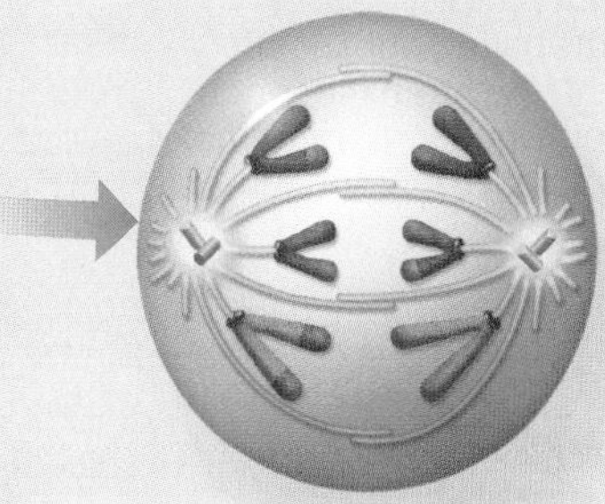
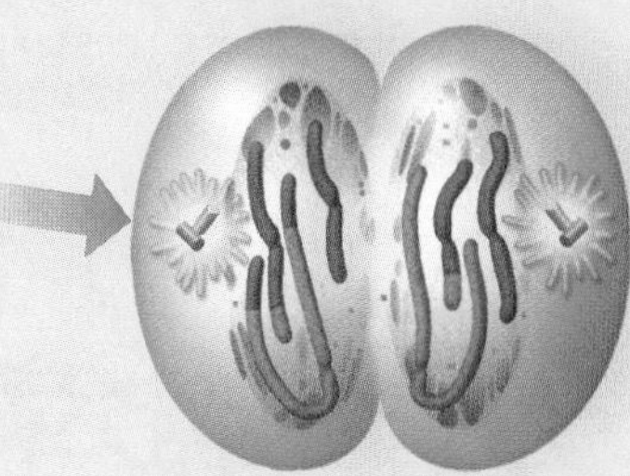

La seconde division cellulaire est marquée par la séparation des chromatides sœurs et par la formation de quatre cellules filles haploïdes contenant des chromosomes non dédoublés.

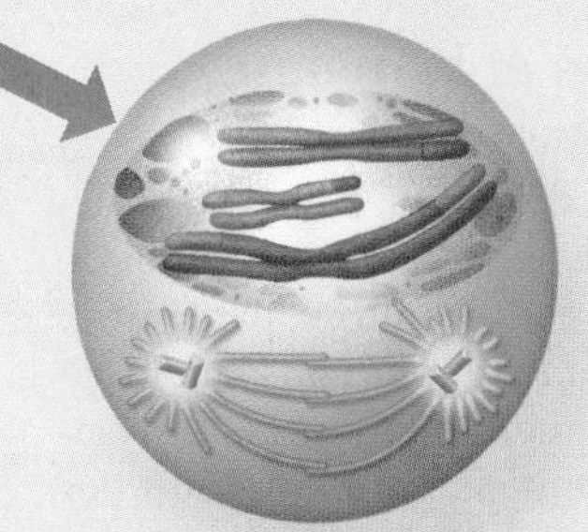
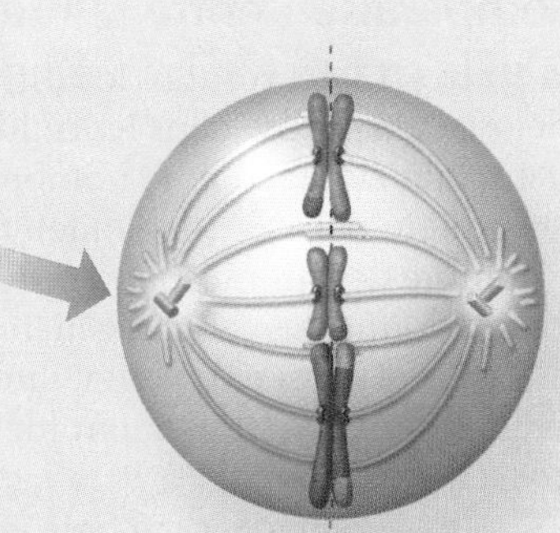
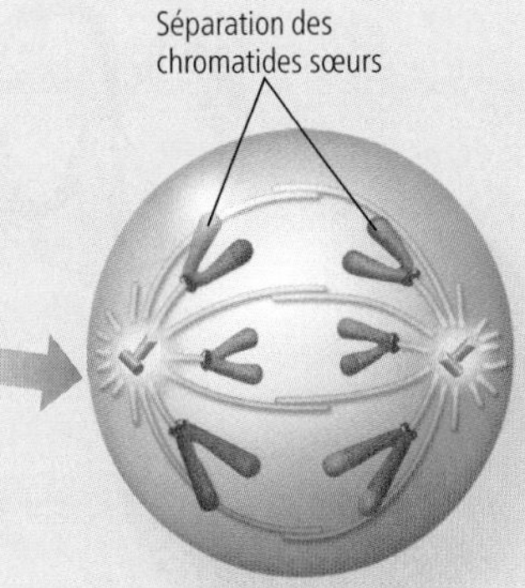

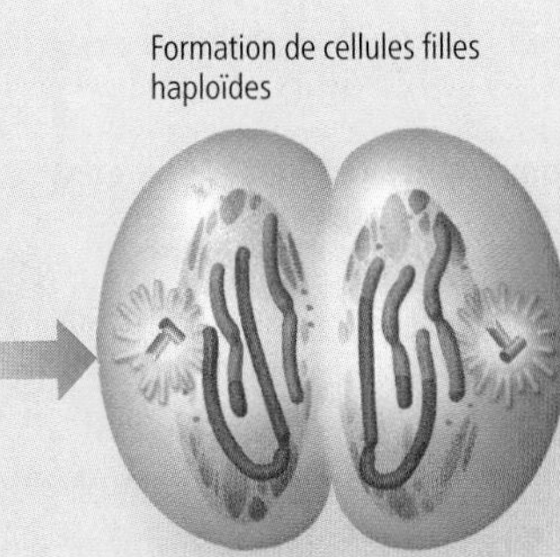

Prophase II

- Un nouveau fuseau de division se forme.
- À la fin de la prophase II (cela n'est pas illustré ici), tous les chromosomes sont déplacés par les microtubules vers la plaque équatoriale de la métaphase II. (À ce moment, chaque chromosome est toujours composé de deux chromatides liées par leur centromère.)

Métaphase II

- Les chromosomes s'alignent sur la plaque équatoriale, comme pendant la mitose.
- À cause de l'enjambement survenu pendant la méiose I, les deux chromatides sœurs de chaque chromosome *ne sont pas* génétiquement identiques.
- Les kinétochores des chromatides sœurs sont fixés aux microtubules qui se prolongent à partir de pôles opposés.

Anaphase II

- Les chromatides se séparent par suite de la dégradation des protéines qui les retenaient ensemble par leur centromère. Les chromatides sœurs de chaque chromosome deviennent chacune un chromosome indépendant et se dirigent maintenant vers les pôles opposés de la cellule.

Télophase II et cytocinèse

- Les noyaux se reconstituent, les chromosomes perdent leur état condensé et la cytocinèse se produit.
- La division méiotique d'une cellule mère produit quatre cellules filles qui ont chacune un jeu haploïde de chromosomes non répliqués.
- Les quatre cellules filles sont génétiquement différentes les unes des autres et de la cellule mère.

FAITES DES LIENS ▶ Examinez la figure 12.7 et imaginez que les deux cellules filles subissent une seconde mitose produisant quatre cellules. Comparez le nombre de chromosomes dans chacune des quatre cellules, après la mitose, avec celui dans chaque cellule de la figure 13.8, après la méiose. Comment expliqueriez-vous cette différence même si la méiose comporte également deux divisions cellulaires ?

▼ **Figure 13.9 Enjambements et synapsis pendant la prophase I: un aperçu plus détaillé**

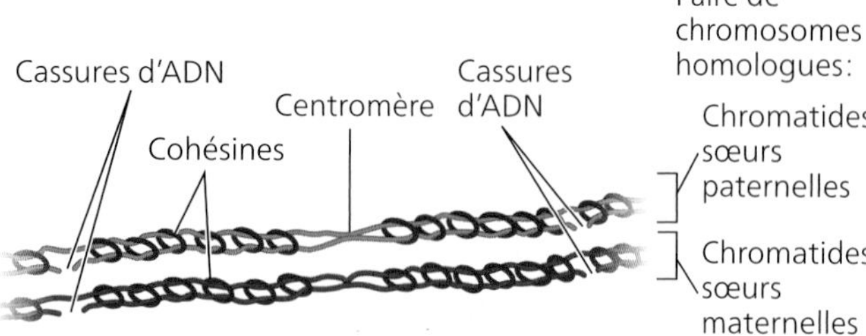

❶ Lorsque l'interphase est terminée, les chromosomes sont répliqués et des protéines appelées cohésines (en violet) maintiennent ensemble les chromatides sœurs. Chaque chromosome homologue d'une même paire s'apparie sur la longueur. Les molécules d'ADN de deux chromatides non sœurs sont rompues en des points correspondants déterminés. La chromatine des chromosomes commence à se condenser.

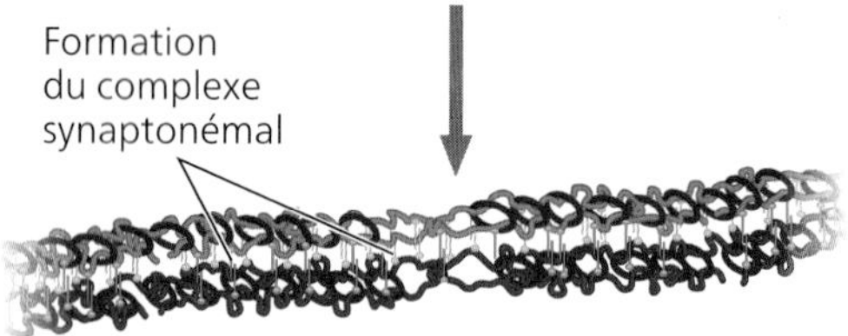

❷ Une structure protéique s'apparentant à une fermeture à glissière, le complexe synaptonémal (en vert), commence à se former, amarrant les chromosomes homologues l'un à l'autre. La chromatine continue de se condenser.

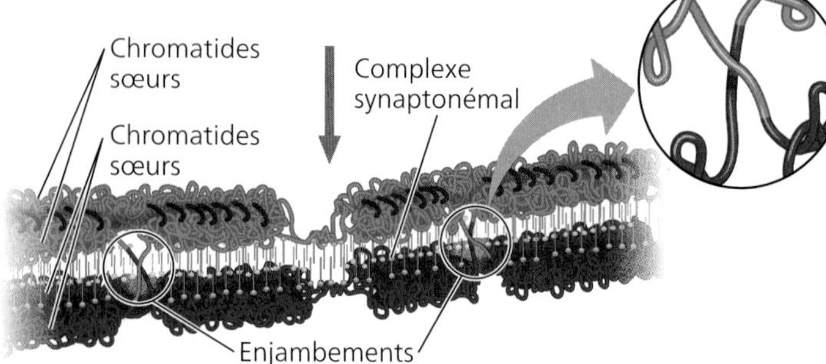

❸ La formation du complexe synaptonémal est complète; les deux chromosomes homologues sont alors en synapsis. Durant cette étape, les cassures d'ADN se rapprochent lorsque chaque extrémité rompue entre en contact avec le segment correspondant de la chromatide non sœur, créant ainsi des enjambements.

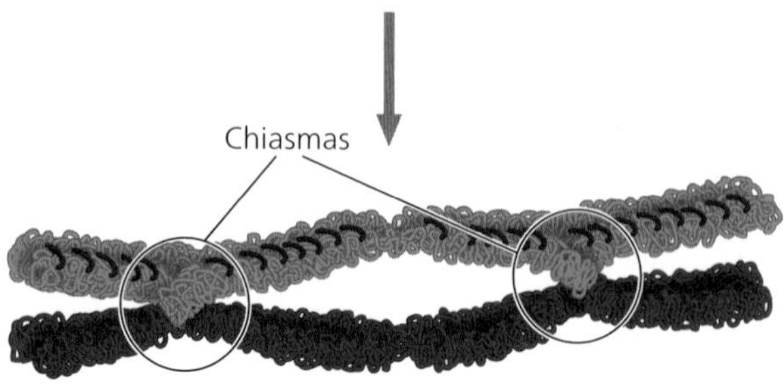

❹ Après le désassemblage du complexe synaptonémal, les chromosomes homologues se détachent légèrement, mais ils restent liés en raison de la cohésion des chromatides sœurs, bien que certaines parties de l'ADN ne soient plus liées à leur chromosome d'origine. Les sites d'attachement où se sont produits les enjambements se présentent sous forme de chiasmas. Les chromosomes continuent de se condenser pendant qu'ils migrent vers la plaque équatoriale.

Les chromatides sœurs restent liées en raison de la cohésion régie par des protéines appelées *cohésines*. Dans la mitose, cet attachement cesse à la fin de la métaphase, lorsque des enzymes coupent les cohésines. Les chromatides sœurs deviennent alors libres de se déplacer vers les pôles opposés de la cellule. Dans la méiose, la disparition de la cohésion des chromatides sœurs se produit en deux étapes: elle commence au début de l'anaphase I et reprend à l'anaphase II. Dans la métaphase I, les deux chromosomes homologues de chaque paire sont retenus ensemble parce qu'il existe toujours une cohésion entre les bras des chromatides sœurs dans les régions distales par rapport au chiasma, là où des segments de chromatides sœurs appartiennent alors à des chromosomes différents. La formation d'un chiasma résulte de la combinaison de l'enjambement et de la cohésion des chromatides sœurs le long de leurs bras. Les chiasmas retiennent les chromosomes homologues ensemble pendant que le fuseau de division se forme pour la première division méiotique. Au début de l'anaphase I, la disparition de la cohésion le long des *bras* des chromatides permet aux deux chromosomes homologues d'une même paire de se diriger dans des directions opposées. À l'anaphase II, la disparition de la cohésion au niveau des *centromères* permet aux deux chromatides sœurs de chacun des chromosomes de se séparer complètement. Par conséquent, la cohésion des chromatides sœurs et l'enjambement jouent conjointement un rôle essentiel dans l'alignement des chromosomes par paires homologues à la métaphase I. ■

Comparaison entre la mitose et la méiose

La **figure 13.10** résume les différences essentielles entre la méiose et la mitose dans les cellules diploïdes. Fondamentalement, la méiose réduit le nombre de jeux de chromosomes de deux (diploïde) à un (haploïde). Pendant la mitose, par contre, le nombre de chromosomes reste le même. Par conséquent, la méiose donne des cellules génétiquement différentes de la cellule mère et aussi entre elles, tandis que la mitose produit des cellules filles génétiquement identiques à leur cellule mère et aussi entre elles.

Trois événements caractéristiques de la méiose surviennent pendant la méiose I:

1. **La synapsis et l'enjambement.** Pendant la prophase I, les chromosomes homologues répliqués s'apparient et l'enjambement a lieu, comme on l'a vu précédemment et comme le montre la figure 13.9. Pendant la mitose, il ne se produit normalement ni synapsis ni enjambement.
2. **L'alignement des paires de chromosomes homologues sur la plaque équatoriale.** À la métaphase I de la méiose, ce sont les paires de chromosomes homologues qui se placent sur la plaque équatoriale et non les chromosomes individuels, comme lors de la métaphase de la mitose.
3. **La séparation des chromosomes homologues.** À l'anaphase I de la méiose, les chromosomes répliqués de chaque paire homologue migrent vers des pôles opposés, mais les chromatides sœurs de chaque chromosome répliqué restent liées. À l'anaphase de la mitose, au contraire, les chromatides sœurs se séparent.

La méiose I diminue le nombre de jeux de chromosomes, qui passe de deux (état diploïde) à un (état haploïde). Au cours de la seconde division méiotique, les chromatides sœurs se séparent

▼ **Figure 13.10 Comparaison des étapes correspondantes de la mitose et de la méiose.**

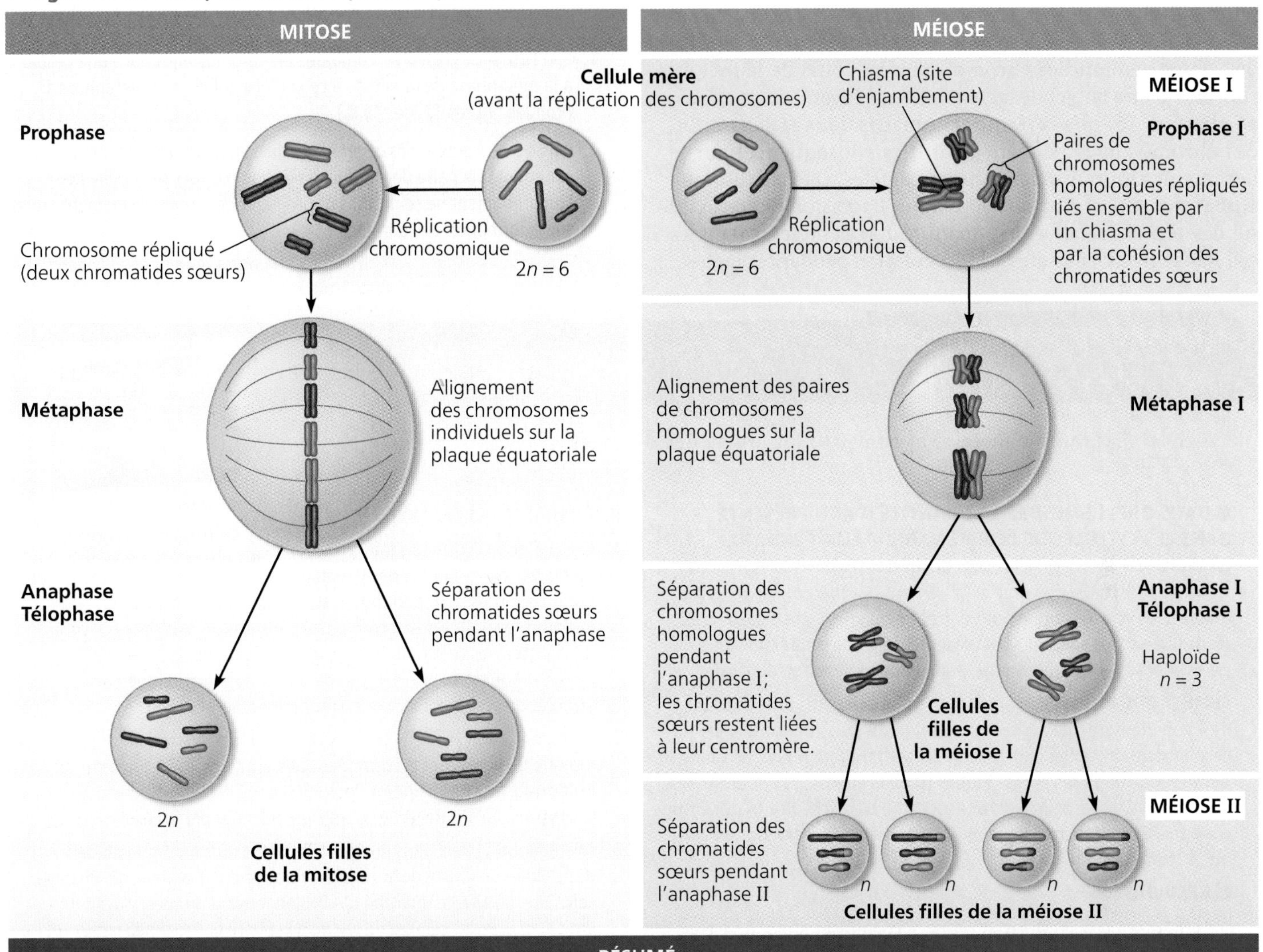

RÉSUMÉ

Propriété	**Mitose** (survient tant dans les cellules diploïdes que dans les cellules haploïdes)	**Méiose** (survient uniquement dans les cellules diploïdes)
Réplication de l'ADN	Se produit pendant l'interphase, avant le début de la mitose.	Se produit pendant l'interphase, avant le début de la méiose I.
Nombre de divisions	Une seule, comprenant une prophase, une prométaphase, une métaphase, une anaphase et une télophase.	Deux divisions, chacune comprenant une prophase, une métaphase une anaphase et une télophase.
Synapsis des chromosomes homologues	Absente.	Se produit pendant la prophase I; s'accompagne d'un enjambement entre les chromatides non sœurs. Les chiasmas ainsi formés maintiennent les paires ensemble en raison de la cohésion des chromatides sœurs.
Nombre de cellules filles et composition génétique	Deux cellules génétiquement identiques à la cellule mère et comptant le même nombre de chromosomes.	Quatre cellules haploïdes (n) qui contiennent la moitié du nombre de chromosomes de la cellule mère et qui sont génétiquement différentes les unes des autres et de la cellule mère.
Rôle chez les animaux, les eumycètes et les végétaux	Développement d'un animal, d'un eumycète ou d'un végétal (gamétophyte ou sporophyte) multicellulaire à partir d'une seule cellule; production de cellules servant à la croissance et à la réparation des tissus, et, chez certaines espèces, à la reproduction asexuée; production de gamètes chez les végétaux (gamétophytes) et certains autres organismes (algues, mycètes).	Production de gamètes (chez les animaux) ou de spores (chez les eumycètes et les végétaux sporophytes); réduction du nombre de jeux de chromosomes de moitié et réalisation d'une variabilité génétique des gamètes ou des spores.

FAITES UN DESSIN ▶ Est-il possible de créer d'autres combinaisons de chromosomes durant la méiose II à partir des cellules illustrées ci-dessus à la télophase I? Expliquez votre réponse. (*Indice:* Dessinez les cellules telles qu'elles apparaîtraient dans la métaphase II.)

et donnent des cellules filles haploïdes. Le mécanisme de séparation des chromatides sœurs durant la méiose II est pratiquement identique à celui de la mitose. Le fondement moléculaire du comportement des chromosomes au cours de la méiose continue d'être l'objet de recherches intensives. Nous verrons, au chapitre 15, que certaines anomalies dans la séparation des chromosomes peuvent avoir des conséquences sur le nombre de chromosomes dans les gamètes. Dans la rubrique **Habiletés scientifiques**, vous aurez l'occasion de travailler sur des données relatives à la quantité d'ADN présente dans les cellules au fur et à mesure de leur évolution pendant la méiose.

RETOUR SUR LE CONCEPT 13.3

1. **FAITES DES LIENS ▶** Comparez les chromosomes dans une cellule à la métaphase de la mitose à ceux d'une cellule à la métaphase II. (Voir les figures 12.7 et 13.8.)
2. **ET SI ? ▶** Après le désassemblage du complexe synaptonémal, comment une paire de chromosomes homologues serait-elle liée si l'enjambement ne se produisait pas ? Quel en serait ultimement l'effet sur la formation des gamètes ?

Voir les réponses proposées à l'appendice A.

DÉMARCHE SCIENTIFIQUE
HABILETÉS SCIENTIFIQUES

Créer un diagramme linéaire et convertir les unités des données

▲ Cellules de levures en bourgeonnement.

■ DANS QUELLE MESURE LA QUANTITÉ D'ADN PRÉSENTE DANS LES CELLULES DE LEVURE VARIE-T-ELLE PENDANT LA MÉIOSE ? ■ Lorsque la disponibilité des nutriments est limitée, les cellules de levures en bourgeonnement (*Saccharomyces cerevisiæ*) quittent le cycle mitotique pour entrer en méiose. Dans cet exercice, vous suivrez la quantité d'ADN présente dans une population de cellules de levures au fur et à mesure de leur évolution pendant la méiose.

■ MÉTHODE ■ Les chercheurs ont réalisé une culture de cellules de levure dans un milieu riche en nutriments, puis ils ont transféré les cellules dans un milieu pauvre en nutriments afin d'induire une méiose. À différents moments après l'induction de la méiose, ils ont mesuré la quantité d'ADN par cellule dans un échantillon de cellules. Ils ont ensuite consigné la quantité moyenne d'ADN par cellule en femtogrammes (fg ; 1 femtogramme = 1×10^{-15} g).

■ RÉSULTATS ■

Temps après l'induction (heures)	Quantité moyenne d'ADN par cellule (fg)
0,0	24,0
1,0	24,0
2,0	40,0
3,0	47,0
4,0	47,5
5,0	48,0
6,0	48,0
7,0	47,5
7,5	25,0
8,0	24,0
9,0	23,5
9,5	14,0
10,0	13,0
11,0	12,5
12,0	12,0
13,0	12,5
14,0	12,0

INTERPRÉTEZ LES DONNÉES ▼

1. Créez d'abord votre diagramme. (a) Placez les étiquettes des variables indépendantes et dépendantes sur les axes appropriés, puis indiquez les unités de mesure entre parenthèses. Justifiez vos choix. (b) Ajoutez des graduations ainsi que des valeurs sur chacun des axes. Expliquez vos choix. (Pour de plus amples renseignements au sujet des graphiques, consultez l'appendice F.)
2. Comme la variable de l'axe des *x* varie de façon constante, il est logique de consigner les données dans un diagramme linéaire. (a) Consignez chaque point de données tiré du tableau dans le diagramme. (b) Reliez les points de données par un trait.
3. Avant leur transfert dans un milieu faible en nutriments, la plupart des cellules de levure de la culture se trouvaient à la phase G_1 du cycle cellulaire. (a) Quelle quantité d'ADN (en femtogrammes) y avait-il dans chacune des cellules de levure à la phase G_1 ? Estimez cette valeur en utilisant les données de votre diagramme. (b) Quelle devrait être la quantité d'ADN (en femtogrammes) dans chacune des cellules à la phase G_2 ? (Voir le concept 12.2 et la figure 12.6.) À la fin de la méiose I (M I) ? À la fin de la méiose II (M II) ? (Voir la figure 13.7.) (c) En utilisant ces valeurs à titre de référence, séparez les différentes phases en les délimitant par des lignes pointillées verticales sur le diagramme. Ensuite, nommez chacune d'elles (G_1, S, G_2, M I, M II). Pour savoir où placer les lignes verticales, reportez-vous à ce que vous savez au sujet de la quantité d'ADN présente à chaque phase (voir la figure 13.7). (d) Portez une attention particulière au point correspondant à la valeur la plus élevée, là où la ligne prend une pente descendante. Quelle étape spécifique de la méiose cet « angle » représente-t-il ? À quel(s) stade(s) la pente descendante correspond-elle ?
4. Puisque 1 fg d'ADN = $9{,}78 \times 10^5$ paires de bases (en moyenne), vous pouvez convertir la quantité d'ADN par cellule en nombre de paires de bases (longueur) d'ADN. (a) Calculez le nombre de paires de bases d'ADN dans le génome d'une cellule haploïde de levure. Donnez votre réponse en millions de paires de bases (Mb), l'unité standard utilisée pour exprimer la taille d'un génome. Présentez votre travail. (b) Combien de paires de bases par minute ont été synthétisées pendant la phase S de ces cellules de levure ?

Pour en savoir plus: G. Simchen, Commitment to meiosis: what determines the mode of division in budding yeast? *BioEssays* 31 : 169-177 (2009).

CONCEPT **13.4**

L'évolution résulte de la variation génétique qui prend sa source dans la reproduction sexuée

Comment peut-on expliquer la variation génétique observée chez les membres de la famille apparaissant à la figure 13.1 ? Comme vous l'apprendrez dans les chapitres ultérieurs, les mutations constituent la source première de la diversité génétique. Ces modifications de l'ADN d'un organisme créent différentes versions des gènes appelés allèles. Une fois ces différences apparues, la redistribution des allèles pendant la reproduction sexuée produit la variation qui permet des combinaisons uniques de caractères pour chaque membre d'une population à reproduction sexuée.

L'origine de la variation génétique chez les descendants

Les mutations surviennent à une fréquence beaucoup trop faible pour pouvoir constituer l'unique source de la diversité génétique. Chez les espèces à reproduction sexuée, la variation génétique qui apparaît à chaque génération résulte principalement du comportement des chromosomes pendant la méiose et la fécondation. Trois phénomènes contribuent à la diversité génétique des organismes sexués : l'assortiment indépendant des chromosomes, l'enjambement et la fécondation aléatoire.

L'assortiment indépendant des chromosomes

Chez les organismes à reproduction sexuée, un des mécanismes qui créent une variation génétique est l'orientation aléatoire des paires de chromosomes homologues à la métaphase de la méiose I. Au cours de cette étape, toutes les paires de chromosomes homologues (qui comportent chacune un chromosome maternel dédoublé et un chromosome paternel dédoublé) sont regroupées sur la plaque équatoriale. (Notez que les termes *maternel* et *paternel* font référence, respectivement, au fait que le chromosome provient de la mère ou du père de l'individu dont les cellules subissent la méiose.) Chaque paire peut s'orienter de telle sorte que son homologue maternel ou son homologue paternel se trouve le plus près d'un pôle donné : son orientation est donc aléatoire (comme si sa place était jouée à pile ou face). Il y a donc 50 % de chances qu'une cellule fille de la méiose I reçoive le chromosome maternel d'une paire de chromosomes homologues donnée, et 50 % de chances qu'elle reçoive le chromosome paternel de la même paire.

Étant donné que chaque paire de chromosomes se positionne indépendamment des autres paires lors de la métaphase I, la première division méiotique produit un *assortiment indépendant* des chromosomes maternels et paternels dans les cellules filles. Chaque cellule fille contient une des combinaisons possibles des chromosomes maternels et paternels. Ainsi que le montre la **figure 13.11**, dans le cas de cellules filles formées par la méiose d'une cellule diploïde ayant deux paires de chromosomes homologues ($n = 2$), le nombre de combinaisons possibles est de quatre : *deux* arrangements possibles pour la première paire *fois deux* arrangements possibles pour la deuxième paire. Notez que seulement deux des quatre combinaisons de cellules filles illustrées dans la figure pourraient provenir de la méiose d'*une* cellule mère diploïde donnée, car cette cellule mère aurait l'un ou l'autre arrangement possible de chromosomes à la métaphase I, mais pas les deux. Cependant, la population de cellules filles résultant de la méiose d'un grand nombre de cellules diploïdes contient les quatre types en nombres à peu près égaux. Pour $n = 3$, il existe huit combinaisons chromosomiques ($2 \times 2 \times 2 = 2^3$) possibles pour les cellules filles. D'une manière plus générale, lorsque la méiose assortit au hasard des chromosomes, le nombre de combinaisons possibles est de 2^n, n étant le nombre haploïde de l'organisme.

Chez l'humain ($n = 23$), le nombre de combinaisons possibles des chromosomes maternels et paternels dans les gamètes qui en résultent est donc de 2^{23}, ou environ 8,4 millions. Chaque gamète que vous pouvez produire au cours de votre vie contient donc l'une des quelque 8,4 millions de combinaisons possibles des chromosomes hérités de votre mère et de votre père, sans compter les enjambements qui ajoutent encore des myriades de possibilités à ces variations, comme nous allons voir ci-dessous.

▼ **Figure 13.11 L'assortiment indépendant des chromosomes homologues à la méiose.**

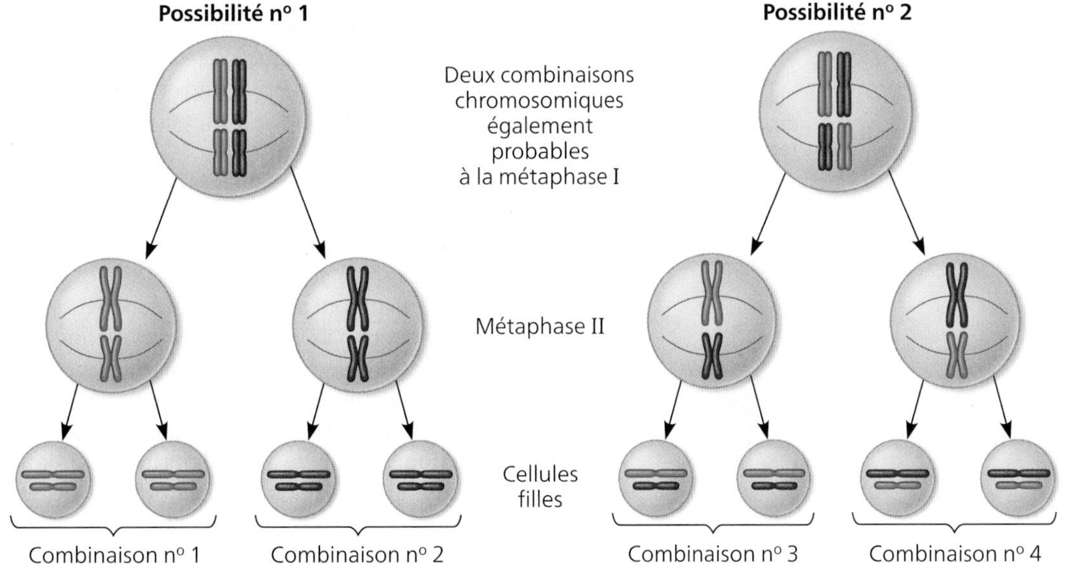

L'enjambement

Parce que l'assortiment des chromosomes se fait de façon aléatoire pendant la méiose, chacun de nous possède des gamètes qui contiennent des combinaisons différentes des chromosomes hérités de nos deux parents. En observant la figure 13.11, vous pourriez penser que chaque chromosome pris individuellement dans un gamète a une origine exclusivement paternelle ou maternelle. En fait, cela *n'est pas* le cas parce que le mécanisme appelé enjambement produit des **chromosomes recombinés**, c'est-à-dire qui portent des gènes (ADN) provenant de chacun des deux parents (**figure 13.12**). Chez l'humain, à la méiose, on compte en moyenne de un à trois enjambements par paire de chromosomes, selon leur taille et la position de leur centromère.

Comme vous l'avez vu à la figure 13.9, l'enjambement produit des chromosomes contenant de nouvelles combinaisons d'allèles maternels et paternels. À la métaphase II, les chromosomes, qui contiennent chacun une ou même deux chromatides recombinées, peuvent prendre deux orientations différentes par rapport aux autres chromosomes, parce que leurs chromatides sœurs ne sont plus identiques (voir la figure 13.12). Au cours de la méiose II, les différents arrangements possibles des chromatides sœurs non identiques accroissent encore le nombre de types génétiques possibles dans les cellules filles issues de la méiose.

Nous parlerons de nouveau de l'enjambement au chapitre 15. Pour l'instant, il faut retenir que ce processus représente un moyen de recombiner dans un même chromosome l'ADN provenant des deux parents. Il constitue donc une source importante de variation génétique chez les organismes à reproduction sexuée.

▼ **Figure 13.12 Les résultats de l'enjambement pendant la méiose.**

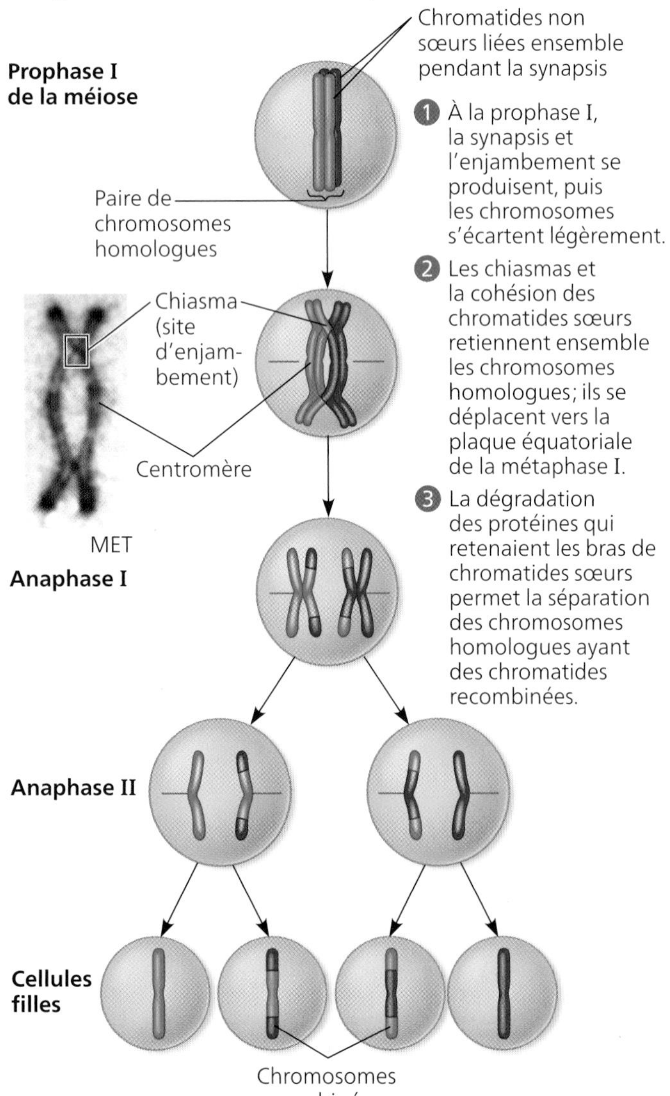

Prophase I de la méiose
Chromatides non sœurs liées ensemble pendant la synapsis
1 À la prophase I, la synapsis et l'enjambement se produisent, puis les chromosomes s'écartent légèrement.
Paire de chromosomes homologues
Chiasma (site d'enjambement)
Centromère
MET
2 Les chiasmas et la cohésion des chromatides sœurs retiennent ensemble les chromosomes homologues; ils se déplacent vers la plaque équatoriale de la métaphase I.
Anaphase I
3 La dégradation des protéines qui retenaient les bras de chromatides sœurs permet la séparation des chromosomes homologues ayant des chromatides recombinées.
Anaphase II
Cellules filles
Chromosomes recombinés

La fécondation aléatoire

La nature aléatoire de la fécondation ajoute encore à la variation génétique résultant de la méiose. Chez l'humain, par exemple, comme nous l'avons déjà mentionné, chaque gamète mâle ou femelle représente une seule des quelque 8,4 millions (2^{23}) de combinaisons chromosomiques possibles en raison de l'assortiment indépendant. La fusion d'un gamète mâle avec un gamète femelle pendant la fécondation engendrera un zygote qui possédera une seule combinaison chromosomique diploïde sur environ 70 billions ($2^{23} \times 2^{23}$) de combinaisons possibles! Si on tient compte de la variation résultant de l'enjambement, le nombre de résultats possibles est encore plus astronomique. Vous *êtes* vraiment un être unique, différent de tous les humains vivant actuellement sur Terre et différent même de tous ceux qui y sont déjà passés.

La signification de la variation génétique dans l'évolution

ÉVOLUTION Maintenant que vous avez appris comment de nouvelles combinaisons de gènes apparaissent chez les descendants dans une population à reproduction sexuée, nous pouvons établir le lien entre la variation génétique et l'évolution. Darwin reconnaissait qu'une population évolue en fonction des différences qui influent sur le succès reproducteur des individus qui la composent. Ainsi, en moyenne, ce sont les individus les mieux adaptés à leur milieu qui ont le plus de descendants et qui parviennent le plus à perpétuer leurs gènes. L'accumulation des variations héréditaires favorisées par le milieu est possible grâce à la sélection naturelle. Une population occupant un milieu de vie changeant ne peut survivre que si chaque génération comprend au moins quelques individus capables de faire face efficacement aux nouvelles conditions ambiantes. Les mutations sont à l'origine des différents allèles, qui sont alors mélangés et appariés au cours de la méiose. Il arrive que des combinaisons d'allèles récentes et différentes s'avèrent plus avantageuses que celles qui existaient auparavant.

Dans un milieu stable, la reproduction sexuée semblerait moins avantageuse que la reproduction asexuée, laquelle perpétue des combinaisons d'allèles favorables. De plus, la reproduction sexuée est plus coûteuse, c'est-à-dire que les dépenses énergétiques qui lui sont associées sont supérieures à celles nécessaires à la reproduction asexuée. Malgré ces inconvénients qui paraissent somme toute bien relatifs, la reproduction sexuée est presque universelle chez les animaux. Mais pour quelles raisons?

La capacité de la reproduction sexuée à générer la diversité génétique est un des arguments les plus fréquemment proposés pour expliquer la persistance évolutive de ce type de reproduction. Toutefois, il faut tenir compte du cas inhabituel des rotifères bdelloïdes (**figure 13.13**). En effet, une analyse récente des séquences génétiques de leur génome semble indiquer que ces animaux se sont reproduits sans méiose, par voie asexuée, pendant plus de 50 millions d'années de leur histoire évolutive. Cela signifie-t-il que la diversité génétique n'est pas avantageuse pour cette espèce ? Il s'avère plutôt que les rotifères bdelloïdes sont une exception à la règle selon laquelle seule la reproduction asexuée favorise la variation génétique. De fait, ils possèdent des mécanismes autres que la reproduction sexuée qui accroissent leur diversité génétique. Par exemple, ils sont capables de vivre pendant des années dans un état de déshydratation totale, au cours duquel ils suspendent toute activité. Dans cet état, les membranes de leurs cellules se fracturent, laissant pénétrer l'ADN d'autres espèces de rotifères, voire celui d'espèces de parenté plus lointaine. Des indices laissent croire que le rotifère bdelloïde incorporerait cet ADN étranger dans son génome, ce qui entraînerait l'accroissement de la diversité biologique. En fait, l'analyse génomique montre que les rotifères bdelloïdes intègrent de l'ADN étranger à un taux beaucoup plus élevé que toute autre espèce étudiée. La conclusion selon laquelle les rotifères bdelloïdes ont acquis d'autres mécanismes pour générer la diversité génétique appuie l'hypothèse selon laquelle la diversité génétique est avantageuse, et que la reproduction sexuée n'est pas le seul moyen pour favoriser une telle diversité.

Dans ce chapitre, nous avons vu comment la reproduction sexuée accroît considérablement la variation génétique dans une population. Darwin (1809-1882) a compris que l'évolution est le résultat de la variation héréditaire, mais il n'a pu expliquer pourquoi les enfants ressemblent à leurs parents sans leur être identiques. Gregor Mendel (1822-1884), un contemporain de Darwin, a publié une théorie de l'hérédité expliquant partiellement la variation génétique, mais, ironie du sort, ses découvertes n'ont eu aucune influence sur les biologistes avant 1900, soit plus de 15 ans après sa mort et celle de Darwin. Au prochain chapitre, nous verrons comment Mendel a découvert les principales lois de l'hérédité.

▼ Figure 13.13 Un rotifère bdelloïde, un animal qui ne se reproduit que par voie asexuée.

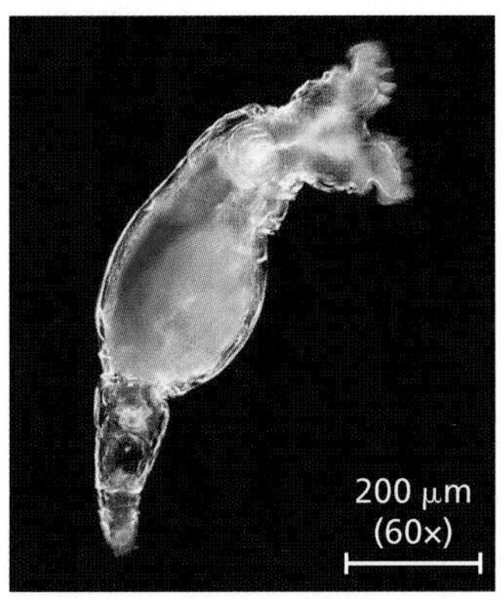

RETOUR SUR LE CONCEPT **13.4**

1. Quelle est la source de variation des différents allèles d'un gène ?
2. Chez les drosophiles, le nombre diploïde est de 8, alors qu'il est de 46 chez les sauterelles. En supposant qu'il n'y a pas d'enjambement, la variation génétique chez les descendants d'une paire donnée de parents sera-t-elle plus grande chez les drosophiles ou chez les sauterelles ? Expliquez votre réponse.
3. ET SI ? ▶ Si les chromatides maternelles et paternelles possèdent les mêmes allèles pour chaque gène, l'enjambement permettra-t-il de générer la variation génétique ?

Voir les réponses proposées à l'appendice A.

RÉVISION DU CHAPITRE 13

Consultez votre MANUEL NUMÉRIQUE, qui vous donne accès aux **animations**, aux **exercices** et à la plateforme d'**anatomie interactive**.

Résumé des concepts clés

CONCEPT **13.1**

Les gènes des parents sont transmis à leurs enfants par l'intermédiaire des chromosomes (p. 278 et 279)

- Dans l'ADN d'un organisme, chaque **gène** existe à un **locus** précis sur un chromosome donné.
- Dans la **reproduction asexuée**, un seul parent engendre par mitose une descendance qui lui est génétiquement identique. Dans la **reproduction sexuée**, les gènes provenant de deux parents se combinent pour produire des descendants génétiquement différents.

? Expliquez pourquoi les descendants des humains ressemblent à leurs parents, mais ne leur sont pas identiques.

CONCEPT **13.2**

La fécondation, la mitose et la méiose se complètent dans le cycle de reproduction sexuée (p. 279 à 282)

- Les **cellules somatiques** humaines normales sont diploïdes. Elles contiennent 46 chromosomes formant 2 jeux ; un jeu de 23 chromosomes provient de chaque parent. Les cellules diploïdes humaines possèdent 22 paires de **chromosomes homologues** qui sont des **autosomes**, et une paire de **chromosomes sexuels** ; en général, ces derniers déterminent si l'individu est de sexe féminin (XX) ou de sexe masculin (XY).
- Chez l'humain, les ovaires et les testicules (gonades) produisent des **gamètes** (des **cellules haploïdes**) par **méiose**, chaque gamète contenant un jeu unique de 23 chromosomes (n = 23). Pendant la **fécondation**, un ovule et un spermatozoïde se combinent pour donner un **zygote** unicellulaire diploïde ($2n$ = 46), qui devient un individu multicellulaire par mitose.

- On distingue les cycles de développement sexués selon le moment où s'effectue la méiose par rapport à la fécondation et selon le(s) point(s) du cycle où un organisme multicellulaire est produit par mitose.

? Comparez les cycles de développement des animaux et des végétaux, en mentionnant leurs similarités et leurs différences.

CONCEPT **13.3**

La méiose est la réduction de moitié du nombre de jeux de chromosomes permettant le passage du stade diploïde au stade haploïde (p. 282 à 288)

- Les deux divisions cellulaires de la méiose, la **méiose I** et la **méiose II**, produisent quatre cellules filles haploïdes. Le nombre de jeux de chromosomes est réduit de deux (diploïde) à un (haploïde) pendant la méiose I, appelée division réductionnelle.
- Trois événements de la méiose I permettent de distinguer la méiose de la mitose:

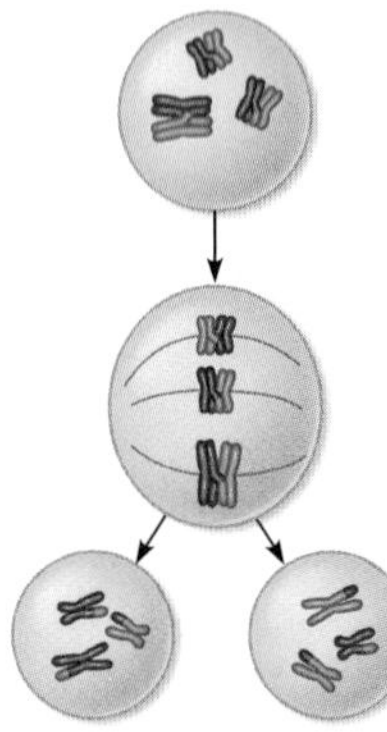

Prophase I: Chaque paire de chromosomes homologues subit la **synapsis** et l'**enjambement** entre les chromatides non sœurs avec l'apparition subséquente des **chiasmas**.

Métaphase I: Les chromosomes s'alignent en paires homologues sur la plaque équatoriale.

Anaphase I: Les chromosomes homologues se séparent les uns des autres; les chromatides sœurs restent liées au centromère.

Les chromatides sœurs se séparent pendant la méiose II.

- La cohésion des chromatides sœurs et l'enjambement permettent aux chiasmas de maintenir les chromosomes homologues ensemble jusqu'à l'anaphase I. Les cohésines sont dégradées le long des bras des chromatides à l'anaphase I, permettant la séparation des chromosomes homologues. Leur dégradation aux centromères, à l'anaphase II, permet la libération des chromatides sœurs.

? Pendant la prophase I, les chromosomes homologues s'apparient et subissent la synapsis et l'enjambement. Ce processus peut-il également se dérouler pendant la prophase II? Expliquez votre réponse.

CONCEPT **13.4**

L'évolution résulte de la variation génétique qui prend sa source dans la reproduction sexuée (p. 289 à 291)

- Dans la reproduction sexuée, les trois événements qui contribuent à la variation génétique d'une population sont l'assortiment indépendant des chromosomes pendant la méiose I, l'enjambement pendant la méiose I et la fécondation aléatoire d'un ovule par un spermatozoïde. Pendant l'enjambement, l'ADN des chromatides non sœurs dans une paire de chromosomes homologues se rompt et se recombine.
- La variation génétique entre les individus d'une population constitue le fondement de l'évolution par sélection naturelle. Les mutations sont la source première de cette variation; la recombinaison de gènes variants crée une diversité héréditaire additionnelle.

? Expliquez comment trois processus propres à la reproduction sexuée sont à l'origine d'une grande variation génétique.

Évaluation

NIVEAU 1: **CONNAISSANCES ET COMPRÉHENSION**

1. Une cellule humaine qui contient 22 autosomes et un chromosome Y est:
a) un spermatozoïde.
b) un ovule.
c) un zygote.
d) une cellule somatique mâle.

2. Les deux chromosomes homologues d'une paire migrent vers les pôles opposés d'une cellule qui se divise pendant:
a) la mitose.
b) la méiose I.
c) la méiose II.
d) la fécondation.

NIVEAU 2: **APPLICATION ET ANALYSE**

3. En quoi la méiose II ressemble-t-elle à la mitose?
a) Les chromatides sœurs se séparent pendant l'anaphase.
b) L'ADN subit une réplication avant la division.
c) Les cellules filles sont diploïdes.
d) Les chromosomes homologues s'unissent par synapsis.

4. On mesure la quantité d'ADN présente dans une cellule diploïde à la phase G_1 du cycle cellulaire. Si cette quantité est de x, quelle est la quantité d'ADN présente dans la même cellule à la métaphase de la méiose I?
a) $0{,}25x$.
b) $0{,}5x$.
c) x.
d) $2x$.

5. Si on poursuivait la lignée cellulaire de la question 4, quelle serait la quantité d'ADN présente à la métaphase de la méiose II?
a) $0{,}25x$.
b) $0{,}5x$.
c) x.
d) $2x$.

6. **FAITES UN DESSIN** ▶ Le schéma ci-contre illustre une cellule à la méiose.

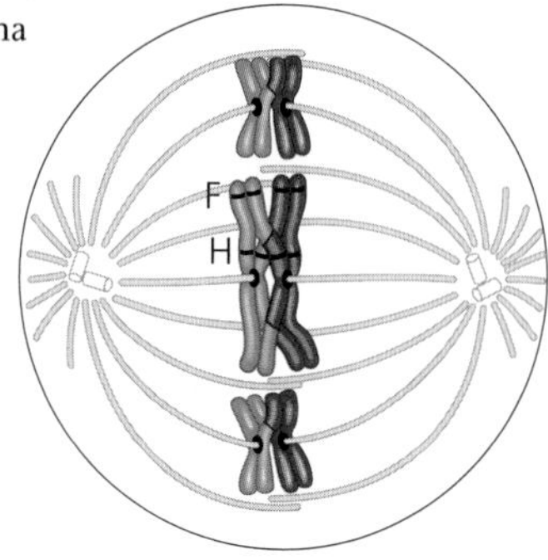

a) Annotez les structures appropriées avec les termes suivants: chromosome (précisez s'il est *répliqué* ou *non répliqué*), centromère, kinétochore, chromatides sœurs, chromatides non sœurs, paire de chromosomes homologues (utilisez des crochets pour l'annotation), chromosomes homologues (indiquez chacun d'eux), chiasma, cohésion des chromatides sœurs et locus des gènes (indiquez les allèles des gènes F et H).
b) Décrivez la formation d'un jeu haploïde et d'un jeu diploïde.
c) Déterminez la phase de la méiose illustrée.

NIVEAU 3: **SYNTHÈSE ET ÉVALUATION**

7. Expliquez ce qui vous permet d'affirmer que la cellule de la question 6 subit la méiose et non la mitose.

Voir les réponses proposées à l'appendice A.

Mendel et le concept de gène

14

VOS OUTILS INTERACTIFS

Consultez votre MANUEL NUMÉRIQUE, qui vous donne accès aux **animations**, aux **exercices** et à la plateforme d'**anatomie interactive**.

▲ **Figure 14.1 Quels principes de l'hérédité Gregor Mendel a-t-il découverts en travaillant sur la reproduction des plants de pois ?**

CONCEPTS CLÉS

14.1 Mendel a découvert les deux lois de l'hérédité en utilisant l'approche scientifique

14.2 Les règles des probabilités régissent les lois de l'hérédité de Mendel

14.3 Certains modèles d'hérédité sont plus complexes que ce que prédit la génétique de Mendel

14.4 De nombreux caractères humains suivent les modèles mendéliens de l'hérédité

▲ **Mendel (le troisième homme à partir de la droite, tenant une pousse de fuchsia) en compagnie de ses confrères.**

Les gènes sont tirés au hasard comme les cartes d'un jeu

La foule présente à un match de soccer témoigne de la variabilité et de la diversité incroyables de la race humaine. Certains individus ont les yeux bleus, d'autres ont les yeux verts, d'autres encore ont les yeux gris... Certains ont les cheveux noirs, d'autres bruns, et d'autres encore, blonds ou roux... Ce ne sont là que quelques exemples des variations héréditaires que l'on peut relever. Mais quels sont les principes qui régissent la transmission de ces caractères des parents aux enfants ?

Au cours des années 1800, la théorie la plus en vogue pour expliquer ce phénomène de l'hérédité était l'hypothèse du « mélange » des caractères. Selon cette idée, le matériel génétique provenant des deux parents se mélange de la même façon qu'une peinture bleue se mêle à une peinture jaune pour donner de la peinture verte. Au fil des générations, une population qui s'accouplerait librement tendrait à devenir uniforme, ce qui en réalité ne se produit pas. En outre, l'hérédité par mélange ne permet pas d'expliquer comment des caractères peuvent réapparaître après avoir sauté une génération.

Le modèle de l'hérédité « particulaire », qui mène au concept de gène, est une solution de rechange à l'hypothèse du mélange. Selon ce modèle, les parents transmettent à leurs descendants des unités héréditaires discontinues – les gènes – qui restent distinctes. Dans cette perspective, l'ensemble des gènes d'un organisme ressemble plus à un jeu de cartes qu'à un pot de peinture. Tout comme des cartes, les gènes peuvent être mélangés et transmis d'une génération à l'autre sans être atténués.

La génétique moderne est née dans le jardin d'une abbaye où un moine nommé Gregor Mendel a mis en évidence une forme d'hérédité particulaire en utilisant des plants de pois (**figure 14.1**). Il a élaboré sa théorie de l'hérédité plusieurs décennies avant qu'on puisse observer des chromosomes au microscope et comprendre l'importance de leur comportement pendant la mitose ou la méiose. Dans ce chapitre, nous entrerons dans le jardin de Mendel pour recréer ses expériences et expliquer comment il a conçu sa théorie de l'hérédité. Puis nous examinerons des modèles plus complexes que le modèle mendélien observé chez le pois. Enfin, nous verrons en quoi le modèle de Mendel s'applique à l'hérédité des caractères humains, y compris les maladies héréditaires telles que l'anémie à hématies falciformes.

CONCEPT **14.1**

Mendel a découvert les deux lois de l'hérédité en utilisant l'approche scientifique

Mendel a découvert les principes fondamentaux de l'hérédité en faisant se reproduire des plants de pois (*Pisum sativum*). Il planifiait soigneusement les expériences qu'il effectuait. Au fur et à mesure que nous suivrons ses travaux, vous reconnaîtrez les éléments clés de la démarche scientifique exposés au chapitre 1.

L'approche expérimentale et quantitative de Mendel

Mendel a grandi dans la petite ferme de ses parents, dans une région agricole qui appartenait autrefois à l'Autriche et qui fait aujourd'hui partie de la République tchèque. Dans cette région agricole, à l'instar des autres enfants, il a reçu à l'école une formation générale ainsi qu'une formation en agriculture. À l'adolescence, en dépit de sa santé délicate et de ses difficultés financières, il a fait des études brillantes à l'école secondaire et à l'Institut de philosophie d'Olmütz.

Mendel est entré au monastère des Augustins en 1843, à l'âge de 21 ans, un choix rationnel à l'époque pour quelqu'un qui valorisait la vie intellectuelle. Après avoir échoué à l'examen qui lui aurait permis de devenir enseignant, il quitte le monastère en 1851 pour poursuivre deux années d'études en physique et en chimie à l'Université de Vienne. Ces années se sont révélées décisives : elles ont marqué son avenir en tant que scientifique, en grande partie grâce une très forte influence de deux professeurs. L'un d'eux, Christian Doppler, ce physicien qui a découvert l'effet des ondes en mouvement, encourageait ses élèves à apprendre les sciences par l'expérimentation, et c'est lui qui a montré à Mendel comment expliquer les phénomènes naturels à l'aide des mathématiques. L'autre, Franz Unger, un botaniste, a suscité l'intérêt de Mendel pour les causes des variations chez les plantes.

Après ses études universitaires, Mendel est retourné au monastère et a été nommé professeur dans une école locale où se trouvaient déjà plusieurs autres enseignants passionnés pour la recherche scientifique. En outre, ses confrères moines partageaient son intérêt pour la culture des plantes, une tradition au monastère. Vers 1857, Mendel amorce ses expérimentations sur la reproduction des pois, dans le jardin de l'abbaye, afin d'en étudier l'hérédité. Cette question de l'hérédité était depuis longtemps un sujet d'intérêt au monastère, mais c'est l'approche tout à fait inédite qu'il a adoptée qui lui a permis de déduire les principes jusque-là demeurés insaisissables pour les autres.

L'existence de nombreuses variétés de pois a probablement influencé Mendel dans le choix de son matériel de travail : par exemple, une variété possède des fleurs violettes et une autre des fleurs blanches. Une propriété héréditaire qui varie d'un individu à l'autre, telle la couleur des fleurs, est appelée **caractère**. (On emploie souvent le terme *trait* pour désigner les différentes variétés ou formes d'un même caractère.)

Le choix du pois était également excellent pour d'autres raisons telles que le cycle de reproduction court et le nombre élevé d'individus à chaque croisement. En outre, Mendel était en mesure de contrôler de façon absolue l'identité des plantes qu'il croisait (**figure 14.2**). Chaque fleur du pois contient à la fois les organes producteurs du pollen (les étamines) et l'organe producteur d'ovules (l'ovaire du carpelle). Dans la nature, cette plante s'autoféconde, c'est-à-dire que les grains de pollen des étamines d'une fleur tombent sur le carpelle de la même fleur, et un gamète mâle (spermatozoïde) issu des grains de pollen féconde alors un gamète femelle (oosphère) situé dans le carpelle (pour plus de détails sur le cycle de reproduction du pois et autres angiospermes, voir le concept 30.3). Afin d'effectuer la pollinisation croisée de deux plants différents, Mendel retirait les étamines immatures d'un plant avant qu'elles produisent du pollen, puis il saupoudrait du pollen provenant d'un autre plant sur la fleur ainsi castrée (voir la figure 14.2). Chaque zygote obtenu de cette manière se développait pour donner un embryon enfermé dans une graine (pois). Grâce à cette méthode, Mendel était certain de connaître les parents des nouvelles semences.

En outre, Mendel a pris soin de limiter son étude de l'hérédité à des caractères qui s'expriment sous deux formes alternatives distinctes, soit aux fleurs mauves ou blanches. Il a également veillé à effectuer ses expériences sur des **lignées pures**, c'est-à-dire sur des variétés qui, au fil des générations, ne produisent après autofécondation que des descendants identiques à la plante parent. Par exemple, une plante à fleurs violettes provient d'une lignée pure si les graines qu'elle engendre par autofécondation sur plusieurs générations successives donnent toutes des plantes à fleurs violettes.

D'ordinaire, dans une expérience de croisement, Mendel effectuait une pollinisation croisée entre deux variétés clairement distinctes de pois de lignée pure – par exemple, des plantes à fleurs violettes et des plantes à fleurs blanches (voir la figure 14.2). Ce type de croisement de deux variétés de lignée pure est appelé **hybridation**. On nomme **génération P** (parentale) la génération des parents de lignée pure et **génération F_1** (première génération filiale), celle des hybrides qui en sont issus. En permettant l'autofécondation des hybrides F_1 (ou une pollinisation croisée avec d'autres hybrides F_1), on obtient une **génération F_2** (deuxième génération filiale). En général, Mendel suivait les caractères sur trois générations au moins (P, F_1 et F_2). S'il avait mis fin à ses expériences à la génération F_1, comme d'autres chercheurs l'avaient fait jusque-là, le mécanisme de base de l'hérédité lui aurait échappé. C'est principalement l'analyse quantitative de plantes de la génération F_2 issues de milliers de croisements génétiques comme ceux-ci qui lui a permis de déduire les deux principes fondamentaux de l'hérédité, maintenant appelés loi de la ségrégation et loi de l'assortiment indépendant des caractères.

La loi de la ségrégation

Si le modèle de l'hérédité par mélange avait été exact, les hybrides de la génération F_1 issus d'un croisement entre un pois à fleurs violettes et un pois à fleurs blanches auraient eu des fleurs d'un violet pâle, un caractère intermédiaire entre ceux de la génération P. Notez que l'expérience de la figure 14.2 donne un résultat tout à fait différent : la génération F_1 possède des fleurs de la même couleur que le parent à fleurs violettes. Qu'est-il donc advenu de la contribution génétique du pois à fleurs blanches chez les hybrides ? Si ce caractère avait été perdu, les plantes de la génération F_1 auraient uniquement produit des descendants à fleurs violettes à la génération suivante (génération F_2). Or, quand Mendel laissait les plantes hybrides de la génération F_1 s'autoféconder ou se croiser, puis semait les graines qu'il avait récoltées, le caractère des fleurs blanches réapparaissait à la génération F_2.

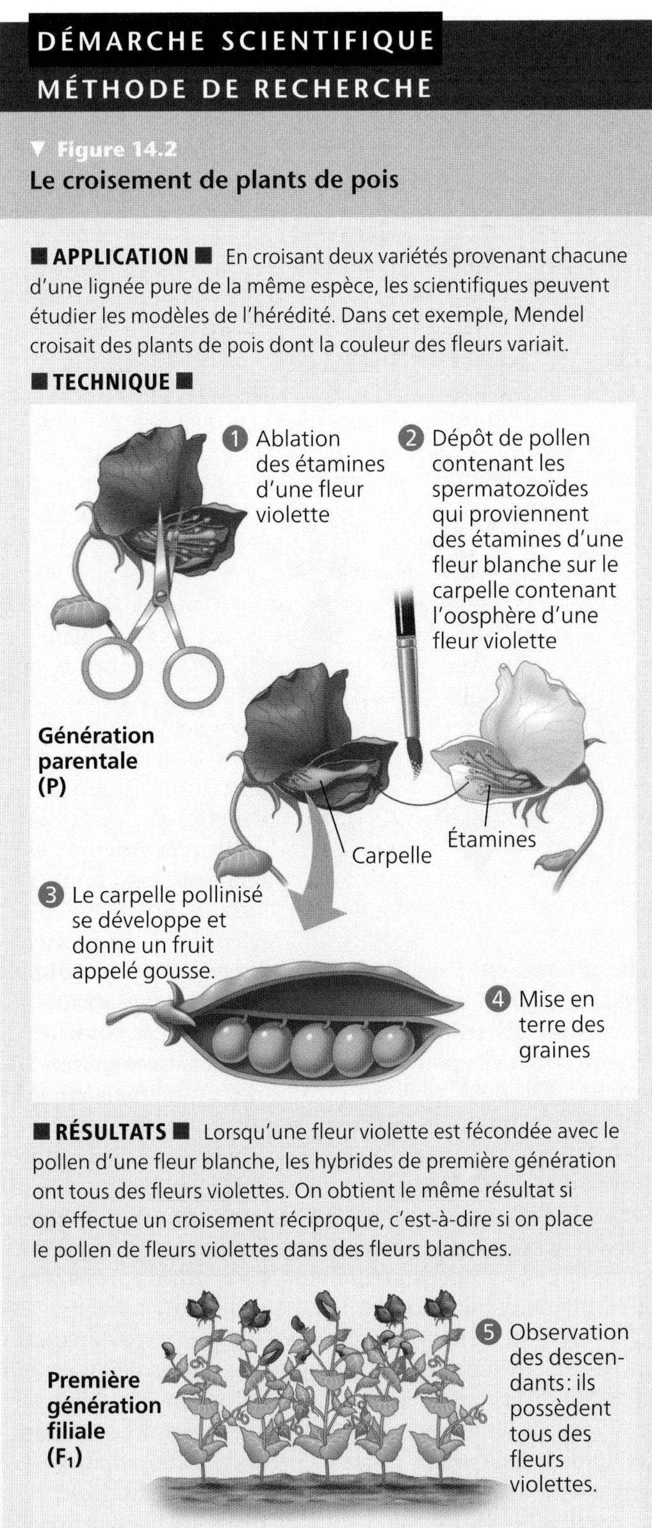

DÉMARCHE SCIENTIFIQUE
MÉTHODE DE RECHERCHE
▼ Figure 14.2
Le croisement de plants de pois
■ APPLICATION ■ En croisant deux variétés provenant chacune d'une lignée pure de la même espèce, les scientifiques peuvent étudier les modèles de l'hérédité. Dans cet exemple, Mendel croisait des plants de pois dont la couleur des fleurs variait.
■ TECHNIQUE ■
1 Ablation des étamines d'une fleur violette
2 Dépôt de pollen contenant les spermatozoïdes qui proviennent des étamines d'une fleur blanche sur le carpelle contenant l'oosphère d'une fleur violette
Génération parentale (P)
Carpelle
Étamines
3 Le carpelle pollinisé se développe et donne un fruit appelé gousse.
4 Mise en terre des graines
■ RÉSULTATS ■ Lorsqu'une fleur violette est fécondée avec le pollen d'une fleur blanche, les hybrides de première génération ont tous des fleurs violettes. On obtient le même résultat si on effectue un croisement réciproque, c'est-à-dire si on place le pollen de fleurs violettes dans des fleurs blanches.
Première génération filiale (F1)
5 Observation des descendants : ils possèdent tous des fleurs violettes.

Précisons ici que Mendel travaillait sur de très grands échantillons et qu'il notait minutieusement ses résultats, en comptant soigneusement le nombre d'individus dans chaque groupe de plantes. En cela, il se distinguait de ses prédécesseurs dont certains avaient fait, au siècle précédent, des recherches sur la même espèce que celle qu'il avait choisie, mais sans quantifier leurs résultats. Ainsi, dans la génération F_2, Mendel avait obtenu 705 plantes à fleurs violettes et 224 plantes à fleurs blanches. Vous remarquerez qu'il y a approximativement trois plantes à fleurs violettes pour une plante à fleurs blanches (**figure 14.3**). Mendel en a déduit que le facteur héréditaire des fleurs blanches ne disparaissait pas chez les plantes de la génération F_1, mais qu'il était en quelque sorte caché, ou masqué, en présence du facteur des fleurs violettes. Selon la terminologie de Mendel, la couleur violette des fleurs est un caractère *dominant*, et la couleur blanche, un caractère *récessif*. L'apparition de plantes à fleurs blanches à la génération F_2 prouvait que le facteur héréditaire déterminant les fleurs blanches n'avait pas été dilué ou détruit par sa coexistence avec le facteur des fleurs violettes chez les hybrides de la génération F_1. Il était plutôt caché en présence du facteur des fleurs violettes.

Mendel a observé le même modèle d'hérédité dans le cas de six autres caractères du pois se présentant chacun en deux versions (**tableau 14.1**). Par exemple, lorsqu'il a effectué le croisement d'une variété de lignée pure qui produisait des graines rondes (lisses) avec une autre qui produisait des graines ridées, tous les hybrides de la génération F_1 formaient des graines rondes ; il s'agissait donc du caractère dominant de la forme des graines. À la génération F_2, 75 % des plantes produisaient des graines rondes, et 25 %, des graines ridées, ce qui correspond à la proportion de trois pour un de la figure 14.3. Voyons maintenant comment ses résultats expérimentaux ont permis à Mendel de formuler la loi de la ségrégation. Dans notre discussion, nous utiliserons la terminologie actuelle pour remplacer certains termes employés par Mendel (par exemple, nous parlerons de « gène » plutôt que de « facteur héréditaire » et d'un « allèle » plutôt que d'un « caractère »).

Le modèle de Mendel

Mendel a élaboré un modèle pour expliquer la proportion de trois contre un dans le modèle d'hérédité, qu'il observait chez les descendants de la génération F_2 dans chacune de ses expériences avec les plants de pois. Nous décrivons quatre notions interdépendantes qui constituent le modèle ; la quatrième est la loi de la ségrégation.

DÉMARCHE SCIENTIFIQUE
INVESTIGATION

▼ **Figure 14.3**

Lorsqu'on permet l'autofécondation ou la pollinisation croisée de plants de pois hybrides de la génération F_1, quel caractère apparaît à la génération F_2 ?

■ HYPOTHÈSE ■ Lorsqu'on croise des plants de pois à fleurs violettes avec des plants à fleurs blanches, les hybrides obtenus à la génération F_1 ont tous des fleurs violettes parce que le trait «Fleur blanche» est masqué. Si tel est le cas, des fleurs blanches pourraient apparaître dans les générations suivantes, lors des croisements entre hybrides.

■ EXPÉRIENCE ■ Mendel a effectué un croisement (désigné par le symbole ×) entre des plants de pois de lignée pure, les uns à fleurs violettes et les autres à fleurs blanches. Une partie des hybrides obtenus à la génération F_1 a été autofécondée et l'autre a fait l'objet d'une pollinisation croisée avec d'autres hybrides de cette génération. Mendel a ensuite observé la couleur des fleurs de la génération F_2.

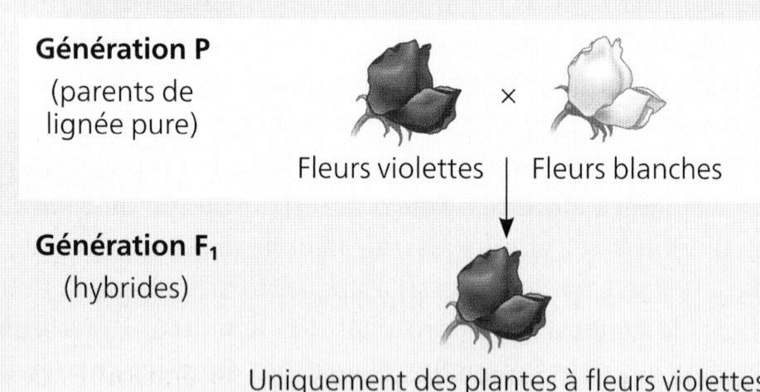

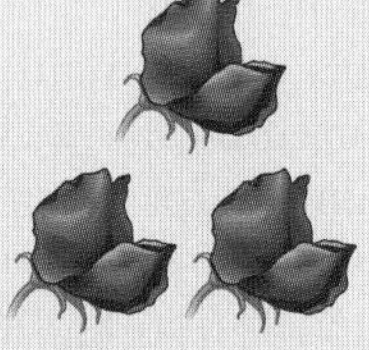

■ RÉSULTATS ■ La génération F_2 obtenue comporte des plants à fleurs violettes et des plants à fleurs blanches dans une proportion d'environ 3 pour 1.

■ CONCLUSION ■ Le «facteur héréditaire» du caractère récessif (fleurs blanches) n'a pas été détruit, supprimé ou «mélangé» dans la génération F_1. Il était seulement masqué par le caractère dominant (fleurs violettes).

Source des données: G. Mendel, Recherches sur des hybrides végétaux, traduction d'Albert Chappelier parue en 1907 dans le *Bulletin scientifique de la France et de la Belgique* 41 : 371-419 (1866).

ET SI ? ▶ Si vous croisez deux plants à fleurs violettes de la génération P, quelle proportion de caractères vous attendez-vous à observer chez les descendants ? Expliquez votre réponse. Quelle conclusion aurait pu tirer Mendel s'il avait cessé ses expériences après l'obtention de la génération F_1 ?

Tableau 14.1 Les résultats des croisements de la génération F_1 effectués par Mendel portant sur sept caractères du pois

Caractère	Allèle dominant	×	Allèle récessif	Génération F_2 Dominants: récessifs	Rapport
Couleur des fleurs	Violette 	×	Blanche 	705:224	3,15:1
Couleur des graines	Jaune 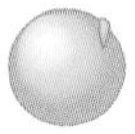	×	Verte 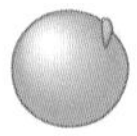	6 022:2 001	3,01:1
Forme des graines	Ronde 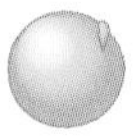	×	Ridée 	5 474:1 850	2,96:1
Couleur des gousses	Verte 	×	Jaune 	428:152	2,82:1
Forme des gousses	Gonflée 	×	Moniliforme 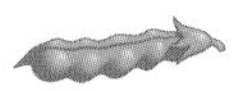	882:299	2,95:1
Position des fleurs	Axiale 	×	Terminale 	651:207	3,14:1
Longueur de la tige	Longue 	×	Naine 	787:277	2,84:1

Premièrement: *les variations des caractères génétiques s'expliquent par les versions différentes que les gènes peuvent avoir.* Par exemple, il existe deux versions du gène de la couleur des fleurs du pois: l'une pour les fleurs violettes, l'autre pour les fleurs blanches. Ces deux versions possibles d'un même gène sont maintenant nommées **allèles**. De nos jours, on peut relier cette notion aux chromosomes et à l'ADN. Comme le montre la **figure 14.4**, chaque gène est une séquence de nucléotides qui occupe un endroit précis, ou locus, sur un chromosome donné. Cependant, il arrive que la séquence des nucléotides de l'ADN situés sur ce locus présente de petites variations. Aussi, cette légère différence dans l'information qu'elle contient peut modifier la fonction de la protéine encodée et, par conséquent, un caractère héréditaire de l'organisme. Les allèles de la couleur violette et de la couleur blanche des fleurs sont deux variantes possibles de la séquence de nucléotides d'ADN située sur le locus du gène de la couleur des fleurs sur l'un des chromosomes du pois. Contrairement à la séquence de l'allèle de la couleur blanche, la séquence de l'allèle de la couleur violette permet la synthèse du pigment violet.

▼ **Figure 14.4 Les allèles, formes différentes d'un gène.** Cette figure représente une paire de chromosomes homologues dans un hybride de la génération F_1 du pois ainsi que la séquence d'ADN de l'allèle de la couleur de la fleur de chaque chromosome. Le chromosome reçu du «père» (en bleu) possède l'allèle des fleurs violettes, qui code pour une protéine contrôlant indirectement la synthèse du pigment violet. Le chromosome reçu de la «mère» (en rouge) possède l'allèle des fleurs blanches, lequel n'entraîne pas la production d'une protéine fonctionnelle.

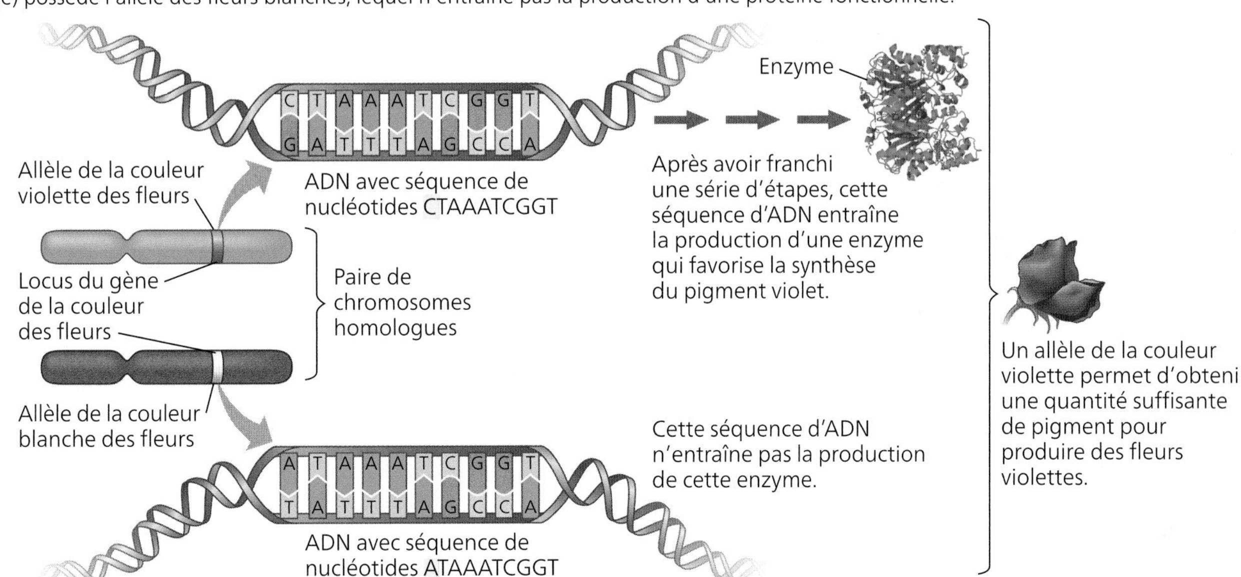

Enzyme
C T A A A T C G G T
G A T T T A G C C A
Allèle de la couleur violette des fleurs
ADN avec séquence de nucléotides CTAAATCGGT
Après avoir franchi une série d'étapes, cette séquence d'ADN entraîne la production d'une enzyme qui favorise la synthèse du pigment violet.
Locus du gène de la couleur des fleurs
Paire de chromosomes homologues
Un allèle de la couleur violette permet d'obtenir une quantité suffisante de pigment pour produire des fleurs violettes.
Allèle de la couleur blanche des fleurs
Cette séquence d'ADN n'entraîne pas la production de cette enzyme.
A T A A A T C G G T
T A T T T A G C C A
ADN avec séquence de nucléotides ATAAATCGGT

Deuxièmement: *tout organisme hérite de deux copies (c'est-à-dire de deux allèles) d'un gène (identiques ou différentes) de chaque caractère, soit une du «père» et l'autre de la «mère».* Ce qui est remarquable, c'est que Mendel a tiré cette conclusion sans connaître le rôle ou l'existence même des chromosomes. Par ailleurs, toute cellule somatique d'un organisme diploïde possède deux jeux de chromosomes et chaque membre d'un jeu provient de l'un des parents (voir la figure 13.4). Dès lors, dans une cellule diploïde, un locus génétique est représenté deux fois, une fois sur chaque homologue d'une paire donnée de chromosomes. Les deux allèles présents sur un locus particulier peuvent être identiques, comme dans le cas des plantes de lignée pure de la génération P de Mendel, ou bien ils peuvent être différents, comme chez les hybrides de la génération F_1 (voir la figure 14.4).

Troisièmement: *si les deux allèles d'un locus sont différents, l'un d'eux, l'**allèle dominant**, détermine l'apparence de l'organisme, alors que l'autre, l'**allèle récessif**, n'a pas d'effet notable sur cette dernière.* Ainsi, les plantes de la génération F_1 de Mendel présentent des fleurs violettes parce que l'allèle correspondant à cette variation est dominant et que l'allèle de la couleur blanche des fleurs est récessif.

La quatrième et dernière partie du modèle de Mendel porte le nom de **loi mendélienne de la ségrégation**. Elle stipule qu'*il y a ségrégation (séparation l'un de l'autre) des deux allèles de chaque caractère héréditaire au cours de la formation des gamètes et qu'ils se retrouvent dans des gamètes différents*. Par conséquent, pour un gène donné, le gamète mâle et le gamète femelle d'un organisme reçoivent chacun un seul des deux allèles présents dans les cellules somatiques. Cette ségrégation correspond à la distribution des copies de deux membres d'une paire de chromosomes homologues à différents gamètes pendant la méiose (voir la figure 13.7). Notez que, si un organisme possède deux allèles identiques d'un caractère donné, tous les gamètes qu'il produira posséderont l'allèle pour ce caractère. Comme il s'agit du seul allèle pouvant être transmis aux descendants, ceux-ci auront toujours le même aspect que leurs parents. Voilà donc pourquoi ces plantes sont dites de lignées pures. Cependant, si l'organisme a deux allèles différents du caractère en question, comme dans le cas des hybrides F_1, alors 50 % de ses gamètes recevront l'allèle dominant, et 50 %, l'allèle récessif.

Le modèle de la ségrégation formulé par Mendel permet-il d'expliquer le rapport de 3:1 observé à la génération F_2 de ses nombreux croisements? Pour le caractère déterminant la couleur des fleurs, le modèle prévoit que, au moment de la séparation des deux allèles différents présents dans la génération F_1 d'un individu, la moitié des gamètes devrait recevoir un allèle de la couleur violette des fleurs, et l'autre moitié, un allèle de la couleur blanche des fleurs. Puis, pendant l'autofécondation, les gamètes de chaque catégorie devraient s'unir au hasard. Un gamète femelle possédant l'allèle de la couleur violette des fleurs – tout comme un gamète femelle possédant celui de la couleur blanche des fleurs – a autant de chances d'être fécondé par un gamète mâle ayant l'allèle de la couleur violette des fleurs que par un gamète mâle ayant l'allèle de la couleur blanche des fleurs. Lorsqu'ils s'unissent, les gamètes mâle et femelle forment un zygote qui contient une combinaison d'allèles parmi quatre combinaisons, toutes aussi possibles les unes que les autres. Nous avons représenté ces combinaisons à la **figure 14.5** à l'aide d'une **grille de Punnett** (du nom d'un généticien anglais), tableau qui permet de prédire facilement la constitution allélique (ou génotype) de la génération issue de croisements génétiques entre individus de génotype connu. Notez que les lettres majuscules désignent les allèles dominants, et les lettres minuscules, les allèles récessifs. Dans cet exemple, V est l'allèle de la couleur violette des fleurs, et v, celui de la couleur blanche des fleurs; les lettres majuscules et minuscules sont également utiles pour désigner le gène lui-même, soit V/v.

Quelle sera la couleur des fleurs chez les plantes de la génération F_2? Un quart d'entre elles possédera deux allèles correspondant à des fleurs violettes (VV) et, de toute évidence, aura des

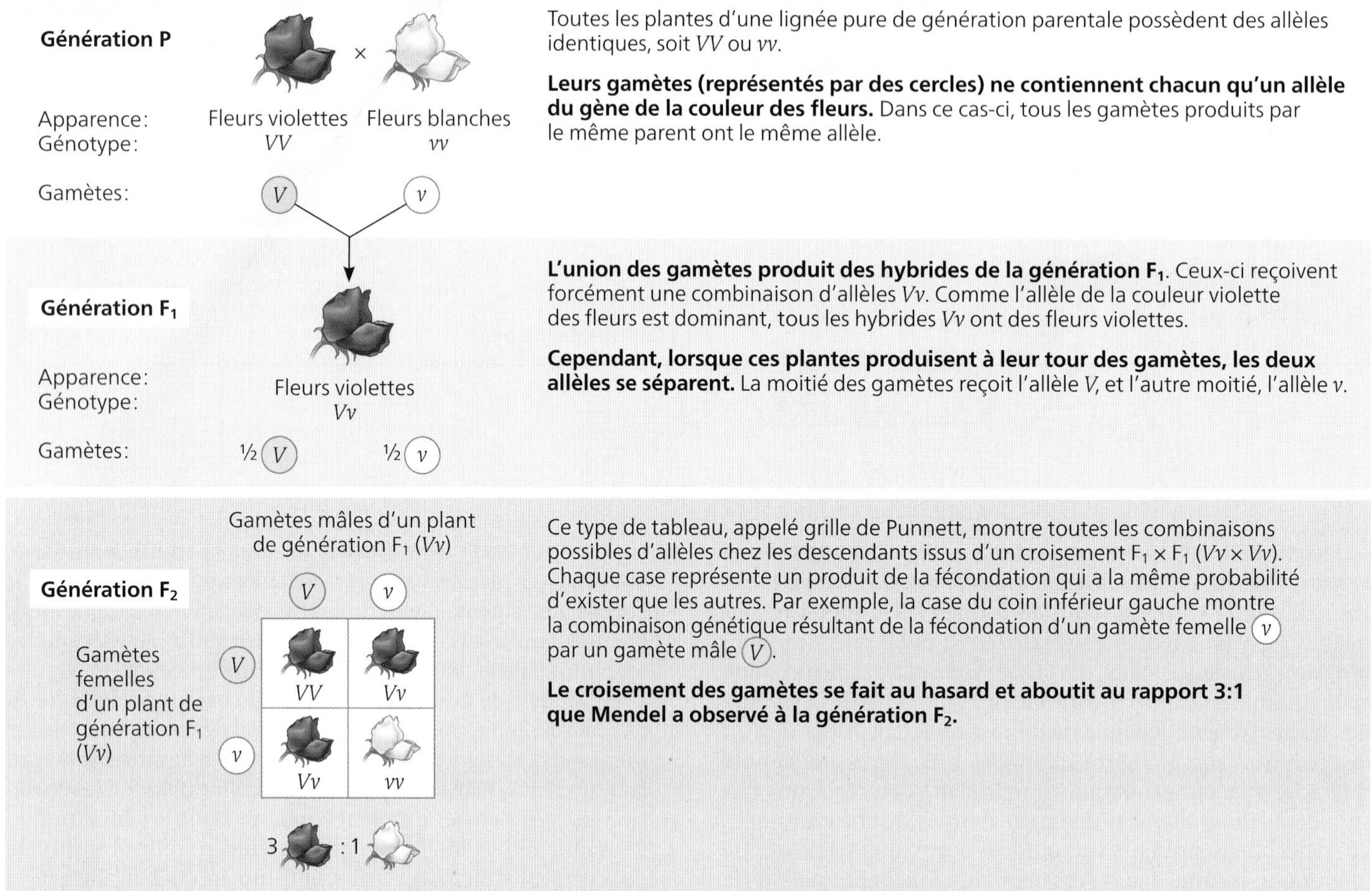

Génération P
×
Apparence:
Génotype:
Fleurs violettes
VV
Fleurs blanches
vv
Gamètes:
V
v
Toutes les plantes d'une lignée pure de génération parentale possèdent des allèles identiques, soit VV ou vv.
Leurs gamètes (représentés par des cercles) ne contiennent chacun qu'un allèle du gène de la couleur des fleurs. Dans ce cas-ci, tous les gamètes produits par le même parent ont le même allèle.
Génération F1
Apparence:
Génotype:
Fleurs violettes
Vv
Gamètes:
½ V
½ v
L'union des gamètes produit des hybrides de la génération F1. Ceux-ci reçoivent forcément une combinaison d'allèles Vv. Comme l'allèle de la couleur violette des fleurs est dominant, tous les hybrides Vv ont des fleurs violettes.
Cependant, lorsque ces plantes produisent à leur tour des gamètes, les deux allèles se séparent. La moitié des gamètes reçoit l'allèle V, et l'autre moitié, l'allèle v.
Génération F2
Gamètes mâles d'un plant de génération F1 (Vv)
V
v
Gamètes femelles d'un plant de génération F1 (Vv)
V
v
VV
Vv
Vv
vv
3 : 1
Ce type de tableau, appelé grille de Punnett, montre toutes les combinaisons possibles d'allèles chez les descendants issus d'un croisement F1 × F1 (Vv × Vv). Chaque case représente un produit de la fécondation qui a la même probabilité d'exister que les autres. Par exemple, la case du coin inférieur gauche montre la combinaison génétique résultant de la fécondation d'un gamète femelle v par un gamète mâle V.
Le croisement des gamètes se fait au hasard et aboutit au rapport 3:1 que Mendel a observé à la génération F2.

▼ **Figure 14.5 La loi mendélienne de la ségrégation.** Ce diagramme présente le génotype des générations de la figure 14.3. Il montre le modèle de l'hérédité des allèles d'un même gène selon Mendel. Chaque plante porte deux allèles du gène de la couleur des fleurs: l'un provient du «père», et l'autre, de la «mère». Pour élaborer une grille de Punnett qui prédit les descendants de la génération F_2, on dresse la liste de tous les gamètes possibles d'un parent (ici, les femelles de la génération F_1) le long du côté gauche du carré et de tous les gamètes possibles de l'autre parent (ici, les mâles de la génération F_1) en haut de la grille. Les cases représentent les descendants résultant de toutes les unions possibles des gamètes mâles et femelles.

fleurs violettes. La moitié aura hérité d'un allèle de la couleur violette et d'un allèle de la couleur blanche (le génotype sera donc *Vv*), et aura des fleurs violettes, à l'instar des plantes de la génération F_1 (l'allèle de la couleur violette étant dominant). Enfin, un quart aura hérité de deux allèles de la couleur blanche des fleurs (*vv*) et exprimera ce caractère récessif. Le modèle de Mendel explique donc exactement le rapport 3:1 observé à la génération F_2.

Les termes utiles en génétique

Si un organisme possède une paire d'allèles identiques d'un gène encodant un caractère donné, on dit qu'il est **homozygote** pour le gène déterminant ce caractère. Dans la génération parentale de la figure 14.5, la plante à fleurs violettes est homozygote pour l'allèle dominant (*VV*), alors que la plante à fleurs blanches est homozygote pour l'allèle récessif (*vv*). Les plantes homozygotes produisent une lignée pure parce que tous leurs gamètes contiennent le même allèle – soit *V* ou *v* dans cet exemple. Si on croise des homozygotes dominants avec des homozygotes récessifs, tous les individus de la génération suivante auront deux allèles différents – les hybrides de la génération F_1 dans notre expérience sur la couleur des fleurs ont tous un génotype *Vv* (voir la figure 14.5). Un organisme qui possède deux allèles différents d'un caractère donné est dit **hétérozygote** pour ce gène. Contrairement aux homozygotes, les hétérozygotes produisent des gamètes qui ont des allèles différents; ils ne représentent donc pas une lignée pure. Par exemple, les gamètes contenant les allèles *V* et *v* sont produits par les hybrides de la génération F_1. Par conséquent, l'autofécondation des hybrides de la génération F_1 produit à la fois des descendants à fleurs violettes et des descendants à fleurs blanches.

Étant donné qu'un allèle récessif peut être présent sans manifester d'effets, les caractères d'un organisme ne permettent pas nécessairement de révéler ses combinaisons alléliques. On établit donc une distinction entre l'apparence d'un organisme, nommée **phénotype** (caractères observables), et sa constitution allélique, nommée **génotype**. Comme le montre la figure 14.5 dans le cas de la couleur des fleurs du pois, les plantes *VV* et *Vv* ont le même phénotype (leurs fleurs sont violettes), mais pas le même génotype. Nous illustrons ces notions à la **figure 14.6**. Notez que le «phénotype» désigne aussi les caractères physiologiques en plus de ceux qui sont directement liés à l'apparence.

▼ **Figure 14.6 Génotypes et phénotypes.** En regroupant les individus de la génération F_2 résultant d'un croisement pour étudier la couleur des fleurs selon le phénotype, on obtient un rapport phénotypique de 3:1. Par rapport au génotype, toutefois, il y a en fait deux catégories de plantes à fleurs violettes, *VV* (homozygote) et *Vv* (hétérozygote), ce qui donne un rapport génotypique de 1:2:1.

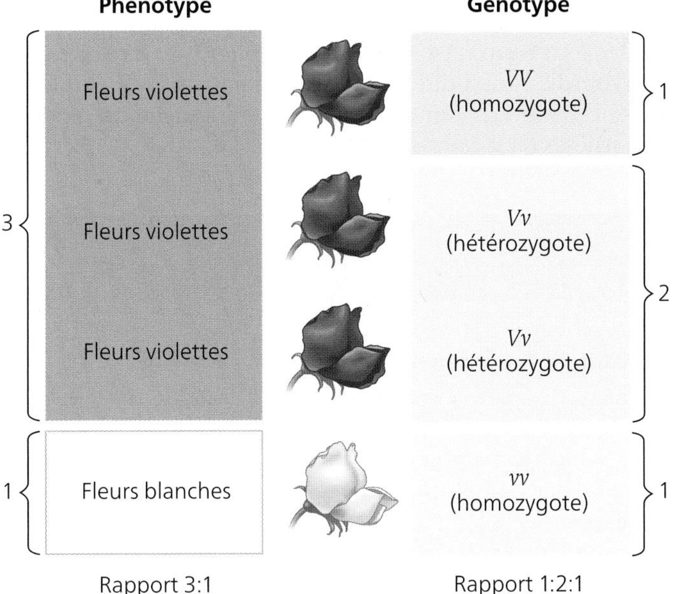

Par exemple, il existe une variété de pois auxquels il manque la capacité normale de s'autoféconder. Cette variation physiologique (la non-autofécondation) est un phénotype.

Le croisement de contrôle

Supposons que nous ayons un pois à fleurs violettes. Il nous est impossible de savoir s'il est homozygote (*VV*) ou hétérozygote (*Vv*), puisque les deux génotypes produisent le même phénotype à fleurs violettes. Pour déterminer le génotype, on peut croiser ce plant avec un plant de pois à fleurs blanches (*vv*), qui ne produira que des gamètes contenant l'allèle récessif (*v*). L'allèle dans le gamète reçu du plant à fleurs violettes de génotype inconnu déterminera donc l'apparence des descendants (**figure 14.7**). Si tous les individus issus du croisement ont des fleurs violettes (et pourvu que le nombre de descendants soit suffisamment grand), on peut en déduire que le plant à fleurs violettes est nécessairement homozygote pour l'allèle dominant, parce qu'un croisement *VV* × *vv* ne peut produire que des individus *Vv*. Si, par contre, on trouve le phénotype à fleurs violettes et celui à fleurs blanches chez les descendants, le parent à fleurs violettes est nécessairement hétérozygote. En effet, les descendants issus d'un croisement *Vv* × *vv* présentent les phénotypes *Vv* et *vv* dans un rapport 1:1. On nomme **croisement de contrôle** (*testcross*) le croisement d'un individu de génotype inconnu et d'un homozygote récessif parce qu'il peut révéler le génotype de cet organisme. Ce type de croisement a été inventé par Mendel et il demeure un outil essentiel pour les généticiens.

La loi de l'assortiment indépendant

Mendel a découvert la loi de la ségrégation à partir d'expériences portant sur un *seul* caractère, comme la couleur des fleurs. Tous les descendants de la génération F_1 obtenus par ses croisements de parents de lignée pure sont dits **monohybrides**, ce qui signifie qu'ils sont tous hétérozygotes pour ce caractère particulier (un seul caractère) suivi dans le croisement. Un croisement entre des hétérozygotes de ce type est un **croisement monohybride**.

DÉMARCHE SCIENTIFIQUE

MÉTHODE DE RECHERCHE

▼ Figure 14.7

Le croisement de contrôle

■ APPLICATION ■ Un organisme qui présente un caractère dominant (comme les fleurs violettes chez le pois) dans son phénotype peut être soit hétérozygote, soit homozygote pour l'allèle dominant. Pour connaître son génotype, les généticiens peuvent effectuer un croisement de contrôle.

■ TECHNIQUE ■ Dans un croisement de contrôle, on croise l'individu de génotype inconnu avec un organisme exprimant le phénotype récessif (comme les fleurs blanches chez le pois), et donc nécessairement homozygote. Ensuite, on prédit les résultats possibles à l'aide d'une grille de Punnett.

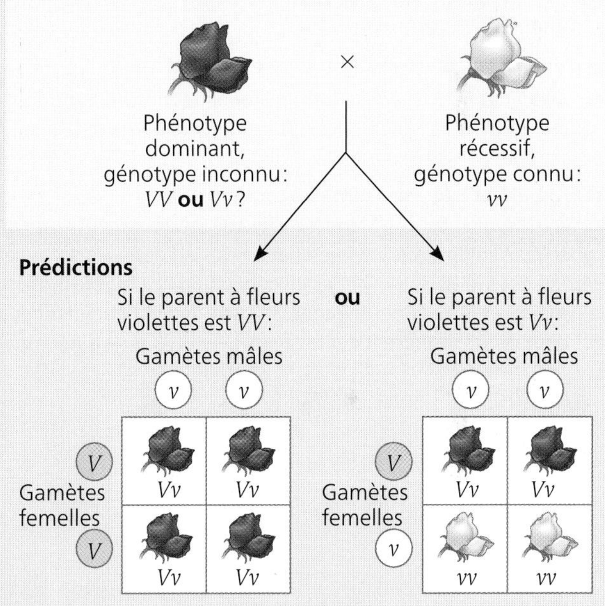

■ RÉSULTATS ■ En mettant en correspondance les résultats avec l'une ou l'autre des prédictions, on peut identifier le génotype parental inconnu (soit *VV* ou *Vv* dans cet exemple). Dans ce croisement de contrôle, on a déposé du pollen d'un plant à fleurs blanches sur les carpelles d'un plant à fleurs violettes; le croisement réciproque aurait conduit aux mêmes résultats.

ou

Tous les descendants ont des fleurs violettes.

½ des descendants ont des fleurs violettes, ½, des fleurs blanches.

Mendel a mis au point sa deuxième loi de l'hérédité en observant deux caractères à la fois : la couleur et la forme des graines. Chez le pois, les graines peuvent être jaunes ou vertes, mais aussi rondes ou ridées. Des croisements monohybrides ont permis à Mendel de constater que l'allèle des graines jaunes est dominant (*J*), alors que celui des graines vertes (*j*) est récessif. Pour ce qui est de la forme des graines, l'allèle des graines rondes est dominant (*R*), et celui des graines ridées, récessif (*r*).

Que se passe-t-il si on hybride deux variétés de pois qui diffèrent par ces *deux* caractères à la fois, c'est-à-dire si on croise un parent à graines jaunes et rondes (*JJRR*) avec un parent à graines vertes et ridées (*jjrr*) ? On sait que les plantes de la génération F_1 seront des individus **dihybrides**, hétérozygotes pour les deux caractères suivis dans le croisement (*JjRr*). Mais ces derniers – la couleur et la forme des graines – sont-ils transmis ensemble des parents aux descendants ? Autrement dit, les allèles *J* et *R* restent-ils toujours associés d'une génération à l'autre ou bien sont-ils transmis indépendamment l'un de l'autre ? La **figure 14.8** montre comment un **croisement dihybride**, c'est-à-dire un croisement entre des dihybrides de la génération F_1, permet de déterminer laquelle de ces deux hypothèses est la bonne.

DÉMARCHE SCIENTIFIQUE

INVESTIGATION

▼ Figure 14.8

Les allèles pour un caractère se séparent-ils en gamètes dépendamment ou indépendamment de ceux de l'autre caractère ?

■ HYPOTHÈSE ■ Des individus dihybrides pour deux caractéristiques différentes (par exemple, la couleur des graines et leur forme) auront des descendants dont les caractéristiques seront héritées indépendamment, si la distribution des gènes se fait de façon indépendante lors de la production de gamètes.

■ EXPÉRIENCE ■ Pour suivre les caractères de la couleur et de la forme des graines jusqu'à la génération F_2, Mendel a effectué un croisement entre deux plants de pois de lignée pure – l'un à graines jaunes et rondes et l'autre à graines vertes et ridées –, ce qui produit des individus dihybrides de génération F_1. L'autofécondation de ces derniers produit la génération F_2. Les deux hypothèses (assortiment dépendant et assortiment indépendant des deux gènes) prédisent des rapports phénotypiques différents.

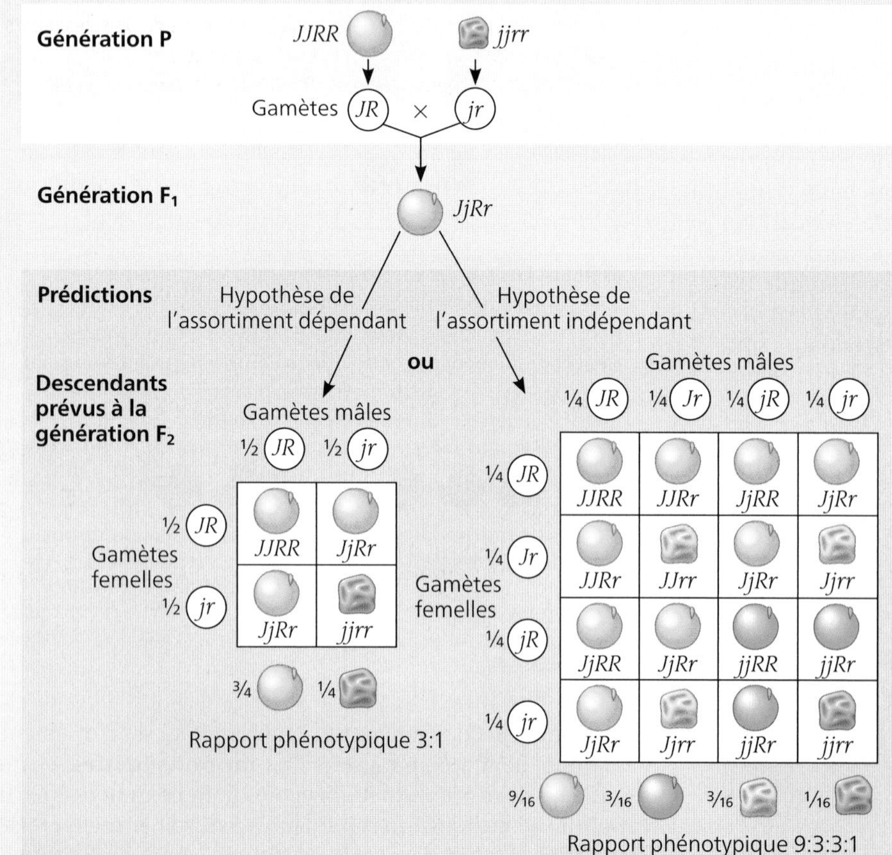

■ RÉSULTATS ■

315 108 101 32

Rapport phénotypique d'environ 9:3:3:1

■ CONCLUSION ■ Ces résultats confirment l'hypothèse de l'assortiment indépendant, la seule qui prévoit l'apparition de deux nouveaux phénotypes : les graines vertes et rondes et les graines jaunes et ridées (voir la grille de Punnett de droite). Les allèles de chaque gène se séparent indépendamment de ceux de l'autre caractère, et on qualifie d'indépendant l'assortiment des deux gènes.

Source des données : G. Mendel, Recherches sur des hybrides végétaux, traduction d'Albert Chappelier parue en 1907 dans le *Bulletin scientifique de la France et de la Belgique* 41 : 371-419 (1866).

ET SI ? ▶ Supposons que Mendel ait transféré du pollen d'une plante de la génération F_1 au carpelle d'une plante qui était homozygote récessive pour les deux gènes. Effectuez le croisement et dessinez des grilles de Punnett pour prédire les descendants selon les deux hypothèses. Ce croisement confirme-t-il également l'hypothèse de l'assortiment indépendant ?

Quelle que soit l'hypothèse qui est juste, les plantes de la génération F_1 auront le génotype *JjRr* et les deux phénotypes dominants (graines jaunes et rondes). L'étape clé de cette expérience consiste à observer ce qui se passe lorsque les plantes de la génération F_1 s'autofécondent et produisent la génération F_2. Si les hybrides transmettent une combinaison d'allèles identique à celle qu'ils ont reçue de la génération P, les hybrides de la génération F_1 ne produiront alors que deux catégories de gamètes, *JR* et *jr*. Comme le montre la partie gauche de la figure 14.8, le rapport phénotypique de la génération F_2 sera, selon l'hypothèse de l'« assortiment dépendant », de 3:1, comme dans un croisement monohybride.

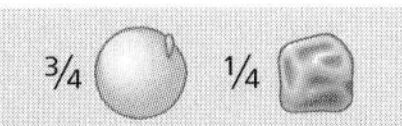

Selon l'autre hypothèse, les deux paires d'allèles subissent une ségrégation indépendante. Autrement dit, les gènes peuvent se trouver regroupés dans les gamètes selon n'importe quelle combinaison allélique, tant que chaque gamète reçoit un allèle de chaque gène (voir la figure 13.11). Dans cet exemple, il devrait y avoir quatre catégories de gamètes produites en quantités égales par une plante de la génération F_1 : *JR*, *Jr*, *jR* et *jr*. Si des gamètes mâles des quatre catégories fécondent des gamètes femelles des quatre catégories, les allèles formeront 16 combinaisons (soit 4 × 4) dont les probabilités de se réaliser à la génération F_2 sont égales, comme le montre la partie droite de la figure 14.8. Ces combinaisons donneront quatre catégories de phénotypes selon un rapport de 9:3:3:1 (9/16 de graines jaunes et rondes, 3/16 de graines vertes et rondes, 3/16 de graines jaunes et ridées, et 1/16 de graines vertes et ridées) :

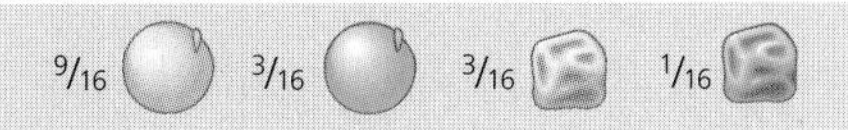

Lorsqu'il a effectué cette expérience et classé les individus de la génération F_2, Mendel a obtenu des résultats proches du rapport phénotypique prévu de 9:3:3:1. Ces résultats expérimentaux confirment l'hypothèse selon laquelle les allèles d'un gène – déterminant la couleur des graines, par exemple – se séparent en gamètes indépendamment des allèles des autres gènes, dont ceux qui déterminent la forme des graines.

Mendel est allé plus loin encore : il a effectué divers croisements dihybrides en combinant deux des sept caractères qu'il étudiait chez le pois, et il a observé chaque fois un rapport phénotypique de 9:3:3:1 à la génération F_2. Cela correspond-il au rapport phénotypique 3:1 présenté à la figure 14.5 pour le croisement monohybride ? Pour répondre à cette question, comptez le nombre de pois jaunes et de pois verts sans tenir compte de leur forme, puis calculez le rapport. Pour chaque caractère pris individuellement, la ségrégation se réalise comme dans un croisement monohybride. Les résultats des expériences de Mendel sur les croisements dihybrides constituent le fondement de ce qu'on appelle aujourd'hui la **loi de l'assortiment indépendant** des caractères, qui s'énonce ainsi : *deux ou plusieurs gènes s'assortissent de façon indépendante – c'est-à-dire que chacune des paires d'allèles se sépare indépendamment des autres paires – au moment de la formation des gamètes.*

Cette loi ne s'applique qu'aux gènes (paires d'allèles) situés sur des chromosomes distincts – c'est-à-dire sur des chromosomes qui ne sont pas homologues – ou aux gènes situés sur un même chromosome, mais à des distances très éloignées l'un de l'autre. Ce dernier cas sera expliqué au concept 15.3, en même temps que les modèles d'hérédité plus complexes de gènes situés l'un près de l'autre et dont les allèles sont habituellement transmis ensemble. Le pois possède sept paires de chromosomes ($2n = 14$). Tous les caractères du pois que Mendel a choisi d'analyser sont soit régis par des gènes situés chacun sur un chromosome différent, soit situés sur le même chromosome, mais en étant éloignés les uns des autres. Par exemple, le gène qui contrôle la taille de la plante est situé sur le chromosome 4 de même que le gène contrôlant la forme des gousses. Cette particularité a grandement simplifié l'interprétation de ses croisements de pois différant par plusieurs caractères. Tous les exemples que nous étudierons dans la suite du présent chapitre mettent en jeu des gènes situés sur des chromosomes différents.

RETOUR SUR LE CONCEPT 14.1

1. **FAITES UN DESSIN** ▶ On laisse s'autoféconder des plants de pois hétérozygotes pour la position des fleurs et la longueur de la tige (*AaTt*), et on plante 400 des graines produites. Dessinez une grille de Punnett pour ce croisement. Combien peut-on prévoir de descendants à fleurs terminales et à tige naine ? (Voir le tableau 14.1.)
2. **ET SI ?** ▶ Établissez la liste de tous les gamètes que pourrait produire un plant de pois hétérozygote pour la couleur des graines, pour la forme des graines et pour la forme des gousses (*JjRrGg* ; voir le tableau 14.1). Quelle serait la grandeur de la grille de Punnett qu'il faudrait dessiner pour prédire les descendants de l'autofécondation de ce « trihybride » ?
3. **FAITES DES LIENS** ▶ Dans certains croisements de pois, les plants s'autofécondent. L'autofécondation est-elle considérée comme une reproduction asexuée ou sexuée ? Expliquez votre réponse. (Voir le concept 13.1.)

Voir les réponses proposées à l'appendice A.

CONCEPT 14.2

Les règles des probabilités régissent les lois de l'hérédité de Mendel

Les hypothèses de la ségrégation et de l'assortiment indépendant de Mendel reflètent des lois de probabilité identiques à celles qui s'appliquent lorsqu'on joue à pile ou face, lorsqu'on tire une carte d'un jeu ou lorsqu'on lance des dés. L'échelle des probabilités va de 0 à 1. Un événement qui se produit à coup sûr a une probabilité de 1, alors qu'un autre qui ne se produit *jamais* a une probabilité de 0. Si on lance une pièce qui a deux côtés face, la probabilité qu'elle tombe sur le côté face est de 1, et la probabilité qu'elle tombe sur le côté pile (inexistant) est de 0. Si on lance une pièce normale, la probabilité d'obtenir le côté face est de ½, et celle d'obtenir le côté pile est aussi de ½. La probabilité de tirer l'as de pique d'un jeu de 52 cartes est de 1/52. La somme des probabilités de tous les résultats possibles d'un événement donné est obligatoirement de 1. Lorsqu'on tire une carte, la probabilité d'obtenir une autre carte que l'as de pique est de 51/52.

Le lancer d'une pièce de monnaie nous permet de bien comprendre les lois des probabilités. À chaque lancer, la probabilité d'obtenir le côté face est de ½. Le résultat d'un lancer particulier n'est aucunement influencé par les résultats des lancers précédents. De tels phénomènes sont appelés événements indépendants. Les lancers, qu'ils soient successifs d'une même pièce ou simultanés de plusieurs pièces, sont indépendants de chacun des autres lancers. À l'instar du lancer de deux pièces de monnaie, les allèles d'un gène se séparent en gamètes indépendamment des allèles des autres gènes (loi de l'assortiment indépendant). Examinons maintenant deux règles de probabilité élémentaires qui peuvent nous aider à prévoir les résultats de la fusion de tels gamètes dans des croisements monohybrides simples et des croisements plus complexes.

La règle de la multiplication et la règle de l'addition appliquées aux croisements monohybrides

Comment calcule-t-on la probabilité que deux événements indépendants se produisent ensemble selon une combinaison donnée ? Par exemple, si on lance deux pièces de monnaie en même temps, quelle est la probabilité d'obtenir deux côtés face ? Selon la **règle de la multiplication**, on calcule cette probabilité en multipliant la probabilité d'un événement (une pièce tombe du côté face) par la probabilité de l'autre événement (l'autre pièce tombe du côté face). Selon cette règle, la probabilité que les deux pièces tombent en même temps du côté face est de ½ × ½ = ¼.

Le même raisonnement s'applique à un croisement monohybride de deux individus de la génération F_1. Prenons la forme des graines comme caractère héréditaire chez des plants de pois : le génotype des plants de la génération F_1 est *Rr*. Or, chez une plante hétérozygote, la ségrégation est analogue au lancer d'une seule pièce de monnaie pour ce qui est du calcul de la probabilité de chacun des résultats : la probabilité qu'un gamète femelle ait l'allèle dominant (*R*) est de ½, et la probabilité qu'il ait l'allèle récessif (*r*) est également de ½. Les mêmes probabilités s'appliquent pour chacun des gamètes mâles produits. Pour qu'une plante donnée de génération F_2 ait des graines ridées – soit le caractère récessif –, il faut que le gamète femelle et le gamète mâle qui s'unissent portent l'allèle *r*. La probabilité qu'un allèle *r* se trouve dans les deux gamètes au moment de la fécondation est de ½ (la probabilité qu'un gamète femelle ait un allèle *r*) × ½ (la probabilité qu'un gamète mâle ait un allèle *r*). Par conséquent, la règle de la multiplication nous indique que la probabilité qu'une plante de génération F_2 ait des graines ridées (*rr*) est de ¼ (**figure 14.9**). De même, la probabilité qu'une plante de génération F_2 porte les deux allèles dominants de la forme des graines (*RR*) est de ¼.

Pour calculer la probabilité qu'une plante de la génération F_2 issue d'un croisement monohybride soit hétérozygote plutôt qu'homozygote, nous devons recourir à une seconde règle. À la figure 14.9, notez que l'allèle dominant peut venir du gamète femelle, et l'allèle récessif, du gamète mâle, ou vice versa. En d'autres termes, les gamètes de génération F_1 peuvent se combiner de deux façons *s'excluant mutuellement* pour produire un individu *Rr*. Pour une plante donnée hétérozygote de génération F_2, l'allèle dominant peut provenir *soit* du gamète femelle, *soit* du gamète mâle, mais pas des deux. Selon la **règle de l'addition**, on calcule la probabilité que l'un de deux ou de plusieurs événements mutuellement exclusifs puisse avoir lieu en additionnant leurs probabilités individuelles. Comme on vient de le voir, la règle de la multiplication nous donne les probabilités individuelles qu'il faut additionner ensemble. La probabilité d'une façon possible d'obtenir un hétérozygote de génération F_2 – l'allèle dominant issu du gamète femelle et l'allèle récessif issu du gamète mâle – est de ¼. La probabilité de l'autre façon possible – l'allèle récessif issu du gamète femelle et l'allèle dominant issu du gamète mâle – est aussi de ¼ (voir la figure 14.9). Cette règle de l'addition permet donc de calculer la probabilité qu'un individu de la génération F_2 soit hétérozygote : ¼ + ¼ = ½.

▼ **Figure 14.9 La ségrégation des allèles et la fécondation, deux événements aléatoires.** Lorsqu'un individu hétérozygote (*Rr*) produit des gamètes, le fait qu'un gamète particulier possède un allèle *R* ou un allèle *r* obéit aux mêmes règles que le lancer d'une pièce de monnaie. Il est donc possible de calculer la probabilité que les descendants de deux hétérozygotes aient un génotype donné, en multipliant les probabilités individuelles qu'un gamète femelle et un gamète mâle aient un allèle particulier (*R* ou *r* dans cet exemple).

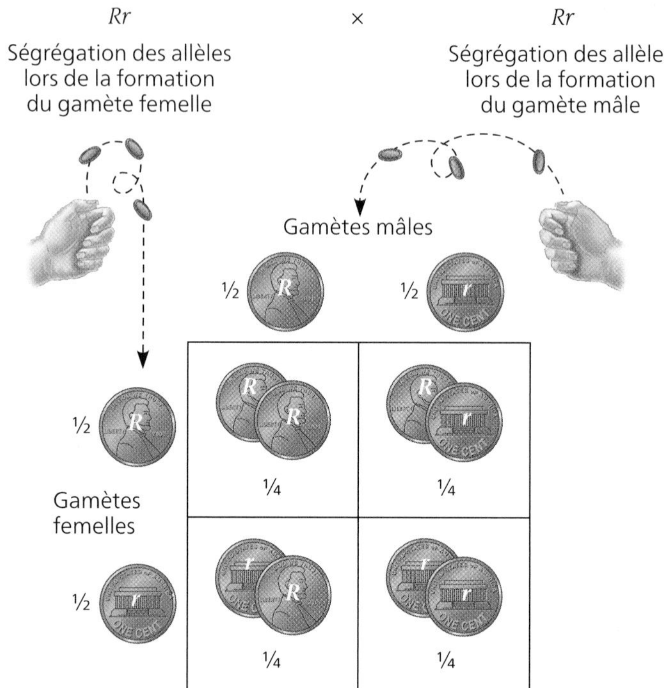

La résolution de problèmes de génétique complexes à l'aide des règles de probabilité

On peut également appliquer les règles de probabilité pour prévoir les résultats de croisements mettant en jeu de multiples caractères. Rappelez-vous que chaque paire allélique se répartit indépendamment au cours de la formation des gamètes (loi de l'assortiment indépendant). Par conséquent, un croisement dihybride ou entre des parents différant par plusieurs caractères équivaut à au moins deux croisements monohybrides indépendants qui se produisent simultanément. En appliquant ce que nous avons appris sur les croisements monohybrides, on peut calculer la probabilité que des génotypes spécifiques apparaissent à la génération F_2 d'un croisement dihybride sans avoir à recourir à une grille de Punnett trop compliquée ; ce raisonnement s'applique à plus forte raison aux croisements mettant en jeu trois caractères et plus. (Par exemple, dans un croisement trihybride, il faudrait une grille de 64 cases pour représenter toutes les rencontres possibles entre huit gamètes mâles et huit gamètes femelles différents.)

Examinons le croisement dihybride entre les hétérozygotes *JjRr* illustrés à la figure 14.8. Commençons par un premier caractère, la couleur des graines. Pour un croisement monohybride de plantes *Jj*, on peut calculer les probabilités d'apparition des génotypes de la génération suivante à l'aide d'une grille de Punnett simple : ¼ pour *JJ*, ½ pour *Jj* et ¼ pour *jj*. En utilisant une seconde grille de Punnett, on peut déterminer que les mêmes probabilités s'appliquent aux génotypes de la forme des graines : ¼ *RR*, ½ *Rr* et ¼ *rr*. Ces probabilités étant connues, nous pouvons simplement utiliser la règle de la multiplication pour calculer la probabilité de chacun des génotypes dans la génération F_2. Dans les deux exemples ci-dessous, nous montrons les calculs pour trouver les probabilités de deux des génotypes possibles de la génération F_2 (*JJRR* et *JjRR*) :

Probabilité de *JJRR* = ¼ (probabilité de *JJ*) × ¼ (*RR*) = 1/16

Probabilité de *JjRR* = ½ (*Jj*) × ¼ (*RR*) = ⅛

Le génotype *JJRR* correspond à la case en haut à gauche de la plus grande grille de Punnett dans la figure 14.8 (1 case sur 16 ou probabilité de 1/16). Si vous examinez attentivement cette grille, vous verrez que 2 des 16 cases (⅛) correspondent au génotype *JjRR*.

Examinons maintenant comment on peut combiner les règles de la multiplication et de l'addition pour résoudre des problèmes encore plus complexes de génétique mendélienne. On peut imaginer un croisement de deux variétés de pois dans lesquelles on suit l'hérédité de trois caractères. Croisons un trihybride à fleurs violettes et à graines jaunes et rondes (qui est hétérozygote pour les trois gènes) avec une plante à fleurs violettes et à graines vertes et ridées (qui est hétérozygote pour la couleur des fleurs, mais homozygote récessive pour les deux autres caractères). Les symboles mendéliens nous permettent d'écrire ce croisement ainsi : *VvJjRr* × *Vvjjrr*. Quelle fraction des descendants aura des phénotypes récessifs dans le cas d'*au moins deux* caractères sur les trois ?

Pour répondre à cette question, on peut commencer par énumérer tous les génotypes satisfaisant à cette condition : *vvjjRr*, *vvJjrr*, *Vvjjrr*, *VVjjrr* et *vvjjrr*. (Parce que la condition est d'avoir *au moins deux* caractères récessifs, il faut tenir compte du dernier génotype cité, qui produit les trois phénotypes en question.) Ensuite, on applique la règle de la multiplication pour calculer la probabilité d'apparition de chacun des génotypes résultant du croisement *VvJjRr* × *Vvjjrr* – c'est-à-dire qu'on multiplie entre elles les probabilités individuelles correspondant à chaque paire d'allèles, tout comme nous l'avons fait dans notre exemple sur les dihybrides. Notez que, dans un croisement mettant en jeu des paires d'allèles hétérozygote et homozygote (par exemple, *Jj* × *jj*), la probabilité que la génération suivante soit hétérozygote est de ½ et celle qu'elle soit homozygote est de ½. Enfin, on applique la règle de l'addition pour faire la somme des probabilités d'apparition de tous les génotypes différents qui remplissent la condition de présenter au moins deux caractères récessifs, ainsi qu'on peut le voir dans le tableau qui suit :

vvjjRr	¼ (probabilité de *vv*) × ½ (*jj*) × ½ (*Rr*)	= 1/16
vvJjrr	¼ × ½ × ½	= 1/16
Vvjjrr	½ × ½ × ½	= ⅛ ou 2/16
VVjjrr	¼ × ½ × ½	= 1/16
vvjjrr	¼ × ½ × ½	= 1/16
Probabilité d'apparition d'*au moins deux* phénotypes récessifs		= 6/16 ou ⅜

Avec le temps, vous parviendrez à résoudre plus vite les problèmes de génétique en vous servant des règles de probabilité plutôt qu'en recourant à la grille de Punnett.

On ne peut pas prédire avec certitude le nombre exact de descendants de différents génotypes issus d'un croisement génétique. Mais les règles de probabilité nous permettent de déterminer quelles sont les *chances* pour que les divers résultats se produisent. Généralement, plus un échantillon est grand, plus les résultats se rapprochent de ce qu'on a prévu. Mendel comprenait la nature statistique de l'hérédité et il avait une bonne notion des règles de probabilité. C'est pourquoi il a organisé ses expériences de façon à ce que ses croisements génèrent un grand nombre de descendants, qu'il pouvait ensuite compter.

RETOUR SUR LE CONCEPT 14.2

1. Pour un gène ayant l'allèle dominant *A* et l'allèle récessif *a*, dans quelle proportion les descendants issus d'un croisement *AA* × *Aa* seront-ils homozygotes dominants, homozygotes récessifs et hétérozygotes ?
2. On accouple deux organismes ayant les génotypes *BbDD* et *BBDd*. En supposant que les gènes *B*/*b* et *D*/*d* présentent un assortiment indépendant, écrivez les génotypes de tous les descendants possibles issus de ce croisement et, à l'aide des règles de probabilité, calculez la probabilité que chaque génotype soit produit.
3. **ET SI ?** ▶ On considère trois caractères (couleur des fleurs, couleur des graines et forme de la gousse) dans un croisement entre deux plants de pois (*VvJjGg* × *vvJjgg*). Quelle fraction des descendants sera homozygote récessive pour au moins deux des trois caractères ?

Voir les réponses proposées à l'appendice A.

CONCEPT 14.3

Certains modèles d'hérédité sont plus complexes que ce que prédit la génétique de Mendel

Au cours du 20e siècle, les généticiens ont étendu les principes mendéliens à d'autres organismes que les pois ainsi qu'à des modèles d'hérédité plus complexes que ceux qui ont été décrits par Mendel. Pour le travail qui a conduit à ses deux lois de l'hérédité, Mendel avait choisi des caractères des plants de pois dont la transmission génétique obéit à des lois relativement simples : chacun des caractères est déterminé par un seul gène pour lequel il n'existe que deux allèles, l'un étant complètement dominant et l'autre complètement récessif (sauf pour le caractère de la forme des gousses, qui est en fait déterminé par deux gènes). En réalité, tous les caractères héréditaires ne sont pas déterminés aussi simplement, et il est rare que la relation entre le génotype et le phénotype soit aussi directe. Mendel lui-même s'est rendu compte qu'il ne pouvait pas expliquer les modes de transmission plus complexes qu'il a observés dans des croisements mettant en jeu d'autres caractères des pois ou d'autres espèces de végétaux. Malgré tout, la génétique mendélienne est incontournable, car les principes fondamentaux de la ségrégation et de l'assortiment indépendant s'appliquent également aux modèles d'hérédité plus complexes. Dans la présente section, nous étendrons la génétique mendélienne aux modèles d'hérédité qui n'ont pas été décrits par Mendel.

La généralisation des lois de la génétique mendélienne appliquées à un seul gène

L'hérédité des caractères déterminés par un seul gène s'écarte des modèles mendéliens simples lorsque les allèles ne sont pas complètement dominants ou récessifs, si un gène donné a plus de deux allèles ou si un seul gène produit de multiples phénotypes. Dans cette section, nous décrirons un exemple de chacune de ces situations.

La gamme des relations de dominance et de récessivité

Les allèles peuvent présenter divers degrés de dominance et de récessivité en relation les uns avec les autres. Dans les croisements mendéliens classiques effectués entre des pois, les descendants de la génération F_1 ressemblaient toujours à l'une des deux variétés parentales, en raison de la **dominance complète** de l'un des allèles par rapport à l'autre. Dans de tels cas, il est impossible de distinguer le phénotype d'un hétérozygote de celui d'un homozygote dominant (voir la figure 14.6).

Pour certains gènes, cependant, aucun des allèles n'est complètement dominant, et les hybrides de la génération F_1 ont un phénotype intermédiaire, situé entre les phénotypes des deux variétés parentales. Ce phénomène, appelé **dominance incomplète**, se manifeste par exemple si on croise des gueules-de-loup (*Antirrhinum majus*) à fleurs rouges avec des gueules-de-loup à fleurs blanches : tous les hybrides de la génération F_1 auront des fleurs roses (**figure 14.10**). Ce troisième phénotype intermédiaire apparaît chez les individus hétérozygotes, parce qu'ils produisent moins de pigment rouge que les homozygotes rouges. (Cette situation est différente du cas des pois de Mendel, dont les hétérozygotes *Vv* produisent assez de pigment violet pour que leurs fleurs soient identiques à celles des plantes *VV*.)

De prime abord, la dominance incomplète de l'un ou l'autre allèle semble apporter une preuve à l'appui de la théorie de l'hérédité par mélange : cette dernière prédit que les caractères rouge ou blanc ne pourront jamais réapparaître chez les descendants des hybrides roses. En fait, dans le cas des gueules-de-loup, un croisement effectué entre des hybrides de la génération F_1 donne à la génération F_2 un rapport phénotypique d'un individu rouge contre deux roses et un blanc. Puisque les hétérozygotes ont un phénotype qui leur est propre, les rapports génotypiques et phénotypiques de la génération F_2 sont identiques, soit de 1:2:1. La ségrégation des allèles de fleurs rouges et des allèles de fleurs

▼ Figure 14.10 Un exemple de dominance incomplète: la couleur des fleurs de gueules-de-loup. Lorsqu'on croise des gueules-de-loup rouges avec des gueules-de-loup blanches, tous les hybrides de la génération F_1 possèdent des fleurs roses. La ségrégation des allèles dans les gamètes des plantes de la génération F_1 produit une génération F_2 dans laquelle la proportion des génotypes et des phénotypes est de 1:2:1. Aucun des allèles n'est dominant; c'est pourquoi, au lieu d'utiliser des lettres majuscules et minuscules, nous utilisons la lettre C avec un exposant pour indiquer un allèle de la couleur des fleurs: C^R = allèle des fleurs rouges et C^B = allèle des fleurs blanches.

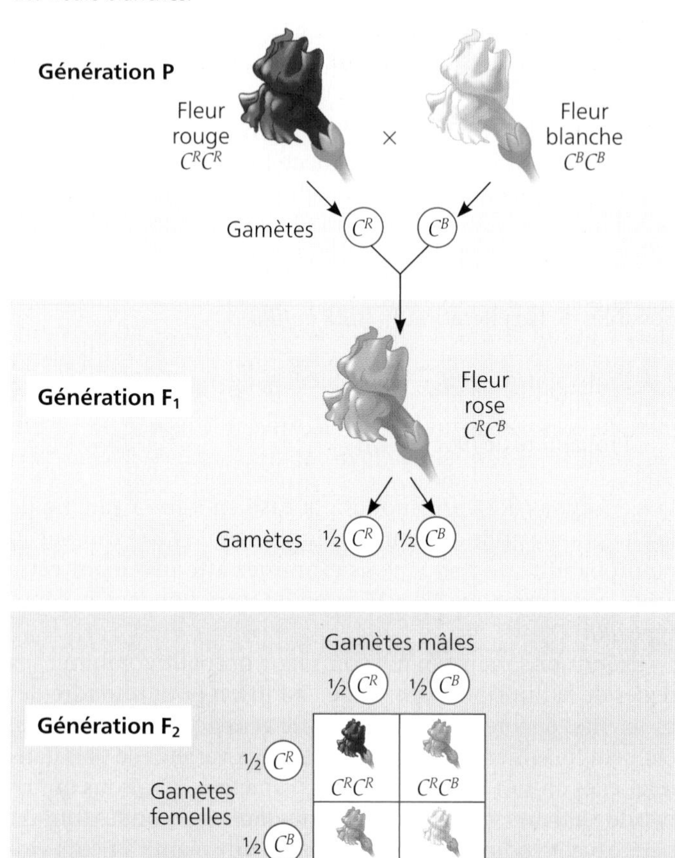

? Supposez qu'un compagnon de classe déclare que cette figure confirme l'hypothèse du mélange pour expliquer l'hérédité. Quel serait son argument et que pourriez-vous lui répondre ?

blanches dans les gamètes issus des plantes à fleurs roses confirme le fait que les gènes de la couleur des fleurs sont des facteurs héréditaires conservant leur identité chez les hybrides ; en d'autres termes, l'hérédité est de nature particulaire.

Une autre variation de la relation de dominance entre les allèles est appelée **codominance**, dans laquelle les deux allèles d'un gène se manifestent entièrement et de manière indépendante dans le phénotype. Prenons par exemple les groupes sanguins. Chez l'humain, le système MN se caractérise par la présence d'allèles codominants pour deux molécules spécifiques situées à la surface des érythrocytes, les molécules M et N. Les phénotypes de ce groupe sanguin sont déterminés par un seul gène situé sur un locus précis et ayant deux variations possibles. Les personnes homozygotes pour un allèle *M* (*MM*) possèdent seulement des molécules M sur leurs érythrocytes et celles qui sont homozygotes pour l'allèle *N* (*NN*) possèdent seulement des molécules N sur leurs érythrocytes. En ce qui concerne les hétérozygotes pour les allèles *M* et *N* (*MN*), les *deux* molécules M et N sont présentes sur les érythrocytes. Notez que le phénotype MN *n'est* absolument *pas* intermédiaire entre les phénotypes M et N, ce qui distingue la codominance de la dominance incomplète, mais que les hétérozygotes ont ces *deux* phénotypes puisque les deux molécules sont présentes.

La relation entre la dominance et le phénotype Un phénotype dominant peut résulter de l'expression génétique du seul allèle dominant (alors que l'autre allèle est masqué), mais parfois, sur le plan moléculaire, les deux allèles peuvent coexister tout en n'ayant pour conséquence que le phénotype dominant.

POUR APPROFONDIR ■ Nous avons vu que l'influence de deux allèles varie de la dominance complète de l'un des allèles à la codominance des deux allèles, en passant par la dominance incomplète de l'un ou l'autre allèle. Il importe de comprendre que, si on qualifie un allèle de *dominant*, ce n'est pas parce qu'il atténue ou empêche l'expression d'un allèle récessif, mais parce qu'il est présent dans le phénotype. Les allèles sont de simples variations de la séquence nucléotidique d'un gène (voir la figure 14.4). Lorsqu'un allèle dominant et un allèle récessif se trouvent ensemble dans un génotype hétérozygote, il n'existe en fait aucune interaction entre eux. C'est dans la transposition du génotype en phénotype que la dominance et la récessivité entrent en jeu.

Pour illustrer la relation entre la dominance et le phénotype, considérons l'un des caractères étudiés par Mendel: la forme ronde ou la forme ridée des graines de pois. L'allèle dominant (graine ronde) code pour la synthèse d'une enzyme qui permet de transformer une forme linéaire de l'amidon en amidon ramifié dans la graine. L'allèle récessif (graine ridée) code pour une forme défectueuse de cette enzyme causant une accumulation d'amidon non ramifié, ce qui entraîne l'absorption d'un excès d'eau par osmose. Puis, lorsque la graine sèche, elle se ride. Si un allèle dominant est présent, la graine n'absorbe pas cet excès d'eau et elle ne se ride pas en séchant. Un seul allèle dominant permet de produire l'enzyme en question, et ce, en quantité suffisante pour synthétiser des quantités adéquates d'amidon ramifié; donc, le phénotype des homozygotes dominants et celui des hétérozygotes sont identiques: les graines sont rondes dans les deux cas.

Un examen attentif de la relation entre la dominance et le phénotype révèle un fait étrange: au regard d'un caractère donné, la relation entre la dominance et la récessivité dépend du niveau auquel on examine le phénotype. Prenons l'exemple de la **maladie de Tay-Sachs** dont nous reparlerons plus loin dans ce chapitre. Cette maladie neurodégénérative est héréditaire chez l'être humain. Les cellules du cerveau d'un enfant atteint de cette maladie ne peuvent pas métaboliser certains lipides, parce qu'une de leurs enzymes ne fonctionne pas de manière adéquate. L'accumulation des lipides dans les cellules du cerveau de l'enfant entraîne progressivement des crises d'épilepsie, la cécité et la dégénérescence du fonctionnement moteur et mental. La mort survient en quelques années.

Seuls les enfants qui reçoivent deux copies de l'allèle de Tay-Sachs (homozygotes) souffrent de cette maladie. On considère donc l'allèle de Tay-Sachs comme récessif par rapport à l'allèle normal au niveau de l'*organisme*. Cependant, chez les individus hétérozygotes, le taux d'activité de l'enzyme du métabolisme des lipides se situe entre celui des individus homozygotes pour l'allèle normal et celui des individus atteints de la maladie. Notez que le terme «normal» est employé, au sens génétique, pour désigner l'allèle codant pour une enzyme active. Sur le plan *biochimique*, le phénotype observé refléterait donc une dominance incomplète d'un allèle sur l'autre. Si les hétérozygotes ne présentent heureusement pas les symptômes de la maladie, c'est apparemment parce que la moitié de l'activité normale de l'enzyme suffit à empêcher l'accumulation de lipides dans le cerveau. Si nous portons notre analyse à un autre niveau, nous constatons que les personnes hétérozygotes produisent en quantité égale l'enzyme normale et l'enzyme déficiente. Par conséquent, sur le plan *moléculaire*, l'allèle normal et l'allèle de la maladie de Tay-Sachs sont tous deux présents, mais seul l'allèle normal apparaît dans le phénotype même si, du point de vue biochimique, il y a coexpression de ces deux gènes. ■

La fréquence des allèles dominants On pourrait supposer que l'allèle dominant d'un caractère donné est plus répandu que l'allèle récessif du même caractère, mais ce n'est pas toujours le cas. Prenons l'exemple d'un allèle dominant rare, soit celui de la polydactylie. On estime que, dans le monde, 17 enfants sur 10 000 naissent avec des doigts ou des orteils surnuméraires (polydactylie). Parfois, le «doigt» surnuméraire (le plus souvent du côté du cinquième doigt ou orteil) peut n'être que partiellement développé, l'anomalie ne touchant que quelques tissus. Certains cas sont causés par la présence d'un allèle dominant. La faible fréquence de polydactylie indique que, dans la population, l'allèle récessif qui entraîne la présence de cinq doigts par membre est beaucoup plus commun que l'allèle dominant. Au concept 23.3, nous verrons que, dans une population donnée, les fréquences relatives des allèles sont influencées par la sélection naturelle.

Les allèles multiples

Les caractères du pois étudiés par Mendel sont déterminés par deux allèles, mais il s'agit d'un cas un peu particulier. En effet, la plupart des gènes présentent plus de deux formes alléliques. Par exemple, chez l'humain, les quatre groupes sanguins du système ABO sont déterminés par les deux allèles du gène du groupe sanguin que l'individu possède. Il existe trois allèles possibles: I^A, I^B et *i*. Dans ce système, un individu peut être d'un des quatre groupes A, B, AB ou O. Les lettres A et B désignent deux glucides qui peuvent se lier à des molécules spécifiques se trouvant à la surface des érythrocytes: le N-acétylglucosamine, ou substance A, et le galactose, ou substance B, qui peuvent être situés à la surface des érythrocytes en liaison avec l'extrémité N-terminale d'une protéine membranaire. Les érythrocytes d'une personne donnée peuvent porter le glucide A (groupe A), le glucide B (groupe B), les deux glucides (groupe AB) ou aucun d'entre eux (groupe O), comme vous pouvez le voir à la **figure 14.11**. Pour effectuer des transfusions, il est essentiel d'avoir des groupes sanguins compatibles (voir le concept 43.3).

La pléiotropie

Jusqu'ici, nous avons parlé de l'hérédité mendélienne comme si chaque gène influait sur un seul caractère phénotypique à la fois.

▼ Figure 14.11 Les allèles multiples pour les groupes sanguins du système ABO. Les quatre groupes sanguins sont dus à différentes combinaisons de trois allèles.

(a) Les trois allèles pour les groupes sanguins du système ABO et leurs glucides. Chaque allèle code pour une enzyme qui peut ajouter un glucide spécifique (désigné par un exposant sur le symbole de l'allèle et illustré par un triangle ou un cercle) à la surface des érythrocytes.

Allèle	I^A	I^B	i
Glucide	A △	B ○	Aucun

(b) Les génotypes et les phénotypes des groupes sanguins. Quatre phénotypes différents résultent de six génotypes possibles.

Génotype	I^AI^A ou I^Ai	I^BI^B ou I^Bi	I^AI^B	ii
Érythrocytes avec glucides de surface	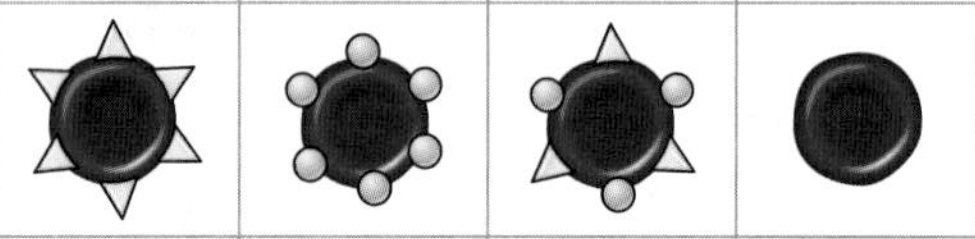			
Phénotype (groupe sanguin)	A	B	AB	O

HABILETÉS VISUELLES ▶ À partir du phénotype du glucide de surface en (b), déterminez les relations de dominance parmi les allèles.

Cependant, la plupart des gènes ont des effets phénotypiques multiples, propriété appelée **pléiotropie** (du grec *pleion*, « plus »). Par exemple, chez l'humain, des allèles pléiotropiques sont responsables de symptômes associés à certaines maladies héréditaires, dont la fibrose kystique et l'anémie à hématies falciformes, que nous aborderons plus loin dans le présent chapitre. Chez le pois, le gène qui détermine la couleur des fleurs influe également sur la couleur de la pellicule à la surface externe des grains, qui peut être grise ou blanche. Compte tenu de la complexité des interactions moléculaires et cellulaires intervenant dans le développement et la physiologie d'un organisme, il n'est pas surprenant qu'un seul gène puisse influer sur un grand nombre de caractères.

La généralisation des lois de la génétique mendélienne appliquées à deux ou à plusieurs gènes

La dominance, les allèles multiples et la pléiotropie concernent les effets des allèles d'un seul gène. Nous allons étudier maintenant deux cas où deux ou plusieurs gènes interviennent dans la détermination d'un phénotype particulier. Dans le cas de l'épistasie, un seul gène modifie le phénotype d'un autre gène en raison d'une interaction entre les produits des deux gènes. Par contre, dans le cas de l'hérédité polygénique, plusieurs gènes modifient un caractère unique de façon indépendante.

L'épistasie

Dans l'**épistasie** (du grec *epi*, « au-dessus de », et *stasis*, « action de se tenir »), l'expression phénotypique d'un gène occupant un locus donné peut agir sur celle d'un autre gène situé sur un autre locus. Prenons un exemple. Chez les retrievers du Labrador (communément appelés « labradors »), le pelage noir est dominant par rapport au pelage brun. (Nous appellerons *N* et *n* les deux allèles de ce caractère.) Pour qu'un labrador ait un pelage brun, il faut que son génotype soit homozygote récessif, *nn* ; on appelle ces chiens des labradors chocolat. Cependant, c'est un second gène situé sur un autre locus qui détermine si le pigment se déposera dans le poil ou non. Son allèle dominant, *E*, permet au pigment noir ou au pigment brun de se déposer, selon le génotype du premier locus. Donc, que ce soit le génotype brun (*nn*) ou noir (*Nn* ou *NN*) qui occupe le premier locus, un labrador homozygote récessif pour le second locus (*ee*), aura un pelage jaune (phénotype Labrador jaune). Dans ce cas, le gène pour le dépôt du pigment (*E/e*) est épistatique par rapport au gène qui code pour le pigment noir ou le pigment brun (*N/n*).

Que se passe-t-il si on croise des labradors noirs hétérozygotes pour les deux gènes (*EeNn*) ? Bien qu'ils déterminent le même caractère phénotypique (la couleur du pelage), les deux gènes suivent la loi de l'assortiment indépendant (ils sont transmis indépendamment l'un de l'autre). Il s'agit donc d'un croisement dihybride d'individus de la génération F_1, comme celui qui a donné un rapport de 9:3:3:1 dans les expériences de Mendel. On peut utiliser une grille de Punnett pour représenter les génotypes des descendants de la génération F_2 (**figure 14.12**). L'épistasie entraîne donc le rapport phénotypique suivant

▼ Figure 14.12 Un exemple d'épistasie. Cette grille de Punnett illustre les génotypes et les phénotypes des individus issus d'accouplements entre deux labradors noirs de génotype *EeNn*. Le gène *E/e*, épistatique par rapport au gène *N/n*, détermine si un pigment, quelle que soit sa couleur, se déposera dans le poil.

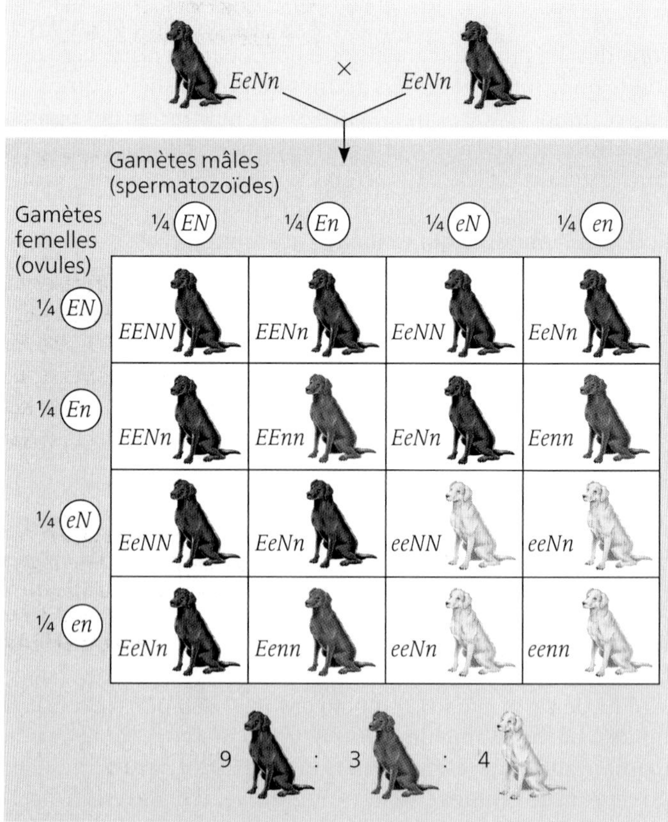

HABILETÉS VISUELLES ▶ Comparez les quatre carrés de la partie inférieure droite de cette grille de Punnett avec ceux de la figure 14.8. Expliquez le principe à l'origine de la différence entre le rapport 9:3:4 des phénotypes observés dans ce croisement et le rapport 9:3:3:1 de la figure 14.8.

des individus de la génération F_2 : 9/16 noirs ; 3/16 chocolat ; 4/16 jaunes. Il existe d'autres types d'épistasie produisant des rapports différents, mais tous sont des versions modifiées du rapport 9:3:3:1.

L'hérédité polygénique

Mendel a étudié des caractères qu'on pourrait qualifier de dichotomiques, parce qu'ils se présentent en deux possibilités distinctes, tels que des fleurs violettes ou des fleurs blanches, sans phénotype intermédiaire. Cependant, chez l'humain, plusieurs caractères, tels que la couleur de la peau ou la taille, présentent de nombreuses variations qui forment un continuum dans la population (du plus pâle au plus foncé ou du plus petit au plus grand, par exemple). Il s'agit de **caractères quantitatifs**. Les variations quantitatives sont habituellement le signe d'une **hérédité polygénique**, où deux gènes ou plus exercent un effet cumulatif sur un même phénotype. D'une certaine manière, c'est l'inverse de la pléiotropie, où un seul gène influe sur plusieurs phénotypes. La taille est un excellent exemple d'hérédité polygénique. Une étude génomique menée en 2014 auprès de plus de 250 000 personnes a en effet permis d'observer près de 700 variations génétiques associées à plus de 180 gènes modifiant la taille. Plusieurs de ces variations se situaient à l'intérieur ou près des gènes intervenant au sein des voies biochimiques régissant la croissance du squelette, alors que d'autres étaient associées à des gènes sans lien apparent avec la croissance. D'autres facteurs non génétiques peuvent aussi avoir leur influence sur la taille ; la qualité de l'alimentation en serait un bon exemple.

Chez l'humain, la pigmentation de la peau est également régie par plusieurs gènes transmis de manière indépendante. Ici, nous simplifierons le concept de l'hérédité polygénique afin de mieux le comprendre. Supposons qu'il existe seulement trois gènes de la pigmentation. Chacun d'eux a un allèle de la peau foncée (*A*, *B* ou *C*) qui apporte une « unité » de couleur foncée (également une simplification) au phénotype et qui exerce une dominance incomplète sur les autres allèles (*a*, *b* ou *c*). Dans notre modèle, la peau d'une personne de génotype *AABBCC* serait très foncée, celle d'une personne de génotype *aabbcc* serait très claire, et celle d'un individu *AaBbCc* serait d'une teinte intermédiaire. Parce que les allèles ont un effet cumulatif, les génotypes *AaBbCc* et *AABbcc* représentent le même apport génétique (soit trois unités) relativement à la couleur foncée de la peau. La **figure 14.13** montre que sept phénotypes de la couleur de la peau peuvent résulter d'accouplements entre des hétérozygotes *AaBbCc*. Si on considère un grand nombre de ces accouplements, la majorité des descendants devraient posséder des phénotypes intermédiaires (couleur de peau moyenne). Dans la rubrique **Habiletés scientifiques**, vous construirez un graphique des prédictions à l'aide de la grille de Punnett. Les facteurs environnementaux, tels que l'exposition au soleil, influent également sur le phénotype de la couleur de la peau.

▼ Figure 14.13 Un modèle simplifié de l'hérédité polygénique de la couleur de la peau. Dans ce modèle, la couleur de la peau dépend de trois gènes transmis de façon indépendante. Les personnes hétérozygotes (*AaBbCc*) représentées par les deux carrés du haut ont hérité chacune de trois allèles de la teinte foncée (les points noirs, qui représentent *A*, *B* ou *C*) et de trois allèles de la teinte claire (les points blancs, qui représentent *a*, *b* ou *c*). La grille de Punnett montre toutes les combinaisons génétiques dans les gamètes et chez les descendants de ces hétérozygotes après plusieurs accouplements hypothétiques. Les rapports phénotypiques apparaissant sous la grille de Punnett résument les résultats. (Le rapport phénotypique de la couleur de la peau présenté dans la grille ci-dessous est de 1:6:15:20:15:6:1.)

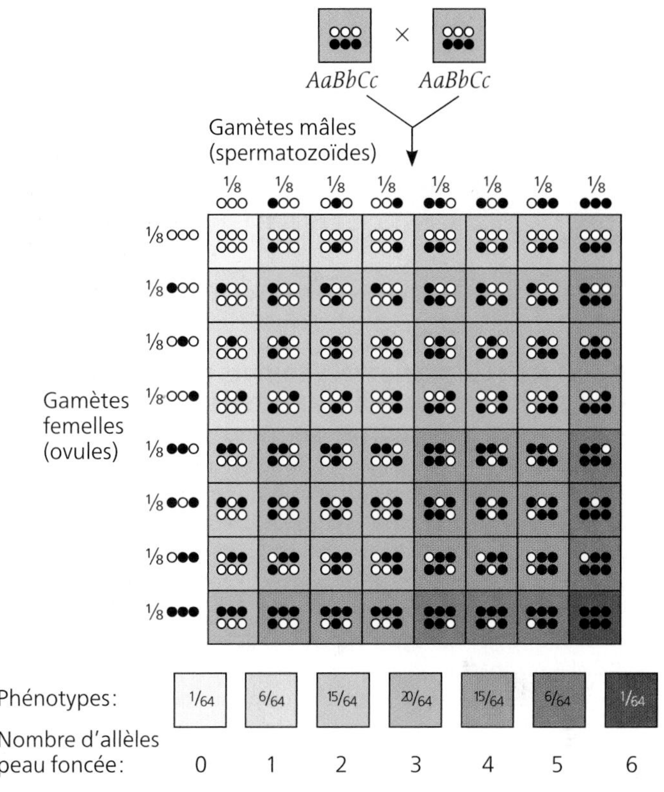

Hérédité et environnement : l'influence du milieu sur le phénotype

Le phénotype, qui dépend à la fois du milieu et du génotype, constitue aussi une exception à la génétique mendélienne simple. Ainsi, un arbre donné qui a hérité d'un certain génotype produit des feuilles dont la dimension, la forme et la couleur sont influencées par son exposition au vent et au soleil, et un même plant de pissenlit (*Taraxacum officinale*) n'aura pas du tout le même aspect s'il croît sur une montagne élevée plutôt qu'en plaine. Chez l'humain, l'alimentation a un effet notable sur la taille ; l'exercice physique modifie, entre autres choses, la silhouette ; les rayons du soleil rendent la peau plus foncée ; le milieu de vie influe sur la longévité ; et l'expérience améliore les résultats obtenus aux tests d'intelligence. Même chez les jumeaux monozygotes, qui possèdent pourtant le même patrimoine génétique, on observe des différences phénotypiques résultant de leurs expériences propres.

Est-ce que ce sont les gènes ou le milieu – en langage courant, l'hérédité ou l'environnement – qui influent le plus sur les caractéristiques de l'être humain ? Cette question prête à polémique depuis longtemps, et elle suscite encore des débats passionnés. Nous ne tenterons donc pas de trancher ici. Nous pouvons néanmoins affirmer que, en général, le résultat d'un génotype n'est pas un phénotype absolument prédéterminé, mais plutôt une gamme de phénotypes possibles résultant des interactions entre le bagage génétique et les influences du milieu (**figure 14.14**). Pour des caractères qualitatifs, tel le groupe sanguin du système ABO, la gamme de phénotypes n'a aucune étendue, c'est-à-dire qu'un certain génotype commande un phénotype précis. Les

▶ **Figure 14.14 L'effet du milieu sur le phénotype.** Le résultat d'un génotype se situe dans les limites de sa gamme de phénotypes, qui dépend du milieu dans lequel s'exprime le génotype. Par exemple, l'acidité et la teneur en aluminium du sol modifient la couleur des fleurs d'hydrangée, *Hydrangea macrophylla*, qui varie entre le rose (sol alcalin) et le bleu-violet (sol acide). Les couleurs bleutées exigent la présence d'aluminium libre dans le sol.

(a) Hydrangées cultivées dans un sol alcalin

(b) Hydrangées d'une même variété génétique cultivées dans un sol acide en présence d'aluminium libre

DÉMARCHE SCIENTIFIQUE
HABILETÉS SCIENTIFIQUES

Créer un histogramme et analyser un schéma de répartition

■ COMMENT LES PHÉNOTYPES SONT-ILS RÉPARTIS PARMI LES DESCENDANTS DE DEUX PARENTS HÉTÉROZYGOTES POUR TROIS GÈNES ADDITIFS ? ■ Chez l'humain, la couleur de la peau est un caractère polygénique qui est déterminé par les effets additifs de plusieurs gènes différents. Dans cet exercice, vous utiliserez un modèle génétique simplifié de la couleur de la peau dans lequel on suppose que seulement trois gènes modifient la couleur de la peau et que chaque gène possède deux allèles – peau foncée ou pâle (voir la figure 14.13). Dans ce modèle, chaque allèle de la peau foncée contribue de manière égale à la couleur de la peau, et chaque paire d'allèles se sépare indépendamment des autres paires, quelles qu'elles soient. À l'aide d'un type de graphique qu'on nomme histogramme, vous déterminerez la répartition des phénotypes des descendants présentant un nombre différent d'allèles de la peau foncée. (Pour de plus amples renseignements sur les graphiques, consultez l'appendice F.)

■ MÉTHODE ■ Pour prévoir les phénotypes présents chez les descendants des parents hétérozygotes pour les trois gènes du modèle simplifié, vous pouvez utiliser la grille de Punnett présentée à la figure 14.13. Les hétérozygotes (*AaBbCc*) représentés par les deux carrés dans le haut de la figure portent chacun trois allèles de la peau foncée (cercles noirs, qui représentent *A*, *B* ou *C*) et trois allèles de la peau pâle (cercles blancs, qui représentent *a*, *b* ou *c*). La grille de Punnett montre toutes les combinaisons génétiques possibles dans les gamètes et chez les descendants de ces hétérozygotes après plusieurs accouplements hypothétiques.

■ PRÉDICTIONS ISSUES DE LA GRILLE DE PUNNETT ■ Si on suppose que chaque case de la grille de Punnett représente un descendant de parents hétérozygotes *AaBbCc*, on peut dire que les carrés ci-dessous montrent les phénotypes possibles de la couleur de la peau ainsi que la fréquence prévue de chacun de ces phénotypes. Le nombre d'allèles de la peau foncée pour chaque phénotype est indiqué sous les carrés.

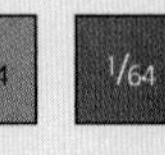

Phénotypes:	1/64	6/64	15/64	20/64	15/64	6/64	1/64
Nombre d'allèles de la peau foncée:	0	1	2	3	4	5	6

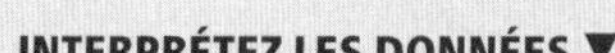

INTERPRÉTEZ LES DONNÉES ▼

1. Un histogramme est un diagramme à bandes qui illustre la répartition de données numériques (dans le cas présent, le nombre d'allèles de la peau foncée). Pour créer un histogramme de la répartition des allèles, placez les données concernant la couleur de la peau (nombre d'allèles de la peau foncé) le long de l'axe des *x* et, sur l'axe des *y*, le nombre prévu de descendants (sur un total de 64) présentant chacun des phénotypes. Comme il n'y a aucun écart entre les données concernant ces allèles, dessinez les barres une à côté de l'autre en ne laissant aucun espace entre elles.
2. Vous pouvez constater que les phénotypes de la couleur de la peau ne sont pas répartis uniformément. (a) Quel phénotype est le plus fréquent ? Tracez une ligne pointillée verticale à travers cette barre. (b) La répartition des valeurs comme celle-ci tend à montrer l'un des nombreux schémas courants. À main levée, tracez une courbe se rapprochant des valeurs, puis examinez-en la forme. La courbe est-elle répartie de façon symétrique autour d'une valeur maximale centrale (une répartition normale, parfois appelée «courbe en cloche») ? La courbe dévie-t-elle à l'une ou l'autre des extrémités de l'axe des *x* (une répartition asymétrique), ou montre-t-elle deux groupes de fréquences semblables (une répartition bimodale) ? Expliquez la raison justifiant la forme de la courbe. (À cette fin, il peut être utile de lire la description accompagnant la figure 14.13.)

Lecture complémentaire: R. A. Sturm, A golden age of human pigmentation genetics, *Trends in Genetics* 22: 464-468 (2006).

caractères quantitatifs, comme le nombre de leucocytes et d'érythrocytes de notre organisme, peuvent varier en fonction de divers facteurs tels que l'altitude où nous vivons, notre pratique d'une activité physique et les agents infectieux auxquels nous sommes exposés.

En général, la gamme de phénotypes est plus étendue dans le cas des caractères polygéniques. Selon les généticiens, les caractères polygéniques sont *multifactoriels* ; en d'autres termes, le phénotype est influencé simultanément par de nombreux facteurs, qui sont à la fois génétiques et environnementaux.

Perspective mendélienne de l'hérédité et de la variation

Nous avons jusqu'à présent élargi notre vision de l'hérédité mendélienne grâce à l'étude des degrés de dominance et de récessivité, mais aussi des allèles multiples, de la pléiotropie, de l'épistasie, de l'hérédité polygénique et de l'effet de l'environnement sur le phénotype. Comment pouvons-nous élaborer une théorie globale de la génétique mendélienne en intégrant ces notions complexes ? Pour ce faire, nous devons passer d'une vision réductionniste, fondée sur des gènes pris individuellement et sur un phénotype unique, aux propriétés émergentes de l'organisme considéré dans son ensemble. Cette perspective constitue d'ailleurs l'un des principaux thèmes de ce manuel.

Le terme *phénotype* ne désigne pas seulement un caractère très précis, tel que la couleur d'une fleur ou un groupe sanguin ; il renvoie également à la *totalité* de l'organisme, c'est-à-dire à l'ensemble de son apparence physique, de son anatomie interne, de sa physiologie et de son comportement. Le terme *génotype* a aussi un sens restreint, et un autre, plus large. Il peut désigner les allèles qui se trouvent sur un locus donné ou encore l'ensemble du patrimoine génétique d'un organisme (son génome). Disons que, dans la plupart des cas, l'effet d'un gène sur le phénotype est influencé par d'autres gènes et par le milieu. Dans cette perspective globale de l'hérédité et de la variation, un organisme donné a donc un phénotype qui résulte à la fois des interactions au sein de son génotype et avec les facteurs de son milieu.

Étant donné le nombre de facteurs susceptibles d'intervenir sur le chemin menant du génotype au phénotype, on ne peut que s'émerveiller du fait que Mendel ait découvert les principes fondamentaux régissant la transmission héréditaire des gènes individuels des parents à leurs descendants. Les lois de la ségrégation et de l'assortiment indépendant de Mendel expliquent les variations héréditaires en fonction de variations des formes de gènes (« particules » héréditaires, appelées aujourd'hui allèles des gènes) qui sont transmis, d'une génération à l'autre, selon les lois simples de probabilité. Cette théorie de l'hérédité est également valable pour les pois, les mouches, les poissons, les oiseaux et les humains – en fait, pour tout organisme ayant un cycle de développement sexué. De plus, lorsqu'on élargit les principes de la ségrégation et de l'assortiment indépendant pour expliquer des phénomènes génétiques comme l'épistasie et les caractères quantitatifs, on commence à percevoir toute la portée de la génétique mendélienne. Dans le jardin de l'abbaye où vivait le moine Mendel est née la théorie de l'hérédité particulaire, qui est devenue le fondement de la génétique moderne. Dans la dernière section de ce chapitre, nous verrons de quelle façon cette théorie s'applique à la génétique humaine et plus particulièrement aux maladies héréditaires.

RETOUR SUR LE CONCEPT 14.3

1. La *dominance incomplète* et l'*épistasie* sont deux termes qui définissent des relations génétiques. Quelle est la différence la plus fondamentale entre les deux ?
2. Si un homme de groupe sanguin AB se marie avec une femme de type O, quels groupes sanguins pourraient avoir leurs enfants ? Quelle proportion s'attend-on à trouver pour chaque groupe ?
3. **ET SI ?** ▶ Un coq à plumes grises s'accouple avec une poule possédant le même phénotype que lui. Ils produisent la descendance suivante : 15 poussins gris, 6 noirs et 8 blancs. Quelle est l'explication la plus simple justifiant la transmission de ces couleurs chez les poussins ? Quels phénotypes auront les descendants issus de l'accouplement d'un coq gris avec une poule noire ?

Voir les réponses proposées à l'appendice A.

CONCEPT 14.4

De nombreux caractères humains suivent les modèles mendéliens de l'hérédité

Le pois se prête facilement à la recherche en génétique, mais ce n'est pas le cas de l'être humain. Une génération humaine est longue – elle s'étend sur une vingtaine d'années – et produit une descendance beaucoup moins nombreuse par comparaison avec le pois ou la plupart des autres espèces. De surcroît, il ne serait pas conforme à l'éthique de demander à un couple d'humains de se reproduire dans le but d'analyser les phénotypes de leurs descendants ! En dépit de toutes ces contraintes, l'étude de la génétique humaine ne cesse de progresser. Elle est motivée par notre désir de comprendre les mécanismes de l'hérédité et de mettre au point des traitements et des remèdes contre les maladies d'origine génétique. De nouvelles techniques de biologie moléculaire ont permis d'effectuer de nombreuses percées, ainsi que nous le verrons au concept 20.4, et donné naissance à une nouvelle discipline, le génie génétique ; la théorie génétique de Mendel reste toutefois fondamentale pour la compréhension de la génétique humaine.

L'étude des lignages

Comme il est impensable de planifier des croisements entre humains, les généticiens analysent plutôt les résultats d'unions qui ont déjà eu lieu. On recueille des informations aussi exhaustives que possible sur l'histoire d'un caractère particulier dans une famille. On reporte ensuite ces données sur un arbre généalogique qui décrit les caractères des parents et des enfants d'une génération à l'autre. Il s'agit du **lignage** de la famille.

La **figure 14.15a** montre un lignage qui permet de suivre, au fil de trois générations, les occurrences d'une implantation particulière de cheveux, en forme de V, qui prend racine sur le front. Ce caractère est dû à la présence d'un allèle dominant *P*. Parce que cet allèle est dominant, tous les membres de cette famille qui ne présentent pas cette implantation sont homozygotes récessifs (*pp*). Nous savons également que les deux grands-parents qui ont ce phénotype doivent avoir le génotype *Pp*, puisque certains de leurs descendants sont homozygotes récessifs. Les membres de la seconde génération qui ont le phénotype en question doivent aussi être hétérozygotes parce qu'ils sont le produit de croisements *Pp* × *pp*. La troisième génération de ce lignage compte deux sœurs. Celle qui présente le phénotype dominant peut être soit homozygote (*PP*), soit hétérozygote (*Pp*), étant donné ce que nous savons du génotype de ses parents (tous deux sont *Pp*).

La **figure 14.15b** montre le lignage de la même famille, mais cette fois au regard du phénotype correspondant à la capacité à goûter le phénylthiocarbamide (PTC), une substance chimique. Des composés comparables au PTC, que l'on trouve dans le brocoli, les choux de Bruxelles et les légumes apparentés, sont responsables du goût amer que perçoivent certaines personnes lorsqu'elles mangent ce type d'aliments. Nous emploierons les symboles *g* pour l'allèle récessif et *G* pour l'allèle dominant (capacité à goûter le PTC). En étudiant le lignage, notez que vous pouvez indiquer les génotypes de la plupart des membres de la famille en vous servant de la génétique mendélienne.

Le lignage joue un rôle important dans la mesure où il nous permet de calculer la probabilité qu'un enfant ait un génotype et un phénotype particuliers. Supposons que le couple de la deuxième génération de la figure 14.15 décide d'avoir un autre enfant. Quelle est la probabilité que ce dernier hérite du phénotype de la pousse de cheveux en V sur le front? Il s'agit ici d'un croisement monohybride de la génération F_1 (*Pp* × *Pp*); par conséquent, la probabilité que l'enfant qui en est issu hérite d'un allèle dominant et possède une pousse de cheveux en V sur le front est de ¾ (¼ *PP* + ½ *Pp*). Quelle est la probabilité qu'un enfant de ce même couple soit incapable de goûter le PTC? Il s'agit, là encore, d'un croisement monohybride (*Gg* × *Gg*). Cependant, cette fois-ci, nous voulons connaître la probabilité que l'enfant soit homozygote récessif (*gg*). Cette probabilité est de ¼. Enfin, quelle est la probabilité qu'un enfant de ce couple ait à la fois des cheveux qui poussent en V sur le front *et* qu'il soit incapable de goûter le PTC? Si on suppose que les gènes de ces deux caractères sont situés sur des chromosomes différents, l'assortiment des deux paires d'allèles sera indépendant dans ce croisement dihybride (*PpGg* × *PpGg*). Par conséquent, nous pouvons appliquer la règle de la multiplication pour répondre

▼ Figure 14.15 L'analyse d'un lignage. Chacun de ces lignages d'une même famille montre les occurrences d'un caractère pendant trois générations. Les deux caractères ont des modèles d'hérédité différents, comme le montre l'analyse des lignages. (*Remarque:* Même si la plupart des caractères ne sont pas déterminés par un seul gène, on convient généralement que c'est le cas pour les deux caractères étudiés ici.)

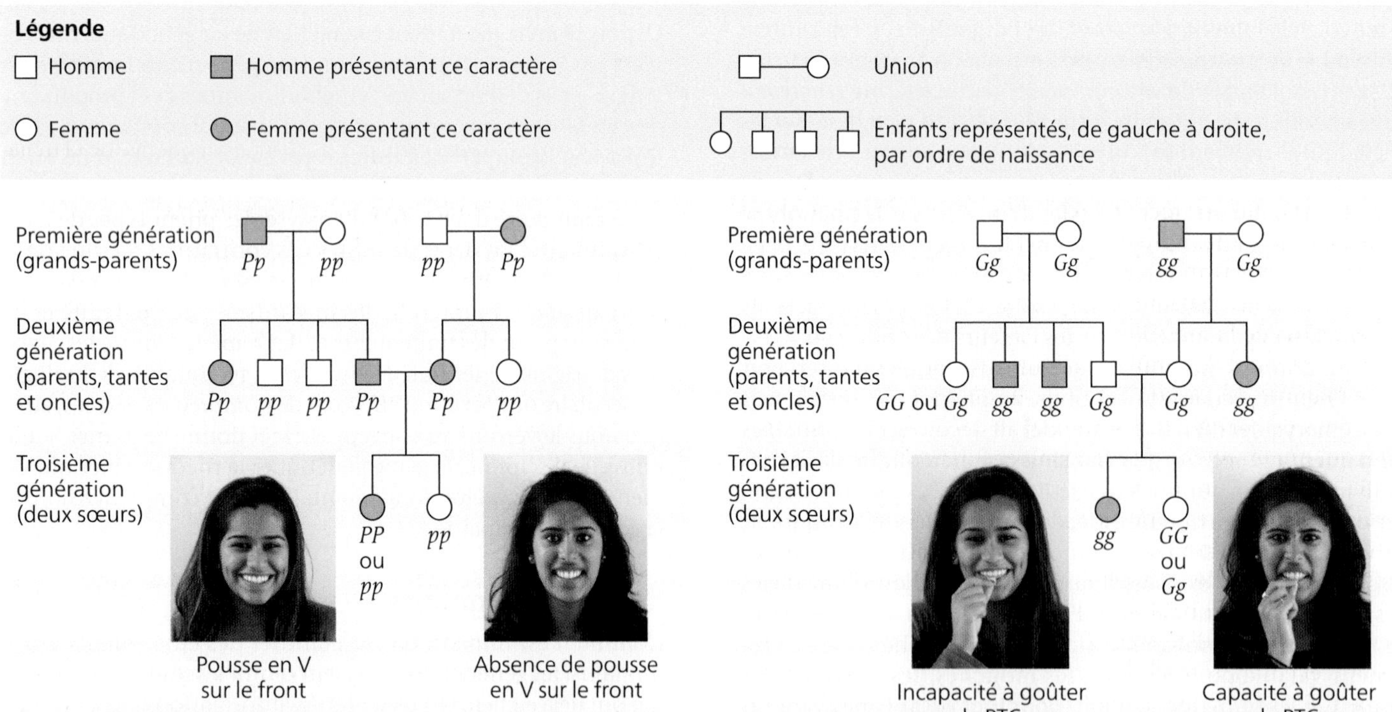

(a) La pousse de cheveux en V sur le front est-elle un caractère dominant ou récessif?

Indices pour l'analyse d'un lignage: Notez que la cadette de la troisième génération ne présente pas ce caractère, contrairement à ses deux parents. Un tel modèle d'hérédité semble indiquer que le caractère est dû à un allèle dominant. S'il avait été le produit d'un allèle *récessif* (absence de pousse en V sur le front) et s'il avait été présent chez les deux parents, il aurait dû être présent chez *tous* leurs enfants.

(b) L'incapacité à goûter le PTC, une substance chimique est-elle un caractère dominant ou récessif?

Indices pour l'analyse d'un lignage: Notez que l'aînée des filles de la troisième génération présente ce caractère (incapacité à goûter le PTC), qui n'est présent chez aucun de ses parents (ils *peuvent* tous deux goûter le PTC). Cela s'explique facilement si on suppose que le phénotype de l'incapacité à goûter le PTC est due à un allèle récessif. S'il était le produit d'un allèle *dominant*, il aurait été présent chez au moins un des parents.

à la question: ¾ (soit la probabilité que les cheveux poussent en V sur le front) × ¼ (la probabilité d'une incapacité à goûter le PTC) = 3⁄16 (la probabilité d'avoir des cheveux poussant en V sur le front *et* une incapacité à goûter le PTC).

L'examen de lignages peut servir à des fins beaucoup plus sérieuses lorsque les allèles analysés sont à l'origine de maladies héréditaires incapacitantes ou mortelles, plutôt que des variantes sans gravité telles que la configuration de la ligne d'implantation de la chevelure ou l'incapacité de goûter une substance chimique inoffensive. Cependant, les mêmes techniques d'analyse de lignages s'appliquent dans le cas des maladies transmises comme caractéristiques mendéliennes simples.

Les maladies héréditaires récessives

On connaît plusieurs milliers de maladies héréditaires récessives. Certaines sont relativement peu dangereuses, comme l'albinisme, marqué par l'absence de pigmentation cutanée, par une susceptibilité aux cancers de la peau et par des problèmes de vision, alors que d'autres sont mortelles à plus ou moins brève échéance, comme la fibrose kystique.

Le comportement des allèles récessifs

Comment explique-t-on que les allèles responsables de ces affections soient récessifs? Souvenez-vous que les gènes codent pour des protéines aux fonctions spécifiques. Un allèle (appelons-le allèle *a*) à la source d'une affection génétique code pour une protéine défectueuse, ou encore ne code pour aucune protéine. Dans le cas des maladies récessives, les hétérozygotes (*Aa*) ont un phénotype généralement normal, parce qu'une seule copie de leur allèle normal (*A*) produit la protéine fonctionnelle en quantité suffisante pour qu'ils ne soient pas malades. Par conséquent, ce type d'affection n'apparaît que chez les individus homozygotes (*aa*), qui ont reçu un allèle récessif de chacun de leurs parents. Bien que leur phénotype soit normal, les hétérozygotes peuvent transmettre l'allèle récessif à leurs enfants sans souffrir eux-mêmes de la maladie: c'est pourquoi ils sont appelés **porteurs sains** de la maladie. La **figure 14.16** illustre ce phénomène en prenant l'exemple de l'albinisme.

▼ Figure 14.16 L'albinisme: un caractère récessif. L'une des deux sœurs présente une coloration normale; l'autre est albinos. La plupart des homozygotes récessifs sont issus de parents qui sont des porteurs sains de la maladie, mais qui ont eux-mêmes un phénotype normal, comme le cas illustré ici dans la grille de Punnett.

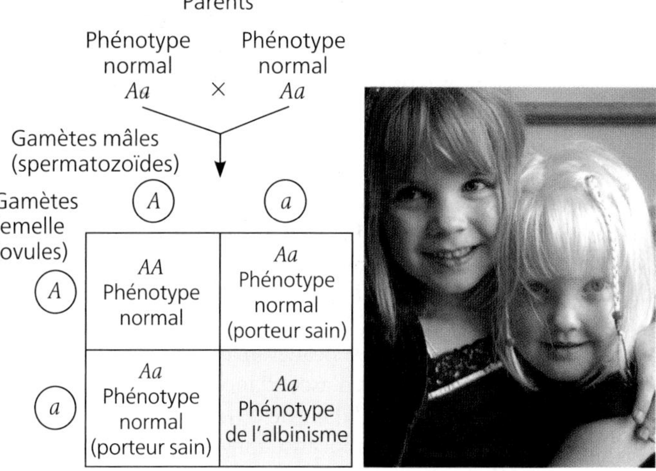

? Quelle est la probabilité que la sœur qui présente une coloration normale soit porteuse saine de l'allèle de l'albinisme?

La majorité des personnes atteintes d'une maladie récessive sont nées de parents qui sont tous deux des porteurs sains, mais qui ont un phénotype normal, comme dans le cas illustré par la grille de Punnett à la figure 14.16. L'union entre deux porteurs sains correspond à un croisement homozygote mendélien de génération F_1, de sorte que la proportion des génotypes des enfants de cette génération est de 1 *AA*:2 *Aa*:1 *aa*. Par conséquent, la probabilité que chaque enfant reçoive deux exemplaires de l'allèle récessif est de ¼; dans le cas de l'albinisme, cet enfant sera albinos. D'après ce rapport génotypique, on peut également constater que deux bébés sur trois ayant un phénotype *normal* (un *AA* plus deux *Aa*) risquent d'être des porteurs sains hétérozygotes, soit une probabilité de ⅔. Des homozygotes récessifs pourraient aussi naître de croisements *Aa* × *aa* ou *aa* × *aa*. Cependant, si la maladie en question est létale – c'est-à-dire si elle entraîne la mort – avant l'âge de la maturité sexuelle ou si elle provoque la stérilité, aucun individu *aa* n'aura de descendants (ce qui n'est pas le cas de l'albinisme). De toute manière, même s'ils sont en mesure de se reproduire, les individus homozygotes récessifs constituent un pourcentage beaucoup plus faible de la population que les porteurs sains hétérozygotes (nous verrons pour quelles raisons au concept 23.2).

Généralement, une maladie génétique n'est pas répartie uniformément entre les populations humaines. Par exemple, l'incidence de la maladie de Tay-Sachs, dont nous avons déjà décrit les effets dans ce chapitre, est proportionnellement très élevée chez les Juifs ashkénazes, dont les ancêtres vivaient en Europe centrale. Dans cette population, la fréquence de la maladie est de 1 sur 3 600 naissances, rapport qui est environ 100 fois plus élevé que chez les non-Juifs et les Juifs des pays méditerranéens (séfarades). Cet écart s'explique par les différences qui ont marqué l'histoire génétique des peuples avant l'ère technologique, à des époques où les populations étaient géographiquement, donc génétiquement, plus isolées.

Il y a peu de chances que deux porteurs sains du même allèle récessif rare et nocif se rencontrent et s'unissent. Cependant, la probabilité de transmission de caractères récessifs augmente fortement si deux parents proches (par exemple, un frère et une sœur ou des cousins germains) forment un couple. Il est en effet plus probable de retrouver les mêmes allèles récessifs chez des individus ayant des ancêtres récents communs que chez des individus sans aucun lien de parenté. Aussi, il est plus probable que des enfants issus d'une union consanguine («même sang»), représentée par des traits doubles dans les lignages, soient homozygotes pour un caractère récessif (y compris pour un caractère nocif). On peut observer de telles conséquences de la fécondation consanguine chez de nombreux animaux domestiqués par l'humain ou vivant dans des jardins zoologiques.

Dans quelle mesure la consanguinité humaine augmente-t-elle les risques de maladies génétiques? Même s'ils conviennent généralement que l'incidence des maladies à transmission autosomique récessive est plus élevée au sein des unions consanguines, comparativement aux couples formés d'individus sans aucun lien de parenté, les généticiens ne s'entendent pas sur cette question. D'abord, il faut savoir que de nombreux allèles nocifs produisent des effets si graves que des femmes portant un embryon homozygote avortent spontanément, bien avant terme. Néanmoins, la plupart des sociétés et des civilisations ont des lois et des tabous interdisant les mariages entre proches parents. Ces règles sont probablement le résultat de la constatation empirique que, dans la plupart des populations, les couples formés de proches parents courent un risque plus élevé que les autres d'avoir des enfants mort-nés ou souffrant d'anomalies congénitales. Bien sûr, des facteurs sociaux et économiques ont aussi influé sur l'apparition de coutumes et de lois prohibant les mariages consanguins.

La fibrose kystique

La maladie héréditaire létale la plus répandue dans la population caucasienne est la **fibrose kystique**, ou mucoviscidose : au Canada, 1 nouveau-né sur 3 600 en est atteint (1 sur 4 500 en France). Elle frappe surtout les personnes d'ascendance européenne (1 sur 2 600), et elle est beaucoup plus rare chez les autres groupes. Parmi les personnes d'ascendance européenne, 1 sur 25 (4 %) est un porteur sain de l'allèle de cette maladie. L'allèle normal du gène en cause, qui est localisé sur le chromosome 7, code pour une protéine membranaire qui assure le transport des ions chlorure vers l'extérieur des cellules. Or, chez les enfants qui ont reçu deux allèles récessifs causant la fibrose kystique, les pompes à chlorure sont déficientes ou absentes des membranes plasmiques. Conséquemment, la quantité d'ions chlorure présente dans les cellules augmente, ce qui accroît l'absorption par osmose de l'eau provenant du mucus qui les recouvre. Comme la quantité d'eau demeure plus grande à l'intérieur de la cellule, le mucus devient plus visqueux et s'écoule moins bien. À la longue, il s'épaissit et s'accumule dans le pancréas, les poumons, le tube digestif et d'autres organes. Apparaissent alors des effets multiples (pléiotropiques), dont une mauvaise absorption des aliments par les intestins, une bronchite chronique et des infections bactériennes à répétition.

En l'absence de traitement, la plupart des enfants atteints de fibrose kystique meurent avant l'âge de cinq ans. On peut prolonger leur vie à l'aide de doses quotidiennes d'antibiotiques permettant d'enrayer les infections, de percussions thoraciques servant à déloger le mucus de leurs voies respiratoires et aussi d'autres traitements. Actuellement, près de 80 % des personnes atteintes de fibrose kystique atteignent l'âge adulte en Amérique du Nord et en Europe.

L'anémie à hématies falciformes : une maladie génétique avec des répercussions évolutives

ÉVOLUTION L'**anémie à hématies falciformes**, ou drépanocytose, est de loin la maladie héréditaire la plus répandue chez les personnes d'ascendance africaine. Elle touche 1 Afro-Américain sur 400. Elle est due à la substitution d'un seul acide aminé sur les 574 que contient l'hémoglobine (protéine des érythrocytes ; voir la figure 5.19 pour les détails de cette variation). Chez les individus homozygotes, toutes les molécules d'hémoglobine sont de la variété falciforme (anormale). Chez une personne atteinte, lorsque la teneur du sang en molécules d'oxygène (O_2) est faible (à haute altitude ou en cas d'effort physique, par exemple), les molécules d'hémoglobine se regroupent et se cristallisent sous forme de longues fibres. Ces cristaux déforment les érythrocytes, qui ressemblent alors à des faucilles – d'où le qualificatif falciforme (**figure 14.17**). Les érythrocytes falciformes peuvent s'agglomérer et obstruer de petits vaisseaux sanguins,

▼ **Figure 14.17 L'anémie à hématies falciformes et le trait drépanocytaire.**

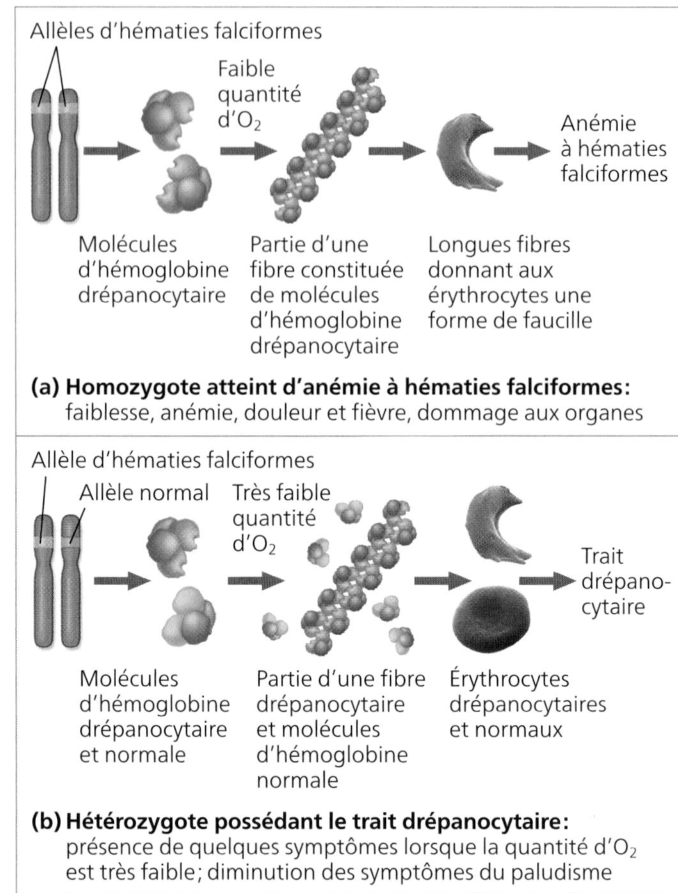

déclenchant ainsi une avalanche de symptômes dans tout l'organisme : faiblesse physique, douleurs, dommages aux organes et même accident vasculaire cérébral (AVC) et paralysie. Chez les enfants victimes d'anémie à hématies falciformes, on effectue des transfusions sanguines à intervalles réguliers afin de prévenir les lésions cérébrales. Certains nouveaux médicaments permettent de soulager ou de prévenir en partie d'autres problèmes. À l'heure actuelle, aucun traitement permettant d'éradiquer la maladie n'est offert à grande échelle. La maladie fait toutefois l'objet d'études visant à mettre au point une thérapie génique.

Bien que deux allèles d'hématies falciformes soient nécessaires pour qu'un individu présente une forme complète de la maladie et même si la maladie est considérée comme étant de nature récessive, la présence d'un allèle peut influer sur le phénotype. Par conséquent, l'allèle normal qui est la contrepartie de l'allèle de l'anémie à hématies falciformes ne domine pas complètement ce dernier au niveau de l'organisme. Au niveau moléculaire, les deux allèles sont exprimés, de sorte qu'il y a production simultanément d'hémoglobine normale et production d'hémoglobine anormale (hématies falciformes) chez les hétérozygotes (porteurs d'un allèle de l'anémie à hématies falciformes). Les hétérozygotes sont habituellement sains, mais certains présentent plusieurs symptômes typiques de la maladie lorsque la quantité d'O_2 véhiculée dans leur sang diminue durant une longue période.

Environ 1 Afro-Américain sur 10 est un porteur du gène de l'anémie à hématies falciformes. Il s'agit d'un taux exceptionnellement élevé d'hétérozygotes pour un caractère qui a des effets aussi graves chez les homozygotes. Pourquoi les processus de l'évolution n'ont-ils pas réussi à faire disparaître cet allèle chez cette population ? En fait, la présence d'un seul allèle de la maladie constituerait un avantage pour le porteur, dans la mesure où elle réduit la fréquence et la gravité du paludisme (malaria), notamment chez les jeunes enfants. Le parasite du paludisme passe une partie de son cycle de développement dans les érythrocytes (voir la figure 28.16). Or, ces derniers sont fragilisés par la présence du type d'hémoglobine propre à l'anémie à hématies falciformes, même à l'état hétérozygote. Cette situation contribue à interrompre le cycle de vie du parasite. Dans les régions tropicales d'Afrique où le paludisme est répandu, l'allèle des hématies falciformes confère donc un avantage aux hétérozygotes, même s'il est nocif à l'état homozygote. (Nous traiterons de l'équilibre entre ces deux effets au concept 23.4 ; voir la figure 23.18, rubrique Faites des liens.) La fréquence relativement élevée de l'allèle des hématies falciformes chez les Afro-Américains est un vestige de l'origine africaine de ces derniers.

Les maladies héréditaires dominantes

Bien que la plupart des allèles nocifs soient récessifs, de nombreuses maladies humaines sont dues à des allèles dominants ; c'est le cas, par exemple, de l'*achondroplasie*, une forme de nanisme qui affecte environ 1 personne sur 25 000 dans le monde. Les individus hétérozygotes présentent donc un phénotype de nain (**figure 14.18**). Inversement, tous ceux qui ne sont pas atteints d'achondroplasie – soit 99,99 % de la population – sont homozygotes pour l'allèle récessif. (Le génotype homozygote dominant, quant à lui, semble létal.) À l'instar de la présence de doigts ou d'orteils surnuméraires, que nous avons mentionnée plus haut, l'achondroplasie est rare parce que l'allèle récessif est beaucoup plus répandu que l'allèle dominant correspondant.

▼ **Figure 14.18 L'achondroplasie : un caractère dominant.** Le Dr Michael C. Ain est atteint d'achondroplasie, une forme de nanisme causée par un allèle dominant. Cette maladie l'a influencé dans son travail : il est spécialiste de la réparation des déficits osseux causés par l'achondroplasie et d'autres maladies. L'allèle dominant (*N*) a pu être le résultat d'une mutation dans l'ovocyte ou le spermatozoïde d'un parent (dans le cas de l'achondroplasie, le taux de mutation dans les gamètes parentaux est très élevé, soit de l'ordre de 80 %) ou être transmis par un parent souffrant de la maladie, comme on le voit pour un père atteint de la maladie dans la grille de Punnett.

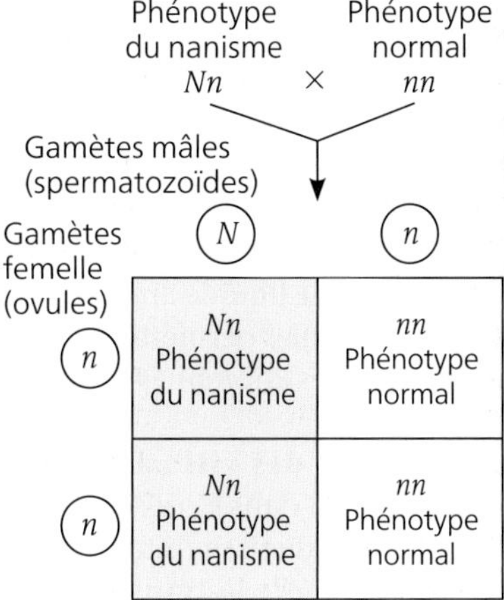

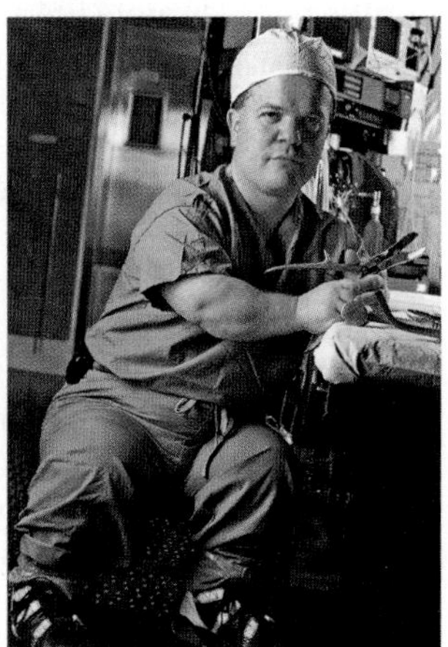

Contrairement à l'achondroplasie, qui est relativement bénigne, d'autres maladies causées par des allèles dominants sont mortelles. Ces allèles dominants létaux sont beaucoup moins répandus que les allèles récessifs létaux. De plus, les allèles récessifs létaux ne sont mortels que chez les homozygotes. Un allèle récessif létal peut être transmis de génération en génération par des porteurs sains hétérozygotes, parce que ces porteurs ont des phénotypes normaux. Cependant, un allèle dominant létal cause souvent la mort de l'individu qui le porte avant même que celui-ci atteigne la maturité sexuelle et puisse procréer. Le cas échéant, cet allèle n'est pas transmis aux générations suivantes.

Lorsque les symptômes d'une maladie mortelle apparaissent seulement après l'âge de la maturité sexuelle, c'est-à-dire chez un individu apte à procréer, celui-ci peut transmettre à sa descendance un allèle dominant létal. Dans ce cas, il est possible que l'individu ait déjà transmis l'allèle dominant létal à ses enfants. C'est le cas de la **maladie de Huntington** (ou chorée de Huntington), qui touche 1 individu sur 10 000 dans le monde. Cette maladie dégénérative du système nerveux est due à un allèle dominant létal dont les effets phénotypiques ne se manifestent pas de façon évidente avant l'âge de 35 à 45 ans. Lorsqu'elle débute, la détérioration du système nerveux est malheureusement irréversible, et la mort est inéluctable. Comme pour les autres caractères dominants, la probabilité qu'un individu né d'un père ou d'une mère portant l'allèle de la maladie de Huntington présente lui-même cet allèle est de ½ (voir la grille de Punnett à la figure 14.18).

Auparavant, il fallait attendre l'apparition des premiers symptômes pour savoir si une personne avait effectivement reçu l'allèle de la maladie de Huntington. Tel n'est plus le cas depuis que l'analyse d'échantillons d'ADN provenant des membres d'un groupe comptant plusieurs familles apparentées, et dans lesquelles la maladie présentait une forte incidence, a permis de déceler l'allèle de la maladie de Huntington. On sait désormais que cet allèle est situé sur un locus près de l'extrémité du chromosome 4 : le gène a été séquencé en 1993. Cette découverte a permis de mettre au point des tests pour détecter la présence de cet allèle dans le génome d'un individu. (Nous verrons aux concepts 20.1 et 20.4 les techniques sur lesquelles reposent ces tests.) L'existence de tests de détection pour la maladie de Huntington pose toutefois un terrible dilemme aux personnes dont la famille a déjà été touchée par cette maladie. Certains voudront faire le test avant de décider d'avoir des enfants, alors que d'autres trouveront trop angoissante l'idée de se savoir atteints.

Les maladies multifactorielles

On qualifie parfois les maladies héréditaires dont nous avons parlé jusqu'ici de maladies mendéliennes simples, parce qu'elles sont dues à l'anomalie de l'un ou des deux allèles sur un seul locus. Il existe un bien plus grand nombre d'affections dont les causes sont multifactorielles ; il s'agit, en d'autres termes, de maladies résultant à la fois de la présence d'une composante génétique et d'une influence significative du milieu. Les maladies multifactorielles comprennent notamment les troubles cardiaques, le diabète, le cancer, l'alcoolisme et certaines formes de maladies mentales, telles que la schizophrénie et le trouble bipolaire. Dans de tels cas, la composante héréditaire est polygénique. Par exemple, de nombreux gènes influent sur l'état de notre système cardiovasculaire, ce qui augmente les risques que certains d'entre nous aient une crise cardiaque ou un AVC. Mais, peu importe notre génotype, notre mode de vie joue un rôle important. L'exercice physique, une alimentation saine, l'abstinence de consommation de tabac et la capacité de s'adapter aux situations stressantes sont autant de facteurs qui diminuent les risques de souffrir d'une maladie cardiaque ou de certains types de cancer.

Les outils de dépistage et de conseil génétique

Il est possible d'éviter certaines maladies génétiques en évaluant le risque avant même de concevoir un bébé ou au cours des premiers stades de la grossesse. De nombreux hôpitaux proposent aux futurs parents les services de conseillers génétiques capables de les renseigner au cas où une maladie présente dans leur famille leur inspirerait des inquiétudes. Des examens fœtaux ou néonataux permettent également de déceler certaines maladies génétiques.

La génétique mendélienne et les règles de probabilité sont le fondement du conseil génétique

Prenons l'exemple de Jean et Carole, un couple imaginaire: ils ont chacun un frère qui est mort de la même maladie héréditaire récessive. Avant de concevoir un premier enfant, ils souhaitent consulter un conseiller génétique, afin de déterminer les risques que leur enfant soit atteint de la maladie. À partir des renseignements concernant leurs frères, nous pouvons déduire que les deux parents de Carole et les deux parents de Jean sont des porteurs sains de l'allèle récessif. Carole et Jean sont donc issus de croisements de *Aa* et *Aa*, où *a* représente l'allèle de la maladie en question. Nous savons également qu'aucun des deux n'est un homozygote récessif (*aa*), puisqu'ils ne présentent aucun symptôme. Leurs génotypes sont donc soit *AA*, soit *Aa*.

Le rapport des génotypes des descendants d'un croisement *Aa* × *Aa* étant de 1 *AA*:2 *Aa*:1 *aa*, la probabilité que Jean et Carole soient tous deux des porteurs sains (*Aa*) est de ⅔. Selon la règle de la multiplication, la probabilité que leur premier enfant soit atteint de la maladie est de ⅔ (la probabilité que Jean soit un porteur sain) × ⅔ (la probabilité que Carole soit une porteuse saine) × ¼ (la probabilité que l'enfant de deux porteurs sains soit un homozygote récessif) = ⅑. Supposons que Carole et Jean décident d'avoir un enfant – après tout, il y a huit chances sur neuf qu'il soit normal. Si, en dépit des probabilités, celui-ci souffre de la maladie en question, nous savons désormais que Jean et Carole sont *tous deux* des porteurs sains, et nous connaissons leur génotype (*Aa*). Puisqu'ils sont des porteurs sains, Jean et Carole savent que, s'ils décident d'avoir un autre bébé, la probabilité que ce dernier soit atteint de la maladie est de ¼. La probabilité est plus élevée pour un enfant subséquent parce que le diagnostic de la maladie chez le premier enfant permet d'établir que les deux parents sont des porteurs sains, et non pas parce que le génotype du premier enfant influe d'une façon quelconque sur celui d'un autre enfant à venir.

Lorsqu'on se sert des lois de Mendel pour prévoir les résultats possibles d'une union, il ne faut pas oublier que chaque enfant est le résultat d'un événement indépendant, c'est-à-dire que son génotype ne subit pas l'influence des génotypes de ses frères et sœurs plus âgés. Supposons que Jean et Carole donnent naissance à trois autres enfants, et que *tous* aient la maladie héréditaire hypothétique. La probabilité d'un tel résultat est de 1 sur 64 (soit ¼ × ¼ × ¼). Malgré cette malchance persistante, la probabilité qu'un cinquième bébé soit atteint sera encore de ¼.

Les tests de dépistage des porteurs sains

La plupart des enfants souffrant de maladies récessives naissent de parents au phénotype normal. Il est donc possible d'évaluer avec plus de précision le risque génétique lié à une affection donnée en déterminant si de futurs parents sont des porteurs sains d'un allèle récessif. On dispose désormais de tests permettant de déterminer si un individu au phénotype normal est homozygote dominant ou porteur sain hétérozygote pour un nombre croissant de maladies héréditaires. À titre d'exemple, citons ceux qui permettent de dépister les porteurs sains des allèles de la maladie de Tay-Sachs, de l'anémie à hématies falciformes et de la forme la plus répandue de la fibrose kystique. Un programme de dépistage destiné aux porteurs de la maladie de Tay-Sachs a été instauré dans les années 1980, et il a permis de diminuer le nombre d'enfants nés avec la maladie.

Ces tests permettent aux individus ayant des antécédents familiaux de maladies génétiques de prendre des décisions éclairées s'ils désirent avoir des enfants, notamment en effectuant un test génétique sur le fœtus. Ces méthodes de dépistage génétique soulèvent toutefois d'autres questions. Les porteurs sains se verront-ils refuser une assurance maladie ou une assurance vie, ou perdront-ils leur emploi qui leur procure ces avantages, bien qu'ils soient eux-mêmes en bonne santé? La législation sur le transfert des renseignements génétiques, dans les pays où elle existe, peut dissiper ces inquiétudes en défendant la discrimination dans l'emploi ou la couverture d'assurance sur la base de résultats de tests génétiques. Une question demeure: y aura-t-il assez de conseillers génétiques pour aider les nombreux individus qui se soumettent à des tests à en comprendre les résultats? Et même si les résultats sont bien compris, les individus atteints risquent de faire face à des décisions difficiles. Les progrès en biotechnologie permettront peut-être de réduire la souffrance humaine, mais il est impératif d'apporter des réponses à des questions fondamentales d'ordre éthique d'abord.

Le diagnostic prénatal

Supposons qu'un homme et une femme en attente d'un enfant apprennent qu'ils sont tous deux des porteurs sains de la maladie de Tay-Sachs. Parmi les tests permettant de déterminer si le fœtus est atteint de la maladie, on compte l'**amniocentèse**, un examen qu'il est possible de réaliser dès la 15e semaine de grossesse (**figure 14.19a**). Cette technique consiste à insérer une aiguille dans la cavité utérine et à franchir l'amnios (la membrane extraembryonnaire la plus externe). Le médecin qui effectue le test extrait ensuite de la cavité amniotique environ 10 mL du liquide dans lequel baigne le fœtus. Il est possible de détecter certaines maladies génétiques grâce à la présence de molécules dans le liquide amniotique. Des tests pour détecter d'autres maladies, y compris la maladie de Tay-Sachs, sont effectués sur l'ADN de cellules fœtales contenues dans le liquide amniotique et mises en culture en laboratoire. Ces cellules permettent d'établir le caryotype et de déterminer certaines anomalies chromosomiques (voir la figure 13.3).

Une autre technique appelée **biopsie des villosités choriales** consiste à insérer un tube mince dans l'utérus par le col utérin et à aspirer une petite quantité de tissu fœtal en provenance du placenta, cet organe qui assure le transport des nutriments et des déchets entre le fœtus et la mère (**figure 14.19b**). Les cellules des villosités choriales, où l'échantillon a été prélevé, proviennent du fœtus; elles ont donc le même génotype et les mêmes séquences d'ADN que celui-ci. Ces cellules prolifèrent assez rapidement pour permettre d'établir immédiatement un caryotype. Cette méthode rapide présente l'avantage de donner des résultats plus tôt que l'amniocentèse (celle-ci nécessite de cultiver les cellules pendant plusieurs semaines avant de pouvoir dresser un caryotype). Par ailleurs, on peut réaliser une biopsie des villosités choriales dès la 10e semaine de grossesse.

Des scientifiques ont également mis au point des méthodes d'isolement des cellules fœtales qui se sont échappées dans le sang de la mère. Bien que ces cellules soient peu nombreuses, il est possible de les cultiver pour effectuer des tests, et d'analyser l'ADN fœtal. En 2012, des chercheurs sont parvenus à analyser l'ensemble du génome d'un fœtus en comparant les séquences d'ADN d'échantillons prélevés chez les deux parents et l'ADN fœtal circulant dans le sang de la mère. En tant que méthodes d'analyse prénatale non invasives, on a de plus en plus souvent recours à l'analyse de l'ADN fœtal libre et à d'autres types d'analyses sanguines pour dépister certaines maladies génétiques. L'obtention d'un résultat positif indique aux parents qu'il conviendrait d'entreprendre des tests diagnostiques plus approfondis, comme une amniocentèse ou une biopsie des villosités choriales.

Les techniques d'imagerie médicale permettent au médecin d'examiner directement le fœtus pour détecter la présence d'anomalies anatomiques graves qui pourraient ne pas être mises en évidence par les tests génétiques. L'*échographie*, par exemple, est un procédé simple et non invasif qui utilise des ultrasons pour produire une image du fœtus à partir de la réflexion des ondes sonores.

Les ultrasons et l'isolation de cellules ou d'ADN fœtaux du sang de la mère ne comportent aucun risque connu pour la mère et le fœtus; les autres méthodes entraînent parfois des complications, mais dans un faible pourcentage de cas (telles une hémorragie chez la mère ou la mort du fœtus, dans environ 0,5 % des cas pour l'amniocentèse, 1 % des cas pour la biopsie des villosités choriales et jusqu'à 5 % des cas pour la fœtoscopie). Les tests de dépistage par amniocentèse ou biopsie des villosités choriales ne sont généralement offerts qu'aux femmes âgées de plus de 35 ans en raison du risque accru pour elles de donner naissance à un enfant atteint du syndrome de Down (trisomie 21). Ces tests peuvent également être proposés à des femmes plus jeunes s'il existe des problèmes connus. Quand un diagnostic prénatal révèle une maladie grave, comme la maladie de Tay-Sachs, les parents doivent prendre une décision difficile : soit mettre fin à la grossesse, soit se préparer à prendre soin d'un enfant atteint d'une maladie génétique qui, dans certains cas, peut même s'avérer mortelle. Depuis les années 1980, le dépistage des allèles de la maladie de Tay-Sachs effectué tant chez les parents que chez le fœtus a permis de diminuer de 90 % le nombre d'enfants nés avec cette maladie incurable. En 2008, le gouvernement chinois a instauré un programme de dépistage

▼ **Figure 14.19 Les tests de dépistage de maladies héréditaires chez un fœtus.** Des tests biochimiques permettent de détecter la présence de substances associées à des maladies particulières, et les tests génétiques sont utiles pour déceler de nombreuses anomalies. Le caryotype permet de voir si l'apparence des chromosomes et leur nombre sont normaux.

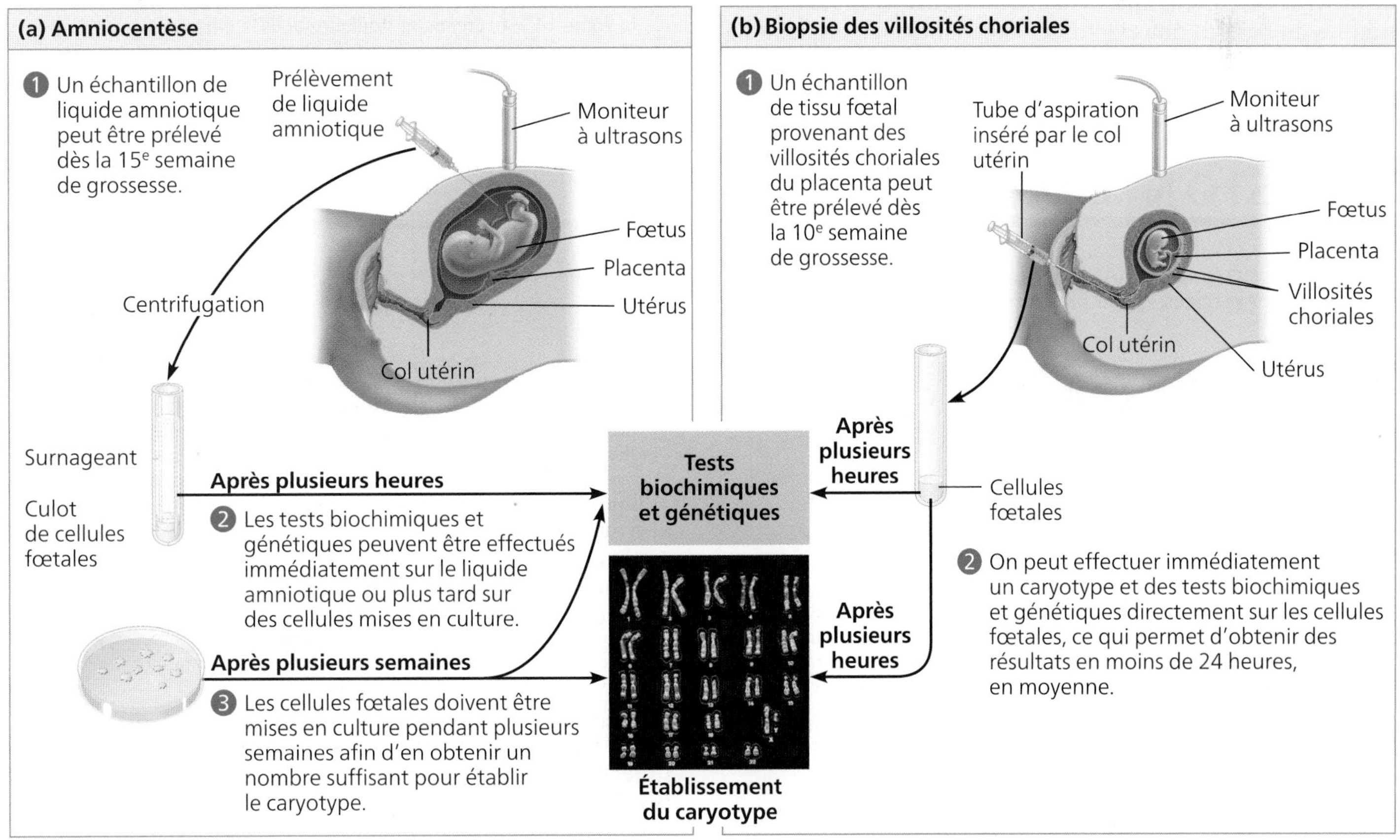

fœtal visant à déceler la bêta-thalassémie, une maladie génétique du sang dont les conséquences sont graves. Ce programme a permis de réduire l'incidence de cette maladie, qui est passée de 21 nouveau-nés sur 1 000 en 2008 à un peu moins de 13 nouveau-nés sur 1 000 en 2011.

Le dépistage chez les nouveau-nés

Il est possible de détecter certaines maladies génétiques dès la naissance au moyen de tests biochimiques simples effectués régulièrement dans les hôpitaux. L'un des programmes de dépistage concerne la phénylcétonurie (PCU), une maladie héréditaire récessive qui frappe environ 1 nouveau-né sur 12 000 en Amérique du Nord et 1 sur 17 000 en France. La phénylalanine est un acide aminé essentiel (l'organisme ne peut le produire lui-même et doit l'absorber dans l'alimentation) que les enfants atteints de phénylcétonurie ne peuvent dégrader en tyrosine. S'ils ne sont pas dégradés, la phénylalanine ainsi que son dérivé, l'acide phénylpyruvique, peuvent s'accumuler au point d'atteindre des concentrations toxiques dans le sang et d'entraîner une déficience intellectuelle (retard mental) grave. Toutefois, le dépistage de cette affection chez le nouveau-né permet de prévenir les conséquences de la maladie. Il s'agit de soumettre l'enfant à un régime spécial à faible teneur en phénylalanine pendant les premières années de son développement. (Parmi de nombreuses autres substances, ce régime exclut l'aspartame, un édulcorant artificiel qui contient de la phénylalanine.) Malheureusement, à l'heure actuelle, on ne sait traiter qu'un petit nombre de maladies génétiques.

Le dépistage de maladies héréditaires graves chez les fœtus et les nouveau-nés, les tests pour le dépistage des porteurs sains et les services de conseillers génétiques reposent tous sur le modèle mendélien de l'hérédité. La notion de gène (le concept de facteurs héréditaires particulaires transmis selon les règles simples du hasard) nous vient des expériences remarquables de Gregor Mendel. La plupart des biologistes n'ont apparemment compris l'importance de ses découvertes qu'au début du 20e siècle, des décennies après la publication des résultats de ses expériences. Dans le chapitre suivant, nous verrons que les lois de Mendel s'expliquent par le comportement physique des chromosomes dans les cycles de développement sexués, et nous apprendrons comment la synthèse de la génétique mendélienne et de la théorie chromosomique de l'hérédité a catalysé les progrès de la génétique.

RETOUR SUR LE CONCEPT 14.4

1. Élisabeth et Thomas ont chacun un frère ou une sœur atteint de fibrose kystique, mais ni l'un ni l'autre, ni aucun de leurs parents, ne souffrent de la maladie. Si le couple donne naissance à un enfant, calculez la probabilité qu'il soit atteint de fibrose kystique. Quelle serait cette probabilité si un test révélait que Thomas est un porteur sain, mais qu'Élisabeth ne l'est pas? Expliquez vos réponses.
2. **FAITES DES LIENS ▶** Expliquez comment le remplacement d'un seul acide aminé dans l'hémoglobine provoque le regroupement des molécules d'hémoglobine sous forme de longs bâtonnets. (Reportez-vous aux figures 5.14, 5.18 et 5.19.)
3. À sa naissance, Johanne avait six orteils à chaque pied; ce caractère dominant est appelé polydactylie. Deux de ses cinq frères et sœurs et sa mère, mais pas son père, ont également des doigts surnuméraires. Quel est le génotype de Johanne pour le caractère déterminant le nombre de doigts ou d'orteils? Expliquez votre réponse. Utilisez les lettres *D* et *d* comme symboles des allèles de ce caractère.
4. **FAITES DES LIENS ▶** Dans le tableau 14.1, notez le rapport phénotypique du caractère dominant par rapport au caractère récessif dans la génération F_2 pour le croisement monohybride mettant en jeu la couleur des fleurs. Ensuite, déterminez le rapport phénotypique pour les descendants du couple de la deuxième génération dans la figure 14.15b. Comment expliquez-vous la différence entre les deux rapports?

Voir les réponses proposées à l'appendice A.

RÉVISION DU CHAPITRE 14

Consultez votre MANUEL NUMÉRIQUE, qui vous donne accès aux **animations**, aux **exercices** et à la plateforme d'**anatomie interactive**.

Résumé des concepts clés

CONCEPT 14.1

Mendel a découvert les deux lois de l'hérédité en utilisant l'approche scientifique (p. 294 à 301)

- Gregor Mendel a formulé une théorie de l'hérédité fondée sur les résultats d'expériences effectuées sur des pois. Il a proposé que les parents transmettent à leurs descendants des unités héréditaires discontinues, les gènes, qui conservent leur identité d'une génération à l'autre. Cette théorie comporte deux « lois ».
- La **loi de la ségrégation** stipule que les gènes possèdent deux formes, ou **allèles**. Dans un organisme diploïde, les deux allèles d'un gène se séparent (ségrégation) durant la méiose et lors de la formation des gamètes; chaque gamète mâle ou femelle ne porte qu'un allèle de chaque paire. Mendel a proposé cette loi pour expliquer le rapport 3:1 des phénotypes de la génération F_2 qu'il a observé lors de l'autofécondation de **monohybrides**. Un organisme reçoit de son père un des deux allèles de chaque gène, et de sa mère, l'autre allèle. Chez les **hétérozygotes**, les deux allèles sont différents, et l'expression d'un **allèle dominant** masque l'effet de l'**allèle récessif**. Les individus **homozygotes** possèdent deux allèles identiques d'un gène donné et sont de **lignée pure**.
- La **loi de l'assortiment indépendant** stipule que les allèles d'une paire pour un gène donné se répartissent dans les gamètes indépendamment des allèles d'une paire pour un autre gène. Les descendants d'un croisement **dihybride** (individus hétérozygotes pour deux gènes) présentent quatre phénotypes dans un rapport de 9:3:3:1.

? Lorsque Mendel a effectué le croisement de pois de lignée pure à fleurs violettes et à fleurs blanches, le caractère des fleurs blanches a disparu de la génération F_1, mais il est réapparu à la génération F_2. Expliquez ce qui s'est produit à l'aide de termes de génétique.

CONCEPT 14.2

Les règles des probabilités régissent les lois de l'hérédité de Mendel (p. 301 à 303)

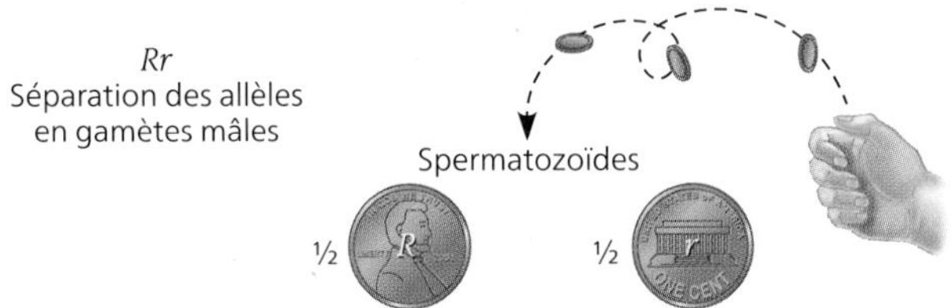

- La **règle de la multiplication** stipule que la probabilité de voir deux événements ou plus se manifester ensemble est égale au produit des probabilités de chacun des événements indépendants. La **règle de l'addition** stipule que la probabilité que se réalise un événement susceptible de se produire de deux façons indépendantes ou plus est égale à la somme des probabilités associées à chaque façon.
- On peut appliquer les règles de probabilité pour résoudre des problèmes de génétique complexes. Un croisement dihybride ou entre des parents différant par plusieurs caractères équivaut à au moins deux croisements monohybrides indépendants survenant simultanément. Lorsqu'on calcule les probabilités des divers génotypes de descendants issus de ces croisements, on étudie d'abord chaque caractère séparément, puis on multiplie les probabilités individuelles l'une par l'autre.

FAITES UN DESSIN ▶ Redessinez la grille de Punnett du côté droit de la figure 14.8 en deux grilles de Punnett monohybrides plus petites, une pour chaque gène. Sous chaque grille, énumérez les proportions de chaque phénotype produit. À l'aide de la règle de la multiplication, calculez la proportion globale de chaque phénotype dihybride possible. Quel est le rapport phénotypique global?

CONCEPT 14.3

Certains modèles d'hérédité sont plus complexes que ce que prédit la génétique de Mendel (p. 303 à 309)

- La généralisation des lois de la génétique mendélienne appliquées à un seul gène:

Relation entre les allèles d'un seul gène	Description	Exemple
Dominance complète d'un allèle	Le phénotype de l'hétérozygote est le même que celui de l'homozygote dominant.	*VV* *Vv*
Dominance incomplète de l'un ou l'autre allèle	Le phénotype hétérozygote est intermédiaire entre les deux phénotypes homozygotes.	C^RC^R C^RC^B C^BC^B
Codominance	Les deux phénotypes s'expriment chez les hétérozygotes.	I^AI^B
Allèles multiples	Dans la population entière, certains gènes ont plus de deux allèles.	Allèles des groupes sanguins du système ABO I^A, I^B, i
Pléiotropie	Un seul gène a un effet sur de nombreux caractères phénotypiques.	Anémie à hématies falciformes

- La généralisation des lois de la génétique mendélienne appliquées à deux ou à plusieurs gènes:

Relation entre deux gènes ou plus	Description	Exemple
Épistasie	L'expression phénotypique d'un gène influe sur celle d'un autre.	*EeNn* × *EeNn*; *EN*, *En*, *eN*, *en*; 9 : 3 : 4
Hérédité polygénique	Deux gènes ou plus ont un effet additif sur un même caractère phénotypique.	*AaBbCc* × *AaBbCc*

- Le milieu peut influer sur l'expression d'un génotype et ainsi créer une vaste gamme phénotypique. Les caractères polygéniques influencés par le milieu également sont dits multifactoriels.
- Le phénotype global d'un organisme – c'est-à-dire son apparence physique, son anatomie interne, sa physiologie et son comportement – résulte de l'ensemble de son génotype et de l'influence particulière de son milieu. Même dans des modèles d'hérédité plus complexes, les lois fondamentales de Mendel sur la ségrégation et l'assortiment indépendant s'appliquent toujours.

? Parmi les relations génétiques figurant dans la première colonne des deux tableaux ci-dessus, lesquelles sont démontrées par le modèle d'hérédité des allèles des groupes sanguins du système ABO? Pour chaque relation génétique, expliquez pourquoi le modèle d'hérédité est ou n'est pas un exemple.

CONCEPT 14.4

De nombreux caractères humains suivent les modèles mendéliens de l'hérédité (p. 309 à 316)

- On peut étudier les **lignages** de familles humaines pour déterminer les génotypes possibles de certaines personnes et prédire ceux de leur descendance. Ces prévisions se présentent habituellement sous la forme de probabilités statistiques, et non de certitudes.

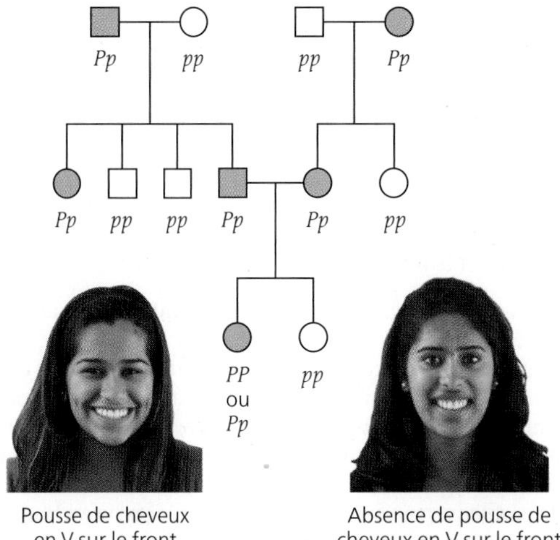

- De nombreuses maladies génétiques se perpétuent par l'intermédiaire d'un allèle récessif. La plupart des individus touchés (possédant un génotype homozygote récessif) sont les enfants de **porteurs sains** hétérozygotes, dont le phénotype est normal.
- La persistance de l'allèle des hématies falciformes a probablement des raisons évolutives. En effet, les homozygotes atteints d'anémie à hématies falciformes bénéficient tout de même d'un avantage, la présence d'un allèle drépanocytaire diminuant tant la fréquence que la gravité d'une crise de paludisme.

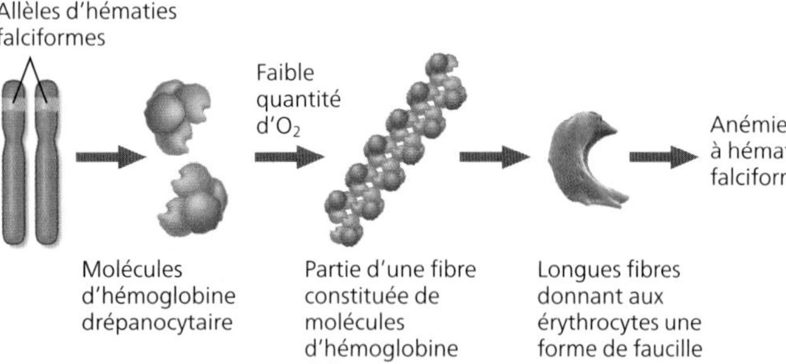

- Les allèles dominants létaux sont éliminés d'une population si les individus atteints meurent avant d'atteindre la maturité sexuelle. Les allèles dominants non létaux et les allèles dominants létaux qui n'entraînent la mort qu'à un âge relativement avancé sont transmis selon un modèle mendélien.
- De nombreuses maladies humaines sont multifactorielles, c'est-à-dire qu'elles possèdent des composantes génétiques et environnementales. Ces dernières ne suivent pas des modèles mendéliens simples.
- Les conseillers génétiques s'appuient sur les antécédents familiaux des couples pour aider ceux-ci à calculer les probabilités que leurs enfants soient atteints d'une maladie génétique. Des tests génétiques permettant aux futurs parents de savoir s'ils sont des porteurs sains d'allèles récessifs associés à des maladies spécifiques sont devenus largement disponibles. On peut aussi effectuer des analyses sanguines pour dépister certaines maladies génétiques chez le fœtus. L'**amniocentèse** et la **biopsie des villosités choriales** permettent de déterminer si une maladie génétique est présente chez un fœtus. D'autres tests génétiques peuvent être effectués après la naissance de l'enfant.

? Les deux membres d'un couple savent qu'ils sont des porteurs sains de l'allèle de la fibrose kystique. Aucun de leurs trois enfants n'est atteint de la maladie, mais chacun peut en être un porteur sain. Le couple voudrait avoir un quatrième enfant, mais le risque qu'il soit atteint de la maladie l'inquiète, étant donné que les trois premiers en sont exempts. Que diriez-vous au couple ? La suggestion de passer des tests génétiques afin de savoir si les trois enfants sont des porteurs sains pourrait-elle apaiser leurs inquiétudes ?

Conseils pour la résolution de problèmes de génétique

1. Écrivez les symboles pour les allèles. (Ceux-ci peuvent être fournis dans les données du problème.) Lorsqu'ils sont représentés par une seule lettre, l'allèle dominant s'écrit avec la majuscule, et le récessif, avec la minuscule.
2. Écrivez les génotypes possibles, tels qu'ils sont déterminés par le phénotype.
   a) Si le phénotype est celui d'un caractère dominant (par exemple, des fleurs violettes), alors le génotype est soit homozygote dominant, soit hétérozygote (*VV* ou *Vv*, dans cet exemple).
   b) Si le phénotype est celui d'un caractère récessif, le génotype doit être homozygote récessif (par exemple, *vv*).
   c) Si le problème précise « lignée pure », le génotype est homozygote.
3. Déterminez ce qui est demandé dans le problème. Si on vous demande un croisement, écrivez-le dans la forme [Génotype] × [Génotype], en utilisant les allèles que vous avez choisis.
4. Pour arriver à comprendre le résultat d'un croisement, établissez une grille de Punnett.
   a) Mettez les gamètes d'un des parents en haut, et ceux de l'autre, à la gauche. Pour déterminer l'allèle (ou les allèles) dans chacun des gamètes pour un génotype donné, établissez une façon systématique de dresser la liste de toutes les possibilités. (Rappelez-vous que chaque gamète a un allèle de chaque gène.) Notez qu'il y a 2^n types possibles de gamètes, où n est le nombre de locus de gènes qui sont hétérozygotes. Par exemple, un individu avec le génotype *AaBbCc* produirait $2^3 = 8$ types de gamètes. Écrivez les génotypes des gamètes dans des cercles au-dessus des colonnes et à gauche des rangées.
   b) Remplissez la grille de Punnett comme si chaque gamète mâle possible fécondait chaque gamète femelle, produisant tous les descendants possibles. Dans un croisement de *AaBbCc* × *AaBbCc*, par exemple, la grille de Punnett aurait 8 colonnes et 8 rangées, de sorte qu'il y aurait 64 descendants différents ; vous connaîtriez le génotype de chacun et, par conséquent, leur phénotype. Comptez les génotypes et les phénotypes pour obtenir les rapports génotypiques et phénotypiques. Étant donné que la grille de Punnett est assez grande, cette méthode n'est pas la plus efficace. Voyez le conseil 5.
5. Si la grille de Punnett est trop grande, utilisez les règles de probabilité. (Par exemple, voir la question à la fin du résumé du concept 14.2 et la question 7 ci-dessous.) Vous pouvez considérer chaque gène séparément (voir la section La résolution de problèmes de génétique complexes à l'aide des règles de probabilité au concept 14.2).
6. Si l'énoncé du problème vous donne les rapports phénotypiques des descendants, mais pas les génotypes des parents dans un croisement donné, les phénotypes peuvent vous aider à déduire les génotypes inconnus des parents.
   a) Par exemple, si une moitié des descendants a le phénotype récessif, et l'autre moitié, le dominant, vous savez que le croisement a eu lieu entre un hétérozygote et un homozygote récessif.
   b) Si le rapport est de 3:1, le croisement a eu lieu entre deux hétérozygotes.
   c) Si deux gènes sont en jeu et que vous observez un rapport de 9:3:3:1 chez les descendants, vous savez que chaque parent est hétérozygote pour les deux gènes. *Attention :* Ne supposez pas que les nombres rapportés seront exactement égaux aux rapports prédits. Par exemple, s'il y a 13 descendants avec un caractère dominant et 11 avec un récessif, considérez que le rapport est de 1 dominant à 1 récessif.
7. Pour les problèmes de lignages, suivez les conseils donnés dans la figure 14.15 et ci-dessous pour déterminer quelle sorte de caractère est en jeu.
   a) Si les parents dépourvus du caractère ont des descendants ayant le caractère, le caractère doit être récessif et les parents sont tous les deux des porteurs sains.
   b) Si le caractère est présent dans chaque génération, il est fort probable qu'il soit dominant (cependant, voir la possibilité suivante).
   c) Si les deux parents possèdent le caractère, alors pour qu'il soit récessif tous les descendants doivent présenter ce caractère.
   d) Pour déterminer le génotype probable de certains individus dans un lignage, écrivez d'abord les génotypes de tous les membres de la famille que vous pouvez. Même si certains des génotypes sont incomplets, notez ce que vous en connaissez. Par exemple, si un individu a le phénotype dominant, le génotype doit être *AA* ou *Aa*, ce que vous pouvez écrire *A*–. Essayez différentes possibilités pour voir laquelle est conforme aux résultats. Utilisez les règles de probabilité pour calculer la probabilité que chaque génotype possible soit le bon.

Évaluation

NIVEAU 1 : CONNAISSANCES ET ÉVALUATION

1. **FAITES UN DESSIN ▶** On croise deux plants de pois hétérozygotes pour les caractères de la couleur et de la forme des gousses. Dessinez une grille de Punnett pour déterminer les rapports phénotypiques des descendants.

2. Un homme du groupe sanguin A épouse une femme du groupe B. Ils ont un enfant du groupe O. Quels sont les génotypes de ces trois personnes ? Quels autres génotypes s'attendrait-on à trouver chez les autres enfants issus de cette union, et selon quelle fréquence ?

3. Un homme a six doigts à chaque main et six orteils à chaque pied (une anomalie congénitale appelée polydactylie). Sa femme et leur fille ont un nombre normal de doigts et d'orteils. La présence de doigts surnuméraires est un caractère dominant (*P*). Selon quelle proportion les enfants de ce couple devraient-ils avoir des doigts et des orteils surnuméraires ?

4. **FAITES UN DESSIN ▶** Un plant de pois hétérozygote pour les gousses gonflées (*Gg*) est croisé avec un plant homozygote pour les gousses moniliformes (*gg*). Dessinez une grille de Punnett pour ce croisement. Supposez que le pollen provient d'un plant *gg*.

NIVEAU 2 : APPLICATION ET ANALYSE

5. Mendel avait choisi d'étudier plusieurs caractères chez le pois, notamment la position des fleurs, la longueur de la tige et la forme des graines. Ces trois caractères sont régis par des gènes dont l'assortiment est indépendant et qui entretiennent des relations de dominance-récessivité, comme l'indique le tableau 14.1.

Si on laisse s'autoféconder une plante qui est hétérozygote pour les trois caractères, quelle proportion des descendants devrait-on retrouver dans chacune des catégories suivantes ? (*Remarque :* Servez-vous des règles de probabilité plutôt que de dessiner une immense grille de Punnett.)

a) Homozygotes pour les trois caractères dominants.
b) Homozygotes pour les trois caractères récessifs.
c) Hétérozygotes pour les trois caractères.
d) Homozygotes dominants pour la position des fleurs et la longueur de la tige, hétérozygotes pour la forme des graines.

6. L'hémochromatose est une maladie héréditaire due à un allèle récessif. Si une femme et son mari, tous les deux des porteurs sains de la maladie, ont trois enfants, quelle est la probabilité de chacune des situations suivantes ?

a) Les trois enfants ont tous un phénotype normal.
b) Au moins un des enfants souffre de la maladie.
c) Les trois enfants souffrent de la maladie.
d) Au moins un enfant a un phénotype normal.

(*Remarque :* Rappelez-vous que la somme des probabilités pour tous les événements possibles est toujours de 1.)

7. Le génotype des individus de la génération F_1 dans un croisement tétrahybride est *AaBbCcDd*. Si on suppose que les quatre gènes obéissent à la loi de l'assortiment indépendant, quelles sont les probabilités que les descendants de la génération F_2 aient les génotypes suivants ?

a) *aabbccdd.*
b) *AaBbCcDd.*
c) *AABBCCDD.*
d) *AaBBccDd.*
e) *AaBBCCdd.*

8. Quelle est la probabilité que chacun des couples suivants produise la descendance indiquée ? (Supposez que toutes les paires d'allèles obéissent à la loi de l'assortiment indépendant.)

a) *AABBCC* × *aabbcc* ⟶ *AaBbCc.*
b) *AABbCc* × *AaBbCc* ⟶ *AAbbCC.*
c) *AaBbCc* × *AaBbCc* ⟶ *AaBbCc.*
d) *aaBbCC* × *AABbcc* ⟶ *AaBbCc.*

9. Martine et Philippe ont tous les deux une sœur ou un frère atteint d'anémie à hématies falciformes. Cependant, ni Martine, ni Philippe, ni aucun de leurs parents n'ont souffert de cette maladie, et ils n'ont fait aucun test pour vérifier que l'un d'eux était un porteur sain. À partir de ces renseignements, calculez la probabilité qu'un enfant issu de ce couple soit atteint d'anémie à hématies falciformes.

10. Vous découvrez et adoptez un chat noir errant, qui a d'étranges oreilles arrondies et courbées vers l'intérieur. Vous décidez de créer une variété de lignée pure à partir de cet individu exceptionnel. Comment pourriez-vous déterminer si l'allèle des oreilles courbées vers l'intérieur est dominant ou récessif ? Comment pourriez-vous obtenir des chatons aux oreilles courbées vers l'intérieur appartenant à une lignée pure ? Comment vérifieriez-vous que les chatons aux oreilles courbées vers l'intérieur appartiennent à une lignée pure ?

11. Chez le tigre (*Panthera tigris*), un même allèle récessif d'un gène particulier produit tant une fourrure blanche rayée (« tigre blanc ») que du strabisme (le fait de loucher). Si deux tigres de phénotype normal qui sont hétérozygotes pour ce locus s'accouplent, quel pourcentage de leur progéniture sera strabique ? Quel pourcentage des tigres atteints de strabisme auront une fourrure blanche ? Comment pourrait-on qualifier ce type d'hérédité ?

12. Chez le maïs (*Zea mays*), l'allèle dominant *I* inhibe la coloration des graines, alors que l'allèle récessif *i*, à l'état homozygote, permet la coloration. Sur un autre locus, l'allèle dominant *P* produit des graines pourpres, alors que l'allèle récessif à l'état homozygote *pp* produit des graines rouges. Si on croise des plantes hétérozygotes pour les deux caractères, quels seront les rapports phénotypiques des individus de la génération F_1 ?

13. Le lignage ci-dessous montre la transmission héréditaire de l'alcaptonurie, une maladie métabolique dont la manifestation clinique la plus frappante se traduit par une urine qui noircit au contact de l'air. Les individus touchés, représentés ici par des cercles et des carrés violets, sont incapables de métaboliser l'homogentisate (autrefois nommé alcaptone), qui colore l'urine et teinte les tissus conjonctifs de l'organisme. L'alcaptonurie semble-t-elle due à un allèle dominant ou à un allèle récessif ? Indiquez les génotypes des individus pour lesquels vous pouvez faire une déduction. Quels sont les génotypes possibles pour chacune des autres personnes de ce lignage ?

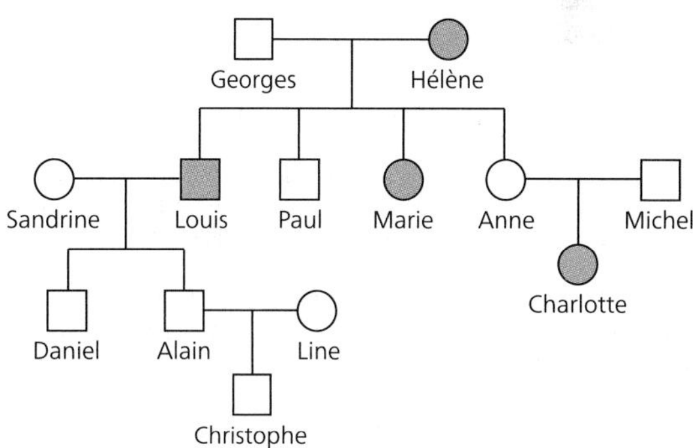

14. Vous êtes conseiller génétique et un couple souhaitant fonder une famille vient vous consulter. Charles a déjà été marié et un enfant atteint de fibrose kystique est né de cette union. Le frère de sa conjointe actuelle, Hélène, est mort des suites de cette maladie. Calculez la probabilité que Charles et Hélène donnent naissance à un enfant atteint de fibrose kystique. (Aucun des deux ne souffre de cette maladie, ni leurs parents.)

NIVEAU 3 : SYNTHÈSE ET ÉVALUATION

15. **LIEN AVEC L'ÉVOLUTION**

Depuis la Révolution tranquille au Québec, c'est-à-dire le début des années 1960, les gens tendent à fonder une famille à un âge plus avancé que ne le faisaient leurs parents et leurs grands-parents. Quels effets cette tendance pourrait-elle avoir sur la fréquence des allèles dominants létaux dans la population ?

Voir les réponses proposées à l'appendice A.

Les bases chromosomiques de l'hérédité

15

VOS OUTILS INTERACTIFS

Consultez votre MANUEL NUMÉRIQUE, qui vous donne accès aux **animations**, aux **exercices** et à la plateforme d'**anatomie interactive**.

▲ **Figure 15.1 Où sont situés les facteurs héréditaires de Mendel dans la cellule ?**

CONCEPTS CLÉS

15.1 Morgan a démontré que le fondement physique de l'hérédité mendélienne réside dans le comportement des chromosomes

15.2 Les gènes liés au sexe ont un mode de transmission héréditaire qui leur est propre

15.3 Les gènes liés sont souvent transmis ensemble, parce qu'ils se trouvent près les uns des autres sur le même chromosome

15.4 Les anomalies du nombre ou de la structure des chromosomes causent certaines maladies génétiques

15.5 Certains modes de transmission héréditaire font exception à la théorie classique de l'hérédité mendélienne

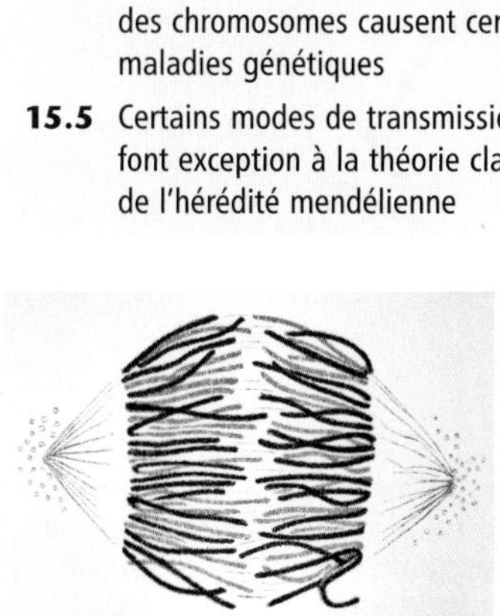

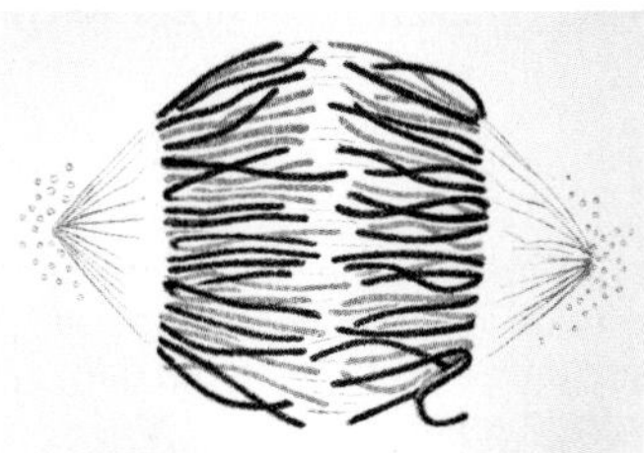

◀ **Dessin d'une mitose (Flemming, 1882).**

La localisation des gènes sur les chromosomes

De nos jours, nous savons que les gènes (les facteurs héréditaires de Mendel) sont des segments d'ADN situés sur les chromosomes. Il est même tout à fait possible de localiser un gène particulier en marquant des chromosomes au moyen d'un colorant fluorescent qui met en évidence ce gène. Par exemple, dans la **figure 15.1**, les quatre points jaunes marquent un gène particulier sur une paire de chromosomes homologues humains. (Les chromosomes se sont répliqués, de sorte qu'ils possèdent deux copies de l'allèle, chacune située sur une chromatide sœur.) Toutefois, lorsque Gregor Mendel a supposé l'existence de facteurs héréditaires en 1860, il ne s'agissait que d'un concept abstrait. En effet, à cette époque, aucune structure cellulaire pouvant accueillir ces unités imaginaires n'avait encore été identifiée et la plupart des biologistes se montraient sceptiques à l'égard des lois de l'hérédité proposées par Mendel.

Grâce aux progrès de la microscopie, les cytologistes ont pu décrire le mécanisme de la mitose en 1875 et celui de la méiose au cours des années 1890. (Voir le dessin de la mitose publiés par le biologiste allemand Walther Flemming en 1882.) La cytologie et la génétique ont commencé à converger quand les biologistes ont remarqué des similitudes entre le comportement des facteurs héréditaires proposés par Mendel au cours des cycles de développement sexués et celui des chromosomes. Comme le montre la **figure 15.2**, les chromosomes forment des paires dans les cellules diploïdes, tout comme les gènes. Pendant la méiose, les chromosomes homologues se séparent, et les allèles subissent la ségrégation. Après la méiose, les paires de chromosomes ainsi que les paires de gènes se reconstituent au moment de la fécondation. Vers 1902, Walter S. Sutton, Theodor Boveri et d'autres chercheurs

▼ Figure 15.2 Les fondements chromosomiques des lois de Mendel. Nous montrons ici l'analogie entre les résultats de l'un des croisements dihybrides de Mendel (voir la figure 14.8) et le comportement des chromosomes au cours de la méiose (voir la figure 13.8). Leur position à la métaphase I de la méiose et leur déplacement pendant l'anaphase I expliquent respectivement l'assortiment indépendant et la ségrégation des allèles de la couleur et de la forme des graines. Chaque cellule qui subit la méiose dans une plante de la génération F_1 produit deux types de gamètes. Si l'on compte les résultats pour toutes les cellules, toutefois, chaque plante de la génération F_1 produit les quatre types de gamètes en nombre égal, étant donné que les arrangements possibles des chromosomes de la métaphase I ont une égale probabilité de survenir.

? Si vous croisez une plante de la génération F_1 avec une plante homozygote récessive pour les deux gènes (*jjrr*), comment se comparerait la proportion phénotypique des descendants avec la proportion de 9:3:3:1 observée ici ?

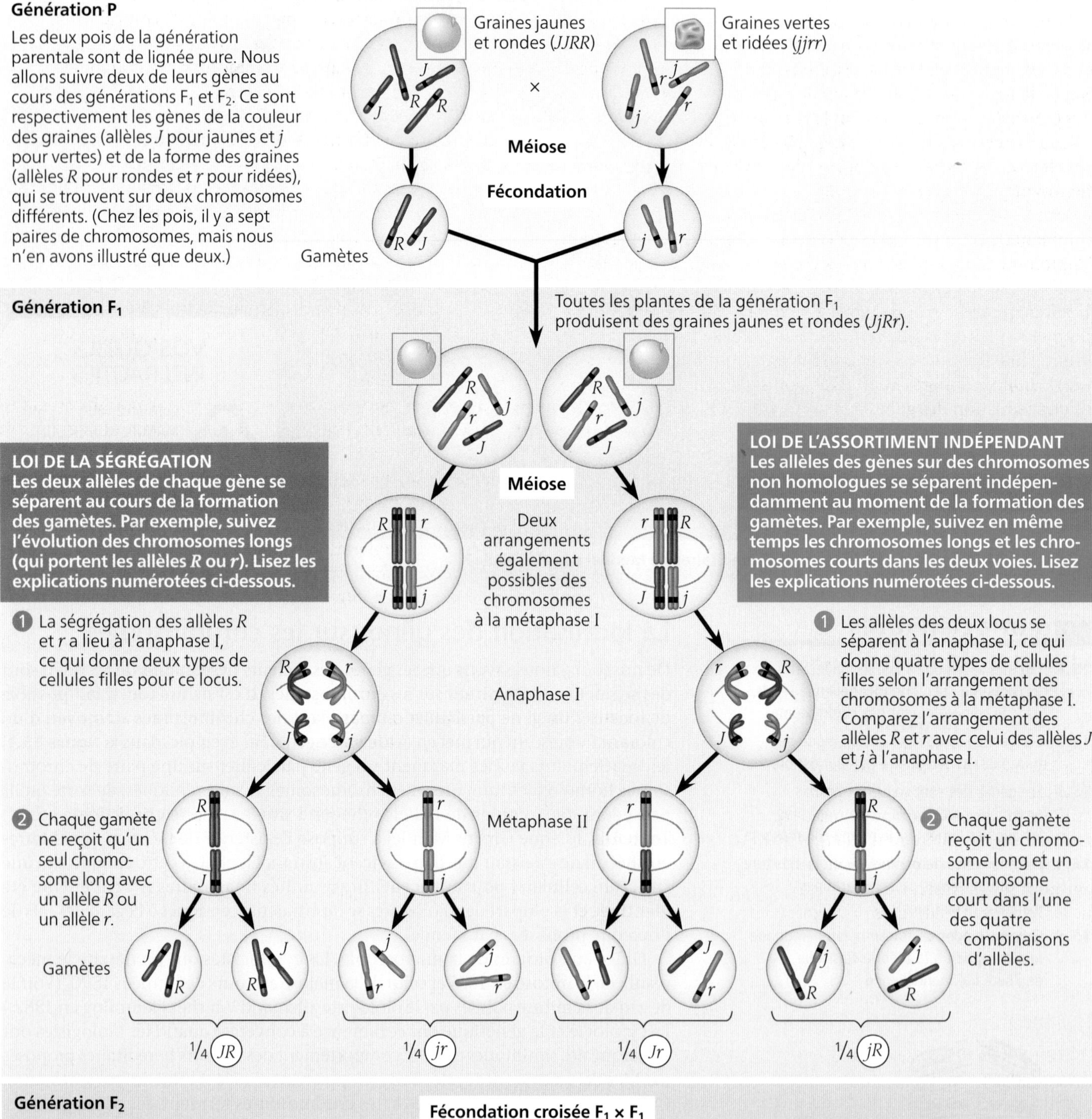
Génération P
Les deux pois de la génération parentale sont de lignée pure. Nous allons suivre deux de leurs gènes au cours des générations F_1 et F_2. Ce sont respectivement les gènes de la couleur des graines (allèles *J* pour jaunes et *j* pour vertes) et de la forme des graines (allèles *R* pour rondes et *r* pour ridées), qui se trouvent sur deux chromosomes différents. (Chez les pois, il y a sept paires de chromosomes, mais nous n'en avons illustré que deux.)
Graines jaunes et rondes (*JJRR*)
×
Graines vertes et ridées (*jjrr*)
Méiose
Fécondation
Gamètes
Génération F_1
Toutes les plantes de la génération F_1 produisent des graines jaunes et rondes (*JjRr*).
LOI DE LA SÉGRÉGATION
Les deux allèles de chaque gène se séparent au cours de la formation des gamètes. Par exemple, suivez l'évolution des chromosomes longs (qui portent les allèles *R* ou *r*). Lisez les explications numérotées ci-dessous.
LOI DE L'ASSORTIMENT INDÉPENDANT
Les allèles des gènes sur des chromosomes non homologues se séparent indépendamment au moment de la formation des gamètes. Par exemple, suivez en même temps les chromosomes longs et les chromosomes courts dans les deux voies. Lisez les explications numérotées ci-dessous.
Méiose
Deux arrangements également possibles des chromosomes à la métaphase I
1 La ségrégation des allèles *R* et *r* a lieu à l'anaphase I, ce qui donne deux types de cellules filles pour ce locus.
1 Les allèles des deux locus se séparent à l'anaphase I, ce qui donne quatre types de cellules filles selon l'arrangement des chromosomes à la métaphase I. Comparez l'arrangement des allèles *R* et *r* avec celui des allèles *J* et *j* à l'anaphase I.
Anaphase I
Métaphase II
2 Chaque gamète ne reçoit qu'un seul chromosome long avec un allèle *R* ou un allèle *r*.
2 Chaque gamète reçoit un chromosome long et un chromosome court dans l'une des quatre combinaisons d'allèles.
Gamètes
1/4 *JR*
1/4 *jr*
1/4 *Jr*
1/4 *jR*
Génération F_2
3 La fécondation produit un assortiment aléatoire des allèles *R* et *r*.
Fécondation croisée F_1 × F_1
9 :3 :3 :1
3 À la génération F_2, le croisement de plantes de la génération F_1 produit quatre différents phénotypes dans la proportion de 9:3:3:1.

ont souligné chacun de leur côté ces similitudes, et ils ont commencé à élaborer la **théorie chromosomique de l'hérédité**. Selon cette théorie, les gènes mendéliens occupent des locus (emplacements) sur les chromosomes, et ce sont les chromosomes qui subissent les phénomènes de la ségrégation et de l'assortiment indépendant.

Comme le montre la figure 15.2, la séparation des chromosomes homologues pendant l'anaphase I explique la ségrégation des deux allèles d'un gène dans différents gamètes, et la disposition aléatoire des paires des chromosomes pendant la métaphase I explique l'assortiment indépendant des allèles pour deux gènes (ou plus) situés sur différentes paires de chromosomes homologues. Cette figure suit le même croisement dihybride de pois que celui de la figure 14.8. En étudiant attentivement la figure 15.2, vous pourrez constater comment le comportement des chromosomes au cours de la méiose de la génération F_1 et de la fécondation aléatoire subséquente donne à la génération F_2 le rapport phénotypique observé par Mendel.

Dans le présent chapitre, le fait d'établir un lien entre le comportement des chromosomes et celui des gènes vous permettra d'approfondir les connaissances acquises dans les deux chapitres précédents. D'abord, nous présenterons les données tirées des expériences réalisées avec la mouche drosophile qui appuient fortement la théorie chromosomique. (Malgré sa grande cohérence, il fallait mettre cette théorie à l'épreuve par l'expérimentation.) Ensuite, nous présenterons le fondement chromosomique de la transmission des gènes des parents à leurs descendants, et nous verrons ce qui se produit lorsque deux gènes sont situés sur le même chromosome. Enfin, il sera question de certaines des exceptions importantes au mode de transmission héréditaire.

CONCEPT **15.1**

Morgan a démontré que le fondement physique de l'hérédité mendélienne réside dans le comportement des chromosomes

C'est Thomas Hunt Morgan, un embryologiste expérimental de la Columbia University, qui a apporté au début du 20e siècle la première preuve convaincante permettant d'associer un gène à un chromosome. Bien qu'il ait éprouvé un certain scepticisme à l'égard de la génétique mendélienne et de la théorie chromosomique, ses premières expériences lui ont fourni la preuve que les facteurs héréditaires de Mendel se trouvaient bel et bien sur les chromosomes.

Le choix des organismes expérimentaux de Morgan

L'histoire de la biologie est jalonnée de découvertes majeures faites par des personnes assez perspicaces ou chanceuses pour choisir un organisme convenant parfaitement au type de recherche envisagé. Mendel a opté pour le pois, parce qu'il en existe plusieurs variétés bien distinctes. Pour ses travaux, Morgan a choisi un insecte commun, la mouche du vinaigre, ou drosophile (*Drosophila melanogaster*), qui se nourrit des moisissures poussant sur les fruits. La drosophile est prolifique : un seul accouplement produit des centaines de descendants, et il est possible d'obtenir une nouvelle génération tous les 15 jours. Sa petite taille permet aussi d'en élever un très grand nombre dans un espace restreint. Le laboratoire de Morgan a commencé à utiliser cet insecte particulièrement commode pour les recherches en génétique en 1907 et ce local a rapidement été surnommé *the fly room* (« la pièce des mouches »).

La drosophile présente aussi l'avantage de posséder seulement quatre paires de chromosomes, que l'on peut aisément distinguer au microscope photonique : ils comprennent trois paires d'autosomes et une paire de chromosomes sexuels. La femelle possède une paire de chromosomes X homologues, et le mâle, un chromosome X et un autre, Y.

Contrairement à Mendel, qui n'éprouvait aucune difficulté à trouver auprès des fournisseurs les variétés du pois dont il avait besoin, Morgan était probablement le premier à vouloir se procurer différentes variétés de drosophiles. Il a donc été contraint d'effectuer de nombreux accouplements, une tâche fastidieuse, et d'examiner au microscope un grand nombre de descendants à la recherche de mutants. Au terme de nombreux mois consacrés à cette besogne, il a manifesté sa déception : « Deux années de travail perdues. Pendant tout ce temps, j'ai croisé ces mouches et je n'ai rien obtenu. » Morgan ne s'est pas découragé pour autant et il a fini par découvrir un mâle particulier : au lieu d'avoir les yeux rouges normalement présents chez l'espèce, il avait des yeux blancs. (Depuis lors, on a découvert chez la drosophile un grand nombre de mutants différents, obtenus soit naturellement soit expérimentalement.) Le phénotype le plus commun d'un caractère donné dans les populations naturelles, comme les yeux rouges de la drosophile, est appelé **phénotype sauvage** (**figure 15.3**). Les phénotypes qui remplacent parfois le phénotype sauvage, comme les yeux blancs de la drosophile en question, sont appelés *phénotypes mutants*, parce qu'on suppose que les allèles correspondants résultent d'une modification (ou mutation) de l'allèle sauvage.

Pour représenter les allèles, Morgan et ses étudiants ont établi une convention toujours en usage de nos jours dans le cas de la génétique de la drosophile. Chez cette mouche, le gène correspondant à un caractère donné est désigné par un symbole choisi en fonction du nom du premier mutant (type non sauvage)

▼ **Figure 15.3 Le premier mutant découvert par Morgan.** Les drosophiles du type sauvage ont les yeux rouges (à gauche). Dans son échantillon, Morgan a découvert un mâle mutant aux yeux blancs (à droite), ce qui lui a permis d'associer le gène de la couleur des yeux à un chromosome spécifique.

découvert. Ainsi, le symbole de l'allèle des yeux blancs chez la drosophile est *w* (*w* pour *white*, soit « blanc » en anglais ; nous utilisons ici la nomenclature internationale, qui conserve les symboles adoptés par Morgan). Quant à l'exposant « + », il désigne l'allèle du caractère sauvage : on écrira ainsi w^+ pour les yeux rouges, par exemple. Toutefois, ce système de notation n'est pas universel ; il en existe d'autres, créés au fil des ans pour les divers organismes qui ont fait l'objet d'études génétiques, même si cela complique un peu les choses pour les étudiants qui essaient d'en comprendre la logique. Par exemple, les gènes humains sont généralement désignés par des lettres majuscules, comme *HTT* pour le gène responsable de la maladie de Huntington. (Comme dans cet exemple, les allèles peuvent être désignés par plus d'une lettre.)

La corrélation du comportement des allèles d'un gène avec celui d'une paire de chromosomes

Morgan a accouplé le mâle aux yeux blancs qu'il a découvert à une femelle aux yeux rouges. Tous les individus de la génération F_1 ont eu les yeux rouges, ce qui lui a permis de penser que le type sauvage est dominant. Lorsqu'il a croisé entre elles les drosophiles de la génération F_1, il a retrouvé la proportion phénotypique classique de 3:1 à la génération F_2. Cependant, une surprise de taille l'attendait : le caractère des yeux blancs n'était présent que chez les mâles. Toutes les femelles avaient les yeux rouges, alors que la moitié des mâles avait les yeux rouges, et l'autre moitié, les yeux blancs. Morgan en a donc tiré la conclusion que la couleur des yeux de la drosophile devait être en quelque sorte liée au sexe. (Si le gène de la couleur des yeux n'était pas lié au sexe, il se serait attendu à ce que la moitié des drosophiles aux yeux blancs soit des mâles, et l'autre moitié, des femelles.)

Rappelez-vous qu'une femelle a deux chromosomes X (XX), tandis qu'un mâle a un X et un Y (XY). La corrélation entre le caractère des yeux blancs et le sexe mâle des drosophiles de la génération F_2 a permis à Morgan de déduire que, chez un mutant aux yeux blancs, le gène en question est situé exclusivement sur le chromosome X ; il n'existe pas d'allèle correspondant sur le chromosome Y, qui ne possède que très peu de gènes fonctionnels, chez la drosophile comme chez l'humain. C'est d'ailleurs la raison pour laquelle les caractères liés au sexe sont généralement portés sur le chromosome X et sont très rarement présents sur le chromosome Y. Morgan a pu supposer que, même si la plupart des maladies ou des anomalies liées au sexe se trouvent sur le chromosome X, elles s'expriment surtout chez les mâles, parce qu'ils n'ont pas de deuxième chromosome X pour compenser. On peut suivre son raisonnement à la **figure 15.4**. Il suffit qu'un mâle reçoive un exemplaire de l'allèle mutant pour qu'il ait les yeux blancs ; comme il n'a qu'un seul chromosome X, il ne peut avoir un deuxième allèle, du type sauvage (w^+), qui masquerait l'effet de l'allèle récessif. Par contre, la femelle ne peut avoir des yeux blancs que si elle porte un exemplaire de cet allèle mutant récessif (*w*) sur chacun de ses deux chromosomes X, ce qui est impossible dans le cas des femelles de la génération F_2 de l'expérience de Morgan. En effet, tous les pères de la génération F_1 ayant les yeux rouges, chaque femelle de la génération F_2 a reçu un allèle w^+ sur le chromosome X provenant du père.

La découverte de Morgan sur la corrélation entre un caractère particulier et le sexe d'un individu a donné de la crédibilité à la théorie chromosomique de l'hérédité selon laquelle un gène donné est porté par un chromosome spécifique (ici, le gène de la couleur des yeux sur le chromosome X). De plus, les recherches de Morgan ont indiqué que les gènes situés sur un chromosome sexuel présentent des modes de transmission héréditaire uniques, que nous aborderons à la section suivante. Reconnaissant l'importance des travaux réalisés par Morgan, de nombreux étudiants brillants ont alors commencé à fréquenter la *pièce des mouches*.

RETOUR SUR LE CONCEPT 15.1

1. Laquelle des lois de Mendel concerne la transmission des allèles pour un seul caractère ? Laquelle concerne la transmission des allèles de deux caractères dans un croisement dihybride ?
2. **FAITES DES LIENS ▶** Revoyez la description de la méiose (voir la figure 13.8) et les lois de la ségrégation et de l'assortiment indépendant de Mendel (voir le concept 14.1). Quel est le fondement physique de chacune des lois de Mendel, en relation avec les étapes des divisions cellulaires ?
3. **ET SI ? ▶** Proposez une raison qui permettrait d'expliquer que l'apparition du premier mutant de Morgan faisait intervenir un gène situé sur un chromosome sexuel.

Voir les réponses proposées à l'appendice A.

CONCEPT 15.2

Les gènes liés au sexe ont un mode de transmission héréditaire qui leur est propre

Comme vous venez de l'apprendre, la découverte par Morgan d'un caractère (yeux blancs) lié au sexe des drosophiles a constitué une étape cruciale dans l'élaboration de la théorie chromosomique de l'hérédité. Étant donné qu'il est possible de déduire quels chromosomes sexuels porte un individu en observant le sexe de cette mouche, le comportement des deux membres de la paire de chromosomes sexuels peut être corrélé avec celui des deux allèles du gène de la couleur des yeux. Dans cette section, nous approfondirons l'étude du rôle des chromosomes sexuels dans l'hérédité.

Les bases chromosomiques du sexe

Même si le sexe a toujours été présenté sous forme de catégories binaires, nous commençons à réaliser que la classification des sexes est probablement moins rigide qu'il y paraît. Ici, nous utilisons le terme « sexe » pour désigner la classification dans un groupe partageant un ensemble de caractères anatomiques et physiologiques. (Le terme « genre », autrefois utilisé comme un synonyme de sexe, est de plus en plus employé pour décrire l'expérience culturelle d'une personne se considérant comme un homme, une femme ou autre.) En ce sens, le sexe est établi, dans une vaste mesure, par les chromosomes.

DÉMARCHE SCIENTIFIQUE
INVESTIGATION

▼ **Figure 15.4**

Lors d'un croisement d'une drosophile femelle du type sauvage avec un mâle mutant aux yeux blancs, quelle sera la couleur des yeux des individus des générations F_1 et F_2?

■ HYPOTHÈSE ■ Si le trait sauvage est dominant, un tel croisement devrait donner pour la F_1 des mouches aux yeux rouges seulement, alors que la F_2 devrait donner des mouches aux yeux rouges et d'autres aux yeux blancs dans les proportions attendues (3:1); ces phénotypes devraient être indépendants du sexe, selon la loi de l'assortiment indépendant de Mendel.

■ EXPÉRIENCE ■ Thomas Hunt Morgan a voulu analyser le comportement de deux allèles du gène de la couleur des yeux chez la drosophile. Dans des croisements semblables à ceux que Mendel a effectués avec le pois, Morgan et ses collègues ont croisé une femelle du type sauvage (yeux rouges) avec un mâle mutant aux yeux blancs.

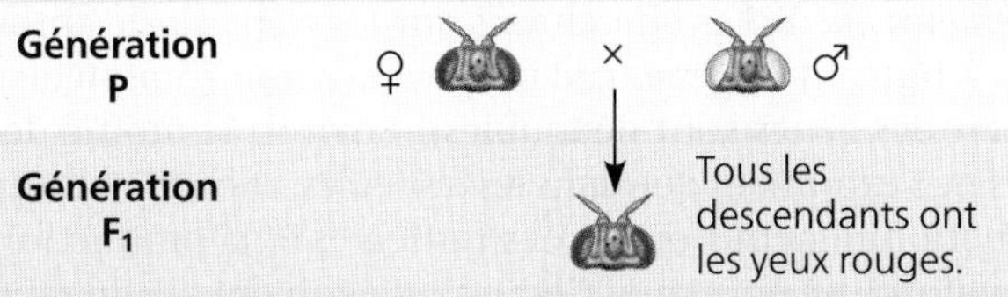

Puis, Morgan a croisé une femelle aux yeux rouges de la génération F_1 avec un mâle aux yeux rouges de la génération F_1 pour produire la génération F_2.

■ RÉSULTATS ■ À la génération F_2, il a obtenu la proportion phénotypique mendélienne classique de trois mouches aux yeux rouges pour une mouche aux yeux blancs. Cependant, toutes les mouches aux yeux blancs étaient des mâles; aucune femelle n'avait le phénotype *yeux blancs*.

■ CONCLUSION ■ Tous les individus de la génération F_1 ont les yeux rouges, de sorte que le phénotype mutant des yeux blancs (*w*) doit être récessif par rapport au phénotype sauvage des yeux rouges (w^+). Comme le phénotype récessif (yeux blancs) ne s'exprimait que chez les mâles de la génération F_2, Morgan en a déduit que le gène correspondant à la couleur des yeux était situé sur le chromosome X et qu'il n'y avait pas de locus équivalent sur le chromosome Y. La couleur des yeux des mouches serait donc liée au sexe.

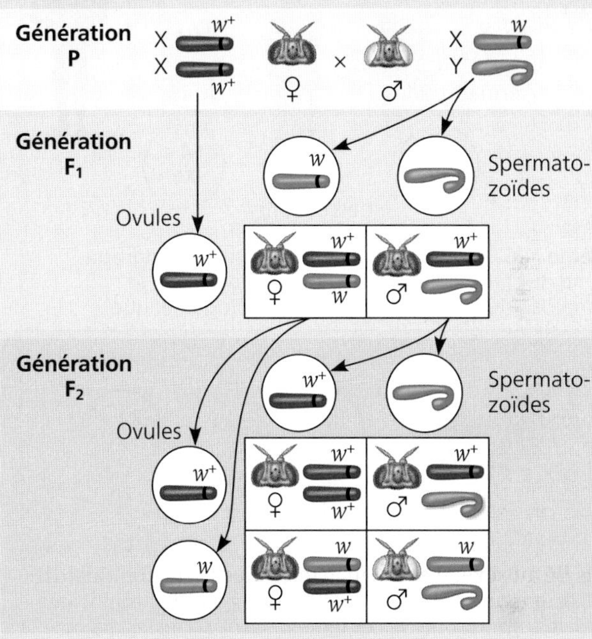

Source des données: T. H. Morgan, Sexlimited inheritance in *Drosophila*, *Science* 32: 120-122 (1910).

ET SI? ▶ Supposez que ce gène de la couleur des yeux est situé sur un autosome. Prédisez le phénotype (et le sexe) des individus de la génération F_2 issus de ce croisement hypothétique. (*Indice:* Dessinez une grille de Punnett.)

L'humain et les autres mammifères présentent deux types de chromosomes sexuels, appelés X et Y. Le chromosome Y est beaucoup plus petit que le chromosome X (**figure 15.5**). Une personne qui hérite de deux chromosomes X (un de sa mère et l'autre de son père) présente habituellement l'anatomie associée au sexe féminin, alors que les propriétés du sexe masculin exigent la transmission d'un chromosome X et d'un chromosome Y (**figure 15.6a**). De courts segments à chaque extrémité du chromosome Y, ne représentant que 5 % de sa longueur, sont les seules régions homologues qui peuvent se recombiner avec celles du chromosome X. Dans un testicule, pendant la méiose, ces régions homologues des extrémités des chromosomes X et Y leur permettent de s'associer et de se comporter comme une paire d'homologues.

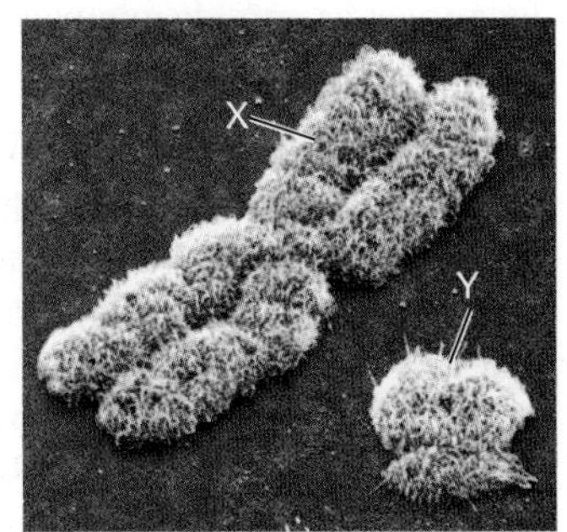

▶ **Figure 15.5**
Les chromosomes sexuels humains.

Chez les mammifères, les deux chromosomes sexuels subissent une ségrégation au cours de la méiose, qui a lieu dans les testicules ou les ovaires. Un ovule (gamète femelle) reçoit nécessairement un chromosome X. Par contre, il y a deux catégories de spermatozoïdes (gamètes mâles): la moitié d'entre eux porte un chromosome X, et l'autre moitié, un chromosome Y. Le sexe de tout individu est donc déterminé au moment de la conception: si un spermatozoïde porteur d'un chromosome X

▼ Figure 15.6 Quelques systèmes de détermination chromosomique du sexe. Les chiffres indiquent le nombre d'autosomes chez les espèces illustrées. Chez la drosophile, les mâles possèdent les chromosomes sexuels XY. Cependant, chez cette mouche, c'est le rapport entre le nombre de chromosomes X et le nombre de jeux d'autosomes qui détermine le sexe ; il ne dépend pas de la présence du chromosome Y : si ce rapport est de ½, la drosophile sera du sexe mâle. Toutefois, le chromosome Y semble jouer un rôle dans la fertilité du mâle.

♂ 44 + XY
Parents
44 + XX ♀
22 + X
ou
22 + Y
+
22 + X
Spermatozoïdes
Ovules
♀ 44 + XX
ou
Zygotes
(descendants)
44 + XY ♂

(a) Système X-Y. Chez les mammifères, le sexe d'un individu dépend du chromosome sexuel (X ou Y) porté par le spermatozoïde (c'est le mâle qui est hétérogamétique).

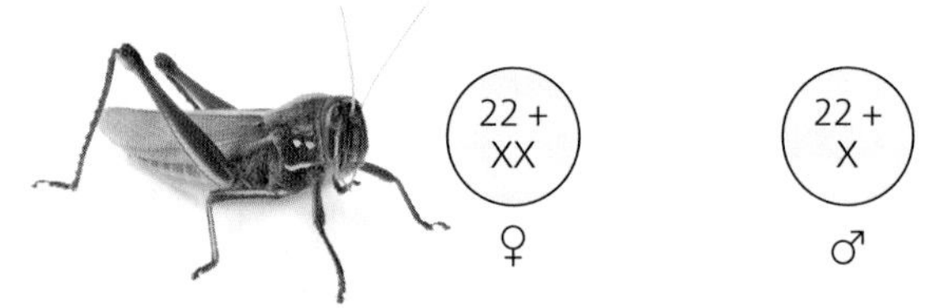

(b) Système X-0. Chez les sauterelles, les coquerelles (ou cafards) et plusieurs autres insectes, il n'y a qu'un type de chromosome sexuel, le chromosome X. Les femelles sont XX, et les mâles n'ont qu'un seul chromosome sexuel (X0). Le sexe d'un descendant est donc conditionné par la présence ou l'absence, dans le spermatozoïde, d'un chromosome X.

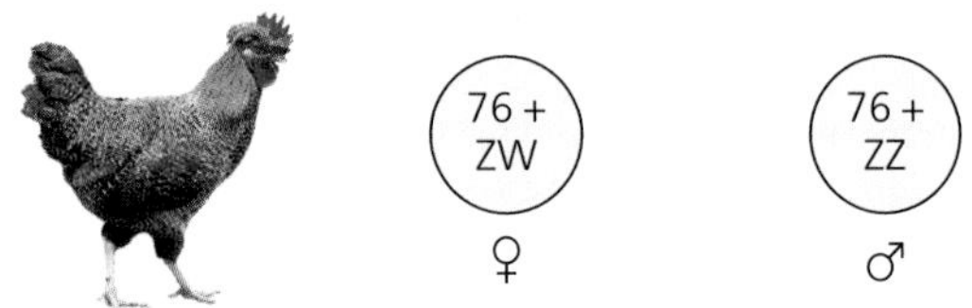

(c) Système Z-W. Chez les oiseaux ainsi que certains poissons, reptiles, amphibiens et insectes, le sexe est déterminé par le chromosome présent dans l'ovule avant sa fécondation (c'est la femelle qui est hétérogamétique). Les chromosomes sexuels sont désignés par les lettres Z et W. Les femelles sont donc ZW, et les mâles, ZZ.

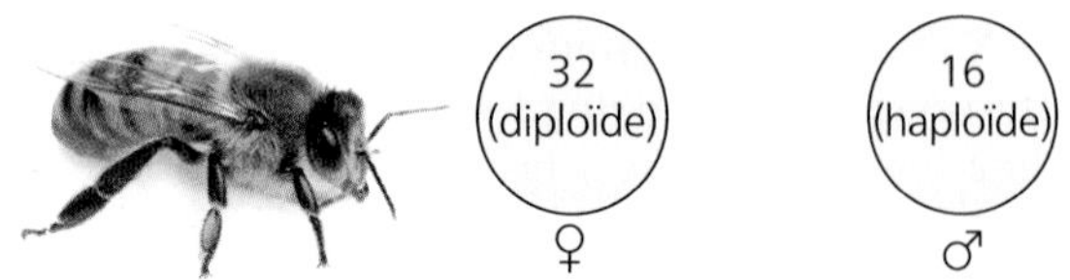

(d) Système haplo-diploïde. La plupart des espèces d'abeilles et de fourmis n'ont pas de chromosomes sexuels. Les femelles se développent à partir d'ovules fécondés et sont donc diploïdes. Les mâles se développent à partir d'ovules non fécondés et sont haploïdes ; ils n'ont pas de père.

féconde l'ovule, le zygote sera XX, une femelle. Si le spermatozoïde contient un chromosome Y, le zygote sera XY, un mâle (figure 15.6a). La détermination du sexe est donc généralement le fruit du hasard, chaque résultat ayant une chance sur deux de se produire. Notez que le système X et Y des mammifères n'est pas le seul système de détermination chromosomique du sexe. La **figure 15.6b-d** montre trois autres systèmes.

Chez l'humain, les caractéristiques anatomiques du sexe apparaissent lorsque l'embryon a environ deux mois. Avant cela, les rudiments des gonades (organes qui produisent les gamètes) sont indifférenciés : ils peuvent devenir des ovaires ou des testicules selon qu'un chromosome Y est présent ou absent, et selon les gènes actifs. Situé sur le chromosome Y, le gène *SRY*, pour *sex-determining region of Y* (« région du Y déterminant le sexe »), est nécessaire au développement des testicules. En l'absence de *SRY*, les gonades deviennent des ovaires, même dans un embryon XY.

Un gène situé sur un chromosome sexuel est appelé **gène lié au sexe**. Chez l'humain, le chromosome X contient environ 1 100 gènes, appelés **gènes liés au chromosome X**, alors que ceux qui sont situés sur le chromosome Y sont appelés *gènes liés au chromosome Y*. Les chercheurs ont identifié sur le chromosome Y humain 78 gènes codant pour environ 25 protéines (la plupart des gènes sont dédoublés). Environ la moitié de ces gènes ne s'expriment que dans les testicules, et certains assurent le fonctionnement normal des testicules et la production de spermatozoïdes normaux. Certains gènes n'ont aucun rapport avec la détermination du sexe ou la fertilité. Le chromosome Y est transmis presque intact par le père à tous ses fils. Étant donné qu'il y a tellement peu de gènes liés au chromosome Y, le père transmet très peu d'anomalies à ses fils par l'intermédiaire du chromosome Y.

Un gène connu sous le nom de *WNT4* (situé sur le chromosome 1, un autosome) est nécessaire à la formation des gonades féminines. En effet, ce gène code pour une protéine qui favorise le développement des ovaires. Chez un embryon XY qui possède des copies supplémentaires du gène *WNT4*, les gonades féminines peuvent se développer de façon rudimentaire. Dans l'ensemble, le sexe est déterminé par des interactions au sein d'un réseau de produits génétiques comme ceux-ci.

Les caractéristiques biochimiques, physiologiques et anatomiques associées aux sexes « féminin » et « masculin » s'avèrent plus complexes qu'on l'imaginait puisque leur développement dépend de plusieurs gènes. La complexité du mécanisme laisse la place à de nombreuses variations. À la naissance, certains individus présentent des caractéristiques sexuelles intermédiaires (« intersexuées »), ou encore des caractéristiques anatomiques qui ne correspondent pas à la perception qu'ils ont de leur propre sexe (personnes « transgenres »). La détermination du sexe est un domaine de recherche actif qui devrait nous permettre, au cours des années à venir, de mieux comprendre le processus.

La transmission des gènes liés au chromosome X

La transmission d'un nombre différent de chromosomes X, chez les individus de sexe féminin et masculin, produit un modèle d'hérédité différent de celui qu'on observe lorsque les gènes sont situés sur des autosomes. Comme on l'a mentionné plus haut, le chromosome Y porte très peu de gènes et la plupart d'entre eux jouent un rôle dans la détermination du sexe. À l'inverse, les chromosomes X portent les gènes de nombreux caractères qui ne sont pas sexuels. Chez les humains, la transmission héréditaire des gènes liés au chromosome X suit le même modèle que celui décrit par Morgan dans le cas du locus de la couleur des yeux qu'il a étudié chez la drosophile (voir la figure 15.4). Les pères transmettent les allèles liés au chromosome X à toutes leurs filles, mais pas à leurs fils. Par contre, les mères peuvent transmettre à leurs filles et à leurs fils les allèles liés au chromosome X (**figure 15.7**) et, par conséquent, un trouble léger lié aux chromosomes X, dont la deutéranopie (daltonisme).

Le daltonisme est une anomalie héréditaire de la vue caractérisée par l'absence de perception de certaines couleurs ou par la confusion de certaines couleurs. La première description de cette affection a été donnée en 1794 par John Dalton, célèbre chimiste anglais, et lui-même daltonien, qui a donné ses yeux à la science lors de son décès afin que l'on découvre les causes de ce trouble. La forme de daltonisme la plus fréquente affecte la perception du rouge et du vert, et c'est cette forme de daltonisme (deutéranopie) ainsi que la forme entraînant une cécité pour le rouge (protanopie) qui sont liées au chromosome X. (Une troisième forme, plus rare, qui entraîne une cécité partielle pour le bleu est causée par un gène situé sur le chromosome 7.)

Si un caractère lié au chromosome X est dû à un allèle récessif, une femme aura le phénotype correspondant seulement si elle est homozygote pour cet allèle. On ne peut dire que les hommes sont *homozygotes* ou *hétérozygotes* puisqu'ils n'ont qu'un seul locus de gènes liés au chromosome X. On dit plutôt qu'ils sont *hémizygotes*. Tous les garçons qui reçoivent de leur mère l'allèle récessif expriment le caractère correspondant. Ce phénomène explique pourquoi les hommes sont beaucoup plus nombreux que les femmes à souffrir d'une maladie héréditaire récessive liée au chromosome X. Il arrive évidemment que des femmes soient atteintes d'une maladie héréditaire liée au sexe. Toutefois, la probabilité qu'elles héritent de deux exemplaires de l'allèle mutant est beaucoup plus faible que la probabilité qu'un homme en reçoive un seul. Par exemple, un père daltonien et une mère daltonienne ou porteuse saine peuvent avoir une fille daltonienne (voir la figure 15.7c), mais la probabilité globale dans la population est très faible, parce que l'allèle du daltonisme est relativement rare (seulement 0,4 % des femmes sont daltoniennes).

Chez l'humain, certaines maladies récessives liées au chromosome X sont beaucoup plus graves que le daltonisme ; c'est le cas, notamment, de la **myopathie de Duchenne**, qui touche environ 1 garçon sur 3 500. Cette affection se caractérise par un affaiblissement progressif des muscles et par une perte graduelle de la coordination. Les personnes qui en sont atteintes dépassent rarement le début de la vingtaine. Les chercheurs ont lié cette maladie à l'absence d'une protéine essentielle des muscles appelée *dystrophine* (la maladie est aussi appelée *dystrophie musculaire de Duchenne*). Ils ont cartographié le gène codant pour cette protéine sur un locus spécifique du chromosome X.

L'**hémophilie** est une maladie récessive liée au chromosome X. Cette affection résulte de l'absence d'une ou de plusieurs protéines assurant la coagulation sanguine. Lorsqu'une personne hémophile se blesse, son saignement se prolonge, parce que le caillot est lent à se former. Les petites éraflures sont habituellement sans gravité, mais les saignements qui surviennent dans les muscles ou les articulations peuvent être douloureux et entraîner des séquelles graves. Dans les années 1800, l'hémophilie était très répandue dans les familles royales d'Europe. Ainsi, la reine Victoria a transmis l'allèle à plusieurs de ses descendants. Par la suite, les mariages consanguins avec les membres de familles royales d'autres nations, comme l'Espagne et la Russie, ont propagé ce caractère lié au chromosome X, et son incidence est bien documentée dans les lignages royaux. Il y a quelques années, de nouvelles techniques génomiques ont permis d'effectuer le séquençage d'ADN isolés à partir de très petites quantités d'ADN provenant des restes inhumés des membres de la famille royale britannique. On comprend maintenant le fondement

▼ Figure 15.7 La transmission de caractères récessifs liés au chromosome X. Dans ce schéma, nous prenons l'exemple du daltonisme. L'exposant *N* désigne un allèle dominant de la vision normale porté par le chromosome X, alors que l'exposant *n* correspond à un allèle récessif qui résulte d'une mutation provoquant le daltonisme. Les cases blanches représentent les individus normaux, les cases orange clair, les porteurs sains, et les cases orange foncé, les personnes qui sont atteintes de l'anomalie.

? Si une femme daltonienne se marie avec un homme qui a une vision normale des couleurs, quels seraient les phénotypes probables de leurs enfants ?

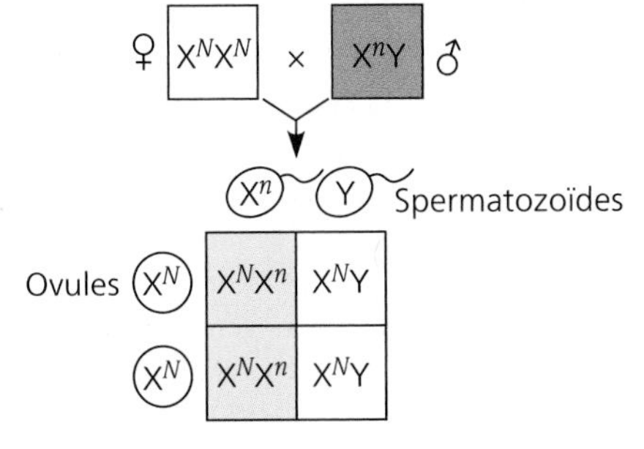

(a) Un père daltonien donnera l'allèle mutant à toutes ses filles, mais à aucun de ses fils. Si sa femme est homozygote dominante, leurs filles présenteront un phénotype normal, mais elles seront des porteuses saines de la mutation.

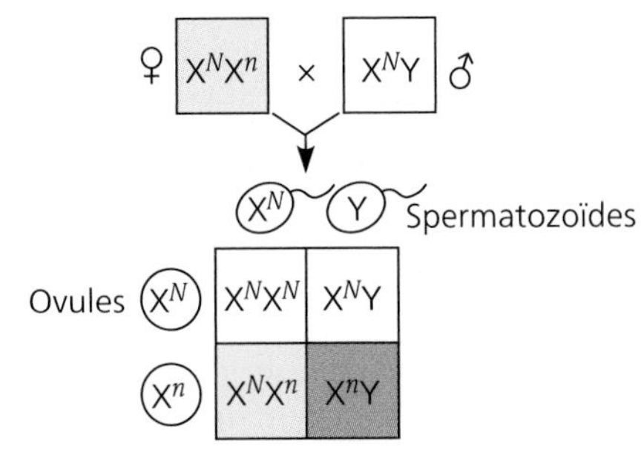

(b) Si une porteuse saine s'unit à un homme qui a une vision normale des couleurs, chacune de leurs filles aura une chance sur deux d'être une porteuse saine comme sa mère, et chaque garçon aura une chance sur deux d'être atteint de la maladie.

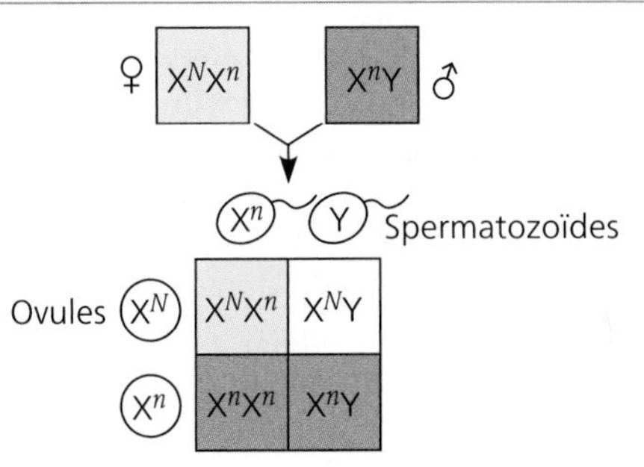

(c) Si une porteuse saine s'unit à un homme daltonien, chacun de leurs enfants aura une chance sur deux d'être atteint, quel que soit son sexe. Les filles qui ont une vision normale des couleurs seront des porteuses saines, tandis qu'aucun des garçons ayant une vision normale des couleurs ne sera porteur de l'allèle récessif mutant.

génétique de la mutation et les raisons pour lesquelles elle est à l'origine d'un facteur de coagulation dysfonctionnel. À notre époque, on traite les hémophiles au besoin en leur injectant la protéine manquante par voie intraveineuse.

L'inactivation d'un chromosome X chez les mammifères femelles

Chez les mammifères qui possèdent deux chromosomes X (donc chez toutes les femelles de chaque espèce), un des deux chromosomes X est inactivé, ce qui rend le niveau d'expression des gènes de ce chromosome équivalent à celui des mâles, qui n'ont qu'un seul X.

POUR APPROFONDIR ■ Les mammifères femelles (ce qui inclut les femmes) reçoivent deux chromosomes X (le double du nombre reçu par les mâles), de sorte qu'on peut se demander si les femelles fabriquent deux fois plus de protéines codées par les gènes liés au chromosome X que les mâles. En fait, dans chacune des cellules des mammifères femelles, un des deux chromosomes X est presque complètement inactivé au cours du développement embryonnaire. Par conséquent, les cellules somatiques des femelles et des mâles ont quasiment la même proportion effective (un exemplaire actif) de la plupart des gènes liés au chromosome X. Chez la femelle, le chromosome X inactif de chaque cellule se condense et forme une masse compacte appelée **corpuscule de Barr** (découvert par l'anatomiste canadien Murray Barr en 1948). Celui-ci se place contre la face interne de l'enveloppe nucléaire. La plupart de ses gènes ne s'expriment pas, quoique de 15 à 25 % d'entre eux échappent à l'inactivation. Par ailleurs, dans les ovaires, le corpuscule de Barr est réactivé dans les cellules qui forment les ovules, de sorte que chaque gamète d'une femelle porte un chromosome X actif après la méiose. Ce n'est qu'après la fécondation, au cours des nombreuses mitoses participant au développement embryonnaire, qu'un des deux chromosomes X sera inactivé en formant un corpuscule de Barr dans chaque nouvelle cellule du fœtus.

La généticienne britannique Mary Lyon a démontré que, dans chacune des cellules embryonnaires présentes au moment de l'inactivation, le choix du chromosome X qui formera le corpuscule de Barr se fait au hasard et de façon indépendante. Par conséquent, la femelle est une *mosaïque* de deux types de cellules: dans certaines, le X actif provient du père, et dans d'autres, il provient de la mère. Une fois qu'un chromosome X est inactivé dans une cellule donnée, il le reste dans toutes les cellules qui descendent de celle-ci par mitose. Par conséquent, si une femelle est hétérozygote pour un caractère lié au sexe, la moitié de ses cellules environ exprimera un allèle, et l'autre moitié, l'autre allèle. La **figure 15.8** montre comment ce mosaïcisme produit un pelage inégal chez une chatte écaille de tortue ou une chatte tricolore (calico). Chez l'humain, une mutation récessive particulière liée au chromosome X cause une maladie appelée *dysplasie ectodermique anidrotique*, qui se caractérise par des problèmes d'adaptation à la chaleur par suite de l'absence de glandes sudoripares et de poils. Une femme hétérozygote pour ce caractère présente des régions de la peau normales et des régions dépourvues de glandes sudoripares et de poils, et ces régions ne seront pas les mêmes d'une femme hétérozygote à l'autre. Une femme homozygote ne présentera pas ce phénotype, toutes ses cellules possédant et exprimant le même allèle.

▼ **Figure 15.8 L'inactivation du chromosome X chez la chatte écaille de tortue.** Le gène du pelage écaille de tortue (de couleur noire mêlée de roux) se trouve sur le chromosome X. Ce phénotype ne s'exprime qu'en présence de deux allèles différents, l'un pour le pelage roux, l'autre pour le pelage noir. Normalement, seules les femelles peuvent recevoir les deux allèles parce qu'elles seules ont deux chromosomes X. Une chatte hétérozygote pour le caractère de la couleur du pelage présentera le phénotype écaille de tortue. Les taches rousses sont formées par les populations de cellules dont le chromosome X actif est celui qui porte l'allèle du pelage roux; les taches noires sont formées par les cellules dont le chromosome X actif porte l'allèle du pelage noir. La grandeur des taches dépend du moment où l'inactivation du chromosome X est survenue: plus elle apparaît tôt, plus la mitose pourra produire de cellules filles avec le phénotype. (La chatte d'Espagne ou calico présente également des taches blanches qui sont déterminées par un autre gène.)

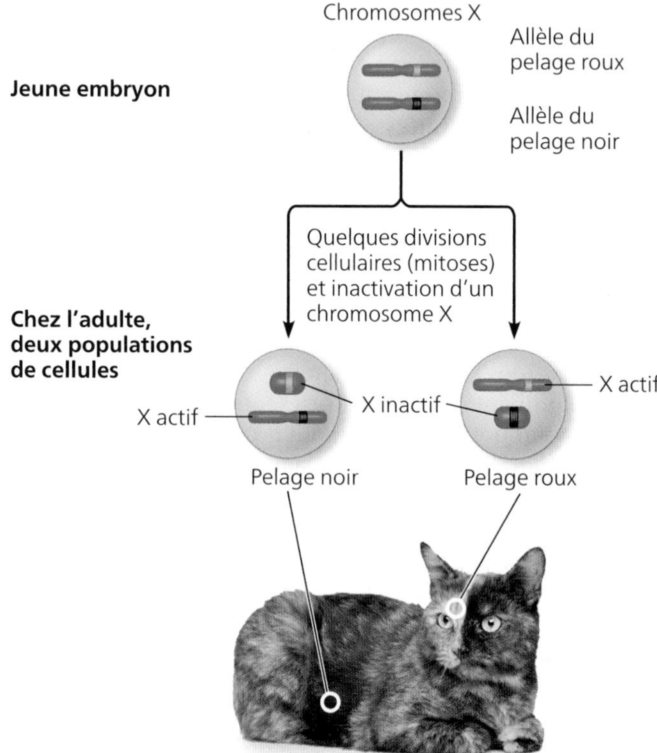

L'inactivation d'un chromosome X sous-tend une modification de l'ADN et des histones (protéines) qui y sont liées, comme l'ajout de groupements méthyle (—CH_3) à la cytosine, l'une des bases azotées des nucléotides d'ADN. (Le rôle régulateur de la méthylation de l'ADN est traité plus en détail au concept 18.2.) Une région particulière de chaque chromosome X porte plusieurs gènes qui jouent un rôle dans le processus d'inactivation. Les deux régions, une sur chaque chromosome X, s'associent brièvement l'une avec l'autre dans chacune des cellules lors d'une phase initiale du développement embryonnaire. Alors, un des gènes nommé *Xist* (*X-inactive specific transcript* ou «transcription spécifique du X inactif») devient actif *seulement* sur le chromosome du corpuscule de Barr. Des copies multiples de l'ARN produit par la transcription de ce gène semblent se lier au chromosome X en question au fur et à mesure qu'elles sont produites, jusqu'à le recouvrir presque entièrement. C'est cette interaction qui amorce l'inactivation de ce chromosome, et les produits de l'ARN d'autres gènes voisins aident à assurer la régulation du processus. ■

RETOUR SUR LE CONCEPT 15.2

1. Une drosophile femelle aux yeux blancs est accouplée à un mâle aux yeux rouges (type sauvage), soit l'inverse du croisement illustré à la figure 15.4. Quels phénotypes et quels génotypes prédisez-vous chez les descendants issus de ce croisement ?

2. Ni Thomas ni Zoé ne souffrent de la myopathie de Duchenne, mais leur fils premier-né en est atteint. Quelle est la probabilité que leur deuxième enfant ait la maladie ? Quelle est la probabilité si le deuxième enfant est un garçon ? Une fille ?

3. **FAITES DES LIENS ▶** Considérez ce que vous avez appris concernant les allèles dominants et récessifs dans le concept 14.1. Si une maladie est causée par un allèle dominant lié au chromosome X, comment le mode de transmission héréditaire se distingue-t-il de ce que nous avons vu pour les maladies récessives liées au chromosome X ?

Voir les réponses proposées à l'appendice A.

CONCEPT 15.3

Les gènes liés sont souvent transmis ensemble, parce qu'ils se trouvent près les uns des autres sur le même chromosome

Dans une cellule, les chromosomes sont beaucoup moins nombreux que les gènes ; en fait, chaque chromosome porte des centaines, voire des milliers de gènes (à l'exception du chromosome Y, plus petit). Lors des croisements, les gènes qui se trouvent à proximité les uns des autres sur le même chromosome sont généralement transmis ensemble ; on dit que ces gènes sont liés génétiquement et on les appelle **gènes liés**. Lorsque les généticiens suivent les gènes liés au cours d'expériences de croisement, les résultats qu'ils obtiennent n'obéissent pas à la loi mendélienne de l'assortiment indépendant des caractères.

Le mode d'action des liaisons génétiques sur la transmission héréditaire

Pour comprendre comment les liaisons génétiques influent sur la transmission héréditaire de deux caractères distincts, examinons une autre expérience réalisée par Morgan sur les drosophiles. Les caractères étudiés ici sont ceux de la couleur du corps et de la taille des ailes, chacun ayant deux phénotypes différents. Les drosophiles du type sauvage ont le corps gris et des ailes normales. En plus de ces drosophiles, Morgan avait réussi à obtenir, par accouplement, des mutants pour ces deux caractères : certaines de ses drosophiles avaient le corps noir et des ailes beaucoup plus petites que la normale et qualifiées de *vestigiales*. Ces allèles mutants sont récessifs. Aucun des gènes concernés n'est lié au sexe. Pour étudier ces deux gènes, Morgan a effectué les croisements représentés dans la **figure 15.9**. Il a d'abord croisé des drosophiles de la génération P pour générer des dihybrides de la génération F_1, puis il a effectué un croisement de contrôle.

Chez les drosophiles descendant de ces croisements, la proportion des combinaisons de caractères observées chez les individus de la génération P (combinaisons de caractères appelées phénotypes parentaux) était beaucoup plus élevée que si les deux gènes avaient subi un assortiment indépendant. Morgan en a conclu que le caractère de la couleur du corps et celui de la forme des ailes étaient habituellement transmis ensemble, dans des combinaisons spécifiques (combinaisons parentales), parce que les gènes sont liés ; ils sont situés à proximité sur le même chromosome.

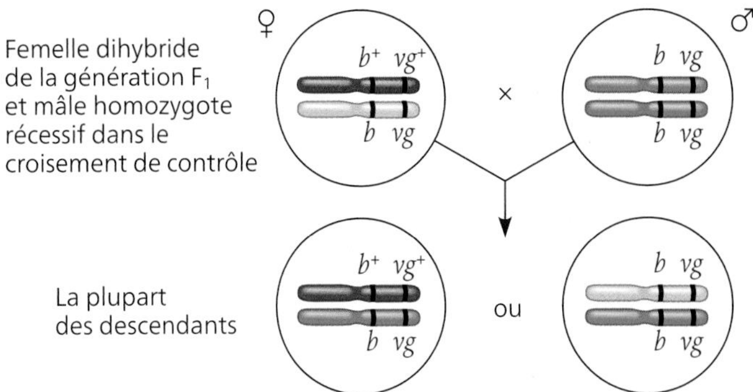

Gardez toujours en tête la distinction entre les termes *gènes liés* (au moins deux gènes qui sont situés sur le même chromosome et qui tendent à être transmis ensemble) et *gène lié au sexe* (un gène situé sur un chromosome sexuel).

Comme le montre la figure 15.9, Morgan a obtenu au cours de ses expériences les deux combinaisons de caractères qui n'ont pas été observées dans la génération P (combinaisons appelées phénotypes non parentaux), ce qui indique que les allèles de la couleur du corps et de la taille des ailes ne sont pas toujours liés génétiquement. Pour mieux comprendre cette conclusion, nous devons étudier plus à fond la **recombinaison génétique**, c'est-à-dire l'apparition, dans la descendance, de combinaisons de caractères qui n'existaient chez aucun des parents de la génération P.

La recombinaison et la liaison génétiques

Chez les organismes sexués, la méiose et la fécondation aléatoire créent une variation génétique à chaque génération. Cette variation s'explique par l'assortiment indépendant des chromosomes et par l'enjambement qui surviennent pendant la méiose I (voir le concept 13.4), ainsi que par les possibilités de combinaison d'un ovule et d'un spermatozoïde lors de la fécondation. Nous allons étudier ici les fondements chromosomiques de la recombinaison des allèles en relation avec les résultats génétiques de Mendel et de Morgan.

La recombinaison de gènes non liés : l'assortiment indépendant des chromosomes

À partir de ses croisements, au cours desquels il étudiait deux caractères, Mendel a constaté que les caractères de certains descendants formaient des combinaisons différentes de celles des parents. Par exemple, supposons un croisement entre un pois dihybride à graines jaunes et rondes, hétérozygote pour la couleur et la forme de la graine (*JjRr*), et un pois homozygote pour les deux allèles récessifs (graines vertes et ridées, *jjrr*). (Il s'agit d'un croisement de contrôle, car les résultats mettront en évidence le

DÉMARCHE SCIENTIFIQUE

INVESTIGATION

▼ **Figure 15.9**

Comment la liaison entre deux gènes influence-t-elle la transmission des caractères ?

■ **HYPOTHÈSE** ■ Les gènes liés ne suivent pas la loi de l'assortiment indépendant de Mendel.

■ **EXPÉRIENCE** ■ Morgan voulait savoir si les gènes de la couleur du corps et de la taille des ailes étaient génétiquement liés, et si oui, comment cela influençait leur transmission. Les allèles de la couleur du corps sont b^+ (gris) et b (noir), et ceux de la taille des ailes sont vg^+ (normales) et vg (vestigiales).

Morgan a croisé des drosophiles de lignée pure de la génération P (parentale), de type sauvage, avec des individus au corps noir et aux ailes vestigiales. Il a obtenu à la génération F_1 des dihybrides ($b^+ b$ $vg^+ vg$) hétérozygotes ayant tous le phénotype sauvage.

Il a ensuite accouplé des femelles dihybrides de type sauvage de la génération F_1 avec des mâles homozygotes récessifs. Ce croisement de contrôle permet de révéler le génotype des ovules produits par la femelle dihybride.

Les spermatozoïdes du mâle ne portent que des allèles récessifs, de sorte que le phénotype des descendants est relié au génotype des ovules de la femelle.

Note: Seules les femelles (abdomens pointus) sont illustrées, mais la moitié des descendants dans chaque classe sont des mâles (avec l'abdomen arrondi).

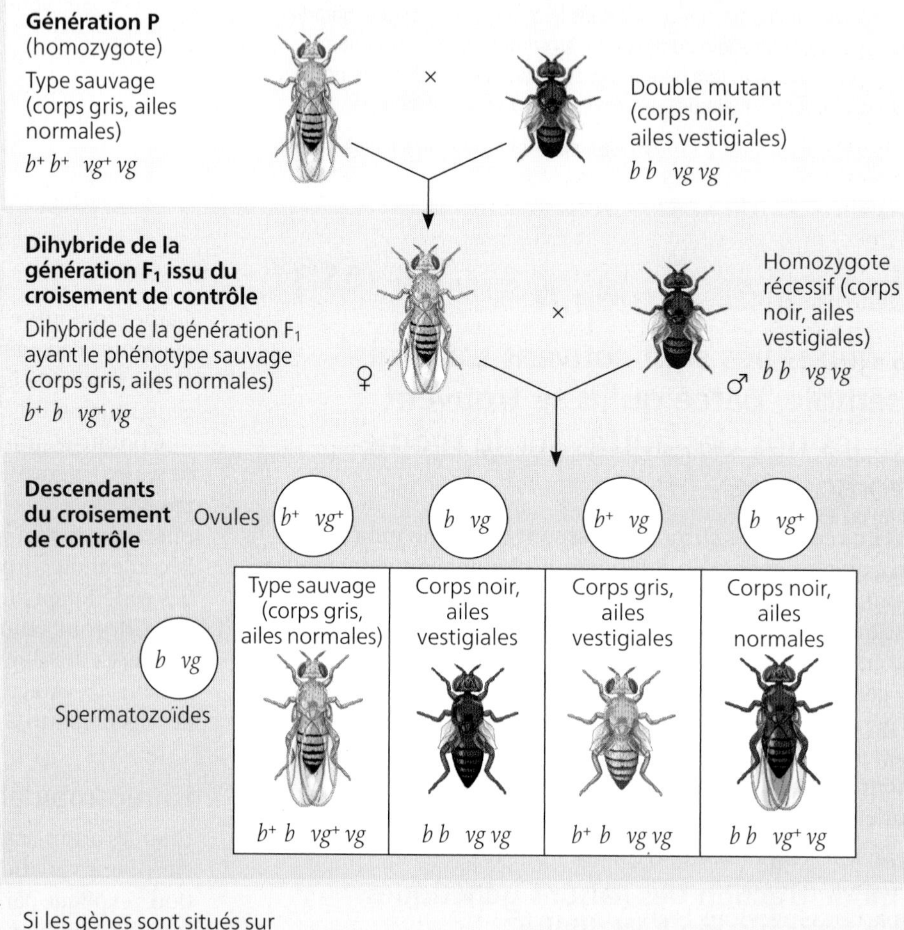

Proportions prédites chez les descendants issus du croisement de contrôle								
Si les gènes sont situés sur des chromosomes différents:	1	:	1	:	1	:	1
Si les gènes sont situés sur un même chromosome et que les allèles parentaux sont toujours transmis ensemble:	1	:	1	:	0	:	0

■ **RÉSULTATS** ■

Données tirées de l'expérience de Morgan:	965	:	944	:	206	:	185

■ **CONCLUSION** ■ Étant donné que la plupart des individus avaient un phénotype parental (génération P), Morgan a conclu que les gènes correspondant à la couleur du corps et à la taille des ailes étaient liés génétiquement sur le même chromosome. Cependant, l'apparition d'un nombre relativement petit d'individus ayant des phénotypes non parentaux indique qu'un certain mécanisme brise quelquefois la liaison existant entre des allèles spécifiques des gènes situés sur un même chromosome.

Source des données: T. H. Morgan et C. J. Lynch, The linkage of two factors in *Drosophila* that are not sex-linked, *Biological Bulletin* 23: 174-182 (1912).

ET SI ? ▶ Si les drosophiles parentales (génération P) avaient été de lignée pure pour un corps gris avec des ailes vestigiales et pour un corps noir avec des ailes normales, quelles classes phénotypiques seraient les plus grandes parmi les descendants du croisement de contrôle ?

génotype des gamètes produits dans la plante dihybride *JjRr*.) Représentons ce croisement par la grille de Punnett suivante :

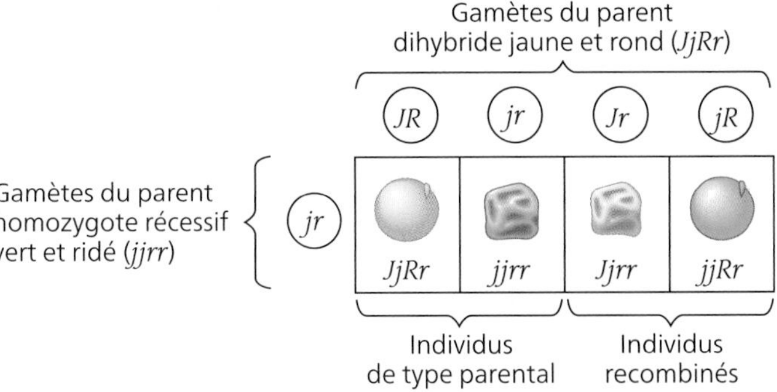

Remarquez que cette grille de Punnett permet de prévoir que la moitié des individus aura l'un des deux phénotypes parentaux (génération P) croisés, au départ, pour produire les descendants dihybrides de la génération F_1 (voir la figure 15.2). Les descendants correspondants issus de ce croisement sont alors des **types parentaux**. Mais deux autres phénotypes non parentaux seront également présents. Comme ces individus présenteront de nouvelles combinaisons d'allèles (relatives à la forme et à la couleur des graines), on dit qu'ils sont de **types recombinés** ou recombinants. Lorsque la moitié des descendants (appartenant à la même génération) est constituée d'individus recombinés, comme dans cet exemple, les généticiens disent que la fréquence de recombinaison est de 50 %. Les proportions phénotypiques prévues parmi les descendants sont semblables à celles que Mendel avait observées dans des croisements *JjRr* × *jjrr*.

Dans ces croisements de contrôle, on observe aussi une fréquence de recombinaison de 50 % dans le cas de deux gènes qui sont situés sur des chromosomes différents et qui, par conséquent, ne peuvent pas être liés. Du point de vue physique, la recombinaison de gènes non liés s'explique par l'agencement aléatoire des chromosomes homologues à la métaphase I de la méiose, qui mène à un assortiment indépendant de deux gènes non liés (voir la figure 13.11 et la question dans la légende de la figure 15.2).

La recombinaison de gènes liés : l'enjambement

Expliquons maintenant les résultats du croisement de contrôle de la drosophile illustré à la figure 15.9. Rappelez-vous que la plupart des individus issus du croisement de contrôle relatif à la couleur du corps et à la forme des ailes ont des phénotypes parentaux. Cela indique que les deux gènes sont sur le même chromosome, étant donné que la présence des types parentaux à une fréquence supérieure à 50 % implique que les gènes sont liés. Environ 17 % des individus, toutefois, sont recombinés.

À la lumière de ces résultats, Morgan a émis une hypothèse pour expliquer ce phénomène : il a supposé qu'un certain processus brisait quelquefois la liaison existant entre les allèles spécifiques des gènes sur un même chromosome. Des expériences ultérieures ont montré que ce processus, que l'on appelle maintenant **enjambement**, expliquait la recombinaison des gènes liés. En effet, à la prophase de la méiose I, lorsque les chromosomes homologues sont appariés, il arrive qu'un jeu de protéines orchestre un échange de segments correspondants entre une chromatide maternelle et une chromatide paternelle (voir la figure 13.9). En fait, chaque fois qu'il se produit un enjambement, les extrémités de deux chromatides non sœurs changent de place.

La **figure 15.10** montre comment l'enjambement chez une drosophile dihybride produit des ovules recombinés et, finalement, des descendants recombinés dans les croisements de contrôle de Morgan. La plupart des ovules possédaient un chromosome ayant un génotype parental de la couleur du corps et de la taille des ailes b^+ vg^+ ou *b vg*, mais certains ovules possédaient un chromosome recombinant (b^+ *vg* ou *b* vg^+). La fécondation de ces différents ovules par des spermatozoïdes homozygotes récessifs (*b vg*) a produit une population dont 17 % des individus avaient un phénotype recombiné non parental, qui correspondait donc aux combinaisons d'allèles non observées auparavant chez l'un ou l'autre des parents de la génération P. Dans la rubrique **Habiletés scientifiques**, vous effectuerez un test statistique qui vous permettra d'analyser les résultats d'un croisement de contrôle de descendants dihybrides de la génération F_1 et vous vérifierez si les deux gènes s'assortissent de façon indépendante, ou s'ils sont liés.

Les nouvelles combinaisons d'allèles : une variation pour la sélection naturelle

ÉVOLUTION Le comportement physique des chromosomes au cours de la méiose contribue à la génération de variations chez les descendants (voir le concept 13.4). Chaque paire de chromosomes homologues s'aligne indépendamment des autres paires durant la métaphase I ; après un enjambement au cours de la prophase I, les chromosomes peuvent assortir des parties des homologues maternels et paternels. Les expériences méticuleuses de Mendel démontrent que le comportement des entités abstraites appelées gènes (ou, plus concrètement, les allèles des gènes) est également la source de variations chez les descendants (voir le concept 14.1). Si vous rassemblez ces différentes idées, vous en déduirez deux faits importants. Premièrement, les chromosomes recombinés issus d'un enjambement peuvent rapprocher les allèles dans de nouvelles combinaisons. Deuxièmement, les événements ultérieurs de la méiose distribuent aux gamètes les chromosomes recombinés dans une multitude de combinaisons, comme les nouvelles variantes génétiques illustrées aux figures 15.9 et 15.10. La fécondation aléatoire augmente alors encore davantage le nombre de combinaisons d'allèles qui peuvent être créées.

Cette abondance de variations génétiques fournit la matière brute sur laquelle la sélection naturelle travaille. Si les caractères conférés par des combinaisons particulières d'allèles sont mieux adaptés pour un milieu donné, on s'attend à ce que les organismes qui possèdent ces génotypes survivent et se reproduisent davantage, assurant ainsi le maintien de leur complément génétique. À la prochaine génération, évidemment, les allèles créeront de nouvelles combinaisons. Par la suite, l'action réciproque entre environnement et phénotype (et, par conséquent, le génotype) déterminera quelles combinaisons génétiques persistent avec le temps.

L'établissement d'une carte des distances entre les gènes à partir des données obtenues grâce à la recombinaison

À partir de la découverte des gènes liés et de la recombinaison par enjambement, l'un des étudiants de Morgan, Alfred H. Sturtevant, a mis au point une méthode permettant d'établir une **carte génétique**, c'est-à-dire une liste ordonnée des locus tout le long d'un chromosome.

Sturtevant a émis l'hypothèse selon laquelle le pourcentage d'individus recombinés, autrement dit la *fréquence de recombinaison,* calculé à partir d'expériences semblables à celle qui est illustrée aux figures 15.9 et 15.10, est proportionnel aux distances entre les gènes le long d'un chromosome. Il a supposé qu'un enjambement était un événement aléatoire et que sa probabilité était à peu près la même en tout point du chromosome. À partir de cette hypothèse, il a prédit que *plus les gènes sont éloignés l'un de l'autre, plus il y a de chances qu'un enjambement survienne entre eux, et, par conséquent, plus la probabilité qu'une recombinaison se produise est élevée.* Son raisonnement est simple : plus l'intervalle entre les gènes est grand, plus ceux-ci

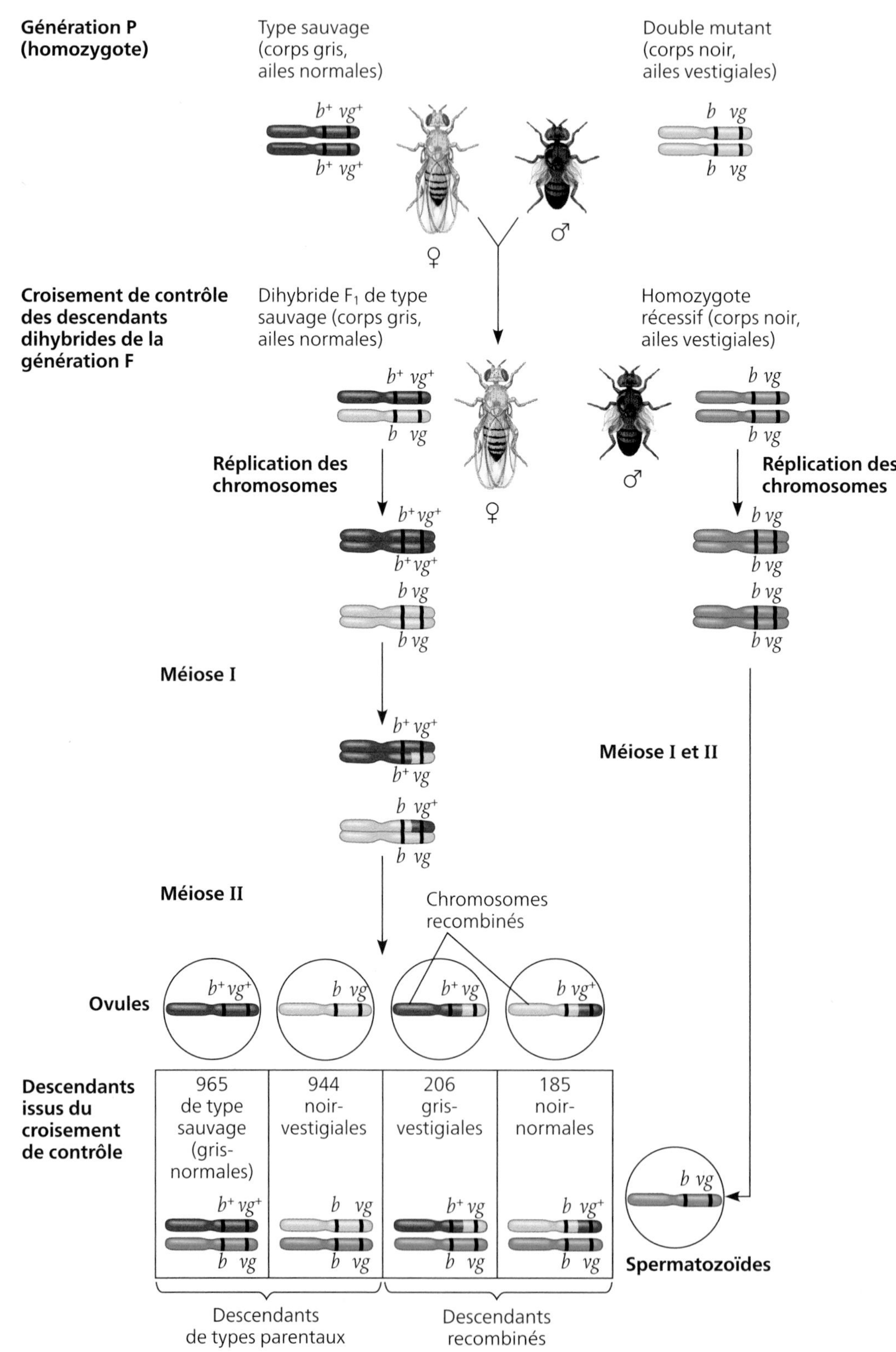

$$\text{Fréquence de recombinaison} = \frac{391 \text{ individus recombinés}}{2\,300 \text{ descendants au total}} \times 100 = 17\,\%$$

▶ **Figure 15.10**

Les bases chromosomiques de la recombinaison des gènes liés. Ces schémas reproduisent le croisement de contrôle présenté à la figure 15.9 ; nous pouvons suivre ici et les chromosomes et les gènes. Nous avons utilisé deux couleurs (rouge et rose) pour les chromosomes maternels (présents dans la génération dihybride F_1 de type sauvage) afin de mieux différencier les deux homologues avant qu'un enjambement méiotique se produise. Parce qu'un enjambement entre les locus b^+/b et vg^+/vg se produit seulement dans certaines des cellules produisant les ovules, il y a formation chez les femelles accouplées d'un plus grand nombre d'ovules possédant les chromosomes de types parentaux (sans recombinaison) que d'ovules recombinés. La fécondation des ovules par des spermatozoïdes de génotype *b vg* donne un certain nombre de descendants recombinés. La fréquence de recombinaison est le pourcentage d'individus recombinés parmi l'ensemble des individus de la même génération.

FAITES UN DESSIN ▶ Supposez, comme dans la question au bas de la figure 15.9, que les individus de type parental (génération P) sont de lignée pure pour un corps gris avec des ailes vestigiales et pour un corps noir avec des ailes normales. Dessinez les chromosomes dans chacun des quatre types d'ovules possibles issus d'une femelle de la génération F_1, et indiquez pour chaque chromosome s'il est de type «parental» ou de type «recombiné».

DÉMARCHE SCIENTIFIQUE

HABILETÉS SCIENTIFIQUES

Réaliser un test du khi carré (χ^2)

■ DEUX GÈNES SONT-ILS LIÉS, OU NON ? ■ Lorsque les gènes sont très proches les uns des autres sur un même chromosome, les allèles liés sont le plus souvent transmis ensemble. Mais comment peut-on déterminer si certains allèles sont transmis ensemble parce qu'ils sont liés, ou simplement parce que le hasard les a réunis lors de la méiose ? Dans cet exercice, vous réaliserez un test statistique simple, soit le test du khi carré (χ^2), pour analyser les phénotypes des descendants issus d'un croisement de contrôle de la génération F_1 et déterminer si les deux gènes sont liés, ou non.

■ MÉTHODE ■ Si les gènes ne sont pas liés et qu'ils s'assortissent de façon indépendante, le rapport phénotypique des descendants issus d'un croisement de contrôle de la génération F_1 devrait être de 1:1:1:1 (voir la figure 15.9). Toutefois, si les gènes sont liés, on pourra observer un rapport différent. Puisqu'il est possible de noter certaines fluctuations aléatoires dans les données, dans quelle mesure les valeurs obtenues doivent-elles s'éloigner des valeurs prévues pour conclure que les gènes ne s'assortissent pas indépendamment mais qu'ils sont plutôt liés ?

Pour répondre à ce genre de question, les scientifiques utilisent le test du khi carré (χ^2). Grâce à ce test statistique, ils peuvent comparer l'ensemble des données observées avec l'ensemble des données prévues en fonction d'une hypothèse (ici, que les gènes ne sont pas liés), mesurer l'écart entre les deux groupes de données, puis établir la qualité de l'ajustement. Si l'écart entre les données obtenues et les données prévues est si important qu'il est impossible de l'attribuer à une fluctuation aléatoire, on peut en conclure que des preuves statistiquement significatives infirment l'hypothèse (dans le cas présent, que les données montrent que les gènes sont liés). Si l'écart est peu important, il est fort possible que la fluctuation aléatoire seule soit à l'origine des valeurs observées. Le cas échéant, on peut en déduire que les données observées sont compatibles avec l'hypothèse, ou que l'écart n'est pas significatif sur le plan statistique. Cependant, il est à noter qu'une compatibilité avec l'hypothèse n'est pas synonyme d'une confirmation. Voilà pourquoi il est important de tenir compte de la taille du groupe de données expérimentales : si la taille de ce groupe est petite (comme dans le cas qui nous occupe) et si la liaison entre les gènes est faible, le hasard peut faire en sorte que l'écart entre les valeurs observées et les valeurs prévues est léger, et ce, même si les gènes sont liés. Dans cet exemple, nous avons sous-estimé l'effet de la taille de l'échantillon afin de simplifier la situation.

■ RÉSULTATS ■ Si on prend l'exemple du cosmos (une fleur originaire du Mexique), la tige mauve (*A*) est un caractère dominant par rapport à la tige verte (*a*), et les pétales courts (*B*) sont un caractère dominant par rapport aux pétales longs (*b*). Dans un croisement simulé, des plantes *AABB* ont été croisées avec des plantes *aabb* pour générer des dihybrides de la génération F_1 (*AaBb*). Ceux-ci ont ensuite fait l'objet d'un croisement de contrôle (*AaBb* × *aabb*). Au total, 900 plantes ont été produites et notées en fonction de la couleur de la tige et de la longueur des pétales des fleurs.

Descendants issus du croisement de contrôle: *AaBb* (F_1) × *aabb*	Tige mauve/ pétales courts (*A–B–*)	Tige verte/ pétales courts (*aaB–*)	Tige mauve/ pétales longs (*A–bb*)	Tige verte/ pétales longs (*aabb*)
Rapport prévu si les gènes ne sont pas liés	1	1	1	1
Nombre prévu de descendants (sur 900)				
Nombre observé de descendants (sur 900)	220	210	231	239

▲ Cosmos.

INTERPRÉTEZ LES DONNÉES ▼

1. Le tableau présente les résultats du croisement de contrôle simulé de dihybrides de la génération F_1. Selon l'hypothèse voulant que les deux gènes ne soient pas liés, le rapport phénotypique des descendants est de 1:1:1:1. En vous fondant sur ce rapport, calculez le nombre prévu de descendants pour chaque phénotype (sur un total de 900 descendants) et écrivez les valeurs dans le tableau des données.
2. On établit la qualité de l'ajustement en calculant la valeur de χ^2. Le résultat indique les quantités par lesquelles les valeurs observées se distinguent des valeurs prévues. Elle indique également le degré de correspondance entre les deux ensembles de données. Voici la formule permettant de calculer la valeur de χ^2 :

$$\chi^2 = \sum \frac{(o-p)^2}{p}$$

où o = observée et p = prévue. Calculez la valeur de χ^2 des données en vous reportant au tableau ci-dessous. Remplissez le tableau en effectuant les opérations figurant dans la rangée supérieure. Additionnez ensuite les entrées de la dernière colonne pour calculer la valeur de χ^2.

Descendants issus du croisement de contrôle	Valeur prévue (*p*)	Valeur observée (*o*)	Écart (*o* – *p*)	$(o-p)^2$	$(o-p)^2/p$
(*A–B–*)		220			
(*aaB–*)		210			
(*A–bb*)		231			
(*aabb*)		239			
				χ^2 = somme	

3. En soit, la valeur de χ^2 ne signifie rien – elle est utilisée pour déterminer la probabilité que les données observées soient attribuables à des fluctuations aléatoires, en supposant que l'hypothèse soit vraie. Une faible probabilité indique que les données observées ne sont pas compatibles avec l'hypothèse, qui doit donc être rejetée. Les biologistes utilisent généralement un seuil de probabilité de 0,05 (5 %). Si la probabilité correspondant à la valeur de χ^2 est de 0,05 ou moins, les écarts entre les valeurs observées et les valeurs prévues sont jugés statistiquement significatifs, et l'hypothèse (que les gènes ne sont pas liés) doit être rejetée. Si la probabilité est supérieure à 0,05, les résultats ne sont pas significatifs sur le plan statistique, et les données observées sont donc compatibles avec l'hypothèse.

   Pour déterminer la probabilité, situez la valeur de χ^2 dans le tableau de répartition des valeurs de χ^2 de l'appendice F. Le degré de liberté (dl) de l'ensemble de données correspond au nombre de catégories (dans cet exemple, 4 phénotypes) moins 1. Dans le cas présent, le degré de liberté est donc de 3 (dl = 3). (a) Déterminez où se situe la valeur calculée de χ^2 dans la ligne dl = 3 du tableau. (b) Les titres des colonnes indiquent la plage des probabilités pour la valeur calculée de χ^2. En vous fondant sur la présence ou l'absence d'écarts non significatifs ($p \leq 0,05$) ou significatifs ($p > 0,05$) entre les valeurs observées et les valeurs prévues, expliquez si les données sont compatibles avec l'hypothèse voulant que les deux gènes ne soient pas liés et s'assortissent indépendamment, ou si les données suffisent pour rejeter cette hypothèse.

sont séparés par un grand nombre de points pouvant être le siège d'un enjambement. Sturtevant a entrepris d'attribuer aux gènes des positions relatives sur les chromosomes, c'est-à-dire de *cartographier* les gènes à partir des fréquences de recombinaison obtenues à l'aide de croisements de drosophiles.

On appelle **carte de liaison génétique** une carte des gènes dressée à partir des fréquences de recombinaison. La **figure 15.11** montre une carte de liaison génétique établie par Sturtevant. Elle représente les positions relatives de trois gènes situés sur le même chromosome: celui de la couleur du corps (*b*) et celui de la taille des ailes (*vg*), que vous avez vus à la figure 15.10, et enfin celui de la couleur vermillon, symbolisé par *cn* (pour cinabre). Ce dernier est l'un des nombreux gènes déterminant la couleur des yeux de la drosophile. Les yeux vermillon (un phénotype mutant) sont d'un rouge plus vif que celui du type sauvage. La fréquence de recombinaison entre *cn* et *b* est de 9 %, celle entre *cn* et *vg* est de 9,5 %, tandis que celle entre *b* et *vg* est de 17 %. Autrement dit, la fréquence des enjambements entre *cn* et *b* et entre *cn* et *vg* est environ deux fois moins élevée qu'entre *b* et *vg*. Pour représenter ces chiffres de façon logique, il faut dessiner une carte génétique où *cn* se trouve à peu près à mi-chemin entre *b* et *vg* (on peut le vérifier en établissant les autres cartes de liaison génétique possibles). Sturtevant a exprimé la distance entre les gènes en **unités cartographiques**: une unité cartographique est définie comme équivalant à une fréquence de recombinaison de 1 %.

L'interprétation des données de recombinaison est plus complexe que ne le laisse croire le présent exemple. À cause des enjambements multiples qui peuvent survenir entre gènes éloignés, il n'est pas toujours possible de détecter les recombinants, de sorte que la distance entre les gènes éloignés est habituellement plus grande que les résultats de croisement ne le laissent croire. En outre, certains gènes d'un même chromosome sont parfois si éloignés l'un de l'autre que l'apparition d'un enjambement entre eux est presque certaine. La fréquence de recombinaison entre ces deux gènes peut atteindre une valeur maximale de 50 %. Il est impossible de distinguer un tel résultat de la valeur obtenue dans le cas de gènes situés sur des chromosomes différents. Bien qu'ils soient sur le même chromosome et par conséquent *physiquement liés*, les gènes sont *génétiquement non liés*; les allèles de ces gènes subissent un assortiment indépendant comme s'ils étaient situés sur des chromosomes différents. En fait, on sait maintenant que les gènes de deux des caractères du pois étudiés par Mendel (le gène de la couleur des graines et celui de la couleur des fleurs) se trouvent tous deux sur le même chromosome. Cependant, ils sont si éloignés l'un de l'autre que les croisements génétiques ne permettent pas de remarquer qu'ils sont liés. Par conséquent, dans les expériences de Mendel, les deux gènes se comportent comme s'ils étaient situés sur des chromosomes différents. Pour cartographier les gènes localisés sur un même chromosome, mais distants l'un de l'autre, on additionne les fréquences de recombinaison des croisements faisant intervenir des paires de gènes plus rapprochées situées entre les deux gènes distants.

À l'aide des résultats de divers croisements, Sturtevant et ses collaborateurs ont réussi à cartographier de nombreux gènes de la drosophile. Ils ont découvert l'existence de quatre groupes de gènes liés (*groupes de liaison*). Par microscopie photonique, les biologistes avaient identifié auparavant quatre paires de chromosomes chez la drosophile; la carte de liaison est donc venue confirmer que les gènes se situent bel et bien sur les chromosomes. Les gènes portés par chaque chromosome sont alignés, chaque gène occupant son propre locus (**figure 15.12**).

Comme la carte de liaison génétique représente strictement des fréquences de recombinaison, elle ne donne qu'une image approximative d'un chromosome. La fréquence des enjambements n'est pas la même tout le long du chromosome, comme le supposait Sturtevant; les unités cartographiques ne correspondent donc pas à des distances physiques réelles (en nanomètres, par exemple). Une carte de liaison génétique indique

DÉMARCHE SCIENTIFIQUE

MÉTHODE DE RECHERCHE

▼ **Figure 15.11**

L'établissement d'une carte de liaison génétique

■ **APPLICATION** ■ Une carte de liaison génétique indique les emplacements relatifs des gènes le long d'un chromosome.

■ **TECHNIQUE** ■ Pour obtenir ce type de carte, on suppose que la probabilité qu'un enjambement se produise entre deux locus est proportionnelle à la distance qui les sépare. On obtient les fréquences de recombinaison permettant d'établir la carte de liaison génétique d'un chromosome quelconque en effectuant des croisements expérimentaux, comme celui qui est illustré aux figures 15.9 et 15.10. Ces croisements, appelés *tests en trois points*, s'effectuent entre des individus hétérozygotes pour trois paires de gènes. On exprime les distances entre les gènes en unités cartographiques; une unité cartographique est définie comme équivalant à une fréquence de recombinaison de 1 %. Les gènes sont disposés sur le chromosome selon la séquence qui représente le mieux les fréquences obtenues.

■ **RÉSULTATS** ■ Dans le présent exemple, les fréquences de recombinaison observées entre trois paires de gènes de la drosophile (entre *b* et *cn*, 9 %; *cn* et *vg*, 9,5 %; *b* et *vg*, 17 %) représentent le mieux une séquence linéaire dans laquelle *cn* se trouve à peu près à mi-chemin entre les deux autres gènes:

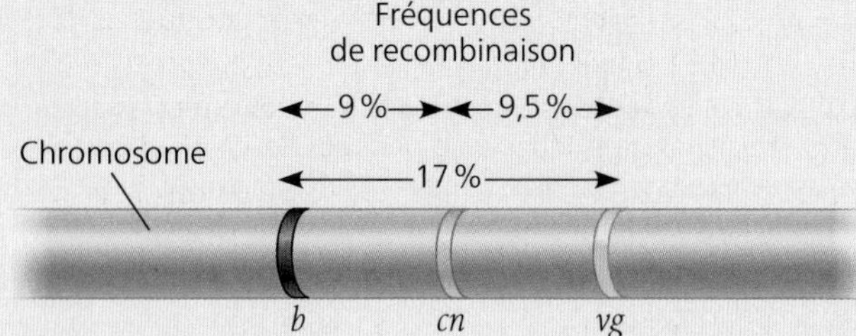

La fréquence de recombinaison observée entre *b* et *vg* (17 %) est légèrement inférieure à la somme de celles qui ont lieu entre *b* et *cn* et entre *cn* et *vg* (9 + 9,5 = 18,5 %) à cause du petit nombre de fois qu'un enjambement se produit entre *b* et *cn* et un autre entre *cn* et *vg*. Un deuxième enjambement pourrait «annuler» le premier, réduisant la fréquence de recombinaison observée entre *b* et *vg* tout en contribuant à la fréquence entre chacune des paires de gènes les plus rapprochées. La valeur de 18,5 % (18,5 unités cartographiques) est plus proche de la distance réelle entre les gènes. C'est pourquoi, en pratique, les généticiens additionnent les distances les plus courtes en construisant une carte.

▼ **Figure 15.12 La carte de liaison génétique partielle d'un chromosome de la drosophile.** Cette carte de liaison génétique simplifiée montre seulement sept des gènes qui ont été repérés sur le chromosome II de la drosophile. (Le séquençage de l'ADN a mis en évidence plus de 9 000 gènes sur ce chromosome.) Le nombre inscrit à chaque locus d'un gène indique le nombre d'unités cartographiques entre ce locus et celui de la longueur des aristas (extrémités des antennes). Remarquez qu'un caractère phénotypique donné, comme la couleur des yeux, peut être influencé par plusieurs gènes.

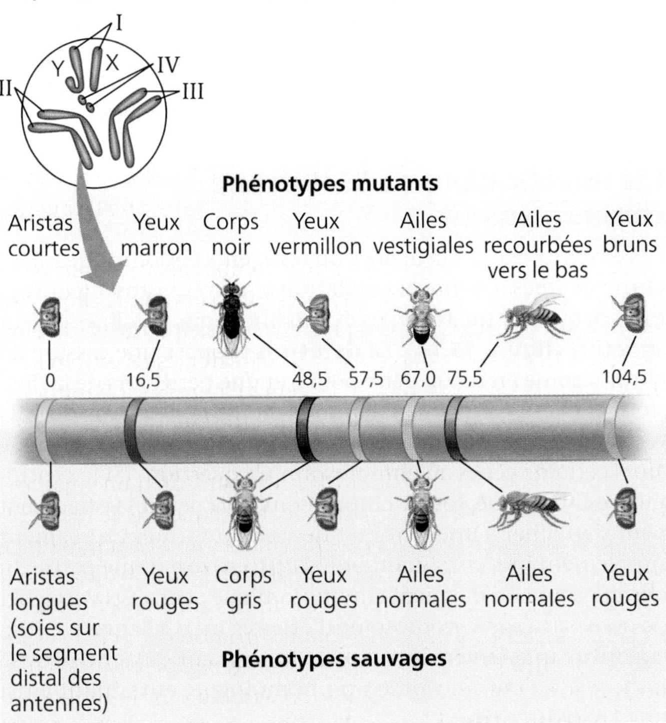

l'ordre des gènes le long d'un chromosome, mais elle ne montre pas leur emplacement exact. Les généticiens se servent d'autres méthodes pour dresser des *cartes chromosomiques* (ou *cartes cytogénétiques*), indiquant la position précise des gènes par rapport à certaines portions chromosomiques révélées par des bandes colorées visibles au microscope. Les avancées technologiques réalisées au cours des 20 dernières années ont permis de séquencer l'ADN beaucoup plus rapidement, tout en réduisant les coûts. Aussi, la plupart des chercheurs procèdent maintenant au séquençage des génomes entiers afin de cartographier l'emplacement des gènes d'espèces données. La séquence nucléotidique entière constitue une carte physique plus précise d'un chromosome, et elle montre les distances entre les locus des gènes en termes de nombre de nucléotides d'ADN (voir le concept 21.1). Lorsqu'on compare une carte de liaison génétique d'un chromosome donné avec une carte physique sous forme de séquence ou même avec une carte chromosomique, on constate que l'ordre des gènes sur le chromosome reste identique, mais que les espaces qui les séparent ne sont pas les mêmes.

RETOUR SUR LE CONCEPT 15.3

1. Lorsque deux gènes sont situés sur le même chromosome, quel est le fondement physique de la production d'individus recombinés dans un croisement de contrôle entre un parent dihybride et un parent double mutant (récessif) ?
2. **HABILETÉS VISUELLES** ▶ Pour chacun des types de descendants représentés à la figure 15.9, expliquez la relation entre son phénotype et les allèles parentaux fournis par la femelle. (Il est utile de mettre en évidence les chromosomes de chacune des mouches et de suivre les allèles tout au long du croisement.)
3. **ET SI ?** ▶ Les gènes A, B et C sont situés sur le même chromosome. Des croisements de contrôle montrent que la fréquence de recombinaison entre *A* et *B* est de 28 % et celle entre *A* et *C* est de 12 %. Pouvez-vous déterminer la séquence linéaire de ces gènes ? Expliquez votre réponse.

Voir les réponses proposées à l'appendice A.

CONCEPT **15.4**

Les anomalies du nombre ou de la structure des chromosomes causent certaines maladies génétiques

Comme vous l'avez appris jusqu'à maintenant dans le présent chapitre, le phénotype d'un organisme peut être influencé par des modifications mineures mettant en jeu des gènes individuels. Des mutations aléatoires sont la source de tous les nouveaux allèles, ce qui peut entraîner de nouveaux caractères phénotypiques.

Les modifications chromosomiques de grande ampleur peuvent également influer sur le phénotype d'un organisme. Des facteurs physiques et chimiques, de même que des erreurs qui surviennent pendant la méiose, peuvent endommager gravement les chromosomes d'une cellule ou encore modifier leur nombre. Chez les humains et d'autres mammifères, les aberrations (ou mutations) chromosomiques de grande ampleur provoquent souvent l'avortement spontané du fœtus, et les individus qui naissent avec ce type de défauts génétiques présentent souvent divers troubles du développement. Les végétaux semblent mieux tolérer de telles anomalies génétiques que les animaux.

Le nombre anormal de chromosomes

Normalement, le fuseau mitotique répartit les chromosomes sans erreur dans les cellules filles. Mais il se produit parfois un accident appelé **non-disjonction** : les chromosomes homologues ne se séparent pas comme ils le devraient pendant la méiose I ou encore les chromatides sœurs ne se séparent pas pendant la méiose II (**figure 15.13**). En cas de non-disjonction, l'un des gamètes reçoit deux chromosomes de la même paire, alors qu'un autre n'en reçoit aucun. Habituellement, les autres chromosomes sont transmis de façon normale.

S'il se produit une union entre un gamète normal et l'un des gamètes anormaux (ce qui serait le cas de 20 % des gamètes femelles chez l'humain), le zygote qui en résultera possédera un nombre anormal d'un chromosome donné, un état appelé **aneuploïdie**. L'aneuploïdie peut concerner plus d'une paire de chromosomes. La fécondation mettant en jeu un gamète qui ne possède pas de copie d'un chromosome donné peut entraîner l'absence d'un chromosome dans un zygote (de sorte que la cellule possède $2n - 1$ chromosomes) ; on dit que le zygote aneuploïde est **monosomique** pour ce chromosome. Quand il y a trois exemplaires du même chromosome dans le zygote (soit $2n + 1$ chromosomes au total), on dit que cette cellule aneuploïde est **trisomique** pour ce chromosome. L'anomalie se transmet ensuite à toutes les cellules de l'embryon par mitose. On estime qu'une monosomie et une trisomie surviennent dans 10 à 25 % des fécondations humaines et qu'elles sont la principale cause des fausses couches. Si l'organisme survit, il présente habituellement un ensemble de caractères liés au nombre anormal de gènes dû au chromosome surnuméraire ou à l'absence d'un chromosome. Chez l'humain, le syndrome de Down constitue un exemple de trisomie que nous décrirons plus loin. La non-disjonction peut également survenir pendant la mitose. Si elle se produit au début du développement embryonnaire, alors l'état aneuploïde se transmettra par mitose à un grand nombre de cellules. Cette situation aura probablement des effets importants sur l'organisme.

Certains organismes possèdent plus de deux jeux complets de chromosomes dans toutes leurs cellules somatiques. Ce type d'anomalie chromosomique porte le nom générique de **polyploïdie**; les termes spécifiques de *triploïdie* et de *tétraploïdie* désignent respectivement un nombre de trois jeux chromosomiques ($3n$) et de quatre jeux chromosomiques ($4n$). Une cellule triploïde peut être formée par la fécondation d'un ovule anormal, devenu diploïde à cause de la non-disjonction de tous ses chromosomes. Quant à l'état tétraploïde, il peut résulter de l'absence de division d'un zygote (originellement à $2n$) après la réplication de ses chromosomes en vue de la première mitose. Les mitoses ultérieures normales produisent alors un embryon à $4n$.

La polyploïdie est relativement fréquente dans le règne végétal. D'une manière générale, les individus polyploïdes ont une apparence plus normale que les aneuploïdes. L'absence d'un chromosome ou, au contraire, la présence d'un chromosome

▼ **Figure 15.13 La non-disjonction méiotique.** Pendant la méiose I ou la méiose II, il y a des étapes durant lesquelles une non-disjonction peut survenir; il en résulte des gamètes avec un nombre anormal de chromosomes. Pour simplifier, la figure ne montre pas les spores formées par la méiose chez les végétaux. Par la suite, les spores forment des gamètes qui possèdent les anomalies illustrées (voir la figure 13.6b).

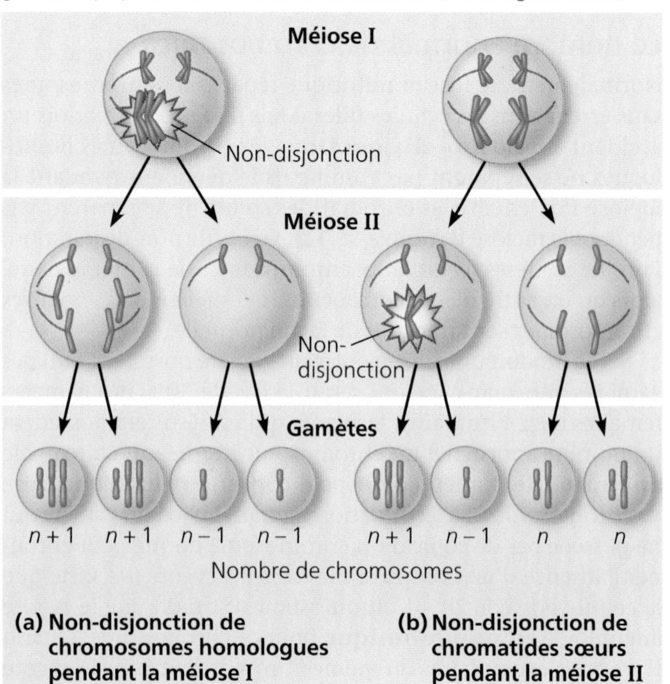

surnuméraire semble rompre l'équilibre génétique plus gravement que la présence d'un jeu complet de chromosomes supplémentaires, du moins chez les végétaux. L'apparition spontanée d'individus polyploïdes joue un rôle important dans leur évolution (voir le concept 24.2). Beaucoup d'espèces végétales que nous consommons sont polyploïdes : les bananes (*Musa paradisiaca*) sont triploïdes, le blé (*Triticum aestivum*), hexaploïde ($6n$), et les fraises (*Fragaria sp.*), octoploïdes ($8n$). Chez les animaux, la polyploïdie est beaucoup moins commune, mais elle existe chez certains poissons et amphibiens. Chez l'humain, la polyploïdie n'est pas viable ; on estime que les fœtus triploïdes représentent un peu plus de 15 % des fausses couches.

Les modifications de la structure chromosomique

Les erreurs pendant la méiose ou les agents endommageant les chromosomes (comme les radiations) peuvent causer leur rupture, ce qui crée quatre types de modifications possibles de leur structure (**figure 15.14**). La **délétion** suppose une cassure du chromosome en un ou deux points et une perte, lors de la division cellulaire, du fragment terminal du chromosome ou du fragment qui se trouvait entre les deux points de cassure. Il manque alors certains gènes au chromosome en question. (Si le centromère est supprimé, tout le chromosome sera perdu.) Le fragment peut s'attacher à une chromatide sœur et former un segment supplémentaire, entraînant une **duplication** d'une partie du chromosome. Le fragment chromosomique peut aussi s'attacher de nouveau à son chromosome d'origine, mais à l'envers, ce qui constitue une **inversion**. Enfin, le segment détaché peut se joindre à un chromosome non homologue, entraînant ainsi une **translocation**.

C'est pendant la méiose, lors d'un enjambement, que les délétions et les duplications risquent le plus de se produire. Des fragments de chromatides non sœurs échangent parfois des segments d'ADN de tailles inégales, de sorte que l'une des chromatides perd des gènes, alors que l'autre en reçoit en trop (voir la figure 21.13). Le résultat final d'un tel enjambement non réciproque donne un chromosome avec une délétion, et un autre avec une duplication.

Chez un embryon diploïde dont deux chromosomes homologues ont subi une délétion (ou chez un mâle dont l'unique chromosome X a perdu un fragment), il peut manquer une partie d'un seul gène si la délétion est courte, ou un certain nombre de gènes essentiels dans le cas de délétions plus importantes. Ce dernier état est généralement létal. Les duplications et les translocations ont aussi souvent des effets nocifs. Dans le cas des translocations réciproques (échanges de segments entre chromosomes non homologues) et des inversions, tous les gènes sont présents en nombre normal chez l'individu qui porte ces anomalies chromosomiques, et l'équilibre n'est généralement pas rompu (à moins que la rupture du chromosome se soit produite à l'intérieur même d'un gène et ne perturbe son expression). Il reste que les translocations et les inversions risquent de se répercuter sur le phénotype, un gène pouvant s'exprimer en fonction de son emplacement sur le chromosome, soit de sa position par rapport aux autres gènes. De tels événements ont parfois des effets dévastateurs : le lymphome de Burkitt, par exemple, un cancer de cellules immunitaires, est le plus souvent associé à une translocation réciproque des chromosomes 8 et 14.

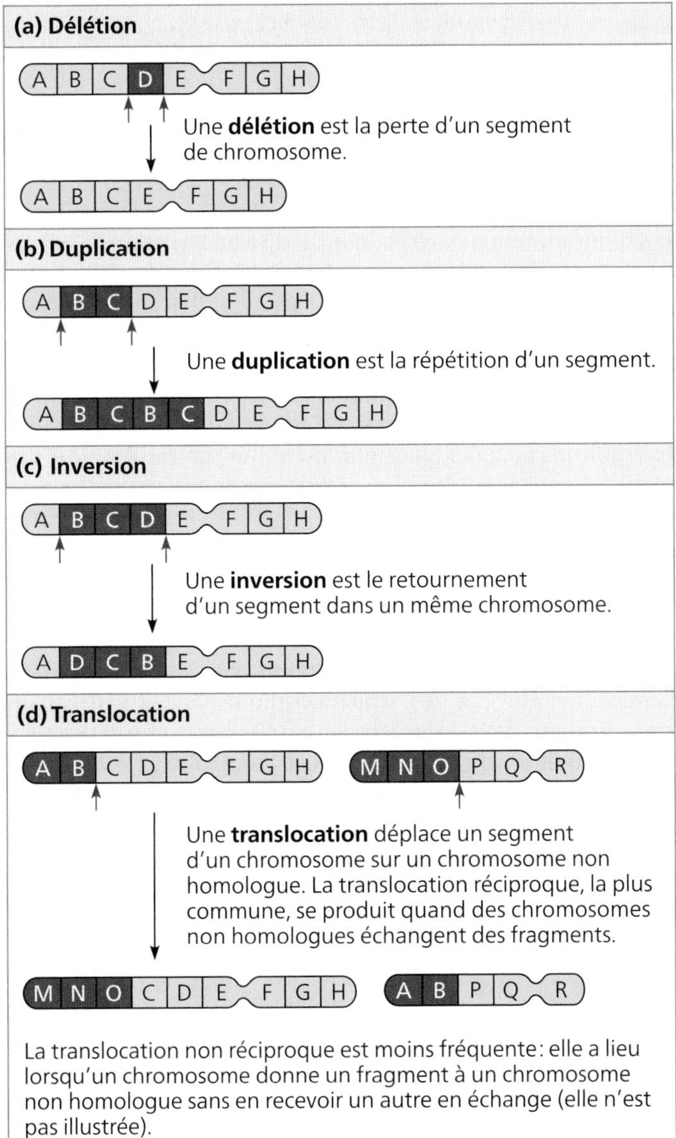
(a) Délétion
A B C D E F G H
Une **délétion** est la perte d'un segment de chromosome.
A B C E F G H
(b) Duplication
A B C D E F G H
Une **duplication** est la répétition d'un segment.
A B C B C D E F G H
(c) Inversion
A B C D E F G H
Une **inversion** est le retournement d'un segment dans un même chromosome.
A D C B E F G H
(d) Translocation
A B C D E F G H
M N O P Q R
Une **translocation** déplace un segment d'un chromosome sur un chromosome non homologue. La translocation réciproque, la plus commune, se produit quand des chromosomes non homologues échangent des fragments.
M N O C D E F G H
A B P Q R
La translocation non réciproque est moins fréquente: elle a lieu lorsqu'un chromosome donne un fragment à un chromosome non homologue sans en recevoir un autre en échange (elle n'est pas illustrée).

▼ **Figure 15.14 Les altérations de la structure chromosomique.** Les flèches rouges indiquent les endroits où les chromosomes se brisent. Les parties colorées en violet foncé représentent les morceaux de chromosome affectés par les remaniements.

On connaît aussi des cas d'inversion entraînant de graves conséquences, par exemple lorsqu'il se forme des gamètes portant des délétions ou des duplications de gènes résultant d'enjambements survenus entre le chromosome portant une inversion et le chromosome normal.

Les maladies humaines résultant d'aberrations chromosomiques

Les modifications du nombre et de la structure des chromosomes sont associées à certaines maladies graves chez l'être humain. Comme nous l'avons décrit précédemment, lorsqu'une nondisjonction survient au cours de la méiose, les gamètes qui en sont issus et les zygotes produits sont aneuploïdes. La fréquence des zygotes aneuploïdes peut être assez élevée chez l'humain. Toutefois, la plupart des aberrations chromosomiques de cette nature ont des conséquences si désastreuses sur le développement que les embryons atteints sont expulsés spontanément bien avant la naissance. Certains types d'aneuploïdie perturbent moins l'équilibre génétique que les autres, de sorte que les grossesses sont menées à terme et que les individus atteints de l'anomalie vivent un certain temps. Chaque type d'aneuploïdie (il y en aurait une dizaine chez l'humain) s'accompagne d'un ensemble de symptômes (un *syndrome*) caractéristiques, mais ils ont presque toujours un effet sur le développement de l'encéphale. Les maladies génétiques causées par l'aneuploïdie peuvent être diagnostiquées chez les fœtus avant la naissance (voir la figure 14.19).

Le syndrome de Down (trisomie 21)

L'état aneuploïde appelé **syndrome de Down** survient, à une fréquence d'environ 1 naissance sur 830 aux États-Unis (**figure 15.15**). Ce syndrome porte le nom du médecin britannique John Langdon Down, qui l'a décrit en 1866. La maladie est habituellement due à la présence surnuméraire du plus petit des autosomes humains, le chromosome 21 (225 gènes): chaque cellule a donc 47 chromosomes au total au lieu de 46. Par convention, on désigne ce syndrome de la façon suivante: 47, +21. Comme la cellule est trisomique pour le chromosome 21, le syndrome de Down est souvent appelé trisomie 21 (il s'agit de la première trisomie humaine découverte et de l'aneuploïdie la plus fréquente). Les personnes atteintes ont des traits faciaux caractéristiques, une petite taille, des malformations cardiaques soignables et un retard de développement. Elles ont un risque accru de souffrir de la leucémie (20 fois plus élevé) et de la maladie d'Alzheimer (4 fois plus élevé), mais un taux inférieur d'hypertension artérielle, d'athérosclérose (durcissement des artères), d'accident vasculaire cérébral et de nombreux types de tumeurs solides. Bien que la durée de vie moyenne des personnes souffrant du syndrome de Down soit inférieure à la normale, la plupart d'entre elles atteignent, avec un traitement médical approprié, un âge assez avancé (plus de 60 ans). Beaucoup vivent seules ou à la maison avec leur famille, ont un emploi et sont de précieuses intervenantes pour leur communauté. Presque tous les hommes et environ la moitié des femmes atteintes de la maladie ne se développent pas complètement sur le plan sexuel et sont stériles.

▼ **Figure 15.15 Le syndrome de Down (trisomie 21).** Le caryotype montre la trisomie 21, la cause la plus fréquente du syndrome de Down. L'enfant présente le faciès caractéristique de cette anomalie.

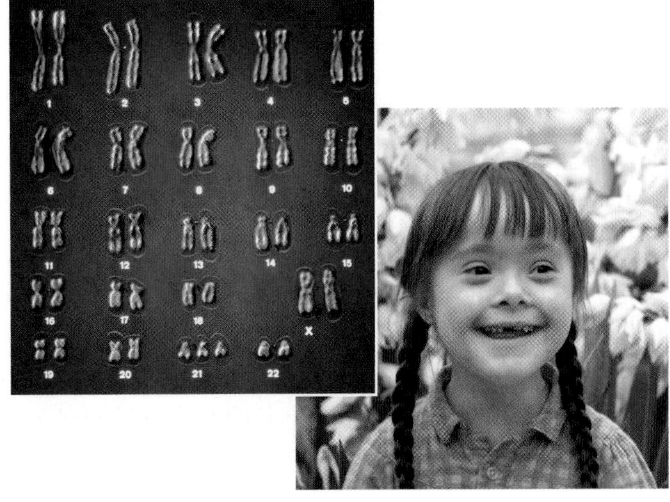

La fréquence du syndrome de Down augmente avec l'âge de la mère (et de façon moins marquée avec l'âge du père). Cette anomalie apparaît chez seulement 0,04 % (4 naissances sur 10 000) des enfants issus de mères ayant moins de 30 ans. La proportion passe à 0,92 % (92 naissances sur 10 000) chez les femmes de 40 ans et elle s'élève encore plus chez celles qui sont plus âgées. La corrélation entre la fréquence de cette anomalie et l'âge de la mère reste inexpliquée. La plupart des cas de syndrome de Down résultent d'une non-disjonction lors de l'anaphase de la méiose I et des recherches mettent en cause une anomalie liée à l'âge. L'incidence des trisomies des autres chromosomes s'accroît aussi avec l'âge de la mère, mais les nouveau-nés souffrant des deux autres trisomies autosomiques les plus répandues survivent rarement bien longtemps. En raison du faible risque qu'il pose et des informations utiles que fournit le diagnostic prénatal, les experts médicaux recommandent qu'il soit offert à toutes les femmes enceintes. De nombreux pays (en Europe, en Amérique et ailleurs) ont adopté des lois sur le diagnostic prénatal dans lesquelles il est généralement stipulé que les médecins doivent fournir aux parents de l'information exacte et à jour à propos de tout diagnostic prénatal ou postnatal. De plus, dans bien des cas, des services de soutien aux parents sont aussi mis en place pour offrir un suivi à la suite du diagnostic.

L'aneuploïdie des chromosomes sexuels

Le plus souvent, il semble que les types d'états aneuploïdes liés aux chromosomes sexuels créent un déséquilibre génétique moins grave que dans les formes d'aneuploïdie touchant les autosomes. Cette moindre gravité pourrait également être due au fait que le chromosome Y porte relativement peu de gènes et que les exemplaires surnuméraires du chromosome X sont inactivés sous la forme de corpuscules de Barr.

Un garçon sur environ 500 à 1 000 porte, à la naissance, un chromosome X surnuméraire (47, XXY). Cette anomalie est appelée *syndrome de Klinefelter*. Les hommes touchés ont des organes sexuels masculins, mais leurs testicules sont atrophiés et ils sont stériles. Même si le chromosome X surnuméraire est inactif, ils ont souvent des seins développés et présentent d'autres caractères physiques féminins. Ils ont des membres très longs, mais ne semblent pas souffrir de retard mental. Des sujets de sexe masculin (1 sur 1 000) naissent avec un chromosome Y surnuméraire (47, XYY), qui n'est cependant jamais transmis à leurs descendants ; ces individus bénéficient d'un développement sexuel normal et ils ne présentent aucun syndrome bien défini, mais leur taille est supérieure à la moyenne (au-dessus de 1,80 m).

Les sujets de sexe féminin atteints de trisomie X (47, XXX), une anomalie qui touche environ 1 fille née vivante sur 1 000, ont une santé normale et ne présentent aucune caractéristique physique inhabituelle, si ce n'est leur taille légèrement supérieure à la moyenne. Les femmes atteintes du syndrome du triple X sont exposées à des troubles d'apprentissage, mais sont fertiles. La monosomie X (45, X ou X0), appelée *syndrome de Turner*, touche 1 fille sur 2 500 environ. C'est la seule monosomie viable chez l'humain. Bien que les personnes atteintes aient un phénotype féminin, leurs organes sexuels ne parviennent pas à maturité et elles sont stériles (la présence des deux chromosomes X semble nécessaire pour permettre le développement normal des organes sexuels). Cependant, elles acquièrent des caractères sexuels secondaires si elles reçoivent une thérapie de remplacement d'œstrogènes. La plupart ont une intelligence normale, sont de petite taille (inférieure à 1,50 m), présentent certains problèmes auditifs et possèdent un pli caractéristique de la peau au niveau du cou. N'ayant qu'un seul chromosome X, elles risquent davantage d'être touchées par les maladies transmises par des gènes liés au sexe.

Les maladies causées par des modifications de la structure chromosomique

Beaucoup de délétions affectant des chromosomes, même à l'état hétérozygote, provoquent des déficiences graves. L'un de ces syndromes, appelé *cri du chat*, est dû à une délétion de l'extrémité d'un des chromosomes de la paire 5. Un enfant atteint de cette anomalie à la naissance (1 sur 50 000) accuse un retard mental important, possède une petite tête et des traits faciaux inhabituels, et, par suite d'une anomalie au niveau du larynx, ses pleurs ressemblent au miaulement d'un chat en détresse. La longueur du segment de chromosome manquant étant variable, le syndrome aura des effets plus ou moins sévères. La mort survient cependant habituellement dans la première année de vie ou au début de l'enfance.

La translocation chromosomique peut également survenir pendant la mitose ; on l'a reliée à certains cancers, y compris la *leucémie myéloïde chronique* (LMC). Cette maladie survient lorsqu'une translocation réciproque se produit durant la mitose des cellules qui donneront les globules blancs du sang. Dans ces cellules, une grande partie du chromosome 22 a été échangée contre un petit fragment de l'extrémité du chromosome 9 pour donner un chromosome 22 beaucoup plus petit et facile à reconnaître, appelé *chromosome Philadelphie* (c'est dans cette ville qu'on l'a découvert en 1960) (**figure 15.16**). Un tel échange cause le cancer en créant un nouveau gène « fusionné » qui provoque une progression incontrôlée du cycle cellulaire. Les cellules anormales se mettent alors à proliférer en entraînant une surabondance de globules blancs. (Le mécanisme de l'activation des gènes sera traité au chapitre 18 ; voir le concept 18.2.)

▼ **Figure 15.16 Translocation et leucémie myéloïde chronique (LMC).** Les cellules cancéreuses chez presque tous les patients atteints de LMC comportent un chromosome 22 anormalement court, le chromosome Philadelphie, et un chromosome 9 anormalement long. Ces chromosomes modifiés sont dus à une translocation réciproque, illustrée ici, qui est probablement survenue dans un seul précurseur de globule blanc du sang pendant la mitose; ils sont par la suite transmis à toutes les cellules descendantes.

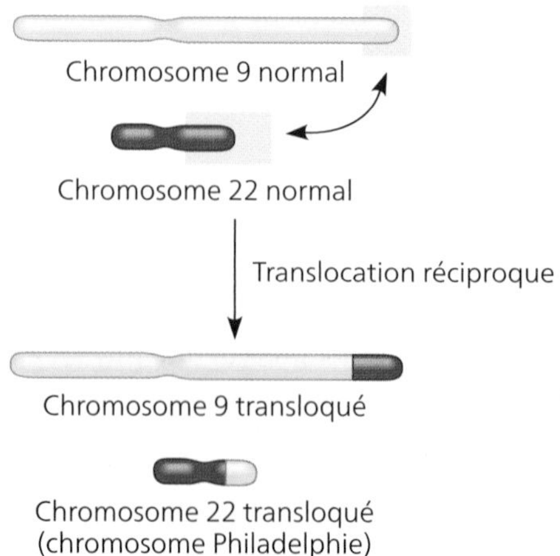

RETOUR SUR LE CONCEPT **15.4**

1. Une translocation chromosomique, dans laquelle un troisième exemplaire du chromosome 21 est rattaché au chromosome 14 (le plus souvent), est décelée chez environ 5 % des individus atteints du syndrome de Down. Si cette translocation se produit dans les gonades d'un parent, comment peut-elle entraîner le syndrome de Down chez un enfant ?

2. **FAITES DES LIENS** ▶ On a établi que le locus du groupe sanguin ABO se trouve sur le chromosome 9. Un père AB et une mère O ont un enfant A, qui est atteint de trisomie 9. À partir de cette information, pouvez-vous déterminer lequel des parents a subi la non-disjonction ? Expliquez votre réponse. (Voir les figures 14.11 et 15.13.)

3. **FAITES DES LIENS** ▶ Le gène qui est activé sur le chromosome Philadelphie code pour une tyrosine kinase intracellulaire. Revoyez la présentation sur la régulation du cycle cellulaire dans le concept 12.3 et expliquez comment l'activation de ce gène peut contribuer à l'apparition du cancer.

Voir les réponses proposées à l'appendice A.

CONCEPT **15.5**

Certains modes de transmission héréditaire font exception à la théorie classique de l'hérédité mendélienne

Dans la section précédente, vous avez appris l'existence d'anomalies des modes de transmission chromosomique habituels résultant d'événements anormaux au cours de la méiose et de la mitose. Nous concluons le présent chapitre par la description de deux exceptions *normales* à la génétique mendélienne, l'une mettant en jeu des gènes situés dans le noyau, et l'autre, des gènes situés à l'extérieur du noyau. Dans les deux cas, le sexe du parent qui donne un allèle est un facteur dans le mode de transmission.

L'empreinte génomique

Tout au long de notre présentation de la génétique mendélienne et des bases chromosomiques de l'hérédité, nous avons supposé qu'un allèle donné exerçait le même effet, qu'il soit transmis par la mère ou par le père. C'est probablement vrai dans la plupart des cas. Par exemple, lorsque Mendel croisait des plants de pois à fleurs violettes avec d'autres plants de pois à fleurs blanches, il obtenait des résultats identiques, que le parent à fleurs violettes ait fourni le gamète mâle ou le gamète femelle. Cependant, les généticiens ont identifié récemment chez les mammifères un certain nombre de caractères dont l'expression dépend de l'identité du parent qui transmet l'allèle correspondant; ce type de variation dans le phénotype est appelé **empreinte génomique** (ou empreinte parentale). Remarquez que, contrairement aux gènes liés au sexe, la plupart des gènes ayant reçu une empreinte sont situés sur des autosomes. Grâce à des méthodes plus récentes de séquençage de l'ADN, on a décelé chez les êtres humains près de 100 gènes marqués d'une empreinte, et 125 chez la souris.

L'empreinte génomique se produit au cours de la formation des gamètes et inactive un allèle donné de certains gènes. Étant donné que ces gènes reçoivent une empreinte différente dans le spermatozoïde et dans l'ovule, un zygote n'exprime qu'un seul allèle des gènes ayant reçu l'empreinte, soit l'allèle transmis par un parent spécifique, c'est-à-dire la mère ou le père, selon le gène. Les empreintes sont transmises à toutes les cellules de l'organisme au cours de la croissance. À chaque génération, les vieilles empreintes sont « effacées » dans les cellules productrices de gamètes, et les chromosomes des gamètes reçoivent une nouvelle empreinte selon le sexe de l'individu chez qui ils se trouvent. Les empreintes génomiques se transmettent donc d'une cellule à l'autre par la mitose, mais non par la méiose. Chez une espèce donnée, la façon dont les gènes reçoivent leur empreinte est toujours la même. Par exemple, un gène qui a reçu une empreinte pour l'expression d'un allèle maternel reçoit toujours une empreinte pour l'expression d'un allèle maternel, une génération après l'autre.

Considérons, par exemple, le gène de la souris pour le facteur de croissance insulinoïde-2 (*Igf2*), un des premiers gènes subissant une empreinte qu'on a identifiés. Bien que ce facteur de croissance soit requis pour un développement prénatal normal, seul l'allèle paternel s'exprime (**figure 15.17a**). Des croisements entre des souris de taille normale (type sauvage) et des souris génétiquement naines homozygotes pour une mutation récessive dans le

▼ **Figure 15.17 L'empreinte génomique du gène *Igf2* de la souris.**

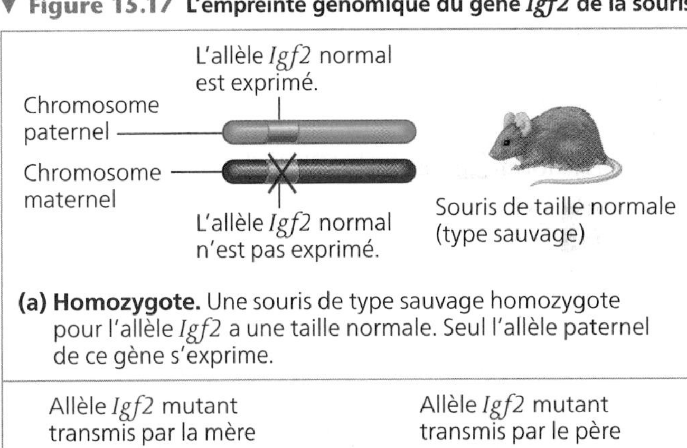
L'allèle Igf2 normal est exprimé.
Chromosome paternel
Chromosome maternel
L'allèle Igf2 normal n'est pas exprimé.
Souris de taille normale (type sauvage)

(a) Homozygote. Une souris de type sauvage homozygote pour l'allèle *Igf2* a une taille normale. Seul l'allèle paternel de ce gène s'exprime.

Allèle Igf2 mutant transmis par la mère
Allèle Igf2 mutant transmis par le père
Souris de taille normale (type sauvage)
Souris naine (mutant)

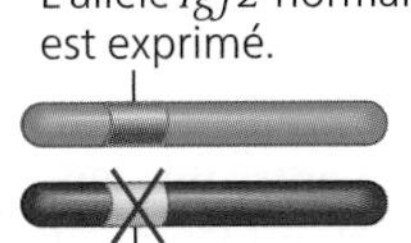
L'allèle Igf2 normal est exprimé.
L'Allèle Igf2 mutant n'est pas exprimé.
L'allèle Igf2 mutant est exprimé.
L'allèle Igf2 normal n'est pas exprimé.

(b) Hétérozygotes. Les hétérozygotes possèdent différents phénotypes, selon l'allèle transmis par chacun des parents. L'union entre des souris de type sauvage et des souris homozygotes pour l'allèle *Igf2* mutant récessif produit des individus hétérozygotes. Comme l'allèle maternel *Igf2* n'est pas exprimé, le phénotype nain (mutant) apparaît seulement quand le père contribue à l'allèle mutant.

gène *Igf2* ont constitué une preuve que ce gène reçoit initialement une empreinte. Les phénotypes des descendants hétérozygotes (avec un allèle normal et un allèle mutant) diffèrent selon que l'allèle mutant provenait du père ou de la mère (**figure 15.17b**).

L'empreinte génomique devient manifeste quand un individu porte un gène ayant un allèle avec empreinte, tandis que l'autre allèle est absent par suite d'une délétion. Chez l'humain, c'est le cas de deux syndromes affectant le développement neurologique (celui de PraderWilli et celui d'Angelman) et mettant en cause une même région (plusieurs gènes) du chromosome 15. Lorsque les gènes du père sont absents (à cause d'une délétion), l'individu souffre du syndrome de PraderWilli (petite taille et obésité notamment), tandis que l'absence des gènes maternels entraîne le syndrome d'Angelman (caractérisé notamment par un retard mental important). Dans les deux cas, l'individu n'a aucun allèle actif pour ce gène puisqu'un des deux allèles a été inactivé par empreinte génomique et que l'autre allèle est absent à cause de la délétion.

Par quel mécanisme une cellule produit-elle l'empreinte génomique ? En fait, une empreinte peut inactiver ou activer un allèle situé dans l'un ou l'autre type de gamète (ovule ou spermatozoïde). Dans de nombreux cas, l'empreinte ferait intervenir la méthylation des nucléotides de cytosine de l'un des allèles. Cet ajout de groupements méthyle (—CH_3) sur cette base azotée neutraliserait un allèle, un effet qui concorde avec le fait que les gènes très méthylés sont habituellement inactifs (voir le concept 18.2). Cependant, pour quelques gènes, il a été démontré que la méthylation *active* l'expression de l'allèle. C'est ce qui arrive dans le cas du gène *Igf2* : la méthylation de certaines cytosines sur le chromosome paternel entraîne l'expression de l'allèle *Igf2* paternel par un mécanisme indirect dans lequel interviennent la structure de la chromatine et les interactions protéines-ADN.

L'empreinte génomique pourrait n'influencer qu'une petite fraction des gènes dans les génomes des mammifères, mais la plupart des gènes touchés par l'empreinte génomique connus jusqu'à maintenant ont une fonction critique dans le développement embryonnaire. Des expériences menées sur des souris appuient cette idée. Ainsi, on a manipulé des embryons de souris afin de leur donner deux exemplaires de certains chromosomes d'un même parent ; chez ces animaux, aucune gestation n'a été menée à terme, quel qu'ait été le sexe du parent en question. Il y a quelques années, cependant, des scientifiques japonais ont combiné le matériel génétique issu de deux gamètes femelles dans un zygote en permettant l'expression du gène *Igf2*, ainsi que plusieurs autres gènes marqués, d'un seul des deux noyaux gamétiques. Le zygote s'est développé en une souris apparemment saine. Il semble que le développement ne peut se dérouler normalement que s'il y a un (et un seul) exemplaire actif de certains gènes (et non zéro ou deux). Le lien entre une empreinte aberrante et un développement anormal, ou l'apparition de certains cancers, a suscité de nombreuses recherches en cours sur la façon dont divers gènes reçoivent une empreinte.

La transmission des gènes des organites

Bien que ce chapitre ait porté essentiellement sur les bases chromosomiques de l'hérédité, nous allons le conclure par une mise au point importante : les gènes des cellules eucaryotes ne sont pas tous situés sur les chromosomes du noyau ni même dans le noyau ; il existe des gènes localisés dans des organites contenus dans le cytoplasme. Parce qu'ils sont situés à l'extérieur du noyau, ces gènes sont parfois appelés *gènes extranucléaires* ou *gènes cytoplasmiques*. Les mitochondries, de même que les chloroplastes et d'autres plastes des végétaux, contiennent de petites molécules d'ADN circulaires (appelées ADNmt chez la mitochondrie et ADNcp chez le chloroplaste) qui portent un certain nombre de gènes. Ces organites se reproduisent et transmettent leurs gènes à des organites fils. Les gènes situés sur l'ADN des organites sont peu nombreux (la mitochondrie chez l'humain ne porte que 37 gènes, alors que le noyau en contient environ 30 000) ; ils ne suivent pas le modèle mendélien de l'hérédité, parce qu'ils ne sont pas transmis aux descendants selon les mêmes lois que les chromosomes nucléaires pendant la méiose.

Les premières indications de l'existence des gènes extranucléaires ont été fournies par Karl Correns, un scientifique allemand, alors qu'il étudiait la transmission héréditaire des panachures jaunes ou blanches parsemant les feuilles d'une plante dont les autres parties étaient vertes. En 1909, il a observé que la coloration des descendants dépendait seulement du parent femelle ayant fourni les ovules, et non du parent mâle ayant fourni le pollen. Des recherches ultérieures ont permis de montrer que les motifs de couleur, ou le feuillage panaché, sont dus aux mutations (beaucoup plus fréquentes dans l'ADN des organites que dans l'ADN nucléaire) des gènes déterminant la pigmentation situés à l'intérieur des plastes (**figure 15.18**). Chez la plupart des végétaux, tous les plastes du zygote proviennent du cytoplasme du gamète femelle et non du gamète mâle, celui-ci n'apportant qu'un jeu haploïde de chromosomes. Un gamète femelle peut contenir des plastes avec différents allèles du gène de la pigmentation. Lors du développement du zygote, des cellules filles reçoivent au hasard les plastes renfermant des gènes déterminant la pigmentation, de type sauvage ou mutant. Le motif de la coloration des feuilles dépend du rapport entre les plastes de type sauvage et ceux de type mutant dans divers tissus.

Chez la plupart des animaux et des végétaux, les gènes des mitochondries sont aussi transmis par hérédité maternelle : les mitochondries transmises à un zygote proviennent du cytoplasme de l'ovule. Les mitochondries transmises par les spermatozoïdes, peu nombreuses, seraient détruites dans l'ovule par autophagie (voir la figure 6.13). Les produits de la plupart des gènes mitochondriaux contribuent (avec ceux de quelques gènes nucléaires) à la constitution des complexes protéiques de la chaîne de transport des électrons et de l'ATP synthase (voir la figure 9.15). Par conséquent, si une ou plusieurs de ces protéines

▶ **Figure 15.18 L'ortie flamboyante ou coléus.** Les feuilles panachées (à motifs) de ce coléus (*Plectranthus scutellarioides*) sont dues à des mutations qui modifient l'expression des gènes de la pigmentation situés dans les plastes, qui proviennent généralement du gamète femelle.

sont endommagées, la cellule ne peut pas synthétiser tout l'ATP nécessaire. Chez les êtres humains, cette déficience causerait certaines maladies rares (jusqu'à 1 naissance sur 5 000) qui touchent surtout le système nerveux et les muscles (les systèmes les plus exposés aux déficits énergétiques). Par exemple, les personnes atteintes de *myopathie mitochondriale* souffrent de faiblesse, d'intolérance à l'exercice et de dégénérescence musculaire. Une autre maladie mitochondriale, l'*atrophie optique de Leber*, peut provoquer une cécité soudaine chez de jeunes personnes dans la vingtaine ou la trentaine. La maladie n'apparaît pas à la naissance, car il faut un certain temps avant que les mitochondries portant les allèles anormaux s'accumulent dans les cellules au fil des mitoses successives. Les quatre mutations découvertes jusqu'ici qui sont responsables de cette maladie influent sur la phosphorylation oxydative durant la respiration cellulaire, une fonction essentielle pour la cellule (voir le concept 9.4).

Le fait que les troubles mitochondriaux soient transmis seulement par la mère laisse croire qu'il existe un moyen d'éviter leur transmission. Les chromosomes de l'ovule d'une mère touchée par ces troubles pourraient être transférés dans l'ovule d'une donneuse saine et duquel on aurait retiré les chromosomes. Par la suite, l'ovule conçu à partir des deux mères pourrait être fécondé par le spermatozoïde du père potentiel, puis finalement être transplanté dans l'utérus de la mère potentielle. L'embryon ainsi créé aurait donc trois parents. Après avoir optimisé les conditions expérimentales de cette approche auprès de singes, des chercheurs ont rapporté, en 2013, avoir réussi à réaliser l'intervention dans des ovules humains. D'autres recherches seront nécessaires pour maximiser les conditions expérimentales permettant d'assurer la santé de l'embryon. En outre, l'autorisation des organismes gouvernementaux concernés serait nécessaire si on devait avoir recours à une telle approche.

Les défauts de l'ADN mitochondrial ne sont pas seulement responsables de maladies rares. En effet, des mutations mitochondriales transmises par la mère contribuent à certains types de diabète et à des maladies cardiaques, ainsi qu'à d'autres troubles communs chez les personnes âgées, comme la maladie d'Alzheimer. Au cours de la vie, de nouvelles mutations s'accumulent peu à peu dans l'ADN mitochondrial (car la mitochondrie, contrairement au noyau, ne possède pas d'enzymes de réparation de l'ADN), et certains chercheurs pensent qu'elles jouent un rôle dans le processus de vieillissement normal.

RETOUR SUR LE CONCEPT 15.5

1. Le dosage génique, c'est-à-dire le nombre d'exemplaires d'un gène qui est exprimé activement, est important pour un développement approprié. Nommez et décrivez deux processus qui permettent d'établir le dosage approprié de certains gènes.
2. Des croisements réciproques entre deux variétés de primevères (*Primula spp.*), A et B, ont donné les résultats suivants: femelle A × mâle B ⟶ individus à feuilles toutes vertes (non panachées). Femelle B × mâle A ⟶ individus à feuilles à motifs (panachées). Expliquez ces résultats.
3. **ET SI ?** ▶ Les gènes des mitochondries jouent un rôle déterminant dans le métabolisme énergétique des cellules, mais les maladies mitochondriales causées par les mutations de ces gènes ne sont généralement pas létales. Expliquez pourquoi.

Voir les réponses proposées à l'appendice A.

RÉVISION DU CHAPITRE 15

Consultez votre MANUEL NUMÉRIQUE, qui vous donne accès aux **animations**, aux exercices et à la plateforme d'**anatomie interactive**.

Résumé des concepts clés

CONCEPT 15.1

Morgan a démontré que le fondement physique de l'hérédité mendélienne réside dans le comportement des chromosomes (p. 323 et 324)

- C'est grâce à ses travaux, qui portaient sur le gène de la couleur des yeux chez la mouche drosophile, que Morgan a pu élaborer la **théorie chromosomique de l'hérédité**. D'après cette théorie, les gènes se trouvent sur les chromosomes et les lois de Mendel s'expliquent par le comportement des chromosomes pendant la méiose.

? Quelle caractéristique des chromosomes sexuels a permis à Morgan d'établir une corrélation entre leur comportement et celui des allèles du gène de la couleur des yeux?

CONCEPT 15.2

Les gènes liés au sexe ont un mode de transmission héréditaire qui leur est propre (p. 324 à 329)

- Le sexe est souvent déterminé par les chromosomes. Les humains et les autres mammifères ont un système XY, dans lequel le sexe est normalement déterminé par la présence ou l'absence d'un chromosome Y. Il existe d'autres systèmes de détermination du sexe chez les oiseaux, les poissons et les insectes.
- Les chromosomes sexuels portent les **gènes liés au sexe**, qui sont pratiquement tous situés sur le chromosome X (**gènes liés au chromosome X**). Tout mâle ayant reçu de sa mère un allèle récessif lié au chromosome X exprime le caractère correspondant, comme le daltonisme.
- Chez les mammifères femelles, un des deux chromosomes X dans chaque cellule est inactivé de façon aléatoire au cours du développement embryonnaire; ce chromosome se condense fortement et forme un **corpuscule de Barr**.

? Pourquoi les hommes sont-ils beaucoup plus nombreux que les femmes à souffrir de maladies héréditaires récessives liées au chromosome X?

CONCEPT 15.3

Les gènes liés sont souvent transmis ensemble, parce qu'ils se trouvent près les uns des autres sur le même chromosome (p. 329 à 335)

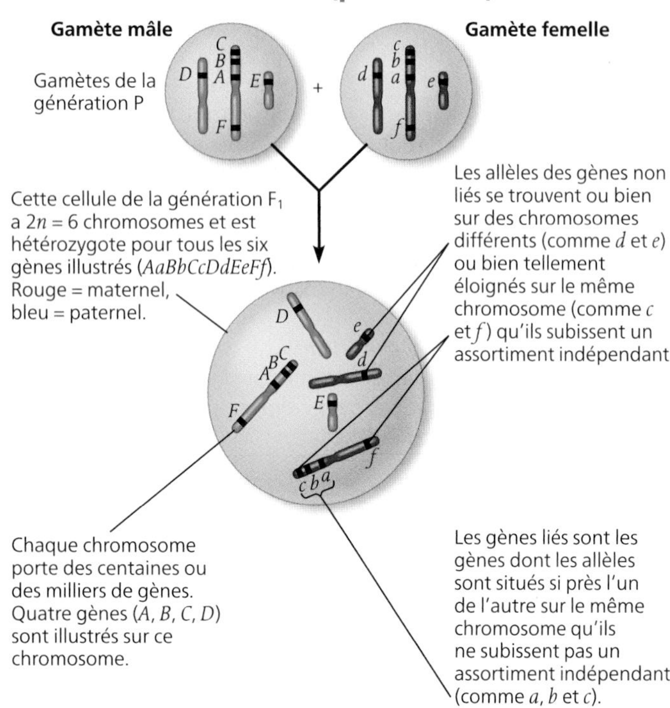

Gamète mâle
Gamète femelle
Gamètes de la génération P
Cette cellule de la génération F_1 a $2n = 6$ chromosomes et est hétérozygote pour tous les six gènes illustrés (*AaBbCcDdEeFf*). Rouge = maternel, bleu = paternel.
Les allèles des gènes non liés se trouvent ou bien sur des chromosomes différents (comme *d* et *e*) ou bien tellement éloignés sur le même chromosome (comme *c* et *f*) qu'ils subissent un assortiment indépendant.
Chaque chromosome porte des centaines ou des milliers de gènes. Quatre gènes (*A, B, C, D*) sont illustrés sur ce chromosome.
Les gènes liés sont les gènes dont les allèles sont situés si près l'un de l'autre sur le même chromosome qu'ils ne subissent pas un assortiment indépendant (comme *a, b* et *c*).

- Un croisement de contrôle de descendants dihybrides de génération F_1 produit des **types parentaux** portant la même combinaison de caractères que les parents de la génération P, ainsi que des **types recombinés** (ou recombinants) présentant de nouvelles combinaisons de caractéristiques qui n'apparaissent chez aucun des parents de la génération P. À cause de l'assortiment indépendant des chromosomes, les gènes non liés présentent une fréquence de recombinaison de 50 % dans les gamètes. Pour les **gènes liés** génétiquement, l'**enjambement** entre des chromatides non sœurs pendant la méiose I explique les recombinés observés, en proportion généralement inférieure à 50 % du total.
- On peut déduire l'ordre des gènes sur un chromosome et les distances relatives entre eux à partir des fréquences de recombinaison observées dans des croisements génétiques. Ces données permettent de construire une **carte de liaison** (un type de **carte génétique**). Plus les gènes sont éloignés l'un de l'autre sur un chromosome, plus la probabilité est grande que leurs allèles se recombinent au cours de l'enjambement.

? Pourquoi les allèles spécifiques de deux gènes éloignés l'un de l'autre ont-ils plus de chances d'être recombinés que ceux de deux gènes plus proches l'un de l'autre ?

CONCEPT 15.4

Les anomalies du nombre ou de la structure des chromosomes causent certaines maladies génétiques (p. 335 à 339)

- L'**aneuploïdie**, un nombre anormal de chromosomes, peut apparaître à la suite d'une **non-disjonction** survenue pendant la méiose. Lorsqu'un gamète normal s'unit à un gamète contenant deux exemplaires ou, au contraire, ne contenant aucun exemplaire d'un chromosome particulier, le zygote formé et les cellules qu'il produira auront soit un exemplaire supplémentaire de ce chromosome (**trisomie, $2n + 1$**), soit un exemplaire en moins (**monosomie, $2n - 1$**). La **polyploïdie** (plus de deux jeux complets de chromosomes) peut résulter d'une non-disjonction complète.
- Le bris d'un chromosome peut mener à divers types de modifications de la structure d'un chromosome : **délétion**, **duplication**, **inversion** et **translocation**. Les translocations peuvent être réciproques ou non réciproques.
- Des modifications du nombre de chromosomes par cellule ou de la structure des chromosomes individuels peuvent se répercuter sur le phénotype et, dans certains cas, être la cause de maladies humaines. Les aberrations de ce type sont la cause du **syndrome de Down** (généralement dû à la trisomie du chromosome 21), de certains cancers associés aux translocations chromosomiques qui surviennent pendant la mitose et de diverses autres maladies humaines.

? Pourquoi les inversions et les translocations réciproques sont-elles moins susceptibles d'être létales que l'aneuploïdie, les duplications, les délétions et les translocations non réciproques ?

CONCEPT 15.5

Certains modes de transmission héréditaire font exception à la théorie classique de l'hérédité mendélienne (p. 339 à 341)

- Chez les mammifères, les effets phénotypiques d'un petit nombre de gènes particuliers dépendent de l'identité du parent qui transmet l'allèle (le père ou la mère). Ce phénomène est appelé **empreinte génomique**. Les empreintes se produisent au cours de la formation des gamètes et elles empêchent un allèle de s'exprimer chez les descendants (soit l'allèle maternel, soit l'allèle paternel).
- L'hérédité des caractères régis par les gènes présents dans les mitochondries et les chloroplastes ou d'autres plastes végétaux dépend seulement de la mère parce que le cytoplasme du zygote contenant ces organites provient de l'ovule. Certaines maladies touchant le système nerveux et les muscles sont causées par des défauts des gènes mitochondriaux qui empêchent les cellules de synthétiser suffisamment d'ATP.

? Expliquez en quoi l'empreinte génomique et l'hérédité de l'ADN présent dans les mitochondries et les chloroplastes sont des exceptions à l'hérédité mendélienne classique.

Évaluation

NIVEAU 1 : CONNAISSANCES ET COMPRÉHENSION

1. Un homme souffrant d'hémophilie (une maladie héréditaire récessive liée au sexe) a une fille qui n'est pas atteinte par la maladie. Elle épouse un homme qui ne souffre pas d'hémophilie. Quelle est la probabilité qu'une fille issue de cette union soit hémophile ? Qu'un fils issu de cette union soit hémophile ? Calculez la probabilité que le couple ait un fils et que celui-ci soit normal. Si le couple a quatre fils, quelle est la probabilité que tous soient hémophiles ?
2. La myopathie de Duchenne est une maladie héréditaire qui provoque une dégénérescence progressive des muscles. Elle frappe presque exclusivement des garçons nés de parents qui ne sont apparemment pas atteints par la maladie. Elle aboutit habituellement à la mort au début de l'adolescence. Est-elle causée par un allèle dominant ou récessif ? Son mode de transmission héréditaire est-il lié aux chromosomes sexuels ou aux autosomes ? Comment le sait-on ? Expliquez pourquoi cette maladie ne touche presque jamais les filles.
3. Une drosophile de phénotype sauvage (hétérozygote pour un corps gris et des ailes normales) est accouplée à un mâle noir à ailes vestigiales. Leurs descendants ont la distribution suivante : phénotype sauvage, 778 ; corps noir-ailes vestigiales, 785 ; corps noir-ailes normales, 158 ; corps gris-ailes vestigiales, 162. Quelle est la fréquence de recombinaison entre les gènes de la couleur du corps et de la taille des ailes ? Ces résultats sont-ils comparables à ceux de l'expérience présentée à la figure 15.9 ?

4. Une planète est habitée par des êtres qui se reproduisent selon les mêmes lois génétiques que les humains. Trois de leurs caractères phénotypiques sont la taille (G = grand, g = nain), la présence d'appendices sur la tête (A = à antennes, a = sans antennes) et la forme du museau (R = retroussé, r = pendant). Comme ce sont des créatures très fécondes, les scientifiques terriens ont l'occasion d'observer de multiples croisements impliquant divers hétérozygotes. Les descendants d'un hétérozygote grand à antennes avec un homozygote nain sans antennes se répartissent comme suit : 46 grands à antennes ; 7 nains à antennes ; 42 nains sans antennes ; 5 grands sans antennes. Les descendants d'un hétérozygote avec des antennes et un museau retroussé se répartissent comme suit : 47 à antennes et à museau retroussé ; 2 à antennes et à museau pendant ; 48 sans antennes et à museau pendant ; 3 sans antennes et à museau retroussé. Calculez les fréquences des recombinaisons obtenues dans les deux expériences.

NIVEAU 2 : **APPLICATION ET ANALYSE**

5. En tenant compte des données de l'énoncé du problème 4, les scientifiques observent d'autres croisements entre un hétérozygote pour la taille et pour la morphologie du museau avec un homozygote nain à museau pendant. Les descendants se répartissent comme suit : 40 grands et à museau retroussé ; 9 nains et à museau retroussé ; 42 nains et à museau pendant ; 9 grands et à museau pendant. Calculez la fréquence de recombinaison à partir de ces données, puis utilisez votre réponse au problème 4 pour déterminer la bonne séquence des trois gènes liés.

6. On croise une drosophile de type sauvage (hétérozygote pour un corps gris et des yeux rouges) avec une drosophile au corps noir et aux yeux pourpres. Leurs descendants ont les phénotypes suivants : type sauvage, 721 ; corps noir-yeux pourpres, 751 ; corps gris-yeux pourpres, 49 ; corps noir-yeux rouges, 45. Quelle est la fréquence de recombinaison entre les gènes de la couleur du corps et de la couleur des yeux ? Si vous tenez compte des données du problème 3, quelles drosophiles (précisez les génotypes et les phénotypes) croiseriez-vous pour connaître la disposition des gènes de la couleur du corps, de la taille des ailes et de la couleur des yeux sur un chromosome ?

7. Supposez que les gènes A et B soient situés sur le même chromosome et qu'ils se trouvent à 50 unités cartographiques de distance. On croise un animal hétérozygote pour les deux locus avec un autre qui est homozygote récessif pour les deux locus. Quel pourcentage des descendants aura les phénotypes recombinés résultant d'un enjambement ? Si vous ne saviez pas que ces gènes sont situés sur le même chromosome, comment pourriez-vous interpréter les résultats de ce croisement ?

8. Chez une plante, un gène détermine la couleur des pétales – ils sont bleus (B) ou blancs (b) –, et l'autre, la forme des étamines – elles sont rondes (R) ou ovales (r). Les deux gènes sont liés et se situent à une distance de 10 unités cartographiques. Vous croisez une plante homozygote à pétales bleus et à étamines ovales avec une plante homozygote à pétales blancs et à étamines rondes. Vous croisez des individus de la génération F_1 avec des plantes homozygotes à pétales blancs et à étamines ovales. Vous obtenez 1 000 descendants. Combien de plantes de chacun des quatre phénotypes vous attendez-vous à trouver ?

9. Vous effectuez des croisements de drosophiles pour obtenir des données de recombinaisons pour le gène a, qui est situé sur le chromosome illustré à la figure 15.12. Le gène a possède des fréquences de recombinaison de 14 % avec le locus des ailes vestigiales et de 26 % avec le locus des yeux bruns. Localisez approximativement le gène a sur le chromosome.

NIVEAU 3 : **SYNTHÈSE ET ÉVALUATION**

10. Les bananes, qui sont triploïdes, ne produisent pas de graines et sont stériles. Proposez une explication possible.

11. **INVESTIGATION**

FAITES UN DESSIN ▶ Supposez que vous cartographiez les gènes A, B, C et D d'une drosophile. Vous savez que ces gènes sont liés sur un même chromosome et vous déterminez que la fréquence de la recombinaison entre chaque paire de gènes est la suivante : A–B, 8 % ; A–C, 28 % ; A–D, 25 % ; B–C, 20 % ; B–D, 33 %.

a) Expliquez comment vous avez établi la fréquence de la recombinaison pour chaque paire de gènes.

b) Dessinez une carte chromosomique en vous fondant sur vos données.

Voir les réponses proposées à l'appendice A.

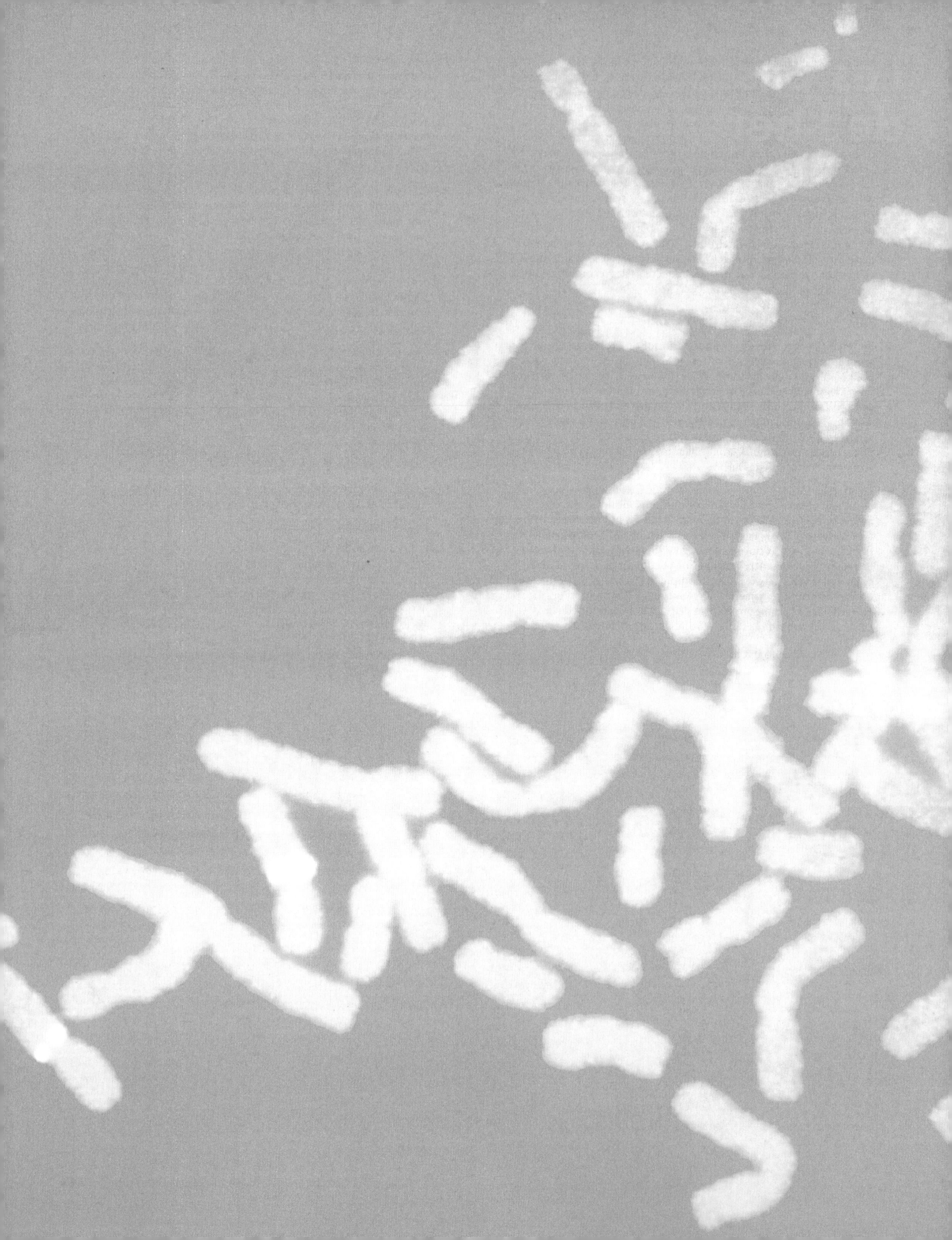

Les bases moléculaires de l'hérédité

16

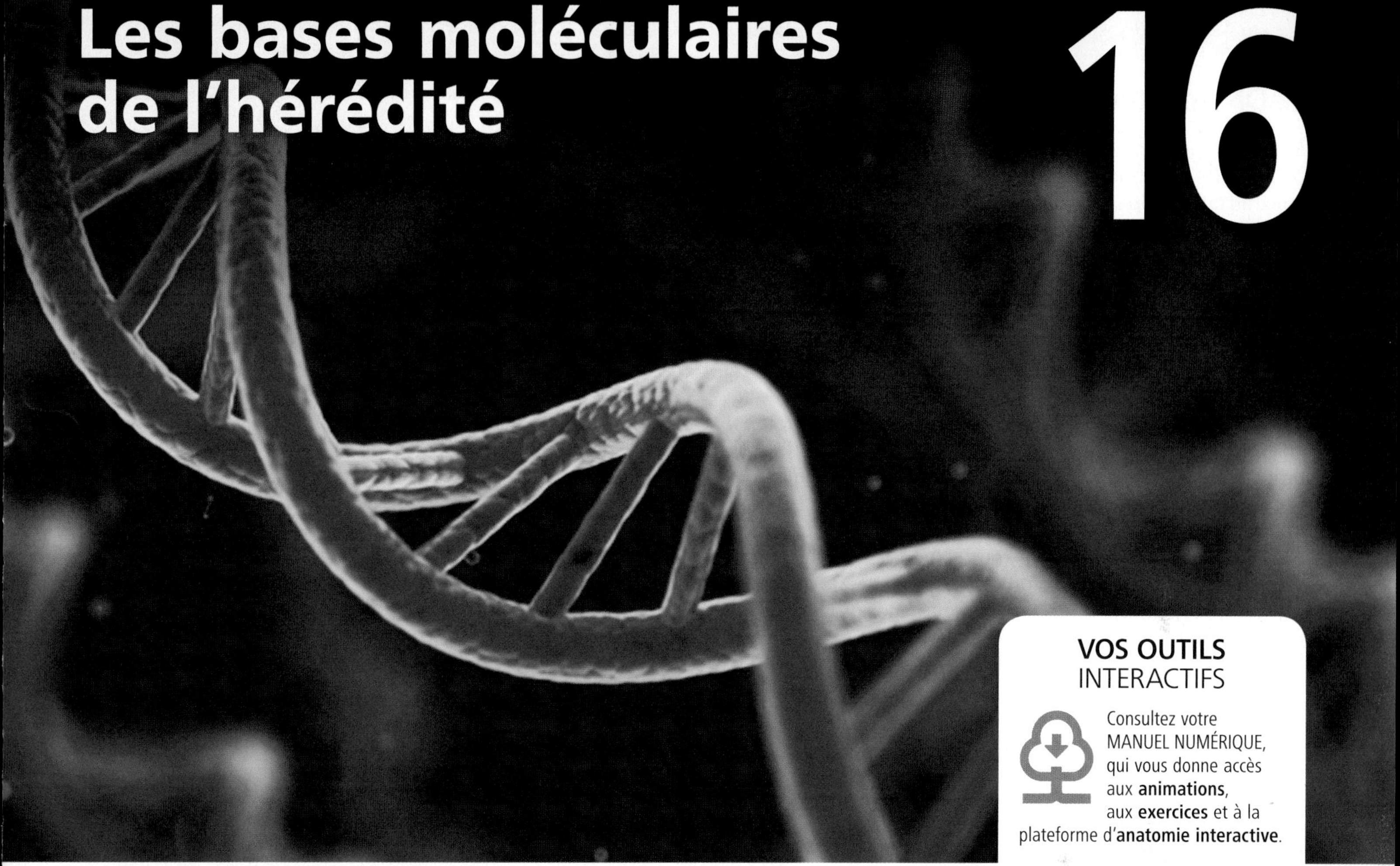

VOS OUTILS INTERACTIFS

Consultez votre MANUEL NUMÉRIQUE, qui vous donne accès aux **animations**, aux **exercices** et à la plateforme d'**anatomie interactive**.

▲ **Figure 16.1** **Quelle est la structure de l'ADN ?**

CONCEPTS CLÉS

16.1 L'ADN constitue le matériel génétique

16.2 De nombreuses protéines travaillent de concert pour la réplication et la réparation de l'ADN

16.3 Un chromosome est constitué d'ADN et de protéines regroupés en un complexe nucléoprotéique

▲ **James Watson (à gauche) et Francis Crick devant leur modèle d'ADN.**

Le manuel d'instructions des processus de la vie

L'élégante structure à **double hélice** de l'acide désoxyribonucléique (ADN) est devenue une icône de la biologie moderne (**figure 16.1**). En avril 1953, James Watson et Francis Crick ont fait sensation dans le monde scientifique en dévoilant leur modèle d'ADN, qu'ils ont construit à l'aide de tôle et de fils métalliques (voir la photographie en bas, à gauche). Les facteurs héréditaires de Mendel et les gènes que Thomas Hunt Morgan a localisés sur les chromosomes sont en fait composés d'ADN. Du point de vue chimique, votre génome est formé de l'ADN que vous avez reçu de vos parents. L'ADN, le fondement matériel de l'hérédité, est la molécule la plus célèbre de l'époque moderne.

De toutes les molécules présentes dans la nature, seuls les acides nucléiques peuvent diriger leur propre réplication à partir de monomères. Les enfants ressemblent à leurs parents parce que l'ADN de ces derniers se réplique d'une manière précise avant d'être transmis d'une génération à l'autre. L'information héréditaire de l'ADN détermine la nature de nos caractéristiques biochimiques, anatomiques et physiologiques ainsi que, dans une certaine mesure, la portion innée de notre comportement. Dans ce chapitre, vous découvrirez comment les biologistes ont établi que l'ADN constitue le fondement concret de la génétique et comment Watson et Crick ont trouvé sa structure. Vous apprendrez également comment se déroule la **réplication de l'ADN**, qui permet de reproduire cette molécule en deux copies, et comment les cellules effectuent sa réparation. Enfin, vous examinerez comment une molécule d'ADN est emballée avec des protéines dans un chromosome.

CONCEPT **16.1**

L'ADN constitue le matériel génétique

Aujourd'hui, même les petits écoliers ont entendu parler de l'ADN, et les scientifiques manipulent régulièrement cette substance au laboratoire. Au début du 20e siècle, cependant, l'identification des molécules de l'hérédité apparaissait aux biologistes comme un défi de taille.

La recherche du matériel génétique: *démarche scientifique*

À partir du moment où le groupe de T. H. Morgan a démontré que les gènes faisaient partie des chromosomes (voir le concept 15.1), on a su que le matériel génétique devait être formé d'ADN, ou de protéines, puisque ce sont les deux composants chimiques des chromosomes. Jusqu'aux années 1940, on semblait pencher pour les protéines, car on savait qu'elles formaient une catégorie de macromolécules dotées d'une grande hétérogénéité et d'une spécificité fonctionnelle, des qualités essentielles qui devaient être celles du matériel génétique. En outre, les protéines sont très abondantes dans toutes les cellules. Même si la découverte de l'ADN par l'Allemand Friedrich Miescher remontait à 1869, on en savait alors peu sur les acides nucléiques et l'uniformité de leurs propriétés physiques et chimiques ne permettait pas d'expliquer la multitude des caractères héréditaires exprimés par tout organisme. Mais ce point de vue a changé quand on a réussi à démontrer le rôle joué par l'ADN dans l'hérédité au moyen de travaux réalisés sur des bactéries et sur les virus qui les infectent, des systèmes beaucoup moins complexes que les mouches du vinaigre ou les êtres humains. Décrivons maintenant les recherches qui ont mené à l'identification du matériel génétique. Cette démarche constituera également une étude de cas portant sur la démarche scientifique.

La preuve de la transformation de bactéries par l'ADN

En 1928, un médecin militaire britannique du nom de Frederick Griffith tentait de mettre au point un vaccin contre la pneumonie. Il étudiait *Streptococcus pneumoniae*, une bactérie qui cause la pneumonie ainsi que plusieurs autres maladies chez les mammifères. Il travaillait sur deux souches (variétés): une variété pathogène (qui peut causer la maladie) et une variété non pathogène (inoffensive). Même si son travail n'a pas donné le vaccin qu'il espérait, il a quand même fait une découverte très importante. En effet, il a eu la surprise de constater que, lorsqu'il tuait des bactéries pathogènes par l'action de la chaleur et qu'il mélangeait leurs résidus avec des bactéries vivantes de la souche non pathogène, certaines de celles-ci devenaient pathogènes et provoquaient la pneumonie quand on les inoculait à des souris (**figure 16.2**). De plus, ce caractère nouvellement acquis était transmis héréditairement à tous les descendants des bactéries transformées. Cette modification héréditaire semblait être causée par une substance chimique provenant des bactéries pathogènes mortes et lysées. Cependant, la nature de la substance responsable était encore inconnue. Griffith a donné à ce phénomène le nom de **transformation**, que l'on définit

DÉMARCHE SCIENTIFIQUE

INVESTIGATION

▼ **Figure 16.2**

Un caractère génétique peut-il se transmettre héréditairement entre différentes souches de bactéries?

■ **HYPOTHÈSE** ■ Si un facteur héréditaire permet à des bactéries de causer la pneumonie chez les souris, ce facteur devrait transformer des bactéries inoffensives en bactéries pathogènes.

■ **EXPÉRIENCE** ■ Frederick Griffith a étudié deux souches de la bactérie *Streptococcus pneumoniae*. La souche «S» (pour *smooth* ou lisse) cause la pneumonie chez les souris; elle est pathogène parce qu'une capsule protège ses cellules contre le système immunitaire des animaux. Les cellules de la souche «R» (pour *rough* ou rugueuses) sont dépourvues de capsule et ne sont pas pathogènes. Afin de vérifier le pouvoir pathogène de ces deux souches, Frederick Griffith les a inoculées à des souris:

Cellules S vivantes (témoins pathogènes)	Cellules R vivantes (témoins non pathogènes)	Cellules S tuées et lysées par l'action de la chaleur (témoins non pathogènes)	Cellules R vivantes mélangées à des cellules S tuées et lysées par l'action de la chaleur
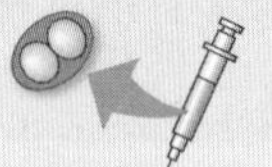	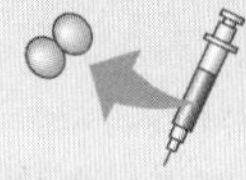	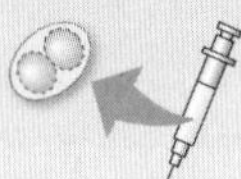	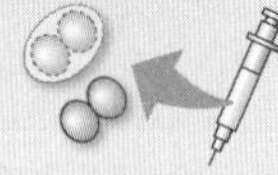

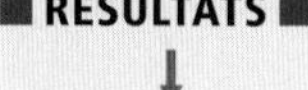

La souris meurt.	La souris est en bonne santé.	La souris est en bonne santé.	La souris meurt.
			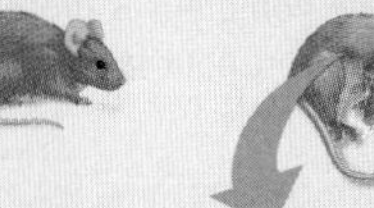

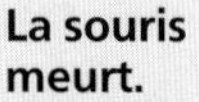
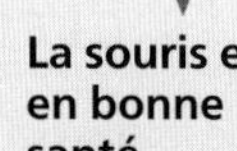

Dans un échantillon de sang de la souris morte, on a trouvé des cellules S vivantes (avec une capsule). Celles-ci pouvaient se reproduire pour donner plus de cellules S.

■ **CONCLUSION** ■ Les bactéries vivantes de la souche R ont été transformées en bactéries pathogènes de la souche S par une substance inconnue et héréditaire provenant des cellules mortes de la souche S. Cette substance a permis aux cellules de la souche R de fabriquer des capsules.

Source des données: F. Griffith, The significance of pneumococcal types, *Journal of Hygiene* 27: 113-159 (1928).

ET SI? ▶ Comment cette expérience exclut-elle la possibilité que les cellules de la souche R puissent avoir simplement utilisé les capsules des cellules mortes de la souche S pour devenir pathogènes?

actuellement comme une modification du génotype et du phénotype à l'issue de l'assimilation par une cellule d'un ADN qui lui est étranger. Quelques années plus tard, les travaux de recherche menés par Oswald Avery, Maclyn McCarty et Colin MacLeod ont démontré que l'ADN était la substance à l'origine de cette transformation.

Les scientifiques sont toutefois demeurés sceptiques, plusieurs d'entre eux estimant toujours que le matériel génétique devait être principalement constitué de protéines. De plus, de nombreux biologistes n'étaient pas convaincus que la composition et la fonction des gènes bactériens étaient identiques à celles des organismes plus complexes.

La preuve de la programmation de cellules par l'ADN viral

Des études portant sur un virus qui infecte des bactéries ont fourni d'autres preuves que le matériel génétique est constitué d'ADN (**figure 16.3**). On appelle ces virus **bactériophages** (« mangeurs de bactéries ») ou, tout simplement, **phages**. L'organisation des virus est beaucoup plus simple que celle des cellules. Un **virus** est essentiellement constitué d'ADN (ou parfois d'ARN) enfermé dans une enveloppe protectrice (la capside) qui n'est souvent formée que de protéines. Pour se reproduire, un virus doit infecter une cellule et détourner à son profit le métabolisme de celle-ci.

Les phages ont été largement utilisés comme outils de recherche par les chercheurs en génétique moléculaire. En 1952, Alfred Hershey et Martha Chase ont découvert que le matériel génétique d'un phage appelé T2 est constitué d'ADN. Il s'agit de l'un des nombreux phages qui infectent *Escherichia coli* (*E. coli*), une bactérie qui vit normalement dans l'intestin des mammifères et qui sert d'organisme modèle pour les biologistes moléculaires. À cette époque, les biologistes savaient déjà que, à l'instar de nombreux autres virus, T2 est presque entièrement composé d'ADN et de protéines. Ils savaient également que ce phage peut rapidement faire d'une cellule d'*E. coli* une machine à produire de nouveaux phages T2, qu'elle libère en éclatant. Ce phage pouvait donc reprogrammer la cellule hôte et lui faire produire des virus. Mais à quel composant ce mécanisme était-il dû : aux protéines ou à l'ADN ?

Pour répondre à cette question, Hershey et Chase ont conçu une expérience pour démontrer qu'un seul des deux composants de T2 pénètre dans la cellule d'*E. coli* au moment de l'infection (**figure 16.4**). Dans leur expérience, ils ont utilisé un isotope radioactif du soufre pour marquer la protéine dans une culture de T2 et, dans une deuxième culture, un isotope radioactif du phosphore pour marquer l'ADN. Comme les protéines, au contraire de l'ADN, renferment du soufre (deux acides aminés en possèdent ; voir la figure 5.14), les atomes de soufre radioactif se sont incorporés seulement dans les protéines des phages. De la même manière, étant donné que presque tout le phosphore contenu dans un phage se trouve dans son ADN, cette procédure permet de ne marquer que l'ADN des phages. L'expérience consistait à laisser les phages T2 de chaque lot infecter des échantillons distincts de bactéries *E. coli* normales (non marquées). Peu après le début de l'infection, les chercheurs ont testé les deux échantillons pour voir quel type de molécules, protéines ou ADN, avait pénétré à l'intérieur des cellules bactériennes et serait par conséquent capable de les reprogrammer.

▼ Figure 16.3 Un virus infectant une cellule bactérienne. Un phage appelé T2 se fixe aux cellules hôtes et leur injecte son matériel génétique à travers la membrane plasmique, tandis que les parties de la tête et de la queue restent à l'extérieur sur la surface bactérienne (MET).

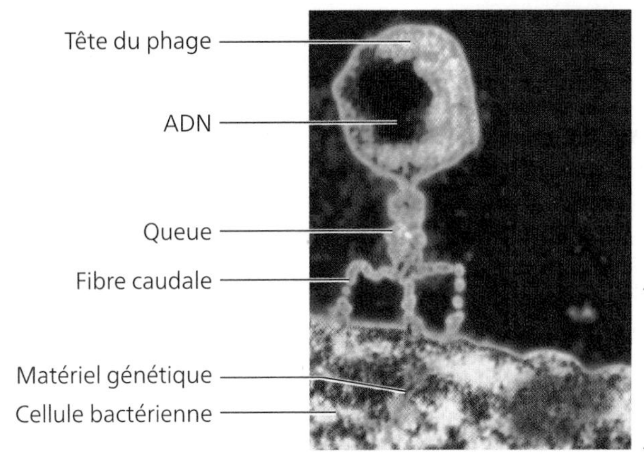

Hershey et Chase ont découvert que l'ADN des phages pénétrait dans les cellules hôtes, contrairement à leurs protéines. De plus, lorsque les bactéries étaient remises en culture et que l'infection se poursuivait, les cellules d'*E. coli* libéraient des phages contenant de petites quantités de phosphore radioactif. Cela démontre que l'ADN à l'intérieur de la cellule continue à jouer un rôle au cours du processus d'infection. Hershey et Chase en ont conclu que l'ADN du virus injecté par le phage devait être la molécule transmettant l'information génétique qui force la cellule bactérienne à produire des protéines et de l'ADN viraux qui s'assemblent ensuite pour former de nouveaux virus. L'expérience de Hershey et Chase a constitué un jalon parce qu'elle a montré de façon convaincante que le matériel héréditaire se compose d'acides nucléiques et non de protéines, tout au moins chez certains virus.

Des preuves supplémentaires que l'ADN constitue le matériel génétique

Une autre preuve que le matériel génétique est formé d'ADN a été apportée par le biochimiste Erwin Chargaff. Depuis les années 1920, on savait que l'ADN est un polymère de nucléotides et que chaque nucléotide regroupe trois composants : une base azotée, un pentose (un glucide) appelé désoxyribose et un groupement phosphate (**figure 16.5**). On savait aussi que la base azotée pouvait être l'adénine (A), la thymine (T), la guanine (G) ou la cytosine (C). Mais on croyait alors que l'ADN portait des séquences constituées de différents arrangements des quatre nucléotides (*modèle des tétranucléotides* : par exemple, ATGC, TAGC, ATCG), et on ne voyait pas comment une telle structure pouvait porter toute l'information génétique. Chargaff a analysé la proportion des bases azotées présentes dans l'ADN de plusieurs organismes différents. En 1950, il a établi que la composition de l'ADN varie d'une espèce à l'autre. Par exemple, il a découvert la base A dans 32,8 % des nucléotides de l'ADN de l'oursin vert, dans 30,4 % des nucléotides de l'humain et dans seulement 24,7 % des nucléotides de la bactérie *E. coli*. Cette preuve de la diversité moléculaire des espèces obtenue par Chargaff, que la plupart des scientifiques ne supposaient pas être une propriété de l'ADN, a permis de penser plus sérieusement que l'ADN pouvait constituer le matériel génétique.

DÉMARCHE SCIENTIFIQUE

INVESTIGATION

▼ **Figure 16.4**

Le matériel génétique du phage T2 est-il constitué de protéines ou d'ADN ?

■ HYPOTHÈSE ■ Si ce sont bien les protéines qui constituent le matériel génétique, alors la transmission des gènes d'un phage devrait être associée à une incorporation, chez la bactérie qu'il infecte, de la radioactivité des protéines du phage préalablement marquées au soufre radioactif. Dans le cas où les gènes seraient plutôt constitués d'ADN, c'est le phosphate marqué qu'on retrouverait chez la bactérie infectée.

■ EXPÉRIENCE ■ Alfred Hershey et Martha Chase ont utilisé du soufre et du phosphore radioactifs pour marquer, respectivement, des protéines et de l'ADN de phages T2 qui infectaient des cellules bactériennes. Ils voulaient déterminer laquelle de ces molécules pénètre à l'intérieur des cellules et peut les reprogrammer pour produire d'autres phages.

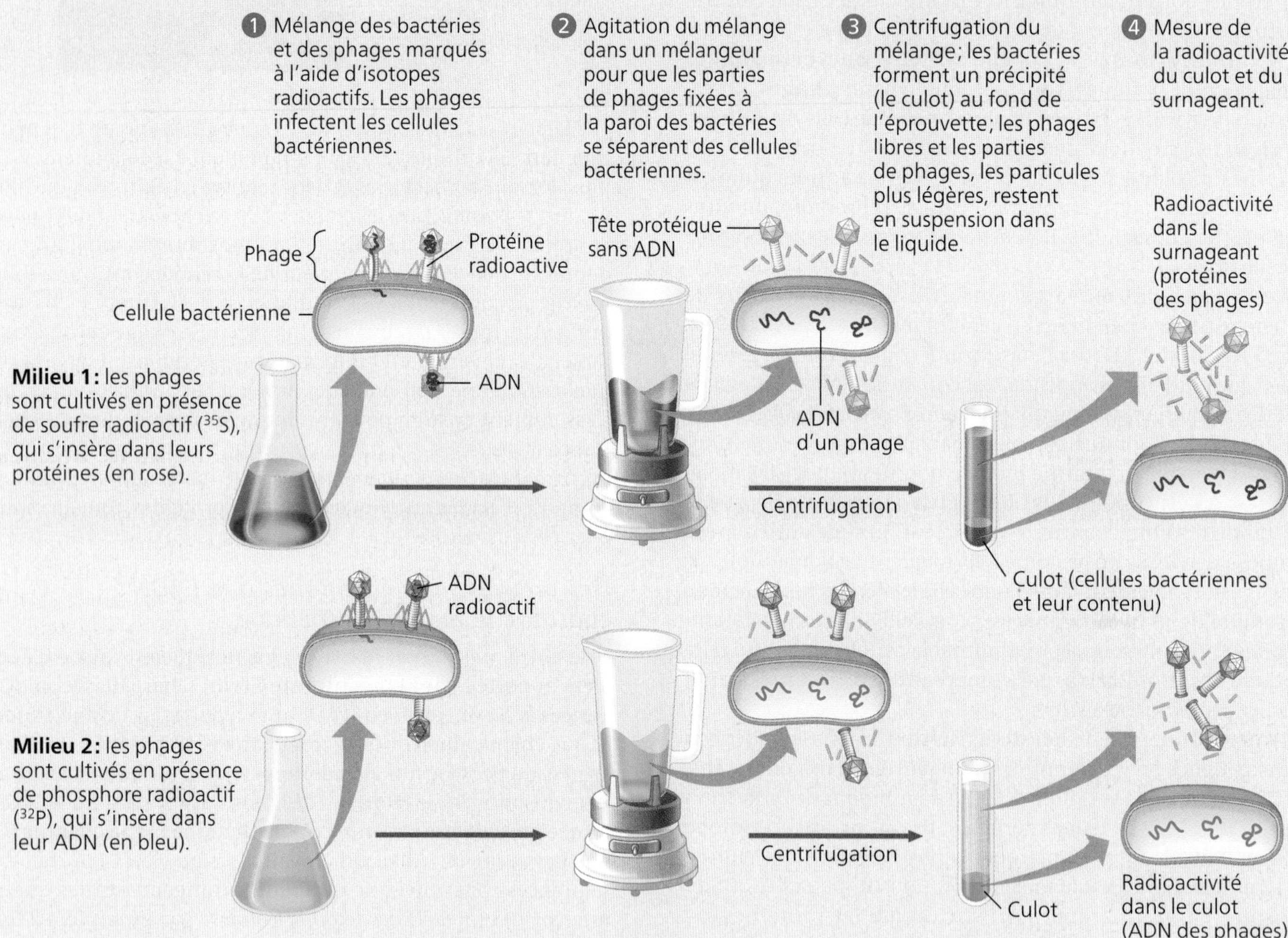

1 Mélange des bactéries et des phages marqués à l'aide d'isotopes radioactifs. Les phages infectent les cellules bactériennes.
2 Agitation du mélange dans un mélangeur pour que les parties de phages fixées à la paroi des bactéries se séparent des cellules bactériennes.
3 Centrifugation du mélange; les bactéries forment un précipité (le culot) au fond de l'éprouvette; les phages libres et les parties de phages, les particules plus légères, restent en suspension dans le liquide.
4 Mesure de la radioactivité du culot et du surnageant.
Phage
Protéine radioactive
Cellule bactérienne
ADN
Tête protéique sans ADN
ADN d'un phage
Centrifugation
Radioactivité dans le surnageant (protéines des phages)
Culot (cellules bactériennes et leur contenu)
Milieu 1: les phages sont cultivés en présence de soufre radioactif (^{35}S), qui s'insère dans leurs protéines (en rose).
ADN radioactif
Milieu 2: les phages sont cultivés en présence de phosphore radioactif (^{32}P), qui s'insère dans leur ADN (en bleu).
Centrifugation
Culot
Radioactivité dans le culot (ADN des phages)

■ RÉSULTATS ■ Lorsque les protéines sont marquées (milieu 1), la radioactivité reste à l'extérieur des cellules; mais lorsque l'ADN est marqué (milieu 2), l'intérieur des cellules devient radioactif. Les cellules qui contiennent de l'ADN des phages radioactifs libèrent de nouveaux phages contenant un peu de phosphore radioactif.

■ CONCLUSION ■ L'ADN des phages a pénétré à l'intérieur des cellules bactériennes, mais les protéines des phages sont restées à l'extérieur. Hershey et Chase ont conclu que le matériel génétique des phages est constitué d'ADN et non de protéines.

Source des données: A. D. Hershey et M. Chase, Independent functions of viral protein and nucleic acid in growth of bacteriophage, *Journal of General Physiology* 36: 3956 (1952).

ET SI ? ▶ Quels résultats Hershey et Chase auraient-ils obtenus si les protéines contenaient les informations génétiques ?

▼ **Figure 16.5 La structure d'un brin d'ADN.** Chaque nucléotide (monomère) d'ADN comporte une base azotée (T, A, C ou G), un glucide (désoxyribose, en bleu) et un groupement phosphate (en jaune). Le phosphate de chaque nucléotide est lié au glucide du nucléotide suivant par une liaison covalente. Le tout forme un «squelette» dans lequel alternent le phosphate et le désoxyribose et à partir duquel chacune des bases azotées fait saillie. Le brin du polynucléotide a un sens, à partir de l'extrémité 5'—Ⓟ (qui porte le groupement phosphate) vers l'extrémité 3'—OH (qui porte le groupement —OH du désoxyribose). Les numéros 5' et 3' désignent les atomes de carbone du glucide.

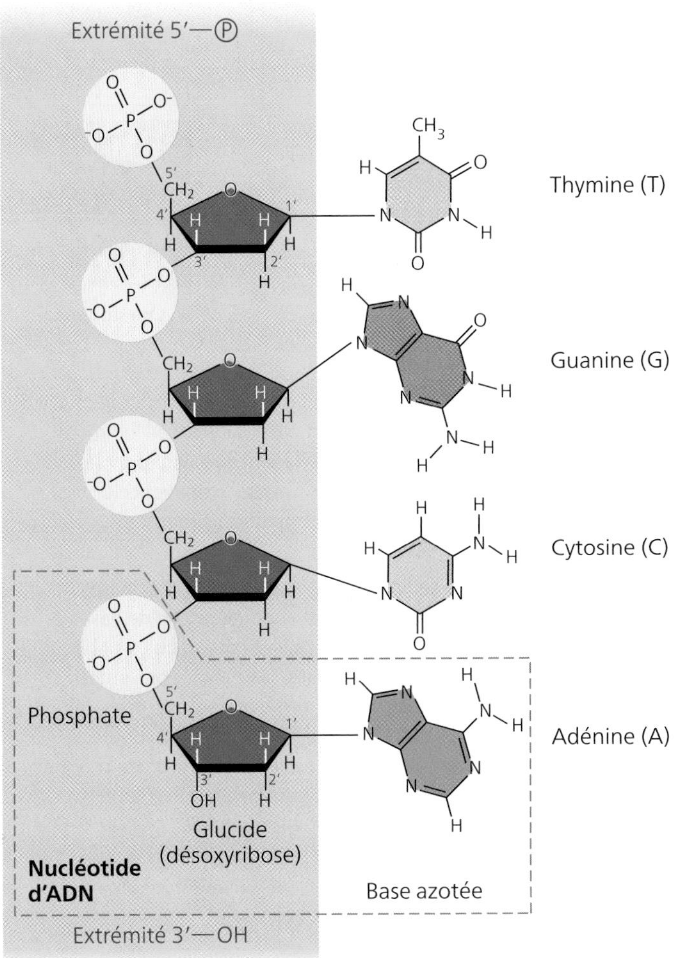

Chargaff a aussi observé une certaine régularité dans les proportions des bases. Dans l'ADN de toutes les espèces étudiées, le nombre d'adénines était approximativement égal au nombre de thymines, et le nombre de guanines était à peu près égal au nombre de cytosines. L'analyse de Chargaff a révélé que dans l'ADN de l'oursin vert, par exemple, les quatre bases sont présentes selon les rapports suivants: A = 32,8 % et T = 32,1 %; G = 17,7 % et C = 17,3 %. (Les pourcentages ne sont pas tout à fait les mêmes en raison des limites inhérentes aux techniques utilisées par Chargaff.)

Ces deux découvertes ont prouvé que l'ADN n'était pas formé selon le modèle des tétranucléotides, duquel aurait dû découler un rapport de 1:1:1:1 entre les quatre bases. Elles ont par la suite été appelées *règles de Chargaff*: (1) la composition des bases d'ADN varie d'une espèce à l'autre; (2) pour chaque espèce, le nombre de bases A est sensiblement égal au nombre de bases T, d'une part, et le nombre de bases G est à peu près égal au nombre de bases C, d'autre part. Dans la rubrique **Habiletés scientifiques**, vous pouvez utiliser les règles de Chargaff pour déterminer la composition en bases nucléotidiques. Les fondements de ces règles sont restés inexpliqués jusqu'à la découverte de la double hélice.

La modélisation structurale de l'ADN: *investigation*

Une fois que les biologistes ont eu compris que l'ADN constituait bel et bien le matériel génétique, il leur a fallu déterminer de quelle manière sa structure pouvait expliquer son rôle dans l'hérédité. Au début des années 1950, on connaissait les constituants de base de l'ADN, la disposition des liaisons covalentes dans un polymère d'acide nucléique était bien définie (voir la figure 16.5), et les chercheurs s'efforçaient de découvrir la structure tridimensionnelle de l'ADN. De nombreux scientifiques étudiaient cette question, notamment Linus Pauling (un chimiste) au California Institute of Technology, ainsi que Maurice Wilkins (un biophysicien) et Rosalind Franklin (une chimiste) au King's College de Londres. Cependant, les premiers à avoir présenté la réponse complète sont deux chercheurs qui étaient relativement inconnus à l'époque, l'Américain James Watson (un biologiste et médecin) et l'Anglais Francis Crick (un biochimiste).

La collaboration célèbre, quoique de courte durée, qui a permis de résoudre l'énigme de la structure de l'ADN a commencé peu après l'arrivée de Watson à la Cambridge University, où Crick étudiait la structure des protéines au moyen d'une technique appelée cristallographie par diffraction de rayons X (voir la figure 5.21). En visitant le laboratoire de Maurice Wilkins au King's College de Londres, Watson a eu l'occasion d'observer une radiographie d'ADN par diffraction de rayons X prise par Rosalind Franklin, la collaboratrice douée de Wilkins (**figure 16.6**). La cristallographie par diffraction de rayons X ne permet pas de produire de véritables « images » des molécules. Les taches et les points que l'on voit dans la photo (à droite) ont été produits par des rayons X diffractés (déviés) au cours de leur passage à travers des fibres alignées d'ADN purifié. Watson connaissait déjà les motifs de diffraction de rayons X produits par les molécules hélicoïdales, et l'examen de la photo que lui a montrée Wilkins lui a permis de confirmer que la forme de l'ADN était hélicoïdale. Cette photo s'ajoutait également aux premiers résultats obtenus par Franklin et par d'autres chercheurs mettant en évidence la largeur de l'hélice ainsi que la distance entre les bases azotées

◀ **Figure 16.6 Rosalind Franklin et sa radiographie de l'ADN par diffraction de rayons X.**

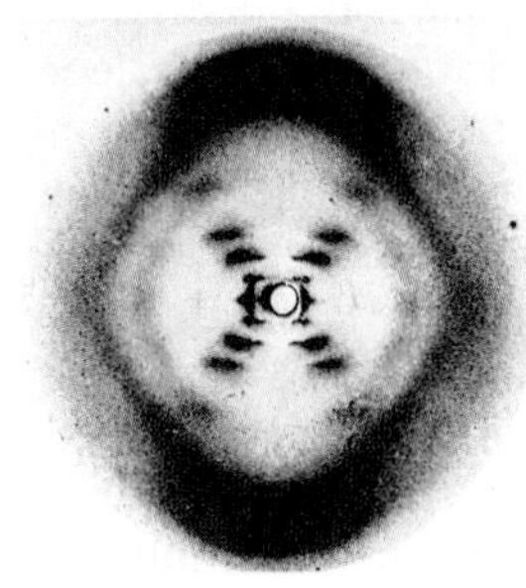

DÉMARCHE SCIENTIFIQUE
HABILETÉS SCIENTIFIQUES

Utiliser des données dans un tableau

■ SI ON CONNAÎT LA PROPORTION D'UN TYPE DE NUCLÉOTIDE EN PARTICULIER DANS UN GÉNOME, POUVONS-NOUS PRÉVOIR QUELLE SERA CELLE DES TROIS AUTRES TYPES DE NUCLÉOTIDES ? ■ Même avant de connaître la structure de l'ADN, Erwin Chargaff et ses collaborateurs avaient remarqué un certain schéma dans la proportion des nucléotides de différentes espèces : le pourcentage de bases A (adénine) était sensiblement équivalent au pourcentage de bases T (thymine), et le pourcentage de bases C (cytosine) était à peu près équivalent au pourcentage de bases G (guanine). Par ailleurs, le pourcentage de chaque paire (A/T ou C/G) variait d'une espèce à l'autre. Nous savons maintenant que les rapports A/T et C/G (1 : 1) résultent de l'appariement complémentaire des bases A et T et des bases C et G dans la double hélice de l'ADN, et que les différences entre les espèces sont dues aux séquences uniques des bases le long d'un brin d'ADN. Dans cet exercice, vous utiliserez les règles de Chargaff pour déterminer la proportion des bases au sein d'un génome.

■ MÉTHODE ■ Dans ses expériences, Chargaff a extrait l'ADN d'espèces données, qu'il a ensuite hydrolysé afin de le décomposer en nucléotides. Il a ensuite effectué l'analyse chimique des nucléotides. Ces études ont permis d'estimer les valeurs pour chaque type de nucléotide. (Grâce au séquençage du génome entier, on peut aujourd'hui analyser la composition en bases directement à partir des données fournies par la séquence d'ADN.)

■ RÉSULTATS ■ Les tableaux sont utiles pour organiser des séries de données constituant un ensemble de valeurs (ici, la proportion des bases A, G, C et T) pour un nombre d'échantillons distincts (dans cette expérience, provenant de différentes espèces). On peut utiliser les schémas observés dans les données connues pour prévoir des valeurs inconnues. Le tableau présente les données complètes de la composition en bases de l'ADN de l'oursin vert et du saumon. Utilisez les règles de Chargaff pour compléter le tableau en y ajoutant les valeurs prévues.

	Pourcentage de base			
Source de l'ADN	**Adénine**	**Guanine**	**Cytosine**	**Thymine**
Oursin vert	32,8	17,7	17,3	32,1
Saumon	29,7	20,8	20,4	29,1
Blé	28,1	21,8	22,7	
E. coli	24,7	26,0		
Être humain	30,4			30,1
Bœuf	29,0			
Moyenne (%)				

Source des données : Différents articles de Chargaff, par exemple : E. Chargaff et coll., Composition of the desoxypentose nucleic acids of four genera of sea urchin, *Journal of Biological Chemistry* 195:155-160 (1952).

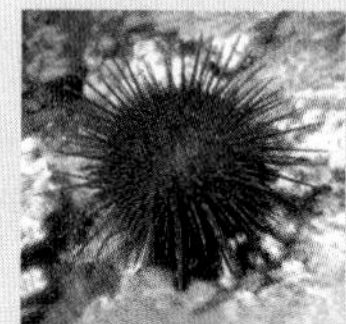

▲ **Oursin vert.**

INTERPRÉTEZ LES DONNÉES ▼

1. Expliquez comment les données de l'oursin vert et du saumon confirment les règles de Chargaff.
2. Utilisez les règles de Chargaff pour remplir le tableau en indiquant, pour chaque pourcentage de base manquant, la valeur prévue. Commencez par le génome du blé, puis poursuivez avec celui d'*E. coli*, de l'être humain et du bœuf. Expliquez la méthode utilisée pour obtenir ces résultats.
3. Si la règle de Chargaff – selon laquelle le pourcentage de bases A équivaut au pourcentage de bases T, et le pourcentage de bases C au pourcentage de bases G – est valable, il serait possible en théorie d'extrapoler cette règle à l'ADN de toutes les espèces présentes sur Terre (comme s'il s'agissait d'un énorme génome terrien). Afin de vérifier si les données du tableau confirment cette hypothèse, utilisez les données pour calculer le pourcentage moyen de chaque base en effectuant la moyenne des valeurs de chaque colonne. La règle d'équivalence de Chargaff est-elle vérifiée ?

alignées sur l'hélice. D'après le schéma de cette radiographie, on pouvait penser que l'hélice était constituée de deux brins, contrairement au modèle à trois brins proposé peu avant par Linus Pauling. Effectivement, l'ADN est constitué de deux brins, ce qui explique l'emploi de l'expression « double hélice », maintenant bien connue. La **figure 16.7** montre quelques-unes des différentes représentations de l'ADN.

En se basant sur les données obtenues grâce à la radiographie et sur ce que l'on connaissait de la chimie de l'ADN, dont la règle de Chargaff sur les équivalences des bases, Watson et Crick ont commencé à construire des modèles de double hélice. Grâce à la lecture d'un rapport annuel non publié résumant les travaux de Franklin, ils ont su à quelle conclusion elle en était arrivée : elle plaçait les squelettes désoxyribose-phosphate à l'extérieur de la double hélice, contrairement à leur maquette. La disposition proposée par Franklin était particulièrement intéressante, parce que les groupements phosphate de charges négatives étaient orientés vers le milieu aqueux, alors que les bases azotées, plus hydrophobes, étaient situées à l'intérieur de la molécule. Watson a imaginé un modèle que présente la petite photo figurant à la première page de ce chapitre. Dans son modèle, il a disposé les deux squelettes désoxyribose-phosphate de façon **antiparallèle**, ce qui signifie que leurs sous-unités étaient orientées en sens opposé (voir la figure 16.7). Essayez d'imaginer la disposition de l'ensemble comme une échelle de corde pourvue de barreaux transversaux rigides. Les cordes représentent le squelette désoxyribose-phosphate, et les barreaux, les paires de bases azotées. Imaginez maintenant qu'on torde l'échelle pour former une spirale. La radiographie obtenue par Franklin indiquait que l'hélice fait un tour complet sur une longueur de 3,4 nm. Comme les bases sont espacées de 0,34 nm, chaque tour d'hélice porte 10 paires de bases (donc 10 barreaux) disposées les unes au-dessus des autres.

Les bases azotées de la double hélice s'apparient selon des combinaisons précises : l'adénine (A) s'associe toujours avec la thymine (T), et la guanine (G) avec la cytosine (C). C'est en

COUP D'ŒIL ▼ **Figure 16.7**

L'ADN

Même si on peut illustrer l'ADN de plusieurs façons, la structure fondamentale demeure la même dans tous les schémas. Le niveau de détails dépend du procédé utilisé et du type de renseignements que l'on désire illustrer.

Images structurelles

Ces images structurelles montrent la forme tridimensionnelle de la double hélice de l'ADN (à gauche) ainsi que les caractéristiques chimiques de la structure de l'ADN (à droite). Dans les deux images, on utilise les mêmes couleurs pour les groupements phosphate (jaune), les glucides (désoxyribose; bleu) et les bases azotées (teintes de vert et d'orangé).

La double hélice de l'ADN est une spirale tournant vers la droite, comme le montre ce modèle compact et informatisé de l'ADN. Utilisez votre main droite, tel qu'illustré, pour suivre le squelette désoxyribose-phosphate le long de l'hélice (flèche rouge) jusqu'à l'arrière. Votre pouce pointe alors dans le sens du déplacement, c'est-à-dire vers le haut. (Il est impossible de le faire avec la main gauche.)

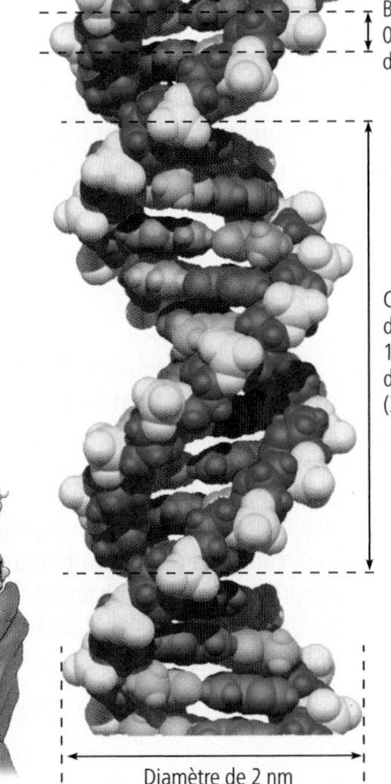

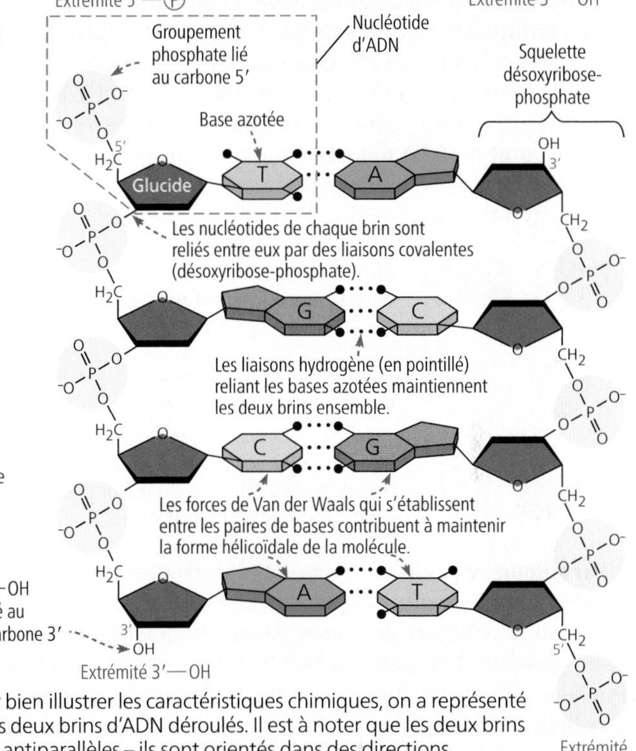

Pour bien illustrer les caractéristiques chimiques, on a représenté ici les deux brins d'ADN déroulés. Il est à noter que les deux brins sont antiparallèles – ils sont orientés dans des directions opposées, comme les deux voies d'une route bidirectionnelle.

? **1.** Décrivez les liaisons qui maintiennent ensemble les nucléotides dans un brin d'ADN. Comparez-les aux liaisons maintenant ensemble les deux brins d'ADN.

Images simplifiées

Lorsqu'il n'est pas nécessaire de présenter les caractéristiques moléculaires, l'ADN est représenté sous forme de différents schémas simplifiés, selon le but recherché.

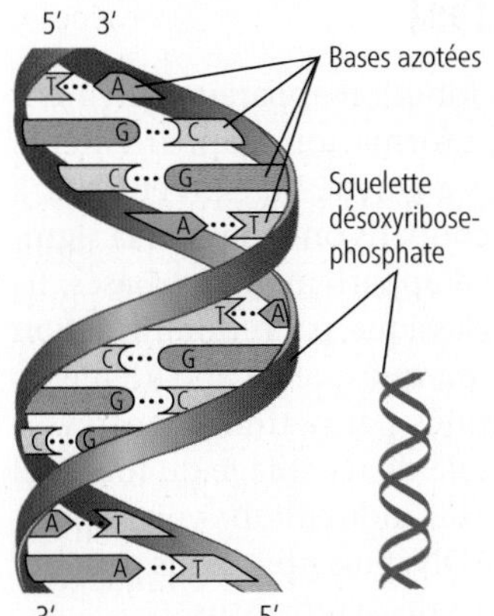

Dans ces schémas simplifiés de la double hélice, les «rubans» représentent les squelettes désoxyribose-phosphate.

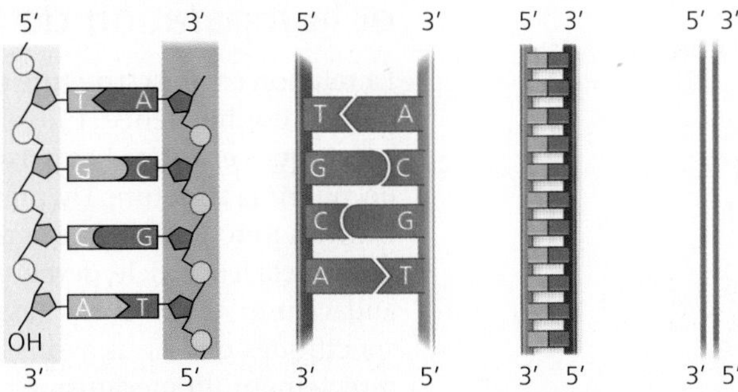

Dans ces schémas illustrant l'ADN déroulé à plat sous la forme d'une échelle, les montants correspondent aux squelettes désoxyribose-phosphate et les barreaux représentent les paires de bases. La partie de l'échelle apparaissant en bleu clair permet de mettre en évidence les brins synthétisés récemment.

Dans certains cas, on représente les deux brins de l'ADN par deux traits.

? **2.** Comparez les renseignements présentés dans les trois diagrammes en forme d'échelle.

Séquences d'ADN

L'information génétique contenue dans l'ADN est représentée sous forme de séquence linéaire de nucléotides qui peuvent être transcrits en ARNm et traduits en polypeptides. Lorsqu'on présente une séquence d'ADN, chaque nucléotide peut être indiqué simplement par la première lettre de sa base: A, T, C ou G.

3'–ACGTAAGCGGTTAAT–5'
5'–TGCATTCGCCAATTA–3'

grande partie en procédant de façon empirique (par essais et erreurs) que Watson et Crick ont découvert cette caractéristique essentielle de l'ADN. Au départ, Watson pensait que les appariements se faisaient entre bases identiques (A avec A, C avec C, etc.). Cependant, cette disposition ne concordait pas avec les données obtenues à partir des figures de diffraction, qui montraient que la double hélice avait un diamètre uniforme. Pourquoi cela est-il incompatible avec un appariement entre des bases identiques ? Il faut savoir que l'adénine et la guanine sont des purines, c'est-à-dire des bases azotées constituées de deux cycles (anneaux) organiques, alors que la cytosine et la thymine sont des pyrimidines, soit des bases azotées ayant un seul cycle. La seule combinaison qui permet d'obtenir un diamètre uniforme de la double hélice exige donc l'appariement d'une purine et d'une pyrimidine :

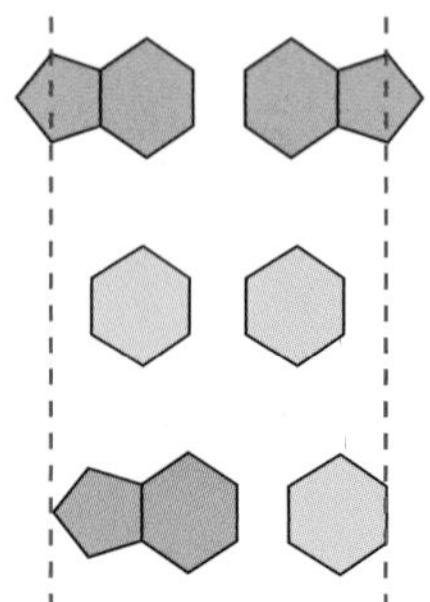

Purine + purine : largeur excédant 2 nm

Pyrimidine + pyrimidine : largeur inférieure à 2 nm

Purine + pyrimidine : largeur conforme aux données obtenues à partir des figures de diffraction de rayons X

Par ailleurs, Watson et Crick ont compris que l'appariement devait se faire en tenant compte d'une spécificité supplémentaire dictée par la structure des bases. Ainsi, chaque base comporte des atomes périphériques capables de former des liaisons hydrogène avec un atome complémentaire : l'adénine peut former deux liaisons hydrogène avec la thymine seulement ; quant à la guanine, elle peut former trois liaisons hydrogène avec la cytosine uniquement. Autrement dit, A s'apparie avec T, et G s'apparie avec C (**figure 16.8**).

Le modèle de Watson et Crick prenait en compte les règles de Chargaff et, en définitive, permettait de les expliquer. Partout où un brin de la molécule d'ADN porte un A, l'autre brin porte un T. De même, là où il y a un G sur un brin, il y a un C sur le brin complémentaire. Par conséquent, dans l'ADN de tout organisme, la quantité d'adénine est égale à celle de la thymine, et la quantité de guanine est égale à celle de la cytosine. Les techniques modernes de séquençage de l'ADN ont confirmé cette équivalence parfaite des quantités. Par ailleurs, si elles définissent les combinaisons entre les bases azotées formant les « barreaux » de la double hélice, les règles d'appariement des bases ne limitent en rien la séquence nucléotidique le long des « montants » de chaque brin d'ADN. Les quatre bases peuvent donc former une infinité de séquences linéaires, et chaque gène a une séquence de bases qui lui est propre.

En avril 1953, Watson (24 ans) et Crick (35 ans) ont fait sensation dans le monde scientifique en publiant un article d'une seule page présentant un modèle moléculaire de l'ADN : une double hélice, qui est devenue depuis le symbole même de la biologie moléculaire. Watson et Crick ont reçu le prix Nobel en 1962, en même temps que Maurice Wilkins. (Malheureusement, Rosalind Franklin est morte à 37 ans, en 1958, et n'était donc pas admissible pour le prix.) Le modèle de la double hélice était d'autant plus convaincant que sa structure laissait entrevoir le mécanisme général de réplication de l'ADN.

▼ Figure 16.8 L'appariement des bases dans l'ADN.

Désoxyribose — Adénine (A) · · · Thymine (T) — Désoxyribose (CH_3)

Désoxyribose — Guanine (G) · · · Cytosine (C) — Désoxyribose

RETOUR SUR LE CONCEPT 16.1

1. Sachant que la séquence d'un polynucléotide est GAATTC, de quelle information supplémentaire avez-vous besoin pour identifier l'extrémité 5'—Ⓟ ? (Voir la figure 16.5.)

2. **HABILETÉS VISUELLES ▶** Griffith tentait de mettre au point un vaccin contre *S. pneumoniae* lorsqu'il a eu la surprise de découvrir le phénomène de la transformation bactérienne. Examinez la figure 16.2. D'après ce que vous observez, à quel résultat Griffith s'attendait-il après l'injection des cellules R avec les cellules S mortes ? Expliquez votre réponse.

Voir les réponses proposées à l'appendice A.

CONCEPT 16.2

De nombreuses protéines travaillent de concert pour la réplication et la réparation de l'ADN

La relation entre la structure et la fonction apparaît clairement dans la double hélice. L'idée de la formation d'appariements spécifiques entre les bases azotées a amené Watson et Crick à découvrir la structure. Du même coup, ils ont compris la signification fonctionnelle de la règle d'appariement des bases. Ils ont conclu leur article, devenu un classique, par cette affirmation audacieuse : « Nous avons aussi remarqué que les appariements spécifiques que nous avons postulés permettent d'entrevoir directement un mécanisme possible de recopiage du matériel génétique*. » Dans la section qui suit, nous allons voir le principe général de la réplication de l'ADN, puis nous nous pencherons sur certains aspects importants de ce processus.

* Traduit de J. D. Watson et F. H. C. Crick, Molecular structure of nucleic acids : A structure for deoxyribose nucleic acids, *Nature* 171 : 737-738 (1953).

Le principe fondamental : l'appariement des bases azotées à un brin matrice

Dans un deuxième article, Watson et Crick ont résumé leur hypothèse concernant la réplication de l'ADN :

« Notre modèle de l'acide désoxyribonucléique est un assemblage de deux matrices complémentaires. Selon nous, avant la réplication, les liaisons hydrogène sont rompues. Les deux chaînes se déroulent alors et se séparent. Chacune agit comme une matrice : il se forme le long d'elle une nouvelle chaîne qui lui est associée, de sorte qu'on se retrouve avec deux paires de chaînes là où, au départ, il n'y en avait qu'une. De plus, la séquence des paires de bases est ainsi reproduite de façon exacte*. »

La **figure 16.9** illustre le concept de base mis de l'avant par Watson et Crick. Pour plus de clarté, nous n'avons représenté qu'une toute petite portion de la double hélice déroulée. Remarquez que, si l'on couvre l'un des deux brins d'ADN de la figure 16.9a, il est possible de déduire sa séquence linéaire de nucléotides en se référant à l'autre brin et en appliquant la règle de l'appariement. Les deux brins sont complémentaires, et chacun d'eux contient l'information qui permet de reconstruire l'autre. Lorsqu'une cellule copie une molécule d'ADN, chaque brin agit comme une matrice sur laquelle viennent se placer des nucléotides déjà synthétisés sous forme de nucléosides triphosphates (nous en reparlerons plus loin), présents en abondance dans le milieu. Ces nucléosides s'alignent un par un, en suivant la règle de l'appariement ; ils sont ensuite liés, et le brin complémentaire est achevé. Alors qu'au début du processus il y avait une seule molécule formée de deux brins d'ADN, il y en a maintenant deux, qui sont des répliques exactes l'une de l'autre et de la molécule de départ. Le mécanisme de copie est analogue à l'utilisation d'un négatif photographique pour former une image positive, qui peut à son tour permettre de reproduire un autre négatif, et ainsi de suite.

Ce modèle de la réplication de l'ADN n'a été testé que plusieurs années après la publication du modèle de la structure de l'ADN. Les expériences à réaliser étaient simples à concevoir, mais difficiles à mettre en œuvre. Selon le modèle de Watson et Crick, une fois que la réplication de la double hélice est terminée, chacune des deux molécules filles doit être formée d'un ancien brin (provenant de la molécule de départ) et d'un nouveau brin. On peut opposer ce **modèle semi-conservateur** au modèle conservateur de réplication, qui impliquerait que les deux brins parentaux s'apparient de nouveau après le processus (donc que la molécule de départ soit conservée). D'après un troisième modèle appelé modèle dispersif, les quatre brins d'ADN issus de la réplication de la double hélice seraient formés d'un mélange de nouveau et d'ancien ADN (**figure 16.10**).

▼ **Figure 16.9 Le modèle de réplication de l'ADN, concept de base.** Cette illustration simplifiée montre un court segment d'ADN déroulé. Les quatre bases sont représentées symboliquement par des formes géométriques simples. Les brins colorés en bleu foncé appartiennent à la molécule mère ; l'ADN nouvellement synthétisé est en bleu clair.

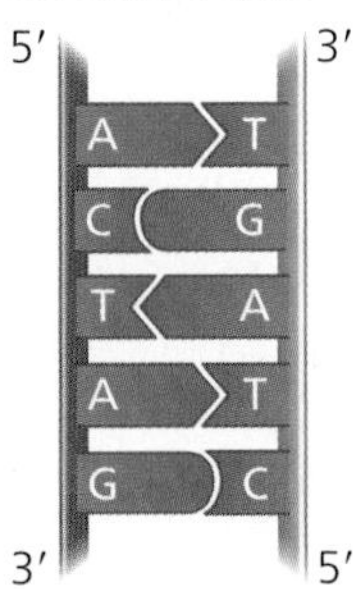

(a) La molécule de départ comporte deux brins d'ADN complémentaires. Chaque base s'associe par des liaisons hydrogène à la base correspondante : A va avec T, et G va avec C (règle de l'appariement).

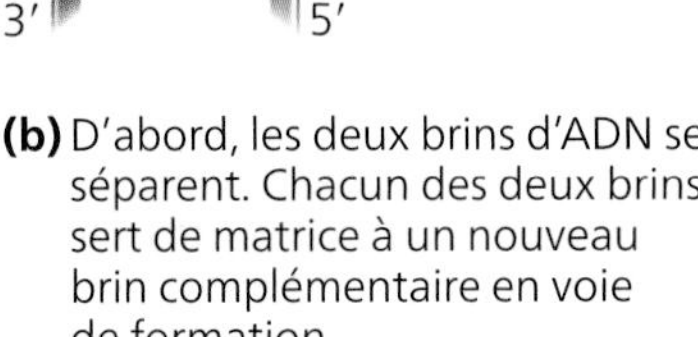

(b) D'abord, les deux brins d'ADN se séparent. Chacun des deux brins sert de matrice à un nouveau brin complémentaire en voie de formation.

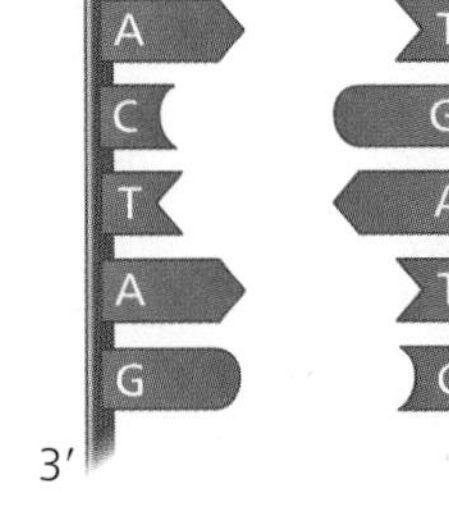

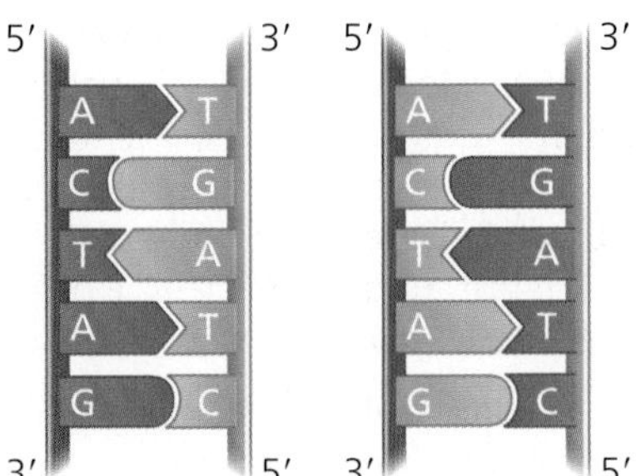

(c) Les nucléotides complémentaires des brins parentaux (en bleu foncé) se lient pour former le squelette désoxyribose-phosphate (montant) des nouveaux brins « filles » (en bleu clair).

▼ **Figure 16.10 La réplication de l'ADN : trois modèles différents.** Chaque court segment de double hélice que nous montrons ici représente l'ADN dans une cellule. À partir d'une cellule mère, on suit l'ADN parental durant deux générations cellulaires, soit deux réplications du matériel génétique. L'ADN parental est coloré en bleu foncé ; l'ADN nouvellement synthétisé est coloré en bleu clair.

ADN parental — **Première réplication** — **Deuxième réplication**

(a) Modèle conservateur : les deux brins parentaux se réassocient après avoir joué le rôle de matrices pour créer les nouveaux brins ; la double hélice parentale reste donc inchangée.

(b) Modèle semi-conservateur : les deux brins de la molécule parentale se séparent et chacun d'eux sert de matrice pour la synthèse d'un brin complémentaire.

(c) Modèle dispersif : chacun des brins des *deux* molécules filles est un mélange d'ADN ancien et d'ADN nouvellement synthétisé.

* Traduit de J. D. Watson et F. H. C. Crick, Genetical implications of the structure of deoxyribonucleic acid, *Nature* 171 : 964-967 (1953).

Bien qu'il ait été difficile de concevoir le fonctionnement des modèles conservateur ou dispersif de réplication de l'ADN, ces deux dernières hypothèses sont longtemps demeurées plausibles. Ce n'est qu'après deux ans de travaux préliminaires à la fin des années 1950 que Matthew Meselson et Franklin Stahl, alors au California Institute of Technology, ont conçu une expérience ingénieuse permettant de distinguer les trois modèles, décrits en détail à la **figure 16.11**. Cette expérience est largement reconnue parmi les biologistes comme un exemple classique de conception élégante. Elle a confirmé l'exactitude du modèle semi-conservateur de Watson et Crick chez les procaryotes (on a prouvé que ce modèle s'appliquait aussi aux eucaryotes en 1960).

Le principe de base de la réplication de l'ADN semble plutôt simple. Cependant, ce mécanisme fait intervenir des processus biochimiques complexes, comme nous allons le voir.

La réplication de l'ADN: *une étude détaillée*

La bactérie *E. coli* possède un seul chromosome d'environ 4,6 millions de paires de nucléotides. Dans un milieu favorable, une cellule d'*E. coli* peut copier tout son ADN, se diviser et former deux cellules filles génétiquement identiques en bien moins d'une heure. Chacune de *nos* cellules somatiques comprend 46 molécules d'ADN, soit une longue molécule hélicoïdale à double brin par chromosome. En tout, on estime que le génome humain comporte environ 6 milliards de paires de nucléotides, ce qui équivaut à peu près à 1 000 fois plus d'ADN que dans la plupart des cellules bactériennes. Si l'on voulait représenter toutes les paires de bases d'une seule cellule humaine par des lettres (A, G, C et T) de la taille des caractères que vous lisez en ce moment, il faudrait imprimer environ 1 400 manuels de biologie comme celui-ci. Il suffit pourtant de

DÉMARCHE SCIENTIFIQUE

INVESTIGATION

▼ **Figure 16.11**

La réplication de l'ADN suit-elle le modèle conservateur, semi-conservateur ou dispersif?

■ HYPOTHÈSE ■ Si l'ADN se réplique selon le modèle conservateur, une des cellules filles contiendra les deux brins d'ADN parental restés ensemble, tandis que l'autre cellule fille contiendra les deux brins nouvellement synthétisés. Un cycle de réplication devrait donc produire des proportions égales de cellules à ADN marqué et de cellules comportant l'ADN original. Si c'est le modèle semi-conservateur qui prévaut, toutes les cellules filles devraient être mixtes, c'est-à-dire comporter un brin d'ADN originel et un brin marqué.

■ EXPÉRIENCE ■ Matthew Meselson et Franklin Stahl ont cultivé plusieurs générations de bactéries *E. coli* dans un milieu contenant des nucléotides précurseurs marqués à l'aide d'un isotope lourd de l'azote, ^{15}N. Puis ils ont placé les bactéries, dont les bases azotées avaient incorporé l'azote ^{15}N, dans un milieu contenant un isotope plus léger de l'azote, ^{14}N. Après la première réplication de l'ADN, les chercheurs ont prélevé un échantillon de bactéries; puis, après une deuxième réplication, ils en ont prélevé un autre. Ils ont ensuite extrait l'ADN de ces deux échantillons, ont mis les extraits ainsi obtenus dans des solutions de sel dense (chlorure de césium), puis les ont centrifugés pour séparer l'ADN de différentes masses volumiques.

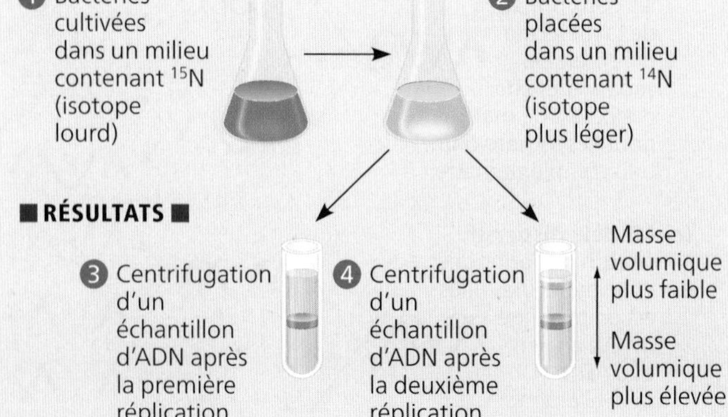

■ CONCLUSION ■ Meselson et Stahl ont comparé leur résultat aux résultats prévus selon chacun des trois modèles de la figure 16.10, comme nous le montrons ci-dessous. La première réplication effectuée dans le milieu ^{14}N a produit une bande d'ADN hybride ($^{15}N^{14}N$), ce qui a permis d'éliminer le modèle conservateur. La deuxième réplication a produit à la fois un ADN léger et un ADN hybride, ce qui a permis de réfuter le modèle dispersif et a confirmé l'exactitude du modèle semi-conservateur. Ils ont alors conclu que la réplication de l'ADN suit le modèle semi-conservateur.

Source des données: M. Meselson et F. W. Stahl, The replication of DNA in *Escherichia coli*, *Proceedings of the National Academy of Sciences* 44: 671-682 (1958).

ET SI? ▶ Quels résultats Meselson et Stahl auraient-ils obtenus après chacune des réplications s'ils avaient d'abord cultivé les cellules dans un milieu contenant l'isotope ^{14}N, puis avaient placé ces cellules dans un milieu contenant ^{15}N avant de prélever des échantillons?

quelques heures à l'une de nos cellules pour recopier tout son ADN pendant la phase S de l'interphase. La réplication de cette énorme quantité d'information génétique se fait avec très peu d'erreurs (environ 1 par 10 milliards de nucléotides). La réplication de l'ADN s'effectue donc avec une rapidité et une précision remarquables.

Plus d'une douzaine d'enzymes et d'autres protéines interviennent dans la réplication de l'ADN. Le fonctionnement de cette « machine à répliquer » est mieux connu chez les bactéries (comme *E. coli*) que chez les eucaryotes. Sauf indications contraires, nous décrirons donc les principales étapes de ce processus chez *E. coli*. Cependant, d'après ce que les scientifiques ont appris sur la réplication de l'ADN chez les eucaryotes, il semble que ce processus soit essentiellement le même que chez les procaryotes.

Le point de départ

La réplication d'une molécule d'ADN chromosomique commence sur des sites particuliers, appelés **origines de réplication** ; il s'agit de courts segments d'ADN ayant une séquence nucléotidique spécifique. Comme de nombreux autres chromosomes bactériens, celui d'*E. coli* est circulaire et a une seule origine de réplication, soit une séquence particulière de 245 paires de nucléotides, appelée *oriC*, et comportant de nombreuses paires AT ; les deux brins d'ADN se séparent plus facilement à cet endroit, car il est plus facile de briser les deux liaisons hydrogène entre A et T que les trois liaisons hydrogène entre G et C. Des protéines de réplication reconnaissent cette séquence et amorcent la réplication de l'ADN. Elles s'attachent à celui-ci et séparent les deux brins en formant un « œil » de réplication (**figure 16.12a**). La réplication se poursuit alors dans les deux sens, jusqu'à ce que toute

▼ **Figure 16.12 Les origines de réplication chez *E. coli* et chez les eucaryotes.** Les flèches rouges (dans le schéma et dans la micrographie) montrent le mouvement des fourches de réplication, ce qui indique le sens général de la réplication de l'ADN à l'intérieur de chaque œil de réplication.

(a) Origine de réplication dans une cellule d'*E. coli*

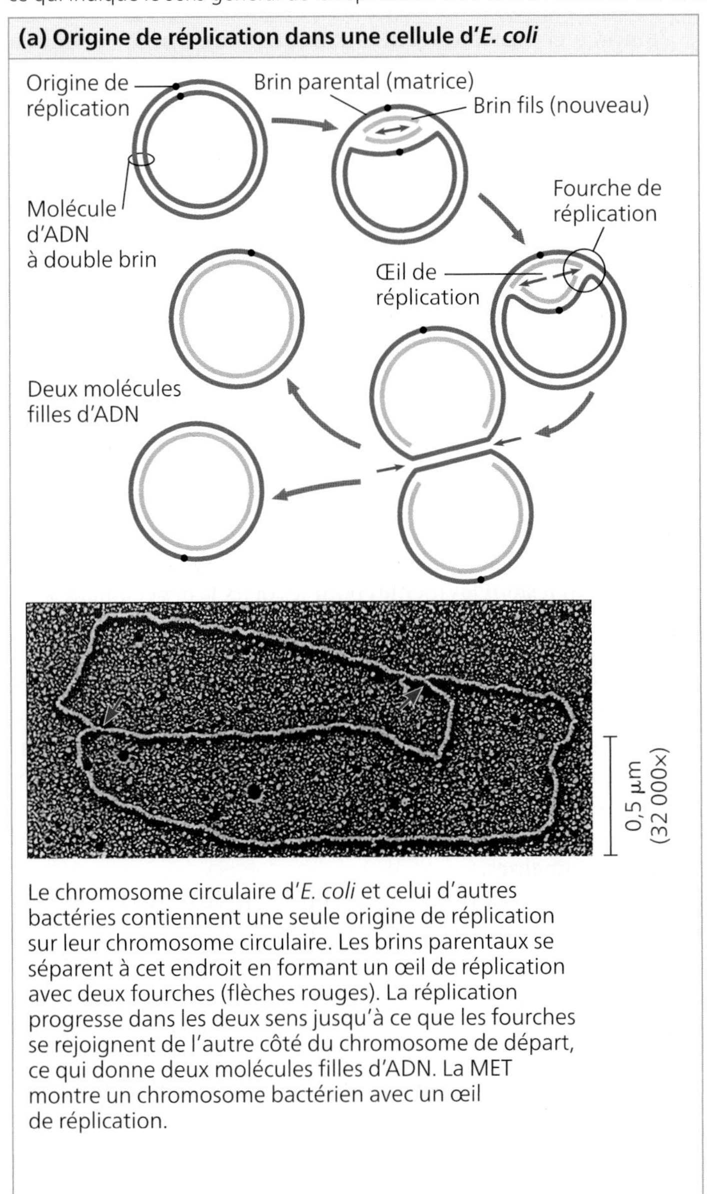

Le chromosome circulaire d'*E. coli* et celui d'autres bactéries contiennent une seule origine de réplication sur leur chromosome circulaire. Les brins parentaux se séparent à cet endroit en formant un œil de réplication avec deux fourches (flèches rouges). La réplication progresse dans les deux sens jusqu'à ce que les fourches se rejoignent de l'autre côté du chromosome de départ, ce qui donne deux molécules filles d'ADN. La MET montre un chromosome bactérien avec un œil de réplication.

(b) Origines de réplication dans une cellule chez les eucaryotes

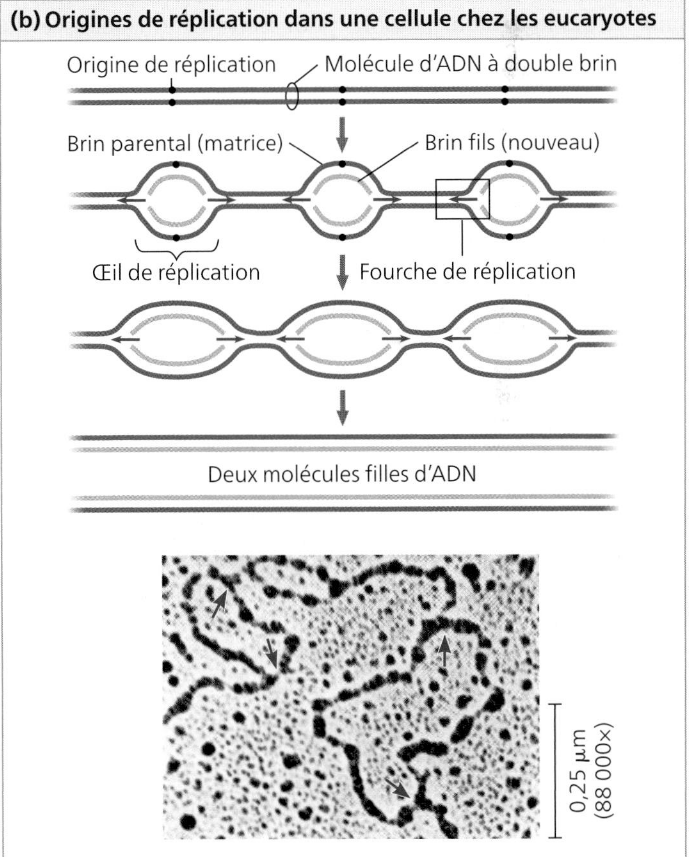

Dans le chromosome d'un eucaryote, la réplication de l'ADN commence quand un œil de réplication se forme sur de nombreux sites le long de la molécule géante d'ADN linéaire, pendant la phase S de l'interphase. La réplication progresse dans les deux sens (flèches rouges) en étirant l'œil de réplication. Un œil de réplication finit par fusionner avec le suivant, et ainsi de suite jusqu'à atteindre les extrémités de la molécule, ce qui met fin à la synthèse des nouveaux brins. Sur cette micrographie de l'ADN de cellules de hamster chinois (*Cricetulus griseus*), on peut voir trois exemplaires d'un œil de réplication.

FAITES UN DESSIN ▶ Dans la micrographie (MET) de la partie (b), ajoutez des flèches dans les fourches du troisième œil de réplication.

la molécule ait été recopiée. Contrairement au chromosome bactérien, un chromosome d'eucaryote, qui est linéaire, peut avoir des centaines voire des milliers d'origines de réplication (jusqu'à 100 000 dans une cellule humaine) : la réplication d'un chromosome eucaryote ne débute donc pas à une de ses extrémités comme on pourrait l'imaginer. L'origine de réplication ainsi que le segment d'ADN qui est répliqué à partir de ce point forment un œil de réplication (chez la bactérie, il n'y en a qu'un seul par cellule). Tout œil de réplication eucaryote finit par fusionner avec l'œil voisin, ce qui accélère le recopiage des molécules d'ADN qui sont très longues (**figure 16.12b**). Comme chez les bactéries, la réplication de l'ADN chez les eucaryotes se poursuit dans les deux sens à partir de chaque origine.

Chaque extrémité d'un œil de réplication prend la forme d'une **fourche de réplication**, c'est-à-dire d'une région en forme de Y où les deux brins d'ADN sont déroulés. Plusieurs types de protéines participent au déroulement (**figure 16.13**). C'est dans l'angle de la fourche de réplication qu'agissent les **hélicases** : ces enzymes déroulent la double hélice, rompant les liaisons hydrogène entre les bases azotées à l'aide de l'énergie fournie par l'hydrolyse de l'ATP, et séparent les deux brins parentaux, ce qui les rend disponibles pour servir de brins matrices. Après la séparation des deux brins parentaux par l'hélicase, les **protéines fixatrices d'ADN monocaténaire** (ou protéines SSB, *single-strand binding proteins*) s'attachent aux brins d'ADN non appariés et les empêchent de s'enrouler à nouveau jusqu'à ce qu'ils servent de matrices pour la synthèse de nouveaux brins complémentaires. Ce déroulement de la double hélice cause des torsions importantes et une tension en amont de la fourche de réplication, comme si on déroulait une corde à deux brins dont l'une des extrémités serait fixée, en écartant les deux bouts libres. C'est l'**ADN gyrase**, une enzyme **topo-isomérase** (« topo », car elle agit sur la topologie de l'ADN), qui fait diminuer cette tension : elle effectue des coupures, fait pivoter les brins d'ADN puis répare les coupures.

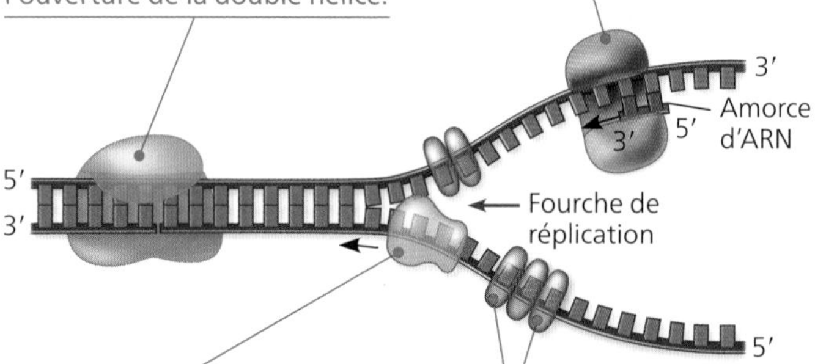

La synthèse d'un nouveau brin

Les sections déroulées des brins d'ADN parentaux peuvent alors servir de matrices pour la synthèse de nouveaux brins d'ADN complémentaires. Cependant, les enzymes qui synthétisent l'ADN sont incapables d'*amorcer* la synthèse d'un polynucléotide. Elles ne peuvent qu'ajouter des nucléotides à l'extrémité 3′—OH d'une chaîne préexistante déjà appariée avec les bases du brin matrice. Lors de l'initiation de la réplication de l'ADN cellulaire, c'est en fait un court segment d'ARN, et non d'ADN, qui permet d'amorcer la synthèse du brin complémentaire à la matrice. Cette courte chaîne d'ARN, appelée **amorce**, est synthétisée par une enzyme appelée **primase** (de l'anglais *primer* qui signifie « amorce ») (voir la figure 16.13). La primase, qui ne nécessite pas la présence d'une extrémité 3′ libre, peut entamer la synthèse d'une chaîne d'ARN complémentaire à partir d'un seul nucléotide d'ARN ; elle ajoute les nucléotides de l'ARN un par un, en se servant du brin d'ADN parental comme matrice. L'amorce complétée, généralement d'une longueur de 5 à 10 nucléotides, est donc appariée avec les bases du brin matrice. L'initiation d'un nouveau brin d'ADN va se produire à l'extrémité 3′—OH de cette amorce.

Des enzymes appelées **ADN polymérases** catalysent la synthèse du nouveau brin d'ADN en ajoutant des nucléotides à l'extrémité 3′—OH de la chaîne préexistante. Chez *E. coli*, il existe cinq ADN polymérases différentes, mais deux d'entre elles semblent jouer des rôles importants dans la réplication de l'ADN : l'ADN polymérase III, présente en faible quantité, et l'ADN polymérase I, très abondante. (La découverte de l'ADN polymérase I est l'œuvre d'Arthur Kornberg en 1958, ce qui lui valut un prix Nobel en 1959.) La situation est plus complexe chez les eucaryotes, car ils peuvent posséder 11 types de polymérases différentes (dont une au moins est spécifique à la mitochondrie), mais, tout comme chez les procaryotes, 2 types de polymérases en particulier (δ et ε) jouent un rôle important dans la réplication de l'ADN. Notons que les principes généraux de la réplication restent les mêmes pour les deux types cellulaires.

La plupart des ADN polymérases nécessitent une amorce et un brin matrice le long duquel les nucléotides de l'ADN complémentaire s'alignent. Chez *E. coli*, l'ADN polymérase III (ADN pol III) ajoute alors un nucléotide de l'ADN à l'extrémité de l'amorce et continue d'incorporer des nucléotides complémentaires du brin matrice de l'ADN parental au nouveau brin d'ADN en croissance. La vitesse d'élongation est d'environ 500 nucléotides par seconde chez les bactéries et de 50 par seconde dans les cellules humaines.

Chaque nucléotide qui s'ajoute à un brin d'ADN en voie de formation est composé d'un glucide lié à une base et de trois groupements phosphate. Ces molécules ressemblent à l'ATP (adénosine triphosphate ; voir la figure 8.9). En fait, l'ATP (qui alimente le métabolisme énergétique) ne diffère du désoxyATP (ou dATP, le nucléotide adénine utilisé pour produire l'ADN) que par son glucide. L'ATP se compose de ribose, alors que l'ADN contient du désoxyribose. Comme l'ATP, les nucléotides intervenant dans la synthèse de l'ADN sont chimiquement actifs, en partie parce que leur queue triphosphate contient un regroupement instable de charges négatives. L'ADN polymérase catalyse

▼ **Figure 16.13 Quelques protéines jouant un rôle dans la réplication de l'ADN.** Les mêmes protéines (il y en a une trentaine chez *E. coli*) fonctionnent aux deux fourches de réplication dans un œil de réplication. Afin de simplifier le schéma, nous ne représentons ici que la fourche de gauche, et les bases de l'ADN qui figurent dans l'illustration sont beaucoup plus petites en réalité, comparativement aux protéines qui s'y fixent.

En coupant et en recollant l'ADN parental, l'**ADN gyrase** fait diminuer la tension due à la torsion engendrée à la fourche de réplication par l'ouverture de la double hélice.
La **primase** synthétise les amorces d'ARN en utilisant l'ADN parental comme matrice.
3′
Amorce d'ARN
5′
3′
5′
3′
Fourche de réplication
5′
L'**hélicase** déroule et sépare les brins d'ADN parentaux.
Les **protéines fixatrices d'ADN monocaténaire** stabilisent les brins parentaux déroulés.

l'ajout de chaque monomère nucléotidique par une réaction de déshydratation (voir la figure 5.2a). En se fixant à l'extrémité du brin d'ADN en cours de synthèse, chaque monomère perd deux groupements phosphate sous la forme d'une molécule de pyrophosphate (Ⓟ — $Ⓟ_i$). L'hydrolyse subséquente du pyrophosphate en deux molécules de phosphate inorganique ($Ⓟ_i$) constitue une réaction exergonique couplée. Celle-ci fournit l'énergie nécessaire à la polymérisation des nucléotides menant à la formation de l'ADN (**figure 16.14**).

L'élongation antiparallèle

Nous avons déjà signalé que les deux extrémités d'un brin d'ADN sont différentes, donnant à chaque brin une directionnalité, comme une rue à sens unique (voir la figure 16.5). De plus, les deux brins dans la double hélice d'ADN sont antiparallèles, ce qui signifie qu'ils ont des directions opposées comme les deux voies d'une route bidirectionnelle (voir la figure 16.14). Par conséquent, les deux nouveaux brins formés durant la réplication doivent aussi être antiparallèles à leur brin complémentaire.

L'arrangement antiparallèle de la double hélice, conjointement avec une certaine propriété des ADN polymérases, impose une contrainte importante sur la façon dont la réplication a lieu. À cause de leur structure, les ADN polymérases peuvent ajouter des nucléotides seulement à l'extrémité libre 3′ d'une amorce ou d'un brin d'ADN en croissance, jamais à l'extrémité 5′—Ⓟ (voir la figure 16.14). Par conséquent, le nouveau brin ne peut s'allonger que dans le sens 5′ → 3′. Revenons maintenant à l'une des deux fourches de réplication dans un œil de réplication (**figure 16.15**). L'ADN pol III peut synthétiser un brin complémentaire continu à partir d'une origine de réplication, le long du brin matrice. L'élongation du nouvel ADN se fait nécessairement dans le sens 5′ → 3′. L'ADN pol III reste dans la fourche de réplication, sur le brin qui sert de matrice, et elle continue d'ajouter un nucléotide après l'autre au brin complémentaire à mesure que la fourche se déplace. Le brin d'ADN ainsi synthétisé est appelé **brin directeur** (ou parfois *brin avancé* ou encore *brin précoce*). L'ADN pol III n'a besoin que d'une seule amorce pour synthétiser le brin directeur (voir la figure 16.15).

L'élongation de l'autre brin d'ADN en croissance, dans le sens 5′ → 3′, se fait différemment. L'ADN pol III doit suivre la matrice en *s'éloignant* de la fourche de réplication. Le brin d'ADN ainsi formé est appelé **brin discontinu** (ou parfois *brin tardif* ou encore *brin retardé*). Contrairement au brin directeur, son élongation ne se réalise pas de manière continue : de courts segments sont synthétisés, avant d'être reliés par une enzyme. On appelle ces segments **fragments d'Okazaki**, du nom du scientifique

▼ **Figure 16.14 L'ajout d'un nucléotide à un brin d'ADN.** L'ADN polymérase catalyse l'addition d'un nucléotide qui se lie à l'extrémité 3′—OH d'un brin d'ADN en cours de synthèse avec libération de deux groupements phosphate.

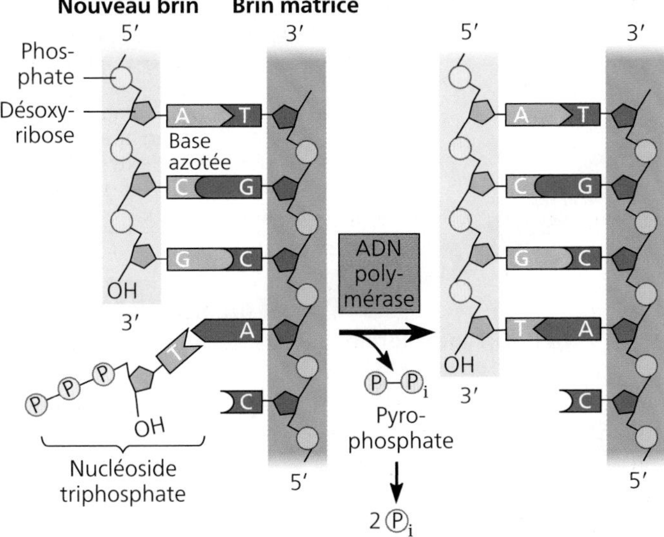

HABILETÉS VISUELLES ▶ Utilisez ce schéma pour expliquer ce que l'on veut dire quand on affirme que chaque brin d'ADN possède une directionnalité.

▼ **Figure 16.15 La synthèse du brin directeur pendant la réplication de l'ADN.** Le diagramme met l'accent sur la fourche de réplication de gauche illustrée dans la vue d'ensemble au haut de la figure. L'ADN polymérase III (ADN pol III), qui a la forme du creux de la main, est montrée étroitement liée à une protéine appelée «pince coulissante» (*sliding clamp* en anglais) qui encercle comme un beigne la double hélice nouvellement synthétisée. La pince coulissante aide au déplacement de l'ADN pol III le long de la matrice d'ADN. En maintenant l'enzyme bien positionnée sur l'ADN, cette pince augmente la longueur de l'ADN pouvant être synthétisé de façon continue.

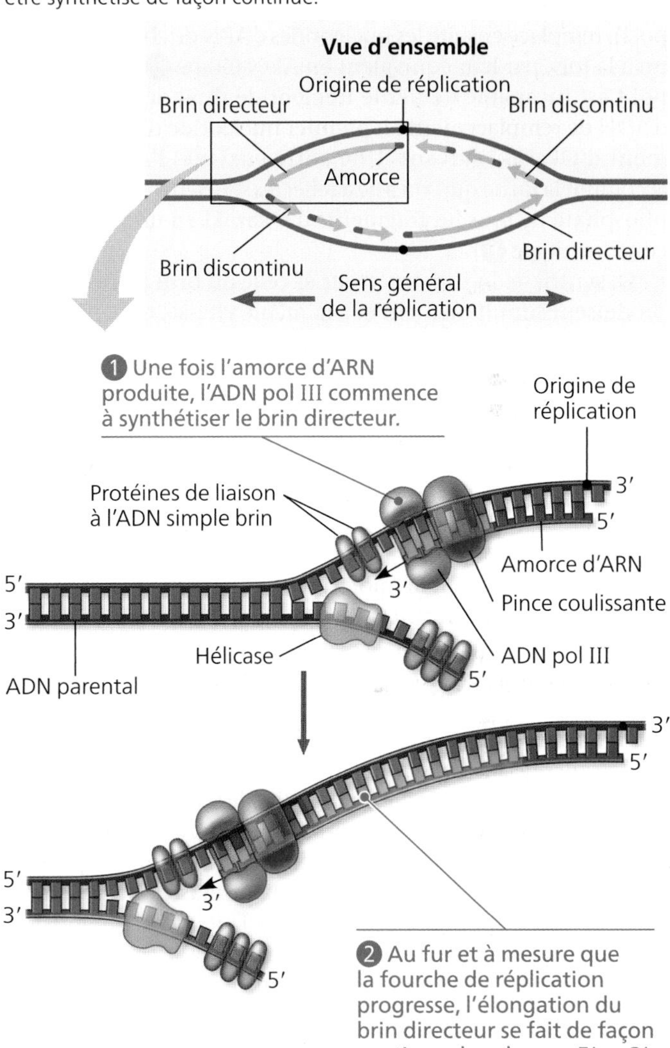

japonais, Reiji Okazaki, qui les a découverts. Chacun a une longueur de 1 000 à 2 000 nucléotides chez *E. coli*, et de 100 à 200 nucléotides chez les eucaryotes.

La **figure 16.16** illustre les étapes de la synthèse du brin discontinu à une fourche. Il suffit d'une seule amorce pour que l'ADN pol III puisse commencer la synthèse d'un nouveau brin directeur. Par contre, dans le cas des brins discontinus, il faut une amorce pour chaque fragment d'Okazaki (étapes ❶ et ❹). Après la formation d'un fragment d'Okazaki par l'ADN pol III (étapes ❷ à ❹), une autre polymérase, l'ADN polymérase I (ADN pol I), remplace ensuite les nucléotides d'ARN de chaque amorce, un à la fois, par leur équivalent en ADN (étape ❺). Mais l'ADN pol I est incapable de lier le nucléotide final de ce fragment d'ADN de remplacement au premier nucléotide d'ADN du fragment d'Okazaki suivant. Une autre enzyme, l'**ADN ligase**, accomplit la tâche qui consiste à relier les squelettes désoxyribose-phosphate de tous les fragments d'Okazaki en un brin d'ADN continu (étape ❻).

La synthèse du brin directeur et celle du brin discontinu se produisent simultanément et à la même vitesse. Cependant, la synthèse du brin discontinu est légèrement décalée par rapport à celle du brin directeur; la formation d'un nouveau fragment du brin discontinu commence seulement lorsqu'une longueur suffisante de matrice a été exposée à la fourche de réplication.

La **figure 16.17** et le **tableau 16.1** résument la réplication de l'ADN. Étudiez-les attentivement avant de continuer.

Le complexe de réplication de l'ADN

On représente souvent les molécules d'ADN polymérase comme des locomotives avançant sur une «voie ferrée» formée d'ADN (ce qui est commode), mais ce modèle est inexact pour deux raisons principales. Premièrement, les différentes protéines regroupées en 10 sous-unités qui assurent la réplication de l'ADN forment un seul grand complexe (appelé *réplisome*), qui est en quelque sorte une «machine à reproduire l'ADN» qu'on pourrait considérer comme un organite de réplication. De nombreuses interactions entre les protéines du réplisome contribuent à rendre le complexe plus efficace. Par exemple, par son interaction avec d'autres protéines, la primase joue apparemment un rôle de frein moléculaire, ce qui ralentit la progression de la fourche de réplication et coordonne les mises en place des amorces et les vitesses de réplication sur les brins directeur et discontinu. Deuxièmement, le complexe de réplication de l'ADN est probablement stationnaire pendant le processus; ce serait plutôt l'ADN qui se déplace à travers le complexe pendant la réplication. Il n'est pas exclu que ce processus varie d'une espèce à l'autre. Dans les cellules eucaryotes, on croit que de multiples exemplaires de ce complexe regroupés en «usines» (ou *foyers de réplication*) pourraient se fixer à la matrice nucléaire (un réseau de fibres occupant l'intérieur du noyau). Des données expérimentales portant sur certains types de cellules soutiennent l'hypothèse d'un modèle dans lequel un dimère de polymérase, une molécule sur chaque brin matrice, «remonte» l'ADN parental et expulse simultanément les molécules filles d'ADN nouvellement produites (celle du brin directeur et celle du brin discontinu). Dans ce modèle dit «en trombone», la matrice du brin discontinu s'enroule en boucle à travers le complexe, ce qui permet d'inverser son orientation, faisant en sorte que les deux brins matrices s'allongent alors dans la même direction (**figure 16.18**).

▼ **Figure 16.16 La synthèse du brin discontinu.**

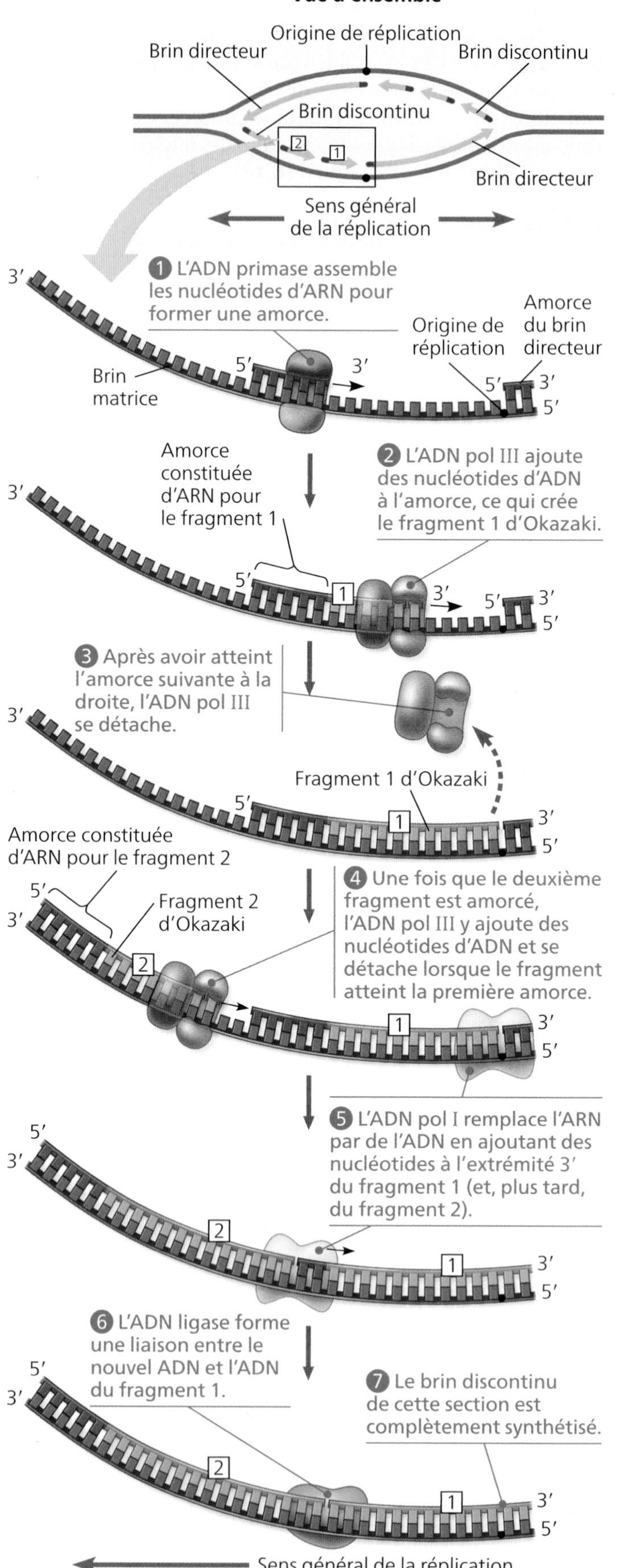

▼ **Figure 16.17 Résumé de la réplication de l'ADN bactérien.** Le schéma détaillé ci-dessous montre la fourche de réplication à gauche de l'œil de réplication dans la petite illustration présentant une vue d'ensemble (en haut, à droite). Si l'on regarde chacun des nouveaux brins, on remarque que la moitié de leur longueur est synthétisée de façon continue, sous forme de brin directeur, alors que l'autre moitié (de l'autre côté du point d'origine) est synthétisée par fragments, sous forme de brin discontinu.

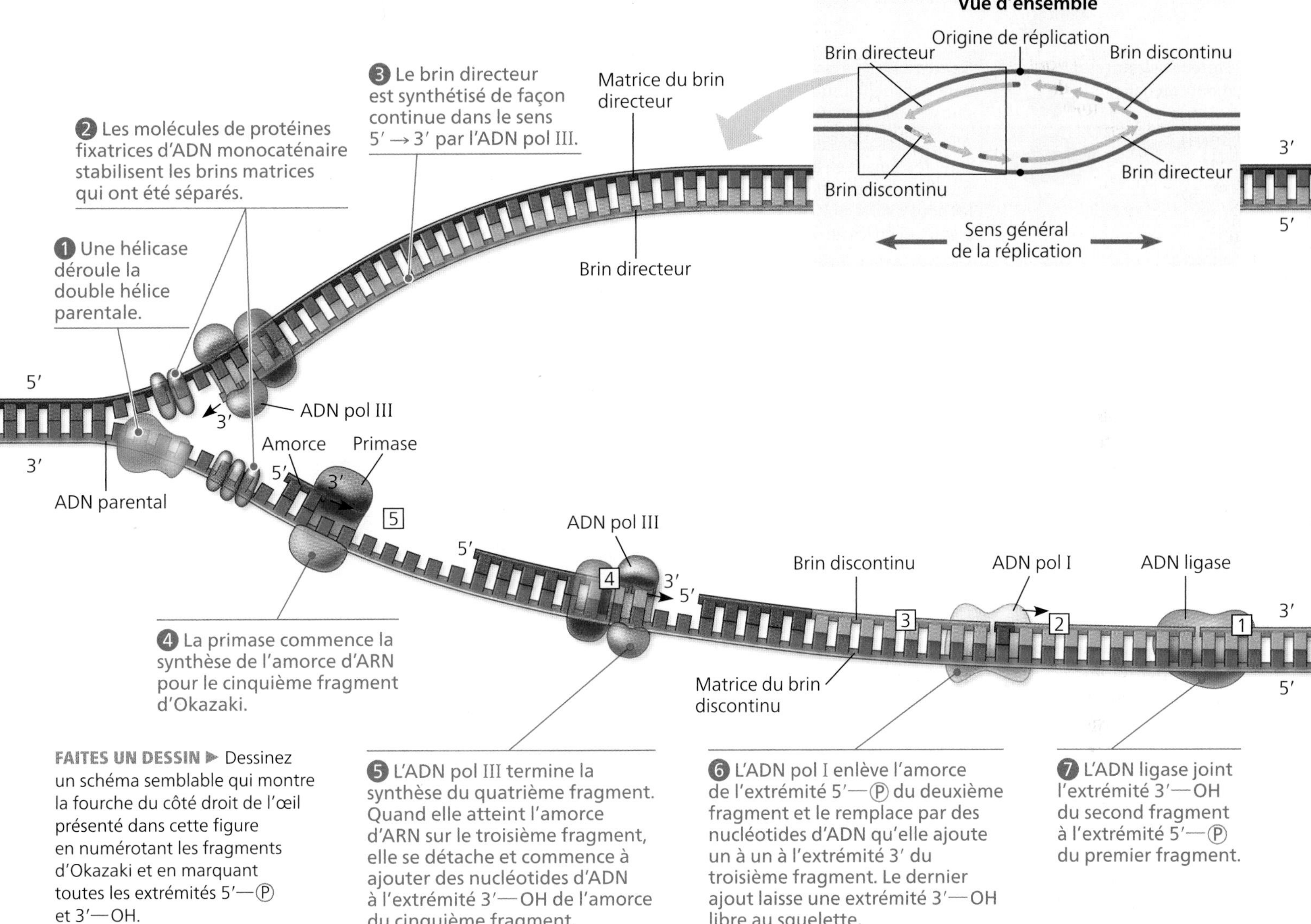

Vue d'ensemble
Origine de réplication
Brin directeur
Brin discontinu
Brin discontinu
Brin directeur
Sens général de la réplication
❸ Le brin directeur est synthétisé de façon continue dans le sens 5′ → 3′ par l'ADN pol III.
Matrice du brin directeur
❷ Les molécules de protéines fixatrices d'ADN monocaténaire stabilisent les brins matrices qui ont été séparés.
❶ Une hélicase déroule la double hélice parentale.
Brin directeur
5′
3′
ADN pol III
Amorce
Primase
ADN parental
ADN pol III
Brin discontinu
ADN pol I
ADN ligase
❹ La primase commence la synthèse de l'amorce d'ARN pour le cinquième fragment d'Okazaki.
Matrice du brin discontinu
❺ L'ADN pol III termine la synthèse du quatrième fragment. Quand elle atteint l'amorce d'ARN sur le troisième fragment, elle se détache et commence à ajouter des nucléotides d'ADN à l'extrémité 3′—OH de l'amorce du cinquième fragment.
❻ L'ADN pol I enlève l'amorce de l'extrémité 5′—Ⓟ du deuxième fragment et le remplace par des nucléotides d'ADN qu'elle ajoute un à un à l'extrémité 3′ du troisième fragment. Le dernier ajout laisse une extrémité 3′—OH libre au squelette.
❼ L'ADN ligase joint l'extrémité 3′—OH du second fragment à l'extrémité 5′—Ⓟ du premier fragment.

FAITES UN DESSIN ▶ Dessinez un schéma semblable qui montre la fourche du côté droit de l'œil présenté dans cette figure en numérotant les fragments d'Okazaki et en marquant toutes les extrémités 5′—Ⓟ et 3′—OH.

La « correction d'épreuves » et la réparation de l'ADN

La précision de la réplication de l'ADN ne résulte pas uniquement de la spécificité de l'appariement des bases azotées. Au départ, les erreurs d'appariement entre les nouveaux nucléotides et ceux du brin matrice sont de l'ordre de 1 sur 10^5 (100 000) nucléotides. Toutefois, dans le nouvel ADN d'une cellule fille produite par mitose, les erreurs d'appariement sont 100 000 fois moins nombreuses, soit une erreur par 10^{10} nucléotides (10 milliards). Cette précision s'explique du fait que pendant la réplication, bon nombre d'ADN polymérases procèdent elles-mêmes à la relecture de chacun des nucléotides ajoutés, les comparant à la matrice aussitôt qu'ils sont intégrés au brin en croissance par une liaison covalente. Lorsqu'une polymérase trouve une paire de nucléotides mal appariés au cours de cette « correction d'épreuves », elle enlève le nucléotide inadéquat et refait la synthèse. (Cette correction est analogue à celle qui consiste à corriger une faute de frappe en supprimant la lettre erronée et en tapant ensuite la bonne lettre.)

Il arrive parfois que les nucléotides mal appariés échappent à la vigilance de l'ADN polymérase durant la « correction d'épreuves » dont nous venons de parler. Lors de la **réparation des mésappariements des bases**, d'autres enzymes enlèvent les paires de nucléotides mal appariées à la suite d'erreurs de réplication (ou de mutations temporaires) et les remplacent. Les chercheurs ont commencé à comprendre le rôle de ces enzymes de réparation lorsqu'ils ont découvert qu'une anomalie héréditaire touchant l'une d'entre elles est liée à une forme de cancer du côlon. Il semble que cette anomalie permette aux erreurs cancérogènes de s'accumuler dans l'ADN à une vitesse supérieure à la normale.

Des nucléotides mal appariés ou modifiés peuvent également apparaître après la réplication. En fait, l'information génétique

Tableau 16.1 Protéines de réplication de l'ADN bactérien et leurs fonctions

Protéine	Fonction
Hélicase	Déroule la double hélice parentale aux fourches de réplication.
Protéines fixatrices d'ADN monocaténaire	Se lient à l'ADN monocaténaire et le stabilisent jusqu'à ce qu'il puisse servir de matrice.
ADN gyrase	Allège les tensions dues au surenroulement en amont des fourches de réplication en coupant les brins d'ADN, puis en les faisant pivoter et en les recollant.
Primase	Synthétise une amorce d'ARN à l'extrémité 5'—Ⓟ du brin directeur et à l'extrémité 5'—Ⓟ de chaque fragment d'Okazaki.
ADN pol III	En utilisant l'ADN parental comme matrice, synthétise un nouveau brin d'ADN par addition de nucléotides à l'extrémité 3'—OH d'un brin d'ADN préexistant ou d'une amorce d'ARN.
ADN pol I	Enlève les nucléotides d'ARN de l'amorce, à partir de son extrémité 5'—Ⓟ et les remplace avec des nucléotides d'ADN ajoutés à l'extrémité 3'—OH du fragment adjacent.
ADN ligase	Lie les fragments d'Okazaki du brin discontinu; lie l'extrémité 3'—OH de l'ADN qui remplace l'amorce au reste de l'ADN du brin directeur.

▼ **Figure 16.18 Le modèle «en trombone» du complexe de réplication de l'ADN.** Dans ce modèle, deux molécules d'ADN pol III, chacune située sur un brin, travaillent conjointement avec l'hélicase et d'autres protéines dans un complexe (*réplisome*). La matrice du brin discontinu forme, à travers ce complexe, une boucle qui ressemble à la coulisse d'un trombone.

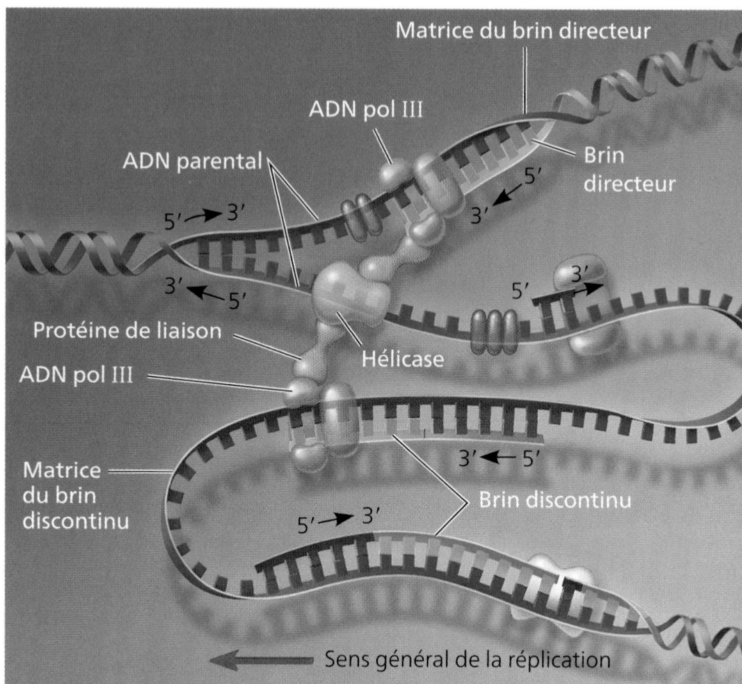

FAITES UN DESSIN ▶ Dans la figure ci-dessus, tracez une ligne tout au long de la séquence d'ADN pour indiquer où se trouve la matrice du brin discontinu.

encodée doit être entretenue. Elle exige de fréquentes réparations, parce que l'ADN subit divers types de lésions. Les molécules d'ADN sont constamment exposées à des agents physiques et chimiques nocifs, tels que les rayons X, comme nous le verrons au concept 17.5. De plus, les bases de l'ADN peuvent subir des modifications chimiques spontanées dans les conditions qui existent normalement dans la cellule. Toutefois, tous ces changements dans l'ADN sont généralement corrigés avant qu'ils ne constituent des modifications permanentes (des *mutations*) qui se reproduisent au cours des réplications successives. Chaque cellule surveille et répare son matériel génétique en permanence. La réparation de l'ADN endommagé est essentielle à la survie de l'organisme. Il n'est donc pas surprenant que les enzymes de réparation de l'ADN soient apparues en si grand nombre au cours de l'évolution. On en connaît près de 100 chez *E. coli* et, à ce jour, on en a identifié 170 chez les humains.

La plupart des systèmes cellulaires de réparation des nucléotides mal appariés, que ce soit à cause de dommages subis par l'ADN ou par suite d'erreurs de réplication, utilisent des processus qui reposent sur le mécanisme de l'appariement des bases. Dans de nombreux cas, un segment du brin endommagé, comportant une trentaine de nucléotides chez les eucaryotes, est enlevé (excisé) par une enzyme de découpage de l'ADN (une **endonucléase**) en utilisant le brin intact comme matrice. Les enzymes qui effectuent ce remplacement sont l'ADN polymérase et l'ADN ligase. Ce type d'intervention est appelé **réparation par excision de nucléotides** (**figure 16.19**). Notez que pour simplifier la représentation, seulement trois nucléotides sont excisés dans cette figure, alors que, normalement, les nucléotides seraient remplacés sur une plus grande portion de l'ADN (environ 10 fois plus longue).

Dans les cellules de notre peau, les enzymes de réparation de l'ADN corrigent les dommages infligés à notre matériel génétique par les rayons ultraviolets du Soleil. La figure 16.19 illustre un type de lésion ainsi causé: la liaison covalente de bases de thymine adjacentes sur un brin d'ADN. Les *dimères de thymine* de ce type déforment l'ADN et entravent sa réplication. La maladie appelée mélanose lenticulaire progressive (ou xeroderma pigmentosum) permet de comprendre à quel point la réparation de tels dommages est capitale. Dans la plupart des cas, il s'agit d'une maladie héréditaire autosomique récessive impliquant un des sept gènes responsables du mécanisme de réparation par excision de nucléotides. Les personnes atteintes sont extrêmement sensibles à la lumière du soleil et, entre autres choses, voient apparaître des plaques pigmentées et des ulcères sur les régions cutanées exposées à la lumière. Dans les cellules de ces plaques, les mutations produites par les rayons ultraviolets ne sont pas corrigées. Elles entraînent des risques élevés de cancer de la peau. Les effets de ces mutations sont désastreux: sans protection solaire, les enfants atteints de la maladie peuvent souffrir d'un cancer avant l'âge de 10 ans.

▼ **Figure 16.19** **La réparation de l'ADN par excision de nucléotides.**

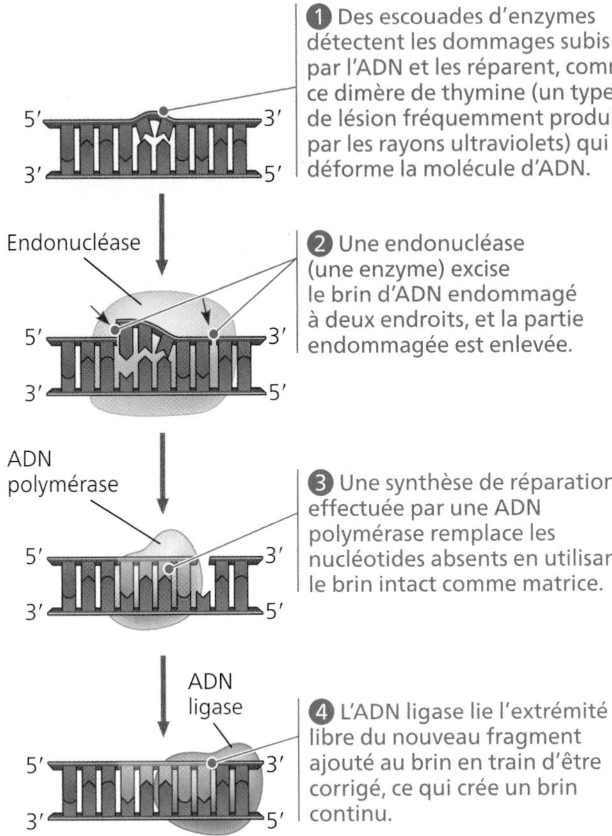

5′
3′
3′
5′
Endonucléase
ADN polymérase
ADN ligase
1 Des escouades d'enzymes détectent les dommages subis par l'ADN et les réparent, comme ce dimère de thymine (un type de lésion fréquemment produit par les rayons ultraviolets) qui déforme la molécule d'ADN.
2 Une endonucléase (une enzyme) excise le brin d'ADN endommagé à deux endroits, et la partie endommagée est enlevée.
3 Une synthèse de réparation effectuée par une ADN polymérase remplace les nucléotides absents en utilisant le brin intact comme matrice.
4 L'ADN ligase lie l'extrémité libre du nouveau fragment ajouté au brin en train d'être corrigé, ce qui crée un brin continu.

Les nucléotides de l'ADN modifiés et l'évolution

ÉVOLUTION La réplication fidèle du génome et la réparation de l'ADN sont importantes pour le fonctionnement des organismes et pour la transmission à la génération suivante d'un génome complet et exact. Le taux d'erreurs après la « correction d'épreuves » et la réparation est négligeable, mais quelques rares erreurs demeurent. Quand la réplication d'une paire de nucléotides mal appariés est terminée, la modification de la séquence est permanente dans la molécule fille qui porte le nucléotide incorrect, de même que dans toutes les copies subséquentes. Comme nous l'avons mentionné précédemment, un changement permanent de la séquence d'ADN est appelé *mutation*.

Les mutations peuvent modifier le phénotype d'un organisme (comme vous le verrez au concept 17.5). Si elles se produisent dans les cellules reproductrices (qui donnent naissance aux gamètes), les mutations peuvent être transmises de génération en génération. La grande majorité de ces changements sont néfastes ou n'exercent aucun effet, mais un très petit pourcentage peut être bénéfique. Dans un cas comme dans l'autre, les mutations sont à l'origine des variations sur lesquelles la sélection naturelle agit pendant l'évolution et sont en définitive responsables de l'apparition de nouvelles espèces. (Vous en apprendrez davantage sur ce processus dans la quatrième partie de ce manuel.) Malgré la haute fidélité des mécanismes de réplication ou de réparation de l'ADN, il reste juste assez de mutations pour favoriser l'apparition de nouvelles protéines participant à l'expression de différents phénotypes, tout en maintenant les caractéristiques essentielles à la vie. Sur de longues périodes de temps, ce processus a permis l'évolution d'une riche diversité d'espèces qui peuplent la Terre aujourd'hui.

La réplication des extrémités des molécules d'ADN

Lorsque l'ADN est linéaire, le mécanisme normal de réplication ne permet pas de compléter l'extrémité 5′—Ⓟ des brins d'ADN nouvellement formés. Il s'agit là d'une autre conséquence liée au fait qu'une ADN polymérase ne peut ajouter des nucléotides qu'à l'extrémité 3′—OH d'un polynucléotide préexistant. Même si une amorce d'ARN liée à l'extrémité du brin matrice par une liaison hydrogène peut commencer la synthèse d'un fragment d'Okazaki, cette amorce ne peut pas être remplacée par de l'ADN une fois qu'elle est enlevée. En effet, il n'y a pas d'extrémité 3′—OH sur laquelle l'ADN polymérase peut ajouter des nucléotides (**figure 16.20**). Au fil des réplications successives, les molécules d'ADN deviennent de plus en plus courtes et leurs extrémités sont inégales (« décalées »).

▼ **Figure 16.20** **Le raccourcissement des extrémités de molécules d'ADN linéaires.** Nous suivons ici le comportement de l'extrémité d'un brin d'une molécule d'ADN qui subit deux réplications. Après la première réplication, le nouveau brin discontinu est plus court que sa matrice. Après la deuxième réplication, le brin directeur et le brin discontinu sont tous les deux raccourcis par rapport à l'ADN parental de départ. Les autres extrémités de ces ADN, qui ne sont pas représentées dans cette illustration, sont également raccourcies.

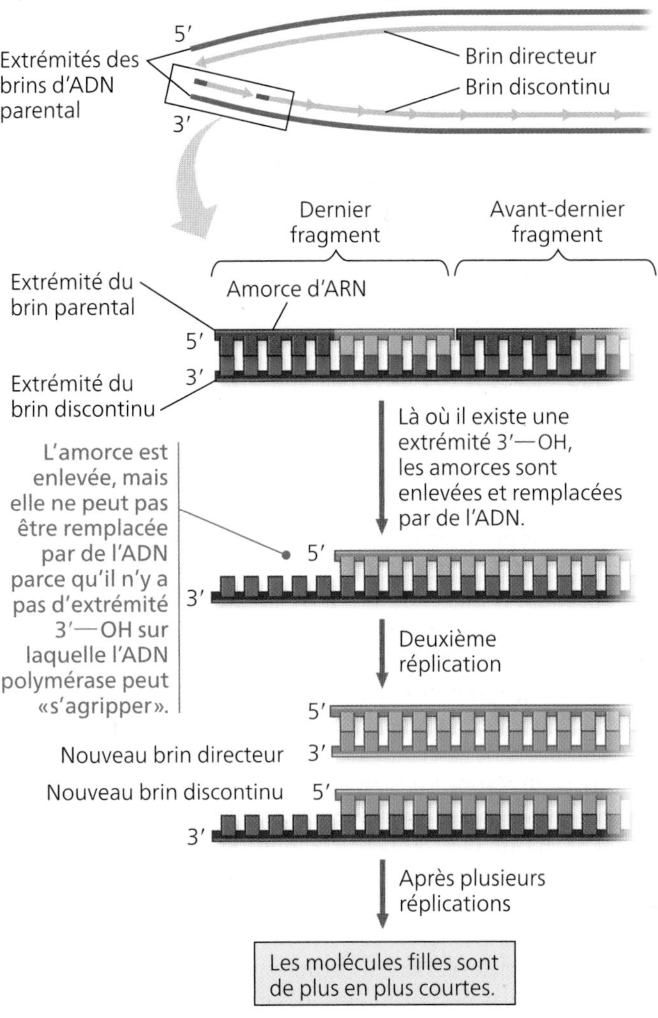

Là où il existe une extrémité 3′—OH, les amorces sont enlevées et remplacées par de l'ADN.

La majorité des procaryotes ont un ADN circulaire, donc sans extrémités, de sorte qu'il ne se produit pas de raccourcissement de l'ADN. Mais qu'est-ce qui protège les gènes des chromosomes linéaires chez les eucaryotes contre une disparition pendant les réplications successives de l'ADN ? Il s'avère que l'extrémité des molécules d'ADN chromosomique des eucaryotes porte des séquences nucléotidiques particulières nommées **télomères** (**figure 16.21**), qui ne correspondent pas à un gène. Il s'agit en fait d'une même séquence nucléotidique courte, mais répétée un grand nombre de fois. Dans chaque télomère humain, par exemple, la séquence constituée de 6 nucléotides, TTAGGG, est répétée entre 200 et 2 500 fois.

Les télomères remplissent deux fonctions de protection : d'abord, certaines protéines spécifiques qui leur sont associées empêchent les extrémités d'une molécule fille d'activer le système d'alarme cellulaire. (Les extrémités décalées d'une molécule d'ADN, qui résultent souvent de cassures du double brin, peuvent déclencher un signal conduisant à l'arrêt du cycle cellulaire ou à la mort de la cellule.) Ensuite, ils agissent comme une zone tampon en prévenant dans une certaine mesure le raccourcissement des gènes de l'organisme. On pourrait les comparer à l'extrémité en plastique d'un lacet, qui empêche le tissu de s'effilocher. Les télomères ne préviennent donc pas l'érosion des gènes près de l'extrémité des chromosomes mais ils la retardent, tout simplement.

Comme l'illustre la figure 16.20, les télomères raccourcissent à l'issue de chaque réplication. L'ADN télomérique, tel qu'on s'y attend, est généralement plus court dans les cellules somatiques qui se sont divisées un grand nombre de fois, par exemple chez les individus âgés et dans les cellules cultivées. Certains scientifiques pensent que les télomères raccourcis seraient en quelque sorte reliés au processus de vieillissement de plusieurs tissus, voire de l'organisme lui-même.

Mais qu'en est-il des cellules dont les génomes doivent demeurer pratiquement inchangés quand ils passent d'un individu à ses descendants pendant de nombreuses générations ? Si les chromosomes des cellules reproductrices se raccourcissaient à chaque cycle cellulaire, des gènes essentiels finiraient par être absents des gamètes des générations suivantes. Toutefois, ce n'est pas ce qui se produit, car la *télomérase*, une enzyme particulière possédant sa propre matrice d'ARN, catalyse l'élongation des télomères dans les cellules reproductrices eucaryotes. Elle restaure ainsi leur longueur originale et compense les raccourcissements successifs que les chaînes d'ADN subissent au cours de leur réplication. La télomérase contient sa propre molécule d'ARN, qu'elle utilise comme matrice pour prolonger, de façon artificielle, le brin directeur. Elle lui permet ainsi de conserver une longueur spécifique. Dans la plupart des cellules somatiques humaines, la télomérase est inactive, mais son activité varie d'un tissu à l'autre. L'activité de la télomérase dans les cellules reproductrices produit des télomères de longueur maximale dans le zygote.

Le raccourcissement normal des télomères protégerait du cancer en empêchant les cellules somatiques de dépasser un certain nombre de divisions (de 50 à 80 en général, pour les animaux). Les cellules provenant de grosses tumeurs présentent souvent des télomères anormalement petits, comme on s'y attend dans le cas de cellules ayant subi un grand nombre de divisions. Ce raccourcissement progressif pourrait mener à l'autodestruction des cellules tumorales. Malheureusement, l'activité de la télomérase est anormalement élevée dans les cellules somatiques cancéreuses ; il semble que la capacité de cette enzyme à stabiliser la longueur des télomères permettrait à ces cellules cancéreuses de survivre. Une capacité de division cellulaire illimitée serait une caractéristique de nombreuses cellules cancéreuses, tout comme les souches immortelles de cellules cultivées (voir le concept 12.3). Pendant de nombreuses années, les chercheurs ont étudié l'inhibition de la télomérase en tant que mécanisme potentiel pour le traitement du cancer. Dans certaines études, l'inhibition de la télomérase a entraîné la mort des cellules tumorales chez des souris présentant des tumeurs cancéreuses. Toutefois, après un certain temps, ces cellules sont parvenues à trouver d'autres voies métaboliques pour rétablir la longueur des télomères. L'inhibition de la télomérase fait toujours l'objet de recherches et elle pourrait ultimement conduire à la mise au point de traitements utiles contre le cancer.

▼ **Figure 16.21 Les télomères.** Les extrémités de l'ADN des eucaryotes comportent des séquences répétitives non codantes, appelées télomères. Le colorant orange marque les télomères de ces chromosomes de souris (MP).

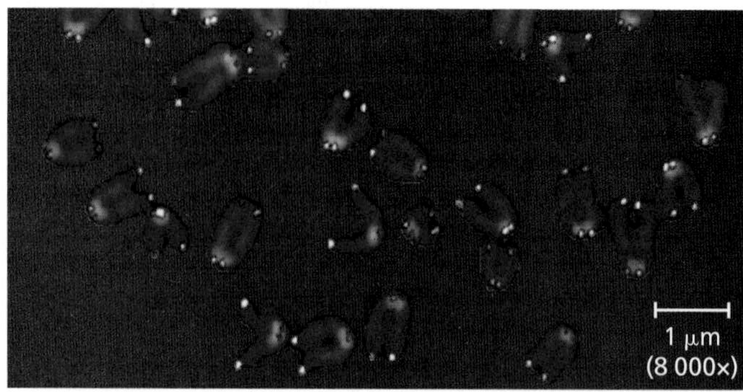

RETOUR SUR LE CONCEPT **16.2**

1. Quel rôle l'appariement des bases complémentaires joue-t-il dans la réplication de l'ADN ?
2. Nommez deux principales fonctions de l'ADN pol III dans la réplication de l'ADN.
3. **FAITES DES LIENS** ▶ Quelle est la relation entre la réplication de l'ADN et la phase S du cycle cellulaire ? Voir la figure 12.6.
4. **HABILETÉS VISUELLES** ▶ Si l'ADN pol I dans une cellule donnée était non fonctionnelle, comment cela influerait-il sur la synthèse d'un brin directeur ? Sur la petite illustration présentant une vue d'ensemble dans la figure 16.17, indiquez l'endroit où l'ADN pol I agirait normalement sur le brin directeur du haut.

Voir les réponses proposées à l'appendice A.

CONCEPT **16.3**

Un chromosome est constitué d'ADN et de protéines regroupés en un complexe nucléoprotéique

Maintenant que vous connaissez la structure et le processus de réplication de l'ADN, revenons un peu en arrière et examinons comment l'ADN est emballé dans ces structures contenant l'information génétique que sont les chromosomes. Le composant principal du génome dans la plupart des bactéries est une molécule d'ADN bicaténaire de forme circulaire associée à une petite quantité de protéines. Nous appelons cette structure *chromosome bactérien*, bien qu'elle soit très différente des chromosomes eucaryotes. Ces derniers sont en effet constitués de molécules d'ADN linéaire associées à de grandes quantités de protéines. Le chromosome d'*E. coli* comprend environ 4,6 millions de paires de nucléotides comprenant quelque 4 400 gènes. Il contient donc 100 fois plus d'ADN qu'un virus ordinaire, mais 1 000 fois moins qu'une cellule somatique humaine. Il reste que cela représente une quantité phénoménale d'ADN à emballer dans un récipient aussi petit.

L'ADN déployé d'une cellule d'*E. coli* mesurerait environ 1 mm de longueur, ce qui est 500 fois plus long que la cellule elle-même. Cependant, à l'intérieur de la bactérie, certaines protéines forcent le chromosome à s'enrouler en hélice, puis en superhélice, pour se condenser au point de n'occuper finalement qu'une partie du volume de la bactérie. Contrairement au noyau d'une cellule eucaryote, cette région dense où se trouve l'ADN dans une bactérie, et que l'on appelle nucléoïde, n'est pas délimitée par une enveloppe membraneuse (voir la figure 6.5).

Les chromosomes des eucaryotes sont constitués chacun d'une double hélice d'ADN linéaire ; chez l'humain, la longueur moyenne d'un chromosome est de $1,5 \times 10^8$ paires de nucléotides. Il s'agit d'une énorme quantité d'ADN compte tenu de la longueur d'un chromosome sous sa forme condensée. Si on déroulait complètement cette molécule d'ADN, elle mesurerait 4 cm de long, soit des milliers de fois le diamètre d'un noyau. Et il ne s'agit que d'un seul chromosome sur les 46 que possède une cellule somatique humaine ! Dans tout son génome, l'être humain possède 3,4 milliards de paires de bases, ce qui représenterait, tous les chromosomes mis bout à bout, une chaîne d'ADN de près de 2 m de long dans un noyau d'à peine 10 µm de diamètre !

Dans le noyau de la cellule eucaryote, l'ADN est étroitement associé à une grande quantité de protéines (les histones). Ce complexe d'ADN et de protéines, nommé **chromatine**, arrive à tenir à l'intérieur du noyau grâce à un système complexe de compactage en plusieurs niveaux qui raccourcissent la longueur initiale d'environ 10 000 fois. La **figure 16.22** résume notre conception actuelle des niveaux successifs de condensation dans un chromosome. Étudiez-la attentivement avant de continuer.

Le degré de condensation de la chromatine est soumis à des changements radicaux au cours du cycle cellulaire (voir la figure 12.7). Dans des cellules en interphase que l'on a colorées pour la microscopie photonique, la chromatine apparaît habituellement sous forme d'une masse diffuse au sein du noyau, ce qui donne à penser qu'elle occupe tout l'espace disponible. Lorsque la cellule se prépare pour la mitose, sa chromatine s'enroule et se replie (se condense), pour finir par former un nombre caractéristique de chromosomes métaphasiques épais et courts qu'il est possible de différencier les uns des autres au moyen d'un microscope photonique (**figure 16.23a**).

Pendant l'interphase, la chromatine est généralement beaucoup moins condensée que pendant la mitose. On peut tout de même y observer certains niveaux de condensation d'ordre supérieur. Une partie de la chromatine correspondant à un chromosome semble présente sous la forme d'une fibre de 10 nm, mais la majeure partie est groupée sous la forme d'une fibre de 30 nm, elle-même repliée en domaines en boucle dans certaines régions. Auparavant, les biologistes pensaient que la chromatine interphasique formait une masse enchevêtrée dans le noyau, comme un plat de spaghettis, mais c'est loin d'être le cas. Bien que le chromosome interphasique n'ait pas de charpente protéique évidente, ses domaines en boucle semblent être liés à la lamina nucléaire située sur la face interne de l'enveloppe nucléaire, et peut-être aux fibres de la matrice nucléaire. Ces liens contribuent probablement à stabiliser des régions où les gènes sont actifs. Pendant l'interphase, la chromatine de chaque chromosome occupe un secteur étroit et bien délimité à l'intérieur du noyau, et les fibres de chromatine des différents chromosomes ne s'emmêlent pas (**figure 16.23b**).

Même au cours de l'interphase, les centromères et les télomères des chromosomes, les corpuscules de Barr des cellules de mammifères femelles et une partie du chromosome Y chez les mammifères (soit, au total, environ 10 % du matériel chromosomique) se trouvent dans un état hautement condensé semblable à celui que l'on observe dans un chromosome métaphasique. Ce type de chromatine interphasique, visible au microscope photonique sous forme d'amas irréguliers, est appelé **hétérochromatine**, par opposition à l'**euchromatine** (« vraie chromatine »), moins compacte. En raison de sa compaction, l'ADN hétérochromatique est en grande partie inaccessible aux structures cellulaires assurant la transcription de l'information génétique codée sous forme d'ADN, une étape essentielle dans l'expression génique. Par contre, étant donné qu'elle est moins condensée, l'euchromatine rend son ADN accessible à ces structures cellulaires et permet la transcription des gènes qu'elle contient. Le chromosome est une structure dynamique qui est condensée, relâchée, modifiée et remodelée au besoin pour différents processus cellulaires, dont la mitose, la méiose et l'activité génique. Les modifications chimiques des histones influent sur l'état de la condensation de la chromatine et exercent également de multiples effets sur l'activité génique, comme nous le verrons au concept 18.2.

▼ Figure 16.22

PANORAMA La condensation de la chromatine dans un chromosome eucaryote

Accompagnée de photographies prises au microscope électronique à transmission, cette illustration montre ce que l'on sait aujourd'hui des niveaux d'enroulement et de repliement de l'ADN. L'illustration passe d'une simple molécule d'ADN jusqu'à un chromosome métaphasique assez gros pour être vu au microscope photonique.

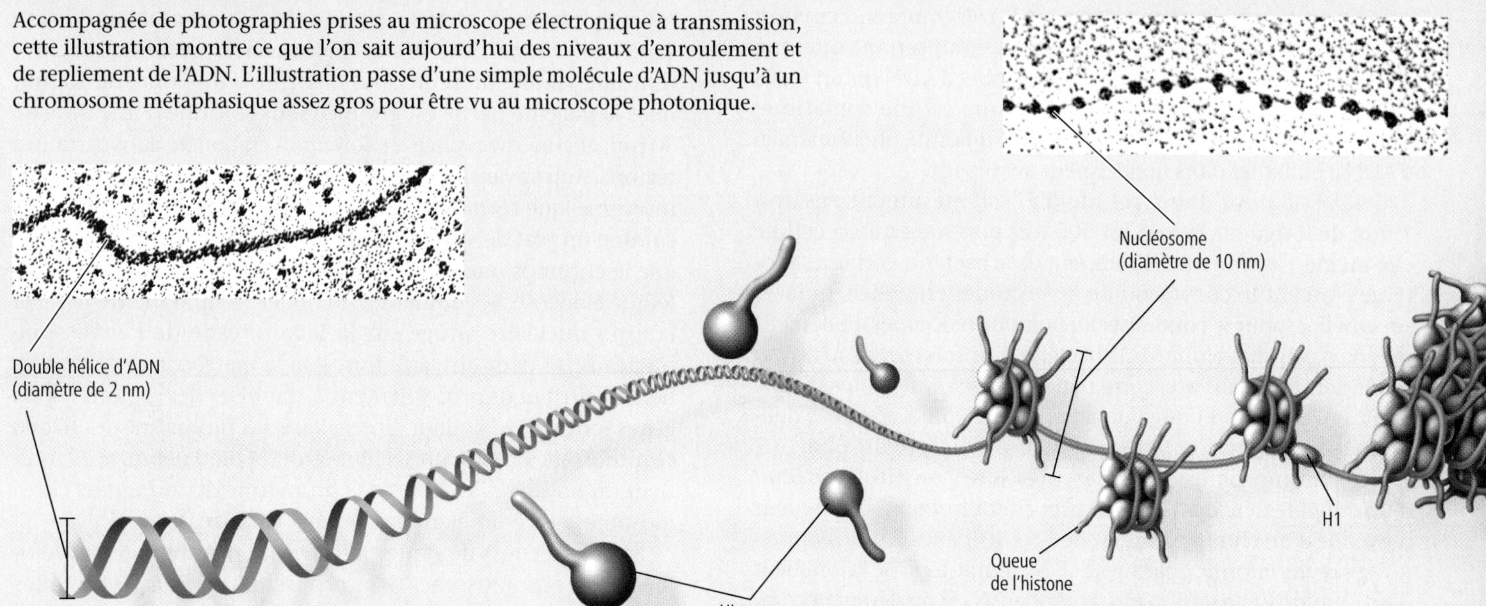

L'ADN, la double hélice

Le modèle en forme de ruban de l'ADN est illustré ci-dessus, chaque ruban représentant un des brins du polynucléotide. Souvenez-vous que tous les groupements phosphate le long du squelette confèrent une charge négative sur toute la partie extérieure de chaque brin. La MET montre une molécule d'ADN nue (sans protéine) ; la double hélice seule mesure 2 nm de largeur.

Les histones

Dans la chromatine, des protéines appelées **histones** assurent le premier niveau de condensation de l'ADN. Bien que chaque histone soit relativement petite (elle ne contient qu'une centaine d'acides aminés), leur masse totale au sein de la chromatine équivaut à peu près à celle de l'ADN. Plus du cinquième des histones renferme des acides aminés basiques (lysine et arginine) chargés positivement. Par conséquent, ces histones se lient solidement à l'ADN, qui porte des charges négatives.

Dans la chromatine, on trouve plus fréquemment quatre types d'histones (H2A, H2B, H3 et H4). Les histones sont très semblables d'une espèce eucaryote à l'autre ; par exemple, les histones d'un même type, chez la vache et le pois, contiennent les mêmes acides aminés, sauf deux. La conservation apparente des gènes à l'origine des histones au cours de l'évolution reflète vraisemblablement le rôle clé que jouent ces protéines dans la structure de l'ADN à l'intérieur des cellules.

Ces quatre types d'histones interviennent de façon déterminante au cours de l'étape suivante de la condensation de l'ADN. (Un cinquième type d'histone, H1, intervient dans un stade supérieur de condensation.)

Les nucléosomes ou « collier de perles » (fibre de 10 nm)

Sur les micrographies électroniques, la chromatine déroulée a un diamètre de 10 nm ; elle est appelée *fibre de 10 nm*. Elle ressemble à un collier de perles (voir la MET). Chacune des « perles » forme un **nucléosome**, l'unité fondamentale de la condensation de l'ADN ; le « fil » entre les perles porte le nom d'*ADN internucléosomique* (ou *ADN de liaison*).

Un nucléosome se compose d'ADN enroulé deux fois autour d'un noyau protéique (le *cœur du nucléosome*) lui-même constitué de huit histones (deux molécules de chacun des principaux types). L'extrémité amine (N-terminale) de chaque protéine (la *queue de l'histone*) pointe à l'extérieur du nucléosome.

Dans le cycle cellulaire, les histones ne quittent que brièvement l'ADN pendant la réplication. En général, elles se comportent de la même façon pendant le processus de transcription, qui exige également l'accès à l'ADN par la machinerie moléculaire de la cellule. Les nucléosomes, et plus particulièrement les queues des histones, interviennent dans la régulation de l'expression génétique.

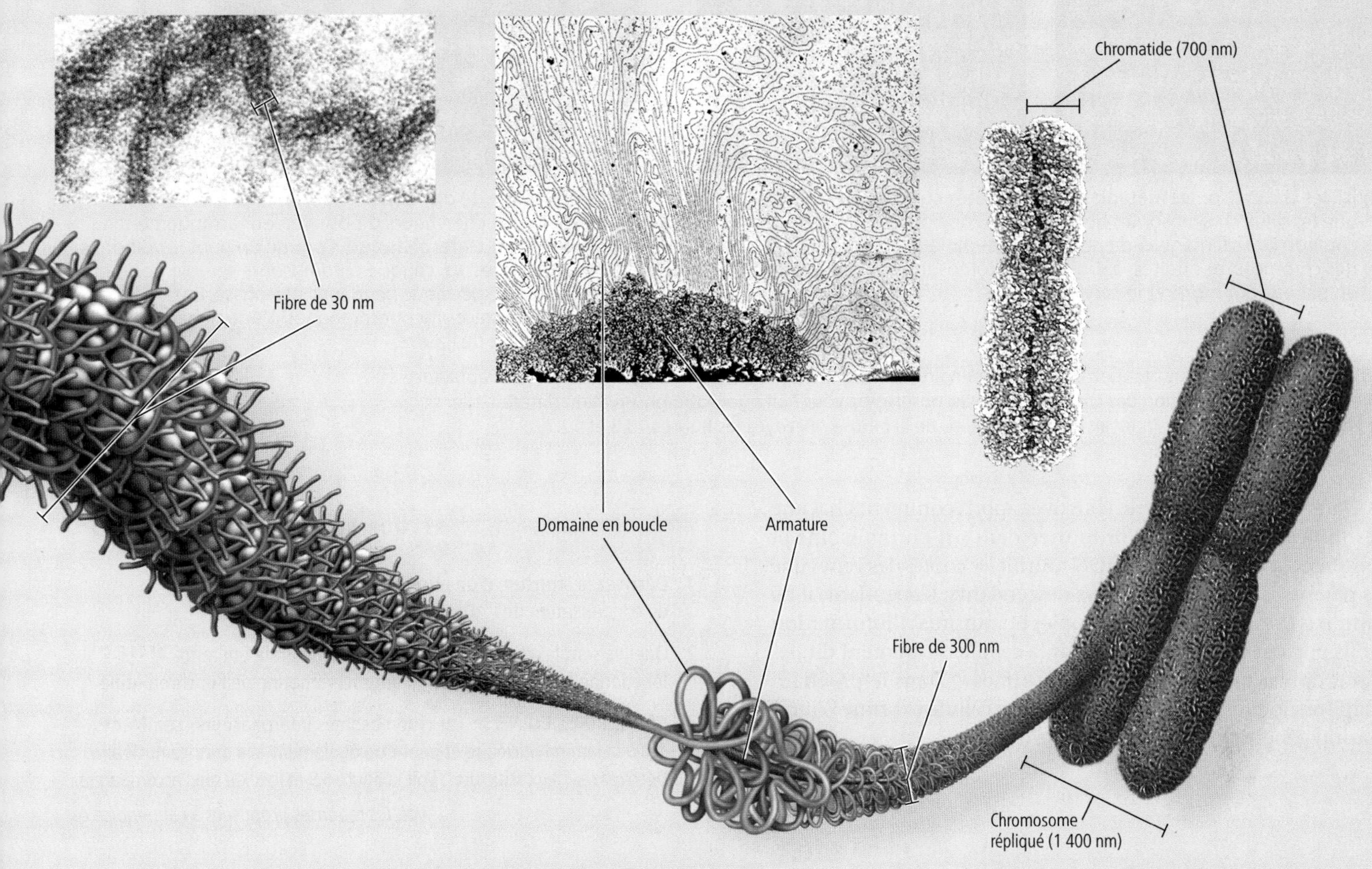

La fibre de 30 nm

Le niveau de condensation suivant résulte des interactions entre les queues des histones d'un nucléosome, l'ADN internucléosomique et les nucléosomes qui l'entourent. C'est à ce stade qu'intervient la cinquième histone. Ces interactions permettent à la fibre de 10 nm de s'enrouler et de former une fibre de chromatine d'environ 30 nm d'épaisseur, appelée *fibre de 30 nm.* Bien que la fibre de 30 nm soit très courante dans le noyau interphasique, l'arrangement durant la condensation des nucléosomes dans cette forme de chromatine est toujours un sujet de débat.

Les domaines en boucle (fibre de 300 nm)

À son tour, la fibre de 30 nm forme des boucles, les *domaines en boucle,* qui sont liées à l'armature chromosomique, une structure constituée de protéines. Il se forme donc une *fibre de 300 nm*. Cette charpente est riche en un type de topoisomérase, et les histones H1 semblent également présentes.

Le chromosome métaphasique

Dans un chromosome en cours de mitose, les domaines en boucle s'enroulent et se replient, eux aussi, d'une manière qui n'est pas encore totalement comprise. Sous l'effet de cet enroulement, la chromatine devient plus compacte et donne au chromosome métaphasique (également illustré dans la micrographie ci-dessus) son aspect caractéristique. La largeur d'une chromatide est de 700 nm. Certains gènes se retrouvent toujours au même endroit sur les chromosomes pendant la métaphase, ce qui indique que les étapes de la condensation sont extrêmement rigoureuses et précises.

▼ **Figure 16.23 La coloration des chromosomes.** Les chercheurs peuvent traiter des chromosomes humains avec des marqueurs moléculaires fluorescents, ce qui permet de colorer différemment chaque paire de chromosomes pour les distinguer plus facilement.

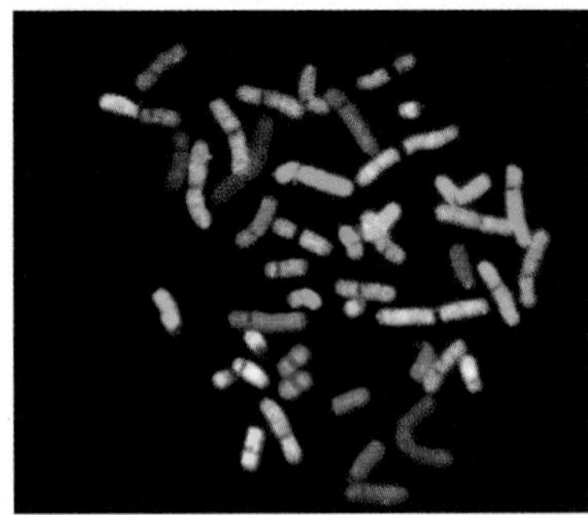

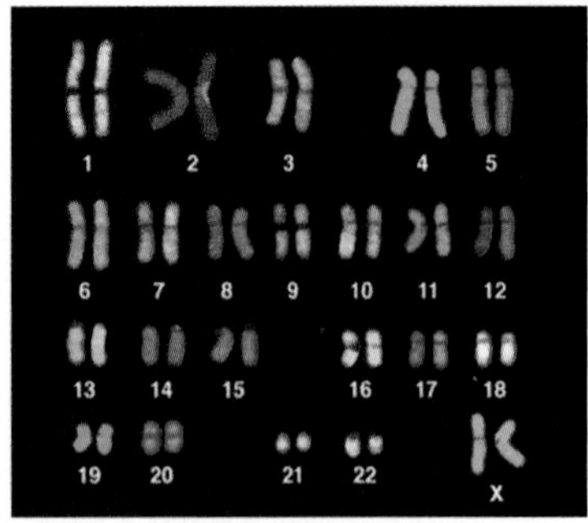

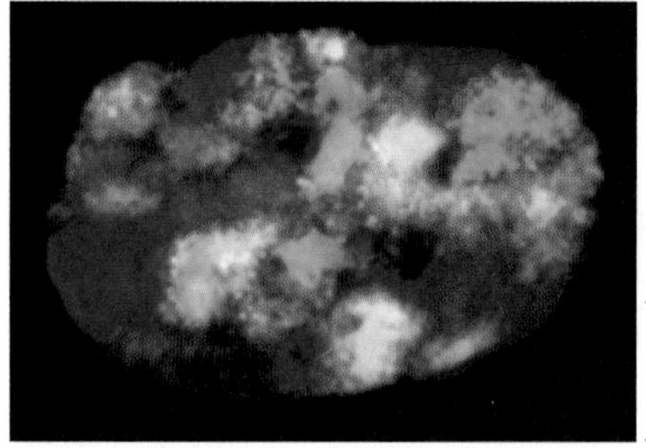

(a) Ici, les chromosomes métaphasiques ont été «colorés» de manière que les deux chromosomes homologues d'une paire aient la même couleur. Dans l'image ci-dessus, on peut voir la distribution des chromosomes traités; à droite, les chromosomes sont classés en paires pour montrer le caryotype.

(b) La possibilité de distinguer visuellement les chromosomes a permis aux chercheurs d'observer leur arrangement dans le noyau interphasique. Comme on peut le voir dans la figure ci-dessus, chaque chromosome semble occuper un territoire spécifique pendant l'interphase. En général, les deux chromosomes homologues d'une paire sont éloignés l'un de l'autre.

FAITES DES LIENS ▶ Vous bloquez une cellule humaine au stade de la métaphase I de la méiose et vous appliquez la technique de la coloration des chromosomes. Qu'observerez-vous? En quoi votre observation diffère-t-elle de ce que vous verriez s'il s'agissait de la métaphase de la mitose? Revoyez les figures 13.8 et 12.7.

Dans le présent chapitre, vous avez appris comment chacune des molécules d'ADN est ordonnée dans un chromosome et comment la réplication de l'ADN fournit les copies des gènes que les parents transmettent à leurs descendants. Cependant, il ne suffit pas que les gènes soient copiés et transmis; l'information qu'ils portent doit être utilisée par la cellule. Autrement dit, les gènes doivent également «être exprimés». Dans le prochain chapitre, nous étudierons comment une cellule exprime l'information génétique codée sous forme d'ADN.

RETOUR SUR LE CONCEPT 16.3

1. Décrivez la structure d'un nucléosome, l'unité fondamentale de condensation de l'ADN dans les cellules eucaryotes.
2. Quelles sont les deux propriétés, l'une structurale et l'autre fonctionnelle, qui distinguent l'hétérochromatine de l'euchromatine?
3. **FAITES DES LIENS ▶** Les chromosomes interphasiques semblent liés à la lamina nucléaire et peut-être également à la matrice nucléaire. Décrivez ces deux structures. Voir la figure 6.9 et le texte qui l'accompagne.

Voir les réponses proposées à l'appendice A.

RÉVISION DU CHAPITRE 16

Consultez votre MANUEL NUMÉRIQUE, qui vous donne accès aux **animations**, aux **exercices** et à la plateforme d'**anatomie interactive**.

Résumé des concepts clés

CONCEPT 16.1

L'ADN constitue le matériel génétique (p. 346 à 352)

- Des expériences menées sur des bactéries et sur des **phages** ont fourni les premières preuves convaincantes que l'ADN constitue bel et bien le matériel génétique.
- Watson et Crick ont démontré que l'ADN a la forme d'une **double hélice** et ont construit un modèle structural. Deux chaînes **antiparallèles** de désoxyribose-phosphate s'enroulent et délimitent l'extérieur de la molécule. Les bases azotées pointent vers l'intérieur, où elles forment des liaisons hydrogène en s'appariant de façon précise: A va avec T, et G avec C.

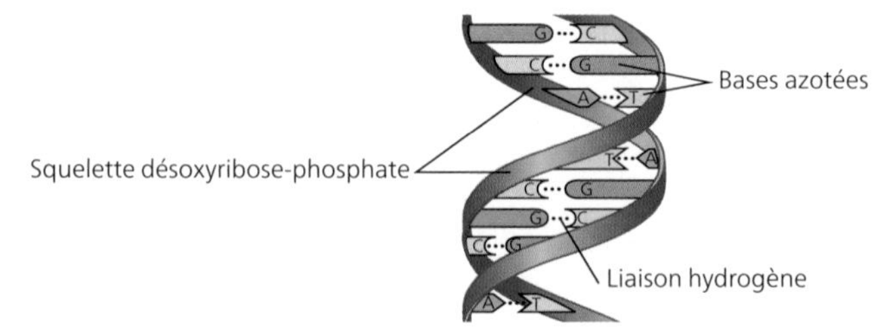

? Que veut dire l'affirmation selon laquelle les deux brins de l'ADN dans la double hélice sont antiparallèles? À quoi ressemblerait l'extrémité de la double hélice si les brins étaient parallèles?

CONCEPT 16.2

De nombreuses protéines travaillent de concert pour la réplication et la réparation de l'ADN (p. 352 à 362)

- L'expérience de Meselson-Stahl a démontré que la **réplication de l'ADN** est **semi-conservative** : la molécule mère se déroule, et chaque brin sert de matrice pour la synthèse d'un nouveau brin, conformément aux règles d'appariement des bases azotées.
- La réplication de l'ADN à une **fourche de réplication** est résumée ci-dessous :

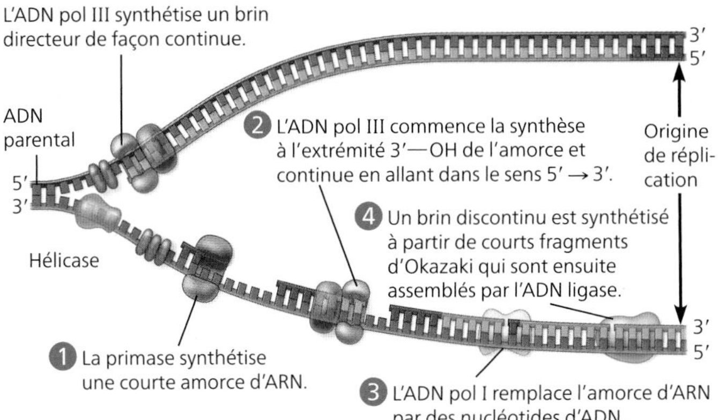
L'ADN pol III synthétise un brin directeur de façon continue.
3'
5'
ADN parental
5'
3'
Hélicase
2 L'ADN pol III commence la synthèse à l'extrémité 3'—OH de l'amorce et continue en allant dans le sens 5' → 3'.
Origine de réplication
4 Un brin discontinu est synthétisé à partir de courts fragments d'Okazaki qui sont ensuite assemblés par l'ADN ligase.
3'
5'
1 La primase synthétise une courte amorce d'ARN.
3 L'ADN pol I remplace l'amorce d'ARN par des nucléotides d'ADN.

- Des **ADN polymérases** vérifient que l'ADN nouvellement synthétisé est conforme à ce qu'il devrait être et remplacent les nucléotides erronés. Dans le cas de la **réparation des mésappariements**, d'autres enzymes corrigent les erreurs qui restent. La **réparation par excision de nucléotides** est un processus général par lequel des **nucléases** découpent et remplacent les segments d'ADN qui sont endommagés.
- Chez les eucaryotes, les extrémités (télomères) des molécules d'ADN linéaires (chromosomes) deviennent de plus en plus courtes à chaque réplication. La présence des **télomères**, des séquences répétitives aux extrémités des molécules d'ADN linéaires, retarde l'érosion des gènes. La **télomérase**, une enzyme présente dans les cellules reproductrices, catalyse leur allongement.

? Comparez la réplication de l'ADN sur les brins directeur et discontinu, en distinguant les ressemblances et les différences.

CONCEPT 16.3

Un chromosome est constitué d'ADN et de protéines regroupés en un complexe nucléoprotéique (p. 362 à 366)

- Chez la plupart des espèces bactériennes, le chromosome forme habituellement une molécule circulaire associée avec des protéines, qui constituent le nucléoïde de la cellule. La **chromatine** qui constitue un chromosome eucaryote se compose d'ADN, d'**histones** et d'autres protéines. Les histones se lient les unes aux autres et à l'ADN pour former les **nucléosomes**, la plus petite unité fondamentale du compactage de l'ADN. Les queues des histones font saillie vers l'extérieur de chaque particule cœur des nucléosomes en forme de perles. D'autres formes d'enroulement et de repliement aboutissent à la formation d'une chromatine hautement condensée d'un chromosome métaphasique.
- Les chromosomes occupent des zones délimitées dans le noyau interphasique. Dans les cellules en interphase, la plus grande partie de la chromatine se trouve sous une forme moins compacte (**euchromatine**), mais une partie reste hautement condensée (**hétérochromatine**). L'euchromatine est généralement accessible pour la transcription des gènes, mais pas l'hétérochromatine.

? Décrivez les niveaux de condensation de la chromatine qu'on s'attendrait à voir dans un noyau à l'interphase.

Évaluation

NIVEAU 1 : CONNAISSANCES ET COMPRÉHENSION

1. En étudiant des bactéries causant une pneumonie chez des souris, Griffith a découvert que :
a) la capsule de protéines provenant de cellules lisses pathogènes peut transformer des cellules rugueuses inoffensives.
b) les cellules lisses pathogènes tuées par la chaleur peuvent causer une pneumonie seulement lorsqu'elles sont transformées par l'ADN des cellules rugueuses.
c) une certaine substance chimique provenant des cellules lisses pathogènes est transmise aux cellules rugueuses inoffensives et les rend pathogènes.
d) la capsule de polysaccharides des cellules rugueuses cause la pneumonie.

2. Parmi les affirmations suivantes, laquelle explique la différence entre la synthèse d'un brin directeur et celle d'un brin discontinu dans les molécules d'ADN ?
a) Les origines de réplication ne se trouvent qu'à l'extrémité 5'—Ⓟ de la molécule.
b) Les hélicases et les protéines fixatrices d'ADN monocaténaire agissent à l'extrémité 5'—Ⓟ.
c) Les ADN polymérases ne peuvent ajouter de nouveaux nucléotides qu'à l'extrémité 3'—OH d'un brin préexistant, et les brins sont antiparallèles.
d) L'ADN ligase ne fonctionne que dans le sens 3' → 5'.

3. Si l'on comptait le nombre de bases de chaque type contenues dans un échantillon d'ADN, quel résultat serait en accord avec les règles d'appariement des bases ?
a) A = G.
b) A + G = C + T.
c) A + T = G + C.
d) A = C.

4. Durant la synthèse de l'ADN, l'élongation du brin directeur :
a) se poursuit en s'éloignant de la fourche de réplication.
b) se déroule dans le sens 3'→ 5'.
c) produit des fragments d'Okazaki.
d) dépend de l'action de l'ADN polymérase.

5. Dans un nucléosome, l'ADN est enroulé autour :
a) d'histones.
b) de ribosomes.
c) de molécules de polymérase.
d) d'un dimère de thymine.

NIVEAU 2 : APPLICATION ET ANALYSE

6. Des bactéries *E. coli* cultivées dans un milieu contenant du ^{15}N sont transférées dans un milieu contenant du ^{14}N, où on les laisse croître pendant deux générations (l'ADN se réplique deux fois). On centrifuge ensuite l'ADN extrait de ces bactéries. Quelle devrait être la distribution de la masse volumique de l'ADN à la suite de cette expérience ? On devrait obtenir :
a) une bande d'ADN lourd et une bande d'ADN léger.
b) une bande de masse volumique intermédiaire.
c) une bande d'ADN lourd et une bande d'ADN de masse volumique intermédiaire.
d) une bande d'ADN léger et une bande d'ADN de masse volumique intermédiaire.

7. Une biochimiste a isolé, purifié et mélangé dans une éprouvette diverses molécules nécessaires à la réplication de l'ADN. Lorsqu'elle a ajouté un peu d'ADN au mélange, une réplication s'est produite, mais chaque molécule d'ADN qui s'est formée se compose d'un brin d'ADN normal apparié à un grand nombre de segments d'ADN d'une longueur de quelques centaines de nucléotides. Quel élément a-t-elle probablement oublié d'incorporer dans le mélange ?
a) L'ADN polymérase.
b) L'ADN ligase.
c) Les fragments d'Okazaki.
d) La primase.

8. La perte spontanée de groupements amine par l'adénine dans l'ADN produit de l'hypoxanthine, une base azotée peu commune qui s'apparie à la thymine. Quelle combinaison de protéines peut réparer ce type de dommage ?
   a) Endonucléase, ADN polymérase et ADN ligase.
   b) Télomérase, ADN primase et ADN polymérase.
   c) Télomérase, hélicase et protéines fixatrices d'ADN monocaténaire.
   d) ADN ligase, protéines de réplication et adénylcyclase.

9. **FAITES DES LIENS ▶** Les protéines responsables de l'enroulement du chromosome d'*E. coli* ne sont pas des histones ; quelle propriété doit-on s'attendre à ce que ces protéines partagent avec les histones, compte tenu de leur capacité à se lier à l'ADN (voir la figure 5.16) ?

NIVEAU 3 : **SYNTHÈSE ET ÉVALUATION**

10. **INVESTIGATION**

    FAITES UN DESSIN ▶

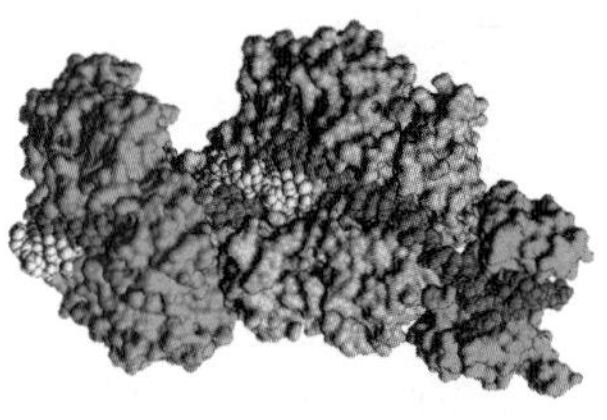

    La construction de modèles peut s'avérer une étape importante de la démarche scientifique. L'illustration ci-contre est un modèle généré par ordinateur du complexe de réplication de l'ADN. Les brins d'ADN parental et nouvellement synthétisé sont identifiés par un code de couleurs différentes, tout comme le sont les trois protéines suivantes : ADN pol III, la pince coulissante et la protéine fixatrice d'ADN monocaténaire.
   a) À l'aide de ce que vous avez appris dans le présent chapitre, clarifiez ce modèle en identifiant chaque brin d'ADN et chaque protéine.
   b) Tracez une flèche pour indiquer le sens général de la réplication de l'ADN.

Voir les réponses proposées à l'appendice A.

L'expression génétique: du gène à la protéine

17

VOS OUTILS INTERACTIFS

Consultez votre MANUEL NUMÉRIQUE, qui vous donne accès aux **animations**, aux **exercices** et à la plateforme d'**anatomie interactive**.

▲ **Figure 17.1 Comment un simple gène défectueux peut-il causer l'aspect étonnant de ces ânes albinos ?**

CONCEPTS CLÉS

17.1 Les gènes codent pour les protéines par l'intermédiaire de la transcription et de la traduction

17.2 La transcription est la synthèse de l'ARN à partir de l'ADN: *une étude détaillée*

17.3 Dans les cellules eucaryotes, l'ARN est modifié après avoir été transcrit

17.4 La traduction est la synthèse d'un polypeptide à partir de l'ARN messager: *une étude détaillée*

17.5 Les mutations d'un ou de quelques nucléotides peuvent modifier la structure et la fonction des protéines

▲ **Un raton laveur albinos.**

La transmission de l'information génétique

Asinara est une île italienne au large de la Sardaigne. Tirant probablement son origine du mot latin *sinuaria* («en forme de sinus»), son nom signifie également «habitée par des ânes». Cette définition lui convient parfaitement puisqu'elle abrite une population sauvage d'ânes albinos (**figure 17.1**). Quels sont les facteurs responsables du phénotype de l'albinisme ?

Les caractères transmis sont déterminés par les gènes et le caractère de l'albinisme est produit par un allèle récessif du gène de la pigmentation (voir le concept 14.4). L'information contenue dans les gènes se présente sous la forme de séquences nucléotidiques précises, alignées sur les brins d'ADN, c'est-à-dire le matériel génétique. L'âne albinos possède une version défectueuse d'une protéine, une enzyme requise pour la synthèse des pigments, et cette protéine est défectueuse parce que le gène codant pour celle-ci contient des informations erronées.

Cet exemple illustre le thème principal de ce chapitre: c'est en dictant la synthèse de certaines protéines que l'ADN d'un organisme produit des caractères spécifiques. Autrement dit, les protéines représentent le lien entre le génotype et le phénotype. L'**expression génétique** est le processus par lequel l'ADN régit la synthèse des protéines (ou, dans certains cas, seulement des ARN). L'expression des gènes qui codent pour les protéines comporte deux étapes principales: la transcription et la traduction. Le présent chapitre décrit en détail la transmission de l'information des gènes aux protéines et explique comment les mutations génétiques influent sur les organismes en modifiant leurs protéines. À la fin de ce chapitre, quand vous aurez compris le processus des mutations génétiques, nous étudierons en détail le concept de gène.

CONCEPT 17.1

Les gènes codent pour les protéines par l'intermédiaire de la transcription et de la traduction

Avant d'étudier en détail la façon dont les gènes dirigent la synthèse des protéines, prenons le temps d'examiner comment la relation fondamentale entre gènes et protéines a été découverte.

Une preuve à partir de l'étude de maladies métaboliques

En 1902, le médecin britannique Archibald Garrod a émis l'hypothèse selon laquelle les gènes déterminent les phénotypes par l'intermédiaire d'enzymes, c'est-à-dire des protéines qui catalysent certaines réactions chimiques précises dans la cellule. Il a posé comme postulat que les symptômes des maladies héréditaires reflètent une incapacité à produire une enzyme particulière. Il a qualifié celles-ci d'« erreurs innées du métabolisme ». Par exemple, les personnes atteintes d'alcaptonurie produisent une urine qui paraît noire parce qu'elle contient de l'homogentisate (un sel autrefois appelé alcaptone), qui devient foncé au contact de l'air. Garrod a supposé que les individus normaux produisent une enzyme qui dégrade l'homogentisate, tandis que les personnes alcaptonuriques ont hérité d'une incapacité à fabriquer cette enzyme, de sorte que l'alcaptone est excrétée dans l'urine.

Des recherches effectuées plusieurs décennies plus tard ont permis de confirmer l'hypothèse *un gène, une enzyme* de Garrod selon laquelle un gène dicte la production d'une enzyme spécifique. Les biochimistes ont appris que les cellules synthétisent et dégradent la plupart des molécules organiques : elles empruntent des voies métaboliques dans lesquelles chacune des réactions chimiques d'une séquence particulière est catalysée par une enzyme spécifique (voir le concept 8.1). Ce sont ces voies métaboliques qui mènent, par exemple, à la synthèse des pigments qui confèrent une couleur donnée au pelage des ânes bruns de la figure 17.1 ou aux yeux des drosophiles (voir la figure 15.3). Dans les années 1930, George Beadle, un biochimiste et généticien américain, et Boris Ephrussi, son collègue français, ont avancé que chacune des mutations affectant la couleur des yeux des drosophiles bloque la synthèse d'un pigment particulier. Ce blocage survient à un stade spécifique et empêche la production de l'enzyme catalysant l'étape correspondante. Mais on ignorait alors tout des réactions chimiques en question et des enzymes qui les catalysent.

Quelques années plus tard, à la Stanford University, George Beadle et Edward Tatum ont fait une découverte décisive. Ils ont effectué leurs recherches sur la moisissure rouge du pain, *Neurospora crassa*, une espèce haploïde. Pour qu'un changement se produise dans le phénotype d'un mutant, Beadle et Tatum devaient désactiver un seul allèle (plutôt que deux, comme pour les espèces diploïdes) d'un gène codant pour une protéine nécessaire à une activité métabolique spécifique. Ils ont donc exposé *Neurospora* aux rayons X, reconnus pour causer des modifications génétiques, puis ils ont cherché, parmi les organismes survivants, des mutants qui n'avaient pas les mêmes besoins nutritionnels que les individus du type sauvage.

Les mutants auxotrophes de Neurospora

Un auxotrophe est un mutant incapable de synthétiser par lui-même un nutriment indispensable à sa croissance ; il faut donc le lui fournir.

Les besoins en nutriments de *Neurospora* de type sauvage sont très simples : en laboratoire, sa croissance ne requiert que très peu de nutriments : il lui suffit d'un mélange de sels inorganiques, de glucose et de biotine, une vitamine, incorporés à un milieu de culture solidifié par de l'agar. À partir de ce *milieu minimal*, les cellules de la moisissure de type sauvage mettent à profit leurs activités métaboliques pour produire toutes les molécules nécessaires à leur croissance, y compris les acides aminés. Ainsi, elles se divisent à plusieurs reprises et forment des colonies visibles de cellules génétiquement identiques. Comme le montre la **figure 17.2**, Beadle et Tatum ont obtenu différents « mutants nutritionnels » de *Neurospora*. Chacun de ces mutants était incapable de synthétiser un nutriment essentiel particulier. Si les cellules ne pouvaient croître dans le milieu minimal, elles pouvaient se développer dans le milieu complet contenant tous les nutriments nécessaires à leur croissance. Dans le cas de *Neurospora*, un milieu complet était un milieu minimal dans

▼ **Figure 17.2 L'approche expérimentale de Beadle et Tatum.** Pour obtenir des mutants nutritionnels, Beadle et Tatum ont exposé la moisissure *Neurospora* à des rayons X causant des mutations. Ils ont ensuite analysé les mutants présentant de nouveaux besoins nutritionnels, dont celui en arginine illustré dans cette figure.

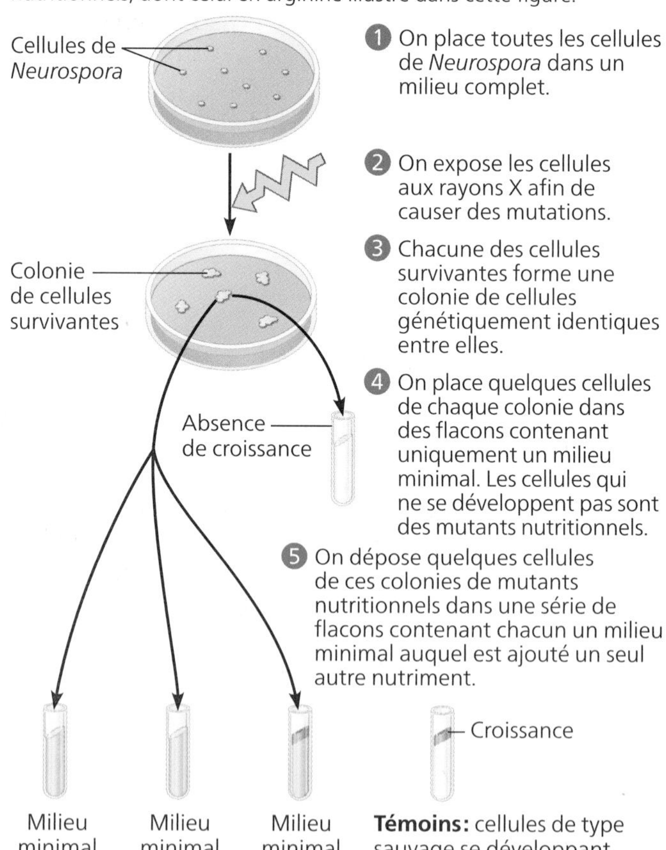

Cellules de Neurospora
1 On place toutes les cellules de Neurospora dans un milieu complet.
2 On expose les cellules aux rayons X afin de causer des mutations.
Colonie de cellules survivantes
3 Chacune des cellules survivantes forme une colonie de cellules génétiquement identiques entre elles.
Absence de croissance
4 On place quelques cellules de chaque colonie dans des flacons contenant uniquement un milieu minimal. Les cellules qui ne se développent pas sont des mutants nutritionnels.
5 On dépose quelques cellules de ces colonies de mutants nutritionnels dans une série de flacons contenant chacun un milieu minimal auquel est ajouté un seul autre nutriment.
Croissance
Milieu minimal + valine
Milieu minimal + lysine
Milieu minimal + arginine
Témoins: cellules de type sauvage se développant dans un milieu minimal
6 On examine les flacons afin de vérifier la croissance des cellules. Dans cet exemple, les cellules se sont développées uniquement dans le milieu minimal auquel on avait ajouté de l'arginine, ce qui démontre l'absence de l'enzyme assurant la synthèse de cet acide aminé chez ce mutant.

lequel on avait incorporé les 20 acides aminés et quelques autres nutriments. Beadle et Tatum ont émis l'hypothèse que chez tous les mutants nutritionnels, le gène codant pour une enzyme synthétisant un nutriment donné était désactivé.

Grâce à cette approche, Beadle et Tatum ont créé une vaste collection de souches mutantes de *Neurospora*, qu'ils ont ensuite classées selon le type de dysfonctionnement affectant une voie métabolique donnée. Deux collègues de Beadle et Tatum, Adrian Srb et Norman Horowitz, ont utilisé une collection de mutants qui avaient besoin d'arginine pour étudier la voie biochimique de la synthèse de cet acide aminé chez *Neurospora* (**figure 17.3**). Srb et Horowitz ont entrepris de caractériser la

DÉMARCHE SCIENTIFIQUE

INVESTIGATION

▼ **Figure 17.3**

Des gènes individuels codent-ils pour la production d'enzymes qui participent à une voie biochimique ?

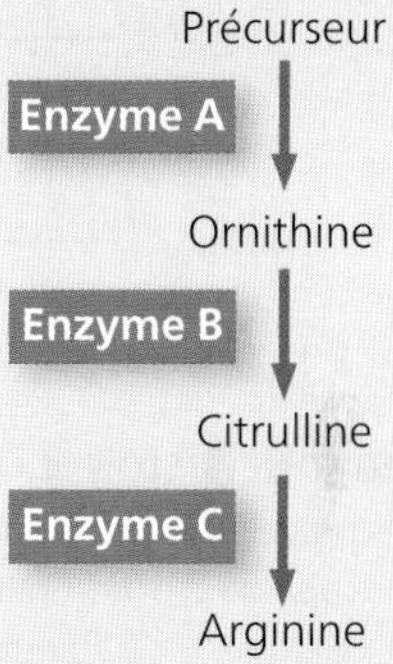

■ HYPOTHÈSE ■ S'il est juste de penser que chacune des enzymes d'une voie métabolique est encodée dans un gène spécifique, alors des mutants pour différents gènes devraient présenter des exigences métaboliques spécifiques, selon l'enzyme affectée et le rôle qu'elle exerce dans la voie métabolique.

■ EXPÉRIENCE ■ Au cours de leurs travaux sur la moisissure rouge du pain, *Neurospora crassa*, Adrian Srb et Norman Horowitz, alors à la Stanford University, ont utilisé l'approche expérimentale (voir la figure 17.2) de Beadle et Tatum pour isoler des mutants nécessitant de l'arginine dans leur milieu de culture. Les chercheurs ont établi que leurs mutants se regroupaient en trois catégories, chacune de celles-ci portant une mutation sur un gène différent. En se basant sur des études menées par d'autres chercheurs et portant sur des cellules hépatiques de mammifères, ils ont supposé, d'une part, que la voie métabolique de la biosynthèse de l'arginine comportait un nutriment précurseur et, d'autre part, que l'ornithine et la citrulline constituaient des molécules intermédiaires de cette voie, comme l'illustre le schéma de droite.

Dans leur expérience la plus célèbre, que nous illustrons ci-dessous, ils ont mis à l'épreuve leur hypothèse *un gène, une enzyme* et leur postulat sur la voie de synthèse de l'arginine. Dans cette expérience, ils ont placé leurs trois classes de mutants et la souche de type sauvage dans quatre milieux de croissance différents, illustrés dans le tableau des résultats. Ils ont inclus le milieu minimal (MM) comme témoin parce qu'ils savaient que les cellules de type sauvage pouvaient croître sur le MM, mais que les cellules des mutants ne le pouvaient pas. (Voir les éprouvettes ci-dessous.)

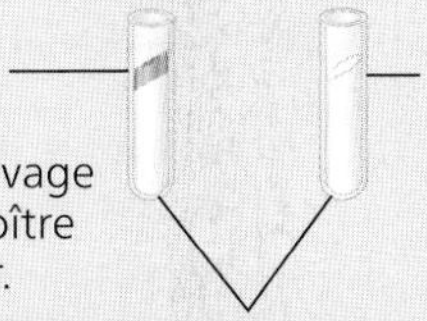

■ RÉSULTATS ■ Comme le montre le tableau ci-dessous, la souche de type sauvage peut croître dans n'importe quelles conditions expérimentales et n'exige qu'un milieu de croissance minimal. Les trois types de mutants avaient chacun leur propre ensemble d'exigences de croissance. Par exemple, les mutants de la catégorie II étaient incapables de croître en présence d'ornithine seulement, mais ils arrivaient à se développer quand on ajoutait de la citrulline ou de l'arginine.

Tableau des résultats	Types de *Neurospora crassa*			
Condition	Type sauvage	Mutants, catégorie I	Mutants, catégorie II	Mutants, catégorie III
Milieu minimal (MM) (témoin)				
MM + ornithine				
MM + citrulline				
MM + arginine (témoin)				
Résumé des résultats	Croissance avec ou sans suppléments	Croissance en présence d'ornithine, de citrulline ou d'arginine	Croissance seulement en présence de citrulline ou d'arginine	Croissance impossible sans arginine

DÉMARCHE SCIENTIFIQUE

INVESTIGATION

▼ Figure 17.3

Des gènes individuels codent-ils pour la production d'enzymes qui participent à une voie biochimique ? (*suite*)

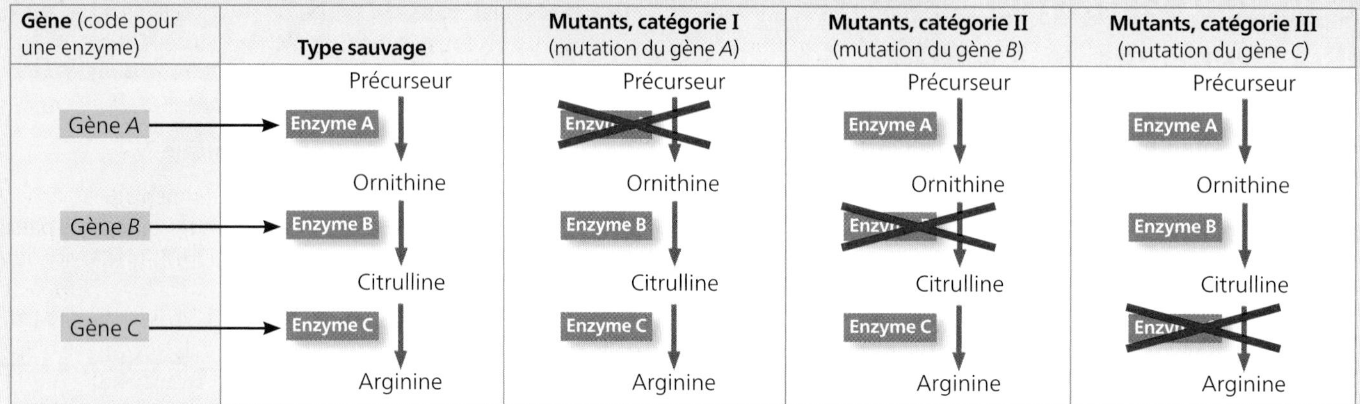

■ CONCLUSION ■ À partir des résultats de l'expérience de croissance, Srb et Horowitz ont conclu que chaque catégorie de mutants était incapable d'accomplir l'une des étapes de la voie de synthèse de l'arginine, probablement parce que les mutants ne produisaient pas l'enzyme correspondante, comme le montre le tableau ci-dessus. Étant donné que chacun des mutants portait une mutation sur un seul gène, ils en ont conclu que chaque gène mutant devait normalement coder pour la production d'une enzyme. Leurs résultats constituaient un argument en faveur de l'hypothèse *un gène, une enzyme* proposée par Beadle et Tatum et confirmaient également que la voie métabolique de l'arginine dans le foie des mammifères fonctionne également chez *Neurospora*. (Notez dans le tableau des résultats qu'un mutant se développe seulement si on lui fournit un composé synthétisé *après* l'étape défectueuse, ce qui permet de contourner l'anomalie.)

Source des données: A. M. Srb et N. H. Horowitz, The ornithine cycle in *Neurospora* and its genetic control, *Journal of Biological Chemistry* 154:129-139 (1944).

ET SI ? ▶ Supposons que l'expérience démontre que les mutants de la catégorie I ne peuvent croître que dans un MM auquel on a ajouté de l'ornithine ou de l'arginine et que ceux de la catégorie II peuvent croître dans un MM enrichi de citrulline, d'ornithine ou d'arginine. Quelles conclusions les chercheurs auraient-ils dû tirer de ces résultats concernant la voie biochimique et l'anomalie chez les mutants de la catégorie I et de la catégorie II ?

déficience de chacun des mutants avec plus de précision, en effectuant d'autres tests afin d'identifier les trois catégories de mutants pour l'arginine. Les mutants de chaque catégorie avaient besoin d'un ensemble différent de composés dans la voie de synthèse de l'arginine, qui comporte trois étapes. Ces résultats, ainsi que ceux de nombreuses expériences semblables effectuées par Beadle et Tatum, semblaient indiquer que ces trois catégories de mutants présentaient un blocage à différentes étapes de la voie de synthèse de l'arginine et qu'il leur manquait l'enzyme catalysant l'étape correspondante.

Comme les conditions expérimentales déterminées par Beadle et Tatum faisaient en sorte que la déficience ne provenait que d'un seul gène dans chaque cas, les résultats obtenus constituaient dans leur ensemble un argument de taille en faveur de l'hypothèse de travail qu'ils avaient formulée. Selon cette hypothèse, appelée *un gène, une enzyme*, chaque gène a pour fonction de diriger la production d'une enzyme particulière. Des expériences biochimiques ultérieures ont permis d'identifier les enzymes dont les mutants étaient dépourvus, ce qui a permis de confirmer encore un peu plus cette hypothèse. Beadle et Tatum ont reçu conjointement un prix Nobel en 1958 pour « leur découverte que les gènes agissent en régulant des événements chimiques définis » (selon la formulation du comité Nobel).

Aujourd'hui, de nombreux exemples nous démontrent que la mutation d'un gène peut conduire à la production d'enzymes défectueuses, et que celles-ci sont la cause de maladies particulière. Par exemple, l'albinisme de la figure 17.1 est dû à l'absence de tyrosinase, une enzyme importante qui intervient dans la voie métabolique produisant la mélanine (pigment foncé). L'absence de mélanine est à l'origine du pelage blanc de l'animal, mais aussi de la coloration rose du nez, des oreilles, des sabots et des yeux de l'âne, puisque ce pigment n'est pas présent pour masquer la coloration normalement rougeâtre des vaisseaux sanguins.

Les produits de l'expression génétique : une histoire à suivre

Au fur et à mesure que des connaissances plus précises sur les protéines se sont accumulées, il a fallu modifier l'hypothèse *un gène, une enzyme*. Tout d'abord, toutes les protéines ne sont pas des enzymes. Ainsi, la kératine, qui est la protéine structurale du poil des mammifères, et l'insuline, une hormone, sont deux protéines non enzymatiques. Comme certains gènes commandent la synthèse de protéines qui ne sont pas des enzymes, les biologistes moléculaires ont supposé qu'un gène correspondait à une protéine. Cependant, de nombreuses protéines sont construites à partir de deux ou de plusieurs chaînes polypeptidiques différentes, chacune sous l'action de son propre gène. Par exemple, l'hémoglobine – une protéine des érythrocytes des vertébrés qui a pour fonction de transporter les molécules d'oxygène (O_2) – contient deux types de polypeptides et est produite à partir de deux gènes, un pour chaque type de polypeptide (voir la figure 5.18). Il a donc fallu reformuler l'hypothèse de Beadle et Tatum sous la forme *un gène, un polypeptide*. Toutefois, même sous cette forme, cette description n'est pas tout à fait exacte. Premièrement, dans de nombreux cas, plusieurs gènes eucaryotes codent chacun pour un ensemble de polypeptides étroitement apparentés par l'intermédiaire d'un processus appelé épissage alternatif, que vous étudierez plus loin dans le présent chapitre. Deuxièmement, un bon nombre de gènes codent pour des molécules d'ARN qui exercent des fonctions importantes dans les cellules, même s'ils ne sont jamais traduits en protéines. Pour l'instant, nous nous limiterons aux gènes qui codent pour des polypeptides. Notons ici que l'on utilise souvent le terme protéine en général, plutôt que polypeptide (plus précis), pour désigner le produit des gènes.

Les principes généraux de la transcription et de la traduction

Les gènes contiennent les instructions qui permettent de fabriquer des protéines spécifiques, mais ils ne les construisent pas directement. C'est l'acide ribonucléique, ou ARN, qui établit le lien entre l'ADN et la synthèse des protéines. L'ARN est semblable chimiquement à l'ADN. Cependant, dans l'ARN, un ribose (un glucide) remplace le désoxyribose, et l'uracile (une base azotée) remplace la thymine (voir la figure 5.23). Autrement dit, le long d'un brin d'ADN, chaque nucléotide est composé d'une base azotée qui peut être A, G, C ou T. Par contre, le long d'un brin d'ARN, chaque nucléotide est constitué d'une base azotée qui peut être A, G, C ou U. Par ailleurs, la molécule d'ARN est généralement formée d'un seul brin, beaucoup plus court que les longues molécules d'ADN.

La description du passage de l'information du gène à la protéine se rapporte souvent à la linguistique : tout comme certaines séquences précises de lettres permettent de transmettre une information dans une langue donnée, les acides nucléiques et les protéines contiennent des séquences spécifiques de monomères qui véhiculent une information. Dans l'ADN et l'ARN, les quatre types de nucléotides constituent les monomères en question : ils diffèrent par leur base azotée. Les gènes se composent généralement de centaines ou de milliers de nucléotides, et chaque gène comporte une séquence de nucléotides qui lui est spécifique. Dans les protéines aussi, chaque polypeptide présente des monomères alignés dans un ordre précis (voir la figure 5.18 pour la structure primaire des protéines) ; chacun de ceux-ci est un acide aminé. Les acides nucléiques et les protéines contiennent donc une information écrite dans deux langages chimiques différents. Le passage de l'un à l'autre se fait en deux étapes principales, appelées transcription et traduction.

La **transcription** est la synthèse d'ARN à partir de l'information contenue dans l'ADN. Les deux acides nucléiques présentent des formes différentes du même langage, et l'information est simplement transcrite, ou transposée, de l'ADN à l'ARN. La séquence de nucléotides d'ADN constitue une matrice servant à l'assemblage d'une séquence de nucléotides d'ARN, de la même façon qu'elle constitue une matrice pour la synthèse d'un brin complémentaire pendant la réplication de l'ADN (voir le concept 16.2). Pour une protéine codée par un gène, la molécule d'ARN qui en résulte est donc une transcription fidèle des instructions fournies par un gène en vue de la construction d'une protéine. Ce type de molécule d'ARN est appelé **ARN messager (ARNm)**, parce qu'il joue le rôle de messager génétique entre l'ADN et le dispositif de synthèse protéique de la cellule. D'une manière générale, on nomme transcription la synthèse de *tout type* d'ARN à partir d'une matrice d'ADN. Plus loin dans ce chapitre, vous verrez que l'ARNm n'est pas le seul type d'ARN produit par transcription.

La **traduction** est la synthèse d'un polypeptide à partir des informations contenues dans l'ARNm. À cette étape, il y a passage d'une « langue » à une autre : la cellule doit traduire la séquence de nucléotides d'une molécule d'ARNm en une séquence d'acides aminés appartenant à un polypeptide. La traduction se déroule dans les **ribosomes**, des complexes moléculaires qui participent à la formation de chaînes polypeptidiques en permettant l'assemblage des acides aminés dans l'ordre dicté par l'ARNm.

La transcription et la traduction se déroulent dans tous les organismes. Étant donné que la plupart des études ont été effectuées sur des bactéries et des cellules eucaryotes, nous nous attarderons à ces deux catégories d'organismes dans le présent chapitre. Notre compréhension de la transcription et de la traduction chez les archées est moins avancée, mais nous savons qu'au niveau de l'expression génétique, certaines archées ont des caractéristiques communes avec les bactéries, tandis que d'autres présentent des points communs avec les cellules eucaryotes.

Le schéma général de la transcription et de la traduction est semblable chez les bactéries et les organismes eucaryotes, mais il existe une différence importante sur le plan de la transmission de l'information au sein des cellules. Les bactéries n'ont pas de noyau. Par conséquent, l'ADN et l'ARNm bactériens ne sont pas séparés des ribosomes et des autres outils essentiels à la synthèse protéique par une membrane nucléaire (**figure 17.4a**). Comme vous le verrez plus loin, cette absence de cloisonnement permet à la traduction d'un ARNm de commencer pendant que sa transcription est en cours. Par contre, les cellules eucaryotes ont un noyau. La présence de l'enveloppe nucléaire empêche la transcription et la traduction de se dérouler au même endroit et au même moment (**figure 17.4b**). La transcription a lieu dans le noyau, mais l'ARNm doit être transporté dans le cytoplasme pour que la traduction ait lieu. Cependant, avant de pouvoir quitter le noyau, les transcrits d'ARN eucaryotes produits par les gènes codant pour une protéine subissent diverses transformations. Ce n'est qu'après ces modifications qu'ils deviennent des ARNm définitifs et fonctionnels. La transcription du gène eucaryote codant pour une protéine produit de l'*ARN prémessager*; la maturation de l'ARN génère ensuite la version définitive de l'ARNm. De façon plus générale, on appelle **transcrit primaire** la première version d'ARN qui résulte de la transcription d'un gène, y compris ceux qui codent pour un ARN qui n'est pas traduit en protéine.

Résumons donc : les gènes programment la synthèse des protéines par l'intermédiaire de messages génétiques qui se présentent sous la forme d'ARN messagers. Autrement dit, les cellules sont régies par une chaîne de commandement de nature moléculaire avec un flux d'information génétique directionnel, illustré ici par des flèches :

Cette chaîne de commandement a été baptisée *dogme central* par Francis Crick en 1956. Toutefois, dans les années 1970, les scientifiques ont découvert avec surprise que certaines enzymes utilisaient les molécules d'ARN comme matrices pour la synthèse de l'ADN (un processus que nous décrirons au concept 19.2). Cependant, ces exceptions n'invalident nullement l'idée selon laquelle, en règle générale, l'information génétique passe de l'ADN à l'ARN, puis de l'ARN à la protéine. Dans la prochaine section, nous verrons comment les acides nucléiques encodent l'ordre d'assemblage des acides aminés.

▼ **Figure 17.4 Vue d'ensemble : le rôle de la transcription et de la traduction dans la transmission de l'information génétique.** Dans la cellule, l'information génétique passe de l'ADN à l'ARN, puis de l'ARN à la protéine. Les deux étapes principales de la transmission de l'information sont la transcription et la traduction. Plusieurs figures apparaissant plus loin dans ce chapitre sont accompagnées d'une image réduite de la partie (a) ou de la partie (b) ; vous pourrez ainsi situer ces figures dans le processus global de l'expression génétique.

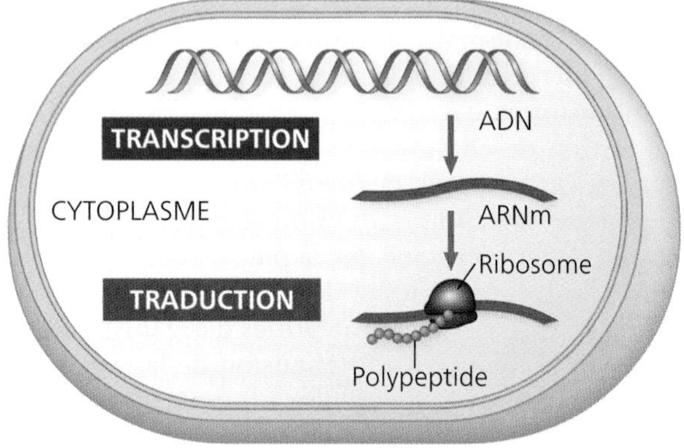

(a) Cellule bactérienne. Dans une cellule bactérienne, qui n'a pas de noyau, l'ARNm produit par la transcription est immédiatement traduit, sans aucune maturation.

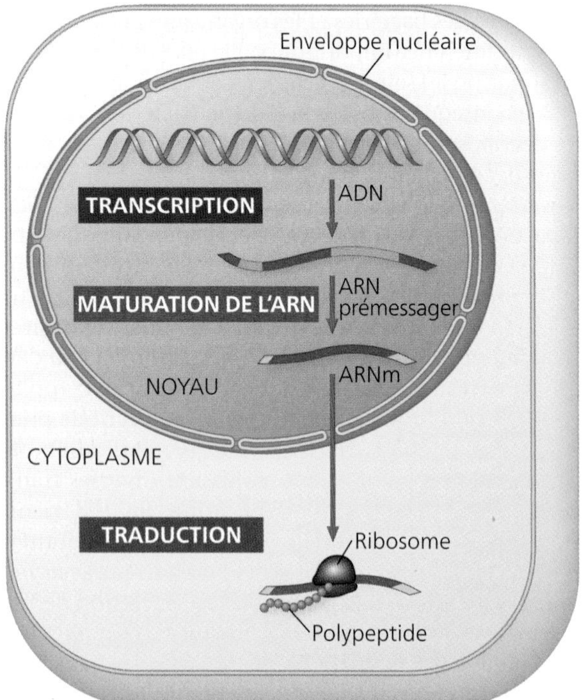

(b) Cellule eucaryote. Le noyau constitue un compartiment distinct dans lequel se déroule la transcription. Le premier transcrit d'ARN, appelé ARN prémessager, subit une maturation en plusieurs étapes, puis il quitte le noyau sous forme d'ARNm.

Le code génétique

Lorsque les biologistes ont commencé à se douter que l'ADN contenait les instructions pour la synthèse des protéines, ils se sont posé la question suivante : comment quatre nucléotides seulement peuvent-ils détenir le message génétique correspondant à 20 acides aminés différents ? Le code génétique ne peut constituer un langage analogue au chinois, langue dans laquelle chaque symbole d'écriture représente un mot unique. Combien de nucléotides peuvent alors correspondre à un acide aminé ?

Les codons : des triplets de nucléotides

Si chaque base nucléotidique était traduite en un acide aminé, il ne pourrait y avoir que quatre acides aminés codés, un pour chacune des bases. Alors, un langage avec des mots de deux lettres suffirait-il ? Par exemple, la séquence de deux nucléotides AG désignerait un acide aminé, et GT, un autre acide aminé, etc. Étant donné qu'il y a quatre bases nucléotidiques possibles dans chaque position, cela donnerait 16 (4×4, ou 4^2) combinaisons possibles. Or, ce nombre ne suffit toujours pas à détenir le message génétique correspondant aux 20 acides aminés existants.

Les plus courtes séquences de longueur égale permettant de coder pour tous les acides aminés comprennent en fait trois bases azotées. En effet, si chaque combinaison de trois bases nucléotidiques consécutives représente un acide aminé, il est possible d'écrire 64 mots de code (4^3) ; c'est plus qu'il n'en faut pour représenter les 20 acides aminés. Des expériences ont permis de confirmer que le flux d'information allant du gène à la protéine repose sur un **code à triplets**. Les instructions génétiques pour la synthèse d'une chaîne polypeptidique se présentent sous la forme d'une série de mots composés chacun de trois nucléotides d'ADN qui ne se chevauchent pas. La série de mots dans un gène est transcrite en une série complémentaire de mots composés chacun de trois nucléotides dans l'ARNm, et celle-ci est ensuite traduite en une chaîne d'acides aminés (**figure 17.5**).

Au cours de la transcription, le gène détermine la séquence des bases nucléotidiques de la molécule d'ARN qui est synthétisée. Un seul des deux brins d'ADN de chaque gène est transcrit. Nous l'appellerons **brin matrice** (le brin non transcrit, ou brin codant, est le brin complémentaire). Ce brin matrice sert de modèle pour l'agencement des séquences de nucléotides du transcrit d'ARN. Cependant, plus loin le long de la même molécule d'ADN chromosomique, le brin complémentaire peut servir de matrice pour un autre gène. Le brin utilisé comme matrice est déterminé par l'orientation de l'enzyme assurant la transcription des gènes, laquelle dépend de la séquence d'ADN particulière associée à ce gène.

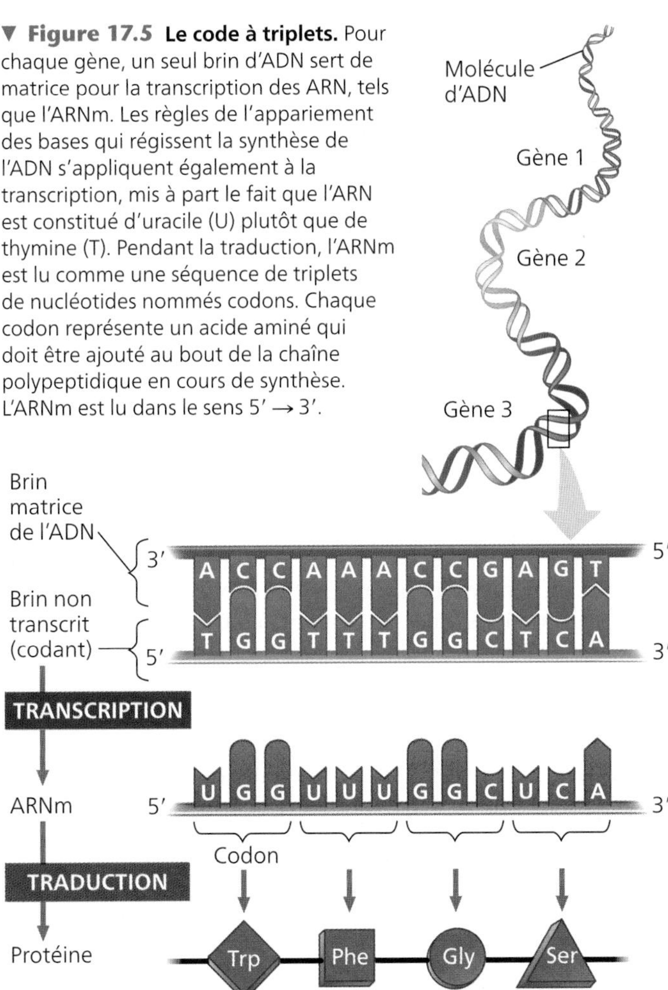

▼ **Figure 17.5 Le code à triplets.** Pour chaque gène, un seul brin d'ADN sert de matrice pour la transcription des ARN, tels que l'ARNm. Les règles de l'appariement des bases qui régissent la synthèse de l'ADN s'appliquent également à la transcription, mis à part le fait que l'ARN est constitué d'uracile (U) plutôt que de thymine (T). Pendant la traduction, l'ARNm est lu comme une séquence de triplets de nucléotides nommés codons. Chaque codon représente un acide aminé qui doit être ajouté au bout de la chaîne polypeptidique en cours de synthèse. L'ARNm est lu dans le sens 5′ → 3′.

HABILETÉS VISUELLES ▶ Par convention, on utilise le brin d'ADN non transcrit, aussi appelé brin codant, pour représenter une séquence d'ADN. Écrivez la séquence du brin d'ARNm et du brin d'ADN non transcrit – dans les deux cas, dans la direction 5′ → 3′ – et comparez-les. Selon vous, pourquoi a-t-on adopté cette convention ? (*Indice:* Pourquoi le brin d'ADN non transcrit est-il appelé brin codant ?)

La molécule d'ARNm et sa matrice d'ADN ne sont pas identiques, mais complémentaires : les nucléotides de l'ARN s'assemblent sur la matrice suivant les règles de l'appariement des bases (voir la figure 17.5). Les paires de bases sont identiques à celles qui se forment pendant la réplication de l'ADN, à deux différences près : dans l'ARN, c'est U et non T qui s'apparie avec A, et les nucléotides contiennent le ribose au lieu du désoxyribose. Tout comme un nouveau brin d'ADN, la molécule d'ARN est synthétisée dans le sens antiparallèle du brin matrice de l'ADN. (Pour revoir ce que signifie « antiparallèle » et ce que sont les extrémités 5′ et 3′ d'une chaîne d'acides nucléiques, consultez la figure 16.7.) Dans l'exemple de la figure 17.5, le triplet ACC du brin matrice d'ADN (écrit sous la forme 3′-ACC-5′) constitue la matrice pour 5′-UGG-3′ dans la molécule d'ARNm. Les triplets de l'ARNm sont appelés **codons**, et sont habituellement écrits dans le sens 5′ → 3′. Dans notre exemple, UGG est le codon de l'acide aminé appelé tryptophane (dont l'abréviation est Trp, ou W). Notons ici que le terme *codon* désigne parfois aussi les triplets de l'ADN sur le brin *non transcrit*. Ces codons sont complémentaires au brin matrice et par conséquent de séquence identique à l'ARNm, à la différence près qu'ils comportent des T et non des U. Par conséquent, on désigne souvent sous le nom de **brin codant** le brin d'ADN non transcrit de l'ADN ; par convention, on utilise la séquence du brin codant pour présenter la séquence d'un gène.

Au cours de la traduction, la séquence de codons alignés sur la molécule d'ARNm est décodée, ou traduite, en une séquence d'acides aminés constituant une chaîne polypeptidique. Le dispositif de traduction lit les codons dans le sens 5′ → 3′ le long de l'ARNm. Chaque codon présent sur la molécule d'ARNm détermine lequel des 20 acides aminés sera inséré à la position correspondante dans le polypeptide. Comme les codons sont des triplets de bases azotées, le nombre de nucléotides constituant le message génétique doit être trois fois plus élevé que le nombre d'acides aminés dans la protéine finale. Par exemple, il faut une séquence codante de 300 nucléotides sur un brin d'ARNm pour coder les acides aminés dans un polypeptide long de 100 acides aminés.

Le décryptage du code

Les biologistes moléculaires ont décrypté le code de la vie au début des années 1960. À cette époque, une série d'expériences remarquables ont permis de connaître la traduction de chaque codon d'ARNm en un acide aminé. Marshall Nirenberg, des National Institutes of Health, aux États-Unis, a déchiffré le premier codon en 1961 avec ses collègues. Nirenberg a synthétisé un ARNm artificiel en reliant plusieurs nucléotides d'ARN identiques, dont la base était toujours l'uracile. Ainsi, peu importait où le message génétique commençait ou finissait : il ne contenait qu'un seul codon, UUU, répété plusieurs fois. Dans une éprouvette, Nirenberg a ajouté le polynucléotide « poly-U » à un mélange contenant des acides aminés, des ribosomes et les autres molécules nécessaires à la synthèse des protéines chez *Escherichia coli.* Son système artificiel a traduit l'ARNm poly-U en un polypeptide formé d'une longue chaîne de phénylalanine (Phe, ou F) ; Nirenberg a ainsi déterminé que le codon d'ARNm UUU représentait donc le code de la phénylalanine. Peu de temps après, on a trouvé les acides aminés correspondant aux codons AAA, GGG et CCC.

Il a fallu employer des techniques plus élaborées pour décoder des triplets mixtes, tels que AUA et CGA. Toutefois, vers le milieu des années 1960, les 64 codons étaient déchiffrés. Comme vous pouvez le voir à la **figure 17.6**, 61 des 64 triplets codent pour les acides aminés. Les trois codons qui ne désignent pas des acides aminés (UAA, UAG et UGA) codent pour des signaux d'« arrêt » marquant la fin de la traduction. Remarquez que le triplet AUG a une double fonction : il détient le message génétique correspondant à un acide aminé, la méthionine (Met, ou M), et il sert aussi de signal de « départ ». Les messages génétiques commencent généralement par le codon AUG ; celui-ci indique où le dispositif de synthèse protéique doit entreprendre la traduction de l'ARNm. Étant donné que AUG code également pour la méthionine, toutes les chaînes peptidiques nouvellement synthétisées débutent par cet acide aminé (plus tard, une enzyme peut détacher la méthionine du polypeptide).

En consultant la figure 17.6, vous pouvez remarquer que le code génétique est redondant ; il n'est cependant jamais ambigu.

Le tryptophane et la méthionine sont les deux seuls acides aminés désignés par un unique codon. Tous les autres acides aminés sont désignés par au moins deux codons et certains par six (redondance). Par exemple, GAA et GAG donnent tous deux l'acide glutamique. Toutefois, aucun codon ne code pour plus d'un acide aminé (il n'y a pas d'ambiguïté). La redondance du code n'est pas seulement l'effet du hasard. Dans de nombreux cas, les codons « synonymes » ne diffèrent que par la troisième base nucléotidique du triplet. Plus loin dans ce chapitre, nous verrons un des avantages de cette redondance.

Un message écrit ne peut être compris que si les symboles sont lus dans le bon ordre et selon les bons groupements ; c'est ce que l'on appelle le **cadre de lecture**. Prenons, par exemple, la phrase suivante : « Ils ont élu roi mon ami qui fut ému. » Si l'on forme des groupements erronés en commençant au mauvais endroit, le message devient incompréhensible : « lso nté lur oim ona miq uif uté mu. » Le cadre de lecture revêt une importance cruciale dans le langage moléculaire de la cellule. La synthèse du court segment polypeptidique représenté à la figure 17.5 ne se déroule correctement que si la lecture des nucléotides d'ARNm se fait de gauche à droite (5′ → 3′) et selon les groupements suivants : UGG UUU GGC UCA. Bien qu'aucun espace ne sépare les différents codons dans le message génétique, celui-ci est lu comme une série de mots de trois lettres par les enzymes de la synthèse protéique de la cellule. En d'autres termes, les codons ne se chevauchent pas, ils sont lus séquentiellement.

▼ Figure 17.6 Le tableau des codons pour l'ARNm. Dans ce tableau, on désigne les trois bases d'un codon d'ARNm par *première*, *deuxième* et *troisième* base. Elles sont lues dans le sens 5′ → 3′ de l'ARNm. Le codon AUG code pour l'acide aminé méthionine (Met, ou M) ; il constitue aussi un signal de « départ » montrant l'endroit où les ribosomes doivent commencer à traduire l'ARNm. Trois des 64 codons sont des signaux d'« arrêt » indiquant où les ribosomes terminent la traduction. Les codes à une lettre et à trois lettres sont présentés pour les acides aminés. (Pour une liste des noms complets, voir la figure 5.14.)

Deuxième base de l'ARNm

Première base de l'ARNm (extrémité 5′ du codon)	U	C	A	G	Troisième base de l'ARNm (extrémité 3′ du codon)
U	UUU Phe (F)	UCU Ser (S)	UAU Tyr (Y)	UGU Cys (C)	U
	UUC Phe (F)	UCC Ser (S)	UAC Tyr (Y)	UGC Cys (C)	C
	UUA Leu (L)	UCA Ser (S)	UAA Arrêt	UGA Arrêt	A
	UUG Leu (L)	UCG Ser (S)	UAG Arrêt	UGG Trp (W)	G
C	CUU Leu (L)	CCU Pro (P)	CAU His (H)	CGU Arg (R)	U
	CUC Leu (L)	CCC Pro (P)	CAC His (H)	CGC Arg (R)	C
	CUA Leu (L)	CCA Pro (P)	CAA Gln (Q)	CGA Arg (R)	A
	CUG Leu (L)	CCG Pro (P)	CAG Gln (Q)	CGG Arg (R)	G
A	AUU Ile (I)	ACU Thr (T)	AAU Asn (N)	AGU Ser (S)	U
	AUC Ile (I)	ACC Thr (T)	AAC Asn (N)	AGC Ser (S)	C
	AUA Ile (I)	ACA Thr (T)	AAA Lys (K)	AGA Arg (R)	A
	AUG Met (M) ou départ	ACG Thr (T)	AAG Lys (K)	AGG Arg (R)	G
G	GUU Val (V)	GCU Ala (A)	GAU Asp (D)	GGU Gly (G)	U
	GUC Val (V)	GCC Ala (A)	GAC Asp (D)	GGC Gly (G)	C
	GUA Val (V)	GCA Ala (A)	GAA Glu (E)	GGA Gly (G)	A
	GUG Val (V)	GCG Ala (A)	GAG Glu (E)	GGG Gly (G)	G

HABILETÉS VISUELLES ▶ Un segment situé au milieu d'une molécule d'ARNm contient la séquence 5′-AGAGAACCGCGA-3′. À l'aide du tableau ci-dessus, traduisez cette séquence en supposant que les trois premiers nucléotides sont un codon.

L'évolution du code génétique

ÉVOLUTION Le code génétique est presque universel ; il est le même chez des organismes aussi différents que la plus simple des bactéries jusqu'aux animaux et aux végétaux les plus complexes. Par exemple, la traduction du codon CCG de l'ARNm donne l'acide aminé proline chez tous les organismes dont on a examiné le code génétique. Au cours d'expériences de laboratoire, on a réussi à traduire des ARNm et à transcrire et traduire des gènes d'une espèce après les avoir transplantés chez une autre, parfois avec des résultats très étonnants, comme le montre la **figure 17.7.** Par exemple, il est possible de programmer des bactéries en y insérant un gène humain pour leur faire produire certaines protéines utiles sur le plan médical, comme l'insuline humaine. Dans le domaine de la biotechnologie, des applications de cette nature ont abouti à de nombreux développements très intéressants, dont nous parlerons au concept 20.4.

Malgré un petit nombre d'exceptions, la signification évolutive de la *quasi*-universalité du code génétique est claire. Ce langage a dû apparaître assez tôt dans l'histoire de la vie pour se retrouver chez les ancêtres communs à tous les organismes actuels. L'existence d'un vocabulaire génétique commun nous rappelle les liens de parenté qui unissent toutes les formes de vie.

▼ Figure 17.7 Un témoignage de l'évolution : l'expression des gènes de différentes espèces. Comme les diverses formes de vie possèdent un code génétique commun en raison d'une ascendance partagée, il est possible de programmer une espèce afin qu'elle produise des protéines propres à une autre espèce ; pour ce faire, on y introduit de l'ADN provenant de cette dernière.

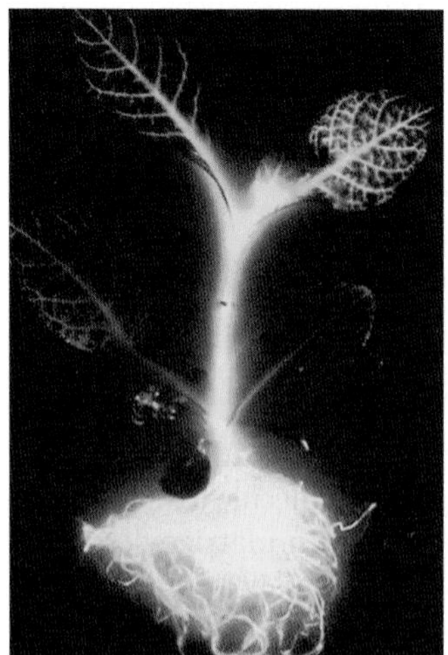

(a) Plant de tabac exprimant un gène de luciole. La luminescence jaune est produite au cours d'une réaction chimique catalysée par la protéine synthétisée à partir d'un gène de luciole.

(b) Porc exprimant un gène de méduse. Le gène d'une protéine fluorescente a été injecté dans des ovules de porc après leur fécondation. Un des embryons s'est développé pour donner ce porc fluorescent.

RETOUR SUR LE CONCEPT 17.1

1. **FAITES DES LIENS ▶** Dans un rapport de recherche portant sur l'alcaptonurie publié en 1902, Garrod affirmait que les humains recevaient deux «caractères» (allèles) pour une enzyme particulière et que les deux parents devaient contribuer à une version erronée pour que la maladie apparaisse chez le descendant. De nos jours, ce désordre serait-il appelé dominant ou récessif? Voir le concept 14.4.
2. Combien d'acides aminés le polypeptide produit par un ARNm poly-G long de 30 nucléotides contiendra-t-il, et de quelle nature seront ces acides aminés?
3. **FAITES UN DESSIN ▶** Soit un brin matrice d'un gène contenant la séquence 3′-TTCAGTCGT-5′. Imaginez que le brin codant (habituellement non transcrit) a été transcrit à la place de la séquence de la matrice. Dessinez la séquence de l'ARNm et traduisez-la à l'aide de la figure 17.6. (Faites attention aux extrémités 5′ et 3′.) Dites si la protéine synthétisée à partir du brin non transcrit sera fonctionnelle, pour autant qu'elle soit synthétisée.

Voir les réponses proposées à l'appendice A.

CONCEPT 17.2

La transcription est la synthèse de l'ARN à partir de l'ADN: *une étude détaillée*

Après ces considérations sur l'aspect linguistique et la signification du code génétique du point de vue de l'évolution, abordons plus en détail la transcription, la première étape de l'expression génétique.

Les composants moléculaires de la transcription

L'ARN messager est transcrit à partir du brin matrice d'un gène. Il transmet l'information de l'ADN aux structures cellulaires assurant la synthèse des protéines. Une enzyme appelée **ARN polymérase** écarte les deux brins d'ADN et assemble les nucléotides complémentaires de l'ARN au brin matrice de l'ADN (**figure 17.8**). À l'instar des ADN polymérases, qui assurent la réplication de l'ADN, les ARN polymérases ne peuvent assembler un polynucléotide que dans le sens 5′ → 3′, en ajoutant des nucléotides à l'extrémité 3′. Par contre, contrairement aux ADN polymérases, les ARN polymérases peuvent commencer la synthèse d'une chaîne directement sur la matrice; elles n'ont pas à ajouter le premier nucléotide à une amorce préexistante.

Des séquences particulières de nucléotides dans l'ADN marquent le début et la fin de la transcription du gène. La séquence d'ADN à laquelle l'ARN polymérase se lie pour commencer la transcription est appelée **promoteur**. Celui-ci agit comme un guide qui oriente le travail de l'ARN polymérase. Chez les bactéries, la séquence qui marque la fin de la transcription est appelée **terminateur**. (Le mécanisme de la terminaison chez les eucaryotes est différent; nous le décrirons plus loin.) En biologie moléculaire, on nomme «aval» le sens dans lequel s'effectue la transcription et «amont» le sens opposé. Ces termes désignent également les positions relatives des séquences de nucléotides de l'ADN et de l'ARN. Par conséquent, la séquence du promoteur dans l'ADN se situe en amont du terminateur. L'**unité de transcription** est le segment d'ADN transcrit en molécule d'ARN.

Chez les bactéries, il n'existe qu'un seul type d'ARN polymérase, et cette enzyme synthétise l'ARNm et d'autres sortes d'ARN intervenant dans la synthèse des protéines, comme l'ARN

▼ **Figure 17.8 Les étapes de la transcription: initiation, élongation et terminaison.** Cette description générale de la transcription s'applique aussi bien aux bactéries qu'aux organismes eucaryotes; cependant, les détails de la terminaison diffèrent, comme nous le décrivons dans le texte. De plus, chez une bactérie, l'ARN ainsi transcrit est aussitôt utilisé comme ARNm; chez un eucaryote, par contre, il doit d'abord passer par l'étape de la maturation.

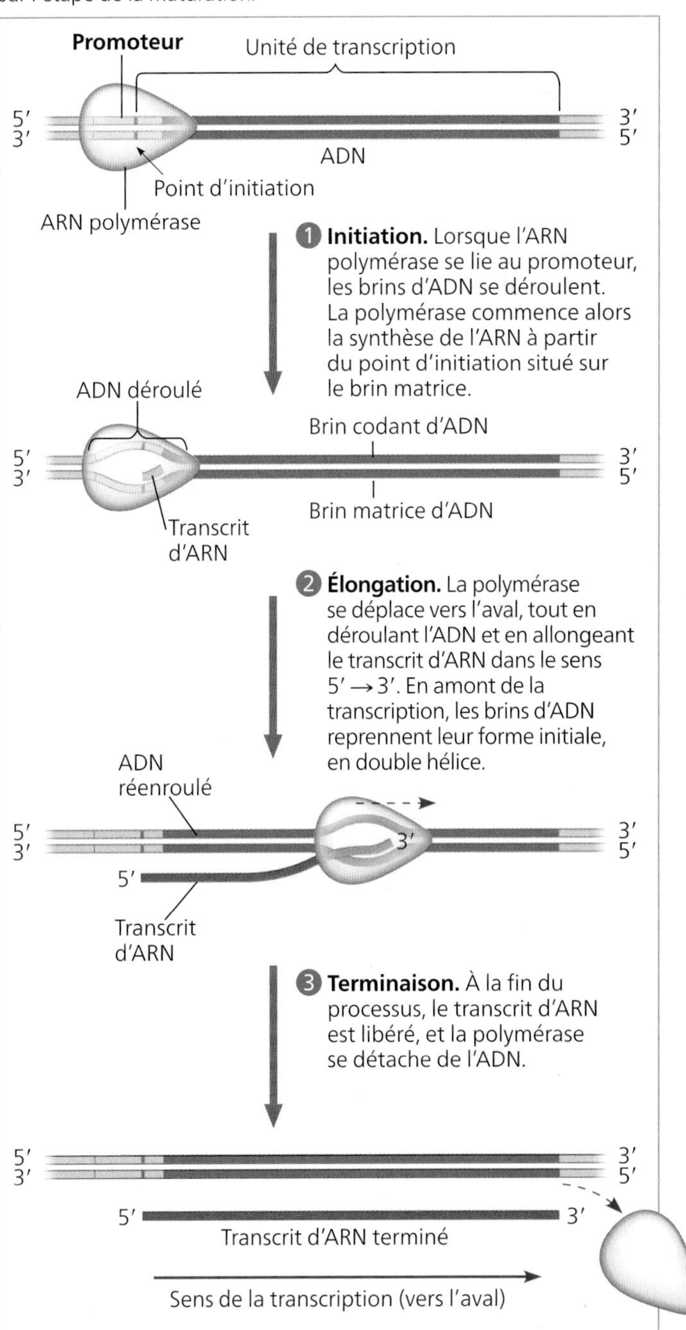

FAITES DES LIENS ▶ Comparez l'utilisation d'un brin matrice pendant la transcription et lors de la réplication. Voir la figure 16.17.

ribosomal. Par contre, les noyaux des eucaryotes renferment au moins trois types d'ARN polymérase; c'est l'ARN polymérase II qui effectue la synthèse de l'ARNm. Les autres ARN polymérases transcrivent les molécules d'ARN qui ne sont pas traduites en protéines. Dans cette section, consacrée à la transcription, nous commencerons par les aspects de la synthèse de l'ARNm qui sont communs aux bactéries et aux organismes eucaryotes. Ensuite, nous verrons quelques-unes des différences principales entre ces deux groupes.

La synthèse d'un transcrit d'ARN

Les trois étapes de la transcription illustrées à la figure 17.8 et dont il est question plus loin sont l'initiation, l'élongation et la terminaison de la chaîne d'ARN. À l'aide de la figure 17.8, apprenez à les reconnaître et familiarisez-vous avec les termes qui s'y rapportent.

La liaison de l'ARN polymérase et l'initiation de la transcription

Le promoteur d'un gène inclut le **point de départ** de la transcription, ou point d'initiation (le nucléotide à partir duquel l'ARN polymérase commence la synthèse de l'ARNm). Il couvre habituellement plusieurs douzaines de paires de nucléotides, voire plus, en amont de ce point (**figure 17.9**). Selon les interactions avec les protéines, que nous aborderons sous peu, l'ARN polymérase se lie au promoteur à un endroit et dans un sens précis. Cette liaison marque le début de la transcription et détermine lequel des deux brins de l'hélice d'ADN sera transcrit.

Certaines parties du promoteur jouent un rôle particulièrement important dans la liaison de l'ARN polymérase puisqu'elles veillent à ce que la transcription commence au bon endroit. Chez les bactéries, c'est une partie de l'ARN polymérase elle-même qui reconnaît le promoteur et qui s'y lie. Chez les eucaryotes, un ensemble de protéines appelées **facteurs de transcription** servent d'intermédiaires: ce sont elles qui permettent la liaison de l'ARN polymérase et le début de la transcription. Ce n'est que lorsque les facteurs de transcription ont été fixés au promoteur que l'ARN polymérase II se lie à celui-ci. L'ensemble constitué par l'ARN polymérase II et les facteurs de transcription liés au promoteur est nommé **complexe d'initiation de la transcription**. La figure 17.9 montre la fonction des facteurs de transcription et d'une séquence essentielle de l'ADN du promoteur, appelée **boîte TATA** – parce qu'elle présente une forte concentration de thymine (T) et d'adénine (A) –, lors de la formation du complexe d'initiation sur un promoteur chez les eucaryotes.

L'interaction entre l'ARN polymérase II d'un eucaryote et les facteurs de transcription illustre bien l'importance particulière que revêtent les interactions protéine-protéine dans le contrôle de la transcription chez les eucaryotes. Une fois que les facteurs de transcription appropriés sont fermement liés au promoteur et que la polymérase est bien orientée sur l'ADN, l'enzyme déroule les deux brins de la molécule et commence à transcrire le brin matrice au point de départ.

L'élongation du brin d'ARN

Pendant qu'elle se déplace le long de l'ADN, l'ARN polymérase déroule la double hélice; elle expose de 10 à 20 nucléotides environ à la fois. Elle permet ainsi leur appariement avec les nouveaux nucléotides d'ARN présents dans le milieu sous la forme de ribonucléosides triphosphates (**figure 17.10**). Précisons qu'elle ajoute ceux-ci à l'extrémité 3′ de la molécule d'ARN en cours de synthèse, tout en avançant le long de la double hélice. Notons aussi que l'ARN polymérase n'effectue pas de « correction d'épreuves » comme le fait l'ADN polymérase si des erreurs

▼ **Figure 17.9 L'initiation de la transcription sur un promoteur d'eucaryote.** Dans les cellules eucaryotes, des protéines appelées facteurs de transcription jouent un rôle d'intermédiaire lors de l'initiation de la transcription par l'ARN polymérase II.

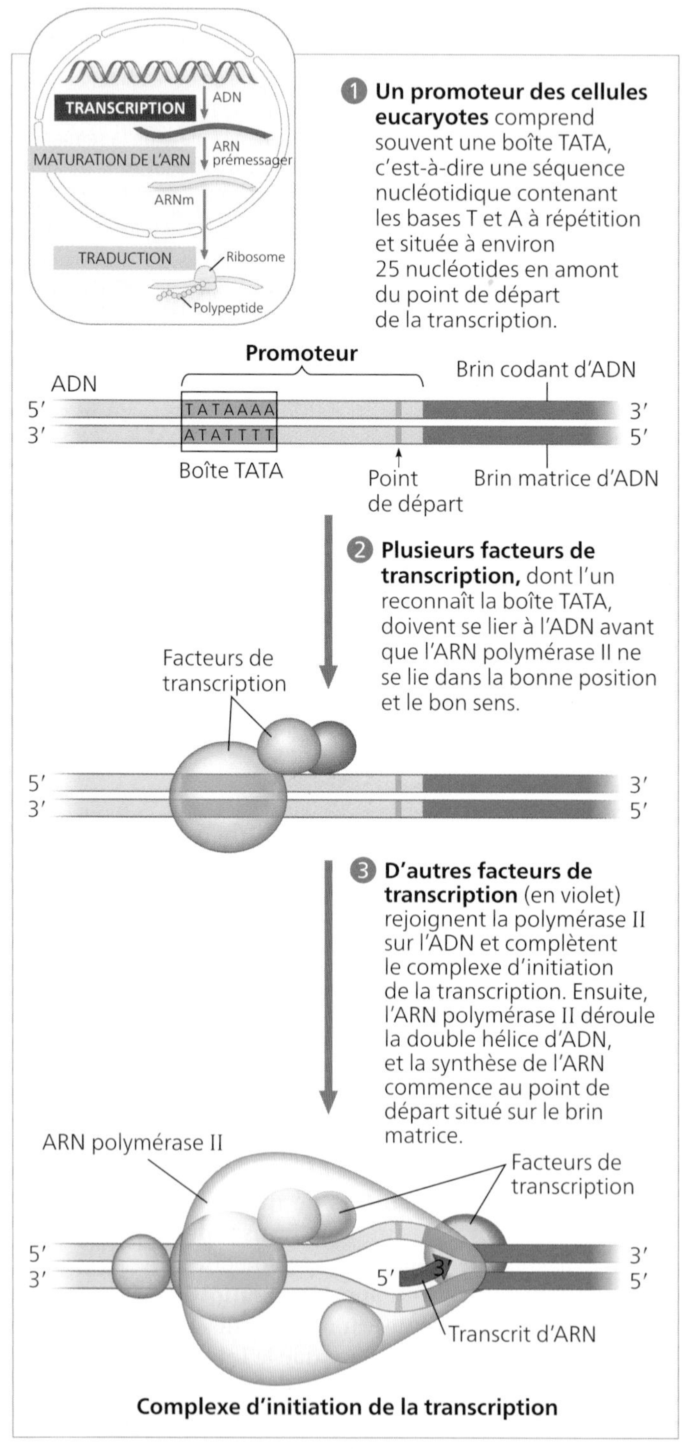

? Expliquez en quoi l'interaction de l'ARN polymérase avec le promoteur serait différente si l'initiation de la transcription chez les bactéries était représentée dans la figure.

surviennent au cours de l'appariement des paires de bases. Dans le prolongement de la synthèse du polypeptide qui progresse, la nouvelle molécule d'ARN se détache progressivement du brin matrice d'ADN et la double hélice d'ADN se reconstitue. Chez les eucaryotes, la vitesse de progression de la transcription est d'environ 40 nucléotides par seconde. Chez les procaryotes, l'ARN polymérase est légèrement plus rapide, progressant au rythme de 50 à 100 nucléotides par seconde.

Un même gène peut être transcrit simultanément par plusieurs molécules d'ARN polymérase, qui se suivent tel un convoi de camions. De chaque molécule émerge un nouveau filament d'ARN en formation: sa longueur reflète la distance parcourue par l'enzyme sur le brin matrice depuis le point de départ (voir les molécules d'ARNm à la figure 17.23). La transcription simultanée d'un même gène par un grand nombre de molécules de polymérase accroît le nombre d'ARNm fabriqués; cela permet à la cellule de produire la protéine correspondante en grande quantité.

La terminaison de la transcription

Il existe certaines différences dans le mécanisme de la terminaison de la transcription entre les bactéries et les organismes eucaryotes. Chez les bactéries, la transcription se poursuit jusqu'au terminateur dans l'ADN. Le terminateur transcrit (une séquence d'ARN) joue le rôle de signal de terminaison: lorsqu'elle atteint cet endroit, l'ARN polymérase se détache de l'ADN et libère le transcrit, qui ne requiert généralement pas d'autres modifications avant la traduction. Par contre, dans la cellule eucaryote, l'ARN polymérase II transcrit une séquence sur l'ADN, appelée séquence de polyadénylation, qui code pour un signal de polyadénylation (AAUAAA) dans l'ARN prémessager. On dit qu'il s'agit d'un signal, car, dès sa formation, cette séquence de six nucléotides d'ARN se lie immédiatement à certaines protéines situées dans le noyau. Ensuite, en un point situé de 10 à 35 nucléotides en aval de cette séquence, les protéines séparent le transcrit d'ARN en croissance de la polymérase, libérant l'ARN prémessager. L'ARN prémessager subit alors la maturation, un sujet que nous aborderons dans la prochaine section. Même si cette séparation marque la fin de l'ARN prémessager, la transcription de l'ARN polymérase II se poursuit sur l'ADN matrice. Les enzymes commencent à dégrader l'ARN de la polymérase à partir de l'extrémité 5′ nouvellement exposée. L'ARN polymérase continue son processus de transcription, tout en étant poursuivie par les enzymes de dégradation. Quand ces enzymes rattrapent l'ARN polymérase, cette dernière est forcée de se dissocier de l'ADN matrice.

▼ **Figure 17.10 L'élongation de la transcription.** L'ARN polymérase se déplace le long du brin matrice de l'ADN, liant les nucléotides complémentaires de l'ARN à l'extrémité 3′ du transcrit d'ARN en formation. Dans le prolongement de la polymérase, la nouvelle molécule d'ARN se détache progressivement du brin matrice, qui reconstitue la double hélice avec le brin codant.

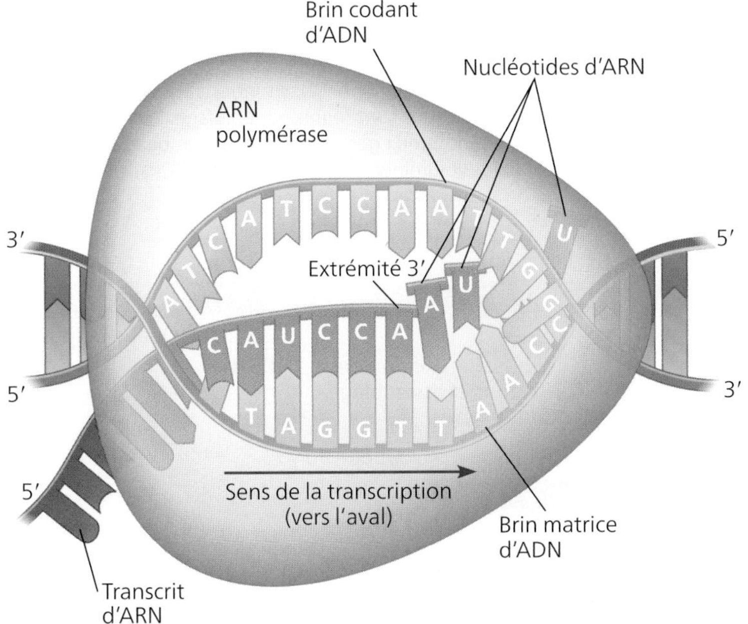

RETOUR SUR LE CONCEPT 17.2

1. Qu'est-ce qu'un promoteur ? Où est-il situé: en amont ou en aval de l'unité de transcription ?
2. Qu'est-ce qui permet à l'ARN polymérase de commencer à transcrire un gène au bon site sur l'ADN, dans une cellule bactérienne ? Dans une cellule eucaryote ?
3. ET SI ? ▶ Supposons que des rayons X modifient la séquence dans la boîte TATA du promoteur d'un gène particulier. Comment cela influera-t-il sur la transcription du gène ? (Voir la figure 17.9.)

Voir les réponses proposées à l'appendice A.

CONCEPT 17.3

Dans les cellules eucaryotes, l'ARN est modifié après avoir été transcrit

Dans le noyau de la cellule eucaryote, des enzymes apportent des modifications spécifiques à l'ARN prémessager avant que l'information génétique ne soit envoyée vers le cytoplasme. Pendant cette **maturation de l'ARN**, les deux extrémités du transcrit primaire subissent des modifications. Ensuite, dans la plupart des cas, certaines parties de l'intérieur de la molécule d'ARN sont excisées, et les parties restantes sont réunies. Ces transformations produisent une molécule d'ARNm prête pour la traduction.

La modification des extrémités de l'ARN prémessager

Chaque extrémité de la molécule d'ARN prémessager subit une transformation (**figure 17.11**). L'extrémité 5′, qui est synthétisée en premier, reçoit une **coiffe 5′**, une forme modifiée d'un nucléotide de guanine (G) ajoutée à l'extrémité 5′ après la transcription des 20 à 40 premiers nucléotides. Quant à l'extrémité 3′ de la molécule d'ARN prémessager, elle est elle aussi modifiée avant que l'ARNm quitte le noyau. Rappelez-vous que l'ARN prémessager est excisé et libéré peu après la transcription du signal de polyadénylation, AAUAAA. À l'extrémité 3′, une enzyme, la

▼ **Figure 17.11 La maturation de l'ARN: l'ajout de la coiffe 5′ et de la queue poly-A.** Dans la cellule eucaryote, les enzymes modifient les deux extrémités de la molécule d'ARN prémessager. Les extrémités ainsi modifiées interviennent dans la sortie de l'ARNm du noyau et contribuent à protéger l'ARN de la dégradation. Lorsque l'ARNm parvient dans le cytoplasme, les extrémités modifiées, conjointement avec certaines protéines cytosoliques, facilitent la liaison aux ribosomes. La coiffe 5′ et la queue poly-A ne sont pas traduites en protéines, ni les séquences appelées séquence 5′ non traduite (5′ UTR) et séquence 3′ non traduite (3′ UTR). Les segments roses sont les introns, que nous décrirons sous peu (voir la figure 17.12).

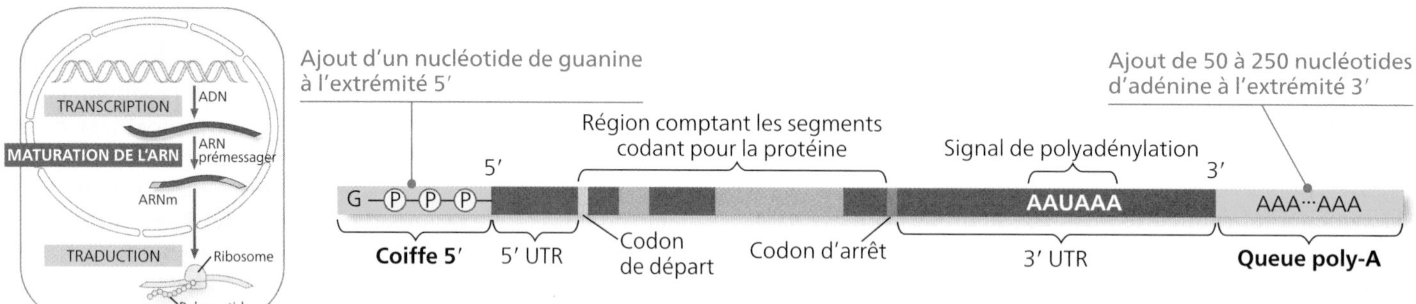

poly-A polymérase, produit alors une **queue poly-A** formée de 50 à 250 nucléotides d'adénine (A). La coiffe 5′ et la queue poly-A ont en commun plusieurs fonctions importantes: premièrement, elles semblent faciliter le transport de l'ARNm mature vers l'extérieur du noyau; deuxièmement, elles contribuent à protéger l'ARNm de la dégradation par les enzymes hydrolytiques; et troisièmement, elles facilitent la fixation des ribosomes à l'extrémité 5′ de l'ARNm lorsque celui-ci parvient dans le cytoplasme. La figure 17.11 illustre également les séquences non traduites (UTR: *UnTranslated Region*, en anglais) aux extrémités 5′ et 3′ de l'ARNm (on les désigne par 5′ UTR et 3′ UTR). Ces séquences sont des parties de l'ARNm qui ne seront pas traduites en protéines; par contre, elles remplissent d'autres fonctions, comme la liaison aux ribosomes.

Les gènes discontinus et l'épissage de l'ARN

Dans le noyau de la cellule eucaryote, une étape étonnante de la maturation de l'ARN est l'**épissage de l'ARN** (**figure 17.12**). Durant ce processus, qui s'apparente au montage d'une bande vidéo, une grande partie des molécules d'ARN sont éliminées, alors que les parties restantes sont reliées. La longueur moyenne d'une unité de transcription d'une molécule d'ADN d'humain est d'environ 27 000 nucléotides, comme celle du transcrit primaire d'ARN. Cependant, environ 1 200 nucléotides dans l'ARN suffisent à coder pour une protéine de taille moyenne de 400 acides aminés (souvenez-vous que chaque acide aminé est codé par un *triplet* de nucléotides). La plupart des gènes d'eucaryotes et leurs transcrits d'ARN ont donc de longues séquences nucléotidiques non codantes qui échappent à la traduction. Ce qui est encore plus surprenant, c'est que la plupart de ces séquences sont dispersées entre les segments codants d'un gène, donc entre les segments codants de l'ARN prémessager. Autrement dit, chez les eucaryotes, la séquence de nucléotides d'ADN qui détient le message génétique correspondant à un polypeptide n'est généralement pas continue; elle est séparée en segments. Les segments d'acide nucléique qui *int*errompent la séquence codante sont appelés **introns**. Chaque intron peut contenir plusieurs centaines, voire quelques milliers de nucléotides, et il y aurait une dizaine d'introns par gène. Quant aux régions codantes, elles sont appelées **exons**, parce qu'elles sont destinées à être *ex*primées: habituellement, elles sont traduites en des séquences d'acides aminés. (Les UTR des exons, situées aux extrémités de l'ARN, font exception: elles font partie de

▼ **Figure 17.12 La maturation de l'ARN: l'épissage.** La molécule d'ARN illustrée ici code pour la β-globine, un des polypeptides de l'hémoglobine. Les nombres qui figurent sous l'ARN correspondent à des codons. La β-globine est longue de 146 acides aminés. Le gène et son transcrit d'ARN prémessager possèdent trois exons, correspondant à des séquences qui vont quitter le noyau sous forme d'ARNm. (La 5′ UTR et la 3′ UTR font partie des exons parce qu'elles sont incluses dans l'ARNm. Cependant, elles ne codent pas pour des protéines.) Pendant la maturation de l'ARN, les introns sont excisés et les exons sont réunis par épissage. Dans de nombreux gènes, les introns sont beaucoup plus volumineux que les exons.

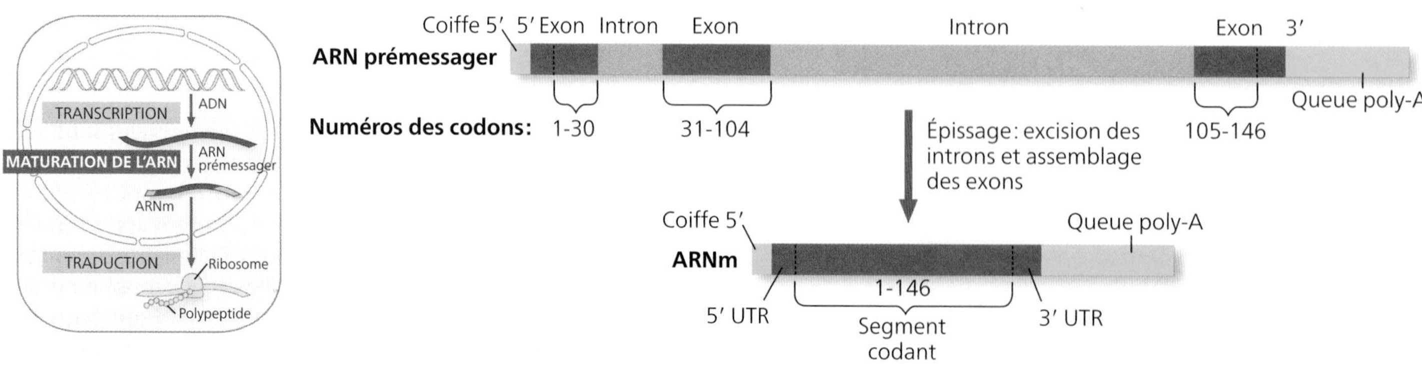

FAITES UN DESSIN ▶ Sur l'ARNm, indiquez où se trouvent les codons de départ et d'arrêt.

l'ARNm, mais ne sont pas traduites en protéines. Par conséquent, il est utile de se souvenir que les exons sont les séquences de l'ARN qui parviennent à l'*extérieur* du noyau.) Les termes *intron* et *exon* s'appliquent à la fois aux séquences de l'ARN et à celles de l'ADN qui leur correspondent.

Lors de la synthèse du transcrit primaire à partir d'un gène, l'ARN polymérase II transcrit les introns et les exons de l'ADN. Toutefois, la molécule d'ARNm ne parvient dans le cytoplasme qu'après avoir été tronquée. Les introns sont retirés de la molécule, et les exons sont réunis par épissage, de sorte que la molécule d'ARNm ne comporte plus qu'une seule séquence codante continue. C'est ce processus d'excision et de réarrangement de l'ARN prémessager que l'on nomme **épissage**.

Comment l'épissage de l'ARN prémessager se déroule-t-il? L'excision des introns est assurée par le **complexe d'épissage** (ou splicéosome), un important complexe constitué de protéines et de petites molécules d'ARN. Ce complexe se lie à plusieurs courtes séquences de nucléotides le long d'un intron, y compris les séquences clés situées à chaque extrémité (**figure 17.13**). L'intron est ensuite libéré (et rapidement dégradé), et le complexe d'épissage réunit les deux exons qui le bordaient. Il s'avère qu'en plus d'intervenir dans l'assemblage du complexe d'épissage et dans la reconnaissance des sites d'épissage, les petites molécules d'ARN de ce complexe catalysent également le processus d'épissage lui-même.

Les ribozymes

L'ARN peut jouer le rôle d'une enzyme. C'est par exemple le cas de l'ARN ribosomal, qui peut catalyser l'excision de ses propres introns; ces ARN catalytiques sont nommés ribozymes.

POUR APPROFONDIR ■ L'idée selon laquelle le petit ARN nucléaire a une fonction catalytique dans le complexe d'épissage est née de la découverte des **ribozymes**, des molécules d'ARN agissant comme des enzymes. Chez certains organismes, il arrive que l'épissage de l'ARN prémessager se déroule en l'absence de toute protéine et même de toute autre molécule d'ARN, parce que l'ARN de l'intron joue le rôle de ribozyme et catalyse lui-même sa propre excision! Par exemple, chez le protiste cilié *Tetrahymena*, il y a autoépissage lors de la production d'ARN ribosomique (ARNr), un composant des ribosomes. En fait, l'ARN préribosomique libère ses propres introns. La découverte des ribozymes a donc rendu caduc le principe voulant que tous les catalyseurs biologiques soient des protéines.

Grâce à trois propriétés de l'ARN, certaines molécules d'ARN ont la capacité de jouer le rôle d'enzymes. Premièrement, la structure monocaténaire (à simple brin) de l'ARN permet aux bases d'une région de la molécule d'ARN de s'apparier, selon un arrangement antiparallèle, avec celles d'une région complémentaire située ailleurs dans la même molécule; cela confère une structure tridimensionnelle particulière à la molécule d'ARN. Cette structure tridimensionnelle est essentielle au rôle de catalyseur des ribozymes, tout comme pour les protéines enzymatiques. Deuxièmement, à l'instar de certains acides aminés dans une protéine enzymatique, certaines bases dans l'ARN comportent des groupements fonctionnels qui peuvent participer à la catalyse. Troisièmement, la capacité de l'ARN à former des liaisons hydrogène avec d'autres molécules d'acides nucléiques (soit l'ARN, soit l'ADN) ajoute de la spécificité à son activité catalytique. Par exemple, l'association par appariement de bases complémentaires entre l'ARN du complexe d'épissage et l'ARN d'un transcrit d'ARN primaire permet une localisation précise de la région où le ribozyme catalyse l'épissage. Plus loin dans le présent chapitre, vous apprendrez comment ces propriétés particulières confèrent également à l'ARN la capacité de jouer des rôles non catalytiques importants dans la cellule, comme la reconnaissance des codons à trois nucléotides sur l'ARNm. ■

▼ Figure 17.13 L'épissage de l'ARN prémessager par un complexe d'épissage. Ce schéma montre une partie du transcrit d'ARN prémessager ainsi qu'un intron (pâle) bordé de deux exons (foncés). De petites molécules d'ARN situées dans le complexe d'épissage s'apparient à des nucléotides positionnés à des endroits précis le long de l'intron. Ensuite, les petites molécules d'ARN de ce complexe catalysent la coupure de l'ARN prémessager ainsi que l'assemblage des exons. Cet épissage libère l'intron, qui est alors rapidement dégradé.

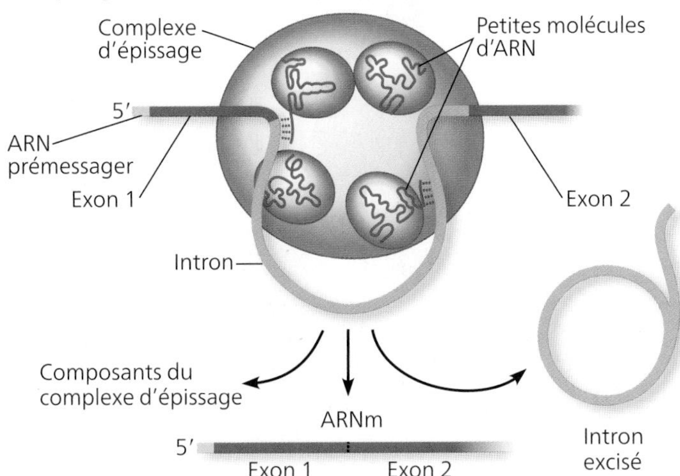

L'importance des introns du point de vue de la fonction et de l'évolution

ÉVOLUTION L'épissage de l'ARN et la présence des introns constituent-ils ou non des avantages de sélection au cours de l'histoire évolutive? Cette question est toujours matière à débat. Quoi qu'il en soit, il est instructif de considérer leurs possibles avantages adaptatifs. La plupart des introns ne semblent pas exercer de fonctions spécifiques, mais au moins certains d'entre eux contiennent des séquences qui assurent la régulation de l'expression génétique, et la plupart influent sur les produits des gènes.

La présence des introns dans les gènes a une conséquence importante: ils permettent à un même gène de coder pour plusieurs polypeptides différents. On sait que de nombreux gènes, que l'on nomme parfois *gènes en mosaïque*, mènent à la synthèse de deux chaînes polypeptidiques différentes ou plus, selon les segments traités comme des exons pendant la maturation de l'ARN. Ce phénomène est appelé **épissage différentiel** de l'ARN, ou encore épissage alternatif (voir la figure 18.13). Grâce à ce processus d'épissage différentiel, des cellules peuvent produire des protéines qui varient légèrement selon le type de tissu où le gène présent, ou selon le stade de développement de l'organisme. Les résultats du Projet génome humain (dont il est question au concept 21.1) permettent de penser que l'épissage différentiel de l'ARN est l'une des raisons qui font que les humains possèdent à peu près le même nombre de gènes qu'un nématode (ver rond).

L'épissage différentiel de l'ARN explique également pourquoi un organisme produit un nombre de protéines différentes beaucoup plus élevé que le nombre de ses gènes.

Les protéines ont souvent une architecture modulaire comportant des régions structurales et fonctionnelles discontinues, appelées **domaines**. Par exemple, un des domaines d'une protéine enzymatique peut comprendre le site actif de celle-ci, alors qu'un autre permet à l'enzyme de se fixer à une membrane cellulaire. Dans bon nombre de cas, différents exons codent pour chacun des domaines d'une protéine donnée (**figure 17.14**).

Par ailleurs, il se pourrait que la présence des introns dans un gène favorise l'apparition de nouvelles protéines utiles grâce à un processus appelé *échange ou brassage d'exons* (voir la figure 21.16). Les introns rendraient plus probables les enjambements entre les exons des allèles d'un gène (par la simple création de nouveaux sites possibles d'enjambement sans interruption des séquences codantes). Il en résulterait de nouvelles combinaisons d'exons et de protéines présentant des modifications de leur structure et de leur fonction. On peut également imaginer que des exons puissent se mélanger sur un même gène ou s'intégrer à des gènes complètement différents. Ces deux sortes d'échanges peuvent mener à l'apparition de protéines ayant des fonctions nouvelles. Alors que la plupart des échanges ou brassages n'aboutissent pas à des changements positifs, il arrive qu'une variante génétique bénéfique apparaisse.

▼ **Figure 17.14 La correspondance entre les exons et les domaines des protéines.**

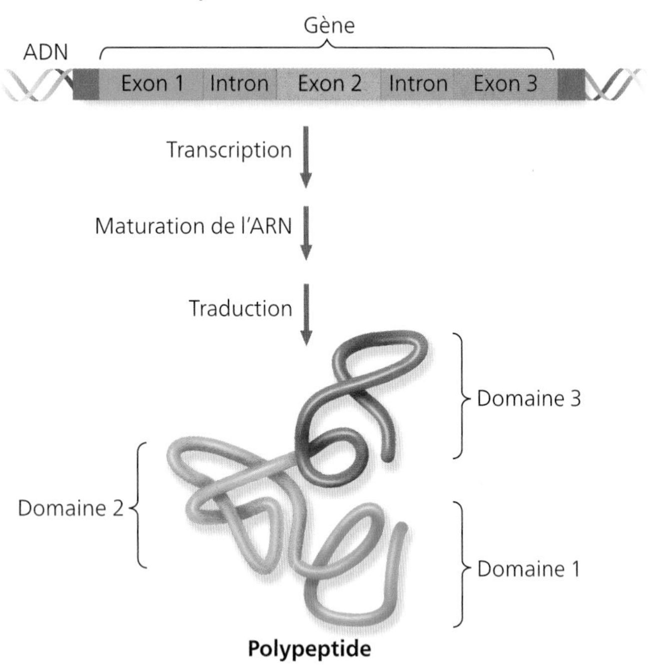

RETOUR SUR LE CONCEPT 17.3

1. On compte environ 20 000 gènes humains codant pour des protéines. Comment les cellules humaines peuvent-elles alors produire de 75 000 à 100 000 protéines différentes ?
2. En quoi l'épissage de l'ARN ressemble-t-il au visionnement d'une émission de télévision préalablement enregistrée ? Dans cette analogie, à quoi pourraient correspondre les introns ?
3. **ET SI ?** ▶ Si on traitait des cellules avec un agent qui enlève la coiffe des ARNm, quelles seraient les conséquences ?

Voir les réponses proposées à l'appendice A.

CONCEPT **17.4**

La traduction est la synthèse d'un polypeptide à partir de l'ARN messager: *une étude détaillée*

Nous allons étudier maintenant la traduction, c'est-à-dire le mode de transmission de l'information génétique de l'ARNm à la protéine (**figure 17.5**). Nous nous intéresserons avant tout aux principales étapes de la traduction chez les bactéries et les organismes eucaryotes, tout en soulignant les différences essentielles qui existent entre ces deux groupes.

▼ **Figure 17.15 Le concept de base de la traduction.** Les codons sont traduits en acides aminés un par un, à mesure que la molécule d'ARNm traverse le ribosome. Ce sont des molécules d'ARNt qui les traduisent ou les interprètent. Chaque type d'ARNt porte un anticodon donné à une de ses extrémités et un acide aminé correspondant à l'autre extrémité. Lorsque son anticodon se lie à un codon complémentaire situé sur l'ARNm, l'ARNt ajoute son acide aminé à l'extrémité de la chaîne polypeptidique en cours de synthèse. Il y a une relation de spécificité entre l'anticodon et l'acide aminé que l'ARNt transporte.

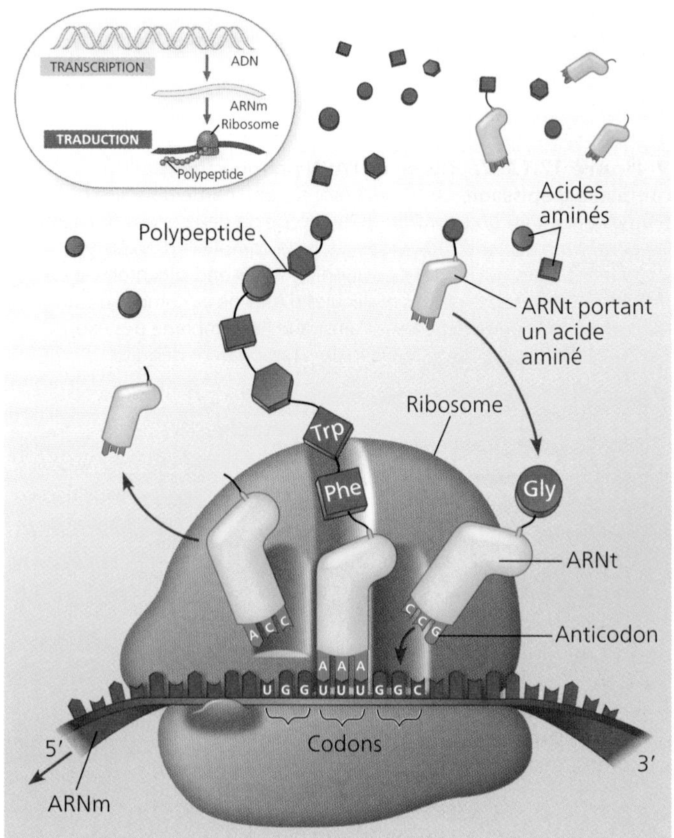

Les composants moléculaires de la traduction

Au cours de la traduction, la cellule construit une protéine à partir des instructions qu'elle « lit » dans le message génétique. Ce message consiste en une série de codons alignés sur une molécule d'ARNm, et le traducteur est une molécule d'ARN d'un autre type, qui porte le nom d'**ARN de transfert** (**ARNt**). Cet ARN a pour fonction d'acheminer des molécules d'acides aminés présentes dans le cytosol vers un polypeptide en cours de synthèse dans un ribosome. Il faut savoir que la cellule garde en réserve une quantité des 20 acides aminés dans son cytosol, soit en les synthétisant à partir d'autres composés, soit en les prélevant dans la solution entourant la cellule. Le ribosome, une structure constituée de protéines et d'ARN, ajoute les acides aminés que chacun des ARNt lui apporte à l'extrémité de la chaîne polypeptidique en cours de synthèse (figure 17.15).

Dans son principe, la traduction est simple; en réalité, elle repose sur des phénomènes biochimiques et des mécanismes complexes, notamment chez les cellules eucaryotes. Nous allons l'analyser plus en détail en nous intéressant avant tout à ce qui se produit chez les bactéries, où le mécanisme est un peu plus simple. Nous verrons d'abord quels sont les principaux acteurs dans ce processus cellulaire, et ensuite comment ils agissent conjointement pour fabriquer un polypeptide.

La structure et la fonction de l'ARN de transfert

Le fait que les molécules d'ARNt ne sont pas toutes identiques constitue la clé de la traduction du message génétique en une séquence d'acides aminés. Chacun de ces ARNt permet la traduction d'un codon spécifique de l'ARNm en un acide aminé particulier. Tout cela est possible parce que chaque ARNt porte un acide aminé précis à une extrémité de sa structure tridimensionnelle, alors que son autre extrémité porte un triplet de nucléotides qui s'apparie au codon complémentaire sur l'ARNm.

La molécule d'ARNt est formée d'un seul brin d'ARN dont la longueur ne dépasse pas 80 nucléotides environ. (Par comparaison, la plupart des molécules d'ARNm contiennent des centaines de nucléotides.) À cause de la présence de séquences de bases nucléotidiques complémentaires qui peuvent s'associer les unes aux autres par des liaisons hydrogène, ce brin d'ARN se replie sur lui-même et forme une molécule dont la structure est tridimensionnelle. Si l'on représente la molécule d'ARNt à plat pour montrer l'emplacement des zones d'appariement des bases, on voit qu'elle prend la forme d'une feuille de trèfle (**figure 17.16a**). Cependant, en réalité, l'ARNt se tord et se replie de façon à former une structure tridimensionnelle compacte, qui ressemble vaguement à un L inversé (**figure 17.16b**), les extrémités 5′ et 3′ de l'ARNt linéaire étant toutes deux réunies près d'une extrémité de la structure (correspondant au bras court du L). L'extrémité 3′ proéminente agit en tant que site de fixation d'un acide aminé. La boucle qui dépasse à l'extrémité de la partie longue du L inversé porte l'**anticodon** (soit le triplet de bases spécialisé qui se lie à un codon d'ARNm spécifique). La structure de l'ARNt reflète donc sa fonction.

Par convention, on écrit les anticodons dans le sens 3′ → 5′ pour pouvoir les aligner avec les codons, qui sont écrits dans le sens 5′ → 3′ (voir la figure 17.15). Pour que les bases azotées puissent s'apparier, il faut que les brins d'ARN soient antiparallèles, comme dans le cas de l'ADN. Prenons, par exemple, le codon d'ARNm 5′-GGC-3′, qui commande l'acide aminé glycine. L'ARNt qui se lie à ce codon par des liaisons hydrogène porte l'anticodon 3′-CCG-5′ à une de ses extrémités et la glycine à l'autre (voir l'ARNt qui s'approche du ribosome dans la figure 17.15). Lorsque la molécule d'ARNm avance à travers le ribosome, une glycine est ajoutée à l'extrémité de la chaîne polypeptidique chaque fois que le codon 5′-GGC-3′ se présente au

▼ **Figure 17.16 La structure de l'ARN de transfert (ARNt).**

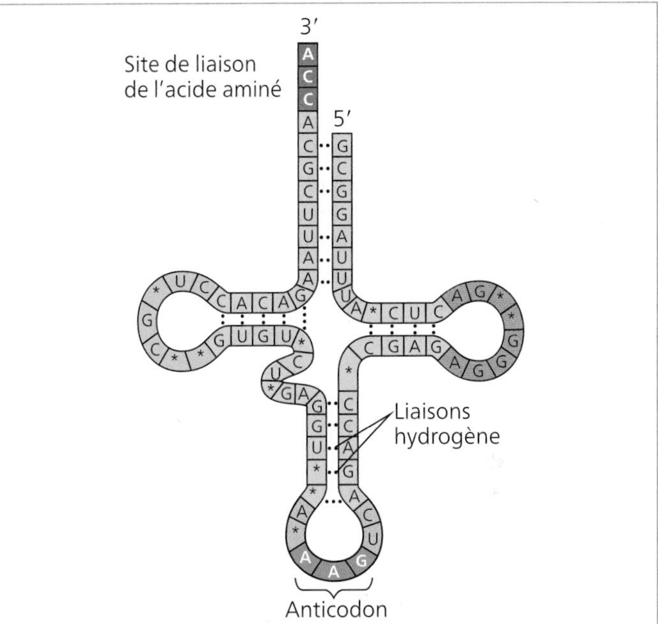

(a) Structure bidimensionnelle. Tous les ARNt possèdent la même structure composée de quatre bras comportant des bases appariées, qui délimitent trois boucles, et d'une même séquence de bases au site de liaison de l'acide aminé à l'extrémité 3′. Le triplet de l'anticodon varie selon le type d'ARN, tout comme certaines séquences dans les deux autres boucles. (Les astérisques désignent des bases ayant subi une modification chimique qui les a rendues différentes de A, C, G ou U [pseudo-uracile, inosine, etc.]; il s'agit d'une caractéristique propre aux ARNt. Les bases modifiées contribuent à la fonction de l'ARNt d'une manière qui n'est pas encore comprise.)

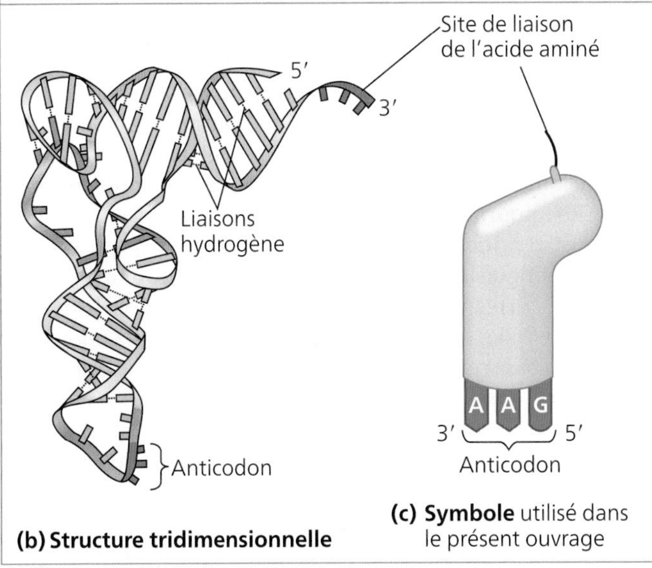

(b) Structure tridimensionnelle

(c) Symbole utilisé dans le présent ouvrage

HABILETÉS VISUELLES ▶ Examinez l'ARNt présenté dans cette figure. Indiquez à quel codon l'anticodon se lierait et quel acide aminé il transporterait.

site de traduction. Notons que les ARNt traduisent le message génétique un codon à la fois : ils déposent les acides aminés dans l'ordre requis, et le ribosome les ajoute à la chaîne. La molécule d'ARNt est un traducteur au sens où, grâce au contexte du ribosome, elle lit un mot (le codon) de l'ARNm et l'interprète en termes de protéine (en acides aminés).

À l'instar de l'ARNm et des autres types d'ARN de la cellule, les molécules d'ARNt sont transcrites à partir de matrices d'ADN. Dans la cellule eucaryote, l'ARNt, tout comme l'ARNm, est produit dans le noyau et doit passer de celui-ci au cytoplasme, où il participera au processus de traduction. Que ce soit dans les cellules bactériennes ou eucaryotes, chaque molécule d'ARNt sert de nombreuses fois : elle se lie d'abord à l'acide aminé qui lui correspond dans le cytosol ; elle le cède ensuite à une chaîne polypeptidique au ribosome, puis elle quitte ce dernier pour aller chercher un nouvel acide aminé identique dans le cytosol.

La traduction exacte du message génétique nécessite une double reconnaissance moléculaire. Premièrement, un ARNt qui s'associe à un codon d'ARNm commandant un acide aminé précis ne doit pouvoir apporter que cet acide aminé au ribosome, et aucun autre. L'appariement correct de l'ARNt et de l'acide aminé est effectué par une famille d'enzymes apparentées nommées **aminoacyl-ARNt synthétases** (**figure 17.17**). Le site actif de chaque type d'enzyme ne peut former qu'une seule combinaison d'acide aminé et d'ARNt. Il existe 20 types d'aminoacyl-ARNt synthétase dans la cellule, soit une par sorte d'acide aminé. Une synthétase lie un acide aminé donné à un ARNt approprié ; une seule synthétase peut lier chacun des différents ARNt correspondant à un acide aminé spécifique. L'aminoacyl-ARNt synthétase catalyse la liaison covalente d'un acide aminé et de son ARNt suivant un processus alimenté par l'hydrolyse d'ATP. Le complexe acide aminé-ARNt ainsi formé (aussi appelé ARNt chargé) se détache ensuite de l'enzyme et est alors prêt à ajouter son acide aminé au bout d'une chaîne polypeptidique en cours de formation sur un ribosome.

Deuxièmement, l'anticodon d'un ARNt doit s'apparier avec le codon approprié d'un ARNm. Des expériences ont montré que même si on modifie l'acide aminé porté par un ARNt, cela ne change pas l'appariement de l'ARNt et de l'ARNm : l'ARNt se placera toujours sur l'ARNm à l'endroit où devrait se lier l'acide aminé original, car c'est l'anticodon que porte l'ARNt et non son acide aminé qui dicte l'appariement. Si un ARNt différent correspondait à chaque codon d'ARNm commandant un acide aminé, il y aurait 61 ARNt (voir la figure 17.6). Chez les bactéries, on n'en compte toutefois qu'environ 45, ce qui signifie que certains ARNt pourraient se lier à plus d'un codon. Une telle souplesse est rendue possible parce que les règles qui dictent l'appariement de la troisième base nucléotidique d'un codon et de la base correspondante de l'anticodon d'ARNt sont plus souples que celles qui régissent d'autres positions de codons. Par exemple, la base nucléotidique U à l'extrémité 5′ d'un anticodon d'ARNt peut s'associer soit à la base A, soit à la base G en troisième position (à l'extrémité 3′) d'un codon d'ARNm. Cet appariement flexible des bases à cette position des codons est appelé **oscillation**. Le phénomène d'oscillation permet d'expliquer pourquoi les codons synonymes, codant pour un même acide aminé, ne diffèrent souvent que par leur troisième base nucléotidique. Par exemple, un ARNt avec l'anticodon 3′-UCU-5′ peut s'apparier aussi bien avec le codon 5′-AGA-3′ que 5′-AGG-3′ de l'ARNm, les deux codant pour l'arginine (voir la figure 17.6).

▼ **Figure 17.17 L'appariement spécifique des acides aminés et de leur ARNt par l'aminoacyl-ARNt synthétase.** La formation d'une liaison entre l'ARNt et son acide aminé est un processus endergonique. Au cours de la réaction, l'ATP perd deux groupements phosphate et se transforme en AMP (adénosine monophosphate).

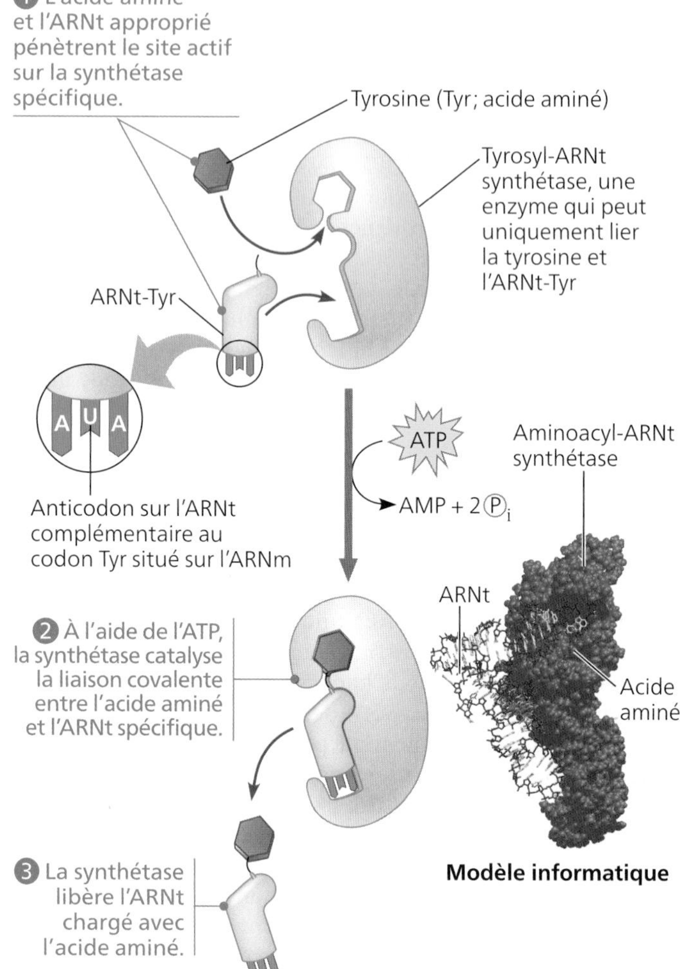
❶ L'acide aminé et l'ARNt approprié pénètrent le site actif sur la synthétase spécifique.
Tyrosine (Tyr ; acide aminé)
Tyrosyl-ARNt synthétase, une enzyme qui peut uniquement lier la tyrosine et l'ARNt-Tyr
ARNt-Tyr
A U A
Anticodon sur l'ARNt complémentaire au codon Tyr situé sur l'ARNm
ATP
AMP + 2Ⓟi
Aminoacyl-ARNt synthétase
ARNt
Acide aminé
❷ À l'aide de l'ATP, la synthétase catalyse la liaison covalente entre l'acide aminé et l'ARNt spécifique.
❸ La synthétase libère l'ARNt chargé avec l'acide aminé.
Modèle informatique

La structure des ribosomes et leur fonction

Les ribosomes permettent l'appariement des anticodons d'ARNt avec les codons d'ARNm au cours de la synthèse des protéines. Un ribosome est formé d'une grande sous-unité et d'une petite sous-unité. Chacune d'elles est constituée de protéines et d'un ou de plusieurs **ARN ribosomiques** (**ARNr**). Chez les eucaryotes, les sous-unités sont produites dans le nucléole, une région du noyau un peu plus dense (ce qui la rend visible au microscope photonique dans certaines conditions). Les gènes de l'ARN ribosomique sont transcrits, puis subissent une maturation et les ARNr sont assemblés avec des protéines importées du cytosol. Les sous-unités ribosomiques ainsi fabriquées sont ensuite exportées dans le cytosol par les pores nucléaires. Chez tous les organismes, la petite et la grande sous-unité ne s'unissent pour former un ribosome fonctionnel qu'au moment où elles se fixent à une molécule d'ARNm. Près du tiers de la masse d'un ribosome est constitué de protéines ; le reste se compose de trois molécules d'ARNr chez les bactéries et de quatre chez les eucaryotes. Comme la plupart des cellules contiennent des milliers de ribosomes, l'ARNr est le type d'ARN cellulaire le plus abondant.

Si les ribosomes des cellules bactériennes et eucaryotes ont une structure et des fonctions très semblables, ceux des eucaryotes sont un peu plus gros, et leur composition moléculaire est quelque peu différente. Cette différence est importante du point de vue médical pour lutter contre les infections causées par les bactéries. En effet, il est possible d'utiliser des antibiotiques, dont la tétracycline et la streptomycine, qui paralysent les ribosomes des cellules bactériennes sans nuire aux ribosomes eucaryotes.

La structure d'un ribosome reflète sa fonction, qui est de rapprocher un ARNm des ARNt porteurs d'acides aminés. Chaque ribosome comprend, outre un site de liaison à l'ARNm, trois sites de liaison à l'ARNt (**figure 17.18**). Le **site P** (site de liaison du **p**eptidyl-ARNt) retient l'ARNt qui porte la chaîne polypeptidique en cours de synthèse. Le **site A** (site de liaison de l'**a**minoacyl-ARNt) retient l'ARNt portant le prochain acide aminé qui viendra se joindre à la chaîne. C'est à partir du **site E** (site de sortie, ***exit***) que l'ARNt quitte le ribosome. L'ensemble des sites du ribosome permet de rapprocher les ARNt et l'ARNm, de placer le nouvel acide aminé de façon à l'ajouter à l'extrémité carboxyle du polypeptide en cours de synthèse et de catalyser ensuite la formation de la liaison peptidique. Le polypeptide, qui continue de s'allonger, émerge alors par un *tunnel de sortie* dans la grande sous-unité ribosomique. Une fois sa synthèse terminée, c'est par cet orifice que le polypeptide rejoint le cytosol.

D'après le modèle généralement accepté, la structure et la fonction des ribosomes relèvent principalement de l'ARNr plutôt que des protéines ribosomales. Les protéines, principalement localisées en périphérie du ribosome, assistent les molécules d'ARNr dans leur modification de structure lorsqu'elles effectuent la catalyse au cours de la traduction. L'ARN ribosomique est le principal composant des sites A et P ainsi que de l'interface entre les deux sous-unités. C'est également lui qui catalyse la formation de la liaison peptidique. On peut donc considérer le ribosome comme un énorme ribozyme!

La synthèse d'un polypeptide

La traduction, ou synthèse d'un polypeptide, comprend trois étapes principales: il s'agit de l'initiation, de l'élongation et de la terminaison. Celles-ci ne peuvent se dérouler qu'en présence de «facteurs» protéiques qui les assistent pendant la traduction. Certaines étapes de l'initiation et de l'élongation de la chaîne nécessitent également un apport énergétique fourni par l'hydrolyse de la guanosine triphosphate (GTP).

La liaison au ribosome et l'initiation de la traduction

Chez les bactéries comme chez les eucaryotes, le codon de départ (AUG) précise le point de départ de la traduction; cette étape est déterminante, car elle sert d'assise à la phase de lecture de l'ARNm. Pendant la première étape de la traduction, la petite sous-unité ribosomique s'attache à la fois à un ARNm et à un ARNt spécifique d'initiation qui porte un acide aminé méthionine. Chez les bactéries, la petite sous-unité peut se lier à ces deux acides ribonucléiques dans n'importe quel ordre; elle se fixe à l'ARNm sur une séquence spécifique, juste en amont du codon AUG de départ. Dans l'exercice de la rubrique **Habiletés scientifiques**, vous aurez à travailler avec les séquences d'ADN codant les sites de liaison des ribosomes situés sur l'ARNm d'un groupe de gènes d'*E. coli*. Chez les eucaryotes, la petite sous-unité déjà associée à l'ARNt d'initiation se fixe à la coiffe 5′ de l'ARNm et se déplace

▼ **Figure 17.18 L'anatomie d'un ribosome fonctionnel.**

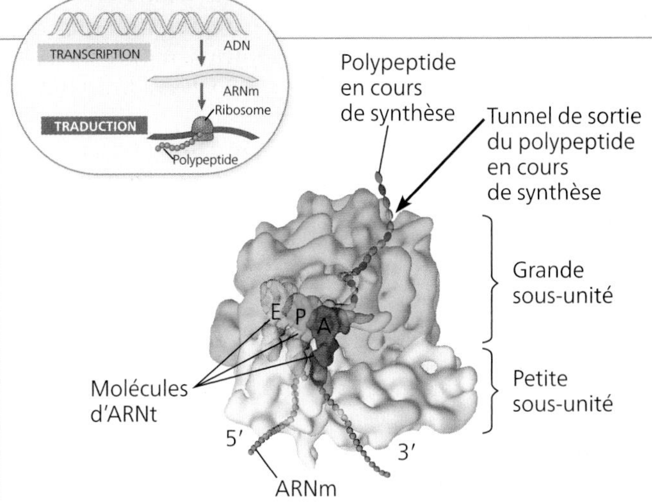

(a) Modèle informatique d'un ribosome fonctionnel. Ce modèle montre la forme générale d'un ribosome bactérien. Les ribosomes des eucaryotes sont à peu près semblables. Chaque sous-unité est un complexe de molécules d'ARN ribosomique et de protéines.

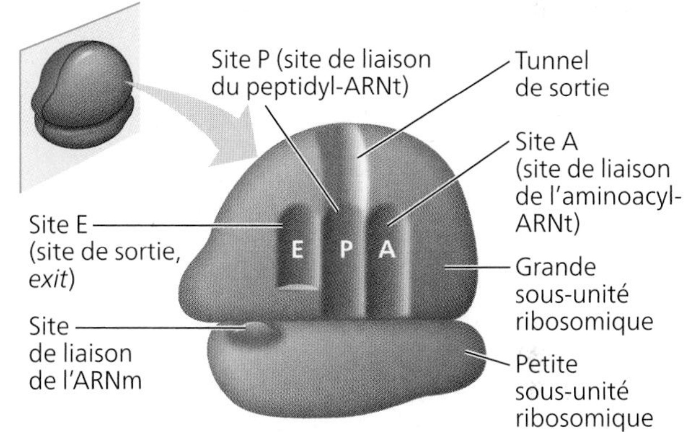

(b) Schéma montrant les sites de liaison. Un ribosome comprend un site de liaison de l'ARNm ainsi que trois sites de liaison de l'ARNt, appelés A, P et E. Nous reverrons ce schéma dans d'autres illustrations.

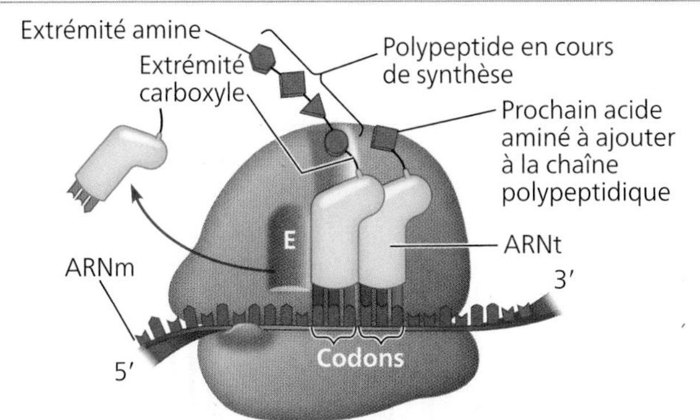

(c) Schéma montrant l'ARNm et l'ARNt en interaction. Un ARNt s'unit à un site de liaison lorsque les bases de son anticodon s'apparient avec celles d'un codon d'ARNm. Le site P retient l'ARNt attaché au polypeptide en cours de synthèse. Le site A retient l'ARNt portant le prochain acide aminé qui s'ajoutera à la chaîne polypeptidique. L'ARNt libéré se détache du ribosome par le site E. C'est par l'extrémité carboxyle (extrémité C-terminale) que s'allonge le polypeptide.

DÉMARCHE SCIENTIFIQUE

HABILETÉS SCIENTIFIQUES

Interpréter un logo de séquence

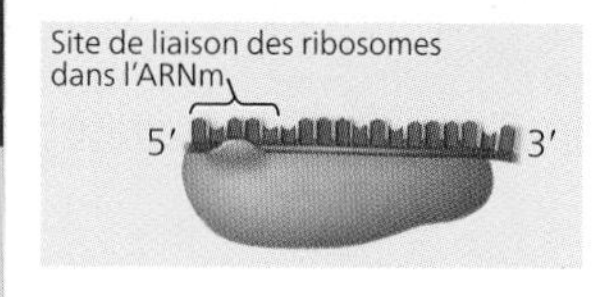

■ **COMMENT PEUT-ON UTILISER UN LOGO DE SÉQUENCE D'ADN POUR CIBLER LES SITES DE LIAISON DES RIBOSOMES SUR LES ARNm D'UNE BACTÉRIE ?** ■ Lorsqu'ils amorcent la traduction, les ribosomes se fixent au site de liaison des ribosomes d'une molécule d'ARNm, en amont du codon de départ AUG. Comme les ARNm des différents gènes se lient tous à un ribosome, il est probable que les gènes qui encodent ces ARNm présentent une séquence de bases comparable au site de liaison des ribosomes. Il est donc possible d'identifier les sites de liaison potentiels des ribosomes sur l'ARNm en comparant les séquences d'ADN (et, par conséquent, les séquences d'ARNm) des différents gènes d'une espèce et en examinant la région en amont du codon de départ afin de déceler les séquences de bases communes (conservées). Dans cet exercice, vous analyserez les séquences d'ADN de différents gènes représentées sous forme de logo de séquence, un outil de représentation graphique.

■ **MÉTHODE** ■ Les séquences d'ADN de 149 gènes du génome d'*E. coli* ont été alignées à l'aide d'un logiciel. L'exercice avait pour but d'identifier des séquences de bases similaires – à l'endroit approprié dans chaque gène – et constituant des sites de liaison potentiels des ribosomes. Plutôt que de présenter les données sous forme de séries de 149 séquences alignées dans une colonne (alignement de séquences), les chercheurs ont créé un logo de séquence.

■ **RÉSULTATS** ■ Afin d'illustrer comment on crée un logo de séquence, nous avons présenté ci-dessous les sites de liaison potentiels des ribosomes de 10 gènes d'*E. coli* dont les séquences ont été alignées, puis dans un logo de séquence réalisé à partir de ces alignements. Il est à noter que la partie de l'ADN qui est présentée ici est le brin d'ADN codant (non transcrit) puisque c'est ainsi que sont généralement présentées les séquences d'ADN.

```
thrA   G G T A A C G A G G T A A C A A C C A T G C G A G T G
lacA   C A T A A C G G A G T G A T C G C A T T G A A C A T G
lacY   C G C G T A A G G A A A T C C A T T A T G T A C T A T
lacZ   T T C A C A C A G G A A A C A G C T A T G A C C A T G
lacI   C A A T T C A G G G T G G T G A A T G T G A A A C C A
recA   G G C A T G A C A G G A G T A A A A A T G G C T A T C
galR   A C C C A C T A A G G T A T T T T C A T G G C G A C C
met J  A A G A G G A T T A A G T A T C T C A T G G C T G A A
lexA   A T A C A C C C A G G G G G C G G A A T G A A A G C G
trpR   T A A C A A T G G C G A C A T A T T A T G G C C C A A
     5′ −18 −17 −16 −15 −14 −13 −12 −11 −10 −9 −8 −7 −6 −5 −4 −3 −2 −1 0 1 2 3 4 5 6 7 8 3′
```

▲ **Alignement des séquences.**

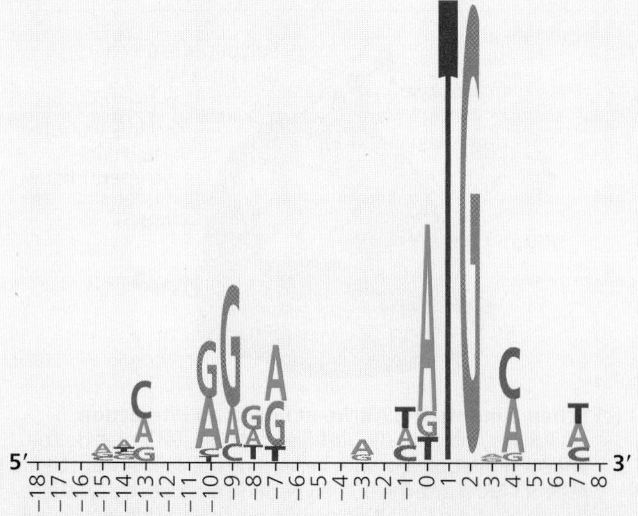

▲ **Logo de séquence.**

INTERPRÉTEZ LES DONNÉES ▼

1. Dans le logo de séquence (en bas, à gauche), l'axe horizontal montre la séquence principale de l'ADN par position nucléotidique. Les lettres correspondant à chacune des bases sont empilées les unes par-dessus les autres selon leur fréquence relative à cette position, parmi les séquences alignées. La hauteur d'une lettre représente la fréquence relative d'une base à cette position. La plus grosse lettre, placée au sommet de chaque pile, indique donc la base la plus fréquente. (a) Dans l'alignement de séquences, comptez le nombre de bases de chaque type à la position −9, puis classez ces bases en ordre décroissant, soit de la plus fréquente à la moins fréquente. Comparez vos résultats à la hauteur et à l'emplacement des bases de chaque type à la position −9 dans le logo. (b) Répétez l'exercice pour les positions 0 et 1.
2. Dans un logo, la hauteur d'une pile de lettres indique la puissance prédictive de cette pile (établie au moyen d'une méthode statistique). Plus une pile est haute, plus il est possible de prévoir avec certitude quelle base occupera cette position dans l'éventualité où une nouvelle séquence serait ajoutée au logo. Par exemple, à la position 2 dans l'alignement de séquences, la lettre G est présente dans les 10 séquences; les chances que la lettre G se trouve dans une nouvelle séquence sont donc très élevées, comme le montre la hauteur de la pile dans le logo de séquence. Lorsqu'une pile est peu élevée, les bases présentent toutes environ la même fréquence. Par conséquent, il est difficile de prévoir quelle base occupera cette position. (a) Examinez le logo de séquence et indiquez quelles sont les deux positions pour lesquelles les bases sont les plus prévisibles. Selon vous, quelles bases occuperont ces positions dans un gène nouvellement séquencé ? (b) Quelles sont les 12 positions pour lesquelles les bases sont le moins prévisibles ? Justifiez votre réponse. Comment cela reflète-t-il les fréquences relatives des bases occupant ces positions dans l'alignement des séquences ? Dans votre réponse, utilisez les deux positions les plus à gauche, parmi les 12 positions, à titre d'exemple.

DÉMARCHE SCIENTIFIQUE

HABILETÉS SCIENTIFIQUES

Interpréter un logo de séquence (*suite*)

3. Dans la véritable expérience, les chercheurs ont utilisé 149 séquences pour créer le logo de séquence présenté ci-dessous. Comme le nombre de données est plus élevé dans un logo de séquence, on y trouve une pile par position, même si cette pile peut être moins élevée. (a) Dans ce logo de séquence, quelles sont les trois positions pour lesquelles les bases sont le plus prévisibles? Nommez les bases les plus fréquentes à chaque position. (b) Quelles sont les quatre positions pour lesquelles les bases sont le moins prévisibles? Justifiez votre réponse.

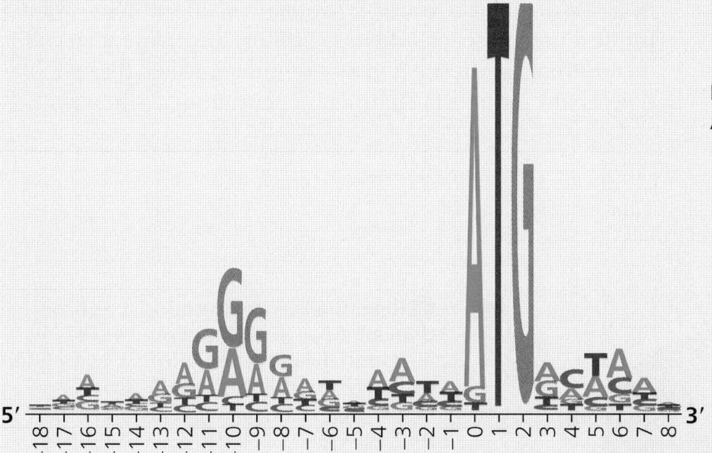

4. Une séquence consensuelle représente la base la plus fréquente à chaque position pour l'ensemble des séquences. (a) Quelle est la séquence consensuelle de ce brin codant d'ADN (non transcrit)? Placez un tiret vis-à-vis des positions pour lesquelles il est impossible de prévoir la base. (b) Entre la séquence consensuelle et le logo de séquence, quelle méthode procure le plus de renseignements? Quels sont les renseignements en moins avec la méthode la moins détaillée?

5. (a) D'après le logo, quelles sont les cinq positions de bases adjacentes dans la région 5′ UTR qui sont le plus susceptibles d'intervenir dans la fixation ribosomique? Expliquez votre réponse. (b) Que représentent les bases aux positions 0 à 2?

Pour en savoir plus: T. D. Schneider et R. M. Stephens, Sequence logos: A new way to display consensus sequences, *Nucleic Acides Research* 18: 6097-6100 (1990).

ensuite sur l'ARNm vers l'aval – elle effectue un *balayage* –, jusqu'à ce qu'elle atteigne le codon d'initiation; l'ARNt d'initiation établit alors des liaisons hydrogène avec le codon AUG de départ.

Par conséquent, les premiers composants à s'associer les uns aux autres pendant la phase d'initiation de la traduction sont l'ARNm, un ARNt portant le premier acide aminé du polypeptide et la petite sous-unité ribosomique (**figure 17.19**). L'union de l'ARNm, de l'ARNt d'initiation et de la petite sous-unité ribosomique est suivie de l'arrivée de la grande sous-unité ribosomique, ce qui achève la constitution du *complexe d'initiation de la traduction*. L'assemblage de tous ces composants ne peut se faire qu'en présence de protéines appelées *facteurs d'initiation*. Pour former un complexe d'initiation, la cellule obtient de l'énergie grâce à l'hydrolyse de la molécule de GTP. À la fin du processus d'initiation, l'ARNt d'initiation se retrouve sur le site P du ribosome, et le site A, vacant, est prêt à recevoir le prochain aminoacyl-ARNt.

▼ **Figure 17.19 L'initiation de la traduction.**

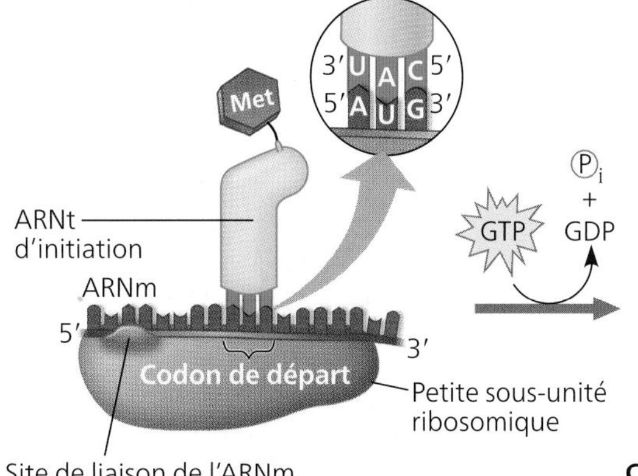

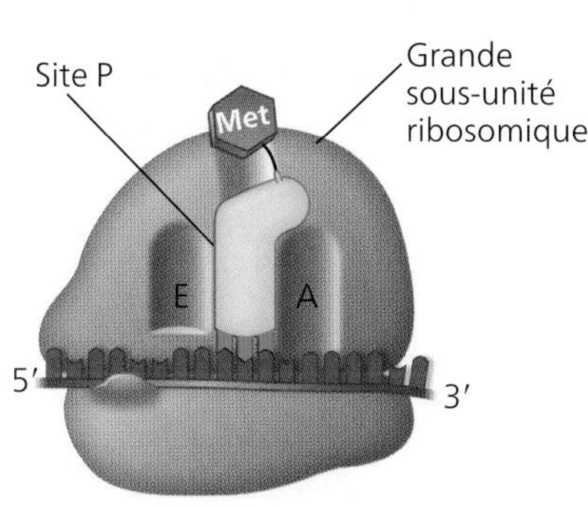

Complexe d'initiation de la traduction

1. Une petite sous-unité ribosomique se lie à une molécule d'ARNm. Dans la cellule bactérienne, le site de cette sous-unité auquel se fixe l'ARNm reconnaît une séquence nucléotidique spécifique située sur l'ARNm, à peu de distance en amont du codon de départ. Les bases de l'ARNt d'initiation, qui portent l'anticodon UAC, s'apparient avec le codon de départ AUG. Cet ARNt d'initiation porte l'acide aminé méthionine (Met).

2. L'organisation du complexe d'initiation est complétée par l'arrivée de la grande sous-unité ribosomique. Des protéines appelées facteurs d'initiation (non représentées ici) permettent de regrouper tous ces éléments en vue de la traduction. L'hydrolyse de la GTP fournit l'énergie nécessaire à l'assemblage. L'ARNt d'initiation se trouve au site P, et le site A est prêt à recevoir l'ARNt portant le prochain acide aminé.

Notez qu'un polypeptide est toujours synthétisé dans le même sens, à partir de la méthionine à l'extrémité amine, ou extrémité N-terminale, vers l'acide aminé final à l'extrémité carboxyle, ou extrémité C-terminale (voir la figure 5.15).

L'élongation de la chaîne polypeptidique

L'élongation est l'étape de la traduction au cours de laquelle les acides aminés sont ajoutés un par un à l'extrémité carboxyle de la chaîne en cours de synthèse. Chaque ajout suppose la participation de plusieurs protéines appelées *facteurs d'élongation* et se déroule selon un cycle comptant trois phases, décrites à la **figure 17.20**. La dépense énergétique s'effectue à la première et à la troisième étape. La reconnaissance du codon nécessite l'hydrolyse d'une molécule de GTP, ce qui renforce l'exactitude et l'efficacité de cette étape. Une autre molécule de GTP est hydrolysée à l'étape de la translocation.

L'ARNm traverse toujours le ribosome dans la même direction, c'est-à-dire en commençant par l'extrémité 5′. Cela revient à dire que le ribosome se déplace dans le sens 5′ → 3′ sur l'ARNm. Il suffit de se souvenir que le ribosome et l'ARNm bougent l'un par rapport à l'autre, en sens inverse et codon par codon. Le cycle d'élongation dure moins d'un dixième de seconde chez les bactéries et se répète chaque fois qu'un acide aminé est ajouté à la chaîne polypeptidique, et ce, jusqu'à ce que celle-ci soit complète. Les ARNt vides qui sont libérés du site E retournent dans le cytoplasme où ils seront à nouveau chargés de l'acide aminé approprié par l'aminoacyl-ARNt synthétase (voir la figure 17.17).

La terminaison de la traduction

La dernière étape de la traduction est la terminaison (**figure 17.21**). L'élongation se poursuit jusqu'à ce que l'un des codons d'arrêt de l'ARNm atteigne le site A du ribosome. Les triplets de bases azotées (5′ → 3′) UAG, UAA et UGA de l'ARNm ne codent pas pour des acides aminés (ces codons n'ont pas d'anticodons complémentaires), mais servent de signal de fin de la traduction. Un *facteur de terminaison*, une protéine ayant la forme d'un aminoacyl-ARNt, se lie alors directement au codon de terminaison du site A et ajoute une molécule d'eau au lieu d'un acide aminé à la chaîne polypeptidique enfin terminée.

▼ **Figure 17.20 Le cycle d'élongation de la traduction.** L'hydrolyse de la GTP joue un rôle important dans le processus d'élongation. Ces schémas ne montrent pas les facteurs d'élongation.

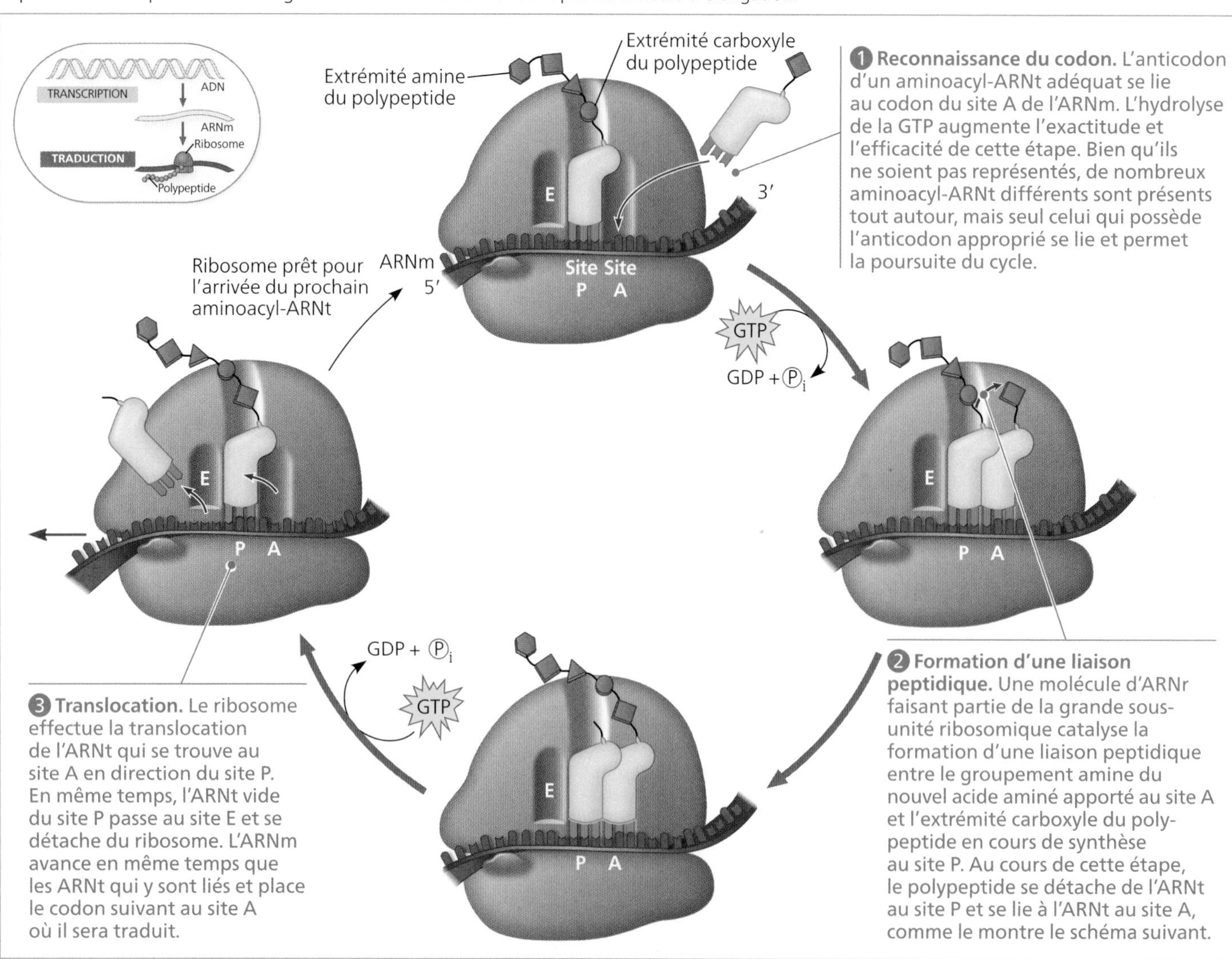

▼ **Figure 17.21** **La terminaison de la traduction.**

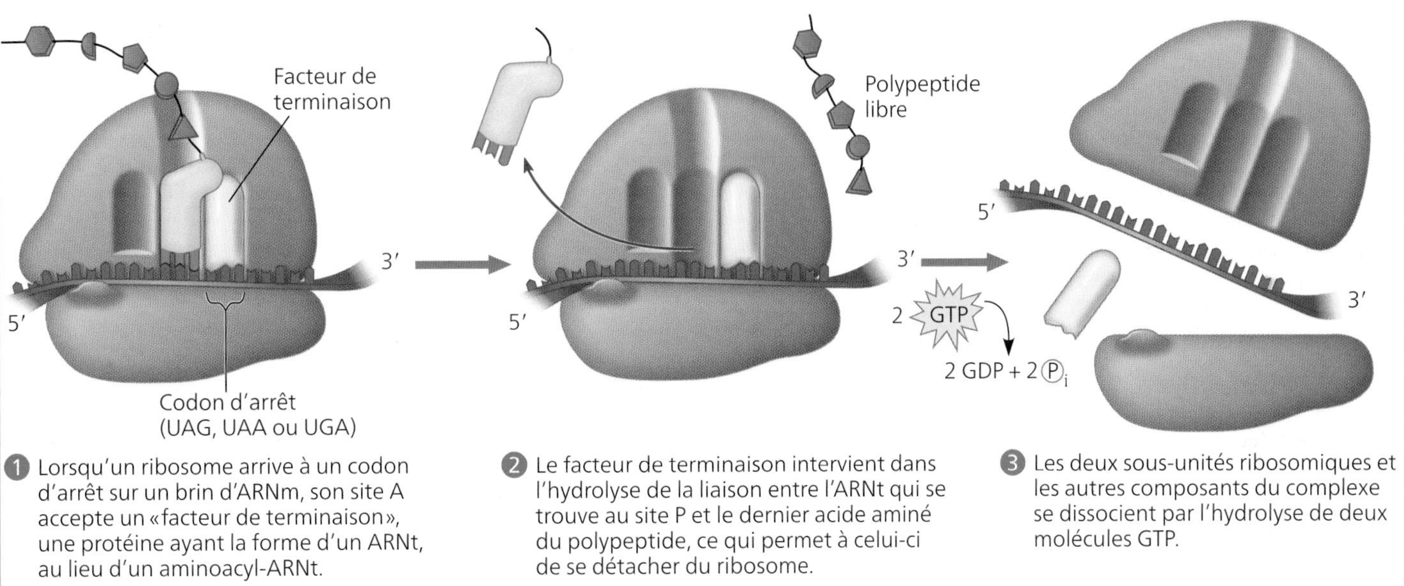

❶ Lorsqu'un ribosome arrive à un codon d'arrêt sur un brin d'ARNm, son site A accepte un «facteur de terminaison», une protéine ayant la forme d'un ARNt, au lieu d'un aminoacyl-ARNt.

❷ Le facteur de terminaison intervient dans l'hydrolyse de la liaison entre l'ARNt qui se trouve au site P et le dernier acide aminé du polypeptide, ce qui permet à celui-ci de se détacher du ribosome.

❸ Les deux sous-unités ribosomiques et les autres composants du complexe se dissocient par l'hydrolyse de deux molécules GTP.

(Les molécules d'eau sont nombreuses dans le cytosol.) La liaison entre la chaîne polypeptidique et l'ARNt qui se trouve au site P est ainsi rompue (hydrolysée), et le polypeptide se détache de la grande sous-unité ribosomique en passant par le tunnel de sortie. Le reste du complexe de traduction se dissocie alors dans un processus en plusieurs étapes, assisté par d'autres facteurs protéiques. La dissociation du complexe de traduction nécessite l'hydrolyse de deux autres molécules de GTP.

L'achèvement et l'acheminement de la protéine fonctionnelle

Souvent, le processus de traduction ne peut synthétiser une protéine fonctionnelle sans aide. Dans la présente section, vous étudierez les modifications que les chaînes de polypeptides subissent après le processus de traduction ainsi que quelques mécanismes utilisés pour acheminer la protéine achevée vers des sites spécifiques dans la cellule.

Le repliement des protéines et les modifications posttraductionnelles

Pendant la synthèse, la chaîne polypeptidique s'enroule et se replie spontanément à cause de sa séquence d'acides aminés (structure primaire), en formant une protéine dotée d'une structure spécifique. En d'autres termes, elle devient une molécule tridimensionnelle possédant une structure secondaire et tertiaire (voir la figure 5.18). Par conséquent, un gène détermine la structure primaire, et cette dernière détermine à son tour les niveaux de structure supérieurs de la molécule.

Avant de pouvoir remplir sa fonction dans la cellule, la protéine doit parfois subir des *modifications posttraductionnelles*, c'est-à-dire des modifications qui s'effectuent après la traduction proprement dite. Certains acides aminés sont modifiés chimiquement par l'ajout de glucides, de lipides, de groupements phosphate ou d'autres substances. Des enzymes peuvent détacher un ou plusieurs acides aminés de l'extrémité amine de la chaîne polypeptidique. Dans certains cas, une chaîne polypeptidique est découpée en plusieurs fragments par voie enzymatique. Dans d'autres cas, plusieurs polypeptides synthétisés séparément peuvent s'unir si la protéine est pourvue d'une structure quaternaire. L'hémoglobine en est un exemple (voir la figure 5.18).

L'acheminement des polypeptides vers des cibles spécifiques

L'observation au microscope électronique de cellules eucaryotes synthétisant des protéines permet de mettre en évidence deux populations de ribosomes: des ribosomes libres et d'autres qui sont liés (voir la figure 6.10). Les premiers sont en suspension dans le cytosol et synthétisent surtout des protéines qui restent dans le cytosol, où elles remplissent leurs fonctions. Les seconds sont fixés à la face cytoplasmique du réticulum endoplasmique (RE) rugueux ou à celle de l'enveloppe nucléaire; ils synthétisent les protéines du réseau de membranes intracellulaires (l'enveloppe nucléaire, le RE, le complexe golgien, les lysosomes, les vacuoles et la membrane plasmique; voir la figure 6.15) ainsi que celles qui doivent être sécrétées à l'extérieur de la cellule (comme l'insuline). Il est important de noter que tous les ribosomes sont identiques et que, d'une utilisation à l'autre, ils peuvent passer de l'état libre à l'état lié.

Quel est le facteur qui détermine si un ribosome se trouve libre dans le cytosol ou lié au réticulum endoplasmique? Il faut savoir que la synthèse de tout polypeptide commence dans le cytosol lorsqu'un ribosome libre entame la traduction d'une molécule d'ARNm. Le processus se poursuit entièrement dans ce milieu par défaut, *sauf* si le polypeptide en cours de synthèse incite, par une séquence particulière d'acides aminés, le ribosome à se fixer au RE. Par exemple, les protéines destinées au réseau de membranes intracellulaires ou devant être sécrétées portent la **séquence signal** (ou peptide signal) qui les oriente vers le RE (**figure 17.22**). Cette séquence compte environ 20 acides aminés et se situe à l'extrémité amine du polypeptide ou près de

▼ **Figure 17.22** **Le mécanisme de signalisation pour l'acheminement des protéines au RE.**

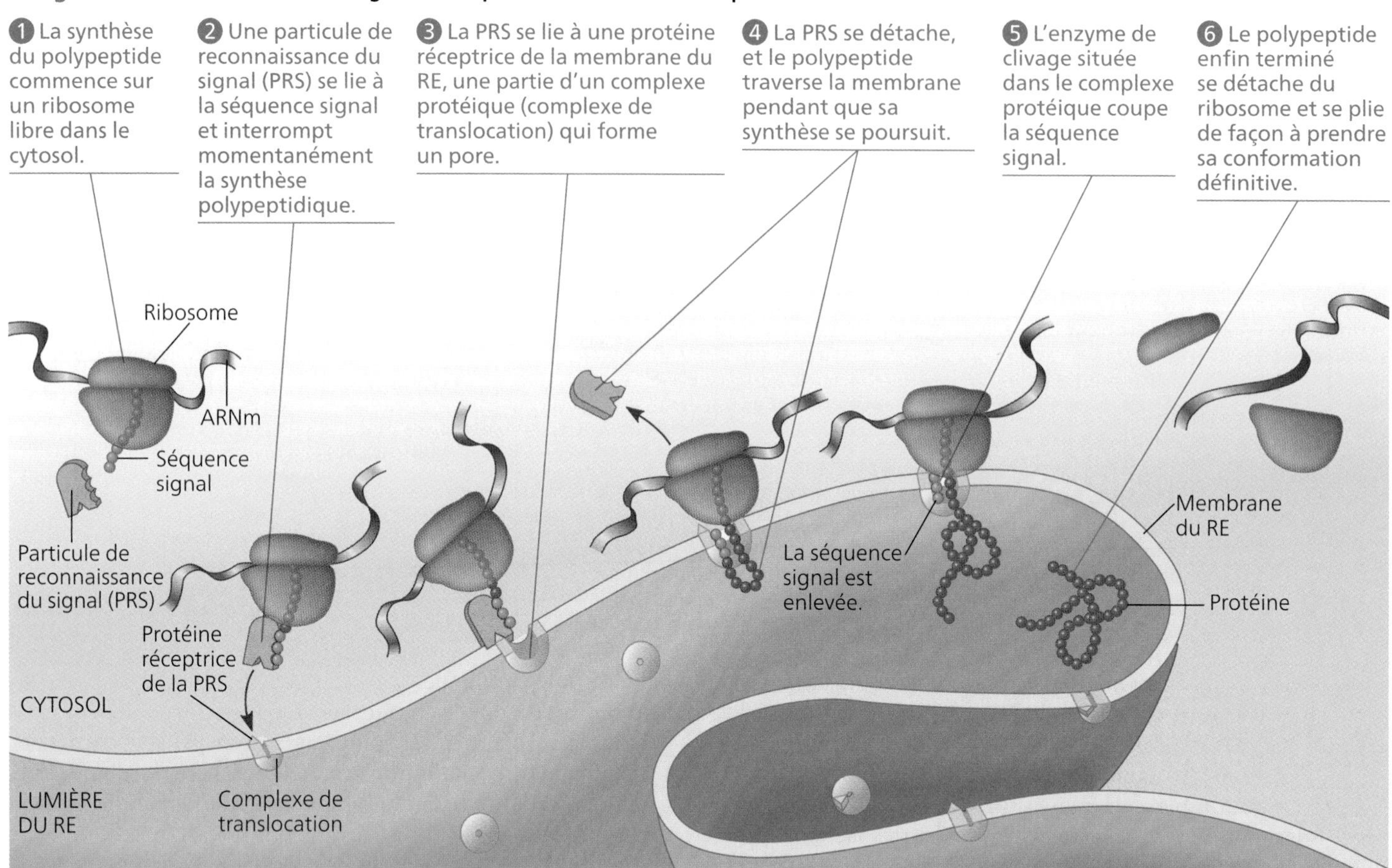

1 La synthèse du polypeptide commence sur un ribosome libre dans le cytosol.
2 Une particule de reconnaissance du signal (PRS) se lie à la séquence signal et interrompt momentanément la synthèse polypeptidique.
3 La PRS se lie à une protéine réceptrice de la membrane du RE, une partie d'un complexe protéique (complexe de translocation) qui forme un pore.
4 La PRS se détache, et le polypeptide traverse la membrane pendant que sa synthèse se poursuit.
5 L'enzyme de clivage située dans le complexe protéique coupe la séquence signal.
6 Le polypeptide enfin terminé se détache du ribosome et se plie de façon à prendre sa conformation définitive.
Ribosome
ARNm
Séquence signal
Particule de reconnaissance du signal (PRS)
Protéine réceptrice de la PRS
CYTOSOL
LUMIÈRE DU RE
Complexe de translocation
La séquence signal est enlevée.
Membrane du RE
Protéine

FAITES DES LIENS ▶ Si la protéine doit être sécrétée, qu'advient-il d'elle une fois sa synthèse terminée ? Voir la figure 7.9.

celle-ci. Au moment où la séquence signal émerge du ribosome, elle est reconnue par un complexe appelé **particule de reconnaissance du signal** (**PRS**). Celle-ci est constituée de six protéines et d'un petit ARN. Elle agit alternativement comme un interrupteur de la synthèse protéique et elle escorte le ribosome jusqu'à une protéine réceptrice dans la membrane du RE. Cette protéine réceptrice fait partie d'un complexe de translocation multiprotéique. La synthèse du polypeptide se poursuit à cet endroit, et la molécule en voie de formation commence à passer dans la lumière du RE en se faufilant à travers un canal protéique de la membrane. S'il est destiné à devenir une protéine de sécrétion, le polypeptide enfin complété est libéré dans la solution qui remplit la lumière du RE. S'il doit devenir une protéine membranaire, il reste partiellement enchâssé dans la membrane du RE. Dans l'un ou l'autre des cas, une vésicule de sécrétion l'achemine vers sa destination (voir, par exemple, la figure 7.9).

D'autres types de séquences signal dirigent les polypeptides vers les mitochondries, les chloroplastes, l'intérieur du noyau et d'autres organites qui ne font pas partie du réseau intracellulaire de membranes. Dans ces cas, la principale particularité est que la traduction prend fin dans le cytosol, avant que le polypeptide soit exporté vers l'organite auquel il est destiné. Les mécanismes de translocation sont également variables ; mais, dans tous les cas qui ont été étudiés jusqu'à aujourd'hui, on a mis en évidence divers types de séquence signal faisant office de « codes postaux » qui sont chargés d'acheminer les protéines vers un endroit particulier de la cellule ou qui les destinent à devenir des protéines de sécrétion. Les bactéries emploient également des séquences signal pour acheminer les protéines destinées à devenir des protéines de sécrétion vers la membrane plasmique.

La production de multiples copies d'un polypeptide chez les bactéries et les eucaryotes

Dans les sections précédentes, vous avez appris comment un polypeptide est synthétisé à l'aide de l'information encodée dans une molécule d'ARNm. Toutefois, lorsqu'une cellule a besoin d'un polypeptide, une seule copie ne suffit pas : il lui en faut beaucoup.

Un ribosome peut synthétiser à lui seul un polypeptide de taille moyenne en moins d'une minute. Toutefois, pour produire rapidement un polypeptide donné en plus grande quantité, on observe chez les bactéries et chez les eucaryotes que plusieurs ribosomes s'associent et traduisent simultanément le même ARNm (**figure 17.23**) ; autrement dit, une même molécule d'ARNm sert en général à synthétiser simultanément un grand nombre de copies de ce polypeptide. En effet, dès qu'un ribosome s'éloigne suffisamment du codon de départ, un autre peut se lier à l'ARNm à son tour, et ainsi de suite. Le résultat est que de nombreux ribosomes forment une file le long d'une même molécule d'ARNm. On peut observer au microscope électronique des chapelets de ribosomes, appelés **polyribosomes** (ou parfois

▼ **Figure 17.23** **Les polyribosomes.**

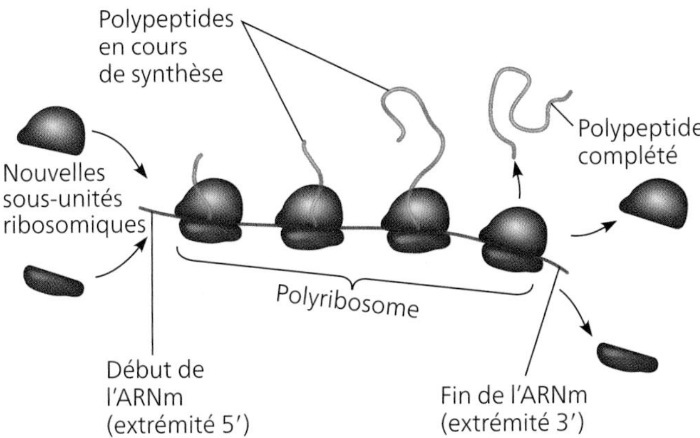

(a) Une molécule d'ARNm est généralement traduite simultanément par plusieurs ribosomes. L'ensemble de ces ribosomes forment un polyribosome.

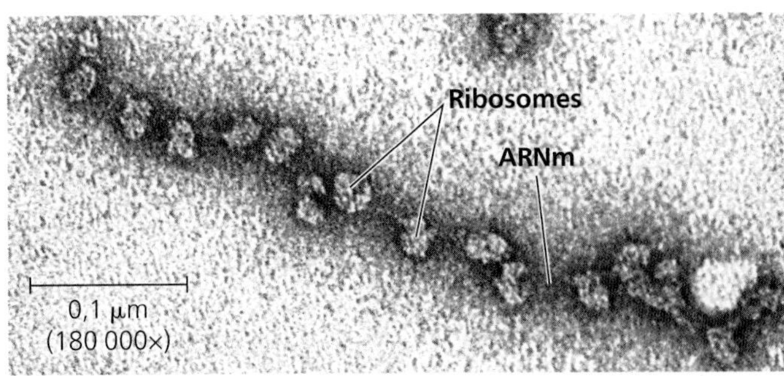

(b) Cette micrographie montre un polyribosome dans une cellule bactérienne. Les polypeptides en cours de synthèse ne sont pas visibles ici (MET).

polysomes), que l'on trouve à l'état libre ou à l'état lié. Les cellules bactériennes et eucaryotes contiennent des polyribosomes, mais ceux-ci sont en général plus longs chez les premières. Grâce à eux, une cellule a la capacité de synthétiser de nombreuses copies d'un polypeptide très rapidement.

La transcription de plusieurs ARNm d'un même gène est un autre moyen qui permet aux bactéries et aux eucaryotes d'augmenter le nombre de copies d'un polypeptide. Cependant, ces deux groupes se distinguent par la façon dont ils coordonnent les processus de transcription et de traduction. Les différences principales entre les bactéries et les eucaryotes concernant l'expression génétique sont dues à l'absence de compartiments dans les cellules bactériennes. Ainsi, dans la cellule bactérienne, l'activité se déroule de façon ininterrompue par le couplage de la transcription et de la traduction. Comme il n'y a pas de noyau, un même gène peut être le siège simultané de ces deux processus (**figure 17.24**), et la protéine qui vient d'être synthétisée peut atteindre rapidement son site fonctionnel par diffusion.

Par contre, dans la cellule eucaryote, l'enveloppe du noyau délimite deux compartiments, à l'intérieur desquels se déroulent respectivement la transcription et la traduction. L'un de ces compartiments est également le siège d'une maturation très élaborée de l'ARN. Le processus de maturation inclut des étapes supplémentaires, dont la régulation permet de coordonner les activités complexes de la cellule eucaryote. La **figure 17.25** résume l'ensemble de ce processus dans une cellule eucaryote, du gène au polypeptide.

RETOUR SUR LE CONCEPT 17.4

1. Quels sont les deux processus qui garantissent que l'acide aminé approprié est ajouté à une chaîne polypeptidique en cours de synthèse ?
2. Expliquez comment un polypeptide destiné à être sécrété à l'extérieur de la cellule atteint le réseau intracellulaire de membranes.
3. **FAITES UN DESSIN ▶** Dessinez un ARNt avec l'anticodon 3′-CGU-5′. Quels sont les deux codons différents auxquels il peut se lier ? Dessinez chacun d'eux sur un ARNm, en identifiant toutes les extrémités 5′ et 3′. Ajoutez l'acide aminé transporté par l'ARNt.
4. **ET SI ? ▶** Dans les cellules eucaryotes, on a observé que les ARNm ont un arrangement circulaire dans lequel des protéines retiennent une queue poly-A près d'une coiffe 5′. Comment cet arrangement peut-il accroître l'efficacité de la traduction ?

Voir les réponses proposées à l'appendice A.

▼ **Figure 17.24** **Le couplage de la transcription et de la traduction chez les bactéries.** Dans les cellules bactériennes, la traduction de l'ARNm peut commencer dès que la première extrémité (5′) de la molécule d'ARNm se détache de la matrice d'ADN. La micrographie (MET) montre la transcription d'un brin d'ADN d'*E. coli* par des molécules d'ARN polymérase. Chacune d'elles engendre un brin d'ARNm déjà en cours de traduction par les ribosomes. Les polypeptides nouvellement synthétisés ne sont pas visibles dans la micrographie, mais sont illustrés dans le schéma.

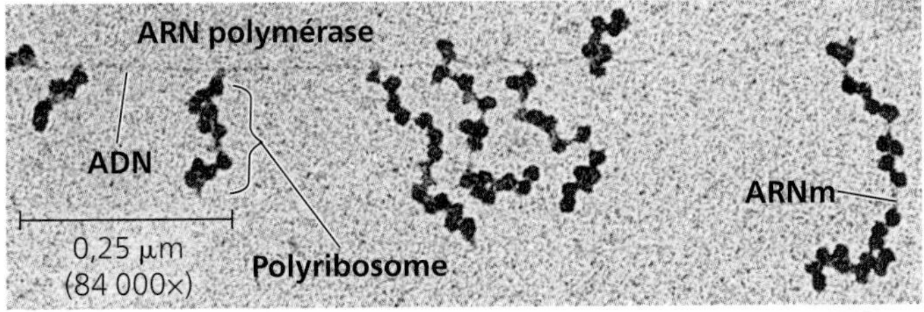

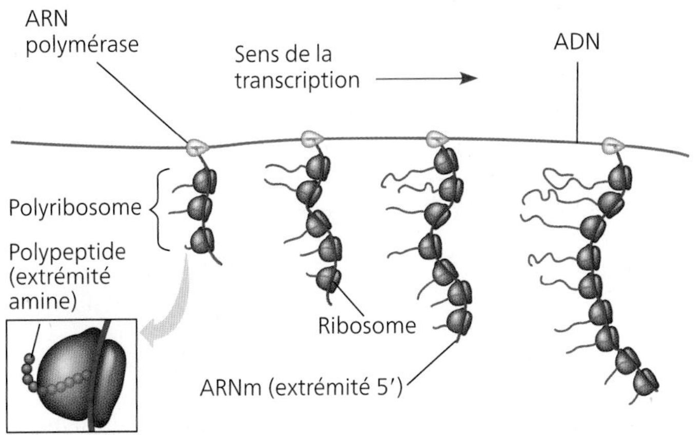

HABILETÉS VISUELLES ▶ Laquelle des molécules d'ARNm a commencé la transcription en premier (à gauche ou à droite) ? Sur cet ARNm, quel ribosome a commencé la traduction en premier (en haut ou en bas) ?

▼ Figure 17.25 Résumé de la transcription et de la traduction dans une cellule eucaryote. Ce schéma illustre le processus de synthèse d'un polypeptide à partir du gène qui détient le message génétique correspondant. Chaque gène peut être transcrit à maintes reprises en molécules d'ARNm identiques et chaque ARNm peut être traduit en polypeptides identiques de nombreuses fois. (Souvenez-vous également que le produit final de certains gènes n'est pas un polypeptide, mais une molécule d'ARN qui n'est pas traduite et qui peut être un ARNt ou un ARNr.) De façon générale, les étapes de la transcription et de la traduction sont semblables dans les cellules bactériennes, archéennes et eucaryotes. La différence principale est l'étape de la maturation de l'ARNm qui se déroule dans le noyau de la cellule eucaryote. Les autres différences importantes concernent les étapes de l'initiation de la transcription et de la traduction ainsi que la terminaison de la transcription. Pour remettre ces processus dans leur contexte cellulaire, voir la figure 6.32.

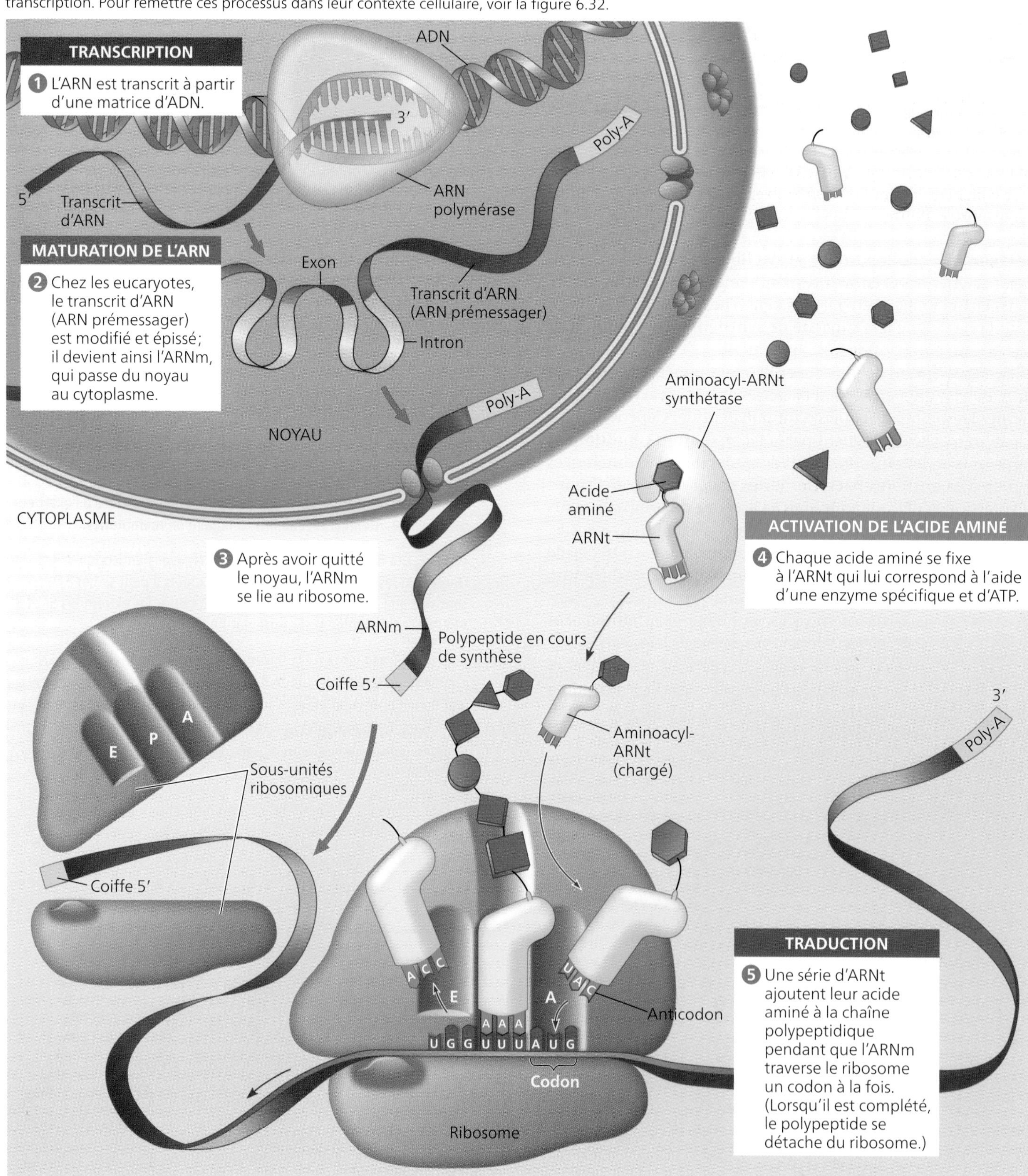

CONCEPT 17.5

Les mutations d'un ou de quelques nucléotides peuvent modifier la structure et la fonction des protéines

Après avoir étudié le processus de l'expression génétique, vous êtes maintenant prêt à comprendre les effets des modifications sur l'information génétique d'une cellule (ou d'un virus). Ces modifications, appelées **mutations**, sont à l'origine de l'immense diversité des gènes présents parmi les organismes parce que les mutations sont la source première de nouveaux gènes. Précédemment, nous avons parlé des remaniements chromosomiques touchant de longs segments d'ADN (voir la figure 15.14) qu'on peut considérer comme des mutations à grande échelle. Maintenant, nous abordons les mutations à petite échelle d'une ou de quelques paires de nucléotides, notamment les **mutations ponctuelles**. Il s'agit de modifications chimiques touchant une seule paire de bases nucléotidiques d'un gène.

Si elle apparaît dans un gamète ou dans une cellule productrice de gamètes, une mutation ponctuelle peut être transmise à la descendance immédiate et aux générations suivantes. Quand elle a des effets nocifs sur le phénotype d'un organisme, on parle d'anomalie génétique ou de maladie héréditaire. Par exemple, on a trouvé la cause génétique de la drépanocytose (aussi nommée anémie à hématies falciformes, ou plus simplement anémie falciforme) : cette maladie est due à la mutation touchant une seule paire de nucléotides du gène qui code pour la β-globine, l'un des polypeptides de l'hémoglobine. Cette modification d'un seul nucléotide de la matrice d'ADN entraîne l'altération d'un codon de l'ARNm et la production d'une protéine anormale (**figure 17.26**; voir aussi la figure 5.19). L'hémoglobine ainsi transformée des personnes homozygotes pour le gène mutant donne aux érythrocytes une forme de faucille qui réduit substantiellement la fixation de l'O_2. Cela fait apparaître les nombreux symptômes de l'anémie falciforme (voir les figures 14.17 et 23.18). La myocardiopathie familiale, un trouble cardiaque, est une autre anomalie causée par une mutation ponctuelle ; cette maladie est responsable de certains cas tragiques de mort subite chez de jeunes athlètes. On a découvert plusieurs mutations ponctuelles de gènes encodant des protéines musculaires et susceptibles de provoquer cette affection.

Les catégories de mutations à petite échelle

Voyons maintenant de quelle façon les mutations à petite échelle modifient les protéines. Notons d'abord que plusieurs mutations surviennent dans des régions extérieures aux gènes codant pour des protéines et que les effets potentiels de ces mutations sur les phénotypes peuvent être subtils et difficiles à déceler. C'est pourquoi nous mettrons ici l'accent sur les mutations dans les gènes codant pour une protéine. On peut classer les mutations ponctuelles survenant à l'intérieur d'un gène en deux grandes catégories : (1) les substitutions d'une seule paire de nucléotides ; (2) les insertions ou les délétions de paires de nucléotides. Les insertions et les délétions peuvent faire intervenir une ou plusieurs paires de nucléotides.

Les substitutions

La **substitution d'une paire de bases** (ou de nucléotides) est le remplacement de la base d'un nucléotide et de son vis-à-vis par une paire de bases différentes (**figure 17.27a**). Certaines substitutions n'ont aucun effet sur la protéine synthétisée à cause de la redondance du code génétique. Par exemple, si 3′-CCG-5′ sur le brin matrice devient 3′-CCA-5′ à la suite d'une mutation, le codon d'ARNm GGC devient GGU ; or, ces deux derniers commandent l'ajout d'une glycine à l'endroit correspondant de la protéine (voir la figure 17.6). Autrement dit, la modification d'une paire de nucléotides peut résulter en un codon dont la traduction donne le même acide aminé que celui pour lequel le codon initial aurait codé. Une telle modification est un exemple de **mutation silencieuse**, qui n'a aucun effet observable sur le phénotype. (Les mutations silencieuses peuvent se produire également à l'extérieur du gène.) Fait à noter, on a démontré que certaines mutations silencieuses peuvent avoir une incidence indirecte sur le lieu ou le degré d'expression d'un gène, même si la protéine demeure la même.

Les substitutions qui aboutissent au remplacement d'un acide aminé par un autre sont appelées **mutations faux-sens**. Il arrive qu'elles n'aient pas d'effets notables sur la protéine synthétisée, parce que le nouvel acide aminé a des propriétés

▶ **Figure 17.26 L'origine moléculaire de l'anémie falciforme, une mutation ponctuelle.** La différence entre l'allèle qui entraîne l'anémie falciforme et l'allèle normal consiste en une modification d'une seule paire de nucléotides de l'ADN. Les deux micrographies représentent des érythrocytes observés en microscopie électronique. Celle de gauche montre un érythrocyte normal, et celle de droite, un érythrocyte falciforme ; chacun d'eux provient d'un homozygote pour les allèles de type sauvage et mutants, respectivement.

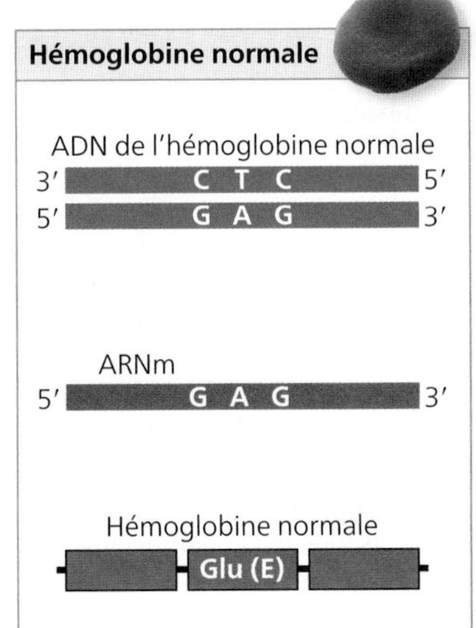

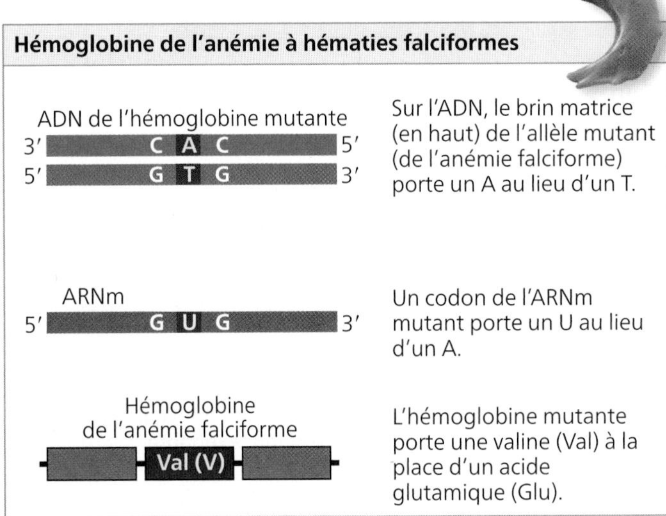

semblables à celles de l'ancien ou encore parce que la séquence exacte des acides aminés d'une certaine région de la protéine n'est pas essentielle à sa fonction.

Bien plus intéressantes pour les généticiens sont les substitutions de paires de bases qui occasionnent un changement important dans la composition de la protéine. L'altération d'un seul acide aminé dans une région essentielle de la protéine peut avoir des répercussions importantes sur son activité (voir par exemple la partie de la sous-unité β-globine de l'hémoglobine illustrée à la figure 17.26 ou l'effet sur le site actif d'une enzyme tel qu'il est présenté à la figure 8.18). De temps à autre, une telle mutation crée une protéine améliorée ou ayant de nouvelles propriétés. Cependant, la plupart du temps, les mutations exercent un effet neutre ou néfaste parce qu'elles engendrent une protéine inutile ou moins active qui entrave le fonctionnement de la cellule.

Les substitutions provoquent le plus souvent des mutations faux-sens; les codons touchés codent encore pour des acides aminés et ont donc un sens, mais celui-ci est *erroné*. Toutefois, une mutation ponctuelle peut transformer un codon correspondant à un acide aminé en un codon d'arrêt; ces altérations sont appelées **mutations non-sens**, et elles conduisent à la fin prématurée de la traduction; le polypeptide synthétisé est plus court que celui qui est encodé par le gène normal. La plupart des mutations non-sens conduisent à la synthèse de protéines non fonctionnelles.

▼ **Figure 17.27 Les catégories de mutations à petite échelle qui modifient la séquence de l'ARNm.** Toutes les catégories illustrées ici, à l'exception d'une seule, modifient la séquence des acides aminés du polypeptide encodé.

Type normal

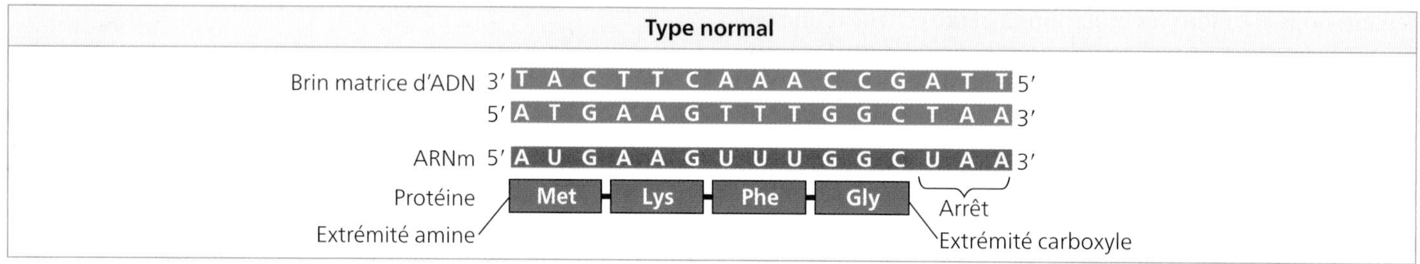

(a) Substitution d'une paire de bases

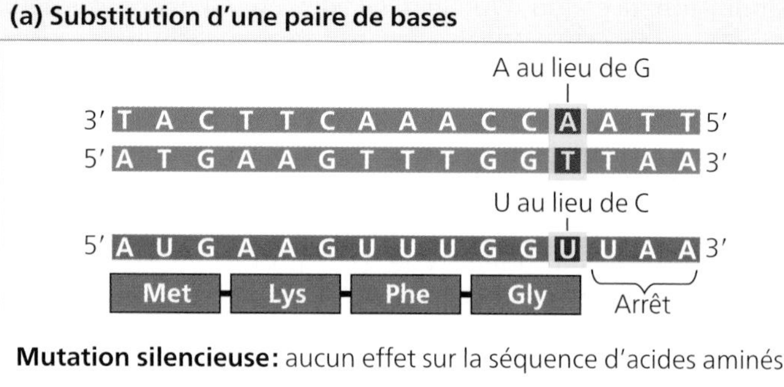

Mutation silencieuse: aucun effet sur la séquence d'acides aminés.

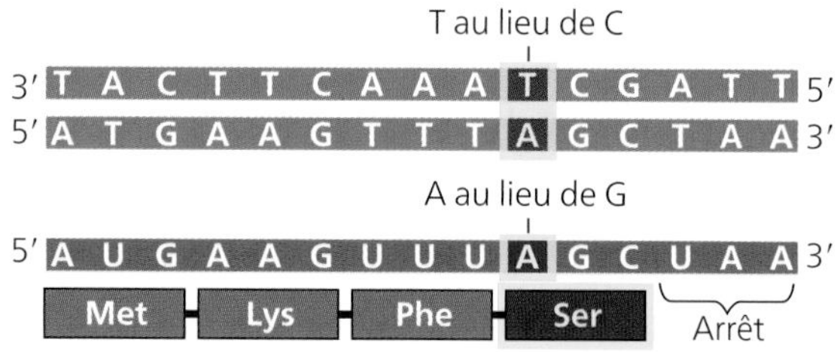

Faux-sens: éventail d'effets variant selon l'emplacement dans la protéine et la nature du nouvel acide aminé.

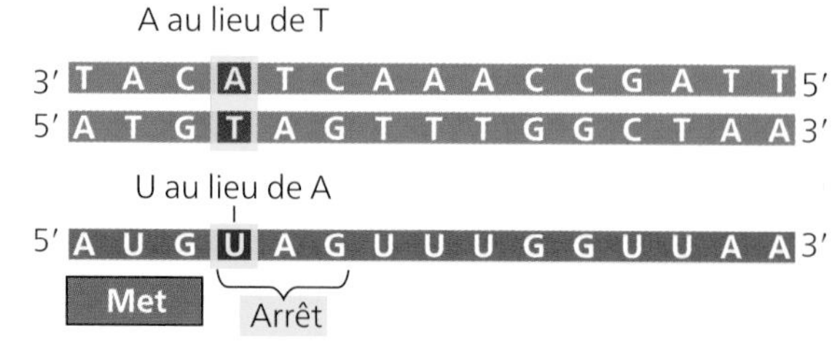

Non-sens: effet variant selon la proximité du nouveau codon d'arrêt par rapport au début de la séquence codante.

(b) Insertion ou délétion d'une paire de nucléotides

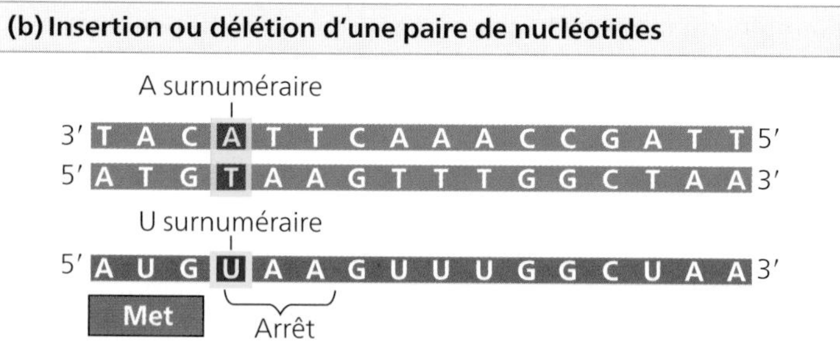

Décalage du cadre de lecture provoquant un non-sens immédiat (insertion d'une paire de nucléotides).

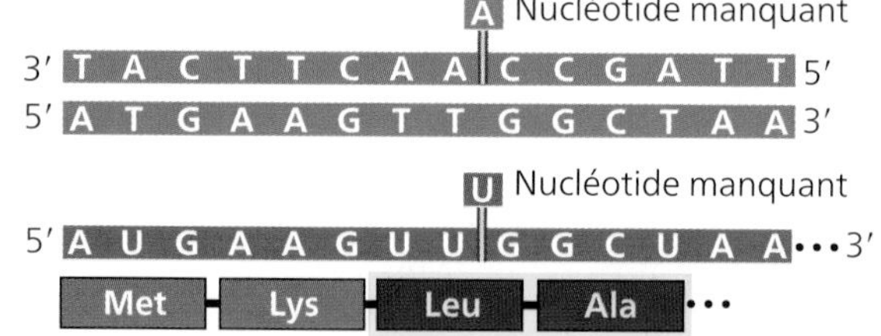

Décalage du cadre de lecture provoquant un long faux-sens (délétion d'une paire de nucléotides).

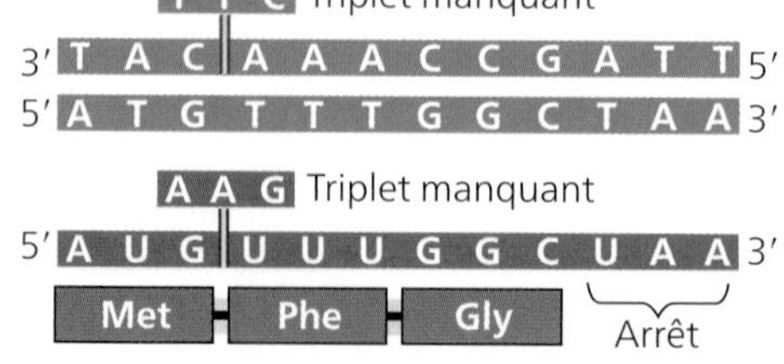

Délétion d'un triplet de nucléotides: aucun décalage du cadre de lecture, mais un acide aminé manquant. L'insertion d'un triplet de nucléotides (qui n'est pas représentée) entraînerait l'apparition d'un acide aminé surnuméraire.

Dans l'exercice de la rubrique **Résolution de problème**, vous travaillerez avec quelques substitutions courantes d'une seule paire de bases dans le gène encodant l'insuline. Quelques-unes de ces substitutions, sinon la totalité, peuvent causer le diabète. Vous devrez déterminer à quelle catégorie de mutations appartiennent ces substitutions et décrire le changement dans la séquence des acides aminés.

Les insertions et les délétions

Les **insertions** et les **délétions** correspondent à l'ajout ou à la perte d'une ou de plusieurs paires de nucléotides dans un gène (**figure 17.27b**). Elles ont généralement des conséquences plus désastreuses que les substitutions. En effet, l'insertion ou la délétion de nucléotides peut modifier le cadre de lecture du message

RÉSOLUTION DE PROBLÈME Les mutations du gène codant pour l'insuline sont-elles responsables du diabète néonatal de trois nourrissons ?

L'insuline est une hormone qui agit comme régulateur principal de la glycémie. Dans certains cas de diabète néonatal, il s'est produit une substitution d'une paire de bases dans le gène codant pour l'insuline, ce qui entraîne une modification suffisamment importante de la structure de la protéine pour la rendre non fonctionnelle. Comment pouvez-vous déterminer quelle paire de bases a été touchée par la substitution et quels en sont les effets sur la séquence d'acides aminés ?

Maintenant qu'il est possible de séquencer le génome entier d'une personne, les médecins peuvent utiliser l'information fournie par des séquences d'ADN pour diagnostiquer certaines maladies et pour mettre au point de nouveaux traitements. Par exemple, chez un enfant souffrant de diabète néonatal, il est possible d'analyser la séquence du gène codant pour l'insuline afin de déterminer si ce gène présente une mutation et, le cas échéant, établir quel est l'effet de cette mutation.

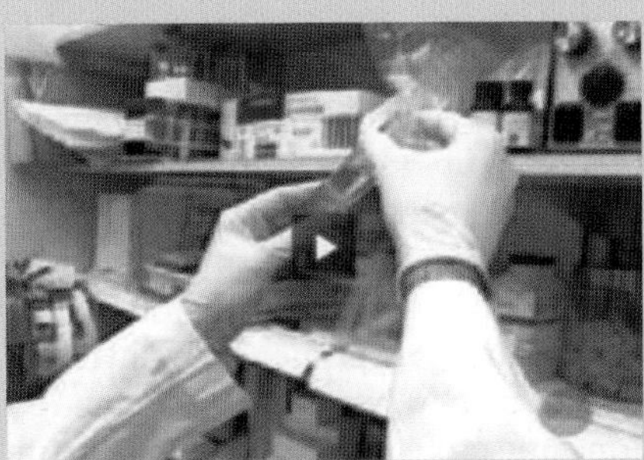

Dans cet exercice, vous devez déterminer quels sont les effets des mutations présentes dans une partie des séquences du gène codant pour l'insuline chez les patients diabétiques.

Votre méthode

Supposons que vous êtes un généticien médical et que vous avez affaire à trois nourrissons qui présentent une substitution d'une paire de bases dans le gène codant pour l'insuline. Vous devez analyser la mutation qui affecte chacun des trois bébés afin de déterminer quel effet elle produit sur la séquence d'acides aminés de l'insuline. Pour identifier la mutation dans chaque patient, vous devrez comparer sa séquence d'ADN complémentaire (ADNc) de l'insuline à celle de l'ADNc de type sauvage. L'ADNc est une molécule d'ADN à double brin correspondant à une séquence d'ARNm qui, par conséquent, ne contient que la partie traduite d'un gène – les introns ne sont pas inclus. (On utilise souvent les séquences d'ADNc pour comparer les régions codantes des gènes.) En repérant les codons modifiés, vous pourrez déterminer quels acides aminés sont altérés dans la protéine d'insuline.

Vos données

Comme vous analyserez les codons d'ADNc pour les acides aminés 35 à 54 (parmi les 110 acides aminés) de chaque protéine d'insuline, le codon de départ (AUG) est absent. Les séquences d'ADNc de type sauvage et d'ADNc des patients sont présentées ci-dessous sous forme de codons.

ADNc de type sauvage 5′- CTG GTG GAA GCT CTC TAC CTA GTG TGC GGG GAA CGA GGC TTC TTC TAC ACA CCC AAG ACC -3′

ADNc du patient 1 5′- CTG GTG GAA GCT CTC TAC CTA GTG TGC GGG GAA CGA GGC TGC TTC TAC ACA CCC AAG ACC -3′

ADNc du patient 2 5′- CTG GTG GAA GCT CTC TAC CTA GTG TGC GGG GAA CGA GGC TCC TTC TAC ACA CCC AAG ACC -3′

ADNc du patient 3 5′- CTG GTG GAA GCT CTC TAC CTA GTG TGC GGG GAA CGA GGC TTC TCG TAC ACA CCC AAG ACC -3′

Source des données : N. Nishi et K. Nanjo, Insulin gene mutations and diabetes, *Journal of Diabetes Investigation* 2 : 92-100 (2011).

Votre analyse

1. Comparez la séquence d'ADNc de chaque patient à la séquence d'ADN de type sauvage, puis encerclez les codons dans lesquels une paire de nucléotides a été substituée.
2. Utilisez un tableau des codons (voir la figure 17.6) pour identifier l'acide aminé auquel correspond le codon présentant la mutation dans chaque séquence d'ADN de l'insuline, et comparez-le à l'acide aminé commandé par le codon de la séquence de type sauvage correspondante. Conformément à la pratique standard de séquençage de l'ADN, le brin d'ADNc *codant* (d'ADN non transcrit) est présenté afin que vous puissiez le convertir en ARNm et l'utiliser avec le tableau des codons. Vous n'avez qu'à remplacer le T par un U. Pour chaque patient, classez la substitution : s'agit-il d'une mutation silencieuse, d'un faux-sens ou d'un non-sens ? Expliquez chaque réponse.
3. Comparez la structure de l'acide aminé identifié dans la séquence d'ADN de l'insuline de chaque patient à celle de l'acide aminé de la séquence d'ADN de type sauvage correspondante (voir la figure 5.14). Étant donné que les trois patients souffrent de diabète néonatal, expliquez comment la modification d'un acide aminé peut altérer la protéine d'insuline et, par conséquent, causer la maladie.

génétique formé par le regroupement des triplets de nucléotides sur l'ARNm qui est lu pendant la traduction. Ce type de mutation, appelé **décalage du cadre de lecture**, apparaît chaque fois que le nombre de nucléotides insérés ou enlevés n'est pas un multiple de trois. Tous les nucléotides situés en aval de la modification sont alors regroupés en des codons erronés. Il en résulte un long faux-sens qui aboutit tôt ou tard à un non-sens et à une terminaison prématurée ou retardée. À moins que le décalage du cadre de lecture survienne très près de la fin du gène, il est presque certain que la protéine ne sera pas fonctionnelle. Les insertions et les délétions surviennent aussi à l'extérieur des régions codantes; le cas échéant, il ne peut y avoir décalage du cadre de lecture. Toutefois, ce type de modification peut agir sur le phénotype, par exemple en modifiant la façon dont un gène est exprimé.

Les nouvelles mutations et les mutagènes

Les mutations peuvent avoir des causes diverses. Les erreurs survenues lors de la réplication ou de la recombinaison de l'ADN peuvent engendrer des substitutions de paires de bases, des insertions, des délétions ou des mutations touchant des parties plus longues de l'ADN. Si un nucléotide incorrect est ajouté à la chaîne en cours de formation pendant la réplication, par exemple, la base sur ce nucléotide sera désappariée avec la base du nucléotide de l'autre brin. Dans de nombreux cas, l'erreur sera corrigée par la correction d'épreuves de l'ADN et par les systèmes de réparation (voir le concept 16.2). Sinon, la base incorrecte sera utilisée comme matrice dans la réplication suivante, causant une mutation. Les mutations résultant de ce genre d'erreurs sont appelées *mutations spontanées*, et il est difficile d'en calculer le taux d'occurrence. Des estimations approximatives effectuées sur le taux de mutation au cours de la réplication de l'ADN chez *E. coli* et chez les eucaryotes ont donné des valeurs similaires: environ 1 nucléotide sur 10^{10} est modifié, et le changement est transmis à la génération suivante de cellules.

Certains agents physiques ou chimiques appelés **mutagènes** interagissent avec l'ADN et provoquent des changements. Dans les années 1920, Hermann Muller, un étudiant de T. H. Morgan et Prix Nobel de médecine en 1946, a découvert que les rayons X causaient des modifications génétiques chez les drosophiles. En exposant des mouches à ces rayonnements, il a obtenu des drosophiles mutantes, qu'il a ensuite utilisées au cours de ses recherches. Mais il s'est rendu compte des conséquences inquiétantes de sa découverte: les rayons X et les autres formes de radiations à haute énergie sont dangereux, tant pour le génome humain que pour celui des organismes de laboratoire. Le rayonnement ultraviolet fait partie des mutagènes physiques; il contribue à la formation de dimères de thymine dans l'un ou l'autre des brins d'ADN (voir la figure 16.19).

Il existe plusieurs catégories de mutagènes chimiques. Les analogues des nucléotides (comme la 5-bromo-uracile, un analogue de la thymine) sont des substances qui ressemblent aux nucléotides normaux de l'ADN et qui s'insèrent dans la molécule pendant sa réplication. Ils modifient ponctuellement l'information génétique, car ils sont plus susceptibles d'entraîner de mauvais appariements que les nucléotides normaux. D'autres mutagènes chimiques entravent la réplication en s'insérant dans l'ADN et en déformant la double hélice. Enfin, certains mutagènes modifient chimiquement les bases en altérant aussi leur capacité d'appariement.

Des chercheurs ont mis au point plusieurs méthodes pour tester *in vitro* l'activité mutagène de diverses substances chimiques. Le principal domaine d'application de ces tests est le dépistage préliminaire des substances chimiques susceptibles de causer le cancer. Cette approche est valable parce que la plupart des agents cancérogènes (qui provoquent le cancer) sont des mutagènes, et, inversement, la plupart des mutagènes sont cancérogènes.

Qu'est-ce qu'un gène? *Reconsidérons la question*

Au cours des derniers chapitres, notre définition du gène a progressé. Nous avons commencé par le concept mendélien, selon lequel le gène est une unité héréditaire discontinue définissant un caractère phénotypique (chapitre 14). Puis, nous avons vu que Morgan et ses collaborateurs ont associé les gènes à des locus spécifiques situés sur les chromosomes (chapitre 15). Ensuite, nous avons montré qu'un gène est une région d'une molécule d'ADN d'un chromosome portant une séquence nucléotidique précise (chapitre 16). Enfin, dans le présent chapitre, nous avons examiné une définition fonctionnelle du gène: il s'agit d'une séquence d'ADN qui code pour une chaîne polypeptidique spécifique ou une molécule d'ARN fonctionnelle (ARNt ou ARNr). Toutes ces définitions peuvent être utiles selon le contexte dans lequel on étudie les gènes.

Comme nous l'avons mentionné, il est réducteur de dire qu'un gène code pour un polypeptide. Ainsi, chez les eucaryotes, la plupart des gènes comportent des segments non codants (comme les introns), de sorte qu'une grande partie de la chaîne d'ADN ne correspond à aucun segment au niveau des polypeptides. Les spécialistes de la biologie moléculaire considèrent souvent que les promoteurs et certaines régions régulatrices de l'ADN font partie du gène même s'ils ne sont pas transcrits. Ces séquences d'ADN ne sont pas transcrites, mais il est possible de considérer qu'elles font partie du gène fonctionnel puisqu'elles sont nécessaires à la transcription. Notre définition du gène doit aussi être assez large pour englober les segments d'ADN qui sont transcrits en ARNr, en ARNt et en d'autres types d'ARN qui ne sont pas traduits. Ces gènes ne produisent aucun polypeptide, mais jouent des rôles essentiels dans la cellule. On en arrive à la définition suivante: *un gène est une région de l'ADN qui peut être exprimée pour produire un produit final fonctionnel, soit un polypeptide, soit une molécule d'ARN.*

Cependant, quand on considère les phénotypes, il est souvent utile de commencer par s'intéresser aux gènes qui codent pour des polypeptides. Dans le présent chapitre, nous avons appris comment un gène ordinaire est exprimé au niveau moléculaire, à savoir par transcription en ARNm, puis par traduction en un polypeptide qui forme une protéine dotée d'une structure et d'une fonction spécifiques. Les protéines, pour leur part, expriment le phénotype observable de l'organisme.

En tout temps, un type cellulaire donné n'exprime qu'un petit sous-ensemble de ses gènes. C'est là une caractéristique essentielle chez les organismes multicellulaires: vous auriez des ennuis si les cellules du cristallin de vos yeux se mettaient à exprimer les gènes des protéines des cheveux, qui sont normalement exprimés seulement dans les cellules des follicules pileux! L'expression génétique est donc soumise à une régulation précise, que nous aborderons dans le prochain chapitre, en commençant par celle des bactéries, qui est relativement simple, pour continuer ensuite avec les eucaryotes.

RETOUR SUR LE CONCEPT **17.5**

1. Que se passe-t-il lorsqu'une paire de nucléotides est enlevée au milieu de la séquence codante d'un gène ?

2. **FAITES DES LIENS ▶** Les individus hétérozygotes pour l'allèle de l'anémie falciforme sont généralement en bonne santé, mais ils présentent des effets phénotypiques de l'allèle dans certaines circonstances (voir la figure 14.17). Expliquez cette observation en termes d'expression génétique.

3. **FAITES UN DESSIN ▶** Le brin matrice d'un gène contient la séquence nucléotidique suivante : 3′-TACTTGTCCGATATC-5′. À la suite d'une mutation, il est modifié en 3′-TACTTGTCCAATATC-5′. Dessinez le double brin de l'ADN pour les deux séquences (type sauvage et mutante) ainsi que la séquence d'acides aminés encodée par chacune. Quel est l'effet de cette mutation sur la séquence des acides aminés ?

Voir les réponses proposées à l'appendice A.

RÉVISION DU CHAPITRE 17

Consultez votre MANUEL NUMÉRIQUE, qui vous donne accès aux **animations**, aux **exercices** et à la plateforme d'**anatomie interactive**.

Résumé des concepts clés

CONCEPT 17.1

Les gènes codent pour les protéines par l'intermédiaire de la transcription et de la traduction (p. 370 à 377)

- Les études de Beadle et Tatum de souches mutantes de *Neurospora* ont abouti à l'hypothèse dite « un gène, un polypeptide ». Au cours de l'**expression génétique**, l'information encodée dans les gènes est utilisée pour produire des chaînes polypeptidiques spécifiques (des enzymes et d'autres protéines) ou des molécules d'ARN.
- La **transcription** est la synthèse d'ARN complémentaire à un **brin matrice** de l'ADN permettant le passage de l'information de désoxyribonucléotides à des ribonucléotides. La **traduction** est la synthèse d'un polypeptide dont la séquence d'acides aminés est codée par la séquence de nucléotides dans l'**ARN messager** (**ARNm**).
- L'information génétique dans l'ADN est encodée sous forme de séquence de triplets de nucléotides qui ne se chevauchent pas, les **codons** (ou génons). Un codon est un triplet de nucléotides qui, dans l'ARNm, peut coder pour un acide aminé (61 des 64 codons codent pour les acides aminés) ou servir de signal d'arrêt (3 codons). Les codons doivent être lus dans le bon **cadre de lecture** (dans le bon sens).

? Décrivez le processus de l'expression génétique par lequel un gène peut déterminer le phénotype d'un organisme.

CONCEPT 17.2

La transcription est la synthèse de l'ARN à partir de l'ADN : *une étude détaillée* (p. 377 à 379)

- La synthèse de l'ARN est catalysée par l'**ARN polymérase**, qui assemble les nucléotides complémentaires de l'ARN au brin matrice de l'ADN. Ce processus obéit aux mêmes règles d'appariement des bases que la réplication de l'ADN. Toutefois, dans l'ARN, l'uracile remplace la thymine.

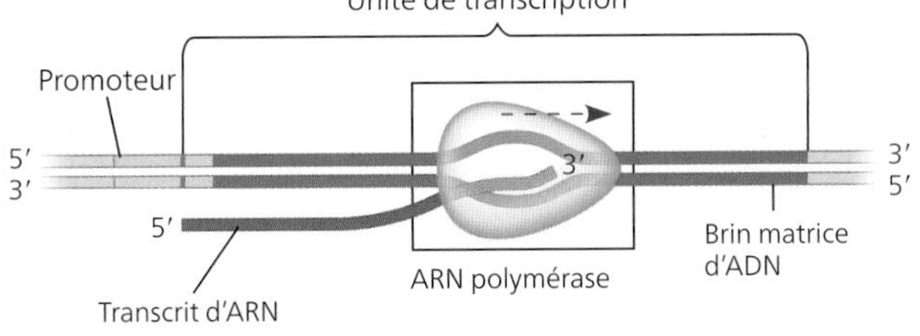

- Les trois étapes de la transcription sont l'initiation, l'élongation et la terminaison. Des **promoteurs**, comportant souvent une **boîte TATA** chez les eucaryotes, déterminent l'endroit de l'initiation de la synthèse de l'ARN. Chez les eucaryotes, les **facteurs de transcription** aident l'ARN polymérase à reconnaître les séquences du promoteur, en formant un **complexe d'initiation de la transcription**. La terminaison se déroule différemment chez les bactéries et les eucaryotes.

? Quelles sont les similitudes et les différences dans l'initiation de la transcription des gènes chez les bactéries et les eucaryotes ?

CONCEPT 17.3

Dans les cellules eucaryotes, l'ARN est modifié après avoir été transcrit (p. 379 à 382)

- Chez les eucaryotes, les molécules d'ARN prémessager subissent une **maturation de l'ARN**. Cette maturation comprend l'épissage de l'ARN, l'ajout à l'extrémité 5′ d'une **coiffe 5′** et l'ajout à l'extrémité 3′ d'une **queue poly-A**. L'ARNm mature compte une région non traduite (5′ UTR ou 3′ UTR) à chaque extrémité du segment codant.
- La plupart des gènes d'eucaryotes sont séparés en segments : ils contiennent des **introns** intercalés entre les **exons** (régions contenues dans l'ARNm). Pendant l'**épissage de l'ARN**, les introns sont enlevés et les exons sont réunis. L'épissage de l'ARN est catalysé par le **complexe d'épissage**. Dans certains cas, l'ARN catalyse seul son propre épissage. La capacité catalytique de certaines molécules d'ARN, appelées **ribozymes**, provient de propriétés inhérentes à l'ARN. La présence d'introns permet l'**épissage différentiel de l'ARN**.

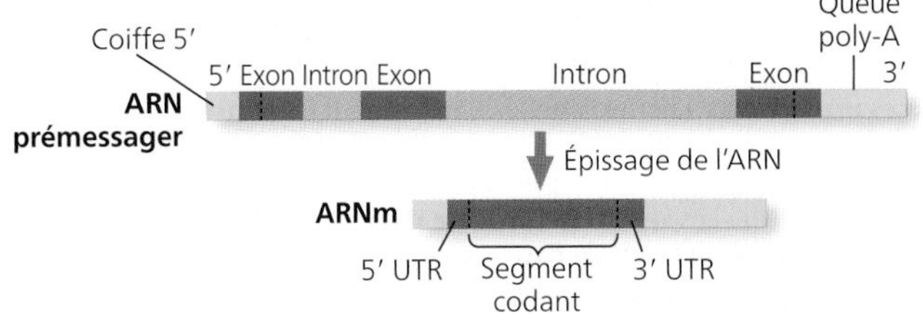

? Quelle est la fonction de la coiffe 5′ et de la queue poly-A dans l'ARNm des eucaryotes ?

CONCEPT 17.4

La traduction est la synthèse d'un polypeptide à partir de l'ARN messager: *une étude détaillée* (p. 382 à 392)

- Une cellule traduit le message de l'ARNm en polypeptides avec l'aide de l'**ARN de transfert** (**ARNt**). Après avoir été fixée à l'acide aminé qui lui correspond par une **aminoacyl-ARNt synthétase**, chaque molécule d'ARN de transfert s'aligne sur le codon complémentaire de l'ARNm par l'intermédiaire de son **anticodon**. Un **ribosome**, constitué d'**ARN ribosomique** (**ARNr**) et de protéines, facilite cet appariement grâce à son site de liaison pour l'ARNm et à son site de liaison pour l'ARNt.
- Les ribosomes coordonnent les trois étapes de la traduction, qui sont l'initiation, l'élongation et la terminaison. L'ARNr catalyse la formation des liaisons polypeptidiques entre les acides aminés pendant que les ARNt se déplacent à travers les **sites A** et **P** et sortent au **site E**.

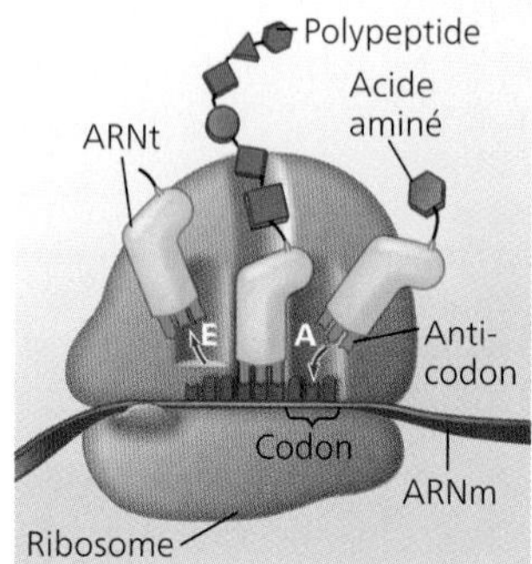

- Après la traduction, les protéines peuvent être modifiées au cours de leur maturation soit par épissage, soit par la fixation de glucides, de lipides, de groupements phosphate ou d'autres groupements chimiques.
- Les ribosomes libres dans le cytosol amorcent la synthèse de toutes les protéines; cependant, celles qui sont dotées d'une **séquence signal** sont synthétisées sur le RE.
- Un gène peut être transcrit par plusieurs ARN polymérases en même temps. De plus, plusieurs ribosomes peuvent traduire une même molécule d'ARNm simultanément et ainsi former un **polyribosome**. Chez les bactéries, ces processus sont couplés. Par contre, chez les eucaryotes, la membrane nucléaire sépare ces processus dans l'espace et le temps.

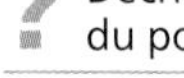 Décrivez l'action de l'ARNt pendant la synthèse d'un polypeptide du point de vue du ribosome.

CONCEPT 17.5

Les mutations d'un ou de quelques nucléotides peuvent modifier la structure et la fonction des protéines (p. 393 à 397)

- Les **mutations** à petite échelle comprennent les **mutations ponctuelles** consistant en des modifications d'une paire de nucléotides de l'ADN, ce qui peut entraîner la production d'une protéine non fonctionnelle. Les **substitutions de paires de bases** peuvent provoquer une **mutation faux-sens** ou une **mutation non-sens**. L'**insertion** et la **délétion** de paires de nucléotides peuvent provoquer le **décalage du cadre de lecture**.
- Des mutations spontanées peuvent apparaître pendant la réplication, la recombinaison ou la réparation de l'ADN. Des **mutagènes** chimiques ou physiques causent des dommages à l'ADN qui peuvent modifier les gènes.

? Quels seraient les résultats de la modification chimique d'une base nucléotidique d'un gène? Quel rôle jouent les systèmes de réparation de l'ADN dans la cellule?

Évaluation

NIVEAU 1: CONNAISSANCES ET COMPRÉHENSION

1. Dans les cellules eucaryotes, la transcription ne peut commencer tant que:
a) les deux brins d'ADN ne se sont pas complètement séparés pour exposer le promoteur.
b) plusieurs facteurs de transcription ne sont pas liés au promoteur.
c) la coiffe 5′ n'a pas été enlevée de l'ARNm.
d) les introns d'ADN n'ont pas été enlevés de la matrice.

2. Parmi les affirmations suivantes concernant le codon, laquelle est *fausse*?
a) Il peut coder pour le même acide aminé qu'un autre codon.
b) Il ne code jamais pour plus d'un acide aminé.
c) Il s'allonge à partir de l'une des extrémités de la molécule d'ARNt.
d) C'est l'unité fondamentale du code génétique.

3. L'anticodon d'une molécule d'ARNt:
a) et le codon correspondant sur l'ARNm sont complémentaires.
b) et le triplet correspondant sur l'ARNr sont complémentaires.
c) est la partie de l'ARNt qui se lie à un acide aminé spécifique.
d) est un catalyseur, ce qui fait de l'ARNt un ribozyme.

4. Parmi les affirmations suivantes concernant la maturation de l'ARN, laquelle est *fausse*?
a) Les exons sont coupés et dégradés avant que l'ARNm ne quitte le noyau.
b) Des nucléotides peuvent être ajoutés aux deux extrémités de l'ARN.
c) Les ribozymes peuvent jouer un rôle dans l'épissage de l'ARN.
d) L'épissage de l'ARN peut être catalysé par les complexes d'épissage.

5. Quel est le composant qui *n'intervient pas directement* dans le mécanisme appelé traduction?
a) La GTP.
b) L'ADN.
c) L'ARNt.
d) Les ribosomes.

NIVEAU 2: APPLICATION ET ANALYSE

6. À l'aide de la figure 17.6, désignez une séquence possible de nucléotides (que vous lirez dans le sens 5′ → 3′) de la matrice d'ADN qui produit un ARNm codant pour la séquence de polypeptides Phe-Pro-Lys.
a) 5′-UUUCCCAAA-3′
b) 5′-GAACCCCTT-3′
c) 5′-CTTCGGGAA-3′
d) 5′-AAACCCUUU-3′

7. Parmi les mutations suivantes, laquelle risque *le plus* d'avoir un effet nocif sur l'organisme touché?
a) La délétion de trois nucléotides près du milieu d'un gène.
b) La délétion d'un seul nucléotide au milieu d'un intron.
c) La délétion d'un seul nucléotide près de la fin de la séquence codante.
d) L'insertion d'un seul nucléotide en aval et près du début d'une séquence codante.

8. Dans une cellule eucaryote, pourrait-on observer le couplage des processus, comme ils sont illustrés à la figure 17.24? Expliquez votre réponse.

9. **FAITES UN DESSIN ▶** Remplissez le tableau suivant:

Type d'ARN	Fonctions
ARN messager (ARNm)	
ARN de transfert (ARNt)	
	Dans un ribosome, joue un rôle structural et surtout, en tant que ribozyme, joue un rôle catalytique.
Transcrit primaire (ARN prémessager)	
Petit ARN dans le complexe d'épissage	

Voir les réponses proposées à l'appendice A.

La régulation de l'expression génétique

18

VOS OUTILS INTERACTIFS

Consultez votre MANUEL NUMÉRIQUE, qui vous donne accès aux **animations**, aux **exercices** et à la plateforme d'**anatomie interactive**.

▲ **Figure 18.1** **Comment les yeux de ce poisson lui permettent-ils de voir aussi bien dans l'eau que hors de l'eau ?**

CONCEPTS CLÉS

18.1 Les bactéries peuvent s'adapter aux fluctuations de leur milieu en régulant la transcription

18.2 Chez les eucaryotes, la régulation de l'expression génétique s'exerce à de nombreux stades

18.3 Les ARN non traduits exercent plusieurs fonctions dans la régulation de l'expression génétique

18.4 Les différents types de cellules d'un organisme multicellulaire résultent d'un programme d'expression génétique différentielle

18.5 Le cancer est la conséquence de modifications génétiques qui altèrent la régulation du cycle cellulaire

La beauté est dans l'œil de celui qui regarde

Le poisson de la **figure 18.1** a toujours ses prédateurs à l'œil, mais il les guette avec la moitié de chaque œil ! *Anableps anableps*, surnommé « poisson à quatre-yeux », sillonne les eaux fraîches des lacs et des bassins de l'Amérique centrale et du Sud, en gardant au-dessus de la surface de l'eau la partie supérieure de ses yeux. En effet, chez ce poisson, cette partie de l'œil est parfaitement adaptée à la vision aérienne, alors que la partie inférieure de l'œil convient à la vision aquatique. On a démontré récemment les fondements moléculaires de cette particularité : les cellules des deux moitiés de l'œil expriment un groupe légèrement différent de gènes intervenant dans la vision, même si les deux types de cellules sont plutôt comparables et contiennent des génomes identiques. Quel est le mécanisme sous-jacent qui explique la différence dans l'expression des gènes et qui permet cette remarquable particularité ?

La régulation complexe et précise de l'expression génétique est une caractéristique spécifique des cellules, qu'elles soient procaryotes ou eucaryotes, de la bactérie aux cellules d'un poisson ou d'un mammifère. Pour toutes les cellules, l'orchestration de l'expression génétique est une fonction essentielle de la vie. Dans le présent chapitre, nous commencerons par étudier la régulation de l'expression des gènes chez les bactéries en réponse à des conditions différentes du milieu. Nous examinerons ensuite les mécanismes généraux par lesquels les eucaryotes régulent l'expression génétique, notamment les nombreux rôles que jouent les molécules d'ARN. Nous nous pencherons ensuite sur le rôle de la régulation des gènes lors du développement embryonnaire, en tant qu'ultime exemple d'une régulation génique adéquate, et sur le cancer, qu'on peut considérer comme la conséquence d'une régulation défectueuse.

CONCEPT 18.1

Les bactéries peuvent s'adapter aux fluctuations de leur milieu en régulant la transcription

Les cellules bactériennes qui peuvent conserver ressources et énergie possèdent un avantage sélectif sur les cellules qui sont incapables de le faire. Par conséquent, la sélection naturelle a favorisé les bactéries qui n'expriment que les gènes dont les produits sont nécessaires à la cellule.

Prenons l'exemple de la bactérie *Escherichia coli* (*E. coli*), une résidente de l'intestin humain. Son milieu est extrêmement variable, et son approvisionnement en nutriments dépend des caprices alimentaires de son hôte. Si le tryptophane, un acide aminé dont elle a besoin pour survivre, est absent du milieu, la bactérie réagit en activant une voie métabolique qui lui permet de synthétiser cette substance à partir d'un autre composé. Plus tard, si son hôte absorbe un repas riche en tryptophane, elle cesse d'en produire elle-même, évitant ainsi de gaspiller ses ressources pour fabriquer une substance déjà toute prête dans la solution environnante.

La régulation d'une voie métabolique s'exerce à deux niveaux, comme l'illustre la **figure 18.2** pour la synthèse du tryptophane. Premièrement, les cellules peuvent agir sur l'activité des enzymes déjà présentes. Ce mode de régulation, immédiat, est rendu possible par la sensibilité d'un grand nombre d'enzymes à des stimulus chimiques qui renforcent ou réduisent l'activité catalytique (voir le concept 8.5). L'activité de la première enzyme de la voie de synthèse est inhibée lorsque le produit final de la voie (dans ce cas-ci, le tryptophane) est présent en grande quantité (**figure 18.2a**). Par conséquent, lorsque le tryptophane s'accumule dans la cellule, il met fin à sa propre synthèse en inhibant l'activité de l'enzyme. Grâce à ce type de *rétro-inhibition* caractéristique des voies anaboliques (de biosynthèse), la cellule peut s'adapter aux fluctuations à court terme de l'approvisionnement d'une substance dont elle a besoin (voir la figure 8.20).

Deuxièmement, les cellules peuvent adapter le niveau de production de certaines enzymes qu'elles synthétisent, c'est-à-dire qu'elles peuvent réguler l'expression des gènes qui codent pour ces enzymes. Si, dans notre exemple, le milieu fournit des quantités suffisantes de tryptophane, la cellule arrête de produire les enzymes qui en catalysent la synthèse (**figure 18.2b**). Dans ce cas, la régulation de la production enzymatique s'exerce au niveau de la transcription, soit de la synthèse de l'ARN messager (ARNm) codant pour ces enzymes.

La régulation de la voie de synthèse du tryptophane n'est qu'un exemple du mode d'adaptation du métabolisme bactérien aux variations du milieu. Les fluctuations de l'état métabolique de la cellule activent et inactivent de nombreux gènes du génome bactérien. Un mécanisme fondamental de ce mode de régulation de l'expression génétique, nommé *modèle de l'opéron*, a été découvert en 1961 par François Jacob et Jacques Monod, de l'Institut Pasteur de Paris. Voyons maintenant en quoi consiste un opéron et comment il fonctionne.

▼ **Figure 18.2 La régulation d'une voie métabolique.** Dans la voie de synthèse du tryptophane, une forte concentration de cet acide aminé peut avoir pour effets **(a)** d'inhiber l'activité de la première enzyme de la voie (rétro-inhibition), une réaction rapide, et **(b)** de réprimer l'expression des gènes qui codent pour toutes les sous-unités des enzymes de la voie de synthèse, une réaction à plus long terme. Les gènes *trpE* et *trpD* codent pour les deux sous-unités de l'enzyme 1, alors que les gènes *trpB* et *trpA* codent pour les deux sous-unités de l'enzyme 3. (Les gènes ont été nommés avant la détermination de l'ordre dans lequel ils fonctionnent dans la voie.) Le symbole ⊖ désigne une inhibition.

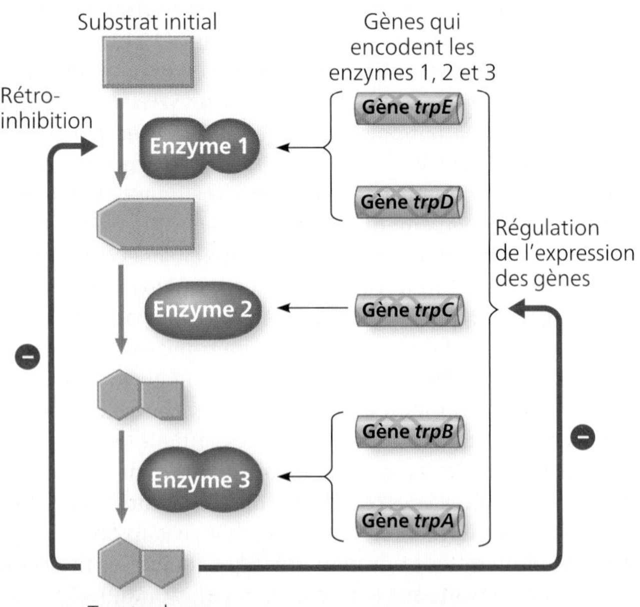

Les opérons: concept de base

E. coli synthétise un acide aminé, le tryptophane, à partir d'un substrat initial et en passant par les trois étapes de la voie illustrée à la figure 18.2. Chaque réaction est catalysée par une enzyme spécifique et les cinq gènes qui codent pour les sous-unités de ces enzymes sont regroupés sur le chromosome bactérien. Un seul promoteur commande les cinq gènes, qui forment une unité de transcription. (Nous avons vu qu'un promoteur est un site de l'ADN auquel l'ARN polymérase se lie avant de commencer la transcription; voir la figure 17.8.) La transcription produit donc une longue molécule d'ARNm. Celle-ci code pour les cinq polypeptides qui composent les enzymes de la voie du tryptophane (**figure 18.3**). La bactérie peut traduire cet unique ARNm en cinq polypeptides distincts, parce que l'ARNm porte des codons de départ et d'arrêt qui marquent le début et la fin de la séquence de codage de chaque polypeptide.

Le fait que les gènes ayant des fonctions connexes soient regroupés dans une même unité de transcription représente un avantage important: ils forment un ensemble sous la commande d'un seul «interrupteur»; autrement dit, la régulation de ces gènes est *coordonnée*. Lorsque le tryptophane est absent du milieu environnant et qu'elle doit le fabriquer elle-même, la bactérie *E. coli* synthétise toutes les enzymes de la voie métabolique en même temps. L'interrupteur en question est un segment d'ADN appelé **opérateur**. Son emplacement et son nom reflètent bien sa fonction: il est situé à l'intérieur du promoteur ou, dans certains cas, entre le promoteur et les gènes codant pour les enzymes nécessaires; cela lui permet de réguler l'accès de l'ARN polymérase

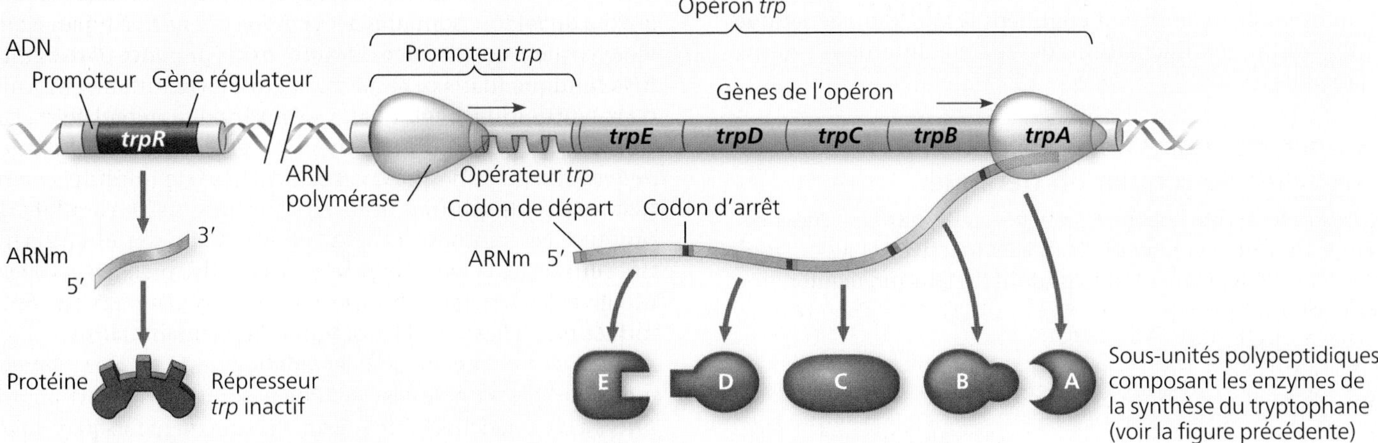

(a) Absence de tryptophane, répresseur inactif, opéron activé. L'ARN polymérase se lie à l'ADN au niveau du promoteur de l'opéron et transcrit les gènes de l'opéron. Les enzymes nécessaires à la synthèse du tryptophane sont produites.

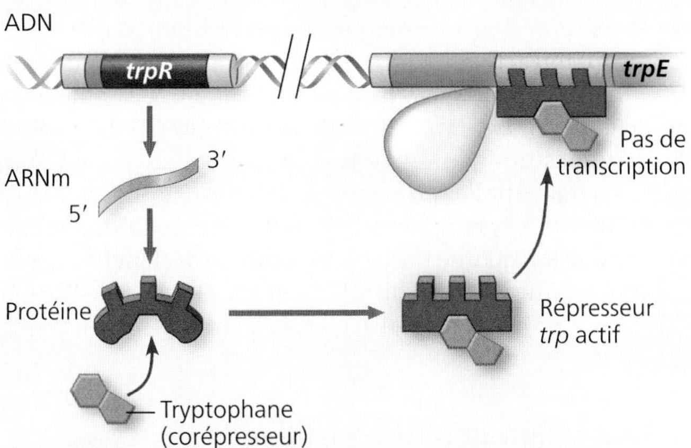

(b) Présence de tryptophane, répresseur actif, opéron inactivé. À mesure que la concentration de tryptophane s'accroît, l'acide aminé inhibe sa propre production en activant le répresseur protéique qui se lie à l'opérateur, interrompant la transcription. Les enzymes nécessaires à la synthèse du tryptophane ne sont pas produites.

▲ **Figure 18.3 L'opéron *trp* d'*E. coli*: régulation de la synthèse des enzymes répressibles.** Le tryptophane est un acide aminé produit par l'intermédiaire d'une voie métabolique catalysée par trois enzymes (voir la figure 18.2). **(a)** Les cinq gènes codant pour les sous-unités polypeptidiques constituant les enzymes de cette voie de synthèse sont regroupés en un opéron *trp*; cet opéron contient aussi un promoteur. L'opérateur *trp* (le site de liaison du répresseur) se situe à l'intérieur du promoteur (le site de liaison de l'ARN polymérase). **(b)** L'accumulation de tryptophane (le produit final de cette voie de synthèse) a pour effet de réprimer la transcription de l'opéron *trp*, ce qui bloque la synthèse de toutes les enzymes de cette voie et arrête la production du tryptophane.

HABILETÉS VISUELLES ▶ Décrivez ce qui arrive à l'opéron *trp* à mesure que la cellule épuise sa réserve de tryptophane.

à ces gènes. L'ensemble formé par les gènes, l'opérateur et le promoteur (tout le tronçon d'ADN nécessaire à la production des enzymes de la voie du tryptophane) constitue un **opéron**. L'opéron *trp* (pour tryptophane) est l'un des nombreux opérons découverts dans le génome d'*E. coli* (**figure 18.3a**).

Si l'opérateur est l'interrupteur de l'opéron responsable de la régulation de la transcription, comment cet interrupteur fonctionne-t-il? En fait, l'opéron *trp* se trouve naturellement à l'état activé, ce qui permet à l'ARN polymérase de se lier au promoteur et de transcrire les gènes de l'opéron. Toutefois, l'opéron *trp* peut être inactivé par une protéine nommée **répresseur** ***trp***. En se liant à l'opérateur, le répresseur empêche l'ARN polymérase de se fixer au promoteur, interrompant ainsi la transcription des gènes (**figure 18.3b**). Les répresseurs protéiques sont spécifiques de l'opérateur d'un certain opéron. Par exemple, le répresseur *trp* qui inactive l'opéron *trp* en se liant à l'opérateur *trp* n'a aucun effet sur les autres opérons présents dans le génome d'*E. coli*.

Un répresseur protéique est encodé par un **gène régulateur** – dans le cas présent, il s'agit du gène *trpR*, qui se trouve à une certaine distance de l'opéron *trp* et qui possède son propre promoteur. Les gènes régulateurs sont exprimés de façon continue, mais à un rythme lent, et il y a toujours quelques molécules de répresseur de *trp* dans la cellule d'*E. coli*. Mais si tel est le cas, pourquoi l'opéron *trp* n'est-il pas inactivé en permanence? Premièrement, la liaison entre un répresseur et un opérateur est réversible. L'opérateur oscille entre les deux états: un état où le répresseur est lié et un autre où il ne l'est pas. La durée relative de l'état où le répresseur est lié est plus longue lorsque le nombre de molécules de répresseur actives est plus élevé. Deuxièmement, à l'instar de la plupart des protéines régulatrices, le répresseur de *trp* est une protéine allostérique, qui est capable de revêtir deux formes: active ou inactive (voir la figure 8.20). Le répresseur de *trp* est synthétisé sous sa forme inactive, qui a peu d'affinité pour l'opérateur *trp*. Il n'adopte sa configuration active que si la molécule de tryptophane se lie à lui sur un site allostérique; il peut alors se lier à l'opérateur et inactiver l'opéron.

Dans ce processus, le tryptophane joue le rôle de **corépresseur**. Un corépresseur est une petite molécule qui agit conjointement avec un répresseur protéique pour désactiver un opéron. Lorsque la concentration de tryptophane augmente, un nombre croissant de molécules de cette substance se lie aux molécules de répresseur de *trp*; l'une de celles-ci peut alors se fixer à l'opérateur *trp* et inactiver la production des enzymes de la voie du tryptophane. Lorsque la concentration de tryptophane diminue, les répresseurs de *trp* liés au tryptophane sont beaucoup moins nombreux; sans tryptophane, ils deviennent inactifs. Ces répresseurs se dissocient alors de l'opérateur, ce qui entraîne la reprise de la transcription des gènes de l'opéron. L'opéron *trp* est un exemple démontrant comment l'expression génétique peut répondre aux fluctuations des milieux interne et externe de la cellule.

Les opérons répressibles et inductibles: deux types de régulation génique

Il existe deux types d'opérons : les opérons *répressibles*, généralement actifs dont la régulation sert à les inactiver, et les opérons *inductibles*, généralement inactifs dont l'activation requiert une stimulation.

POUR APPROFONDIR ■ L'opéron *trp* est un *opéron répressible*, parce qu'il est habituellement actif (en état de transcrire), mais il peut être *inhibé* (répression) à tout moment par la liaison allostérique d'une petite molécule spécifique (dans le cas présent, le tryptophane) et d'une protéine régulatrice. À l'inverse, un *opéron inductible* est habituellement inactif, mais il peut être *stimulé* (induction) pour s'activer lorsqu'une petite molécule spécifique interagit avec une autre protéine régulatrice. L'exemple classique d'un opéron inductible est l'opéron *lac* (pour lactose).

La bactérie *E. coli* dispose du disaccharide nommé lactose (sucre du lait) dans le côlon de son hôte humain lorsqu'il boit du lait ou qu'il consomme des produits contenant du lactose. Le métabolisme du lactose commence par l'hydrolyse de ce disaccharide en deux composants, le glucose et le galactose (des monosaccharides). L'enzyme qui catalyse cette réaction est nommée β-galactosidase. Quand une bactérie *E. coli* vit dans un milieu dépourvu de lactose, il n'y a que quelques molécules de cette enzyme. Cependant, si l'on ajoute du lactose dans le milieu nutritif de la bactérie, il suffit de 15 minutes environ pour que le nombre de molécules de β-galactosidase soit multiplié par 1 000. Comment une cellule peut-elle accentuer la production d'une enzyme aussi rapidement ?

Le gène de la β-galactosidase (*lacZ*) fait partie de l'opéron *lac*, qui comprend également deux autres gènes codant pour des enzymes intervenant dans l'utilisation du lactose (**figure 18.4**). L'ensemble de cette unité de transcription est régulé par un opérateur et un promoteur principaux. Le gène régulateur *lacI*, situé à l'extérieur de l'opéron *lac*, code pour un répresseur allostérique capable d'inactiver l'opéron *lac* en se liant à l'opérateur *lac*. Jusqu'ici, ce mécanisme ressemble beaucoup à celui de la régulation de l'opéron *trp*. Il y a cependant une différence importante. Souvenez-vous que le répresseur de *trp* est par nature inactif et qu'il a besoin du tryptophane comme corépresseur pour se lier à l'opérateur. À l'inverse, le répresseur de *lac* est par nature actif : il se lie à l'opérateur et inactive l'opéron *lac*. Ici, le répresseur peut être *inactivé* par une petite molécule spécifique nommée **inducteur**.

Pour ce qui est de l'opéron *lac*, l'inducteur est l'allolactose, un isomère du lactose. Il est formé en petite quantité à partir du lactose qui pénètre dans la cellule. En l'absence de lactose (et donc d'allolactose), le répresseur de *lac* adopte sa conformation active et se lie à l'opérateur ; par conséquent, les gènes de l'opéron *lac* ne sont pas transcrits (**figure 18.4a**). Si l'on ajoute du lactose dans le milieu de la cellule, l'allolactose se lie au répresseur de *lac* et modifie sa conformation de façon à ce que le répresseur ne puisse plus se lier à l'opérateur. Sans la liaison avec le répresseur de *lac*, l'opéron *lac* est transcrit en ARNm pour la synthèse des enzymes qui métabolisent le lactose (**figure 18.4b**). ■

Dans le contexte de la régulation génique, les enzymes de la voie du lactose sont appelées *enzymes inductibles*, parce que leur synthèse est stimulée (induite) par la présence d'un stimulus chimique (dans ce cas, l'allolactose). Quant aux enzymes de la synthèse du tryptophane, elles sont dites répressibles. Les *enzymes répressibles* interviennent généralement dans les voies *anaboliques*, c'est-à-dire dans la synthèse de produits essentiels à partir de substrats de départ (précurseurs). En arrêtant de produire ces substances lorsqu'elles sont présentes en quantité suffisante, la bactérie peut consacrer les précurseurs organiques et son énergie à d'autres fonctions. Quant aux enzymes inductibles, elles interviennent habituellement dans les voies *cataboliques*, qui assurent la dégradation des nutriments en des molécules plus simples. La bactérie produit les enzymes appropriées à la dégradation d'un nutriment seulement lorsque celui-ci est disponible. Elle évite ainsi de gaspiller de l'énergie et des précurseurs pour fabriquer des protéines inutiles.

La régulation de l'opéron *trp* et de l'opéron *lac* met en jeu la régulation génique *négative*, parce que les opérons sont *inactivés* par leurs répresseurs protéiques respectifs lorsqu'ils ont une conformation active. Ce processus est facile à comprendre dans le cas de l'opéron *trp*, mais il est peut-être moins évident dans le cas de l'opéron *lac*. En effet, l'allolactose entraîne la synthèse des enzymes non pas en activant directement l'opéron *lac*, mais en relâchant l'emprise du répresseur sur l'opéron (voir la figure 18.4b). Cependant, on ne parle de régulation génique *positive* que lorsqu'une protéine régulatrice déclenche la transcription en interagissant directement avec le génome (lorsque l'effet de la protéine régulatrice sur la transcription est positif, en se fixant à l'ADN).

La régulation génique positive

Qu'un opéron soit inductible ou répressible, il est dit à *régulation génique positive* lorsque sa ou ses protéines régulatrices exercent un rôle positif (d'activation) sur la transcription. L'opéron *lac* est un exemple d'opéron à régulation *négative* (par répresseur), comme on l'a montré précédemment, mais il peut subir aussi une régulation *positive* (par activateur), comme nous allons le voir ci-dessous.

POUR APPROFONDIR ■ Lorsque le glucose et le lactose sont tous les deux présents dans son milieu, *E. coli* consomme en priorité du glucose. Les enzymes de dégradation du glucose dans la glycolyse (voir la figure 9.9) sont toujours présentes. En fait, la bactérie utilise le lactose comme source énergétique seulement quand il est présent *et* qu'il y a peu de glucose, et c'est seulement à ce moment qu'elle synthétise des quantités appréciables d'enzymes de dégradation du lactose.

Comment *E. coli* perçoit-il la concentration de glucose et relaie-t-il cette information à l'opéron *lac* ? Là encore, le mécanisme en question repose sur l'interaction entre une protéine régulatrice allostérique et une petite molécule organique, dans le cas présent l'adénosine monophosphate cyclique, ou **AMP cyclique** (**AMPc**) ; sa concentration augmente lorsque le glucose est présent en faible quantité (voir la structure de l'AMPc à la figure 11.11). La protéine régulatrice, appelée *protéine réceptrice d'AMPc* ou *protéine CRP* (pour *cAMP receptor protein*), est un **activateur**, une protéine qui se lie à l'ADN et stimule la transcription d'un gène. Lorsque l'AMPc se lie à cette protéine

▶ **Figure 18.4 L'opéron *lac* d'*E. coli*: régulation de la synthèse des enzymes inductibles.** Chez *E. coli*, l'assimilation et le métabolisme du lactose nécessitent l'intervention de trois enzymes, les gènes qui les encodent étant regroupés dans l'opéron *lac*. Le premier d'entre eux, *lacZ*, code pour la β-galactosidase, qui hydrolyse le lactose en glucose et en galactose. Un autre gène, *lacY*, code pour une perméase, la protéine membranaire qui assure le transport du lactose vers l'intérieur de la cellule. Le troisième gène, *lacA*, code pour la transacétylase, une enzyme qui détoxifie les autres molécules qui pénètrent dans la cellule par la perméase. Le gène du répresseur de *lac*, *lacI*, est adjacent à l'opéron *lac*, ce qui est inhabituel. La fonction de l'extrémité amont du promoteur (en bleu-vert), à gauche sur ces diagrammes, est illustrée à la figure 18.5.

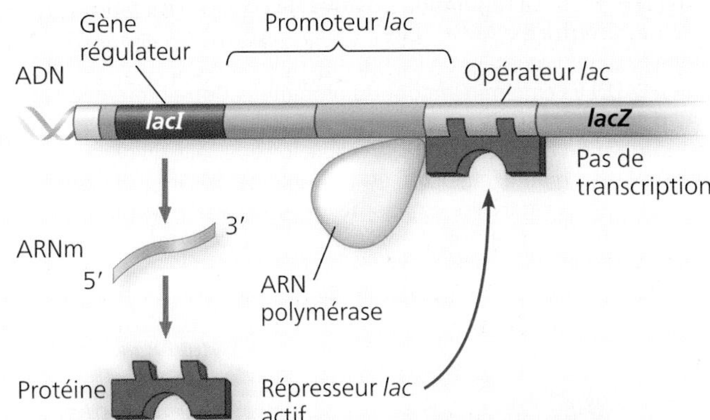

(a) Absence de lactose, répresseur actif, opéron désactivé. Le répresseur de lac est naturellement actif; en l'absence de lactose, il désactive l'opéron en se liant à l'opérateur. Les enzymes nécessaires au métabolisme du lactose ne sont pas produites.

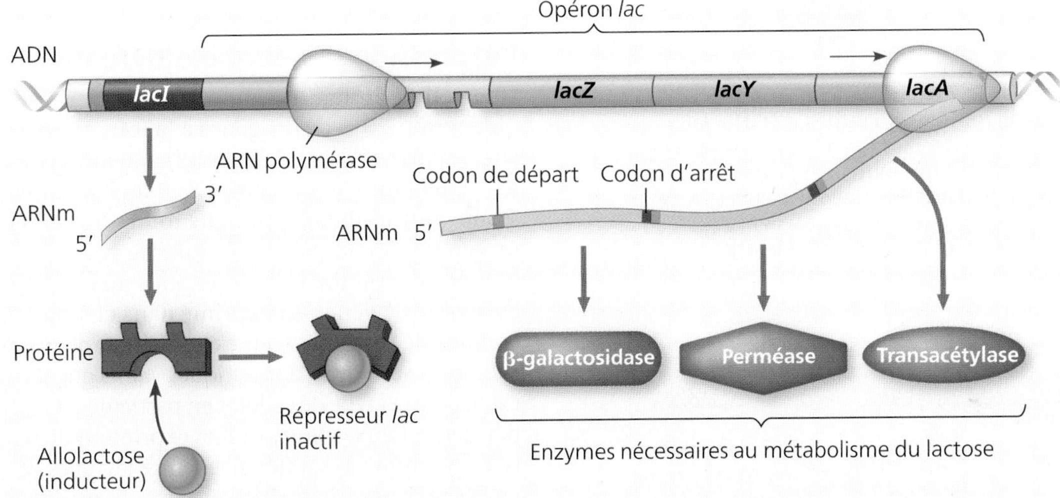

(b) Présence de lactose, répresseur inactif, opéron activé. L'allolactose, un isomère du lactose, se lie au répresseur et l'inactive, ce qui réactive l'opéron. Le répresseur inactif ne peut se lier à l'opérateur et, par conséquent, les gènes de l'opéron *lac* sont transcrits et les enzymes nécessaires au métabolisme du lactose sont produites.

régulatrice CRP, elle retrouve sa conformation active et peut se fixer à son tour à un site spécifique situé en amont du promoteur *lac* (**figure 18.5a**). La fixation augmente l'affinité de l'ARN polymérase pour le promoteur *lac*, présent en faible quantité, même quand aucun répresseur n'est lié à l'opérateur. En favorisant la liaison de l'ARN polymérase au promoteur *lac*, augmentant ainsi la vitesse de la transcription de l'opéron *lac*, la fixation de la protéine CRP au promoteur stimule directement l'expression génétique. Dans ce cas, on peut parler de mécanisme de régulation positive.

Si la concentration de glucose augmente dans la cellule, la concentration d'AMPc diminue et, sans elle, la protéine CRP quitte l'opéron *lac*. Quand la protéine CRP devient inactive, l'ARN polymérase se lie moins efficacement au promoteur, et la transcription de l'opéron *lac* se poursuit au ralenti, même en présence de lactose (**figure 18.5b**). L'opéron *lac* subit donc une double régulation: une régulation négative par le répresseur de *lac*, et une régulation positive par la protéine CRP. L'état dans lequel se trouve le répresseur de *lac* (avec ou sans allolactose) détermine si la transcription des gènes de l'opéron *lac* aura lieu. Quant à l'état de la protéine CRP (avec ou sans AMPc), il fixe la *vitesse* de transcription si l'opéron est exempt de répresseur. Tout se passe comme si l'opéron était muni à la fois d'un interrupteur et d'un bouton de réglage du volume. ■

La protéine CRP contribue à la régulation de l'opéron *lac*, mais aussi à celle de plusieurs autres opérons codant pour les enzymes de diverses voies cataboliques. En tout, elle peut influer sur l'expression de plus de 100 gènes chez *E. coli*. Lorsque le milieu contient du glucose et que la protéine CRP est inactive, on observe un ralentissement général de la synthèse des enzymes nécessaires au catabolisme de substances autres que le glucose. La possibilité de cataboliser d'autres composés, tels que le lactose, permet à la cellule bactérienne de survivre en l'absence de glucose. C'est la nature des composés présents dans une cellule à un moment donné qui détermine l'identité des opérons activés, par de simples interactions des protéines activatrices ou répressives avec les promoteurs des gènes en question.

▼ **Figure 18.5 La régulation positive de l'opéron *lac* par la protéine réceptrice d'AMPc (CRP).** L'ARN polymérase a une forte affinité pour le promoteur de *lac* seulement lorsque la protéine CRP s'unit à l'ADN à l'extrémité amont du promoteur. Cette protéine se lie à l'ADN seulement si elle est associée à l'AMP cyclique (AMPc), dont la concentration augmente dans la cellule lorsque celle du glucose diminue. Donc, quand le glucose est présent, même s'il y a aussi du lactose, la cellule catabolise en priorité le glucose et ne synthétise que de très petites quantités d'enzymes qui métabolisent le lactose.

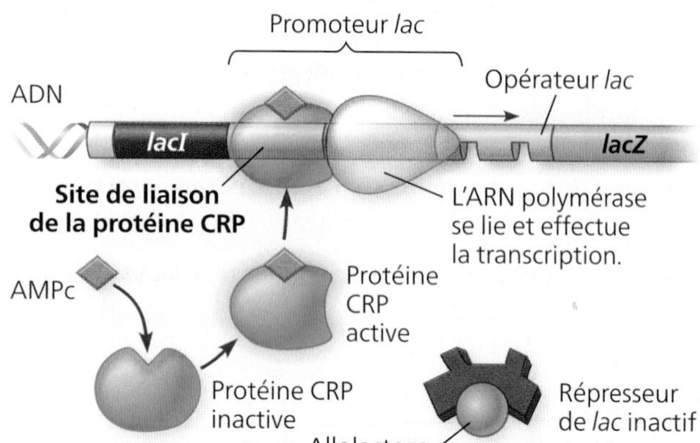

(a) Présence de lactose, peu de glucose (concentration d'AMPc élevée): synthèse de grandes quantités d'ARNm *lac*. Si le glucose est rare, la concentration élevée d'AMPc active la protéine CRP, qui se lie au promoteur et favorise la liaison à l'ARN polymérase à cet endroit. L'opéron *lac* produit de grandes quantités d'ARNm qui code pour les enzymes nécessaires à la cellule pour métaboliser le lactose.

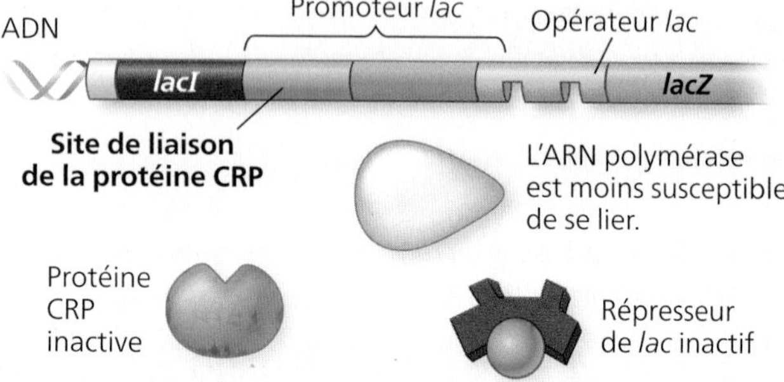

(b) Présence de lactose et de glucose (concentration d'AMPc faible): synthèse de faibles quantités d'ARNm *lac*. Lorsque le glucose est présent, l'AMPc se fait rare, et la protéine CRP n'est pas en mesure de stimuler la transcription à une vitesse importante, bien qu'il n'y ait aucun répresseur lié.

RETOUR SUR LE CONCEPT 18.1

1. Comment la liaison du corépresseur de *trp* au répresseur *trp* modifie-t-elle la fonction et la transcription du répresseur? Et qu'en est-il de la liaison de l'inducteur *lac* au répresseur *lac*?

2. Décrivez la liaison de l'ARN polymérase, des répresseurs et des activateurs à l'opéron *lac* quand le lactose et le glucose sont tous les deux rares. Quel est l'effet de cette rareté sur la transcription de l'opéron *lac*?

3. **ET SI?** ▶ Une certaine mutation survenue chez *E. coli* modifie l'opérateur *lac*, ce qui rend impossible sa liaison avec le répresseur actif. Expliquez les conséquences de ce changement sur la production de β-galactosidase par la bactérie.

Voir les réponses proposées à l'appendice A.

CONCEPT **18.2**

Chez les eucaryotes, la régulation de l'expression génétique s'exerce à de nombreux stades

Tous les organismes, procaryotes ou eucaryotes, doivent assurer en tout temps la régulation des gènes exprimés. Tout comme les organismes unicellulaires, les cellules des organismes multicellulaires doivent continuellement activer et désactiver des gènes en réponse à des stimulus provenant des milieux interne et externe. La régulation de l'expression génétique est également essentielle pour la spécialisation des cellules d'un organisme multicellulaire, qui est constitué de différents types de cellules. Pour remplir son rôle distinctif, chaque cellule doit assurer le maintien d'un programme spécifique de son expression génétique dans lequel certains gènes sont exprimés et d'autres ne le sont pas.

L'expression génétique différentielle

Une cellule humaine quelconque n'exprime probablement qu'environ 20 % de ses gènes à la fois, et cette proportion est encore plus faible dans les cellules hautement spécialisées, comme les cellules musculaires ou les cellules nerveuses. Dans un organisme multicellulaire, presque toutes les cellules contiennent un génome identique. (Les cellules du système immunitaire font exception, comme nous le verrons au chapitre 43.) Un sous-ensemble de gènes est exprimé dans chaque type de cellules; certains de ces gènes sont exprimés par de nombreux types de cellules et sont dits «domestiques» alors que d'autres gènes sont exclusifs à un type de cellules en particulier. Ces gènes distinctifs permettent aux cellules qui les expriment de remplir leur fonction spécifique. Les différences entre les types de cellules ne sont par conséquent pas attribuables à la présence de différents gènes, mais plutôt à l'**expression génétique différentielle**, qui permet à des cellules dont le génome est identique d'exprimer des gènes différents.

La fonction d'une cellule, que ce soit celle d'un eucaryote unicellulaire ou d'un type particulier de cellules dans un organisme multicellulaire, dépend de l'ensemble adéquat de gènes exprimés. Les facteurs qui transcrivent l'ADN doivent repérer les gènes nécessaires au moment voulu, ce qui peut être aussi difficile que de chercher une aiguille dans une botte de foin. Lorsque l'expression génétique se déroule anormalement, des déséquilibres sérieux et des maladies graves peuvent apparaître, notamment le cancer.

La **figure 18.6** résume le processus d'expression génétique dans la cellule eucaryote. Elle met en relief les principales étapes de l'expression d'un gène codant pour une protéine. Chacune de ces étapes est un point de régulation possible, où l'expression génétique peut être activée ou désactivée, accélérée ou ralentie.

Il y a environ 50 ans, il semblait qu'on ne parviendrait jamais à comprendre les mécanismes de régulation de l'expression génétique chez les eucaryotes en raison de la complexité de ces cellules. Grâce à de nouvelles méthodes de recherche, notamment les méthodes d'analyse de l'ADN (voir le chapitre 20), des spécialistes de la biologie moléculaire ont pu élucider une foule de détails concernant la régulation génique des cellules

▼ **Figure 18.6 Les étapes de la régulation de l'expression génétique dans la cellule eucaryote.** Dans ce schéma, les rectangles en couleurs indiquent les processus les plus souvent soumis à la régulation; chaque couleur indique le type de molécule qui subit une modification (bleu = ADN, rouge/orangé = ARN, violet = protéine). Contrairement à la cellule procaryote, la cellule eucaryote possède une enveloppe nucléaire qui sépare le lieu de la transcription de celui de la traduction. Cette barrière lui permet d'assurer une régulation après la transcription, à l'étape de la maturation de l'ARN (un processus absent chez les procaryotes). De plus, la cellule eucaryote dispose d'un plus grand nombre de mécanismes de contrôle avant la transcription et après la traduction. Une version miniature de cette figure accompagne d'autres figures situées plus loin dans le présent chapitre, à titre de schéma de référence.

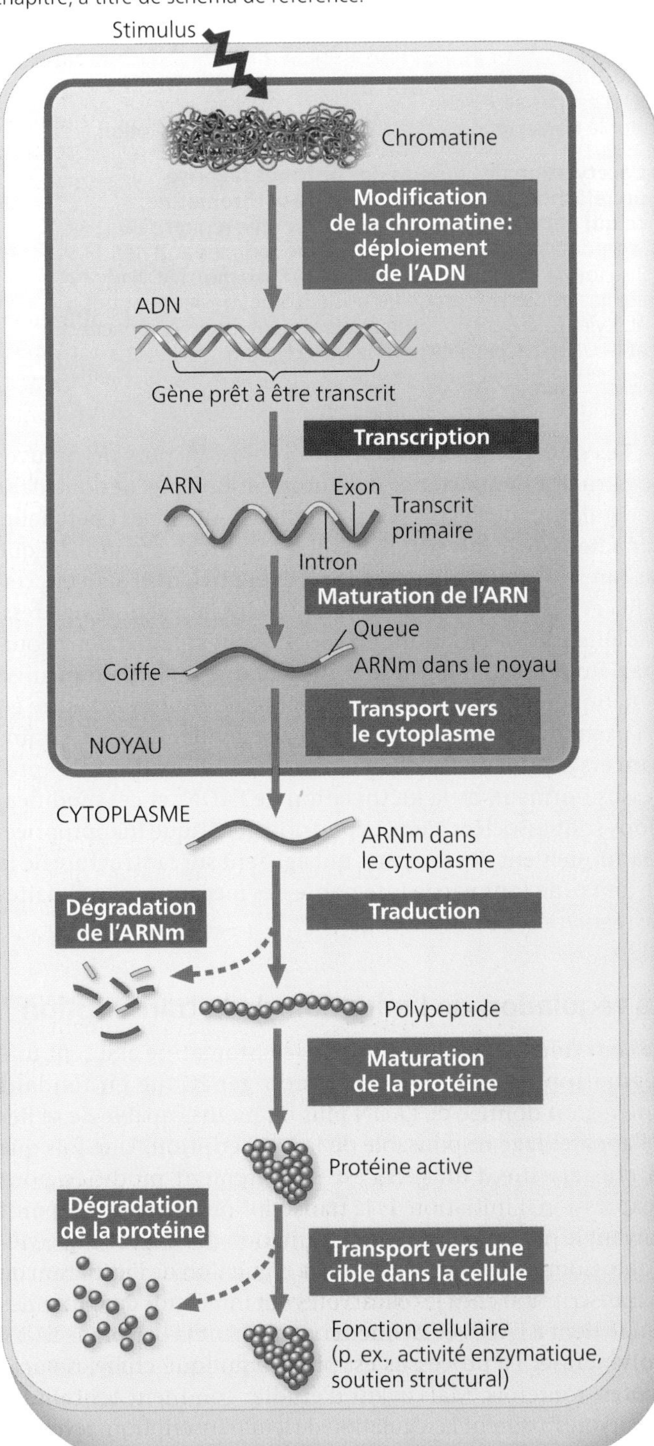

eucaryotes. L'étape de régulation de l'expression génétique commune à tous les organismes se situe au moment de la transcription. À cette étape, la régulation s'exerce souvent en réaction à des stimulus extérieurs comme les hormones ou d'autres signaux moléculaires. C'est pour cette raison qu'on emploie fréquemment le terme *expression génétique* dans le sens de transcription autant chez les cellules bactériennes qu'eucaryotes. Alors que ce type de régulation est le plus courant chez les bactéries, la régulation de l'expression peut s'exercer à de nombreux autres niveaux chez les eucaryotes, qui présentent une plus grande complexité structurale et fonctionnelle (voir la figure 18.6). Dans le reste de cette section, nous étudierons certaines des étapes importantes de la régulation chez les eucaryotes.

La régulation de la structure de la chromatine

Rappelez-vous que l'ADN des cellules eucaryotes s'associe à des protéines pour former un complexe nommé chromatine, dont l'unité fondamentale est le nucléosome (voir la figure 16.22). En plus de permettre à l'ADN d'adopter une forme compacte de façon qu'il puisse être contenu dans le noyau de la cellule, la structure de la chromatine contribue de plusieurs façons à la régulation de l'expression génétique. L'emplacement d'un promoteur, par rapport à celui des nucléosomes et aux sites où l'ADN s'attache à l'armature chromosomique, influe sur le niveau de transcription d'un gène. En outre, les gènes de l'hétérochromatine, qui est hautement condensée, ne sont généralement pas exprimés. Enfin, certaines modifications chimiques de la chromatine – tant des histones des nucléosomes autour desquelles l'ADN s'enroule que des nucléotides constituant l'ADN – peuvent jouer un rôle dans la structure de la chromatine et dans l'expression génétique. Nous examinons ici les effets de ces modifications qui sont catalysées par des enzymes spécifiques.

Les modifications des histones et la méthylation de l'ADN

Des preuves abondantes tendent à montrer que les modifications chimiques des histones, observées dans tous les organismes eucaryotes, jouent un rôle direct dans la régulation de la transcription génique. L'extrémité N-terminale de chaque molécule d'histone fait saillie à la surface d'un nucléosome et forme une queue (**figure 18.7a**). Les *queues des histones* peuvent subir des modifications sous l'action de diverses enzymes, qui catalysent l'addition ou l'élimination de groupements chimiques spécifiques, comme les groupements acétyle (—$COCH_3$), méthyle et phosphate (voir la figure 4.9). En général, l'**acétylation des histones**, soit l'ajout d'un groupement acétyle à un acide aminé situé dans la queue d'une histone, semble favoriser la transcription en provoquant le relâchement de la structure de la chromatine (**figure 18.7b**), alors que l'ajout de groupements méthyle aux histones peut entraîner la condensation de la chromatine et inhiber la transcription. Souvent, l'ajout d'un groupement chimique particulier peut créer de nouveaux sites de liaison pour les enzymes, ce qui modifie davantage la structure de la chromatine, et ce, de différentes façons.

Au lieu de modifier les histones, d'autres enzymes peuvent méthyler certaines bases de l'ADN lui-même, généralement la cytosine. Cette **méthylation de l'ADN** s'effectue chez la plupart des végétaux, des animaux et des eumycètes. De longs segments de l'ADN inactif, comme celui des chromosomes X

▼ **Figure 18.7 Représentation schématique des queues des histones et effet de l'acétylation des histones.** En plus de l'acétylation, les histones peuvent subir plusieurs autres types de modifications, comme la méthylation ou la phosphorylation. L'addition de ces groupements chimiques contribue à déterminer la configuration de la chromatine dans une région et rend possible la création de sites de liaison pour les enzymes modifiant la chromatine.

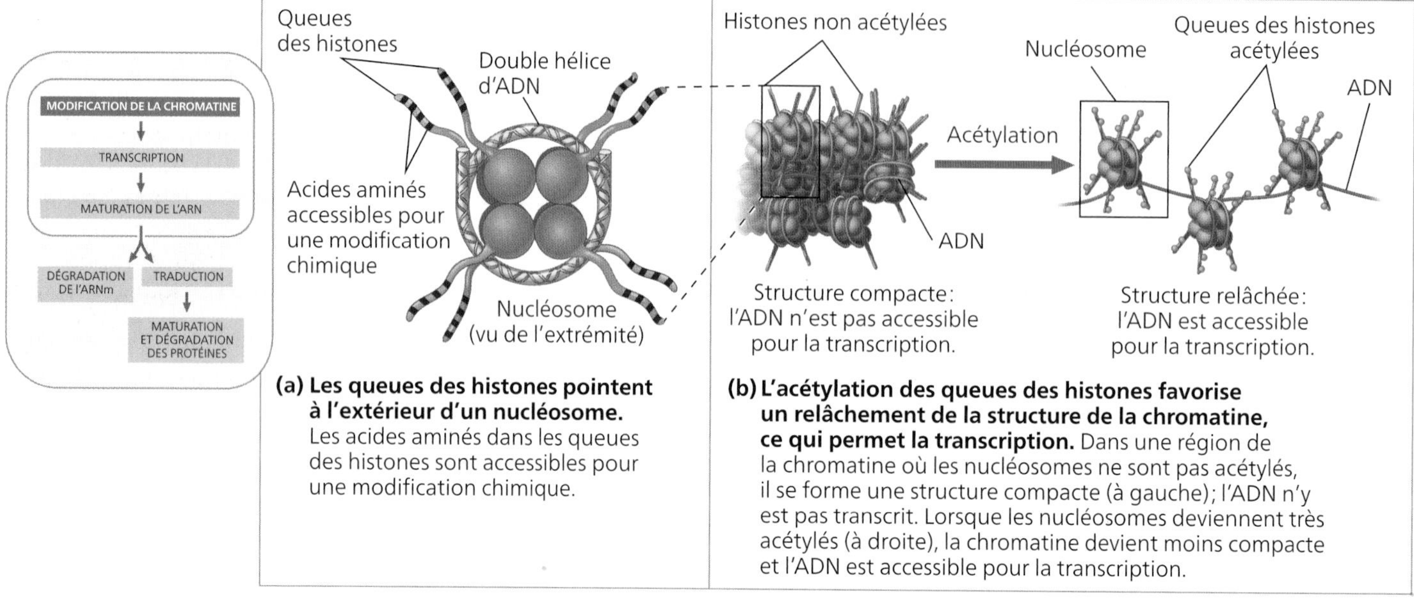

(a) Les queues des histones pointent à l'extérieur d'un nucléosome. Les acides aminés dans les queues des histones sont accessibles pour une modification chimique.

(b) L'acétylation des queues des histones favorise un relâchement de la structure de la chromatine, ce qui permet la transcription. Dans une région de la chromatine où les nucléosomes ne sont pas acétylés, il se forme une structure compacte (à gauche); l'ADN n'y est pas transcrit. Lorsque les nucléosomes deviennent très acétylés (à droite), la chromatine devient moins compacte et l'ADN est accessible pour la transcription.

inactivés chez les mammifères (voir la figure 15.8), sont généralement beaucoup plus méthylés que les régions de l'ADN qui est transcrit activement (il peut y avoir des exceptions). À plus petite échelle, l'ADN de gènes individuels est habituellement plus méthylé dans les cellules où ces gènes ne sont pas exprimés. Par ailleurs, l'élimination des groupements méthyle en excès de certains gènes entraîne leur activation.

Une fois méthylés, les gènes restent habituellement dans cet état au cours des divisions cellulaires suivantes chez un individu donné. À chaque réplication de l'ADN, les enzymes de méthylation agissent sur les sites du brin matrice déjà méthylé: elles ajoutent des groupements méthyle aux endroits correspondants sur le brin nouvellement synthétisé. La méthylation passe donc aux cellules filles; c'est ainsi que la mémoire chimique des événements survenus au cours du développement cellulaire se transmet à toutes les cellules des tissus spécialisés. Chez les mammifères, cette forme de transmission de la méthylation explique également le phénomène de l'*empreinte génomique*, soit l'inactivation permanente de l'allèle maternel ou paternel de certains gènes dès le début du développement (voir la figure 15.17).

L'hérédité épigénétique

Les modifications de la chromatine que nous venons d'examiner n'entraînent pas de changement dans la séquence de l'ADN, et pourtant elles peuvent quand même être transmises d'une génération cellulaire à l'autre. L'hérédité des caractères transmis par des mécanismes qui n'impliquent pas la séquence nucléotidique en soi est appelée **hérédité épigénétique**. Alors que les mutations dans l'ADN sont des changements permanents, les modifications de la chromatine pourraient être réversibles. Par exemple, les profils de méthylation sont généralement effacés puis rétablis pendant la formation des gamètes.

Les chercheurs accumulent de plus en plus de preuves confirmant l'importance de l'information épigénétique dans la régulation de l'expression génétique. Ainsi, des chercheurs canadiens de l'Université McGill, à Montréal, ont montré que les caresses maternelles chez le rat déméthylent et activent certains gènes du cerveau intervenant dans la réaction au stress. Par ailleurs, les variations épigénétiques expliqueraient pourquoi un jumeau identique contracte une maladie transmise génétiquement, comme la schizophrénie, alors que l'autre en est exempt, bien qu'ils aient des génomes identiques. Certains cancers semblent s'accompagner de modifications des processus normaux de la méthylation de l'ADN, et ces modifications sont associées à une expression génétique inappropriée. Manifestement, les enzymes qui agissent sur la structure de la chromatine font partie intégrante des mécanismes cellulaires de régulation de la transcription.

La régulation de l'initiation de la transcription

Les enzymes de modification de la chromatine assurent une régulation initiale de l'expression génétique en rendant une région donnée de l'ADN plus ou moins capable de se lier à l'appareillage responsable de la transcription. Une fois que la chromatine d'un gène est parfaitement modifiée pour l'expression, l'initiation de la transcription représente le point suivant le plus important de la régulation de l'expression génétique. Comme chez les bactéries, la régulation de l'initiation de la transcription chez les eucaryotes fait intervenir des protéines qui se lient à l'ADN et facilitent ou inhibent la liaison de l'ARN polymérase. Le processus est plus compliqué chez les eucaryotes, toutefois. Mais avant d'étudier comment les cellules eucaryotes assurent la régulation de leur transcription, revoyons la structure d'un gène typique d'eucaryote.

La structure d'un gène typique des eucaryotes et de son transcrit

Un gène eucaryote et les éléments d'ADN (segments) qui assurent sa régulation ont habituellement une structure semblable à celle que montre la **figure 18.8**. Celle-ci complète ce que vous avez appris sur les gènes des eucaryotes au chapitre 17. Souvenez-vous qu'un assemblage de protéines, nommé *complexe d'initiation de la transcription*, se forme sur le promoteur à l'extrémité « amont » du gène (voir la figure 17.9). Vous avez aussi appris que l'une de ces protéines, l'ARN polymérase II, transcrit le gène ; elle synthétise un transcrit primaire (ARN prémessager). La maturation de l'ARN comprend l'addition enzymatique d'une coiffe 5′ et d'une queue poly-A ; les introns sont également enlevés du transcrit primaire pour donner un ARNm mature. Un nombre élevé d'**éléments de contrôle** sont associés à la plupart des gènes des eucaryotes. Ce sont tout simplement des segments d'ADN non codants qui servent de sites de liaison pour les protéines nommées facteurs de transcription, lesquels se lient aux éléments de contrôle et régulent la transcription. Ces éléments de contrôle situés sur l'ADN et les facteurs de transcription qui s'y lient sont importants, car la régulation précise de l'expression génétique qu'on observe dans différents types de cellules ne pourrait se dérouler sans eux.

Les rôles des facteurs de transcription généraux et spécifiques

Il existe deux types de facteurs de transcription : les facteurs de transcription généraux, qui agissent au niveau du promoteur de tous les gènes, et les facteurs de transcription spécifiques, qui se lient aux éléments de contrôle situés à proximité ou à distance du promoteur dans certains gènes.

Les facteurs de transcription généraux situés au niveau du promoteur Chez les eucaryotes, la transcription d'un gène ne peut être effectuée par l'ARN polymérase seule. Elle nécessite la présence de facteurs de transcription. Certains d'entre eux, comme ceux de la figure 17.9, sont essentiels à la transcription de *tous* les gènes codant pour des protéines ; on les appelle donc souvent *facteurs de transcription généraux*. Quelques facteurs de transcription généraux se lient à une séquence d'ADN spécifique, telle que la boîte TATA, située à l'intérieur du promoteur. Toutefois, plusieurs autres facteurs de transcription généraux s'unissent aux protéines, y compris l'ARN polymérase II. Les interactions protéine-protéine sont essentielles à l'initiation de la transcription chez les eucaryotes. Ce n'est que lorsque le complexe d'initiation est entièrement assemblé que l'ARN polymérase commence à se déplacer le long du brin d'ADN servant de matrice et à produire un brin d'ARN complémentaire.

▼ **Figure 18.8 Un gène eucaryote et son transcrit.** Chez les eucaryotes, chaque gène comporte un promoteur, soit une séquence d'ADN à laquelle l'ARN polymérase se lie et où elle commence la transcription, en se dirigeant vers l'« aval ». Des éléments de contrôle (en jaune) jouent un rôle dans la régulation de l'initiation de la transcription ; ce sont des séquences d'ADN situées près (proximales) ou loin (distales) du promoteur. Les éléments de contrôle éloignés peuvent être groupés en tant qu'amplificateurs, dont l'un d'eux est illustré pour ce gène. À l'autre extrémité du gène, dans le dernier exon, une séquence signal de polyadénylation (poly-A) est transcrite en séquence d'ARN pour signaler à quels endroits le transcrit doit être clivé et la queue poly-A ajoutée. La transcription peut continuer pour des centaines de nucléotides au-delà du signal poly-A avant de se terminer. La maturation de l'ARN du transcrit primaire en ARNm fonctionnel comporte trois étapes : l'addition d'une coiffe 5′, l'addition de la queue poly-A et l'épissage. Dans la cellule, la coiffe 5′ est ajoutée peu après l'initiation de la transcription ; l'épissage et l'addition de la queue poly-A peuvent également avoir lieu pendant que la transcription se poursuit (voir la figure 17.11).

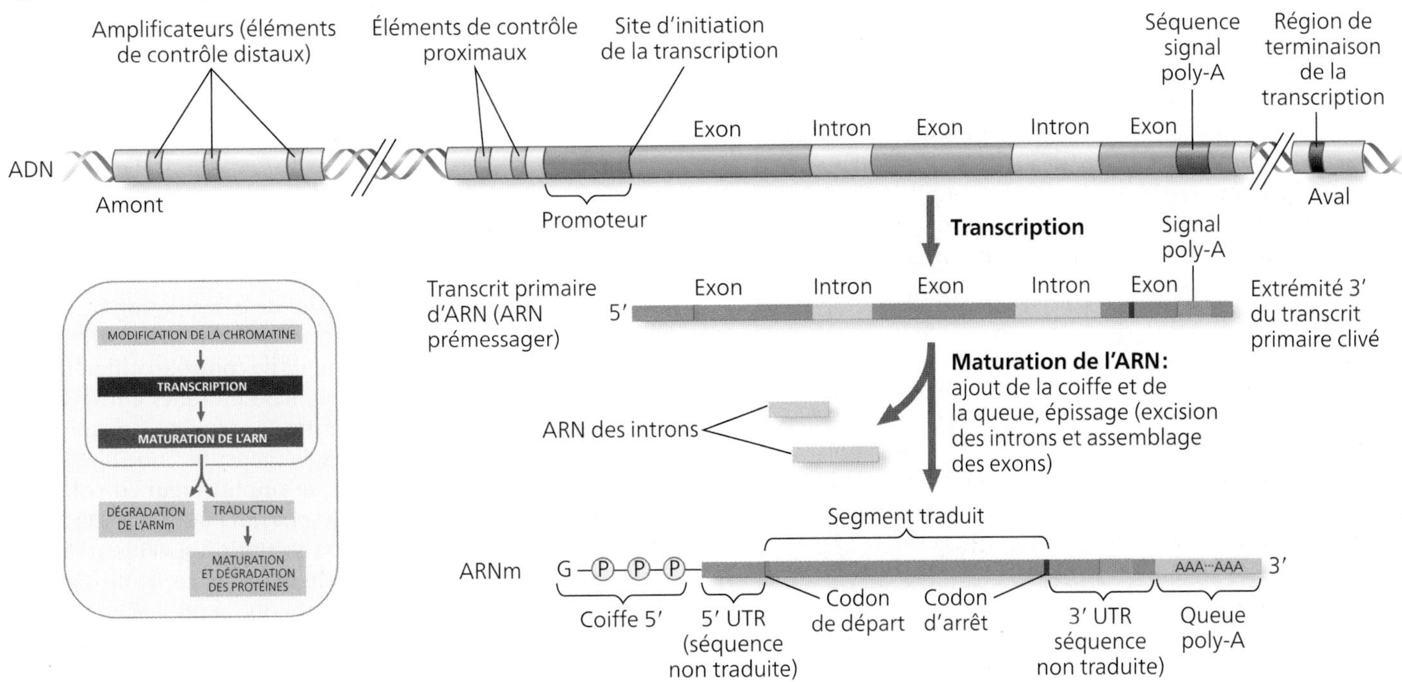

L'interaction entre les facteurs de transcription généraux, l'ARN polymérase II et le promoteur aboutit habituellement à un taux d'initiation peu élevé et à la formation d'un petit nombre de transcrits d'ARN de gènes qui ne sont pas continuellement exprimés, mais qui font plutôt l'objet d'une régulation. Pour que la transcription de ces gènes particuliers au moment et à l'endroit voulus atteigne un niveau élevé chez les eucaryotes, il doit se produire des interactions entre des éléments de contrôle et d'autres protéines. On considère ces éléments comme des *facteurs de transcription spécifiques*.

Les amplificateurs et les facteurs de transcription spécifiques Comme on le voit à la figure 18.8, des éléments de contrôle (ou éléments régulateurs), nommés *éléments de contrôle proximaux*, se trouvent près du promoteur. (Contrairement à certains biologistes, nous ne les englobons pas dans le promoteur.) Quant aux éléments plus éloignés, les *éléments de contrôle distaux*, ce sont des **amplificateurs**. Ils peuvent être situés à des milliers de nucléotides de distance (jusqu'à 100 000) en aval ou en amont d'un gène, ou même à l'intérieur d'un intron. Un gène donné peut posséder de multiples amplificateurs, chacun étant actif à un moment donné ou dans un type différent de cellule ou un emplacement particulier dans l'organisme. Cependant, chaque amplificateur est généralement associé à un seul gène et à aucun autre.

Chez les eucaryotes, la vitesse de l'expression génétique peut être fortement augmentée ou diminuée quand des facteurs de transcription spécifiques, soit des activateurs, soit des répresseurs, se lient aux éléments de contrôle des amplificateurs. On a découvert des centaines de facteurs de transcription eucaryotes; la **figure 18.9** en illustre un exemple. Les chercheurs ont découvert qu'un grand nombre d'activateurs se caractérisent par la présence de deux éléments de structure communs: un *domaine de liaison* à l'ADN, c'est-à-dire une partie de la structure tridimensionnelle de la protéine qui se lie à l'ADN, et un ou plusieurs *domaines d'activation*. Ceux-ci se lient aux autres protéines régulatrices ou composants du mécanisme de transcription, ce qui permet une séquence d'interactions protéine-protéine favorisant la transcription d'un gène donné.

▼ **Figure 18.9 La structure de la protéine MyoD, un activateur de la transcription.** La protéine MyoD se compose de deux sous-unités polypeptidiques (en violet et en saumon) comportant d'importantes régions en forme d'hélice α. Chaque sous-unité possède un domaine de liaison à l'ADN (partie inférieure) et un domaine d'activation (partie supérieure). Le domaine d'activation comprend les sites de liaison pour l'autre sous-unité, de même que pour d'autres protéines. MyoD intervient dans le développement des muscles chez l'embryon des vertébrés (voir le concept 18.4).

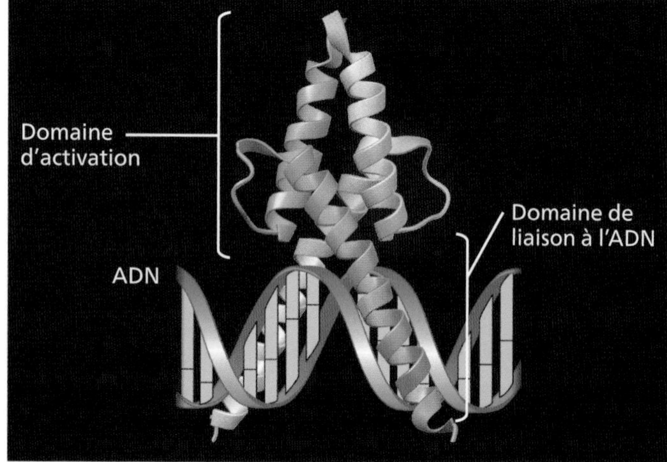

HABILETÉS VISUELLES ▶ Expliquez comment les deux domaines fonctionnels de la protéine MyoD sont liés aux deux sous-unités polypeptidiques.

Comment la liaison des activateurs à un amplificateur situé loin du promoteur peut-elle exercer une influence sur la transcription? Une étude montre que les protéines régulant un gène de la globine de souris mettent en contact le promoteur du gène et un amplificateur situé à environ 50 000 nucléotides en amont. Cette étude, comme plusieurs autres, appuie le modèle actuel d'une protéine modulant la courbure de l'ADN, ce qui permet aux activateurs déjà liés d'entrer en contact avec un groupe de *protéines médiatrices*, lesquelles interagiront à leur tour avec les protéines situées sur le promoteur (**figure 18.10**). Ces multiples interactions protéine-protéine facilitent l'assemblage et le positionnement adéquat du complexe d'initiation sur le promoteur; elles permettent au promoteur et à l'amplificateur de se lier de façon très spécifique, malgré le grand nombre de paires de nucléotides qui les séparent souvent. Dans l'exercice de la rubrique **Habiletés scientifiques**, vous pourrez utiliser les données d'une expérience ayant permis de cibler les éléments de contrôle dans l'amplificateur d'un gène humain particulier.

Des facteurs de transcription spécifiques faisant office de répresseurs inhibent l'expression génétique de plusieurs façons. Certains répresseurs se lient directement à l'élément de contrôle de l'ADN (dans les amplificateurs ou ailleurs). Ils bloquent alors la liaison des activateurs ou, dans certains cas, désactivent la transcription même lorsque les activateurs sont liés. D'autres répresseurs interagissent avec l'activateur de façon à ce qu'il ne puisse se lier à l'ADN.

Outre le fait qu'ils influent directement sur la transcription, certains activateurs et répresseurs agissent indirectement sur le plan de la structure de la chromatine. Des études sur les levures et les mammifères démontrent que certains activateurs recrutent des protéines qui acétylent les histones près des promoteurs de gènes spécifiques, ce qui facilite la transcription (voir la figure 18.7). De la même façon, certains répresseurs recrutent des protéines qui désacétylent les histones, ce qui se traduit par une diminution de la transcription, phénomène nommé *silençage*. En effet, le recrutement de protéines modificatrices de la chromatine semble être le mécanisme de répression le plus courant chez les eucaryotes.

Le contrôle combinatoire de l'activation des gènes Chez les eucaryotes, la régulation de la transcription dépend en grande partie de la liaison des activateurs aux éléments de contrôle de l'ADN. Vu la complexité de la régulation du grand nombre de gènes d'une cellule animale ou végétale, il est surprenant de constater que les éléments de contrôle comprennent un si petit nombre de séquences nucléotidiques entièrement différentes. Une douzaine de courtes séquences réapparaissent à de nombreux endroits dans les éléments de contrôle de différents gènes. En moyenne, chaque amplificateur est composé d'environ 10 éléments de contrôle, chacun pouvant se lier à seulement un ou deux facteurs de transcription spécifiques. C'est la *combinaison* particulière des éléments de contrôle dans un amplificateur associés au gène plutôt que la présence d'un seul élément de contrôle qui s'avère importante pour la régulation de sa transcription.

DÉMARCHE SCIENTIFIQUE

HABILETÉS SCIENTIFIQUES

Analyser des délétions de l'ADN

■ QUELS ÉLÉMENTS DE CONTRÔLE RÉGULENT L'EXPRESSION DU GÈNE *mPGES-1* ? ■ Le promoteur d'un gène inclut l'ADN situé immédiatement en amont du site d'initiation de la transcription, mais les éléments de contrôle qui régulent le niveau de transcription du gène (regroupés sous forme d'amplificateur) peuvent se trouver à des milliers de paires de bases en amont du promoteur. Comme il est difficile de localiser les éléments de contrôle en raison de la distance et de l'espacement, les scientifiques commencent par supprimer les éléments de contrôle potentiels, puis ils mesurent l'effet de cette suppression sur l'expression génétique. Dans cet exercice, vous analyserez les données issues des expériences de délétion de l'ADN visant à identifier les éléments de contrôle potentiels du gène humain *mPGES-1*. Ce gène code pour une enzyme qui synthétise un type de prostaglandine, une substance chimique produite en réponse à l'inflammation des tissus.

■ MÉTHODE ■ Les chercheurs ont présumé qu'il existe probablement trois éléments de contrôle dans une région amplificatrice située à 8 ou 9 kilobases en amont du gène *mPGES-1*. Les éléments de contrôle régulent tout gène situé dans la région appropriée en aval. Par conséquent, pour vérifier l'activité des éléments potentiels, les chercheurs ont d'abord synthétisé les molécules d'ADN («produits de recombinaison») dont la région amplificatrice était intacte en aval d'un «gène rapporteur» (gène dont on pouvait mesurer l'ARNm facilement en laboratoire). Ensuite, ils ont généré trois autres produits de recombinaison d'ADN dans lesquels ils ont supprimé l'un des trois éléments de contrôle supposé (voir la partie gauche de la figure). Par la suite, ils ont ajouté les produits de recombinaison d'ADN à des cultures de cellules humaines, qui les ont intégrés. Après 48 heures, ils ont mesuré la quantité d'ARNm du gène rapporteur produit par les cellules. En comparant les quantités d'ARNm produit, les chercheurs ont pu déterminer si l'une ou l'autre des délétions agissait sur l'expression du gène rapporteur, en imitant les effets des délétions sur l'expression du gène *mPGES-1*. (Il était impossible d'utiliser le gène *mPGES-1* lui-même pour mesurer les taux d'expression, car les cellules expriment leur propre gène *mPGES-1*, et l'ARNm de ce gène brouillerait les résultats.)

■ RÉSULTATS ■ Les schémas situés du côté gauche de la figure montrent une séquence d'ADN intacte (haut) et les trois produits de recombinaison d'ADN expérimentaux. Un X rouge est tracé sur l'élément de contrôle potentiel (1, 2 ou 3) supprimé dans chaque produit de recombinaison d'ADN expérimental. La zone entre les barres obliques représente environ 8 kilobases d'ADN entre le promoteur et la région amplificatrice. Le diagramme à bandes horizontales de droite montre la quantité d'ARNm du gène rapporteur présente dans chaque culture cellulaire après 48 heures, par rapport à la quantité présente dans la culture contenant la région amplificatrice intacte (barre du haut = 100 %).

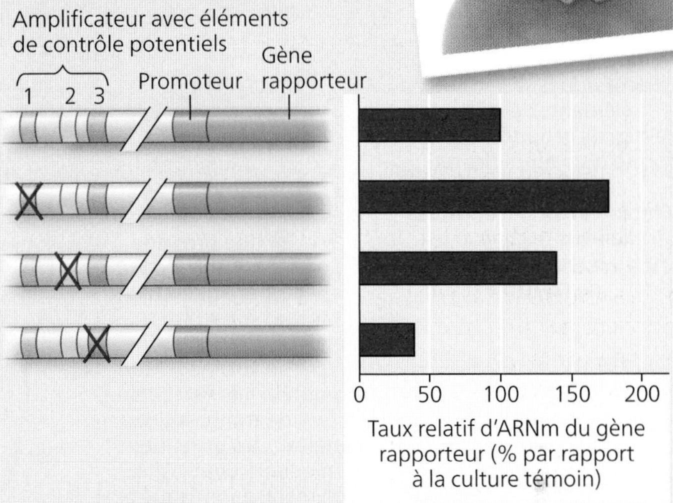

Source des données: J. N. Walters et coll., Regulation of human microsomal prostaglandin E synthase-1 by IL-1b requires a distal enhancer element with a unique role for C/EBPb, *Biochemical Journal* 443: 561-571 (2012).

INTERPRÉTEZ LES DONNÉES ▼

1. (a) Dans ce diagramme, quelle est la variable indépendante ? (b) Quelle est la variable dépendante ? (c) Dans cette expérience, quelle séquence d'ADN possède la culture cellulaire servant de témoin ? Indiquez où elle se trouve dans le schéma.
2. D'après ces données, l'un des éléments de contrôle supposé pourrait-il être un véritable élément de contrôle ? Expliquez votre réponse.
3. (a) La délétion d'un des éléments de contrôle possible a-t-elle entraîné une *diminution* de l'expression du gène rapporteur ? Le cas échéant, nommez l'élément de contrôle et justifiez votre réponse ? (b) Si la délétion d'un élément de contrôle a entraîné une diminution de l'expression génétique, quel devrait être le rôle normal de cet élément de contrôle ? Expliquez comment, du point de vue de la biologie, la perte de cet élément de contrôle pourrait entraîner une diminution de l'expression génétique.
4. (a) La délétion de l'un des éléments de contrôle possibles a-t-elle causé une augmentation de l'expression génétique par rapport au témoin ? Le cas échéant, nommez l'élément de contrôle et justifiez votre réponse. (b) Si la délétion d'un élément de contrôle a entraîné une augmentation de l'expression génétique, quel devrait être le rôle normal de cet élément ? Expliquez comment, du point de vue de la biologie, la perte de cet élément de contrôle pourrait entraîner une augmentation de l'expression génétique.

Même avec seulement une douzaine de séquences d'éléments de contrôle disponibles, il est possible d'obtenir un grand nombre de combinaisons. Chaque combinaison d'éléments de contrôle a la capacité d'activer la transcription seulement si les protéines des activateurs appropriées sont présentes, ce qui peut se produire à un moment précis pendant le développement ou dans un type de cellules en particulier. La **figure 18.11** illustre comment l'utilisation de différentes combinaisons comportant seulement quelques éléments de contrôle suffit pour assurer la régulation différentielle de la transcription dans deux types de

▼ **Figure 18.10 Un modèle d'action d'un amplificateur et des activateurs de transcription.** En courbant l'ADN, une protéine permet à un amplificateur d'exercer une influence sur un promoteur situé à des centaines ou même à des milliers de nucléotides de distance. Les facteurs de transcription spécifiques (nommés *activateurs*) se lient aux séquences d'ADN de l'amplificateur, puis à un groupe de protéines médiatrices. Ces protéines s'unissent à leur tour aux facteurs de transcription généraux et à l'ARN polymérase II, formant le complexe d'initiation de la transcription. Ces interactions protéine-protéine facilitent le positionnement du complexe sur le promoteur et l'initiation de la synthèse de l'ARN. Un seul amplificateur (avec trois éléments de contrôle en orangé) est illustré ici, mais un gène peut en avoir plusieurs qui agissent à des moments différents et dans divers types de cellules.

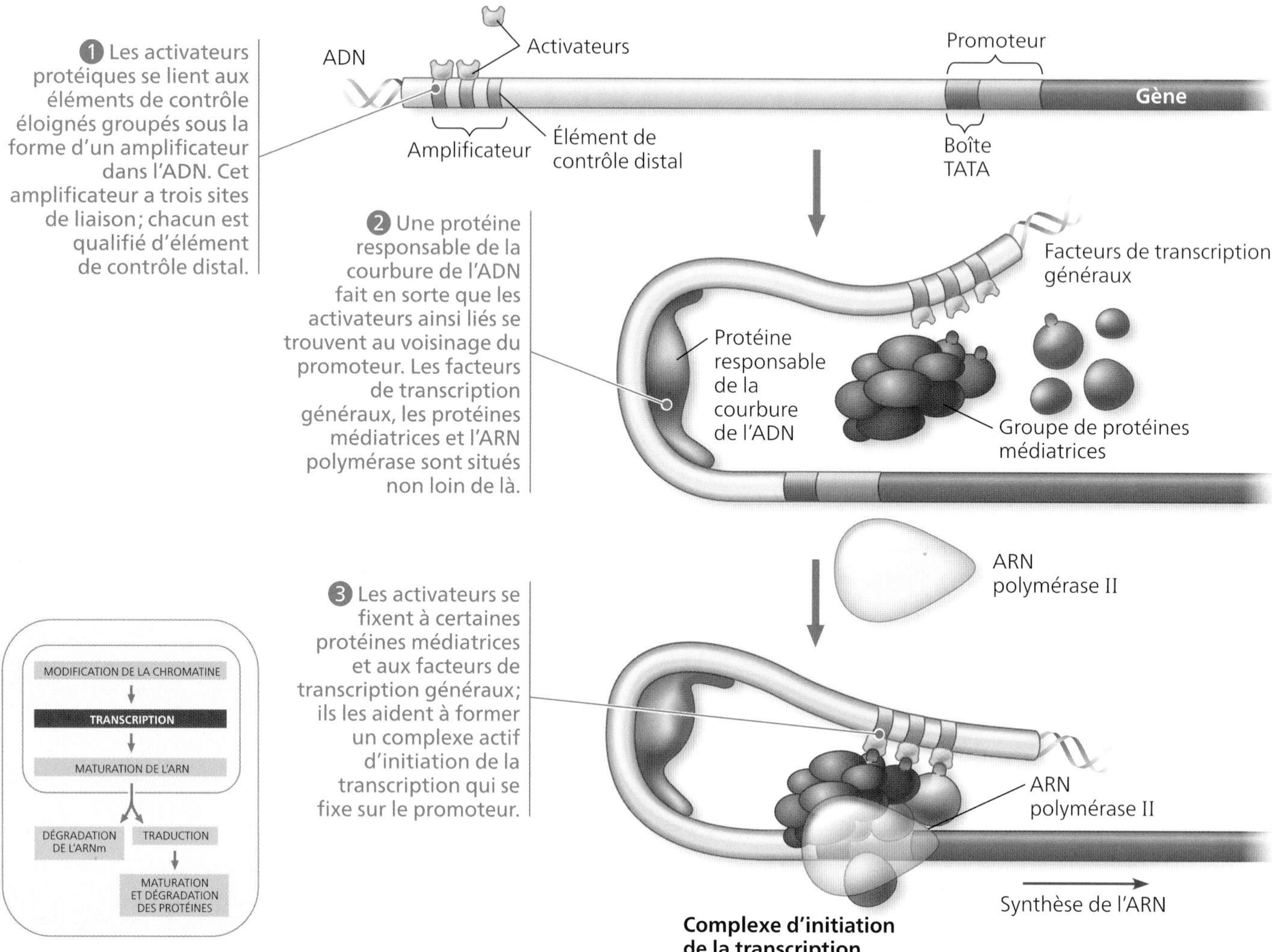

cellules représentatifs – les cellules hépatiques et les cellules du cristallin. Cette situation peut se produire parce que chaque type de cellules contient un groupe différent de protéines activatrices. Au concept 18.4, nous verrons comment des cellules de types différents se distinguent les unes des autres pendant ce processus même si elles proviennent d'une même cellule (zygote).

Les gènes à régulation coordonnée chez les eucaryotes

Comment la cellule eucaryote régule-t-elle un groupe de gènes aux fonctions apparentées qu'il est nécessaire d'activer ou de désactiver simultanément? Plus haut dans ce chapitre, vous avez vu que, chez les bactéries, les gènes à *régulation coordonnée* sont souvent groupés en un opéron; la régulation est assurée par un seul promoteur et la transcription s'effectue en une seule molécule d'ARNm. Les gènes sont donc exprimés ensemble, et les protéines codées sont produites simultanément chez les procaryotes. On *n*'a toutefois *pas* découvert d'opéron fonctionnant ainsi dans les cellules eucaryotes en général (à quelques exceptions près).

Les gènes eucaryotes exprimés simultanément, tels que les gènes qui codent pour les enzymes d'une même voie métabolique, sont généralement éparpillés sur des chromosomes différents. Dans ce cas, l'expression coordonnée d'un groupe de gènes eucaryotes dépend plutôt de l'association d'un ensemble spécifique d'éléments de contrôle avec chacun de ces gènes éparpillés. Des activateurs dans le noyau reconnaissent les éléments de contrôle et se lient à eux, facilitant la transcription simultanée de gènes, peu importe où ils sont situés sur le génome.

La régulation coordonnée de gènes dispersés dans une cellule eucaryote se produit souvent en réaction à des molécules de signalisation provenant de l'extérieur de la cellule. Par exemple, une hormone stéroïde circulante pénètre dans la cellule et se lie à un récepteur protéique spécifique intracellulaire, formant un complexe hormone-récepteur qui sert d'activateur de la transcription (voir la figure 11.9). Chaque gène dont la transcription

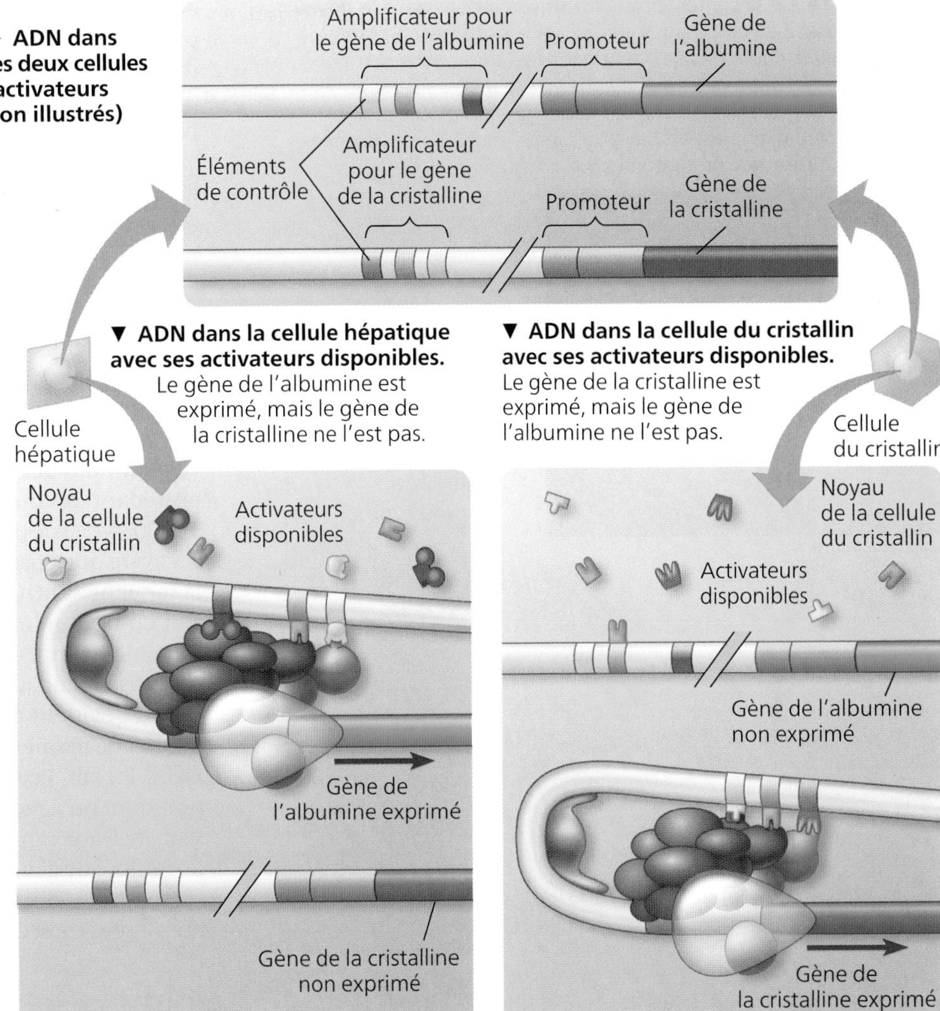

Figure 18.11 La transcription spécifique du type de cellules. Les cellules hépatiques et les cellules du cristallin possèdent les gènes capables de synthétiser la protéine albumine et la protéine cristalline, mais seules les cellules hépatiques fabriquent l'albumine (protéine du sang) et seules les cellules du cristallin fabriquent la cristalline (composant principal du cristallin de l'œil). Les facteurs de transcription spécifiques synthétisés dans une cellule déterminent quels gènes sont exprimés. Ici, les gènes de l'albumine et ceux de la cristalline sont illustrés en haut, chacun ayant un amplificateur composé de trois éléments de contrôle différents. Bien que les amplificateurs pour les deux gènes partagent un élément de contrôle (en gris), chacun possède une *combinaison* d'éléments unique. Tous les activateurs nécessaires à une expression à haut niveau du gène de l'albumine ne sont présents que dans les cellules hépatiques (à gauche), alors que les activateurs nécessaires à l'expression du gène de la cristalline ne se trouvent que dans les cellules du cristallin (à droite). Pour plus de simplicité, nous n'examinons ici que le rôle des activateurs, bien que les répresseurs puissent aussi influer sur la transcription dans certains types de cellules.

HABILETÉS VISUELLES ▶ Décrivez l'amplificateur pour le gène de l'albumine dans chaque type de cellules. Comparez la séquence de nucléotides de cet amplificateur se trouvant dans la cellule hépatique avec celle qui est dans la cellule du cristallin.

est stimulée par une hormone stéroïde particulière, quel que soit son emplacement sur un chromosome, porte un élément de contrôle reconnu par le complexe hormone-récepteur. C'est de cette façon que l'œstrogène active un groupe de gènes qui stimulent la division cellulaire dans les cellules de l'utérus, le préparant pour la grossesse.

De nombreuses molécules de signalisation, telles que les hormones non stéroïdiennes et les facteurs de croissance, se lient à des récepteurs situés à la surface de la cellule. Elles ne pénètrent jamais dans celle-ci. Ces molécules peuvent assurer la régulation génique indirectement en mettant en marche des voies de transduction du signal activant des facteurs de transcription spécifiques (activateurs ou répresseurs) (voir la figure 11.15). La régulation coordonnée de ces voies est la même que dans le cas des hormones stéroïdes : les gènes qui ont les mêmes éléments de contrôle sont activés par les mêmes molécules de signalisation. Les systèmes de coordination de la régulation génique sont si répandus que les biologistes pensent qu'ils sont probablement apparus tôt dans l'histoire de l'évolution.

L'architecture nucléaire et l'expression génétique

À la figure 16.23b, vous avez vu que chaque chromosome dans le noyau à l'interphase occupe un territoire distinct. Les chromosomes ne sont pas complètement isolés, cependant. On a récemment mis au point des techniques de *capture de conformation chromosomique* (*3C*) qui permettent aux chercheurs de déterminer quelles régions de ces chromosomes s'associent l'une à l'autre pendant l'interphase. Ces études révèlent que des boucles de chromatine s'étendent des territoires chromosomiques individuels vers des sites spécifiques dans le noyau (**figure 18.12**). Différentes boucles du même chromosome et des boucles d'autres chromosomes peuvent se rassembler sur ces sites, dont certains sont riches en ARN polymérases et en d'autres protéines associées à la transcription. À l'instar d'un centre récréatif qui attire des membres provenant de nombreux quartiers différents, ces *usines à transcription* constitueraient des aires spécialisées qui rempliraient une fonction commune.

L'ancienne notion selon laquelle le contenu du noyau ressemble à un bol de spaghettis chromosomique amorphe cède la place à un nouveau modèle de noyau avec une architecture définie dans lequel les mouvements de la chromatine sont régulés. Différentes sources de données laissent supposer que les gènes qui ne sont pas exprimés sont situés dans les bords extérieurs du noyau, alors que ceux qui sont exprimés se trouvent plus en profondeur. Le transfert de certains gènes en particulier de leurs territoires chromosomiques vers des usines à transcription internes pourrait faire partie du processus préparant les gènes à la transcription. On ignore encore quelle est la durée de

▼ Figure 18.12 Les interactions chromosomiques dans le noyau en interphase. Bien que chaque chromosome possède son propre territoire (voir la figure 16.23b), des boucles de chromatine peuvent s'étendre dans d'autres sites du noyau. Certains de ces sites sont des usines à transcription auxquelles viennent s'amarrer de multiples boucles de chromatine appartenant au même chromosome (boucles en bleu) ou à d'autres chromosomes (boucles en rouge et en vert).

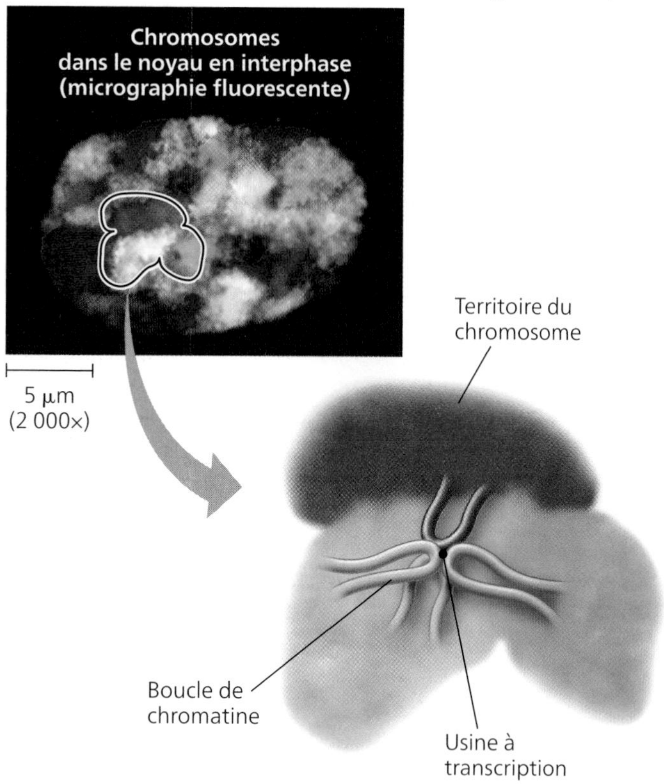

vie d'une usine à transcription. En 2014, les National Institutes of Health ont annoncé le financement du nouveau programme « 4D Nucleome », qui vise à répondre aux nombreuses questions fascinantes que soulève ce domaine de recherche passionnant.

Les mécanismes de la régulation posttranscriptionnelle

À elle seule, la transcription n'équivaut pas à l'expression génétique. L'expression des gènes codant pour des protéines dépend en fin de compte de la quantité de protéines fonctionnelles produites par la cellule. De nombreux événements surviennent entre la synthèse du transcrit d'ARN et l'activité d'une protéine donnée dans la cellule : plusieurs mécanismes de régulation fonctionnent à diverses étapes après la transcription (voir la figure 18.6). Lorsqu'un changement survient dans son environnement, la cellule peut rapidement assurer la régulation fine de l'expression génétique sans modifier son mode de transcription : il lui suffit de faire intervenir les mécanismes régulateurs posttranscriptionnels. Nous examinons ici comment les cellules peuvent réguler l'expression génétique après la transcription d'un gène.

La maturation de l'ARN

La maturation de l'ARN dans le noyau puis son exportation vers le cytoplasme constituent des étapes soumises à une régulation de l'expression génétique (elles n'existent pas chez les cellules procaryotes). Prenons, par exemple, l'**épissage différentiel de l'ARN** qui a lieu à l'étape de la maturation : des molécules d'ARNm différentes sont produites à partir d'un même transcrit primaire, selon les segments d'ARN qui sont traités comme des exons ou comme des introns. Les protéines régulatrices caractéristiques d'un type donné de cellules déterminent le choix des introns et des exons en se liant aux séquences régulatrices du transcrit primaire.

La **figure 18.13** illustre un exemple simple d'épissage différentiel de l'ARN pour le gène de la troponine T qui code pour deux protéines différentes (mais tout de même apparentées). D'autres gènes codent pour plusieurs autres produits potentiels ; par exemple, des chercheurs ont trouvé un gène de *Drosophila melanogaster* contenant suffisamment d'exons épissés alternativement pour générer environ 19 000 protéines membranaires possédant des domaines extracellulaires différents. Au moins 17 500 (94 %) des ARNm alternatifs sont réellement synthétisés. Il s'avère que chaque cellule nerveuse en développement dans la mouche synthétise une forme différente de la protéine, qui agit en tant qu'identifiant unique à la surface de la cellule et qui aide à empêcher le chevauchement excessif des cellules nerveuses pendant le développement du système nerveux.

Il est évident que l'épissage différentiel de l'ARN peut augmenter de manière importante le répertoire d'un génome eucaryote. En fait, l'épissage différentiel permettrait de comprendre pourquoi on a recensé un si petit nombre de gènes quand on a séquencé le génome humain. À ce moment-là, on a constaté que le nombre de gènes humains équivalait à celui d'un ver de terre (nématode), d'un plant de moutarde ou d'une anémone de mer. Après cette découverte, on s'est demandé ce qui peut bien

▼ Figure 18.13 L'épissage différentiel de l'ARN du gène de la troponine T. Le transcrit primaire de ce gène peut être épissé de plusieurs façons, ce qui mène à la création de molécules d'ARNm différentes. Notez qu'une molécule d'ARNm se retrouve avec l'exon 3 (vert), et l'autre, avec l'exon 4 (violet). Ces deux ARNm sont traduits en protéines musculaires différentes mais apparentées.

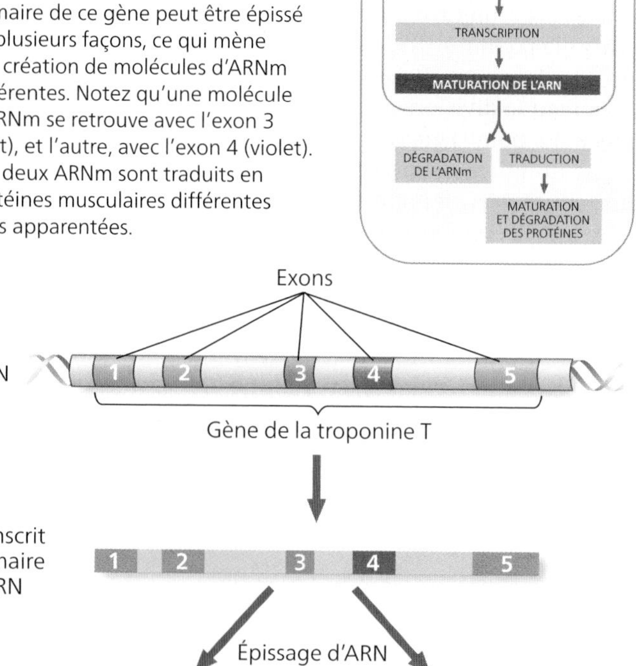

expliquer la morphologie (forme externe) plus complexe des humains, si ce n'est pas le nombre de gènes. Il est fort probable que plus de 90% des gènes humains codant pour une protéine subissent un épissage différentiel (en combinant leurs multiples exons d'une manière différente). L'ampleur de l'épissage différentiel multiplie donc grandement le nombre de protéines humaines qu'il est possible de synthétiser, ce qui rend mieux compte de la complexité de la morphologie.

L'initiation de la traduction et la dégradation de l'ARNm

La traduction constitue une autre possibilité de réguler l'expression génétique; cette régulation se produit plus généralement au stade de l'initiation (voir la figure 17.19). L'initiation de la traduction de certains ARNm peut être suspendue par des protéines régulatrices, qui se lient à des segments ou à des structures spécifiques de la séquence non traduite (UTR) située aux extrémités 5′ ou 3′. Cette liaison empêche les ribosomes de se fixer à l'ARNm. (Rappelons, tel que vu au concept 17.3, que la coiffe 5′ et la queue poly-A d'une molécule d'ARNm interviennent de façon déterminante lors de la liaison des ribosomes.)

De façon alternative, la traduction de l'*ensemble* des ARNm d'une cellule peut être régulée simultanément. Chez les cellules eucaryotes, ce type de régulation « globale » met habituellement en jeu l'activation ou l'inactivation d'un ou de plusieurs des facteurs protéiques nécessaires à l'initiation de la traduction. Ce mécanisme intervient au début de la traduction des ARN entreposés dans les ovules. Immédiatement après la fécondation, la traduction est déclenchée par l'activation soudaine des facteurs d'initiation de la traduction. Il en résulte une augmentation subite de la synthèse de protéines codées par les ARNm entreposés. Quelques espèces de plantes supérieures et d'algues entreposent les ARNm durant les périodes d'obscurité; la lumière déclenche alors la réactivation du mécanisme de traduction.

La durée de vie des molécules d'ARNm dans le cytoplasme peut déterminer le profil des synthèses protéiques au sein d'une cellule. Les enzymes dégradent généralement les molécules d'ARNm des bactéries quelques minutes seulement après leur transcription. C'est notamment en raison de cette courte durée de vie des ARNm que les bactéries adaptent si rapidement leur synthèse protéique aux conditions de leur milieu. Pour leur part, les molécules d'ARNm des eucaryotes multicellulaires survivent des heures ou des jours, voire des semaines. Par exemple, l'ARNm des polypeptides de l'hémoglobine (α-globine et β-globine) dans les globules rouges en voie de formation a une stabilité peu commune, et il est traduit un grand nombre de fois.

Les séquences nucléotidiques qui influent sur la durée pendant laquelle l'ARNm demeure intact se situent souvent dans la séquence non traduite (UTR), à l'extrémité 3′ de la molécule (voir la figure 18.8). Pour démontrer cette observation, des chercheurs ont prélevé une séquence non traduite provenant d'un ARNm à courte durée de vie (il était destiné à la synthèse d'un facteur de croissance) et l'ont insérée à l'extrémité 3′ d'un ARNm de globine normalement stable. Celui-ci a été rapidement dégradé.

Au cours des dernières années, on a découvert d'autres mécanismes assurant la dégradation des molécules d'ARNm spécifiques ou le blocage de leur expression. Ces mécanismes mettent en jeu un groupe de molécules d'ARN nouvellement découvertes qui régulent l'expression génétique à plusieurs niveaux; nous les étudierons sous peu.

La maturation et la dégradation des protéines

Les dernières étapes au cours desquelles la régulation de l'expression génétique peut s'exercer ont lieu après la traduction. Chez les eucaryotes, les polypeptides doivent souvent subir une étape de maturation avant de devenir des protéines fonctionnelles. Par exemple, c'est le clivage du polypeptide initial de l'insuline (pro-insuline) qui aboutit à la formation d'une hormone active. Dans d'autres cas, c'est le repliement de la protéine qui lui confère ses propriétés fonctionnelles. Les protéines peuvent aussi subir un mécanisme d'épissage: ce phénomène était connu chez les végétaux et les procaryotes, mais on l'observe également dans des cellules de mammifères. De plus, de nombreuses protéines ne deviennent fonctionnelles que si elles subissent certaines modifications chimiques après leur synthèse. Ainsi, les protéines régulatrices sont souvent activées ou inactivées par l'ajout réversible de groupements phosphate (voir la figure 11.10); de même, des glucides (voir la figure 6.12) doivent être ajoutés aux protéines destinées à la face externe des membranes plasmiques animales. Ces protéines (et de nombreuses autres) ne peuvent être fonctionnelles que si elles sont transportées vers des sites précis de la cellule (voir la figure 17.22). La régulation peut s'exercer à n'importe quelle étape de la modification ou du transport des protéines.

Enfin, la durée de vie des protéines normales dans la cellule est strictement limitée par une dégradation sélective. De nombreuses protéines, comme les cyclines régulant le cycle cellulaire, doivent avoir une durée de vie relativement courte pour permettre à la cellule de fonctionner de façon adéquate (voir la figure 12.16). La cellule marque souvent les molécules à détruire en leur ajoutant des molécules d'ubiquitine (une petite protéine). Des complexes protéiques géants appelés protéasomes reconnaissent les protéines marquées à l'ubiquitine et les dégradent.

RETOUR SUR LE CONCEPT **18.2**

1. En général, quels sont les effets de l'acétylation des histones et de la méthylation de l'ADN sur l'expression génétique ?
2. **FAITES DES LIENS ▶** Selon vous, la même enzyme peut-elle méthyler tant une histone qu'une base d'ADN ? (Voir le concept 5.4.)
3. Comparez les rôles des facteurs de transcription généraux et spécifiques dans la régulation de l'expression génétique.
4. Lorsqu'un ARNm codant pour une protéine donnée atteint le cytoplasme, quatre mécanismes permettent de réguler la quantité de protéines actives dans la cellule. Quels sont-ils ?
5. **ET SI ? ▶** Supposons que vous compariez les séquences nucléotidiques des éléments de contrôle distaux dans les amplificateurs de trois gènes qui ne sont exprimés que dans le tissu musculaire. À quels résultats devriez-vous vous attendre ? Pourquoi ?

Voir les réponses proposées à l'appendice A.

CONCEPT 18.3

Les ARN non traduits exercent plusieurs fonctions dans la régulation de l'expression génétique

Le séquençage du génome a révélé que l'ADN transcrit pour les protéines représente seulement 1,5 % du génome humain, un pourcentage similaire à celui de nombreux autres organismes eucaryotes multicellulaires. Une très petite fraction de l'ADN non transcrit pour les protéines est constituée de gènes codant pour les ARN tels que l'ARN ribosomique et l'ARN de transfert. Jusqu'à récemment, les scientifiques supposaient que la majeure partie de l'ADN restant n'était pas transcrit. Puisqu'il ne codait pas pour des protéines ou quelques types connus d'ARN, ils pensaient que cet ADN ne contenait pas d'information génétique importante. En fait, on le qualifiait même d'ADN « poubelle ». Cependant, un déluge de données récentes a infirmé cette idée. Par exemple, une étude d'envergure portant sur l'ensemble du génome humain a montré qu'environ 75 % du génome est transcrit à un moment ou un autre, dans chaque cellule. Les introns ne rendent compte que d'une fraction de cet ARN transcrit, non traduit. Ces résultats et d'autres révèlent qu'une partie importante du génome peut être transcrite en ARN non codants pour des protéines (nommés également *ARN non codants*, ou *ARNnc*), dont une variété de petits ARN. Les chercheurs découvrent chaque jour davantage de preuves des rôles biologiques des ARNnc.

Ces découvertes ont motivé les biologistes, car elles ont révélé l'existence dans la cellule d'une grande variété de molécules d'ARN qui exerceraient des rôles essentiels dans la régulation de l'expression génétique ; ces ARN étaient passés tout à fait inaperçus jusqu'à maintenant. Il faut manifestement revoir notre conception selon laquelle les ARN les plus importants dans la cellule sont les ARNm parce qu'ils codent pour les protéines. Il s'agit d'un tournant majeur dans la pensée des biologistes, et vous en êtes témoin comme étudiant en abordant ce domaine d'étude. C'est comme si notre admiration pour une vedette rock célèbre (l'ADN) nous avait empêchés de voir les nombreux musiciens et compositeurs qui jouent pourtant un rôle important à l'arrière-scène.

Les effets des microARN et des petits ARN interférents sur les ARNm

La régulation de l'expression génétique par les petits et les gros ARNnc se concrétise à différents niveaux, dont la traduction de l'ARNm et la modification de la chromatine. Nous examinerons surtout deux types de petits ARNnc ; leur importance a été reconnue lors de l'attribution du prix Nobel de physiologie et de médecine 2006, qui a été décerné pour des travaux réalisés huit ans auparavant seulement.

Depuis 1993, à la suite de nombreuses études, des chercheurs ont découvert de petites molécules d'ARN monocaténaire, les **microARN (miARN)**, capables de se lier à des séquences complémentaires de molécules d'ARNm. Des enzymes cellulaires transforment des précurseurs d'ARN plus longs en miARN d'environ 22 nucléotides pouvant former un complexe en s'associant avec une ou plusieurs protéines (**figure 18.14**). Par l'intermédiaire du miARN, ce complexe peut se lier à n'importe quelle molécule d'ARNm portant au moins 7 à 8 nucléotides d'une séquence complémentaire. Le complexe miARN-protéine dégrade ensuite l'ARNm cible ou, moins souvent, bloque tout simplement sa traduction. Il existe environ 1 500 gènes de miARN dans le génome humain et l'expression d'au moins la moitié de tous les gènes humains serait régulée par des miARN, ce qui représente un nombre remarquable (surtout sachant que l'existence des miARN était inconnue il y a à peine 25 ans).

Les **petits ARN interférents (pARNi)** sont une autre classe d'ARNnc dont la taille et la fonction sont comparables à celles des miARN. Les miARN et les pARNi peuvent tous deux s'associer avec les mêmes protéines, produisant les mêmes résultats. En fait, si on injecte de l'ARN précurseur de pARNi dans une cellule, les mécanismes cellulaires peuvent le transformer en pARNi, lesquels inactivent l'expression des gènes dont la séquence est similaire, un peu comme le font les miARN. La distinction entre les miARN et les pARNi repose sur de légères différences dans la structure des précurseurs qui sont tous deux constitués de molécules d'ARN majoritairement bicaténaire. Le blocage de l'expression génétique par les pARNi est nommé **ARN interférence (ARNi)**. L'ARNi est utilisée en laboratoire pour désactiver des gènes spécifiques et ainsi évaluer leur fonction.

▼ **Figure 18.14 La régulation de l'expression génétique par les microARN (miARN).** Un miARN d'environ 22 nucléotides, formé par un processus enzymatique transformant un précurseur d'ARN, s'associe avec une ou plusieurs protéines pour former un complexe qui peut dégrader les ARNm cibles ou bloquer leur traduction.

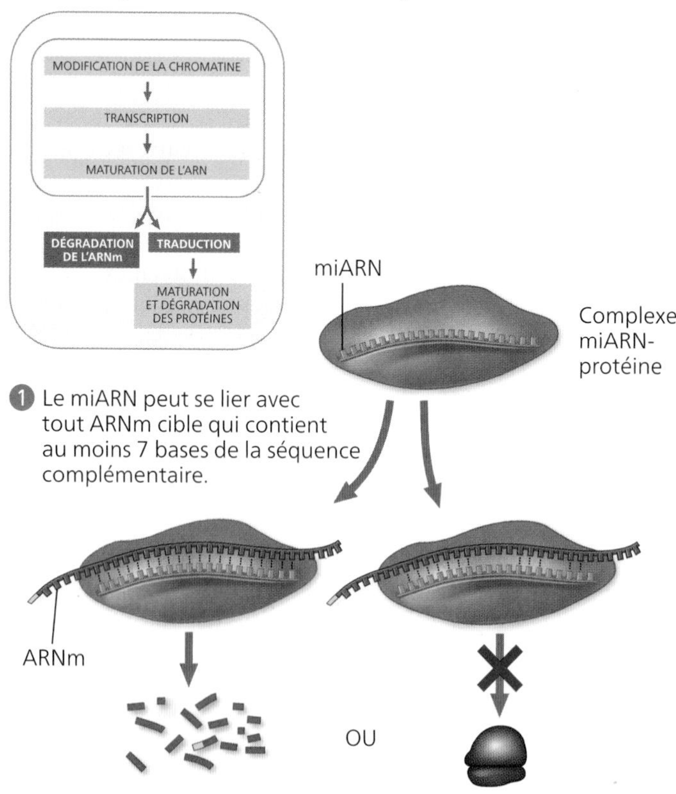

Comment la voie de l'ARNi a-t-elle évolué? Comme vous l'apprendrez au concept 19.2, certains virus possèdent des génomes d'ARN bicaténaire. Étant donné que la production d'ARNi transforme de l'ARN bicaténaire en tête chercheuse monocaténaire capable d'entraîner la destruction d'ARN apparentés, certains scientifiques pensent que ce phénomène constituerait une défense naturelle contre l'infection par des virus à ARN. Cependant, le fait que la production d'ARNi puisse également influer sur l'expression des gènes cellulaires non viraux indiquerait une origine évolutive différente. De plus, de nombreuses espèces, dont les mammifères, produisent apparemment leurs propres précurseurs aux petits ARN comme les pARNi; ces précurseurs sont de longs ARN bicaténaires. Une fois produits, ces ARN peuvent interférer avec l'expression génétique à d'autres étapes que la traduction, ce que nous examinons à l'instant.

Le remodelage de la chromatine et ses effets sur la transcription par les ARNnc

En plus d'assurer la régulation des ARNm, certains petits ARN agissent de façon à provoquer le remodelage de la structure de la chromatine. Un exemple de ce phénomène survient pendant la formation de l'hétérochromatine au niveau du centromère, comme on l'a observé chez une espèce de levure.

Pendant la phase S du cycle cellulaire, les régions centromériques de l'ADN doivent se relâcher pour que les chromosomes puissent se répliquer. Ensuite, elles doivent se condenser à nouveau en hétérochromatine en vue de la mitose. Chez certaines levures, l'hétérochromatine aux centromères des chromosomes ne peut se former sans la participation des pARNi produits par les cellules elles-mêmes. La **figure 18.15** présente un modèle illustrant ce processus. On ne connaît pas les détails du mécanisme, qui font toujours l'objet de discussions, mais les biologistes conviennent du principe général: dans les cellules de levure, le système des pARNi interagit avec d'autres ARNnc et avec des enzymes modifiant la chromatine pour condenser la chromatine centromérique en hétérochromatine. Dans des conditions normales, on n'observe pas de pARNi dans les cellules de mammifères, et on ignore encore le mécanisme par lequel s'amorce la condensation de l'ADN centromérique. Il pourrait toutefois exiger l'intervention d'autres petits ARNnc.

Une classe de petits ARNnc récemment découverts sont nommés *ARN interagissant avec Piwi* (*ARNpi*). Ces petits ARN induisent également la formation d'hétérochromatine, bloquant l'expression de certains éléments d'ADN parasites dans le génome nommés transposons. (Nous étudierons les transposons au concept 21.4) Des précurseurs d'ARN monocaténaire plus longs effectuent la maturation des ARNpi dont la longueur est généralement de l'ordre de 24 à 31 nucléotides. Ces ARN jouent un rôle indispensable dans les cellules germinales de nombreuses espèces animales, où ils semblent aider au rétablissement de modes de méthylation appropriés dans le génome pendant la formation des gamètes.

Les chercheurs ont également découvert un nombre relativement grand de **longs ARN non codants (lARNnc)**, dont la longueur varie entre 200 et des centaines de milliers de nucléotides. Ces lARNnc sont fortement exprimés dans des types spécifiques de cellules, à des moments précis du cycle cellulaire. L'un de ces lARNnc est responsable de l'inactivation

▼ Figure 18.15 La condensation de la chromatine au niveau du centromère. Chez un type de levure, les pARNi et des ARN non codants plus longs agissent en collaboration pour former à nouveau une hétérochromatine très condensée au niveau du centromère de chaque chromatide après la réplication de l'ADN.

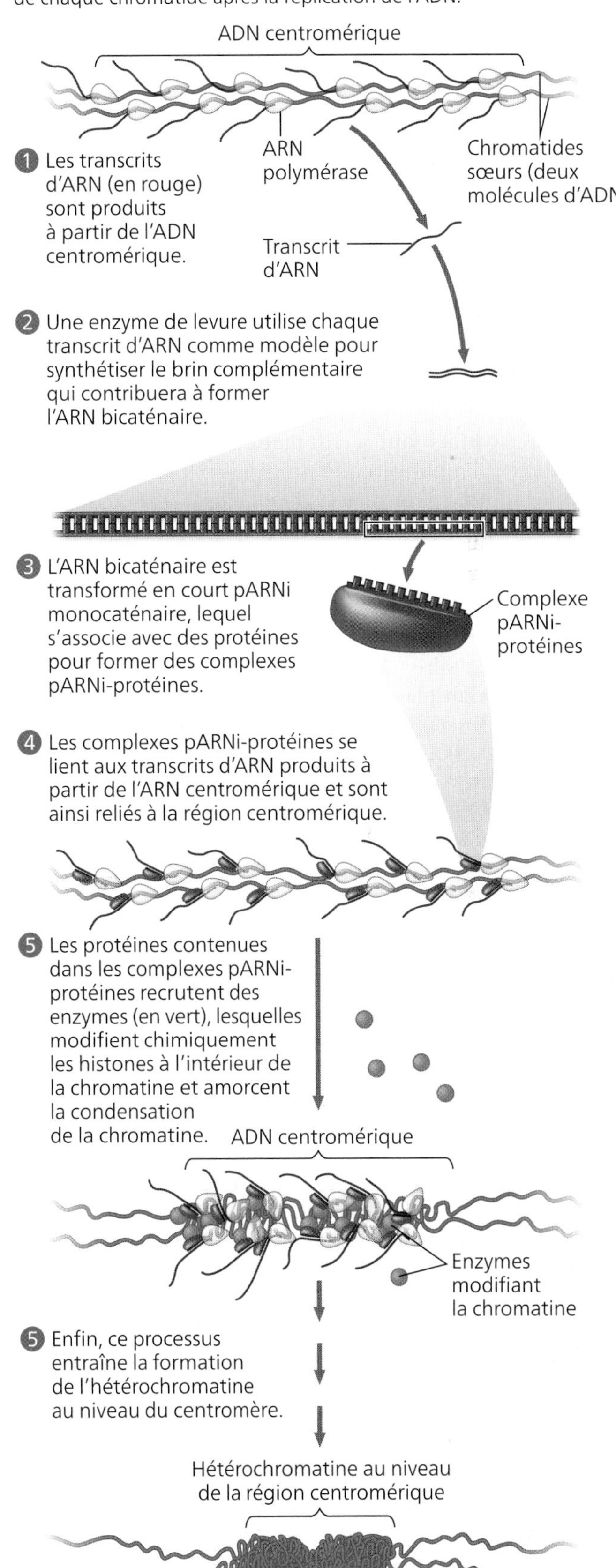
ADN centromérique
ARN polymérase
Chromatides sœurs (deux molécules d'ADN)
1 Les transcrits d'ARN (en rouge) sont produits à partir de l'ADN centromérique.
Transcrit d'ARN
2 Une enzyme de levure utilise chaque transcrit d'ARN comme modèle pour synthétiser le brin complémentaire qui contribuera à former l'ARN bicaténaire.
3 L'ARN bicaténaire est transformé en court pARNi monocaténaire, lequel s'associe avec des protéines pour former des complexes pARNi-protéines.
Complexe pARNi-protéines
4 Les complexes pARNi-protéines se lient aux transcrits d'ARN produits à partir de l'ARN centromérique et sont ainsi reliés à la région centromérique.
5 Les protéines contenues dans les complexes pARNi-protéines recrutent des enzymes (en vert), lesquelles modifient chimiquement les histones à l'intérieur de la chromatine et amorcent la condensation de la chromatine.
ADN centromérique
Enzymes modifiant la chromatine
5 Enfin, ce processus entraîne la formation de l'hétérochromatine au niveau du centromère.
Hétérochromatine au niveau de la région centromérique

du chromosome X, un processus qui empêche l'expression des gènes situés sur l'un des deux chromosomes X chez la plupart des mammifères femelles (voir la figure 15.8). Dans ce cas, les transcrits de lARNnc du gène *XIST* (de l'anglais, *X Inactive Specific Transcript*) situé sur le chromosome qui sera inactivé se lient au chromosome et l'enrobent. Cette liaison entraîne la condensation en hétérochromatine du chromosome entier pour former un **corpuscule de Barr**.

Les cas que nous avons décrits ci-dessus mettent en jeu le remodelage de la chromatine qui bloque l'expression de régions étendues du chromosome. Comme la structure de la chromatine influe sur la transcription et, par conséquent, sur l'expression des gènes, il est évident que la régulation de la structure de la chromatine par les ARN joue un rôle important dans la régulation des gènes. Par ailleurs, certaines données expérimentales appuient l'hypothèse d'un rôle suppléant des lARNnc, qui agiraient en tant qu'échafaudage en favorisant la formation de complexes par l'association de l'ADN, des protéines et d'autres ARN. En effet, de telles associations pourraient agir en condensant la chromatine ou, dans certains cas, en réunissant l'amplificateur d'un gène, les protéines médiatrices et le promoteur du gène, activant ainsi l'expression génétique de façon plus directe.

La signification des petits ARNnc au regard de l'évolution

ÉVOLUTION Les petits ARNnc peuvent réguler l'expression génétique à de multiples étapes et de nombreuses façons. Même si cette section portait davantage sur les ARNnc dans les eucaryotes, les bactéries utilisent également des petits ARNnc comme système de défense. Ce système, nommé *CRISPR-Cas9*, vise en effet à protéger les bactéries contre les virus qui les infectent. (Vous en apprendrez plus à ce sujet au concept 19.2.) L'utilisation des ARNnc a donc évolué il y a très longtemps, mais nous ignorons encore comment les ARNnc des bactéries s'apparentent à ceux des eucaryotes.

Quelle est donc la signification des petits ARNnc des organismes eucaryotes au regard de l'évolution ? En général, des niveaux supplémentaires de régulation génique permettraient l'évolution de la complexité de la forme à un degré supérieur. Par conséquent, la polyvalence de la régulation par les miARN a conduit certains biologistes à avancer l'hypothèse qu'une augmentation du nombre de miARN codés par le génome d'une espèce donnée a entraîné une augmentation de la complexité morphologique au cours de l'évolution. Cette hypothèse étant toujours évaluée, il est logique d'étendre la discussion afin d'inclure tous les petits ARNnc. Grâce à de nouvelles techniques de séquençage rapide des génomes, les biologistes ont été en mesure de découvrir combien le génome d'une espèce donnée contient de gènes codant pour les ARNnc. Selon une étude portant sur différentes espèces, les pARNi seraient apparus en premier, suivis par les miARN et plus tard par les ARNpi, qui ne sont présents que chez les animaux. De plus, bien qu'il y ait plus ou moins 60 000 types de miARN, il semble qu'il y ait plusieurs milliers de types d'ARNpi, ce qui laisse penser que les ARNpi seraient à l'origine d'une régulation génique très sophistiquée.

Étant donné les fonctions étendues des ARNnc, il n'est pas surprenant que plusieurs des ARNnc caractérisés jusqu'ici jouent des rôles importants dans le développement embryonnaire, le sujet abordé à la section suivante. Le développement embryonnaire est peut-être l'exemple ultime de l'expression génétique régulée avec précision.

RETOUR SUR LE CONCEPT 18.3

1. Comparez les miARN et les pARNi ainsi que leurs fonctions.
2. **ET SI ?** ▶ Imaginez que l'ARN messager codant pour une protéine qui favorise la division cellulaire dans un organisme multicellulaire est dégradé comme l'illustre la figure 18.14. Qu'arriverait-il si une mutation rendait inefficace le gène qui code pour le miARN à l'origine de cette dégradation ?
3. **FAITES DES LIENS** ▶ Des lARNnc connus sous le nom d'ARN *XIST* interviennent dans l'inactivation d'un des chromosomes X chez les mammifères femelles, comme il est mentionné dans cette section et au concept 15.2. Décrivez la transcription et la liaison des ARN *XIST*, puis proposez un modèle qui explique comment l'ARN *XIST* est à l'origine de la formation du corpuscule de Barr.

Voir les réponses proposées à l'appendice A.

CONCEPT 18.4

Les différents types de cellules d'un organisme multicellulaire résultent d'un programme d'expression génétique différentielle

Chez les organismes multicellulaires, le développement embryonnaire se fait à partir d'un zygote (ovule fécondé) ; celui-ci donne naissance à de nombreux types de cellules qui ont toutes une structure et une fonction propres. Généralement, les cellules sont groupées en tissus, les tissus, en organes, et les organes, en systèmes ; ces derniers en interaction constituent l'ensemble de l'organisme lui-même. Le programme de développement doit donc produire différents types de cellules qui forment des structures d'ordre supérieur dotées d'une configuration tridimensionnelle. Les mécanismes qui se déroulent pendant le développement chez les végétaux et les animaux sont présentés en détail aux chapitres 35 et 47, respectivement. Dans le présent chapitre, nous nous pencherons sur le programme de régulation de l'expression génétique qui orchestre le développement, en utilisant comme exemples quelques espèces animales.

Un programme génétique pour le développement embryonnaire

Les photos de la **figure 18.16** illustrent la différence impressionnante entre un zygote (œuf fertilisé) de grenouille et le têtard qu'il devient. La division cellulaire, la différenciation cellulaire et la morphogenèse sont les trois processus interdépendants responsables de cette transformation remarquable. Le zygote passe par une série de divisions mitotiques successives qui créent une multitude de cellules. Cependant, à elle seule, la division cellulaire ne produirait qu'une grosse boule de cellules identiques, et

▼ **Figure 18.16 D'un zygote à un animal: quel changement en quatre jours!** En quatre jours seulement, la division cellulaire, la différenciation et la morphogenèse ont transformé chacun des zygotes de grenouille **(a)** en un têtard **(b)**.

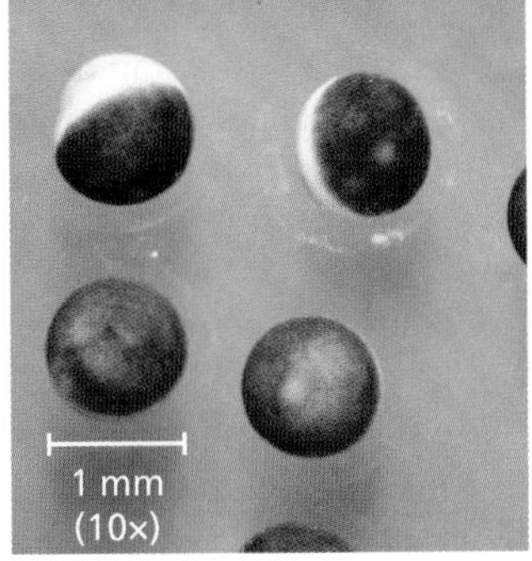

(a) Zygote de grenouille

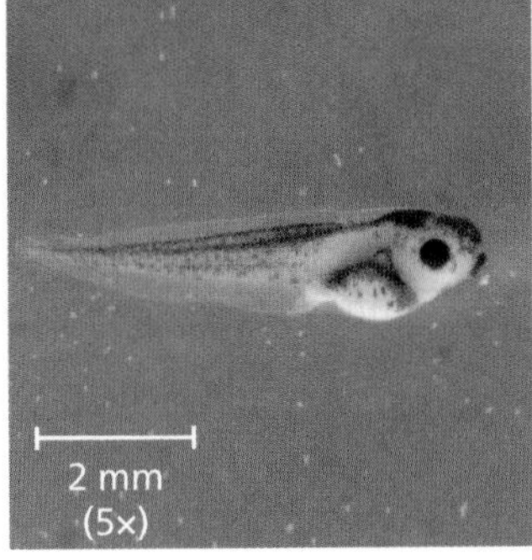

(b) Têtard nouvellement éclos

non un animal ou une plante. Au cours du développement embryonnaire, les cellules subissent tout en se multipliant une **différenciation cellulaire**; c'est le processus par lequel elles acquièrent des structures et des fonctions spécialisées. Les cellules de différents types ne sont pas distribuées au hasard: elles sont groupées en tissus et en organes possédant une configuration tridimensionnelle particulière. La **morphogenèse** est l'ensemble des processus physiologiques déterminant la forme de l'organisme, ou encore le développement de la forme d'un organisme et de ses structures.

Ces trois processus trouvent leur fondement dans le comportement cellulaire. Même la morphogenèse, la mise en forme d'un organisme, peut être attribuée aux changements dans la forme, à la motilité et à d'autres caractéristiques des cellules formant les diverses régions de l'embryon. Comme vous l'avez vu, les activités d'une cellule dépendent des gènes qu'elle exprime et des protéines qu'elle produit. Presque toutes les cellules d'un organisme ont le même génome; par conséquent, l'expression génétique différentielle est due à une régulation des gènes qui varie selon le type de cellules.

Revenons un instant à la figure 18.11, qui montre de façon simplifiée comment l'expression génétique différentielle se produit dans deux types de cellules, une cellule hépatique et une cellule du cristallin. Chacune de ces cellules entièrement différenciées renferme un mélange particulier d'activateurs spécifiques qui stimulent la série de gènes dont les produits sont requis dans la cellule. Le fait que les deux cellules soient apparues à la suite d'une série de mitoses à partir d'un zygote commun soulève inévitablement la question suivante: comment des ensembles différents d'activateurs peuvent-ils en arriver à être présents dans les deux cellules?

Il s'avère que les matériaux placés dans l'ovocyte (l'ovule avant sa fécondation) par les cellules maternelles établissent un programme séquentiel de régulation génique qui est assuré pendant la division des cellules embryonnaires après la fécondation, et ce programme coordonne la différenciation cellulaire durant le développement embryonnaire. Pour comprendre le fonctionnement de ce processus, nous examinerons deux mécanismes de développement de base: premièrement, nous découvrirons comment les cellules formées lors des mitoses embryonnaires initiales amorcent les différences qui lanceront chaque cellule dans le chemin de sa propre différenciation. Deuxièmement, en prenant comme exemple le développement des cellules musculaires, nous verrons comment la différenciation cellulaire conduit à un type particulier de cellules.

Les déterminants cytoplasmiques et signaux d'induction

Comment expliquer l'apparition des premières divergences entre les cellules d'un jeune embryon? Et qu'est-ce qui détermine la différenciation des divers types de cellules pendant le développement de l'embryon? À ce stade-ci du chapitre, vous pouvez probablement déduire la réponse: la différenciation de toute cellule particulière d'un organisme en développement dépend des gènes spécifiques qu'elle exprime. Deux sources d'information (utilisées à divers degrés dans des espèces différentes) «indiquent» à la cellule quels gènes elle doit exprimer à un moment donné pendant le développement embryonnaire.

La première source d'information importante provient du cytoplasme de l'ovule, qui contient des molécules d'ARN et des protéines codées par l'ADN de la mère. Il exerce son influence au début du développement embryonnaire. Le cytoplasme d'un ovule non fécondé n'est pas un milieu homogène; l'ARNm, les protéines et d'autres substances, ainsi que les organites sont distribués inégalement à l'intérieur de l'ovule. Chez de nombreuses espèces, cette répartition inégale influe fortement sur le développement du futur embryon. On appelle **déterminants cytoplasmiques** (**figure 18.17a**) les substances maternelles présentes dans l'ovule qui agissent sur le déroulement du début du développement. Après la fécondation, les premières divisions mitotiques répartissent le cytoplasme du zygote dans des cellules séparées. Les noyaux de ces cellules sont donc exposés à différents déterminants cytoplasmiques, selon les portions du cytoplasme zygotique reçues. La combinaison des déterminants cytoplasmiques dans une cellule assure la destinée de celle-ci par la régulation de l'expression de ses gènes au cours de la différenciation cellulaire.

La deuxième source d'information concernant le développement embryonnaire, qui gagne en importance au fur et à mesure que le nombre de cellules embryonnaires s'accroît, est l'environnement d'une cellule donnée. Une cellule embryonnaire est principalement influencée par les signaux provenant des cellules embryonnaires situées dans son voisinage. Ces signaux (ou stimulus) comprennent le contact avec des molécules de la surface cellulaire situées sur les cellules voisines et la liaison de facteurs de croissance sécrétés par celles-ci (voir le concept 11.1). Les signaux moléculaires provoquent des changements dans les cellules cibles sous l'effet d'un mécanisme nommé **induction** (**figure 18.17b**). Les molécules qui acheminent ces signaux au sein de la cellule cible sont des récepteurs de la surface cellulaire et d'autres protéines de la voie de signalisation. D'une façon générale, les signaux moléculaires obligent une cellule à emprunter une voie de développement spécifique en changeant son expression génétique, ce qui se traduit par des modifications cellulaires observables. Les interactions entre les cellules de l'embryon finissent donc par provoquer la différenciation des nombreux types de cellules spécialisées constituant le nouvel organisme.

▼ Figure 18.17 Les sources d'information régissant le développement du jeune embryon.

(a) Déterminants cytoplasmiques de l'ovule

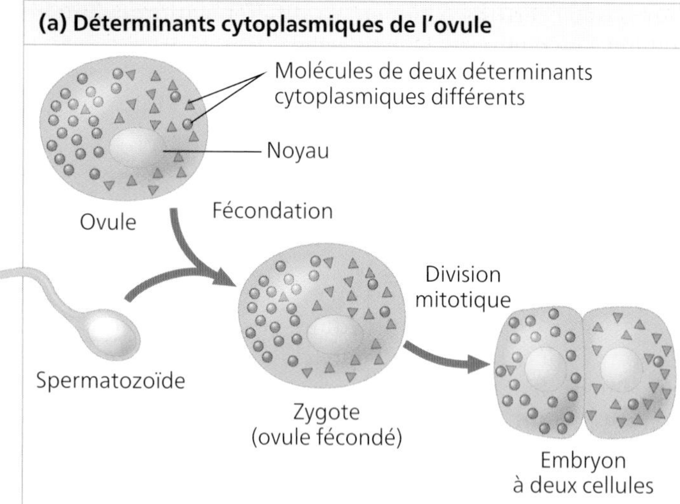

Le cytoplasme de l'ovule contient des molécules codées par les gènes maternels; ces molécules influent sur le développement du futur embryon. La plupart de ces déterminants cytoplasmiques, comme les deux qui sont illustrés ici, ne sont pas distribués également dans l'ovule. Après la fécondation et la division mitotique, les noyaux cellulaires de l'embryon sont exposés à des jeux différents de déterminants cytoplasmiques, ce qui les amène à exprimer des gènes différents.

(b) Induction par les cellules voisines

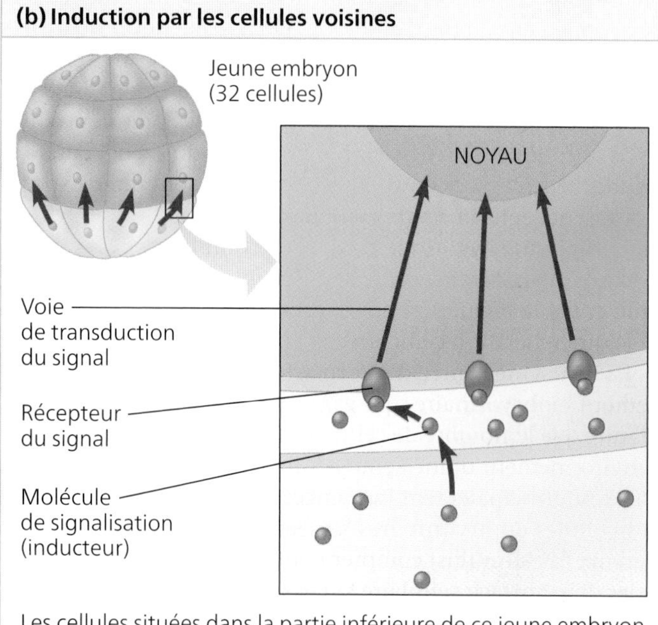

Les cellules situées dans la partie inférieure de ce jeune embryon sécrètent des molécules qui transmettent un signal (message inducteur) aux cellules voisines et modifient ainsi l'expression des gènes par ces cellules.

La régulation séquentielle de l'expression génétique au cours de la différenciation cellulaire

Les premières modifications qui annoncent leur spécialisation sont subtiles et ne se manifestent qu'au niveau moléculaire. À une époque où ils connaissaient mal les phénomènes moléculaires se déroulant dans les embryons, les biologistes ont inventé le terme **détermination** pour désigner le stade auquel une cellule embryonnaire s'engage, de façon irréversible, dans un processus de différenciation pour devenir un type de cellule particulier. Après avoir subi la détermination, une cellule donnée peut être déplacée dans un autre endroit de l'embryon sans changer le cours de sa différenciation initiale; elle n'aurait donc pas les caractéristiques de ses voisines, mais celle du tissu d'où elle provient. La différenciation est le processus par lequel une cellule devient un type de cellule déterminé. À mesure que les tissus et les organes d'un embryon se forment et que leurs cellules se différencient, les cellules se démarquent tant dans leur structure que dans leur fonction.

Actuellement, la notion de détermination fait référence à des modifications moléculaires. La détermination, la différenciation cellulaire observable, se manifeste par l'expression des gènes codant pour les *protéines spécifiques aux tissus*. Ces protéines n'existent que dans certains types de cellules en particulier et leur confèrent la structure et les fonctions qui leur sont propres. Le premier signe de différenciation est l'apparition de l'ARNm correspondant à ces protéines. Plus tard, cette différenciation s'observe au microscope sous la forme de modifications de la structure cellulaire. À l'échelle moléculaire, différents groupes de gènes sont exprimés séquentiellement d'une manière régulée alors que de nouvelles cellules sont formées par division de leurs précurseurs. Un certain nombre d'étapes de l'expression génétique peuvent être régulées au cours de la différenciation, la transcription étant la plus courante. Dans la cellule entièrement différenciée, la transcription demeure la principale étape de régulation pour maintenir une expression génétique appropriée.

Les cellules différenciées ont pour fonction de produire les protéines spécifiques à chaque tissu. Par exemple, à la suite de la régulation transcriptionnelle, les cellules hépatiques fabriquent de l'albumine, et les cellules d'un cristallin synthétisent des cristallines (voir la figure 18.11). Chez les vertébrés, la différenciation des cellules des muscles squelettiques est un autre exemple intéressant. De forme très allongée, ces cellules comportent de nombreux noyaux enfermés dans une seule membrane plasmique et contiennent des concentrations très élevées de protéines spécifiques au tissu musculaire. On y trouve en effet des types particuliers de filaments de myosine et de microfilaments d'actine (des protéines contractiles), ainsi que des protéines membranaires réceptrices des signaux en provenance des neurones.

Les cellules musculaires se développent à partir de cellules précurseures embryonnaires ayant le potentiel de donner divers types de cellules (cartilagineuses, adipeuses). Cependant, ces cellules précurseures sont soumises à des conditions qui les destinent à devenir des cellules musculaires. Bien que l'examen au microscope ne le révèle pas, elles ont subi une détermination qui en fait des *myoblastes*. Au bout d'un certain temps, ces myoblastes commencent à produire de grandes quantités de protéines spécifiques des muscles. Ensuite, ils fusionnent et se transforment en cellules musculaires squelettiques matures, multinucléées et allongées.

Pour élucider ce qui se passe à l'échelle moléculaire au moment de la détermination des cellules musculaires, des chercheurs ont cultivé des cellules précurseures embryonnaires et les ont analysées à l'aide de techniques moléculaires (voir les concepts 20.1 et 20.2). Après avoir isolé différents gènes, ils ont provoqué leur expression dans une cellule précurseure embryonnaire distincte. Ces cellules se sont différenciées en myoblastes et en cellules musculaires dans lesquelles les chercheurs ont mis en évidence plusieurs gènes « maîtres régulateurs » dont les protéines destinent les cellules à devenir des cellules musculaires squelettiques. Par conséquent, dans le cas des cellules musculaires, les fondements moléculaires de la détermination résident dans l'expression d'un ou de plusieurs gènes maîtres régulateurs.

Pour mieux comprendre le déroulement de la détermination au cours de la différenciation des cellules musculaires, nous étudierons le gène maître régulateur nommé *myoD* (pour *myoblast determination*). Le gène *myoD* mérite bien sa désignation de gène maître régulateur. En effet, les chercheurs ont montré que la protéine MyoD qu'il encode est même capable de transformer en cellules musculaires certains types de cellules entièrement différenciées qui ne présentent pas de caractéristiques musculaires (les cellules adipeuses ou hépatiques, par exemple). Mais pourquoi cette protéine n'agit-elle pas sur *tous* les types de cellules ? Une explication plausible est que l'activation des gènes spécifiques des muscles ne dépend pas uniquement de l'action de MyoD ; elle nécessiterait une certaine *combinaison* de protéines régulatrices, lesquelles seraient absentes des cellules qui ne répondent pas à MyoD. Il est possible que la détermination et la différenciation des autres types de tissus se déroulent d'une façon similaire. De plus en plus de données expérimentales appuient l'hypothèse selon laquelle les protéines régulatrices comme la protéine MyoD pourraient agir en favorisant le relâchement de la chromatine dans des régions spécifiques. Cela permettrait aux mécanismes de transcription d'activer le groupe de gènes spécifiques du type de cellule, nécessaire aux étapes suivantes du développement.

Quel est le fondement moléculaire de la différenciation des cellules musculaires ? La protéine MyoD est un facteur de transcription (voir la figure 18.9) qui se lie aux éléments de contrôle spécifiques (amplificateurs) de divers gènes cibles et qui stimule leur expression (**figure 18.18**). Certains de ces gènes codent à leur tour pour d'autres facteurs de transcription spécifiques des muscles. La protéine MyoD stimule également l'expression du gène *myoD* lui-même, ce qui constitue un exemple de rétroaction positive qui perpétue l'effet de cette protéine et qui lui permet de continuer à exercer son influence en maintenant la cellule dans son état différencié. On peut supposer que tous ces gènes cibles comportent des éléments de contrôle dans les amplificateurs reconnus par la protéine MyoD ; ils sont donc soumis à une régulation coordonnée. Enfin, les facteurs de transcription secondaires activent les

▼ **Figure 18.18** **La détermination et la différenciation des cellules musculaires.** Les cellules des muscles squelettiques se forment à partir de cellules embryonnaires à la suite de modifications dans l'expression génétique. (Dans cette représentation, le processus d'activation génique est grandement simplifié.)

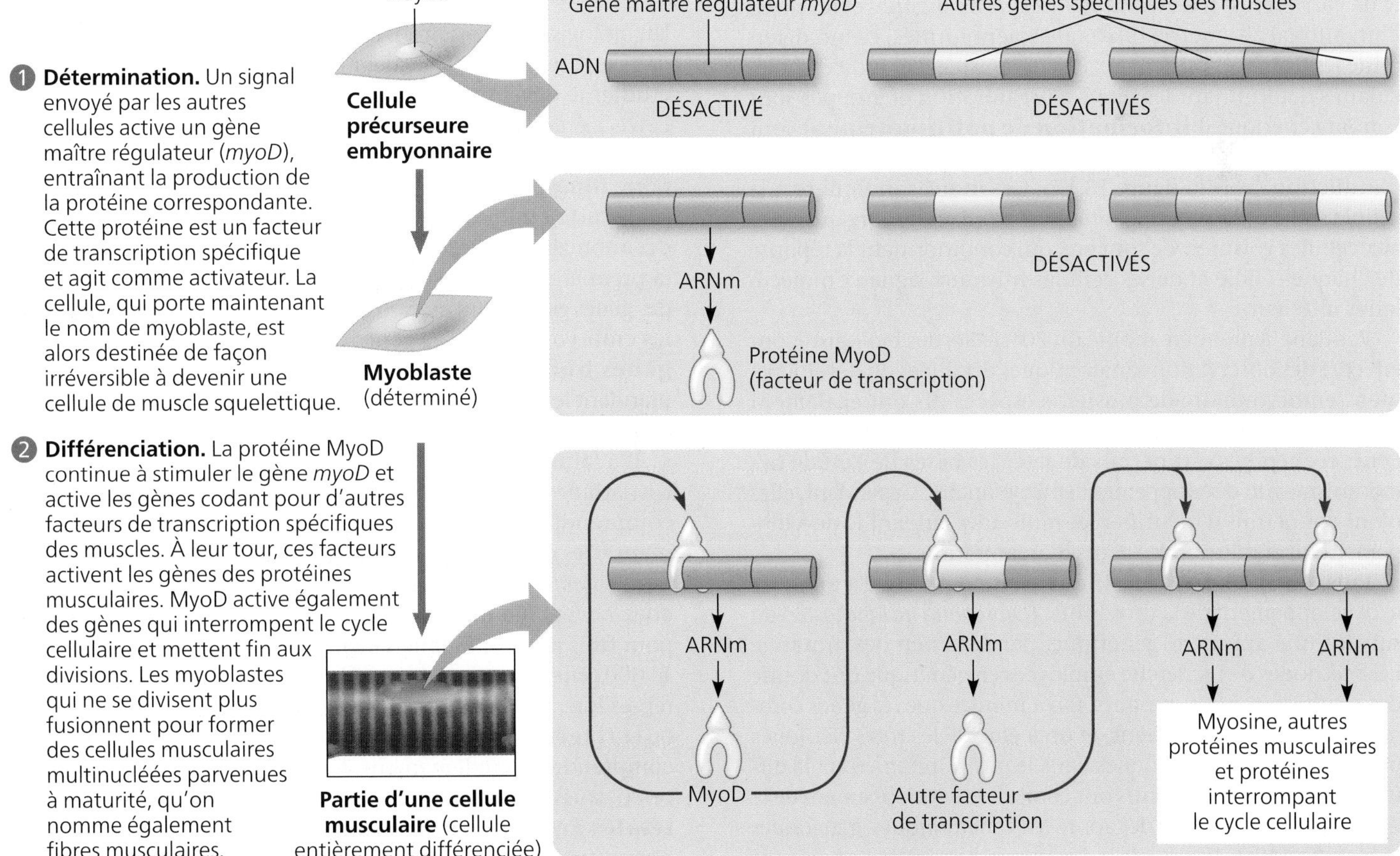
Noyau
Gène maître régulateur *myoD*
Autres gènes spécifiques des muscles
ADN
DÉSACTIVÉ
DÉSACTIVÉS
1 Détermination. Un signal envoyé par les autres cellules active un gène maître régulateur (*myoD*), entraînant la production de la protéine correspondante. Cette protéine est un facteur de transcription spécifique et agit comme activateur. La cellule, qui porte maintenant le nom de myoblaste, est alors destinée de façon irréversible à devenir une cellule de muscle squelettique.
Cellule précurseure embryonnaire
ARNm
DÉSACTIVÉS
Protéine MyoD (facteur de transcription)
Myoblaste (déterminé)
2 Différenciation. La protéine MyoD continue à stimuler le gène *myoD* et active les gènes codant pour d'autres facteurs de transcription spécifiques des muscles. À leur tour, ces facteurs activent les gènes des protéines musculaires. MyoD active également des gènes qui interrompent le cycle cellulaire et mettent fin aux divisions. Les myoblastes qui ne se divisent plus fusionnent pour former des cellules musculaires multinucléées parvenues à maturité, qu'on nomme également fibres musculaires.
ARNm
ARNm
ARNm
ARNm
MyoD
Autre facteur de transcription
Myosine, autres protéines musculaires et protéines interrompant le cycle cellulaire
Partie d'une cellule musculaire (cellule entièrement différenciée)

ET SI ? ▶ Qu'arriverait-il si une mutation dans le gène *myoD* produisait une protéine MyoD modifiée incapable d'activer le gène *myoD* ?

gènes des protéines musculaires, tels que la myosine et l'actine, qui confèrent aux cellules musculaires squelettiques leurs propriétés caractéristiques.

Nous avons maintenant vu comment différents programmes d'expression génétique qui sont activés dans l'ovule fécondé peuvent produire des cellules et des tissus différenciés. Mais, pour que les tissus fonctionnent efficacement dans l'organisme dans son ensemble, le *plan d'organisation corporelle*, c'est-à-dire la *structure* générale tridimensionnelle de l'organisme, doit s'établir et se superposer au mécanisme de différenciation. Nous allons maintenant étudier le fondement moléculaire de l'établissement du plan d'organisation corporelle, en utilisant comme exemple un organisme amplement étudié, *Drosophila melanogaster*.

Les plans d'organisation: l'établissement du plan d'organisation corporelle

Les déterminants cytoplasmiques et les signaux d'induction contribuent au développement d'une organisation spatiale dans laquelle les tissus et les organes occupent un emplacement caractéristique. Ce processus est nommé **plan d'organisation corporelle**.

Chez les espèces animales, les plans d'organisation apparaissent au stade du jeune embryon lorsque les axes principaux de l'organisme animal sont définis. Avant la construction d'un nouvel édifice, on détermine la position de la façade, de l'arrière et des côtés. De la même façon, la position relative de la tête et de la queue, des côtés gauche et droit, de même que de l'avant et de l'arrière, est fixée avant même que les organes et les tissus d'un animal à symétrie bilatérale soient formés, ce qui détermine les trois axes principaux de l'organisme. Les indices moléculaires déterminant les plans d'organisation et groupés sous le nom générique d'**information de positionnement** sont fournis par les déterminants cytoplasmiques et les signaux d'induction (voir la figure 18.17). Ces indices indiquent à la cellule son emplacement par rapport aux axes de l'organisme et aux cellules voisines. Ce sont eux qui conditionnent la réponse de chaque cellule et de ses cellules filles aux signaux moléculaires ultérieurs.

Pendant la première moitié du 20e siècle, des biologistes ont effectué des observations anatomiques détaillées du développement embryonnaire de plusieurs espèces. Ils ont également manipulé des tissus embryonnaires au cours d'expériences. Leurs recherches ont permis de jeter les bases de l'étude des mécanismes du développement embryonnaire. Cependant, elles n'ont pas permis d'identifier les molécules guidant le développement ou établissant les plans d'organisation.

Puis, en 1940, les scientifiques ont commencé à analyser le développement de la drosophile (*Drosophila melanogaster*) en suivant une approche génétique, par l'examen des mutants. Les méthodes de recherche employées en génétique ont donné des résultats impressionnants. On a montré que les gènes commandent le développement, et on a élucidé les rôles clés joués par des molécules spécifiques dans le positionnement et la différenciation. Les chercheurs ont compris le développement de la drosophile en cumulant des approches anatomiques, génétiques et biochimiques. Ils ont ainsi découvert que ce développement est régi par des principes communs à de nombreuses autres espèces, y compris l'espèce humaine.

Le cycle vital de la drosophile

Les drosophiles et autres arthropodes ont une structure modulaire, constituée de segments corporels disposés en une série ordonnée. Ces segments délimitent les trois grandes parties de leur corps: la tête, le thorax (milieu du corps sur lequel sont fixées les ailes et les pattes) et l'abdomen (**figure 18.19a**). Comme les autres animaux à symétrie bilatérale, la drosophile possède un axe antéropostérieur (tête → queue), un axe dorsoventral (dos → ventre) et un axe droite → gauche. Chez cette espèce, les déterminants cytoplasmiques localisés dans l'ovule non fécondé constituent une information de positionnement marquant l'emplacement des axes antéropostérieur et dorsoventral avant même la fécondation. Nous nous pencherons ici sur les molécules qui entrent en jeu dans l'établissement de l'axe antéropostérieur.

L'ovule (ou plus précisément l'ovocyte) de la drosophile se développe dans l'un des ovaires de la femelle, près des cellules nourricières et des cellules folliculaires (**figure 18.19b**, en haut). Celles-ci lui apportent les nutriments, des ARNm et les autres substances nécessaires au développement de l'œuf et à la fabrication de la membrane périvitelline. Après la fécondation et la ponte, le développement embryonnaire provoque la formation d'une larve segmentée, qui passe par trois stades larvaires. Puis, dans un processus très semblable à celui par lequel une chenille devient un papillon, la larve de la mouche forme une pupe dans laquelle elle se métamorphose en mouche adulte, comme l'illustre la figure 18.19a.

L'analyse génétique du début du développement: investigation

Un biologiste visionnaire, l'Américain Edward B. Lewis, a montré dans les années 1940 la valeur d'une approche génétique pour étudier le développement embryonnaire chez la drosophile. Lewis a étudié des mutants étranges présentant des anomalies de développement, notamment des ailes ou des pattes excédentaires (**figure 18.20**). Il a repéré les mutations correspondantes sur la carte génétique de l'animal et a ainsi établi des liens entre des anomalies du développement et des gènes spécifiques. Pour la première fois, ces recherches ont prouvé concrètement que des gènes guident les mécanismes du développement étudiés par les embryologistes. Les gènes découverts par Lewis, nommés **gènes homéotiques**, sont des gènes régulateurs qui commandent le plan d'organisation de l'embryon à un stade avancé, de la larve et de l'adulte.

Il a fallu attendre une trentaine d'années et les travaux de Christiane Nüsslein-Volhard et Eric Wieschaus pour mieux comprendre les plans d'organisation au début du développement. Ces deux chercheurs allemands ont entrepris d'identifier l'*ensemble* des gènes déterminant les plans d'organisation chez *Drosophila melanogaster*. Leur projet était monumental pour trois raisons. Premièrement, cette espèce compte environ 14 000 gènes. Ceux qui dirigent la segmentation pouvaient donc représenter quelques aiguilles à chercher dans une botte de foin, ou encore être si nombreux et variés qu'il serait impossible de les comprendre. Deuxièmement, les mutations affectant un processus aussi fondamental que la segmentation devaient être **létales au stade embryonnaire**, c'est-à-dire produire des phénotypes conduisant à la mort des embryons ou des larves. Étant donné que de tels organismes ne se reproduisent jamais, il serait impossible de les étudier génétiquement. Les chercheurs ont réglé ce problème en orientant leur recherche vers les mutations récessives transmissibles par des individus hétérozygotes qui agissent comme porteurs génétiques. Troisièmement, on sait que les déterminants cytoplasmiques présents dans l'ovule jouent un rôle dans la détermination des axes; il fallait donc étudier les gènes de la mère en plus de ceux de l'embryon. C'est avec l'étude des gènes de la mère que nous allons poursuivre, alors que nous examinerons plus précisément la façon dont l'axe corporel antéropostérieur est établi dans l'ovule en cours de développement.

▼ **Figure 18.19 Les étapes principales du cycle de développement de la drosophile.**

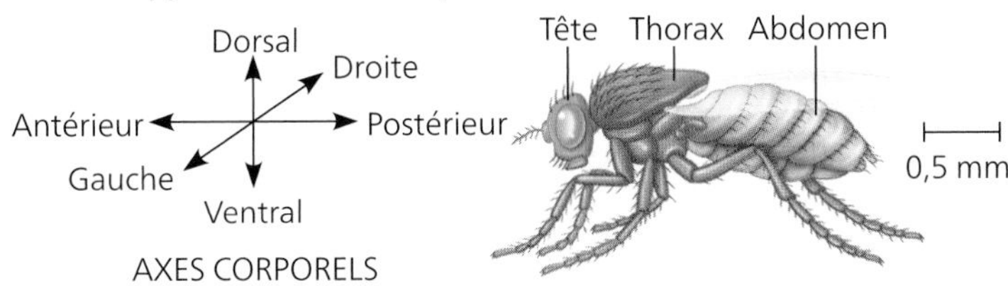

(a) Adulte. La drosophile adulte est segmentée, et de multiples segments constituent chacune des trois principales parties du corps (tête, thorax et abdomen). Les flèches indiquent les axes corporels.

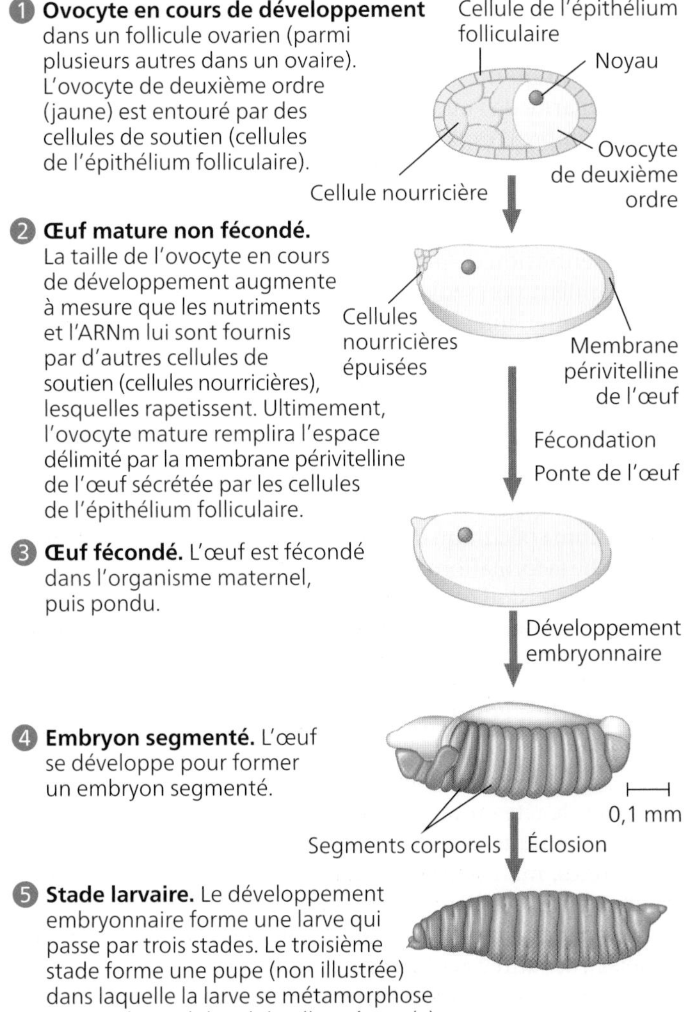

1 Ovocyte en cours de développement dans un follicule ovarien (parmi plusieurs autres dans un ovaire). L'ovocyte de deuxième ordre (jaune) est entouré par des cellules de soutien (cellules de l'épithélium folliculaire).
Cellule de l'épithélium folliculaire
Noyau
Ovocyte de deuxième ordre
Cellule nourricière
2 Œuf mature non fécondé. La taille de l'ovocyte en cours de développement augmente à mesure que les nutriments et l'ARNm lui sont fournis par d'autres cellules de soutien (cellules nourricières), lesquelles rapetissent. Ultimement, l'ovocyte mature remplira l'espace délimité par la membrane périvitelline de l'œuf sécrétée par les cellules de l'épithélium folliculaire.
Cellules nourricières épuisées
Membrane périvitelline de l'œuf
Fécondation
Ponte de l'œuf
3 Œuf fécondé. L'œuf est fécondé dans l'organisme maternel, puis pondu.
Développement embryonnaire
4 Embryon segmenté. L'œuf se développe pour former un embryon segmenté.
0,1 mm
Segments corporels
Éclosion
5 Stade larvaire. Le développement embryonnaire forme une larve qui passe par trois stades. Le troisième stade forme une pupe (non illustrée) dans laquelle la larve se métamorphose en une drosophile adulte illustrée en (a).

(b) Développement d'une larve à partir d'un œuf.

▼ **Figure 18.20 Des plans d'organisation anormaux chez *Drosophila melanogaster*.** Les mutations de gènes homéotiques provoquent l'apparition de structures à des endroits inhabituels chez l'animal, comme chez cette mouche mutante, qui présente une paire de pattes à la place des antennes (MEB colorisées).

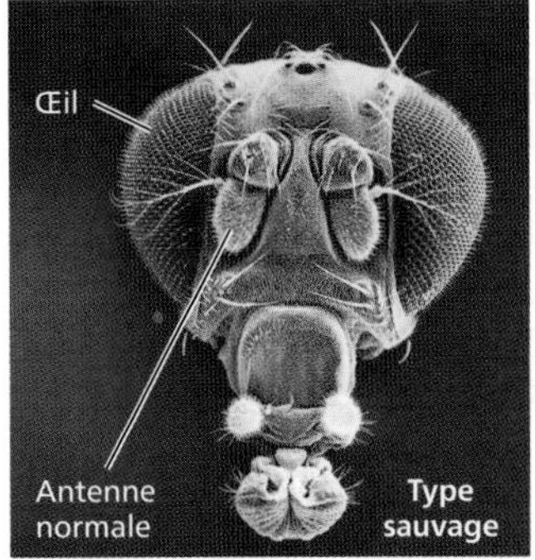

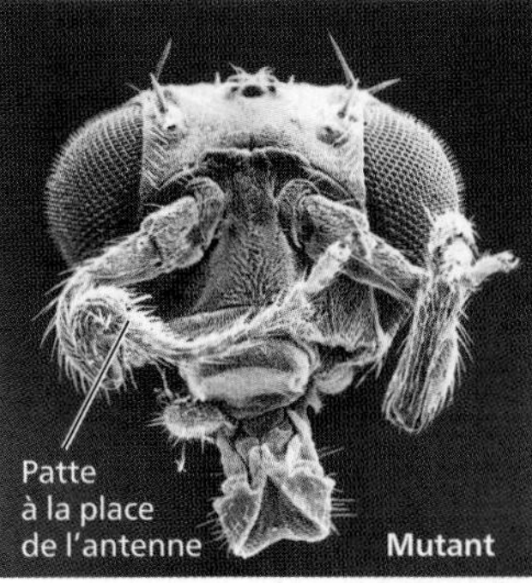

Nüsslein-Volhard et Wieschaus ont commencé leurs recherches sur les gènes de segmentation en exposant les drosophiles à une substance chimique mutagène afin de provoquer la mutation de leurs gamètes. Ils accouplaient les drosophiles mutantes puis ils recherchaient parmi leurs descendants morts à l'état embryonnaire ou larvaire une segmentation anormale ou d'autres anomalies. Par exemple, pour trouver des gènes qui pouvaient fixer l'axe antéropostérieur, ils cherchaient des embryons ou des larves avec des extrémités anormales telles que deux têtes ou deux queues, prédisant que de telles anomalies seraient le résultat de mutations dans les gènes maternels ayant pour fonction d'établir correctement la position de la tête ou de la queue des descendants.

Par cette approche, Nüsslein-Volhard et Wieschaus ont réussi à isoler environ 1 200 gènes nécessaires au plan d'organisation pendant le développement embryonnaire. Parmi ceux-ci, 120 sont essentiels à une segmentation normale. Au bout de plusieurs années, les deux chercheurs ont été en mesure de grouper ces gènes de segmentation selon leurs fonctions générales, de les situer sur les chromosomes de la drosophile et d'en isoler plusieurs afin de continuer leur étude en laboratoire. Grâce à leurs études, on connaît maintenant en détail les aspects moléculaires des premières étapes des plans d'organisation de la drosophile.

Leurs travaux ainsi que ceux de Lewis ont permis de tracer une image cohérente du développement embryonnaire de *Drosophila melanogaster*. Cela a valu aux trois chercheurs un prix Nobel en 1995. Examinons maintenant un exemple précis de gènes découverts par Nüsslein-Volhard, Wieschaus et leurs collaborateurs.

La fixation de l'orientation des axes

Comme nous l'avons déjà vu, les déterminants cytoplasmiques dans l'ovule sont les substances conduisant, au début, à la mise en place des axes corporels de la drosophile. Ces substances sont codées par des gènes maternels nommés, avec à-propos, **gènes à effet maternel**. Dans le cas d'une mutation récessive, lorsqu'ils sont présents chez la mère à l'état homozygote, ces gènes produisent un phénotype mutant chez tous les descendants, et ce, quel que soit leur génotype (et celui du père); ces gènes particuliers se distinguent donc des autres gènes (gènes à effet zygotique) par leur comportement. En ce qui a trait au développement de la drosophile, les protéines ou l'ARNm produits par les gènes à effet maternel sont introduits dans l'ovule pendant qu'il se trouve encore dans l'ovaire. Si l'un de ces gènes est mutant chez la mère, son produit est défectueux (ou inexistant). Les ovules sont anormaux et ne se développent pas adéquatement après avoir été fécondés.

Comme ils commandent l'orientation (polarité) de l'œuf et, par conséquent, celle de l'embryon, les gènes à effet maternel sont aussi nommés *gènes de polarité de l'œuf.* Un groupe de gènes de ce type détermine l'orientation de l'axe antéropostérieur de l'embryon, et un autre groupe établit l'axe dorsoventral. Généralement, les mutations de ces gènes sont, à l'instar des mutations des gènes de la segmentation, létales au stade embryonnaire.

Le gène *bicoïd*: un morphogène déterminant les structures de la tête Afin d'illustrer comment les gènes à effet maternel déterminent l'orientation des axes de l'organisme en train de se former, prenons un de ces gènes, le gène ***bicoïd*** (mot anglais signifiant « à deux queues »), et voyons comment il agit. Lorsque la mère porte deux allèles mutants de ce gène, la moitié antérieure de l'embryon ou de la larve manque, et ceux-ci possèdent alors des structures postérieures à leurs deux extrémités (**figure 18.21**). Ce phénotype a permis à Nüsslein-Volhard et à ses collègues d'émettre l'hypothèse selon laquelle le produit du gène *bicoïd* de la mère est essentiel à l'établissement de l'extrémité antérieure de l'embryon et qu'il est concentré là où doit se trouver cette extrémité. C'est un exemple particulier de l'*hypothèse des gradients de morphogènes* formulée par les embryologistes il y a un siècle, et affirmant que ce sont les gradients de substances nommées **morphogènes** qui fixent l'orientation des axes de l'embryon et d'autres caractéristiques de sa forme.

Grâce à la biotechnologie et à des techniques biochimiques récentes, les chercheurs ont pu confirmer l'hypothèse selon laquelle le produit du gène *bicoïd,* une protéine du même nom, est en fait un morphogène déterminant la position de l'extrémité antérieure de la drosophile. La première question qu'ils ont posée a été de savoir si l'ARNm et les protéines produites par ces gènes étaient situés dans l'ovocyte dans une position conforme à l'hypothèse. Effectivement, l'ARNm *bicoïd* est fortement concentré à l'extrémité antérieure de l'ovocyte mature (**figure 18.22**). Après la fécondation, l'ARNm est traduit en une protéine Bicoïd; cette dernière diffuse de l'extrémité antérieure vers l'extrémité postérieure en créant un gradient de concentration à l'intérieur du jeune embryon, la concentration la plus élevée se situant à la partie antérieure. Ces résultats sont conformes à l'hypothèse voulant que ce soit la protéine Bicoïd qui détermine la position de l'extrémité antérieure de la drosophile. Pour valider cette hypothèse de façon plus précise, les chercheurs ont injecté de l'ARNm *bicoïd* pur dans diverses parties de jeunes embryons dépourvus du gène *bicoïd* (par suite de son absence chez la mère). Comme attendu, la protéine issue de sa traduction a provoqué la formation de structures antérieures aux sites d'injection.

La recherche effectuée sur le gène *bicoïd* est révolutionnaire pour plusieurs raisons. Premièrement, elle a mené à l'identification d'une protéine spécifique nécessaire au bon déroulement de certaines des premières étapes des plans d'organisation. Elle a donc aidé à comprendre comment différentes régions dans l'ovule peuvent donner naissance à des cellules qui empruntent différentes voies de développement. Deuxièmement, elle a permis d'élucider en partie le rôle maternel essentiel dans les étapes initiales du développement de l'embryon. Troisièmement, on a démontré qu'un gradient de morphogènes peut déterminer la polarité de l'ovule et la position des extrémités chez un grand nombre d'espèces, comme les premiers embryologistes l'avaient supposé.

Les ARNm maternels sont essentiels au cours du développement de nombreuses espèces. Chez la drosophile, des gradients de concentration de protéines codées par des ARN maternels commandent non seulement la position des extrémités postérieure et antérieure, mais également l'orientation de l'axe dorsoventral. Au fur et à mesure que l'embryon croît, il atteint un point où le programme embryonnaire de l'expression génétique prend la commande, et les ARNm maternels doivent être détruits. (Ce processus fait intervenir des miARN chez la drosophile et d'autres espèces.) Plus tard, les gènes de l'embryon fournissent l'information de positionnement qui détermine un nombre spécifique de segments correctement orientés et déclenche la formation des structures propres à chaque segment avec une précision croissante. Lorsque les gènes mis en marche à cette étape finale sont anormaux, les plans d'organisation de l'adulte sont anormaux, comme vous l'avez vu à la figure 18.20.

▼ Figure 18.21 L'effet du gène *bicoïd* sur le développement de *Drosophila melanogaster*. Une larve de drosophile de type sauvage a une tête, trois segments thoraciques (T), huit segments abdominaux (A) et une queue. Une larve dont la mère a deux allèles de phénotype mutant du gène *bicoïd* a deux queues et il lui manque les structures de l'extrémité antérieure (MP).

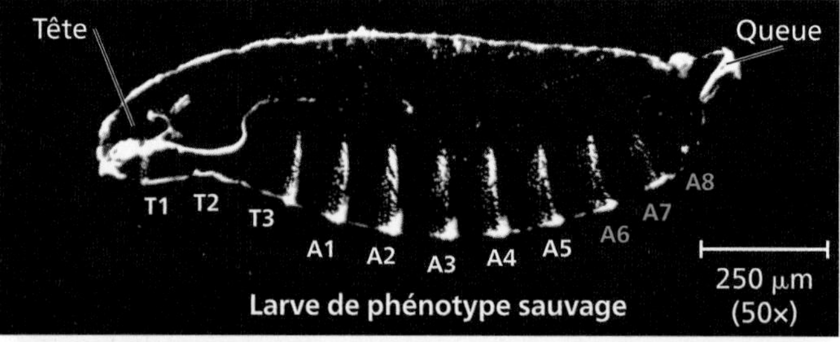

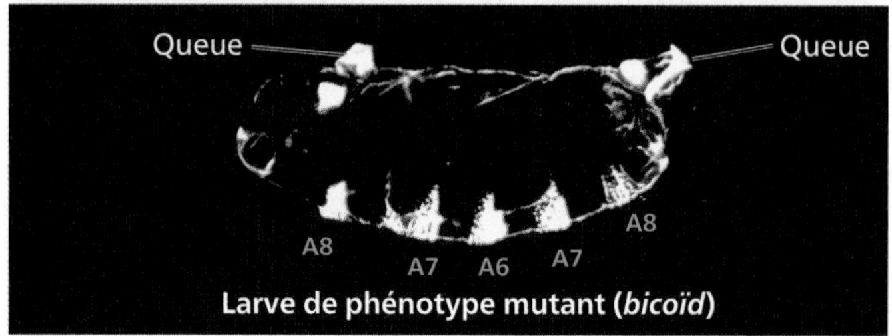

La biologie évolutive du développement (« évo-dévo »)

ÉVOLUTION Chez la mouche de la figure 18.20, la présence de pattes sur la tête est attribuable à une seule mutation dans un gène homéotique. Toutefois, ce gène n'encode aucune protéine d'antennes, mais plutôt un facteur de transcription régulant d'autres gènes. Aussi, son dysfonctionnement entraîne le déplacement de certaines structures et explique la présence de pattes à la place des antennes. Après avoir observé qu'un changement dans la régulation d'un gène pendant le développement pouvait modifier la forme du corps de façon aussi importante, certains scientifiques se sont demandé si ces types de mutations

DÉMARCHE SCIENTIFIQUE

INVESTIGATION

▼ Figure 18.22

Bicoïd pourrait-il être un morphogène déterminant l'extrémité antérieure de la drosophile ?

■ **HYPOTHÈSE** ■ En suivant une approche génétique pour étudier *Drosophila melanogaster*, Christiane Nüsslein-Volhard et ses collègues de deux centres de recherche d'Allemagne ont analysé l'expression du gène *bicoïd*. Les chercheurs ont émis l'hypothèse que ce gène code normalement pour un morphogène qui spécifie l'extrémité antérieure (tête) de l'embryon.

■ **EXPÉRIENCE** ■ Pour confirmer cette hypothèse, les chercheurs ont utilisé des techniques d'analyse moléculaire pour vérifier si l'ARNm et la protéine codée par ce gène se trouvaient à l'extrémité antérieure de l'œuf fécondé et du jeune embryon des drosophiles de phénotype sauvage.

■ **RÉSULTATS** ■ L'ARNm *bicoïd* (en bleu foncé dans la micrographie pâle et le dessin correspondant) est confiné à l'extrémité antérieure de l'œuf non fécondé. Plus tard dans le développement, les cellules à l'extrémité antérieure de l'embryon contiennent une concentration élevée de la protéine Bicoïd (en orangé foncé).

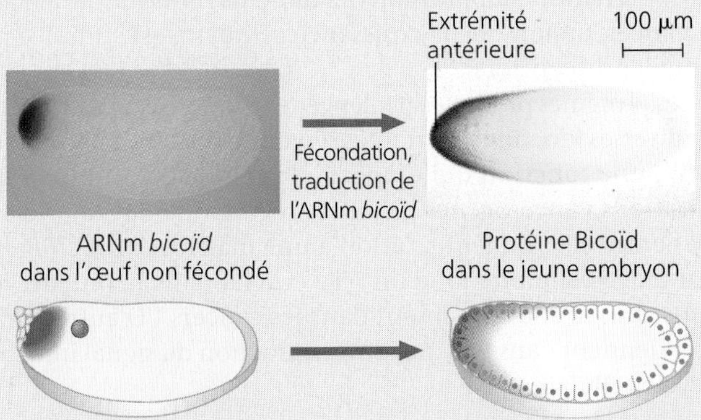

■ **CONCLUSION** ■ La localisation de l'ARNm *bicoïd* et le gradient diffus de la protéine Bicoïd observé subséquemment sont conformes à l'hypothèse selon laquelle la protéine Bicoïd provient d'un morphogène qui code pour la formation des structures spécifiques à la tête.

Pour en savoir plus: C. Nüsslein-Volhard et coll., Determination of anteroposterior polarity in *Drosophila*, *Science* 238: 1675-1681 (1987); W. Driever et C. Nüsslein-Volhard, A gradient of *Bicoid* protein in *Drosophila* embryos, *Cell* 54: 83-93 (1988); T. Berleth et coll., The role of localization of *bicoid* RNA in organizing the anterior pattern of the *Drosophila* embryo, *EMBO Journal* 7: 1749-1756 (1988).

ET SI ? ▶ Comme les chercheurs avaient besoin de preuves supplémentaires, ils ont injecté de l'ARNm *bicoïd* dans l'extrémité antérieure d'un ovocyte de deuxième ordre provenant d'une femelle ayant subi une mutation rendant inefficace le gène *bicoïd*. Selon vous, puisque les données appuyaient leur hypothèse, quels résultats ont-ils obtenus ?

pouvaient contribuer à l'évolution en générant de nouvelles formes corporelles. Aussi, de cette question est né le domaine de la biologie évolutive du développement, ou « évo-dévo », que nous aborderons de façon plus approfondie au concept 21.6.

Dans la présente section, nous avons vu comment un programme de régulation génique séquentielle orchestré avec soin commande la transformation d'un œuf fécondé en un organisme multicellulaire. L'activation des gènes pour la différenciation à l'endroit approprié et la désactivation d'autres gènes suivent un programme soigneusement équilibré. Même quand un organisme est entièrement développé, l'expression génétique est régulée d'une manière aussi précise. Dans la dernière section du chapitre, nous verrons à quel point cette précision est grande en examinant comment l'apparition du cancer peut résulter de modifications spécifiques dans l'expression de quelques gènes.

RETOUR SUR LE CONCEPT **18.4**

1. **FAITES DES LIENS** ▶ Comme vous l'avez appris au chapitre 12, la mitose donne naissance à deux cellules filles qui sont génétiquement identiques à la cellule mère. Pourtant, les humains ne sont pas constitués de cellules identiques bien qu'ils soient le produit de nombreuses divisions mitotiques. Expliquez pourquoi.
2. **FAITES DES LIENS** ▶ Expliquez comment les molécules de signalisation libérées par une cellule embryonnaire peuvent induire des modifications dans une cellule voisine sans y pénétrer. (Voir les figures 11.15 et 11.16.)
3. Comment les gènes à effet maternel de la drosophile déterminent-ils la polarité de l'œuf et de l'embryon ?
4. **ET SI ?** ▶ Dans la figure 18.17b, la cellule située en bas synthétise des molécules de signalisation, alors que la cellule du haut exprime des récepteurs pour ces molécules. En termes de régulation génique et de déterminants cytoplasmiques, expliquez comment ces cellules en sont venues à synthétiser des molécules différentes.

Voir les réponses proposées à l'appendice A.

CONCEPT **18.5**

Le cancer est la conséquence de modifications génétiques qui altèrent la régulation du cycle cellulaire

Au concept 12.3, vous avez vu que le terme *cancer* fait référence à un type de maladies dans lesquelles les cellules échappent aux mécanismes de régulation limitant normalement leur croissance. Maintenant que vous connaissez les fondements moléculaires de l'expression génétique et de sa régulation, vous êtes prêt à étudier le cancer plus en détail. Les systèmes de régulation du gène qui tombent en panne pendant un cancer sont les mêmes qui jouent des rôles importants dans le développement de l'embryon, la réponse immunitaire et une foule d'autres processus biologiques. Par conséquent, les recherches portant sur les fondements moléculaires du cancer ont tiré profit de nombreux autres domaines de la biologie et les ont documentés.

Les types de gènes associés au cancer

En temps normal, les gènes régulateurs de la croissance et de la division de la cellule (cycle cellulaire) comprennent les gènes associés aux facteurs de croissance, leurs récepteurs et les molécules intracellulaires des voies de communication cellulaire. (Reportez-vous au concept 11.2 pour réviser le cycle cellulaire et au concept 12.3 pour revoir la régulation du cycle cellulaire.) Les mutations qui altèrent ces gènes dans les cellules somatiques peuvent mener au cancer. C'est le cas, entre autres, des mutations aléatoires spontanées. Il est aussi probable que de nombreuses mutations causant le cancer soient attribuables à des facteurs environnementaux, tels que les produits chimiques cancérogènes, les rayons X et autres rayonnements à grande énergie, ainsi que certains virus.

Les recherches sur le cancer ont mené à la découverte de gènes cancérogènes, les **oncogènes** (du grec *onkos*, « grosseur », « tumeur »), chez certains types de rétrovirus. Plus tard, on a trouvé des parents proches de ces oncogènes viraux dans le génome des humains et des autres animaux. Les versions normales des gènes cellulaires, nommés **protooncogènes**, codent pour des protéines stimulant une croissance et une division normales de la cellule.

Comment un protooncogène (un gène qui a une fonction essentielle dans la cellule normale) peut-il devenir un oncogène, c'est-à-dire un gène provoquant le cancer ? D'une manière générale, un oncogène apparaît sous l'effet d'une modification génétique menant à l'accroissement de la quantité de protéines codées par le protooncogène ou de l'activité intrinsèque de chaque protéine. Il existe trois modes principaux de transformation d'un protooncogène en oncogène : le déplacement d'ADN dans le génome, l'amplification d'un protooncogène et la mutation ponctuelle d'un élément de contrôle ou du protooncogène lui-même (**figure 18.23**).

En ce qui a trait au premier mode, on constate souvent que les cellules cancéreuses ont subi des translocations : certains de leurs chromosomes se sont brisés et reconstitués de façon erronée, entraînant le transfert des fragments des chromosomes cassés sur d'autres chromosomes (voir la figure 15.14 et l'exemple du chromosome de Philadelphie à la figure 15.16). Maintenant que vous avez appris comment l'expression génétique est régulée, vous pouvez comprendre les conséquences possibles de ces translocations. Si un protooncogène qui a subi une translocation se retrouve dans une position adjacente à un promoteur (ou à un autre élément de contrôle) particulièrement actif, il augmente sa vitesse de transcription, ce qui en fait un oncogène. Le deuxième mode de transformation génétique, l'amplification génique, mène à l'accroissement du nombre de copies du protooncogène dans la cellule par duplication répétée du gène (sujet abordé au concept 21.5). Le troisième mode est la mutation ponctuelle soit dans le promoteur ou dans un amplificateur qui contrôle un protooncogène, ce qui cause une augmentation de son expression, soit dans la séquence codante du protooncogène, ce qui implique la transformation de la protéine produite par le gène en une substance plus active ou plus résistante à la dégradation. Ces trois mécanismes risquent de provoquer une stimulation anormale du cycle cellulaire et de prédisposer la cellule en question à devenir cancéreuse.

Les cellules ne contiennent pas uniquement les gènes dont les produits favorisent normalement la division cellulaire. Elles contiennent aussi des gènes dont les produits normaux *inhibent* la division cellulaire. Ces gènes sont des **gènes suppresseurs de tumeurs**, parce que les protéines pour lesquelles ils codent contribuent à empêcher une croissance cellulaire anarchique. Toute mutation entraînant la diminution de l'activité normale d'une protéine de suppression des tumeurs risque de déclencher un cancer, du fait que la croissance cellulaire est stimulée par l'absence de contrôle.

Les protéines produites par les gènes suppresseurs de tumeurs ont diverses fonctions. Certaines servent à réparer l'ADN endommagé, une fonction qui empêche la cellule d'accumuler des mutations cancérogènes. D'autres régulent la liaison des cellules entre elles ou leur fixation à une matrice extracellulaire. (L'ancrage cellulaire joue un rôle crucial dans la plupart des tissus et il est souvent absent dans les cancers.) D'autres enfin interviennent dans les voies de transduction du signal inhibant le cycle cellulaire.

▼ **Figure 18.23** **Les modifications génétiques pouvant transformer un protooncogène en oncogène.**

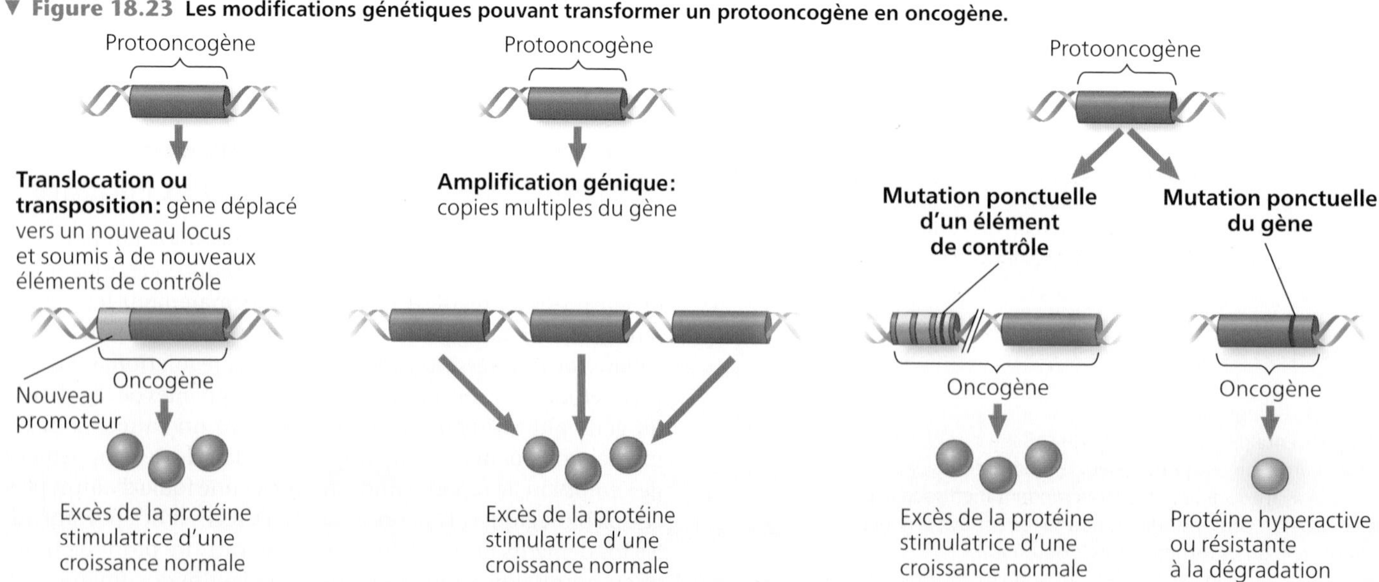

Le dérèglement du fonctionnement des voies de signalisation cellulaire

Les protéines codées par de nombreux protooncogènes et les gènes de suppression des tumeurs sont des composants des voies de transduction du signal. Regardons plus en détail le mode de fonctionnement de ces protéines dans les cellules normales et examinons ce qui leur fait défaut dans les cellules cancéreuses. Considérons plus précisément deux gènes clés, le protooncogène *Ras* et le gène suppresseur de tumeurs *p53*. Les mutations de *Ras* surviennent dans environ 30 % des cas de cancers humains; celles de *p53* dans plus de 50 %.

Le gène *Ras* (de l'anglais, *rat sarcoma*, un cancer du tissu conjonctif) code pour une protéine G qui transmet un signal d'un récepteur de facteurs de croissance situé sur la membrane plasmique à une cascade de protéines kinases (voir les figures 11.8 et 11.10). La réponse cellulaire déclenchée par cette voie est la synthèse d'une protéine stimulant le cycle cellulaire (**figure 18.24a**). Normalement, une voie de cette nature ne peut être mise en marche que par le facteur de croissance approprié. Cependant, certaines mutations dans le gène *Ras* mènent à la production d'une protéine Ras hyperactive qui déclenche la cascade de kinases même en l'absence de tout facteur de croissance; il en résulte une augmentation du rythme de la division cellulaire (**figure 18.24b**). En fait, que la cellule comporte des protéines devenues hyperactives ou des quantités excessives de n'importe quel composant de cette voie, le résultat est le même: les divisions cellulaires se produisent à un rythme accéléré.

La **figure 18.25a** illustre une voie dans laquelle le signal intracellulaire mène à la synthèse d'une protéine stoppant le cycle cellulaire. Dans ce cas, le signal est le dommage causé à l'ADN de la cellule, peut-être à la suite d'une exposition au rayonnement ultraviolet. La mise en marche de cette voie bloque le cycle cellulaire jusqu'à ce que l'ADN endommagé soit réparé. Autrement, les dommages pourraient contribuer à la formation de tumeurs en provoquant des mutations ou des anomalies chromosomiques. Par conséquent, les gènes des composants de cette voie sont des gènes suppresseurs de tumeurs. Le gène qui porte le nom de ***p53*** (la masse moléculaire de la protéine qu'il produit étant de 53 000 u) est un gène suppresseur de tumeurs. La protéine codée par ce gène est un facteur de transcription spécifique stimulant la synthèse des protéines d'inhibition du cycle cellulaire. C'est pour cette raison qu'une mutation qui rend le gène *p53* non fonctionnel, autant qu'une mutation qui favorise la synthèse d'une protéine Ras hyperactive, peut mener à une croissance cellulaire excessive et à la formation d'une tumeur (**figure 18.25b**).

Le gène *p53* est souvent qualifié d'« ange gardien du génome ». Une fois le gène activé, par exemple par les dommages infligés à l'ADN d'une cellule, la protéine p53 devient un activateur de plusieurs autres gènes. Elle agit donc toujours en se liant à l'ADN. Elle active souvent un autre gène, nommé *p21*, dont le produit

▼ Figure 18.24 La voie d'activation du cycle cellulaire chez une cellule normale et chez une cellule mutante. **(a)** Cette voie est déclenchée par un facteur de croissance ❶ qui se lie à son récepteur ❷ dans la membrane plasmique. Le signal est transmis à une protéine G ❸ nommée Ras. Comme toutes les protéines G, la protéine Ras est active lorsqu'elle est liée à une molécule de GTP. Ras transmet le signal à une série de protéines kinases ❹. La dernière kinase active un facteur de transcription (activateur) ❺, qui agit à son tour sur un ou plusieurs gènes codant pour une protéine ❻. Celle-ci stimule le cycle cellulaire. **(b)** Si Ras (ou tout autre composant de la voie) devient anormalement active après une mutation, une division cellulaire excessive risque de survenir et entraîner la formation d'une tumeur.

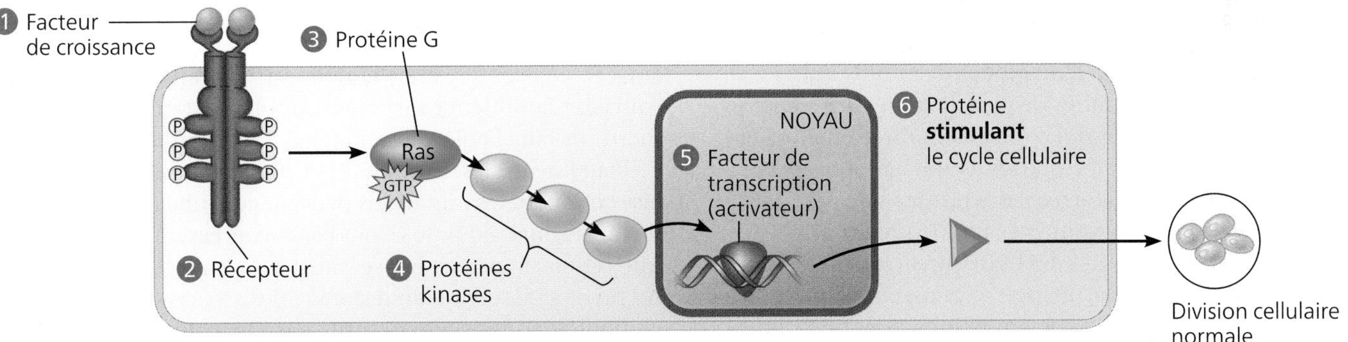

(a) Voie d'activation du cycle cellulaire d'une cellule normale

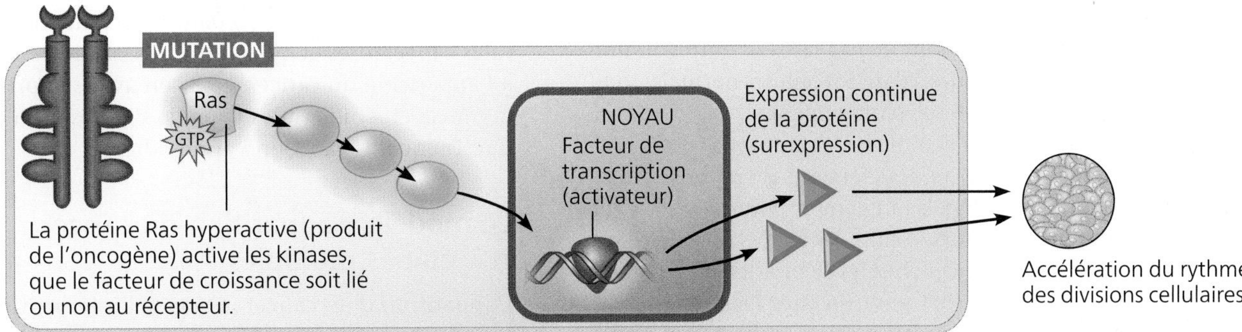

(b) Voie d'activation du cycle cellulaire d'une cellule mutante

▼ **Figure 18.25 Les voies d'inhibition du cycle cellulaire chez une cellule normale et chez une cellule mutante. (a)** Dans une voie normale, un dommage causé à l'ADN ① est un signal intracellulaire relayé par des protéines kinases ② qui entraîne l'activation de la protéine p53 ③. Cette protéine activée facilite la transcription ④ du gène codant pour une protéine ⑤ qui inhibe le cycle cellulaire. Le blocage de la division cellulaire qui s'ensuit empêche l'ADN endommagé de se répliquer. Si le dommage causé à l'ADN est irréparable, le signal de p53 enclenche l'apoptose qui détruira la cellule. **(b)** Les mutations aboutissant à l'anomalie d'un des composants de cette voie peuvent mener au cancer.

? Selon vous, une mutation causant le cancer dans un gène suppresseur de tumeurs, comme *p53*, est-elle plus susceptible d'être récessive ou dominante ? Expliquez.

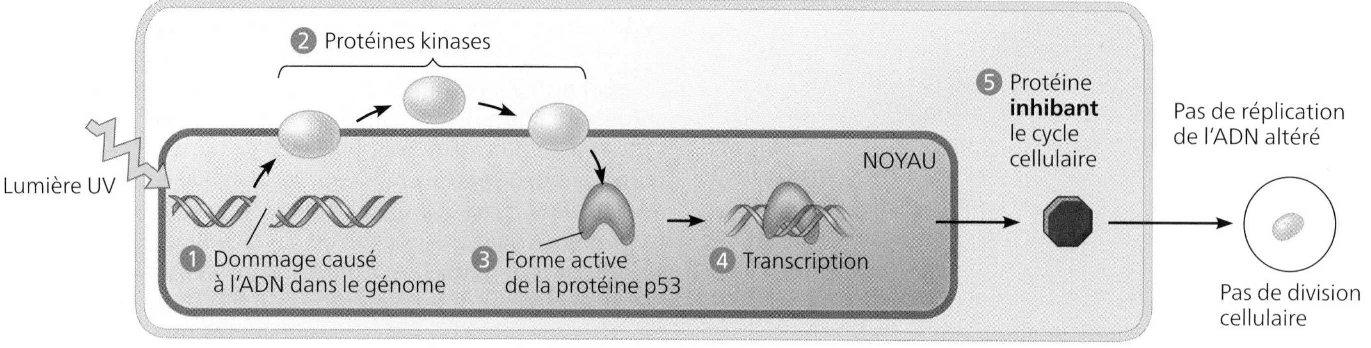

(a) Voie d'inhibition du cycle cellulaire d'une cellule normale

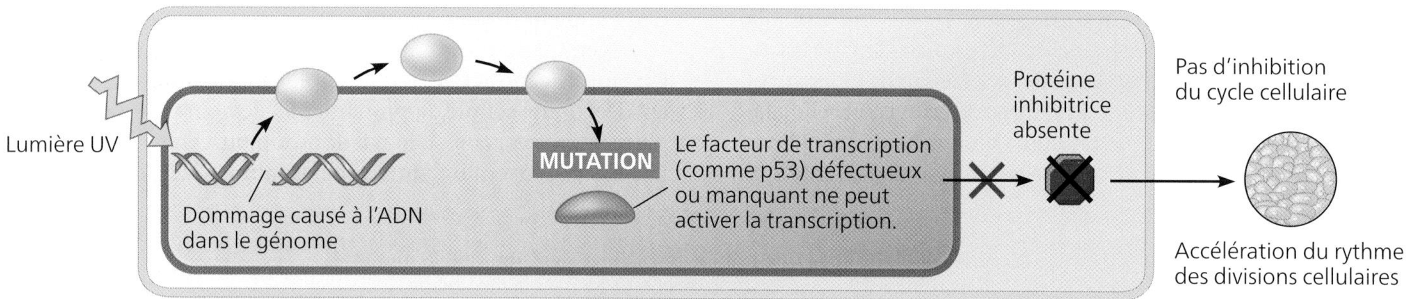

(b) Voie d'inhibition du cycle cellulaire d'une cellule mutante

interrompt le cycle cellulaire en se liant aux kinases dépendantes des cyclines. Cela laisse à la cellule le temps de réparer son ADN. Les chercheurs ont récemment démontré que la protéine p53 active également l'expression d'un groupe de miARN qui à leur tour inhibent le cycle cellulaire. De plus, la protéine p53 peut également activer des gènes qui contribuent directement à la réparation de l'ADN. Enfin, lorsque les dommages subis par ce dernier sont irréparables, p53 active les gènes de « suicide », dont les produits protéiques provoquent la mort programmée de la cellule (*apoptose* ; voir la figure 11.20). Ainsi, lorsque l'ADN d'une cellule est endommagé, p53 agit de plusieurs façons pour empêcher celle-ci de transmettre les mutations. Si les mutations s'accumulent et si la cellule survit à de nombreuses divisions (ce qui est plus que probable quand le gène suppresseur de tumeurs *p53* est défectueux ou absent), un cancer peut apparaître. Les nombreuses fonctions de *p53* laissent entrevoir une image complexe de la régulation dans les cellules normales, que nous ne comprenons pas encore parfaitement.

Une étude récente tend à démontrer le rôle protecteur de *p53* vis-à-vis du cancer et apporte des éléments de réponse à une question que l'on se pose depuis longtemps : pourquoi le cancer est-il si rare chez les éléphants ? Selon des études réalisées dans des zoos, l'incidence du cancer chez les éléphants serait d'environ 3 %, alors qu'il est de 30 % environ chez les humains. Le séquençage du génome a démontré que les éléphants possèdent 20 copies du gène *p53* contre une seule chez les humains, les autres mammifères et même les lamantins, qui sont les plus proches parents des éléphants. Sans aucun doute, la faible incidence du cancer chez les éléphants s'explique par d'autres raisons sous-jacentes, mais le lien entre la faible incidence du cancer et la présence de copies supplémentaires du gène *p53* mérite de faire l'objet de recherches approfondies.

Pour l'heure, les figures 18.24 et 18.25 montrent de façon précise comment les mutations peuvent contribuer à l'apparition du cancer, mais nous ne savons pas encore exactement comment une cellule en particulier se transforme en cellule cancéreuse. Au fur et à mesure qu'on découvre des aspects de la régulation génique inconnus auparavant, il est instructif d'étudier leur rôle dans l'apparition du cancer. Des études ont montré, par exemple, que la méthylation de l'ADN et les plans de modification des histones diffèrent dans les cellules normales et les cellules cancéreuses et que les miARN participent probablement à l'apparition du cancer. Nous en avons appris beaucoup sur le cancer en étudiant les voies de signalisation cellulaire, mais il reste encore beaucoup à apprendre.

Le modèle d'apparition du cancer par étapes multiples

L'apparition d'un cancer nécessite l'intervention de plusieurs facteurs de différente nature. Sur le plan strictement génétique, il faut généralement qu'un certain nombre de mutations somatiques se produisent pour que s'enclenchent tous les changements caractéristiques d'une véritable cellule cancéreuse. Cela pourrait expliquer en partie la raison pour laquelle l'incidence du cancer s'accroît beaucoup avec l'âge. Si cette maladie est le résultat d'une accumulation de mutations et si ces dernières apparaissent au cours de l'existence, alors plus nous vivons longtemps, plus nous courons le risque qu'un cancer se manifeste.

Le modèle d'apparition de cette maladie évoluant par étapes successives est corroboré par des études portant sur le cancer colorectal, qui touche le côlon ou le rectum et qui est l'un des cancers humains les mieux compris. On diagnostique environ 26 000 nouveaux cas de cancers de ce type par année au Canada, et on enregistre environ 9 000 décès annuels ; en France, on dénombre 43 000 nouveaux cas et 18 000 personnes en meurent annuellement. Selon l'Institut national du cancer du Canada, c'est la deuxième cause la plus fréquente de décès attribuables à cette maladie chez la femme (après le cancer du sein) et la troisième chez l'homme (après le cancer du poumon et de la prostate). À l'instar de la plupart des cancers, le cancer colorectal apparaît graduellement (**figure 18.26**). Le premier signe est souvent un polype, soit une petite excroissance bénigne de l'épithélium du côlon. Les cellules du polype ont une apparence normale, mais elles se divisent à une fréquence inhabituelle. La tumeur grossit et peut finir par devenir maligne et envahir d'autres tissus. L'apparition d'une tumeur maligne s'accompagne d'une accumulation progressive de mutations transformant les protooncogènes en oncogènes et rendant les gènes suppresseurs de tumeurs non fonctionnels. Un oncogène *Ras* et un gène suppresseur de tumeurs muté *p53* entrent souvent en jeu.

L'ADN doit subir de multiples changements avant que la cellule devienne entièrement cancéreuse. Ces changements comprennent habituellement l'apparition d'au moins un oncogène actif ainsi que la mutation ou la perte de plusieurs gènes suppresseurs de tumeurs. En outre, pour que les cellules tumorales deviennent malignes et envahissent les tissus environnants, des gènes appartenant à d'autres classes doivent aussi intervenir. Enfin, comme les allèles mutants des suppresseurs de tumeurs sont habituellement récessifs, les mutations doivent dans la plupart des cas rendre non fonctionnels les *deux allèles* présents dans le génome afin de bloquer la suppression des tumeurs. (En revanche, la plupart des oncogènes se comportent comme des allèles dominants.)

Depuis que l'on sait comment évolue ce type de cancer, il est recommandé de passer des tests de dépistage réguliers (par exemple, des coloscopies) afin de déceler les polypes suspects et de les retirer. Ces tests de dépistage ainsi que l'amélioration des traitements ont permis de diminuer, depuis les 20 dernières années, le taux de mortalité lié aux cancers colorectaux. Par ailleurs, les traitements offerts contre les autres types de cancers ont gagné en efficacité. Le séquençage de l'ADN et de l'ARNm permet désormais aux chercheurs médicaux de comparer les gènes exprimés par différents types de tumeurs et par un même type de tumeur chez différentes personnes. Ces comparaisons ont permis de mettre au point des traitements personnalisés reposant sur les caractéristiques moléculaires de la tumeur du patient.

Le cancer du sein est la deuxième forme de cancer la plus courante aux États-Unis. Chez les femmes, il s'agit du cancer le plus fréquent. Au Canada, il touche chaque année plus de 25 000 femmes (et quelques hommes), et il est à l'origine de 4 900 décès. En France, on compte environ 49 000 nouveaux cas de cancer du sein chaque année et 12 000 décès annuels (450 000 dans le monde). La nature hétérogène de ce cancer constitue l'un des principaux obstacles à sa compréhension : les tumeurs varient de façon importante d'une personne à l'autre. Pour améliorer l'efficacité des traitements et diminuer le taux de mortalité, il est donc essentiel de mettre en évidence les différences entre les types de cancers du sein. En 2012, le Cancer Genome Atlas Network, commandité par les National Institutes of Health, a publié les résultats des travaux d'une équipe multidisciplinaire qui a fait appel à une approche génomique pour établir le profil des sous-types de cancers du sein en fonction de leurs caractéristiques moléculaires. Quatre principaux types de cancers du sein ont ainsi été identifiés (**figure 18.27**). Chez les personnes atteintes d'un cancer du sein, il est maintenant courant d'effectuer le dépistage de récepteurs de signaux spécifiques, pour tout type de tumeur. Les personnes atteintes de ce type de cancer, ainsi que leurs médecins, sont ainsi en mesure de prendre une décision plus éclairée quant au traitement qui s'impose.

▼ **Figure 18.26 Le modèle de l'apparition progressive du cancer colorectal.** Ce cancer est l'un des mieux compris. L'apparition d'une tumeur s'accompagne d'une série de modifications génétiques, dont des mutations touchant plusieurs gènes suppresseurs de tumeurs (tels que *p53*) ainsi que le protooncogène *Ras*. Les mutations qui touchent des gènes suppresseurs de tumeurs entraînent souvent la perte (délétion) de ces gènes. Le sigle *PAC*, qui figure à l'étape 1, signifie « polypose adénomateuse colique » ; le gène *SMAD4* participe à la signalisation menant à l'apoptose.

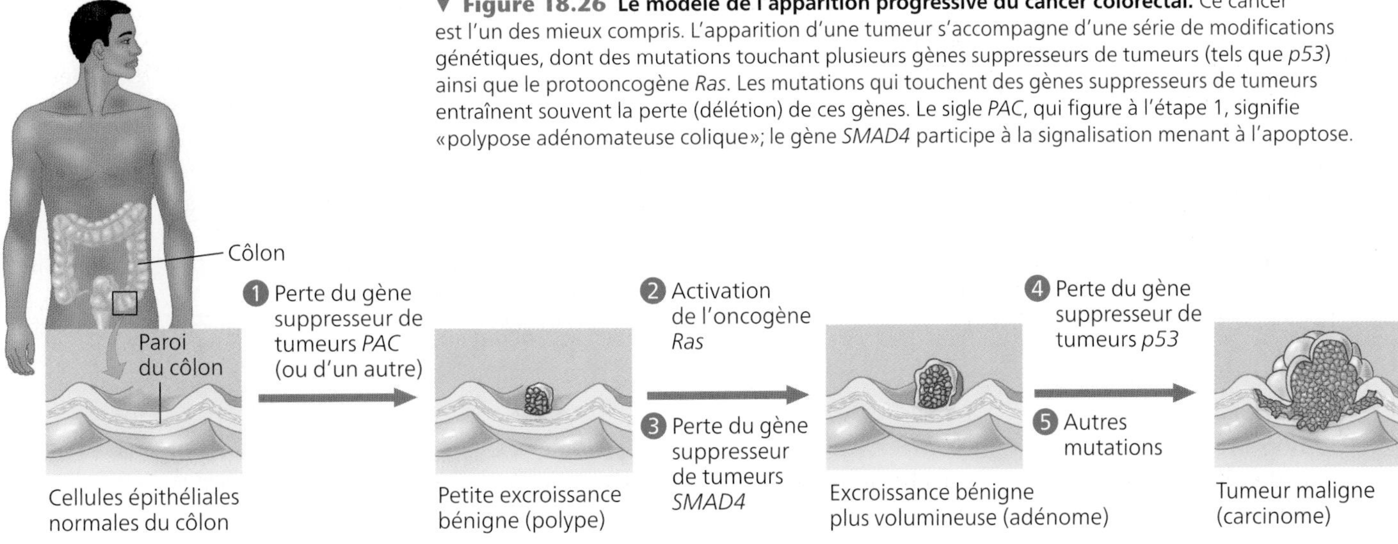

FAITES DES LIENS

▼ **Figure 18.27**

Génomique, signalisation cellulaire et cancer

La médecine moderne, qui allie les études d'association pangénomique et la recherche sur la signalisation cellulaire, révolutionne le traitement de bon nombre de maladies, dont le cancer du sein. L'analyse de puces à ADN (voir la figure 20.12) et d'autres techniques permettent en effet aux chercheurs de mesurer les taux relatifs de transcrits d'ARNm pour chacun des gènes provenant de centaines d'échantillons tumoraux de cancer du sein. Ils ont ainsi identifié quatre principaux sous-types de cancer du sein, qui se distinguent par l'expression de trois récepteurs de signaux intervenant dans la régulation de la croissance et de la division cellulaires :

- Récepteur des œstrogènes-α (ERα)
- Récepteur de la progestérone (PR)
- HER2, soit un récepteur à activité tyrosine kinase (voir la figure 11.8)

(ERα et PR sont des récepteurs stéroïdiens ; voir la figure 11.9.) La non-expression ou la surexpression de ces récepteurs peut être à l'origine d'une anomalie dans la signalisation cellulaire. Dans certains cas, cette anomalie peut entraîner une division cellulaire inadéquate qui favorisera l'apparition d'un cancer (voir la figure 18.24).

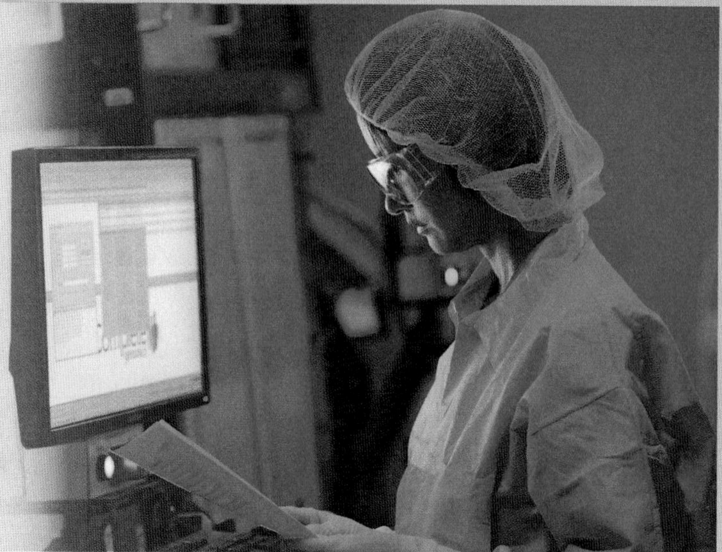

▲ **Une chercheuse examine les données du séquençage de l'ADN provenant d'échantillons tumoraux de cancer du sein.**

Cellules mammaires saines dans un canal galactophore

Dans une cellule mammaire saine, le niveau d'expression (désigné par un +) des trois récepteurs de signaux est normal :

- ERα+
- PR+
- HER2+

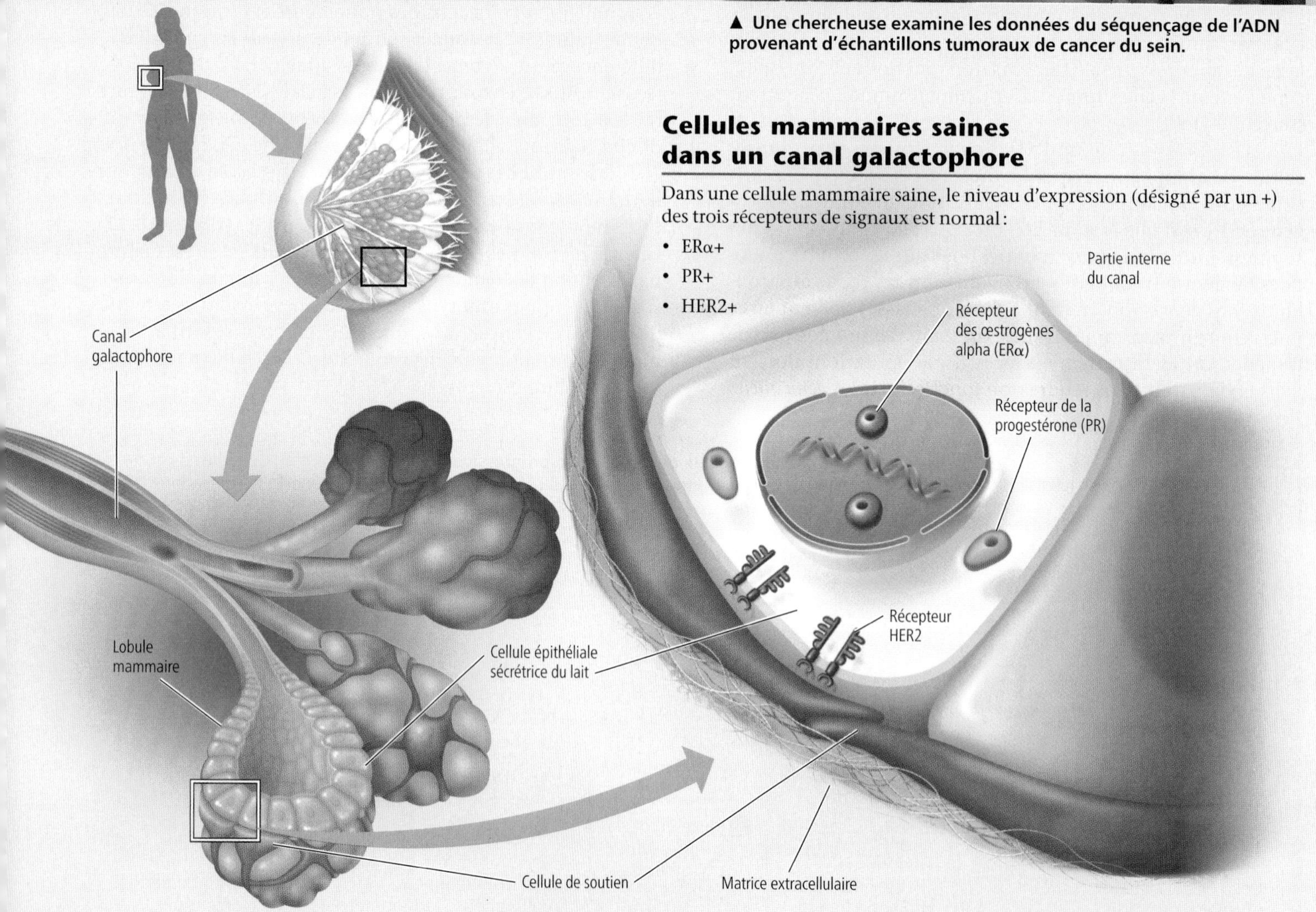

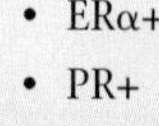

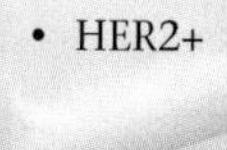

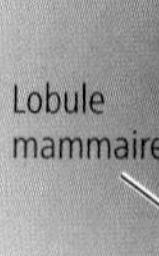

Sous-types de cancer du sein

Chaque sous-type de cancer du sein se caractérise par la surexpression (désignée par ++ ou +++) ou par l'absence (–) de trois récepteurs de signaux : ERα, PR et HER2. Les traitements contre le cancer du sein sont de plus en plus efficaces parce qu'il est possible de les adapter en fonction du sous-type spécifique de cancer.

Luminal A | Luminal B

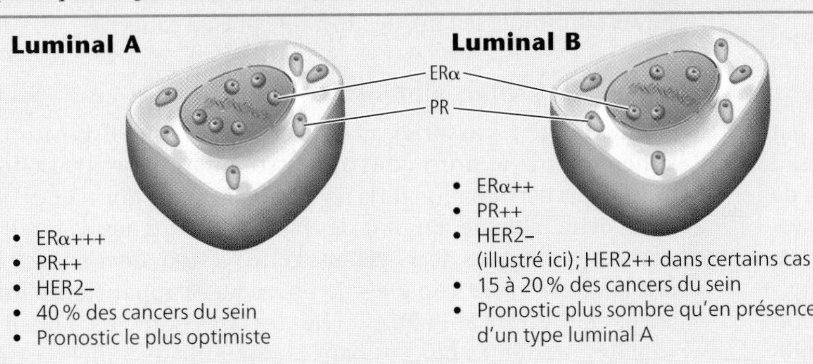

Luminal A

- ERα+++
- PR++
- HER2–
- 40 % des cancers du sein
- Pronostic le plus optimiste

Luminal B

- ERα++
- PR++
- HER2–
  (illustré ici); HER2++ dans certains cas
- 15 à 20 % des cancers du sein
- Pronostic plus sombre qu'en présence d'un type luminal A

Les cancers des types luminal A et luminal B sont tous deux associés à la surexpression des récepteurs ERα (type luminal A davantage que le type luminal B) et PR, alors que le récepteur HER2 est généralement absent. On peut traiter ces deux types de cancer avec des médicaments qui ciblent et inactivent le récepteur ERα, le tamoxifène étant l'agent le plus connu de cette classe, mais également avec des médicaments qui inhibent la synthèse de l'œstrogène.

Type basal

- ERα–
- PR–
- HER2–
- 15 à 20 % des cancers du sein
- Cancer plus agressif; pronostic encore plus sombre que pour les autres sous-types

Le cancer du sein de type basal est dit «triple négatif», car aucun des récepteurs ERα, PR ou HER2 n'est exprimé. Souvent, il est associé à une mutation dans le gène suppresseur de tumeurs *BRCA1* (voir le concept 18.5). Les traitements qui ciblent les récepteurs ER, PR ou HER2 sont inefficaces, mais de nouveaux traitements sont présentement mis au point. À l'heure actuelle, les patientes sont traitées au moyen d'une chimiothérapie cytotoxique qui éradique, de façon sélective, les cellules à croissance rapide.

HER2

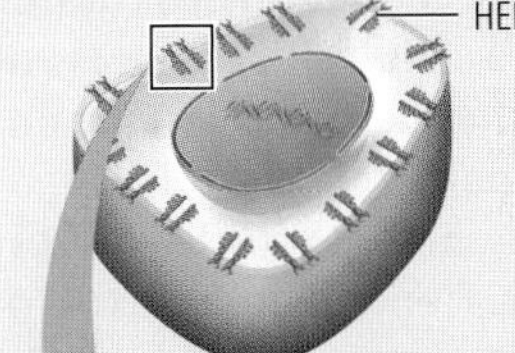

- ERα–
- PR–
- HER2++
- 10 à 15 % des cancers du sein
- Pronostic plus sombre qu'en présence d'un type luminal A

Le cancer du sein de type HER2 est associé à la surexpression du récepteur HER2. Comme le niveau d'expression des récepteurs ERα ou PR est anormal, les cellules ne répondent pas aux traitements qui ciblent ces deux récepteurs. Cependant, il est possible de traiter les patientes atteintes d'un cancer de type HER2 au moyen d'un anticorps anti-protéine HER2 qui inactive le récepteur correspondant (voir le concept 12.3).

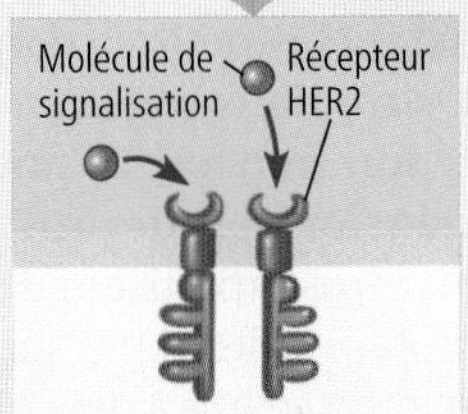

1 Les molécules de signalisation (comme un facteur de croissance) se lient aux récepteurs HER2 qui se présentent sous forme de monomères (protéines dotées d'un seul récepteur).

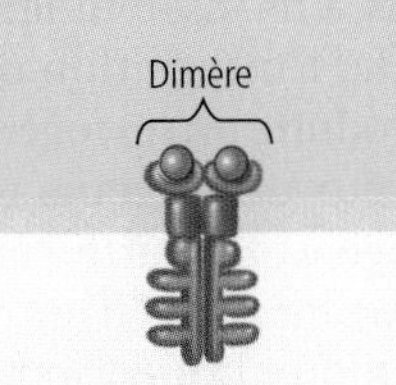

2 La liaison des molécules de signalisation entraîne l'association étroite de deux monomères, créant ainsi un dimère.

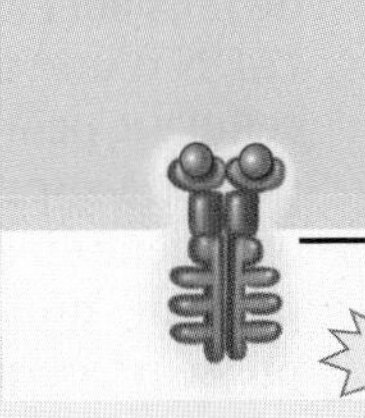

3 La formation de ce dimère active chacun des monomères.

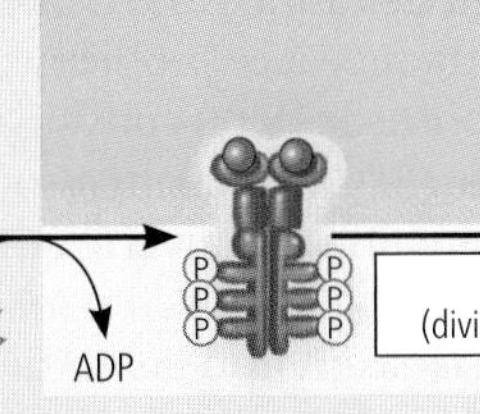

4 Chaque monomère ajoute un groupement phosphate provenant de l'ATP à l'autre monomère, ce qui active une voie de transduction du signal.

5 Le signal est conduit à travers la cellule, qui déclenche une réponse cellulaire; dans ce cas-ci, elle active les gènes qui stimulent la division cellulaire. Les cellules HER2 présentent 100 fois plus de récepteurs HER2 que les cellules saines. Par conséquent, elles se divisent de façon incontrôlée.

Traitement avec un médicament contre un cancer du sein de type HER2

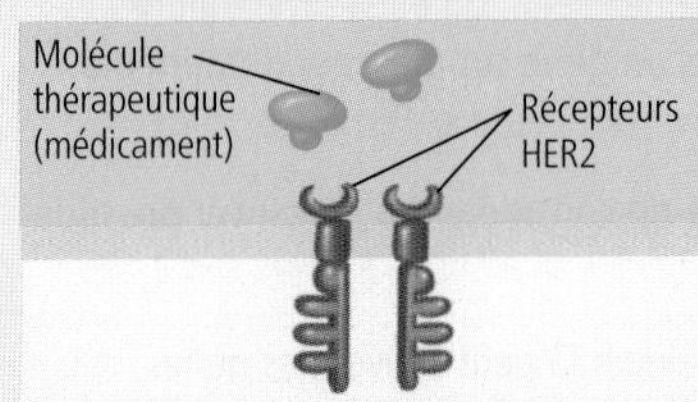

1 Le médicament se lie aux récepteurs HER2, là où les molécules de signalisation devraient normalement se fixer.

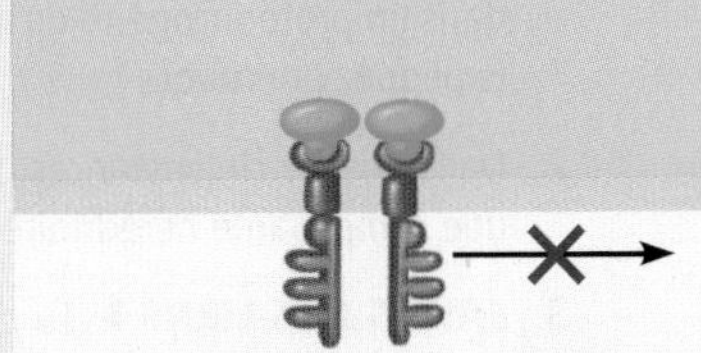

2 Chez certains patientes atteints d'un cancer de type HER2, cette liaison permet de bloquer la signalisation et, par conséquent, d'empêcher l'accélération de la division cellulaire.

FAITES DES LIENS ▶ Lorsque les chercheurs ont comparé l'expression génétique dans des cellules mammaires saines et dans des cellules tumorales, ils ont découvert que les différences les plus importantes, sur le plan de l'expression, se trouvaient dans les gènes encodant certains récepteurs de signaux, comme illustré ici. En vous appuyant sur les connaissances acquises aux chapitres 11 et 12 ainsi que dans le présent chapitre, expliquez pourquoi ces résultats ne sont pas surprenants.

La prédisposition héréditaire au cancer et les autres facteurs favorisants

Le fait que plusieurs modifications génétiques doivent se produire avant qu'un cancer apparaisse permet d'expliquer en partie l'observation selon laquelle certaines familles sont prédisposées à cette maladie. Les probabilités qu'un individu qui hérite d'un oncogène ou de l'allèle mutant d'un gène suppresseur de tumeurs accumule les mutations nécessaires à l'apparition d'un cancer sont plus grandes que chez celui qui ne présente pas de telles mutations; le premier a, en quelque sorte, déjà franchi une ou plusieurs étapes du processus.

Les généticiens tentent actuellement de cibler les allèles héréditaires du cancer; une détection précoce de ces gènes permettrait de reconnaître plus tôt les personnes prédisposées à certains cancers. Environ 15 % des cancers colorectaux, par exemple, font intervenir des mutations héréditaires. Un grand nombre de ces mutations touchent les gènes de réparation de l'ADN. Beaucoup d'autres mutations affectent un gène suppresseur de tumeurs nommé *polypose adénomateuse colique*, ou *PAC* (voir la figure 18.26). Ce gène exerce des fonctions multiples dans la cellule, notamment la régulation de la migration et de l'adhérence cellulaires. Même chez les sujets sans antécédents familiaux, le gène *PAC* subit une mutation dans 60 % des cancers colorectaux. Chez ces personnes, de nouvelles mutations doivent se produire dans les deux allèles du gène *PAC* avant que sa fonction soit perdue. Étant donné le faible pourcentage (15 %) des cancers colorectaux associés à des mutations héréditaires connues, les chercheurs poursuivent leurs efforts pour repérer des « marqueurs » permettant de prédire le risque d'apparition de ce type de cancer.

Étant donné la prévalence et l'importance du cancer du sein, il n'est pas surprenant qu'il ait été l'un des premiers cancers à faire l'objet d'études sur le rôle de l'hérédité. On note d'ailleurs une forte prédisposition héréditaire chez 5 à 10 % des femmes atteintes de ce cancer. C'est vers le milieu des années 1970 que la généticienne Mary-Claire King s'est attaquée à ce problème. Après 16 années de recherche, elle a démontré de façon convaincante que des mutations touchant un gène (*BRCA1*) étaient associées à une susceptibilité au cancer du sein, une découverte qui allait à l'encontre de l'opinion médicale à l'époque. (*BRCA* signifie *BReast CAncer* ou « cancer du sein ».) Dans environ la moitié des cancers héréditaires du sein, on observe des mutations de ce gène ou du gène *BRCA2* apparenté; de plus, des tests faisant appel au séquençage de l'ADN permettent de détecter ces mutations. La probabilité d'apparition du cancer du sein avant l'âge de 50 ans est de 60 % chez la femme qui a hérité d'un allèle mutant de *BRCA1*; en comparaison, cette probabilité n'est que de 2 % chez une femme homozygote pour l'allèle normal.

Les gènes *BRCA1* et *BRCA2* sont considérés comme des suppresseurs de tumeurs, car leurs allèles de type sauvage protègent contre le cancer du sein et leurs allèles mutants sont récessifs. (Il faut savoir qu'en présence d'un cancer du sein de type basal, les mutations du gène *BRCA1* sont fréquentes dans le génome des cellules tumorales; voir la figure 18.27.) Les protéines BRCA1 et BRCA2 participent toutes les deux à la voie de réparation des dommages causés à l'ADN de la cellule. On en connaît plus sur BRCA2 qui, en association avec une autre protéine, contribue à réparer des dommages touchant les deux brins de l'ADN; cette fonction de réparation est cruciale au maintien d'un ADN intact dans le noyau de la cellule.

Étant donné que des dommages causés à l'ADN contribuent à l'apparition du cancer, il est logique de penser qu'il est possible de réduire le risque de souffrir d'un cancer en minimisant l'exposition à des agents susceptibles d'endommager l'ADN, comme les rayonnements ultraviolets du soleil et les substances chimiques présentes dans la fumée de cigarette. On a mis au point de nouvelles méthodes d'analyse génomique pour certains types de cancers, dont l'approche décrite à la figure 18.27. Ces méthodes permettent de poser un diagnostic précoce et de mettre au point des traitements qui nuisent à l'expression des principaux gènes dans les tumeurs. En définitive, ces approches peuvent diminuer le taux de mortalité due au cancer.

Le rôle des virus dans le cancer

L'étude des gènes associés au cancer (dont la prédisposition est héréditaire ou non) nous aide à comprendre un peu plus comment la perturbation de la régulation génique normale peut causer cette maladie. En plus des mutations et d'autres modifications génétiques décrites dans cette section, de nombreux *virus oncogènes* sont capables de provoquer l'apparition d'un cancer chez divers animaux et chez les êtres humains. En fait, l'une des premières percées dans le domaine du cancer a été réalisée en 1911, lorsque Peyton Rous, un pathologiste américain, a découvert un virus qui cause le cancer chez le poulet. Le virus Epstein-Barr, responsable de la mononucléose infectieuse, a été relié à plusieurs types de cancer chez les humains, notamment au lymphome de Burkitt. Les virus du papillome sont associés au cancer du col de l'utérus, et un rétrovirus nommé HTLV-1 (virus du lymphome humain à cellules T de type 1) entraîne une sorte de leucémie chez l'adulte. Les virus jouent un rôle dans environ 15 % des cancers humains.

De prime abord, les virus semblent être des causes du cancer très différentes des mutations. Cependant, nous savons aujourd'hui que les virus peuvent interférer avec la régulation génique de plusieurs façons, s'ils insèrent leur matériel génétique dans l'ADN d'une cellule. L'intégration d'un virus dans le génome cellulaire peut introduire un oncogène, rendre non fonctionnel un gène suppresseur de tumeurs ou transformer un protooncogène en oncogène. En outre, certains virus produisent des protéines qui inactivent *p53* et d'autres protéines des gènes suppresseurs, ce qui renforce la prédisposition de la cellule à devenir cancéreuse. Les virus sont des agents biologiques redoutables; vous en apprendrez plus au sujet de leur fonctionnement au chapitre 19.

RETOUR SUR LE CONCEPT 18.5

1. Les mutations à l'origine des cancers peuvent exercer des effets différents sur l'activité des protéines selon qu'elles surviennent dans un protooncogène ou dans un gène suppresseur de tumeurs. Expliquez pourquoi.
2. Dans quelles circonstances peut-on considérer qu'un cancer possède une composante héréditaire ?
3. **FAITES DES LIENS ▶** La protéine p53 peut activer des gènes intervenant dans l'apoptose. Reportez-vous au concept 11.5 et expliquez comment les mutations dans le codage des gènes pour les protéines qui interviennent dans l'apoptose peuvent contribuer au cancer.

Voir les réponses proposées à l'appendice A.

RÉVISION DU CHAPITRE 18

Consultez votre MANUEL NUMÉRIQUE, qui vous donne accès aux **animations**, aux **exercices** et à la plateforme d'**anatomie interactive**.

Résumé des concepts clés

CONCEPT 18.1

Les bactéries peuvent s'adapter aux fluctuations de leur milieu en régulant la transcription (p. 400 à 404)

- Les cellules adaptent leur métabolisme en assurant la régulation de l'activité enzymatique ou de l'expression des gènes qui codent pour les enzymes. Chez les bactéries, les gènes sont souvent regroupés en **opérons**. Un même promoteur dessert plusieurs gènes contigus situés sur le même opéron. Un **opérateur** situé sur l'ADN active ou inactive l'opéron correspondant, ce qui a pour effet d'assurer une régulation coordonnée des gènes.

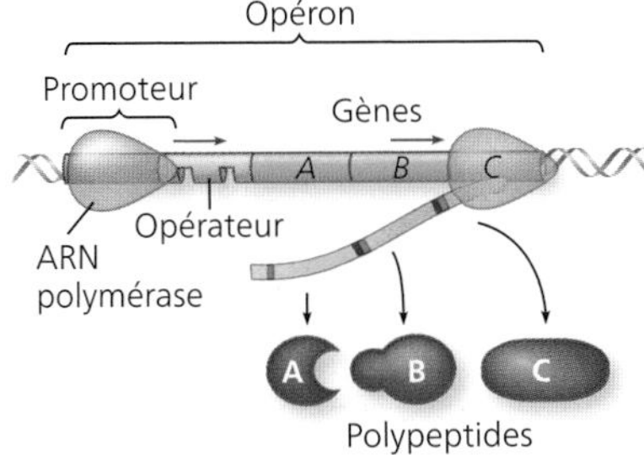

- Les opérons répressibles et les opérons inductibles sont des exemples de répression génique négative. Dans les deux types d'opérons, la liaison d'un **répresseur** protéique à l'opéron a pour effet d'inactiver la transcription. (Le répresseur est codé par un **gène régulateur** distinct.) Dans l'opéron répressible, le répresseur est lui-même activé lorsqu'il se lie à un **corépresseur**, qui est généralement le produit final d'une voie anabolique.

Opéron répressible

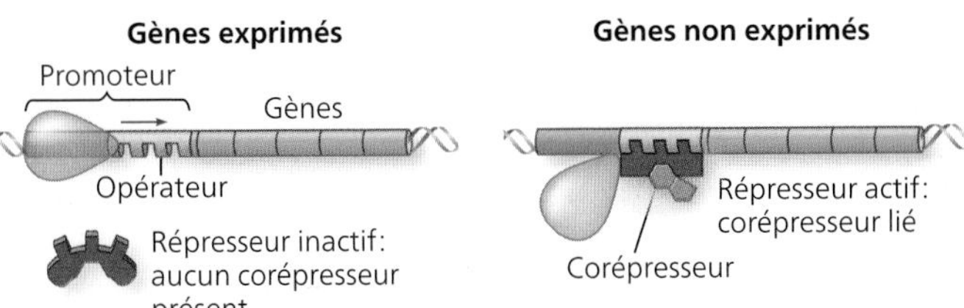

- Dans le cas d'un opéron inductible, la liaison d'un **inducteur** à un répresseur naturellement actif inactive le répresseur et active la transcription. Les enzymes inductibles jouent habituellement un rôle dans les voies cataboliques.

Opéron inductible

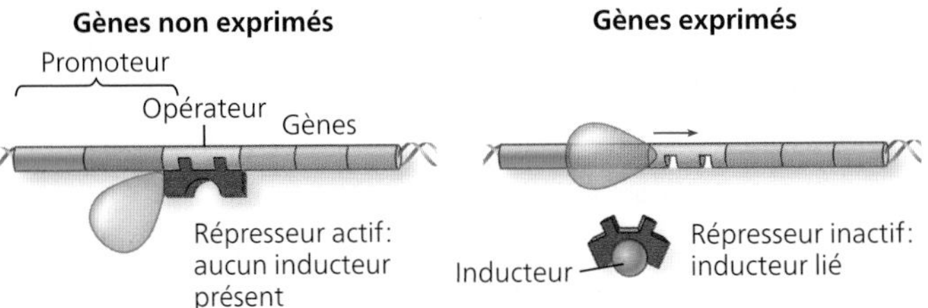

- Certains opérons peuvent également faire l'objet d'une régulation génique positive par l'intermédiaire d'un **activateur** (une protéine stimulatrice). C'est le cas de la protéine réceptrice d'AMPc (protéine CRP) dont l'activation par l'**AMP cyclique** déclenche la liaison à un site du promoteur et provoque la transcription.

? Comparez les rôles du corépresseur et de l'inducteur dans la régulation négative d'un opéron.

CONCEPT 18.2

Chez les eucaryotes, la régulation de l'expression génétique s'exerce à de nombreux stades (p. 404 à 413)

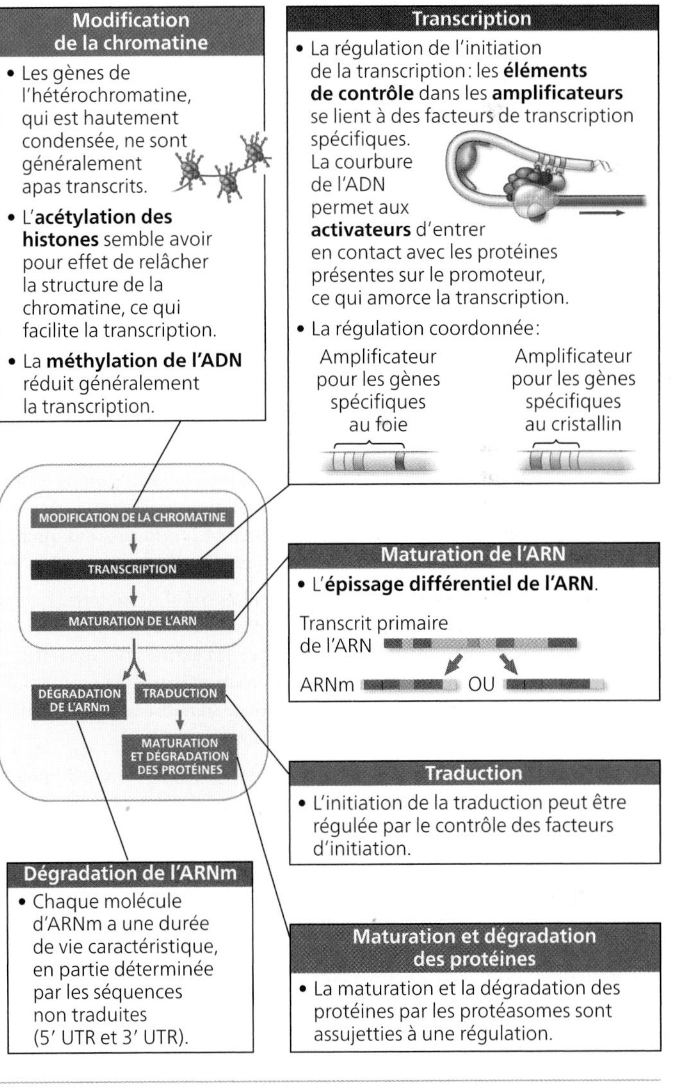

? Décrivez ce qui doit se produire dans une cellule pour qu'un gène spécifique de ce type de cellule soit transcrit.

CONCEPT 18.3

Les ARN non traduits exercent plusieurs fonctions dans la régulation de l'expression génétique (p. 414 à 416)

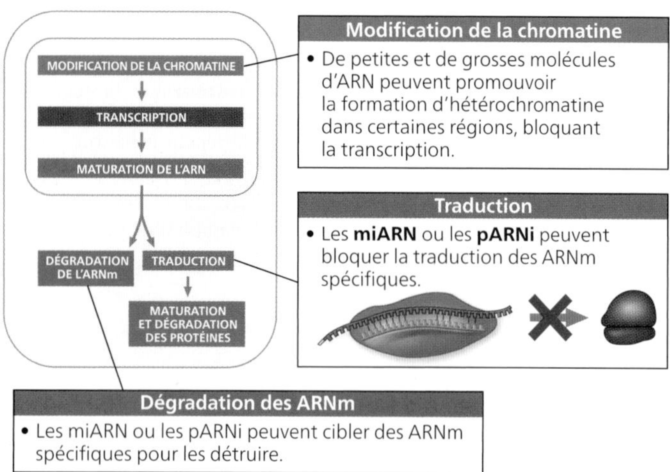

MODIFICATION DE LA CHROMATINE
TRANSCRIPTION
MATURATION DE L'ARN
DÉGRADATION DE L'ARNm
TRADUCTION
MATURATION ET DÉGRADATION DES PROTÉINES
Modification de la chromatine
• De petites et de grosses molécules d'ARN peuvent promouvoir la formation d'hétérochromatine dans certaines régions, bloquant la transcription.
Traduction
• Les **miARN** ou les **pARNi** peuvent bloquer la traduction des ARNm spécifiques.
Dégradation des ARNm
• Les miARN ou les pARNi peuvent cibler des ARNm spécifiques pour les détruire.

? Pourquoi dit-on des miARN qu'ils sont des ARN non traduits ? Expliquez comment ils participent à la régulation génique.

CONCEPT 18.4

Les différents types de cellules d'un organisme multicellulaire résultent d'un programme d'expression génétique différentielle (p. 416 à 423)

- Les cellules embryonnaires s'engagent dans un processus au cours duquel elles deviendront un type de cellules particulier (**détermination**), et elles subiront une **différenciation cellulaire** qui leur permettra d'acquérir des structures et des fonctions spécialisées. Les cellules diffèrent par leurs structures et leurs fonctions non pas parce qu'elles contiennent des gènes différents, mais parce qu'elles expriment des gènes différents. La **morphogenèse** englobe les processus donnant forme à l'organisme et à ses diverses structures.
- Les **déterminants cytoplasmiques** localisés qui sont présents dans les ovules non fécondés sont disséminés de façon aléatoire dans les cellules filles, où ils assurent la régulation de l'expression des gènes qui contrôlent la destinée de ces cellules. L'**induction** est la production par les cellules embryonnaires de molécules de signalisation modifiant la transcription dans des cellules cibles voisines.
- La différenciation se manifeste par la présence de protéines spécifiques aux tissus qui permettent aux cellules différenciées d'assurer leurs fonctions spécialisées.
- Chez les animaux, la réalisation des **plans d'organisation corporelle** (soit la mise en place de tissus et d'organes selon une certaine configuration spatiale) commence chez le jeune embryon. L'**information de positionnement** (indices moléculaires commandant la réalisation des plans d'organisation) indique à la cellule son emplacement par rapport aux axes de l'organisme et aux autres cellules. Chez la drosophile, les gradients des **morphogènes** codés par les **gènes à effet maternel** déterminent les axes corporels. Par exemple, le gradient de la protéine **Bicoïd** détermine l'axe antéropostérieur.

? Décrivez les deux principaux processus qui obligent les cellules embryonnaires à passer par des voies différentes vers leur destinée finale.

CONCEPT 18.5

Le cancer est la conséquence de modifications génétiques qui altèrent la régulation du cycle cellulaire (p. 423 à 430)

- Les produits des **protooncogènes** et des **gènes suppresseurs de tumeurs** assurent la régulation de la division cellulaire. Une modification qui intensifie démesurément l'activité d'un protooncogène le transforme en un **oncogène** capable de déclencher une croissance cellulaire excessive et de provoquer le cancer. Un gène suppresseur de tumeurs code pour une protéine qui empêche toute division cellulaire anormale. Une mutation qui diminue l'activité de ses protéines exerce des effets semblables à ceux de l'activation d'un oncogène.
- De nombreux protooncogènes et gènes de suppression des tumeurs codent respectivement pour les composants des voies de stimulation et d'inhibition de la croissance, et les mutations de ces gènes peuvent interférer avec les voies normales de signalisation cellulaire. Si une protéine d'une voie de stimulation, telle que Ras (protéine G), existe sous une forme hyperactive, elle devient oncogène. Si une protéine d'une voie d'inhibition, comme p53 (activateur de la transcription), est défectueuse, elle n'agit plus en tant que suppresseur de tumeurs.

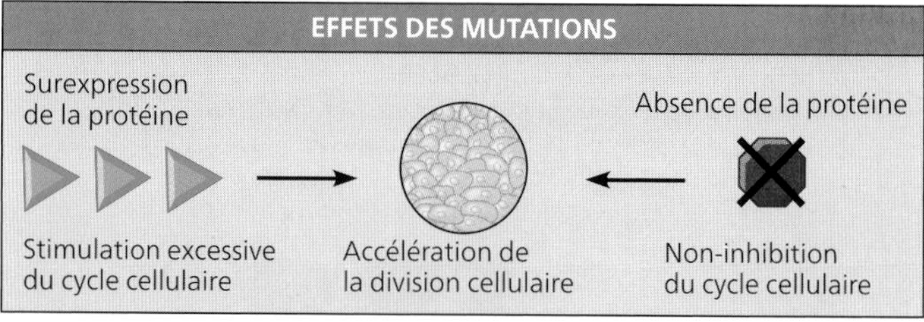

- Dans le modèle d'apparition progressive du cancer, l'accumulation de mutations multiples touchant les protooncogènes et les gènes suppresseurs de tumeurs modifie les cellules normales en cellules cancéreuses. Des progrès techniques dans le séquençage de l'ADN et de l'ARNm permettent d'envisager des traitements personnalisés du cancer.
- Les études fondées sur la génomique ont permis aux chercheurs de distinguer quatre sous-types de cancer du sein caractérisés par l'expression de certains gènes par les cellules tumorales.
- Un individu qui hérite d'un protooncogène ou de l'allèle mutant d'un gène suppresseur de tumeurs a une prédisposition plus élevée à souffrir de certains types de cancer. Certains virus favorisent l'apparition du cancer par l'intégration de l'ADN viral dans le génome des cellules.

? Comparez les fonctions habituelles des protéines codées par des protooncogènes avec celles des protéines codées par des gènes suppresseurs de tumeurs.

Évaluation

NIVEAU 1 : CONNAISSANCES ET COMPRÉHENSION

1. Si un certain opéron produit des enzymes qui permettent la synthèse d'un acide aminé essentiel et si sa régulation se déroule comme celle de l'opéron *trp* :
   a) l'acide aminé inactive le répresseur.
   b) le répresseur est actif en l'absence de l'acide aminé.
   c) l'acide aminé joue le rôle de corépresseur.
   d) l'acide aminé active la transcription de l'opéron.
2. Nos cellules musculaires semblent différentes de nos cellules nerveuses, principalement :
   a) parce qu'elles n'expriment pas les mêmes gènes.
   b) parce qu'elles ne contiennent pas les mêmes gènes.
   c) parce qu'elles utilisent un code génétique différent.
   d) parce qu'elles ont des ribosomes qui leur sont propres.

3. Le fonctionnement des amplificateurs est un exemple :
   a) d'un équivalent, chez les eucaryotes, du fonctionnement du promoteur chez les cellules procaryotes.
   b) de régulation de l'expression génétique au niveau de la transcription.
   c) de stimulation de la traduction par les facteurs d'initiation.
   d) de régulation postérieure à la traduction qui active certaines protéines.

4. La différenciation cellulaire comprend toujours :
   a) la transcription du gène *myoD*.
   b) la migration des cellules.
   c) la production de protéines typiques des tissus.
   d) la perte sélective de certains gènes du génome.

5. Parmi les événements suivants, lequel constitue un exemple de contrôle de l'expression génétique après la transcription ?
   a) L'ajout de groupements méthyle aux bases de cytosine de l'ADN.
   b) La liaison de facteurs de transcription sur un promoteur.
   c) L'excision d'introns et l'épissage différentiel d'exons.
   d) L'amplification génique contribuant au développement du cancer.

NIVEAU 2 : **APPLICATION ET ANALYSE**

6. La mutation du répresseur d'un opéron inductible qui l'empêcherait de se lier à l'opérateur provoquerait :
   a) la liaison irréversible du répresseur au promoteur.
   b) le ralentissement de la transcription des gènes de l'opéron.
   c) l'accumulation du substrat de la voie dont l'opéron assure la régulation.
   d) la transcription continue des gènes de l'opéron.

7. Dans l'œuf de *Drosophila melanogaster*, l'absence de l'ARNm *bicoïd* entraîne la formation d'une larve dépourvue de parties antérieures et un dédoublement en miroir de ses parties postérieures. C'est la preuve que le produit du gène *bicoïd* :
   a) entraîne normalement la formation des structures antérieures.
   b) entraîne normalement la formation des structures postérieures.
   c) est transcrit dans le jeune embryon.
   d) est une protéine présente dans toutes les structures antérieures.

8. Parmi les énoncés suivants concernant l'ADN de l'une des cellules de votre cerveau, lequel est *vrai* ?
   a) La plus grande partie de l'ADN code pour des protéines.
   b) La majorité des gènes ont de bonnes chances d'être transcrits.
   c) C'est le même que l'ADN dans une des cellules de votre foie.
   d) Chaque gène est adjacent à un amplificateur.

9. Dans une cellule, la quantité de protéine fabriquée à partir d'une molécule donnée d'ARNm dépend en partie :
   a) du degré de méthylation de l'ADN.
   b) du taux de dégradation de l'ARNm.
   c) du nombre d'introns présents dans l'ARNm.
   d) des types de ribosomes présents dans le cytoplasme.

10. Les protooncogènes risquent de devenir des oncogènes capables de provoquer le cancer. Quelle est la meilleure explication de la présence de ces bombes à retardement dans les cellules eucaryotes ?
   a) Les protooncogènes sont apparus à la suite d'infections virales.
   b) Les protooncogènes sont des gènes normaux ayant subi des mutations.
   c) Les protooncogènes sont des « débris » génétiques.
   d) Normalement, les protooncogènes contribuent à la régulation de la division cellulaire.

NIVEAU 3 : **SYNTHÈSE ET ÉVALUATION**

11. **FAITES UN DESSIN ▶** Le schéma ci-dessous montre cinq gènes, accompagnés de leurs amplificateurs, provenant du génome d'une espèce quelconque. Imaginez que les protéines activatrices en jaune, en bleu, en vert, en noir, en rouge et en violet présentes peuvent se lier aux éléments de contrôle de la couleur appropriée dans les amplificateurs de ces gènes.

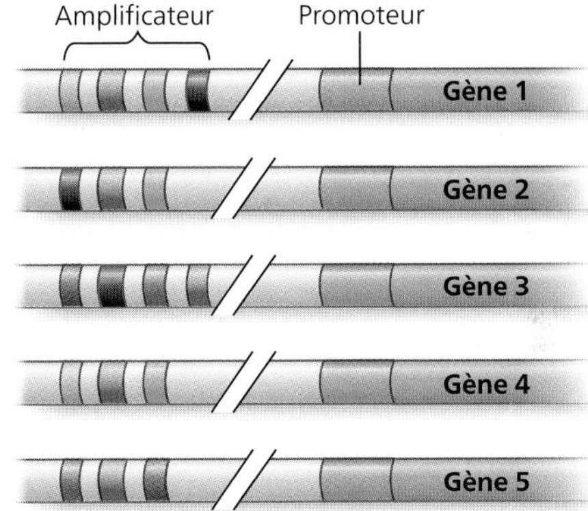

   a) Faites un X au-dessus des éléments amplificateurs (de tous les gènes) qui comporteraient des activateurs liés dans une cellule dans laquelle seul le gène 5 serait transcrit. De quelle couleur seraient les activateurs présents ?
   b) Ajoutez un point au-dessus de tous les éléments amplificateurs qui auraient des activateurs liés dans une cellule dans laquelle les activateurs en vert, en bleu et en jaune seraient présents. Quel (ou quels) gène serait transcrit ?
   c) Imaginez que les gènes 1, 2 et 4 codent pour des protéines spécifiques des cellules nerveuses et que les gènes 3 et 5 sont spécifiques des cellules de la peau. Quels activateurs doivent être présents dans chaque type de cellules pour assurer la transcription des gènes appropriés ?

Voir les réponses proposées à l'appendice A.

Les virus

19

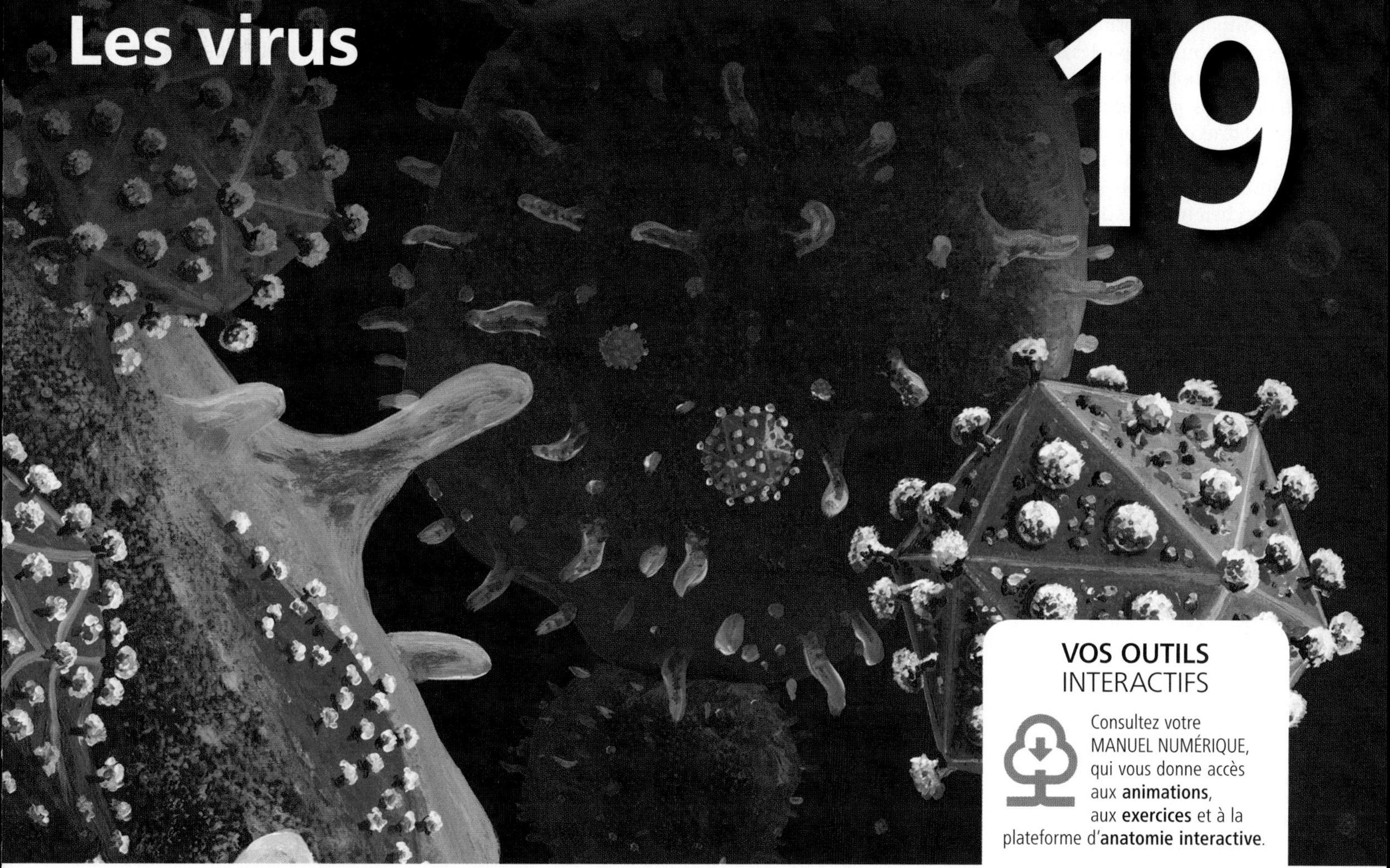

VOS OUTILS
INTERACTIFS

Consultez votre MANUEL NUMÉRIQUE, qui vous donne accès aux **animations**, aux **exercices** et à la plateforme d'**anatomie interactive**.

▲ **Figure 19.1** **Les virus (en rouge) qui bourgeonnent à la surface de ces cellules sont-ils vivants ?**

CONCEPTS CLÉS

19.1 Un virus est constitué essentiellement d'acide nucléique entouré d'une coque de protéines

19.2 Les virus ne peuvent se répliquer qu'à l'intérieur de cellules hôtes

19.3 Les virus et les prions sont des agents pathogènes des animaux, des végétaux et d'autres organismes

Une vie empruntée

L'illustration de la **figure 19.1** montre un événement remarquable : des cellules immunitaires (en mauve) infectées par le virus de l'immunodéficience humaine (VIH) libèrent un grand nombre de virus (en rouge). Entourés par une membrane mauve provenant des cellules immunitaires ponctuées de protéines virales, ces virus infecteront à leur tour d'autres cellules. Lorsqu'un virus injecte son matériel génétique dans une cellule, il prend le contrôle de la cellule et détourne les mécanismes cellulaires pour produire une multitude de nouveaux virus, ce qui aggrave l'infection. S'il n'est pas traité, le VIH cause le syndrome d'immunodéficience acquise (sida) en détruisant les cellules vitales du système immunitaire.

Comparativement aux cellules eucaryotes et procaryotes, les virus sont beaucoup plus petits et rudimentaires dans leur structure. Dépourvus des structures et des outils métaboliques qui existent dans les cellules, les **virus** sont des particules infectieuses se réduisant généralement à un minuscule paquet constitué de quelques gènes emballés dans une coque de protéines.

Les virus sont-ils des êtres vivants ? Lors de leur découverte, ils étaient considérés comme des substances chimiques biologiques ; en fait, la racine latine du mot *virus* signifie « poison ». Étant donné que les virus peuvent causer une grande variété de maladies et se propager entre les organismes, les chercheurs ont établi à la fin du 19e siècle un parallèle avec les bactéries et ont conclu que les virus

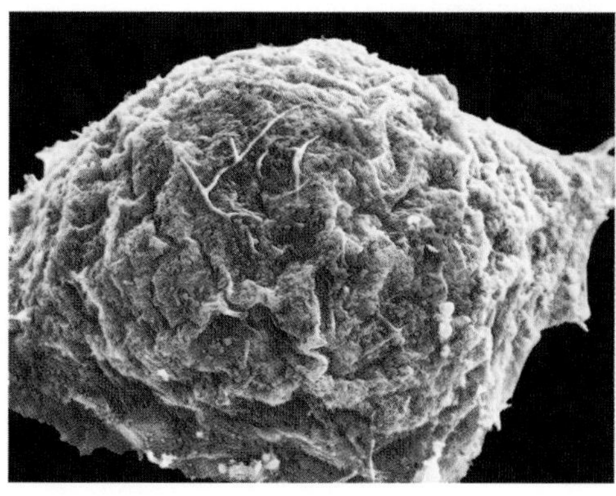

◄ **Une cellule immunitaire humaine infectée par le VIH. Les nouveaux virus (en rouge) bourgeonnent à la surface de la membrane plasmique (MET colorisée).**

constituaient la forme de vie la plus rudimentaire. Cependant, les virus sont incapables de se reproduire ou d'effectuer des activités métaboliques à l'extérieur d'une cellule hôte. La plupart des biologistes qui étudient les virus aujourd'hui seraient probablement d'accord pour affirmer qu'ils ne sont pas vivants, mais qu'ils se situent plutôt dans une zone d'ombre entre formes de vie et substances chimiques. Une simple phrase utilisée récemment par deux chercheurs les décrit assez bien : les virus mènent une « sorte de vie empruntée » (sous-entendu : à la cellule qu'ils infectent).

Dans une large mesure, la biologie moléculaire est née dans les laboratoires de biologistes qui étudiaient des virus infectant des bactéries. Les expériences avec des virus ont fourni de nombreuses preuves montrant que les gènes sont formés d'acides nucléiques. Elles ont également aidé à mieux comprendre les mécanismes moléculaires des processus fondamentaux de la réplication de l'ADN, de la transcription et de la traduction.

Dans le présent chapitre, nous étudierons la biologie des virus, les plus simples de tous les modèles génétiques. Nous commencerons par l'étude de leur structure, puis nous décrirons leurs cycles de réplication. Nous examinerons ensuite leur rôle en tant qu'agents pathogènes, c'est-à-dire susceptibles de causer une maladie, et nous terminerons par l'étude de certains des agents infectieux encore plus simples que sont les prions.

CONCEPT **19.1**

Un virus est constitué essentiellement d'acide nucléique entouré d'une coque de protéines

Les scientifiques savaient détecter les virus de façon indirecte longtemps avant d'être en mesure de les observer. En effet, la découverte des virus remonte à la fin du 19e siècle.

La découverte des virus : *investigation*

La maladie de la mosaïque du tabac entrave la croissance des plants de tabac (*Nicotiana tabacum*) et donne à leurs feuilles une coloration marbrée (d'où le nom *mosaïque*). En 1883, Adolf Mayer, un scientifique allemand, a découvert qu'il pouvait transmettre cette maladie à une plante saine en frottant celle-ci de sève extraite des feuilles d'une plante malade. Après avoir recherché vainement un microorganisme contagieux dans la sève, Mayer a supposé que la maladie était provoquée par une bactérie exceptionnellement petite et invisible au microscope. Cette *hypothèse* a été mise à l'épreuve une décennie plus tard par le biologiste russe Dimitri Ivanowsky : celui-ci a fait passer la sève provenant de feuilles de tabac infectées à travers un filtre permettant d'éliminer les bactéries. Il a constaté que, bien qu'elle ait été ainsi filtrée, la sève déclenchait encore la maladie.

Mais Ivanowsky a continué de croire que la mosaïque du tabac était due à une bactérie pathogène. Selon lui, il se pouvait que cette dernière soit d'une taille assez petite pour passer à travers le filtre, ou encore qu'elle produise une toxine causant la maladie. Cette deuxième hypothèse a été éliminée par le botaniste hollandais Martinus Beijerinck, lorsqu'il a réalisé une série d'expériences classiques qui ont démontré que l'agent infectieux présent dans la sève filtrée pouvait se répliquer (**figure 19.2**).

En fait, Beijerinck a remarqué que le mystérieux agent pathogène de la mosaïque ne pouvait se répliquer qu'à l'intérieur de son hôte. Au cours d'expériences subséquentes réalisées vers 1898, il a démontré que, contrairement aux bactéries utilisées en laboratoire à cette époque, il était impossible de cultiver cet agent dans des milieux nutritifs placés dans des éprouvettes ou dans des boîtes de Pétri. Beijerinck a donc imaginé une particule qui se répliquait et qui était beaucoup plus petite et plus simple qu'une bactérie. La communauté scientifique s'entend pour reconnaître qu'il a été le premier à définir le concept de virus. En 1935, Wendell Stanley, un scientifique américain, est parvenu à cristalliser la particule infectieuse qu'on nomme aujourd'hui virus de la mosaïque du tabac. Plus tard, grâce au microscope électronique, on a pu observer ce virus ainsi que de nombreux autres.

La structure des virus

Le diamètre des plus petits virus étant de l'ordre de 20 nm seulement (plus petits qu'un ribosome), on pourrait en faire tenir plusieurs millions sur la tête d'une épingle. Même le plus gros virus connu, d'un diamètre de 1 500 nanomètres (1,5 μm), est à peine visible au microscope photonique. En étudiant les virus, Stanley a constaté que certains d'entre eux pouvaient cristalliser, en raison de leur structure chimique bien particulière ; il s'agit là d'une découverte à la fois intéressante et étonnante. En effet, même les cellules les plus simples sont incapables de s'assembler en cristaux réguliers. Alors, s'ils ne sont pas des cellules, que sont les virus ? Un examen plus détaillé nous dévoile que les virus sont en fait des particules infectieuses constituées d'acide nucléique enfermé dans une coque de protéines qui, dans certains cas, est recouverte d'une enveloppe membraneuse.

Les génomes viraux

On pense généralement que les gènes se composent d'ADN bicaténaire, mais il existe de nombreuses exceptions à cette règle chez les diverses classes de virus. En effet, leur génome peut se composer d'ADN bicaténaire, d'ADN monocaténaire (une seule chaîne de nucléotides), d'ARN bicaténaire ou d'ARN monocaténaire. On parle de virus à ADN ou de virus à ARN suivant le type d'acide nucléique qui constitue leur génome. Peu importe le type, le génome viral contient généralement une seule molécule d'acide nucléique. Celle-ci est linéaire ou circulaire, bien que les génomes de certains virus soient constitués de multiples molécules d'acide nucléique. Les plus petits virus connus n'ont que trois gènes dans leur génome, alors que les plus gros en contiennent plusieurs centaines, voire plus d'un millier. En guise de comparaison, les génomes des bactéries comptent entre 200 et plusieurs milliers de gènes.

Des capsides recouvertes d'une enveloppe

La coque de protéines qui entoure le génome viral porte le nom de **capside**. Selon le type de virus, elle peut avoir une forme hélicoïdale (ressemblant à un tube), polyédrique ou plus complexe encore. Les capsides se composent d'un grand nombre de sous-unités protéiques nommées *capsomères*, mais la variété des *types* de protéines dans une capside est habituellement

DÉMARCHE SCIENTIFIQUE

INVESTIGATION

▼ **Figure 19.2**

Quelle est la cause de la maladie de la mosaïque du tabac?

■ **HYPOTHÈSE** ■ Si l'agent infectieux est une bactérie, alors la sève de plants infectés, une fois filtrée, ne devrait plus causer la maladie lorsqu'on la met en contact avec des plants sains.

■ **EXPÉRIENCE** ■ À la fin du 19e siècle, Martinus Beijerinck, professeur à l'Institut polytechnique de Delft, aux Pays-Bas, a étudié les propriétés de l'agent responsable de la maladie de la mosaïque du tabac (alors appelée «maladie des taches»).

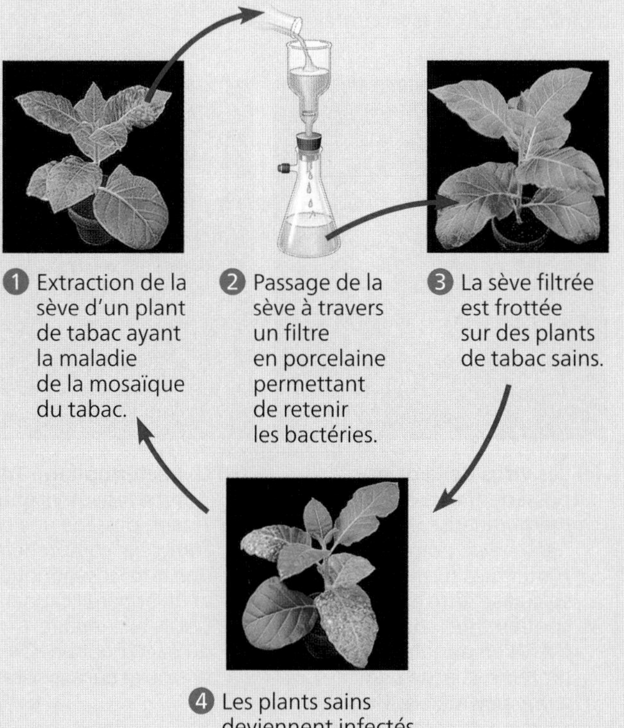

① Extraction de la sève d'un plant de tabac ayant la maladie de la mosaïque du tabac.
② Passage de la sève à travers un filtre en porcelaine permettant de retenir les bactéries.
③ La sève filtrée est frottée sur des plants de tabac sains.
④ Les plants sains deviennent infectés.

■ **RÉSULTATS** ■ Lorsqu'on frotte des plants sains avec la sève, ils deviennent infectés. La sève extraite et filtrée constitue une source d'infection pour un autre groupe de plants. Chaque groupe suivant de plants a été atteint de la maladie avec la même intensité que les premiers groupes.

■ **CONCLUSION** ■ L'agent infectieux n'était apparemment pas une bactérie puisqu'il est capable de passer à travers un filtre qui retient habituellement ces microorganismes. Il doit s'être répliqué dans les plants parce que sa capacité à causer la maladie n'était pas atténuée après plusieurs transferts d'une plante à l'autre.

Source des données: M. J. Beijerinck, Concerning a *contagium vivum fluidum* as cause of the spot disease of tobacco leaves, *Verhandelingen der Koninkyke akademie Wettenschappen te Amsterdam* 65: 321 (1898). Traduction publiée en anglais sous le titre Phytopathological Classics Number 7 (1942), American Phytopathological Society Press, St. Paul, MN.

ET SI? ▶ Qu'aurait conclu Beijerinck s'il avait observé que l'infection de chaque groupe était moins intense que celle du groupe précédent et que la sève finissait par ne plus pouvoir causer la maladie?

limitée. Ainsi, la capside du virus de la mosaïque du tabac, rigide et en forme de tube, est constituée de plus de 1 000 molécules de la même protéine disposées en hélice, d'où leur nom de *virus hélicoïdaux* (**figure 19.3a**). La capside des adénovirus, qui infectent les voies respiratoires des animaux, est formée de 252 molécules protéiques identiques déterminant un polyèdre à 20 faces triangulaires (un icosaèdre). Ces virus et d'autres ayant une forme semblable sont nommés *virus icosaédriques* (**figure 19.3b**).

Certains virus comportent des structures accessoires qui leur permettent d'infecter leur hôte. Par exemple, la capside du virus de la grippe et de nombreux autres virus d'animaux est recouverte d'une enveloppe membraneuse (**figure 19.3c**). Cette **enveloppe virale** est constituée d'une partie de la membrane plasmique de la cellule hôte. Elle contient les phospholipides et les protéines provenant de la membrane ainsi que des protéines et des glycoprotéines d'origine virale (les glycoprotéines sont des protéines ayant une liaison covalente avec un glucide). La capside de certains virus renferme aussi quelques enzymes virales.

La plupart des capsides les plus complexes sont celles des virus qui infectent les bactéries. Les virus bactériens sont qualifiés de **bactériophages** ou, plus simplement, de **phages**. Sept des premiers phages à avoir été étudiés infectent la bactérie *Escherichia coli* (*E. coli*), et ils ont été nommés type 1 (T1), type 2 (T2), etc., selon l'ordre de leur découverte. Il se trouve que la structure des trois phages T-pairs (soit T2, T4 et T6) est très semblable: leur capside est formée d'une tête icosaédrique allongée qui contient leur ADN. Une gaine protéique recouvre leur queue, attachée à la tête à une extrémité et munie de fibres caudales à l'autre. Les phages se fixent aux cellules bactériennes à l'aide de ces fibres (**figure 19.3d**). Des dizaines de protéines différentes, chacune en plusieurs copies, font partie de la structure du virus (capside, gaine, queue, fibres caudales). À la section suivante, nous étudierons comment ces quelques constituants viraux fonctionnent en association avec les composants cellulaires pour produire un grand nombre de descendants viraux.

RETOUR SUR LE CONCEPT **19.1**

1. **HABILETÉS VISUELLES** ▶ Comparez les structures du virus de la mosaïque du tabac et du virus de la grippe (voir la figure 19.3).

2. **FAITES DES LIENS** ▶ Les bactériophages ont été utilisés comme outils de recherche pour démontrer que l'ADN transmet les informations génétiques (voir la figure 16.4). Décrivez brièvement l'expérience effectuée par Hershey et Chase; dans votre description, dites pourquoi les chercheurs ont choisi d'utiliser les phages.

Voir les réponses proposées à l'appendice A.

▼ Figure 19.3 La structure des virus. Les virus sont constitués d'un acide nucléique (ADN ou ARN) enfermé dans une coque de protéines nommée capside, parfois recouverte d'une enveloppe membraneuse. Les sous-unités protéiques formant la capside sont des capsomères. Bien que de formes et de dimensions différentes, les virus ont en commun certaines caractéristiques structurales. (Toutes les photographies sont des MET colorisées.)

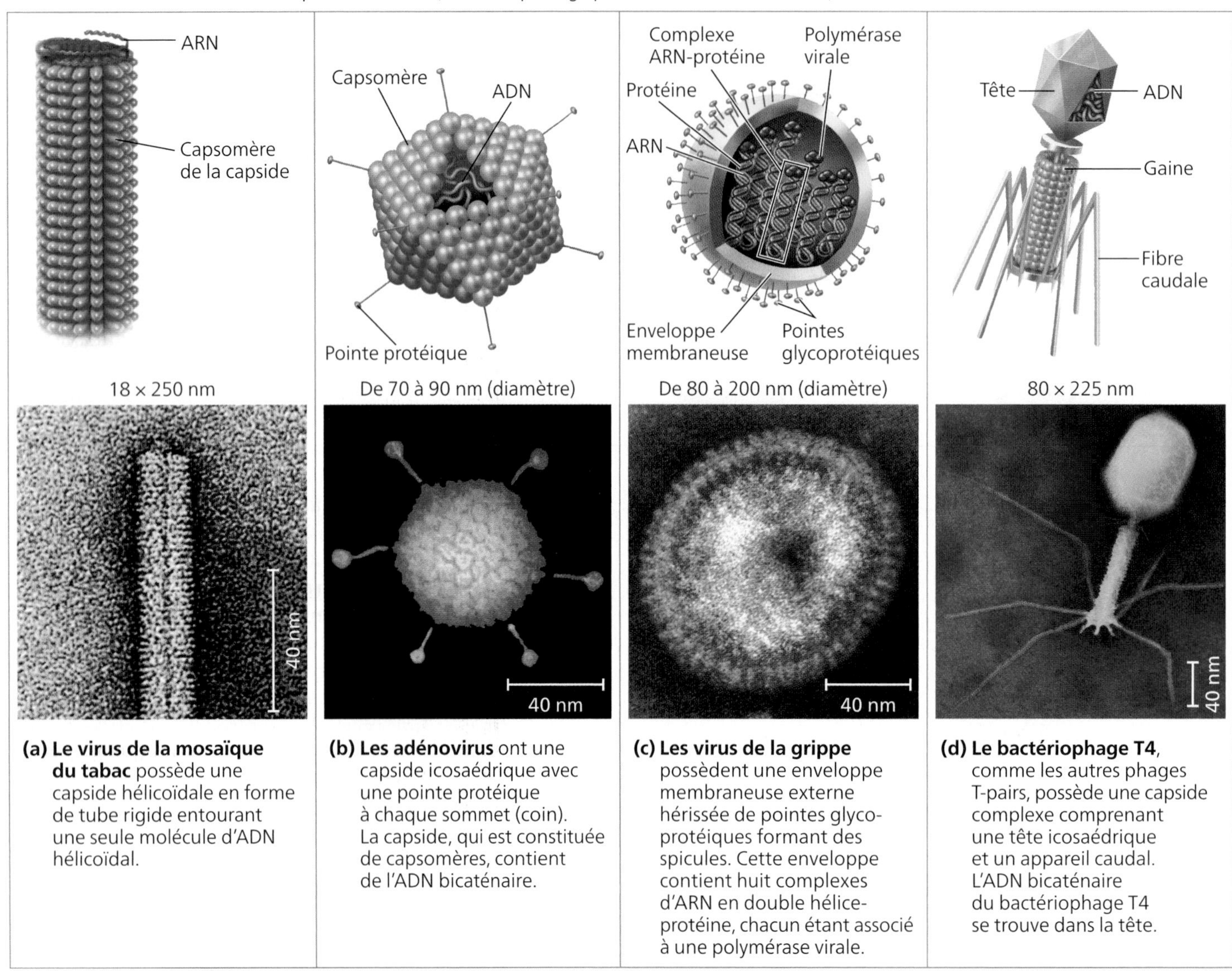

(a) Le virus de la mosaïque du tabac possède une capside hélicoïdale en forme de tube rigide entourant une seule molécule d'ADN hélicoïdal.

(b) Les adénovirus ont une capside icosaédrique avec une pointe protéique à chaque sommet (coin). La capside, qui est constituée de capsomères, contient de l'ADN bicaténaire.

(c) Les virus de la grippe possèdent une enveloppe membraneuse externe hérissée de pointes glycoprotéiques formant des spicules. Cette enveloppe contient huit complexes d'ARN en double hélice-protéine, chacun étant associé à une polymérase virale.

(d) Le bactériophage T4, comme les autres phages T-pairs, possède une capside complexe comprenant une tête icosaédrique et un appareil caudal. L'ADN bicaténaire du bactériophage T4 se trouve dans la tête.

CONCEPT **19.2**

Les virus ne peuvent se répliquer qu'à l'intérieur de cellules hôtes

Les virus ne possèdent ni les enzymes nécessaires au métabolisme ni les autres structures essentielles à la production de leurs propres protéines, comme les ribosomes. Ce sont des parasites intracellulaires obligatoires : ils ne peuvent se multiplier qu'à l'intérieur d'une cellule hôte. Il est donc juste de dire que les virus isolés ne sont qu'un ensemble de gènes enveloppés dans des protéines qui passent d'une cellule hôte à une autre.

Chaque virus particulier infecte les cellules d'un nombre limité d'espèces hôtes ; c'est ce qu'on nomme le **spectre d'hôtes** du virus. Cette spécificité provient de l'apparition d'un processus particulier de reconnaissance chez les virus. Ils reconnaissent en effet leurs cellules hôtes au moyen d'un mécanisme du type « clé et serrure » entre les protéines virales présentes sur leur surface et les molécules réceptrices correspondantes situées sur la face externe d'une cellule compatible. Selon le modèle, des molécules réceptrices qui avaient originalement des fonctions utiles à la cellule hôte auraient plus tard été reconnues par des virus comme portes d'entrée. Le spectre d'hôtes de certains virus peut être large. Par exemple, le virus du Nil occidental et celui de l'encéphalite équine sont deux virus distincts qui peuvent chacun infecter les moustiques, les oiseaux, les chevaux et les humains. D'autres virus ont un spectre d'hôtes si réduit qu'ils ne s'attaquent qu'à une seule espèce. Le virus de la rougeole, par exemple, ne peut infecter que l'humain. De plus, les virus qui infectent des eucaryotes multicellulaires n'attaquent généralement qu'un certain type de tissu. Ainsi, chez l'humain, les virus du rhume n'infectent que les muqueuses des voies respiratoires supérieures, et le VIH (illustré à la figure 19.1), lui, se lie à un récepteur qui se trouve seulement sur certains types de leucocytes (globules blancs).

Les caractéristiques générales du cycle de réplication des virus

L'infection virale commence lorsque le virus se lie à une cellule hôte et que le génome viral parvient à l'intérieur de celle-ci (**figure 19.4**). Le mécanisme d'entrée du génome dépend du type de virus et du type de cellule hôte. Par exemple, les phages T-pairs injectent leur ADN dans une bactérie à l'aide d'un appareil caudal complexe (voir la figure 19.3d). D'autres virus sont absorbés par endocytose ou, dans le cas des virus avec une enveloppe, par fusion de l'enveloppe virale avec la membrane plasmique de l'hôte. Une fois que le génome viral est entré dans une cellule hôte, les protéines qu'il code peuvent réquisitionner la cellule et la reprogrammer de sorte qu'elle recopie les gènes viraux. Elle fabrique par la suite les protéines virales. La cellule fournit les nucléotides nécessaires à la synthèse des acides nucléiques viraux, de même que les enzymes, les ribosomes, les ARNt, les acides aminés, l'ATP et les autres composants servant à la synthèse des protéines virales. Beaucoup de virus à ADN utilisent les ADN polymérases de la cellule hôte pour synthétiser de nouveaux génomes. C'est l'ADN viral qui sert de matrice. Par contre, les virus à ARN doivent se servir des ARN polymérases qu'ils possèdent et qui effectuent la réplication à partir de leur matrice d'ARN. (Les cellules non infectées n'ont généralement pas d'enzymes appropriées pour effectuer cette opération.)

▼ **Figure 19.4 Représentation simplifiée du cycle de réplication d'un virus.** Un virus est un parasite intracellulaire qui se multiplie grâce à la machinerie moléculaire de la cellule hôte. Dans cet exemple du cycle de réplication d'un virus simplifié, le parasite est un virus à ADN dont la capside ne comporte qu'une seule sorte de protéine.

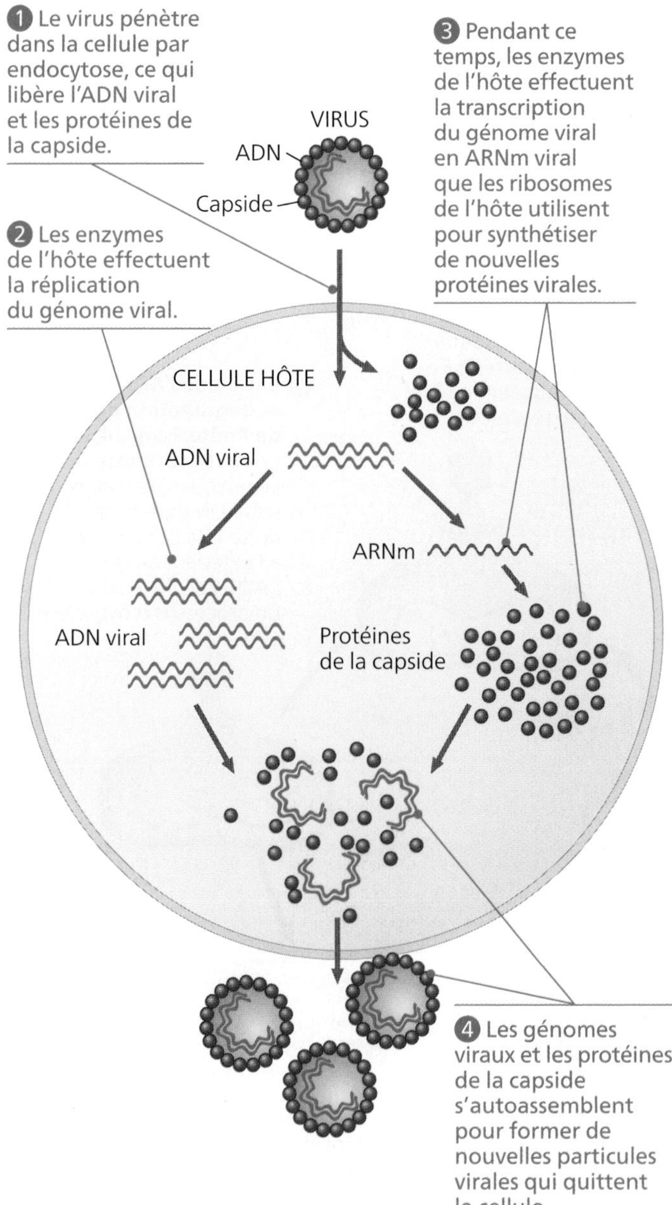

1 Le virus pénètre dans la cellule par endocytose, ce qui libère l'ADN viral et les protéines de la capside.
VIRUS
ADN
Capside
3 Pendant ce temps, les enzymes de l'hôte effectuent la transcription du génome viral en ARNm viral que les ribosomes de l'hôte utilisent pour synthétiser de nouvelles protéines virales.
2 Les enzymes de l'hôte effectuent la réplication du génome viral.
CELLULE HÔTE
ADN viral
ARNm
ADN viral
Protéines de la capside
4 Les génomes viraux et les protéines de la capside s'autoassemblent pour former de nouvelles particules virales qui quittent la cellule.

FAITES DES LIENS ▶ Identifiez chacune des flèches droites en gris avec un mot qui représente le nom du processus qui a lieu. Revoyez la figure 17.25.

Une fois fabriqués, les molécules d'acide nucléique viral et les capsomères se joignent souvent de façon spontanée, par autoassemblage, pour former de nouveaux virus. Les chercheurs peuvent même séparer l'ARN et les capsomères du virus de la mosaïque du tabac, puis reconstituer des virus complets en mélangeant simplement les composants dans les bonnes conditions. Le cycle de réplication le plus simple des virus se termine lorsque des centaines de nouveaux virus, voire des milliers, sortent de la cellule hôte infectée, un processus qui endommage souvent la cellule ou qui la tue. Ces dommages, la mort des cellules et les réactions physiologiques du corps à ces destructions sont la source de nombreux symptômes des infections virales humaines. Les virus de la nouvelle génération qui sortent d'une cellule hôte peuvent parasiter de nouvelles cellules et propager l'infection.

Le cycle de réplication simplifié que nous avons décrit présente de nombreuses variantes. Nous en étudierons quelques-unes chez certains virus affectant les bactéries (phages) et les animaux ; plus loin dans le chapitre, nous examinerons les virus qui affectent les végétaux.

Le cycle de réplication des phages

Les phages sont les mieux connus de tous les virus, bien que certains d'entre eux comptent parmi les plus complexes. Les recherches sur des phages ont permis de découvrir que les virus à ADN bicaténaire peuvent se répliquer par deux mécanismes : le cycle lytique ou le cycle lysogénique.

Le cycle lytique

On nomme **cycle lytique** le processus de réplication virale qui aboutit à la mort de la cellule hôte. Ce terme fait référence au dernier stade de l'infection, qui est la lyse (éclatement) de la bactérie et la libération des phages qu'elle a fabriqués. Chacun de ceux-ci est alors prêt à infecter une autre cellule saine, de sorte que quelques cycles lytiques successifs suffisent à détruire toute une population bactérienne en quelques heures. On nomme **phage virulent** un phage qui se multiplie uniquement suivant un cycle lytique. La **figure 19.5** montre les principales étapes du cycle lytique du phage T4, un phage virulent caractéristique.

Le cycle lysogénique

Plutôt que de lyser les cellules hôtes, bon nombre de phages s'y cachent par un processus connu sous le nom de lysogénie. Contrairement au cycle lytique, qui aboutit à la mort de la cellule hôte, le **cycle lysogénique** permet la réplication du génome viral, dissimulé dans le génome de la cellule hôte, qui reste intacte. Il existe des virus capables de suivre les deux modes de réplication dans une bactérie; on les qualifie de **virus tempérés**. Les chercheurs en biologie utilisent communément un virus tempéré appelé phage λ (il s'agit de la lettre grecque lambda) pour étudier les cycles lytique et lysogénique. Le phage λ ressemble au phage T4, mais sa queue ne comporte qu'une seule fibre caudale, qui est courte.

L'infection d'une bactérie *E. coli* débute lorsqu'un phage λ se lie à la surface de la cellule et injecte son ADN génomique linéaire (**figure 19.6**). À l'intérieur de l'hôte, la molécule d'ADN du phage prend une forme circulaire. Ce qui se passe ensuite dépend du mode de réplication, selon qu'il entame un cycle lytique ou un cycle lysogénique. Si le virus entreprend un cycle lytique, les gènes viraux transforment immédiatement la cellule en usine de production de phages λ, et la cellule ne tarde pas à se lyser et à libérer les virus qu'elle a fabriqués. Par contre, si le phage λ amorce un cycle lysogénique, l'ADN phagique s'incorpore dans un site spécifique du chromosome d'*E. coli* sous l'action de protéines virales qui coupent les deux molécules d'ADN circulaire et les joignent l'une à l'autre. Lorsqu'il est inséré dans le chromosome bactérien de cette façon, l'ADN viral est nommé **prophage**. L'un des gènes du prophage code pour une protéine qui réprime la transcription de la plupart des autres gènes du prophage. Presque tout le génome du phage reste donc silencieux à l'intérieur de la bactérie. Chaque fois qu'elle se prépare à se diviser, la bactérie *E. coli* réplique l'ADN du phage en même temps que celui de son propre chromosome de façon à ce que chacune des cellules filles reçoive un prophage. En peu de temps, une seule cellule infectée peut donner naissance à une grande population de bactéries portant le virus sous forme de prophage. Ce mécanisme permet à certains virus de se multiplier sans détruire les cellules hôtes dont ils dépendent.

Le terme *lysogénique* indique que les prophages sont en mesure de donner naissance à des phages actifs qui lyseront les cellules hôtes. Ce phénomène se produit lorsque le génome d'un phage λ (ou celui d'un autre phage tempéré) amorce un cycle lytique après avoir quitté le chromosome bactérien. Le passage de l'état latent au cycle lytique est généralement déclenché par un facteur environnemental, comme la présence de certains produits chimiques ou de radiations à haute énergie.

Pendant la lysogénie, outre le gène de la protéine virale qui empêche la transcription, quelques autres gènes du prophage sont exprimés. L'expression de ces gènes peut modifier le phénotype de la bactérie hôte, ce qui n'est pas sans conséquence en médecine infectieuse. Par exemple, les trois espèces de bactéries

▶ **Figure 19.5 Le cycle lytique du phage T4, un phage virulent.** Le phage T4 possède environ 300 gènes, qui sont transcrits et traduits par la machinerie moléculaire de la cellule hôte. Une fois que l'ADN viral a pénétré dans la cellule hôte, l'un des premiers gènes du phage à être traduit code pour une enzyme qui dégrade l'ADN de la cellule hôte (étape 2). L'ADN du phage n'est pas découpé, parce qu'il contient une forme modifiée de cytosine que l'enzyme ne reconnaît pas. L'ensemble du cycle lytique – à partir du contact entre le phage et la surface de la bactérie jusqu'à la lyse de la cellule – ne dure que de 20 à 30 minutes, à 37 °C. *Remarque:* Ce schéma simplifié n'est pas à l'échelle: le virus est normalement beaucoup plus petit que la bactérie.

1 **Attachement.** À l'aide de ses fibres caudales, le phage T4 adhère à des protéines de surface spécifiques situées sur la bactérie *E. coli* qui agissent en tant que récepteurs.

2 **Entrée de l'ADN du phage et dégradation de l'ADN de l'hôte.** La gaine du phage se contracte. Le phage injecte alors son ADN dans la cellule, laissant la capside vide à l'extérieur de la cellule. L'ADN cellulaire subit alors un processus d'hydrolyse.

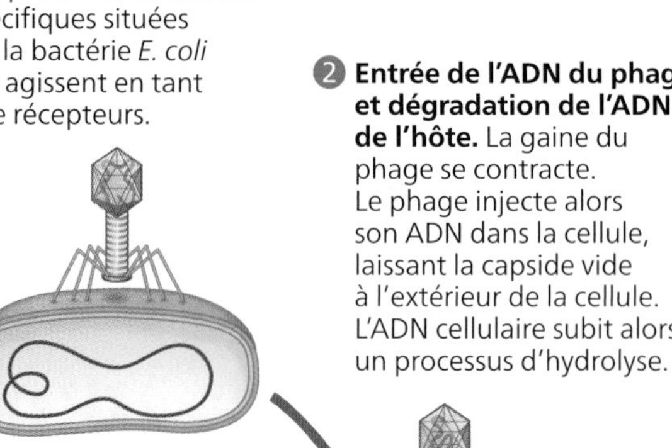

3 **Synthèse des génomes et des protéines du virus.** Sous la direction de l'ADN du phage et en utilisant les enzymes de la cellule bactérienne, des protéines et des copies du génome viral sont synthétisées à partir de composants de la cellule hôte.

4 **Autoassemblage.** Trois jeux distincts de protéines s'autoassemblent de façon à former les têtes, les queues (recouvertes de leur gaine) et les fibres caudales des phages. Le génome du phage est empaqueté à l'intérieur de la capside pendant que se forme la tête.

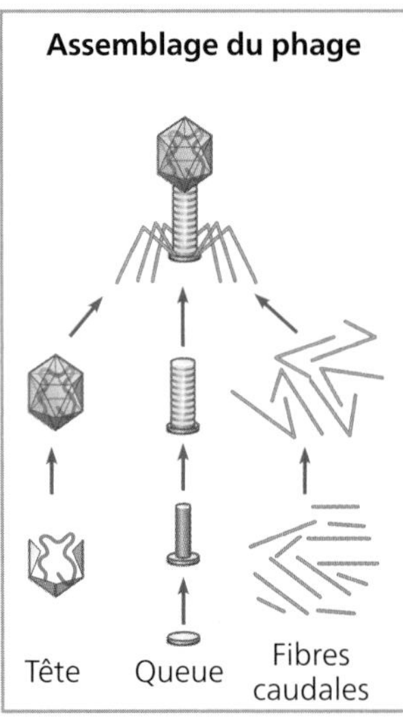

5 **Libération.** Le phage commande alors la production d'une enzyme qui digère la paroi de la bactérie; du liquide peut alors pénétrer dans la cellule, qui gonfle et finit par éclater. Elle libère de 100 à 200 particules phagiques.

responsables chez les humains des maladies comme la diphtérie, le botulisme et la scarlatine ne seraient pas si nocives sans certains gènes de prophages qui déclenchent chez les bactéries hôtes la production de toxines qu'elles ne fabriqueraient pas en temps normal. De plus, la distinction entre la souche d'*E. coli* qui réside dans notre intestin et la souche O157:H7 qui a causé plusieurs décès par empoisonnement alimentaire semble être la présence de prophages dans cette dernière souche.

Les défenses bactériennes contre les phages

Après avoir lu ce qui précède, vous vous demandez sans doute pourquoi les phages n'ont pas exterminé les bactéries. La lysogénie est la principale raison pour laquelle les phages n'éradiquent pas complètement les bactéries. En outre, les bactéries disposent de leurs propres mécanismes de défense contre les phages. Premièrement, la sélection naturelle favorise les mutants bactériens qui produisent des protéines de surface sur lesquelles un type donné de phage ne peut se fixer, car elles ne peuvent plus lui servir de récepteurs. Deuxièmement, lorsqu'il parvient à pénétrer dans une bactérie, l'ADN d'un phage peut être détecté comme étranger et découpé par des enzymes cellulaires nommées **enzymes de restriction** ; elles portent ce nom parce que leur activité *restreint* la capacité des phages à se répliquer au sein des bactéries. (Les enzymes de restriction sont utilisées en biologie moléculaire et dans les techniques de clonage de l'ADN ; voir le concept 20.1.) Comme l'ADN des bactéries est méthylé, il échappe aux attaques de ses propres enzymes de restriction. Le *système CRISPR-Cas*, présent tant dans les bactéries que dans les archées, est un troisième mécanisme de défense.

Le génome d'un virus lysogénique peut servir à transcrire des ARN de défense de la bactérie infectée, et celle-ci s'en servira lors d'une infection subséquente pour reconnaître l'ADN viral et le dégrader. Cette protection repose sur des interactions entre protéines, ARN transcrit et ADN viral, auxquelles participe un système nommé CRISPR-Cas.

POUR APPROFONDIR ■ C'est à l'occasion d'une étude portant sur les séquences répétitives d'ADN dans les génomes de plusieurs procaryotes qu'on a découvert le système CRISPR-Cas. Ces séquences, qui laissaient les chercheurs perplexes, ont été nommées CRISPR (pour *Clustered Regularly Interspaced Short Palindromic Repeats* ou courtes répétitions palindromiques groupées et régulièrement espacées) parce que chacune d'elles se lit de la même façon de gauche à droite ou de droite à gauche (comme un palindrome, tout comme le mot *kayak*) et que différents segments d'ADN espaceur se trouvent entre les répétitions. Au départ, les chercheurs supposaient que les séquences d'ADN espaceur étaient aléatoires et n'avaient pas de signification particulière, mais des analyses réalisées par différents groupes de recherche

▼ Figure 19.6 Le cycle lytique et le cycle lysogénique chez un phage tempéré, le phage λ. Après avoir pénétré dans la cellule bactérienne, l'ADN d'un phage λ peut soit commander immédiatement la production d'un grand nombre de nouveaux phages λ (cycle lytique), soit s'intégrer au chromosome bactérien (cycle lysogénique). Dans la plupart des cas, il suit le cycle lytique, qui est semblable à celui de la figure 19.5. Cependant, une fois le cycle lysogénique amorcé, le prophage peut demeurer dans le chromosome de la cellule hôte pendant de nombreuses générations. Le phage λ n'a qu'une seule fibre caudale, qui est courte.

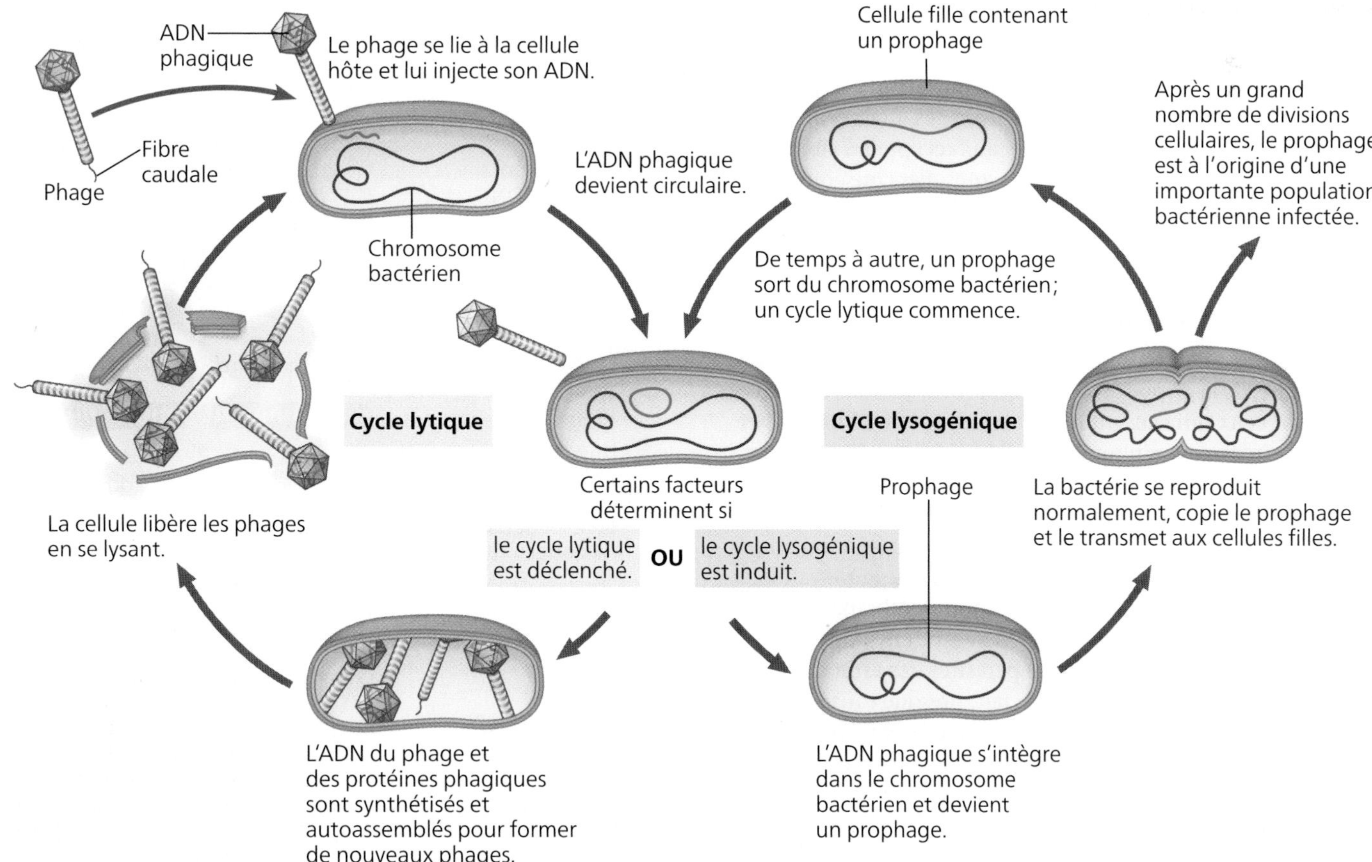

ont démontré que chaque séquence d'espacement correspond à l'ADN d'un phage particulier ayant déjà infecté la cellule. D'autres études ont également montré que certaines nucléases interagissent avec la région CRISPR. Ces nucléases, connues sous le nom de protéines Cas (CRISPR-associated, ou associées aux CRISPR), peuvent cibler et découper l'ADN d'un phage et ainsi protéger la bactérie contre une infection.

Lorsqu'un phage infecte une cellule bactérienne dotée du système CRISPR-Cas, l'ADN du phage envahisseur s'intègre au génome entre deux séquences répétées. Si la cellule survit à l'infection, toute autre tentative d'infection de cette cellule (ou de ses descendantes) par le même type de phage déclenchera la transcription de la région CRISPR en molécules d'ARN (**figure 19.7**). Ces molécules d'ARN sont découpées en morceaux, puis liées aux protéines Cas. La protéine Cas utilise une partie de l'ARN lié au phage en tant que dispositif d'autoguidage pour cibler l'ADN du phage envahisseur et le découper, afin de le détruire. Au concept 20.1, vous apprendrez comment ce système est utilisé dans les laboratoires pour modifier les gènes d'autres cellules.

Le système CRISPR-Cas existe chez de nombreuses espèces, y compris chez l'humain. Ce système interviendrait dans la correction de certains défauts génétiques, puisqu'il permet de couper l'ADN à des endroits précis du génome et d'y insérer des séquences correctrices. Toutefois, selon le comité international bioéthique de l'UNESCO, les modifications génétiques susceptibles d'altérer le patrimoine génétique humain ne seraient pas éthiquement acceptables. L'Académie américaine des sciences, au contraire, recommande de recourir aux corrections génétiques modifiant la lignée humaine chez les personnes souffrant de maladies génétiques graves. Il faudra poursuivre les discussions pour en arriver à un accord général quant à l'utilisation éthique du système CRISPR-Cas chez l'humain. ■

La sélection naturelle favorise non seulement les bactéries dont les récepteurs sont altérés par une mutation ou qui sont dotées d'enzymes découpant l'ADN des phages, mais également les phages mutants qui peuvent se lier aux récepteurs altérés ou qui présentent une résistance aux enzymes. Par conséquent, la relation bactérie-phage fait l'objet d'une évolution constante.

Les cycles de réplication des virus qui infectent les animaux

Nous avons tous déjà été atteints d'infections virales, qu'il s'agisse de la varicelle, de la grippe ou d'un simple rhume. Tous les virus, notamment ceux qui causent des maladies chez les humains et les autres animaux, se répliquent à l'intérieur de cellules hôtes. Chez les virus qui parasitent les animaux, il existe de nombreuses variantes du modèle fondamental d'infection et de réplication. L'une des variables principales est la nature du génome viral (ADN ou ARN bicaténaire ou monocaténaire). Une autre variable est la présence ou l'absence d'une enveloppe membranaire. Alors que peu de virus bactériophages possèdent une enveloppe ou un génome d'ARN, de nombreux virus parasites des animaux présentent ces deux caractéristiques. En fait, presque tous les virus à génomes d'ARN parasites des animaux ont une enveloppe, tout comme certains virus à génomes d'ADN. Au lieu d'examiner tous les mécanismes d'infection et de réplication virales, nous étudierons le rôle des enveloppes virales et la fonction de l'ARN en tant que matériel génétique chez de nombreux virus.

▼ **Figure 19.7 Le système CRISPR-Cas : une sorte de système immunitaire bactérien.**

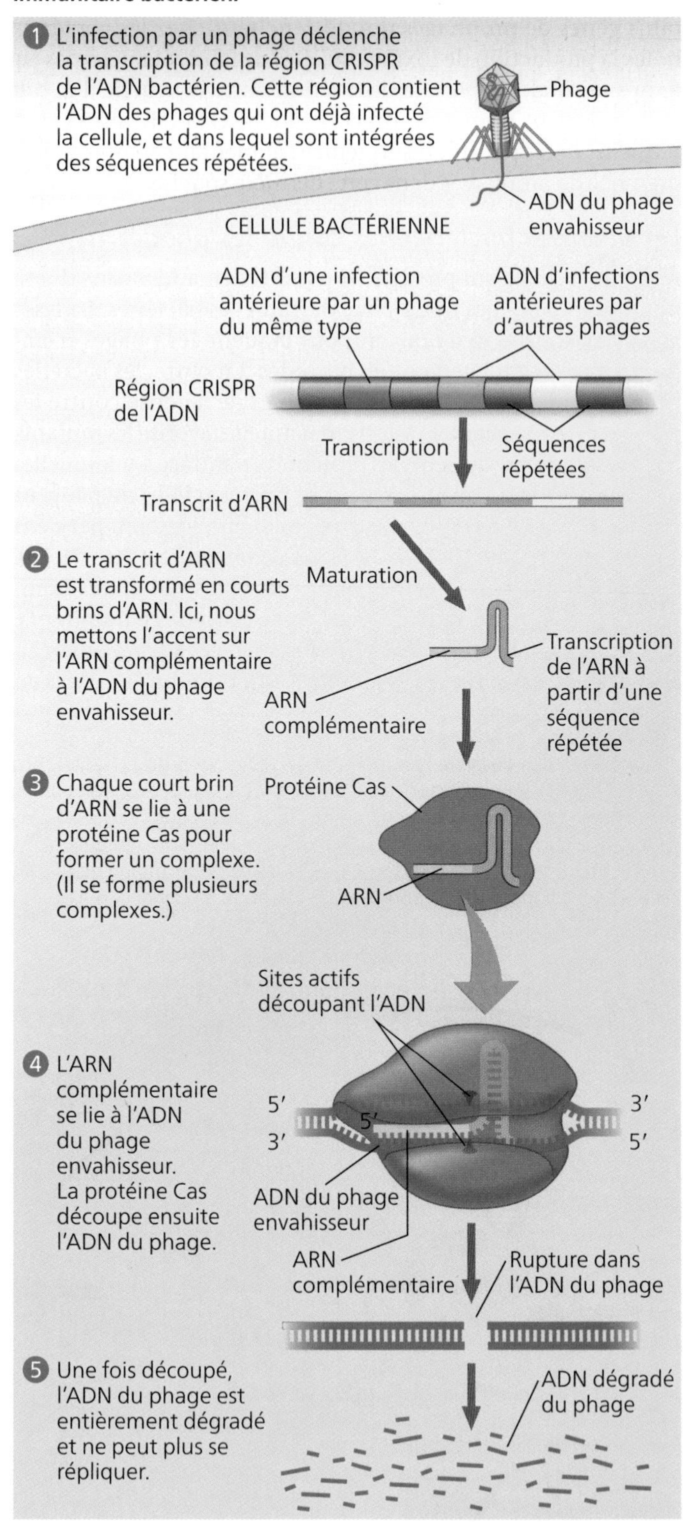

1 L'infection par un phage déclenche la transcription de la région CRISPR de l'ADN bactérien. Cette région contient l'ADN des phages qui ont déjà infecté la cellule, et dans lequel sont intégrées des séquences répétées.
Phage
ADN du phage envahisseur
CELLULE BACTÉRIENNE
ADN d'une infection antérieure par un phage du même type
ADN d'infections antérieures par d'autres phages
Région CRISPR de l'ADN
Transcription
Séquences répétées
Transcrit d'ARN
2 Le transcrit d'ARN est transformé en courts brins d'ARN. Ici, nous mettons l'accent sur l'ARN complémentaire à l'ADN du phage envahisseur.
Maturation
Transcription de l'ARN à partir d'une séquence répétée
ARN complémentaire
3 Chaque court brin d'ARN se lie à une protéine Cas pour former un complexe. (Il se forme plusieurs complexes.)
Protéine Cas
ARN
Sites actifs découpant l'ADN
4 L'ARN complémentaire se lie à l'ADN du phage envahisseur. La protéine Cas découpe ensuite l'ADN du phage.
5′
3′
5′
3′
5′
ADN du phage envahisseur
ARN complémentaire
Rupture dans l'ADN du phage
5 Une fois découpé, l'ADN du phage est entièrement dégradé et ne peut plus se répliquer.
ADN dégradé du phage

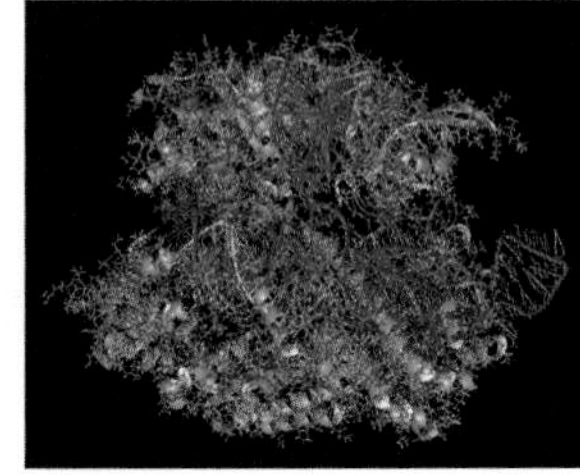

▶ **Modèle informatisé du complexe d'édition du gène CRISPR-Cas9 de *Streptococcus pyogenes*.**

Les virus à enveloppe

Les virus parasites d'animaux avec une enveloppe virale (c'est-à-dire une membrane externe recouvrant la capside) utilisent cette dernière pour pénétrer dans la cellule hôte. Des glycoprotéines protubérantes à la surface externe de l'enveloppe virale, qui forment des spicules, se lient à des molécules réceptrices spécifiques situées à la surface de la cellule hôte. La **figure 19.8** résume les étapes du cycle de réplication d'un virus à enveloppe dont le génome est constitué d'ARN. Les ribosomes liés au réticulum endoplasmique (RE) de la cellule hôte produisent les parties protéiques des glycoprotéines de l'enveloppe; les enzymes cellulaires dans le RE et le complexe golgien incorporent ensuite les glucides. Ces glycoprotéines, incluses dans la membrane provenant de la cellule hôte, sont transportées à la surface de la cellule. Les capsides des nouveaux virus sont enveloppées dans la membrane en sortant de la cellule par bourgeonnement (un mécanisme qui ressemble à l'exocytose). Autrement dit, l'enveloppe virale provient de la membrane plasmique de la cellule hôte, même si la plupart ou même la totalité des protéines qui la composent a été commandée par les gènes viraux. Les virus ainsi pourvus d'une enveloppe et libérés sont prêts à infecter d'autres cellules. Contrairement au cycle lytique des phages, ce cycle de réplication ne tue pas nécessairement la cellule hôte.

D'autres virus possèdent une enveloppe qui ne provient pas de la membrane plasmique de la cellule hôte. Les *Herpesviridae*, par exemple, sont temporairement enveloppés dans une membrane provenant de l'enveloppe nucléaire de la cellule hôte. Par la suite, ils perdent cette membrane dans le cytoplasme et acquièrent une nouvelle enveloppe fabriquée à partir de la membrane du complexe golgien. Ces virus ont un génome constitué d'ADN bicaténaire et ils se répliquent dans le noyau de la cellule. La réplication et la transcription de cet ADN font intervenir diverses enzymes virales et cellulaires. Dans le cas du virus de l'herpès, des copies de l'ADN viral peuvent demeurer dans le noyau de certaines cellules nerveuses sous la forme de minichromosomes. Elles y restent à l'état latent jusqu'à ce qu'un stress physique ou émotionnel

▼ **Figure 19.8 Le cycle de réplication d'un virus enveloppé à ARN.** Le virus illustré ici est constitué d'un génome d'ARN monocaténaire qui sert de matrice pour la synthèse de l'ARNm viral. Certains virus enveloppés pénètrent dans la cellule hôte en fusionnant leur enveloppe avec la membrane plasmique de la cellule; d'autres virus entrent par endocytose. Pour tous les virus à ARN pourvus d'une enveloppe, la formation de nouvelles enveloppes pour les virus de la génération suivante se produit selon le mécanisme illustré dans cette figure.

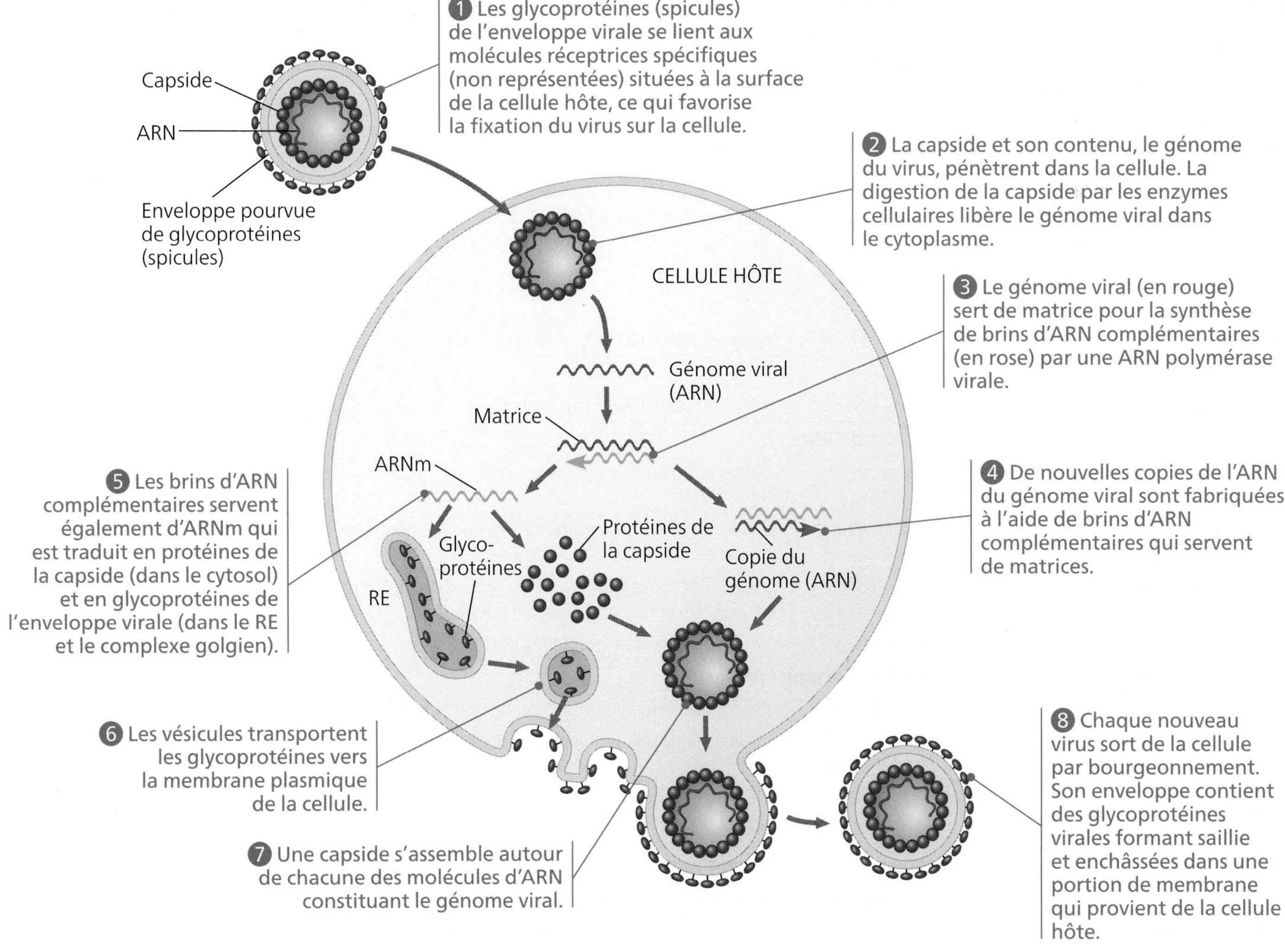

Capside
ARN
Enveloppe pourvue de glycoprotéines (spicules)
1 Les glycoprotéines (spicules) de l'enveloppe virale se lient aux molécules réceptrices spécifiques (non représentées) situées à la surface de la cellule hôte, ce qui favorise la fixation du virus sur la cellule.
2 La capside et son contenu, le génome du virus, pénètrent dans la cellule. La digestion de la capside par les enzymes cellulaires libère le génome viral dans le cytoplasme.
CELLULE HÔTE
3 Le génome viral (en rouge) sert de matrice pour la synthèse de brins d'ARN complémentaires (en rose) par une ARN polymérase virale.
Génome viral (ARN)
Matrice
ARNm
5 Les brins d'ARN complémentaires servent également d'ARNm qui est traduit en protéines de la capside (dans le cytosol) et en glycoprotéines de l'enveloppe virale (dans le RE et le complexe golgien).
4 De nouvelles copies de l'ARN du génome viral sont fabriquées à l'aide de brins d'ARN complémentaires qui servent de matrices.
Glyco-protéines
Protéines de la capside
Copie du génome (ARN)
RE
6 Les vésicules transportent les glycoprotéines vers la membrane plasmique de la cellule.
7 Une capside s'assemble autour de chacune des molécules d'ARN constituant le génome viral.
8 Chaque nouveau virus sort de la cellule par bourgeonnement. Son enveloppe contient des glycoprotéines virales formant saillie et enchâssées dans une portion de membrane qui provient de la cellule hôte.

déclenche une reprise de la production active de virus. L'infection d'autres cellules par ces nouveaux virus cause l'apparition de vésicules caractéristiques de l'herpès (feux sauvages, pour l'herpès labial, ou éruptions de l'herpès génital). Les personnes atteintes d'une infection herpétique sont sujettes à des épisodes infectieux récurrents tout au long de leur vie.

Le matériel génétique viral

Le **tableau 19.1** présente le système de classification courant des virus pathogènes des animaux. Ce système repose sur le matériel génétique des virus : ADN ou ARN monocaténaire ou bicaténaire. Certains phages et la plupart des virus qui parasitent les végétaux sont des virus à ARN ; on observe toutefois la plus grande variété de génomes d'ARN chez les virus qui infectent les animaux. On connaît trois types de génomes d'ARN monocaténaire chez les virus infectant les animaux (classes IV à VI du tableau 19.1). Le génome des virus de la classe IV peut servir directement d'ARNm et être traduit en une protéine virale aussitôt après l'infection. La figure 19.8 illustre le cas d'un virus de la classe V dont le génome d'ARN sert plutôt de *matrice* pour la synthèse d'ARNm. Le génome d'ARN est transcrit dans ce cas en un brin d'ARN complémentaire, qui servira à la fois d'ARNm et de matrice pour la synthèse de nouvelles copies d'ARN génomique. Tous les virus qui utilisent un génome d'ARN comme matrice pour la transcription d'ARN doivent effectuer une synthèse ARN → ARN qui nécessite l'intervention d'une enzyme virale capable d'accomplir cette opération. En effet, la plupart des cellules qu'ils infectent ne possèdent pas d'enzyme capable d'intervenir dans cette synthèse. L'enzyme utilisée dans ce processus est encodée par le génome viral ; après sa synthèse, la protéine enzymatique est empaquetée dans la capside virale durant l'autoassemblage avec le génome.

Parmi les virus à ARN qui parasitent les animaux, les **rétrovirus** (*Retroviridae*, classe VI) ont les cycles de réplication les plus complexes. Ces virus possèdent en effet une enzyme spécifique, nommée **transcriptase inverse**, qui transcrit une matrice d'ARN en ADN (d'où l'inversion du mode de transmission de l'information génétique : ARN → ADN). Ce processus inusité est à l'origine du terme rétrovirus (en latin, *retro* signifie « en arrière »). Le **VIH** (**virus de l'immunodéficience humaine**), responsable du **sida** (**syndrome d'immunodéficience acquise**), est un rétrovirus (présenté à la figure 19.1) qui revêt une importance particulière. Le VIH et d'autres rétrovirus sont des virus à enveloppe comportant deux molécules identiques d'ARN monocaténaire et deux molécules de transcriptase inverse.

Le cycle de réplication du VIH (présenté à la **figure 19.9**) est semblable à celui de nombreux autres rétrovirus. Après avoir pénétré dans une cellule hôte, le VIH libère dans le cytoplasme ses molécules de transcriptase inverse où elles catalysent la synthèse de l'ADN viral. L'ADN viral nouvellement formé s'introduit

Tableau 19.1 Classification des virus d'animaux

Classe, famille	Enveloppe ?	Exemples de virus responsables d'infections chez les humains
I. ADN bicaténaire (ADNdb)		
Adenoviridae (voir la figure 19.3b)	Non	Virus des voies respiratoires
Papillomavirus	Non	Verrues, cancer du col de l'utérus
Polyomavirus	Non	Tumeurs
Herpesviridae (*Simplexvirus, varicellovirus*)	Oui	Herpès simplex I et II (herpès labial, herpès génital) ; virus varicelle-zona (zona, varicelle) ; virus d'Epstein-Barr (mononucléose, lymphome de Burkitt)
Poxviridae (*Orthopoxvirus*)	Oui	Variole ; vaccine
II. ADN monocaténaire (ADNsb)		
Parvoviridae (*Parvovirus*)	Non	*Parvovirus* B19 (érythème bénin)
III. ARN bicaténaire (ARNdb)		
Reoviridae (*Orthoreovirus*)	Non	*Rotavirus* (diarrhée) ; virus de la fièvre à tiques du Colorado
IV. ARN monocaténaire (ARNsb) jouant le rôle d'ARNm		
Picornaviridae (*Enterovirus, Rhinovirus*)	Non	*Rhinovirus* (rhume) ; *Poliovirus* ; virus de l'hépatite A et autres entérovirus (maladies intestinales)
Coronaviridae (*Coronavirus*)	Oui	Syndrome respiratoire aigu sévère (SRAS) ; syndrome respiratoire du Moyen-Orient (SRMO) ; maladie à coronavirus 2019 (COVID-19)
Flaviviridae (*Flavivirus*)	Oui	Virus Zika (voir la figure 19.10c) ; virus de la fièvre jaune ; virus de la dengue ; virus du Nil occidental ; virus de l'hépatite C
Togaviridae (*Rubivirus, Alphavirus*)	Oui	Virus Chikungunya (voir la figure 19.10b) ; virus de la rubéole ; virus de l'encéphalite équine
V. ARN monocaténaire (ARNsb) servant de matrice pour l'ARNm		
Filoviridae (*Filovirus*)	Oui	Virus Ebola (fièvre hémorragique ; voir la figure 19.10a)
Orthomyxoviridae (*Orthomyxovirus*) (voir les figures 19.3c et 19.9a)	Oui	Virus de la grippe (voir la figure 19.3c)
Paramyxoviridae (*Morbillivirus, Rubulavirus*)	Oui	Virus de la rougeole (*Morbillivirus*) ; virus des oreillons (*Rubulavirus*)
Rhabdoviridae (*Lyssavirus*)	Oui	Virus rabique (rage)
VI. ARN monocaténaire (ARNsb) servant de matrice pour la synthèse de l'ADN		
Retroviridae (*Lentivirus*)	Oui	Virus de l'immunodéficience humaine (VIH, sida ; voir la figure 19.9) ; virus oncogènes à ARN (leucémie)

▼ Figure 19.9 Le cycle de réplication du VIH, le rétrovirus responsable du sida. Notez à l'étape 5 que l'ADN synthétisé à partir du génome de l'ARN viral est inséré sous forme de provirus dans l'ADN chromosomique de la cellule hôte, une caractéristique unique aux rétrovirus. Pour faciliter la compréhension, les protéines de surface cellulaire, qui agissent comme récepteurs du VIH, ne sont pas illustrées. Les clichés à gauche (MET colorisées) montrent le VIH entrant dans un leucocyte (globule blanc) humain et en sortant.

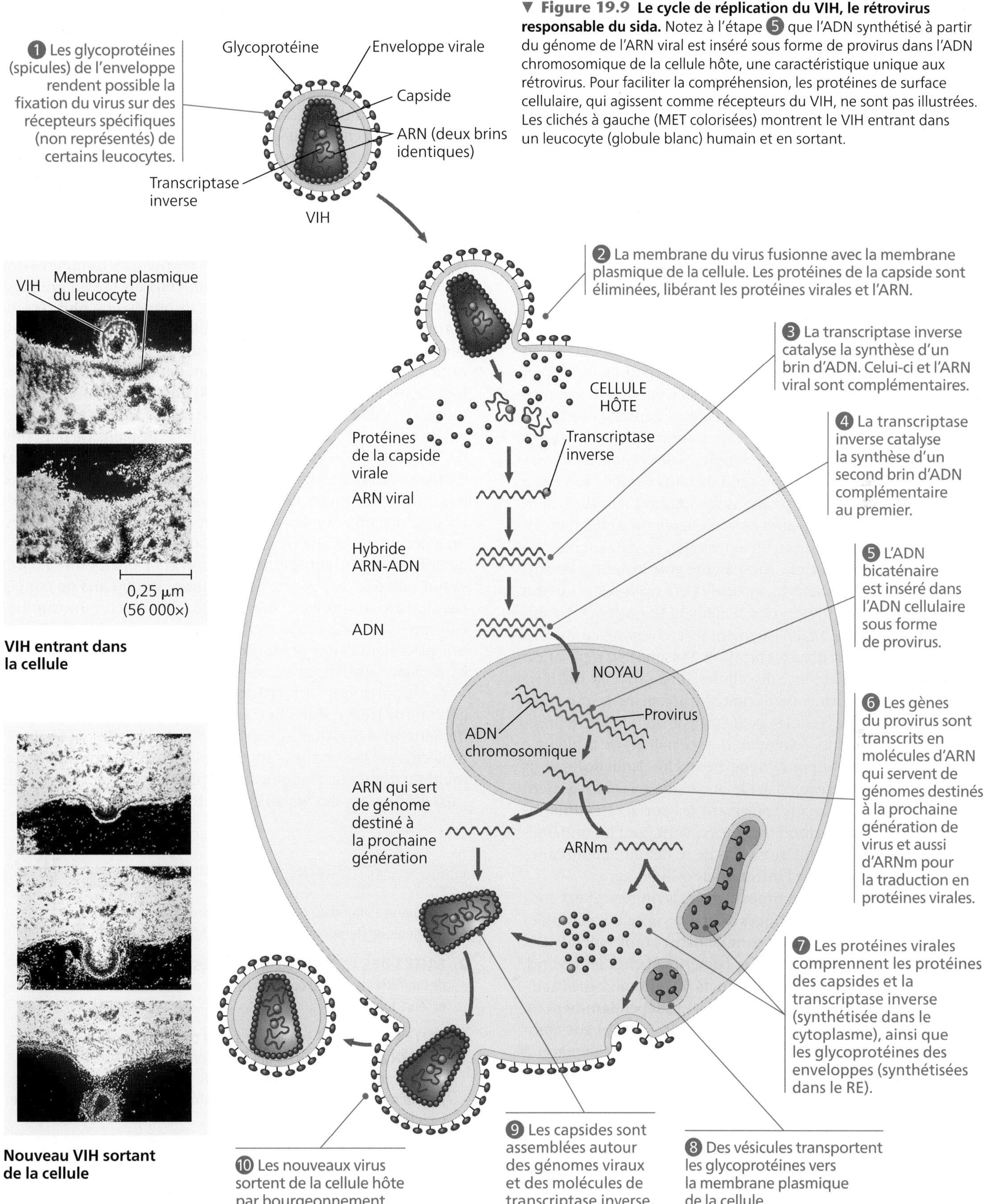

1 Les glycoprotéines (spicules) de l'enveloppe rendent possible la fixation du virus sur des récepteurs spécifiques (non représentés) de certains leucocytes.
Glycoprotéine
Enveloppe virale
Capside
ARN (deux brins identiques)
Transcriptase inverse
VIH
VIH
Membrane plasmique du leucocyte
0,25 μm
(56 000×)
VIH entrant dans la cellule
Nouveau VIH sortant de la cellule
2 La membrane du virus fusionne avec la membrane plasmique de la cellule. Les protéines de la capside sont éliminées, libérant les protéines virales et l'ARN.
3 La transcriptase inverse catalyse la synthèse d'un brin d'ADN. Celui-ci et l'ARN viral sont complémentaires.
4 La transcriptase inverse catalyse la synthèse d'un second brin d'ADN complémentaire au premier.
5 L'ADN bicaténaire est inséré dans l'ADN cellulaire sous forme de provirus.
6 Les gènes du provirus sont transcrits en molécules d'ARN qui servent de génomes destinés à la prochaine génération de virus et aussi d'ARNm pour la traduction en protéines virales.
7 Les protéines virales comprennent les protéines des capsides et la transcriptase inverse (synthétisée dans le cytoplasme), ainsi que les glycoprotéines des enveloppes (synthétisées dans le RE).
8 Des vésicules transportent les glycoprotéines vers la membrane plasmique de la cellule.
9 Les capsides sont assemblées autour des génomes viraux et des molécules de transcriptase inverse.
10 Les nouveaux virus sortent de la cellule hôte par bourgeonnement.
CELLULE HÔTE
Protéines de la capside virale
Transcriptase inverse
ARN viral
Hybride ARN-ADN
ADN
NOYAU
Provirus
ADN chromosomique
ARN qui sert de génome destiné à la prochaine génération
ARNm

FAITES DES LIENS ▶ Décrivez ce que l'on sait au sujet de la liaison du VIH aux cellules du système immunitaire (voir la figure 7.8), et comment on l'a découvert.

alors dans le noyau de la cellule et s'insère dans l'ADN d'un chromosome. L'ADN viral inséré, nommé **provirus**, ne quitte jamais le génome de l'hôte et reste un résident permanent de la cellule. (Souvenez-vous qu'un prophage, au contraire, quitte le génome de la cellule hôte au début du cycle lytique.) L'ARN polymérase de la cellule hôte le transcrit alors en molécules d'ARN ; il peut s'agir soit d'ARNm servant à la synthèse de protéines virales, soit du génome de nouveaux virus, qui seront assemblés et libérés par la cellule. Au concept 43.4, nous décrirons comment le VIH cause la déficience du système immunitaire qui caractérise le sida.

L'évolution des virus

ÉVOLUTION En ouverture de chapitre, nous nous sommes demandé si les virus sont des êtres vivants et, en étudiant leurs propriétés, nous venons de constater qu'ils ne se conforment pas tout à fait à notre définition des organismes vivants. Quand un virus est isolé, il est biologiquement inerte et il ne peut recopier ses gènes ni reconstituer sa réserve d'ATP. Cependant, son programme génétique est écrit dans le langage universel de la vie. Alors, devons-nous considérer les virus comme les associations moléculaires naturelles les plus complexes ou comme les formes de vie les plus simples ? Quoi qu'il en soit, ils nous forcent à revoir les définitions auxquelles nous sommes habitués. Bien que les virus soient incapables de se répliquer ou d'effectuer des activités métaboliques de façon autonome, on ne peut nier, du point de vue de l'évolution, leur parenté avec le monde vivant.

Comment les virus sont-ils apparus ? On a trouvé des virus qui infectent toute forme de vie, non seulement les bactéries, les animaux et les végétaux, mais également les archées, les eumycètes et les algues ainsi que d'autres protistes. Puisque leur réplication ne peut se faire en l'absence de cellules, il est probable qu'ils ne descendent pas de formes de vie précellulaires et qu'ils sont apparus *après* les premières cellules, peut-être à de nombreuses reprises au cours de l'évolution. La plupart des spécialistes de la biologie moléculaire penchent pour l'hypothèse selon laquelle les virus proviennent de morceaux d'acide nucléique nus qui passaient d'une cellule à l'autre en traversant les surfaces cellulaires endommagées. L'apparition de gènes codant pour les protéines de capsides aurait permis aux virus de se lier aux membranes cellulaires, facilitant ainsi l'infection de cellules saines.

Les précurseurs les plus probables des génomes viraux sont deux types d'éléments génétiques cellulaires nommés plasmides et transposons. Les *plasmides* sont de petites molécules d'ADN circulaires. On les trouve chez les bactéries et chez les levures, des eucaryotes unicellulaires. Distincts du chromosome bactérien, les plasmides peuvent se répliquer indépendamment et, dans certains cas, passer d'une cellule à l'autre. Quant aux *transposons*, ce sont des segments d'ADN capables de se déplacer à l'intérieur du génome d'une même cellule. Les plasmides, les transposons et les virus ont donc une caractéristique importante en commun : ce sont des *composants génétiques mobiles*. Nous traiterons des plasmides plus en détail aux concepts 20.1 et 27.2, et des transposons au concept 21.4.

Effectivement, cette vision de morceaux d'ADN faisant la navette d'une cellule à l'autre est compatible avec le fait que le génome d'un virus peut ressembler davantage à celui de sa cellule hôte qu'à celui de virus infectant d'autres hôtes. Certains gènes viraux sont même pratiquement identiques à ceux de l'hôte.

Le débat autour de l'origine des virus a été relancé il y a une quinzaine d'années par des observations effectuées sur le mimivirus, l'un des plus gros virus jamais découverts. Le mimivirus est un virus à ADN bicaténaire muni d'une capside icosaédrique ; il mesure 400 nm de diamètre, soit la taille d'une petite bactérie. Son génome contient 1,2 million de bases (Mb ; environ 100 fois le nombre du génome du virus de la grippe) et près de 1 000 gènes. Toutefois, l'aspect le plus surprenant du mimivirus est peut-être que son génome renferme des gènes qu'on avait observés auparavant seulement dans des génomes cellulaires. Certains de ces gènes encodent des protéines qui participent à la traduction, à la réparation de l'ADN, au repliement des protéines et à la synthèse des polysaccharides. On ignore encore si les mimivirus ont évolué *avant* les premières cellules pour ensuite établir une relation exploitante avec celles-ci, ou s'ils ont évolué plus récemment pour ensuite simplement « piller » les gènes de ses hôtes. Depuis 2013, on a découvert plusieurs virus encore plus volumineux et inclassables parmi les catégories connues de virus. L'un de ces virus mesure 1 μm (1 000 nm) de diamètre, possède un génome d'ADN bicaténaire d'environ 2 à 2,5 Mb et il est plus volumineux que certains eucaryotes de petite taille. De plus, près de 90 % des 2 000 gènes environ de son génome ne sont pas d'origine cellulaire, d'où son nom de *pandoravirus* (en référence à la boîte de Pandore, de la mythologie grecque, qui contenait les pires calamités pouvant affliger l'humanité). Par ailleurs, on a découvert en Sibérie, dans un sol gelé en permanence, un deuxième virus nommé *Pithovirus sibericum*, qui mesure 1,5 μm et qui possède 500 gènes. Même après 30 000 ans de congélation, ce virus pouvait, une fois dégelé, infecter une amibe ! Comment ce virus, à l'instar de plusieurs autres, peut-il avoir une place dans l'arbre phylogénétique ? Voilà une question intrigante à laquelle il nous est encore impossible de répondre.

C'est parce que la relation continue entre les virus et le génome de leurs cellules hôtes est liée à l'évolution que les virus demeurent des systèmes expérimentaux si utiles en biologie moléculaire. Les connaissances sur les virus permettent également de nombreuses applications pratiques, étant donné leur capacité à causer des maladies chez tous les organismes.

RETOUR SUR LE CONCEPT 19.2

1. Comparez l'effet d'un phage lytique (virulent) et d'un phage lysogénique (tempéré) sur une cellule hôte.
2. **FAITES DES LIENS** ▶ Comparez le système CRISPR-Cas à celui des miARN abordé au concept 18.3, y compris leurs mécanismes et leurs fonctions.
3. **FAITES DES LIENS** ▶ Le virus à ARN décrit à la figure 19.8 possède une ARN polymérase virale qui fonctionne à l'étape 3 du cycle de réplication des virus. Comparez cette ARN polymérase à l'ARN polymérase cellulaire en termes de matrice et de fonction d'ensemble (voir la figure 17.10).
4. Pourquoi le VIH est-il qualifié de rétrovirus ?
5. **HABILETÉS VISUELLES** ▶ Examinez la figure 19.9 et imaginez que vous êtes un chercheur qui essaie de combattre le virus de l'immunodéficience humaine (VIH). Quels processus moléculaires tenteriez-vous de bloquer ?

Voir les réponses proposées à l'appendice A.

CONCEPT **19.3**

Les virus et les prions sont des agents pathogènes des animaux, des végétaux et d'autres organismes

Les maladies causées par les infections virales touchent les humains, les récoltes et le bétail partout dans le monde. D'autres entités, plus petites et moins complexes, nommées prions, provoquent également des maladies chez les animaux.

Les maladies virales chez les animaux

Une infection virale peut produire des symptômes par divers moyens. Les virus peuvent endommager ou tuer des cellules en provoquant la libération des enzymes hydrolytiques contenues dans les lysosomes. Certains induisent les cellules infectées à produire des toxines causant les symptômes de la maladie. D'autres encore possèdent des composants moléculaires toxiques (tels que les protéines de l'enveloppe). L'étendue des dégâts suscités par un virus dépend en partie de la capacité du tissu infecté à se régénérer par division cellulaire. Habituellement, nous nous remettons complètement d'un rhume parce que l'épithélium des voies respiratoires se reconstitue facilement de lui-même après une infection virale. Par contre, les lésions infligées par le poliovirus (un entérovirus) à des cellules nerveuses sont irréversibles parce que ces cellules ne se divisent pas et ne peuvent donc généralement pas être remplacées. De nombreux symptômes passagers qui accompagnent les infections virales (fièvre, douleurs) sont la conséquence des réactions de défense de l'organisme contre l'infection plutôt que de la mort des cellules causée par le virus.

Le système immunitaire est une composante complexe et essentielle des moyens de défense naturels de l'organisme (voir le chapitre 43). C'est sur l'intervention de ce système que repose le principe de la vaccination. (C'est l'un des principaux outils de prévention des maladies virales.) Les **vaccins** sont des variantes ou des dérivés inoffensifs d'un agent pathogène; ils stimulent le système immunitaire de façon à préparer sa défense contre l'agent pathogène nocif. La variole, une maladie qui a constitué pendant longtemps un terrible fléau dans de nombreuses régions du monde, a été éradiquée grâce à un programme de vaccination mené par l'Organisation mondiale de la Santé (OMS). L'étroitesse du spectre d'hôtes du virus de la variole (il ne s'attaque qu'aux humains) s'est avérée importante dans cette entreprise fructueuse. Des campagnes de vaccination semblables sont actuellement en voie d'éradiquer la poliomyélite et la rougeole. Il existe des vaccins efficaces contre la rubéole, les oreillons, l'hépatite B et bon nombre d'autres maladies virales.

Si les vaccins permettent de prévenir certaines maladies virales, la médecine actuelle ne réussit généralement pas à guérir les infections virales une fois qu'elles se sont déclenchées. Les antibiotiques, qui nous permettent de lutter contre les infections bactériennes, n'ont aucun effet sur les virus. Ces médicaments tuent les bactéries en inhibant les enzymes propres aux bactéries, mais ils ne peuvent bloquer les enzymes codées par un organisme eucaryote ou par un virus. Cependant, les quelques enzymes virales placées sous le contrôle du génome des virus ont fourni des cibles pour d'autres médicaments. La plupart des médicaments antiviraux ressemblent à des nucléosides, de sorte qu'ils empêchent la synthèse des acides nucléiques viraux. L'un de ces produits est l'acyclovir, qui empêche la réplication de l'herpèsvirus en inhibant la polymérase virale durant la synthèse de l'ADN du virus (l'acyclovir n'a que peu d'affinité pour la polymérase cellulaire, celle-ci n'est donc pas inhibée). De façon analogue, la zidovudine (ou azidothymidine, AZT) freine la réplication du VIH en entravant la synthèse de l'ADN par la transcriptase inverse. Au cours des 20 dernières années, des efforts considérables ont été consacrés à la mise au point de médicaments contre le VIH. Actuellement, on constate que les multithérapies, parfois appelées cocktails, sont considérées comme les plus efficaces. De tels traitements comprennent habituellement une combinaison de deux analogues de nucléosides et d'un inhibiteur de protéase qui interfère avec une enzyme requise pour l'assemblage de particules des virus. Parmi les autres traitements efficaces, on compte le maraviroc, un médicament qui bloque une protéine présente à la surface des cellules immunitaires et sur laquelle se fixe normalement le VIH (voir la figure 7.8). On a également utilisé ce médicament avec succès dans la prévention des infections chez les personnes qui présentent un risque élevé d'exposition au VIH ou qui y ont déjà été exposées.

Les nouveaux virus

On qualifie de *nouveaux virus* ceux qui semblent faire leur apparition soudainement. Le VIH, ou virus du sida, en est un exemple classique: ce virus, jusque-là inconnu, est apparu à San Francisco au début des années 1980, bien que des études postérieures aient permis de découvrir un cas au Congo belge, en 1959. Certains nouveaux virus causent une encéphalite (une inflammation du cerveau). On peut citer l'exemple du virus du Nil occidental, qui est apparu pour la première fois en Amérique du Nord en 1999 et s'est propagé dans les 48 États limitrophes des États-Unis. À l'heure actuelle, on compte plus de 40 000 cas d'infection par ce virus, et près de 2 000 décès.

Le virus Ebola (**figure 19.10a**), découvert en 1976 en Afrique centrale, est un nouveau virus qui cause une *fièvre hémorragique*, une affection souvent fatale caractérisée par de la fièvre, des vomissements, des hémorragies internes et externes ainsi qu'un collapsus cardiovasculaire. En 2014, l'OMS a dû déclarer une urgence sanitaire internationale après une importante flambée du virus Ebola en Afrique de l'Ouest. En juin 2015, cette infection, qui se centrait alors en Guinée, en Sierra Leone et au Libéria, a touché 27 000 personnes et 11 000 d'entre elles en sont mortes.

On peut également penser au virus Chikungunya (**figure 19.10b**), un virus transmis par les moustiques et causant une maladie aiguë accompagnée de fièvre, d'une éruption cutanée et d'une douleur articulaire persistante. Pendant longtemps, on a considéré le Chikungunya comme un virus tropical. Toutefois, le virus a maintenant fait son apparition dans le Nord de l'Italie et dans le Sud-Est de la France. Le virus Zika (**figure 19.10c**) est apparu plus récemment. En effet, on a observé une éclosion du virus Zika au printemps 2015, au Brésil. Les symptômes de l'infection par le virus Zika sont souvent bénins, mais le virus a vite suscité l'inquiétude des autorités en raison de l'augmentation marquée du nombre de cas de microcéphalie (petit cerveau) chez les enfants dont les mères ont été infectées par le virus. Le virus Zika appartient à la famille des *flavivirus* (comme le virus du Nil occidental). Il est transmis par

▼ **Figure 19.10** **Les nouveaux virus.**

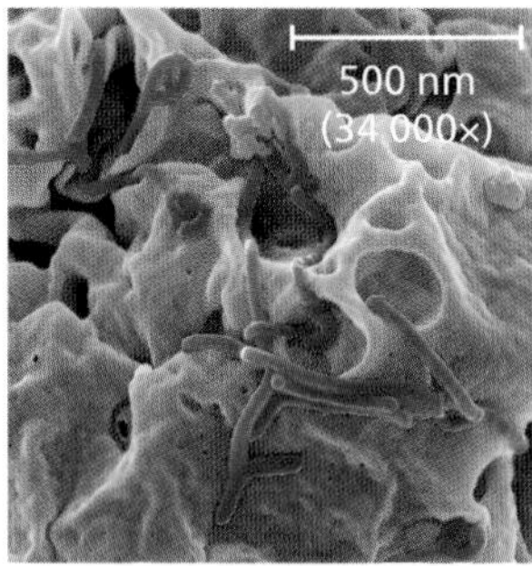

(a) Des **virus Ebola** bourgeonnant à la surface d'une cellule simienne (MEB colorisée).

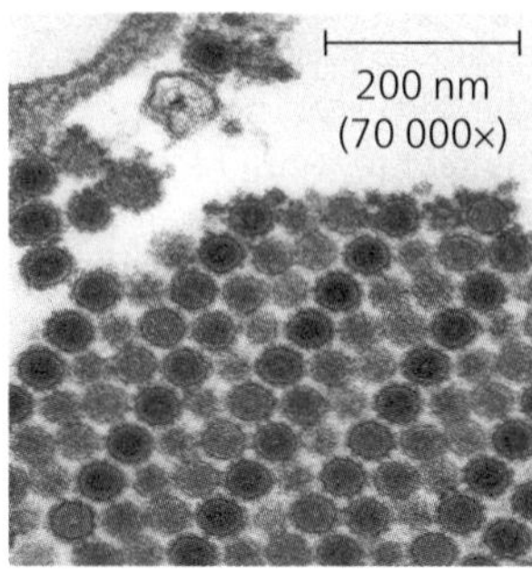

(b) Des **virus Chikungunya** émergeant d'une cellule et se regroupant dans la partie supérieure gauche (MET colorisée).

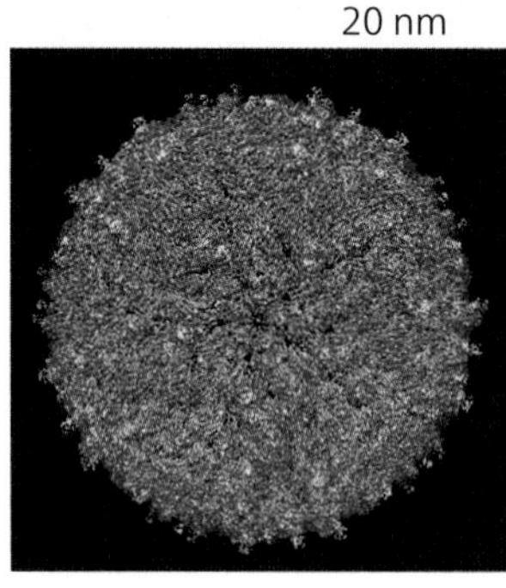

(c) Image informatisée d'un **virus Zika** obtenue à l'aide d'une technique connue sous le nom de cryomicroscopie électronique.

les moustiques et il infecte les neurones, ce qui menace particulièrement le développement du cerveau chez les fœtus. Étant donné les anomalies neurologiques associées au virus Zika et sa propagation dans 28 autres pays au début de 2016, l'OMS a déclaré qu'il s'agissait d'une urgence sanitaire internationale.

Différents types de grippes se manifestent sous forme d'éclosions. En avril 2009, une flambée générale, ou **épidémie**, d'une maladie semblable à la grippe est apparue au Mexique et aux États-Unis. L'agent infectieux a rapidement été identifié comme étant un virus de la grippe apparenté aux virus causant la grippe saisonnière. Ce virus particulier a été nommé H1N1 pour des raisons que nous expliquerons un peu plus loin. La maladie virale s'est propagée rapidement, forçant l'OMS à déclarer une épidémie à l'échelle mondiale, ou **pandémie**, peu de temps après. Six mois plus tard, la maladie avait atteint 207 pays, infectant plus de 600 000 personnes et en tuant près de 8 000.

Comment ces souches virales sont-elles apparues sur la scène humaine, engendrant des maladies graves autrefois plus rares, voire inconnues ? Trois phénomènes contribuent à l'émergence de maladies virales. Le premier, la mutation de virus existants, est peut-être le plus important. Les virus à ARN ont un taux de mutation exceptionnellement élevé, parce que les ARN polymérases virales n'effectuent pas la « correction d'épreuves » et ne corrigent pas les erreurs dans la réplication de leurs génomes d'ARN. Certaines mutations modifient les virus existants en nouvelles variantes génétiques (souches) capables de rendre malades des individus immunisés contre le virus ancestral. Par exemple, les épidémies de grippe saisonnière sont dues à de nouvelles souches de virus génétiquement assez différentes des souches précédentes ; c'est pourquoi l'immunité acquise lors d'infections grippales précédentes a peu d'effets sur les suivantes. Vous trouverez un exemple de ce phénomène dans l'exercice de la rubrique **Habiletés scientifiques** dans lequel vous devrez analyser les changements génétiques survenus dans différentes souches du virus de la grippe H1N1 pour ensuite établir un lien avec la propagation de la maladie.

Un deuxième phénomène qui peut conduire à l'émergence de maladies virales est la propagation d'une maladie virale à partir d'une petite population isolée. Par exemple, le sida est passé pratiquement inaperçu pendant des décennies avant qu'on l'identifie et qu'il se propage dans le monde entier. Cette maladie, qui était rare chez les humains, est devenue un fléau mondial sous l'influence de facteurs technologiques et sociaux (le prix abordable des voyages internationaux, les transfusions sanguines, la promiscuité sexuelle et la consommation de drogues par voie intraveineuse).

Une troisième source de nouvelles maladies virales chez les humains est la propagation de virus provenant d'autres espèces animales. Les chercheurs estiment que près des trois quarts des nouvelles maladies humaines sont d'abord apparues chez d'autres animaux. On dit que les animaux qui hébergent et peuvent transmettre un virus particulier sans en souffrir eux-mêmes constituent un réservoir naturel pour ce virus. Par exemple, le virus H1N1 à l'origine de la pandémie de grippe de 2009 que nous venons d'évoquer a probablement été transmis aux humains par les porcs ; c'est pour cette raison que cette maladie a d'abord été nommée « grippe porcine ».

En général, les épidémies de grippe fournissent un exemple riche en enseignements sur les effets des virus qui effectuent des passages entre les espèces. Il existe trois types de virus de la grippe : les types B et C, qui infectent seulement les humains et n'ont jamais causé d'épidémie, et le type A, qui infecte une gamme étendue d'animaux, dont les oiseaux, les porcs, les chevaux et les humains. Les souches de grippe A ont causé quatre épidémies importantes de grippe chez les humains au cours des 100 dernières années. La première a été la pire ; la pandémie de « grippe espagnole » de 1918-1919 a tué de 40 à 50 millions de personnes, dont de nombreux soldats de la Première Guerre mondiale.

Différentes souches de grippe A ont reçu des noms officiels ; par exemple, la souche qui a causé la grippe en 1918 et celle qui a causé la pandémie de 2009 ont été nommées H1N1. Cette dénomination permet de connaître les différents types d'hémagglutinine (H) et de neuraminidase (N), deux protéines que les virus de la grippe portent à leur surface. Il existe 16 différents types d'hémagglutinine, qui facilite l'attachement du virus aux cellules hôtes, et 9 types de neuraminidase, une enzyme qui aide à libérer de nouvelles particules virales des cellules infectées. On a trouvé des oiseaux aquatiques portant des virus pour chacune des combinaisons possibles de H et de N. Chaque année, on se base sur ces variations de l'hémagglutinine pour mettre au point les vaccins contre les souches les plus susceptibles de circuler l'année suivante.

DÉMARCHE SCIENTIFIQUE

HABILETÉS SCIENTIFIQUES

Analyser un arbre phylogénétique fondé sur les séquences : comprendre l'évolution d'un virus

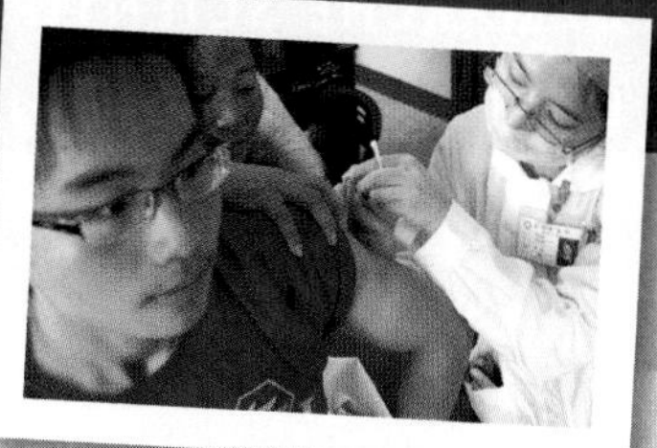

▶ **Vaccination contre la grippe H1N1.**

■ **COMMENT LES DONNÉES DES SÉQUENCES PEUVENT-ELLES ÊTRE UTILISÉES POUR SUIVRE L'ÉVOLUTION DU VIRUS DE LA GRIPPE ?** ■ En 2009, le virus de la grippe A H1N1 a causé une pandémie, et il a continué de ressurgir sous forme de flambées partout dans le monde. Des chercheurs taïwanais se sont donc demandé pourquoi le virus continuait de réapparaître malgré les vastes campagnes de vaccination. Ils ont formulé l'hypothèse que de nouvelles souches dérivées du virus H1N1 auraient échappé aux mécanismes de défense du système immunitaire humain. Pour valider cette hypothèse, ils devaient déterminer si chaque flambée de grippe était causée par une souche différente du virus H1N1.

■ **MÉTHODE** ■ Les chercheurs ont isolé les séquences du génome de 4 703 isolats viraux recueillis auprès de patients infectés par le virus de la grippe H1N1 en Taïwan. Ils ont comparé le gène codant pour l'hémagglutinine (H) dans les séquences des différentes souches et ils ont disposé les isolats dans un arbre phylogénétique compte tenu des mutations observées (voir la figure 26.5 pour obtenir des renseignements sur la façon d'interpréter les arbres phylogénétiques).

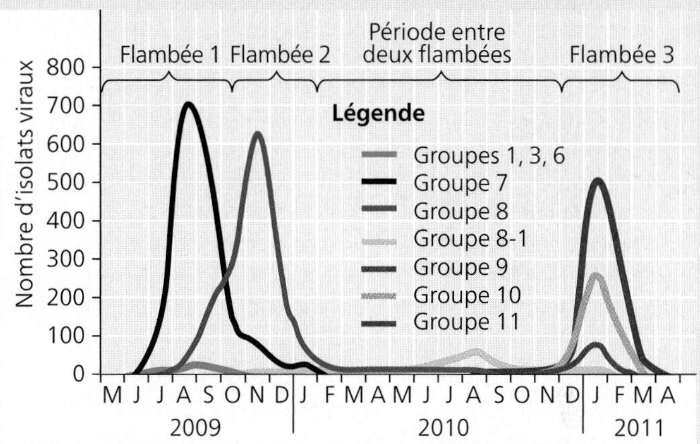

▲ **Les chercheurs ont représenté dans un diagramme le nombre d'isolats selon le mois et l'année du prélèvement afin d'illustrer la période d'activité de chaque souche virale.**

■ **RÉSULTATS** ■ Dans l'arbre phylogénétique, l'extrémité de chaque branche représente une souche distincte du virus de la grippe H1N1 possédant une séquence unique du gène codant pour l'hémagglutinine. L'arbre permet de visualiser une hypothèse de travail portant sur les liens entre les différentes souches de virus H1N1 relativement à leur évolution.

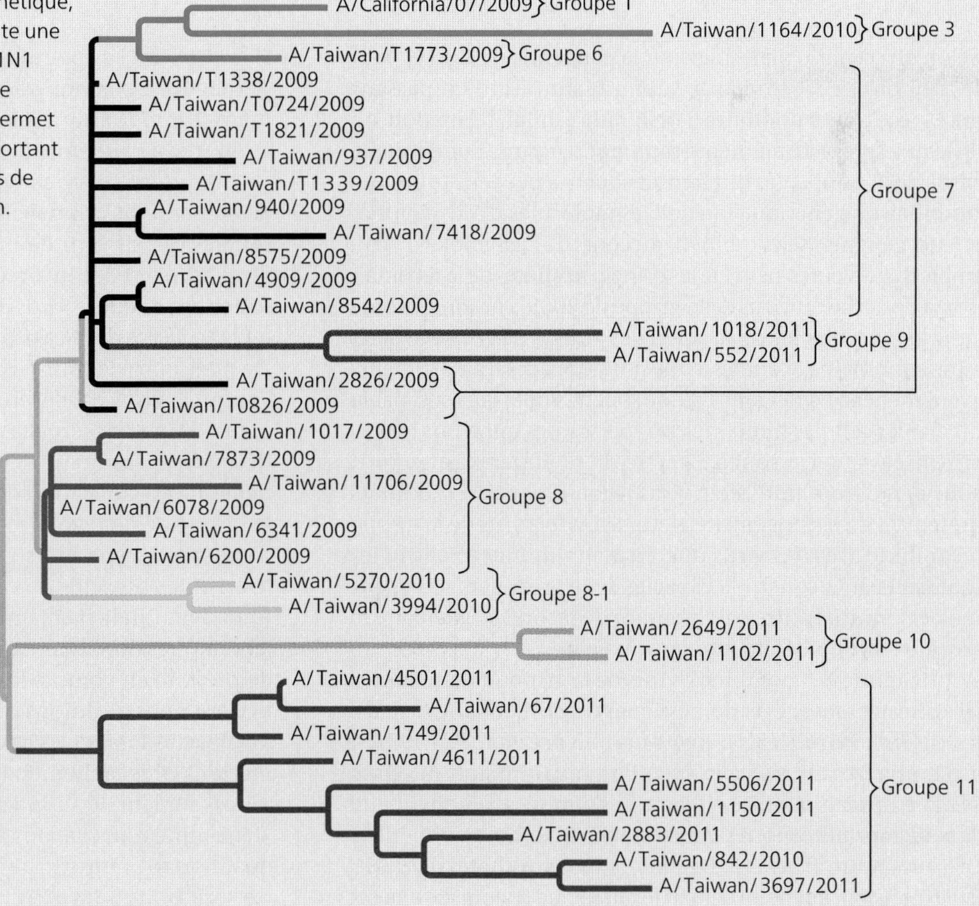

DÉMARCHE SCIENTIFIQUE

HABILETÉS SCIENTIFIQUES

Analyser un arbre phylogénétique fondé sur les séquences : comprendre l'évolution d'un virus (*suite*)

INTERPRÉTEZ LES DONNÉES ▼

1. L'arbre phylogénétique montre les liens présumés entre les différentes souches du virus H1N1 sur le plan de l'évolution. Plus le lien entre deux souches est étroit, plus la séquence du gène codant pour l'hémagglutinine des deux souches est similaire. Chaque fourche (nœud) d'une branche marque l'endroit où deux lignées se séparent en raison de l'accumulation de mutations. La longueur des branches permet de mesurer le nombre de différences dans la séquence des différentes souches, et donc de déterminer si elles sont étroitement ou vaguement apparentées. D'après l'arbre phylogénétique, quelles sont les souches le plus étroitement apparentées : A/Taiwan/1018/2011 et A/Taiwan/552/2011 ou A/Taiwan/1018/2011 et A/Taiwan/8542/2009 ? Expliquez votre réponse.
2. Les chercheurs ont disposé les branches de façon à former différents groupes constitués d'une souche ancestrale et de ses descendants (souches mutantes). Dans la figure, les souches sont présentées selon un code de couleurs. En utilisant le groupe 11 à titre d'exemple, tracez la lignée des souches mutantes. (a) Les nœuds ont-ils tous le même nombre de branches ou d'extrémités ? (b) Les branches du groupe ont-elles toutes la même longueur ? (c) Que démontrent ces résultats ?
3. Dans le diagramme, l'axe des *y* montre le nombre d'isolats prélevés (tous chez un patient malade), et l'axe des *x* indique le mois et l'année du prélèvement. Chaque groupe de souches distinctes est représenté séparément à l'aide d'une ligne dont la couleur correspond à celle du diagramme en arbre. (a) Quel groupe de souches a causé la première flambée de grippe H1N1 chez plus de 100 patients taïwanais ? (b) Une fois atteint le pic d'infections par les souches d'un même groupe, les membres de ce groupe ont-ils causé une autre flambée d'infections (ultérieurement) ? (c) Une souche du groupe 1 (en vert ; la branche la plus haute) a été utilisée pour mettre au point un vaccin distribué très rapidement pendant la pandémie. D'après les données du graphique, le vaccin s'est-il montré efficace ?
4. Les groupes 9, 10 et 11 étaient tous constitués de certaines souches du virus H1N1 ayant causé un grand nombre d'infections au même moment à Taïwan. Cela signifie-t-il que les chercheurs étaient dans l'erreur en formulant l'hypothèse que de nouvelles souches causent de nouvelles flambées d'infection ? Expliquez votre réponse.

Source des données : J.-R. Yang et coll., New variants and age shift to high fatality groups contribute to severe successive waves in the 2009 influenza pandemic in Taiwan, *PLoS ONE* 6(11) : e28288 (2011).

Selon un scénario plausible pour la pandémie de 1918 et pour celles qui ont suivi, le virus a subi une mutation en passant d'une espèce hôte à une autre. Lorsqu'un animal, tel un porc ou un oiseau, est infecté au même moment par plus d'une souche de virus de la grippe, les différentes souches peuvent subir une recombinaison génétique lorsque les molécules d'ARN composant leurs génomes se combinent au cours de l'assemblage viral. Il semble que les porcs aient été les principaux hôtes de la recombinaison à l'origine du virus de la grippe de 2009, car son génome comporte des séquences provenant des virus de la grippe aviaire, porcine et humaine. Couplés à une mutation, ces réassortiments peuvent mener à l'émergence d'une souche virale qui est capable d'infecter les cellules humaines. Les personnes qui n'ont jamais été exposées à cette souche particulière auparavant seront dépourvues d'immunité, et le virus recombinant possède alors un potentiel de pathogénicité élevé. Si un tel virus de la grippe se recombine avec des virus qui circulent librement parmi les humains, il peut acquérir la capacité de se propager facilement d'une personne à l'autre, augmentant de façon spectaculaire le potentiel d'une épidémie humaine majeure.

À long terme, les nombreux virus de la grippe aviaire portés par les oiseaux sauvages et domestiques constituent une menace potentielle. Le virus H5N1 en est un bon exemple ; en 1997, à Hong Kong, on a observé la première transmission du virus H5N1 aux humains par les oiseaux. Les données indiquent que le taux de mortalité global associé au virus H5N1 est supérieur à 50 %, un chiffre alarmant. De plus, le spectre d'hôtes de H5N1 est en expansion, augmentant par le fait même le nombre d'occasions favorisant le réassortiment de différentes souches de virus. Si le virus de la grippe aviaire H5N1 évolue de façon à pouvoir se propager de personne à personne, il pourrait représenter une menace importante à la santé dans le monde qui s'apparenterait à celle de la pandémie de 1918.

Comment cela peut-il se produire si facilement ? En 2011, des chercheurs qui travaillaient avec des furets, de petits mammifères qui servent de modèles animaux pour la grippe chez l'humain, ont découvert qu'il suffit de quelques mutations seulement pour que le virus de la grippe aviaire soit capable d'infecter les cellules de la cavité nasale et de la trachée chez l'humain. De plus, après le transfert des échantillons nasaux d'un furet à l'autre, le virus est devenu transmissible par voie aérienne. Au cours d'une conférence scientifique, la divulgation de cette découverte étonnante a suscité de vifs débats quant à la pertinence de la publication des résultats de la recherche. On a par la suite décidé de revoir les politiques fédérales régissant ce type d'expérience aux États-Unis. Il importe toutefois de soupeser les risques associés à la réalisation de ce type d'expériences (qu'adviendrait-il si le nouveau virus venait à s'échapper des laboratoires ou s'il tombait entre les mains de bioterroristes ?) et de prendre en compte les risques auxquels nous nous exposerions si nous décidions de ne pas effectuer de telles recherches (incapacité à traiter les infections par de nouveaux virus se transmettant plus facilement en raison d'un manque de connaissances sur leur développement).

Comme nous l'avons vu précédemment, les virus que nous qualifions de nouveaux ne sont pas véritablement « nouveaux ». Ce sont plutôt des virus préexistants qui subissent des mutations, se disséminent plus largement chez les espèces hôtes déjà touchées ou affectent de nouvelles espèces. Les modifications de l'environnement et celles du comportement des hôtes peuvent faciliter leur propagation. Par exemple, les nouvelles routes qui conduisent à des régions reculées permettent parfois à des virus d'atteindre des populations humaines jusque-là isolées les unes des autres. En outre, la destruction des forêts au profit des terres agricoles peut mettre certaines populations humaines en contact avec d'autres espèces animales pouvant héberger des virus susceptibles d'infecter les humains. Enfin, les mutations génétiques et les changements dans le spectre d'hôtes rendent possible la transmission des virus d'une espèce à l'autre. Nombre de virus, dont le Chikungunya dont il a été question précédemment, sont transmis par les moustiques. Au milieu des années 2000, la maladie causée par le virus du Chikungunya s'est propagée de façon foudroyante après que le virus eut subi une mutation lui permettant d'infecter non seulement les espèces de moustiques *Aedes aegypti*, mais également les espèces apparentées *Aedes albopictus*. Pour les autorités de santé publique, l'usage des insecticides et l'installation de moustiquaires au-dessus des lits sont des mesures essentielles pour prévenir les maladies transmises par les moustiques (**figure 19.11**).

Depuis peu, les scientifiques s'inquiètent des effets possibles des changements climatiques sur la transmission des virus dans le monde. Ainsi, la dengue, également transmise par les moustiques, est apparue en Floride et au Portugal, des régions où elle n'avait jamais été observée auparavant. On s'interroge sur la possibilité que les changements climatiques favorisent l'extension du territoire et de plus grandes interactions des espèces de moustiques porteuses de ces virus. En effet, ces contacts plus nombreux pourraient accroître le risque de mutations susceptibles de faciliter la transmission des virus à un nouvel hôte. Les chercheurs se penchent actuellement sur cette question en appliquant des modèles de changements sur ce que l'on connaît des exigences des espèces de moustiques en matière d'habitat.

▼ **Figure 19.11 Les moustiques en tant que vecteurs de la maladie.** Les moustiques transmettent des virus lorsqu'ils se nourrissent du sang infecté d'une personne pour ensuite piquer quelqu'un d'autre. Les moustiquaires sont un moyen de prévention important dans les régions touchées.

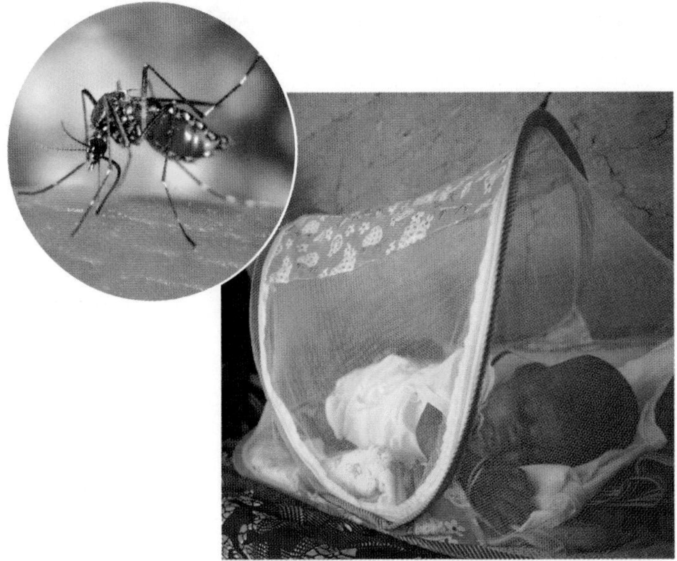

Les maladies virales chez les végétaux

Plus de 2 000 types de maladies virales connues s'attaquent aux végétaux ; dans le monde entier, on leur attribue des pertes annuelles évaluées à 15 milliards de dollars, en agriculture et en horticulture. Les symptômes communs d'une infection virale se manifestent par la décoloration ou le brunissement des feuilles ou des fruits, par des ralentissements de croissance ou par des lésions aux racines ; tous ces défauts finissent par diminuer le rendement et la qualité des récoltes (**figure 19.12**).

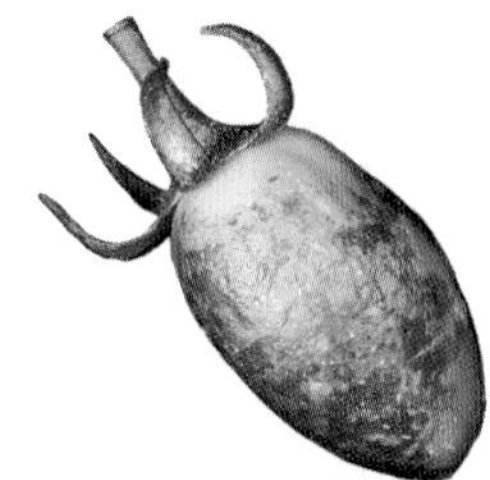

▲ **Figure 19.12 Tomate immature infectée par un virus.**

Les virus qui attaquent les végétaux possèdent la même structure de base et le même mode de réplication que les virus des animaux. La majorité d'entre eux, dont le virus de la mosaïque du tabac, possèdent un génome d'ARN. Beaucoup possèdent une capside hélicoïdale ; c'est le cas, par exemple, du virus de la mosaïque du tabac. D'autres ont une capside icosaédrique (voir la figure 19.3b).

Les maladies virales des végétaux se propagent principalement par deux voies : la transmission horizontale et la transmission verticale. La *transmission horizontale* est l'infection d'une plante par une source externe. Le virus envahisseur doit traverser la couche de cellules protectrices externes (l'épiderme) de la plante ; celle-ci est plus vulnérable aux infections virales si elle a été endommagée par le vent, le froid, une blessure ou des herbivores. Les herbivores, notamment les insectes (comme les pucerons), représentent une menace en partie parce qu'ils agissent aussi comme des vecteurs et qu'ils propagent une maladie virale d'une plante à une autre. De plus, les agriculteurs et les jardiniers eux-mêmes peuvent transmettre des virus de plantes involontairement, par l'intermédiaire de leurs sécateurs ou d'autres outils. Quant à la *transmission verticale*, elle se caractérise par la transmission de l'infection virale d'une plante à sa descendance. Elle peut également se produire lors de la reproduction asexuée (par les boutures, par exemple) ou lors de la reproduction sexuée par l'intermédiaire de semences infectées.

Une fois qu'un virus a pénétré dans une cellule végétale et qu'il a commencé à s'y répliquer, les génomes viraux et leurs protéines associées se répandent dans l'ensemble de la plante en passant par les plasmodesmes (les canaux cytoplasmiques qui traversent les parois entre les cellules végétales voisines) (voir la figure 36.19). Le passage de macromolécules virales d'une cellule à l'autre est facilité par les protéines codées par les gènes viraux qui provoquent l'élargissement de ces canaux. Les agronomes n'ont trouvé aucun remède contre la plupart des maladies virales touchant les végétaux. Par conséquent, ils cherchent surtout à empêcher leur propagation et à produire des variétés génétiques de cultures relativement résistantes à certains virus.

Les prions: des protéines infectieuses

Les virus étudiés dans ce chapitre sont des agents infectieux dont on connaît bien la capacité de réplication à partir d'un matériel génétique constitué d'acides nucléiques. Étonnamment, il existe également des *protéines* infectieuses appelées **prions**, qui semblent causer diverses maladies dégénératives du cerveau chez différentes espèces animales, dont la tremblante du mouton, l'encéphalopathie spongiforme bovine (la « maladie de la vache folle », qui a ravagé le secteur de l'élevage bovin en Europe au cours des dernières années) et la maladie de Creutzfeldt-Jacob chez les humains, responsable de la mort de 175 personnes au Royaume-Uni depuis 1996. Les prions peuvent être transmis par les aliments, par exemple lorsque des personnes consomment de la viande de bœuf provenant d'animaux atteints de la maladie de la vache folle. Le kuru, une autre maladie humaine causée par des prions, s'est manifesté au début du 20e siècle chez la peuplade des Fores du Sud de la Nouvelle-Guinée. Une épidémie de kuru a culminé dans les années 1960, laissant perplexes les scientifiques, qui ont d'abord cru à une susceptibilité génétique de la population. Cependant, des recherches anthropologiques ont finalement permis de découvrir le mode de transmission de la maladie, qui est relié aux rites anthropophagiques, une pratique répandue à cette époque chez les indigènes des Fores.

Deux caractéristiques des prions sont particulièrement inquiétantes. La première est leur action très lente ; la période d'incubation avant l'apparition des symptômes s'élève à au moins dix ans. Cette longue période d'incubation empêche les sources d'infection d'être identifiées après l'apparition du premier cas, ce qui favorise pendant longtemps la transmission de l'infection et l'augmentation du nombre de cas. La deuxième caractéristique alarmante est le fait que les prions sont à peu près indestructibles ; l'exposition à des températures normales de cuisson ne peut ni les détruire ni les désactiver. À ce jour, il n'existe aucun remède connu contre les maladies à prion ; la stratégie pour trouver des traitements efficaces repose d'abord sur la compréhension du mécanisme de l'infection. Les méthodes de recherche sur les prions évoluent sans cesse ; par exemple, en 2005, des chercheurs ont mis au point une technique faisant appel à la culture de cellules nerveuses, ce qui permet d'étudier les prions *in vitro* plutôt que *in vivo*, et d'obtenir des résultats beaucoup plus rapidement.

Comment une protéine incapable de se répliquer peut-elle devenir un agent pathogène transmissible ? Selon le modèle le plus plausible, un prion est une variante mal configurée d'une protéine normalement présente dans les cellules du cerveau. Lorsqu'il pénètre dans une cellule contenant une protéine sous sa configuration normale, un prion transforme les molécules de cette protéine normale en prion. Plusieurs prions se regroupent alors en un complexe capable de transformer d'autres protéines normales en prions qui se joignent à la chaîne (**figure 19.13**). L'agrégation des prions interfère avec les fonctions cellulaires normales et cause les symptômes de la maladie. Ce modèle a été reçu avec beaucoup de scepticisme quand il a été proposé la première fois par Stanley Prusiner au début des années 1980, mais il est aujourd'hui largement accepté. Prusiner a reçu un prix Nobel en 1997 pour ses travaux sur les prions. Récemment, il a formulé l'hypothèse que les prions jouent également un rôle dans les maladies dégénératives comme les maladies d'Alzheimer et de Parkinson. Quoi qu'il en soit, ces petits agents infectieux nous laissent encore plusieurs questions sans réponse.

RETOUR SUR LE CONCEPT 19.3

1. Décrivez deux façons pour un virus préexistant de devenir un nouveau virus.
2. Comparez la transmission horizontale et la transmission verticale des virus chez les végétaux.
3. **ET SI ?** ▶ Le virus de la mosaïque du tabac a été retrouvé dans à peu près tous les produits commerciaux du tabac. Pourquoi, alors, ce virus n'est-il pas un danger supplémentaire pour les fumeurs ?

Voir les réponses proposées à l'appendice A.

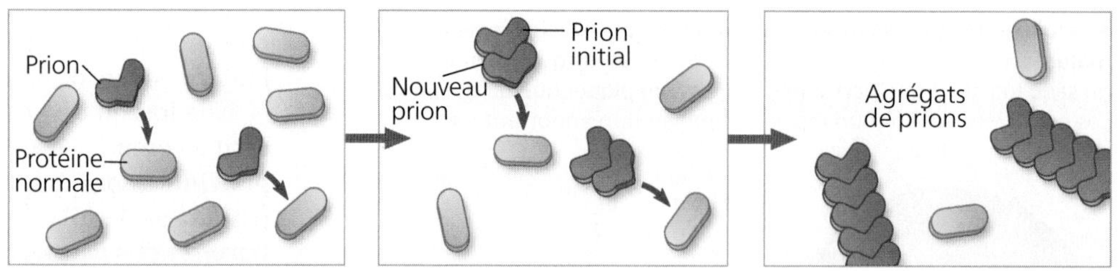

▶ **Figure 19.13 Le modèle du mode de propagation des prions.** Les prions sont des variantes mal configurées de protéines cérébrales normales. Lorsqu'il entre en contact avec une version normale de la même protéine, un prion la contraint à prendre la forme anormale qui le caractérise. Le nouveau prion transforme à son tour une autre protéine, et ainsi de suite. La réaction en chaîne ainsi amorcée peut se poursuivre jusqu'à ce que des taux élevés d'agrégation de prions entravent le fonctionnement des cellules et aboutissent à la dégénérescence du cerveau.

RÉVISION DU CHAPITRE 19

Consultez votre MANUEL NUMÉRIQUE, qui vous donne accès aux **animations**, aux **exercices** et à la plateforme d'**anatomie interactive**.

Résumé des concepts clés

CONCEPT 19.1

Un virus est constitué essentiellement d'acide nucléique entouré d'une coque de protéines (p. 436 à 438)

- Les chercheurs ont découvert les virus à la fin du 19e siècle alors qu'ils étudiaient une maladie des plantes, la maladie de la mosaïque du tabac.
- Un **virus** est constitué d'un petit génome d'acide nucléique enfermé dans une **capside** de protéines et, parfois, recouvert d'une enveloppe membraneuse. Le génome peut être formé d'ADN monocaténaire ou bicaténaire, ou encore d'ARN monocaténaire ou bicaténaire.

? Les virus sont-ils généralement considérés comme des organismes vivants ou non vivants ? Expliquez votre réponse.

CONCEPT 19.2

Les virus ne peuvent se répliquer qu'à l'intérieur de cellules hôtes (p. 438 à 446)

- Les virus se répliquent à l'aide des enzymes, des ribosomes et des petites molécules de leur cellule hôte.
- Chaque type de virus a un **spectre d'hôtes** qui lui est propre et qui peut varier selon la présence ou l'absence de protéines de surface auxquelles peuvent se lier les protéines de surface virales.
- Les **phages** (virus qui infectent les bactéries) peuvent se répliquer par deux mécanismes possibles : le **cycle lytique** et le **cycle lysogénique**.

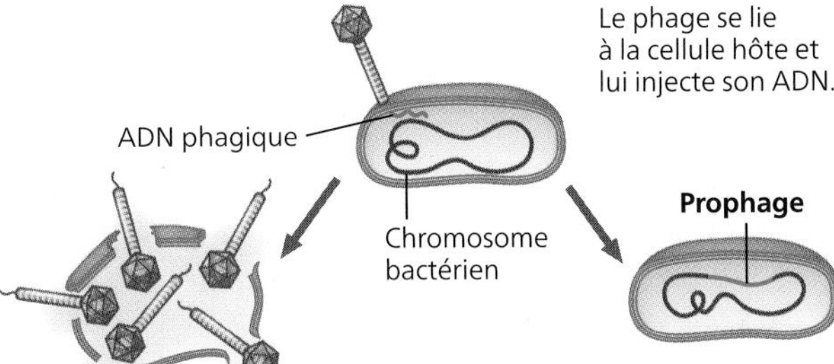
Le phage se lie
à la cellule hôte et
lui injecte son ADN.
ADN phagique
Chromosome
bactérien
Prophage

Cycle lytique
- **Phage virulent** ou **tempéré**
- Destruction de l'ADN de l'hôte
- Production de nouveaux phages
- La lyse de la cellule hôte cause la libération de phages descendants.

Cycle lysogénique
- **Phage tempéré** seulement
- Le génome s'insère dans le chromosome bactérien comme **prophage**, qui
  (1) est répliqué et passe aux cellules filles et
  (2) peut être induit à quitter le chromosome et à amorcer le cycle lytique.

- Les bactéries disposent de différents mécanismes pour se défendre contre les infections par des phages, dont le système CRISPR-Cas.
- De nombreux virus parasites des animaux sont pourvus d'une enveloppe. Les **rétrovirus** (comme le **VIH**) transcrivent leur génome d'ARN en ADN. Ils le font à l'aide de l'enzyme nommée **transcriptase inverse**. L'ADN peut ensuite s'insérer dans le génome de l'hôte sous forme de **provirus**.
- Étant donné qu'ils ne peuvent se répliquer qu'à l'intérieur de cellules, les virus sont probablement apparus après les premières cellules, peut-être sous la forme de fragments d'acides nucléiques cellulaires entourés d'une coque.

? Décrivez les enzymes que l'on ne rencontre pas dans la plupart des cellules, mais qui sont nécessaires à la réplication de virus de certains types.

CONCEPT 19.3

Les virus et les prions sont des agents pathogènes des animaux, des végétaux et d'autres organismes (p. 447 à 452)

- Les symptômes de l'infection virale d'une cellule résultent de l'action directe des virus ou sont la conséquence d'une réaction du système immunitaire de l'organisme. Les **vaccins** antiviraux stimulent les mécanismes de défense de l'hôte contre une infection par le virus correspondant.
- Une **épidémie** (vaste flambée) peut devenir une **pandémie**, soit une épidémie mondiale.
- L'émergence de maladies virales chez les humains n'est généralement pas causée par de nouveaux virus, mais plutôt par des virus préexistants qui ont étendu leur spectre d'hôtes. Le virus de la grippe H1N1 de 2009 était une combinaison nouvelle de gènes viraux porcins, humains et aviaires qui a causé une pandémie. Le virus de la grippe aviaire H5N1 a le potentiel de causer une pandémie de grippe hautement mortelle.
- Les virus pénètrent dans les cellules végétales par la paroi cellulaire endommagée (transmission horizontale) ou bien ils sont hérités d'un parent (transmission verticale).
- Les **prions** sont des protéines infectieuses pratiquement indestructibles qui agissent lentement. Ils provoquent des maladies du cerveau chez les mammifères.

? Quelle caractéristique d'un virus à ARN le rend plus susceptible qu'un virus à ADN de devenir un nouveau virus ?

Évaluation

NIVEAU 1 : CONNAISSANCES ET COMPRÉHENSION

1. Quel composant ou quel mécanisme parmi les suivants est commun aux bactéries et aux virus ?
   a) Le métabolisme.
   b) Les ribosomes.
   c) Un matériel génétique constitué d'acide nucléique.
   d) La division cellulaire.

2. Les « nouveaux » virus apparaissent par :
   a) mutation des virus existants.
   b) propagation des virus existants à de nouvelles espèces hôtes.
   c) la propagation plus générale de virus existant dans l'espèce hôte.
   d) Toutes les réponses ci-dessus.

3. Pour causer une pandémie humaine, le virus de la grippe aviaire H5N1 doit :
   a) se propager aux primates comme les chimpanzés.
   b) se développer en virus avec un spectre d'hôtes différent.
   c) devenir capable de transmission interhumaine.
   d) devenir beaucoup plus pathogène.

NIVEAU 2 : **APPLICATION ET ANALYSE**

4. Une bactérie est infectée par un bactériophage assemblé à partir de la coque protéique d'un phage T2 et de l'ADN d'un phage T4. Les nouveaux phages produits dans la cellule hôte posséderaient :
a) les protéines de T2 et l'ADN de T4.
b) les protéines de T4 et l'ADN de T2.
c) les protéines de T2 et l'ADN de T2.
d) les protéines de T4 et l'ADN de T4.

5. Les virus à ARN ont besoin d'avoir leur propre provision de certaines enzymes, parce que :
a) la cellule hôte détruit rapidement les virus.
b) les cellules hôtes sont dépourvues des enzymes intervenant dans la réplication du génome viral.
c) ces enzymes virales traduisent l'ARNm viral en protéines.
d) ces enzymes virales traversent les membranes de la cellule hôte.

6. **FAITES UN DESSIN ▶** Redessinez la figure 19.8 pour montrer le cycle de réplication d'un virus ayant un génome monocaténaire qui peut jouer le rôle d'ARNm (un virus de classe IV).

Voir les réponses proposées à l'appendice A.

Les outils génétiques et la biotechnologie

20

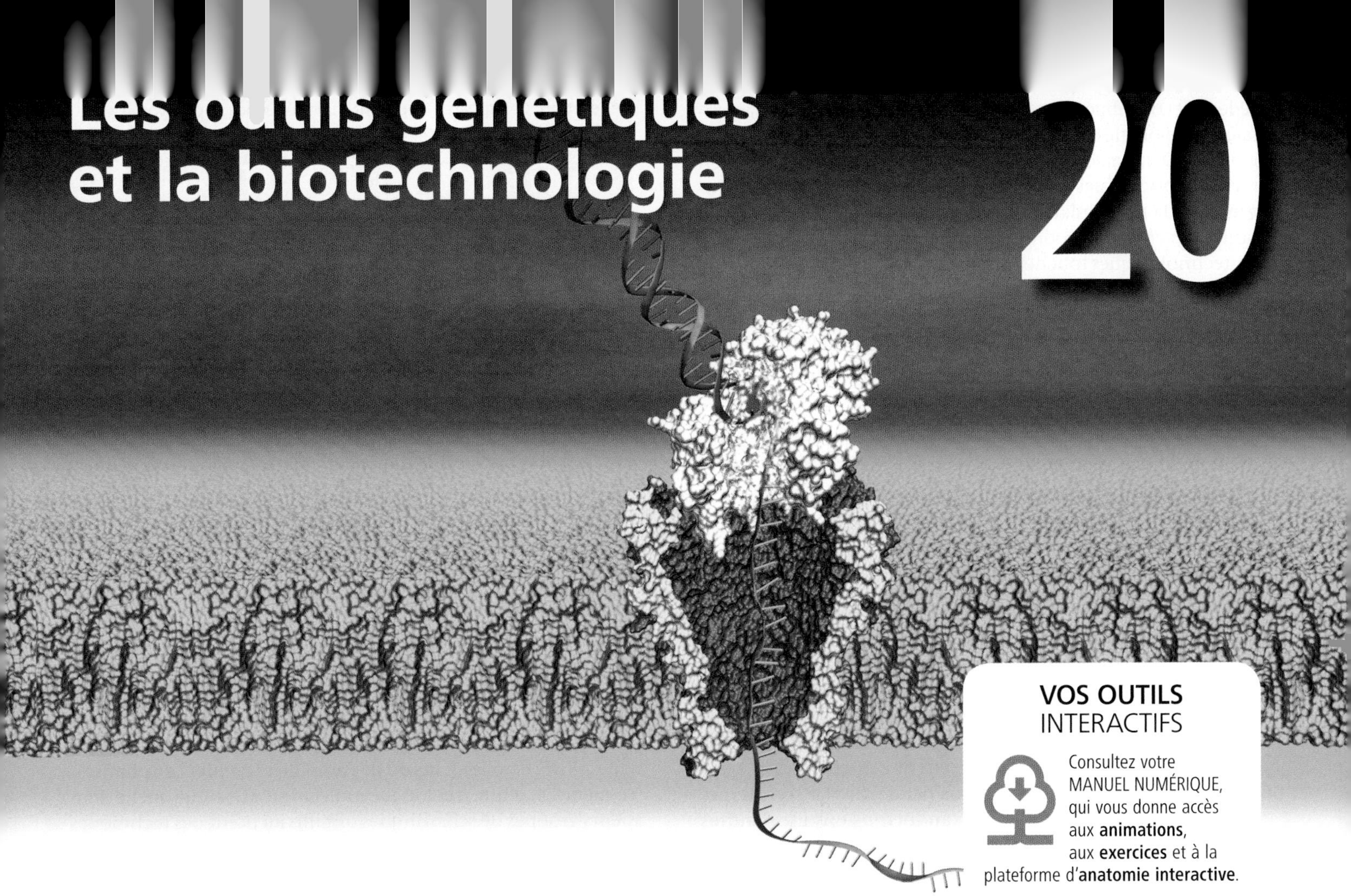

VOS OUTILS INTERACTIFS

Consultez votre MANUEL NUMÉRIQUE, qui vous donne accès aux **animations**, aux **exercices** et à la plateforme d'**anatomie interactive**.

▲ **Figure 20.1 Comment la technique représentée dans ce modèle nous permet-elle d'améliorer le séquençage du génome ?**

CONCEPTS CLÉS

20.1 Le séquençage et le clonage de l'ADN sont des procédés fort utiles au génie génétique et à la recherche en biologie

20.2 Les biotechnologies permettent d'étudier l'expression et la fonction d'un gène

20.3 Les organismes clonés et les cellules souches servent à la recherche fondamentale et à d'autres applications

20.4 Les applications de la biotechnologie influent sur nos vies de diverses façons

◀ **Le mammouth laineux est un animal disparu dont le génome a été séquencé à partir de restes momifiés.**

La boîte à outils biotechnologiques

Depuis environ 10 ans, des avancées extraordinaires ont été réalisées en biologie, dont le séquençage complet de l'ADN de plusieurs espèces disparues, y compris le mammouth laineux (voir ci-dessous), le néandertalien et un cheval vieux de 700 000 ans. Sans le séquençage du génome humain, parachevé en 2003, de tels accomplissements auraient été impossibles. Il s'agit en effet d'un tournant décisif qui a ouvert la voie à de prodigieuses avancées scientifiques et technologiques.

Il a fallu plusieurs années et 1 milliard de dollars pour analyser la première séquence du génome humain. Depuis, la durée et le coût du séquençage n'ont fait que diminuer. La **figure 20.1** illustre une technique de séquençage qui consiste à faire passer, un par un, les nucléotides d'un seul brin d'ADN à travers une membrane, par un pore minuscule, puis à analyser les légères variations de courant électrique causées par cette manipulation pour établir la séquence nucléotidique. D'après les scientifiques qui ont mis au point cette technique, que nous décrirons en détail plus loin dans ce chapitre, il ne faudra que 6 heures environ pour séquencer un génome humain à l'aide d'un appareil d'environ 900 $ et de la taille d'un paquet de gomme à mâcher.

Dans ce chapitre, nous décrirons d'abord les principales techniques utilisées pour le séquençage et la manipulation de l'ADN – des procédés en biotechnologie – et les méthodes d'analyse de l'expression génétique. Nous traiterons ensuite des progrès accomplis dans le domaine du clonage des organismes et de la production des cellules souches, et nous verrons comment ces deux procédés ont contribué à enrichir notre compréhension fondamentale de la biologie et à en tirer parti pour résoudre des problèmes globaux. Dans la dernière partie du chapitre, nous passerons en revue les principales applications pratiques des **biotechnologies**, soit la manipulation des organismes ou de leurs composants pour créer des produits utiles. De nos jours, les applications biotechnologiques touchent tous les domaines, qu'il s'agisse de l'agriculture, du droit criminel ou de la recherche médicale. Enfin, nous nous pencherons sur certaines questions sociales et éthiques découlant de la présence de plus en plus grande des biotechnologies dans nos vies.

CONCEPT **20.1**

Le séquençage et le clonage de l'ADN sont des procédés fort utiles au génie génétique et à la recherche en biologie

Le séquençage de l'ADN et d'autres techniques utilisées aujourd'hui en recherche biologique n'auraient pu être mis au point sans la découverte de la structure de l'ADN, et plus particulièrement de la complémentarité de ses deux brins. En effet, l'**hybridation des acides nucléiques**, soit l'appariement d'un brin d'acide nucléique avec la séquence complémentaire d'un deuxième brin, est au cœur de ces techniques. Dans cette section, nous commencerons par décrire les techniques de séquençage de l'ADN. Nous examinerons ensuite d'autres méthodes importantes utilisées en **génie génétique**, soit la manipulation directe des gènes à des fins utilitaires.

Le séquençage de l'ADN

Les chercheurs appliquent le principe de l'appariement des bases complémentaires pour procéder au **séquençage de l'ADN**, une opération qui permet d'établir la séquence nucléotidique complète d'une molécule d'ADN. L'ADN est d'abord découpé en fragments, qui sont ensuite séquencés. Le premier procédé automatisé est une technique appelée *séquençage par terminaison de chaîne de Sanger* (ou *séquençage didésoxy*). Dans cette technique, un brin provenant d'un fragment d'ADN sert de matrice pour synthétiser un ensemble imbriqué de fragments complémentaires ; on analyse ensuite ces fragments plus en détail pour en déterminer la séquence. Le biochimiste Frederick Sanger a obtenu un prix Nobel en 1980 pour la mise au point de cette méthode. Le séquençage didéoxy est toujours utilisé pour les tâches courantes de séquençage d'ADN à petite échelle.

Au cours des 15 dernières années, on a mis au point des techniques beaucoup plus rapides qui font appel à des appareils de nouvelle génération (**figure 20.2**). Les fragments d'ADN sont d'abord amplifiés (copiés) pour produire un très grand nombre de fragments identiques (**figure 20.3**). Un brin spécifique de chaque fragment est immobilisé, puis le brin complémentaire est synthétisé, un nucléotide à la fois. Grâce à un procédé chimique ingénieux, des moniteurs électroniques peuvent préciser, en temps réel, lequel des quatre nucléotides est ajouté ; cette méthode est connue sous le nom de *séquençage par synthèse*. Il est ainsi possible de séquencer simultanément des milliers voire des centaines de milliers de fragments comptant chacun

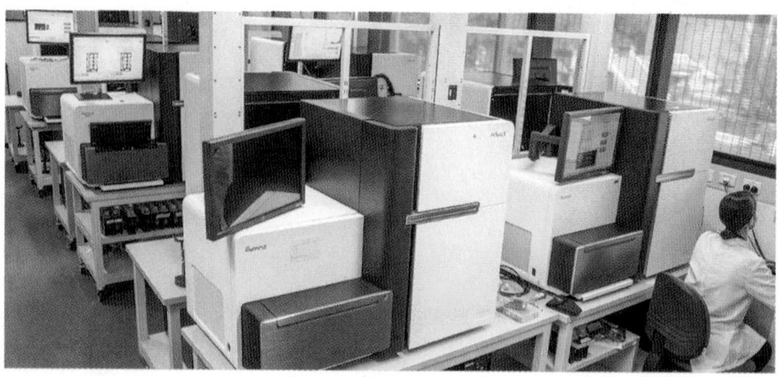

▼ **Figure 20.2 Des appareils de séquençage de nouvelle génération.** Ces appareils reposent sur le séquençage par synthèse et permettent de séquencer de 70 à 90 millions de nucléotides en une heure.

environ 300 nucléotides dans des appareils comme celui de la figure 20.2. C'est un exemple de technique de séquençage de l'ADN à haut débit, car elle permet de séquencer rapidement une très grande quantité de nucléotides. Il s'agit actuellement de la méthode privilégiée pour les études qui exigent le séquençage de quantités phénoménales d'échantillons d'ADN, notamment la multitude de fragments que constitue un génome entier.

Il est de plus en plus fréquent de compléter ou, dans certains cas, de remplacer une technique de séquençage par une autre plus récente, chaque nouvelle technique se montrant plus rapide et moins onéreuse que la précédente. Avec certaines des nouvelles méthodes, il n'est plus nécessaire de découper une molécule d'ADN en fragments ou de l'amplifier : on procède plutôt au séquençage d'une très longue molécule d'ADN telle quelle. Plusieurs groupes de scientifiques ont mis au point des techniques permettant de déplacer un brin d'ADN à travers une membrane, par un pore de très petite taille (un nanopore). De tels procédés permettent d'identifier les bases une par une en se fondant sur la façon distincte dont chacune interrompt un courant électrique. La figure 20.1 présente un modèle de ce concept, dans lequel le pore est un canal protéique ancré dans une membrane lipidique. (D'autres chercheurs utilisent des membranes et des nanopores artificiels.) Le premier séquenceur d'ADN par nanopore a fait son entrée sur le marché en 2015, après avoir été testé durant un an par les scientifiques. L'appareil, de la taille d'un bonbon, se connecte à un ordinateur par un port USB. Le logiciel qui lui est associé permet une identification et une analyse de séquence instantanées. Il s'agit là d'une des nombreuses méthodes actuelles qui accélère le séquençage de l'ADN et en diminue le coût. De plus, ces procédés peuvent maintenant être utilisés sur le terrain, c'est-à-dire à l'extérieur des laboratoires.

Grâce à l'amélioration des techniques de séquençage de l'ADN, les scientifiques n'abordent plus de la même façon les questions biologiques fondamentales concernant l'évolution et le fonctionnement de la vie (voir la figure 5.26, Faites des liens). Un peu plus de 15 ans se sont écoulés depuis l'annonce du séquençage du génome humain ; aujourd'hui, les chercheurs ont séquencé des milliers de génomes et des dizaines de milliers d'autres le seront bientôt. De plus, on connaît maintenant le génome complet des cellules de différents types de cancers, de même que celui de certains de nos ancêtres humains et de plusieurs bactéries qui vivent dans l'intestin humain. Au chapitre 21, vous en apprendrez plus sur la façon dont les avancées rapides dans le séquençage de l'ADN ont révolutionné notre étude de l'évolution des espèces et du génome. Pour l'instant, voyons comment on étudie les gènes individuels.

DÉMARCHE SCIENTIFIQUE

MÉTHODE DE RECHERCHE

▼ **Figure 20.3**

Le séquençage par synthèse : un séquençage de nouvelle génération

■ **APPLICATION** ■ Chaque fragment utilisé dans le cadre des techniques actuelles de séquençage de nouvelle génération compte environ 300 nucléotides; en séquençant les fragments simultanément, il est possible de séquencer près de 2 milliards de nucléotides sur une période de 24 heures.

■ **TECHNIQUE** ■ Voir les étapes numérotées et les schémas correspondants.

■ **RÉSULTATS** ■ Chaque puits de la plaque multipuits, qui compte 2 millions de puits, contient un fragment différent et produit une séquence différente. Les résultats obtenus pour un seul fragment sont présentés dans le diagramme ci-dessous. Les séquences de l'ensemble des fragments sont analysées à l'aide d'un logiciel qui les « raccorde » pour former une séquence complète (dans le cas présent, un génome entier).

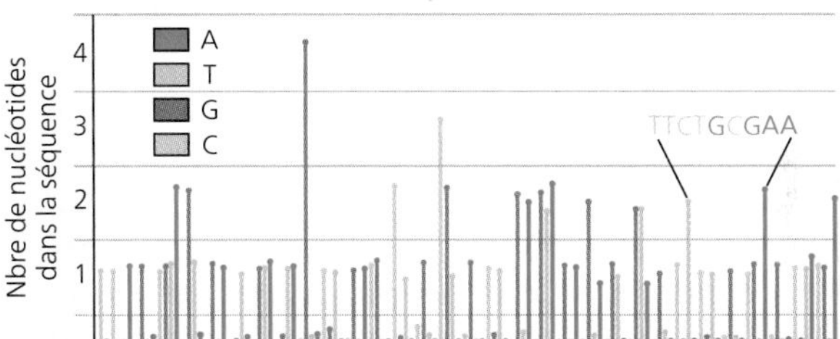

INTERPRÉTEZ LES DONNÉES ▶ Si le brin matrice possède deux ou plusieurs nucléotides identiques consécutifs, les nucléotides complémentaires s'ajouteront l'un après l'autre à la même étape. Comment peut-on cibler deux ou plusieurs nucléotides identiques (consécutifs) dans un diagramme? (Voir l'exemple à droite sur le diagramme.) Écrivez la séquence des 25 premiers nucléotides du diagramme ci-dessus en commençant par la gauche. (Ignorez les bandes très courtes.)

❶ L'ADN génomique est fragmenté et les fragments de 300 paires de bases sont sélectionnés.

❷ Chaque fragment est isolé au moyen d'une bille placée dans une goutte de solution aqueuse.

❸ Le fragment est copié à répétition à l'aide d'une technique communément appelée PCR (voir plus loin dans ce chapitre). Toutes les extrémités 5′ d'un brin sont capturées, de façon spécifique, par la bille. Ultimement, la bille retient 10^6 copies identiques du même brin, qui sera utilisé comme matrice.

❹ La bille est placée dans un petit puits avec des ADN polymérases et des amorces pouvant hybrider à l'extrémité 3′ du brin unique (matrice).

ADN poly-mérase

Brin matrice d'ADN

5′ 3′ 3′ 5′

Amorce

A T G C

❺ Une seule plaque multipuits compte 2 millions de puits, chacun contenant un fragment d'ADN distinct à séquencer. On ajoute dans tous les puits une solution incluant l'un des quatre nucléotides nécessaires à la synthèse de l'ADN (triphosphate de désoxyribonucléotide, ou dNTP), puis on rince. On effectue cette étape successivement pour les quatre nucléotides : dATP, dTTP, dGTP et dCTP. On répète ensuite le processus entier.

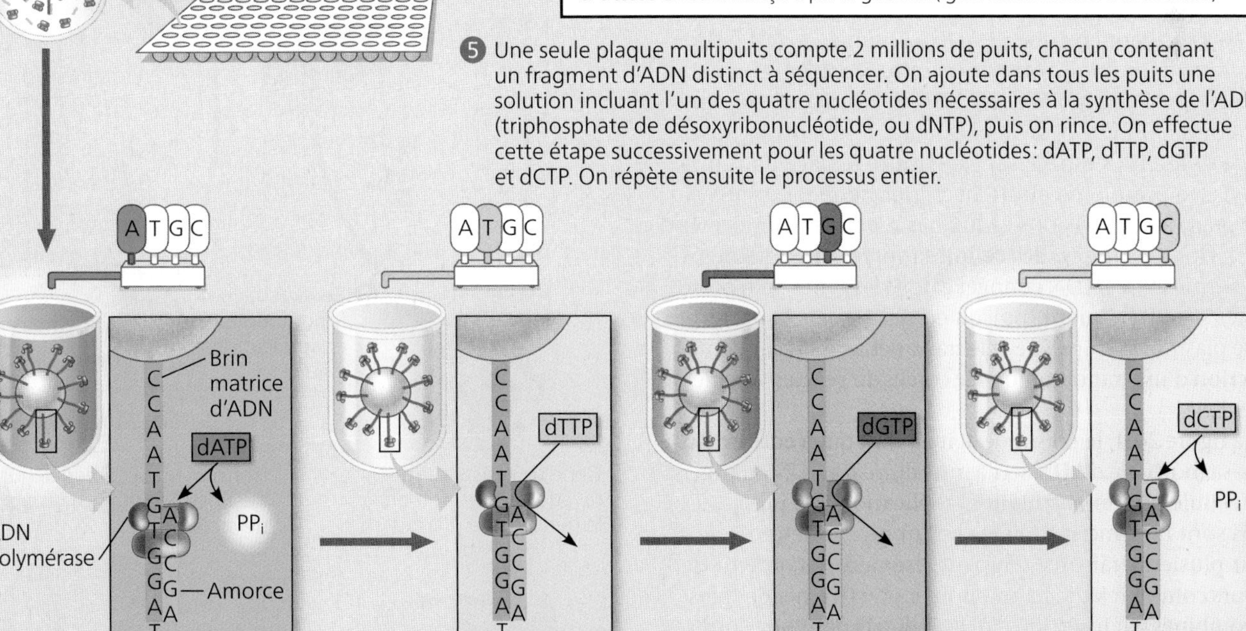

❻ Dans chacun des puits, si la base suivante sur le brin matrice (T, dans cet exemple) est complémentaire au nucléotide ajouté (ici, A), le nucléotide se joint au brin en croissance, ce qui libère un PP_i. Un signal lumineux est alors émis et enregistré.

❼ Le nucléotide est rincé et un autre nucléotide (ici, dTTP) vient s'ajouter. Si le nucléotide n'est pas complémentaire à la base suivante sur le brin matrice (ici, G), il ne se joindra pas au brin et aucun signal lumineux ne sera émis.

❽ On répète le processus qui consiste à ajouter et à rincer les quatre nucléotides jusqu'à ce que tous les fragments disposent d'un brin complémentaire complet. Le schéma des signaux lumineux met en évidence la séquence du fragment original dans chaque puits.

La production d'un grand nombre de copies d'un gène ou d'un autre segment d'ADN

Quand un biologiste moléculaire étudie un gène donné ou un groupe de gènes, la longueur des molécules naturelles d'ADN et la présence de centaines voire de milliers de gènes sur une même molécule compliquent son travail. En outre, dans de nombreux génomes eucaryotes, les gènes codant pour une protéine n'occupent parfois qu'une petite proportion de l'ADN du chromosome, le reste étant constitué de séquences nucléotidiques non codantes. Un gène humain, par exemple, représente parfois seulement le 1/100 000e de la molécule d'ADN d'un chromosome. Pour compliquer les choses encore un peu plus, le gène lui-même et l'ADN voisin ne se distinguent que par de subtiles différences touchant les séquences nucléotidiques. Pour pouvoir travailler directement sur des gènes bien précis, les scientifiques ont mis au point des méthodes qui leur permettent d'obtenir un grand nombre de copies identiques de segments d'ADN spécifiques ; ce processus est nommé **clonage** de l'ADN.

La plupart des méthodes de clonage de segments d'ADN utilisées en laboratoire ont un certain nombre de caractéristiques communes. Une technique courante fait appel aux bactéries, le plus souvent *Escherichia coli* (*E. coli*). Comme nous l'avons vu à la figure 16.12, le chromosome d'*E. coli* se compose d'une grosse molécule d'ADN circulaire. De plus, *E. coli* et de nombreuses autres bactéries contiennent aussi des **plasmides**, de petites molécules circulaires d'ADN qui se répliquent séparément. Un plasmide ne possède qu'un petit nombre de gènes. Même si ces gènes ne sont pas essentiels à la survie ou à la reproduction de la bactérie en général, ils peuvent lui être utiles quand celle-ci se trouve dans des conditions particulières.

Pour cloner des fragments d'ADN en laboratoire à l'aide de bactéries, les chercheurs commencent par récupérer un plasmide d'une cellule bactérienne et le modifient pour faciliter le clonage. Ils y insèrent ensuite un ADN « étranger », c'est-à-dire un ADN provenant d'une autre source (**figure 20.4**). Le plasmide devient ainsi une molécule d'**ADN recombiné**, soit une molécule contenant l'ADN de deux sources différentes, le plus souvent de différentes espèces. Il est ensuite replacé dans une bactérie. Cette première cellule bactérienne recombinée se multiplie grâce à des divisions cellulaires répétées pour former une population de clones, des cellules toutes génétiquement identiques entre elles. L'ADN étranger et tous les gènes qu'il porte sont clonés simultanément, puisqu'en se divisant la bactérie réplique le plasmide recombiné et le transmet à ses descendants. La production d'un grand nombre de copies du gène est appelée *clonage génique*.

Dans la figure 20.4, le plasmide agit en tant que **vecteur du clonage** ; sa molécule d'ADN sert à introduire un ADN étranger dans une cellule hôte en facilitant sa réplication. Les plasmides bactériens sont largement utilisés en tant que vecteurs de clonage pour plusieurs raisons. On peut aisément les obtenir de fournisseurs commerciaux, les manipuler pour former des plasmides recombinés par insertion d'ADN étranger dans une éprouvette (une technique dite *in vitro*, expression latine qui signifie « dans le verre ») et ensuite les replacer dans des cellules bactériennes. L'ADN étranger représenté à la figure 20.4 est un gène provenant d'une cellule eucaryote ; plus loin dans cette section, nous décrirons plus en détail la technique utilisée pour obtenir un segment d'ADN étranger.

▼ **Figure 20.4 Un aperçu du clonage génique et de quelques usages des gènes clonés.** Dans ce schéma simplifié du clonage génique, on isole d'abord un plasmide (provenant d'une cellule bactérienne) et le gène recherché à partir d'un autre organisme. Dans le haut de la figure, on a représenté un seul plasmide et une seule copie du gène recherché, mais, en réalité, les produits de départ contiennent de nombreuses copies de chacun.

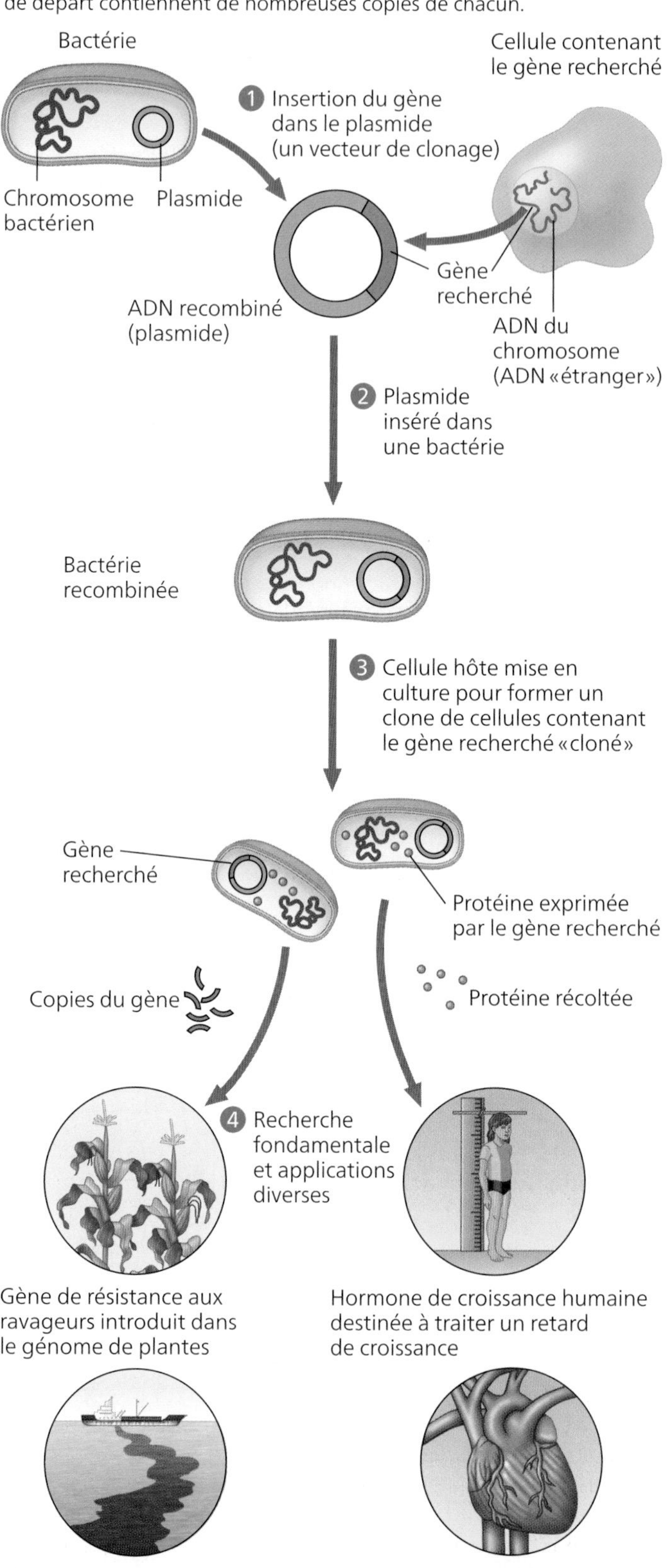
Bactérie
Cellule contenant le gène recherché
1 Insertion du gène dans le plasmide (un vecteur de clonage)
Chromosome bactérien
Plasmide
Gène recherché
ADN recombiné (plasmide)
ADN du chromosome (ADN «étranger»)
2 Plasmide inséré dans une bactérie
Bactérie recombinée
3 Cellule hôte mise en culture pour former un clone de cellules contenant le gène recherché «cloné»
Gène recherché
Protéine exprimée par le gène recherché
Copies du gène
Protéine récoltée
4 Recherche fondamentale et applications diverses
Gène de résistance aux ravageurs introduit dans le génome de plantes
Hormone de croissance humaine destinée à traiter un retard de croissance
Gène employé pour modifier des bactéries en vue d'éliminer des déchets toxiques
Protéine permettant de dissoudre les caillots sanguins formés à la suite d'une crise cardiaque

Le clonage génique sert à deux fins importantes : fabriquer un grand nombre de copies d'un gène particulier par *amplification*, et produire une protéine par l'*expression* de ce gène (voir la figure 20.4). À partir des bactéries, les chercheurs peuvent donc isoler de nombreuses copies d'un gène cloné dont ils se serviront pour procéder à des recherches fondamentales. Ils pourront également tenter de doter un organisme de nouvelles capacités métaboliques, par exemple lui conférer une résistance aux ravageurs. Ainsi, il est possible d'isoler un gène de résistance présent dans une plante donnée et de le transférer à une autre espèce. (On dit de ces organismes qu'ils sont *génétiquement modifiés* ; nous aborderons ce sujet plus loin dans le présent chapitre.) C'est aussi grâce à ce procédé que l'on a réussi à récolter de grandes quantités d'une protéine utile en médecine, l'hormone de croissance humaine, à partir de cultures bactériennes contenant le gène cloné pour cette protéine. Comme un gène constitue généralement une infime partie de l'ADN total contenu dans une cellule, il est crucial de pouvoir amplifier des fragments d'ADN pour toute application mettant en jeu un gène unique.

L'utilisation d'enzymes de restriction dans la fabrication d'ADN recombiné

Le clonage génique et plusieurs techniques du génie génétique font généralement appel à des enzymes qui découpent les molécules d'ADN en des sites cibles spécifiques, ce qui donne un nombre limité de segments bien précis. Ces enzymes, nommées **enzymes de restriction** ou endonucléases de restriction, ont été identifiées à la fin des années 1960 par des biologistes effectuant des recherches fondamentales sur des bactéries. Ils ont alors montré que ces enzymes particulières protégeaient la cellule bactérienne en coupant l'ADN étranger provenant de phages ou d'autres organismes (voir le concept 19.2).

À ce jour, on a trouvé et isolé des centaines d'enzymes de restriction différentes. Chaque enzyme de restriction est très spécifique ; elle reconnaît une courte séquence particulière d'ADN, nommée **site de restriction**, et coupe les deux brins d'ADN en des points précis dans ce site. L'ADN d'une cellule bactérienne est protégé de ses propres enzymes de restriction par l'ajout, au cours de la réplication de l'ADN, de groupements méthyle ($—CH_3$) aux adénines et aux cytosines des séquences pouvant être reconnues par les enzymes.

La **figure 20.5** montre comment on utilise les enzymes de restriction pour cloner un fragment d'ADN étranger dans un plasmide bactérien. Dans le haut de la figure, on peut voir un plasmide bactérien (comme celui de la figure 20.4) doté d'un site de restriction reconnu par une certaine enzyme isolée chez *E. coli*. La plupart des sites de restriction sont symétriques et donnent des palindromes (ou séquences pouvant être lues dans les deux sens, tel le mot *kayak*), comme c'est le cas ici. Autrement dit, les deux brins portent la même séquence de nucléotides lue dans la direction $5' \rightarrow 3'$. Les enzymes de restriction les plus couramment utilisées reconnaissent des séquences contenant de quatre à huit nucléotides. Étant donné qu'une séquence aussi courte se répète habituellement (par hasard) plusieurs fois sur une longue molécule d'ADN, l'enzyme coupe celle-ci en de nombreux endroits, produisant un ensemble de **fragments de restriction** de différentes longueurs. Chacune des copies d'une molécule d'ADN traitée par une enzyme donnée produit toujours le même ensemble de fragments de restriction.

▼ **Figure 20.5 La production d'un plasmide d'ADN recombiné à l'aide d'une enzyme de restriction et d'ADN ligase.** Dans cet exemple, l'enzyme de restriction *Eco*RI (pour «*Escherichia coli* restriction 1») reconnaît un site de restriction unique sur le plasmide, formé de six paires de bases. *Eco*RI effectue des coupures décalées dans le squelette désoxyribose-phosphate et produit ainsi des fragments aux extrémités cohésives. Grâce à cette propriété, les bases des fragments d'ADN étranger dotés d'extrémités cohésives complémentaires peuvent s'apparier aux bases du plasmide ; une fois la ligature complétée par l'ADN ligase, il s'est formé un plasmide recombiné. Si les bases des extrémités cohésives de deux plasmides s'apparient sans intégrer un fragment d'ADN étranger, le plasmide original est alors reconstitué (plasmide non recombiné).

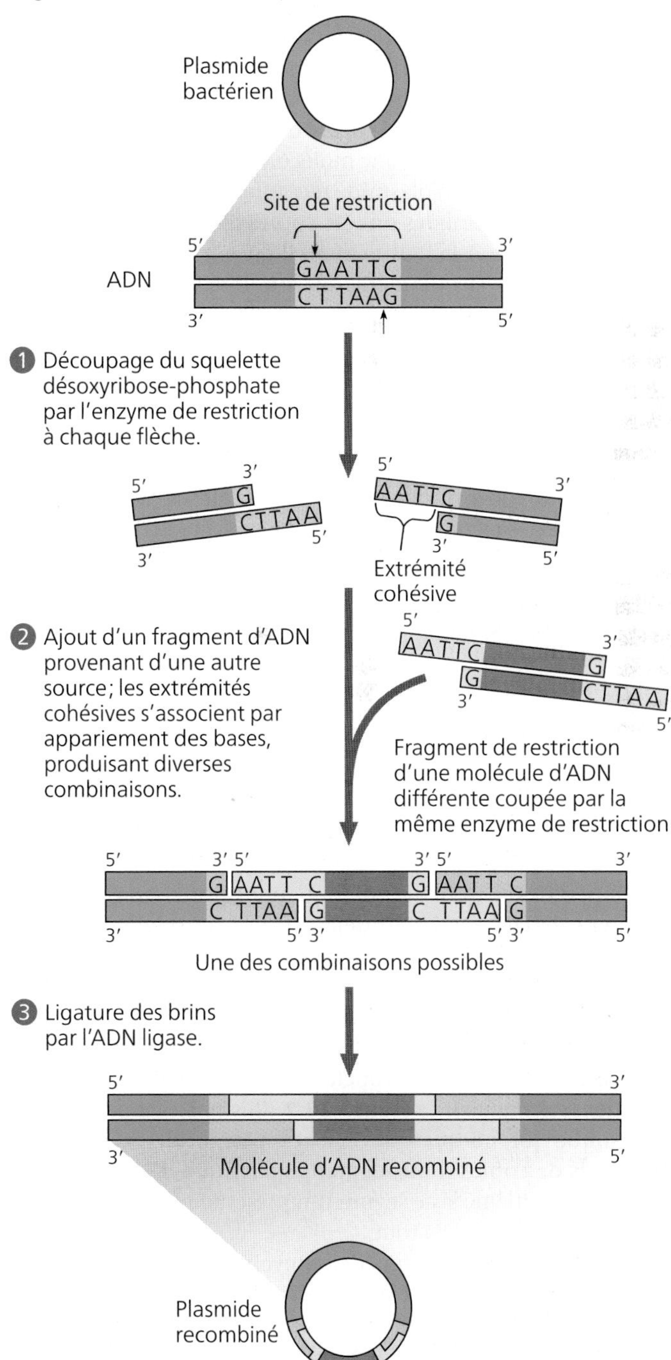

FAITES UN DESSIN ▶ L'enzyme de restriction Hind III reconnaît la séquence 5′-AAGCTT-3′, et coupe entre les deux adénines (A). Dessinez la séquence à double brin (bicaténaire) avant et après les coupures de l'enzyme.

Certaines enzymes de restriction coupent l'ADN au même endroit sur les deux brins, au niveau d'une paire de bases (coupure franche), mais celles qui sont les plus utiles coupent les squelettes désoxyribose-phosphate dans les deux brins d'ADN de façon décalée, comme le montre la figure 20.5; les fragments de restriction bicaténaires ont alors au moins une extrémité monocaténaire, nommée **extrémité cohésive**. Les bases de ces courts prolongements forment des liaisons hydrogène avec les parties monocaténaires complémentaires portées par d'autres molécules d'ADN découpées par la même enzyme. Les ensembles ainsi constitués sont temporaires. Cependant, ces liaisons peuvent devenir permanentes sous l'effet d'une enzyme nommée ADN ligase, qui catalyse la formation de liaisons covalentes rattachant le squelette désoxyribose-phosphate des brins d'ADN (voir la figure 16.16). Comme on peut le voir au bas de la figure 20.5, l'association catalysée par la ligase de l'ADN provenant de deux sources distinctes produit une molécule d'ADN recombiné stable (dans cet exemple, un plasmide recombiné).

Lorsque les plasmides ont été copiés plusieurs fois dans des cellules hôtes (voir la figure 20.4), il est possible de les couper à nouveau au moyen de la même enzyme de restriction. On obtient ainsi deux fragments d'ADN, l'un de la taille du plasmide et l'autre de la taille de l'ADN inséré. Pour séparer et visualiser les différents fragments, les chercheurs utilisent l'**électrophorèse sur gel**, une technique qui consiste à utiliser un gel constitué d'un polymère comme tamis moléculaire pour séparer un mélange de fragments d'acides nucléiques en fonction de leur longueur (**figure 20.6**). L'électrophorèse sur gel est utilisée conjointement avec différentes techniques en biologie moléculaire.

Maintenant que nous avons expliqué en détail en quoi consiste un vecteur de clonage, examinons les différentes techniques utilisées pour l'insertion d'ADN étranger. La technique de l'amplification en chaîne par polymérase, que nous allons décrire maintenant, est la plus souvent utilisée pour obtenir plusieurs copies d'un gène à cloner.

▼ **Figure 20.6 L'électrophorèse sur gel.** Un gel constitué de polymères agit comme tamis moléculaire pour séparer les acides nucléiques ou les protéines en fonction de leur taille, de leur charge électrique et d'autres propriétés physiques quand elles se déplacent dans un champ électrique. Dans l'exemple ci-dessous, les molécules d'ADN sont séparées selon leur longueur dans un gel composé d'agarose, un polysaccharide.

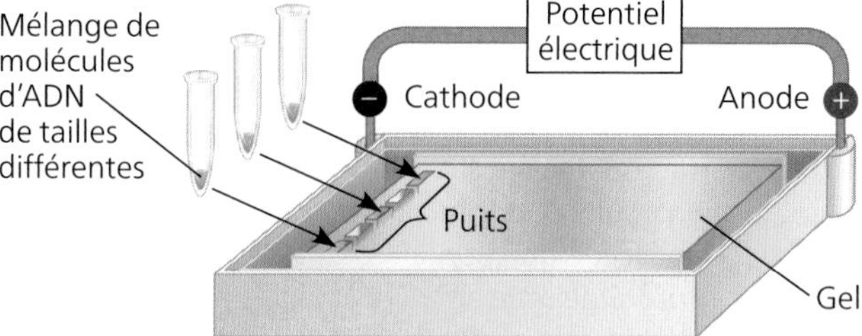

(a) Chaque échantillon, constitué d'un mélange de molécules d'ADN, est placé dans un puits situé à une des extrémités d'une mince couche de gel d'agarose (à gauche, sur l'image et la photo). Le gel est maintenu en place dans un petit support de plastique qui baigne dans un bac rempli d'une solution tampon. À chaque extrémité du dispositif se trouvent des électrodes. Lorsqu'on applique le courant à travers le gel, les molécules d'ADN de charge négative se dirigent vers l'électrode positive.

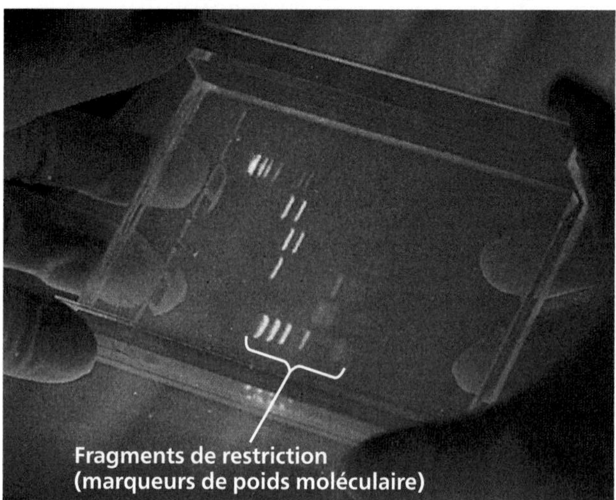

(b) Quand elles traversent le gel, les molécules les plus courtes se déplacent plus rapidement que les molécules les plus longues, car elles sont moins ralenties. Après avoir coupé le courant, on ajoute un colorant qui se lie à l'ADN. Ces fragments émettent une lumière rose lorsqu'ils sont exposés à une lumière UV. Chaque bande rose correspond à plusieurs milliers de molécules d'ADN de la même longueur. Les bandes verticales situées du côté gauche du gel (au bas de la photo) servent de référence (témoin): elles correspondent à l'ensemble des fragments de restriction de tailles connues utilisés à des fins de comparaison avec les échantillons de taille inconnue.

L'amplification de l'ADN par la réaction en chaîne par polymérase (PCR) et son utilisation dans le clonage de l'ADN

La plupart des chercheurs qui souhaitent cloner un gène ou un segment d'ADN possèdent déjà certains renseignements sur sa séquence. Grâce à ces renseignements, ils peuvent utiliser dès le départ la banque d'ADN génomique complète d'une espèce d'intérêt pour obtenir plusieurs copies du gène souhaité à l'aide de la technique de l'**amplification en chaîne par polymérase**, communément appelée **PCR** (pour *Polymerase Chain Reaction*, en anglais). La **figure 20.7** illustre les étapes de cette technique qui, en quelques heures, permet de produire des milliards de copies d'un segment spécifique d'ADN dans un échantillon, même si ce segment représente moins de 0,001 % de l'échantillon d'ADN total.

La PCR repose sur la répétition cyclique d'une réaction en chaîne qui se déroule en trois étapes et qui accroît le nombre de molécules d'ADN de façon exponentielle. Au cours de chaque cycle, qui ne dure que quelques minutes, on chauffe le mélange réactionnel afin de dénaturer (séparer) les deux brins d'ADN. Ensuite, on refroidit pour permettre la renaturation (ou reformation) des liaisons hydrogène entre de courtes amorces d'ADN monocaténaire et leur séquence complémentaire sur chacun des deux brins, au début de la séquence visée. Enfin, une ADN polymérase résistante à la chaleur allonge les amorces dans le sens $5' \rightarrow 3'$ de chaque brin. Si on utilisait une ADN polymérase normale, la protéine qui constitue cette enzyme serait dénaturée en même temps que l'ADN au moment du chauffage de la première étape, et il faudrait la remplacer après chaque cycle. En fait, l'automatisation de la PCR a été possible grâce à la découverte de la *Taq* polymérase, une ADN polymérase peu commune. Le nom de cette enzyme est une abréviation de *Thermus aquaticus*, l'espèce bactérienne dont on l'a isolée initialement. Cette bactérie vit dans des sources hydrothermales et la stabilité de

DÉMARCHE SCIENTIFIQUE

MÉTHODE DE RECHERCHE

▼ **Figure 20.7**

L'amplification en chaîne par polymérase (PCR)

■ **APPLICATION** ■ La PCR permet de produire dans une éprouvette un très grand nombre de copies d'un segment donné d'ADN (la séquence visée), ce qui facilite le travail des chercheurs.

■ **TECHNIQUE** ■ La PCR nécessite un ADN bicaténaire contenant la séquence visée, une ADN polymérase résistante à la chaleur, les 4 nucléotides en quantité suffisante ainsi que des brins d'ADN de 15 à 20 nucléotides qui servent d'amorces. Il y a deux séquences d'amorce: la première est complémentaire à une extrémité de la séquence recherchée sur un brin, et la seconde est complémentaire à l'autre extrémité de la séquence sur l'autre brin.

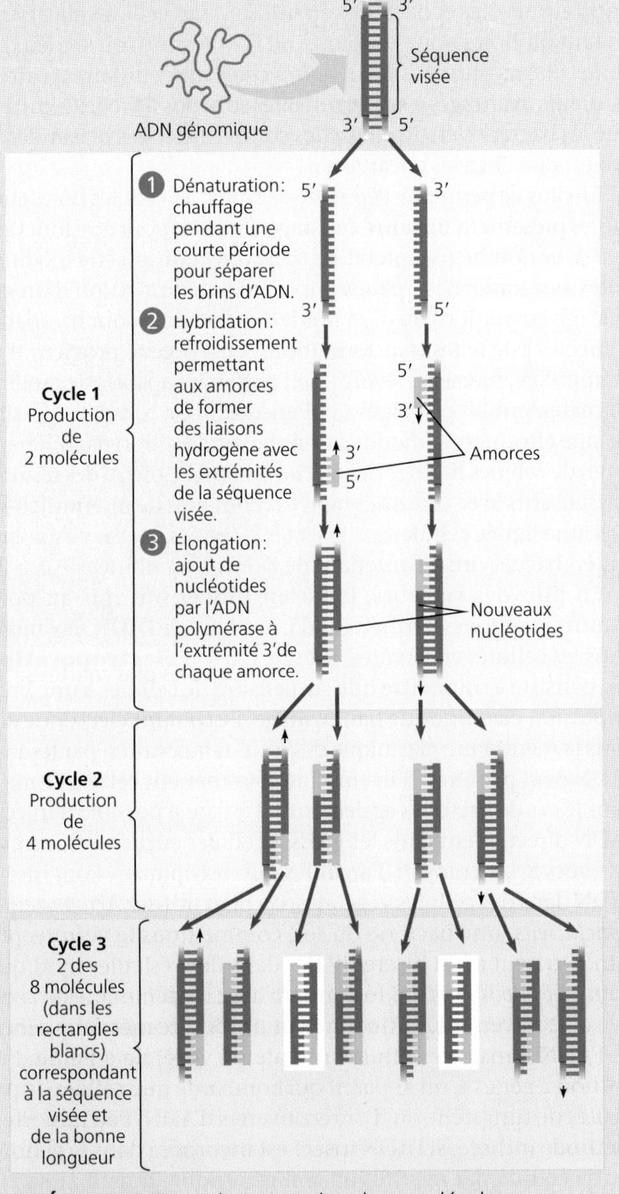

5′ 3′
Séquence visée
ADN génomique
3′ 5′
1 Dénaturation: chauffage pendant une courte période pour séparer les brins d'ADN.
5′ 3′
3′ 5′
2 Hybridation: refroidissement permettant aux amorces de former des liaisons hydrogène avec les extrémités de la séquence visée.
5′
3′
3′
5′
Amorces
3 Élongation: ajout de nucléotides par l'ADN polymérase à l'extrémité 3′de chaque amorce.
Nouveaux nucléotides
Cycle 1 Production de 2 molécules
Cycle 2 Production de 4 molécules
Cycle 3 2 des 8 molécules (dans les rectangles blancs) correspondant à la séquence visée et de la bonne longueur

■ **RÉSULTATS** ■ Après trois cycles, deux molécules correspondent exactement à la séquence visée. Après 30 autres cycles, le nombre de molécules correspondant à la séquence visée dépasse le milliard (10^9).

son ADN polymérase à des températures élevées est une adaptation évolutive qui lui permet de résister à des températures de l'ordre de 95 °C. Aujourd'hui, les chercheurs utilisent également l'ADN polymérase de *Pyrococcus furiosus*, une archée. Cette enzyme, connue sous le nom de *Pfu* polymérase, est plus précise et plus stable, mais elle est toutefois plus onéreuse que la *Taq* polymérase.

La PCR est une technique rapide, très spécifique et peut démarrer avec d'infimes quantités d'ADN même s'il n'est pas intact ou s'il est fortement dégradé; il suffit que quelques copies complètes de la séquence visée soient présentes. La clé de cette grande spécificité réside dans la paire d'amorces utilisée pour chaque PCR. Les séquences des amorces sont choisies afin qu'elles forment des liaisons hydrogène *seulement* avec les séquences situées aux extrémités opposées du segment visé (une amorce fixée sur l'extrémité 3′ de chaque brin). Pour une spécificité élevée, les amorces doivent avoir une longueur d'environ 15 nucléotides ou plus. À la fin du troisième cycle, le quart des molécules est identique au segment visé, les deux brins ayant la longueur appropriée. À l'issue de chaque cycle successif, le nombre de molécules de la bonne longueur du segment visé a doublé; ce nombre s'élève à 2^n, où n représente le nombre de cycles. Après 30 autres cycles, on obtient environ un milliard de copies de la séquence visée!

Malgré sa vitesse et sa spécificité, la PCR ne peut pas remplacer le clonage d'un gène dans des cellules quand on doit produire ce gène en entier et en grande quantité. En effet, les erreurs occasionnelles qui surviennent pendant la réplication limitent le nombre de copies exactes ainsi que la longueur des fragments d'ADN qu'il est possible de copier. C'est pourquoi on utilise plutôt la PCR pour multiplier un fragment d'ADN spécifique afin de le cloner. Les amorces utilisées pour la PCR sont synthétisées de manière que chaque extrémité du fragment d'ADN comporte un site de restriction correspondant à celui du vecteur de clonage. Une fois coupés avec l'enzyme de restriction reconnaissant ce site, le fragment et le vecteur sont ensuite ligaturés (**figure 20.8**). Les plasmides recombinés ainsi obtenus sont séquencés afin de choisir ceux qui ne contiennent aucune erreur.

L'expression des gènes eucaryotes clonés

On peut synthétiser de grandes quantités de protéines à partir d'un gène lorsque celui-ci est cloné dans des cellules hôtes, que ce soit pour des recherches ou pour des applications intéressantes, ce que nous examinerons au concept 20.4. L'expression des protéines codées par les gènes clonés peut s'effectuer soit dans des cellules bactériennes, soit dans des cellules eucaryotes; chacun de ces choix présente des avantages et des inconvénients.

Les systèmes d'expression bactériens

L'expression d'un gène eucaryote cloné dans des cellules hôtes bactériennes risque de présenter quelques difficultés, car certains aspects de l'expression génétique sont différents chez ces deux types de cellules. Pour contourner le problème que posent les différences de promoteurs et autres séquences de contrôle entre procaryotes et eucaryotes, on se sert habituellement d'un **vecteur d'expression**, c'est-à-dire d'un vecteur de clonage contenant un promoteur bactérien hautement actif situé juste en amont d'un site de restriction, à l'endroit où le gène eucaryote peut être inséré, dans le bon cadre de lecture. La cellule

▼ Figure 20.8 L'utilisation d'une enzyme de restriction et de la PCR pour le clonage d'un gène. Si on observe de plus près le processus illustré dans le haut de la figure 20.4, on constate qu'on peut utiliser la PCR pour multiplier les copies d'un fragment d'ADN ou un gène d'intérêt qui sera joint à un plasmide de façon à former un vecteur de clonage (ici, un plasmide bactérien recombiné). Les extrémités des fragments présentent un site de restriction identique à celui du plasmide. Les deux ADN sont découpés avec la même enzyme de restriction; ils sont alors combinés par hybridation et ligature des extrémités cohésives (grâce à la ligase). Les vecteurs de clonage (plasmides recombinés) ainsi obtenus sont alors introduits dans les cellules hôtes bactériennes. Les plasmides contiennent également un marqueur génétique, par exemple un gène de résistance à un antibiotique, pour faciliter la sélection des clones. En effet, seules les cellules disposant d'un plasmide portant ce gène peuvent survivre en présence de cet antibiotique. Notez qu'il est possible d'utiliser d'autres marqueurs (tels que la production de pigments ou la fluorescence) pour repérer les clones et éliminer les cellules dont les plasmides ne sont pas recombinés.

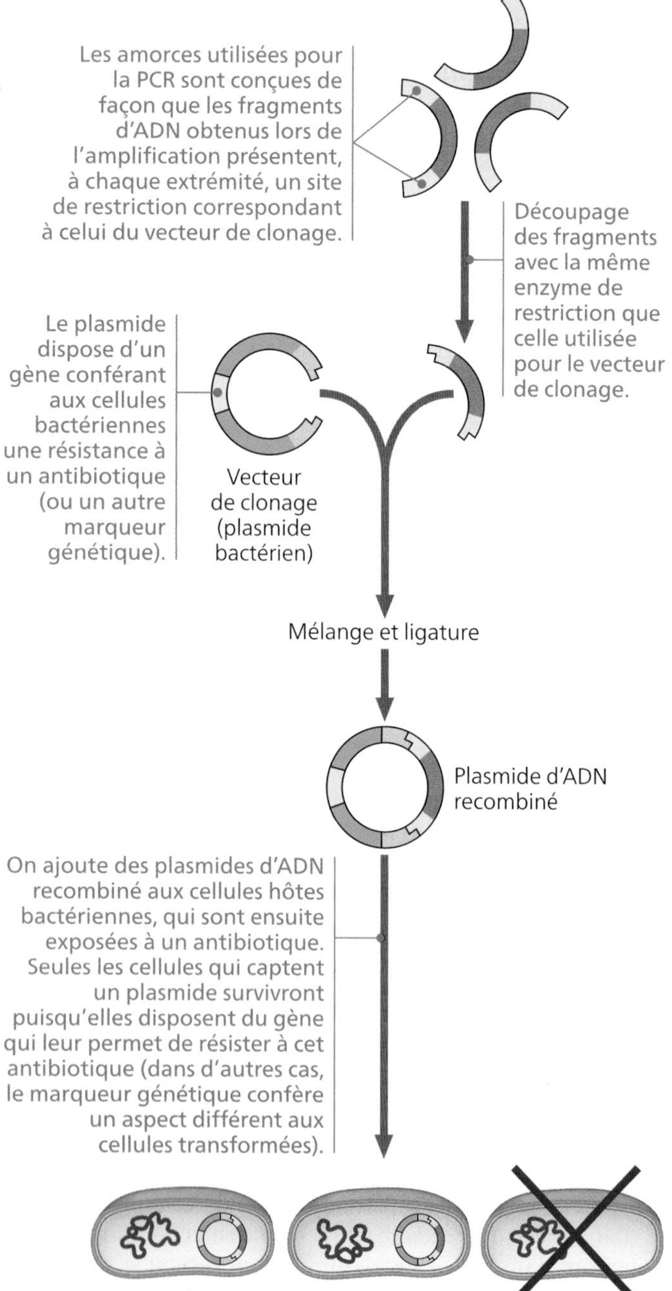

hôte bactérienne reconnaît alors le promoteur et exprime le gène étranger qui lui est associé. De tels vecteurs d'expression permettent de synthétiser une grande variété de protéines eucaryotes par des cellules bactériennes.

Les amorces utilisées pour la PCR sont conçues de façon que les fragments d'ADN obtenus lors de l'amplification présentent, à chaque extrémité, un site de restriction correspondant à celui du vecteur de clonage.
Découpage des fragments avec la même enzyme de restriction que celle utilisée pour le vecteur de clonage.
Le plasmide dispose d'un gène conférant aux cellules bactériennes une résistance à un antibiotique (ou un autre marqueur génétique).
Vecteur de clonage (plasmide bactérien)
Mélange et ligature
Plasmide d'ADN recombiné
On ajoute des plasmides d'ADN recombiné aux cellules hôtes bactériennes, qui sont ensuite exposées à un antibiotique. Seules les cellules qui captent un plasmide survivront puisqu'elles disposent du gène qui leur permet de résister à cet antibiotique (dans d'autres cas, le marqueur génétique confère un aspect différent aux cellules transformées).

Un autre obstacle à l'expression de gènes eucaryotes clonés par des bactéries est la présence de longues régions non codantes (introns) dans la plupart des gènes (voir le concept 17.3). En effet, les gènes eucaryotes contenant des introns sont souvent très longs et, de ce fait, difficiles à manipuler. De plus, comme les cellules bactériennes sont dépourvues d'outils d'épissage de l'ARN, elles sont incapables de traduire ces gènes correctement. On peut résoudre toutefois ce problème en utilisant une forme du gène qui ne contient que les exons, soit l'*ADN complémentaire*, ou *ADNc* (voir la figure 20.10.)

Les systèmes d'expression eucaryotes

Les biologistes moléculaires peuvent pallier l'incompatibilité entre eucaryotes et bactéries en utilisant des cellules eucaryotes en tant qu'hôtes pour le clonage ou l'expression (ou les deux) de gènes eucaryotes. Les levures (mycètes unicellulaires) offrent plusieurs avantages à cet égard : elles sont aussi faciles à cultiver que les bactéries et, de plus, elles contiennent des plasmides, ce qui est rare chez les eucaryotes.

En plus de permettre l'épissage de l'ARN, les cellules hôtes eucaryotes présentent un autre avantage. En effet, pour être fonctionnelles, de nombreuses protéines eucaryotes doivent être modifiées après leur traduction, par exemple par l'incorporation d'un glucide (glycosylation) ou d'un lipide. Les bactéries sont incapables d'effectuer de telles transformations, et si le gène provient d'un mammifère, même les levures sont parfois incapables de modifier correctement les protéines qu'il encode. Il est toutefois possible de faire effectuer ces modifications post-traduction par différents types de cellules hôtes mises en culture. On a obtenu des résultats satisfaisants avec certaines lignées cellulaires de mammifères et avec une lignée cellulaire d'insectes infectées par un virus particulier (baculovirus) contenant de l'ADN recombiné.

En plus des vecteurs, les scientifiques ont mis au point d'autres méthodes permettant d'introduire de l'ADN recombiné dans les cellules eucaryotes. C'est le cas de l'**électroporation**, qui consiste à soumettre une suspension de cellules à une brève impulsion électrique de haut voltage. Le courant électrique crée dans la membrane plasmique des trous temporaires, par lesquels l'ADN peut pénétrer. (On emploie couramment cette technique dans le cas de bactéries également.) Il est aussi possible d'injecter l'ADN directement dans les grosses cellules eucaryotes, comme les ovocytes, au moyen d'aiguilles microscopiques. Pour insérer l'ADN dans des cellules végétales, on peut utiliser *Agrobacterium tumefaciens*, une bactérie du sol, comme nous le verrons plus loin. On peut aussi insérer l'ADN dans des vésicules lipidiques nommées *liposomes* qui fusionnent avec la membrane de la cellule et la traversent. Enfin, on peut introduire mécaniquement de l'ADN dans une cellule animale ou végétale à l'aide d'un « canon à gènes », un appareil qui bombarde une cellule de particules de tungstène ou d'or recouvertes d'ADN. Peu importe la méthode utilisée, si l'ADN inséré est incorporé dans le génome d'une cellule par recombinaison génétique, il peut alors être exprimé par la cellule. L'expression de différentes versions de gènes dans les cellules permet aux chercheurs d'étudier le fonctionnement d'une protéine, un sujet que nous aborderons au concept 20.2.

L'expression génétique interspécifique et l'ascendance évolutive

ÉVOLUTION La capacité à exprimer des protéines eucaryotes dans des bactéries (même si les protéines ne sont pas correctement glycosylées) est une propriété absolument remarquable quand on considère à quel point les cellules eucaryotes et les cellules bactériennes sont différentes. En fait, il existe de nombreux exemples de gènes issus d'une espèce donnée qui demeurent complètement fonctionnels après avoir été transférés dans une autre espèce très différente, dont un gène de la luciole qui a été transféré dans un plant de tabac, et celui d'une méduse, transféré dans un porc (voir la figure 17.7). Ces observations soulignent l'ascendance évolutive commune d'espèces vivant aujourd'hui.

Pour illustrer cette affirmation, prenons l'exemple du gène *Pax-6*, présent chez des animaux aussi divers que des vertébrés et des drosophiles. Chez les vertébrés, le produit du gène *Pax-6* (la protéine Pax-6) déclenche un programme complexe d'expression génétique qui aboutit à la formation d'un œil pourvu d'un seul cristallin. Par contre, chez la drosophile, l'expression du gène *Pax-6* provoque la formation d'un œil composé très différent de celui des vertébrés. Lorsque les scientifiques ont introduit dans un embryon de drosophile le gène préalablement cloné *Pax-6* de la souris en vue de remplacer le gène *Pax-6* de la drosophile, ils ont constaté avec étonnement que le gène de la souris conduisait tout de même à la formation d'un œil composé de mouche (voir la figure 50.16). Inversement, le transfert du gène *Pax-6* de la drosophile dans un embryon de vertébré (une grenouille, dans ce cas) entraînait la formation d'un œil de grenouille. Bien que les programmes génétiques déclenchés chez les vertébrés et chez les drosophiles génèrent des types d'yeux très différents, les deux versions du gène *Pax-6* peuvent se substituer l'une à l'autre pour stimuler le développement du cristallin propre à l'espèce ; c'est là une preuve de leur évolution à partir d'un gène présent chez un ancêtre commun. Étant donné leurs racines évolutives anciennes, tous les organismes présentent les mêmes mécanismes fondamentaux de l'expression génétique. Cette similitude est à la base des nombreuses techniques d'ADN recombiné décrites dans le présent chapitre.

RETOUR SUR LE CONCEPT 20.1

1. **FAITES DES LIENS ▶** Le site de restriction pour une enzyme nommée *Pvu*I est la séquence suivante :

   5′-CGATCG-3′
   3′-GCTAGC-5′

   On effectue des coupures décalées entre T et C sur chaque brin. Quels types de liaisons ont été rompues ? (Voir le concept 5.5.)

2. **FAITES UN DESSIN ▶** La séquence d'un brin d'ADN est la suivante :

   5′-CCTTGACGATCGTTACCG-3′

   Dessinez l'autre brin. L'enzyme *Pvu*I peut-elle couper cette molécule (voir la question 1) ? Si oui, dessinez les produits.

3. Quelles sont les difficultés potentielles qu'entraîne l'utilisation de vecteurs plasmidiques de cellules hôtes bactériennes pour produire de grandes quantités de protéines à partir de gènes eucaryotes clonés ?

4. **HABILETÉS VISUELLES ▶** Comparez les figures 20.7 et 16.20. Comment la réplication d'extrémités d'ADN au cours de la PCR se déroule-t-elle sans que les fragments soient raccourcis chaque fois ?

Voir les réponses proposées à l'appendice A.

CONCEPT 20.2

Les biotechnologies permettent d'étudier l'expression et la fonction d'un gène

Pour déterminer comment fonctionne un système biologique, les scientifiques étudient les mécanismes de chaque composant du système. En déterminant où et quand un gène (ou un groupe de gènes) est exprimé, on peut obtenir de précieux indices sur le fonctionnement des gènes.

L'analyse de l'expression génétique

Lorsqu'ils souhaitent étudier l'assortiment des cellules d'un organisme multicellulaire, la croissance des cellules cancéreuses ou les tissus en développement d'un embryon, les biologistes tentent d'abord de découvrir quels gènes expriment les cellules en question. Le moyen le plus direct pour y arriver consiste généralement à déterminer l'ARNm produit. D'abord, nous examinerons les techniques permettant d'établir les schémas d'expression de gènes spécifiques. Ensuite, nous étudierons différents moyens utilisés pour caractériser les groupes de gènes exprimés par les cellules ou les tissus visés. Comme vous pourrez le constater, toutes ces approches reposent, d'une façon ou d'une autre, sur l'appariement des bases entre des séquences nucléotidiques complémentaires.

L'expression de gènes uniques

Supposons que nous avons cloné un gène dont nous présumons qu'il pourrait jouer un rôle important dans le développement embryonnaire de *Drosophila melanogaster* (la drosophile). Nous voudrons d'abord savoir dans quelles cellules embryonnaires ce gène est exprimé – en d'autres mots, où se trouve l'ARNm correspondant dans l'embryon. On peut détecter l'ARNm par hybridation moléculaire à l'aide de molécules d'une séquence complémentaire qu'il est possible de retracer. Cette molécule complémentaire est un court acide nucléique monocaténaire (de l'ARN ou de l'ADN), qu'on nomme **sonde nucléique**. En utilisant le gène cloné comme matrice, il est possible de synthétiser une sonde complémentaire à l'ARNm du gène. Ainsi, si une partie de la séquence d'un brin du gène recherché se présente comme suit :

5′ ···CUCAUCACCGGC··· 3′

On synthétise alors cette sonde d'ADN monocaténaire ayant pour séquence :

3′ GAGTAGTGGCCG 5′

Ensuite, pendant la synthèse, on fixe à chaque molécule de la sonde un isotope fluorescent qu'il est possible de révéler. On incube ensuite les embryons de drosophile dans une solution contenant des sondes qui peuvent s'hybrider de façon spécifique avec toutes les séquences complémentaires des ARNm de cellules embryonnaires dans lesquelles le gène est transcrit. Cette technique, qui permet de visionner l'ARNm sur place (*in situ* en latin) dans l'organisme intact, porte le nom d'**hybridation *in situ***. On peut ainsi associer différentes sondes à des marqueurs fluorescents de différentes couleurs, ce qui produit parfois des résultats d'une beauté saisissante (**figure 20.9**).

▼ **Figure 20.9 La localisation de l'expression de gènes uniques par analyse d'hybridations *in situ*.** Un embryon de *Drosophila melanogaster* a été incubé dans une solution contenant des sondes d'ADN pour cinq ARNm différents, chaque sonde étant associée à un marqueur fluorescent différent. L'embryon a alors été examiné sous microscopie à fluorescence; la micrographie fluorescente est présentée ci-dessous. Chaque couleur indique l'endroit où un gène spécifique est exprimé sous forme d'ARNm. Les flèches en provenance des groupes de cellules jaunes et bleues situés au-dessus de la micrographie représentent une vue amplifiée de l'hybridation des acides nucléiques de la sonde d'ADN de la couleur correspondante et de l'ARNm complémentaire. Les cellules jaunes (qui expriment le gène *wg*) interagissent avec les cellules bleues (qui expriment le gène *en*); leur interaction permet d'établir le schéma d'expression dans un segment du corps. Le diagramme situé au bas de la figure représente plus clairement les huit segments visibles sous cet angle.

La sonde d'ADN jaune s'hybride avec les ARNm dans les cellules qui expriment le gène «sans ailes» (*wg*), lequel encode une protéine de signalisation qui est sécrétée.

La sonde d'ADN bleue s'hybride avec les ARNm dans les cellules qui expriment le gène «engrêlé» (*en*), lequel encode un facteur de transcription.

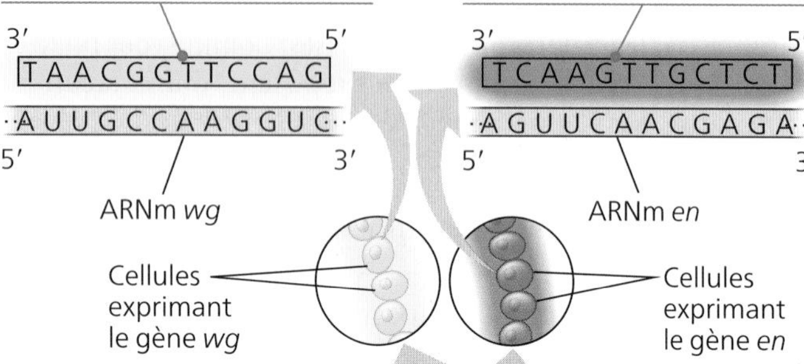
3′ 5′
TAACGGTTCCAG
AUUGCCAAGGUC
5′ 3′
ARNm *wg*
Cellules exprimant le gène *wg*
3′ 5′
TCAAGTTGCTCT
AGUUCAACGAGA
5′ 3′
ARNm *en*
Cellules exprimant le gène *en*

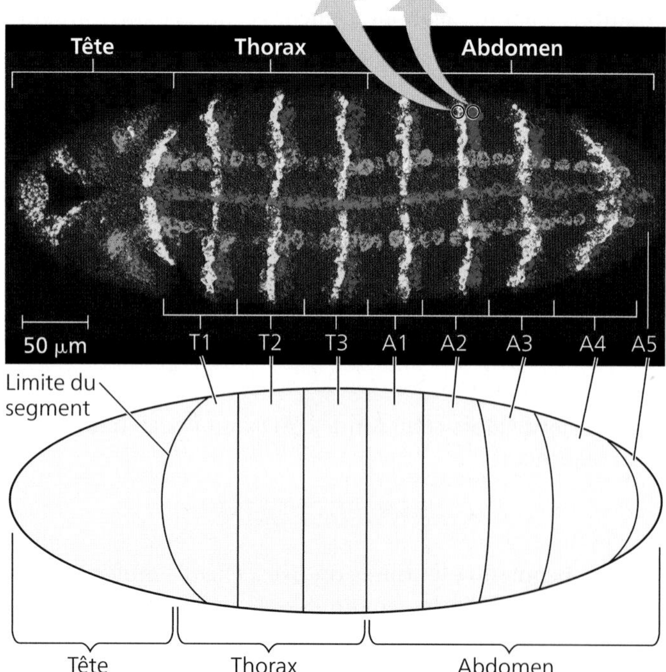
Tête
Thorax
Abdomen
50 µm
T1
T2
T3
A1
A2
A3
A4
A5
Limite du segment
Tête
Thorax
Abdomen

Pour comparer simultanément les quantités d'ARNm spécifiques dans plusieurs échantillons, par exemple dans différents types de cellules ou dans des embryons à divers stades du développement, il peut être préférable de recourir à d'autres techniques de dépistage de l'ARNm. À cet égard, la **transcription inverse suivie d'une amplification en chaîne par polymérase** (**RT-PCR** [RT pour *reverse transcriptase* en anglais]) est une méthode dont l'usage est très répandu.

La RT-PCR commence par transformer une série d'échantillons d'ARNm en ADN bicaténaires de séquences correspondantes. D'abord, on utilise la transcriptase inverse (une enzyme provenant d'un rétrovirus; voir la figure 19.9) pour synthétiser une copie d'ADN complémentaire de chaque ARNm contenu dans l'échantillon et obtenir ainsi un *transcrit inverse* (**figure 20.10**). Il faut se rappeler que l'extrémité 3′ de l'ARNm porte un segment de nucléotides d'adénine (A) nommé queue poly-A. La présence de ce segment permet d'ajouter un court brin complémentaire de désoxythymidine (poly-dT) comme amorce pour la synthèse du brin d'ADN. Après la dégradation enzymatique de l'ARNm, l'ADN polymérase synthétise un second brin d'ADN, complémentaire au premier. L'ADN bicaténaire qui en résulte est nommé **ADN complémentaire** (**ADNc**). Produit à partir de l'ARNm, l'ADNc correspond aux exons d'un gène (il ne possède pas d'introns) et on peut l'utiliser

▼ **Figure 20.10 La fabrication d'ADN complémentaire (ADNc) à partir de gènes eucaryotes.** L'ADN complémentaire est l'ADN produit dans une éprouvette en utilisant l'ARNm comme matrice pour le premier brin. Puisque l'ARNm ne contient que des exons, l'ADNc bicaténaire contient alors la séquence de codage complète du gène, sans les introns. Bien qu'un seul ARNm soit illustré ici, l'ensemble final des ADNc correspond à tous les ARNm qui étaient présents dans la cellule à un moment donné.

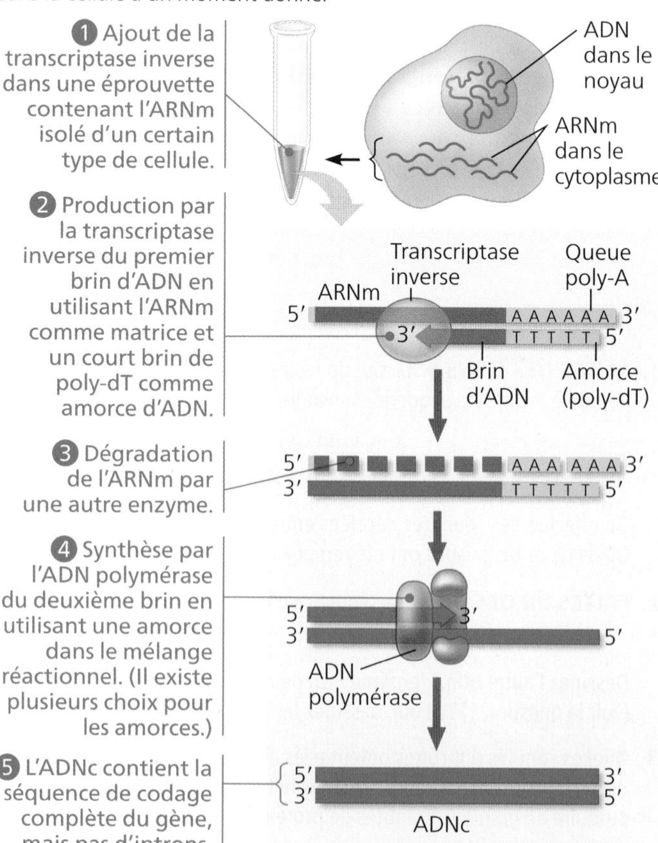
1 Ajout de la transcriptase inverse dans une éprouvette contenant l'ARNm isolé d'un certain type de cellule.
ADN dans le noyau
ARNm dans le cytoplasme
2 Production par la transcriptase inverse du premier brin d'ADN en utilisant l'ARNm comme matrice et un court brin de poly-dT comme amorce d'ADN.
Transcriptase inverse
Queue poly-A
ARNm
5′
AAAAAA 3′
3′
TTTTT 5′
Brin d'ADN
Amorce (poly-dT)
3 Dégradation de l'ARNm par une autre enzyme.
5′ AAA AAA 3′
3′ TTTTT 5′
4 Synthèse par l'ADN polymérase du deuxième brin en utilisant une amorce dans le mélange réactionnel. (Il existe plusieurs choix pour les amorces.)
5′ 3′
3′ 5′
ADN polymérase
5 L'ADNc contient la séquence de codage complète du gène, mais pas d'introns.
5′ 3′
3′ 5′
ADNc

pour exprimer une protéine dans une bactérie, comme on l'a mentionné précédemment. Pour évaluer à quel moment un gène d'intérêt de la drosophile est exprimé, il faudrait, par exemple, commencer par isoler tous les ARNm dans les échantillons recueillis à différents stades embryonnaires de la drosophile et produire des ADNc à partir des ARNm de chaque stade (**figure 20.11**).

L'étape suivante de la RT-PCR est la PCR (voir la figure 20.7). Comme on l'a mentionné précédemment, la PCR permet de produire rapidement plusieurs copies d'un segment spécifique d'ADN bicaténaire en utilisant des amorces s'hybridant aux extrémités opposées du segment visé. Dans notre exemple, il faudrait ajouter des amorces correspondant à un segment du gène d'intérêt de la drosophile en employant l'ADNc de chaque stade du développement embryonnaire comme matrice pour la PCR d'échantillons distincts.

Lorsqu'on analyse les produits obtenus par électrophorèse sur gel, on peut observer des copies de la région amplifiée sous forme de bandes seulement dans les échantillons qui contenaient à l'origine l'ARNm du gène d'intérêt. La méthode d'amplification connue sous le nom de RT-PCR *quantitative* (qRT-PCR) consiste à utiliser un colorant qui devient fluorescent uniquement lorsqu'il se lie à un produit d'amplification PCR bicaténaire. Les appareils de PCR quantitative les plus récents peuvent déceler la lumière et mesurer le produit de la PCR. Il est ainsi possible de générer des données quantitatives tout en évitant une électrophorèse, un avantage que n'offre aucune autre méthode. On peut également la RT-PCR et la qRT-PCR avec les ARNm obtenus simultanément à partir de différents tissus, ce qui permet de déterminer quel tissu produit un ARNm spécifique.

L'expression des groupes de gènes en interaction

Les biologistes ont grand intérêt à comprendre comment les gènes interagissent afin de créer un organisme et d'assurer son fonctionnement. Maintenant que les séquences de génomes entiers de nombreux organismes sont presque complètement déterminées, on peut entreprendre l'étude de l'expression de grands groupes de gènes (une *approche systémique*). Des chercheurs utilisent les connaissances acquises sur des génomes entiers pour déterminer quels gènes sont transcrits dans différents tissus ou dans certaines circonstances, par exemple à divers stades de développement. L'un des objectifs de ces travaux consiste à déterminer les réseaux d'expression dans un génome entier.

La principale approche sur laquelle reposent les études sur l'expression de l'ensemble du génome fait appel à des **tests sur microréseaux à ADN**. Ce dispositif se compose d'infimes quantités d'un grand nombre de fragments d'ADN monocaténaire représentant différents gènes que l'on a fixés sur une plaque de verre sous forme de réseau, de grille ou de points denses. (Le microréseau est également nommé *puce à ADN*, par analogie avec les puces informatiques.) Idéalement, ces fragments représentent l'ensemble des gènes d'un organisme. Les ARNm des cellules à l'étude sont rétrotranscrits en ADNc (voir la figure 20.10), puis on ajoute un colorant fluorescent afin de pouvoir employer l'ADNc comme sonde sur le microréseau. Pour analyser plusieurs échantillons au cours d'une même expérience, on utilise différentes couleurs pour les divers échantillons cellulaires. La disposition des points colorés (présentée à la **figure 20.12** sous forme de microréseau de taille réelle) montre les points auxquels chaque sonde était liée et, par conséquent, révèle quels sont les gènes exprimés dans les échantillons cellulaires analysés. C'est en 1995 que la technologie des microréseaux a connu un véritable essor, après la publication de nombreux articles à son sujet; depuis, des applications plus sophistiquées ont été mises au point et sont maintenant utilisées.

Étant donné la présence sur le marché de méthodes de séquençage rapides et peu coûteuses, les microréseaux sont de moins en moins utilisés. En effet, les chercheurs ont dorénavant les moyens de séquencer tout simplement les échantillons d'ADNc provenant de différents tissus ou à divers stades embryonnaires pour découvrir quels sont les gènes exprimés. Cette méthode

DÉMARCHE SCIENTIFIQUE

MÉTHODE DE RECHERCHE

▼ **Figure 20.11**

L'analyse de l'expression de gènes uniques par la technique de RT-PCR

■ APPLICATION ■ La technique de RT-PCR utilise l'enzyme transcriptase inverse en association avec la PCR et l'électrophorèse sur gel. On peut utiliser la RT-PCR pour comparer l'expression génétique entre divers échantillons (par exemple, à différents stades embryonnaires, dans différents tissus ou dans le même type de cellules dans des conditions variées).

■ TECHNIQUE ■ Dans cet exemple, on a analysé les échantillons contenant des ARNm à six stades embryonnaires de la drosophile pour déceler un ARNm spécifique, tel qu'il est illustré ci-dessous. (On a représenté l'ARNm d'un seul stade.)

1. La **synthèse de l'ADNc** est effectuée par la transcriptase inverse en présence des ARNm et des autres composants nécessaires.
2. L'**amplification (PCR)** de l'échantillon est réalisée à l'aide d'amorces spécifiques du gène d'intérêt de la drosophile.
3. L'**électrophorèse sur gel** révèle les produits d'ADN seulement dans les échantillons qui contiennent de l'ARNm transcrit du gène spécifique de la drosophile.

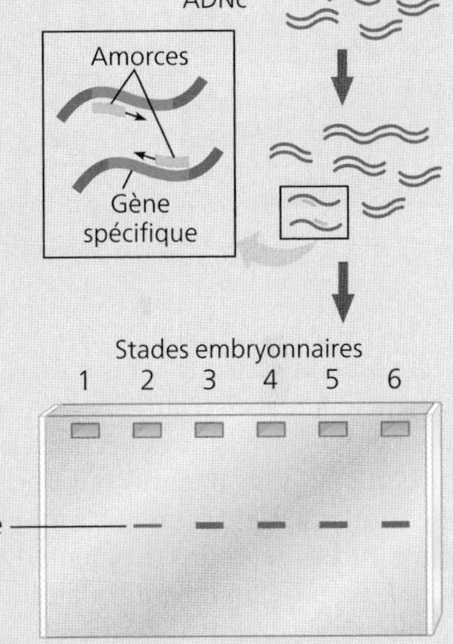

■ RÉSULTATS ■ L'ARNm pour ce gène est d'abord exprimé au stade 2 et continue de l'être jusqu'au stade 6. La taille du fragment amplifié (illustré par sa position sur le gel) dépend de la distance entre les amorces qui ont été utilisées (et non de la taille de l'ARNm).

▼ Figure 20.12 L'utilisation des microréseaux pour l'analyse de l'expression de nombreux gènes. Dans ce test sur microréseau à ADN, les chercheurs ont extrait l'ARNm de deux tissus humains distincts et ils ont synthétisé deux groupes d'ADNc marqués par un indicateur fluorescent rouge (tissu 1) ou vert (tissu 2). Les ADNc radiomarqués ont été hybridés sur des microréseaux, lesquels contenaient 5 760 gènes humains (environ 25 % des gènes humains), dont une partie est visible sur cet agrandissement. La couleur rouge indique que le gène situé dans ce puits est exprimé dans le tissu 1, la couleur verte, que le gène est exprimé dans le tissu 2, la couleur jaune, que le gène est exprimé dans les deux tissus, et la couleur noire, que le gène n'est exprimé dans aucun tissu. Pour chaque point, l'intensité de la fluorescence indique le niveau d'expression relatif du gène.

▼ Microréseau à ADN (taille réelle). Chaque point correspond à un puits contenant les copies identiques de fragments d'ADN porteurs d'un gène spécifique.

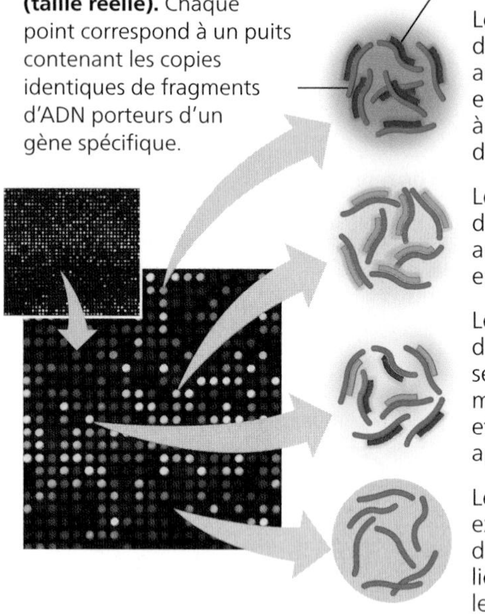

ADNc

Les gènes exprimés dans le tissu 1 se lient aux ADNc marqués en rouge et produits à partir des ARNm dans ce tissu.

Les gènes exprimés dans le tissu 2 se lient aux ADNc marqués en vert.

Les gènes exprimés dans les deux tissus se lient aux ADNc marqués en rouge et en vert; les puits apparaissent jaunes.

Les gènes qui ne sont exprimés dans aucun des deux tissus ne se lient pas aux ADNc; les puits sont noirs.

▼ Figure 20.13 L'utilisation du séquençage de l'ARN (ARN-seq) pour analyser l'expression de plusieurs gènes. Le séquençage de l'ARN fournit un vaste éventail de données sur l'expression des gènes, y compris leur niveau d'expression.

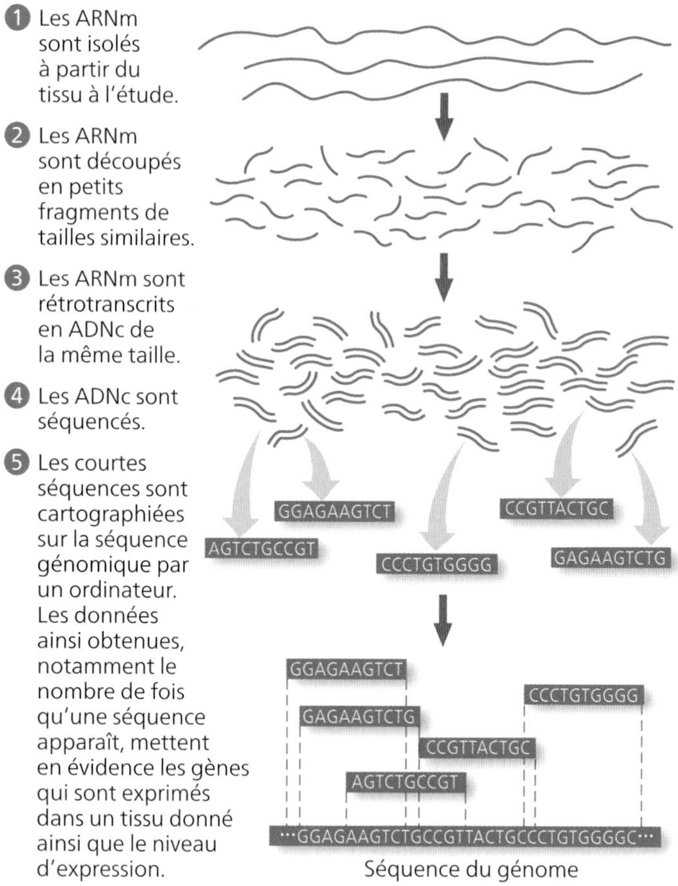

1. Les ARNm sont isolés à partir du tissu à l'étude.
2. Les ARNm sont découpés en petits fragments de tailles similaires.
3. Les ARNm sont rétrotranscrits en ADNc de la même taille.
4. Les ADNc sont séquencés.
5. Les courtes séquences sont cartographiées sur la séquence génomique par un ordinateur. Les données ainsi obtenues, notamment le nombre de fois qu'une séquence apparaît, mettent en évidence les gènes qui sont exprimés dans un tissu donné ainsi que le niveau d'expression.

directe est connue sous le nom de **séquençage de l'ARN**, ou *ARN-seq*, même si en réalité, c'est l'ADNc qui est séquencé. Dans cette méthode, on isole des échantillons d'ARNm (ou un autre type d'ARN), puis on les découpe en fragments plus courts de taille similaire. Ces fragments sont ensuite convertis en ADNc (**figure 20.13**). Les courts fragments d'ADNc sont d'abord séquencés, puis un programme informatique les rassemble et les cartographie sur le génome des espèces concernées (lorsque cela est possible), ou il les place tout simplement dans le bon ordre, à partir du début, en se fondant sur les séquences de plusieurs ARN se chevauchant. Le séquençage de l'ARN présente de nombreux avantages par rapport au test sur microréseaux. D'abord, cette méthode n'est pas fondée sur une hybridation avec une sonde radiomarquée et, par conséquent, une séquence génomique n'est pas essentielle (bien qu'il soit généralement possible d'en avoir une). Ensuite, cette méthode permet de mesurer les niveaux d'expression dans un très vaste intervalle; il est cependant difficile de mesurer avec précision les niveaux d'expression très bas ou très élevés lors d'un test sur microréseaux. Enfin, une analyse de séquences approfondie permet de recueillir une mine de renseignements au sujet de l'expression d'un gène donné, dont le taux relatif d'ARNm ayant fait l'objet d'un épissage alternatif. À mesure que diminue le coût du séquençage de l'ADN, le séquençage de l'ARN est de plus en plus utilisé pour de nombreuses applications. Toutefois, il est encore nécessaire de confirmer l'expression de gènes uniques par RT-PCR dans la plupart des cas.

Les scientifiques peuvent aujourd'hui mesurer simultanément l'expression de milliers de gènes. De telles analyses sont rendues possibles grâce aux biotechnologies, et l'automatisation permet de les réaliser à plus grande échelle. En plus de contribuer à la découverte des interactions entre les gènes et de mieux connaître leur fonctionnement, les tests sur microréseaux et le séquençage de l'ARN nous aident à mieux comprendre certaines maladies et pourraient mener à de nouvelles techniques de diagnostic ou à des thérapies innovatrices. Par exemple, la comparaison des modes d'expression génétique entre les tumeurs du cancer du sein et les tissus mammaires non cancéreux a déjà débouché sur des protocoles thérapeutiques plus détaillés et plus efficaces (voir la figure 18.27). Finalement, l'information obtenue grâce aux tests sur microréseaux nous permettra d'acquérir une meilleure vue d'ensemble et d'approfondir notre compréhension de la façon dont les gènes interagissent pour former un être vivant et maintenir ses systèmes vitaux en état de fonctionnement.

La détermination de la fonction des gènes

Une fois qu'ils ont ciblé un gène d'intérêt, comment les scientifiques font-ils pour établir sa fonction? La séquence d'un gène peut être comparée à celles d'autres espèces. En connaissant la fonction d'un gène similaire dans une autre espèce, on peut présumer que celle du gène étudié est comparable. À cet égard, les données sur l'emplacement et le moment de l'expression génétique peuvent aider à consolider cette hypothèse. Pour obtenir des preuves plus convaincantes, une des approches possibles consiste à désactiver le gène et à observer les conséquences de cette désactivation dans la cellule ou l'organisme.

L'édition de gènes et de génomes

Les biologistes moléculaires ont longtemps cherché des techniques qui leur permettraient de modifier ou d'éditer le matériel génétique des cellules ou des organismes de façon prévisible. Pour une de ces techniques, appelée **mutagenèse *in vitro*** (ou *mutagenèse dirigée*), on effectue des mutations précises dans un gène cloné en substituant une base à une autre, en provoquant des délétions, etc. Après quoi, on réintroduit ce gène muté dans une cellule de façon à désactiver les copies cellulaires normales du même gène. Si les mutations provoquées altèrent ou neutralisent le fonctionnement de la protéine codée par le gène, le phénotype du mutant peut aider à déterminer la fonction de la protéine normale manquante. À l'aide de techniques moléculaires et génétiques, les chercheurs peuvent même produire des souris ayant un gène désactivé (gène invalidé, ou «*knockout*» en anglais) afin d'étudier le rôle du gène en question dans le développement et chez l'adulte. Mario Capecchi, Martin Evans et Oliver Smithies ont reçu un prix Nobel en 2007 pour la mise au point de cette technique.

Au cours des 10 dernières années, les biologistes ont mis au point une nouvelle technique d'une très grande efficacité pour l'édition de gènes dans les cellules et les organismes vivants. Il s'agit du **système CRISPR-Cas9**, qui révolutionne le domaine du génie génétique. Cas9 est une protéine bactérienne qui aide à défendre les bactéries contre l'infection des bactériophages. Elle fait partie d'un système dont le fonctionnement a été élucidé par Jennifer Doudna et Emmanuelle Charpentier. Dans les cellules bactériennes, Cas9 agit conjointement avec un ARN guide produit à partir de la région CRISPR du système bactérien (voir la figure 19.7).

Tout comme les enzymes de restriction décrites précédemment, Cas9 est une nucléase qui découpe les molécules d'ADN bicaténaire. Toutefois, alors qu'une enzyme de restriction ne reconnaît qu'une seule séquence d'ADN bien précise, la protéine Cas9 découpe toute séquence vers laquelle elle est orientée. Dirigée par un ARN guide auquel elle se lie et qu'elle utilise comme dispositif d'autoguidage, elle découpe les deux brins de toute séquence d'ADN, pourvu qu'ils soient parfaitement complémentaires à l'ARN guide. Les scientifiques ont pu exploiter la fonction de la protéine Cas9 en introduisant un complexe Cas9-ARN guide dans une cellule qu'ils souhaitaient modifier (**figure 20.14**). L'ARN guide du complexe est transformé pour qu'il devienne complémentaire au gène ciblé. Cas9 découpe les deux brins de l'ADN cible, et les extrémités de l'ADN ainsi rompues déclenchent un système de réparation de l'ADN (comparable à celui représenté à la figure 16.19). En l'absence d'ADN intact que les enzymes du système de réparation peuvent utiliser comme matrice, les enzymes de réparation se lient aux extrémités et, par conséquent, introduisent ou retirent parfois certains nucléotides au hasard, tel que l'illustre la partie inférieure gauche de la figure 20.14. Souvent, si la cassure touche une partie codante du gène, le processus de liaison modifie la séquence d'ADN, ce qui nuit au bon fonctionnement du gène.

▼ **Figure 20.14 L'édition d'un gène par l'intermédiaire du système CRISPR-Cas9.**

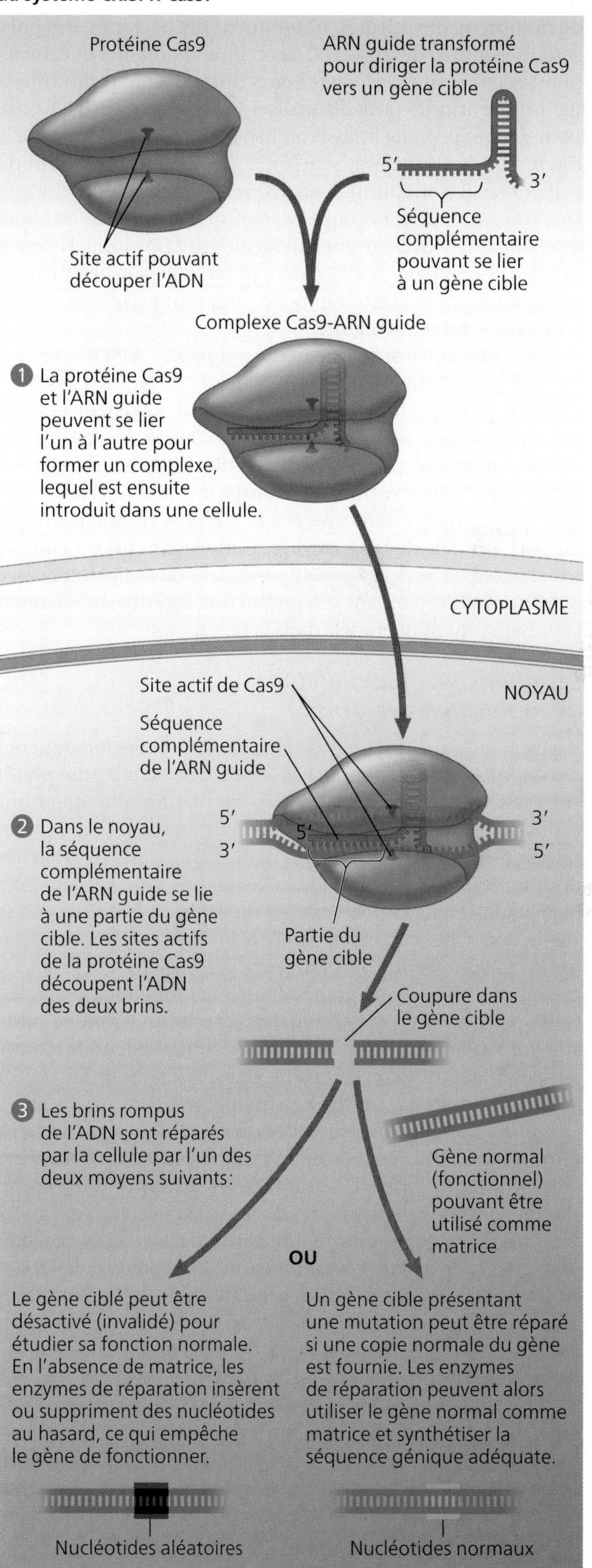

Cette technique est très efficace pour inactiver un gène donné dans le but d'en étudier la fonction. Elle a déjà été utilisée avec de nombreux organismes, notamment des bactéries, des poissons, des souris, des insectes, des cellules humaines et diverses plantes cultivées. Des chercheurs ont également modifié la technique afin de pouvoir utiliser le complexe CRISPR-Cas9 pour réparer un gène muté (voir la partie inférieure droite de la figure 20.14). Ils introduisent ainsi un segment provenant du gène normal (fonctionnel) ainsi que le système CRISPR-Cas9. Une fois l'ADN cible découpé par la protéine Cas9, les enzymes de réparation peuvent utiliser un segment d'ADN normal comme matrice pour réparer l'ADN visé au point de cassure. La thérapie génique fait appel à cette approche, comme nous le verrons plus loin dans le présent chapitre.

Dans une autre application du complexe CRISPR-Cas9, les scientifiques s'attaquent au problème des maladies transmises par les insectes partout dans le monde. Ils se servent de ce complexe pour modifier certains gènes afin d'empêcher les insectes de transmettre la maladie, par exemple. Fait particulier, cette approche permet également de transformer le nouvel allèle afin qu'il soit transmis dans une beaucoup plus vaste mesure par rapport à l'allèle de type sauvage. Cette technique est connue sous le nom de « forçage génétique », car la transmission biaisée du gène modifié pendant la reproduction accentue rapidement la présence du nouvel allèle dans la population.

Les autres méthodes d'étude de la fonction des gènes

Il existe une autre méthode de blocage de l'expression de gènes sélectionnés qui ne modifie pas le génome, mais repose plutôt sur l'**ARN-interférence** (ARNi), un phénomène que nous avons décrit au concept 18.3. Dans cette approche expérimentale, on utilise des molécules d'ARN bicaténaire artificielles dont la séquence correspond à celle du gène visé pour amorcer la dégradation de l'ARN messager du gène, ou pour bloquer sa traduction. Chez certains types d'organismes, comme les nématodes et la drosophile, l'interférence par ARN avait déjà fait ses preuves dans l'analyse à grande échelle des fonctions des gènes. Cette méthode est plus rapide que la technique fondée sur le système CRISPR-Cas9, mais elle permet uniquement de réduire temporairement l'expression d'un gène plutôt que de l'inactiver ou de le modifier sur une base permanente.

Chez l'humain, des considérations éthiques empêchent l'inactivation des gènes pour déterminer leurs fonctions. Une autre stratégie consiste à analyser les génomes d'un grand nombre de personnes atteintes d'une anomalie ou d'une maladie phénotypique, comme une cardiopathie ou le diabète, pour essayer de repérer des particularités génétiques qu'elles ont en commun en comparant leur génome avec celui de personnes saines. On suppose que ces différences pourraient être associées à un ou à plusieurs gènes dysfonctionnels qui, d'une certaine façon, seraient inactivés de façon naturelle. Dans ces analyses à grande échelle, appelées **études d'association sur l'ensemble du génome**, on cherche les *marqueurs génétiques*, c'est-à-dire des séquences d'ADN qui varient dans la population. Dans un gène, une telle variation de séquence est à l'origine des différences entre les allèles, tel que nous l'avons vu dans le cas de l'anémie à hématies falciformes (voir la figure 17.26). Comme dans le cas des séquences codantes, l'ADN non codant d'un locus spécifique sur un chromosome peut présenter de petites différences de nucléotides (polymorphisme) parmi les individus. Les variations observées dans les séquences d'ADN codantes ou non codantes au sein d'une population sont des polymorphismes (« plusieurs formes »).

Les variations du génome ne touchant qu'une seule paire de bases dans la population humaine constituent des marqueurs génétiques très utiles pour le dépistage des gènes causant des maladies et des troubles. Une variation présente chez au moins 1 % de la population au niveau d'une seule paire de bases se nomme **polymorphisme mononucléotidique** ou **SNP** (pour *single nucleotide polymorphism*, prononcé « snip »). Quelques millions de SNP se trouvent dans le génome humain, ce qui correspond environ à 1 paire de bases sur 100 à 300 séquences d'ADN (transcrit ou non transcrit). Il n'est pas nécessaire de séquencer l'ADN de nombreux individus pour déceler des polymorphismes mononucléotidiques ; on peut les détecter par des analyses très sensibles sur microréseaux, par ARN-seq ou par PCR.

Après avoir identifié un SNP présent chez toutes les personnes atteintes d'une maladie, les chercheurs examinent plus en détail cette région et cherchent sa séquence. Dans la grande majorité des cas, le SNP lui-même ne contribue pas à la maladie en modifiant la protéine encodée ; en fait, la plupart des SNP sont situés dans des régions non transcrites. Toutefois, si le SNP et un allèle responsable de la maladie sont suffisamment proches, les scientifiques peuvent tirer avantage de la très faible probabilité que l'enjambement entre le marqueur et le gène se produise au cours de la formation du gamète. Autrement dit, le marqueur et le gène seront presque toujours transmis ensemble, même si le marqueur ne fait pas partie du gène (**figure 20.15**). On a trouvé des SNP associés au diabète, à une cardiopathie et à plusieurs types de cancers. Des recherches se poursuivent afin d'identifier les gènes qui pourraient être en cause dans ces affections.

Les techniques et les stratégies expérimentales que vous avez étudiées jusqu'ici reposent sur l'utilisation de molécules biologiques, notamment l'ADN et les protéines. En parallèle, les biologistes ont aussi mis au point des techniques efficaces pour cloner des organismes multicellulaires entiers. Un objectif de ce travail consiste à obtenir des cellules d'un type particulier, les cellules souches, qui peuvent donner naissance à tous les types de tissus. L'utilisation des cellules souches combinée aux techniques de modifications géniques que nous avons abordées précédemment permettrait de traiter certaines maladies liées

▼ **Figure 20.15 Les polymorphismes mononucléotidiques (SNP) en tant que marqueurs génétiques pour des allèles responsables de maladies.** Ce schéma montre la même portion d'un génome provenant de deux groupes d'individus ; dans celui des personnes atteintes d'une anomalie ou d'une maladie génétique, on observe la présence d'une paire C/G à un locus particulier, alors que les personnes en bonne santé présentent une paire A/T à ce même locus. Lorsqu'il est confirmé que l'allèle est associé à la maladie en question, on peut utiliser le SNP comme marqueur de l'allèle causant la maladie.

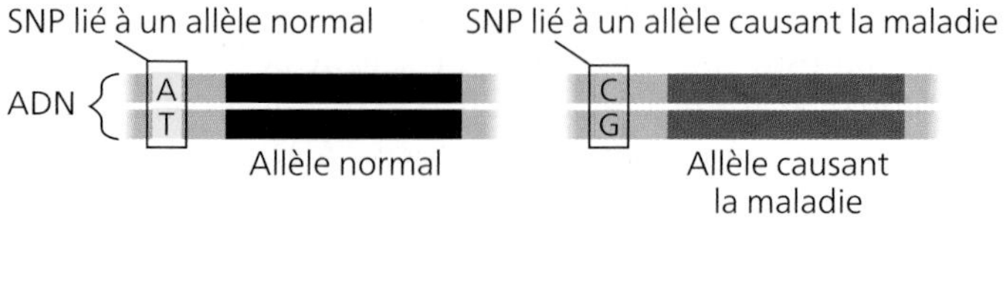

à des déficiences génétiques. Les méthodes qui font intervenir le clonage d'organismes et la production de cellules souches constituent le sujet de la prochaine section.

RETOUR SUR LE CONCEPT **20.2**

1. Décrivez le rôle de l'appariement des bases complémentaires pendant la technique de RT-PCR, le test sur microréseaux, le séquençage de l'ADN et l'édition du système CRISPR-Cas9.
2. **HABILETÉ VISUELLES ▶** Observez le microréseau de la figure 20.12. Si on marque un échantillon provenant d'un tissu normal avec un colorant fluorescent vert, et un échantillon d'un tissu cancéreux avec un colorant rouge, quelles couleurs représenteraient les gènes que vous souhaiteriez examiner en détail pour étudier le cancer? Expliquez votre réponse.

Voir les réponses proposées à l'appendice A.

CONCEPT **20.3**

Les organismes clonés et les cellules souches servent à la recherche fondamentale et à d'autres applications

Parallèlement aux progrès réalisés en biotechnologie, les scientifiques ont mis au point et amélioré les méthodes de clonage d'organismes multicellulaires entiers à partir de cellules uniques. Dans ce contexte, le clonage produit un ou plusieurs organismes génétiquement identiques au «parent» qui a fourni la cellule unique. On qualifie souvent cette méthode de *clonage d'organisme* afin de la distinguer clairement du clonage moléculaire et, ce qui est encore plus important, du clonage cellulaire, qui se définit comme la division d'une cellule se reproduisant de façon asexuée comme une bactérie dans un groupe de cellules génétiquement identiques. (Le thème commun pour tous les types de clonage est que le produit est génétiquement identique au parent. En fait, le mot *clone* vient du grec *klôn*, qui signifie «pousse».) L'intérêt actuel à l'égard du clonage d'organismes vient principalement de son potentiel à générer des cellules souches. Une **cellule souche** est une cellule relativement peu spécialisée qui continue à se diviser et qui, dans des conditions appropriées, peut se différencier en cellules spécialisées d'un ou de plusieurs types. Les cellules souches offrent de très grandes possibilités en ce qui concerne la régénération des tissus endommagés.

Le clonage de végétaux et d'animaux a été tenté la première fois il y a plus de 50 ans au cours d'expériences destinées à répondre à des questions biologiques fondamentales. Par exemple, les chercheurs se sont demandé si toutes les cellules d'un organisme contenaient les mêmes gènes ou si les cellules perdent des gènes au cours du processus de la différenciation (voir le concept 18.4). Une façon de répondre à cette question consiste à vérifier si une cellule différenciée est en mesure de former un organisme entier ou, autrement dit, s'il est possible de cloner un organisme entier. Discutons de ces premières expériences avant d'examiner les progrès les plus récents dans le clonage d'organismes et les procédures pour produire des cellules souches.

Le clonage des végétaux: les cultures monocellulaires

Au cours des années 1950, F. C. Steward et ses étudiants de la Cornell University ont réussi à cloner des plantes entières à partir d'une cellule différenciée. En travaillant sur la carotte (*Daucus carota*), ils ont établi que des cellules différenciées extraites de la racine et incubées dans un milieu de culture peuvent donner des plantes adultes normales, génétiquement identiques à la plante «mère». Ces résultats ont montré que la différenciation n'entraîne pas toujours des modifications irréversibles de l'ADN. Chez les végétaux, une cellule adulte peut donc se «dédifférencier» et donner naissance à tous les types de cellules spécialisées d'un organisme adulte complet. Les cellules qui possèdent cette capacité sont dites **totipotentes**.

Le clonage des végétaux est aujourd'hui abondamment utilisé en agriculture. Pour certains végétaux, comme les orchidées, le clonage est le seul moyen commercialement pratique de reproduire les plantes. Dans d'autres cas, on se sert du clonage pour reproduire une plante ayant des caractéristiques intéressantes, comme la résistance à un agent pathogène. En fait, vous avez probablement effectué vous-même du clonage de végétaux si vous avez déjà fait pousser une nouvelle plante à partir d'une bouture!

Le clonage des animaux: la transplantation de noyaux

Généralement, les cellules animales différenciées mises en culture ne se divisent pas, et elles ne produisent pas les nombreux types de cellules d'un nouvel organisme. Par conséquent, les chercheurs dans ce domaine ont abordé différemment la question de savoir si les cellules animales différenciées sont totipotentes. Ils ont créé un *ovule énucléé* (en enlevant le noyau d'un ovule) pour y insérer le noyau d'une cellule différenciée, en faisant appel à une méthode nommée *transplantation de noyaux*, maintenant mieux connue sous le nom de *transfert de noyau d'une cellule somatique*. S'il conserve sa pleine capacité génétique, un noyau tiré d'une cellule donneuse différenciée peut alors commander le développement de tous les tissus et organes d'un organisme à partir de la cellule receveuse, encore au stade indifférencié. De telles expériences ont été effectuées sur des grenouilles (*Rana pipiens*) par Robert Briggs et Thomas King pendant les années 1950. Elles ont été poursuivies sur une autre espèce (*Xenopus laevis*) par John Gurdon dans les années 1970 (**figure 20.16**). Ces chercheurs transplantaient un noyau d'une cellule d'embryon de têtard dans l'œuf énucléé de la même espèce. Dans l'expérience de Gurdon, le noyau transplanté assurait le développement normal de l'œuf en têtard, mais avec certaines limites. Il est apparu en effet que le potentiel du noyau transplanté à régir un développement normal s'est avéré inversement lié à l'âge de l'organisme donneur: plus le noyau du donneur est vieux, plus le pourcentage de têtards qui se développent normalement est faible (voir la figure 20.16).

À partir de ces résultats, Gurdon a conclu que les noyaux *subissent effectivement* certains changements pendant la différenciation cellulaire. Chez les grenouilles et la plupart des autres animaux, le potentiel du noyau semble disparaître progressivement au cours du développement embryonnaire et de la différenciation cellulaire. C'est grâce à ces expériences fondamentales

DÉMARCHE SCIENTIFIQUE

INVESTIGATION

▼ **Figure 20.16**

Un noyau tiré d'une cellule animale différenciée peut-il commander le développement d'un organisme ?

■ HYPOTHÈSE ■ Si une cellule de grenouille différenciée peut commander le développement d'un organisme complet, alors son noyau devrait pouvoir orchestrer le développement normal d'une grenouille lorsqu'il est transplanté dans un œuf énucléé.

■ EXPÉRIENCE ■ John Gurdon et ses collègues de l'Oxford University, en Angleterre, ont détruit des noyaux d'œufs de grenouille (*Xenopus laevis*) en les exposant à un rayonnement ultraviolet. Ils ont ensuite transplanté dans des œufs énucléés des noyaux provenant de cellules d'embryons de grenouille et de têtard.

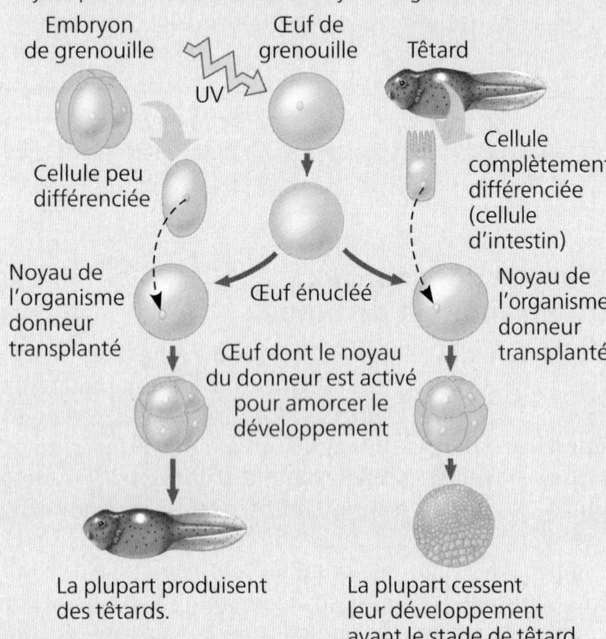

■ RÉSULTATS ■ La plupart des œufs ayant reçu des noyaux transplantés issus de jeunes embryons, dont les cellules sont relativement non différenciées, produisent des têtards. À l'opposé, moins de 2 % de ceux qui ont reçu des noyaux de cellules d'intestin de grenouille complètement différenciées donnent des têtards normaux; de plus, dans ce dernier cas, la plupart des embryons cessent de se développer au cours des premières étapes.

■ CONCLUSION ■ Le noyau provenant d'une cellule de grenouille différenciée peut commander le développement d'un têtard. Cependant, la capacité de ce noyau à assurer un développement normal diminue à mesure que la cellule de l'organisme donneur se différencie, probablement en raison des changements subis dans les noyaux.

Source des données: J. B. Gurdon et coll., The developmental capacity of nuclei transplanted from keratinized cells of adult frogs, *Journal of Embryology and Experimental Morphology* 34: 93-112 (1975).

ET SI ? ▶ Si chaque cellule dans un embryon à quatre cellules était déjà tellement spécialisée qu'elle aurait perdu sa totipotence, quels résultats prédiriez-vous pour l'expérience à la gauche de la figure ?

que la technologie des cellules souches a vu le jour, et Gurdon a reçu le prix Nobel de médecine en 2012 pour ses travaux.

Le clonage reproductif de mammifères

En plus de cloner des grenouilles, les chercheurs ont réussi à cloner des mammifères en utilisant les noyaux provenant de jeunes cellules embryonnaires, même si, à l'époque, on ignorait s'il était possible de reprogrammer un noyau issu d'une cellule complètement différenciée pour qu'il réussisse à agir comme un noyau donneur. En 1997, cependant, des chercheurs écossais ont annoncé la naissance de Dolly, une agnelle qu'ils avaient clonée à partir d'une brebis adulte de six ans en transférant un noyau provenant d'une cellule différenciée d'une glande mammaire (**figure 20.17**). À l'aide d'une technique comparable à celle de la figure 20.16, les chercheurs ont implanté de jeunes embryons dans des mères porteuses. Sur plusieurs centaines d'embryons, un seul a connu un développement normal, et Dolly est née. Il s'agissait d'un clone génétique de la donneuse de noyau. Toutefois, Dolly a dû être euthanasiée à l'âge de six ans, car elle souffrait de certaines complications pulmonaires d'une maladie qui touche habituellement des brebis gardées à l'intérieur. On a également observé une maladie pulmonaire inhabituelle chez une autre brebis clonée dans le cadre de la même expérience. On a donc supposé que les cellules de cette brebis n'étaient pas aussi saines que celles d'une brebis normale, ce qui constituait l'expression probable d'une reprogrammation incomplète du noyau original transplanté. La reprogrammation se caractérise notamment par des changements épigénétiques qui modifient la structure de la chromatine (voir le concept 18.2), un sujet que nous aborderons sous peu.

Depuis, les chercheurs ont cloné de nombreuses espèces de mammifères, dont des souris, des chats, des vaches, des chevaux, des porcs, des chiens et des singes. Dans la plupart des cas, l'objectif était la production de nouveaux individus génétiquement identiques, ce qu'on nomme *clonage reproductif*. Ces expériences nous ont permis d'acquérir de nombreuses connaissances. Par exemple, l'apparence ou le comportement d'animaux clonés de la même espèce *ne sont pas* toujours une copie conforme de l'original. Dans un troupeau de vaches clonées provenant de la même lignée de cellules cultivées, certaines ont un comportement dominant, alors que d'autres sont plus soumises. Le premier chat cloné (en 2001), appelé CC (pour

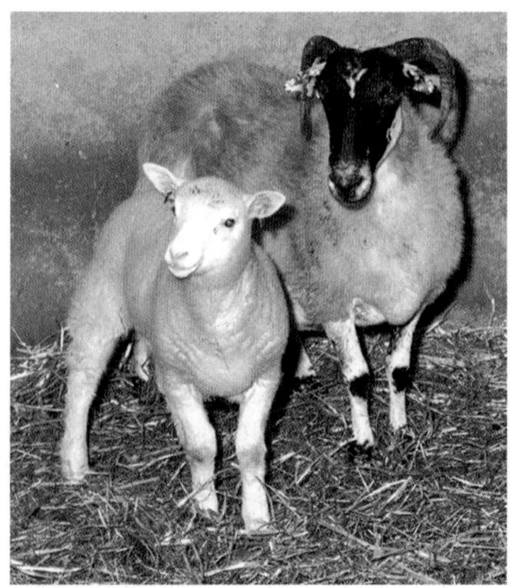

▶ **Figure 20.17**
Le clonage reproductif d'un mammifère par transplantation de noyau. Sur cette photo, on peut voir que Dolly, qui était alors une agnelle, n'a pas la même apparence que sa mère porteuse, debout près d'elle.

Carbon Copy, en anglais) (**figure 20.18**), constitue un autre exemple de non-identité chez les clones. Son pelage est calicot comme celui de sa mère, son unique parent, mais la couleur et les motifs sont différents en raison de l'inactivation aléatoire du chromosome X, ce qui est un événement normal pendant le développement embryonnaire (voir la figure 15.8). En outre, chez les humains, les vrais jumeaux, qui sont des «clones» naturels, sont toujours légèrement différents. Il est clair que certains effets relevant du milieu et des phénomènes aléatoires jouent un rôle important au cours du développement.

La régulation défectueuse des gènes chez les animaux clonés par suite de différences épigénétiques

Dans la plupart des études sur la transplantation de noyaux entreprises jusqu'ici, seul un petit pourcentage des embryons clonés se développe normalement jusqu'à la naissance. À l'instar de Dolly, de nombreux animaux clonés présentent des anomalies: par exemple, des souris souffrent d'obésité, de pneumonie ou d'insuffisance hépatique, ou encore meurent prématurément. Les scientifiques avancent que même les animaux clonés qui semblent normaux présentent probablement de légères anomalies.

Les chercheurs ont découvert quelques raisons qui expliquent la faible efficacité du clonage et la forte incidence des anomalies. Dans les noyaux des cellules complètement différenciées, un petit sous-groupe de gènes est activé et l'expression du reste des gènes est réprimée. Cette régulation est souvent attribuable à des changements épigénétiques de la chromatine tels que l'acétylation des histones ou la méthylation de l'ADN (voir la figure 18.7). Au cours de la procédure de transfert du noyau, un grand nombre de ces changements doivent être inversés alors que le noyau issu d'un animal donneur est à maturité. C'est ce qui permettra aux gènes d'être exprimés ou réprimés d'une façon qui convienne aux premiers stades du développement embryonnaire. Les chercheurs ont remarqué que l'ADN des cellules d'embryons clonés, tout comme celui des cellules différenciées de la même espèce, renferme souvent plus de groupements méthyle que l'ADN des cellules équivalentes d'embryons non clonés. Cette découverte porte à croire que la reprogrammation des noyaux de l'organisme donneur exige une restructuration de la chromatine plus précise et complète que celle observée au cours de la procédure de clonage. Étant donné que la méthylation de l'ADN intervient dans la régulation de l'expression génétique, des groupements méthyle additionnels ou mal situés dans l'ADN des noyaux de l'organisme donneur pourraient entraver le mécanisme de l'expression génétique essentielle à un développement embryonnaire normal. En fait, le succès d'une tentative de clonage pourrait dépendre dans une large mesure de la possibilité que la chromatine dans le noyau du donneur soit ou non artificiellement modifiée pour ressembler à celle de l'ovule nouvellement fécondé.

Les cellules souches animales

Les avancées réalisées dans le clonage des embryons de mammifères, dont les primates, ont relancé les spéculations concernant le clonage d'êtres humains, qui n'a pas dépassé les stades très précoces du développement embryonnaire. La principale raison pour laquelle les chercheurs ont tenté de cloner des embryons humains n'est pas la reproduction, mais la production de cellules souches à des fins thérapeutiques. Rappelez-vous qu'une cellule souche est une cellule relativement peu spécialisée qui continue de se diviser et qui, dans des conditions appropriées, peut se différencier en cellules spécialisées d'un ou de plusieurs types (**figure 20.19**). Par conséquent, les cellules souches ont la capacité à la fois de reconstituer leur propre population et de produire des cellules qui empruntent des voies de différenciation spécifiques.

▼ **Figure 20.18 CC («Carbon Copy»), le premier chat cloné, et son unique parent.** Rainbow (à gauche) a fourni le noyau dans une procédure de clonage qui a donné CC. Cependant, les deux chats ne sont pas identiques: Rainbow est une chatte calicot classique dont le pelage porte des taches orangées et elle manifeste une «personnalité réservée», alors que CC a un pelage gris et blanc et est plus enjouée.

▼ **Figure 20.19 Les cellules souches maintiennent leur propre population tout en générant des cellules différenciées.**

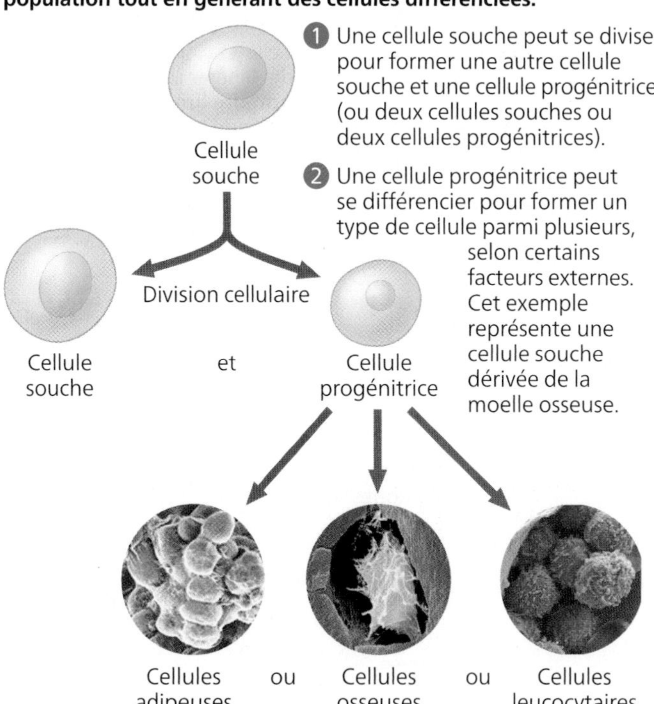

❶ Une cellule souche peut se diviser pour former une autre cellule souche et une cellule progénitrice (ou deux cellules souches ou deux cellules progénitrices).
Cellule souche
❷ Une cellule progénitrice peut se différencier pour former un type de cellule parmi plusieurs, selon certains facteurs externes. Cet exemple représente une cellule souche dérivée de la moelle osseuse.
Division cellulaire
Cellule souche
et
Cellule progénitrice
Cellules adipeuses
ou
Cellules osseuses
ou
Cellules leucocytaires

Les cellules souches embryonnaires et adultes

De nombreux jeunes embryons d'animaux contiennent des cellules souches capables de donner naissance à des cellules embryonnaires différenciées de n'importe quel type. On peut isoler les cellules souches durant le stade de la blastula chez les animaux, et durant celui du blastocyste, qui est son équivalent chez les humains. En culture, ces *cellules souches embryonnaires* (*cellules SE*) se reproduisent indéfiniment; de plus, selon les conditions de culture, on peut les faire se différencier en une grande variété de cellules spécialisées (**figure 20.20**), notamment des ovules et des spermatozoïdes.

L'organisme adulte contient plusieurs variétés de cellules souches qui remplacent au besoin les cellules spécialisées autres que celles de la lignée germinale. Contrairement aux cellules SE, les *cellules souches adultes* sont incapables de donner naissance à tous les types cellulaires dans les organismes, bien qu'elles puissent en générer plusieurs. Par exemple, un des types de cellules souches de la moelle osseuse rouge peut produire tous les différents types de globules sanguins (voir la figure 20.20), alors qu'un autre peut se différencier en os, en cartilage, en tissu adipeux, en muscle et en endothélium (paroi des vaisseaux sanguins). Une autre découverte qui a récemment surpris le monde scientifique concerne l'existence, dans l'encéphale adulte, de cellules souches continuant de produire certains types de neurones. De plus, des chercheurs ont fait état dernièrement de la découverte de cellules souches dans la peau, les cheveux, les yeux et la pulpe dentaire. Bien que les cellules souches se trouvent en très petit nombre chez les animaux adultes, les scientifiques apprennent à les reconnaître, à les isoler à partir de divers tissus et, dans certains cas, à les mettre en culture. Quand les cellules souches provenant d'animaux adultes sont placées dans des conditions de culture adéquates (par exemple, l'ajout de facteurs de croissance précis), elles peuvent être amenées à se différencier en plusieurs types définis de cellules spécialisées, bien qu'aucune ne soit aussi polyvalente que les cellules SE.

▼ **Figure 20.20 L'utilisation des cellules souches.** Les cellules souches animales qui peuvent être isolées à partir de jeunes embryons ou de tissus provenant d'un adulte, puis mises en culture, sont des cellules relativement non différenciées, qui se reproduisent naturellement. Les cellules souches embryonnaires sont plus faciles à mettre en culture que les cellules souches adultes et peuvent théoriquement donner *tous* les types de cellules d'un organisme. On ne comprend pas encore très bien quels assortiments de cellules peuvent donner les cellules souches adultes.

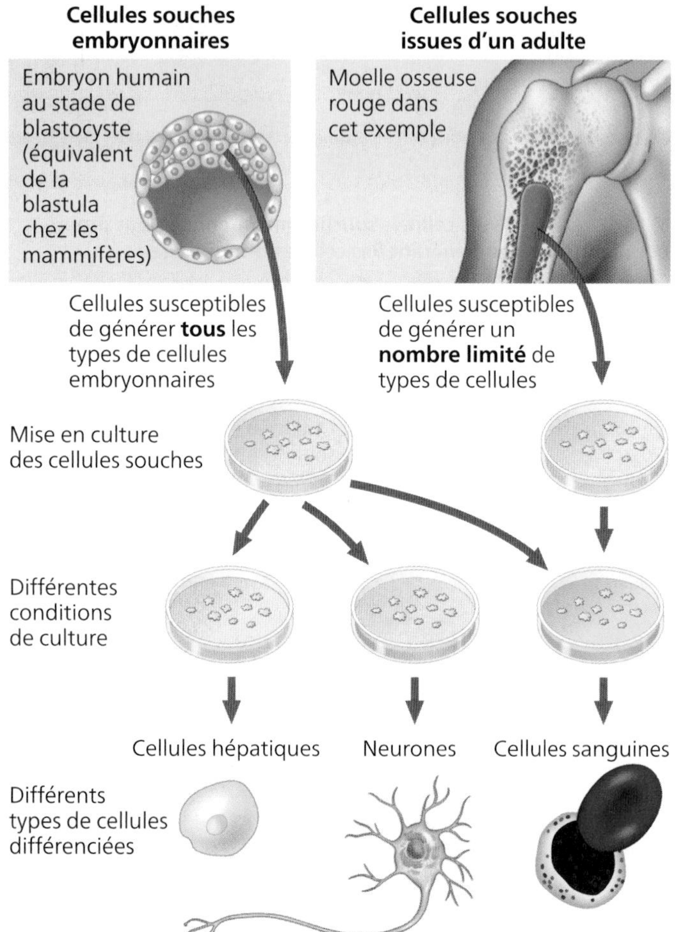

En plus de constituer une extraordinaire source de données sur la différenciation, la recherche sur les cellules souches embryonnaires ou les cellules souches adultes a un énorme potentiel dans le domaine médical. L'objectif majeur est d'obtenir des cellules dans le but de soigner des organes endommagés ou malades. Parmi les applications possibles, on peut penser aux cellules pancréatiques productrices d'insuline pour les diabétiques de type 1 ou à certains types de neurones pour les patients souffrant de la maladie de Parkinson ou de la chorée de Huntington. On utilise depuis longtemps les cellules souches adultes issues de la moelle osseuse comme source de cellules du système immunitaire chez les patients dont le propre système immunitaire n'est pas fonctionnel à cause d'anomalies génétiques ou d'une radiothérapie contre le cancer.

Le potentiel de développement des cellules souches adultes est limité à certains tissus. Pour la plupart des applications médicales, les cellules souches embryonnaires sont plus prometteuses que les cellules souches adultes parce qu'elles sont **pluripotentes**, c'est-à-dire capables de se différencier en de nombreux types de cellules. En 2013, un groupe de recherche a rapporté qu'il avait établi des lignées de cellules SE à partir de blastocystes humains. Pour y arriver, les chercheurs ont transféré le noyau d'une cellule différenciée dans un ovule énucléé. Auparavant, les cellules SE provenaient uniquement d'embryons donnés par des patientes suivant des traitements contre la stérilité ou de cultures cellulaires continues établies au départ avec des cellules isolées d'embryons donnés, ce qui soulevait des questions éthiques et politiques. Même si les scientifiques continuent de perfectionner les techniques pour le clonage de jeunes embryons humains, il s'agit sans aucun doute d'une nouvelle source potentielle de cellules SE qui pourrait s'avérer moins controversée. De plus, avec un noyau donneur provenant d'un individu atteint d'une maladie particulière, les chercheurs devraient pouvoir produire des cellules SE qui sont adaptées au patient et qui ne seraient pas rejetées par son système immunitaire lors d'utilisations thérapeutiques. Lorsque le but principal du clonage est de produire des cellules SE pour traiter des maladies, le processus porte le nom de *clonage thérapeutique*. Bien que la plupart des gens croient que le clonage reproductif d'humains est contraire à l'éthique, les opinions sont plus nuancées au sujet de la moralité du clonage thérapeutique.

Les cellules souches pluripotentes induites (SPi)

Faire progresser le débat semble maintenant moins impératif puisque les chercheurs ont réussi à reprogrammer des cellules complètement différenciées pour qu'elles se comportent comme des cellules SE. La réalisation de cette percée, qui s'est heurtée à d'énormes obstacles, a été annoncée en 2007, d'abord par des laboratoires qui utilisaient des cellules de peau de souris, puis par d'autres groupes qui travaillaient sur des cellules de peau humaine et d'autres organes ou tissus. Dans tous les cas, les chercheurs ont transformé les cellules différenciées en un type particulier de cellules SE en utilisant des rétrovirus pour introduire des copies clonées supplémentaires de quatre gènes maîtres régulateurs de « cellules souches ». Les cellules « déprogrammées » sont appelées *cellules souches pluripotentes induites* (*SPi*) parce qu'on a rétabli leur pluripotence à l'aide d'une technique de laboratoire plutôt simple qui permet de les ramener à un état indifférencié. La **figure 20.21** décrit les expériences qui ont transformé pour la première fois des cellules indifférenciées en cellules SPi. En 2012, Shinya Yamanaka a reçu le prix Nobel de médecine pour cette réalisation, un honneur qu'il a partagé avec John Gurdon, dont les travaux sont présentés à la figure 20.16.

À de nombreux égards, les cellules SPi peuvent accomplir la plupart des fonctions des cellules SE. Toutefois, on relève quelques différences dans l'expression génétique et d'autres fonctions, dont la division cellulaire. Au moins jusqu'à ce que ces différences soient complètement comprises, l'étude des cellules SE continuera de contribuer largement au développement des thérapies par les cellules souches. (En fait, les cellules SE seront probablement toujours d'un grand intérêt pour la recherche fondamentale également.) Entre-temps, les expérimentations se poursuivent avec les cellules SPi déjà produites.

On peut utiliser les cellules SPi humaines principalement de deux façons. Premièrement, il est possible de reprogrammer en cellules SPi les cellules provenant de personnes malades ; de telles cellules servent de modèles pour étudier la maladie et mettre au point de futurs traitements. On a déjà créé des lignées de cellules SPi humaines à partir d'individus atteints de diabète de type 1, de la maladie de Parkinson, de la maladie de Huntington, du syndrome de Down et de plusieurs autres maladies. Deuxièmement, dans le domaine de la médecine régénérative, on envisage de reprogrammer les propres cellules du patient en cellules SPi, puis de les utiliser pour remplacer des tissus non fonctionnels. Les cellules productrices d'insuline du pancréas en sont un bon exemple. En 2014, deux groupes de recherche ont décrit des méthodes efficaces pour cultiver des cellules productrices d'insuline à partir de cellules SPi et SE. Avant de pouvoir utiliser ces cellules chez les patients, les chercheurs devront toutefois trouver le moyen de s'assurer qu'elles ne soient pas détruites par le système immunitaire (principale cause du diabète de type 1, qui se caractérise par un dysfonctionnement du système immunitaire).

Autre découverte surprenante, les chercheurs ont pu cibler les gènes capables de reprogrammer directement une cellule différenciée en un autre type de cellule différenciée sans qu'elle passe par un état pluripotent. Le premier exemple documenté est la transformation de cellules pancréatiques d'un type à un autre. Il n'est toutefois pas nécessaire que les deux types de cellules soient étroitement apparentés. En effet, un autre groupe de recherche a réussi à reprogrammer directement un fibroblaste

DÉMARCHE SCIENTIFIQUE

INVESTIGATION

▼ **Figure 20.21**

Une cellule humaine complètement différenciée peut-elle être « déprogrammée » pour devenir une cellule souche pluripotente ?

■ HYPOTHÈSE ■ S'il est possible de renverser la différenciation cellulaire, on devrait pouvoir transformer des cellules différenciées en cellules souches pluripotentes en activant les gènes appropriés.

■ EXPÉRIENCE ■ Shinya Yamanaka et ses collègues de l'Université de Kyoto, au Japon, ont utilisé un vecteur rétroviral pour introduire quatre gènes dans des fibroblastes cutanés humains complètement différenciés. Ils ont ensuite mis en culture les cellules dans un milieu favorisant la croissance des cellules souches.

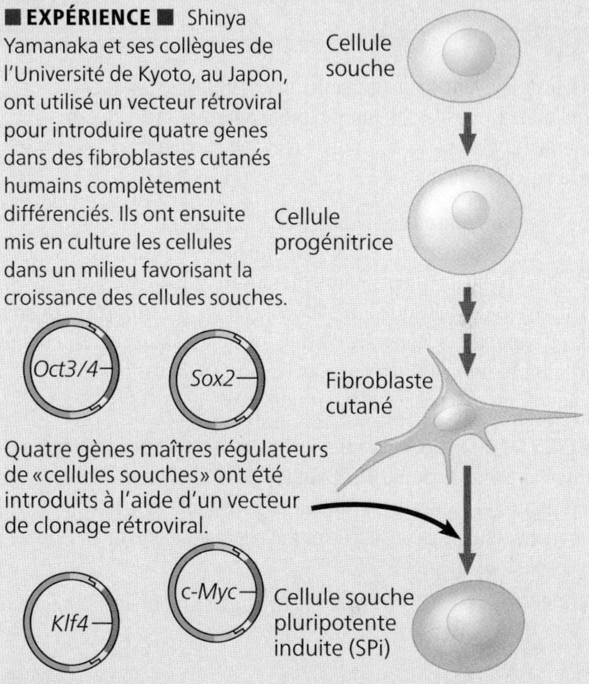

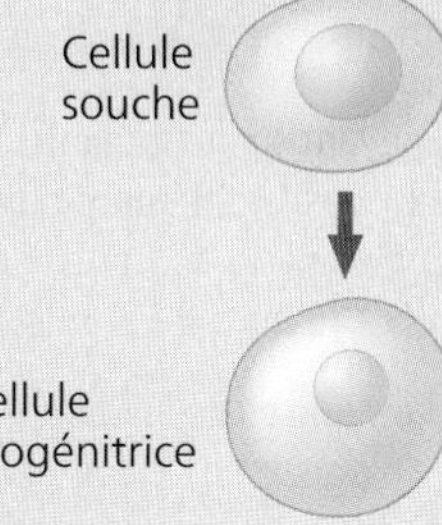

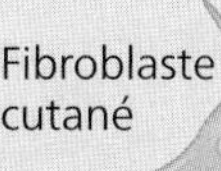

Quatre gènes maîtres régulateurs de « cellules souches » ont été introduits à l'aide d'un vecteur de clonage rétroviral.

Cellule souche pluripotente induite (SPi)

■ RÉSULTATS ■ Deux semaines plus tard, les cellules avaient pris l'aspect de cellules souches et se divisaient activement. Les profils d'expression et de méthylation géniques ainsi que d'autres caractéristiques correspondaient également à ceux des cellules souches embryonnaires. Les cellules SPi pouvaient se différencier en cellules cardiaques ainsi qu'en d'autres types de cellules.

■ CONCLUSION ■ Les quatre gènes ont transformé des cellules cutanées différenciées en cellules souches pluripotentes dont les caractéristiques étaient comparables à celles des cellules souches embryonnaires.

Source des données: K. Takahashi et coll., Induction of pluripotent stem cells from adult human fibroblasts by defined factors, *Cell* 131 : 861-872 (2007).

ET SI ? ▶ On pourrait envisager de reprogrammer les cellules cutanées des patients atteints de maladies comme une cardiopathie ou la maladie d'Alzheimer afin de les transformer en cellules SPi. En effet, avec la mise au point de techniques permettant de transformer les cellules SPi en cellules cardiaques ou nerveuses, il deviendra possible d'utiliser les cellules SPi des patients pour traiter leur maladie. Lorsque les organes d'un donneur sont greffés, le système immunitaire du receveur peut rejeter la greffe. Cette réaction de l'organisme est extrêmement dangereuse pour le patient. Selon vous, un tel risque existe-t-il avec l'utilisation des cellules SPi ? Justifiez votre réponse. Comme il s'agit de cellules indifférenciées se divisant activement, quels sont les risques qui pourraient être associés à cette intervention ?

cutané en cellule nerveuse. D'intenses recherches sont en cours afin de concevoir des techniques permettant de forcer les cellules SPi, ou même les cellules complètement différenciées, à se transformer en divers types de cellules spécifiques au bénéfice de la médecine régénérative. Ces recherches ont déjà connu certains succès. Les cellules SPi créées de cette façon fournissent au bout d'un certain temps des cellules de « remplacement » sur mesure pour des patients sans qu'il soit nécessaire d'utiliser des ovules ou des embryons humains, éludant ainsi la plupart des objections d'ordre éthique.

RETOUR SUR LE CONCEPT **20.3**

1. En vous appuyant sur les connaissances actuelles, comment expliqueriez-vous la différence dans le pourcentage de têtards obtenus à partir des deux sortes de noyaux donneurs de la figure 20.16 ?
2. Quelques entreprises de la Chine et de la Corée du Sud offrent un service de clonage de chiens. À cette fin, ils utilisent les cellules des chiens de leurs clients pour obtenir le noyau nécessaire à l'intervention, telle qu'elle est décrite à la figure 20.17. Les clients de ces entreprises doivent-ils s'attendre à obtenir un clone identique à l'animal d'origine ? Justifiez votre réponse. Quelles questions éthiques un tel service soulève-t-il ?
3. **FAITES DES LIENS** ▶ D'après ce que vous savez de la différenciation musculaire (voir la figure 18.18) et le génie génétique, quelle expérience réaliseriez-vous d'abord si vous souhaitiez transformer directement une cellule souche embryonnaire ou une cellule SPi en cellule musculaire ?

Voir les réponses proposées à l'appendice A.

CONCEPT **20.4**

Les applications de la biotechnologie influent sur nos vies de diverses façons

Il se passe rarement une journée sans qu'il soit question de biotechnologie dans l'actualité, en particulier de percées prometteuses dans le domaine de la médecine. Mais il ne s'agit que d'un exemple parmi les nombreux domaines qui profitent des contributions apportées par les techniques d'analyse de l'ADN et le génie génétique.

Les applications en médecine

À ce jour, l'identification de gènes humains dont les mutations sont à l'origine d'anomalies génétiques est une des applications importantes de la biotechnologie. En effet, de telles recherches pourraient mener à la mise au point de nouveaux modes de diagnostic, de traitements originaux, voire de nouvelles méthodes de prévention. La biotechnologie contribue également à améliorer notre connaissance des maladies « non génétiques », telles que l'arthrite ou le sida, puisque les gènes influent sur la susceptibilité d'un individu à contracter ces maladies. De plus, toutes sortes de maladies entraînent des modifications de l'expression génétique dans les cellules affectées et, souvent, perturbent le fonctionnement du système immunitaire des personnes malades. Les chercheurs identifient les gènes activés ou inactivés par une maladie donnée ; pour ce faire, ils peuvent recourir à l'ARN-seq et aux tests sur microréseaux à ADN ou se tourner vers d'autres techniques permettant de comparer l'expression génétique dans des tissus sains et malades. Ces gènes et leurs produits sont des cibles potentielles pour la prévention ou le traitement.

Le diagnostic et le traitement des maladies

La biotechnologie et, notamment, la recherche d'agents pathogènes à l'aide de la PCR et de sondes nucléiques ont ouvert de nouvelles perspectives dans le domaine du diagnostic des maladies infectieuses. Par exemple, comme la séquence du génome de l'ARN du VIH est connue, la RT-PCR permet d'amplifier et donc de déceler cet ARN dans des échantillons de sang ou de tissu (voir la figure 20.11). La technique de RT-PCR est souvent la meilleure façon de détecter un agent infectieux très discret.

Les spécialistes de la médecine peuvent aujourd'hui diagnostiquer des centaines d'anomalies génétiques chez l'humain grâce à la PCR et aux amorces qui ciblent les gènes associés à de telles anomalies. Le produit de l'ADN amplifié est alors séquencé pour révéler la présence ou l'absence de mutations responsables de la maladie. Parmi les gènes de maladies humaines déjà identifiés, on trouve ceux de l'anémie à hématies falciformes, de l'hémophilie, de la mucoviscidose (fibrose kystique), de la chorée de Huntington et de la myopathie de Duchenne. Il est possible de savoir quelles personnes seront atteintes de telles maladies avant l'apparition des symptômes, et ce, même avant leur naissance (voir la figure 14.19). La PCR sert également à repérer des porteurs asymptomatiques d'allèles récessifs risquant d'avoir des effets nocifs.

Comme vous l'avez appris précédemment, les études d'association sur l'ensemble du génome ont permis de déceler les polymorphismes mononucléotidiques (SNP) qui sont liés aux allèles responsables de maladies (voir la figure 20.15). Il est possible d'effectuer une PCR ou le séquençage de l'ADN à la recherche de SNP liés à l'allèle anormal. De tels SNP indiquent un risque accru de maladies comme les cardiopathies, la maladie d'Alzheimer et certains types de cancers. Les firmes qui proposent des tests génétiques pour les facteurs de risque de ce genre recherchent la présence de SNP déjà identifiés comme étant liés à une pathologie. Il peut être utile pour un individu de connaître les risques pour sa santé, mais il faut comprendre que de tels tests génétiques ne reflètent que des corrélations et ne permettent pas de faire des prédictions.

Les techniques décrites dans le présent chapitre ont également entraîné des améliorations dans le traitement des maladies. En entreprenant l'analyse de l'expression de nombreux gènes chez des femmes souffrant du cancer du sein, les chercheurs comprennent mieux les différents sous-types de cancers du sein (voir la figure 18.27). En connaissant les niveaux d'expression de certains gènes, il est possible de déterminer la probabilité d'une récidive et d'instaurer le traitement approprié. Étant donné que certaines femmes à faible risque ont un taux de survie de 96 % sur une période de 10 ans sans traitement, l'analyse de l'expression génétique permet aux médecins et aux patientes de compter sur des informations valables quand vient le moment d'examiner les choix de traitements.

Beaucoup de personnes pensent que, dans le futur, une « médecine personnalisée » les renseignera sur leur profil génétique et leur permettra de connaître les maladies dont ils pourraient souffrir et de choisir les traitements appropriés. Comme nous le verrons plus loin dans le présent chapitre, le *profil génétique* se limite actuellement à l'identification d'un ensemble de marqueurs génétiques comme les SNP. Ultimement, on sera toutefois en mesure d'établir la séquence complète de l'ADN de chaque individu lorsque le séquençage sera moins coûteux. Notre capacité à séquencer le génome humain rapidement, et à moindres frais, évolue plus rapidement que la mise au point de traitements appropriés contre les maladies identifiées par analyse génétique. Malgré tout, l'identification des gènes responsables de ces maladies offre d'excellentes cibles pour les interventions thérapeutiques.

La thérapie génique humaine et l'édition de gènes

La **thérapie génique** consiste à traiter une personne malade en introduisant des gènes dans ses cellules. Cette approche semble très prometteuse dans le cas de maladies, en fait peu nombreuses, causées par un seul gène défectueux. Elle a pour objectif d'insérer un allèle normal dans les cellules somatiques des tissus atteints.

Pour que la thérapie génique des cellules somatiques soit permanente, les cellules qui possèdent l'allèle normal doivent se multiplier pendant toute la vie du patient. C'est le cas des cellules de la moelle osseuse rouge, parmi lesquelles se trouvent les cellules souches donnant naissance à l'ensemble des cellules sanguines et à celles du système immunitaire. Ce sont donc des cibles de choix à cet égard. La **figure 20.22** décrit une procédure possible dans le cas d'une personne dont les cellules de la moelle osseuse rouge sont incapables de produire une enzyme vitale par suite de la présence d'un gène défectueux. Le traitement consiste à prélever quelques cellules de moelle osseuse rouge, à y insérer l'allèle normal au moyen d'un vecteur viral puis à injecter dans l'organisme les cellules modifiées. Le déficit immunitaire combiné sévère (DICS) est causé par cette sorte de défaut d'origine génétique. Si le traitement réussit, les cellules de la moelle osseuse rouge se mettront à produire la protéine manquante, et le patient pourrait être guéri.

La technique illustrée à la figure 20.22 a été utilisée au cours d'une thérapie génique expérimentale du DICS. Dans une étude réalisée en France en 2000, 10 jeunes enfants atteints de DICS ont été traités selon cette procédure. Après deux ans, neuf d'entre eux présentaient une amélioration importante et définitive de leur état ; c'est le premier succès incontestable de la thérapie génique. Cependant, trois des patients ont par la suite souffert de leucémie (cancer des cellules sanguines) et l'un d'eux est décédé. Les chercheurs en sont venus à la conclusion que le vecteur a vraisemblablement été inséré près d'un gène intervenant dans la prolifération des cellules sanguines. En utilisant un vecteur viral ne provenant pas d'un rétrovirus, les chercheurs sont parvenus à traiter avec un certain succès au moins trois autres maladies génétiques à l'aide de la thérapie génique : un type de cécité progressive (voir le concept 50.3), une maladie dégénérative du système nerveux et un trouble sanguin dans lequel intervient le gène de la β-globine.

La thérapie génique soulève de nombreuses questions d'ordre technique. Par exemple, comment peut-on ajuster l'activité du gène transféré pour que les cellules synthétisent le produit correspondant en quantité adéquate, au bon moment et au bon endroit ? Comment peut-on être sûr que l'insertion du gène n'entrave pas d'autres fonctions cellulaires essentielles ? De nouvelles connaissances sur les éléments de contrôle et les interactions entre les gènes permettront peut-être aux chercheurs de répondre à ces questions.

L'édition de gènes est une approche plus directe qui évite les complications associées à l'utilisation d'un vecteur viral dans le cadre d'une thérapie génique, surtout depuis la découverte du système CRISPR-Cas9 décrit précédemment. Cette approche consiste à corriger une mutation en éditant le gène défectueux. Comme l'illustre la figure 20.14, le système CRISPR-Cas9 peut effectuer une telle correction.

▼ **Figure 20.22 Une thérapie génique utilisant un vecteur rétroviral.** Un rétrovirus rendu inoffensif sert de vecteur dans cette procédure qui repose sur le fait que le rétrovirus produit un transcrit d'ADN à partir de son génome d'ARN et qu'il l'insère dans l'ADN chromosomique de la cellule hôte (voir la figure 19.9). Si le gène étranger porté par le vecteur rétroviral est exprimé, la cellule et ses descendantes sécréteront le produit correspondant. Les cellules qui se reproduisent pendant toute la vie de la personne, comme celles de la moelle osseuse rouge, sont des cibles idéales pour ce type de traitement.

Gène cloné (allèle normal absent des cellules du patient)
1 Insertion de la version ARN de l'allèle normal dans un rétrovirus ou un autre vecteur viral.
ARN viral
Capside du rétrovirus
2 Virus infectant les cellules de la moelle osseuse rouge prélevées chez le patient et mises en culture.
3 Insertion de l'ADN viral portant l'allèle normal dans un chromosome.
Moelle osseuse rouge
4 Injection des cellules modifiées au patient.
Cellule de la moelle osseuse rouge du patient

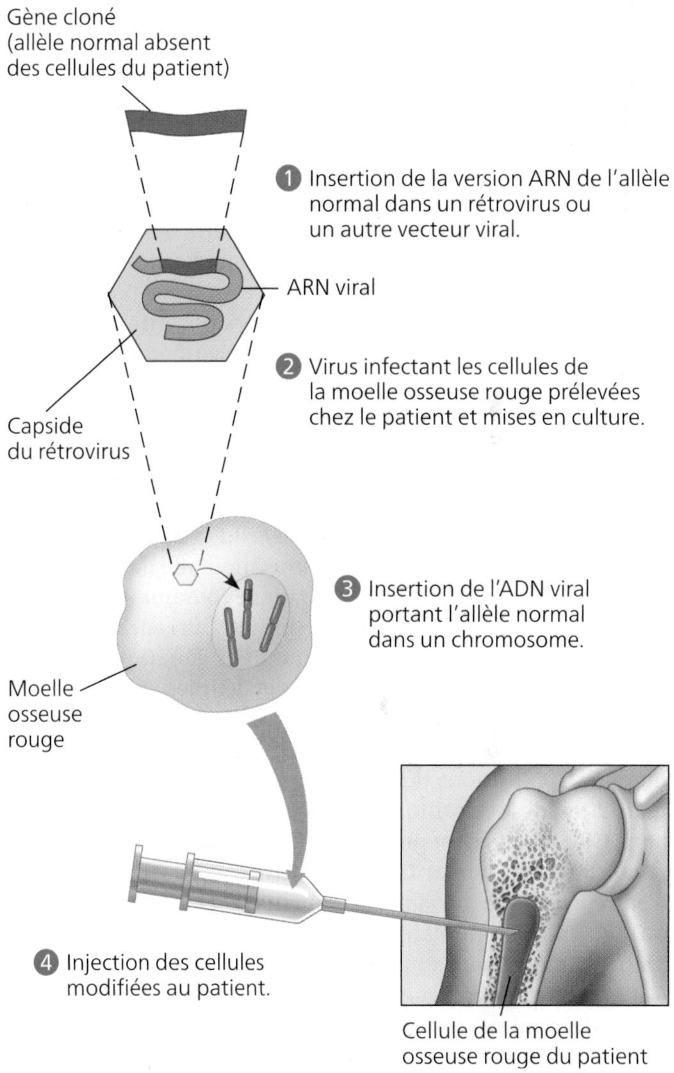

En 2014, un groupe de chercheurs a corrigé une anomalie génétique chez une souris à l'aide d'une technologie fondée sur le système CRISPR-Cas9. Pour ce faire, les chercheurs ont modifié génétiquement une souris de laboratoire pour qu'elle présente une mutation dans le gène encodant une enzyme hépatique métabolisant la tyrosine, un acide aminé. Ils ont ainsi imité la tyrosinémie, un trouble génétique fatal chez l'être humain. Une molécule d'ARN guide complémentaire à la région du gène présentant la mutation a été introduite dans la souris conjointement avec la protéine Cas9 et, à titre de matrice, un segment d'ADN de la même région du gène normal. Une analyse ultérieure a démontré que le gène anormal avait été corrigé dans un assez grand nombre de cellules hépatiques, ce qui a permis la production d'une quantité suffisante d'enzymes fonctionnelles pour atténuer les symptômes de la maladie. Bien qu'il reste certains obstacles à surmonter avant de pouvoir utiliser cette approche dans des études cliniques chez l'être humain, la technologie CRISPR suscite un vif intérêt, tant chez les chercheurs que chez les médecins.

En plus des défis techniques qu'elles posent, la thérapie génique et l'édition de gènes soulèvent également des questions d'ordre éthique. Certains opposants estiment qu'il est immoral et même contraire à l'éthique d'altérer des gènes humains de quelque façon que ce soit. D'autres ne voient aucune différence fondamentale entre la transplantation de gènes dans des cellules somatiques et la transplantation d'organes. Les scientifiques iront-ils jusqu'à tenter de modifier des cellules de la lignée reproductrice dans l'espoir de corriger une anomalie dans les générations à venir ? Dans les faits, on pratique couramment ce genre d'expériences de génie génétique sur des souris de laboratoire et les conditions permettant de modifier génétiquement les embryons humains ont été discutées et définies.

La découverte du système CRISPR-Cas9 a suscité un vif débat entourant l'éthique de l'édition des gènes, et plus particulièrement les applications potentielles ou réelles de ce système. En mars 2015, des scientifiques réputés qui travaillaient sur le système CRISPR-Cas9 ont publié un article s'adressant à la communauté des chercheurs et dans lequel ils déconseillaient fortement d'entreprendre des travaux expérimentaux réalisés sur des ovules ou des embryons humains. Un mois plus tard, des scientifiques chinois rapportaient toutefois avoir utilisé le système CRISPR-Cas9 pour éditer un gène dans des embryons humains. (Ils ont utilisé des ovules fécondés non viables – des zygotes qui ne pouvaient se développer complètement –, mais capables de former des blastocystes.) Les chercheurs tentaient alors d'éditer le gène de la β-thalassémie, dont les mutations causent une maladie sanguine du même nom. Ils ont injecté des cellules modifiées au moyen de la technologie CRISPR-Cas9 dans 86 zygotes ; le gène était édité correctement dans seulement 4 de ces zygotes. Chez plusieurs autres embryons, ils ont observé des effets sur des gènes différents de celui de la β-thalassémie, et ce, dans une proportion nettement plus élevée que celle obtenue chez les embryons murins ou dans les lignées de cellules humaines. Cette étude met en évidence les problèmes associés à cette technique, du moins chez les embryons humains, en plus d'alimenter les inquiétudes entourant la question éthique. Dans quelles circonstances, s'il en est, est-il souhaitable de modifier le génome de lignées reproductrices humaines ? Cela mènera-t-il inévitablement à l'eugénisme, une doctrine qui vise délibérément à influencer la constitution génétique des populations humaines ? Bien qu'il ne soit peut-être pas nécessaire de résoudre ces questions dans l'immédiat, il est essentiel de les prendre en considération parce qu'elles finiront vraisemblablement par devenir primordiales dans un avenir rapproché.

Les produits pharmaceutiques

L'industrie pharmaceutique tire d'importants bénéfices des progrès de la biotechnologie et de la recherche en génétique ; elle s'en sert pour mettre au point des médicaments utiles pour traiter les maladies. Les produits pharmaceutiques sont synthétisés à l'aide de méthodes issues de la chimie organique ou de la biotechnologie, selon la nature du produit.

La synthèse de petites molécules utilisées comme médicaments La détermination de la séquence et de la structure des protéines essentielles à la survie des cellules tumorales a débouché sur l'identification de petites molécules permettant de combattre certains cancers en bloquant la fonction de ces protéines. Un de ces médicaments, l'imatinib, est une petite molécule qui inhibe un récepteur spécifique d'une tyrosine kinase (voir la figure 11.8). La surexpression de cette kinase causée par une translocation chromosomique est déterminante dans la manifestation de la leucémie myéloïde chronique (LMC ; voir la figure 15.16). Les patients traités avec l'imatinib durant les premiers stades de la LMC ont présenté une rémission presque complète et durable du cancer. Les médicaments qui agissent de cette façon ont également été utilisés avec succès pour traiter quelques types de cancers du poumon et du sein. Cette stratégie n'est malheureusement valable que pour les cancers dont la base moléculaire est assez bien comprise.

Par ailleurs, dans le cas de tumeurs traitées à l'aide de médicaments, il n'est pas rare de voir apparaître des cellules présentant une résistance au traitement. Dans une étude, on a séquencé le génome entier de cellules tumorales avant et après l'apparition d'une résistance aux médicaments. La comparaison des séquences géniques a révélé la présence de modifications génétiques permettant aux cellules tumorales de contourner la protéine inhibée par le médicament. Aussi, force est de constater que les cellules tumorales illustrent quelques principes de l'évolution : certaines cellules tumorales présentent une mutation aléatoire qui leur permet de survivre en présence d'un médicament particulier. En conséquence de la sélection naturelle, il est donc possible pour ces cellules de survivre et de se répliquer en présence du médicament.

La production de protéines dans des cultures cellulaires Les produits pharmaceutiques à base de protéines sont couramment synthétisés à grande échelle à l'aide de cultures cellulaires. Dans ce chapitre, nous avons vu que le clonage d'ADN et les systèmes d'expression génétique permettent la production à grande échelle d'une protéine sélectionnée qui ne serait présente naturellement qu'en très petite quantité. Il est même possible de modifier les cellules hôtes utilisées dans ces systèmes d'expression de manière à ce qu'elles sécrètent la protéine en question dans le milieu au fur et à mesure de sa production intracellulaire. Cela simplifie l'étape de la purification par les méthodes biochimiques traditionnelles.

L'insuline et l'hormone de croissance humaine (GH) ont été parmi les premières substances pharmaceutiques produites par cette méthode. L'insuline ainsi synthétisée pourra servir à traiter les 200 millions de diabétiques dans le monde ; diverses formes d'insuline, différant par leur rapidité ou leur durée d'action, sont maintenant offertes ou en voie de l'être. Quant à la synthèse de l'hormone de croissance humaine, c'est une bénédiction pour les enfants atteints à leur naissance d'une forme de nanisme causée par une production insuffisante de cette hormone ainsi que pour les personnes atteintes du sida qui doivent prendre du poids. L'activateur tissulaire du plasminogène (tPA, ou *tissue plasminogen activator*) est une autre substance pharmaceutique importante issue du génie génétique. Cette substance remplace la streptokinase, une enzyme bactérienne, qui pouvait causer des réactions immunitaires dangereuses et entraîner d'autres problèmes. S'il est administré très peu de temps après une première crise cardiaque, le tPA permet de dissoudre les caillots sanguins et réduit le risque d'une rechute.

La production de protéines par les animaux à vocation pharmaceutique Dans certains cas, au lieu d'utiliser des systèmes cellulaires pour produire de grandes quantités de produits protéiques, les spécialistes en sciences pharmaceutiques ont recours aux animaux. Ils peuvent insérer un gène (ou une autre molécule d'ADN) provenant d'un animal dans le génome d'un autre, souvent d'une espèce différente ; celui-ci devient alors un animal **transgénique**. Pour créer de tels animaux, on prélève les ovules d'une femelle de l'espèce réceptrice que l'on féconde *in vitro*. On a préalablement cloné le gène recherché à partir d'un autre organisme. On injecte ensuite l'ADN cloné directement dans le noyau des ovules fécondés (zygotes). Certaines cellules insèrent l'ADN étranger, le *transgène,* dans leur génome et sont en mesure de l'exprimer. Une fois que les zygotes modifiés sont devenus des embryons, on les implante chirurgicalement dans une mère porteuse. Si l'embryon se développe comme prévu, il devient un animal transgénique qui exprime son nouveau gène « étranger ».

Si le gène inséré code pour une protéine que l'on cherche à produire en grandes quantités, ces animaux transgéniques peuvent agir comme de véritables « usines » pharmaceutiques. Par exemple, on a ajouté au génome d'une chèvre le transgène d'une protéine du sang humain, l'antithrombine, qui prévient la formation de caillots, de sorte que l'animal sécrète la substance en question dans son lait (**figure 20.23**). La protéine est alors purifiée, selon un procédé généralement plus facile à réaliser que si elle provenait d'une culture cellulaire. On doit tester soigneusement les protéines pour s'assurer que les patients ne souffriront pas de réactions allergiques ou ne subiront pas d'effets néfastes par suite de l'administration de ces substances ou de la présence de contaminants provenant des animaux d'élevage.

Les preuves médicolégales et les profils génétiques

Lorsqu'un crime violent est commis, des liquides de l'organisme ou de petits échantillons de tissus humains peuvent rester sur les lieux du délit, sur les vêtements de la victime ou sur n'importe quel autre objet lui appartenant ou appartenant à son assaillant. Quand les quantités de sang, de tissu ou de sperme sont suffisantes, les laboratoires d'enquête peuvent déterminer le groupe sanguin ou le type tissulaire de l'individu concerné. Ils se servent d'anticorps pour détecter des protéines spécifiques qui peuvent être présentes à la surface des cellules. Cependant, ces tests nécessitent une quantité relativement importante d'échantillons frais. De plus, comme de nombreux individus ont le même groupe sanguin ou le même type tissulaire, cette méthode permet seulement d'innocenter un suspect, pas de prouver sa culpabilité.

▼ **Figure 20.23 Des chèvres servant d'animaux à vocation pharmaceutique.** Cette chèvre transgénique porte le gène d'une protéine du sang humain, l'antithrombine, qu'elle sécrète dans son lait. Les patients incapables de produire cette protéine sont atteints d'un trouble héréditaire qui se manifeste par la formation de caillots dans leurs vaisseaux sanguins. La protéine, qui est facilement purifiée à partir du lait de chèvre, est utilisée pour la prévention des caillots sanguins chez les patients pendant une intervention chirurgicale ou durant l'accouchement.

Les tests d'ADN, eux, permettent d'identifier un coupable avec beaucoup plus de certitude, parce que chaque personne possède une séquence d'ADN qui lui est propre (sauf dans le cas de vrais jumeaux). L'analyse des marqueurs génétiques qui varient dans la population permet de déterminer l'ensemble des marqueurs génétiques propres à un individu, c'est-à-dire son **profil génétique**. (Ce terme est préféré à celui d'« empreinte génétique » par les experts en criminalistique, qui veulent mettre l'accent sur l'héritabilité de ces marqueurs plutôt que sur le fait qu'ils produisent un motif sur gel, qui est, comme une empreinte digitale, visuellement reconnaissable.) Le FBI applique les techniques d'analyse de l'ADN en médecine légale depuis 1988. L'agence fédérale américaine a d'abord eu recours à l'électrophorèse sur gel et à l'hybridation d'acides nucléiques pour détecter des ressemblances et des différences entre des échantillons d'ADN. Cette méthode nécessitait des échantillons de sang ou de tissu beaucoup plus petits que les anciennes méthodes (seulement 1 000 cellules environ).

Aujourd'hui, les experts en criminalistique utilisent une méthode encore plus sensible qui tire avantage des variations de longueur des marqueurs génétiques nommées **répétitions courtes en tandem** ou **STR** (pour *short tandem repeats*). Ce sont des unités de séquences de deux à cinq nucléotides répétées en tandem dans des régions spécifiques du génome. Le nombre de répétitions présentes dans ces régions est très variable d'une personne à l'autre (polymorphe) et, même chez une seule personne, les deux allèles d'une STR peuvent différer l'un de l'autre. Par exemple, chez un individu donné, la séquence ACAT peut être répétée 30 fois à un locus du génome et 15 fois au même locus du chromosome homologue, alors que chez une autre personne le nombre de répétitions pourrait être de 18 à ce locus sur chaque chromosome homologue. (On peut exprimer ces deux génotypes par les deux nombres de répétitions : 30,15 et 18,18.) On se sert souvent de la PCR pour multiplier sélectivement certaines STR en utilisant des ensembles d'amorces portant des marqueurs fluorescents de couleurs différentes. Il est alors possible de déterminer par électrophorèse la longueur de la région, et par conséquent le nombre de répétitions. L'étape de la PCR permet d'utiliser cette méthode même lorsque l'ADN est en mauvais état ou qu'on n'en possède que de petites quantités. Elle peut porter sur un échantillon de tissu ne contenant que 20 cellules.

En cas de meurtre, par exemple, elle permet de comparer de petits échantillons de sang, prélevés sur les lieux du crime, avec l'ADN du suspect et celui de la victime. L'expert en criminalistique effectue des tests sur quelques portions sélectionnées de l'ADN (généralement 13 marqueurs de STR). Même un ensemble aussi réduit de marqueurs suffit pour obtenir un profil génétique utile comme preuve médicolégale parce que la probabilité est infime que deux personnes (autres que de vrais jumeaux) aient exactement le même jeu de marqueurs de STR. The Innocence Project, un organisme sans but lucratif dont l'objectif est de faire invalider des condamnations injustifiées, utilise l'analyse des répétitions courtes en tandem des échantillons archivés des scènes de crimes pour rouvrir d'anciens dossiers. En 2016, plus de 340 personnes innocentes avaient déjà été libérées de prison à la suite d'un travail médicolégal et légal effectué par ce groupe (**figure 20.24**).

▼ Figure 20.24 L'analyse des répétitions courtes en tandem (STR) en vue de libérer de prison un homme innocent.

(a) En 1984, Earl Washington a été déclaré coupable et condamné à mort pour le viol et le meurtre de Rebecca Williams survenu en 1982. En 1993, sa peine a été commuée en prison à vie en raison de nouveaux doutes concernant la preuve. En 2000, l'analyse des STR par des experts en criminalistique associés à The Innocence Project a démontré de façon irréfutable son innocence. Cette photo montre Washington peu de temps avant sa libération en 2001, après 17 ans de prison.

Nombre de répétition de trois marqueurs différents selon la source de l'échantillon d'ADN

Source de l'échantillon	Marqueur 1 des STR	Marqueur 2 des STR	Marqueur 3 des STR
Sperme sur la victime	17,19	13,16	12,12
Earl Washington	16,18	14,15	11,12
Kenneth Tinsley	17,19	13,16	12,12

(b) Dans l'analyse des STR, on a amplifié par PCR des marqueurs STR sélectionnés dans un échantillon d'ADN; les produits des PCR sont séparés par électrophorèse. La procédure permet de déterminer le nombre de répétitions présentes pour chaque locus de STR dans l'échantillon. Un individu a deux allèles par locus de STR, chacun contenant un certain nombre de répétitions. Ce tableau montre le nombre de répétitions pour trois marqueurs STR dans trois sources d'échantillons: le sperme trouvé sur la victime, Washington et un autre homme appelé Kenneth Tinsley, emprisonné après une condamnation sans rapport avec le meurtre de Rebecca Williams. Les résultats des STR et d'autres données (non illustrées) ont exonéré Washington et incriminé Tinsley.

L'emploi des profils génétiques peut également servir à d'autres buts. La comparaison de l'ADN d'une mère, de son enfant et du père putatif peut apporter une solution définitive à une affaire de paternité. Il arrive aussi parfois que la paternité revête un intérêt d'ordre historique: des profils génétiques ont permis de montrer de façon probante que le troisième président des États-Unis, Thomas Jefferson (1743-1826), ou l'un de ses proches parents était le père d'au moins un des enfants de son esclave Sally Hemings. Les profils génétiques peuvent également identifier les nombreuses victimes d'une catastrophe. Les plus gros travaux de ce genre ont eu lieu après la destruction du World Trade Center en 2001 ; plus de 10 000 échantillons de restes humains ont été comparés avec des échantillons d'ADN provenant d'objets personnels, comme des brosses à dents, fournis par les familles. En fin de compte, les experts en criminalistique ont réussi à identifier près de 3 000 victimes à l'aide de ces méthodes.

À quel point le profil génétique est-il fiable ? Plus le nombre de marqueurs examinés dans un échantillon d'ADN est grand, plus il est probable que le profil soit propre à un individu. Dans les affaires criminelles où on utilise l'analyse des STR avec 13 marqueurs, la probabilité que deux personnes aient des profils génétiques identiques se situe entre 1 sur 10 milliards et 1 sur plusieurs billions (millions de millions, soit 10^{12}). En guise de comparaison, la population mondiale compte entre 7 et 8 milliards d'individus. La probabilité exacte dépend de la fréquence de ces marqueurs dans la population en général. Il est essentiel de disposer de données sur la fréquence, selon les groupes ethniques qui composent une population, parce que les fréquences de ces marqueurs peuvent varier considérablement entre les groupes ethniques de même qu'entre un groupe ethnique particulier et la population dans son ensemble. La disponibilité croissante de ces données permet aux experts en criminalistique d'effectuer des calculs statistiques extrêmement précis. Par conséquent, malgré les problèmes pouvant résulter de l'insuffisance des données statistiques, de l'erreur humaine ou de témoignages faussés, les experts juristes et les scientifiques considèrent désormais que le profil génétique constitue une preuve concluante.

La dépollution de l'environnement

On exploite de plus en plus souvent les aptitudes diverses des microorganismes à transformer les substances chimiques dans des opérations de dépollution de l'environnement. Si les besoins nutritifs de tels microorganismes ne permettent pas de les utiliser directement, les scientifiques sont actuellement capables de transférer chez d'autres microorganismes les gènes de capacités métaboliques intéressantes qui les transformeront en outils de protection de l'environnement. Par exemple, de nombreuses bactéries peuvent extraire des métaux lourds de leur milieu (cuivre, plomb, nickel) et les transformer en des composés comme le sulfate de cuivre ou le sulfate de plomb, dont l'extraction est facile. Les microorganismes génétiquement modifiés pourraient jouer un rôle important dans le domaine minier (particulièrement dans le cas où les réserves de minerai sont épuisées) et dans le traitement des déchets miniers hautement toxiques. Les biotechnologues tentent de modifier des microorganismes de façon à leur permettre de dégrader les hydrocarbures chlorés et d'autres composés toxiques. Ces microorganismes seraient employés dans les stations de traitement des eaux usées ou par les industries avant de déverser leurs effluents dans l'environnement.

Les applications en agriculture

Le génome des végétaux et des animaux les plus utilisés en agriculture fait également l'objet de recherches. Il y a des années que l'on se sert de la biotechnologie pour tenter d'améliorer la productivité agricole. La reproduction sélective des animaux d'élevage et des plantes cultivées a exploité les mutations et la recombinaison génétique d'origine naturelle pendant des milliers d'années.

Comme nous l'avons décrit plus tôt, grâce à la biotechnologie, les scientifiques ont produit des animaux transgéniques, ce qui accélère le processus de la reproduction sélective. La création d'animaux transgéniques poursuit souvent les mêmes objectifs que la sélection classique : elle vise, notamment, à produire un mouton donnant une laine de meilleure qualité, un porc dont la viande est plus maigre ou une vache qui atteindra l'âge adulte plus rapidement. Par exemple, les scientifiques peuvent isoler et cloner un gène qui améliore le développement musculaire (les muscles représentent la plus grande partie de la viande que nous consommons) dans une race de bovins et le transférer à d'autres bovins, voire à des moutons. Cependant, les problèmes de santé ne sont pas rares chez les animaux d'élevage qui portent des gènes provenant d'autres espèces et, par conséquent, la modification des gènes d'un animal à l'aide du système CRISPR-Cas9 sera vraisemblablement plus utile au cours des années à venir. Néanmoins, il importe de prendre en compte la santé et le bien-être des animaux au moment de les modifier génétiquement.

Les spécialistes en agriculture ont déjà introduit chez de nombreuses plantes des gènes conférant des caractères recherchés comme la maturation plus tardive, la résistance à la détérioration, à la maladie ou à la sécheresse, etc. Les modifications peuvent également ajouter de la valeur aux cultures destinées à l'alimentation en augmentant leur durée de conservation ou en améliorant leur saveur ou leur valeur nutritionnelle. Chez de nombreuses espèces végétales, une seule cellule de tissu mise en culture peut donner une plante adulte complète. Par conséquent, il est possible d'effectuer des manipulations génétiques sur une cellule somatique ordinaire pour obtenir un organisme doté de nouveaux caractères.

Le génie génétique remplace rapidement les programmes classiques de sélection des plantes, surtout dans les cas où un petit nombre de gènes détermine les caractères recherchés, comme la résistance aux ravageurs ou aux herbicides. Les cultures modifiées à l'aide d'un gène bactérien qui rend les plantes résistantes aux herbicides peuvent croître, alors que les mauvaises herbes sont détruites. On peut également modifier génétiquement certaines espèces cultivées afin de les rendre résistantes aux insectes destructeurs, ce qui permet du même coup de réduire l'emploi des insecticides chimiques. En Inde, l'insertion dans les génomes de plusieurs variétés de riz d'un gène de la résistance à la salinité issu d'une plante de la mangrove côtière a produit des plants de riz capables de croître dans de l'eau trois fois plus salée que l'eau de mer. Le centre de recherche qui a accompli cet exploit de génie génétique estime qu'un tiers de toutes les terres irriguées a une salinité élevée en raison d'une irrigation excessive et d'un usage intensif d'engrais chimiques, ce qui menace sérieusement l'approvisionnement alimentaire. Par conséquent, les plantes cultivées résistantes à la salinité pourraient être d'un immense intérêt dans le monde entier.

Les questions sur la sécurité et l'éthique soulevées par les biotechnologies

À propos des dangers potentiels associés à la technologie de recombinaison de l'ADN, on s'est d'abord préoccupé du risque de création d'agents pathogènes dangereux. Par exemple, que se passerait-il si, dans une étude de recherche, les gènes de cellules cancéreuses étaient introduits dans des bactéries ou des virus ? Par mesure de précaution contre des microorganismes indésirables, les scientifiques ont adopté un ensemble de lignes directrices, devenues des règlements officiels dans plusieurs pays. Les mesures de sécurité comprennent notamment des procédures strictes de travail en laboratoire destinées à protéger les chercheurs contre l'infection par des microorganismes modifiés et aussi à empêcher que ceux-ci s'échappent accidentellement du laboratoire. De plus, les souches de microorganismes employées dans les expériences portant sur l'ADN recombiné sont modifiées génétiquement, de sorte qu'elles ne peuvent survivre hors du laboratoire. Enfin, on a interdit certains types d'expériences présentant un risque évident.

Aujourd'hui, le public s'inquiète surtout des risques liés non pas aux microorganismes recombinés, mais plutôt aux **organismes génétiquement modifiés** (**OGM**) dont on se sert à des fins alimentaires. Un OGM est un organisme transgénique auquel on a ajouté un ou plusieurs gènes par des moyens artificiels. Les gènes en question proviennent d'une autre espèce ou encore d'une autre variété de la même espèce. Certains saumons, par exemple, ont été génétiquement modifiés par l'ajout d'un gène de l'hormone de croissance plus actif. Cependant, la majorité des OGM qui assurent notre approvisionnement alimentaire ne sont pas des animaux, mais des plantes.

Les cultures génétiquement modifiées sont très répandues aux États-Unis, en Argentine et au Brésil ; ensemble, ces pays comptent pour plus de 80 % de la superficie mondiale consacrée à de telles cultures. Aux États-Unis, la majorité des cultures de maïs, de soja et de canola sont génétiquement modifiées et, en vertu d'une loi adoptée récemment, il est maintenant obligatoire de mentionner la présence d'OGM dans tout produit alimentaire. Cependant, les mêmes aliments font l'objet d'une controverse continuelle en Europe, où la révolution génétique a fait face à une forte opposition. Les inquiétudes de nombreux Européens portent sur la sécurité des aliments génétiquement modifiés et les conséquences environnementales possibles de la culture des plantes transgéniques. Bien qu'un petit nombre de cultures génétiquement modifiées aient été pratiquées en sol européen, l'Union européenne a défini en 2015 un cadre juridique exhaustif concernant les OGM. Aussi, chaque État membre peut notamment interdire la culture ou l'importation d'OGM, qui doivent être clairement étiquetés. En Europe, les OGM suscitent une grande méfiance, ce qui compromet leur avenir.

Ceux qui préconisent une approche prudente à l'égard des cultures génétiquement modifiées craignent que les plantes transgéniques puissent transmettre leurs nouveaux gènes à des espèces apparentées situées dans des zones voisines restées à l'état naturel. On sait que les graminées des pelouses ou des cultures, par exemple, échangent souvent des gènes avec leurs parentes sauvages par l'intermédiaire du pollen. Si le pollen des plantes cultivées portant des gènes de résistance aux herbicides, aux maladies ou aux insectes ravageurs féconde des espèces sauvages, celles-ci pourraient devenir de « super-mauvaises herbes » très difficiles à éliminer. Quant aux risques pour la santé humaine que posent les aliments génétiquement modifiés, certaines personnes craignent que les protéines produites par les transgènes créent des réactions allergiques. Bien que certains faits indiquent que de telles allergies peuvent survenir, les partisans des cultures génétiquement modifiées affirment qu'il est possible de tester ces protéines à l'avance pour éviter de produire celles susceptibles de causer des réactions allergiques. (Pour de plus amples renseignements concernant la biotechnologie végétale et les cultures GM, voir le concept 38.3.)

Les gouvernements et les agences de réglementation du monde entier s'efforcent de favoriser l'emploi des biotechnologies dans l'agriculture, l'industrie et la médecine, tout en veillant à ce que les nouveaux produits et procédés ne posent aucun danger. Au Canada, la Direction générale de la protection de la santé (DGPS, Santé Canada), Agriculture Canada, l'Agence canadienne d'inspection des aliments et le Comité consultatif national sur la biotechnologie travaillent conjointement à l'établissement des principes directeurs et de la réglementation encadrant les nouvelles réalisations en biotechnologie. En France, le contrôle est exercé par la Commission du génie génétique et la Commission du génie biomoléculaire. Ces organismes subissent des pressions croissantes de la part de certains groupes de consommateurs. Ces mêmes organismes et le public doivent également examiner des questions éthiques en fonction des nouvelles biotechnologies.

Les progrès de la biotechnologie nous ont permis d'obtenir les séquences complètes des génomes humains et de ceux de nombreuses autres espèces, nous fournissant un vaste trésor d'informations sur les gènes. On peut se demander dans quelle mesure certains gènes diffèrent d'une espèce à l'autre, et comment les gènes, voire les génomes entiers, ont évolué. (Ces sujets sont abordés au chapitre 21.) En même temps, l'accélération du processus de séquençage des génomes d'individus et la réduction des coûts de cette opération nous forcent à aborder des questions éthiques importantes. Qui devrait avoir un droit de regard sur les informations génétiques d'une autre personne ? Comment cette information devrait-elle être utilisée ? Devrait-on prendre en compte le génome d'un individu pour déterminer s'il peut obtenir un emploi ou contracter une assurance ? Il est probable que les considérations éthiques ainsi que les inquiétudes suscitées par les dangers pour la santé et l'environnement ralentiront la mise en œuvre de certaines applications de la biotechnologie. En même temps, une réglementation trop contraignante risque de nuire à la recherche fondamentale et à ses retombées bénéfiques. Par ailleurs, le génie génétique, et plus particulièrement l'édition de gènes avec le système CRISPR-Cas9, nous permet de modifier substantiellement et rapidement des espèces qui évoluent depuis des millénaires. Un bon exemple serait l'usage potentiel du forçage génétique, qui éliminerait la capacité d'un moustique à porter une maladie ou qui éradiquerait certaines populations de moustiques. Malgré les effets bénéfiques potentiels sur la santé, du moins au départ, une telle approche pourrait aisément causer certains problèmes imprévus. Aussi, le pouvoir phénoménal de la biotechnologie nous impose d'agir avec humilité et prudence.

RETOUR SUR LE CONCEPT 20.4

1. Quel avantage présenterait l'emploi de cellules souches dans la thérapie génique ?
2. Énumérez au moins trois caractéristiques qui ont été transmises à des plantes cultivées grâce à la biotechnologie.
3. **ET SI ?** ▶ Imaginez que vous êtes médecin et qu'un de vos patients présente des symptômes laissant croire qu'il est atteint d'une hépatite A. Toutefois, les analyses n'ont pas réussi à démontrer la présence de protéines virales dans le sang. Sachant que l'hépatite A est causée par un virus à ARN, quels tests de laboratoire pourriez-vous effectuer pour confirmer votre diagnostic ? Quels sont les résultats qui appuieraient votre hypothèse ?

Voir les réponses proposées à l'appendice A.

RÉVISION DU CHAPITRE 20

Consultez votre MANUEL NUMÉRIQUE, qui vous donne accès aux **animations**, aux **exercices** et à la plateforme d'**anatomie interactive**.

Résumé des concepts clés

CONCEPT 20.1

Le séquençage et le clonage de l'ADN sont des procédés fort utiles au génie génétique et à la recherche en biologie (p. 456 à 463)

- L'**hybridation des acides nucléiques**, soit l'appariement des bases d'un brin d'acide nucléique et de celles d'une séquence complémentaire située sur un autre acide nucléique, est une technique dont l'usage est très répandu dans le domaine de la **biotechnologie**.
- On peut réaliser le **séquençage de l'ADN** en utilisant la méthode de terminaison de chaîne par un didésoxyribonucléotide dans des appareils de séquençage automatisé.
- Les techniques de nouvelle génération (rendement élevé) pour le séquençage de l'ADN reposent sur le séquençage par synthèse : on utilise une ADN polymérase pour synthétiser un segment d'ADN à partir d'une matrice monocaténaire, et l'ordre dans lequel les nucléotides s'ajoutent met en évidence la séquence de l'ADN. Avec les méthodes de séquençage de troisième génération, comme la technologie par les nanopores, de longues molécules d'ADN sont séquencées, une à la fois, à l'aide d'un procédé permettant de distinguer les différentes bases nucléotidiques pendant leur passage dans le pore d'une membrane.

- Le **clonage** des gènes (ou le clonage de l'ADN) produit plusieurs copies d'un gène (ou d'un segment d'ADN) qui peuvent ensuite être utilisées pour manipuler et analyser l'ADN et pour produire de nouveaux produits ou des microorganismes utiles dotés de caractères avantageux.
- En **génie génétique**, des **enzymes de restriction** bactériennes coupent les molécules d'ADN en de courtes séquences nucléotidiques spécifiques (**sites de restriction**). Elles créent ainsi un ensemble de fragments d'ADN bicaténaire pourvus d'**extrémités cohésives** monocaténaires.

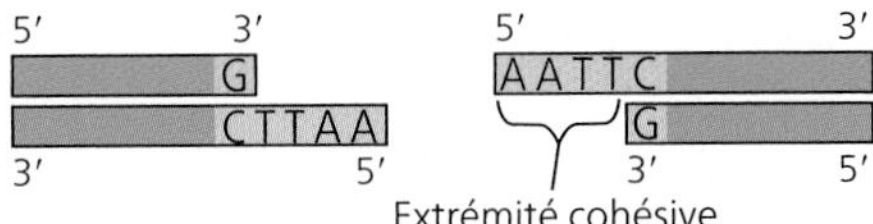

- Les bases des extrémités cohésives sur les fragments de restriction s'apparient facilement avec les segments monocaténaires complémentaires situés sur les autres molécules d'ADN. L'ADN ligase, une enzyme, peut lier ces fragments en produisant des molécules d'**ADN recombiné**.
- L'**électrophorèse sur gel** permet de séparer les fragments de restriction d'ADN selon leur longueur.
- L'**amplification en chaîne par polymérase** (**PCR**) permet d'obtenir rapidement *in vitro* de nombreuses copies d'un certain segment cible d'ADN, parce qu'elle fait intervenir une ADN polymérase résistante à la chaleur et des amorces qui encadrent la séquence recherchée.
- Voici la procédure de clonage d'un gène eucaryote :

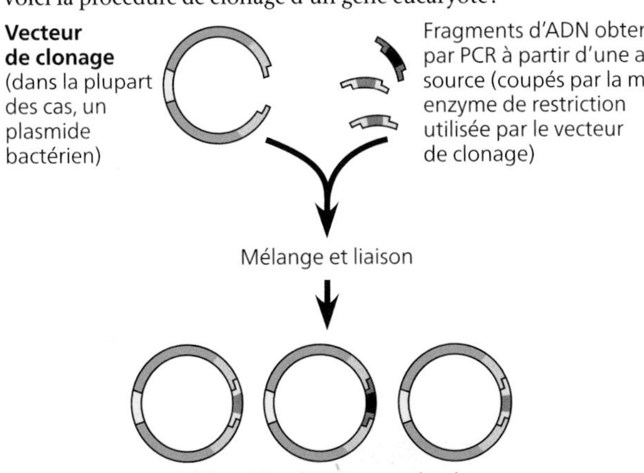

- Les plasmides recombinés sont réinsérés dans les cellules hôtes ; chacune d'entre elles se divise pour former un clone cellulaire.
- Plusieurs difficultés techniques empêchent l'expression de gènes eucaryotes clonés dans les cellules hôtes bactériennes. L'utilisation de cellules eucaryotes provenant de cultures comme cellules hôtes associées aux **vecteurs d'expression** appropriés permet de contourner ces problèmes.

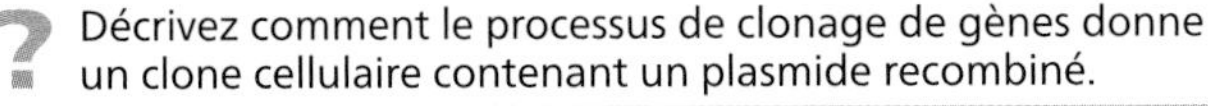
? Décrivez comment le processus de clonage de gènes donne un clone cellulaire contenant un plasmide recombiné.

CONCEPT **20.2**

Les biotechnologies permettent d'étudier l'expression et la fonction d'un gène (p. 463 à 469)

- Différentes techniques utilisent l'hybridation d'une **sonde nucléique** pour déceler la présence d'ARNm spécifiques.
- L'**hybridation *in situ*** et la **RT-PCR** permettent de déceler la présence d'un ARNm spécifique dans un tissu ou dans un échantillon d'ARN, respectivement.
- On utilise des microréseaux à ADN pour identifier des ensembles de gènes exprimés conjointement par un groupe de cellules. Toutefois, on a de plus en plus souvent recours au **séquençage de l'ARN** (ARN-seq) pour séquencer l'**ADNc** correspondant à l'ARN des cellules.
- Quand la fonction d'un gène est inconnue, son inactivation expérimentale et l'observation des effets phénotypiques qui en résultent fournissent des indices sur son rôle. Le **système CRISPR-Cas9** permet aux chercheurs d'éditer, de manière précise et comme ils le souhaitent, les gènes de cellules vivantes. Les nouveaux allèles peuvent être modifiés de sorte qu'ils soient transmis, de façon biaisée, dans une population donnée (forçage génétique). Chez l'humain, les **études d'association sur l'ensemble du génome** ciblent et utilisent les **polymorphismes mononucléotidiques** (**SNP**) comme marqueurs génétiques pour les allèles qui sont associés à des maladies particulières.

? Quels renseignements utiles obtient-on en décelant l'expression de gènes spécifiques ?

CONCEPT **20.3**

Les organismes clonés et les cellules souches servent à la recherche et à d'autres applications (p. 469 à 474)

- Les premières tentatives de clonage d'un organisme visaient à établir l'équivalence génomique de l'ensemble des cellules d'un organisme.
- Les cellules différenciées de plantes parvenues à maturité sont souvent **totipotentes**, c'est-à-dire qu'elles peuvent donner naissance à tous les tissus d'un nouvel individu complet.
- Le noyau d'une cellule animale différenciée peut parfois donner naissance à un nouvel individu s'il est transplanté dans un ovule énucléé.
- Certaines **cellules souches** embryonnaires (SE) provenant d'embryons d'animaux ainsi que certaines cellules souches adultes provenant de tissus d'adultes ont la capacité de se reproduire et de se différencier en laboratoire (*in vitro*) et dans l'organisme (*in vivo*), ce qui permet d'entrevoir des applications médicales. Les cellules SE sont **pluripotentes**, mais difficiles à obtenir. Les cellules souches pluripotentes induites (SPi) ressemblent aux cellules SE pour ce qui est de leur capacité à se différencier ; on peut les produire en reprogrammant des cellules différenciées. Les cellules SPi sont un moyen prometteur pour la recherche médicale et la médecine régénérative.

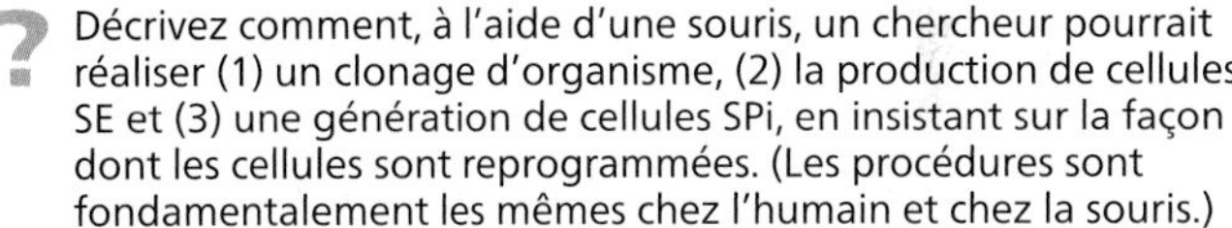
? Décrivez comment, à l'aide d'une souris, un chercheur pourrait réaliser (1) un clonage d'organisme, (2) la production de cellules SE et (3) une génération de cellules SPi, en insistant sur la façon dont les cellules sont reprogrammées. (Les procédures sont fondamentalement les mêmes chez l'humain et chez la souris.)

CONCEPT **20.4**

Les applications de la biotechnologie influent sur nos vies de diverses façons (p. 474 à 480)

- La biotechnologie, notamment l'analyse des marqueurs génétiques comme les SNP, est de plus en plus utilisée pour diagnostiquer des maladies génétiques ou autres ; elle offre la possibilité de meilleurs traitements de certains troubles génétiques, ou même de guérisons, au moyen de la **thérapie génique** ou de l'édition de gènes avec le système CRISPR-Cas9. Elle permet également de mettre au point des traitements mieux ciblés contre le cancer. La biotechnologie est utilisée conjointement avec des cultures cellulaires pour la production à grande échelle d'hormones protéiques et autres protéines à usage thérapeutique. Certaines protéines thérapeutiques sont produites par des animaux **transgéniques** à vocation pharmaceutique.
- L'analyse des marqueurs génétiques tels que les **répétitions courtes en tandem** (**STR**) dans l'ADN obtenu des tissus ou des liquides de l'organisme trouvés sur les lieux de crimes permet d'obtenir un **profil génétique**. Ce profil génétique peut constituer une preuve irréfutable qu'un suspect est innocent, ou une forte présomption qu'il soit coupable. On s'en sert également pour régler des litiges sur la paternité et pour identifier des restes humains lors de crimes ou d'accidents.
- Le génie génétique permet de modifier le métabolisme des microorganismes de manière à pouvoir les utiliser pour extraire des minéraux de l'environnement ou pour dégrader divers types de déchets toxiques.

- La création de végétaux et d'animaux transgéniques a pour objectif d'améliorer la productivité agricole et la qualité des aliments.
- Les avantages potentiels des biotechnologies doivent être soigneusement évalués à la lumière des dangers susceptibles de nuire aux humains ou à l'environnement.

? Quels facteurs vous aideraient à déterminer si une maladie génétique constitue une bonne cible pour entreprendre et réussir une thérapie génique ?

Évaluation

NIVEAU 1 : CONNAISSANCES ET COMPRÉHENSION

1. En biotechnologie, le terme *vecteur* peut désigner :
a) l'enzyme qui découpe l'ADN en fragments de restriction.
b) l'extrémité cohésive d'un fragment d'ADN.
c) un marqueur SNP.
d) un plasmide employé pour introduire de l'ADN dans une cellule vivante.

2. Parmi les outils biotechnologiques suivants, lequel n'est pas associé au bon usage ?
a) électrophorèse – séparation des fragments d'ADN.
b) ADN ligase – découpage de l'ADN et création d'extrémités cohésives au niveau des fragments de restriction.
c) ADN polymérase – PCR pour amplifier des sections de l'ADN.
d) transcriptase inverse – production d'ADNc à partir d'ARNm.

3. Il est plus facile de manipuler par biotechnologie des végétaux que des animaux, car :
a) les gènes des cellules végétales ne contiennent pas d'introns.
b) il existe un plus grand nombre de vecteurs pour transférer l'ADN recombiné dans les cellules végétales.
c) une cellule somatique végétale peut souvent donner une plante complète.
d) les cellules végétales ont de plus gros noyaux.

4. Un paléontologue a prélevé un morceau de la peau préservée d'un dodo (oiseau disparu) vieux de 400 ans en vue de comparer une région spécifique de l'ADN de cet échantillon avec celui d'oiseaux vivants. Parmi les techniques suivantes, laquelle permettrait le mieux d'accroître la quantité d'ADN de dodo disponible pour ces tests ?
a) L'analyse des SNP.
b) L'amplification en chaîne par polymérase (PCR).
c) L'électroporation.
d) L'électrophorèse sur gel.

5. Les biotechnologies donnent lieu à de nombreuses applications dans le domaine médical. Parmi les opérations suivantes, laquelle *n'est pas encore* effectuée de façon régulière ?
a) La production d'hormones pour le traitement du diabète et du nanisme.
b) L'analyse de l'expression génétique pour la mise au point de traitements ciblés.
c) L'édition de gènes à l'aide du système CRISPR-Cas9 dans des embryons humains viables pour corriger des maladies génétiques.
d) La détection prénatale d'allèles de maladies génétiques.

NIVEAU 2 : APPLICATION ET ANALYSE

6. Parmi les affirmations suivantes, laquelle *ne s'appliquerait pas* à un ADNc produit à partir d'un échantillon de tissu de cerveau humain ?
a) Il peut être amplifié par PCR.
b) Il est produit à partir d'ARN prémessager et à l'aide de la transcriptase inverse.
c) Il peut être marqué et servir de sonde *in vivo* pour repérer des gènes exprimés dans le cerveau.
d) Il ne contient pas les introns de l'ARN prémessager.

7. L'expression d'un gène eucaryote cloné par une cellule bactérienne soulève de nombreux défis. Parmi les problèmes suivants, lequel peut être résolu en ayant recours à de l'ARNm et de la transcriptase inverse ?
a) La maturation après la transcription.
b) La maturation après la traduction.
c) L'hybridation des acides nucléiques.
d) La liaison des fragments de restriction.

8. Parmi les séquences suivantes d'ADN bicaténaire, laquelle a le plus de chances d'être reconnue et coupée par une enzyme de restriction ?
a) AAGG
TTCC
b) GGCC
CCGG
c) ACCA
TGGT
d) AAAA
TTTT

NIVEAU 3 : SYNTHÈSE ET ÉVALUATION

9. **FAITES DES LIENS ▶** Imaginez que vous voulez étudier la cristalline humaine, la protéine présente dans le cristallin de l'œil (voir la figure 1.8). Afin d'obtenir une quantité suffisante de la protéine recherchée, vous décidez de cloner le gène qui code pour celle-ci. En admettant que vous connaissiez la séquence de ce gène, comment procéderiez-vous ?

10. **FAITES DES LIENS ▶** En vous reportant à la figure 20.15, expliquez ce que signifie une corrélation entre un SNP et un allèle causant une maladie ? Pourquoi une telle corrélation permet-elle d'utiliser le SNP comme marqueur génétique ? (Voir le concept 15.3.)

11. **FAITES UN DESSIN ▶** Vous clonez un gène d'oryctérope (*Orycteropus afer*) en utilisant un plasmide bactérien comme vecteur. Le schéma en vert ci-dessous illustre le plasmide qui contient le site de restriction pour l'enzyme utilisée dans la figure 20.5. Au-dessus du plasmide, il y a un segment d'ADN linéaire d'oryctérope synthétisé par PCR (en rose). Illustrez votre procédure de clonage par un schéma qui montre ce que deviennent ces deux molécules au cours de chaque étape. Utilisez une couleur pour l'ADN de l'oryctérope et ses bases, et une autre pour ceux du plasmide. Annotez chaque étape et toutes les extrémités 5′ et 3′.

5′ GAATTCTAAAGCGCTTATGAATTC 3′
3′ CTTAAGATTTCGCGAATACTTAAG 5′

ADN de l'oryctérope

Plasmide

Voir les réponses proposées à l'appendice A.

Les génomes et leur évolution

21

VOS OUTILS INTERACTIFS

Consultez votre MANUEL NUMÉRIQUE, qui vous donne accès aux **animations**, aux **exercices** et à la plateforme d'**anatomie interactive**.

▲ **Figure 21.1 Quelles différences génomiques distinguent l'humain du chimpanzé ?**

CONCEPTS CLÉS

21.1 Le projet Génome humain a favorisé la mise au point de techniques de séquençage plus rapides et moins onéreuses

21.2 Les scientifiques utilisent la bio-informatique pour analyser les génomes et leurs fonctions

21.3 Les génomes varient en taille, en nombre de gènes et en densité génique

21.4 Les eucaryotes multicellulaires possèdent beaucoup d'ADN non codant et de nombreuses familles multigéniques

21.5 Les duplications, les réarrangements et les mutations de l'ADN contribuent à l'évolution du génome

21.6 La comparaison des séquences génomiques fournit des indices sur l'évolution et le développement

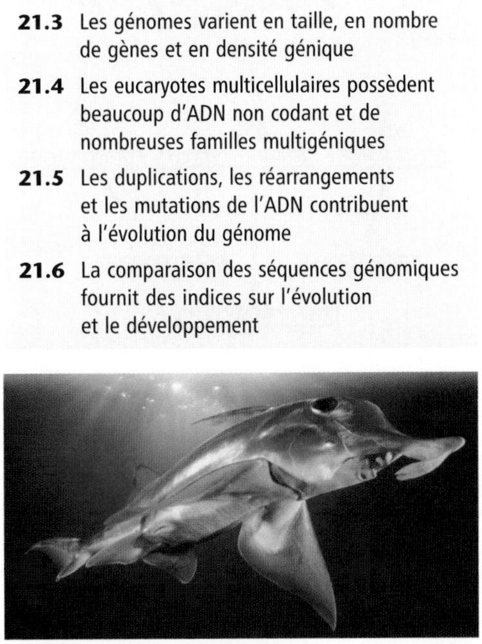

◄ **Chimère éléphant (*Callorhinchus milii*).**

Lire dans les feuilles de l'arbre de la vie

Dans l'arbre de la vie, le chimpanzé (*Pan troglodytes*) est notre plus proche parent vivant. Le garçon de la **figure 21.1** et son compagnon le chimpanzé observent attentivement la même feuille, mais un seul des deux est en mesure d'en parler. Comment expliquer cette différence entre deux primates qui ont en commun une si grande part de leur histoire évolutive ? Grâce aux avancées réalisées dans la technologie du séquençage, nous pouvons maintenant répondre à des questions aussi fascinantes que celle-ci sous l'angle de leurs fondements génétiques. Plus loin dans ce chapitre, il sera question du gène *FOXP2* qui intervient dans la vocalisation et qui diffère entre les deux espèces.

Le génome du chimpanzé a été séquencé deux ans après la publication de la séquence complétée du génome humain. Maintenant qu'il est possible de comparer base par base notre génome avec celui du chimpanzé, on peut s'attaquer à cette question : quelles différences dans l'information génétique rendent compte des caractéristiques distinctes de ces deux espèces de primates ?

En plus d'avoir déterminé les séquences des génomes de l'humain et du chimpanzé, les chercheurs ont décodé les séquences génomiques complètes d'*Escherichia coli* (*E. coli*) et celles d'un grand nombre d'autres procaryotes, ainsi que de nombreux eucaryotes, dont *Zea mays* (maïs), *Drosophila melanogaster* (mouche du vinaigre, ou drosophile), *Octopus bimaculoides* (pieuvre à deux points de Californie) et *Callorhinchus milii* (chimère éléphant ; voir la photo à gauche). En 2014, on a publié une séquence de haute qualité du génome d'*Homo neanderthalensis* (néandertalien), une espèce disparue étroitement liée aux humains modernes. Déjà intéressants en eux-mêmes, ces génomes nous fournissent de plus des renseignements précieux sur l'évolution et sur d'autres processus biologiques. En étendant la comparaison humain-chimpanzé aux génomes d'autres primates et d'animaux plus éloignés, on arrivera sûrement à connaître les séries de gènes responsables des caractéristiques qui définissent un groupe donné. Au-delà de cet exercice, les comparaisons avec les génomes des bactéries, des archées, des eumycètes, des protistes et des végétaux devraient nous éclairer sur la longue histoire évolutive de gènes anciens qui nous sont tous communs.

Maintenant que les séquences de génomes entiers sont connues, les scientifiques peuvent étudier des ensembles complets de gènes et leurs interactions grâce à la **génomique**. Les travaux de séquençage qui alimentent cette approche ont généré d'énormes volumes de données, et ils continuent aujourd'hui sur cette lancée. Le besoin de traiter ce déluge d'information toujours croissant a donné le jour à la **bio-informatique**, un domaine de l'informatique qui met ses méthodes de calcul au service de l'organisation et de l'analyse de données biologiques.

Nous commencerons le présent chapitre en examinant deux approches de séquençage du génome et certains progrès accomplis en bio-informatique et ses applications. Nous résumerons ensuite ce que nous ont appris les génomes séquencés jusqu'à maintenant, puis nous décrirons la composition du génome humain comme un génome représentatif d'un eucaryote multicellulaire complexe. Enfin, nous étudierons les hypothèses actuelles qui nous aident à saisir comment sont apparus les génomes et comment l'évolution des mécanismes de développement a pu engendrer la grande diversité de la vie sur Terre aujourd'hui.

CONCEPT **21.1**

Le projet Génome humain a favorisé la mise au point de techniques de séquençage plus rapides et moins onéreuses

Le séquençage du génome humain, connu sous le nom de **projet Génome humain**, est un ambitieux projet de recherche. Il a été lancé officiellement en 1990 sous l'égide d'un consortium international financé par le secteur public et réunissant des scientifiques œuvrant dans des universités et des instituts de recherche. Ce projet a entraîné la création de 20 grands centres de séquençage répartis dans 6 pays, en plus d'une quantité d'autres laboratoires travaillant sur de petits projets.

Alors que le séquençage du génome humain était presque terminé, en 2003, la séquence de chaque chromosome a été analysée et décrite dans une série de publications, dont la dernière, parue en 2006, portait sur le chromosome 1. À ce stade, le séquençage était considéré comme « pratiquement terminé ».

Le but ultime de la cartographie d'un génome est de déterminer la séquence nucléotidique complète de chaque chromosome. Pour le génome humain, cette étape a été réalisée grâce à des séquenceurs, à l'aide de la méthode de terminaison de chaîne par un didésoxyribonucléotide (méthode didésoxy, en abrégé) décrite au concept 20.1. Malgré l'avènement de l'automatisation, le séquençage des 3 milliards de paires de bases d'un jeu haploïde de chromosomes humains représentait toujours une tâche monumentale. Parmi les événements qui ont eu un effet décisif sur le projet Génome humain, la mise au point d'une technique de séquençage plus rapide constitue un fait marquant (voir le concept 20.1). Au cours des années, les améliorations apportées ont réduit la longueur de chaque étape, permettant d'accélérer la vitesse de séquençage de façon impressionnante. Alors qu'au cours des années 1980 un laboratoire productif arrivait à séquencer quotidiennement 1 000 paires de bases, en l'an 2000 chaque centre de recherche qui travaillait au projet Génome humain séquençait 1 000 paires de bases *à la seconde*. Depuis 2016, les appareils automatisés les plus couramment utilisés peuvent séquencer près de 25 millions de paires de bases par seconde. Toutefois, les concepteurs de certaines des techniques encore plus récentes prétendent qu'il est possible de séquencer 66 milliards de paires de bases par seconde. Les méthodes qui peuvent analyser du matériel biologique très rapidement et produire d'énormes volumes de données sont dites « à haut débit ». Les séquenceurs sont un exemple d'appareils à haut débit.

On a recours à deux approches complémentaires pour produire une séquence complète. L'approche initiale est une technique méthodique qui repose sur l'utilisation d'une source antérieure de données sur la génétique humaine. En 1998, cependant, le biologiste moléculaire J. Craig Venter fonde une société (Celera Genomics) et déclare qu'il a pour objectif d'établir le séquençage complet du génome humain à l'aide d'une autre technique appelée **séquençage en aveugle sur l'ensemble du génome**. Cette technique débute par le clonage et le séquençage de fragments d'ADN pris au hasard. Ensuite, de puissants programmes informatiques analysent les très nombreuses courtes séquences déchiffrées qui, en se recouvrant partiellement, reconstituent la séquence complète (**figure 21.2**).

▼ **Figure 21.2 Le séquençage en aveugle sur l'ensemble du génome.** La technique conçue par J. Craig Venter et ses collègues de Celera Genomics consiste à cloner (voir la figure 20.4) et à séquencer des fragments d'ADN aléatoires, puis à les classer les uns par rapport aux autres.

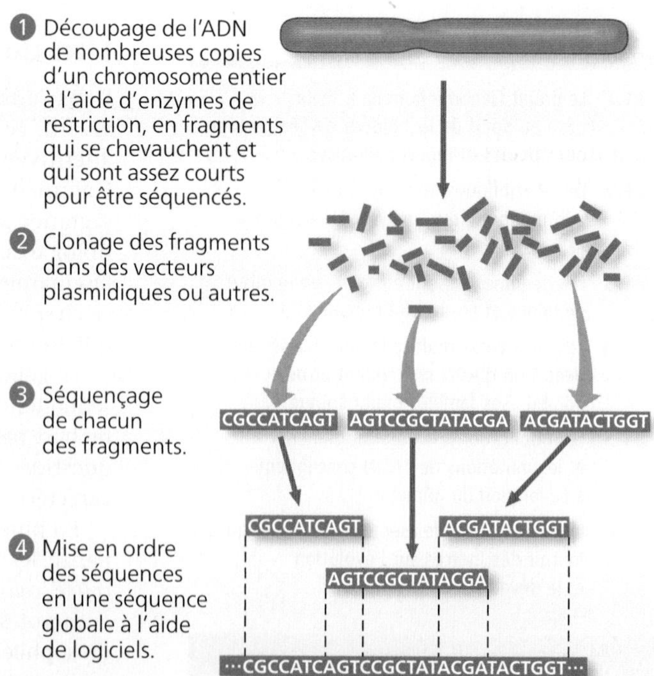

1 Découpage de l'ADN de nombreuses copies d'un chromosome entier à l'aide d'enzymes de restriction, en fragments qui se chevauchent et qui sont assez courts pour être séquencés.
2 Clonage des fragments dans des vecteurs plasmidiques ou autres.
3 Séquençage de chacun des fragments.
CGCCATCAGT
AGTCCGCTATACGA
ACGATACTGGT
4 Mise en ordre des séquences en une séquence globale à l'aide de logiciels.
CGCCATCAGT
ACGATACTGGT
AGTCCGCTATACGA
···CGCCATCAGTCCGCTATACGATACTGGT···

HABILETÉS VISUELLES ▶ Plutôt que d'être placés de façon ordonnée, les fragments à l'étape 2 semblent éparpillés. Comment cette représentation correspond-elle à l'approche utilisée ?

Aujourd'hui, l'approche de séquençage en aveugle sur l'ensemble du génome est toujours utilisée, même si des techniques de séquençage plus récentes (voir la figure 20.3) donnent des résultats plus rapidement et à moindre coût. Dans ces nouvelles techniques, un grand nombre de fragments d'ADN plus petits (d'une longueur d'environ 300 paires de bases) sont séquencés simultanément, et des logiciels assemblent rapidement la séquence complète. En raison de la précision de ces méthodes, il est possible de séquencer les fragments directement, c'est-à-dire sans passer par l'étape du clonage (étape 2 de la figure 21.2). Alors qu'il a fallu 13 ans pour séquencer le premier génome humain, au coût de 100 millions de dollars, il n'a fallu que 4 mois en 2007 pour séquencer celui de James Watson (codécouvreur de la structure de l'ADN) à l'aide de nouvelles techniques, et l'opération n'a coûté qu'environ 1 million de dollars. Depuis 2016, il est possible de séquencer le génome d'une personne en un seul jour au coût d'environ 1 000 $ US.

Ces progrès techniques ont également facilité la mise en œuvre de la **métagénomique** (du grec *meta*, « ce qui dépasse »), une approche dans laquelle l'ADN d'une communauté entière d'espèces (un *métagénome*) est extrait d'un échantillon prélevé dans l'environnement et séquencé. Là aussi, un logiciel se charge de trier les séquences fragmentaires et de les assembler en génomes individuels spécifiques. Cette technique a l'avantage de permettre le séquençage de l'ADN de populations microbiennes disparates, ce qui élimine la nécessité de cultiver chaque espèce séparément en laboratoire, une difficulté qui a limité l'étude de nombreuses espèces microbiennes. Jusqu'à maintenant, les scientifiques ont appliqué cette démarche pour analyser le génome des communautés microbiennes présentes dans des environnements aussi divers que l'intestin humain et les sols anciens de l'Arctique. En effet, dans une étude menée 2014, on a pu caractériser des douzaines d'espèces de la région de l'Arctique qui formaient depuis 50 000 ans une communauté dans laquelle vivaient des animaux, des plantes et des microorganismes.

À première vue, les séquences génomiques des humains et d'autres organismes ne sont que des listes monotones de bases nucléotidiques (une succession interminable de millions de A, de T, de C et de G) auxquelles il est difficile de donner un sens. Pour décrypter cette quantité phénoménale de données, il a donc fallu mettre au point de nouvelles méthodes d'analyse, que nous décrivons dans la prochaine section.

RETOUR SUR LE CONCEPT **21.1**

1. Décrivez l'approche de séquençage en aveugle sur l'ensemble du génome.

Voir les réponses proposées à l'appendice A.

CONCEPT **21.2**

Les scientifiques utilisent la bio-informatique pour analyser les génomes et leurs fonctions

Jour après jour, chacun des quelque 20 centres de séquençage travaillant au projet Génome humain a produit quotidiennement un nombre considérable de séquences d'ADN. Devant cette accumulation de données, il est devenu rapidement nécessaire de coordonner les travaux afin d'être en mesure de suivre toutes les séquences. Aussi, les chercheurs et les responsables gouvernementaux engagés dans le projet Génome humain se sont-ils donné pour objectif d'établir des bases de données centralisées, de perfectionner les logiciels d'analyse et de rendre toutes ces ressources facilement accessibles sur internet.

La centralisation des ressources pour l'analyse des séquences génomiques

L'accès aux ressources bio-informatiques et le partage plus rapide des données ont permis aux chercheurs du monde entier d'accomplir de grands progrès dans l'analyse des séquences d'ADN. Par exemple, aux États-Unis, le National Center for Biotechnology Information (NCBI) a vu le jour en 1988 grâce aux activités concertées de la National Library of Medicine (NLM) et des National Institutes of Health (NIH) pour mettre sur pied le projet Génome humain. Le NCBI héberge aujourd'hui un site internet (www.ncbi.nlm.nih.gov) qui comporte d'importantes ressources bio-informatiques et qui propose des liens vers des bases de données, des logiciels et quantité d'informations sur la génomique et des sujets connexes. Par ailleurs, trois centres génomiques en relation avec le NCBI ont créé des sites semblables : le Laboratoire européen de biologie moléculaire, la Banque de données génétiques du Japon et le BGI (autrefois nommé Beijing Genome Institute) à Shenzhen, en Chine. D'autres sites internet hébergés par des individus ou des petits groupes de laboratoires s'ajoutent à ces sites d'envergure et complets. Des sites plus petits fournissent souvent des bases de données et des logiciels conçus à des fins plus circonscrites, comme l'étude des modifications génétiques et génomiques correspondant à un type particulier de cancer.

La base de données des séquences du NCBI est nommée GenBank. En juin 2016, elle comprenait les séquences de 194 millions de fragments d'ADN génomique, pour un total de 213 milliards de paires de bases ! GenBank est constamment mise à jour, et la quantité de données qu'elle contient augmente rapidement. Toute séquence dans la banque peut être extraite et analysée à l'aide de logiciels disponibles sur le site internet du NCBI ou ailleurs.

BLAST, l'un des programmes informatiques les plus largement utilisés qui est accessible sur le site du NCBI, permet à l'utilisateur de comparer une séquence d'ADN avec chaque séquence dans la GenBank, base par base. Un chercheur peut donc repérer des régions similaires dans d'autres gènes d'une même espèce ou parmi les gènes d'autres espèces. Un autre logiciel permet de comparer des séquences prédites de protéines. Et un troisième peut chercher n'importe quelle séquence de polypeptides afin de trouver des segments *conservés* (communs) d'acides aminés (domaines) dont la fonction est connue ou présumée. De plus, ce logiciel peut afficher un modèle tridimensionnel du domaine en question ainsi que d'autres renseignements pertinents (**figure 21.3**). Il existe même un programme informatique capable d'aligner et de comparer une collection de séquences, soit d'acides nucléiques, soit de polypeptides, et de les schématiser sous la forme d'un arbre évolutif basé sur les relations entre les séquences. (La figure 21.17 présente un tel schéma.)

▼ Figure 21.3 Les outils bio-informatiques accessibles dans internet. Un site internet administré par le National Center for Biotechnology Information (NCBI) permet aux scientifiques et au public d'accéder aux séquences d'ADN et de protéines et à d'autres données stockées. Le site comprend un lien vers une base de données sur les structures de protéines (Conserved Domain Database, CDD) qui peut trouver et décrire des domaines similaires dans des protéines apparentées; il comprend également un logiciel (Cn3D; en anglais, *See in 3D*) qui présente des modèles de domaines. Cette figure montre certains résultats obtenus lors de la recherche de régions de protéines comparables à une séquence d'acides aminés présente dans une protéine de melon brodé, *Cucumis melo* var. *reticulatus* (plus connu sous le nom de cantaloup). Le domaine WD40 est fréquent dans les protéines codées par des génomes eucaryotes. Il joue souvent un rôle crucial dans les interactions moléculaires pendant la transduction des signaux.

❶ Dans cette fenêtre, une séquence partielle d'acides aminés provenant d'une protéine inconnue de melon brodé (« Recherche », « *Query* » en anglais) est mise en correspondance avec les séquences similaires d'autres protéines trouvées par le programme informatique. Chaque séquence représente un domaine nommé WD40.

❷ Quatre empreintes caractéristiques du domaine WD40 sont mises en évidence en jaune. (La similarité des séquences est basée sur les aspects chimiques des acides aminés, de sorte que les acides aminés dans la région des empreintes caractéristiques ne sont pas toujours identiques.)

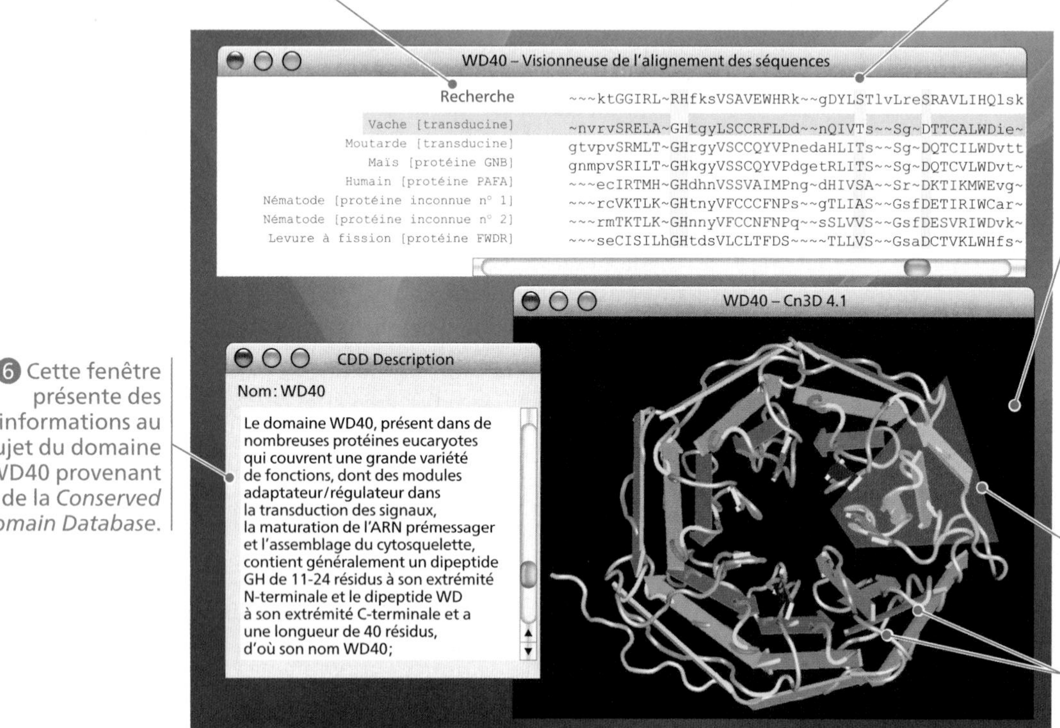

❸ Le programme Cn3D présente un modèle en ruban tridimensionnel de la transducine de vache (la protéine mise en évidence en violet dans la fenêtre Visionneuse de l'alignement des séquences, *Sequence Alignment Viewer* en anglais). Cette protéine est la seule parmi celles qui sont illustrées dont la structure a été déterminée. La similarité des séquences des autres protéines et de celle de la transducine de vache semble indiquer que leurs structures sont probablement semblables.

❹ La transducine de vache contient sept domaines WD40, dont l'un est mis en évidence en gris.

❺ Les segments en jaune correspondent aux motifs caractéristiques de WD40 mis en évidence en jaune dans la fenêtre au-dessus.

❻ Cette fenêtre présente des informations au sujet du domaine WD40 provenant de la *Conserved Domain Database*.

Deux instituts de recherche, la Rutgers University et la University of California à San Diego, hébergent pour leur part une base de données renfermant toutes les structures tridimensionnelles des protéines qui ont été déterminées, soit la Worldwide Protein Data Bank, que l'on peut consulter à l'adresse www.wwpdb.org. Il est possible de faire pivoter les structures afin d'observer une protéine sous tous les angles. Tout au long de ce manuel, vous trouverez des images de structures protéiques tirées de cette base de données.

Il existe une foule de ressources accessibles gratuitement aux chercheurs dans le monde entier. Penchons-nous maintenant sur les types de questions que les scientifiques peuvent essayer de résoudre à l'aide de ces ressources.

L'identification des gènes codant pour des protéines et la compréhension de leurs fonctions

À l'aide des séquences d'ADN disponibles, les généticiens peuvent étudier les gènes directement sans recourir à l'approche génétique classique qui exige d'établir la fonction d'un gène inconnu à partir du phénotype. Toutefois, cette approche plus récente nous confronte à un nouveau défi : quelle est la véritable fonction du gène ? À partir d'une longue séquence d'ADN fournie par une base de données comme GenBank, l'objectif des scientifiques consiste à identifier tous les gènes qui codent pour des protéines dans la séquence et, finalement, à déterminer leurs fonctions. Ce processus, nommé **annotation d'un gène**, identifie un gène en se fondant sur trois éléments de preuve.

D'abord, il faut rechercher certaines séquences indiquant la présence des gènes à l'aide d'un ordinateur. La démarche habituelle consiste à se servir de logiciels pour parcourir les séquences stockées et rechercher celles qui sont associées aux signaux de départ et d'arrêt de la transcription et de la traduction, ainsi qu'aux sites d'épissage de l'ARN ; il est également possible de trouver d'autres indices de la présence de gènes codant pour des protéines. Ces logiciels permettent aussi de repérer certaines courtes séquences qui codent pour des ARNm connus. Des milliers de séquences de ce type, nommées *étiquettes de séquences exprimées* (ou EST, pour *expressed sequences tags*), ont été obtenues à partir de séquences d'ADNc et sont actuellement répertoriées dans des bases de données informatisées. Ce type d'analyse détermine les séquences qui pourraient correspondre à des gènes auparavant inconnus codant pour des protéines.

Même si on connaissait déjà près de la moitié des gènes humains avant même le début du projet Génome humain, ceux qui étaient auparavant inconnus ont pu être identifiés par une analyse des séquences d'ADN. Une fois ces gènes identifiés, la deuxième étape consiste à recueillir des indices sur leur identité et leur fonction en utilisant un logiciel pour comparer leur séquence nucléotidique à celle de gènes connus d'autres organismes. En raison des redondances du code génétique, la séquence de l'ADN elle-même peut varier davantage d'une espèce à l'autre que la séquence de la protéine. Par conséquent, les scientifiques qui analysent les protéines comparent souvent la séquence prédite des acides aminés d'une protéine avec celle d'autres protéines. Enfin, l'identité des gènes doit être confirmée par ARN-seq (voir la figure 20.13) ou par une autre méthode afin de démontrer que l'ARN ciblé est réellement exprimé par les gènes présumés.

Parfois, une séquence nouvellement décodée correspond, du moins en partie, à la séquence d'un gène ou d'une protéine d'une autre espèce dont la fonction est déjà bien connue. Par exemple, une chercheuse en phytologie travaillant sur les voies de signalisation dans le cantaloup (melon brodé) serait enthousiaste si elle constatait qu'une partie de la séquence d'acides aminés d'un gène qu'elle aurait identifié correspondait à celui du domaine WD40 présent chez d'autres espèces. Ce domaine est une partie fonctionnelle d'une protéine (voir la figure 21.3). De nombreuses protéines eucaryotes comportent des domaines WD40, et on sait qu'ils agissent dans les voies de transduction des signaux. Il est également possible que la séquence du nouveau gène soit semblable à une séquence déjà rencontrée, mais dont la fonction est encore inconnue. Il arrive aussi que la séquence soit entièrement différente de tout ce qui a été vu auparavant. C'est ce qui s'est avéré pour près du tiers des gènes d'*E. coli* lorsque son génome a été séquencé. Dans le dernier cas, on déduit habituellement la fonction de la protéine par le biais d'une série d'études biochimiques et fonctionnelles. Les analyses biochimiques visent à déterminer la structure tridimensionnelle de la protéine, de même que d'autres propriétés, comme les sites de liaison potentiels avec d'autres molécules. Les études fonctionnelles portent habituellement sur l'*inactivation* (le blocage ou l'inhibition) du gène d'un organisme, afin de déterminer comment le phénotype est affecté. Le système CRISPR-Cas9 décrit à la figure 20.14 est un exemple de technique expérimentale utilisée pour bloquer la fonction d'un gène.

La compréhension des gènes et de l'expression génétique au niveau des systèmes

La capacité de traitement impressionnante des outils de la bio-informatique permet l'étude de jeux complets de gènes et de leurs interactions, de même que la comparaison des génomes provenant d'espèces différentes. La génomique est une extraordinaire source de nouveaux éclairages sur des questions fondamentales concernant l'organisation du génome, la régulation de l'expression génétique, la croissance et le développement, et l'évolution.

Dans un projet de recherche nommé ENCODE (Encyclopedia of DNA Elements), réalisé entre 2003 et 2012, on a fait appel à une stratégie informationnelle. En effet, le projet avait pour but de recueillir un maximum de renseignements sur les éléments fonctionnels importants du génome humain en utilisant différentes techniques expérimentales sur divers types de cellules mises en culture. Les chercheurs cherchaient les gènes codant pour des protéines, les gènes pour les ARN non traduits ainsi que les séquences participant à la régulation de l'expression génétique (comme les amplificateurs et les promoteurs). Les chercheurs ont également caractérisé de façon exhaustive les modifications de l'ADN et des histones ainsi que la structure de la chromatine. Il s'agit en fait de caractéristiques épigénétiques puisqu'elles influent sur l'expression génétique sans toutefois modifier la séquence des bases nucléotidiques (voir le concept 18.3). La deuxième phase du projet, à laquelle ont participé plus de 440 scientifiques de 32 groupes de recherche, a atteint son apogée en 2012 avec la publication simultanée de 30 articles portant sur plus de 1 600 grands ensembles de données. Ce projet est d'une très grande portée puisqu'il permet de comparer les résultats de différents travaux spécifiques et, par conséquent, de dresser un portrait plus complet du génome entier.

La découverte la plus importante est assurément que plus de 75 % du génome est transcrit à un certain moment dans au moins un des types de cellules étudiés, même si moins de 2 % du génome code pour des protéines. De plus, on a pu associer des fonctions biochimiques à des éléments de l'ADN totalisant au moins 80 % du génome humain. À l'heure actuelle, on réalise en parallèle des projets visant à analyser de façon similaire les génomes de deux organismes modèles, soit *Caenorhabditis elegans* (nématode) et *Drosophila melanogaster* (drosophile) afin d'en apprendre davantage sur les différents types d'éléments fonctionnels. Puisqu'il est possible de réaliser des expériences de génétique et de biologie moléculaire sur ces espèces, les tests effectués sur les activités d'éléments d'ADN potentiellement fonctionnels dans leur génome révéleront beaucoup d'informations sur le mode de fonctionnement du génome humain.

Comme le projet ENCODE visait à analyser des cellules mises en culture, les possibilités d'application cliniques étaient limitées. Un projet connexe, soit le Roadmap Epigenomics Project, a été mis sur pied pour caractériser l'*épigénome* (caractéristiques épigénétiques du génome) de centaines de types cellulaires et de tissus humains. Le but était de se concentrer sur l'épigénome des cellules souches, des tissus normaux d'adultes matures et des tissus spécifiques prélevés chez des personnes atteintes de certaines maladies comme un cancer ou une maladie neurodégénérative ou auto-immune. En 2015, les résultats obtenus pour 111 tissus ont été publiés dans une série d'articles. La possibilité d'établir le foyer d'origine (tissu) du cancer à partir des cellules d'une tumeur secondaire en se fondant sur la caractérisation de l'épigénome des tissus figurait parmi les découvertes les plus utiles.

La biologie des systèmes

Les progrès scientifiques enregistrés dans le domaine du séquençage des génomes et de l'étude d'ensembles de gènes ont incité les scientifiques à se lancer dans l'étude systématique de jeux de protéines et de leurs propriétés (comme leur abondance, leurs modifications après la traduction et leurs interactions). Ce nouveau domaine de recherche porte le nom de **protéomique**. (Un protéome est l'ensemble des protéines exprimées par une cellule ou par un groupe de cellules.) Les protéines, et non les gènes qui les codent, sont les molécules qui assurent la plupart des diverses fonctions cellulaires. Il faut donc découvrir à quel moment et dans quels lieux elles sont produites dans un organisme et étudier la façon dont elles interagissent en réseau, si l'on veut comprendre le fonctionnement des cellules et des organismes.

Grâce à la génomique et à la protéomique, les biologistes moléculaires sont en train d'acquérir une vision de plus en plus globale du monde vivant. À l'aide des outils que nous avons décrits, ils ont commencé à dresser des catalogues de gènes et de protéines, des listes complètes de tous les « morceaux » qui contribuent au fonctionnement des cellules, des tissus et des organismes. Grâce à ces catalogues, les chercheurs ont pu détourner leur attention des composants individuels (gènes et protéines) pour se concentrer sur l'intégration fonctionnelle au sein des systèmes biologiques. Comme vous vous en souvenez, le concept 1.1 examine cette approche de la **biologie des systèmes**, dont l'objectif est de représenter par modèles le comportement dynamique de systèmes biologiques entiers en se fondant sur l'étude des interactions entre les composants de l'organisme. Étant donné le vaste éventail de données générées par ces types d'études, les avancées informatiques et bio-informatiques sont essentielles à l'étude de la biologie des systèmes.

Une application importante de l'approche de la biologie des systèmes consiste à définir les circuits de gènes et les réseaux d'interactions entre les protéines. Afin de cartographier le réseau d'interactions protéiques chez la levure *Saccharomyces cerevisiae*, par exemple, les chercheurs ont utilisé des techniques perfectionnées pour neutraliser des paires de gènes, une paire à la fois, créant des cellules doublement mutantes. Ils ont ensuite comparé la compatibilité de chaque double mutant (basée en partie sur la taille de la colonie de cellules formée) à celle prédite à partir des compatibilités des deux mutants uniques. Les chercheurs ont conclu que si la compatibilité observée correspondait à la prédiction, alors il n'y avait pas d'interaction entre les produits des deux gènes. En revanche, si la compatibilité observée était supérieure ou inférieure à celle prédite, c'est qu'il y avait eu interaction dans la cellule entre les produits de ces deux gènes. À l'aide d'un logiciel, ils ont alors élaboré un modèle graphique en cartographiant les produits géniques par rapport à certains emplacements dans le modèle. Pour y arriver, ils se sont fondés sur la similitude des interactions entre les protéines. Ils ont ainsi représenté le tout sous forme d'une « carte fonctionnelle », comme celle que montre la **figure 21.4**. Il a fallu se servir d'ordinateurs puissants et faire appel à des outils mathématiques et à des logiciels nouvellement mis au point pour traiter le grand nombre d'interactions protéine-protéine générées par cette expérience et les intégrer dans la carte complétée. L'approche de la biologie des systèmes a donc réellement été rendue possible grâce aux avancées de la technologie informatique et de la bio-informatique.

L'application de la biologie des systèmes à la médecine

Le projet Cancer Genome Atlas (Atlas génomique du cancer) est un autre exemple de la biologie des systèmes dans lequel on analyse simultanément plusieurs gènes et produits de gènes en interaction en tant que groupe. Réalisé sous la direction conjointe du National Cancer Institute et des NIH, ce projet vise à déterminer comment les modifications dans les systèmes biologiques peuvent causer le cancer. Un projet d'une durée de trois ans, achevé en 2010, avait pour but de découvrir toutes les mutations communes dans trois types de cancer (cancer du poumon, cancer de l'ovaire et glioblastome du cerveau) en comparant les séquences des gènes et les modes d'expression génétique des cellules cancéreuses avec ceux des cellules normales. Les travaux sur le glioblastome ont confirmé le rôle de plusieurs gènes

▼ Figure 21.4 L'approche de la biologie des systèmes appliquée aux interactions protéiques. Cette carte des interactions protéiques globales révèle les interactions probables (lignes) parmi environ 4 500 produits de gènes (points) chez la levure *Saccharomyces cerevisiae*. Les points de même couleur représentent les produits géniques intervenant dans l'une des 13 fonctions cellulaires de couleur similaire mentionnées autour de la carte. Les points blancs représentent les protéines n'ayant pas été assignées à une fonction d'une couleur donnée. La portion élargie montre des détails supplémentaires d'une région de la carte où les produits géniques (points bleus) effectuent la biosynthèse, l'incorporation des acides aminés ou encore des fonctions connexes.

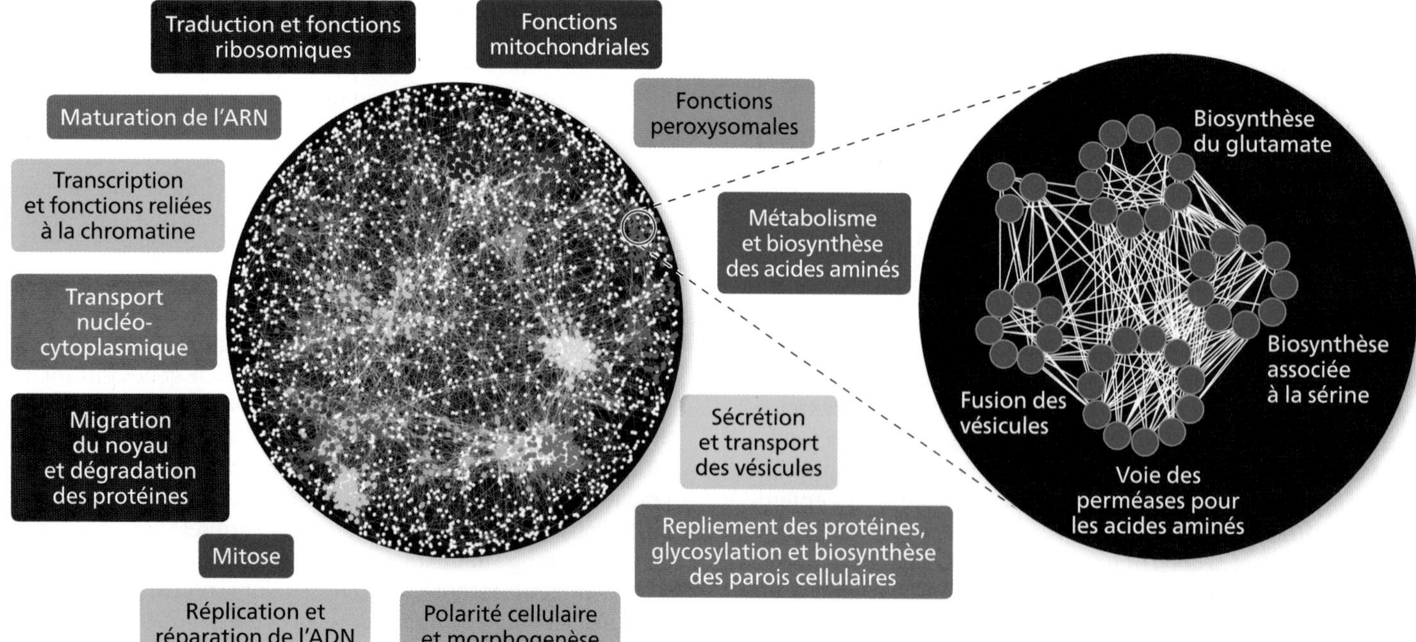

soupçonnés et ont permis d'en isoler quelques-uns jusqu'alors inconnus, révélant de nouvelles cibles possibles pour des thérapies. La stratégie s'est avérée si fructueuse pour ces trois types de cancer qu'elle a été étendue à dix autres types, choisis parce qu'ils sont répandus et souvent mortels chez les humains.

Comme en témoigne le Roadmap Epigenomics Project décrit précédemment, les techniques à haut débit sont de plus en plus utilisées dans l'étude du cancer. Cela s'explique par leur rapidité croissante et par la diminution de leur coût. D'ailleurs, plutôt que de séquencer uniquement les gènes codant pour une protéine, on séquence les génomes entiers de plusieurs tumeurs d'un type particulier, ce qui permet aux scientifiques de mettre en évidence des anomalies chromosomiques courantes ainsi que tout autre changement systématique dans ces génomes aberrants.

En plus du séquençage du génome entier, des puces de silicium et de verre contenant un microréseau de la plupart des gènes humains connus sont maintenant utilisées pour analyser les modes d'expression génétique chez les patients qui souffrent de divers cancers et d'autres maladies (**figure 21.5**). De plus en plus, on abandonne les tests sur microréseaux au profit de l'ARN-seq (voir la figure 20.13). L'analyse des gènes surexprimés ou sous-exprimés en présence d'un cancer donné permet aux médecins d'adapter le traitement au profil génétique unique de leurs patients et aux caractéristiques particulières de leur cancer. Cette approche a été utilisée pour caractériser des sous-ensembles de plusieurs cancers particuliers, ce qui a permis de mettre au point des traitements mieux ciblés. Le cancer du sein en est un bon exemple (voir la figure 18.27).

Dans quelques années, les dossiers médicaux contiendront peut-être un catalogue de la séquence d'ADN, une sorte de code-barres génétique, dans lequel seraient mises en évidence des régions associées à un risque accru de maladies particulières. L'utilisation de ces séquences pour une médecine personnalisée (prévention et traitement des maladies) possède un énorme potentiel.

La biologie des systèmes est une façon très efficace d'étudier les propriétés émergentes à l'échelle moléculaire. Nous avons vu au chapitre premier que, selon le thème des propriétés émergentes, des propriétés nouvelles apparaissent à chaque niveau successif de la complexité biologique à la suite du réarrangement des éléments constitutifs du niveau inférieur (voir le concept 1.1). Plus nous pourrons en apprendre sur l'arrangement et les interactions des composantes des systèmes génétiques, plus nous approfondirons notre compréhension des organismes entiers. Dans le reste du présent chapitre, nous passerons en revue ce que les études génomiques nous ont appris jusqu'à maintenant.

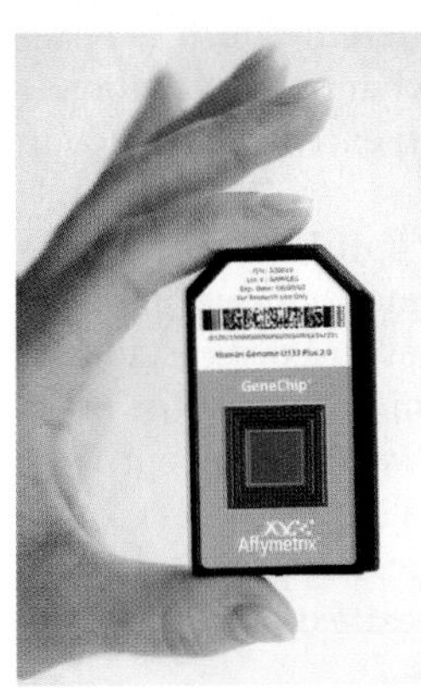

◀ **Figure 21.5 Une puce à microréseau de gènes humains.** De minuscules points d'ADN fixés en rangées ordonnées sur cette plaquette de silicium représentent presque tous les gènes du génome humain. À l'aide de cette puce, les chercheurs peuvent analyser les modes d'expression pour tous ces gènes simultanément (voir la figure 20.12).

RETOUR SUR LE CONCEPT 21.2

1. Quel rôle joue internet dans la recherche actuelle en génomique et en protéomique ?
2. Expliquez les avantages de l'approche de la biologie des systèmes pour étudier le cancer par rapport à l'approche de l'étude d'un seul gène à la fois.
3. **FAITES DES LIENS** ▶ Le projet pilote ENCODE a montré que plus de 75 % du génome est transcrit en ARN, beaucoup plus que ce qui peut être attribuable aux gènes qui codent pour des protéines. Revoyez les concepts 17.3 et 18.3 et proposez quelques rôles que peuvent jouer ces ARN.
4. **FAITES DES LIENS** ▶ Au concept 20.2, vous avez pris connaissance des études d'association sur l'ensemble du génome. Expliquez comment ces études utilisent l'approche de la biologie des systèmes.

Voir les réponses proposées à l'appendice A.

CONCEPT **21.3**

Les génomes varient en taille, en nombre de gènes et en densité génique

À ce jour, des milliers de génomes ont été complètement séquencés, alors que des dizaines de milliers d'autres génomes sont en cours de séquençage ou sont considérés comme des ébauches permanentes (parce que les efforts qu'il faudrait déployer pour les terminer n'en vaudraient pas la peine). Parmi les génomes en cours de séquençage, on dénombre environ 3 400 métagénomes. Dans le groupe des génomes complètement séquencés, on compte ceux d'environ 5 000 bactéries et de plus de 240 archées. Chez les eucaryotes, on a séquencé la totalité du génome de près de 300 espèces et on dispose d'ébauches permanentes pour plus de 2 600 espèces, dont des vertébrés, des invertébrés, des protistes, des eumycètes et des végétaux. Dans la prochaine section, nous discuterons des connaissances acquises sur la taille des génomes, le nombre de gènes et la densité génique en prêtant une attention particulière aux tendances générales.

La taille des génomes

La comparaison des trois domaines (bactéries, archées et eucaryotes) révèle une différence générale dans la taille du génome des procaryotes et celle des eucaryotes (**tableau 21.1**). Malgré quelques exceptions, la plupart des génomes bactériens comportent entre 1 et 6 millions de paires de bases (Mb). Le génome d'*E. coli*, par exemple, possède 4,6 Mb. Les dimensions des génomes d'archées se situent pour la plupart dans le même intervalle que celles des génomes bactériens. (Souvenez-vous cependant que beaucoup moins de génomes d'archées ont été complètement séquencés, de sorte que ce portrait pourrait changer.) Les génomes eucaryotes tendent à être plus imposants : le génome de la levure unicellulaire *Saccharomyces cerevisiae* (un eumycète) comporte environ 12 Mb, alors que celui de la majorité des animaux et des végétaux, qui sont des multicellulaires, compte au moins 100 Mb. Il y a 165 Mb dans le

Tableau 21.1 La taille du génome et le nombre estimé de gènes*			
Organisme	Taille du génome haploïde (Mb)	Nombre approximatif de gènes	Gènes par Mb
Bactéries			
Haemophilus influenzae	1,8	1 700	1 080
Escherichia coli	4,6	4 300	930
Archées			
Archaeglobus fulgidus	2,2	2 500	1 130
Methanosarcina barkeri	4,9	3 700	760
Eucaryotes			
Saccharomyces cerevisiae (levure, un eumycète)	12	6 300	520
Utricularia gibba (utriculaire flottante)	82	28 500	350
Caenorhabditis elegans (nématode)	100	45 100	450
Arabidopsis thaliana (plante de la famille moutarde)	157	32 700	210
Drosophila melanogaster (drosophile)	123	17 300	140
Daphnia pulex (puce d'eau)	200	31 000	155
Zea mays (maïs)	2 130	44 500	20
Ailuropoda melanoleuca (panda géant)	2 400	21 600	9
Homo sapiens (humain)	3 080	<20 000	7
Paris japonica (plante japonaise)	149 000	AD	AD

* Le nombre de gènes inclut les gènes d'ARN (transcrits, non traduits). Certaines valeurs présentées dans le tableau pourraient être modifiées à mesure que l'analyse des génomes se poursuit. Mb: million de paires de bases ou mégabase; AD: aucune donnée.

génome de la drosophile, et 3 000 dans le génome humain, soit de 500 à 3 000 fois plus que dans une bactérie typique.

À l'exclusion de cette différence générale entre les procaryotes et les eucaryotes, une comparaison de la taille des génomes chez les eucaryotes ne réussit pas à révéler une relation systématique entre la taille du génome et le phénotype de l'organisme. Par exemple, le génome de *Paris japonica*, une plante japonaise, contient 149 milliards de paires de bases (149 000 Mb), alors que celle d'*Utricularia gibba*, ou l'urticaire flottante, ne contient que 82 Mb. La taille du génome d'une amibe unicellulaire, *Polychaos dubium*, en cours de séquençage, est un exemple encore plus frappant puisque son génome compterait 670 milliards de paires de bases (670 000 Mb). En comparant plus précisément deux espèces d'insectes, il s'avère que le génome du grillon (*Anabrus simplex*) renferme 11 fois plus de paires de bases que celui de *Drosophila melanogaster*. Il y a un large éventail de tailles de génomes au sein des groupes des eucaryotes unicellulaires, des insectes, des amphibiens et des végétaux, et une gamme moins étendue chez les mammifères et les reptiles.

Le nombre de gènes

Le nombre de gènes varie également entre les procaryotes et les eucaryotes: les bactéries et les archées possèdent en général moins de gènes que les eucaryotes. Les bactéries libres (non parasites) et les archées ont de 1 500 à 7 500 gènes, tandis que chez les eucaryotes ce nombre varie entre 5 000 environ pour les eumycètes unicellulaires (levures) et plus de 40 000 pour certains eucaryotes multicellulaires.

Chez les eucaryotes, le nombre de gènes que possède une espèce est souvent plus faible que ce que laisse supposer la taille du génome. En examinant le tableau 21.1, vous pouvez constater que la taille du génome du nématode *C. elegans* est de 100 Mb et que celui-ci contient environ 45 100 gènes. Par comparaison, le génome de *Drosophila melanogaster* est un peu plus gros (123 Mb), mais il ne renferme que 17 300 gènes, ce qui constitue moins de la moitié du nombre de gènes de *C. elegans*.

Si on examine un exemple qui nous concerne plus directement, on note que le génome humain contient 3 080 Mb, un nombre bien supérieur à la taille du génome de *Drosophila melanogaster* ou de *C. elegans*. Au début du projet Génome humain, les biologistes s'attendaient à isoler entre 50 000 et 100 000 gènes une fois terminé le séquençage. Cette estimation était fondée sur le nombre de protéines humaines connues. À mesure que le projet progressait, il a fallu revoir plusieurs fois les prévisions à la baisse. Aussi, dans le projet ENCODE dont il a été question précédemment, on a fixé ce nombre à environ 20 000. Le nombre relativement faible, comparable au nombre de gènes du nématode *C. elegans*, a surpris les biologistes, qui s'attendaient à ce que les gènes humains soient beaucoup plus nombreux.

Quels attributs génétiques permettent donc à l'humain (et aux autres vertébrés) de fonctionner sans posséder plus de gènes qu'un nématode? Un important facteur est que les séquences codantes des génomes des vertébrés sont plus «productives», parce que la fréquence des épissages extensifs différentiels est plus élevée dans les transcrits d'ARN. Souvenons-nous que, par le biais de ce processus, un seul gène est en mesure d'engendrer plus d'un polypeptide (voir la figure 18.13). Un gène humain typique contient environ 10 exons, et on estime qu'au moins 90% de ces gènes multiexons peuvent subir un épissage différentiel: certains gènes sont exprimés sous des centaines de formes différentes, d'autres en seulement deux formes. Les scientifiques n'ont pas encore répertorié toutes les différentes formes résultant d'épissages différentiels, mais il est clair que le nombre de protéines codées dans le génome humain excède de beaucoup le nombre proposé de gènes.

À cela s'ajoute la diversité des polypeptides résultant des modifications post-traductionnelles comme le clivage ou l'ajout de glucides dans différents types de cellules ou à divers stades de développement. Enfin, la découverte des miARN et d'autres petits ARN qui jouent des rôles de régulation (voir le concept 18.3) introduit une nouvelle variable. Certains scientifiques croient que ce niveau de régulation supplémentaire, lorsqu'il est présent, peut contribuer à une plus grande complexité des organismes à partir d'un nombre limité de gènes.

La densité génique et l'ADN non codant

Il est possible d'évaluer la densité génique chez différentes espèces en comparant la taille du génome et le nombre de gènes qu'il possède. En d'autres mots, on peut déterminer le nombre de gènes présents sur une longueur donnée d'ADN. Quand on compare les génomes de bactéries, d'archées et d'eucaryotes, on constate que les eucaryotes ont généralement des génomes plus gros, mais qu'ils renferment moins de gènes pour un nombre donné de paires de bases. Les humains possèdent des centaines ou des milliers de fois plus de paires de bases dans leurs génomes que la plupart des bactéries, comme nous l'avons déjà noté, mais, en moyenne, seulement de 5 à 15 fois plus de gènes; par conséquent, la densité des gènes est plus faible chez les humains (voir le tableau 21.1). Même les eucaryotes unicellulaires, comme les levures, possèdent moins de gènes par million de paires de bases que les bactéries et les archées. Parmi les génomes entièrement séquencés, ce sont les humains et les autres mammifères qui présentent la densité génique la plus faible.

Dans tous les génomes bactériens étudiés jusqu'à maintenant, la majeure partie de l'ADN est constituée de gènes qui codent pour des protéines, de l'ARNt ou de l'ARNr; les petites quantités d'ADN qui restent sont principalement constituées de séquences régulatrices non transcrites, comme les promoteurs. De plus, le segment nucléotidique le long d'un gène bactérien qui code pour des protéines n'est pas interrompu par des séquences non transcrites (il n'a pas d'introns). Par contre, dans le génome des eucaryotes, la plus grande partie de l'ADN n'est pas transcrite en protéines ni ne code pour des molécules d'ARN de fonction connue, et l'ADN comporte des séquences régulatrices plus complexes. En fait, les humains possèdent 10 000 fois plus d'ADN non codant que les bactéries. Chez les eucaryotes multicellulaires, une partie de cet ADN est présente sous forme d'introns dans le gène. En fait, ce sont les introns qui comptent pour la majeure partie de la différence dans la longueur moyenne entre les gènes des humains (27 000 paires de bases) et ceux des bactéries (1 000 paires de bases).

En plus des introns, les eucaryotes multicellulaires ont une grande quantité d'ADN non codant pour des protéines, situé entre les gènes. À la section suivante, nous décrirons la composition et l'arrangement de ces grands segments d'ADN dans le génome humain.

RETOUR SUR LE CONCEPT 21.3

1. Selon la meilleure estimation actuelle, le génome humain contient environ 20 000 gènes. Cependant, il est évident que le nombre de polypeptides différents dans les cellules humaines est bien supérieur à 20 000. Quels processus peuvent expliquer cette divergence ?
2. Le site de la base de données GOLD (Genomes Online Database) du Joint Genome Institute offre des renseignements sur les projets de séquençage génomique. Visitez la page https://gold.jgi.doe.gov/statistics et décrivez les renseignements qui y figurent. Quelle est la proportion de projets portant sur des génomes bactériens qui présentent un intérêt médical ?
3. Quels processus évolutifs pourraient expliquer que les procaryotes ont des génomes plus petits que les eucaryotes ?

Voir les réponses proposées à l'appendice A.

CONCEPT **21.4**

Les eucaryotes multicellulaires possèdent beaucoup d'ADN non codant et de nombreuses familles multigéniques

Dans la majeure partie du chapitre et, bien sûr, dans la présente partie, nous avons mis l'accent sur les gènes qui codent pour des protéines. Pourtant, les régions codantes de ces gènes et les gènes pour les ARN non codants comme l'ARNr, l'ARNt et le miARN ne constituent qu'une petite partie du génome de la plupart des eucaryotes multicellulaires. Par exemple, une fois que la séquence complète du génome humain a été connue, il est devenu clair que seule une petite partie (environ 1,5 %) est transcrite en protéines ou code pour des ARNr ou des ARNt. La **figure 21.6** montre ce qui est connu des autres 98,5 %.

Les séquences régulatrices et les introns apparentés aux gènes représentent respectivement 5 % et environ 20 % du génome humain. Les autres séquences, situées entre les gènes fonctionnels, comportent un ADN non codant unique (une seule copie), tels des fragments de gènes et des **pseudogènes**, c'est-à-dire des anciens gènes qui ont accumulé des mutations et ne produisent

▼ Figure 21.6 Les types de séquences d'ADN dans le génome humain. Les séquences des gènes qui sont transcrites en protéines ou qui codent pour des molécules d'ARNr ou d'ARNt ne forment que 1,5 % du génome humain (en violet foncé dans le diagramme à secteurs), alors que les introns et les séquences régulatrices associés aux gènes (violet pâle) en forment le quart. La majeure partie du génome humain ne code pas pour des protéines (bien qu'une grande proportion génère de l'ARN), et une bonne part de ce génome est constituée d'ADN répétitif (en vert foncé et en vert pâle).

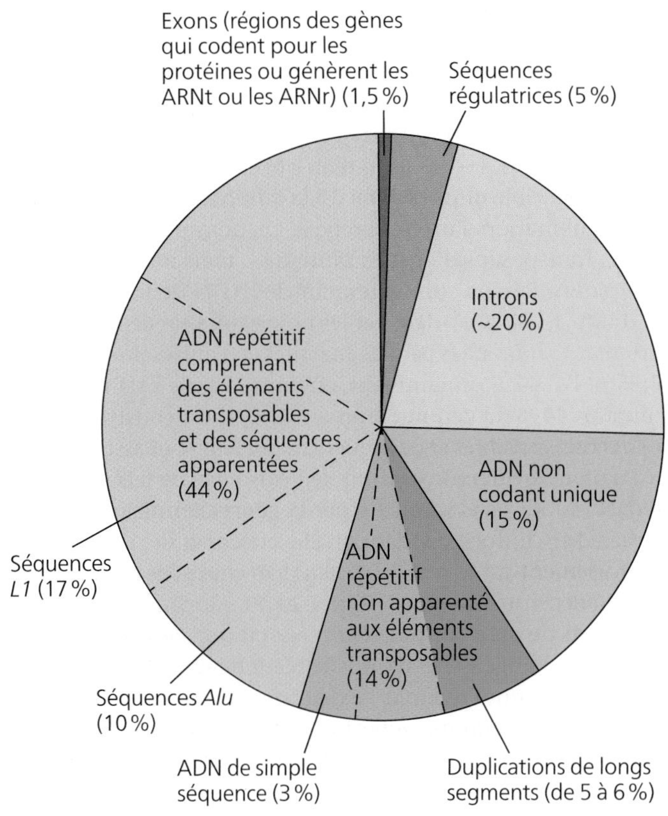

plus de protéines fonctionnelles. (Les gènes qui produisent les petits ARN non codants ne constituent qu'un faible pourcentage du génome, distribué entre 20 % d'introns et 15 % d'ADN non codant unique.) Toutefois, presque tout l'ADN situé entre les gènes fonctionnels est formé d'**ADN répétitif**, c'est-à-dire d'un grand nombre de copies de séquences nucléotidiques présentes dans le génome.

En effet, un grand nombre de ces génomes comportent beaucoup de séquences d'ADN qui ne codent pas pour des protéines, ni ne sont transcrites pour produire des ARN de fonctions connues. Dans le passé, cet ADN non codant a souvent été décrit par le terme « ADN poubelle ». Cependant, au cours des 10 dernières années, une comparaison des génomes a démontré la persistance de cet ADN dans divers génomes, sur des centaines de générations. Par exemple, les génomes de l'humain, du rat et de la souris contiennent près de 500 régions d'ADN non codant qui portent des séquences *identiques*. Il s'agit d'un niveau de conservation de la séquence plus élevé que ce qu'on observe dans les régions qui codent pour des protéines chez ces espèces. Il se pourrait donc que ces régions non codantes remplissent des fonctions essentielles. De plus, les résultats du projet ENCODE dont il a été question précédemment mettent en évidence les rôles essentiels joués par la plupart des ADN non codants. Dans les pages qui suivent, nous examinerons la répartition des gènes et des séquences non codantes d'ADN dans les génomes des eucaryotes multicellulaires ; le génome humain nous servira de principal exemple. La structure du génome nous renseigne beaucoup sur la façon dont les génomes sont apparus et continuent à évoluer, comme nous le verrons au concept 21.5.

Les éléments transposables et les séquences apparentées

Les procaryotes et les eucaryotes possèdent des portions d'ADN capables de se déplacer d'un endroit à un autre dans le génome ; chez certaines plantes, ces portions mobiles d'ADN peuvent constituer jusqu'à 75 % du génome. Ces segments d'ADN, dits *éléments génétiques transposables* ou simplement **éléments transposables**, se déplacent d'un site dans l'ADN d'une cellule vers un site cible différent grâce à la *transposition*, un processus de recombinaison d'un certain type. On nomme parfois ces éléments transposables « gènes sauteurs », mais en réalité ils ne se séparent jamais complètement de l'ADN de la cellule. Au contraire, les sites d'origine et les nouveaux sites de l'ADN sont fortement rapprochés par des enzymes et d'autres protéines qui replient l'ADN. Étonnamment, environ 75 % de l'ADN répétitif humain (44 % du génome humain entier) est constitué d'éléments transposables et de séquences qui leur sont associées.

La première démonstration de l'existence de tels segments d'ADN mobiles a été fournie par la généticienne américaine Barbara McClintock pendant qu'elle effectuait des expériences de croisement sur le maïs (*Zea mays*) au cours des années 1940 et de la décennie suivante (**figure 21.7**). Alors qu'elle étudiait des plants de maïs sur plusieurs générations, la scientifique a relevé des changements dans la couleur des grains qui ne pouvaient s'expliquer que par l'existence d'éléments génétiques mobiles. Ces éléments génétiques influeraient sur les gènes de la couleur des grains à partir d'autres emplacements dans le génome, interrompant les gènes de sorte que la couleur du grain était changée. La découverte de Barbara McClintock a été reçue avec beaucoup de scepticisme et a été pratiquement oubliée à l'époque. Ses travaux minutieux et ses idées visionnaires ont finalement été confirmés de nombreuses années plus tard lorsqu'on a trouvé des éléments transposables chez les bactéries. En 1983, alors âgée de 81 ans, Barbara McClintock a reçu un prix Nobel pour ses recherches novatrices.

▼ **Figure 21.7 L'effet des éléments transposables sur la couleur de grains de maïs.** Barbara McClintock a été la première à proposer le concept d'éléments génétiques mobiles après avoir observé des bigarrures dans la couleur des grains d'un épi de maïs (à droite).

Le déplacement des transposons et des rétrotransposons

Il existe deux types d'éléments transposables chez les eucaryotes. Le premier comprend les **transposons**, qui se déplacent à l'intérieur d'un génome par l'intermédiaire d'un ADN. Les transposons peuvent se déplacer grâce à un mécanisme de type « couper-coller », qui enlève l'élément du site original, ou de type « copier-coller », qui laisse une copie au site original (**figure 21.8**). Les deux mécanismes nécessitent une enzyme, la transposase, qui est généralement codée par la séquence du transposon.

La plupart des éléments transposables dans les génomes eucaryotes sont du second type, les **rétrotransposons**, qui sont transportés à l'intérieur du génome par l'intermédiaire d'un ARN. Celui-ci est une transcription de l'ADN du rétrotransposon. De plus, les rétrotransposons laissent toujours une copie au site original au cours de la transposition (**figure 21.9**). Pour pouvoir s'introduire dans un autre site, l'intermédiaire d'ARN doit être reconverti en ADN sous l'action d'une transcriptase inverse, une enzyme encodée dans le rétrotransposon. La transcriptase inverse est également encodée par des rétrovirus, comme vous l'avez appris au concept 19.2. En fait, il est possible que les

▼ **Figure 21.8** **Le déplacement des transposons.** Le déplacement des transposons soit par un mécanisme «copier-coller» (illustré ici), soit par un mécanisme «couper-coller», fait intervenir un intermédiaire d'ADN bicaténaire qui est inséré dans le génome.

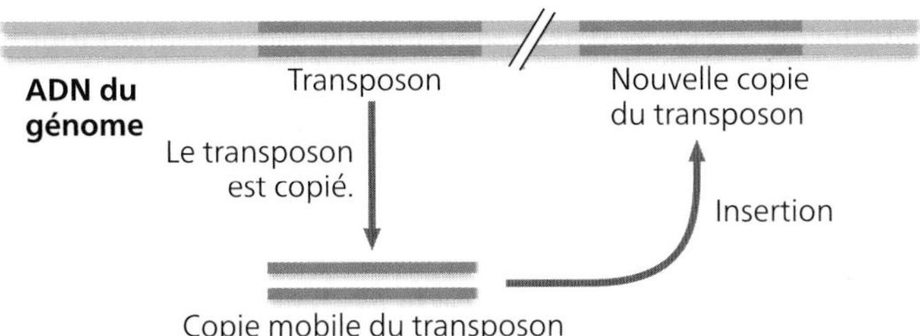

HABILETÉS VISUELLES ▶ En quoi cette figure serait-elle différente si elle illustrait le mécanisme «couper-coller»?

rétrovirus descendent de rétrotransposons. Une autre enzyme cellulaire catalyse l'insertion de l'ADN (reconverti par la transcriptase inverse) à un nouveau site.

Les séquences apparentées aux éléments transposables

Une multitude d'exemplaires d'éléments transposables et de séquences qui leur sont apparentées sont dispersés dans l'ensemble du génome eucaryote. Une seule de ces unités est habituellement longue de plusieurs centaines, voire de milliers de paires de bases. Les «copies» dispersées sont semblables, mais généralement non identiques. Certaines d'entre elles sont des éléments transposables capables de se déplacer. Les enzymes requises pour ce déplacement peuvent être encodées par un élément transposable, incluant celui qui se déplace. Certaines autres unités sont des séquences apparentées qui ont complètement perdu la capacité de se déplacer. Les éléments transposables et les séquences apparentées constituent de 25 à 50 % du génome de la plupart des mammifères (voir la figure 21.6), et ces pourcentages sont encore plus élevés chez les amphibiens et les plantes supérieures. En fait, la très grande taille des génomes de certains végétaux est attribuable non pas à des gènes supplémentaires, mais à des éléments transposables additionnels. Par exemple, le génome du maïs est composé à 85 % de telles séquences!

▼ **Figure 21.9** **Le déplacement des rétrotransposons.** Le déplacement commence par la formation d'un intermédiaire d'ARN monocaténaire. Le reste des étapes est essentiellement identique à une partie du cycle de réplication des rétrovirus (voir la figure 19.9).

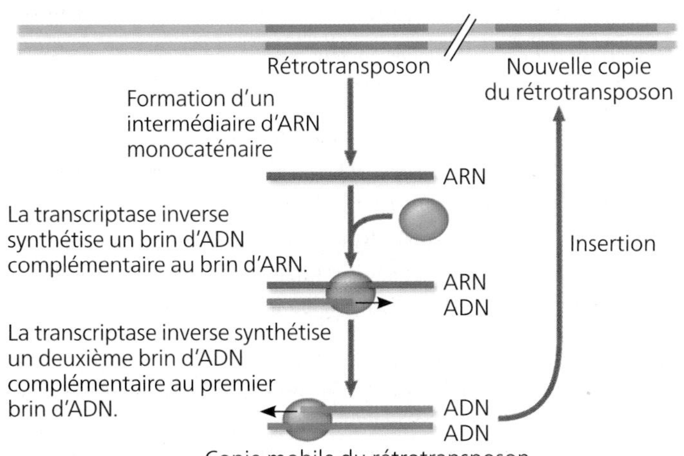

Chez les humains et les autres primates, une grande partie de l'ADN apparenté aux éléments transposables est formée d'une famille de séquences semblables, les *séquences Alu*. À elles seules, ces séquences représentent environ 10 % du génome humain. Les séquences *Alu*, qui peuvent être répétées près de 1 million de fois chez l'humain, ont une longueur d'environ 300 nucléotides. Elles constituent des séquences beaucoup plus courtes que la plupart des éléments transposables fonctionnels et elles ne codent pour aucune protéine. Cependant, de nombreuses séquences *Alu* sont transcrites en ARN, et l'on croit que certains de ces ARN favorisent la régulation de l'expression génétique.

Un pourcentage encore plus élevé (17 %) du génome humain est constitué d'un type de rétrotransposon, les séquences *LINE-1*, ou *L1*. Elles sont beaucoup plus longues que les séquences *Alu* (environ 6 500 paires de bases) et leur vitesse de transposition est généralement très faible. Cependant, des chercheurs travaillant avec des rats ont découvert que les rétrotransposons *L1* sont plus actifs dans les cellules du cerveau en développement que dans les autres types cellulaires. D'après eux, ces rétrotransposons exerceraient des effets différentiels sur l'expression génétique dans le développement des neurones, contribuant ainsi à la grande diversité des types de cellules neuronales (voir le concept 48.1).

Bien que de nombreux éléments transposables codent pour des protéines, ces dernières n'interviennent pas dans des fonctions cellulaires normales. Elles peuvent même inactiver certains gènes par leur insertion. Une forme d'hémophilie héréditaire, par exemple, est causée par une protéine devenue anormale (le facteur VIII), en raison de l'insertion dans le chromosome X d'un transposon provenant du chromosome 22. Par conséquent, on inclut habituellement les éléments transposables ainsi que d'autres séquences répétitives dans la catégorie des ADN «non codants».

Les autres ADN répétitifs, dont l'ADN de simple séquence

L'ADN répétitif qui n'est pas apparenté aux éléments transposables est probablement apparu à la suite d'erreurs survenues au cours de la réplication ou de la recombinaison de l'ADN. Cet ADN représente autour de 14 % du génome humain (voir la figure 21.6). Environ un tiers de ce pourcentage (de 5 à 6 % du génome humain) consiste en des duplications de longs segments d'ADN de 10 000 à 30 0000 paires de nucléotides chacun. Ces longs segments semblent avoir été copiés d'un locus chromosomique à un autre site, sur le même chromosome ou sur un chromosome différent, et incluent probablement quelques gènes fonctionnels.

Contrairement à des copies dispersées de longues séquences, des segments d'ADN connus sous le nom d'**ADN de simple séquence** contiennent de nombreux exemplaires de courtes séquences répétitives en tandem, comme dans l'exemple suivant (montrant un seul brin d'ADN):

...GTTACGTTACGTTACGTTACGTTACGTTAC...

Dans ce cas, l'unité répétée (GTTAC) consiste en 5 nucléotides. Les unités répétées peuvent contenir jusqu'à 500 nucléotides, mais elles en renferment souvent moins de 15, comme dans cet exemple. Les **répétitions courtes en tandem** ou **STR** (pour *short tandem repeat*) comportent des unités de 2 à 5 nucléotides;

nous avons décrit leur utilisation pour comparer des profils génétiques au concept 20.4 (voir la figure 20.24). Pour un génome donné, le nombre d'exemplaires de l'unité répétée peut varier d'un site à l'autre. Il pourrait y avoir plusieurs centaines de milliers de répétitions de l'unité GTTAC à un site, mais seulement la moitié de ce nombre à un autre. L'analyse des STR est effectuée sur des sites choisis pour leur nombre relativement faible de répétitions. Le nombre de répétitions peut varier d'une personne à l'autre et pour un même site chez une même personne, il peut varier d'un allèle à l'autre (puisque les humains sont diploïdes). L'analyse des STR permet de représenter cette diversité au moyen de profils génétiques spécifiques à chaque individu. Dans l'ensemble, l'ADN de simple séquence forme 3 % du génome humain.

Dans un génome donné, une grande partie de l'ADN de simple séquence est située dans les télomères et dans les centromères. Cela permet de penser que cet ADN remplit un rôle structural dans les chromosomes. L'ADN des centromères joue un rôle essentiel au cours de la séparation des chromatides, pendant la division cellulaire (voir le concept 12.2). De plus, il contribue peut-être à structurer la chromatine contenue dans le noyau pendant l'interphase – et ce, conjointement avec l'ADN de simple séquence situé à un autre emplacement. L'ADN de simple séquence des télomères (extrémités des chromosomes) permet d'éviter la perte de gènes lorsque l'ADN est raccourci à chaque réplication (voir le concept 16.2). L'ADN des télomères protège également les chromosomes en se liant à des protéines ayant pour fonction d'empêcher les extrémités de ceux-ci de se dégrader ou de se joindre à d'autres chromosomes.

Les répétitions courtes comme celles décrites ici nuisent au séquençage en aveugle sur l'ensemble du génome, car elles empêchent les ordinateurs de rassembler, de façon précise, les séquences fragmentaires. Les régions constituées d'ADN de simple séquence sont en grande partie responsables de l'incertitude qui entoure toute estimation de la taille d'un génome entier, et elles expliquent pourquoi on considère certaines séquences comme des ébauches permanentes.

Les gènes et les familles multigéniques

Nous terminerons notre examen des divers types de séquences d'ADN dans les génomes d'eucaryotes par une étude plus détaillée des gènes. Souvenez-vous que les séquences d'ADN qui codent pour les protéines ou donnent naissance aux ARNt ou aux ARNr ne constituent pas plus de 1,5 % du génome humain (voir la figure 21.6). Si l'on inclut les introns et les séquences régulatrices associés aux gènes, la quantité totale d'ADN apparenté aux gènes (codant et non codant) représente environ 25 % du génome humain. Autrement dit, seulement environ 6 % (1,5 % de 25 %) de la longueur du gène moyen est représentée dans le produit final du gène.

De nombreux gènes eucaryotes, tout comme ceux des bactéries, ne renferment qu'un exemplaire de la plupart des gènes, c'est-à-dire qu'il n'y a qu'un seul exemplaire par jeu haploïde de chromosomes. Mais, dans le génome humain et dans celui de nombreux autres animaux et végétaux, ces gènes uniques ne forment qu'environ la moitié de l'ADN apparenté à des gènes. Le reste se trouve sous forme de **familles multigéniques**, des ensembles de gènes identiques ou très semblables.

Dans les familles multigéniques composées de séquences de gènes *identiques*, ces séquences sont habituellement groupées en tandem et, à l'exception importante des gènes des histones, elles codent pour de l'ARN. On peut citer l'exemple de la famille de séquences d'ADN identiques qui contiennent toutes les gènes codant pour les trois plus grandes molécules d'ARNr (**figure 21.10a**). Celles-ci sont transcrites à partir d'une même unité de transcription, qui est répétée en tandem des centaines ou des milliers de fois en un ou plusieurs regroupements dans le génome des eucaryotes multicellulaires ; chez l'humain, on a trouvé près de 300 de ces séquences identiques réparties sur 5 chromosomes. Ces nombreux exemplaires d'unités de transcription d'ARN aident les cellules à fabriquer les millions de ribosomes nécessaires à la synthèse protéique. Le transcrit primaire est découpé de façon à donner trois molécules d'ARNr qui forment ensuite des sous-unités ribosomiques en se combinant avec des protéines et un autre type d'ARNr (ARNr 5S).

Des exemples classiques de familles multigéniques constituées de gènes *non identiques* sont les deux familles apparentées qui codent pour les globines, groupe de protéines comprenant les sous-unités polypeptidiques α et β de l'hémoglobine. L'une de ces familles (située sur le chromosome 16 chez les humains) code pour diverses formes de la α-globine ; l'autre (située sur le chromosome 11), pour plusieurs formes de la β-globine (**figure 21.10b**). Les diverses formes de chaque sous-unité s'expriment à des stades distincts du développement, ce qui permet à l'hémoglobine de remplir ses fonctions de façon efficace, malgré les changements dans le milieu où l'individu se développe. Chez l'humain, par exemple, les formes d'hémoglobine de l'embryon et du fœtus ont une plus grande affinité pour la molécule d'oxygène (O_2) que celles qui existent chez l'adulte. Cela permet d'assurer un transfert efficace de l'O_2 de la mère au fœtus. Les familles multigéniques des globines comprennent également plusieurs pseudogènes.

Au concept 21.5, nous examinerons l'évolution des deux familles multigéniques de la globine alors que nous verrons comment la classification des gènes en familles a permis de comprendre l'évolution des génomes. Nous nous pencherons également sur quelques-uns des processus qui ont formé les génomes de diverses espèces au cours de l'évolution.

RETOUR SUR LE CONCEPT 21.4

1. Discutez des caractéristiques qui font que les génomes des mammifères sont plus gros que ceux des procaryotes.
2. **HABILETÉS VISUELLES ▶** Parmi les trois mécanismes décrits aux figures 21.8 et 21.9, lequel ou lesquels aboutissent à une copie qui reste sur le site d'origine et apparaît aussi sur un nouveau site ?
3. Comparez l'organisation de la famille de gènes des ARNr et celle des familles de gènes des globines. Expliquez pour chacune comment l'existence d'une famille de gènes apporte des avantages aux organismes.
4. **FAITES DES LIENS ▶** Assignez chaque segment d'ADN dans le haut de la figure 18.8 à un secteur dans le diagramme de la figure 21.6.

Voir les réponses proposées à l'appendice A.

▼ **Figure 21.10 Les familles de gènes.**

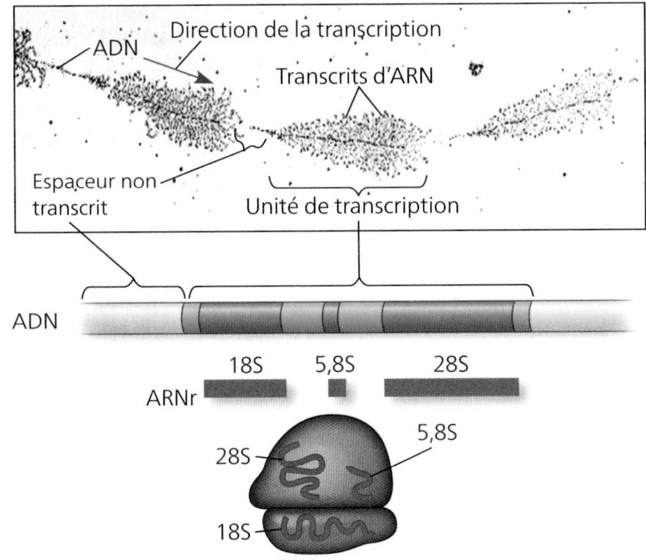

(a) Partie d'une famille de gènes de l'ARN ribosomique. La micrographie ci-dessus montre trois exemplaires (il en existe des centaines) d'unités de transcription d'ARNr présentes dans la famille de gènes de l'ARNr d'une salamandre (MET). Chacune des «plumes» correspond à une unité en cours de transcription par une centaine de molécules d'ARN polymérase (les points foncés situés le long de l'ADN). Ces molécules se déplacent de gauche à droite (flèche rouge). Les transcrits d'ARN en cours de synthèse s'allongent se détachent peu à peu de l'ADN (de gauche à droite), ce qui explique l'aspect penniforme. Le diagramme sous la micrographie illustre une unité de transcription. Celle-ci comprend les gènes de trois types d'ARNr (en bleu foncé), adjacents à des régions transcrites mais enlevées par la suite (en bleu moyen). Un seul transcrit, après maturation (épissage), donne une molécule de chacun des trois ARNr (en rouge), les composants clés d'un ribosome.

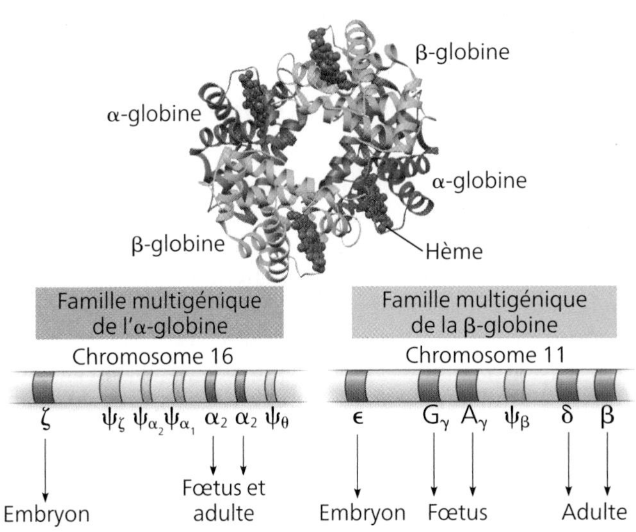

(b) Familles multigéniques de l'α-globine et de la β-globine. Chez l'adulte, l'hémoglobine est formée de quatre sous-unités polypeptidiques, soit deux α-globines et deux β-globines, comme l'illustre le modèle moléculaire. Les gènes (en bleu foncé) qui codent pour les globines α et β appartiennent à deux familles, disposées sur les chromosomes 16 et 11, comme dans l'illustration. L'ADN non codant (en bleu pâle) qui sépare les gènes fonctionnels d'une même famille comporte des pseudogènes (dorés et désignés par la lettre grecque ψ), des versions inactives de gènes fonctionnels (qui ne produisent plus de protéines fonctionnelles). Les gènes et les pseudogènes sont désignés par des lettres grecques, comme vous l'avez constaté précédemment pour les α-globines et les β-globines. Certains gènes ne sont exprimés que chez l'embryon ou le fœtus.

HABILETÉS VISUELLES ▶ Dans la micrographie de la partie (a), comment pourriez-vous déterminer le sens de la transcription s'il n'était pas indiqué par la flèche rouge?

CONCEPT **21.5**

Les duplications, les réarrangements et les mutations de l'ADN contribuent à l'évolution du génome

ÉVOLUTION Maintenant que nous savons de quoi est constitué le génome humain, voyons ce que sa composition nous révèle sur son évolution. Les mutations constituent le fondement des modifications à l'échelle du génome; elles sont à l'origine de son évolution. Il semble que les premières formes de vie ne possédaient qu'un génome minimal, qui se limitait aux gènes nécessaires à la survie et à la reproduction. Si tel était le cas, l'évolution a dû être caractérisée par une augmentation de la taille du génome, c'est-à-dire que le matériel génétique supplémentaire fournissait la matière première pour la diversification des gènes. Dans la présente section, nous allons d'abord décrire comment les exemplaires supplémentaires du génome en tout ou en partie peuvent apparaître, puis nous examinerons les processus subséquents qui peuvent mener à l'évolution des protéines (ou des molécules d'ARN) possédant des fonctions légèrement différentes ou entièrement nouvelles.

La duplication des jeux complets de chromosomes

Un accident au cours de la méiose, comme l'incapacité de séparer les chromosomes homologues pendant la méiose I, peut donner naissance à un ou à plusieurs jeux supplémentaires de chromosomes, ce qui entraîne un état de *polyploïdie* (voir le concept 15.4). Bien que de tels accidents soient généralement létaux, ils facilitent parfois l'évolution des gènes. Chez un organisme polyploïde, un jeu de gènes peut fournir les fonctions essentielles à l'organisme. Les gènes dans le ou les jeux supplémentaires peuvent diverger en accumulant les mutations, et ces variations persistent si l'organisme qui les porte survit et se reproduit. C'est de cette façon que les gènes dotés de nouvelles fonctions évoluent. Pourvu qu'une copie d'un gène essentiel soit exprimée, la divergence d'une autre copie peut mener à sa protéine codée qui joue un nouveau rôle, changeant ainsi le phénotype de l'organisme.

Ultimement, l'accumulation de mutations peut avoir pour résultat l'apparition d'une nouvelle espèce. La polyploïdie est rare chez les animaux, mais elle est relativement fréquente chez les végétaux, en particulier chez les plantes à fleurs. Selon certains botanistes, jusqu'à 80% des espèces végétales existant aujourd'hui montreraient des signes de polyploïdie ancestrale. Au concept 24.2, vous apprendrez comment une polyploïdie mène à la spéciation chez les végétaux.

Les modifications de la structure chromosomique

Grâce au très grand nombre de données recueillies récemment sur les séquences génomiques, nous pouvons maintenant comparer les structures chromosomiques fines de nombreuses espèces différentes. Ces données nous permettent en effet de faire des inférences au sujet des processus de l'évolution qui façonnent les chromosomes et qui peuvent entraîner la spéciation. Par exemple, les scientifiques savent depuis longtemps qu'au cours des derniers 6 millions d'années, lorsque les ancêtres des humains et des chimpanzés ont divergé en tant qu'espèces, la fusion de deux chromosomes ancestraux dans la lignée humaine a mené à des nombres haploïdes différents pour les humains ($n = 23$) et les chimpanzés ($n = 24$). Les bandes dans les chromosomes colorés donnent à penser que les versions ancestrales des chromosomes actuels 12 et 13 du chimpanzé ont effectué une fusion bout à bout, pour former le chromosome 2 chez un ancêtre de la lignée humaine. Dans le cadre du projet Génome humain, le séquençage et l'analyse du chromosome 2 de l'humain ont apporté des preuves convaincantes à l'appui de ce modèle (**figure 21.11**).

Dans une autre étude d'une plus grande portée, les chercheurs ont comparé la séquence de l'ADN de chaque chromosome humain avec la séquence du génome entier de la souris (**figure 21.12**). Une partie de cette étude a démontré que de grands segments de gènes du chromosome 16 humain trouvent leur équivalent sur quatre chromosomes de souris (7, 8, 16 et 17),

▼ **Figure 21.11 Chromosomes de l'humain et du chimpanzé.** Les positions des séquences de type télomérique et de type centromérique sur le chromosome humain 2 (à gauche) correspondent à celles des télomères sur les chromosomes 12 et 13 du chimpanzé et à celle du centromère sur le chromosome 13 du chimpanzé (à droite). Cela donne à penser que les chromosomes 12 et 13 chez un ancêtre humain ont effectué une fusion bout à bout pour former le chromosome humain 2. Le centromère du chromosome ancestral 12 est resté fonctionnel sur le chromosome humain 2, contrairement à celui du chromosome ancestral 13.

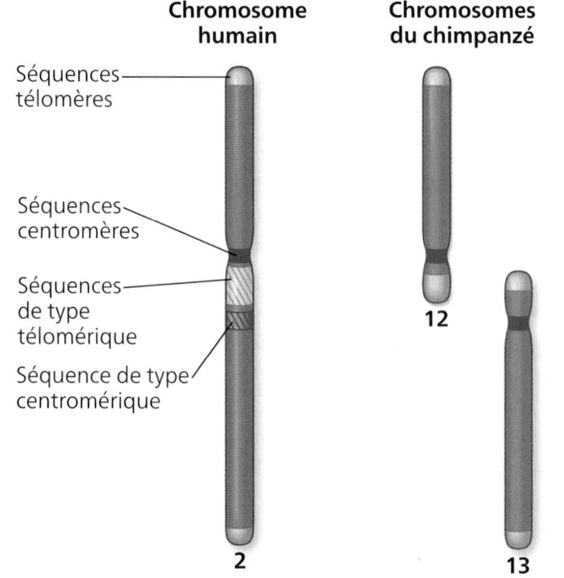

▼ **Figure 21.12 Chromosomes de l'humain et de la souris.** Des séquences d'ADN très semblables à de grands segments du chromosome 16 de l'humain (les zones colorées dans le schéma) sont présentes sur les chromosomes 7, 8, 16 et 17 de la souris. On peut en déduire que les séquences d'ADN de chaque segment sont restées ensemble dans les lignées de la souris et de l'humain depuis le temps où ils ont divergé d'un ancêtre commun.

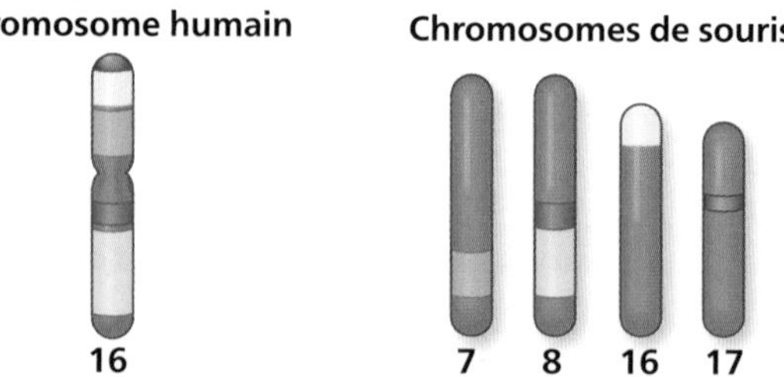

ce qui indique que les gènes de chaque segment sont restés ensemble, à la fois dans les lignées de la souris et celles de l'humain, depuis le temps où ils ont divergé d'un ancêtre commun.

La même comparaison entre les chromosomes des humains et ceux de six autres espèces de mammifères a également permis aux chercheurs de reconstruire l'histoire évolutive des réarrangements chromosomiques chez ces huit espèces. Ils ont découvert de nombreuses duplications et inversions qui se sont produites au cours de la recombinaison méiotique et dans lesquelles l'ADN rompu a été raccordé incorrectement. Le taux de ces événements semble s'être accéléré il y a près de 100 millions d'années, soit environ 35 millions d'années avant l'extinction des grands dinosaures et l'augmentation rapide du nombre d'espèces de mammifères. La coïncidence apparente est intéressante parce qu'il se pourrait bien que les réarrangements chromosomiques aient contribué à l'apparition de nouvelles espèces. Bien que deux individus ayant des arrangements différents puissent encore s'accoupler et produire des descendants, ceux-ci posséderaient deux jeux non équivalents de chromosomes, rendant la méiose inefficace, voire impossible. Par conséquent, les réarrangements chromosomiques conduiraient à deux populations incapables de s'accoupler l'une avec l'autre, une étape conduisant à la formation de deux espèces séparées. (Vous en apprendrez plus à ce sujet au concept 24.2.)

La même étude a mis en lumière un sujet susceptible d'avoir des répercussions sur le plan médical. En effet, l'analyse des points de rupture associés aux réarrangements a établi l'existence de sites spécifiques sur lesquels les remaniements chromosomiques se sont produits à maintes reprises. Certains de ces « points chauds » de recombinaison correspondent à des emplacements de réarrangements chromosomiques dans le génome humain associés à des maladies congénitales (voir le concept 15.4).

La duplication et la divergence de régions d'ADN de la taille d'un gène

Les erreurs au cours de la méiose peuvent également aboutir à la duplication de régions chromosomiques plus petites que celles que nous venons d'examiner, incluant des segments de la longueur de gènes individuels. Un enjambement inégal à la prophase I de la méiose, par exemple, peut donner un chromosome portant une délétion et un autre avec une duplication d'un gène particulier. Des éléments transposables constituent des sites homologues où des chromatides non sœurs peuvent effectuer un enjambement, même lorsque les autres régions de ces chromatides ne sont pas correctement alignées (**figure 21.13**).

▼ Figure 21.13 La duplication de gènes attribuable à un enjambement inégal. La recombinaison au cours de la méiose entre des exemplaires d'un élément transposable (en jaune) flanquant le gène (en bleu) est un des mécanismes par lequel un gène ou un autre segment d'ADN peut être dupliqué. Cette recombinaison entre des chromatides non sœurs mal alignées de chromosomes homologues produit une chromatide ayant deux exemplaires du gène et une chromatide sans aucun exemplaire. (Les gènes et les éléments transposables sont représentés uniquement pour la région d'intérêt.)

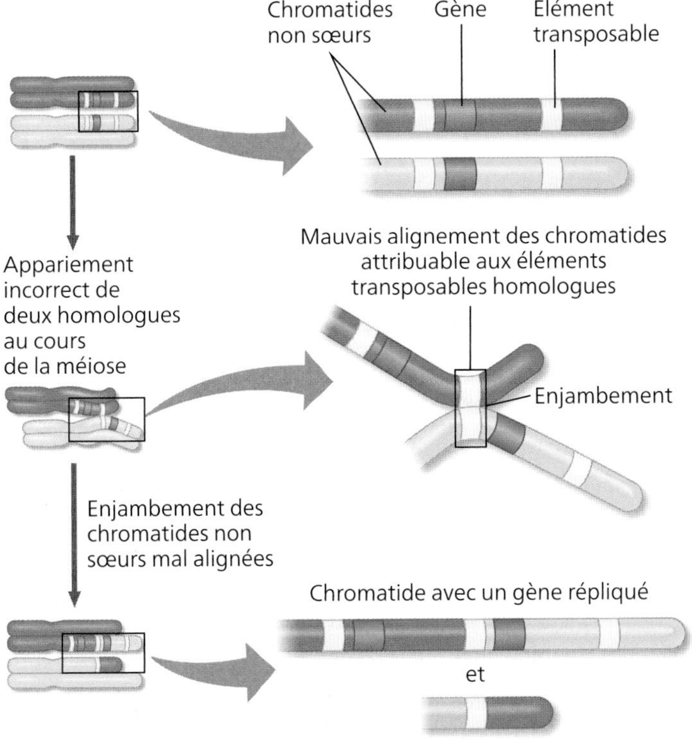

FAITES UN DESSIN ▶ Examinez comment se produit un enjambement à la figure 13.9. Dans la section centrale de la figure ci-dessus, tracez une ligne traversant les portions qui produisent la chromatide du haut dans la partie du bas de la figure. Utilisez une couleur différente pour faire la même chose pour l'autre chromatide.

De plus, un glissement peut survenir pendant la réplication et entraîner un déplacement de la matrice par rapport au nouveau brin complémentaire en formation. Il s'ensuit qu'une partie du brin matrice n'est pas copiée par le mécanisme de réplication, ou encore qu'elle l'est deux fois. Il y a donc délétion ou duplication d'un segment de l'ADN. Il est facile d'imaginer comment de telles erreurs peuvent se produire dans des régions de séquences répétées. Le nombre variable d'unités répétées d'ADN de simple séquence à un site donné, utilisées pour l'analyse des courtes répétitions en tandem, est probablement attribuable à de telles erreurs. L'existence de familles multigéniques, comme la famille des globines, fournit une preuve que des événements moléculaires tels que l'enjambement inégal et le glissement de matrice pendant la réplication de l'ADN peuvent être à l'origine de la duplication de gènes.

L'évolution des gènes à fonctions apparentées : les gènes de la globine humaine

La figure 21.10b présente l'organisation des familles multigéniques de l'α-globine et de la β-globine telles qu'elles existent dans le génome humain actuel. Maintenant, voyons comment des événements comme la duplication peuvent mener à l'évolution des gènes dont les fonctions sont connexes, comme ceux des globines. En comparant des séquences de gènes à l'intérieur d'une famille multigénique, il est possible d'entrevoir l'ordre dans lequel les gènes sont apparus. La reconstitution de l'histoire de l'évolution des gènes de la globine à l'aide de cette approche indique qu'ils ont tous évolué à partir d'un gène ancestral commun. De plus, ce gène ancestral a subi une duplication et une divergence au sein des gènes ancestraux de l'α-globine et de la β-globine il y a 450 à 500 millions d'années. Par la suite, chacun de ces gènes a été dupliqué à plusieurs reprises, et les copies ont alors divergé les unes à la suite des autres pour donner les membres des familles actuelles (**figure 21.14**). En fait, le gène ancestral commun de la globine a également donné naissance à la myoglobine, la protéine musculaire qui stocke l'O_2, et à la leghémoglobine, une protéine végétale. Ces deux dernières protéines fonctionnent comme des monomères et leurs gènes font partie d'une « superfamille des gènes de la globine ».

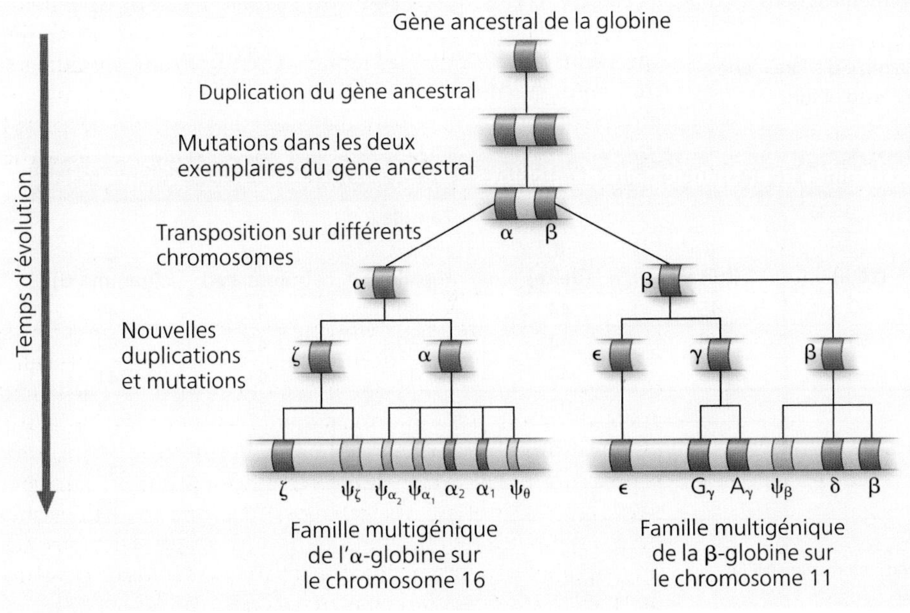

◀ Figure 21.14 Le modèle proposé de la séquence des événements menant à l'apparition des familles multigéniques de l'α-globine et de la β-globine à partir d'un seul gène ancestral de la globine.

? Les éléments dorés sont des pseudogènes. Expliquez comment ils ont pu apparaître après une duplication génique.

Après les événements de duplication, les différences entre les gènes des familles de la globine sont sans doute apparues à la suite de mutations qui se sont accumulées dans les exemplaires des gènes pendant de nombreuses générations. Selon le modèle actuel, la fonction nécessaire assurée par une α-globine, par exemple, était remplie par un gène, alors que d'autres copies du gène de l'α-globine accumulaient des mutations aléatoires. De nombreuses mutations peuvent avoir eu un effet négatif sur l'organisme et d'autres peuvent n'avoir produit aucun effet; toutefois, il se peut que quelques mutations modifient avantageusement la fonction de la protéine pour l'organisme à un stade particulier de sa vie sans entraîner pour autant de changements substantiels pour ce qui est de sa capacité de transport de l'O_2. La sélection naturelle a probablement agi sur ces gènes modifiés pour les maintenir dans la population.

Dans l'exercice de la rubrique **Habiletés scientifiques**, vous pourrez comparer les séquences d'acides aminés des protéines de la famille des globines pour constater la façon dont ces comparaisons ont servi à produire le modèle de l'évolution des gènes de la globine présenté à la figure 21.14. L'existence de

DÉMARCHE SCIENTIFIQUE

HABILETÉS SCIENTIFIQUES

Lire un tableau des séquences d'acides aminés

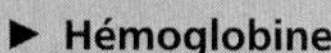
▶ Hémoglobine.

■ COMMENT LES SÉQUENCES D'ACIDES AMINÉS DES GÈNES DE LA GLOBINE HUMAINE ONT-ELLES DIVERGÉ PENDANT LEUR ÉVOLUTION ? ■ Les séquences d'ADN évoluent de façon divergente, en accumulant des mutations qui peuvent générer des différences dans la séquence des acides aminés de la protéine codée. Il est possible d'étudier l'histoire évolutive au niveau moléculaire en comparant les séquences des différentes protéines d'une même famille de gènes. Pour créer un modèle de l'histoire évolutive des gènes de la globine (voir la figure 21.14), les chercheurs ont comparé les séquences d'acides aminés des polypeptides codés par ces gènes. L'hypothèse sous-entendue dans cette démarche est que plus les séquences de protéines se ressemblent, plus les gènes qui les codent sont de proches parents évolutifs. Dans cet exercice, vous analyserez différentes comparaisons des séquences d'acides aminés des polypeptides de la globine pour mettre en évidence les relations évolutives.

■ MÉTHODE ■ Les scientifiques ont mis en évidence les séquences d'ADN de chacun des huit gènes de la globine, et ils les ont traduits en séquences d'acides aminés. Par la suite, ils ont utilisé un logiciel pour aligner les séquences (les tirets indiquant les trous dans une séquence) et calculer le pourcentage d'identité pour chaque paire de globines. Ce pourcentage représente le nombre de positions auxquelles se trouve un acide aminé identique par rapport au nombre total d'acides aminés dans une chaîne polypeptidique. Les données sont présentées dans un tableau pour illustrer les comparaisons par paires.

■ RÉSULTATS ■ Le tableau ci-dessous montre un exemple d'alignement par paires – celles des séquences d'acides aminés de l'α_1-globine (alpha-1 globine) et de la ζ-globine (zêta-globine). Les acides aminés sont désignés selon le code standard à une seule lettre. À gauche de la séquence, on trouve le numéro du premier acide aminé de la ligne. On a calculé le pourcentage d'identité des séquences d'acides aminés de l'α_1-globine et de la ζ-globine en divisant le nombre d'acides aminés équivalents (86, soulignés en jaune) par le nombre total de positions (143), multiplié par 100. On a obtenu un pourcentage d'identité de 60 % pour la paire α_1-ζ, comme le montre le tableau des acides aminés ci-dessous. La même formule a été utilisée pour calculer le pourcentage d'identité pour les autres paires de globines.

Globine	Alignement des séquences d'acides aminés des globines
α_1	1 MVLSPADKTNVKAAWGKVGAHAGEYGAEAL
ζ	1 MSLTKTERTIIVSMWAKISTQADTIGTETL
α_1	31 ERMFLSFPTTKTYFPHFDLSH-GSAQVKGH
ζ	31 ERLFLSHPQTKTYFPHFDL-HPGSAQLRAH
α_1	61 GKKVADALTNAVAHVDDMPNALSALSDLHA
ζ	61 GSKVVAAVGDAVKSIDDIGGALSKLSELHA
α_1	91 HKLRVDPVNFKLLSHCLLVTLAAHLPAEFT
ζ	91 YILRVDPVNFKLLSHCLLVTLAARFPADFT
α_1	121 PAVHASLDKFLASVSTVLTSKYR
ζ	121 AEAHAAWDKFLSVVSSVLTEKYR

Tableau du pourcentage d'identité des acides aminés pour chaque paire de globines

		Famille α			Famille β				
		α_1 (alpha 1)	α_2 (alpha 2)	ζ (zêta)	β (bêta)	δ (delta)	ϵ (epsilon)	Aγ (gamma A)	Gγ (gamma G)
Famille α	α_1	-----	100	60	45	44	39	42	42
	α_2		-----	60	45	44	39	42	42
	ζ			-----	38	40	41	41	41
Famille β	β				-----	93	76	73	73
	δ					-----	73	71	72
	ϵ						-----	80	80
	Aγ							-----	99
	Gγ								-----

Créé à l'aide des données du National Center for Biotechnology Information (NCBI).

▶

DÉMARCHE SCIENTIFIQUE
HABILETÉS SCIENTIFIQUES

Lire un tableau des séquences d'acides aminés (*suite*)

INTERPRÉTEZ LES DONNÉES ▼

1. Il est à noter que dans le tableau des acides aminés, les données sont disposées de façon à ce qu'on puisse comparer chaque paire de globines. (a) Certaines cases du tableau présentent des lignes pointillées plutôt qu'un chiffre. En tenant compte des paires comparées pour ces cases, quel pourcentage d'identité correspond aux lignes pointillées? (b) Les cases situées dans la moitié inférieure du tableau sont vides. En vous fondant sur les renseignements déjà fournis dans le tableau, inscrivez les valeurs manquantes dans les cases vides. Pourquoi est-il logique que ces cases aient été laissées vides?
2. Plus longue est la période de temps écoulé à partir de la duplication d'un gène, plus grande est la possibilité que les séquences de nucléotides aient divergé, ce qui pourrait entraîner des différences dans la séquence d'acides aminés des deux protéines produites. (a) En vous fondant sur cette prémisse, nommez les deux gènes qui divergent le plus l'un de l'autre. Quel est le pourcentage d'identité des acides aminés (communs) entre leurs polypeptides? (b) Utilisez la même approche pour identifier les deux gènes de la globine dont la duplication est la plus récente. Quel est le pourcentage d'identité entre eux?
3. D'après le modèle de l'histoire évolutive du gène de la globine présenté à la figure 21.14, les gènes de l'α-globine et de la β-globine sont apparus après la duplication et les mutations d'un gène ancestral. Ces gènes ont ensuite fait l'objet d'autres duplications et mutations. Quelles caractéristiques de l'ensemble de données appuient ce modèle?
4. Dressez une liste ordonnée de tous les pourcentages d'identité du tableau en plaçant la valeur de 100 % au sommet de la liste. Près de chaque chiffre, indiquez à quelle paire de globines correspond la valeur. Utilisez une couleur pour les globines de la famille α et une autre couleur pour celles de la famille β. (a) Comparez l'ordre des paires de votre liste à leur position dans le modèle de la figure 21.14. L'ordre des paires met-il en évidence la même «proximité» relative, entre les différents membres de la famille des globines, que celle observée dans le modèle? (b) Comparez les pourcentages d'identité des paires dans un même groupe (α ou β) à ceux des paires dans les deux groupes.

Pour en savoir plus: R. C. Hardison, Globin genes on the move, *Journal of Biology* 7: 35.1-35.5 (2008).

plusieurs pseudogènes parmi les gènes fonctionnels des globines fournit une preuve additionnelle en faveur de ce modèle: les mutations aléatoires dans ces «gènes» au fil de l'évolution ont détruit leur fonction.

L'évolution des gènes assurant de nouvelles fonctions

Au cours de l'évolution des familles de gènes de la globine, la duplication des gènes et les divergences subséquentes ont donné naissance à des membres de cette famille de gènes codant pour des protéines qui assument des fonctions similaires (transport de l'O_2). Cependant, un exemplaire d'un gène dupliqué peut également subir des modifications qui amènent la protéine à remplir une fonction complètement nouvelle. Les gènes pour le lysozyme et l'α-lactalbumine en sont de bons exemples.

Le lysozyme est une enzyme qui aide à protéger les animaux contre l'infection bactérienne en hydrolysant les parois cellulaires des bactéries (voir la figure 5.16); l'α-lactalbumine est une protéine non enzymatique qui intervient dans la production du lait chez les mammifères. Les séquences des acides aminés et les structures tridimensionnelles (**figure 21.15**) de ces deux protéines sont très semblables. On trouve les deux gènes chez les mammifères, mais seul le lysozyme est présent chez les oiseaux. Ces constatations portent à croire que, quelque temps après la séparation des lignées aboutissant aux mammifères et aux oiseaux, le gène du lysozyme a subi une duplication au sein de la lignée des mammifères, mais pas dans celle des oiseaux. Par la suite, une copie du gène du lysozyme dupliqué a évolué vers un gène codant pour l'α-lactalbumine, une protéine de fonction entièrement nouvelle associée à une caractéristique fondamentale des mammifères, soit la production de lait. Dans une étude récente, des biologistes évolutionnistes ont analysé les génomes de vertébrés afin d'y déceler des gènes présentant des séquences similaires. La famille des lysozymes semble compter au moins huit membres qui sont largement répartis parmi les espèces de mammifères. À l'heure actuelle, on ignore quelles sont les fonctions accomplies par l'ensemble des produits géniques de cette famille, mais il sera intéressant de découvrir si elles varient autant que celles des lysozymes et des α-lactalbumines.

Mis à part la duplication et la divergence des gènes entiers, le réarrangement de séquences d'ADN existantes dans les gènes a également contribué à l'évolution du génome. La présence d'introns peut avoir favorisé l'évolution de protéines nouvelles en facilitant la duplication et le brassage des exons dans le génome, comme nous le verrons maintenant.

Les réarrangements de parties de gènes: la duplication d'exons et le brassage d'exons

Au concept 17.3, vous avez vu qu'un exon code souvent pour un domaine, région structurale ou fonctionnelle distincte d'une protéine. Nous avons déjà vu qu'un enjambement inégal au cours de la méiose peut conduire à la duplication d'un gène sur un chromosome et à sa perte par le chromosome homologue (voir la figure 21.13). Selon un processus semblable, un exon donné dans un gène peut subir une duplication dans un chromosome et une délétion dans l'autre. Le gène dont l'exon a été dupliqué pourrait coder pour une protéine contenant une deuxième copie du domaine encodé. Cette modification de

▼ Figure 21.15 Comparaison de deux protéines: le lysozyme et l'α-lactalbumine. Cette figure présente les structures similaires **(a)** du lysozyme et **(b)** de l'α-lactalbumine, sous forme de modèles en ruban informatisés, et en **(c)** une comparaison des séquences d'acides aminés des deux protéines. Les acides aminés sont disposés en groupes de 10 pour faciliter la lecture, et désignés au moyen de codes à une seule lettre (voir la figure 5.14). Les acides aminés identiques sont surlignés en jaune, et les traits montrent les trous introduits par le logiciel dans une séquence pour optimiser l'alignement.

FAITES DES LIENS ▶ Même si les séquences d'acides aminés ne sont pas totalement identiques d'une protéine à une autre, la structure et les propriétés de ces acides aminés peuvent être similaires et, par conséquent, ils peuvent jouer des rôles comparables dans ces protéines. En vous reportant à la figure 5.14, examinez les acides aminés non identiques aux positions 1 à 30 et notez les cas où les acides aminés des deux séquences présentent une acidité ou une basicité similaire.

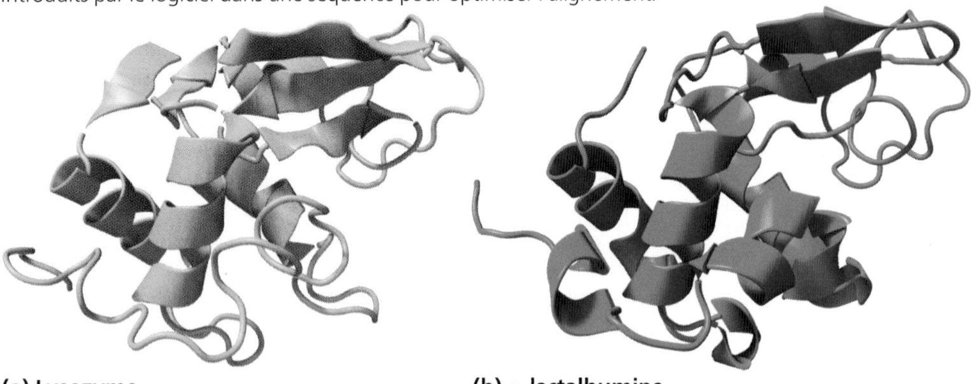

(a) Lysozyme **(b) α-lactalbumine**

Lysozyme	**1**	KVFERCELAR	TLKRLGMDGY	RGISLANWMC	LAKWESGYNT	RATNYNAGDR
α-lactalbumine	**1**	KQFTKCELSQ	LLK--DIDGY	GGIALPELIC	TMFHTSGYDT	QAIVENN--E
Lysozyme	**51**	STDYGIFQIN	SRYWCNDGKT	PGAVNACHLS	CSALLQDNIA	DAVACAKRVV
α-lactalbumine	**51**	STEYGLFQIS	NKLWCKSSQV	PQSRNICDIS	CDKFLDDDIT	DDIMCAKKIL
Lysozyme	**101**	RDPQGIRAWV	AWRNRCQ-NR	DVRQYVQGCG	V	
α-lactalbumine	**101**	D-IKGIDYWL	AHKALCT--E	KLEQWLCEKL	-	

(c) Alignement des séquences d'acides aminés du lysozyme et de l'α-lactalbumine

la structure de la protéine pourrait renforcer sa fonction en augmentant sa stabilité, en amplifiant sa capacité à se lier à un ligand particulier ou en altérant une autre propriété quelconque. Un bon nombre de gènes codant pour des protéines possèdent de multiples copies d'exons apparentés, qui sont probablement apparues par duplication suivie d'une divergence. Le gène qui code pour le collagène, protéine de la matrice extracellulaire, en est un bon exemple. Le collagène est une protéine de structure (voir la figure 5.18) dont la séquence d'acides aminés est très répétitive, ce qui se reflète dans le schéma répétitif des exons dans le gène du collagène.

On peut également imaginer le mélange occasionnel et l'appariement de différents exons soit dans un gène, soit entre deux gènes différents (non alléliques), à la suite d'erreurs survenues au cours de la recombinaison méiotique. Ce *brassage d'exons* pourrait conduire à la production de nouvelles protéines dotées d'une nouvelle combinaison de fonctions. Examinons, par exemple, le gène codant pour l'activateur tissulaire du plasminogène (tPA). Le tPA est une protéine extracellulaire qui aide à limiter la coagulation sanguine. Il possède quatre domaines de trois types, tous codés par un exon; un des exons est présent en deux exemplaires. Étant donné que chaque type d'exon se trouve aussi dans d'autres protéines, il se pourrait que la version actuelle du gène codant pour le tPA soit apparue à l'issue d'une série de brassages d'exons à la suite d'erreurs survenues pendant la recombinaison méiotique et la duplication subséquente d'un de ces exons (**figure 21.16**).

La contribution des éléments transposables à l'évolution du génome

La persistance des éléments transposables en tant que fraction substantielle de certains génomes eucaryotes est tout à fait compatible avec l'idée qu'ils jouent un rôle important dans la formation d'un génome au fil de l'évolution. Ces éléments peuvent contribuer de plusieurs façons à l'évolution du génome. Ils peuvent faciliter la recombinaison, dérégler les gènes cellulaires ou les éléments de contrôle et transporter des gènes entiers ou des exons individuels à de nouveaux emplacements.

Les éléments transposables de séquences similaires dispersées dans l'ensemble du génome permettent la recombinaison entre différents chromosomes (non homologues) en fournissant des régions homologues pour un enjambement (voir la figure 21.13). La plupart de ces recombinaisons sont probablement nuisibles, car elles provoquent des translocations chromosomiques et d'autres modifications dans le génome potentiellement létales. Mais, au fil de l'évolution, une telle recombinaison occasionnelle peut avoir des effets favorables sur l'organisme. (Évidemment, pour que la modification soit transmissible, elle doit se produire dans une cellule qui produit un gamète.)

Le déplacement d'un élément transposable peut avoir diverses conséquences directes. Par exemple, si un tel élément « saute » et s'insère au milieu d'une séquence d'un gène qui code pour une protéine, il empêchera la production d'un transcrit normal du

▼ **Figure 21.16 L'évolution d'un nouveau gène par brassage d'exons.** Des erreurs durant la méiose peuvent avoir déplacé les exons codant pour un domaine particulier de protéines différentes. À partir des formes ancestrales des gènes codant pour le facteur de croissance épidermique (EGF, pour *epidermal growth factor* en anglais), pour la fibronectine et pour le plasminogène (à gauche), des copies d'exons se sont déplacées vers le gène codant pour l'activateur tissulaire du plasminogène, tPA (à droite), qui s'est développé après le brassage et la duplication de ces exons. La duplication subséquente de l'exon «kringle» (K) du gène du plasminogène après son déplacement pourrait expliquer les deux copies de cet exon dans le gène tPA actuel.

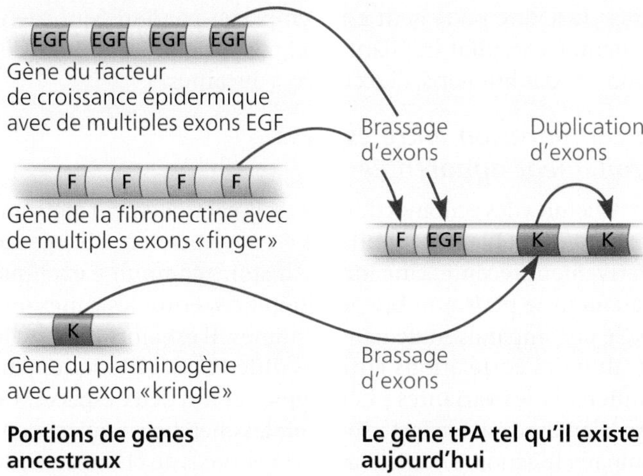

HABILETÉS VISUELLES ▶ En vous reportant à la figure 21.13, décrivez les étapes par lesquelles les éléments transposables dans les introns ont facilité le brassage d'exons illustré ci-dessus.

gène. Les introns offrent une sorte de « zone de sécurité » qui n'exerce aucun effet sur le transcrit puisque l'élément transposable sera épissé. Par contre, si un élément transposable s'insère dans une séquence régulatrice, la transposition peut accroître ou réduire la production d'une ou de plusieurs protéines. Dans les grains de maïs de Barbara McClintock, la transposition était responsable des deux types d'effets sur les gènes codant pour les enzymes de synthèse des pigments, ce qui pouvait donner des grains plus pâles ou plus foncés. Nous avons évoqué antérieurement un autre exemple: celui d'un des éléments *Alu* qui produit des ARN régulant l'expression des gènes humains.

Au cours d'une transposition, un élément transposable peut déplacer un gène ou un groupe de gènes vers une nouvelle position dans le génome. Ce mécanisme est probablement responsable de la localisation des familles multigéniques de l'α-globine et de la β-globine sur différents chromosomes humains, de même que de la dispersion des gènes de certaines autres familles. En suivant un mouvement similaire de dispersion, un exon d'un gène peut s'insérer dans un autre gène grâce à un mécanisme s'apparentant à celui du brassage d'exons au cours de la recombinaison. Par exemple, un exon peut être inséré par transposition dans l'intron d'un gène codant pour une protéine. Si l'exon inséré est retenu dans le transcrit d'ARN au cours de l'épissage d'ARN, la protéine en voie de synthèse comportera un domaine additionnel qui peut lui conférer une nouvelle fonction.

Même si tous ces processus entraînent la plupart du temps des effets létaux, nuisibles ou même nuls, il peut dans quelques cas survenir de petites modifications avantageuses qui se transmettront de génération en génération. Il se crée alors une diversité génétique qui fournit plus de matière première pour la sélection naturelle. La diversification des gènes et de leurs produits est un facteur important dans l'évolution de nouvelles espèces. Par conséquent, l'accumulation des modifications du génome de chaque espèce fournit des archives de son histoire évolutive. Pour lire ces archives, il faut être en mesure de reconnaître les changements génomiques. La comparaison de génomes de différentes espèces nous permet de le faire et bonifie notre compréhension de l'évolution des génomes. Vous en apprendrez plus sur ces sujets dans la prochaine section.

RETOUR SUR LE CONCEPT **21.5**

1. Décrivez trois exemples de processus cellulaires erronés qui aboutissent à des duplications d'ADN.
2. Expliquez comment des exons multiples peuvent être apparus dans les gènes ancestraux de l'EGF et de la fibronectine illustrés à gauche dans la figure 21.16.
3. Il semble que les éléments transposables contribuent de trois façons à l'évolution du génome. Quelles sont-elles ?
4. **ET SI ?** ▶ En 2005, des scientifiques islandais ont rapporté la découverte d'une grande inversion chromosomique présente chez 20 % des Européens du Nord, et ils ont noté que les femmes islandaises porteuses de cette inversion avaient beaucoup plus d'enfants que les autres femmes. Selon vous, qu'arrivera-t-il à la fréquence de cette inversion dans la population islandaise chez les générations futures ?

Voir les réponses proposées à l'appendice A.

CONCEPT **21.6**

La comparaison des séquences génomiques fournit des indices sur l'évolution et le développement

ÉVOLUTION Un chercheur a comparé l'état actuel de la biologie à l'Âge des découvertes (au 15e siècle), qui a été marqué par les améliorations majeures apportées aux instruments de navigation et à la conception des navires. Au cours des 30 dernières années, le séquençage des génomes et la collecte de données ont progressé à pas de géant. Dans la foulée, on a mis au point de nouvelles techniques pour évaluer l'activité génique dans le génome entier et conçu des stratégies raffinées pour comprendre comment les gènes et leurs produits agissent de concert dans des systèmes complexes. Il ne fait aucun doute que le domaine de la biologie est à l'aube d'un monde nouveau.

Les comparaisons entre les séquences génomiques issues d'espèces différentes nous en apprennent beaucoup sur l'histoire évolutive de la vie, de la très ancienne à la plus récente. Dans le même ordre d'idées, les études comparatives des programmes génétiques qui commandent le développement embryonnaire chez des espèces différentes commencent à éclairer les mécanismes à l'origine de la grande diversité des formes de vie présentes aujourd'hui. Dans la dernière section du chapitre, nous examinerons ce que ces deux approches nous ont révélé.

La comparaison des génomes

Deux espèces différentes sont d'autant plus étroitement apparentées dans leur histoire évolutive que les séquences de leurs gènes et de leurs génomes sont semblables. En effet, le peu de temps écoulé n'a pas encore permis aux mutations et aux autres changements de s'accumuler. La comparaison de génomes d'espèces étroitement apparentées a apporté un éclairage sur les événements plus récents de l'évolution, alors que la comparaison entre les génomes des espèces très distantes nous aide à comprendre l'histoire évolutive ancienne. Dans les deux cas, le fait de connaître les caractéristiques communes ou distinctives des groupes améliore notre compréhension de l'évolution des organismes et des processus biologiques. Comme vous l'avez appris au concept 1.2, on peut représenter les relations entre les espèces au cours de l'évolution par un diagramme arborescent où chaque point d'embranchement marque la divergence de deux lignées. La **figure 21.17** montre les relations, au cours de l'évolution, de quelques groupes et espèces que nous allons examiner.

La comparaison entre espèces distantes

Il est possible de faire la lumière sur les relations évolutives parmi les espèces qui ont divergé les unes des autres il y a longtemps en déterminant quels gènes sont restés semblables (autrement dit, *hautement conservés*) parmi des espèces distantes. En effet, les comparaisons effectuées entre les séquences de gènes spécifiques de bactéries, d'archées et d'eucaryotes indiquent que ces trois groupes ont divergé il y a entre 2 et 4 milliards d'années et confirment de façon convaincante qu'ils constituent bel et bien les trois domaines fondamentaux du monde vivant (voir la figure 21.17).

▼ **Figure 21.17 Les relations au cours de l'évolution entre les trois domaines de la vie.** Le diagramme en arborescence du haut illustre la divergence ancienne des bactéries, des archées et des eucaryotes. Dans le médaillon, la portion de la lignée des eucaryotes montre la divergence la plus récente de trois espèces de mammifères examinées dans le présent chapitre.

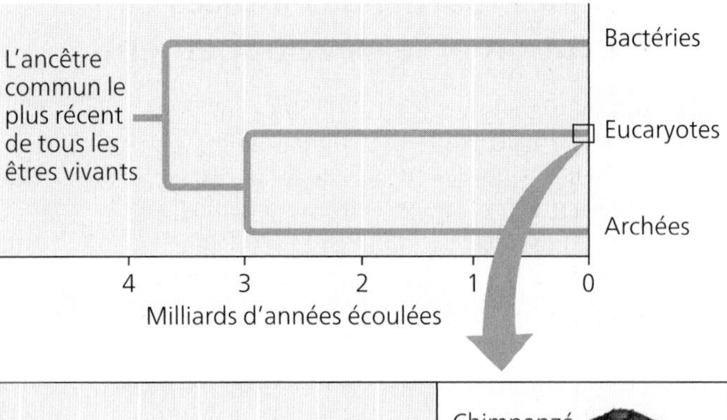

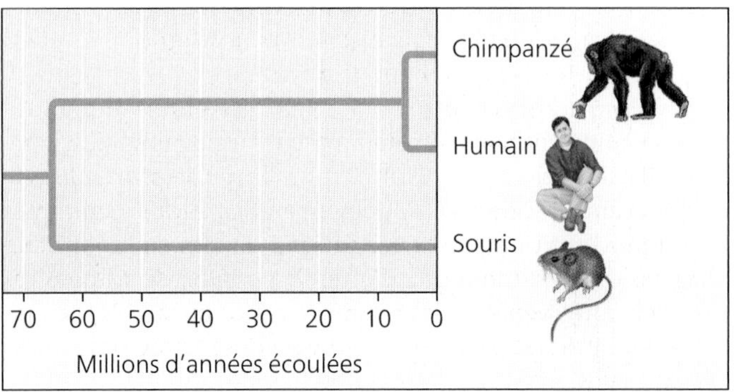

En plus de leur intérêt en biologie de l'évolution, les études comparatives génomiques montrent également que les recherches menées sur des organismes modèles contribuent à mieux comprendre la biologie en général et la biologie humaine en particulier. Il est surprenant de constater combien des gènes très anciens peuvent être similaires chez des espèces disparates. En 2015, on a réalisé une étude pour évaluer si la version humaine de 414 gènes jouant un rôle important chez les levures fonctionnait de façon comparable dans les cellules de levure. Étonnamment, les chercheurs en sont venus à la conclusion que 47 % des gènes de levure pouvaient être remplacés par leur équivalent humain. Ce résultat frappant souligne l'origine commune des levures et des humains, deux espèces distantes.

La comparaison entre espèces étroitement apparentées

Les structures des génomes de deux espèces étroitement apparentées sont probablement similaires en raison de leur divergence relativement récente. Une longue histoire commune explique également le petit nombre de différences entre les gènes que révèle la comparaison de leurs génomes. Il est alors plus facile d'établir des corrélations entre les différences génétiques particulières et les variantes phénotypiques des deux espèces. Ce type d'analyse s'avère fort utile pour les chercheurs qui veulent comparer le génome humain avec les génomes du chimpanzé, de la souris, du rat et d'autres mammifères. En identifiant les gènes communs chez ces espèces, qui sont toutes des mammifères, on devrait obtenir des indices sur ce qui caractérise un mammifère, alors qu'en distinguant les gènes communs uniquement chez les chimpanzés et les humains, donc en excluant les rongeurs, on devrait en connaître plus sur les primates. Et, bien sûr, la comparaison du génome humain avec celui du chimpanzé nous aide à répondre à la question absolument fascinante que nous avons posée au début du présent chapitre : quelles différences génomiques distinguent un humain d'un chimpanzé ?

Une analyse de la composition globale des génomes de l'humain et du chimpanzé, qui semblent avoir divergé il y a seulement environ 6 millions d'années (voir la figure 21.17), révèle quelques différences d'ordre général. Quand on examine les substitutions d'un seul nucléotide, on constate que les génomes ne diffèrent que par 1,2 %. Cependant, lorsque les chercheurs ont étudié des segments d'ADN plus longs, ils ont été surpris de trouver une différence supplémentaire de 2,7 %, en raison des insertions ou des délétions de plus grandes régions du génome de l'une ou l'autre espèce ; un grand nombre des insertions étaient des duplications ou d'autre ADN répétitif. En fait, un tiers des duplications observées chez les humains sont absentes du génome des chimpanzés, et certaines de ces duplications contiennent des régions associées à des maladies humaines. Il y a plus d'éléments *Alu* dans le génome humain que dans celui du chimpanzé, et ce dernier contient de nombreuses copies d'un provirus rétroviral absent chez les humains. Toutes ces observations fournissent des indices concernant les forces qui ont dû entraîner les deux génomes dans des directions différentes, mais notre compréhension du mécanisme de cette divergence est encore incomplète.

À l'instar des chimpanzés, les bonobos sont une espèce de singes africains étroitement apparentés aux humains. Le séquençage du génome des bonobos, achevé en 2012, a démontré que dans certaines régions, les séquences humaines et celles du chimpanzé ou du bonobo présentaient une plus grande similarité que celle observée entre les séquences du chimpanzé et celles du bonobo. Une comparaison aussi exhaustive de trois espèces étroitement apparentées permet de reconstituer leur histoire évolutive de façon beaucoup plus précise.

Nous ignorons dans quelle mesure les caractéristiques distinctes de chaque espèce dépendent des différences génétiques mises en évidence par le séquençage du génome. Afin de découvrir le fondement des différences phénotypiques entre les humains et les chimpanzés, les biologistes étudient des gènes spécifiques et des types de gènes qui distinguent les deux espèces; ils les comparent ensuite avec leurs contreparties chez d'autres mammifères. Les résultats obtenus montrent qu'un certain nombre de gènes changent (évoluent) apparemment plus rapidement chez l'humain que chez le chimpanzé ou la souris. C'est le cas notamment des gènes intervenant dans la défense contre le paludisme et la tuberculose et au moins d'un gène qui commande la grosseur du cerveau. Quand on classe les gènes par fonction, on s'aperçoit que les gènes codant pour des facteurs de transcription semblent évoluer plus rapidement que tous les autres. Cette observation est logique parce que les facteurs de transcription assurent la régulation de l'expression génétique et jouent donc un peu le rôle de chef d'orchestre du programme génétique dans son ensemble.

Le gène d'un facteur de transcription, *FOXP2* (**figure 21.18**), témoigne d'une modification rapide dans la lignée humaine. Selon plusieurs sources de données, le produit du gène *FOXP2* régulerait les gènes intervenant dans la vocalisation chez les vertébrés. D'une part, des mutations de ce gène peuvent provoquer de graves troubles de la parole et du langage chez les humains. D'autre part, le gène *FOXP2* est exprimé dans les cerveaux des diamants mandarins et des canaris au moment où ces oiseaux chanteurs apprennent leurs chants. Mais la preuve la plus convaincante vient peut-être d'une expérience d'invalidation génétique (*knockout*) au cours de laquelle les chercheurs ont neutralisé le gène *FOXP2* chez la souris et ont analysé le phénotype produit (voir la figure 21.18). La souris homozygote mutante présentait des malformations du cerveau et était incapable d'émettre des vocalisations ultrasoniques normales; par ailleurs, des souris possédant une copie défectueuse du gène ont également présenté des problèmes importants de vocalisation. Ces résultats corroborent l'idée selon laquelle le produit du gène *FOXP2* active les gènes qui jouent un rôle dans la vocalisation.

Plus récemment, un autre groupe de recherche a apporté de nouveaux éclaircissements sur la question; les chercheurs ont remplacé chez des souris le gène *FOXP2* par une copie « humanisée » codant pour la version humaine de la protéine (deux acides aminés diffèrent entre l'humain et le chimpanzé), qui serait responsable de la capacité de parler des humains. Bien que les souris aient été généralement en bonne santé, leurs vocalisations étaient légèrement différentes; elles présentaient également des modifications des cellules du cerveau dans une région reconnue comme jouant un rôle dans le langage chez les humains.

En 2010, on a séquencé le génome du néandertalien à partir d'une très petite quantité d'ADN génomique préservé et, en 2014, on disposait d'une séquence de bonne qualité. Le néandertalien (*Homo neanderthalensis*) et l'être humain (*Homo sapiens*) appartiennent tous deux au même genre et sont donc relativement proches parents évolutifs (voir le concept 34.7). La reconstitution de leur histoire évolutive, d'après la comparaison du génome des deux espèces, laisse croire que certains groupes d'humains et de néandertaliens ont coexisté et se sont croisés pendant un certain temps avant que le néandertalien ne s'éteigne, il y a environ 30 000 ans. Bien que le néandertalien ait parfois été dépeint comme un être primitif qui ne pouvait qu'émettre des grognements, la séquence du gène *FOXP2* découverte chez lui code pour une protéine identique à celle observée chez l'humain. Il est donc possible qu'il ait été doté d'une certaine forme de langage. Cette capacité, ainsi que d'autres similitudes génétiques, exige de réévaluer notre perception des espèces éteintes qui nous sont apparentées.

L'histoire du gène *FOXP2* est un excellent exemple illustrant comment des approches différentes peuvent se compléter en révélant des phénomènes biologiques d'une importance générale. Les expériences sur le gène *FOXP2* ont porté sur des souris comme modèles pour les humains parce qu'il aurait été contraire à l'éthique d'effectuer de telles expériences chez ceux-ci, sans compter que cela n'aurait pas été pratique. Les souris et les humains ont divergé il y a environ 65,5 millions d'années (voir la figure 21.17) et ont en commun environ 85 % de leurs gènes. Il est possible d'exploiter cette similitude génétique dans l'étude des troubles génétiques. Si les chercheurs connaissent l'organe ou le tissu qui est atteint par un trouble génétique, ils peuvent chercher les gènes qui sont exprimés à ces emplacements chez les souris.

Même si elle est plus éloignée de l'espèce humaine, la drosophile est une espèce utile qui peut servir de modèle pour étudier certains troubles chez les humains, comme la maladie de Parkinson et l'alcoolisme. Quant aux nématodes (vers), ils ont permis de recueillir un vaste éventail de données sur le vieillissement. D'autres travaux de recherche sont en cours pour étendre les études génomiques à beaucoup plus d'espèces, notamment des espèces délaissées dans diverses branches de l'arbre de la vie. Ces études feront progresser notre connaissance de l'évolution, bien entendu, mais également de tous les aspects de la biologie, y compris la santé humaine et l'écologie.

La comparaison des génomes au sein d'une même espèce

Notre capacité à analyser des génomes entraîne une autre conséquence intéressante: elle accroît notre compréhension du spectre des variations génétiques chez les humains. Étant donné la brève histoire de l'espèce humaine (probablement autour de 200 000 ans), le nombre de variations de l'ADN chez les humains est faible en comparaison de celles qu'on observe chez de nombreuses autres espèces. Une bonne part de notre diversité semble résulter de polymorphismes mononucléotidiques (les SNP). Les SNP correspondent à un site d'une seule paire de bases présentant une variation chez au moins 1 % de la population (voir le concept 20.2); ils sont habituellement détectés par le séquençage de l'ADN. Dans le génome humain, les SNP se produisent en moyenne environ une fois par 100 à 300 paires de bases. Les scientifiques ont déjà repéré l'emplacement de plusieurs millions de sites SNP dans le génome humain et continuent d'en découvrir d'autres. Ils sont répertoriés dans différentes bases de données à l'échelle mondiale. L'une de ces bases de données est gérée par le National Center for Biotechnology Information (NCBI), et il est possible de la consulter à l'adresse www.ncbi.nlm.nih.gov/SNP/.

DÉMARCHE SCIENTIFIQUE

INVESTIGATION

▼ **Figure 21.18**

Quelle est la fonction d'un gène (*FOXP2*) qui évolue rapidement dans la lignée humaine ?*

■ **HYPOTHÈSE** ■ Si le gène *FOXP2* a pour fonction la phonation chez l'humain, il devrait avoir une fonction similaire chez d'autres espèces de mammifères, telles les souris.

■ **EXPÉRIENCE** ■ Plusieurs sources de données confirment le rôle du gène *FOXP2* dans le développement de la parole et du langage chez les humains et de la vocalisation chez d'autres vertébrés. En 2005, Joseph Buxbaum et ses collaborateurs de la Mount Sinai School of Medicine et de plusieurs autres institutions ont testé la fonction du gène *FOXP2*. Ils ont utilisé la souris, un organisme modèle dont les gènes peuvent facilement être neutralisés et qui est représentatif des vertébrés qui vocalisent : les souris émettent des cris ultrasoniques (sifflements) pour manifester leur stress. Les chercheurs ont utilisé le génie génétique pour produire des souris chez lesquelles un ou les deux exemplaires de *FOXP2* ont été bloqués.

Type sauvage : deux exemplaires normaux de *FOXP2*	Hétérozygote : un exemplaire de *FOXP2* interrompu	Homozygote : les deux exemplaires de *FOXP2* interrompus

Puis, ils ont comparé les phénotypes de ces souris. Voici les résultats concernant deux des caractères qu'ils ont examinés : l'anatomie du cerveau et la vocalisation.

■ **EXPÉRIENCE 1** ■ Les chercheurs ont fait des coupes fines des sections du cerveau et les ont colorées avec des réactifs qui permettent de visualiser l'anatomie du cerveau au moyen d'un microscope à fluorescence (UV).

■ **EXPÉRIENCE 2** ■ Pour provoquer un stress, les chercheurs ont séparé chaque souriceau de sa mère dès sa naissance et ont relevé le nombre de sifflements ultrasoniques qu'il produisait.

■ **RÉSULTATS** ■

Expérience 1 : Le blocage des deux exemplaires de *FOXP2* a provoqué des anomalies du cerveau dans lesquelles les cellules ont été désorganisées. Les effets phénotypiques sur le cerveau des hétérozygotes, avec un exemplaire bloqué, ont été moins graves. (Dans les micrographies ci-dessous, chaque couleur révèle une cellule ou un type de tissu différents.)

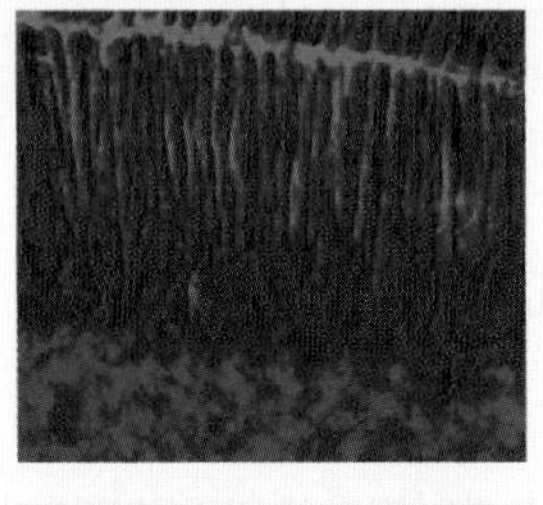

Type sauvage

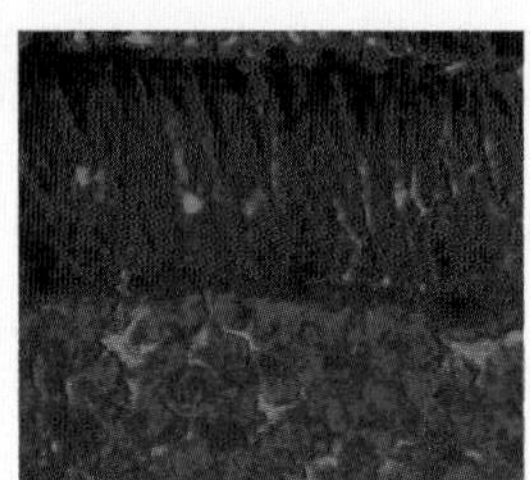

Hétérozygote

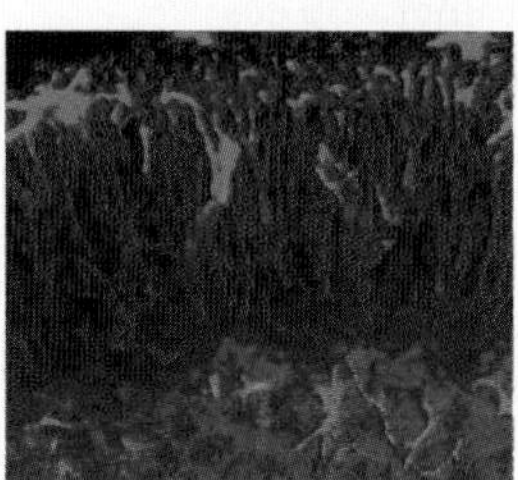

Homozygote

Expérience 2 : Le blocage des deux exemplaires de *FOXP2* a provoqué une absence de vocalisation ultrasonique en réaction au stress. L'effet sur la vocalisation chez l'hétérozygote était également extrême.

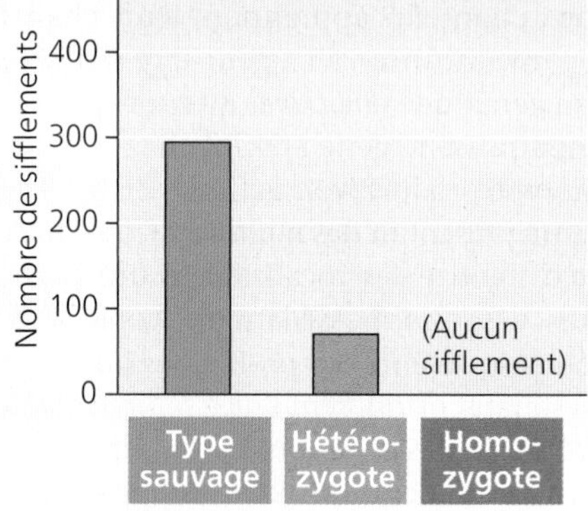

■ **CONCLUSION** ■ *FOXP2* joue un rôle déterminant dans le développement des systèmes fonctionnels de communication chez la souris. Les résultats s'ajoutent à la preuve fournie par les études effectuées sur les oiseaux et les humains, corroborant l'hypothèse que *FOXP2* agirait de façon similaire chez divers organismes.

Source des données : W. Shu et coll., Altered ultrasonic vocalization in mice with a disruption in the *FOXP2* gene, *Proceedings of the National Academy of Sciences* 102 : 9643-9648 (2005).

ET SI ? ▶ Étant donné que les résultats confirment le rôle du gène *FOXP2* de la souris dans la vocalisation, on peut se demander si la protéine FOXP2 humaine est un régulateur clé de la parole. En supposant que vous connaissez les séquences d'acides aminés des protéines FOXP2 humaines du type sauvage et mutant et de la protéine FOXP2 du chimpanzé de type sauvage, comment pourriez-vous étudier cette question ? Quels autres indices pourriez-vous obtenir en comparant ces séquences à celles de la protéine FOXP2 de la souris ?

* Cette recherche a été effectuée il y a plus d'une décennie, et la façon dont on traite les animaux en recherche a beaucoup évolué depuis. Les protocoles doivent maintenant être approuvés par des comités d'éthique qui veillent à ce que la souffrance animale soit évitée ou à tout le moins atténuée le plus possible. Cependant, des expériences passées menées selon des protocoles qui ne seraient probablement pas approuvés de nos jours fournissent parfois de précieuses informations qu'il ne faut pas négliger.

Au cours de cette recherche, les scientifiques ont également trouvé d'autres variations, notamment des inversions, des délétions et des duplications dans certaines régions chromosomiques. Mais la découverte la plus surprenante a été l'importante occurrence du polymorphisme associé au nombre de copies d'un gène particulier ou d'une région génétique. Certains individus ont un plus grand nombre de copies d'une séquence donnée d'ADN, au lieu des deux copies normales (une sur chaque chromosome homologue). La variabilité du nombre de copies est due à des duplications ou à des délétions qui se sont produites de façon désordonnée au sein de la population. Une étude réalisée sur 40 personnes a permis de découvrir plus de 8 000 différences quant au nombre de copies mettant en cause 13 % des gènes du génome. Il se peut que ces différences ne représentent qu'un petit sous-ensemble du total. Étant donné que ces différences incluent des segments d'ADN beaucoup plus longs que les nucléotides uniques des SNP, la variabilité du nombre de copies est plus susceptible d'avoir des conséquences phénotypiques et de jouer un rôle dans les maladies et les affections. À tout le moins, l'incidence élevée de la variabilité du nombre de copies sème le doute quant à la signification de l'expression « génome humain normal ».

Les variances en nombre de copies, les SNP et les variations dans l'ADN répétitif comme les courtes répétitions en tandem (STR) sont des marqueurs génétiques utiles pour étudier l'évolution humaine. Dans une étude, les génomes de deux Africains provenant de communautés différentes ont été séquencés. Le premier était l'archevêque Desmond Tutu, le défenseur des droits civils sud-africain et membre de la tribu bantoue, la population majoritaire en Afrique du Sud ; le second était un chasseur-cueilleur du nom de !Gubi, de la communauté khoisan de Namibie, une population minoritaire en Afrique qui est probablement la plus ancienne branche de la lignée humaine. La comparaison a révélé de nombreuses différences, comme on pouvait s'y attendre. L'analyse a alors été élargie pour comparer les régions du génome de !Gubi qui codent pour des protéines avec celles de trois autres Khoisans (qui se sont déclarés Bochimans) vivant à proximité. On a trouvé plus de différences entre les génomes de ces quatre Africains qu'entre ceux d'un Européen et d'un Asiatique. Ces observations illustrent la très grande diversité génétique parmi les génomes africains. À mesure que s'étendront ces travaux de comparaison, nous serons de plus en plus aptes à répondre à des questions importantes concernant les différences entre les populations humaines et leurs voies de migration au fil du temps.

La conservation généralisée des gènes du développement chez les animaux

Les biologistes spécialistes du champ disciplinaire de la biologie de l'évolution du développement (surnommé *évo-dévo*) comparent les processus de développement de divers organismes multicellulaires. Ils cherchent à comprendre comment ces mécanismes sont apparus et comment des changements qui les touchent peuvent modifier les caractéristiques existantes d'un organisme ou en créer de nouvelles. L'avènement des techniques de la biologie moléculaire et le récent déluge de données en génomique nous révèlent que les génomes d'espèces apparentées, mais qui se distinguent de façon étonnante par leurs formes, peuvent ne présenter que des différences mineures dans la séquence ou, plus important encore, dans la régulation des gènes. Par ailleurs, la découverte du fondement moléculaire de ces différences nous aidera à comprendre les origines de la myriade de formes diverses qui cohabitent sur Terre, ce qui constitue un apport d'information à notre étude de l'évolution de la vie.

Le concept 18.4 traitait des gènes homéotiques de *Drosophila melanogaster* (voir la figure 18.20), qui codent pour des facteurs de transcription assurant la régulation de l'expression des gènes et pour l'identité des segments corporels dans la drosophile. L'analyse moléculaire des gènes homéotiques a montré qu'ils comprennent tous une séquence de 180 nucléotides nommée **boîte homéotique**. Celle-ci code pour un *domaine homéotique* de 60 acides aminés dans les protéines encodées. On a découvert une séquence nucléotidique identique ou très semblable dans les gènes homéotiques de nombreux vertébrés et invertébrés. En fait, la ressemblance entre les séquences nucléotidiques des humains et des drosophiles est tellement surprenante qu'un chercheur a déclaré qu'il considérait les drosophiles comme des « petites personnes dotées d'ailes ». La ressemblance s'étend même à l'organisation de ces gènes : chez les vertébrés, les gènes homologues aux gènes homéotiques ont conservé le même ordre qu'ils occupaient sur les chromosomes de drosophiles (**figure 21.19**). On a également trouvé des séquences contenant une boîte homéotique dans les gènes régulateurs d'eucaryotes beaucoup plus éloignés, dont des végétaux et des levures. Ces ressemblances nous permettent de conclure que la séquence d'ADN de la boîte homéotique est apparue très tôt au cours de l'histoire de la vie ; de plus, elle doit être assez précieuse pour avoir été conservée à peu près intacte chez les animaux et les végétaux durant des centaines de millions d'années.

Chez les animaux, les gènes homéotiques sont nommés gènes *Hox* (une abréviation qui réfère à *Homeobox*, en anglais), parce que les gènes homéotiques ont été les premiers gènes trouvés qui présentaient cette séquence. Plus tard, on a repéré d'autres gènes à boîte homéotique, mais qui n'agissent pas comme des gènes homéotiques, c'est-à-dire qu'ils ne déterminent pas directement l'identité des parties de l'organisme. Cependant, la plupart sont liés au développement, du moins chez les animaux, ce qui laisse penser qu'ils jouent un rôle fondamental dans ce processus depuis des temps reculés. Par exemple, chez la drosophile, les boîtes homéotiques sont présentes non seulement dans les gènes homéotiques, mais aussi dans les gènes *bicoïd*, qui régissent la polarité de l'œuf (voir les figures 18.21 et 18.22), dans plusieurs gènes de segmentation et dans le gène régulateur principal du développement de l'œil.

Les chercheurs ont découvert que le domaine homéotique se lie à l'ADN lorsque la protéine agit en tant que facteur de transcription. Ailleurs dans la protéine, les domaines plus variables interagissent avec d'autres facteurs de transcription, ce qui fait que la protéine contenant un domaine homéotique reconnaît certains amplificateurs et régule les gènes associés. Les protéines contenant un domaine homéotique assurent probablement la régulation du développement en coordonnant la transcription d'un ensemble de gènes du développement qu'elles activent ou désactivent. Chez la drosophile et d'autres espèces animales, diverses combinaisons de gènes à boîte homéotique sont actives dans les différentes parties de l'embryon. L'expression sélective des gènes régulateurs et les fluctuations de cette expression dans le temps et dans l'espace sont essentielles à la réalisation des plans d'organisation corporelle.

Les biologistes du développement ont découvert qu'en plus des gènes homéotiques, de nombreux autres gènes participant au développement sont très bien conservés d'une espèce à l'autre. La plupart de ceux-ci codent pour les composants des voies de signalisation. L'extraordinaire ressemblance entre les gènes de développement particuliers chez diverses espèces animales suscite la question suivante : comment les mêmes gènes peuvent-ils jouer un rôle dans le développement des animaux dont les formes diffèrent tellement d'une espèce à l'autre ?

▼ **Figure 21.19 La conservation de gènes homéotiques chez la drosophile et la souris.** Les gènes homéotiques commandant la forme des structures antérieures et postérieures de l'organisme sont placés dans le même ordre sur les chromosomes de la drosophile et de la souris. Chacune des bandes colorées qui figurent ici sur les chromosomes désigne un gène homéotique. Chez la drosophile, tous ces gènes se situent sur le même chromosome. Chez la souris et les autres mammifères, on trouve le même ensemble de gènes ou des ensembles similaires sur quatre chromosomes. Les couleurs renvoient aux parties de l'embryon où ces gènes s'expriment et aux régions correspondantes de l'organisme adulte. On constate que la disposition des gènes sur le chromosome reflète fidèlement la disposition des structures de l'animal sur lesquelles ils agissent. Tous ces gènes sont presque identiques chez les drosophiles et les souris, excepté ceux qui sont représentés par des bandes noires ; ces derniers se ressemblent moins chez les deux espèces.

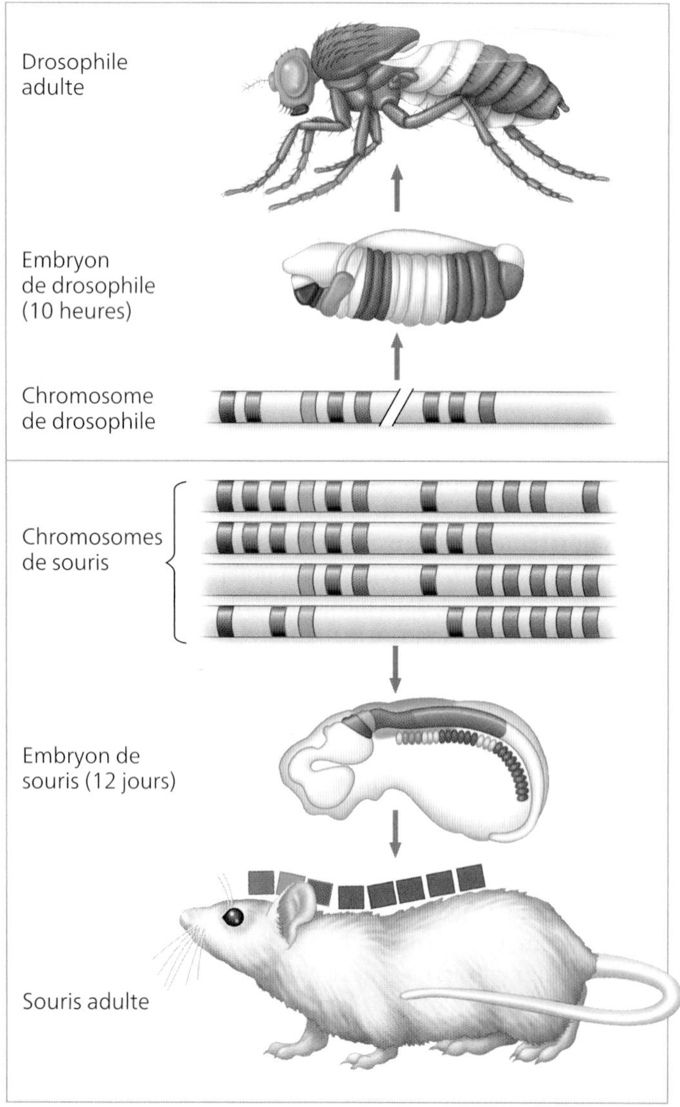

Les études en cours semblent indiquer les éléments de réponse suivants. Dans certains cas, des changements minimes dans les séquences de régulation de gènes particuliers causent des transformations des modes d'expression génétique qui peuvent mener à des modifications majeures de la forme d'un organisme. Par exemple, les divers modes d'expression des gènes *Hox* le long de l'axe corporel des insectes et des crustacés peuvent expliquer la variation du nombre de segments porteurs de pattes chez ces animaux étroitement apparentés (**figure 21.20**). Dans d'autres cas, des gènes similaires commandent des processus différents de développement chez les divers organismes, ce qui entraîne la diversité des formes du corps. Ainsi, plusieurs gènes *Hox* sont exprimés aux stades embryonnaire ou larvaire des oursins, des animaux non segmentés qui ont un plan d'organisation corporelle très différent de celui des insectes et des souris. Les oursins parvenus à l'âge adulte fabriquent leur coquille ayant la forme d'une pelote à épingles ; la photo à la page suivante présente deux espèces d'oursins vivants. Les oursins font partie des organismes utilisés depuis longtemps dans les études d'embryologie classique (voir le concept 47.2).

Dans ce dernier chapitre de la partie portant sur la génétique, nous avons appris comment les études de la composition génomique et la comparaison des génomes de différentes espèces mettent en évidence les mécanismes de l'évolution des génomes. De plus, en comparant les programmes de développement, il est possible de constater que l'unité de la vie se révèle dans la similitude des mécanismes moléculaires et cellulaires qui servent à

▼ **Figure 21.20 L'effet des différences dans l'expression du gène *Hox* au cours du développement des crustacés et des insectes.** Des changements dans les modes d'expression des gènes *Hox* se sont produits au cours de l'évolution, depuis la divergence des insectes d'un ancêtre crustacé. Ces changements expliquent en partie les plans d'organisation corporelle différents **(a)** de la crevette des salines, *Artemia salina*, un crustacé, et **(b)** de la sauterelle, un insecte. L'illustration montre en couleurs distinctes les régions du corps de l'animal adulte correspondant à l'expression de quatre gènes *Hox* qui déterminent la formation de parties particulières du corps au cours du développement de l'embryon. Chaque couleur représente un gène *Hox* spécifique.

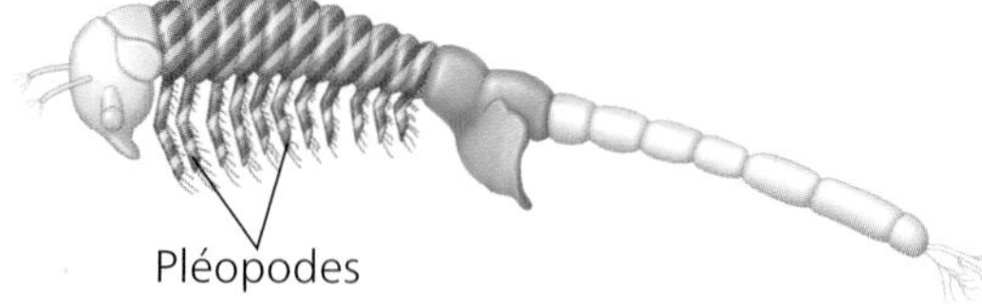

(a) Expression de quatre gènes *Hox* dans la crevette des salines *Artemia salina*. Trois des gènes *Hox* sont exprimés ensemble dans une seule région (indiquée par les rayures) et déterminent quels segments sont dotés de pléopodes. Le quatrième gène (en bleu-vert) détermine quels sont les segments génitaux.

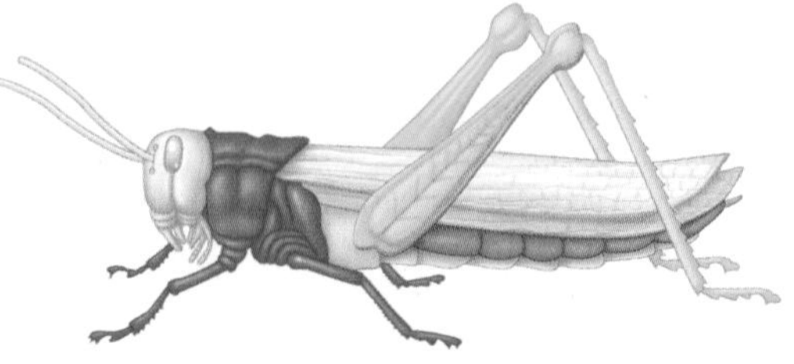

(b) Expression, chez la sauterelle, des quatre mêmes gènes *Hox*. Chez la sauterelle, chaque gène *Hox* est exprimé dans une zone distincte et détermine la nature de cette zone.

établir le plan d'organisation corporelle, bien que les gènes commandant le développement puissent différer parmi les organismes. Ces ressemblances entre les génomes reflètent l'existence d'ancêtres communs de la vie sur Terre. Mais les différences jouent aussi un rôle essentiel, parce que ce sont elles qui ont fait apparaître l'extraordinaire diversité des organismes actuels. Le reste du présent ouvrage va au-delà des molécules, des cellules et des gènes. Il vous amènera à explorer le vivant au niveau des organismes et de leur environnement.

RETOUR SUR LE CONCEPT 21.6

1. Doit-on s'attendre à ce que le génome du macaque (un singe) ressemble plus au génome de la souris ou à celui de l'humain ? Expliquez votre réponse.
2. Les boîtes homéotiques sont des séquences d'ADN qui assistent le développement embryonnaire gouverné par les gènes homéotiques. Comme elles sont communes aux drosophiles et aux souris, expliquez pourquoi ces animaux ne se ressemblent pas davantage.
3. **ET SI ?** ▶ Le génome humain comporte trois fois plus d'éléments *Alu* que celui du chimpanzé. Selon vous, comment ces éléments *Alu* supplémentaires sont-ils apparus dans le génome humain ? Proposez un rôle qu'ils pourraient avoir joué dans la divergence de ces deux espèces.

Voir les réponses proposées à l'appendice A.

RÉVISION DU CHAPITRE 21

Consultez votre MANUEL NUMÉRIQUE, qui vous donne accès aux **animations**, aux **exercices** et à la plateforme d'**anatomie interactive**.

Résumé des concepts clés

CONCEPT 21.1

Le projet Génome humain a favorisé la mise au point de techniques de séquençage plus rapides et moins onéreuses (p. 484 à 485)

- Favorisé par d'importantes avancées réalisées dans les technologies de séquençage, le **projet Génome humain** était en grande partie terminé en 2003.
- Dans l'approche de **séquençage en aveugle sur l'ensemble du génome**, le génome entier est découpé en un grand nombre de petits fragments dont les extrémités se chevauchent et qui sont séquencés. Après quoi, un programme informatique reconstitue la séquence complète.

? Pourquoi le projet Génome humain a-t-il permis de mettre au point des techniques de séquençage de l'ADN plus rapides et moins onéreuses ?

CONCEPT 21.2

Les scientifiques utilisent la bio-informatique pour analyser les génomes et leurs fonctions (p. 485 à 489)

- L'analyse informatique des séquences génomiques aide à l'**annotation d'un gène**, une opération qui consiste à identifier des séquences codant pour des protéines. Les méthodes pour déterminer la fonction d'un gène comprennent la comparaison des séquences des gènes nouvellement découverts avec celles de gènes connus dans d'autres espèces et l'observation des effets de l'inactivation expérimentale de gènes.
- Dans la **biologie des systèmes**, les scientifiques utilisent les outils informatiques de la **bio-informatique** pour comparer les génomes et étudier les jeux de gènes et de protéines comme des systèmes entiers (**génomique** et **protéomique**). Les études comprennent les analyses à grande échelle des interactions des protéines, les éléments de l'ADN fonctionnel et les gènes qui sont à l'origine de certains troubles médicaux.

? Quelle a été la découverte la plus importante du projet pilote ENCODE ? Pourquoi le projet a-t-il été étendu à des espèces autres que l'espèce humaine ?

CONCEPT 21.3

Les génomes varient en taille, en nombre de gènes et en densité génique (p. 489 à 491)

	Bactéries	Archées	Eucaryotes
Taille du génome	1 à 6 Mb (pour la plupart)		Entre 10 et 4 000 Mb pour la plupart, mais quelques-uns sont beaucoup plus gros
Nombre de gènes	1 500 à 7 500		Pour la plupart, 5 00 à 45 000
Densité génique	Plus élevée que chez les eucaryotes		Plus faible que chez les procaryotes (chez les eucaryotes, une densité plus faible est associée à des génomes plus gros)
Introns	Aucun dans les gènes codant pour des protéines	Présents dans certains gènes	Présents dans la plupart des gènes des eucaryotes multicellulaires, mais prévalant seulement dans quelques gènes des eucaryotes unicellulaires
Autres ADN non codants	Très peu		Parfois présents en grandes quantités; généralement plus d'ADN non codant répétitif chez les eucaryotes multicellulaires

? Comparez la taille des génomes, le nombre de gènes et la densité génique (a) dans les trois domaines et (b) parmi les eucaryotes.

CONCEPT 21.4

Les eucaryotes multicellulaires possèdent beaucoup d'ADN non codant et de nombreuses familles multigéniques (p. 491 à 495)

- Seulement 1,5 % du génome humain code pour des protéines ou donne naissance à des ARNr ou à des ARNt; le reste est de l'ADN non codant, incluant les **pseudogènes** et l'**ADN répétitif** de fonction inconnue.
- Le type le plus abondant d'ADN répétitif chez les eucaryotes multicellulaires se compose d'**éléments transposables** et de séquences apparentées. Chez les eucaryotes, il y a deux types d'éléments transposables : les **transposons**, qui se déplacent ou se copient par l'intermédiaire d'un ADN, et les **rétrotransposons**, qui sont plus nombreux et qui se déplacent ou se copient par l'intermédiaire d'un ARN.
- L'autre ADN répétitif inclut des séquences courtes non codantes qui sont répétées en tandem des milliers de fois (**ADN de simple séquence**, qui comprend les **STR**); ces séquences dominent dans les centromères et les télomères, où elles jouent probablement des rôles structuraux au sein des chromosomes.
- Bien que de nombreux gènes eucaryotes soient présents dans un exemplaire par jeu de chromosomes haploïdes, il arrive que d'autres (la plupart, chez certaines espèces) constituent des membres d'une famille de gènes; c'est le cas des familles de globines humaines :

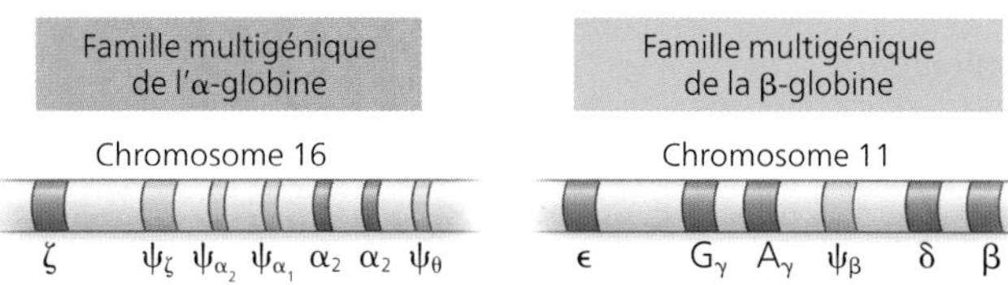

? Selon vous, comment la fonction des éléments transposables pourrait-elle expliquer leur prévalence dans l'ADN non codant humain ?

CONCEPT 21.5

Les duplications, les réarrangements et les mutations de l'ADN contribuent à l'évolution du génome (p. 495 à 501)

- Des erreurs survenant durant la division cellulaire peuvent donner naissance à des copies supplémentaires d'une partie ou de l'ensemble des jeux de chromosomes; les gènes dans le ou les jeux supplémentaires peuvent alors diverger si un jeu accumule des modifications de séquences. La polyploïdie, qui est plus fréquente chez les végétaux que chez les animaux, intervient dans la spéciation.
- La comparaison de la structure chromosomique des génomes de différentes espèces fournit de l'information sur les relations au cours de l'évolution. Il se peut que les réarrangements de chromosomes au sein d'une espèce donnée aient contribué à l'émergence de nouvelles espèces.
- Les gènes codant pour les diverses globines apparentées ont évolué à partir d'un gène ancestral commun de la globine qui a subi une duplication et une divergence en gènes ancestraux des α-globines et des β-globines. Des duplications subséquentes de ces gènes et des mutations au hasard ont donné naissance aux gènes actuels des globines, qui codent tous pour des protéines qui se lient à l'oxygène. Les copies de quelques gènes dupliqués ont divergé au cours de l'évolution à un point tel que les fonctions de leurs protéines encodées (comme le lysozyme et l'α-lactalbumine) sont maintenant passablement différentes.
- Les remaniements d'exons dans et entre les gènes au cours de l'évolution ont produit des gènes contenant de multiples copies d'exons semblables ou plusieurs exons différents dérivés d'autres gènes.
- Le déplacement d'éléments transposables ou la recombinaison entre des copies du même élément peut engendrer des combinaisons de nouvelles séquences qui sont favorables à l'organisme. Ces mécanismes peuvent altérer les fonctions des gènes ou leurs modes d'expression et de régulation.

? Comment le réarrangement chromosomique peut-il mener à l'émergence de nouvelles espèces ?

CONCEPT 21.6

La comparaison des séquences génomiques fournit des indices sur l'évolution et le développement (p. 501 à 507)

- La comparaison des génomes provenant d'espèces très divergentes et étroitement apparentées fournit de l'information précieuse sur l'histoire de l'évolution au cours des temps plus anciens et des périodes plus récentes, respectivement. On peut aussi obtenir de l'information sur l'évolution d'une espèce au moyen de l'analyse des polymorphismes mononucléotidiques (SNP) et des différences en nombre de copies parmi les individus de cette espèce.
- Les biologistes spécialistes du champ disciplinaire de la biologie de l'évolution du développement (*évo-dévo*) ont montré que les gènes homéotiques et quelques autres gènes associés au développement des animaux contiennent une **boîte homéotique** dont la séquence est hautement conservée chez diverses espèces animales. Des séquences apparentées sont présentes dans les gènes de végétaux et de levures.

? Quel type d'information peut-on obtenir en comparant les génomes d'espèces étroitement apparentées ? D'espèces très distantes ?

Évaluation

NIVEAU 1 : CONNAISSANCES ET COMPRÉHENSION

1. La bio-informatique inclut tous les éléments suivants, sauf :
a) l'utilisation de programmes informatiques pour aligner les séquences d'ADN.
b) l'utilisation de la biotechnologie pour combiner l'ADN provenant de deux sources différentes dans une éprouvette.
c) la mise au point d'outils informatiques pour l'analyse des génomes.
d) l'utilisation d'outils mathématiques pour donner un sens aux systèmes biologiques.

2. Les gènes homéotiques :
a) codent pour des facteurs de transcription qui assurent la régulation de l'expression des gènes commandant des structures anatomiques spécifiques.
b) n'existent que chez *Drosophila melanogaster* et les autres arthropodes.
c) sont les seuls gènes qui contiennent un domaine homéotique encodé par la boîte homéotique.
d) codent pour des protéines qui forment des structures anatomiques chez la drosophile.

NIVEAU 2 : APPLICATION ET ANALYSE

3. Deux protéines eucaryotes ont un domaine en commun, mais elles sont pour le reste très différentes. Parmi les processus suivants, lequel est le plus susceptible d'avoir contribué à ce phénomène ?
a) La duplication génique.
b) L'épissage différentiel.
c) Le brassage d'exons.
d) La modification d'histones.

4. **FAITES UN DESSIN ▶** Voici les séquences d'acides aminés (identifiés par leur symbole en une lettre; voir la figure 5.14) de quatre courts segments de la protéine FOXP2 provenant de six espèces (pas nécessairement en ordre dans les séquences ci-dessous): chimpanzé (C), orang-outan (O), gorille (G), macaque rhésus (R), souris (S) et humain (H). Ces segments contiennent toutes les différences d'acides aminés entre les protéines FOXP2 de ces espèces.

1. ATETI... PKSSD... TSSTT... NARRD
2. ATETI... PKSSE... TSSTT... NARRD
3. ATETI... PKSSD... TSSTT... NARRD
4. ATETI... PKSSD... TSSNT... SARRD
5. ATETI... PKSSD... TSSTT... NARRD
6. VTETI... PKSSD... TSSTT... NARRD

À l'aide d'un surligneur, marquez d'une couleur tout acide aminé qui varie parmi les espèces. (Colorez cet acide aminé dans toutes les séquences.) Puis, répondez aux questions qui suivent.

a) Les séquences C, G, R sont identiques. Quelles lignes correspondent à ces séquences?
b) La séquence de l'humain diffère de celle des espèces C, G et R par deux acides aminés. Soulignez les deux différences dans la séquence H.
c) La séquence O diffère de celle des espèces C, G et R par un acide aminé (V plutôt que A) et de la séquence H par trois acides aminés. Quelle ligne correspond à la séquence O?
d) Dans la séquence S, entourez les acides aminés qu'on ne retrouve pas dans les séquences C, G et R, et tracez un carré autour de ceux qu'on ne retrouve pas dans la séquence H.
e) Les primates et les rongeurs ont divergé il y a entre 60 et 100 millions d'années, et les chimpanzés et les humains ont divergé il y a environ 6 millions d'années. Comparez les différences d'acides aminés entre la souris et les espèces C, G et R avec les différences entre l'humain et les espèces C, G et R? Qu'en concluez-vous?

Voir les réponses proposées à l'appendice A.

La «descendance avec modification»: l'évolution selon Darwin

22

VOS OUTILS INTERACTIFS

Consultez votre MANUEL NUMÉRIQUE, qui vous donne accès aux **animations**, aux **exercices** et à la plateforme d'**anatomie interactive**.

▲ **Figure 22.1** **Ce papillon de nuit ressemble à s'y méprendre à une feuille morte. En quoi cette ressemblance lui est-elle utile?**

CONCEPTS CLÉS

22.1 La théorie de Darwin a révolutionné l'idée d'une Terre jeune et peuplée d'espèces immuables

22.2 La descendance avec modification par sélection naturelle explique les adaptations des organismes ainsi que l'unité et la diversité de la vie

22.3 Une somme considérable de données scientifiques atteste l'évolution

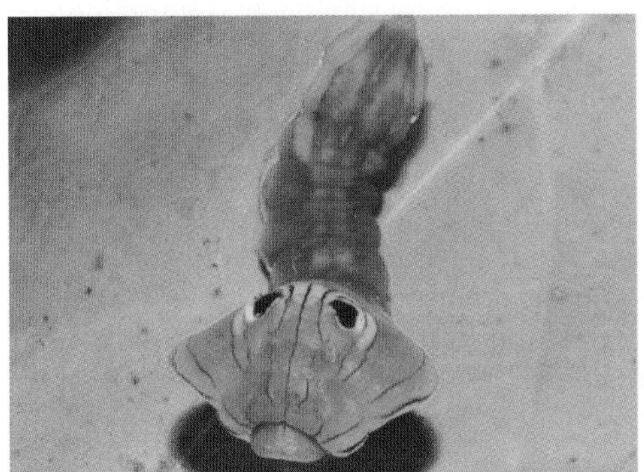

▲ **Stade juvénile (chenille) du papillon feuille-morte.**

L'infinité des formes les plus belles

Dans la forêt tropicale péruvienne, un oiseau affamé aurait du mal à repérer un «papillon feuille-morte» (*Oxytenis modestia*), qui se confond parfaitement avec les feuilles jonchant le sol, son habitat (**figure 22.1**). Ce papillon nocturne particulier fait partie des insectes lépidoptères (papillons), un ordre diversifié réunissant plus de 120 000 espèces. Tous les lépidoptères passent par un stade larvaire caractérisé par une tête bien développée et de très nombreuses pièces buccales masticatrices: à cette période de leur vie, ce sont ces broyeurs voraces et efficaces que nous appelons chenilles. (La chenille du papillon feuille-morte a également un comportement qui la protège: devant une menace, elle ondule de la tête comme un serpent prêt à attaquer.) Les lépidoptères parvenus au stade adulte ont d'autres caractéristiques communes: ils ont tous trois paires de pattes et deux paires d'ailes recouvertes de petites écailles. Toutefois, les nombreuses espèces diffèrent sensiblement les unes des autres. Comment se fait-il qu'il y ait tant d'espèces de papillons diurnes et nocturnes, et comment expliquer leurs ressemblances et leurs différences?

Le papillon nocturne de la figure 22.1 et ses nombreux proches parents illustrent trois observations sur le vivant:

- la façon frappante dont les organismes sont adaptés à la vie dans leur environnement (ici et tout au long de cet ouvrage, le terme *environnement* fait référence aussi bien aux aspects physiques du milieu d'un organisme qu'aux autres organismes qui s'y trouvent);
- les nombreuses caractéristiques communes, même entre différentes espèces (l'unité du vivant);
- la très grande diversité du vivant.

Il y a plus d'un siècle et demi, Charles Darwin a élaboré une théorie qui intégrait ces trois grandes observations, et la publication de sa thèse dans *De l'origine des espèces* a inauguré une révolution scientifique: le domaine de la biologie évolutionniste.

Pour le moment, nous définirons l'**évolution** comme la «descendance avec modification», une expression que Darwin a utilisée lorsqu'il a affirmé que les innombrables espèces de la Terre descendaient d'espèces animales ancestrales différentes des espèces contemporaines. L'évolution peut aussi se définir comme l'ensemble des changements dans la composition génétique d'une population de génération en génération (voir le chapitre 23).

On peut également la considérer de deux façons différentes mais complémentaires: soit comme une *tendance*, soit comme un *processus*. La *tendance* des changements évolutifs nous est révélée par des données provenant de plusieurs disciplines scientifiques, notamment la biologie, la géologie, la physique et la chimie. Ces données sont des faits – des observations sur le monde naturel – et ces faits montrent que le vivant évolue au fil du temps. Quant au *processus* de l'évolution, il constitue l'ensemble des mécanismes qui produisent cette tendance des changements observés. Ces mécanismes sont les causes naturelles des phénomènes que nous observons dans la nature. La force de la théorie de l'évolution en tant que principe unificateur réside en effet dans sa capacité à expliquer et à relier un ensemble très vaste d'observations sur le monde vivant.

Comme pour toutes les théories générales en science, nous continuons à tester notre compréhension de l'évolution en vérifiant si elle explique les nouvelles observations et les nouveaux résultats expérimentaux des scientifiques. Dans ce chapitre et les suivants, nous examinerons comment ces découvertes récentes façonnent notre connaissance de l'évolution et de ses mécanismes. Mais commençons par retracer la démarche de Darwin dans sa quête d'une explication des adaptations des organismes, ainsi que de l'unité et de la diversité de ce qu'il appelait «une quantité infinie de belles et admirables formes».

CONCEPT **22.1**

La théorie de Darwin a révolutionné l'idée d'une Terre jeune et peuplée d'espèces immuables

Qu'est-ce qui a poussé Darwin à douter des idées qui s'imposaient à son époque au sujet de la Terre et de la vie sur Terre? En fait, la proposition révolutionnaire de Darwin s'est construite et développée peu à peu sous l'influence de ses observations personnelles durant ses voyages et de la lecture des ouvrages d'autres scientifiques (**figure 22.2**).

La *scala naturæ* et la classification des espèces

Des siècles avant la naissance de Darwin, plusieurs philosophes grecs pensaient que la vie pouvait avoir évolué graduellement au fil du temps. Contrairement à ceux-là, Aristote (384-322 avant notre ère), qui a grandement influencé les débuts de la science occidentale, croyait plutôt que les espèces étaient fixes (immuables). De ses observations de la nature, il a déduit l'existence de certaines «affinités» entre les organismes et conclu que les formes de vie pouvaient être classées selon une échelle de complexité croissante. Plus tard, les savants donneront le nom de *scala naturæ* (échelle de la nature) à cette classification. Selon cette échelle, chaque forme de vie est parfaite et permanente, et occupe un rang hiérarchique.

Cette conception de l'Univers concorde avec le récit de la Création dans l'Ancien Testament, qui renforce l'idée selon laquelle les espèces sont conçues par Dieu indépendamment les unes des autres, et sont donc parfaites. Dans les années 1700, un grand nombre de scientifiques considéraient que les formidables adaptations des organismes à leur environnement prouvaient que le Créateur avait destiné chaque espèce à une fin précise.

Carl von Linné (1707-1778) était l'un de ces scientifiques. Ce médecin et botaniste suédois a cherché à classifier la diversité du vivant, «pour la plus grande gloire de Dieu». Dans les années 1750, Linné a élaboré la nomenclature binominale, encore en usage de nos jours, qui désigne chaque organisme par son genre et son espèce (comme *Homo sapiens* pour l'humain). Contrairement à la hiérarchie linéaire de la *scala naturæ*, le système de Linné établissait des regroupements d'espèces semblables sous forme de catégories de plus en plus générales: les espèces semblables forment un genre, les genres semblables forment une famille, et ainsi de suite. Linné attribuait au «plan de la Création» les ressemblances entre les espèces et n'y voyait aucune parenté sur le plan de l'évolution.

Un siècle plus tard, Darwin a affirmé qu'une classification des organismes vivants devrait être basée sur les relations produites par l'évolution et souligné que, lorsqu'ils utilisaient le système de Linné, les scientifiques effectuaient souvent des regroupements qui reflétaient ces relations.

Quelques idées sur le changement au fil du temps

Les idées de Darwin se fondaient, entre autres choses, sur les travaux de scientifiques qui étudiaient les **fossiles**, c'est-à-dire sur les restes ou les empreintes d'organismes ayant vécu dans un lointain passé. Une bonne partie des fossiles se trouvent dans les roches sédimentaires formées par la boue et le sable déposés au fond des mers, des lacs, des marais et autres habitats aquatiques (**figure 22.3**). Les nouvelles couches de sédiments recouvrent les anciennes et les compriment, entraînant ainsi la formation de couches de roches superposées appelées **strates**. Dans chaque strate, les fossiles témoignent des organismes qui ont peuplé la Terre à l'époque où cette strate s'est constituée. L'érosion peut gruger la surface des strates supérieures (plus récentes), exposant ainsi certaines strates plus profondes (plus anciennes) qui avaient été enfouies.

L'étude des fossiles est l'objet de la **paléontologie**. Créée en bonne partie par le zoologiste français Georges Cuvier (1769-1832), cette science examine les êtres vivants qui ont existé au cours des diverses époques géologiques. En observant les couches rocheuses dans les environs de Paris, Cuvier a fait deux constats. D'abord, plus une strate est enfouie profondément (plus elle est ancienne), plus les fossiles qu'elle contient diffèrent des espèces contemporaines. De plus, des espèces apparaissent, tandis que d'autres disparaissent. Cuvier en a conclu que les phénomènes d'extinction devaient être fréquents dans l'histoire du vivant, mais il s'est vigoureusement opposé aux évolutionnistes

▼ **Figure 22.2** **Le contexte intellectuel des idées de Darwin.**

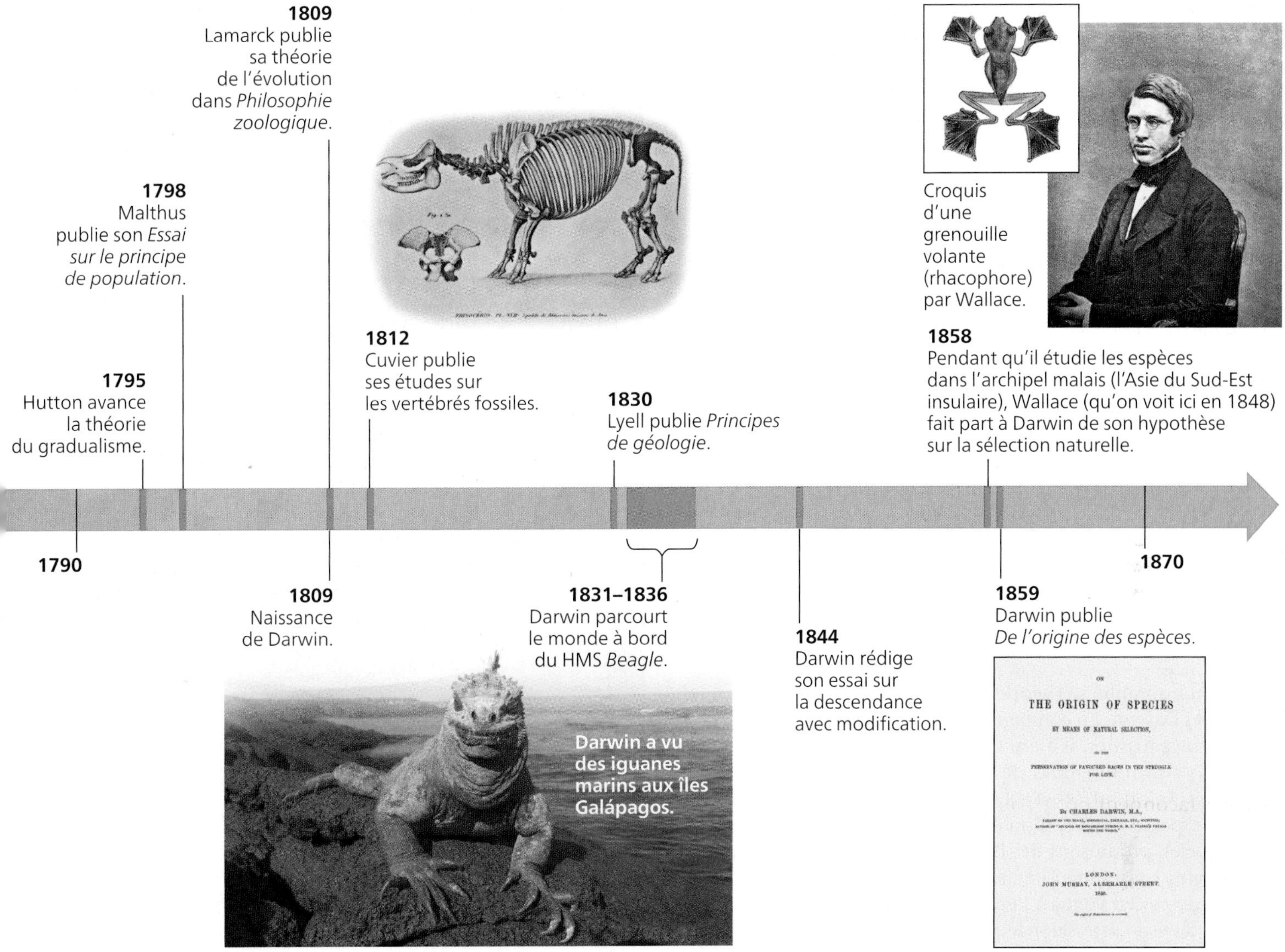

1790

1795
Hutton avance la théorie du gradualisme.

1798
Malthus publie son *Essai sur le principe de population.*

1809
Lamarck publie sa théorie de l'évolution dans *Philosophie zoologique*.

1809
Naissance de Darwin.

1812
Cuvier publie ses études sur les vertébrés fossiles.

1830
Lyell publie *Principes de géologie*.

1831–1836
Darwin parcourt le monde à bord du HMS *Beagle*.

Darwin a vu des iguanes marins aux îles Galápagos.

1844
Darwin rédige son essai sur la descendance avec modification.

Croquis d'une grenouille volante (rhacophore) par Wallace.

1858
Pendant qu'il étudie les espèces dans l'archipel malais (l'Asie du Sud-Est insulaire), Wallace (qu'on voit ici en 1848) fait part à Darwin de son hypothèse sur la sélection naturelle.

1859
Darwin publie *De l'origine des espèces*.

ON
THE ORIGIN OF SPECIES
BY MEANS OF NATURAL SELECTION,
LONDON:
JOHN MURRAY, ALBEMARLE STREET.

1870

de son temps. Selon lui, les frontières des différentes strates correspondaient chacune à un événement catastrophique soudain, comme une inondation, qui avait anéanti un grand nombre d'espèces vivant dans les régions dévastées, et celles-ci finissaient par être repeuplées par des espèces venues d'ailleurs.

La théorie des événements soudains de Cuvier se heurtait aux travaux des scientifiques de l'époque qui défendaient le *gradualisme*, une doctrine selon laquelle l'accumulation de processus lents mais continuels pouvait entraîner un changement profond des êtres vivants. En 1795, le géologue écossais James Hutton (1726-1797) avait avancé que les mécanismes graduels pouvaient expliquer les caractéristiques géologiques de la Terre, comme les vallées creusées par les fleuves. Le géologue le plus en vue de l'époque de Darwin, l'Écossais Charles Lyell (1797-1875), a intégré le gradualisme de Hutton dans sa théorie selon laquelle les mécanismes responsables du changement agissent de façon constante au cours du temps. Selon Lyell, les processus géologiques contemporains étaient les mêmes que par le passé et se produisaient à la même vitesse.

Hutton et Lyell ont beaucoup influencé Darwin ; ce dernier croyait comme eux que si le changement géologique résultait d'actions lentes et continuelles et non d'événements soudains, alors la Terre était très ancienne et son âge dépassait assurément les 6 000 ans que lui attribuaient des théologiens. Il fallait, par exemple, beaucoup de temps pour qu'une rivière creuse un canyon par érosion. Plus tard, Darwin en est venu à la conclusion que des processus aussi lents et ténus pouvaient à la longue agir sur les organismes et entraîner des changements importants. Il n'était d'ailleurs pas le premier à appliquer le principe du gradualisme à l'évolution biologique.

L'hypothèse de l'évolution selon Lamarck

Plusieurs naturalistes du 18e siècle considéraient que la vie avait évolué en fonction de changements dans l'environnement, mais seul le biologiste français Jean-Baptiste de Lamarck (1744-1829) proposait alors un modèle pour expliquer la façon dont les formes de vie évoluent dans le temps. Malheureusement, on se souvient de lui surtout pour son explication erronée des mécanismes de l'évolution, oubliant qu'il avait compris que l'évolution permet d'expliquer la présence d'archives fossiles et l'adaptation des organismes à leur environnement.

▼ **Figure 22.3 La formation de strates sédimentaires avec fossiles.**

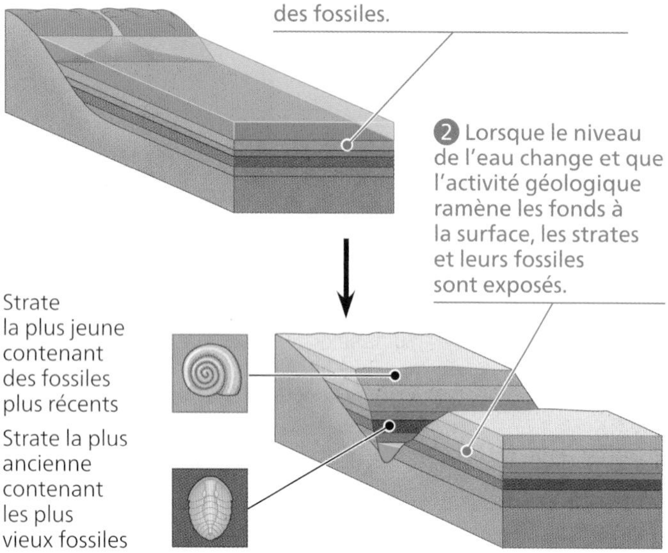

❶ Les rivières transportent des sédiments dans des habitats aquatiques comme les océans et les marécages. Avec le temps, des couches sédimentaires (strates) se forment au fond de l'eau. Certaines strates contiennent des fossiles.

❷ Lorsque le niveau de l'eau change et que l'activité géologique ramène les fonds à la surface, les strates et leurs fossiles sont exposés.

Strate la plus jeune contenant des fossiles plus récents

Strate la plus ancienne contenant les plus vieux fossiles

Lamarck a publié sa théorie en 1809, l'année de naissance de Charles Darwin. En comparant des espèces contemporaines à des formes fossiles, il a cru déceler des lignées, c'est-à-dire des séries chronologiques de fossiles menant à des espèces modernes. Selon lui, les espèces pouvaient se transformer en d'autres espèces (d'où le nom de *transformisme* qu'on a donné à sa théorie), produisant des lignées qui n'auraient toutefois pas d'origine commune. Lamarck expliquait ce phénomène par deux principes en vogue à l'époque. Le premier était celui de l'*usage* et du *non-usage,* selon lequel les organes qu'un organisme utilisait intensivement se développaient et se renforçaient, tandis que ceux dont il ne se servait pas s'atrophiaient. Pour illustrer l'effet de l'usage, Lamarck citait parmi d'autres exemples celui de la girafe qui allonge le cou pour atteindre les feuilles situées à la cime des arbres. Le second principe était celui de l'*hérédité des caractères acquis,* voulant qu'un organisme puisse transmettre ses modifications à ses descendants. Lamarck soutenait que le long cou des girafes s'était formé (de même que ses longues pattes antérieures) au fil de nombreuses générations au cours desquelles ces animaux essayaient d'atteindre des feuilles toujours plus hautes.

Lamarck croyait également que les organismes évoluaient en raison d'une tendance innée à devenir de plus en plus complexes. Darwin rejetait cette dernière idée en faveur de la sélection naturelle, mais pensait tout comme Lamarck que la variation était introduite dans le processus de l'évolution en partie par la transmission héréditaire de caractères acquis. Cependant, notre compréhension moderne de la génétique réfute ce principe ; des expériences ont démontré que les caractères acquis par l'usage ou le non-usage au cours de la vie d'un organisme ne se transmettent pas en général (**figure 22.4**). On aura beau couper la queue à des centaines de générations de souris, leurs petits continueront à naître avec une queue !

▼ **Figure 22.4 Les caractères acquis ne peuvent généralement pas être héréditaires.** Ce bonsaï a acquis son style et sa taille naine grâce au travail d'un horticulteur expert, mais les graines de cet arbre produiront des rejetons dont la taille et la forme seront normales.

Lamarck a fait l'objet de calomnies, particulièrement de la part de Cuvier, qui ne voulait rien entendre de l'évolution. Il faut aujourd'hui rendre à Lamarck les honneurs qui lui reviennent ; il avait bel et bien observé que l'adaptation des organismes à leur environnement s'expliquait par des changements évolutifs graduels et avait proposé une hypothèse vérifiable pour le confirmer.

Un mécanisme lamarckien pourrait contribuer à l'évolution

Des recherches sur plusieurs générations de bactéries, de souris et même d'humains indiquent cependant que la transmission des caractères pourrait être influencée par des facteurs environnementaux agissant sur les gènes.

POUR APPROFONDIR ■ Les deux principes de Lamarck trouvent plus aisément leur application chez les bactéries. Puisque ces petites cellules procaryotes se reproduisent de façon asexuée, elles transfèrent directement la totalité de leurs gènes à leur descendance. Elles peuvent donc transmettre aisément une adaptation acquise au cours de leur vie, si cette adaptation modifie leur matériel génétique ou altère la façon dont il est utilisé. Par exemple, une bactérie attaquée par un agent infectieux (un virus ou une bactérie ennemis) pourra intégrer sélectivement dans son bagage génétique les fragments des gènes étrangers qui augmenteront ses chances de survie. La descendance conservera ce nouveau bagage génétique et sera à son tour mieux adaptée à son environnement.

Chez les souris conditionnées par des chocs électriques à avoir peur d'une odeur artificielle (l'acétophénone), la simple exposition à cette odeur les fait frissonner. Le conditionnement est tellement efficace qu'il suffit de leur faire sentir de l'acétophénone pour provoquer le frisson par la suite, sans que le choc électrique soit nécessaire. Mais le plus étonnant, c'est que cette crainte instinctive à l'égard de cette odeur peut être transmissible à la descendance de ces souris, sans que les petits aient subi de conditionnement ou même sans qu'ils aient été en contact avec l'acétophénone auparavant. Le comportement différent des souriceaux, comparé à celui des petits dont les parents n'ont pas été conditionnés à craindre l'odeur, se transmet même à la génération suivante sans nécessiter plus de conditionnement. Le mécanisme suspecté ne reposerait pas sur une modification des gènes comme tels, mais plutôt sur une altération de leur régulation. Les gènes associés à la sensibilité vis-à-vis de l'odeur de l'acétophénone auraient un niveau d'expression plus élevé chez les descendants des souris conditionnées, même si leur bagage génétique est le même que celui des souris non conditionnées. Des tests ultérieurs sur les gamètes (spermatozoïdes et ovules) des parents conditionnés ont montré que même après fécondation *in vitro*, il est possible d'obtenir des descendants dont l'expression génétique est altérée, donc de transmettre ce conditionnement. Les expériences identiques entreprises avec une autre odeur artificielle, le propanol, ont donné des résultats similaires. Le domaine de recherche qui s'intéresse aux mécanismes modulant l'expression du patrimoine génétique se nomme **épigénétique**. Le concept 15.5 concerne l'*empreinte génétique*, un phénomène reposant sur des mécanismes épigénétiques.

Chez les humains, il est difficile de faire des études dont les paramètres sont rigoureusement contrôlés, mais des situations extrêmes comme une épidémie, une guerre ou une période de famine prolongée peuvent fournir une masse d'information d'une grande valeur. À l'hiver 1944-1945 (fin de la Deuxième Guerre mondiale), une grave pénurie alimentaire sévissait aux Pays-Bas, alors occupés par les armées allemandes. Fort heureusement, les registres médicaux de l'époque sont restés intacts, de même que les documents concernant les rations alimentaires allouées. Ils ont donc permis de retrouver la trace d'un grand nombre de femmes qui étaient enceintes durant cette période. Des études génétiques effectuées sur les descendants de ces femmes ont démontré que la régulation des gènes en cause dans le métabolisme énergétique avait été durablement altérée. En effet, le métabolisme de ces descendants soumis à des restrictions alimentaires avant leur naissance présentait des modifications qui les rendaient plus susceptibles de souffrir de diabète ou d'obésité (ce qui peut être une relativement bonne adaptation en temps de pénurie alimentaire, mais qui devient une nuisance avec une diète normale!). Cette adaptation à la pénurie alimentaire était indépendante de la diète ultérieure, et ne touchait pas les frères et les sœurs nés avant ou après cette période de disette.

Ces résultats indiquent que, bien que les caractères acquis au cours d'une vie n'aient en général aucune incidence sur le bagage génétique au sens strict, certains facteurs peuvent influer sur le fonctionnement des gènes. En ce sens, un mécanisme lamarckien pourrait contribuer à une certaine forme d'évolution, au moins sur quelques générations, tout en restant un phénomène marginal par rapport aux mécanismes darwiniens. ■

RETOUR SUR LE CONCEPT 22.1

1. Comment les idées de Hutton et de Lyell ont-elles influé sur la pensée de Darwin à propos de l'évolution ?

2. **FAITES DES LIENS ▶** Les hypothèses scientifiques doivent être vérifiables et réfutables (voir le concept 1.3). Selon ces critères, l'explication de Cuvier sur les archives fossiles et l'hypothèse de Lamarck sur l'évolution sont-elles scientifiques ? Expliquez votre réponse dans chacun de ces cas.

Voir les réponses proposées à l'appendice A.

CONCEPT 22.2

La descendance avec modification par sélection naturelle explique les adaptations des organismes ainsi que l'unité et la diversité de la vie

À l'aube du 19ᵉ siècle, on croyait généralement que les espèces étaient immuables depuis leur création, et si quelques doutes planaient sur cette permanence des espèces, nul ne pouvait prévoir la tempête qui se préparait à l'horizon. Voyons donc comment Charles Darwin est devenu le pionnier d'une révolution de notre conception du vivant.

Les recherches de Darwin

Charles Darwin (1809-1882) est né à Shrewsbury, dans l'Ouest de l'Angleterre. Dès sa plus tendre enfance, il s'est passionné pour la nature. Il ne fermait ses livres d'histoire naturelle que pour pêcher, chasser et collectionner des insectes. Son père, un médecin réputé qui jugeait la carrière de naturaliste sans avenir pour son fils de 16 ans, a fini par l'envoyer étudier la médecine à la University of Edinburgh. Cependant, le jeune Charles trouvait les études de médecine ennuyeuses et la chirurgie de l'époque épouvantable (l'anesthésie n'existait pas encore). Il a donc quitté l'école de médecine d'Édimbourg avant d'avoir obtenu son diplôme pour s'inscrire à la Cambridge University dans l'intention de devenir pasteur. (À l'époque, en Grande-Bretagne, la plupart des savants étaient des ecclésiastiques.)

À Cambridge, Darwin est devenu le protégé de John Henslow, professeur de botanique. Il a été reçu bachelier en 1831. Peu après, le professeur Henslow l'a recommandé au capitaine Robert FitzRoy, qui se préparait à faire le tour du monde en mission de reconnaissance cartographique à bord du navire *Beagle*. Darwin paierait son voyage et ferait la conversation au jeune capitaine. Ce dernier a accepté Darwin pour ses connaissances de naturaliste, bien sûr, mais aussi parce qu'ils étaient tous deux de la même classe sociale et presque du même âge.

Le voyage du Beagle

Darwin n'avait que 22 ans lorsque le *Beagle* a levé l'ancre et quitté la Grande-Bretagne en décembre 1831. L'expédition avait pour mission principale de cartographier les régions encore mal connues du littoral de l'Amérique du Sud. Pendant que l'équipage faisait des relevés, Darwin débarquait et se consacrait à l'observation et à la collecte de milliers de spécimens de végétaux et d'animaux. Durant ses excursions, il prenait des notes sur les caractéristiques qui rendaient les organismes si bien adaptés à des milieux aussi différents que la luxuriante jungle brésilienne, les vastes prairies de la pampa argentine et les sommets vertigineux de la cordillère des Andes. Darwin constatait également que les espèces végétales et animales des régions tempérées d'Amérique du Sud étaient plus proches des espèces des régions tropicales de ce continent que des espèces des régions tempérées d'Europe. Qui plus est, les fossiles qu'il avait découverts au cours de cette partie du voyage différaient des espèces contemporaines, mais, en même temps, présentaient une nette ressemblance aux organismes vivant sur ce continent.

Darwin a également consacré une bonne partie de son temps à réfléchir sur la géologie. Entre ses accès de mal de mer, il a lu les *Principes de géologie* de Lyell à bord du *Beagle*. Il a même fait l'expérience d'un changement géologique lorsqu'un violent tremblement de terre a frappé la côte du Chili, ce qui lui a permis d'observer directement que le séisme avait haussé la côte de quelques mètres. Par ailleurs, en découvrant des fossiles d'organismes marins dans les hauteurs des Andes, Darwin a déduit que les roches renfermant ces fossiles s'étaient retrouvées là à la suite de plusieurs tremblements de terre semblables à celui qu'il venait d'observer. Ces observations confirmaient les propos de Lyell : les preuves physiques n'appuyaient pas l'idée selon laquelle la Terre était âgée d'à peine quelques milliers d'années.

L'intérêt de Darwin pour la distribution géographique des espèces a été comblé par sa visite des Galápagos, un archipel volcanique d'origine relativement récente situé à environ 960 km à l'ouest du littoral sud-américain, à la latitude de l'équateur (**figure 22.5**). Darwin s'est étonné des singularités de la faune des Galápagos. Parmi les oiseaux qu'il a observés figurent les divers types de géospizes (autrefois appelés *pinsons*) mentionnés au chapitre 1, ainsi que plusieurs sortes d'oiseaux moqueurs. Quoique semblables, ces derniers semblaient appartenir à des espèces distinctes, certaines propres à une île tandis que d'autres s'étaient établies sur deux ou plusieurs îles rapprochées. Mais Darwin n'a saisi l'importance de ses observations qu'à son retour en Angleterre, en 1836, après avoir étudié en profondeur ses collections de spécimens. Il a alors compris que la plupart des espèces des Galápagos n'existaient nulle part ailleurs, même si elles ressemblaient à d'autres espèces présentes sur le continent sud-américain. Darwin a posé l'hypothèse d'une colonisation de l'archipel par des organismes qui s'étaient écartés du continent et qui, avec le temps, avaient donné naissance à de nouvelles espèces sur les diverses îles où ils s'étaient établis.

L'adaptation, concept fondamental dans la pensée de Darwin

Durant son voyage sur le *Beagle*, Darwin a observé de nombreux exemples d'**adaptations**, c'est-à-dire de caractéristiques héréditaires qui améliorent les chances de survie et de reproduction des organismes dans un environnement particulier. Ce n'est que plus tard, en réévaluant toutes les observations qu'il avait faites, que Darwin a commencé à comprendre le lien étroit entre le processus de l'adaptation à l'environnement et celui de la formation de nouvelles espèces. Une nouvelle espèce peut-elle émerger d'une forme ancestrale par suite d'une accumulation graduelle d'adaptations à un milieu différent ? Bien des années après l'expédition, des biologistes ont entrepris des études et en sont arrivés à la conclusion que c'est précisément ce qui s'est produit dans le cas des géospizes des Galápagos (voir la figure 1.20). Leurs becs et leur comportement étaient adaptés aux aliments particuliers disponibles dans leurs îles respectives (**figure 22.6**). Darwin avait compris la nécessité d'expliquer le mécanisme de telles adaptations pour comprendre l'évolution. Comme on le verra, son explication de l'origine des adaptations était centrée sur la **sélection naturelle**, un processus dans lequel les individus dotés de certains caractères héréditaires

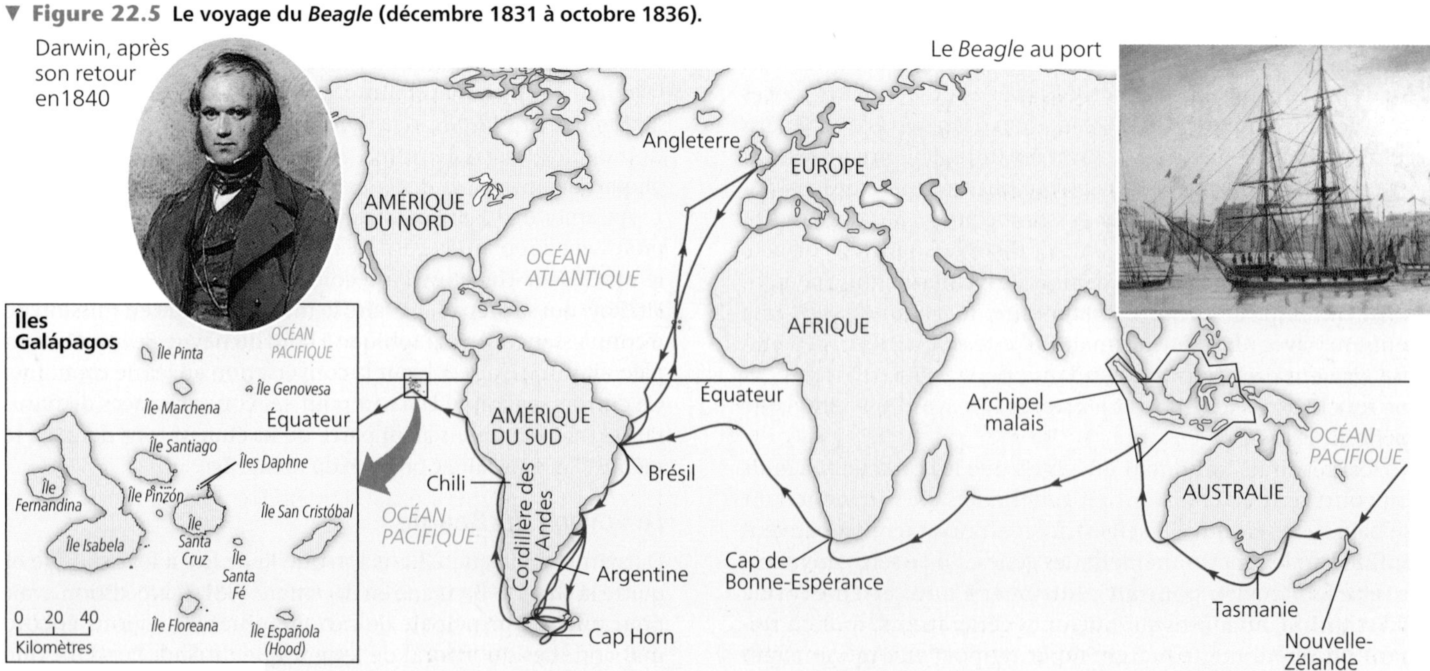

Figure 22.5 **Le voyage du *Beagle* (décembre 1831 à octobre 1836).**

▼ **Figure 22.6 Trois types de variation du bec chez les géospizes des Galápagos.** L'archipel des Galápagos abrite plus d'une douzaine d'espèces de géospizes étroitement apparentées, dont certaines ne se trouvent que sur une seule île. Les espèces se distinguent principalement par leur bec, qui est adapté à un régime alimentaire particulier.

(a) Mangeur de cactus. Le bec effilé du géospize des cactus (*Geospiza scandens*) lui permet de déchirer les cactus afin d'en manger les fleurs et la pulpe.

(b) Insectivore. Le géospize olive (*Certhidea olivacea*) utilise son bec étroit et pointu pour attraper les insectes.

(c) Granivore. Le géospize à gros bec (*Geospiza magnirostris*) possède un bec adapté au cassage des graines se trouvant sur le sol.

FAITES DES LIENS ▶ Revoyez la figure 1.20. Encerclez l'ancêtre commun le plus récent des trois espèces qui se nourrissent d'insectes. Tous les descendants de cet ancêtre sont-ils des insectivores ?

tendent à avoir des taux de survie et de reproduction plus élevés que les autres *en raison de* ces caractères.

En 1844, Darwin avait enfin rédigé un long essai sur l'origine des espèces et la sélection naturelle. Il hésitait toutefois à le faire paraître, sans doute parce qu'il redoutait le scandale que sa théorie soulèverait. En attendant, il continuait d'accumuler les preuves à l'appui de sa théorie. Au milieu des années 1850, il avait fait part de ses idées à Lyell et à quelques autres personnes. Même s'il n'avait pas encore adhéré à la théorie de l'évolution, Lyell l'exhortait à publier ses écrits sur le sujet avant qu'un autre savant en arrive aux mêmes conclusions que lui et lui dame le pion.

En juin 1858, les prédictions de Lyell se réalisaient : Darwin recevait une lettre d'Alfred Wallace (1823-1913), un jeune naturaliste britannique qui travaillait dans les îles malaises du Pacifique Sud et qui venait de formuler une hypothèse de la sélection naturelle semblable à la sienne. Wallace lui demandait d'évaluer son travail et de le faire parvenir à Lyell s'il méritait d'être publié. « Vos prédictions se sont réalisées avec éclat [...], écrit Darwin à Lyell. Je n'ai jamais vu coïncidence plus frappante [...] Toute mon originalité, quelle qu'en soit l'importance, sera anéantie. » Le 1er juillet 1858, Lyell et l'un de ses collègues ont présenté à la Linnean Society of London le manuscrit de Wallace ainsi que des extraits de l'essai inédit de Darwin (de 1844). Cette présentation n'a pas eu beaucoup de répercussions, mais Darwin s'est empressé de mettre la dernière main à *De l'origine des espèces*, qui est paru dès l'année suivante et a connu un succès de librairie foudroyant pour l'époque. On dit qu'il demeure l'ouvrage scientifique le plus vendu au monde. Bien que Wallace ait été prêt à publier le premier, il admirait beaucoup Darwin et pensait que ce dernier méritait d'être considéré comme le principal architecte de cette théorie de la sélection naturelle qu'il avait exposée et étayée de façon tellement plus complète qu'il avait pu le faire lui-même.

Dix ans plus tard, l'ouvrage de Darwin et ses partisans avaient rallié la majorité des biologistes de l'époque à l'idée que la diversité de la vie résultait effectivement de l'évolution. Darwin a triomphé là où les évolutionnistes précédents ont échoué, surtout parce qu'il exposait son raisonnement avec une logique sans faille soutenue par une multitude de preuves.

De l'origine des espèces

Dans *De l'origine des espèces*, Darwin expose les preuves qu'il a réunies pour démontrer que la descendance avec modification par la sélection naturelle explique les trois grandes observations qui sont mentionnées au sujet de la nature dans l'introduction du présent chapitre, soit l'unité du vivant, la diversité du vivant et l'adaptation remarquable des organismes à leur environnement.

La descendance avec modification

Dans la première édition de son ouvrage, Darwin n'utilisait pas le mot *évolution*, lui préférant plutôt le terme *descendance avec modification*, qui résume toute sa vision du monde. Les organismes ont de nombreuses caractéristiques communes qui ont amené Darwin à percevoir l'unité du vivant. Pour lui, cette unité découlerait du fait que tous les organismes descendent d'un ancêtre commun ayant vécu dans un passé très lointain. En colonisant les divers habitats au fil du temps, croyait aussi Darwin, les descendants de cet organisme primordial ont accumulé des modifications diverses – des adaptations – qui les rendaient capables de vivre dans des milieux particuliers. C'est ainsi qu'il explique comment la descendance avec modification a fini par produire au fil du temps la très riche diversité du vivant que nous connaissons aujourd'hui.

Darwin voit le vivant comme un arbre (**figure 22.7**) : d'un même tronc jaillissent des branches multiples qui se divisent jusqu'à former des ramilles dont les extrémités les plus récentes (appelées A, B, C et D) représentent plusieurs groupes d'organismes vivant aujourd'hui, tandis que les branches non marquées d'une lettre représentent des groupes d'organismes aujourd'hui éteints. Chaque fourche de cet arbre d'évolution représente l'ancêtre commun le plus récent de toutes les lignées qui se séparent à partir de là.

Darwin estimait qu'un tel processus de ramification, doublé d'extinctions massives, pouvait expliquer les différences morphologiques importantes qui existent parfois entre des groupes d'organismes apparentés. Prenons l'exemple de trois espèces contemporaines d'éléphants : l'éléphant d'Asie (*Elephas maximus*)

▼ Figure 22.7
«I think...». Dans ce croquis réalisé en 1837, Darwin commence à se représenter l'évolution comme un arbre portant des embranchements. Les branches identifiées A, B, C et D représentent des groupes d'organismes vivant encore aujourd'hui; toutes les autres branches désignent des groupes d'organismes éteints.

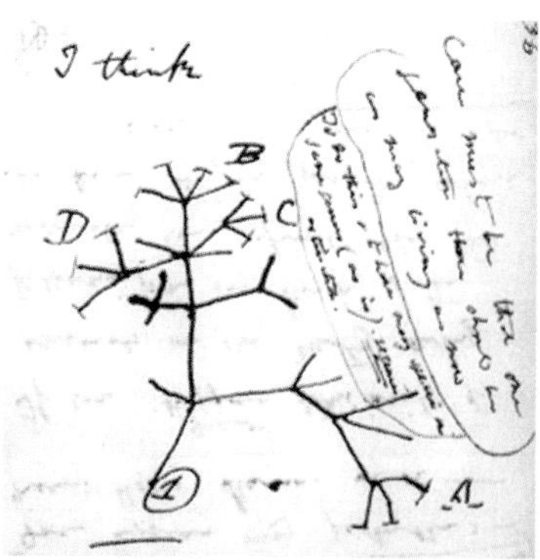

et deux espèces d'éléphants d'Afrique (*Loxodonta africana* et *L. cyclotis*). Comme on le voit à la **figure 22.8**, ces espèces sont très similaires parce qu'elles appartenaient à la même lignée issue d'un ancêtre commun jusqu'à ce qu'elles en divergent dans un passé relativement récent. Notez que 7 lignées reliées aux éléphants se sont éteintes au cours des 32 derniers millions d'années, de sorte qu'aucune espèce vivante ne comble aujourd'hui le fossé entre les éléphants et leurs plus proches parents, les lamantins et les damans.

Les extinctions comparables que montre la figure 22.8 ne sont pas rares : de très nombreuses branches de l'arbre de l'évolution – y compris quelques-unes des principales ramifications – débouchent sur des culs-de-sac. Les scientifiques estiment que près de 99 % de toutes les espèces qui ont vécu sur Terre se sont éteintes ! Comme le montre cette figure, les fossiles des espèces éteintes peuvent révéler les divergences des espèces contemporaines en comblant les trous entre elles.

La sélection artificielle, la sélection naturelle et l'adaptation

Pour expliquer les phénomènes observables de l'évolution, Darwin a proposé le mécanisme de la sélection naturelle. Il a préparé très soigneusement son argumentaire afin de convaincre même le plus sceptique de ses lecteurs. Il invoque d'abord des exemples familiers de **sélection artificielle** pour des plantes ou des animaux domestiques. Au fil des générations, les humains ont modifié diverses espèces en sélectionnant et en croisant des individus possédant les caractères souhaités (**figure 22.9**). En raison de cette sélection artificielle, les végétaux et les animaux que nous cultivons et que nous élevons n'ont souvent que peu de ressemblance avec leurs ancêtres sauvages. Les produits de notre sélection artificielle montrent souvent aussi un vaste éventail de formes : il suffit de penser aux différentes races de chiens que l'humain a créées.

Selon Darwin, un processus similaire se produit dans la nature. Il appuie cette affirmation sur deux observations, dont il tire deux inférences :

Observation 1 : Les membres d'une population diffèrent souvent par leurs caractères héréditaires (**figure 22.10**).

Observation 2 : Toutes les espèces peuvent produire une descendance plus importante que celle que leur environnement peut soutenir (**figure 22.11**), et une bonne partie de cette descendance n'arrive pas à survivre et à se reproduire.

Inférence 1 : Les individus présentant des caractères héréditaires qui leur confèrent de plus grandes chances de

▼ Figure 22.8 La descendance avec modification. Cet arbre représente l'évolution de la famille des éléphantidés. Il se fonde principalement sur les fossiles : leur anatomie, leur ordre d'apparition selon la strate et leur distribution géographique. Remarquez que plusieurs branches se terminent par une extinction (indiquée par le signe †). (L'axe du temps n'est pas à l'échelle.)

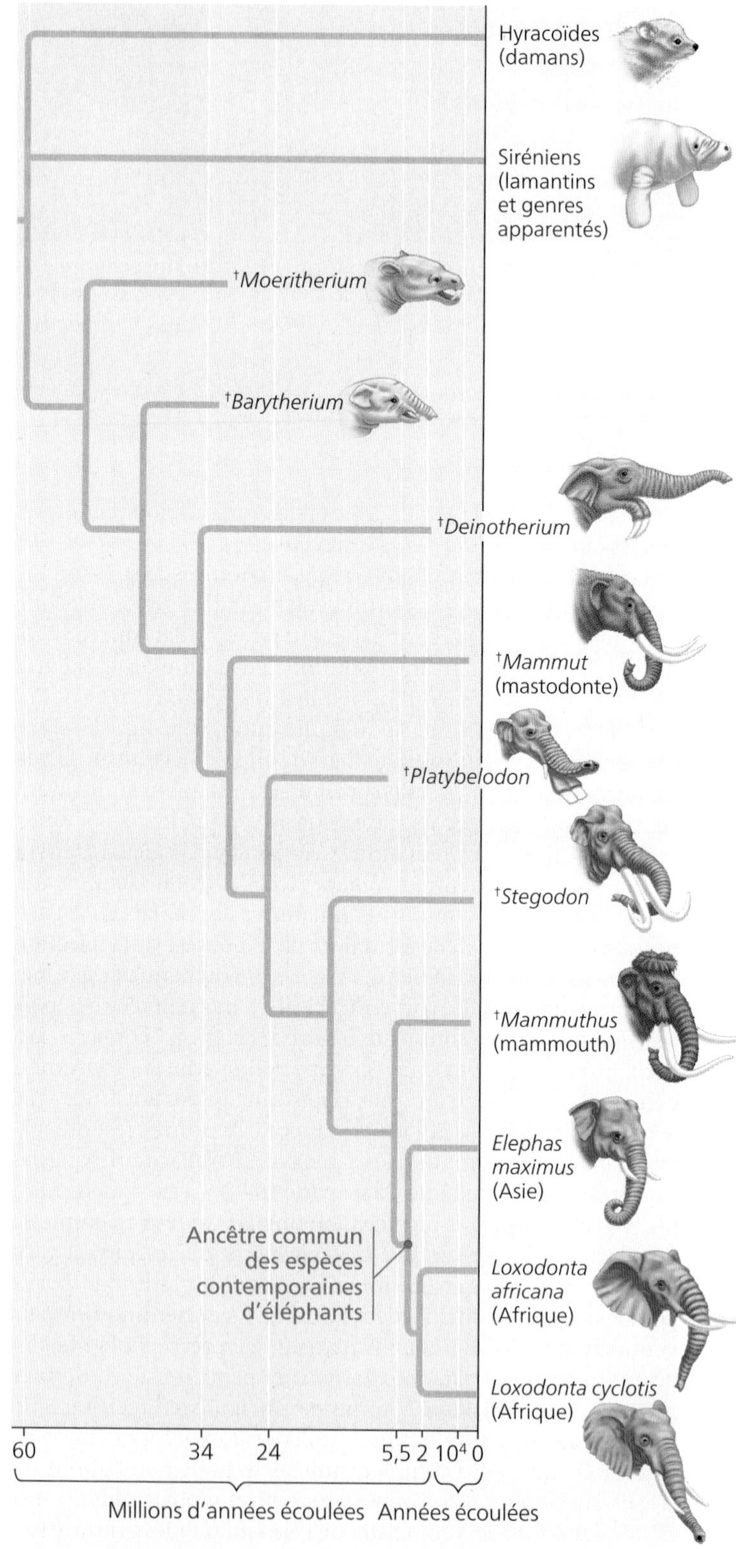

HABILETÉS VISUELLES ▶ Selon cet arbre d'évolution, à quel moment environ vivait l'ancêtre commun le plus récent des mammouths laineux (*Mammuthus*), des éléphants d'Asie (*E. maximus*) et des éléphants d'Afrique (*L. africana* et *L. cydotis*) ?

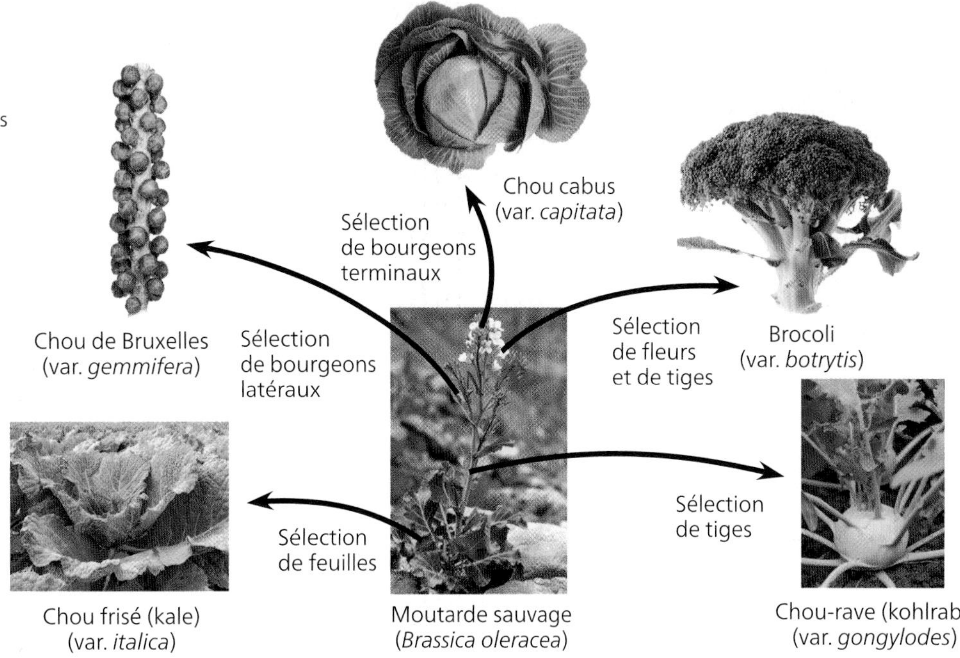

▶ **Figure 22.9 La sélection artificielle.** Ces légumes ont tous pour ancêtre commun la moutarde sauvage (*Brassica oleracea*). En accentuant artificiellement tel ou tel autre caractère de la plante d'origine, les producteurs ont obtenu ces résultats divergents.

survivre et de se reproduire dans un environnement donné tendent à laisser une descendance plus nombreuse que les autres individus.

Inférence 2: De génération en génération, cette capacité inégale de survie et de reproduction entraîne une accumulation de caractères favorables dans la population.

Comme ces deux inférences le montrent, Darwin voyait une relation cruciale entre la sélection naturelle, qui résulte de ce qu'il appelle la *lutte pour l'existence*, et la capacité des organismes à trop se reproduire. Il a commencé à envisager ce lien après avoir lu un ouvrage de l'économiste anglais Thomas Malthus, pour qui la plupart des souffrances humaines – maladies, famines et guerres – résultent de la tendance de la population humaine à croître plus rapidement que les réserves alimentaires et autres ressources dont elle dispose. La capacité de se reproduire à l'excès, comprend Darwin, semble commune à toutes les espèces. Seule une infime partie des œufs pondus, des jeunes mis au monde et des graines disséminées mènent leur développement à terme et se reproduisent à leur tour. Les autres sont dévorés par des prédateurs, meurent de faim ou de maladie, ne trouvent pas de partenaire ou ne peuvent se reproduire, ou encore sont incapables de tolérer les conditions physiques de leur environnement comme la température ou la salinité.

Les caractères héréditaires d'un individu n'influent pas seulement sur sa propre capacité, mais aussi sur la façon dont sa descendance fait face aux défis environnementaux. Par exemple, un organisme pourrait avoir un caractère qui confère à sa descendance un avantage pour échapper aux prédateurs, obtenir de la nourriture ou tolérer certaines conditions physiques de l'environnement. Lorsque de tels avantages augmentent le nombre de descendants qui survivent et se reproduisent, ces caractères favorables sont plus susceptibles d'apparaître dans la génération suivante. Par conséquent, avec le temps, la sélection naturelle résultant de facteurs comme les prédateurs, le manque de nourriture ou des conditions physiques adverses peut entraîner une augmentation des caractères favorables dans une population.

▼ **Figure 22.10 Les variations dans une population.** Dans cette population de coccinelles asiatiques, les individus diffèrent par la couleur et la disposition des points sur les élytres. La sélection naturelle ne peut influer sur ces variations que si (1) elles sont héréditaires et (2) elles influent sur la capacité des coccinelles de survivre et de se reproduire.

▶ **Figure 22.11 La surproduction de descendants.** Cette vesse-de-loup, un eumycète, peut produire des milliards de descendants. Si la totalité de ces derniers et de leur descendance survivait jusqu'à maturité, les vesses-de-loup tapisseraient tout le sol environnant.

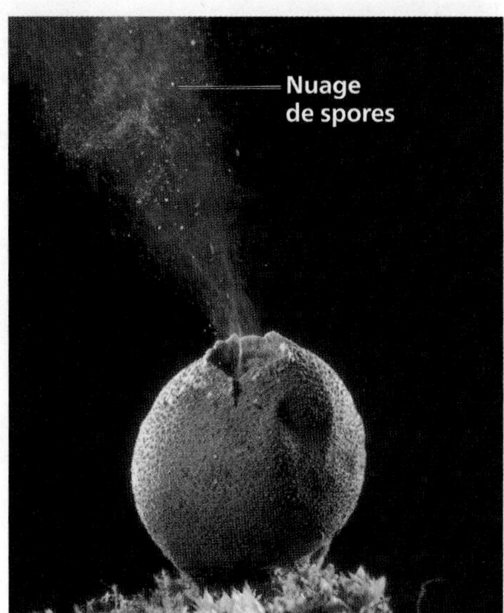

À quelle vitesse se produisent de tels changements? Le raisonnement de Darwin est le suivant: si la sélection artificielle peut entraîner des changements spectaculaires dans un laps de temps relativement court, la sélection naturelle devrait pouvoir modifier considérablement les espèces sur des centaines de générations. Même si les avantages conférés par certains caractères héréditaires sont minimes, les variations avantageuses s'accumuleront graduellement dans la population, tandis que les variations moins favorables diminueront. Avec le temps, ce processus accroîtra la proportion d'individus dotés des caractères adaptatifs favorables et, ainsi, perfectionnera l'adéquation entre les organismes et leur environnement.

La sélection naturelle en résumé

On peut résumer ainsi les idées principales de Darwin:

- La sélection naturelle est un processus dans lequel les individus dotés de certains caractères ont, grâce à ces caractères, des taux de survie et de reproduction plus élevés que d'autres individus.
- Au fil du temps, la sélection naturelle améliore l'adaptation des populations à leur environnement (**figure 22.12**).

▼ **Figure 22.12 Un exemple de l'évolution adaptative: le camouflage.** Les espèces parentes de mantes présentent des formes et des couleurs diverses qui ont évolué en fonction de leur environnement, comme le montrent la mante fleur (*Pseudocreobotra wahlbergi*; en haut) et la mante orchidée de Malaisie (*Hymenopus coronatus*; en bas).

HABILETÉS VISUELLES ▶ À l'aide des photographies ci-dessus, expliquez en quoi ces mantes illustrent les trois observations sur la vie présentées dans l'introduction de ce chapitre: l'adéquation entre les organismes et leur environnement ainsi que l'unité et la diversité du vivant.

- Si un environnement change au fil du temps, ou si des individus d'une espèce donnée se déplacent vers un nouvel environnement, la sélection naturelle peut permettre l'adaptation à ce nouveau milieu et débouche parfois sur l'apparition de nouvelles espèces.

Avant de poursuivre, arrêtons-nous sur trois subtilités importantes concernant la sélection naturelle. D'abord, même si la sélection naturelle met en jeu des interactions entre les individus et leur milieu, *les individus n'évoluent pas*; ce sont les générations successives qui évoluent avec le temps. Deuxièmement, la sélection naturelle peut amplifier ou atténuer uniquement des caractères héréditaires qui diffèrent entre les individus d'une population. Autrement dit, un caractère a beau être héréditaire, si tous les individus d'une population sont génétiquement identiques par rapport à ce caractère, l'évolution par sélection naturelle ne pourra pas se produire. Troisièmement, les facteurs environnementaux varient d'un endroit à l'autre et d'une époque à l'autre, de sorte qu'un caractère favorable dans une situation donnée peut devenir inutile, voire nuisible, dans d'autres contextes. La sélection naturelle est toujours à l'œuvre, mais les caractères favorables varient selon le milieu et le contexte où les espèces vivent et se reproduisent.

Dans la prochaine section, nous allons examiner le vaste éventail d'observations qui étayent la vision darwinienne de l'évolution par sélection naturelle.

RETOUR SUR LE CONCEPT 22.2

1. Comment le concept de descendance avec modification explique-t-il autant l'unité que la diversité du vivant?
2. **ET SI? ▶** Imaginez que vous découvrez un fossile d'un mammifère éteint qui vivait en haute altitude dans les Andes. À votre avis, ce mammifère ressemblerait-il davantage aux mammifères qui vivent aujourd'hui dans les jungles d'Amérique du Sud ou à ceux qui vivent maintenant en haute altitude dans les montagnes africaines? Pourquoi?
3. **FAITES DES LIENS ▶** Révisez les relations entre le génotype et le phénotype (voir les figures 14.4 et 14.6). Supposons que, dans une population donnée de pois, les fleurs au phénotype blanc sont favorisées par la sélection naturelle. Qu'adviendrait-il avec le temps de la fréquence de l'allèle *p* dans la population? Expliquez votre raisonnement.

Voir les réponses proposées à l'appendice A.

CONCEPT 22.3

Une somme considérable de données scientifiques atteste l'évolution

Dans *De l'origine des espèces,* Darwin compile un vaste ensemble de données à l'appui du concept de descendance avec modification. Malgré tout, on l'a vu, il lui manquait certaines données clés. Ainsi, il parlait de l'origine des plantes à fleurs comme d'un «abominable mystère» et déplorait le manque de fossiles révélant comment d'anciens groupes d'organismes en avaient engendré de nouveaux.

Depuis un siècle et demi, de nouvelles découvertes ont comblé plusieurs des lacunes dont se plaignait Darwin. Par exemple, l'origine des plantes à fleurs est beaucoup mieux comprise (voir le concept 30.3), et on a découvert de nombreux fossiles qui clarifient l'origine de nouveaux groupes d'organismes (voir le concept 25.2). Dans cette section, nous passons en revue quatre types de données qui documentent l'évolution et éclairent les processus par lesquels elle se produit: les observations directes de changements apportés par l'évolution; l'homologie; les archives fossiles; et la biogéographie.

Les observations directes de changements apportés par l'évolution

Des milliers d'études scientifiques établissent les preuves des changements apportés par l'évolution. Nous examinerons un bon nombre de ces études dans ce chapitre et ceux qui suivent, mais penchons-nous dès maintenant sur deux exemples.

La sélection naturelle en réponse à l'introduction de nouvelles espèces végétales

Les herbivores disposent souvent d'adaptations qui les aident à se nourrir efficacement de leurs principales sources d'aliments. Mais que se passe-t-il lorsqu'ils commencent à se nourrir d'espèces végétales présentant des caractéristiques différentes de leurs sources habituelles?

Les punaises à épaules rouges (*Jadera haematoloma*) utilisent leur rostre, une pièce buccale en forme d'aiguille creuse, pour perforer les graines des fruits de diverses plantes dont elles se nourrissent; elles nous fournissent une formidable occasion d'étudier cette question. Dans le Sud de la Floride, les punaises à épaules rouges mangent les graines d'une plante indigène, le faux persil (*Cardiospermum corindum*). Cependant, comme cette plante est devenue rare dans le Centre de cet État, les punaises à épaules rouges s'y nourrissent maintenant des graines de savonnier (*Koelreuteria elegans*), un arbre originaire d'Asie introduit récemment en Amérique du Nord.

Les punaises à épaules rouges se nourrissent plus efficacement lorsque la longueur de la pièce buccale qui leur sert de paille est similaire à la profondeur à laquelle les graines sont enfouies dans le fruit. Or, le fruit du savonnier est constitué de trois lobes plats, et ses graines sont beaucoup plus près de la surface du fruit que les graines rondes et dodues du fruit du faux persil. Ces différences ont incité des chercheurs à prédire que, chez les populations qui se nourrissent du savonnier, la sélection naturelle favoriserait des pièces buccales plus courtes que chez les populations qui se nourrissent sur le faux persil, et leur prédiction s'est avérée (**figure 22.13**).

Les chercheurs ont également étudié l'évolution de la longueur du rostre de populations de punaises à épaules rouges qui se nourrissent de plantes introduites en Louisiane, en Oklahoma et en Australie. Dans chacun de ces endroits, le fruit des plantes nouvellement introduites est plus gros que celui de la plante indigène. Les chercheurs ont donc prédit que, chez les populations qui s'attaquent aux espèces introduites dans ces régions, l'évolution favoriserait un rostre *plus long*. Là encore, les données recueillies sur le terrain ont confirmé cette hypothèse.

Les changements observés dans la longueur du rostre des populations de punaises à épaules rouges ont eu d'importantes conséquences. En Australie, par exemple, l'allongement de leur rostre a presque doublé leur capacité de se nourrir des graines des espèces introduites. Qui plus est, comme les données historiques indiquent que le faux persil n'a été introduit dans le Centre de la Floride que 35 ans avant le début des études scientifiques sur les punaises à épaules rouges, les résultats démontrent que la sélection naturelle peut entraîner une évolution rapide dans une population de type sauvage.

L'évolution des bactéries pharmacorésistantes

Les pathogènes pharmacorésistants (organismes et virus qui causent des maladies et qui ont acquis une résistance à un ou plusieurs médicaments) sont un exemple de sélection naturelle en cours qui a des répercussions considérables sur les humains. Le phénomène est particulièrement préoccupant dans le cas des virus et des bactéries, car leurs souches pharmacorésistantes peuvent proliférer très rapidement, comme en témoigne l'évolution de la résistance aux antibiotiques de la bactérie *Staphylococcus aureus*. Environ une personne sur trois héberge ce type de bactérie sur sa peau ou dans ses voies nasales sans éprouver le moindre problème. Cependant, certaines souches (variétés génétiques) de cette espèce, les *S. aureus* résistants à la méthicilline (SARM), sont hautement pathogènes et extrêmement dangereuses. La plupart des infections à SARM sont attribuables à des souches apparues récemment, comme le clone USA300, une souche «mangeuse de chair» qui cause des infections potentiellement fatales (**figure 22.14**). Comment cette souche de SARM et d'autres sont-elles devenues si dangereuses?

En fait, l'histoire commence en 1943, quand la pénicilline est devenue le premier antibiotique utilisé à grande échelle. Depuis, la pénicilline et d'autres antibiotiques ont sauvé des millions de vies. Cependant, en 1945, plus de 20% des souches de *S. aureus* isolées dans les hôpitaux étaient déjà résistantes à la pénicilline; elles possédaient une enzyme, la pénicillinase, capable de détruire la pénicilline. Les chercheurs ont répliqué en créant des antibiotiques qui échappaient à l'action de la pénicillinase, mais, en l'espace de quelques années, certaines populations de *S. aureus* ont acquis une résistance à chacun de ces nouveaux médicaments.

En 1959, les médecins ont alors commencé à utiliser la méthicilline, un nouvel antibiotique prometteur. Deux ans plus tard, on observait l'apparition des premières souches de *S. aureus* résistantes à la méthicilline. Comment ces souches résistantes sont-elles apparues? La méthicilline agit en désactivant une enzyme que la bactérie utilise pour synthétiser ses parois cellulaires. Cependant, en analysant des populations de *S. aureus*, on a constaté que certaines bactéries réussissaient à synthétiser leurs parois cellulaires en utilisant une autre enzyme qui, elle, échappait à l'action de la méthicilline. Comme ces bactéries étaient plus nombreuses que les autres à survivre aux traitements à la méthicilline, elles se sont davantage reproduites. Avec le temps, les bactéries résistantes se sont ainsi multipliées, d'où la propagation du SARM.

Au début, on pouvait lutter contre le SARM en faisant appel à d'autres antibiotiques qui agissaient différemment de la méthicilline. Cependant, cette solution est devenue de moins en moins efficace, car certaines souches ont acquis une résistance à plusieurs antibiotiques – probablement parce que les bactéries

DÉMARCHE SCIENTIFIQUE

INVESTIGATION

▼ **Figure 22.13**

Un changement de la source alimentaire d'une population peut-il entraîner une évolution par sélection naturelle ?

■ **HYPOTHÈSE** ■ Si un changement d'alimentation des punaises peut provoquer, par sélection naturelle, un changement conséquent de la forme de leur rostre, l'introduction de fruits dont la graine est enfouie plus profondément devrait favoriser dans une population de punaises à rostre court une évolution de cette population vers un rostre plus long en moyenne.

■ **EXPÉRIENCE** ■ Les punaises à épaules rouges se nourrissent plus efficacement lorsque la longueur de leur rostre est similaire à la profondeur à laquelle se trouvent les graines dans les fruits dont elles se nourrissent. Scott Carroll et ses collègues ont mesuré la longueur du rostre chez des populations de punaises à épaules rouges qui se nourrissent des graines de faux persil, une plante indigène, ainsi que chez des populations du même insecte qui, elles, se nourrissent des graines d'une plante introduite, le savonnier. Les chercheurs ont ensuite comparé leurs mesures à celles de spécimens conservés dans les musées et provenant de ces deux régions de la Floride avant l'introduction du savonnier.

▲ **Punaise à épaules rouges dont le rostre est plongé dans le fruit du faux persil.**

■ **RÉSULTATS** ■ Chez les populations qui se nourrissent de l'espèce introduite, le rostre est plus court que celui des populations qui se nourrissent de l'espèce indigène, dont les graines sont enfouies plus profondément dans les fruits. Pour chacune des populations, la longueur moyenne du rostre chez les spécimens de musée (flèches rouges) est similaire à la longueur du rostre chez les populations qui se nourrissent sur l'espèce indigène.

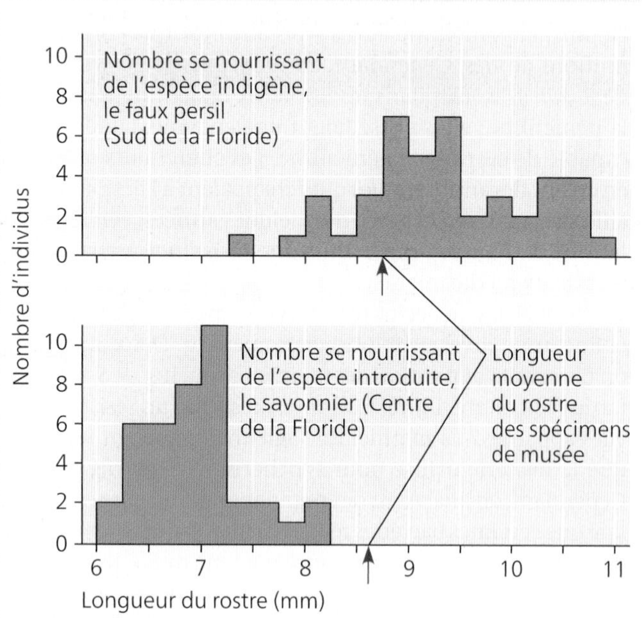

■ **CONCLUSION** ■ Les caractéristiques des spécimens de musée et les données contemporaines indiquent qu'un changement de la taille des fruits sur lesquels se nourrissent les punaises à épaules rouges peut produire une évolution par sélection naturelle favorisant un rostre mieux adapté à leur alimentation.

Source des données: S. P. Carroll et C. Boyd, Host race radiation in the soapberrybug: Natural history with the history, *Evolution* 46: 1052-1069 (1992).

ET SI ? ▶ Dans une autre étude, les chercheurs ont nourri avec des graines de savonnier une population de punaises à épaules rouges qui, avant l'éclosion des œufs, avait été nourrie de faux persil (et inversement, ils ont nourri la progéniture de punaises adaptées au savonnier avec des graines de faux persil). On a constaté qu'une fois la progéniture à l'âge adulte, la longueur du rostre de ces insectes était similaire à celle observée dans la population d'où ils provenaient. Selon vous, quels résultats pourrait-on observer après plusieurs générations nourries de cette façon ?

peuvent échanger des gènes avec des membres de leur espèce, mais aussi avec d'autres espèces apparentées (voir le concept 27.2). En somme, les souches multirésistantes d'aujourd'hui sont apparues avec le temps à mesure que des souches de SARM résistantes à divers antibiotiques échangeaient des gènes.

Notez que *S. aureus* n'est pas la seule bactérie pathogène qui a acquis une résistance à de nombreux antibiotiques. De plus, au cours des dernières décennies, la résistance bactérienne aux antibiotiques a été plus rapide que la mise au point de nouveaux antibiotiques, ce qui constitue un problème de santé

▼ Figure 22.14 Le clone USA300: une souche virulente de *Staphylococcus aureus* résistant à la méthicilline (SARM). Résistantes à de multiples antibiotiques et hautement contagieuse, cette souche et ses proches parentes peuvent causer des infections de la peau, des poumons et du sang qui peuvent entraîner la mort. Comme on peut le voir ci-dessous, les chercheurs ont repéré les zones clés du génome du USA300 constituant le code de ses propriétés virulentes.

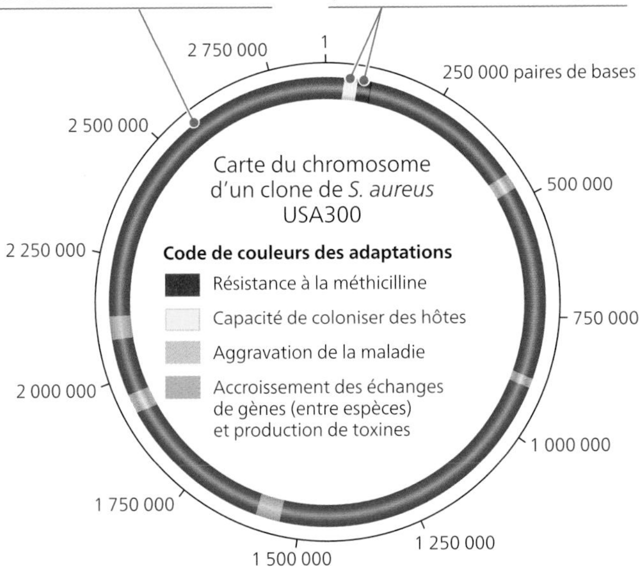

ET SI ? ▶ Les chercheurs tentent actuellement de mettre au point des médicaments qui ciblent spécifiquement *S. aureus* et d'autres qui ralentissent la croissance du SARM sans le tuer. Compte tenu de ce que vous savez sur la sélection naturelle et du fait que les différentes espèces bactériennes peuvent échanger des gènes, expliquez pourquoi chacune de ces stratégies pourrait être efficace.

publique très préoccupant. Toutefois, certaines avancées semblent prometteuses. Par exemple, en 2015, des chercheurs ont découvert un nouvel antibiotique, la teixobactine, qui permettra peut-être de traiter les infections à SARM et d'autres infections bactériennes. Et comme nous le verrons dans l'exercice de la rubrique Habiletés scientifiques du chapitre 27, les méthodes utilisées dans la découverte de la teixobactine pourraient mener à la découverte d'autres nouveaux antibiotiques.

Les exemples des punaises à épaules rouges et de la bactérie *S. aureus* illustrent trois points clés concernant la sélection naturelle. Premièrement, il s'agit d'un processus de « multiplication » et non d'un processus de création. Un médicament *ne crée pas* de pathogènes pharmacorésistants ; il ne fait que favoriser la *sélection* des individus résistants déjà présents dans la population. Deuxièmement, chez les espèces qui produisent rapidement de nouvelles générations, l'évolution par sélection naturelle peut avoir lieu en peu de temps, c'est-à-dire en quelques décennies (punaises à épaules rouges) ou en quelques années seulement (*S. aureus*). Troisièmement, la sélection naturelle repose sur le moment et l'endroit : elle favorise chez une population génétiquement variable les caractéristiques qui lui procurent un avantage dans son environnement actuel. Or, ce qui est avantageux dans une situation donnée peut se révéler inutile, voire nuisible, dans une autre. Ainsi, la longueur idéale du rostre des punaises à épaules rouges est celle qui convient le mieux à la taille du fruit sur lequel se nourrit une population donnée ; un rostre qui convient parfaitement à un fruit d'une certaine taille peut devenir un désavantage lorsque l'insecte se nourrit sur un fruit d'une autre taille.

L'homologie

L'analyse des similarités entre divers organismes constitue un deuxième ensemble de données attestant l'évolution. On l'a dit, l'évolution est un processus de descendance avec modification : avec le temps, les caractéristiques d'un organisme (l'ancêtre) sont modifiées (par sélection naturelle) chez ses descendants en fonction des conditions environnementales auxquelles ces derniers sont soumis. Résultat : des espèces reliées ont des caractéristiques communes qui présentent une similarité sous-jacente bien que leur fonctionnement diffère. Cette similarité qui résulte d'une ascendance commune s'appelle l'**homologie**. Comme nous le verrons dans cette section, l'homologie permet de formuler des prédictions vérifiables et d'expliquer des observations qui, autrement, seraient déroutantes.

L'homologie anatomique et moléculaire

Envisager l'évolution comme un processus de remodelage amène à prédire que des espèces étroitement reliées présenteront des caractéristiques similaires, ce qui est effectivement le cas. Bien sûr, les espèces étroitement reliées ont en commun les caractéristiques qui ont servi à déterminer leur relation, mais elles partagent aussi de nombreuses autres caractéristiques. Certaines d'entre elles ne s'expliquent pas autrement que dans le contexte de l'évolution. Ainsi, bien que les membres antérieurs de l'humain, du chat, de la baleine, de la chauve-souris et de tous les autres mammifères remplissent des fonctions fort différentes – soulever, marcher, nager et voler –, ces appendices se composent des mêmes éléments osseux de l'épaule jusqu'au bout des doigts (**figure 22.15**).

Des similarités anatomiques aussi frappantes n'existeraient pas si ces structures étaient apparues à partir de rien chez chaque espèce. Or, les structures squelettiques des membres, des nageoires et des ailes des divers mammifères sont des **structures homologues**, c'est-à-dire des variations fonctionnelles sur un même thème structural présent chez l'ancêtre commun. De plus, l'embryologie comparative, qui consiste à comparer les premiers stades du développement chez divers animaux, révèle des homologies anatomiques invisibles chez les organismes adultes. Par exemple, à certains stades de leur développement, tous les embryons des vertébrés ont une queue postanale (derrière l'anus), ainsi que des structures appelées sacs branchiaux dans la région de la gorge (**figure 22.16**). Au cours du développement, ces poches pharyngiennes deviennent des structures homologues aux fonctions extrêmement différentes : par exemple, les sacs branchiaux se transforment en branchies chez les poissons, et en parties auditives et gutturales chez l'humain et d'autres mammifères.

Parmi les structures homologues les plus singulières figurent les **organes vestigiaux** ; leur utilité est marginale ou nulle, mais ils témoignent de l'existence de structures très anciennes qui remplissaient d'importantes fonctions chez les ancêtres des

▼ **Figure 22.15 Les structures homologues des membres antérieurs des mammifères.** Bien qu'ils se soient adaptés pour des fonctions différentes, les membres antérieurs de tous les mammifères comprennent les mêmes éléments osseux: un os volumineux (en mauve), attaché à deux os plus petits (en orangé foncé et clair), se prolongeant eux-mêmes par plusieurs petits os (en jaune), sur lesquels s'attachent les métacarpes (en vert), prolongés par environ cinq doigts ou phalanges (en bleu).

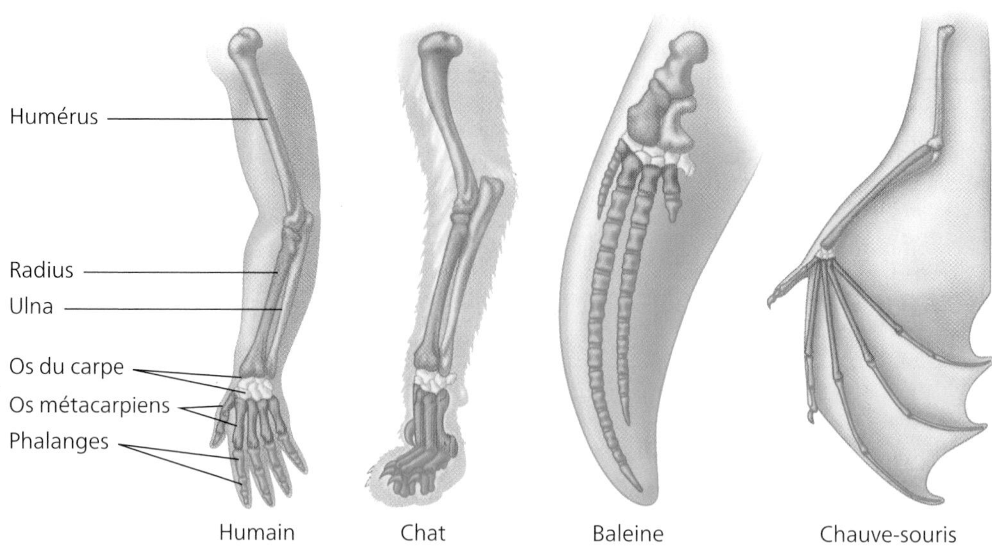

▼ **Figure 22.16 Les similitudes anatomiques chez les embryons de vertébrés.** À un certain stade de leur développement embryonnaire, tous les vertébrés présentent une queue localisée à la partie postérieure de l'anus (la queue postanale) ainsi que des poches pharyngiennes (les sacs branchiaux). De telles similitudes peuvent s'expliquer par le fait qu'ils possèdent un ancêtre commun.

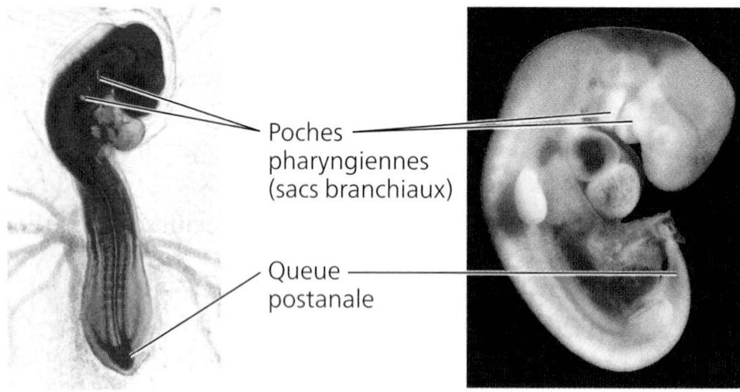

organismes qui en étaient dotés. Par exemple, certains serpents ont conservé des vestiges des os du bassin et des pattes de certains de leurs ancêtres marcheurs. Certaines espèces de poissons aveugles des cavernes possèdent des vestiges d'yeux sous leurs écailles. Ces structures vestigiales n'auraient aucune raison d'être si ces animaux avaient des origines distinctes de celles d'autres vertébrés.

Les biologistes observent aussi des similarités moléculaires entre les organismes. Toutes les formes de vie font essentiellement appel au même code génétique, ce qui donne à penser que toutes les espèces descendent d'un ancêtre commun. On pourrait objecter que le code est universel en raison de contraintes d'ordre chimique et que le fait qu'il soit universel n'implique pas nécessairement une origine commune de toutes les espèces, mais de nombreux faits prouvent que de telles contraintes n'existent pas. Les homologies moléculaires vont au-delà du partage du code. Des organismes aussi différents que les humains et les bactéries possèdent beaucoup de gènes en commun qu'ils ont hérités d'un ancêtre commun éloigné. Certains de ces gènes homologues ont acquis de nouvelles fonctions, tandis que d'autres ont conservé leurs fonctions originales, tels ceux qui codent pour les sous-unités ribosomiques utilisées pour la synthèse des protéines (voir la figure 17.18). Il est assez commun que des gènes aient perdu leurs fonctions chez certains organismes, alors que ces gènes homologues sont encore fonctionnels chez des espèces apparentées. Comme les structures vestigiales, il semble que ces «pseudogènes» inactifs sont présents simplement parce qu'ils l'étaient chez un ancêtre commun.

Les homologies et la «pensée arborescente»

Certaines caractéristiques homologues, comme le code génétique, sont communes à toutes les formes de vie, car elles appartiennent à un passé ancestral lointain mais commun. En revanche, c'est dans les ramifications secondaires de l'arbre de la vie que l'on observe les homologies découlant d'une évolution plus récente. C'est le cas, par exemple, de tous les tétrapodes (du grec *tetra*, «quatre», et *pod*, «pied»), cette branche des vertébrés regroupant les amphibiens, les mammifères et les reptiles. Comme tous les vertébrés, les tétrapodes possèdent une colonne vertébrale, mais contrairement à d'autres vertébrés, ils ont aussi des membres composés d'une même structure à cinq doigts (voir la figure 22.15). Les homologies forment donc une configuration ramifiée montrant que tous les êtres vivants partagent un ensemble de caractéristiques lointaines représentant un tronc commun (dans le cas présent, tous les vertébrés ont une colonne vertébrale). À ce tronc est venue se greffer une série de nouveaux embranchements successifs au sein desquels se sont ajoutées de nouvelles homologies (dans le cas présent, tous les tétrapodes ont une colonne vertébrale *et* une structure à cinq doigts), et celles-ci ont contribué à caractériser des groupes de rang supérieur, et ainsi de suite. Cette configuration ramifiée correspond exactement au modèle de la descendance avec modification d'un ancêtre commun.

Les biologistes représentent souvent la descendance d'ancêtres communs et les homologies qui en résultent par un **arbre phylogénétique**, un diagramme qui reflète les relations résultant de l'évolution entre des groupes d'organismes. C'est donc un arbre d'évolution d'un type plus spécifique, puisqu'il tient compte des filiations génétiques dans le temps. Nous examinerons plus en détail ces arbres d'évolution au chapitre 26, mais voyons dès maintenant comment on peut les interpréter et les utiliser.

La **figure 22.17** est un arbre phylogénétique des tétrapodes et de leurs plus proches parents vivants, les dipneustes. Dans ce diagramme, chaque embranchement représente l'ancêtre commun de toutes les espèces qui en descendent (à droite). Par exemple, les dipneustes et tous les tétrapodes descendent de l'ancêtre ①, tandis que les mammifères, les lézards et les serpents, les crocodiles et les oiseaux descendent tous de l'ancêtre ③. Comme on pouvait s'y attendre, les trois homologies signalées sur l'arbre – des membres avec des doigts, un amnios (une membrane embryonnaire protectrice) et des plumes – forment une configuration ramifiée. Comme ils étaient présents chez l'ancêtre commun ②, tous les descendants de cet ancêtre (les tétrapodes) possèdent des membres munis de doigts. L'amnios, qui n'était présent que chez l'ancêtre ③, n'est donc partagé que par certains tétrapodes (les mammifères et les reptiles). Quant aux plumes, comme elles n'étaient présentes que chez l'ancêtre commun ⑥, on ne les trouve que chez les oiseaux.

Notez que, dans cette figure, les mammifères sont placés plus près des amphibiens que des oiseaux. À première vue, on pourrait en conclure que les mammifères sont plus proches des amphibiens que des oiseaux. En fait, c'est le contraire, car les mammifères et les oiseaux ont un ancêtre commun (ancêtre ③) plus récent que l'ancêtre commun des mammifères et des amphibiens (ancêtre ②). L'ancêtre ② est aussi le plus récent ancêtre commun des oiseaux et des amphibiens, de sorte que la proximité de la relation des mammifères et des oiseaux est équivalente à celle de la relation entre les oiseaux et les amphibiens. Remarquez également que cet arbre montre le moment approximatif des événements relatifs à l'évolution, mais ne précise pas leurs dates. On sait donc que l'ancêtre ② a vécu avant l'ancêtre ③, mais on ignore quand.

Les arbres d'évolution sont des hypothèses qui résument notre conception actuelle des modes de descendance. Comme pour toute hypothèse, notre degré de confiance en ces relations hypothétiques dépend de la solidité des données sur lesquelles elles reposent. L'arbre présenté à la figure 22.17 a été construit à partir de données provenant de nombreuses études, notamment de données anatomiques et de données de séquençage d'ADN. Les biologistes ont donc toutes les raisons de supposer qu'il reflète avec exactitude l'histoire de l'évolution. Les scientifiques peuvent utiliser de tels arbres d'évolution solidement documentés pour avancer des prédictions précises et parfois étonnantes sur des organismes (voir la figure 26.17).

Une autre cause de ressemblance: l'évolution convergente

Si des organismes étroitement reliés présentent des caractéristiques communes en raison de leur ascendance commune, des organismes aux relations lointaines peuvent aussi se ressembler, mais pour une tout autre raison. En effet, une certaine ressemblance peut aussi découler de l'**évolution convergente**, un processus qui mène de façon indépendante à l'apparition de caractères similaires chez des lignées différentes. Pour illustrer cette notion, comparons les deux groupes de mammifères que forment les marsupiaux et les placentaires. Les marsupiaux sont surtout présents en Australie et se caractérisent par un développement embryonnaire qui commence dans l'utérus maternel et se poursuit dans une poche ventrale. Ils se distinguent des placentaires, dont le développement embryonnaire se déroule entièrement dans l'utérus. Malgré ces différences importantes, certains marsupiaux australiens ressemblent à première vue à des mammifères placentaires habitant d'autres continents: ils présentent des adaptations semblables, puisqu'ils sont dotés les uns et les autres de membranes qui leur permettent de planer d'un arbre à l'autre. Ainsi, le phalanger du sucre (*Petaurus breviceps*), un marsupial arboricole, ressemble en apparence à l'écureuil volant (*Glaucomys volans*), un placentaire qui saute d'arbre en arbre dans les forêts d'Amérique du Nord (**figure 22.18**). Cependant, le phalanger possède tous les autres caractères qui en font un marsupial, et il est beaucoup plus proche du kangourou

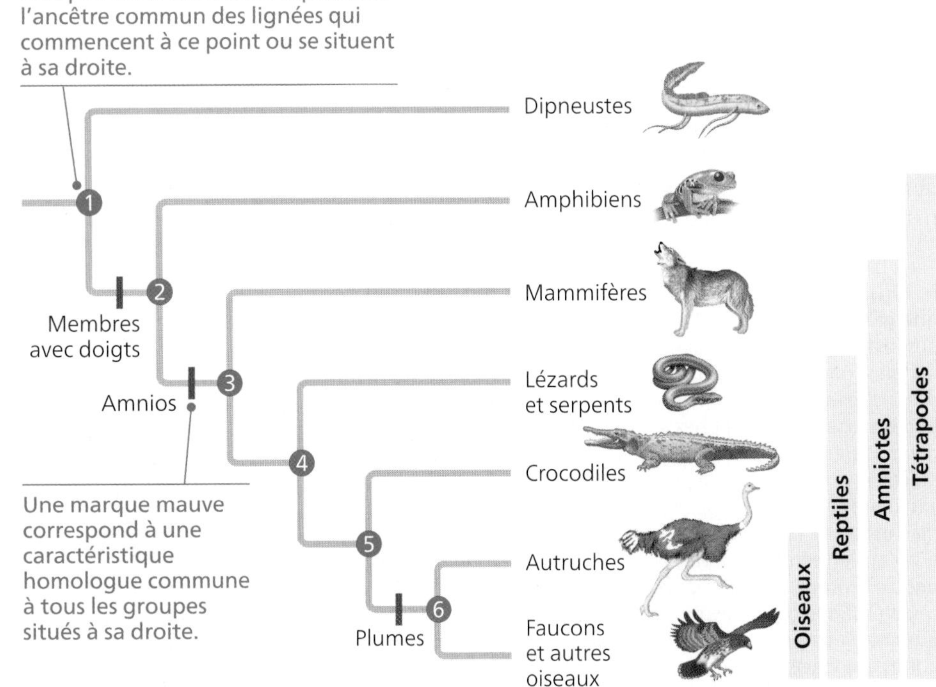
Chaque embranchement représente l'ancêtre commun des lignées qui commencent à ce point ou se situent à sa droite.
Dipneustes
Amphibiens
Mammifères
Lézards et serpents
Crocodiles
Autruches
Faucons et autres oiseaux
1
2
3
4
5
6
Membres avec doigts
Amnios
Plumes
Une marque mauve correspond à une caractéristique homologue commune à tous les groupes situés à sa droite.
Oiseaux
Reptiles
Amniotes
Tétrapodes

▶ **Figure 22.17 La pensée arborescente: l'information fournie par un arbre phylogénétique (arbre d'évolution).** Cet **arbre phylogénétique** des tétrapodes et de leurs plus proches parents vivants, les dipneustes, repose sur des données anatomiques et des données de séquençage d'ADN. Les barres mauves indiquent l'apparition de trois homologies importantes, qui n'ont évolué qu'une fois chacune. Ainsi, le groupe des oiseaux est un embranchement du groupe des reptiles; techniquement, le groupe d'organismes appelé «reptiles» inclut donc les oiseaux.

HABILETÉS VISUELLES ▶ D'après cet arbre phylogénétique, les crocodiles sont-ils plus étroitement reliés aux lézards ou aux oiseaux? Expliquez votre réponse.

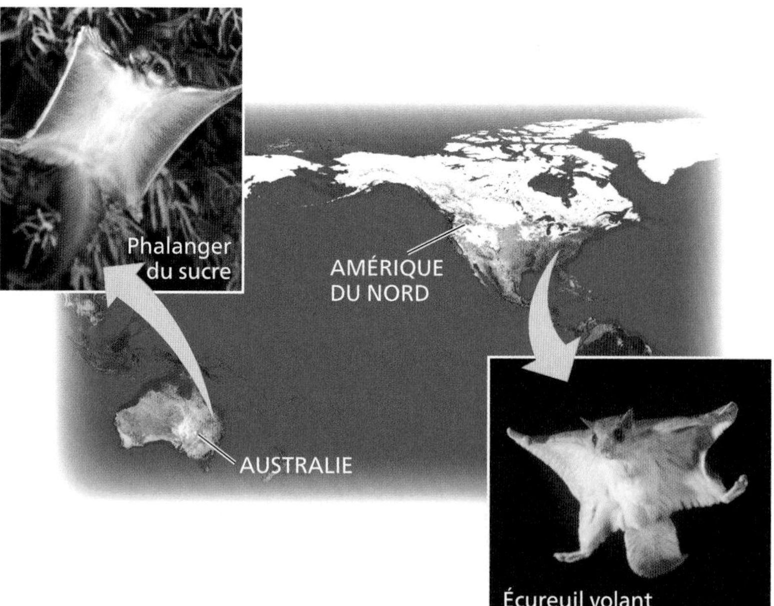

▲ **Figure 22.18 L'évolution convergente.** La capacité de planer est le résultat d'une évolution indépendante pour ces deux mammifères dont la parenté est très lointaine.

et d'autres marsupiaux australiens que de l'écureuil volant ou de tout autre mammifère placentaire. Là encore, ce que nous savons de l'évolution explique ces observations. Bien qu'ils aient évolué indépendamment, à partir d'ancêtres différents, ces deux mammifères se sont adaptés de manière similaire à un environnement semblable. Quand des espèces présentent des caractéristiques communes en raison d'une évolution convergente, on parle de caractéristiques **analogues** et non pas homologues. Les caractéristiques analogues remplissent une fonction similaire, mais elles ne découlent pas d'une ascendance commune. En cela, elles s'opposent aux caractéristiques homologues, qui viennent d'une ascendance commune mais ne remplissent pas forcément une fonction similaire.

Les archives fossiles

Le troisième ensemble de données qui atteste l'évolution nous vient des fossiles. Comme l'explique plus en détail le chapitre 25, les archives fossiles documentent le modèle de l'évolution, démontrant que les organismes du passé différaient des organismes actuels et que de nombreuses espèces se sont éteintes.

Les fossiles témoignent également des changements évolutifs survenus chez divers groupes d'organismes. Pour ne donner qu'un exemple parmi tant d'autres, les chercheurs ont découvert que, sur une période de plusieurs milliers d'années, la taille de l'os iliaque du poisson qu'on appelle l'épinoche a considérablement diminué avec le temps. La nature constante de ce changement au fil du temps donne à penser que cette réduction de la taille de l'os iliaque résulte de la sélection naturelle.

Les fossiles peuvent également nous éclairer quant aux origines de nouveaux groupes d'organismes. Les archives fossiles des cétacés, cet ordre de mammifères qui comprend la baleine, le cachalot et le dauphin, en sont un bon exemple. Certains de ces fossiles (**figure 22.19**) ont permis d'étayer solidement une hypothèse émise à partir de données sur les séquences d'ADN, selon laquelle les cétacés sont étroitement reliés aux artiodactyles (du grec *artios,* « pair », et *dactylos*, « doigt »), un groupe d'ongulés qui inclut les hippopotames, les cochons, les cerfs et les vaches.

Qu'est-ce que les fossiles peuvent nous apprendre d'autre sur l'origine des cétacés ? Les premiers cétacés ont vécu il y a de cela 50 à 60 millions d'années. Les archives fossiles indiquent qu'avant cette époque la plupart des mammifères étaient terrestres. Les scientifiques avaient compris il y a longtemps que les baleines et autres cétacés étaient issus de mammifères terrestres, mais on n'avait trouvé peu de fossiles qui auraient pu témoigner de la façon dont la structure des membres des cétacés avait évolué avec le temps pour entraîner la perte des membres postérieurs et le développement d'une nageoire caudale à deux lobes (sur la queue d'une baleine) et de nageoires latérales. Cependant, au cours des dernières décennies, on a découvert des séries de fossiles remarquablement conservés au Pakistan, en Égypte et en Amérique du Nord. Ces fossiles apportent des indices des étapes de la transition de la vie terrestre à la vie marine, et comblent certaines lacunes dans notre compréhension de l'évolution des ancêtres des cétacés vers leur forme actuelle (**figure 22.20**).

Collectivement, les récentes découvertes de fossiles éclairent l'origine d'un groupe d'animaux : les cétacés. Ces découvertes montrent aussi que les cétacés d'aujourd'hui sont beaucoup plus différents de leurs proches parents actuels (hippopotames et autres groupes d'artiodactyles) que l'étaient le *Pakicetus* et les anciens artiodactyles comme le *Diacodexis* (**figure 22.21**). Ce modèle est attesté par l'existence de fossiles qui témoignent des origines d'autres groupes d'organismes, y compris des mammifères (voir la figure 34.42), des plantes à fleurs (voir la figure 30.14) et des tétrapodes (voir la figure 34.21). Dans

► **Figure 22.19 Les os de la cheville : une pièce du casse-tête.** La comparaison entre des fossiles et des exemplaires contemporains du talus (un des os de la cheville) fournit des indices sur la proche parenté des cétacés et des artiodactyles. **(a)** Chez la plupart des mammifères, la forme du talus est celle du talus du chien, avec une double protubérance à une extrémité (flèches rouges), mais pas à l'autre (flèche bleue). **(b)** Les fossiles montrent que l'ancien cétacé *Pakicetus* avait un talus à double protubérance aux deux extrémités, une caractéristique qu'on ne trouve plus aujourd'hui que chez le cochon **(c)**, le cerf **(d)** et tous les autres artiodactyles.

La majorité des mammifères

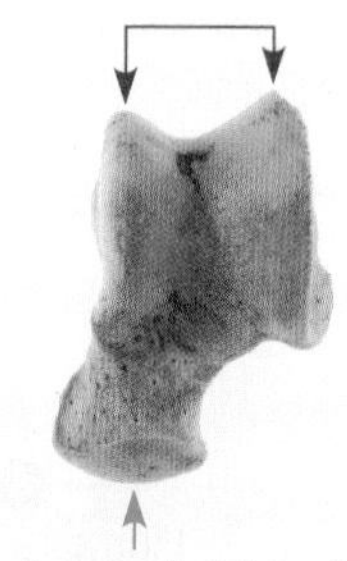

(a) *Canis* (chien)

Cétacés et artiodactyles

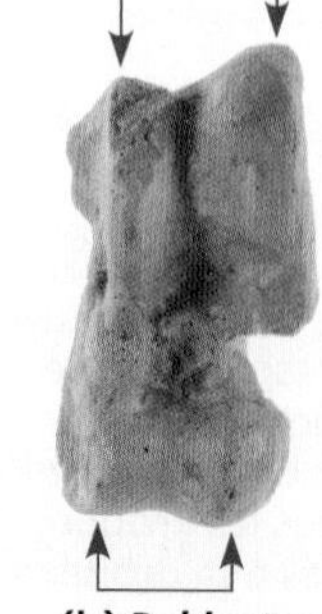

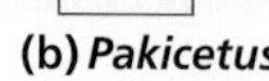

(b) *Pakicetus*

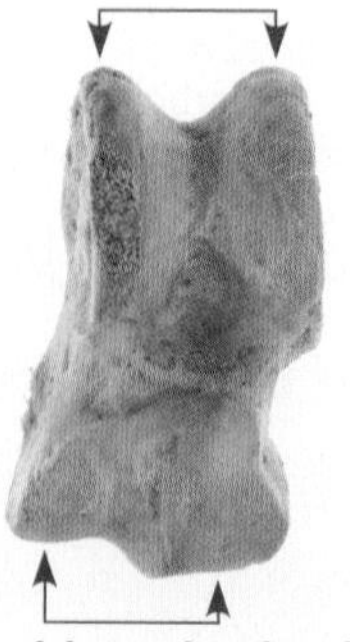

(c) *Sus* (cochon)

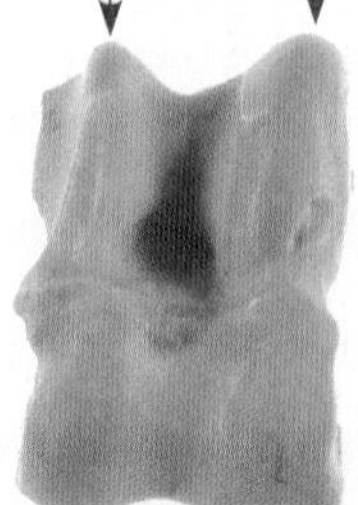

(d) *Odocoileus* (cerf)

▼ **Figure 22.20 La transition vers la vie marine.** De multiples sources de données appuient l'hypothèse selon laquelle les cétacés (surlignés en jaune) ont évolué à partir de mammifères terrestres. Les fossiles documentent la réduction au fil du temps du bassin et des membres postérieurs de cétacés aujourd'hui éteints (†), notamment les animaux des genres *Pakicetus*, *Rodhocetus* et *Dorudon*. Les données de séquençage d'ADN étayent l'hypothèse selon laquelle les cétacés sont les plus proches parents vivants des hippopotamidés, un sous-groupe des artiodactyles.

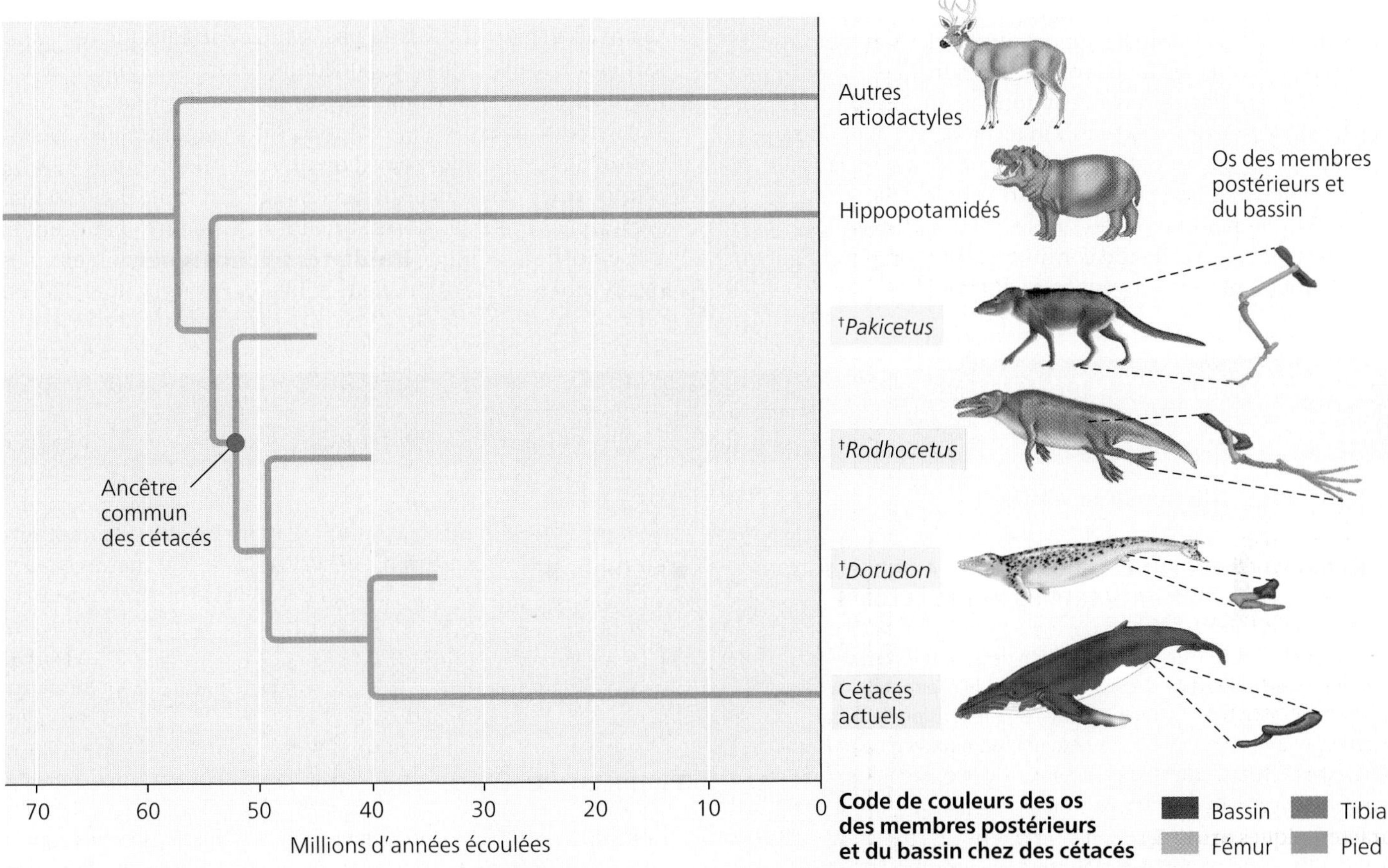

HABILETÉS VISUELLES ▶ Utilisez ce diagramme pour indiquer quel changement est apparu en premier au cours de l'évolution des cétacés: les modifications structurales des membres postérieurs ou la formation des lobes de la nageoire caudale? Expliquez votre réponse.

chacun de ces cas, les archives fossiles montrent qu'au fil du temps la descendance avec modification a entraîné des différences de plus en plus importantes entre les groupes d'organismes reliés, ce qui a produit la diversité du vivant que nous connaissons aujourd'hui.

▼ **Figure 22.21 Un ancien artiodactyle aujourd'hui éteint, appartenant au genre *Diacodexis*.**

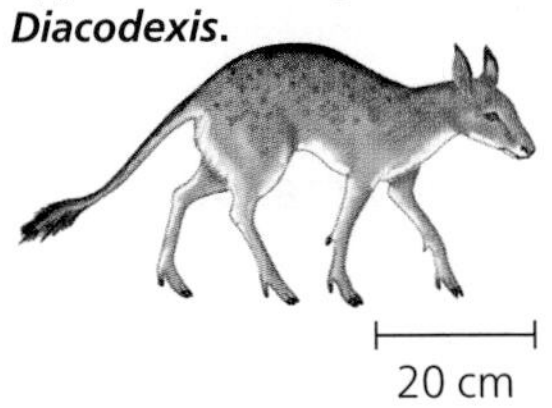

20 cm

La biogéographie

Le quatrième ensemble de données qui prouve l'évolution nous vient de la **biogéographie**, c'est-à-dire de l'étude scientifique des distributions géographiques des espèces. Plusieurs facteurs influent sur les distributions géographiques des organismes, notamment la dérive des continents, c'est-à-dire le lent déplacement des continents au fil du temps. Il y a environ 250 millions d'années, toutes les masses continentales de la Terre étaient plus ou moins soudées en un seul continent qu'on appelle la **Pangée** (voir la figure 25.16). Il y a quelque 200 millions d'années, la Pangée a commencé à se diviser en gros blocs et, il y a 20 millions d'années, les continents que nous connaissons aujourd'hui étaient situés à quelques centaines de kilomètres de leur localisation actuelle.

Nous pouvons utiliser ce que nous savons de l'évolution et de la dérive des continents pour prédire dans quels endroits on devrait trouver des fossiles des divers groupes d'organismes. Ainsi, les scientifiques ont construit des arbres d'évolution des chevaux en se basant sur des données anatomiques. Ces arbres et l'âge des fossiles des ancêtres du cheval portent à croire que le genre auquel appartiennent les espèces actuelles de chevaux (*Equus*) est apparu il y a 5 millions d'années en Amérique du Nord. Les études géologiques indiquent qu'à cette époque, l'Amérique du Nord et l'Amérique du Sud ne s'étaient pas encore reliées, de sorte que les chevaux auraient eu de la difficulté à traverser d'un continent à l'autre. On pouvait donc prédire que les plus anciens fossiles de chevaux se retrouveraient uniquement sur le continent dont ces chevaux sont originaires, soit l'Amérique du Nord. Cette prédiction et d'autres du même type concernant divers groupes d'organismes ont été confirmées, ce qui fournit d'autres preuves de l'évolution.

Nous pouvons également utiliser notre compréhension de l'évolution pour expliquer des données biogéographiques. Ainsi, les îles hébergent généralement de nombreuses espèces végétales et animales **endémiques** (c'est-à-dire qu'on ne trouve nulle part ailleurs dans le monde). Néanmoins, comme l'a décrit Darwin dans *De l'origine des espèces*, la plupart des espèces insulaires sont étroitement reliées aux espèces du continent le plus proche ou d'une île voisine. Darwin a supposé que les îles sont colonisées par des espèces du continent voisin. À mesure que ces colonisateurs s'adaptent à leur nouvel environnement, ils finissent par engendrer de nouvelles espèces. Un tel processus explique aussi pourquoi deux îles au milieu similaire, mais situées dans différentes parties du monde, tendent à être peuplées non pas par des espèces étroitement reliées les unes aux autres, mais plutôt par des espèces reliées à celles du continent le plus proche, même si l'environnement y est souvent assez différent.

En quoi la vision darwinienne du vivant est-elle encore une «théorie»?

Certains rejettent les idées de Darwin en alléguant qu'il s'agit d'une «simple théorie». Pourtant, nous avons pu constater que le *modèle* de l'évolution – l'observation du fait que le vivant évolue au fil du temps – a été documenté directement et qu'il est étayé par de multiples données. De plus, l'explication que donne Darwin du *processus* de l'évolution – la sélection naturelle est la principale cause des changements évolutifs observés – éclaire d'immenses quantités de données. Enfin, il est possible d'observer les effets de la sélection naturelle directement dans la nature. L'exercice de la rubrique **Habiletés scientifiques** qui suit nous donne un exemple d'expérience qui permet de le faire.

DÉMARCHE SCIENTIFIQUE
HABILETÉS SCIENTIFIQUES

Faire une prédiction et la vérifier

■ LA PRÉDATION PEUT-ELLE DONNER LIEU À UNE SÉLECTION NATURELLE FAVORISANT CERTAINS MOTIFS COLORÉS CHEZ LES GUPPYS ? ■ De nouvelles observations modifient continuellement notre compréhension de l'évolution en suscitant de nouvelles hypothèses; celles-ci, en retour, inspirent de nouvelles façons de vérifier et d'enrichir notre compréhension de la théorie de l'évolution. Prenons comme exemple les guppys (*Poecilia reticulata*) qui vivent dans des bassins communiquant avec des ruisseaux sur l'île de Trinidad, dans les Caraïbes. Les guppys mâles arborent des motifs vivement colorés. Ces motifs dépendent de gènes qui ne s'expriment que chez les mâles. Pour s'accoupler, les guppys femelles choisissent plus souvent les mâles aux couleurs vives que les mâles aux couleurs fades. Toutefois, ces mêmes couleurs vives qui attirent les femelles attirent également les prédateurs. Des chercheurs ont constaté que les couleurs vives semblent être plus avantageuses et davantage présentes dans les bassins qui abritent peu d'espèces prédatrices que dans ceux où règne une forte prédation.

Un des prédateurs des guppys, appelé fondule, se nourrit de jeunes guppys encore dépourvus de leur coloration adulte. Des chercheurs ont prédit que si on transférait les guppys adultes peu colorés dans un bassin contenant seulement des fondules, les descendants de ces guppys finiraient par être plus colorés (en raison de la préférence des femelles pour les mâles très colorés).

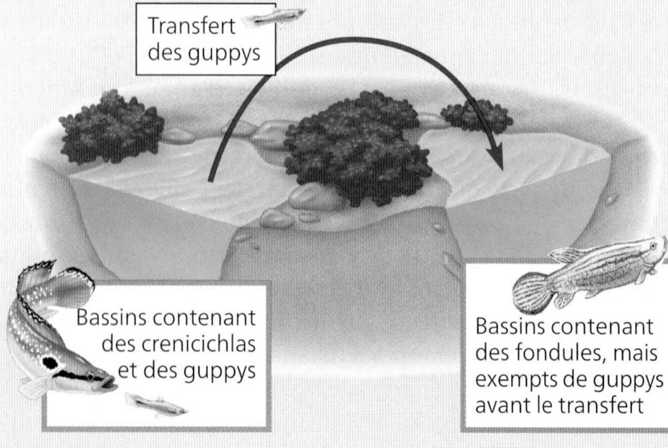

■ MÉTHODE ■ Les chercheurs ont capturé 200 guppys des bassins contenant des crenicichlas, prédateurs voraces des guppys adultes, et les ont transportés dans des bassins contenant des fondules, un prédateur moins vorace qui se nourrit principalement de jeunes guppys. Les chercheurs ont ensuite compté et noté le nombre de motifs très colorés des guppys mâles de chaque génération ainsi que l'aire corporelle totale couverte par ces motifs.

■ RÉSULTATS ■ Après 22 mois (15 générations), les chercheurs ont comparé les données sur la coloration de la population source avec les données sur la coloration de la population transplantée.

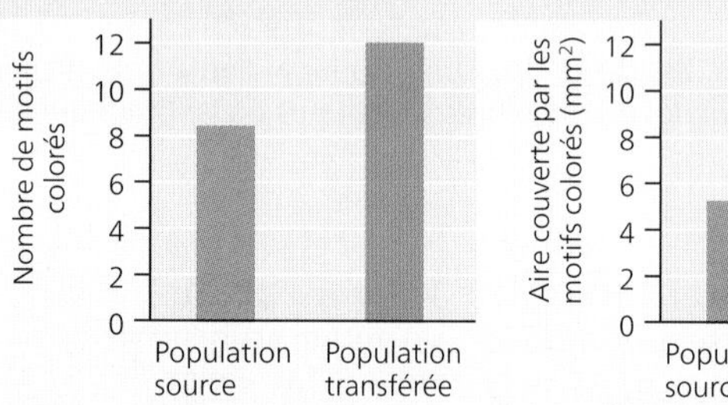

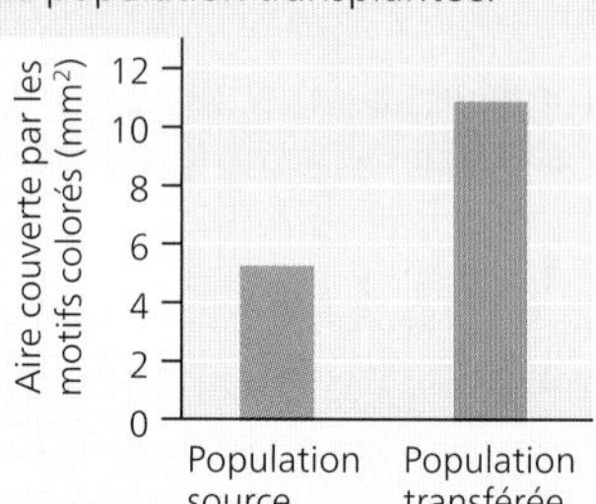

Source des données: J. A. Endler, Natural selection on color patterns in *Poecilia reticulata, Evolution* 34: 76-91 (1980).

INTERPRÉTEZ LES DONNÉES ▼

1. Dans cet exemple de démarche scientifique visant à vérifier une hypothèse, repérez les éléments suivants: (a) la question, (b) l'hypothèse, (c) la prédiction, (d) le groupe témoin et (e) le groupe expérimental. (Pour plus d'information sur la démarche scientifique, voir le chapitre 1 et l'appendice F.)
2. Expliquez comment le choix du type de données recueillies permet aux chercheurs de vérifier leur prédiction.
3. Quelle conclusion tirez-vous des données présentées ci-dessus ?
4. Selon vous, qu'arriverait-il si, après 22 mois, on remettait les guppys de la population transplantée dans le bassin source. Décrivez l'expérience qui vous permettrait de vérifier votre prédiction.

Alors en quoi l'évolution est-elle encore théorique? Souvenez-vous que le terme *théorie* n'a pas la même signification dans le domaine scientifique que dans le langage courant. Dans son emploi familier, le mot a sensiblement le sens que les scientifiques donnent au terme *hypothèse*; dans le langage courant, quelque chose de théorique est aussi possible qu'incertain. En science, une théorie est beaucoup plus globale qu'une hypothèse et, même si elle ne prétend pas offrir de certitude absolue, elle repose sur des bases solides. Une théorie scientifique comme la théorie de la sélection naturelle de Darwin rend compte d'un faisceau d'observations, et tente d'expliquer et d'intégrer une multitude de phénomènes divers. Une telle théorie unificatrice ne devient largement admise que si elle résiste à des vérifications systématiques et répétées sous forme d'expériences et de nombreuses observations (voir le concept 1.3). Comme nous le verrons dans la suite de cette partie du manuel, c'est assurément le cas pour la théorie de l'évolution par la sélection naturelle.

Le scepticisme qui pousse les chercheurs à continuer à tester les théories empêche qu'on érige ces idées en dogmes. Par exemple, alors que pour Darwin l'évolution était un processus extrêmement lent, nous savons maintenant que ce n'est pas toujours le cas: l'évolution d'une population peut se faire rapidement, de sorte que de nouvelles espèces peuvent se former sur des périodes de temps relativement courtes (quelques milliers d'années ou même moins). Qui plus est, les biologistes qui étudient l'évolution reconnaissent maintenant que la sélection naturelle n'est pas le seul mécanisme responsable de l'évolution. En effet, de nos jours, l'étude de l'évolution est plus vivante que jamais, et les scientifiques utilisent toutes sortes de méthodes expérimentales et d'analyses génétiques pour tester des hypothèses basées sur la sélection naturelle et sur d'autres mécanismes de l'évolution, comme l'épigénétique. Si la théorie de Darwin attribue la diversité de la vie à des processus naturels, les divers produits de l'évolution n'en sont pas moins élégants et inspirants. Comme l'écrivait Darwin dans le paragraphe de conclusion de son ouvrage *De l'origine des espèces*:

> N'y a-t-il pas une véritable grandeur dans cette manière d'envisager la vie [... où] une quantité infinie de belles et admirables formes, sorties d'un commencement si simple, n'ont pas cessé de se développer et se développent encore. (En fait, le tout dernier mot du dernier paragraphe de l'ouvrage était le verbe «évoluer»: «*endless forms most beautiful and most wonderful have been, and are being, evolved*», qui a été traduit par le terme «développer», par Edmond Barbier.)

RETOUR SUR LE CONCEPT 22.3

1. Expliquez pourquoi l'énoncé suivant est inexact: «Les antibiotiques ont créé une pharmacorésistance chez le SARM.»
2. Comment la théorie de Darwin explique-t-elle (a) le fait que les membres antérieurs des mammifères que montre la figure 22.15 soient similaires, mais aient des fonctions différentes, et (b) que les modes de vie de deux mammifères qui sont des cousins éloignés soient similaires (voir la figure 22.18)?
3. **ET SI?** ▶ Les fossiles nous apprennent que l'origine des dinosaures remonte à quelque 200 à 250 millions d'années. Sachant cela, vous attendez-vous à ce que la distribution géographique des plus anciens fossiles de dinosaures soit vaste (qu'ils se retrouvent sur plusieurs continents) ou limitée (sur un ou deux continents)? Expliquez votre réponse.

Voir les réponses proposées à l'appendice A.

RÉVISION DU CHAPITRE 22

Consultez votre MANUEL NUMÉRIQUE, qui vous donne accès aux **animations**, aux **exercices** et à la plateforme d'**anatomie interactive**.

Résumé des concepts clés

CONCEPT 22.1

La théorie de Darwin a révolutionné l'idée d'une Terre jeune et peuplée d'espèces immuables (p. 512 à 515)

- Darwin a révolutionné les idées dominantes de son temps en soutenant que l'unité et la diversité des espèces pouvaient s'expliquer par une ascendance commune et par la sélection naturelle.
- Cuvier a étudié les **fossiles**, mais il ne soutenait pas l'idée d'évolution; il était plutôt d'avis que des événements catastrophiques soudains avaient causé dans le passé la disparition de certaines espèces vivant dans les régions dévastées par ces événements.
- Hutton et Lyell estimaient que les changements survenus à la surface de la Terre peuvent résulter d'actions lentes et continuelles qui sont toujours à l'œuvre aujourd'hui.
- Lamarck supposait que les espèces évoluent, mais il proposait un mécanisme d'évolution que les données expérimentales n'appuyaient pas.

? Pourquoi l'âge de la Terre était-il important dans les idées de Darwin sur l'évolution?

CONCEPT 22.2

La descendance avec modification par sélection naturelle explique les adaptations des organismes ainsi que l'unité et la diversité de la vie (p. 515 à 520)

- C'est grâce aux connaissances acquises au cours de l'expédition du *Beagle* que Darwin a montré que de nouvelles espèces dérivent d'espèces ancestrales par l'accumulation graduelle d'**adaptations**. Après son retour en Angleterre, il a précisé sa théorie. En 1859, après avoir appris que Wallace était parvenu aux mêmes conclusions, Darwin a publié sa théorie.

- Dans *De l'origine des espèces*, Darwin a soutenu que c'était la descendance avec modification, sur de longues périodes de temps, qui produisait la riche diversité du vivant par le mécanisme de la **sélection naturelle**.

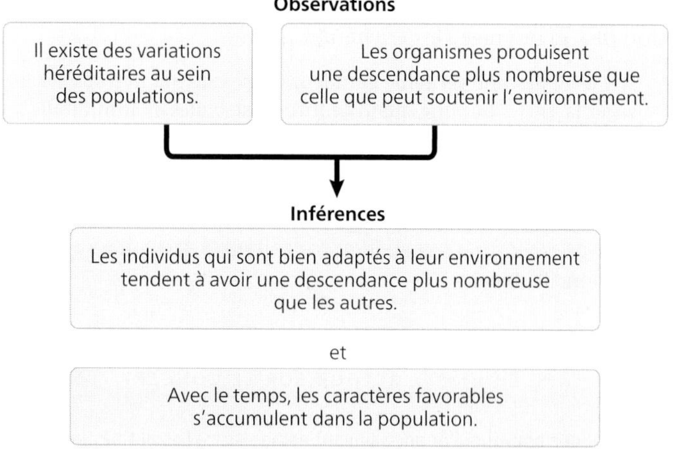

Observations
Il existe des variations héréditaires au sein des populations.
Les organismes produisent une descendance plus nombreuse que celle que peut soutenir l'environnement.
Inférences
Les individus qui sont bien adaptés à leur environnement tendent à avoir une descendance plus nombreuse que les autres.
et
Avec le temps, les caractères favorables s'accumulent dans la population.

? Expliquez la relation entre, d'une part, la reproduction excessive et les variations de traits héréditaires et, d'autre part, l'évolution par la sélection naturelle.

CONCEPT 22.3

Une somme considérable de données scientifiques atteste l'évolution (p. 520 à 529)

- Dans plusieurs études, les chercheurs ont observé directement la sélection naturelle menant à l'évolution adaptative, notamment en effectuant des recherches sur les punaises à épaules rouges et sur le SARM.
- Les organismes présentent des caractéristiques communes en raison de leur ascendance commune (**homologie**) ou parce que la sélection naturelle produit des effets similaires chez des espèces qui évoluent de manière indépendante dans des environnements similaires (**évolution convergente**).
- Les archives fossiles démontrent que les organismes du passé lointain différaient des organismes actuels, que plusieurs espèces se sont éteintes et que l'évolution des espèces se fait sur de longues périodes de temps. De plus, les archives fossiles documentent l'origine des principaux groupes d'organismes.
- La théorie de l'évolution peut expliquer des phénomènes biogéographiques.

? Résumez les différents ensembles de données qui appuient l'hypothèse selon laquelle les cétacés descendent de mammifères terrestres et sont étroitement reliés aux artiodactyles.

Évaluation

NIVEAU 1 : CONNAISSANCES ET COMPRÉHENSION

1. Parmi les énoncés suivants, lequel n'est ni une observation ni une inférence sur laquelle se fonde la théorie de la sélection naturelle ?
   a) Il existe des variations héréditaires entre les individus.
   b) Les individus peu adaptés ne produisent jamais de descendants.
   c) Les espèces produisent plus de descendants que peut en soutenir leur environnement.
   d) Souvent, seule une partie de la descendance d'un individu peut survivre et se reproduire.

2. Parmi les observations suivantes, laquelle a aidé Darwin à formuler son idée de la descendance avec modification ?
   a) La diversité des espèces diminue à mesure que la distance par rapport à l'équateur augmente.
   b) Le nombre d'espèces vivant sur les îles était inférieur au nombre d'espèces trouvées sur les continents les plus proches.
   c) Les oiseaux vivaient sur des îles situées à une distance du continent supérieure à leur distance maximale de vol.
   d) Les plantes du climat tempéré d'Amérique du Sud étaient plus semblables aux plantes tropicales d'Amérique du Sud qu'aux plantes des climats tempérés d'Europe.

NIVEAU 2 : APPLICATION ET ANALYSE

3. Six mois après que l'on eut utilisé avec succès de la méthicilline pour traiter une infection à *S. aureus* dans une collectivité, toutes les nouvelles infections à *S. aureus* ont été causées par le SARM. Parmi les énoncés suivants, lequel explique le mieux ce résultat ?
   a) Un patient a été infecté par un SARM provenant d'une autre collectivité.
   b) En réaction au médicament, *S. aureus* a commencé à synthétiser une variante résistante de l'enzyme dont l'action est bloquée par la méthicilline.
   c) Certains *S. aureus* résistants à la méthicilline étaient déjà présents au début du traitement, et la sélection naturelle a augmenté leur nombre.
   d) *S. aureus* a évolué de telle façon qu'il est devenu résistant aux vaccins.

4. L'analyse anatomique des membres antérieurs des humains, des chauves-souris et des baleines montre que les structures osseuses des humains et des chauves-souris sont assez semblables, tandis que les formes et les proportions des os des baleines sont assez différentes. Cependant, l'analyse de plusieurs gènes de ces espèces laisse penser que ces trois mammifères se sont séparés de leur ancêtre commun environ au même moment. Lequel des énoncés suivants explique le mieux ces données ?
   a) L'évolution des membres antérieurs des humains et des chauves-souris était adaptative, mais pas celle des baleines.
   b) La sélection naturelle en milieu aquatique a produit des changements considérables dans l'anatomie des membres antérieurs de la baleine.
   c) Les gènes mutent plus rapidement chez les baleines que chez les humains ou les chauves-souris.
   d) Les baleines ne sont pas à proprement parler des mammifères.

5. Les séquences d'ADN de très nombreux gènes humains sont très similaires à celles des gènes correspondants chez les chimpanzés. Lequel des énoncés suivants explique le mieux cette donnée ?
   a) Les humains et les chimpanzés ont un ancêtre commun relativement récent.
   b) Les humains descendent des chimpanzés.
   c) Les chimpanzés descendent des humains.
   d) L'évolution convergente a produit ces similarités de l'ADN.

NIVEAU 3 : SYNTHÈSE ET ÉVALUATION

6. **INVESTIGATION**

   FAITES DES LIENS ▶ Les premiers moustiques résistants au pesticide DDT sont d'abord apparus en Inde en 1959, mais on en trouve aujourd'hui dans le monde entier. (a) Servez-vous des données du tableau ci-dessous pour construire un graphique. (b) Analysez ce graphique et formulez une explication de l'augmentation rapide du nombre de moustiques résistants au DDT. (c) Proposez une explication de la mondialisation de la résistance au DDT.

Mois	0	8	12
Moustiques résistants* au DDT	4 %	45 %	77 %

* Les moustiques étaient considérés comme résistants s'ils n'étaient pas morts 1 heure après avoir été exposés à une dose d'une solution à 4 % de DDT.

Source des données : C. F. Curtis et coll., Selection for and against insecticide resistance and possible methods of inhibiting the evolution of resistance in mosquitoes, *Ecological Entomology* 3 : 273-287 (1978).

Voir les réponses proposées à l'appendice A.

L'évolution des populations

23

VOS OUTILS
INTERACTIFS

Consultez votre MANUEL NUMÉRIQUE, qui vous donne accès aux **animations**, aux **exercices** et à la plateforme d'**anatomie interactive**.

▲ **Figure 23.1** **Ce géospize évolue-t-il ?**

CONCEPTS CLÉS

23.1 La variation génétique rend l'évolution possible

23.2 L'équation de Hardy-Weinberg permet de vérifier si une population évolue

23.3 La sélection naturelle, la dérive génétique et le flux génétique peuvent modifier les fréquences alléliques d'une population

23.4 La sélection naturelle est le seul mécanisme qui entraîne une évolution adaptative constante

La plus petite unité d'évolution

L'une des idées fausses les plus répandues sur l'évolution consiste à penser que les organismes évoluent individuellement, au cours même de leur vie. Il est vrai que la sélection naturelle agit sur les individus : leurs caractères respectifs influent sur leur taux de survie et de succès reproducteur par rapport à ceux de leurs congénères. Toutefois, les répercussions évolutives de cette sélection naturelle ne se manifestent que dans la façon dont une **population** d'organismes change au fil des générations.

Prenons le géospize à bec moyen (*Geospiza fortis*), un oiseau granivore des îles Galápagos (**figure 23.1**). En 1977, la population de *G. fortis* qui vivait sur l'île Daphne Major a été décimée par une longue sécheresse ; sur quelque 1 200 oiseaux, seuls 180 ont survécu. Les chercheurs Peter et Rosemary Grant ont remarqué qu'une pénurie de petites graines durant cette sécheresse avait incité les *G. fortis* à se nourrir de grosses graines dures présentes en abondance. Comme les oiseaux dotés des becs les plus gros et les plus larges arrivaient mieux à casser et à manger les grosses graines dures, ceux-ci avaient un meilleur taux de survie et de reproduction que les autres géospizes. L'épaisseur du bec étant un caractère héréditaire, à la génération suivante, l'épaisseur moyenne du bec avait augmenté dans la population de *G. fortis* par rapport à ce qu'elle était avant la sécheresse (**figure 23.2**). La population avait évolué par sélection naturelle. Aucun géospize n'avait évolué individuellement ; chacun avait un bec d'une taille donnée, qui n'avait pas changé durant la sécheresse ; l'évolution s'était plutôt traduite par une augmentation de la proportion d'individus à gros becs dans la population d'une génération à l'autre. La population avait évolué, mais pas ses membres en tant qu'individus.

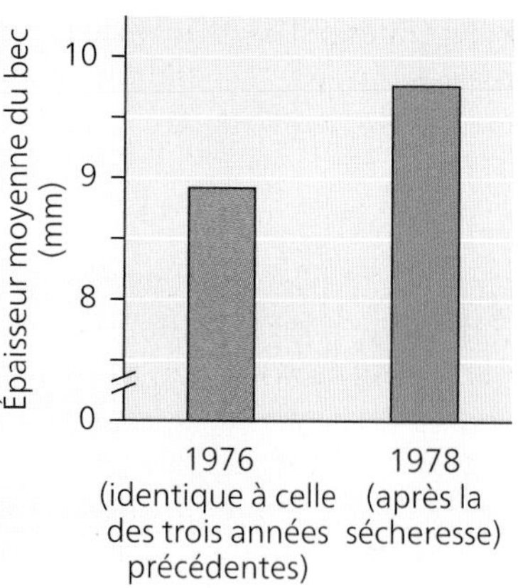

▶ **Figure 23.2 Exemple de sélection naturelle en fonction de la source de nourriture.** Les données de ce graphique illustrent la mesure de l'épaisseur moyenne du bec des *Geospiza fortis* chez les générations qui ont précédé et suivi la sécheresse de 1977. En une seule génération, la sélection naturelle a favorisé les becs plus gros au sein de cette population.

Sur le plan du changement populationnel, on peut définir la **microévolution** – c'est-à-dire l'évolution à sa plus petite échelle possible – comme un changement de la fréquence allélique d'une génération à l'autre dans une population. Comme nous le verrons dans ce chapitre, la microévolution ne découle pas seulement de la sélection naturelle. En effet, trois grands mécanismes peuvent entraîner un changement de fréquence allélique : la sélection naturelle, la dérive génétique (les phénomènes aléatoires qui modifient la fréquence allélique) et le flux génétique (le transfert d'allèles entre les populations). Chacun de ces mécanismes exerce des effets distincts sur la composition génétique des populations. Cependant, seule la sélection naturelle améliore constamment l'adéquation entre les organismes et leur milieu (adaptation). Avant d'étudier plus en détail la sélection naturelle et l'adaptation, penchons-nous sur un préalable de ces processus : la variation génétique.

CONCEPT **23.1**

La variation génétique rend l'évolution possible

Dans son livre *De l'origine des espèces,* Darwin fournissait d'abondantes données prouvant que la vie sur Terre avait évolué au fil du temps et affirmait que la sélection naturelle était le principal mécanisme responsable de ce changement. Il avait observé que les individus différaient par leurs caractères héréditaires et que la sélection agissait sur ces différences, ce qui permettait le changement adaptatif. Pour Darwin, la variation des caractères héréditaires constituait donc un préalable de l'évolution, mais il ne savait pas comment au juste les organismes transmettaient leurs caractères héréditaires à leur progéniture.

Quelques années après la publication du livre de Darwin, Gregor Mendel publiera un article révolutionnaire sur l'hérédité des pois (voir le concept 14.1) où il mettra en lumière un modèle d'hérédité original dans lequel les organismes transmettent à leur progéniture des unités qualitatives héréditaires (qu'on appelle aujourd'hui des gènes). Darwin ignorera tout des gènes, mais l'article de Mendel allait ouvrir la voie à la compréhension des différences génétiques sur lesquelles se fonde l'évolution. Abordons maintenant certaines de ces différences génétiques et voyons comment elles se produisent.

La variation génétique

Quelle que soit l'espèce, les traits phénotypiques varient d'un individu à l'autre. Chez les humains, par exemple, on peut facilement observer les variations phénotypiques dans les traits du visage, la taille et la voix. Des variations individuelles existent dans les populations de toutes les espèces, qu'elles soient perceptibles ou non. Par exemple, il est impossible de déceler le groupe sanguin (A, B, AB ou O) d'une personne uniquement en la regardant, mais ce caractère et plusieurs autres caractéristiques moléculaires varient énormément selon les individus.

Les disparités individuelles reflètent souvent la **variation génétique**, soit les différences entre les individus dans la composition de leurs gènes ou d'autres segments d'ADN. Certaines différences phénotypiques héréditaires peuvent se présenter sous l'une ou l'autre de deux formes, comme les couleurs des plants de pois de Mendel : chaque plant porte des fleurs *soit* blanches, *soit* violettes (voir la figure 14.3). Les caractères qui varient de cette manière sont habituellement déterminés par un locus unique, les différents allèles produisant des phénotypes distincts. Cependant, d'autres différences phénotypiques relèvent plutôt d'une gradation. Celles-ci résultent habituellement de l'effet conjugué d'au moins deux gènes influençant un même caractère phénotypique. En fait, nombreux sont les caractères phénotypiques qui dépendent de plusieurs gènes, tels la couleur de la robe d'un cheval (**figure 23.3**), le nombre de grains d'un épi de maïs et la taille d'une personne.

Dans quelle mesure les gènes et d'autres séquences d'ADN varient-ils d'un individu à un autre ? Pour quantifier la diversité sur le plan du patrimoine génétique (*variation génétique*), on mesure le pourcentage moyen de locus hétérozygotes. (Souvenez-vous que l'individu hétérozygote a deux allèles différents pour un locus donné, tandis que l'individu homozygote a deux allèles identiques pour ce locus.) Par exemple, la drosophile (*Drosophila melanogaster*) est en moyenne hétérozygote pour environ 1 920 de ses 13 700 locus (14 %) et homozygote pour les autres.

On peut également mesurer la variation génétique sur le plan moléculaire (diversité nucléotidique). Mais ce type de variation donne lieu à peu de différences phénotypiques. Pourquoi en

▼ **Figure 23.3 Les variations phénotypiques dans les populations de chevaux.** Chez le cheval, la couleur de la robe varie selon un continuum et dépend de plusieurs gènes.

est-il ainsi ? Une bonne partie des variations nucléotidiques se trouvent à l'intérieur des *introns*, qui sont les fragments d'ADN non codants situés entre deux *exons*, ceux-ci étant les parties codantes qui sont conservées dans l'ARNm après le traitement de l'ARN (voir la figure 17.2). De plus, la plupart des variations qui surviennent dans les exons n'entraînent aucun changement dans la séquence d'acides aminés de la protéine encodée par le gène. Par exemple, la comparaison des séquences de la **figure 23.4** montre que 43 sites nucléotidiques contiennent des paires de base variables (où ont eu lieu des substitutions) et que plusieurs sites sont le siège d'insertions ou de délétions. Bien qu'il y ait 18 sites variables dans les quatre exons du gène *Adh*, une seule de ces variations (au site 1 490) se traduit par un changement d'acide aminé. Notons toutefois que la présence de cet unique site variable suffit pour entraîner une variation génétique qui se répercute sur le gène, d'où la production de deux formes différentes de l'enzyme Adh.

Il importe cependant de se rappeler que certaines variations phénotypiques ne sont pas issues de différences génétiques entre les individus. La chenille du papillon de nuit *Nemoria arizonaria*, qui vit dans le Sud-Ouest des États-Unis, nous en donne un exemple éloquent (**figure 23.5**). Un phénotype est le produit du génotype hérité et de nombreux facteurs environnementaux (voir le concept 14.3). Chez les humains, par exemple, les culturistes modifient considérablement leur phénotype, mais ils ne transmettent pas pour autant leurs gros muscles à leur descendance. De manière générale, seuls les éléments de la variation déterminés par les gènes peuvent avoir des conséquences évolutives. En ce sens, la variation génétique fournit le matériel brut du changement évolutif : sans elle, l'évolution est impossible.

Les sources de variation génétique

La diversité génétique sur laquelle repose l'évolution résulte de mutations, de duplications géniques ou d'autres processus qui produisent de nouveaux allèles et de nouveaux gènes. Ces variations génétiques peuvent apparaître en peu de temps chez des organismes dont les générations se succèdent rapidement. La reproduction sexuée peut également donner lieu à la variation génétique lorsque les gènes existants se recombinent.

La formation de nouveaux allèles

De nouveaux allèles peuvent résulter d'une *mutation*, c'est-à-dire d'un changement dans la séquence de nucléotides de l'ADN d'un organisme. Une modification aussi minime que la substitution d'une seule base d'un gène (une « mutation ponctuelle ») peut exercer un effet considérable sur le phénotype. C'est le cas par exemple de la mutation responsable de la drépanocytose ou anémie à hématies falciformes (voir la figure 17.26). Rien de bien étonnant : les organismes étant le produit de milliers de générations soumises à la sélection, leurs phénotypes sont habituellement bien adaptés à la vie dans leur environnement. La majeure partie des nouvelles mutations qui modifient un phénotype sont donc, à tout le moins, légèrement dommageables.

▼ **Figure 23.4 Une importante variation génétique à l'échelle moléculaire.** Ce schéma résume les données d'une étude qui a permis de comparer la séquence d'ADN du gène de l'alcool déshydrogénase (*Adh*) dans plusieurs drosophiles (*Drosophila melanogaster*). Ce gène possède quatre exons (bleu foncé) séparés par des introns (bleu clair) ; ces exons renferment les régions codantes qui seront traduites en acides aminés pour synthétiser l'enzyme Adh (voir la figure 5.1). Il suffit d'une seule substitution pour entraîner un effet phénotypique et produire une forme différente de l'enzyme Adh (même si les variations génétiques ne se traduisent pas nécessairement par un changement phénotypique).

FAITES DES LIENS ▶ Examinez à nouveau les figures 17.6 et 17.11. Expliquez comment la substitution d'une paire de bases qui modifie une région codante du locus de l'Adh peut n'avoir aucun effet sur la séquence d'acides aminés. Ensuite, expliquez comment une insertion dans un exon peut n'avoir aucun effet sur la protéine produite.

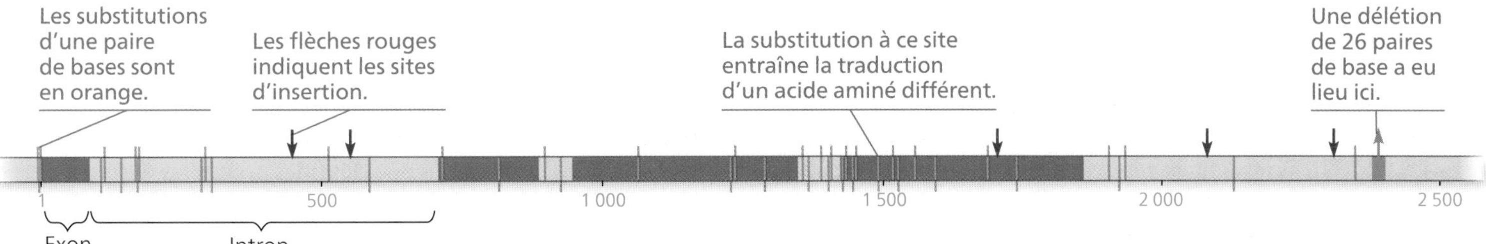
Les substitutions d'une paire de bases sont en orange.
Les flèches rouges indiquent les sites d'insertion.
La substitution à ce site entraîne la traduction d'un acide aminé différent.
Une délétion de 26 paires de base a eu lieu ici.
1
500
1 000
1 500
2 000
2 500
Exon
Intron

▶ **Figure 23.5 Un exemple de variation non héréditaire.** Ces chenilles du papillon de nuit *Nemoria arizonaria* doivent leur aspect différent aux substances chimiques de leur alimentation et non à des différences dans leur génotype. **(a)** Les chenilles nées au printemps se nourrissent de fleurs de chêne (chatons) et y ressemblent, **(b)** tandis que leurs descendants nés en été se nourrissent de feuilles de chêne et ressemblent aux brindilles de chêne apparues l'année précédente.

(a)

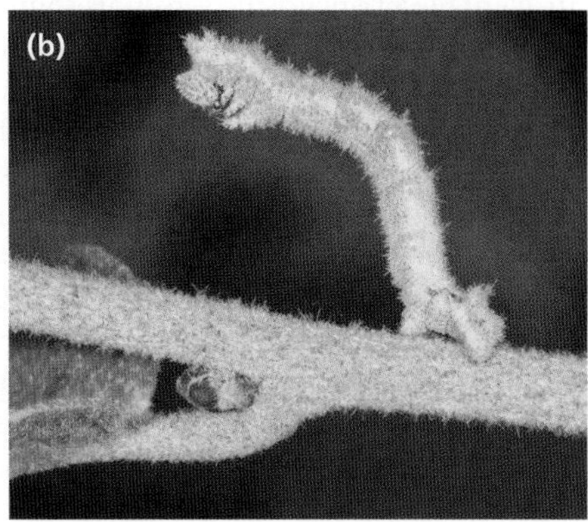
(b)

Dans certains cas, la sélection naturelle fait en sorte que ces allèles nuisibles disparaissent rapidement. Chez les organismes diploïdes, toutefois, les allèles récessifs nuisibles peuvent échapper à la sélection. En effet, ces allèles peuvent persister sur plusieurs générations en se propageant chez les individus hétérozygotes, car l'allèle dominant plus favorable masque les effets nuisibles des allèles récessifs. Cette « protection hétérozygote » contribue à la conservation d'un réservoir d'allèles qui peuvent ne pas s'exprimer dans les conditions existantes, mais qui pourraient devenir avantageux dans l'éventualité de certains changements environnementaux.

Certaines mutations ponctuelles sont donc nuisibles, mais beaucoup d'autres ne le sont pas. Rappelez-vous que le plus gros de l'ADN du génome eucaryote ne code pour aucune protéine (voir la figure 21.6). Les mutations ponctuelles dans ces régions non codantes donnent généralement lieu à une **variation neutre**, c'est-à-dire à des différences dans la séquence d'ADN qui ne confèrent ni avantage ni désavantage sélectif. La redondance du code génétique constitue une autre source de variation neutre : même une mutation ponctuelle dans un gène codant pour une protéine n'a pas d'incidence sur la fonction de la molécule si la structure primaire n'a subi aucun changement. Et même si cette composition change, il se peut que ni la forme ni la fonction de la protéine s'en trouvent modifiées. De plus, ainsi que nous le verrons plus loin dans ce chapitre, il arrive qu'un allèle mutant améliore l'adaptation d'un individu à son milieu et favorise son succès reproducteur.

Enfin, notons que chez les organismes multicellulaires, seules les mutations de lignées cellulaires produisant les gamètes transmissibles peuvent se transmettre aux descendants. Pour les végétaux et les eumycètes, ce phénomène n'est pas aussi contraignant qu'il peut le sembler puisque de nombreuses lignées cellulaires peuvent produire des gamètes. Mais chez la majorité des animaux, la plupart des mutations se produisent dans des cellules somatiques et disparaissent à la mort de l'individu.

Les mutations modifiant le nombre ou la séquence des gènes

Les mutations chromosomiques qui éliminent, perturbent ou réarrangent d'un seul coup un grand nombre de locus sont presque toujours dommageables. Toutefois, lorsque ces mutations à grande échelle laissent les gènes intacts, elles peuvent être sans effet sur le phénotype de l'organisme. Dans de rares cas, il arrive même que le réarrangement chromosomique soit bénéfique. Par exemple, la translocation d'un segment chromosomique vers un chromosome différent peut réunir des gènes qui donnent un avantage à l'organisme lorsqu'ils sont transmis ensemble.

La duplication de gènes causée par des erreurs au cours de la méiose (comme un enjambement inégal), un glissement durant la réplication de l'ADN ou les activités d'éléments transposables (voir le concept 21.5) sont d'importantes sources de variation. Comme d'autres aberrations chromosomiques, les duplications de grands segments chromosomiques sont presque toujours nuisibles, alors que les duplications de plus petits segments d'ADN ne le sont pas nécessairement. Les duplications génétiques qui n'ont pas de répercussions graves peuvent persister de génération en génération, faisant en sorte que les mutations s'accumulent au fil du temps. Il en résulte alors un génome plus grand, dont les nouveaux gènes peuvent exercer de nouvelles fonctions.

Ces augmentations du nombre de gènes semblent avoir joué un rôle important dans l'évolution. Par exemple, les ancêtres éloignés des mammifères portaient un seul gène olfactif qui s'est dupliqué à maintes reprises, de sorte que les humains d'aujourd'hui possèdent près de 380 gènes de récepteurs olfactifs, et les souris, 1 200. Cette prolifération spectaculaire des gènes olfactifs a probablement aidé les premiers mammifères à déceler des odeurs subtiles et à les différencier.

La vitesse de reproduction et la fréquence des mutations

Les taux de mutation tendent à être assez faibles chez les animaux et les végétaux, avec environ 1 mutation par 100 000 gènes pour chaque génération, et souvent moins chez les procaryotes. Mais chez ces derniers, le nombre de générations par unité de temps est généralement beaucoup plus élevé puisque, dans de bonnes conditions, une nouvelle génération peut apparaître en moins d'une heure. Par exemple, chez *Escherichia coli*, la division d'une cellule mère en deux cellules filles peut prendre aussi peu que 20 minutes ! De ce fait, les mutations produisent des variations génétiques très rapidement. Il en est de même des virus. Par exemple, le VIH a un temps de génération d'environ deux jours (ce qui signifie qu'il faut deux jours à un virus nouvellement formé pour produire la génération de virus suivante). Le VIH possède par ailleurs un génome à ARN dont le taux de mutation est beaucoup plus élevé que celui d'un virus avec un génome à ADN typique, à cause de l'absence de mécanismes de réparation chez les cellules hôtes (voir le concept 19.2). Par conséquent, les traitements par un seul médicament ont peu de chances d'être efficaces contre le VIH, car les formes mutantes du virus devenues résistantes à ce médicament proliféreraient sans doute en très peu de temps. C'est pourquoi les traitements les plus efficaces contre le sida combinent plusieurs médicaments (polythérapie). Cette approche fonctionne bien parce que des mutations multiples conférant rapidement aux virus une résistance à *tous* les médicaments d'une combinaison ont moins de chances d'apparaître.

La reproduction sexuée

Chez les organismes à reproduction sexuée, la variation génétique au sein d'une population provient principalement de la combinaison unique d'allèles que chaque individu reçoit de ses parents. Évidemment, au niveau des nucléotides, toutes les différences entre ces allèles résultent de mutations antérieures. La reproduction sexuée brasse alors les allèles existants et les redistribue de manière aléatoire pour produire des génotypes individuels.

Trois mécanismes contribuent à ce brassage : l'enjambement, l'assortiment indépendant de chromosomes et la fécondation (voir le concept 13.4). Durant la méiose, les chromosomes homologues hérités de chacun des parents échangent certains de leurs allèles par enjambement. Ces chromosomes homologues et les allèles qu'ils portent sont alors distribués au hasard dans les gamètes. Puis, comme il existe une myriade de combinaisons reproductives possibles dans une population, la fécondation réunit généralement des gamètes qui comportent des bagages génétiques différents. Les effets combinés de ces trois mécanismes font en sorte qu'à chaque génération la reproduction sexuée réarrange les allèles existants en de nouvelles combinaisons, produisant ainsi la variation génétique qui rend l'évolution possible.

RETOUR SUR LE CONCEPT 23.1

1. Expliquez pourquoi la variation génétique au sein d'une population est un préalable à l'évolution.
2. Pourquoi une petite partie seulement des mutations qui se produisent dans une population se transmet à la descendance ?
3. **ET SI ?** ▶ Qu'adviendrait-il, avec le temps, de la variation génétique d'une population qui cesserait de se reproduire par reproduction sexuée (mais qui continuerait à se reproduire de manière asexuée) ? Expliquez votre réponse. (Voir le concept 13.4.)

Voir les réponses proposées à l'appendice A.

CONCEPT 23.2

L'équation de Hardy-Weinberg permet de vérifier si une population évolue

Si les individus d'une population doivent différer génétiquement pour que l'évolution puisse avoir lieu, la variation génétique ne garantit pas en elle-même l'évolution d'une population. Pour qu'il y ait évolution, au moins un des facteurs qui en sont responsables doit être à l'œuvre. Dans cette section, nous allons étudier une façon de vérifier si une population évolue. Mais clarifions d'abord ce que nous entendons par population.

Le patrimoine génétique et les fréquences alléliques

Une **population** se définit comme un groupe d'individus de la même espèce qui vivent dans la même zone, se reproduisent et engendrent une descendance féconde. Des populations d'une espèce peuvent se retrouver géographiquement isolées les unes des autres et n'échanger que très rarement du matériel génétique. Un tel isolement est fréquent chez des populations qui habitent des îles éloignées ou vivent dans des plans d'eau différents. Cela dit, les populations ne sont pas toutes isolées (**figure 23.6**). Toutefois, en général, les membres d'une population s'accouplent entre eux et, en moyenne, restent donc plus étroitement apparentés les uns aux autres qu'aux membres d'autres populations.

On peut caractériser la composition génétique d'une population en décrivant son **patrimoine génétique** (aussi appelé *pool génétique* ou *fonds génétique*). Ce patrimoine génétique est constitué de tous les exemplaires de chaque type d'allèles de chaque locus de chacun des membres de la population. Si un seul allèle existe pour un locus donné dans une population, on dit de cet allèle qu'il est *fixé* dans le patrimoine génétique, et tous les individus sont homozygotes pour cet allèle. Toutefois, s'il existe dans une population deux allèles ou davantage pour un locus donné, les membres de cette population peuvent être soit homozygotes, soit hétérozygotes pour ces allèles.

Par exemple, imaginons une population de 500 plantes à fleurs sauvages ayant deux allèles, C^R et C^B, pour un locus qui code pour le pigment des fleurs. Ces allèles affichent une dominance incomplète ; chaque génotype a donc son phénotype propre. Les plantes homozygotes pour l'allèle C^R (C^RC^R) produisent un pigment rouge et ont des pétales rouges ; les plantes homozygotes pour l'allèle C^B (C^BC^B) ne produisent aucun pigment rouge et leurs pétales sont blancs. Quant aux plantes hétérozygotes (C^RC^B), elles produisent un peu de pigment rouge et ont des pétales roses.

Dans une population, chaque allèle a une fréquence (une proportion). Supposons que notre population renferme 320 plantes à pétales rouges, 160 à pétales roses et 20 à pétales blancs. Ces allèles présentent une dominance incomplète. Comme ce sont des organismes diploïdes, cette population de 500 individus renferme un total de 1 000 allèles (2 × 500) déterminant la couleur des pétales. L'allèle dominant C^R représente à lui seul 800 copies du gène de la couleur (soit 320 × 2 = 640 copies pour les plantes C^RC^R, plus 160 × 1 = 160 copies pour les plantes C^RC^B). La fréquence de l'allèle C^R est de 800/1 000 = 0,8 (80 %).

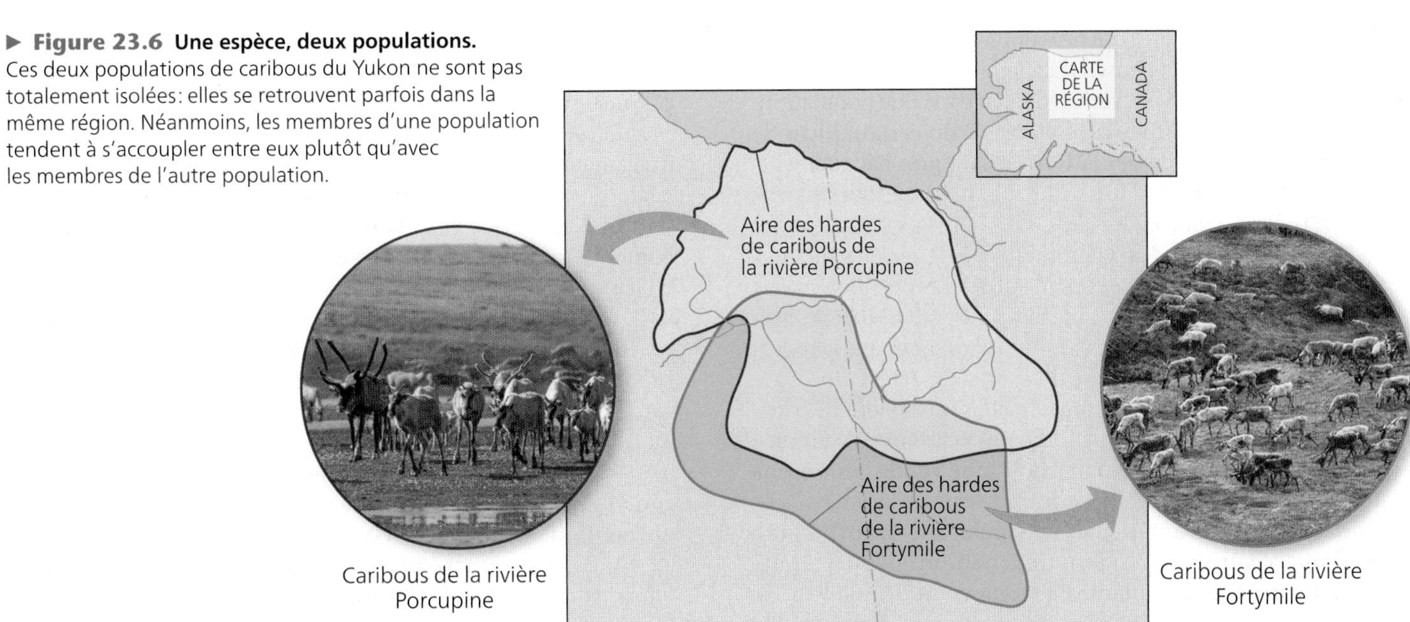

▶ **Figure 23.6 Une espèce, deux populations.** Ces deux populations de caribous du Yukon ne sont pas totalement isolées : elles se retrouvent parfois dans la même région. Néanmoins, les membres d'une population tendent à s'accoupler entre eux plutôt qu'avec les membres de l'autre population.

Dans le cas d'un locus pour lequel il n'y a que deux allèles dans une population, les généticiens des populations représentent la fréquence d'un des allèles par la lettre p, et celle de l'autre par la lettre q. Par conséquent, p, la fréquence de l'allèle C^R dans le patrimoine génétique de la population, est $p = 0{,}8$ (80 %). Comme il n'existe que deux formes alléliques du gène de la couleur des pétales, nous savons que la fréquence de l'allèle C^B, représentée par q, doit être $q = 1 - p = 0{,}2$ (20 %). Aux locus qui ont plus de deux allèles, la somme de toutes les fréquences doit aussi égaler 1 (100 %).

Nous allons maintenant voir comment la fréquence des allèles et des génotypes permet de vérifier s'il y a une évolution en cours dans une population.

L'équation de Hardy-Weinberg

Une façon de vérifier si la sélection naturelle ou d'autres facteurs causent une évolution à un locus particulier consiste à déterminer ce que serait la composition génétique d'une population s'il *n'y avait pas* d'évolution à ce locus. On peut alors comparer ce scénario avec les données réellement recueillies sur cette population. S'il n'y a pas de différences, on peut en conclure que la population réelle n'est pas en train d'évoluer. S'il y a des différences, cela signifie que la population réelle pourrait être en train d'évoluer – et on peut alors essayer de découvrir pourquoi.

L'équilibre de Hardy-Weinberg

Dans une population qui n'évolue pas, les fréquences alléliques et génotypiques restent constantes de génération en génération, à condition que seules la ségrégation mendélienne et la recombinaison d'allèles soient à l'œuvre. Un tel équilibre génétique est appelé **équilibre de Hardy-Weinberg**, du nom du mathématicien anglais Godfrey Harold Hardy (1877-1947) et du médecin allemand Wilhelm Weinberg (1862-1937) qui l'ont énoncé chacun de leur côté en 1908.

Pour déterminer si une population présente cet équilibre de Hardy-Weinberg, il est utile d'envisager les croisements génétiques d'une nouvelle façon. Nous avons déjà utilisé des grilles de Punnett pour déterminer les génotypes des descendants d'un croisement génétique (voir la figure 14.5). Ici, au lieu de considérer les combinaisons alléliques qui peuvent résulter d'un seul croisement, nous allons plutôt penser à la combinaison des allèles dans tous les croisements qui peuvent avoir lieu dans une population.

Imaginez qu'on mette tous les allèles d'un certain locus de tous les membres d'une population dans un gros bac représentant le patrimoine génétique de cette population pour ce locus (**figure 23.7**). La « reproduction » se fait par sélection aléatoire des allèles du récipient ; des phénomènes quelque peu similaires se produisent dans la nature lorsque des poissons libèrent des gamètes dans l'eau ou que le vent dissémine du pollen (contenant des gamètes mâles végétaux). Lorsqu'on envisage la reproduction comme un processus aléatoire de sélection et de combinaison des allèles qui se trouvent dans le récipient (le patrimoine génétique), on tient en effet pour acquis que l'« union » est le fruit du hasard – autrement dit, que toutes les unions mâle-femelle ont des chances identiques de se produire.

Appliquons cette analogie à la population hypothétique de plantes à fleurs sauvages dont nous parlions plus tôt. Dans cette population de 500 plantes, la fréquence de l'allèle pour les fleurs rouges (C^R) est $p = 0{,}8$ et la fréquence de l'allèle pour les

▼ Figure 23.7 La sélection aléatoire des allèles dans un patrimoine génétique.

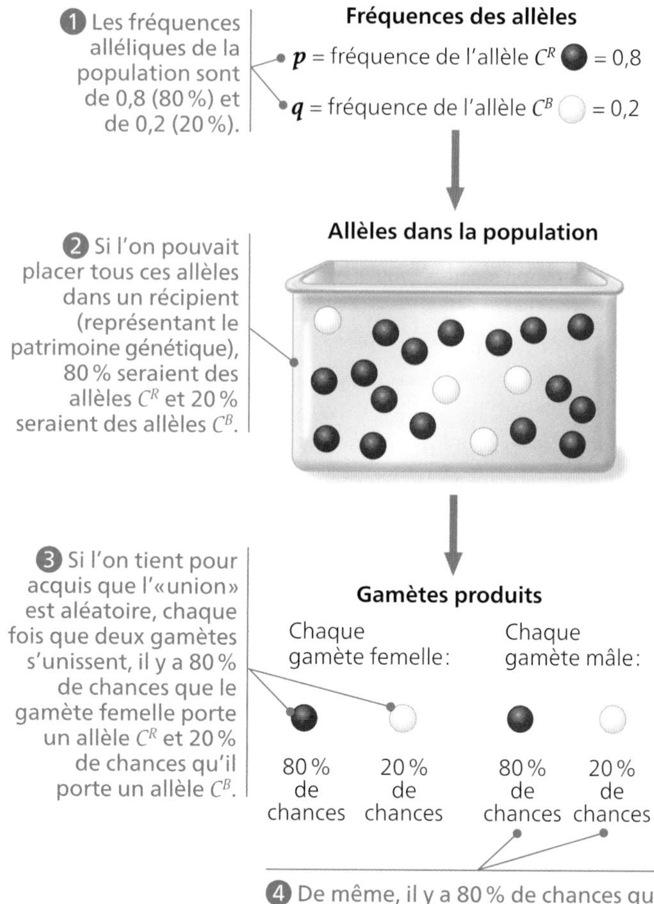

1 Les fréquences alléliques de la population sont de 0,8 (80 %) et de 0,2 (20 %).
Fréquences des allèles
p = fréquence de l'allèle C^R = 0,8
q = fréquence de l'allèle C^B = 0,2
2 Si l'on pouvait placer tous ces allèles dans un récipient (représentant le patrimoine génétique), 80 % seraient des allèles C^R et 20 % seraient des allèles C^B.
Allèles dans la population
3 Si l'on tient pour acquis que l'« union » est aléatoire, chaque fois que deux gamètes s'unissent, il y a 80 % de chances que le gamète femelle porte un allèle C^R et 20 % de chances qu'il porte un allèle C^B.
Gamètes produits
Chaque gamète femelle :
Chaque gamète mâle :
80 % de chances
20 % de chances
80 % de chances
20 % de chances
4 De même, il y a 80 % de chances que le gamète mâle porte un allèle C^R et 20 % de chances qu'il porte un allèle C^B.

FAITES UN DESSIN ▶ Dessinez un récipient semblable à celui ci-dessus, mais qui contient six balles blanches plutôt que quatre. Pour que la fréquence de C^R dans le récipient demeure égale à 0,8, combien de balles rouges celui-ci devrait-il contenir ?

fleurs blanches (C^B) est $q = 0{,}2$. On suppose qu'un bac qui renferme les 1 000 exemplaires du gène de la couleur des fleurs de la population contient 800 allèles C^R et 200 allèles C^B. En tenant pour acquis que les gamètes sont formés de manière aléatoire parmi les allèles du bac, la probabilité qu'un gamète femelle ou un gamète mâle contienne un allèle C^R ou un allèle C^B est égale à la fréquence de ces allèles dans le bac. Comme le montre la figure 23.7, chaque gamète femelle a donc 80 % de chances de contenir un allèle C^R et 20 % de chances de contenir un allèle C^B ; et il en va de même pour chaque gamète mâle.

À l'aide de la règle de la multiplication (voir la figure 14.9), nous pouvons maintenant calculer la fréquence des trois génotypes possibles, en supposant la combinaison aléatoire des gamètes mâles et femelles. La probabilité d'une union de deux allèles C^R parmi l'ensemble des gamètes est de $p \times p = p^2 = 0{,}8 \times 0{,}8 = 0{,}64$. Par conséquent, environ 64 % des plantes de la génération suivante auront le génotype C^RC^R. La fréquence des individus C^BC^B, quant à elle, sera d'environ $q \times q = q^2 = 0{,}2 \times 0{,}2 = 0{,}04$ ou 4 %. Les hétérozygotes C^RC^B peuvent s'expliquer de deux façons. Si le gamète mâle fournit l'allèle C^R et que le gamète femelle fournit l'allèle C^B, les hétérozygotes qui en résulteront équivaudront à $p \times q = 0{,}8 \times 0{,}2 = 0{,}16$, soit 16 % du total. Si le gamète femelle fournit l'allèle C^R et que le gamète mâle fournit l'allèle C^B, la fréquence des hétérozygotes qui en résulteront équivaudra à $p \times q = 0{,}8 \times 0{,}2 = 0{,}16$, soit 16 % du total. La fréquence de l'hétérozygote équivaut donc à la somme de ces deux possibilités, soit $pq + qp = 2\,pq$ ($0{,}16 \times 2$), ou 32 % des plantes.

Comme le montre la **figure 23.8**, les fréquences génotypiques de la prochaine génération doivent totaliser 1 (100 %). Par conséquent, l'équation de l'équilibre de Hardy-Weinberg indique que, sur un locus avec deux allèles, les trois génotypes apparaîtront dans les proportions suivantes :

p^2	+	$2pq$	+	q^2	$= 1$
Fréquence attendue du génotype C^RC^R		Fréquence attendue du génotype C^RC^B		Fréquence attendue du génotype C^BC^B	

▼ **Figure 23.8 L'équilibre de Hardy-Weinberg.** Dans notre population de plantes à fleurs sauvages, le patrimoine génétique reste constant d'une génération à l'autre. À eux seuls, les processus mendéliens ne modifient pas les fréquences des allèles ou des génotypes.

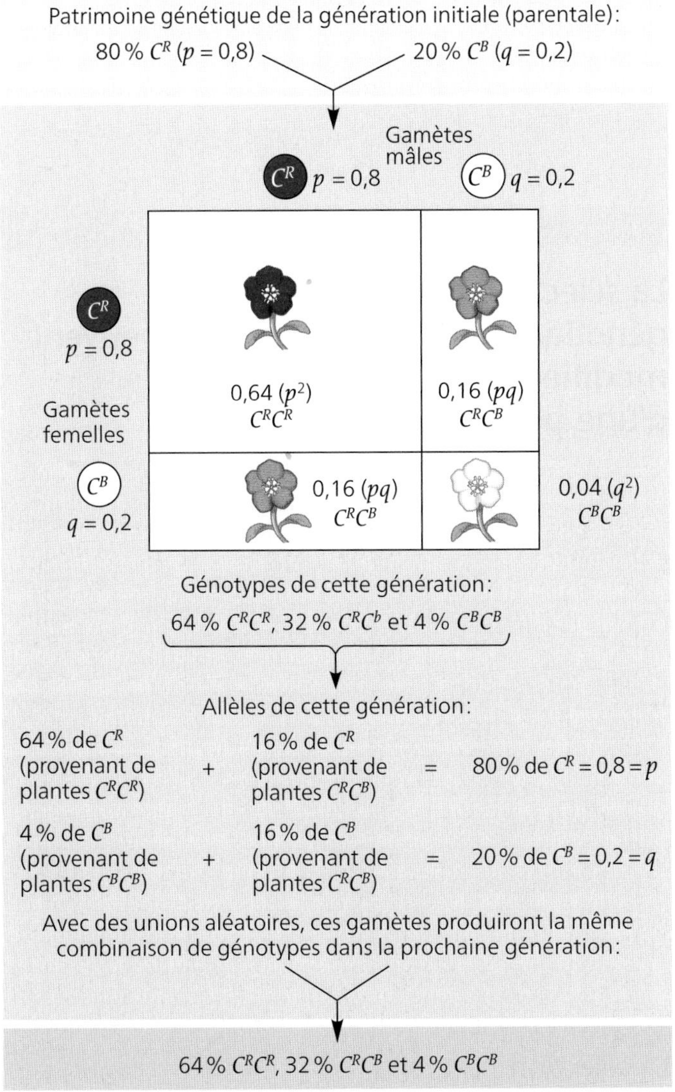

Patrimoine génétique de la génération initiale (parentale) :
80 % C^R ($p = 0{,}8$) 20 % C^B ($q = 0{,}2$)

Gamètes mâles
C^R $p = 0{,}8$ C^B $q = 0{,}2$

Gamètes femelles
C^R $p = 0{,}8$
C^B $q = 0{,}2$

0,64 (p^2) C^RC^R
0,16 (pq) C^RC^B
0,16 (pq) C^RC^B
0,04 (q^2) C^BC^B

Génotypes de cette génération :
64 % C^RC^R, 32 % C^RC^b et 4 % C^BC^B

Allèles de cette génération :
64 % de C^R (provenant de plantes C^RC^R) + 16 % de C^R (provenant de plantes C^RC^B) = 80 % de $C^R = 0{,}8 = p$
4 % de C^B (provenant de plantes C^BC^B) + 16 % de C^B (provenant de plantes C^RC^B) = 20 % de $C^B = 0{,}2 = q$

Avec des unions aléatoires, ces gamètes produiront la même combinaison de génotypes dans la prochaine génération :

64 % C^RC^R, 32 % C^RC^B et 4 % C^BC^B

ET SI ? ▶ Si la fréquence de l'allèle C^R est de 60 %, quelles seront les fréquences des génotypes C^RC^R, C^RC^B et C^BC^B ?

Notez que pour un locus avec deux allèles on ne peut obtenir que trois génotypes (dans notre exemple, C^RC^R, C^RC^B et C^BC^B). Par conséquent, la somme des fréquences des trois génotypes doit égaler 1 (100 %) quelle que soit la population, qu'elle soit ou non en équilibre de Hardy-Weinberg. Il faut se rappeler qu'une population est en équilibre de Hardy-Weinberg seulement si les fréquences génotypiques sont telles que la fréquence observée d'un homozygote est p^2, celle de l'autre homozygote est q^2, et celle des hétérozygotes est $2pq$. Finalement, comme le montre la figure 23.8, si une population comme notre population de plantes à fleurs sauvages est en équilibre de Hardy-Weinberg et que ses membres continuent de s'accoupler de manière aléatoire d'une génération à l'autre, les fréquences alléliques et génotypiques resteront constantes. Pensons à un jeu de cartes. On a beau battre les cartes d'un paquet plusieurs fois avant chaque distribution, le contenu du paquet reste le même, et jamais il n'y aura plus d'as que de valets. De même, le brassage répété du patrimoine génétique d'une population au fil des générations ne peut en lui-même accroître la fréquence d'un allèle par rapport à un autre.

Les conditions de l'équilibre de Hardy-Weinberg

L'approche de Hardy-Weinberg décrit une population hypothétique qui n'évolue pas. Cette situation se produit lorsqu'une population répond aux cinq conditions de l'équilibre de Hardy-Weinberg, énumérées dans le **tableau 23.1**. Or, dans la nature, les fréquences alléliques et génotypiques *changent* avec le temps, parce que les cinq conditions qui font qu'une population n'évolue pas sont rarement toutes réunies.

L'absence d'une ou de plusieurs des conditions du tableau 23.1 est courante – et elle entraîne habituellement une évolution –, mais il est également courant que des populations naturelles se retrouvent en équilibre de Hardy-Weinberg pour des gènes

Tableau 23.1 Les conditions de l'équilibre de Hardy-Weinberg

Condition	Effet de l'absence de la condition
1. Il n'y a pas de mutations.	Le patrimoine génétique est modifié lorsque des mutations se produisent ou s'il y a délétion ou duplication de gènes entiers.
2. L'accouplement se fait de manière aléatoire.	Lorsque des individus s'accouplent avec des partenaires d'un même sous-ensemble de la population, comme des proches parents (autofécondation), le mélange des gamètes ne se fait pas au hasard et la fréquence des génotypes varie. (On appelle ***panmixie*** la rencontre aléatoire des individus.)
3. Il n'y a pas de sélection naturelle.	Les fréquences alléliques changent lorsque des individus porteurs de génotypes différents présentent des différences constantes dans leurs chances de survie ou leur succès reproducteur.
4. La taille de la population est extrêmement grande.	Plus la population est petite, plus l'impact du hasard dans les fluctuations des fréquences alléliques d'une génération à l'autre est important – un phénomène appelé ***dérive génétique***.
5. Il n'y a pas de flux génétique.	Le flux génétique, c'est-à-dire le retrait ou l'ajout d'allèles dans une population, peut modifier les fréquences alléliques.

précis. C'est ce qui se produit, par exemple, si la sélection modifie des fréquences alléliques à certains locus, sans affecter les autres. De plus, certaines populations évoluent si lentement que leurs fréquences alléliques et génotypiques ressemblent à celles d'une population qui n'évolue pas.

Les applications de l'équation de Hardy-Weinberg

L'équation de Hardy-Weinberg sert souvent de test initial pour vérifier si une population est en train d'évoluer (la question 3 de la rubrique « Retour sur le concept 23.2 » en donne un exemple). Mais elle a également des applications médicales, par exemple pour estimer le pourcentage de porteurs de l'allèle d'une maladie héréditaire dans une population. Prenons l'exemple de la phénylcétonurie (PCU), une maladie métabolique qui résulte de l'homozygotie pour un allèle récessif et dont la prévalence varie d'un pays à l'autre (de 1 cas sur 3 000 à 1 cas sur 30 000 nouveau-nés). Par exemple, la Turquie connaît un taux élevé, tandis que la maladie semble exceptionnelle en Finlande et en Thaïlande. Non traitée, la PCU entraîne une déficience intellectuelle et d'autres manifestations graves. Comme l'explique le concept 14.4, un test de dépistage de la PCU est aujourd'hui effectué systématiquement chez les nouveau-nés, car il est possible d'éviter la plupart des symptômes de la maladie grâce à une diète très faible en phénylalanine.

Pour appliquer l'équation de Hardy-Weinberg, on doit tenir pour acquis qu'aucune nouvelle mutation de la PCU ne s'est introduite dans la population (condition 1) et que les individus ne choisissent pas leurs partenaires selon qu'ils sont porteurs ou non de ce gène et évitent la consanguinité (condition 2). On doit aussi ignorer tout effet possible des taux de survie et de reproduction différentiels des génotypes de la PCU (condition 3), de la dérive génétique (condition 4) et du flux génétique des populations immigrantes (condition 5). Ces suppositions sont raisonnables pour les raisons suivantes : le taux de mutation du gène de la PCU est bas et la consanguinité est peu courante en général ; la sélection se réalise seulement contre les rares homozygotes (et seulement si les restrictions alimentaires ne sont pas respectées) ; enfin, les fréquences alléliques des populations immigrantes ne diffèrent pas significativement de celles qu'on observe en Amérique du Nord en général, pour le gène de la PCU.

Si toutes ces suppositions sont fondées, la fréquence des individus nés avec le gène de la PCU dans la population correspondra au q^2 de l'équation de Hardy-Weinberg (q^2 est la fréquence des homozygotes pour cet allèle). Comme cet allèle est récessif, on doit estimer le nombre d'hétérozygotes au lieu de les dénombrer directement, comme nous l'avons fait avec les plantes à fleurs. Si nous considérons qu'il y a 1 cas de PCU sur 10 000 ($q^2 = 0{,}0001$), la fréquence de l'allèle récessif de la PCU est :

$$q = \sqrt{0{,}0001} = 0{,}01$$

On peut connaître à présent la fréquence de l'allèle dominant en appliquant la règle suivante :

$$p = 1 - q = 1 - 0{,}01 = 0{,}99$$

Enfin, la fréquence des transmetteurs sains (porteurs sains) – c'est-à-dire des hétérozygotes qui n'ont pas la maladie, mais qui peuvent transmettre leur allèle récessif à leurs enfants – est la suivante :

$$2pq = 2 \times 0{,}99 \times 0{,}01 = 0{,}0198$$
(environ 2 % de la population)

Rappelez-vous qu'on tient pour acquis que la population est en équilibre de Hardy-Weinberg et qu'on obtient ainsi une approximation ; le nombre réel de porteurs peut donc être différent. Cependant, nos calculs indiquent que de nombreux allèles récessifs néfastes pour ce locus et pour d'autres locus se « cachent » dans la population parce qu'ils sont portés par des hétérozygotes sains. Vous pourrez utiliser l'équation de Hardy-Weinberg avec les données fournies dans l'exercice de la rubrique **Habiletés scientifiques**.

RETOUR SUR LE CONCEPT 23.2

1. Une population compte 700 individus dont 85 possèdent le génotype *AA*, 320, le génotype *Aa*, et 295, le génotype *aa*. Quelles sont les fréquences des allèles *A* et *a* ?
2. La fréquence de l'allèle *a* est de 0,45 dans une population en équilibre de Hardy-Weinberg. Quelles sont les fréquences des génotypes *AA*, *Aa* et *aa* ?
3. **ET SI ?** ▶ Un locus qui modifie la vulnérabilité à une maladie dégénérative du cerveau a deux allèles, *V* et *v*. Dans une population, 16 individus ont un génotype *VV*, 92, un génotype *Vv*, et 12, un génotype *vv*. Cette population est-elle en évolution ? Expliquez votre réponse.

Voir les réponses proposées à l'appendice A.

CONCEPT 23.3

La sélection naturelle, la dérive génétique et le flux génétique peuvent modifier les fréquences alléliques d'une population

Examinons encore une fois les cinq conditions de l'équilibre de Hardy-Weinberg. Toute déviation par rapport à cet équilibre est une source potentielle d'évolution (voir le tableau 23.1). De nouvelles mutations (violation de la condition 1) peuvent modifier les fréquences alléliques, mais, comme les mutations sont rares, le changement sera probablement minime d'une génération à une autre. L'accouplement non aléatoire (violation de la condition 2) peut influer sur les fréquences relatives des génotypes homozygotes et hétérozygotes, mais il n'a habituellement aucun effet sur les fréquences alléliques. (Les fréquences alléliques peuvent changer si des individus possèdent certains traits héréditaires qui augmentent leurs chances de s'accoupler. Cependant, non seulement l'accouplement n'est alors plus aléatoire, mais la condition 3 [absence de sélection naturelle] ne tient plus.)

Le reste de cette section portera sur les trois principaux mécanismes qui modifient directement les fréquences alléliques et causent un processus évolutif : la sélection naturelle, la dérive génétique et le flux génétique (violation des conditions 3 à 5).

La sélection naturelle

La sélection naturelle repose sur le succès différentiel de survie et de reproduction : les individus d'une population présentent

DÉMARCHE SCIENTIFIQUE

HABILETÉS SCIENTIFIQUES

Utiliser l'équation de Hardy-Weinberg pour interpréter des données et faire des prédictions

■ Y A-T-IL ÉVOLUTION DANS UNE POPULATION DE FÈVES DE SOYA ? ■ Une des façons de vérifier si une population évolue consiste à comparer les fréquences génotypiques observées à un certain locus avec celles qu'on peut prédire pour une population qui n'évolue pas en utilisant l'équation de Hardy-Weinberg. Lorsque les fréquences observées s'éloignent des valeurs attendues, on suppose qu'il y a évolution. Dans cet exercice, vous allez vérifier si une population de fèves de soya évolue au regard d'un locus ayant deux allèles, soit C^V et C^J, qui déterminent la production de chlorophylle et, donc, la couleur du feuillage.

■ MÉTHODE ■ Des étudiants ont semé des graines de soya, puis ils ont compté le nombre de jeunes plants de chaque génotype au jour 7 et au jour 21. Les jeunes plants de chaque génotype se distinguaient à l'œil nu puisque les allèles C^V et C^J présentent une dominance incomplète: les feuilles des plants C^VC^V sont vertes, celles des plants $C^V C^J$ sont vert jaune et et celles des plants $C^J C^J$ sont jaunes.

■ RÉSULTATS ■

Temps (jours)	Nombre de jeunes plants			
	Feuilles vertes (C^VC^V)	Feuilles vert jaune (C^VC^J)	Feuilles jaunes (C^JC^J)	Total
7	49	111	56	216
21	47	106	20	173

INTERPRÉTEZ LES DONNÉES ▼

1. À partir des données relatives aux fréquences génotypiques observées au jour 7, calculez la fréquence de l'allèle C^V (p) et celle de l'allèle C^J (q).
2. Maintenant, utilisez l'équation de Hardy-Weinberg ($p^2 + 2pq + q^2 = 1$) pour calculer les fréquences attendues des génotypes C^VC^V, C^VC^J et C^JC^J pour une population en équilibre de Hardy-Weinberg.
3. Calculez les fréquences des génotypes C^VC^V, C^VC^J et C^JC^J observées au jour 7, puis comparez-les aux fréquences que vous avez calculées à la question 2. La population de jeunes plants est-elle en équilibre de Hardy-Weinberg au jour 7 ou évolue-t-elle ? Expliquez votre raisonnement et indiquez quels génotypes, le cas échéant, semblent avantagés ou désavantagés par la sélection naturelle.
4. Calculez les fréquences des génotypes C^VC^V, C^VC^J et C^JC^J observées au jour 21, puis comparez-les aux fréquences que vous avez calculées à la question 2 ainsi qu'aux fréquences observées au jour 7. La population de jeunes plants est-elle en équilibre de Hardy-Weinberg au jour 21, ou évolue-t-elle ? Expliquez votre raisonnement et indiquez s'il y a lieu quels génotypes semblent avantagés ou désavantagés par la sélection naturelle.
5. Les individus homozygotes pour l'allèle C^JC^J ne peuvent pas produire de chlorophylle. La capacité d'effectuer la photosynthèse devient plus importante à mesure que les plants grandissent et commencent à libérer la réserve de nourriture initialement stockée dans la graine dont ils proviennent. Formulez une hypothèse qui explique les données des jours 7 et 21. À partir de cette hypothèse, prédisez de quelle façon les fréquences des allèles C^V et C^J changeront après le jour 21.

des variations dans leurs caractères héréditaires; ceux qui sont dotés des variations les mieux adaptées à l'environnement ont tendance à laisser une descendance plus nombreuse que les autres.

D'un point de vue génétique, la sélection naturelle fait en sorte que certains allèles se transmettent à la génération suivante dans des proportions qui diffèrent de celles de la génération parentale.

Par exemple, la drosophile (*Drosophila melanogaster*) possède un allèle qui lui confère une résistance à plusieurs insecticides, dont le DDT. Cet allèle avait une fréquence de 0 % chez les souches de laboratoire de *D. melanogaster* établies à partir d'individus prélevés dans la nature au début des années 1930, avant l'utilisation du DDT. Cependant, pour les souches établies à partir d'individus prélevés dans la nature après 1960 (quelque 20 ans ou plus après le début de l'utilisation du DDT), la fréquence de l'allèle est de 37 %. On peut en déduire que cet allèle est apparu par mutation entre 1930 et 1960 ou bien qu'il était très rare en 1930, s'il était déjà présent. Dans les deux cas, l'augmentation de fréquence de cet allèle s'explique probablement par le fait que le DDT est une substance très toxique et par une forte pression de sélection chez les populations de mouches qui y sont exposées.

Comme le montre l'exemple de *D. melanogaster,* un allèle qui confère une résistance à un insecticide aura une fréquence accrue dans une population exposée à cet insecticide. De tels changements ne relèvent pas de la coïncidence. En favorisant constamment certains allèles plutôt que d'autres, la sélection naturelle peut entraîner une **évolution adaptative**, un processus par lequel certains traits favorisant la survie ou la reproduction tendent à être de plus en plus fréquents avec le temps. Nous reviendrons sur ce processus plus loin dans ce chapitre.

La dérive génétique

Si vous lancez une pièce de monnaie à 1 000 reprises et que vous obtenez 700 fois le côté face et 300 fois le côté pile, vous soupçonnerez votre pièce de présenter un défaut. Mais si vous vous contentez de la lancer 10 fois et que vous obtenez 7 fois le côté face et 3 fois le côté pile, vous ne vous poserez pas de questions. Pourquoi ? Parce que plus un échantillon est petit, plus grande est la probabilité de déviation par rapport à un résultat attendu (dans le cas présent, obtenir un nombre égal de pile et de face). De la même façon, des phénomènes aléatoires peuvent faire fluctuer les fréquences alléliques de manière imprévisible d'une génération à l'autre, en particulier dans les petites populations – un processus appelé **dérive génétique**.

La **figure 23.9** modélise la façon dont la dérive génétique pourrait influer sur une petite population de nos fameuses plantes à fleurs. Dans cet exemple, un allèle disparaît du patrimoine génétique, mais le fait que ce soit l'allèle C^B qui disparaisse plutôt que l'allèle C^R relève du hasard. Ce type de changement imprévisible des fréquences alléliques peut s'expliquer par des phénomènes aléatoires associés à la survie ou à la reproduction. Par exemple, un gros animal comme un orignal pourrait avoir piétiné et détruit les trois individus C^BC^B de la génération 2, augmentant ainsi les chances que seul l'allèle C^R se transmette à la génération suivante. Les fréquences alléliques peuvent également varier en raison de phénomènes liés à la fécondation. Supposons par exemple que deux individus de génotype C^RC^B n'aient eu que peu de descendants ; par pur hasard, chaque couple de gamètes qui a produit des descendants pourrait avoir été porteur de l'allèle C^R, mais pas de l'allèle C^B.

Certaines circonstances entraînent une dérive génétique qui a des effets considérables sur la population. C'est le cas par exemple de l'effet fondateur et de l'effet de goulot d'étranglement.

L'effet fondateur

Lorsqu'ils sont isolés de leur population, des individus peuvent s'implanter et former une nouvelle population dont le patrimoine génétique différera de celui de la population d'origine. Ce phénomène, qu'on appelle l'**effet fondateur**, s'observe par exemple lorsque quelques membres d'une population végétale passent d'une île à une autre lors d'une tempête. Si la tempête transporte par hasard certains individus (et leurs allèles) de la population source, mais pas d'autres, cela peut produire une dérive génétique.

L'effet fondateur explique probablement la fréquence relativement élevée de certains troubles héréditaires observés dans les populations humaines isolées. Par exemple, en 1814, 15 colons britanniques ont fondé l'établissement britannique de Tristan da Cunha, un archipel de l'Atlantique à mi-chemin entre l'Afrique et l'Amérique du Sud. L'un des colons portait l'allèle récessif de la rétinopathie pigmentaire, une forme progressive de cécité atteignant les homozygotes. Sur les 240 descendants vivant encore dans l'archipel à la fin des années 1960, 4 étaient atteints de rétinopathie et au moins 9 autres étaient des porteurs sains. Aujourd'hui encore, la fréquence de cet allèle est 10 fois plus élevée à Tristan da Cunha que dans les populations d'origine des colons fondateurs. Dans les régions de Charlevoix et du Saguenay–Lac-Saint-Jean, au Québec, les cas de dystrophie myotonique sont plus fréquents que la moyenne. La dystrophie myotonique est une maladie génétique à transmission autosomique dominante qui se manifeste, en partie et à des degrés variables, par des atteintes oculaires, musculaires et endocriniennes, par un rythme cardiaque irrégulier et par des troubles neurologiques parfois associés à une légère déficience intellectuelle. Dans ces régions, on compte 189 cas de dystrophie myotonique sur 100 000 habitants, contre 4 sur 100 000 en Europe. Cet écart considérable s'explique par une fréquence supérieure à la normale de l'allèle de la dystrophie myotonique au sein de la très petite population colonisatrice ayant quitté la Vendée et la Charente-Maritime, en France, pour s'établir au Québec. Précisons ici que l'effet fondateur ne modifie pas uniquement la fréquence d'allèles responsables de maladies héréditaires ; il touche aussi celle de nombreux allèles déterminant des traits moins évidents.

▼ **Figure 23.9 La dérive génétique.** Cette petite population de plantes à fleurs sauvages a une taille stable de 10 individus. Seules les cinq plantes de la génération 1 (celles surlignées en jaune) produisent des semences fertiles (cela pourrait arriver si, par hasard, ces cinq plantes étaient les seules à pousser à un endroit où elles trouvent suffisamment de nutriments pour soutenir la production d'une descendance). Toujours par hasard, seulement deux plantes de la génération 2 laissent des semences fertiles. L'allèle C^B augmente à la génération 2, puis est réduit à zéro à la génération 3.

HABILETÉS VISUELLES ▶ À partir de ce schéma, résumez la façon dont la fréquence de l'allèle C^B change avec le temps.

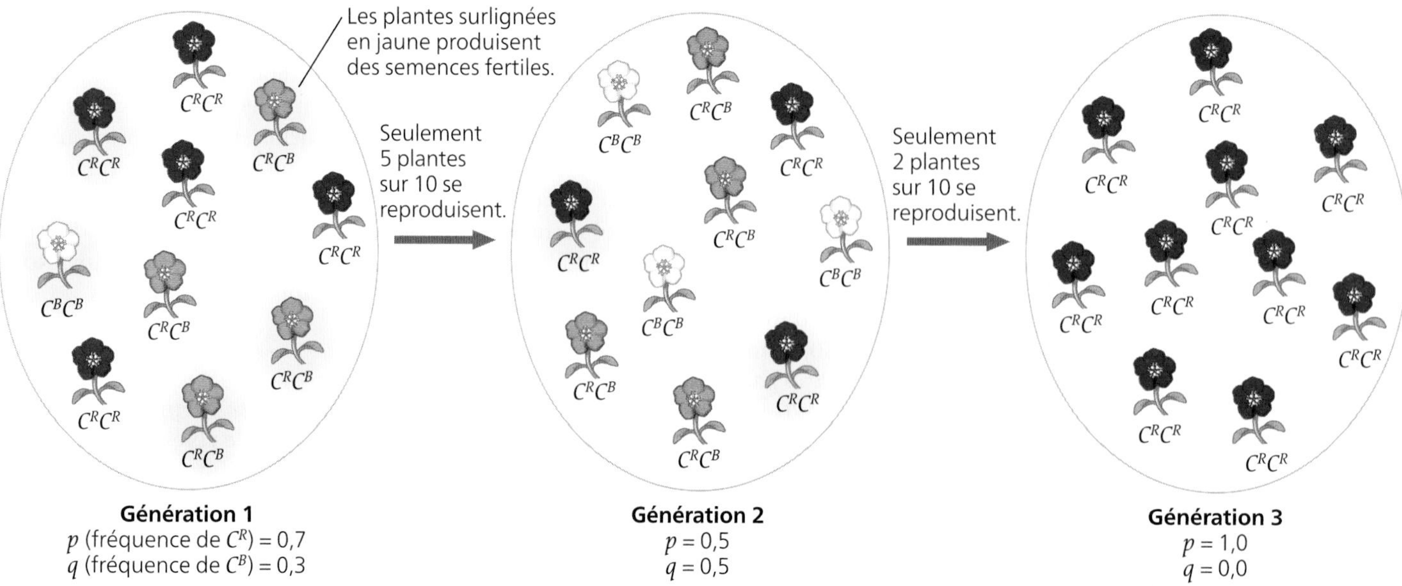

L'effet de goulot d'étranglement

Un changement environnemental soudain, comme un feu ou une inondation, peut réduire radicalement la taille d'une population, et produire un **effet de goulot d'étranglement**, ainsi nommé parce que la population passe dans un goulot étroit qui diminue sa taille (**figure 23.10**). Le hasard peut faire que certains allèles soient surreprésentés, alors que d'autres seraient sous-représentés; certains pourraient même disparaître complètement. La dérive génétique continuera d'avoir une influence importante sur le patrimoine génétique pendant de nombreuses générations, jusqu'à ce que la population redevienne suffisamment nombreuse pour que les fluctuations attribuables au hasard aient moins de portée. Mais même lorsqu'une population qui est passée par un goulot d'étranglement retrouve sa taille d'origine, son taux de variation génétique peut rester longtemps faible (en raison des allèles fixés); c'est un héritage de la dérive génétique qu'elle a connue lorsqu'elle était de petite taille. L'action des humains peut provoquer de sérieux goulots d'étranglement chez certaines espèces, comme le montre l'exemple qui suit.

Étude de cas: l'effet de la dérive génétique sur le tétras des prairies

Des millions de tétras des prairies (*Tympanuchus cupido*) vivaient autrefois dans les prairies de l'Illinois. Cependant, à mesure que les humains se sont mis à cultiver ces territoires ou à les transformer pour d'autres usages durant les 19ᵉ et 20ᵉ siècles, le nombre de ces oiseaux a dégringolé (**figure 23.11a**). En 1993, il ne restait plus qu'une cinquantaine d'individus. Ces survivants présentaient un taux très faible de variation génétique, et moins de 50 % de leurs œufs arrivaient à éclosion, soit beaucoup moins que dans les populations plus importantes du Kansas et du Nebraska (**figure 23.11b**).

Ces données semblent indiquer que, sous l'effet du goulot d'étranglement, la dérive génétique peut avoir entraîné une perte de variation génétique et une augmentation de la fréquence des allèles nuisibles. Pour vérifier cette hypothèse, des chercheurs ont extrait l'ADN de 15 spécimens de tétras des prairies de l'Illinois conservés dans des musées. De ces 15 oiseaux, 10 avaient été prélevés dans les années 1930, lorsque l'Illinois comptait encore 25 000 tétras des prairies, et les 5 autres dans les années 1960, alors qu'il en restait encore un millier. En étudiant l'ADN de ces spécimens, les chercheurs ont pu obtenir une valeur de référence minimale pour estimer la variation génétique déjà présente dans la population des tétras des prairies *avant* qu'elle ne soit réduite à quelques oiseaux. Cette valeur de référence est une information clé dont on ne dispose habituellement pas dans les cas de goulot d'étranglement.

Les chercheurs ont étudié six locus et ont découvert que la population de 1993 avait moins d'allèles par locus que la population de l'Illinois d'avant le goulot d'étranglement et que les populations actuelles du Kansas et du Nebraska (voir la figure 23.11b). La dérive génétique avait donc réduit la variation génétique de la petite population de 1993, comme le prédisait l'hypothèse; elle avait peut-être aussi augmenté la fréquence des allèles nuisibles, expliquant ainsi le faible taux d'éclosion

▼ **Figure 23.10 L'effet de goulot d'étranglement.** Pour illustrer l'effet de goulot d'étranglement et la réduction brutale et draconienne d'une population décimée par une catastrophe naturelle, on remplit une bouteille de billes de différentes couleurs. On l'agite ensuite pour en faire glisser quelques-unes par le goulot jusque dans le verre. Remarquez que, par hasard, dans la nouvelle population, les billes bleues sont surreprésentées par rapport aux blanches; quant aux billes jaunes, elles sont carrément absentes.

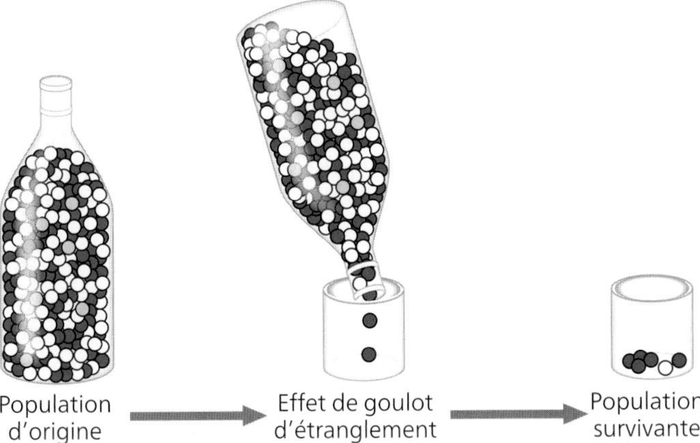

▼ **Figure 23.11 La dérive génétique et la perte de variation génétique.**

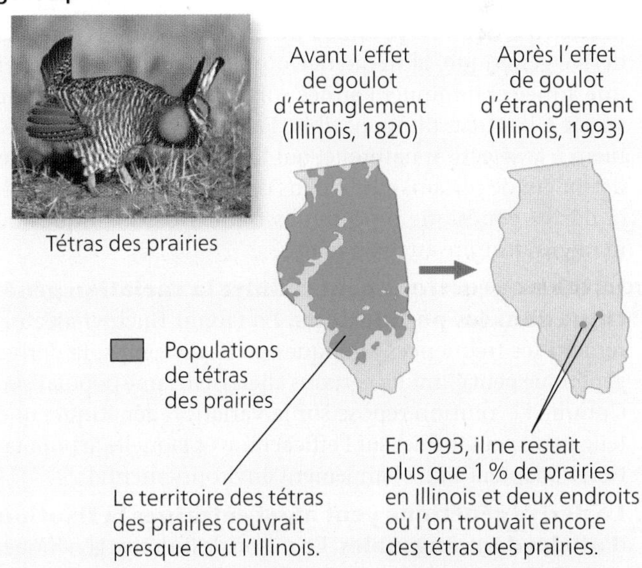

(a) En Illinois, la population des tétras des prairies est passée de plusieurs millions dans les années 1800 à moins de 50 oiseaux en 1993.

Endroit	Taille de la population	Nombre d'allèles par locus	Pourcentage d'œufs éclos
Illinois			
1930-1960	1 000-25 000	5,2	93
1993	<50	3,7	<50
Kansas, 1998 (pas de goulot d'étranglement)	750 000	5,8	99
Nebraska, 1998 (pas de goulot d'étranglement)	75 000-200 000	5,8	96

(b) Dans la petite population de l'Illinois, la dérive génétique a produit une chute du nombre d'allèles par locus et du pourcentage des œufs qui parvenaient à éclore.

des œufs. Pour atténuer ces effets nuisibles, on a introduit 271 oiseaux des États voisins dans la population de l'Illinois sur une période de quatre ans. Cette stratégie a été couronnée de succès : de nouveaux allèles ont pénétré dans la population, et le taux d'éclosion des œufs a grimpé à 90 %. Les études sur les tétras des prairies de l'Illinois montrent la puissance des effets de la dérive génétique dans de petites populations et permettent d'espérer que ces effets peuvent être renversés, au moins dans certaines populations.

Les effets de la dérive génétique : *un résumé*

Les exemples que nous venons de décrire mettent en lumière quatre points clés :

1. **La dérive génétique est considérable dans les petites populations.** Des phénomènes aléatoires peuvent entraîner une surreprésentation ou une sous-représentation d'un allèle dans la génération suivante. De tels phénomènes aléatoires se produisent dans les populations de toutes les tailles, mais ils ont tendance à ne modifier substantiellement les fréquences alléliques que dans les petites populations.
2. **La dérive génétique peut entraîner un changement aléatoire des fréquences alléliques.** En raison de la dérive génétique, la fréquence d'un allèle peut augmenter une année et diminuer l'année suivante ; la variation d'une année à l'autre est imprévisible. Par conséquent, contrairement à la sélection naturelle, qui favorise certains allèles au détriment de certains autres dans un environnement donné, la dérive génétique modifie les fréquences alléliques de manière aléatoire au fil du temps.
3. **La dérive génétique peut réduire la variation génétique dans les populations.** En faisant fluctuer aléatoirement les fréquences alléliques au fil du temps, la dérive génétique peut éliminer certains allèles dans une population. Comme l'évolution repose sur la variation génétique, une telle perte peut influer sur l'efficacité avec laquelle la population s'adaptera à un changement environnemental.
4. **La dérive génétique peut aussi entraîner la fixation d'allèles dommageables.** En raison de la dérive génétique, des allèles qui ne sont ni nuisibles ni bénéfiques peuvent disparaître ou se fixer (avoir une fréquence de 100 %), au gré du hasard. Dans les très petites populations, la dérive génétique peut aussi contribuer à la fixation d'allèles quelque peu nuisibles. Lorsque cela se produit, la survie de la population peut être menacée (comme c'est arrivé dans le cas du tétras des prairies).

Le flux génétique

La modification des fréquences alléliques ne dépend pas uniquement de la sélection naturelle et de la dérive génétique. Elle est également influencée par le **flux génétique**, c'est-à-dire l'échange d'allèles entre différentes populations en raison de la migration d'individus fertiles ou de leurs gamètes. Imaginons que la population hypothétique de plantes à fleurs sauvages décrite un peu plus haut côtoie une population nouvellement établie composée principalement d'individus à pétales blancs (C^BC^B). Il se pourrait que les insectes pollinisateurs de ces fleurs apportent du pollen de cette population à notre population initiale ; les allèles C^B nouvellement introduits modifieront alors les fréquences alléliques de la génération suivante. Comme les allèles s'échangent entre des populations, le flux génétique tend à réduire les différences génétiques entre les populations. En fait, s'il est assez important, le flux génétique peut fondre deux populations pour n'en faire qu'une seule – avec un seul et même patrimoine génétique.

Les échanges d'allèles par flux génétique peuvent aussi influer sur l'adaptation des populations à des conditions environnementales locales. Par exemple, les populations insulaires et continentales de la couleuvre d'eau du lac Érié (*Nerodia sipedon*) présentent des motifs distincts : presque tous les individus des régions continentales de l'Ohio ou de l'Ontario portent des rayures très apparentes, tandis que la majorité des individus vivant sur les îles n'en ont pas ou très peu (**figure 23.12**). Les rayures sont un trait héréditaire déterminé par quelques locus. (Les allèles codant pour la présence de rayures sont dominants par rapport aux allèles codant pour l'absence de rayures.) Sur les îles du lac Érié, les couleuvres d'eau vivent sur des rivages rocailleux, tandis que dans les régions continentales, elles vivent dans des marais. Dans les habitats insulaires, les couleuvres sans rayures se camouflent plus facilement que celles portant des rayures, et leur taux de survie est donc plus élevé que celui des couleuvres portant des rayures.

Ces données indiquent que les individus dépourvus de rayures sont avantagés par la sélection naturelle dans les populations insulaires. On pourrait donc s'attendre à ce que *tous* les individus des îles ne portent pas de rayures. Pourquoi n'en est-il pas ainsi ? La réponse réside dans le flux génétique provenant des régions continentales. Bon an mal an, de 3 à 10 couleuvres d'eau habitant sur le continent nagent jusqu'à une des îles et se joignent aux populations qui y vivent. Ces migrants transfèrent alors les allèles des rayures (issus des populations continentales qui ont presque toutes des rayures) aux populations insulaires. À cause de ce flux génétique constant, la sélection naturelle n'a pas fait disparaître tous les allèles de rayures dans les populations insulaires, ce qui les empêche d'être totalement adaptées aux conditions locales.

Le flux génétique peut également apporter des allèles qui améliorent la capacité d'adaptation de certaines populations à des conditions locales. Ainsi, le flux génétique a contribué à la propagation dans le monde entier de plusieurs allèles de résistance aux insecticides chez le moustique *Culex pipiens*, vecteur du virus du Nil et d'autres maladies. Comme la signature génétique de chacun de ces allèles est unique, les chercheurs sont en mesure de documenter son apparition dans une ou plusieurs régions géographiques. Dans leur population d'origine, la fréquence de ces allèles s'est accrue parce qu'ils rendaient ces insectes résistants aux insecticides. Ces allèles se sont ensuite transmis à de nouvelles populations et, là encore, la sélection naturelle est à l'origine de l'accroissement de leur fréquence.

Finalement, le flux génétique est devenu un agent de changement évolutif de plus en plus important dans les populations humaines. De nos jours, les humains se déplacent plus librement qu'autrefois dans le monde. L'accouplement entre membres de populations qui autrefois avaient peu de contacts est donc devenu plus courant, ce qui donne lieu à un échange d'allèles et à une réduction des différences génétiques entre ces populations.

▼ Figure 23.12 Le flux génétique et l'adaptation locale des couleuvres d'eau du lac Érié (*Nerodia sipedon*). Des chercheurs ont attribué des lettres aux variations des rayures chez les populations de *N. sipedon*: la lettre A représente les rayures très prononcées, les lettres B et C les rayures moyennement prononcées, et la lettre D, l'absence de rayures. Les rayures sont avantageuses pour le camouflage dans les environnements continentaux, tandis que l'absence de rayures est avantageuse dans les environnements insulaires. Toutefois, le flux génétique provenant du continent entraîne la persistance des rayures dans les populations insulaires.

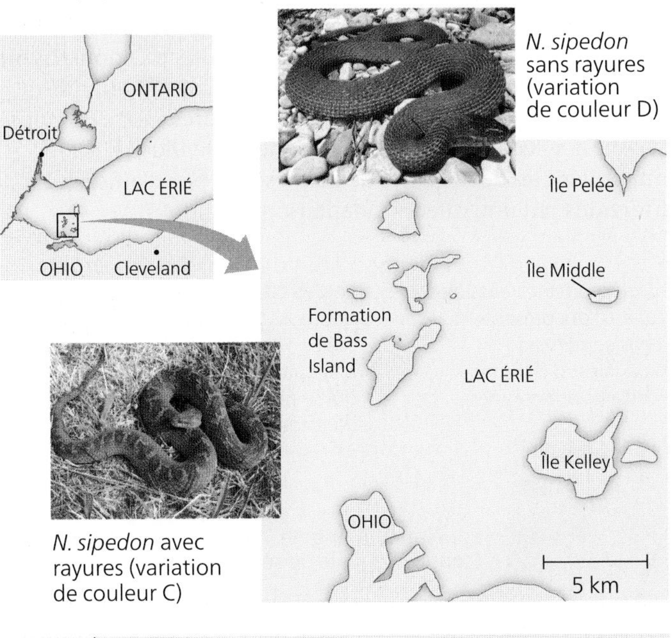

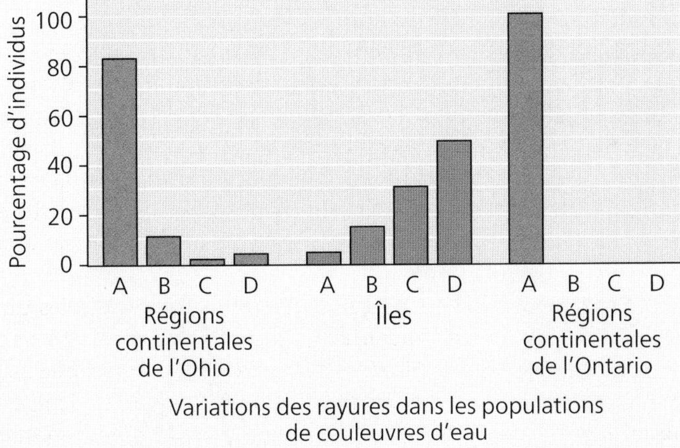

ET SI ? ▶ Imaginez que des événements météorologiques importants ont fait diminuer la taille des populations insulaires, sans toutefois avoir d'effet sur la taille des populations continentales. De quelle façon le flux génétique provenant du continent influerait-il sur les variations de rayures des populations insulaires ? Expliquez votre réponse.

RETOUR SUR LE CONCEPT 23.3

1. Dans quelle mesure la sélection naturelle est-elle plus « prévisible » que la dérive génétique ?
2. Quelle est la différence entre la dérive génétique et le flux génétique quant à (a) la façon dont ils se produisent et (b) leur incidence sur la variation génétique future d'une population ?
3. **ET SI ?** ▶ Supposons que deux populations de plantes s'échangent du pollen et des graines. Dans une des populations, les individus qui ont le génotype *AA* sont plus nombreux (9 000 *AA*, 900 *Aa*, 100 *aa*), tandis que dans l'autre population, ils sont les moins nombreux (100 *AA*, 900 *Aa*, 9 000 *aa*). Si aucun des allèles n'a d'avantage sélectif, qu'adviendra-t-il avec le temps des fréquences alléliques et génotypiques de ces populations ?

Voir les réponses proposées à l'appendice A.

CONCEPT 23.4

La sélection naturelle est le seul mécanisme qui entraîne une évolution adaptative constante

L'évolution par la sélection naturelle est un mélange de hasard et de « tri » : d'une part, le hasard intervient dans l'apparition de nouvelles variations génétiques (telles que les mutations) ; d'autre part, le tri entre en jeu lorsque la sélection naturelle favorise certains allèles plutôt que d'autres. En raison de ce dernier processus, le résultat de la sélection naturelle *n'est pas* aléatoire. La sélection naturelle accroît constamment les fréquences alléliques qui confèrent un avantage reproductif et entraîne donc une évolution adaptative.

La sélection naturelle: *une étude détaillée*

Pour voir comment la sélection naturelle entraîne l'évolution adaptative, commençons par examiner le concept de la valeur d'adaptation et les différentes façons dont la sélection naturelle s'exerce sur le phénotype d'un organisme.

La valeur d'adaptation

Pour décrire la sélection naturelle, on emploie souvent les expressions *lutte pour l'existence* et *survie du plus apte*, mais ces formules peuvent être trompeuses si on les interprète comme une lutte mettant des individus en concurrence directe. Il existe effectivement des espèces dont certains individus, généralement les mâles, luttent pour le privilège de s'accoupler. Toutefois, le succès reproducteur s'obtient souvent d'une manière plus subtile et dépend de nombreux facteurs autres que la lutte pour la femelle ou le mâle avec qui s'accoupler. Par exemple, une bernache qui se nourrit plus efficacement que ses voisines pourra emmagasiner plus d'énergie qu'elles et, par conséquent, produire un plus grand nombre d'œufs. De même, certains papillons de nuit engendrent en moyenne plus de descendants que d'autres membres de la même population, parce que la couleur de leur corps les dissimule mieux et qu'ils courent moins de risques d'être repérés par des prédateurs. Ces exemples montrent comment, dans un environnement donné, certains caractères peuvent accroître la **valeur d'adaptation**, c'est-à-dire la contribution d'un individu au patrimoine génétique de la génération suivante par rapport à la contribution d'autres individus.

Même si on parle souvent de la valeur d'adaptation d'un génotype, souvenez-vous que l'entité soumise à la sélection naturelle est l'organisme en entier, et non le génotype sous-jacent. Par conséquent, la sélection agit plus directement sur le phénotype que sur le génotype ; elle n'agit qu'indirectement sur le génotype, en favorisant ou en défavorisant sa transmission, selon le phénotype qu'il encode.

La sélection directionnelle, la sélection divergente et la sélection stabilisante

Suivant les phénotypes favorisés dans une population qui évolue, on distingue trois modes de sélection naturelle : la sélection directionnelle, la sélection divergente et la sélection stabilisante.

La **sélection directionnelle** se produit lorsque les conditions favorisent les individus qui affichent un phénotype extrême, déplaçant la courbe de fréquence du caractère phénotypique dans une direction ou l'autre (**figure 23.13a**). La sélection directionnelle est fréquente lorsque le milieu où habite une population subit des changements ou que des membres d'une population émigrent dans un nouvel habitat différent de leur habitat d'origine. Par exemple, une augmentation de la taille des graines disponibles pour se nourrir a amené un accroissement de l'épaisseur du bec dans une population de géospizes des Galápagos (voir la figure 23.2).

La **sélection divergente** ou disruptive (**figure 23.13b**) se produit lorsque les conditions environnementales procurent un net avantage aux phénotypes extrêmes, aux dépens des phénotypes intermédiaires. Par exemple, au Cameroun, il existe une population de pyrénestes ponceau (*Pyrenestes ostrinus*), un granivore au ventre noir, qui comprend des individus à gros bec et d'autres à petit bec. Les individus à petit bec se nourrissent surtout de graines molles, tandis que les individus à gros bec consomment principalement des graines dures. On peut supposer que la sélection naturelle élimine les individus à bec moyen, qui broient les deux genres de graines avec peu d'efficacité : ces individus ont une valeur d'adaptation moindre.

▼ **Figure 23.13 Les modes de sélection naturelle.** Ces illustrations indiquent trois modalités possibles de l'évolution d'une population imaginaire de souris sylvestres (*Peromyscus maniculatus*) qui présentent une variation héréditaire pour la couleur du pelage. Les graphiques montrent les changements qui se produisent au fil du temps dans la fréquence des individus dont la couleur du pelage est différente. Les flèches blanches symbolisent l'action exercée par la sélection naturelle contre certains phénotypes.

FAITES DES LIENS ▶ Révisez la figure 22.13. Quel mode de sélection était à l'œuvre chez les punaises à épaules rouges (*J. haematoloma*) qui se nourrissaient sur le savonnier (*K. elegans*) ? Expliquez votre réponse.

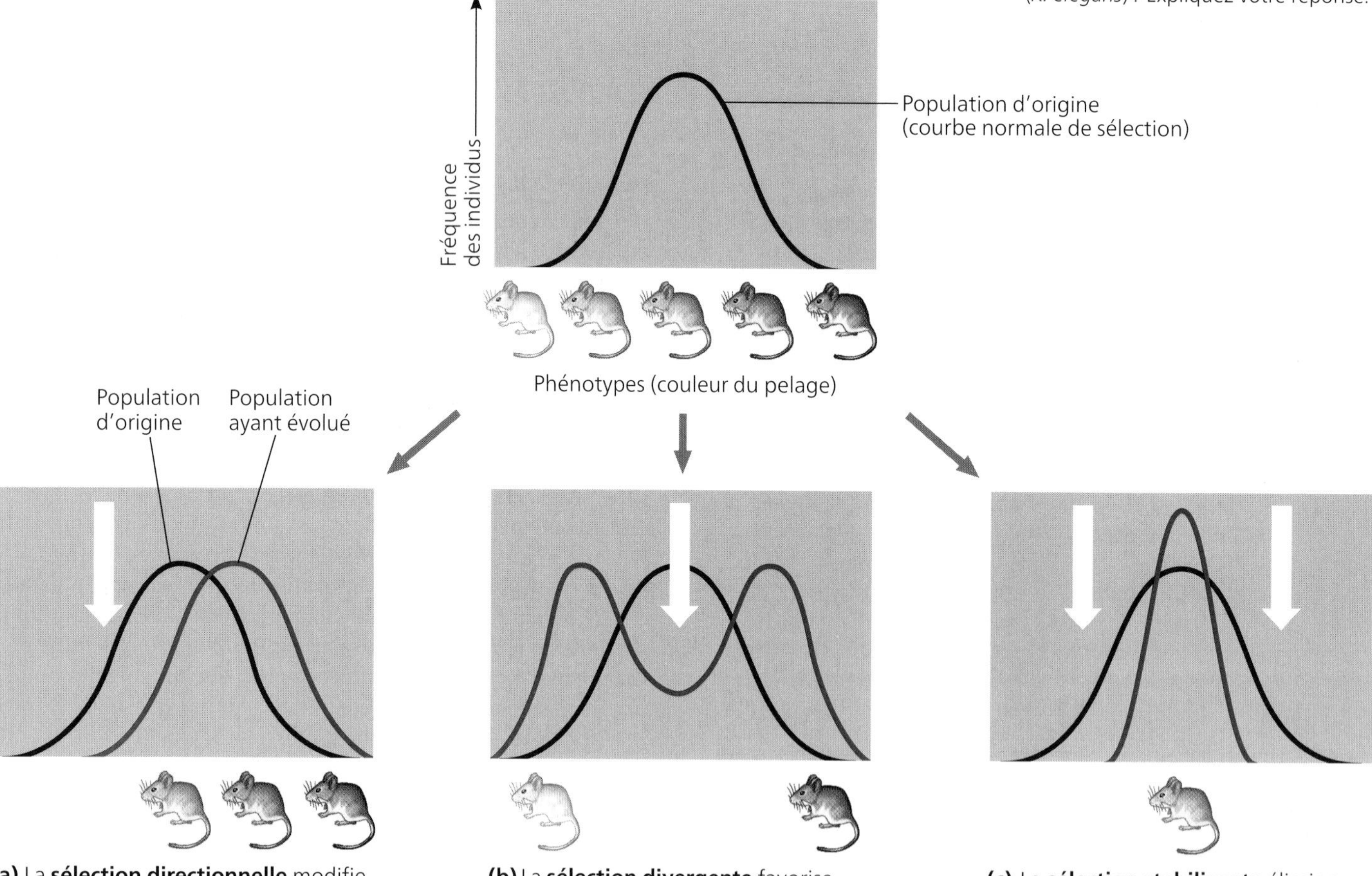

(a) La **sélection directionnelle** modifie la composition générale de la population en favorisant les phénotypes situés à une seule extrémité de la distribution. Dans ce cas-ci, elle favorise les individus plus sombres, parce que ceux-ci vivent entre les roches foncées, ce qui les camoufle des prédateurs.

(b) La **sélection divergente** favorise les deux phénotypes extrêmes : les fréquences relatives des souris sylvestres au pelage très clair et très foncé ont augmenté. Ces individus ont colonisé un habitat hétérogène, par exemple un sol jonché de roches très foncées ou très pâles, ce qui désavantage les souris aux couleurs intermédiaires.

(c) La **sélection stabilisante** élimine les phénotypes extrêmes de la population et favorise les individus aux couleurs intermédiaires. Si le milieu se compose de roches de couleur neutre (ni très foncées, ni très pâles), les souris très foncées ou très pâles seront désavantagées par la sélection.

La **sélection stabilisante** ou normalisante (**figure 23.13c**) élimine les phénotypes extrêmes et favorise ceux qui sont intermédiaires. Ce mode de sélection naturelle réduit les variations et maintient le statu quo relatif à un phénotype particulier. Par exemple, à la naissance, la masse de la majorité des humains se situe entre 3 et 4 kg; le taux de mortalité est plus élevé chez les bébés beaucoup plus légers ou beaucoup plus lourds que la moyenne.

Bien que nous parlions de trois modes de sélection naturelle, le mécanisme fondamental est le même: la sélection naturelle favorise les individus dotés de caractères phénotypiques héréditaires qui leur assurent le plus grand succès reproducteur.

Le rôle clé de la sélection naturelle dans l'évolution adaptative

Il existe d'innombrables exemples d'adaptation des organismes à leur milieu, dont certains sont particulièrement frappants. Ainsi, certaines pieuvres ont la capacité de changer rapidement de couleur pour se fondre dans divers décors. Autre exemple: les mâchoires remarquables des serpents (**figure 23.14**) leur permettent d'avaler des proies beaucoup plus grosses que leur propre tête (un exploit qui équivaudrait pour un humain à avaler un melon d'eau entier!). D'autres types d'adaptation, comme cette enzyme qui fonctionne plus efficacement dans les environnements très chauds, peuvent être moins spectaculaires visuellement, mais tout aussi importants pour la survie et la reproduction.

De telles adaptations peuvent apparaître graduellement avec le temps à mesure que la sélection naturelle accroît la fréquence des allèles qui favorisent la survie et la reproduction. L'adéquation entre une espèce et son environnement s'améliore à mesure que la proportion d'individus dotés des caractères favorables augmente, ce qui signifie qu'il y a une évolution adaptative. Cependant, les composants physiques et biologiques de l'environnement des organismes peuvent changer avec le temps. Autrement dit, la «bonne adéquation» entre un organisme et son milieu peut devenir une cible mouvante, faisant de l'évolution adaptative un processus dynamique continu. Les conditions environnementales peuvent également différer d'un endroit à un autre et faire en sorte que les allèles favorisés ne seront pas les mêmes partout. Lorsqu'il en est ainsi, la sélection naturelle peut déboucher sur des différences génétiques entre les populations d'une même espèce.

Qu'en est-il de la dérive génétique et du flux génétique? En fait, tous deux peuvent accroître les fréquences des allèles qui améliorent la survie ou la reproduction, mais aucun des deux ne le fait de manière constante. La dérive génétique peut faire augmenter la fréquence d'un allèle légèrement avantageux, mais elle peut aussi la faire diminuer. De même, le flux génétique peut introduire aussi bien des allèles avantageux que désavantageux. La sélection naturelle est le seul mécanisme de l'évolution qui mène constamment à une évolution adaptative.

La sélection sexuelle

Charles Darwin a été le premier à étudier les répercussions de la **sélection sexuelle**, un processus qui fait que les individus dotés de certaines caractéristiques héréditaires sont plus susceptibles que d'autres de trouver des partenaires. Ce type de sélection peut donner lieu au **dimorphisme sexuel**, qui s'exprime par des différences marquées dans les caractères sexuels secondaires entre mâles et femelles de la même espèce (**figure 23.15**). Ces différences touchent notamment la taille, la couleur, l'ornementation et le comportement.

Comment la sélection sexuelle fonctionne-t-elle? De plusieurs façons. La **sélection intrasexuelle** est la sélection qui a lieu entre des individus de même sexe et qui passe par la concurrence directe pour gagner les faveurs d'un partenaire de sexe opposé. Ainsi, chez plusieurs espèces, un mâle seul exerce son emprise sur un groupe de femelles et empêche les autres mâles de s'accoupler avec elles. Pour défendre son statut, ce mâle

▼ **Figure 23.14 Les mâchoires aux os mobiles des serpents.**

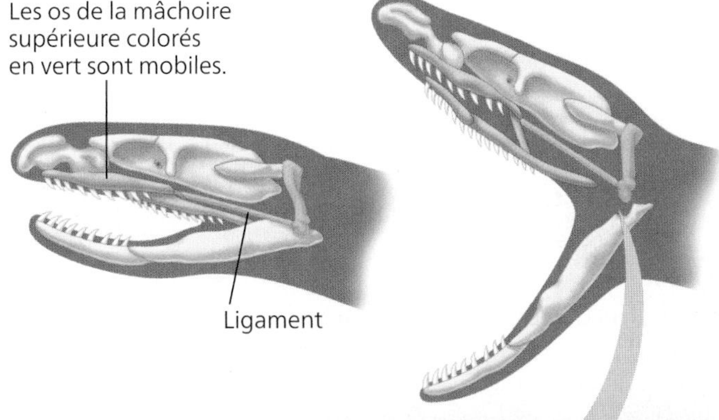

Les os de la mâchoire supérieure colorés en vert sont mobiles.
Ligament

Les os crâniens de la plupart des vertébrés terrestres sont rattachés les uns aux autres de manière assez rigide, ce qui limite leur mouvement. Mais chez la plupart des serpents, la mâchoire supérieure comporte des os mobiles, ce qui leur permet d'avaler des aliments beaucoup plus gros que leur tête.

▼ **Figure 23.15 Le dimorphisme sexuel et la sélection sexuelle.** Le paon et la paonne ont un dimorphisme sexuel extrême. Il y a sélection intrasexuelle entre les mâles concurrents, suivie d'une sélection intersexuelle lorsque les femelles choisissent parmi les mâles les plus éclatants.

doit parfois combattre et vaincre les mâles plus petits, plus faibles ou moins acharnés que lui, mais le plus souvent il se livre à des parades nuptiales ritualisées qui découragent ses rivaux et lui évitent des blessures qui diminueraient sa valeur d'adaptation (voir la figure 51.16). La sélection intrasexuelle existe également entre les femelles de diverses espèces, notamment le maki catta ou maki mococo (*Lemur catta*) et l'anguille vésarde ou syphonostome (*Syngnathus typhle*).

La **sélection intersexuelle**, quant à elle, passe par une prédilection qu'ont les partenaires d'un des deux sexes (généralement les femelles) pour leurs éventuels partenaires de sexe opposé. Dans de nombreux cas, il semble que les femelles préfèrent les mâles qui possèdent les traits les plus éclatants ou le comportement le plus impressionnant (voir la figure 23.15). Ce genre de manifestation a d'ailleurs intrigué Darwin. Bien sûr, les caractéristiques éclatantes du comportement mâle facilitent l'obtention des faveurs d'une femelle. Cependant, en d'autres circonstances, elles ne présentent aucune valeur d'adaptation et peuvent même comporter certains risques. Ainsi, un plumage éclatant peut rendre les oiseaux mâles plus visibles pour leurs prédateurs, et donc plus vulnérables. Toutefois, si des caractères sexuels secondaires aident des mâles à s'accoupler et que cet avantage l'emporte sur le risque, alors le plumage éclatant et la préférence de la femelle pour celui-ci se maintiendront pour la plus darwinienne des raisons : ils favorisent le succès reproducteur.

Comment les préférences des femelles pour certaines caractéristiques mâles ont-elles commencé à évoluer au départ ? L'une des hypothèses est que les femelles préfèrent des caractères mâles corrélés avec de « bons gènes ». Si le caractère que préfèrent les femelles est indicatif de la qualité de la totalité du matériel génétique, la fréquence de ce caractère ainsi que la préférence qu'il inspire à la femelle devraient augmenter. La **figure 23.16** décrit une expérience sur des rainettes versicolores qui a permis de vérifier cette hypothèse. D'autres chercheurs ont montré que chez plusieurs espèces d'oiseaux les caractères préférés des femelles sont reliés à la santé générale du mâle. Ici aussi la préférence des femelles semble être basée sur des caractères indicateurs de « bons gènes » – dans ce cas, des allèles qui contribuent à la robustesse du système immunitaire.

DÉMARCHE SCIENTIFIQUE

INVESTIGATION

▼ **Figure 23.16**

Les femelles choisissent-elles les mâles en fonction de caractères indicateurs de « bons gènes » ?

■ **HYPOTHÈSE** ■ Chez les rainettes versicolores (*Hyla versicolor*), les femelles préfèrent s'accoupler avec des mâles qui émettent de longs appels nuptiaux. Allison Welch et ses collègues de la University of Missouri ont voulu vérifier si la configuration génétique des mâles qui émettent de longs appels (LA) est supérieure à celle des mâles qui émettent de courts appels (CA). Si les mâles émettant de longs appels nuptiaux (LA) ont des caractéristiques génétiques plus avantageuses, ils devraient avoir un meilleur taux de survie et un plus grand succès reproducteur que les mâles dont les appels nuptiaux sont plus courts (CA).

■ **EXPÉRIENCE** ■ Les chercheurs ont fécondé la moitié des œufs de chaque femelle avec le sperme d'un mâle LA et l'autre moitié avec le sperme d'un mâle CA. Puis, dans le cadre de deux expériences séparées (l'une en 1995 et l'autre en 1996), les chercheurs ont laissé grandir les deux groupes de descendants dans un même milieu et ont mesuré régulièrement leur taux de survie et leur succès reproducteur.

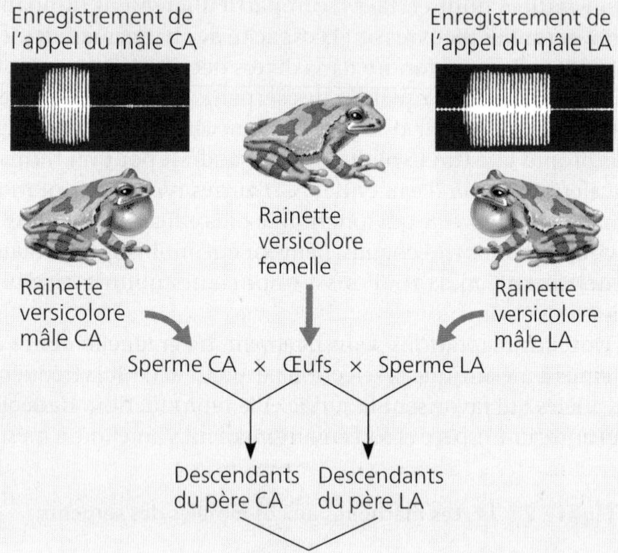

■ **RÉSULTATS** ■

Succès des descendants	1995	1996
Taux de survie des larves	Supérieur chez LA	PDS
Croissance des larves	PDS	Supérieure chez LA
Temps de métamorphose	Supérieur chez LA (plus court)	Supérieur chez LA (plus court)

PDS = pas de différence significative; supérieur(e) chez LA = supérieur(e) chez les descendants des mâles LA par rapport aux descendants des mâles CA.

■ **CONCLUSION** ■ Comme les descendants d'un mâle LA surpassent les descendants d'un mâle CA selon les caractéristiques développementales observées (meilleure croissance des larves et temps de métamorphose plus court), l'équipe a conclu que, chez la rainette versicolore, la durée de l'appel nuptial peut être un indicateur de la qualité de l'ensemble du matériel génétique. Ce résultat appuie l'hypothèse selon laquelle la femelle pourrait choisir son partenaire en se fondant sur un caractère qui indique que le mâle a de « bons gènes ».

Source des données : A. M. Welch et coll., Call duration as an indicator of genetic quality in male gray tree frogs, *Science* 280 : 1928-1930 (1998).

ET SI ? ▶ Pourquoi les chercheurs ont-ils divisé les œufs de chaque femelle en deux groupes pour les féconder avec le sperme de mâles différents ? Pourquoi n'ont-ils pas accouplé chaque femelle avec un seul mâle ?

La sélection équilibrée

Comme nous l'avons vu, on observe fréquemment de la variation génétique aux locus sensibles à la sélection. Qu'est-ce qui fait que la sélection naturelle ne réduit pas la variation génétique à ces locus en éliminant tous les allèles défavorables? Rappelez-vous que chez les organismes diploïdes, un grand nombre d'allèles récessifs défavorables échappent à la sélection naturelle parce qu'ils sont portés par des individus hétérozygotes. La sélection naturelle peut aussi par elle-même préserver la variation à certains locus et ainsi maintenir deux formes ou plus d'un phénotype dans une population. Appelé **sélection équilibrée**, ce type de sélection comprend la sélection selon la fréquence et l'avantage hétérozygote.

La sélection selon la fréquence

Dans la **sélection selon la fréquence**, la valeur d'adaptation des individus ayant un phénotype particulier diminue si elle est trop répandue dans la population. Prenons l'exemple des mangeurs d'écailles (*Perissodus microlepis*) du lac Tanganyika, en Afrique. Ces poissons qui se nourrissent exclusivement des écailles d'autres poissons attaquent leur proie par-derrière et arrachent quelques écailles de son flanc. Curieusement, les mangeurs d'écailles diffèrent par l'orientation de leur gueule selon qu'ils sont «gauchers» ou «droitiers». L'hérédité mendélienne ainsi que deux allèles déterminent ce trait. Les individus d'une population sont donc soit droitiers, soit gauchers, et la somme des fréquences phénotypiques doit égaler 100%.

Comme leur gueule est orientée vers la gauche, les gauchers attaquent toujours le flanc droit de leur proie (**figure 23.17**). (Pour comprendre, imaginez que votre bouche est orientée vers la gauche et que vous arrivez derrière un poisson afin de mordre son flanc droit.) De même, les poissons droitiers attaquent toujours le flanc gauche. Les espèces qui leur servent de proies se protègent contre les attaques des mangeurs d'écailles dont le phénotype est le plus courant dans le lac. D'année en année, la sélection naturelle favorise donc le phénotype le moins courant, de sorte que la fréquence des droitiers et des gauchers oscille selon le moment. Cette sélection équilibrée (selon la fréquence) maintient la fréquence de chaque phénotype autour de 50%.

L'avantage hétérozygote

Lorsque les individus hétérozygotes pour un locus donné ont une valeur d'adaptation supérieure à celle des deux types d'homozygotes, on dit qu'ils détiennent un **avantage hétérozygote**. Le cas échéant, la sélection naturelle tend à maintenir deux allèles ou plus à ce locus. Notez que l'avantage hétérozygote existe surtout en fonction de son phénotype, lorsque celui-ci est légèrement différent du phénotype de l'homozygote dominant. Si ce phénotype hétérozygote est avantageux (par rapport aux deux types d'homozygotes), la sélection sera plutôt stabilisante. Par contre, dans le cas d'un phénotype hétérozygote désavantageux, la sélection sera directionnelle et favorisera un des deux types d'homozygotes (elle pourrait même être divergente, si les deux types d'homozygotes sont favorisés par rapport au phénotype hétérozygote).

On peut donner comme exemple d'avantage hétérozygote le locus qui, chez l'humain, code pour la β-globine, une des deux sous-unités peptidiques de l'hémoglobine (la protéine des érythrocytes [globules rouges] qui transporte les molécules d'oxygène).

▼ **Figure 23.17 La sélection selon la fréquence.** Ce diagramme montre que, dans une population de poissons mangeurs d'écailles (*Perissodus microlepis*), la fréquence des individus gauchers (points rouges) augmente et diminue régulièrement. Il montre également la fréquence, mesurée en 1981, en 1987 et en 1990, des individus gauchers dans la population adulte qui s'est reproduite (points verts).

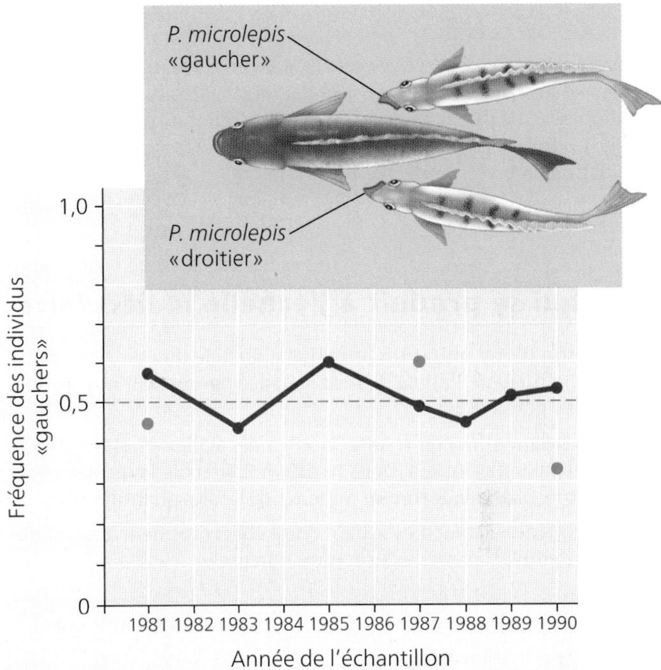

INTERPRÉTEZ LES DONNÉES ▶ Pour 1981, 1987 et 1990, comparez la fréquence des individus gauchers dans la population adulte qui s'est reproduite et la fréquence des individus gauchers dans la population totale. D'après ces données, de quelle façon la sélection naturelle favorise-t-elle les individus gauchers au détriment des individus droitiers (ou vice versa)? Expliquez votre réponse.

Un allèle récessif de ce locus cause l'anémie à hématies falciformes (ou drépanocytose) chez les homozygotes. Lorsque la teneur en oxygène est faible (voir la figure 5.19), comme c'est le cas dans les capillaires, les érythrocytes des personnes atteintes de la maladie se déforment et prennent l'allure de petites faucilles, d'où le qualificatif *falciforme*. Les érythrocytes déformés peuvent s'agglomérer et bloquer le flux sanguin dans les capillaires, endommageant des organes comme les reins, le cœur et le cerveau. Certains érythrocytes deviennent aussi falciformes chez les hétérozygotes, mais ils sont trop peu nombreux pour causer l'anémie à hématies falciformes.

Les hétérozygotes sont protégés contre les effets les plus graves du paludisme (malaria), une maladie causée par un parasite qui infecte les érythrocytes (voir la figure 28.16). Cette protection partielle tient au fait que l'organisme élimine rapidement les érythrocytes falciformes, tuant du même coup les parasites qui s'y trouvent. Le paludisme est l'une des principales causes de mortalité dans certaines régions tropicales. Dans ces régions, les hétérozygotes sont favorisés par rapport aux homozygotes dominants plus vulnérables au paludisme et aux homozygotes récessifs atteints de drépanocytose. Comme le montre la **figure 23.18**, ce «favoritisme» de la sélection a causé une augmentation de la fréquence de l'allèle responsable des hématies falciformes dans les régions particulièrement touchées par le parasite responsable du paludisme.

FAITES DES LIENS

▼ **Figure 23.18**

L'allèle des hématies falciformes

Cet enfant souffre de drépanocytose, ou anémie à hématies falciformes, une maladie génétique causée par la présence de deux allèles des hématies falciformes. Cet allèle cause une anomalie dans la structure et la fonction de l'hémoglobine, la protéine qui transporte l'oxygène (O_2) dans les hématies (érythrocytes). La drépanocytose est fatale en l'absence de traitement, et pourtant elle touche de 15 à 20 % de la population dans certaines régions. Comment un allèle aussi nuisible peut-il être si fréquent ?

▼ Ce qui se produit à l'échelle moléculaire

- En raison d'une mutation ponctuelle, l'allèle des hématies falciformes diffère de l'allèle de type sauvage par un seul nucléotide. (Voir la figure 17.26.)
- Le changement qui en résulte dans un des acides aminés entraîne l'établissement d'interactions hydrophobes entre les protéines de l'hémoglobine falciforme en présence de faibles quantités d'O_2.
- Ces protéines falciformes se lient entre elles et forment des chaînes qui, ensemble, créent des structures fibreuses.

▼ Effets sur les cellules

- Les structures fibreuses composées des protéines anormales déforment l'érythrocyte, qui prend la forme d'une faucille en présence d'une faible quantité d'O_2, par exemple dans les vaisseaux où le sang retourne vers le cœur.

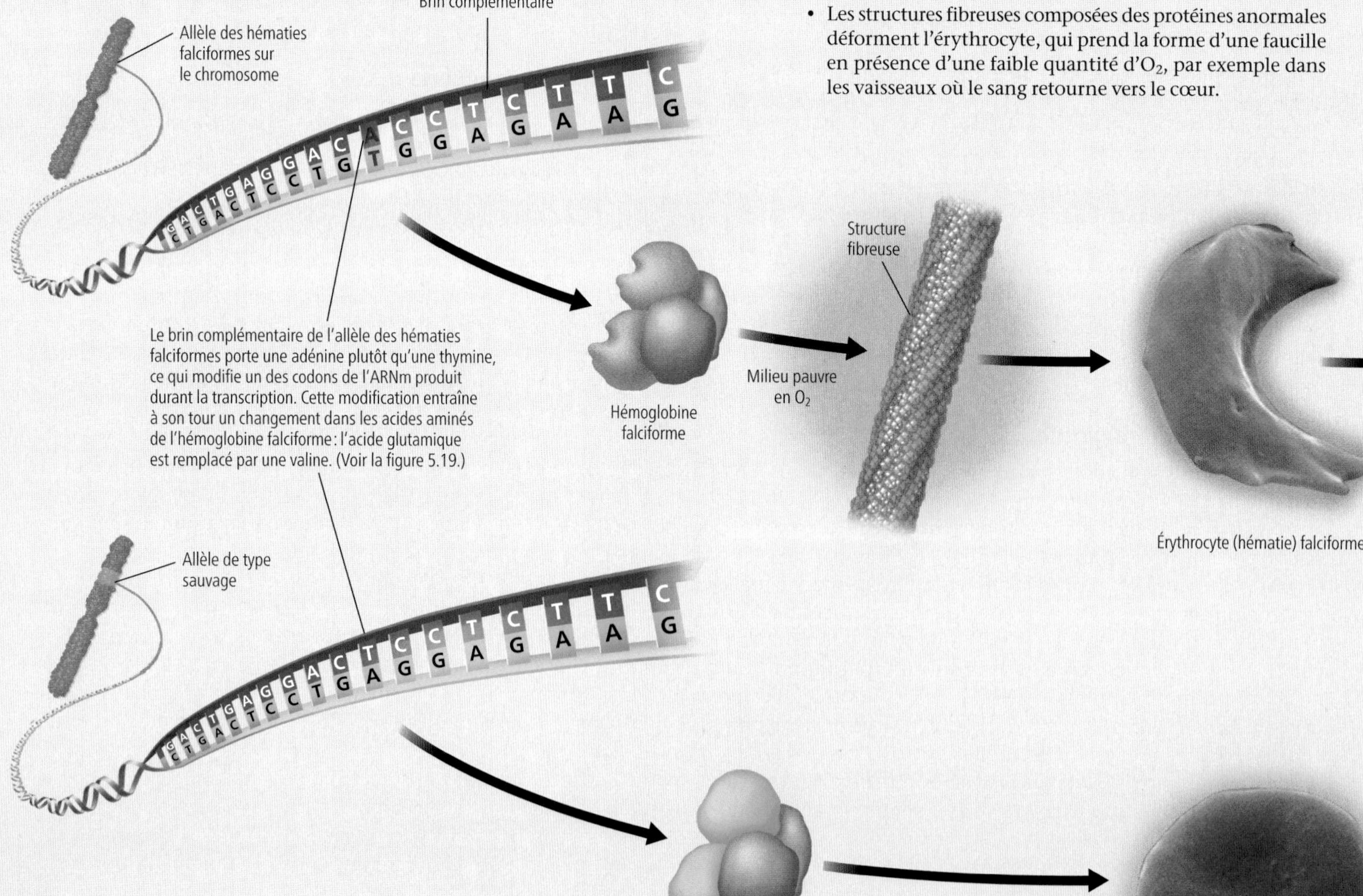
Brin complémentaire
Allèle des hématies falciformes sur le chromosome
Le brin complémentaire de l'allèle des hématies falciformes porte une adénine plutôt qu'une thymine, ce qui modifie un des codons de l'ARNm produit durant la transcription. Cette modification entraîne à son tour un changement dans les acides aminés de l'hémoglobine falciforme : l'acide glutamique est remplacé par une valine. (Voir la figure 5.19.)
Hémoglobine falciforme
Milieu pauvre en O_2
Structure fibreuse
Érythrocyte (hématie) falciforme
Allèle de type sauvage
Hémoglobine normale (ne s'agrège pas en structure fibreuse)
Érythrocyte (hématie) normal

Les moustiques infectés propagent le paludisme (malaria) en piquant. (Voir la figure 28.16.)

▾ Évolution dans les populations

- Les homozygotes porteurs de deux allèles des hématies falciformes sont fortement désavantagés par la sélection naturelle en raison de la mortalité due à la drépanocytose. Les hétérozygotes éprouvent quelques-uns des symptômes de la drépanocytose, mais ils sont moins affectés que les homozygotes et survivent en plus grand nombre au paludisme.
- Au bout du compte, dans les régions où le paludisme est répandu, ces deux forces sélectives opposées aboutissent à un avantage hétérozygote qui se manifeste par un changement évolutif dans les populations, c'est-à-dire qu'il existe des régions où la fréquence de l'allèle des hématies falciformes est relativement élevée (voir la carte ci-dessous).

▾ Effets sur les individus

- Chez les homozygotes, qui portent deux allèles des hématies falciformes, la présence d'érythrocytes falciformes cause la drépanocytose.
- Une certaine falciformation a lieu chez les hétérozygotes, mais elle est insuffisante pour causer la maladie. On parle alors de trait drépanocytaire. (Voir la figure 14.17.)

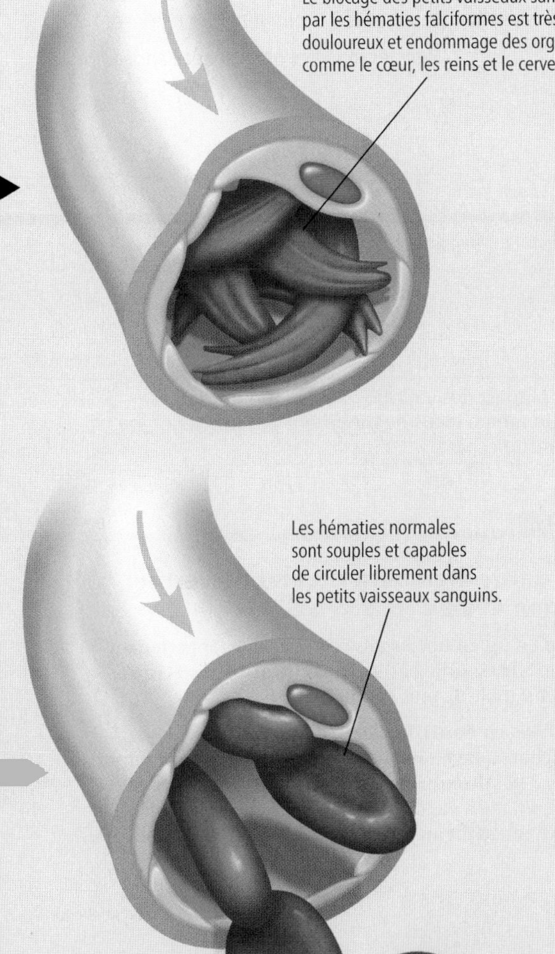

Le blocage des petits vaisseaux sanguins par les hématies falciformes est très douloureux et endommage des organes comme le cœur, les reins et le cerveau.
Les hématies normales sont souples et capables de circuler librement dans les petits vaisseaux sanguins.

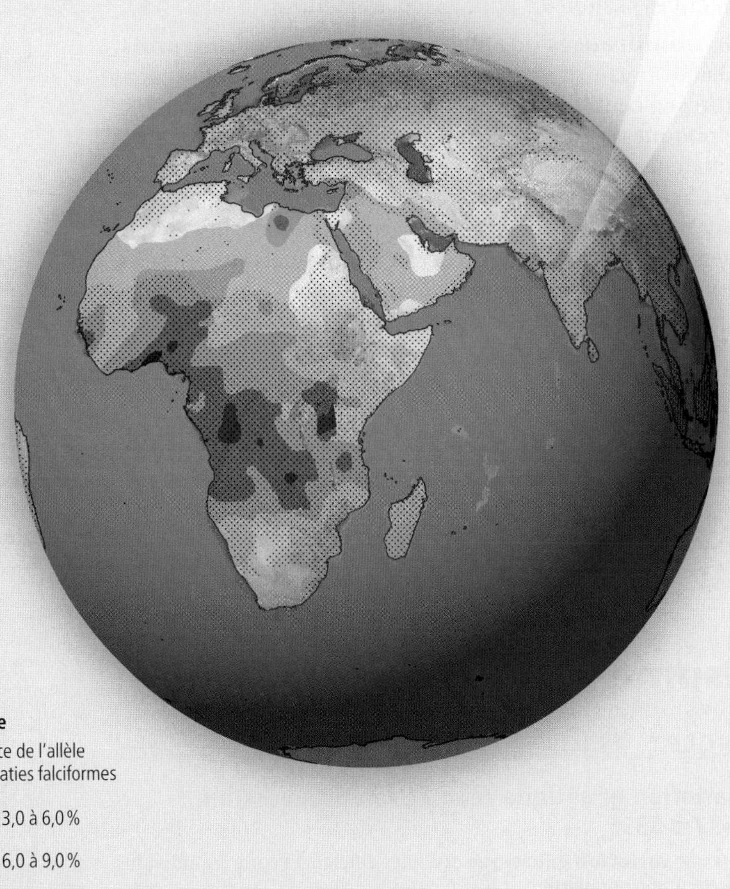

FAITES DES LIENS ▶ Dans une région exempte de paludisme, les individus qui sont hétérozygotes pour l'allèle des hématies falciformes seraient-ils désavantagés ou avantagés par la sélection ? Expliquez votre réponse.

Pourquoi la sélection naturelle ne peut-elle pas produire des organismes parfaits?

Bien que la sélection naturelle œuvre dans le sens de l'adaptation, la nature abonde en organismes qui semblent plus ou moins bien « conçus » pour leur style de vie, et ce, pour plusieurs raisons:

1. **La sélection naturelle ne peut que modifier la proportion des variations existantes.** La sélection naturelle favorise les phénotypes les mieux adaptés dans une population. Or, ces derniers ne sont pas toujours les phénotypes idéaux. Les nouveaux allèles avantageux n'apparaissent pas sur demande.
2. **L'évolution est limitée par des contraintes historiques.** Chaque espèce provient d'une longue lignée ancestrale modifiée au fil des générations. L'évolution ne se débarrasse pas de l'anatomie ancestrale pour construire une structure complexe à partir de rien; elle travaille plutôt sur les structures existantes et les adapte à des situations nouvelles. Par exemple, on pourrait se dire que certaines espèces d'oiseaux auraient avantage à avoir à la fois des ailes pour le vol et quatre pattes au lieu de deux pour courir plus vite et plus efficacement. Toutefois, les oiseaux descendent des reptiles; or, ces derniers possédaient seulement deux paires de membres, et la sélection des membres antérieurs pour voler ne laisse que les deux membres postérieurs pour le déplacement sur le sol.
3. **De nombreuses adaptations sont des compromis.** Chaque organisme exerce des activités diverses qui peuvent entrer en contradiction les unes avec les autres. Par exemple, le phoque passe une partie de son temps sur des rochers; il marcherait probablement mieux s'il avait des pattes au lieu de nageoires, mais il nagerait moins bien. L'humain, lui, doit son habileté et sa force à ses mains préhensiles et à ses membres flexibles, mais ces derniers sont sujets aux entorses, aux déchirures ligamentaires et aux luxations. Une résistance structurale moindre est le prix à payer pour notre agilité.
4. **Le hasard, la sélection naturelle et l'environnement entrent en interaction.** Le hasard peut influer sur l'histoire évolutive des populations. Un vent violent qui emporte des insectes ou des oiseaux jusqu'à une île à des centaines de kilomètres de leur habitat ne transporte pas nécessairement les espèces ou les individus les mieux adaptés à ce nouveau milieu. Les allèles du patrimoine génétique de la population fondatrice ne sont donc pas tous mieux adaptés au nouvel environnement que les allèles « laissés derrière ». De plus, les conditions environnementales d'un endroit donné peuvent changer d'une manière imprévisible d'année en année, ce qui limite encore l'adéquation que peut produire l'évolution adaptative entre l'organisme et son milieu.

Compte tenu de toutes ces contraintes, l'évolution n'a pas tendance à produire des organismes parfaits. La sélection naturelle ne fait que privilégier les meilleurs éléments disponibles en fonction du milieu. En fait, les nombreuses imperfections des organismes que produit l'évolution prouvent son existence.

RETOUR SUR LE CONCEPT 23.4

1. Quelle est la valeur d'adaptation d'un mulet (hybride stérile)? Expliquez votre réponse.
2. Expliquez pourquoi la sélection naturelle est le seul mécanisme évolutif qui entraîne continuellement une évolution adaptative.
3. **FAITES DES LIENS ▶** Imaginez une population dans laquelle les hétérozygotes pour un locus donné ont un phénotype extrême (être plus gros que les homozygotes, par exemple) qui leur confère un avantage sélectif. Comparez cette situation aux modes de sélection illustrés à la figure 23.13. S'agit-il de sélection directionnelle, de sélection divergente ou de sélection stabilisante? Expliquez votre réponse.

Voir les réponses proposées à l'appendice A.

RÉVISION DU CHAPITRE 23

Consultez votre MANUEL NUMÉRIQUE, qui vous donne accès aux **animations**, aux **exercices** et à la plateforme d'**anatomie interactive**.

Résumé des concepts clés

CONCEPT 23.1

La variation génétique rend l'évolution possible (p. 532 à 535)

- Le terme **variation génétique** décrit les différences entre les individus au sein d'une population.
- Les différences de nucléotides sur lesquelles repose la variation génétique sont causées par les mutations et les duplications de gènes qui produisent de nouveaux allèles et de nouveaux gènes. Chez les organismes dont le temps de génération est court, les nouvelles variantes génétiques apparaissent rapidement. Chez les organismes qui pratiquent la reproduction sexuée, la plupart des différences génétiques entre les individus résultent de l'enjambement, de l'assortiment indépendant de chromosomes et de la fécondation.

? En général, la plupart des variations nucléotidiques qui se produisent à un même locus ne modifient pas le phénotype. Expliquez pourquoi.

CONCEPT 23.2

L'équation de Hardy-Weinberg permet de vérifier si une population évolue (p. 535 à 538)

- Une **population** est un groupe localisé d'organismes appartenant à la même espèce. Elle est unie par son **patrimoine génétique**, c'est-à-dire par l'ensemble de tous ses allèles.
- Dans une population en **équilibre de Hardy-Weinberg**, les fréquences alléliques et génotypiques d'une population resteront constantes s'il n'y a pas de mutation, si l'accouplement se fait de manière aléatoire, s'il n'y a pas de sélection naturelle, si la taille de la population est extrêmement grande et s'il n'y a pas de flux génétique.

Si p et q représentent les fréquences de deux allèles possibles d'un locus, alors p^2 est la fréquence d'un type d'homozygote, q^2 est celle d'un autre homozygote et $2pq$ est la fréquence du génotype hétérozygote.

? Si l'on calcule p et q à partir des fréquences génotypiques observées et qu'on utilise ensuite ces valeurs de p et de q pour vérifier si une population est en équilibre de Hardy-Weinberg, s'agit-il d'un raisonnement circulaire ? Expliquez votre réponse.

CONCEPT 23.3

La sélection naturelle, la dérive génétique et le flux génétique peuvent modifier les fréquences alléliques d'une population (p. 538 à 543)

- Dans le cas de la sélection naturelle, les individus qui possèdent certains caractères héréditaires tendent à survivre et à se reproduire davantage que d'autres individus, et ce, grâce à ces caractères.
- Dans le cas de la **dérive génétique**, les fluctuations aléatoires dans les fréquences alléliques d'une génération à l'autre tendent à réduire la variation génétique au sein des populations.
- Dans le cas du **flux génétique**, l'échange génétique entre les populations tend à réduire les différences entre ces populations au fil du temps.

? Deux petites populations isolées géographiquement et vivant dans des milieux très différents sont-elles susceptibles d'évoluer de manière similaire ? Expliquez votre réponse.

CONCEPT 23.4

La sélection naturelle est le seul mécanisme qui entraîne une évolution adaptative constante (p. 543 à 550)

- Un génotype bénéficie d'une plus grande **valeur d'adaptation** qu'un autre génotype s'il produit davantage de descendants fertiles. Les divers modes de sélection naturelle diffèrent par leurs effets sur le phénotype (la flèche blanche représente une plus grande mortalité due à la pression de sélection) :

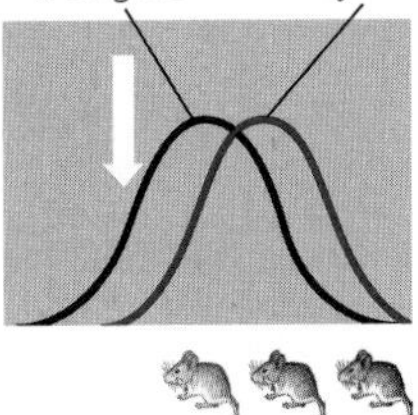

Sélection directionnelle

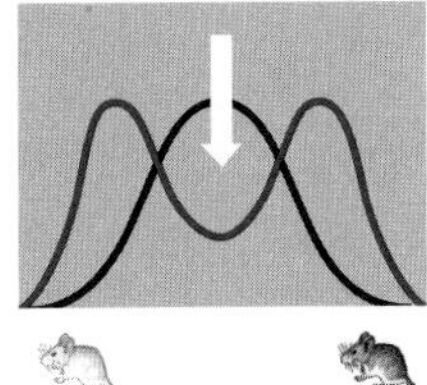
Sélection divergente

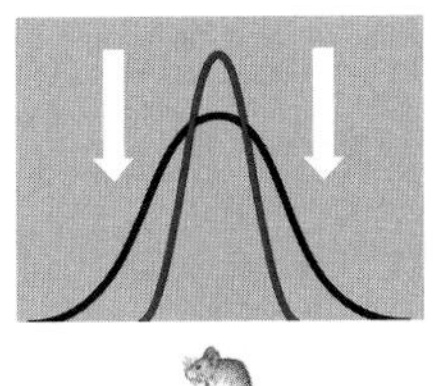
Sélection stabilisante

- Contrairement à la dérive génétique et au flux génétique, la sélection naturelle augmente constamment la fréquence des allèles qui améliorent la survie et la reproduction, et accroît donc constamment l'adéquation entre les organismes et leur environnement.
- La **sélection sexuelle** peut donner lieu à des caractères sexuels secondaires qui peuvent avantager des individus au regard de l'accouplement.
- Il y a **sélection équilibrée** lorsque deux formes ou plus sont conservées dans une population.
- Il y a des contraintes à l'évolution : la sélection naturelle ne peut que modifier des variations existantes ; les structures anatomiques résultent de la modification de la lignée ancestrale ; de nombreuses adaptations sont des compromis ; et le hasard, la sélection naturelle et l'environnement entrent en interaction.

? Comment les caractères sexuels secondaires des mâles et des femelles diffèrent-ils dans une espèce où les femelles rivalisent entre elles pour trouver des partenaires ?

Évaluation

NIVEAU 1 : CONNAISSANCES ET COMPRÉHENSION

1. La sélection naturelle modifie les fréquences alléliques au sein des populations parce que certains (ou certaines) ________ survivent et se reproduisent davantage que d'autres.
a) allèles
b) locus
c) espèces
d) individus

2. À l'exception des vrais jumeaux, chaque humain est génétiquement unique. Quelle est la première source de variation entre les individus d'une population ?
a) De nouvelles mutations qui se sont produites à la génération précédente.
b) Une dérive génétique.
c) La recombinaison des allèles dans la reproduction sexuée.
d) Des facteurs environnementaux.

NIVEAU 2 : APPLICATION ET ANALYSE

3. Si la diversité nucléotidique d'un locus est égale à 0 %, quelle est la variation génétique et quel est le nombre d'allèles à ce locus ?
a) Variation génétique = 0 % ; nombre d'allèles = 0.
b) Variation génétique = 0 % ; nombre d'allèles = 1.
c) Variation génétique = 0 % ; nombre d'allèles = 2.
d) Variation génétique > 0 % ; nombre d'allèles = 2.

4. La population 1 se compose de 25 individus qui ont tous le génotype *AA*, et la population 2 compte 40 individus qui ont tous le génotype *aa*. Supposons que ces deux populations sont géographiquement éloignées l'une de l'autre et que leurs conditions environnementales sont très similaires. Selon l'information dont vous disposez, la variation génétique observée est probablement un exemple :
a) de dérive génétique.
b) de flux génétique.
c) d'accouplement non aléatoire.
d) de sélection directionnelle.

5. Une population de drosophiles a un gène avec deux allèles, *A1* et *A2*. Un test révèle que 70 % des gamètes produits par cette population contiennent l'allèle *A1*. Si la population respecte l'équilibre de Hardy-Weinberg, quelle proportion de ces mouches portent à la fois *A1* et *A2* ?
a) 0,7 b) 0,49 c) 0,42 d) 0,21 e) 0,09

NIVEAU 3 : SYNTHÈSE ET ÉVALUATION

6. LIEN AVEC L'ÉVOLUTION

À l'aide d'au moins deux exemples, expliquez en quoi les imperfections des organismes vivants témoignent du processus de l'évolution.

7. INVESTIGATION

INTERPRÉTEZ LES DONNÉES ▶ Des chercheurs ont étudié la variation génétique de la moule marine *Mytilus edulis* autour de Long Island, dans l'État de New York. Ils ont mesuré la fréquence d'un allèle particulier (*lap*^{94}) pour une enzyme qui joue un rôle dans la régulation de l'équilibre de l'eau saline à l'intérieur de la moule. Les chercheurs ont tracé des diagrammes circulaires pour représenter les données associées à des sites d'échantillonnage dans le détroit de Long Island, où la salinité varie considérablement, ainsi que le long de la côte de l'Atlantique, où la salinité est constante.
a) Créez un tableau de données pour les 11 sites d'échantillonnage en estimant la fréquence de *lap*^{94} à partir des diagrammes circulaires. (*Un truc :* Considérez chaque diagramme comme une horloge pour estimer la proportion que représente la zone colorée en violet.)

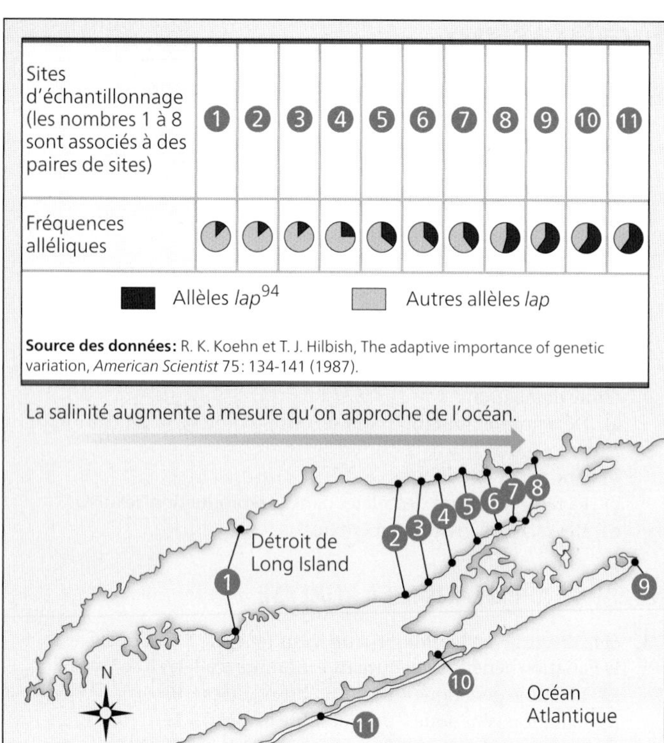

b) Dessinez un graphique des fréquences pour les sites 1 à 8 pour montrer comment la fréquence de cet allèle varie avec l'augmentation de la salinité dans le détroit de Long Island (du sud-ouest au nord-est). Évaluez comment les données des sites 9 à 11 se comparent avec les données des sites situés dans le détroit.

c) En tenant compte des divers mécanismes qui peuvent modifier la fréquence d'un allèle, formulez une hypothèse qui explique les tendances que vous observez dans les données et qui rend compte des observations suivantes: (1) l'allèle *lap*^{94} aide les moules à maintenir un équilibre osmotique dans une eau à forte teneur en sel, mais a un coût élevé dans une eau moins salée; (2) les moules produisent des larves qui peuvent se disperser sur de grandes distances avant de se fixer aux rochers et de devenir à leur tour des adultes.

Voir les réponses proposées à l'appendice A.

L'origine des espèces

24

VOS OUTILS INTERACTIFS

Consultez votre MANUEL NUMÉRIQUE, qui vous donne accès aux **animations**, aux **exercices** et à la plateforme d'**anatomie interactive**.

▲ **Figure 24.1 Comment cet oiseau (*Phalacrocorax harrisii*) qui ne vole pas en est-il venu à vivre sur les îles Galápagos ?**

CONCEPTS CLÉS

24.1 Le concept biologique de l'espèce s'appuie sur l'isolement reproducteur

24.2 La spéciation peut avoir lieu en présence ou en l'absence d'isolement géographique

24.3 Les zones hybrides révèlent les facteurs responsables de l'isolement reproducteur

24.4 La spéciation peut se produire rapidement ou lentement et peut résulter de changements dans un, deux ou plusieurs gènes

◄ **La tortue géante des Galápagos: une autre espèce unique à ces îles.**

Le «mystère des mystères»

Quand il s'est rendu aux îles Galápagos, Darwin a constaté que ces îles volcaniques abritaient des plantes et des animaux inconnus ailleurs (**figure 24.1**). Plus tard, il a compris que l'apparition de ces espèces était relativement récente. Après avoir visité l'archipel, Darwin a écrit dans son journal: «Dans le temps et dans l'espace, il semble que nous approchions d'un fait grandiose, du mystère des mystères: l'apparition de nouveaux êtres sur la Terre.»

Le «mystère des mystères» qui captivait Darwin est la **spéciation**, c'est-à-dire le processus par lequel une espèce se ramifie pour donner deux ou plusieurs espèces. La spéciation a fasciné Darwin (et de nombreux autres biologistes depuis) parce qu'elle a engendré la formidable diversité de la vie, produisant à répétition de nouvelles espèces différentes de celles qui existaient déjà. Plus tard, Darwin a compris que la spéciation contribuait aussi à expliquer les ressemblances entre les espèces (l'unité du vivant). Lorsqu'une espèce se subdivise, les descendants des différentes branches présentent de nombreuses caractéristiques communes puisqu'elles dérivent d'un ancêtre commun, l'espèce parentale. Sur le plan des séquences d'ADN, par exemple, des ressemblances indiquent que le cormoran aptère des Galápagos de la figure 24.1 (*Phalacrocorax harrisii*), incapable de voler, est étroitement apparenté aux cormorans volants habitant les Amériques. Ce lien laisse penser que le cormoran aptère descend d'une lointaine espèce de cormorans qui a volé du continent vers les Galápagos.

La notion de spéciation fournit également un pont conceptuel entre les domaines de la microévolution et de la macroévolution. La **microévolution** s'intéresse à l'ensemble des changements qui se produisent dans les fréquences alléliques d'une population avec le temps, tandis que la **macroévolution** étudie l'évolution à un niveau supérieur à celui de l'espèce (comme le **clade**, qui est un ensemble d'espèces, de familles, d'ordres, etc., qui regroupe tous les descendants d'un ancêtre évolutif commun). Ainsi, l'émergence de nouveaux groupes d'organismes, comme les mammifères ou les plantes à fleurs, résultant d'une série de phénomènes de spéciation, est un exemple de changement relevant de la macroévolution. Nous avons examiné les mécanismes de la microévolution au chapitre 23 et nous nous pencherons sur la macroévolution au chapitre 25. Dans le présent chapitre, nous explorerons le « pont » qui les relie, soit les mécanismes par lesquels une nouvelle espèce naît des espèces existantes. Mais clarifions d'abord ce que nous entendons exactement par « espèce ».

(a) Similarité entre des espèces différentes. La sturnelle des prés (*Sturnella magna*, à gauche) et la sturnelle de l'Ouest (*S. neglecta*, à droite) ont une forme et des couleurs semblables. Elles constituent pourtant deux espèces distinctes, car leur chant et leurs comportements sont suffisamment différents pour que les femelles d'une espèce ne soient pas incitées à la reproduction par les mâles de l'autre espèce s'ils se rencontraient dans la nature.

(b) Diversité au sein d'une même espèce. Bien qu'ils présentent une très grande variété de traits, les humains appartiennent tous à la même espèce biologique (*Homo sapiens*): ils sont interféconds.

▲ **Figure 24.2 La définition biologique de l'espèce repose sur le potentiel d'interfécondité et non sur la ressemblance physique.**

CONCEPT **24.1**

Le concept biologique de l'espèce s'appuie sur l'isolement reproducteur

Le terme *espèce* vient du mot latin *species*, qui signifie « type » ou « apparence ». On distingue les catégories de végétaux ou d'animaux (les chiens et les chats, par exemple) d'après les différences que révèle leur apparence. Cependant, est-il réaliste de penser qu'on peut classer les organismes dans ces unités distinctes que nous appelons *espèces*? Pour répondre à cette question, les biologistes doivent comparer non seulement les caractéristiques morphologiques (forme du corps) de divers groupes d'organismes, mais aussi les différences moins évidentes touchant la physiologie, la biochimie et les séquences d'ADN. Ces comparaisons confirment généralement que les espèces morphologiquement différentes forment effectivement des groupes distincts qui présentent de nombreuses différences autres que morphologiques.

Le concept biologique de l'espèce

La première définition de l'espèce utilisée dans ce manuel est le **concept biologique de l'espèce**. Selon ce concept, une **espèce** est une population ou un groupe de populations dont les membres peuvent se reproduire les uns avec les autres dans la nature et engendrer une descendance viable et féconde; ils sont, par contre, le plus souvent dans l'impossibilité d'avoir une telle descendance avec les individus d'autres populations. Par conséquent, les membres d'une espèce biologique sont unis par leur compatibilité reproductive potentielle (**figure 24.2**). Ainsi, tous les humains appartiennent à la même espèce: il est peu probable qu'une femme d'affaires de l'Amérique du Nord et un fermier de Mongolie se rencontrent, mais si cela arrive et qu'ils s'accouplent, ils pourront avoir des bébés viables qui deviendront des adultes féconds. En revanche, les humains et les chimpanzés sont des espèces biologiquement distinctes, même s'ils peuvent vivre dans une même région, parce que de nombreux facteurs les empêchent de se féconder et de produire une descendance viable et fertile.

Comment se fait-il qu'une espèce arrive à préserver son patrimoine génétique et que ses membres présentent plus de ressemblances entre eux qu'avec les membres des autres espèces? Rappelez-vous le mécanisme évolutif du *flux génétique*, c'est-à-dire l'échange d'allèles entre des populations (voir le concept 23.3). Typiquement, le flux génétique concerne les diverses populations d'une même espèce; cet échange continuel d'allèles tend à préserver leur patrimoine génétique commun.

Mais comme nous allons le voir dans le présent chapitre, l'absence de flux génétique ou sa diminution joue un rôle clé dans la formation de nouvelles espèces.

L'isolement reproducteur

Comme les espèces biologiques se distinguent par leur incompatibilité reproductive, le concept biologique de l'espèce s'appuie sur l'**isolement reproducteur**, c'est-à-dire sur l'existence de facteurs biologiques (barrières) qui empêchent les membres de deux espèces de produire des hybrides viables et féconds. De telles barrières bloquent le flux génétique entre les espèces et limitent la formation d'**hybrides**, c'est-à-dire de descendants issus d'un accouplement entre deux espèces. Le blocage de tout échange génétique entre les espèces ne découle pas d'une barrière unique, mais d'une combinaison de diverses barrières.

S'il est clair que la mouche domestique (*Musca domestica*) ne peut s'accoupler avec la grenouille léopard du Nord (*Rana pipiens*) ou la grande fougère (*Pteridium aquilinum*), les barrières reproductives entre des espèces plus étroitement apparentées sont moins évidentes. Comme l'illustre la **figure 24.3**, ces barrières peuvent être prézygotiques ou postzygotiques, selon qu'elles contribuent à l'isolement reproducteur avant ou après la fécondation. Les **barrières prézygotiques** (« avant le zygote ») rendent impossible la fécondation de plusieurs façons. Elles peuvent empêcher les membres d'espèces différentes de tenter de s'accoupler, faire échouer une tentative d'accouplement avant qu'elle réussisse, ou encore bloquer la fécondation si l'accouplement a eu lieu. Si un spermatozoïde franchit une barrière prézygotique et féconde un ovule d'une autre espèce, diverses **barrières postzygotiques** (« après le zygote ») empêchent généralement le zygote hybride de devenir un adulte viable et fécond (isolement reproducteur postzygotique). Ainsi, les hybrides peuvent avoir un taux de survie plus faible par suite d'erreurs survenues lors du développement embryonnaire ; ils peuvent également souffrir de problèmes postnataux qui les rendent infertiles ou incapables de vivre assez longtemps pour avoir le temps de se reproduire.

Les limites du concept biologique de l'espèce

L'un des points forts du concept biologique de l'espèce est qu'il attire l'attention sur une des façons dont la spéciation peut se produire, c'est-à-dire par la progression de l'isolement reproducteur. Cependant, le nombre d'espèces auquel ce concept s'applique utilement est limité. Par exemple, il n'existe aucune façon d'évaluer l'isolement reproducteur des fossiles. Le concept d'espèce biologique ne s'applique pas non plus aux organismes qui font toujours ou principalement appel à la reproduction asexuée, comme les procaryotes. (Nous verrons au concept 27.2 que de nombreux procaryotes s'échangent des gènes sans que ces transferts fassent partie de leur processus reproducteur.) De plus, dans le concept d'espèce biologique, c'est l'absence de flux génétique qui caractérise les espèces. Cependant, de nombreuses paires d'espèces sont morphologiquement et écologiquement distinctes malgré la présence d'un flux génétique entre elles. On en a un bon exemple avec deux espèces d'ours du genre *Ursus* : le grizzli (*U. arctos*) et l'ours blanc (*U. maritimus*), qui produisent des hybrides : les *grolars* (**figure 24.4**). Ce flux génétique n'empêche pas la sélection naturelle de maintenir une séparation entre ces deux espèces. À cause des limites inhérentes à ce concept, il est parfois nécessaire de faire appel à d'autres définitions de l'espèce.

Les autres concepts de l'espèce

Le concept biologique de l'espèce fait ressortir les processus qui *séparent* les espèces différentes en fonction des obstacles à la reproduction. D'autres concepts soulignent plutôt les processus qui *unissent* les individus d'une même espèce. Par exemple, le **concept morphologique de l'espèce** caractérise une espèce par la forme de son corps, par sa taille et par d'autres caractéristiques structurales. Ce concept a des avantages : il s'applique tant aux organismes sexués qu'asexués, et il peut être utile même si on ne connaît pas l'ampleur du flux génétique. En pratique, les scientifiques distinguent la plupart du temps les espèces à partir de critères morphologiques. Un des inconvénients de ce concept réside toutefois dans la subjectivité de sa définition de l'espèce : les chercheurs ne s'entendent pas toujours sur les caractéristiques structurales qui permettent de distinguer une espèce d'une autre.

Le **concept écologique de l'espèce** définit une espèce sous l'angle de sa niche écologique : il prend en compte la somme des interactions des membres de l'espèce avec les composantes biotiques et abiotiques de leur environnement (voir le concept 54.1). Ainsi, deux espèces de chênes peuvent différer par leur taille ou leur tolérance à la sécheresse, mais se reproduire entre elles à l'occasion. Comme ils occupent deux niches écologiques différentes, ces chênes seraient considérés comme deux espèces distinctes, même s'ils sont apparentés par un certain flux génétique. Contrairement au concept biologique de l'espèce, le concept écologique s'applique aussi bien aux espèces sexuées qu'asexuées. De plus, il souligne le rôle de la sélection naturelle divergente dans la façon dont les organismes s'adaptent à divers environnements.

En plus des définitions de l'espèce que nous venons d'examiner, il en existe une vingtaine d'autres. L'utilité de chaque définition dépend de la situation abordée et des questions posées. Le concept biologique de l'espèce, qui s'appuie sur les barrières reproductives, est particulièrement utile pour étudier la spéciation.

RETOUR SUR LE CONCEPT 24.1

1. (a) Quel concept (ou quels concepts) de l'espèce s'applique(nt) tant aux espèces asexuées qu'aux espèces sexuées ? (b) Quel concept (ou quels concepts) contribue(nt) à décrire des espèces sur le terrain de la façon la plus utile ? Expliquez votre réponse.

2. **ET SI ?** ▶ Supposons que deux espèces d'oiseaux vivent dans une même forêt et ne s'accouplent pas entre elles. L'une des deux espèces se nourrit et s'accouple dans le haut des arbres, tandis que l'autre se nourrit et s'accouple au sol. Cependant, en captivité, l'une et l'autre peuvent s'accoupler et produire des descendants viables et féconds. Quel type de barrière reproductive est le plus susceptible de maintenir ces espèces séparées (voir la figure 24.3) ? Expliquez votre réponse.

Voir les réponses proposées à l'appendice A.

PANORAMA ▼ Figure 24.3

Les barrières reproductives

Les barrières prézygotiques empêchent l'accouplement ou la fécondation (si l'accouplement a eu lieu).

Individus de différentes espèces → **TENTATIVES D'ACCOUPLEMENT**

Isolement écologique

Deux espèces vivant dans des habitats différents compris dans une même région peuvent ne jamais se rencontrer ou encore se rencontrer rarement, même si elles ne sont pas isolées par des barrières qui sautent aux yeux, comme une chaîne de montagnes.

Exemple: Ces deux espèces de mouches du genre *Rhagoletis* vivent dans la même région, mais la mouche de la pomme (*R. pomonella*) s'accouple sur le fruit de l'aubépine ou sur la pomme et s'en nourrit **(a)**, tandis que sa proche parente, la mouche du bleuet (*R. mendax*), ne s'accouple et ne pond ses œufs que sur les bleuets **(b)**.

(a)

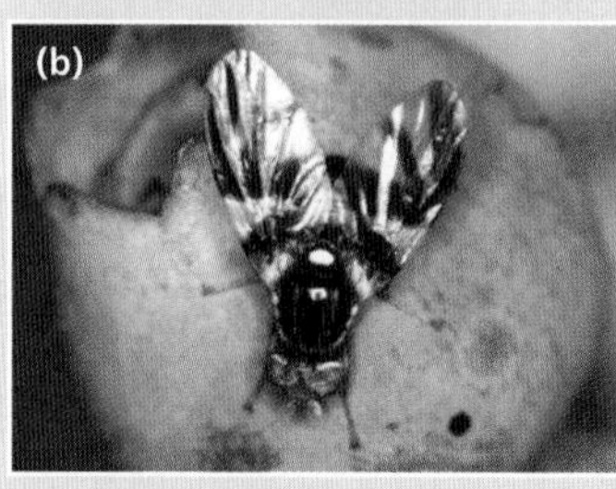
(b)

Isolement temporel

Des espèces qui se reproduisent à des heures, à des semaines, à des saisons ou à des années différentes ne peuvent unir leurs gamètes.

Exemple: En Amérique du Nord, les aires de distribution géographique de deux espèces de moufettes tachetées se chevauchent; cependant, la moufette tachetée orientale (*Spilogale putorius*) **(c)** se reproduit vers la fin de l'hiver, alors que la moufette tachetée occidentale (*S. gracilis*) **(d)** le fait vers la fin de l'été.

(c)

(d)

Isolement éthologique

Les comportements de parade nuptiale qui attirent les partenaires sexuels, de même que les autres comportements uniques à une espèce, sont des barrières reproductives efficaces, même entre espèces étroitement apparentées. De tels rituels comportementaux permettent aux partenaires sexuels de se reconnaître et de repérer des partenaires potentiels de leur espèce.

Exemple: Les fous à pieds bleus (*Sula nebouxii*), qui vivent aux Galápagos, s'accouplent seulement après une parade nuptiale unique à leur espèce. Au cours de cette parade, le mâle lève les pieds bien haut pour en exposer le ton bleu vif à la vue des femelles **(e)**.

(e)

Isolement mécanique

Il y a tentative d'accouplement, mais celui-ci échoue en raison de différences morphologiques.

Exemple: Les coquilles hélicoïdales des deux espèces d'escargots du genre *Bradybaena* s'enroulent dans des sens différents: l'une est dextre et tourne dans le sens des aiguilles d'une montre **(f)** (à droite), l'autre est sénestre et tourne en sens inverse **(f)** (à gauche). Comme les ouvertures génitales des escargots sont situées sur le côté du corps (indiquées par des flèches), celles-ci ne peuvent s'aligner, empêchant tout accouplement.

(f)

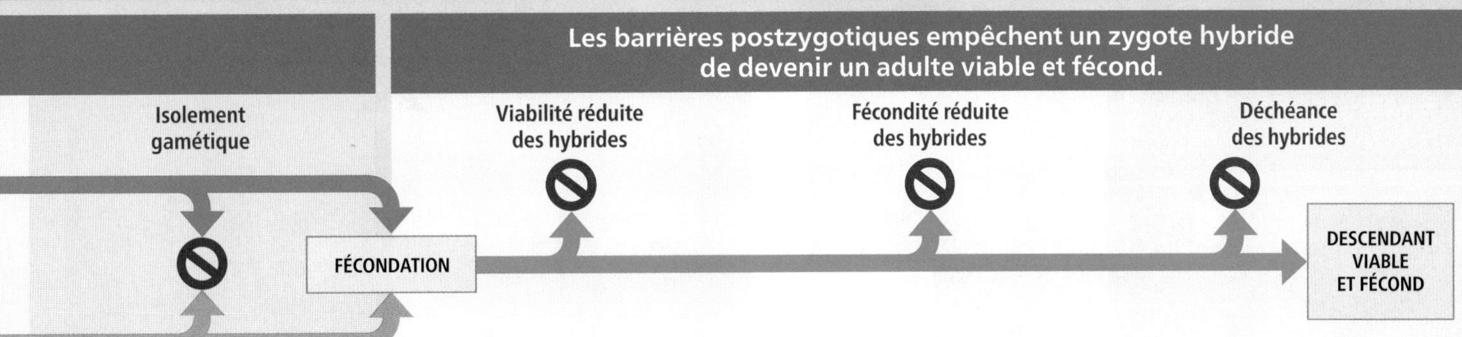

Les spermatozoïdes d'une espèce donnée sont généralement incapables de féconder les ovules d'une autre espèce. Divers mécanismes sont à l'origine de cet échec. Par exemple, les spermatozoïdes peuvent être incapables de survivre dans le système génital féminin d'une autre espèce, ou des mécanismes biochimiques peuvent les empêcher de perforer la membrane entourant l'ovule de l'autre espèce.

Exemple: L'isolement gamétique sépare certaines espèces aquatiques étroitement apparentées, comme les oursins **(g)**. Les spermatozoïdes et les ovules des oursins sont libérés dans l'eau environnante, où ils fusionnent et forment des zygotes. Les gamètes d'espèces différentes, comme ceux des oursins rouges et des oursins violets qu'on voit ici, peuvent difficilement fusionner parce que les protéines à la surface des ovules et des spermatozoïdes se lient difficilement les unes aux autres.

Les gènes d'espèces parentales différentes peuvent interagir et empêcher le développement de l'hybride ou sa survie dans son environnement.

Exemple: Certaines sous-espèces de salamandres du genre *Ensatina* vivent dans les mêmes régions et habitats où elles peuvent s'accoupler occasionnellement. Mais la plupart des descendants hybrides n'arrivent pas à se développer complètement, et ceux qui y parviennent sont chétifs **(h)**.

Même s'ils sont vigoureux, les hybrides peuvent être stériles. Il arrive que deux espèces se croisent et engendrent des descendants hybrides robustes. Chez l'hybride, si les deux espèces parentales n'ont pas le même nombre de chromosomes ou si leurs chromosomes n'ont pas la même structure, la méiose ne produit pas de gamètes normaux. Comme les hybrides stériles sont incapables de produire des descendants lorsqu'ils s'accouplent avec l'une ou l'autre de leurs lignées parentales, la libre circulation des gènes des deux espèces est impossible.

Exemple: L'hybride issu du croisement d'un âne **(i)** et d'une jument **(j)** est le mulet ou la mule **(k)**, un animal robuste, mais stérile, tout comme le bardot (non représenté ici), issu du croisement d'une ânesse et d'un cheval.

Certains hybrides de la première génération sont viables et féconds. Toutefois, lorsqu'ils s'accouplent entre eux ou avec l'une des espèces parentales, leur progéniture est frêle ou stérile.

Exemple: Certaines lignées de riz commun ont accumulé des allèles récessifs mutants à deux locus au cours de leur divergence d'un ancêtre commun. Les hybrides issus de ces lignées sont vigoureux et féconds **(l)** (à gauche et à droite), mais les individus de la génération suivante portent un trop grand nombre de ces allèles récessifs; ils naissent petits et stériles **(l)** (au centre). Même si elles ne sont pas encore considérées comme des espèces distinctes, ces lignées de riz ont déjà commencé à être séparées par des barrières postzygotiques.

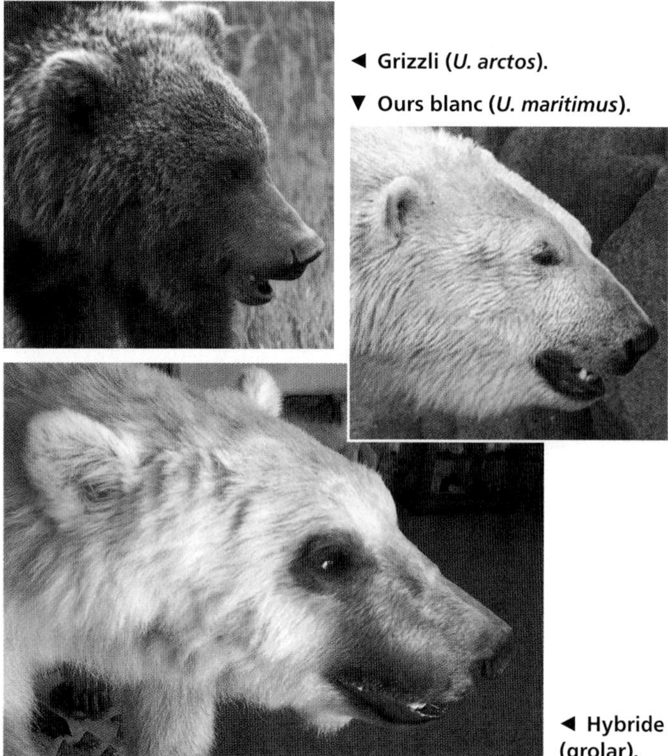

◄ Grizzli (*U. arctos*).

▼ Ours blanc (*U. maritimus*).

◄ Hybride (grolar).

▲ **Figure 24.4** **L'hybridation de deux espèces du genre *Ursus*.**

▼ **Figure 24.5** **Les deux principaux modes de spéciation.**

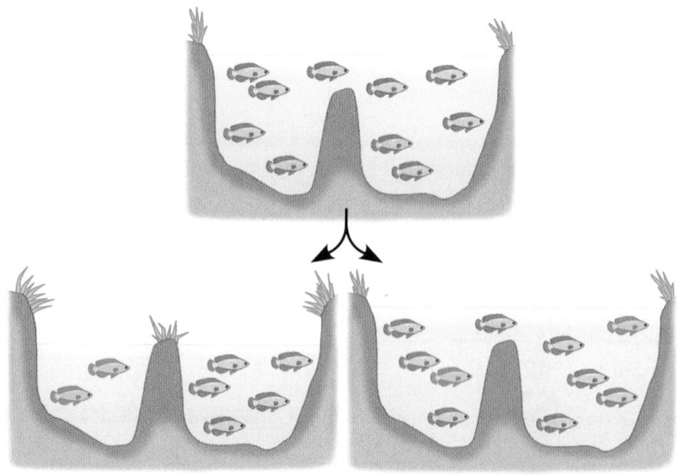

(a) Spéciation allopatrique: une population forme une nouvelle espèce à la suite d'un isolement géographique qui l'a séparée de la population mère.

(b) Spéciation sympatrique: une petite population forme une nouvelle espèce, bien qu'elle ne soit pas isolée géographiquement.

CONCEPT **24.2**

La spéciation peut avoir lieu en présence ou en l'absence d'isolement géographique

Maintenant que nous avons traité de la notion d'espèce, revenons au processus par lequel une nouvelle espèce se forme à partir d'espèces existantes. Pour décrire ce processus, nous nous concentrerons sur les conditions géographiques qui font que le flux génétique entre deux ou plusieurs populations d'espèces existantes s'interrompt. Nous distinguerons la spéciation allopatrique, dans laquelle les populations sont géographiquement isolées, et la spéciation sympatrique, dans laquelle les populations ne le sont pas (**figure 24.5**).

La spéciation allopatrique («autre patrie»)

Dans la **spéciation allopatrique** (du grec *allos*, «autre», et du latin *patria*, «patrie»), le flux génétique est réduit ou interrompu lorsqu'une population se divise en sous-populations isolées géographiquement. Ainsi, la baisse du niveau d'eau d'un lac peut engendrer l'apparition de plusieurs petits lacs qui abriteront des populations séparées (voir la figure 24.5a). De même, un fleuve peut changer de lit et diviser une population animale, alors incapable de passer d'une rive à l'autre. La spéciation allopatrique peut aussi se produire sans remodelage géologique. C'est ce qui arrive, par exemple, lorsque des individus colonisent une région éloignée et que leurs descendants s'isolent géographiquement de la population mère. C'est probablement la spéciation allopatrique qui explique l'existence du cormoran aptère de la figure 24.1 : ses lointains ancêtres volants du continent ont colonisé les Galápagos, et leurs descendants ont évolué différemment d'eux.

Le processus de la spéciation allopatrique

Quelle ampleur doit avoir une barrière géographique pour favoriser une spéciation allopatrique ? Tout dépend de la capacité de déplacement des organismes. Les oiseaux, les couguars (*Felis concolor*) et les coyotes (*Canis latrans*) peuvent franchir des collines, des fleuves et des canyons, tout comme le pollen ou les graines de plantes à fleurs transportés par le vent. En revanche, pour de petits rongeurs, un canyon profond ou un vaste fleuve devient une barrière infranchissable.

Une fois produite la séparation géographique, les patrimoines génétiques peuvent diverger. Diverses mutations apparaissent, et la sélection naturelle comme la dérive génétique peuvent modifier les fréquences alléliques de diverses manières. L'isolement reproducteur peut devenir un effet secondaire progressif de la divergence génétique qui résulte de la sélection ou d'une dérive génétique.

La **figure 24.6** illustre ce processus. Sur l'île d'Andros dans les Bahamas, des populations du poisson-moustique (*Gambusia hubbsi*) ont colonisé une série d'étangs qui ont ensuite été isolés les uns des autres. Les analyses génétiques indiquent qu'il y a peu ou pas de flux génétique entre les étangs. L'environnement y est très similaire, à ceci près que certains hébergent de nombreux prédateurs du *G. hubbsi* et d'autres pas. Dans les étangs où vivent des prédateurs, la sélection a favorisé chez ces poissons-moustiques une configuration corporelle qui leur permet de brèves pointes de vitesse (figure 24.6), alors que dans les étangs sans prédateurs elle a favorisé une configuration corporelle qui améliore la capacité de nager durant de longues périodes. Comment ces pressions sélectives différentes ont-elles influé sur l'évolution des barrières reproductives ? Pour répondre à cette question, des chercheurs ont réuni des poissons-moustiques des deux types d'étangs. Ils ont ainsi pu constater que les femelles préféraient s'accoupler avec des mâles dont la configuration corporelle est identique à la

▼ **Figure 24.6 L'évolution des populations de poissons-moustiques.** Des conformations corporelles différentes sont apparues chez les populations de poissons-moustiques vivant dans des étangs avec prédateurs et dans des étangs sans prédateurs. Ces différences concernent la vitesse à laquelle ces poissons échappent aux prédateurs ainsi que leur taux de survie en présence de prédateurs.

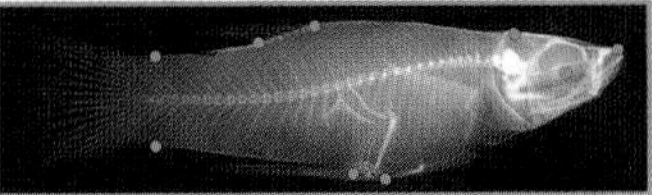

Dans les étangs où il y a des prédateurs, la tête du *G. hubbsi* est effilée et sa queue puissante lui permet de brèves pointes de vitesse.

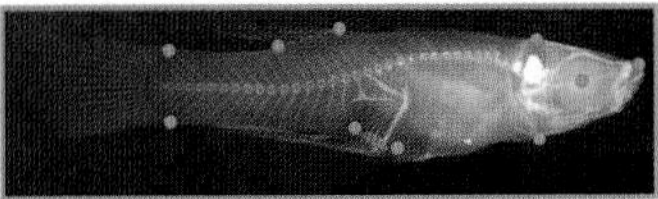

Dans les étangs sans prédateurs, le *G. hubbsi* a une conformation corporelle différente qui améliore sa capacité de nager sans fatigue durant de longues périodes.

(a) Différences dans la conformation corporelle

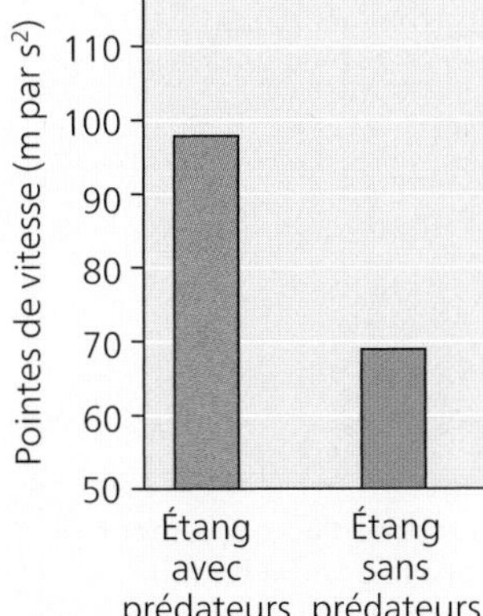

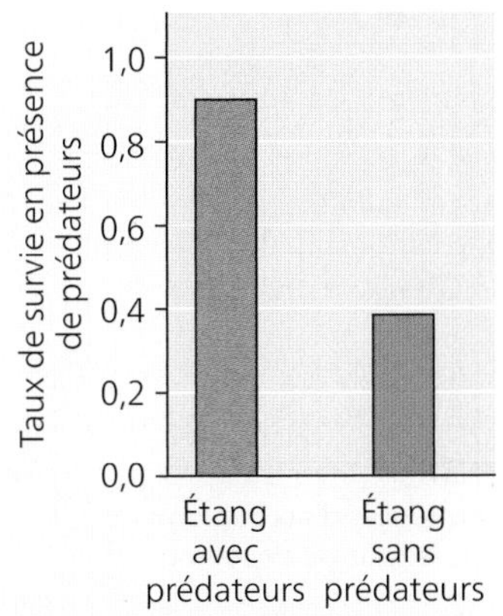

(b) Différences dans les pointes de vitesse et le taux de survie

leur. Cette préférence établit une barrière reproductive entre les poissons-moustiques des étangs avec prédateurs et ceux des étangs sans prédateurs. Autrement dit, des barrières reproductives supplémentaires ont commencé à se dresser entre ces populations allopatriques comme un effet secondaire d'une sélection qui s'effectue en fonction de l'évitement des prédateurs.

Les preuves de l'existence de la spéciation allopatrique

De nombreuses études montrent qu'il peut y avoir spéciation chez des populations allopatriques. Par exemple, des analyses de laboratoire montrent que des barrières reproductives peuvent apparaître lorsqu'on isole expérimentalement des populations pour les soumettre à des conditions environnementales différentes (**figure 24.7**).

Des études sur le terrain indiquent que la spéciation allopatrique peut aussi s'effectuer dans la nature. Pensons aux 30 espèces de crevettes pistolets du genre *Alpheus* qui vivent près de l'isthme de Panamá, le pont terrestre qui relie l'Amérique du Nord et l'Amérique du Sud (**figure 24.8**). Quinze de ces espèces vivent sur la façade Atlantique de l'isthme, et les quinze autres sur le rivage du Pacifique. Avant la formation de l'isthme, le flux génétique pouvait se produire entre les populations de crevettes pistolets de l'Atlantique et du Pacifique. Les espèces des deux côtés de l'isthme sont-elles le produit de la spéciation allopatrique? Les données morphologiques et génétiques regroupent ces crevettes en 15 paires d'espèces sœurs qui sont les plus proches parentes l'une de l'autre. Dans chacune de ces 15 paires, l'une des espèces sœurs vit sur le côté Atlantique de l'isthme, et l'autre, sur le côté Pacifique. Il est donc fort probable que les deux espèces soient apparues par suite de l'isolement géographique. De plus, les analyses génétiques indiquent que les espèces du genre *Alpheus* sont apparues il y a entre 9 millions et 3 millions d'années, et que les espèces sœurs vivant dans les milieux marins les plus profonds ont été les premières à diverger. Ces datations coïncident avec les données géologiques, selon lesquelles la formation de l'isthme a commencé il y a 10 millions d'années et a bloqué la communication entre les deux océans il y a environ 3 millions d'années.

Le fait que les régions isolées ou séparées par des barrières géographiques comptent un plus grand nombre d'espèces que des régions similaires dépourvues d'obstacles témoigne également de l'importance de la spéciation allopatrique. Par exemple, les îles hawaïennes, très isolées géographiquement, abritent de nombreux animaux et végétaux uniques (nous reviendrons sur l'origine des espèces hawaïennes au concept 25.4). Les études sur le terrain montrent aussi que l'isolement reproducteur augmente généralement avec la distance géographique qui sépare deux populations, ce qui est compatible avec la spéciation allopatrique. Dans la rubrique **Habiletés scientifiques**, vous aurez l'occasion d'analyser les résultats d'une étude de terrain qui portait sur l'isolement reproducteur chez des populations de salamandres géographiquement isolées.

Soulignons ici que, même si l'isolement géographique empêche les croisements entre des populations allopatriques, la séparation physique ne constitue pas une barrière biologique à la reproduction. Les barrières reproductives biologiques comme celles décrites à la figure 24.3 sont intrinsèques aux organismes. Par conséquent, ce sont les barrières biologiques qui peuvent empêcher le croisement lorsque des membres de différentes populations entrent en contact.

La spéciation sympatrique («même patrie»)

La **spéciation sympatrique** (du grec *syn*, «avec»), quant à elle, se produit dans le cas de populations vivant dans une même zone géographique (voir la figure 24.5b). Mais comment des barrières reproductives peuvent-elles se dresser entre des populations sympatriques si les membres restent en contact les uns avec les autres? Comme nous allons le voir, même si ce contact (et le flux génétique continuel qui en résulte) rend la spéciation sympatrique moins fréquente que la spéciation allopatrique, la spéciation sympatrique peut se produire par suite de la réduction du flux génétique sous l'effet de différents facteurs comme la polyploïdie, la sélection sexuelle et la différenciation des habitats. (Notez que ces mêmes facteurs peuvent aussi favoriser la spéciation allopatrique.)

La polyploïdie

Une espèce peut naître d'un accident durant la division cellulaire qui produit au moins un jeu complet de chromosomes (n) en surnombre, créant ainsi un état de **polyploïdie**. La spéciation polyploïde se produit occasionnellement chez les espèces animales; on croit par exemple que la rainette versicolore (*Hyla versicolor,* voir la figure 23.16) est apparue de cette façon. Cependant, la polyploïdie est beaucoup plus commune chez les espèces végétales. En fait, les botanistes estiment que plus de 80% des espèces végétales contemporaines descendent d'ancêtres formés par spéciation polyploïde.

DÉMARCHE SCIENTIFIQUE

INVESTIGATION

▼ **Figure 24.7**

La divergence des populations allopatriques de drosophiles peut-elle aboutir à l'isolement reproducteur ?

■ **HYPOTHÈSE** ■ Si la sélection naturelle favorise l'isolement reproducteur chez les drosophiles, alors on devrait observer une tendance à l'isolement reproducteur entre populations de drosophiles sélectionnées sur plusieurs générations dans des milieux nutritifs différents. Les préférences d'accouplement devraient se manifester envers des partenaires provenant du même type de milieu, donc adaptés à la même source de nutriment.

■ **EXPÉRIENCE** ■ En laboratoire, une chercheuse a divisé un échantillon de drosophiles (*Drosophila pseudoobscura*) dans le but d'en élever plusieurs populations dans un milieu riche en amidon et d'autres dans un milieu riche en maltose. Un an et 40 générations plus tard, la sélection naturelle a favorisé les individus les mieux adaptés aux nutriments offerts. Les populations nourries à l'amidon se sont mises à digérer de plus en plus efficacement ce glucide, alors que les populations nourries au maltose ont montré de meilleures aptitudes à digérer celui-ci. La chercheuse a ensuite réuni, dans des cages d'accouplement, des mouches de populations identiques et des mouches provenant de populations différentes, et a mesuré la fréquence des accouplements. Toutes les mouches utilisées dans les tests de préférence d'accouplement ont été nourries à la farine de maïs pendant une génération.

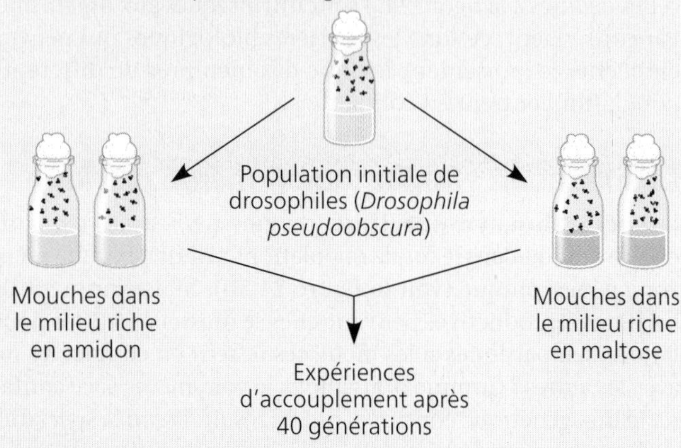

■ **RÉSULTATS** ■ Les tableaux ci-dessous présentent les fréquences d'accouplement de populations de drosophiles élevées sur des milieux nutritifs différents. Lorsque les populations du milieu riche en amidon ont été mises en présence des populations du milieu riche en maltose, les drosophiles avaient tendance à s'accoupler avec leurs semblables. Cependant, dans le groupe témoin (à droite), les mouches provenant de différentes populations du milieu riche en amidon s'accouplaient aussi souvent entre elles qu'avec les mouches de leur propre population.

Les chercheurs ont obtenu des résultats similaires pour des groupes témoins provenant de populations du milieu riche en maltose.

		Femelle	
		Amidon	Maltose
Mâle	Amidon	22	9
	Maltose	8	20

Fréquences d'accouplement dans le groupe expérimental

		Femelle	
		Population amidon 1	Population amidon 2
Mâle	Population amidon 1	18	15
	Population amidon 2	12	15

Fréquences d'accouplement dans le groupe témoin

■ **CONCLUSION** ■ Dans le groupe expérimental, la forte préférence des «mouches à amidon» et des «mouches à maltose» pour l'accouplement avec leurs semblables indiquait qu'une barrière reproductive était en train de se dresser entre ces populations de mouches. Même s'il n'était pas absolu (il y avait environ un tiers des accouplements entre «mouches à amidon» et «mouches à maltose»), après 40 générations, cet isolement reproducteur semblait s'accentuer. Une telle barrière peut avoir entraîné des différences dans le rite nuptial – différences qui sont un effet secondaire des pressions sélectives qui se sont exercées sur ces populations allopatriques à mesure qu'elles s'adaptaient à des sources de nourriture différentes.

Source des données: D. M. B. Dodd, Reproductive isolation as a consequence of adaptive divergence in *Drosophila pseudoobscura*, *Evolution* 43: 1308-1311 (1989).

ET SI ? ▶ Pourquoi a-t-on nourri à la farine de maïs toutes les drosophiles utilisées dans le test de fréquence d'accouplement (plutôt qu'à l'amidon ou au maltose) ?

On a observé deux formes distinctes de polyploïdie chez les populations végétales (et chez quelques populations animales). Un **autopolyploïde** (du grec *autos*, «soi-même») est un individu qui possède plus de deux ensembles de chromosomes provenant d'une même espèce. Chez les végétaux, par exemple, une perturbation de la division cellulaire peut faire doubler le nombre de chromosomes d'une cellule : celui-ci passe alors d'un nombre original ($2n$) à un nombre tétraploïde ($4n$) (**figure 24.9**).

Un organisme tétraploïde peut engendrer une descendance tétraploïde fertile par autopollinisation ou par accouplement avec un autre tétraploïde. De plus, les tétraploïdes se trouvent en situation d'isolement reproducteur à l'égard des végétaux $2n$ de la population mère, en raison de la diminution de la fertilité de la descendance triploïde ($3n$) de telles unions. L'autopolyploïdie peut donc, en une seule génération, entraîner un isolement reproducteur sans la moindre séparation géographique.

La deuxième forme de polyploïdie se produit lorsque le croisement entre deux espèces différentes engendre un ou plusieurs descendants hybrides. Ces hybrides interspécifiques sont stériles, car les chromosomes des deux jeux dont ils ont hérité (un de chacun des parents) sont incapables de s'apparier pendant la méiose. Cependant, les hybrides stériles peuvent

DÉMARCHE SCIENTIFIQUE

HABILETÉS SCIENTIFIQUES

Déterminer les variables dépendante et indépendante, faire un diagramme de dispersion et interpréter les données

■ LA DISTANCE GÉOGRAPHIQUE SÉPARANT DES POPULATIONS DE SALAMANDRES AUGMENTE-T-ELLE L'ISOLEMENT REPRODUCTEUR ? ■ La spéciation allopatrique commence lorsque des populations deviennent géographiquement isolées et que les individus de l'une de ces populations ne peuvent plus s'accoupler avec ceux d'une autre population, empêchant ainsi le flux génétique. Il serait donc logique de supposer que le degré d'isolement reproducteur croît à mesure qu'augmente la distance entre les populations. Pour vérifier cette hypothèse, des chercheurs ont étudié des populations de salamandres sombres des montagnes (*Desmognathus ochrophaeus*) qui vivaient dans des régions différentes du Sud des Appalaches.

■ MÉTHODE ■ Les chercheurs ont testé l'isolement reproducteur de plusieurs paires de populations de salamandres (chaque paire étant appelée A et B) en réunissant un mâle et une femelle, et en recherchant plus tard la présence de spermatozoïdes dans la femelle fécondée. Ils ont ainsi testé quatre combinaisons différentes pour chaque paire de populations A et B : deux salamandres de la *même* population (femelle A avec mâle A et femelle B avec mâle B) et deux salamandres de populations *différentes* (femelle A avec mâle B et femelle B avec mâle A).

■ RÉSULTATS ■ Les chercheurs ont utilisé un indice d'isolement reproducteur qui allait de 0 (aucun isolement) à 2 (isolement total). Pour chaque combinaison mâle-femelle, ils ont mesuré la proportion d'accouplements réussis comme suit : 100 % pour un accouplement réussi et 0 pour un accouplement non réussi. L'indice d'isolement reproducteur de deux populations est égal à la somme des proportions d'accouplements réussis des combinaisons issues de mêmes populations (AA + BB) moins la somme des proportions d'accouplements réussis des combinaisons issues de populations différentes (AB + BA).

Le tableau ci-dessous présente les données relatives à la distance et à l'isolement reproducteur de 27 couples de salamandres (données non ordonnées).

INTERPRÉTEZ LES DONNÉES ▼

1. Énoncez l'hypothèse des chercheurs et indiquez la variable dépendante et la variable indépendante de leur étude. Expliquez pourquoi les chercheurs ont utilisé quatre combinaisons de couples différentes pour chaque paire de populations étudiées.
2. Calculez l'indice d'isolement reproducteur : (a) si *tous* les accouplements au sein d'une même population ont été réussis, mais qu'*aucun* des accouplements entre salamandres de populations différentes n'a été réussi ; (b) si le taux de réussite des accouplements entre individus de populations différentes est aussi bon que celui des accouplements entre individus d'une même population.
3. Construisez un diagramme de dispersion pour voir s'il s'en dégage une tendance qui indiquerait une relation entre les variables. Représentez la variable indépendante sur l'axe des *x* et la variable dépendante sur l'axe des *y*. (Pour plus d'information sur les diagrammes, voir l'appendice F.)
4. Interprétez votre diagramme de deux façons : (a) décrivez la tendance qui s'en dégage et qui pourrait témoigner d'une relation entre les variables et (b) formulez une hypothèse sur la cause possible de cette relation.

Source des données : S. G. Tilley, A. Verrell et S. J. Arnold, Correspondence between sexual isolation and allozyme differentiation: A test in the salamander *Desmognathus ochrophaeux*, *Proceedings of the National Academy of Sciences* 87 : 2715-2719 (1990).

Distance géographique (km)	15	32	40	47	42	62	63	81	86	107	107	115	137	147
Indice d'isolement géographique	0,32	0,54	0,50	0,50	0,82	0,37	0,67	0,53	1,15	0,73	0,82	0,81	0,87	0,87
Distance (*suite*)	137	150	165	189	219	239	247	53	55	62	105	179	169	
Indice d'isolement (*suite*)	0,50	0,57	0,91	0,93	1,5	1,22	0,82	0,99	0,21	0,56	0,41	0,72	1,15	

parfois se multiplier d'une manière asexuée (ce que font nombre de végétaux). Dans les générations suivantes, divers mécanismes transforment des hybrides stériles en hybrides fertiles appelés **allopolyploïdes** (**figure 24.10**). Les allopolyploïdes sont interféconds, mais ils ne peuvent se reproduire avec les espèces parentales. Ils constituent donc une nouvelle espèce biologique.

Bien qu'il soit parfois difficile d'étudier la spéciation polyploïde sur le terrain, les scientifiques ont établi qu'au moins cinq nouvelles espèces végétales sont apparues par spéciation polyploïde depuis 1850. L'origine d'une nouvelle espèce de salsifis (du genre *Tragopogon*) sur la côte nord-ouest du Pacifique en est un exemple. Les premiers salsifis ont été introduits dans cette région au début des années 1900, lorsque les colons européens en ont apporté trois espèces dans leurs bagages : *T. pratensis*, *T. dubius* et *T. porrifolius*. De nos jours, ces trois espèces sont des mauvaises herbes très communes dans les parcs de stationnement et autres lieux urbains à l'abandon. En 1950, on a découvert une nouvelle espèce de salsifis près de la frontière des États américains de l'Idaho et de Washington, qui vivait à proximité des trois espèces européennes. Les analyses génétiques ont révélé que cette nouvelle espèce, le *Tragopogon miscellus*, est un hybride de deux des trois espèces européennes (**figure 24.11**). La population de *T. miscellus* s'accroît principalement par la reproduction de ses propres membres, mais des épisodes d'hybridation entre les espèces d'origine européenne continuent d'y ajouter de nouveaux membres. Par la suite, les scientifiques ont découvert une nouvelle espèce de *Tragopogon* : *T. mirus* (cette fois un hybride de *T. dubius* et *T. porrifolius*). L'histoire de *Tragopogon* n'est qu'un des nombreux exemples de spéciation sympatrique abondamment étudiés dont les scientifiques ont pu observer la progression.

Bon nombre d'espèces végétales cultivées pour leur grande importance commerciale sont polyploïdes : c'est le cas, notamment, de l'avoine, du coton, de la pomme de terre, du tabac et du blé. Par exemple, le blé (*Triticum aestivum*), qui entre dans la composition du pain, est un allohexaploïde (6 jeux de chromosomes, 3 espèces différentes ayant fourni 2 jeux de 7 chromosomes chacune, pour un total de 42 chromosomes). Le premier des événements polyploïdes qui ont abouti à l'apparition du blé moderne, né spontanément voilà quelque 8 000 ans au Moyen-Orient, est probablement l'apparition d'un hybride issu d'un blé cultivé et d'une graminée indigène possédant chacun 14 chromosomes. Par la suite, l'hybride à 28 chromosomes se serait à son tour hybridé avec un troisième blé ayant aussi 14 chromosomes. Les généticiens croisent aujourd'hui beaucoup de nouvelles plantes diploïdes en laboratoire en les exposant à des produits chimiques, ce qui cause parfois des erreurs méiotiques et mitotiques (la colchicine, par exemple, empêche la séparation des chromosomes durant la division cellulaire). En se servant du processus de l'évolution, des chercheurs peuvent produire de nouveaux hybrides dotés des qualités désirées, comme un hybride pouvant combiner le rendement supérieur du blé et la résistance aux maladies du seigle (*Secale cereale*).

▼ **Figure 24.8 La spéciation allopatrique chez les crevettes pistolets (*Alpheus*).** Les crevettes qu'on voit ici ne sont que 2 des 15 paires d'espèces sœurs apparues à la suite de la formation de l'isthme de Panamá. Les caractères typographiques d'une même couleur indiquent deux espèces sœurs.

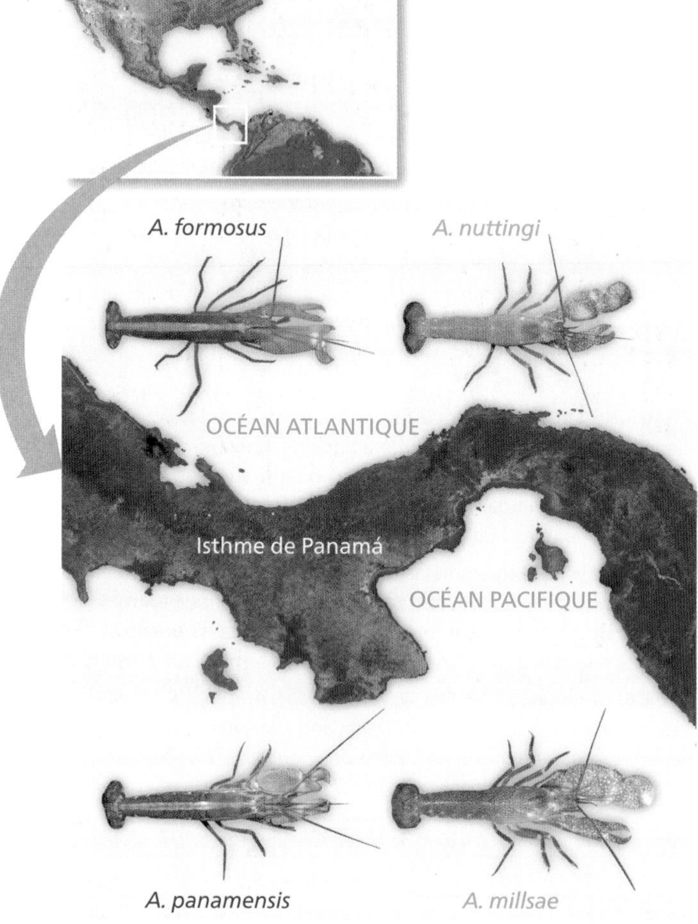

▼ **Figure 24.9 La spéciation sympatrique par autopolyploïdie.**

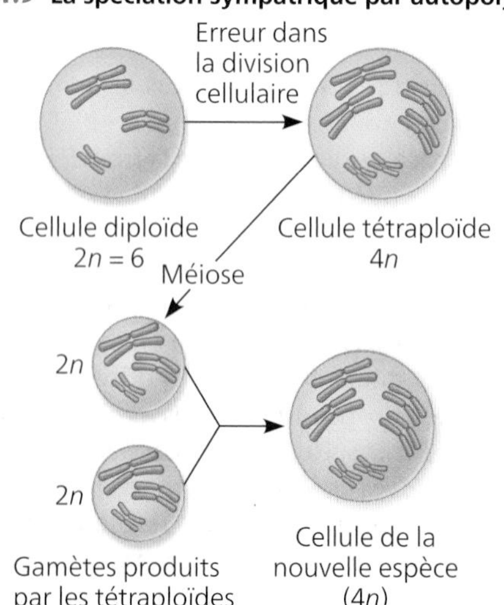

▼ **Figure 24.10 Le mécanisme de spéciation allopolyploïde chez certaines plantes.** La plupart des hybrides interspécifiques sont généralement stériles, car leurs chromosomes ne sont pas homologues et ne peuvent s'apparier pendant la méiose. Cependant, ils sont capables de se reproduire de façon asexuée. Le schéma montre l'un des mécanismes susceptibles de produire des hybrides féconds (allopolyploïdes) qui forment une nouvelle espèce. Celle-ci compte un nombre de chromosomes diploïdes égal à la somme des chromosomes diploïdes des deux espèces parentales.

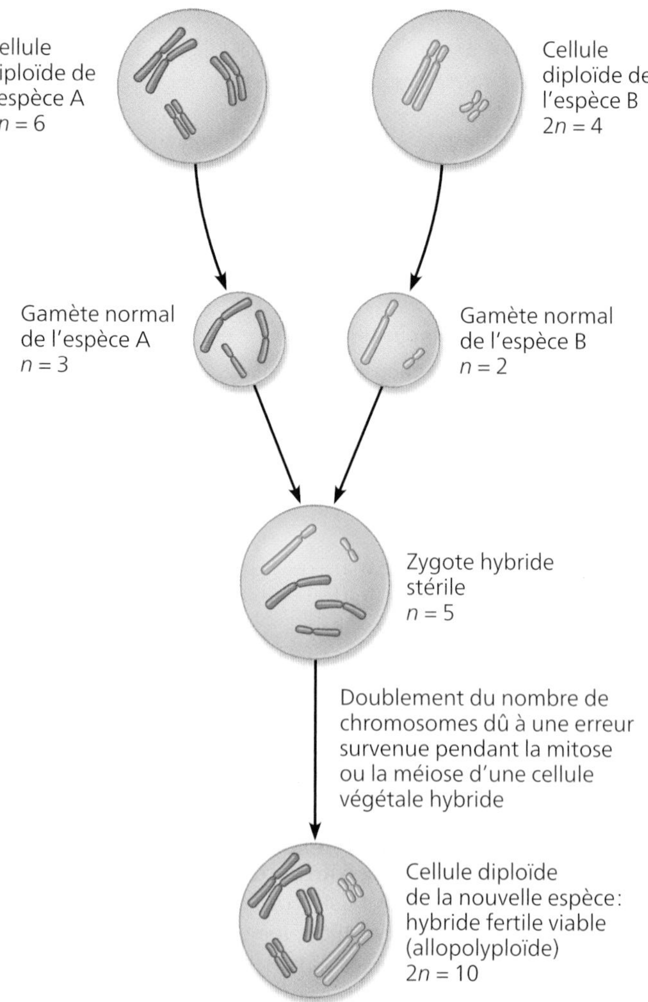

▼ Figure 24.11 La spéciation allopolyploïde chez *Tragopogon.* Les carrés gris indiquent les trois espèces parentes. Le nombre diploïde de chromosomes de chaque espèce figure entre parenthèses.

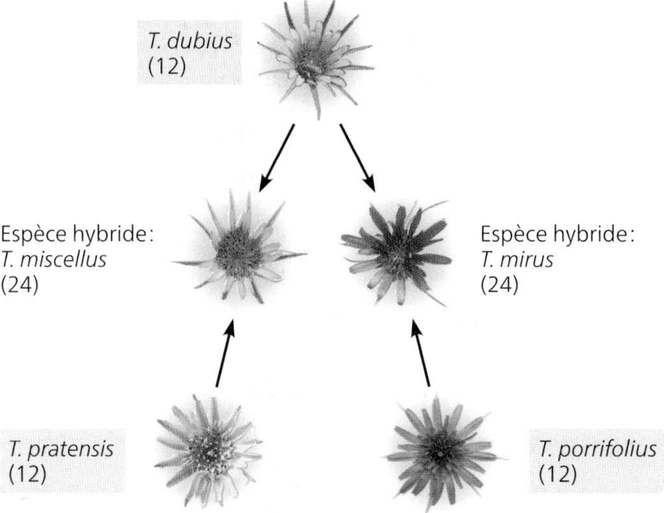

La sélection sexuelle

Des données indiquent que la spéciation sympatrique peut aussi se réaliser par le biais de la sélection sexuelle. Des chercheurs ont en effet trouvé des indices sur la façon dont ce processus peut se produire chez les poissons cichlidés du lac Victoria, en Afrique de l'Est, l'un des hauts lieux de la spéciation animale. Ce plan d'eau a déjà hébergé plus de 600 espèces de cichlidés. Des données génétiques indiquent que ces espèces sont apparues au cours des 100 000 dernières années et qu'elles sont issues d'un petit nombre d'espèces colonisatrices venues d'autres lacs et rivières. Comment de si nombreuses espèces – plus que le double du nombre d'espèces de poissons qu'on trouve dans les eaux douces de toute l'Europe – ont-elles pu naître dans un seul lac?

L'une des hypothèses veut que des sous-groupes des populations initiales de cichlidés se soient adaptés à des ressources alimentaires différentes, et que la divergence génétique qui en a résulté ait contribué à la spéciation dans le lac Victoria. Mais la sélection sexuelle – processus où, typiquement, les femelles choisissent les mâles selon leur apparence (voir le concept 23.4) – pourrait bien constituer un facteur important. C'est du moins ce que laissent croire les travaux entrepris par des chercheurs qui ont étudié deux espèces sympatriques apparentées de cichlidés dont la principale différence est la coloration du dos des reproducteurs mâles. Il est bleu chez l'espèce *Pundamilia pundamilia* et rouge chez l'espèce *P. nyererei* (**figure 24.12**). Les résultats donnent à penser que le choix des partenaires selon leur couleur peut être un mécanisme d'isolement reproducteur qui empêche les patrimoines génétiques des deux espèces de cichlidés de fusionner.

La différenciation des habitats

La spéciation sympatrique peut aussi se produire lorsqu'une sous-population exploite un habitat ou une ressource que la population mère n'utilise pas. Tel est le cas de la larve de la mouche de la pomme (*Rhagoletis pomonella*). À l'origine, ces larves avaient pour hôte les aubépines indigènes (*Crataegus*) (voir la figure 24.3), mais, il y a environ 200 ans, certaines populations ont commencé à se développer sur des pommiers introduits par

DÉMARCHE SCIENTIFIQUE

INVESTIGATION

▼ Figure 24.12

La sélection sexuelle chez les cichlidés mène-t-elle à l'isolement reproducteur?

■ HYPOTHÈSE ■ Si c'est la sélection sexuelle qui permet à deux espèces parentes de cichlidés de se côtoyer dans le même lac tout en maintenant un isolement reproducteur, alors le blocage de cette sélection permettra de briser l'isolement et favorisera la fécondation entre les deux espèces.

■ EXPÉRIENCE ■ Des chercheurs ont placé des mâles et des femelles de *Pundamilia pundamilia* et de *P. nyererei* ensemble dans deux aquariums, l'un éclairé par une lumière naturelle et l'autre par une lumière orangée monochromatique. Sous la lumière naturelle, les deux espèces ont des couleurs facilement distinguables; sous la lumière orangée, elles semblent de la même couleur. Les chercheurs ont ensuite observé le choix des partenaires par les femelles des deux aquariums.

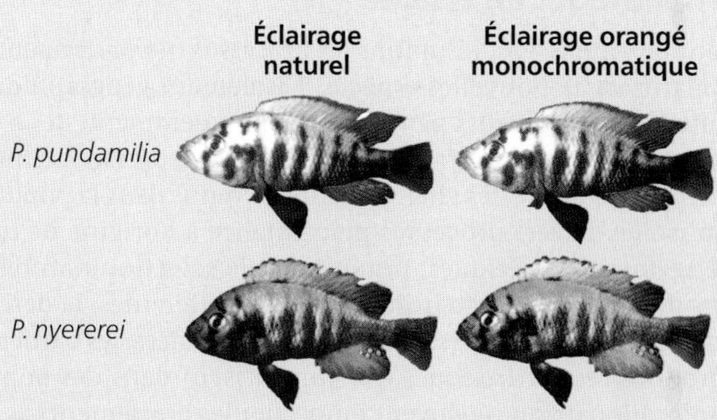

■ RÉSULTATS ■ Sous un éclairage normal, les femelles de chaque espèce s'accouplent uniquement avec les mâles de leur propre espèce. Par contre, sous un éclairage orangé monochromatique, les femelles ne sont pas en mesure de distinguer les mâles selon leur espèce et s'accouplent sans discrimination, produisant des hybrides viables et féconds.

■ CONCLUSION ■ Les chercheurs ont conclu que le choix des mâles en fonction de leur couleur est la principale barrière reproductive qui maintient séparés les patrimoines génétiques de ces deux espèces. Comme ces espèces peuvent encore se croiser si on élimine la barrière éthologique prézygotique en laboratoire, la divergence génétique entre les espèces est probablement faible. Il semble donc que la spéciation en milieu naturel soit assez récente.

Source des données: O. Seehausen et J. J. M. van Alphen, The effect of male coloration on female mate choice in closely related Lake Victoria cichlids (*Haplochromis nyererei* complex), *Behavioral Ecology and Sociobiology* 42: 1-8 (1998).

ET SI? ▶ Supposez que les femelles des cichlidés vivent dans les eaux troubles d'un lac pollué et qu'elles sont donc incapables de distinguer clairement les couleurs. Dans cet habitat, comment les patrimoines génétiques de ces espèces pourraient-ils changer avec le temps?

des colons européens. La mouche de la pomme s'accouple habituellement sur le fruit du pommier ou tout près, de sorte qu'il existe une barrière prézygotique (isolement de l'habitat) entre les populations qui se nourrissent de pommes et celles qui se nourrissent du fruit de l'aubépine. De plus, comme la pomme parvient à maturité plus rapidement que le fruit de l'aubépine, la sélection a favorisé les larves se développant rapidement parmi celles qui se nourrissent de pommes. Aujourd'hui, les populations qui se nourrissent de pommes sont isolées temporellement des populations de *R. pomonella* qui se nourrissent d'aubépines, ce qui constitue une seconde barrière prézygotique au flux génétique entre les deux populations. Les chercheurs ont également trouvé des allèles avantageant les mouches qui utilisent l'une des plantes hôtes, mais nuisant aux mouches qui utilisent l'autre plante hôte. Résultat : la sélection naturelle qui agit sur ces allèles dresse une barrière reproductive postzygotique qui limite encore le flux génétique. Bien que ces deux populations soient encore classées comme des sous-espèces (ou des races) plutôt que comme des espèces distinctes, la spéciation semble suivre son cours.

La spéciation allopatrique et la spéciation sympatrique : *un résumé*

Avant de poursuivre, résumons les processus qui participent à l'apparition de nouvelles espèces. L'isolement géographique limite fortement le flux génétique. Conséquemment, des barrières reproductives intrinsèques peuvent se dresser comme un effet secondaire des changements survenus dans la population isolée. Divers processus peuvent être à l'origine de tels changements génétiques, notamment la sélection naturelle dans des conditions environnementales différentes, la dérive génétique et la sélection sexuelle. Une fois formées, les barrières reproductives intrinsèques qui apparaissent dans des populations allopatriques peuvent empêcher les croisements avec la population mère, et ce, même après le rétablissement du contact entre ces populations.

En revanche, pour qu'une spéciation sympatrique se produise, il faut qu'un mécanisme d'isolement reproducteur émerge et isole une sous-population du reste de la population de la même zone. Plus rare que la spéciation allopatrique, la spéciation sympatrique peut se produire par suite d'une absence de circulation du flux génétique. Cet arrêt peut résulter de la polyploïdie, un état caractérisé par la présence de jeux de chromosomes en surnombre. La spéciation sympatrique peut aussi résulter de la sélection sexuelle. Enfin, elle peut aussi être le produit de l'isolement reproducteur d'un sous-ensemble de la population, en raison de la sélection naturelle résultant d'un passage à un nouvel habitat ou à une nouvelle ressource alimentaire inexploités par la population mère.

Après avoir passé en revue le contexte géographique dans lequel naît une espèce, examinons de plus près ce qui peut arriver lorsque des espèces nouvelles ou en formation entrent en contact.

RETOUR SUR LE CONCEPT 24.2

1. Résumez les principales différences entre la spéciation allopatrique et la spéciation sympatrique. Quel type de spéciation est le plus courant et pourquoi ?
2. Décrivez deux mécanismes capables de réduire le flux génétique dans les populations sympatriques et de rendre la spéciation sympatrique plus susceptible de se produire.
3. **ET SI ?** ▶ La spéciation allopatrique est-elle plus probable sur une île à proximité du continent ou sur une île de la même taille, mais plus éloignée du continent ? Expliquez votre réponse.
4. **FAITES DES LIENS** ▶ Révisez le processus de la méiose décrit à la figure 13.8, puis expliquez comment une erreur au cours de la méiose peut mener à la polyploïdie.

Voir les réponses proposées à l'appendice A.

CONCEPT 24.3

Les zones hybrides révèlent les facteurs responsables de l'isolement reproducteur

Qu'arrive-t-il lorsque des espèces dont les barrières reproductives sont incomplètes entrent en contact ? L'une des possibilités est la formation d'une **zone hybride**, c'est-à-dire une zone où les membres d'espèces différentes se rencontrent, s'accouplent et produisent au moins un descendant hybride. Dans cette section, nous étudierons les zones hybrides et ce qu'elles révèlent sur les facteurs qui entraînent l'isolement reproducteur.

La configuration spatiale des zones hybrides

Certaines zones hybrides prennent la forme de bandes étroites, comme celle que montre la **figure 24.13** relativement à deux espèces de crapauds : le sonneur à ventre jaune (*Bombina variegata*) et le sonneur à ventre de feu (*B. bombina*). Cette zone hybride, représentée par la ligne rouge sur la carte, s'étend sur 4 000 km, tout en ne faisant que 10 km de largeur sur presque toute sa longueur. La zone hybride se trouve là où se chevauchent l'habitat en plus haute altitude du sonneur à ventre jaune et les plaines qui servent d'habitat au sonneur à ventre de feu. Typiquement, dans une « tranche » de la zone hybride, la fréquence de l'allèle propre au sonneur à ventre jaune passe de près de 100 % du côté où l'on ne trouve que des sonneurs à ventre jaune à 50 % environ dans la portion centrale de la zone, et à près de 0 % du côté où ne sont présents que les sonneurs à ventre de feu.

Comment expliquer cette répartition des fréquences alléliques d'un côté à l'autre d'une zone hybride ? On peut avancer qu'un obstacle contrecarre le flux génétique – sinon, les allèles d'une espèce parentale seraient aussi fréquents dans le patrimoine génétique de l'autre espèce parentale. Dans le cas présent, les barrières géographiques ne sont pas en cause et les sonneurs peuvent traverser la zone hybride sans difficulté. L'explication tient plutôt au taux plus élevé de mortalité embryonnaire et à l'existence de diverses anomalies morphologiques dont souffrent les sonneurs hybrides, notamment des côtes fusionnées au niveau de la colonne vertébrale et la présence de pièces buccales déformées chez les têtards. Comme les taux de survie et de reproduction des hybrides sont faibles, ceux qui s'accouplent avec les membres des espèces parentales produisent peu de descendants viables. Ces hybrides interviennent donc rarement dans le transfert des allèles d'une espèce à l'autre. Hors de la zone hybride, la sélection naturelle dans les environnements

▼ Figure 24.13 La zone hybride étroite des crapauds *Bombina* en Europe. Le graphique montre la répartition de la fréquence des allèles spécifiques d'une espèce dans une section de la zone hybride près de Cracovie, en Pologne (moyenne calculée à partir de six locus). Une valeur de 1,0 indique que tous les individus sont des sonneurs à ventre jaune; une valeur de 0,0 indique que tous les individus sont des sonneurs à ventre de feu; et les valeurs intermédiaires indiquent que certains individus sont des hybrides.

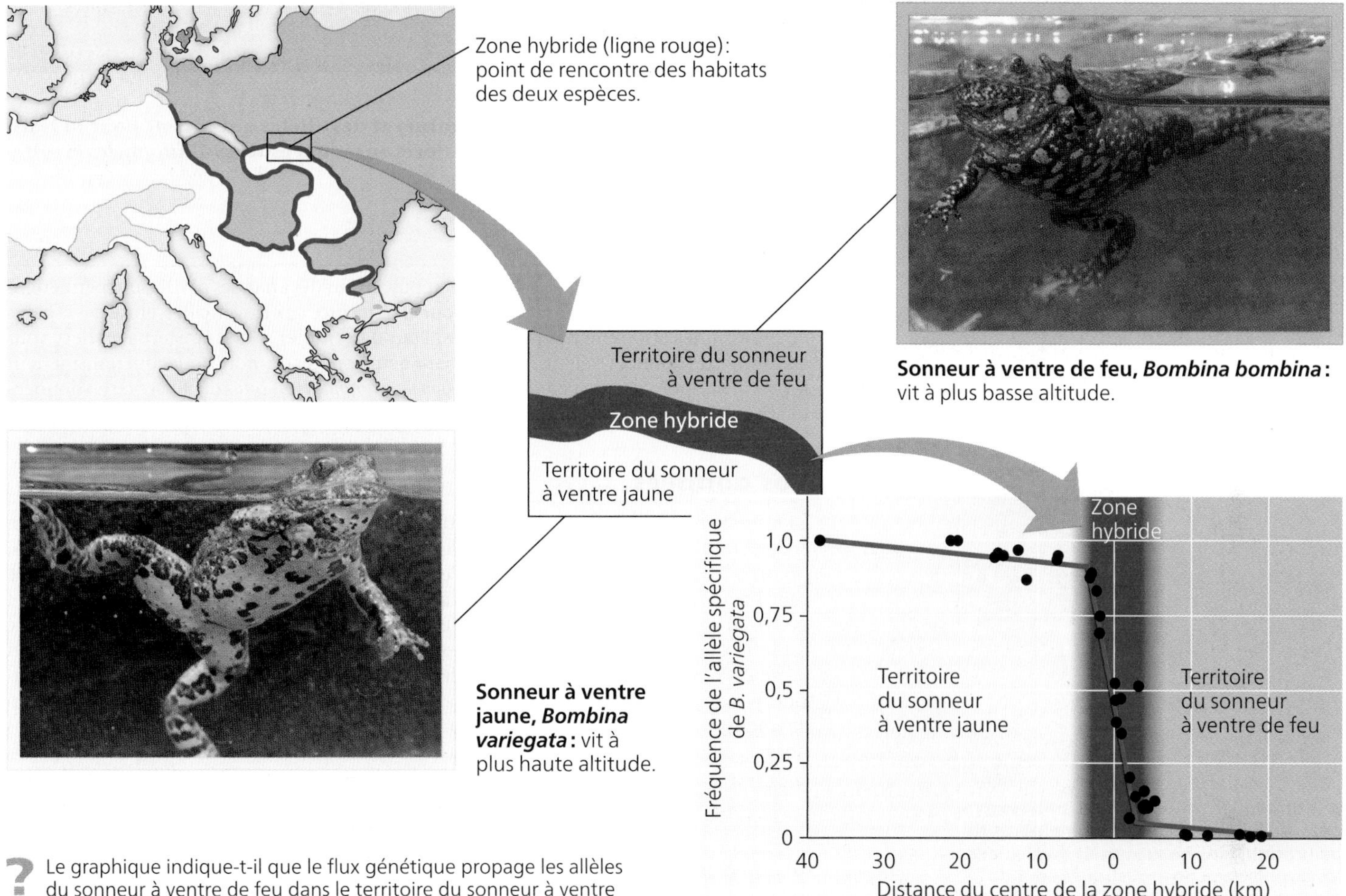

? Le graphique indique-t-il que le flux génétique propage les allèles du sonneur à ventre de feu dans le territoire du sonneur à ventre jaune? Expliquez votre réponse.

différents où vivent les espèces parentales peut aussi faire obstacle au flux génétique.

Dans d'autres zones hybrides, la répartition spatiale des allèles est plus compliquée. Ces territoires sont éparpillés et isolés les uns des autres; ils ressembleraient davantage au motif complexe des taches de la robe d'un dalmatien qu'à la bande continue de la figure 24.13. Mais que leur configuration spatiale soit simple ou complexe, les zones hybrides se forment lorsque deux espèces dont les barrières reproductives sont incomplètes entrent en contact. Une fois formée, comment une zone hybride change-t-elle au fil du temps?

Les zones hybrides et les changements environnementaux

Un changement des conditions environnementales peut se répercuter sur une zone hybride et entraîner le déplacement de cette zone ou la formation d'une nouvelle zone à proximité.

Par exemple, les mésanges à tête noire (*Poecile atricapillus*) et les mésanges de Caroline (*P. carolinensis*) s'accouplent entre elles dans une zone hybride étroite qui s'étend du New Jersey au Kansas. Or, des études récentes ont montré que cette zone s'est déplacée vers le nord depuis que le climat a commencé à se réchauffer. Dans un autre exemple, une suite d'hivers chauds survenus avant 2003 a fait en sorte que le territoire du petit polatouche (un écureuil volant, *Glaucomys volans*) s'est déplacé vers le nord jusqu'au territoire du grand polatouche (*G. sabrinus*). Auparavant, les territoires de ces deux espèces ne se chevauchaient pas. Les analyses génétiques montrent que les polatouches ont commencé à produire des hybrides lorsque leurs territoires respectifs sont entrés en contact, formant une nouvelle zone hybride induite par les changements climatiques.

Enfin, mentionnons qu'une zone hybride peut être une source de nouvelles variations génétiques qui améliorent la capacité d'une des deux espèces parentes (ou des deux) à s'adapter aux changements climatiques. En effet, un allèle présent chez une seule des deux espèces parentales peut être transféré aux descendants, d'abord aux individus hybrides et ensuite à l'autre espèce parente lorsque des hybrides se reproduisent avec des membres de la deuxième espèce parente. De récentes analyses génétiques ont montré que l'hybridation peut contribuer à une variation génétique nouvelle chez diverses espèces d'insectes, d'oiseaux et de végétaux. Dans la rubrique **Résolution de problème**, vous aurez d'ailleurs l'occasion d'en examiner

RÉSOLUTION DE PROBLÈME

L'hybridation favorise-t-elle la résistance aux insecticides chez les moustiques vecteurs du paludisme ?

Le paludisme (ou malaria) est une importante cause de morbidité et de mortalité dans nombre de pays. Bon an mal an, il infecte 200 millions de personnes et plus de 400 000 meurent de la maladie. Dans les années 1960, l'incidence du paludisme avait diminué grâce à l'utilisation d'insecticides qui éliminaient un moustique du genre *Anopheles* responsable de la transmission de cette maladie d'une personne à une autre. Malheureusement, ce moustique est en train de devenir résistant aux insecticides, de sorte que la maladie est désormais en recrudescence.

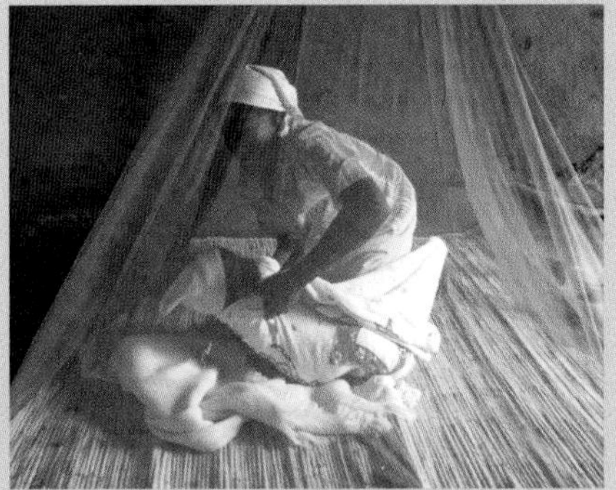

▲ L'emploi de moustiquaires traitées avec des insecticides a aidé à réduire les cas de paludisme dans beaucoup de pays, mais les populations de moustiques sont de plus en plus résistantes à ces insecticides.

Dans cet exercice, vous allez déterminer si des allèles qui codent pour la résistance aux insecticides ont été transférés entre des espèces d'*Anopheles* étroitement apparentées.

Votre méthode

Vous effectuerez votre recherche en vous appuyant sur des analyses d'ADN, qui permettent de détecter le transfert d'allèles codant pour la résistance aux insecticides, entre des espèces de moustiques étroitement apparentées. Pour déterminer si un transfert a eu lieu, vous analyserez les données obtenues concernant deux espèces de moustiques qui transmettent le parasite responsable du paludisme (*Anopheles gambiae* et *A. coluzzii*) ainsi que les données relatives à leurs hybrides (*A. gambiae* × *A. coluzzii*).

Vos données

La résistance au DDT et à d'autres insecticides chez *Anopheles* est associée au gène *kdr*, qui code pour un canal calcique. L'allèle *r* de ce gène confère une résistance aux insecticides, tandis que le génotype sauvage (+/+) n'est pas résistant. Des chercheurs ont séquencé le gène *kdr* à partir de moustiques capturés au Mali durant trois périodes : avant 2006 (2002 et 2004), en 2006 et après 2006 (2009 à 2012). Des moustiques *A. gambiae* et *A. coluzzii* ont été capturés durant chacune de ces périodes, mais pas leurs hybrides, qui n'ont été observés qu'en 2006, soit la première année d'utilisation des moustiquaires traitées avec des insecticides pour réduire la propagation de la maladie. Selon une explication plausible, l'utilisation des moustiquaires traitées aurait brièvement favorisé les individus hybrides, qui, en temps normal, sont défavorisés par la sélection.

Nombres de moustiques observés, par type de *kdr*				
	+/+	+/*r*	*r*/*r*	Total
A. gambiae				
Avant 2006	3	5	2	10
En 2006	8	8	7	23
Après 2006	3	3	57	63
Hybrides				
En 2006	10	7	0	17
A. coluzzii				
Avant 2006	226	0	0	226
En 2006	70	7	0	77
Après 2006	79	127	94	300

Votre analyse

1. De quelle façon les fréquences des génotypes *kdr* ont-elles changé au fil du temps chez *A. gambiae* ? Formulez une hypothèse qui rendrait compte de ces observations.
2. De quelle façon les fréquences des génotypes *kdr* ont-elles changé au fil du temps chez *A. coluzzii* ? Formulez une hypothèse qui rendrait compte de ces observations.
3. Ces résultats indiquent-ils que l'hybridation peut favoriser le transfert d'allèles adaptatifs ? Expliquez votre réponse.
4. Prédisez comment le transfert de l'allèle *r* aux populations d'*A. coluzzii* pourrait se répercuter sur le nombre de cas de paludisme.

un exemple. Il s'agit d'un cas où l'hybridation a permis le transfert des allèles de résistance aux insecticides entre les moustiques vecteurs du paludisme.

Les zones hybrides au fil du temps

Étudier une zone hybride, c'est comme observer une expérience sur la spéciation en milieu naturel. Les hybrides subiront-ils un isolement reproducteur par rapport à leurs espèces parentes et formeront-ils une nouvelle espèce, comme cela se produit par polyploïdie chez le salsifis dans le Nord-Ouest de la côte Pacifique ? Sinon, la zone hybride peut faire face à trois autres possibilités assez fréquentes : le renforcement des barrières, la fusion des espèces ou la stabilité (**figure 24.14**). Voyons ce que les études de terrain nous apprennent sur ces trois éventualités.

Le renforcement ou la consolidation des barrières reproductives

Les hybrides sont souvent moins bien adaptés que les membres des deux espèces parentales. Dans ce cas, on peut s'attendre à ce que la sélection naturelle renforce les barrières reproductives prézygotiques et réduise ainsi la formation d'hybrides moins aptes à survivre. Parce que ce processus consolide les barrières reproductives, on l'appelle **renforcement**. Logiquement, s'il y a renforcement, les barrières reproductives devraient être plus étanches entre populations sympatriques qu'entre populations allopatriques.

En guise d'exemple, voyons ce qui se passe chez deux espèces de gobemouches européens, le gobemouche noir (*Ficedula hypoleuca*) et le gobemouche à collier (*F. albicollis*). Dans les populations allopatriques de ces oiseaux, les mâles des deux espèces se ressemblent beaucoup, mais ils sont très différents dans les populations sympatriques. Lorsqu'elles choisissent parmi des mâles de populations sympatriques, les gobemouches noirs femelles évitent les mâles de l'autre espèce, tout comme les gobemouches à collier femelles. Par contre, quand elles doivent choisir entre des mâles de populations allopatriques, elles se trompent souvent. S'il y a renforcement, les barrières reproductives semblent donc plus fortes chez les oiseaux des populations sympatriques que chez les oiseaux des populations allopatriques, comme on pouvait s'y attendre. Des résultats similaires ont été observés chez bon nombre d'organismes, notamment des poissons, des insectes, des végétaux et d'autres oiseaux. Mais, fait intéressant, le renforcement ne semble pas intervenir chez les crapauds *Bombina*, comme nous allons bientôt le voir.

La fusion ou l'affaiblissement des barrières reproductives

Les barrières reproductives sont parfois déjà faibles quand deux espèces entrent en contact dans une zone hybride, et le flux génétique peut alors être si important que ces barrières s'affaiblissent davantage, de sorte que les patrimoines génétiques des deux espèces se ressemblent de plus en plus. Ici, le processus de spéciation s'inverse, et les deux espèces en cours d'hybridation finissent par fusionner pour ne former qu'une seule espèce.

Par exemple, des données génétiques et morphologiques indiquent que la récente disparition du géospize psittacin (*Camarhynchus psittacula*) de l'île Floreana, aux Galápagos, est due à une importante hybridation avec une autre espèce de géospize de la même île. C'est peut-être ce qui est en train de se produire chez certains des cichlidés du lac Victoria. De nombreuses paires d'espèces de cichlidés écologiquement semblables vivent en isolement reproducteur parce que les femelles d'une espèce préfèrent s'accoupler avec des mâles d'une couleur donnée, tandis que les femelles de l'autre espèce préfèrent s'accoupler avec des mâles d'une autre couleur (voir la figure 24.12). Les résultats

▼ **Figure 24.14 La formation d'une zone hybride et ses devenirs possibles.** Les flèches colorées représentent le temps écoulé.

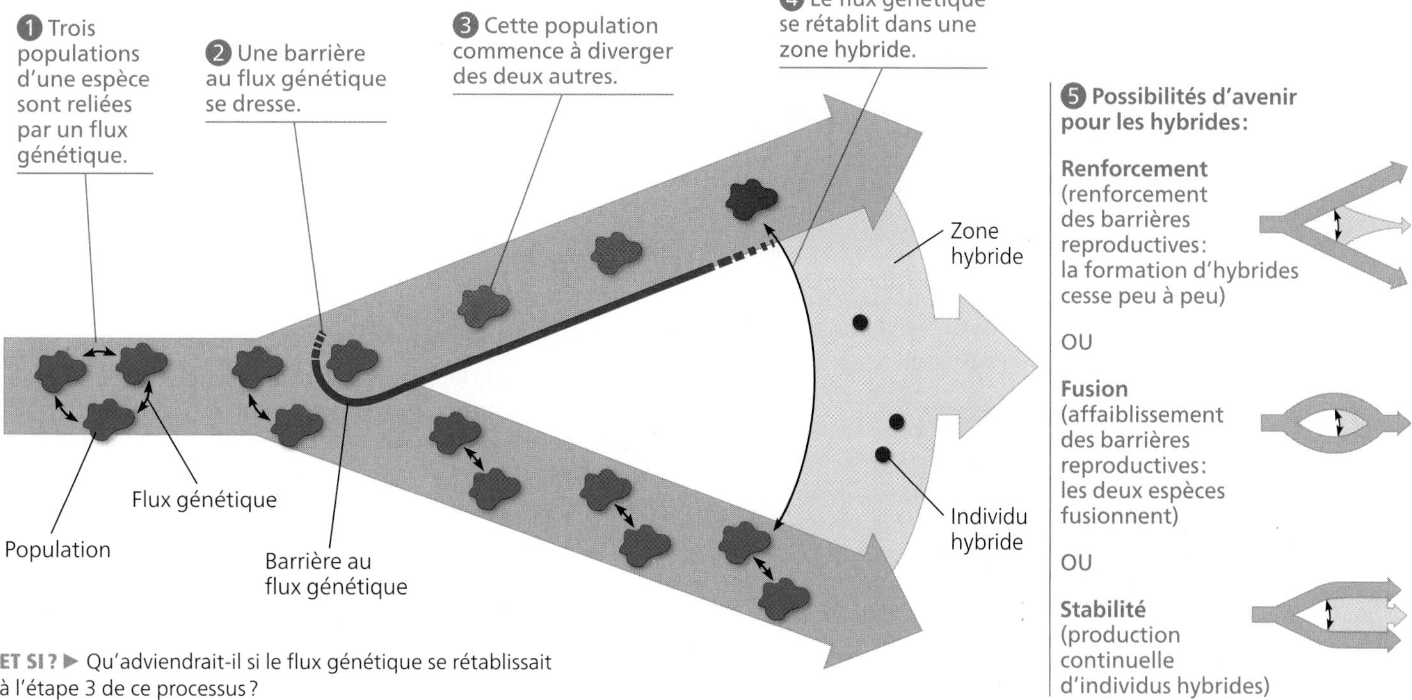

1 Trois populations d'une espèce sont reliées par un flux génétique.
2 Une barrière au flux génétique se dresse.
3 Cette population commence à diverger des deux autres.
4 Le flux génétique se rétablit dans une zone hybride.
5 Possibilités d'avenir pour les hybrides :
Renforcement (renforcement des barrières reproductives : la formation d'hybrides cesse peu à peu)
OU
Fusion (affaiblissement des barrières reproductives : les deux espèces fusionnent)
OU
Stabilité (production continuelle d'individus hybrides)
Zone hybride
Individu hybride
Flux génétique
Population
Barrière au flux génétique

ET SI ? ▶ Qu'adviendrait-il si le flux génétique se rétablissait à l'étape 3 de ce processus ?

des études de terrain et en laboratoire indiquent que, dans les eaux brouillées par la pollution, les femelles ont plus de difficulté à distinguer par la couleur les mâles de leur propre espèce des mâles de l'espèce étroitement apparentée. Dans certains plans d'eau pollués, de nombreux hybrides ont vu le jour, ce qui a fini par entraîner la fusion des patrimoines génétiques des espèces parentales et, par conséquent, une diminution du nombre d'espèces (**figure 24.15**).

La stabilité ou la production continuelle d'individus hybrides

De nombreuses zones hybrides sont stables en ce sens que la production d'hybrides s'y poursuit à long terme. Dans certains cas, cette production continuelle s'explique par le fait que les hybrides survivent mieux ou se reproduisent en plus grand nombre que les membres des deux espèces parentales, du moins au cours de certaines années ou dans certains habitats. Mais on a aussi observé des zones hybrides stables dans des cas où la sélection s'exerçait à l'encontre des hybrides, ce qui constitue un résultat inattendu.

Par exemple, des hybrides continuent d'apparaître dans la zone hybride des crapauds *Bombina*, même s'ils sont fortement désavantagés. Une des explications possibles se rapporte à l'étroitesse de la zone hybride des *Bombina* (voir la figure 24.13). Des données indiquent que les membres des deux espèces parentales quittent leurs populations hors zone et migrent dans la zone hybride, entraînant la production continuelle d'hybrides. Si la zone hybride était plus large, ce phénomène serait moins susceptible de se produire, puisqu'au centre de la zone le flux génétique en provenance des populations parentales hors de la zone hybride serait faible.

▼ **Figure 24.15 La fusion ou l'effondrement des barrières reproductives.** Au cours des dernières décennies, la turbidité croissante de l'eau du lac Victoria pourrait avoir affaibli les barrières reproductives qui séparaient *P. nyererei* et *P. pundamilia*. Dans les zones où les eaux sont troubles, les deux espèces se sont croisées considérablement, ce qui a entraîné la fusion de leurs patrimoines génétiques.

Pundamilia nyererei ***Pundamilia pundamilia***

Pundamilia «turbid water», hybride d'un milieu dont les eaux sont troubles

Ce qui se passe dans les zones hybrides va parfois dans le sens de nos prédictions (dans le cas des gobemouches européens et des cichlidés du lac Victoria) et parfois à leur encontre (dans le cas des *Bombina*). Mais que nos prédictions se confirment ou non, les phénomènes observés dans les zones hybrides nous éclairent sur la façon dont les barrières reproductives entre des espèces étroitement reliées évoluent avec le temps. Dans la dernière section de ce chapitre, nous allons voir comment les interactions entre des espèces en hybridation peuvent aussi nous donner un aperçu de la vitesse de la spéciation et de ses bases génétiques.

RETOUR SUR LE CONCEPT 24.3

1. Que sont les zones hybrides, et pourquoi peut-on les considérer comme des «laboratoires naturels» pour l'étude de la spéciation ?
2. **ET SI ?** ▶ Imaginez deux espèces qui ont divergé en raison d'un isolement géographique, et qui ont repris contact avant que l'isolement reproducteur soit complet. Qu'arriverait-il avec le temps si ces deux espèces s'accouplaient sans discrimination et que leurs descendants hybrides survivaient et se reproduisaient (a) moins que les descendants issus d'accouplements intraspécifiques ou (b) aussi bien que les descendants issus d'accouplements intraspécifiques ?

Voir les réponses proposées à l'appendice A.

CONCEPT 24.4

La spéciation peut se produire rapidement ou lentement et peut résulter de changements dans un, deux ou plusieurs gènes

Lorsqu'il a commencé à réfléchir sur le « mystère des mystères », la spéciation, Darwin s'est heurté à de nombreuses questions. Il a pu répondre à certaines d'entre elles lorsqu'il a compris que l'évolution par la sélection naturelle expliquait à la fois la diversité de la vie et les adaptations des organismes (voir le concept 22.2). Depuis cette époque, les biologistes ont continué de se poser des questions fondamentales sur la spéciation. Par exemple, combien faut-il de temps pour qu'une nouvelle espèce se forme ? Et combien de gènes changent lorsqu'une espèce se divise en deux ? Aujourd'hui, les scientifiques sont sur le point de répondre à ces interrogations.

Les données temporelles sur la spéciation

Les données sur le temps nécessaire à une nouvelle espèce pour se former nous proviennent des archives fossiles ainsi que d'études fondées sur des faits morphologiques (y compris de fossiles) ou sur des données moléculaires qui permettent d'évaluer la durée des phénomènes de spéciation chez tel ou tel groupe d'organismes.

Les archives fossiles

Les archives fossiles témoignent de nombreux cas où une nouvelle espèce apparaît soudainement dans une strate géologique, ne subit aucun changement dans plusieurs strates, puis disparaît. Ainsi, des dizaines d'espèces d'invertébrés marins surgissent dans les archives fossiles avec de nouvelles morphologies, changent très peu ou pas du tout pendant des millions d'années, puis s'éteignent. Le terme **équilibres ponctués** désigne ces périodes de *stabilité* (ou stase) apparente *ponctuées* d'un changement morphologique soudain (**figure 24.16a**). D'autres espèces ne répondent pas au modèle des équilibres ponctués ; leur changement semble se produire graduellement sur de longues périodes de temps (**figure 24.16b**).

Que pourraient nous apprendre les modèles de la spéciation ponctuée et de la spéciation graduelle sur le temps qu'il faut à une nouvelle espèce pour se former ? Supposons qu'une espèce donnée existe durant 5 millions d'années et qu'elle subit la plupart de ses changements morphologiques au cours des 50 000 premières années de son existence, c'est-à-dire que son épisode de spéciation n'occupe que 1 % de sa durée. Comme on ne peut souvent pas distinguer une période aussi courte dans les strates fossilifères, l'espèce en question apparaît soudainement dans des roches d'un certain âge, puis ne subit que peu de changements, voire aucun, jusqu'au moment de son extinction. Même si une telle espèce peut être apparue plus lentement que ses fossiles semblent l'indiquer (il lui a fallu jusqu'à 50 000 ans dans cet exemple), un modèle ponctué indique que la spéciation s'est produite relativement rapidement. Pour une espèce dont les fossiles indiquent un changement plus graduel, nous ne pouvons pas non plus établir avec exactitude le moment de sa formation puisque les fossiles ne donnent aucune information sur l'isolement reproducteur.

La vitesse de la spéciation

La découverte de fossiles compatibles avec le modèle de la spéciation ponctuée laisse penser que, une fois entamé, le processus de spéciation peut se terminer relativement rapidement – une hypothèse appuyée par des études de plus en plus nombreuses.

▼ **Figure 24.16 Le rythme de la spéciation: deux modèles.**

(a) Modèle ponctué. La nouvelle espèce change au moment où elle diverge de l'espèce parentale, puis reste pratiquement inchangée le reste de son existence.

(b) Modèle graduel. D'autres espèces divergent de façon plus graduelle et plus régulière.

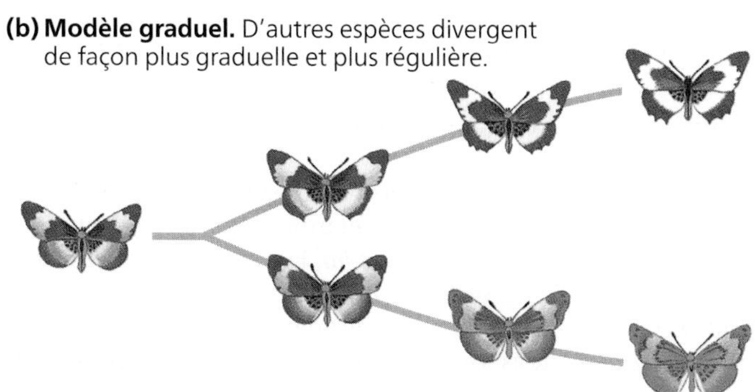

Par exemple, le tournesol sauvage *Helianthus anomalus* semble avoir connu une spéciation rapide. Des données génétiques montrent que cette espèce est née de l'hybridation de deux autres espèces de tournesols, *H. annuus* et *H. petiolaris*. L'espèce hybride *H. anomalus* est écologiquement distincte et isolée sur le plan reproducteur des deux espèces parentales (**figure 24.17**). Contrairement à ce qui se passe dans la spéciation allopolyploïde, où le nombre de chromosomes change après l'hybridation, chez ces tournesols, les deux espèces parentales et l'hybride possèdent le même nombre de chromosomes ($2n = 34$). Quel est donc le mécanisme de la spéciation ? Pour répondre à cette question, les chercheurs ont imaginé une expérience imitant les phénomènes de la nature (**figure 24.18**). Les résultats de leur expérience indiquaient que la sélection naturelle pouvait causer des changements considérables en très peu de temps dans des populations hybrides, changements qui semblent avoir amené les hybrides à diverger de leurs espèces parentes sur le plan reproducteur et à former la nouvelle espèce, *H. anomalus*.

Les exemples du tournesol (*H. anomalus*), de la larve de la mouche de la pomme (*Rhagoletis pomonella*), des cichlidés du lac Victoria (*Pundamilia spp.*) et de la drosophile (*Drosophila pseudoobscura*) étudiés dans ce chapitre laissent penser qu'une fois la divergence amorcée, l'apparition d'une nouvelle espèce peut se faire rapidement. Mais quelle est la durée totale de toutes les étapes de la spéciation ? Cette durée est égale au temps écoulé avant que les populations d'une espèce nouvellement formée commencent à diverger *plus* le temps écoulé entre le début de la divergence et l'achèvement de la spéciation. En fait, la durée totale du processus de spéciation varie considérablement. Par exemple, dans une recherche basée sur des données portant sur 84 groupes de végétaux et d'animaux, la durée totale du processus de spéciation variait entre 4 000 ans (pour les cichlidés du lac Nabugabo, en Ouganda) et 40 millions d'années (chez certains coléoptères). Mais le processus s'étendait en moyenne sur 6,5 millions d'années et prenait rarement moins de 500 000 ans.

À partir de ces données, on peut penser qu'en moyenne, il peut s'écouler des millions d'années avant qu'une espèce végétale ou animale nouvellement formée donne elle-même naissance à une nouvelle espèce. Comme nous le verrons au concept 25.4, cette constatation n'est pas sans conséquence

▼ **Figure 24.17 Un tournesol hybride dans son habitat de dunes sèches.** Le tournesol sauvage *Helianthus anomalus* montré ici est issu de l'hybridation de deux autres tournesols, *H. annuus* et *H. petiolaris*, qui vivent à proximité, mais dans des milieux plus humides.

DÉMARCHE SCIENTIFIQUE

INVESTIGATION

▼ **Figure 24.18**

Comment l'hybridation mène-t-elle à la spéciation chez les tournesols ?

■ HYPOTHÈSE ■ Si l'hybridation de deux espèces peut mener à la formation d'une troisième espèce en quelques générations, on devrait observer les marqueurs génétiques de cette spéciation et une augmentation de la fertilité des hybrides dans les générations qui suivent l'hybridation.

■ EXPÉRIENCE ■ Le chercheur Loren Rieseberg et ses collègues ont croisé en laboratoire deux espèces de tournesols, *H. annuus* et *H. petiolaris*, afin de produire expérimentalement des hybrides (on ne voit ici que deux des chromosomes de chaque gamète, $n = 17$).

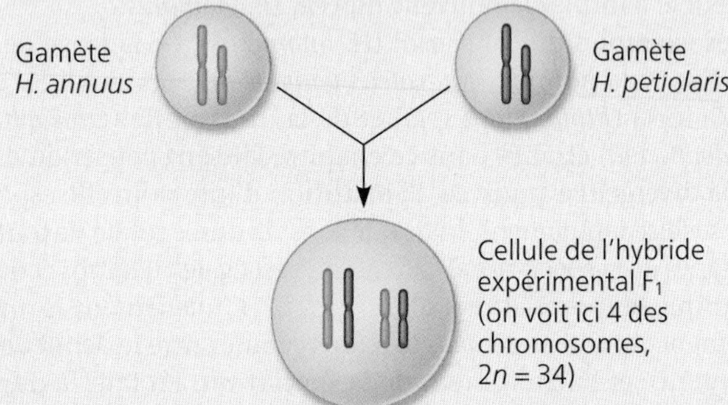

Notez que dans la première génération (F_1) chaque chromosome des hybrides expérimentaux contenait exclusivement l'ADN de l'une ou l'autre des espèces parentales. Les chercheurs ont ensuite vérifié si la génération F_1 et les générations suivantes d'hybrides expérimentaux étaient fertiles. Ils ont également utilisé des marqueurs génétiques propres à chaque espèce pour comparer les chromosomes des hybrides expérimentaux avec les chromosomes de l'hybride *H. anomalus* qu'on trouve dans la nature.

■ RÉSULTATS ■ Même si à peine 5 % des hybrides expérimentaux F_1 étaient fertiles, la fertilité des hybrides avait grimpé à 90 % après seulement quatre générations. Les chromosomes des hybrides de cette cinquième génération différaient de ceux de la génération F_1 (voir ci-dessus), mais étaient semblables à ceux des individus *H. anomalus* provenant de populations naturelles :

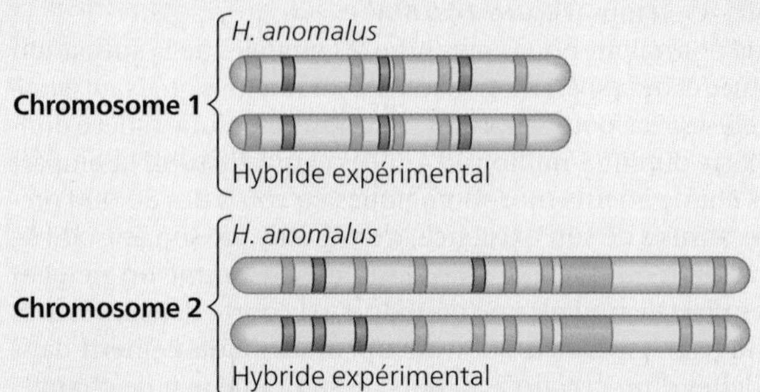

Région comparative contenant le marqueur spécifique de *H. annuus*

Région comparative contenant le marqueur spécifique de *H. petiolaris*

■ CONCLUSION ■ Avec le temps, les chromosomes de la population des hybrides expérimentaux sont devenus similaires à ceux des individus *H. anomalus* des populations naturelles. Ce constat laisse penser que l'augmentation de la fertilité observée chez les hybrides expérimentaux a pu se produire à mesure que la sélection éliminait des régions incompatibles de l'ADN des espèces parentales. Globalement, les chercheurs ont constaté que les premières étapes du processus de spéciation se sont produites rapidement et qu'il était possible de les reproduire expérimentalement.

Source des données : L. H. Rieseberg et coll., Role of gene interactions in hybrid speciation: Evidence from ancient and experimental hybrids, *Science* 272: 741-745 (1996).

ET SI ? ▶ Les conditions de laboratoire peuvent différer des conditions auxquelles sont exposées les plantes dans la nature. Serait-il possible que la fertilité accrue des hybrides expérimentaux résulte d'une sélection naturelle favorisant l'expression de caractères adaptés à la survie et à la reproduction dans des conditions de laboratoire ? Commentez cette autre possibilité d'interprétation des résultats de cette expérience.

au regard du temps qu'il a fallu à la Terre pour se remettre des épisodes d'extinctions massives. De plus, l'extrême variabilité du temps nécessaire pour que se forme une nouvelle espèce nous indique qu'il n'y a pas d'« horloge interne de spéciation » qui pousserait les organismes à produire une nouvelle espèce à intervalles réguliers. En fait, la spéciation ne s'amorce qu'après l'interruption du flux génétique entre des populations, vraisemblablement sous l'effet d'un changement des conditions environnementales ou par un phénomène imprévisible – un cataclysme, par exemple –, qui transporte quelques individus vers une nouvelle zone. De plus, une fois le flux génétique interrompu, les populations doivent diverger génétiquement jusqu'à l'isolement reproducteur, et ce, avant que d'autres phénomènes rétablissent le flux génétique et renversent le processus de spéciation en cours (voir la figure 24.15).

Étudier la génétique de la spéciation

Les études qui portent sur des spéciations en cours (comme dans les zones hybrides) peuvent révéler les caractères génétiques dont provient l'isolement reproducteur. En repérant les gènes qui régissent ces caractères, les scientifiques peuvent approfondir une des questions fondamentales de la biologie de l'évolution : combien de gènes contribuent à la formation d'une nouvelle espèce ?

Dans certains cas, l'évolution de l'isolement reproducteur s'explique par les effets d'un seul et unique gène. Ainsi, chez les escargots japonais du genre *Euhadra*, la modification d'un seul gène, celui qui régit le sens de l'enroulement de la coquille, produit une barrière reproductive mécanique. En effet, les organes génitaux des escargots sont orientés latéralement, de telle manière que l'accouplement est impossible si leurs coquilles respectives ne s'enroulent pas dans le même sens (la figure 24.3f en montre un exemple). De récentes analyses génétiques ont permis de mettre en évidence d'autres gènes capables à eux seuls de causer l'isolement reproducteur chez les drosophiles ou les souris.

La barrière reproductive majeure qui existe entre deux espèces de mimules étroitement reliées, *Mimulus cardinalis* et *M. lewisii* (des plantes herbacées vivaces), semble aussi dépendre d'un nombre relativement réduit de gènes. Ces deux espèces sont isolées par plusieurs barrières reproductives prézygotiques et postzygotiques. Toutefois, l'une de ces barrières prézygotiques, le choix du pollinisateur, est responsable de la majeure partie de cet isolement : dans une zone hybride entre *M. cardinalis* et *M. lewisii*, on a constaté que près de 98 % des visites de pollinisateurs étaient réservées à une espèce ou à l'autre.

Les deux espèces de mimules sont visitées par divers pollinisateurs : les colibris préfèrent le *M. cardinalis* à fleurs rouges, tandis que les bourdons butinent plutôt le *M. lewisii* à fleurs roses. Chez les mimules, le choix du pollinisateur est déterminé par au moins deux locus, dont l'un, le locus *yellow upper* ou *yup*, influe sur la couleur des fleurs (**figure 24.19**). En croisant les deux espèces parentales pour produire des hybrides F_1, puis en croisant à répétition ces hybrides F_1 avec des membres de chaque espèce parentale, des chercheurs ont réussi à transférer l'allèle *yup* du locus de *M. cardinalis* à *M. lewisii*, et vice versa. Lors d'une expérience sur le terrain, des plants de *M. lewisii* porteurs de l'allèle *M. cardinalis* ont reçu 68 fois plus de visites de colibris que l'espèce sauvage de *M. lewisii*. De même, des plants de *M. cardinalis* porteurs de l'allèle *yup* de *M. lewisii* ont reçu 74 fois plus de visites des bourdons que l'espèce sauvage *M. cardinalis*. Une mutation à ce seul locus peut donc influer sur les préférences du pollinisateur et contribuer ainsi à l'isolement reproducteur chez les mimules.

Chez d'autres organismes, le processus de spéciation dépend d'un nombre plus important de gènes et d'interactions génétiques. Par exemple, chez deux sous-espèces de la mouche à fruits *Drosophila pseudoobscura*, la stérilité des hybrides résulte d'interactions génétiques au niveau de quatre locus au moins, et l'isolement postzygotique chez le tournesol de la zone hybride dépend d'au moins 26 segments chromosomiques (et d'un nombre inconnu de gènes). Plus généralement, les études semblent démontrer que quelques gènes ou un grand nombre d'entre eux peuvent influer sur l'évolution de l'isolement reproducteur et, par conséquent, sur l'émergence d'une nouvelle espèce.

De la spéciation à la macroévolution

Comme nous venons de le voir, la spéciation peut commencer par des différences apparemment aussi anodines que la couleur du dos d'un cichlidé. Cependant, si la spéciation se produit encore et encore, de telles différences peuvent s'accumuler et devenir plus marquées, menant éventuellement à la formation de nouveaux groupes d'organismes profondément différents de leurs ancêtres (comme nos baleines diffèrent du mammifère terrestre dont elles sont issues ; voir la figure 22.20). Qui plus est, à mesure qu'un groupe d'organismes grossit en produisant un grand nombre de nouvelles espèces, un autre groupe peut décliner, perdant espèce après espèce jusqu'à l'extinction. Les effets cumulatifs des phénomènes de spéciation et d'extinction ont contribué aux changements évolutifs considérables sur lesquels nous renseignent les archives fossiles. Dans le prochain chapitre, nous nous pencherons sur ces changements évolutifs à grande échelle, c'est-à-dire sur la macroévolution.

▼ **Figure 24.19 Un locus qui influe sur le choix du pollinisateur.** Les préférences du pollinisateur dressent une solide barrière reproductive entre *Mimulus lewisii* et *Mimulus cardinalis*. Après avoir transféré à *M. cardinalis* l'allèle de *M. lewisii* pour le locus de la couleur de la fleur, et vice versa, les chercheurs ont observé un changement dans les préférences des pollinisateurs.

(a) *Mimulus lewisii* typique

(b) *M. lewisii* avec un allèle de *M. cardinalis* pour la couleur de la fleur

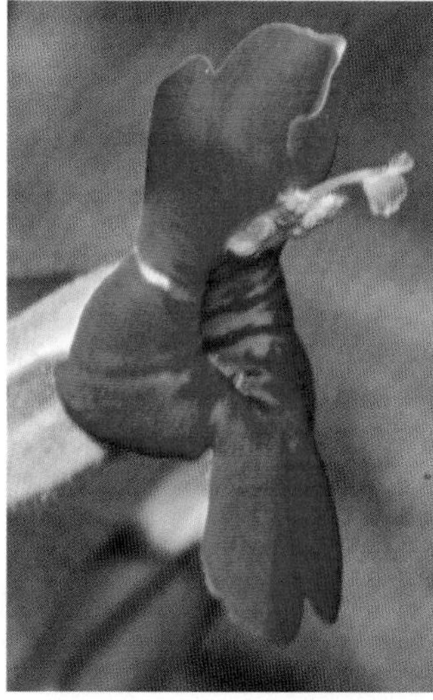

(c) *Mimulus cardinalis* typique

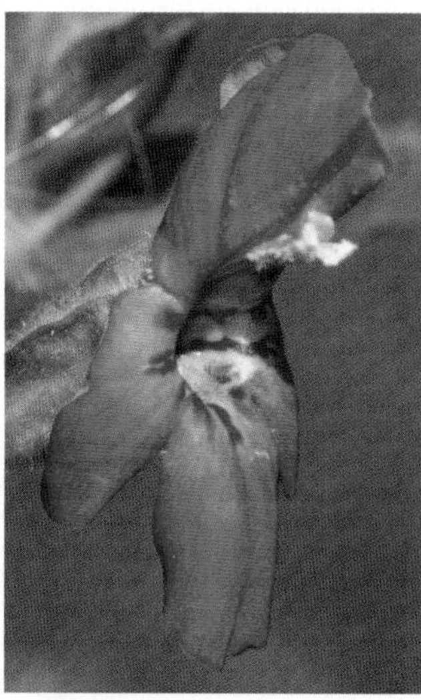

(d) *M. cardinalis* avec un allèle de *M. lewisii* pour la couleur de la fleur

ET SI ? ▶ Si on plantait des individus *M. cardinalis* possédant l'allèle *yup* de *M. lewisii* dans une zone où l'on trouve les deux espèces de mimules, qu'adviendrait-il de la production de descendants hybrides ?

RETOUR SUR LE CONCEPT 24.4

1. Même si le laps de temps qui sépare des phénomènes de spéciation dépasse souvent le million d'années, la spéciation peut se produire relativement rapidement entre des populations divergentes. Expliquez cette apparente contradiction.
2. Résumez les données indiquant que le locus *yup* agit comme une barrière reproductive prézygotique chez les espèces de mimules *M. lewisii* et *M. cardinalis*. Ces résultats démontrent-ils que le locus *yup* régit à lui seul les barrières reproductives entre ces espèces ? Expliquez votre réponse.
3. **FAITES DES LIENS** ▶ Comparez la figure 13.12 et la figure 24.18. Quel processus cellulaire pourrait faire en sorte que les chromosomes hybrides de la figure 24.18 contiennent de l'ADN des deux espèces parentales ? Expliquez votre réponse.

Voir les réponses proposées à l'appendice A.

RÉVISION DU CHAPITRE 24

Consultez votre MANUEL NUMÉRIQUE, qui vous donne accès aux **animations**, aux **exercices** et à la plateforme d'**anatomie interactive**.

Résumé des concepts clés

CONCEPT 24.1

Le concept biologique de l'espèce s'appuie sur l'isolement reproducteur (p. 554 à 558)

- Une **espèce** biologique est un groupe de populations dont les individus peuvent se reproduire entre eux et donner naissance à des descendants viables et féconds, mais qui sont incapables de s'accoupler avec les membres d'autres espèces.
- Le **concept biologique de l'espèce** met l'accent sur l'isolement reproducteur, un mécanisme qui repose sur la présence de **barrières prézygotiques** et de **barrières postzygotiques** entraînant l'isolement des patrimoines génétiques de différentes populations.

? Expliquez le rôle du flux génétique dans le concept biologique de l'espèce.

CONCEPT 24.2

La spéciation peut avoir lieu en présence ou en l'absence d'isolement géographique (p. 558 à 564)

- Dans la **spéciation allopatrique**, le flux génétique est réduit là où deux populations d'une même espèce sont isolées géographiquement. Durant la période d'isolement, l'une de ces populations ou les deux peuvent subir des changements évolutifs qui finissent par dresser une barrière reproductive prézygotique ou postzygotique.

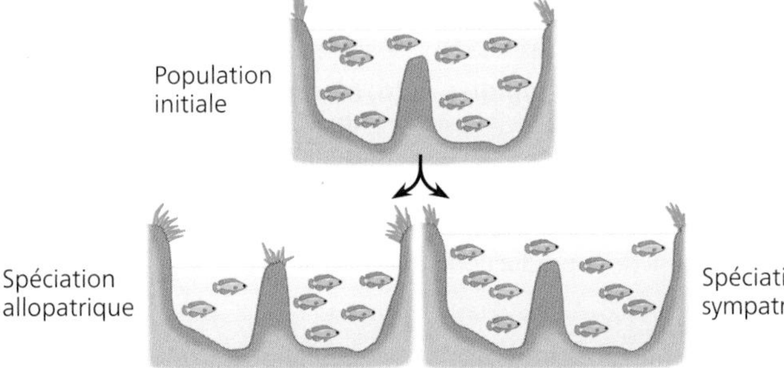

- Dans la **spéciation sympatrique**, une nouvelle espèce peut apparaître dans l'aire de distribution de l'espèce parentale. Des espèces végétales (et, plus rarement, des espèces animales) ont évolué de manière sympatrique par **polyploïdie**. La spéciation sympatrique peut aussi résulter de changements dans les habitats et de la sélection sexuelle.

? Les facteurs responsables de la spéciation sympatrique peuvent-ils aussi causer la spéciation allopatrique? Expliquez votre réponse.

CONCEPT 24.3

Les zones hybrides révèlent les facteurs responsables de l'isolement reproducteur (p. 564 à 568)

- De nombreux groupes d'organismes forment des **zones hybrides** dans lesquelles les membres d'espèces différentes se rencontrent et s'accouplent, produisant au moins un descendant hybride.
- De nombreuses zones hybrides sont *stables* en ce sens qu'elles sont le lieu de production de descendants hybrides viables et féconds. Dans d'autres zones hybrides, le **renforcement** consolide les barrières reproductives prézygotiques et réduit par le fait même la formation d'hybrides chétifs. Dans d'autres zones hybrides encore, les barrières reproductives peuvent s'affaiblir avec le temps et mener à la *fusion* des patrimoines génétiques des deux espèces – autrement dit, au renversement du processus de spéciation.

? Quels facteurs peuvent assurer la stabilité à long terme d'une zone hybride lorsque les espèces parentales vivent dans des environnements différents?

CONCEPT 24.4

La spéciation peut se produire rapidement ou lentement et peut résulter de changements dans un, deux ou plusieurs gènes (p. 568 à 571)

- Une fois la divergence amorcée, la nouvelle espèce peut se former relativement vite; cependant, cette divergence peut mettre des millions d'années à se produire. Le laps de temps qui s'écoule entre les divers phénomènes du processus de spéciation varie considérablement, allant de quelques milliers à 10 millions d'années.
- Des chercheurs ont trouvé les gènes qui sont à l'œuvre dans certains cas de spéciation. La spéciation peut reposer sur des modifications touchant un, deux ou plusieurs gènes.

? La spéciation est-elle un phénomène qui appartient à un lointain passé ou de nouvelles espèces continuent-elles à se former de nos jours? Expliquez votre réponse.

Évaluation

NIVEAU 1: **CONNAISSANCES ET COMPRÉHENSION**

1. Quelle est l'unité la *plus importante* (la plus vaste) dans laquelle le flux génétique peut se produire?
a) La population.
b) L'espèce.
c) Le genre.
d) L'hybride.

2. Les mâles de différentes espèces de *Drosophila* qui vivent dans certaines parties de l'archipel d'Hawaï ont diverses sortes de parades nuptiales, dont la lutte contre d'autres mâles et les mouvements flamboyants qui attirent les femelles. Quel type de mécanisme d'isolement reproducteur ces comportements représentent-ils?
a) L'isolement écologique.
b) L'isolement temporel.
c) L'isolement éthologique.
d) L'isolement gamétique.

3. Selon le modèle de l'équilibre ponctué:
a) avec le temps, la plupart des espèces existantes pourront former des embranchements et donner naissance à de nouvelles espèces.
b) une nouvelle espèce acquiert la plupart de ses caractères distinctifs peu de temps après son apparition: par la suite, elle change très peu jusqu'à son extinction.
c) l'évolution se réalise en grande partie dans les populations sympatriques.
d) la spéciation est généralement imputable à une seule mutation.

NIVEAU 2 : **APPLICATION ET ANALYSE**

4. Les manuels d'identification des oiseaux indiquaient autrefois que la paruline à croupion jaune et la paruline d'Audubon constituaient deux espèces distinctes. Récemment, ces oiseaux ont été classés comme étant deux types (l'une de l'Ouest, et l'autre de l'Est) d'une seule et même espèce, la paruline à croupion jaune. Parmi les énoncés suivants, lequel explique cette nouvelle classification ?
a) Les deux types se croisent souvent en milieu naturel, et leur progéniture survit et se reproduit avec succès.
b) Les deux types vivent dans des habitats semblables et ont des besoins nutritionnels semblables.
c) Les deux types ont de nombreux gènes en commun.
d) Les deux types ont une apparence très semblable.

5. Parmi les facteurs suivants, lequel ne contribuerait pas à la spéciation allopatrique ?
a) La population séparée est de petite taille, et elle connaît une dérive génétique.
b) La population isolée est exposée à des pressions de sélection naturelle différentes de celles que subit la population ancestrale.
c) Différentes mutations rendent peu à peu distincts les patrimoines génétiques des populations isolées l'une de l'autre.
d) Le flux génétique entre les deux populations est très important.

6. L'espèce végétale A possède un nombre diploïde de chromosomes qui est égal à 12. L'espèce végétale B possède un nombre diploïde de chromosomes qui est égal à 16. La nouvelle espèce allopolyploïde C provient des espèces A et B. Son nombre diploïde de chromosomes est sans doute :
a) 14. b) 16. c) 28. d) 56.

NIVEAU 3 : **SYNTHÈSE ET ÉVALUATION**

7. INTÉGRATION

FAITES UN DESSIN ▶ Dans ce chapitre, vous avez lu que le blé qui entre dans la composition du pain (*Triticum aestivum*) est un allohexaploïde contenant deux jeux de sept chromosomes provenant de trois espèces différentes. Les analyses génétiques laissent penser que ce sont les trois espèces représentées ci-dessous qui ont fourni chacune deux jeux de chromosomes à *T. aestivum*. (Ici, les majuscules représentent des jeux de chromosomes plutôt que des gènes individuels, et le nombre diploïde de chromosomes de chaque espèce est indiqué entre parenthèses.) Les résultats de recherche indiquent également que le premier phénomène de polyploïdie a été une hybridation spontanée de la première espèce de blé, *T. monococcum*, et d'une autre espèce d'herbe sauvage, du genre *Triticum*. À partir de cette information, dessinez un diagramme illustrant une chaîne de phénomènes qui pourrait avoir produit l'allohexaploïde *T. aestivum*.

Espèces ancestrales :

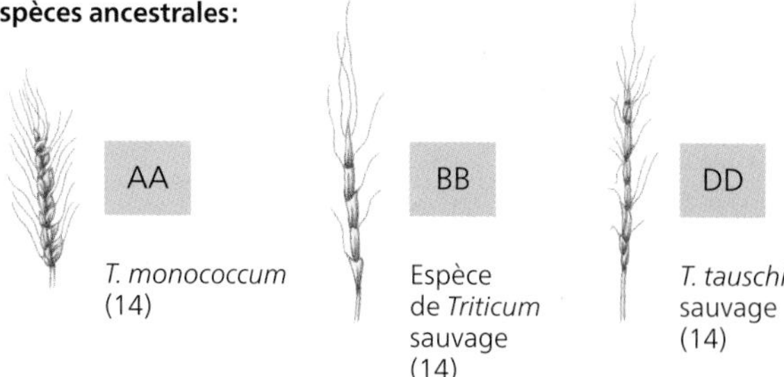

Produit :

Voir les réponses proposées à l'appendice A.

L'histoire de la vie sur Terre

25

VOS OUTILS INTERACTIFS

Consultez votre MANUEL NUMÉRIQUE, qui vous donne accès aux **animations**, aux **exercices** et à la plateforme d'**anatomie interactive**.

▲ **Figure 25.1 Qui se serait attendu à trouver des ossements de baleine en plein désert ?**

CONCEPTS CLÉS

25.1 Les conditions sur la Terre primitive ont permis l'apparition de la vie

25.2 Les archives fossiles permettent d'établir la chronologie de la vie sur la Terre

25.3 L'apparition des organismes unicellulaires et multicellulaires ainsi que leur colonisation des milieux terrestres sont des événements clés dans l'histoire de la vie

25.4 L'ascension et le déclin de groupes d'organismes reflètent les différents taux de spéciation et d'extinction

25.5 Des variations dans la séquence ou la régulation de gènes développementaux peuvent entraîner des modifications morphologiques majeures

25.6 L'évolution ne poursuit aucun objectif

▲ **Fossile de *Dorudon atrox*, une ancienne baleine.**

Surprise en plein désert

Climat sec, sables sculptés par le vent et soleil de plomb : le désert du Sahara n'est pas exactement l'endroit où on s'attend à découvrir des ossements de baleine. Pourtant, dès les années 1870, des chercheurs ont trouvé des fossiles de baleines en divers endroits jadis recouverts par la mer (**figure 25.1**). Par exemple, dans une région qu'on a fini par appeler Wadi Hitan (la vallée des baleines), des scientifiques ont découvert le squelette presque entier de *Dorudon atrox*, une baleine disparue il y a 35 millions d'années. La découverte de fossiles de baleines dans le Sahara est extraordinaire non seulement en raison de l'emplacement improbable, mais aussi parce qu'elle renseigne sur les débuts de la transition entre la vie terrestre et la vie marine.

Les fossiles découverts dans d'autres régions du monde racontent une histoire similaire : les organismes du passé différaient considérablement de ceux d'aujourd'hui. Ces formidables transformations qu'a connues la vie terrestre illustrent la **macroévolution**, c'est-à-dire l'évolution à grande échelle, qui se produit au-dessus du niveau de l'espèce. L'émergence des vertébrés terrestres après une série de phénomènes de spéciation chez certains animaux, les répercussions des extinctions massives sur la biodiversité et l'origine de changements adaptatifs aussi cruciaux que la capacité de voler chez les oiseaux sont autant d'exemples de changements qui relèvent de la macroévolution.

De tels changements donnent une perspective d'ensemble de l'histoire de l'évolution de la vie sur Terre – l'objet de ce chapitre. Nous examinerons d'abord les hypothèses des scientifiques sur l'origine de la vie, le sujet le plus spéculatif de toute cette partie de l'ouvrage puisqu'il n'existe aucun fossile de cet épisode si déterminant. Nous verrons ensuite ce que nous apprennent les archives fossiles sur les événements majeurs de l'histoire de la vie et sur les facteurs qui ont déterminé l'ascension et le déclin des divers groupes d'organismes au fil du temps.

CONCEPT **25.1**

Les conditions sur la Terre primitive ont permis l'apparition de la vie

Les preuves directes de l'existence de la vie sur la Terre primitive nous viennent de fossiles de microorganismes vieux de 3,8 milliards d'années. Mais où et comment sont apparues les premières cellules vivantes ? Des observations et des expériences en chimie, en géologie et en physique ont amené les scientifiques à proposer un scénario selon lequel des processus chimiques et physiques ont pu produire des cellules très simples, et ce, en quatre étapes :

1. La synthèse abiotique (sans vie) et l'accumulation de petites molécules organiques comme les acides aminés et les bases azotées ;
2. La fusion de ces petites molécules pour former des macromolécules, notamment des protéines et des acides nucléiques ;
3. L'agrégation de toutes ces molécules en protocellules, des gouttelettes enveloppées d'une membrane préservant les différences chimiques entre le milieu interne et le milieu externe ;
4. L'apparition de molécules capables d'autoréplication rendant l'hérédité possible.

Ce scénario comporte de nombreuses incertitudes, mais il débouche sur des hypothèses vérifiables expérimentalement. Dans cette section, nous allons examiner de plus près quelques-uns des résultats de recherche sur lesquels reposent ces quatre étapes hypothétiques.

La synthèse des composés organiques sur la Terre primitive

Notre planète s'est formée il y a environ 4,6 milliards d'années à la suite de la condensation d'un immense nuage de poussières et de roches qui entourait le jeune Soleil. Pendant les centaines de millions d'années qui ont suivi sa naissance, la Terre a été bombardée d'énormes morceaux de roc et de glace issus de la formation du système solaire. Ces collisions ont engendré tellement de chaleur que tous les plans d'eau se sont vaporisés, empêchant la formation des mers.

Ces bombardements massifs se sont terminés il y a de 4,2 à 3,9 milliards d'années et ont installé les conditions présidant à la naissance de la vie sur la planète. Lorsque l'intensité des bombardements a diminué, les conditions environnementales qui existaient sur la planète étaient extrêmement différentes de celles que l'on connaît aujourd'hui. À l'origine, l'atmosphère contenait peu de molécules d'oxygène, mais elle était probablement dense et renfermait de la vapeur d'eau et divers composés issus des éruptions volcaniques, dont les molécules d'azote et ses dérivés oxydés, de dioxyde de carbone, de méthane, d'ammoniac et d'hydrogène. Au cours du refroidissement de la Terre, la condensation de la vapeur d'eau a formé les océans, et une grande partie de l'hydrogène s'est rapidement échappée dans l'espace.

Dans les années 1920, le chimiste russe A. I. Oparin (1894-1980) et le scientifique britannique J. B. S. Haldane (1892-1964) ont postulé, chacun de leur côté, que l'atmosphère primitive de la Terre était un milieu réducteur (qui fournit des électrons), dans lequel des composés organiques pouvaient se former à partir de molécules très simples. L'énergie nécessaire à ces synthèses organiques aurait pu provenir de la foudre et d'un intense rayonnement ultraviolet (UV). Haldane a avancé que les océans primitifs consistaient en une solution de molécules organiques, une « soupe primitive » dans laquelle la vie aurait pris naissance.

En 1953, Stanley Miller et Harold Urey, de la University of Chicago, ont vérifié l'hypothèse d'Oparin et de Haldane en recréant en laboratoire des conditions comparables à celles de la Terre primitive (selon les scientifiques de l'époque). Leur expérience a permis de produire, en l'espace de quelques jours seulement, divers acides aminés et d'autres composés organiques présents dans les organismes vivant aujourd'hui (voir la figure 4.2). Depuis, de nombreux laboratoires ont répété l'expérience désormais classique de Miller en modifiant la composition de l'atmosphère et les sources d'énergie (radiations UV, radiations ionisantes, chaleur). Ces modèles modifiés ont également produit des composés organiques.

Toutefois, de plus en plus de scientifiques pensent que l'atmosphère primitive se composait surtout d'azote et de dioxyde de carbone, et qu'elle n'était ni réductrice ni oxydante (qui arrache des électrons). Des expériences récentes du type de celle de Miller et Urey menées dans de telles atmosphères « neutres » ont également produit des molécules organiques. De plus, de petites poches de l'atmosphère de la Terre primitive – comme celles à proximité des cratères des volcans – ont constitué des milieux réducteurs. Il se peut que les premiers composés organiques se soient formés près des volcans. En 2008, en testant cette hypothèse de l'atmosphère volcanique, des chercheurs ont fait appel à de l'équipement moderne pour analyser des molécules que Miller avait conservées après l'une de ses expériences. Leurs analyses ont montré que de nombreux acides aminés s'étaient formés dans des conditions simulant une éruption volcanique (**figure 25.2**).

▼ **Figure 25.2 La synthèse d'acides aminés lors d'une éruption volcanique simulée.** En plus de l'étude classique réalisée en 1953, Miller a effectué une expérience simulant une éruption volcanique. En 2008, des chercheurs qui ont réanalysé les résultats de cette expérience ont découvert qu'il se formait beaucoup plus d'acides aminés dans des conditions volcaniques simulées que dans les conditions de l'expérience initiale de 1953.

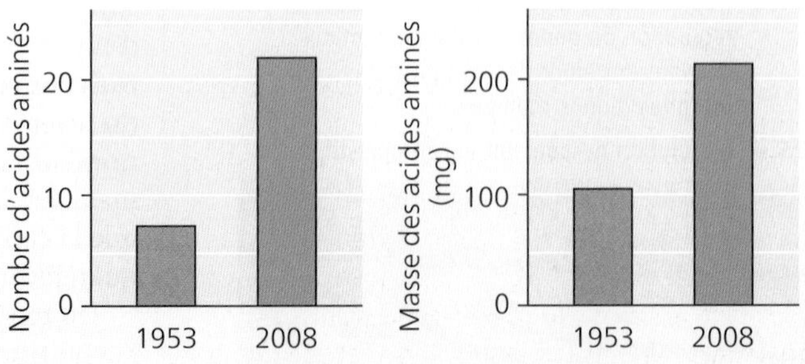

FAITES DES LIENS ▶ Expliquez comment on aurait pu obtenir plus de 20 acides aminés dans l'expérience de 2008. (Relisez le concept 5.4.)

Une autre hypothèse veut que les premiers composés organiques se soient formés dans des **cheminées hydrothermales**, là où l'eau chaude et les minéraux de l'intérieur de la Terre jaillissent dans les océans. Ces cheminées également appelées « fumeurs noirs » crachent une eau si chaude (de 300 à 400 °C) que les composés organiques s'y formant étaient vraisemblablement instables. Toutefois, d'autres cheminées hydrothermales, appelées **évents alcalins**, rejettent une eau dont le pH est élevé (de 9 à 11) et la température moins chaude (de 40 à 90 °C). Ce serait là un environnement plus propice à l'origine de la vie (**figure 25.3**).

Les expériences portant sur l'atmosphère volcanique et les évents alcalins montrent que la synthèse abiotique de molécules organiques peut se dérouler dans diverses conditions. Les météorites pourraient avoir été une autre source de molécules organiques. Par exemple, des fragments du météorite de Murchison, une chondrite vieille de 4,5 milliards d'années tombée en 1969 près du village de Murchison, en Australie, renfermaient plus de 80 acides aminés, dont certains en grande quantité. Ces acides aminés ne peuvent pas être des contaminants d'origine terrestre, car ils sont composés à parts égales d'isomères D et d'isomères L (voir la figure 4.7). Or, à de rares exceptions près, les organismes vivants ne fabriquent et n'utilisent que des isomères L. Des études récentes ont démontré que la météorite de Murchison contient aussi des molécules organiques clés, notamment des lipides, des sucres simples et des bases azotées comme l'uracile.

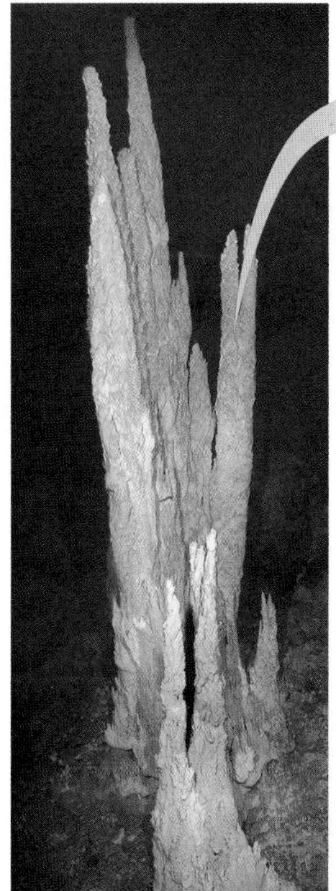

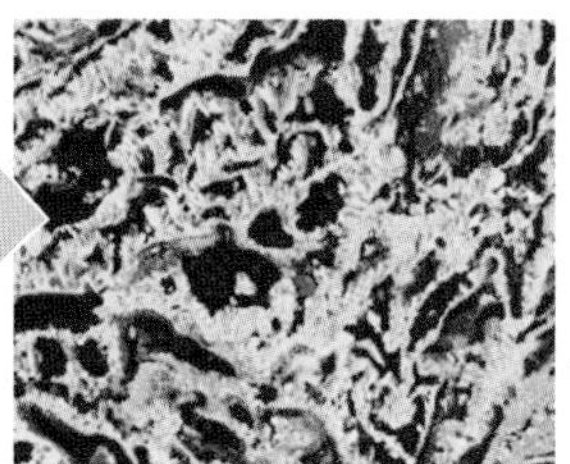

◄ **Figure 25.3 La vie a-t-elle commencé dans des évents alcalins?** Les premiers composés organiques sont peut-être apparus dans les eaux chaudes d'évents alcalins semblables à ceux montrés ici, qui se trouvent dans la «Cité perdue», un champ d'évents vieux de 40 000 ans situé au beau milieu de l'Atlantique. Ces évents contiennent des hydrocarbures et présentent une foule de minuscules pores (en médaillon) recouverts de fer et d'autres minéraux catalytiques. Les océans primitifs étaient acides, de sorte qu'un gradient de pH se serait formé entre l'intérieur des évents et l'eau de l'océan environnant. L'énergie nécessaire à la synthèse des composés organiques aurait pu provenir de ce gradient.

La synthèse abiotique de macromolécules

La présence de petites molécules organiques comme des acides aminés et des bases azotées ne suffit pas pour permettre l'apparition de la vie telle que nous la connaissons. Toute cellule se compose d'une grande variété de macromolécules (dont des protéines et les acides nucléiques essentiels à l'autoreproduction). Ces macromolécules pourraient-elles s'être formées sur la Terre primitive? Une étude réalisée en 2009 a démontré qu'une étape cruciale, la synthèse abiotique de monomères d'ARN, peut se produire spontanément à partir de simples précurseurs moléculaires. De plus, en laissant tomber goutte à goutte des solutions d'acides aminés ou de nucléotides d'ARN sur des substrats préalablement chauffés (sable, argile, roche), des chercheurs ont obtenu des polymères de ces molécules. Ces polymères se sont formés spontanément, sans l'aide d'enzymes ou de ribosomes. À la différence des protéines, les polymères d'acides aminés consistent en un mélange complexe d'acides aminés liés et réticulés. Néanmoins, il se peut que de tels polymères aient agi comme des catalyseurs faibles de réactions chimiques sur la Terre primitive.

Les protocellules

Tous les organismes doivent pouvoir à la fois se reproduire et convertir de l'énergie. Sans ces deux fonctions, la vie s'éteint. Les molécules d'ADN contiennent de l'information génétique, notamment les instructions nécessaires pour qu'elles puissent se répliquer avec exactitude lors de la reproduction. Mais la réplication de l'ADN repose sur un mécanisme enzymatique complexe et sur une abondante provision de nucléotides – des éléments constitutifs que doit fournir le métabolisme des cellules. Cette observation donne à penser que seraient apparues simultanément des molécules capables d'autoréplication et une source d'éléments constitutifs du métabolisme. Mais comment ce phénomène se serait-il produit?

Les conditions nécessaires pourraient avoir été remplies par les **protocellules**, c'est-à-dire par des agrégats de molécules produites par voie abiotique et entourées d'une membrane ou d'une structure apparentée à une membrane. Les protocellules présentent certaines des propriétés associées à la vie, dont une certaine forme de reproduction et un métabolisme rudimentaires, ainsi que la conservation d'un milieu chimique interne distinct du milieu externe (**figure 25.4**).

Par exemple, des vésicules peuvent se former spontanément lorsque des lipides ou d'autres molécules organiques sont mis en présence d'eau. Les molécules de ce mélange, qui ont une région hydrophobe et une région hydrophile, s'organisent alors en une bicouche semblable à la bicouche lipidique d'une membrane cellulaire. L'ajout de matières comme la *montmorillonite*, une argile minérale friable produite entre autres par l'altération de sédiments d'origine volcanique, accélère grandement l'autoassemblage des vésicules (**figure 25.4a**). Cette argile, dont on croit qu'elle était commune sur la Terre primitive, fournit des surfaces sur lesquelles les molécules organiques viennent adhérer, ce qui augmente la probabilité qu'elles réagissent les unes avec les autres pour former des vésicules. Produites par voie abiotique, ces vésicules peuvent se « reproduire » spontanément (**figure 25.4b**) et augmenter leur taille (« croître ») sans dilution de leur contenu. Elles peuvent aussi absorber des particules de montmorillonite, y compris celles auxquelles se sont fixés de l'ARN et d'autres molécules organiques (**figure 25.4c**). Finalement, des expériences ont montré que certaines vésicules sont dotées d'une bicouche à perméabilité sélective et peuvent produire des réactions métaboliques en utilisant une source externe de réactifs – une autre condition préalable à la vie.

▼ **Figure 25.4 Les caractéristiques des vésicules produites par voie abiotique.**

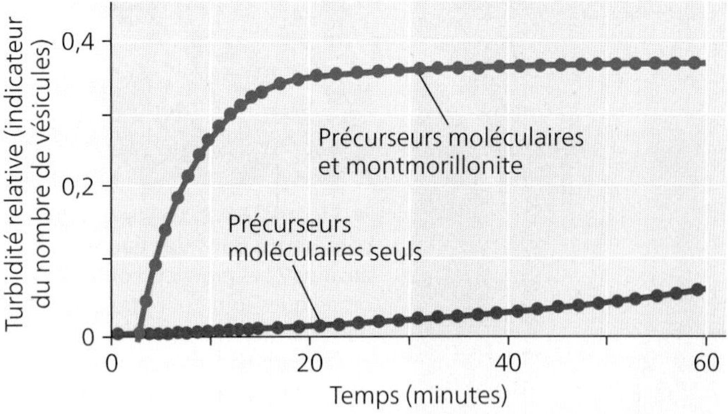

(a) Autoassemblage. La présence d'argile montmorillonite accélère grandement l'autoassemblage des vésicules, indicateur du nombre de vésicules.

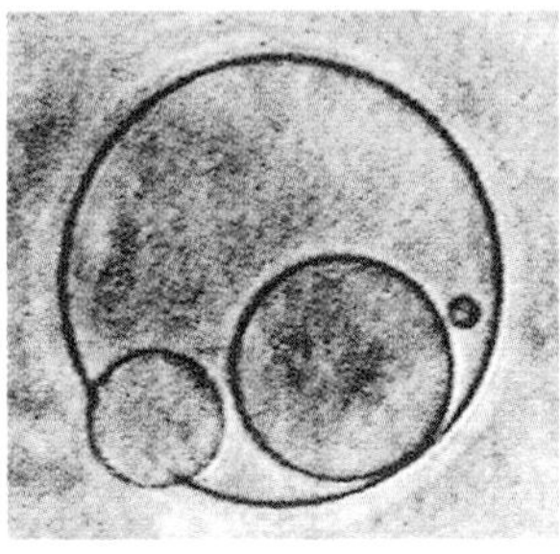

(b) Reproduction. Les vésicules se divisent d'elles-mêmes, comme cette vésicule qui «engendre» des vésicules plus petites (MP).

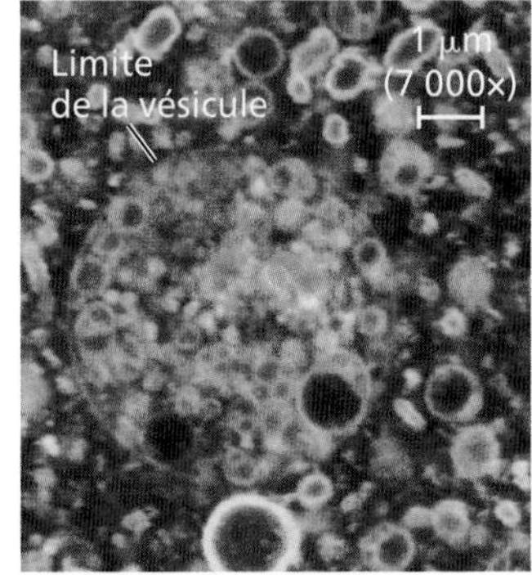

(c) Absorption d'ARN. Cette vésicule a incorporé des particules d'argile montmorillonite recouvertes d'ARN (en orangé).

FAITES DES LIENS ▶ Expliquez comment les molécules comportant une région hydrophobe et une région hydrophile peuvent s'organiser en une bicouche en présence d'eau. (Voir le concept 5.3.)

L'ARN capable d'autoréplication et les débuts de la sélection naturelle

Le premier matériel génétique a probablement été l'ARN et non l'ADN. L'ARN ne joue pas uniquement un rôle déterminant dans la synthèse des protéines. En effet, cet acide nucléique exerce également un certain nombre de fonctions catalytiques semblables à celles des enzymes (voir le concept 17.3). Ces ARN catalyseurs sont appelés **ribozymes**. Certains ribozymes peuvent fabriquer des copies complémentaires de courts brins d'ARN, à condition de disposer des éléments précurseurs que sont les nucléotides.

En laboratoire, la sélection naturelle a produit des ribozymes capables d'autoréplication. Contrairement au double brin d'ADN, qui se présente sous la forme d'une double hélice régulière, le brin unique des molécules d'ARN adopte diverses conformations tridimensionnelles déterminées par la séquence nucléotidique. Ainsi, la molécule possède à la fois un génotype (sa séquence nucléotidique) et un phénotype (sa conformation, qui interagit de façon particulière avec les molécules environnantes). Dans un milieu donné, les molécules d'ARN dotées de certaines séquences de nucléotides ont des formes qui les rendent capables de se répliquer plus rapidement et plus fidèlement que les autres. Autrement dit, la molécule d'ARN la plus capable de s'autorépliquer engendrera le plus grand nombre de molécules. Parfois, une erreur de transcription donne naissance à une molécule qui adoptera une forme encore plus apte à l'autoréplication que la séquence ancestrale. Des phénomènes de sélection semblables pourraient s'être produits sur la Terre primitive, et la vie telle que nous la connaissons aujourd'hui pourrait bien avoir été précédée par un «monde de l'ARN» où de petites molécules d'ARN auraient pu se répliquer et stocker l'information génétique relative aux vésicules qui les transportaient.

En 2013, le chercheur Jack Szostak et ses collègues ont réussi à synthétiser une vésicule dans laquelle la copie d'un brin d'ARN messager pouvait avoir lieu, une étape importante pour arriver à fabriquer une vésicule contenant de l'ARN capable d'autoréplication. Sur la Terre primitive, une vésicule contenant ce type d'ARN et dotée d'un pouvoir catalytique se serait distinguée de ses nombreuses voisines dépourvues d'ARN ou contenant de l'ARN ne possédant pas ces propriétés. Si cette vésicule avait pu croître, se diviser et transmettre ses molécules d'ARN à ses descendants, ces derniers auraient hérité de plusieurs propriétés de leur parent. Ces premières vésicules n'auraient porté qu'un petit nombre d'informations concernant quelques propriétés seulement, mais leurs caractéristiques héréditaires auraient pu être soumises à la sélection naturelle. Les mieux adaptées de ces protocellules auraient proliféré en raison de leur capacité supérieure d'exploiter efficacement leurs ressources et de transmettre ces caractéristiques aux générations suivantes.

Après l'apparition de ces séquences d'ARN porteuses d'information génétique dans les protocellules, de nombreux autres changements auraient pu survenir. Par exemple, l'ARN aurait pu fournir une matrice pour l'assemblage des nucléotides d'ADN. L'avantage de l'ADN bicaténaire, en tant que support de l'information génétique, est d'être beaucoup plus stable chimiquement que le fragile ARN monocaténaire et de se répliquer en faisant moins d'erreurs. Cette rigueur serait devenue essentielle à partir du moment où les génomes auraient pris de l'ampleur sous l'effet de la duplication des gènes et d'autres processus, et où les protocellules auraient dû encoder un plus grand nombre d'informations génétiques. Quand l'ADN a commencé à stocker et à répliquer l'information génétique, le «monde de l'ARN» aurait cédé la place au «monde de l'ADN». Tout aurait été alors en place pour permettre l'explosion des formes de vie qui s'est poursuivie jusqu'à nos jours sous la gouverne de la sélection naturelle. Les archives géologiques témoignent de l'apparition de ces changements.

RETOUR SUR LE CONCEPT 25.1

1. Quelle hypothèse Miller et Urey ont-ils vérifiée grâce à leur expérience ?
2. Pourquoi l'apparition des protocellules représente-t-elle une étape clé dans l'origine de la vie ?
3. **FAITES DES LIENS ▶** Lors du passage du «monde de l'ARN» au «monde de l'ADN», l'information génétique a changé de support. Révisez les figures 17.4 et 19.9, puis dites comment cette évolution aurait pu se produire. Observe-t-on de tels changements de nos jours ?

Voir les réponses proposées à l'appendice A.

CONCEPT **25.2**

Les archives fossiles permettent d'établir la chronologie de la vie sur la Terre

Les archives fossiles lèvent un coin du voile sur le monde tel qu'il était il y a très longtemps et donnent un aperçu de l'évolution de la vie sur des milliards d'années en commençant par les premières traces de son existence. Dans cette section, nous nous pencherons sur les fossiles comme autant de données scientifiques probantes. Nous verrons comment les fossiles se sont formés, comment ils sont datés et interprétés par les scientifiques, et comment ils nous renseignent (ou non) sur les changements majeurs qui ont marqué l'histoire de la vie.

Les archives fossiles

Les roches sédimentaires sont de loin les plus riches en fossiles. Les archives fossiles sont donc essentiellement basées sur l'ordre dans lequel les fossiles se sont accumulés dans ces couches sédimentaires appelées **strates** (voir la figure 22.3). D'autres types de fossiles, tels les insectes préservés dans de l'ambre (de la sève fossilisée) ou les mammifères prisonniers des sols congelés ou des glaces, fournissent également des informations utiles.

Les archives fossiles montrent que les types d'organismes qui ont peuplé la Terre à divers moments (**figure 25.5**) ont connu de profonds changements. De nombreux organismes du passé différaient considérablement des organismes contemporains, et bon nombre d'organismes qui pullulaient jadis sont aujourd'hui éteints. Comme nous le verrons plus loin dans cette section, les archives fossiles nous apprennent aussi comment de nouveaux groupes d'organismes sont nés de ceux qui existaient avant eux.

Gardez à l'esprit que les archives fossiles, si substantielles et significatives soient-elles, restent une chronique incomplète de l'évolution. En effet, d'innombrables organismes ne se sont pas fossilisés parce qu'ils ne sont pas morts au bon endroit ou au bon moment. De plus, bon nombre de ceux qui ont été fossilisés ont été ensuite détruits par des processus géologiques et, à ce jour, seule une petite fraction des autres a été découverte. Enfin, les archives fossiles connues comportent un biais en faveur des espèces qui ont vécu sur de longues périodes, qui étaient répandues dans certains types de milieux et qui possédaient des coquilles, des carapaces, des squelettes, etc., car ces structures facilitent la fossilisation. Cela dit, malgré leurs limites, les archives fossiles permettent de dresser un compte rendu remarquablement détaillé du changement biologique à l'échelle des temps géologiques. De plus, comme en témoignent les fossiles des ancêtres de la baleine dotés de membres postérieurs (voir les figures 22.19, 22.20 et 25.1), de nouvelles découvertes continuent de combler les lacunes que comportent les archives fossiles.

La datation des roches et des fossiles

Les fossiles sont des documents précieux pour reconstruire l'histoire de la vie, mais seulement si on peut déterminer le moment où ils s'inscrivent dans le déroulement de cette histoire. L'ordre des fossiles dans les strates rocheuses nous renseigne sur l'ordre dans lequel ils sont morts, autrement dit sur leur « âge relatif », mais il ne nous dit pas quel est leur âge réel. (Notez que l'âge réel n'est pas synonyme d'âge certain ; ce terme signifie simplement que l'âge est donné en années plutôt que dans des termes relatifs comme *avant* ou *après*.) Examiner les positions relatives des fossiles dans les strates, c'est un peu comme enlever une à une des couches de tapisserie dans une vieille maison : on peut déterminer dans quel ordre les couches ont été appliquées, mais pas l'année où elles l'ont été.

Alors comment peut-on déterminer l'âge d'un fossile ? L'une des techniques de datation les plus courantes est la **datation radiométrique**, qui est basée sur la désintégration des isotopes radioactifs (voir le concept 2.2). Au cours de ce processus, un isotope radioactif « parent » se désintègre et se transforme en isotope « fils » à une vitesse spécifique. Cette vitesse de désintégration s'exprime par la **demi-vie**, qui représente le temps nécessaire à la désintégration de 50 % de l'isotope parent (**figure 25.6**). Chaque type d'isotope radioactif a une demi-vie caractéristique que ne modifient ni la température, ni la pression, ni aucune autre variable environnementale. Ainsi, le carbone 14 se désintègre relativement rapidement ; il a une demi-vie de 5 730 années. L'uranium 238 se désintègre lentement ; sa demi-vie est de 4,5 milliards d'années.

Les fossiles contiennent des isotopes de certains éléments qui se sont accumulés pendant la vie des organismes. Par exemple, le carbone qui se trouve dans un organisme vivant comprend l'isotope le plus commun, le carbone 12, de même qu'un isotope radioactif, le carbone 14. Lorsqu'il meurt, l'organisme cesse d'accumuler du carbone, et la quantité de carbone 12 qu'il contient ne change plus ; par contre, le carbone 14 que renferme l'organisme se désintègre lentement pour se transformer en un autre élément, l'azote 14. Par conséquent, la mesure du ratio de carbone 14 par rapport au carbone 12 dans un fossile permet de déterminer son âge. Cette méthode est efficace pour dater des fossiles qui ont jusqu'à 75 000 ans environ. Les fossiles plus vieux ne contiennent pas suffisamment de carbone 14 pour qu'on puisse le détecter avec les techniques actuelles ; il faut alors recourir à des isotopes dont la demi-vie est plus longue.

Déterminer l'âge de ces fossiles plus anciens dans les roches sédimentaires pose parfois un défi. En effet, les organismes n'incorporent pas de radio-isotopes à longues demi-vies, comme l'uranium 238, lorsqu'ils produisent leurs os ou leur carapace. De plus, les roches sédimentaires sont généralement constituées de sédiments d'âges différents. On ne peut donc pas effectuer la datation directe de ces très vieux fossiles, mais il est possible de procéder indirectement par déduction, en estimant l'âge des couches de roches volcaniques entre lesquelles les fossiles sont emprisonnés. En effet, en refroidissant, la lave se transforme en roche volcanique et emprisonne les radio-isotopes de l'environnement dans lequel vivaient les organismes fossilisés. Or, certains de ces radio-isotopes ont de longues demi-vies, ce qui permet aux géologues d'évaluer l'âge des roches volcaniques anciennes. Par exemple, si deux couches volcaniques ont respectivement 525 millions et 535 millions d'années, on sait que les fossiles pris entre ces deux couches ont autour de 530 millions d'années.

L'origine des nouveaux groupes d'organismes

Certains fossiles fournissent des informations détaillées sur l'origine des nouveaux groupes d'organismes. Ces empreintes jouent donc un rôle primordial dans notre compréhension de

▼ Figure 25.5 Documenter l'histoire de la vie. Ces fossiles montrent des organismes qui ont vécu à différents moments. Même s'ils ne figurent qu'en bas du diagramme, les procaryotes et les eucaryotes unicellulaires existent toujours. En fait, la majeure partie des organismes de la planète sont unicellulaires.

Aujourd'hui

Il y a 100 millions d'années

175

200

270

300

375

400

500

510

560

600

1 500

3 500

▼ *Dimetrodon grandis*, un carnivore de taille impressionnante. Le dimétrodon était plus étroitement relié aux mammifères qu'aux reptiles. La «voile» spectaculaire qu'il arborait sur son dos avait peut-être une fonction de thermorégulation ou un rôle ornemental pour attirer un partenaire sexuel.

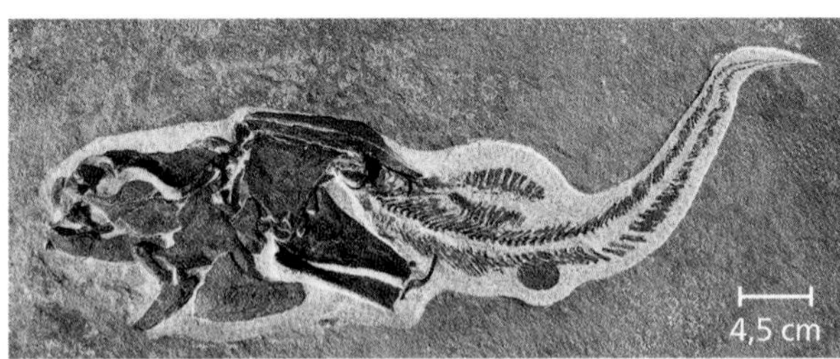

▲ *Coccosteus cuspidatus*, un placoderme (un vertébré aquatique). Ce poisson d'eau douce, carnivore, portait une cuirasse osseuse qui recouvrait sa tête et son front.

▲ Formations de stromatolites. En déposant de minces films de sédiments, certains procaryotes produisent des concrétions (amas minéraux cristallisés en couches concentriques) calcaires appelées stromatolites. Aujourd'hui, on trouve des stromatolites dans quelques baies marines peu profondes, comme Shark Bay, en Australie, qu'on voit ici.

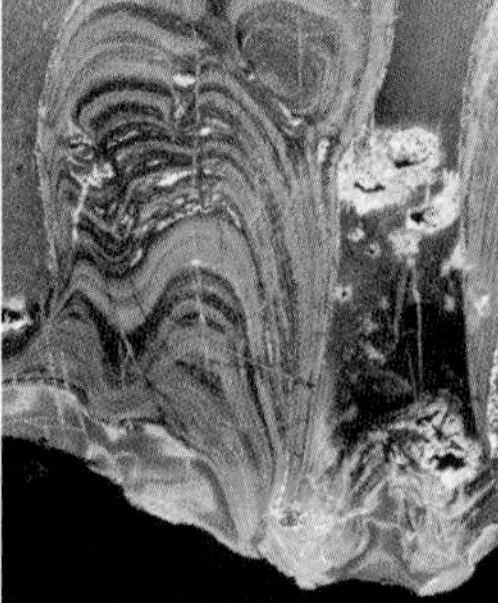

▲ Coupe d'un stromatolite fossilisé.

▼ *Rhomaleosaurus victor*, un plésiosaure. Ces gros reptiles marins étaient de redoutables prédateurs il y a 200 millions d'années; ils se sont éteints il y a environ 66 millions d'années.

1 m

▼ *Tiktaalik roseae*, un organisme aquatique. Ce gros poisson primitif est le plus proche parent connu des premiers vertébrés tétrapodes qui ont colonisé la Terre.

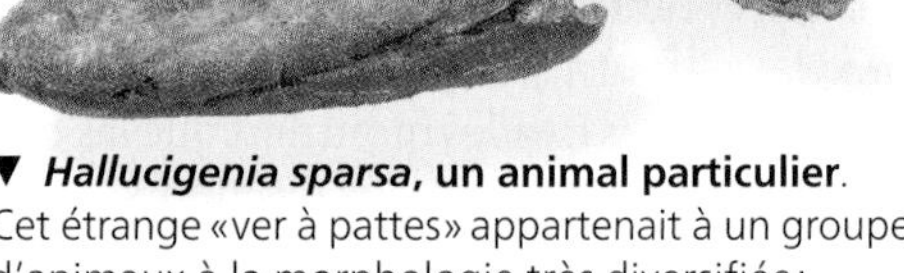

▼ *Hallucigenia sparsa*, un animal particulier. Cet étrange «ver à pattes» appartenait à un groupe d'animaux à la morphologie très diversifiée; on l'a trouvé dans les schistes de Burgess, dans les montagnes Rocheuses au Canada.

◄ *Dickinsonia costata*, membre de la faune de l'Édiacarien. Faisant partie d'un groupe d'organismes à corps mou aujourd'hui éteints, sa classification précise reste difficile.

► *Tappania*, un eucaryote unicellulaire. Cet organisme semble être un champignon selon sa morphologie, mais ce pourrait aussi être une algue.

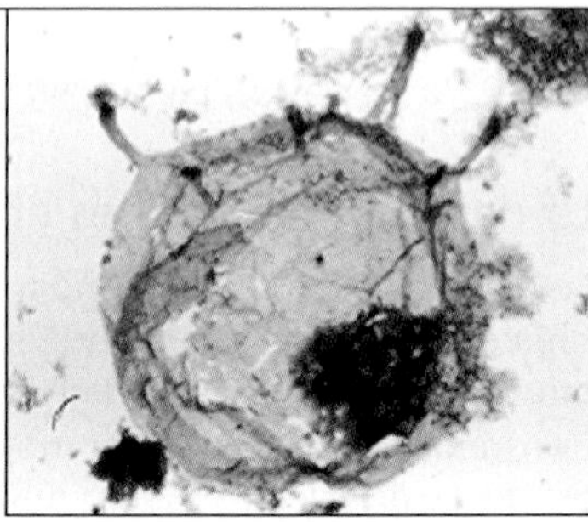

▼ **Figure 25.6 La datation radiométrique.** Dans ce diagramme, chaque unité de temps représente 1 demi-vie d'un isotope radioactif.

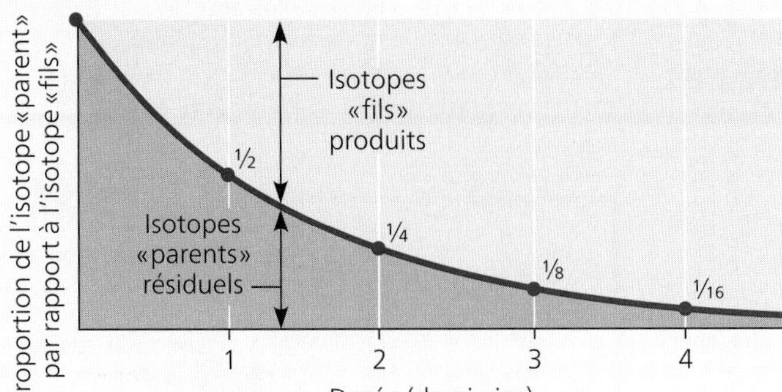

FAITES UN DESSIN ▶ Sur l'axe des abscisses de ce graphique, remplacez les repères actuels par des années pour illustrer la désintégration de l'uranium 238 (dont la demi-vie est de 4,5 milliards d'années).

l'évolution ; elles révèlent comment de nouvelles caractéristiques émergent et combien de temps elles mettent à se produire. Nous nous intéresserons ici à un cas précis : l'origine des mammifères.

Comme les amphibiens et les reptiles, les mammifères appartiennent au groupe des tétrapodes (du grec *tetra*, «quatre», et *pod*, «pied»), ainsi nommés parce qu'ils ont quatre membres. Les mammifères possèdent un certain nombre de caractéristiques anatomiques uniques qui se fossilisent aisément, ce qui permet aux scientifiques de retracer leur origine. Ainsi, la mâchoire inférieure est formée d'un seul os (la mandibule) chez les mammifères, et de plusieurs os chez les autres tétrapodes. De plus, chez les mammifères, les mâchoires inférieure et supérieure s'articulent sur des structures osseuses différentes de celles des autres tétrapodes. Aussi, la transmission du son dans l'oreille moyenne des mammifères fait intervenir trois os, le marteau, l'enclume et l'étrier (aussi appelés malleus, incus et stapes, respectivement), alors que chez les autres tétrapodes on n'en trouve qu'un seul, soit l'étrier (voir le concept 34.6). Finalement, alors que la denture des autres tétrapodes consiste habituellement en deux rangées de dents toutes semblables, à une seule pointe, les mammifères ont des dents différenciées : ils ont des incisives (pour couper), des canines (pour déchirer) ainsi que des prémolaires et des molaires à plusieurs pointes (pour écraser et broyer).

Comme l'illustre la **figure 25.7**, les archives fossiles indiquent que les caractéristiques spécifiques des mâchoires et des dents des mammifères ont évolué graduellement avec le temps, en plusieurs étapes. Lorsque vous observez la figure 25.7, gardez à l'esprit qu'elle ne présente que quelques exemples de crânes des fossiles qui marquent l'origine des mammifères. Si tous les crânes fossiles connus étaient rangés côte à côte selon leur forme, on verrait leurs caractéristiques se transformer graduellement d'un groupe au suivant. Certains montreraient comment les caractéristiques des mammifères, le groupe dominant aujourd'hui, sont apparues progressivement à partir de celles d'un groupe qui existait auparavant, les cynodontes. D'autres révéleraient des embranchements sur l'arbre de la vie, des groupes d'organismes qui ont prospéré pendant des millions d'années puis se sont éteints sans laisser de descendants qui aient survécu jusqu'à aujourd'hui.

RETOUR SUR LE CONCEPT 25.2

1. Donnez un exemple tiré des archives fossiles qui montre à quel point la vie a changé au fil du temps.
2. **ET SI ? ▶** Selon vos mesures, le ratio carbone 14/carbone 12 du crâne fossilisé que vous avez découvert représente environ 1/16 de celui des crânes des animaux actuels. Quel est l'âge approximatif du crâne fossilisé ?

Voir les réponses proposées à l'appendice A.

CONCEPT 25.3

L'apparition des organismes unicellulaires et multicellulaires ainsi que leur colonisation des milieux terrestres sont des événements clés dans l'histoire de la vie

L'étude des fossiles a aidé les géologues à établir les **archives géologiques** de la vie sur la Terre, c'est-à-dire une échelle des temps géologiques qui se divise en quatre éons et leurs subdivisions (**tableau 25.1**). Les trois premiers éons, l'Hadéen, l'Archéen et le Protérozoïque, ont duré approximativement quatre milliards d'années. On parle souvent du Précambrien pour désigner collectivement ces trois éons. Le quatrième éon, le Phanérozoïque, englobe à peu près le dernier demi-milliard d'années et couvre la majeure partie de l'époque où la vie existait sur Terre sous forme d'eucaryotes multicellulaires. Le Phanérozoïque est lui-même divisé en trois ères : le Paléozoïque, le Mésozoïque et le Cénozoïque. Chaque ère représente un âge distinct dans l'histoire de la Terre et de sa vie. Par exemple, le Mésozoïque est parfois appelé l'«ère des reptiles» en raison de l'abondance de ses fossiles reptiliens, dont ceux des dinosaures. Les frontières entre les ères correspondent aux périodes d'extinctions massives durant lesquelles de nombreuses formes de vie ont disparu pour être remplacées par d'autres qui ont évolué à partir des organismes survivants.

Nous venons de voir que les archives fossiles donnent une vue d'ensemble de l'histoire de la vie à l'échelle des temps géologiques. Concentrons-nous maintenant sur certains événements majeurs qui ont marqué cette histoire et que nous étudierons plus en détail dans la cinquième partie de ce manuel. La **figure 25.8** vous aidera à situer les principaux événements dans le temps et dans le contexte des archives géologiques.

Les premiers organismes unicellulaires

Les premières preuves directes de l'existence d'une vie sur la Terre datent d'il y a près de 4 milliards d'années et viennent de stromatolites fossilisés (voir la figure 25.5). Les **stromatolites** sont des couches minérales concentriques formées par certains procaryotes qui ont déposé successivement de minces films de

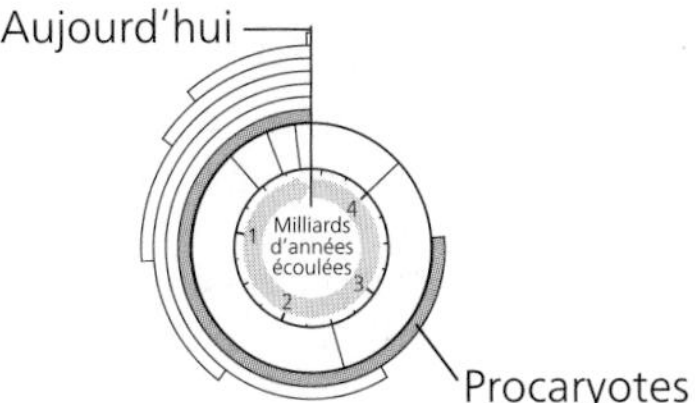

▼ Figure 25.7

PANORAMA L'origine des mammifères

Durant 120 millions d'années, les mammifères ont émergé graduellement d'un groupe de tétrapodes, les synapsides. On voit ici quelques-uns des nombreux organismes fossiles dont les caractéristiques morphologiques correspondent aux étapes intermédiaires entre des mammifères d'aujourd'hui et leurs ancêtres synapsides primitifs. Le diagramme arborescent ci-contre illustre le contexte de l'origine des mammifères sur le plan de l'évolution (le symbole † indique une lignée éteinte).

Code de couleurs des os

- Articulaire
- Mandibule
- Carré
- Temporal

Les synapsides (il y a 300 millions d'années)

Les premiers synapsides possédaient une mâchoire inférieure formée de plusieurs os et portaient des dents à une seule pointe. L'articulation de leur mâchoire était formée par les os articulaire et carré. Derrière leur globe oculaire, il y avait une ouverture, la *fosse temporale*, par où passaient probablement les puissants muscles des joues qui assuraient la fermeture de la mâchoire. Avec le temps, cette ouverture s'est agrandie et s'est déplacée en avant de l'articulation, entre les maxillaires inférieur et supérieur, ce qui a encore augmenté la puissance et la précision de la fermeture des mâchoires (comme le fait d'allonger la distance entre la poignée d'une porte et les charnières rend plus faciles les mouvements de fermeture et d'ouverture).

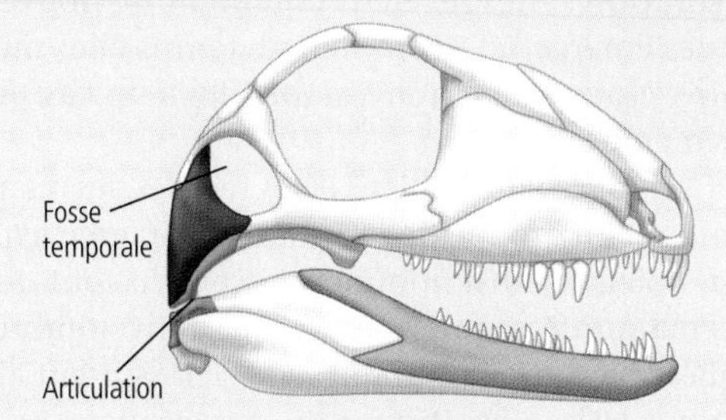

Les thérapsides (il y a 280 millions d'années)

Plus tard sont apparus les thérapsides, un nouveau groupe de synapsides caractérisés par de larges mandibules et de longues faces, et par la présence des premières dents spécialisées, de grandes canines, des tendances qui se sont maintenues chez le sous-groupe de thérapsides qu'on appelle les cynodontes.

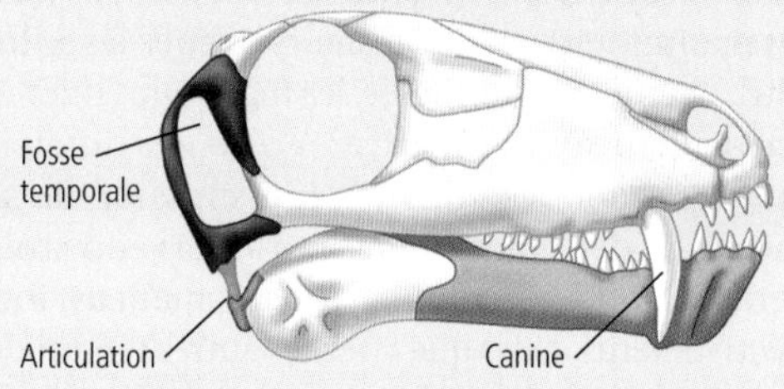

Les premiers cynodontes (il y a 260 millions d'années)

Chez les premiers thérapsides cynodontes, la mandibule était le plus gros os de la mâchoire inférieure, la fosse temporale était grande et se situait en avant de l'articulation de la mâchoire; les dents à plusieurs cuspides (pointes, non visibles ici) avaient fait leur apparition. L'articulation de leur mâchoire était formée par les os articulaire et carré, comme chez les premiers synapsides.

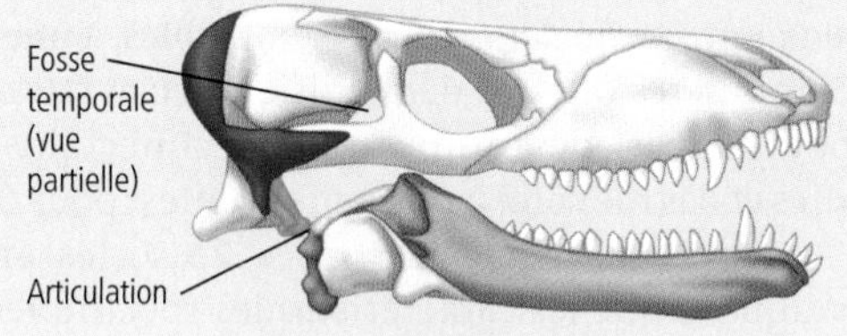

Les cynodontes plus évolués (il y a 220 millions d'années)

Les cynodontes plus évolués se caractérisent par la complexité de la disposition des cuspides de leurs dents et la double articulation de leurs maxillaires inférieur et supérieur: ils ont conservé la première articulation (os articulaire et os carré), mais une seconde est apparue entre la mandibule et l'os temporal. (Sur cette illustration et la suivante, la fosse temporale est invisible sous cet angle.)

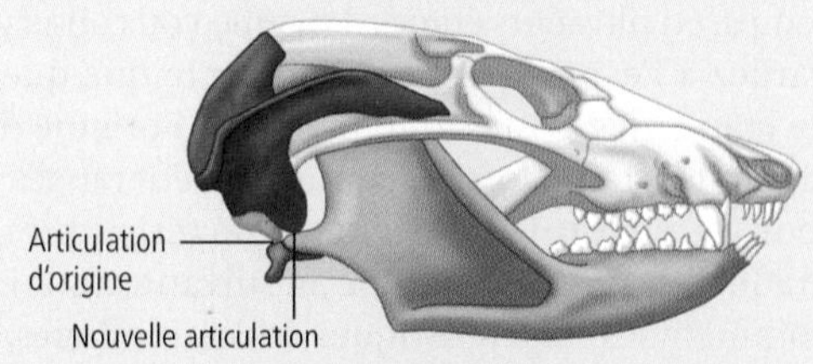

Les derniers cynodontes (il y a 195 millions d'années)

Chez certains des tout derniers cynodontes (non mammifères) et chez les premiers mammifères, la première articulation (os articulaire et os carré) a disparu ; ne reste plus que l'articulation de la mandibule et de l'os temporal entre les maxillaires inférieur et supérieur, comme chez les mammifères contemporains. L'os articulaire et l'os carré se sont déplacés vers la région de l'oreille (invisible sur cette illustration), où ils servaient à transmettre le son. Dans la lignée des mammifères, ces deux os deviendront le *malleus* et l'*incus*.

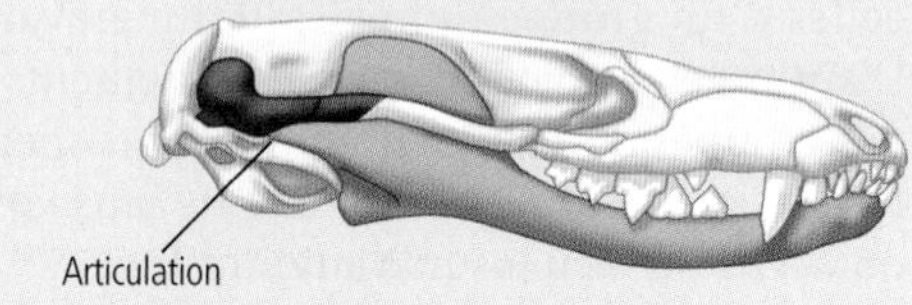

sédiments. Les premiers procaryotes et leurs stromatolites ont été les seuls habitants de la Terre pendant 1,5 milliard d'années environ. Et, comme nous allons le voir, ils y ont transformé la vie.

La photosynthèse et la révolution atmosphérique

L'oxygène (O_2) n'a pas toujours été présent en grande quantité dans l'atmosphère terrestre. La majeure partie de l'O_2 atmosphérique actuel est d'origine biologique et provient de la scission de la molécule d'eau pendant la photosynthèse. Lorsque la photosynthèse aérobie est apparue (chez les procaryotes photosynthétiques), l'O_2 qu'elle produisait s'est probablement d'abord dissous dans l'eau environnante, jusqu'à ce qu'il atteigne une concentration suffisante pour réagir avec les autres éléments dissous dans l'eau, dont le fer. Ces sédiments comprimés ont été à l'origine des formations ferrifères rubanées, les couches de roche rouge riches en oxyde de fer qui

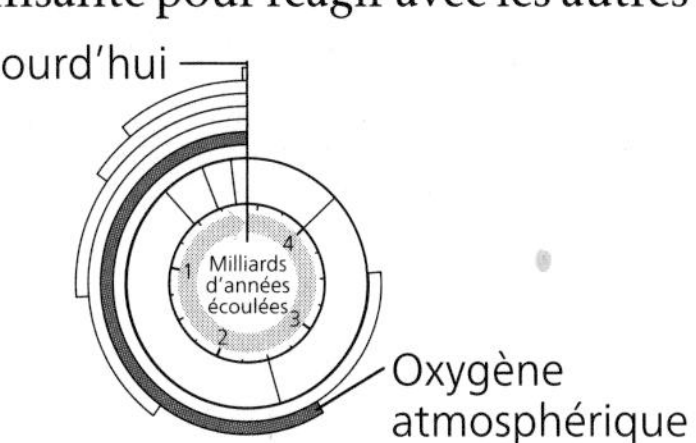

Tableau 25.1 Les archives géologiques

Durée relative des éons	Ère	Période	Époque	Âge (millions d'années écoulées)	Jalons de l'histoire de la vie
Phanérozoïque	Cénozoïque	Quaternaire	Holocène	0,01	Temps historiques
			Pléistocène	2,6	Époque glaciaire; apparition du genre *Homo*
		Néogène	Pliocène	5,3	Apparition des ancêtres des humains bipèdes
			Miocène	23	Poursuite de la radiance adaptative des mammifères et des angiospermes; apparition des premiers ancêtres directs des humains
		Paléogène	Oligocène	34	Origine de nombreux groupes de primates
			Éocène	56	Suprématie accrue des angiospermes; poursuite de la radiance adaptative de la plupart des ordres de mammifères modernes
			Paléocène	66	Importante radiance adaptative des mammifères, des oiseaux et des insectes pollinisateurs
	Mésozoïque	Crétacé		145	Apparition et diversification des plantes à fleurs (angiospermes); extinction de nombreux groupes d'organismes, dont les dinosaures, à la fin de la période (extinctions du Crétacé)
		Jurassique		201	Suprématie des gymnospermes chez les végétaux; abondance et diversité des dinosaures
		Trias		252	Domination des paysages par les conifères (gymnospermes); radiance adaptative des dinosaures; origine des mammifères
	Paléozoïque	Permien		299	Radiance adaptative des reptiles; origine de la plupart des ordres d'insectes modernes; extinction de nombreux organismes marins et terrestres à la fin de la période
		Carbonifère		359	Immenses forêts de plantes vasculaires; apparition des premières plantes à graines; origine des reptiles; suprématie des amphibiens
		Dévonien		419	Diversification des poissons osseux; premiers tétrapodes et premiers insectes
		Silurien		444	Diversification des premières plantes vasculaires
		Ordovicien		485	Abondance des algues marines; colonisation de la terre ferme par les eumycètes, les végétaux et les animaux
		Cambrien		541	Augmentation soudaine de la diversité de nombreux embranchements d'animaux (explosion du Cambrien)
Protérozoïque	Néoprotérozoïque	Édiacarien		635	Présence de diverses algues et d'invertébrés à corps mou
				1 000	
				1 800	Fossiles d'eucaryotes les plus anciens
				2 500	
Archéen				2 700	Accumulation de molécules d'oxygène (O_2) dans l'atmosphère
				3 500	Fossiles de procaryotes les plus anciens
				4 000	Roches les plus anciennes connues à la surface de la Terre
Hadéen				Environ 4 600	Origine de la Terre

constituent aujourd'hui de précieuses sources de minerai de fer. Une fois que tout le fer dissous a précipité sous forme d'oxyde de fer, l'O_2 additionnel a enfin commencé à s'échapper des mers et des lacs et à s'accumuler dans l'atmosphère. L'oxydation des roches terrestres riches en fer, qui a commencé il y a approximativement 2,7 milliards d'années, est la trace laissée par ce phénomène. Selon cette chronologie, des bactéries similaires à nos cyanobactéries (bactéries photosynthétiques libératrices d'O_2) seraient apparues il y a 2,7 milliards d'années.

Comme le montre la **figure 25.9**, l'accumulation d'O_2 atmosphérique s'est faite graduellement au cours de la période comprise entre 2,7 et 2,4 milliards d'années avant notre ère. Elle s'est ensuite accélérée, et l'O_2 a alors atteint un niveau correspondant à plus de 10 % de la quantité actuelle. Cette « révolution atmosphérique » a eu des conséquences déterminantes pour la vie. Sous forme de molécules ou d'ions libres, ou de composés comme le peroxyde d'hydrogène, l'O_2 s'attaque aux liaisons chimiques ; il peut inhiber les enzymes et endommager les cellules. L'augmentation de sa concentration dans l'atmosphère a probablement causé la disparition de nombreux groupes de

▼ **Figure 25.9 L'avènement de l'oxygène atmosphérique.** L'analyse chimique de roches très anciennes a permis d'établir les taux d'O_2 atmosphérique au cours de l'histoire de la Terre.

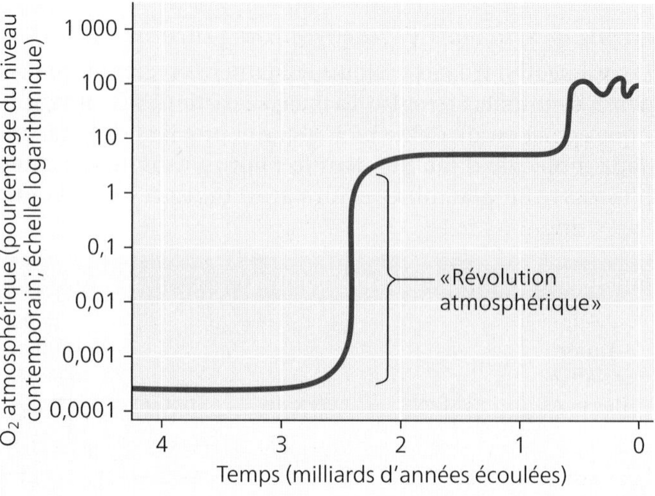

COUP D'ŒIL ▼ Figure 25.8 Des représentations de l'échelle des temps géologiques

L'échelle des temps géologiques est tellement vaste qu'il peut être difficile de situer les jalons de l'histoire de la vie. Cette figure montre deux représentations courantes qui permettent de situer plus facilement les événements dans leur contexte : l'« horloge à rebours » et la ligne du temps horizontale.

L'analogie d'une horloge qui commence à l'origine de la Terre et dont l'aiguille imaginaire recule dans le temps sur une durée imaginaire de 1 heure permet de situer des événements qui ont eu lieu il y a des milliards d'années et de mieux s'en représenter la durée. Ainsi, sur une durée de 1 heure, les animaux sont apparus il y a 9 minutes, et les humains, il y a 0,2 seconde.

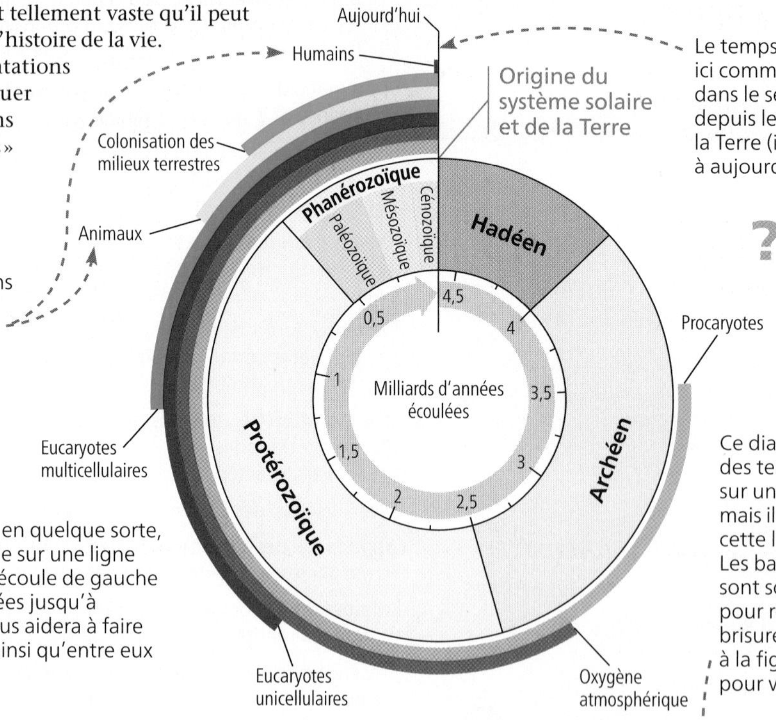

Le temps géologique est représenté ici comme une horloge qui « recule » dans le sens des aiguilles d'une montre, depuis le moment d'apparition de la Terre (il y a 4,6 milliards d'années) à aujourd'hui.

Aujourd'hui
Humains
Origine du système solaire et de la Terre
Colonisation des milieux terrestres
Phanérozoïque
Paléozoïque
Mésozoïque
Cénozoïque
Hadéen
Animaux
Procaryotes
Archéen
Protérozoïque
Milliards d'années écoulées
0,5 — 1 — 1,5 — 2 — 2,5 — 3 — 3,5 — 4 — 4,5
Eucaryotes multicellulaires
Eucaryotes unicellulaires
Oxygène atmosphérique

? **1.** Utilisez l'horloge qui recule sur une durée imaginaire de 1 heure pour indiquer à quel moment les procaryotes sont apparus. À quel moment la colonisation des milieux terrestres a-t-elle eu lieu ?

Ce diagramme montre l'ensemble des temps géologiques à l'échelle, sur une ligne temporelle continue, mais il est parfois nécessaire de « briser » cette ligne pour en limiter la taille. Les barres obliques doubles sont souvent utilisées pour représenter ces brisures ; reportez-vous à la figure 25.11 pour voir un exemple.

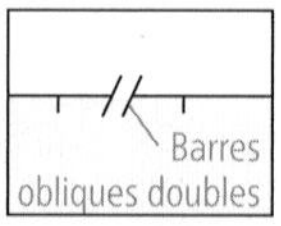

Barres obliques doubles

Ce diagramme « déroule » l'horloge, en quelque sorte, afin de représenter l'histoire de la vie sur une ligne temporelle horizontale. Le temps s'écoule de gauche à droite, depuis 4,6 milliards d'années jusqu'à aujourd'hui. Le code de couleurs vous aidera à faire le lien entre ces deux diagrammes ainsi qu'entre eux et le tableau 25.1.

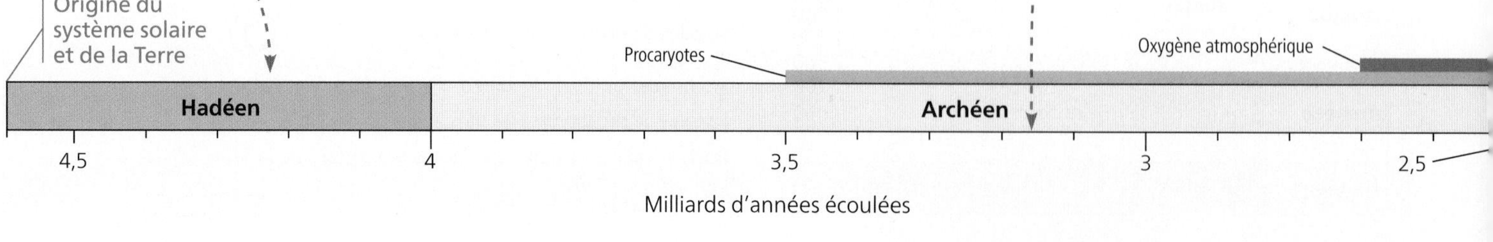

Origine du système solaire et de la Terre
Procaryotes
Oxygène atmosphérique
Hadéen
Archéen
4,5 — 4 — 3,5 — 3 — 2,5
Milliards d'années écoulées

procaryotes. Certaines espèces ont survécu dans des habitats qui étaient restés anaérobies, dans lesquels on trouve encore aujourd'hui leurs descendants, des anaérobies stricts (voir le concept 27.3). Les autres survivants se sont adaptés de diverses manières à la modification de l'atmosphère, notamment grâce à la respiration cellulaire, qui utilise l'O_2 dans un processus d'exploitation de l'énergie emmagasinée dans les molécules organiques.

L'augmentation de la concentration d'O_2 a été déterminante dans l'histoire de la vie. Quelques centaines de millions d'années plus tard, on assistait à un autre changement fondamental: l'apparition des cellules eucaryotes.

Les premiers eucaryotes

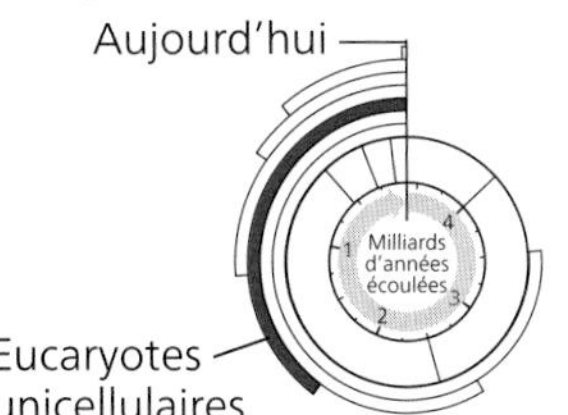

On estime à 2,1 milliards d'années l'âge des plus vieux fossiles d'organismes eucaryotes reconnus par la plupart des scientifiques. Souvenez-vous que les cellules eucaryotes ont une organisation plus complexe que les cellules procaryotes: elles possèdent une enveloppe nucléaire, des mitochondries, un réticulum endoplasmique et d'autres structures internes dont les cellules procaryotes sont dépourvues. De plus, un cytosquelette bien développé leur permet de changer de forme pour entourer et absorber d'autres cellules.

Comment l'organisation complexe de la cellule eucaryote a-t-elle pu évoluer à partir de la cellule procaryote, si simple? Selon les données scientifiques actuelles, les eucaryotes sont apparus par **endosymbiose**: une cellule procaryote aurait phagocyté une petite cellule qui serait devenue, au fil de l'évolution, un organite présent chez tous les eucaryotes, en l'occurrence une mitochondrie. Cette petite cellule phagocytée est un exemple d'*endosymbionte*, c'est-à-dire d'une cellule qui vit à l'intérieur d'une autre *cellule hôte*. L'ancêtre procaryote de la mitochondrie a probablement pénétré dans la cellule hôte sous forme de proie non digérée ou de parasite. Cela peut sembler étonnant, mais des scientifiques ont observé directement des cas où des endosymbiontes qui étaient d'abord des proies ou des parasites en sont venus à entretenir une relation mutuellement bénéfique avec leur hôte, et ce, en moins de cinq ans.

Quel que soit le moyen par lequel cette relation a débuté, on peut facilement s'imaginer que la symbiose a fini par devenir avantageuse. Par exemple, dans un monde de plus en plus aérobie, une cellule elle-même anaérobie pouvait bénéficier des endosymbiontes aérobies qui tiraient profit de l'O_2. Devenant de plus en plus interdépendants, l'hôte et les endosymbiontes auraient fini par former un organisme unique dont les éléments étaient indissociables. Tous les eucaryotes, qu'ils soient hétérotrophes ou autotrophes, ont des mitochondries ou des traces génétiques de ces organites. En revanche, les eucaryotes ne sont pas tous pourvus de plastes (terme général désignant les chloroplastes et les autres organites apparentés). Donc, selon l'hypothèse de l'**endosymbiose en série** (suite d'événements endosymbiotiques), les mitochondries seraient apparues avant les plastes. Comme le montre la **figure 25.10**, les mitochondries et les plastes auraient vraisemblablement pour ancêtres des cellules bactériennes, et l'hôte de départ (la cellule qui a absorbé la bactérie devenue mitochondrie chez les descendants) serait une archéobactérie ou un proche parent des archées.

De nombreux faits étayent l'origine endosymbiotique des plastes et des mitochondries:

- Les membranes internes de ces deux organites comportent des enzymes et des mécanismes de transport analogues à ceux qu'on trouve dans les membranes plasmiques des bactéries actuelles.
- La réplication des mitochondries et des plastes s'accomplit par un processus de division qui rappelle la scission binaire chez certaines bactéries. Chaque organite contient des molécules d'ADN circulaires qui, comme les chromosomes des bactéries, ne sont pas associées à des histones ou à d'autres protéines.
- Ces organites contiennent les molécules d'ARN de transfert, les ribosomes et d'autres molécules nécessaires à la transcription de l'ADN et à la traduction de l'ARN en protéines.
- En ce qui concerne la taille, la séquence de nucléotides et la sensibilité à certains antibiotiques, les ribosomes des mitochondries et des plastes s'apparentent davantage aux ribosomes des procaryotes qu'aux ribosomes cytoplasmiques des cellules eucaryotes.

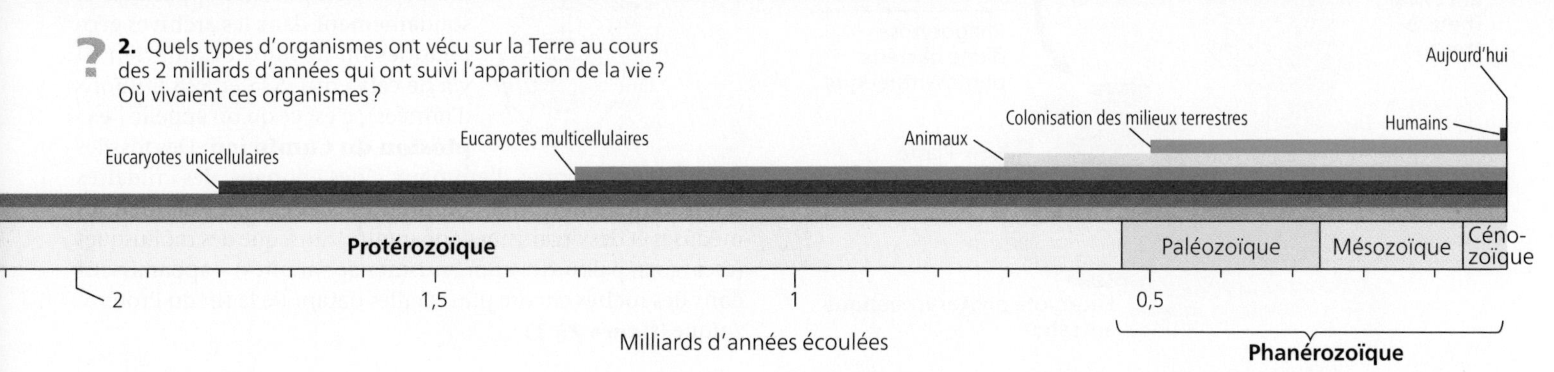

Au chapitre 28, nous reviendrons sur l'origine des eucaryotes, cette fois en examinant ce qu'ont révélé les données génomiques au sujet des lignées procaryotes qui ont donné naissance aux cellules hôtes et aux endosymbiontes.

▼ **Figure 25.10 Le modèle explicatif de l'origine des mitochondries et des plastes par l'endosymbiose en série.** L'hôte présumé était un procaryote, plus précisément une archéobactérie ou un proche parent des archées. Les ancêtres présumés des mitochondries étaient des bactéries (procaryotes aussi) hétérotrophes aérobies, tandis que les ancêtres présumés des plastes étaient des bactéries photosynthétiques. Dans cette figure, les flèches représentent le changement au fil de l'évolution.

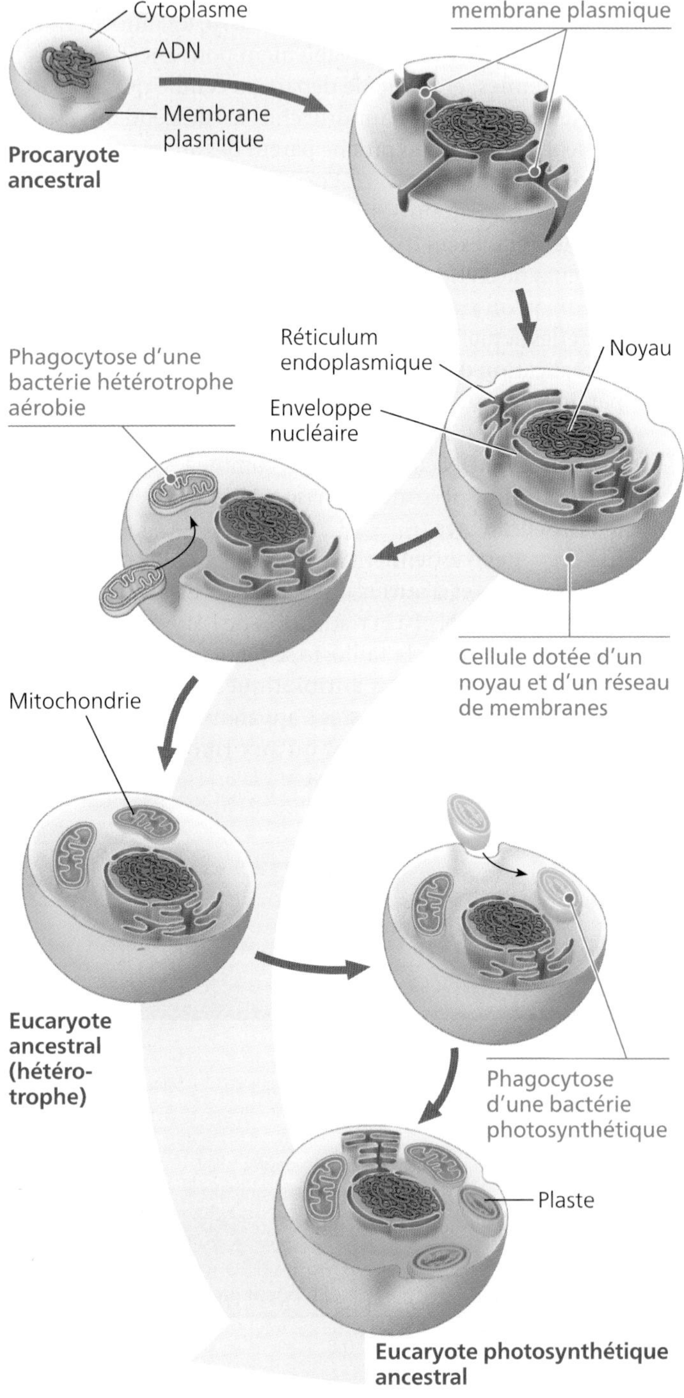

L'origine de la multicellularité

Un orchestre peut jouer une plus grande variété d'œuvres musicales qu'un seul violoniste; la plus grande complexité de l'orchestre permet un plus grand nombre de variations. De même, la structure plus complexe des cellules eucaryotes a permis une diversité morphologique supérieure à celle des cellules procaryotes plus simples. Le développement des formes de vie unicellulaires très variées qui a suivi l'apparition des premiers eucaryotes est à l'origine de la diversité des eucaryotes unicellulaires qui continuent de proliférer aujourd'hui. Mais une autre vague de diversification a suivi: certains eucaryotes unicellulaires ont engendré des formes multicellulaires, qui ont elles-mêmes engendré toute une variété d'algues, de végétaux, d'eumycètes et d'animaux.

Les premiers eucaryotes multicellulaires

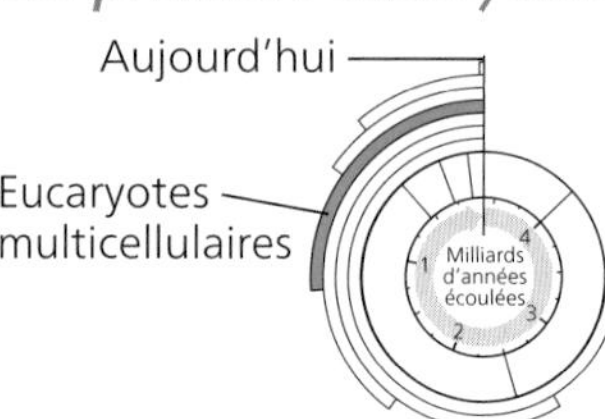

Les plus anciens fossiles connus d'eucaryotes multicellulaires dont on peut établir le taxon sont ceux d'algues rouges relativement petites qui ont vécu il y a 1,2 milliard d'années. Des fossiles plus vieux encore, datant de 1,8 milliard d'années, proviennent peut-être également de petits eucaryotes multicellulaires. Les eucaryotes multicellulaires plus grands et plus complexes n'apparaissent que bien plus tard dans les archives géologiques, soit il y a 600 millions d'années environ (voir la figure 25.5). Ces fossiles qui forment ce qu'on appelle la *faune de l'Édiacarien* sont ceux d'organismes à corps mou dont la taille pouvait dépasser 1 m de long et qui ont vécu il y a de cela entre 635 et 541 millions d'années. La faune de l'Édiacarien comprenait des algues et des animaux, ainsi que divers organismes dont la parenté taxonomique demeure inconnue.

L'apparition d'eucaryotes de grande taille au cours de la période de l'Édiacarien a été déterminante dans l'histoire de la vie. Avant leur apparition, la Terre était un monde microbien, dont les uniques habitants étaient des procaryotes et des eucaryotes unicellulaires ainsi que divers eucaryotes multicellulaires microscopiques. Alors que la diversification de la faune de l'Édiacarien tirait à sa fin, il y a environ 541 millions d'années, la Terre s'apprêtait à connaître une autre remarquable explosion de changements résultant de l'évolution: l'« explosion du Cambrien ».

L'explosion du Cambrien

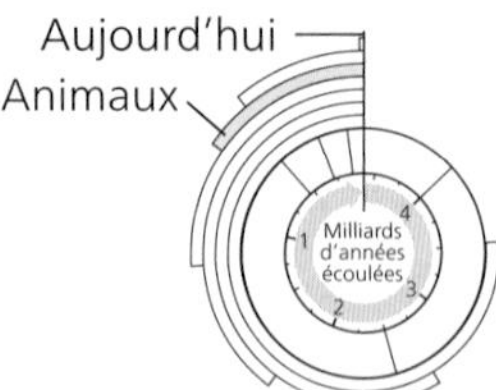

De nombreux embranchements d'animaux contemporains apparaissent soudainement dans les archives géologiques du début du Cambrien (il y a de cela entre 535 et 525 millions d'années); c'est ce qu'on appelle l'**explosion du Cambrien**. Des fossiles de plusieurs groupes d'animaux – des éponges, des cnidaires (l'embranchement qui comprend les anémones de mer, les méduses et des organismes apparentés) ainsi que des mollusques (escargots, palourdes et organismes apparentés) – apparaissent dans des roches encore plus vieilles datant de la fin du Protérozoïque (**figure 25.11**).

▼ **Figure 25.11 L'apparition de quelques groupes d'animaux.** Les flèches blanches indiquent les premières apparitions de ces groupes d'animaux dans les archives fossiles.

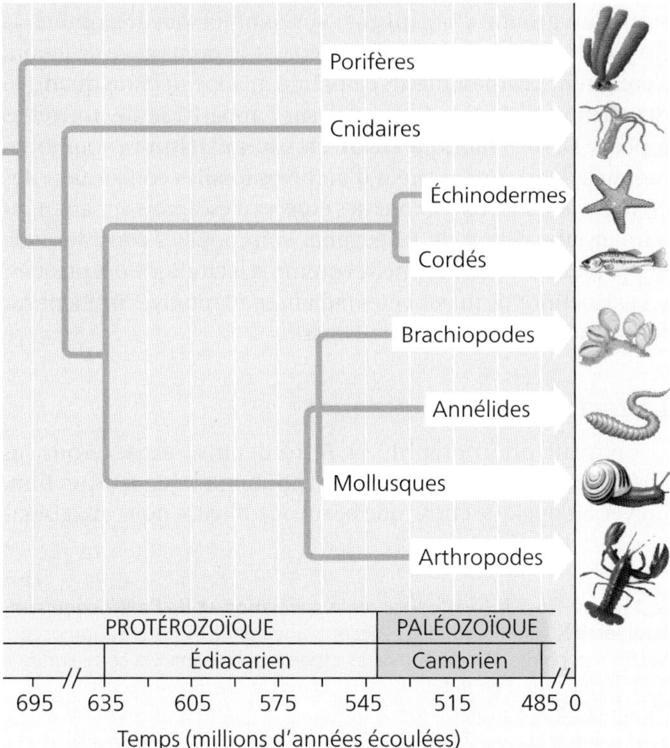

HABILETÉS VISUELLES ▶ Encerclez l'embranchement qui représente l'ancêtre commun le plus récent des cordés et des annélides. Quel serait l'âge minimal de cet ancêtre ?

Avant l'explosion du Cambrien, tous les animaux de grande taille avaient un corps allongé. Les fossiles des grands animaux précambriens révèlent peu de traces de prédation. Ces animaux semblent avoir été des herbivores (se nourrissant d'algues), des filtreurs ou des charognards, et non des chasseurs. L'explosion du Cambrien allait changer tout cela. Au cours d'une période relativement courte, 10 millions d'années, des prédateurs de plus de 1 m de long munis de griffes ou d'autres organes destinés à capturer des proies sont apparus ; simultanément, les proies se sont dotées de nouvelles adaptations défensives, comme des aiguilles très pointues et de lourdes « armures » corporelles (voir la figure 25.5).

Malgré les formidables effets de l'explosion du Cambrien, il semble que l'origine de nombreux embranchements des animaux soit beaucoup plus ancienne. De récentes analyses d'ADN laissent penser que les éponges sont apparues il y a 700 millions d'années. Ces analyses indiquent aussi que l'ancêtre commun des arthropodes, des cordés et d'autres embranchements apparus durant l'explosion du Cambrien ont vécu il y a 670 millions d'années. Par ailleurs, des chercheurs ont découvert des sédiments vieux de 710 millions d'années contenant des stéroïdes qui témoignent de la présence d'un groupe d'éponges particulier, ce qui est compatible avec les données des analyses moléculaires. En comparaison, le plus vieux fossile attribué à un embranchement d'animaux éteints est celui du mollusque *Kimberella*, qui a vécu il y a 560 millions d'années. Il semble donc que l'amorce qui a déclenché l'explosion du Cambrien couvait depuis très longtemps – au moins 25 millions années si l'on se fie à l'âge des fossiles de *Kimberella* et plus de 100 millions d'années si certains embranchements des animaux sont aussi vieux que l'indiquent plusieurs analyses d'ADN.

La colonisation des milieux terrestres

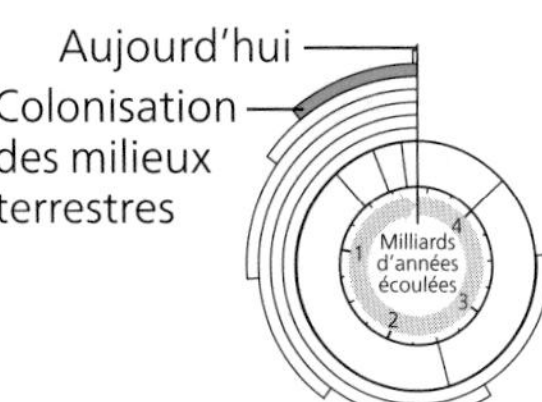

La colonisation des milieux terrestres marque un jalon crucial dans l'histoire de la vie. Des fossiles prouvent que les cyanobactéries et d'autres procaryotes photosynthétiques recouvraient les surfaces terrestres humides il y a déjà plus de 1 milliard d'années. Cependant, les organismes macroscopiques comme les végétaux, les eumycètes et les animaux ont commencé à coloniser les milieux terrestres il y a seulement 500 millions d'années, au début de l'ère paléozoïque. L'avancée progressive hors des milieux aquatiques ancestraux a été associée à l'apparition d'adaptations prévenant la déshydratation et permettant la reproduction sur la terre ferme.

Par exemple, de nombreux végétaux actuels possèdent un système vasculaire assurant le transport interne de matériaux et leurs feuilles sont recouvertes d'une couche de cire hydrofuge qui ralentit l'évaporation de l'eau. Les premières traces de ces adaptations datent de quelque 420 millions d'années ; de petits végétaux (d'environ 10 cm de hauteur) possédaient alors un système vasculaire, mais ils étaient encore dépourvus de feuilles et de vraies racines. Environ 40 millions d'années plus tard, les végétaux s'étaient grandement diversifiés, et comprenaient des roseaux et des plantes semblables à des arbres, avec des feuilles et de vraies racines.

Les végétaux semblent avoir colonisé les milieux terrestres en compagnie des eumycètes. Encore aujourd'hui, les racines de la plupart des végétaux sont associées à des eumycètes microscopiques qui facilitent l'absorption de l'eau et des minéraux contenus dans le sol (voir le concept 31.1) ; ces eumycètes (ou *mycorhizes*) tirent à leur tour des nutriments organiques des végétaux. De telles associations mutuellement avantageuses entre végétaux et eumycètes sont manifestes dans quelques-unes des plantes fossilisées les plus anciennes – ce qui fait remonter la relation aux débuts de la propagation de la vie dans les milieux terrestres (**figure 25.12**).

Bien que de nombreux groupes d'animaux soient représentés dans les environnements terrestres, les plus répandus et les plus diversifiés des animaux terrestres sont des arthropodes (en particulier les insectes et les araignées) et des tétrapodes (principalement les amphibiens, les reptiles, dont les oiseaux, et les mammifères). Les arthropodes ont été parmi les premiers animaux à coloniser la terre ferme, il y a de cela quelque 450 millions d'années. Les plus anciens tétrapodes trouvés dans les archives fossiles ont vécu il y a quelque 365 millions d'années et semblent être issus d'un groupe de poissons à nageoires charnues (voir le concept 34.3). Le groupe des tétrapodes inclut la lignée humaine, même si elle est entrée en scène beaucoup plus tard ; en effet, cette lignée a divergé de celle d'autres hominoïdes (singes anthropoïdes) il y a seulement 6 ou 7 millions d'années, et notre espèce est apparue il y a seulement 195 000 ans. Si on modifiait l'horloge de l'histoire de la Terre de façon qu'elle représente 1 heure, elle indiquerait qu'il ne s'est écoulé que 0,2 seconde depuis l'apparition des humains (voir la figure 25.8).

▼ Figure 25.12 Symbiose ancienne. La coupe transversale de cette tige fossile vieille de 405 millions d'années renseigne sur les mycorhizes associées à *Aglaophyton major*, une des premières plantes terrestres. En médaillon, on voit une vue agrandie d'une cellule contenant une structure fongique ramifiée appelée arbuscule; cet arbuscule fossilisé ressemble à ceux des cellules végétales d'aujourd'hui.

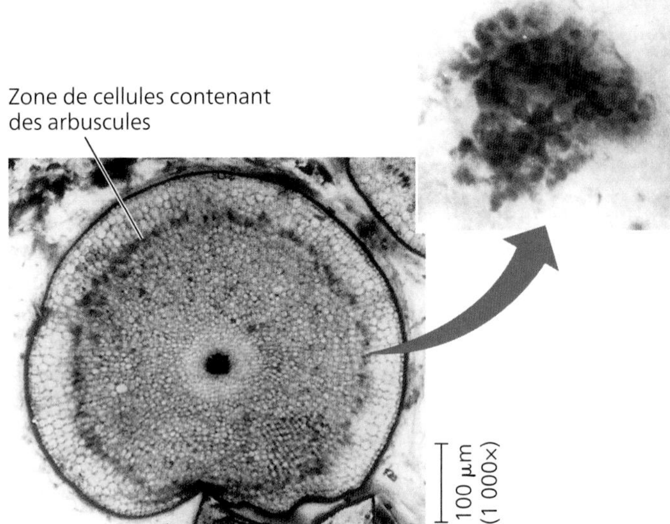

RETOUR SUR LE CONCEPT 25.3

1. La première apparition d'O_2 dans l'atmosphère a probablement déclenché une extinction massive chez les procaryotes. Expliquez pourquoi.
2. Quels faits étayent l'hypothèse voulant que les mitochondries aient précédé les plastes au cours de l'évolution des cellules eucaryotes ?
3. **ET SI ?** ▶ À quoi ressembleraient les archives fossiles de notre époque ?

Voir les réponses proposées à l'appendice A.

CONCEPT 25.4

L'ascension et le déclin de groupes d'organismes reflètent les différents taux de spéciation et d'extinction

L'ascension et le déclin de certains groupes d'organismes marquent le cours de la vie sur la Terre depuis ses débuts. Les procaryotes anaérobies sont apparus, ont prospéré, puis se sont éteints lorsque la teneur en O_2 a commencé à s'élever dans l'atmosphère. Des milliards d'années plus tard, les premiers tétrapodes ont émergé de la mer et ont engendré plusieurs grands groupes de nouveaux organismes. L'un de ces groupes, celui des amphibiens, a dominé la vie sur la Terre pendant 100 millions d'années, jusqu'à ce que d'autres tétrapodes (notamment les dinosaures et, plus tard, les mammifères) deviennent à leur tour les vertébrés terrestres dominants.

L'ascension et le déclin de ces grands groupes d'organismes et de ceux qui les ont suivis ont façonné l'histoire de la vie. Plus précisément, l'ascension ou le déclin de n'importe quel sous-groupe est lié aux taux de spéciation ou d'extinction des espèces qui en font partie (**figure 25.13**). De la même manière qu'une population s'accroît lorsque les naissances excèdent les décès, l'ascension d'un groupe d'organismes survient lorsque le nombre de nouvelles espèces qu'il produit dépasse le nombre de celles qui s'éteignent; évidemment, ce même groupe décline quand la disparition d'espèces l'emporte sur l'apparition de nouvelles espèces. Dans la rubrique **Habiletés scientifiques**, vous interpréterez des données tirées d'archives fossiles concernant des changements survenus chez des espèces d'escargots appartenant à un groupe datant du Paléogène. Vous pourrez constater que des processus à grande échelle comme la tectonique des plaques, les extinctions de masse et les radiances adaptatives influent sur le destin des groupes d'organismes.

La tectonique des plaques

Si on avait photographié la Terre depuis l'espace tous les 10 000 ans et qu'on avait réuni ces photos pour en faire un film, on verrait quelque chose que beaucoup d'entre nous imaginent

▼ Figure 25.13 L'influence de la spéciation et de l'extinction sur la diversité. La diversité des espèces d'une lignée évolutive augmente lorsqu'il apparaît plus de nouvelles espèces appartenant à cette lignée que l'extinction n'en fait disparaître. Dans cet exemple hypothétique, les lignées A et B avaient donné naissance à quatre espèces entre le moment 0 et il y a 2 millions d'années, et aucune espèce n'avait disparu. Toutefois, au cours des 2 millions d'années qui ont suivi, la lignée A a connu un taux d'extinction plus élevé que la lignée B (le symbole † indique les espèces éteintes), de sorte qu'après 4 millions d'années (c'est-à-dire à partir du moment 0), la lignée A comprend une seule espèce, tandis que la lignée B en compte huit.

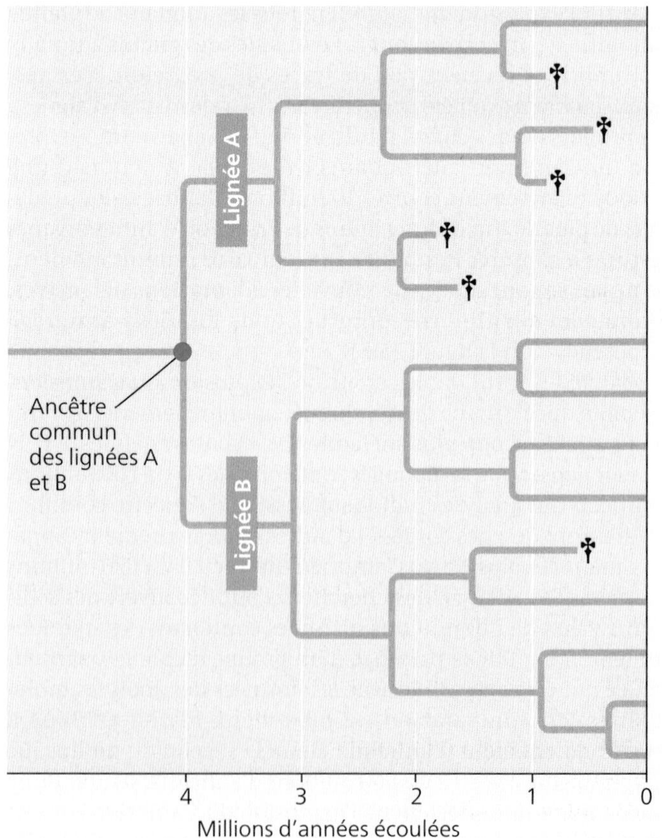

DÉMARCHE SCIENTIFIQUE
HABILETÉS SCIENTIFIQUES

Estimer des données quantitatives à partir d'un diagramme et formuler des hypothèses

■ LES FACTEURS ÉCOLOGIQUES INFLUENT-ILS SUR LE TAUX D'ÉVOLUTION ? ■ Des chercheurs ont étudié les archives fossiles pour déterminer si la persistance des espèces au sein des *Volutidae*, une famille d'escargots de mer, pouvait s'expliquer par les différents modes de dispersion des larves. Certaines de ces espèces d'escargots avaient des larves non planctoniques, qui atteignaient directement le stade adulte, sans passer par un stade natatoire. D'autres espèces avaient des larves planctoniques qui passaient par un stade natatoire avant d'arriver au stade adulte, ce qui leur permettait de se disperser sur de très longues distances. La répartition géographique des adultes des espèces planctoniques avait tendance à être très étendue, tandis que celle des espèces non planctoniques était plus limitée.

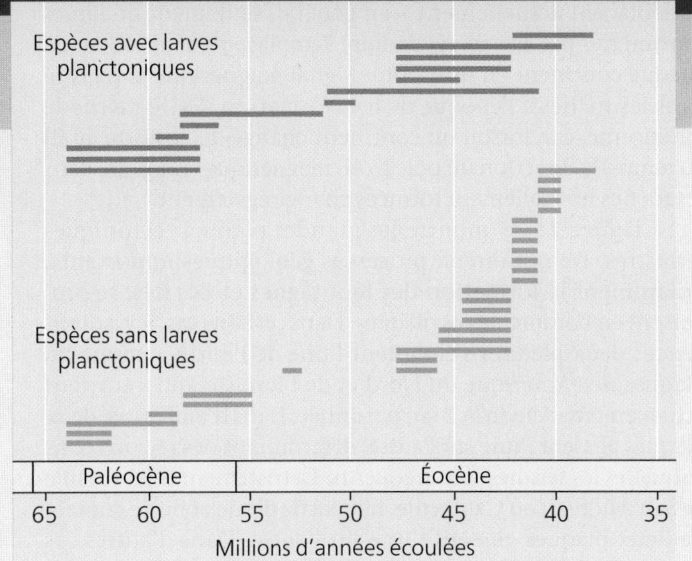

■ MÉTHODE ■ Les chercheurs ont étudié la répartition stratigraphique des escargots dans les affleurements de roches sédimentaires situés sur la côte du golfe du Mexique, en Amérique du Nord. Formées il y a entre 66 et 37 millions d'années, au début de la période du Paléogène, ces roches sont une excellente source de fossiles d'escargots bien préservés. Les chercheurs ont pu classer chaque espèce d'escargot fossilisée selon qu'elle avait des larves planctoniques ou non planctoniques, en se basant sur les caractéristiques des tout premiers tours de leurs coquilles. Chaque bande du diagramme montre la longévité de chaque espèce d'escargot dans les archives fossiles.

INTERPRÉTEZ LES DONNÉES ▼

1. Vous pouvez estimer assez précisément des données quantitatives à partir d'un diagramme. Commencez par calculer un facteur de conversion en mesurant un axe qui comporte une échelle. Dans le cas présent, l'axe des abscisses représente 30 millions d'années écoulées (soit la différence entre les marques 65 millions d'années et 35 millions d'années [65 – 35 = 30]). Vous pouvez mesurer directement sur le diagramme la longueur de chaque segment, en millimètres, qui correspond à cette période de temps. En divisant la durée (30 millions d'années) par la longueur mesurée, vous obtenez un facteur de conversion (un rapport) du nombre de millions d'années par millimètre. Donc, pour estimer la période de temps représentée par une bande horizontale dans le diagramme, vous devez mesurer la longueur de la bande en millimètres, puis la multiplier par le facteur de conversion calculé.
2. Calculez la persistance moyenne des espèces avec larves planctoniques et des espèces sans larves planctoniques.
3. Comptez le nombre de nouvelles espèces qui se forment dans chaque groupe, en commençant à 65 millions d'années (les trois premières espèces de chaque groupe vivaient il y a environ 64 millions d'années, première période échantillonnée, et on ne sait donc pas à quel moment ces espèces sont apparues dans les archives fossiles).
4. Proposez une hypothèse qui pourrait expliquer les différences de persistance des espèces d'escargots avec larves planctoniques et sans larves planctoniques.

Source des données: T. A. Hansen, Larval dispersal and species longevity in Lower Tertiary gastropods, *Science* 199: 885-887 (1978). Réimpression autorisée par l'AAAS.

difficilement: les continents apparemment «solides comme du roc» sur lesquels nous vivons se déplacent lentement. À trois reprises au cours du dernier milliard d'années (il y a 1 milliard d'années, 600 millions d'années et 250 millions d'années), les terres émergées de la planète se sont réunies pour former un supercontinent, puis se sont disloquées. Chaque fois, la configuration des continents s'en est trouvée changée. D'après les directions dans lesquelles les continents se déplacent actuellement, certains géologues estiment qu'un supercontinent se formera dans quelque 250 millions d'années.

Selon la théorie de la **tectonique des plaques**, les continents sont de grandes plaques de croûte terrestre qui flottent sur une portion du très chaud manteau terrestre (**figure 25.14**).

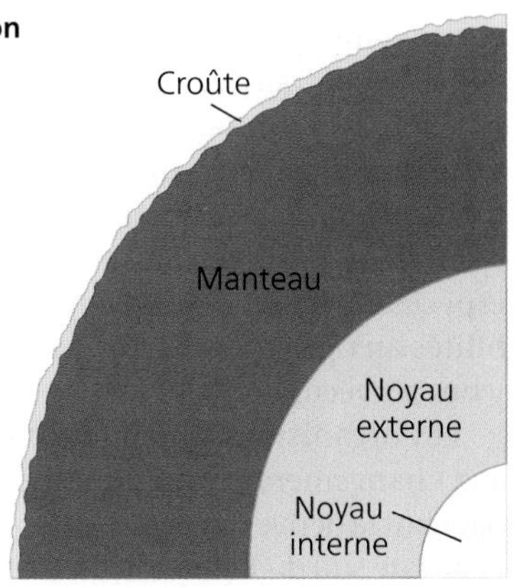

▶ **Figure 25.14 Vue en section de la Terre.** Ce schéma exagère l'épaisseur de la croûte terrestre.

Au fil du temps, des mouvements dans le manteau déplacent les plaques, entraînant ce qu'on appelle la *dérive des continents*. Les géologues peuvent mesurer la vitesse à laquelle les plaques se déplacent actuellement – en général, seulement quelques centimètres par année – et déduire l'emplacement antérieur de chaque continent en utilisant le signal magnétique enregistré dans les roches à l'époque de leur formation. Cette méthode fonctionne, car, lorsqu'un continent change de position au fil du temps, la direction du pôle Nord magnétique enregistré dans ses roches nouvellement formées change également.

La **figure 25.15** montre les grandes plaques tectoniques terrestres. De nombreux processus géologiques importants, notamment la formation des montagnes et des îles, se produisent en bordure de ces plaques. Dans certains cas, il y a divergence : deux plaques s'éloignent l'une de l'autre, comme les plaques de l'Amérique du Nord et de l'Eurasie, qui s'écartent actuellement d'environ 2 cm par année. Dans d'autres cas, deux plaques glissent l'une sur l'autre, déterminant des régions dans lesquelles les séismes sont fréquents. La tristement célèbre faille de San Andreas, en Californie, fait partie d'une zone de contact où deux plaques glissent l'une sur l'autre. Dans d'autres cas encore, deux plaques entrent en collision, et cette collision entraîne de violents bouleversements ainsi que la formation de montagnes qui surgissent aux limites des plaques. Un exemple spectaculaire de ce phénomène s'est produit il y a 45 millions d'années, lorsque la plaque indienne s'est écrasée sur la plaque eurasienne, entraînant la formation de la chaîne de l'Himalaya.

Les conséquences de la dérive des continents

Le déplacement des plaques tectoniques réorganise la géographie lentement mais sûrement, et ses effets cumulatifs sont spectaculaires. En plus de remodeler les caractéristiques physiques de notre planète, ce phénomène a des répercussions majeures sur la vie, car il modifie les habitats des organismes.

Examinez les changements que montre la **figure 25.16**. Il y a quelque 250 millions d'années, le déplacement des plaques a réuni les continents auparavant séparés pour former un supercontinent appelé **Pangée**. Les bassins océaniques se sont approfondis, ce qui a drainé les mers côtières. À l'époque, la plupart des espèces marines vivaient dans les eaux peu profondes, comme de nos jours, et la formation de la Pangée a détruit une bonne partie de cet habitat. De plus, le climat de l'intérieur de la Pangée était probablement encore plus froid et plus sec que celui de l'Asie centrale d'aujourd'hui. Globalement, la formation de la Pangée a eu un tel impact sur l'environnement physique et climatique qu'elle a entraîné l'extinction de certaines espèces et ouvert de nouvelles possibilités aux groupes d'organismes qui y ont survécu.

Les organismes sont soumis aussi aux changements climatiques accompagnant la dérive des continents. Ainsi, la pointe sud du Labrador, au Canada, qui se trouvait autrefois au niveau des tropiques, s'est déplacée de 40° vers le nord au cours de ces derniers 200 millions d'années. Lorsqu'ils affrontent les changements climatiques occasionnés par de tels déplacements, les organismes s'adaptent, migrent dans d'autres régions plus clémentes ou disparaissent (ce qui est arrivé à de nombreux organismes échoués en Antarctique, qui s'est séparé de l'Australie il y a 40 millions d'années).

La dérive des continents favorise également la spéciation allopatrique à grande échelle. Lorsque les mégacontinents se disloquent, des régions jusque-là reliées se retrouvent isolées. Les continents, qui dérivent depuis 200 millions d'années, sont devenus des chantiers distincts de l'évolution, chacun avec ses lignées de végétaux et d'animaux qui ont divergé de celles des autres continents.

Enfin, la dérive des continents nous aide à élucider certaines énigmes concernant la distribution géographique d'organismes aujourd'hui disparus. Par exemple, ce phénomène nous permet de comprendre pourquoi des fossiles de reptiles d'eau douce datant du Permien ont été découverts à la fois au Brésil et au Ghana, un État de l'Afrique occidentale. Ces deux régions, maintenant séparées par un océan large de 3 000 km, étaient alors réunies. La dérive des continents explique aussi en bonne partie la distribution des organismes vivant aujourd'hui. Ainsi, ce n'est pas un hasard si la faune et la flore australiennes sont si différentes de celles du reste du monde. Les mammifères marsupiaux, qui occupent en Australie les mêmes niches écologiques que les euthériens (mammifères placentaires) sur les autres continents (voir la figure 22.18), sont probablement d'abord apparus là où se trouve aujourd'hui l'Amérique du Nord ; ils ont ensuite atteint l'Australie en passant par l'Amérique du Sud et l'Antarctique alors que les continents étaient encore soudés. Après le morcellement des continents du Sud, l'Australie est devenue en quelque sorte l'« arche de Noé » des marsupiaux. Sur ce continent, les marsupiaux se sont diversifiés, alors que les quelques euthériens primitifs qui y vivaient se sont éteints ; sur d'autres continents, la majorité des marsupiaux se sont éteints, et ce sont les euthériens qui se sont diversifiés.

▼ **Figure 25.15 Les principales plaques tectoniques.** Les flèches indiquent la direction du déplacement, et les points orangés représentent les zones d'activité tectonique violente.

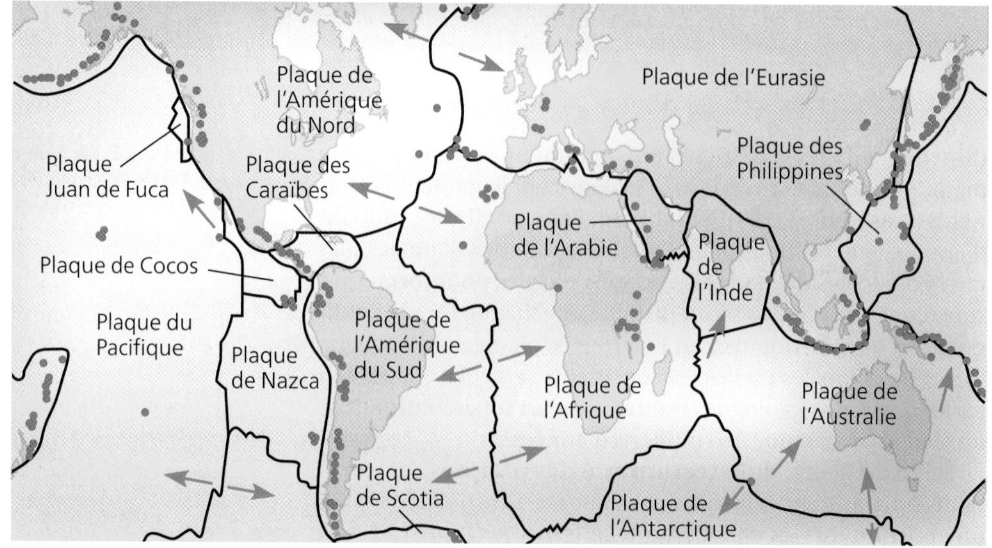

▼ **Figure 25.16 L'histoire de la dérive des continents au cours du Phanérozoïque.**

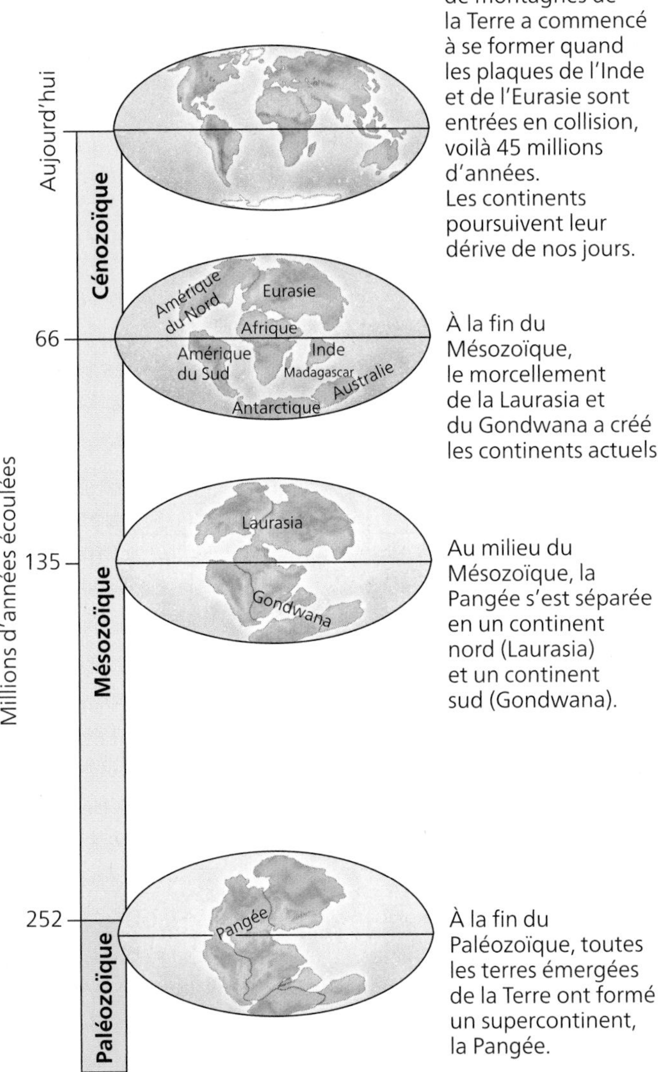

Aujourd'hui
Cénozoïque
Amérique du Nord
Eurasie
Afrique
Amérique du Sud
Inde
Madagascar
Australie
Antarctique
66
Millions d'années écoulées
Laurasia
135
Mésozoïque
Gondwana
252
Pangée
Paléozoïque
La plus jeune et la plus haute des grandes chaînes de montagnes de la Terre a commencé à se former quand les plaques de l'Inde et de l'Eurasie sont entrées en collision, voilà 45 millions d'années. Les continents poursuivent leur dérive de nos jours.
À la fin du Mésozoïque, le morcellement de la Laurasia et du Gondwana a créé les continents actuels.
Au milieu du Mésozoïque, la Pangée s'est séparée en un continent nord (Laurasia) et un continent sud (Gondwana).
À la fin du Paléozoïque, toutes les terres émergées de la Terre ont formé un supercontinent, la Pangée.

HABILETÉS VISUELLES ▶ Actuellement, la plaque de l'Australie (voir la figure 25.15) se déplace-t-elle dans la même direction que durant les 66 derniers millions d'années ?

Les extinctions massives

Les archives fossiles montrent que la très vaste majorité des espèces qui ont vécu sur Terre sont maintenant éteintes. Une espèce peut s'éteindre pour de nombreuses raisons. Son habitat peut avoir été détruit ou avoir subi des modifications néfastes pour ses membres. Par exemple, si la température de l'océan baisse ne serait-ce que de quelques degrés, des espèces qui étaient pourtant bien adaptées risquent d'être anéanties. Par ailleurs, même si les facteurs physiques du milieu demeurent stables, les facteurs biologiques peuvent varier ; le milieu dans lequel vit une espèce compte d'autres organismes, et un changement attribuable à l'évolution d'une espèce est susceptible de se répercuter sur d'autres espèces.

Des extinctions se sont produites et se produisent encore régulièrement, mais à certains moments des perturbations environnementales d'envergure planétaire ont accru le taux d'extinction de manière spectaculaire. Lorsqu'un nombre considérable d'espèces disparaît soudainement de la surface de la Terre, on parle d'**extinction massive**.

Les cinq grandes extinctions massives

Les archives fossiles révèlent l'existence de cinq extinctions massives depuis 500 millions d'années (**figure 25.17**). Ces événements sont particulièrement bien documentés pour ce qui est des animaux à corps dur qui colonisaient les mers peu profondes, et pour lesquels les archives fossiles sont les plus complètes. Au moins 50 % des espèces marines sont disparues lors de chacune de ces extinctions massives.

Les deux extinctions massives les plus étudiées sont celles du Permien et du Crétacé. L'extinction massive du Permien, qui marque la limite entre le Paléozoïque et le Mésozoïque (il y a de cela 252 millions d'années), a entraîné la disparition d'environ 96 % des espèces d'animaux marins, ce qui a changé radicalement la vie océanique. La vie terrestre a aussi été touchée ; 8 ordres d'insectes sur 27 ont été éliminés. Cette phase de disparitions a duré moins de 500 000 ans – peut-être même beaucoup moins –, un bref instant à l'échelle du temps géologique.

L'extinction massive du Permien s'est produite durant la période d'activité volcanique la plus intense en 500 millions d'années. Les données géologiques indiquent qu'en Sibérie, une superficie de 1,6 million de km^2 (environ la moitié de la taille de l'Europe occidentale) a été recouverte alors d'une couche de lave d'une épaisseur de plusieurs centaines de mètres. On estime que les éruptions auraient produit suffisamment de dioxyde de carbone (CO_2) pour réchauffer le climat planétaire de 6 °C, nuisant ainsi à beaucoup d'espèces sensibles à la température. L'augmentation de la concentration de CO_2 dans l'atmosphère aurait également entraîné l'acidification des océans, et par conséquent une moindre disponibilité du carbonate de calcium, un composé essentiel au corail constructeur de récifs et à bon nombre d'espèces qui synthétisent leur coquille (voir la figure 3.12). Les éruptions volcaniques auraient également introduit des nutriments tels que le phosphore dans les écosystèmes marins, stimulant alors la croissance de microorganismes. Une fois morts, ces microorganismes auraient servi de nourriture aux décomposeurs bactériens. Comme les bactéries utilisent de l'oxygène (O_2) pour décomposer des cadavres d'organismes, les concentrations d'O_2 atmosphérique et aquatique auraient diminué. Cette baisse de la quantité d'O_2 aurait à son tour entraîné la suffocation des organismes qui l'utilisent et favorisé la croissance de bactéries anaérobies qui dégagent du sulfure d'hydrogène (H_2S), un sous-produit métabolique toxique. Dans l'ensemble, les éruptions volcaniques ont donc pu provoquer une série d'événements catastrophiques qui, collectivement, auraient causé l'extinction massive du Crétacé.

L'extinction massive du Crétacé s'est produite il y a 66 millions d'années. Au cours de cet événement, plus de la moitié des espèces marines a été exterminée, et de nombreuses familles de végétaux et d'animaux terrestres ont disparu (surtout ceux de grande taille), notamment tous les dinosaures (sauf les oiseaux, qui appartiennent au même groupe ; voir la figure 34.25). Un des indices de cette extinction massive réside probablement dans la mince couche d'argile riche en iridium qui existait alors. Dans cette couche, la concentration en iridium est près de 100 fois supérieure à sa teneur habituelle. Or, cet élément, très rare sur la Terre, entre dans la constitution de nombreux météorites et

▶ **Figure 25.17 Les extinctions massives et la diversité de la vie.** Les cinq extinctions massives généralement reconnues sont indiquées par les flèches rouges. Elles représentent les pics du taux d'extinction des familles d'animaux marins (courbe rouge et ordonnée de gauche). Ces extinctions massives ont interrompu l'accroissement constant du nombre de familles d'animaux marins (courbe bleue et ordonnée de droite).

INTERPRÉTEZ LES DONNÉES ▶ Comme mentionné dans le texte, on estime que 96 % des espèces animales marines ont disparu durant l'extinction massive du Permien (fin de l'ère du Paléozoïque). Expliquez pourquoi la courbe bleue n'indique qu'un déclin de 50 % à ce moment.

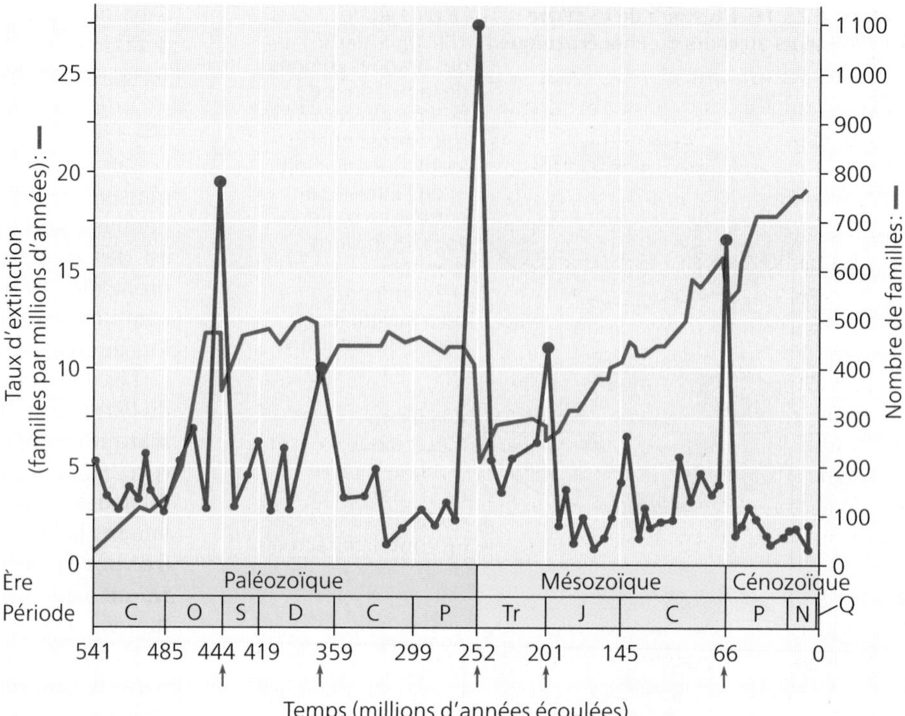

autres corps célestes qui s'abattent occasionnellement sur notre planète. Selon ce qu'ont proposé des chercheurs en 1980, cette argile pourrait provenir d'un gigantesque nuage de débris formé dans l'atmosphère à la suite d'une collision entre la Terre et un astéroïde ou une grosse comète. Ce nuage aurait fait écran à la lumière solaire et perturbé gravement le climat planétaire durant plusieurs mois.

Avons-nous des preuves de l'existence d'un tel astéroïde ou d'une telle comète ? Jusqu'ici, les recherches ont porté principalement sur le cratère de Chicxulub, une cicatrice vieille de 66 millions d'années découverte sous des sédiments, au large de la côte du Yucatán, au Mexique (**figure 25.18**). D'un diamètre d'environ 180 km, ce cratère pourrait avoir été creusé par un corps céleste d'un diamètre de 10 km. Les scientifiques poursuivent leur évaluation critique de cette possibilité et étudient d'autres hypothèses relatives aux extinctions massives.

La sixième vague d'extinctions massives est-elle déjà en cours ?

Comme nous le verrons au concept 56.1, les activités humaines – notamment la destruction des habitats – modifient à tel point l'environnement planétaire que de nombreuses espèces sont menacées d'extinction. Depuis 400 ans, plus de 1 000 espèces ont disparu ; et les scientifiques estiment que ce taux d'extinction est de 100 à 1 000 fois plus important que le taux de base historique que révèlent les archives fossiles. Une sixième extinction massive est-elle en cours ? Il est malaisé de répondre à cette question, en partie parce qu'il est difficile de documenter le nombre total d'extinctions qui ont lieu en ce moment. Ainsi, les forêts tropicales humides hébergent de nombreuses espèces qui n'ont pas encore été découvertes. La destruction des forêts tropicales peut donc entraîner l'extinction d'espèces dont nous ne connaissons pas encore l'existence. Dans ces conditions, il est donc compliqué d'évaluer l'ampleur de la crise actuelle. Il est

▼ **Figure 25.18 Choc pour la vie au Crétacé.** Vieux de 66 millions d'années, le cratère de Chicxulub se trouve dans la mer des Caraïbes, près de la péninsule du Yucatán, au Mexique. Sa forme de fer à cheval et la configuration des débris dans les roches sédimentaires indiquent que l'astéroïde ou la comète a frappé la Terre de biais, selon l'axe sud-est. L'illustration représente l'impact et son effet immédiat, un nuage de vapeur chaude et de débris susceptible, d'après certains scientifiques, d'avoir tué la plupart des végétaux et des animaux de l'Amérique du Nord en quelques heures.

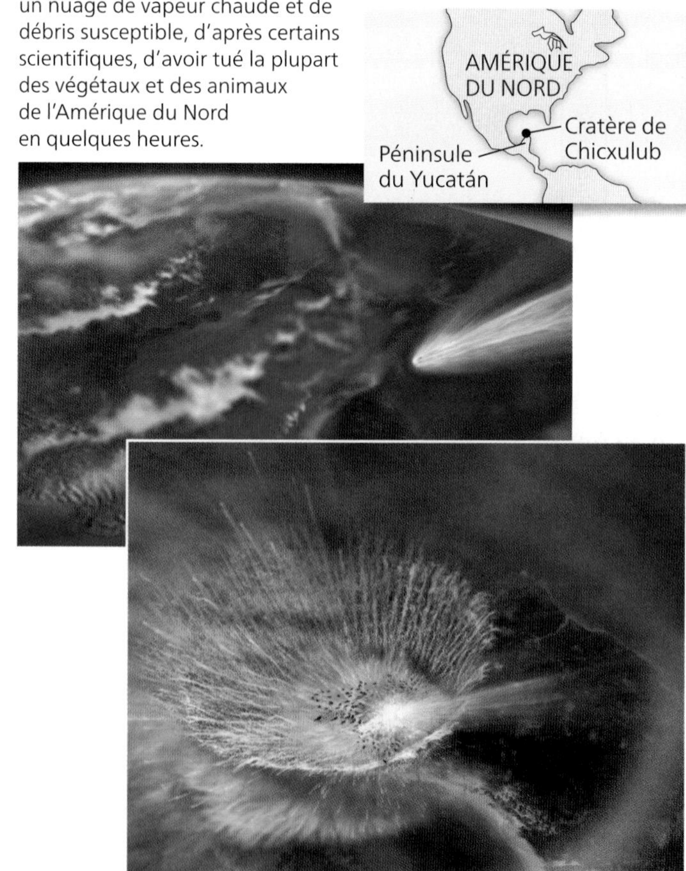

évident qu'à ce jour les pertes n'ont pas atteint le niveau des cinq épisodes d'extinctions massives précédents, mais ce n'est pas une raison pour sous-estimer la gravité de la situation actuelle. Les programmes de surveillance montrent que de nombreuses espèces déclinent à une vitesse alarmante à cause de la perte d'habitats, de l'introduction d'espèces, de la surpêche et d'autres facteurs. De récentes études sur les ours blancs, les pins et d'autres espèces animales et végétales donnent à penser que les changements climatiques pourraient hâter le déclin de certaines de ces espèces. Les archives fossiles attirent également notre attention sur l'importance capitale des changements climatiques : depuis 500 millions d'années, les taux d'extinction tendent à augmenter lorsque les températures planétaires sont élevées (**figure 25.19**). Dans l'ensemble, la littérature scientifique indique clairement que si nous ne prenons pas des mesures énergiques pour corriger la situation, une sixième extinction, celle-là d'origine humaine, risque de se produire d'ici quelques siècles ou quelques millénaires.

Les conséquences des extinctions massives

Les extinctions massives sont lourdes de conséquences à long terme. Frappée par la disparition d'un grand nombre d'espèces, une communauté écologique auparavant complexe et prospère n'est plus que l'ombre d'elle-même. Une fois disparue, une lignée évolutive ne peut pas réapparaître ; le cours de l'évolution est changé à jamais. Pensez à ce qui serait arrivé si les premiers primates, qui vivaient il y a 66 millions d'années, avaient disparu lors de l'extinction massive du Crétacé. Les êtres humains n'existeraient pas, et la vie sur Terre serait complètement différente de ce qu'elle est aujourd'hui.

Les archives fossiles nous disent que, après une extinction massive, il faut généralement de 5 à 10 millions d'années pour que la diversité de la vie retrouve son état antérieur. Dans certains cas, la récupération s'étend sur une période beaucoup plus longue : ainsi, il a fallu 100 millions d'années pour que le nombre de familles d'organismes marins revienne à son niveau d'avant l'extinction massive du Permien (voir la figure 25.17). Ces données donnent à réfléchir. Si les tendances actuelles se maintiennent et qu'une sixième extinction massive se produit, la vie sur Terre mettra des millions d'années à récupérer.

Les extinctions massives peuvent également bouleverser des niches écologiques en changeant le type d'organismes qui s'y trouvent. Ainsi, après les extinctions massives du Permien et du Crétacé, le pourcentage des organismes marins prédateurs a considérablement augmenté (**figure 25.20**). Une augmentation du nombre de prédateurs accroît les risques pour les proies, de même que la concurrence entre les prédateurs. Les extinctions massives peuvent aussi éliminer des lignées porteuses de caractères très avantageux. Ainsi, à la fin de la période du Trias est apparu un groupe de gastéropodes (escargots et espèces apparentées) capables de percer les coquillages des mollusques bivalves (comme les palourdes) pour se nourrir des hôtes qu'ils abritent. Or, même si le percement des coquillages lui assurait une source nouvelle et abondante de nourriture, ce groupe nouvellement formé a été rayé de la carte lors de l'extinction massive de la fin du Trias (il y a de cela environ 200 millions d'années). Il a fallu 120 millions d'années pour qu'apparaisse un autre groupe de gastéropodes capables de percer des coquillages (*Urosalpinx cinerea* ou « perceur d'huîtres »). Comme leurs prédécesseurs l'auraient fait s'ils n'étaient pas apparus au mauvais moment, les perceurs d'huîtres se sont diversifiés et ont engendré de nombreuses espèces. Enfin, en éliminant autant d'espèces, les extinctions massives peuvent déclencher des radiances adaptatives permettant à de nouveaux groupes d'organismes de proliférer.

▼ Figure 25.19 Archives fossiles, extinctions et température. Le taux d'extinction des espèces coïncide avec l'augmentation de la température planétaire. Les scientifiques estiment cette dernière à l'aide des ratios d'isotopes de l'oxygène et la convertissent en un indice où 0 correspond à la température planétaire moyenne.

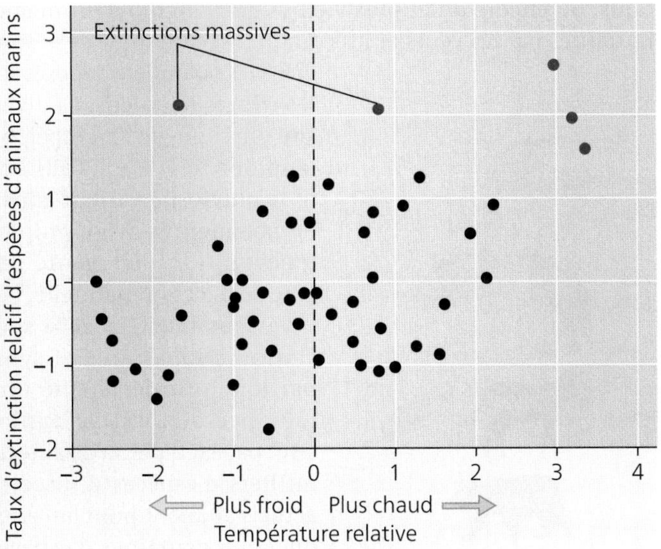

Les radiances adaptatives

Les archives fossiles montrent que la diversité de la vie s'est accrue depuis 250 millions d'années (voir la courbe bleue de la figure 25.17). Cet accroissement a été alimenté par des **radiances adaptatives**, c'est-à-dire des périodes de changement évolutif durant lesquelles des groupes d'organismes engendrent de nouvelles espèces dotées d'adaptations qui leur permettent d'occuper des niches écologiques différentes dans leur communauté. Chacune des cinq grandes périodes d'extinctions massives a été suivie de radiances adaptatives intenses durant lesquelles les survivants se sont adaptés aux nombreuses niches écologiques vacantes. Des radiances adaptatives ont également eu lieu dans des groupes d'organismes qui expérimentaient de grandes innovations évolutives – comme l'apparition des graines ou celle des carapaces servant d'armures – ou qui ont colonisé des régions où il y avait peu de concurrence des autres espèces.

Les radiances adaptatives mondiales

Les archives fossiles indiquent que les mammifères ont subi une radiance adaptative spectaculaire après l'extinction des dinosaures terrestres, il y a de cela 66 millions d'années (**figure 25.21**). Bien que les mammifères soient apparus il y a environ 180 millions d'années, les fossiles de ceux qui vivaient il y a plus de 66 millions d'années attestent que la plupart d'entre eux étaient petits et morphologiquement peu différenciés. De nombreuses espèces semblent avoir été nocturnes si l'on se fie à leurs grandes orbites, semblables à celles de leurs congénères actuels. Certains des premiers mammifères étaient de taille intermédiaire – comme le *Repenomamus giganticus*, un prédateur de 1 m de long

▶ **Figure 25.20 Les extinctions massives et l'écologie.** Les extinctions massives du Permien et du Crétacé (indiquées par les flèches rouges) ont modifié l'écologie des océans en augmentant le pourcentage de genres marins prédateurs.

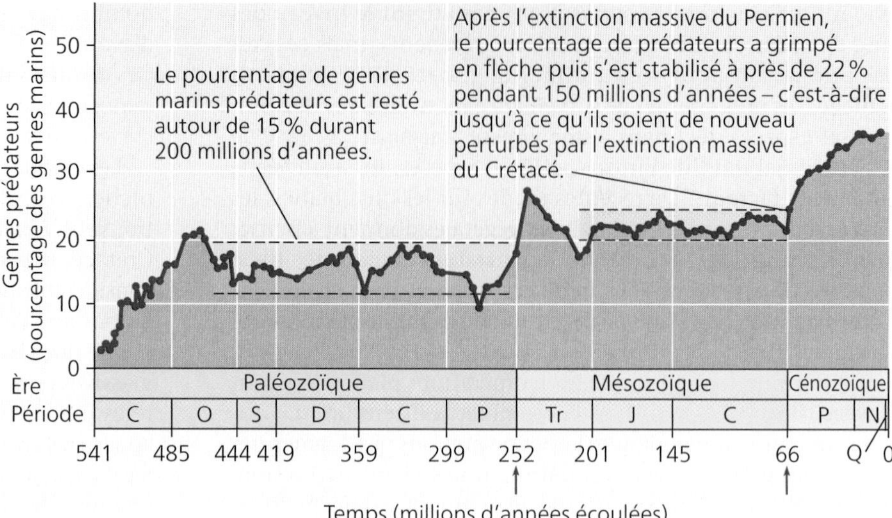

qui vivait il y a 130 millions d'années –, mais aucun n'approchait la taille des grands dinosaures. La petite taille et le peu de diversité des premiers mammifères s'expliqueraient par le fait que les dinosaures, plus grands et plus diversifiés, les dévoraient ou leur livraient une concurrence féroce. Après la disparition de la totalité des dinosaures (sauf les oiseaux), les mammifères ont pris de l'envergure et se sont considérablement diversifiés, remplissant dorénavant les rôles écologiques jusque-là tenus par les dinosaures terrestres.

L'histoire de la vie a également été profondément bouleversée par les radiances de groupes d'organismes qui ont grandi et se sont diversifiés à mesure qu'ils jouaient de nouveaux rôles écologiques dans leurs communautés. Nous en verrons plusieurs exemples dans des chapitres ultérieurs, dont l'ascension des procaryotes photosynthétiques, l'évolution des grands prédateurs durant l'explosion cambrienne et les radiances qui ont suivi la colonisation des terres par les végétaux, les insectes et les tétrapodes. Chacune de ces trois radiances a été associée à des innovations évolutives majeures qui ont facilité la vie sur la Terre. Ainsi, la radiance des plantes terrestres a été associée à des adaptations cruciales, comme l'apparition des tiges, qui permettent aux végétaux de se dresser malgré l'attraction terrestre, et de la couche cireuse qui protège les feuilles de l'évaporation. Enfin, les organismes qui apparaissent à la faveur d'une radiance adaptative peuvent devenir une nouvelle source de nourriture pour d'autres organismes encore. En fait, la diversification des plantes terrestres a stimulé toute une série de radiances adaptatives chez les insectes qui mangeaient ou pollinisaient les végétaux – l'une des raisons qui expliquent que les insectes soient aujourd'hui le groupe animal le plus diversifié sur Terre.

Les radiances adaptatives régionales

D'impressionnantes radiances adaptatives se sont aussi produites à une échelle plus réduite. Ces radiances régionales peuvent s'amorcer lorsque quelques organismes se fraient un chemin jusqu'à un autre endroit, souvent distant, où la concurrence des autres organismes est relativement faible. Les îles volcaniques Hawaï sont parmi les plus grandes vitrines de la radiance adaptative (**figure 25.22**). Elles sont situées à environ 3 500 km du continent le plus proche et très éloignées de tout autre archipel. À mesure qu'on se dirige du nord-ouest au sud-est de l'archipel, les îles sont de plus en plus récentes ; la plus jeune et la plus grande, Hawaï, date de moins d'un million d'années et abrite des volcans encore actifs. Les terres totalement dénudées de ces îles ont été progressivement colonisées par des individus égarés provenant d'îles ou de continents lointains, ou encore d'îles plus vieilles que l'archipel lui-même. Entraînés par les vents et les courants océaniques, ils se sont échoués ou ont été déposés sur les rivages hawaïens. La diversité physique de l'archipel, où les propriétés du sol, l'altitude et la pluviosité varient considérablement, s'avère propice à l'évolution divergente par voie de sélection naturelle. Les invasions répétées et la spéciation allopatrique et sympatrique ont déclenché une radiance adaptative explosive : par exemple, la dizaine de milliers d'espèces d'insectes actuels auraient pour ancêtres quelques centaines d'espèces

▼ **Figure 25.21 La radiance adaptative des mammifères.**

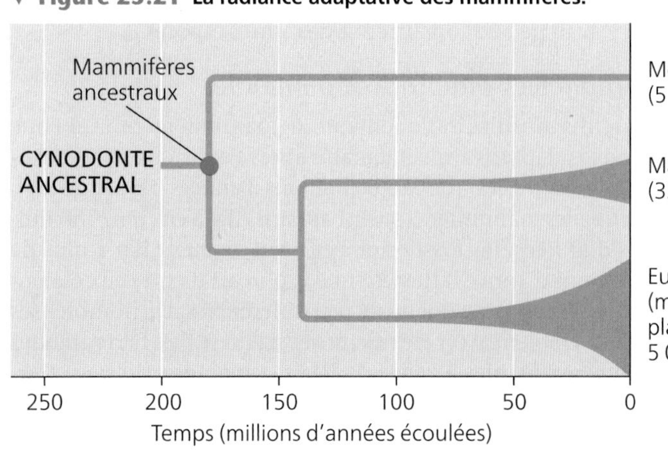

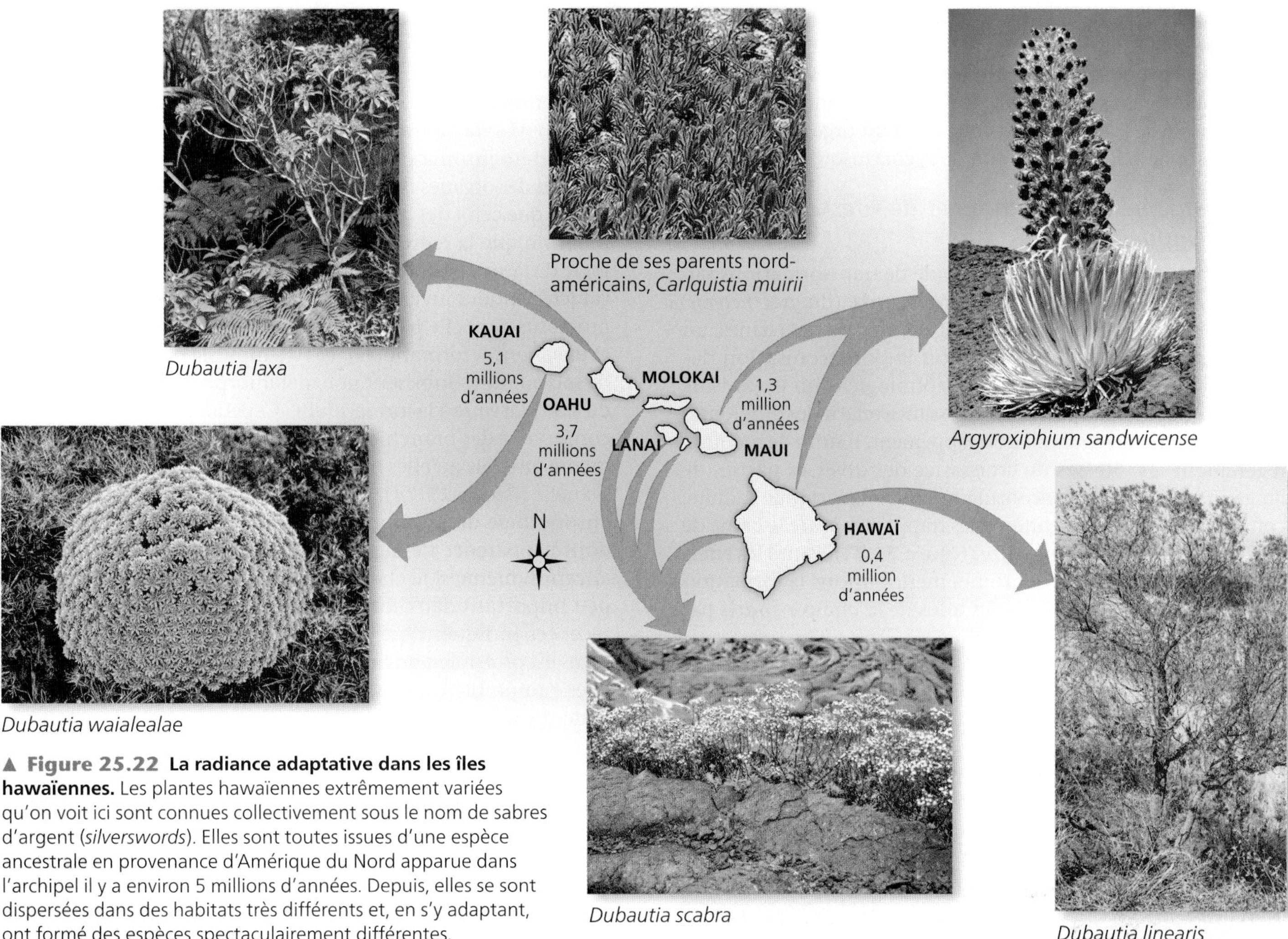

▲ **Figure 25.22 La radiance adaptative dans les îles hawaïennes.** Les plantes hawaïennes extrêmement variées qu'on voit ici sont connues collectivement sous le nom de sabres d'argent (*silverswords*). Elles sont toutes issues d'une espèce ancestrale en provenance d'Amérique du Nord apparue dans l'archipel il y a environ 5 millions d'années. Depuis, elles se sont dispersées dans des habitats très différents et, en s'y adaptant, ont formé des espèces spectaculairement différentes.

seulement. Sur les milliers d'espèces végétales et animales qui peuplent les îles, la plupart sont endémiques (elles ne se trouvent nulle part ailleurs sur la planète). On estime ainsi que les îles hawaïennes comptent environ 1 100 espèces uniques à ces territoires. Malheureusement, à l'heure actuelle, bon nombre d'entre elles sont menacées d'extinction à cause d'activités humaines, telles la destruction d'habitats et l'introduction d'espèces végétales non indigènes.

RETOUR SUR LE CONCEPT 25.4

1. Expliquez les conséquences de la tectonique des plaques pour la vie sur la Terre.
2. Quels facteurs favorisent les radiances adaptatives ?
3. **ET SI ?** ▶ Supposons qu'une espèce d'invertébrés disparaît lors d'une extinction de masse causée par une catastrophe soudaine. Le moment de la dernière apparition de cette espèce dans les archives fossiles serait-il forcément proche du moment où l'extinction a eu lieu ? La réponse à cette question différerait-elle selon qu'il s'agit d'une espèce rare ou d'une espèce commune ? Expliquez votre réponse.

Voir les réponses proposées à l'appendice A.

CONCEPT **25.5**

Des variations dans la séquence ou la régulation de gènes développementaux peuvent entraîner des modifications morphologiques majeures

Les archives fossiles nous apprennent ce qu'ont été les grands changements dans l'histoire du vivant, et où ils se sont produits. De plus, à la lumière des phénomènes comme la tectonique des plaques, les extinctions massives et la radiance adaptative, nous avons acquis une bonne idée de la façon dont ces changements se sont amorcés. Mais nous pouvons aussi chercher à comprendre les mécanismes biologiques intrinsèques qui sous-tendent les changements observés dans les archives fossiles. Pour ce faire, nous nous tournerons vers les mécanismes génétiques de l'évolution, et plus particulièrement les gènes qui régissent le développement.

L'effet des gènes développementaux

Comme on l'a vu au concept 21.6, les recherches interdisciplinaires dans les domaines reliés à la biologie de l'évolution et à la biologie du développement montrent comment de légères variations génétiques peuvent se traduire par des divergences morphologiques importantes entre les espèces. En particulier, de grandes différences morphologiques peuvent résulter de gènes qui influent sur la vitesse, le déclenchement et l'organisation spatiale des changements que subit un organisme durant son développement, depuis l'état de zygote jusqu'à l'âge adulte.

Les changements de rythme et de vitesse du développement

L'évolution s'accompagne d'une foule de transformations saisissantes qui résultent de l'**hétérochronie** (du grec *heteros*, « différent », et *khrônos*, « temps ») ; c'est, en d'autres termes, un changement touchant la vitesse ou la synchronisation des étapes du développement. La morphologie d'un organisme dépend en partie du rythme de croissance relatif des différentes parties du corps au cours du développement. Il suffit de modifier légèrement les vitesses de croissance des diverses parties de l'organisme pour changer considérablement la forme de l'adulte, comme le montrent les différences frappantes entre le crâne de l'humain et celui du chimpanzé (**figure 25.23**). Parmi les effets spectaculaires de l'hétérochronie, mentionnons la formation de la structure squelettique des ailes de la chauve-souris par suite de l'accélération de la croissance des os des doigts (voir la figure 22.15). Il en est de même de la réduction puis de la disparition des membres inférieurs chez la baleine, qui résultent du ralentissement de la croissance des os de la jambe et de l'os pelvien (voir la figure 22.20).

L'hétérochronie peut aussi modifier la vitesse du développement des organes reproducteurs. Si ce développement est plus rapide que celui des organes somatiques (destinés à toute autre fonction que la reproduction), il est probable que la morphologie de l'espèce parvenue à la maturité sexuelle conservera des caractéristiques juvéniles typiques d'une espèce ancestrale. Ce processus s'appelle **pédomorphose** (du grec *paedos*, « enfant », et *morphosis*, « formation »). Par exemple, la plupart des espèces de salamandres subissent une métamorphose qui les fait passer du stade larvaire à la forme adulte. Cependant, certaines espèces conservent des branchies et d'autres caractéristiques larvaires même une fois qu'elles ont atteint la taille adulte et la maturité sexuelle (**figure 25.24**). À la limite, une telle modification de la chronologie du développement peut produire des individus dont l'apparence s'éloigne considérablement de celle de leurs ancêtres, même si le changement génétique qui a eu lieu reste peu important dans son ensemble. En effet, des découvertes récentes indiquent que la modification génétique d'un seul locus est probablement suffisante pour causer la pédomorphose chez l'amphibien axolotl, bien que d'autres gènes puissent également y contribuer.

▼ **Figure 25.23 Les croissances relatives du crâne chez le chimpanzé et chez l'humain.** Dans la lignée évolutive des humains, les mutations ont ralenti la croissance de la mâchoire par rapport aux autres parties du crâne. Résultat : il y a moins de différences entre le crâne de l'humain adulte et le crâne de l'humain nouveau-né qu'entre le crâne du chimpanzé adulte et celui du chimpanzé nouveau-né.

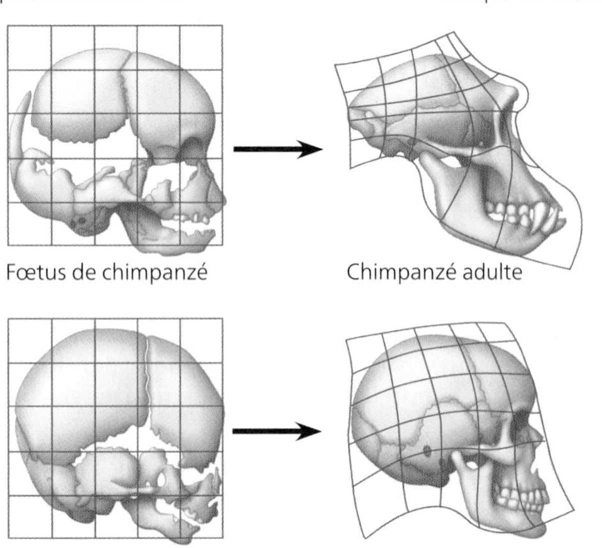

Les changements d'ordre spatial

Les changements évolutifs substantiels peuvent aussi résulter de modifications dans les gènes qui régissent l'organisation spatiale des diverses parties du corps. Par exemple, comme nous l'avons vu au concept 18.1, les **gènes homéotiques** déterminent les caractéristiques fondamentales de l'emplacement d'une paire d'ailes et d'une paire de pattes sur le corps d'un oiseau, ou encore la disposition des parties florales d'une plante.

Les produits d'une catégorie particulière de gènes homéotiques (les gènes *Hox*) fournissent des renseignements sur la position des cellules de l'embryon animal. Cette information pousse les cellules à se développer de façon à former les structures

▼ **Figure 25.24 La pédomorphose.** Certaines espèces conservent à l'âge adulte des caractéristiques propres au stade juvénile chez leurs ancêtres. Cette salamandre, l'axolotl (*Ambystoma mexicanum*), garde certaines caractéristiques larvaires (du têtard), notamment des branchies, même après avoir atteint sa maturité sexuelle.

correspondant à un endroit particulier du corps. Les changements qui touchent les gènes *Hox* ou la façon dont ils s'expriment peuvent avoir des répercussions morphologiques importantes. Ainsi, chez les crustacés, il y a une corrélation entre la transformation d'un appendice natatoire en un appendice d'alimentation et la région du corps dans laquelle s'expriment deux gènes *Hox* (*Ubx* et *Scr*). On observe aussi des effets importants chez les serpents, où des variations dans l'expression de deux gènes *Hox* (*HoxC6* et *HoxC8*) suppriment la formation des membres. De même, la comparaison de certaines espèces végétales révèle que des changements dans l'expression de gènes homéotiques appelés gènes *MADS-box* peuvent produire des fleurs dont la forme est complètement différente (voir le concept 35.5).

L'évolution du développement

Les fossiles vieux de 560 millions d'années de la faune de l'Édiacarien (figure 25.5) laissent penser que, 25 millions d'années avant l'explosion du Cambrien, il existait déjà un ensemble de gènes suffisant pour produire des animaux complexes. Si ces gènes existaient depuis aussi longtemps, comment expliquer le boom stupéfiant de la diversité durant et après l'explosion du Cambrien ?

L'évolution adaptative par la sélection naturelle répond à cette question. Comme on l'a vu tout au long de cette partie, la sélection peut améliorer rapidement des adaptations en triant les différences dans les séquences des gènes codant pour des protéines. De plus, de nouveaux gènes (créés par des phénomènes de duplication) peuvent assumer de nouvelles fonctions métaboliques et structurales, tout comme le font des gènes existants, mais régis d'une nouvelle manière.

Les exemples de la section précédente montrent que les gènes développementaux peuvent jouer un rôle particulièrement important. Nous allons donc nous pencher sur la régulation de ces gènes développementaux pour voir comment des variations dans les séquences nucléotidiques peuvent produire de nouvelles formes morphologiques.

Les changements dans les séquences de gènes

Les nouveaux gènes développementaux apparus à la suite de phénomènes de duplication ont probablement facilité l'apparition de nouveaux types morphologiques. Mais, comme d'autres variations génétiques peuvent également se produire, il est souvent difficile d'établir des liens de causalité entre les variations génétiques et les changements morphologiques survenus dans un lointain passé.

Cet obstacle a été contourné dans une étude récente portant sur les variations développementales associées à la divergence des insectes à six pattes de leurs ancêtres les crustacés, qui avaient plus de six pattes. (Comme on le verra au concept 33.4, les insectes viennent d'un sous-groupe des crustacés, dont font partie les crevettes, les crabes et les homards.) Les chercheurs ont constaté les différences qui existent entre les crustacés et les insectes quant au mode d'expression du gène *Ubx* et quant à ses effets. En particulier, lorsque le gène *Ubx* s'exprime chez l'insecte, il supprime la formation de pattes (**figure 25.25**). Pour examiner le fonctionnement de ce gène, des chercheurs ont cloné le gène *Ubx* d'un insecte (la mouche à fruits *Drosophila*) et le gène *Ubx* d'un crustacé (la crevette *Artemia*). Puis, ils ont modifié génétiquement des embryons de mouches à fruits afin qu'ils puissent exprimer dans leur corps soit le gène *Ubx* de *Drosophila*, soit le gène *Ubx* d'*Artemia*. Comme prévu, le gène de *Drosophila* a supprimé 100 % des membres des embryons, tandis que le gène d'*Artemia* en a supprimé seulement 15 %.

Les chercheurs ont ensuite voulu découvrir les principales étapes de la transition évolutive d'un gène d'ancêtre *Ubx* à un gène d'insecte *Ubx*. Leur approche consistait à trouver les mutations qui amèneraient le gène *Artemia Ubx* à supprimer la formation de pattes – autrement dit, à se comporter comme le gène *Ubx* des insectes. Pour ce faire, ils ont construit une série de gènes *Ubx* « hybrides » contenant chacun des segments connus du gène *Drosophila Ubx* et des segments connus du gène *Artemia Ubx*. En insérant ces gènes hybrides dans des embryons de mouche à fruits (un gène hybride par embryon) et en observant leurs effets sur la formation des pattes, les chercheurs ont pu déterminer très précisément quelles variations dans les acides aminés étaient responsables de la suppression des membres en surnombre chez les insectes. En parvenant à ce résultat, ces chercheurs ont fourni la preuve qu'une variation dans la séquence nucléotidique d'un gène développemental a contribué à un changement évolutif majeur : l'origine de la structure du corps de l'insecte à six pattes.

Les changements dans la régulation des gènes

Une variation dans la séquence nucléotidique d'un gène peut modifier le fonctionnement de ce gène partout où il s'exprime, tandis que les variations dans la régulation de l'expression des gènes peuvent se limiter à un seul type de cellules (voir le

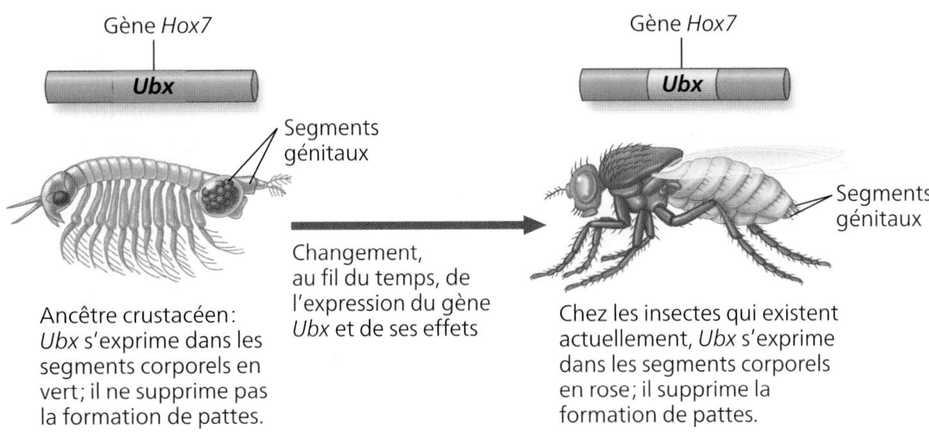

Gène *Hox7*
Ubx
Segments génitaux
Ancêtre crustacéen : *Ubx* s'exprime dans les segments corporels en vert ; il ne supprime pas la formation de pattes.
Changement, au fil du temps, de l'expression du gène *Ubx* et de ses effets
Gène *Hox7*
Ubx
Segments génitaux
Chez les insectes qui existent actuellement, *Ubx* s'exprime dans les segments corporels en rose ; il supprime la formation de pattes.

▶ **Figure 25.25 Effets d'*Ubx*, un gène *Hox*, sur le plan d'organisation corporelle d'un insecte.** Chez les crustacés, le gène *Ubx* s'exprime dans la région indiquée ici en vert, c'est-à-dire dans les segments corporels situés entre la tête et les parties génitales. Chez les insectes, en revanche, *Ubx* s'exprime seulement dans un sous-groupe des mêmes segments corporels (en rose), où il supprime la formation de pattes.

concept 18.4). C'est pourquoi une variation dans la régulation d'un gène développemental cause généralement moins d'effets secondaires néfastes qu'une variation de la séquence du gène. Cette observation a amené des chercheurs à penser que les changements morphologiques des organismes résultent souvent de mutations qui modifient la régulation des gènes développementaux – et non leurs séquences.

Cette idée est appuyée par des études sur diverses espèces, notamment l'épinoche à trois épines (*Gasterosteus aculeatus*), un poisson qui vit aussi bien en pleine mer que dans les eaux côtières saumâtres et peu profondes. Dans l'Ouest du Canada, les épinoches vivent aussi dans les lacs qui se sont formés près du littoral au cours des 12 000 dernières années, à mesure que celui-ci reculait. L'épinoche marine est munie d'une paire d'épines sur sa face ventrale, des appendices servant à repousser certains prédateurs. En revanche, les épinoches vivant dans les lacs où elles n'ont pas de prédateur et dont la teneur en calcium est faible ont des épines moins développées. Il arrive même qu'elles aient complètement disparu. Cette réduction de taille ou cette disparition s'expliquerait par l'inutilité de tels appendices dans des milieux dépourvus de prédateurs où le calcium, disponible en quantité limitée, peut être utilisé à d'autres fins.

Sur le plan génétique, on savait que le gène développemental *Pitx1* influait sur la présence ou l'absence d'épines ventrales chez l'épinoche. Mais la réduction de la dimension des épines chez certaines populations lacustres s'expliquait-elle par des variations structurales du gène *Pitx1* ou par des variations de son expression (**figure 25.26**) ? Les résultats des chercheurs indiquent que c'est la régulation de l'expression génétique qui est en cause, et non la séquence d'ADN du gène. De plus, chez l'épinoche lacustre, le gène *Pitx1* s'exprime dans des tissus qui ne sont pas liés à la production d'épines (la bouche, par exemple), ce qui montre comment un changement morphologique peut résulter de la modification de l'expression d'un gène développemental dans certaines parties du corps, mais pas dans d'autres. Dans une étude subséquente effectuée en 2010, les chercheurs ont montré qu'une variation dans la séquence activatrice de *Pel*, une région d'ADN non codant qui influe sur l'expression du gène *Pitx 1*, a causé le rétrécissement des épines ventrales chez l'épinoche lacustre. Dans l'ensemble, les résultats des études sur l'épinoche lacustre montrent clairement et de façon détaillée qu'un changement dans la régulation d'un gène peut entraîner un changement dans la forme d'un organisme et aboutir, avec le temps, à un changement évolutif au sein d'une population.

RETOUR SUR LE CONCEPT 25.5

1. Comment diverses formes du corps peuvent-elles résulter de l'hétérochronie ?
2. Pourquoi les gènes *Hox* auraient-ils probablement joué un rôle majeur dans l'évolution de nouvelles formes morphologiques ?
3. **FAITES DES LIENS ▶** Étant donné que les changements morphologiques résultent souvent de variations dans la régulation de l'expression des gènes, diriez-vous qu'il est probable que l'ADN non codant soit modifié par la sélection naturelle ? Relisez le concept 18.3, qui traite de l'ADN non codant et de la régulation de l'expression des gènes.

Voir les réponses proposées à l'appendice A.

CONCEPT **25.6**

L'évolution ne poursuit aucun objectif

Que nous apprend l'étude de la macroévolution sur le fonctionnement de l'évolution ? L'une des leçons à retenir est qu'au cours de l'histoire de la vie l'origine des nouvelles espèces a été déterminée simultanément par deux groupes de facteurs. Les premiers, dont nous avons traité au concept 23.3, agissent à petite échelle (comme l'action de la sélection naturelle, qui agit sur des populations). Quant aux seconds, qui sont décrits dans le présent chapitre, ils agissent à grande échelle (comme la dérive des continents qui favorise des poussées de spéciation sur toute la planète). De plus, pour paraphraser le généticien et Prix Nobel François Jacob, l'évolution est une sorte de bricolage – un processus au cours duquel de nouvelles formes émergent à la suite de modifications répétées des structures existantes ou des gènes influant sur le développement. Avec le temps, ce genre de bricolage a mené aux trois grandes caractéristiques du monde naturel énumérées au chapitre 22 : la façon frappante dont les organismes sont adaptés à la vie dans leur environnement, les nombreuses caractéristiques communes (l'unité) du vivant et la très grande diversité du vivant.

Les innovations de l'évolution

La façon de voir l'évolution de François Jacob nous ramène au concept darwinien de la descendance avec modification. Lorsqu'une nouvelle espèce se forme, des structures inédites et complexes peuvent apparaître à la suite de modifications graduelles des structures ancestrales. Dans bien des cas, des structures complexes ont évolué en plusieurs phases successives à partir de versions beaucoup plus simples, accomplissant la même fonction fondamentale. Par exemple, l'œil de l'être humain est un organe optique complexe composé de structures multiples collaborant pour former une image et la transmettre au cerveau. Comment l'œil humain a-t-il pu évoluer graduellement ? Si l'œil a besoin de tous ses composants pour fonctionner, argumentent certains, un œil « partiel », inachevé, n'aurait été d'aucune utilité pour nos ancêtres.

Comme l'a fait remarquer Darwin lui-même, le biais de cet argument repose sur le postulat que seuls des yeux complexes peuvent avoir une utilité. Or, de nombreux animaux possèdent des yeux beaucoup moins complexes que les nôtres. La version la plus simple de l'œil correspond à un groupement de cellules photoréceptrices sensibles à la lumière. Ces yeux simples semblent avoir une origine unique dans l'évolution, et on les trouve chez plusieurs animaux, dont les patelles (*Patella sp.*), des mollusques de petite taille. Les yeux des patelles ne comportent ni lentille ni mécanisme de mise au point des images, mais ils permettent à l'animal de distinguer l'ombre de la lumière et de s'agripper plus fermement à son rocher lorsqu'une ombre surgit. C'est une adaptation comportementale qui réduit sans doute le risque d'être dévoré par un prédateur (**figure 25.27**). Les patelles existent depuis fort longtemps, ce qui montre que des yeux aussi « simples » que les leurs répondent plutôt bien à leurs besoins de survie et de reproduction.

Dans le règne animal, les différents types d'yeux complexes ont évolué indépendamment, et plusieurs fois, à partir de structures rudimentaires. Certains mollusques, comme les pieuvres et les calmars, possèdent des yeux aussi complexes que ceux des

DÉMARCHE SCIENTIFIQUE

INVESTIGATION

▶ Épinoche à trois épines (*Gasterosteus aculeatus*).

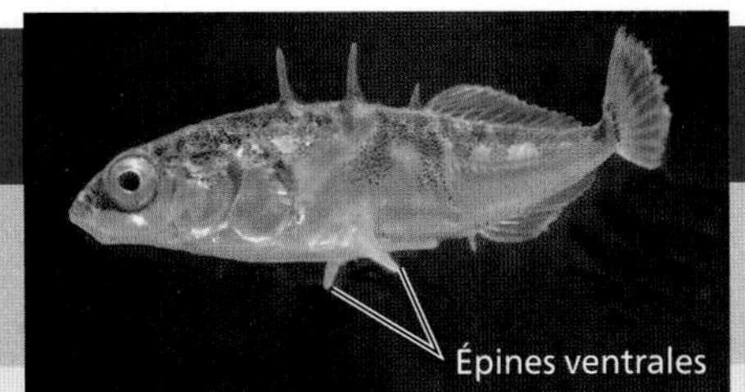

▼ **Figure 25.26**

Quelle est la cause de la perte des épines chez l'épinoche lacustre?

■ HYPOTHÈSES ■

Les épinoches (*Gasterosteus aculeatus*) marines possèdent une paire d'épines défensives sur leur face ventrale; par contre, ces épines sont plus courtes ou absentes chez certaines populations d'épinoches lacustres. Michael Shapiro, David Kingsley et leurs collègues de la Stanford University ont réalisé des croisements génétiques et ont découvert que le principal responsable de la diminution de la longueur des épines était un gène développemental appelé *Pitx1*. Les chercheurs ont ensuite testé deux hypothèses portant sur le mécanisme par lequel *Pitx1* causerait ce changement morphologique.

Hypothèse A: Une variation dans la séquence d'ADN de *Pitx1* a causé la diminution de la taille des épines chez certaines populations d'épinoches lacustres.

Hypothèse B: Une variation dans la régulation de l'expression de *Pitx1* a causé la diminution de la taille des épines chez certaines populations d'épinoches lacustres.

■ EXPÉRIENCES ■

Afin de vérifier l'hypothèse A, l'équipe de chercheurs a eu recours au séquençage d'ADN pour pouvoir comparer les séquences codantes du gène *Pitx1* de populations d'épinoches marines et lacustres.

Afin de vérifier l'hypothèse B, les chercheurs ont surveillé le développement d'embryons d'épinoches pour observer dans quelle région du corps s'exprimait le gène *Pitx1*. Ils ont mené des expériences d'hybridation *in situ* (voir le concept 20.2) en utilisant l'ADN de *Pitx1* comme sonde pour détecter l'ARNm de *Pitx1* chez le poisson.

■ RÉSULTATS ■

Vérification de l'hypothèse A: Il y a des différences entre les séquences codantes du gène *Pitx1* des épinoches marines et lacustres. **Résultat: non** → Les 283 acides aminés de la protéine *Pitx1* sont identiques chez les populations d'épinoches marines et lacustres.

Vérification de l'hypothèse B: Il y a des différences dans la régulation de l'expression de *Pitx1*. **Résultat: oui** → Les flèches rouges () indiquent les lieux d'expression du gène *Pitx1* dans les photographies ci-dessous. *Pitx1* s'exprime dans les épines ventrales et la région buccale des embryons d'épinoches marines, mais seulement dans la région buccale des embryons d'épinoches lacustres.

Embryon d'épinoche marine

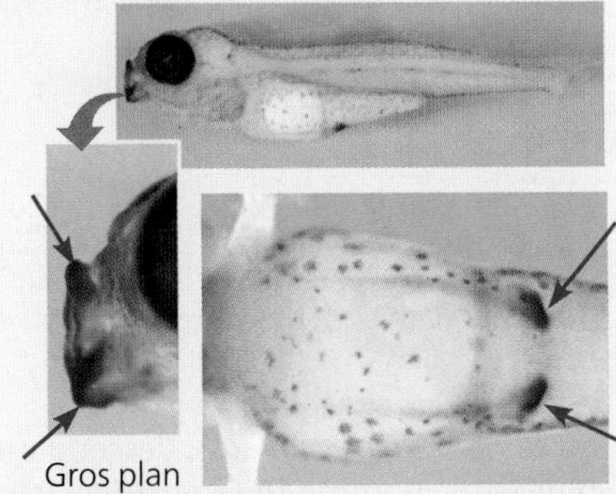

Embryon d'épinoche lacustre

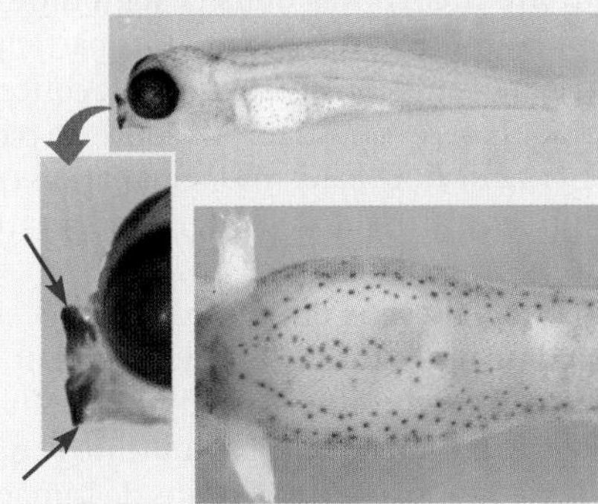

■ CONCLUSION ■ L'absence ou la diminution des épines ventrales chez les populations d'épinoches lacustres semble résulter principalement d'une variation dans la régulation de l'expression du gène *Pitx1*, et non d'une variation dans la séquence d'ADN du gène.

Source des données: M. D. Shapiro et coll., Genetic and developmental basis of evolutionary pelvic reduction in three-spine sticklebacks, *Nature* 428: 717-723 (2004).

ET SI? ▶ Décrivez la série de résultats qui aurait amené les chercheurs à conclure qu'un changement dans la séquence codante du gène *Pitx1* était plus important qu'une variation dans la régulation de l'expression du gène.

▼ Figure 25.27 Les mollusques appelés patelles (*Patella vulgata*) peuvent percevoir la lumière et l'obscurité au moyen d'une simple plaque de cellules photoréceptrices.

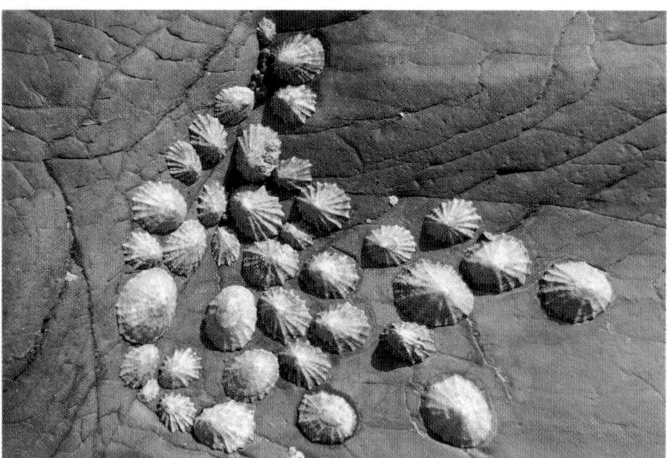

▼ Figure 25.28 Un aperçu de la complexité de l'œil chez les mollusques.

(a) Plaque de cellules pigmentées

Cellules pigmentées (photorécepteurs)
Épithélium
Fibres nerveuses

La patelle (*Patella sp.*) possède une simple zone de cellules pigmentées (photorécepteurs) constituant une tache oculaire.

(b) Cupule optique

Cellules pigmentées
Fibres nerveuses

Le mollusque *Pleurotomaria sp.* est doté d'une cupule optique.

(c) Cupule optique à petit orifice

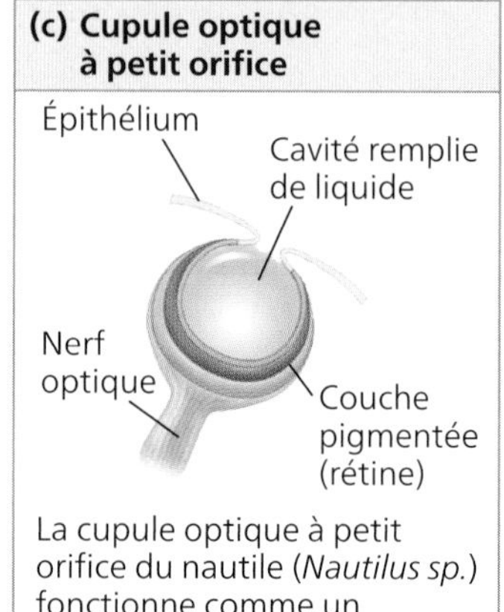

La cupule optique à petit orifice du nautile (*Nautilus sp.*) fonctionne comme un appareil photo rudimentaire (dit « à sténopé », c'est-à-dire qu'il est muni d'un petit trou servant d'objectif photographique).

(d) Œil simple muni d'une lentille rudimentaire

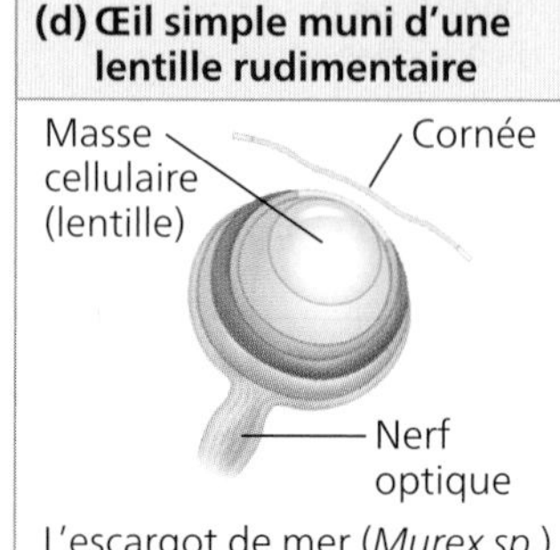

L'escargot de mer (*Murex sp.*) possède une lentille rudimentaire constituée d'une masse de cellules translucides. La cornée correspond à une région transparente de l'épithélium (couche extérieure de la peau); celui-ci protège l'œil et facilite la focalisation de la lumière.

(e) Œil complexe

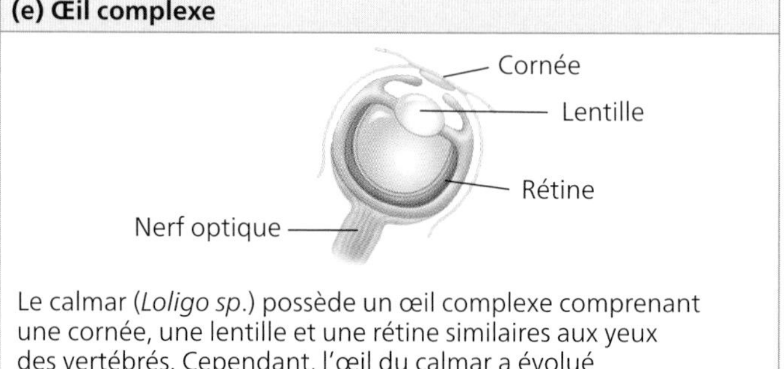

Le calmar (*Loligo sp.*) possède un œil complexe comprenant une cornée, une lentille et une rétine similaires aux yeux des vertébrés. Cependant, l'œil du calmar a évolué indépendamment des yeux des vertébrés.

humains et des autres vertébrés (voir la **figure 25.28**). Bien que les yeux complexes de certains mollusques aient évolué indépendamment des yeux complexes des vertébrés, les deux types d'yeux se sont transformés à partir d'un simple amas ancestral de cellules photoréceptrices. Dans chaque cas, l'œil complexe a évolué graduellement, au fil de changements successifs qui avantageaient les individus à chaque stade. La structure de ces yeux constitue une autre preuve de leur évolution indépendante : les yeux des vertébrés détectent la lumière sur la partie postérieure de la rétine et conduisent les influx nerveux vers l'avant, alors que les yeux des mollusques font l'inverse.

L'évolution de l'œil a permis de perfectionner un organe qui a conservé sa fonction première : la vision. Cependant, l'innovation peut aussi se traduire par un raffinement graduel de structures existantes, qui exercent alors de *nouvelles* fonctions. Par exemple, alors que les cynodontes donnaient naissance aux premiers mammifères, les os qui auparavant participaient à l'articulation de la mâchoire (les os articulaire et carré ; voir la figure 25.7) ont été incorporés dans la région de l'oreille moyenne chez les mammifères, où ils ont alors participé à une nouvelle fonction : la transmission des sons (voir le concept 34.6). De telles structures qui ont évolué dans un contexte particulier et qui ont été affectées à de nouveaux rôles sont parfois qualifiées d'*exaptations*, ce qui les distingue de l'origine adaptative de la structure originale.

Mais attention ! Cela ne sous-entend pas qu'une structure évolue en fonction d'un usage futur. Bien évidemment, la sélection naturelle n'est pas en mesure de prédire l'avenir ; elle ne peut qu'améliorer une structure selon son utilité *présente*. Les structures nouvelles, comme les articulations de la mâchoire et les os de l'oreille moyenne des premiers mammifères, peuvent évoluer graduellement au cours d'une série d'étapes intermédiaires, chacune d'elles correspondant à une fonction donnée dans le contexte du moment.

Les tendances évolutives

Que pouvons-nous apprendre d'autre des modes d'action de la macroévolution ? Pensez aux tendances évolutives observées dans les archives fossiles. Par exemple, dans certaines lignées évolutives, la taille du corps augmente ou diminue au fil du temps. On peut donner l'exemple de l'évolution du cheval moderne (*Equus caballus*), descendant d'un ancêtre beaucoup plus petit, nommé *Hyracotherium* (**figure 25.29**). Cet animal avait la taille d'un grand chien, possédait quatre doigts sur les pattes antérieures, trois doigts sur les pattes postérieures, et des dents adaptées au broutage de bourgeons et de ramilles poussant sur des arbustes et des arbres. Le cheval moderne, lui, est plus grand que son ancêtre. Il ne possède plus qu'un doigt fonctionnel qui s'est élargi, et ses dents ont évolué et sont adaptées au broutage de l'herbe grâce à des molaires à large surface et à croissance continue.

Il serait erroné de déduire de l'observation d'archives géologiques qu'une progression uniforme a eu lieu au cours de l'évolution. Cela reviendrait à affirmer qu'un buisson grandit en

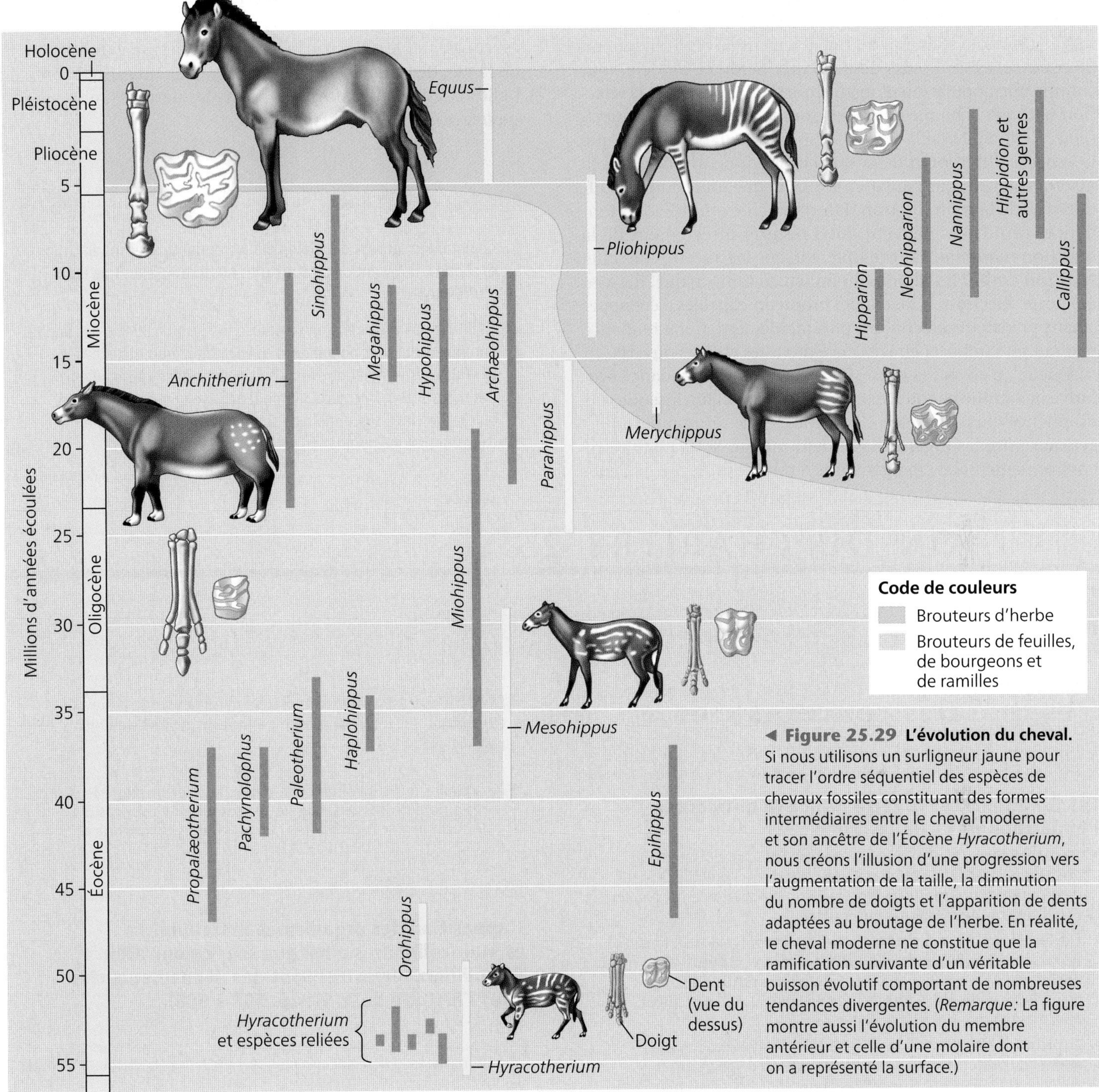

◄ **Figure 25.29 L'évolution du cheval.** Si nous utilisons un surligneur jaune pour tracer l'ordre séquentiel des espèces de chevaux fossiles constituant des formes intermédiaires entre le cheval moderne et son ancêtre de l'Éocène *Hyracotherium*, nous créons l'illusion d'une progression vers l'augmentation de la taille, la diminution du nombre de doigts et l'apparition de dents adaptées au broutage de l'herbe. En réalité, le cheval moderne ne constitue que la ramification survivante d'un véritable buisson évolutif comportant de nombreuses tendances divergentes. (*Remarque:* La figure montre aussi l'évolution du membre antérieur et celle d'une molaire dont on a représenté la surface.)

direction d'un point précis parce qu'on aura seulement tenu compte des ramifications qui mènent à une ramille en particulier. Par exemple, en se fondant sur les fossiles de certaines espèces mis au jour jusqu'à maintenant, on pourrait établir une succession d'animaux intermédiaires entre *Hyracotherium* et *Equus caballus*. On pourrait aussi noter une progression dans un sens précis: l'accroissement de la taille, la réduction du nombre de doigts et la modification des dents en faveur du broutage de l'herbe (voir la ligne jaune de la figure 25.29). Cependant, si l'on tient compte de tous les chevaux fossiles connus aujourd'hui, cette apparente tendance n'existe pas. Le genre *Equus* n'a pas évolué en ligne droite; il est l'unique ramification survivante d'un arbre généalogique si touffu qu'il faudrait plutôt parler de *buisson généalogique*. *Equus* est né après une série d'événements de spéciation comprenant diverses radiances adaptatives, dont certaines n'ont pas débouché sur l'apparition de grands équidés ongulés et brouteurs. Les analyses phylogénétiques indiquent que seules les lignées dérivées de *Parahippus* comprennent des animaux brouteurs d'herbe; les lignées issues de *Miohippus*, qui n'existent plus aujourd'hui, sont restées des brouteurs de feuilles, de bourgeons et de ramilles durant 35 millions d'années.

L'évolution divergente *peut* prendre la forme d'une tendance évolutive, même si de nouvelles espèces contredisent celle-ci. On peut considérer les espèces de façon analogue aux individus pour constituer un modèle de tendances à plus long terme : la spéciation correspond à une naissance, et l'extinction, à une mort, et les nouvelles espèces qui divergent de ces individus ou de ces espèces sont leurs descendants. Selon ce modèle, tout comme une population d'organismes individuels subit la sélection naturelle, chaque espèce est soumise à une *sélection spécifique*. Ce modèle de la sélection spécifique laisse penser que le « succès différentiel de la spéciation » joue un rôle dans la macroévolution qui s'apparente à celui que joue le succès différentiel de la reproduction dans la microévolution. Les tendances évolutives peuvent aussi résulter directement de la sélection naturelle. Par exemple, lorsque les ancêtres des chevaux ont envahi les prairies du milieu du Cénozoïque, il y a eu une forte sélection en faveur des brouteurs capables d'échapper à leurs prédateurs en courant plus rapidement. Cette tendance n'aurait pu s'imposer en l'absence de vastes espaces ouverts.

Quelle qu'en soit la cause, l'apparition d'une tendance évolutive ne signifie pas qu'il existe une impulsion intrinsèque vers un phénotype particulier. L'évolution est le résultat des interactions entre les organismes et leur milieu. Si les conditions environnementales changent, une tendance évolutive évidente peut s'interrompre, voire s'inverser. L'effet cumulatif de ces interactions survenant entre les organismes et leur environnement est considérable : elles sont à l'origine de la stupéfiante diversité de la vie, de ce que Darwin appelait « une quantité infinie de belles et admirables formes », dans les derniers mots de son ouvrage *De l'origine des espèces*.

RETOUR SUR LE CONCEPT 25.6

1. Comment le concept darwinien de descendance avec modification explique-t-il l'évolution de structures aussi complexes que l'œil d'un vertébré ?
2. **ET SI ?** ▶ Le virus de la myxomatose tue jusqu'à 99,8 % des lapins européens dans les populations qui n'y ont jamais été exposées. Le virus se transmet entre les lapins vivants par l'intermédiaire des moustiques. Décrivez une tendance évolutive (chez le lapin ou chez le virus) susceptible de se manifester lors d'une première exposition d'une population de lapins au virus.

Voir les réponses proposées à l'appendice A.

RÉVISION DU CHAPITRE 25

Consultez votre MANUEL NUMÉRIQUE, qui vous donne accès aux **animations**, aux **exercices** et à la plateforme d'**anatomie interactive**.

Résumé des concepts clés

CONCEPT 25.1

Les conditions sur la Terre primitive ont permis l'apparition de la vie (p. 576 à 578)

- Des expériences simulant une atmosphère réductrice comme celle qui régnait à l'époque ont produit des molécules organiques à partir de précurseurs inorganiques. On a aussi trouvé des lipides, des sucres et des bases azotées dans des météorites.
- Des acides aminés et des nucléotides d'ARN se polymérisent lorsqu'on les verse sur du sable, de l'argile ou de la roche très chauds. Des composés organiques forment spontanément des **protocellules**, soit des gouttelettes entourées d'une membrane lipidique qui présentent certaines des propriétés des cellules.
- Le premier matériel génétique a peut-être consisté en de courts segments d'ARN capables de diriger la synthèse de polypeptides et de s'autorépliquer. Les premières protocellules pourvues d'un tel ARN auraient augmenté en nombre par sélection naturelle.

? Décrivez les rôles qu'ont pu jouer la montmorillonite, une sorte d'argile, et les vésicules dans l'origine de la vie.

CONCEPT 25.2

Les archives fossiles permettent d'établir la chronologie de la vie sur la Terre (p. 579 à 581)

- Largement basées sur des fossiles trouvés dans des roches sédimentaires, les archives fossiles témoignent de l'ascension et du déclin des divers groupes d'organismes au cours du temps.
- Les couches sédimentaires révèlent l'âge relatif des fossiles. Leur âge absolu peut être déterminé notamment grâce à la **datation radiométrique**.
- Les archives fossiles montrent comment les nouveaux groupes d'organismes se forment par la modification graduelle d'organismes préexistants.

? À quelles difficultés se heurte-t-on dans l'estimation de l'âge des plus vieux fossiles ? Expliquez comment il est possible de surmonter ces difficultés dans certaines circonstances.

CONCEPT 25.3

L'apparition des organismes unicellulaires et multicellulaires ainsi que leur colonisation des milieux terrestres sont des événements clés dans l'histoire de la vie (p. 581 à 588)

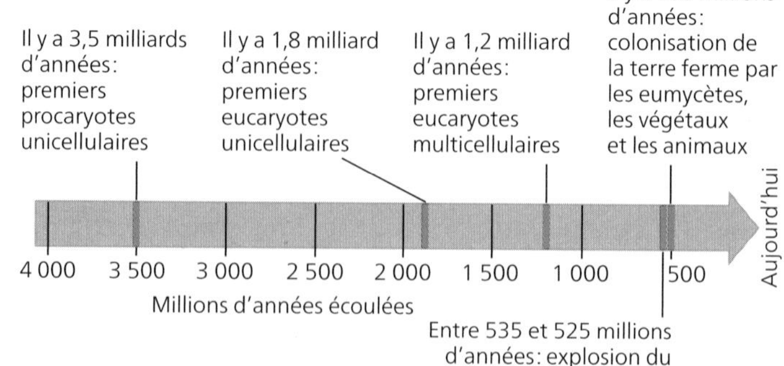

? Qu'est-ce que l'explosion du Cambrien et pourquoi est-elle importante ?

CONCEPT 25.4

L'ascension et le déclin des groupes d'organismes reflètent les différents taux de spéciation et d'extinction (p. 588 à 595)

- Selon la **tectonique des plaques**, les plaques continentales se déplacent lentement au fil du temps, ce qui modifie la géographie physique et le climat de la Terre et entraîne l'extinction de certains groupes d'organismes et des épisodes de spéciation chez d'autres.
- L'évolution a été marquée par cinq **extinctions massives** qui ont complètement changé l'histoire de la vie. Les causes possibles de ces extinctions sont la dérive des continents, les éruptions volcaniques et les comètes entrées en collision avec la Terre.
- Les **radiances adaptatives** ont considérablement augmenté la diversité de la vie qui a suivi chacune des extinctions massives. Ces radiances adaptatives se sont aussi produites dans des groupes d'organismes qui ont profité d'innovations évolutives ou qui ont colonisé de nouvelles régions où il y avait peu de concurrence de la part des autres organismes.

? Expliquez comment les grands changements évolutifs dont témoignent les archives fossiles sont la somme de phénomènes de spéciation et d'extinction.

CONCEPT 25.5

Des variations dans la séquence ou la régulation de gènes développementaux peuvent entraîner des modifications morphologiques majeures (p. 595 à 598)

- Les gènes développementaux déterminent des différences morphologiques entre les espèces en influant sur la vitesse, la synchronisation et la configuration spatiale des changements de forme d'un organisme au cours de son développement de la naissance à l'âge adulte.
- L'évolution de nouvelles formes peut résulter de changements dans la séquence des nucléotides ou dans la régulation des gènes développementaux.

? Comment des changements dans un seul gène ou une seule région de l'ADN finissent-ils par entraîner l'émergence d'un nouveau groupe d'organismes?

CONCEPT 25.6

L'évolution ne poursuit aucun objectif (p. 598 à 602)

- Des structures biologiques nouvelles et complexes peuvent résulter de modifications successives, qui comportent chacune un avantage pour un organisme.
- Les tendances évolutives peuvent résulter de facteurs comme la sélection naturelle lors d'un changement environnemental ou la sélection spécifique, eux-mêmes résultant des interactions entre les organismes et leur environnement.

? Expliquez le raisonnement sur lequel s'appuie l'énoncé «l'évolution ne poursuit aucun objectif».

Évaluation

NIVEAU 1: CONNAISSANCES ET COMPRÉHENSION

1. Les fossiles des stromatolites:
a) se sont formés autour des cheminées hydrothermales sous-marines.
b) ressemblent aux communautés bactériennes qu'on trouve aujourd'hui dans certaines baies peu profondes.
c) prouvent que les végétaux ont colonisé les milieux terrestres en s'associant aux eumycètes il y a environ 500 millions d'années.
d) constituent les premiers fossiles avérés d'organismes.

2. La révolution atmosphérique de l'oxygène a bouleversé l'environnement de la Terre. Parmi les adaptations suivantes, laquelle a tiré parti de la présence d'O_2 dans les océans et l'atmosphère?
a) L'évolution de la respiration cellulaire, dans laquelle l'O_2 sert à dégager l'énergie des molécules combustibles.
b) La persistance de certains groupes d'animaux dans les habitats anaérobies.
c) L'apparition de pigments photosynthétiques qui protégeaient les premières algues des effets corrosifs de l'O_2.
d) L'évolution des chloroplastes après l'assimilation des cyanobactéries photosynthétiques par les premiers protistes.

3. La faune et la flore de l'Inde sont très différentes de celles de l'Asie du Sud-Est, pourtant située à proximité. Comment cela se peut-il?
a) Les organismes ont été séparés par l'évolution convergente.
b) Les climats des deux régions sont complètement différents.
c) L'Inde est en train de s'écarter du reste de l'Asie.
d) L'Inde était un continent séparé pendant 45 millions d'années.

4. Les radiances adaptatives peuvent être la conséquence directe de trois des quatre facteurs suivants. Lequel est l'exception?
a) Des niches écologiques vacantes.
b) La dérive des continents.
c) La colonisation d'une région isolée qui offre un habitat adéquat et où il y a peu d'espèces concurrentes.
d) L'innovation évolutive.

5. Parmi les résultats suivants, lequel *n'a pas* encore été obtenu par les scientifiques qui étudient l'origine de la vie?
a) La synthèse de petits polymères d'ARN par les ribozymes.
b) La formation d'agrégats moléculaires dotés de membranes à perméabilité sélective.
c) La formation de protocellules dans lesquelles l'ADN dirige la polymérisation des acides aminés.
d) La synthèse abiotique de molécules organiques.

NIVEAU 2: APPLICATION ET ANALYSE

6. Une variation génétique qui a amené un certain gène *Hox* à s'exprimer à l'extrémité du bourgeon du membre d'un vertébré a contribué à l'évolution des membres chez les tétrapodes. Ce type de changement illustre:
a) l'influence de l'environnement sur le développement.
b) la pédomorphose.
c) une variation dans un gène développemental ou dans sa régulation qui a modifié l'organisation spatiale des parties du corps.
d) l'hétérochronie.

7. Une vessie natatoire est un sac rempli de gaz qui maintenait la flottabilité des poissons; l'évolution a transformé la vessie natatoire en poumons. Ce type de changement illustre:
a) l'exaptation.
b) des variations dans l'expression d'un gène *Hox*.
c) la pédomorphose.
d) la radiance adaptative.

Voir les réponses proposées à l'appendice A.

La phylogenèse et l'arbre de la vie

26

VOS OUTILS
INTERACTIFS
Consultez votre MANUEL NUMÉRIQUE, qui vous donne accès aux **animations**, aux **exercices** et à la plateforme d'**anatomie interactive**.

▲ **Figure 26.1** **De quel type d'animal s'agit-il ?**

CONCEPTS CLÉS

26.1 La phylogenèse révèle les liens évolutifs

26.2 La phylogenèse repose sur des données morphologiques et moléculaires

26.3 Les arbres phylogénétiques sont construits à partir de caractères communs

26.4 Le génome recèle l'histoire évolutive de tout organisme

26.5 Les horloges moléculaires rendent compte du temps de l'évolution

26.6 De nouvelles données continuent d'enrichir notre compréhension de l'arbre de la vie

L'étude de l'arbre de la vie

Observez attentivement l'animal de la **figure 26.1**. À son apparence, on pourrait penser qu'il s'agit d'un serpent, mais ce n'est pas le cas. En fait, c'est *Ophisaurus apodus*, un lézard européen apode (sans pattes). Pourquoi n'entre-t-il pas dans la catégorie des serpents ? Et, de façon plus générale, comment les biologistes distinguent-ils et catégorisent-ils les millions d'espèces vivant sur la Terre ?

Une perspective évolutive des relations entre les différentes espèces permet de répondre à ces questions : nous pouvons décider dans quelle catégorie placer une espèce en comparant ses traits à ceux de potentiels parents proches. Par exemple, *O. apodus* n'a pas une mâchoire très mobile, ni un grand nombre de vertèbres, ni de petite queue postérieure à l'anus, trois traits communs à tous les serpents. Combinés à d'autres caractéristiques, ces trois attributs suggèrent qu'en dépit de sa ressemblance avec les serpents, *O. apodus* n'en est pas un.

Les serpents et les lézards font partie du continuum du vivant, qui s'étend des tout premiers organismes jusqu'à la formidable variété des espèces vivant aujourd'hui. Dans cette première partie du chapitre, nous étudierons cette diversité et les hypothèses qui tentent d'en expliquer l'évolution. Pour ce faire, nous mettrons de côté le *processus* de l'évolution (les mécanismes évolutifs décrits dans la quatrième partie) pour nous concentrer sur ses *modèles* (les observations sur les produits de l'évolution dans le temps).

Nous entamerons l'étude de la diversité du vivant en examinant comment les biologistes s'y prennent pour établir la **phylogenèse** (du grec *phulon*, « race », et *genesis*, « origine »), c'est-à-dire l'histoire de l'évolution d'une espèce ou d'un groupe d'espèces apparentées. La phylogenèse des lézards et des serpents, par exemple, indique que *Ophisaurus apodus* et les serpents descendent tous de lézards à pattes, mais qu'ils proviennent de lignées différentes (**figure 26.2**). Leur état actuel est donc le fruit d'une évolution indépendante. Comme nous le verrons, pour reconstruire la phylogenèse (comme celle illustrée à la figure 26.2), les biologistes ont recours à la **systématique**, une discipline dont l'objectif est de classifier les organismes et d'établir leurs liens évolutifs.

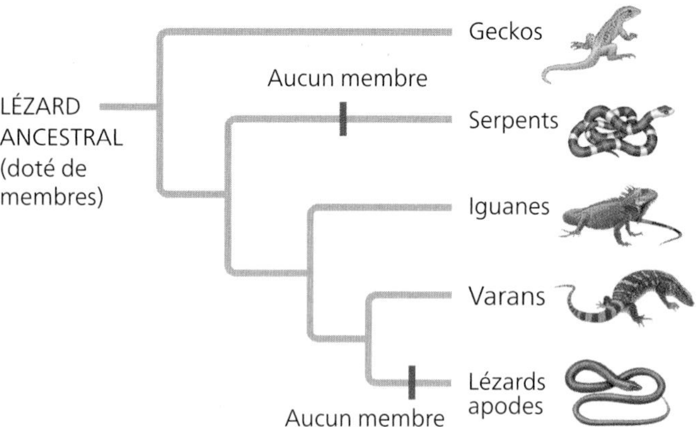

▲ **Figure 26.2 Évolution convergente des corps sans membre.** Une phylogenèse fondée sur les données d'une séquence d'ADN montre qu'une forme corporelle apode a évolué indépendamment à partir d'ancêtres dotés de pattes dans les lignées des lézards apodes et des serpents.

CONCEPT **26.1**

La phylogenèse révèle les liens évolutifs

Les organismes partagent de nombreuses caractéristiques à cause d'un ancêtre commun (voir le concept 22.3). Nous pouvons donc acquérir beaucoup de connaissances sur une espèce lorsque nous connaissons son histoire évolutive. Par exemple, un organisme donné a toutes les chances de partager avec ses proches parents quantité de gènes, de voies métaboliques, ainsi que la structure de nombreuses protéines. Nous nous pencherons sur les applications pratiques de ce type d'information ultérieurement dans cette partie du chapitre, mais non sans expliquer d'abord en quoi consiste la **taxinomie**, c'est-à-dire la désignation et la classification des organismes. Nous verrons aussi comment interpréter et utiliser les diagrammes qui représentent l'histoire évolutive.

La nomenclature binominale

Dans le langage courant, on désigne les formes de vie par leurs noms « vernaculaires », autrement dit leurs noms usuels. On dira, par exemple, un singe, un merle, un lilas. Ces noms peuvent toutefois semer la confusion, d'abord parce qu'ils désignent plus d'une espèce, mais aussi parce qu'ils ne sont pas toujours représentatifs des organismes qu'ils sont censés désigner. Pensons, par exemple, au poisson d'argent (*Lepisma saccharina*), qui est en fait un insecte (lépisme), au chien de mer, qui désigne trois espèces de requin, ou encore à l'éléphant de mer, nom donné à une espèce du Sud et à une autre du Nord. Et c'est sans compter tous les noms employés selon la langue qu'on parle.

Pour éviter toute confusion, les biologistes désignent les organismes étudiés par leurs noms scientifiques. Ces noms sont des appellations formées de deux mots latins et constituent ce qu'on appelle la **nomenclature binominale**, établie au 18e siècle par Carl von Linné (voir le concept 22.1). Le premier mot d'un nom scientifique indique le **genre** auquel l'espèce appartient (il pourrait être comparé au nom de famille d'une personne) ; le deuxième nom désigne l'espèce en tant que telle (il pourrait correspondre au prénom de la personne). Par exemple, le nom scientifique du léopard est *Panthera pardus*. Seule la première lettre du genre prend la majuscule, et le genre et l'espèce sont composés en italique (cette règle s'applique au nom scientifique latin, mais pas au nom commun français). Un genre peut comprendre plusieurs espèces, qui portent chacune un nom spécifique. Les noms scientifiques créés récemment sont aussi « latinisés » ; ainsi, un chercheur qui découvre un nouvel insecte peut le baptiser en l'honneur d'un ami, mais il doit ajouter la terminaison latine appropriée. Par exemple, le biologiste Dale H. Clayton a nommé *Strigiphilus garylarsoni* un pou trouvé seulement sur les chouettes pour exprimer son admiration envers le dessinateur de bandes dessinées Gary Larson (*The Far Side*). Une bonne partie des appellations scientifiques encore employées de nos jours ont été créées par Linné, qui a attribué un nom scientifique à plus de 11 000 espèces végétales et animales. Et, sans doute dans un élan d'optimisme, celui-ci a donné aux humains le nom scientifique d'*Homo sapiens*, ce qui signifie « homme sage ».

La classification hiérarchique

En plus de baptiser les espèces, Linné les a aussi classées hiérarchiquement en groupes de plus en plus généraux. Le groupe le plus étroit, situé au bas de la hiérarchie, porte le nom du premier terme de la nomenclature binomiale et correspond donc au genre. Ainsi, les espèces qui semblent étroitement apparentées sont groupées au sein d'un même genre. Par exemple, le léopard (*Panthera pardus*) appartient à un genre qui comprend également le lion d'Afrique (*Panthera leo*), le tigre (*Panthera tigris*) et le jaguar (*Panthera onca*). Au-delà du regroupement d'espèces au sein d'un même genre, les taxinomistes emploient des catégories de classement de plus en plus vastes. La classification hiérarchique rassemble les genres semblables en **familles**, les familles en **ordres**, les ordres en **classes**, les classes en **embranchements**, les embranchements en **règnes** et, depuis peu, les règnes en **domaines** (**figure 26.3**). La classification biologique d'un organisme suit la même logique qu'une adresse, du plus précis au plus général : on indique d'abord, le cas échéant, le numéro d'unité (l'appartement, par exemple), le numéro municipal de l'immeuble où se trouve l'unité, le type de rue et le nom de la rue où se situe l'immeuble, le nom de la municipalité où se trouve la rue, le nom de la province où se trouve la ville, et ainsi de suite.

Un rang taxinomique est appelé **taxon**, peu importe sa catégorie de classement. Par exemple, *Panthera* est un taxon de genre, tandis que mammifères est un taxon de classe qui inclut tous les ordres de mammifères. Remarquez que les taxons plus vastes que celui du genre ne s'écrivent pas en italique et ne prennent pas de majuscule à la première lettre, lorsqu'ils sont écrits en français.

La classification des espèces est une façon de structurer notre vision très humaine du monde. Nous groupons des arbres semblables et nous les appelons *pins*, par exemple, pour les

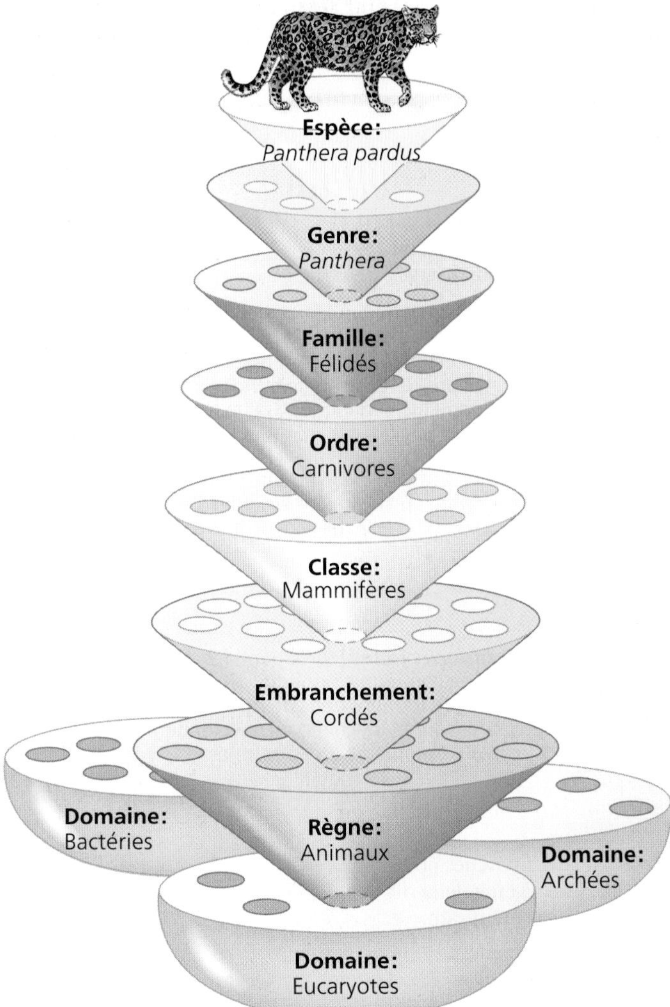

▲ **Figure 26.3 La classification hiérarchique.** Les espèces sont classées dans des groupes successifs relevant de groupes plus vastes.

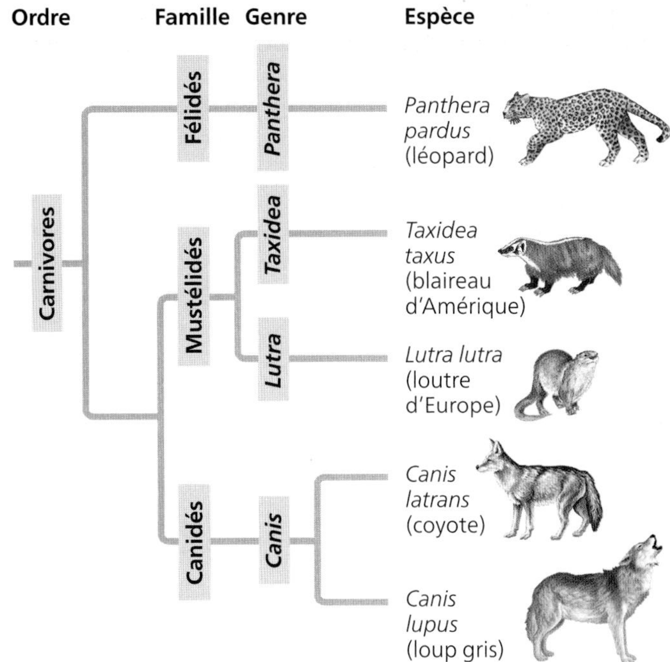

▲ **Figure 26.4 Le lien entre la classification et la phylogenèse.** La classification hiérarchique peut refléter le type de ramifications propre aux arbres phylogénétiques. L'arbre illustré ici montre les relations possibles entre certains taxons de l'ordre des carnivores, qui relève de la classe des mammifères.

distinguer d'autres conifères comme les sapins. De fait, les taxinomistes ont déterminé que les pins et les sapins sont suffisamment différents pour appartenir à des genres distincts (*Pinus* et *Abies,* respectivement). Cependant, ces deux espèces sont jugées assez semblables pour être classées dans la même famille, soit celle des pinacées. Tout comme pour les pins et les sapins, les niveaux de classification plus élevés que l'espèce sont généralement définis selon des caractéristiques morphologiques déterminées par les taxinomistes. Cependant, les caractéristiques servant à classifier un groupe d'organismes donné peuvent s'avérer inappropriées pour d'autres organismes. C'est pourquoi les catégories plus vastes ne sont souvent pas comparables entre lignées. Par exemple, un ordre d'escargots ne présentera pas nécessairement le même degré de diversité morphologique ou génétique qu'un ordre de mammifères. Comme nous le verrons, l'arrangement des espèces selon des ordres, des classes, etc. ne reflète pas nécessairement l'histoire évolutive.

La classification et la phylogenèse

On peut représenter l'histoire évolutive d'un groupe d'organismes dans un diagramme arborescent appelé **arbre phylogénétique**. Comme le montre la **figure 26.4**, la ramure de l'arbre phylogénétique reflète la classification hiérarchisée des groupes taxinomiques en fonction de ceux qui sont les plus inclusifs. Il est arrivé cependant que des taxinomistes rangent une espèce au sein d'un genre (ou d'un autre groupe) avec lequel elle *n'est pas* le plus étroitement apparentée. Ce type d'erreur survient notamment lorsqu'une espèce a perdu, au cours de son évolution, une caractéristique clé que partagent ses parents proches. Lorsque l'ADN ou d'autres données indiquent qu'un organisme a été mal classé, celui-ci peut être reclassifié pour mieux refléter son histoire évolutive. Par ailleurs, la classification classique de Linné a beau distinguer des groupes comme les amphibiens, les mammifères, les reptiles et autres classes de vertébrés, elle ne nous apprend rien sur les liens évolutifs existant entre ces groupes.

En fait, ces problèmes de concordance entre la classification classique de Linné et la phylogenèse ont amené certains systématiciens à proposer que la classification prenne en compte exclusivement les liens évolutifs. Dans de tels systèmes, seuls les groupes comprenant un ancêtre commun et ses descendants sont nommés. Par conséquent, certains groupes reconnus depuis longtemps seraient intégrés à d'autres groupes auparavant du même rang dans la classification classique. Par exemple, puisque les oiseaux descendent d'un groupe de reptiles, *Aves* (le nom latin donné dans la classification classique à la classe dont font partie les oiseaux) deviendrait un sous-groupe des reptiles (qui forment aussi une classe dans la classification classique).

Les renseignements fournis par les arbres phylogénétiques et ceux qui n'y figurent pas

Peu importe comment les groupes sont nommés, l'arbre phylogénétique représente des liens évolutifs hypothétiques (**figure 26.5**).

COUP D'ŒIL ▼ **Figure 26.5**

La représentation des liens phylogénétiques

Un arbre phylogénétique est une représentation visuelle des liens présumés entre différents groupes d'organismes. Cette figure montre en quoi la forme d'un arbre est révélatrice.

Les parties d'un arbre

Cet arbre représente les liens entre les cinq groupes d'organismes situés à l'extrémité de chaque branche, ou taxon. Chaque point de bifurcation (nœud) représente l'ancêtre commun à partir duquel des lignées ont divergé.

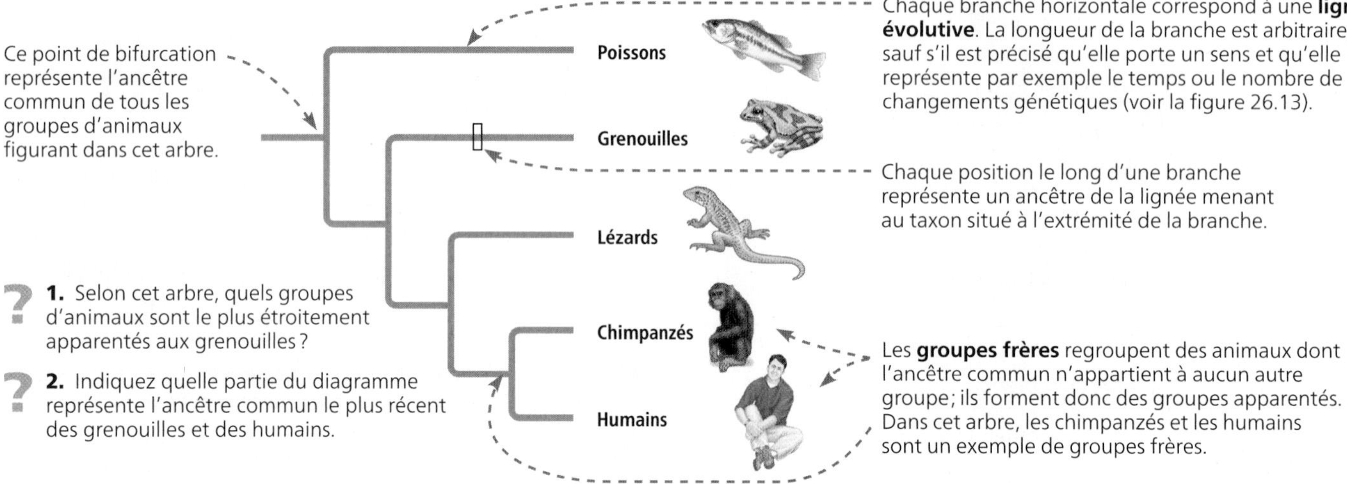

Ce point de bifurcation représente l'ancêtre commun de tous les groupes d'animaux figurant dans cet arbre.
Poissons
Grenouilles
Lézards
Chimpanzés
Humains
Chaque branche horizontale correspond à une **lignée évolutive**. La longueur de la branche est arbitraire, sauf s'il est précisé qu'elle porte un sens et qu'elle représente par exemple le temps ou le nombre de changements génétiques (voir la figure 26.13).
Chaque position le long d'une branche représente un ancêtre de la lignée menant au taxon situé à l'extrémité de la branche.
Les **groupes frères** regroupent des animaux dont l'ancêtre commun n'appartient à aucun autre groupe; ils forment donc des groupes apparentés. Dans cet arbre, les chimpanzés et les humains sont un exemple de groupes frères.

? **1.** Selon cet arbre, quels groupes d'animaux sont le plus étroitement apparentés aux grenouilles?

? **2.** Indiquez quelle partie du diagramme représente l'ancêtre commun le plus récent des grenouilles et des humains.

Autres formes d'arbres

On considère ces diagrammes comme des arbres parce qu'ils utilisent l'analogie visuelle des branches pour représenter des lignées évolutives divergeant au fil du temps. Dans ce manuel, les arbres sont généralement présentés sous forme horizontale, comme ci-dessus. Cependant, il est possible de construire le même arbre à la verticale ou en diagonale sans que les liens qu'il représente soient modifiés.

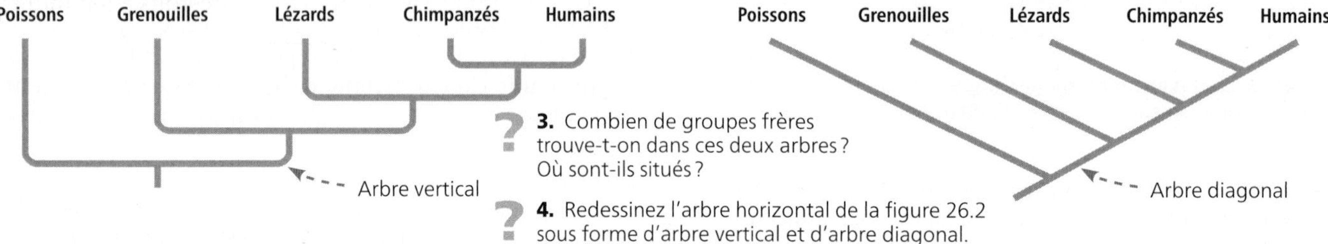

Poissons
Grenouilles
Lézards
Chimpanzés
Humains
Arbre vertical
Poissons
Grenouilles
Lézards
Chimpanzés
Humains
Arbre diagonal

? **3.** Combien de groupes frères trouve-t-on dans ces deux arbres? Où sont-ils situés?

? **4.** Redessinez l'arbre horizontal de la figure 26.2 sous forme d'arbre vertical et d'arbre diagonal.

La rotation autour de l'axe d'un point de bifurcation

La rotation des branches d'un arbre autour de l'axe d'un point de bifurcation ne modifie pas les liens évolutifs. En effet, l'ordre dans lequel les taxons apparaissent au bout des branches n'a aucune importance. C'est la disposition des nœuds qui est importante, car elle illustre l'ordre dans lequel les lignées ont divergé à partir d'ancêtres communs.

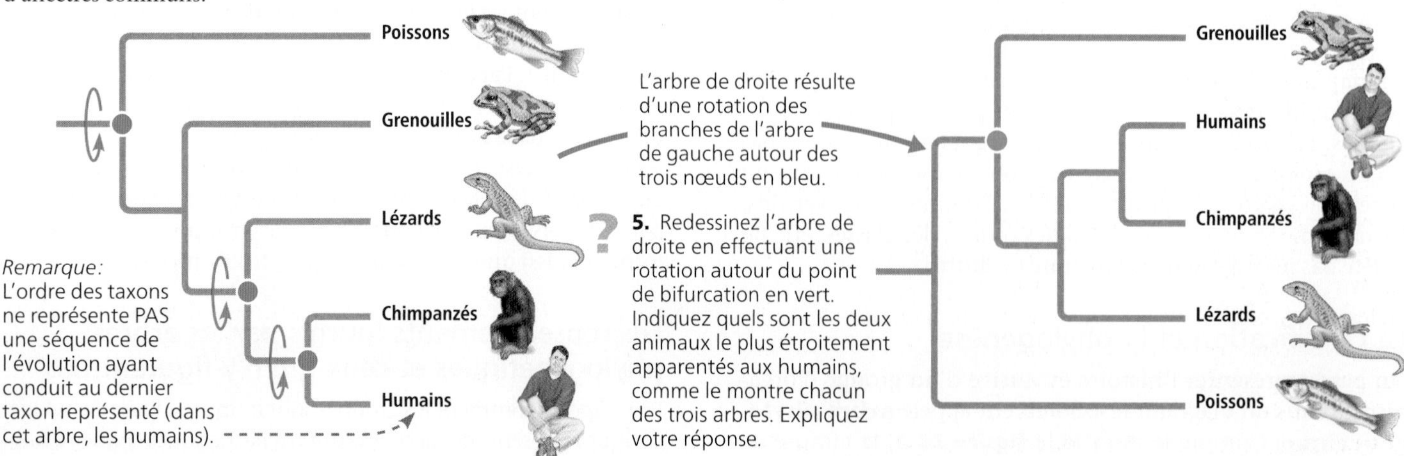

Poissons
Grenouilles
Lézards
Chimpanzés
Humains
Remarque: L'ordre des taxons ne représente PAS une séquence de l'évolution ayant conduit au dernier taxon représenté (dans cet arbre, les humains).
L'arbre de droite résulte d'une rotation des branches de l'arbre de gauche autour des trois nœuds en bleu.
Grenouilles
Humains
Chimpanzés
Lézards
Poissons

? **5.** Redessinez l'arbre de droite en effectuant une rotation autour du point de bifurcation en vert. Indiquez quels sont les deux animaux le plus étroitement apparentés aux humains, comme le montre chacun des trois arbres. Expliquez votre réponse.

Ces liens sont souvent présentés selon un modèle dichotomique, c'est-à-dire au moyen d'une série de fourches à deux branches. Chaque **point de bifurcation** (ou **nœud** de l'arbre évolutif) représente l'ancêtre commun à partir duquel deux lignées ont divergé.

Dans la figure 26.5, chaque arbre compte un point de bifurcation (nœud) qui représente l'ancêtre commun des lignées des chimpanzés et des humains, qui sont considérés comme des **groupes frères**. Ce sont en effet deux groupes d'organismes ayant le même ancêtre direct, qui n'est partagé par aucun autre groupe de niveau inférieur (deux groupes ne sont frères que s'ils incluent ensemble tous les descendants connus de leur ancêtre commun). Les membres de groupes frères sont les parents les plus proches les uns par rapport aux autres. Ils sont donc utiles pour décrire les liens évolutifs figurant dans un arbre. Par exemple, la figure 26.5 montre que la lignée évolutive des lézards possède un ancêtre commun direct avec la lignée des chimpanzés et des humains. Aussi, pour décrire cette partie de l'arbre, on peut dire que parmi tous les groupes présentés, les lézards sont un groupe frère du groupe composé des chimpanzés et des humains.

La figure 26.5 montre également que la rotation des branches autour de l'axe des points de bifurcation ne modifie pas les liens représentés dans un arbre. En effet, l'ordre des taxons tel qu'il apparaît à droite de l'arbre ne représente pas la *séquence* de l'évolution – cet exemple n'est donc pas une représentation d'une lignée évolutive menant aux humains à partir des poissons.

Cet arbre, comme tous ceux présentés dans ce manuel, est **enraciné**, ce qui signifie qu'un des points de bifurcation de l'arbre (celui qui est illustré à la base de l'arbre, le plus souvent) représente l'ancêtre commun le plus récent de tous les taxons de l'arbre. Le terme **taxon fondamental** désigne une lignée qui diverge tôt dans l'histoire d'un groupe. Par exemple, pour les poissons de la figure 26.5, un taxon fondamental apparaît sur la branche directement liée à l'ancêtre commun du groupe.

Quels sont les autres éléments importants dont nous devons tenir compte lorsque nous interprétons un arbre phylogénétique ? Premièrement, cette représentation vise à montrer des modèles de descendance et non des ressemblances phénotypiques. Bien qu'il soit fréquent que des organismes parents se ressemblent en raison de leur ancêtre commun, il n'en sera pas de même si leurs lignées respectives n'a pas évolué à la même vitesse ou s'ils ont dû composer avec des conditions environnementales très différentes. Par exemple, les crocodiles sont plus proches des oiseaux que des lézards (voir la figure 22.17), mais ils ressemblent davantage à ces derniers parce que la morphologie de la lignée des oiseaux a considérablement changé.

Deuxièmement, il n'est pas nécessairement possible de déduire l'âge des taxons ou des points de bifurcation d'un arbre. Par exemple, l'arbre de la figure 26.5 n'indique pas que les chimpanzés ont évolué avant les humains. Il montre uniquement que les chimpanzés et les humains ont un ancêtre récent en commun. Il est toutefois impossible de dire à quel moment cet ancêtre a vécu ou quand sont apparus les premiers chimpanzés ou les premiers humains. De façon générale, à moins que le diagramme s'accompagne d'informations précises sur le sens à donner à la longueur des branches, nous ne devrions l'interpréter qu'en termes de modèles de descendance. Autrement dit, l'arbre phylogénétique ne permet pas de formuler des hypothèses sur le moment où une espèce donnée a évolué ou sur la nature des changements survenus dans chaque lignée.

Troisièmement, nous ne devons pas présumer qu'un taxon est le fruit de l'évolution du taxon voisin. La figure 26.5 n'indique pas que l'humain est une évolution du chimpanzé, ou l'inverse. Nous pouvons tout au plus conclure que la lignée de l'humain et celle du chimpanzé proviennent toutes les deux du même ancêtre. Cet ancêtre, aujourd'hui disparu, n'était ni un humain ni un chimpanzé.

La phylogenèse appliquée

La compréhension de la phylogenèse peut déboucher sur des applications pratiques. Prenons l'exemple du maïs, originaire des Amériques, qui constitue aujourd'hui une importante culture vivrière dans le monde entier. À partir de la phylogenèse du maïs, obtenue grâce aux banques d'ADN, des chercheurs ont réussi à identifier deux espèces de plantes herbacées qui seraient les plus proches parents vivants du maïs. Ces deux parents pourraient constituer de précieux « réservoirs » d'allèles bénéfiques, susceptibles d'être transférés au maïs cultivé, par croisement ou modification génétique.

On peut également utiliser l'arbre phylogénétique pour établir l'identité des espèces en analysant la parenté des séquences d'ADN de différents organismes. Des chercheurs ont utilisé cette approche pour déterminer si des échantillons de viande de baleine provenaient d'espèces protégées par le droit international, donc capturées illégalement, et non d'espèces dont la chasse est autorisée (**figure 26.6**).

Comment les chercheurs construisent-ils des arbres comme ceux qui sont étudiés ici ? Nous commencerons à répondre à cette question dans la section suivante, lorsque nous examinerons les données utilisées en phylogénétique.

RETOUR SUR LE CONCEPT 26.1

1. **HABILETÉS VISUELLES ▶** Quels niveaux de la hiérarchie présentée à la figure 26.3 les humains ont-ils en commun avec les léopards ?
2. **HABILETÉS VISUELLES ▶** Lequel des arbres illustrés ci-dessous décrit une histoire évolutive différente des deux autres ? Expliquez votre réponse.

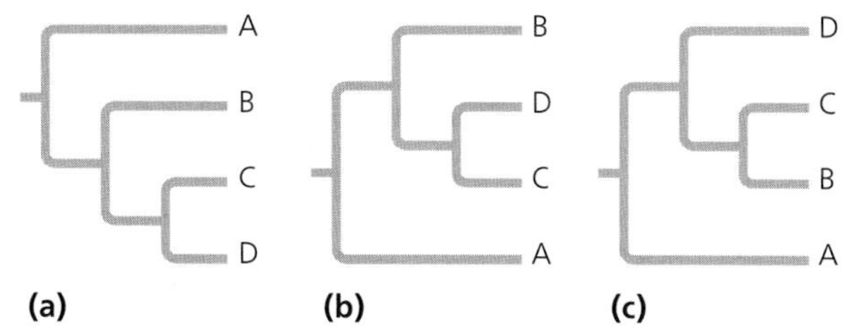

3. **FAITES UN DESSIN ▶** La famille des ours (ursidés) est plus étroitement apparentée à celle des mustélidés (blaireaux et loutres) qu'à celle des canidés (chiens). Utilisez ce renseignement pour redessiner la figure 26.4.

Voir les réponses proposées à l'appendice A.

DÉMARCHE SCIENTIFIQUE

INVESTIGATION

▼ Figure 26.6

À quelle espèce les échantillons vendus comme étant de la viande de baleine appartiennent-ils ?

■ HYPOTHÈSE ■ Puisque l'ADN permet de retracer les parentés génétiques entre divers organismes, l'ADN mitochondrial d'échantillons de viande de baleine d'origine inconnue présentera plus de similitudes avec l'ADN mitochondrial provenant d'un animal de la même espèce qu'avec les ADN mitochondriaux d'autres espèces connues de baleines.

■ EXPÉRIENCE ■ C. S. Baker et S. R. Palumbi ont acheté 13 échantillons de «viande de baleine» dans des poissonneries japonaises. Ils ont séquencé une portion particulière de l'ADN mitochondrial (ADNmt) de chaque échantillon et ont comparé leurs résultats avec la séquence équivalente de l'ADN d'espèces de baleine connues. Pour découvrir l'espèce d'origine de chaque échantillon, Baker et Palumbi ont construit un *arbre génétique*, c'est-à-dire un arbre phylogénétique qui met en évidence des modèles de parenté entre des séquences d'ADN plutôt qu'entre des taxons.

■ RÉSULTATS ■ Parmi les espèces figurant dans l'arbre phylogénétique, seul le petit rorqual de l'hémisphère Sud peut être vendu légalement au Japon.

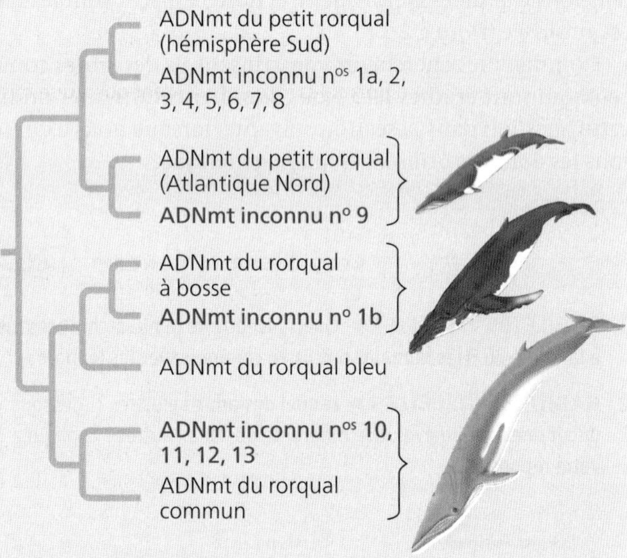

■ CONCLUSION ■ Cette analyse indique que les séquences de l'ADNmt de six des échantillons inconnus (en rouge) étaient plus étroitement apparentés aux séquences de l'ADNmt de baleines dont la chasse est interdite.

Source des données: C. S. Baker et S. R. Palumbi, Which whales are hunted ? A molecular genetic approach to monitoring whaling, *Science* 265: 1538-1539 (1994).

ET SI ? ▶ À quoi les résultats auraient-ils ressemblé s'ils avaient indiqué que la viande de baleine provenait d'animaux dont la chasse est permise ?

CONCEPT **26.2**

La phylogenèse repose sur des données morphologiques et moléculaires

Pour construire une phylogenèse, les systématiciens doivent recueillir le plus de données possible sur la morphologie, les gènes et la biochimie des organismes concernés. Ils doivent impérativement se concentrer sur les caractéristiques provenant d'un ancêtre commun, car elles seules refléteront les liens évolutifs.

Les homologies morphologiques et moléculaires

Nous avons vu qu'une ressemblance attribuable à une ascendance commune est appelée **homologie**. Par exemple, la ressemblance entre le nombre et l'arrangement des os des membres antérieurs des mammifères s'explique par le fait qu'ils descendent d'un ancêtre commun possédant la même structure osseuse ; c'est là un exemple d'homologie morphologique (voir la figure 22.15). De la même façon, les gènes ou les séquences d'ADN sont homologues s'ils sont issus de séquences portées par un ancêtre commun.

En général, les organismes dotés de morphologies ou de séquences d'ADN très semblables ont plus de chances d'être étroitement apparentés que ceux qui ont des structures ou des séquences très différentes. Dans certains cas, cependant, des espèces apparentées présentent une grande divergence morphologique et une petite divergence génétique (ou vice versa). Prenez, par exemple, les espèces de *Dubautia* d'Hawaï. Certaines de ces espèces sont des arbres hauts et clairsemés, tandis que d'autres se présentent sous forme de buissons bas et denses (voir la figure 25.22). Mais, en dépit de ces différences phénotypiques frappantes, les gènes de ces plantes sont très semblables. En se basant sur ces divergences moléculaires minimes, on estime que le groupe des *Dubautia* a commencé à diverger il y a 5 millions d'années. Nous verrons plus loin dans ce chapitre comment les scientifiques utilisent les données moléculaires pour estimer ces divergences temporelles.

Distinguer homologie et analogie

La construction d'une phylogenèse se heurte à une difficulté particulière : il ne faut pas confondre les ressemblances des organismes attribuables à la convergence, appelées **analogies**, avec celles qui sont imputables à des ancêtres communs (homologies). Seules les homologies sont utiles pour nous aider à construire des arbres phylogénétiques. L'évolution est dite convergente quand les facteurs environnementaux et la sélection naturelle produisent des adaptations semblables (analogues) chez des organismes de lignées évolutives distinctes. Par exemple, les deux sortes de taupes illustrées à la **figure 26.7** se ressemblent beaucoup. De fait, des données génétiques et des fossiles démontrent que l'ancêtre commun de ces taupes a vécu il y a 140 millions d'années. Cet ancêtre commun et la plupart de ses descendants ne ressemblent pas aux taupes, mais il semble que des caractéristiques semblables ont évolué de manière indépendante dans ces deux lignées alors qu'elles se sont adaptées progressivement à des modes de vie similaires. Par conséquent,

Taupe australienne

Taupe dorée africaine

◄ **Figure 26.7 L'évolution convergente des fouisseurs.** Le corps long, les pattes antérieures larges, les petits yeux et le coussin de peau qui protège le nez sont des caractéristiques qui ont évolué indépendamment chez ces espèces.

il ne faut pas tenir compte des caractéristiques similaires de ces animaux au moment de construire leur phylogenèse.

Afin de distinguer les homologies et les analogies, on peut examiner la complexité des caractéristiques comparées. Plus le nombre de ressemblances entre deux structures complexes est élevé, plus forte est la probabilité que ces structures aient évolué à partir d'un ancêtre commun. Par exemple, le crâne des humains adultes et celui des chimpanzés adultes ne se composent pas d'un os unique, mais de plusieurs os fusionnés. La composition du crâne de l'humain correspond presque parfaitement, os pour os, à celle du crâne du chimpanzé. Il est donc fort improbable que des structures aussi complexes et aussi ressemblantes aient des origines distinctes. Il est plus vraisemblable que les gènes participant à la constitution des deux crânes proviennent d'un ancêtre commun.

On peut affirmer la même chose en matière de comparaisons d'ordre génétique. Les gènes sont des séquences de milliers de nucléotides, dont chacun représente une caractéristique héréditaire sous la forme d'une des quatre bases de l'ADN : A (adénine), G (guanine), C (cytosine) ou T (thymine). Si les gènes de deux organismes ont en commun plusieurs portions de leurs séquences nucléotidiques, il y a de bonnes chances que ces gènes soient homologues.

L'évaluation des homologies moléculaires

La comparaison de molécules d'ADN pose certains défis techniques. La première étape, après le séquençage des molécules, consiste à aligner les séquences homologues issues des espèces comparées. Si ces dernières ont divergé d'un même ancêtre relativement récent, les séquences ne diffèrent probablement que par une ou quelques bases. Par contre, chez les espèces moins proches, les séquences d'ADN homologues différeront probablement à la fois par les bases de certains sites et par la longueur totale des séquences. Ces différences s'expliquent du fait que l'accumulation des mutations au fil du temps (notamment les insertions et les délétions) risque fort de modifier la longueur des gènes.

Imaginons, par exemple, que deux séquences d'ADN non codant issues de deux espèces soient très semblables, mais qu'une délétion ait supprimé la première base de la séquence provenant de l'une de ces deux espèces. Il s'ensuivrait un décalage de tous les autres nucléotides ; une comparaison point par point des deux séquences étudiées aboutirait à une conclusion erronée. On pourrait en effet croire à une différence marquée entre elles, alors qu'en fait il y aurait une concordance générale. Pour surmonter ce type de problèmes, des chercheurs ont mis au point des logiciels qui déterminent la meilleure façon d'aligner les segments d'ADN homologues dont la longueur varie (**figure 26.8**).

❶ Ces segments d'ADN homologues sont identiques, tandis que l'espèce 1 et l'espèce 2 commencent à diverger par rapport à leur ancêtre commun

1 C C A T C A G A G T C C
2 C C A T C A G A G T C C

❷ Deux types de mutations, soit une délétion et une insertion, décalent les séquences correspondantes chez les deux espèces.

Délétion
1 C C A T C A G A G T C C
2 C C A T C A G A G T C C
G T A Insertion

❸ En raison de ces mutations, les régions homologues, surlignées en orangé ne sont plus alignées entre les espèces 1 et 2.

1 C C A T C A A G T C C
2 C C A T G T A C A G A G T C C

❹ Les régions homologues sont réalignées, une fois que le système informatique a comblé les écarts en ajoutant des lacunes dans la séquence 1.

1 C C A T _ _ _ C A _ A G T C C
2 C C A T G T A C A G A G T C C

▲ **Figure 26.8 L'alignement des segments d'ADN.** Les systématiciens recherchent des séquences semblables dans les segments d'ADN provenant des deux espèces étudiées (un seul segment pour chaque espèce apparaît ci-dessus). Dans cet exemple, 11 des 12 bases n'ont pas changé depuis que les deux espèces ont divergé. Les séquences comparables sont encore identiques, une fois l'alignement rétabli.

La comparaison moléculaire révèle qu'un grand nombre de substitutions de bases et d'autres différences se sont accumulées entre les gènes comparables de la taupe australienne et de la taupe dorée, ce qui indique que leurs lignées ont grandement divergé depuis leur ancêtre commun. Par conséquent, on peut dire que ces espèces vivantes ne sont pas étroitement apparentées. En revanche, la grande ressemblance des séquences de gènes dans le groupe des *Dubautia* d'Hawaï confirme l'hypothèse selon laquelle ces plantes sont toutes très étroitement apparentées en dépit de différences morphologiques considérables.

Comme pour les caractéristiques morphologiques, il importe de distinguer l'homologie de l'analogie pour évaluer les ressemblances moléculaires dans les études sur l'évolution. Deux séquences qui se ressemblent sur une bonne partie de leur longueur sont probablement homologues (voir la figure 26.8). Toutefois, chez les organismes qui ne semblent pas étroitement apparentés, il arrive que des séquences en général très différentes présentent des bases semblables par coïncidence. Ces ressemblances purement fortuites sont des homoplasies moléculaires. Par exemple, si les deux séquences d'ADN de la **figure 26.9** provenaient de parents éloignés, le fait que 23 % de leurs bases soient semblables serait un pur hasard. Des outils statistiques permettent de déterminer si les séquences d'ADN qui présentent une concordance de plus de 25 % sont homologues.

ACGGATAGTCCACTAGGCACTA

TCACCGACAGGTCTTTGACTAG

▲ **Figure 26.9 L'homoplasie moléculaire.**

RETOUR SUR LE CONCEPT **26.2**

1. Indiquez si chacune des paires de structures suivantes représente une analogie ou une homologie, puis expliquez votre raisonnement : (a) les piquants d'un hérisson et les épines d'un cactus ; (b) la patte d'un chat et la main d'un humain ; (c) l'aile d'un hibou et l'aile d'un frelon.
2. **ET SI ?** ▶ Supposons que deux espèces, A et B, ont une apparence semblable, mais des séquences de gènes très divergentes, et que l'espèce B et l'espèce C ont une apparence fortement dissemblable, mais des séquences de gènes presque identiques. Quelles sont les espèces les plus susceptibles d'être étroitement apparentées : les espèces A et B ou les espèces B et C ? Expliquez votre réponse.

Voir les réponses proposées à l'appendice A.

CONCEPT **26.3**

Les arbres phylogénétiques sont construits à partir de caractères communs

Comme nous l'avons vu, une étape importante dans la reconstruction des phylogenèses consiste à distinguer les caractéristiques homologues des caractéristiques analogues (puisque seule l'homologie reflète l'histoire évolutive). Dans la prochaine section, nous décrirons la cladistique, un ensemble de méthodes dont l'usage est très répandu et qui servent à déduire la phylogenèse à partir de traits homologues.

La cladistique

La **cladistique** est une méthode relevant de la systématique dont le principal critère de classification est l'ancêtre commun. Selon cette méthode, les biologistes tentent de réunir les espèces en **clades**, dont chacun comprend une espèce ancestrale et tous ses descendants.

POUR APPROFONDIR ■ À l'instar des taxons du système de classification classique, les clades sont groupés dans des clades plus importants. Dans la figure 26.4, par exemple, le clade de la famille des félidés relève d'un clade plus important (les carnivores), incluant aussi la famille des canidés.

Toutefois, un taxon n'est équivalent à un clade que s'il est **monophylétique** (du grec *monos*, « seul », et *phulon*, « tribu »), c'est-à-dire s'il regroupe l'espèce ancestrale et tous ses descendants (**figure 26.10a**). Si des données manquent au sujet de certains membres d'un clade, on est en présence d'un groupe *paraphylétique* (du grec *para*, « hors », et *phulon*, « tribu »), lequel renferme l'espèce ancestrale et une partie seulement de ses descendants (**figure 26.10b**). On peut également être en présence d'un groupe **polyphylétique** (du grec *polus*, « nombreux », et *phulon*, « tribu »), qui contient plusieurs espèces parentes éloignées, mais qui exclut leur ancêtre commun le plus récent (**figure 26.10c**).

Il faut savoir que, dans un groupe paraphylétique, l'ancêtre commun le plus récent de tous les membres fait partie du groupe, alors que, dans un groupe polyphylétique, l'ancêtre commun le plus récent de tous les membres est exclu du groupe. Par exemple, le groupe formé des ongulés artiodactyles (les hippopotames, les cerfs et leurs parents) et de leur ancêtre commun est de nature paraphylétique parce qu'il exclut les cétacés (les baleines, les dauphins et les marsouins), dont l'ancêtre est le même (**figure 26.11**). En revanche, un groupe formé des phoques et des cétacés (d'après la similarité de leur forme corporelle) est de nature polyphylétique parce qu'il exclut l'ancêtre commun des phoques et des cétacés. Les biologistes évitent de définir de tels groupes polyphylétiques ; si de nouvelles données montrent qu'un groupe actuel est polyphylétique, ses membres sont reclassifiés. ■

Les caractères communs, ancestraux et dérivés

En raison des modifications intervenues au cours de la phylogenèse, les organismes et leurs ancêtres ont à la fois des caractères communs et différents. Par exemple, tous les mammifères possèdent une colonne vertébrale, mais la présence de la colonne vertébrale ne distingue pas les mammifères des autres vertébrés parce que *tous* les vertébrés ont une colonne vertébrale. Cette structure précède dans le temps l'apparition de l'embranchement mammalien dans l'arbre généalogique des vertébrés. Aussi, pour les mammifères, la colonne vertébrale est un **caractère ancestral commun**, c'est-à-dire un caractère qui provient d'un ancêtre du taxon. En revanche, la pilosité est un attribut que partagent tous les mammifères, mais qu'on *ne trouve pas* chez leurs ancêtres. La présence de poils chez les mammifères est donc considérée comme un **caractère dérivé commun**, une innovation apparue au cours de l'évolution et exclusive à un clade.

Remarquez qu'un caractère dérivé commun peut correspondre à une caractéristique disparue, comme les membres chez les serpents ou les baleines. De plus, les notions de caractères « ancestraux » ou « dérivés » sont relatives quand vient le temps d'examiner un caractère donné. La colonne vertébrale peut faire partie des caractères ancestraux communs à tous les vertébrés, mais est aussi un caractère dérivé commun à une ramification antérieure distinguant tous les vertébrés des autres animaux.

Déduire la phylogenèse à l'aide des caractères dérivés

Les caractères dérivés communs sont propres à des clades précis. Dans la mesure où toutes les caractéristiques des organismes se sont manifestées à un moment de l'histoire du vivant, il devrait être possible de déterminer le clade au sein duquel un caractère dérivé commun est apparu une première fois et d'utiliser cette information pour déduire des liens évolutifs.

À titre d'exemple, prenez la liste des caractères (**figure 26.12a**) présents chez cinq vertébrés, soit un léopard, une tortue, une grenouille, un achigan et une lamproie (un vertébré aquatique sans mâchoires). Pour fonder notre comparaison et établir un cladogramme (un diagramme de lignées évolutives organisées en clades), il nous faut choisir aussi un **groupe extérieur** (ou *groupe de référence*, pour *outgroup* en anglais). Ce groupe

▼ Figure 26.10 Les groupes monophylétique, paraphylétique et polyphylétique.

(a) Groupe monophylétique (clade)

A B C D E F G Groupe I

Le groupe I, qui compte trois espèces (A, B et C) et leur ancêtre commun ❶, est un groupe monophylétique (clade), c'est-à-dire qu'il se compose d'une espèce ancestrale et de *toutes* les espèces qui en sont issues.

(b) Groupe paraphylétique

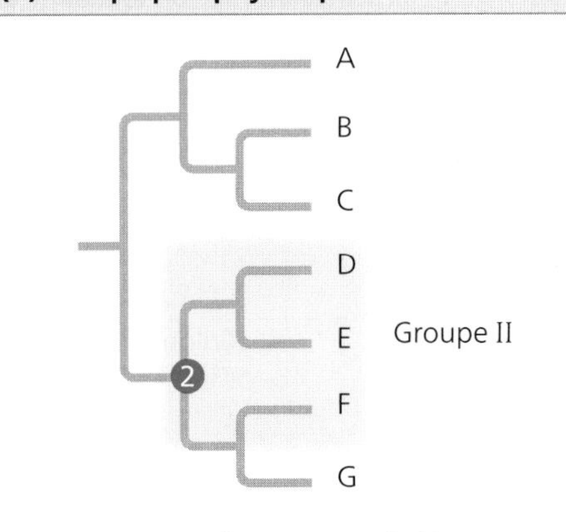

Le groupe II est de type paraphylétique, c'est-à-dire qu'il comprend une espèce ancestrale ❷, et certains de ses descendants (les espèces D, E et F), mais pas tous (l'espèce G est manquante).

(c) Groupe polyphylétique

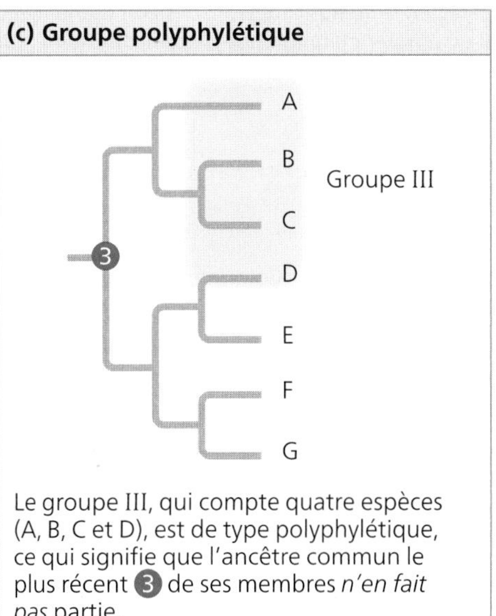

Le groupe III, qui compte quatre espèces (A, B, C et D), est de type polyphylétique, ce qui signifie que l'ancêtre commun le plus récent ❸ de ses membres *n'en fait pas* partie.

▼ Figure 26.11 Exemples d'un groupe paraphylétique et d'un groupe polyphylétique.

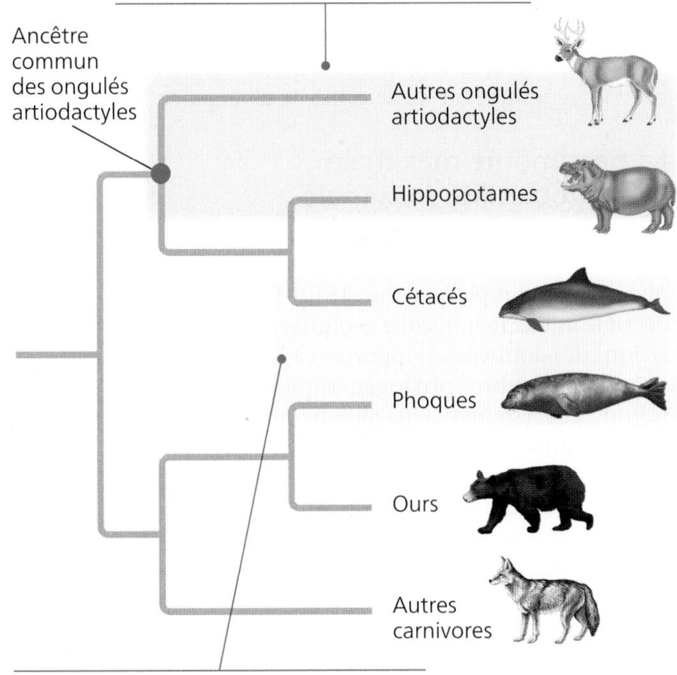

FAITES UN DESSIN ▶ Encerclez le point de bifurcation qui représente l'ancêtre commun le plus récent des cétacés et des phoques. Expliquez pourquoi cet ancêtre n'appartient pas au groupe des cétacés/phoques défini par leur forme corporelle similaire.

de référence comprend une espèce ou un groupe d'espèces d'une lignée étroitement apparentée, mais n'appartenant pas à l'ensemble des espèces qui forment le **groupe à l'étude** (ou *groupe intérieur, ingroup* en anglais). On choisit un groupe de référence en analysant divers éléments de preuves de différentes provenances (morphologie, paléontologie, analyse du développement embryonnaire et séquences génétiques, par exemple). L'amphioxus constitue un bon groupe de référence pour notre exemple. Ce petit animal vit dans des vasières et appartient (comme les vertébrés) au groupe plus inclusif des cordés. Contrairement aux vertébrés, cependant, il est dépourvu de colonne vertébrale.

Dans cette analyse, on suppose qu'un caractère est ancestral lorsqu'il est présent tant dans le groupe extérieur que dans le groupe à l'étude. On présume également que chaque caractère dérivé de la figure 26.12a n'est apparu qu'une seule fois dans le groupe à l'étude. Aussi, lorsqu'on observe un caractère dans un seul sous-groupe du groupe à l'étude, on estime qu'il est apparu dans la lignée des membres de ce sous-groupe.

En comparant les membres du groupe à l'étude les uns avec les autres et avec le groupe extérieur (référence), nous pouvons déterminer les caractères dérivés à divers points de bifurcation de l'évolution des vertébrés. Par exemple, *tous* les vertébrés du groupe à l'étude possèdent une colonne vertébrale : ce caractère était présent chez l'ancêtre vertébré, mais pas chez le groupe de référence. Notons également que la lamproie est dépourvue de mâchoires dotées d'articulations, mais que ce caractère est présent chez tous les autres membres du groupe à l'étude. Cela démontre que ces mâchoires sont apparues dans la lignée de tous les membres du groupe à l'étude, *sauf* chez la lamproie. Nous pouvons donc conclure que la lamproie appartient à un groupe frère du groupe de tous les autres vertébrés à l'étude. En procédant ainsi, nous pouvons transposer les données de notre tableau de caractères dans un arbre phylogénétique qui dispose tous les taxons du groupe à l'étude selon une hiérarchie reposant sur leurs caractères dérivés communs (**figure 26.12b**).

Les arbres phylogénétiques et la longueur proportionnelle des branches

Dans les arbres phylogénétiques que nous avons présentés jusqu'ici, la longueur des branches ne révèle pas le degré de

▼ **Figure 26.12 La construction de la phylogenèse à partir des caractères dérivés.** L'amnios fait partie des caractères retenus ci-dessous. Il s'agit d'une membrane remplie de liquide qui enveloppe l'embryon (voir la figure 34.26). Il est à noter qu'un groupe de caractères différents pourrait nous inciter à construire un tout autre arbre phylogénétique.

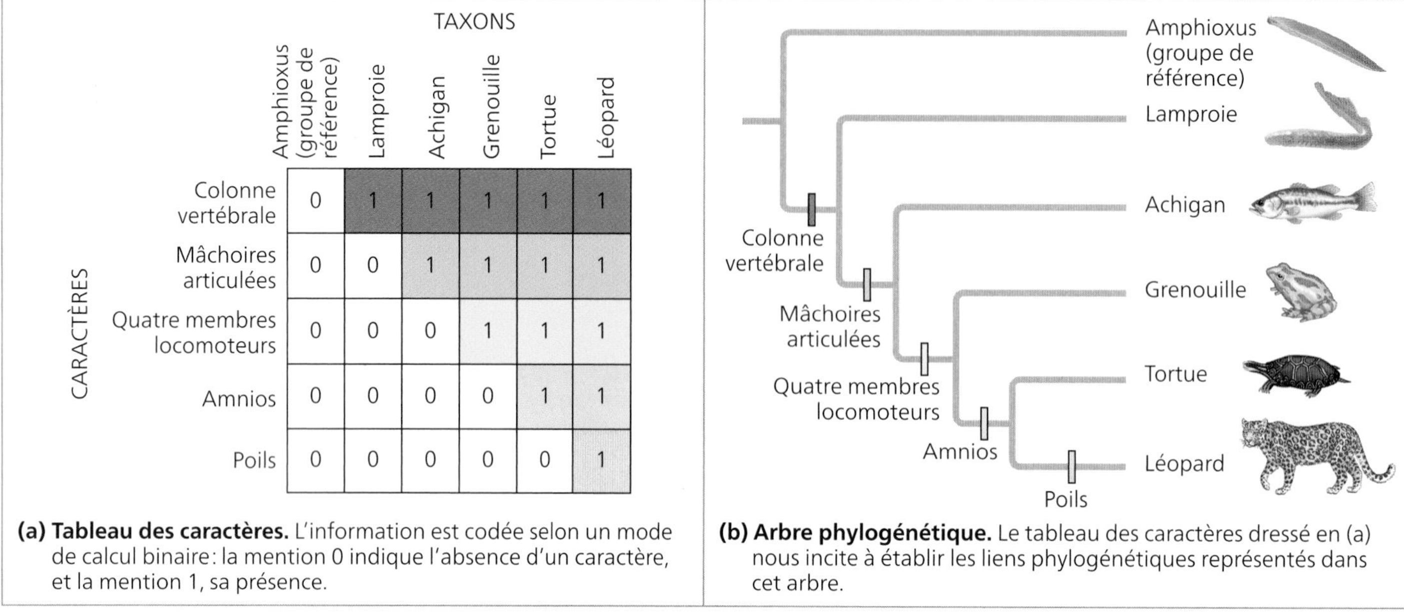

CARACTÈRES	Amphioxus (groupe de référence)	Lamproie	Achigan	Grenouille	Tortue	Léopard
Colonne vertébrale	0	1	1	1	1	1
Mâchoires articulées	0	0	1	1	1	1
Quatre membres locomoteurs	0	0	0	1	1	1
Amnios	0	0	0	0	1	1
Poils	0	0	0	0	0	1

(a) Tableau des caractères. L'information est codée selon un mode de calcul binaire: la mention 0 indique l'absence d'un caractère, et la mention 1, sa présence.

(b) Arbre phylogénétique. Le tableau des caractères dressé en (a) nous incite à établir les liens phylogénétiques représentés dans cet arbre.

FAITES UN DESSIN ▶ En (b), encerclez le clade incluant tous les membres ayant les mâchoires articulées, ce qui constitue leur caractère ancestral commun.

changement évolutif de chaque lignée. La chronologie donnée par la ramure d'un arbre phylogénétique est relative plutôt qu'absolue. Autrement dit, elle indique si un élément est apparu avant ou après un autre, mais elle ne précise pas depuis combien de millions d'années. Dans certains diagrammes arborescents, cependant, la longueur des branches est proportionnelle au nombre de changements évolutifs ou à la date à laquelle se sont produits des événements particuliers.

Dans la **figure 26.13**, par exemple, la longueur des branches de l'arbre phylogénétique reflète le nombre de changements survenus dans une séquence d'ADN de cette lignée. Notons que la longueur totale des lignes horizontales entre la base de l'arbre et la souris (*Mus*) est moindre que celle des lignes montant jusqu'à l'espèce du groupe extérieur, la drosophile (*Drosophila*). Cette différence donne à penser que, depuis le moment où la drosophile et la souris ont divergé de leur ancêtre commun, il s'est produit plus de changements génétiques dans la lignée de la drosophile que dans celle de la souris.

Bien que les ramifications d'un arbre phylogénétique puissent avoir différentes longueurs, toutes les lignées des organismes vivant aujourd'hui qui descendent d'un même ancêtre commun ont survécu le même nombre d'années. Prenons un exemple extrême: les humains et les bactéries ont un ancêtre commun qui a vécu il y a plus de 3 milliards d'années. Les fossiles et les données génétiques indiquent que cet ancêtre était un procaryote unicellulaire. Même si la structure des bactéries a peu changé depuis cet ancêtre commun, leur lignée n'en a pas moins connu 3 milliards d'années d'évolution, tout comme il s'est écoulé 3 milliards d'années d'évolution dans la lignée qui a finalement conduit à l'apparition des humains.

On peut représenter ces périodes de temps équivalentes dans un arbre phylogénétique dont les branches sont de longueur proportionnelle au temps écoulé (**figure 26.14**). Ce type d'arbre utilise des données géologiques pour situer une portion de branche dans le contexte des temps géologiques. De plus, il est possible de combiner ces deux types d'arbres en indiquant, sur les points de bifurcation, de l'information sur la vitesse de changement génétique ou sur les dates de divergence.

La parcimonie maximale et la probabilité maximale

Nos connaissances grandissantes sur les séquences d'ADN nous permettent d'étudier de plus en plus d'espèces; aussi est-il de plus en plus complexe de construire l'arbre phylogénétique qui décrit le mieux leur histoire évolutive. Supposons que nous analysions des données se rapportant à 50 espèces: il y aurait environ 3×10^{76} arbres phylogénétiques possibles! Lequel serait le bon? Les systématiciens ne sont jamais certains de trouver le meilleur arbre phylogénétique parmi cette profusion de possibilités, mais ils peuvent s'en approcher en appliquant les principes de parcimonie maximale et de probabilité maximale.

Selon le principe de **parcimonie maximale**, toute théorie doit proposer l'explication la plus simple possible dans le respect des faits. (Le principe de parcimonie s'inspire des idées de Guillaume d'Occam, théologien et philosophe anglais du 14e siècle, qui préconisait cette approche minimaliste de la résolution des problèmes.) Parmi les arbres fondés sur des caractères morphologiques, l'arbre le plus simple est celui qui fait appel au plus petit nombre possible de caractères dérivés partagés (chaque caractère correspondant à un événement évolutif). Parmi les phylogenèses construites à partir de séquences d'ADN, l'arbre le plus simple est celui qui fait appel au plus petit nombre possible de changements de bases. Le même raisonnement général s'applique à ces deux cas: le même caractère observé chez deux espèces différentes a de plus fortes probabilités d'être apparu chez un ancêtre commun (donc un seul changement évolutif), plutôt que séparément dans chacune des deux espèces (deux changements évolutifs).

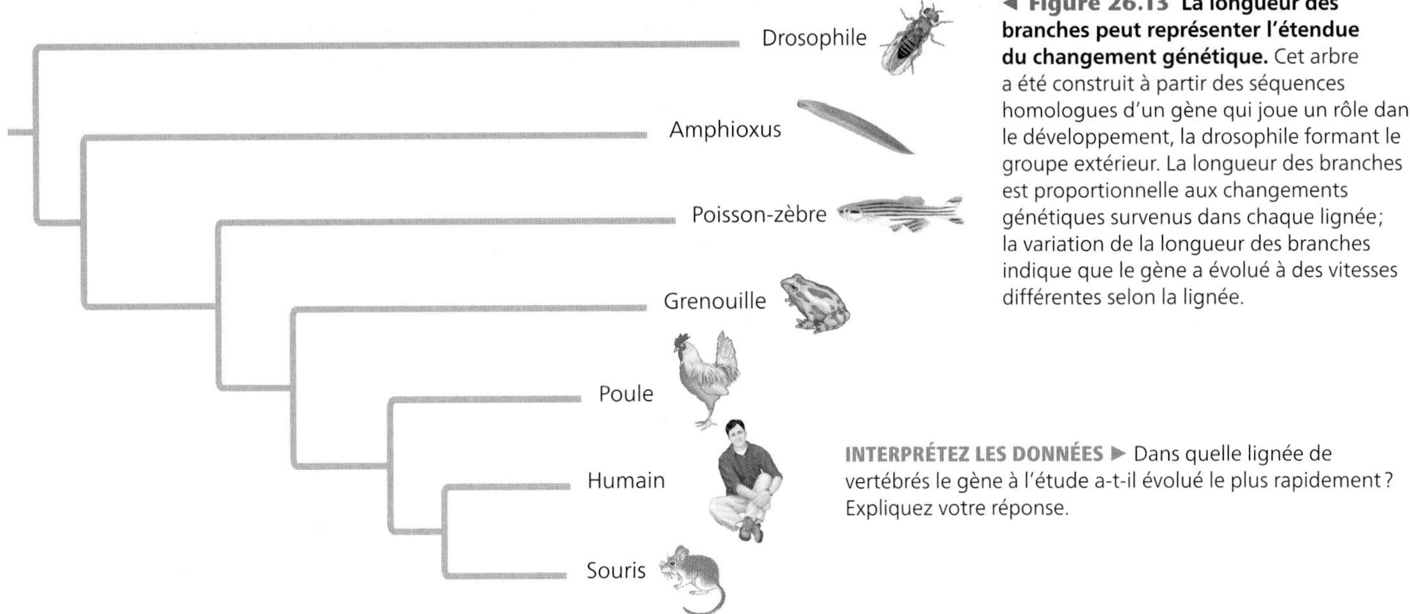

◄ **Figure 26.13 La longueur des branches peut représenter l'étendue du changement génétique.** Cet arbre a été construit à partir des séquences homologues d'un gène qui joue un rôle dans le développement, la drosophile formant le groupe extérieur. La longueur des branches est proportionnelle aux changements génétiques survenus dans chaque lignée; la variation de la longueur des branches indique que le gène a évolué à des vitesses différentes selon la lignée.

INTERPRÉTEZ LES DONNÉES ► Dans quelle lignée de vertébrés le gène à l'étude a-t-il évolué le plus rapidement? Expliquez votre réponse.

L'approche de la **probabilité maximale** consiste à déterminer quel arbre est le plus susceptible de représenter un ensemble de données précises sur l'ADN, d'après certaines règles de probabilité relativement à l'évolution des séquences d'ADN au fil du temps. Par exemple, les règles de probabilité sous-jacentes pourraient reposer sur l'hypothèse selon laquelle toutes les substitutions de nucléotides sont également probables. Toutefois, si des données semblent démontrer que c'est faux, il est nécessaire d'établir des règles plus complexes pour expliquer les différences dans la vitesse des changements susceptibles d'affecter les divers nucléotides ou de modifier la position d'un gène.

Les scientifiques ont mis au point de nombreux logiciels servant à bâtir des arbres simples et probables. Quand on dispose d'une grande quantité de données précises, les méthodes utilisées par ces logiciels permettent habituellement d'obtenir des arbres semblables. La **figure 26.15** montre la construction de l'arbre moléculaire le plus simple pour établir des liens entre trois espèces. Les logiciels se fondent eux aussi sur le principe de parcimonie pour esquisser des phylogenèses. Ils examinent un grand nombre d'arbres possibles et retiennent ceux qui comportent le moins de changements évolutifs.

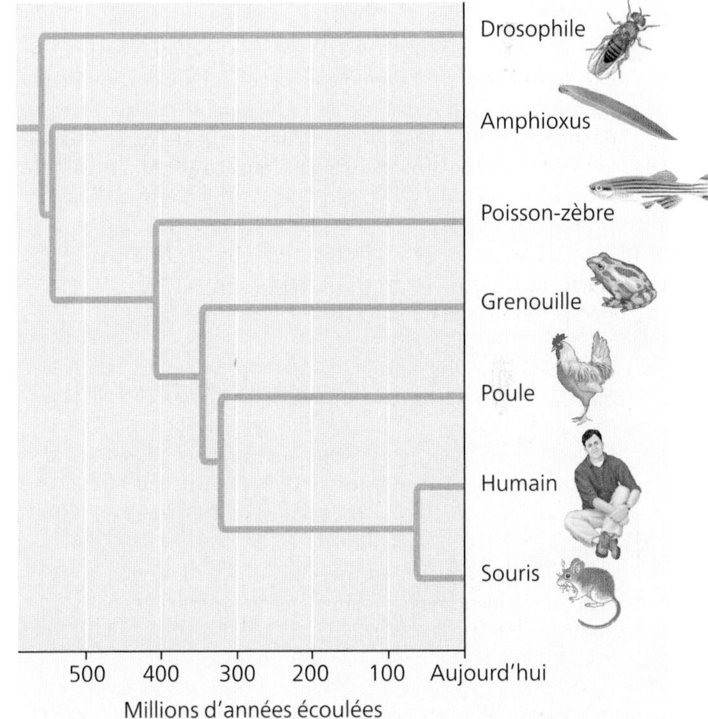

▲ **Figure 26.14 La longueur des branches peut servir de repère temporel.** Cet arbre a été construit à partir des mêmes données sur l'ADN que celles utilisées pour l'arbre de la figure 26.13. Ici, cependant, les points de bifurcation correspondent à des époques déterminées selon les archives géologiques. La longueur des branches est donc proportionnelle à l'écart temporel. Chaque lignée présente la même longueur, de la base de l'arbre jusqu'au bout de la branche, ce qui indique que la divergence de toutes les lignées par rapport à l'ancêtre commun est de même durée.

Les arbres phylogénétiques en tant qu'hypothèses

À ce stade-ci, il serait bon de se rappeler que tout arbre phylogénétique constitue un ensemble d'hypothèses sur les liens qui existent entre les différents organismes représentés par le diagramme. La meilleure hypothèse est celle qui rend le mieux compte de toutes les données disponibles. Elle peut être modifiée lorsque de nouvelles données phylogénétiques et moléculaires obligent les systématiciens à réviser les arbres existants. Du coup, certaines hypothèses se trouvent confirmées, et d'autres doivent être modifiées ou abandonnées.

Le fait de considérer les phylogenèses comme des hypothèses présente de grands avantages: nous pouvons ainsi formuler et tester des prédictions en présupposant le bien-fondé d'une phylogenèse donnée, c'est-à-dire de notre hypothèse. Par exemple, la méthode connue sous le nom de rapprochements phylogénétiques (*phylogenetic bracketing*) permet de prédire (par le principe de parcimonie) que les caractéristiques communes à deux groupes d'organismes étroitement liés sont également présentes chez

DÉMARCHE SCIENTIFIQUE
MÉTHODE DE RECHERCHE

▼ **Figure 26.15**
L'application du principe de parcimonie à un problème de systématique moléculaire

■ APPLICATION ■ Lorsqu'ils étudient les différentes phylogenèses possibles pour un groupe d'espèces, les systématiciens comparent les données moléculaires des espèces étudiées. Ils commencent par choisir l'hypothèse la plus simple, c'est-à-dire celle qui fait appel au plus petit nombre possible de changements évolutifs (au niveau moléculaire).

■ TECHNIQUE ■ Suivons les étapes numérotées pour voir comment appliquer le principe de parcimonie à un problème phylogénétique ayant trait à trois espèces étroitement apparentées.

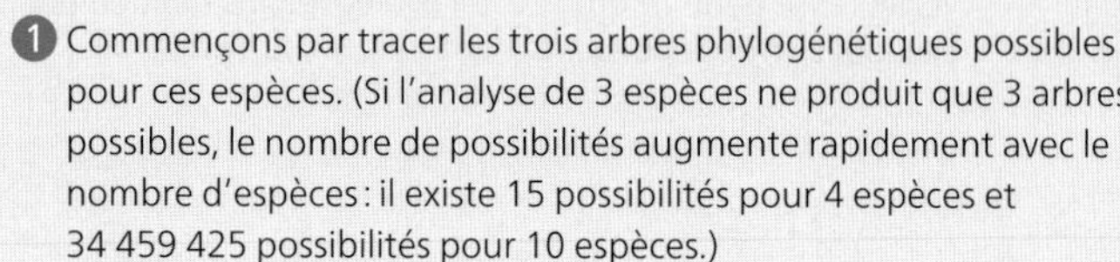

❶ Commençons par tracer les trois arbres phylogénétiques possibles pour ces espèces. (Si l'analyse de 3 espèces ne produit que 3 arbres possibles, le nombre de possibilités augmente rapidement avec le nombre d'espèces : il existe 15 possibilités pour 4 espèces et 34 459 425 possibilités pour 10 espèces.)

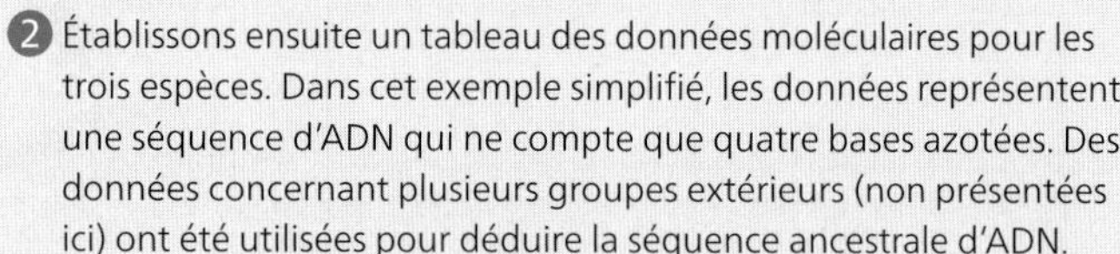

❷ Établissons ensuite un tableau des données moléculaires pour les trois espèces. Dans cet exemple simplifié, les données représentent une séquence d'ADN qui ne compte que quatre bases azotées. Des données concernant plusieurs groupes extérieurs (non présentées ici) ont été utilisées pour déduire la séquence ancestrale d'ADN.

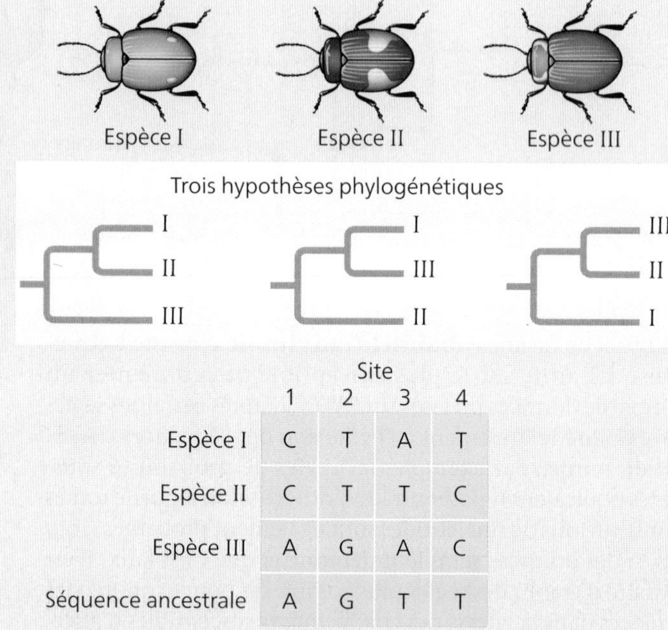

	Site 1	2	3	4
Espèce I	C	T	A	T
Espèce II	C	T	T	C
Espèce III	A	G	A	C
Séquence ancestrale	A	G	T	T

❸ On se concentre alors sur le site 1 de la séquence d'ADN. Dans l'arbre de gauche, un seul changement de bases, représenté par un trait violet dans la ramification débouchant sur les espèces I et II (ce changement est nommé 1/C, indiquant un changement sur le site 1 au nucléotide C), peut rendre compte des données du site 1. Dans les deux autres arbres, il faut faire intervenir deux changements de bases.

❹ En poursuivant la comparaison des bases des sites 2 à 4, nous constatons que chacun des trois arbres exige en tout cinq changements de bases supplémentaires (signalés par des traits violets).

■ RÉSULTATS ■ Pour trouver l'arbre le plus simple, additionnons tous les changements indiqués aux étapes 3 et 4. Nous pouvons conclure que le premier arbre est le plus simple de ces trois possibilités de phylogenèse. (Dans un cas réel, on analyserait beaucoup d'autres sites. Par conséquent, les arbres possibles différeraient alors généralement par plus d'un seul changement de bases.)

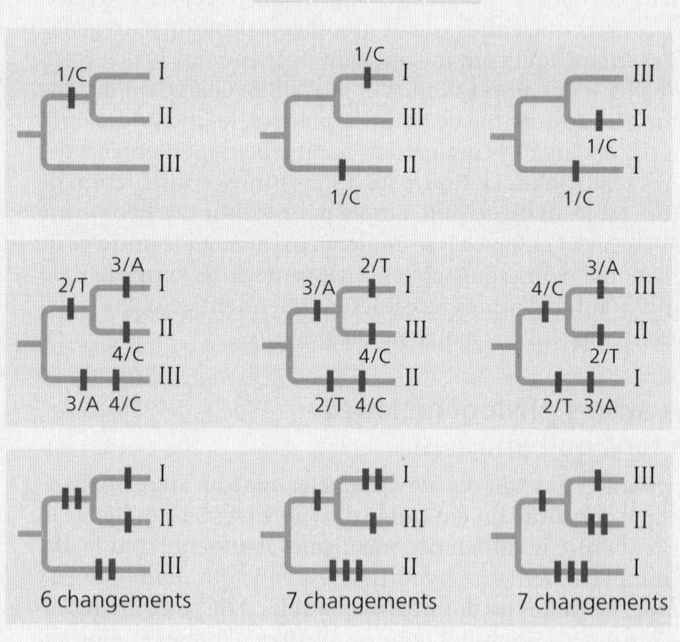

leur ancêtre commun et chez tous ses descendants, à moins que des données indépendantes n'indiquent le contraire. (Notons qu'une hypothèse peut s'appliquer à des changements ayant eu lieu dans le passé tout autant qu'à des modifications évolutives à venir.)

Cette méthode a servi à formuler de nouvelles hypothèses sur les dinosaures. Par exemple, des données indiquent que les oiseaux descendent des théropodes, un groupe de dinosaures saurischiens bipèdes. Comme le montre la **figure 26.16**, les plus proches parents vivants des oiseaux sont les crocodiles. Les

▼ Figure 26.16 L'arbre phylogénétique des oiseaux et de leurs parents proches. (Le symbole † indique une lignée éteinte.)

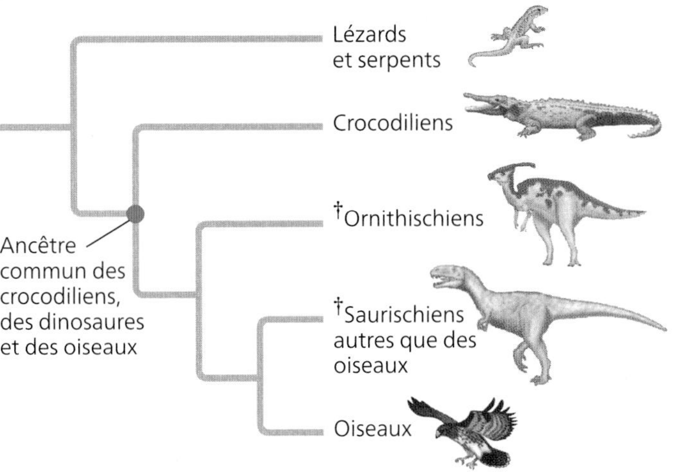

HABILETÉS VISUELLES ▶ Dans cet arbre, quel est le groupe frère du clade qui inclut les dinosaures et leur ancêtre commun le plus récent? Expliquez votre réponse.

▼ Figure 26.17 Un fossile étaye l'hypothèse phylogénétique: les dinosaures construisaient des nids et couvaient leurs œufs.

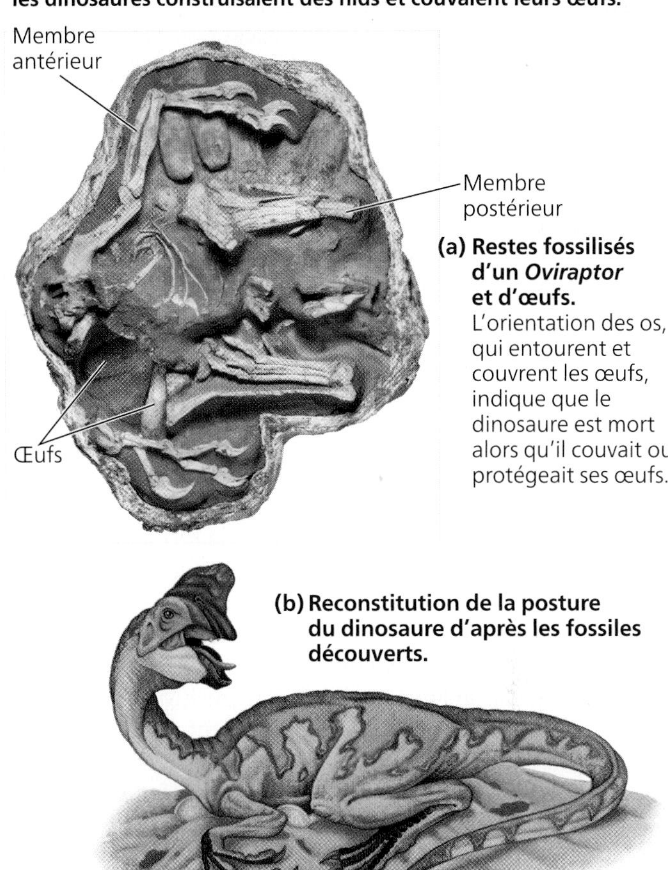

(a) Restes fossilisés d'un *Oviraptor* et d'œufs. L'orientation des os, qui entourent et couvrent les œufs, indique que le dinosaure est mort alors qu'il couvait ou protégeait ses œufs.

(b) Reconstitution de la posture du dinosaure d'après les fossiles découverts.

oiseaux et les crocodiles ont en commun de nombreuses caractéristiques: ils ont un cœur à quatre cavités, ils «chantent» pour défendre leur territoire et attirer un partenaire avec qui s'accoupler (quoique le «chant» du crocodile ressemble davantage à un beuglement) et ils construisent un nid. La *couvaison,* le fait de réchauffer les œufs en les recouvrant de son corps, est aussi un comportement observé chez les oiseaux, comme chez les crocodiles. Les oiseaux couvent leurs œufs en se posant dessus, alors que les crocodiles les recouvrent de leur cou. En présumant que toute caractéristique commune aux oiseaux et aux crocodiles était probablement présente chez leur ancêtre commun (indiqué par un point bleu dans la figure 26.16) et chez *tous* ses descendants, les biologistes ont avancé que les dinosaures étaient dotés d'un cœur à quatre cavités, qu'ils «chantaient», qu'ils construisaient un nid et qu'ils couvaient leurs œufs.

Les organes internes, comme le cœur, se fossilisent rarement et, bien entendu, il est difficile de prouver que les dinosaures émettaient des sons en défendant leur territoire ou lors des parades nuptiales. En revanche, la découverte de fossiles d'œufs de dinosaure et de nids a renforcé l'hypothèse selon laquelle les dinosaures auraient couvé. On a en effet trouvé un fossile d'embryon d'*Oviraptor* encore dans sa coquille. Cet œuf était identique à ceux qui ont été trouvés dans un autre site fossilifère montrant un *Oviraptor* adulte étendu sur des œufs, dans une posture similaire à celle que prennent de nos jours les oiseaux pour couver (**figure 26.17**). Les chercheurs ont avancé que cet *Oviraptor* fossilisé est mort pendant qu'il couvait ou protégeait ses œufs. La découverte d'autres fossiles révélant que plusieurs espèces de dinosaures construisaient des nids et couvaient leurs œufs est venue renforcer la conclusion générale émergeant des recherches entreprises sur ce sujet. Enfin, en renforçant l'hypothèse phylogénétique illustrée à la figure 26.16, la découverte de nids et de comportements de couvaison chez les dinosaures fossilisés a fourni des données indépendantes confirmant la justesse de l'hypothèse.

RETOUR SUR LE CONCEPT 26.3

1. Pour distinguer un clade particulier de mammifères au sein du clade plus vaste qui correspond à la classe des mammifères, le poil serait-il un caractère utile? Pourquoi?
2. L'arbre le plus simple n'est pas nécessairement celui qui représente le plus justement les liens évolutifs. Dans quelles circonstances l'arbre le plus simple pourrait-il être erroné?
3. **ET SI? ▶** Dessinez un arbre phylogénétique qui montre les liens évolutifs des figures 25.7 et 26.16. Traditionnellement, tous les taxons présentés, hormis les oiseaux et les mammifères, étaient classifiés comme des reptiles. Est-ce que la méthode cladistique soutiendrait cette classification? Expliquez votre réponse.

Voir les réponses proposées à l'appendice A.

CONCEPT 26.4

Le génome recèle l'histoire évolutive de tout organisme

Nous avons vu dans ce chapitre qu'on peut déduire des liens en comparant des acides nucléiques ou d'autres molécules. Dans certains cas, de telles comparaisons peuvent mettre en évidence des liens phylogénétiques qu'il serait impossible de déterminer par des méthodes non moléculaires, comme l'anatomie comparative. Par exemple, l'analyse des données moléculaires permet de préciser les liens évolutifs entre des groupes présentant peu de ressemblances morphologiques susceptibles d'être comparées, tels les animaux et les eumycètes. En outre, la méthode moléculaire permet d'élaborer la phylogenèse de groupes d'organismes modernes au sujet desquels les archives géologiques ne donnent pas d'indications.

Les divers types de gènes peuvent évoluer à différentes vitesses, y compris dans la même lignée évolutive. Par conséquent, les arbres moléculaires peuvent représenter des périodes courtes ou des périodes longues; tout dépend du type de gènes en cause. Par exemple, l'ADN nucléaire qui code pour l'ARN ribosomique (ARNr) évolue relativement lentement. De ce fait, la comparaison de séquences d'ADN de ces gènes (ou de leurs produits, c'est-à-dire de l'ARNr) est utile lorsqu'on analyse les relations entre des taxons qui ont divergé il y a des centaines de millions d'années. Ainsi, les études sur les séquences d'ARN indiquent que les eumycètes sont plus étroitement apparentés aux animaux qu'aux végétaux. Par comparaison, l'ADN mitochondrial (ADNmt) évolue relativement vite et peut servir à explorer des changements récents dans l'évolution. Ainsi, une équipe de recherche a recouru au séquençage de l'ADNmt pour faire le point sur les relations entre les divers groupes d'Amérindiens. Les résultats qu'elle a obtenus confirment certaines preuves indiquant que les Pimas de l'Arizona, les Mayas du Mexique et les Yanomamis du Venezuela sont étroitement apparentés. Ces populations humaines descendent sans doute de la première des trois vagues d'immigrants passées de l'Asie à l'Amérique en traversant le détroit de Béring, il y a environ 15 000 ans.

Les duplications de gènes et les familles de gènes

Que révèlent les données moléculaires sur l'histoire évolutive du génome ? Prenons la duplication de gènes, un mécanisme particulièrement important dans l'évolution parce qu'il augmente le nombre de gènes dans le génome et, par le fait même, les possibilités de changements évolutifs. Les techniques moléculaires nous permettent aujourd'hui de déterminer la phylogenèse des duplications génétiques. Ces phylogenèses moléculaires doivent rendre compte des duplications répétées qui ont généré des *familles de gènes*, c'est-à-dire des groupes de gènes apparentés à l'intérieur du génome d'un organisme (voir la figure 21.11).

En tenant compte de ces duplications, on distingue deux types de gènes homologues (**figure 26.18**): les gènes orthologues et les gènes paralogues. Dans les **gènes orthologues** (du grec *orthos*, « droit »), l'homologie découle d'une spéciation et, par conséquent, on l'observe entre les gènes de différentes espèces (voir la figure 26.18a). Par exemple, chez l'humain et chez le chien, les gènes du cytochrome *c* (une protéine responsable du transport des électrons) sont des gènes orthologues. L'homologie des **gènes paralogues** (du grec *para*, « en parallèle ») découle d'une duplication génétique; par conséquent, de nombreux exemplaires de ces gènes ont divergé les uns des autres au sein d'une même espèce (voir la figure 26.18b). Au concept 23.1, nous en avons vu un exemple, celui des gènes des récepteurs olfactifs qui ont subi de nombreuses duplications chez les vertébrés; les humains possèdent 380 exemplaires fonctionnels de ces gènes paralogues, alors que les souris en ont 1 200.

Notons que, pour les gènes orthologues, la divergence survient généralement après la spéciation. Par le fait même, on retrouve ces gènes dans des patrimoines génétiques distincts. Par exemple, bien que les cytochromes *c* remplissent la même fonction chez les humains et chez les chiens, la séquence génétique de l'humain a divergé de celle du chien depuis l'époque où ces deux espèces avaient un ancêtre commun. Dans le cas des gènes paralogues, la divergence peut avoir lieu au sein de la même espèce, car le génome en contient plusieurs exemplaires. Les gènes paralogues qui forment la famille des gènes des récepteurs olfactifs chez les humains ont divergé les uns des autres au cours de notre longue histoire évolutive. Ces gènes déterminent maintenant les protéines qui confèrent une sensibilité à une gamme impressionnante d'odeurs, depuis celles de la nourriture jusqu'à celles des phéromones sexuelles.

L'évolution du génome

Comme les chercheurs sont désormais en mesure de comparer les génomes entiers de différents organismes, y compris le nôtre,

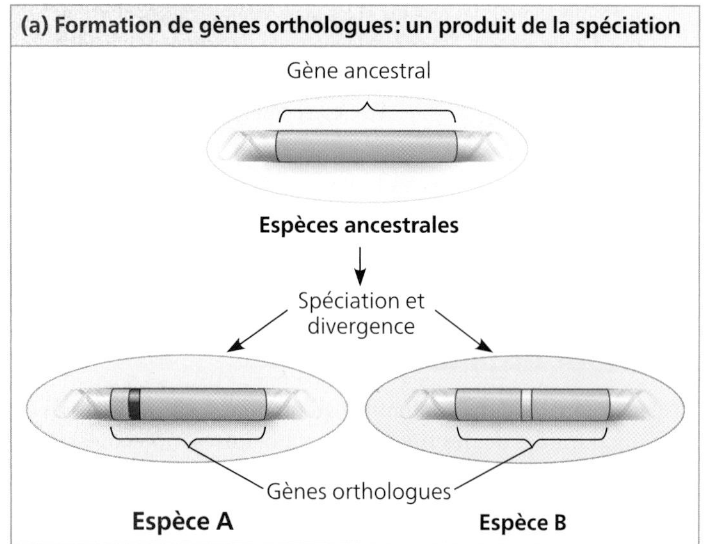

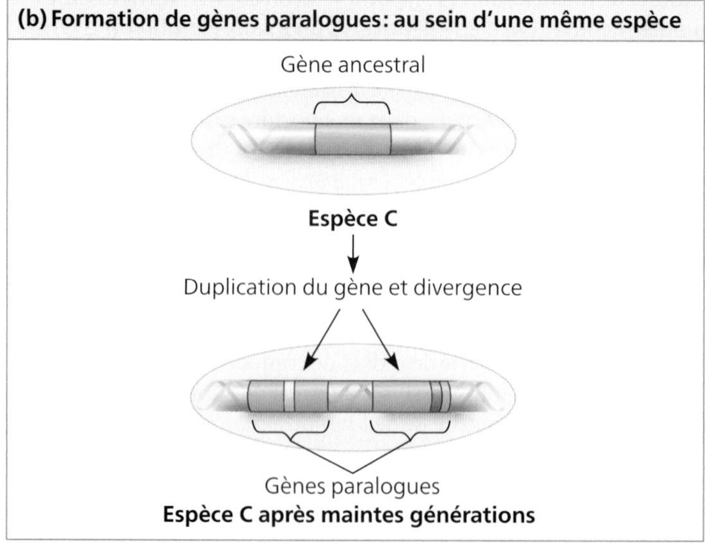

▲ **Figure 26.18 Deux types de gènes homologues.** Les bandes colorées indiquent les régions des gènes où les différences dans les séquences de bases se sont accumulées.

deux faits remarquables ressortent. Premièrement, les lignées qui ont divergé il y a longtemps ont souvent plusieurs gènes orthologues en commun. Par exemple, bien que la lignée de l'humain et celle de la souris aient divergé depuis quelque 65 millions d'années, 99 % de leurs gènes sont orthologues. Par ailleurs, 50 % de nos gènes sont orthologues par rapport à ceux des levures, malgré 1 milliard d'années d'évolution divergente. Ce genre de points communs explique pourquoi des organismes différents ont néanmoins de nombreuses voies communes sur les plans biochimique et développemental. Grâce à ces voies communes, il est souvent possible de recourir à des parents éloignés de l'être humain, qu'il s'agisse de levures ou d'autres organismes, pour étudier le fonctionnement des gènes causant des maladies chez l'humain.

Deuxièmement, le nombre de gènes que présente une espèce ne semble pas avoir augmenté par duplication à la même vitesse que la complexité phénotypique. Ainsi, même si les humains possèdent un cerveau volumineux et complexe, de même qu'un corps qui comporte plus de 200 types de tissus, ils ont environ 4 fois plus de gènes que les levures, des eucaryotes unicellulaires simples. Les recherches indiquent de plus en plus clairement qu'un grand nombre de gènes humains sont plus polyvalents que ceux des levures : un seul gène humain peut encoder de multiples protéines qui accomplissent une grande variété de tâches dans les différents tissus du corps. Un défi scientifique de taille nous attend maintenant : déterminer quels sont les mécanismes à l'origine de la polyvalence génomique.

RETOUR SUR LE CONCEPT 26.4

1. Expliquez comment les comparaisons entre les protéines de deux espèces peuvent renseigner sur leur lien évolutif.
2. **ET SI ?** ▶ Supposons que l'espèce 1 et l'espèce 2 aient un gène A orthologue, et qu'un gène B soit paralogue au gène A chez l'espèce 1. Proposez une séquence de deux événements évolutifs qui pourraient produire le changement suivant : le gène A diffère considérablement d'une espèce à l'autre, bien que le gène A et le gène B aient peu divergé.
3. **FAITES DES LIENS** ▶ Examinez de nouveau la figure 18.13, puis proposez un mécanisme par lequel un gène donné pourrait remplir des fonctions différentes dans des tissus différents d'un même organisme.

Voir les réponses proposées à l'appendice A.

CONCEPT 26.5

Les horloges moléculaires rendent compte du temps de l'évolution

L'un des buts de la biologie de l'évolution est de comprendre les relations entre tous les organismes. Il est également utile de savoir à quel moment les lignées ont divergé les unes par rapport aux autres, y compris celles pour lesquelles il n'existe aucun fossile. Mais comment établir les phylogenèses au-delà des archives géologiques ?

Les horloges moléculaires

Nous l'avons vu précédemment, l'ancêtre commun des *Dubautia* a probablement vécu il y a 5 millions d'années. Comment les chercheurs sont-ils arrivés à cette estimation ? Ils se sont appuyés sur le concept d'**horloge moléculaire** dont les bases ont été jetées, en 1965, par Emil Zuckerkandl et Linus Pauling. Ils ont élaboré cette idée après avoir déterminé les séquences d'acides aminés des molécules d'hémoglobine de plusieurs espèces de vertébrés et comparé l'information avec les dates estimées d'apparition de chacune des espèces étudiées. L'horloge moléculaire est une approche qui sert à mesurer le temps absolu des changements évolutifs à partir de l'observation voulant que certaines régions du génome, dont les gènes, aient évolué à des vitesses constantes. Selon le concept d'horloge moléculaire, le nombre de substitutions de nucléotides dans les gènes orthologues et d'acides aminés encodés dans ces gènes est proportionnel au temps écoulé depuis leur ramification à partir de leur ancêtre commun. Dans le cas des gènes paralogues, le nombre de substitutions est proportionnel au temps écoulé depuis la duplication du gène ancestral.

Dans le cas d'un gène dont la vitesse moyenne d'évolution est fiable, il est possible d'étalonner l'horloge moléculaire en temps réel. On trace un graphique dans lequel le nombre de différences génétiques – par exemple, au niveau des acides aminés, des nucléotides ou des codons – est mis en rapport avec les dates d'une série de ramifications révélées par les archives géologiques (**figure 26.19**). La vitesse moyenne des modifications génétiques déduit de ces graphiques sert ensuite à estimer à quelle époque certains épisodes évolutifs sont survenus, quand il est impossible de le savoir d'après les archives géologiques, comme c'est le cas pour l'origine des *Dubautia*.

Évidemment, aucun gène ne peut marquer le déroulement du temps avec une précision absolue, en fonction de la rapidité de l'évolution des séquences de bases. En fait, certaines zones du génome évoluent par poussées subites, sans rythme précis. Même les gènes qui permettent de constituer une horloge moléculaire ne sont précis qu'au sens statistique d'une vitesse de

▼ **Figure 26.19 L'horloge moléculaire des mammifères.** Avec le temps, le nombre de mutations accumulées dans sept protéines a augmenté de façon constante chez la plupart des mammifères. Les points verts représentent des espèces de primates dont les protéines semblent évoluer plus lentement que celles des autres mammifères. Le temps de divergence qu'illustre chaque point est tiré des archives géologiques.

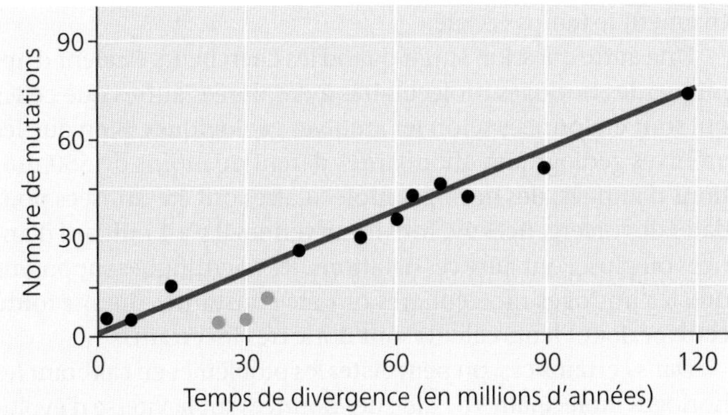

INTERPRÉTEZ LES DONNÉES ▶ D'après le graphique, estimez le temps de divergence chez un mammifère présentant 30 mutations en tout pour les 7 protéines.

changement *moyenne* plutôt uniforme. Au fil du temps, il pourra encore survenir des déviations aléatoires ne respectant pas la vitesse moyenne. De plus, un gène n'évolue pas forcément à la même vitesse dans tous les groupes d'organismes. Enfin, en comparant les gènes qui respectent un rythme précis, on peut constater que ce rythme peut varier considérablement d'un gène à un autre (un gène particulier peut avoir un rythme très différent selon le groupe taxinomique étudié) ; certains gènes évoluent un million de fois plus rapidement que d'autres.

La variabilité de l'horloge moléculaire

Qu'est-ce qui explique de telles différences dans la vitesse à laquelle les gènes évoluent ? La réponse à cette question réside dans le fait que certaines mutations sont neutres au regard de la sélection naturelle, c'est-à-dire qu'elles ne sont ni bénéfiques ni nuisibles. Évidemment, plusieurs mutations nouvelles sont nuisibles et supprimées rapidement. Mais si la majorité des autres changements sont neutres et sans effet ou presque sur la valeur adaptative, alors l'évolution de ces mutations neutres devrait effectivement être régulière comme une horloge. Les différences de vitesse de l'horloge dans les différents gènes dépendent de l'importance du gène. Si la séquence exacte d'acides aminés que commande un gène est essentielle à la survie, alors la majorité des changements par mutation seront nuisibles et seulement une minorité sera neutre. Les gènes de ce type changent lentement. Toutefois, si la séquence exacte d'acides aminés revêt une importance moindre, un plus petit nombre de mutations seront nuisibles et une plus grande proportion sera neutre. Les gènes de ce type changent rapidement.

Les problèmes potentiels liés aux horloges moléculaires

Nous avons vu que l'horloge moléculaire ne fonctionne pas aussi rondement que si les mutations sous-jacentes étaient neutres au regard de la sélection naturelle. De nombreuses irrégularités peuvent survenir en raison de la sélection naturelle et certains changements de l'ADN sont avantagés par rapport à d'autres. Des études donnent en effet à penser que presque la moitié des différences entre les acides aminés appartenant aux protéines de deux espèces de drosophiles (*D. simulans* et *D. yakuba*) ne sont pas neutres, mais plutôt attribuables à la direction prise par la sélection naturelle. Or, dans la mesure où celle-ci peut changer de direction plusieurs fois au cours de longues périodes (et donc entraîner un équilibre des fluctuations), certains gènes soumis à la sélection peuvent néanmoins servir à marquer approximativement le temps écoulé.

Une autre question surgit quand les chercheurs essaient d'appliquer les horloges moléculaires à des durées autres que celles qui sont étalonnées selon les archives géologiques. Bien que les archives géologiques abondantes datent de moins de 550 millions d'années, des horloges moléculaires ont été utilisées pour dater des divergences évolutives survenues il y a 1 milliard d'années ou plus. Pour faire ces datations, les scientifiques supposent que les horloges moléculaires ont été constantes durant toute cette période ; leurs calculs sont donc très incertains.

Dans certains cas, on peut éviter les problèmes en calibrant les horloges moléculaires à l'aide des données sur la vitesse d'évolution des gènes dans les différents taxons. Dans d'autres cas, il faut plutôt utiliser de nombreux gènes plutôt que quelques gènes, ou même un seul. Si on utilise un grand nombre de gènes, les fluctuations du taux d'évolution provoquées par la sélection naturelle ou par d'autres facteurs qui varient au fil du temps peuvent s'annuler. Par exemple, un groupe de chercheurs a construit des horloges moléculaires de l'évolution des vertébrés à partir des séquences de 658 gènes nucléaires. En dépit de l'étendue considérable de la période de temps couverte (près de 600 millions d'années) et du fait que la sélection naturelle a probablement influé sur quelques-uns de ces gènes, leurs estimations des temps de divergence concordent étroitement avec les estimations effectuées à partir de fossiles. Comme le montre cet exemple, les horloges moléculaires peuvent nous aider à comprendre les liens évolutifs, pour autant qu'on les utilise avec prudence.

La datation de l'origine du VIH à l'aide d'une horloge moléculaire

Des chercheurs ont recouru à l'horloge moléculaire pour dater l'origine de la contamination de l'humain par le virus de l'immunodéficience humaine (VIH), celui qui provoque le sida. Les analyses phylogénétiques montrent que le VIH provient de virus apparentés qui ont contaminé des chimpanzés et d'autres primates. (La plupart de ces virus ne provoquent pas d'affections associées au sida chez leurs hôtes originaux.) À quel moment ce virus a-t-il évolué et quitté ces singes pour s'attaquer à l'humain ? Il est difficile de trouver une réponse simple à cette question, parce que le VIH a assailli les humains à plusieurs reprises. Ces origines multiples sont encore présentes aujourd'hui dans les grands types de souches génétiques du VIH. Le matériel génétique du virus est fait d'ARN et, comme tous les virus à ARN, le VIH évolue rapidement.

La souche la plus répandue dans le monde est le VIH-1 M. Pour déterminer le moment de la première contamination au VIH-1 M, des chercheurs ont comparé des prélèvements de virus effectués à divers moments de l'évolution de l'épidémie, dont un échantillon datant de 1959. La comparaison des séquences de gènes montre que le virus a évolué à un rythme remarquablement régulier. En extrapolant à partir de cette horloge moléculaire, les chercheurs ont conclu que le VIH-1 M se serait attaqué aux humains pour la première fois durant les années 1930 (**figure 26.20**). Dans une étude réalisée ultérieurement, on a toutefois estimé que la souche du VIH-1 M avait plutôt été transmise aux humains pour la première fois vers 1910. L'approche de l'horloge moléculaire utilisée dans cette dernière étude était plus avancée que celle décrite dans ce manuel.

RETOUR SUR LE CONCEPT 26.5

1. Qu'est-ce qu'une horloge moléculaire ? Quelle hypothèse sous-tend son utilisation ?
2. **FAITES DES LIENS** ▶ Révisez le concept 17.5, puis expliquez comment de nombreux changements de bases peuvent se produire dans l'ADN d'un organisme sans avoir d'effet sur sa capacité adaptative.
3. **ET SI ?** ▶ Imaginons qu'une horloge moléculaire permette de fixer à 80 millions d'années la date de la divergence de deux taxons, mais que de nouvelles données fossiles montrent que ceux-ci ont divergé bien avant, il y a au moins 120 millions d'années. Qu'est-ce qui a pu se produire ?

Voir les réponses proposées à l'appendice A.

▼ Figure 26.20 La datation de l'origine du VIH-1 M. Les données indiquées par des points noirs correspondent à des séquences d'ADN d'un gène de VIH détecté dans les échantillons de sang de patients. (La date à laquelle chacune de ces séquences génétiques s'est manifestée reste incertaine parce qu'une personne peut être porteuse du virus depuis des années lors de l'apparition des symptômes.) La projection à rebours de la vitesse des mutations génétiques donne à penser que le virus remonte approximativement aux années 1930.

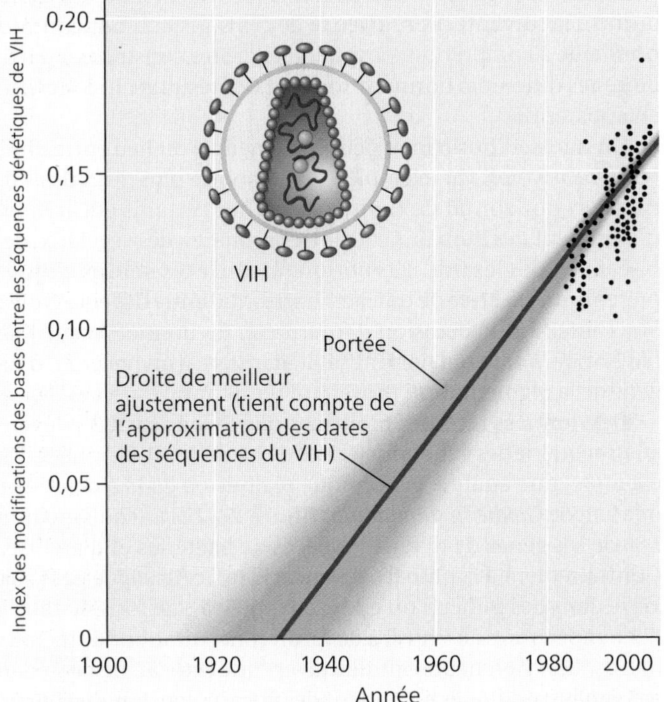

CONCEPT **26.6**

De nouvelles données continuent d'enrichir notre compréhension de l'arbre de la vie

La découverte de *Ophisaurus apodus* (voir la figure 26.1), descendant d'une lignée de lézards apodes étrangère aux serpents, illustre le rôle que joue la systématique dans notre compréhension de la diversité des formes de vie. Au cours des dernières décennies, les systématiciens sont ainsi parvenus à mieux connaître les branches les plus éloignées de l'arbre de la vie en analysant les données sur les séquences d'ADN.

De deux règnes à trois domaines

À une certaine époque, les taxinomistes avaient classifié toutes les espèces connues en deux règnes, soit les végétaux et les animaux. Les schémas de classification comportant plus de deux règnes ont été généralement reconnus vers la fin des années 1960 ; de nombreux biologistes ont alors convenu de l'existence de cinq règnes, soit ceux des végétaux, des eumycètes, des animaux, des monères (procaryotes) et des protistes (un règne diversifié, mais composé essentiellement d'organismes unicellulaires). Ce système mettait en évidence l'existence de deux types de cellules fondamentalement différentes, les eucaryotes et les procaryotes, et distinguait ces dernières des premières en les plaçant sous un règne distinct, celui des monères.

Cependant, les phylogenèses réalisées à partir de données génétiques n'ont pas tardé à montrer les lacunes de cette classification : on observe autant de différences entre certains procaryotes qu'entre des procaryotes et des eucaryotes. Les biologistes ont donc fini par adopter un système à trois domaines, soit les bactéries, les archées et les eucaryotes. Les domaines apparaissent au niveau supérieur de la hiérarchie taxinomique, juste au-dessus des règnes. De nombreuses études ont confirmé la validité de ce modèle, dont une étude récente qui a analysé près de 100 génomes entièrement séquencés.

Le domaine des bactéries rassemble la plupart des procaryotes actuellement connus, alors que celui des archées constitue un groupe varié d'organismes procaryotes qui vivent dans toutes sortes d'environnements. Enfin, le domaine des eucaryotes comprend tous les organismes formés de cellules possédant un vrai noyau. Ce domaine renferme de nombreux groupes d'organismes unicellulaires, de même que des végétaux pluricellulaires, les eumycètes et les animaux. La **figure 26.21** propose un arbre phylogénétique des trois domaines et des nombreuses lignées qu'ils renferment.

Le système à trois domaines souligne le fait que l'histoire de la vie s'articule en grande partie autour des organismes unicellulaires. Les deux domaines procaryotes ne renferment que des organismes unicellulaires et, même dans celui des eucaryotes, seules les ramifications rouges correspondant aux végétaux, aux eumycètes et aux animaux comprennent surtout des organismes multicellulaires. La plupart des biologistes reconnaissent à présent trois des cinq règnes qu'avaient proposés les taxinomistes, soit ceux des végétaux, des eumycètes et des animaux, mais ils ont abandonné les monères et les protistes. Le règne des monères est tombé en désuétude quand on a constaté que ses membres provenaient de deux domaines différents. Quant au règne des protistes, il s'est effondré parce que certains des organismes qu'il renfermait étaient plus proches des végétaux, des eumycètes ou des animaux que des autres protistes (voir la figure 28.2).

Notre compréhension de l'arbre de la vie continue de progresser grâce à de nouvelles recherches. Par exemple, au cours de la dernière décennie, des études métagénomiques ont permis de séquencer le génome de plusieurs nouvelles espèces d'archées, ce qui a mené à la découverte de *Thaumarchaeota* et d'autres embranchements des archées jusqu'alors inconnus (voir le concept 27.4).

Le rôle essentiel du transfert horizontal des gènes

L'arbre phylogénétique de la figure 26.21 montre que l'histoire de la vie a connu une première division importante lorsque les bactéries ont divergé des autres organismes. Si cet arbre est fidèle à la réalité, les liens entre les eucaryotes et les archées sont plus étroits que ceux qu'ils entretiennent avec les bactéries.

Cette reconstruction de l'arbre de la vie repose en partie sur la comparaison des séquences de gènes d'ARNr, qui codent pour les parties constituées d'ARN dans les ribosomes. Toutefois, une certaine prudence reste de mise, car d'autres gènes révèlent un type de liens différent. Par exemple, des chercheurs ont découvert que de nombreux gènes qui influent sur le métabolisme de

▼ **Figure 26.21 Les trois domaines de la vie.** Cet arbre phylogénétique repose sur des séquences de gènes d'ARNr et d'autres gènes. Pour simplifier, seules quelques-unes des principales branches de chaque domaine sont illustrées. Les lignées du domaine des eucaryotes où dominent les organismes multicellulaires (végétaux, eumycètes et animaux) apparaissent en rouge, alors que les deux lignées marquées d'un astérisque reposent sur l'ADN d'organites cellulaires. Toutes les autres lignées se composent uniquement ou principalement d'organismes unicellulaires.

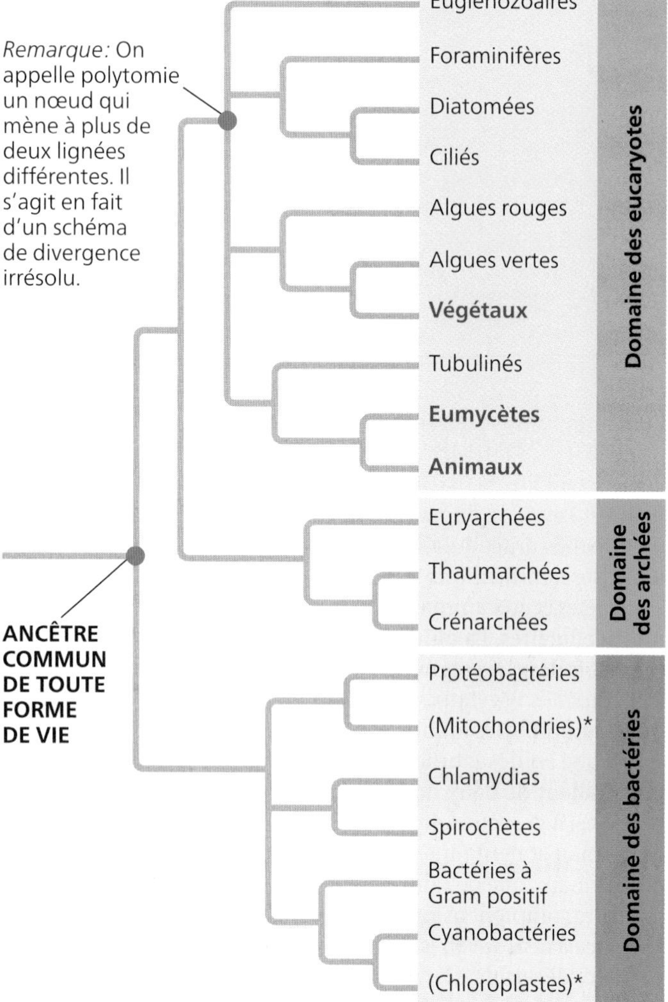

FAITES DES LIENS ▶ Revoyez la théorie endosymbiotique (voir la figure 6.16), puis expliquez les positions spécifiques des lignées des mitochondries et des chloroplastes dans cet arbre.

la levure (un eucaryote unicellulaire) présentent plus de similitudes avec des gènes du domaine des bactéries qu'avec ceux du domaine des archées. Cette découverte laisse entrevoir la possibilité que les eucaryotes aient avec les bactéries un ancêtre commun plus récent qu'avec les archées.

Pourquoi les arbres construits à partir de données sur divers gènes produisent-ils des résultats aussi différents ? Les comparaisons de génomes complets provenant des trois domaines montrent qu'il y a eu d'importants mouvements de gènes entre les organismes des différents domaines. Ces mouvements se sont produits par **transfert horizontal**, un processus au cours duquel des gènes passent d'un génome à un autre grâce à des mécanismes comme l'échange d'éléments transposables et de plasmides (voir le concept 19.2), une infection virale, voire la fusion d'organismes différents (comme lorsqu'un hôte et ses endosymbiotes finissent par ne former qu'un seul organisme). Des recherches récentes renforcent l'idée de l'importance du transfert horizontal. Par exemple, une étude indique qu'en moyenne 80 % des gènes de 181 génomes procaryotes sont passés d'une espèce à une autre au cours de l'évolution. Étant donné que les arbres phylogénétiques reposent sur l'hypothèse voulant que les gènes soient transmis verticalement d'une génération à la suivante, l'occurrence de ces transferts horizontaux nous aide à comprendre pourquoi les arbres construits à partir de gènes différents donnent souvent des résultats incohérents en apparence.

Un transfert horizontal peut également avoir lieu entre différents eucaryotes. Par exemple, on a rapporté plus de 200 cas de transfert horizontal de transposons chez certains eucaryotes, notamment des humains et d'autres primates, des végétaux, des oiseaux et des lézards. La rubrique **Habiletés scientifiques** présente un exemple de transfert horizontal entre des eucaryotes. Vous aurez ainsi l'occasion d'interpréter les données recueillies par Nancy Moran qui portent sur le transfert, à un puceron, d'un gène de la pigmentation provenant d'une autre espèce.

Des données récentes montrent que les eucaryotes peuvent aussi acquérir des gènes nucléaires de bactéries et d'archées. Par exemple, une analyse génomique réalisée en 2013 a démontré que l'algue *Galdieria sulphuraria* (**figure 26.22**) a acquis environ 5 % de ses gènes de diverses espèces de bactéries et d'archées. Contrairement à la plupart des eucaryotes, cette algue peut survivre dans des milieux où elle est exposée à une forte acidité, à des températures élevées et à de fortes concentrations de métaux lourds. Les chercheurs ont découvert que cette algue possédait des gènes spécifiques provenant de procaryotes et que ces gènes sont à l'origine de cette aptitude à survivre dans des conditions aussi extrêmes.

Dans l'ensemble, le transfert horizontal a joué un rôle crucial dans l'histoire évolutive de la vie, comme il continue de le faire encore aujourd'hui. Selon certains biologistes, le transfert horizontal s'est produit si fréquemment que l'on devrait présenter les débuts de l'histoire de la vie comme un réseau enchevêtré de ramifications (**figure 26.23**) plutôt que comme un arbre aux ramures dichotomiques tel que celui de la figure 26.21. Bien que les scientifiques continuent toujours de débattre de la meilleure façon de représenter les premiers pas de l'histoire du vivant

▼ **Figure 26.22 L'acquisition de gènes par transfert chez l'algue *Galdieria sulphuraria*.** Grâce aux gènes qu'elle a reçus de procaryotes, l'algue *G. sulphuraria* (en médaillon) peut croître dans des milieux extrêmes, dont les roches sulfurées qui cernent les sources chaudes volcaniques comme celle du parc national de Yellowstone.

DÉMARCHE SCIENTIFIQUE

HABILETÉS SCIENTIFIQUES

Utiliser les données sur la séquence d'une protéine pour vérifier une hypothèse sur l'évolution

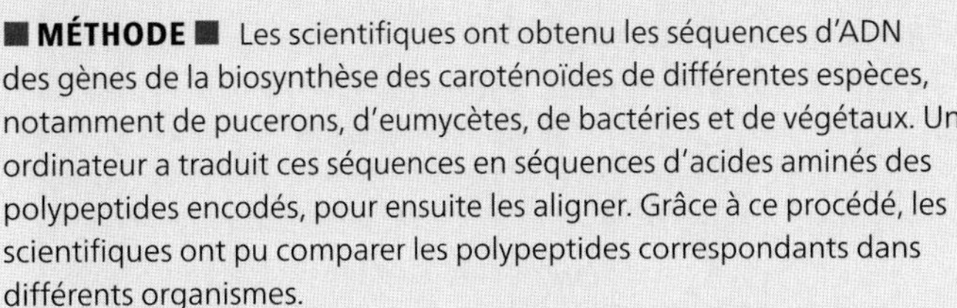

■ LES PUCERONS ONT-ILS ACQUIS LA CAPACITÉ DE PRODUIRE DES CAROTÉNOÏDES APRÈS UN TRANSFERT HORIZONTAL ? ■ Les caroténoïdes sont des pigments (molécules colorées) qui remplissent diverses fonctions dans bon nombre d'organismes, dont la photosynthèse chez les végétaux et la perception de la lumière chez les animaux. Les végétaux et de nombreux microorganismes peuvent eux-mêmes synthétiser des caroténoïdes, mais les animaux en sont incapables et doivent les trouver dans leur alimentation. Le puceron du pois (*Acyrthosiphon pisum*) fait toutefois exception. En effet, le génome de ce petit insecte qui vit sur certaines plantes comporte un ensemble complet de gènes codant pour les enzymes nécessaires à la production de caroténoïdes. Comme ces gènes n'existent pas chez d'autres animaux, il est peu probable que les pucerons en aient hérité d'un ancêtre unicellulaire qu'ils auraient en commun avec certains microorganismes et végétaux. D'où proviennent donc ces gènes ? Des biologistes de l'évolution ont émis l'hypothèse qu'un ancêtre du puceron aurait acquis ces gènes d'un organisme éloigné après un transfert horizontal. Si tel est bien le cas, la séquence des gènes du puceron associés à la biosynthèse des caroténoïdes devrait comporter un fort degré d'homologie avec la séquence correspondante de l'organisme duquel il aurait été hérité.

■ MÉTHODE ■ Les scientifiques ont obtenu les séquences d'ADN des gènes de la biosynthèse des caroténoïdes de différentes espèces, notamment de pucerons, d'eumycètes, de bactéries et de végétaux. Un ordinateur a traduit ces séquences en séquences d'acides aminés des polypeptides encodés, pour ensuite les aligner. Grâce à ce procédé, les scientifiques ont pu comparer les polypeptides correspondants dans différents organismes.

■ RÉSULTATS ■ Les séquences ci-dessous montrent les 60 premiers acides aminés d'un polypeptide des enzymes nécessaires à la biosynthèse des caroténoïdes dans un végétal (*Arabidopsis thaliana* ci-dessous) et les acides aminés correspondants de cinq espèces non végétales. On a utilisé un code à une lettre pour désigner les acides aminés (voir la figure 5.14). Un tiret (–) indique un trou inséré dans une séquence pour optimiser l'alignement par rapport à la séquence correspondante d'*Arabidopsis*.

Organisme	Alignement des séquences d'acides aminés
Acyrthosiphon (puceron)	IKIIIIGSGV GGTAAAARLS KKGFQVEVYE KNSYNGGRCS IIR-HNGHRF DQGPSL--YL
Ustilago (eumycète)	KKVVIIGAGA GGTALAARLG RRGYSVTVLE KNSFGGGRCS LIH-HDGHRW DQGPSL--YL
Gibberella (eumycète)	KSVIVIGAGV GGVSTAARLA KAGFKVTILE KNDFTGGRCS LIH-NDGHRF DQGPSL--LL
Staphylococcus (bactérie)	MKIAVIGAGV TGLAAAARIA SQGHEVTIFE KNNNVGGRMN QLK-KDGFTF DMGPTI--VM
Pantoea (bactérie)	KRTFVIGAGF GGLALAIRLQ AAGIATTVLE QHDKPGGRAY VWQ-DQGFTF DAGPTV--IT
Arabidopsis (végétal)	WDAVVIGGGH NGLTAAAYLA RGGLSVAVLE RRHVIGGAAV TEEIVPGFKF SRCSYLQGLL

Source des données : Nancy A. Moran, Yale University. Voir N. A. Moran et T. Jarvik, Lateral transfer of genes from fungi underlies carotenoid production in aphids, *Science* 328 : 624-627 (2010).

INTERPRÉTEZ LES DONNÉES ▼

1. Examinez les rangées de données des organismes comparés au puceron et soulignez les acides aminés qui sont identiques à ceux du puceron, pour une même position.
2. Quel organisme a le plus d'acides aminés en commun avec le puceron ? Classez les polypeptides partiels des quatre autres organismes en fonction de leur degré de similarité avec le puceron.
3. Ces données appuient-elles l'hypothèse voulant que les pucerons aient acquis le gène codant pour ce polypeptide par transfert horizontal ? Expliquez votre réponse. Si un transfert horizontal a bel et bien eu lieu, quel type d'organisme pourrait en avoir été la source ?
4. Quelles autres données sur ces séquences appuieraient votre hypothèse ?
5. Comment expliqueriez-vous les similitudes entre la séquence du puceron et celles des bactéries et du végétal ?

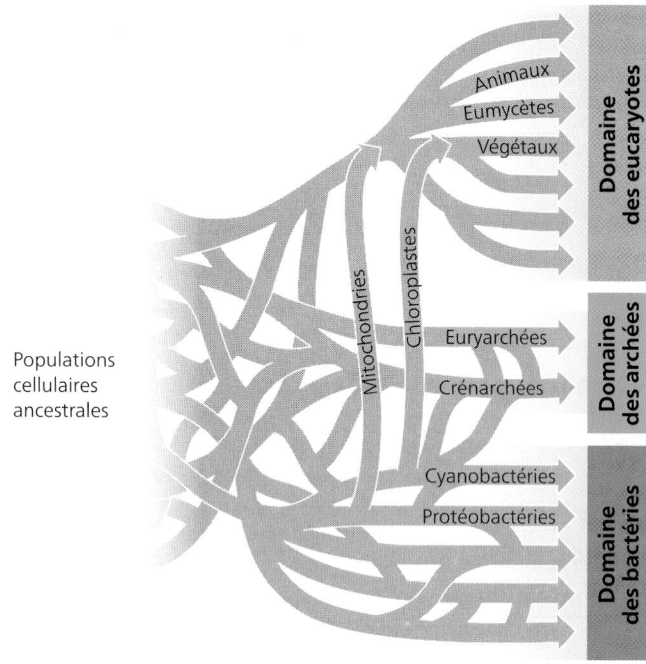

▲ **Figure 26.23 Une toile enchevêtrée de la vie.** Le transfert horizontal pourrait avoir été si fréquent au début de l'histoire de la vie qu'il serait probablement plus juste de représenter l'arbre de la vie sous forme d'une toile enchevêtrée.

– par un arbre, un cercle ou un réseau enchevêtré –, les dernières décennies ont été le théâtre de nombreuses découvertes captivantes concernant des changements révolutionnaires survenus plus tard dans l'histoire du vivant. Nous en ferons l'exploration dans les autres chapitres de cette partie, en commençant par les premiers habitants de la Terre, les procaryotes.

RETOUR SUR LE CONCEPT 26.6

1. Pourquoi le règne des monères n'est-il plus considéré comme un taxon valable ?
2. Expliquez pourquoi les phylogenèses réalisées à partir de gènes différents peuvent produire des arbres de la vie aux ramifications différentes.
3. **FAITES DES LIENS ▶** Expliquez comment les eucaryotes pourraient tirer leur origine de la fusion d'organismes, laquelle aurait donné lieu à un vaste transfert horizontal. (Voir la figure 25.10.)

Voir les réponses proposées à l'appendice A.

RÉVISION DU CHAPITRE 26

Consultez votre MANUEL NUMÉRIQUE, qui vous donne accès aux **animations**, aux **exercices** et à la plateforme d'**anatomie interactive**.

Résumé des concepts clés

CONCEPT 26.1

La phylogenèse révèle les liens évolutifs (p. 606 à 610)

- Selon la **nomenclature binominale** proposée par Linné, les noms des organismes sont constitués de deux parties, soit le **genre**, suivi de l'espèce.
- Selon le système de Linné, les espèces sont regroupées en taxons de plus en plus généraux : les genres apparentés sont placés dans la même **famille**, les familles sont réunies en **ordres**, les ordres, en **classes**, les classes, en **embranchements**, les embranchements, en **règnes** et, plus récemment, les règnes, en **domaines**.
- Les systématiciens représentent les liens évolutifs par des **arbres phylogénétiques** aux multiples ramures. De nombreux systématiciens proposent que la classification repose entièrement sur les liens évolutifs.

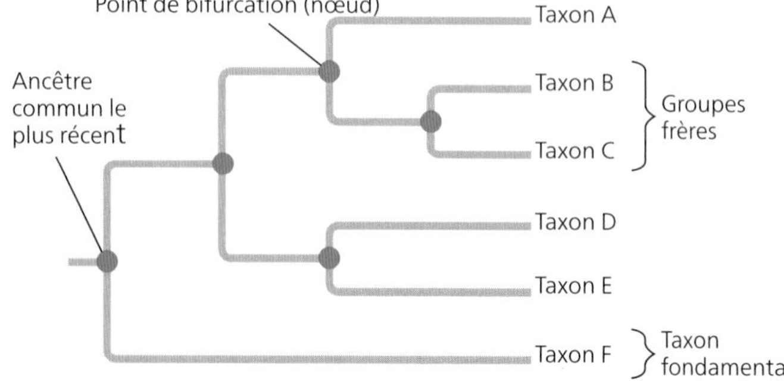

- À moins que la longueur des branches soit proportionnelle au temps écoulé ou à la quantité de mutations génétiques, un arbre phylogénétique n'indique que des modèles de descendance.
- L'histoire évolutive d'une espèce nous renseigne beaucoup à son sujet ; en fait, la phylogenèse trouve de nombreuses applications utiles.

? Les humains et les chimpanzés sont des groupes frères. Expliquez ce que signifie cette phrase.

CONCEPT 26.2

La phylogenèse repose sur des données morphologiques et moléculaires (p. 610 à 612)

- Les organismes qui possèdent des morphologies ou des séquences d'ADN très semblables sont susceptibles d'être plus étroitement apparentés que les organismes ayant des structures et des séquences génétiques très différentes.
- Pour déduire la phylogenèse, il importe de distinguer l'**homologie** (ressemblance imputable à un ancêtre commun) de l'**analogie** (ressemblance imputable à une évolution convergente).
- Des logiciels permettent d'aligner des séquences d'ADN comparables et de distinguer les homologies moléculaires des correspondances accidentelles entre des taxons qui ont divergé depuis longtemps.

? Pourquoi est-il nécessaire de distinguer l'homologie de l'analogie pour prédire une phylogenèse ?

CONCEPT 26.3

Les arbres phylogénétiques sont construits à partir de caractères communs (p. 612 à 617)

- Un **clade** est un taxon monophylétique qui comprend un ancêtre et tous ses descendants.
- Les clades sont définis en fonction de leurs **caractères dérivés communs**.

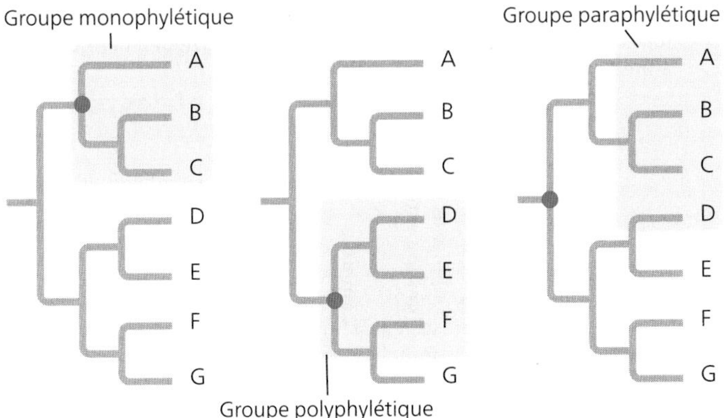

- Parmi les hypothèses phylogénétiques, celle de l'arbre le plus simple nécessite le plus petit nombre de changements au cours de l'évolution, et celle de l'arbre le plus probable est basée sur les types de changements les plus plausibles.
- Les meilleures théories phylogénétiques sont celles qui intègrent la plus grande variété de données.

? Quelle logique sous-tend l'utilisation de caractères dérivés communs pour formuler une hypothèse phylogénétique ?

CONCEPT 26.4

Le génome recèle l'histoire évolutive de tout organisme (p. 617 à 619)

- Les **gènes orthologues** sont des gènes homologues trouvés dans des espèces différentes du fait de la spéciation. Les **gènes paralogues** sont des gènes homologues présents au sein d'une espèce à la suite d'une duplication. Ces gènes peuvent diverger et remplir de nouvelles fonctions.
- Les espèces éloignées possèdent souvent de nombreux gènes orthologues. La légère variation observée dans le nombre de gènes des organismes de différente complexité laisse penser que les gènes sont polyvalents et qu'ils peuvent accomplir plusieurs fonctions.

? Pour reconstituer une phylogenèse, vaut-il mieux comparer les gènes orthologues ou les gènes paralogues ? Expliquez votre réponse.

CONCEPT 26.5

Les horloges moléculaires rendent compte du temps de l'évolution (p. 619 à 621)

- Certaines régions de l'ADN évoluent à une vitesse suffisamment constante pour constituer une véritable **horloge moléculaire**, une méthode qui sert à estimer le moment où se sont produits les changements évolutifs en fonction de l'accumulation des modifications génétiques. D'autres gènes, cependant, changent d'une manière moins prévisible.
- Une analyse réalisée au moyen d'une horloge moléculaire donne à penser que la souche la plus commune du VIH est passée des primates aux humains dans au début des années 1900.

? Décrivez certaines présomptions et limites des horloges moléculaires.

CONCEPT 26.6

De nouvelles données continuent d'enrichir notre compréhension de l'arbre de la vie (p. 621 à 624)

- Les systèmes de classification antérieurs ont cédé le pas à la vision actuelle de l'arbre de la vie, qui comprend trois grands domaines : les bactéries, les archées et les eucaryotes.
- Selon les phylogenèses construites à partir de gènes d'ARNr, les eucaryotes seraient plus étroitement apparentés aux archées, alors que des données provenant d'autres gènes indiquent des liens plus étroits avec les bactéries.
- Des analyses génétiques indiquent qu'un vaste **transfert horizontal** a eu lieu tout au long de l'histoire évolutive de la vie.

? Pourquoi a-t-on abandonné le système à cinq règnes au profit d'un système à trois domaines ?

Évaluation

NIVEAU 1 : CONNAISSANCES ET COMPRÉHENSION

1. Lorsque l'on compare les oiseaux aux mammifères, la présence de quatre membres constitue :
a) un caractère ancestral commun.
b) un caractère dérivé commun.
c) un caractère utile pour distinguer les oiseaux des mammifères.
d) un exemple d'analogie et non d'homologie.

2. Pour appliquer le principe de parcimonie à la construction d'un arbre phylogénétique, il faut :
a) choisir un arbre pour lequel on suppose l'existence de probabilités égales pour tous les changements évolutifs.
b) choisir un arbre dans lequel les ramifications sont fondées sur le plus grand nombre possible de caractères dérivés communs.
c) choisir l'arbre qui représente le moins de changements au cours de l'évolution, soit dans les séquences d'ADN, soit dans les caractères morphologiques.
d) choisir l'arbre qui comporte le moins de ramifications.

NIVEAU 2 : APPLICATION ET ANALYSE

3. **HABILETÉS VISUELLES ▶** Dans la figure 26.4, quel groupe taxinomique descend du même ancêtre que les canidés ?
a) Les félidés.
b) Les mustélidés.
c) Les carnivores.
d) *Lutra.*

4. Les trois espèces vivantes X, Y et Z ont un ancêtre commun, appelé T, qui est également l'ancêtre commun des espèces disparues U et V. Le groupement des espèces T, X, Y et Z (excluant U et V) forme :
a) un taxon monophylétique.
b) un groupe intérieur à comparer avec l'espèce U du groupe extérieur.
c) un groupe paraphylétique.
d) un groupe polyphylétique.

5. **HABILETÉS VISUELLES ▶** Dans cet arbre, quel énoncé est *incorrect* ?

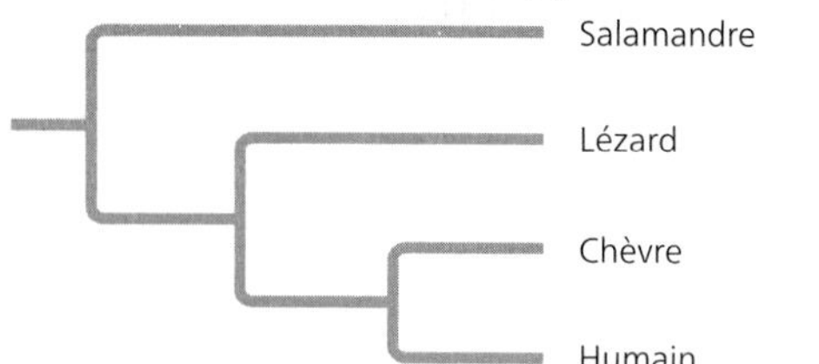

a) La chèvre et l'humain forment un groupe frère.
b) Les salamandres forment un groupe frère du groupe contenant les lézards, les chèvres et les humains.
c) La salamandre présente des liens aussi étroits avec la chèvre qu'avec l'humain.
d) Le lézard présente des liens plus étroits avec la salamandre qu'avec l'humain.

6. Si vous faisiez appel à l'analyse cladistique pour bâtir un arbre phylogénétique des félidés, lequel des animaux suivants constituerait un choix valable pour former le groupe extérieur ?
a) Le loup gris.
b) Le chat domestique.
c) Le lion.
d) Le léopard.

7. **HABILETÉS VISUELLES ▶** Les longueurs relatives des ramifications dans la phylogenèse des grenouilles et des souris de la figure 26.13 indiquent que :
a) les grenouilles ont évolué avant les souris.
b) les souris ont évolué avant les grenouilles.
c) le gène homologue a évolué plus rapidement chez les souris.
d) le gène homologue a évolué plus lentement chez les souris.

NIVEAU 3 : **SYNTHÈSE ET ÉVALUATION**

8. **INTÉGRATION**

FAITES UN DESSIN ▶ (a) Dessinez un arbre phylogénétique à partir des cinq premiers caractères ci-dessous. Placez des traits dans l'arbre pour indiquer l'origine (ou les origines) de chacun des six caractères.

(b) Redessinez l'arbre en présumant que le thon et le dauphin sont des groupes frères. Placez des traits pour indiquer l'origine (ou les origines) de chacun des six caractères.

(c) Combien de changements évolutifs devraient figurer dans chaque arbre ? Quel est l'arbre le plus simple ?

Caractères	**Amphioxus (groupe extérieur)**	**Lamproie**	**Thon**	**Salamandre**	**Tortue**	**Léopard**	**Dauphin**
(1) Épine dorsale	0	1	1	1	1	1	1
(2) Mâchoires articulées	0	0	1	1	1	1	1
(3) Quatre membres	0	0	0	1	1	1	1*
(4) Amnios	0	0	0	0	1	1	1
(5) Lait	0	0	0	0	0	1	1
(6) Nageoire dorsale	0	0	1	0	0	0	1

* Bien que le dauphin adulte n'ait que deux membres visibles (ses nageoires), il présente, au stade embryonnaire, deux membres postérieurs à l'état de bourgeons, soit en tout quatre membres.

Voir les réponses proposées à l'appendice A.

Les bactéries et les archées

VOS OUTILS
INTERACTIFS

Consultez votre MANUEL NUMÉRIQUE, qui vous donne accès aux **animations**, aux **exercices** et à la plateforme d'**anatomie interactive**.

▲ **Figure 27.1** **Pourquoi l'eau de ce lac est-elle rose ?**

CONCEPTS CLÉS

27.1 Des adaptations structurales, fonctionnelles et génétiques contribuent au succès des procaryotes

27.2 Les reproductions et les mutations fréquentes, de même que les recombinaisons génétiques, favorisent la diversité génétique des procaryotes.

27.3 De très nombreuses adaptations nutritionnelles et métaboliques sont apparues chez les procaryotes

27.4 Les procaryotes ont divergé pour former un groupe de lignées diversifiées

27.5 Les procaryotes remplissent des fonctions essentielles dans la biosphère

27.6 Les procaryotes ont sur les humains des effets tant bénéfiques que défavorables

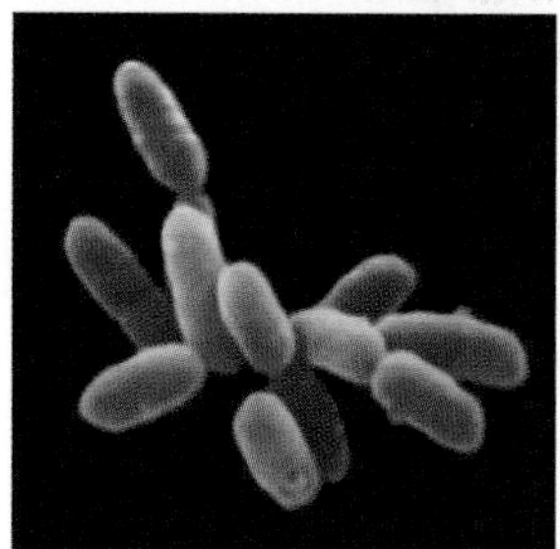

◄ **Une archée du genre *Halobacterium*.**

Les maîtres de l'adaptation

À certains moments de l'année, la Laguna Salada (la « lagune salée ») de Torrevieja, en Espagne, devient rose (**figure 27.1**), signe que l'eau est beaucoup plus salée que l'eau de mer. Pourtant, même s'il s'agit d'un milieu aux conditions extrêmes, la couleur saisissante de l'eau est bel et bien le résultat de l'action d'organismes vivants, et non de celle de minéraux ou d'autres sources inorganiques. Mais quels organismes peuvent bien vivre dans un environnement aussi hostile et, surtout, comment ?

La teinte rose de la Laguna Salada de Torrevieja s'explique par la présence de billions (10^{12}) de procaryotes appartenant aux domaines des bactéries et des archées, notamment des archées du genre *Halobacterium*. La membrane de ces microorganismes renferme des pigments rouges, dont certains captent l'énergie lumineuse qui alimente la synthèse de l'ATP. Les espèces du genre *Halobacterium* comptent parmi les organismes les plus tolérants au sel ; ils prospèrent dans des milieux salins qui déshydratent et tuent d'autres types de cellules. En fait, une cellule d'*Halobacterium* prévient la perte d'eau par osmose en pompant les ions potassium (K^+) dans sa membrane jusqu'à ce que la concentration ionique à l'intérieur de la cellule corresponde à la concentration extérieure.

Comme *Halobacterium*, de nombreux procaryotes tolèrent des conditions extrêmes. *Deinococcus radiodurans*, par exemple, peut survivre à des radiations de 3 millions de rads (soit 3 000 fois la dose mortelle pour l'humain), tout comme un pH de 0,03 (une acidité capable de dissoudre le métal) n'empêche pas *Picrophilus oshimae* de se développer. D'autres procaryotes vivent dans des environnements trop froids ou trop chauds pour que la plupart des autres organismes puissent les supporter, et on en a même découvert dans des roches situées dans la croûte terrestre, à plus de trois kilomètres de profondeur.

Les espèces procaryotes sont aussi très bien adaptées à des habitats plus « normaux » dans les sols et les eaux où vivent la plupart des espèces. Leur capacité d'adaptation à toutes sortes d'habitats explique en partie pourquoi ce sont les organismes qu'on trouve en plus grand nombre sur la Terre. En effet, le nombre d'organismes procaryotes contenus dans une seule poignée de sol fertile dépasse le nombre d'humains qui ont vu le jour depuis le début de l'humanité. Nous consacrons ce chapitre à l'examen des adaptations, de la diversité et du formidable impact écologique de ces microorganismes des plus remarquables.

CONCEPT **27.1**

Des adaptations structurales, fonctionnelles et génétiques contribuent au succès des procaryotes

Les procaryotes ont probablement été les premiers habitants de la Terre, il y a plus de 3,5 milliards d'années (voir le concept 25.3). Au cours de leur longue histoire évolutive, les populations de procaryotes ont été (et continuent d'être) soumises aux règles de la sélection naturelle, et ce, dans toutes sortes d'environnement. C'est ce qui explique leur remarquable diversité.

Commençons par les décrire. Les organismes procaryotes sont presque tous unicellulaires. Toutefois, les cellules de certaines espèces restent jointes après la division cellulaire. Le diamètre des cellules procaryotes varie entre 0,5 et 5 μm, ce qui est beaucoup plus petit que le diamètre de 10 à 100 μm de nombreuses cellules eucaryotes. (Il existe toutefois une exception notable : le procaryote géant *Thiomargarita namibiensis*, découvert en 1999 au large de la Namibie, en Afrique, dont le diamètre est d'environ 750 μm, ce qui est plus gros qu'une graine de pavot.) Les cellules procaryotes prennent diverses formes (**figure 27.2**). Enfin, même s'ils sont unicellulaires et microscopiques, les procaryotes sont bien organisés et remplissent toutes les fonctions vitales d'un organisme, dans une seule cellule.

Les structures de la surface cellulaire

Chez presque tous les procaryotes, la paroi cellulaire joue un rôle fondamental, car elle maintient la forme de la cellule, la protège et l'empêche d'éclater si elle se trouve dans un milieu hypotonique (voir la figure 7.12). Cependant, dans un milieu hypertonique, les procaryotes subissent une plasmolyse (ils perdent de l'eau et leur membrane plasmique se ratatine). C'est d'ailleurs pourquoi le sel conserve si bien les aliments : il déshydrate les procaryotes responsables de l'altération des aliments, ce qui les empêche de se reproduire rapidement.

La structure des parois cellulaires des procaryotes diffère de celle des eucaryotes. Chez les eucaryotes qui en sont pourvus, comme les végétaux et les eumycètes, la paroi est généralement constituée de cellulose ou de chitine (voir le concept 5.2). La plupart des parois bactériennes contiennent une substance particulière appelée **peptidoglycane**, un polymère composé de monosaccharides modifiés qui sont reliés transversalement par de courts polypeptides. Ce « tissu » moléculaire entoure

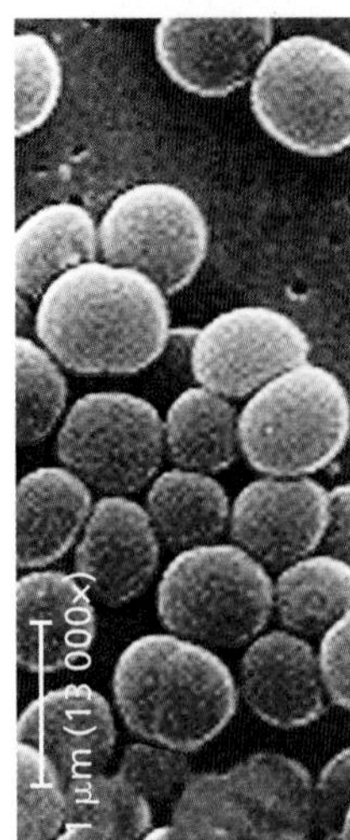

(a) Forme sphérique (cocci)

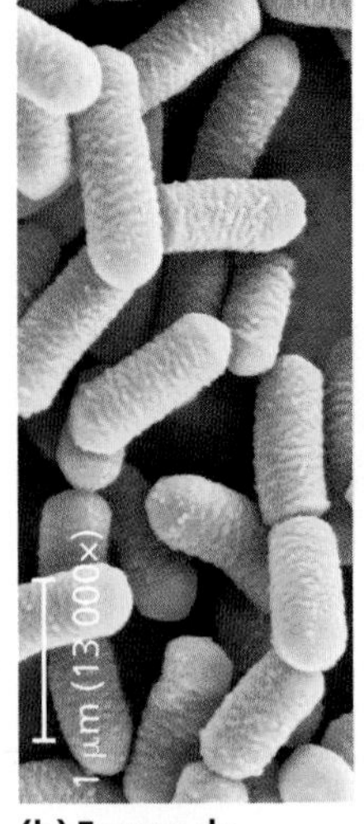

(b) Forme de bâtonnet (bacilles)

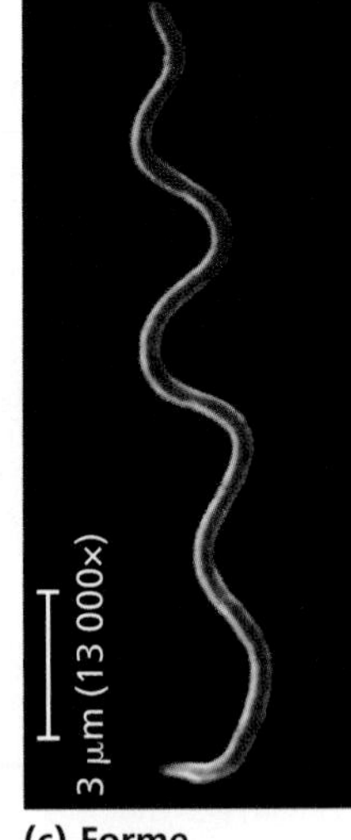

(c) Forme hélicoïdale

▲ **Figure 27.2 Les formes les plus courantes de procaryotes.** **(a)** Les cocci (*coccus* au singulier), ou procaryotes sphériques aussi nommés coques, vivent seuls, deux par deux (diplocoques), en chaînes de plusieurs cellules (streptocoques, montrés ici) ou en amas semblables à des grappes de raisin (staphylocoques). **(b)** Les bacilles, dont la forme rappelle un bâtonnet, vivent le plus souvent seuls, mais ils peuvent aussi s'organiser en chaînes (streptobacilles). **(c)** Les procaryotes de forme hélicoïdale comprennent les spirilles, qui peuvent prendre la forme d'une virgule ou d'un long filament, et les spirochètes (illustrés ici), en forme de tire-bouchon (MEB, clichés colorés artificiellement).

entièrement la bactérie et sert de point d'ancrage à d'autres molécules situées à sa surface. Les parois cellulaires des archées contiennent divers polysaccharides et protéines, mais sont dépourvues de peptidoglycane.

À l'aide d'une technique appelée **coloration de Gram**, mise au point au 19e siècle par un médecin danois du nom de Hans Christian Gram, les scientifiques classent bon nombre de bactéries d'après l'une des caractéristiques de leur paroi cellulaire. À cette fin, les échantillons sont d'abord colorés au cristal violet et à l'iode, puis rincés dans l'alcool, puis colorés à nouveau à l'aide d'une teinture rouge, comme la safranine, qui pénètre dans la cellule pour se lier à son ADN. La structure de la paroi cellulaire détermine la réaction à la coloration (**figure 27.3**). Les bactéries à **Gram positif** possèdent une paroi relativement simple constituée d'une épaisse couche de peptidoglycane. Les bactéries à **Gram négatif** contiennent moins de peptidoglycane et présentent une structure plus complexe, qui comprend une membrane externe composée entre autres de lipopolysaccharides, des glucides liés à des lipides.

La coloration de Gram est utile en médecine pour déterminer rapidement si l'infection dont souffre un patient est causée par une bactérie à Gram négatif ou à Gram positif, un renseignement qui guide le choix du traitement. Les portions lipidiques des lipopolysaccharides contenus dans les parois de nombreuses bactéries à Gram négatif sont souvent toxiques et provoquent la fièvre ou un état de choc. De plus, la membrane externe protège les bactéries à Gram négatif des défenses de leur hôte. Par ailleurs, les bactéries à Gram négatif opposent souvent plus de résistance aux antibiotiques que les espèces à Gram positif, car leur membrane externe entrave la pénétration de ces médicaments.

▼ **Figure 27.3** **La coloration de Gram.**

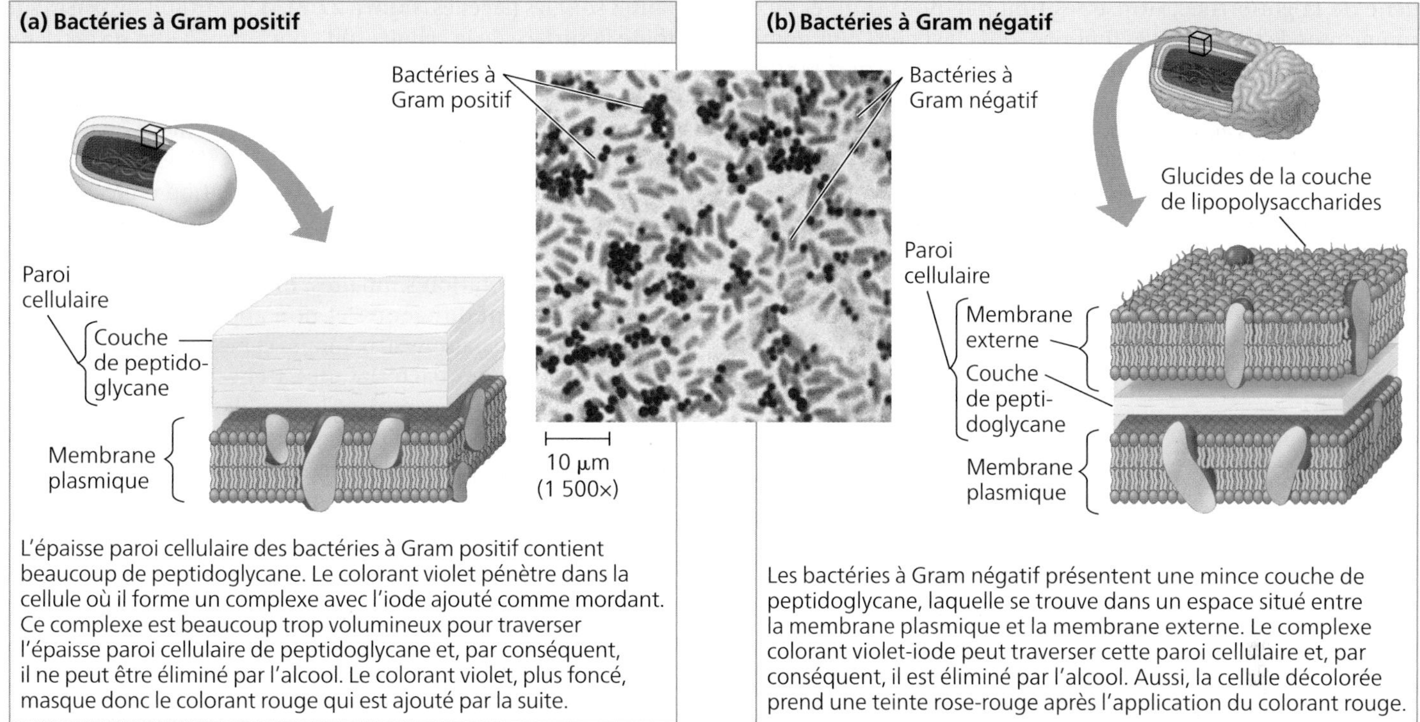

L'épaisse paroi cellulaire des bactéries à Gram positif contient beaucoup de peptidoglycane. Le colorant violet pénètre dans la cellule où il forme un complexe avec l'iode ajouté comme mordant. Ce complexe est beaucoup trop volumineux pour traverser l'épaisse paroi cellulaire de peptidoglycane et, par conséquent, il ne peut être éliminé par l'alcool. Le colorant violet, plus foncé, masque donc le colorant rouge qui est ajouté par la suite.

Les bactéries à Gram négatif présentent une mince couche de peptidoglycane, laquelle se trouve dans un espace situé entre la membrane plasmique et la membrane externe. Le complexe colorant violet-iode peut traverser cette paroi cellulaire et, par conséquent, il est éliminé par l'alcool. Aussi, la cellule décolorée prend une teinte rose-rouge après l'application du colorant rouge.

Certaines espèces à Gram positif proviennent cependant de souches virulentes qui résistent à un ou à plusieurs antibiotiques. (La figure 22.14 présente l'exemple de *Staphylococcus aureus* résistant à la méthicilline [SARM], une bactérie qui peut causer des infections mortelles.)

L'efficacité de certains antibiotiques, dont la pénicilline, tient à leur capacité d'inhiber la synthèse des ponts transversaux entre les polymères de monosaccharides du peptidoglycane. La paroi est désorganisée et ne peut plus remplir son rôle, en particulier chez les espèces à Gram positif. Les antibiotiques neutralisent de nombreuses espèces de bactéries infectieuses sans produire d'effet indésirable sur les cellules humaines, qui ne contiennent pas de peptidoglycane.

La paroi cellulaire de bon nombre de procaryotes est recouverte d'une couche gluante de polysaccharides ou de protéines appelée **capsule** lorsqu'elle est dense et bien définie autour d'une seule cellule (**figure 27.4**). Elle peut contribuer à former un **biofilm** lorsque plusieurs cellules collaborent pour mettre en commun leurs enveloppes de polysaccharides et de protéines en une seule couche mince à la surface d'un liquide ou d'un solide. Ces deux types de couche gluante externe, la capsule et le biofilm, permettent aux procaryotes d'adhérer à leur substrat ou à d'autres individus de la colonie. Certains biofilms et capsules préviennent en outre la déshydratation; ils peuvent aussi protéger les procaryotes pathogènes des attaques provenant du système immunitaire de leur hôte.

Pour survivre à des conditions difficiles, et lorsque le milieu est dépourvu d'un nutriment essentiel, certaines bactéries produisent également des structures cellulaires résistantes appelées **endospores** (**figure 27.5**). Pour former une endospore (un processus qui prend une dizaine d'heures), la cellule initiale effectue une copie de son chromosome et l'entoure d'une robuste structure multicouche. L'endospore se déshydrate et son métabolisme s'arrête. La cellule initiale qui l'entourait se désintègre en libérant l'endospore. La plupart des endospores sont si résistantes qu'elles peuvent survivre dans de l'eau bouillante durant plusieurs minutes; pour les éliminer, les microbiologistes doivent chauffer leurs instruments de laboratoire à la vapeur, à une température de 121 °C et sous une pression élevée. Dans des milieux moins hostiles, les endospores peuvent rester inactives durant des siècles, voire des millions d'années. Elles ne se réhydratent et ne reprennent leur métabolisme que lorsqu'elles perçoivent certains signes indiquant que les conditions sont redevenues plus hospitalières.

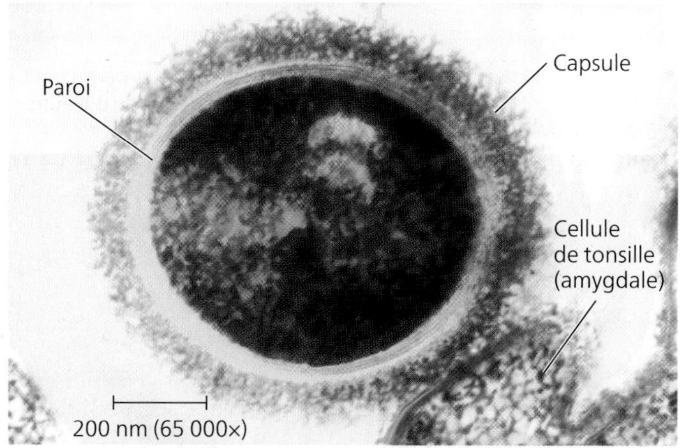

▲ **Figure 27.4** **La capsule.** La capsule de polysaccharides qui entoure cette bactérie appartenant au genre *Streptococcus* permet à ce procaryote pathogène d'adhérer aux cellules qui tapissent les voies respiratoires des humains, ici une cellule de tonsille, aussi nommée amygdale (MET, cliché coloré artificiellement).

Enfin, certains procaryotes adhèrent les uns aux autres ou à un substrat grâce à de courts et fins appendices, les **fimbriae** (**figure 27.6**). Par exemple, *Neisseria gonorrhoeae,* l'agent pathogène de la gonorrhée, utilise ses fimbriae pour se fixer aux muqueuses de son hôte. Les fimbriae sont en général plus nombreux et plus courts que les ***pili*** (*pilus* au singulier) des appendices qui servent à réunir deux cellules procaryotes avant un transfert d'ADN de l'une à l'autre (voir la figure 27.12); on les appelle parfois *pili sexuels.*

▼ **Figure 27.5 L'endospore.** *Bacillus anthracis*, la bactérie qui cause la maladie du charbon, une affection mortelle, produit des endospores (MET). L'enveloppe multicouche protectrice de l'endospore lui permet de survivre des années dans le sol.

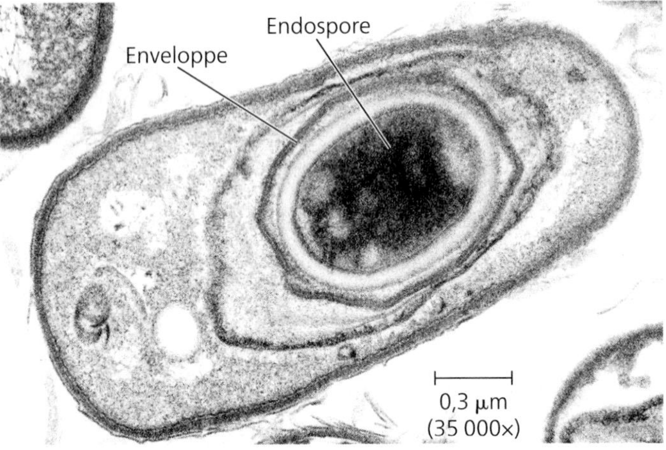

▼ **Figure 27.6 Les fimbriae.** Ces nombreux appendices permettent à certains organismes procaryotes de se fixer aux surfaces ou à d'autres procaryotes (MET, cliché coloré artificiellement).

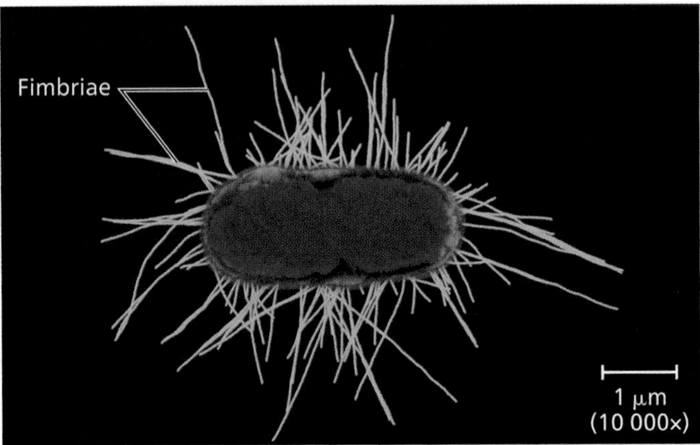

La motilité

Environ la moitié des procaryotes sont capables de **taxie** (du grec *taxis*, «arrangement, ordre»). La taxie est une réaction de locomotion orientée par laquelle les procaryotes se rapprochent ou s'éloignent d'un stimulus quelconque. Par exemple, dans la *chimiotaxie*, les procaryotes réagissent à un stimulus de nature chimique: ils *se rapprochent* d'une source de nourriture ou d'oxygène (O_2; chimiotaxie positive) ou *s'éloignent* d'une substance toxique (chimiotaxie négative). Certaines espèces peuvent se déplacer à une vitesse de plus de 50 μm/s, soit jusqu'à 50 fois leur longueur par seconde. Toutes proportions gardées, pour avancer aussi vite, une personne de 1,70 m devrait courir à 306 km/h!

Diverses structures permettent le déplacement. Les plus courantes sont les flagelles (**figure 27.7**), qui sont soit dispersés sur toute la surface de la cellule, soit concentrés à l'un de ses deux pôles ou aux deux. Les flagelles des cellules procaryotes sont très différents de ceux des cellules eucaryotes. Ils sont 10 fois plus fins et ne sont pas recouverts d'un prolongement de la membrane plasmique (voir la figure 6.24). Les flagelles des procaryotes se distinguent aussi par leur composition moléculaire et par leur mécanisme de propulsion. Chez les procaryotes, les flagelles bactériens et archériens présentent une taille et un mécanisme de rotation similaires, mais se composent de protéines totalement différentes et non apparentées. Dans l'ensemble, ces comparaisons structurales et moléculaires indiquent que les flagelles des bactéries, des archées et des eucaryotes sont apparus indépendamment les uns des autres. Comme les preuves actuelles montrent que les flagelles des organismes issus des trois domaines accomplissent des fonctions similaires, mais qu'ils ne sont probablement pas liés par des ancêtres communs, on peut présumer qu'il s'agit de structures analogues plutôt qu'homologues (voir le concept 22.2).

Les origines évolutives des flagelles bactériens

Le flagelle bactérien présenté à la figure 27.7 comporte trois parties principales (le moteur, le crochet et le filament), composées de 42 types de protéines. Comment une structure aussi complexe a-t-elle pu évoluer? En fait, de nombreuses observations indiquent que le flagelle bactérien provient de structures plus simples qui se sont modifiées graduellement. Comme pour l'œil humain (voir le concept 25.6), les biologistes ont tenté de savoir si une version moins complexe du flagelle pouvait encore être utile à son hôte. L'analyse de centaines de génomes bactériens indique que la moitié des composants protéiques du flagelle suffisent à en assurer le fonctionnement; les autres ne sont pas essentiels ou ne sont pas codés dans le génome de certaines espèces. Des 21 protéines requises par les espèces étudiées jusqu'à maintenant, 19 sont des versions modifiées de protéines qui accomplissent d'autres tâches au sein des bactéries. Par exemple, le moteur renferme un jeu de 10 protéines homologues à 10 protéines similaires observées dans un appareil sécrétoire des bactéries. (Un appareil sécrétoire est un complexe protéique qui permet de produire et de libérer certaines macromolécules à l'extérieur de la cellule.) Deux autres protéines observées dans le moteur sont homologues à des protéines affectées au transport des ions. Les protéines qui composent la tige, le crochet et le filament sont toutes apparentées et descendent d'une protéine ancestrale qui formait un tube rappelant un pilus. Ces découvertes donnent à penser que le flagelle bactérien a évolué lorsque d'autres protéines se sont ajoutées à un appareil sécrétoire ancestral. C'est là un exemple d'*exaptation,* un processus de descendance avec modification par lequel des structures initialement conçues pour remplir une seule fonction en viennent à accomplir de nouvelles fonctions.

La structure interne et l'ADN

Les cellules procaryotes sont plus simples que les cellules eucaryotes. Leur structure interne et l'organisation physique de leur ADN ne présentent pas la compartimentation complexe des cellules eucaryotes (voir la figure 6.5). Cependant, certains procaryotes ont des membranes spécialisées qui accomplissent des

▶ **Figure 27.7 Le flagelle procaryote.** Le moteur du flagelle procaryote consiste en un système d'anneaux enchâssés dans la paroi cellulaire et la membrane plasmique (MET). La chaîne de transport d'électrons pompe des protons hors de la cellule. La diffusion de protons dans la cellule procure l'énergie qui fait pivoter un crochet incurvé et fixé à un filament qui pivote à son tour et propulse la cellule. (Les structures représentées dans cette figure sont caractéristiques des bactéries à Gram négatif.)

HABILETÉS VISUELLES ▶ D'après vous, lesquels des quatre anneaux protéiques illustrés dans ce schéma sont susceptibles d'être hydrophobes ? Expliquez votre réponse.

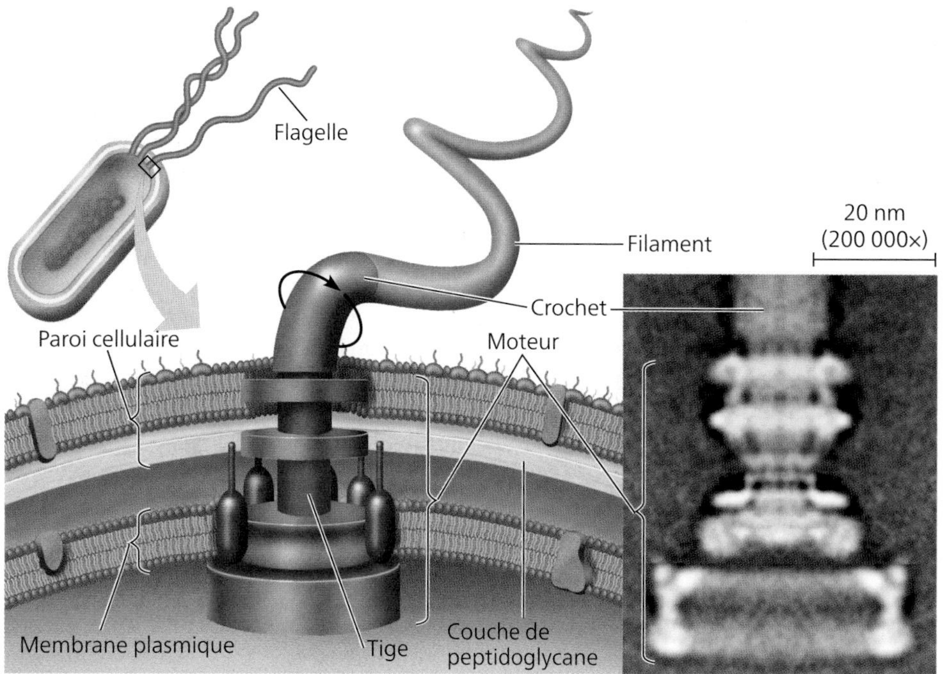

fonctions métaboliques (**figure 27.8**). Ces membranes correspondent habituellement à des régions invaginées de la membrane plasmique. Des découvertes récentes montrent également que certains procaryotes peuvent entreposer des sous-produits métaboliques dans des compartiments simples constitués de protéines ; ces compartiments ne possèdent aucune membrane.

La structure du génome des cellules procaryotes est différente de celle du génome des eucaryotes. Dans la plupart des cas, le génome comporte beaucoup moins d'ADN. En général, les procaryotes ont des chromosomes circulaires (**figure 27.9**), alors que ceux des eucaryotes sont linéaires. De plus, les chromosomes des procaryotes sont associés à bien moins de protéines que ceux des eucaryotes. Par ailleurs, contrairement aux eucaryotes, les procaryotes ne comportent pas de noyau ; les chromosomes procaryotes sont situés dans le **nucléoïde**, une région du cytoplasme qui n'est pas entourée d'une membrane. Outre son unique chromosome, la cellule procaryote comporte ordinairement des **plasmides** (voir la figure 27.9), c'est-à-dire des anneaux d'ADN beaucoup plus petits et portant seulement quelques gènes.

Même si, en général, les processus de réplication, de transcription et de traduction de l'ADN des eucaryotes et des procaryotes se ressemblent, ils présentent tout de même quelques différences (voir le chapitre 17). Ainsi, le ribosome procaryote est légèrement plus petit que son homologue eucaryote, et les

▼ **Figure 27.8 Les membranes spécialisées des cellules procaryotes. (a)** Ces invaginations de la membrane plasmique, qui rappellent les crêtes des mitochondries, pourraient, selon certains auteurs, servir à la respiration cellulaire de certains procaryotes aérobies (MET). **(b)** Les procaryotes photosynthétiques appelés cyanobactéries possèdent des membranes thylakoïdiennes, très semblables à celles des chloroplastes (MET).

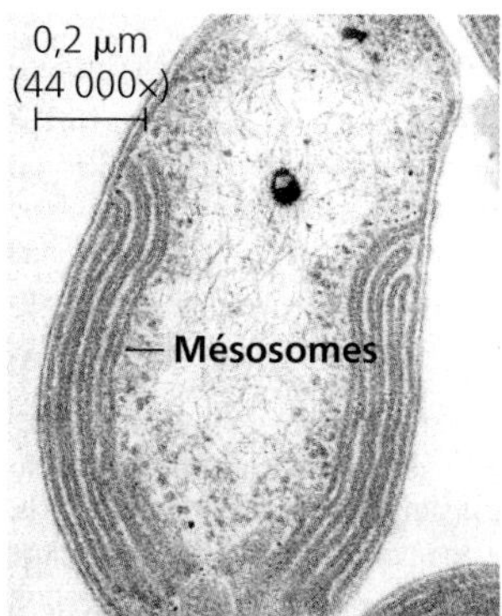

(a) Procaryote aérobie

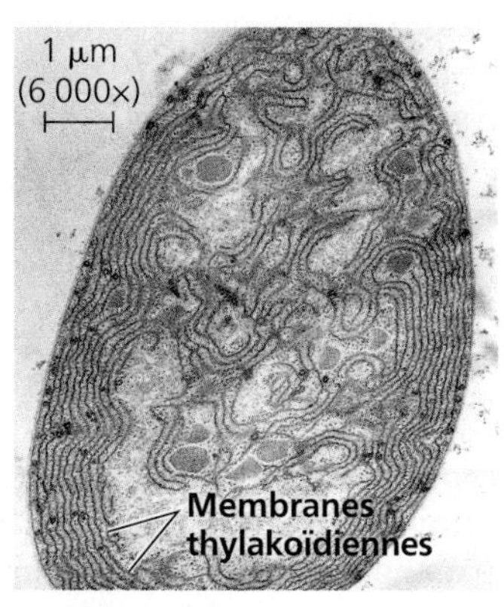

(b) Procaryote photosynthétique

▼ **Figure 27.9 Le chromosome procaryote et les plasmides.** Les minces boucles enchevêtrées entourant cette cellule de l'espèce *Escherichia coli* éclatée constituent des portions du grand chromosome unique de la cellule (MET, cliché coloré artificiellement). On voit aussi trois des plasmides de la cellule ; ils sont formés de boucles d'ADN beaucoup plus petites.

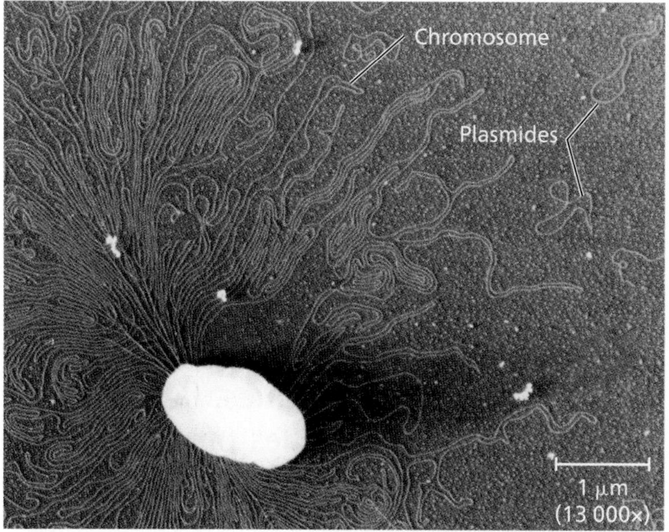

deux diffèrent quant à leur contenu en protéines et en ARN. Ces différences font que certains antibiotiques, tels que l'érythromycine et la tétracycline, se fixent aux ribosomes et bloquent la synthèse protéique des procaryotes, alors qu'ils n'entravent pas le fonctionnement des ribosomes eucaryotes. Par conséquent, nous pouvons prendre sans danger ces antibiotiques pour tuer des bactéries ou inhiber leur croissance.

La reproduction

De nombreux procaryotes peuvent se reproduire rapidement dans un milieu favorable. Grâce à la *scissiparité*, ou fission binaire (voir la figure 12.12), une cellule procaryote se segmente pour former deux cellules, qui à leur tour se divisent pour en donner 4, puis 8, 16, et ainsi de suite. Dans un milieu optimal, de nombreux procaryotes ont un temps de génération de l'ordre de 1 à 3 heures, mais certaines espèces peuvent se diviser en 20 minutes à peine. À ce rythme, il faudrait seulement 2 jours à une cellule unique pour engendrer une colonie dont la masse dépasserait celle de la Terre!

Dans la réalité, bien sûr, la reproduction des procaryotes est limitée. La colonie finit en effet par épuiser les nutriments, par s'empoisonner elle-même avec ses déchets métaboliques, ou elle sert de source de nourriture à d'autres microorganismes. Son expansion est également limitée par la rivalité entre les microorganismes. Il reste que la capacité qu'ont de nombreux procaryotes de se reproduire rapidement met en évidence trois caractéristiques clés de leur biologie: *ils sont petits, ils se reproduisent par scissiparité et ils ont un temps de génération court.* Par conséquent, les populations procaryotes peuvent contenir plusieurs billions d'individus, soit beaucoup plus que les populations d'eucaryotes multicellulaires, comme les végétaux et les animaux.

RETOUR SUR LE CONCEPT 27.1

1. Décrivez deux exemples d'adaptations qui permettent aux procaryotes de survivre dans des milieux trop inhospitaliers pour d'autres organismes.
2. Comparez les organisations cellulaire et génomique des procaryotes et des eucaryotes.
3. **FAITES DES LIENS ▶** Proposez une hypothèse expliquant pourquoi les thylakoïdes des chloroplastes ressemblent à ceux des cyanobactéries. Pour ce faire, consultez les figures 6.18 et 26.21.

Voir les réponses proposées à l'appendice A.

CONCEPT 27.2

La reproduction et les mutations fréquentes, de même que les recombinaisons génétiques, favorisent la diversité génétique des procaryotes

Nous l'avons vu dans la quatrième partie de cet ouvrage, la variation génétique est nécessaire à l'évolution. Les diverses adaptations observées chez les procaryotes donnent à penser que leurs populations présentent une grande variation génétique, ce qui est le cas. Penchons-nous maintenant sur les trois facteurs expliquant la grande diversité génétique observable chez les procaryotes, soit leur reproduction et mutation fréquentes, ainsi que leur recombinaison génétique.

La reproduction et les mutations fréquentes

Chez les espèces à reproduction sexuée, la création d'un nouvel allèle à l'issue d'une mutation est un événement rare. En fait, chez ces espèces, la variation génétique découle principalement de nouvelles combinaisons d'allèles durant la méiose et la fécondation (voir le concept 13.4). Les procaryotes ne faisant pas appel à la reproduction sexuée, la grande variation génétique qui les caractérise peut être troublante à première vue. Toutefois, dans de nombreuses espèces, cette variation peut s'expliquer à la fois par les reproductions et les mutations fréquentes.

Considérons la bactérie *Escherichia coli* qui se reproduit par scissiparité dans les intestins humains, l'un de ses milieux naturels. Après plusieurs divisions, la plupart des cellules descendantes sont génétiquement identiques à la cellule mère originale. Cependant, si des erreurs surviennent durant la réplication de l'ADN, certaines des cellules descendantes peuvent présenter des différences génétiques. La probabilité que survienne une mutation spontanée pour un seul gène d'*E. coli* est d'environ 1 sur 10 millions (1×10^{-7}) par division cellulaire. Or, parmi les 2×10^{10} nouvelles cellules d'*E. coli* qui naissent chaque jour dans l'intestin d'une personne, quelque $(2 \times 10^{10}) \times (1 \times 10^{-7}) = 2\,000$ bactéries présenteront une mutation génétique par gène. Le nombre total de nouvelles mutations possibles pour les 4 300 gènes d'*E. coli* est donc estimé à $4\,300 \times 2\,000$ = plus de 8 millions de mutations par jour, par hôte humain.

Ce qu'il faut retenir, c'est que même si un gène présente rarement de nouvelles mutations, celles-ci augmentent rapidement la diversité génétique chez les espèces qui présentent un temps de génération court et de grandes populations. Cette diversité entraîne une évolution rapide (**figure 27.10**): les individus génétiquement mieux équipés pour survivre dans leur environnement ont tendance à survivre et à se reproduire en plus grand nombre que les individus moins aptes. La capacité des procaryotes à s'adapter rapidement à de nouvelles conditions montre que même si la structure de leur cellule est plus simple que celle des cellules eucaryotes, les procaryotes ne sont en rien «primitifs» ou «inférieurs» sur le plan de l'évolution. Ils sont en fait très évolués: pendant plus de 3,5 milliards d'années, les populations procaryotes ont réussi à survivre dans toutes sortes d'environnements inhospitaliers.

La recombinaison génétique

Bien que les nouvelles mutations soient une source importante de variation au sein des populations procaryotes, la **recombinaison génétique**, c'est-à-dire la recombinaison de l'ADN à partir de deux sources, accroît aussi la diversité. Chez les eucaryotes, la méiose et la fécondation combinent l'ADN de deux individus en un zygote unique. Mais les procaryotes ne font pas appel à la méiose et à la fécondation. Chez eux, la réunion de l'ADN d'individus différents (c'est-à-dire de cellules différentes) repose sur trois autres mécanismes: la transformation, la

DÉMARCHE SCIENTIFIQUE

INVESTIGATION

▼ **Figure 27.10**

Les procaryotes peuvent-ils évoluer rapidement en réaction à une modification de l'environnement ?

■ HYPOTHÈSE ■ En raison des fréquentes divisions cellulaires et mutations, une population de bactéries peut évoluer facilement pour s'adapter plus efficacement à son environnement. De nouvelles adaptations devraient donc apparaître peu de temps après l'introduction d'une population bactérienne dans un nouvel environnement.

■ EXPÉRIENCE ■ Vaughn Cooper et Richard Lenski ont testé l'aptitude des populations de l'espèce *E. coli* à s'adapter à un nouvel environnement en créant 12 populations. Chaque population a été créée à partir d'une seule cellule d'une souche *E. coli,* et a fait l'objet d'un suivi qui a porté sur 20 000 générations (soit pendant 3 000 jours). Pour couvrir les besoins de croissance des bactéries, les chercheurs ont fait un *transfert en série* quotidien, c'est-à-dire qu'ils ont transféré 0,1 mL de chaque population dans une nouvelle éprouvette contenant 9,9 mL de substrat frais. Le substrat utilisé durant toute l'expérience constituait un environnement difficile qui ne contenait que de faibles quantités de glucose et d'autres éléments nutritifs nécessaires à la croissance.

Transfert en série quotidien

0,1 mL (échantillon de population)

Vieille éprouvette (jetée après le transfert)

Nouvelle éprouvette (9,9 mL de substrat)

Les chercheurs retiraient périodiquement des échantillons des 12 populations et les faisaient croître en compétition avec l'ancêtre commun dans l'environnement expérimental (à faible teneur en glucose).

■ RÉSULTATS ■ La valeur sélective des populations expérimentales, mesurée selon le rythme de croissance de chaque population, a augmenté rapidement durant les 5 000 premières générations (2 ans) et plus lentement pendant les 15 000 générations suivantes. Le diagramme ci-dessous montre les moyennes pour les 12 populations.

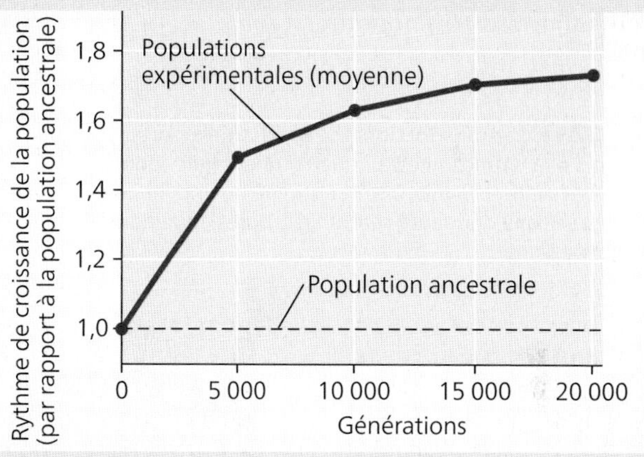

■ CONCLUSION ■ Les populations d'*E. coli* ont continué à cumuler des adaptations bénéfiques pendant 20 000 générations, permettant une augmentation rapide du rythme de croissance de ces populations dans le nouvel environnement.

Source des données: V. S. Cooper et R. E. Linski, The population genetics of ecological specialization in evolving *Escherichia coli* populations, *Nature* 407: 736-739 (2000).

ET SI ? ▶ Quelles pourraient être les fonctions acquises par les gènes dont la séquence ou l'expression a été modifiée au fil de l'évolution des populations dans l'environnement à faible teneur en glucose ?

transduction et la conjugaison. Lorsque les individus proviennent d'espèces différentes, ce mouvement de gènes d'un organisme à un autre se nomme *transfert horizontal.* Les scientifiques ont pu prouver que chacun de ces mécanismes permet le transfert d'ADN au sein d'une même espèce et entre des espèces issues des domaines des bactéries et des archées ; toutefois l'essentiel de nos connaissances sur la question nous vient à ce jour de la recherche sur les bactéries.

La transformation et la transduction

Lors de la **transformation**, le génotype et, probablement, le phénotype d'une cellule procaryote sont modifiés par l'incorporation d'ADN étranger. Par exemple, une souche inoffensive de *Streptococcus pneumoniae* peut se transformer en cellules causant la pneumonie si les cellules sont exposées à de l'ADN d'une souche pathogène (voir le concept 16.1). Cette transformation survient lorsqu'une cellule non pathogène absorbe un élément d'ADN contenant l'allèle de la pathogénicité et l'utilise en lieu et place de son propre allèle ; c'est un échange de segments d'ADN homologues. La cellule résultante est recombinée, puisque son chromosome contient de l'ADN dérivé de deux cellules distinctes.

Longtemps après avoir découvert la transformation dans les milieux de culture, la majorité des biologistes continuaient de croire que ce phénomène était trop rare et trop aléatoire pour jouer un rôle important dans les populations bactériennes naturelles. Cependant, il est clair maintenant que de nombreuses bactéries portent à leur surface des protéines qui reconnaissent et transportent dans la cellule l'ADN provenant d'espèces bactériennes apparentées. Cette cellule peut alors incorporer cet ADN étranger dans son génome, par échange d'ADN homologue.

Au cours de la **transduction**, les bactériophages (ou phages), les virus qui infectent des bactéries, transportent des gènes procaryotes d'une cellule hôte à une autre. Dans la plupart des cas, la transduction est le fruit d'accidents qui surviennent durant les cycles de réplication phagiques (**figure 27.11**). Un virus porteur d'ADN procaryote peut être incapable de se répliquer parce qu'il est dépourvu d'une partie ou de tout son matériel génétique. Néanmoins, le virus peut se fixer à une autre bactérie procaryote (receveuse) et lui injecter le fragment d'ADN provenant de la première cellule (donneuse). Si une partie de cet ADN est ensuite intégrée dans le chromosome de la cellule receveuse par enjambement, une cellule recombinée sera alors créée.

La conjugaison et les plasmides

La **conjugaison** est un processus de transfert d'ADN entre deux cellules procaryotes (habituellement de la même espèce) temporairement liées. Le transfert d'ADN entre deux bactéries est toujours unidirectionnel : une cellule donne de l'ADN, alors qu'une autre la reçoit. Dans cette partie, nous examinerons le mécanisme de conjugaison qu'emprunte *E. coli*.

▼ **Figure 27.11 La transduction.** Les phages transportent parfois des fragments de chromosome bactérien d'une cellule (donneuse) à une autre (receveuse). Si le transfert entraîne un enjambement, les gènes de la cellule donneuse seront incorporés au génome de la cellule receveuse.

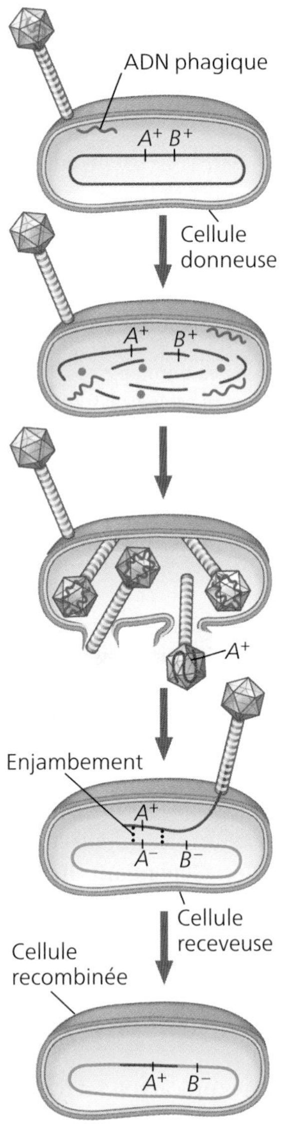

1 Un phage infecte une bactérie dont le chromosome (en brun) possède des allèles A^+ et B^+. Cette bactérie sera la cellule «donneuse».

ADN phagique

A^+ B^+

Cellule donneuse

2 L'ADN du phage est répliqué et la cellule produit plusieurs copies des protéines du phage (représentées par les points mauves). Entre-temps, certaines protéines phagiques interrompent la synthèse des protéines codées par l'ADN de la cellule hôte et celui-ci se fragmente, comme on le voit ici.

A^+ B^+

3 Pendant que s'assemblent les phages, un fragment d'ADN bactérien contenant l'allèle A^+ est emballé dans une capside phagique.

A^+

4 Le phage comportant l'allèle A^+ provenant de la cellule donneuse infecte une cellule receveuse portant les allèles A^- et B^-. L'enjambement, qui se produit à deux endroits (en pointillés), permet à l'ADN de la cellule donneuse (en brun) de s'intégrer à celui de la cellule receveuse (en vert).

Enjambement

A^+

A^- B^-

Cellule receveuse

Cellule recombinée

5 Le génotype de la nouvelle cellule recombinée (A^+B^-) diffère à la fois de celui de la cellule donneuse (A^+B^+) et de celui de la cellule receveuse (A^-B^-).

A^+ B^-

HABILETÉS VISUELLES ▶ En vous fondant sur ce schéma, décrivez dans quelles circonstances la transduction entraînerait un transfert horizontal.

D'abord, un pilus sexuel de la bactérie donneuse se fixe à la bactérie receveuse (**figure 27.12**). Le pilus se rétracte ensuite, en tirant les deux cellules l'une vers l'autre, à la manière d'un grappin. Au cours de l'étape suivante, il se formerait une structure temporaire entre les deux cellules, soit un « pont de conjugaison » permettant le transfert d'ADN du donneur au receveur. Le mécanisme à l'origine du transfert d'ADN n'a pas encore été élucidé ; toutefois, des données récentes indiquent que l'ADN pourrait passer directement dans le pilus, qui est creux.

Dans tous les cas, l'aptitude à produire des pili et à transférer de l'ADN durant la conjugaison dépend de la présence d'un segment d'ADN appelé **facteur F** (F pour fertilité). Le facteur F d'*E. coli* compte environ 25 gènes, dont la plupart sont nécessaires à la production de pili. Comme le montre la **figure 27.13**, le facteur F peut être soit un plasmide, soit un segment d'ADN du chromosome bactérien.

Le facteur F sous forme de plasmide Quand il est porté par un plasmide, le facteur F s'appelle **plasmide F**. Les bactéries contenant le plasmide F se nomment F^+ ; elles agissent comme des donneuses d'ADN (figure 27.13a), alors que les bactéries dépourvues du facteur F (F^-) agissent comme receveuses d'ADN. L'état F^+ est transférable ; la bactérie F^+ transforme la bactérie F^- en bactérie F^+ si une copie complète du plasmide F^+ est transférée. Même si le plasmide F^+ n'est que partiellement transféré et que seule une partie de son ADN est transmise à la cellule receveuse, il s'agit maintenant d'une cellule recombinée.

Le facteur F dans le chromosome Lorsque le facteur F du donneur est intégré dans son chromosome, la conjugaison s'accompagne du transfert de gènes chromosomiques. Une bactérie dont le facteur F est intégré au chromosome est appelée *bactérie Hfr* (« à haute fréquence de recombinaison »). À l'instar de la bactérie F^+, la bactérie Hfr joue le rôle de donneuse pendant la conjugaison avec une bactérie F^- (figure 27.13b). Lorsque l'ADN chromosomique d'une bactérie Hfr pénètre dans une bactérie F^-, les régions homologues des chromosomes Hfr et F^- peuvent s'aligner et donner lieu à l'échange de segments d'ADN. Par conséquent, la bactérie receveuse devient une bactérie recombinée dont les gènes proviennent des chromosomes de deux bactéries différentes : une nouvelle variation génétique est ainsi soumise à l'évolution.

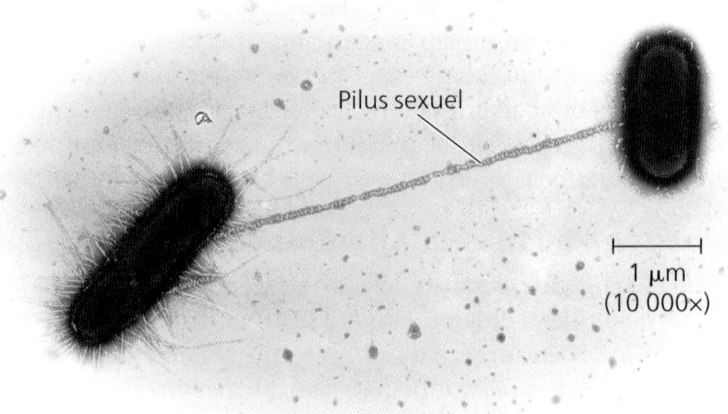

▲ **Figure 27.12 La conjugaison bactérienne.** La bactérie donneuse *E. coli*, à gauche, étend un pilus en direction de la bactérie receveuse et s'y fixe. C'est la première étape du transfert d'ADN. Le pilus est un tube flexible de sous-unités protéiques (MET).

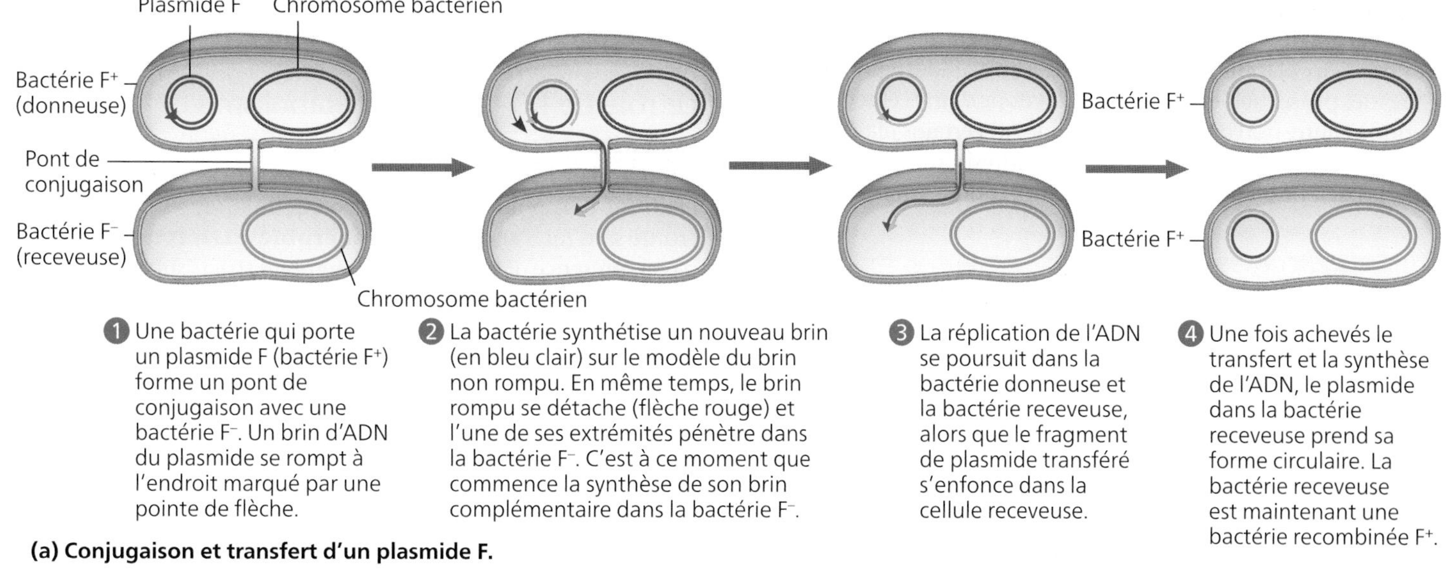

Plasmide F
Chromosome bactérien
Bactérie F+ (donneuse)
Pont de conjugaison
Bactérie F− (receveuse)
Chromosome bactérien
Bactérie F+
Bactérie F+
❶ Une bactérie qui porte un plasmide F (bactérie F+) forme un pont de conjugaison avec une bactérie F−. Un brin d'ADN du plasmide se rompt à l'endroit marqué par une pointe de flèche.
❷ La bactérie synthétise un nouveau brin (en bleu clair) sur le modèle du brin non rompu. En même temps, le brin rompu se détache (flèche rouge) et l'une de ses extrémités pénètre dans la bactérie F−. C'est à ce moment que commence la synthèse de son brin complémentaire dans la bactérie F−.
❸ La réplication de l'ADN se poursuit dans la bactérie donneuse et la bactérie receveuse, alors que le fragment de plasmide transféré s'enfonce dans la cellule receveuse.
❹ Une fois achevés le transfert et la synthèse de l'ADN, le plasmide dans la bactérie receveuse prend sa forme circulaire. La bactérie receveuse est maintenant une bactérie recombinée F+.

(a) Conjugaison et transfert d'un plasmide F.

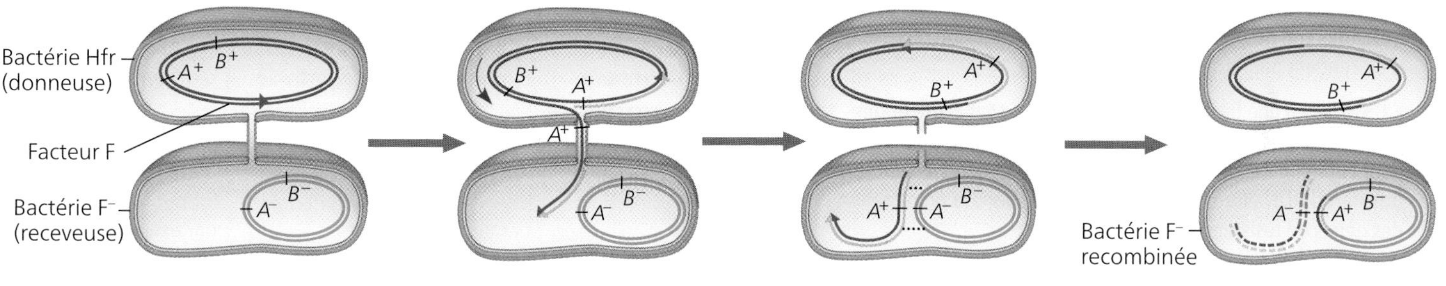

❶ Dans une bactérie Hfr, le facteur F (en bleu foncé) s'intègre dans le chromosome bactérien. Puisqu'une bactérie Hfr renferme tous les gènes du facteur F, elle peut produire un pont de conjugaison avec une bactérie F− et lui transférer de l'ADN.

❷ Un des deux brins du facteur F se rompt et s'engage dans ce pont. La réplication de l'ADN se produit à la fois dans la bactérie donneuse et dans la bactérie receveuse, ce qui donne un ADN bicaténaire (les brins fils sont illustrés en bleu pâle).

❸ Le pont de conjugaison se brise habituellement avant que l'ensemble du chromosome soit transféré. L'enjambement, à deux endroits (en pointillés), peut entraîner l'échange de gènes homologues entre l'ADN transféré (en brun) et le chromosome de la bactérie receveuse (en vert).

❹ Les enzymes cellulaires désagrègent l'ADN linéaire qui n'a pas été incorporé dans le chromosome. La bactérie receveuse, qui contient à présent une nouvelle combinaison de gènes mais pas de facteur F, est une bactérie recombinée F−.

(b) Conjugaison et transfert d'une partie d'un chromosome d'une bactérie Hfr entraînant une recombinaison. Les symboles A^+/A^- et B^+/B^- représentent les allèles des gènes *A* et *B*, respectivement.

▲ **Figure 27.13 La conjugaison et la recombinaison chez *E. coli*.** La réplication de l'ADN qui accompagne le transfert d'un plasmide F ou d'une partie d'un chromosome bactérien Hfr est appelée *réplication en cercle roulant*. En fait, le brin d'ADN parent, circulaire et intact, «se déroule» lorsque son autre brin se détache et qu'un nouveau brin complémentaire est synthétisé.

Les plasmides R et la résistance aux antibiotiques Au cours des années 1950, au Japon, des médecins ont remarqué que certains patients hospitalisés pour une dysenterie bactérienne (une maladie qui provoque une diarrhée grave) ne réagissaient pas aux antibiotiques qu'on leur avait prescrits. Pourtant, ces médicaments utilisés pour traiter ce type d'infection étaient considérés jusqu'alors comme efficaces. Certaines souches de *Shigella dysenteriae,* l'agent pathogène à l'origine de la maladie, étaient apparemment devenues résistantes aux antibiotiques administrés.

Les chercheurs ont fini par identifier les gènes de la résistance aux antibiotiques chez *S. dysenteriae* et chez d'autres bactéries pathogènes. Parfois, ce sont des mutations dans un gène chromosomique de la bactérie qui causent la résistance. Par exemple, une mutation dans un gène peut rendre moins probable le transport d'un antibiotique donné dans la cellule. Il arrive aussi qu'une mutation dans un autre gène modifie la protéine intracellulaire cible sur laquelle agit l'antibiotique, réduisant ainsi son effet inhibiteur. Dans d'autres cas, certaines bactéries possèdent des gènes de résistance codant pour des enzymes qui détruisent justement des antibiotiques comme la tétracycline et l'ampicilline, ou encore en compromettent l'efficacité. Les gènes qui confèrent ce type de résistance se trouvent habituellement sur des plasmides appelés *plasmides R* (R pour résistance).

Si l'on expose une population bactérienne à un antibiotique donné, on tue les bactéries sensibles à ce produit, mais pas celles qui possèdent le plasmide R correspondant. Dans ces conditions, on pourrait avancer que la sélection naturelle favorisera la population de bactéries porteuses des gènes de résistance à l'antibiotique, et c'est exactement ce qui se produit. On devine facilement les conséquences cliniques de cette observation : les souches d'agents pathogènes résistants deviennent de plus en plus nombreuses, ce qui complique le traitement de certaines infections bactériennes. Le problème se trouve aggravé par le fait que de nombreux plasmides R, tout comme les plasmides F, portent les gènes des pili sexuels et se transmettent donc d'une cellule bactérienne à l'autre par conjugaison. Pire encore, certains plasmides R portent des gènes qui confèrent une multirésistance, protégeant ainsi la bactérie contre une dizaine d'antibiotiques différents.

RETOUR SUR LE CONCEPT **27.2**

1. Même si les nouvelles mutations dans un gène surviennent rarement, elles peuvent augmenter de façon marquée la diversité génétique des populations procaryotes à chaque génération. Quelles sont les raisons qui expliquent ce phénomène ?
2. Faites la distinction entre les trois mécanismes grâce auxquels une bactérie peut transférer de l'ADN à une autre bactérie.
3. Dans un environnement qui change rapidement, quelle population bactérienne présente les meilleures chances de survie, celle qui comprend des individus capables de conjugaison ou celle qui n'en contient pas ? Expliquez votre réponse.
4. ET SI ? ▶ Si une bactérie non pathogène devait acquérir une résistance à des antibiotiques, cette souche présenterait-elle un risque pour l'humain ? Expliquez votre réponse. En général, quel rôle le transfert d'ADN entre les bactéries joue-t-il dans la propagation des gènes de résistance ?

Voir les réponses proposées à l'appendice A.

CONCEPT **27.3**

De très nombreuses adaptations nutritionnelles et métaboliques sont apparues chez les procaryotes

L'importante variation génétique observée au sein des populations procaryotes se reflète dans leurs nombreuses adaptations nutritionnelles. On peut classer les procaryotes, comme tous les organismes, en fonction de leur mode de nutrition, c'est-à-dire de leur mode d'obtention de l'énergie et du carbone nécessaires à la constitution des molécules organiques qui composent les cellules. La diversité nutritionnelle est plus grande en général chez les procaryotes que chez les eucaryotes. En effet, tous les types de nutrition observés chez ces derniers existent chez les procaryotes, qui présentent en plus des modes de nutrition qui leur sont propres. Les procaryotes présentent un vaste éventail d'adaptations métaboliques, beaucoup plus grand que celui observé chez les eucaryotes.

Les espèces *phototrophes* utilisent la lumière comme source d'énergie, tandis que les *chimiotrophes* puisent leur énergie dans les substances chimiques de leur milieu. Les *autotrophes* sont des organismes dont la source de carbone est le dioxyde de carbone (CO_2) ou un composé inorganique. Les *hétérotrophes,* quant à eux, ont besoin d'au moins un nutriment organique, comme le glucose, pour synthétiser d'autres composés organiques. On peut combiner ces sources d'énergie et de carbone possibles pour classer les organismes procaryotes selon quatre grandes catégories résumées au **tableau 27.1**.

Le rôle de l'O_2 dans le métabolisme

La molécule d'oxygène (O_2) constitue une autre variable métabolique chez les organismes procaryotes. Les **aérobies stricts** utilisent l'O_2 pour leur respiration cellulaire ; ils ne peuvent croître sans lui. Par contre, les **anaérobies stricts** ne survivent pas en présence d'O_2. Certains anaérobies stricts subsistent uniquement grâce à la fermentation ; d'autres extraient l'énergie chimique au moyen de la **respiration cellulaire anaérobie**, un mécanisme par lequel des substances autres que l'O_2, comme les ions nitrate (NO_3^-) ou les ions sulfate (SO_4^{2-}), acceptent des électrons dans la phase « descendante » de la chaîne de transport d'électrons. Quant aux **anaérobies facultatifs**, ils utilisent l'O_2 s'ils en trouvent, mais peuvent aussi recourir à la fermentation dans un milieu anaérobie.

Tableau 27.1 Les principaux modes de nutrition

Mode de nutrition	Source d'énergie	Source de carbone	Types d'organismes
AUTOTROPHE			
Photo-autotrophe	Lumière	CO_2, HCO_3^- ou composé apparenté	Procaryotes photosynthétiques (les cyanobactéries, par exemple); végétaux en général; certains protistes (eucaryotes photosynthétiques simples, telles les algues)
Chimio-autotrophe	Substances chimiques inorganiques (H_2S, NH_3 ou Fe^{2+})	CO_2, HCO_3^- ou composé apparenté	Certains procaryotes (*Sulfolobus*, par exemple)
HÉTÉROTROPHE			
Photo-hétérotrophe	Lumière	Composés organiques	Certains procaryotes aquatiques halophiles (*Rhodobacter*, *Chloroflexus*, par exemple)
Chimio-hétérotrophe	Composés organiques	Composés organiques	De nombreux organismes procaryotes (*Clostridium*, par exemple) et de nombreux protistes, ainsi que les eumycètes, les animaux et certains végétaux

Le métabolisme de l'azote

Chez tous les organismes, l'azote est essentiel à la production des acides aminés et des acides nucléiques. Alors que les organismes eucaryotes ne peuvent utiliser que certains composés azotés, les procaryotes peuvent métaboliser de nombreuses formes d'azote. Par exemple, certaines cyanobactéries et certaines méthanobactéries (un groupe d'archées) convertissent la molécule d'azote atmosphérique (N_2) en ammoniac (NH_3) par un processus appelé **fixation de l'azote**. Les cellules peuvent ensuite incorporer cet azote « fixé » à des acides aminés et à d'autres molécules organiques. Sur le plan nutritionnel, les cyanobactéries fixatrices d'azote comptent parmi les organismes les plus autonomes. Elles n'ont besoin pour croître que d'énergie lumineuse, de CO_2, de N_2, d'eau et de quelques minéraux.

La fixation de l'azote a des effets importants sur d'autres organismes. Par exemple, les procaryotes fixateurs d'azote peuvent accroître l'azote disponible pour les végétaux. En effet, à défaut de pouvoir utiliser l'azote atmosphérique, les plantes peuvent consommer les composés azotés que produisent les procaryotes à partir de l'ammoniac. Le concept 55.4 traite des rôles essentiels, dont celui-là, que jouent les procaryotes dans les cycles de l'azote au sein des écosystèmes.

La coopération métabolique

Grâce à la coopération, les cellules procaryotes sont en mesure d'utiliser les ressources du milieu dont elles ne pourraient profiter individuellement. Dans certains cas, cette coopération a lieu entre des cellules spécialisées appartenant à une colonie. Ainsi, les cyanobactéries du genre *Anabaena* possèdent des gènes pour l'encodage des protéines nécessaires à la photosynthèse et à la fixation de l'azote. Cependant, une même cellule ne peut accomplir les deux processus en même temps, car la photosynthèse produit de l'O_2, lequel inactive les enzymes qui participent à la fixation de l'azote. Au lieu de vivre isolée, *Anabaena* forme des colonies filamenteuses (**figure 27.14**). Dans un filament, la plupart des cellules n'effectuent que la photosynthèse et seules quelques cellules spécialisées, appelées **hétérocystes**, fixent l'azote. Chaque hétérocyste est entouré d'une paroi épaissie qui restreint l'entrée de l'O_2 produit par les cellules photosynthétiques voisines. Les jonctions intercellulaires leur permettent de transporter l'azote fixé jusqu'aux cellules adjacentes, en échange de glucides qu'elles ne peuvent fabriquer.

La coopération métabolique entre différentes espèces procaryotes a souvent lieu dans des colonies formant un film qui se dépose sur une surface. Ces colonies sont appelées *biofilms*, ou films biologiques. Les cellules qui en font partie sécrètent des molécules de signalisation qui attirent les cellules se trouvant à proximité, de sorte que les colonies s'agrandissent progressivement. Les cellules produisent aussi des polysaccharides et des protéines qui les font adhérer au substrat et les unes aux autres : les polysaccharides et les protéines forment la capsule, ou une couche gluante, comme on l'a vu auparavant dans ce chapitre. Le biofilm comporte des canaux qui permettent aux nutriments d'atteindre les cellules intérieures et aux déchets d'être expulsés. Les biofilms sont courants dans la nature, mais ils peuvent être sources de problèmes lorsqu'ils contaminent des produits industriels et de l'équipement médical, ou qu'ils contribuent à la carie dentaire et à d'autres problèmes de santé plus graves. Somme toute, les dommages que causent les biofilms entraînent des coûts annuels de plusieurs milliards de dollars.

▼ **Figure 27.14 La coopération métabolique dans une colonie procaryote.** Chez les cyanobactéries filamenteuses (*Anabaena spp.*), des hétérocystes fixent l'azote, tandis que les autres accomplissent la photosynthèse (MP).

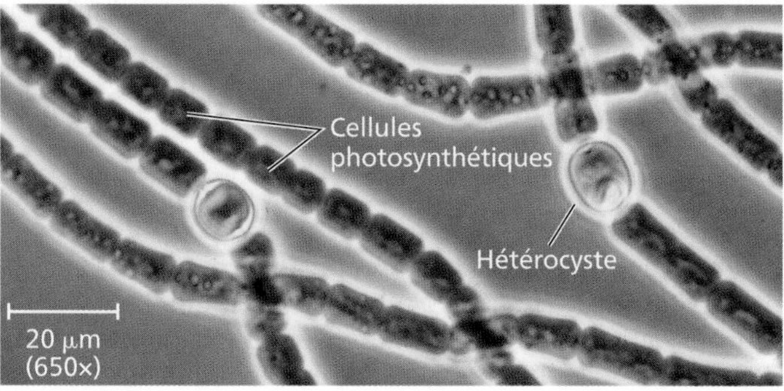

Des procaryotes appartenant à différentes espèces ont aussi recours à la coopération. Par exemple, des bactéries et des archées qui absorbent respectivement du sulfate et du méthane coexistent sur le plancher océanique sous forme d'agrégats sphériques. Les bactéries semblent utiliser les déchets des archées, notamment des composés organiques et de l'hydrogène. En retour, elles produisent des composés du soufre que les archées utilisent comme oxydants lorsqu'elles métabolisent du méthane en l'absence d'O_2. Ce partenariat a des répercussions à l'échelle planétaire : chaque année, ces archées utilisent approximativement 300 milliards de kilogrammes de méthane, un gaz qui contribue fortement à l'effet de serre (voir le concept 56.4).

RETOUR SUR LE CONCEPT **27.3**

1. Expliquez les différences entre les quatre principaux modes de nutrition et indiquez quels sont ceux qui sont exclusifs aux procaryotes.
2. Une bactérie qui vit dans des cavernes privées de lumière n'a besoin que d'un acide aminé, la méthionine, comme nutriment organique. Quel est son mode de nutrition ? Expliquez votre réponse.
3. ET SI ? ▶ Décrivez ce que vous mangeriez comme repas si les humains, comme les cyanobactéries, pouvaient fixer l'azote.

Voir les réponses proposées à l'appendice A.

CONCEPT **27.4**

Les procaryotes ont divergé pour former un groupe de lignées diversifiées

Depuis leur apparition, il y a de cela 3,5 milliards d'années, les procaryotes ont divergé considérablement. Au fil du temps, ils ont cumulé un vaste éventail d'adaptations structurales et métaboliques qui, ensemble, leur ont permis de vivre dans tout environnement favorisant la vie. En effet, quel que soit le milieu considéré, il est clair qu'il y a des procaryotes s'il s'y trouve des organismes. Malgré leur capacité d'adaptation évidente, c'est seulement au cours des dernières décennies que les avancées réalisées en génomique ont permis de lever le voile sur toute l'ampleur de la diversité des procaryotes.

Un aperçu de la diversité des procaryotes

Dans les années 1970, les microbiologistes ont commencé à utiliser l'ARN de la plus petite sous-unité ribosomique comme marqueur des liens de l'évolution. D'après les résultats ainsi obtenus, de nombreux procaryotes auparavant classés parmi les bactéries étaient en réalité davantage apparentés aux eucaryotes et appartenaient à un domaine distinct, celui des archées. Depuis, grâce à l'analyse d'un nombre considérable de données génétiques, dont plus de 1 700 génomes entiers, les microbiologistes ont découvert que quelques groupes taxinomiques traditionnels, comme les cyanobactéries, sont de type monophylétique. Toutefois, d'autres groupes traditionnels, par exemple les bactéries à Gram négatif, sont répartis entre plusieurs lignées. La **figure 27.15** représente une hypothèse phylogénétique portant sur quelques-uns des principaux groupes de procaryotes, selon la systématique moléculaire.

La diversité génétique des procaryotes est immense; c'est la première leçon que l'on doit tirer des travaux sur la phylogenèse de ces organismes. Lorsqu'ils ont commencé à effectuer le séquençage des gènes des procaryotes, les chercheurs devaient se contenter d'étudier seulement une petite fraction des espèces, qu'ils pouvaient cultiver en laboratoire. Dans les années 1980, on a commencé à utiliser l'amplification en chaîne par polymérase (PCR; voir la figure 20.8) pour analyser les gènes de procaryotes obtenus directement de l'environnement (par exemple

▼ Figure 27.15 L'arbre phylogénétique simplifié des procaryotes. Cet arbre, fondé sur des données moléculaires, représente les liens qui existent entre les principaux groupes de procaryotes. Certains liens sont présentés sous forme de polytomies afin d'illustrer leur ordre de divergence incertain. Des études récentes démontrent que les archées, les thaumarchées, les aigarchées, les crénarchées et les korarchées sont étroitement apparentées. C'est pourquoi les taxonomistes les ont classés dans le supergroupe nommé «TACK», un acronyme formé à partir de la première lettre de leur nom.

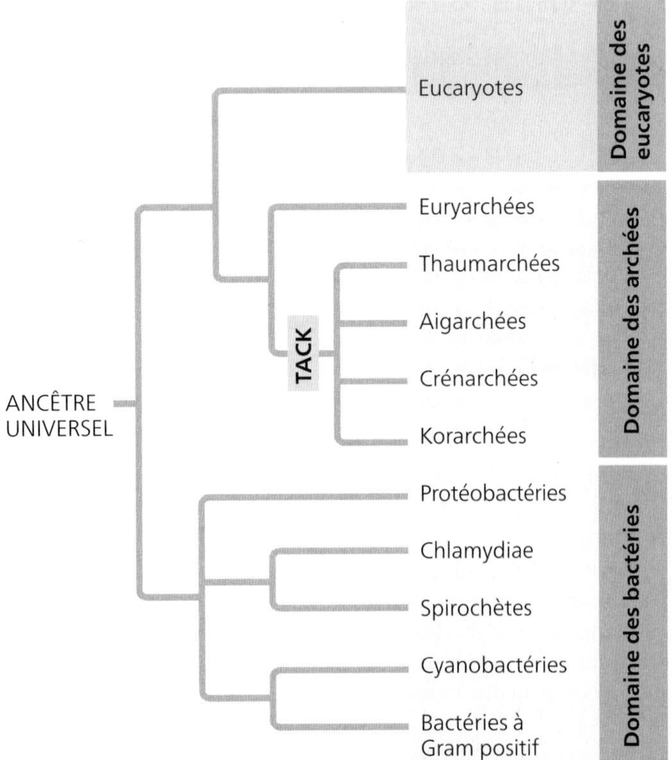

HABILETÉS VISUELLES ▶ D'après cet arbre phylogénétique, quel domaine est le groupe frère des archées ?

d'échantillons de sol ou d'eau). Aujourd'hui, il est fréquent de recourir à ce type de «prospection génétique»; en fait, la **métagénomique** (voir le concept 21.1) permet aujourd'hui d'obtenir le génome complet de procaryotes à partir d'échantillons prélevés dans l'environnement. Ces techniques permettent d'ajouter chaque année de nouvelles branches à l'arbre de la vie. À ce jour, seulement 10 600 espèces de procaryotes dans le monde ont reçu un nom scientifique; or, selon certaines estimations, une seule poignée de sol fertile pourrait contenir 10 000 espèces de ces microorganismes. L'inventaire complet de leur diversité nécessitera encore de nombreuses années de recherche.

La seconde leçon à tirer de la systématique moléculaire est l'importance du rôle joué par le transfert horizontal de gènes dans l'évolution des procaryotes. Pendant des centaines de millions d'années, ces microorganismes ont acquis des gènes provenant d'espèces sans lien de parenté directe avec eux et ces transferts se poursuivent encore aujourd'hui. Par conséquent, d'importantes parties du génome de nombreux procaryotes constituent en fait des mosaïques de gènes importés d'autres espèces. Par exemple, dans une étude portant sur 329 génomes bactériens séquencés, on a découvert que, en moyenne, 75 % des gènes de chaque génome avaient fait l'objet d'un transfert horizontal à un certain moment au cours de leur histoire évolutive. Comme nous l'avons vu au concept 26.6, ces transferts horizontaux compliquent l'identification de la racine de l'arbre de la vie. Il est clair, néanmoins, que les procaryotes ont évolué pendant des milliards d'années en deux lignées distinctes, les bactéries et les archées (voir la figure 27.15).

Les bactéries

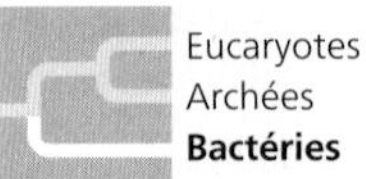

Comme l'illustre la **figure 27.16**, la grande majorité des espèces procaryotes connues sont des bactéries qui appartiennent tant aux espèces pathogènes, comme celles causant l'angine streptococcique et la tuberculose, qu'aux espèces utiles servant à la fabrication du fromage et du yogourt. Les bactéries recourent à différents modes de nutrition, mais même dans un petit groupe taxinomique, toutes les espèces ne présentent pas nécessairement le même mode nutritionnel. Comme nous le verrons, les capacités nutritionnelles et métaboliques des bactéries (et des archées) permettent de comprendre les effets considérables qu'elles ont sur la Terre et sur le vivant.

Les archées

Eucaryotes
Archées
Bactéries

Les archées ont certains points en commun avec les bactéries et d'autres avec les eucaryotes (**tableau 27.2**). Elles n'en possèdent pas moins de nombreuses caractéristiques exclusives, comme on peut s'y attendre d'un groupe d'organismes qui a suivi si longtemps une évolution distincte. Les archées se distinguent des bactéries notamment par l'absence d'espèces pathogènes pour les humains ou même pour les animaux.

Les premiers procaryotes classés dans le domaine des archées appartiennent à des espèces qui vivent là où peu d'autres organismes réussissent à survivre. Ces organismes portent le nom d'**extrêmophiles** (du grec *philos*, «ami»), ce qui signifie qu'ils sont des «adeptes» des milieux extrêmes. Les extrêmophiles comprennent les halophiles extrêmes et les thermophiles extrêmes.

Tableau 27.2 Comparaison des trois domaines du vivant			
	DOMAINES		
CARACTÉRISTIQUES	**Bactéries**	**Archées**	**Eucaryotes**
Enveloppe nucléaire	Absente	Absente	Présente
Organites membraneux	Absents	Absents	Présents
Peptidoglycane dans la paroi cellulaire (si présente)	Présent	Absent	Absent
Lipides membranaires	Chaînes carbonées linéaires	Quelques chaînes carbonées ramifiées	Chaînes carbonées linéaires
ARN polymérase	Un type	Plusieurs types	Plusieurs types
Premier acide aminé dans la synthèse des protéines	Formyl-méthionine	Méthionine	Méthionine
Introns dans les gènes	Très rares	Présents dans certains gènes	Présents dans de nombreux gènes
Réaction à la streptomycine et au chloramphénicol (antibiotiques)	En général, inhibition de la croissance	Aucune inhibition de la croissance	Aucune inhibition de la croissance
Histones associées à l'ADN	Absentes	Présentes dans certaines espèces	Présentes
Chromosome en forme d'anneau	Présent	Présent	Absent
Capacité de croître à des températures supérieures à 100 °C	Non	Oui, chez certaines espèces	Non

Les **halophiles extrêmes** (du grec *halo*, « sel ») vivent dans des milieux très salés, comme le Grand Lac Salé de l'Utah, aux États-Unis, la mer Morte, en Israël, et le lac d'Espagne de la figure 27.1. Certaines espèces ne font que tolérer la salinité, tandis que d'autres ont besoin d'un environnement passablement plus salé que l'eau de mer (dont la salinité est de 3,5 %). Par exemple, les protéines et la paroi cellulaire d'*Halobacterium* présentent des caractéristiques singulières qui améliorent son fonctionnement dans les environnements extrêmement salés, mais compromettent sa survie lorsque le taux de salinité est inférieur à 9 %.

Les **thermophiles extrêmes** (du grec *thermos*, « chaud ») prospèrent à des températures qui inactiveraient pourtant la plupart des enzymes (**figure 27.17**). *Sulfolobus*, par exemple, habite des sources volcaniques sulfureuses à des températures qui peuvent atteindre 90 °C. De telles températures tuent les cellules de la plupart des organismes parce que leur ADN ne garde pas la forme d'une double hélice et que leurs protéines se dénaturent. *Sulfolobus* et d'autres thermophiles extrêmes ne connaissent pas ce sort parce que leur ADN et leurs protéines présentent des adaptations structurales et biochimiques qui assurent leur stabilité à haute température. L'un d'eux, que les scientifiques appellent simplement *strain 121* en raison de sa capacité à se reproduire même à des températures allant jusqu'à 121 °C, vit près des cheminées hydrothermales situées en eau profonde. Un autre, *Pyrococcus furiosus*, est utilisé en biotechnologie comme source d'ADN polymérase pour la technique de l'amplification en chaîne par polymérase (PCR) (voir la figure 20.7).

De nombreuses autres espèces d'archées vivent dans des environnements moins extrêmes. C'est le cas des **méthanogènes**, des archées qui utilisent le CO_2 pour oxyder le H_2 et qui rejettent du méthane comme sous-produit du mécanisme très particulier par lequel elles obtiennent l'énergie nécessaire à leurs besoins. Les archées méthanogènes comptent parmi les anaérobies les plus stricts ; les molécules d'O_2 les empoisonnent. Certaines espèces vivent dans des environnements extrêmes, par exemple sous des kilomètres de glace au Groenland. D'autres sont présentes dans les marécages et les marais, un milieu dépourvu d'O_2 par suite de sa consommation par d'autres microorganismes. Le méthane formant des bulles à la surface de ces lieux était autrefois appelé gaz des marais. D'autres espèces habitent dans l'intestin des bovins, des termites et d'autres herbivores. Dans cet environnement anaérobie, elles jouent un rôle essentiel pour la nutrition de ces animaux. Les archées méthanogènes sont par ailleurs fort utiles aux êtres humains qui les utilisent comme décomposeurs dans le traitement des eaux usées.

De nombreux halophiles extrêmes et toutes les archées méthanogènes font partie du clade des euryarchées (du grec *eury*, « large », pour souligner la grande diversité et la multitude d'habitats de ces procaryotes). Ce groupe comprend aussi quelques archées thermophiles extrêmes. Cependant, la plupart des espèces thermophiles appartiennent à un autre clade, celui des crénarchées (du grec *cren*, « source », en référence aux sources hydrothermales). Des études métagénomiques ont permis d'établir que de nombreuses espèces d'euryarchées et de crénarchées ne sont pas extrêmophiles. Ces espèces occupent divers habitats, allant des terres agricoles aux sédiments lacustres, en passant par les eaux de surface de l'océan.

L'actualisation de la phylogenèse des archées se poursuit grâce à de nouvelles découvertes. Par exemple, dans des études métagénomiques réalisées récemment, on a décrypté le génome de plusieurs espèces qui ne peuvent être classées parmi les euryarchées ou les crénarchées. Des analyses phylogénomiques montrent également que trois des nouveaux groupes découverts, soit les thaumarchées, les aigarchées et les korarchées, sont plus étroitement apparentés aux crénarchées qu'aux euryarchées. Ces découvertes ont mené à la création d'un « supergroupe » réunissant les thaumarchées, les aigarchées, les crénarchées et les korarchées (voir la figure 27.15). L'acronyme « TACK », utilisé pour désigner ce supergroupe, est d'ailleurs formé de la première lettre du nom de chacun de ces groupes. En 2015, la découverte des lokiarchées, un groupe étroitement apparenté aux thaumarchées, aux aigarchées, aux crénarchées et aux korarchées, a démontré toute l'importance du supergroupe TACK. En effet, il pourrait s'agir du groupe frère des eucaryotes recherché depuis si longtemps. Les caractéristiques des lokiarchées pourraient ainsi permettre d'élucider l'un des plus grands mystères de la biologie moderne : comment les eucaryotes sont-ils apparus à partir de leurs ancêtres procaryotes ? Ces découvertes, et d'autres plus récentes, surviennent à un tel rythme qu'on peut aisément supposer que l'arbre de la figure 27.15 continuera d'évoluer avec la poursuite des recherches métagénomiques.

▼ Figure 27.16

PANORAMA Certains des principaux groupes de bactéries

Les protéobactéries

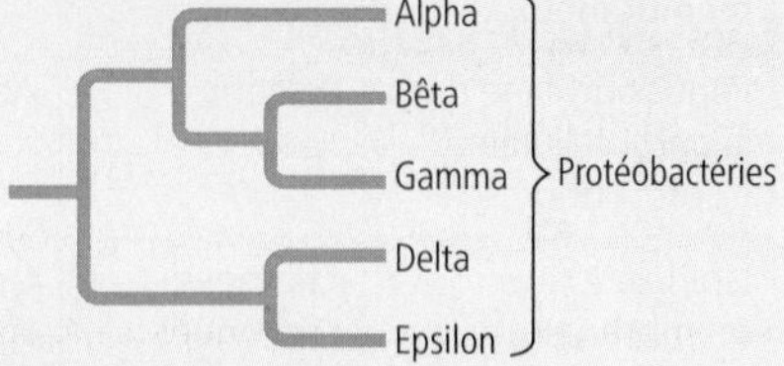

Ce clade vaste et diversifié de bactéries à Gram négatif comprend des photoautotrophes, des chimioautotrophes et des hétérotrophes. Certaines protéobactéries sont anaérobies, et d'autres, aérobies. Les spécialistes de la systématique moléculaire distinguent cinq sous-groupes de protéobactéries ; l'arbre phylogénétique ci-contre montre leurs liens de parenté, selon ce qu'en révèlent les données moléculaires.

Sous-groupe : les protéobactéries alpha (α)

De nombreuses espèces de protéobactéries α sont étroitement associées à des hôtes eucaryotes. Ainsi, les espèces du genre *Rhizobium* vivent dans des nodosités à l'intérieur des racines des légumineuses (famille du haricot, du trèfle, de la luzerne, etc.). Elles y convertissent le N_2 atmosphérique en composés que la plante hôte peut utiliser pour synthétiser des protéines. Les espèces du genre *Agrobacterium* sont des agents pathogènes qui provoquent la formation de tumeurs chez les végétaux. En génie génétique, on utilise ces bactéries pour incorporer un ADN étranger dans le génome de plantes cultivées. Des scientifiques pensent que les mitochondries se sont développées par endosymbiose à partir de protéobactéries α aérobies.

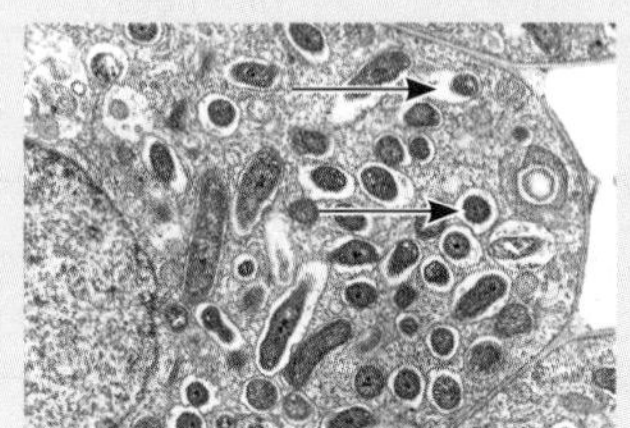

Rhizobium. Les flèches montrent la bactérie sise à l'intérieur des cellules de la racine d'une légumineuse (MET).

Sous-groupe : les protéobactéries bêta (β)

Diversifié sur le plan nutritionnel, le groupe des protéobactéries β comprend *Nitrosomonas*, une bactérie qui vit dans le sol et joue un rôle important dans le recyclage de l'azote dans les écosystèmes. En effet, *Nitrosomonas* oxyde l'ammonium (NH_4^+) ou l'ammoniac (NH_3) et libère du nitrite (NO_2^-) comme sous-produit. Parmi les autres membres de ce sous-groupe, on compte un vaste éventail d'espèces aquatiques, dont le photohétérotrophe *Rubrivivax*, ainsi que des agents pathogènes comme *Neisseria gonorrhoeae*, responsable de la gonorrhée, une infection transmissible sexuellement (ITS).

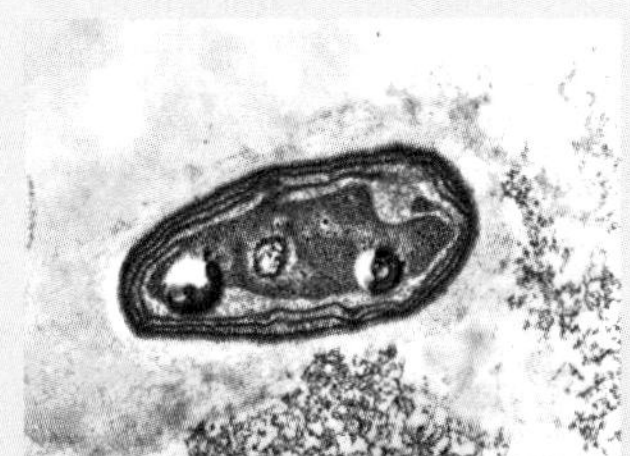

Nitrosomonas (MET, cliché coloré artificiellement).

Sous-groupe : les protéobactéries gamma (γ)

C'est le groupe de protéobactéries le plus vaste et le plus diversifié. Parmi les membres autotrophes, on trouve des bactéries sulfureuses comme *Thiomargarita namibiensis*. Cette bactérie obtient de l'énergie en oxydant la molécule de H_2S, ce qui produit des résidus de soufre (les petits globules apparaissant dans la micrographie ci-contre). Les protéobactéries hétérotrophes γ comptent quelques agents pathogènes, notamment *Legionella*, ainsi baptisée parce qu'elle cause une infection respiratoire connue sous le nom de « maladie du légionnaire », de même que *Salmonella*, parfois à l'origine d'intoxications alimentaires, et *Vibrio cholerae*, qui cause le choléra. *Escherichia coli*, un résident de l'intestin des humains et d'autres mammifères, n'est généralement pas pathogène.

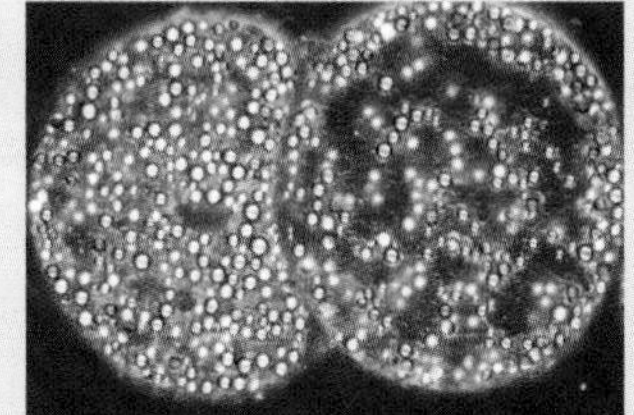

Thiomargarita namibiensis contient des résidus de soufre (MP).

Sous-groupe : les protéobactéries delta (δ)

Parmi les protéobactéries δ se trouve le groupe des myxobactéries, qui sécrètent un substrat gluant. Quand le sol s'assèche ou que la nourriture se fait rare, les cellules s'agglutinent et forment une « fructification » bulbeuse qui libère des « myxospores » résistantes. Ces bactéries fondent de nouvelles colonies dans des milieux favorables. Les protéobactéries δ incluent également le groupe des bdellovibrionacées, qui sont des prédateurs d'autres bactéries. *Bdellovibrio* poursuit sa proie à la vitesse de 100 µm/s (ce qui équivaut à 240 km/h pour un humain). L'attaque débute lorsqu'une *Bdellovibrio* s'attache à des molécules spécifiques sur la paroi externe d'autres espèces bactériennes. Le prédateur se transforme ensuite en perceuse, perforant sa proie à l'aide d'enzymes digestives et en tournant sur lui-même à la vitesse de 100 t/s (tours/seconde).

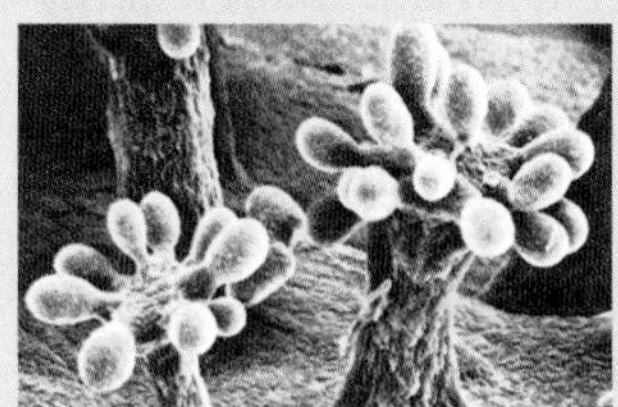

Fructifications de la myxobactérie *Chondromyces crocatus* (MEB).

Sous-groupe : les protéobactéries epsilon (ϵ)

La plupart des espèces de ce sous-groupe sont pathogènes pour les humains et d'autres animaux. Les protéobactéries ϵ comprennent notamment *Campylobacter jejuni*, qui cause la septicémie et des troubles inflammatoires de la paroi intestinale, et *Helicobacter pylori*, qui provoque des ulcères gastriques et duodénaux (dont la cause principale était, il n'y a pas si longtemps, attribuée au stress).

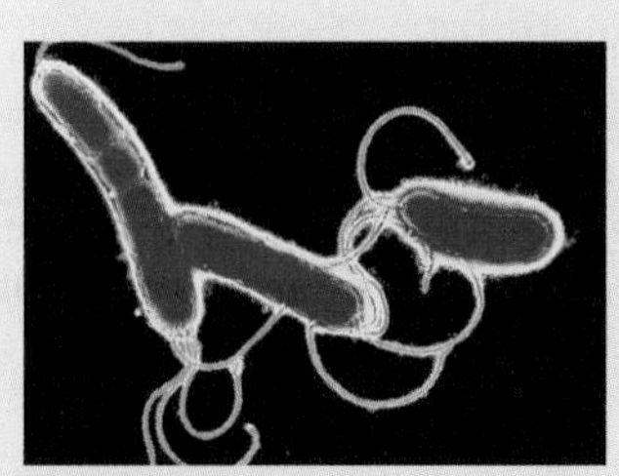

Helicobacter pylori (MET, cliché coloré artificiellement).

Les chlamydiae

Les chlamydiae sont des parasites incapables de survivre à l'extérieur des cellules animales; elles soutirent à leur hôte des ressources aussi fondamentales que l'ATP. La paroi à Gram négatif des chlamydiae se distingue par le fait qu'elle ne contient pas de peptidoglycane. L'espèce *Chlamydia trachomatis* est la cause la plus répandue de cécité dans le monde. Elle cause aussi l'urétrite non gonococcique, l'ITS la plus fréquente en Amérique du Nord.

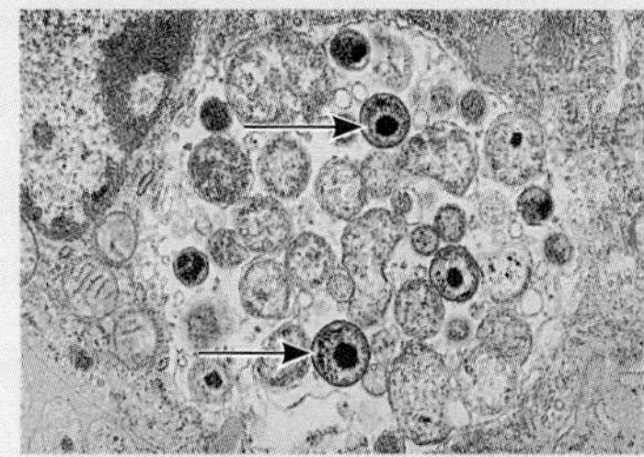

Chlamydia trachomatis (désignée par les flèches) vivant dans une cellule animale (MET, cliché coloré artificiellement).

Les spirochètes

Les spirochètes sont des hétérotrophes de forme hélicoïdale qui se déplacent en décrivant une spirale au moyen de filaments axiaux pivotants, semblables à des flagelles enroulés autour de la cellule. De nombreux spirochètes sont autonomes, mais certains sont des parasites pathogènes notoires. Ainsi, *Treponema pallidum* cause la syphilis, et *Borrelia burgdorferi*, la maladie de Lyme, ou borréliose.

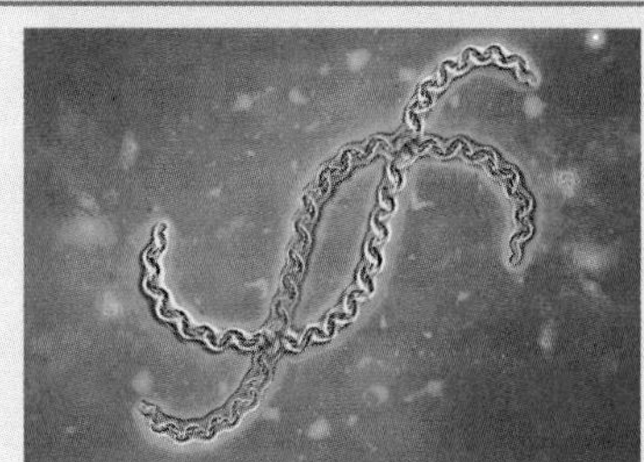

Spirochète *Leptospira* (MET, cliché coloré artificiellement).

Les cyanobactéries

Photoautotrophes à Gram négatif, les cyanobactéries sont les seuls procaryotes capables de photosynthèse productrice d'O_2. (En fait, on suspecte que les chloroplastes sont issus d'une cyanobactérie endosymbiotique.) Les cyanobactéries solitaires et filamenteuses sont présentes en abondance dans le phytoplancton dulcicole et marin, formant des colonies photosynthétiques qui dérivent près de la surface de l'eau. Certains filaments comprennent des cellules spécialisées dans la fixation de l'azote, processus métabolique qui convertit le N_2 atmosphérique en composés inorganiques pouvant servir à synthétiser les acides aminés et d'autres molécules organiques.

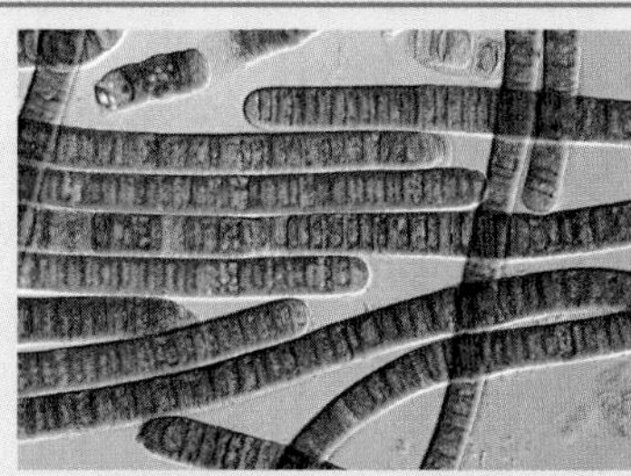

Oscillatoria, une cyanobactérie filamenteuse.

Les bactéries à Gram positif

Les bactéries à Gram positif rivalisent avec les protéobactéries pour ce qui est de la diversité. Un sous-groupe des bactéries à Gram positif, les actinobactéries (autrefois actinomycètes), forme des colonies ramifiées (le suffixe *mycète* vient rappeler que ces bactéries étaient autrefois confondues avec les eumycètes). Deux espèces faisant partie du groupe des actinobactéries (du genre *Mycobacterium*) causent la tuberculose et la lèpre. Cependant, la plupart des actinobactéries sont autonomes et participent à la décomposition des débris organiques dans le sol. Leurs sécrétions sont en partie à l'origine de l'odeur « terreuse » caractéristique des sols riches. Les sociétés pharmaceutiques cultivent les espèces vivant dans le sol du genre *Streptomyces* pour produire de nombreux antibiotiques, notamment la streptomycine.

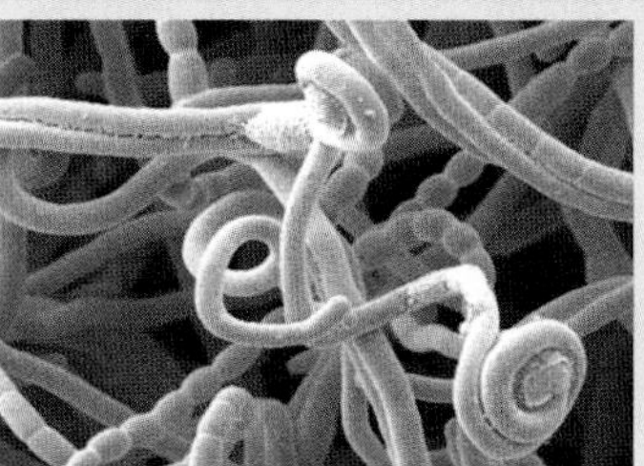

Streptomyces, source de nombreux antibiotiques (MEB).

Les bactéries à Gram positif comprennent diverses espèces solitaires, telles que *Bacillus anthracis* qui cause la maladie du charbon. Font également partie de ce groupe *Clostridium botulinum*, qui cause le botulisme, et *C. difficile*, qui cause des maladies intestinales responsables du décès de plusieurs centaines de patients dans les hôpitaux du Québec chaque année depuis 2003. Les diverses espèces de *Staphylococcus* et de *Streptococcus* font aussi partie des bactéries à Gram positif (la bactérie « mangeuse de chair » appartient à l'espèce *Steptococcus pyogenes*).

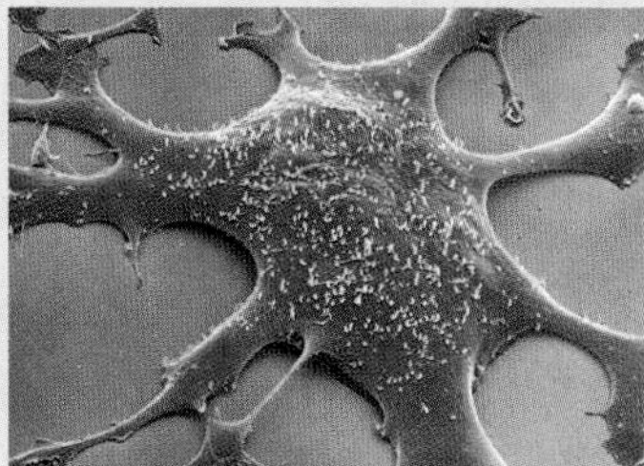

Des centaines de mycoplasmes recouvrent ce fibroblaste humain (MEB, cliché coloré artificiellement).

Les mycoplasmes (photo du bas) sont les seules bactéries dépourvues de paroi cellulaire. Ce sont aussi, après les nanobactéries, les plus petites cellules connues. Avec un diamètre de 0,1 µm, elles sont seulement cinq fois plus grosses qu'un ribosome. Les mycoplasmes ont un petit génome: ainsi, *Mycoplasma genitalium* ne possède que 517 gènes. Bon nombre de mycoplasmes sont des bactéries autonomes qui vivent dans le sol, mais certains sont pathogènes.

▼ **Figure 27.17 Des thermophiles extrêmes.** Des colonies de procaryotes thermophiles de couleur jaune et orange prolifèrent dans l'eau chaude du Grand Prismatic Spring du parc national de Yellowstone.

FAITES DES LIENS ▶ Relisez l'exposé sur les enzymes que présente le concept 8.4. Qu'est-ce qui distingue les enzymes des thermophiles de celles des autres organismes ?

RETOUR SUR LE CONCEPT **27.4**

1. Expliquez pourquoi la systématique moléculaire et la métagénomique ont contribué à améliorer notre compréhension de la phylogenèse des procaryotes.
2. **ET SI ? ▶** Qu'est-ce que la découverte d'une espèce bactérienne méthanogène laisserait entrevoir quant à l'évolution de la voie métabolique productrice de méthane ?

Voir les réponses proposées à l'appendice A.

CONCEPT **27.5**

Les procaryotes remplissent des fonctions essentielles dans la biosphère

Si, dès demain, les humains disparaissaient de la planète, la vie sur Terre serait différente pour de nombreuses espèces, mais peu d'entre elles disparaîtraient. Les procaryotes, par contre, sont si indispensables à la biosphère que leur disparition ne laisserait à toutes les autres formes de vie qu'une bien faible chance de survie.

Le recyclage des éléments chimiques

Les atomes qui constituent les molécules organiques présentes dans tous les organismes vivants faisaient auparavant partie des composés inorganiques du sol, de l'air et de l'eau. Ils finissent d'ailleurs par en faire partie de nouveau. Les écosystèmes dépendent de la circulation continuelle des éléments chimiques entre les composants vivants et non vivants de l'environnement, et les procaryotes jouent un rôle essentiel dans ce processus. Ainsi, les procaryotes chimiohétérotrophes agissent à titre de **décomposeurs**, c'est-à-dire qu'ils dégradent les organismes morts et les déchets, libérant du même coup des réserves de carbone, d'azote et d'autres éléments. Sans l'action des procaryotes et d'autres décomposeurs comme les eumycètes, toute vie terrestre cesserait. (Voir le concept 55.4, qui traite en détail des cycles des éléments chimiques.)

Les procaryotes transforment également les molécules, les rendant ainsi assimilables par d'autres organismes. Les cyanobactéries et d'autres procaryotes autotrophes utilisent du CO_2 pour produire des composés organiques, comme le glucose, qui circulent ensuite jusqu'aux niveaux les plus élevés des chaînes alimentaires. Quant aux cyanobactéries, elles produisent de l'O_2 atmosphérique, et divers procaryotes fixent le N_2 atmosphérique sous des formes que d'autres organismes peuvent utiliser pour fabriquer des protéines et des acides nucléiques. En outre, dans certaines conditions, les procaryotes peuvent accroître la disponibilité des nutriments essentiels à la croissance des plantes, comme l'azote, le phosphore et le potassium (**figure 27.18**). Les procaryotes peuvent aussi *réduire* l'apport nutritif d'éléments importants en «immobilisant» les nutriments qu'ils utilisent pour synthétiser les molécules constitutives et fonctionnelles de leurs cellules. Les procaryotes ont donc des effets complexes sur la concentration des nutriments présents dans le sol. Une étude réalisée en 2005 a révélé que, dans les environnements marins, une archée du clade des crénarchées est capable de nitrification, une étape importante du cycle de l'azote (voir la figure 55.14). Les populations de

▼ **Figure 27.18 L'effet des bactéries sur l'apport nutritif des sols.** Les semis de pins cultivés dans des sols stériles auxquels on a ajouté l'une ou l'autre des trois souches de *Burkholderia glathei* ont absorbé plus de potassium (K) que les semis cultivés dans un sol dépourvu de bactéries. D'autres résultats (non présentés ici) montrent que la souche 3 accroît la libération de potassium provenant des minéraux du sol.

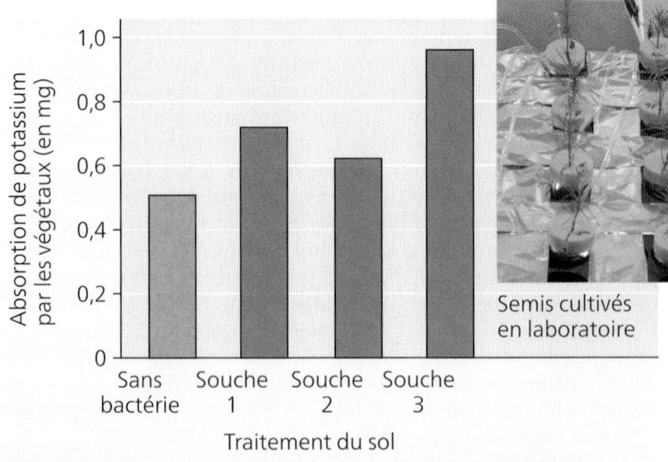

ET SI ? ▶ Estimez la quantité moyenne de potassium absorbé par les semis dans les sols enrichis de bactéries. Selon vous, à quoi ressembleraient ces moyennes si les bactéries n'avaient aucun effet sur l'apport nutritif ?

crénarchées surpassent toutes les autres populations de procaryotes dans les océans qui, selon les estimations, compteraient 10^{28} crénarchées au total, soit 20 % de tous les procaryotes océaniques réunis. L'abondance prodigieuse de ces organismes donne à penser qu'ils jouent un rôle important dans le cycle de l'azote ; les scientifiques explorent cette possibilité.

Les interactions écologiques

Les procaryotes jouent un rôle crucial dans de nombreuses interactions écologiques. Prenons l'exemple de la **symbiose**, qui désigne les relations écologiques qu'entretiennent des organismes d'espèces différentes vivant en contact direct. (Ce terme a été formé à partir des mots *sun*, « avec », et *bios*, « vie », ce qui signifie « vie avec » ou « vie commune ».) Les procaryotes forment souvent des associations symbiotiques avec des organismes beaucoup plus gros qu'eux. En général, le plus gros des deux organismes constitue l'**hôte** et le plus petit se nomme **symbionte** (ou *symbiote*). Il existe de nombreux cas de **mutualisme**, dans lequel un procaryote et son hôte entretiennent une relation écologique qui profite aux deux espèces (**figure 27.19**). D'autres interactions prennent la forme du **commensalisme**, c'est-à-dire d'une relation qui procure des avantages à une seule des deux espèces, sans toutefois nuire à l'autre ni l'aider de manière marquée. Par exemple, plus de 150 espèces de bactéries vivent à la surface du corps humain et recouvrent des portions de la peau à raison de 10 millions de cellules par centimètre carré. Certaines de ces espèces sont commensales : elles se nourrissent du sébum sécrété par nos glandes sébacées et elles vivent sur notre peau sans causer de torts ou de bienfaits particuliers. Enfin, certains procaryotes se livrent au **parasitisme**, une relation écologique dans laquelle un **parasite** mange le contenu des cellules, les tissus ou les liquides organiques de son hôte. En groupe, les parasites nuisent à leur hôte sans le tuer, du moins pas sur-le-champ (comme le ferait un prédateur). Les parasites qui causent des maladies sont des *agents pathogènes* et nombre d'entre eux sont des procaryotes. (Le concept 54.1 traite plus en détail du mutualisme, du commensalisme et du parasitisme.)

▼ **Figure 27.19 Un cas de mutualisme : des « phares » bactériens.** L'ovale lumineux situé sous l'œil de ce poisson des grands fonds, *Photoblepharon palpebratus*, est un organe qui contient des bactéries symbiotiques bioluminescentes. Le poisson se sert de ses « phares » pour attirer des proies et signaler sa présence à d'éventuels partenaires. La bactérie reçoit des nutriments du poisson.

L'existence même d'un écosystème dépend des procaryotes. La grande diversité écologique qu'abritent les cheminées hydrothermales constitue un bon exemple de leur contribution essentielle. Ces communautés sont densément peuplées de toutes sortes d'animaux, dont des vers, des myes, des crabes et des poissons. Comme la lumière du soleil n'atteint pas le fond de l'océan, aucun organisme photosynthétique n'y vit. La communauté sous-marine tire donc son énergie de l'activité métabolique des bactéries chimioautotrophes. Ces bactéries produisent de l'énergie chimique à partir de composés comme l'hydrogène sulfuré (H_2S) que libèrent les cheminées hydrothermales. Quand elles sont actives, ces cheminées hébergent des centaines d'espèces de procaryotes, mais si elles devaient cesser de libérer des substances chimiques, les bactéries chimioautotrophes ne pourraient survivre et la communauté environnante disparaîtrait.

RETOUR SUR LE CONCEPT **27.5**

1. Même si, individuellement, les procaryotes sont minuscules, ils ont collectivement des effets considérables sur la Terre et sur le vivant. Expliquez pourquoi il en est ainsi.
2. **FAITES DES LIENS ▶** Examinez la figure 10.6, puis résumez les grandes étapes par lesquelles les cyanobactéries produisent l'O_2 et utilisent le CO_2 pour engendrer des composés organiques.

Voir les réponses proposées à l'appendice A.

CONCEPT **27.6**

Les procaryotes ont sur les humains des effets tant bénéfiques que défavorables

Les procaryotes les plus connus sont généralement les bactéries qui causent des maladies chez les humains. Pourtant, ces agents pathogènes ne représentent qu'une infime partie des espèces procaryotes. De nombreux autres procaryotes entretiennent avec les humains des relations bénéfiques ; ils constituent même des outils indispensables dans les domaines de l'agriculture et de l'industrie.

Les bactéries mutualistes

Comme chez beaucoup d'eucaryotes, le bien-être des humains dépend des procaryotes mutualistes. Ainsi, on estime que l'intestin des humains contient de 500 à 1 000 espèces de bactéries dont les cellules sont plus nombreuses que la totalité des cellules du corps humain. Toutes les régions de l'intestin n'abritent pas les mêmes espèces, qui se distinguent selon leur aptitude à métaboliser différents aliments. Bon nombre de ces espèces sont mutualistes : elles digèrent les aliments que notre intestin ne peut dégrader. Le génome de l'un de ces mutualistes intestinaux, *Bacteroides thetaiotaomicron*, comprend un vaste ensemble de gènes qui participent à la synthèse des glucides, des vitamines et d'autres nutriments nécessaires aux humains. En outre, cette bactérie émet des signaux qui activent les gènes humains qui construisent le réseau de vaisseaux sanguins intestinaux par lesquels sont absorbés les nutriments. D'autres signaux déclenchent chez les cellules humaines la production de composés antimicrobiens auxquels *B. thetaiotaomicron* est insensible. Cette action peut réduire les populations d'autres espèces concurrentes, ce qui est avantageux à la fois pour *B. thetaiotaomicron* et pour son hôte humain.

Les bactéries pathogènes

Tous les procaryotes pathogènes que nous connaissons sont des bactéries et ils ont à cet égard une mauvaise réputation bien méritée. Les bactéries sont à l'origine d'environ la moitié des maladies qui affligent l'être humain. Par exemple, plus d'un million de personnes meurent chaque année de tuberculose, une maladie pulmonaire causée par le bacille *Mycobaterium tuberculosis*, et deux autres millions succombent à diverses affections diarrhéiques provoquées par différentes bactéries.

Certaines maladies bactériennes sont transmises par d'autres espèces, comme les puces ou les tiques. Aux États-Unis, la maladie transmise le plus fréquemment par des animaux est la maladie de Lyme (ou borréliose), qui contamine de 15 000 à 20 000 personnes chaque année (**figure 27.20**). Causée par une bactérie transmise par des tiques qui vivent sur les cerfs et les mulots, la maladie de Lyme peut entraîner une arthrite invalidante, des affections cardiaques, des troubles nerveux et la mort, si elle n'est pas traitée.

Les procaryotes pathogènes causent en général des maladies en produisant des toxines. Les **exotoxines** sont des protéines sécrétées par certaines bactéries et par d'autres organismes. Le choléra, une affection entérique dangereuse, est causé par une exotoxine produite par la protéobactérie *Vibrio cholerae*. L'exotoxine agit sur les cellules intestinales, qui libèrent des ions chlorure dans l'intestin, où l'eau pénètre ensuite par osmose. C'est aussi le cas du botulisme, une maladie potentiellement mortelle causée par la toxine botulinique qui provoque la paralysie des muscles respiratoires (c'est d'ailleurs sur cette propriété paralysante que reposent les traitements esthétiques au botox utilisés pour réduire les rides du visage). Cette exotoxine est sécrétée par *Clostridium botulinum*, une bactérie à Gram positif, qui fait fermenter divers aliments, notamment la viande, les fruits de mer et les légumes mis en conserve de manière inadéquate. Comme d'autres exotoxines, la toxine botulinique peut exercer ses effets nocifs même si la bactérie qui la produit n'est plus présente au moment où les aliments sont consommés. Une autre espèce du même genre, *C. difficile*, produit des exotoxines qui causent une diarrhée grave. Aux États-Unis seulement, on estime que plus de 12 000 personnes meurent chaque année des suites d'une infection par *C. difficile*.

Les **endotoxines** sont des lipopolysaccharides qui entrent dans la constitution de la membrane externe de la paroi de certaines bactéries à Gram négatif. Contrairement aux exotoxines, elles ne sont libérées qu'au moment où la cellule meurt et où sa paroi se rompt. Parmi les bactéries produisant des endotoxines figurent celles du genre *Salmonella*, comme *Salmonella typhi*, qui cause la fièvre typhoïde. On entend souvent parler, par ailleurs, des intoxications alimentaires causées par d'autres espèces de *Salmonella* qui se trouvent dans la volaille, les œufs et sur certains fruits et légumes.

À partir du 19e siècle, l'amélioration des conditions sanitaires dans les pays industrialisés a grandement contribué à réduire la menace que représentent les bactéries pathogènes. De même, les antibiotiques ont sauvé un grand nombre de vies et réduit la fréquence des maladies. Toutefois, bien des souches bactériennes sont en train d'acquérir une résistance aux antibiotiques. Comme nous l'avons mentionné plus tôt, sous l'effet de la sélection naturelle, la reproduction rapide des bactéries permet aux cellules porteuses de gènes de résistance de se multiplier promptement, sans compter que ces gènes peuvent atteindre d'autres espèces par transfert horizontal.

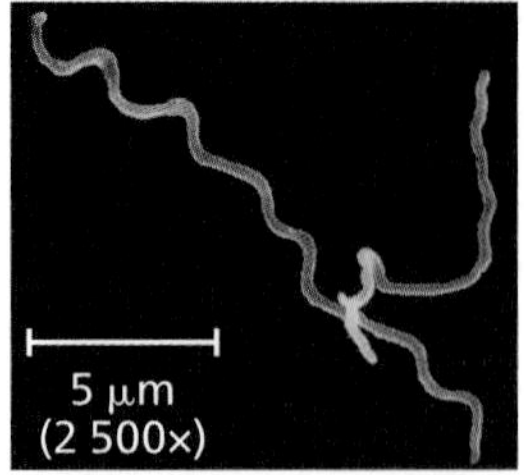

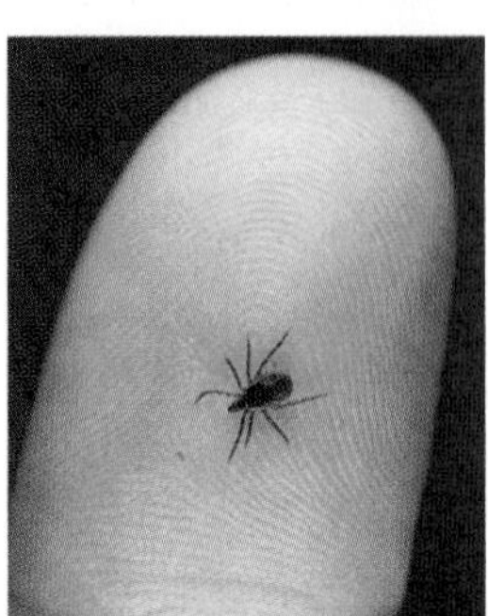

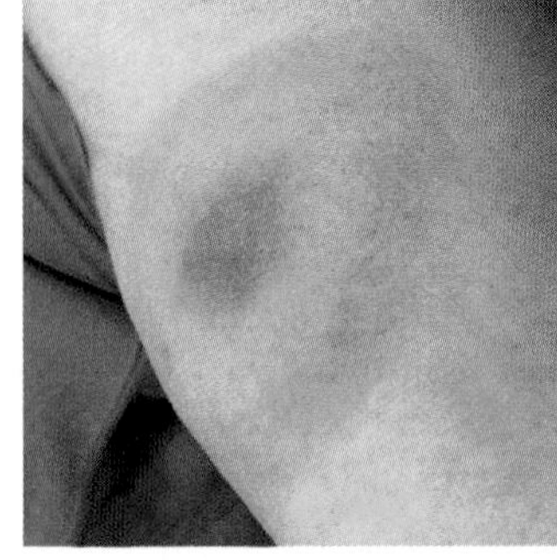

◄ **Figure 27.20 La maladie de Lyme.** Les tiques du genre *Ixodes* répandent la maladie en transmettant des spirochètes du genre *Borrelia* (MEB, cliché coloré artificiellement). Une éruption cutanée apparaît généralement au siège de la piqûre de la tique; l'éruption peut être plus ou moins étendue et de forme circulaire comme on le voit sur cette photo, ou beaucoup moins prononcée.

Le transfert horizontal de gènes peut aussi répandre des gènes associés à la virulence, transformant ainsi des bactéries normalement inoffensives en agents pathogènes mortels. Par exemple, *E. coli* est un symbionte habituellement inoffensif hébergé dans l'intestin de l'humain, mais de nouvelles souches pathogènes de cette bactérie causent une diarrhée sanglante. L'une des souches les plus dangereuses, O157:H7, constitue une menace mondiale. Souvent présente dans des produits du bœuf contaminés, la souche O157:H7 est à l'origine de milliers d'intoxications alimentaires chaque année. L'incidence des infections qu'elle provoque est comparable d'un pays à l'autre; elle est de l'ordre de 15 à 25 cas par 100 000 habitants.

Des scientifiques ont procédé au séquençage de son génome et l'ont comparé à celui d'une souche inoffensive d'*E. coli* appelée K-12. Ils ont découvert que 1 387 des 5 416 gènes de O157:H7 n'ont aucune contrepartie chez K-12. Nombre de ces 1 387 gènes sont situés dans des régions chromosomiques contenant de l'ADN de bactériophages. Ces observations donnent à penser qu'au moins quelques-uns de ces 1 387 gènes ont été incorporés au génome de O157:H7 par transfert horizontal de gènes, fort probablement sous l'action de bactériophages (par transduction). Des gènes présents uniquement chez *E. coli* O157:H7 sont associés à des facteurs de virulence; certains de ces gènes codent pour les *fimbriae*, des structures grâce auxquelles la bactérie s'attache à la paroi intestinale et en extrait les nutriments.

L'utilisation des procaryotes pour la recherche et la technologie

Pour continuer sur une note plus positive, mentionnons que les humains tirent de nombreux bienfaits des capacités métaboliques des bactéries et des archées. Par exemple, nous utilisons depuis longtemps les bactéries pour transformer le lait en fromage et en yogourt. On a également recours à des bactéries dans la production du pepperoni, du chou fermenté (choucroute), du vinaigre, et parfois pour assister les fermentations des levures ou des moisissures dans la production de sauce soya, de bière, de vin et de kombucha.

Ces dernières années, les nouvelles connaissances acquises sur les procaryotes ont conduit à une explosion de nouvelles applications en biotechnologie. L'utilisation d'*E. coli* pour le clonage moléculaire (voir la figure 20.4) et de l'ADN polymérase de *Pyrococcus furiosus* pour la technique PCR (voir la figure 20.7) en sont deux exemples. Grâce au génie génétique, il est maintenant possible de modifier certaines bactéries pour produire des vitamines, des antibiotiques, des hormones et d'autres produits (voir le concept 20.1). De plus, les bactéries présentes naturellement dans le sol pourraient être une source de nouveaux antibiotiques dont on a tant besoin, comme vous le verrez dans la rubrique **Habiletés scientifiques**.

DÉMARCHE SCIENTIFIQUE

HABILETÉS SCIENTIFIQUES

Calculer et interpréter les moyennes et les erreurs types

▶ Morceau de plastique utilisé pour la culture de la bactérie des sols.

■ LES ANTIBIOTIQUES ISOLÉS DES BACTÉRIES DES SOLS PEUVENT-ILS AIDER À COMBATTRE LES BACTÉRIES RÉSISTANTES AUX MÉDICAMENTS ? ■ Les bactéries des sols synthétisent les antibiotiques qui leur permettent de se défendre contre les espèces qui les attaquent ou qui leur font concurrence. Pourtant, à ce jour, il est impossible d'utiliser ces bactéries pour mettre au point de nouveaux médicaments, car 99 % d'entre elles ne peuvent être cultivées à l'aide des techniques de laboratoire habituelles. Pour résoudre ce problème, les chercheurs ont mis au point une méthode qui rend possible la culture des bactéries des sols dans un milieu ressemblant à leur environnement naturel. C'est d'ailleurs grâce à cette méthode qu'on a pu mettre au point un nouvel antibiotique, la teixobactine. Dans cet exercice, vous calculerez les moyennes et les erreurs types d'une expérience visant à évaluer l'efficacité de la teixobactine contre le SARM (*Staphylococcus aureus* résistant à la méthicilline; voir la figure 22.14).

■ MÉTHODE ■ Les chercheurs ont percé de petits trous dans un petit morceau de plastique et les ont remplis d'une solution aqueuse contenant de la gélose, dans laquelle ils ont déposé une bactérie provenant d'un échantillon de sol. La dilution avait été étalonnée de sorte qu'une seule bactérie pouvait croître dans chaque trou. Une fois la gélose figée, le morceau de plastique était placé dans un contenant reproduisant l'environnement naturel (sol) de la bactérie; les nutriments et les autres matières essentielles des sols diffusaient ainsi dans la gélose, permettant ainsi à la bactérie de croître.

Après avoir isolé la teixobactine à partir d'une bactérie du sol, les chercheurs ont effectué l'expérience suivante: des souris infectées par des SARM ont reçu des doses faibles (1 mg/kg) ou élevées (5 mg/kg) de teixobactine ou de vancomycine, un antibiotique présentement commercialisé. Dans le groupe témoin, les souris infectées par les SARM n'ont reçu aucun antibiotique. Après 26 heures, les chercheurs ont prélevé des échantillons chez les souris infectées et ils ont estimé le nombre de colonies de *S. aureus* dans chacun d'eux. Les résultats ont été rapportés sur une échelle logarithmique; il est à noter qu'une diminution de 1,0 sur cette échelle correspond à une réduction du nombre de SARM par un facteur de 10.

■ RÉSULTATS ■

Traitement	Dose (mg/kg)	Logarithme du nombre de colonies	Moyenne ($\bar{x}$)
Témoin	—	9,0; 9,5; 9,0; 8,9	
Vancomycine	1,0	8,5; 8,4; 8,2	
	5,0	5,3; 5,9; 4,7	
Teixobactine	1,0	8,5; 6,0; 8,4; 6,0	
	5,0	3,8; 4,9; 5,2; 4,9	

Source des données: L. Ling et coll., A new antibiotic kills pathogens without detectable resistance, *Nature* 517: 455-459 (2015).

INTERPRÉTEZ LES DONNÉES ▼

1. La moyenne ($\bar{x}$) d'une variable correspond à la somme des données divisée par le nombre d'observations (n):

$$\bar{x} = \frac{\Sigma x_i}{n}$$

Dans cette formule, x_i correspond à la valeur d'une observation donnée (i) de la variable; le symbole Σ indique qu'il faut additionner les valeurs n de x. Calculez la moyenne pour chaque traitement.

2. Utilisez les résultats obtenus à la question 1 pour évaluer l'efficacité de la vancomycine et de la teixobactine.

3. Il est possible d'estimer la variation dans un ensemble de données en calculant l'écart type (s):

$$s = \sqrt{\frac{1}{n-1} \Sigma (x_i - \bar{x})^2}$$

Calculez l'écart type pour chaque traitement.

4. À l'aide la formule suivante, calculez l'erreur type (SE, pour *standard error*), qui indique dans quelle mesure la moyenne varierait si l'expérience était répétée:

$$SE = \frac{s}{\sqrt{n}}$$

En règle générale, lorsqu'une expérience est répétée, la nouvelle moyenne se situe à plus ou moins deux erreurs types de la première moyenne (soit dans l'intervalle $\bar{x} \pm 2SE$). Calculez $\bar{x} \pm 2SE$ pour chaque traitement, puis vérifiez si les intervalles se chevauchent. Interprétez ensuite vos résultats.

Récemment, le système CRISPR-Cas des procaryotes, qui aide les bactéries et les archées à se protéger contre les attaques des virus (voir la figure 19.7), a été utilisé dans la mise au point d'une technique efficace permettant de modifier les gènes dans la quasi-totalité des organismes. Dans le génome de nombreux procaryotes, de courtes séquences d'ADN se répètent. Ces séquences, nommées CRISPR (pour *clustered regularly interspaced short palindromic repeats*), interagissent avec les protéines Cas (CRISPR-associées). Les protéines Cas, qui agissent de concert avec un « ARN guide » produit par la région CRISPR, peuvent découper toute séquence d'ADN vers laquelle elles sont dirigées. Aussi, les scientifiques ont tiré profit de ce système en introduisant une protéine Cas (Cas9) liée à un ARN guide dans les cellules dont ils souhaitaient modifier l'ADN (voir la figure 20.14). Il existe d'autres applications possibles du **système CRISPR-Cas9**, qui a notamment ouvert de nouvelles pistes de recherche sur le VIH, le virus à l'origine du sida (**figure 27.21**). Bien qu'il soit possible d'utiliser le système CRISPR-Cas9 de différentes façons, la prudence est de mise afin d'éviter les conséquences imprévues qui pourraient découler de l'application d'une nouvelle technique ultrapuissante.

▼ **Figure 27.21 Le système CRISPR: ouverture de nouvelles pistes de recherche pour le traitement du VIH. (a)** Dans les expériences de laboratoire, les cellules humaines non traitées (témoins) étaient sensibles à une infection par le VIH, le virus causant le sida. **(b)** En revanche, les cellules traitées avec un système CRISPR-Cas9 ciblant le VIH montraient une résistance à l'infection virale. Le système CRISPR-Cas9 permettait également d'éliminer les provirus du VIH (voir la figure 19.9) qui s'étaient intégrés à l'ADN des cellules humaines.

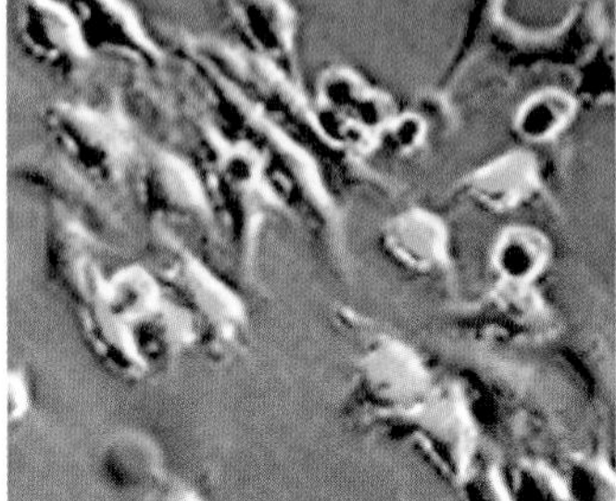

(a) Cellules témoins. La couleur verte montre une infection par le VIH.

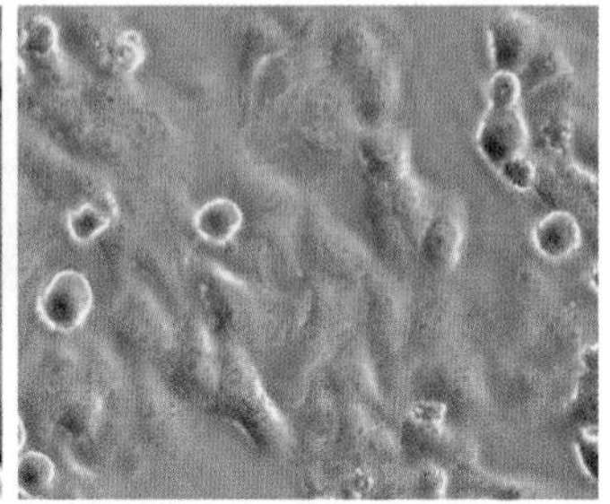

(b) Cellules expérimentales. Ces cellules ont été traitées avec un système CRISPR-Cas9 ciblant le VIH.

Les bactéries peuvent également être utilisées à d'autres fins, notamment pour diminuer notre consommation de pétrole. Pensons seulement à l'industrie des plastiques. À l'échelle mondiale, cette industrie produit annuellement quelque 150 millions de tonnes de plastique à partir du pétrole pour en faire des jouets, des contenants, des bouteilles de boisson gazeuse et une foule d'autres articles. Ces produits se dégradent lentement et causent des problèmes environnementaux. Or, certaines bactéries produisent des bioplastiques (**figure 27.22**). Par exemple, certaines bactéries synthétisent un type de polymère appelé PHA (pour polyhydroxyalkanoate), qu'elles utilisent pour emmagasiner de l'énergie chimique. Il est possible d'extraire les PHA qu'elles produisent et d'en faire des pastilles destinées à la fabrication de plastiques durables et biodégradables.

Des chercheurs tentent de réduire notre consommation de carburants fossiles en développant une bactérie capable de produire de l'éthanol à partir de diverses formes de biomasse, par exemple de déchets agricoles, notamment du panic érigé (*Panicum virgatum*, une céréale) et du maïs.

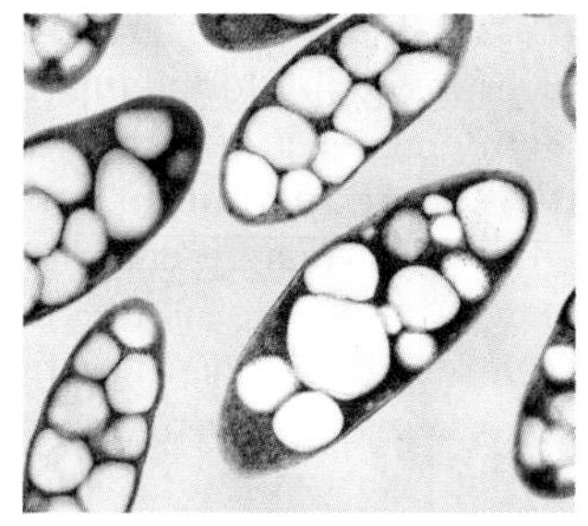

▲ **Figure 27.22 Une bactérie synthétise et entrepose le PHA, un composant des plastiques biodégradables.**

Les procaryotes sont en outre les principaux agents de la **biorestauration**, dans laquelle on se sert d'organismes pour éliminer les polluants du sol, de l'air ou de l'eau. Ainsi, des bactéries anaérobies et des archées décomposent la matière organique contenue dans les eaux usées et la convertissent en une substance qui, une fois stérilisée chimiquement, peut servir de matériau de remblai ou d'engrais. D'autres applications de la biorestauration consistent à utiliser des bactéries pour nettoyer les lieux après les déversements de pétrole (**figure 27.23**) et à précipiter des matières radioactives (comme l'uranium) hors des eaux souterraines.

L'utilité des procaryotes provient en grande partie de la diversité de leurs modes nutritionnels et de leur métabolisme. Cette polyvalence métabolique a été acquise avant les innovations structurales qui ont ouvert la voie à l'évolution des organismes eucaryotes, sujet dont traite le reste de la présente partie de cet ouvrage.

◄ **Figure 27.23 Biorestauration après un déversement de pétrole.** La vaporisation d'engrais stimule la croissance d'une bactérie autochtone qui métabolise le pétrole, ce qui accélère par un facteur de 5 le processus de décomposition.

RETOUR SUR LE CONCEPT 27.6

1. Donnez au moins deux exemples des effets positifs qu'ont les procaryotes sur votre vie d'aujourd'hui.

2. Une toxine d'une bactérie pathogène cause des symptômes qui accroissent le risque de propagation de cette bactérie. Cette information vous permet-elle de savoir s'il s'agit d'une exotoxine ou d'une endotoxine ? Expliquez votre réponse.

3. **ET SI ?** ► Quelle influence un changement brusque et important dans votre alimentation pourrait-il avoir sur la diversité des espèces procaryotes vivant dans votre tube digestif ?

Voir les réponses proposées à l'appendice A.

RÉVISION DU CHAPITRE 27

Consultez votre **MANUEL NUMÉRIQUE**, qui vous donne accès aux **animations**, aux **exercices** et à la plateforme d'**anatomie interactive**.

Résumé des concepts clés

CONCEPT 27.1

Des adaptations structurales, fonctionnelles et génétiques contribuent au succès des procaryotes (p. 628 à 632)

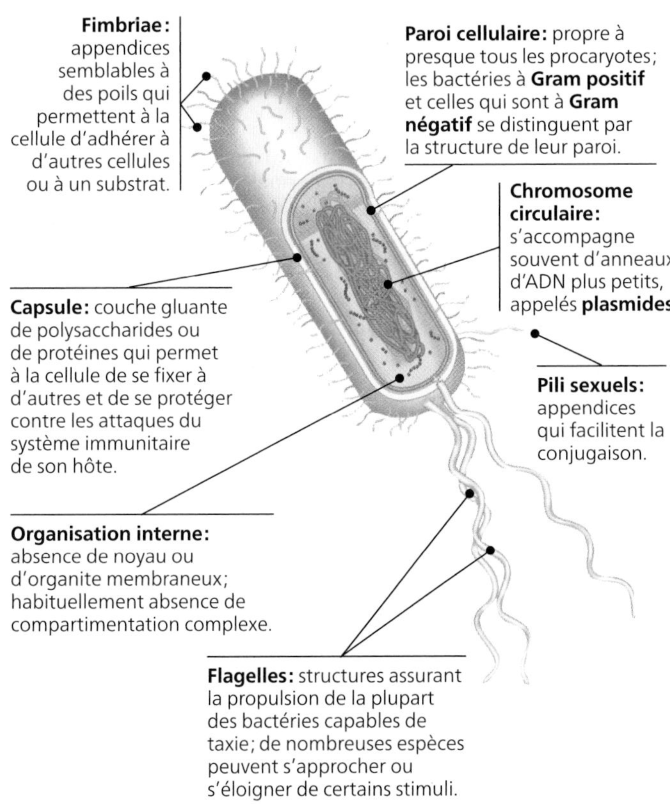

Fimbriae: appendices semblables à des poils qui permettent à la cellule d'adhérer à d'autres cellules ou à un substrat.
Paroi cellulaire: propre à presque tous les procaryotes; les bactéries à **Gram positif** et celles qui sont à **Gram négatif** se distinguent par la structure de leur paroi.
Chromosome circulaire: s'accompagne souvent d'anneaux d'ADN plus petits, appelés **plasmides**.
Capsule: couche gluante de polysaccharides ou de protéines qui permet à la cellule de se fixer à d'autres et de se protéger contre les attaques du système immunitaire de son hôte.
Pili sexuels: appendices qui facilitent la conjugaison.
Organisation interne: absence de noyau ou d'organite membraneux; habituellement absence de compartimentation complexe.
Flagelles: structures assurant la propulsion de la plupart des bactéries capables de taxie; de nombreuses espèces peuvent s'approcher ou s'éloigner de certains stimuli.

- De nombreuses espèces procaryotes se reproduisent rapidement par un mode de division cellulaire appelé scissiparité, ce qui permet la formation de très vastes populations.

? Décrivez les caractéristiques qui permettent aux procaryotes de se développer dans un vaste éventail d'environnements.

CONCEPT 27.2

La reproduction et les mutations fréquentes, de même que les recombinaisons génétiques, favorisent la diversité génétique des procaryotes (p. 632 à 636)

- Les procaryotes prolifèrent rapidement quand ils sont placés dans des conditions propices. Leurs mutations peuvent entraîner des variations génétiques fréquentes au sein d'une population bactérienne. Aussi, les populations procaryotes sont capables d'évoluer sur une courte période en réponse à des conditions changeantes.
- La recombinaison d'ADN de deux cellules bactériennes différentes (par transformation, transduction ou conjugaison) ajoute encore à la diversité génétique des procaryotes. En transférant des allèles avantageux, comme ceux de la résistance aux antibiotiques, la recombinaison génétique favorise l'évolution par adaptation au sein des populations procaryotes.

? Les mutations sont rares et les procaryotes se reproduisent en mode asexué; leurs populations n'en présentent pas moins une grande diversité génétique. Comment peut-on l'expliquer?

CONCEPT 27.3

De très nombreuses adaptations nutritionnelles et métaboliques sont apparues chez les procaryotes (p. 636 et 637)

- Les procaryotes présentent une bien plus grande diversité nutritionnelle que les eucaryotes. Selon le mode nutritionnel auquel ils ont recours, les procaryotes se classent en photoautotrophes, chimioautotrophes, photohétérotrophes et chimiohétérotrophes.
- Parmi les procaryotes, les **aérobies stricts** ont besoin d'O_2 et les **anaérobies stricts** sont empoisonnés par l'O_2; les **anaérobies facultatifs**, eux, peuvent survivre avec ou sans O_2.
- Contrairement aux eucaryotes, les procaryotes peuvent métaboliser l'azote sous de nombreuses formes. Certains sont capables de convertir le N_2 atmosphérique en ammoniac par un processus appelé **fixation de l'azote**.
- De nombreux procaryotes, voire des espèces entières, dépendent des activités métaboliques d'autres procaryotes. La coopération métabolique se produit aussi chez certains **biofilms**, une pellicule adhésive dans laquelle se regroupent différentes espèces.

? Décrivez la gamme des adaptations métaboliques procaryotes.

CONCEPT 27.4

Les procaryotes ont divergé pour former un groupe de lignées diversifiées (p. 637 à 642)

- La systématique moléculaire aide les biologistes à classer les procaryotes et à établir de nouveaux clades.
- Les principaux groupes de bactéries font appel à divers modes nutritionnels. Les protéobactéries (Gram négatif) et les bactéries à Gram positif forment les deux plus grands groupes de bactéries.
- Certaines archées, telles que les thermophiles extrêmes et les halophiles extrêmes, vivent dans des environnements hostiles aux autres formes de vie. D'autres archées vivent dans des environnements plus accueillants, comme les sols et les lacs.

? En quoi les données moléculaires ont-elles contribué à mieux comprendre la phylogenèse des procaryotes?

CONCEPT 27.5

Les procaryotes remplissent des fonctions essentielles dans la biosphère (p. 642 et 643)

- La décomposition effectuée par les procaryotes hétérotrophes et les activités de synthèse accomplies par les procaryotes autotrophes et les procaryotes fixateurs d'azote contribuent au recyclage des éléments chimiques au sein des écosystèmes.

- De nombreux procaryotes entretiennent des relations symbiotiques avec d'autres organismes; leurs interactions qui s'établissent alors peuvent relever du mutualisme, du commensalisme ou du parasitisme.

? Pourquoi affirme-t-on que la survie de nombreuses espèces dépend des procaryotes?

CONCEPT 27.6

Les procaryotes ont sur les humains des effets tant bénéfiques que défavorables (p. 643 à 646)

- Les humains ont besoin des procaryotes mutualistes, y compris des centaines d'espèces qui peuplent notre intestin et l'aident à digérer la nourriture.
- Les bactéries pathogènes agissent en libérant des **exotoxines** ou des **endotoxines**. Elles peuvent causer des dommages cellulaires importants (chez les humains comme chez d'autres espèces), et même entraîner la mort. Le transfert horizontal de gènes permet à des gènes associés à la virulence d'atteindre des souches inoffensives.
- Les procaryotes sont d'importants outils dans les domaines de la **biorestauration** et dans la production de plastiques biodégradables, de vitamines, d'antibiotiques et d'autres produits.

? Décrivez les effets bénéfiques et nuisibles des procaryotes sur les humains.

Évaluation

NIVEAU 1: CONNAISSANCES ET COMPRÉHENSION

1. Les variations génétiques au sein des populations bactériennes ne peuvent découler de la:
a) transduction.
b) conjugaison.
c) mutation.
d) méiose.

2. Les photoautotrophes utilisent:
a) la lumière comme source d'énergie et le CO_2 comme source de carbone.
b) la lumière comme source d'énergie et le méthane comme source de carbone.
c) le N_2 comme source d'énergie et le CO_2 comme source de carbone.
d) le CO_2 à la fois comme source d'énergie et comme source de carbone.

3. Parmi les affirmations suivantes, laquelle est *fausse*?
a) La composition lipidique de la membrane plasmique diffère chez les archées et chez les bactéries.
b) La paroi cellulaire des archées est dépourvue de peptidoglycane.
c) Seules les bactéries possèdent des histones associées à l'ADN.
d) Seules les archées utilisent le CO_2 pour oxyder le H_2 et libérer du méthane.

4. Parmi les caractéristiques suivantes, laquelle donne lieu à une coopération métabolique entre les cellules procaryotes?
a) La scissiparité.
b) La formation des endospores.
c) Les biofilms.
d) Le mode de nutrition photoautotrophe.

5. Parmi les rôles écologiques suivants que remplissent les bactéries, lequel ne peut pas être associé à une symbiose?
a) Les bactéries commensales de la peau.
b) Les décomposeurs.
c) Les bactéries mutualistes de l'intestin.
d) Les bactéries pathogènes.

6. Quels procaryotes possèdent un mécanisme de photosynthèse qui libère de l'O_2?
a) Les cyanobactéries.
b) Les archées.
c) Les bactéries à Gram positif.
d) Les bactéries chimioautotrophes.

Voir les réponses proposées à l'appendice A.

Les protistes

28

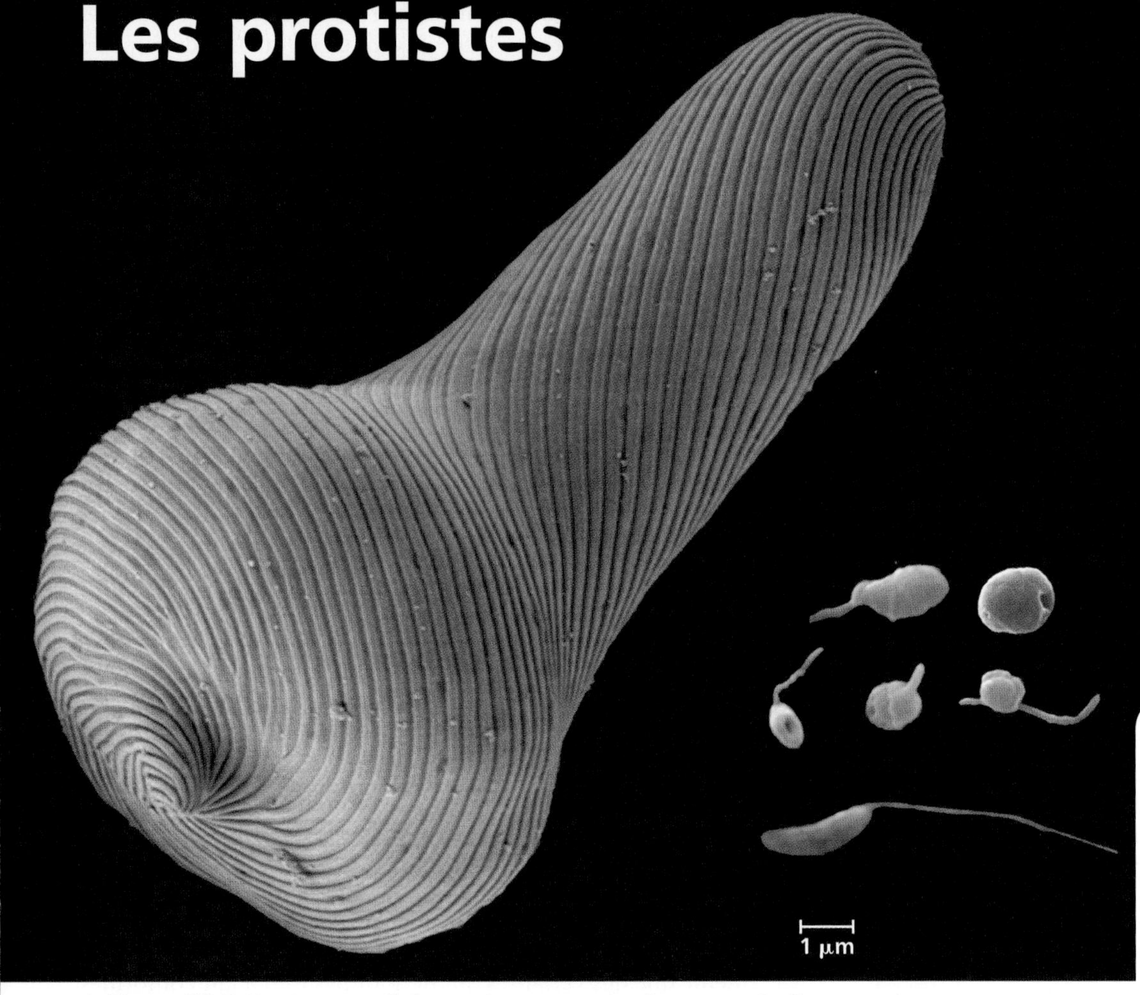

1 μm

VOS OUTILS
INTERACTIFS

Consultez votre MANUEL NUMÉRIQUE, qui vous donne accès aux **animations**, aux **exercices** et à la plateforme d'**anatomie interactive**.

▲ **Figure 28.1 Sauriez-vous distinguer les procaryotes des eucaryotes ?**

CONCEPTS CLÉS

28.1 La plupart des eucaryotes sont des organismes unicellulaires

28.2 Les excavobiontes comprennent des protistes à mitochondries réduites et d'autres à un seul flagelle

28.3 Le groupe SAR est formé de protistes très diversifiés, mais liés par leurs ressemblances génétiques

28.4 Les algues rouges et les algues vertes sont les organismes les plus étroitement apparentés aux végétaux

28.5 Les unichontes comprennent des protistes étroitement apparentés aux eumycètes et aux animaux

28.6 Les protistes remplissent des fonctions essentielles au sein des communautés écologiques

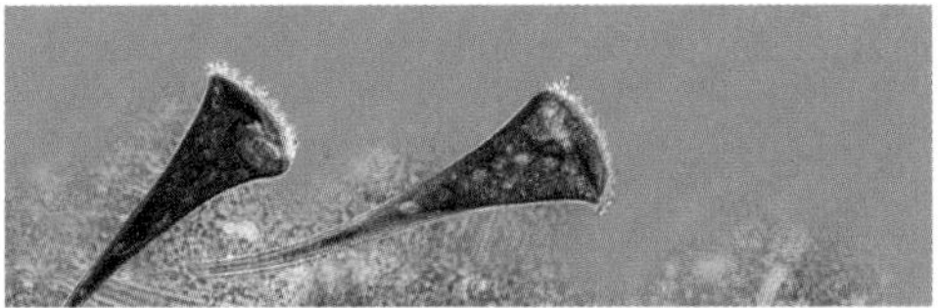

◄ **Protistes ayant la forme d'une trompette (*Stentor coeruleus*).**

L'infiniment petit

Sachant que la plupart des procaryotes sont extrêmement petits, vous pourriez penser que la **figure 28.1** représente six procaryotes et un eucaryote beaucoup plus gros. En fait, le seul procaryote est l'organisme apparaissant immédiatement au-dessus de l'échelle. Les six autres font partie du groupe diversifié d'organismes eucaryotes, pour la plupart unicellulaires, qu'on appelle communément **protistes**. Ces minuscules organismes suscitent toujours la curiosité des biologistes, bien qu'il se soit écoulé plus de 300 ans depuis que le scientifique hollandais Antoni van Leeuwenhoek (1632-1723) les a observés pour la première fois à l'aide d'un microscope optique. Certains de ces minuscules organismes se propulsent grâce aux battements de leurs flagelles, tandis que d'autres rampent en changeant de forme à l'aide d'appendices formés par des prolongements éphémères de leur cellule et semblables à de grosses gouttes. D'autres ont plutôt la forme d'une trompette et ressemblent à des bijoux miniatures. Le souvenir de leur découverte a d'ailleurs inspiré à van Leeuwenhoek la réflexion suivante : « Je n'ai jamais rien vu d'aussi agréable que ces milliers de créatures vivant dans une seule goutte d'eau. »

Les protistes qui ont fasciné jadis Leeuwenhoek continuent de nous surprendre encore aujourd'hui. En effet, des études métagénomiques ont mis au jour une véritable mine de protistes insoupçonnés parmi les organismes microscopiques. Nombre d'entre eux mesurent tout juste 0,5 à 2 μm de diamètre et sont aussi petits que de nombreux procaryotes. Des études génétiques et morphologiques ont également démontré que certains protistes sont plus étroitement apparentés aux végétaux, aux eumycètes ou aux animaux qu'à d'autres protistes. Le règne dans lequel tous les protistes étaient auparavant classés a donc été abandonné, et diverses lignées distinctes de ces organismes constituent désormais à elles seules des clades d'importance. La plupart des biologistes emploient encore le terme *protiste*, mais seulement parce que c'est une façon pratique de désigner un eucaryote qui ne fait partie ni des végétaux, ni des animaux, ni des eumycètes.

Dans le présent chapitre, nous allons examiner les principaux groupes de protistes. Nous découvrirons aussi leurs adaptations structurales et biochimiques de même que leur énorme impact sur les écosystèmes, l'agriculture, le milieu industriel et la santé humaine.

CONCEPT **28.1**

La plupart des eucaryotes sont des organismes unicellulaires

Les protistes font partie, comme les végétaux, les animaux et les eumycètes, du domaine des eucaryotes, qui est l'un des trois domaines du vivant. Contrairement aux procaryotes, les cellules eucaryotes ont un noyau et des organites membraneux, comme les mitochondries et le complexe golgien. Ces organites déterminent des emplacements précis où s'accomplissent des fonctions cellulaires particulières; c'est pour cette raison que la structure et l'organisation des cellules eucaryotes sont plus complexes que celles des cellules procaryotes.

Les cellules eucaryotes possèdent également un cytosquelette perfectionné qui s'étend à toute la cellule (voir la figure 6.20) et qui fournit le soutien structural nécessaire au maintien d'une forme asymétrique (irrégulière). Le cytosquelette permet également aux cellules de changer de forme lorsqu'elles se nourrissent, se déplacent ou grossissent. En revanche, les cellules procaryotes ne possèdent pas de cytosquelette aussi élaboré, ce qui limite leur capacité à maintenir une forme asymétrique ou à changer de forme au fil du temps.

Nous consacrerons le reste de cette partie aux eucaryotes et à leur diversité, en commençant par les protistes, qui font l'objet de ce chapitre. Au cours de cette exploration, gardez à l'esprit:

- que la majorité des organismes issus des lignées eucaryotes sont des protistes,
- et que la majorité des protistes sont unicellulaires.

En fait, le vivant diffère considérablement de l'idée que la plupart d'entre nous en ont. Les grands organismes multicellulaires que nous connaissons le mieux (les végétaux, les animaux et les eumycètes) ne constituent que les extrémités de quelques branches du grand arbre de la vie (voir la figure 26.21).

La diversité structurale et fonctionnelle des protistes

Comme ils sont classés dans un certain nombre de groupes distincts, vous ne serez pas surpris d'apprendre qu'il existe peu de caractéristiques générales s'appliquant sans exception à tous les protistes. En fait, la diversité anatomique et physiologique est plus grande chez les protistes que chez les eucaryotes qui nous sont plus familiers (végétaux, animaux et eumycètes).

Par exemple, la majorité des protistes étant unicellulaires (il existe toutefois des espèces vivant en colonies et des espèces multicellulaires), on les considère à juste titre comme les plus simples des organismes eucaryotes. Néanmoins, à l'échelle cellulaire, bon nombre présentent une extrême complexité et constituent de fait les cellules les plus perfectionnées qui soient. Chez les organismes multicellulaires, les fonctions biologiques essentielles sont remplies par les organes. Les protistes unicellulaires remplissent les mêmes fonctions essentielles, mais en recourant à des organites infracellulaires plutôt qu'à des organes multicellulaires. Les organites qu'utilisent les protistes sont essentiellement ceux que nous avons décrits à la figure 6.8, notamment le noyau, le réticulum endoplasmique, le complexe golgien et les lysosomes. Certains protistes recourent aussi à des organites dont sont dépourvues la plupart des autres cellules eucaryotes, comme la vésicule contractile, qui pompe l'excès d'eau hors de la cellule (voir la figure 7.13).

Les protistes possèdent des modes de nutrition très diversifiés. Les uns sont photoautotrophes et renferment des chloroplastes, alors que d'autres sont hétérotrophes et absorbent des molécules organiques ou ingèrent des particules alimentaires plus volumineuses. D'autres encore, dits **mixotrophes**, tirent leur énergie à la fois de la photosynthèse et de la nutrition hétérotrophe. Les différents modes de nutrition sont apparus indépendamment chez de nombreuses lignées de protistes.

Le mode de reproduction et le cycle de développement varient considérablement d'un protiste à l'autre. Certains se reproduisent seulement par voie asexuée. D'autres peuvent aussi se multiplier par voie sexuée, ou du moins utiliser la méiose et la fécondation (union de deux gamètes). On observe les trois types de cycle reproductif chez les protistes (voir la figure 13.6), de même que des variantes qui ne sont pas tout à fait conformes à aucun d'entre eux. Nous examinerons au fil du chapitre les cycles de développement de plusieurs groupes de protistes.

Les quatre supergroupes d'eucaryotes

Notre compréhension de l'histoire évolutive de la diversité des eucaryotes a connu de nombreux rebondissements au cours des dernières années. On a abandonné le règne des protistes en même temps qu'on rejetait toute une série d'hypothèses. Par exemple, de nombreux biologistes ont déjà cru que la première lignée d'eucaryotes à avoir divergé de tous les autres eucaryotes était celle des *protistes amitochondriaux*, des organismes dépourvus des mitochondries usuelles et comportant moins d'organites membraneux que d'autres groupes de protistes. Or, des données structurales et génétiques récentes ont ébranlé cette hypothèse. En fait, bon nombre des présumés protistes amitochondriaux possèdent des mitochondries – de taille réduite, mais bien présentes – et certains de ces organismes sont dorénavant classifiés dans des groupes moins directement apparentés.

Les changements constants dans notre compréhension de la phylogenèse des protistes compliquent la tâche des étudiants et des enseignants. Les hypothèses touchant ces liens évolutifs mobilisent une importante activité scientifique et changent à mesure qu'elles sont vérifiées ou réfutées par les nouvelles données recueillies. Dans le présent chapitre, nous organisons notre propos autour d'une hypothèse toujours en vigueur et classant les eucaryotes en quatre supergroupes (**figure 28.2**). Dans la mesure où la racine de l'arbre eucaryote reste encore à découvrir, les quatre supergroupes sont présentés comme s'ils avaient divergé d'un ancêtre commun. Nous savons que ce n'est pas le cas, mais nous ignorons quel supergroupe a été le premier à diverger. De plus, l'existence de certains groupes de la figure 28.2 s'appuie sur des données morphologiques et génétiques, mais ce n'est pas le cas pour d'autres groupes. En lisant ce chapitre, ne concentrez pas tant votre attention sur le nom des groupes d'organismes que sur ce qui rend ces organismes importants et sur les moyens par lesquels la recherche en cours reconstitue leurs liens évolutifs.

L'endosymbiose et l'évolution des eucaryotes

Quelle est l'origine de l'immense diversité observée chez les protistes aujourd'hui ? Une masse considérable de données nous indique que cette diversité a pour source l'**endosymbiose**, une relation étroite entre deux organismes caractérisée par la présence de l'un à l'intérieur de la cellule ou des cellules de l'autre (hôte). Par exemple, comme nous l'avons expliqué au concept 25.3, des données structurales, biochimiques et génétiques indiquent que les mitochondries et les plastes dérivent de procaryotes qui ont été absorbés par les ancêtres des premières cellules eucaryotes. Ces données semblent également démontrer que les mitochondries ont évolué avant les plastes. L'absorption d'une bactérie par une cellule hôte a été un événement déterminant dans l'origine des eucaryotes puisque, ultimement, cette bactérie est devenue une mitochondrie, un organite essentiel désormais présent dans presque toutes les cellules eucaryotes.

Pour déterminer la lignée de procaryotes à l'origine des mitochondries, les chercheurs ont comparé des séquences d'ADN issues de gènes mitochondriaux (ADNmt) à d'autres séquences d'ADN provenant des principaux clades de bactéries et d'archées. Dans la rubrique **Habiletés scientifiques**, vous interpréterez les résultats d'une des comparaisons de séquences d'ADN.

Dans l'ensemble, de telles études démontrent que les mitochondries tirent leur origine d'une α-protéobactérie (voir la figure 27.16). Les résultats des analyses des séquences d'ADNmt montrent également que les mitochondries des protistes, des animaux, des eumycètes et des végétaux proviennent toutes d'un seul ancêtre commun, ce qui laisse croire que leur apparition est un événement qui n'est survenu qu'une seule fois au cours de l'évolution. D'après les résultats d'analyses similaires, les plastes seraient également issus d'un seul ancêtre commun, soit une cyanobactérie absorbée par une cellule eucaryote hôte.

On a également réalisé des progrès dans l'identification de la cellule hôte qui a absorbé une α-protéobactérie, ce qui a permis de mieux comprendre l'origine des eucaryotes. Ainsi, en 2015 des chercheurs ont rapporté la découverte d'un nouveau groupe d'archées, les lokiarchées, dont les analyses phylogénomiques ont permis de déterminer qu'il s'agissait du groupe frère des eucaryotes. On a également montré que le génome de ces archées codait pour de nombreuses caractéristiques spécifiques des eucaryotes. La cellule hôte ayant absorbé une α-protéobactérie appartenait-elle aux lokiarchées ? Bien que cela soit possible, il se pourrait aussi que la cellule hôte ait été étroitement apparentée aux archées (sans en être une). Quoi qu'il en soit, les données actuelles indiquent que l'hôte était une cellule relativement complexe dans laquelle ont évolué certaines caractéristiques des cellules eucaryotes comme le cytosquelette, qui lui a permis de modifier sa forme (et ainsi d'absorber l'α-protéobactérie).

L'évolution des plastes : une étude détaillée

Comme vous l'avez vu, les données actuelles indiquent que les mitochondries proviennent d'une bactérie qui a été absorbée par une cellule hôte appartenant aux archées ou étroitement apparentée à celles-ci. De cet événement sont nés les eucaryotes. De nombreuses observations scientifiques révèlent également que, plus tard dans l'histoire des eucaryotes, une lignée d'organismes hétérotrophes a acquis un autre endosymbionte, une cyanobactérie photosynthétique, dont l'évolution a ensuite conduit à l'apparition des plastes. D'après l'hypothèse illustrée à la **figure 28.3**, cette lignée contenant des plastes a donné naissance à deux lignées de protistes photosynthétiques, ou **algues** : les algues rouges et les algues vertes.

Examinons plus en détail certaines des étapes de la figure 28.3. D'abord, souvenez-vous que les cyanobactéries sont des organismes à Gram négatif et que de tels organismes possèdent deux membranes cellulaires : une membrane plasmique intérieure et une membrane extérieure faisant partie de la paroi cellulaire (voir la figure 27.3). Les plastes des algues rouges et des algues vertes sont également entourés de deux membranes. Les protéines de transport de ces membranes sont homologues à celles de la membrane intérieure et de la membrane extérieure des cyanobactéries, ce qui constitue un autre élément renforçant l'hypothèse voulant que les plastes tirent leur origine d'une cyanobactérie endosymbionte.

Plusieurs fois, au cours de l'évolution des eucaryotes, des algues rouges et des algues vertes ont subi une **endosymbiose secondaire**. Cela signifie qu'elles ont été ingérées dans la vacuole digestive d'un eucaryote hétérotrophe pour devenir elles-mêmes des endosymbiontes. Par exemple, les protistes appelés chlorarachniophytes sont probablement apparus à la suite de l'absorption d'une algue verte par un eucaryote hétérotrophe. En voici la preuve : à l'intérieur même de la cellule absorbée, on trouve un *nucléomorphe* (**figure 28.4**), une minuscule structure qui provient du noyau de cette algue. Les gènes du nucléomorphe sont toujours transcrits, et leurs séquences d'ADN indiquent que la cellule absorbée était une algue verte.

RETOUR SUR LE CONCEPT 28.1

1. Indiquez au moins quatre exemples de la diversité anatomique et physiologique des protistes.
2. Résumez le rôle de l'endosymbiose dans l'évolution des eucaryotes.
3. **FAITES DES LIENS** ▶ Après avoir étudié la figure 28.3, déterminez combien de génomes distincts contient la cellule d'un chlorarachniophyte. Expliquez votre réponse. (Voir les figures 6.17 et 6.18.)

Voir les réponses proposées à l'appendice A.

▼ **Figure 28.2**

PANORAMA La diversité des protistes

L'arbre ci-dessous illustre une hypothèse phylogénétique portant sur les liens entre les eucaryotes vivant aujourd'hui sur la Terre. Les groupes eucaryotes à l'extrémité des branches sont réunis en « supergroupes » plus vastes dont les noms apparaissent à l'extrême droite de l'arbre. Les groupes de l'ancienne classification du règne des protistes sont indiqués dans les encadrés jaunes. Les lignes pointillées indiquent des liens évolutifs incertains et des propositions de liens évolutifs qui font encore l'objet de débats. Par souci de clarté, cet arbre présente seulement les lignées représentatives de chaque supergroupe. De plus, la découverte récente de nombreux nouveaux groupes d'eucaryotes démontre que la diversité des eucaryotes est beaucoup plus importante que ce qui est illustré dans cette figure.

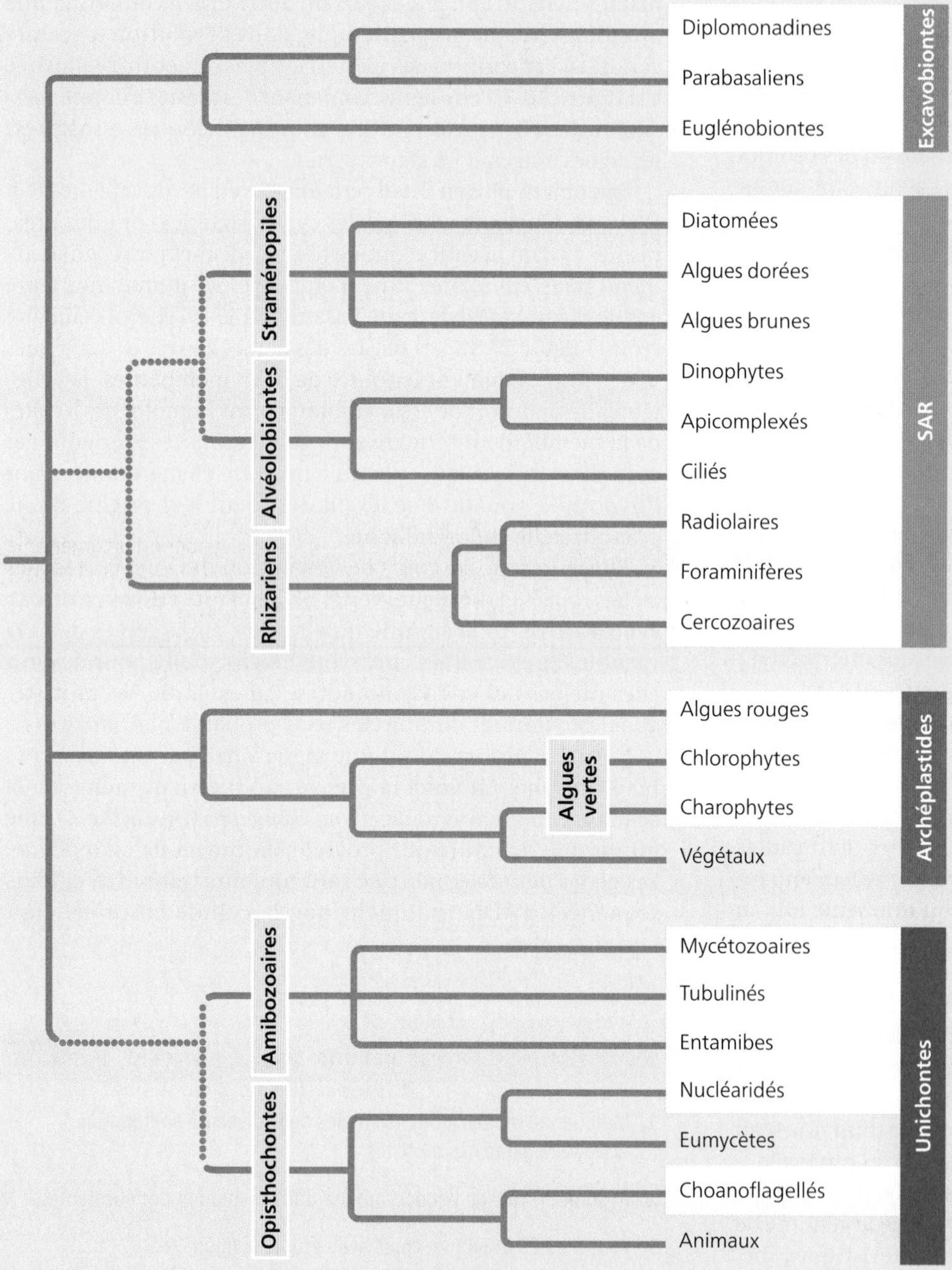

Diplomonadines
Parabasaliens
Euglénobiontes
Excavobiontes

Straménopiles
Alvéolobiontes
Rhizariens
Diatomées
Algues dorées
Algues brunes
Dinophytes
Apicomplexés
Ciliés
Radiolaires
Foraminifères
Cercozoaires
SAR

Algues vertes
Algues rouges
Chlorophytes
Charophytes
Végétaux
Archéplastides

Amibozoaires
Opisthochontes
Mycétozoaires
Tubulinés
Entamibes
Nucléaridés
Eumycètes
Choanoflagellés
Animaux
Unichontes

Les excavobiontes

Certains représentants de ce supergroupe présentent un sillon sur un côté du corps cellulaire. Deux grands groupes (les parabasaliens et les diplomonadines) ont des mitochondries extrêmement réduites ; les membres d'un troisième groupe (les euglénobiontes) ont des flagelles dont la structure les distingue de ceux d'autres organismes. Les excavobiontes comptent des parasites comme *Giardia*, ainsi que de nombreuses espèces photosynthétiques et prédatrices.

5 μm
(3 600×)

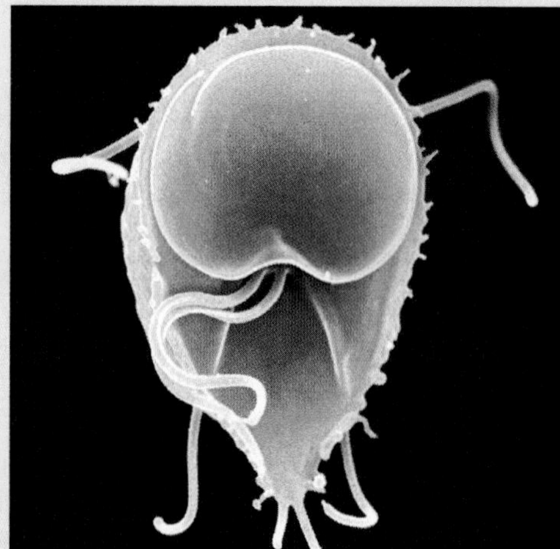

***Giardia intestinalis*, un parasite du groupe des diplomonadines.** Ce protozoaire (MEB, cliché coloré artificiellement), qui ne présente pas le sillon caractéristique des excavobiontes, vit dans les intestins des mammifères. Il peut infecter les personnes qui boivent de l'eau contaminée par des matières fécales contenant ses kystes. La consommation d'eau ainsi contaminée – aussi limpide soit-elle – risque de causer une grave diarrhée. Il suffit de faire bouillir l'eau pour tuer le parasite.

FAITES UN DESSIN ▶ Dessinez une version simplifiée de cet arbre phylogénétique en représentant uniquement les quatre supergroupes d'eucaryotes. À quoi ressemblerait le même arbre si les unichontes constituaient le groupe frère de tous les autres eucaryotes ?

SAR

Ce supergroupe réunit trois grands clades extrêmement diversifiés (desquels il tire son nom) : les straménopiles, les alvéolobiontes et les rhizariens. Les straménopiles incluent certains des plus importants organismes photosynthétiques vivant sur Terre, dont les diatomées (illustrées ici). Les alvéolobiontes comptent également des espèces photosynthétiques ainsi que de redoutables agents pathogènes tels que ceux du genre *Plasmodium* responsables du paludisme (malaria). D'après une des hypothèses présentement envisagées, les straménopiles et les alvéolobiontes seraient apparus à la suite d'une endosymbiose secondaire, après l'absorption d'une algue rouge par un protiste hétérotrophe.

50 µm (320×)

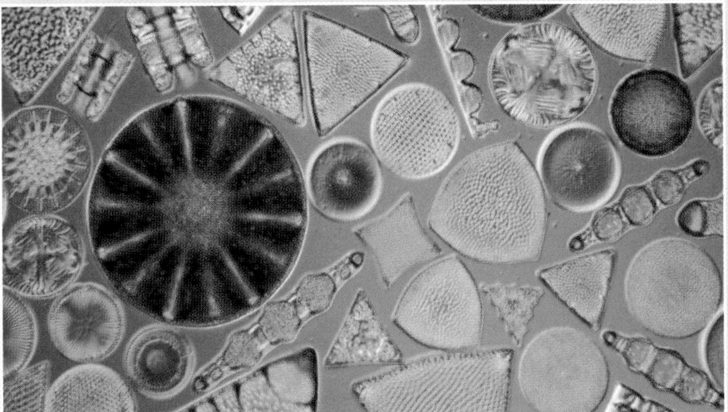

La diversité morphologique des diatomées. Ces protistes unicellulaires fort jolis sont des organismes photosynthétiques importants au sein des communautés aquatiques (MP).

Les rhizariens, un sous-groupe de SAR, renferment de nombreuses espèces d'amibes, dont la plupart ont des pseudopodes, qui sont des prolongements cellulaires filiformes. Ces pseudopodes peuvent surgir de n'importe quel point de la surface cellulaire ; ils permettent le déplacement et la capture des proies.

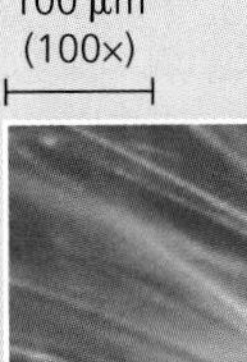

100 µm (100×)

Un foraminifère du supergroupe SAR. L'organisme du genre *Globigerina* illustré ici appartient aux foraminifères, un groupe dont les membres possèdent des pseudopodes filiformes qui surgissent des pores de la surface cellulaire, ou *test* (MP). Le MEB en médaillon montre le test d'un foraminifère durci par le calcaire.

Les archéplastides

Ce supergroupe d'eucaryotes comprend les algues rouges et les algues vertes, ainsi que les végétaux. Les algues rouges et les algues vertes comprennent des espèces unicellulaires, des espèces coloniales et des espèces multicellulaires simples (comme volvox, une algue verte). De nombreuses grandes algues, communément appelées « algues marines », sont des algues, rouges ou vertes, multicellulaires. Les archéplastides comprennent, entre autres protistes, des espèces photosynthétiques qui constituent le fondement du réseau alimentaire de certaines communautés aquatiques.

100 µm (140×)

20 µm (500×)

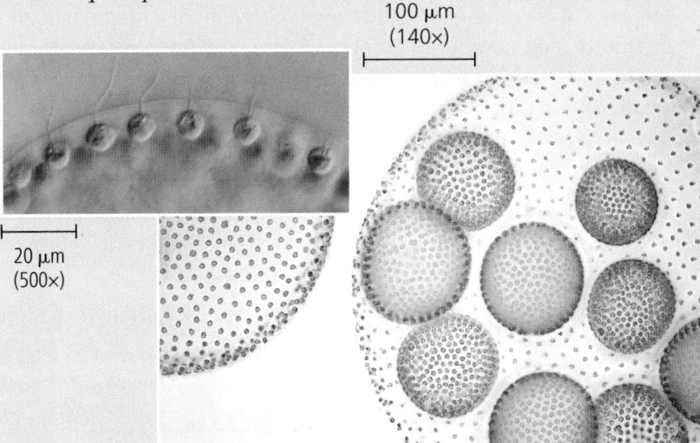

Un volvox, algue verte multicellulaire d'eau douce. Cette algue possède deux types de cellules différenciées. Il s'agit donc d'un organisme multicellulaire plutôt que colonial. Les *Volvox sp.* ressemblent à des sphères creuses dont les parois sont composées de centaines de cellules biflagellées (voir l'agrandissement MEB) enchâssées dans une matrice gélatineuse ; ces cellules ne peuvent se reproduire lorsqu'elles sont isolées. Cependant, l'algue contient également des cellules spécialisées dans la reproduction sexuée ou asexuée. Les vastes colonies présentées ci-dessus finiront par libérer les colonies « filles » qu'elles renferment (MP).

Les unichontes

Ce supergroupe d'eucaryotes comprend des amibes dotées de pseudopodes en forme de tube ou de lobe, ainsi que les animaux, les eumycètes ou d'autres protistes non amibiens qui leur sont étroitement apparentés. Selon une hypothèse qui prévaut (mais qui ne fait pas l'unanimité dans la communauté scientifique), les unichontes constitueraient le premier supergroupe d'eucaryotes à avoir divergé de tous les autres eucaryotes.

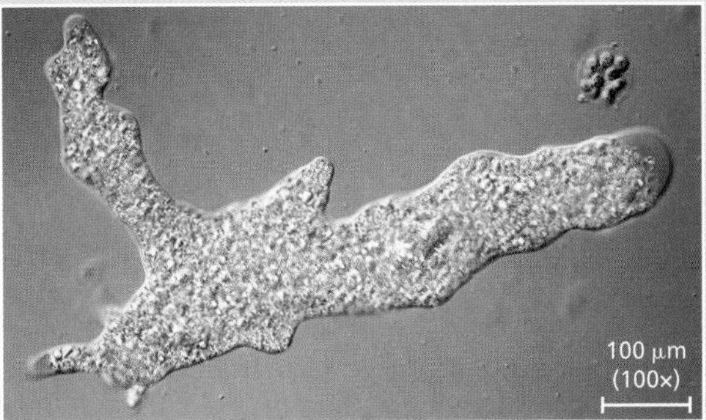

Amibe unichonte. Cette amibe (*Amoeba proteus*), qui appartient aux tubulinés, se déplace à l'aide de ses pseudopodes.

DÉMARCHE SCIENTIFIQUE
HABILETÉS SCIENTIFIQUES

Interpréter les résultats de comparaisons de séquences génétiques

■ QUELS PROCARYOTES SONT LE PLUS ÉTROITEMENT APPARENTÉS AUX MITOCHONDRIES ? ■ Les premiers eucaryotes ont acquis les mitochondries par endosymbiose: après avoir été absorbé par une cellule hôte, un procaryote aérobie est demeuré dans le cytoplasme de l'hôte pour le bénéfice mutuel des deux cellules. Des chercheurs ont tenté de déterminer quels procaryotes vivants pourraient être le plus étroitement apparentés aux mitochondries. Pour ce faire, ils ont comparé des séquences d'ARN ribosomique (ARNr) de différents organismes. Les ribosomes accomplissent des fonctions cellulaires essentielles. Aussi, les séquences d'ARNr font l'objet d'une sélection rigoureuse, et elles changent relativement lentement au fil du temps. C'est pourquoi il est possible de les utiliser pour comparer différentes espèces, même celles qui sont plus éloignées. Dans cet exercice, vous interpréterez certaines des données issues de la recherche pour en tirer des conclusions à propos de la phylogenèse des mitochondries.

■ MÉTHODE ■ Les chercheurs ont isolé et cloné certaines séquences nucléotidiques du gène codant pour la petite sous-unité de l'ARNr du blé (un eucaryote) et de cinq espèces bactériennes:

- Blé, utilisé comme source de gènes codant pour l'ARNr mitochondrial
- *Agrobacterium tumefaciens*, une α-protéobactérie qui vit à l'intérieur du tissu végétal et qui produit des tumeurs dans les tissus de l'hôte
- *Comamonas testosteroni*, une β-protéobactérie
- *Escherichia coli*, une γ-protéobactérie bien connue vivant dans les intestins humains
- *Mycoplasma capricolum*, un mycoplasme à Gram positif, qui fait partie du seul groupe de bactéries dépourvu de paroi cellulaire
- *Anacystis nidulans*, une cyanobactérie

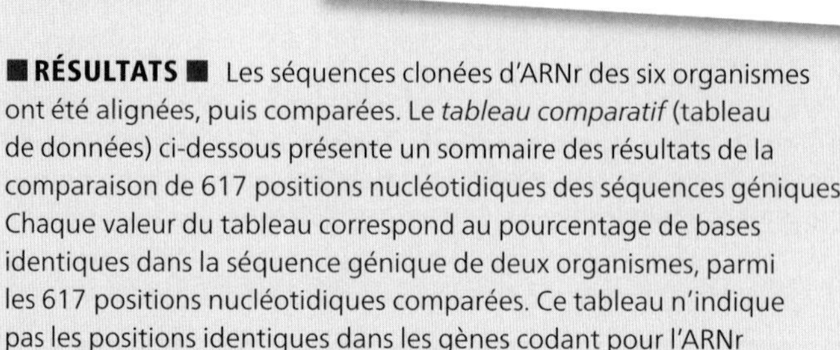

▶ Le blé, qui est utilisé comme source d'ARN mitochondrial.

■ RÉSULTATS ■ Les séquences clonées d'ARNr des six organismes ont été alignées, puis comparées. Le *tableau comparatif* (tableau de données) ci-dessous présente un sommaire des résultats de la comparaison de 617 positions nucléotidiques des séquences géniques. Chaque valeur du tableau correspond au pourcentage de bases identiques dans la séquence génique de deux organismes, parmi les 617 positions nucléotidiques comparées. Ce tableau n'indique pas les positions identiques dans les gènes codant pour l'ARNr des six organismes.

INTERPRÉTEZ LES DONNÉES ▼

1. D'abord, assurez-vous de comprendre comment lire ce tableau comparatif. Trouvez ensuite la case correspondant à la comparaison de *C. testosteroni* et d'*E. coli*. Quelle valeur lisez-vous dans cette case ? Qu'indique cette valeur en ce qui concerne les séquences d'ARNr comparables dans ces deux organismes ? Expliquez pourquoi certaines cases contiennent un tiret plutôt qu'une valeur. Pourquoi certaines cases sont-elles grises et ne présentent-elles aucune valeur ?
2. Pourquoi les chercheurs ont-ils choisi d'inclure une mitochondrie végétale et cinq espèces bactériennes dans le tableau comparatif ?
3. Quelle est la bactérie dont le gène codant pour l'ARNr ressemble le plus à celui de la mitochondrie du blé ? Que signifie cette ressemblance ?

	Mitochondrie du blé	*A. tumefaciens*	*C. testosteroni*	*E. coli*	*M. capricolum*	*A. nidulans*
Mitochondrie du blé	–	48	38	35	34	34
A. tumefaciens		–	55	57	52	53
C. testosteroni			–	61	52	52
E. coli				–	48	52
M. capricolum					–	50
A. nidulans						–

Source des données: D. Yang et coll., Mitochondrial origins, *Proceedings of the National Academy of Sciences* 82: 4443-4447 (1985).

CONCEPT **28.2**

Les excavobiontes comprennent des protistes à mitochondries réduites et d'autres à un seul flagelle

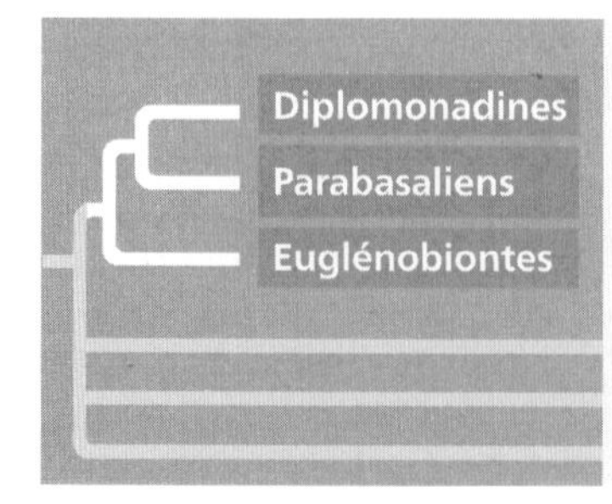

Après avoir examiné certaines des caractéristiques générales de l'évolution des eucaryotes, nous allons maintenant nous intéresser de plus près aux quatre supergroupes de protistes présentés dans la figure 28.2.

▼ Figure 28.3 La diversité des plastes produits par endosymbiose. Des études sur les eucaryotes contenant des plastes indiquent que ces organites se sont développés à partir d'une cyanobactérie absorbée par un eucaryote hétérotrophe ancestral (endosymbiose primaire). La diversification de cet ancêtre a ensuite donné naissance aux algues rouges et aux algues vertes, dont certains individus ont été absorbés ultérieurement par d'autres eucaryotes (endosymbiose secondaire).

Cyanobactérie
Endosymbiose primaire
Noyau
Eucaryote hétérotrophe
Les traits noirs indiquent l'emplacement des membranes.
1 2 3
L'une de ces membranes a disparu chez les descendants des algues rouges et des algues vertes.
Algues rouges
Algues vertes
Endosymbiose secondaire
Endosymbiose secondaire
Endosymbiose secondaire
Plaste
Straménopiles
Alvéolobiontes
Plaste
Euglénophytes
Chlorarachniophytes

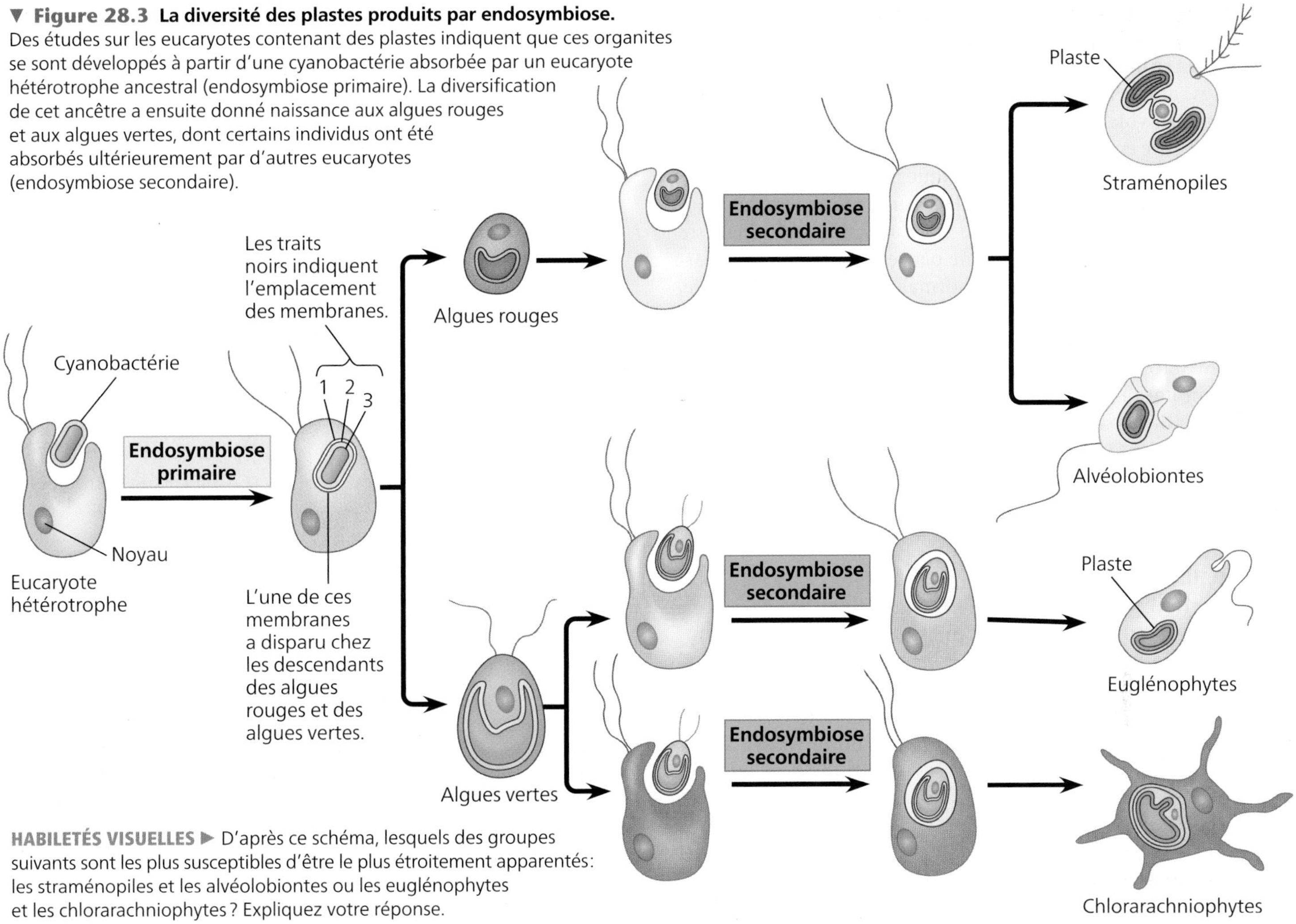

HABILETÉS VISUELLES ▶ D'après ce schéma, lesquels des groupes suivants sont les plus susceptibles d'être le plus étroitement apparentés: les straménopiles et les alvéolobiontes ou les euglénophytes et les chlorarachniophytes ? Expliquez votre réponse.

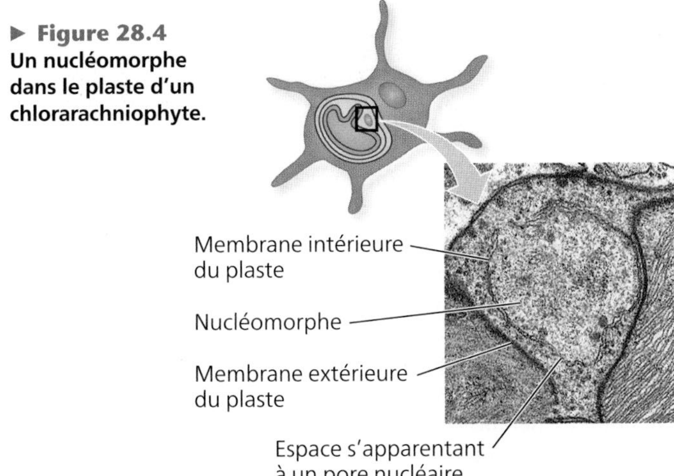

▶ Figure 28.4 Un nucléomorphe dans le plaste d'un chlorarachniophyte.

Commençons par les **excavobiontes**, un clade proposé, au départ, à la lumière d'études morphologiques du cytosquelette. Certains protistes de ce groupe très diversifié s'alimentent par un cytostome, une zone creuse située sur un côté du corps cellulaire. Les excavobiontes comprennent les diplomonadines, les parabasaliens et les euglénophytes. Les données moléculaires indiquent que chacun de ces trois groupes est monophylétique, et des études génomiques réalisées récemment confirment la monophylie du supergroupe des excavobiontes, ce qui permet de le caractériser comme étant un clade.

Les diplomonadines et les parabasaliens

Les protistes qui appartiennent à ces deux clades sont dépourvus de plastes, et leurs mitochondries sont très réduites (on a cru jusqu'à récemment qu'ils n'en avaient tout simplement pas). La plupart des diplomonadines et des parabasaliens vivent en milieu anaérobie.

Les **diplomonadines** présentent des mitochondries plus petites appelées *mitosomes*. Ces organites sont dépourvus de chaînes de transport d'électrons et sont donc incapables d'utiliser les molécules d'oxygène (O_2) pour extraire l'énergie des glucides et d'autres molécules organiques. Les diplomonadines tirent plutôt l'énergie dont ils ont besoin de voies biochimiques anaérobies. De nombreux diplomonadines sont des parasites, y compris *Giardia intestinalis* (voir la figure 28.2), un parasite incommodant de l'intestin des mammifères.

Sur le plan structural, les diplomonadines comportent deux noyaux d'égale grosseur et de multiples flagelles. Rappelez-vous que les flagelles des eucaryotes sont des extensions du cytoplasme et qu'ils consistent en des faisceaux de microtubules recouverts par la membrane plasmique de la cellule (voir la figure 6.24). Ils sont très différents des flagelles des procaryotes, qui sont des filaments composés d'une protéine globulaire fixés à la surface de la cellule (voir la figure 27.7).

Les **parabasaliens** présentent aussi des mitochondries réduites; appelés *hydrogénosomes*, ces organites produisent de l'énergie par voie anaérobie en libérant de l'hydrogène. Le plus connu d'entre eux est *Trichomonas vaginalis*, un parasite transmissible sexuellement qui infecte quelque 5 millions de personnes chaque année. *T. vaginalis* se déplace sur la muqueuse des voies génitales et urinaires de son hôte grâce aux mouvements de ses flagelles et aux ondulations d'une partie de sa membrane plasmique (**figure 28.5**). Si l'acidité normale du vagin est perturbée, ce microorganisme peut prendre le dessus sur les populations microbiennes utiles et infecter la muqueuse vaginale. (L'infection peut aussi toucher l'urètre masculin, mais souvent sans causer de symptômes.) *T. vaginalis* comporte un gène qui lui permet de se nourrir de la paroi vaginale, ce qui provoque l'infection. Des études semblent indiquer que l'espèce est devenue pathogène en raison du transfert horizontal d'un gène provenant de bactéries parasites vivant également sur la muqueuse vaginale.

Les euglénobiontes

Les **euglénobiontes** forment un clade diversifié dont font partie des prédateurs hétérotrophes, des autotrophes photosynthétiques, des mixotrophes et des parasites. La principale caractéristique morphologique qui distingue les protistes de ce clade est la présence d'un bâtonnet dont chacun des flagelles comporte une spirale ou une structure cristalline (**figure 28.6**). Les deux groupes d'euglénobiontes les plus étudiés sont les kinétoplastidés et les euglénophytes.

Les kinétoplastidés

Les **kinétoplastidés** possèdent une seule mitochondrie volumineuse, qui contient une masse structurée d'ADN, le *kinétoplaste*. Ce groupe de protistes comprend des organismes qui se nourrissent de procaryotes et qui vivent tant dans les écosystèmes dulcicoles et marins que dans les écosystèmes terrestres humides. Il renferme également des espèces qui parasitent des animaux, des végétaux et d'autres protistes. Par exemple, des kinétoplastidés du genre *Trypanosoma* causent la maladie du sommeil chez les humains; il s'agit d'une affection neurologique mortelle en l'absence de traitement. L'infection est causée par la piqûre d'un organisme porteur, la mouche africaine tsé-tsé (**figure 28.7**). Les trypanosomes provoquent aussi la maladie de Chagas, transmise par des insectes hématophages, qui peut entraîner une insuffisance cardiaque congestive.

Les trypanosomes échappent à la détection du système immunitaire grâce à un mécanisme efficace de variation antigénique.

▼ **Figure 28.5** ***Trichomonas vaginalis*, du groupe des parabasaliens (MEB, cliché coloré artificiellement).**

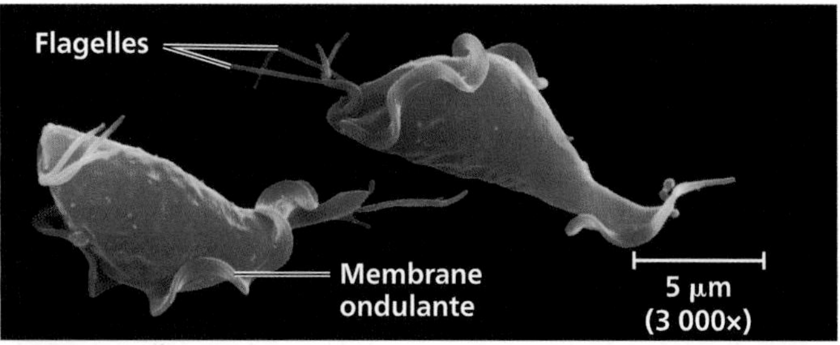

▼ **Figure 28.6 Les flagelles des euglénobiontes.** Chez la plupart des euglénobiontes, l'un des flagelles renferme un bâtonnet cristallin (Le cliché pris en MET est une coupe transversale d'un flagelle.) Ce bâtonnet est situé près de l'anneau de microtubules 9 + 2 dont sont munis tous les flagelles eucaryotes (comparez avec la figure 6.24).

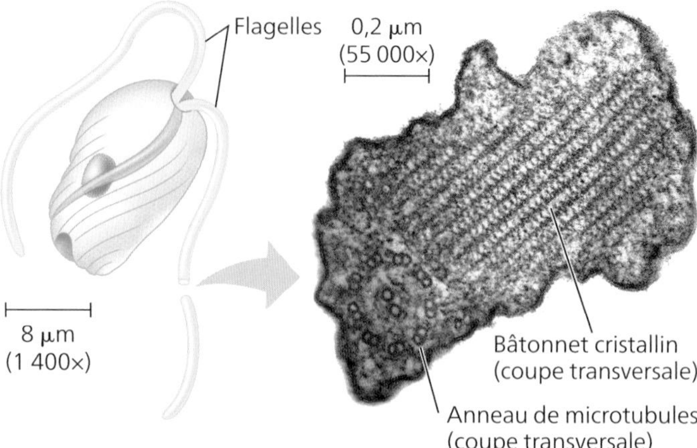

▼ **Figure 28.7 Les kinétoplastidés du genre *Trypanosoma* à l'origine de la maladie du sommeil (MEB, cliché coloré artificiellement).**

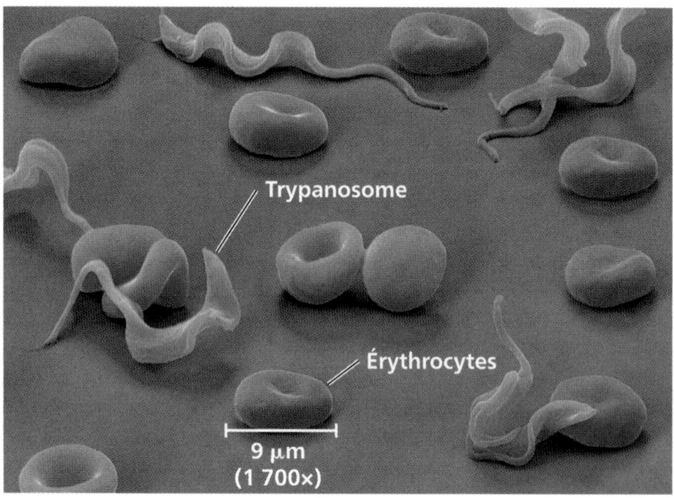

La surface d'un trypanosome est recouverte de millions de copies d'une seule protéine. Toutefois, avant que le système immunitaire de l'hôte arrive à reconnaître cette protéine et à organiser une attaque, de nouvelles générations du parasite adoptent une protéine membranaire dont la structure moléculaire est légèrement différente. Les fréquentes modifications de cette structure empêchent l'hôte d'acquérir une immunité. (La rubrique Habiletés scientifiques du chapitre 43 aborde ce sujet plus en détail.) Le tiers du génome de ces trypanosomes est consacré à la production des protéines membranaires.

Les euglénophytes

Les cellules des **euglénophytes** se caractérisent par la présence, à l'une de leurs extrémités, d'une dépression d'où émergent un ou deux flagelles (**figure 28.8**). Certains euglénophytes sont mixotrophes. En effet, ils effectuent la photosynthèse en présence d'une source lumineuse (soleil), mais peuvent devenir hétérotrophes en l'absence d'une source lumineuse. Elles absorbent alors des nutriments organiques issus de leur milieu. De nombreux autres euglénophytes phagocytent des proies.

▶ Figure 28.8 L'euglène, une espèce d'euglénophyte commune dans les étangs.

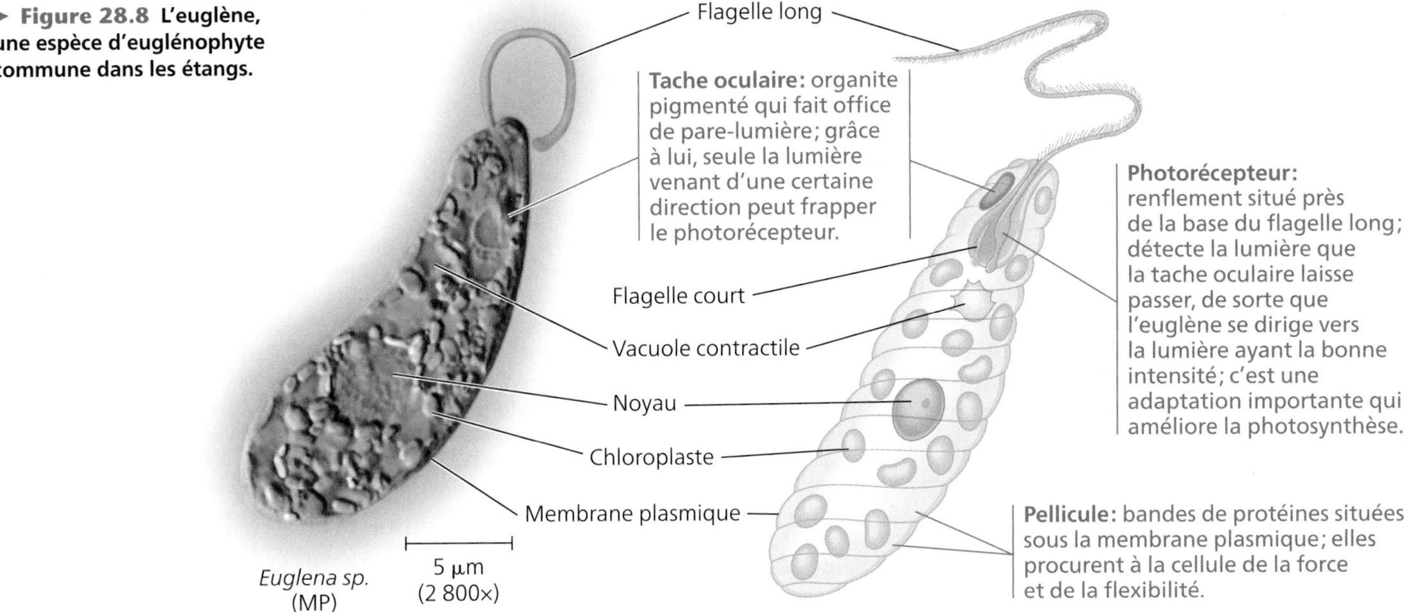

Flagelle long
Tache oculaire: organite pigmenté qui fait office de pare-lumière; grâce à lui, seule la lumière venant d'une certaine direction peut frapper le photorécepteur.
Photorécepteur: renflement situé près de la base du flagelle long; détecte la lumière que la tache oculaire laisse passer, de sorte que l'euglène se dirige vers la lumière ayant la bonne intensité; c'est une adaptation importante qui améliore la photosynthèse.
Flagelle court
Vacuole contractile
Noyau
Chloroplaste
Membrane plasmique
Pellicule: bandes de protéines situées sous la membrane plasmique; elles procurent à la cellule de la force et de la flexibilité.
Euglena sp. (MP)
5 µm (2 800×)

RETOUR SUR LE CONCEPT **28.2**

1. Pourquoi certains biologistes emploient-ils l'expression *très réduites* lorsqu'ils parlent des mitochondries des diplomonadines et des parabasaliens ?
2. ET SI ? ▶ Les données génétiques d'un diplomonadine, d'un euglénophyte, d'un végétal et d'un protiste non identifié semblent indiquer que ce dernier est le plus étroitement apparenté aux diplomonadines. Des études plus approfondies révèlent que l'espèce non identifiée présente des mitochondries fonctionnelles. En se fondant sur ces données, à quel endroit de l'arbre phylogénétique illustré à la figure 28.2 cette lignée de protistes inconnus aurait-elle probablement divergé des autres lignées eucaryotes ? Expliquez votre réponse.

Voir les réponses proposées à l'appendice A.

CONCEPT **28.3**

Le groupe SAR est formé de protistes très diversifiés, mais liés par leurs ressemblances génétiques

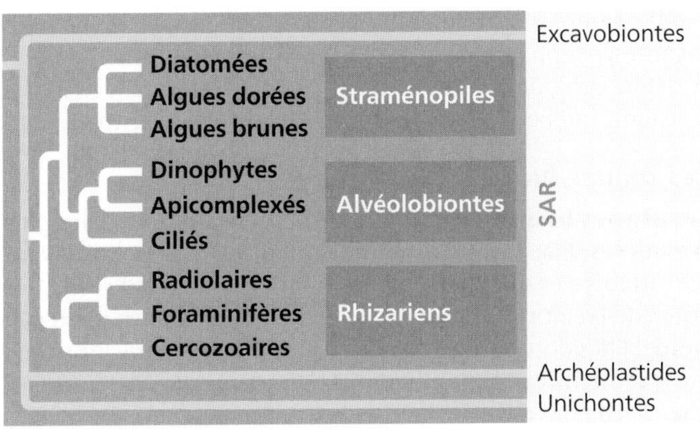

Excavobiontes
Diatomées
Algues dorées
Algues brunes
Straménopiles
Dinophytes
Apicomplexés
Ciliés
Alvéolobiontes
Radiolaires
Foraminifères
Cercozoaires
Rhizariens
SAR
Archéplastides
Unichontes

Le deuxième supergroupe, connu sous le nom de **SAR**, a été proposé récemment à la suite d'analyses de données issues du séquençage de génomes entiers. D'après ces analyses, trois importants groupes de protistes, les straménopiles, les alvéolobiontes et les rhizariens, forment un supergroupe monophylétique, qui inclut un très grand nombre de protistes extrêmement diversifiés. N'ayant pas encore reçu de nom formel, ce supergroupe est désigné par l'acronyme SAR, formé de la première lettre des principaux clades qui le constituent.

Certaines données relatives à la morphologie et aux séquences d'ADN laissent supposer que l'origine de deux des clades du groupe SAR, soit les straménopiles et les alvéolobiontes, remonterait à plus de 1 milliard d'années, lorsqu'un ancêtre commun des deux groupes a absorbé une algue rouge monocellulaire photosynthétique. Tout comme on attribue l'apparition des algues rouges à l'endosymbiose primaire d'une cyanobactérie (voir la figure 28.3), l'apparition des straménopiles et des alvéolobiontes pourrait être attribuable à cette endosymbiose secondaire d'une algue rouge. Toutefois, cette hypothèse ne fait pas l'unanimité, car certaines espèces au sein de ces groupes ne possèdent aucun plaste ou vestige de plastes (de même qu'aucune trace de gènes de plastes dans leur ADN nucléaire).

Le fait que le supergroupe SAR n'ait toujours pas reçu de nom formel en dit long: il est le plus controversé des quatre supergroupes décrits dans ce chapitre. Néanmoins, pour plusieurs scientifiques, il s'agit actuellement de la meilleure hypothèse pour expliquer la phylogenèse des trois grands clades de protistes que nous étudierons maintenant.

Les straménopiles

L'un des principaux sous-groupes du supergroupe SAR, les **straménopiles**, réunit certains des organismes photosynthétiques les plus importants de la planète. Le nom du clade (du latin *stramen*, « paille », et *pilos*, « cheveu ») témoigne de la présence, chez ces organismes, d'un flagelle caractéristique doté des nombreux prolongements filiformes. Dans la plupart des cas, le flagelle « velu » est doublé d'un flagelle « glabre » plus court (**figure 28.9**). Nous nous intéresserons ici aux trois groupes de straménopiles, soit les diatomées, les algues dorées et les algues brunes.

Les diatomées

Les **diatomées**, un important groupe de protistes photosynthétiques, sont des algues unicellulaires qui possèdent une paroi unique en son genre, semblable à du verre et constituée de silice hydratée (dioxyde de silicium, ou silice) enchâssée dans une matrice organique (**figure 28.10**). Cette paroi se compose de deux moitiés qui s'imbriquent l'une dans l'autre, comme les côtés d'une boîte à chaussures et son couvercle. Elle offre une protection efficace contre l'étreinte des mâchoires des prédateurs : des diatomées vivantes peuvent résister à une pression atteignant $1,4 \times 10^6$ kg/m^2, ce qui équivaut à la pression exercée sur chaque pied d'une table sur laquelle serait assis un éléphant !

Avec près de 100 000 espèces, les diatomées forment un groupe extrêmement diversifié de protistes (voir la figure 28.2). Ils comptent parmi les organismes photosynthétiques les plus nombreux, tant dans les océans que dans les lacs. Ainsi, un seau rempli d'eau recueillie à la surface de la mer peut contenir des millions de ces algues microscopiques. Les archives géologiques montrent que les diatomées étaient très répandues par le passé, comme en témoignent les accumulations colossales de leurs parois fossilisées, principaux composants des sédiments rocheux appelés *diatomite*. On extrait cette roche parce qu'elle constitue un excellent produit de filtrage ; on l'utilise aussi dans la fabrication d'un grand nombre de produits abrasifs ou absorbants.

Les diatomées sont si répandues et abondantes que leur activité photosynthétique influe sur les niveaux de dioxyde de carbone (CO_2) à l'échelle planétaire. Elles exercent cette influence en partie en raison des événements qui surviennent pendant les périodes d'explosion démographique, quand elles se trouvent en présence de grandes quantités de nutriments. Les diatomées sont habituellement la proie de divers protistes et invertébrés, mais lors d'une explosion démographique nombre d'entre elles échappent à ce destin. Lorsqu'elles meurent, les diatomées qui ont échappé à leurs prédateurs sombrent au fond de l'océan. Il faut des décennies, voire des siècles, pour que les diatomées qui ont ainsi sombré soient décomposées par des bactéries et par d'autres décomposeurs. Aussi, le carbone contenu dans leur cellule y reste-t-il emprisonné un certain temps au lieu d'être relâché immédiatement sous forme de CO_2 par la respiration des décomposeurs. Par conséquent, le CO_2 qu'absorbent les diatomées pendant la photosynthèse est entraîné, ou « pompé », au fond de l'océan, où il s'accumule.

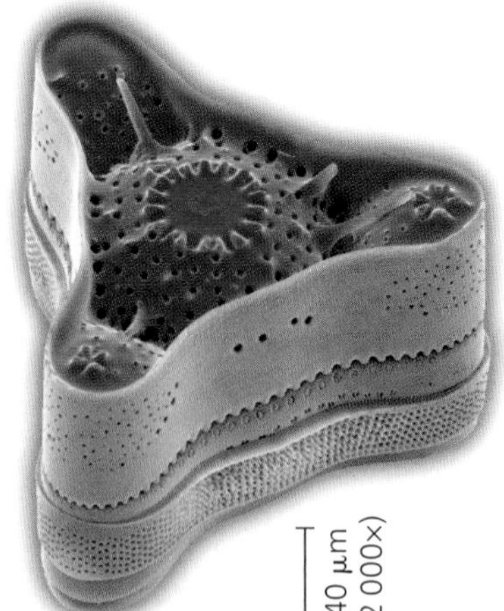

▶ **Figure 28.10**
La diatomée *Triceratium morlandii* (MEB, cliché coloré artificiellement).

Cette observation intéresse particulièrement les scientifiques qui cherchent à réduire le réchauffement climatique en diminuant le CO_2 atmosphérique. Ces derniers proposent de provoquer une surpopulation de diatomées en enrichissant l'océan de nutriments essentiels à leur croissance, comme le fer. Dans une étude réalisée en 2012, des chercheurs ont fertilisé une petite zone de l'océan avec du fer. Ils ont ainsi découvert que le CO_2 était véritablement pompé au fond de l'océan. On prévoit entreprendre d'autres études pour déterminer si la fertilisation par le fer produit des effets indésirables (comme un appauvrissement en O_2 ou la production d'oxyde nitreux [N_2O], un gaz à effet de serre plus puissant que le CO_2).

▼ **Figure 28.9 Les flagelles des straménopiles.** La plupart des straménopiles, comme *Synura petersenii*, possèdent deux flagelles : l'un est couvert de poils fins et raides (ou mastigonèmes), et l'autre, plus court, est lisse.

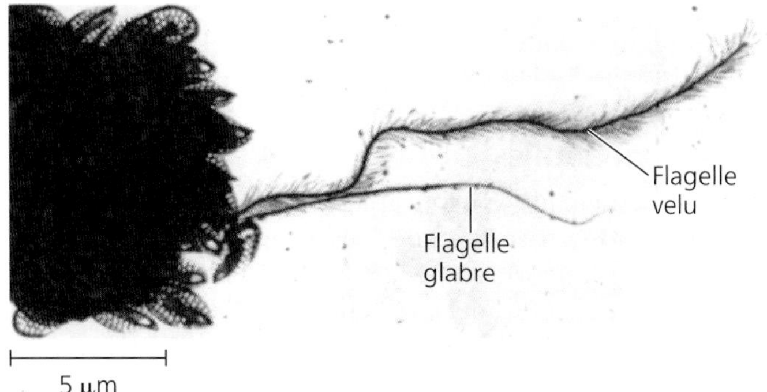

Les algues dorées

Les **algues dorées** doivent leur couleur caractéristique à la présence de caroténoïdes jaunes et bruns. Elles possèdent généralement deux flagelles fixés près de l'une des extrémités de la cellule. La plupart des algues dorées sont unicellulaires, mais certaines vivent en colonies (**figure 28.11**).

La plupart de ces algues vivent parmi le *plancton* (communautés principalement formées d'organismes microscopiques et portées par le courant près de la surface de l'eau) d'eau douce et d'eau salée. Toutes les espèces de ce groupe sont photosynthétiques, mais certaines sont mixotrophes. Autrement dit, elles sont capables d'absorber les composés organiques dissous ou d'ingérer les particules alimentaires, y compris les cellules vivantes, par phagocytose. Si les conditions environnementales se détériorent, de nombreuses espèces se transforment en kystes résistants qui peuvent rester viables durant des décennies.

Les algues brunes

Les **algues brunes** sont les algues les plus grandes et les plus complexes. Elles sont toutes multicellulaires ; la plupart vivent en eau salée et sont particulièrement abondantes le long des côtes des régions tempérées où circulent des courants d'eau froide. Elles doivent leur couleur brune ou olive caractéristique aux pigments caroténoïdes de leurs plastes, qui sont homologues à ceux des algues dorées et des diatomées.

▼ **Figure 28.11** ***Dinobryon sp.*, une algue dorée d'eau douce vivant en colonies (MP).**

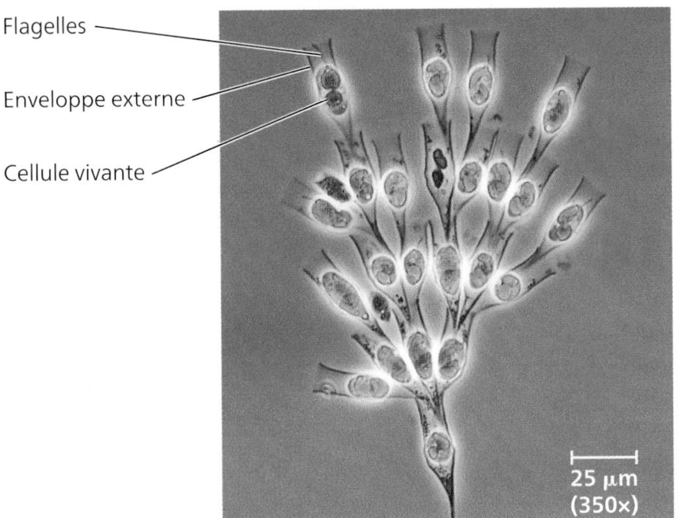

Les algues brunes comprennent de nombreuses espèces généralement appelées *algues marines*. Certaines d'entre elles possèdent des structures spécialisées qui s'apparentent aux organes des végétaux. Elles sont notamment dotées d'un **crampon** semblable à une racine, qui ancre l'algue à son support, ainsi que d'un **stipe** qui s'apparente à une tige et à laquelle s'accrochent des **frondes** ressemblant à des feuilles (**figure 28.12**). Toutefois, contrairement aux végétaux, les algues brunes ne possèdent pas de véritables tissus ou organes. D'ailleurs, des données morphologiques et génétiques indiquent que les ressemblances sont apparues indépendamment dans chaque lignée. Ce sont donc des structures analogues et non homologues. De plus, si les végétaux présentent des adaptations (comme une tige rigide) leur permettant de contrer les effets de la force gravitationnelle, les algues brunes présentent quant à elles des adaptations qui leur permettent de garder leurs principales structures de photosynthèse (les frondes ressemblant à des feuilles) près de la surface de l'eau. Certaines algues brunes maintiennent leurs frondes érigées grâce à des vésicules aérifères remplies de gaz qui soulèvent la plante en flottant. Une algue brune géante qu'on nomme kelp (*Macrocystis pyrifera*), vivant dans les eaux profondes, possède des frondes dotées de ce type de vésicules et liées à un stipe pouvant mesurer plus de 40 m, soit environ la longueur de deux terrains de tennis mis bout à bout.

Les algues brunes constituent d'importantes ressources pour l'humain. Certaines espèces servent d'aliments, dont *Laminaria*, qui entre dans la composition de certaines soupes (le kombu japonais). De plus, la paroi cellulaire des algues brunes contient une substance gélifiante, l'algine, qui est utilisée comme épaississant dans d'innombrables aliments préparés (crèmes, poudings, vinaigrettes, etc.).

L'alternance de générations

Les algues multicellulaires présentent divers cycles de développement. Les plus complexes se caractérisent par l'**alternance de générations**, c'est-à-dire par la succession des formes haploïdes et diploïdes multicellulaires. Bien que les états haploïdes et diploïdes alternent dans *tous* les cycles de développement sexuels (les gamètes humains, par exemple, sont haploïdes), le terme *alternance de générations* ne s'applique qu'aux cycles dans lesquels les stades haploïdes et diploïdes sont multicellulaires. Comme nous le verrons au concept 29.2, l'alternance de générations caractérise également le cycle de développement des végétaux.

▼ **Figure 28.12 Les algues marines, des organismes bien adaptés à la vie littorale.** Le postelsia palmiforme, *Postelsia palmaeformis*, qui ressemble à un petit palmier, vit sur les rochers le long des côtes nord-ouest des États-Unis et du Canada. Bien adapté, le corps de cette algue brune (phéophycée) se cramponne fermement aux rochers afin de résister au violent ressac des vagues.

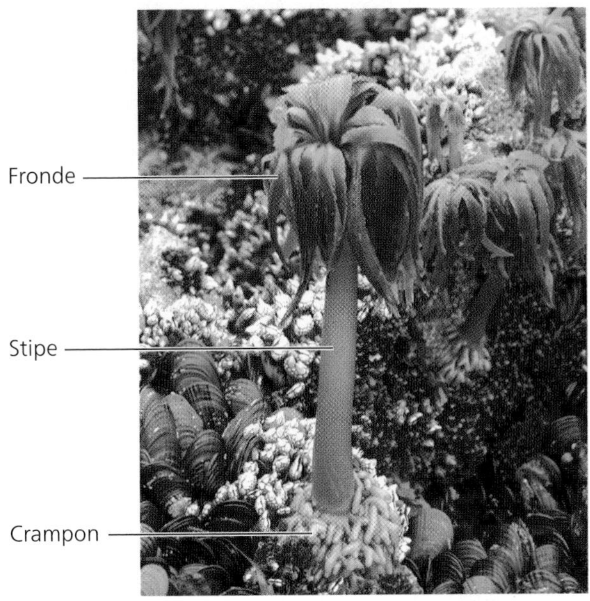

L'algue brune du genre *Laminaria* fournit un bon exemple d'organisme ayant un cycle de développement complexe, caractérisé par l'alternance de générations (**figure 28.13**). L'individu diploïde est appelé *sporophyte*, car il fabrique des spores. Ces spores sont haploïdes et se déplacent grâce à leurs flagelles; ce sont des zoospores. Les zoospores deviennent des *gamétophytes* haploïdes mâles et femelles multicellulaires, qui produisent des gamètes. L'union de deux gamètes (fécondation) donne un zygote diploïde, qui mûrit et engendre un nouveau sporophyte multicellulaire.

Dans le cas des *Laminaria*, les deux générations sont **hétéromorphes**, c'est-à-dire que le sporophyte et le gamétophyte ont des structures différentes. D'autres algues présentent une alternance de générations **isomorphes**. Autrement dit, le sporophyte et le gamétophyte semblent identiques, mais ils ne possèdent pas le même nombre de chromosomes.

Les alvéolobiontes

Les **alvéolobiontes**, un autre sous-groupe de SAR, sont constitués d'alvéoles, soit de petites vésicules aplaties situées sous la membrane plasmique (**figure 28.14**). Les alvéolobiontes sont des organismes répandus dans de nombreux milieux; ils réunissent un grand nombre de protistes photosynthétiques et hétérotrophes. Nous examinerons ici trois clades d'alvéolobiontes: un groupe de flagellés (dinophytes), un groupe de parasites (apicomplexés) et un groupe de protistes qui se déplacent au moyen de cils (ciliés).

▼ **Figure 28.13 L'alternance de générations dans le cycle de développement des *Laminaria*.**

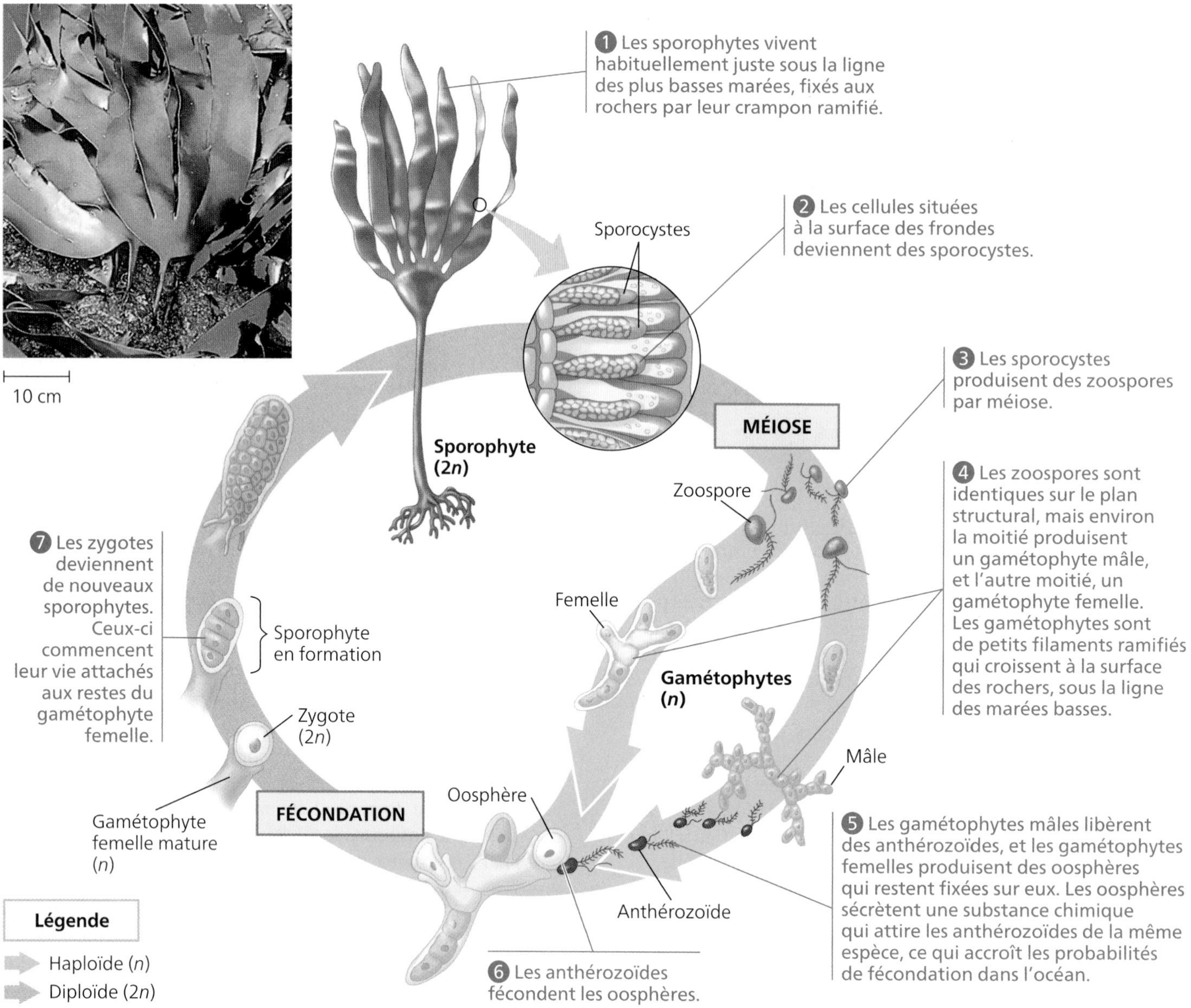

10 cm

1 Les sporophytes vivent habituellement juste sous la ligne des plus basses marées, fixés aux rochers par leur crampon ramifié.

2 Les cellules situées à la surface des frondes deviennent des sporocystes.

Sporocystes

Sporophyte (2*n*)

MÉIOSE

3 Les sporocystes produisent des zoospores par méiose.

Zoospore

4 Les zoospores sont identiques sur le plan structural, mais environ la moitié produisent un gamétophyte mâle, et l'autre moitié, un gamétophyte femelle. Les gamétophytes sont de petits filaments ramifiés qui croissent à la surface des rochers, sous la ligne des marées basses.

Femelle

Gamétophytes (*n*)

Mâle

5 Les gamétophytes mâles libèrent des anthérozoïdes, et les gamétophytes femelles produisent des oosphères qui restent fixées sur eux. Les oosphères sécrètent une substance chimique qui attire les anthérozoïdes de la même espèce, ce qui accroît les probabilités de fécondation dans l'océan.

Anthérozoïde

Oosphère

6 Les anthérozoïdes fécondent les oosphères.

FÉCONDATION

Gamétophyte femelle mature (*n*)

Zygote (2*n*)

Sporophyte en formation

7 Les zygotes deviennent de nouveaux sporophytes. Ceux-ci commencent leur vie attachés aux restes du gamétophyte femelle.

Légende

Haploïde (*n*)

Diploïde (2*n*)

HABILETÉS VISUELLES ▶ Les anthérozoïdes présentés au point **5** sont-ils génétiquement identiques ? Expliquez votre réponse.

▼ **Figure 28.14 Les alvéoles.** Ces vésicules situées sous la membrane plasmique constituent une caractéristique propre aux alvéolobiontes (MET).

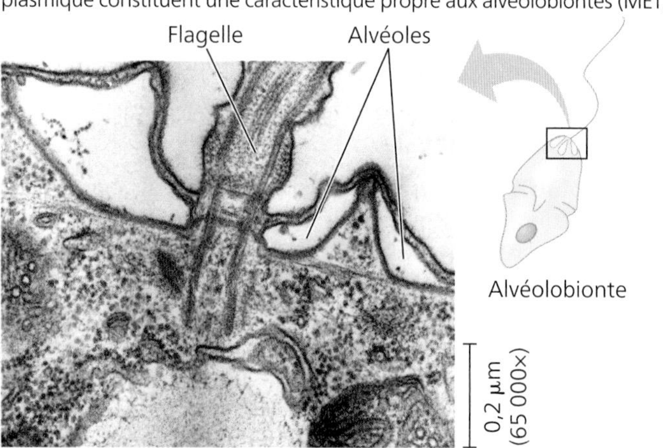

Les dinophytes

Les cellules de nombreux **dinophytes** sont renforcées par des plaques internes de cellulose. Lorsqu'ils se déplacent dans les milieux aquatiques marins et dulcicoles qui forment leurs habitats, le mouvement des deux flagelles, fixés perpendiculairement dans deux sillons de cette « armure » de cellulose, produit un tourbillon. C'est d'ailleurs ce qui explique le nom de ces organismes, qui vient du grec *dinos*, « tourbillon » (**figure 28.15a**). Même si leurs ancêtres pourraient tirer leur origine d'une endosymbiose secondaire (voir la figure 28.3), près de la moitié de tous les dinophytes sont maintenant entièrement hétérotrophes. D'autres sont d'importantes espèces de *phytoplancton* (un plancton photosynthétique, composé de bactéries photosynthétiques et d'algues) ; de nombreux dinophytes photosynthétiques sont mixotrophes.

▶ **Figure 28.15** **Les dinophytes.**

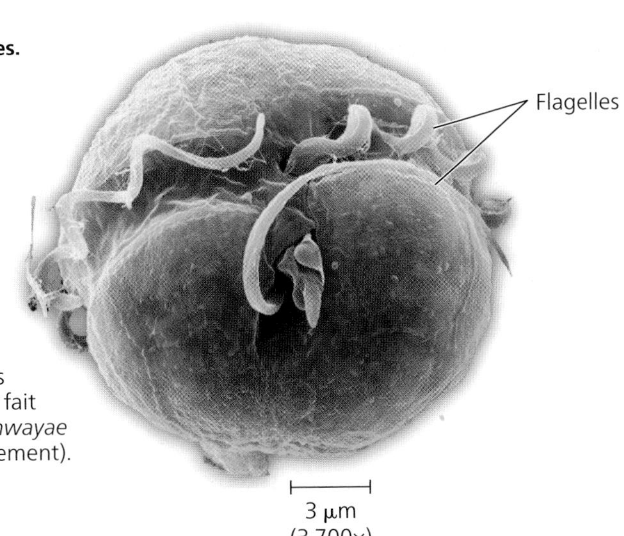

(a) Flagelle des dinophytes. Le mouvement du flagelle hélicoïdal, qui se trouve dans le sillon encerclant la cellule, fait tourbillonner *Pfiesteria shumwayae* (MEB, cliché coloré artificiellement).

(b) Marée rouge dans le golfe de Carpentarie, dans le Nord de l'Australie. La couleur rouge est due à la présence de fortes concentrations d'un dinophyte contenant un pigment caroténoïde.

Quand les dinophytes connaissent des périodes d'explosion démographique, on observe des marées rouges dans les eaux côtières (**figure 28.15b**). La couleur brun-rouge ou rose orangé de ces marées vient des pigments caroténoïdes, qui prédominent dans les plastes de ces organismes. Les toxines produites par certains dinophytes peuvent tuer massivement des invertébrés et des poissons. Les mollusques ne sont pas affectés par la toxine paralysante (que l'on dit des milliers de fois plus puissante que le cyanure), mais ils accumulent ces produits, ce qui risque d'intoxiquer, parfois mortellement, les humains qui consomment ces coquillages.

Les apicomplexés

Presque tous les **apicomplexés** sont des parasites des animaux. De fait, pratiquement toutes les espèces animales examinées jusqu'à maintenant sont attaquées par ces parasites, qui disséminent chez leur hôte de minuscules cellules infectieuses appelées *sporozoïtes*. Les apicomplexés doivent leur nom au fait qu'on observe, à l'extrémité apicale de la cellule sporozoïte, un *complexe* d'organites spécialisés qui lui permettent de pénétrer dans les cellules et les tissus de l'hôte. Bien que les apicomplexés ne soient pas photosynthétiques, des données récentes montrent qu'ils conservent un plaste modifié (apicoplaste), provenant probablement d'une algue rouge ancestrale.

La plupart des apicomplexés ont un cycle de développement complexe qui comporte des stades sexués et asexués, et qui nécessite deux espèces d'hôtes, ou plus. Par exemple, l'agent du paludisme, un protozoaire du genre *Plasmodium*, parasite tout autant les moustiques que les humains (**figure 28.16**).

Historiquement, le paludisme disputait à la tuberculose le titre de principale cause de mortalité d'origine infectieuse. Dans les années 1960, deux facteurs ont grandement contribué à diminuer l'incidence du paludisme. Le premier est la réduction, à l'aide d'insecticides, des populations du moustique porteur du genre *Anopheles*, dont la piqûre transmet la maladie; le second est la mise au point de médicaments qui tuent les parasites chez l'humain (quinine, chloroquine et méfloquine notamment). Cependant, la multiplication de souches résistantes d'*Anopheles spp.* et de *Plasmodium spp.* a provoqué récemment un nouvel essor de la maladie. On estime que 200 millions de personnes sont couramment infectées par le paludisme dans les régions tropicales et que, chaque année, au moins 600 000 d'entre elles en meurent. Par ailleurs, dans les régions où le paludisme est courant, la fréquence très élevée de l'allèle de l'anémie falciforme (drépanocytose) est attribuable aux effets mortels de la maladie; pour en savoir plus au sujet de ce lien, voir la figure 23.18.

La mise au point de vaccins antipaludéens est difficile, car les espèces du genre *Plasmodium* vivent la plupart du temps à l'abri du système immunitaire de leur hôte en se cachant dans les cellules humaines. En outre, à l'instar des trypanosomes, les *Plasmodium spp.* modifient continuellement leurs protéines membranaires. Malgré tout, d'importants progrès ont été réalisés en 2015 lorsque les autorités réglementaires européennes ont approuvé le premier vaccin antipaludéen au monde. Toutefois, ce vaccin, dirigé vers une protéine à la surface des sporozoïtes, ne confère qu'une protection partielle contre la maladie. Aussi, les chercheurs continuent d'évaluer d'autres cibles vaccinales potentielles, dont l'apicoplaste. Ces recherches pourraient s'avérer efficaces puisque l'apicoplaste est un plaste modifié; dérivé d'une cyanobactérie, il présente des voies métaboliques différentes de celles qu'on trouve chez l'humain.

Les ciliés

Les protistes qui forment le groupe vaste et diversifié des **ciliés** se déplacent et se nourrissent à l'aide de milliers de cils (**figure 28.17a**). La plupart des ciliés sont des prédateurs; leurs proies sont généralement des bactéries ou d'autres protistes. Certains ciliés sont complètement couverts de cils, tandis que chez d'autres, les cils sont disposés en rangées ou en touffes. Chez certaines espèces, des rangées de cils denses servent

▼ **Figure 28.16 Le cycle de développement des *Plasmodium spp.*, des apicomplexés causant le paludisme.** (Les couleurs ne sont pas représentatives de la réalité.)

? Les différences morphologiques entre les sporozoïtes, les mérozoïtes et les gamétocytes sont-elles dues à différents génomes ou à des différences dans l'expression des gènes? Expliquez.

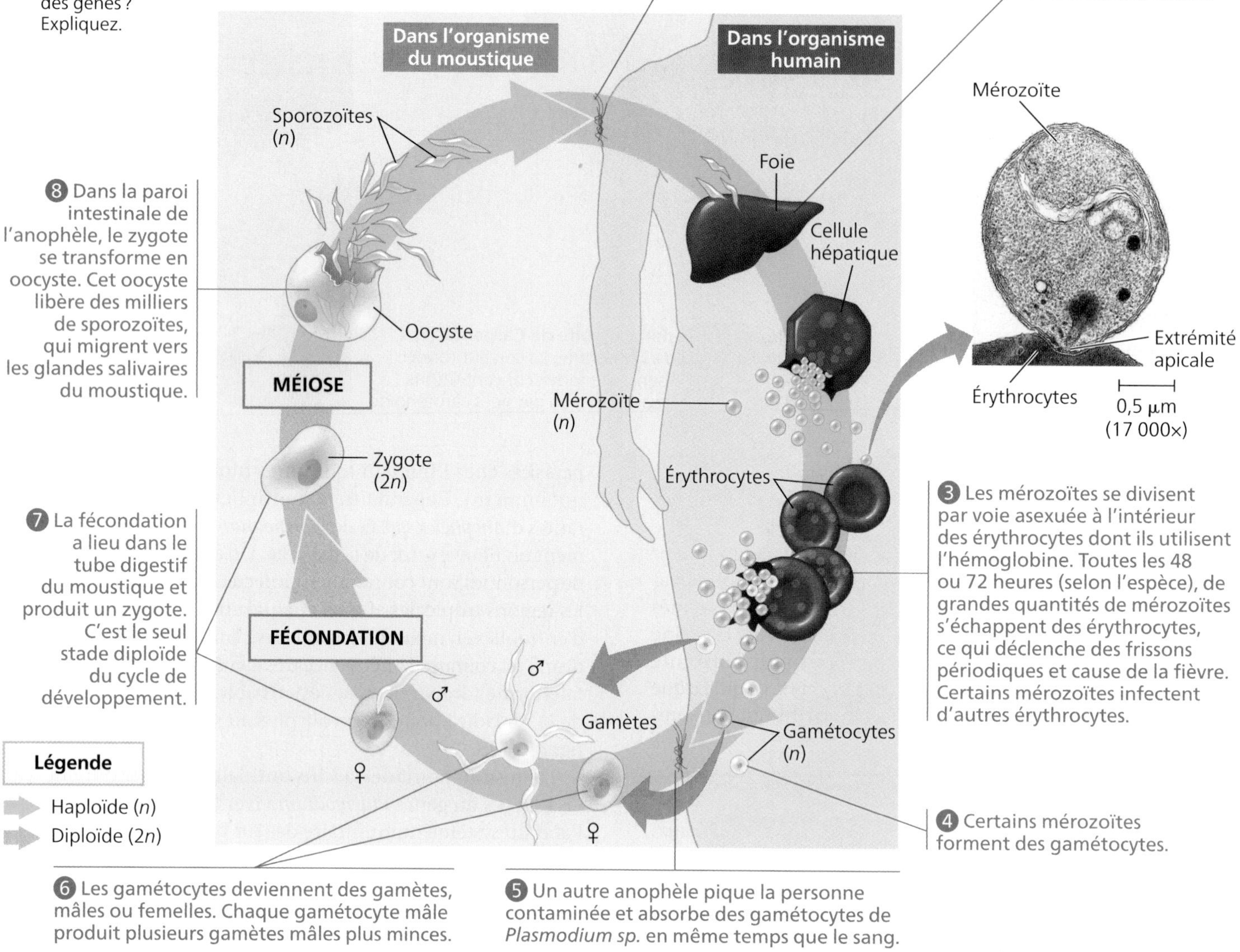

❶ La femelle du moustique infecté du genre *Anopheles* pique une personne et lui transmet les sporozoïtes de *Plasmodium sp.* présents dans sa salive.

❷ Les sporozoïtes pénètrent dans les cellules hépatiques de la victime. Au bout de quelques jours, ils se divisent plusieurs fois et se transforment en mérozoïtes; ceux-ci pénètrent dans les érythrocytes en se servant de leur complexe apical (voir la micrographie ci-dessous).

Dans l'organisme du moustique

Dans l'organisme humain

Sporozoïtes (n)

Foie

Cellule hépatique

Mérozoïte

Extrémité apicale

Érythrocytes

0,5 μm (17 000×)

❽ Dans la paroi intestinale de l'anophèle, le zygote se transforme en oocyste. Cet oocyste libère des milliers de sporozoïtes, qui migrent vers les glandes salivaires du moustique.

Oocyste

MÉIOSE

Mérozoïte (n)

Zygote ($2n$)

Érythrocytes

❸ Les mérozoïtes se divisent par voie asexuée à l'intérieur des érythrocytes dont ils utilisent l'hémoglobine. Toutes les 48 ou 72 heures (selon l'espèce), de grandes quantités de mérozoïtes s'échappent des érythrocytes, ce qui déclenche des frissons périodiques et cause de la fièvre. Certains mérozoïtes infectent d'autres érythrocytes.

❼ La fécondation a lieu dans le tube digestif du moustique et produit un zygote. C'est le seul stade diploïde du cycle de développement.

FÉCONDATION

♂

Gamètes

Gamétocytes (n)

♀

Légende

Haploïde (n)

Diploïde ($2n$)

❹ Certains mérozoïtes forment des gamétocytes.

❻ Les gamétocytes deviennent des gamètes, mâles ou femelles. Chaque gamétocyte mâle produit plusieurs gamètes mâles plus minces.

❺ Un autre anophèle pique la personne contaminée et absorbe des gamétocytes de *Plasmodium sp.* en même temps que le sang.

collectivement de membranelles locomotrices. D'autres espèces se déplacent rapidement grâce à des faisceaux de cils semblables à des pattes.

Les ciliés possèdent une caractéristique génétique exclusive: ils ont deux types de noyaux, le macronoyau et le micronoyau. La cellule possède un ou plusieurs noyaux de chaque type. Les variations génétiques sont le fruit de la **conjugaison**, un processus sexuel au cours duquel deux individus échangent un micronoyau haploïde, sans se reproduire (**figure 28.17b**). Les ciliés se reproduisent généralement par scissiparité, un processus au cours duquel le macronoyau existant se désintègre et un nouveau se forme à partir du micronoyau de la cellule. Chaque micronoyau contient généralement de nombreuses copies du génome de la cellule. Les gènes contenus dans le macronoyau régissent les fonctions quotidiennes de la cellule, comme l'alimentation, l'élimination des déchets et l'équilibre hydrique.

Les rhizariens

Les **rhizariens** forment le dernier sous-groupe de SAR. De nombreuses espèces de ce clade font partie des organismes appelés **amibes**, des protistes qui se déplacent et se nourrissent au moyen de **pseudopodes**, c'est-à-dire de prolongements qui peuvent surgir de n'importe quel point de la surface cellulaire. L'amibe se déplace en étirant un pseudopode et en ancrant l'extrémité, ce qui crée un mouvement du cytoplasme vers celui-ci. Les amibes ne constituent pas un groupe monophylétique; elles sont plutôt réparties dans de nombreux taxons d'eucaryotes sans parenté directe. La plupart des amibes qui appartiennent au clade des rhizariens se distinguent sur le plan morphologique de la plupart des autres amibes par leurs pseudopodes filiformes. Les rhizariens comptent également des protistes flagellés (n'appartenant pas aux amibes) qui se nourrissent à l'aide de leurs pseudopodes filiformes.

▼ Figure 28.17 La structure et les fonctions de la paramécie (*Paramecium caudatum*).

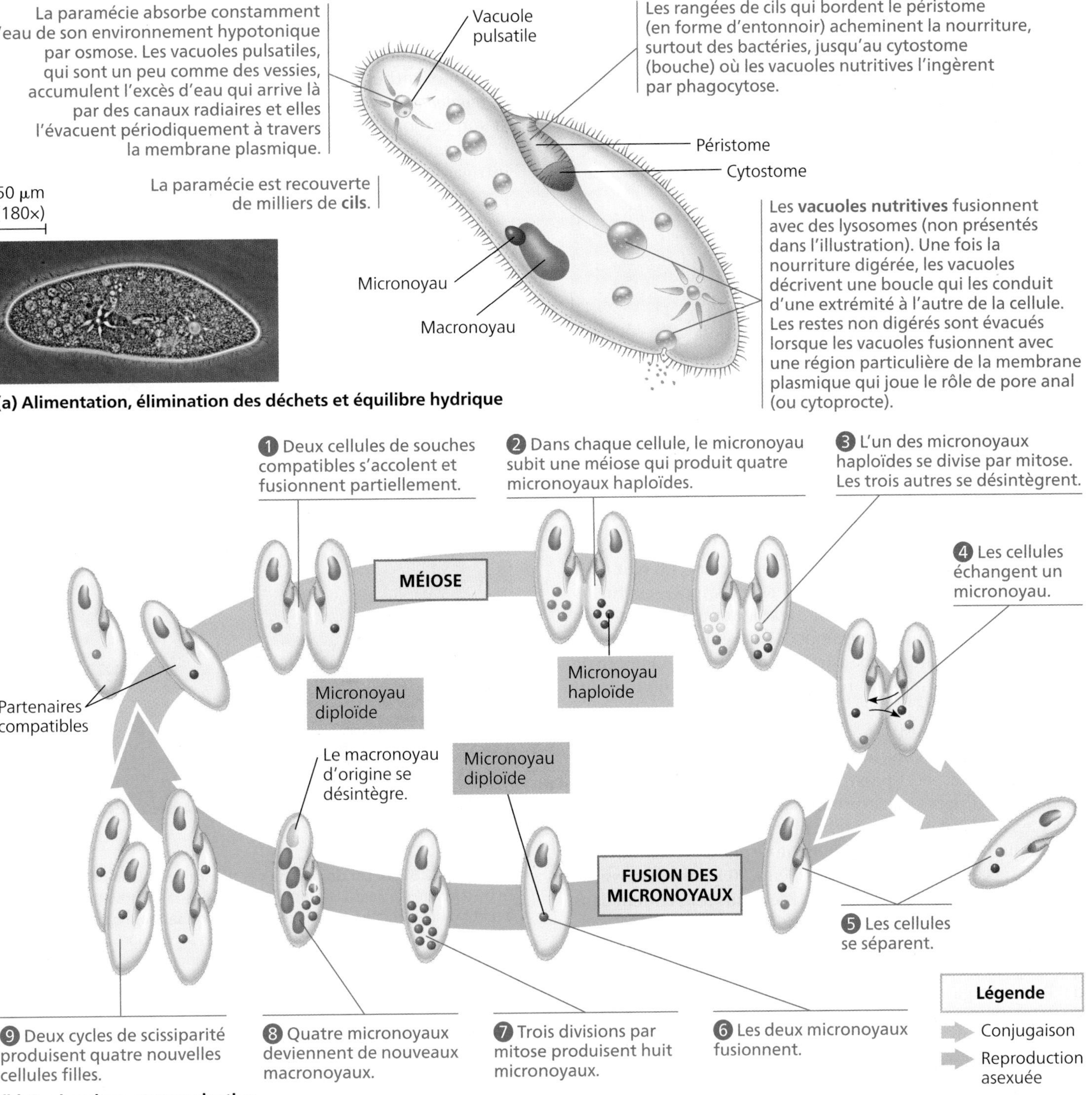

La paramécie absorbe constamment l'eau de son environnement hypotonique par osmose. Les vacuoles pulsatiles, qui sont un peu comme des vessies, accumulent l'excès d'eau qui arrive là par des canaux radiaires et elles l'évacuent périodiquement à travers la membrane plasmique.
Vacuole pulsatile
Les rangées de cils qui bordent le péristome (en forme d'entonnoir) acheminent la nourriture, surtout des bactéries, jusqu'au cytostome (bouche) où les vacuoles nutritives l'ingèrent par phagocytose.
Péristome
Cytostome
50 µm (180×)
La paramécie est recouverte de milliers de **cils**.
Les **vacuoles nutritives** fusionnent avec des lysosomes (non présentés dans l'illustration). Une fois la nourriture digérée, les vacuoles décrivent une boucle qui les conduit d'une extrémité à l'autre de la cellule. Les restes non digérés sont évacués lorsque les vacuoles fusionnent avec une région particulière de la membrane plasmique qui joue le rôle de pore anal (ou cytoprocte).
Micronoyau
Macronoyau
(a) Alimentation, élimination des déchets et équilibre hydrique
1 Deux cellules de souches compatibles s'accolent et fusionnent partiellement.
2 Dans chaque cellule, le micronoyau subit une méiose qui produit quatre micronoyaux haploïdes.
3 L'un des micronoyaux haploïdes se divise par mitose. Les trois autres se désintègrent.
4 Les cellules échangent un micronoyau.
MÉIOSE
Micronoyau haploïde
Partenaires compatibles
Micronoyau diploïde
Le macronoyau d'origine se désintègre.
Micronoyau diploïde
FUSION DES MICRONOYAUX
5 Les cellules se séparent.
Légende
Conjugaison
Reproduction asexuée
9 Deux cycles de scissiparité produisent quatre nouvelles cellules filles.
8 Quatre micronoyaux deviennent de nouveaux macronoyaux.
7 Trois divisions par mitose produisent huit micronoyaux.
6 Les deux micronoyaux fusionnent.
(b) Conjugaison et reproduction

FAITES DES LIENS ▶ L'événement présenté à l'étape 6 de ce schéma a un effet global comparable à celui d'un événement du cycle de développement humain (voir la figure 13.5). Lequel ? Expliquez votre réponse.

Nous examinerons ici trois groupes de rhizariens, soit les radiolaires, les foraminifères et les cercozoaires.

Les radiolaires

Les protistes que nous appelons **radiolaires** présentent un squelette délicat et complexe, généralement constitué de silice. Les pseudopodes de ces protistes, marins pour la plupart, sont disposés en rayons autour de leur corps central (**figure 28.18**) et sont renforcés par des faisceaux de microtubules. Les microtubules sont recouverts d'une mince couche de cytoplasme entourant les microorganismes plus petits qui s'attachent aux pseudopodes. Les mouvements cytoplasmiques font ensuite passer la proie capturée dans la partie principale de la cellule. Lorsque les radiolaires meurent, leurs squelettes siliceux s'accumulent au fond de la mer et y forment une boue dont l'épaisseur peut atteindre plusieurs centaines de mètres par endroits.

▼ **Figure 28.18** **Un radiolaire.** De nombreux pseudopodes filiformes sont disposés en rayons autour du corps central de ce radiolaire (MP).

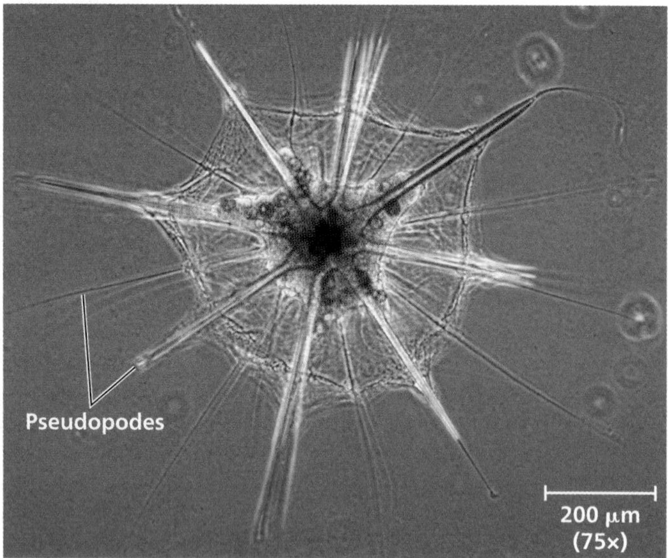

Les foraminifères

Les **foraminifères** (du latin *foramen*, « petit trou », et *ferre*, « porter ») doivent leur nom à leur coque poreuse, ou **test** (voir la figure 28.2). Le test d'un foraminifère se compose habituellement d'une pièce de matériaux organiques que renforce du carbonate de calcium. Les pseudopodes, qui émergent des pores, permettent à l'organisme de nager, de constituer son test et de se nourrir. Un grand nombre de foraminifères se nourrissent des produits issus de la photosynthèse des algues qui vivent en symbiose sous leur test.

Les foraminifères vivent tant en eau salée qu'en eau douce. La plupart des espèces habitent dans le sable ou se fixent aux rochers et aux algues, mais certaines vivent sous forme de plancton. Bien qu'il soit unicellulaire, le plus gros foraminifère possède un test qui peut atteindre un diamètre de plusieurs centimètres.

Des espèces connues de foraminifères, 90 % sont des fossiles. Avec les restes calcaires d'autres protistes, leurs tests entrent dans la composition des sédiments marins et même des roches sédimentaires qui ont émergé. Ces fossiles sont d'excellents marqueurs pour la datation comparative des roches sédimentaires de diverses régions du monde. Les chercheurs étudient également ces fossiles afin d'obtenir de l'information concernant le changement climatique et ses effets sur les océans et les formes de vie qu'ils contiennent (**figure 28.19**).

Les cercozoaires

Découverts pour la première fois grâce à la phylogenèse moléculaire, les **cercozoaires** forment un grand groupe contenant la plupart des protistes amiboïdes et flagellés qui se nourrissent à l'aide de pseudopodes filiformes. Ils vivent en grand nombre dans les écosystèmes marins, dulcicoles et terrestres.

La plupart des cercozoaires sont hétérotrophes. Nombre d'entre eux parasitent les végétaux, les animaux ou d'autres protistes, et plusieurs autres sont prédateurs. Les prédateurs comprennent les plus importants consommateurs de bactéries des écosystèmes aquatiques et terrestres, de même que des espèces qui mangent d'autres protistes, des eumycètes et même de petits animaux. Un petit groupe de cercozoaires, les chlorarachniophytes (mentionnés plus haut dans la description de l'endosymbiose secondaire), sont mixotrophes : ils se nourrissent de bactéries et de protistes plus petits, mais sont aussi capables de photosynthèse. Au moins un autre cercozoaire, *Paulinella chromatophora*, est autotrophe ; il tire son énergie de la lumière et son carbone du CO_2. Comme le montre la **figure 28.20**, *P. chromatophora* semble constituer un autre exemple évolutif, intrigant, d'une lignée eucaryote qui tient son mécanisme de photosynthèse directement d'une cyanobactérie.

▼ **Figure 28.19** **Des foraminifères fossiles.** En mesurant la concentration en magnésium des foraminifères fossiles comme ceux-ci, les chercheurs tentent de savoir comment la température des océans a évolué au fil du temps, puisque les foraminifères captent davantage de magnésium dans les eaux plus chaudes que dans les eaux plus froides.

▼ **Figure 28.20** **Un deuxième cas d'endosymbiose primaire ?** Le cercozoaire *Paulinella chromatophora* réalise la photosynthèse à partir d'une structure unique et en forme de saucisse qu'on appelle chromatophore (MP). Les chromatophores sont entourés d'une membrane comportant une couche de peptidoglycane, ce qui permet de penser qu'ils dériveraient d'une bactérie. Les données génétiques indiquent que les chromatophores proviennent d'une autre cyanobactérie que celle dont les plastes sont dérivés.

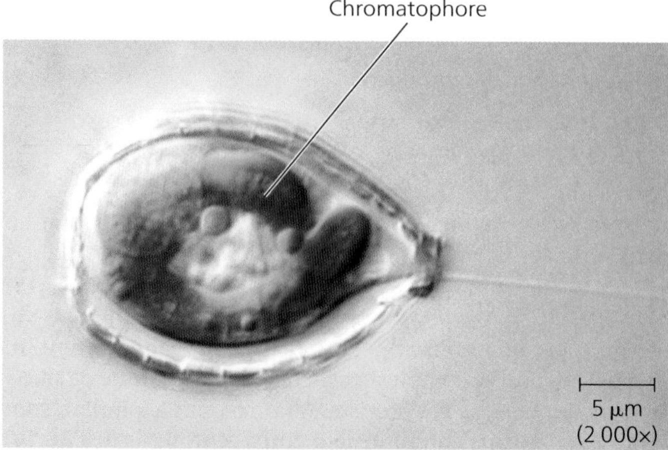

RETOUR SUR LE CONCEPT 28.3

1. Expliquez pourquoi les données géologiques relatives aux foraminifères sont si bien préservées.
2. **ET SI ?** ▶ Selon vous, l'ADN des plastes des dinophytes photosynthétiques, des diatomées et des algues dorées ressemble-t-il davantage à l'ADN nucléaire des végétaux (domaine des eucaryotes) ou à l'ADN chromosomique des cyanobactéries (domaine des bactéries) ? Expliquez votre réponse.
3. **FAITES DES LIENS** ▶ Parmi les trois cycles présentés à la figure 13.6, quel cycle de développement présente une alternance de générations ? Qu'est-ce qui le distingue des deux autres ?
4. **FAITES DES LIENS** ▶ Revoyez les figures 9.2 et 10.6, puis expliquez brièvement comment les chlorarachniophytes et d'autres algues aérobies consomment et produisent du CO_2 et de l'O_2.

Voir les réponses proposées à l'appendice A.

CONCEPT 28.4

Les algues rouges et les algues vertes sont les organismes les plus étroitement apparentés aux végétaux

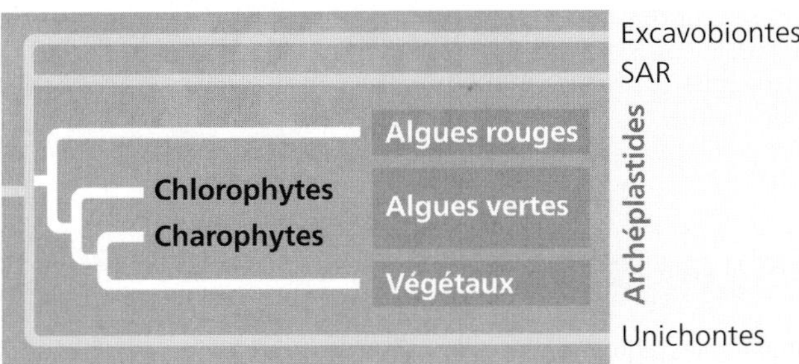

Comme nous l'avons mentionné précédemment, des données morphologiques et moléculaires montrent que les plastes sont apparus lorsqu'un protiste hétérotrophe a acquis un endosymbionte (cyanobactérie). Plus tard, les descendants photosynthétiques de ce protiste primitif se sont divisés en algues rouges et en algues vertes (voir la figure 28.3), et la lignée ayant engendré les algues vertes a donné naissance aux végétaux. Les algues rouges, les algues vertes et les végétaux forment le troisième supergroupe d'eucaryotes, celui des **archéplastides**. Ce groupe monophylétique descend de l'ancien protiste ayant absorbé une cyanobactérie. Nous examinerons les végétaux aux chapitres 29 et 30; traitons d'abord de la diversité de leurs plus proches parents, les algues rouges et les algues vertes.

Les algues rouges

Parmi les quelque 6 000 espèces connues d'**algues rouges**, ou rhodobiontes (du grec *rhodon*, « rose »), beaucoup doivent leur couleur rougeâtre à un pigment photosynthétique appelé phycoérythrine, qui masque le vert de la chlorophylle (**figure 28.21**). Toutefois, chez d'autres espèces (celles adaptées à la vie en eau peu profonde), la phycoérythrine se fait moins abondante. Ainsi, les algues rouges peuvent être verdâtres en eau très peu profonde, rouge vif, à des profondeurs moyennes, et presque noires, en eau profonde. Certaines espèces ont perdu leur pigmentation et vivent en parasites hétérotrophes d'autres algues rouges.

Les algues rouges sont de grandes algues abondantes dans les eaux côtières chaudes des tropiques. Certains de leurs pigments photosynthétiques, dont la phycoérythrine, leur permettent d'absorber la lumière bleue et la lumière verte, qui pénètrent assez profondément dans l'eau. On vient de découvrir, près des Bahamas, une espèce d'algue rouge qui vit à plus de 260 m de profondeur, ce qui est un record pour un organisme photosynthétique. Il existe aussi quelques espèces qui vivent en eau douce ou en milieu terrestre.

La plupart des algues rouges sont multicellulaires. Bien qu'aucune des algues de ce groupe ne rivalise en taille avec les algues brunes géantes (kelp ou laminaires), on qualifie couramment les plus grandes algues rouges multicellulaires d'« algues

▼ **Figure 28.21 Les algues rouges.**

▶ ***Bonnemaisonia hamifera.*** Cette algue rouge est filamenteuse.

◀ **Dulse, ou rhodyménie palmé (*Palmaria palmata*).** Cette algue comestible a la forme d'une feuille.

▼ **Nori.** L'algue rouge *Porphyra umbilicalis* est un aliment traditionnel du Japon.

L'algue marine est cultivée sur des filets placés dans les eaux côtières peu profondes.

Les feuilles de nori luisantes et minces comme du papier constituent un aliment riche en minéraux pour envelopper le riz, les fruits de mer et les légumes utilisés dans la confection des sushis.

marines». Il se peut d'ailleurs que vous ayez mangé l'une de ces espèces multicellulaires, *Porphyra umbilicalis* (*nori*, en japonais), sous forme de feuilles croustillantes ou comme emballage de sushis (voir la figure 28.21). Les algues rouges se reproduisent par voie sexuée et présentent des cycles de développement variés dans lesquels l'alternance de générations est fréquente. Toutefois, contrairement aux autres algues, les algues rouges ne possèdent aucun gamète flagellé et, par conséquent, leurs gamètes se rencontrent à la faveur des courants.

Les algues vertes

Les **algues vertes** doivent leur nom à la couleur de leurs chloroplastes. L'ultrastructure et les pigments de ceux-ci ressemblent beaucoup à ceux des chloroplastes végétaux. La systématique moléculaire et la morphologie cellulaire laissent peu de doutes: les algues vertes et les végétaux sont étroitement apparentés. En fait, certains systématiciens recommandent même de classer les algues vertes avec les végétaux dans un règne étendu, celui des chlorobiontes. Du point de vue phylogénétique, ce changement serait logique puisque les algues vertes forment par ailleurs un groupe paraphylétique.

On peut diviser les algues vertes en deux grands groupes: les chlorophytes et les charophytes. Ce second groupe inclut les algues qui sont les plus proches parentes des végétaux; nous les verrons donc avec eux, au chapitre 29.

Le groupe des chlorophytes (du grec *chloros*, «vert»), comprend plus de 7 000 espèces. La plupart vivent en eau douce, mais on trouve également un grand nombre d'espèces marines et quelques espèces terrestres. Les chlorophytes les plus simples sont des organismes unicellulaires comme *Chlamydomonas*, qui ressemble aux gamètes et aux zoospores des chlorophytes plus complexes. Diverses espèces d'algues vertes unicellulaires vivent en milieu aquatique, où elles font partie du phytoplancton. D'autres habitent les sols humides. Certaines espèces vivent en symbiose avec d'autres eucaryotes en contribuant, au moyen de la photosynthèse, à l'apport alimentaire de leur hôte. D'autres encore vivent dans des milieux exposés à d'intenses rayons visibles et ultraviolets; ces espèces se protègent du rayonnement au moyen de composés particuliers présents dans leur cytoplasme, dans leur paroi cellulaire ou dans l'enveloppe qui protège le zygote.

L'augmentation de la taille et de la complexité des algues vertes au cours de l'évolution est attribuable à trois mécanismes:

1. la formation de colonies de cellules individuelles, comme chez *Zygnema excompressum* (**figure 28.22a**) et chez d'autres espèces dont les formes filamenteuses entrent dans la composition de ce qu'on appelle l'écume d'étang;
2. l'apparition de formes multicellulaires véritables, comme *Volvox sp.* (voir la figure 28.2) et *Ulva lactuca* (**figure 28.22b**), par suite de la division et de la différenciation cellulaires;
3. la division répétée des noyaux, sans division cytoplasmique, comme chez *Caulerpa taxifolia* (**figure 28.22c**).

La plupart des chlorophytes ont un cycle de développement complexe qui comprend des stades de reproduction sexuée et asexuée. Ils peuvent presque tous se reproduire par voie sexuée, en produisant des gamètes à deux flagelles dotés de chloroplastes en forme de godet (**figure 28.23**). L'alternance de générations est apparue chez certains chlorophytes, dont *Ulva*.

▼ **Figure 28.22 Exemples de chlorophytes de grande taille.**

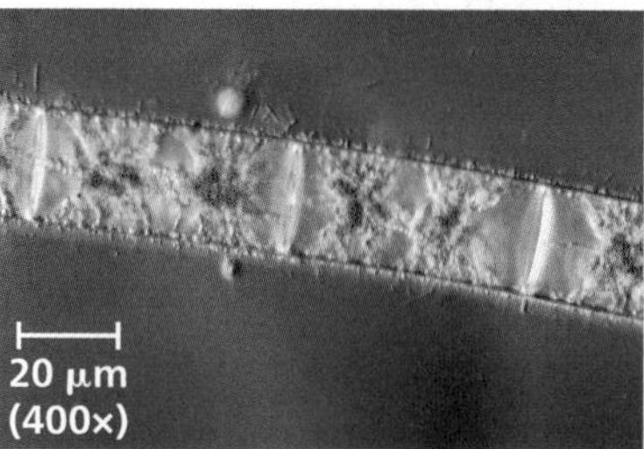

(a) ***Zygnema excompressum*, une algue commune des étangs.** Ce charophyte filamenteux possède deux chloroplastes étoilés dans chaque cellule.

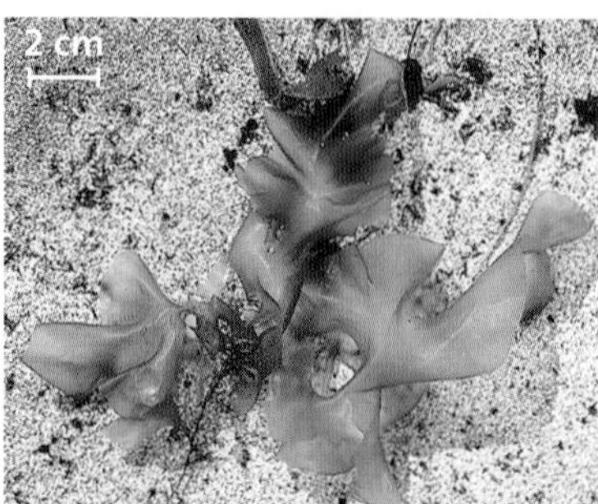

(b) ***Ulva lactuca*, ou laitue de mer.** Ce chlorophyte multicellulaire comestible possède des structures différenciées, dont des frondes ressemblant à des feuilles et un crampon semblable à une racine qui lui permet de s'ancrer solidement sur un support.

(c) ***Caulerpa taxifolia*, un chlorophyte vivant dans les zones marines intertidales.** Ses filaments ramifiés ne possèdent pas de paroi intercellulaire et sont plurinucléés. De fait, le corps de cette algue constitue une énorme «supercellule».

RETOUR SUR LE CONCEPT 28.4

1. Comparez les algues rouges et les algues brunes.
2. Pourquoi est-il exact de dire que la laitue de mer (*U. lactuca*) est un véritable organisme multicellulaire, mais non la caulerpe, *C. taxifolia* ?
3. **ET SI ?** ▶ Comment expliqueriez-vous le fait que les espèces de la lignée des algues vertes ont pu être plus susceptibles de coloniser les environnements terrestres que les espèces de la lignée des algues rouges.

Voir les réponses proposées à l'appendice A.

CONCEPT 28.5

Les unichontes comprennent des protistes étroitement apparentés aux eumycètes et aux animaux

Le supergroupe des **unichontes** est extrêmement diversifié, et comprend les animaux, les eumycètes et certains protistes. On y relève deux grands clades, soit ceux des amibozoaires et des opisthochontes (animaux, eumycètes et groupes de protistes étroitement apparentés). Les données fournies par la systématique

▼ **Figure 28.23 Le cycle de développement d'un chlorophyte unicellulaire du genre *Chlamydomonas*.**

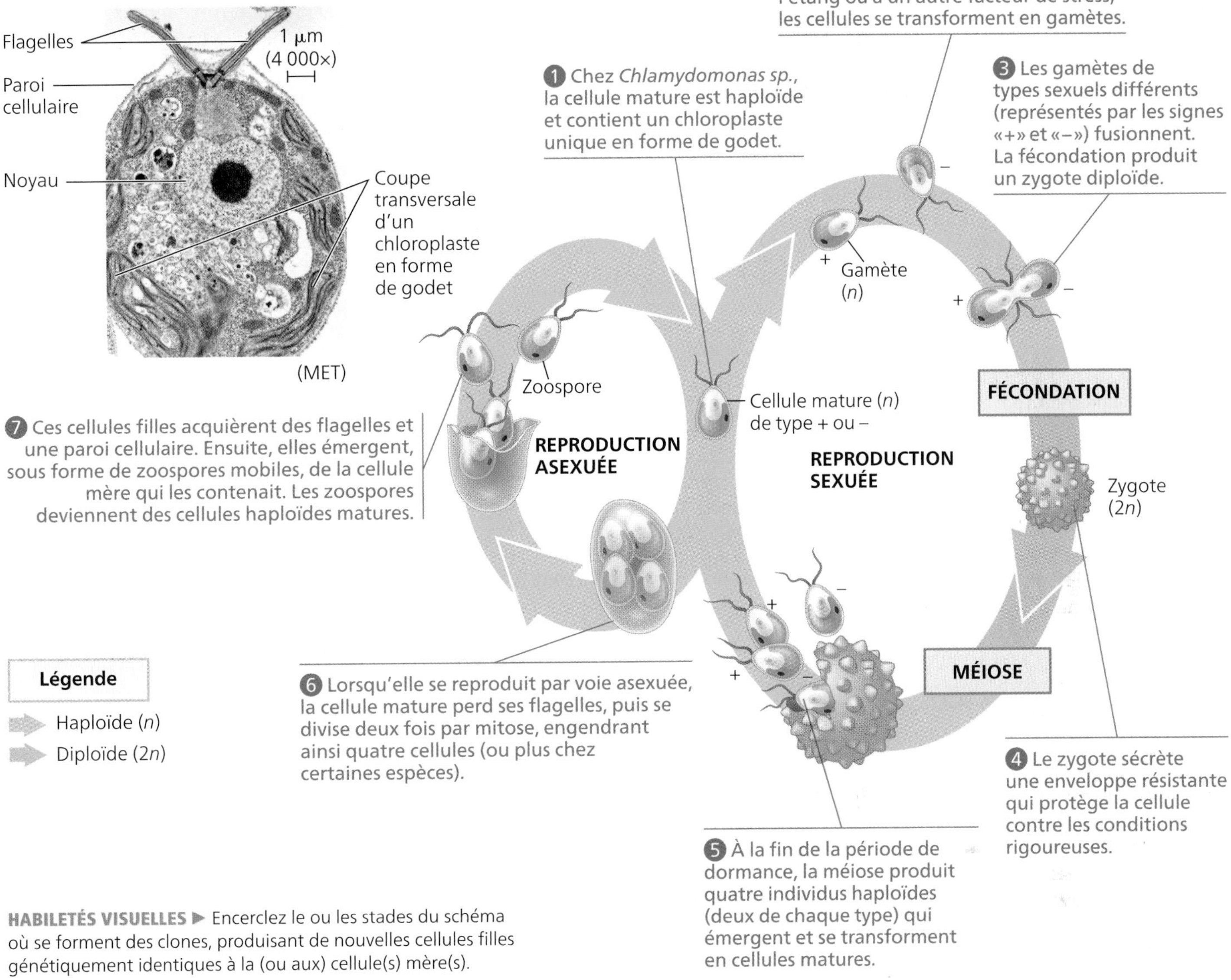

Flagelles

1 μm (4 000×)

Paroi cellulaire

Noyau

Coupe transversale d'un chloroplaste en forme de godet

(MET)

❶ Chez *Chlamydomonas sp.*, la cellule mature est haploïde et contient un chloroplaste unique en forme de godet.

❷ En réponse à une pénurie de nutriments, à un assèchement de l'étang ou à un autre facteur de stress, les cellules se transforment en gamètes.

❸ Les gamètes de types sexuels différents (représentés par les signes «+» et «–») fusionnent. La fécondation produit un zygote diploïde.

Gamète (n)

FÉCONDATION

Cellule mature (n) de type + ou –

REPRODUCTION SEXUÉE

Zygote ($2n$)

❹ Le zygote sécrète une enveloppe résistante qui protège la cellule contre les conditions rigoureuses.

MÉIOSE

❺ À la fin de la période de dormance, la méiose produit quatre individus haploïdes (deux de chaque type) qui émergent et se transforment en cellules matures.

❻ Lorsqu'elle se reproduit par voie asexuée, la cellule mature perd ses flagelles, puis se divise deux fois par mitose, engendrant ainsi quatre cellules (ou plus chez certaines espèces).

REPRODUCTION ASEXUÉE

Zoospore

❼ Ces cellules filles acquièrent des flagelles et une paroi cellulaire. Ensuite, elles émergent, sous forme de zoospores mobiles, de la cellule mère qui les contenait. Les zoospores deviennent des cellules haploïdes matures.

Légende

Haploïde (n)

Diploïde ($2n$)

HABILETÉS VISUELLES ► Encerclez le ou les stades du schéma où se forment des clones, produisant de nouvelles cellules filles génétiquement identiques à la (ou aux) cellule(s) mère(s).

moléculaire confirment rigoureusement la pertinence de chacun de ces deux grands clades. L'étroite relation entre les deux groupes est cependant plus controversée. Elle ne s'appuie que sur des comparaisons de la myosine, une protéine contractile, et sur certaines études (et non sur l'ensemble des études) portant sur plusieurs gènes ou sur des génomes entiers.

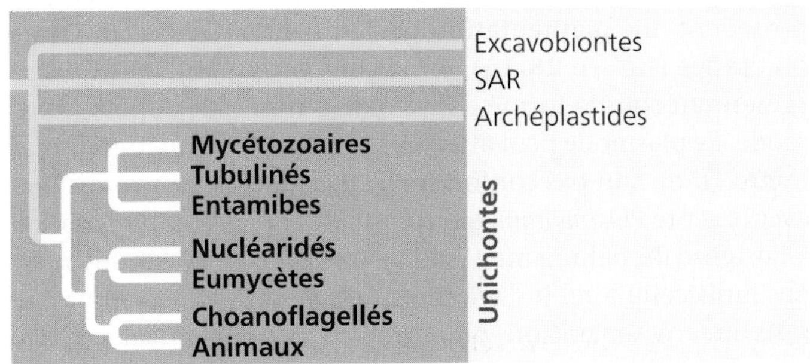

La controverse entourant les unichontes vise aussi la racine de l'arbre des eucaryotes. Rappelez-vous que la racine d'un arbre phylogénétique ancre celui-ci dans le temps : les nœuds les plus près de la racine sont les plus anciens. Pour l'instant, la racine de l'arbre des eucaryotes est incertaine ; nous ignorons donc quel supergroupe d'eucaryotes a divergé en premier. Certaines hypothèses ont été délaissées, notamment celle des organismes amitochondriaux, décrite plus haut, mais les chercheurs ne s'entendent toujours pas sur une solution. Connaître la racine de l'arbre des eucaryotes aiderait les scientifiques à déduire les caractéristiques de l'ancêtre commun de tous les eucaryotes.

En essayant de déterminer la racine de l'arbre des eucaryotes, les chercheurs ont appuyé leurs phylogenèses sur différents ensembles de gènes, dont certains ont généré des résultats contradictoires. Des chercheurs qui voulaient retracer la survenue d'un événement évolutif rare ont également emprunté une approche différente (**figure 28.24**). Les résultats obtenus à l'aide de cette approche démontrent que les supergroupes des excavobiontes, des SAR et des archéplastides ont en commun un ancêtre plus récent que celui qu'ils partagent, chacun de leur côté, avec les unichontes. Cela laisse croire que la racine de l'arbre se situe entre les unichontes et tous les autres eucaryotes et que les unichontes auraient été le premier supergroupe

DÉMARCHE SCIENTIFIQUE

INVESTIGATION

▼ Figure 28.24

Quelle est la racine de l'arbre des eucaryotes?

■ HYPOTHÈSE ■ Les unichontes seraient plus près de la racine de l'arbre des eucaryotes que ne le sont les autres groupes d'algues (archéplastides, excavobiontes et SAR). Si cette supposition est exacte, la comparaison de séquences génétiques devrait révéler une plus grande divergence des unichontes par rapport aux autres groupes.

■ EXPÉRIENCE ■ Constatant à quel point il est difficile de déterminer la racine de l'arbre phylogénétique des eucaryotes, Alexandra Stechmann et Thomas Cavalier-Smith ont proposé une nouvelle approche. Ils ont étudié deux gènes, soit celui codant pour l'enzyme DHFR (dihydrofolate réductase) et celui codant pour l'enzyme TS (thymidylate synthase). Pour ce faire, les chercheurs ont tiré profit d'un événement rare dans l'évolution, à savoir la fusion chez certains organismes des gènes codant pour la DHFR et la TS, entraînant la production d'une seule protéine régissant les activités des deux enzymes. Stechmann et Cavalier-Smith ont amplifié (par PCR; voir la figure 20.7) et séquencé les gènes codant pour la DHFR et la TS de neuf espèces (un choanoflagellé et deux amibozoaires, tous trois du groupe des unichontes, un euglénobionte du groupe des excavobiontes, un straménopile, un alvéolobionte et trois rhizariens). Les chercheurs ont ensuite combiné leurs données et celles, qui avaient été publiées auparavant, concernant des espèces de bactéries, d'animaux, de végétaux et d'eumycètes.

■ RÉSULTATS ■ Toutes les bactéries étudiées présentent les deux gènes distincts (DHFR et TS), ce qui donne à penser qu'il s'agit là d'un élément ancestral (indiqué par un point rouge dans l'arbre ci-dessous). D'autres taxons présentant les deux gènes sont indiqués en caractères rouges. Les gènes fusionnés constituent donc un caractère dérivé que présentent certains membres (en bleu) des supergroupes des excavobiontes, SAR et des archéplastides:

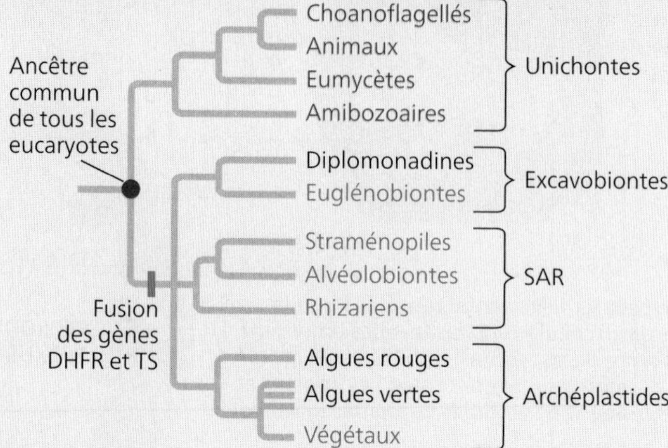

■ CONCLUSION ■ D'après ces résultats, les excavobiontes, les SAR et les archéplastides forment un clade, ce qui étaye l'hypothèse selon laquelle la racine de l'arbre se trouverait entre les unichontes et les autres eucaryotes. Comme les données qui soutiennent cette hypothèse ne reposent que sur un seul caractère – la fusion des gènes codant pour la DHFR et la TS –, d'autres données seront nécessaires pour en évaluer la validité.

Source des données: A. Stechmann et T. Cavalier-Smith, Rooting the eukaryote tree by using a derived gene fusion, *Science* 297: 89-91 (2002).

ET SI ? ▶ Stechmann et Cavalier-Smith affirment que leurs conclusions ne sont valables que si les gènes n'ont fusionné qu'une fois et qu'ils ne se sont pas fragmentés par la suite. Pourquoi cette supposition est-elle déterminante dans leur approche?

d'eucaryotes à diverger de tous les autres eucaryotes. Cette idée demeure controversée et exigera davantage de preuves avant d'être acceptée par l'ensemble de la communauté scientifique.

Les amibozoaires

Les **amibozoaires** forment un groupe qui comprend de nombreuses espèces d'amibes dotées de pseudopodes en forme de lobe ou de tube au lieu de pseudopodes filiformes. Les amibozoaires comprennent les mycétozoaires, les tubulinés et les entamibes.

Les mycétozoaires

Les mycétozoaires (du latin signifiant «animaux fongiques») étaient auparavant considérés comme des eumycètes, car, comme eux, ils produisent des appareils sporifères aidant à la dispersion des spores. Toutefois, les résultats de certaines analyses de séquences d'ADN montrent que la ressemblance entre les mycétozoaires et les eumycètes est plutôt un autre exemple d'évolution convergente. Ces analyses indiquent également que les mycétozoaires ont pour ancêtres des organismes unicellulaires; il s'agit d'un exemple de l'origine indépendante de la multicellularité chez les eucaryotes. Les mycétozoaires se sont divisés en deux grandes branches, les myxomycètes et les acrasiomycètes. Nous comparerons leurs caractéristiques et leurs cycles de développement.

Les myxomycètes De nombreuses espèces de myxomycètes possèdent une pigmentation brillante, habituellement jaune ou orange (**figure 28.25**). À mesure qu'ils grandissent, ils se présentent sous la forme d'une masse amiboïde appelée plasmode. Le plasmode peut atteindre plusieurs centimètres de diamètre. (Il ne faut pas confondre le plasmode des myxomycètes avec le genre *Plasmodium*, qui comprend le parasite apicomplexé à l'origine du paludisme.) Aussi gros soit-il, le plasmode n'est pas multicellulaire. Il s'agit plutôt d'une masse de cytoplasme sans aucune séparation qui renferme plusieurs noyaux. Cette «supercellule» provient de divisions mitotiques des noyaux qui n'ont pas été suivies de cytocinèse, c'est-à-dire de division du cytoplasme, qui reste donc entier. Pour assurer sa croissance, le plasmode étend ses pseudopodes dans le sol humide, le paillis

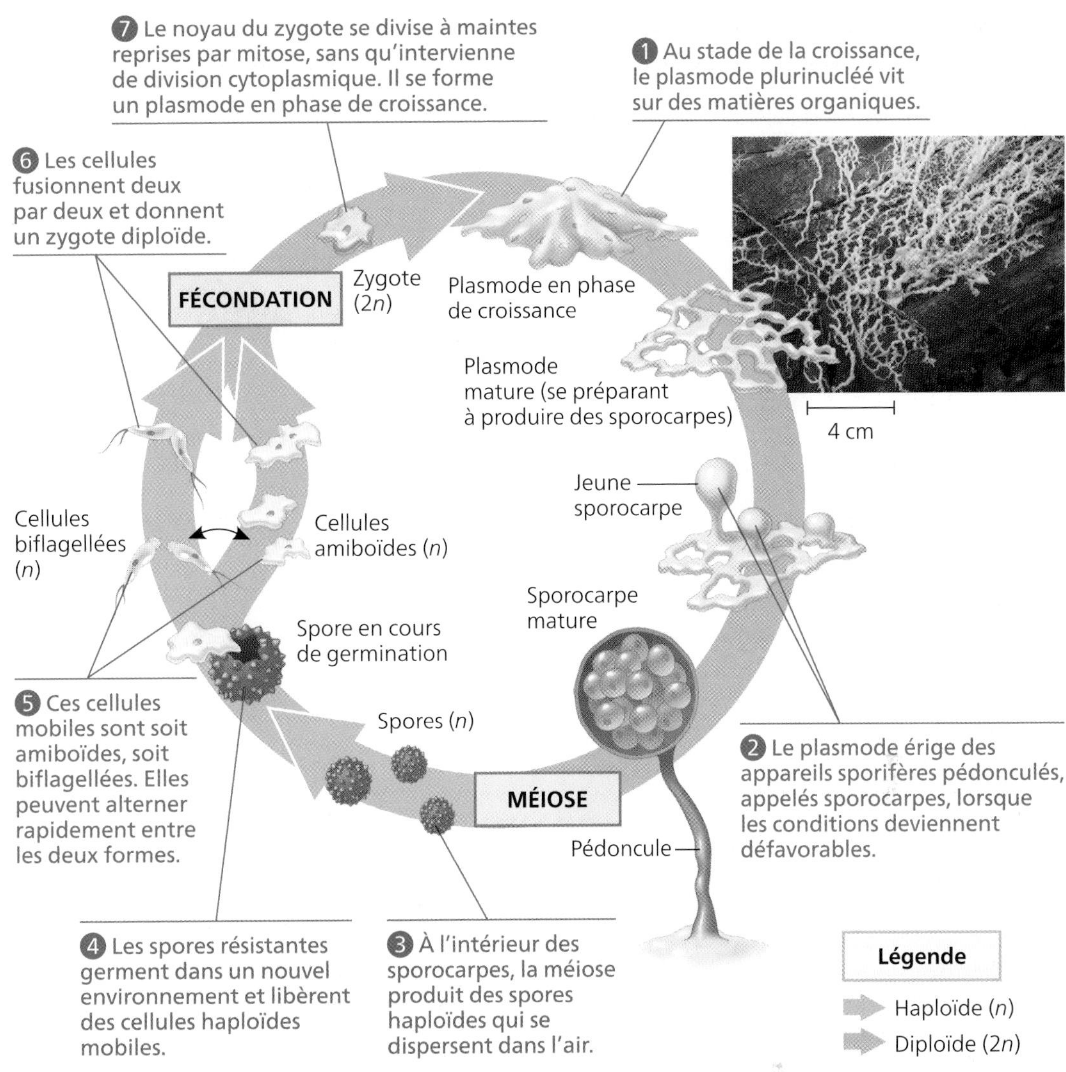

7 Le noyau du zygote se divise à maintes reprises par mitose, sans qu'intervienne de division cytoplasmique. Il se forme un plasmode en phase de croissance.
1 Au stade de la croissance, le plasmode plurinucléé vit sur des matières organiques.
6 Les cellules fusionnent deux par deux et donnent un zygote diploïde.
FÉCONDATION
Zygote (2n)
Plasmode en phase de croissance
Plasmode mature (se préparant à produire des sporocarpes)
4 cm
Jeune sporocarpe
Cellules biflagellées (n)
Cellules amiboïdes (n)
Sporocarpe mature
Spore en cours de germination
5 Ces cellules mobiles sont soit amiboïdes, soit biflagellées. Elles peuvent alterner rapidement entre les deux formes.
Spores (n)
MÉIOSE
2 Le plasmode érige des appareils sporifères pédonculés, appelés sporocarpes, lorsque les conditions deviennent défavorables.
Pédoncule
4 Les spores résistantes germent dans un nouvel environnement et libèrent des cellules haploïdes mobiles.
3 À l'intérieur des sporocarpes, la méiose produit des spores haploïdes qui se dispersent dans l'air.
Légende
Haploïde (n)
Diploïde (2n)

▶ **Figure 28.25 Le cycle de développement des myxomycètes.** Cette photographie montre un plasmode mature, lequel correspond au stade de la croissance du cycle de développement des myxomycètes. Lorsque la nourriture se fait rare, le plasmode érige des appareils sporifères pédonculés. Ceux-ci produisent des spores haploïdes qui interviennent dans la reproduction sexuée.

de feuilles ou le bois pourri, puis il phagocyte les particules alimentaires. Lorsqu'il y a une sécheresse ou une pénurie de nourriture, il cesse de croître et se différencie. Il se met alors à produire des sporocarpes, lesquels interviennent dans la reproduction sexuée.

Les acrasiomycètes Le cycle de développement des acrasiomycètes peut nous amener à remettre en question la définition même du mot *organisme*. Au stade de la croissance, dans leur cycle de développement, les acrasiomycètes sont des cellules individuelles. En l'absence de nourriture, cependant, les cellules se groupent en un amas semblable à une limace (pseudoplasmode) qui fonctionne comme un individu (**figure 28.26**). Contrairement à ce qu'on peut observer au stade de la croissance (plasmode) d'un myxomycète, ces cellules agglomérées demeurent séparées les unes des autres par leur membrane plasmique, et elles finissent par former un appareil sporifère asexué.

Dictyostelium discoideum, un acrasiomycète abondant dans les tapis forestiers, est devenu un organisme modèle pour l'étude de l'évolution de la multicellularité. Les recherches portent notamment sur le stade du développement de l'appareil sporifère. À ce stade, les cellules qui forment le pied des sporocarpes s'assèchent et meurent, alors que celles qui se trouvent dans la partie supérieure survivent et peuvent se reproduire (voir la figure 28.26). Les scientifiques ont découvert que des mutations touchant un seul gène peuvent transformer des cellules individuelles de *Dictyostelium* en « tricheuses » qui ne s'intègrent jamais au pied. Comme ces cellules mutantes présentent un important avantage reproductif sur les non mutantes, pourquoi les cellules de *Dictyostelium* ne trichent-elles pas toutes ?

Des découvertes récentes proposent une réponse à cette question. Il appert que la surface des cellules mutantes est dépourvue d'une protéine particulière, différence que les cellules non mutantes reconnaissent. Ces dernières s'unissent de préférence à leurs semblables, privant de ce fait les cellules mutantes de la possibilité de les exploiter. Or, ce système de reconnaissance pourrait avoir eu d'importantes répercussions sur l'évolution d'eucaryotes multicellulaires comme les animaux et les végétaux.

Les tubulinés

Les tubulinés forment un groupe vaste et diversifié d'amibozoaires dotés de pseudopodes tubulaires ou en forme de lobe. Ces protistes unicellulaires sont très abondants dans le sol ainsi qu'en eau douce et en eau salée. La plupart sont des hétérotrophes qui recherchent activement des bactéries et d'autres

▼ **Figure 28.26** **Le cycle de développement de l'acrasiomycète *Dictyostelium sp.***

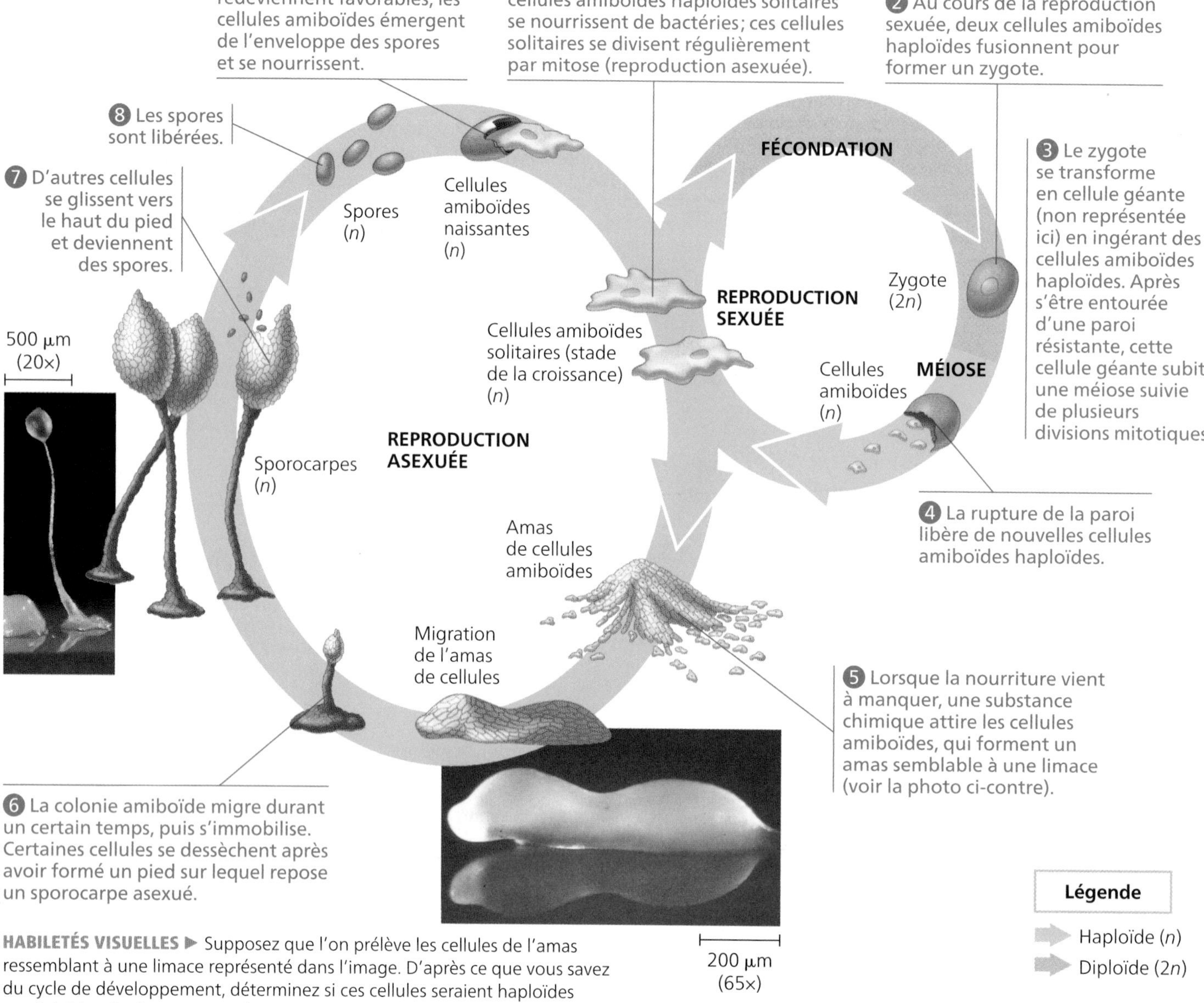

9 Quand les conditions redeviennent favorables, les cellules amiboïdes émergent de l'enveloppe des spores et se nourrissent.
1 Au stade de la croissance, des cellules amiboïdes haploïdes solitaires se nourrissent de bactéries; ces cellules solitaires se divisent régulièrement par mitose (reproduction asexuée).
2 Au cours de la reproduction sexuée, deux cellules amiboïdes haploïdes fusionnent pour former un zygote.
8 Les spores sont libérées.
7 D'autres cellules se glissent vers le haut du pied et deviennent des spores.
FÉCONDATION
3 Le zygote se transforme en cellule géante (non représentée ici) en ingérant des cellules amiboïdes haploïdes. Après s'être entourée d'une paroi résistante, cette cellule géante subit une méiose suivie de plusieurs divisions mitotiques.
Spores (n)
Cellules amiboïdes naissantes (n)
500 µm (20×)
REPRODUCTION SEXUÉE
Zygote (2n)
Cellules amiboïdes solitaires (stade de la croissance) (n)
Cellules amiboïdes (n)
MÉIOSE
Sporocarpes (n)
REPRODUCTION ASEXUÉE
4 La rupture de la paroi libère de nouvelles cellules amiboïdes haploïdes.
Amas de cellules amiboïdes
Migration de l'amas de cellules
5 Lorsque la nourriture vient à manquer, une substance chimique attire les cellules amiboïdes, qui forment un amas semblable à une limace (voir la photo ci-contre).
6 La colonie amiboïde migre durant un certain temps, puis s'immobilise. Certaines cellules se dessèchent après avoir formé un pied sur lequel repose un sporocarpe asexué.
200 µm (65×)
Légende
Haploïde (n)
Diploïde (2n)

HABILETÉS VISUELLES ▶ Supposez que l'on prélève les cellules de l'amas ressemblant à une limace représenté dans l'image. D'après ce que vous savez du cycle de développement, déterminez si ces cellules seraient haploïdes ou diploïdes. Expliquez votre réponse.

protistes pour s'en nourrir, dont *Amoeba proteus*, représenté à la figure 28.3. Certains tubulinés se nourrissent aussi de détritus (matières organiques non vivantes).

Les entamibes

La plupart des amibozoaires sont des organismes autonomes, mais ceux qui appartiennent au genre *Entamoeba* sont des parasites. Ils infectent toutes les classes de vertébrés ainsi que certains invertébrés. Les humains sont les hôtes d'au moins six espèces d'*Entamoeba*, dont une seule, *E. histolytica*, est connue pour être pathogène; elle cause la dysenterie amibienne et se propage par l'intermédiaire d'eau, d'aliments ou d'ustensiles de cuisine contaminés. À l'origine de quelque 100 000 décès dans le monde annuellement, cette maladie est la troisième cause de mortalité attribuable aux eucaryotes parasites, après le paludisme (voir la figure 28.16) et la schistosomiase (voir la figure 33.11).

Naegleria fowleri est une autre espèce d'amibes appartenant à ce groupe et occasionnellement présente dans les eaux contaminées de lacs et de piscines. Elle peut infecter les baigneurs par voie nasale et causer une méningoencéphalite amibienne primitive (MEAP) souvent fatale, parce qu'elle s'attaque aux tissus cérébraux. Cette infection est toutefois rarissime (depuis 50 ans, 310 cas ont été recensés dans le monde).

Les opisthochontes

Les **opisthochontes** forment un groupe d'eucaryotes extrêmement diversifié dont font partie les animaux, les eumycètes et plusieurs groupes de protistes. Nous aborderons l'histoire évolutive des eumycètes et des animaux dans les chapitres 31 à 34. Quant aux protistes opisthochontes, nous en traiterons dans notre exposé sur les nucléaridés au chapitre 31, car ils sont plus étroitement liés aux eumycètes qu'aux autres protistes; nous traiterons des choanoflagellés au chapitre 32, en raison du fait qu'ils sont plus étroitement apparentés aux animaux qu'aux autres protistes. Les nucléaridés et les choanoflagellés éclairent la décision des scientifiques de supprimer le domaine des protistes: un groupe monophylétique réunissant ces eucaryotes monocellulaires aurait dû comprendre aussi les animaux et les eumycètes multicellulaires qui leur sont étroitement apparentés.

RETOUR SUR LE CONCEPT **28.5**

1. Comparez les pseudopodes des amibozoaires et ceux des foraminifères.
2. Pour quelle raison le terme animal fongique constitue-t-il une description qui convient aux mycétozoaires ? Pour quelle raison cette description ne leur convient-elle pas ?
3. **FAITES UN DESSIN ▶** Des données récentes indiquent que la racine de l'arbre des eucaryotes se situerait entre un clade regroupant les unichontes et les excavobiontes et tous les autres eucaryotes. Dessinez l'arbre qui rend compte de ces données.

Voir les réponses proposées à l'appendice A.

CONCEPT **28.6**

Les protistes remplissent des fonctions essentielles au sein des communautés écologiques

La plupart des protistes sont des organismes aquatiques; ils vivent dans presque tous les milieux où l'on trouve de l'eau, y compris la plupart des habitats terrestres humides, comme les sols humides et la couverture de feuilles mortes. De nombreux protistes vivent au fond des océans, des étangs et des lacs en se fixant aux roches et à d'autres substrats ou en se déplaçant dans le sable et le limon. Comme nous l'avons vu, d'autres protistes constituent des éléments importants du plancton. Examinons deux fonctions clés que remplissent les protistes dans leurs divers habitats, soit celle de symbionte et celle de producteur.

Les protistes symbiotiques

De nombreux protistes forment des associations symbiotiques avec d'autres espèces. Par exemple, les dinophytes photosynthétiques approvisionnent en nourriture les animaux (polypes coralliens) qui construisent les récifs de corail. Ceux-ci constituent des communautés écologiques d'une prodigieuse diversité. Cette variété dépend cependant des coraux et des protistes mutualistes qui les nourrissent. Les coraux assurent la diversité des récifs en fournissant de la nourriture à certaines espèces et en procurant un habitat à beaucoup d'autres.

Les protistes qui colonisent l'intestin de nombreuses espèces de termites et leur permettent de digérer le bois constituent un autre exemple de symbiose (**figure 28.27**). Les termites ne peuvent digérer le bois sans l'aide de symbiontes protistes ou procaryotes. Cette association symbiotique fonctionne très efficacement dans les pays tropicaux et dans certaines régions chaudes; aux États-Unis, par exemple, les termites causent plus de 3,5 milliards de dollars de dommages aux maisons de bois.

Certains protistes symbiotiques parasites ont même compromis l'économie de pays entiers. C'est le cas des parasites du genre *Plasmodium*, qui causent le paludisme. Dans les pays les plus touchés par cette maladie, les niveaux de revenus sont de 33 % inférieurs à ceux de pays comparables où la maladie ne sévit pas. Les protistes peuvent même dévaster d'autres espèces. La mort de quantités massives de poissons a été attribuée au dinophyte *Pfiesteria shumwayae* (voir la figure 28.15), un parasite qui se fixe à ses victimes pour se nourrir de leur peau. D'autres espèces parasitent plutôt les végétaux. Le straménopile *Phytophthora ramorum* est maintenant reconnu comme un important agent pathogène des forêts. Cette espèce est à l'origine de l'encre des chênes rouges, une maladie qui a tué des millions de chênes et d'autres arbres aux États-Unis et en Grande-Bretagne (**figure 28.28**; voir

▼ **Figure 28.27 Un protiste symbiotique.** Cet organisme est un hypermastigote, membre du groupe des parabasaliens. Vivant dans l'intestin des termites et de certaines espèces de blattes, il leur permet de digérer le bois (MEB).

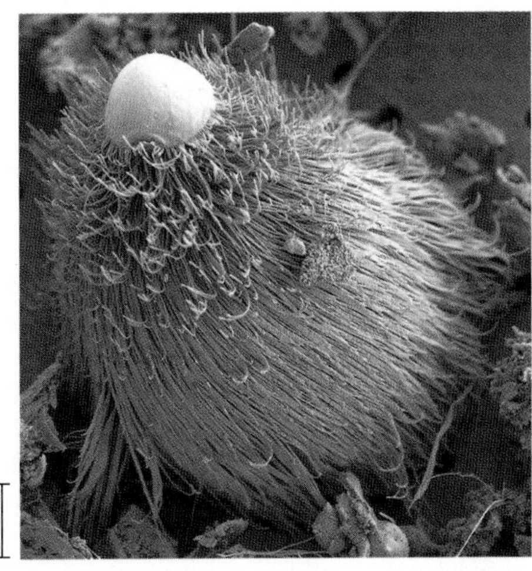

▼ **Figure 28.28 L'encre des chênes rouges.** Dans cette forêt de Monterey County, en Californie, on peut voir plusieurs chênes rouges morts. Les arbres infectés perdent la capacité de s'adapter aux cycles de température sèche et humide.

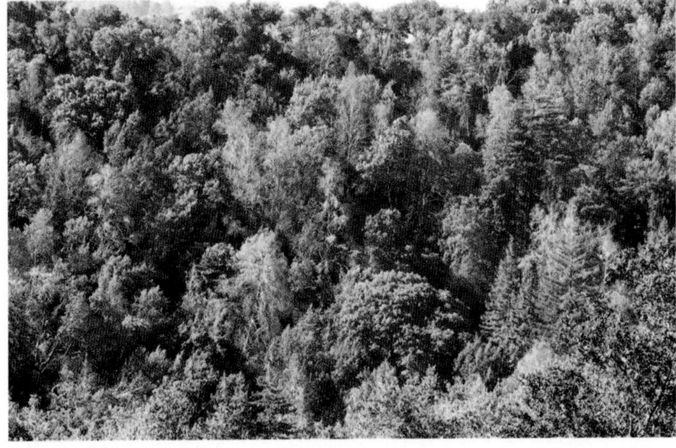

également le concept 54.5). Une espèce étroitement apparentée, *P. infestans*, est quant à elle responsable du mildiou de la pomme de terre, une maladie caractérisée par la destruction de la tige et des feuilles des plants de pommes de terre qui se transforme en une substance visqueuse noire. Le mildiou de la pomme de terre est en partie responsable de la famine dévastatrice qui a frappé l'Irlande au 19e siècle et causé le décès d'un million de personnes, en plus de forcer nombre d'autres à quitter le pays. La maladie continue de ravager les cultures encore aujourd'hui, causant la perte de jusqu'à 70 % des récoltes dans certaines régions.

Les protistes photosynthétiques

De nombreux protistes sont d'importants **producteurs**, c'est-à-dire des organismes qui utilisent l'énergie lumineuse (ou, chez certains procaryotes, des substances chimiques inorganiques) pour convertir le CO_2 en composés organiques. Les producteurs constituent le fondement des réseaux trophiques écologiques. Dans les communautés aquatiques, les principaux producteurs sont des protistes et des procaryotes photosynthétiques (**figure 28.29**). Tous les autres organismes de la communauté se nourrissent grâce à eux, soit en les mangeant ou en mangeant des organismes qui les ont mangés. Les scientifiques estiment qu'environ 30 % de la photosynthèse sur la Terre est accomplie par les diatomées, les dinophytes, les algues multicellulaires et d'autres protistes aquatiques. Les procaryotes photosynthétiques accompliraient un autre 20 % de la photosynthèse, alors que les 50 % restants relèveraient des végétaux.

Étant donné que les producteurs constituent le fondement des réseaux trophiques, tout facteur qui les touche peut entraîner de graves conséquences sur leur communauté. Dans les environnements aquatiques, la faible concentration d'azote, de phosphore ou de fer empêche souvent les protistes photosynthétiques de croître démesurément. Diverses activités humaines peuvent accroître la concentration de ces substances. Par exemple, après l'épandage d'engrais dans un champ, l'engrais peut être en partie lessivé par la pluie et entraîné dans un cours d'eau qui se jette dans un lac ou un océan. Or, toute modification de la composition chimique des communautés aquatiques risque d'engendrer une augmentation spectaculaire de la population de protistes photosynthétiques. Une telle augmentation peut avoir de graves conséquences écologiques, dont la formation de vastes zones mortes dans les écosystèmes marins (voir la figure 56.23).

Quelles répercussions le réchauffement planétaire aura-t-il sur les protistes photosynthétiques et sur les autres producteurs ? Comme le montre la **figure 28.30**, l'augmentation de la température à la surface de la mer s'est accompagnée d'une diminution du développement et de la biomasse des protistes et des procaryotes photosynthétiques dans de nombreuses régions océaniques. Par quels mécanismes le réchauffement de la mer en surface diminue-t-il la croissance des producteurs marins ? Selon une des hypothèses retenues, le réchauffement de la mer en surface empêche les eaux froides et riches en nutriments de remonter à la surface. Nombre de producteurs marins dépendent des nutriments qui remontent à la surface. Or, la croissance de ces producteurs pourrait être perturbée par l'augmentation de la température de la mer en surface qui entraînerait

▼ **Figure 28.29 Des producteurs clés au sein des communautés aquatiques.** Dans ce schéma simplifié d'un réseau trophique, les flèches vont des sources alimentaires aux organismes qui les consomment.

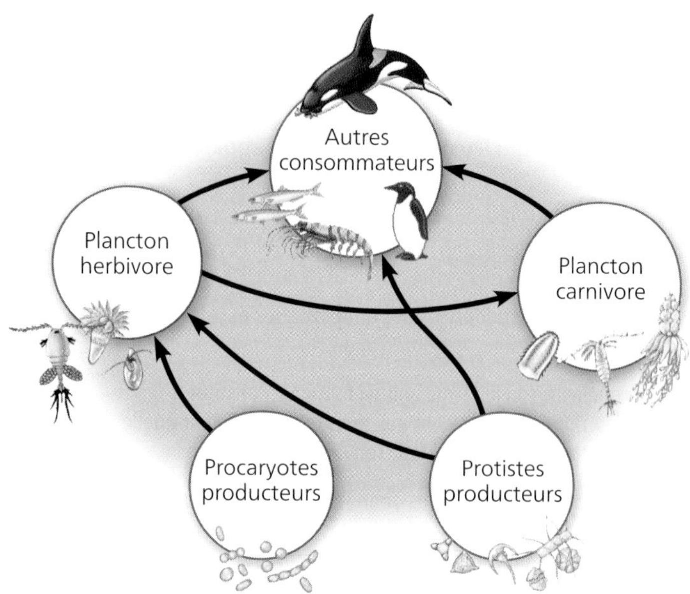

la formation d'une mince couche d'eau tiède qui agirait comme une barrière en empêchant les nutriments de remonter à la surface. S'ils perdurent, les changements illustrés à la figure 28.30 auront probablement des conséquences majeures sur les écosystèmes marins, les ressources halieutiques et le cycle de l'azote à l'échelle planétaire (voir la figure 55.14). Le réchauffement planétaire a également des répercussions sur les producteurs terrestres, mais ce sont les végétaux qui se trouvent à la base des réseaux trophiques plutôt que les protistes. Nous en traiterons dans les chapitres 29 et 30.

RETOUR SUR LE CONCEPT 28.6

1. Justifiez l'affirmation selon laquelle les protistes photosynthétiques comptent parmi les organismes les plus importants de la biosphère.
2. Décrivez trois symbioses impliquant des protistes.
3. **ET SI ?** ▶ Les températures élevées des eaux et la pollution peuvent amener les coraux à rejeter leurs symbiontes dinophytes. Déterminez les effets possibles du blanchiment corallien sur les coraux et sur d'autres espèces de la communauté.
4. **FAITES DES LIENS** ▶ Symbionte vivant dans les cellules des moustiques, les bactéries du genre *Wolbachia* se propagent rapidement au sein de ces populations d'insectes. *Wolbachia* peut rendre les moustiques résistants aux infections par *Plasmodium sp.* ; les chercheurs tentent de trouver une souche bactérienne qui rendrait les moustiques résistants aux parasites du genre *Plasmodium*, mais sans nuire à ces insectes. Comparez les changements évolutifs qui surviendraient si on tentait de maîtriser le paludisme à l'aide d'une telle souche de *Wolbachia* plutôt qu'en utilisant des insecticides éliminant les moustiques. (Revoyez la figure 28.16 et le concept 23.4.)

Voir les réponses proposées à l'appendice A.

▼ **Figure 28.30** **Les effets des changements climatiques sur les producteurs marins.**

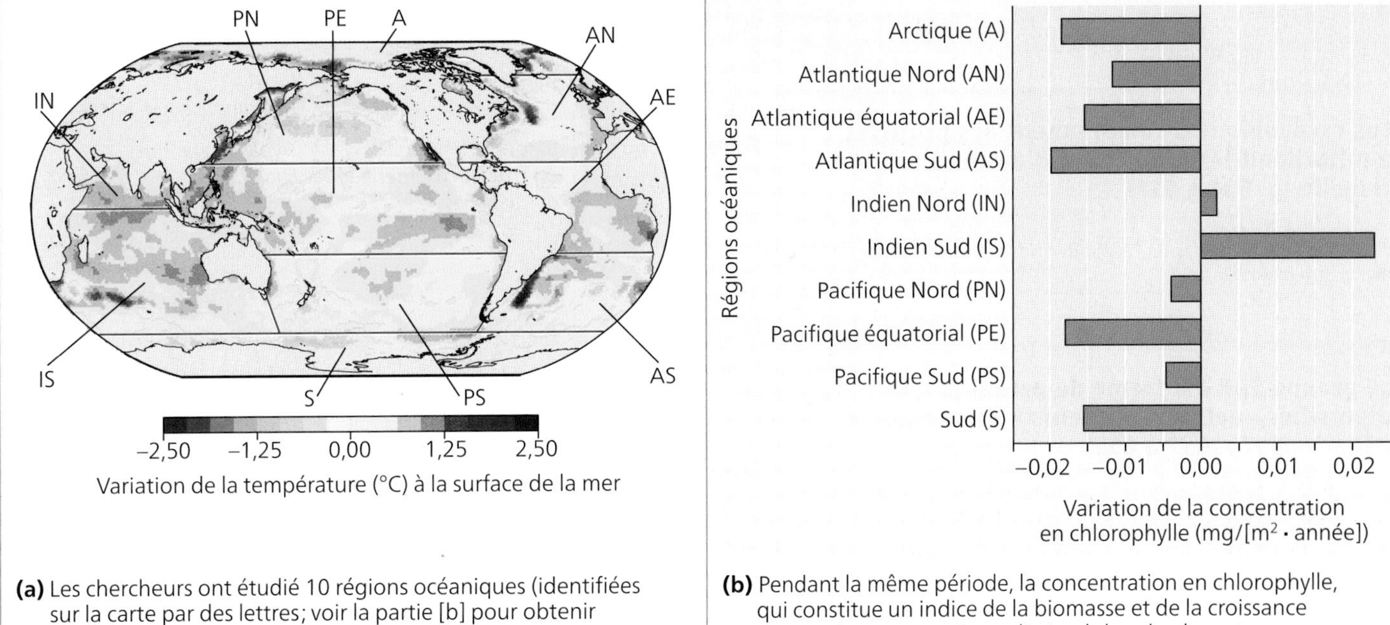

(a) Les chercheurs ont étudié 10 régions océaniques (identifiées sur la carte par des lettres; voir la partie [b] pour obtenir la définition des acronymes). Depuis 1950, la température à la surface de la mer a augmenté dans la plupart de ces régions.

(b) Pendant la même période, la concentration en chlorophylle, qui constitue un indice de la biomasse et de la croissance des producteurs marins, a diminué dans la plupart des régions océaniques.

RÉVISION DU CHAPITRE 28

Consultez votre MANUEL NUMÉRIQUE, qui vous donne accès aux **animations**, aux **exercices** et à la plateforme d'**anatomie interactive**.

Résumé des concepts clés

CONCEPT 28.1

La plupart des eucaryotes sont des organismes unicellulaires (p. 650 à 654)

- Le domaine des eucaryotes réunit plusieurs groupes de **protistes** ainsi que des végétaux, des animaux et des eumycètes. Contrairement aux procaryotes, les protistes et les autres eucaryotes possèdent un noyau et d'autres organites membraneux. Ils sont également pourvus d'un cytosquelette perfectionné qui leur permet de maintenir des formes asymétriques et de changer de forme lorsqu'ils se nourrissent, se déplacent ou grossissent.
- Les protistes présentent une diversité tant structurale que fonctionnelle, et ils se caractérisent par la grande diversité de leurs cycles de développement. La plupart des protistes sont unicellulaires. On trouve parmi eux des espèces photoautotrophes, hétérotrophes et **mixotrophes**.
- Selon les données actuelles, les eucaryotes sont issus d'une **endosymbiose** survenue lorsqu'une cellule hôte appartenant aux archées (ou étroitement apparentée aux archées) a absorbé une α-protéobactérie. Cette α-protéobactérie aurait par la suite évolué pour former un organite présent dans tous les eucaryotes, soit la mitochondrie.
- Les plastes descendraient de cyanobactéries qui auraient été absorbées par les premières cellules eucaryotes. La lignée porteuse de plastes a ultérieurement donné naissance aux algues rouges et aux algues vertes. D'autres groupes de protistes sont issus de processus d'endosymbiose secondaires au cours desquels des algues rouges ou des algues vertes ont elles-mêmes été absorbées.
- Une hypothèse classifie les eucaryotes en quatre supergroupes, chacun constituant un clade monophylétique: les excavobiontes, les SAR, les archéplastides et les unichontes.

? Décrivez les points communs et les différences entre les protistes et les autres eucaryotes.

Concept clé/supergroupe d'eucaryotes	Principaux clades	Caractéristiques morphologiques essentielles	Exemples
CONCEPT **28.2** **Les excavobiontes comprennent des protistes à mitochondries réduites et d'autres à un seul flagelle (p. 654 à 657)** **?** Quelle preuve permet d'établir que les excavobiontes forment un clade ?	**Diplomonadines et parabasaliens** **Euglénobiontes** Kinétoplastidés Euglénophytes	Mitochondries modifiées Bâtonnet hélicoïdal ou cristallin à l'intérieur des flagelles	*Giardia spp.*, *Trichomonas spp.* *Trypanosoma spp.*, *Euglena spp.*
CONCEPT **28.3** **Le groupe SAR est formé de protistes très diversifiés, mais liés par leurs ressemblances génétiques (p. 657 à 665)** **?** Même s'ils ne sont pas photosynthétiques, les parasites apicomplexés du genre *Plasmodium* sont dotés de plastes modifiés. Décrivez l'une des hypothèses actuelles expliquant cette observation.	**Straménopiles** Diatomées Algues dorées Algues brunes **Alvéolobiontes** Dinophytes Apicomplexés Ciliés **Rhizariens** Radiolaires Foraminifères Cercozoaires	Flagelle velu et flagelle glabre Vésicules membraneuses (alvéoles) sous la membrane plasmique Amibes dotées de pseudopodes filiformes	*Phytophthora spp.*, *Laminaria spp.* *Pfiesteria spp.* *Plasmodium spp.* *Paramecium spp.* *Globigerina spp.*
CONCEPT **28.4** **Les algues rouges et les algues vertes sont les organismes les plus étroitement apparentés aux végétaux (p. 665 et 666)** **?** Sur quel argument repose la décision de certains systématiciens de classer les végétaux dans le même supergroupe (archéplastides) que les algues rouges et les algues vertes ?	**Algues rouges** **Algues vertes** **Végétaux**	Phycoérythrine (pigment photosynthétique) Chloroplastes semblables à ceux des végétaux (Voir les chapitres 29 et 30.)	*Porphyra spp.* *Chlamydomonas spp.*, *Ulva spp.* Mousses, fougères, conifères, plantes à fleurs
CONCEPT **28.5** **Les unichontes comprennent des protistes étroitement apparentés aux eumycètes et aux animaux (p. 666 à 671)** **?** Décrivez une caractéristique essentielle de chacun des principaux sous-groupes des unichontes.	**Amibozoaires** Myxomycètes Tubulinés Entamibes **Opisthochontes**	Amibes munies de pseudopodes tubulaires ou en forme de lobe (Très variables; voir les chapitres 31 à 34.)	*Amoeba spp.*, *Dictyostelium spp.* Nucléaridés choanoflagellés, animaux, eumycètes

CONCEPT **28.6**

Les protistes remplissent des fonctions essentielles au sein des communautés écologiques (p. 671 à 673)

- Les protistes entretiennent toutes sortes de relations mutualistes et parasitaires qui influent sur leurs partenaires symbiotiques et sur bien d'autres membres de la communauté dont ils font partie.
- Les protistes photosynthétiques comptent parmi les plus importants **producteurs** des communautés aquatiques. Ils constituent la base des réseaux trophiques, et ce qui les touche a donc des effets sur d'autres espèces de la communauté.

? Décrivez quelques protistes qui jouent un rôle écologique déterminant.

Évaluation

NIVEAU 1 : CONNAISSANCES ET COMPRÉHENSION

1. La présence de plus de deux membranes autour de certains plastes prouve que :
a) ces plastes se sont développés à partir de mitochondries.
b) ces plastes ont fusionné.
c) ces plastes sont issus d'archéobactéries.
d) ces plastes résultent de l'endosymbiose secondaire.

2. Les biologistes croient que l'endosymbiose a donné naissance aux mitochondries avant les plastes, parce que :
a) les produits de la photosynthèse n'auraient pas pu être métabolisés sans enzymes mitochondriales.

b) tous les eucaryotes possèdent des mitochondries (ou des vestiges), tandis que de nombreux eucaryotes sont dépourvus de plastes.
c) l'ADN mitochondrial ressemble moins à l'ADN procaryote que l'ADN des plastes.
d) sans production d'O_2 dans les mitochondries, la photosynthèse était impossible.

3. Quel groupe *ne correspond pas* à la description qui l'accompagne ?
a) Les diatomées : importantes productrices au sein des communautés aquatiques.
b) Les algues rouges : eucaryotes qui ont acquis des plastes par endosymbiose secondaire.
c) Les apicomplexés : parasites unicellulaires dont le cycle de développement est complexe.
d) Les diplomonadines : eucaryotes unicellulaires munis de mitochondries modifiées.

4. D'après la phylogenèse présentée dans ce chapitre, quel groupe de protistes provient du même supergroupe que les végétaux ?
a) Les algues vertes.
b) Les dinophytes.
c) Les algues rouges.
d) a et c.

5. Dans les cycles de développement caractérisés par l'alternance de générations, les formes multicellulaires haploïdes alternent avec :
a) les formes unicellulaires haploïdes.
b) les formes unicellulaires diploïdes.
c) les formes multicellulaires haploïdes.
d) les formes multicellulaires diploïdes.

NIVEAU 2 : APPLICATION ET ANALYSE

6. Lequel des énoncés suivants est juste selon l'arbre phylogénétique de la figure 28.2 ?
a) L'ancêtre commun le plus récent des excavobiontes est plus ancien que celui des SAR.
b) L'ancêtre commun le plus récent des SAR est plus ancien que celui des unichontes.
c) Il n'est pas possible de déterminer le supergroupe d'eucaryotes fondamental (le premier à diverger).
d) Les excavobiontes constituent le supergroupe eucaryote fondamental.

7. LIEN AVEC L'ÉVOLUTION

FAITES UN DESSIN ▶ Les chercheurs essaient de mettre au point des médicaments capables de tuer ou de limiter la croissance des agents pathogènes humains, mais comportant peu d'effets néfastes pour les patients. Ces médicaments visent souvent à perturber le métabolisme de l'agent pathogène ou à cibler ses caractéristiques structurales.

Dessinez un arbre phylogénétique dont vous nommerez les composants. Ceux-ci comprennent un ancêtre procaryote et les groupes d'organismes suivants : excavobiontes, SAR, archéplastides, unichontes et, dans ce dernier groupe, les amibozoaires, les animaux, les choanoflagellés, les eumycètes et les nucléaridés. Selon cet arbre, déterminez par hypothèse s'il serait plus difficile de mettre au point des médicaments contre des agents pathogènes humains de type procaryote, protiste, animal ou eumycètes. (Vous n'avez pas à tenir compte de l'évolution de la résistance des agents pathogènes aux médicaments.)

Voir les réponses proposées à l'appendice A.

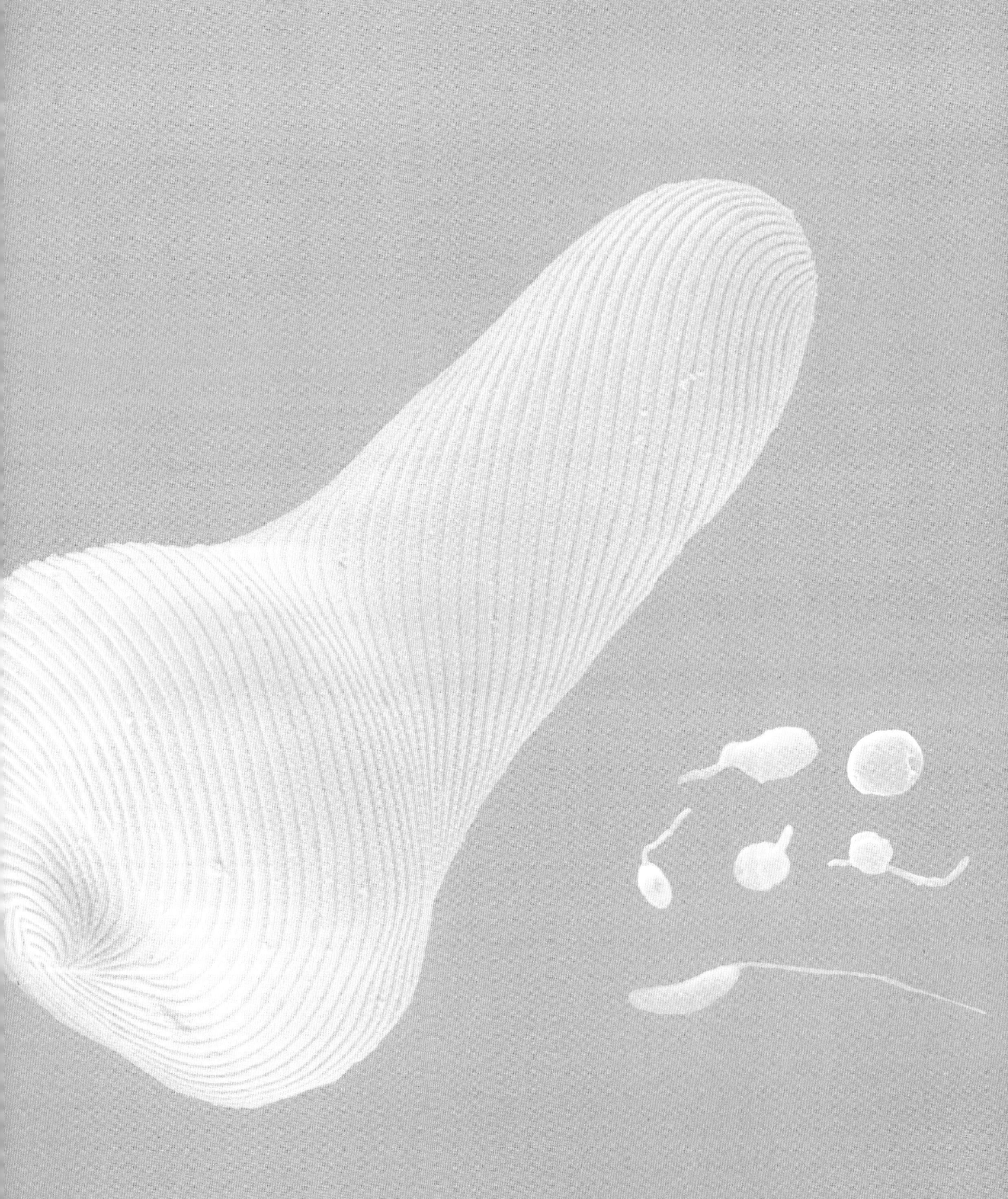

La diversité des végétaux I : la colonisation des milieux terrestres

29

VOS OUTILS INTERACTIFS

Consultez votre MANUEL NUMÉRIQUE, qui vous donne accès aux **animations**, aux **exercices** et à la plateforme d'**anatomie interactive**.

▲ **Figure 29.1 Comment les végétaux ont-ils transformé le monde ?**

CONCEPTS CLÉS

29.1 Les végétaux se sont développés à partir des algues vertes

29.2 Les gamétophytes dominent les cycles de développement des mousses et d'autres plantes non vasculaires

29.3 Les fougères et d'autres vasculaires sans graines ont été les premiers végétaux de grande taille

Une Terre de verdure

Quand on admire un paysage luxuriant comme celui de la **figure 29.1**, on a du mal à imaginer la terre ferme dépourvue de plantes ou d'autres organismes. Pourtant, pendant une bonne partie de son histoire, la Terre était dénuée de vie. Des analyses géochimiques et des données paléontologiques semblent indiquer que de minces couches de cyanobactéries et de protistes recouvraient le sol il y a environ 1,2 milliard d'années. Mais il ne s'est pas écoulé plus de 500 millions d'années depuis que les végétaux de petite taille, les eumycètes et les animaux ont commencé à coloniser la terre ferme. Finalement, l'apparition de végétaux de grande taille, il y a quelque 385 millions d'années, a mené à la formation des premières forêts (composées d'espèces fort différentes de celles de la figure 29.1).

On compte aujourd'hui plus de 290 000 espèces de végétaux, dont certains occupent les milieux les plus hostiles, tels les pics montagneux, les régions désertiques et les calottes polaires. Même si la plupart des végétaux existant aujourd'hui vivent dans des milieux terrestres, certaines espèces sont retournées à des habitats aquatiques au cours de leur évolution, comme la zostère marine (*Zostera marina*), une plante de la famille des graminées que l'on trouve notamment dans l'estuaire du fleuve Saint-Laurent. Dans ce chapitre, nous distinguons les végétaux des algues, qui sont pour la plupart des protistes photosynthétiques. Les végétaux ont permis à d'autres formes de vie de subsister sur la terre ferme. Par exemple, les végétaux constituent la source d'oxygène (O_2) des animaux terrestres ainsi que leur première source de nourriture. De plus, par leur seule présence, les végétaux comme les arbres d'une forêt créent les habitats propices pour les animaux et de nombreux autres organismes. Dans ce chapitre, nous allons donc nous pencher sur les 100 premiers millions d'années de l'évolution des végétaux, au cours desquels sont notamment apparues les plantes sans graines comme les mousses et les fougères. Au chapitre 30, nous traiterons de l'évolution plus récente des plantes à graines.

CONCEPT **29.1**

Les végétaux se sont développés à partir des algues vertes

Comme il est mentionné au chapitre 28, on considère les charophytes, un groupe d'algues vertes, comme les organismes le plus étroitement apparentés aux végétaux. Nous commencerons par étudier les preuves de ce lien.

Les preuves morphologiques et biochimiques

Les végétaux partagent bon nombre de caractéristiques importantes avec certaines algues. Par exemple, comme les algues brunes, les algues rouges et certaines algues vertes, les végétaux sont des organismes multicellulaires, eucaryotes, photoautotrophes. Ils sont munis de parois cellulaires renfermant de la cellulose, tout comme les algues vertes, les dinophytes et les algues brunes. Enfin, les algues vertes, les euglénophytes, quelques dinophytes et les végétaux comportent des chloroplastes qui contiennent des chlorophylles *a* et *b* ainsi que des pigments caroténoïdes accessoires.

Toutefois, les charophytes sont les seules algues modernes à partager avec les végétaux les caractéristiques essentielles ci-dessous, d'où la présomption d'un lien étroit entre les deux groupes :

- **Anneaux de protéines pour la synthèse de la cellulose.** Les cellules des végétaux et des charophytes renferment des anneaux de protéines distinctifs (photo ci-contre) intégrés à leur membrane plasmique. C'est dans ces anneaux que sont synthétisées les microfibrilles de cellulose des parois cellulaires. Chez les algues autres que les charophytes, les protéines productrices de cellulose sont disposées de façon linéaire.

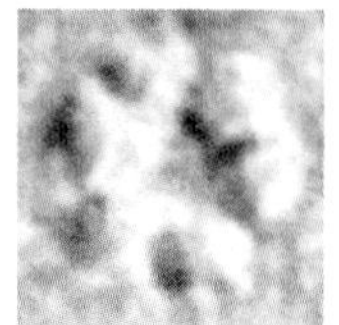

(400 000×)

- **Structure des spermatozoïdes flagellés.** La structure des spermatozoïdes flagellés que possèdent certains végétaux présente de fortes ressemblances avec celle des spermatozoïdes des charophytes.
- **Formation d'un phragmoplaste.** Certains événements de la division cellulaire ne s'observent que chez les végétaux et chez certains charophytes. C'est le cas du phragmoplaste, un groupe de microtubules qui se forme entre les noyaux des deux cellules filles. Une plaque cellulaire se développe au milieu du phragmoplaste, le long de l'axe médian de la cellule en division (voir la figure 12.10). La plaque cellulaire produit ensuite une nouvelle paroi transversale qui sépare les cellules filles.

Des études portant sur les ADN nucléaires, chloroplastiques et mitochondriaux d'un vaste éventail de végétaux et d'algues montrent que certains groupes de charophytes, comme *Zygnema* (voir la figure 28.22a) et *Coleochaete*, sont les organismes vivants le plus étroitement apparentés aux végétaux. Même si les résultats de ces études démontrent que les végétaux sont nés d'un groupe de charophytes, cela ne signifie pas qu'ils sont issus des représentants actuels de ce groupe. Ces derniers peuvent néanmoins nous renseigner sur les ancêtres des végétaux.

Les adaptations à la vie sur la terre ferme

Un grand nombre d'espèces de charophytes vivent en eau peu profonde, près du rivage des étangs et des lacs. Dans ce milieu sujet à l'assèchement, la sélection naturelle favorise les individus capables de survivre à des périodes durant lesquelles l'immersion n'est que partielle. De fait, les zygotes des charophytes sont entourés d'une couche de polymère durable, la **sporopollénine**, qui prévient la déshydratation des zygotes exposés à l'air. On observe une adaptation chimique semblable dans les parois résistantes de sporopollénine qui entourent les spores des végétaux.

L'acquisition de cette adaptation par au moins une population de charophytes (maintenant disparue) a probablement permis à leurs descendants (les premiers végétaux) de vivre au-dessus de la ligne des eaux de manière permanente. Cette aptitude a permis aux premières plantes de conquérir de nouveaux habitats dans un environnement terrestre offrant d'énormes avantages. Dans ces endroits, la lumière n'était plus filtrée par l'eau et le plancton, l'atmosphère était beaucoup plus riche en dioxyde de carbone (CO_2) que ne l'était l'eau et le sol du rivage regorgeait de nutriments minéraux. Ces avantages s'accompagnaient cependant d'un certain nombre de handicaps, comme la relative rareté de l'eau et un soutien structural insuffisant pour parer à la force gravitationnelle. (Pour avoir une idée de l'importance d'un tel soutien, songez à la façon dont le corps d'une méduse s'affaisse lorsqu'elle est hors de l'eau.) Les végétaux ont pu se diversifier grâce à l'acquisition de nouvelles adaptations qui leur ont permis de survivre et de se reproduire en dépit de ces difficultés.

De nos jours, quelles sont les adaptations uniques aux végétaux ? La réponse varie selon l'endroit où l'on trace la limite entre les végétaux et les algues (**figure 29.2**). Comme cette limite fait toujours l'objet de débats, nous utiliserons la définition classique selon laquelle le règne des végétaux englobe tous les embryophytes (végétaux possédant des embryons). Dans ce contexte, déterminons maintenant les caractères dérivés qui distinguent les végétaux de leurs plus proches parents, les algues charophytes.

Les caractères dérivés des végétaux

Plusieurs adaptations favorisant la survie et la reproduction sur la terre ferme sont apparues après la séparation des végétaux de leurs ancêtres algaux. La **figure 29.3** présente cinq caractères fondamentaux apparus chez les végétaux, mais non chez les charophytes.

De nombreuses espèces de végétaux ont acquis d'autres caractères dérivés se rapportant à la vie terrestre. Par exemple, l'épiderme de la plupart des végétaux est recouvert d'une **cuticule** composée de cire et d'autres polymères. Constamment exposés à l'air, les végétaux sont beaucoup plus sujets au dessèchement que les algues dont ils descendent. La cuticule est un agent imperméabilisant qui prévient l'assèchement des organes aériens de la plante tout en la protégeant contre les microorganismes.

▼ Figure 29.2 Le règne des végétaux : trois points de vue. Dans le présent ouvrage, nous faisons correspondre le règne des végétaux (ou règne végétal) aux embryophytes.

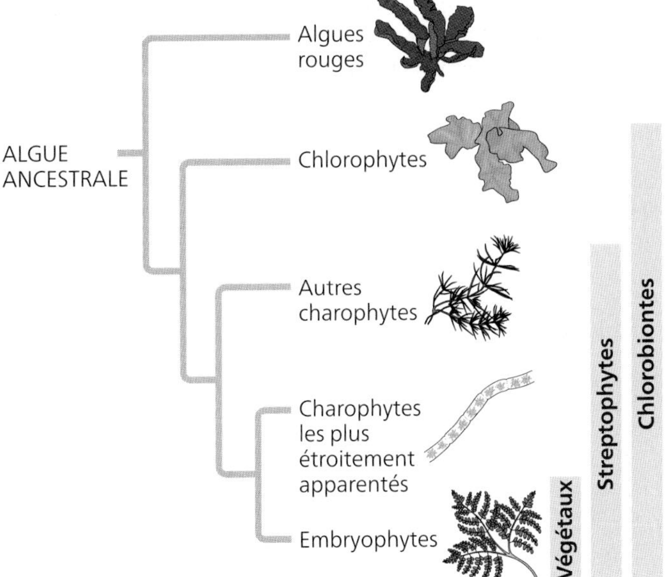

La plupart des végétaux portent également des **stomates**, des pores spécialisés, qui interviennent dans la photosynthèse en permettant l'échange de CO_2 et d'O_2 entre l'air ambiant et les végétaux (voir la figure 10.4). De plus, c'est par les stomates que la majeure partie de l'eau (sous forme de vapeur) s'échappe des végétaux. Par temps chaud et sec, les stomates peuvent se refermer de manière à réduire le plus possible la déperdition d'eau.

Les premiers végétaux ne possédaient pas de racines ni de feuilles proprement dites. Sans racines, comment réussissaient-ils à absorber les nutriments contenus dans le sol ? Des fossiles datant de 420 millions d'années révèlent une adaptation qui aurait permis aux premiers végétaux de se nourrir : ils formaient avec des eumycètes des associations symbiotiques. Nous décrirons plus en détail ces associations, appelées *mycorhizes*, et les avantages qu'elles procurent à la plante et au champignon au concept 31.1. Pour l'instant, retenez que les champignons mycorhiziens forment dans les sols des réseaux de filaments et qu'ils transfèrent les nutriments à leurs partenaires symbiotiques. Il s'agit là d'un avantage qui a peut-être aidé les végétaux dépourvus de racines à coloniser les milieux terrestres.

L'origine et la diversification des végétaux

Parmi les algues les plus étroitement apparentées aux végétaux, on compte bon nombre d'espèces unicellulaires et d'espèces coloniales de petite taille. Comme il est probable que les végétaux les plus anciens ont été aussi de taille restreinte, la recherche des premiers fossiles végétaux s'est tout d'abord orientée vers le monde microscopique. Comme nous l'avons mentionné précédemment, des microorganismes avaient déjà colonisé la terre ferme il y a 1,2 milliard d'années. Toutefois, les fossiles microscopiques qui attestent de la vie sur Terre ont radicalement changé ensuite, lorsque sont apparues les spores des premiers végétaux, il y a environ 470 millions d'années.

Qu'est-ce qui différencie ces spores des premiers végétaux de celles des algues ou des eumycètes ? Leur composition chimique nous fournit un indice, car elle est comparable à celle des spores végétales modernes, tout en se distinguant de celle des spores des autres organismes. De plus, la paroi de ces spores anciennes présente des caractéristiques structurales que l'on observe aujourd'hui uniquement dans les spores de certains végétaux (hépatiques). Dans des roches vieilles de 450 millions d'années, des chercheurs ont découvert des spores similaires enchâssées dans une matière végétale comparable au tissu contenant les spores chez les végétaux modernes (**figure 29.4**).

Les fossiles des structures végétales de plus grande taille, comme *Cooksonia sporangium* (**figure 29.5**), datent de 425 millions d'années, soit 45 millions d'années après l'apparition des spores végétales dans les traces fossiles. Bien qu'on ne connaisse pas encore l'âge précis (et la forme) des premiers végétaux, ces espèces ancestrales sont à l'origine de la grande diversité des plantes modernes. Le **tableau 29.1** dresse la liste des 10 embranchements existants de la classification taxinomique utilisée dans le présent chapitre et dans le suivant. (Les lignées existantes sont celles qui comportent des taxons toujours vivants.) Consultez le tableau 29.1 lorsque vous lirez le reste de cette partie, de même que la **figure 29.6**, qui illustre une phylogénie hypothétique fondée sur la morphologie, la biochimie et la génétique des végétaux.

Une façon de caractériser les végétaux repose sur la présence ou l'absence d'un réseau complexe de **tissu conducteur** (ou vasculaire), composé de cellules formant des canalisations dans lesquelles l'eau et les nutriments circulent dans la plante. La plupart des végétaux modernes possèdent un tel réseau. On les appelle **plantes vasculaires** ou simplement **vasculaires**. Les végétaux qui en sont dépourvus, soit les hépatiques, les anthocérotes et les mousses, sont pour leur part qualifiés de plantes non vasculaires (ou avasculaires), même si certaines mousses possèdent un tissu conducteur simple. Souvent, on utilise le terme **bryophytes** (du grec *bryon*, « mousse », et *phyton*, « plante ») pour désigner les plantes non vasculaires. Bien qu'on utilise couramment le terme *bryophytes* pour toutes les plantes non vasculaires, les études moléculaires et les analyses morphologiques de la structure des spermatozoïdes montrent qu'elles ne forment pas un groupe monophylétique (un clade).

Les vasculaires forment un clade rassemblant environ 93 % de toutes les espèces de végétaux existants. Ce clade comprend trois subdivisions. Les deux premières comprennent les **lycophytes** (lycopodes et plantes apparentées) et les **monilophytes** (fougères et plantes apparentées). Chacune de ces deux subdivisions réunit des plantes sans graines, d'où le terme familier **vasculaires sans graines** souvent employé pour les désigner collectivement. Toutefois, dans la figure 29.6, on peut constater que les vasculaires sans graines, comme les bryophytes, ne forment pas un clade.

On utilise parfois le terme *grade* pour désigner un groupe qui, comme les bryophytes ou les vasculaires sans graines, réunit des organismes partageant une caractéristique biologique déterminante. Les grades nous renseignent en regroupant les organismes selon certaines caractéristiques, comme la présence d'un système vasculaire et l'absence de graines. Cependant, contrairement aux membres d'un clade, les membres d'un grade n'ont pas nécessairement le même ancêtre. Par exemple, les monilophytes et les lycophytes ont beau être deux groupes de vasculaires sans graines, les monilophytes partagent un ancêtre commun beaucoup plus récent avec les vasculaires à graines que

PANORAMA ▼ Figure 29.3

Les caractères dérivés des végétaux

Les caractères fondamentaux décrits dans cette figure ne s'observent pas chez les charophytes ; ils sont propres aux végétaux. Ce sont : l'alternance de générations, les embryons multicellulaires dépendants, la production de spores entourées d'une paroi et contenues dans des sporanges ainsi que la présence de gamétanges multicellulaires et de méristèmes apicaux. On peut supposer que ces caractères étaient absents chez l'ancêtre commun des végétaux et des charophytes, mais qu'ils constituent des caractères dérivés qui se sont manifestés indépendamment chez les végétaux. Tous les végétaux ne présentent pas nécessairement l'ensemble de ces caractères, ce qui signifie que plusieurs lignées en auraient perdu au cours de leur évolution.

L'alternance de générations

Le cycle de développement de tous les végétaux se déroule en faisant alterner deux générations d'organismes multicellulaires distincts : les gamétophytes et les sporophytes. Comme le montre le schéma (utilisant une fougère en guise d'exemple), chaque génération engendre l'autre à tour de rôle, un processus que l'on appelle **alternance de générations**. Ce mode de reproduction s'observe aussi chez divers groupes d'algues, mais pas chez les charophytes, les plus proches parents des végétaux. Il ne faut pas confondre l'alternance de générations avec la présence de formes haploïdes et diploïdes dans le cycle de développement d'autres organismes à reproduction sexuée (voir la figure 13.6). L'alternance de générations se caractérise par le fait que la forme haploïde et la forme diploïde sont toutes les deux multicellulaires. Le **gamétophyte** haploïde multicellulaire (un végétal qui produit des gamètes) est ainsi appelé parce qu'il produit par mitose des gamètes haploïdes (oosphères et spermatozoïdes) qui fusionnent durant la fécondation et forment des zygotes diploïdes. La division mitotique du zygote produit un **sporophyte** diploïde multicellulaire (un végétal qui engendre des spores). Dans un sporophyte mature, la méiose produit des cellules reproductrices haploïdes appelées **spores**, qui peuvent donner naissance à un nouvel organisme haploïde sans fusionner avec une autre cellule. Puis le cycle recommence.

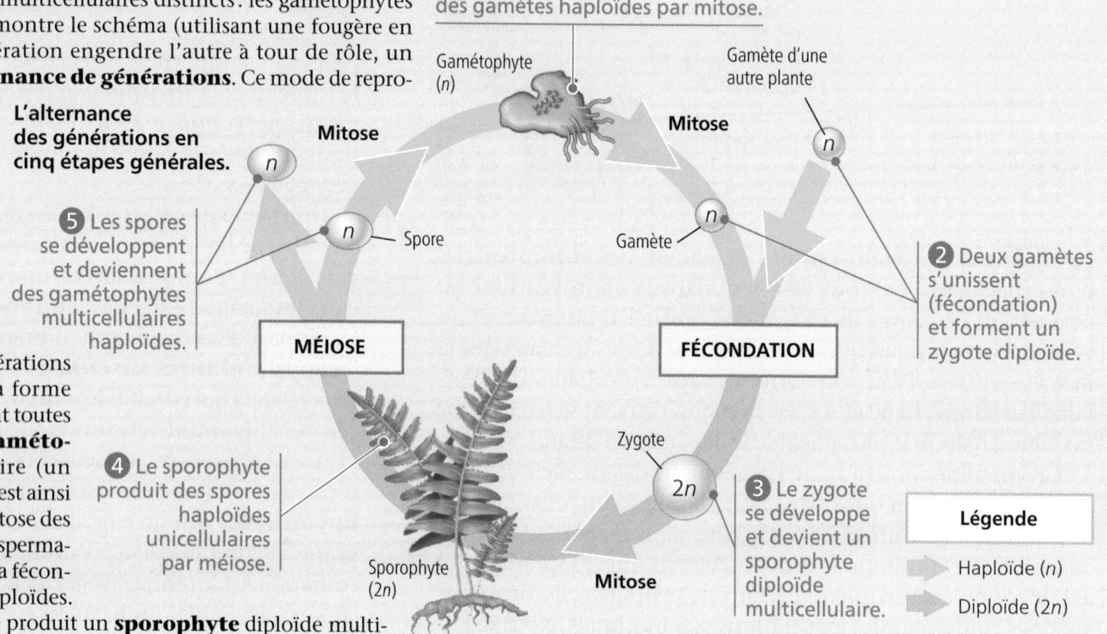

L'alternance des générations en cinq étapes générales.
❶ Le gamétophyte produit des gamètes haploïdes par mitose.
Gamétophyte (n)
Gamète d'une autre plante
Mitose
Mitose
n
n
n
n
Spore
Gamète
❷ Deux gamètes s'unissent (fécondation) et forment un zygote diploïde.
❺ Les spores se développent et deviennent des gamétophytes multicellulaires haploïdes.
MÉIOSE
FÉCONDATION
Zygote
2n
❹ Le sporophyte produit des spores haploïdes unicellulaires par méiose.
❸ Le zygote se développe et devient un sporophyte diploïde multicellulaire.
Sporophyte (2n)
Mitose
Légende
Haploïde (n)
Diploïde (2n)

Les embryons multicellulaires dépendants

À l'intérieur du cycle d'alternance de générations, un embryon végétal multicellulaire se développe à partir d'un zygote qui reste à l'intérieur des tissus de la plante mère (un gamétophyte). Les tissus maternels le protègent contre les conditions ambiantes difficiles et lui fournissent des nutriments tels que des monosaccharides et des acides aminés. L'embryon possède des cellules spécialisées appelées *cellules de transfert* qui favorisent le transfert des nutriments du parent à l'embryon grâce aux invaginations complexes de leur surface (constituée de la membrane plasmique et de la paroi cellulaire). L'embryon multicellulaire dépendant des végétaux constitue un caractère dérivé si important que les végétaux sont aussi appelés **embryophytes**.

FAITES DES LIENS ▶ Revoyez les cycles de développement sexués à la figure 13.6. Indiquez quel est le type de cycle de développement sexué qui procède par alternance de générations et rappelez brièvement ce qui le distingue des autres cycles de développement.

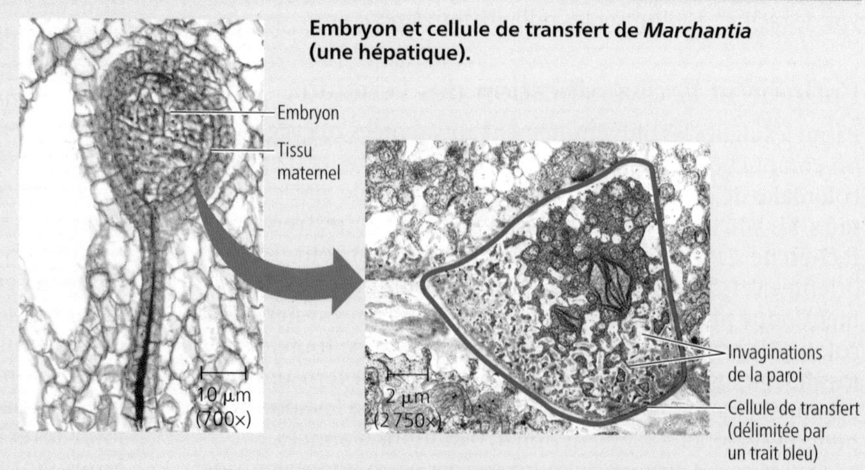

Embryon et cellule de transfert de *Marchantia* (une hépatique).
Embryon
Tissu maternel
10 µm (700×)
2 µm (2 750×)
Invaginations de la paroi
Cellule de transfert (délimitée par un trait bleu)

La production de spores entourées d'une paroi et contenues dans des sporanges

Les spores végétales sont des cellules reproductrices haploïdes qui sont capables de produire, par mitose, des gamétophytes multicellulaires haploïdes. La paroi des spores végétales renferme un polymère très résistant à la dégradation et à la déshydratation, appelé sporopollénine, qui lui permet de survivre dans des milieux inhospitaliers. Grâce à cette propriété, les spores transportées par le vent peuvent se disperser dans l'air sec et survivre dans ces conditions.

Les spores sont produites par des organes multicellulaires du sporophyte, les **sporanges**. Dans le sporange, des cellules diploïdes appelées **sporocytes**, ou cellules mères des spores, se divisent par méiose et engendrent les spores haploïdes. Les tissus externes du sporange protègent les spores en formation jusqu'au moment de leur libération. Les sporanges multicellulaires et les spores résistantes, avec leur paroi de sporopollénine, constituent des adaptations clés chez les végétaux. Les charophytes donnent aussi naissance à des spores, mais ces algues ne forment pas de sporanges multicellulaires. De plus, leurs spores flagellées se dispersent dans l'eau et ne contiennent pas de sporopollénine.

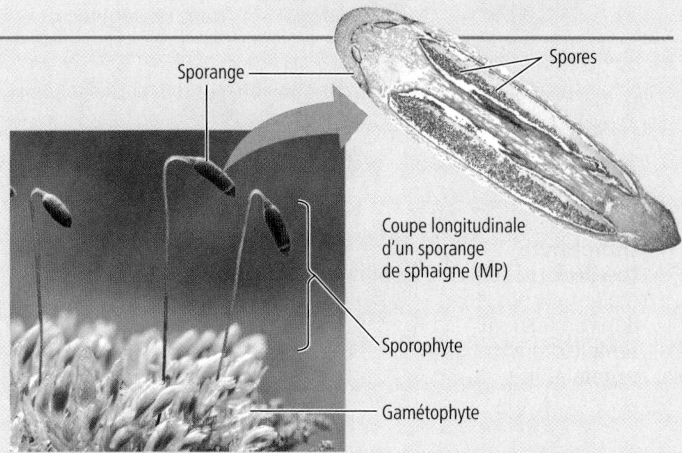

Sporophytes et sporanges de *Sphagnum sp.* (une mousse).

Les gamétanges multicellulaires

La production de gamètes dans des organes multicellulaires nommés **gamétanges** est une autre caractéristique qui distingue les végétaux primitifs des algues, qui sont leurs ancêtres. Le gamétange femelle est appelé **archégone**. En forme de poire, il donne une seule oosphère immobile, retenue dans la portion bulbeuse de l'organe (la partie supérieure dans le cas de l'espèce illustrée ci-contre). Le gamétange mâle, appelé **anthéridie**, produit un grand nombre de spermatozoïdes qui, arrivés à maturité, sont libérés dans l'environnement. Chez de nombreux groupes de végétaux modernes, les spermatozoïdes portent des flagelles et nagent dans des gouttes d'eau ou dans de minces couches d'eau pour rejoindre les oosphères. Celles-ci sont fécondées à l'intérieur des archégones. C'est là que le zygote amorce son développement et se transforme en embryon. Les gamétophytes des plantes à graines ont une taille si réduite (comme nous le verrons au chapitre 30) que l'archégone et l'anthéridie ont disparu dans de nombreuses lignées.

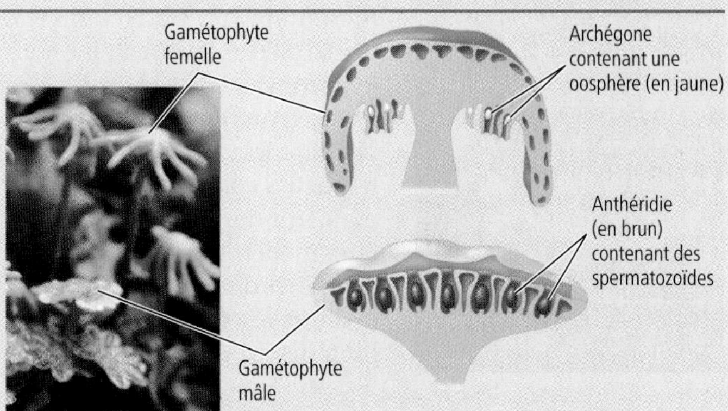

Archégones et anthéridies de *Marchantia sp.* (une hépatique).

Les méristèmes apicaux

Dans les habitats terrestres, les ressources nécessaires aux organismes photosynthétiques sont situées en deux endroits fort différents. La lumière et le CO_2 se trouvent surtout au-dessus du sol. Quant à l'eau et aux nutriments minéraux, ils sont présents surtout dans le sol. Même si les végétaux ne peuvent pas se déplacer, la plupart d'entre eux possèdent des pousses et des racines qui peuvent s'allonger et se ramifier, ce qui augmente leur exposition aux ressources du milieu. Durant toute la vie d'une plante, l'augmentation de la taille dépend de l'activité des **méristèmes apicaux**, des zones situées aux extrémités croissantes du corps des plantes, là où une ou plusieurs cellules se divisent continuellement. Les cellules produites par les méristèmes se différencient pour donner les tissus de la plante, notamment un épiderme protecteur, du côté externe, et divers types de tissus internes. Ce sont en outre les méristèmes des pousses qui engendrent les feuilles chez la plupart des végétaux. Les organismes complexes que sont les végétaux possèdent donc des organes souterrains et des organes aériens qui présentent divers degrés de spécialisation structurale.

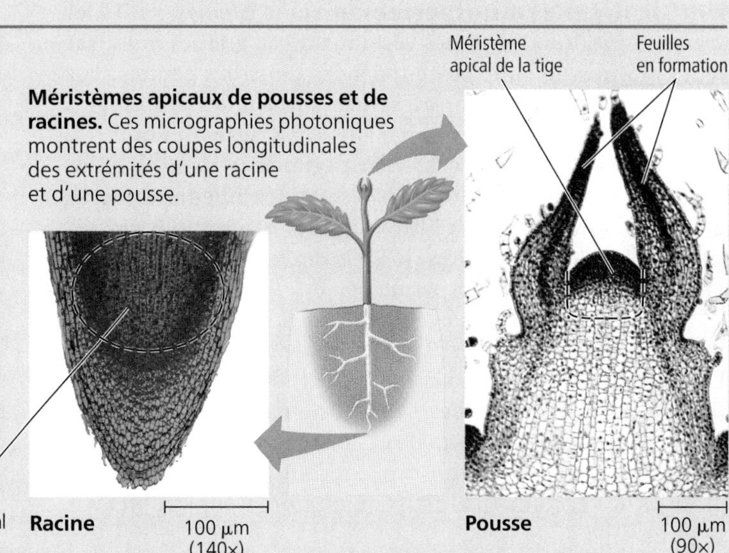

Méristèmes apicaux de pousses et de racines. Ces micrographies photoniques montrent des coupes longitudinales des extrémités d'une racine et d'une pousse.

▼ **Figure 29.4** **Les spores et les tissus végétaux anciens (MEB, clichés artificiellement colorés).**

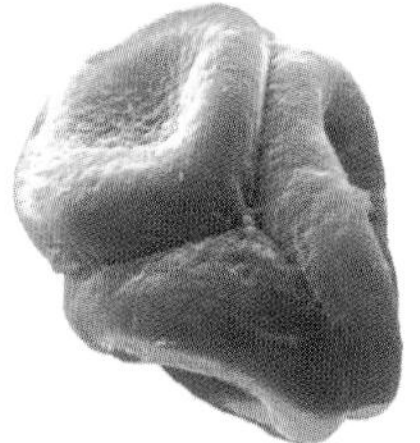
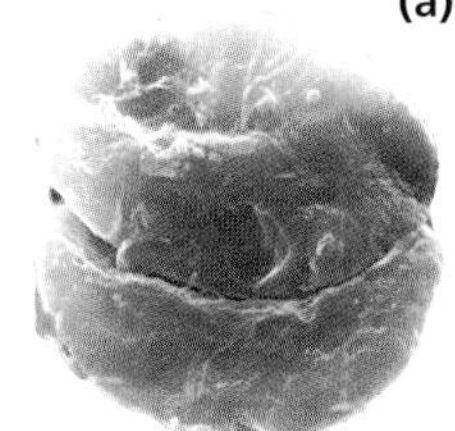

(a) Spores fossilisées. La composition chimique et la structure de la paroi de ces spores anciennes datant de 450 millions d'années correspondent à celles que l'on trouve dans les végétaux.

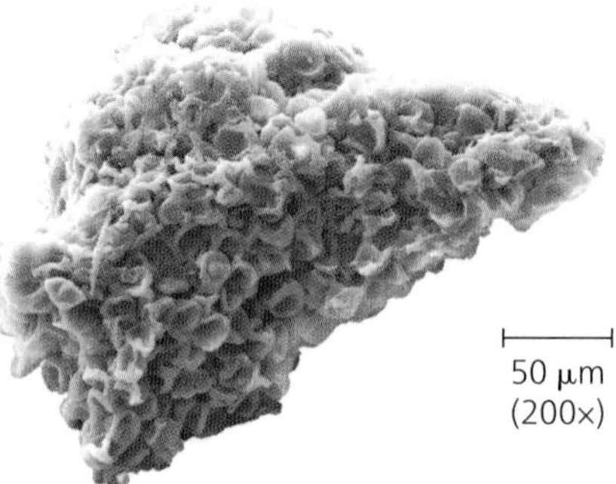

(b) Tissu de sporophyte fossilisé. Les spores étaient enchâssées dans un tissu qui semble d'origine végétale.

▼ **Figure 29.5** **Un fossile de *Cooksonia sporangium*.**

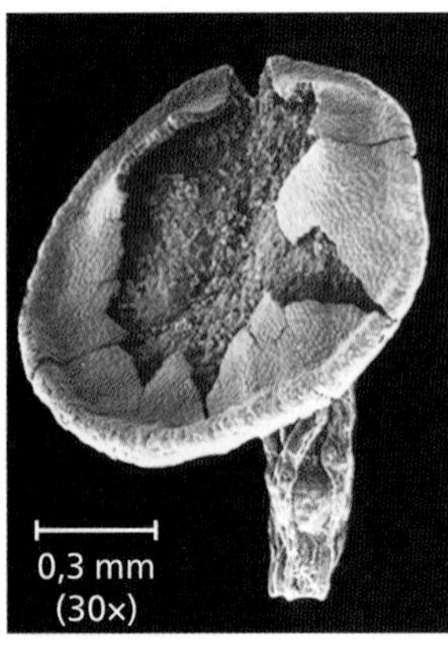

les lycophytes. Par conséquent, on peut penser que les monilophytes et les vasculaires à graines partagent des caractères que ne présentent pas les lycophytes. C'est d'ailleurs le cas, comme nous le verrons au concept 29.3.

La troisième subdivision regroupe les vasculaires à graines, lesquelles constituent la grande majorité des espèces de végétaux modernes. Une **graine** est composée d'un embryon végétal et d'une réserve de nourriture à l'intérieur d'une enveloppe protectrice. Les vasculaires à graines (ou spermatophytes) peuvent être divisées en deux groupes, soit les gymnospermes et les angiospermes, selon qu'elles sont ou non pourvues de cavités fermées dans lesquelles les graines mûrissent. Les **gymnospermes** (du grec *gumnos*, « nu », et *spermos*, « graine ») sont des végétaux dits à graines nues, car leurs graines ne sont pas enfermées dans des cavités. Les espèces actuelles de gymnospermes, surtout des pinophytes (ou conifères), constituent un clade. Les **angiospermes** (du grec *aggeion*, « capsule », et *spermos*, « graine ») constituent un immense clade groupant toutes les plantes à fleurs, dont les graines se développent à l'intérieur des ovaires, des cavités situées dans les fleurs. Près de 90 % des espèces de végétaux modernes sont des angiospermes.

Notez que la phylogénie représentée à la figure 29.6 ne porte que sur les liens qui unissent les lignées de végétaux existantes. Les paléobotanistes ont aussi découvert des fossiles appartenant à des lignées disparues. Comme nous le verrons plus loin dans ce chapitre, beaucoup de ces fossiles peuvent révéler les étapes intermédiaires qui ont conduit à l'apparition des groupes de végétaux distinctifs qu'on trouve aujourd'hui sur la Terre.

Tableau 29.1 Les 10 embranchements de végétaux actuels

	Nom vernaculaire	Nombre d'espèces actuelles
Plantes non vasculaires (bryophytes)		
Embranchement des hépatophytes	Hépatiques	9 000
Embranchement des muscinées	Mousses	15 000
Embranchement des anthocérophytes	Anthocérotes	100
Plantes vasculaires		
Vasculaires sans graines		
Embranchement des lycophytes	Lycopodes	1 200
Embranchement des monilophytes	Monilophytes	12 000
Vasculaires à graines		
Gymnospermes		
Embranchement des ginkgophytes	Ginkgo	1
Embranchement des cycadophytes	Cycas	130
Embranchement des gnétophytes	Gnètes	75
Embranchement des pinophytes	Conifères	600
Angiospermes		
Embranchement des anthophytes	Plantes à fleurs	250 000

RETOUR SUR LE CONCEPT **29.1**

1. Pourquoi les chercheurs affirment-ils que les charophytes sont les plus proches parents des végétaux ?
2. Indiquez quatre caractères dérivés qui distinguent les végétaux des charophytes (algues vertes) *et* qui facilitent la vie sur la terre ferme. Expliquez votre réponse.
3. ET SI ? ▶ À quoi ressemblerait le cycle de développement humain s'il était soumis à l'alternance de générations ? Pour répondre à cette question, présumez que le stade diploïde multicellulaire ressemble, par sa forme, à un adulte humain.

Voir les réponses proposées à l'appendice A.

CONCEPT **29.2**

Les gamétophytes dominent les cycles de développement des mousses et d'autres plantes non vasculaires

Les plantes non vasculaires (bryophytes) se divisent aujourd'hui en trois embranchements de petites plantes herbacées (non ligneuses) : les **hépatophytes** ou marchantiophytes (hépatiques), les **muscinées** (mousses) et les **anthocérophytes** (anthocérotes). Les hépatiques et les anthocérotes doivent leur nom au fait que leurs formes évoquent respectivement un foie (*hêpatos*) pour le gamétophyte des hépatiques et une corne

▼ Figure 29.6 Quelques faits marquants de l'évolution des végétaux. Cette phylogenèse représente une hypothèse sur les liens de parenté entre les groupes de végétaux.

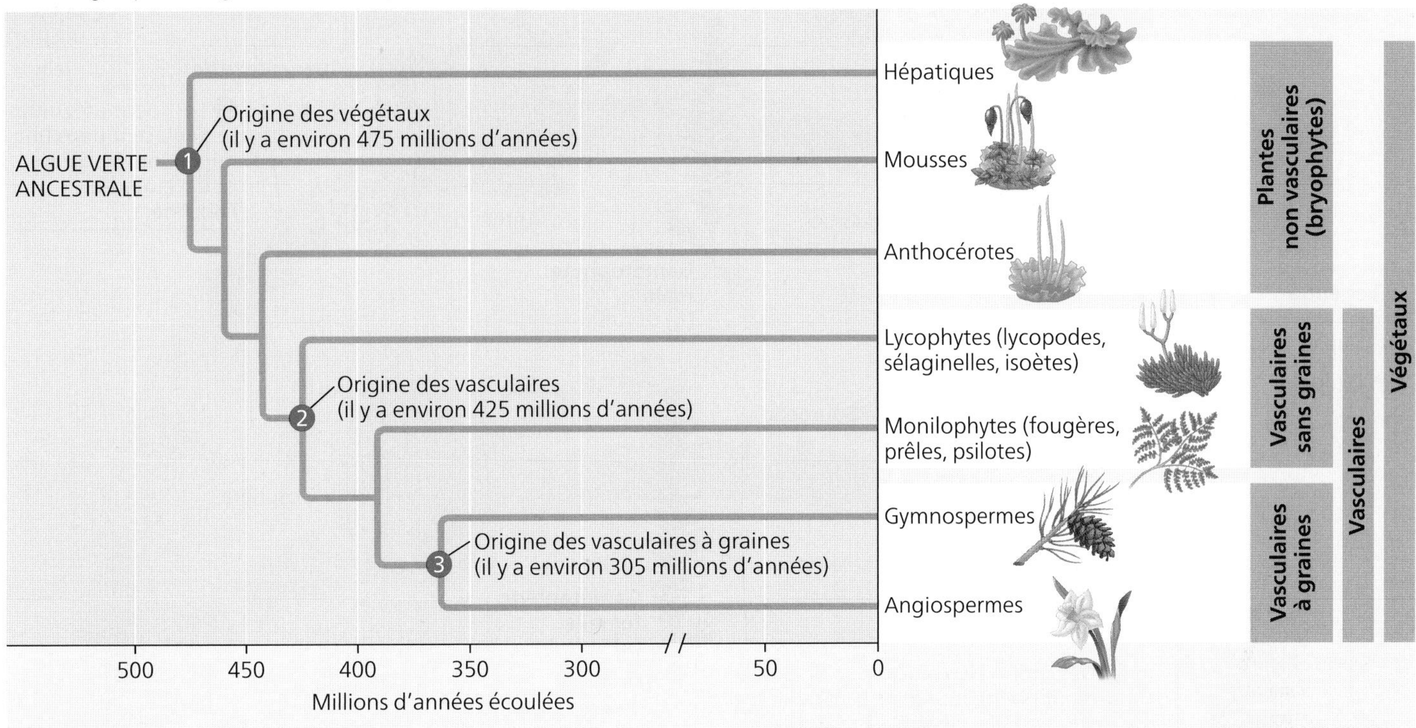

FAITES DES LIENS ▶ Cette figure montre quelles lignées appartiennent aux végétaux, aux plantes non vasculaires, aux vasculaires, aux vasculaires sans graines et aux vasculaires à graines. Parmi ces catégories, lesquelles sont monophylétiques et lesquelles sont paraphylétiques ? Expliquez votre réponse. (Voir la figure 26.10 pour vous rappeler ces termes.)

(*keratos*) pour le sporophyte des anthocérotes. Les mousses sont les bryophytes les plus familières. Cependant, il faut préciser que certains organismes communément appelés « mousses » ne sont pas véritablement des mousses ni même des bryophytes. C'est ainsi le cas de la mousse d'Irlande (*Chondrus crispus*, une algue rouge marine), de la mousse à caribou (*Cladina rangiferina*, un lichen) et de la mousse d'Espagne (*Tillandsia usneoides*, une plante à fleurs).

Des analyses phylogénétiques indiquent que les hépatiques, les mousses et les anthocérotes se sont développés à partir d'autres lignées végétales tôt dans l'histoire évolutive des végétaux (voir la figure 29.6). Des données paléontologiques appuient, dans une certaine mesure, cette hypothèse : les premières spores végétales (qui datent d'il y a entre 470 et 450 millions d'années) présentent des caractéristiques structurales que l'on trouve uniquement dans les spores des hépatiques. De plus, on a également observé des spores comparables à celles des mousses et des anthocérotes dans des fossiles végétaux datant de 430 millions d'années. Quant aux premiers fossiles de vasculaires, ils datent d'environ 425 millions d'années.

Au cours de leur longue évolution, les hépatiques, les mousses et les anthocérotes ont acquis de nombreuses adaptations exclusives. Nous examinerons maintenant certaines de ces caractéristiques.

Les gamétophytes des bryophytes

Contrairement à ce qu'on observe chez les vasculaires, dans les trois embranchements des bryophytes, les gamétophytes haploïdes sont plus gros et vivent plus longtemps que les sporophytes, comme le montre le cycle de développement d'une mousse présenté à la **figure 29.7**. En général, les sporophytes ne sont présents qu'à des étapes particulières du cycle de vie.

Si elles sont dispersées dans un milieu favorable, à la surface d'un sol humide ou sur l'écorce d'un arbre, par exemple, les spores des bryophytes peuvent germer et donner des gamétophytes. Chez les mousses, la germination de la spore produit la plupart du temps un filament qui a l'aspect d'une algue verte et qui n'a qu'une cellule d'épaisseur, le **protonéma**. Vert et ramifié, le protonéma a une surface étendue qui favorise l'absorption de l'eau et des minéraux. Quand les ressources sont suffisantes, il produit un ou plusieurs « bourgeons ». (Lorsqu'il est question de plantes non vasculaires, nous utilisons souvent des guillemets pour nommer des structures ressemblant aux organes des vasculaires, pour indiquer que c'est une analogie.) Chacune de ces excroissances rappelant des bourgeons est pourvue d'un méristème apical. Le méristème engendre la structure qui porte les gamètes, le **gamétophore** ou gamétangiophore. Le protonéma et les gamétophores constituent le gamétophyte.

Les gamétophytes des bryophytes forment généralement un tapis au ras du sol, en partie parce que leur structure est trop mince pour supporter une plante de grande taille. De plus, la plupart des bryophytes sont dépourvues de tissus conducteurs capables de distribuer l'eau et les composés organiques à l'intérieur de tissus épais. (En revanche, la minceur de la structure de leurs organes permet la distribution des matières nutritives en l'absence de tissus conducteurs spécialisés.) Certaines mousses possèdent toutefois des tissus spécialisés au centre de leurs

▼ Figure 29.7 Le cycle de développement de *Polytrichum sp.* (mousse).

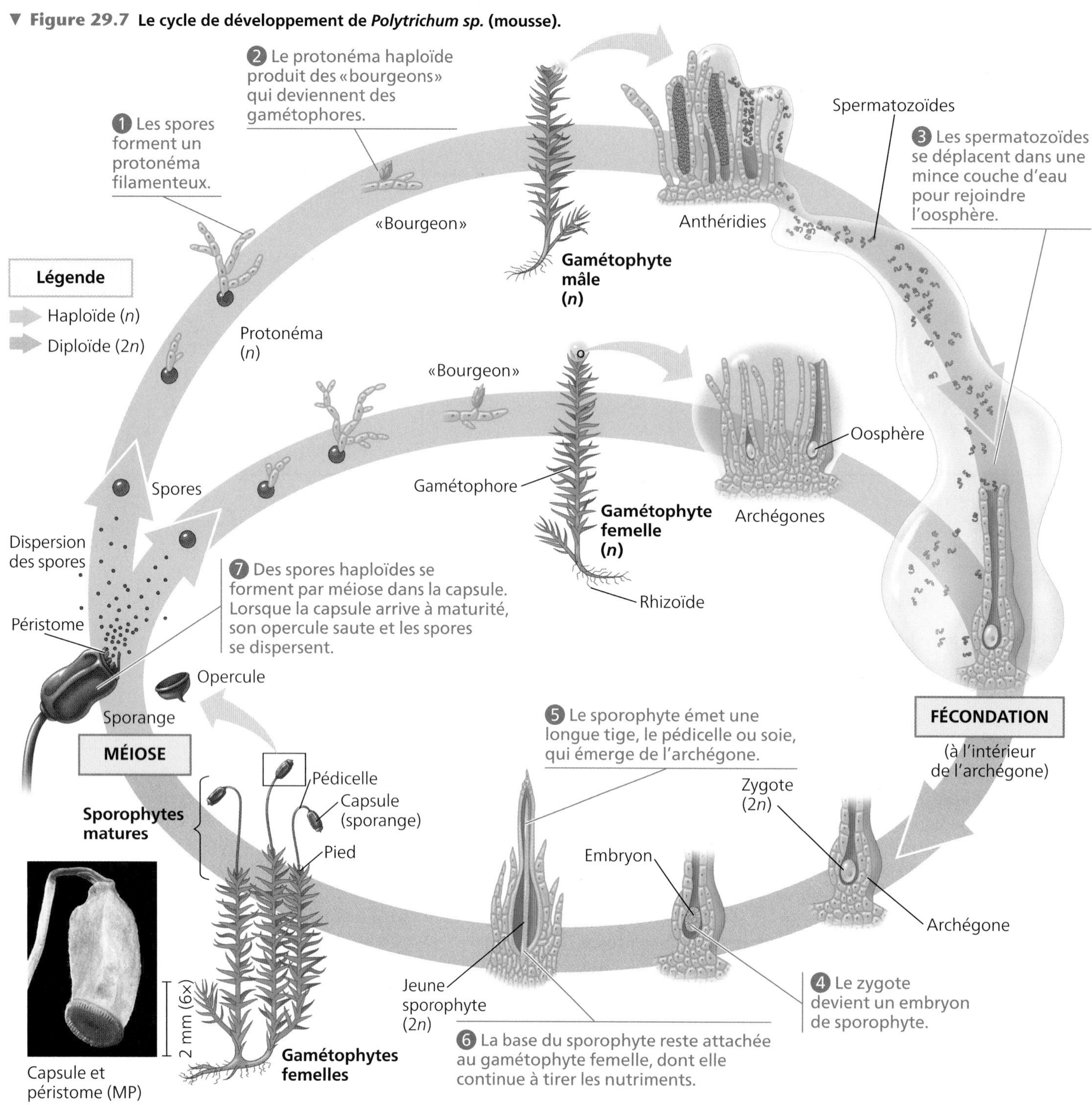

❶ Les spores forment un protonéma filamenteux.
❷ Le protonéma haploïde produit des «bourgeons» qui deviennent des gamétophores.
Spermatozoïdes
❸ Les spermatozoïdes se déplacent dans une mince couche d'eau pour rejoindre l'oosphère.
«Bourgeon»
Anthéridies
Gamétophyte mâle (n)
Légende
Haploïde (n)
Diploïde (2n)
Protonéma (n)
«Bourgeon»
Oosphère
Spores
Gamétophore
Gamétophyte femelle (n)
Archégones
Dispersion des spores
❼ Des spores haploïdes se forment par méiose dans la capsule. Lorsque la capsule arrive à maturité, son opercule saute et les spores se dispersent.
Rhizoïde
Péristome
Opercule
Sporange
MÉIOSE
❺ Le sporophyte émet une longue tige, le pédicelle ou soie, qui émerge de l'archégone.
FÉCONDATION
(à l'intérieur de l'archégone)
Pédicelle
Capsule (sporange)
Sporophytes matures
Pied
Zygote (2n)
Embryon
Archégone
2 mm (6×)
Jeune sporophyte (2n)
❹ Le zygote devient un embryon de sporophyte.
❻ La base du sporophyte reste attachée au gamétophyte femelle, dont elle continue à tirer les nutriments.
Capsule et péristome (MP)
Gamétophytes femelles

HABILETÉS VISUELLES ▶ Dans ce schéma, le spermatozoïde qui féconde l'oosphère est-il génétiquement différent de celle-ci ? Expliquez votre réponse.

«tiges», et quelques-unes d'entre elles peuvent par conséquent atteindre près de 60 cm de hauteur. Les analyses phylogénétiques semblent indiquer que, chez ces espèces et chez d'autres bryophytes, des tissus conducteurs semblables aux tissus des plantes vasculaires auraient émergé lors d'une évolution convergente.

Les gamétophytes se fixent au substrat à l'aide de délicats **rhizoïdes**, lesquels sont de longues cellules tubulaires (chez les hépatiques et les anthocérotes) ou des filaments de cellules (chez les mousses). Contrairement aux racines que présentent les sporophytes des vasculaires, les rhizoïdes ne sont pas formés de tissus, ne possèdent pas de cellules conductrices spécialisées et n'interviennent pas de façon importante dans l'absorption de l'eau et des minéraux.

Les gamétophytes des bryophytes peuvent former de nombreux gamétanges; ceux-ci sont recouverts d'un tissu protecteur et produisent des gamètes. Les oosphères (gamètes femelles) sont formées une à une dans les archégones en forme de vase, tandis que chaque anthéridie produit de nombreux spermatozoïdes (gamètes mâles). Certains gamétophytes sont bisexuels, mais chez les mousses, les archégones et les anthéridies sont en général portés par des gamétophytes femelles et mâles distincts. Les spermatozoïdes flagellés sont libérés dans les gouttes d'eau provenant de la rosée ou de la pluie et nagent vers les oosphères. Attirés par des substances chimiques, ils s'introduisent dans les orifices des archégones. Les oosphères, quant à elles, restent à la base des archégones et c'est là que se développeront les embryons, après la fécondation. Les matières nutritives parviennent jusqu'à eux par l'intermédiaire d'une couche de cellules de transfert pendant qu'ils se transforment en sporophytes.

Les spermatozoïdes des bryophytes ont généralement besoin d'un film d'eau pour atteindre les oosphères. Il n'est donc pas surprenant que de nombreuses espèces de bryophytes colonisent des milieux humides. Si l'humidité est insuffisante, une mousse peut s'abstenir de produire des sporophytes, et cela pendant plusieurs années. Le fait que les spermatozoïdes se déplacent dans l'eau pour atteindre l'oosphère signifie aussi que chez les espèces dotées de gamétophytes mâles et femelles distincts (surtout des mousses), la reproduction sexuée présente de meilleures chances de succès lorsque les individus sont situés à proximité les uns des autres.

De nombreuses espèces de bryophytes peuvent également se multiplier de façon asexuée. Par exemple, certaines mousses se reproduisent de façon asexuée en formant des *propagules*, c'est-à-dire des plantules (voir ci-contre) qui se forment dans de petites *corbeilles*, se détachent de la plante mère et reconstituent, par mitose, un gamétophyte identique à celle-ci.

Les sporophytes des bryophytes

Les sporophytes des bryophytes sont constitués de cellules dotées de plastes qui, lorsque les sporophytes sont jeunes, sont généralement verts et photosynthétiques. Néanmoins, les sporophytes sont incapables de vie autonome. Ils restent attachés toute leur vie à leur gamétophyte maternel, qui fournit les monosaccharides, les acides aminés, les minéraux et l'eau nécessaires à leurs besoins.

De toutes les plantes modernes, les bryophytes sont celles qui possèdent les sporophytes les plus petits. Cette observation va dans le sens de l'hypothèse selon laquelle les sporophytes, petits et simples à l'origine, ont gagné en taille et en complexité chez les vasculaires. Le sporophyte est habituellement composé d'un pied, d'un pédicelle et d'un sporange. Enfermé dans l'archégone, le **pied** absorbe les nutriments provenant du gamétophyte. Le **pédicelle** achemine ces matières jusqu'au sporange, aussi appelé **capsule**, qui les utilise pour produire des spores par méiose.

Les sporophytes des bryophytes peuvent produire un nombre colossal de spores. Par exemple, chez les mousses, une seule capsule peut engendrer plus de cinq millions de spores. Par ailleurs, le pédicelle de la plupart des mousses s'allonge, ce qui élève la capsule et favorise la dispersion des spores. De façon générale, la partie supérieure de la capsule présente un anneau de structures dentelées, le **péristome** (voir la figure 29.7). Par temps sec, celui-ci s'ouvre par écartement des dents et, par temps pluvieux, il se referme par inclinaison des dents vers l'intérieur. Ce mécanisme permet de libérer progressivement les spores en profitant des coups de vent susceptibles de les transporter sur de longues distances.

Les sporophytes des mousses et des anthocérotes sont souvent plus gros et plus complexes que ceux des hépatiques. Par exemple, les sporophytes des anthocérotes, qui ressemblent en apparence à des brins d'herbe, sont dotés d'une cuticule. Les sporophytes des mousses et des anthocérotes possèdent également des stomates, comme toutes les plantes vasculaires (à l'exception des hépatiques).

La **figure 29.8** présente des exemples de gamétophytes et de sporophytes provenant des trois embranchements de bryophytes.

L'importance écologique et économique des bryophytes

Grâce au vent et à la légèreté de leurs spores, les bryophytes se sont disséminées sur toute la planète. Ces plantes sont particulièrement abondantes et diversifiées dans les forêts humides, et autres milieux humides (marais, étangs, tourbières, etc.). Certaines mousses colonisent, en compagnie des lichens, des sols nus et sablonneux où elles contribuent à retenir l'azote (**figure 29.9**). Dans les forêts boréales de conifères, des espèces comme la mousse hypnacée *Pleurozium schreberi* s'associent aux cyanobactéries fixatrices d'azote, qui en augmentent la disponibilité dans l'écosystème. On trouve même des mousses dans des milieux aussi hostiles que les sommets des montagnes, la toundra et les déserts. De nombreuses espèces survivent dans des habitats très froids ou très secs, car elles mettent à profit diverses adaptations structurales, physiologiques et comportementales grâce auxquelles elles arrivent à tolérer une déshydratation presque complète et à se réhydrater lorsque revient l'humidité. Rares sont les vasculaires capables de survivre à un tel degré de dessèchement. De plus, les cellules des mousses contiennent des composés phénoliques qui absorbent les rayons UV dommageables que l'on trouve dans les déserts ou dans les régions situées en haute altitude.

Les mousses du genre *Sphagnum* (sphaignes) constituent souvent une part importante des dépôts de matière organique à demi décomposée, tels que la **tourbe** (**figure 29.10a**). Aussi sont-elles communément appelées mousses de tourbe. Les milieux humides où ces mousses prédominent portent le nom de tourbières. Les sphaignes luttent contre la dégradation grâce aux composés phénoliques résistants que renferment leurs parois cellulaires. Le froid, la forte acidité (la sphaigne sécrète elle-même des ions H^+) et la faible teneur en O_2 des tourbières ralentissent aussi la dégradation de la mousse et d'autres organismes. C'est grâce à ces propriétés que l'on a pu retrouver des corps bien préservés après avoir été ensevelis dans des tourbières durant des milliers d'années (**figure 29.10b**).

La tourbe a longtemps été utilisée comme combustible en Europe et en Asie, et on la récolte encore à cette fin, notamment en Irlande et au Canada. Les grosses cellules mortes trouées de la sphaigne (les cellules vivantes photosynthétiques qui les entourent sont beaucoup plus petites) lui permettent d'absorber 20 fois sa masse en eau; c'est pourquoi elle sert également à préparer les sols et à protéger les racines des plantes pendant le transport.

Les tourbières représentent 3 % de la surface des terres immergées (elles occupent environ 10 % du territoire au Canada et 40 % en Europe) et contiennent environ 30 % des réserves mondiales

▼ **Figure 29.8**

PANORAMA La diversité des bryophytes

Les hépatiques (embranchement des hépatophytes)

Les hépatiques doivent leur nom aux gamétophytes en forme de foie de certains d'entre eux, notamment *Marchantia polymorpha* (ci-dessous). À l'époque médiévale, on pensait que leur forme était une indication du pouvoir thérapeutique de ces plantes à l'égard des maladies du foie. Certaines hépatiques, comme celles du genre *Marchantia*, sont dites « thalloïdes » en raison de la forme aplatie de leurs gamétophytes. Les gamétanges de *Marchantia spp.* s'élèvent sur des gamétophores ayant l'aspect d'arbres miniatures. Il faudrait une loupe pour voir les sporophytes, qui sont munis d'un court pédicelle (tige) portant un sporange rond ou ovale. Certaines hépatiques, dont *Plagiochila deltoidea* ci-dessous, sont qualifiées de « feuillues », car leurs gamétophytes, dont la structure ressemble à une tige, portent de nombreux appendices ressemblant à des feuilles. Les hépatiques « feuillues » sont beaucoup plus répandues que les espèces thalloïdes.

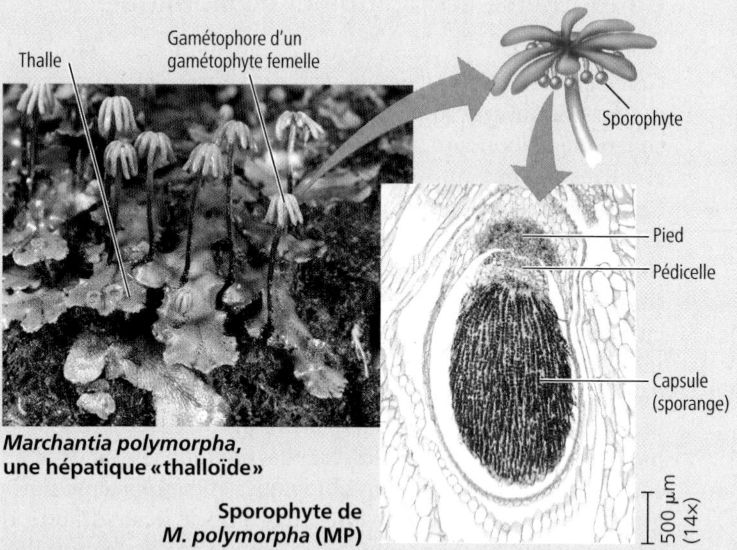

***Marchantia polymorpha*, une hépatique «thalloïde»**

Sporophyte de *M. polymorpha* (MP)

***Plagiochila deltoidea*, une hépatique «feuillue»**

Les anthocérotes (embranchement des anthocérophytes)

Les anthocérotes doivent leur nom à leurs sporophytes en forme de corne, qui ressemblent aussi à de petits brins d'herbe. Le sporophyte est photosynthétique et atteint habituellement 5 cm de hauteur. Contrairement aux sporophytes des hépatiques et des mousses, celui de l'anthocérote est dépourvu de pédicelle et n'est constitué que d'un sporange. Celui-ci libère des spores matures lorsqu'il se fend longitudinalement à partir de l'extrémité supérieure du sporophyte. Les gamétophytes, dont le diamètre varie généralement de 1 à 2 cm, poussent surtout à l'horizontale et portent souvent de multiples sporophytes. Les gamétophytes des anthocérotes ont une relation symbiotique avec les cyanobactéries, qui fixent l'azote. Cette association explique qu'ils soient fréquemment l'une des premières espèces à coloniser des espaces ouverts en milieu humide (ces milieux comportent souvent peu d'azote).

Anthocérote du genre *Anthoceros*

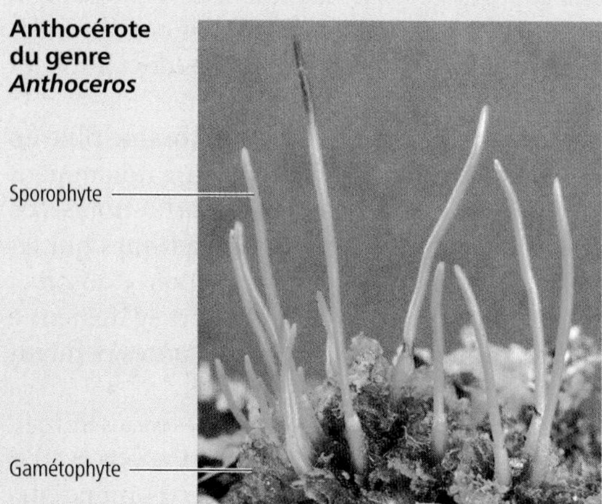

Les mousses (embranchement des muscinées)

Les gamétophytes des mousses, dont la hauteur varie entre moins de 1 mm et près de 60 cm, ne dépassent pas 15 cm chez la plupart des espèces. Les tapis de mousse qui nous sont familiers se composent principalement de gamétophytes. Leurs « feuilles » n'ont habituellement qu'une cellule d'épaisseur, mais il en existe des plus complexes qui sont munies de crêtes recouvertes d'une cuticule, tels la mousse *Polytrichum commune* (ci-dessous) et ses proches parents. Les sporophytes des mousses sont en général allongés et visibles à l'œil nu ; leur hauteur peut atteindre 20 cm. Verts et photosynthétiques lorsqu'ils sont jeunes, les sporophytes prennent une teinte brunâtre lorsqu'ils sont prêts à libérer leurs spores.

Mousse *Polytrichum commune*

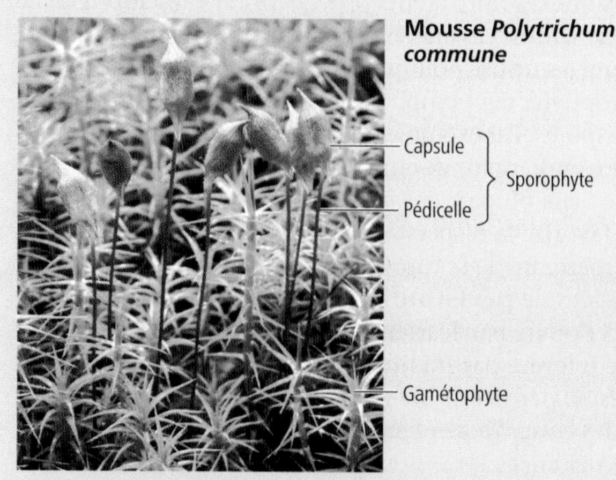

DÉMARCHE SCIENTIFIQUE

INVESTIGATION

▼ **Figure 29.9**

Les bryophytes peuvent-elles ralentir la perte des nutriments importants des sols ?

■ **HYPOTHÈSE** ■ Si les bryophytes peuvent ralentir la perte de nutriments des sols, alors on devrait observer une perte plus importante de nutriments dans un sol exempt de toute bryophyte, par rapport à un sol équivalent où poussent ces végétaux.

■ **EXPÉRIENCE** ■ Les sols des écosystèmes terrestres sont souvent pauvres en azote, un nutriment nécessaire à la croissance des végétaux. Richard Bowden, du Allegheny College, a mesuré les apports et les pertes annuels d'azote dans un écosystème sablonneux où prédomine une mousse du genre *Polytrichum*. L'apport d'azote était mesuré à partir des pluies (ions dissous, comme les nitrates, NO_3^-), de la fixation biologique de l'azote et des dépôts causés par le vent. Les pertes d'azote ont été mesurées dans les eaux de lessivage (ions NO_3^- dissous) et les émissions gazeuses (le NO_2 que produisent les bactéries). Bowden a mesuré les pertes dans les sols colonisés par des mousses du genre *Polytrichum* et dans les sols où cette mousse avait été enlevée deux mois avant le début de l'expérience.

■ **RÉSULTATS** ■ Au total, l'écosystème reçoit chaque année 10,5 kg d'azote par hectare (kg/ha). Les pertes d'azote par émissions gazeuses ont été négligeables (0,10 kg/ha). Le diagramme ci-dessous montre les pertes d'azote par lessivage.

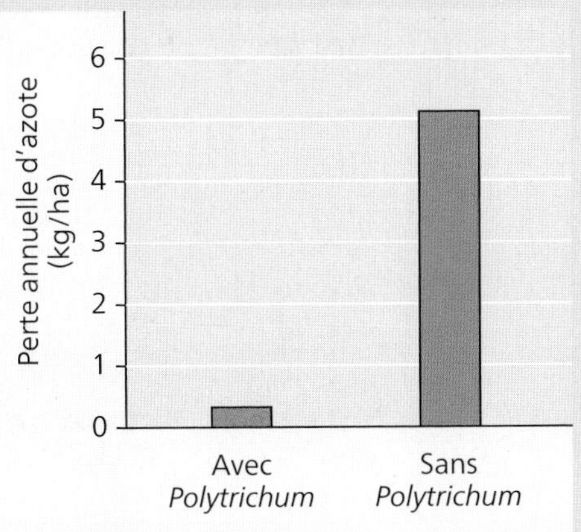

■ **CONCLUSION** ■ La mousse *Polytrichum sp.* a grandement diminué la perte d'azote par lessivage dans cet écosystème. Chaque année, l'écosystème où prédomine cette mousse a retenu 95 % des 10,5 kg/ha d'apport d'azote (les pertes attribuables aux émissions gazeuses et au lessivage n'ont représenté respectivement que 0,1 kg/ha et 0,3 kg/ha).

Source des données : R. D. Bowden, Inputs, outputs, and accumulation of nitrogen in an early successional moss (*Polytrichum*) ecosystem, *Ecological Monographs* 61 : 207-223 (1991).

ET SI ? ▶ Quels peuvent être les effets de la présence de *Polytrichum sp.* sur les espèces de végétaux qui colonisent généralement les sols sablonneux après la mousse ?

▼ **Figure 29.10 La tourbe, constituée de mousses du genre *Sphagnum*, une bryophyte, présente un intérêt économique, écologique et archéologique.**

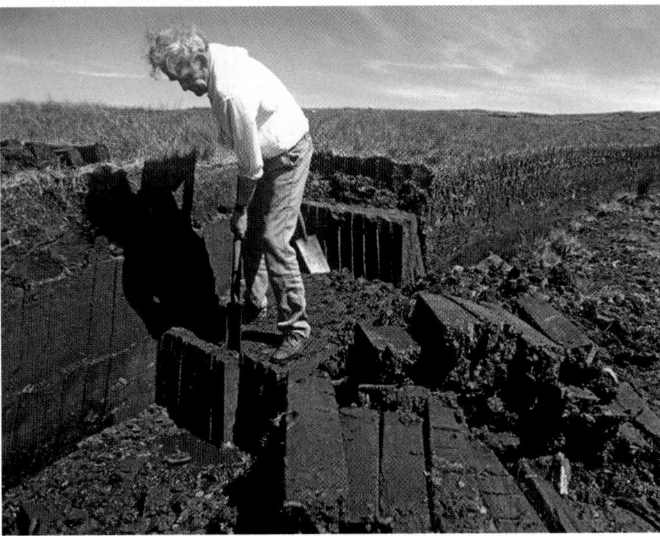

(a) Récolte de la tourbe dans une tourbière.

(b) L'homme de Tollund, momie des tourbières datant d'il y a entre 400 et 100 ans avant notre ère (conservée au Silkeborg Museum, au Danemark). Grâce au milieu acide et pauvre en O_2 produit par *Sphagnum spp.*, des corps d'humains ou d'autres animaux peuvent y être préservés durant des milliers d'années.

de carbone. On estime à 450 milliards de tonnes la masse de carbone organique contenue dans les tourbières de la planète. La surexploitation dont la sphaigne fait actuellement l'objet (principalement pour son utilisation dans les centrales électriques alimentées à la tourbe) pourrait contribuer au réchauffement planétaire en libérant le CO_2 emprisonné. De plus, si la hausse des températures mondiales se poursuit, il faut probablement s'attendre à une diminution du niveau d'eau de certaines tourbières, donc à une plus grande exposition à l'air. La sphaigne se décomposerait alors, ce qui accroîtrait la libération de CO_2 et le réchauffement planétaire. Les effets passés et potentiels de la sphaigne sur le climat planétaire soulignent l'importance de la préservation des tourbières et de leur bonne gestion.

Selon toute vraisemblance, les mousses exercent depuis longtemps un effet sur les changements climatiques. Dans la rubrique **Habiletés scientifiques**, vous déterminerez si elles ont joué un rôle dans l'altération des roches pendant l'Ordovicien.

DÉMARCHE SCIENTIFIQUE
HABILETÉS SCIENTIFIQUES

Tracer des diagrammes à bandes et interpréter les données

■ **LES PLANTES NON VASCULAIRES POURRAIENT-ELLES AVOIR CAUSÉ L'ALTÉRATION (MÉTÉORISATION) DES ROCHES ET PARTICIPÉ AUX CHANGEMENTS CLIMATIQUES PENDANT L'ORDOVICIEN ?** ■ Certaines spores fossilisées vieilles de 470 millions d'années constituent les traces les plus anciennes des végétaux terrestres. Entre cette époque et la fin de l'Ordovicien, il y a de cela 444 millions d'années, les niveaux atmosphériques de CO_2 ont diminué de moitié, et la température s'est considérablement refroidie.

Plusieurs raisons peuvent expliquer la chute des niveaux de CO_2 durant cette période, dont l'altération (dégradation) des roches. En effet, au cours de ce processus, il se forme du silicate de calcium (Ca_2SiCO_3), lequel se combine au CO_2 dans l'air pour produire du carbonate de calcium ($CaCO_3$). Les racines des vasculaires actuelles accentuent la libération des minéraux en produisant des acides qui favorisent la dégradation des roches et du sol. Même si les plantes non vasculaires ne possèdent aucune racine, elles ont besoin des mêmes nutriments minéraux que les vasculaires. Alors, se pourrait-il qu'elles aient également accru l'altération chimique des roches ? Si tel est le cas, elles auraient pu contribuer à faire chuter les niveaux de CO_2 pendant l'Ordovicien. Dans cet exercice, vous interpréterez les données d'une étude portant sur les divers effets des mousses sur la libération des minéraux de deux types de roches.

■ **MÉTHODE** ■ Les chercheurs ont créé des microcosmes expérimentaux et témoins, c'est-à-dire de petits écosystèmes artificiels, pour mesurer la libération des minéraux des roches. D'abord, ils ont placé des fragments de roches d'origine volcanique, du granite ou de l'andésite, dans de petits récipients de verre. Ils ont ensuite mélangé de l'eau et des mousses de l'espèce *Physcomitrella patens* qu'ils avaient préalablement macérées (hachées et broyées). Ils ont ajouté ce mélange aux microcosmes expérimentaux (72 échantillons de granite et 41 échantillons d'andésite). Par contre, ils ont filtré la mousse et ajouté seulement l'eau dans les microcosmes témoins (77 échantillons de granite et 37 échantillons d'andésite). Après 130 jours, ils ont mesuré la quantité des différents minéraux dans l'eau des microcosmes témoins et des microcosmes expérimentaux.

■ **RÉSULTATS** ■ La biomasse de la mousse (croissance) a augmenté dans les microcosmes expérimentaux. Le tableau montre les quantités moyennes en micromoles (µmol) des différents minéraux mesurés dans l'eau et dans la mousse des microcosmes.

Quantité moyenne de minéraux (µmol)	Ca^{2+}		Mg^{2+}		K^+	
	Granite	Andésite	Granite	Andésite	Granite	Andésite
Dans l'eau des microcosmes témoins	1,68	1,54	0,42	0,13	0,68	0,60
Dans l'eau des microcosmes expérimentaux	1,27	1,84	0,34	0,13	0,65	0,64
Captée par les mousses dans les microcosmes expérimentaux	1,09	3,62	0,31	0,56	1,07	0,28

Source des données : T. M. Lenton et coll., First plants cooled the Ordovician, *Nature Geoscience* 5 : 86-89 (2012).

INTERPRÉTEZ LES DONNÉES ▼

1. Pourquoi, dans les microcosmes témoins, les chercheurs ont-ils ajouté l'eau filtrée de laquelle on avait retiré les mousses macérées ?
2. Tracez deux diagrammes à bandes (un pour le granite et un pour l'andésite) comparant les quantités moyennes de chaque élément libéré par les roches dans les microcosmes témoins et expérimentaux. (*Indice :* Dans un microcosme expérimental, quelle valeur représente la quantité totale de minéraux libérés par les roches ?)
3. Dans l'ensemble, quel est l'effet de la mousse sur l'altération chimique des roches ? Les résultats obtenus pour le granite et l'andésite sont-ils comparables ou différents ?
4. En se fondant sur les résultats expérimentaux obtenus, les chercheurs ont introduit une variable « altération des roches par les plantes non vasculaires » dans les modèles de simulation du climat de l'Ordovicien. Les nouveaux modèles ont alors prédit une diminution des niveaux de CO_2 et un refroidissement mondial suffisamment important pour déclencher les glaciations observées à la fin de l'Ordovicien. Quelles hypothèses les chercheurs ont-ils formulées à partir des résultats des expériences réalisées à l'aide des modèles de simulation du climat ?
5. « La vie a profondément changé la Terre. » Expliquez si les résultats de ces expériences appuient, ou non, cet énoncé.

RETOUR SUR LE CONCEPT 29.2

1. En quoi les bryophytes diffèrent-elles des autres végétaux ?
2. Donnez trois exemples qui illustrent la relation entre la structure et la fonction chez les bryophytes.
3. **FAITES DES LIENS ▶** Revoyez la notion de régulation par rétroaction au concept 1.1. Les effets du réchauffement planétaire sur les tourbières pourraient-ils modifier les concentrations de CO_2 de manière à favoriser une rétro-inhibition ou une rétroactivation ? Expliquez votre réponse.

Voir les réponses proposées à l'appendice A.

CONCEPT **29.3**

Les fougères et d'autres vasculaires sans graines ont été les premiers végétaux de grande taille

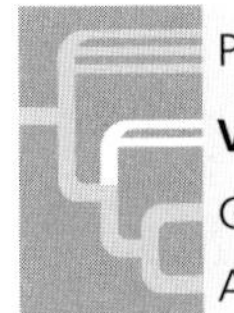

Plantes non vasculaires (bryophytes)
Vasculaires sans graines
Gymnospermes
Angiospermes

Au cours des 100 premiers millions d'années de l'évolution des végétaux, les bryophytes ont dominé la végétation. Or aujourd'hui, dans la plupart des paysages, les vasculaires occupent la première place. Les plus anciens fossiles de vasculaires remontent à 425 millions d'années. Ces végétaux ne possédaient pas de graines, mais ils disposaient d'un système vasculaire bien développé, une innovation évolutive qui leur a permis de dépasser en hauteur les bryophytes. Cependant, comme chez les bryophytes, les spermatozoïdes des fougères et de toutes les autres vasculaires sans graines sont flagellés et doivent nager dans une mince couche d'eau pour atteindre les oosphères. Compte tenu de cette particularité de leurs spermatozoïdes, les vasculaires modernes sans graines colonisent surtout des milieux humides.

▼ **Figure 29.11 Les sporophytes de *Aglaophyton major*, l'ancêtre des vasculaires modernes.** Cette reconstitution préparée d'après des fossiles âgés d'environ 405 millions d'années montre des ramifications dichotomiques (en forme de Y) et des sporanges terminaux. Les sporophytes ramifiés caractérisent les vasculaires modernes, mais ils sont absents chez les bryophytes (plantes non vasculaires). Des structures nommées rhizoïdes permettaient aux sporophytes du genre *Aglaophyton* de s'ancrer au sol. L'encadré montre un stomate fossilisé d'*A. major* (MP, cliché coloré artificiellement).

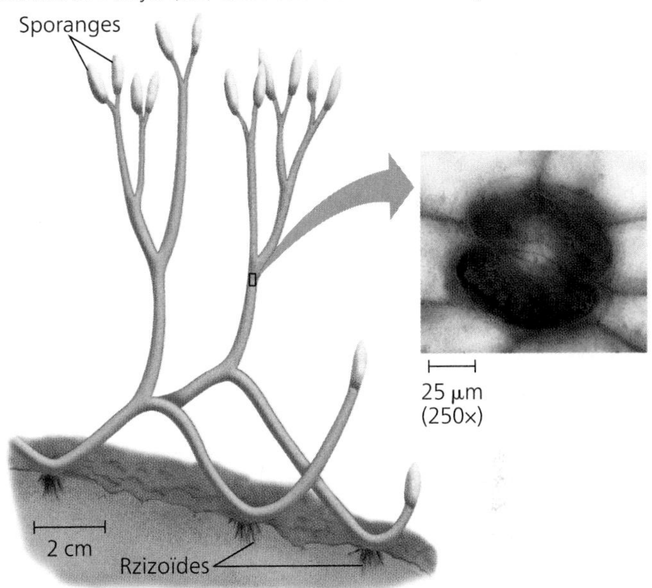

L'origine et les caractères des vasculaires

Contrairement aux plantes non vasculaires, les ancêtres des vasculaires modernes possédaient des sporophytes ramifiés dont la nutrition n'était pas tributaire des gamétophytes (**figure 29.11**). Bien que leur taille ne dépassait pas 20 cm, leur ramification permettait le développement de corps plus complexes munis de multiples sporanges. La compétition pour l'espace et la lumière disponibles s'est probablement accrue à mesure que le corps des plantes a gagné en complexité. Comme nous le verrons, cette compétition pourrait avoir favorisé d'autant l'évolution des vasculaires et, ultimement, la formation des premières forêts.

Les premières vasculaires comportaient déjà certains de leurs caractères dérivés, mais d'autres adaptations cruciales, notamment les racines, ne sont apparues que plus tard. Les principaux caractères des vasculaires sont les cycles de développement avec prédominance des sporophytes, les tissus conducteurs (xylème et phloème) et la présence de racines et de feuilles bien développées, dont les sporophylles, qui portent des spores.

La prédominance des sporophytes dans les cycles de développement

Comme nous l'avons indiqué précédemment, les gamétophytes occupent une place prépondérante dans les cycles de développement des mousses et des autres bryophytes (voir la figure 29.7). Les fossiles laissent croire qu'un changement s'est amorcé chez certaines des premières vasculaires, dont les gamétophytes et les sporophytes étaient de taille à peu près égale. La taille des gamétophytes a diminué davantage parmi les vasculaires modernes ; dans ces groupes, le sporophyte est la forme la plus volumineuse et la plus complexe de l'alternance des générations (**figure 29.12**). Ainsi, les fougères feuillues que nous connaissons bien sont des sporophytes. Il faut s'agenouiller, ouvrir grands les yeux et fouiller le sol avec beaucoup de délicatesse pour trouver des gamétophytes de fougères, qui sont de minuscules structures (moins de 1 cm), souvent en forme de cœur, qui croissent à la surface du sol ou sous terre.

Le transport dans le xylème et le phloème

Les vasculaires possèdent deux types de tissu conducteur : le xylème et le phloème. Le **xylème** assure la majeure partie du transport de l'eau et des minéraux. Chez la plupart des vasculaires, le xylème comporte des **trachéides**, soit des cellules en forme de tube qui transportent l'eau et les minéraux depuis les racines jusque vers le haut (voir la figure 35.10). Les cellules conductrices des vasculaires sont *lignifiées*, c'est-à-dire que leur paroi est renforcée par un polymère phénolique, la **lignine**. Le **phloème**, lui, est un tissu composé de cellules formant des tubes qui distribuent les monosaccharides, les acides aminés et d'autres produits organiques de leur lieu de production à leur lieu d'utilisation (voir la figure 35.10).

Le tissu conducteur lignifié a permis aux vasculaires d'atteindre des tailles supérieures à celles des bryophytes. Leurs tiges, devenues assez solides pour résister à la force gravitationnelle, sont capables de transporter l'eau et les minéraux bien au-dessus du sol. Les plantes de grande taille ont en outre un meilleur accès à la lumière du soleil, nécessaire à la photosynthèse. De plus, les spores des grandes plantes se dispersent plus loin que celles des plantes basses, ce qui leur a permis de coloniser rapidement de nouveaux environnements. De façon générale, la capacité d'atteindre une plus grande taille a fourni aux vasculaires un « avantage concurrentiel » sur les plantes non vasculaires, dont

▼ **Figure 29.12 Le cycle de développement d'une fougère.**

ET SI ? ▶ Si les spermatozoïdes d'une fougère pouvaient être dispersés par le vent, quel effet cela aurait-il sur son cycle de développement ?

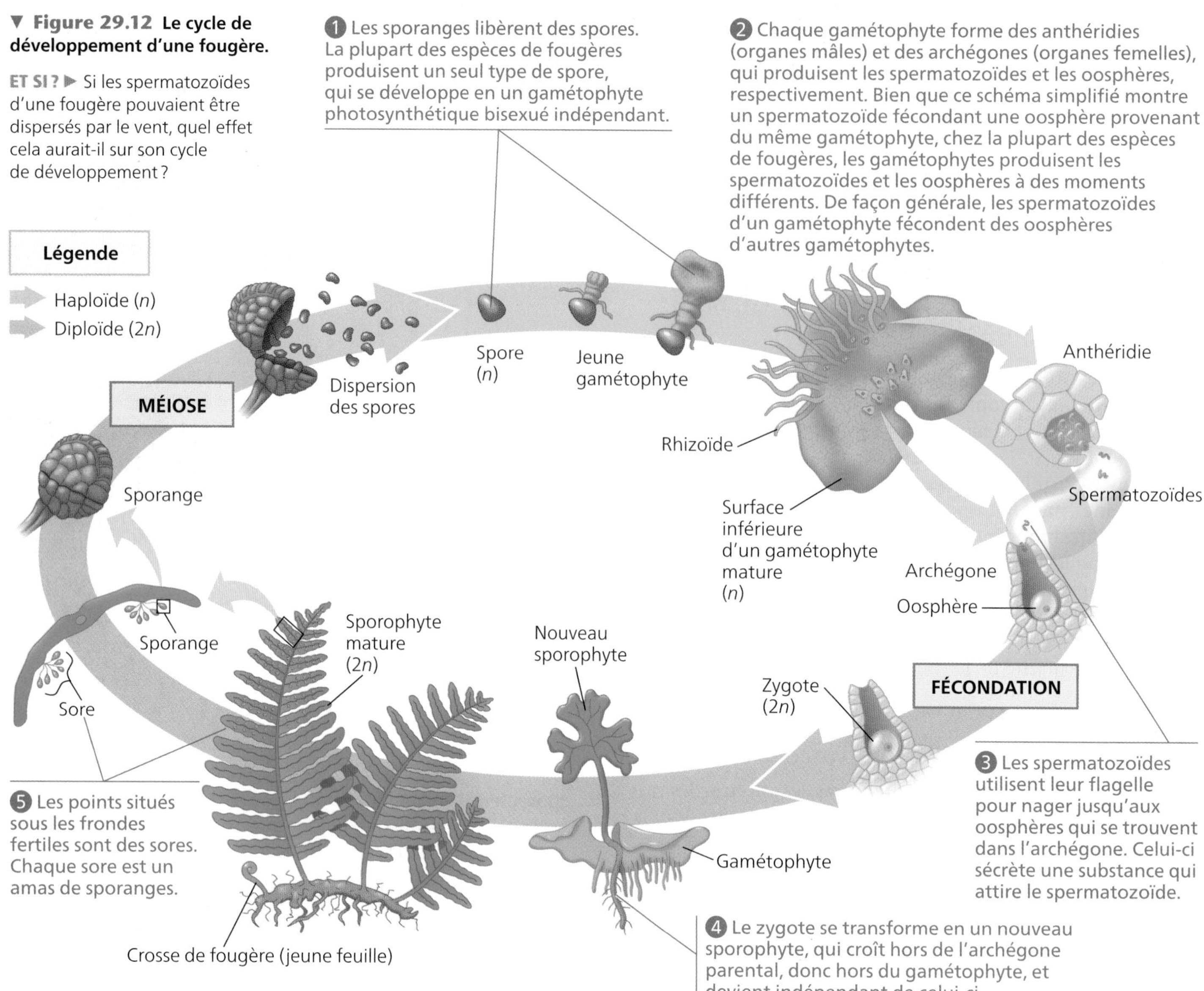

Légende
Haploïde (n)
Diploïde (2n)
1 Les sporanges libèrent des spores. La plupart des espèces de fougères produisent un seul type de spore, qui se développe en un gamétophyte photosynthétique bisexué indépendant.
2 Chaque gamétophyte forme des anthéridies (organes mâles) et des archégones (organes femelles), qui produisent les spermatozoïdes et les oosphères, respectivement. Bien que ce schéma simplifié montre un spermatozoïde fécondant une oosphère provenant du même gamétophyte, chez la plupart des espèces de fougères, les gamétophytes produisent les spermatozoïdes et les oosphères à des moments différents. De façon générale, les spermatozoïdes d'un gamétophyte fécondent des oosphères d'autres gamétophytes.
MÉIOSE
Dispersion des spores
Spore (n)
Jeune gamétophyte
Anthéridie
Rhizoïde
Sporange
Surface inférieure d'un gamétophyte mature (n)
Spermatozoïdes
Archégone
Oosphère
Sporange
Sporophyte mature (2n)
Nouveau sporophyte
Sore
Zygote (2n)
FÉCONDATION
3 Les spermatozoïdes utilisent leur flagelle pour nager jusqu'aux oosphères qui se trouvent dans l'archégone. Celui-ci sécrète une substance qui attire le spermatozoïde.
5 Les points situés sous les frondes fertiles sont des sores. Chaque sore est un amas de sporanges.
Gamétophyte
4 Le zygote se transforme en un nouveau sporophyte, qui croît hors de l'archégone parental, donc hors du gamétophyte, et devient indépendant de celui-ci.
Crosse de fougère (jeune feuille)

la hauteur est généralement inférieure à 5 cm. La compétition entre les vasculaires a également augmenté, la sélection naturelle favorisant les végétaux les plus grands. Ultimement, ce processus a donné naissance aux arbres qui ont constitué les premières forêts, il y a quelque 385 millions d'années.

L'origine des racines

Les tissus conducteurs offrent aussi des avantages sous la surface du sol. Au lieu des rhizoïdes qu'on trouve chez les bryophytes, ce sont des racines qui sont apparues chez presque toutes les vasculaires. Les **racines** sont des organes qui absorbent l'eau et les nutriments provenant du sol. Elles fixent solidement les vasculaires dans le sol et permettent ainsi au système caulinaire (foliacé) d'atteindre une hauteur plus élevée.

Les tissus des racines des végétaux modernes ressemblent beaucoup à ceux des tiges d'espèces fossiles de plantes vasculaires primitives. Les racines pourraient donc s'être développées à partir des parties souterraines des tiges de ces vasculaires. On ignore si les racines ne sont apparues qu'une seule fois chez l'ancêtre commun de toutes les vasculaires ou si elles se sont développées indépendamment au sein de différentes lignées. Bien que les racines des membres modernes de ces lignées de vasculaires présentent de nombreuses similitudes, les observations paléontologiques semblent indiquer qu'il y aurait eu évolution convergente. Par exemple, les plus anciens fossiles de lycophytes révèlent que ces végétaux présentaient déjà des racines simples il y a 400 millions d'années, alors que les ancêtres des fougères et des vasculaires à graines en étaient encore dépourvus. L'étude des gènes qui déterminent le développement des racines chez diverses espèces de vasculaires pourrait aider à résoudre cette question.

L'origine des feuilles

Les **feuilles** sont des structures qui constituent le principal organe photosynthétique des vasculaires. Selon leur taille et leur complexité, on peut les diviser en deux groupes : les microphylles et les mégaphylles (**figure 29.13**). Tous les lycophytes sont dotés de **microphylles**, des feuilles petites, généralement en forme d'aiguille, avec une seule nervure. Presque toutes les autres vasculaires ont des **mégaphylles**, soit des

▼ **Figure 29.13 Microphylles et mégaphylles.**

Microphylles

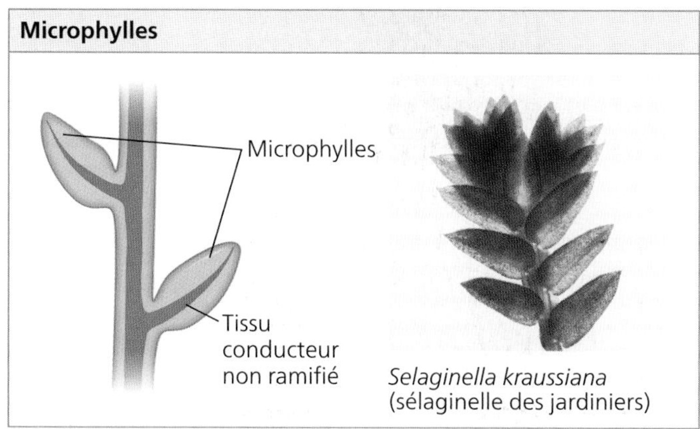

Selaginella kraussiana (sélaginelle des jardiniers)

Mégaphylles

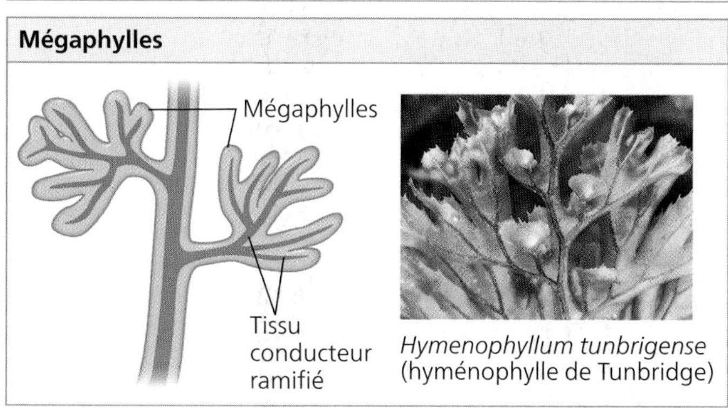

Hymenophyllum tunbrigense (hyménophylle de Tunbridge)

feuilles au système vasculaire très ramifié ; quelques espèces ont des feuilles plus petites qui semblent dériver des mégaphylles. Les mégaphylles sont généralement plus grandes que les microphylles. Par conséquent, le rendement de la photosynthèse est plus élevé dans les mégaphylles que dans les microphylles. Les microphylles figurent pour la première fois dans les archives géologiques datant de 410 millions d'années, mais l'apparition des mégaphylles ne date que de 370 millions d'années environ, soit vers la fin du Dévonien.

Les variations des sporophylles et des spores

L'apparition des **sporophylles**, c'est-à-dire des feuilles modifiées qui portent des sporanges, constitue une étape clé de l'évolution des végétaux. La structure des sporophylles est très variée. Par exemple, chez les fougères, elles produisent des amas de sporanges, ou **sores**, situés habituellement sur leur face inférieure (voir la figure 29.12). Chez de nombreux lycophytes et chez la plupart des gymnospermes, des groupes de sporophylles forment des structures coniques, les **strobiles**. Les sporophylles des angiospermes sont connues sous le nom de *carpelles* et d'*étamines* (voir la figure 30.8).

La plupart des espèces de vasculaires sans graines sont **homosporées** : elles possèdent un seul type de sporophylle, laquelle porte un seul type de sporange. Ce sporange produit un seul type de spores, lesquelles donnent généralement des gamétophytes bisexués, comme chez presque toutes les fougères, à l'exception des espèces aquatiques. Les espèces **hétérosporées** comportent deux types de sporophylles : les mégasporophylles et les microsporophylles. Dans les mégasporophylles, les mégasporanges donnent des **mégaspores**, soit des spores qui forment des gamétophytes femelles (ou mégagamétophytes). Dans les microsporophylles, les microsporanges produisent des **microspores**, soit des spores plus petites qui deviennent des gamétophytes mâles (ou microgamétophytes). Toutes les vasculaires à graines et quelques vasculaires sans graines sont hétérosporées. Les schémas suivants permettent de comparer les deux modes de production des spores.

Production des spores chez les espèces homosporées
(la plupart des vasculaires sans graines)

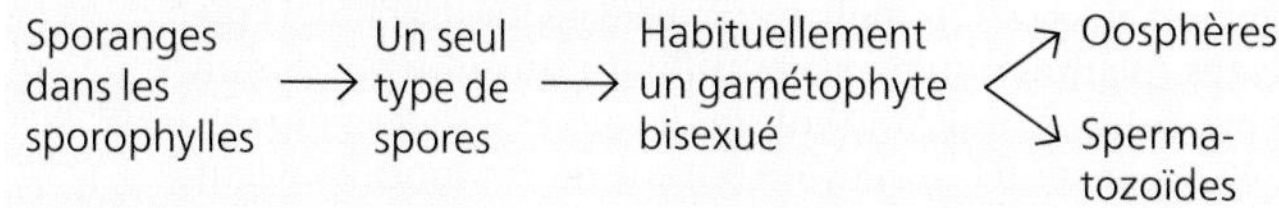

Production des spores chez les espèces hétérosporées
(toutes les plantes à graines)

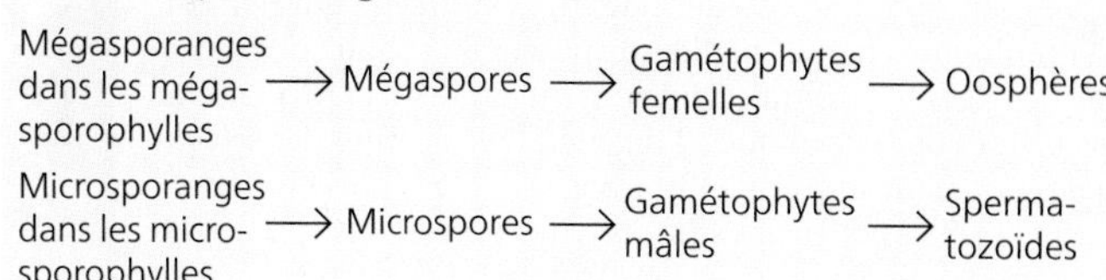

La classification des vasculaires sans graines

Comme nous l'avons mentionné plus tôt, les biologistes reconnaissent deux subdivisions de vasculaires sans graines modernes : les lycophytes et les monilophytes. Les lycophytes comprennent les lycopodes, les sélaginelles et les isoètes. Les monilophytes rassemblent les fougères, les prêles ainsi que les psilotes et autres plantes apparentées. Même si les fougères, les prêles et les psilotes sont d'aspect très différent, de récentes comparaisons anatomiques et moléculaires démontrent de façon convaincante que ces trois groupes forment un clade. C'est pourquoi de nombreux systématiciens les classent ensemble dans l'embranchement des monilophytes, comme nous le faisons ici. D'autres considèrent que ces groupes forment trois embranchements distincts à l'intérieur d'un clade. La **figure 29.14** présente les deux principaux groupes de vasculaires sans graines.

L'embranchement des lycophytes : les lycopodes, les sélaginelles et les isoètes

Les espèces modernes de lycophytes, le plus ancien groupe de vasculaires, sont les vestiges d'un passé particulièrement prolifique. Durant le Carbonifère (entre 359 et 299 millions d'années avant aujourd'hui), la lignée des lycophytes comprenait de petites plantes herbacées et des arbres gigantesques pouvant dépasser les 2 m de diamètre et 40 m de hauteur. Les lycophytes géants ont évolué durant des millions d'années dans les marais chauds et humides, mais leur diversité a régressé lorsque le climat s'est refroidi et asséché, au cours du Permien. Par contre, les petits lycophytes ont survécu. Il en existe aujourd'hui environ 1 200 espèces. Même si certaines espèces sont communément appelées mousses, il ne s'agit pas de véritables mousses (qui sont, comme on l'a vu, des plantes non vasculaires).

L'embranchement des monilophytes : les fougères, les prêles ainsi que les psilotes et les plantes apparentées

Depuis leur apparition, durant le Dévonien, les fougères se sont considérablement diversifiées, si bien qu'il en existe plus de

▼ Figure 29.14

PANORAMA La diversité des vasculaires sans graines

Les lycophytes

Nombre d'espèces de lycophytes sont des plantes tropicales **épiphytes** (plantes non parasites utilisant un autre organisme comme substrat) qui croissent sur des arbres. D'autres espèces se développent sur le sol des forêts des régions tempérées. Selon l'espèce, les minuscules gamétophytes prennent soit la forme de plantes photosynthétiques aériennes, soit la forme de plantes souterraines nourries par des champignons symbiotiques.

Les sporophytes possèdent des tiges verticales qui portent de nombreuses petites feuilles disposées en spirale, de même que des tiges horizontales qui courent sur le sol et produisent des racines dichotomiques. En général plus petites, les sélaginelles poussent souvent à l'horizontale. Chez plusieurs lycopodes et sélaginelles, les sporophylles portant les sporanges forment des amas coniques (les strobiles). Les isoètes, qui forment un genre unique, vivent dans les endroits marécageux ou complètement submergés. Les lycopodes sont homosporés, tandis que les sélaginelles et les isoètes sont hétérosporés. Les spores des lycopodes, riches en huile et inflammables, se dispersent en nuages lorsqu'elles parviennent à maturité. Jadis, les magiciens et les photographes mettaient le feu à des spores de lycopodes pour produire de la fumée ou des éclairs.

Diphasiastrum tristachyum (lycopode)

Les monilophytes

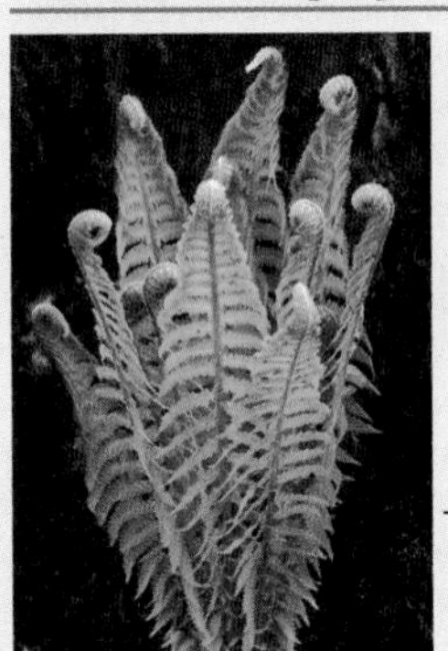

Matteuccia struthiopteris (fougère-à-l'autruche)

Equisetum arvense (prêle des champs)

Psilotum nudum (psilote)

Les fougères

Contrairement aux lycophytes, les fougères possèdent des mégaphylles (voir la figure 29.13). Les sporophytes portent habituellement des tiges horizontales d'où émergent de grandes feuilles appelées frondes, souvent divisées en folioles. À mesure que la fronde croît, son bout enroulé, la crosse, se déroule.

Chez les fougères, presque toutes les espèces sont homosporées. Le gamétophyte de certaines espèces se flétrit et meurt après que le jeune sporophyte s'en est détaché. Chez la majorité des espèces, les sporophytes possèdent des sporanges pédonculés munis d'un mécanisme qui catapulte les spores à plusieurs mètres. Les spores peuvent alors être emportées par le vent sur de longues distances. Certaines espèces produisent plus d'un billion de spores au cours de leur vie.

Les prêles

Les tiges des prêles, dont l'épiderme est riche en silice et la texture grumeleuse, servaient autrefois de « joncs à récurer » pour les marmites et les casseroles. Certaines espèces possèdent des tiges fertiles (qui portent des cônes) non photosynthétiques et des tiges végétatives photosynthétiques distinctes. Les prêles sont homosporées : leurs cônes libèrent des spores produisant des gamétophytes bisexués.

Les prêles sont aussi appelées arthrophytes (« plantes à articulations »), car leurs tiges présentent des articulations. Des anneaux de très petites feuilles (microphylles) dont les bases soudées constituent une gaine ou de petits rameaux forment des verticilles émergeant de chaque articulation, mais la tige demeure le principal organe de la photosynthèse. De grands canaux aérifères transportent l'O_2 vers les racines, qui croissent souvent dans des sols gorgés d'eau.

Les psilotes et les plantes apparentées

Comme chez les fossiles des vasculaires primitives, les sporophylles des psilotes possèdent des tiges dichotomiques, mais pas de racines. Les tiges présentent des excroissances semblables à des écailles ; dépourvues de tissu conducteur, ces écailles pourraient être la réduction évolutive de feuilles. Chacun des boutons jaunes portés le long des tiges est formé de trois sporanges fusionnés. Étroitement apparentées aux psilotes, les espèces du genre *Tmesipteris*, qu'on ne trouve que dans le Pacifique Sud, sont également dépourvues de racines, mais leurs tiges portent de petites excroissances semblables à des feuilles, ce qui leur donne l'apparence de vignes. Les deux genres sont homosporés : ils produisent des spores engendrant des gamétophytes bisexués qui poussent sous terre et ne mesurent qu'à peu près 1 cm de long.

12 000 espèces aujourd'hui. Elles ont côtoyé les lycophytes géants et les prêles dans les grandes forêts marécageuses du Carbonifère. Ce sont de loin les vasculaires sans graines les plus répandues aujourd'hui. Leur diversité culmine dans les régions tropicales. On en trouve aussi un grand nombre dans les forêts tempérées et quelques-unes dans les habitats arides.

Comme nous l'avons mentionné, les fougères et autres monilophytes sont plus étroitement apparentés aux vasculaires à graines qu'aux lycophytes. Par conséquent, les monilophytes et les vasculaires à graines partagent des caractères que ne présentent pas les lycophytes, dont des mégaphylles et des racines capables de se ramifier en divers endroits le long d'une racine existante. Chez les lycophytes, les racines ne se ramifient qu'à leur extrémité, selon une structure en Y.

Les prêles étaient très diversifiées au Carbonifère. Elles pouvaient alors atteindre une hauteur de 15 m. Aujourd'hui, cependant, il n'en existe plus qu'une quinzaine d'espèces qui font partie d'un genre unique mais très répandu, *Equisetum*. On les trouve souvent dans les endroits marécageux et le long des cours d'eau.

Les psilotes et les plantes d'un genre étroitement apparenté, *Tmesipteris*, forment un clade constitué principalement d'épiphytes tropicaux. Les plantes de ces deux genres, les seules vasculaires sans racines véritables, ont déjà été considérées comme des « fossiles vivants » en raison de leur ressemblance frappante avec les fossiles d'espèces primitives apparentées aux vasculaires modernes (voir les figures 29.11 et 29.14). Toutefois, de nombreuses observations, dont l'analyse des séquences d'ADN et de la structure des spermatozoïdes, indiquent que les psilotes et *Tmesipteris spp.* sont étroitement apparentés aux fougères. Selon cette hypothèse, les racines véritables de leurs ancêtres auraient disparu au cours de l'évolution. De nos jours, les plantes de ces deux genres absorbent l'eau et les nutriments par leurs nombreux rhizoïdes.

L'importance des vasculaires sans graines

Les ancêtres des lycophytes, des prêles et des fougères modernes, de même que leurs parentes vasculaires sans graines aujourd'hui disparues, atteignaient des hauteurs considérables au cours du Dévonien et au début du Carbonifère, formant ainsi les premières forêts (**figure 29.15**). Quelle incidence leur remarquable croissance a-t-elle eue sur la Terre et les autres formes de vie ?

La formation des premières forêts a eu des répercussions majeures sur la Terre. En effet, ces forêts ont contribué à l'importante diminution des concentrations de CO_2 survenue pendant le Carbonifère qui a entraîné un refroidissement planétaire, puis la formation de glaciers très étendus. L'activité des racines des arbres est en partie responsable de la diminution des concentrations de CO_2. De fait, les racines des vasculaires sécrètent des acides qui dégradent les roches, ce qui accélère la libération du calcium et du magnésium du sol. Ces deux minéraux réagissent au contact du CO_2 dissous dans l'eau de pluie et forment différents composés. Ceux-ci finissent par se déverser dans les océans, où ils sont intégrés aux roches (sous forme de carbonate de calcium ou de magnésium). Ces processus (accélérés par les végétaux) ont pour résultat d'emprisonner dans les roches marines le CO_2 libéré dans l'air. Le carbone emprisonné dans ces roches peut retourner dans l'atmosphère, mais cette opération exige généralement des millions d'années (par exemple, lorsque les roches atteignent la surface de l'eau, et sont ainsi soumises à l'érosion, après une élévation géologique).

▲ **Figure 29.15 Une forêt du Carbonifère peinte par un artiste d'après des données paléontologiques.** Les lycophytes arborescents, dont le tronc est couvert de petites feuilles, abondaient dans les forêts du Carbonifère, tout comme les fougères géantes et les prêles.

Avec le temps, les vasculaires sans graines des forêts du Carbonifère se sont transformées en charbon, séquestrant encore une fois le CO_2 de l'atmosphère pendant de longues périodes. Dans les eaux stagnantes des marais, les arbres morts des premières forêts ne se décomposaient pas complètement. Cette matière organique a formé d'épaisses couches de tourbe qui ont plus tard été envahies par la mer et recouvertes de sédiments. Sous l'effet de la chaleur et de la pression, la tourbe s'est progressivement transformée en charbon sur une période de plusieurs millions d'années. Les dépôts de charbon du Carbonifère sont en fait les plus importants de l'histoire de la Terre. (Le nom Carbonifère provient d'ailleurs du mot charbon.) Le charbon a alimenté la révolution industrielle, au 19e siècle, et aujourd'hui on en utilise encore chaque année plus de sept milliards de tonnes un peu partout dans le monde. Paradoxalement, la combustion du charbon, formé à partir de plantes ayant contribué au refroidissement de la planète, participe maintenant à son réchauffement en renvoyant du carbone dans l'atmosphère (voir la figure 56.29).

Au cours du Carbonifère, les vasculaires sans graines ont poussé, dans les marais, aux côtés des vasculaires à graines primitives. Ces dernières, les gymnospermes, ne dominaient pas le paysage. Mais, après l'assèchement des marais, à la fin de cette période géologique, elles ont fini par acquérir une place prépondérante. Au chapitre 30, nous examinerons l'origine et la diversification des vasculaires à graines à la lumière de notre thème, l'adaptation à la vie sur la terre ferme.

RETOUR SUR LE CONCEPT 29.3

1. Énumérez les caractères dérivés présents à la fois chez les monilophytes et les vasculaires à graines, mais absents chez les lycophytes.
2. En quoi les principales ressemblances et différences entre les vasculaires sans graines et les plantes non vasculaires influent-elles sur les fonctions vitales de ces végétaux ?
3. **FAITES DES LIENS ▶** Quelle incidence la fécondation réalisée à partir de deux gamètes issus du même gamétophyte (voir la figure 29.12) peut-elle avoir sur la production de variations génétiques par reproduction sexuée ? Voir le concept 13.4.

Voir les réponses proposées à l'appendice A.

RÉVISION DU CHAPITRE 29

Consultez votre MANUEL NUMÉRIQUE, qui vous donne accès aux **animations**, aux **exercices** et à la plateforme d'**anatomie interactive**.

Résumé des concepts clés

CONCEPT 29.1

Les végétaux se sont développés à partir des algues vertes (p. 678 à 682)

- Les caractères morphologiques et biochimiques ainsi que les ressemblances entre les gènes des noyaux et des chloroplastes des deux groupes d'organismes indiquent que certains groupes de charophytes sont les organismes modernes les plus étroitement apparentés aux végétaux.
- Une couche protectrice de **sporopollénine** ainsi que d'autres caractères permettent aux charophytes de résister à la déshydratation à laquelle elles sont parfois exposées au bord des étangs et des lacs. De tels caractères auraient permis aux algues dont descendent les végétaux de survivre dans des milieux terrestres, ouvrant ainsi la voie à la colonisation de la terre ferme.
- Parmi les caractères dérivés qui distinguent les végétaux des charophytes, leurs plus proches parents, mentionnons les **cuticules**, les **stomates**, les embryons multicellulaires dépendants et les quatre caractéristiques illustrées ici :

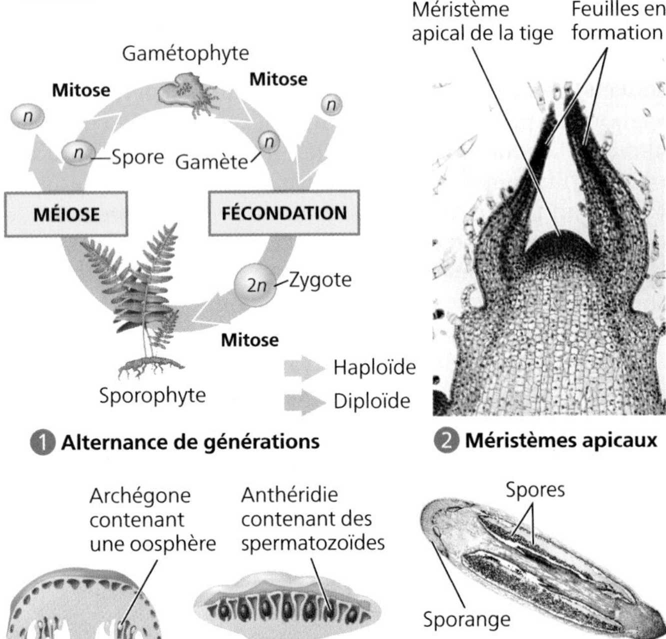

- Des fossiles indiquent que les végétaux sont apparus il y a plus de 470 millions d'années. Par la suite, ils ont divergé pour former plusieurs grands groupes, dont les **bryophytes** (plantes non vasculaires), les **vasculaires sans graines**, comme les **lycophytes** et les fougères, et les deux groupes de vasculaires à graines, les **gymnospermes** et les **angiospermes**.

? Dessinez un arbre de classification illustrant notre compréhension actuelle de la phylogenèse des végétaux; indiquez l'ancêtre commun des végétaux et l'origine des gamétanges multicellulaires, du tissu vasculaire et des graines.

CONCEPT 29.2

Les gamétophytes dominent les cycles de développement des mousses et d'autres plantes non vasculaires (p. 682 à 688)

- Les lignées à l'origine des trois clades actuels de **bryophytes** (**hépatiques**, **mousses** et **anthocérotes**) ont divergé à partir d'autres plantes tôt dans l'évolution des végétaux.
- Dominant le cycle de développement des bryophytes, les **gamétophytes** haploïdes forment, par exemple, les tapis de mousse. Les **rhizoïdes** leur permettent de se fixer au substrat sur lequel ils se développent. Les spermatozoïdes flagellés produits par les **anthéridies** doivent se déplacer dans une mince couche d'eau pour atteindre les oosphères qui se trouvent dans les **archégones**.
- Au stade diploïde du cycle de développement, les **sporophytes** émergent de l'archégone et restent attachés au gamétophyte dont ils dépendent pour se nourrir. Plus petits et plus simples que ceux des vasculaires, ces sporophytes se composent habituellement d'un **pied**, d'un **pédicelle** (soie) et d'une **capsule** (sporange).
- Les mousses du genre *Sphagnum* recouvrent de grandes étendues de terrain, les tourbières, et trouvent plusieurs applications pratiques, notamment comme combustible.

? Résumez l'importance des mousses sur le plan écologique.

CONCEPT 29.3

Les fougères et d'autres vasculaires sans graines ont été les premiers végétaux de grande taille (p. 689 à 693)

- Les fossiles des ancêtres des vasculaires modernes datent d'environ 425 millions d'années. Ils indiquent que ces minuscules plantes possédaient des sporophytes ramifiés indépendants ainsi qu'un système vasculaire.
- Au fil du temps, d'autres caractères dérivés des vasculaires modernes sont apparus, comme la prédominance des sporophytes dans le cycle de développement, des tissus vasculaires lignifiés, des **racines** et des **feuilles** bien développées et des **sporophylles**.
- Les vasculaires sans graines comprennent les **lycophytes** (lycopodes, sélaginelles et isoètes) et les **monilophytes** (fougères, prêles ainsi que psilotes et plantes apparentées). Les données actuelles montrent que les vasculaires sans graines, comme les bryophytes, ne forment pas un clade.
- Les lignées ancestrales des lycophytes modernes étaient des plantes herbacées et de grands arbres. Les lycophytes modernes sont de petites plantes herbacées.
- Les vasculaires sans graines ont formé les premières forêts il y a environ 385 millions d'années. Leur croissance pourrait avoir joué un rôle dans le grand refroidissement de la planète qui a eu lieu durant le Carbonifère. La matière organique en décomposition provenant des premières forêts s'est transformée en charbon avec le temps.

? Quel(s) caractère(s) a (ont) permis aux vasculaires de croître en hauteur, et pourquoi cette taille accrue a-t-elle joué en leur faveur ?

Évaluation

NIVEAU 1 : CONNAISSANCES ET COMPRÉHENSION

1. Trois des caractéristiques suivantes démontrent que les charophytes sont les organismes le plus étroitement apparentés aux végétaux. Quelle est l'exception ?
a) La similarité de la structure des spermatozoïdes.
b) La présence de chloroplastes.
c) La similarité de la formation des parois cellulaires pendant la cytocinèse.
d) La similarité des gènes des chloroplastes.

2. Parmi les caractéristiques suivantes, laquelle est absente chez les charophytes, mais présente chez les végétaux ?
a) La chlorophylle *b*.
b) La cellulose dans la paroi cellulaire.
c) La reproduction sexuée.
d) L'alternance de générations multicellulaires.

3. Parmi les structures suivantes, lesquelles sont produites par méiose chez les vasculaires ?
a) Les gamètes haploïdes.
b) Les gamètes diploïdes.
c) Les spores haploïdes.
d) Les spores diploïdes.

4. Quel groupe de végétaux présente des microphylles ?
a) Les lycophytes.
b) Les hépatiques.
c) Les fougères.
d) Les anthocérotes.

NIVEAU 2 : APPLICATION ET ANALYSE

5. Supposons, chez une espèce particulière de mousse, l'évolution d'un système conducteur qui aurait permis le transport de l'eau et d'autres matières à une hauteur équivalente à celle d'un arbre. Parmi les énoncés suivants sur les « arbres » d'une telle espèce, lequel serait alors *incorrect* ?
a) La distance de dispersion des spores serait probablement plus grande.
b) Les femelles ne pourraient produire qu'un archégone.
c) À moins que ses composants ne soient renforcés, un « arbre » de cette nature s'affaisserait probablement.
d) Les individus gagneraient sans doute un meilleur accès à la lumière.

6. Indiquez si chacune des structures suivantes est haploïde ou diploïde.
a) Un sporophyte.
b) Une spore.
c) Un gamétophyte.
d) Un zygote.

7. LIEN AVEC L'ÉVOLUTION

FAITES UN DESSIN ▶ Tracez un arbre phylogénétique représentant l'état de nos connaissances actuelles sur les liens évolutifs existant entre une mousse, une gymnosperme, un lycophyte et une fougère. Prenez une algue charophyte en guise de groupe extérieur. (Revoyez la figure 26.5 pour rafraîchir vos connaissances sur les arbres phylogénétiques.) Pour chaque point de bifurcation, indiquez au moins un caractère dérivé propre au clade.

NIVEAU 3 : SYNTHÈSE ET ÉVALUATION

8. INVESTIGATION

INTERPRÉTEZ LES DONNÉES ▶ La mousse hypnacée *Pleurozium schreberi* entretient une association symbiotique avec une espèce de cyanobactérie fixatrice d'azote. Les scientifiques qui étudiaient cette mousse dans les forêts boréales ont constaté que le pourcentage des sols recouverts par la mousse en question passait d'environ 5 % dans les forêts qui avaient brûlé de 35 à 41 ans auparavant à 70 % dans celles qui avaient brûlé au moins 170 ans plus tôt. À partir des mousses qui poussaient dans ces forêts, les scientifiques ont également recueilli les données suivantes sur la fixation de l'azote :

Temps écoulé depuis les feux de forêt (années)	Taux de fixation de l'azote (kg N/[ha · année])
35	0,001
41	0,005
78	0,08
101	0,3
124	0,9
170	2,0
220	1,3
244	2,1
270	1,6
300	3,0
355	2,3

Source des données : O. Zackrisson et coll., Nitrogen fixation increases with successional age in boreal forests, *Ecology* 85 : 3327-3334 (2006).

a) À l'aide des données ci-dessus, tracez un diagramme linéaire en indiquant les années sur l'axe des abscisses et le taux de fixation de l'azote sur l'axe des ordonnées.
b) À l'azote supplémentaire que procure la fixation de l'azote s'ajoute un dépôt d'azote d'environ 1 kg par hectare de forêt boréale par année. Cet apport provient des pluies et des petites particules contenues dans l'atmosphère. Précisez dans quelle mesure *P. schreberi* influe sur la disponibilité de l'azote dans les forêts boréales à diverses époques.

Voir les réponses proposées à l'appendice A.

La diversité des végétaux II : l'évolution des plantes à graines

30

VOS OUTILS INTERACTIFS

Consultez votre MANUEL NUMÉRIQUE, qui vous donne accès aux **animations**, aux **exercices** et à la plateforme d'**anatomie interactive**.

▲ **Figure 30.1** **Comment ces végétaux ont-ils pu atteindre une région si éloignée ?**

CONCEPTS CLÉS

30.1 Les graines et les grains de pollen sont des adaptations déterminantes de la vie sur la terre ferme

30.2 Chez les gymnospermes, les graines sont généralement «nues», et portées sur des cônes

30.3 Chez les angiospermes, les fleurs et les fruits sont des adaptations à la reproduction

30.4 Le bien-être des humains est fortement tributaire des vasculaires à graines

▲ **Graines d'épilobe en épi.**

La transformation du monde

Le 18 mai 1980, le mont St. Helens est entré en éruption. On estime que la puissance dégagée lors de l'explosion était 500 fois supérieure à celle de la bombe atomique larguée sur la ville d'Hiroshima, en août 1945. Se déplaçant à une vitesse de 483 km/h, le souffle de l'explosion du volcan a détruit des centaines d'hectares de forêts, laissant la région couverte de cendres et dénuée de toute forme visible de vie. Toutefois, il n'a fallu que quelques années pour que certains végétaux, comme l'épilobe en épi (*Chamerion angustifolium*), colonisent cette région aride (**figure 30.1**).

C'est sous forme de graines que sont d'abord arrivés l'épilobe en épi et d'autres végétaux figurant parmi les premières espèces observées dans cette région dévastée. Une **graine** se compose d'un embryon et d'une réserve de nourriture qui sont enfermés dans une enveloppe protectrice. Les graines se détachent de leur parent lorsqu'elles arrivent à maturité, puis se dispersent sous l'action du vent ou d'une autre force. C'est ce qui leur permet de coloniser des régions éloignées.

Non seulement les végétaux ont-ils contribué à la régénération de certaines régions comme celle du mont St. Helens, mais ils ont également transformé la Terre. Dans ce chapitre, nous continuerons d'examiner l'origine de cette transformation en suivant l'émergence et la diversification des plantes à graines, un groupe auquel appartient l'épilobe en épi. D'après certaines données paléontologiques et des études comparatives portant sur les végétaux modernes, les plantes à graines seraient apparues il y a environ 360 millions d'années. Une fois établi, ce nouveau groupe a modifié de façon radicale l'évolution des végétaux. En effet, les plantes à graines sont devenues les principaux producteurs de la plupart des écosystèmes terrestres et constituent depuis la vaste majorité de la biodiversité végétale.

Dans ce chapitre, nous allons d'abord examiner les caractéristiques générales des plantes à graines pour ensuite étudier l'histoire évolutive de ce groupe ainsi que les répercussions colossales qu'il a eues sur la société humaine.

CONCEPT **30.1**

Les graines et les grains de pollen sont des adaptations déterminantes de la vie sur la terre ferme

Commençons par un survol des adaptations terrestres importantes que les plantes à graines ont acquises, en plus de celles que possédaient déjà les plantes non vasculaires (bryophytes) et les vasculaires sans graines (voir le concept 29.1). En plus des graines, les caractéristiques suivantes sont aussi présentes chez toutes les plantes à graines, que nous appellerons dorénavant vasculaires à graines: gamétophyte de taille réduite, hétérosporie, ovule et pollen. Vous verrez que ces adaptations ont aidé les vasculaires à graines à composer avec les conditions terrestres, comme les sécheresses et l'exposition aux rayons ultraviolets (UV) du soleil. Elles ont également rendu possible la fécondation en l'absence d'eau, ce qui a permis aux vasculaires à graines de se reproduire dans des conditions beaucoup plus variées que les vasculaires sans graines.

Les avantages de la taille réduite des gamétophytes

Le cycle de développement des bryophytes et des mousses est dominé par le stade du gamétophyte, tandis que celui des fougères et d'autres vasculaires sans graines l'est par le stade du sporophyte. La tendance à la réduction de la taille (et de la longévité) du gamétophyte s'est poursuivie dans la lignée des vasculaires, jusqu'à l'apparition des vasculaires à graines. En effet, les gamétophytes des vasculaires sans graines sont visibles à l'œil nu, mais ceux de la plupart des vasculaires à graines sont microscopiques.

Cette miniaturisation a permis une innovation évolutive importante chez les vasculaires à graines. En effet, les minuscules gamétophytes de ces végétaux peuvent se développer de spores contenues dans les sporanges du sporophyte parent. De cette façon, ils sont protégés des facteurs de stress environnementaux. Logés dans les tissus reproducteurs humides du sporophyte parent, ils sont notamment à l'abri de la sécheresse et des rayons ultraviolets nocifs. Cette relation permet aussi aux gamétophytes en croissance d'obtenir la nourriture dont ils ont besoin auprès du sporophyte parent. Les gamétophytes autonomes des vasculaires sans graines doivent, quant à eux, assurer eux-mêmes leur subsistance. La **figure 30.2** présente un aperçu des relations entre les sporophytes et les gamétophytes chez les plantes non vasculaires, les vasculaires sans graines et les vasculaires à graines.

L'hétérosporie: la règle chez les vasculaires à graines

Au concept 29.3, nous avons vu que presque toutes les vasculaires sans graines sont *homosporées*, c'est-à-dire qu'elles ne produisent qu'un seul type de spores qui engendrent habituellement des gamétophytes bisexués. Les fougères et d'autres plantes étroitement apparentées aux vasculaires à graines sont homosporées, ce qui donne à penser que leurs ancêtres l'étaient également. À un certain moment, les vasculaires à graines ou leurs ancêtres sont devenues *hétérosporées* et se sont mises à produire deux types de spores: les mégasporanges, qui sont situés sur des feuilles modifiées appelées mégasporophylles, produisent des *mégaspores* donnant des gamétophytes femelles, et les microsporanges, qui sont situés sur des feuilles modifiées appelées microsporophylles, produisent des *microspores* donnant des gamétophytes mâles. Dans chaque mégasporange (ou *nucelle* chez les vasculaires à graines), il n'y a qu'une seule mégaspore, tandis que chaque microsporange contient de nombreuses microspores.

Comme nous l'avons déjà mentionné, la miniaturisation des gamétophytes des vasculaires à graines a probablement contribué à l'immense succès évolutif de ce clade. Nous allons maintenant étudier le développement du gamétophyte femelle à l'intérieur d'un ovule et celui du gamétophyte mâle à l'intérieur d'un grain de pollen. Ensuite, nous expliquerons la transformation d'un ovule fécondé en graine.

Les ovules et la production des oosphères

Bien que quelques espèces de vasculaires sans graines soient hétérosporées, seules les vasculaires à graines se distinguent des autres plantes en confinant le mégasporange à l'intérieur du sporophyte parent. Une enveloppe de tissu du sporophyte forme un **tégument** qui entoure et protège le mégasporange. Chez les gymnospermes, les mégasporanges sont entourés d'un seul tégument, alors qu'il y en a généralement deux chez les angiospermes. L'ensemble constitué par le tégument, le mégasporange et la mégaspore est appelé **ovule** (**figure 30.3a**). Dans chaque ovule (du latin *ovulum*, «petit œuf»), un gamétophyte femelle se développe à partir d'une mégaspore et produit une ou plusieurs oosphères.

Le pollen et la production des spermatozoïdes

Les microspores deviennent des **grains de pollen**, qui sont des gamétophytes mâles contenus dans les parois du grain de pollen. (La couche externe de la paroi du grain de pollen se compose de molécules sécrétées par les cellules du sporophyte; le gamétophyte mâle *ne constitue* donc *pas* le grain de pollen, mais se trouve plutôt *à l'intérieur* de celui-ci.) La **sporopollénine** située dans la paroi protège le grain de pollen lorsqu'il est transporté par le vent ou par des animaux. Cette enveloppe externe est très finement ciselée et forme une ornementation qui varie d'une espèce à l'autre, à tel point qu'il est possible d'identifier une plante uniquement d'après ses grains de pollen. Le transfert du pollen à la partie de la plante abritant les ovules est appelé **pollinisation**. Si un grain de pollen germe (commence à se développer), il fabrique un tube qui transporte des spermatozoïdes dans le gamétophyte femelle situé dans l'ovule, comme le montre la **figure 30.3b**.

Chez les plantes non vasculaires et les vasculaires sans graines, comme les fougères, des gamétophytes autonomes libèrent des spermatozoïdes flagellés qui se déplacent dans une mince couche d'eau pour atteindre les oosphères. En raison de cette particularité, il n'est pas étonnant que nombre de ces espèces vivent seulement dans des milieux humides. Toutefois, un grain de pollen peut être transporté par le vent ou les animaux. Ce faisant, les spermatozoïdes des vasculaires à graines

▼ Figure 30.2 Les relations entre les sporophytes et les gamétophytes de divers groupes de végétaux.

	GROUPE DE VÉGÉTAUX		
	Mousses et autres plantes non vasculaires	**Fougères et autres vasculaires sans graines**	**Vasculaires à graines (gymnospermes et angiospermes)**
Gamétophyte	Dominant	Petit (photosynthétique et indépendant)	Petit (habituellement microscopique), dépendant des tissus du sporophyte qui l'entoure pour se nourrir
Sporophyte	Petit, dépendant du gamétophyte pour la nutrition	Dominant	Dominant
Exemple	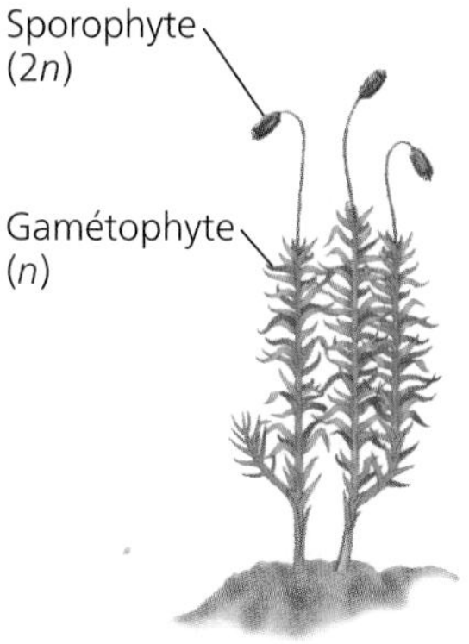 Sporophyte (2*n*) Gamétophyte (*n*)	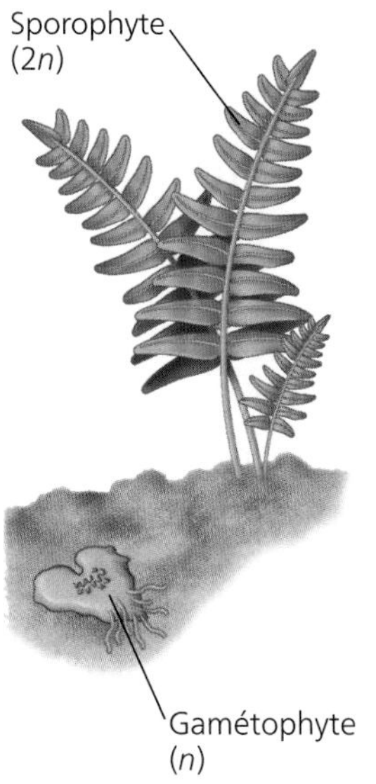 Sporophyte (2*n*) Gamétophyte (*n*)	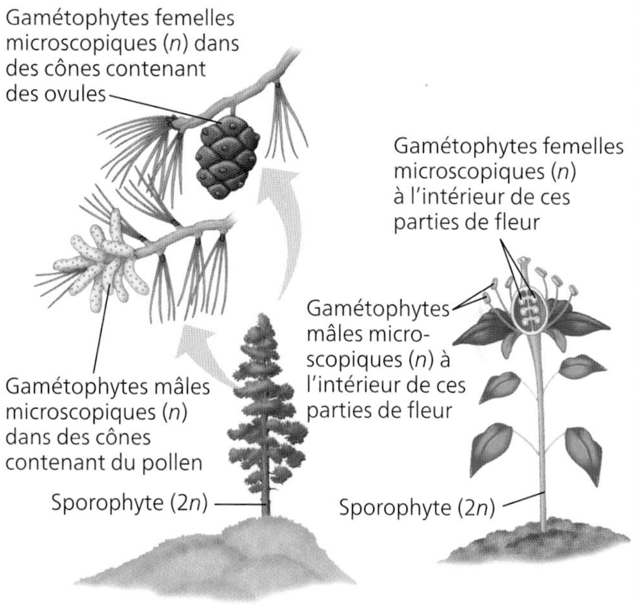 **Gymnosperme** Gamétophytes femelles microscopiques (*n*) dans des cônes contenant des ovules Gamétophytes mâles microscopiques (*n*) dans des cônes contenant du pollen Sporophyte (2*n*) **Angiosperme** Gamétophytes femelles microscopiques (*n*) à l'intérieur de ces parties de fleur Gamétophytes mâles microscopiques (*n*) à l'intérieur de ces parties de fleur Sporophyte (2*n*)

FAITES DES LIENS ▶ En quoi la capacité des vasculaires à graines de conserver le gamétophyte dans le sporophyte influe-t-elle vraisemblablement sur la valeur adaptative de l'embryon ? (Revoyez les concepts 17.5, 23.1 et 23.4 pour rafraîchir vos connaissances sur les mutagènes, les mutations et la valeur adaptative.)

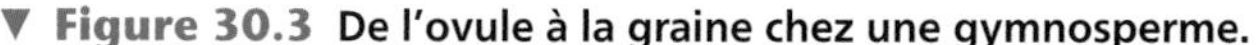

▼ Figure 30.3 De l'ovule à la graine chez une gymnosperme.

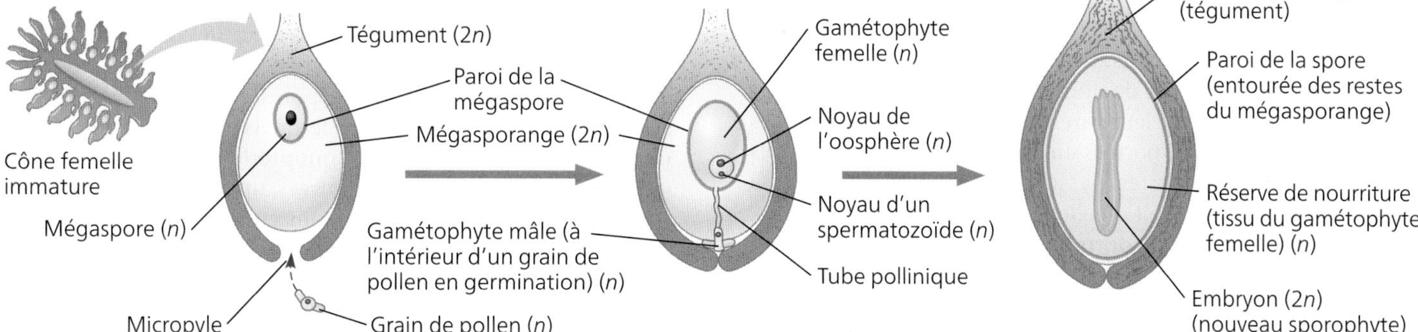

(a) Ovule non fécondé. Dans ce schéma en coupe d'un ovule de pin (gymnosperme), un mégasporange charnu est entouré d'une couche de tissu protecteur formant le tégument. Le micropyle, unique ouverture du tégument, permet l'entrée d'un grain de pollen.

(b) Ovule fécondé. Une mégaspore devient un gamétophyte femelle, qui produit une oosphère. Le grain de pollen, entré par le micropyle, contient un gamétophyte mâle. Ce dernier émet un tube pollinique qui transporte des spermatozoïdes jusqu'à l'oosphère qu'ils pourront féconder.

(c) Graine de gymnosperme. La fécondation déclenche la transformation de l'ovule en une graine composée d'un embryon de sporophyte, d'une réserve de nourriture et d'une enveloppe protectrice formée par un tégument. Le mégasporange sèche et il n'en reste que des vestiges.

HABILETÉS VISUELLES ▶ D'après ce schéma, dites de combien de générations de plantes proviennent les cellules formant la graine d'une gymnosperme. Nommez les cellules en indiquant si chacune est haploïde ou diploïde.

sont libérés de leur dépendance à l'égard de l'eau, ce qui a probablement contribué à la colonisation des milieux arides. En outre, chez les spermatozoïdes des vasculaires à graines, la motilité n'est pas une nécessité, puisque le tube pollinique les transporte jusqu'aux oosphères. Si les spermatozoïdes de certaines espèces (comme le ginkgo et les cycadophytes, illustrés à la figure 30.7) ont conservé les flagelles (ou les cils) de leurs ancêtres, ces structures ont disparu chez la majorité des espèces de ce groupe et chez toutes les angiospermes.

L'avantage des graines sur le plan de l'évolution

Chez une vasculaire à graines, lorsqu'un spermatozoïde féconde une oosphère, le zygote se transforme en un embryon de sporophyte. Comme le montre la **figure 30.3c**, l'ovule se transforme en une graine composée d'un embryon de sporophyte et d'une réserve de nourriture, et le tout est enfermé dans une enveloppe protectrice entourée d'un ou deux téguments.

Avant l'apparition des graines, la spore était le seul stade protégé des cycles de développement de tous les végétaux. Ainsi, les spores des mousses peuvent résister à des conditions de froid, de chaleur ou de sécheresse qui seraient fatales à la plante elle-même. De plus, grâce à leur taille minuscule, les spores en état de dormance peuvent se disperser et aboutir dans un nouvel endroit. Là, elles pourront germer et donner naissance à de nouveaux gamétophytes si les conditions sont propices à l'interruption de la dormance. Les spores, toujours prépondérantes dans le cycle des mousses, des fougères et d'autres vasculaires sans graines, ont été le principal moyen de propagation des plantes terrestres au cours de leurs 100 premiers millions d'années d'existence.

Bien que les mousses et les vasculaires sans graines prolifèrent encore aujourd'hui, les graines constituent une innovation évolutive majeure grâce à laquelle de nouvelles formes de vie sont devenues possibles. Quels avantages les graines ont-elles sur les spores ? Contrairement à la spore, la graine est une structure multicellulaire composée d'un embryon entouré de réserves nutritives et protégé par une couche de tissu qui forme l'enveloppe de la graine. Une fois détachée de la plante parente, la graine peut rester en état de dormance durant des jours, des mois, voire des années (cela dépend en grande partie de la nature des réserves nutritives), alors que la plupart des spores ont une durée de vie beaucoup plus courte. De plus, la graine a l'avantage de renfermer une réserve de nourriture. La plupart des graines se posent à proximité de leur parent, mais il arrive que certaines d'entre elles soient transportées sur de longues distances (parfois des centaines de kilomètres) par le vent ou par des animaux. Si les conditions de l'endroit où elles se déposent sont favorables, elles quittent leur état de dormance et germent. Elles puisent directement dans leurs réserves la nourriture nécessaire à la croissance de l'embryon de sporophyte qui émerge alors sous forme de plantule. Comme nous le verrons dans la rubrique **Habiletés scientifiques**, certaines graines ont germé après plus de 1 000 ans.

RETOUR SUR LE CONCEPT 30.1

1. Comparez le transport des spermatozoïdes vers les oosphères chez les vasculaires sans graines et les vasculaires à graines.
2. Quelles caractéristiques, absentes chez les vasculaires sans graines, ont contribué à l'énorme succès des vasculaires à graines sur la terre ferme ?
3. **ET SI ?** ▶ Si une graine ne pouvait entrer en état de dormance, quelles en seraient les conséquences sur le transport et la survie de l'embryon ?

Voir les réponses proposées à l'appendice A.

CONCEPT 30.2

Chez les gymnospermes, les graines sont généralement «nues», et portées sur des cônes

Les vasculaires à graines modernes forment deux clades frères : les gymnospermes et les angiospermes. Nous avons vu que les gymnospermes possèdent des graines «nues» qui sont portées par des sporophylles formant généralement des cônes, alors que les graines des angiospermes sont contenues dans des compartiments qui se développent pour former des fruits. La plupart des gymnospermes sont des plantes à cônes connues sous le nom de **conifères**, comme les pins, les cèdres, les sapins et les épinettes.

Le cycle de développement du pin

Nous avons indiqué plus haut que trois adaptations à la reproduction sont apparues avec les vasculaires à graines : la miniaturisation des gamétophytes, la capacité de résistance et de dispersion des graines et, enfin, la fécondation assurée par le pollen en mettant les deux gamètes en contact. La **figure 30.4** montre comment ces adaptations interviennent dans le cycle de développement du pin rigide (*Pinus rigida*), un conifère typique.

Le pin est un sporophyte. Ses sporanges sont situés dans des «cônes», des structures constituées d'écailles disposées en spirale autour d'un axe central. Comme toutes les vasculaires à graines, les conifères sont hétérosporés. Par conséquent, ils possèdent deux types de sporanges, lesquels produisent deux types de spores : les microsporanges, qui produisent les microspores (parties mâles), et les mégasporanges, qui produisent les mégaspores (parties femelles). Chez les conifères, les deux types de spores sont produits dans des cônes, soit de petits cônes mâles (de 1 à 2 cm) et de gros cônes femelles (appelées *cocottes* au Québec ou pommes de pin).

Les cônes mâles sont des structures relativement simples : leurs écailles sont des feuilles modifiées (microsporophylles) qui portent les microsporanges. Dans chaque microsporange, des cellules connues sous le nom de microsporocytes se divisent par méiose et produisent des microspores haploïdes. Chaque microspore devient un grain de pollen contenant un gamétophyte mâle. Chez les pins et d'autres conifères, le pollen (d'une couleur jaune verdâtre) est transporté en grande quantité par le vent, qui en laisse une fine couche partout sur son passage.

DÉMARCHE SCIENTIFIQUE

HABILETÉS SCIENTIFIQUES

Utiliser des logarithmes naturels pour l'interprétation de données

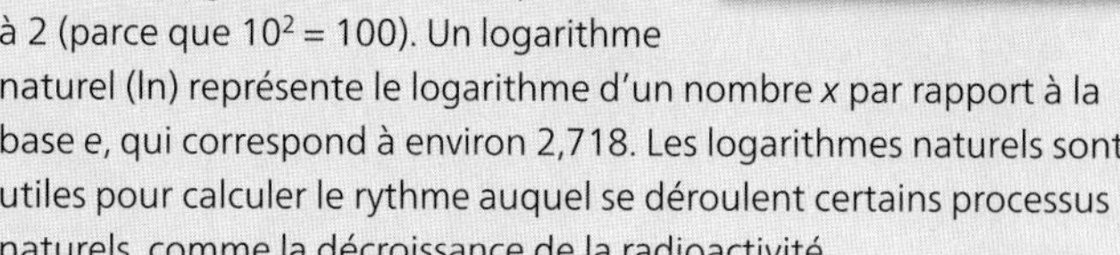

■ PENDANT COMBIEN DE TEMPS DES GRAINES EN DORMANCE SONT-ELLES VIABLES ? ■ Les conditions environnementales peuvent varier considérablement au fil du temps et il arrive qu'elles ne soient pas favorables à la germination des graines au moment de leur production. La dormance est l'un des moyens qui permettent aux graines de faire face à des conditions changeantes. Lorsque les conditions deviennent favorables, les graines peuvent germer, même après plusieurs années de dormance pour certaines espèces.

Une occasion inusitée d'évaluer la durée de la viabilité de certaines graines s'est présentée après la découverte de graines de dattiers (*Phoenix dactylifera*) sous les décombres d'une forteresse vieille de 2 000 ans, près de la mer Morte. Comme nous l'avons vu à la rubrique Habiletés scientifiques du chapitre 2 et au concept 25.2, les scientifiques utilisent la datation radiométrique pour estimer l'âge des fossiles et d'autres objets anciens. Dans cet exercice, vous estimerez l'âge de trois graines ancestrales en utilisant des logarithmes naturels.

■ MÉTHODE ■ On a mesuré la fraction de carbone 14 demeurée dans trois graines de dattiers ancestraux: deux n'étaient pas enfouies dans la terre, mais une autre l'était et avait germé. Pour la graine germée, on a effectué les mesures sur un fragment de l'enveloppe de la graine accroché à la racine de la plantule. (La plantule s'est développée pour former la plante figurant sur la photographie.)

■ RÉSULTATS ■ Ce tableau montre la fraction de carbone 14 demeurée dans les trois graines de dattiers ancestraux.

	Fraction restante de carbone 14
Graine 1 (non plantée)	0,7656
Graine 2 (non plantée)	0,7752
Graine 3 (germée)	0,7977

INTERPRÉTEZ LES DONNÉES ▼

Un logarithme représente la puissance à laquelle il faut élever une base pour obtenir une valeur *x* donnée. Par exemple, si la base est de 10 et que $x = 100$, le logarithme de 100 équivaut à 2 (parce que $10^2 = 100$). Un logarithme naturel (ln) représente le logarithme d'un nombre *x* par rapport à la base e, qui correspond à environ 2,718. Les logarithmes naturels sont utiles pour calculer le rythme auquel se déroulent certains processus naturels, comme la décroissance de la radioactivité.

1. L'équation $F = e^{-kt}$ décrit la fraction *F* d'un isotope d'origine qui persiste après un nombre *t* d'années; l'exposant est négatif, car il reflète la *diminution* au fil du temps. La constante *k* représente la mesure de la rapidité à laquelle l'isotope d'origine se désintègre. Pour la désintégration du carbone 14 en azote 14, $k = 0{,}000\ 120\ 97$. Pour calculer la valeur de *t*, réorganisez l'équation en suivant les étapes suivantes: (a) Prenez les logarithmes naturels des deux côtés de l'équation: $\ln(F) = \ln(e^{-kt})$. Récrivez le côté droit de cette équation en appliquant la règle suivante: $\ln(e^x) = x \ln(e)$. (b) Puisque $\ln(e) = 1$, simplifiez l'équation. (c) Vous pouvez maintenant résoudre la valeur *t* et écrire l'équation sous la forme suivante: $t =$ ________.
2. À l'aide de l'équation obtenue, des données du tableau et d'une calculatrice, estimez l'âge des graines 1, 2 et 3.
3. Selon vous, pourquoi la fraction restante de carbone 14 était-elle plus élevée dans la graine germée?

Source des données: S. Sallon et coll., Germination, genetics, and growth of an ancient date seed, *Science* 320: 1464 (2008).

Les cônes femelles sont des structures plus complexes puisque leurs écailles résultent de l'assemblage de feuilles modifiées (mégasporophylles portant les mégasporanges) et de tissu caulinaire (de tige) modifié. Dans chaque mégasporange, les mégasporocytes se divisent par méiose et produisent quatre mégaspores haploïdes à l'intérieur de l'ovule. La mégaspore survivante (une seule sur les quatre) devient un gamétophyte multicellulaire femelle, qui demeure à l'intérieur du sporange.

On observe les deux types de cônes chez la plupart des espèces de pins. À partir du moment où les cônes mâles et femelles apparaissent, il s'écoule presque trois ans avant que les gamétophytes mâles et femelles se forment et s'unissent, et que des graines matures se développent à partir des ovules fécondés. Au moment de la pollinisation, les écailles du cône femelle s'écartent pour laisser pénétrer les grains de pollen; une fois ces derniers déposés sur le micropyle, les écailles se referment. Elles s'écartent à nouveau lorsque les graines ailées sont matures, et le vent les emporte. Les graines qui se posent dans un environnement propice germent et produisent des embryons de pin qui se développent en jeunes pousses de pin.

Les premières vasculaires à graines et l'essor des gymnospermes

Les caractéristiques des pins et des autres vasculaires à graines modernes sont apparues à la fin du Dévonien (il y a quelque 380 millions d'années). Les fossiles révèlent que certains végétaux avaient alors commencé à acquérir des caractéristiques propres aux vasculaires à graines, comme les mégaspores et les microspores. Par exemple, les organismes du genre *Archaeopteris* étaient ligneux et certaines espèces étaient hétérosporées. Ces végétaux ne portaient pas de graines et, par conséquent, ils ne sont pas classés parmi les vasculaires à graines. Ils pouvaient atteindre 20 m de hauteur et leurs feuilles ressemblaient à celles des fougères.

Les premières traces des vasculaires à graines nous proviennent de fossiles de végétaux du genre *Elkinsia* vieux de 360 millions d'années (**figure 30.5**). Ces végétaux, ainsi que d'autres vasculaires à graines ancestrales, ont vécu 55 millions d'années avant les premiers fossiles classés parmi les gymnospermes et plus de 200 millions d'années avant les premiers fossiles classés parmi les angiospermes. Les premières vasculaires à graines sont disparues, et nous ignorons de quelle lignée éteinte proviennent les gymnospermes.

▼ **Figure 30.4** **Le cycle de développement du pin.**

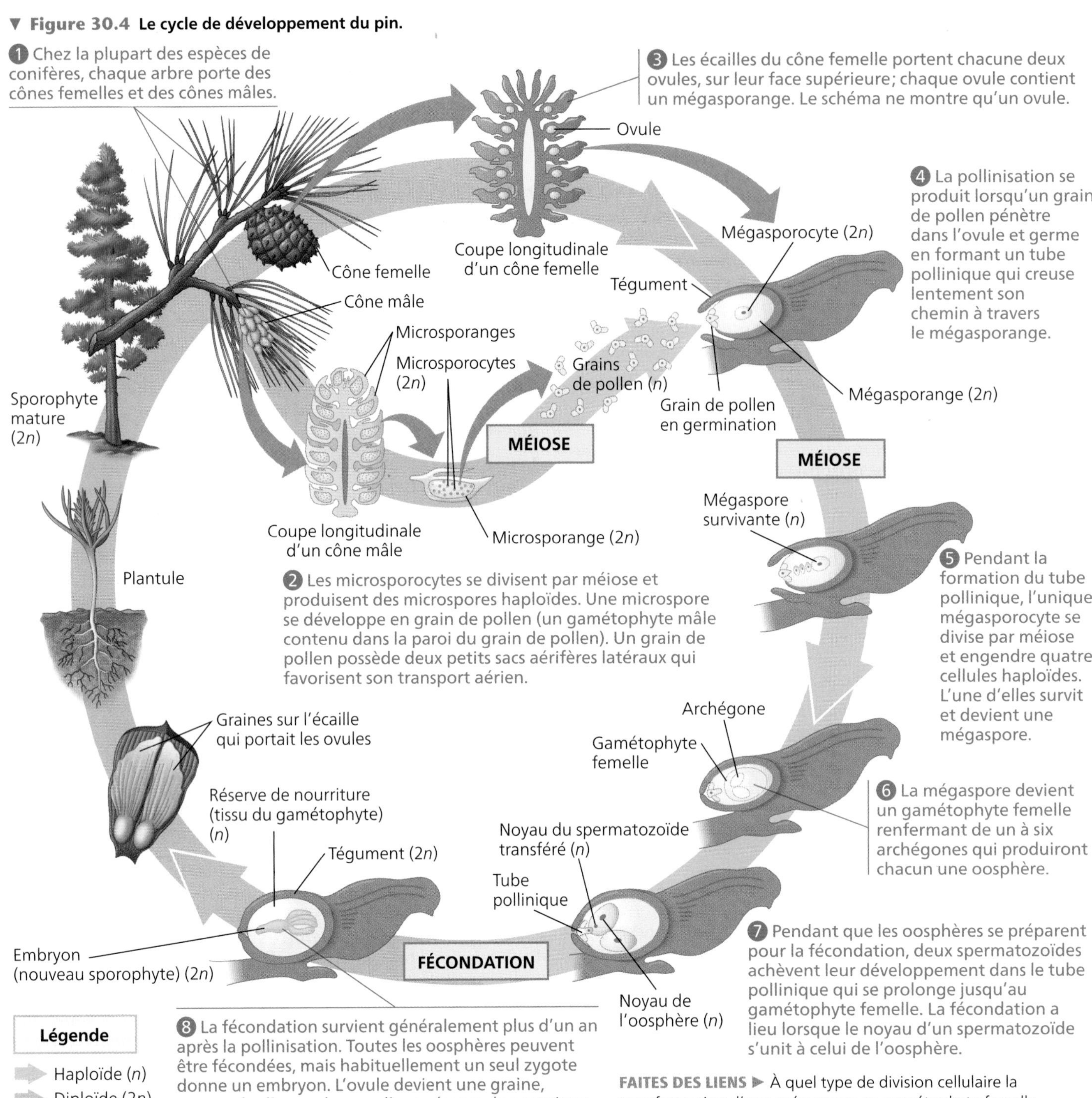

1 Chez la plupart des espèces de conifères, chaque arbre porte des cônes femelles et des cônes mâles.
3 Les écailles du cône femelle portent chacune deux ovules, sur leur face supérieure; chaque ovule contient un mégasporange. Le schéma ne montre qu'un ovule.
Ovule
4 La pollinisation se produit lorsqu'un grain de pollen pénètre dans l'ovule et germe en formant un tube pollinique qui creuse lentement son chemin à travers le mégasporange.
Mégasporocyte (2n)
Coupe longitudinale d'un cône femelle
Cône femelle
Tégument
Cône mâle
Microsporanges
Microsporocytes (2n)
Grains de pollen (n)
Grain de pollen en germination
Mégasporange (2n)
Sporophyte mature (2n)
MÉIOSE
MÉIOSE
Mégaspore survivante (n)
Coupe longitudinale d'un cône mâle
Microsporange (2n)
Plantule
2 Les microsporocytes se divisent par méiose et produisent des microspores haploïdes. Une microspore se développe en grain de pollen (un gamétophyte mâle contenu dans la paroi du grain de pollen). Un grain de pollen possède deux petits sacs aérifères latéraux qui favorisent son transport aérien.
5 Pendant la formation du tube pollinique, l'unique mégasporocyte se divise par méiose et engendre quatre cellules haploïdes. L'une d'elles survit et devient une mégaspore.
Archégone
Gamétophyte femelle
Graines sur l'écaille qui portait les ovules
6 La mégaspore devient un gamétophyte femelle renfermant de un à six archégones qui produiront chacun une oosphère.
Réserve de nourriture (tissu du gamétophyte) (n)
Tégument (2n)
Noyau du spermatozoïde transféré (n)
Tube pollinique
Embryon (nouveau sporophyte) (2n)
FÉCONDATION
7 Pendant que les oosphères se préparent pour la fécondation, deux spermatozoïdes achèvent leur développement dans le tube pollinique qui se prolonge jusqu'au gamétophyte femelle. La fécondation a lieu lorsque le noyau d'un spermatozoïde s'unit à celui de l'oosphère.
Noyau de l'oosphère (n)
Légende
Haploïde (n)
Diploïde (2n)
8 La fécondation survient généralement plus d'un an après la pollinisation. Toutes les oosphères peuvent être fécondées, mais habituellement un seul zygote donne un embryon. L'ovule devient une graine, composée d'un embryon, d'une réserve de nourriture (endosperme) et d'une enveloppe protectrice.

FAITES DES LIENS ▶ À quel type de division cellulaire la transformation d'une mégaspore en gamétophyte femelle correspond-elle ? (Voir la figure 13.10.)

Les plus vieux fossiles d'espèces appartenant à des lignées existantes de gymnospermes datent d'environ 305 millions d'années. Ces premières gymnospermes vivaient dans les écosystèmes humides du Carbonifère, encore dominés par les lycophytes, les prêles, les fougères et d'autres vasculaires sans graines. Au cours de la transition entre le Carbonifère et le Permien (il y a entre 299 et 252 millions d'années), le climat est devenu beaucoup plus aride. Par conséquent, les lycophytes, les prêles et les fougères, qui dominaient les marais du Carbonifère, ont été supplantés par les gymnospermes, mieux adaptées à la sécheresse du climat.

Les gymnospermes ont prospéré à mesure que le climat s'est asséché, en partie parce qu'elles présentaient les adaptations terrestres déterminantes que l'on trouve chez toutes les vasculaires à graines, comme les graines et le pollen. De plus, certaines gymnospermes étaient particulièrement bien adaptées aux conditions arides en raison de leurs feuilles relativement petites, en forme d'aiguilles recouvertes d'une épaisse cuticule dont les stomates sont enfoncés dans l'épiderme.

Les gymnospermes ont dominé les écosystèmes terrestres pendant la plus grande partie du Mésozoïque (il y a entre 252 et

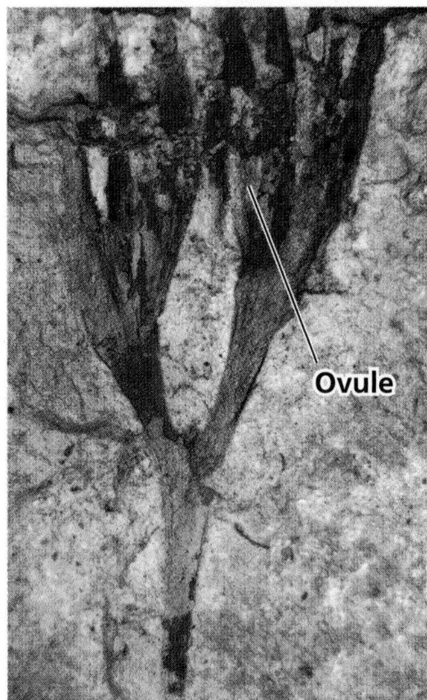

▲ **Figure 30.5 Un fossile du genre *Elkinsia*, une vasculaire à graines ancestrale.**

66 millions d'années). En plus de servir de nourriture aux énormes dinosaures herbivores, ces gymnospermes sont intervenues dans de nombreuses autres interactions avec les animaux. Par exemple, des fossiles découverts récemment montrent que certaines gymnospermes étaient pollinisées par des insectes il y a plus de 100 millions d'années; il s'agit des premiers signes de pollinisation des végétaux (tous groupes confondus) par des insectes (**figure 30.6**). Vers la fin du Mésozoïque, les angiospermes ont commencé à remplacer les gymnospermes dans certains écosystèmes.

▲ **Figure 30.6 Un pollinisateur ancestral.** Sur ce fossile vieux de 110 millions d'années, on observe la présence de pollen sur un insecte, le thrips *Gymnopollisthrips minor*. Les caractéristiques structurales du pollen semblent indiquer qu'il provient de gymnospermes (probablement d'espèces apparentées aux ginkgophytes ou aux cycadophytes modernes). Même si la plupart des gymnospermes modernes sont des végétaux à pollinisation anémophile (dispersion par le vent), de nombreuses cycadophytes sont pollinisées par les insectes.

La diversité des gymnospermes

Bien que les angiospermes prédominent dans la majorité des écosystèmes terrestres actuels, les gymnospermes ont subsisté et constituent toujours une importante composante de la flore. Par exemple, de vastes régions des latitudes boréales sont couvertes de forêts de conifères (voir la figure 52.12).

Parmi les 10 embranchements de végétaux (voir le tableau 29.1), quatre appartiennent au groupe des gymnospermes: les cycadophytes, les ginkgophytes, les gnétophytes et les pinophytes. Les liens évolutifs entre ces quatre embranchements de gymnospermes sont incertains. La **figure 30.7** donne un aperçu de la diversité des gymnospermes modernes.

RETOUR SUR LE CONCEPT 30.2

1. Prenez des exemples dans la figure 30.7 pour décrire en quoi divers types de gymnospermes se ressemblent, tout en présentant des caractéristiques distinctives.
2. Expliquez comment le cycle de développement du pin (voir la figure 30.4) fait ressortir les cinq adaptations communes à toutes les vasculaires à graines.
3. **FAITES DES LIENS ▶** Les premières vasculaires à graines du genre *Elkinsia* sont un groupe frère d'un clade regroupant les gymnospermes et les angiospermes. Tracez un arbre phylogénétique des vasculaires à graines présentant les vasculaires à graines du genre *Elkinsia*, les gymnospermes et les angiospermes; datez les points de bifurcation en utilisant les données paléontologiques. (Voir la figure 26.5.)

Voir les réponses proposées à l'appendice A.

CONCEPT 30.3

Chez les angiospermes, les fleurs et les fruits sont des adaptations à la reproduction

Plantes non vasculaires (bryophytes)
Vasculaires sans graines
Gymnospermes
Angiospermes

Les angiospermes, plus connues sous le nom de plantes à fleurs, sont des vasculaires à graines dotées de structures reproductrices telles que les fleurs et les fruits. Ces plantes se nomment angiospermes (du grec *angion*, «contenant»), car leurs graines sont contenues dans des fruits. De nos jours, les angiospermes sont les végétaux les plus variés et les plus répandus sur la Terre. Ce groupe compte entre 250 000 et 300 000 espèces, soit environ 90 % de toutes les espèces de végétaux. (Les gymnospermes ne comportent qu'environ 1 000 espèces différentes.)

Les caractéristiques des angiospermes

Toutes les angiospermes appartiennent à l'embranchement des anthophytes. Avant de parler de l'évolution des angiospermes, nous étudierons deux de leurs adaptations les plus importantes, les fleurs et les fruits, ainsi que le rôle de ces adaptations dans leur cycle de développement.

Les fleurs

La **fleur** est la structure unique qui sert à la reproduction d'une angiosperme. Chez de nombreuses angiospermes, ce sont des insectes et d'autres animaux qui acheminent le pollen d'une fleur jusqu'aux organes sexuels femelles d'une autre fleur. Ainsi, la pollinisation des angiospermes dépend moins du hasard que celle de la plupart des espèces de gymnospermes, qui est tributaire du vent. On observe néanmoins une pollinisation anémophile (par le vent) chez certaines plantes à fleurs, surtout chez celles qui forment des populations denses, telles que les graminées et les arbres des forêts tempérées.

Une fleur est une pousse spécialisée où des feuilles modifiées sont disposées en *verticilles*, contrairement aux écailles des cônes des gymnospermes qui sont disposées en *spirale*. Une fleur peut comporter jusqu'à quatre types de feuilles modifiées appelées organes floraux: les sépales, les pétales, les étamines et au moins un **carpelle** (**figure 30.8**). À la base de la fleur se trouvent les

▼ Figure 30.7

PANORAMA La diversité des gymnospermes

Embranchement des cycadophytes

Les 300 espèces de cycadophytes modernes possèdent toutes de gros cônes et des feuilles semblables à celles des palmiers (qui sont des angiospermes). Contrairement à la plupart des vasculaires à graines, les cycadophytes possèdent des spermatozoïdes flagellés, ce qui démontre qu'elles sont issues de vasculaires sans graines qui possédaient également des spermatozoïdes mobiles. Les cycas ont prospéré au cours du Mésozoïque, qualifié aussi bien d'ère des cycas que d'ère des dinosaures. Aujourd'hui, les cycas sont toutefois les espèces les plus menacées parmi tous les groupes de végétaux : 75 % des espèces de cycas sont menacées par la destruction de leur habitat et par d'autres actions humaines.

Cycas revoluta

Embranchement des ginkgophytes

Ginkgo biloba est la seule espèce actuelle de cet embranchement, il n'en existerait presque plus à l'état sauvage. À l'instar des cycadophytes, les ginkgophytes possèdent des spermatozoïdes flagellés. Aussi appelé arbre aux quarante écus, *Ginkgo biloba* possède des feuilles en forme d'éventail qui prennent une couleur dorée avant de tomber à l'automne. Il apparaît souvent dans les aménagements urbains, car il résiste bien à la pollution atmosphérique. Les architectes paysagistes ont l'habitude de planter seulement des arbres mâles (cette espèce est dioïque, c'est-à-dire que les deux sexes ne se trouvent pas sur le même individu), car les graines charnues produites par les arbres femelles émettent une odeur rance lorsqu'elles se décomposent.

Embranchement des gnétophytes

L'embranchement des gnétophytes réunit trois genres : *Welwitschia, Gnetum* et *Ephedra*. Certaines espèces sont tropicales, et d'autres vivent dans le désert. Bien qu'ils soient très différents d'apparence, ces trois genres sont groupés sur la base de données moléculaires.

► ***Welwitschia.*** Ce genre compte une seule espèce, *Welwitschia mirabilis*, une plante pouvant vivre durant des milliers d'années et qu'on ne trouve que dans les déserts du Sud-Ouest de l'Afrique. Ses deux feuilles en forme de lanière, à croissance continue, sont les plus grandes qu'on connaisse (jusqu'à 6 m).

◄ ***Gnetum.*** Ce genre rassemble environ 35 espèces d'arbres, d'arbustes et de plantes grimpantes tropicaux surtout originaires d'Afrique et d'Asie. Les feuilles ressemblent à celles des plantes à fleurs, et les graines ont un peu l'aspect de fruits.

► ***Ephedra.*** Ce genre comprend environ 40 espèces vivant dans des régions arides un peu partout dans le monde. *Ephedra trifurca*, un arbuste xérophile (qui aime les milieux secs et chauds), produit l'éphédrine, un composé chimique utilisé en médecine comme décongestionnant.

Embranchement des pinophytes

Comptant environ 600 espèces, dont plusieurs grands arbres, l'embranchement des pinophytes ou coniférophytes (conifères), du latin *conus*, « cône », et *ferre*, « porter », est le plus vaste des quatre embranchements de gymnospermes. La plupart des espèces possèdent des cônes ligneux, mais quelques-unes disposent plutôt d'un cône charnu. Par ailleurs, certaines pinophytes, comme les pins, sont dotées de feuilles en forme d'aiguilles. D'autres, comme le séquoia ou le cèdre, ont plutôt des feuilles en forme d'écailles. Certaines espèces dominent de vastes régions forestières de l'hémisphère Nord, alors que d'autres se trouvent plutôt dans l'hémisphère Sud.

La majorité des conifères gardent leurs feuilles toute l'année. L'hiver, ils présentent une certaine activité photosynthétique quand le temps est ensoleillé. Au retour du printemps, ils ont déjà des feuilles matures prêtes pour la photosynthèse. Quelques conifères perdent leurs feuilles à l'automne. C'est le cas du métaséquoia (*Metasequoia glyptostroboides*) et du mélèze laricin (*Larix laricina*).

▶ ***Pseudotsuga menziesii* ou Douglas taxifolié.** Aussi nommé douglas vert ou sapin de Douglas, *Pseudotsuga menziesii* est l'arbre qui fournit le plus de bois de construction en Amérique du Nord. On l'utilise dans la fabrication des charpentes, du contreplaqué, de la pâte à papier, des traverses de chemin de fer, des boîtes et des caisses.

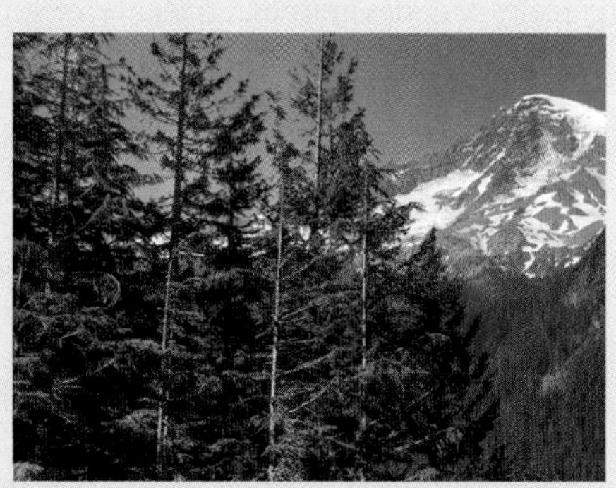

▶ ***Juniperus communis* ou genévrier commun.** On utilise les petits fruits de genévrier pour aromatiser le gin (une boisson alcoolisée). Ces « baies » sont en réalité des cônes femelles formés de sporophylles charnues soudées.

◀ ***Larix decidua* ou mélèze d'Europe.** Les feuilles caduques en forme d'aiguilles du cèdre jaunissent avant de tomber à l'automne. Indigène des montagnes d'Europe centrale, dont le Cervin en Suisse (ci-contre), cette espèce supporte parfaitement les températures hivernales, même lorsqu'elles plongent à −50 °C.

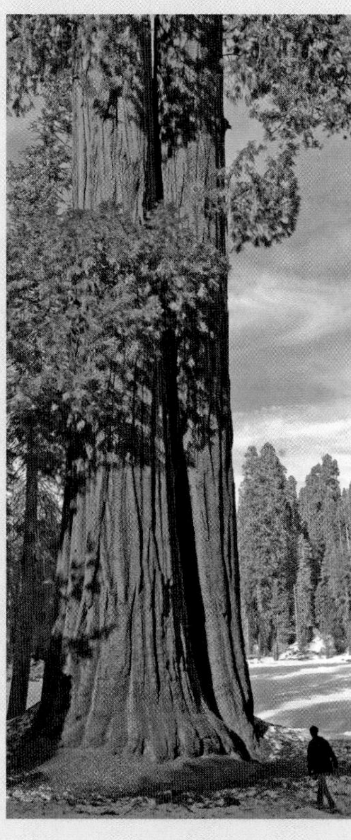

▶ ***Sequoiadendron giganteum* ou séquoia géant.** Cet arbre, situé dans le parc national Sequoia en Californie, pèse environ 2 500 t, ce qui équivaut à peu près au poids de 24 rorquals bleus (les plus gros animaux) ou de 40 000 personnes. Le séquoia géant est non seulement l'un des plus gros organismes vivants, mais aussi l'un de ceux qui atteignent le plus grand âge, certains individus de cette espèce ayant entre 1 800 et 2 700 ans. Son cousin, *Sequoia sempervirens* (séquoia de Californie), peut mesurer plus de 110 m et ne croît que dans une étroite bande côtière située dans le Nord de la Californie et le Sud de l'Oregon.

◀ ***Wollemia nobilis* ou pin de Wollemi.** Ce pin est le survivant d'un groupe de conifères dont on ne connaissait autrefois que des fossiles datant de 150 millions d'années. On a découvert un individu de cette espèce, bien vivant, en 1994, dans un parc national situé près de Sydney, en Australie. La population observée, d'une quarantaine d'individus à l'époque, en compterait près d'une centaine aujourd'hui, grâce aux efforts de conservation. On fait maintenant pousser cet arbre en pépinières à partir de graines. La photo en médaillon permet de comparer les feuilles disposées sur quatre rangées de ce « fossile vivant » à celles d'un véritable fossile. Depuis sa découverte, l'ADN de *W. nobilis* fait l'objet d'analyses visant à clarifier les relations phylogénétiques des diverses espèces auxquelles il est apparenté.

▶ ***Pinus longaeva* ou pin aristé.** Cette population de pins qui s'élèvent dans les montagnes Blanches, en Californie, comprend quelques-uns des plus vieux organismes vivants, dont l'âge peut dépasser 4 600 ans. L'un d'eux (n'apparaissant pas sur la photo) est surnommé Mathusalem, car ce pourrait être le plus vieil arbre au monde. Afin de le protéger, les scientifiques gardent son emplacement secret.

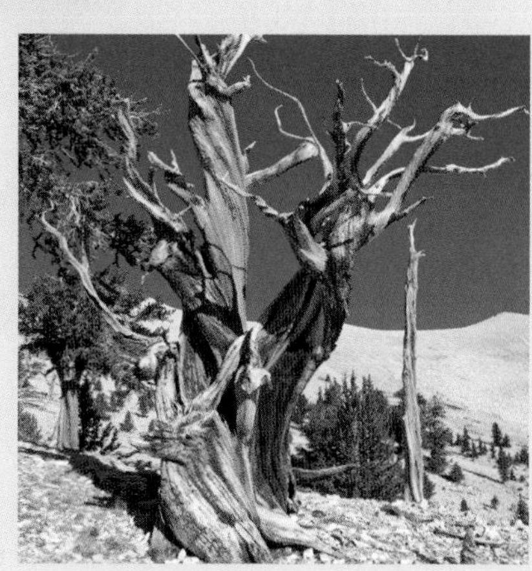

sépales, généralement verts. Ceux-ci enveloppent la fleur avant l'éclosion (pensez à un bouton de rose). À l'intérieur des sépales se trouvent les **pétales**, qui sont la plupart du temps vivement colorés. Ils peuvent contribuent à attirer les pollinisateurs. Les plantes à pollinisation anémophile, comme les graminées, ont souvent une fleur terne. Chez toutes les angiospermes, les sépales et les pétales sont des parties stériles de la fleur, c'est-à-dire qu'ils ne produisent pas d'oosphères ou de spermatozoïdes.

À l'intérieur des pétales se trouvent deux types d'organes fertiles qui produisent les spores : les étamines et les carpelles. Les étamines et les carpelles sont des sporophylles, soit des feuilles modifiées qui servent à la reproduction. Les **étamines** sont des microsporophylles qui produisent les microspores, lesquelles donnent naissance aux grains de pollen contenant les gamétophytes mâles. Une étamine se compose d'une tige, appelée **filet**, coiffée d'un sac, l'**anthère**, qui produit le pollen. Les carpelles sont des mégasporophylles qui produisent les mégaspores qui donneront naissance aux gamétophytes femelles. Les carpelles sont les « contenants » porteurs de graines décrits précédemment ; il s'agit donc d'une structure importante qui distingue les angiospermes des gymnospermes. À l'extrémité supérieure du carpelle se trouve le **stigmate** visqueux qui reçoit le pollen. Le **style** relie le stigmate à l'**ovaire**, une structure située à la base du carpelle et contenant un ou plusieurs ovules. Comme chez les gymnospermes, chaque ovule d'angiosperme contient un gamétophyte femelle. Lorsqu'il est fécondé, l'ovule devient une graine.

Une fleur peut posséder un ou plusieurs carpelles. Chez bon nombre d'espèces, plusieurs carpelles sont fusionnés en une seule structure. Le terme **pistil** est parfois utilisé pour désigner un seul carpelle (pistil simple) ou deux ou plusieurs carpelles fusionnés (pistil composé). La symétrie des fleurs et d'autres caractéristiques, dont leur taille, couleur et odeur, varient également (**figure 30.9**). Cette diversité est en grande partie attribuable à l'adaptation des fleurs à des pollinisateurs spécifiques (voir les figures 38.4 et 38.5).

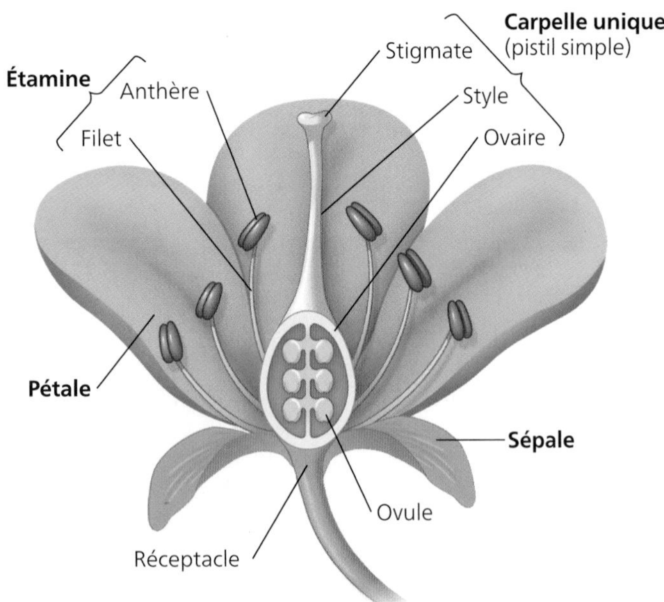

▲ **Figure 30.8 La structure d'une fleur type.**

Les fruits

La paroi de l'ovaire s'épaissit après la fécondation, à mesure que les graines se forment, et l'ovaire se transforme en **fruit**. La gousse du pois (*Pisum sativum*) constitue un exemple de fruit dont les graines (les ovules matures, c'est-à-dire les pois) sont enfermées dans un ovaire mûr (la gousse).

Les fruits protègent les graines et contribuent à leur dispersion. Les fruits matures sont soit charnus, soit secs (**figure 30.10**). Les tomates, les prunes et les raisins sont des exemples de fruits charnus dont la paroi de l'ovaire (le péricarpe) s'attendrit à mesure qu'ils mûrissent. Les fruits secs comprennent les haricots, les noix et les grains. Certains fruits secs se fendent lorsqu'ils arrivent à maturité pour libérer leurs graines, alors que d'autres restent entiers. Les fruits secs des graminées sont dispersés par le vent. Récoltés lorsqu'ils sont encore fixés à la plante parente, ils constituent la base de l'alimentation humaine. Nombreux sont ceux qui pensent que les grains du blé, du riz, du maïs et d'autres céréales sont des graines. En réalité, ce sont des fruits dont l'enveloppe sèche (le péricarpe d'origine) adhère fermement au tégument de l'unique graine qu'ils contiennent.

Comme le montre la **figure 30.11**, diverses adaptations favorisent la dispersion des graines (voir également la figure 38.12). Ainsi, les graines de certaines angiospermes comme le pissenlit (*Taraxacum spp.*) et l'érable (*Acer spp.*) sont contenues dans des fruits qui sont emportés au gré du vent, tels des parachutes et des hélices ; ces adaptations améliorent la dispersion éolienne. D'autres graines, comme celles de la noix de coco (*Cocos nucifera*), sont mieux adaptées à la dispersion par l'eau. Par ailleurs, de nombreuses angiospermes ont besoin des animaux pour disséminer leurs graines. Certaines angiospermes ont des fruits dont l'enveloppe piquante s'accroche à leur fourrure (ou aux vêtements des humains). D'autres produisent des fruits comestibles. Ces derniers ont souvent une valeur nutritive, une saveur agréable et des couleurs vives qui signalent leur maturité. L'animal qui les mange en digère la chair, mais son système digestif n'altère pas les graines, qui sont très résistantes. Lorsqu'ils défèquent, les animaux peuvent ainsi expulser les graines, auxquelles ils fournissent un engrais naturel, souvent à des kilomètres de l'endroit où ils ont mangé les fruits.

Le cycle de développement des angiospermes

La **figure 30.12** présente le cycle de développement type des angiospermes. La fleur du sporophyte produit à la fois des microspores, qui forment des gamétophytes mâles, et des

▼ **Figure 30.9 La symétrie des fleurs.**

Dans la symétrie radiaire, les sépales, les pétales, les étamines et les carpelles s'organisent autour d'un axe central. Tout plan situé sur l'axe central divise la fleur en deux parties égales. Dans la symétrie bilatérale, la fleur peut seulement être divisée en deux parties égales par un seul plan.

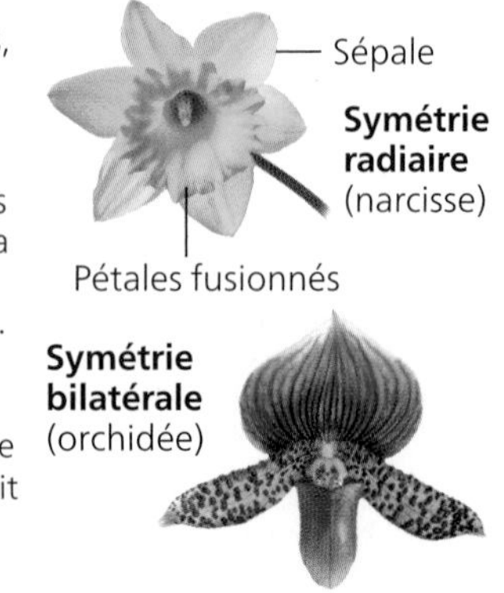

FAITES UN DESSIN ▶ Tracez un unique trait pour désigner le plan qui diviserait en deux parties égales la fleur à symétrie bilatérale.

▼ Figure 30.10 Diverses structures de fruits.

▼ La tomate (*Solanum lycopersicum*), fruit charnu dont le péricarpe (l'enveloppe) présente une couche externe et une couche interne molles.

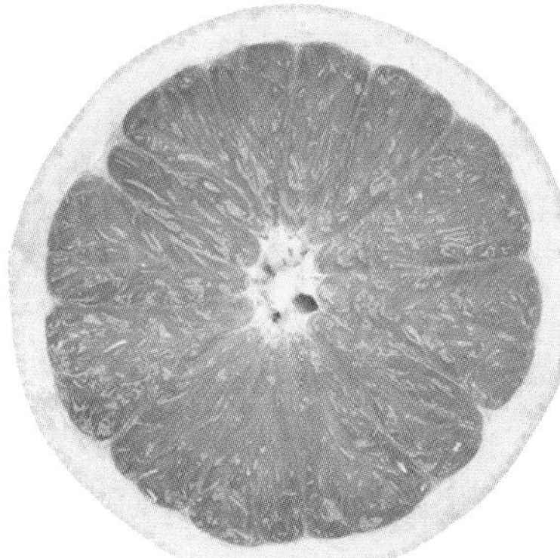

▼ Le pamplemousse rose (*Citrus grandis*), fruit charnu dont le péricarpe présente une couche externe dure et une couche interne molle.

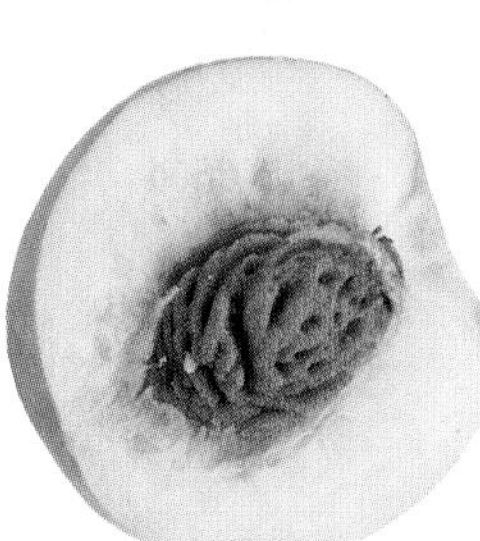

▲ La nectarine (*Prunus persica* var. *nectarina*), fruit charnu dont le péricarpe présente une couche externe molle et une couche interne dure (le noyau).

▲ L'asclépiade (*Asclepias spp.*), fruit sec qui se fend à maturité.

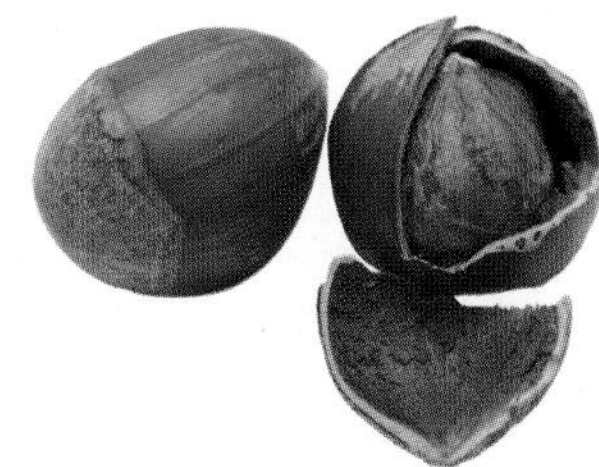

▲ La noix (*Juglans spp.*), fruit sec qui demeure fermé à maturité.

▼ Figure 30.11 Les adaptations des fruits favorisant la dispersion des graines.

◄ Certains végétaux possèdent des mécanismes qui dispersent les graines en les propulsant.

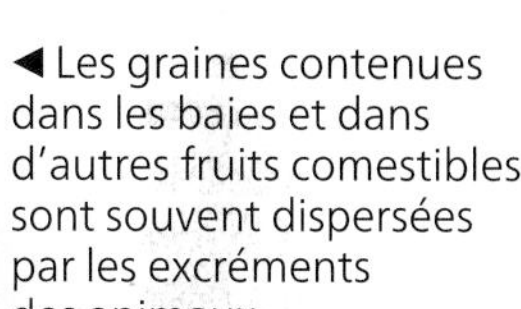

► Des ailes permettent au fruit de l'érable (samare) d'être facilement transporté par le vent.

◄ Les graines contenues dans les baies et dans d'autres fruits comestibles sont souvent dispersées par les excréments des animaux.

► Les fruits des lampourdes (*Xanthium spp.*) s'accrochent à la fourrure des animaux.

mégaspores, qui forment des gamétophytes femelles. Les gamétophytes mâles immatures sont contenus dans les grains de pollen, lesquels se forment dans les quatre microsporanges contenus dans chacune des anthères situées à l'extrémité des étamines. Chaque gamétophyte mâle possède deux cellules haploïdes provenant, par mitose, de la microspore : une *cellule générative* qui se divise pour former deux spermatozoïdes et une *cellule végétative* qui produit un tube pollinique. Les ovules, qui croissent dans l'ovaire, contiennent chacun un gamétophyte femelle, aussi appelé **sac embryonnaire**. Celui-ci se compose de quelques cellules seulement, dont l'une est l'oosphère ; notez qu'il n'y a pas d'archégones chez les angiospermes.

Une fois libéré par l'anthère, le pollen est transporté jusqu'à un stigmate visqueux situé à l'extrémité d'un carpelle. Bien que certaines fleurs se reproduisent par autopollinisation, la plupart possèdent un mécanisme qui assure la **pollinisation croisée**, c'est-à-dire le transfert du pollen de l'anthère au stigmate d'une autre plante de la même espèce. La pollinisation croisée contribue à la variabilité génétique. Chez certaines espèces, les étamines et les carpelles d'une même fleur n'atteignent pas leur maturité en même temps. Chez d'autres, la disposition des organes de la fleur fait obstacle à l'autopollinisation ou bien il y a auto-incompatibilité entre le pollen et le stigmate d'une même plante en raison de la similitude de leurs allèles.

Une fois collé au stigmate du carpelle, le grain de pollen absorbe de l'eau et germe. La cellule végétative fabrique un tube pollinique qui s'insinue dans le style du carpelle jusqu'à l'ovaire. Lorsqu'il a atteint l'ovaire, le tube pollinique pénètre dans un ovule par le **micropyle** (pore du tégument de l'ovule) et dépose deux spermatozoïdes dans le gamétophyte femelle (sac embryonnaire). L'un des noyaux de spermatozoïde s'unit à l'oosphère pour donner un zygote diploïde. L'autre noyau de spermatozoïde se lie aux deux noyaux haploïdes (appelés noyaux polaires) de la grosse cellule centrale du gamétophyte femelle, produisant une cellule triploïde. Ce phénomène, caractéristique des angiospermes, porte le nom de **double fécondation**.

▼ **Figure 30.12** **Le cycle de développement d'une angiosperme.**

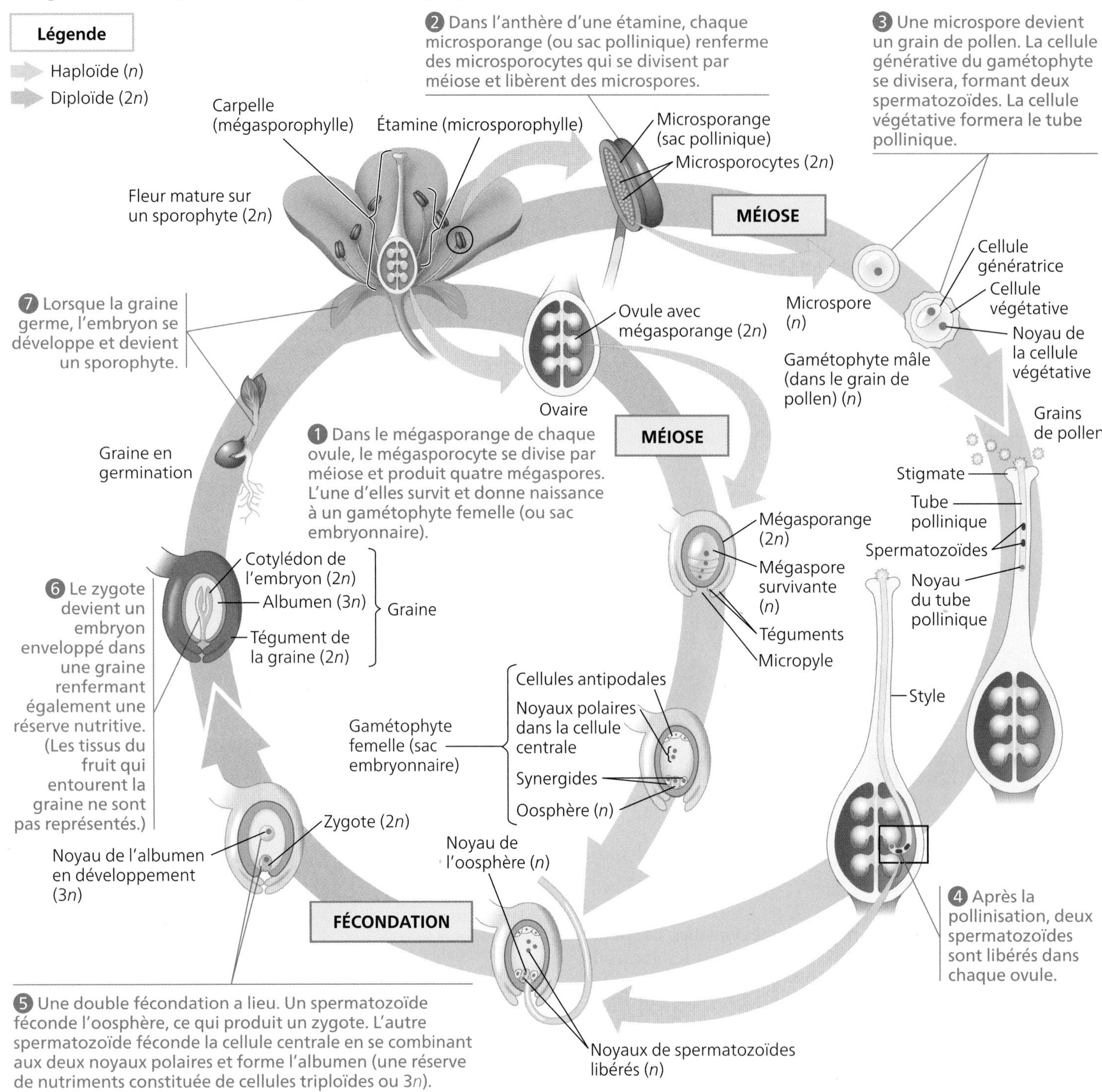

Légende
Haploïde (n)
Diploïde (2n)
2 Dans l'anthère d'une étamine, chaque microsporange (ou sac pollinique) renferme des microsporocytes qui se divisent par méiose et libèrent des microspores.
3 Une microspore devient un grain de pollen. La cellule générative du gamétophyte se divisera, formant deux spermatozoïdes. La cellule végétative formera le tube pollinique.
Carpelle (mégasporophylle)
Étamine (microsporophylle)
Microsporange (sac pollinique)
Microsporocytes (2n)
Fleur mature sur un sporophyte (2n)
MÉIOSE
Cellule génératrice
Cellule végétative
Noyau de la cellule végétative
Microspore (n)
Gamétophyte mâle (dans le grain de pollen) (n)
7 Lorsque la graine germe, l'embryon se développe et devient un sporophyte.
Ovule avec mégasporange (2n)
Ovaire
MÉIOSE
Grains de pollen
1 Dans le mégasporange de chaque ovule, le mégasporocyte se divise par méiose et produit quatre mégaspores. L'une d'elles survit et donne naissance à un gamétophyte femelle (ou sac embryonnaire).
Graine en germination
Stigmate
Tube pollinique
Spermatozoïdes
Noyau du tube pollinique
Mégasporange (2n)
Mégaspore survivante (n)
Téguments
Micropyle
Cotylédon de l'embryon (2n)
Albumen (3n)
Tégument de la graine (2n)
Graine
6 Le zygote devient un embryon enveloppé dans une graine renfermant également une réserve nutritive. (Les tissus du fruit qui entourent la graine ne sont pas représentés.)
Cellules antipodales
Noyaux polaires dans la cellule centrale
Synergides
Oosphère (n)
Gamétophyte femelle (sac embryonnaire)
Style
Zygote (2n)
Noyau de l'albumen en développement (3n)
Noyau de l'oosphère (n)
FÉCONDATION
4 Après la pollinisation, deux spermatozoïdes sont libérés dans chaque ovule.
5 Une double fécondation a lieu. Un spermatozoïde féconde l'oosphère, ce qui produit un zygote. L'autre spermatozoïde féconde la cellule centrale en se combinant aux deux noyaux polaires et forme l'albumen (une réserve de nutriments constituée de cellules triploïdes ou 3n).
Noyaux de spermatozoïdes libérés (n)

Après la double fécondation, l'ovule se transforme en graine. Le zygote, lui, devient un embryon de sporophyte portant une racine rudimentaire et une ou deux feuilles embryonnaires, les **cotylédons**. La cellule triploïde centrale du gamétophyte femelle forme l'**albumen**, un tissu riche en amidon et en d'autres réserves nutritives qui nourrissent l'embryon. (Rappelez-vous que chez les gymnospermes, c'est le tissu haploïde du gamétophyte femelle lui-même, l'endosperme, qui sert de nourriture à l'embryon.)

Quelle est la fonction de la double fécondation? Certains experts pensent qu'elle synchronise la constitution, dans la graine, de la réserve nutritive avec le développement de l'embryon. Si une fleur n'est pas pollinisée ou si les spermatozoïdes ne sont pas libérés dans les sacs embryonnaires, la fécondation n'a pas lieu. Par conséquent, l'embryon et l'albumen ne se forment pas. La double fécondation constitue peut-être une adaptation qui évite aux plantes à fleurs de consacrer de précieux nutriments à des ovules infertiles.

Certaines espèces de gymnospermes appartenant à l'embranchement des gnétophytes présentent un autre type de double fécondation. Toutefois, chez ces espèces, le processus donne naissance à deux embryons plutôt qu'à un embryon et à un albumen.

Comme nous l'avons mentionné plus tôt, la graine est composée de l'embryon, de l'albumen et d'un tégument issu des couches externes de l'ovule. Au fur et à mesure que les ovules se transforment en graines, l'ovaire devient un fruit. Après avoir été dispersées par le vent ou par des animaux, les graines germent si elles trouvent un environnement favorable. Leur enveloppe se brise ; l'embryon émerge, puis se transforme en plantule qui consomme les réserves entreposées dans l'albumen et dans les cotylédons jusqu'à ce qu'il soit capable de photosynthèse.

L'évolution des angiospermes

Charles Darwin a un jour qualifié l'origine des angiospermes d'affreux mystère. Il était particulièrement préoccupé par l'apparition relativement soudaine et géographiquement répandue des angiospermes, tel qu'en témoignaient les fossiles (datant d'environ 100 millions d'années) dont il disposait à l'époque. Grâce à certaines analyses de données paléontologiques et phylogénétiques récentes, nous avons réalisé quelques progrès dans la résolution du mystère de Darwin. Toutefois, notre compréhension des liens évolutifs entre les angiospermes et les premières vasculaires à graines est encore imparfaite.

Les fossiles d'angiospermes

On croit maintenant que les angiospermes sont apparues au début du Crétacé, il y a environ 140 millions d'années. Au milieu du Crétacé (il y a environ 100 millions d'années), les angiospermes ont commencé à dominer de nombreux écosystèmes terrestres. Les paysages ont énormément changé quand les pinophytes et d'autres gymnospermes ont cédé la place à des plantes à fleurs, dans de nombreuses parties du monde. Le Crétacé s'est terminé il y a 66 millions d'années alors que survenait l'extinction massive des dinosaures et de nombreux autres groupes d'animaux, que la biodiversité s'accroissait et que les angiospermes devenaient omniprésentes.

Quelles preuves indiqueraient que les angiospermes sont apparues il y a 140 millions d'années ? D'abord, même si on trouve souvent des grains de pollen dans les roches datant de la période jurassique (il y a entre 201 et 145 millions d'années), aucun de ces fossiles ne présente les caractéristiques propres aux angiospermes. Aussi, cela tend à démontrer que les angiospermes pourraient être apparues après la période jurassique. De fait, les premiers fossiles présentant des caractéristiques propres aux angiospermes sont des grains de pollen vieux de 130 millions d'années qui ont été découverts en Chine, en Israël et en Angleterre. Parmi les premiers fossiles de plantes à fleurs de plus grande taille, on compte ceux des genres *Archaefructus* (**figure 30.13**) et *Leefructus*, tous deux découverts en Chine dans des roches datant d'environ 125 millions d'années. Dans l'ensemble, les premiers fossiles d'angiospermes démontrent que l'apparition et la diversification de ce groupe ont eu lieu il y a plus de 20 à 30 millions d'années, ce qui suppose un événement moins soudain que ce que laissaient présumer les fossiles dont Darwin disposait à l'époque.

D'après les caractères observés chez les premiers fossiles d'angiospermes, pouvons-nous déduire la présence de certains caractères existant chez l'ancêtre commun de ces espèces ? *Archaefructus sinensis*, par exemple, était une herbacée à fleurs simples et possédant des structures bulbeuses qui auraient pu servir de flotteurs, ce qui donne à penser qu'elle était une plante aquatique. Or, pour déterminer si l'ancêtre commun des angiospermes était une herbacée aquatique à fleurs simples, il faut examiner les fossiles d'autres vasculaires à graines soupçonnées d'être étroitement apparentées aux angiospermes. Toutes ces plantes étant ligneuses, il est fort probable que leur ancêtre commun l'était aussi et qu'il ne s'agissait pas d'une plante aquatique. Comme nous le verrons, des analyses phylogéniques récentes viennent appuyer cette conclusion.

La phylogenèse des angiospermes

Pour arriver à définir la structure générale des premières angiospermes, les scientifiques ont cherché à déterminer quelles étaient les vasculaires à graines – modernes ou fossiles – les plus étroitement apparentées aux angiospermes. Des données moléculaires et morphologiques semblent indiquer que les lignées de gymnospermes modernes ont divergé des ancêtres des angiospermes, il y a quelque 305 millions d'années. Remarquez que cela ne signifie pas nécessairement que les angiospermes sont apparues à cette époque, mais bien que l'ancêtre le plus récent qu'elles partagent avec les gymnospermes existait alors. En fait, les angiospermes sont peut-être plus étroitement apparentées à différentes lignées de vasculaires à graines ligneuses disparues qu'elles ne le sont aux gymnospermes. Parmi ces lignées, on compte celle des bennettitales, un groupe qui présente des structures florales qui auraient pu être pollinisées par les insectes (**figure 30.14a**). Toutefois, les bennettitales et d'autres lignées similaires de vasculaires à graines ligneuses disparues ne possédaient pas de carpelles ou de fleurs. Par conséquent, elles ne peuvent être classées parmi les angiospermes.

▼ Figure 30.13 Une plante à fleurs primitive.

(a) *Archaefructus sinensis*, un fossile vieux de 125 millions d'années. Cette espèce était une herbacée à fleurs simples et à structures bulbeuses qui auraient pu servir de flotteurs, ce qui donne à penser qu'elle était une plante aquatique. Des analyses phylogénétiques récentes indiquent que *A. sinensis* pourrait faire partie du groupe des nymphéas.

(b) *Archaefructus sinensis*, reconstituée par un artiste.

Pour comprendre l'origine des angiospermes, il faut aussi arriver à déterminer l'ordre dans lequel les clades ont divergé les uns des autres. D'importants progrès ont été accomplis à cet égard au cours des dernières années. Des données moléculaires et morphologiques semblent indiquer que l'arbrisseau *Amborella trichopoda*, les nymphéas et l'anis étoilé seraient les représentants vivants de lignées qui auraient divergé d'autres angiospermes tôt dans l'histoire de ce groupe (**figure 30.14b**). *A. trichopoda* est une espèce ligneuse, ce qui renforce la conclusion précédemment évoquée selon laquelle l'ancêtre commun des angiospermes était probablement aussi une plante ligneuse. À l'instar des bennettitales, *A. trichopoda*, les nymphéas et l'anis étoilé ne possèdent pas d'*éléments conducteurs*, c'est-à-dire de cellules faisant office de vaisseaux pour conduire l'eau de façon efficace, comme on l'observe chez la plupart des angiospermes modernes. Dans l'ensemble, les chercheurs se sont donc appuyés sur les caractéristiques des espèces ancestrales et des angiospermes comme celles du genre *Amborella* pour émettre l'hypothèse selon laquelle les premières angiospermes étaient des arbrisseaux ligneux à petites fleurs qui disposaient de cellules relativement simples pour la circulation de l'eau.

Les liens évolutifs avec les animaux

Les végétaux et les animaux interagissent depuis des centaines de millions d'années, et ces interactions ont entraîné nombre de changements évolutifs. Par exemple, les herbivores peuvent nuire à la reproduction d'une plante en mangeant ses racines, ses feuilles ou ses graines. Par conséquent, tout moyen de défense efficace contre les herbivores qui apparaît chez un groupe de végétaux favorisera ce dernier sur le plan de la sélection naturelle. Il en ira autant des herbivores qui parviendront à surmonter ce nouveau moyen de défense: ils seront avantagés par rapport aux autres herbivores. Les interactions entre les végétaux et leurs pollinisateurs et d'autres interactions mutuellement bénéfiques peuvent aussi avoir de tels effets réciproques au regard de l'évolution.

Il se peut également que les relations entre les végétaux et leurs pollinisateurs aient modifié le rythme de formation de nouvelles espèces. L'impact de la symétrie des fleurs en constitue un bon exemple (voir la figure 30.9). Un insecte pollinisateur ne tirera du nectar d'une fleur à symétrie bilatérale que s'il s'en approche selon un certain angle (**figure 30.15**). Cette contrainte augmente la probabilité, pour un insecte butinant de fleur en fleur, que du pollen se dépose sur une partie de son corps puis entre en contact avec le stigmate d'une autre fleur de la même espèce. Ces particularités du transfert de pollen réduisent la circulation des gènes entre des populations divergentes et pourraient donc favoriser la vitesse de spéciation des végétaux dont la symétrie est bilatérale. Il est possible de tester cette hypothèse en utilisant l'approche que décrit le schéma ci-dessous:

▼ Figure 30.14 L'histoire évolutive des angiospermes.

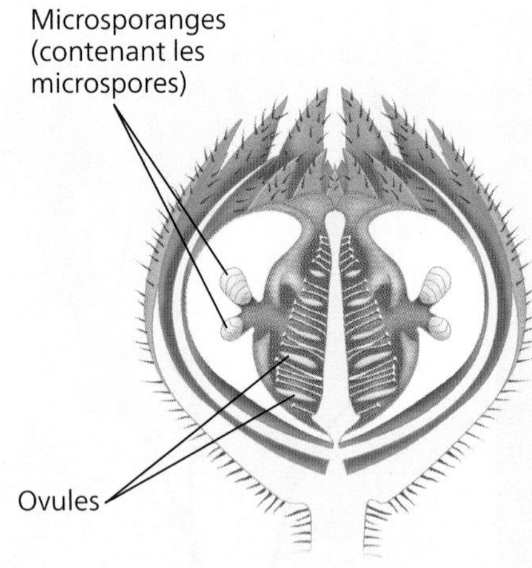

(a) Serait-ce un ancêtre des angiospermes? Cette reconstitution montre une coupe longitudinale des structures florales de bennettitales, un groupe disparu de vasculaires à graines qui, selon certaines hypothèses, serait plus étroitement apparenté aux angiospermes qu'aux gymnospermes.

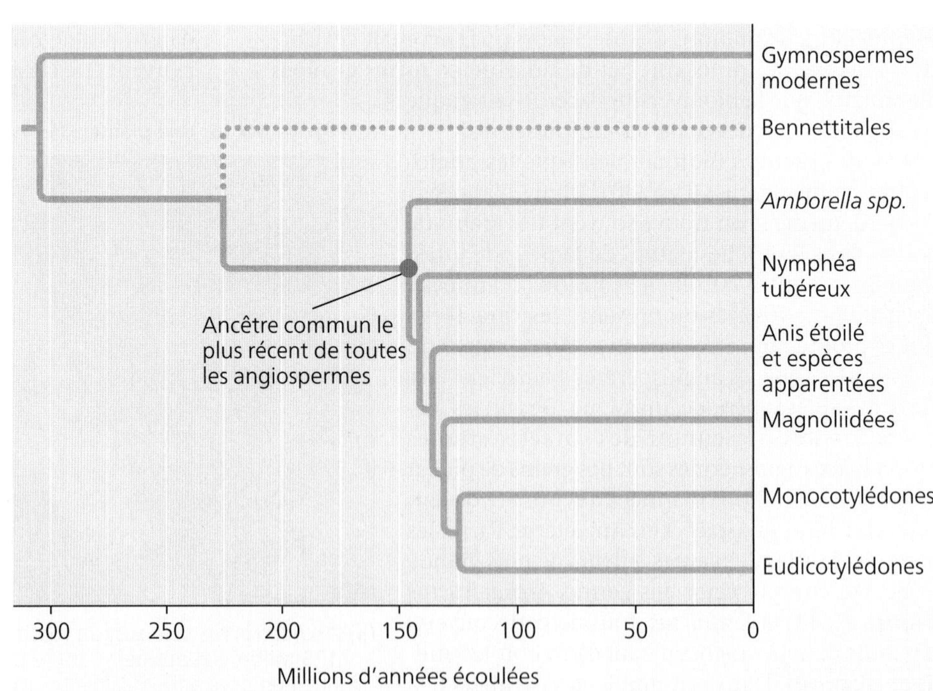

(b) La phylogenèse des angiospermes. Cet arbre de classification, construit selon des données morphologiques et moléculaires, représente une hypothèse ayant cours sur les liens évolutifs des angiospermes. Les angiospermes ont fait leur apparition il y a au moins 140 millions d'années. Les pointillés indiquent l'incertitude concernant la position des bennettitales, qui pourrait être un groupe frère des angiospermes.

HABILETÉS VISUELLES ▶ Faudrait-il nécessairement redessiner les ramifications de la phylogenèse présentée en (b) si l'on découvrait un fossile de monocotylédone datant de 150 millions d'années? Pourquoi?

La principale étape de cette approche consiste à cibler des clades de fleurs à symétrie bilatérale qui descendent directement du même ancêtre qu'un clade de fleurs à symétrie radiaire. Une étude récente a identifié 19 paires de clades (à symétrie «bilatérale» et «radiaire») apparentés à un ancêtre commun. En moyenne, le clade de fleurs à symétrie bilatérale compte près de 2 400 espèces de plus que les fleurs à symétrie radiaire du clade parent. Selon ce résultat, on peut penser que la forme des fleurs peut influer sur le rythme de formation de nouvelles espèces, peut-être en interagissant avec les insectes pollinisateurs, selon leur comportement lors du butinage. De façon générale, on soupçonne que les effets des relations entre les végétaux et leurs pollinisateurs pourraient avoir contribué à la prédominance croissante des végétaux à fleurs durant le Crétacé. Les angiospermes auraient ainsi pris une place considérable au sein des communautés écologiques.

▼ **Figure 30.15 La pollinisation d'une fleur à symétrie bilatérale par une abeille.** Pour recueillir le nectar (solution sucrée sécrétée par les glandes de la fleur, les nectaires) d'une fleur telle que le genêt à balais (*Cytisus scoparius*), l'abeille doit s'y poser selon un angle précis. Ce faisant, elle déclenche un mécanisme qui recourbe les étamines au-dessus d'elle, ce qui l'enduit de pollen. L'insecte peut ensuite répandre un peu de pollen sur le stigmate de la prochaine fleur qu'il butinera.

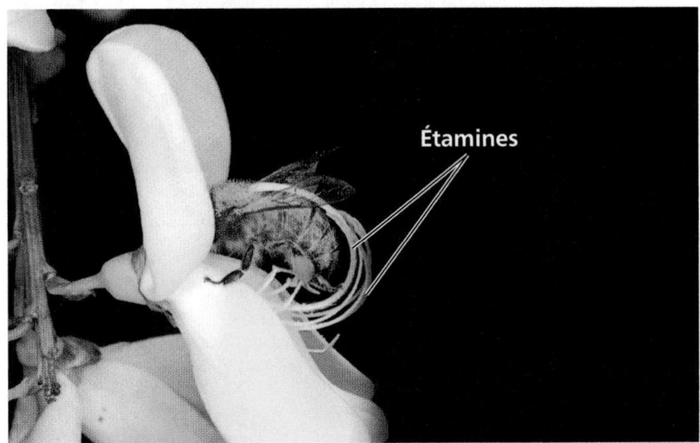

La diversité des angiospermes

Depuis leurs humbles débuts, au Crétacé, les angiospermes se sont diversifiées et comptent actuellement plus de 250 000 espèces. Jusqu'à la fin des années 1990, les taxinomistes s'accordaient généralement pour diviser les angiospermes en deux classes, s'appuyant en partie sur le nombre de cotylédons, ou feuilles embryonnaires, présents dans l'embryon. Les espèces qui possédaient un seul cotylédon étaient appelées **monocotylédones**, et celles qui en possédaient deux, **dicotylédones**. D'autres caractéristiques, comme la structure des fleurs, de la tige et des feuilles, servaient aussi à distinguer ces deux groupes. Des études génétiques réalisées récemment révèlent toutefois que les espèces traditionnellement appelées dicotylédones sont paraphylétiques. En revanche, le clade des **eudicotylédones** («véritables» dicotylédones) réunit aujourd'hui la grande majorité des espèces que l'on appelait dicotylédones. La **figure 30.16** compare les principales caractéristiques des monocotylédones et des eudicotylédones. Les autres dicotylédones sont maintenant divisées en quatre petites lignées (*Amborella spp.*, nymphéas, anis étoilé et espèces apparentées) qui portent officieusement le nom d'**angiospermes basales**, car elles ont divergé à partir d'autres angiospermes tôt dans l'histoire du groupe (voir la figure 30.14b). Une quatrième lignée, celle des **magnoliidées**, est apparue plus tard. La **figure 30.17** donne un aperçu de la diversité des angiospermes.

▼ **Figure 30.16 Caractéristiques des monocotyldéones et des eudicotylédones.**

	Embryons	Nervation des feuilles	Tiges	Racines	Pollen	Fleurs
Caractéristiques des monocotylédones	Un cotylédon	Nervures principales généralement parallèles	Disposition complexe des faisceaux libéroligneux	Système racinaire habituellement fasciculé (pas de racine principale)	Grain de pollen monocolpé (à une seule ouverture en forme de fente pour le passage du tube pollinique)	Pièces florales habituellement organisées en multiples de trois
Caractéristiques des eudicotylédones	Deux cotylédons	Nervures principales généralement ramifiées	Faisceaux libéroligneux habituellement disposés en anneau	Racine pivotante (racine principale) habituellement présente	Grain de pollen tricolpé (à trois ouvertures pour le passage du tube pollinique)	Pièces florales habituellement organisées en multiples de quatre ou cinq

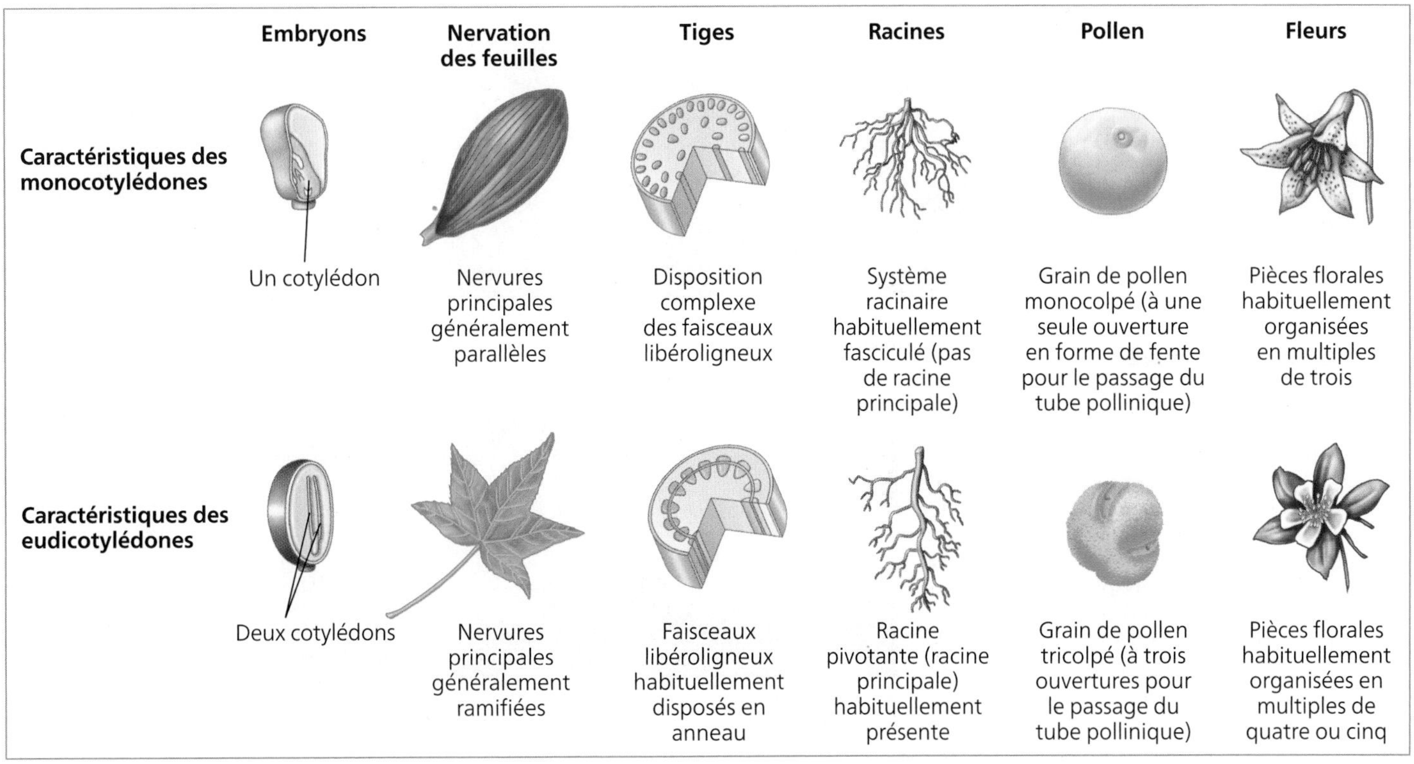

▼ **Figure 30.17**

PANORAMA La diversité des angiospermes

Les angiospermes basales

Les angiospermes basales survivantes appartiennent à trois lignées qui ne comptent qu'une centaine d'espèces. La première lignée à avoir divergé des autres angiospermes est aujourd'hui représentée par une seule espèce, *Amborella trichopoda*. Les autres lignées survivantes, un clade comprenant le nymphéa tubéreux et un autre, l'anis étoilé et les plantes apparentées, ont divergé plus tard.

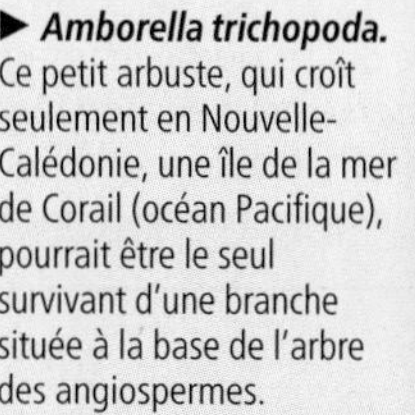

◀ **Nymphéa tubéreux (*Nymphaea tuberosa*).** Les espèces de nymphéas vivent en milieu aquatique partout dans le monde. Ils sont membres d'un clade qui a divergé d'autres angiospermes tôt dans l'histoire évolutive du groupe.

▶ ***Amborella trichopoda*.** Ce petit arbuste, qui croît seulement en Nouvelle-Calédonie, une île de la mer de Corail (océan Pacifique), pourrait être le seul survivant d'une branche située à la base de l'arbre des angiospermes.

◀ **Anis étoilé (*Illicium floridanum*).** Cette espèce représente une troisième lignée survivante d'angiospermes basales.

Les magnoliidées

Les magnoliidées comptent environ 8 000 espèces; les genres les plus connus sont le magnolia, le laurier et le poivrier. Ce groupe comprend à la fois des espèces ligneuses et des espèces herbacées. Bien qu'elles aient certains caractères en commun avec les angiospermes basales, comme la disposition des organes floraux en spirale plutôt qu'en verticille, les magnoliidées sont plus étroitement apparentées aux monocotylédones et aux eudicotylédones.

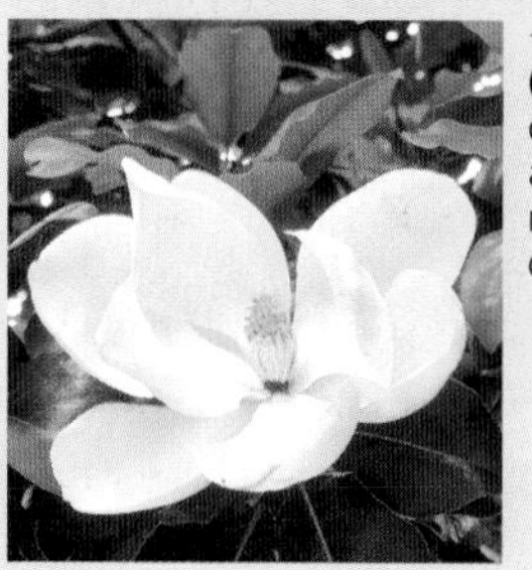

◀ **Magnolia à grandes fleurs (*Magnolia grandiflora*).** Ce membre de la famille des magnolias est un arbre de grande taille. La variété montrée ici, Goliath, donne des fleurs dont le diamètre peut atteindre 30 cm.

Les monocotylédones

Plus du quart des angiospermes font partie des monocotylédones, soit environ 70 000 espèces. Les orchidées, les graminées et les palmiers font partie des principaux groupes de monocotylédones. Les graminées regroupent quelques-unes des céréales les plus importantes en agriculture, tels le maïs, le riz et le blé.

▲ **Orchidée (*Lemboglossum rossii*).**

▲ **Orge (*Hordeum vulgare*), une graminée.**

▲ **Dattier nain (*Phoenix roebelenii*).**

Les eudicotylédones

Plus des deux tiers des espèces d'angiospermes font partie du groupe des eudicotylédones, soit à peu près 170 000 espèces. La famille des légumineuses, comme les pois et les haricots, constitue le groupe le plus important. La famille des rosacées, également essentielle du point de vue économique, regroupe quant à elle plusieurs plantes à fleurs ornementales ainsi que plusieurs espèces produisant des fruits comestibles, dont les fraisiers, les pommiers et les poiriers. La plupart des arbres à fleurs les plus connus, tels le chêne, le noyer, l'érable, le saule et le bouleau, appartiennent au groupe des eudicotylédones.

▲ **Chêne tauzin (*Quercus pyrenaica*).**

▲ **Églantier (*Rosa canina*), une rose sauvage.**

▶ **Pois mange-tout (*Pisum sativum*), une légumineuse.**

RETOUR SUR LE CONCEPT 30.3

1. On dit que le chêne est le moyen qu'utilise le gland pour fabriquer d'autres glands. Expliquez cette affirmation à l'aide des termes suivants : sporophyte, gamétophyte, ovule, graine, ovaire et fruit.
2. Comparez un cône de pin et une fleur sur le plan de la structure et de la fonction.
3. **ET SI ?** ▶ Que révèle la vitesse de spéciation des clades de végétaux à fleurs étroitement apparentés ? Que la forme de la fleur est corrélée avec le rythme de formation de nouvelles espèces ou que la forme de la fleur est *responsable* de ce rythme ? Expliquez votre réponse.

Voir les réponses proposées à l'appendice A.

CONCEPT 30.4

Le bien-être des humains est fortement tributaire des vasculaires à graines

Les vasculaires à graines forment le groupe le plus essentiel à notre survie. En foresterie et en agriculture, elles constituent des sources essentielles de nourriture, de combustible, de médicaments, de bois et de ses produits dérivés ; l'humain tire aussi des vasculaires à graines des fibres qu'il utilise pour confectionner certains tissus et le papier. En raison de cette dépendance, il est indispensable de préserver la diversité des plantes.

Les produits des vasculaires à graines

La plupart des aliments que nous consommons proviennent des angiospermes. Six plantes cultivées – le blé, le riz, le maïs, la pomme de terre, le manioc et la patate douce – représentent à elles seules 80 % de toutes les calories absorbées par les humains. Nous avons aussi besoin des angiospermes pour l'alimentation du bétail : il faut de 5 à 7 kg de grains pour produire 1 kg de bœuf.

Les plantes cultivées modernes sont les produits d'une sélection artificielle qui résulte de la domestication des plantes entreprise par les humains il y a près de 12 000 ans. Pour se faire une idée de l'ampleur des transformations, il suffit de voir à quel point le nombre et la grosseur des graines des plantes domestiquées sont plus importants que ceux de leurs parentes sauvages, comme le maïs moderne (*Zea mays, subsp. mays*) et la téosinte (*Zea mays, subsp. parviglumis*), son ancêtre naturel (voir la figure 38.16). Les scientifiques peuvent glaner des renseignements sur la domestication en comparant les gènes des plantes cultivées avec ceux de leurs parentes sauvages. Dans le cas du maïs, des changements marquants, comme l'augmentation de la grosseur de l'épi (et du nombre de grains par épi) et la disparition de l'enveloppe dure qui recouvrait les grains de la téosinte, ont probablement été provoqués par cinq mutations génétiques seulement.

Les plantes à fleurs fournissent bien d'autres produits comestibles. Deux boissons populaires proviennent des feuilles de thé (*Camelia sinensis*) et des fèves de café (*Coffea arabica* et *C. robusta*), sans parler du cacaoyer (*Theobroma cacao*), à partir duquel sont préparés le cacao et le chocolat. Les épices sont tirées de diverses parties de plantes, comme les fleurs (le clou de girofle, *Eugenia caryophyllus*, et le safran, *Crocus sativus*), les fruits et les graines (la vanille, *Vanilla planifolia*, le poivre noir, *Piper nigrum*, et la moutarde, *Sinapis alba*), les feuilles (le basilic, *Ocimum basilicum*, la sauge, *Salvia officinale*, et la menthe, *Mentha spp.*) et même l'écorce (la cannelle, *Cinnamomum cassia*).

Beaucoup de vasculaires à graines fournissent du bois, une matière que n'offre aucune vasculaire sans graines actuelle. Le bois consiste en une accumulation de cellules du xylème à paroi résistante (voir la figure 35.22). Il est le principal combustible dans un grand nombre de pays, et la pâte de bois, qui provient en général de conifères comme le pin et le sapin, est utilisée pour fabriquer le papier. Le bois demeure le matériau de construction le plus répandu.

Durant des siècles, les humains s'en sont aussi remis aux vasculaires à graines pour se soigner. Dans beaucoup de cultures, l'usage des plantes médicinales constitue une longue tradition, et les scientifiques ont extrait et identifié les composés (ou métabolites) médicinaux actifs présents dans un grand nombre de ces plantes, ce qui a permis de produire des médicaments de synthèse. Par exemple, on utilise depuis fort longtemps les feuilles et l'écorce du saule pour préparer des analgésiques, qui ont notamment été prescrits par le médecin grec Hippocrate. Or, dans les années 1800, des scientifiques ont découvert que la propriété médicinale du saule était attribuable à un produit chimique, la salicine. L'acide acétylsalicylique, communément appelé aspirine, est un dérivé synthétique de la salicine. En résumé, les plantes sont une source directe de composés médicinaux (**tableau 30.1**). On estime que 60 % des médicaments utilisés en Occident proviennent directement ou indirectement des plantes et des microorganismes.

La diversité des plantes : une richesse menacée

Si les plantes constituent une ressource renouvelable, leur diversité, elle, ne l'est pas. L'explosion démographique s'accompagne d'une telle augmentation des besoins d'espace et de ressources naturelles qu'elle menace les espèces végétales à l'échelle mondiale. La moitié des forêts de la planète a été détruite au cours du

Tableau 30.1 Quelques exemples de médicaments extraits des vasculaires à graines

Composé	Source végétale	Exemple d'utilisation
Atropine	Belladone (*Atropa belladona*)	Dilatation des pupilles pendant les examens de la vue
Digitaline	Digitale pourpre (*Digitalia purpurea*)	Traitement des troubles cardiaques
Menthol	Eucalyptus (*Eucalyptus dives*)	Traitement de la toux
Quinine	Quinquina rouge (*Cinchona succirubra*)	Prévention du paludisme
Taxol	If occidental (*Taxus brevifolia*)	Traitement du cancer de l'ovaire
Turbocurarine	Plantes diverses (*Strychnos toxifera, Chondrodendron tomentosum*)	Relâchement musculaire pendant les interventions chirurgicales
Vinblastine	Pervenche de Madagascar (*Catharanthus roseus*)	Traitement de la leucémie

20e siècle, et la déforestation se poursuit à un rythme alarmant. Le problème est particulièrement grave sous les tropiques, où vivent plus des deux tiers des humains et où la croissance de la population est la plus rapide. Plus de 50 000 km^2 de forêt tropicale humide y sont rasés chaque année (**figure 30.18**). La réduction du couvert forestier diminue l'absorption du dioxyde de carbone (CO_2) atmosphérique pendant la photosynthèse, ce qui contribue au réchauffement planétaire. En outre, un grand nombre d'espèces végétales disparaissent également en même temps que les forêts. Bien entendu, il est impossible pour une espèce disparue de réapparaître.

L'extinction des espèces végétales va souvent de pair avec celle d'insectes et d'autres animaux colonisant les forêts tropicales humides. Selon les estimations des scientifiques, si le rythme de disparition des espèces se poursuit dans les régions tropicales et ailleurs, au moins 50 % des espèces auront disparu au cours des prochains siècles. Ce rythme de disparition constituerait une extinction massive comparable à celles du Permien et du Crétacé, et modifierait pour toujours l'histoire évolutive des végétaux terrestres (et de nombreux autres organismes).

▼ **Figure 30.18 La coupe à blanc dans les forêts tropicales humides.** Au cours des derniers siècles, près de la moitié des forêts tropicales de la planète ont été rasées pour l'agriculture ou à d'autres fins. L'image satellite de gauche, qui date de 1975, montre une forêt dense du Brésil. En 2012, la majeure partie de cette forêt avait été détruite. Les zones de déforestation et les régions urbaines sont illustrées en mauve clair.

Nombreuses sont les personnes qui sont moralement préoccupées à l'idée de participer à l'extinction d'espèces. Même si nous découvrons environ 16 000 nouvelles espèces chaque année (principalement des insectes, et surtout dans la forêt tropicale), leur taux de disparition est encore plus grand : plus de 26 000 espèces disparaissent de la faune et la flore de la planète chaque année. La réduction de la diversité végétale a aussi de quoi nous inquiéter sur le plan pratique. Jusqu'à présent, nous avons étudié les usages possibles d'une minuscule fraction des 215 000 espèces végétales connues (sur environ 385 000 existantes). Par exemple, presque toute notre nourriture provient de la culture de deux douzaines d'espèces seulement. De plus, à ce jour, on n'a étudié le potentiel médicinal que de 5 000 espèces à peine. La forêt tropicale humide pourrait receler des plantes médicinales de grande valeur qui risquent l'extinction avant même que leur existence nous soit connue. Si nous arrivions à considérer les forêts tropicales et d'autres écosystèmes comme des trésors vivants dont la régénération ne peut qu'être lente, nous pourrions apprendre à exploiter leurs produits à un rythme qui laisserait place au renouvellement.

RETOUR SUR LE CONCEPT 30.4

1. Expliquez pourquoi il est juste de considérer la diversité des plantes comme une ressource non renouvelable.
2. **ET SI ?** ▶ Comment les phylogenèses pourraient-elles aider les chercheurs à concevoir plus efficacement de nouveaux médicaments dérivés des végétaux ?

Voir les réponses proposées à l'appendice A.

RÉVISION DU CHAPITRE 30

Consultez votre MANUEL NUMÉRIQUE, qui vous donne accès aux **animations**, aux **exercices** et à la plateforme d'**anatomie interactive**.

Résumé des concepts clés

CONCEPT 30.1

Les graines et les grains de pollen sont des adaptations déterminantes de la vie sur la terre ferme (p. 698 à 700)

Cinq caractères dérivés des vasculaires à graines	
Des gamétophytes de taille réduite	Des gamétophytes mâles et femelles (n) microscopiques sont nourris et protégés par le sporophyte ($2n$). Gamétophyte mâle; Gamétophyte femelle
L'hétérosporie	Microspore (devient un gamétophyte mâle) Mégaspore (devient un gamétophyte femelle)
Les ovules	Ovule (gymnosperme): Tégument ($2n$); Mégaspore (n); Mégasporange ($2n$)
Le pollen	Les grains de pollen permettent d'éliminer le besoin d'eau pour la fécondation.
Les graines	Les graines sont protégées et survivent mieux que les spores, qui ne le sont pas, et peuvent être transportées sur de grandes distances. Enveloppe de la graine; Réserve de nourriture; Embryon

? En quoi les parties d'un ovule (tégument, mégaspore, mégasporange) ressemblent-elles aux parties d'une graine?

CONCEPT 30.2

Chez les gymnospermes, les graines sont généralement «nues», et portées sur des cônes (p. 700 à 703)

- Le cycle de développement des gymnospermes présente habituellement les grandes caractéristiques suivantes: la prédominance du sporophyte, le développement de graines à partir d'ovules fertilisés et le rôle du pollen en tant qu'agent de la fécondation.
- Les archives géologiques révèlent que les gymnospermes sont apparues tôt dans l'histoire des végétaux et qu'elles ont dominé les écosystèmes terrestres au cours du Mésozoïque. Les vasculaires à graines modernes peuvent être divisées en deux groupes monophylétiques: les gymnospermes et les angiospermes. Les gymnospermes modernes comprennent les cycadophytes (cycas), les ginkgophytes (*Ginkgo biloba*), les gnétophytes (*Welwitschia mirabilis*) et les pinophytes (**conifères**).

? Bien qu'on dénombre moins de 1 000 espèces de gymnospermes, le groupe connaît une remarquable longévité évolutive, de grandes aptitudes d'adaptation et une importante distribution géographique. Expliquez pourquoi.

CONCEPT 30.3

Chez les angiospermes, les fleurs et les fruits sont des adaptations à la reproduction (p. 703 à 713)

- La **fleur** se compose en général de quatre types de feuilles modifiées: les **sépales**, les **pétales**, les **étamines** (qui produisent le pollen) et les **carpelles** (qui produisent les ovules). Une fois mature, l'**ovaire** devient un **fruit** dont les graines peuvent être dispersées par le vent, l'eau ou des animaux.
- Les plantes à fleurs sont apparues il y a environ 140 millions d'années. Vers la moitié du Crétacé (il y a 100 millions d'années), elles ont commencé à dominer certains écosystèmes terrestres. Certaines analyses des données paléontologiques et phylogénétiques nous éclairent sur l'origine des fleurs.
- Plusieurs groupes d'**angiospermes basales** ont été découverts. Les **magnoliidées**, les **monocotylédones** et les **eudicotylédones** sont les autres grands clades d'angiospermes.
- La pollinisation et d'autres interactions entre les angiospermes et les animaux pourraient avoir contribué à la prolifération des végétaux à fleurs au cours des 100 millions d'années écoulées depuis leur apparition.

? Expliquez pourquoi Darwin a qualifié l'origine des angiospermes d'«affreux mystère», et décrivez les connaissances acquises grâce à l'analyse des données paléontologiques et phylogénétiques.

CONCEPT 30.4

Le bien-être des humains est fortement tributaire des vasculaires à graines (p. 713 et 714)

- Les humains ne peuvent se passer des vasculaires à graines, qui leur fournissent de la nourriture, du bois et de nombreux médicaments.
- La destruction des habitats provoque l'extinction de nombreuses espèces végétales et des animaux qui s'en nourrissent.

? Expliquez pourquoi la destruction de ce qui reste des forêts tropicales humides pourrait nuire à l'humanité et provoquer une extinction massive.

Évaluation

NIVEAU 1 : CONNAISSANCES ET COMPRÉHENSION

1. Chez une angiosperme, le mégasporange se trouve :
   a) dans le style de la fleur.
   b) à l'intérieur du stigmate d'une fleur.
   c) à l'intérieur d'un ovule situé dans l'ovaire d'une fleur.
   d) à l'intérieur des sacs polliniques, dans les anthères situées à l'extrémité d'une étamine.

2. Trois des quatre caractères suivants comptent parmi les principales caractéristiques des vasculaires à graines qui favorisent la vie sur terre. Quelle est l'exception ?
   a) Homosporie.
   b) Pollen.
   c) Gamétophytes de taille réduite.
   d) Graines.

3. Parmi les cellules d'angiosperme suivantes, laquelle n'est pas associée au nombre correct de chromosomes (n ou $2n$) ?
   a) Oosphère – n.
   b) Mégaspore – $2n$.
   c) Microspore – n.
   d) Zygote – $2n$.

4. Les caractéristiques suivantes permettent de distinguer les angiospermes et les gymnospermes des autres végétaux, sauf une. Laquelle ?
   a) Les gamétophytes dépendants.
   b) Les ovules.
   c) Le pollen.
   d) L'alternance des générations.

5. Les gymnospermes et les angiospermes ont en commun toutes les caractéristiques suivantes sauf une. Laquelle ?
   a) Les graines.
   b) Le pollen.
   c) Les ovaires.
   d) Les ovules.

NIVEAU 2 : APPLICATION ET ANALYSE

6. **FAITES UN DESSIN ▶** Placez les lettres *a* à *d* dans l'arbre phylogénétique ci-dessous pour indiquer quand les caractères dérivés suivants sont apparus.
   a) Les fleurs.
   b) Les embryons.
   c) Les graines.
   d) Le tissu conducteur.

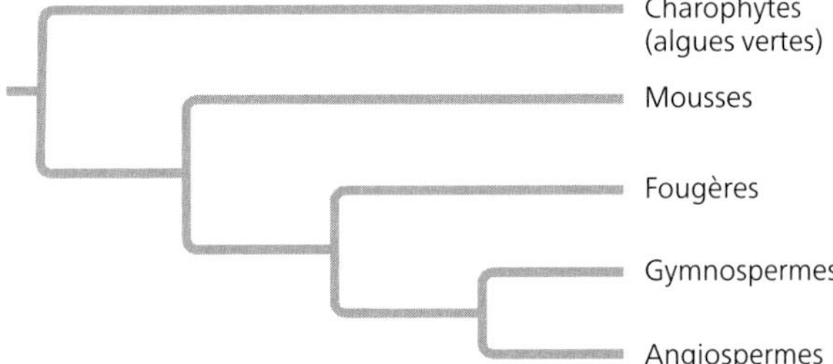

7. **LIEN AVEC L'ÉVOLUTION**
   L'histoire du vivant a été ponctuée de plusieurs extinctions massives. Par exemple, l'impact d'une météorite pourrait être responsable de la disparition de presque tous les dinosaures et de nombreux organismes marins à la fin du Crétacé (voir le concept 25.4). Les fossiles indiquent que les végétaux ont été moins durement touchés par cette extinction. Quelles adaptations pourraient expliquer que les végétaux aient mieux résisté à cette catastrophe que les animaux ?

NIVEAU 3 : SYNTHÈSE ET ÉVALUATION

8. **INVESTIGATION**
   FAITES UN DESSIN ▶ Comme vous le verrez au concept 38.1, le gamétophyte femelle des angiospermes comporte habituellement sept cellules, dont l'une, la cellule centrale, contient deux noyaux haploïdes. Après la double fécondation, cette cellule centrale produit l'albumen, qui est triploïde. Puisque les magnoliidées, les monocotylédones et les eudicotylédones ont généralement des gamétophytes femelles avec sept cellules et de l'albumen triploïde, les scientifiques présument qu'il s'agit là d'une condition ancestrale des angiospermes. C'est cependant compter sans quelques découvertes récentes :
   - Notre compréhension de la phylogenèse des angiospermes correspond maintenant à celle que montre la figure 30.14b.
   - *Amborella trichopoda* présente des gamétophytes femelles à huit cellules et un albumen triploïde.
   - Les nymphéas et l'anis étoilé ont des gamétophytes femelles à quatre cellules et un albumen diploïde.

   a) Dessinez une phylogenèse des angiospermes (voir la figure 30.14b) en y intégrant les données ci-dessus concernant le nombre de cellules des gamétophytes femelles et la ploïdie de l'albumen. Faites l'hypothèse que les gamétophytes femelles de toutes les espèces apparentées à l'anis étoilé ont quatre cellules et que leur albumen est diploïde.
   b) Que laisse entrevoir votre phylogenèse quant à l'évolution du gamétophyte femelle et de l'albumen chez les angiospermes ?

Voir les réponses proposées à l'appendice A.

Les eumycètes

31

VOS OUTILS
INTERACTIFS

Consultez votre MANUEL NUMÉRIQUE, qui vous donne accès aux **animations**, aux **exercices** et à la plateforme d'**anatomie interactive**.

▲ **Figure 31.1 Quel rôle cet eumycète joue-t-il dans cette forêt ?**

CONCEPTS CLÉS

31.1 Les eumycètes sont des organismes hétérotrophes qui se nourrissent par absorption

31.2 Les eumycètes produisent des spores au cours de cycles de développement sexués ou asexués

31.3 L'ancêtre des eumycètes était un protiste aquatique, unicellulaire et flagellé

31.4 L'évolution des eumycètes a produit un ensemble diversifié de lignées

31.5 Les eumycètes tiennent des rôles clés dans le recyclage des nutriments, les interactions écologiques et le bien-être des humains

◀ ***Cortinarius caperatus*, une espèce qui peut transférer du glucose entre les arbres.**

Un réseau dissimulé

En arpentant une forêt de pins de la Suisse, vous pourriez remarquer quelques champignons rougeâtres et de petite taille du genre *Russula* éparpillés sous de grands arbres (**figure 31.1**). Ces petits champignons ne représentent que la partie aérienne d'un vaste réseau de filaments dissimulé dans le sol forestier. À mesure qu'ils grandissent, ces filaments fongiques absorbent des nutriments, dont certains sont transférés vers les racines des arbres. À leur tour, les arbres procurent aux champignons le glucose produit pendant la photosynthèse. Une étude réalisée en 2016 a montré que les filaments fongiques pouvaient même transférer le glucose entre des arbres de différentes espèces. Le glucose produit par un arbre peut donc nourrir les cellules des arbres avoisinants, ce qui accroît la complexité de la vie en forêt telle que nous la connaissons.

Le réseau dissimulé que forment les filaments des champignons du genre *Russula* témoigne de la grandeur méconnue du règne des eumycètes. La majorité des gens se rendent à peine compte de l'existence de ces eucaryotes, sauf lorsqu'ils en mangent ou qu'ils sont touchés par une maladie comme le pied d'athlète. Pourtant, au sein de la biosphère, les eumycètes constituent un monde à la fois gigantesque et essentiel. À l'heure actuelle, on en connaît quelque 100 000 espèces, mais en réalité, il en existerait près de 1,5 million. Certains sont unicellulaires, mais la majorité d'entre eux sont constitués d'organismes multicellulaires complexes comportant généralement des structures aériennes bien visibles que nous appelons *champignons*. On trouve ces organismes d'une formidable diversité dans à peu près tous les habitats terrestres et aquatiques.

L'importance des eumycètes tient non seulement à leur diversité et à leur distribution, mais aussi au rôle crucial qu'ils jouent dans la majorité des écosystèmes terrestres. Ils dégradent les matières organiques et recyclent les nutriments, de sorte que d'autres organismes peuvent assimiler des éléments chimiques essentiels. Les humains profitent des services rendus par les eumycètes en tant que source alimentaire, mais aussi dans les domaines de l'agriculture et de la foresterie ; ils sont aussi indispensables à la fabrication de nombreux produits, allant du pain aux antibiotiques. Il est vrai, par contre, que certains eumycètes causent des maladies chez les végétaux et les animaux (y compris l'humain), mais les espèces pathogènes ou nuisibles sont minoritaires.

Dans le présent chapitre, nous étudierons la structure et l'histoire évolutive des eumycètes, nous passerons en revue les membres de leur règne, et nous traiterons de leur portée écologique et commerciale.

CONCEPT **31.1**

Les eumycètes sont des organismes hétérotrophes qui se nourrissent par absorption

En dépit de leur grande diversité, les eumycètes partagent un certain nombre de caractères, dont le principal est le mode de nutrition. De plus, de nombreux eumycètes croissent en formant des filaments multicellulaires, une structure qui joue un rôle important au regard de leur mode de nutrition.

La nutrition et l'écologie des eumycètes

Comme les animaux, les eumycètes sont des organismes hétérotrophes, c'est-à-dire qu'ils ne peuvent fabriquer leur nourriture ainsi que le font les végétaux et les algues. Mais, contrairement aux animaux, les eumycètes n'ingèrent pas leur nourriture. Ils absorbent les nutriments qui se trouvent dans l'environnement. Pour ce faire, de nombreux eumycètes sécrètent de puissantes enzymes hydrolytiques qui diffusent à proximité. Ces enzymes décomposent les molécules complexes en composés simples que les cellules peuvent absorber, utiliser ou mettre en réserve sous forme de glycogène ou même de lipides, comme c'est le cas chez les animaux (pour ce qui est des végétaux, c'est plutôt l'amidon qui constitue la principale forme de réserve énergétique). D'autres eumycètes se servent d'enzymes pour pénétrer à travers la paroi de cellules de différents organismes, ce qui leur permet d'absorber les nutriments contenus dans ces cellules. Ensemble, les enzymes que l'on trouve chez l'une ou l'autre des espèces d'eumycètes peuvent digérer des composés provenant d'une grande variété d'organismes vivants ou de matières en décomposition.

Cette diversité de sources nutritionnelles reflète la diversité des rôles – décomposeurs, parasites ou mutualistes – que remplissent les eumycètes dans les communautés écologiques. Les eumycètes décomposeurs absorbent leurs nutriments en décomposant la matière organique non vivante, comme les arbres morts, les cadavres d'animaux et les déchets organiques. Pour leur part, les eumycètes parasites absorbent leurs nutriments aux dépens des cellules de leur hôte vivant. De nombreuses espèces sont pathogènes pour les végétaux, tandis que d'autres ciblent les animaux. Les eumycètes mutualistes tirent eux aussi leurs nutriments d'un autre organisme, mais ils exercent des actions réciproques dont profite leur hôte. Par exemple, des eumycètes mutualistes qui habitent les voies digestives de certaines espèces de termites produisent des enzymes qui permettent à ces insectes de décomposer le bois qu'ils ingèrent, tout comme le font d'autres espèces de termites avec les enzymes de protistes mutualistes (voir la figure 28.27).

Le succès écologique des eumycètes ne s'explique pas uniquement par les enzymes qui leur permettent de digérer diverses sources de nourriture. Leur structure, qui accroît considérablement leur capacité à absorber les nutriments, y contribue également.

La structure des eumycètes

Sur le plan structural, les eumycètes se présentent sous la forme de filaments multicellulaires ou sous la forme d'organismes unicellulaires (**levures**). De nombreuses espèces d'eumycètes peuvent former des filaments ou des levures, mais nombre d'entre elles ne forment que des filaments ; les eumycètes qui ne produisent que des levures unicellulaires sont beaucoup moins nombreux. Les levures vivent souvent dans des environnements humides, ce qui inclut la sève des végétaux et les tissus animaux où abondent les nutriments solubles comme le glucose et les acides aminés.

La morphologie des eumycètes multicellulaires accroît leur capacité de se développer et d'absorber les nutriments présents autour d'eux (**figure 31.2**). Leur appareil végétatif forme un réseau de minuscules filaments appelés **hyphes**. Les hyphes se composent de parois tubulaires entourant la membrane plasmique et le cytoplasme des cellules. La paroi cellulaire des eumycètes est solidifiée par la **chitine**, un polysaccharide aminé flexible, mais résistant. Les parois riches en chitine protègent les cellules lorsqu'elles absorbent des nutriments de leur milieu. Au cours de ce processus, la concentration intracellulaire de ces nutriments augmente, ce qui entraîne l'entrée d'eau dans les cellules à travers leur paroi, par osmose. Si les cellules fongiques n'étaient pas entourées d'une paroi rigide, elles pourraient exploser sous la pression exercée par le mouvement de l'eau.

La division des hyphes en cellules par des **cloisons** (**figure 31.3a**) est une autre caractéristique structurale importante des eumycètes. Ces cloisons possèdent généralement des pores assez grands pour permettre aux ribosomes, aux mitochondries et même aux noyaux de circuler d'une cellule à l'autre. Chez certains eumycètes, les hyphes sont dépourvues de cloisons (**figure 31.3b**) ; elles sont appelées **cénocytes** (ou siphons). Un cénocyte est une masse cytoplasmique continue qui possède des centaines, voire des milliers de noyaux. Comme nous le verrons plus tard, il résulte de divisions répétées du noyau, sans cytocinèse.

Les hyphes forment un réseau de filaments ramifiés, le **mycélium**, qui infiltre les matières dont se nourrit l'eumycète (voir la figure 31.2). La structure du mycélium maximise le rapport entre sa surface et son volume, ce qui rend l'absorption très efficace. Ainsi, 1 cm^3 d'un sol riche en matière organique contient jusqu'à 1 km d'hyphes offrant une surface de contact de 300 cm^2 avec le sol. Grâce au mouvement de cyclose (courants cytoplasmiques), les protéines et les autres molécules que synthétise le mycélium sont acheminées jusqu'aux extrémités des hyphes en expansion : c'est ce qui permet la croissance rapide du mycélium.

▶ **Figure 31.2 La structure d'un eumycète multicellulaire.** La photo du haut montre un bolet comestible (*Boletus edulis*) dont les structures sexuelles forment la partie aérienne, au-dessus du sol, que nous nommons champignons. La photo du bas présente un mycélium croissant sur les aiguilles tombées d'un conifère. Le médaillon (MEB) montre des hyphes.

? Bien que les champignons apparaissant dans la photo du haut semblent autant d'individus distincts, leur ADN pourrait-il être identique ? Expliquez votre réponse.

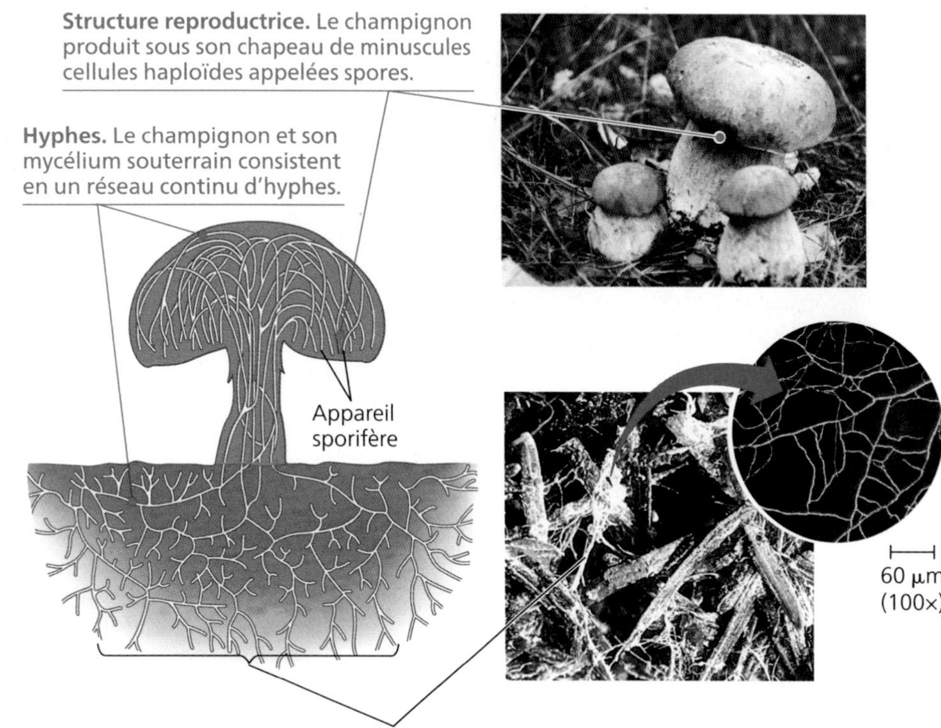

▼ **Figure 31.3 Deux formes d'hyphes.**

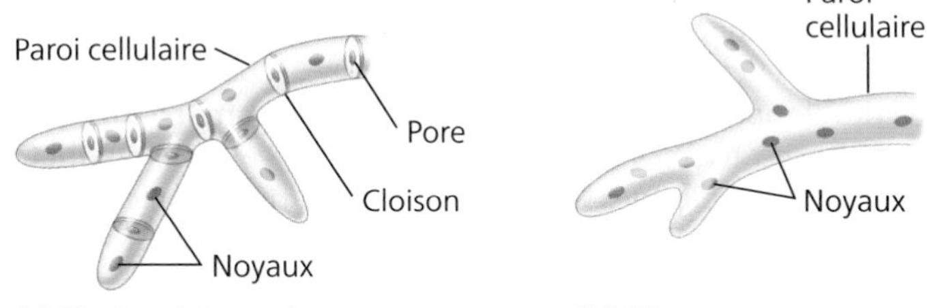

De plus, les eumycètes améliorent leur capacité d'absorption en consacrant leur énergie et leurs ressources à allonger leurs hyphes en longueur plutôt qu'à en accroître le diamètre. Les eumycètes multicellulaires ne sont pas mobiles à proprement parler : ils ne peuvent courir, nager ou voler pour trouver leur nourriture ou se reproduire. Cependant, ils explorent de nouveaux territoires à mesure qu'ils croissent et déploient leurs hyphes.

Des hyphes spécialisées chez les eumycètes mycorhiziens

Certains eumycètes possèdent des hyphes spécialisées grâce auxquelles ils se nourrissent de protistes ou d'animaux vivants (**figure 31.4a**), alors que d'autres espèces possèdent des hyphes spécialisées appelées *suçoirs*, ou haustoria, qui leur permettent d'extraire des nutriments de leur hôte végétal. Toutefois, nous nous concentrerons ici sur les eumycètes dotés d'hyphes ramifiées spécialisées, comme les **arbuscules** (**figure 31.4b**), qu'ils utilisent pour échanger des nutriments avec leur hôte végétal. L'association mutualiste entre ce dernier groupe d'eumycètes et les racines des végétaux est appelée **mycorhize** (des mots grecs *mukès* et *ridza*, qui signifient respectivement « champignon » et « racine »).

Les eumycètes mycorhiziens (qui forment une mycorhize) peuvent améliorer l'apport des ions phosphate et d'autres minéraux aux végétaux, parce que les nombreuses ramifications de leurs mycéliums augmentent considérablement la surface d'absorption, ce qui leur permet d'extraire ces minéraux du sol plus efficacement que les racines d'une plante. En échange, celle-ci fournit aux eumycètes des nutriments organiques, dont des glucides.

Il existe deux principaux types d'eumycètes mycorhiziens (voir la figure 37.15). Les **eumycètes ectomycorhiziens** (du grec *ektos*, « en dehors ») forment des enveloppes d'hyphes à la surface de la racine et croissent généralement dans les espaces extracellulaires de l'écorce. Les **eumycètes endomycorhiziens** (aussi appelés **mycorhiziens à arbuscules**), qui sont plus répandus que les premiers, enfoncent leurs arbuscules à travers la paroi des cellules de la racine et dans des tubes formés par l'invagination (retournement vers l'intérieur, comme l'illustre la figure 31.4b) de la membrane des cellules de la racine. Dans la rubrique **Habiletés scientifiques**, vous comparerez les données génomiques d'eumycètes mycorhiziens à celles d'eumycètes non mycorhiziens.

Les eumycètes mycorhiziens jouent un rôle crucial tant au sein des écosystèmes naturels que dans l'agriculture. Presque toutes les vasculaires hébergent des mycorhizes et comptent sur ces partenaires pour obtenir les nutriments dont elles ont besoin. De nombreuses études ont montré leur importance en comparant la croissance de végétaux avec et sans mycorhizes. Il n'est pas rare que les experts-forestiers inoculent des eumycètes mycorhiziens aux semis de pins afin d'en stimuler la croissance. À défaut d'intervention humaine, les eumycètes mycorhiziens colonisent les sols en dispersant des cellules haploïdes appelées **spores**, qui forment des réseaux mycéliens après avoir germé. La dispersion des spores est une composante clé de la reproduction des eumycètes et de leur capacité à coloniser de nouvelles régions, comme nous le verrons dans la prochaine section.

▼ **Figure 31.4** **Les hyphes spécialisées.**

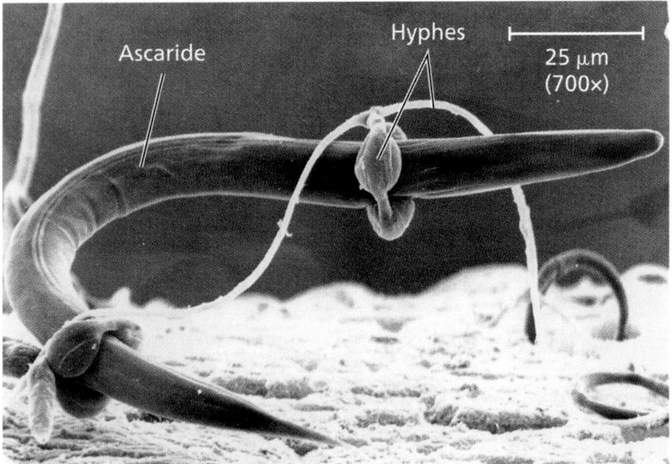

(a) Hyphes adaptées à la prédation. Chez *Arthrobotrys dactyloides*, un eumycète vivant dans le sol, des segments d'hyphes forment des boucles qui gonflent et se resserrent en moins d'une seconde autour d'un ascaride (un ver du groupe des nématodes). Les hyphes en croissance s'introduisent ensuite dans le corps du ver, dont l'eumycète digère les tissus internes, se procurant ainsi l'azote nécessaire à ses besoins (MEB).

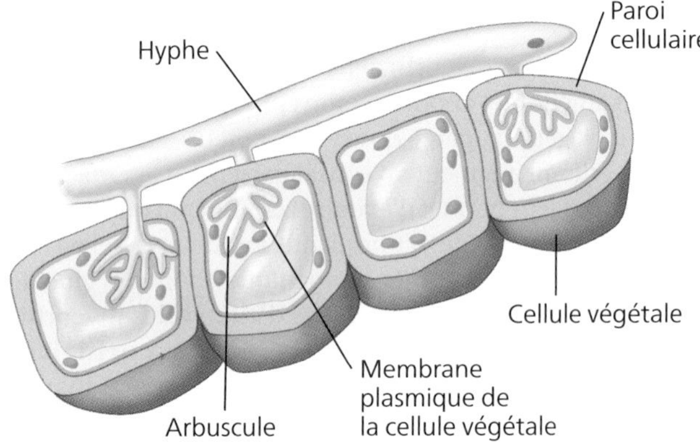

(b) Arbuscules. Les eumycètes mutualistes portent des hyphes spécialisées appelées arbuscules, qui peuvent échanger des nutriments avec des cellules végétales vivantes. Les arbuscules sont isolés du cytoplasme de la cellule végétale par la membrane plasmique de cette dernière (en orangé).

RETOUR SUR LE CONCEPT 31.1

1. Comparez votre mode de nutrition avec celui d'un eumycète, en soulignant les points communs et les différences.
2. **ET SI ?** ▶ Quels caractères dérivés pourrions-nous trouver chez un eumycète mutualiste qui vit dans le corps d'un insecte et dont les ancêtres étaient des *parasites* qui proliféraient sur et dans le corps de l'insecte ?
3. **FAITES DES LIENS** ▶ Examinez les figures 10.4 et 10.6. Si un végétal avait des mycorhizes, à quel endroit le carbone qui pénètre les stomates de la plante sous forme de CO_2 se déposerait-il ? Dans la plante, dans l'eumycète mycorhizien ou dans les deux ? Expliquez votre réponse.

Voir les réponses proposées à l'appendice A.

CONCEPT **31.2**

Les eumycètes produisent des spores au cours de cycles de développement sexués ou asexués

La plupart des eumycètes se multiplient en produisant des spores en très grand nombre, de façon sexuée ou asexuée. Ainsi, les vesses-de-loup ont des structures reproductrices qui peuvent répandre des billions de spores (voir la figure 31.17). Emportées par le vent ou l'eau sur de longues distances, les spores qui aboutissent sur un substrat adéquat, en terrain humide, germent et produisent un mycélium. Pour se rendre compte de l'efficacité reproductrice des spores, il suffit de laisser une tranche de melon exposée à l'air. Au bout d'une semaine environ, même sans une source visible de spores à proximité, vous verrez probablement un mycélium pelucheux se former à partir des spores microscopiques qui se seront déposées sur la tranche du fruit.

La **figure 31.5** présente le cycle de développement type au cours duquel les eumycètes produisent des spores. Dans cette section, nous examinerons les aspects généraux des cycles de développement sexués et asexués des eumycètes.

La reproduction sexuée

Chez la plupart des eumycètes, les noyaux des hyphes et des spores sont haploïdes. Toutefois, un grand nombre d'espèces présentent des stades diploïdes transitoires au cours de leur cycle de développement. La reproduction sexuée s'amorce souvent lorsque des hyphes provenant de deux mycéliums distincts libèrent des molécules sexuelles de signalisation appelées **phéromones**. Si les mycéliums appartiennent à des types sexuels différents, les phéromones de chacun des partenaires se lient aux récepteurs de l'autre, et les hyphes s'étendent vers la source des phéromones. Lorsqu'elles se rencontrent, les hyphes fusionnent. Ce « test de compatibilité » contribue à la variabilité génétique en empêchant la fusion des hyphes provenant d'un même mycélium ou de deux mycéliums possédant le même génotype.

On appelle **plasmogamie** la fusion des cytoplasmes à la suite de la rencontre des deux mycéliums parents (voir la figure 31.5). Chez la plupart des espèces, les noyaux haploïdes issus de chacun des parents ne fusionnent pas immédiatement. Des noyaux génétiquement différents coexistent plutôt dans certaines parties des mycéliums fusionnés. Les mycéliums de ce type sont des **hétérocaryons** (ce qui signifie « noyaux différents »). Chez certaines espèces, chaque cellule du mycélium porte une paire de noyaux haploïdes différents, provenant de chacun des deux parents. Le mycélium constitue alors un **dicaryon** (ce qui signifie « deux noyaux »). Les paires de noyaux se divisent en tandem sans fusionner, à mesure que le mycélium dicaryote croît. Dans la mesure où ces cellules contiennent deux noyaux haploïdes distincts, elles diffèrent des cellules diploïdes, qui ont des paires de chromosomes homologues contenus dans un seul noyau.

Chez certains eumycètes, il peut s'écouler des heures, des jours, voire des siècles, entre la plasmogamie et le stade suivant du cycle de développement sexué, la **caryogamie**. Au cours de celle-ci, les noyaux haploïdes provenant de chacun des parents fusionnent et donnent naissance à des cellules diploïdes. Chez

DÉMARCHE SCIENTIFIQUE

HABILETÉS SCIENTIFIQUES

Interpréter des données génomiques et formuler des hypothèses

■ QUE PEUT RÉVÉLER L'ANALYSE DU GÉNOME D'UN EUMYCÈTE MYCORHIZIEN AU SUJET DES INTERACTIONS MYCORHIZIENNES ? ■ Le premier génome d'eumycète mycorhizien à avoir été séquencé est celui du basidiomycète *Laccaria bicolor* (voir la photo). Dans l'environnement, *L. bicolor* est un champignon ectomycorhizien commun que l'on trouve sur les arbres, comme les peupliers et les sapins, mais il vit également sous forme d'un organisme libre dans le sol. D'ailleurs, dans les pépinières forestières, on l'ajoute souvent au sol pour stimuler la croissance des semis. Il est facile de le cultiver seul et, en laboratoire, il peut former une mycorhize avec les racines d'un arbre. Les chercheurs espèrent que l'analyse du génome de *L. bicolor* les renseignera sur les processus qui permettent à ce champignon d'interagir avec ses partenaires mycorhiziens et, par conséquent, sur les interactions mycorhiziennes auxquelles participent d'autres champignons.

■ MÉTHODE ■ Le séquençage en aveugle sur l'ensemble du génome (voir la figure 21.2) et la bio-informatique ont été utilisés pour séquencer le génome de *L. bicolor* et le comparer à celui de certains basidiomycètes non mycorhiziens. De plus, on a eu recours à des microréseaux pour déterminer les niveaux d'expression de différents gènes codant pour des protéines et pour comparer le mycélium mycorhizien et le mycélium libre, dans le cas de mêmes gènes. Cette méthode a permis d'identifier les gènes codant pour des protéines fongiques produites spécifiquement dans une mycorhize.

■ RÉSULTATS ■

Tableau 1 Nombres de gènes dans *L.-bicolor* et chez quatre espèces d'eumycètes non mycorhiziens

	L. bicolor	Espèce 1	Espèce 2	Espèce 3	Espèce 4
Gènes codant pour une protéine	20 614	13 544	10 048	7 302	6 522
Gènes codant pour des transporteurs membranaires	505	412	471	457	386
Gènes codant pour de petites protéines sécrétées (PPS)	2 191	838	163	313	58

Tableau 2 Gènes de *L. bicolor* les plus surexprimés dans le mycélium ectomycorhizien (MEC) du sapin de Douglas ou du peuplier, par rapport au mycélium libre (ML)

Protéine	Caractéristique ou fonction de la protéine	MEC/ML Sapin de Douglas	MEC/ML Peuplier
298599	PPS	22 877	12 913
293826	Inhibiteur d'une enzyme	14 750	17 069
333839	PPS	7 844	1 931
316764	Enzyme	2 760	1 478

Source des données : F. Martin et coll., The genome of *Laccaria bicolor* provides insights into mycorrhizal symbiosis, *Nature* 452 : 88-93 (2008).

INTERPRÉTEZ LES DONNÉES ▼

1. (a) Dans le tableau 1, quelle espèce de champignon possède le plus grand nombre de gènes codant pour des transporteurs membranaires (protéines de transport membranaire ; voir le concept 7.2) ? (b) Pourquoi ces gènes sont-ils particulièrement importants dans le cas de *L. bicolor* ?
2. Les « petites protéines sécrétées » (PPS) comptent moins de 100 acides aminés et sont sécrétées par le champignon ; à l'heure actuelle, on ignore quelle est leur fonction. (a) Décrivez les données sur les PPS figurant dans le tableau 1. (b) Les chercheurs ont découvert que les gènes codant pour les PPS ont en commun une caractéristique particulière qui indique que les protéines sont destinées à être sécrétées. D'après la figure 17.22 et le texte accompagnant cette figure, nommez cette caractéristique commune. (c) Formulez une hypothèse quant aux rôles des PPS dans la mycorhize.
3. Le tableau 2 présente les données tirées des études sur l'expression des quatre gènes de *L. bicolor* dont la transcription a connu la plus forte augmentation (régulation à la hausse) dans la mycorhize. (a) Que signifie le nombre 22 877 par rapport au gène codant pour la première protéine du tableau ? (b) Les données du tableau 2 appuient-elles l'hypothèse que vous avez formulée à la question 2(c) ? Expliquez votre réponse. (c) Comparez les données relatives à la mycorhize formée avec le peuplier et celles relatives à la mycorhize formée avec le sapin de Douglas, et formulez une hypothèse pouvant expliquer les différences.

la majorité des eumycètes, les zygotes et les autres structures transitoires formées par caryogamie sont les seules étapes diploïdes du cycle de développement. Par la suite, la méiose restitue l'état haploïde, ce qui, ultimement, entraîne la formation de spores génétiquement diversifiées. La méiose est une étape cruciale de la reproduction sexuée, et on qualifie parfois de « spores sexuées » les spores produites de cette façon.

La caryogamie et la méiose engendrent une importante variation génétique, sans quoi l'évolution adaptative n'aurait pas lieu (voir les concepts 13.2 et 23.1 pour une révision de la diversité génétique issue de la reproduction sexuée au sein d'une population). Le stade hétérocaryote offre aussi certains des avantages de l'état diploïde ; en effet, l'un des deux génomes haploïdes peut neutraliser les mutations nuisibles survenues chez l'autre.

▶ **Figure 31.5 Le cycle de développement type des eumycètes.** De nombreux eumycètes se reproduisent selon deux modes, sexué et asexué, comme le montre l'illustration. D'autres eumycètes n'ont toutefois qu'un seul mode de reproduction (asexué, généralement).

? Dans le cycle de développement ci-dessus, comparez la variation génétique observée chez les spores destinées à la reproduction sexuée et à la reproduction asexuée. Qu'est-ce qui explique les différences entre les deux types de spores?

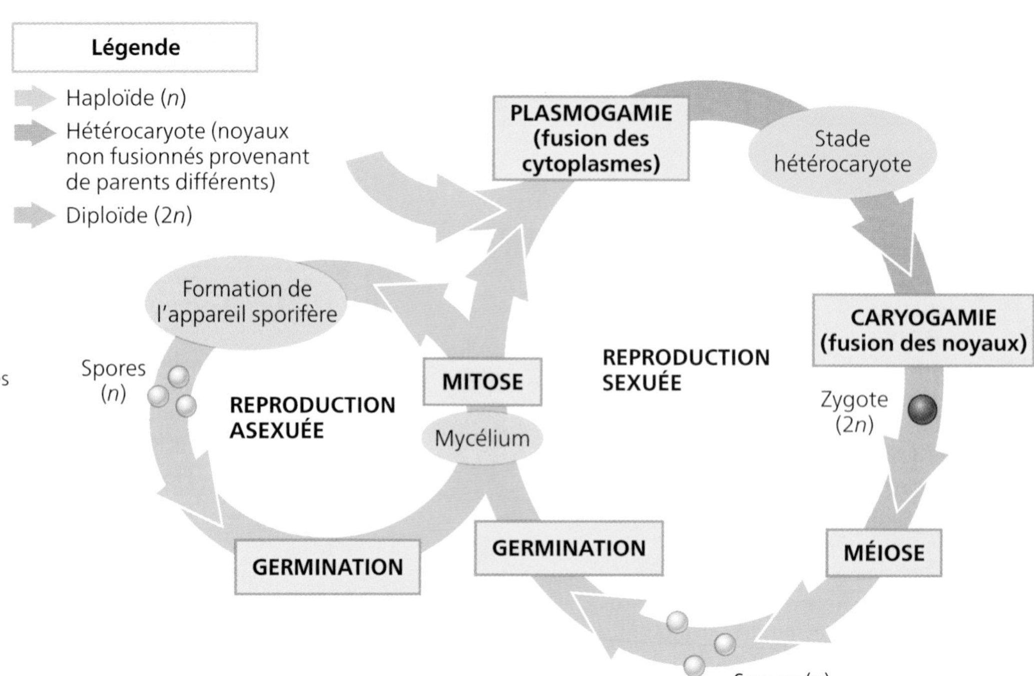

La reproduction asexuée

Même si de nombreux eumycètes peuvent se reproduire de manière tant sexuée qu'asexuée, quelque 20 000 espèces se reproduisent exclusivement par voie asexuée. Comme ceux de la reproduction sexuée, les processus de la reproduction asexuée diffèrent grandement selon les espèces.

De nombreux eumycètes se reproduisent de manière asexuée en se développant sous forme de filaments produisant des spores (haploïdes) par mitose; si elles forment un mycélium visible, on appelle couramment ces espèces **moisissures**. Selon vos habitudes ménagères, vous en trouvez peut-être dans la cuisine, où elles recouvrent d'une couche duveteuse le pain et les fruits abandonnés à l'air libre (**figure 31.6**). Habituellement, les moisissures croissent rapidement et produisent d'énormes quantités de spores de manière asexuée, ce qui permet aux eumycètes de coloniser d'autres sources de nourriture. Beaucoup d'espèces formant de telles spores peuvent aussi se reproduire de manière sexuée lorsqu'elles entrent en contact avec un membre de leur espèce, mais d'un autre type sexuel.

D'autres eumycètes se reproduisent de manière asexuée en se développant sous forme de levures unicellulaires. Celles-ci ne se reproduisent pas au moyen de spores, mais par simple division cellulaire ou par le bourgeonnement des cellules parentales (**figure 31.7**). Comme nous l'avons mentionné, certaines espèces se développant comme des levures peuvent aussi former des myceliums filamenteux.

On ne connaît pas encore le stade sexué du cycle de développement de nombreuses moisissures et levures. Les premiers mycologues (des biologistes qui étudient les eumycètes) les classifiaient principalement en fonction de leur structure sexuelle, ce qui n'était pas sans poser problème. Les mycologues ont traditionnellement regroupé tous les eumycètes sans reproduction sexuée sous le vocable **deutéromycètes** (du grec *deutero*, « second », et *mycete*, « champignon ») ou, plus communément, eumycètes imparfaits (en botanique, le terme parfait fait référence aux stades sexués des cycles de développement). Dès lors

▼ **Figure 31.6 *Penicillium italicum*, une moisissure qui croît souvent, en tant que décomposeur, sur les aliments.** Les agrégats de petits corps sphériques apparaissant sur le cliché en médaillon sont des conidies (porteuses de spores), des structures associées à la reproduction asexuée (MEB).

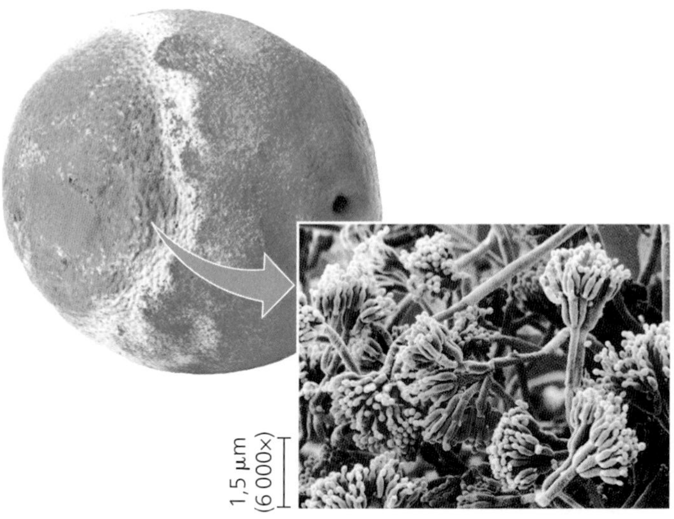

▶ **Figure 31.7 La levure *Saccharomyces cerevisiae*, à différents stades de bourgeonnement (MEB).**

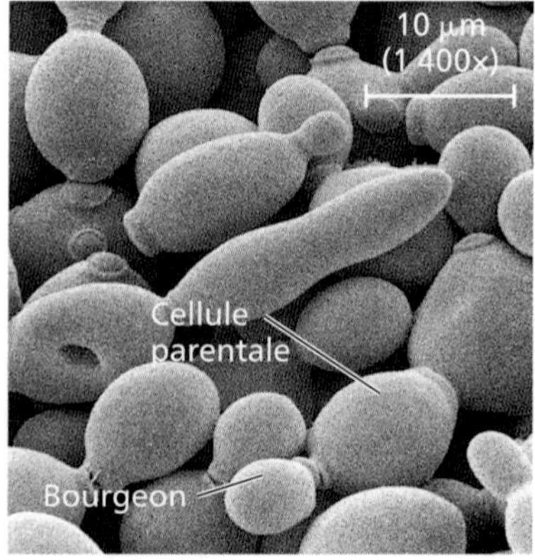

qu'un mycologue découvre un stade sexué chez l'un de ces eumycètes, l'espèce est déplacée vers l'embranchement auquel correspondent ses structures reproductrices. Pour déterminer à quel taxon appartiennent les eumycètes non classés, les mycologues peuvent désormais recourir aux techniques génétiques maintenant à leur disposition.

RETOUR SUR LE CONCEPT 31.2

1. **FAITES DES LIENS ▶** Comparez les figures 31.5 et 13.6. En ce qui concerne l'état haploïde par opposition à l'état diploïde, en quoi les cycles de développement des humains et des eumycètes diffèrent-ils ?
2. **ET SI ? ▶** Vous prélevez des échantillons d'ADN sur deux champignons que vous avez trouvés en des endroits différents de votre jardin et découvrez qu'ils sont identiques. Formulez deux hypothèses plausibles pour expliquer ce résultat.

Voir les réponses proposées à l'appendice A.

CONCEPT 31.3

L'ancêtre des eumycètes était un protiste aquatique, unicellulaire et flagellé

Les observations faites dans les domaines de la paléontologie et de la systématique moléculaire donnent un aperçu de l'évolution primitive des eumycètes. Les systématiciens reconnaissent aujourd'hui que les eumycètes et les animaux sont plus étroitement apparentés les uns aux autres qu'ils ne le sont aux végétaux ou à la plupart des autres eucaryotes.

L'origine des eumycètes

Selon la systématique phylogénétique, les eumycètes descendraient d'un ancêtre flagellé. Il est vrai que la majorité des eumycètes sont dépourvus de flagelles, mais on en observe chez certaines des lignées qui semblent avoir été les premières à diverger (les chytridiomycètes, dont il sera question plus loin dans le chapitre). De plus, la plupart des protistes qui ont un ancêtre commun avec les animaux et les eumycètes ont aussi des flagelles. Les séquences d'ADN indiquent que ces trois groupes d'eucaryotes, soit les eumycètes, les animaux et leurs parents protistes, forment un groupe monophylétique, ou un clade (**figure 31.8**). Nous l'avons mentionné au concept 28.5, les représentants de ce clade sont les **opisthochontes** (du grec *opisthen*, « en arrière »). Ce nom fait référence à l'emplacement du flagelle, qui se trouve dans la partie postérieure de ces organismes et qui joue donc un rôle de propulsion de la cellule plutôt qu'un rôle de traction, comme c'est le cas pour les flagelles placés en avant.

Des séquences d'ADN indiquent aussi que les eumycètes sont plus étroitement apparentés à plusieurs groupes de protistes unicellulaires qu'aux animaux, ce qui laisse penser que l'ancêtre des eumycètes était un organisme unicellulaire. L'un de ces groupes de protistes, les **nucléaridés**, rassemble des amibes qui se nourrissent d'algues et de bactéries. Les données génétiques indiquent en outre que les animaux sont plus étroitement apparentés à un *autre* groupe de protistes (les choanoflagellés) qu'aux eumycètes ou aux nucléaridés. Ces résultats combinés donnent à penser que, chez les animaux et les eumycètes, la multicellularité s'est développée indépendamment, à partir d'ancêtres unicellulaires différents.

Se fondant sur les horloges moléculaires, les scientifiques estiment que les ancêtres des animaux et des eumycètes ont divergé pour former des lignées distinctes il y a plus de 1 milliard d'années. Les fossiles de certains eucaryotes marins unicellulaires âgés d'environ 1,5 milliard d'années ont toutefois été classés parmi les eumycètes, mais cela reste controversé. Par ailleurs, même si la plupart des scientifiques estiment que les eumycètes sont issus de milieux aquatiques, les plus anciens fossiles largement reconnus comme des eumycètes sont issus d'espèces terrestres vieilles d'environ 460 millions d'années (**figure 31.9**). Bref, il faudrait disposer d'un plus grand nombre de fossiles pour déterminer le moment auquel sont apparus les eumycètes ainsi que les caractéristiques présentes chez les premières lignées.

Les groupes fondamentaux d'eumycètes

Des études génomiques réalisées récemment nous offrent un aperçu de la nature des groupes fondamentaux d'eumycètes. Par exemple, plusieurs études ont permis d'établir que les chytridiomycètes du genre *Rozella* ont divergé d'un autre eumycète tôt dans l'histoire évolutive du groupe. De plus, dans une étude métagénomique, on a inclus les espèces du genre *Rozella* dans

▼ Figure 31.8 Les eumycètes et leurs parents proches. Des données moléculaires indiquent que les nucléaridés (*Nucleariidae* en latin), un groupe de protistes unicellulaires, sont les parents vivants les plus proches des eumycètes. Les trois lignes parallèles menant aux chytridiomycètes indiquent qu'il pourrait s'agir d'un groupe paraphylétique.

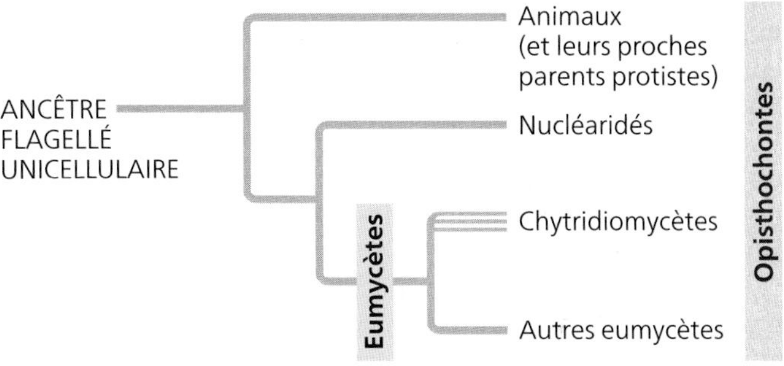

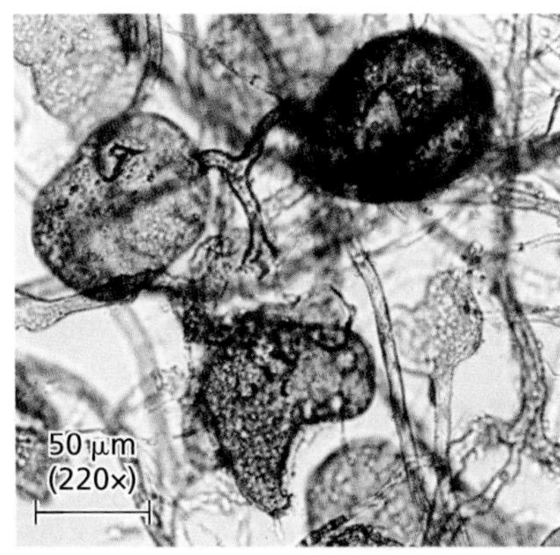

▶ Figure 31.9 Des hyphes et des spores d'eumycètes fossilisés datant de l'Ordovicien, il y a quelque 460 millions d'années (MP).

un vaste clade, auparavant inconnu, regroupant des eumycètes unicellulaires et provisoirement nommé « cryptomycètes ». Tout comme les espèces du genre *Rozella* (et les chytridiomycètes en général), les eumycètes qui appartiennent à ce clade possèdent des spores flagellées. Les données actuelles montrent également que les espèces du genre *Rozella* et les autres membres du clade des cryptomycètes sont les seuls eumycètes à ne pas synthétiser de paroi cellulaire riche en chitine au cours de leur cycle de développement. On peut donc supposer que la paroi cellulaire renfermant de la chitine (une des principales caractéristiques structurales de la plupart des eumycètes) n'est apparue qu'après que les cryptomycètes ont eu divergé de mycètes ancestraux.

Le passage à la terre ferme

Les végétaux ont colonisé la terre ferme il y a de cela environ 470 millions d'années (voir le concept 29.1). Or, il est fort possible que les eumycètes l'aient fait avant eux. Certains chercheurs ont en effet émis l'hypothèse qu'avant l'arrivée des végétaux, la vie sur la Terre prenait la forme d'un « dépôt visqueux verdâtre » constitué de cyanobactéries, d'algues et de différentes espèces hétérotrophes de petite taille, dont des eumycètes. Comme ils disposaient d'un système de digestion extracellulaire, les eumycètes auraient pu se nourrir d'autres organismes terrestres précoces (ou de leurs restes).

Après avoir colonisé le sol, certains eumycètes ont formé des associations symbiotiques avec les premiers végétaux. Par exemple, on a mis en évidence des relations mycorhiziennes entre des végétaux et des eumycètes dans des fossiles d'*Aglaophyton major*, une espèce végétale ancestrale, datant de 405 millions d'années (voir la figure 25.12). En effet, on trouve des fossiles d'hyphes ayant pénétré les cellules des végétaux et comportant des structures qui ressemblent beaucoup aux arbuscules des endomycorhizes. On a observé des structures similaires chez divers végétaux ancestraux. On peut donc supposer que les végétaux ont établi des relations bénéfiques avec les eumycètes dès le début de la colonisation de la terre ferme. Nous savons que l'absence de racines limitait la capacité des premiers végétaux à extraire les nutriments du sol. Aussi, il est probable qu'un vaste réseau de mycéliums formé par des eumycètes symbiotes leur a permis d'absorber les nutriments du sol essentiels à leur survie, à l'instar des relations mycorhiziennes modernes.

Par ailleurs, des études moléculaires récentes témoignent également des relations mycorhiziennes ancestrales. Pour qu'un eumycète mycorhizien et une plante puissent établir une relation symbiotique, certains gènes doivent être exprimés par le champignon, et d'autres, par la plante. Les chercheurs ont concentré leurs efforts sur trois gènes végétaux (gènes *sym*) dont l'expression est nécessaire à la formation de mycorhizes chez les plantes à fleurs. Ils ont découvert que ces gènes étaient présents dans l'ensemble des principales lignées végétales, y compris les lignées fondamentales comme celle des hépatiques (voir la figure 29.7). De plus, ils ont montré qu'une plante à fleurs mutante devenue incapable de former des mycorhizes a récupéré la capacité d'en produire après avoir reçu un gène *sym* provenant d'une hépatique. Ces résultats laissent croire que les premiers végétaux possédaient les gènes *sym* de la mycorhization, dont la fonction s'est préservée pendant des centaines de millions d'années, à mesure que les végétaux continuaient de s'adapter à la vie sur la terre ferme.

RETOUR SUR LE CONCEPT 31.3

1. Pourquoi les eumycètes sont-ils classés dans le clade des opisthochontes, alors que la plupart d'entre eux sont dépourvus de flagelles ?
2. Décrivez l'importance des mycorhizes, tant aujourd'hui qu'à l'époque de la colonisation de la Terre. Quelles sont les preuves qui témoignent des relations mycorhiziennes ancestrales ?
3. **ET SI ?** ▶ Si les eumycètes avaient colonisé la terre ferme avant les végétaux, où auraient-ils vécu ? En quoi leurs sources nutritionnelles auraient-elles été différentes de celles d'aujourd'hui ?

Voir les réponses proposées à l'appendice A.

CONCEPT 31.4

L'évolution des eumycètes a produit un ensemble diversifié de lignées

Au cours de la dernière décennie, l'analyse moléculaire a permis de clarifier les liens entourant l'évolution des différents groupes d'eumycètes, mais certaines incertitudes subsistent. La **figure 31.10** présente une version simplifiée d'une phylogenèse hypothétique actuelle. Dans la présente section, nous étudierons chacun des grands groupes d'eumycètes figurant dans cet arbre phylogénétique.

Les groupes d'eumycètes de la figure 31.10 ne représenteraient qu'une infime partie de la diversité des groupes fongiques modernes. (Les lignées modernes sont celles pour lesquelles il existe des membres survivants.) Même si on compte près de 100 000 espèces connues d'eumycètes, les scientifiques estiment que le nombre réel pourrait s'élever à 1,5 million d'espèces. Deux études métagénomiques récentes appuient ces estimations : on a découvert les cryptomycètes (voir le concept 31.3) et de tout nouveaux groupes d'eumycètes unicellulaires, et la variation génétique observée dans certains de ces groupes est aussi vaste que celle que l'on observe dans l'ensemble des groupes présentés à la figure 31.10.

Les chytridiomycètes

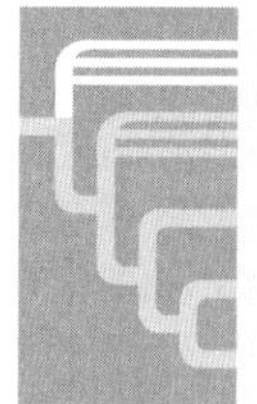

Les eumycètes appartenant à l'embranchement des **chytridiomycètes** vivent partout dans les lacs et dans le sol. Comme le montrent plusieurs études métagénomiques récentes, on a découvert plus de 20 nouveaux clades de chytridiomycètes dans des bouches hydrothermales et d'autres communautés marines. À ce jour, on a dénombré environ un millier d'espèces de chytridiomycètes connues. Certains sont des décomposeurs, d'autres parasitent des protistes, d'autres eumycètes, divers végétaux ou des animaux. Comme nous le verrons plus loin dans ce chapitre, l'un de ces parasites a probablement contribué au déclin

▼ Figure 31.10

PANORAMA La diversité des eumycètes

De nombreux mycologues reconnaissent actuellement l'existence de cinq grands groupes d'eumycètes, quoique des données génomiques récentes démontrent que les chytridiomycètes et les zygomycètes sont paraphylétiques (comme l'indiquent les lignes parallèles).

Les chytridiomycètes (1 000 espèces)

Chez les chytridiomycètes, comme *Chytridium spp.,* l'appareil sporifère globulaire forme des hyphes ramifiées multicellulaires (MP); d'autres espèces sont unicellulaires. Omniprésents dans les lacs et le sol, les chytridiomycètes ont des spores flagellées, et l'on soupçonne que certaines espèces de ce groupe ont été les premières à diverger des autres eumycètes.

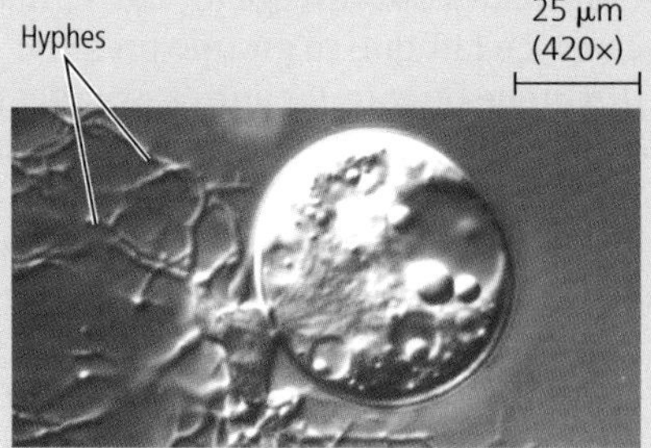

Les zygomycètes (1 000 espèces)

Les hyphes de certains zygomycètes, comme ces moisissures du genre *Mucor* (MP), croissent rapidement sur les aliments comme les fruits et le pain. À cet égard, ils pourraient agir comme décomposeurs (lorsque leur nourriture n'est pas vivante) ou comme parasites; d'autres espèces sont des symbiontes commensaux (neutres).

Les gloméromycètes (160 espèces)

Les gloméromycètes forment des endomycorhizes (mycorhizes à arbuscules) avec les racines des plantes, leur fournissant minéraux et autres nutriments; plus de 80 % des espèces végétales établissent de telles relations mutualistes avec des gloméromycètes. Ce cliché montre les hyphes d'un gloméromycète (filaments en bleu foncé) à l'intérieur de la racine d'une plante.

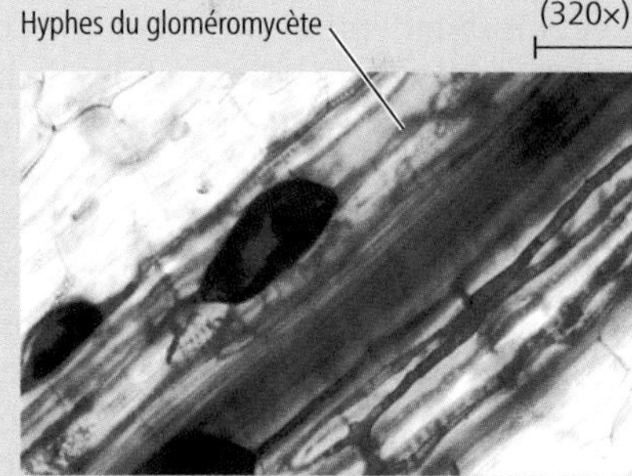

Les ascomycètes (65 000 espèces)

Les membres de ce groupe très diversifié vivent dans des habitats marins, dulcicoles ou terrestres. Ci-contre, la pézize orangée (*Aleuria aurantia*), une espèce d'ascomycète, présente des ascocarpes (ou appareil sporifère) en forme de coupe.

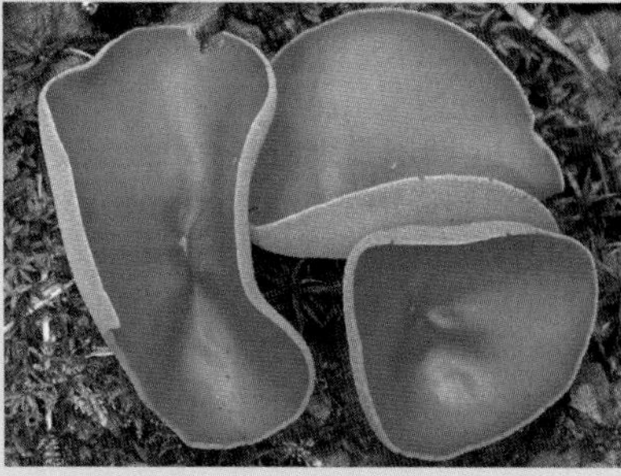

Les basidiomycètes (30 000 espèces)

Les basidiomycètes tiennent souvent un rôle clé dans un écosystème, soit comme décomposeurs ou à titre d'eumycètes ectomycorhiziens. Ils se distinguent par la longue durée de leur stade dicaryotique pendant lequel chaque cellule possède deux noyaux (un de chaque parent). L'appareil sporifère, qu'on appelle couramment *champignon*, de cette amanite tue-mouches (*Amanita muscaria*) est bien répandu dans les forêts de conifères de l'hémisphère Nord.

mondial des populations d'amphibiens. Néanmoins, les chytridiomycètes comptent aussi d'importantes espèces mutualistes. Par exemple, les chytridiomycètes anaérobies qui vivent dans l'appareil digestif des moutons et des bovins permettent à ceux-ci de décomposer les matières végétales. Ils jouent donc un rôle dans la croissance de ces animaux.

Comme nous l'avons mentionné précédemment, des données moléculaires montrent que certaines lignées de chytridiomycètes ont divergé tôt dans l'histoire évolutive des eumycètes. Le fait que ce groupe présente une caractéristique qui le distingue de tous les autres, soit des spores flagellées appelées **zoospores** (**figure 31.11**), appuie cette hypothèse. Comme les autres eumycètes (autres que ceux appartenant au clade des cryptomycètes découvert récemment), les chytridiomycètes possèdent des parois cellulaires renfermant de la chitine; ils ont aussi en commun avec certains groupes d'eumycètes des enzymes et des voies métaboliques essentielles. De plus, plusieurs chytridiomycètes forment des colonies munies d'hyphes cénocytiques (filaments continus, sans cloison), tandis que d'autres sont des organismes unicellulaires sphériques.

Les zygomycètes

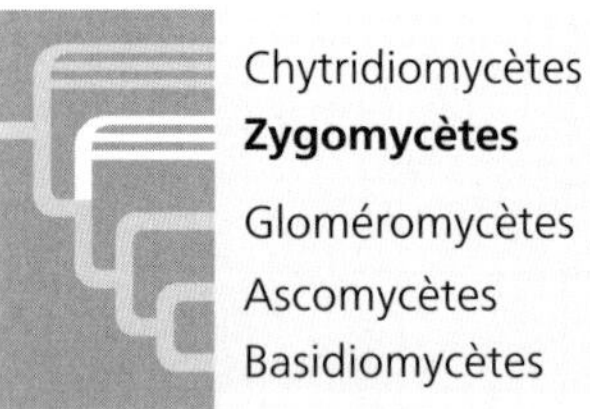

On dénombre quelque 1 000 espèces connues de **zygomycètes**. Cet embranchement très diversifié comprend des moisissures à croissance rapide responsables de la décomposition de produits mal entreposés, comme le pain, les pêches, les fraises et les patates douces. D'autres zygomycètes vivent en parasites ou en symbiontes commensaux (neutres) sur des animaux.

Le cycle de développement de *Rhizopus stolonifer* (moisissure chevelue) est assez typique des zygomycètes (**figure 31.12**). Ses hyphes horizontales qui s'étendent sur l'aliment, le pénètrent et absorbent des nutriments sont des cénocytes; elles ne présentent des cloisons que là où les cellules reproductrices sont formées. En phase asexuée, des sporanges bulbeux et noirs se forment aux extrémités d'hyphes verticales. Des centaines de spores haploïdes génétiquement identiques prennent ensuite naissance à l'intérieur de chaque sporange et sont dispersées dans l'air. Certaines atterrissent sur des aliments humides, germent et constituent chacun un nouveau mycélium.

Si les conditions du milieu se détériorent (si, par exemple, les nutriments viennent à manquer), *R. stolonifer* se reproduit de façon sexuée. Les mycéliums qui s'unissent sont de types sexuels opposés, identiques en apparence mais différents du point de vue des marqueurs chimiques, propres à chaque type sexuel. La plasmogamie donne naissance à une structure résistante appelée **zygosporange**, où se déroulent la caryogamie et la méiose. Remarquez qu'un zygosporange, qui est le zygote (2*n*) du cycle de développement, n'est pas un zygote au sens habituel, c'est-à-dire une cellule munie d'un seul noyau diploïde. Il forme plutôt une structure aux noyaux multiples. En effet, l'union des deux mycéliums parentaux produit une structure hétérocaryote possédant plusieurs noyaux haploïdes provenant des deux parents. Puis, la caryogamie engendre de nombreux noyaux diploïdes.

Les zygosporanges ainsi formés offrent une très grande résistance au froid et au dessèchement. Leur métabolisme reste inactif jusqu'à ce que les conditions s'améliorent. Les noyaux des zygosporanges entrent alors en méiose, le zygosporange germe et devient un sporange, qui libère des spores haploïdes aux génotypes différents, qui vont coloniser le nouveau substrat. Plusieurs zygomycètes, comme *Pilobolus spp.*, sont phototropiques: ils se tournent vers la lumière et lancent leurs sporanges dans cette direction (**figure 31.13**).

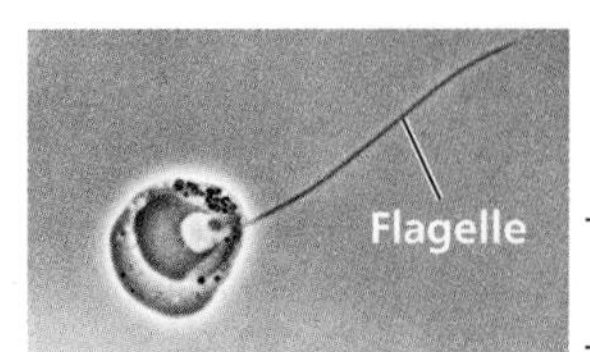

▶ **Figure 31.11**
La zoospore flagellée d'un chytridiomycète (MET).

Les gloméromycètes

Les **gloméromycètes** sont des eumycètes qu'on classait auparavant parmi les zygomycètes. Mais des analyses moléculaires récentes, dont une analyse phylogénétique de séquences d'ADN de centaines d'espèces d'eumycètes, indiquent que les gloméromycètes forment un clade distinct. Bien que l'on ait décrit 200 espèces à ce jour, des études moléculaires démontrent que, en réalité, le nombre d'espèces pourrait être beaucoup plus élevé. Les gloméromycètes constituent un groupe important sur le plan de l'écologie puisqu'ils forment presque tous des endomycorhizes (**figure 31.14**). Les extrémités des hyphes qui pénètrent à l'intérieur des cellules des racines végétales comportent de minuscules structures ramifiées, les arbuscules. Plus de 80 % des végétaux établissent de telles associations symbiotiques avec des gloméromycètes.

Les ascomycètes

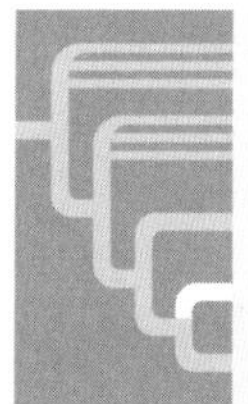

Les mycologues ont décrit 65 000 espèces d'**ascomycètes**, qui vivent dans l'eau de mer, l'eau douce et les milieux terrestres. Les ascomycètes se caractérisent par la production de spores (ascospores) dans des **asques**, structures en forme de sac, durant la reproduction sexuée. La plupart des ascomycètes effectuent leur stade sexué dans des appareils sporifères microscopiques ou macroscopiques, appelés **ascocarpes**, qui contiennent les asques (**figure 31.15**).

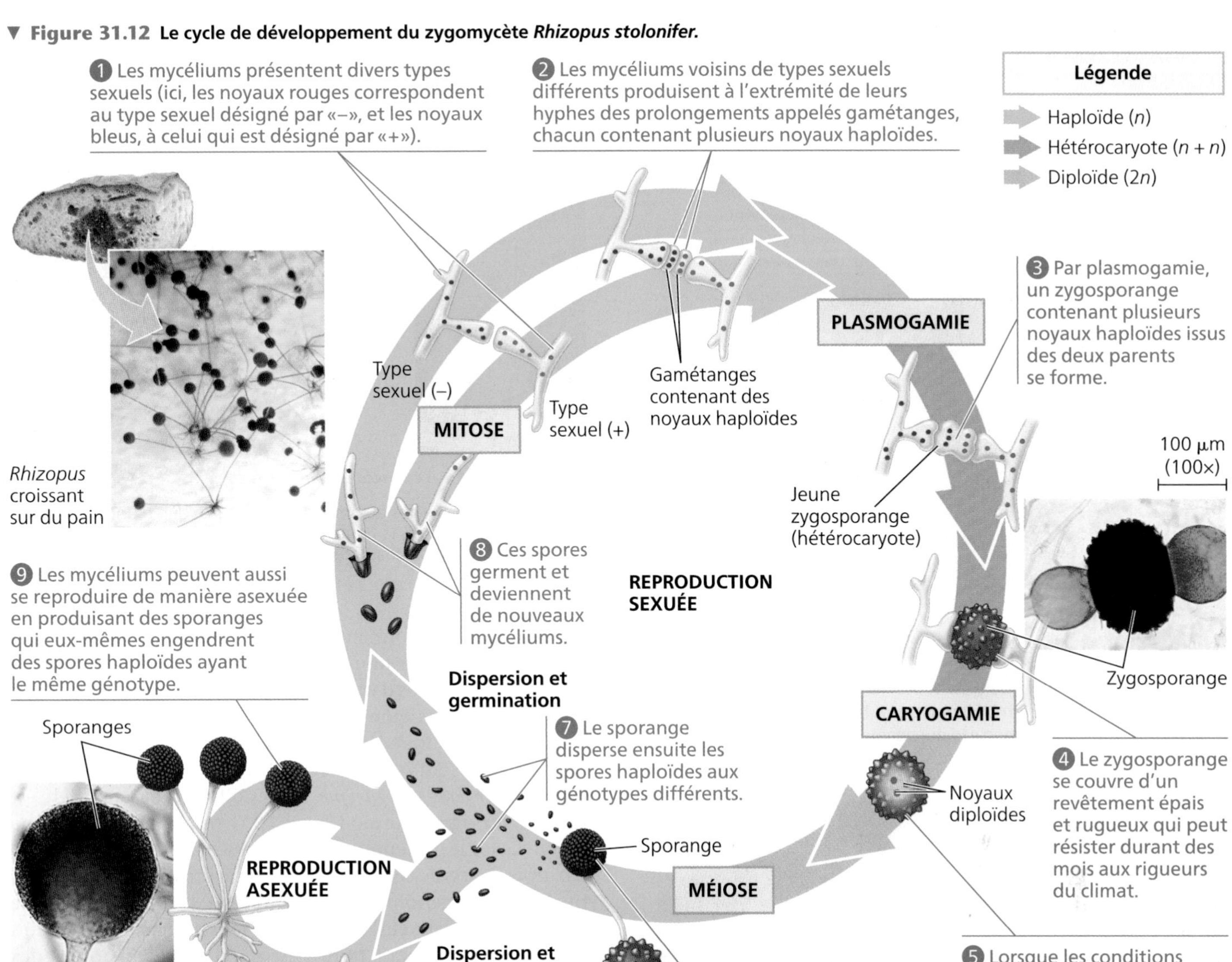

1 Les mycéliums présentent divers types sexuels (ici, les noyaux rouges correspondent au type sexuel désigné par «–», et les noyaux bleus, à celui qui est désigné par «+»).
2 Les mycéliums voisins de types sexuels différents produisent à l'extrémité de leurs hyphes des prolongements appelés gamétanges, chacun contenant plusieurs noyaux haploïdes.
Légende
Haploïde (n)
Hétérocaryote (n + n)
Diploïde (2n)
PLASMOGAMIE
3 Par plasmogamie, un zygosporange contenant plusieurs noyaux haploïdes issus des deux parents se forme.
Type sexuel (–)
MITOSE
Type sexuel (+)
Gamétanges contenant des noyaux haploïdes
Rhizopus croissant sur du pain
Jeune zygosporange (hétérocaryote)
100 µm (100×)
9 Les mycéliums peuvent aussi se reproduire de manière asexuée en produisant des sporanges qui eux-mêmes engendrent des spores haploïdes ayant le même génotype.
8 Ces spores germent et deviennent de nouveaux mycéliums.
REPRODUCTION SEXUÉE
Zygosporange
Dispersion et germination
CARYOGAMIE
Sporanges
7 Le sporange disperse ensuite les spores haploïdes aux génotypes différents.
Noyaux diploïdes
4 Le zygosporange se couvre d'un revêtement épais et rugueux qui peut résister durant des mois aux rigueurs du climat.
REPRODUCTION ASEXUÉE
Sporange
MÉIOSE
Dispersion et germination
5 Lorsque les conditions sont favorables, la caryogamie s'effectue, suivie de la méiose.
50 µm (200×)
Mycélium
6 Le zygosporange germe alors et produit un sporange porté par un petit pied.

▼ **Figure 31.12** **Le cycle de développement du zygomycète *Rhizopus stolonifer.***

La taille et la complexité des ascomycètes varient grandement, depuis la levure unicellulaire jusqu'aux eumycètes complexes comme les discomycètes et les morilles (figure 31.15). L'embranchement des ascomycètes comprend les agents pathogènes les plus dévastateurs pour les végétaux (nous y reviendrons plus loin), mais il regroupe aussi un grand nombre de décomposeurs qui s'attaquent principalement aux débris de matières végétales. Par ailleurs, près de 25 % des espèces d'ascomycètes s'associent par symbiose bénéfique à des algues vertes et à des cyanobactéries pour former des lichens. Certains ascomycètes forment des mycorhizes avec les racines de divers végétaux. Un grand nombre vivent entre les cellules du mésophylle des feuilles, et certaines espèces libèrent des produits toxiques qui contribuent à protéger les tissus de la plante contre les insectes.

On observe d'importantes différences dans les structures et les processus reproducteurs des cycles de développement des divers groupes d'ascomycètes, mais il est possible d'en dégager certains éléments communs en prenant l'exemple de *Neurospora crassa*, la moisissure du pain (**figure 31.16**). Les ascomycètes se reproduisent de façon asexuée en libérant d'énormes quantités de spores asexuées appelées **conidies**. Contrairement aux spores asexuées de la majorité des zygomycètes, celles de la plupart des ascomycètes ne se forment pas à l'intérieur de sporanges. Elles apparaissent plutôt aux extrémités d'hyphes spécialisées, les conidiophores, et forment fréquemment de longues chaînes ou des grappes que le vent disperse.

Les conidies jouent aussi un rôle dans la reproduction sexuée lorsqu'elles s'unissent aux hyphes d'un mycélium appartenant à un type sexuel opposé, comme cela se produit chez *Neurospora*. Le cycle de développement de *Neurospora* ne représente qu'un des moyens employés par les ascomycètes pour mettre en contact deux noyaux de types sexuels opposés. Chez d'autres espèces de ce groupe, la réunion fait intervenir la formation d'un fin filament entre un gamétange mâle, ou anthéridie, et un gamétange femelle, ou ascogone (non représentés dans la figure 31.16). Grâce à ce filament, les noyaux de l'anthéridie rejoignent ceux de l'ascogone. Quelle que soit la méthode utilisée, la plasmogamie aboutit à la formation de cellules dicaryotes,

▼ **Figure 31.13** ***Pilobolus spp.*** orientant ses sporanges vers les zones de lumière. Ce zygomycète décompose le fumier. Ses hyphes émettent des sporanges portés par des vésicules gonflées d'eau. Attirés par la lumière, les sporanges se tournent vers celle-ci, et donc vers la zone où l'herbe pousse. Lorsque la vésicule se rompt, l'eau qu'elle contenait est éjectée violemment, entraînant les sporanges sur une distance pouvant atteindre 2,5 m. Des herbivores, comme la vache, ingèrent le zygomycète en se nourrissant d'herbe couverte de spores, puis dispersent ces dernières par l'intermédiaire de leurs excréments. Une nouvelle génération de *Pilobolus* peut alors voir le jour.

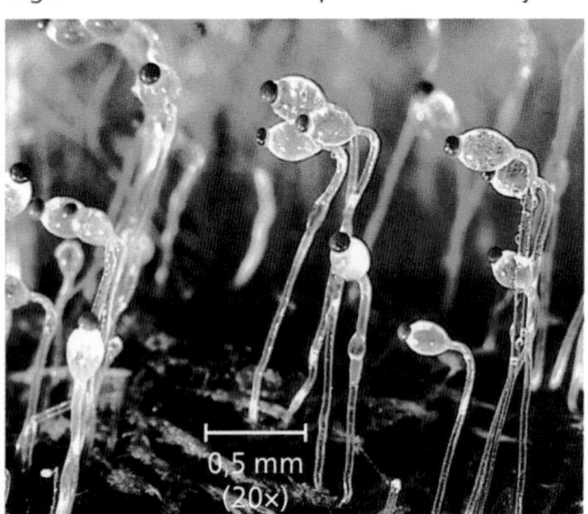

▼ **Figure 31.14** **Les endomycorhizes.** La plupart des gloméromycètes forment des endomycorhizes (mycorhizes à arbuscules) avec les racines des végétaux, auxquels ils fournissent des minéraux et d'autres nutriments. Ce cliché pris en MEB montre les hyphes ramifiées, les arbuscules, de *Glomus mosseae* qui pénètrent à l'intérieur d'une cellule de racine en enfonçant sa membrane (le cytoplasme de la cellule a été retiré).

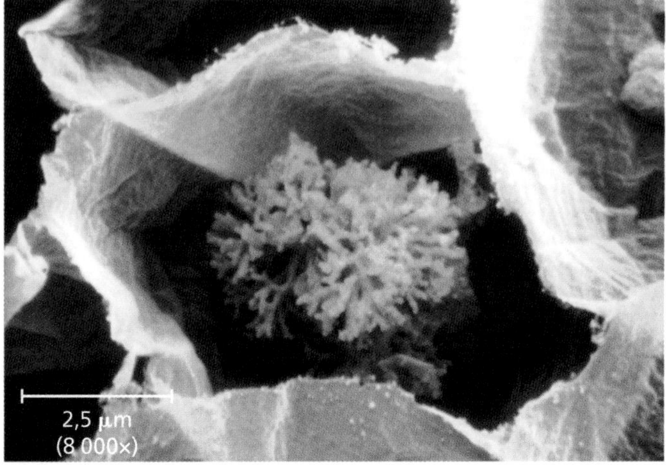

chacune renfermant deux noyaux haploïdes issus de parents distincts. Les cellules situées à l'extrémité de ces hyphes dicaryotes deviendront les asques, à l'intérieur desquels la caryogamie combine les deux génomes parentaux. Par la suite, la méiose engendre quatre noyaux génétiquement différents. Puis, huit ascospores se forment habituellement par mitose. Les ascospores se développent dans l'ascocarpe, d'où elles sont plus tard expulsées lorsque l'asque éclate.

Contrairement à ce qui se passe dans le cycle de développement des zygomycètes, la longue durée du stade dicaryotique des ascomycètes (et celle encore plus considérable des basidiomycètes) augmente la possibilité de recombinaison génétique. Chez *Neurospora spp.*, par exemple, de nombreuses cellules dicaryotes peuvent former des asques. Les noyaux haploïdes dans les asques fusionnent, et la recombinaison génétique qui en découle engendre une multitude de descendants génétiquement différents issus d'un même cycle de reproduction (voir les étapes 3 et 5 de la figure 31.16).

Comme l'indique la figure 17.2, dans les années 1930, les biologistes se sont servis de *N. crassa* pour vérifier l'hypothèse baptisée *Un gène, une enzyme*. Aujourd'hui, cet ascomycète est toujours un organisme modèle; en 2003, on a publié son génome entier. La taille du génome de ce minuscule eumycète équivaut aux trois quarts de celle du génome de la drosophile et à la moitié de celle du génome humain (**tableau 31.1**). Le génome de *N. crassa* est relativement compact: les séquences d'ADN non codant, qui occupent tant d'espace dans les génomes des humains et de nombreux autres eucaryotes, s'y trouvent en petit nombre. En fait, des données indiquent que *N. crassa* possède un mécanisme génomique de défense qui empêche l'ADN non codant, comme les transposons, de s'accumuler.

▼ La morille commune (*Morchella esculenta*) est un ascocarpe comestible. On trouve souvent ce succulent champignon au pied des arbres, dans les vergers ou dans les bois.

▼ La truffe *Tuber melanosporum* forme des ectomycorhizes avec les racines de certains arbres (chênes, noisetiers). L'ascocarpe croît sous terre et dégage une odeur forte. Ces truffes ont été déterrées, et celle du milieu a été coupée en deux.

▲ **Figure 31.15** **Les ascomycètes.**

? La morphologie des ascomycètes varie beaucoup d'une espèce à l'autre (voir aussi la figure 31.10). Comment pouvez-vous déterminer qu'un champignon fait partie de l'embranchement des ascomycètes?

Les basidiomycètes

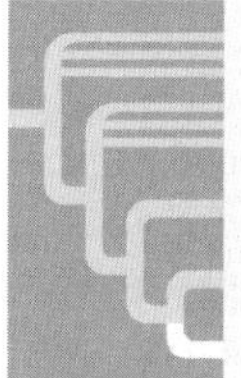

Chytridiomycètes
Zygomycètes
Gloméromycètes
Ascomycètes
Basidiomycètes

L'embranchement des **basidiomycètes** comprend plus de 30 000 espèces, dont les polypores, les vesses-de-loup et les champignons à carpophore volumineux, qu'on appelle couramment champignons à chapeau (**figure 31.17**). Cet embranchement comprend aussi des moisissures, des mutualistes formant des mycorhizes ainsi que deux groupes de parasites destructeurs pour les végétaux, soit les rouilles et les charbons. Le nom «basidiomycètes» vient de la structure en forme de massue, la **baside** (du latin *basis*, «base»), dans laquelle se produit la caryogamie, immédiatement suivie par la méiose.

▼ Figure 31.16 Le cycle de développement de l'ascomycète *Neurospora crassa*. *Neurospora* est une moisissure du pain et un organisme utilisé dans la recherche, qui croît aussi dans la nature, sur la végétation calcinée.

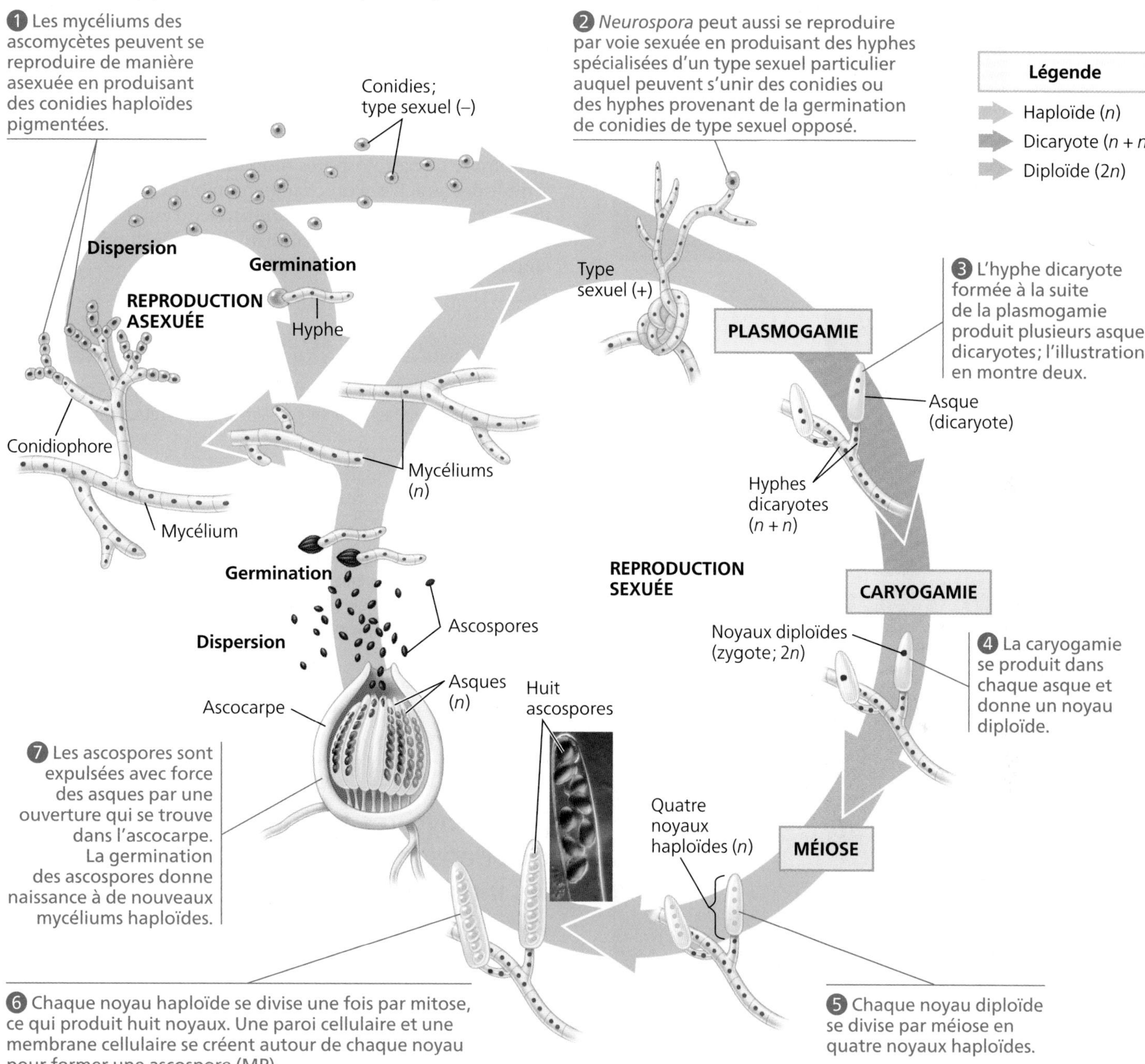

1 Les myceliums des ascomycètes peuvent se reproduire de manière asexuée en produisant des conidies haploïdes pigmentées.
Conidies; type sexuel (–)
2 Neurospora peut aussi se reproduire par voie sexuée en produisant des hyphes spécialisées d'un type sexuel particulier auquel peuvent s'unir des conidies ou des hyphes provenant de la germination de conidies de type sexuel opposé.
Légende
Haploïde (n)
Dicaryote (n + n)
Diploïde (2n)
Dispersion
Germination
REPRODUCTION ASEXUÉE
Hyphe
Type sexuel (+)
PLASMOGAMIE
3 L'hyphe dicaryote formée à la suite de la plasmogamie produit plusieurs asques dicaryotes; l'illustration en montre deux.
Asque (dicaryote)
Conidiophore
Myceliums (n)
Hyphes dicaryotes (n + n)
Mycélium
Germination
REPRODUCTION SEXUÉE
CARYOGAMIE
Ascospores
Dispersion
Noyaux diploïdes (zygote; 2n)
4 La caryogamie se produit dans chaque asque et donne un noyau diploïde.
Asques (n)
Huit ascospores
Ascocarpe
7 Les ascospores sont expulsées avec force des asques par une ouverture qui se trouve dans l'ascocarpe. La germination des ascospores donne naissance à de nouveaux myceliums haploïdes.
Quatre noyaux haploïdes (n)
MÉIOSE
6 Chaque noyau haploïde se divise une fois par mitose, ce qui produit huit noyaux. Une paroi cellulaire et une membrane cellulaire se créent autour de chaque noyau pour former une ascospore (MP).
5 Chaque noyau diploïde se divise par méiose en quatre noyaux haploïdes.

HABILETÉS VISUELLES ▶ Les cellules de l'hyphe spécialisée représentée à l'étape 2 sont-elles haploïdes ou diploïdes ?

Les basidiomycètes sont d'importants décomposeurs du bois et d'autres matières végétales. Certains basidiomycètes comptent parmi les eumycètes qui décomposent le plus efficacement la lignine, un polymère complexe présent en abondance dans le bois. Un grand nombre de polypores vivent en parasites sur le bois des arbres qui sont en mauvaise santé ou qui sont endommagés. Ils y vivent ensuite en tant que décomposeurs lorsque ces arbres meurent.

Le mycélium dicaryote qui se forme au cours du cycle de développement des basidiomycètes a habituellement une longue durée de vie. Comme chez les ascomycètes, ce stade dicaryote prolongé offre de nombreuses occasions de recombinaison

Tableau 31.1 Comparaison de la densité génique chez *N. crassa*, *D. melanogaster* et *H. sapiens*

	Taille du génome (millions de paires de base)	Nombre de gènes	Densité génique (gènes par millions de paires de base)
Neurospora crassa (ascomycète)	41	9 700	236
Drosophila melanogaster (drosophile)	165	14 000	85
Homo sapiens (humain)	3 000	<21 000	7

▼ **Figure 31.17** **Les basidiomycètes.**

► **Polypores, d'importants décomposeurs du bois.**

◄ **Vesses-de-loup émettant des spores.**

► ***Dictyophora indusiata*, un champignon dont l'odeur rappelle celle de la viande en décomposition.**

génétique, ce qui a pour effet de multiplier les résultats d'un même cycle de reproduction. Périodiquement, en réponse à des stimulus environnementaux, le mycélium se reproduit par voie sexuée en produisant des appareils sporifères complexes, à savoir des carpophores appelés **basidiocarpes** (**figure 31.18**). Les champignons blancs vendus dans les magasins d'alimentation sont un exemple bien connu de basidiocarpe.

En concentrant son énergie sur la croissance des hyphes, le mycélium d'un basidiomycète peut produire un appareil sporifère en quelques heures; le champignon surgit de terre au fur et à mesure qu'il absorbe de l'eau et que croissent les hyphes du mycélium dicaryote. Ainsi, chez certaines espèces, l'anneau de basidiocarpes qu'on appelle « rond de sorcière » apparaît sur une pelouse en l'espace d'une nuit (**figure 31.19**). Le diamètre du rond de sorcière augmente au même rythme que le mycélium souterrain, qui progresse de 30 cm par année, tout en décomposant la matière organique présente dans le sol. Certains ronds de sorcière géants sont âgés de plusieurs centaines d'années.

Après la formation du champignon, son chapeau soutient et protège une grande surface de lamelles tapissées de basides dicaryotes. Pendant la caryogamie, les deux noyaux que contient chaque baside fusionnent pour produire un noyau diploïde (voir la figure 31.18). Ce noyau se divise par méiose en quatre noyaux haploïdes qui, ultimement, forment tous une basidiospore. Le nombre de basidiospores produites est considérable: l'ensemble des lamelles d'un champignon blanc ordinaire, vendu dans le commerce, équivaut à une surface d'environ 200 cm^2 et celles-ci peuvent libérer un milliard de basidiospores, qui sont emportées par le vent.

RETOUR SUR LE CONCEPT **31.4**

1. Sur quelle caractéristique des chytridiomycètes se fonde l'hypothèse selon laquelle ils représentent une lignée d'eumycètes ayant divergé tôt ?
2. Donnez des exemples démontrant que la structure des zygomycètes, des gloméromycètes, des ascomycètes et des basidiomycètes est adaptée à leur fonction.
3. ET SI ? ► Imaginez qu'une mutation d'un ascomycète modifie son cycle de développement, faisant en sorte que la plasmogamie, la caryogamie et la méiose se succèdent à un rythme accéléré. Quelle incidence ce changement aurait-il sur les ascospores et les ascocarpes ?

Voir les réponses proposées à l'appendice A.

CONCEPT **31.5**

Les eumycètes tiennent des rôles clés dans le recyclage des nutriments, les interactions écologiques et le bien-être des humains

Notre étude de la classification des eumycètes nous a donné un aperçu de leur influence sur les autres organismes. Nous allons maintenant examiner cette influence de plus près, particulièrement chez les décomposeurs, les mutualistes et les agents pathogènes.

Les eumycètes décomposeurs

Les eumycètes sont bien adaptés à leur rôle de décomposeurs de matières organiques, dont la cellulose et la lignine formant la paroi des cellules végétales. En fait, presque tout substrat contenant du carbone, même le carburéacteur, la peinture et le plastique, peut être consommé par au moins quelques espèces d'eumycètes. En outre, ils arrivent à éliminer des métaux toxiques des sols. Il en va de même des bactéries et des archées. Par conséquent, les eumycètes, les bactéries et les archées sont les principaux décomposeurs qui renouvellent, dans les écosystèmes, les réserves de nutriments inorganiques essentiels à la croissance des végétaux. Sans ces décomposeurs, le carbone, l'azote et les autres éléments s'accumuleraient dans les déchets

▼ **Figure 31.18 Le cycle de développement des basidiomycètes formant des champignons.**

HABILETÉS VISUELLES ▶ D'après ce schéma, les cellules du pied de ce champignon (partie aérienne) sont-elles haploïdes ou diploïdes ?

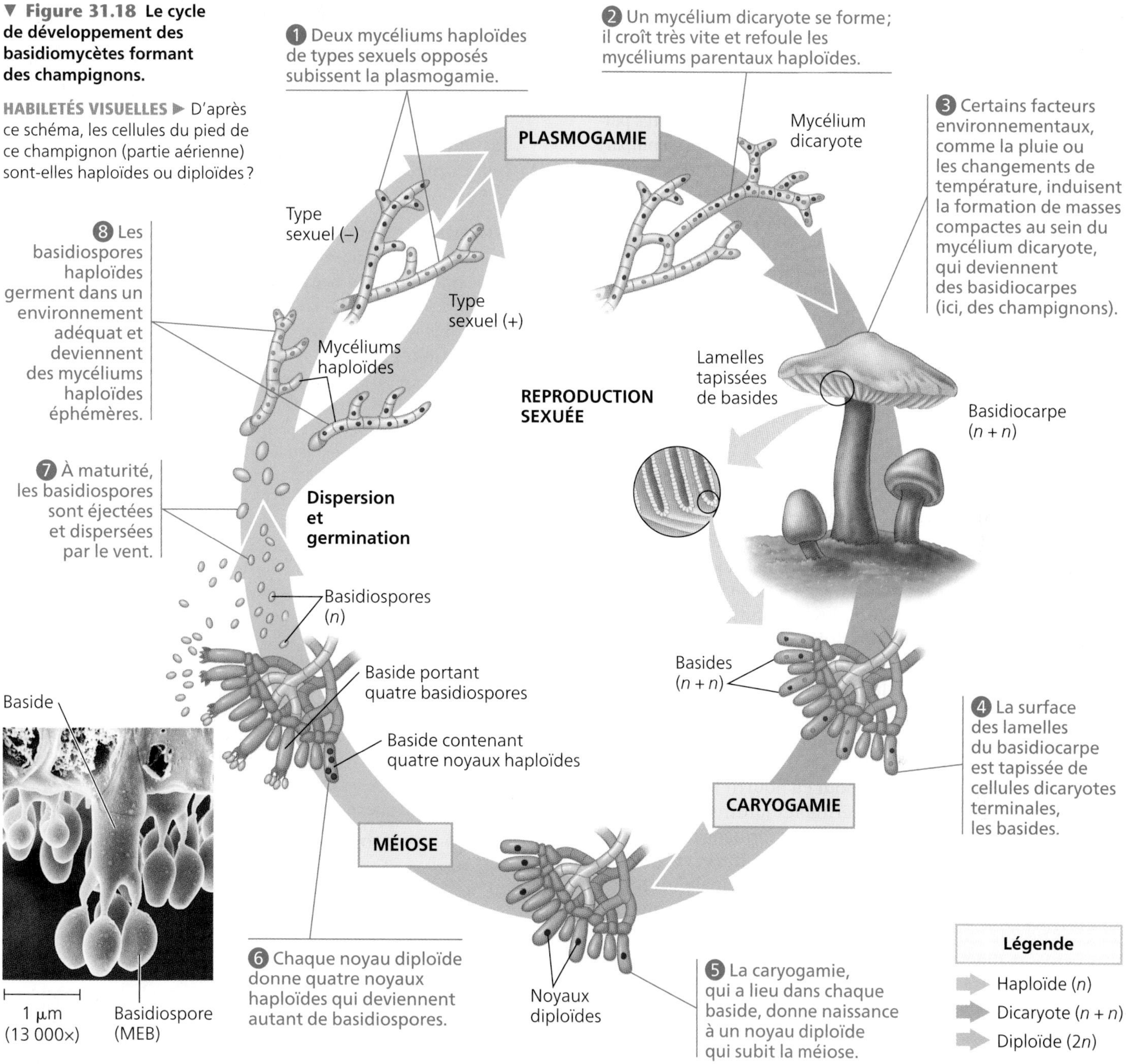

1 Deux mycéliums haploïdes de types sexuels opposés subissent la plasmogamie.

2 Un mycélium dicaryote se forme; il croît très vite et refoule les mycéliums parentaux haploïdes.

PLASMOGAMIE

Mycélium dicaryote

3 Certains facteurs environnementaux, comme la pluie ou les changements de température, induisent la formation de masses compactes au sein du mycélium dicaryote, qui deviennent des basidiocarpes (ici, des champignons).

Type sexuel (–)

Type sexuel (+)

8 Les basidiospores haploïdes germent dans un environnement adéquat et deviennent des mycéliums haploïdes éphémères.

Mycéliums haploïdes

REPRODUCTION SEXUÉE

Lamelles tapissées de basides

Basidiocarpe ($n + n$)

7 À maturité, les basidiospores sont éjectées et dispersées par le vent.

Dispersion et germination

Basidiospores (n)

Baside portant quatre basidiospores

Baside contenant quatre noyaux haploïdes

Basides ($n + n$)

Baside

4 La surface des lamelles du basidiocarpe est tapissée de cellules dicaryotes terminales, les basides.

CARYOGAMIE

MÉIOSE

1 µm (13 000×)

Basidiospore (MEB)

6 Chaque noyau diploïde donne quatre noyaux haploïdes qui deviennent autant de basidiospores.

Noyaux diploïdes

5 La caryogamie, qui a lieu dans chaque baside, donne naissance à un noyau diploïde qui subit la méiose.

Légende

Haploïde (n)

Dicaryote ($n + n$)

Diploïde ($2n$)

organiques et ne seraient plus disponibles pour la nutrition des végétaux et des animaux. La disparition des décomposeurs mettrait donc un terme aux cycles biogéochimiques et, par conséquent, à l'existence même des végétaux et des animaux. Sans la présence de ces décomposeurs, la vie telle que nous la connaissons cesserait.

Les eumycètes mutualistes

Les eumycètes peuvent former des associations mutualistes avec les végétaux, les algues, les cyanobactéries ou les animaux. Les eumycètes mutualistes absorbent les nutriments d'un organisme hôte auquel ils procurent toutefois certains bienfaits (comme les relations mycorhiziennes entre les eumycètes et la plupart des vasculaires dont il a été question précédemment).

▼ **Figure 31.19 Le rond de sorcière.** Selon la légende, ces champignons surgissent à l'endroit où des fées ont fait une ronde par une nuit de pleine lune. Ce chapitre fournit une explication biologique de la formation de ces cercles.

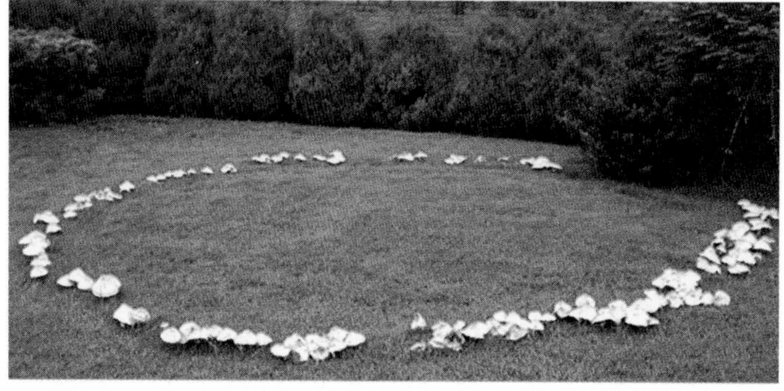

Les associations mutualistes avec les végétaux

Toutes les espèces de végétaux étudiées à ce jour semblent porter, en plus des eumycètes mycorhiziens, des **endophytes** symbiotiques, c'est-à-dire des eumycètes (ou des bactéries) vivant dans le milieu extracellulaire à l'intérieur des feuilles et d'autres parties de la plante, sans en perturber le fonctionnement. La plupart des endophytes fongiques identifiés à ce jour sont des ascomycètes. Les endophytes fongiques contribuent à la croissance de certaines graminées et d'autres végétaux non ligneux en produisant des toxines qui repoussent les herbivores ou en améliorant la tolérance de leur hôte à la chaleur, à la sécheresse ou à la présence de métaux lourds. Comme l'explique la **figure 31.20**, des chercheurs étudiant l'effet des endophytes fongiques sur les plantes ligneuses ont vérifié si des semis du cacaoyer *Theobroma cacao* pouvaient en bénéficier. Les résultats de leur expérience montrent que les endophytes des végétaux ligneux à fleurs peuvent jouer un rôle important dans la défense contre les agents pathogènes.

Les associations mutualistes avec les animaux

Comme nous l'avons mentionné plus tôt, plusieurs eumycètes rendent des services digestifs à divers animaux. Ils contribuent notamment à la dégradation des matières végétales dans l'intestin des bovins et d'autres mammifères herbivores. Le système digestif de nombreux arthropodes contient également des eumycètes (zygomycètes). Toutefois, de nombreuses espèces de fourmis profitent autrement des capacités de digestion des eumycètes en en faisant la « culture ». Par exemple, les fourmis parasol, ou coupe-feuilles (appartenant au genre *Atta*), sillonnent les forêts tropicales à la recherche de feuilles particulières qu'elles ne peuvent digérer seules, mais qu'elles transportent jusqu'à leurs nids pour en nourrir les eumycètes; ces nids deviennent donc de véritables jardins à eumycètes (**figure 31.21**). En proliférant, les hyphes forment à leurs extrémités des bourgeons gonflés riches en protéines et en glucides dans lesquels les fourmis trouvent leur principale source de nourriture. Grâce à la cellulase qu'ils produisent, les eumycètes décomposent la cellulose des feuilles en substances que les fourmis peuvent digérer, tout en détoxifiant les composés qui servent de défense à la feuille, mais qui incommoderaient ou tueraient les fourmis. Dans certaines forêts tropicales, les eumycètes ont aidé ces insectes à devenir les principaux consommateurs de feuilles.

L'évolution de ces fourmis jardinières et celle des eumycètes qu'elles « cultivent » sont très étroitement liées depuis plus de 50 millions d'années. Les eumycètes sont devenus si dépendants de leurs pourvoyeurs (qui leur fournissent un abri protecteur en plus de la nourriture) que, dans bien des cas, ils ne peuvent plus survivre sans les fourmis, ni elles sans eux.

Les lichens

Un **lichen** est le résultat d'une association symbiotique entre un microorganisme photosynthétique et un eumycète, et réunissant des millions de cellules photosynthétiques enchevêtrées dans un treillis d'hyphes. Les lichens croissent à la surface des rochers, des sols, des troncs d'arbre en décomposition, des arbres et des toits sous diverses formes (**figure 31.22**). Le partenaire photosynthétique est une algue verte unicellulaire ou filamenteuse, ou une cyanobactérie. La partie fongique est le plus

DÉMARCHE SCIENTIFIQUE

INVESTIGATION

▼ Figure 31.20

Les endophytes fongiques ont-ils un effet bénéfique sur les végétaux ligneux?

■ HYPOTHÈSE ■ S'ils exercent un effet positif sur les plants de cacaoyers, les endophytes devraient contrer les effets négatifs d'un phytopathogène inoculé sur ces mêmes plants, alors que les plants de cacaoyers sans endophytes seraient plus vulnérables à ce phytopathogène.

■ EXPÉRIENCE ■ Les endophytes fongiques sont des eumycètes symbiotiques que l'on trouve dans tous les végétaux examinés à ce jour. À la University of Arizona, à Tucson, A. Elizabeth Arnold et ses collègues ont mesuré les effets bénéfiques des endophytes fongiques sur le cacaoyer (*Theobroma cacao*). Cet arbre, dont le nom grec signifie «nourriture des dieux», produit des fèves servant à la confection du chocolat, et sa culture s'effectue dans la plupart des régions tropicales. Les chercheurs ont ajouté un mélange particulier d'endophytes fongiques aux feuilles de certains semis de cacaoyer pour les comparer à d'autres qui n'en avaient pas reçu. (Les endophytes fongiques colonisent les feuilles du cacaoyer après la germination des semis.) Les semis ont ensuite été inoculés d'un agent pathogène virulent, un protiste du genre *Phytophthora*.

■ RÉSULTATS ■ Un plus grand nombre de feuilles ont survécu à l'agent pathogène parmi les semis qui hébergeaient des endophytes fongiques, par comparaison à ceux qui en étaient dépourvus. De plus, parmi les feuilles qui ont survécu, celles provenant de semis avec endophytes ont été moins endommagées que celles des semis sans endophytes.

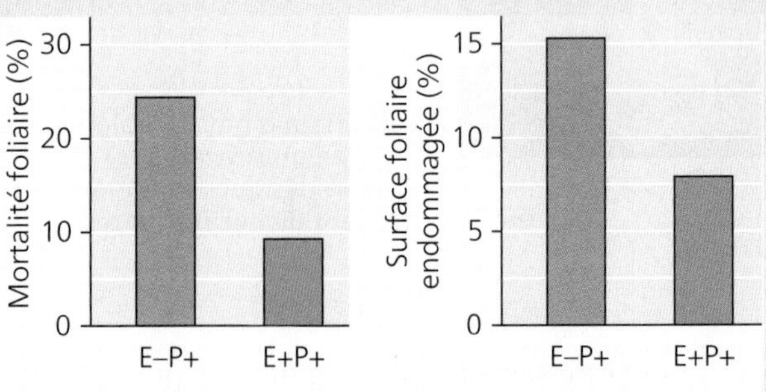

■ CONCLUSION ■ La présence d'endophytes dans les cacaoyers semble leur être profitable en réduisant la mortalité foliaire et les dommages causés par *Phytophthora sp.*

Source des données: A. E. Arnold et coll., Fungal endophytes limit pathogen damage in a tropical tree, *Proceedings of the National Academy of Sciences* 100: 15649-15654 (2003).

ET SI? ▶ Au cours de leur expérimentation, Arnold et ses collègues ont effectué des expériences avec des groupes témoins. Proposez deux types de groupes témoins que les chercheurs auraient pu former et expliquez comment chacun aurait contribué à l'interprétation des résultats décrits ci-dessus.

souvent un ascomycète, bien qu'on ait identifié 1 lichen avec un gloméromycète et 75 autres avec des basidiomycètes. C'est habituellement l'eumycète qui donne au lichen sa structure et sa forme globales. De même, les tissus fabriqués par les hyphes représentent la plus grande partie de la masse du lichen. Les cellules de l'algue ou de la cyanobactérie en constituent généralement la couche interne (**figure 31.23**).

La fusion entre l'eumycète et l'algue ou la cyanobactérie est si complète qu'on donne aux lichens des noms scientifiques, comme s'ils étaient des organismes individuels. À ce jour, on a décrit quelque 17 000 espèces, et leur classification est basée sur la nature de l'eumycète qui les constitue. Comme on peut s'y attendre de ce type d'« organisme mixte », la reproduction de la

▲ **Figure 31.21 Des insectes jardiniers.** Ces fourmis parasol (*Atta spp.*) ont besoin des eumycètes pour transformer la matière végétale en une substance digestible. Pour leur part, les eumycètes absorbent des nutriments provenant des feuilles apportées par les fourmis.

▼ **Figure 31.22 Diverses formes de lichens.**

◄ **Lichen fructiculeux (semblable à un arbuste).**

► **Lichen foliacé (semblable à une feuille).**

◄ **Lichen crustacé (constitué d'une croûte).**

▼ **Figure 31.23 L'anatomie d'un lichen composé d'une algue et d'un ascomycète (MEB, cliché artificiellement coloré).**

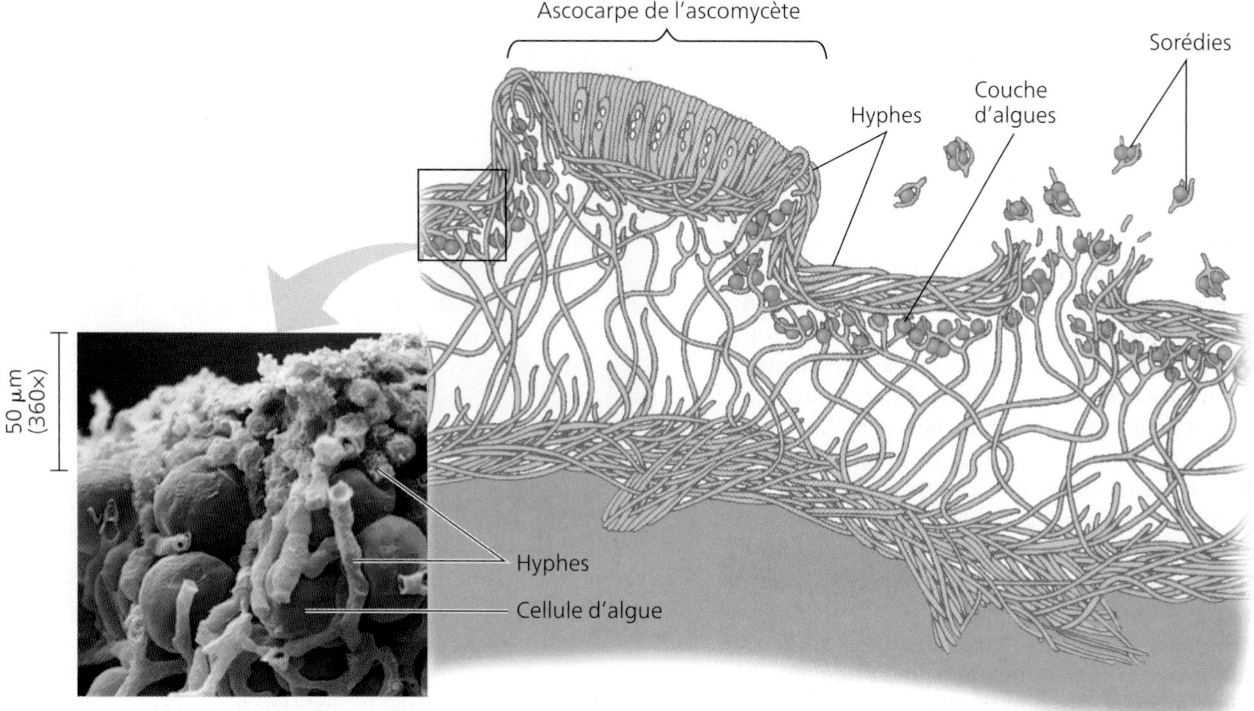

partie symbiotique a lieu de façon asexuée, soit par fragmentation du lichen parent, soit par formation de **sorédies**, de petits amas d'hyphes incrustées d'algues (voir la figure 31.23). Les eumycètes d'un grand nombre de lichens se reproduisent aussi de façon sexuée.

Dans la plupart des cas, chaque partenaire fournit à l'autre des éléments que celui-ci ne pourrait obtenir seul. Ainsi, l'algue ou la cyanobactérie fournit des composés du carbone (entre 60 et 90 % de sa production de glucides par photosynthèse) ; la cyanobactérie fixe aussi le diazote (voir le concept 27.3) et le transforme en azote organique. Quant à l'eumycète, il procure à son partenaire photosynthétique un environnement physique idéal pour leur croissance. La disposition physique des hyphes assure les échanges gazeux, protège le partenaire photosynthétique contre les rayonnements ultraviolets et permet de retenir l'eau et les minéraux, dont la plupart sont absorbés soit par la poussière transportée par le vent, soit par la pluie. L'eumycète sécrète aussi des acides qui facilitent l'absorption des minéraux.

Les lichens peuvent survivre dans des milieux inhospitaliers (température et sécheresse extrêmes). Ils sont souvent les premiers à croître sur des rochers et des sols nouvellement mis à nu par des incendies de forêt ou des éruptions volcaniques. Ils brisent la surface des rochers en s'y enfonçant et en l'attaquant chimiquement ; ils contribuent également à stabiliser les sols, et ceux qui fixent le diazote fournissent de l'azote organique à leur écosystème. Ces processus permettent l'établissement d'une succession végétale. Des fossiles démontrent que les lichens étaient présents sur terre il y a 420 millions d'années. Les premiers lichens pourraient avoir modifié la roche et les sols comme le font leurs descendants aujourd'hui, et avoir ainsi ouvert la voie aux végétaux terrestres.

Les eumycètes parasites

Tout comme les eumycètes mutualistes, les eumycètes parasites absorbent les nutriments des cellules d'un organisme hôte vivant, qui n'en retire cependant aucun bienfait. Quelque 30 % des 100 000 espèces connues d'eumycètes sont des parasites ou des agents pathogènes, principalement à l'égard des plantes (**figure 31.24**). L'ascomycète *Ophiostoma sp.* (ou *Ceratocystis ulmi*) est un exemple d'eumycète pathogène. Ce champignon, qui cause la maladie hollandaise de l'orme, a d'ailleurs radicalement transformé le paysage du Nord-Est des États-Unis et du Sud du Québec. Il a envahi l'Amérique du Nord après être arrivé aux États-Unis sur des billes de bois provenant d'Europe en remboursement des dettes accumulées pendant la Première Guerre mondiale. Transporté d'un arbre à l'autre par un insecte vivant sous l'écorce (le coléoptère *Scolytus multistriatus*), ou par des échanges entre racines d'arbres voisins, il a rapidement éliminé plus de la moitié des ormes d'Amérique (*Ulmus americana*) en bloquant la circulation de la sève dans les vaisseaux de l'arbre. Un autre ascomycète, *Fusarium circinatum,* est responsable du chancre fusarien du pin, une maladie qui guette les pins partout sur la planète. Chaque année, entre 10 et 50 % des récoltes de fruits sont détruites par des eumycètes, et des récoltes de céréales sont également gravement touchées.

Parmi les eumycètes qui s'attaquent aux cultures vivrières, plusieurs produisent des composés toxiques pour l'humain. Par exemple, certaines espèces d'ascomycètes du genre *Aspergillus* contaminent le grain et les arachides en sécrétant des aflatoxines, des substances cancérogènes. Un autre ascomycète, *Claviceps purpurea*, pousse sur le seigle (*Secale cereale*) et produit des structures pourpres appelées ergots de seigle (voir la figure 31.24c). Si l'on consomme du seigle avarié, la toxine contenue dans les ergots cause la gangrène (en provoquant la vasoconstriction qui réduit la circulation sanguine) et divers troubles nerveux (spasmes, sensations de brûlure, hallucinations et démence temporaire). En l'an 994, une épidémie d'ergotisme (maladie provoquée par l'ergot de seigle) a tué plus de 40 000 personnes en France. L'une des substances hallucinogènes extraites de l'ergot est l'amide de l'acide lysergique, précurseur du LSD (en allemand *Lysergik Saüre Diethylamide,* acide lysergique diéthylamide).

Bien que les animaux soient beaucoup moins affectés par les eumycètes parasites que les végétaux, on estime que près de 500 espèces d'eumycètes vivraient aux dépens des animaux. L'un de ces parasites, le chytridiomycète *Batrachochytrium dendrobatidis*, est responsable du déclin récent ou de l'extinction de quelque 200 espèces de grenouilles et autres amphibiens (**figure 31.25**). Ce chytridiomycète cause de graves infections cutanées à l'origine d'une mortalité massive. Selon les observations sur le terrain et les études portant sur des spécimens dans les musées, *B. dendrobatidis* a fait son apparition au sein des populations de grenouilles peu avant leur déclin en Australie, au Costa Rica, aux États-Unis et dans d'autres pays. En outre, ce chytridiomycète présente une très faible diversité génétique dans les régions où il a infecté des grenouilles. Ces constatations avalisent l'hypothèse voulant que *B. dendrobatidis* ait fait son apparition récemment avant de se répandre autour du monde en décimant de nombreuses populations d'amphibiens.

Le terme général sous lequel on groupe les infections fongiques touchant les animaux est **mycose**. Chez les humains, les dermatomycoses comprennent notamment la teigne, qui se caractérise par l'apparition de lésions circulaires sur la peau, et le pied d'athlète. Les ascomycètes responsables de la teigne peuvent infecter n'importe quelle partie de l'épiderme, en causant une lésion circulaire caractéristique. Ceux du pied d'athlète

(a) Rouille du maïs (basidiomycète)
(b) Taches goudronneuses sur des feuilles d'érable (ascomycète)
(c) Ergot de seigle (ascomycète)

▲ **Figure 31.24 Exemples de maladies fongiques touchant les végétaux.**

▼ Figure 31.25 Les amphibiens sont attaqués. Un eumycète parasite pourrait-il être la cause du déclin et de l'extinction de centaines de populations d'amphibiens au cours des dernières décennies ? Une étude a démontré que la population d'une espèce de grenouilles (*Rana muscosa*) s'est effondrée lorsque le chytridiomycète a envahi la région de Sixty Lake Basin, en Californie. Dans les années précédant l'introduction du chytridiomycète, en 2004, les lacs de cette région abritaient une population de plus de 2 300 grenouilles. En 2009, elles n'étaient plus que 38. Toutes les survivantes vivaient dans l'un ou l'autre des deux lacs (en jaune sur la carte) où les grenouilles avaient été traitées à l'aide d'un fongicide pour réduire l'action néfaste du parasite.

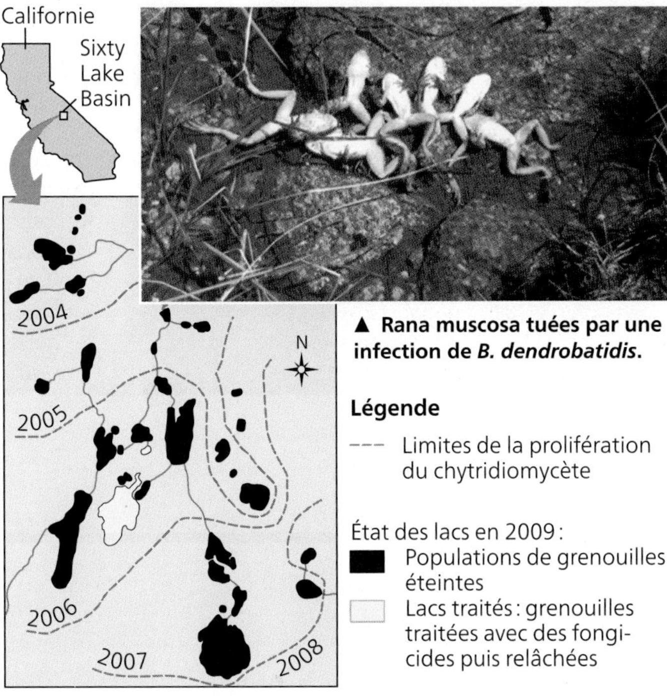

▲ Rana muscosa tuées par une infection de *B. dendrobatidis*.

INTERPRÉTEZ LES DONNÉES ▶ Les données indiquent-elles que le chytridiomycète est la cause du déclin des populations de grenouilles ou que sa présence est corrélée avec ce déclin ? Expliquez votre réponse.

s'attaquent le plus souvent aux pieds, évidemment, où ils provoquent des démangeaisons intenses, des vésicules et des fissures de la peau. En dépit de leur très haut risque de transmission, la teigne et le pied d'athlète se traitent avec diverses lotions et poudres fongicides.

Les mycoses systémiques, qui s'étendent à tout l'organisme, sont très dangereuses. La contamination débute habituellement par l'inhalation de spores. Parmi ces mycoses redoutables figure la coccidioïdomycose, causée par *Coccidioides immitis*, dont les symptômes ressemblent à ceux de la tuberculose. En Amérique du Nord, des centaines de personnes atteintes en mouraient chaque année si elles n'étaient pas traitées au moyen de médicaments antifongiques.

Certaines mycoses sont opportunistes, c'est-à-dire qu'elles ne surviennent que lorsque l'équilibre microbiologique, chimique ou immunologique de l'organisme est rompu. Par exemple, *Candida albicans* fait partie de la flore normale des épithéliums humides, comme celui qui tapisse le vagin. Mais, dans certaines circonstances, cette levure peut croître trop rapidement et devenir pathogène, causant des infections telles que les vaginites. Le nombre d'infections opportunistes, de mycoses notamment, s'est accru au cours des dernières décennies, en partie à cause du sida, qui affaiblit le système immunitaire.

Les eumycètes bénéfiques

Les dangers auxquels nous exposent les eumycètes ne doivent pas nous faire oublier les immenses bienfaits qu'ils nous procurent. Ainsi, nous dépendons d'eux pour la décomposition et le recyclage de la matière organique. De plus, les eumycètes comestibles ne sont pas seulement les champignons que nous aimons apprêter et manger. Par exemple, des eumycètes participent au processus de maturation du roquefort et d'autres fromages bleus. Les morilles et les truffes, qui constituent les appareils sporifères comestibles de divers ascomycètes, sont grandement appréciées pour leurs saveurs complexes (voir la figure 31.15). Un kilogramme de ces eumycètes peut valoir des centaines, voire des milliers de dollars sur le marché. Dans la nature, les truffes dégagent une odeur forte qui attire certains animaux et insectes. Ces derniers déterrent alors les truffes et en dispersent les spores. Parfois, l'odeur imite celle des phéromones (des substances attractives sexuelles) de certains mammifères. Plusieurs espèces de truffes d'Europe imitent les phéromones que sécrètent les porcs ; c'est pourquoi on utilise des truies pour débusquer ces précieux champignons.

Depuis des milliers d'années, les humains manipulent les levures pour fabriquer des boissons alcoolisées et du pain. En milieu anaérobie, des levures transforment les sucres en alcool et en CO_2, dont les petites bulles font lever la pâte. Toutefois, l'utilisation de cultures pures de levures pour des procédés précisément contrôlés est relativement récente. De tous les eumycètes de culture, c'est la levure *Saccharomyces cerevisiae* qui est la plus importante (voir la figure 31.7). Elle compte de nombreuses souches entrant dans la fabrication du pain et de la bière.

De nombreux eumycètes possèdent une valeur inestimable en médecine. Par exemple, on extrait des ergots de seigle un composé permettant de réduire l'hypertension artérielle et de juguler les hémorragies consécutives aux accouchements. Certains eumycètes produisent des antibiotiques indispensables au traitement des infections bactériennes. D'ailleurs, le premier antibiotique qui a été découvert, la pénicilline, est fabriqué par une moisissure commune nommée *Penicillium notatum*. L'industrie pharmaceutique compte bien des médicaments obtenus à partir des eumycètes, notamment les statines (pour réduire le cholestérol) et la cyclosporine, un agent immunosuppresseur utilisé pour empêcher le rejet d'un organe après sa transplantation.

Les eumycètes occupent aussi une place importante dans la recherche. La levure *Saccharomyces cerevisiae* sert à étudier la génétique moléculaire des eucaryotes, car ses cellules sont faciles à cultiver et à manipuler. L'examen des interactions entre les gènes homologues chez *S. cerevisiae* permet aux scientifiques de mieux comprendre le rôle des gènes associés à des affections comme la maladie de Parkinson et d'autres maladies qui touchent les humains.

Les travaux réalisés avec certains eumycètes génétiquement modifiés sont également très prometteurs. Par exemple, des scientifiques ont réussi à créer une souche de *S. cerevisiae* capable de synthétiser des glycoprotéines humaines, dont le facteur de croissance analogue à l'insuline. Ces glycoprotéines permettront peut-être de traiter les personnes atteintes de maladies qui les empêchent de produire de tels composés. Entre-temps, des chercheurs ont effectué le séquençage du génome de *Gliocladium roseum*, un ascomycète qui peut croître sur le bois ou sur les déchets agricoles et qui produit naturellement des hydrocarbures comparables à ceux que l'on trouve dans le carburant diésel (**figure 31.26**). Ils espèrent ainsi décoder les voies métaboliques conduisant à la synthèse d'hydrocarbures par *G. roseum*. De telles voies métaboliques pourraient alors être utilisées pour produire des biocombustibles sans toutefois réduire la zone terrestre destinée à la culture vivrière (comme c'est le cas pour l'éthanol, produit à partir du maïs).

Notre survol du règne des eumycètes est maintenant terminé. Nous consacrerons les derniers chapitres de la présente partie à l'étude du règne frère des eumycètes, celui des animaux, auquel appartiennent les humains.

▼ **Figure 31.26 Cet eumycète peut-il être utilisé pour produire des biocombustibles?** L'ascomycète *Gliocladium roseum* peut produire des hydrocarbures comparables à ceux du carburant diésel (MEB, cliché coloré artificiellement).

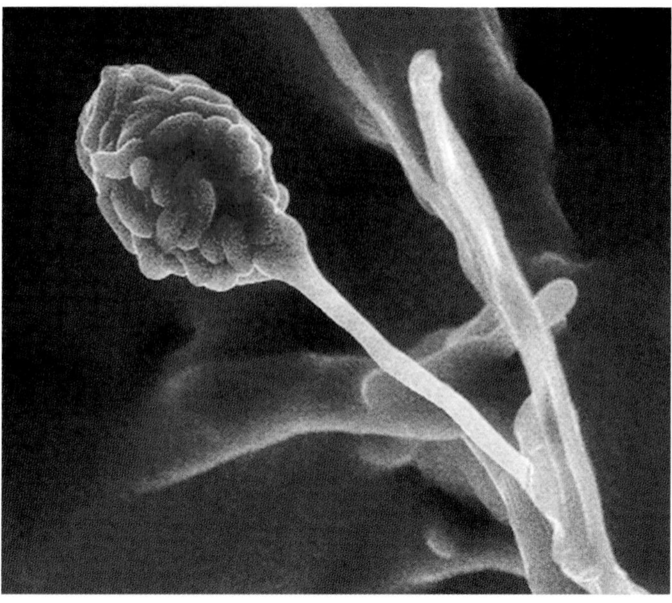

RETOUR SUR LE CONCEPT 31.5

1. Les algues présentes dans les lichens tirent des avantages de leur association avec des eumycètes. Nommez-en quelques-uns.
2. Quelles caractéristiques des eumycètes pathogènes contribuent à l'efficacité de leur propagation?
3. **ET SI?** ▶ En quoi la Terre serait-elle différente de ce qu'elle est aujourd'hui si les associations mutualistes entre les eumycètes et d'autres organismes n'avaient jamais évolué?

Voir les réponses proposées à l'appendice A.

RÉVISION DU CHAPITRE 31

Consultez votre MANUEL NUMÉRIQUE, qui vous donne accès aux **animations**, aux **exercices** et à la plateforme d'**anatomie interactive**.

Résumé des concepts clés

CONCEPT 31.1

Les eumycètes sont des organismes hétérotrophes qui se nourrissent par absorption (p. 718 à 720)

- Tous les eumycètes, y compris les décomposeurs et les symbiontes, sont des organismes hétérotrophes qui se nourrissent par absorption. Nombre d'entre eux sécrètent des enzymes qui décomposent les molécules complexes.
- La plupart des eumycètes croissent en formant des filaments multicellulaires appelés **hyphes**; un nombre relativement restreint d'eumycètes prennent la forme de **levures** unicellulaires. Dans leur forme multicellulaire, les eumycètes se composent d'un **mycélium**, un réseau d'hyphes ramifiées adapté à la nutrition par absorption. Les eumycètes mycorhiziens présentent des hyphes spécialisées leur permettant de former des associations symbiotiques avec des végétaux.

? En quoi la morphologie des eumycètes multicellulaires contribue-t-elle à l'absorption efficace des nutriments?

CONCEPT 31.2

Les eumycètes produisent des spores au cours de cycles de développement sexués ou asexués (p. 720 à 723)

- Chez les eumycètes, le cycle sexuel de développement comporte une fusion cytoplasmique (**plasmogamie**), puis une fusion nucléaire (**caryogamie**) au cours de laquelle intervient une phase hétérocaryote (noyaux haploïdes reçus des deux parents). Les cellules diploïdes issues de la caryogamie ont une courte durée de vie et subissent rapidement la méiose, qui produit des **spores** haploïdes génétiquement différentes.
- De nombreux eumycètes peuvent se reproduire de façon asexuée par filaments ou sous forme de levures.

FAITES UN DESSIN ▶ Illustrez le cycle de développement général d'un eumycète, en indiquant les stades de reproduction asexuée et sexuée, la plasmogamie, la caryogamie et les points de production des spores et du zygote.

CONCEPT 31.3

L'ancêtre des eumycètes était un protiste aquatique, unicellulaire et flagellé (p. 723 et 724)

- Des preuves dérivées de la phylogenèse moléculaire démontrent que les eumycètes et les animaux ont divergé d'un ancêtre commun unicellulaire et flagellé il y a de cela plus d'un milliard d'années. Toutefois, on admet généralement que les fossiles d'eumycètes les plus âgés datent de 460 millions d'années.
- Les chytridiomycètes, un groupe d'eumycètes dotés de spores flagellées, regroupent certaines des lignées fondamentales.
- Les eumycètes comptent parmi les premiers organismes à avoir colonisé la terre ferme; des données paléontologiques démontrent que ces premiers organismes incluaient des espèces qui formaient des associations symbiotiques avec des végétaux primitifs.

? La multicellularité est-elle apparue indépendamment chez les eumycètes et les animaux? Expliquez votre réponse.

CONCEPT 31.4

L'évolution des eumycètes a produit un ensemble diversifié de lignées (p. 724 à 730)

Embranchement	Caractères distinctifs sur le plan de la morphologie et du cycle de développement
Chytridiomycètes	Spores flagellées
Zygomycètes	Zygosporange résistant (stade sexué)
Gloméromycètes	Endomycorhizes
Ascomycètes	Spores sexuées (ascospores) contenues dans des structures en forme de sac appelées asques; production d'un grand nombre de spores asexuées (conidies)
Basidiomycètes	Appareil sporifère complexe (basidiocarpe) contenant de nombreuses basides produisant des spores sexuées (basidiospores)

FAITES UN DESSIN ▶ Tracez un arbre phylogénétique qui montre les grands groupes d'eumycètes.

CONCEPT 31.5

Les eumycètes tiennent des rôles clés dans le recyclage des nutriments, les interactions écologiques et le bien-être des humains (p. 730 à 736)

- Les eumycètes jouent un rôle essentiel dans le recyclage des éléments chimiques qui circulent entre le monde du vivant et celui du non-vivant.
- Les **lichens** sont des associations symbiotiques fortement intégrées entre des eumycètes et des algues ou des cyanobactéries.
- De nombreux eumycètes sont des parasites qui infestent surtout des végétaux.
- Les humains consomment des eumycètes et les utilisent pour fabriquer des antibiotiques.

? Présentez en résumé l'importance des eumycètes selon qu'ils sont décomposeurs, mutualistes ou pathogènes.

Évaluation

NIVEAU 1 : **CONNAISSANCES ET COMPRÉHENSION**

1. *Tous* les eumycètes sont :
a) symbiotiques.
b) hétérotrophes.
c) flagellés.
d) décomposeurs.

2. Quelles cellules ou structures sont associées à la reproduction *asexuée* chez certains eumycètes ?
a) Les ascospores.
b) Les basidiospores.
c) Les zygosporanges.
d) Les conidiophores.

3. Parmi les organismes suivants, lesquels sont soupçonnés d'être les plus proches parents des eumycètes ?
a) Les animaux.
b) Les vasculaires.
c) Les mousses.
d) Les myxomycètes.

NIVEAU 2 : **APPLICATION ET ANALYSE**

4. Quel est le plus important avantage adaptatif associé à la nature filamenteuse du mycélium ?
a) La capacité de produire des arbuscules en vue de parasiter d'autres organismes.
b) La possibilité de coloniser pratiquement n'importe quel milieu terrestre.
c) L'augmentation des chances de contact entre les types sexuels différents.
d) La présence d'une vaste surface permettant une croissance invasive et une alimentation par absorption.

Voir les réponses proposées à l'appendice A.

La diversité des animaux : un aperçu

32

VOS OUTILS
INTERACTIFS

Consultez votre MANUEL NUMÉRIQUE, qui vous donne accès aux **animations**, aux **exercices** et à la plateforme d'**anatomie interactive**.

▲ **Figure 32.1 Quelles sont les adaptations qui font du caméléon un redoutable prédateur ?**

CONCEPTS CLÉS

32.1 Les animaux sont des organismes eucaryotes multicellulaires et hétérotrophes dont les tissus se développent à partir de feuillets embryonnaires

32.2 L'histoire des animaux couvre plus d'un demi-milliard d'années

32.3 Les animaux peuvent être classés selon leurs «plans d'organisation corporelle»

32.4 Des données moléculaires et morphologiques récentes mènent à de nouveaux points de vue sur la phylogenèse des animaux

Un règne de consommateurs

Bien qu'il se déplace lentement, le caméléon de la **figure 32.1** est capable de projeter sa langue, longue et collante, à la vitesse de l'éclair pour saisir sa proie. De nombreuses espèces de caméléons peuvent également changer de couleur et, par conséquent, se dissimuler dans leur environnement. Ils deviennent ainsi difficiles à apercevoir, tant pour leurs proies que pour les prédateurs en quête d'un repas.

Ces caractéristiques du caméléon en font un exemple de prédateur efficace. D'autres animaux déjouent leurs proies en usant de leur force ou de leur rapidité, ou en produisant certaines toxines, alors que certains profitent de l'imprudence de leurs proies et les capturent en construisant des pièges, telles les toiles d'araignée. De même, les herbivores peuvent dénuder les plantes dont ils s'alimentent, les laissant sans feuilles ni graines, alors que certains animaux parasites affaiblissent leurs hôtes en se nourrissant de leurs tissus ou de leurs liquides corporels. Ces animaux, et plusieurs autres, sont aussi des consommateurs efficaces, notamment parce qu'ils disposent de cellules musculaires et nerveuses spécialisées qui leur permettent de détecter, de capturer et de manger d'autres organismes, y compris ceux qui peuvent échapper à leurs attaques. Les animaux se montrent également très efficaces dans la transformation des aliments qu'ils consomment. La plupart d'entre eux disposent en effet d'un excellent système digestif à deux ouvertures (une bouche et un anus).

Avec le présent chapitre commence une exploration du règne des animaux qui se poursuivra dans les deux chapitres suivants. Nous allons examiner les caractéristiques communes à tous les animaux ainsi que l'histoire évolutive de ce règne de consommateurs.

CONCEPT 32.1

Les animaux sont des organismes eucaryotes multicellulaires et hétérotrophes dont les tissus se développent à partir de feuillets embryonnaires

Il n'est pas simple d'énumérer les caractéristiques communes à tous les animaux. En effet, on rencontre des exceptions à presque tous les critères qui permettent de distinguer les animaux des autres organismes. Par exemple, on serait peut-être porté à considérer la mobilité comme un caractère commun à tous les animaux: pourtant, les éponges ne sont pas mobiles. Malgré tout, les animaux présentent plusieurs caractéristiques qui, lorsqu'elles sont considérées en bloc, permettent d'établir une définition acceptable.

Le mode de nutrition

Le mode de nutrition des animaux diffère de ceux des végétaux et des eumycètes. Les végétaux sont des eucaryotes autotrophes capables de produire des molécules organiques au moyen de la photosynthèse. Les eumycètes, eux, sont des hétérotrophes qui croissent sur leurs nutriments, ou près d'eux, et qui s'en nourrissent par absorption (souvent après avoir sécrété des enzymes qui digèrent la nourriture à l'extérieur de leur organisme). Contrairement aux végétaux, et tout comme les eumycètes, les animaux sont incapables de fabriquer la totalité de leurs propres molécules organiques, de sorte que, dans la plupart des cas, ils les ingèrent soit en d'autres organismes vivants, soit en consommant des matières organiques non vivantes. Par contre, les animaux se distinguent des eumycètes par le fait qu'ils utilisent des enzymes pour digérer leurs aliments *après* les avoir ingérés.

La structure et la spécialisation des cellules

Les animaux sont des organismes eucaryotes et multicellulaires, comme les végétaux et la plupart des eumycètes. Toutefois, contrairement aux cellules des végétaux et des eumycètes, les cellules animales ne s'entourent pas d'une paroi renforçant la structure de l'organisme. Le corps des animaux doit plutôt sa cohésion à des protéines externes à la membrane cellulaire qui unissent les cellules les unes aux autres (voir la figure 6.30). La plus abondante de ces protéines est le collagène, que l'on observe uniquement chez les animaux.

Chez la plupart des animaux, les cellules forment des **tissus**, c'est-à-dire des groupes de cellules similaires qui partagent une fonction commune. Par exemple, les tissus musculaires et les tissus nerveux sont respectivement responsables du mouvement et de la conduction des signaux nerveux. Ces deux aptitudes sont à l'origine de nombreuses adaptations qui distinguent les animaux des végétaux et des eumycètes (qui ne possèdent ni cellules musculaires ni cellules nerveuses). Aussi les cellules musculaires et nerveuses sont-elles fondamentales dans le mode de vie des animaux.

La reproduction et le développement

La plupart des animaux se reproduisent de façon sexuée, et c'est habituellement le stade diploïde qui prédomine au cours de leur cycle de développement. Durant le stade haploïde, les spermatozoïdes et les ovules sont produits directement par division méiotique, contrairement à ce qu'on observe chez les végétaux et les eumycètes (voir la figure 13.6). Chez la majorité des espèces animales, un petit spermatozoïde flagellé féconde un ovule plus gros qui ne se déplace pas par lui-même; cela donne un zygote diploïde. Le zygote subit ensuite une **segmentation**, une série de divisions cellulaires mitotiques, entre lesquelles on n'observe aucune croissance cellulaire. Au cours du développement de la plupart des animaux, la segmentation aboutit à la formation d'un stade multicellulaire appelé **blastula**, qui prend souvent la forme d'une sphère creuse (**figure 32.2**). Vient ensuite la **gastrulation**, pendant laquelle se développent les feuillets de tissus embryonnaires destinés à former les diverses parties de l'organisme adulte (voir également la figure 47.8). Le stade de développement qui lui est associé est appelé **gastrula**.

Bien que certains animaux, dont les humains, passent directement au stade adulte, un grand nombre doivent d'abord passer par au moins un stade larvaire. La **larve** est une forme sexuellement immature. Sa morphologie, ses besoins nutritifs, voire son habitat, diffèrent de ceux de l'adulte, comme on peut l'observer chez la larve aquatique d'un moustique ou d'une libellule. La larve subit finalement une **métamorphose**, qui transforme l'animal en un juvénile, c'est-à-dire une forme ressemblant à l'adulte, mais sans la maturité sexuelle.

Quoique la morphologie des animaux adultes varie considérablement d'une espèce à l'autre, les gènes qui régissent leur développement sont les mêmes pour une grande variété de taxons. Tous les animaux possèdent des gènes développementaux qui régulent l'expression d'autres gènes. Nombre de ces gènes régulateurs ont en commun des unités d'ADN de même séquence appelées *boîtes homéotiques* (voir le concept 21.6). La plupart des animaux possèdent une famille de gènes uniques contenant des boîtes homéotiques, les gènes *Hox*. Les gènes *Hox* remplissent d'importantes fonctions dans le développement des embryons animaux, car ils régissent l'expression de nombreux autres gènes qui influent sur la morphologie animale.

Les éponges, qui comptent parmi les lignées d'animaux modernes (vivants) les plus simples, sont dépourvues de gènes *Hox*. Elles présentent néanmoins d'autres boîtes homéotiques qui influent sur leur forme, notamment celles qui régissent la formation des pores inhalants qui percent leur paroi corporelle, ce qui constitue la principale caractéristique morphologique de ces organismes (voir la figure 33.4). Chez les ancêtres d'animaux plus complexes, la famille des gènes *Hox* est née de la duplication de gènes homéotiques primitifs. Avec le temps, la famille des gènes *Hox* a subi une série de duplications, de sorte que la «boîte à outils» servant à la régulation du développement offre un plus grand nombre de possibilités. Chez la plupart des animaux, les gènes *Hox* régissent la structuration de l'axe antéropostérieur, ainsi que d'autres aspects du développement. C'est le même réseau génétique qui a subsisté et qui commande le développement de la mouche et de l'humain, en dépit de leurs évidentes différences et de leurs centaines de millions d'années d'évolution divergente.

▼ Figure 32.2 Les premiers stades du développement embryonnaire chez les animaux.

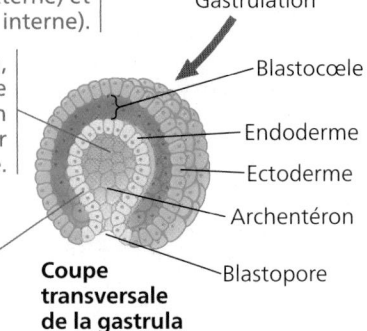

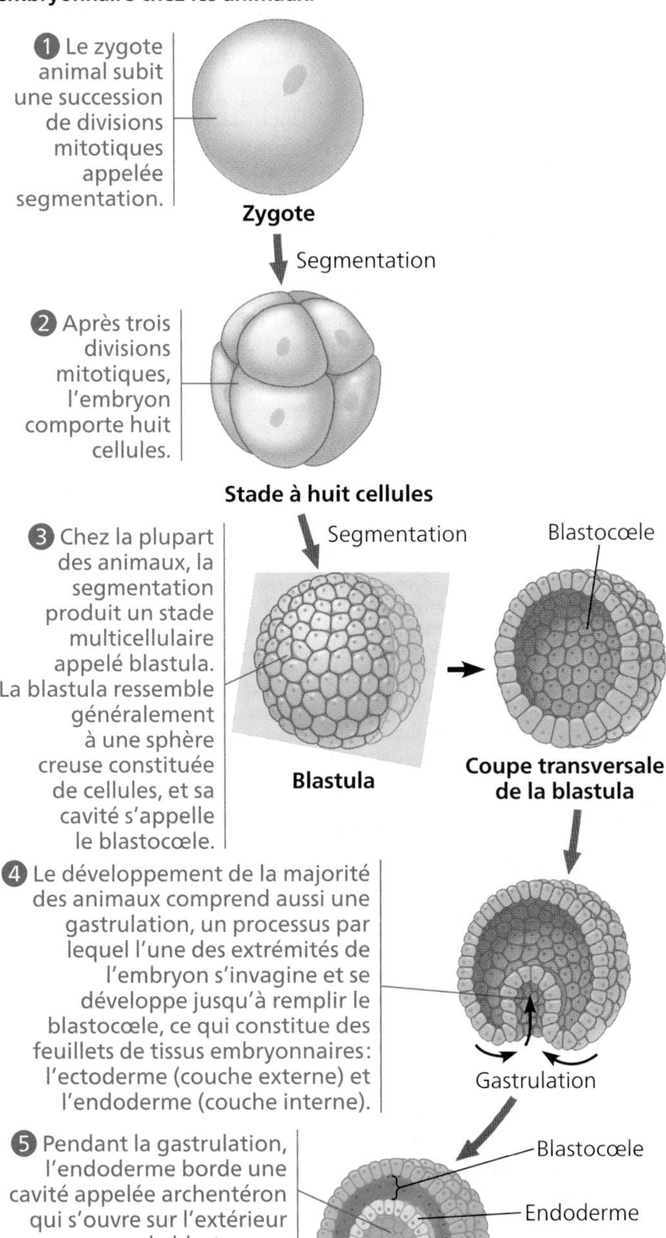

1 Le zygote animal subit une succession de divisions mitotiques appelée segmentation.
Zygote
Segmentation
2 Après trois divisions mitotiques, l'embryon comporte huit cellules.
Stade à huit cellules
Segmentation
3 Chez la plupart des animaux, la segmentation produit un stade multicellulaire appelé blastula. La blastula ressemble généralement à une sphère creuse constituée de cellules, et sa cavité s'appelle le blastocœle.
Blastula
Blastocœle
Coupe transversale de la blastula
4 Le développement de la majorité des animaux comprend aussi une gastrulation, un processus par lequel l'une des extrémités de l'embryon s'invagine et se développe jusqu'à remplir le blastocœle, ce qui constitue des feuillets de tissus embryonnaires: l'ectoderme (couche externe) et l'endoderme (couche interne).
Gastrulation
5 Pendant la gastrulation, l'endoderme borde une cavité appelée archentéron qui s'ouvre sur l'extérieur par le blastopore.
Blastocœle
Endoderme
Ectoderme
Archentéron
Blastopore
6 L'endoderme de l'archentéron devient le revêtement interne du tube digestif.
Coupe transversale de la gastrula

RETOUR SUR LE CONCEPT **32.1**

1. Résumez les principaux stades du développement des animaux. Comment s'appelle la famille de gènes régulateurs dont le rôle est déterminant ?

2. **ET SI ?** ▶ Imaginez une plante qui, en plus d'être capable d'extraire des nutriments du sol et de réaliser la photosynthèse, pourrait chasser, capturer et digérer ses proies. Quelles caractéristiques animales devrait-elle présenter ?

Voir les réponses proposées à l'appendice A.

CONCEPT **32.2**

L'histoire des animaux couvre plus d'un demi-milliard d'années

À ce jour, les biologistes ont identifié 1,3 million d'espèces existantes d'animaux, mais ils estiment que le véritable nombre d'espèces pourraient être beaucoup plus élevé. Cette vaste diversité s'étend à une gamme extraordinaire de variations morphologiques s'appliquant à des organismes aussi différents que les coraux, les blattes et les crocodiles. Diverses études montrent que cette grande diversification des animaux s'est amorcée au cours du dernier milliard d'années. Par exemple, des chercheurs ont mis au jour des sédiments vieux de 710 millions d'années contenant des traces chimiques de stéroïdes qui, aujourd'hui, sont principalement produits par un groupe particulier d'éponges. Comme les éponges sont des animaux primitifs, ces stéroïdes fossilisés nous indiquent que les animaux seraient apparus il y a 710 millions d'années.

De façon générale, des analyses génétiques confirment ces preuves biologiques issues de fossiles ; par exemple, d'après une analyse de l'horloge moléculaire réalisée récemment, les éponges seraient apparues il y a environ 700 millions d'années. Cette estimation correspond également aux résultats des analyses moléculaires qui permettent de supposer que l'ancêtre commun de toutes les espèces modernes d'animaux a vécu il y a environ 770 millions d'années. Mais à quoi donc ressemblait cet ancêtre, et comment les animaux peuvent-ils descendre d'ancêtres unicellulaires ?

Les étapes à l'origine des animaux multicellulaires

L'un des moyens permettant de recueillir de l'information au sujet de l'origine des animaux consiste à cibler les groupes de protistes qui leur sont étroitement apparentés. Comme le montre la **figure 32.3**, une combinaison de données morphologiques et moléculaires indique que les choanoflagellés comptent parmi les plus proches parents vivants des animaux. À partir de ces observations, les chercheurs ont posé l'hypothèse que l'ancêtre commun des animaux vivants pourrait avoir été un organisme filtreur semblable aux choanoflagellés modernes.

Des scientifiques qui tentaient d'établir *comment* les animaux sont apparus à partir d'ancêtres unicellulaires ont remarqué que l'origine de la multicellularité exige une évolution des cellules. En effet, celles-ci doivent acquérir de nouvelles capacités qui leur permettront d'adhérer (se lier) les unes aux autres et de communiquer entre elles en transmettant des signaux.

POUR APPROFONDIR ■ Pour en apprendre davantage au sujet de ces mécanismes, les chercheurs ont comparé le génome de *Monosiga brevicollis*, un choanoflagellé unicellulaire, à celui d'animaux représentatifs. Cette analyse a mis en évidence 78 domaines protéiques chez *M. brevicollis* qui, auparavant, n'avaient été observés que chez des animaux. (Un *domaine* est une région structurale ou fonctionnelle clé d'une protéine.) Par exemple, *M. brevicollis* possède des gènes qui encodent les domaines de certaines protéines (connues sous le nom de cadhérines), qui jouent un rôle clé dans la façon dont les cellules animales se fixent les unes aux autres. Cet organisme possède également d'autres gènes qui encodent les domaines protéiques utilisés comme voie de signalisation cellulaire chez les animaux (et seulement chez eux).

Maintenant, examinons plus attentivement les protéines de fixation que sont les cadhérines. Des analyses de séquences d'ADN montrent que les cadhérines animales sont principalement constituées de domaines également présents chez une protéine des choanoflagellés (**figure 32.4**) qui s'apparente aux cadhérines. Cependant, les cadhérines animales possèdent également une région fortement préservée que l'on ne trouve pas dans la protéine des choanoflagellés (le domaine « CCD » illustré à la figure 32.4). Aussi, les données laissent croire que les cadhérines sont issues de la réorganisation des domaines protéiques présents chez les choanoflagellés et de l'intégration d'un nouveau domaine, soit la région conservée « CCD ». Dans l'ensemble, la comparaison du génome d'un choanoflagellé et d'animaux représentatifs semble indiquer que les principales étapes de la transition vers la multicellularité chez les animaux se caractérisent par l'acquisition de nouveaux moyens d'utiliser les protéines ou une partie des protéines encodées par certains gènes des choanoflagellés. ■

Examinons maintenant les observations paléontologiques qui témoignent de l'évolution des animaux depuis leur lointain ancêtre commun, au cours de quatre ères géologiques (consulter le tableau 25.1 pour revoir l'échelle géochronologique).

▼ **Figure 32.3 Trois sources de résultats à l'appui des liens étroits existant entre les choanoflagellés et les animaux.**

? Les données décrites en ❸ sont-elles cohérentes avec les prédictions que les observations en ❶ et en ❷ permettent d'avancer ? Expliquez votre réponse.

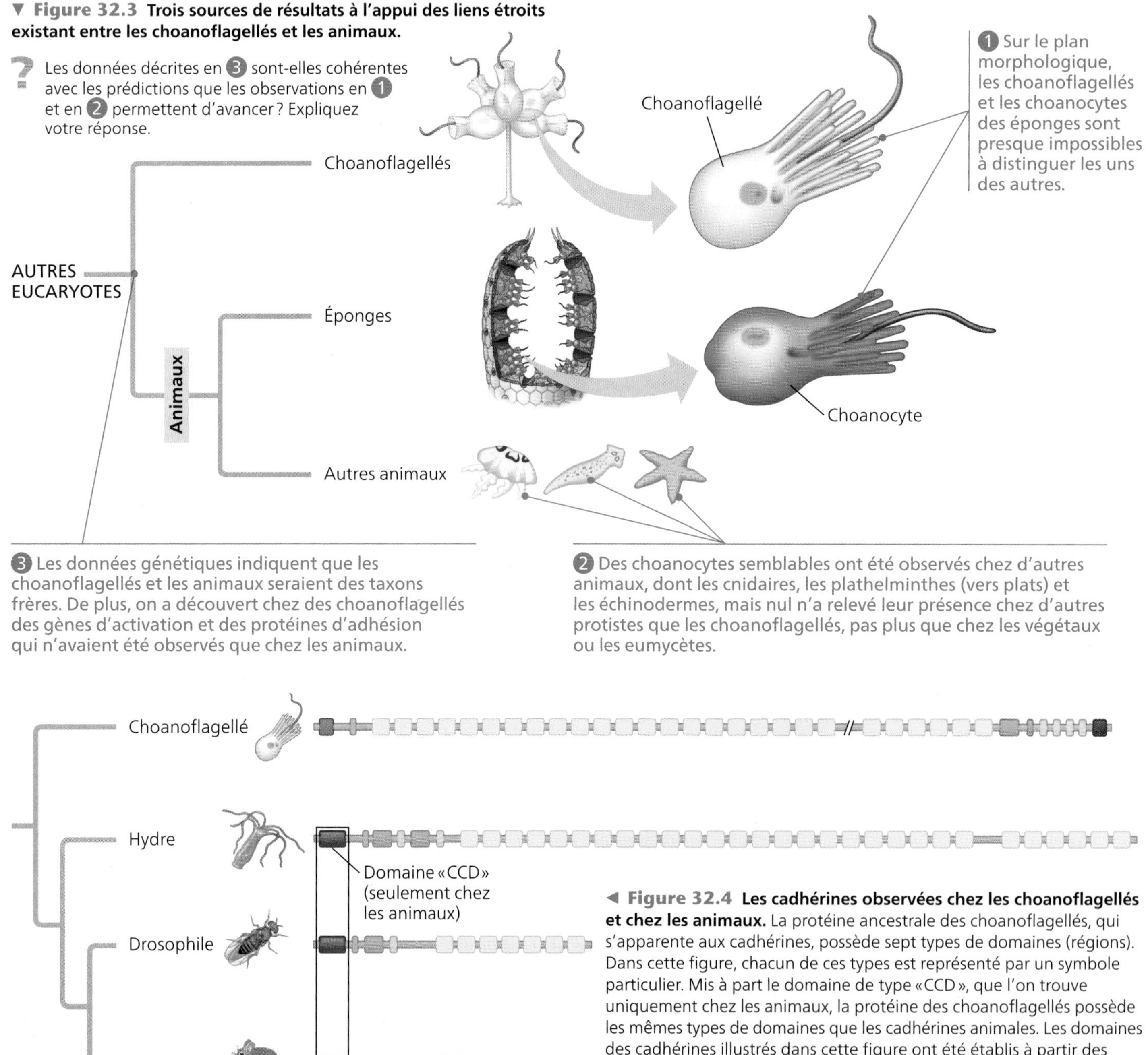

Choanoflagellés
AUTRES EUCARYOTES
Éponges
Animaux
Autres animaux
Choanoflagellé
Choanocyte
❶ Sur le plan morphologique, les choanoflagellés et les choanocytes des éponges sont presque impossibles à distinguer les uns des autres.
❸ Les données génétiques indiquent que les choanoflagellés et les animaux seraient des taxons frères. De plus, on a découvert chez des choanoflagellés des gènes d'activation et des protéines d'adhésion qui n'avaient été observés que chez les animaux.
❷ Des choanocytes semblables ont été observés chez d'autres animaux, dont les cnidaires, les plathelminthes (vers plats) et les échinodermes, mais nul n'a relevé leur présence chez d'autres protistes que les choanoflagellés, pas plus que chez les végétaux ou les eumycètes.
Choanoflagellé
Hydre
Domaine «CCD» (seulement chez les animaux)
Drosophile
Souris

◄ **Figure 32.4 Les cadhérines observées chez les choanoflagellés et chez les animaux.** La protéine ancestrale des choanoflagellés, qui s'apparente aux cadhérines, possède sept types de domaines (régions). Dans cette figure, chacun de ces types est représenté par un symbole particulier. Mis à part le domaine de type «CCD», que l'on trouve uniquement chez les animaux, la protéine des choanoflagellés possède les mêmes types de domaines que les cadhérines animales. Les domaines des cadhérines illustrés dans cette figure ont été établis à partir des données sur le séquençage de génomes entiers ; les liens évolutifs reposent sur des données morphologiques et sur les séquences d'ADN.

L'ère néoprotérozoïque (il y a entre 1 milliard et 541 millions d'années)

Bien que les données sur les stéroïdes fossilisés et les horloges moléculaires indiquent que les animaux seraient apparus plus tôt, les plus anciens fossiles macroscopiques d'animaux généralement reconnus datent d'environ 560 millions d'années. Ces fossiles feraient partie d'un groupe primitif d'eucaryotes multicellulaires à corps mou, portant collectivement le nom de **faune de l'Édiacarien**. Ils tiennent leur nom des collines d'Ediacara, en Australie, où les premiers fossiles ont été découverts (**figure 32.5**). Par la suite, on a trouvé des fossiles semblables sur d'autres continents. Certains des plus anciens fossiles de l'Édiacarien ressemblant à des animaux ont été classés parmi les mollusques (escargots et espèces apparentées), ou leurs proches parents, alors que d'autres sont considérés comme des éponges ou des cnidaires (anémones de mer et espèces apparentées). D'autres encore s'avèrent difficiles à classifier, car ils ne semblent pas présenter de liens évolutifs avec d'autres animaux ou groupes d'algues vivants. En plus de ces fossiles macroscopiques, les roches du Néoprotérozoïque contiennent des embryons microscopiques fossilisés d'animaux primitifs. Même si ces microfossiles semblent présenter l'organisation structurale fondamentale des embryons des animaux modernes, la question de savoir s'il s'agit véritablement d'animaux continue d'alimenter les débats.

Les fossiles de la période édiacarienne (il y a entre 635 et 541 millions d'années) montrent également les premiers signes de prédation. Observez *Cloudina sp.*, un petit animal dont le corps était protégé par une carapace constituée de ce qui ressemblait à des cônes empilés les uns par-dessus les autres (**figure 32.6**). Quelques fossiles du genre *Cloudina*, comme celui dans la figure, montrent des signes d'attaque : des « perforations » rondes qui rappellent celles que forment aujourd'hui les prédateurs lorsqu'ils percent la carapace de leurs proies pour atteindre les parties molles de leur corps. À l'instar de *Cloudina spp.*, d'autres petits animaux de la période édiacarienne possédaient des carapaces ou des structures qui les protégeaient des prédateurs. Dans l'ensemble, les données paléontologiques montrent que chez les animaux, l'Édiacarien est une période de diversité croissante, tendance qui s'est poursuivie pendant le Paléozoïque.

(a) *Dickinsonia costata* (appartenance taxonomique inconnue)

(b) *Kimberella sp.*, un mollusque (ou un proche parent)

▲ **Figure 32.5 Des fossiles de l'Édiacarien.** Ces fossiles datant de 560 millions d'années sont ceux de deux espèces faisant partie des premiers animaux macroscopiques connus.

▼ **Figure 32.6 Les premiers signes de prédation.** Ce fossile de *Cloudina sp.*, vieux de 550 millions d'années, montre des signes d'attaque, sa carapace ayant été perforée par un prédateur.

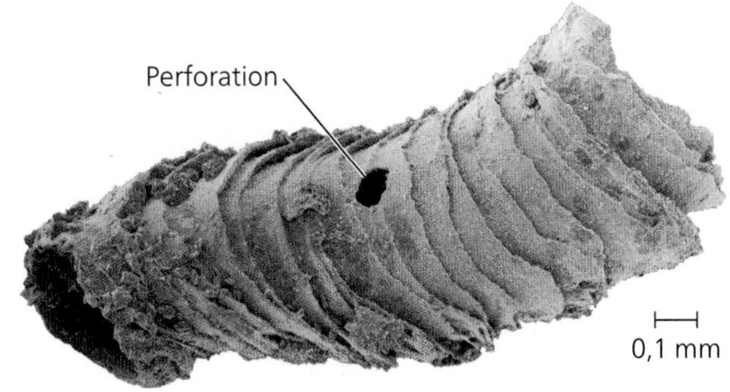

L'ère paléozoïque (il y a entre 541 et 252 millions d'années)

Une autre vague de diversification des animaux s'est produite il y a entre 535 et 525 millions d'années, soit durant la période cambrienne de l'ère paléozoïque. Ce phénomène est appelé **explosion du Cambrien** (voir le concept 25.3). Dans les strates formées avant cet événement, on n'observe que quelques embranchements d'animaux. Mais dans celles qui datent de la période comprise entre 535 et 525 millions d'années avant notre ère, des paléontologues ont découvert les plus anciens fossiles d'environ la moitié de tous les embranchements modernes, dont les premiers spécimens d'arthropodes, de cordés et d'échinodermes. Beaucoup de ces fossiles, parmi lesquels se trouvent les premiers animaux de grande taille, au squelette dur et recouvert d'une couche minérale, ne ressemblent pas à la plupart des animaux modernes (**figure 32.7**). Pourtant, selon les paléontologues, la majorité de ces fossiles cambriens appartiennent à des embranchements d'animaux existants ou du moins étroitement apparentés. Par exemple, la plupart des fossiles datant de l'explosion cambrienne sont ceux de **bilatériens**, un vaste clade dont les membres ont en général une forme bilatérale (deux moitiés semblables de chaque côté d'un axe de symétrie) et possèdent un système digestif complet à deux ouvertures (bouche et anus), contrairement aux éponges et aux cnidaires, qui ont une symétrie radiaire. Comme nous le verrons plus loin dans ce chapitre, les bilatériens regroupent notamment les mollusques, les arthropodes, les cordés et la plupart des animaux vivants des autres embranchements.

La diversification des embranchements d'animaux durant le Cambrien coïncide avec le déclin de la diversité de la faune de l'Édiacarien. Comment expliquer ces changements ? Des données paléontologiques laissent penser qu'au cours du Cambrien, des prédateurs ont acquis certaines adaptations, notamment de nouvelles formes de locomotion, qui les ont aidés à attraper leurs proies. Quant aux proies, elles ont acquis de nouveaux moyens de défense, des enveloppes protectrices, par exemple. Avec l'émergence de nouvelles relations prédateurs-proies, la sélection naturelle pourrait avoir entraîné le déclin des

▲ **Figure 32.7 Un paysage marin de la période cambrienne.** Sur cette reconstitution réalisée par un artiste, on voit divers organismes dont les fossiles proviennent des schistes de Burgess, en Colombie-Britannique, au Canada. Ces animaux sont notamment : *Pikaia sp.* (le cordé semblable à une anguille, qui nage, en haut à gauche), *Marella sp.* (l'arthropode qui nage, à gauche), *Anomalocaris sp.* (le gros animal muni de pinces recourbées et d'une bouche circulaire) et *Hallucigenia sp.* (l'animal muni d'épines semblables à des cure-dents, au fond de l'eau).

espèces édiacariennes à corps mou et la prolifération de divers embranchements bilatériens. Une deuxième hypothèse porte sur l'augmentation de la concentration d'oxygène (O_2) atmosphérique qui a précédé l'explosion du Cambrien. La plus grande disponibilité des molécules d'O_2 aurait permis aux animaux possédant une taille plus grande et un métabolisme plus rapide que les autres de prospérer tout en attaquant d'autres espèces. Selon une troisième hypothèse, des modifications génétiques influant sur la régulation du développement, dont l'origine des gènes *Hox* et l'ajout de nouvelles molécules de miARN (petites molécules d'ARN intervenant dans la régulation des gènes), ont favorisé de nouvelles variations morphologiques. Ces différentes hypothèses ne sont toutefois pas incompatibles; chacun des facteurs, soit les relations prédateurs-proies, les changements atmosphériques et les modifications dans la régulation du développement, pourrait avoir joué un rôle. Dans la rubrique **Habiletés scientifiques**, vous déterminerez s'il existe une corrélation entre les molécules de miARN (voir la figure 18.14) et la complexité morphologique des animaux de différents embranchements.

Le Cambrien a été suivi de l'Ordovicien, du Silurien et du Dévonien. Ces trois périodes ont été marquées par une progression de la diversification animale, mais aussi par des épisodes d'extinctions massives (voir la figure 25.17). Les vertébrés (les poissons) sont devenus les principaux prédateurs du réseau alimentaire marin. Il y a 450 millions d'années, des groupes qui s'étaient diversifiés au cours du Cambrien ont commencé à exercer une influence sur la terre ferme. À cette époque, les arthropodes sont les premiers animaux à s'être adaptés aux habitats terrestres, comme l'indiquent les fragments d'arthropodes et les fossiles bien préservés de millipèdes, de centipèdes et d'araignées provenant de différents continents. Par ailleurs, des fossiles de la galle de la fougère, une excroissance dont la formation est stimulée par des insectes résidents auxquels elle procure une protection, remontent à au moins 302 millions d'années avant notre ère. Il est donc permis de penser que les insectes et les végétaux exerçaient déjà à cette époque une influence mutuelle sur leur évolution.

Les vertébrés ont colonisé la terre ferme il y a environ 365 millions d'années, puis se sont divisés en de nombreuses lignées terrestres. Deux d'entre elles survivent aujourd'hui : les amphibiens (comme les grenouilles et les salamandres) et les amniotes (comme les reptiles, dont font partie les oiseaux, et les mammifères). Au chapitre 34, nous étudierons plus en détail ces groupes, qui portent collectivement le nom de tétrapodes.

L'ère mésozoïque (il y a entre 252 et 66 millions d'années)

Les embranchements d'animaux qui s'étaient constitués pendant le Paléozoïque ont commencé à coloniser de nouveaux milieux. Dans les océans, les premiers récifs de corail se sont formés, procurant de nouveaux habitats à d'autres animaux aquatiques. Certains reptiles sont retournés vivre dans l'eau et ont engendré des descendants comme les plésiosaures (voir la figure 25.5) et d'autres grands prédateurs aquatiques. Sur la terre ferme, la descendance avec modification a mené, chez les tétrapodes, à l'apparition des ailes et d'autres organes de vol acquis par les ptérosaures et les oiseaux. De grands et petits dinosaures, tant prédateurs qu'herbivores, ont fait leur apparition. Au même moment, les premiers mammifères, de minuscules insectivores nocturnes, sont entrés en scène. Et, comme nous l'avons vu au concept 30.3, les plantes à fleurs (angiospermes) et les insectes ont connu une extraordinaire diversification dans la dernière partie de l'ère mésozoïque.

L'ère cénozoïque (à partir d'il y a 66 millions d'années jusqu'à nos jours)

Des extinctions massives d'animaux à la fois terrestres et marins ont amené une nouvelle ère, le Cénozoïque. Parmi les groupes d'espèces disparues, on compte les grands dinosaures non volants et les reptiles marins. Les archives géologiques datant du début du Cénozoïque témoignent de l'essor des grands mammifères herbivores et de prédateurs qui ont exploité les niches écologiques libérées. Le climat terrestre s'est progressivement refroidi tout au cours du Cénozoïque, si bien que de nombreuses lignées d'animaux ont subi d'importants changements. Chez les primates, par exemple, certaines espèces vivant en Afrique se sont adaptées aux terrains boisés et aux savanes, des habitats ouverts qui ont remplacé nombre des forêts denses. Les ancêtres de notre propre espèce faisaient partie de ces anthropoïdes des prairies.

DÉMARCHE SCIENTIFIQUE

HABILETÉS SCIENTIFIQUES

Calculer et interpréter des coefficients de corrélation

■ LA COMPLEXITÉ MORPHOLOGIQUE DES ANIMAUX EST-ELLE CORRÉLÉE À LA DIVERSITÉ DES miARN ? ■ La morphologie des animaux varie énormément, de la simple éponge, sans tissu ni symétrie, aux vertébrés complexes. Les gènes qui régissent le développement sont comparables chez les animaux des différents embranchements, mais le nombre de miARN varie toutefois considérablement. Dans cet exercice, vous déterminerez si la diversité des miARN est corrélée à la complexité morphologique.

■ RÉSULTATS ■

Embranchements d'animaux	i	Nbre de miARN (x_i)	$(x_i - \bar{x})$	$(x_i - \bar{x})^2$	Nbre de types de cellules (y_i)	$(y_i - \bar{y})$	$(y_i - \bar{y})^2$	$(x_i - \bar{x})(y_i - \bar{y})$
Porifères	1	5,8			25			
Plathelminthes	2	35			30			
Cnidaires	3	2,5			34			
Nématodes	4	26			38			
Échinodermes	5	38,6			45			
Céphalocordés	6	33			68			
Arthropodes	7	59,1			73			
Urocordés	8	25			77			
Mollusques	9	50,8			83			
Annélides	10	58			94			
Vertébrés	11	147,5			172,5			
		$\bar{x} =$ $s_x =$		$\Sigma =$	$\bar{y} =$ $s_x =$		$\Sigma =$	$\Sigma =$

Source des données : Bradley Deline, University of West Georgia, et Kevin Peterson, Dartmouth College, 2013.

■ MÉTHODE ■ Dans cette analyse, le nombre moyen de miARN dans un embranchement (x) représente la diversité des miARN, alors que le nombre de types de cellules (y) exprime la complexité morphologique. Les chercheurs ont examiné le lien entre ces variables en calculant le coefficient de corrélation (r). Ce coefficient indique l'ampleur et l'orientation d'un lien linéaire entre deux variables (x et y) ; sa valeur se situe entre −1 et 1. Lorsque $r < 0$, la corrélation entre y et x est négative, ce qui signifie que les valeurs de y diminuent avec l'augmentation des valeurs de x. Lorsque $r > 0$, la corrélation entre y et x est positive (les valeurs de y augmentent avec celle des valeurs de x). Lorsque $r = 0$, il n'y a aucune corrélation entre les variables.

Voici la formule qui permet de calculer le coefficient de corrélation r :

$$r = \frac{\frac{1}{n-1} \sum (x_i - \bar{x})(y_i - \bar{y})}{s_x s_y}$$

Dans cette formule, n correspond au nombre d'observations, x_i, à la valeur de l'observation i de la variable x, et y_i, à la valeur de l'observation i de la variable y. $\bar{x}$ et $\bar{y}$ représentent la moyenne des variables x et y, alors que s_x et s_y représentent les écarts types des variables x et y. Le symbole Σ signifie qu'on doit additionner les valeurs n du produit $(x_i - \bar{x})(y_i - \bar{y})$.

INTERPRÉTEZ LES DONNÉES ▼

1. D'abord, exercez-vous à lire le tableau de données. Pour la huitième observation ($i = 8$), quelles sont les valeurs de x_i et de y_i ? À quel embranchement ces données s'appliquent-elles ?
2. Calculez maintenant la moyenne et l'écart type pour chaque variable. (a) La **moyenne** ($\bar{x}$) correspond à la somme des valeurs divisée par n, soit le nombre d'observations : $\bar{x} = \frac{\Sigma x_i}{n}$. Calculez le nombre moyen de miARN ($\bar{x}$) et de types de cellules ($\bar{y}$), et consignez vos résultats dans le tableau (pour calculer $\bar{y}$, remplacez tous les x dans la formule par un y). (b) Ensuite, calculez $(x_i - \bar{x})$ et $(y_i - \bar{y})$ pour chaque observation, et consignez vos résultats dans la colonne appropriée. Élevez au carré ces résultats pour remplir les colonnes $(x_i - \bar{x})^2$ et $(y_i - \bar{y})^2$, puis faites la somme de ces colonnes. (c) Utilisez la formule suivante pour obtenir l'**écart type** (s_x), qui décrit la variation observée dans les données :

$$s_x = \sqrt{\frac{1}{n-1} \sum (x_i - \bar{x})^2}$$

Calculez les valeurs de s_x et de s_y en remplaçant les résultats obtenus à la question (b) dans la formule de l'écart type.

3. Calculez ensuite le coefficient de corrélation r pour les variables x et y. (a) D'abord, utilisez les résultats obtenus à la question 3(b) pour remplir la colonne $(x_i - \bar{x})(y_i - \bar{y})$; additionnez les valeurs de cette colonne. (b) Utilisez les valeurs de s_x et de s_y calculées à la question 3(c) ainsi que celles de la question 3(a) dans la formule servant au calcul de r.
4. Ces données montrent-elles une corrélation négative, positive ou nulle entre la diversité des miARN et la complexité morphologique des animaux ? Expliquez votre réponse.
5. Qu'indiquent les résultats de votre analyse au sujet du rôle joué par la diversité des miARN dans l'évolution de la complexité morphologique des animaux ?

RETOUR SUR LE CONCEPT 32.2

1. Rétablissez l'ordre des jalons suivants de l'évolution des animaux, du moins récent au plus récent: (a) l'apparition des mammifères, (b) la plus ancienne preuve de la présence d'arthropodes sur la terre ferme, (c) la faune de l'Édiacarien, (d) l'extinction des grands dinosaures non volants.
2. **HABILETÉS VISUELLES ▶** Expliquez ce que représente le segment coloré en rouge de l'embranchement menant aux animaux. (Voir la figure 26.5, intitulée «Coup d'œil – La représentation des liens phylogénétiques», pour revoir les trois arbres phylogénétiques.)

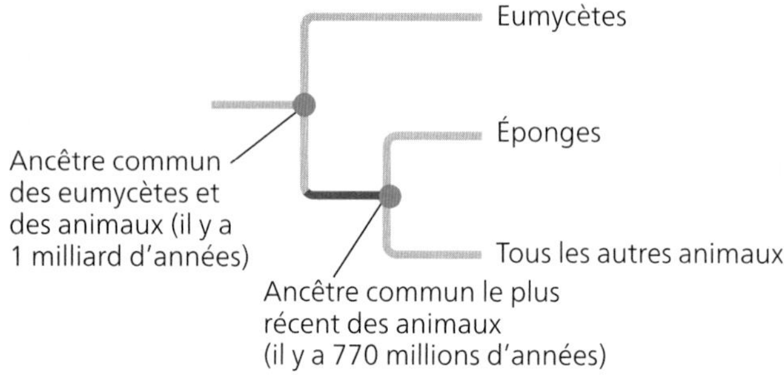

3. **FAITES DES LIENS ▶** Évaluez si, chez les animaux, l'origine des protéines d'adhésion cellulaire illustre la descendance avec modification. (Voir le concept 22.2.)

Voir les réponses proposées à l'appendice A.

CONCEPT 32.3

Les animaux peuvent être classés selon leurs «plans d'organisation corporelle»

Bien que les espèces animales présentent de nombreuses variations morphologiques, il est possible de décrire leur formidable diversité à l'aide d'un nombre relativement limité de grands «plans d'organisation corporelle». Un **plan d'organisation corporelle** est un ensemble précis de caractères morphologiques et développementaux intégrés à un tout fonctionnel, en l'occurrence l'animal vivant. Le terme *plan* ne signifie pas que la morphologie des animaux découle d'une planification ou d'une création consciente. Néanmoins, les plans d'organisation corporelle sont une façon de comparer rapidement des caractéristiques clés des animaux. Ils se révèlent également pertinents dans l'étude de l'*évo-dévo* (génétique évolutive du développement), c'est-à-dire l'interface entre l'évolution et le développement.

Comme toutes les caractéristiques des organismes, les plans d'organisation corporelle ont évolué avec le temps. Dans certains cas, de nouveaux plans d'organisation corporelle sont apparus tôt dans l'histoire de la vie animale et n'ont pas changé depuis. Les principales étapes de la gastrulation en sont un exemple. Comme nous le verrons, cependant, d'autres aspects des plans d'organisation corporelle des animaux ont subi de nombreuses modifications durant leur évolution. Au cours de notre exploration des plans d'organisation corporelle, gardez à l'esprit que des morphologies semblables peuvent avoir évolué de façon indépendante dans des lignées différentes. De plus, des caractéristiques morphologiques peuvent avoir disparu en cours d'évolution, si bien que des espèces étroitement apparentées ne se ressemblent plus du tout aujourd'hui.

La symétrie

La symétrie – ou l'absence de symétrie – est une caractéristique fondamentale du corps des animaux. (La plupart des éponges, par exemple, ne présentent aucune symétrie.) Certains animaux présentent une **symétrie radiaire**, la forme représentée par un pot à fleurs (**figure 32.8a**). Ainsi, les anémones de mer possèdent un dessus (où se trouve la bouche) et un dessous, mais pas de devant ni de derrière, et pas de côté droit ni de côté gauche. Dans les faits cependant, pour beaucoup d'animaux à symétrie radiaire, il n'y a qu'un seul plan de coupe qui pourrait produire deux moitiés identiques en raison de l'emplacement de structures particulières.

La symétrie à deux côtés d'une pelle est un exemple de **symétrie bilatérale** (**figure 32.8b**). Un animal bilatéral (ou bilatérien) présente non seulement une face **dorsale** (dessus) et une face **ventrale** (dessous), mais aussi une région **antérieure** (tête) habituellement munie d'une bouche, une région **postérieure** (queue), un côté gauche et un côté droit. Chez presque tous les animaux à symétrie bilatérale (comme les arthropodes et les mammifères), des organes sensoriels et les structures liées à la nutrition sont concentrés dans la région antérieure (la région par laquelle l'animal entre d'abord en contact avec un nouveau milieu), et un système nerveux central (le «cerveau») est contenu dans la tête.

La symétrie d'un animal s'accorde généralement avec son mode de vie. Ainsi, de nombreux radiaires sont sessiles (fixés à un substrat) ou planctoniques (dérivant ou nageant faiblement, comme les méduses) et ont une symétrie qui leur permet d'entrer en contact avec leur environnement par toutes les

▼ **Figure 32.8 La symétrie corporelle.** Le pot à fleurs et la pelle sont des analogies qui permettent de distinguer les deux types de symétrie.

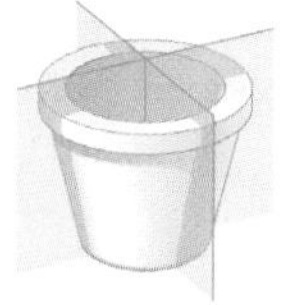
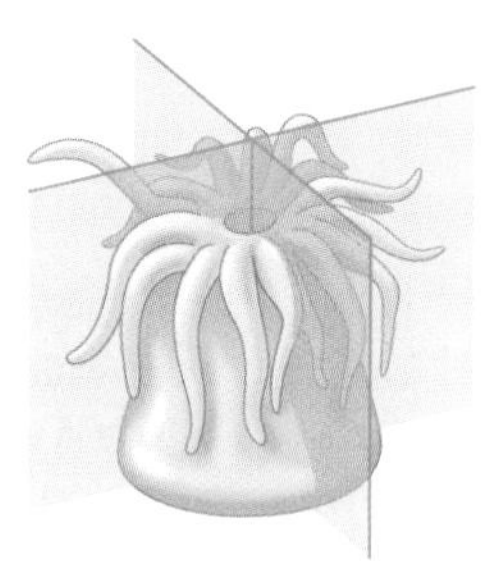

(a) Symétrie radiaire. Les parties des animaux radiaires comme l'anémone de mer (cnidaire) rayonnent à partir du centre. Théoriquement, toute coupe, pourvu qu'elle passe par l'axe central de l'animal, donne deux parties qui se ressemblent comme un objet et son image dans un miroir.

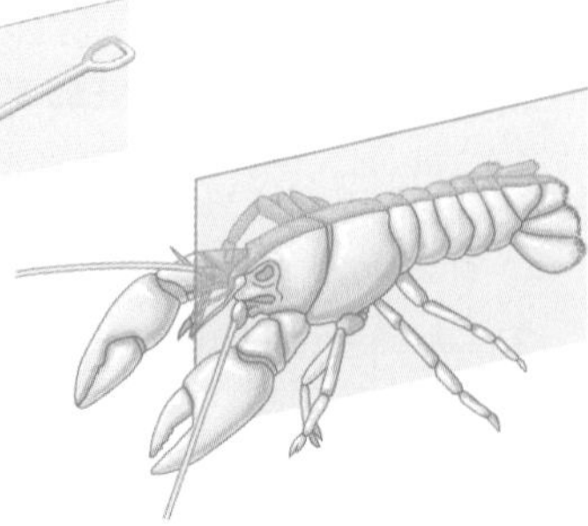

(b) Symétrie bilatérale. Les animaux à symétrie bilatérale comme le homard (arthropode) possèdent un côté droit et un côté gauche. Un seul type de coupe permet de les diviser en deux images identiques.

parties de leur corps; les organes sensoriels sont répartis à peu près également sur le pourtour de l'animal. Pour leur part, les bilatériens se déplacent de façon autonome d'un endroit à l'autre. Chez la plupart d'entre eux, le système nerveux central permet de coordonner des mouvements complexes, comme ramper, creuser, voler ou nager. Selon des observations paléontologiques, ces deux types de symétrie, fondamentalement différents, existent depuis au moins 550 millions d'années.

Les tissus

Les plans d'organisation corporelle des animaux varient aussi en fonction de la structure de leurs tissus. Il faut se rappeler que les vrais tissus sont des groupes de cellules spécialisées qui agissent en tant qu'unités fonctionnelles. Les éponges et quelques autres groupes en sont dépourvus, mais chez tous les autres animaux, les cellules de l'embryon s'organisent en feuillets pendant la gastrulation (voir la figure 47.8, intitulée « Coup d'œil – La gastrulation », qui vous aidera à comprendre ce processus de repli tridimensionnel). Au cours du développement, ces *feuillets embryonnaires* concentriques forment les divers tissus et organes. L'**ectoderme**, feuillet qui recouvre l'embryon, devient la couche externe de l'animal et, dans certains embranchements, le système nerveux central. L'**endoderme**, feuillet embryonnaire profond, tapisse le sac, ou archentéron, qui prend forme pendant la gastrulation. Il donne naissance, notamment, au revêtement intérieur du tube digestif et des organes comme le foie et les poumons des vertébrés.

Les cnidaires et d'autres groupes d'animaux qui ne possèdent que ces deux feuillets embryonnaires sont dits **diploblastiques**. Tous les bilatériens produisent un troisième feuillet embryonnaire, le **mésoderme**, qui remplit presque tout l'espace se trouvant entre l'ectoderme et l'endoderme. On qualifie donc les bilatériens de **triploblastiques** (pourvus de trois feuillets embryonnaires). Le mésoderme donne naissance aux muscles et aux autres organes situés entre le tube digestif et le revêtement externe de l'animal. Cette catégorie comprend une grande variété d'animaux, des plathelminthes aux vertébrés en passant par les arthropodes. (Certains animaux diploblastiques sont munis d'un troisième feuillet, mais celui-ci est loin d'être aussi bien développé que le mésoderme des animaux qu'on considère comme triploblastiques.)

Les cavités corporelles

La plupart des animaux triploblastiques possèdent une **cavité corporelle**, c'est-à-dire un espace rempli de liquide ou d'air qui se trouve entre le tube digestif et l'enveloppe corporelle. Cette cavité corporelle s'appelle aussi **cœlome** (du grec *koilos*, « creux »). Un « vrai » cœlome se forme à partir de tissus provenant du mésoderme. Les couches interne et externe du tissu qui tapisse le cœlome se relient et constituent une membrane appelée péritoine. Elles forment des structures qui suspendent les organes internes dans la cavité. Les animaux qui possèdent ce type de structure sont les **cœlomates** (**figure 32.9a**).

Chez certains animaux triploblastiques, une cavité se développe à partir du mésoderme et de l'endoderme (**figure 32.9b**). Une telle cavité porte le nom de *pseudocœlome* (du grec *pseudo*, « faux »), et les animaux qui possèdent ce type de structure s'appellent **pseudocœlomates**. Malgré son nom, le pseudocœlome n'est pas faux; c'est une cavité entièrement fonctionnelle, mais le mésoderme ne la borde que d'un côté. Enfin, certains animaux triploblastiques sont dépourvus de cœlome (**figure 32.9c**). Ce sont les **acœlomates** (du grec *a*, « sans », et *koilos*, « creux ») : leurs organes internes sont logés dans un tissu appelé mésenchyme.

La cavité corporelle remplit de nombreuses fonctions. Tout d'abord, le liquide qu'elle contient protège les organes et amortit les chocs qui risquent de causer des blessures internes. Chez les cœlomates à corps mou, comme le ver de terre, le liquide incompressible qui emplit la cavité fait office de squelette hydrostatique contre lequel les muscles prennent appui pour exécuter des mouvements; ces animaux peuvent donc se déplacer, bien qu'ils ne possèdent pas de membres. Le cœlome rend également possible la croissance des organes internes (notre tube digestif

▼ Figure 32.9 Les cavités corporelles des animaux triploblastiques. Les organes se développent à partir des trois feuillets embryonnaires.

(a) Cœlomates

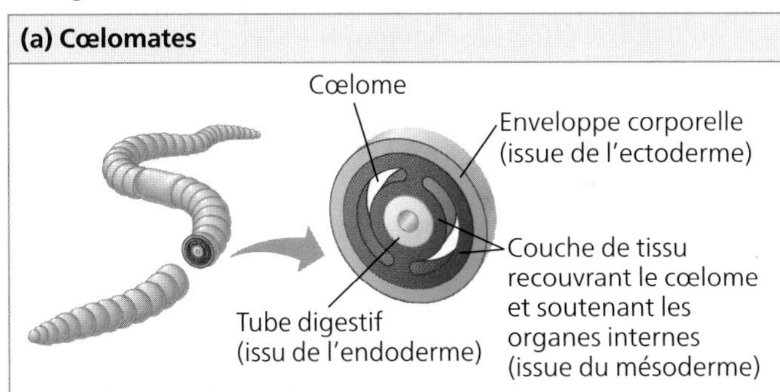

Les cœlomates (le ver de terre, par exemple) ont un vrai cœlome, c'est-à-dire une cavité corporelle entièrement tapissée de tissu provenant du mésoderme.

(b) Pseudocœlomates

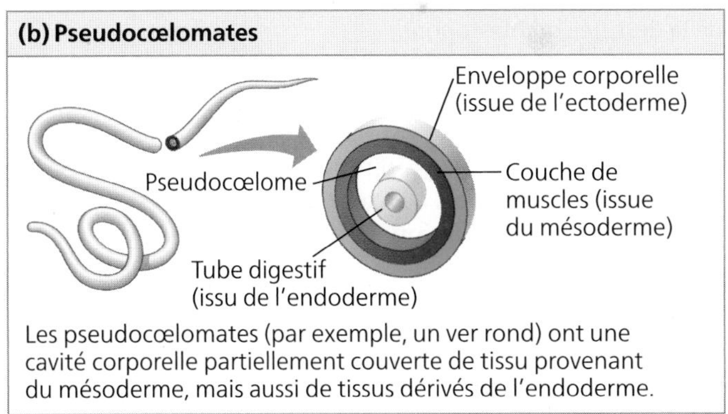

Les pseudocœlomates (par exemple, un ver rond) ont une cavité corporelle partiellement couverte de tissu provenant du mésoderme, mais aussi de tissus dérivés de l'endoderme.

(c) Acœlomates

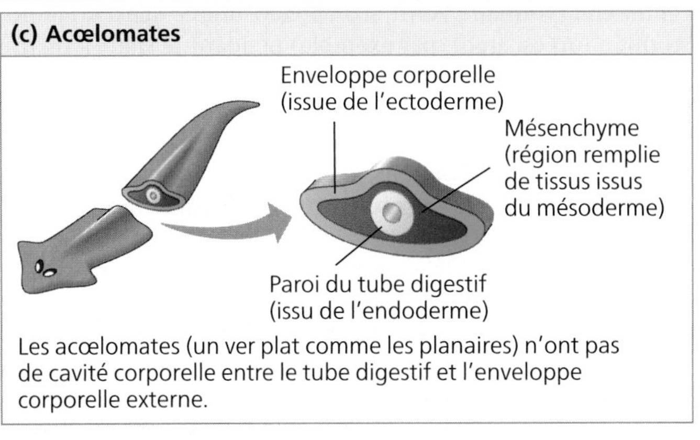

Les acœlomates (un ver plat comme les planaires) n'ont pas de cavité corporelle entre le tube digestif et l'enveloppe corporelle externe.

Légende

Ectoderme | Mésoderme | Endoderme

ne pourrait avoir autant de replis ni être aussi long si nous ne possédions pas de cœlome). Par ailleurs, il permet à ces organes de prendre l'expansion nécessaire pour remplir leur fonction (notamment lors du développement des embryons) ou de bouger indépendamment de l'enveloppe corporelle externe. Si, par exemple, vous ne possédiez pas de cœlome, chaque battement de votre cœur ou chaque mouvement de votre intestin créerait une déformation à la surface de votre corps.

Les termes *cœlomates* et *pseudocœlomates* renvoient aux organismes qui présentent un plan d'organisation corporelle similaire, et qui font donc partie du même *grade*, c'est-à-dire d'un groupe dont les membres présentent des caractéristiques biologiques importantes communes. Or, les études phylogénétiques actuelles indiquent que des cœlomes et des pseudocœlomes sont apparus et disparus à maintes reprises au cours de l'évolution des animaux. Comme l'illustre cet exemple, les grades ne correspondent pas nécessairement aux *clades*. (Un clade est un groupe comprenant l'espèce ancestrale et tous ses descendants.) Aussi, bien qu'il puisse être utile d'employer les termes cœlomates ou pseudocœlomates au moment de décrire les caractéristiques de certains organismes, ils doivent être interprétés avec prudence lorsqu'on tente de comprendre l'histoire de l'évolution.

Les modes de développement protostomien et deutérostomien

En se fondant sur certaines caractéristiques du développement embryonnaire, il est possible de caractériser de nombreux animaux par l'un ou l'autre des deux modes de développement suivants : le **développement protostomien** et le **développement deutérostomien**. On distingue généralement ces modes en fonction de la segmentation, de la formation du cœlome et de la destinée du blastopore.

La segmentation

Un grand nombre de protostomiens se développent par **segmentation spirale**, c'est-à-dire que la division cellulaire se fait en diagonale par rapport à l'axe vertical de l'embryon ; le plan de division (ou l'orientation du fuseau mitotique) est oblique par rapport à cet axe. Au stade à huit cellules de l'embryon, de petites cellules sont centrées au-dessus des sillons séparant les plus grandes cellules (**figure 32.10a**, à gauche). Par ailleurs, chez certains protostomiens, ce type de division appelée aussi **segmentation déterminée** définit très tôt le sort de chaque cellule embryonnaire. Ainsi, si on prélève une cellule d'un protostomien (un escargot, par exemple) pendant le stade à quatre cellules, cette cellule donnera naissance à une masse de cellules correspondant à un quart d'embryon, c'est-à-dire un embryon non viable auquel il manquera de nombreuses parties.

Chez les deutérostomiens, le mode de division est différent ; il est caractérisé par la **segmentation radiaire** chez un grand nombre d'entre eux. Dans ce type de segmentation, la division cellulaire se fait parallèlement ou perpendiculairement à l'axe vertical de l'embryon. Comme on peut l'observer au stade à huit cellules, les cellules sont bien alignées les unes au-dessus des autres (figure 32.10a, à droite). La plupart des deutérostomiens se caractérisent également par une **segmentation indéterminée**, ce qui signifie que chaque cellule produite au début de la segmentation a la capacité de devenir un embryon complet. Ainsi, si on sépare les cellules de l'embryon d'un oursin au stade où celui-ci en possède quatre, chacune pourra donner une larve normale. C'est aussi la segmentation indéterminée du zygote humain qui explique la formation des jumeaux monozygotes.

La formation du cœlome

Pendant la gastrulation, il se crée une structure en cul-de-sac, une sorte de poche interne, l'**archentéron**, qui deviendra le tube digestif de l'embryon (**figure 32.10b**). À mesure que le protostomien se constitue et que l'archentéron se développe, le cœlome se forme à partir de fentes situées dans les masses de mésoderme. Chez les deutérostomiens, le mésoderme émerge de la paroi de l'archentéron et sa cavité deviendra le cœlome.

La destinée du blastopore

Les deux modes de développement se distinguent également par le sort du **blastopore**, c'est-à-dire l'ouverture qui aboutit à la formation de l'archentéron pendant la gastrulation (**figure 32.10c**). Chez la plupart des animaux, une seconde ouverture se forme, après le développement de l'archentéron, à l'extrémité opposée du blastopore. Chez plusieurs espèces, le blastopore et cette nouvelle ouverture deviennent les deux orifices du tube digestif (la bouche et l'anus). Chez les protostomiens, la bouche se forme à partir (ou sur l'emplacement) de la première ouverture, le blastopore (d'où le terme *protostomien*, du grec *prôtos*, « premier », et *stoma*, « bouche »). Par contre, la bouche des deutérostomiens (du grec *deuteros*, « deuxième ») se forme à partir (ou sur l'emplacement) de la seconde ouverture, et le blastopore devient habituellement l'anus.

RETOUR SUR LE CONCEPT 32.3

1. Expliquez la distinction entre les termes *grade* et *clade*.
2. Comparez trois éléments qui caractérisent les premiers stades du développement d'un escargot (un mollusque) et d'un humain (un cordé).
3. **ET SI ?** ▶ Commentez cette affirmation : si l'on fait abstraction des différences propres à leur anatomie proprement dite, les vers, les humains et la plupart des organismes triploblastes ont à peu près la forme d'un beignet.

Voir les réponses proposées à l'appendice A.

CONCEPT 32.4

Des données moléculaires et morphologiques récentes mènent à de nouveaux points de vue sur la phylogenèse des animaux

Alors que des animaux présentant différents plans d'organisation corporelle se sont diversifiés, certaines lignées sont apparues au début du Cambrien et ont évolué pendant un certain temps pour ensuite s'éteindre, ne laissant aucun descendant. Toutefois, la plupart des embranchements réunissant des membres encore vivants actuellement sont apparus il y a 500 millions d'années. Nous examinerons maintenant les liens

▼ **Figure 32.10 Comparaison des modes de développement protostomien et deutérostomien.** Bien que ces modèles de développement présentent de nombreuses variations et admettent beaucoup d'exceptions, les différences indiquées ici constituent des distinctions générales utiles.

FAITES DES LIENS ▶ Revoyez la figure 20.20. Au premier stade embryonnaire, quel type d'animal serait le plus susceptible de posséder des cellules souches capables de produire n'importe quel type de cellule : un animal protostomien ou deutérostomien ? Expliquez votre réponse.

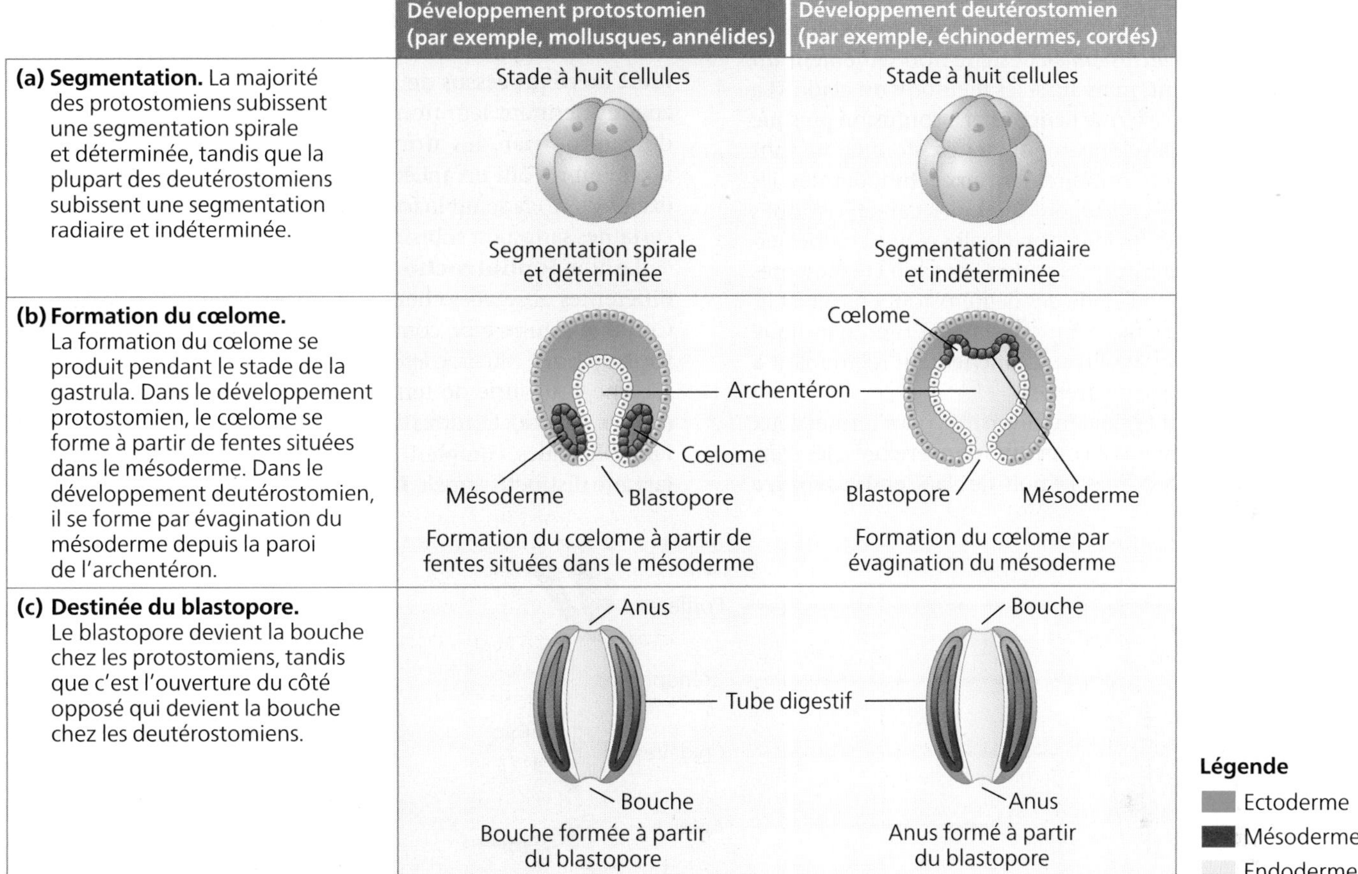

existants entre ces taxons ainsi que certaines questions irrésolues auxquelles nous tentons présentement de répondre à l'aide des données génomiques.

La diversification des animaux

À l'heure actuelle, les zoologistes reconnaissent l'existence d'environ trois douzaines d'embranchements d'animaux modernes, dont 15 sont présentés à la **figure 32.11**. Pour établir les liens évolutifs entre ces embranchements, les chercheurs analysent les génomes entiers ainsi que les caractères morphologiques, les gènes codant pour les ARN ribosomiques (ARNr), les gènes *Hox*, les gènes nucléaires codant pour une protéine et les gènes mitochondriaux des animaux de ces embranchements. Il est à noter que les points suivants sont représentés dans la figure 32.11.

1. **Tous les animaux ont en commun le même ancêtre.** Les données actuelles indiquent que les animaux forment un groupe monophylétique correspondant au clade des métazoaires. Toutes les lignées d'animaux, existantes ou disparues, descendent d'un même ancêtre.
2. **Les éponges sont le groupe frère de tous les autres animaux.** Les éponges (embranchement des porifères ou spongiaires) sont des animaux primitifs qui ont divergé de tous les autres animaux très tôt dans l'histoire du groupe. Selon les analyses morphologiques et moléculaires récentes, les éponges forment un groupe monophylétique, comme le montre cette figure ; certaines études antérieures avaient avancé qu'elles formaient un groupe paraphylétique.
3. **Les eumétazoaires forment un clade d'animaux possédant des tissus.** À l'exception des éponges et de quelques autres espèces, tous les animaux appartiennent au clade des **eumétazoaires** (« vrais animaux »). Les membres de ce groupe possèdent tous différents tissus, dont des tissus musculaires et nerveux. Les eumétazoaires primitifs sont diploblastiques et présentent en général une symétrie radiaire. Ils comprennent les cnidaires (dont font partie les anémones et méduses) et les cténophores (telle la groseille de mer, *Pleurobrachia pileus*).
4. **La plupart des embranchements d'animaux appartiennent au clade des bilatériens.** La symétrie bilatérale et la présence des trois principaux feuillets embryonnaires sont des caractères dérivés partagés qui permettent de déterminer le clade des *bilatériens*. L'explosion du Cambrien a été marquée avant tout par une diversification rapide des bilatériens.
5. **Il existe trois principaux clades d'animaux bilatériens.** Les bilatériens se sont diversifiés pour former trois lignées principales : les deutérostomiens, les lophotrochozoaires et les ecdysozoaires. Dans ces clades, tous les embranchements, sauf un, sont entièrement constitués d'**invertébrés**, soit

des animaux sans squelette; les cordés sont le seul embranchement qui compte des **vertébrés**, soit des animaux dotés d'un squelette.

Comme le montre la figure 32.11, les hémicordés (vers à gland), les échinodermes (étoiles de mer et proches parents) et les cordés sont membres du clade bilatérien des **deutérostomiens**: le terme *deutérostomien* désigne non seulement un mode de développement, mais aussi les membres du clade. (La double signification de ce terme peut porter à confusion puisque certains organismes à développement deutérostomien ne sont *pas* membres du groupe.) Contrairement aux échinodermes, les hémicordés et les cordés partagent quelques caractéristiques communes, notamment des fentes brachiales et une chaîne nerveuse dorsale. Ces caractéristiques pourraient avoir été présentes chez l'ancêtre commun du clade des deutérostomiens (et avoir été perdus dans la lignée des échinodermes). Comme indiqué ci-dessus, les cordés sont le seul embranchement regroupant à la fois des vertébrés et des invertébrés.

Les bilatériens se sont également diversifiés pour former deux clades importants entièrement constitués d'invertébrés: les *ecdysozoaires* et les *lophotrochozoaires*. Le nom de clade **ecdysozoaire** renvoie à une caractéristique qu'ont en commun les nématodes, les arthropodes et certains des autres embranchements d'ecdysozoaires qui ne font pas partie de notre étude. Ces animaux sécrètent des squelettes externes (exosquelettes); l'enveloppe rigide d'un grillon ou la cuticule souple d'un nématode en sont des exemples. Au fil de sa croissance, l'animal mue, se dépouillant de son vieux squelette, puis en sécrète un autre, plus grand. C'est de ce processus de mue, appelé *ecdysis*, que les ecdysozoaires tiennent leur nom. Néanmoins, ce clade est en réalité déterminé par des données moléculaires prouvant que ses membres ont un ancêtre commun. De plus, certains taxons exclus de ce clade sur la foi de leurs données moléculaires, dont certaines sangsues, subissent aussi la mue.

Le nom **lophotrochozoaire** renvoie à deux caractéristiques différentes observées chez les animaux appartenant à ce clade. Certains d'entre eux, comme les ectoproctes, sont munis d'un **lophophore** (du grec *lophos*, «crête», et *pherein*, «porter»), qui est une couronne de tentacules ciliés servant à la nutrition (**figure 32.12a**). D'autres embranchements, dont les annélides et les mollusques, comptent des individus qui traversent un stade larvaire distinctif appelé **larve trochophore** (**figure 32.12b**).

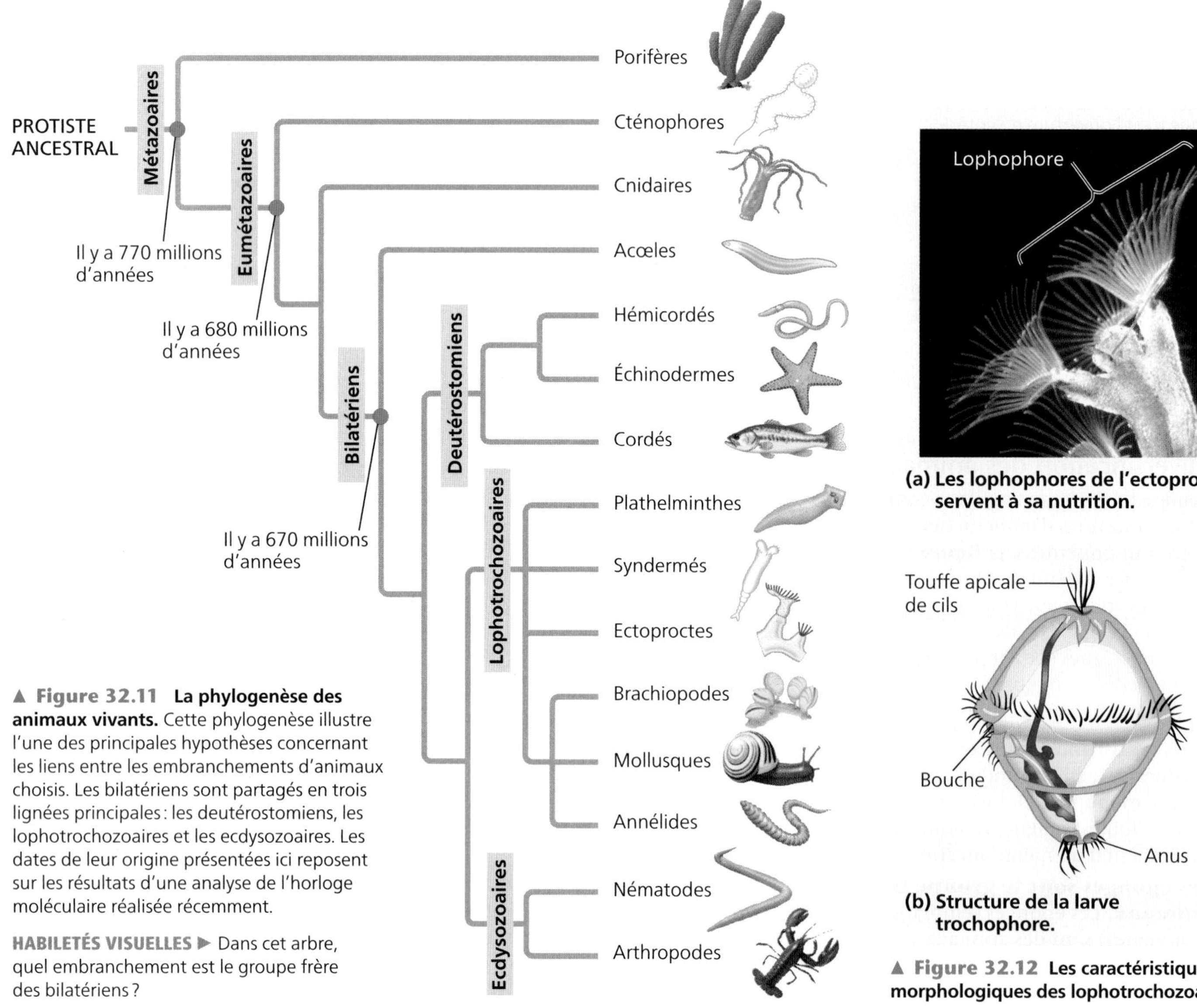

▲ **Figure 32.11 La phylogenèse des animaux vivants.** Cette phylogenèse illustre l'une des principales hypothèses concernant les liens entre les embranchements d'animaux choisis. Les bilatériens sont partagés en trois lignées principales: les deutérostomiens, les lophotrochozoaires et les ecdysozoaires. Les dates de leur origine présentées ici reposent sur les résultats d'une analyse de l'horloge moléculaire réalisée récemment.

HABILETÉS VISUELLES ▶ Dans cet arbre, quel embranchement est le groupe frère des bilatériens?

(a) Les lophophores de l'ectoprocte servent à sa nutrition.

(b) Structure de la larve trochophore.

▲ **Figure 32.12 Les caractéristiques morphologiques des lophotrochozoaires.**

Les orientations futures de la systématique animale

Même si de nombreux scientifiques estiment que les données actuelles démontrent les liens évolutifs représentés à la figure 32.11, certains éléments de cette phylogenèse sont encore sujets de débats. Si l'impossibilité de considérer les phylogenèses présentées dans les manuels comme des faits immuables paraît gênante à certains, il faut savoir que l'incertitude inhérente à ces représentations d'arbres phylogénétiques nous rappelle fort heureusement que la science est un processus de questionnement continu et dynamique. Nous terminons ce chapitre par trois questions qui sont au cœur des recherches actuelles.

1. **Les éponges sont-elles monophylétiques?** Auparavant, on classait les éponges dans un seul embranchement, celui des porifères. Au cours des années 1990, des études moléculaires ont plutôt laissé croire que les éponges étaient paraphylétiques. Par conséquent, elles ont été réparties dans différents embranchements qui se ramifiaient à proximité de la base de l'arbre des animaux. Depuis 2009, plusieurs études morphologiques et moléculaires ont toutefois démontré que les éponges sont bel et bien monophylétiques, comme on le pensait au départ et comme le montre la figure 32.11. À l'heure actuelle, des chercheurs procèdent au séquençage du génome entier de diverses éponges afin de déterminer si elles sont véritablement monophylétiques.
2. **Les cnétophores sont-ils des métazoaires primitifs?** De nombreux chercheurs en sont venus à la conclusion que les éponges sont des métazoaires primitifs (voir la figure 32.11). Une analyse phylogénomique réalisée en 2016 appuie cette conclusion, mais plusieurs autres études récentes situent toutefois les groseilles de mer (embranchement des cnétophores) à la base de l'arbre des animaux. Le positionnement des éponges à la base de l'arbre des animaux repose non seulement sur les résultats des analyses phylogénomiques les plus récentes, mais également sur d'autres types de preuves, notamment sur des fossiles contenant des traces de stéroïdes, des analyses de l'horloge moléculaire, la similarité morphologique des choanocytes des éponges et des cellules des choanoflagellés (voir la figure 32.3) ainsi que le fait que les éponges forment l'un des nombreux groupes d'animaux sans tissu (comme on peut s'y attendre des animaux primitifs). Par ailleurs, les cténophores possèdent certains tissus et leurs cellules ne ressemblent pas à celles des choanoflagellés. À l'heure actuelle, l'idée que les cténophores soient des métazoaires primitifs est une hypothèse intrigante, mais controversée.
3. **Les acœlomoates sont-ils des bilatériens primitifs?** Dans une série d'articles publiés récemment, les acœlomoates (embranchement des acœles) sont présentés en tant que bilatériens primitifs, comme le montre la figure 32.11. Toutefois, une analyse réalisée en 2011, dans laquelle les acœlomates sont classés parmi les deutérostomiens, appuie une conclusion différente. Des chercheurs procèdent actuellement au séquençage du génome de plusieurs acœlomates et d'espèces d'autres groupes étroitement apparentés aux acœlomates pour confirmer, de façon définitive, l'hypothèse voulant que les acœlomates soient des bilatériens primitifs. Si de nouvelles données appuient cette hypothèse, cela signifierait que les bilatériens pourraient descendre d'un ancêtre commun ressemblant aux acoelomates modernes, c'est-à-dire d'un ancêtre qui présentait un système nerveux simple, un sac digestif doté d'une seule ouverture (la «bouche») et dépourvu d'appareil excréteur.

RETOUR SUR LE CONCEPT 32.4

1. Quel fait prouve que l'ancêtre commun des cnidaires et du reste des animaux est plus récent que l'ancêtre commun des éponges et du reste des animaux?
2. **ET SI?** ▶ Supposez que les cténophores sont des métazoaires primitifs et que les éponges forment le groupe frère de tous les autres animaux. Retracez la figure 32.11 en fonction de cette hypothèse, et expliquez si les animaux possédant des tissus formeraient un clade.
3. **FAITES DES LIENS** ▶ Selon la phylogenèse de la figure 32.11 et l'information de la figure 25.11, commentez l'énoncé suivant: «L'explosion du Cambrien en a compté en fait trois plutôt qu'une.»

Voir les réponses proposées à l'appendice A.

RÉVISION DU CHAPITRE 32

Consultez votre MANUEL NUMÉRIQUE, qui vous donne accès aux **animations**, aux **exercices** et à la plateforme d'**anatomie interactive**.

Résumé des concepts clés

CONCEPT 32.1

Les animaux sont des organismes eucaryotes multicellulaires et hétérotrophes dont les tissus se développent à partir de feuillets embryonnaires (p. 740 et 741)

- Les animaux sont des organismes hétérotrophes qui ingèrent leur nourriture.
- Les animaux sont des eucaryotes multicellulaires. Les cellules de leur corps doivent leur cohésion au collagène et à d'autres protéines structurales situées à l'extérieur de la membrane cellulaire. Les tissus nerveux et musculaires sont propres aux animaux.
- Chez la plupart des animaux, la formation de la **blastula** est suivie de la **gastrulation**, pendant laquelle se développent les feuillets de tissus embryonnaires. Tous les animaux possèdent des gènes *Hox*, qui régissent le développement de la morphologie. Bien qu'elle soit demeurée presque inchangée, la famille des gènes *Hox* peut produire une grande variété de caractères morphologiques.

? Décrivez les éléments clés qui distinguent les animaux des végétaux et des eumycètes.

CONCEPT 32.2

L'histoire des animaux couvre plus d'un demi-milliard d'années (p. 741 à 746)

- Selon des données biochimiques issues de fossiles et des analyses de l'horloge moléculaire, les animaux sont apparus il y a plus de 700 millions d'années.
- Des analyses génomiques laissent supposer que les principales étapes ayant mené à l'apparition des animaux faisaient intervenir de nouveaux moyens d'utiliser les protéines encodées par certains gènes présents chez les choanoflagellés.

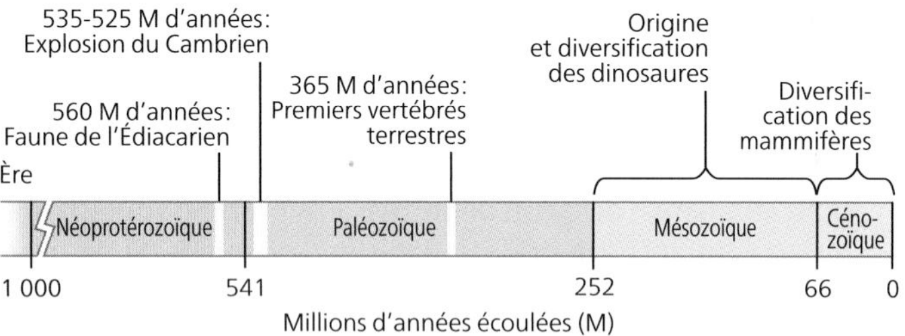

? Qu'est-ce qui a causé l'explosion du Cambrien? Décrivez les hypothèses actuelles.

CONCEPT 32.3

Les animaux peuvent être classés selon leurs «plans d'organisation corporelle» (p. 746 à 748)

- Certains animaux ne présentent aucune symétrie, d'autres présentent une **symétrie radiaire**, et d'autres encore, une **symétrie bilatérale**. Les bilatériens ont une face **dorsale**, une face **ventrale**, de même que des extrémités **antérieure** et **postérieure**.
- Les embryons sont dits **diploblastiques** (deux feuillets) et **triploblastiques** (trois feuillets). Les animaux triploblastiques dotés d'une **cavité corporelle** peuvent posséder un pseudocœlome ou un vrai **cœlome**.
- Les modes de développement **protostomien** et **deutérostomien** se distinguent souvent par la segmentation, la formation du cœlome et la destinée du **blastopore**.

? Expliquez pourquoi on doit interpréter avec prudence les plans d'organisation corporelle en tant que preuve de liens évolutifs.

CONCEPT 32.4

Des données moléculaires et morphologiques récentes mènent à de nouveaux points de vue sur la phylogenèse des animaux (p. 748 à 751)

- Cet arbre phylogénétique montre des étapes déterminantes dans l'évolution des animaux:

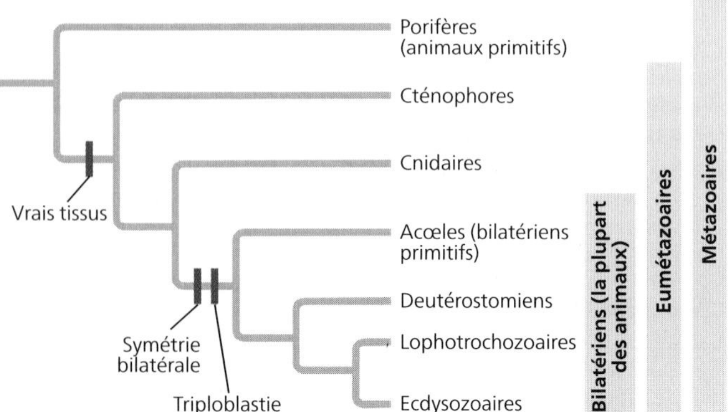

? En considérant les clades des bilatériens, des lophotrochozoaires, des métazoaires, des cordés, des ecdysozoaires, des eumétazoaires et des deutérostomiens, énumérez les clades auxquels appartiennent les humains, du clade le plus inclusif au clade le moins inclusif.

Évaluation

NIVEAU 1: CONNAISSANCES ET COMPRÉHENSION

1. Laquelle des caractéristiques suivantes est propre aux animaux exclusivement?
a) La gastrulation.
b) La multicellularité.
c) La reproduction sexuée.
d) Les spermatozoïdes flagellés.

2. La distinction entre les éponges et les autres embranchements d'animaux se fonde surtout sur l'absence ou la présence:
a) d'une cavité corporelle.
b) d'un tube digestif complet.
c) d'un mésoderme.
d) de tissus.

3. Parmi les facteurs suivants, lequel aurait probablement *le moins* contribué à l'explosion du Cambrien?
a) L'émergence de la relation prédateur-proie chez les animaux.
b) L'augmentation de la concentration en O_2 atmosphérique.
c) La colonisation de la terre ferme par les animaux.
d) L'origine des gènes *Hox*.

NIVEAU 2: APPLICATION ET ANALYSE

4. D'après l'arbre représenté à la figure 32.11, lequel des énoncés suivants est faux?
a) Le règne des animaux est monophylétique.
b) Les acœlomates sont plus étroitement apparentés aux échinodermes qu'aux annélides.
c) Les éponges sont des animaux primitifs.
d) Les bilatériens forment un clade.

Voir les réponses proposées à l'appendice A.

Les invertébrés

33

VOS OUTILS INTERACTIFS

Consultez votre MANUEL NUMÉRIQUE, qui vous donne accès aux **animations**, aux **exercices** et à la plateforme d'**anatomie interactive**.

▲ **Figure 33.1** **Quelle fonction les minces tentacules bleus de cet organisme remplissent-ils ?**

CONCEPTS CLÉS

33.1 Les éponges sont des animaux primitifs dépourvus de vrais tissus

33.2 Les cnidaires constituent un embranchement ancestral des eumétazoaires

33.3 Les lophotrochozoaires, un clade créé grâce aux données moléculaires, présentent la plus grande variété sur le plan de la morphologie

33.4 Le groupe des ecdysozoaires est celui qui compte la plus grande variété d'espèces

33.5 Les échinodermes et les cordés sont des deutérostomiens

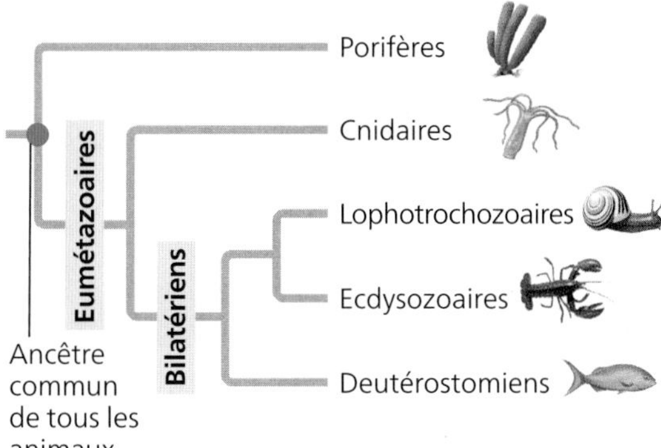

◄ **Figure 33.2** **La phylogenèse animale: une révision.** À l'exception des éponges (des animaux primitifs de l'embranchement de porifères) et de quelques autres groupes, tous les animaux possèdent des tissus et font partie des eumétazoaires. La plupart des animaux sont des bilatériens (voir la figure 32.11).

Un dragon sans colonne vertébrale

Que ce soit pour ses couleurs saisissantes ou pour sa forme surréaliste, le dragon bleu (*Glaucus atlanticus*) de la **figure 33.1** est un animal plein de surprises. Ses structures fines et tentaculaires augmentent sa surface corporelle, ce qui favorise sa respiration et l'aide à flotter (à l'envers) à la surface de la mer. Cette petite limace de mer dispose également d'une arme redoutable: le venin mortel qu'elle récupère en absorbant les cellules urticantes de la galère portugaise (*Physalia physalis*), dont elle se nourrit.

Les dragons bleus sont des **invertébrés**, c'est-à-dire des animaux dépourvus de colonne vertébrale. Ce regroupement d'organismes, qui ne constituent pas un clade, représente 95 % des espèces animales connues. Les invertébrés colonisent presque tous les habitats de la Terre, de l'eau brûlante qui s'échappe des bouches hydrothermales (« fumeurs noirs ») des grandes profondeurs au sol gelé de l'Antarctique. Dans ces différents environnements, l'évolution a produit une immense diversité de formes, que l'on pense aux espèces n'ayant qu'une double couche de cellules, à celles pourvues d'une glande séricigène (produisant la soie), de piquants pivotants ou de tentacules couverts de ventouses. Les invertébrés peuvent aussi être de dimensions très variées, puisque la taille de certains organismes est microscopique, alors que chez d'autres, elle peut dépasser la longueur d'un autobus scolaire (certains mesurent jusqu'à 18 m).

Dans le présent chapitre, nous effectuerons une visite du monde des invertébrés, en utilisant comme guide l'arbre phylogénétique de la **figure 33.2**. La **figure 33.3** passe en revue 23 embranchements d'invertébrés afin d'illustrer leur diversité. Nous examinerons plus en détail nombre d'entre eux dans le reste du chapitre.

▼ Figure 33.3

PANORAMA La diversité des invertébrés

Le règne des animaux comprend 1,3 million d'espèces connues. On estime toutefois que le nombre total des espèces appartenant à ce règne se situe entre 10 et 20 millions. Parmi les 23 embranchements présentés ici, 12 font l'objet d'un examen plus approfondi dans le présent chapitre, dans le chapitre 32 ou dans le chapitre 34; presque toutes les descriptions de ce panorama se terminent par un renvoi au concept pertinent.

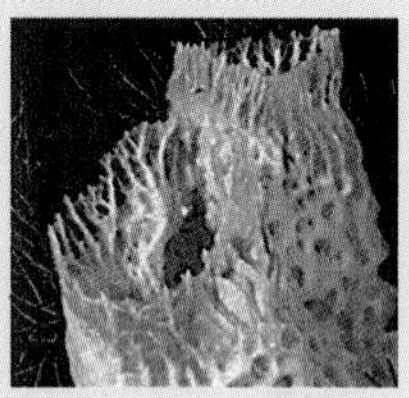

Embranchement des porifères (5 500 espèces)

Éponge

Les animaux de cet embranchement sont communément appelés *éponges*. Les éponges sont des animaux sessiles simples, dépourvus de vrais tissus. Il s'agit d'organismes filtreurs qui se nourrissent des particules qui traversent les canaux internes de leur corps (voir le concept 33.1).

Embranchement des cnidaires (10 000 espèces)

Les cnidaires comprennent notamment les coraux, les méduses et les hydres. Ces animaux diploblastiques présentent un plan d'organisation corporelle à symétrie radiaire, qui comporte une cavité gastrovasculaire munie d'une seule ouverture servant à la fois de bouche et d'anus (voir le concept 33.2).

Méduse

Embranchement des acœles (400 espèces)

Vers plats (acœles)

Les vers plats de l'embranchement des acœles ont un système nerveux simple et un tube digestif sacculaire, ce qui leur a valu d'être classifiés dans l'embranchement des plathelminthes. Or, certaines analyses moléculaires ont révélé que la lignée des acœles a divergé avant les trois principaux clades bilatériens (voir le concept 32.4).

Embranchement des placozoaires (1 espèce)

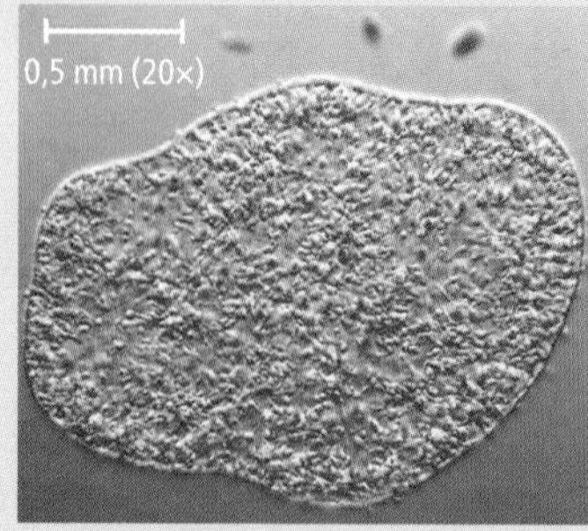

Placozoaire (MP)

La seule espèce connue de cet embranchement, *Trichoplax adhaerens*, ne ressemble en rien à un animal. Cet organisme est constitué de quelques milliers de cellules ciliées formant une double couche. Les biologistes soupçonnent *T. aldhaerens* d'être un animal primitif, mais ils n'arrivent toujours pas à expliquer ses liens avec les porifères, les cnidaires et les autres embranchements qui ont divergé de la plupart des animaux tôt dans l'histoire évolutive des animaux. *T. adhaerens* se reproduit soit par scissiparité, soit en produisant par bourgeonnement de nombreux individus multicellulaires.

Embranchement des cténophores (100 espèces)

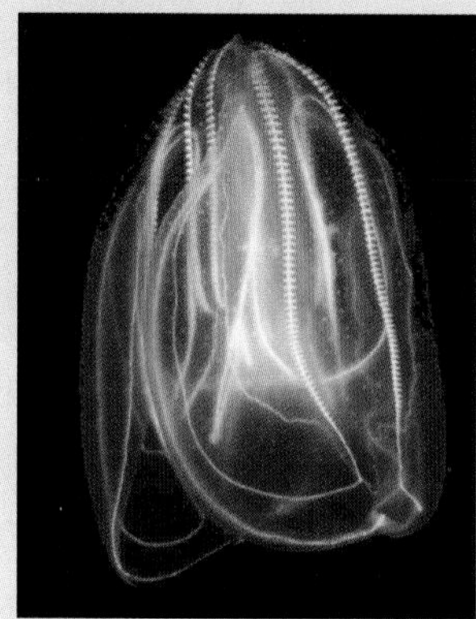
Cténophores

Comme les cnidaires, les cténophores (ou cténaires) sont diploblastiques et présentent une symétrie radiaire, ce qui semble indiquer que les deux embranchements ont divergé très tôt des autres animaux (voir la figure 32.11). Les cténophores constituent presque tout le plancton des océans. Ils possèdent de nombreux caractères distinctifs, dont une série de huit rangées de plaques ciliées formant des « peignes » (*cténos* en grec, d'où leur nom) qui leur permettent de se propulser dans l'eau. Lorsqu'un petit animal entre en contact avec les tentacules d'un cténophore, des cellules spécialisées éclatent et libèrent des filaments visqueux qui l'emprisonnent.

Lophotrochozoaires

Embranchement des plathelminthes (20 000 espèces)

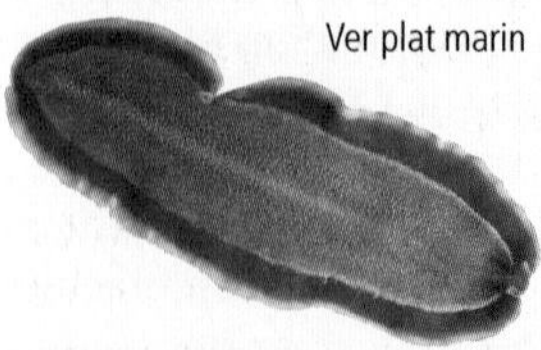
Ver plat marin

Les plathelminthes, ou vers plats (qui comprennent les ténias, les planaires et les douves), présentent une symétrie bilatérale et un système nerveux central qui traite l'information provenant des structures sensorielles. Ils n'ont ni cavité corporelle ni appareil circulatoire (voir le concept 33.3).

Embranchement des ectoproctes (4 500 espèces)

Les ectoproctes (aussi appelés bryozoaires) sont des organismes sessiles qui vivent en colonies et qui possèdent un exosquelette rigide (voir le concept 33.3).

Ectoproctes

Embranchement des syndermés (2 900 espèces)

Défini récemment, cet embranchement réunit deux groupes auparavant considérés comme des embranchements distincts: les rotifères, des animaux microscopiques dotés de systèmes organiques complexes, et les acanthocéphales, des parasites de vertébrés extrêmement modifiés (voir le concept 33.3).

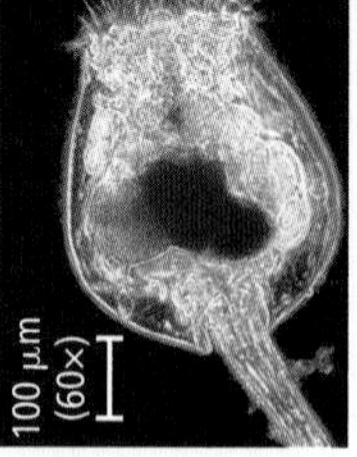

Rotifère

Embranchement des brachiopodes (335 espèces)

Il est facile de confondre les brachiopodes avec les palourdes et d'autres mollusques. Or, la plupart sont pourvus d'un pédoncule unique, qui les retient à leur substrat, ainsi que d'une couronne de cils appelée lophophore (voir le concept 33.3).

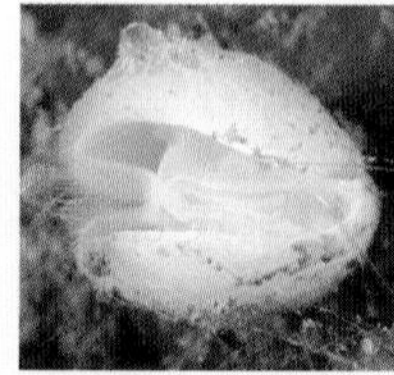
Brachiopode

Lophotrochozoaires (*suite*)

Embranchement des gastrotriches (800 espèces)

Les gastrotriches sont de minuscules vers dont la surface ventrale est recouverte de cils. La plupart des espèces vivent au fond des lacs ou des océans et se nourrissent de petits organismes et de matières organiques partiellement décomposées. Le ver montré ici a ingéré une algue, comme en témoigne la matière verdâtre visible à l'intérieur de son système digestif.

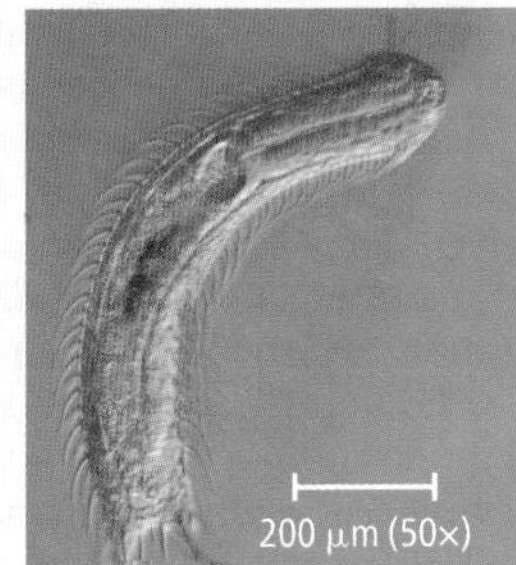

Gastrotriche (microscopie à contraste différentiel)

Embranchement des némertes (900 espèces)

Ver rubané

Les némertes, ou vers rubanés, vivent dans l'eau ou le sable. Ils capturent leurs proies au moyen d'une trompe unique en son genre. Comme les vers plats, ils ne possèdent pas de vrai cœlome; ils sont toutefois munis d'un tube digestif et d'un système vasculaire clos, et le sang qui circule dans leurs vaisseaux n'entre pas en contact avec les fluides de la cavité corporelle.

Embranchement des cycliophores (1 espèce)

La seule espèce de cycliophores connue, *Symbion pandora*, a été découverte en 1995 sur les pièces buccales d'un homard. Ce minuscule acœlomate en forme de vase possède un plan d'organisation corporelle unique et un cycle de développement particulièrement insolite. Les mâles fécondent des femelles en cours de développement dans le corps de leur mère. Les femelles fécondées quittent celui-ci et s'installent ailleurs sur le homard où elles donnent naissance à leurs petits. Il semble que les petits partent ensuite à la recherche d'un autre homard, auquel ils se fixent.

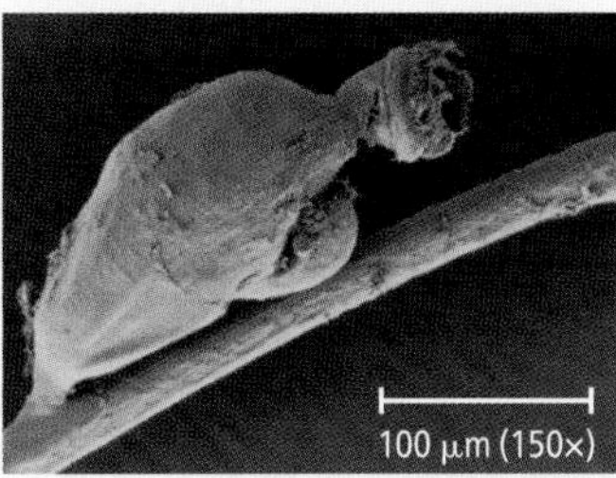

Cycliophore (MEB, cliché artificiellement coloré)

Embranchement des annélides (16 500 espèces)

Les annélides, ou vers annelés, se distinguent des autres vers par leur apparence segmentée. Les vers de terre sont les annélides les plus connus, mais l'embranchement comprend surtout des espèces marines et dulcicoles, telle la sangsue (voir le concept 33.3).

Annélide marin

Embranchement des mollusques (93 000 espèces)

Les mollusques (dont font partie les escargots, les palourdes, les calmars et les pieuvres) possèdent un corps mou qui, chez de nombreuses espèces, est protégé par une coquille (voir le concept 33.3).

Pieuvre

Ecdysozoaires

Embranchement des loricifères (10 espèces)

Les loricifères (du latin *lorica*, « corset », et *ferre*, « porter ») sont de minuscules animaux qui vivent dans les sédiments des fonds marins. Ils peuvent replier la tête, le cou et le thorax à l'intérieur de la lorica, une cavité formée par six plaques entourant l'abdomen. Bien que l'histoire naturelle de cet embranchement soit à peu près inconnue, on sait qu'au moins quelques espèces se nourrissent de bactéries et peuvent vivre sans oxygène (O_2) moléculaire.

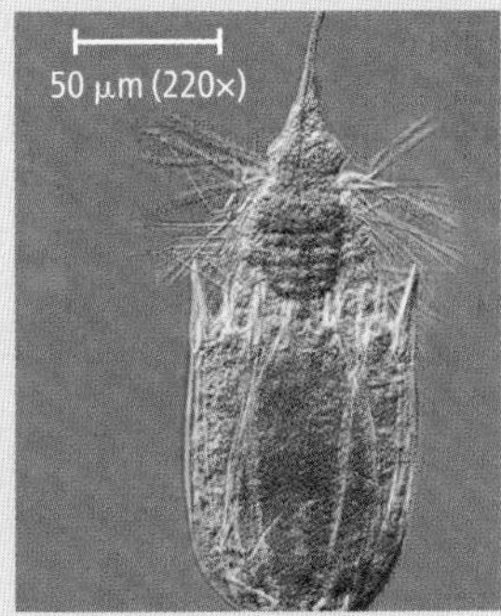

Loricifère (MP)

Embranchement des priapulides (16 espèces)

Les priapulides sont des vers dont l'extrémité antérieure est munie d'une grande trompe arrondie. (Ils doivent leur nom à Priapos, le dieu grec de la fertilité, qui était symbolisé par un pénis géant.) D'une longueur variant de 0,5 mm à 20 cm, la plupart des espèces vivent enfouies dans les sédiments du plancher océanique. Les archives paléontologiques révèlent que les priapulides comptaient parmi les principaux prédateurs du Cambrien.

Priapulide

Suite ▶

▼ Figure 33.3

PANORAMA La diversité des invertébrés (*suite*)

Ecdysozoaires (*suite*)

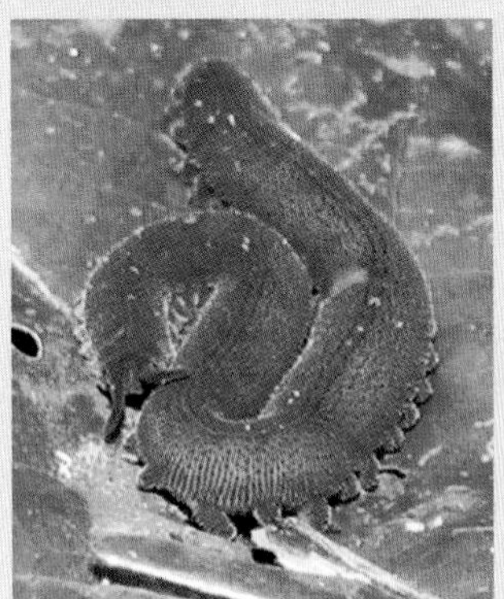

Onychophore

Embranchement des onychophores (110 espèces)

L'apparition des onychophores coïncide avec l'explosion du Cambrien (voir le chapitre 32). Au début de cette période géologique, ceux-ci ont prospéré dans l'océan, mais, à un certain moment, ils ont réussi à coloniser la terre ferme. Aujourd'hui, ils vivent exclusivement dans les forêts humides. Les onychophores possèdent une antenne charnue et plusieurs douzaines de paires de pattes en forme de sac.

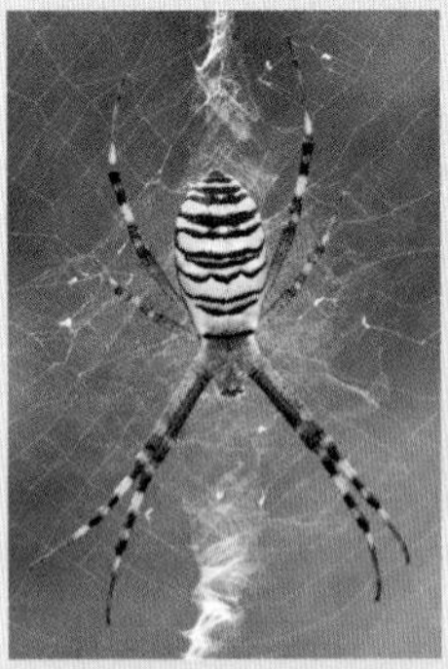

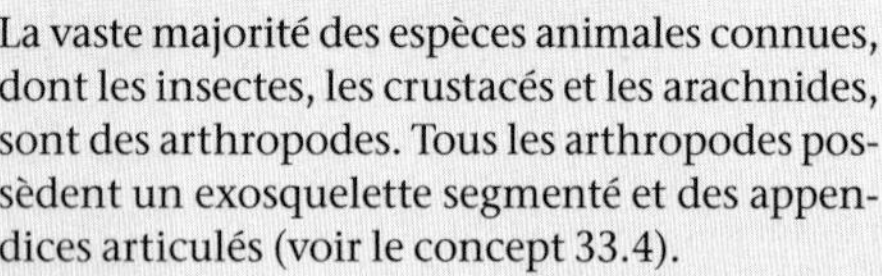

Araignée (classe des arachnides)

Embranchement des arthropodes (plus de 1 000 000 d'espèces)

La vaste majorité des espèces animales connues, dont les insectes, les crustacés et les arachnides, sont des arthropodes. Tous les arthropodes possèdent un exosquelette segmenté et des appendices articulés (voir le concept 33.4).

Embranchement des tardigrades (800 espèces)

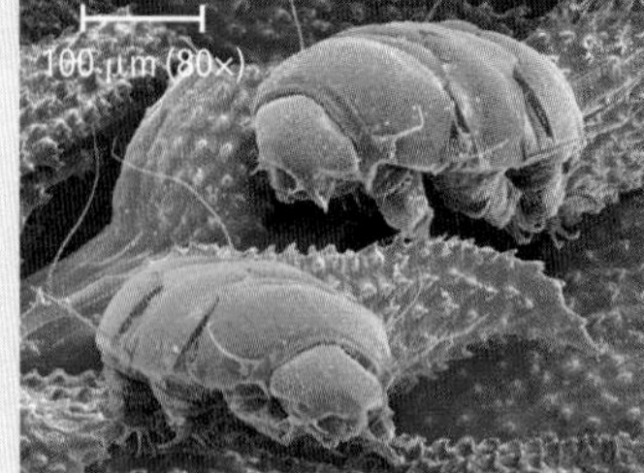

Tardigrades (MEB, cliché artificiellement coloré)

Les tardigrades (du latin *tardus*, « lent », et *gradus*, « pas ») sont surnommés « oursons d'eau » en raison de leur forme globale et de leur démarche pataude. La plupart mesurent moins de 0,5 mm de longueur. Certains vivent en eau salée ou en eau douce, et d'autres, sur des végétaux ou des animaux dont ils se nourrissent à l'aide d'appendices suceurs. Dans 1 m^2 de mousse, on peut trouver jusqu'à 2 millions de tardigrades. Lorsque le milieu devient inhospitalier, ces animaux peuvent connaître une période de léthargie ; ils arrivent alors à survivre pendant plusieurs jours à des températures de −272 °C, ce qui est près du zéro absolu ! Dans une étude phylogénomique réalisée en 2015, on a découvert que plus de 15 % des gènes des tardigrades ont été intégrés dans leur génome par transfert horizontal, ce qui représente la fraction la plus importante jamais observée chez un animal pour ce type d'échange génétique.

Embranchement des nématodes (25 000 espèces)

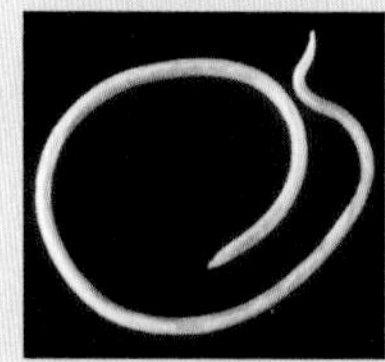

Ver rond

Les nématodes, ou vers ronds, sont extrêmement abondants et diversifiés ; on les trouve autant dans le sol que dans les milieux aquatiques. De nombreuses espèces vivent en parasites sur des végétaux et des animaux. Leur caractéristique la plus distinctive est la cuticule résistante qui recouvre leur corps (voir le concept 33.4).

Deutérostomiens

Embranchement des hémicordés (85 espèces)

Comme les échinodermes et les cordés, les hémicordés sont des deutérostomiens (voir le chapitre 32). Ils partagent d'autres caractères avec les cordés, comme des fentes branchiales et un tube neural dorsal. Le groupe le plus important est celui des entéropneustes, ou vers à gland, des animaux marins qui vivent en général enfouis dans la boue ou dissimulés sous des roches ; ils peuvent atteindre une longueur de plus de 2 m.

Ver à gland

Embranchement des cordés (52 000 espèces)

Plus de 90 % des espèces de cordés possèdent une colonne vertébrale (et sont donc des vertébrés). Cet embranchement compte toutefois deux groupes d'invertébrés : les céphalocordés et les urocordés. (Voir le chapitre 34, dans lequel cet embranchement est décrit en détail.)

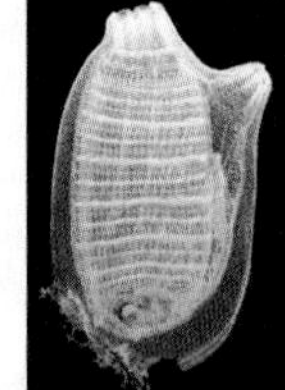

Tunicier (un urocordé)

Embranchement des échinodermes (7 000 espèces)

Oursin

Les échinodermes, dont font partie le dollar des sables, l'étoile de mer et l'oursin, sont des animaux aquatiques qui appartiennent au clade des deutérostomiens et qui présentent une symétrie bilatérale à l'état de larve, mais pas à l'âge adulte. Ils se déplacent et se nourrissent grâce à un réseau de canaux internes qui aspirent l'eau dans les diverses parties de leur corps (voir le concept 33.5).

CONCEPT 33.1

Les éponges sont des animaux primitifs dépourvus de vrais tissus

Porifères
Cnidaires
Lophotrochozoaires
Ecdysozoaires
Deutérostomiens

Les animaux de l'embranchement des porifères sont communément appelés éponges. De récentes études moléculaires indiquent que les éponges forment un groupe monophylétique ; notre exposé porte sur cette phylogenèse. Le débat n'est pas clos pour autant, puisque d'autres études laissent entendre que les éponges formeraient plutôt un groupe paraphylétique. Les éponges, qui comptent parmi les animaux les plus simples, sont immobiles, au point où les Grecs de l'Antiquité les prenaient pour des plantes. La plupart des espèces vivent en eau salée, et leur taille varie de quelques millimètres à quelques mètres. Les éponges sont des **organismes filtreurs** : elles filtrent les particules en suspension dans l'eau environnante en les aspirant. Celles-ci traversent ainsi leur corps qui, chez certaines espèces, présente l'aspect d'un sac percé de pores. Ces pores inhalants permettent à l'eau de pénétrer à l'intérieur d'une cavité digestive centrale, le **spongocœle**. L'eau ressort par une ouverture plus grande appelée **oscule** (**figure 33.4**). Les éponges complexes possèdent une paroi repliée ; nombre d'entre elles sont dotées d'un spongocœle ramifié et de plusieurs oscules.

Les éponges représentent une lignée qui a divergé des autres animaux tôt dans l'histoire du groupe ; par conséquent, elles sont considérées comme des *animaux primitifs*. Contrairement à presque tous les animaux, les éponges sont dépourvues de vrais tissus, c'est-à-dire de groupes de cellules semblables formant un ensemble fonctionnel, comme dans les tissus musculaires et nerveux. Leur corps contient néanmoins plusieurs types de cellules. Des cellules flagellées tapissent l'intérieur du spongocœle. Ce sont les **choanocytes**, qu'on appelle aussi cellules à collerette en raison des fines baguettes qui forment un « col » autour du flagelle. Ces cellules engloutissent des bactéries et d'autres particules de nourriture par phagocytose. La ressemblance entre les choanocytes et les cellules des choanoflagellés s'ajoute aux données moléculaires et renforce l'hypothèse d'un choanoflagellé ancestral commun à tous les animaux (voir la figure 32.3).

Le corps d'une éponge est formé de deux feuillets de cellules séparés par une couche gélatineuse appelée **mésoglée**. Les deux feuillets de cellules sont en contact avec l'eau, si bien que les échanges gazeux et l'expulsion des excréments s'effectuent directement par diffusion à travers les membranes cellulaires. Les **amibocytes**, des cellules qui tiennent leur nom de leur capacité à se déplacer à l'aide de pseudopodes, accomplissent d'autres tâches. Ils se déplacent à l'intérieur de la mésoglée et remplissent plusieurs fonctions. Ils absorbent les aliments qui viennent des choanocytes, les digèrent et acheminent les nutriments vers les autres cellules. Ils produisent aussi des fibres squelettiques résistantes à l'intérieur de la mésoglée. Chez certaines espèces, ces fibres sont des spicules pointus composés de calcaire

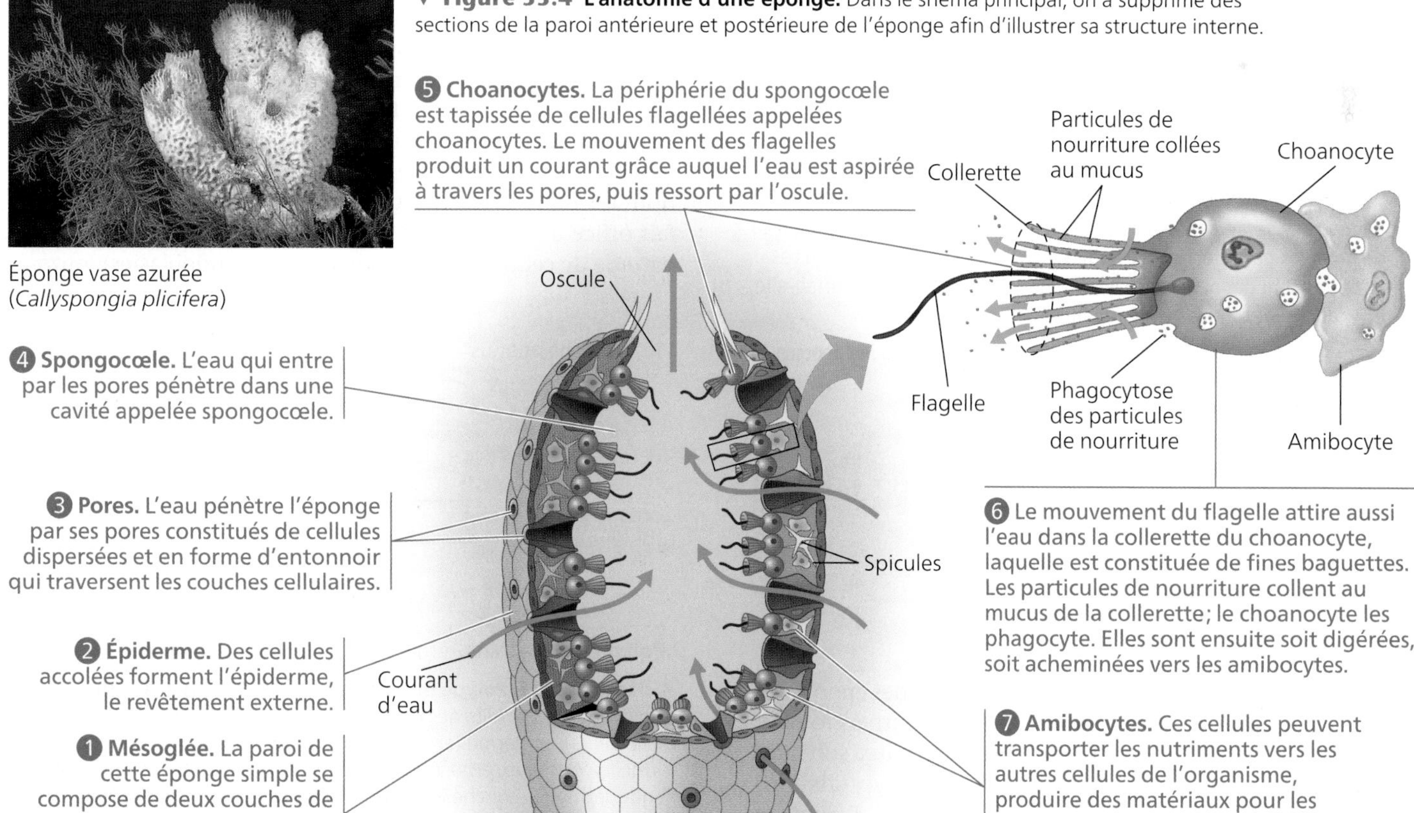

Éponge vase azurée
(*Callyspongia plicifera*)
❺ Choanocytes. La périphérie du spongocœle est tapissée de cellules flagellées appelées choanocytes. Le mouvement des flagelles produit un courant grâce auquel l'eau est aspirée à travers les pores, puis ressort par l'oscule.
Particules de nourriture collées au mucus
Collerette
Choanocyte
Oscule
Flagelle
Phagocytose des particules de nourriture
Amibocyte
❹ Spongocœle. L'eau qui entre par les pores pénètre dans une cavité appelée spongocœle.
❸ Pores. L'eau pénètre l'éponge par ses pores constitués de cellules dispersées et en forme d'entonnoir qui traversent les couches cellulaires.
Spicules
❻ Le mouvement du flagelle attire aussi l'eau dans la collerette du choanocyte, laquelle est constituée de fines baguettes. Les particules de nourriture collent au mucus de la collerette ; le choanocyte les phagocyte. Elles sont ensuite soit digérées, soit acheminées vers les amibocytes.
❷ Épiderme. Des cellules accolées forment l'épiderme, le revêtement externe.
Courant d'eau
❶ Mésoglée. La paroi de cette éponge simple se compose de deux couches de cellules qui sont séparées par une matrice gélatineuse, la mésoglée.
❼ Amibocytes. Ces cellules peuvent transporter les nutriments vers les autres cellules de l'organisme, produire des matériaux pour les fibres squelettiques (spicules) ou remplir une autre fonction au besoin.

▼ **Figure 33.4 L'anatomie d'une éponge.** Dans le shéma principal, on a supprimé des sections de la paroi antérieure et postérieure de l'éponge afin d'illustrer sa structure interne.

ou de silice. Chez d'autres, les amibocytes forment des fibres plus flexibles qui sont constituées d'une protéine appelée spongine. Ces squelettes souples et poreux servent à plusieurs usages domestiques en raison de leur capacité à retenir l'eau (elles servent notamment d'éponges pour le bain). Enfin, et surtout peut-être, les amibocytes sont *totipotents* (capables de se transformer pour devenir d'autres cellules de l'éponge). Cette propriété procure au corps de l'éponge une remarquable flexibilité qui lui permet d'adapter sa forme selon les conditions environnementales (comme la direction du courant).

La plupart des éponges sont **hermaphrodites**: elles portent à la fois les gonades mâles et femelles, et peuvent donc produire des spermatozoïdes *et* des ovules. Presque toutes les éponges présentent un hermaphrodisme séquentiel, c'est-à-dire qu'elles possèdent d'abord les organes reproducteurs d'un sexe et ensuite ceux de l'autre sexe. La fécondation croisée a lieu lorsque les spermatozoïdes expulsés dans l'eau par un organisme se comportant comme un mâle sont absorbés par un organisme avoisinant se comportant comme une femelle. Le zygote ainsi créé devient une larve flagellée. Celle-ci sort par l'oscule en nageant. Après s'être établie sur un substrat adéquat, elle commence son existence sessile, propre aux éponges, et se développe.

Les éponges produisent divers antibiotiques et d'autres composés de défense. Des chercheurs sont en train d'isoler ces composés qui, espère-t-on, permettront de combattre certaines maladies humaines. Ainsi, la cribrostatine, un composé présent dans des éponges marines (*Cribrochalina sp.*), est capable de détruire les cellules cancéreuses et certaines souches de *Streptococcus sp.* résistantes à la pénicilline. D'autres composés provenant des éponges font également l'objet de tests en vue d'une utilisation comme agents anticancéreux.

RETOUR SUR LE CONCEPT 33.1

1. Décrivez la manière dont les éponges se nourrissent.
2. **ET SI ?** ▶ Selon certaines données moléculaires, le groupe frère des animaux ne serait peut-être pas les choanoflagellés, mais un groupe de protistes parasites, les mésomycétozoaires. Dans la mesure où ces parasites sont dépourvus de choanocytes, cette hypothèse pourrait-elle être fondée ? Expliquez votre réponse.

Voir les réponses proposées à l'appendice A.

CONCEPT 33.2

Les cnidaires constituent un embranchement ancestral des eumétazoaires

À l'exception des éponges et de quelques autres groupes, tous les animaux sont des *eumétazoaires* (« vrais animaux »), un clade d'animaux qui possèdent de vrais tissus. L'embranchement des cnidaires représente l'une des premières lignées à avoir divergé des autres membres de ce clade. D'après certaines analyses d'ADN, les premières espèces de cet embranchement seraient apparues il y a environ 680 millions d'années. La diversification a donné une vaste gamme d'organismes tant sessiles que mobiles, dont les méduses, les coraux et les hydres. La plupart sont toutefois des animaux diploblastiques, dont le plan d'organisation corporelle relativement simple et à symétrie radiaire demeure le même qu'il y a quelque 560 millions d'années.

Le plan d'organisation corporelle des cnidaires a l'aspect d'un sac renfermant un compartiment digestif central, la **cavité gastrovasculaire**, qui communique avec le milieu extérieur par une seule ouverture servant à la fois de bouche et d'anus. Cette structure corporelle de base existe sous deux formes: la forme polype largement sessile et la forme méduse plus mobile (**figure 33.5**). Les hydres et les anémones de mer sont des exemples de la **forme polype**, qui est cylindrique. Elles adhèrent au substrat par l'extrémité aborale (opposée à la bouche) de leur corps et déploient leurs tentacules en attendant que les proies passent à leur portée. Même si elles sont principalement sédentaires, la plupart des formes polypes peuvent se déplacer lentement sur leur substrat en utilisant les muscles situés à l'extrémité aborale de leur corps. Lorsqu'elles sont menacées par un prédateur, certaines anémones de mer se détachent de leur substrat et «nagent» en courbant leur corps d'un côté à l'autre ou en agitant leurs tentacules. La forme **méduse** quant à elle ressemble à une version aplatie et renversée du polype. La méduse se déplace librement dans l'eau grâce à de faibles contractions et à sa flottaison. Ses tentacules pendent de la bouche, qui pointe vers le bas. Certains cnidaires existent seulement sous la forme polype, et d'autres, seulement sous la forme méduse; d'autres encore passent du stade polype au stade méduse.

Les cnidaires sont des prédateurs. Leurs tentacules, disposés en anneau autour de la bouche, servent souvent à capturer des proies et à les pousser à l'intérieur de la cavité gastrovasculaire, où s'amorce la digestion. Les enzymes sécrétées dans la cavité décomposent les proies en un bouillon nutritif. Les cellules tapissant la cavité absorbent les nutriments et complètent la digestion; les résidus de la digestion sont expulsés par l'ouverture, qui fait office de bouche et d'anus. Les tentacules possèdent une batterie de cellules, les **cnidocytes** (ou cnidoblastes), propres

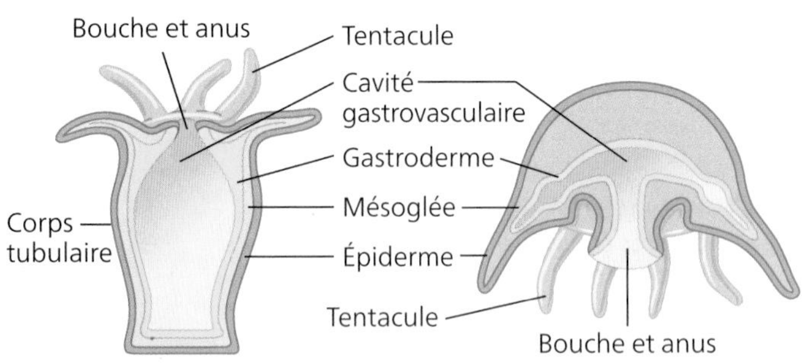

▲ **Figure 33.5 Polype et méduse: les deux formes des cnidaires.** L'enveloppe corporelle des cnidaires se compose de deux couches de cellules. L'épiderme (en bleu foncé; provenant de l'ectoderme) forme la couche externe, et le gastroderme (en jaune; provenant de l'endoderme), la couche interne. La digestion commence dans la cavité gastrovasculaire et se termine dans les vacuoles nutritives des cellules gastrodermiques. Une couche gélatineuse et parfois épaisse, la mésoglée, sépare l'épiderme et le gastroderme.

aux cnidaires, qui assurent la défense de l'organisme et la capture des proies. Les cnidocytes contiennent des vésicules appelées *cnidocystes* qui peuvent libérer une substance urticante. L'appellation *cnidaire* (du grec *knidê*, « ortie, plante urticante ») vient d'ailleurs de cette caractéristique (**figure 33.6**). Certains cnidocystes spécialisés appelés **nématocystes** renferment une structure filamenteuse urticante qui peut traverser la paroi des proies du cnidaire. D'autres espèces possèdent de très longs filaments qui adhèrent aux petites proies ou s'enroulent autour d'elles.

Chez les cnidaires, l'organisation des tissus contractiles et nerveux est rudimentaire. Les cellules de l'épiderme (feuillet externe) et du gastroderme (feuillet interne) sont pourvues de faisceaux de microfilaments disposés en fibres contractiles. C'est la cavité gastrovasculaire qui sert de squelette hydraulique contre lequel s'appuient les cellules contractiles pour exécuter un mouvement (voir le concept 50.6). Quand l'animal a la bouche fermée, la cavité a un volume fixe. La contraction de certaines cellules amène alors le cnidaire à changer de forme. Les cnidaires ne possèdent pas de cerveau. Leurs mouvements sont plutôt coordonnés par un *réseau nerveux* décentralisé se composant de récepteurs sensoriels distribués radialement dans tout le corps. Ainsi, l'animal détecte les stimulus provenant de toutes les directions, et y répond.

Des données paléontologiques et moléculaires laissent supposer que, très tôt dans son histoire évolutive, l'embranchement des cnidaires a divergé pour former deux principaux clades : les médusozoaires et les anthozoaires (**figure 33.7**).

Les médusozoaires

Tous les cnidaires qui produisent une méduse appartiennent au clade des médusozoaires, qui regroupe les *scyphozoaires* (méduses) et les *cubozoaires* (cuboméduses) illustrés à la figure 33.7a, ainsi que les *hydrozoaires*. La plupart des hydrozoaires se caractérisent par l'alternance des stades polype et méduse, comme le montre le cycle de développement d'*Obelia* (**figure 33.8**). Chez cet hydrozoaire, le stade polype se présente sous l'aspect d'une colonie de polypes reliés les uns aux autres, et constitue la forme la plus visible. L'hydre (*Hydra sp.*), l'un des rares cnidaires à vivre en eau douce, est également un hydrozoaire assez particulier qui n'existe que sous la forme polype.

Contrairement aux hydrozoaires, la plupart des scyphozoaires et des cubozoaires passent la majorité de leur cycle de vie sous la forme méduse. Les scyphozoaires côtiers, par exemple, passent souvent une brève période de leur cycle de développement sous la forme polype. Cependant, les méduses qui vivent en haute mer ont pour la plupart éliminé le stade polype sessile. Comme leur nom l'indique, les cubozoaires (terme qui signifie

▼ **Figure 33.6 Le cnidocyte d'une hydre.** Ce type de cnidocyte contient une capsule urticante, le nématocyste, dans laquelle se trouve un filament enroulé. Lorsqu'il reçoit une stimulation tactile ou chimique, un appendice sensoriel, appelé cnidocil, agit comme une gâchette et projette le filament en direction de la proie. Celui-ci s'y enfonce alors et injecte un poison.

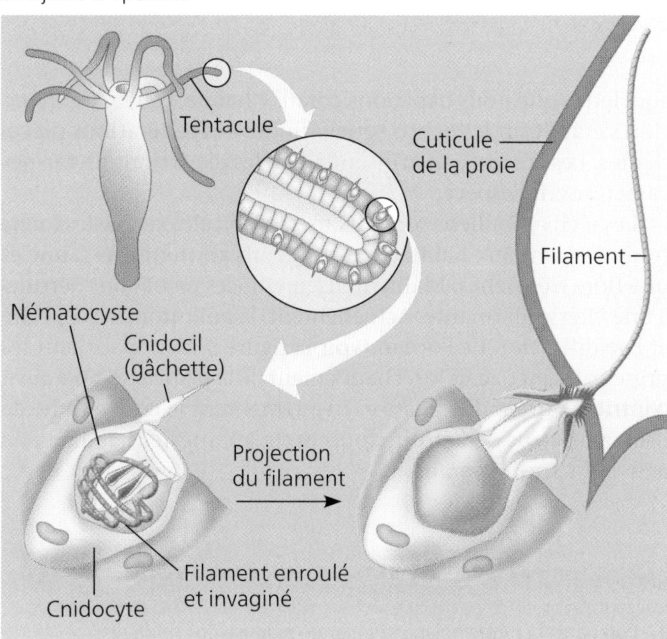

▼ **Figure 33.7 Les cnidaires.**

(a) Médusozoaires

De nombreuses espèces de méduses sont bioluminescentes. La nourriture captée par les nématocystes est transmise aux tentacules buccaux. Ces tentacules spécialisés (mais dépourvus de nématocystes) transportent les proies capturées jusqu'à la bouche.

La cuboméduse produit un poison plus puissant que le venin du cobra, qui peut neutraliser des poissons, des crustacés (tel qu'illustré ici) et d'autres grosses proies.

(b) Anthozoaires

Les anémones de mer et les autres membres de la classe des anthozoaires n'existent que sous la forme polype. De nombreux anthozoaires établissent des associations symbiotiques avec des algues photosynthétiques.

Ces coraux étoiles vivent sous forme de colonies de polypes. Un exosquelette rigide entoure la base de leur corps souple.

▼ **Figure 33.8 Le cycle de développement de l'hydrozoaire *Obelia sp.*** Le polype est asexué, tandis que la méduse est sexuée et libère les ovules et les spermatozoïdes. Les deux stades alternent et s'engendrent l'un et l'autre.

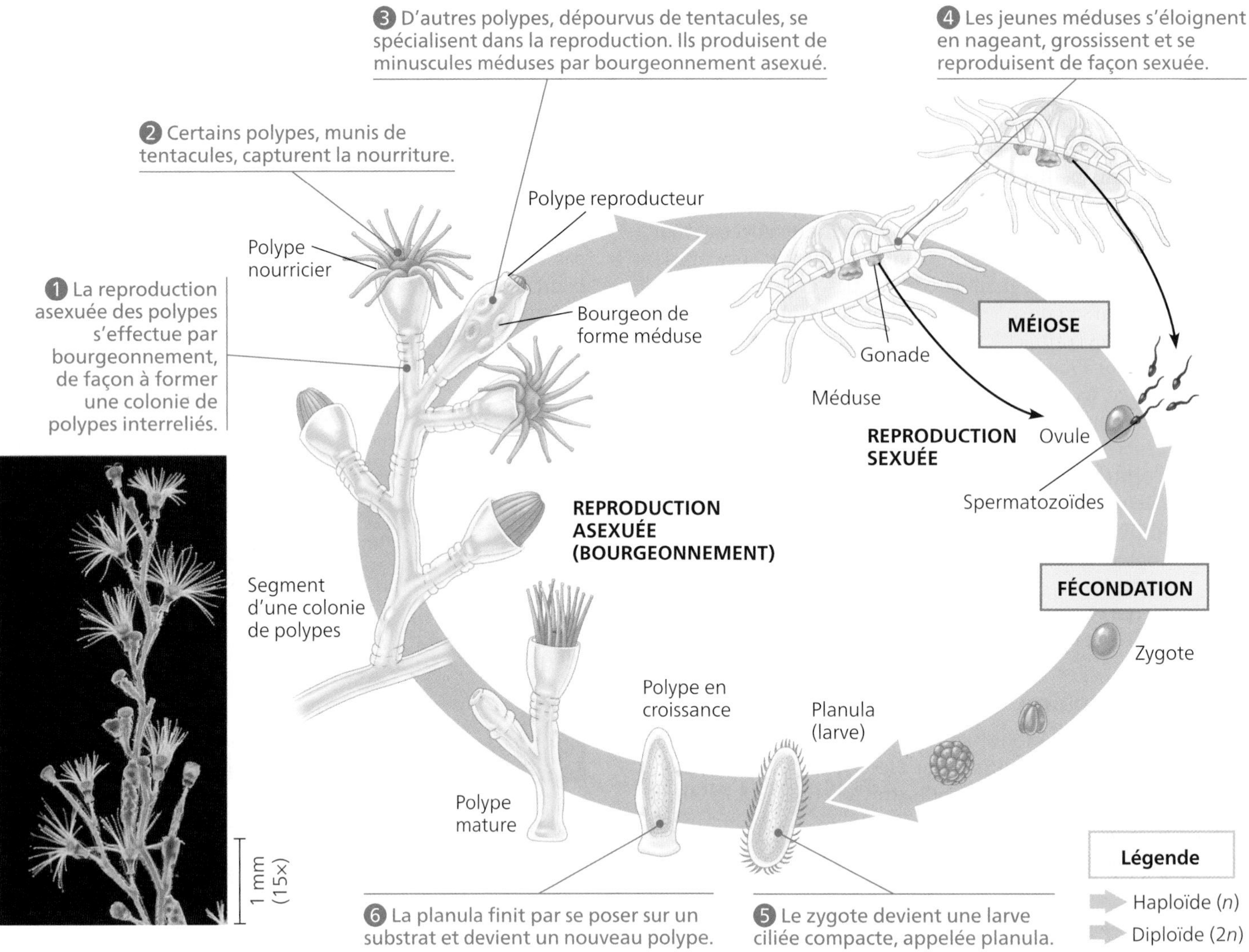

3 D'autres polypes, dépourvus de tentacules, se spécialisent dans la reproduction. Ils produisent de minuscules méduses par bourgeonnement asexué.
4 Les jeunes méduses s'éloignent en nageant, grossissent et se reproduisent de façon sexuée.
2 Certains polypes, munis de tentacules, capturent la nourriture.
Polype reproducteur
Polype nourricier
1 La reproduction asexuée des polypes s'effectue par bourgeonnement, de façon à former une colonie de polypes interreliés.
Bourgeon de forme méduse
Gonade
MÉIOSE
Méduse
REPRODUCTION SEXUÉE
Ovule
Spermatozoïdes
REPRODUCTION ASEXUÉE (BOURGEONNEMENT)
Segment d'une colonie de polypes
FÉCONDATION
Zygote
Polype en croissance
Planula (larve)
Polype mature
1 mm (15×)
6 La planula finit par se poser sur un substrat et devient un nouveau polype.
5 Le zygote devient une larve ciliée compacte, appelée planula.
Légende
Haploïde (n)
Diploïde (2n)

FAITES DES LIENS ▶ Comparez le cycle de développement d'*Obelia sp.* avec les cycles de la figure 13.6. Parmi les cycles de cette figure, lequel ressemble le plus à celui d'*Obelia sp.*? Expliquez votre réponse. (Voir également la figure 29.3.)

« animaux cubiques ») présentent un stade méduse de forme cubique. La plupart des cubozoaires vivent dans les océans tropicaux et sont souvent pourvus de cnidocytes extrêmement venimeux. Par exemple, la cuboméduse d'Australie ou guêpe de mer (*Chironex fleckeri*), un cubozoaire qui vit au large de la côte nord de l'Australie, est l'un des organismes les plus dangereux que l'on connaisse : sa brûlure cause une douleur intense et peut entraîner une insuffisance respiratoire, un arrêt cardiaque et la mort en quelques minutes seulement.

Les anthozoaires

Les anémones de mer et les coraux appartiennent au clade des anthozoaires (voir la figure 33.7d). Ils n'existent que sous la forme polype. Les coraux sont des animaux qui vivent seuls ou en colonies, où ils forment des associations symbiotiques avec des algues. De nombreuses espèces sécrètent un **exosquelette** (squelette externe) rigide composé de calcaire. Ce sont ces squelettes que nous baptisons corail. Chaque nouvelle génération s'établit sur les débris squelettiques des générations précédentes. Les coraux construisent ainsi des récifs dont les formes caractérisent l'espèce.

Les récifs coralliens sont aux mers tropicales ce que les forêts humides sont aux habitats terrestres : ils abritent une faune et une flore très riches. Malheureusement, ces récifs sont détruits à une vitesse alarmante. Actuellement, la pollution, la surpêche et l'acidification de l'océan (voir la figure 3.12) constituent les principales menaces ; le réchauffement de la planète semble aussi contribuer à leur dégradation en augmentant la température de l'eau au-dessus de l'étroite fourchette à l'intérieur de laquelle peuvent vivre les coraux.

RETOUR SUR LE CONCEPT 33.2

1. Comparez la forme polype et la forme méduse des cnidaires.

2. **HABILETÉS VISUELLES ▶** Observez la figure 33.6 qui présente une hydre avec ses cnidocytes, ces cellules urticantes qui donnent leur nom aux cnidaires, et repérez sur ce cycle de développement ci-dessus (figure 33.8) où les cnidocytes seraient situées sur la méduse.

3. **FAITES DES LIENS ▶** Plusieurs nouveaux plans d'organisation corporelle ont émergé durant et après l'explosion du Cambrien. Les cnidaires, eux, présentent le même plan d'organisation corporelle diploblastique depuis 560 millions d'années. Faut-il en conclure que les cnidaires se sont moins bien développés ou sont moins évolués que les autres groupes d'animaux ? Expliquez votre réponse. (Voir aussi les concepts 25.3 et 25.6.)

Voir les réponses proposées à l'appendice A.

CONCEPT **33.3**

Les lophotrochozoaires, un clade créé grâce aux données moléculaires, présentent la plus grande variété sur le plan de la morphologie

La grande majorité des espèces animales appartiennent au clade des bilatériens, dont les membres présentent une symétrie bilatérale et sont triploblastiques (voir le concept 32.3). En outre, la plupart des bilatériens ont un tube digestif à deux ouvertures (bouche et anus) et un cœlome. Des analyses d'ADN réalisées récemment donnent à penser que le plus récent ancêtre commun des bilatériens modernes existait il y a quelque 670 millions d'années. À ce jour, le plus ancien fossile communément accepté en tant que bilatérien est celui de *Kimberella sp.*, un mollusque (ou un proche parent) vieux de 560 millions d'années (voir la figure 32.5). Presque tous les autres groupes de ce clade ont fait leur apparition pendant l'explosion du Cambrien (il y a entre 535 et 525 millions d'années).

Les données moléculaires permettent de déduire qu'il existe aujourd'hui trois grands clades d'animaux à symétrie bilatérale : les lophotrochozoaires, les ecdysozoaires et les deutérostomiens. Cette section se concentre sur le premier de ces clades, les lophotrochozoaires. Les concepts 33.4 et 33.5 explorent les deux autres.

Des données moléculaires ont permis d'identifier les lophotrochozoaires, mais leur nom dérive des caractéristiques observables chez plusieurs d'entre eux. En effet, certains lophotrochozoaires forment un *lophophore,* une structure composée d'une couronne de tentacules ciliés servant à la nutrition, alors que d'autres espèces traversent un stade particulier, celui de la *larve trochophore* (voir la figure 32.12). Certains membres du clade ne présentent toutefois aucune de ces caractéristiques et un grand nombre d'espèces se distinguent par quelques autres attributs morphologiques uniques. Pour tout dire, les lophotrochozoaires constituent le clade de bilatériens le plus diversifié sur le plan de la morphologie, comme le reflète le nombre d'embranchements qu'il comporte : 18 en tout, soit deux fois plus que tout autre clade de bilatériens.

Examinons maintenant six de ces embranchements, soit les plathelminthes, les rotifères et acanthocéphales, les ectoproctes, les brachiopodes, les mollusques et les annélides.

Les plathelminthes

Les plathelminthes, ou vers plats, vivent en eau douce, en eau salée ou en terrain humide. Bien que certaines espèces, comme les douves et les ténias (vers solitaires), parasitent certains animaux, un grand nombre d'espèces vivent à l'état libre. Leur corps est généralement aplati (plus large qu'épais), d'où leur nom (du grec *platus*, « large », et *helmins*, « ver »). (Notez que le terme *ver* ne désigne pas un groupe taxinomique ; c'est plutôt un terme général qui s'applique à des animaux invertébrés au corps long et étroit.) Certaines espèces sont microscopiques ; les ténias quant à eux peuvent mesurer jusqu'à 20 m de longueur.

Bien que les plathelminthes soient triploblastiques, ce sont des *acœlomates* (des animaux sans cavité corporelle). Comme leur corps aplati augmente leur surface corporelle, toutes leurs cellules se trouvent à proximité du liquide environnant ou du contenu de leur tube digestif. En raison de cette proximité, les échanges gazeux et l'élimination des déchets azotés (ammoniac) s'effectuent par diffusion sur toute la surface de leur corps. Comme l'illustre la **figure 33.9**, la forme aplatie est l'une des nombreuses caractéristiques structurales qui maximisent la surface corporelle et qui sont apparues (par évolution convergente) chez différents groupes d'animaux et d'autres organismes.

Comme toutes leurs cellules se trouvent à proximité du liquide environnant, les plathelminthes ne possèdent pas d'organes spécialisés dans les échanges gazeux, et leur appareil excréteur relativement simple a pour principale fonction le maintien de l'équilibre osmotique avec le milieu. Cet appareil se compose d'une **protonéphridie**, un réseau tubulaire composé de structures ciliées, appelées *cellules-flammes*, qui pompent les liquides vers des canaux ramifiés ouverts sur l'extérieur (voir la figure 44.9). La plupart des plathelminthes possèdent une cavité gastrovasculaire munie d'une seule ouverture. Malgré l'absence de système circulatoire, les fines ramifications de cette cavité permettent la distribution de la nourriture directement aux cellules du ver.

Les plathelminthes se sont divisés tôt, au cours de leur histoire évolutive, en deux lignées, soit celle de *catenulida* et celle de *rhabditophora*. Le clade des *catenulida* ne compte qu'une centaine d'espèces, dont la plupart vivent en eau douce. Les membres de ce clade se reproduisent de façon asexuée en émettant des bourgeons à leur extrémité postérieure. Les petits produisent souvent leurs propres bourgeons avant de se détacher du parent, et forment ainsi une chaîne de deux à quatre individus génétiquement identiques.

L'autre lignée ancestrale de plathelminthes, *rhabditophora,* est très diversifiée et compte quelque 20 000 espèces marines et dulcicoles, dont celle de la figure 33.9. Pour étudier ce groupe plus en détail, notre exploration se concentrera sur les espèces vivant à l'état libre, puis sur les espèces parasites.

Les espèces libres

Les rhabditophores libres sont d'importants prédateurs et charognards dans de nombreux habitats marins et dulcicoles. Les membres les plus connus de ce groupe sont les espèces dulcicoles du genre *Dugesia*, communément appelées **planaires**. On les trouve en grand nombre dans les étangs et les ruisseaux non

FAITES DES LIENS ▼ Figure 33.9 Maximiser la surface corporelle

En général, l'activité métabolique ou chimique d'un organisme est proportionnelle à sa masse ou à son volume. L'optimisation du métabolisme exige toutefois la capacité de capter efficacement l'énergie et les matières premières (nutriments, O_2) et celle d'éliminer les résidus. Or, les processus d'échanges risquent d'être limités par de simples règles géométriques pour les cellules de grande taille et chez les végétaux et les animaux. En effet, quand une cellule ou un organisme croissent sans changer de forme, leur volume augmente plus rapidement que leur surface (voir la figure 6.7). Par conséquent, lorsque la taille augmente, la surface sur laquelle se déroulent les processus d'échange est proportionnellement inférieure. Ce défi découlant de la relation entre la surface corporelle et le volume se pose dans différents contextes et touche divers organismes, mais les adaptations évolutives acquises pour y remédier sont similaires. Les structures qui maximisent la surface corporelle, que ce soit par leur forme aplatie, leurs replis, la formation de ramifications ou la présence de projections, jouent un rôle essentiel dans les systèmes biologiques.

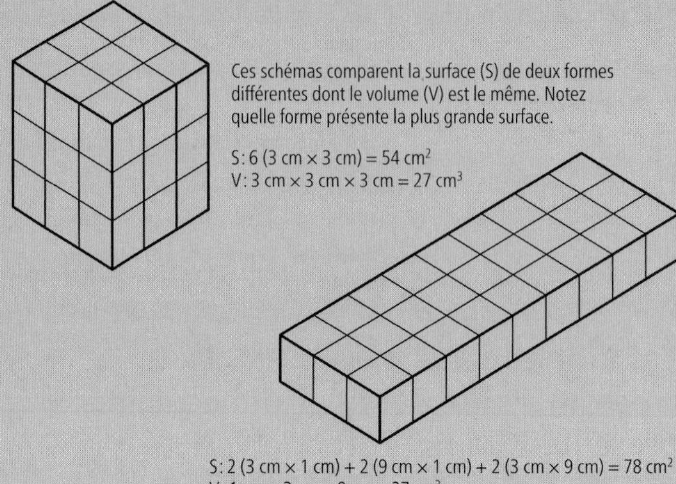

Ces schémas comparent la surface (S) de deux formes différentes dont le volume (V) est le même. Notez quelle forme présente la plus grande surface.
S : 6 (3 cm × 3 cm) = 54 cm²
V : 3 cm × 3 cm × 3 cm = 27 cm³
S : 2 (3 cm × 1 cm) + 2 (9 cm × 1 cm) + 2 (3 cm × 9 cm) = 78 cm²
V : 1 cm × 3 cm × 9 cm = 27 cm³

▸ Forme aplatie

Un organisme dont le corps n'a que quelques cellules d'épaisseur, comme ce ver plat, peut consacrer l'ensemble de sa surface corporelle aux échanges. (Voir la figure 40.3.)

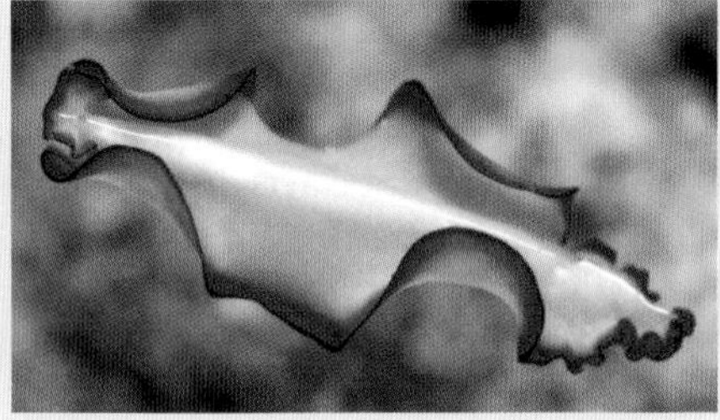

▾ Ramifications

L'absorption de l'eau repose sur le transport passif. Les filaments extrêmement ramifiés du mycélium d'un champignon augmentent la surface d'absorption de l'eau et des minéraux provenant de l'environnement. (Voir la figure 31.2.)

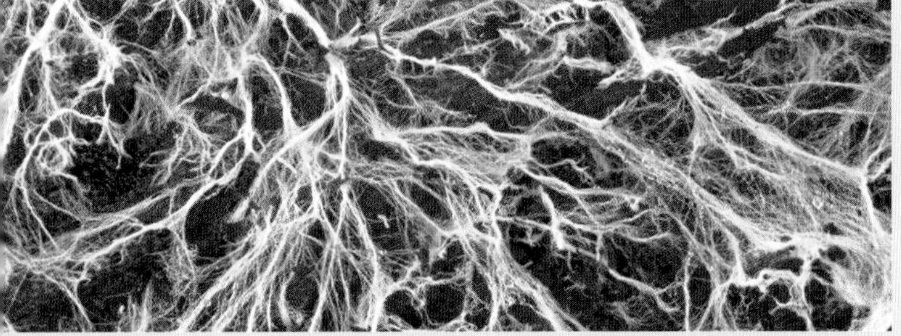

▸ Replis

Cette MET montre certaines parties de deux chloroplastes situés dans la feuille d'une plante. La photosynthèse a lieu dans les chloroplastes, constitués de regroupements aplatis et interconnectés de membranes internes connues sous le nom de membranes des thylakoïdes (un empilement de membranes thylakoïdes se nomme *granum*). Les replis de ces membranes augmentent la surface globale de la structure, ce qui accroît l'exposition à la lumière et le taux de photosynthèse. (Voir la figure 10.4.)

1 μm
(16 000×)
Membranes des thylakoïdes

▾ Projections

Chez les vertébrés, l'intestin grêle est tapissé de villosités formées de projections filiformes à travers lesquelles sont absorbés les nutriments libérés par la digestion des aliments. Chacune des villosités représentées dans cette figure est couverte d'un grand nombre de projections microscopiques appelées microvillosités. Ainsi, chez les humains, la surface totale de l'intestin atteint près de 300 m², soit l'équivalent d'un terrain de tennis. (Voir la figure 41.12.)

FAITES DES LIENS ▸ Nommez d'autres exemples de formes aplaties, de replis, de ramifications et de projections (voir les chapitres 6, 9, 35 et 42). Pour chaque exemple, expliquez pourquoi la maximisation de la surface est importante par rapport à la fonction exercée par la structure.

pollués. Les planaires sont carnivores et se nourrissent de plus petits animaux et de charognes. Les planaires se déplacent au moyen des cils qui tapissent leur surface ventrale, glissant sur la pellicule de mucus qu'elles sécrètent. Certains rhabditophores utilisent aussi leurs muscles pour exécuter des mouvements ondulatoires qui leur permettent de nager.

Les planaires ont une tête sur laquelle se trouve une paire de cupules optiques (yeux primitifs) pouvant détecter la lumière, mais aussi deux prolongements latéraux, appelés auricules, qui contiennent des cellules chimioréceptrices procurant le sens de l'odorat. Le système nerveux des planaires est plus complexe et centralisé que le réseau nerveux des cnidaires (**figure 33.10**). Des expériences ont montré que les planaires peuvent en effet apprendre à modifier leurs réactions à des stimulus.

Certaines planaires se reproduisent de façon asexuée, par scissiparité. Le corps du parent s'étrangle à peu près au milieu (transversalement) pour se séparer en deux ; les deux moitiés reconstituent ensuite la portion manquante. Les planaires se reproduisent aussi par voie sexuée. Elles sont hermaphrodites, et leur accouplement avec d'autres individus permet la fécondation croisée.

Les espèces parasites

Plus de la moitié des espèces connues de rhabditophores vivent en parasites internes ou externes de certains animaux. Nombre d'entre eux possèdent des ventouses qui leur permettent de se fixer aux organes internes ou à la surface de leur hôte. La plupart des espèces sont dotées d'une enveloppe résistante qui les protège. Deux sous-groupes de rhabditophores parasites – les trématodes et les cestodes – ont une importance écologique et économique particulière.

▼ **Figure 33.10 L'anatomie de la planaire.**

La digestion se termine à l'intérieur des cellules qui tapissent la cavité gastrovasculaire, laquelle est pourvue de nombreuses ramifications qui en augmentent la surface.

Les déchets de la digestion sont évacués par l'ouverture située à l'extrémité du pharynx.

Pharynx. Un pharynx musculaire peut se prolonger à partir de la bouche. L'animal arrose sa proie de sucs digestifs, puis il aspire des petits morceaux de nourriture prédigérés avec son pharynx, qui les achemine vers la cavité gastrovasculaire où la digestion se poursuit.

Cavité gastrovasculaire

Bouche

Cupules optiques

Cordons nerveux ventraux. Une paire de cordons nerveux partent des ganglions et traversent tout le corps de la planaire.

Ganglions. À son extrémité antérieure, près des principaux centres de perception, la planaire possède une paire de ganglions, deux amas denses de cellules nerveuses.

Les trématodes Le groupe des trématodes parasite une grande variété d'hôtes, et le cycle de développement de presque toutes les espèces comprend une alternance des stades sexué et asexué. Plusieurs ont besoin d'un hôte intermédiaire (dans lequel la larve se développe) pour devenir adultes et infecter l'hôte définitif (souvent un vertébré). Ainsi, les différents schistosomes qui parasitent l'humain passent leur stade larvaire dans l'escargot (**figure 33.11**). Près de 200 millions de personnes dans le monde sont infectées par un schistosome (*Schistosoma mansoni*) qui provoque la

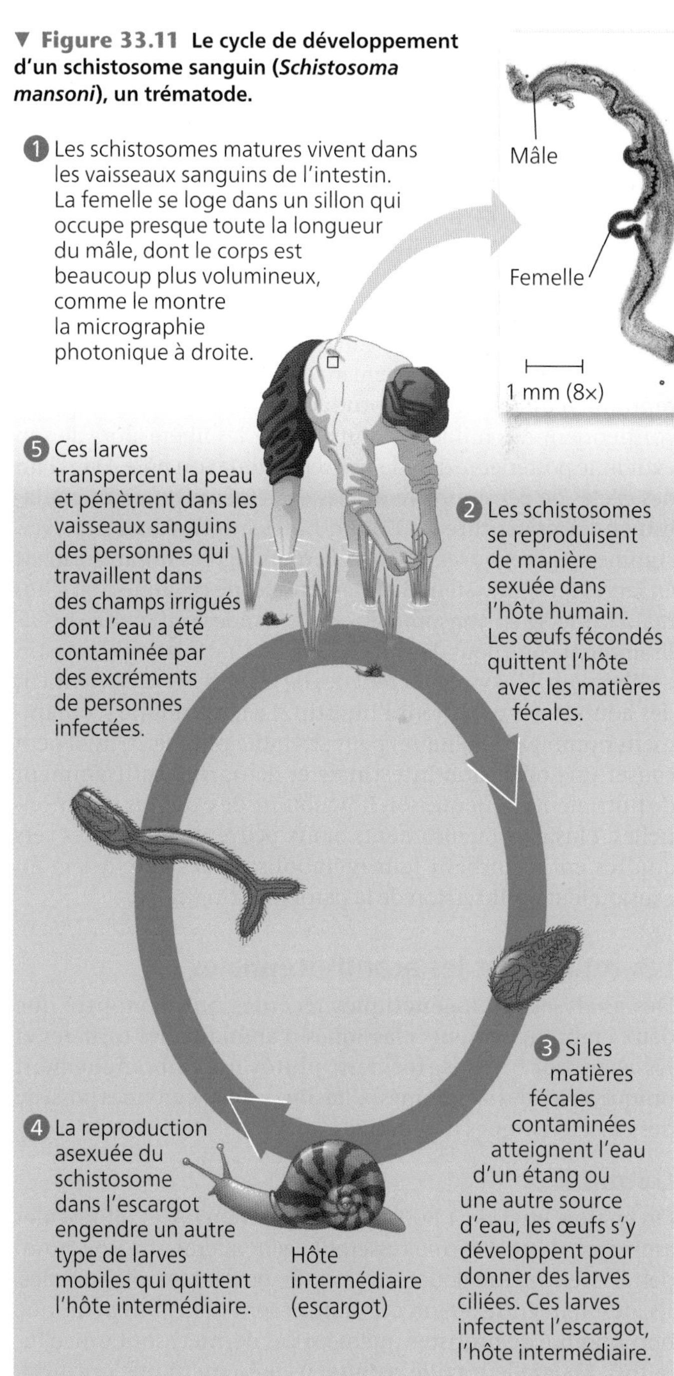

① Les schistosomes matures vivent dans les vaisseaux sanguins de l'intestin. La femelle se loge dans un sillon qui occupe presque toute la longueur du mâle, dont le corps est beaucoup plus volumineux, comme le montre la micrographie photonique à droite.
Mâle
Femelle
1 mm (8×)
② Les schistosomes se reproduisent de manière sexuée dans l'hôte humain. Les œufs fécondés quittent l'hôte avec les matières fécales.
③ Si les matières fécales contaminées atteignent l'eau d'un étang ou une autre source d'eau, les œufs s'y développent pour donner des larves ciliées. Ces larves infectent l'escargot, l'hôte intermédiaire.
④ La reproduction asexuée du schistosome dans l'escargot engendre un autre type de larves mobiles qui quittent l'hôte intermédiaire.
Hôte intermédiaire (escargot)
⑤ Ces larves transpercent la peau et pénètrent dans les vaisseaux sanguins des personnes qui travaillent dans des champs irrigués dont l'eau a été contaminée par des excréments de personnes infectées.

▼ **Figure 33.11 Le cycle de développement d'un schistosome sanguin (*Schistosoma mansoni*), un trématode.**

ET SI ? ▶ Les escargots se nourrissent d'algues dont la croissance est stimulée par les éléments minéraux contenus dans les engrais. De quelle façon la contamination des eaux d'irrigation par les engrais risque-t-elle d'influer sur la prévalence de la schistosomiase ? Expliquez votre réponse.

schistosomiase, caractérisée par des lésions au foie et à la rate, des douleurs abdominales, de l'anémie et des diarrhées.

Vivre en parasites dans différents types d'hôtes soumet les trématodes à des contraintes que ne connaissent pas les animaux vivant à l'état libre. Un schistosome, par exemple, doit échapper au système immunitaire de l'escargot et de l'humain. En simulant les protéines membranaires de son hôte, il se crée un camouflage immunitaire partiel. Il libère aussi des molécules qui agissent sur le système immunitaire de ses hôtes de façon à lui faire tolérer sa présence. Ces défenses sont si efficaces que des schistosomes peuvent survivre chez un hôte humain durant plus de 40 ans.

Les cestodes Les cestodes sont un deuxième groupe important et diversifié de rhabditophores parasites (**figure 33.12**). Les adultes vivent surtout à l'intérieur des vertébrés, notamment l'humain. Chez beaucoup d'espèces, la tête, appelée scolex, porte des ventouses et souvent des crochets qui lui permettent de se fixer à la muqueuse intestinale de son hôte. Les cestodes n'ont pas de bouche ni de cavité gastrovasculaire; ils absorbent tout simplement les nutriments libérés par le système digestif de leur hôte. L'absorption s'effectue sur toute la surface de leur corps.

Derrière le scolex se trouve un long ruban d'anneaux, appelés proglottis, qui sont essentiellement des sacs contenant les organes reproducteurs. Après la reproduction sexuée, les proglottis contiennent des milliers d'œufs. Le ver les libère alors de son extrémité postérieure dans les excréments de son hôte. Dans l'un des cycles de développement, des excréments humains contaminent la nourriture ou l'eau d'hôtes intermédiaires du ver, comme les porcs ou les bovins. Les œufs ingérés se transforment en larves qui s'enkystent dans les muscles de ces animaux. L'humain s'infecte en consommant de la viande contaminée insuffisamment cuite pour détruire les kystes. Une fois dans l'intestin de l'humain, les kystes libèrent des larves et celles-ci deviennent des adultes qui parasitent l'intestin. Le ténia adulte (couramment nommé ver solitaire) peut atteindre plus de 20 m; il peut causer une occlusion intestinale et détourner suffisamment de nutriments pour que son hôte souffre de carences nutritionnelles. Plusieurs médicaments oraux peuvent éliminer les vers adultes en perturbant leur métabolisme des glucides et en causant leur désinsertion de la paroi intestinale.

Les rotifères et les acanthocéphales

Des analyses phylogénétiques récentes ont démontré que deux embranchements classiques d'animaux, les rotifères et les acanthocéphales, forment plutôt un embranchement unique, celui des syndermés. Chacun des deux groupes possède des caractéristiques distinctives.

Les rotifères

On compte environ 1 800 espèces de rotifères. Ces minuscules animaux, dont la forme ressemble généralement à une trompette, vivent en eau douce, en eau salée ou dans les sols humides. Ils mesurent entre 50 μm et 2 mm, et sont donc plus petits que bon nombre de protistes (même si ces derniers sont unicellulaires). Malgré leur taille réduite, ils présentent une organisation multicellulaire véritable ainsi que des systèmes spécialisés (**figure 33.13**). Contrairement aux cnidaires et aux vers plats, qui possèdent une cavité gastrovasculaire, les rotifères sont munis d'un tube digestif comprenant deux ouvertures, une bouche et un anus. Les organes internes se trouvent à l'intérieur du *pseudocœlome*, une cavité corporelle partiellement tapissée de mésoderme (voir la figure 32.9b). Le liquide du pseudocœlome sert de squelette hydraulique. Les mouvements de l'organisme répartissent le liquide dans tout le corps, assurant ainsi la diffusion des nutriments.

Le terme *rotifère* (du latin *rota*, « roue ») fait référence à la couronne de cils qui entoure la bouche et y fait entrer l'eau en produisant un tourbillon; les cils jouent aussi un rôle dans la locomotion. À l'arrière de leur bouche, on trouve un appareil masticateur, le *mastax*, constitué de pièces dures et mobiles qui servent à broyer la nourriture, essentiellement des microorganismes en suspension dans l'eau. La digestion se poursuit plus loin dans le canal alimentaire. La plupart des autres bilatériens possèdent également un canal alimentaire qui leur permet de digérer progressivement un vaste éventail de particules alimentaires.

Les rotifères ont des modes de reproduction plutôt étranges. En effet, certaines espèces ne comptent que des femelles qui donnent naissance à d'autres femelles à partir d'œufs non fécondés; ce type de reproduction porte le nom de **parthénogenèse**. Certains autres invertébrés (par exemple, les pucerons et certaines espèces d'abeilles) et même quelques vertébrés (des lézards et des poissons notamment) se reproduisent aussi de cette façon. En plus d'être capables de produire des femelles par parthénogenèse, certains rotifères peuvent se reproduire de façon sexuée sous certaines conditions, par exemple en situation de surpopulation. Les ovules fécondés deviennent des embryons qui restent en dormance plusieurs années. Lorsqu'ils sortent de leur léthargie, les embryons forment une nouvelle génération de femelles qui se reproduisent par parthénogenèse jusqu'à ce que les conditions redeviennent propices à la reproduction sexuée.

Il est curieux qu'un si grand nombre d'espèces de rotifères survivent sans mâles. En effet, la vaste majorité des animaux et des végétaux se reproduisent

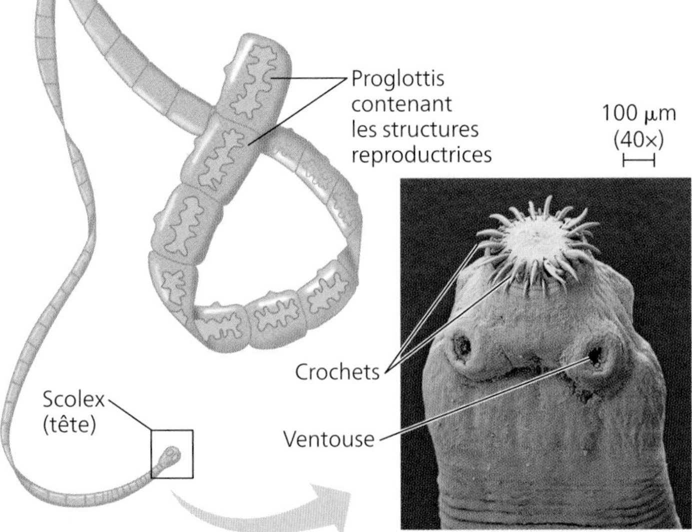

▲ **Figure 33.12 L'anatomie d'un cestode (*Taenia solium*, ou ver solitaire).** En médaillon, gros plan du scolex (MEB, cliché artificiellement coloré).

▼ **Figure 33.13 Un rotifère.** L'anatomie de ce pseudocœlomate, plus petit que de nombreux protistes, est en général plus complexe que celle des vers plats (MP).

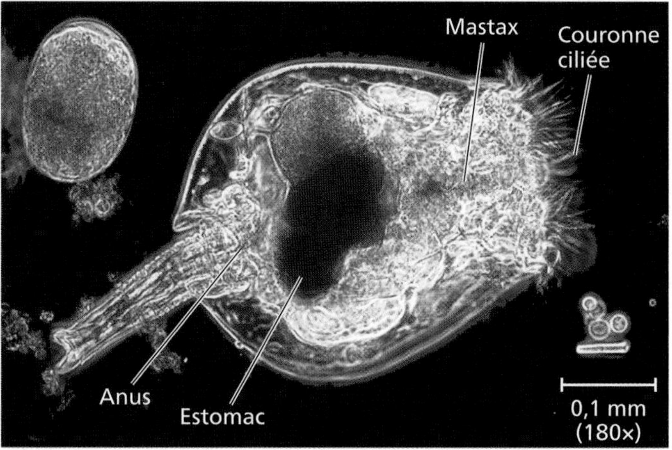

▼ **Figure 33.14 *Paratenuisentis ambiguus*, un acanthocéphale.** La photo en médaillon présente les crochets recourbés auxquels les vers à tête épineuse doivent leur nom.

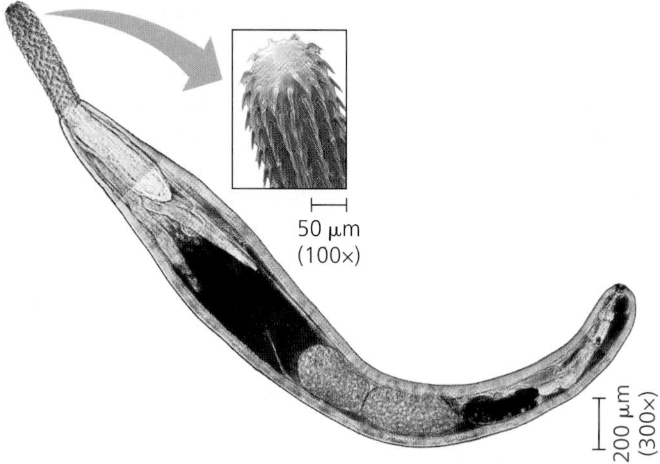

par voie sexuée au moins une partie de leur vie, sans compter que la reproduction sexuée présente certains avantages par rapport à la reproduction asexuée (voir le concept 46.1). Par exemple, les espèces qui se reproduisent de manière asexuée tendent à accumuler des mutations nuisibles dans leur génome plus rapidement que celles qui se reproduisent de manière sexuée. Les espèces asexuées sont donc susceptibles de connaître des taux d'extinction plus élevés.

Cherchant à comprendre comment ce groupe a pu survivre sans mâle, des chercheurs ont étudié un clade de rotifères asexués appelés bdelloïdés. On connaît quelque 360 espèces de bdelloïdés et toutes se reproduisent par parthénogenèse, donc sans mâles. Des paléontologues ont découvert des bdelloïdés conservés dans de l'ambre vieux de 35 millions d'années; or, la morphologie de ces fossiles ne correspond qu'à la forme femelle, et aucune preuve de l'existence d'une forme mâle n'a été découverte. Des analyses de l'horloge moléculaire démontrent que les bdelloïdés sont asexués depuis plus de 50 millions d'années. Même s'ils ne semblent pas se reproduire par voie sexuée, les rotifères bdelloïdes pourraient générer une diversité génétique par d'autres moyens, notamment grâce à leur tolérance à des niveaux élevés de dessiccation. En effet, lorsque les conditions environnementales s'améliorent et que les cellules se réhydratent, l'ADN d'autres espèces de rotifères y pénètre par les fentes situées dans la membrane plasmique. Des données récentes laissent supposer que l'ADN étranger pourrait ainsi être intégré au génome des bdelloïdés, ce qui accentuerait la diversité génétique.

Les acanthocéphales

Les acanthocéphales (1 100 espèces) sont dotés d'un système digestif complet, se reproduisent par voie sexuée et parasitent des vertébrés. Ils mesurent généralement moins de 20 cm de longueur. Les acanthocéphales sont communément appelés vers à tête épineuse en raison des crochets recourbés dont est munie la trompe rétractile située à l'extrémité antérieure de leur corps (**figure 33.14**). Même s'ils formaient auparavant un embranchement, des études récentes ont démontré que les acanthocéphales sont issus d'un groupe connu sous le nom de rotifères. En effet, l'ancêtre commun des rotifères du genre *Seison* et des acanthocéphales est plus récent que celui des rotifères du genre *Seison* et des autres rotifères. Par conséquent, on peut dire que les acanthocéphales forment un groupe de rotifères extrêmement modifiés.

Tous les acanthocéphales sont des parasites dont le cycle de développement complexe compte un ou plusieurs hôtes. Certains de ces vers modifient le comportement de leurs hôtes intermédiaires (généralement des arthropodes) de façon à augmenter leurs chances d'atteindre leurs hôtes définitifs (généralement des vertébrés). Ainsi, les acanthocéphales qui infectent des crabes de vase de la Nouvelle-Zélande forcent leurs hôtes à se diriger vers des endroits plus visibles de la plage, où ils ont davantage de chances d'être repérés et dévorés par des oiseaux, leurs hôtes définitifs.

Les lophophoriens: ectoproctes et brachiopodes

Les bilatériens appartenant aux embranchements des ectoproctes et des brachiopodes sont groupés sous l'appellation de lophophoriens. Ces animaux possèdent tous une structure nommée *lophophore*, en forme d'anneau entourant la bouche et portant des tentacules ciliés (voir la figure 32.12a). Les cils de ces animaux créent un mouvement qui entraîne l'eau vers la bouche. Les tentacules contribuent alors à retenir les particules de nourriture. D'autres caractéristiques communes, comme la forme en U du tube digestif et l'absence d'une tête distincte, témoignent d'un mode de vie sessile. Contrairement aux vers plats, qui sont dépourvus de cavité corporelle, et aux rotifères, qui possèdent un pseudocœlome, les lophophoriens sont des *cœlomates*, soit des organismes dont la cavité corporelle est entièrement tapissée de mésoderme (voir la figure 32.9a).

Les **ectoproctes** (du grec *ecto*, «à l'extérieur», et *procta*, «anus») sont des animaux qui vivent en colonies et qui ressemblent un peu à des plantes. (Leur nom usuel, bryozoaires, vient du grec *bruon*, «mousse», et *zôon*, «animal».) Chez la plupart des espèces, la colonie est enfermée dans un exosquelette dur dont les pores permettent aux animaux de faire sortir leur lophophore; celui-ci peut alors s'agiter doucement à la recherche de nourriture et se rétracter complètement en cas de danger (**figure 33.15a**). Chez certaines espèces, les individus de la colonie se répartissent le travail (nutrition, défense, nettoyage). La majorité des espèces d'ectoproctes vivent dans la mer, où elles constituent l'un des groupes d'animaux sessiles les plus répandus. Plusieurs espèces sont d'importants constructeurs de récifs. Il existe aussi des ectoproctes qui vivent dans les lacs et les rivières. Des colonies d'une espèce dulcicole, *Pectinatella magnifica*, s'établissent sur des branches ou des roches submergées et peuvent former une boule gélatineuse d'un diamètre de plus de 10 cm.

Les **brachiopodes** sont des animaux marins qui ressemblent un peu aux palourdes et aux bivalves, sauf que la position des valves diffère. En effet, chez les brachiopodes, une valve est dorsale et l'autre ventrale, tandis que chez les palourdes les deux valves sont latérales (une à droite, l'autre à gauche) (**figure 33.15b**). Tous les brachiopodes sont marins. La plupart vivent attachés à leur substrat par un long pédoncule flexible. Ils entrouvrent leur coquille pour faire circuler l'eau entre les deux valves et dans le lophophore. Les brachiopodes sont les derniers représentants d'un embranchement autrefois très important qui comptait 30 000 espèces au Paléozoïque et au Mésozoïque. Certains brachiopodes actuels, par exemple ceux du genre *Lingula*, sont presque identiques aux fossiles d'espèces ayant vécu il y a 400 millions d'années.

▼ **Figure 33.15 Les lophophoriens.**

(a) Les ectoproctes, comme ce bryozoaire (*Plumatella repens*), sont des lophophoriens vivant en colonies.

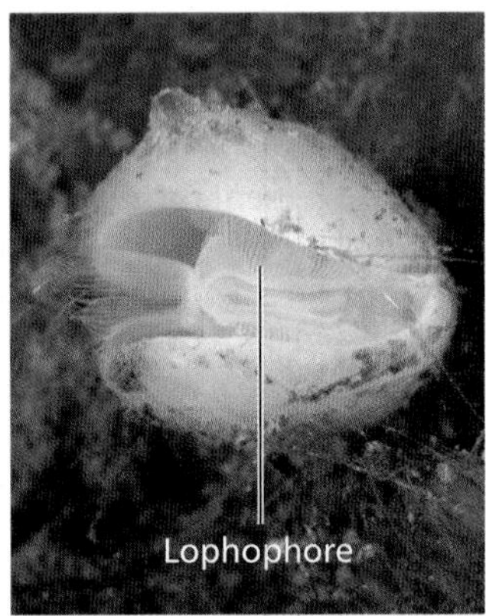

(b) Les brachiopodes, comme *Terebratulina retusa*, sont pourvus d'une coquille à charnière. Leurs valves sont en position dorsale et ventrale.

Les mollusques

Escargots, limaces, huîtres, palourdes, pieuvres et calmars font tous partie de l'embranchement des mollusques. Celui-ci compte plus de 100 000 espèces connues, ce qui le place au deuxième rang des embranchements d'animaux les plus diversifiés (après les arthropodes, dont il est question plus loin). Bien que la majorité des mollusques vivent en mer, quelque 8 000 espèces vivent en eau douce et 28 000 espèces d'escargots et de limaces colonisent la terre ferme. Tous les mollusques ont un corps mou, et la plupart sécrètent une coquille de calcaire. Cependant, au cours de l'évolution, certains mollusques ont perdu une partie (calmars) ou la totalité (pieuvres) de leur coquille.

En dépit de leur apparente diversité, les mollusques possèdent tous la même structure (**figure 33.16**). Le corps de ces cœlomates se compose de trois parties principales : un **pied** musculeux servant habituellement aux mouvements, une **masse viscérale** contenant la plupart des organes internes et un **manteau** constitué d'une épaisse tunique de tissu recouvrant la masse viscérale et pouvant sécréter une coquille (si l'animal en présente une). Chez de nombreuses espèces, le prolongement du manteau forme un compartiment rempli d'eau, appelé **cavité palléale**, abritant les branchies, l'anus et les pores excréteurs. De nombreux mollusques se nourrissent au moyen d'un organe rugueux en forme de râpe, la **radula**, qu'ils utilisent pour gratter leur nourriture et la ramasser.

La plupart des mollusques sont unisexués, sauf les escargots, qui sont hermaphrodites. Les gonades (les ovaires et les testicules) sont situées dans la masse viscérale. Le cycle de

▼ **Figure 33.16 Le plan d'organisation corporelle typique des mollusques.**

Métanéphridie. Des organes excréteurs appelés métanéphridies débarrassent l'hémolymphe des déchets métaboliques.

Cœur. La plupart des mollusques possèdent un système cardiovasculaire ouvert comprenant, en position dorsale, un cœur qui pompe le liquide (hémolymphe) circulant des artères vers les sinus (espaces corporels) ; ceux-ci se remplissent de l'hémolymphe qui baigne les organes.

Masse viscérale

Le long tube digestif est enroulé dans la masse viscérale.

Cœlome

Intestin

Gonades

Manteau

Estomac

Coquille

Cavité palléale

Radula

Anus

Branchie

Bouche

Le système nerveux consiste en un anneau nerveux entourant l'œsophage d'où partent des cordons nerveux.

Pied

Cordons nerveux

Œsophage

Bouche

Radula. Chez de nombreux mollusques, la région buccale porte un organe rugueux, la radula. Semblable à une ceinture de dents recourbées vers l'arrière, celle-ci sort de la bouche et effectue des mouvements de va-et-vient permettant à l'animal de gratter et de rapprocher la nourriture de sa bouche, telle une pelle rétrocaveuse.

développement d'un grand nombre de mollusques marins comporte un stade de larve ciliée appelée trochophore (voir la figure 32.12b), caractéristique qu'ont en commun les annélides marins (vers annelés) et certains autres lophotrochozoaires.

Le plan d'organisation corporelle de base des mollusques a évolué de diverses façons dans les huit classes de cet embranchement. Nous décrirons quatre de ces classes : les polyplacophores (chitons), les gastéropodes (escargots et limaces), les bivalves (palourdes, huîtres et autres) et les céphalopodes (calmars, pieuvres, seiches et nautiles). Nous examinerons ensuite les menaces qui guettent certains groupes de mollusques.

Les polyplacophores

Les polyplacophores, ou chitons, sont des animaux marins ovales recouverts d'une coquille formée de huit plaques dorsales (**figure 33.17**) ; toutefois, le corps lui-même n'est pas segmenté. On les trouve accrochés aux rochers des rivages à marée basse. Ils y sont si bien agrippés, grâce à leur pied qui sert de ventouse, qu'il est toujours surprenant de constater à quel point il est difficile de les déloger. Les chitons utilisent aussi leur pied musculeux pour ramper lentement à la surface des rochers. À l'aide de leur radula, ils grattent la surface des rochers à la recherche de morceaux d'algues, dont ils se nourrissent.

Les gastéropodes

Les gastéropodes représentent 75 % de toutes les espèces de mollusques modernes (**figure 33.18**). La plupart des espèces sont marines, mais beaucoup sont dulcicoles ; d'autres, comme les escargots et les limaces, se sont adaptées à la vie sur la terre ferme et vivent dans des habitats aussi variés que des déserts et des forêts tropicales.

Les gastéropodes se déplacent à une vitesse d'escargot, c'est le cas de le dire, grâce aux ondulations de leur pied ou aux battements de leurs cils. Toutefois, le processus est laborieux, ce qui les rend vulnérables aux attaques. Une coquille en forme de spirale protège la plupart des gastéropodes, qui peuvent s'y réfugier en cas de danger. Sécrétée par des glandes situées à l'extrémité du manteau, cette coquille remplit différentes fonctions, dont celle de protéger le corps mou de l'animal contre les blessures et la déshydratation. Toutefois, l'un de ses rôles les plus importants consiste à protéger le gastéropode contre les prédateurs, comme on peut le constater en comparant des populations présentant différents antécédents de prédation (voir la rubrique **Habiletés scientifiques**). Tout en se déplaçant lentement, la plupart des gastéropodes se servent de leur radula pour gratter la surface de matières végétales ou d'algues. Toutefois, les gastéropodes prédateurs ont une radula modifiée qui leur permet de percer les coquilles des autres mollusques ou de déchirer leurs proies. Chez les escargots, les individus appartenant aux cônes (tel *Conus genuanus*) possèdent sur leur radula des dents creuses qui se terminent par un barbillon empoisonné pénétrant la proie.

De nombreux gastéropodes ont une tête munie de tentacules, à l'extrémité desquelles on trouve des yeux. Les escargots terrestres ont remplacé les branchies des gastéropodes aquatiques par un système dans lequel la cavité palléale vascularisée sert de poumon et assure les échanges de gaz respiratoires avec l'air ambiant.

▼ **Figure 33.17 Un chiton.** Remarquez la coquille dorsale composée de huit plaques, caractéristique des polyplacophores.

Les bivalves

Tous les mollusques de la classe des bivalves, ou lamellibranches, sont aquatiques. Les bivalves comprennent de nombreuses espèces de palourdes, d'huîtres, de moules et de pétoncles. La coquille se divise en deux parties reliées par une charnière au milieu du dos (**figure 33.19**). Lorsque survient un danger, de puissants muscles adducteurs referment solidement les deux parties et protègent le corps mou de l'animal. Les bivalves n'ont pas de tête et ont perdu leur radula au cours de l'évolution. Chez certains, le bord extérieur du manteau est pourvu d'yeux et de tentacules sensoriels.

Chez la plupart des espèces, la cavité palléale renferme des branchies ciliées qui servent autant à l'alimentation qu'aux échanges gazeux (**figure 33.20**). La plupart des espèces de cette classe sont **suspensivores**, car elles captent de petites particules alimentaires en suspension dans le milieu aquatique grâce au mucus qui tapisse leurs branchies et à leurs cils qui dirigent ces particules vers la bouche. Un siphon inhalant amène l'eau dans la cavité palléale et lui fait traverser les branchies. Un siphon exhalant propulse ensuite l'eau hors de la cavité palléale.

En raison de leur mode de nutrition, les bivalves mènent une vie plutôt sédentaire. Les moules sécrètent des fils solides qui les attachent aux rochers, aux quais, aux coques de bateaux et aux

▼ **Figure 33.18 Les gastéropodes.** Les gastéropodes ont colonisé les habitats terrestres et aquatiques.

(a) Escargot terrestre.

(b) Limace de mer. Les limaces de mer (ordre des nudibranches) ont perdu leur coquille au cours de l'évolution.

DÉMARCHE SCIENTIFIQUE

HABILETÉS SCIENTIFIQUES

Comprendre la méthode expérimentale et interpréter les données

▶ Une littorine.

■ EXISTE-T-IL DES PREUVES D'ADAPTATIONS DÉFENSIVES ATTRIBUABLES À LA SÉLECTION NATURELLE DANS LES POPULATIONS DE MOLLUSQUES EXPOSÉES À DES PRÉDATEURS ? ■ Du point de vue historique, des données paléontologiques démontrent une augmentation de la fréquence et de l'expression des moyens de défense chez les proies exposées à un risque élevé de prédation. Des chercheurs ont voulu déterminer si les populations de crabes verts européens (*Carcinus maenas*) ont exercé une pression sélective similaire sur leur proie gastéropode, la littorine obtuse (*Littorina obtusata*). Les littorines vivant dans les régions plus au sud du golfe du Maine, aux États-Unis, sont chassées par les crabes verts européens depuis plus de 100 générations, à raison d'environ une génération par année. Comme les crabes verts n'ont envahi les régions plus au nord du Golfe que récemment, les littorines peuplant ces régions n'interagissent avec les crabes que depuis quelques générations.

Selon une recherche antérieure, (1) les coquilles des littorines obtuses capturées récemment dans le golfe du Maine sont plus épaisses que celles des littorines capturées à la fin des années 1800 et (2) les populations de ces mollusques peuplant les régions plus au sud du Golfe ont une coquille plus épaisse que celles vivant dans des zones plus au nord. Dans cet exercice, vous interpréterez les résultats de l'expérience des chercheurs dont l'objectif était d'évaluer les taux de prédation par les crabes dans les populations de littorines du Nord et du Sud du golfe du Maine.

■ MÉTHODE ■ Les chercheurs ont capturé des littorines et des crabes provenant du Nord et du Sud du golfe du Maine, dont le littoral s'étend sur 450 km. Ils ont placé un seul crabe avec huit littorines de différentes tailles. Après trois jours, ils ont vérifié si les littorines étaient toujours en vie. On a réparti les crabes dans des groupes correspondant à quatre différentes combinaisons: la moitié des crabes du Nord ont été placés avec des littorines du Nord, et l'autre moitié, avec des littorines du Sud; on a procédé de la même façon pour les crabes du Sud. Tous les crabes étaient de taille similaire et comptaient un nombre équivalent de mâles et de femelles. Chaque combinaison était testée de 12 à 14 fois.

Dans la deuxième partie de l'expérience, on a retiré les littorines du Nord et du Sud de leur coquille, puis on les a offertes aux crabes provenant des régions nord et sud.

■ RÉSULTATS ■

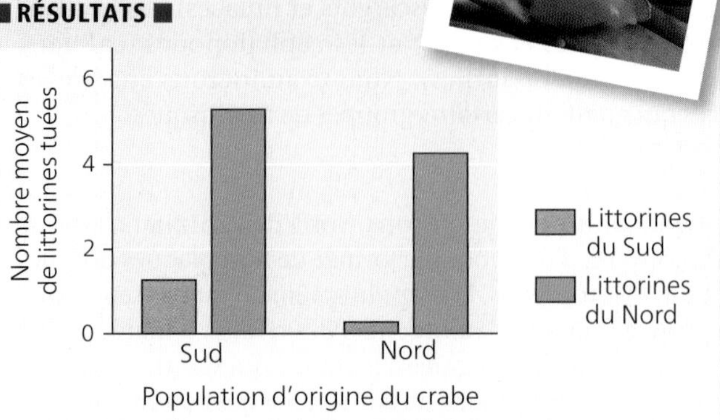

Source des données: R. Rochette et coll., Interaction between an invasive decapod and a native gastropod: Predator foraging tactics and prey architectural defenses, *Marine Ecology Progress Series* 330: 179-188 (2007).

Lorsque les chercheurs ont offert aux crabes les littorines sans coquille, toutes les littorines ont été dévorées en moins de 1 heure.

INTERPRÉTEZ LES DONNÉES ▼

1. Dans cette étude, quelles étaient les hypothèses que les chercheurs voulaient vérifier ? Quelles étaient les variables indépendantes ? Quelles étaient les variables dépendantes ?
2. Pourquoi les chercheurs ont-ils établi quatre combinaisons (groupes) différentes ?
3. Pourquoi les chercheurs ont-ils offert des littorines sans coquille aux crabes ? Que démontrent les résultats de cette partie de l'expérience ?
4. Dans vos mots, résumez les résultats de l'expérience. Ces résultats appuient-ils l'hypothèse que vous avez formulée à la question 1 ? Expliquez votre réponse.
5. Expliquez quelle aurait pu être l'incidence de la sélection naturelle sur les littorines obtuses du Sud du golfe du Maine au cours des 100 dernières années.

coquilles d'autres animaux. Les palourdes, quant à elles, se déplacent dans le sable ou la vase en creusant à l'aide de leur pied musculeux. Outre qu'ils creusent le sol, les pétoncles se déplacent en faisant claquer brusquement les valves de leur coquille à la manière de castagnettes.

Les céphalopodes

Les céphalopodes sont d'actifs prédateurs marins (**figure 33.21**). Ils utilisent leurs tentacules pour saisir leur proie et, avec leurs mâchoires en forme de bec, la mordent et l'immobilisent au moyen d'un venin présent dans leur salive. Leur pied, qui a subi des modifications au cours de l'évolution, comprend le siphon exhalant et une partie des tentacules. Le calmar se déplace de façon saccadée en remplissant sa cavité palléale d'eau, qu'il expulse ensuite avec force par un siphon exhalant. Il se dirige en pointant ce dernier dans la direction contraire au déplacement.

Un manteau recouvre la masse viscérale des céphalopodes, mais en général la coquille est réduite et interne (chez la plupart des espèces), ou complètement absente (chez certaines espèces de seiches et de pieuvres). Seuls les nautiles ont conservé leur coquille externe jusqu'à nos jours.

Les céphalopodes sont les seuls mollusques à posséder un *système cardiovasculaire clos*, qui isole le sang des liquides contenus dans la cavité corporelle. Ils sont aussi pourvus d'un système nerveux bien développé comprenant un cerveau organisé. Comme ils doivent se déplacer rapidement, ces prédateurs ont une plus

▼ Figure 33.19 Un bivalve. Ce pétoncle possède un grand nombre d'yeux (points bleu foncé) situés le long des deux moitiés de sa coquille à charnière.

▼ Figure 33.20 L'anatomie de la palourde. Une fois aspirées par le siphon inhalant, les particules de nourriture en suspension dans l'eau sont recueillies par les branchies ciliées et amenées à la bouche par les cils et les palpes labiaux.

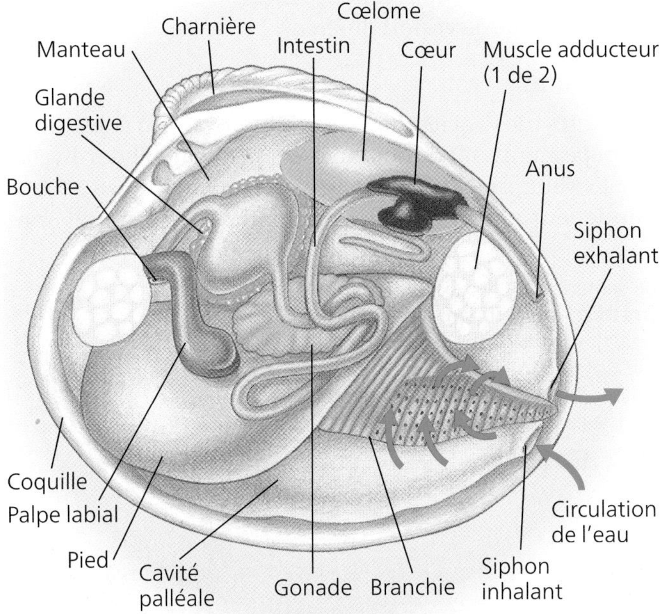

grande faculté d'apprentissage et un comportement plus complexe que ceux des animaux sédentaires comme les palourdes.

Les ancêtres des pieuvres et des calmars étaient probablement des mollusques munis d'une coquille qui ont adopté le mode de vie des prédateurs. Au fil de l'évolution, la coquille aurait disparu. Les céphalopodes à coquille appelés **ammonites**, dont plusieurs étaient aussi grands que des pneus de camion, étaient des prédateurs invertébrés qui ont dominé les mers durant des centaines de millions d'années. Ils ont disparu lors des extinctions massives de la fin du Crétacé, il y a 65,5 millions d'années.

La plupart des espèces de calmars mesurent moins de 75 cm de longueur, mais certaines ont une taille beaucoup plus considérable. Par exemple, on estime que la longueur maximale du calmar géant (*Architeuthis dux*) est de 13 m pour les femelles et

▼ Figure 33.21 Les céphalopodes.

► Les calmars sont des carnivores rapides pourvus de mâchoires en forme de bec et d'yeux bien développés.

◄ Les pieuvres figureraient parmi les invertébrés les plus intelligents.

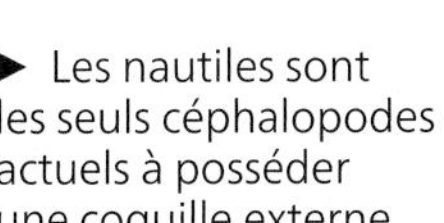

► Les nautiles sont les seuls céphalopodes actuels à posséder une coquille externe.

de 10 m pour les mâles. Le calmar colossal (*Mesonychoteuthis hamiltoni*) est encore plus gros, puisqu'il peut atteindre une longueur de plus de 15 m. Contrairement à *A. dux*, qui possède de grosses ventouses et dont les tentacules sont munis de petites dents, *M. hamiltoni* présente à l'extrémité de ceux-ci des griffes rotatives qui peuvent causer des lacérations mortelles.

Il est probable que *A. dux* et *M. hamiltoni* demeurent presque en permanence en eau profonde, où ils peuvent se nourrir de gros poissons. On a trouvé des restes de ces deux espèces dans l'estomac de cachalots, qui sont vraisemblablement leurs seuls prédateurs naturels. En 2005, des scientifiques ont pour la première fois photographié *A. dux* dans son habitat naturel alors qu'il attaquait des hameçons appâtés à 900 m de profondeur. *M. hamiltoni* n'a toujours pas pu être observé dans son habitat naturel. Dans l'ensemble, il nous reste beaucoup à apprendre sur ces géants des mers.

La protection des mollusques dulcicoles et terrestres

Le rythme de disparition des espèces s'est accéléré de façon importante au cours des quatre derniers siècles, à tel point que les derniers recensements de la biodiversité nous indiquent qu'une sixième extinction de masse, anthropique celle-là, serait en cours (voir le concept 25.4). Parmi les nombreux taxons menacés, les mollusques se distinguent malheureusement des autres groupes d'animaux par le plus grand nombre d'extinctions documentées (**figure 33.22**).

Deux groupes de mollusques sont particulièrement menacés, soit les bivalves dulcicoles et les gastéropodes terrestres. Au rang des espèces en voie d'extinction se trouve notamment la moule perlière d'eau douce (*Margaritifera margaritifera*), un groupe de bivalves dulcicoles qui produit des perles naturelles (corps minéraux que forme une moule ou une huître par la sécrétion de couches successives d'un enrobage nacré autour d'un grain de sable ou d'un autre irritant). Quelque 10 % des 300 espèces de moules observées en Amérique du Nord ont disparu au cours des 100 dernières années, et plus des deux tiers de celles qui restent sont menacées d'extinction. Des gastéropodes terrestres tels l'escargot présenté dans la figure 33.22 n'en mènent guère plus large. Dans les îles du Pacifique, des centaines d'escargots terrestres ont disparu depuis 1800. Dans l'ensemble, plus de 50 % des gastéropodes terrestres des îles du Pacifique ont disparu ou sont menacés d'extinction à court terme.

La perte d'habitats, la pollution, la compétition, la prédation par des espèces non indigènes et la surexploitation par l'humain sont des facteurs responsables du sort que connaissent actuellement les mollusques dulcicoles et terrestres. Est-il trop tard pour les protéger ? En certains endroits, l'adoption de mesures de réduction de la pollution de l'eau et la modification des mécanismes de vidange d'eau des barrages ont entraîné un redressement remarquable des populations de moules perlières d'eau douce. Ces résultats permettent de penser que, grâce à des mesures correctives, d'autres espèces de mollusques menacées seront sauvées.

Les annélides

Les annélides (du latin *anellus*, « petit anneau ») sont des vers annelés qui se caractérisent par leur apparence segmentée. Ils vivent dans la mer, en eau douce ou dans les sols humides. Leur taille varie de moins de 1 mm à 3 m.

Auparavant, on divisait l'embranchement des annélides en trois groupes principaux : les polychètes (vers annelés marins), les oligochètes (vers annelés dulcicoles ou terrestres) et les hirudinées (sangsues). Le nom des deux premiers groupes évoque le nombre relatif de soies de chitine sur leur corps : les polychètes (du grec *poly*, « nombreux », et *chait*, « long poil ») comptent beaucoup plus de soies par segment que les oligochètes.

Cependant, une étude phylogénomique réalisée en 2011 ainsi que des analyses moléculaires récentes montrent que les oligochètes forment un sous-groupe de polychètes (tels qu'ils sont définis en fonction de leur morphologie) qui, par conséquent, forment un groupe paraphylétique. De même, on a démontré que les hirudinées sont un sous-groupe d'oligochètes. C'est pourquoi on n'utilise plus ces appellations classiques pour décrire l'histoire évolutive des annélides. Les données actuelles indiquent plutôt qu'on peut diviser les annélides en deux principaux clades : les errantes et les sédentaires. Cette classification reflète leur mode de vie fort différent.

Les errantes

Les errantes (de l'ancien français *errer*, « voyager ») constituent un groupe réunissant de nombreuses espèces annélides diversifiées et vivant principalement en milieu marin (**figure 33.23**). Comme leur nom l'indique, de nombreuses errantes sont

▼ **Figure 33.22 La disparition silencieuse des mollusques.** Les mollusques représentent 40 % des disparitions d'espèces animales documentées, un record qui ne fait pas les manchettes, mais qui n'en est pas moins préoccupant. Ces disparitions s'expliquent par la perte d'habitats, la pollution, l'introduction d'espèces non indigènes, la surexploitation et d'autres activités humaines. De nombreuses populations de moules perlières d'eau douce, par exemple, ont disparu à la suite de la surexploitation de leur coquille, dont la nacre a longtemps servi à fabriquer des boutons et d'autres produits. Les escargots terrestres sont extrêmement vulnérables aux mêmes menaces; comme les moules perlières, ils comptent parmi les groupes d'animaux les plus menacés.

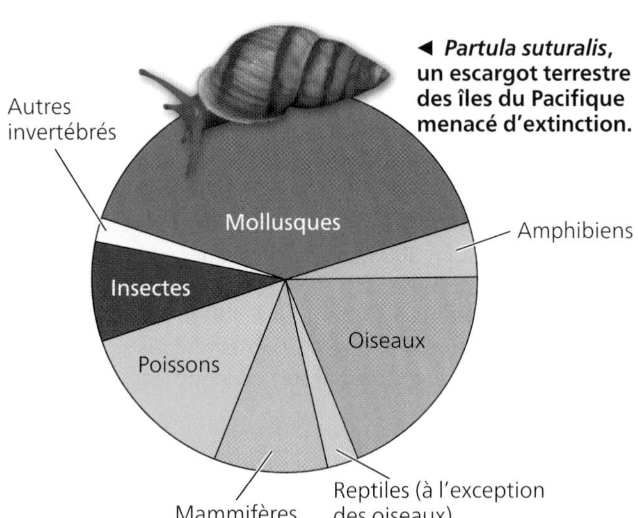

▲ **Disparitions documentées des espèces animales.**

▲ **Des travailleurs sur un monticule de moules perlières récoltées pour la fabrication de boutons (1919).**

FAITES DES LIENS ▶ Les bivalves dulcicoles se nourrissent de protistes photosynthétiques et de bactéries; ils contribuent donc à en réduire les populations. À cet égard, leur disparition risque-t-elle d'avoir des effets négligeables ou importants sur les communautés aquatiques (voir le concept 28.6) ? Expliquez votre réponse.

mobiles; certaines formes (petits organismes à la dérive) nagent parmi le plancton, alors que d'autres rampent ou creusent les sédiments au fond de la mer. Nombre d'entre elles sont prédatrices, alors que d'autres se nourrissent en broutant de grosses algues multicellulaires. Ce groupe compte également quelques espèces relativement immobiles, comme *Platynereis*, une espèce marine tubicole, qu'on utilise depuis peu comme modèle dans les recherches en neurobiologie et sur le développement.

Les anneaux de nombreuses errantes possèdent chacun une paire de structures de locomotion ressemblant à des rames ou à des crêtes et appelées parapodes (du grec *para*, «à côté», et *podia*, «pied») (voir la figure 33.23). Chaque parapode des errantes comporte de nombreuses soies de chitine, tout comme celles de certaines sédentaires. Chez un grand nombre d'espèces, ces organes sont très vascularisés et servent de branchies. Les errantes possèdent souvent une mâchoire bien développée ainsi que des organes sensoriels, comme c'est souvent le cas chez les prédateurs ou les organismes brouteurs qui se déplacent à la recherche de nourriture.

Les sédentaires

Les espèces appartenant au clade des sédentaires (du latin *sedere*, «résider») ont tendance, comme leur nom l'indique, à être moins mobiles que celles du clade des errantes. Certaines espèces se frayent lentement un chemin à travers les sédiments ou la terre, alors que d'autres vivent dans des tubes qui les protègent et soutiennent leur corps mou. Les sédentaires tubicoles possèdent souvent des branchies ou des tentacules élaborés qu'ils utilisent pour filtrer les aliments (**figure 33.24**).

Même si le ver arbre de Noël de la figure 33.24 était auparavant considéré comme un polychète, les données actuelles indiquent qu'il s'agit d'un sédentaire. Le clade des sédentaires compte également d'anciens oligochètes, dont les deux groupes que nous présentons ci-dessous, les hirudinées et les vers de terre.

Les hirudinées Certaines hirudinées, ou sangsues, parasitent temporairement des animaux, dont l'humain, et se nourrissent de leur sang. Toutefois, la plupart sont des prédateurs qui se nourrissent d'autres petits invertébrés. La taille des hirudinées varie de 1 à 30 cm. La plupart d'entre elles vivent en eau douce, mais d'autres vivent soit en milieu marin, soit dans la végétation terrestre humide. Certaines espèces parasites possèdent des mâchoires très coupantes dont elles se servent pour entailler la peau de leur hôte. L'hôte ne se rend habituellement compte de rien, car les sangsues produisent en même temps un anesthésique. Après l'incision, les sangsues sécrètent un autre composé, l'hirudine, qui empêche le sang de coaguler. Les parasites peuvent alors sucer autant de sang qu'ils peuvent en contenir, c'est-à-dire plus de 10 fois leur propre masse; leur intestin possède des diverticules où le sang ingéré peut être mis en réserve. Lorsqu'elles sont rassasiées, les sangsues peuvent vivre plusieurs mois sans nourriture.

Jusqu'au 20e siècle, les médecins utilisaient souvent les sangsues pour faire des saignées. On se sert encore de ces animaux pour drainer le sang qui s'accumule dans les tissus à la suite d'accidents ou d'opérations chirurgicales (**figure 33.25**). Par ailleurs, différentes formes d'hirudine peuvent être produites grâce aux techniques d'ADN recombiné et utilisées pour dissoudre les caillots de sang qui se forment pendant une opération ou qui résultent d'une cardiopathie.

Les vers de terre Les vers de terre ingèrent de la terre, dont ils extraient les nutriments au fur et à mesure qu'elle passe dans leur système digestif. Les matières non digérées, mélangées au mucus sécrété par le tube digestif, sortent par l'anus sous

▼ Figure 33.23 Une errante, le prédateur *Nereimyra punctata*. Cette annélide marine tend une embuscade à ses proies à partir de terriers creusés à même le fond marin. Pour détecter ses proies, *N. punctata* utilise de longs organes sensoriels, les cirres, qui se dressent hors du terrier.

▼ Figure 33.24 *Spirobranchus giganteus*, le ver arbre de Noël. Les deux spires en forme d'arbre de ce sédentaire sont des tentacules, qui servent aux échanges gazeux et à la capture de petits organismes en suspension dans l'eau. Elles émergent d'un tube de calcaire sécrété par le ver afin de protéger et de soutenir son corps mou.

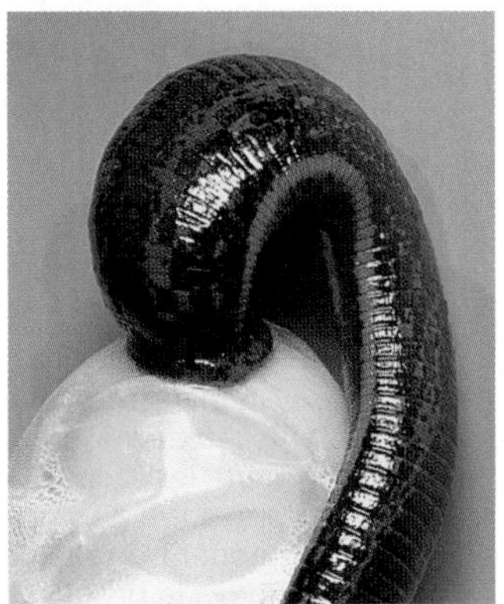

◄ Figure 33.25 Une sangsue. Cette sangsue médicinale (*Hirudo medicinalis*) a été appliquée sur le pouce d'un patient afin de traiter un hématome (accumulation anormale de sang au siège d'une lésion interne).

forme de déjections. Les agriculteurs apprécient ces vers, car ils ameublissent et aèrent la terre, et en améliorent la texture avec leurs excréments. (Au 19e siècle, Charles Darwin a estimé qu'en Angleterre un seul hectare de terre cultivée renfermait environ 125 000 vers de terre pouvant produire 45 tonnes de déjections par année.)

La **figure 33.26** explique l'anatomie du ver de terre, qui représente bien les annélides. Les vers de terre sont hermaphrodites et pratiquent la fécondation croisée. Deux vers s'accouplent en se plaçant tête-bêche de telle sorte qu'ils puissent échanger leur sperme, puis se séparent. Certains vers de terre se reproduisent aussi de façon asexuée, par fragmentation et régénération.

RETOUR SUR LE CONCEPT 33.3

1. Expliquez comment les cestodes peuvent survivre en l'absence de cœlome, de bouche, de système digestif et de système excréteur.
2. On peut décrire l'anatomie de l'annélide comme étant un tube à l'intérieur d'un tube. Expliquez cette affirmation.
3. **FAITES DES LIENS ▶** Expliquez comment le pied musculeux des gastéropodes et le siphon exhalant des céphalopodes constituent un exemple de descendance avec modification (voir le concept 22.2).

Voir les réponses proposées à l'appendice A.

▼ **Figure 33.26 L'anatomie du ver de terre, un sédentaire.**

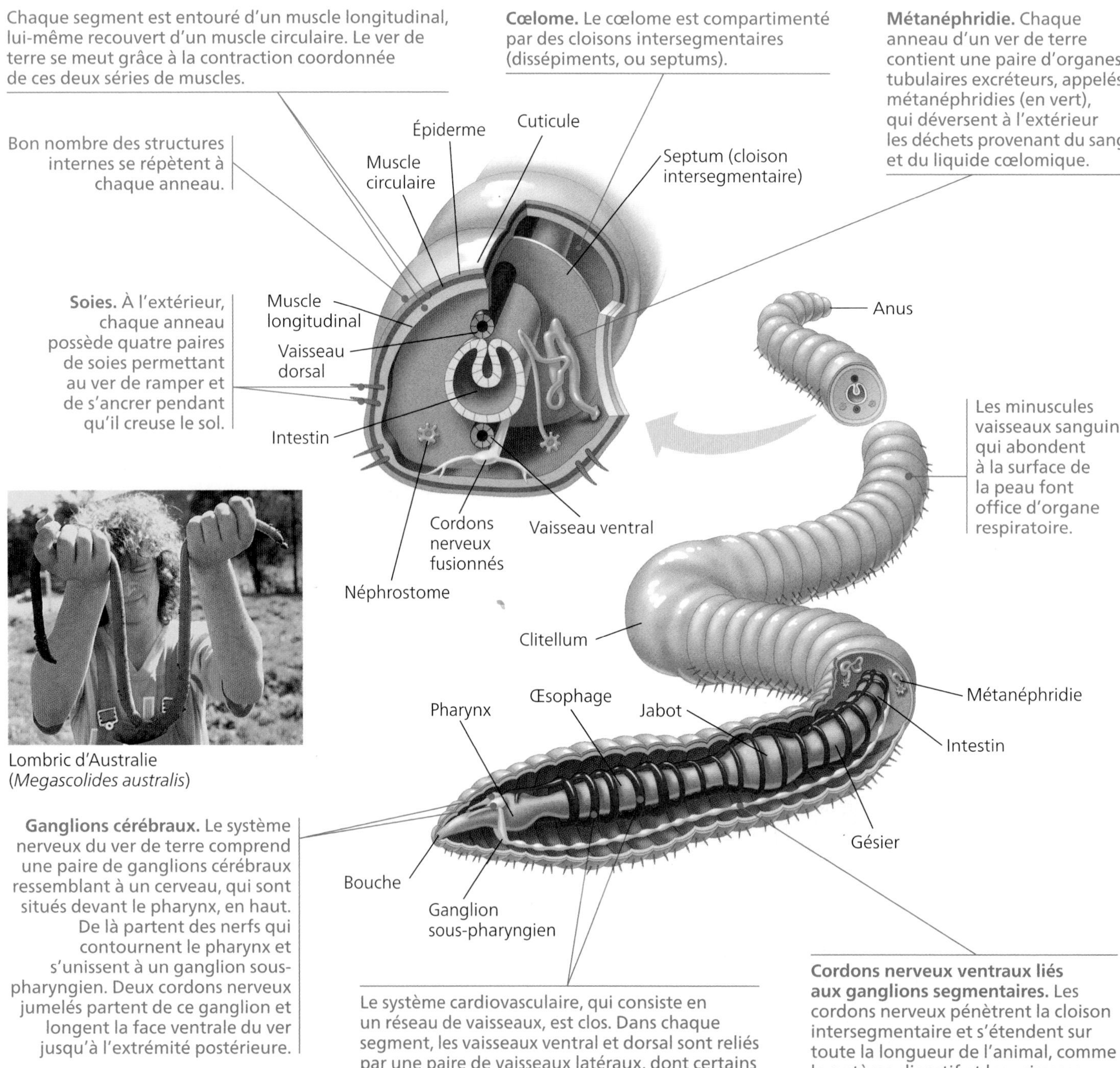

Chaque segment est entouré d'un muscle longitudinal, lui-même recouvert d'un muscle circulaire. Le ver de terre se meut grâce à la contraction coordonnée de ces deux séries de muscles.
Cœlome. Le cœlome est compartimenté par des cloisons intersegmentaires (dissépiments, ou septums).
Métanéphridie. Chaque anneau d'un ver de terre contient une paire d'organes tubulaires excréteurs, appelés métanéphridies (en vert), qui déversent à l'extérieur les déchets provenant du sang et du liquide cœlomique.
Bon nombre des structures internes se répètent à chaque anneau.
Épiderme
Cuticule
Muscle circulaire
Septum (cloison intersegmentaire)
Soies. À l'extérieur, chaque anneau possède quatre paires de soies permettant au ver de ramper et de s'ancrer pendant qu'il creuse le sol.
Muscle longitudinal
Vaisseau dorsal
Intestin
Anus
Les minuscules vaisseaux sanguins qui abondent à la surface de la peau font office d'organe respiratoire.
Cordons nerveux fusionnés
Vaisseau ventral
Néphrostome
Clitellum
Lombric d'Australie (Megascolides australis)
Pharynx
Œsophage
Jabot
Métanéphridie
Intestin
Gésier
Ganglions cérébraux. Le système nerveux du ver de terre comprend une paire de ganglions cérébraux ressemblant à un cerveau, qui sont situés devant le pharynx, en haut. De là partent des nerfs qui contournent le pharynx et s'unissent à un ganglion sous-pharyngien. Deux cordons nerveux jumelés partent de ce ganglion et longent la face ventrale du ver jusqu'à l'extrémité postérieure.
Bouche
Ganglion sous-pharyngien
Le système cardiovasculaire, qui consiste en un réseau de vaisseaux, est clos. Dans chaque segment, les vaisseaux ventral et dorsal sont reliés par une paire de vaisseaux latéraux, dont certains contiennent du tissu musculaire qui propulse le sang dans le système cardiovasculaire.
Cordons nerveux ventraux liés aux ganglions segmentaires. Les cordons nerveux pénètrent la cloison intersegmentaire et s'étendent sur toute la longueur de l'animal, comme le système digestif et les vaisseaux sanguins longitudinaux.

CONCEPT **33.4**

Le groupe des ecdysozoaires est celui qui compte la plus grande variété d'espèces

Bien que le clade des ecdysozoaires ait été défini principalement au moyen de données moléculaires, il comprend des animaux qui sécrètent un exosquelette résistant (une **cuticule**) au cours de leur croissance. En fait, le clade tire son nom de ce processus, appelé *ecdysis*, ou **mue**. La mue est rendue nécessaire par la présence de cet exosquelette, qui doit être remplacé périodiquement afin que l'animal poursuive sa croissance et augmente de taille. Les ecdysozoaires comprennent huit embranchements et réunissent plus d'espèces connues que tous les autres groupes d'animaux, de protistes, d'eumycètes et de végétaux réunis. Nous nous concentrons ici sur les deux plus grands embranchements, celui des nématodes et celui des arthropodes, qui comptent parmi les groupes d'animaux les plus florissants.

Les nématodes

Les nématodes, ou vers ronds, font partie de l'embranchement qui compte le plus grand nombre d'individus et d'espèces. On en trouve dans la plupart des habitats aquatiques, dans les sols humides, dans les tissus humides des végétaux ainsi que dans les liquides corporels et les tissus animaux. Le corps cylindrique des nématodes a une extrémité postérieure en pointe effilée et une extrémité antérieure arrondie (**figure 33.27**). Sa taille varie de moins de 1 mm à plus de 1 m. Les nématodes sont revêtus d'une sorte d'exosquelette résistant appelé cuticule. Au cours de leur développement, ils s'extirpent régulièrement de leur vieille cuticule et en sécrètent une autre, plus grande. Après un nombre déterminé de mitoses, la croissance chez ces animaux s'effectue exclusivement par augmentation de la taille des cellules. Les nématodes possèdent un tube digestif complet, mais pas de système cardiovasculaire. Le liquide qui circule dans leur pseudocœlome apporte des nutriments à toutes les cellules du corps. Les muscles de la paroi corporelle sont tous longitudinaux, et leur contraction produit des mouvements saccadés.

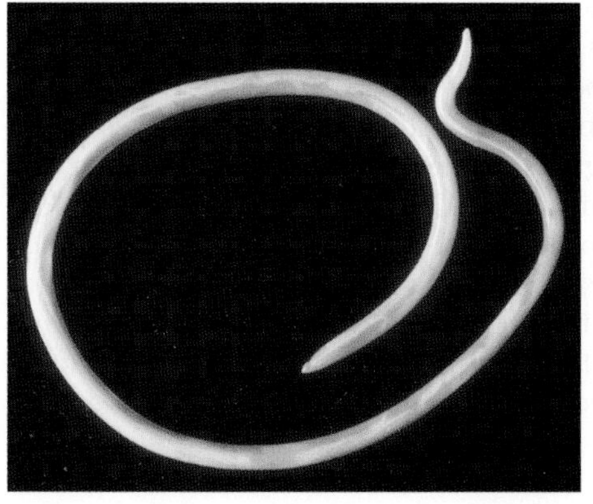

◀ **Figure 33.27 Un nématode vivant à l'état libre** (MEB, cliché artificiellement coloré).

Des multitudes de vers ronds vivent dans les sols humides et dans les matières organiques en décomposition au fond des lacs et des océans. On en connaît 25 000 espèces, mais il en existe peut-être 20 fois plus. On prétend que s'il ne restait sur la Terre que des nématodes, la planète conserverait grâce à eux son aspect et un grand nombre de ses caractéristiques. Ces vers qui vivent à l'état libre jouent un rôle très important dans la décomposition et le recyclage des nutriments. Pourtant, on les connaît très peu. *Caenorhabditis elegans*, un résident du sol, fait exception : cet organisme est l'un des animaux les plus étudiés en biologie du développement (voir le concept 47.3). Des études en cours portant sur cette espèce donnent un aperçu des mécanismes du vieillissement chez les humains et nous renseignent sur plusieurs autres sujets.

L'embranchement des nématodes comprend de nombreuses espèces parasites des végétaux, et plusieurs d'entre elles représentent un fléau pour les agriculteurs, car elles s'attaquent aux racines de certaines plantes. D'autres vivent aux dépens de divers animaux. Certaines de ces espèces sont utiles aux cultivateurs puisqu'elles attaquent des insectes comme le ver gris, qui se nourrit des racines des plantes cultivées. En revanche, au moins 50 espèces de nématodes parasitent l'humain, dont les oxyures (par exemple, l'oxyure vermiculaire, *Enterobius vermicularis*) et les ankylostomes (tel l'ankylostome duodénal, *Ancylostoma duodenale*). Le plus connu des nématodes parasites est la trichine (*Trichinella spiralis*), agent de la trichinose (**figure 33.28**). L'humain contracte cette maladie en consommant de la viande (des tissus musculaires) crue ou insuffisamment cuite de porc ou d'un autre animal, y compris du gibier, comme l'ours ou le morse, contenant des larves enkystées. Une fois dans l'intestin, les larves deviennent des adultes sexuellement matures. Les femelles s'enfoncent dans les muscles de l'intestin et donnent naissance à d'autres larves. Celles-ci s'introduisent dans le système lymphatique et vont s'enkyster dans les muscles squelettiques ainsi que dans d'autres organes.

Les nématodes parasites possèdent un outillage moléculaire extraordinaire qui leur permet de réorienter à leur profit quelques-unes des fonctions cellulaires de leurs hôtes. Certaines espèces injectent aux végétaux sur lesquels elles vivent des molécules

▼ **Figure 33.28 Les larves du nématode parasite *Trichinella spiralis* enkystées dans du tissu musculaire humain (MP).**

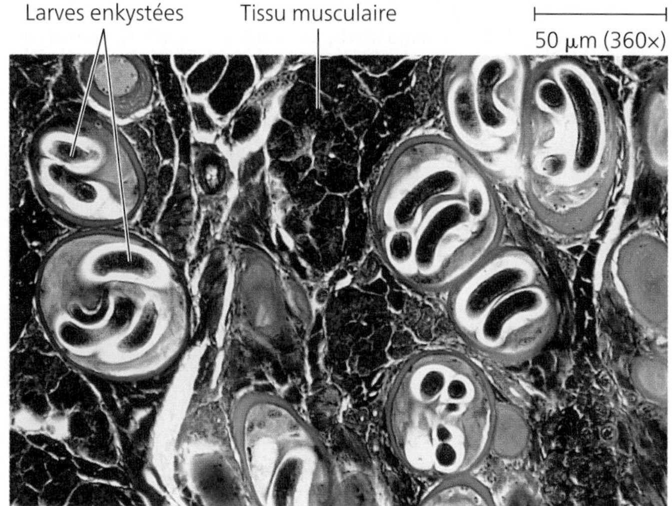

qui déclenchent le développement de cellules racinaires, lesquelles fournissent ensuite des nutriments aux parasites. Lorsque *T. spiralis* parasite des animaux, il envahit des cellules musculaires et régit l'expression de gènes particuliers, lesquels codent pour des protéines qui rendent la cellule assez élastique pour l'abriter. En outre, des signaux émis par la cellule musculaire infectée stimulent le développement de nouveaux vaisseaux sanguins destinés à fournir des nutriments au nématode.

Les arthropodes

Les biologistes croient que la population mondiale d'arthropodes s'élève à environ 1 milliard de milliards (10^{18}) d'individus. À ce jour, près de 1 million d'espèces d'arthropodes ont été décrites, la plupart faisant partie des insectes. En fait, les deux tiers des organismes connus appartiennent à l'embranchement des arthropodes, dont on rencontre les membres dans presque tous les habitats de la biosphère. Les arthropodes sont les plus diversifiés, les plus répandus et les plus nombreux des animaux.

Les origines des arthropodes

Selon des biologistes, la diversification et l'abondance remarquables des **arthropodes** s'expliquent par leur segmentation, leur exosquelette rigide et leurs appendices articulés. Comment ce plan d'organisation corporelle est-il apparu et quels avantages procurait-il ?

Les plus anciens fossiles d'arthropodes datent de l'explosion du Cambrien (il y a entre 535 et 525 millions d'années), ce qui indique que leur origine remonte *au moins* à cette époque. Les archives paléontologiques de l'explosion du Cambrien contiennent aussi de nombreuses espèces de *lobopodes*, un clade à partir duquel les arthropodes pourraient avoir évolué. Les lobopodes comme *Hallucigenia sp.* (voir la figure 32.7) ont un corps segmenté, mais la plupart de leurs segments sont identiques. Les appendices des premiers arthropodes, dont les trilobites, présentaient aussi des segments relativement constants (**figure 33.29**). Au fil de l'évolution, les groupes de segments ont fini par former des unités fonctionnelles, soit des régions corporelles spécialisées dans diverses fonctions, dont la quête de nourriture, la marche ou la nage. Ces modifications ont donné lieu non seulement à une grande diversification, mais aussi à une structure corporelle efficace qui permet la répartition des tâches entre les différentes régions du corps.

À quelles modifications génétiques les arthropodes doivent-ils la complexité grandissante de leur plan d'organisation corporelle ? Les arthropodes modernes présentent deux gènes *Hox* inhabituels qui influent conjointement sur la segmentation. Pour déterminer si ces gènes auraient pu guider l'évolution vers une plus grande diversification de la segmentation chez les arthropodes, des chercheurs ont étudié des gènes *Hox* sur des onychophores (voir la figure 33.3), de proches parents des arthropodes (**figure 33.30**). Les résultats de leur étude indiquent que la diversité du plan d'organisation corporelle des arthropodes *ne découle pas* de l'acquisition de nouveaux gènes *Hox*. L'évolution de la diversité dans la segmentation corporelle des arthropodes résulterait plutôt de modifications dans la séquence ou la régulation de gènes *Hox* existants (voir le concept 25.5).

► **Figure 33.29 Un trilobite fossilisé.** Les trilobites étaient très répandus dans les mers peu profondes tout au long de l'ère paléozoïque, mais ils ont disparu au cours des grandes extinctions du Permien, il y a environ 250 millions d'années. Les paléontologues ont décrit environ 4 000 espèces de trilobites.

Les caractéristiques générales des arthropodes

Au cours de l'évolution, les appendices de certains arthropodes se sont modifiés et spécialisés dans diverses fonctions comme la marche, la quête de nourriture, la perception sensorielle, la reproduction et la défense. Comme les appendices dont elles dérivent, ces structures modifiées sont articulées et viennent en paires. La **figure 33.31** illustre les divers appendices et autres caractéristiques du homard, un arthropode.

Le corps des arthropodes est complètement recouvert d'une cuticule, un exosquelette composé de couches de protéines et de chitine, un polysaccharide. Si vous avez déjà mangé du crabe ou du homard, vous savez que la cuticule peut être solide et épaisse comme une armure à certains endroits sensibles du corps, ou flexible et mince comme du papier à d'autres endroits, comme aux articulations. L'exosquelette protège l'animal et fournit des points d'attache aux muscles qui permettent aux appendices de bouger. Cependant, il empêche également les arthropodes de croître, sauf s'ils s'en débarrassent à l'occasion et qu'ils en sécrètent un nouveau, plus grand. Ce phénomène, qui porte le nom de mue, nécessite une grande dépense d'énergie et expose l'animal aux prédateurs et à d'autres dangers, car le nouvel exosquelette met un certain temps à durcir.

Lorsque l'exosquelette est apparu chez les arthropodes marins, ses principales fonctions étaient vraisemblablement la protection et l'établissement d'un point d'attache pour les muscles. Plus tard, toutefois, il a permis à certains arthropodes de vivre sur la terre ferme. En effet, sa relative imperméabilité prévenait la déshydratation, et sa rigidité offrait un appui aux arthropodes, qui ne pouvaient plus compter sur la poussée de l'eau lors de leurs déplacements. Des archives fossiles laissent supposer que les arthropodes comptent parmi les premiers animaux à avoir colonisé la terre ferme, il y a de cela environ 450 millions d'années. Parmi ces fossiles, on compte certains fragments issus des restes d'arthropodes ainsi que les terriers potentiels de millipèdes. Les fossiles d'arthropodes provenant de différents continents démontrent que des millipèdes, des centipèdes, des araignées et différents insectes sans ailes ont tous colonisé la terre ferme il y a 410 millions d'années.

Les arthropodes possèdent des organes sensoriels développés, entre autres les yeux, les récepteurs olfactifs et les antennes pour toucher et sentir. Les organes sensoriels se trouvent généralement à l'extrémité antérieure de l'animal, hormis quelques exceptions intéressantes. La femelle papillon, par exemple, « goûte » les plantes grâce à des organes sensoriels situés à l'extrémité de ses pattes.

DÉMARCHE SCIENTIFIQUE

INVESTIGATION

▼ **Figure 33.30**

Le plan d'organisation corporelle des arthropodes est-il le produit de nouveaux gènes *Hox*?

■ **HYPOTHÈSE** ■ Si le plan d'organisation corporelle diversifié des arthropodes résulte de l'introduction (par duplication génétique) des deux gènes *Hox* inhabituels, *Ultrabithorax* (*Ubx*) et *abdominal-A* (*abd-A*), ces gènes devraient être absents des embranchements exempts de cette diversité.

■ **EXPÉRIENCE** ■ Des chercheurs ont vérifié cette hypothèse en utilisant des onychophores, un clade d'invertébrés proches parents des arthropodes. Contrairement à de nombreux arthropodes modernes, les onychophores présentent un plan d'organisation corporelle dont presque tous les segments sont identiques. Il s'agit de vérifier si les gènes *Hox Ubx* et *abd-A* sont apparus en même temps que la diversité corporelle des arthropodes, donc dans la lignée de l'embranchement des arthropodes, sans être présents chez les onychophores:

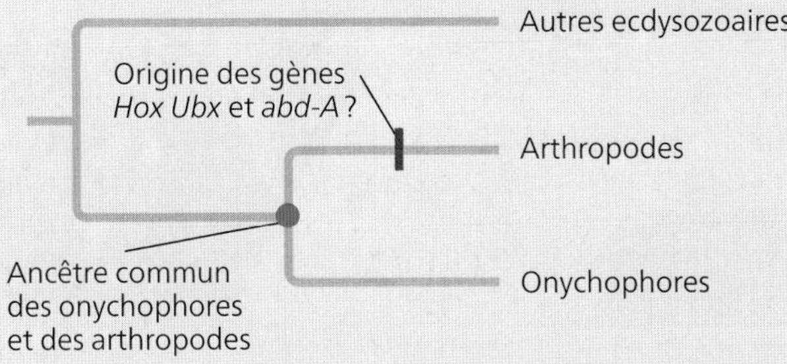

D'après cette hypothèse, *Ubx* et *abd-A* n'auraient pas été présents chez l'ancêtre commun des arthropodes et des onychophores; on ne devrait donc pas les trouver chez les onychophores. Les chercheurs ont alors examiné les gènes *Hox* d'*Acanthokara kaputensis*, un onychophore.

■ **RÉSULTATS** ■ *A. kaputensis* présente les mêmes gènes *Hox* que les arthropodes, y compris *Ubx* et *abd-A*.

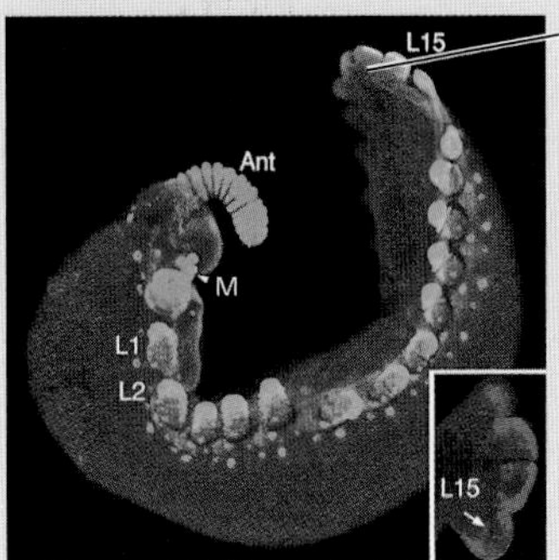

Le rouge indique les régions du corps, sur cet embryon d'onychophore, où se sont exprimés les gènes *Ubx* et *abd-A*. (Le médaillon montre la zone agrandie.)

Ant = antenne
M = mâchoires
L1-L15 = segments corporels

■ **CONCLUSION** ■ L'augmentation de la diversité, dans la segmentation du corps des arthropodes, n'était pas liée à l'origine des nouveaux gènes *Hox* étudiés.

Source des données: J. K. Grenier, S. Carroll et coll., Evolution of the entire arthropod *Hox* gene set predated the origin and radiation of the onychophoran/arthropod clade, *Current Biology* 7: 547-553 (1997).

ET SI? ▶ Quelle incidence l'absence des gènes *Hox Ubx* et *abd-A* chez *A. kaputensis* aurait-elle eue sur les conclusions de cette étude? Expliquez votre réponse.

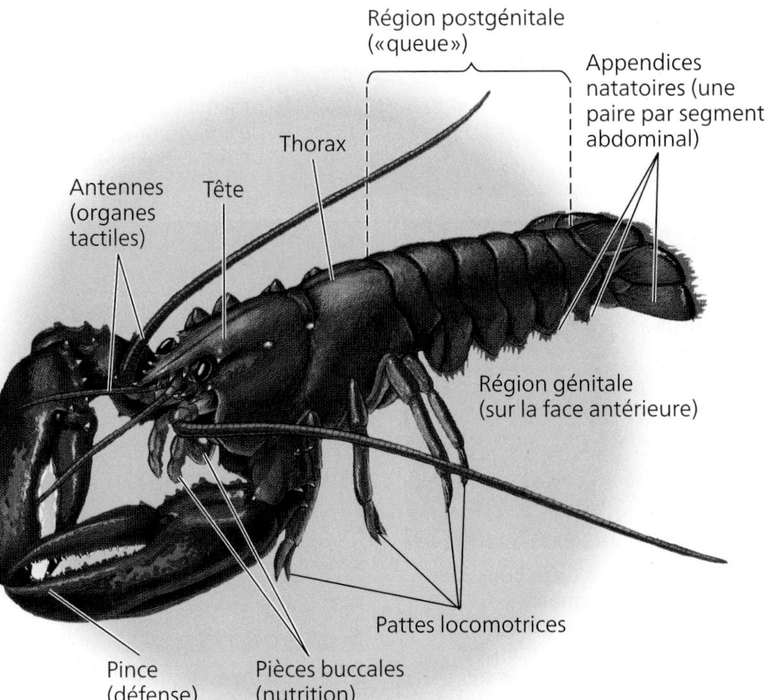

◀ **Figure 33.31 L'anatomie externe du homard (arthropode).** Cette vue dorsale d'un homard d'Amérique (*Homarus americanus*) montre plusieurs des traits distinctifs des arthropodes. Le corps des arthropodes est segmenté, mais ce trait n'est apparent que sur la région postgénitale, ou la «queue», située derrière les parties génitales. Tous les appendices sont articulés (pinces, pièces buccales, pattes locomotrices et appendices natatoires). La tête comprend une paire d'yeux composés (à lentilles multiples). Le corps et les appendices sont recouverts d'un exosquelette.

Comme beaucoup de mollusques, les arthropodes sont dotés d'un **système cardiovasculaire ouvert** dans lequel un cœur propulse un liquide appelé **hémolymphe** (le terme *sang* s'emploie généralement pour désigner un liquide contenu dans un système cardiovasculaire clos). L'hémolymphe quitte le cœur par de petites artères qui l'amènent jusqu'à des espaces appelés sinus, qui entourent les tissus et les organes. Elle retourne ensuite dans le cœur par des pores habituellement munis de valves. L'ensemble des sinus, qui sont remplis d'hémolymphe, s'appelle *hémocœle* et ne fait pas partie du cœlome. Bien que les arthropodes soient des cœlomates, chez la plupart des espèces, le cœlome de l'embryon régresse graduellement au profit de l'hémocœle, qui devient la cavité corporelle principale de l'animal adulte.

Les arthropodes disposent d'une grande variété d'organes spécialisés dans les échanges gazeux. Ces organes doivent permettre la diffusion des gaz respiratoires, malgré la présence de l'exosquelette. La plupart des espèces aquatiques possèdent des branchies pourvues d'extensions duveteuses qui maximisent la surface en contact avec l'eau. Les arthropodes terrestres, quant à eux, ont habituellement recours à des structures internes spécialisées dans les échanges gazeux. Par exemple, la majorité des insectes possèdent un système de trachées, c'est-à-dire des conduits qui amènent l'air à l'intérieur, grâce aux pores que contient la cuticule.

Les données morphologiques et moléculaires semblent indiquer que les arthropodes modernes se divisent en quatre grandes lignées qui ont divergé tôt dans l'histoire de cet embranchement : les **chélicérates** (araignées de mer, limules, scorpions, tiques, mites et araignées), les **myriapodes** (centipèdes et millipèdes), et les **pancrustacés** (un groupe diversifié défini récemment qui compte les insectes ainsi que les homards, les crevettes, les balanes et d'autres crustacés).

Les chélicérates

Le sous-embranchement des chélicérates doit son nom aux **chélicères**, les appendices en forme de pince qui permettent à ces animaux de s'alimenter. Ils n'ont pas d'antennes, et la plupart sont munis d'yeux simples (à une seule lentille).

Les premiers chélicérates étaient des **euryptérides**, ou scorpions de mer. Ces prédateurs marins et dulcicoles pouvaient atteindre 3 m de longueur ; on pense que certaines espèces pourraient avoir marché sur la terre ferme, comme le font les crabes terrestres modernes. La plupart des chélicérates marins, dont les euryptérides, ont disparu. Les araignées de mer (*Pycnogonides spp.*) et les limules comptent parmi les espèces marines qui ont survécu jusqu'à aujourd'hui (**figure 33.32**).

La majeure partie des chélicérates modernes sont classés parmi les **arachnides**, auxquels appartiennent les scorpions, les araignées, les tiques et les mites (**figure 33.33**). Presque toutes les tiques sont des parasites qui se nourrissent du sang des reptiles et des mammifères. Elles vivent à la surface du corps de ces animaux. Les mites parasites vivent à l'intérieur ou à l'extérieur d'une grande variété de vertébrés, d'invertébrés et de végétaux.

Les arachnides possèdent un céphalothorax pourvu de six paires d'appendices : une paire de chélicères ; une paire d'appendices appelés pédipalpes et servant à la perception sensorielle, à la préhension de la nourriture, à la défense ou à la reproduction ; et quatre paires de pattes locomotrices. Les araignées utilisent leurs chélicères, en forme de crochet et munies de glandes à venin, pour attaquer leurs proies. Pendant qu'elles déchiquettent leur capture en menus fragments avec leurs chélicères, elles déversent des sucs digestifs sur les tissus déchirés pour les ramollir. Elles aspirent ensuite l'aliment liquéfié. Chez la plupart des araignées, les échanges gazeux se font dans des **poumons lamellaires** constitués d'un ensemble de lamelles empilées contenues dans une chambre interne (**figure 33.34**). L'étendue de ces organes respiratoires augmente les échanges O_2-CO_2 entre l'hémolymphe et l'air.

Un grand nombre d'araignées ont acquis la faculté unique d'attraper des insectes au moyen d'une toile tissée de fils de soie. Cette soie se compose de fibroïne, une protéine liquide sécrétée par des glandes abdominales spéciales, les glandes séricigènes. D'autres organes, les filières, transforment la fibroïne en fibres qui durcissent et deviennent de la soie. Chaque araignée construit un modèle de toile qui est propre à son espèce et qu'elle réussit d'ailleurs du premier coup, signe que ce comportement complexe est héréditaire. Les araignées utilisent également la soie à d'autres fins que leurs toiles. Ainsi, celle-ci peut devenir une voie pour descendre rapidement d'un endroit, une enveloppe pour protéger des œufs et même un emballage-cadeau pour certains mâles qui l'utilisent afin d'offrir de la nourriture

▼ **Figure 33.32 Des limules (*Limulus polyphemus*).** Ces «fossiles vivants» n'ont guère changé depuis des centaines de millions d'années. Ils ont survécu au grand nombre de chélicérates qui peuplaient autrefois les mers, et abondent sur les côtes de l'Atlantique et de la partie américaine du golfe du Mexique.

▼ **Figure 33.33 Les arachnides.**

◄ Les scorpions possèdent des pédipalpes, soit des pinces spéciales qui leur permettent de se défendre et d'attraper leurs proies. Le bout de leur queue porte un dard venimeux.

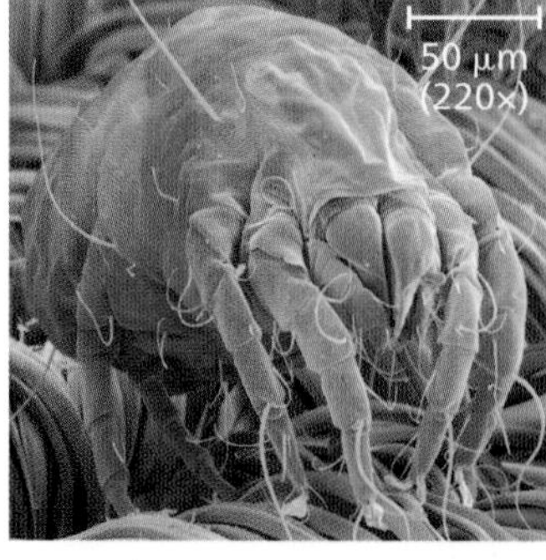

▲ Les acariens de la poussière sont des charognards omniprésents dans les maisons. Ils sont inoffensifs, sauf pour les personnes qui y sont allergiques (MEB, cliché artificiellement coloré).

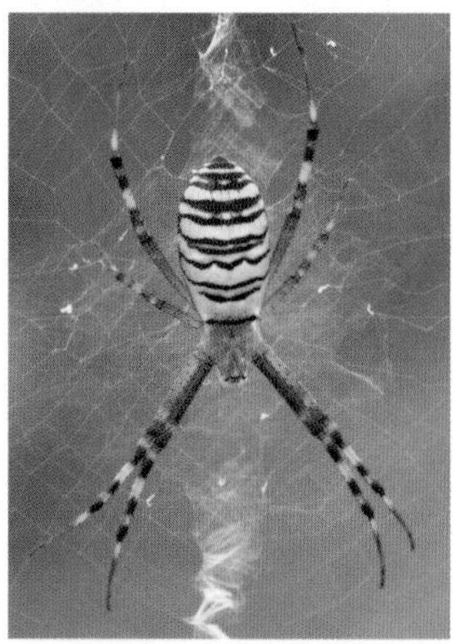

▲ Les araignées qui tissent des toiles sont habituellement plus actives le jour.

aux femelles qu'ils courtisent. Plusieurs petites araignées propulsent leur soie dans les airs pour être transportées par le vent.

Les myriapodes

Les millipèdes et les centipèdes appartiennent au clade des myriapodes (**figure 33.35**). Tous les myriapodes modernes sont terrestres. Leur tête porte une paire d'antennes et trois paires de pièces buccales, dont les mandibules.

Les millipèdes possèdent un grand nombre de pattes (jusqu'à 80), ce qui est tout de même beaucoup moins que les mille que leur nom évoque! Chaque segment de leur tronc est formé de deux segments fusionnés et est muni de deux paires de pattes (voir la figure 33.35a). Les millipèdes se nourrissent de feuilles en décomposition et d'autres débris végétaux; ils s'enroulent sur eux-mêmes dès qu'ils perçoivent une menace. Ils comptent probablement parmi les premiers animaux terrestres: ils vivaient sur les mousses et les premières plantes vasculaires.

Contrairement aux millipèdes, les centipèdes sont carnivores. Chaque segment du tronc possède une paire de pattes locomotrices (voir la figure 33.35b). Les centipèdes utilisent des crochets à venin (les forcipules) situés sur le premier segment du tronc, juste derrière la tête, pour paralyser leur proie et se défendre.

▼ **Figure 33.34 Les poumons lamellaires.**

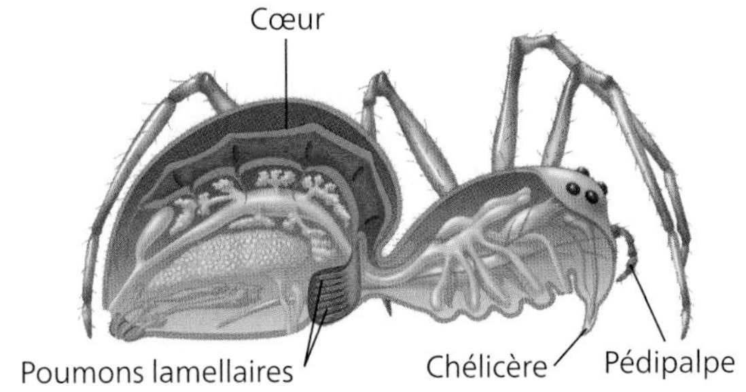

▼ **Figure 33.35 Les myriapodes.**

(a) Millipède

(b) Centipède

Les pancrustacés

Selon plusieurs articles publiés récemment, dont un portant sur une étude phylogénomique réalisée en 2010, des données démontrent que les insectes terrestres sont plus étroitement apparentés aux homards et aux autres crustacés qu'ils ne le sont aux myriapodes (millipèdes et centipèdes) que nous venons tout juste de décrire. Des études laissent également supposer que les crustacés constituent un groupe diversifié paraphylétique: certaines lignées de crustacés sont plus étroitement apparentées aux insectes qu'ils ne le sont aux autres crustacés (**figure 33.36**). Cependant, les insectes et les crustacés forment ensemble le clade des pancrustacés (du grec *pan*, «tous»), ainsi nommé par les taxonomistes. Nous décrivons ci-dessous les crustacés et les insectes, tous membres du clade des pancrustacés.

Les crustacés Les crustacés (crabes, homards, crevettes, balanes et plusieurs autres) vivent dans divers milieux marins, dulcicoles et terrestres. De nombreux crustacés possèdent des appendices très spécialisés. Ainsi, les homards et les écrevisses sont pourvus d'un ensemble d'appendices en nombre pair (voir la figure 33.31). Ceux qui sont situés le plus en avant forment deux paires d'antennes; les crustacés sont les seuls arthropodes à en posséder deux paires. Trois paires d'appendices ou plus forment des pièces buccales, notamment des mandibules rigides. Les pattes (de cinq à sept paires) émergent du thorax. De plus, contrairement à leurs parents terrestres, les insectes et certains crustacés portent des appendices sur la partie postgénitale de leur corps, communément qualifiée de «queue».

Les petits crustacés effectuent leurs échanges gazeux et excrètent les déchets azotés par diffusion à travers les régions minces de leur cuticule. Quant aux plus grands, ils sont dotés de branchies. Une paire de glandes maintient l'équilibre salin de l'hémolymphe.

Les individus sont unisexués chez la plupart des espèces. Pendant la copulation, le homard et l'écrevisse mâles utilisent une paire d'appendices spécialisés pour transférer le sperme dans le pore reproducteur (gonopore) de la femelle. La plupart des crustacés aquatiques passent par un ou plusieurs stades larvaires avant de devenir adultes.

▼ **Figure 33.36 Position phylogénétique des insectes.** Selon des données récentes, les insectes sont apparentés à certaines lignées de crustacés aquatiques. Les rémipèdes sont l'un des nombreux groupes de ces crustacés qui pourraient constituer le groupe frère des insectes.

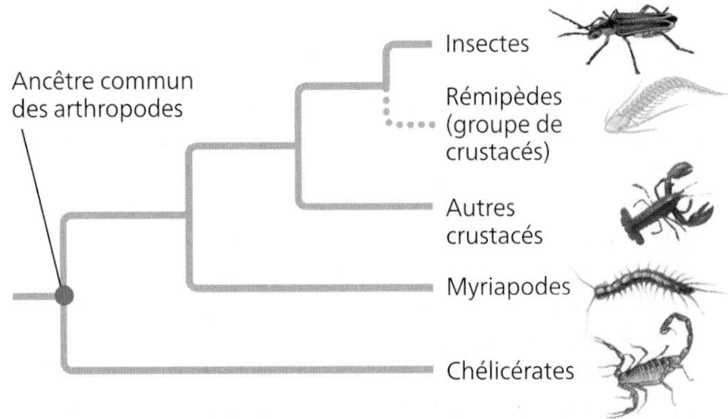

FAITES UN DESSIN ▶ Encerclez les éléments de cet arbre qui appartiennent au clade des pancrustacés.

Les *isopodes* constituent un des groupes de crustacés les plus nombreux, car ils comptent plus de 11 000 espèces, qui incluent des espèces terrestres, dulcicoles et marines. Certains d'entre eux vivent dans le fond des océans. Parmi les isopodes terrestres se trouvent les cloportes, qui vivent souvent dans les endroits humides, par exemple sous les bûches et dans les feuilles.

Les homards, les écrevisses, les crabes et les crevettes sont tous des crustacés relativement gros appartenant à l'ordre des *décapodes*, des animaux à 10 pattes (**figure 33.37**). Leur exosquelette, ou cuticule, est calcifié par l'imprégnation de sels de calcaire ($CaCO_3$). La section qui couvre la partie dorsale du céphalothorax forme un bouclier portant le nom de carapace. La majorité des décapodes vivent en milieu marin, mais les écrevisses vivent en eau douce, et certains crabes des tropiques, sur la terre ferme.

Une grande quantité de petits crustacés sont d'importants membres des communautés planctoniques marines et dulcicoles. Ils comprennent diverses espèces de *copépodes* (du grec, *kope*, « rame », et *podos*, « pied »)), l'un des groupes d'animaux les plus nombreux. Certains copépodes brouteurs se nourrissent d'algues, alors que d'autres sont prédateurs et mangent de petits animaux (y compris des copépodes plus petits). Les copépodes ne sont dépassés en nombre que par le krill, constitué d'organismes semblables à des crevettes et pouvant atteindre 5 cm de longueur (**figure 33.38**). Principale source alimentaire de plusieurs espèces de baleines (dont le rorqual bleu, le rorqual à bosse et la baleine noire), le krill est aujourd'hui recueilli pour servir de nourriture et d'engrais. Les larves de nombreux crustacés plus gros font aussi partie du plancton.

À l'exception de quelques espèces parasites, les *cirripèdes* forment un groupe de crustacés qui sont pour la plupart sessiles et dont certaines parties de la cuticule sont calcifiées (**figure 33.39**). La plupart se fixent aux rochers, aux coques des bateaux, aux pilotis et à d'autres surfaces immergées. La substance adhésive qu'ils utilisent à cette fin est aussi forte que n'importe quelle colle synthétique. Ces cirripèdes se nourrissent en filtrant leur nourriture à l'aide de leurs appendices. Ce n'est que dans les années 1800 qu'on a constaté que les cirripèdes faisaient partie des crustacés. En effet, des naturalistes ont découvert à cette époque que leurs larves ressemblaient à celles des autres crustacés. Le remarquable mélange de caractères uniques et d'analogies avec les crustacés que présentent les cirripèdes a été une grande inspiration pour Charles Darwin au moment où il a formulé sa théorie de l'évolution.

▼ **Figure 33.37 Un crabe fantôme, un exemple de décapode.** Les crabes fantômes (*Ocypode cordimanus*) vivent sur les rivages sablonneux des océans un peu partout dans le monde. Surtout nocturnes, ils s'abritent dans des terriers pendant le jour.

▲ **Figure 33.38 Le krill.** Ces crustacés planctoniques (*Euphausia superba*) sont consommés en quantités phénoménales par les baleines.

▲ **Figure 33.39 Les cirripèdes.** Les appendices articulés (cirres) émergeant de la coquille de ces cirripèdes servent à capturer des organismes et des particules de matières organiques en suspension dans l'eau.

Les insectes Les insectes et leurs parents terrestres munis de six pattes forment le vaste clade des hexapodes ; dans ce chapitre, nous mettrons l'accent sur les insectes puisque, en tant que groupe, ils présentent une diversité d'espèces plus grande que celle de toutes les autres classes combinées. Les insectes ont colonisé presque tous les habitats terrestres, de même que les eaux douces et les airs. Ils sont plus rares dans les habitats marins, où les arthropodes les plus nombreux sont les crustacés. L'intérieur du corps d'un insecte contient plusieurs organes complexes, que la **figure 33.40** met en évidence.

Les plus vieux fossiles d'insectes remontent à quelque 415 millions d'années. Cependant, l'évolution du vol chez les insectes durant le Carbonifère et le Permien (de 359 à 252 millions d'années) a provoqué une explosion de leur diversité. L'animal qui vole peut échapper à ses prédateurs, s'accoupler ou trouver de la nourriture et un nouvel habitat plus rapidement que celui qui rampe. Chez de nombreux insectes, une ou deux paires d'ailes sont fixées à la partie dorsale du thorax. Comme leurs ailes constituent des prolongements de la cuticule et non des appendices, les insectes ont pu voler sans perdre de pattes (**figure 33.41**). En revanche, les vertébrés volants, tels les oiseaux et les chauves-souris, ont transformé l'une de leurs deux paires de pattes en ailes, ce qui rend certaines espèces moins habiles au sol.

Les insectes se sont également multipliés après l'apparition de nouvelles espèces végétales, qui constituaient de nouvelles sources de nourriture. Les mécanismes de spéciation décrits au concept 24.2 permettent d'imaginer qu'une population d'insectes qui se nourrit d'une nouvelle espèce végétale diverge des autres populations et, ultimement, forme une nouvelle espèce. Par exemple, les insectes ont connu une nouvelle période de radiation adaptative à l'apparition des gymnospermes et d'autres plantes du Carbonifère, dont ils ont pu se nourrir grâce à certains modes d'alimentation spécialisés, comme l'indiquent

▼ **Figure 33.40 L'anatomie d'un criquet (insecte).** Le corps des insectes (du latin *insectus*, «divisé en parties») se compose de trois régions: la tête, le thorax et la région postgénitale. La segmentation est apparente sur le thorax (3 segments) et la région postgénitale (11 segments plus ou moins fusionnés), mais les 6 segments de la tête sont totalement fusionnés.

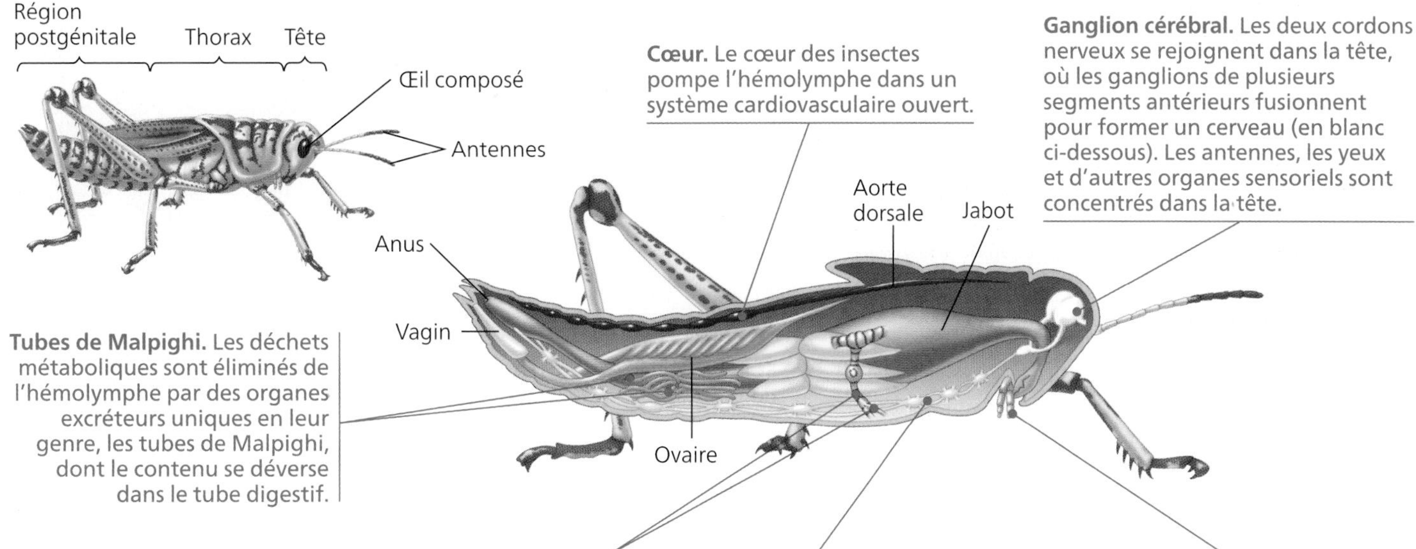

Région postgénitale
Thorax
Tête
Œil composé
Antennes
Anus
Vagin
Aorte dorsale
Jabot
Ovaire
Cœur. Le cœur des insectes pompe l'hémolymphe dans un système cardiovasculaire ouvert.
Ganglion cérébral. Les deux cordons nerveux se rejoignent dans la tête, où les ganglions de plusieurs segments antérieurs fusionnent pour former un cerveau (en blanc ci-dessous). Les antennes, les yeux et d'autres organes sensoriels sont concentrés dans la tête.
Tubes de Malpighi. Les déchets métaboliques sont éliminés de l'hémolymphe par des organes excréteurs uniques en leur genre, les tubes de Malpighi, dont le contenu se déverse dans le tube digestif.
Trachées. Les échanges gazeux sont assurés par un système trachéen composé de tubes ramifiés tapissés de chitine. Ces tubes parcourent l'ensemble du corps et amènent directement l'O_2 aux cellules. Le système trachéen s'ouvre sur l'extérieur par des stigmates, des pores qui peuvent s'ouvrir ou se refermer de façon à régler le débit d'air et à limiter la déshydratation.
Cordons nerveux. Le système nerveux des insectes consiste en une paire de cordons nerveux ventraux liés à plusieurs ganglions segmentaires.
Les pièces buccales sont formées de plusieurs paires d'appendices modifiés. Elles incluent les mandibules, que les criquets utilisent pour mastiquer. Chez d'autres insectes, les pièces buccales sont conçues pour laper, percer ou sucer.

▼ **Figure 33.41 Une coccinelle en vol.**

les pièces buccales fossiles. Plus tard, la diversification des plantes à fleurs pendant le Crétacé (il y a environ 100 millions d'années) semble avoir fortement accentué la diversité des insectes. Bien que cette diversité, tout comme celle des végétaux, ait diminué pendant l'extinction massive du Crétacé, les deux groupes se sont rattrapés au cours des 66 millions d'années qui ont suivi. La diversification accrue d'un embranchement particulier d'insectes a souvent été associée aux radiations des plantes à fleurs dont ceux-ci se nourrissaient.

Un grand nombre d'insectes se métamorphosent au cours de leur développement. Les sauterelles et certains individus appartenant à d'autres groupes d'insectes subissent des **métamorphoses incomplètes**. Le corps de l'insecte juvénile (appelé nymphe), bien qu'il soit plus petit, proportionné différemment et sans ailes, ressemble alors à celui d'un adulte. Une succession de mues amène la nymphe à ressembler de plus en plus à l'adulte. À la mue finale, l'insecte acquiert sa taille définitive, des ailes et la maturité sexuelle. Les insectes qui subissent des **métamorphoses complètes** passent quant à eux par un stade larvaire, qu'on appelle notamment asticot ou chenille, au cours duquel le corps de l'animal juvénile diffère complètement de celui de l'adulte. Le rôle principal de la larve est de manger et de croître, tandis que celui de l'adulte est de trouver un adulte de sexe opposé et de se reproduire. La métamorphose qui se déroule entre le stade larvaire et le stade adulte correspond au stade nymphal, de chrysalide ou de pupe (**figure 33.42**).

La reproduction des insectes est habituellement sexuée et a lieu entre un mâle et une femelle distincts (les insectes ne sont pas hermaphrodites). Les adultes se rencontrent et reconnaissent les membres de leur espèce grâce à des couleurs brillantes (papillons), des sons (grillons) ou des signaux chimiques tels que des phéromones (abeilles). La fécondation est en général interne. Chez la plupart des espèces, le mâle dépose le sperme directement dans le vagin de la femelle pendant la copulation. Mais chez certaines, le mâle dépose le sperme à côté de la femelle, qui le ramasse et l'emmagasine dans un réceptacle interne, la spermathèque, de façon à en posséder suffisamment pour féconder plus d'une ponte. Bon nombre d'insectes ne s'accouplent qu'une fois dans leur vie. Après l'accouplement, la femelle pond ses œufs à même une source d'aliments dont les larves pourront se nourrir dès l'éclosion.

Les insectes sont divisés en 30 ordres, dont 8 sont présentés dans la **figure 33.43**.

Les insectes sont tellement nombreux, divers et répandus qu'ils ont une influence sur tous les organismes terrestres, l'humain compris. Les insectes consomment d'énormes quantités de matières végétales et remplissent des fonctions clés en tant que prédateurs, parasites et décomposeurs. Ils constituent une source alimentaire essentielle pour de plus gros animaux,

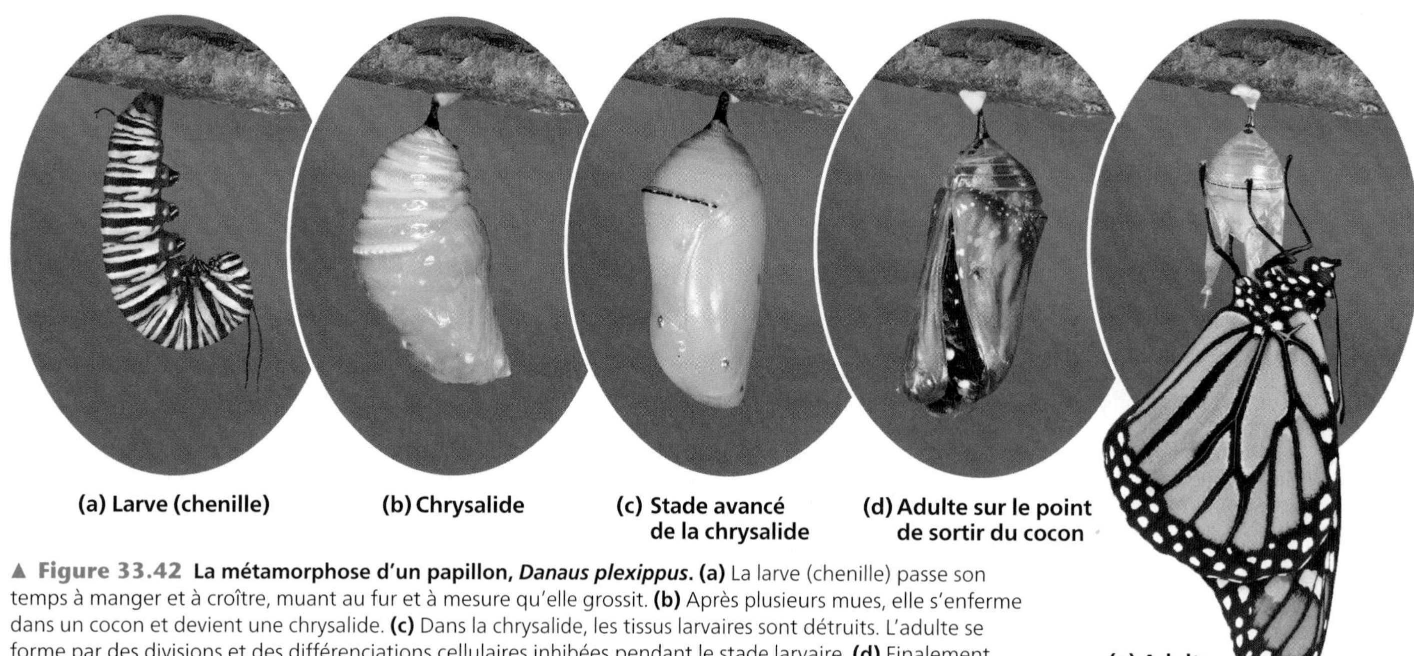

▲ **Figure 33.42 La métamorphose d'un papillon, *Danaus plexippus*. (a)** La larve (chenille) passe son temps à manger et à croître, muant au fur et à mesure qu'elle grossit. **(b)** Après plusieurs mues, elle s'enferme dans un cocon et devient une chrysalide. **(c)** Dans la chrysalide, les tissus larvaires sont détruits. L'adulte se forme par des divisions et des différenciations cellulaires inhibées pendant le stade larvaire. **(d)** Finalement, l'adulte sort du cocon. **(e)** L'hémolymphe poussée dans les nervures fait déployer les ailes, puis est évacuée. Les nervures durcissent ensuite à l'air pour servir d'armature aux ailes. L'insecte peut maintenant s'envoler et se reproduire. Il puise une grande partie de son énergie dans les réserves qu'il a emmagasinées au stade larvaire.

notamment les lézards, les rongeurs et les oiseaux. Les humains dépendent de certains insectes comme les abeilles et les mouches pour la pollinisation d'une grande partie de leurs cultures et de leurs vergers. De plus, les peuples de nombreuses régions du monde mangent des insectes, qui constituent une source importante de protéines. Par ailleurs, certains insectes sont des vecteurs de maladies, comme la maladie du sommeil (transmise par la mouche tsé-tsé qui transporte un protiste du genre *Trypanosoma*; voir la figure 28.7) et le paludisme (transmis par des anophèles porteurs du protiste *Plasmodium sp.*; voir les figures 23.18 et 28.16).

Les insectes et les humains entrent parfois en concurrence pour la nourriture. Ainsi, dans certaines régions d'Afrique, des insectes consomment près de 75 % des récoltes. Aux États-Unis, l'épandage sur les cultures de doses massives d'insecticides coûte chaque année des milliards de dollars. Malgré toutes ses tentatives, l'humain ne peut ébranler la suprématie des insectes et des arthropodes en général. Un entomologiste renommé présente le problème de cette façon: « Les insectes n'hériteront pas de la Terre. Ils la possèdent déjà. Il vaudrait donc mieux faire la paix avec les propriétaires. »

RETOUR SUR LE CONCEPT 33.4

1. En quoi le plan d'organisation corporelle des nématodes diffère-t-il de celui des annélides ?
2. Décrivez deux adaptations à l'origine du foisonnement des insectes sur la terre ferme.
3. **FAITES DES LIENS ▶** Selon la conception classique, les annélides et les arthropodes étaient considérés comme des parents proches en raison de la segmentation de leur corps. Or, les séquences d'ADN indiquent que les annélides font partie du clade des lophotrochozoaires, alors que les arthropodes appartiennent à celui des ecdysozoaires. Pourrait-on tester les hypothèses classique et moléculaire en étudiant l'expression des gènes *Hox* qui dictent la segmentation corporelle (voir le concept 21.6) ? Expliquez votre réponse.

Voir les réponses proposées à l'appendice A.

CONCEPT **33.5**

Les échinodermes et les cordés sont des deutérostomiens

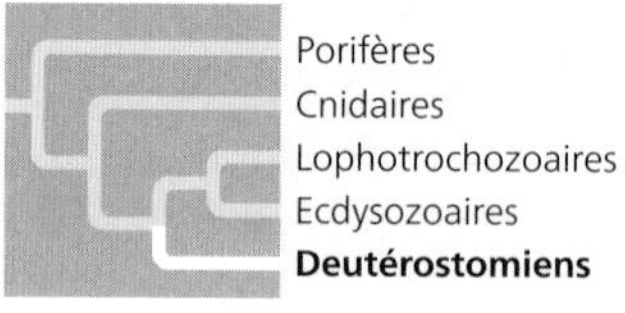

À première vue, les étoiles de mer, les oursins et les autres échinodermes semblent avoir très peu en commun avec l'embranchement des cordés, qui comprend notamment les vertébrés, soit les animaux qui possèdent une colonne vertébrale. Les données génétiques indiquent néanmoins que les échinodermes et les cordés sont étroitement liés, et ces deux embranchements appartiennent au clade des deutérostomiens, qui fait lui-même partie des bilatériens. Les échinodermes et les cordés ont par ailleurs en commun des caractéristiques propres au mode de développement des deutérostomiens, par exemple la segmentation radiaire et la formation de l'anus à partir du blastopore (voir la figure 32.10). Cependant, comme nous l'avons vu au concept 32.4, certains embranchements comptent des animaux – notamment des ectoproctes et des brachiopodes – qui présentent des caractéristiques du développement deutérostomien, sans pour autant

▼ Figure 33.43

PANORAMA La diversité des insectes

Il existe plus de 30 ordres d'insectes, mais nous n'en présentons que 8 ci-dessous. Deux ordres d'insectes sans ailes, les archéognathes et les thysanoures (dont le lépisme argenté), ont divergé tôt dans l'histoire évolutive des insectes. Les liens évolutifs entre les autres groupes décrits ici font toujours l'objet de débats ; c'est pourquoi nous ne les présentons pas dans l'arbre phylogénétique.

Les archéognathes (350 espèces)

Ces insectes non ailés vivent sous l'écorce en décomposition et au sein d'autres habitats humides et sombres, comme un couvert de feuilles mortes, le compost et les crevasses rocheuses. Ils se nourrissent d'algues, de débris végétaux et de lichens.

Les thysanoures (lépismes ; 450 espèces)

Ces petits insectes sans ailes ont un corps aplati et des yeux réduits. Ils vivent dans les couvertures de feuilles mortes ou sous l'écorce des arbres. Ils peuvent aussi devenir nuisibles en infestant des bâtiments.

Les insectes ailés (plusieurs ordres, dont six sont présentés ci-dessous)

Métamorphose complète

Les coléoptères (350 000 espèces)

Les coléoptères, dont fait partie ce charançon (*Rhinastus latesternus*) mâle, constituent l'ordre d'insectes le plus diversifié. Ils ont deux paires d'ailes : les ailes antérieures sont épaisses et cornées, et les ailes postérieures sont membraneuses. Leur exosquelette est dur et coriace ; leurs pièces buccales sont conçues pour broyer et mastiquer.

Les diptères (151 000 espèces)

Les diptères ont une seule paire d'ailes ; leur seconde paire s'est transformée en des organes stabilisateurs appelés balanciers. Leur appareil buccal est de type suceur, piqueur ou lécheur. Les mouches et les moustiques comptent parmi les mieux connus des diptères, qui sont des charognards, des prédateurs ou des parasites. Comme beaucoup d'autres insectes, cette tachinaire (*Adejeania vexatrix*) et les autres mouches ont des yeux composés qui leur procurent une vue à grand angle imparable pour la détection des mouvements rapides.

Les hyménoptères (125 000 espèces)

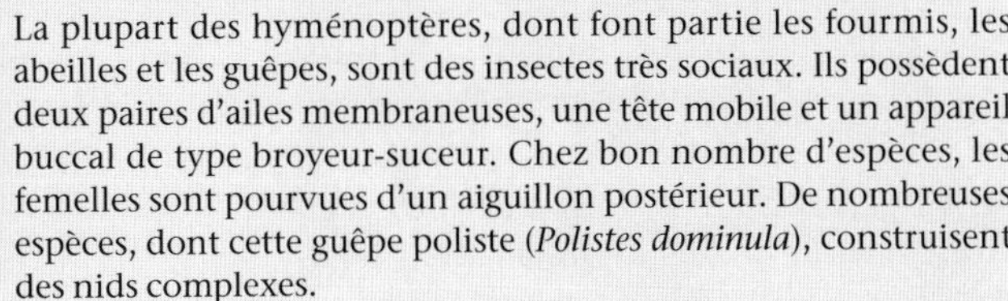

La plupart des hyménoptères, dont font partie les fourmis, les abeilles et les guêpes, sont des insectes très sociaux. Ils possèdent deux paires d'ailes membraneuses, une tête mobile et un appareil buccal de type broyeur-suceur. Chez bon nombre d'espèces, les femelles sont pourvues d'un aiguillon postérieur. De nombreuses espèces, dont cette guêpe poliste (*Polistes dominula*), construisent des nids complexes.

Les lépidoptères (120 000 espèces)

Les papillons et les phalènes possèdent deux paires d'ailes recouvertes d'écailles minuscules. Pour se nourrir, ils déroulent une longue trompe, ou proboscis, visible dans la photo de ce sphinx colibri (*Macroglossum stellatarum*). Cette phalène tient son nom de son aptitude à voler sur place pendant qu'elle butine une fleur. La plupart des lépidoptères se nourrissent de nectar, mais certaines espèces consomment d'autres substances, dont du sang ou des larmes de certains animaux.

Métamorphose incomplète

Les hémiptères (85 000 espèces)

Les hémiptères comprennent notamment les punaises, telles que les réduves et les pantatomidés. Les hémiptères ont deux paires d'ailes : les antérieures sont partiellement cornées, et les postérieures sont membranées. Leur appareil buccal est de type piqueur suceur. Ils subissent une métamorphose incomplète, comme en témoigne cette photo d'un pantatomidé adulte veillant sur ses petits (nymphes).

Les orthoptères (13 000 espèces)

Les criquets, les sauterelles, les grillons et les autres membres de ce groupe sont principalement herbivores. Ils possèdent de puissantes pattes postérieures conçues pour sauter, deux paires d'ailes (une paire d'ailes cornées et une paire d'ailes membraneuses) et un appareil buccal de type piqueur ou broyeur. La tête et les pattes spécialisées de cette sauterelle nommée « diable épineux » (*Panacanthus cuspidatus*) servent à dissuader les importuns. En courtisant les femelles, les orthoptères mâles émettent souvent des sons en frottant ensemble des parties de leur corps, par exemple les crêtes de leurs pattes postérieures.

faire partie du clade des deutérostomiens. Malgré son nom, ce clade est délimité avant tout par des ressemblances génétiques et non par des ressemblances au chapitre du développement.

Les échinodermes

Les étoiles de mer et la plupart des autres **échinodermes** (du grec *ekhinos*, « hérisson », et *derma*, « peau ») sont des animaux marins qui sont sessiles ou se déplacent lentement. Les échinodermes sont des cœlomates. Un tégument mince couvre leur squelette constitué de dures plaques calcaires et la majorité d'entre eux portent des épines et des bosses destinées à plusieurs usages. Ils possèdent un **système ambulacraire** (ou aquifère) unique en son genre. Ce système se compose d'un réseau de canaux hydrauliques ramifiés en prolongements érectiles appelés **pieds ambulacraires**. Ce réseau est empli d'un liquide dont la pression osmotique est supérieure à celle de l'eau de mer, ce qui assure une entrée d'eau continuelle dans les canaux et maintient la pression constante dans le réseau. Les pieds ambulacraires servent à la locomotion et à la capture des proies (**figure 33.44**). Chez les échinodermes, les mâles et les femelles libèrent leurs gamètes dans la mer.

Les échinodermes sont issus d'ancêtres à symétrie bilatérale. À première vue, la majorité d'entre eux semblent toutefois présenter une symétrie radiaire. La plupart des échinodermes adultes possèdent une région centrale d'où rayonnent les parties internes et externes, formant souvent cinq bras. Or, au stade larvaire, les échinodermes présentent une symétrie bilatérale. De plus, même à maturité, les échinodermes adultes ne sont pas parfaitement radiaires. Par exemple, l'ouverture (la plaque madréporique) du système ambulacraire de l'étoile de mer n'est pas située au centre, mais sur un côté de l'animal.

Les échinodermes vivant de nos jours sont divisés en cinq clades.

Les astérides : étoiles de mer et concentricycloïdés

Les étoiles de mer possèdent un disque central d'où rayonnent de multiples bras (jusqu'à une cinquantaine). La face inférieure des bras porte des pieds ambulacraires. Une combinaison d'actions musculaires et chimiques permet aux pieds ambulacraires de se fixer à un substrat ou de s'en détacher. L'étoile de mer adhère ainsi fermement aux rochers et se déplace lentement le long des parois. Ses pieds s'étendent, s'agrippent, se contractent et se relâchent, pour ensuite recommencer. Bien que la base de chaque pied soit munie d'un disque ressemblant à une ventouse, l'effet adhérent est causé par des substances chimiques adhésives et non par la succion (voir la figure 33.44).

▼ **Figure 33.44 L'anatomie de l'étoile de mer (embranchement des échinodermes).**

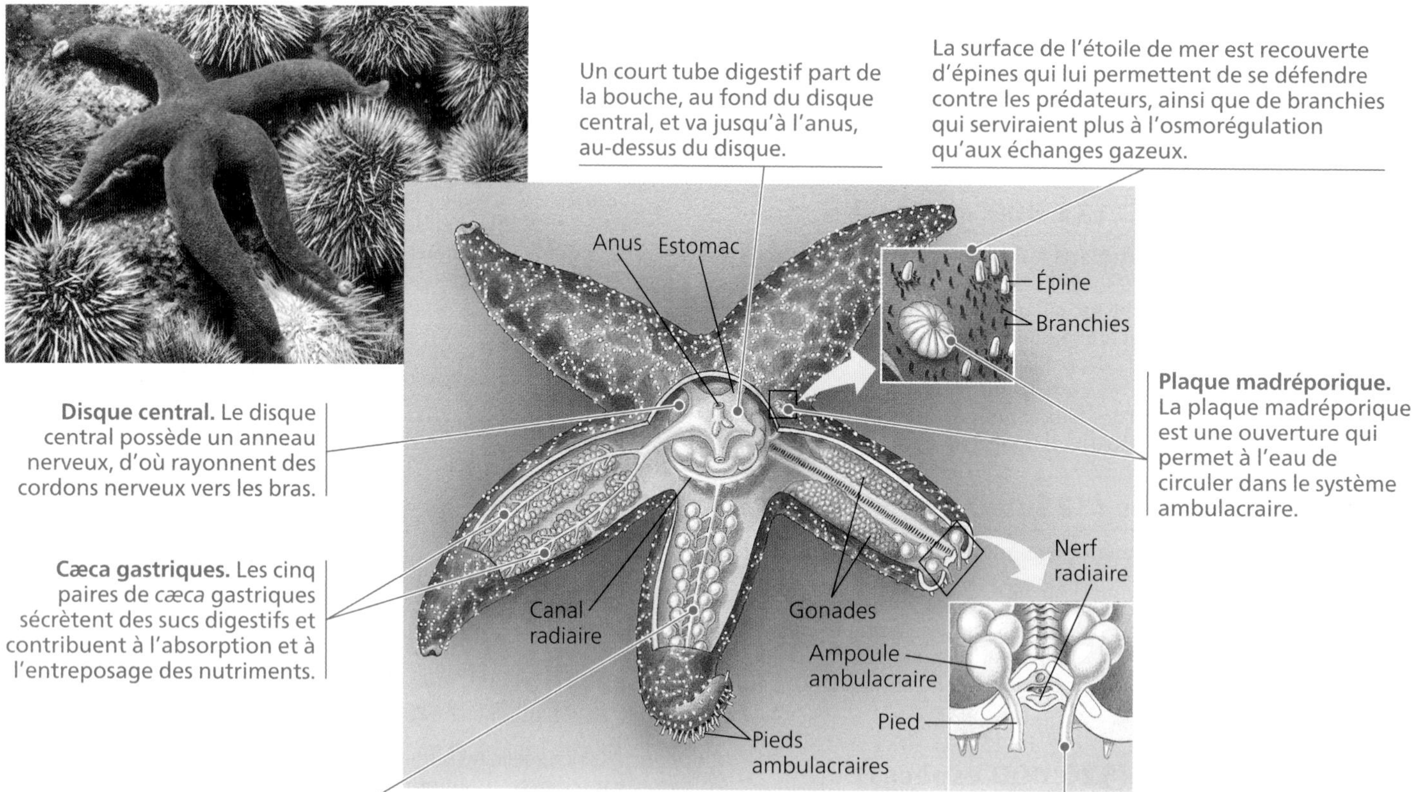

Un court tube digestif part de la bouche, au fond du disque central, et va jusqu'à l'anus, au-dessus du disque.
La surface de l'étoile de mer est recouverte d'épines qui lui permettent de se défendre contre les prédateurs, ainsi que de branchies qui serviraient plus à l'osmorégulation qu'aux échanges gazeux.
Anus
Estomac
Épine
Branchies
Plaque madréporique. La plaque madréporique est une ouverture qui permet à l'eau de circuler dans le système ambulacraire.
Disque central. Le disque central possède un anneau nerveux, d'où rayonnent des cordons nerveux vers les bras.
Cæca gastriques. Les cinq paires de *cæca* gastriques sécrètent des sucs digestifs et contribuent à l'absorption et à l'entreposage des nutriments.
Canal radiaire
Gonades
Nerf radiaire
Ampoule ambulacraire
Pied
Pieds ambulacraires
Canal radiaire. Le système ambulacraire consiste en un anneau rempli de liquide d'où rayonnent cinq canaux radiaires dans des sillons situés le long des bras. Chaque canal radiaire se ramifie en centaines de pieds ambulacraires, tubes creux et musculaires à l'intérieur desquels se trouve du liquide qui circule dans tout le système.
Pied ambulacraire. Chaque pied ambulacraire est composé d'une vésicule appelée ampoule ambulacraire et d'une extrémité munie d'une ventouse. Sur les surfaces dures, ces pieds permettent la locomotion de la façon suivante : lorsque l'ampoule se comprime, elle expulse l'eau contenue dans le pied et entre en contact avec le substrat. Des substances adhésives sont alors sécrétées par la base du pied, pour le faire adhérer au substrat. Le pied se détache sous l'action de substances antiadhérentes sécrétées ensuite et de la contraction des muscles qui renvoient l'eau dans l'ampoule. Le pied se raccourcit alors et se replie. L'étoile de mer laisse sur son passage une « empreinte » visible formée par les substances adhésives restées sur le substrat.

L'étoile de mer utilise aussi ses pieds ambulacraires pour capturer ses proies, par exemple une palourde ou une huître. Elle commence par entourer la coquille fermée avec ses bras, puis s'y accroche fermement avec les ventouses de ses pieds ambulacraires. Ses systèmes musculaire et ambulacraire font contracter ses pieds, ce qui crée une traction suffisante pour entrouvrir la coquille de sa proie. L'étoile de mer dévagine alors une partie de son estomac par la bouche et l'introduit entre les valves du mollusque. Son tube digestif sécrète ensuite des sucs qui amorcent la digestion du corps de sa proie, qui est toujours à l'intérieur de sa coquille. Une fois l'opération terminée, l'estomac réintègre le corps de l'étoile de mer, pour finir la digestion du corps du mollusque (maintenant liquéfié). Cette aptitude à la digestion extracorporelle permet à l'étoile de mer de consommer des bivalves et d'autres proies dont la taille excède celle de sa bouche.

Les étoiles de mer et certains autres échinodermes possèdent une grande capacité de régénération. Les étoiles de mer peuvent régénérer des bras perdus, mais le processus est très lent. Il existe même un genre (*Linckia*) capable de reconstituer un corps entier à partir d'un seul bras, pourvu qu'une partie du disque central y soit encore attachée.

Le clade des astérides comprend aussi un petit groupe d'espèces dépourvues de bras, les concentricycloïdés. Ce groupe ne compte que trois espèces connues à ce jour, et toutes vivent sur des troncs d'arbres submergés. Leur corps est discoïde et présente cinq parties symétriques. Ces animaux mesurent moins de 1 cm de diamètre (**figure 33.45**). Le pourtour de leur corps est garni de petites épines. Les concentricycloïdés absorbent les nutriments par la membrane qui entoure leur corps.

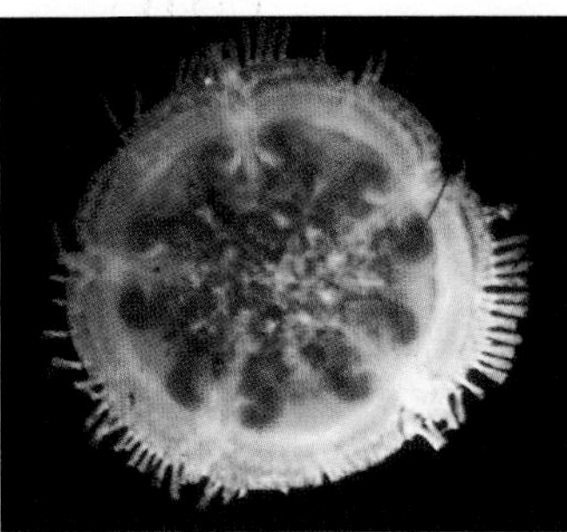

◄ **Figure 33.45** **Un concentricycloïdé (clade des astérides).**

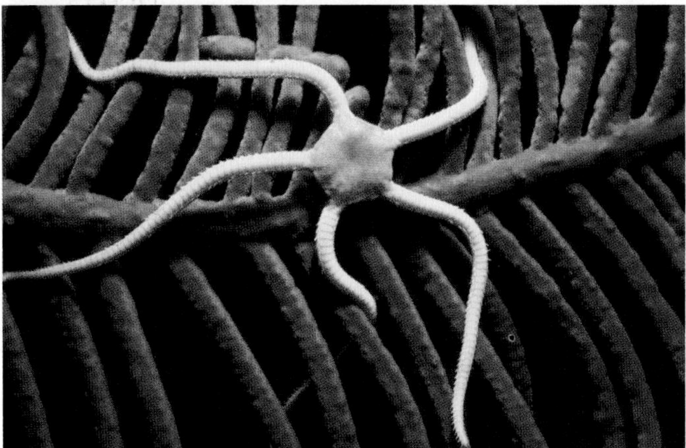

▲ **Figure 33.46** **Une ophiure (clade des ophiurides).**

Les ophiurides

Les ophiures ont un disque central distinct des bras, qui sont longs et flexibles (**figure 33.46**). Elles se déplacent principalement en exécutant des mouvements ondulatoires avec leurs bras. Leurs pieds ambulacraires ne possèdent pas de ventouses, mais sécrètent les mêmes substances chimiques adhésives que les étoiles de mer. Elles peuvent donc, comme elles et d'autres échinodermes, utiliser leurs pieds pour agripper le substrat. Certaines espèces sont suspensivores, alors que d'autres sont des prédateurs ou des nécrophages.

▲ **Figure 33.47** **Un oursin (clade des échinoïdes).**

Les échinoïdes : oursins et dollars des sables

Les oursins et les dollars des sables ne possèdent pas de bras, mais plutôt cinq groupes de pieds ambulacraires disposés en rayons qui leur permettent de se déplacer lentement. Afin de faciliter leurs déplacements et leur protection, ces échinodermes utilisent aussi leurs muscles pour faire pivoter leurs longues épines (**figure 33.47**). Chez les oursins, la bouche est située sur la face inférieure et comporte un anneau de structures très complexes ressemblant à des mâchoires. Les oursins peuvent ainsi manger des algues marines et d'autres aliments. Les oursins sont sphériques, et les dollars des sables sont discoïdes.

Les crinoïdes : lis de mer et comatules

Les lis de mer vivent attachés à un substrat par des pédoncules. Les comatules rampent grâce à leurs longs bras flexibles. Les lis de mer et les comatules sont suspensivores. Les bras encerclent la bouche qui pointe vers le haut, à l'opposé du substrat (**figure 33.48**). Le clade des crinoïdes est ancien et a peu évolué. D'ailleurs, les lis de mer fossilisés datant de 500 millions d'années ressemblent étroitement aux membres actuels de ce clade.

Les holothuroïdes : concombres de mer

À première vue, les concombres de mer ne ressemblent pas beaucoup aux autres échinodermes. Leur endosquelette intradermique est réduit à de minuscules spicules (bâtonnets) épars. De plus, ils ont une forme allongée dans l'axe antérieur-postérieur, d'où leur nom de concombres (**figure 33.49**). Cette caractéristique contribue à camoufler leur parenté avec les étoiles de mer et les oursins. Toutefois, un examen attentif révèle cinq groupes de pieds ambulacraires disposés en rayons,

▲ **Figure 33.48 Un comatule (clade des crinoïdes).**

▲ **Figure 33.49 Un concombre de mer (clade des holothuroïdes).**

tout comme chez d'autres échinodermes. Certains de ceux-ci, qui ceinturent la bouche, sont des tentacules qui permettent à l'animal de se nourrir.

Les cordés

L'embranchement des cordés contient deux groupes primitifs d'invertébrés, les urocordés et les céphalocordés, et le groupe des vertébrés. Les cordés sont des cœlomates à symétrie bilatérale et leur corps est segmenté. Bien qu'il existe un lien étroit entre les échinodermes et les cordés, on ne doit pas en déduire qu'un embranchement est l'ancêtre de l'autre, car ils ont en effet évolué en tant qu'embranchements distincts durant plus de 500 millions d'années. Nous étudierons au chapitre 34 la phylogenèse des cordés, plus particulièrement l'évolution des vertébrés.

RETOUR SUR LE CONCEPT 33.5

1. Comment les pieds ambulacraires des étoiles de mer adhèrent-ils au substrat ?
2. **ET SI ?** ▶ On utilise couramment *Drosophila melanogaster*, un insecte, et *Caenorhabditis elegans*, un nématode, comme organismes modèles. Ces espèces constituent-elles des invertébrés appropriés pour formuler des inférences au sujet des humains et d'autres vertébrés ? Expliquez votre réponse.
3. **FAITES DES LIENS** ▶ Décrivez en quoi les caractéristiques et la diversité des échinodermes illustrent l'unité du vivant en même temps que sa diversité, et l'harmonie entre les organismes et leur environnement (voir le concept 22.2).

Voir les réponses proposées à l'appendice A.

RÉVISION DU CHAPITRE 33

Consultez votre MANUEL NUMÉRIQUE, qui vous donne accès aux **animations**, aux **exercices** et à la plateforme d'**anatomie interactive**.

Résumé des concepts clés

Ce tableau récapitule les embranchements des animaux que nous avons abordés dans ce chapitre.

Concept clé	Clades	Embranchement	Description
CONCEPT 33.1 **Les éponges sont des animaux primitifs dépourvus de vrais tissus (p. 757 et 758)** ? Puisqu'elles sont dépourvues de tissus et d'organes, comment les éponges accomplissent-elles des activités comme les échanges gazeux, le transport de la nourriture et l'expulsion des excréments?	Métazoaires	Porifères (éponges)	Absence de vrais tissus. Présence de choanocytes (cellules à collerette flagellées uniques ingérant des bactéries et de petites particules de nourriture).
CONCEPT 33.2 **Les cnidaires constituent un embranchement ancestral des eumétazoaires (p. 758 à 761)** ? Décrivez le plan d'organisation corporelle des cnidaires et ses deux grandes variations.	Métazoaires, Eumétazoaires	Cnidaires (hydres, méduses, anémones de mer, coraux)	Des cellules spécialisées (cnidocytes) contiennent des structures urticantes uniques (nématocystes). Diploblastiques. Symétrie radiaire. Cavité gastrovasculaire (compartiment digestif muni d'une seule ouverture).
CONCEPT 33.3 **Les lophotrochozoaires, un clade créé grâce aux données moléculaires, présentent la plus grande variété sur le plan de la morphologie (p. 761 à 772)** ? Les lophotrochozoaires présentent-ils des caractéristiques morphologiques propres à tous les membres du clade? Expliquez votre réponse.	Métazoaires, Eumétazoaires, Bilatériens, Lophotrochozoaires	Plathelminthes (planaires, ténias)	Acœlomates au corps aplati dorsoventralement. Cavité gastrovasculaire ou absence de structures liées à la digestion.
		Syndermés (rotifères et acanthocéphales)	Pseudocœlomates. Les rotifères sont pourvus d'un tube digestif avec bouche et anus et d'une mâchoire. Les acanthocéphales sont des parasites des vertébrés.
		Lophophoriens: ectoproctes, brachiopodes	Cœlomates munis d'un lophophore (structure de nutrition bordée de tentacules ciliés).
		Mollusques (palourdes, escargots, pieuvres)	Cœlomates composés de trois parties: pied musculeux, masse viscérale et manteau. Cœlome réduit. Chez la plupart, coquille rigide faite de calcaire.
		Annélides (lombrics, néréides)	Cœlomates segmentés munis de cloisons et d'organes internes (à l'exception du tube digestif, non segmenté) dont certains se trouvent dans chaque segment.
CONCEPT 33.4 **Le groupe des ecdysozoaires est celui qui compte la plus grande variété d'espèces (p. 773 à 780)** ? Décrivez les rôles écologiques des nématodes et des arthropodes.	Métazoaires, Eumétazoaires, Bilatériens, Ecdysozoaires	Nématodes (ascaris, trichines)	Pseudocœlomates cylindriques, aux extrémités fuselées. Absence de système cardiovasculaire. Muent en grandissant.
		Arthropodes (araignées, centipèdes, crustacés et insectes)	Cœlomates segmentés aux appendices articulés. Exosquelette fait de protéines et de chitine.
CONCEPT 33.5 **Les échinodermes et les cordés sont des deutérostomiens (p. 780 à 784)** ? Vous avez lu plus tôt que les échinodermes et les cordés sont des parents proches et qu'ils ont évolué de façon distincte pendant plus de 500 millions d'années. Expliquez comment ces deux énoncés peuvent être justes.	Métazoaires, Eumétazoaires, Bilatériens, Deutérostomiens	Échinodermes (étoiles de mer, oursins)	Cœlomates à symétrie radiaire secondaire (larves à symétrie bilatérale et adultes à symétrie radiaire). Système ambulacraire unique. Endosquelette.
		Cordés (urocordés, céphalocordés, vertébrés)	Cœlomates pourvus d'une notocorde, d'un tube neural dorsal creux, de fentes branchiales et d'une queue postanale musculeuse (voir le chapitre 34).

Évaluation

NIVEAU 1 : **CONNAISSANCES ET COMPRÉHENSION**

1. Qu'est-ce que l'escargot terrestre, la palourde et la pieuvre ont en commun ?
a) Un manteau.
b) Une radula.
c) Des branchies.
d) Une céphalisation distincte.

2. Quel embranchement se caractérise par des animaux au corps segmenté ?
a) Les cnidaires.
b) Les plathelminthes.
c) Les arthropodes.
d) Les mollusques.

3. Le système ambulacraire des échinodermes :
a) fonctionne comme un système cardiovasculaire qui distribue les nutriments aux cellules.
b) sert à la locomotion et à la capture des proies.
c) est à symétrie bilatérale, même si l'animal adulte présente une symétrie radiaire.
d) déplace l'eau à travers le corps de l'animal dans le but de la filtrer.

4. Parmi les associations suivantes entre un embranchement et ses caractéristiques, laquelle est *inexacte* ?
a) Échinodermes : symétrie bilatérale au stade larvaire, cœlomates.
b) Nématodes : vers ronds, pseudocœlomates.
c) Plathelminthes : vers plats, cavité gastrovasculaire, acœlomates.
d) Porifères : cavité gastrovasculaire, cœlomates.

NIVEAU 2 : **APPLICATION ET ANALYSE**

5. Dans la figure 33.2, quels clades sont directement issus d'un ancêtre eumétazoaire commun ?
a) Les porifères et les cnidaires.
b) Les lophotrochozoaires et les ecdysozoaires.
c) Les cnidaires et les bilatériens.
d) Les deutérostomiens et les bilatériens.

6. **FAITES DES LIENS ▶** Présumons que les deux méduses illustrées au stade 4 de la figure 33.8 ont été produites par une colonie de polypes. Revoyez les concepts 12.1 et 13.3 puis, à partir de votre compréhension de la mitose et de la méiose, évaluez si l'énoncé suivant est vrai ou faux. Quelle réponse, parmi celles proposées, est la bonne ?

Bien que les deux méduses soient génétiquement identiques, les spermatozoïdes produits par l'une seront génétiquement différents des ovules produits par l'autre.

a) Faux, les méduses sont génétiquement identiques et leurs gamètes aussi.
b) Faux, ni les méduses ni leurs gamètes ne sont génétiquement identiques.
c) Faux, les méduses ne sont pas identiques, mais leurs gamètes, eux, le sont.
d) Vrai.

Voir les réponses proposées à l'appendice A.

34 Origine et évolution des vertébrés

VOS OUTILS INTERACTIFS

Consultez votre MANUEL NUMÉRIQUE, qui vous donne accès aux **animations**, aux **exercices** et à la plateforme d'**anatomie interactive**.

▲ **Figure 34.1** **Quel lien y a-t-il entre cet organisme primitif et l'humain ?**

CONCEPTS CLÉS

34.1 Les cordés possèdent une notocorde et un tube neural dorsal creux

34.2 Les vertébrés sont des cordés pourvus d'une colonne vertébrale

34.3 Les gnathostomes sont des vertébrés pourvus de mâchoires

34.4 Les tétrapodes sont des gnathostomes pourvus de membres

34.5 Les amniotes sont des tétrapodes dont l'œuf est adapté au milieu terrestre

34.6 Les mammifères sont des amniotes recouverts de poils et produisant du lait

34.7 Les humains sont des mammifères bipèdes pourvus d'un cerveau volumineux

Un demi-milliard d'années d'évolution pour les vertébrés

Au début de la période cambrienne, il y a environ 530 millions d'années, les océans de la Terre abritaient une incroyable diversité d'animaux invertébrés. Les prédateurs utilisaient leurs pinces et leurs mandibules pour capturer et dépecer leurs proies. De nombreux animaux étaient munis de pointes et d'enveloppes protectrices, de même que de pièces buccales complexes qui leur permettaient de filtrer les particules alimentaires en suspension dans l'eau.

Au milieu de toute cette agitation flottaient doucement de minces créatures longues de 3 cm qui auraient facilement pu passer inaperçues : les membres de l'espèce *Myllokunmingia fengjiaoa* (**figure 34.1**). Dépourvue d'armure et d'appendices, cette espèce primitive était étroitement apparentée à l'un des groupes d'animaux qui ont connu le plus de succès dans l'eau, sur la terre ferme et dans les airs : les **vertébrés**. Ceux-ci doivent leur nom aux vertèbres, la série d'os dont est constituée la colonne vertébrale, ou épine dorsale.

Durant plus de 150 millions d'années, les vertébrés n'ont vécu que dans les océans, mais il y a environ 365 millions d'années, l'apparition des membres dans une lignée de vertébrés a permis le passage de ces animaux à la terre ferme. Au fil du temps, alors qu'ils s'adaptaient à la vie sur terre, les descendants de ces organismes colonisateurs primitifs ont donné naissance aux trois groupes de vertébrés terrestres actuels : les amphibiens, les reptiles (y compris les oiseaux) et les mammifères.

Il existe approximativement 57 000 espèces de vertébrés, nombre relativement peu élevé en regard du million d'espèces d'insectes qui colonisent la Terre. Mais les vertébrés compensent le faible nombre d'espèces par la *disparité*, c'est-à-dire par l'énorme variété de leurs caractéristiques, telle la masse corporelle. Les vertébrés comptent certains des animaux les plus lourds à avoir foulé le sol de la planète, comme les dinosaures herbivores, dont la masse atteignait les 40 000 kg (soit l'équivalent de plus de 13 camionnettes). C'est aussi le cas du plus gros animal de tous les temps, le rorqual bleu, dont la masse peut dépasser 100 000 kg. À l'autre bout du spectre, *Schindleria brevipinguis*, un poisson, ne mesure que 8,4 mm de longueur et est à peu près 100 milliards de fois plus léger que le rorqual bleu.

Dans le présent chapitre, nous examinerons les hypothèses actuelles sur le développement des vertébrés à partir d'ancêtres invertébrés. Nous suivrons les étapes de l'évolution du plan d'organisation corporelle, de la notocorde à la tête puis au squelette ossifié, et nous étudierons les principaux groupes de vertébrés (tant vivants que disparus) ainsi que l'histoire de l'évolution de notre propre espèce, *Homo sapiens*.

CONCEPT **34.1**

Les cordés possèdent une notocorde et un tube neural dorsal creux

Les vertébrés font partie de l'embranchement des **cordés**, des animaux bilatériens (à symétrie bilatérale) appartenant au clade des deutérostomiens (voir la figure 32.11). Comme le montre la **figure 34.2**, deux groupes d'invertébrés deutérostomiens sont plus proches des vertébrés que des autres invertébrés : les urocordés et les céphalocordés. Aussi, avec les vertébrés, ils forment l'embranchement des cordés.

Les caractères dérivés des cordés

Tous les cordés ont en commun un ensemble de caractères dérivés, bien que, chez beaucoup d'espèces, certains de ces caractères n'existent qu'au stade embryonnaire. La **figure 34.3** illustre les quatre principales caractéristiques des cordés : la notocorde, le tube neural dorsal creux, les rainures (ou fentes) branchiales et la queue musculaire postanale.

La notocorde

Les embryons de tous les cordés ainsi que certains cordés adultes sont pourvus d'une **notocorde** (ou corde dorsale), qui est à l'origine du nom de cet embranchement, c'est-à-dire une tige flexible longitudinale située entre le tube digestif et le tube neural. Cette tige se compose de cellules volumineuses remplies de liquide et recouvertes d'un tissu fibreux assez rigide. Elle constitue un squelette relativement simple qui s'étend sur presque toute la longueur de l'animal, et, chez les larves ou les adultes qui la conservent, elle présente une structure ferme mais flexible sur laquelle les muscles s'appuient pour exécuter les mouvements permettant la natation. Mais, chez la plupart des vertébrés, un squelette articulé plus complexe se met en place autour de la notocorde ancestrale ; l'adulte n'en conserve que des résidus embryonnaires (chez l'humain, par exemple, elle se réduit à la matière gélatineuse des disques intervertébraux).

Le tube neural dorsal creux

Le **tube neural** de l'embryon d'un cordé se forme à partir d'un feuillet de l'ectoderme qui s'enroule en position dorsale par rapport au tube digestif et à la notocorde. Ce tube neural dorsal creux est propre aux cordés. Les invertébrés, eux, ont des cordons nerveux pleins, situés habituellement dans la partie ventrale. Le tube neural des cordés donne naissance au système nerveux central, qui comprend le cerveau et la moelle épinière.

Les rainures branchiales ou fentes branchiales

Le tube digestif des cordés s'étend de la bouche à l'anus. La région située juste à l'arrière de la bouche est le pharynx. Chez tous les embryons se forme sur les côtés du pharynx une série de petits sacs séparés par des sillons (appelés **rainures branchiales**). Chez la plupart des espèces, ces sillons deviennent des fentes qui s'ouvrent dans le pharynx. Ces **fentes branchiales** permettent à l'eau qui entre dans la bouche de ressortir sans avoir à parcourir tout le tube digestif. Pour un grand nombre de cordés invertébrés, elles servent à filtrer les aliments. Chez les vertébrés (à l'exception des vertébrés dotés de membres, les *tétrapodes*), ces fentes et les arcs branchiaux qui les soutiennent se sont modifiés de façon à permettre notamment les échanges gazeux et portent le nom de branchies. Les rainures branchiales des tétrapodes ne se transforment pas en fentes. Les arcs branchiaux qui entourent les fentes branchiales se développent pour former certaines parties de l'oreille ou d'autres structures du cou et de la tête.

La queue musculaire postanale

Les cordés possèdent une queue qui s'étend au-delà de l'anus, bien que, chez bon nombre d'espèces, celle-ci diminue considérablement au cours du stade embryonnaire. Par contre, chez la majorité des animaux autres que les cordés, le tube digestif occupe presque toute la longueur de l'organisme. La queue des cordés comprend des éléments squelettiques et musculaires, et contribue à propulser de nombreuses espèces aquatiques.

Les céphalocordés

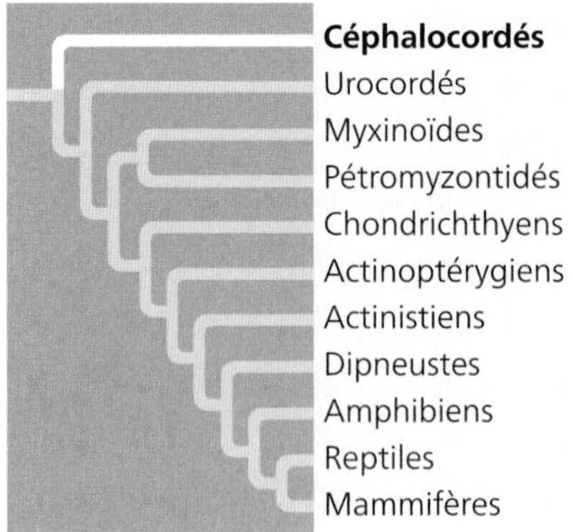

Le groupe de cordés vivants le plus fondamental (dont la divergence est la plus précoce) se compose d'animaux appelés **amphioxus**, du sous-embranchement des céphalocordés. Leur forme rappelle celle d'une lame (**figure 34.4**). Au cours de leur stade larvaire, ils acquièrent une notocorde, un tube neural dorsal creux, de nombreuses fentes branchiales et une queue musculaire postanale. Les larves se nourrissent de plancton et se déplacent par une suite de mouvements natatoires ascendants

▼ **Figure 34.2 La phylogenèse des cordés modernes.** Cette hypothèse phylogénétique montre les principaux clades de cordés en corrélation avec l'autre grand clade de deutérostomiens, les échinodermes (voir le concept 33.5). Quelques-uns des caractères dérivés de certains clades sont indiqués; par exemple, seuls les gnathostomes possèdent une mâchoire. Chez certaines lignées, des caractères dérivés se sont perdus au fil du temps ou se sont atténués; les myxines et les lamproies, par exemple, sont des vertébrés dotés de vertèbres rudimentaires.

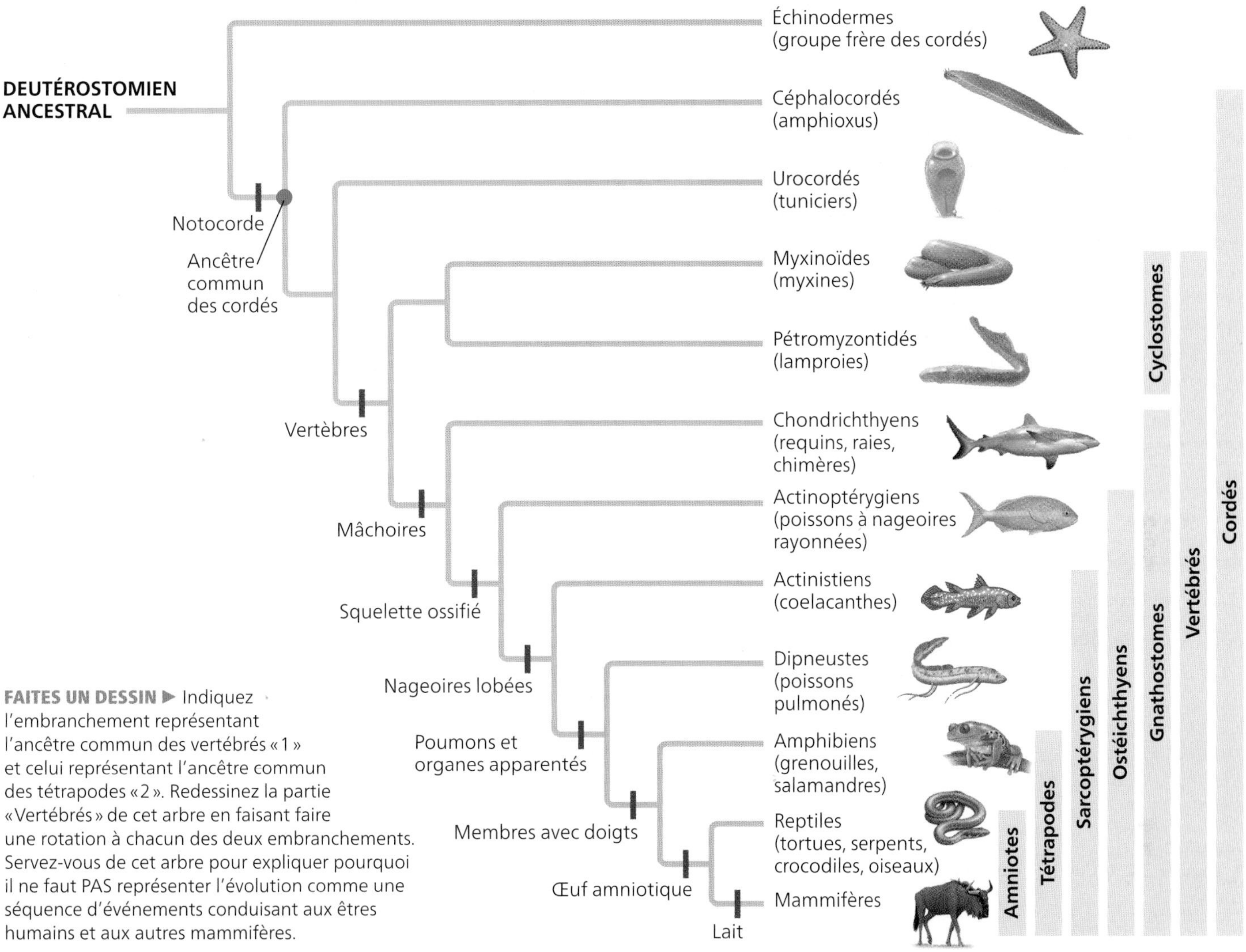

DEUTÉROSTOMIEN ANCESTRAL
Échinodermes (groupe frère des cordés)
Céphalocordés (amphioxus)
Urocordés (tuniciers)
Myxinoïdes (myxines)
Pétromyzontidés (lamproies)
Chondrichthyens (requins, raies, chimères)
Actinoptérygiens (poissons à nageoires rayonnées)
Actinistiens (coelacanthes)
Dipneustes (poissons pulmonés)
Amphibiens (grenouilles, salamandres)
Reptiles (tortues, serpents, crocodiles, oiseaux)
Mammifères
Notocorde
Ancêtre commun des cordés
Vertèbres
Mâchoires
Squelette ossifié
Nageoires lobées
Poumons et organes apparentés
Membres avec doigts
Œuf amniotique
Lait
Cyclostomes
Gnathostomes
Vertébrés
Cordés
Ostéichthyens
Sarcoptérygiens
Tétrapodes
Amniotes

FAITES UN DESSIN ▶ Indiquez l'embranchement représentant l'ancêtre commun des vertébrés « 1 » et celui représentant l'ancêtre commun des tétrapodes « 2 ». Redessinez la partie « Vertébrés » de cet arbre en faisant faire une rotation à chacun des deux embranchements. Servez-vous de cet arbre pour expliquer pourquoi il ne faut PAS représenter l'évolution comme une séquence d'événements conduisant aux êtres humains et aux autres mammifères.

et de plongées passives. En descendant, elles retiennent dans leur pharynx du plancton et d'autres matières en suspension.

Au stade adulte, les amphioxus peuvent atteindre 6 cm de longueur. Ils conservent les principaux caractères des cordés et ressemblent beaucoup au cordé type représenté à la figure 34.3. Après sa métamorphose, l'amphioxus adulte se tortille à reculons dans le sable, ne laissant sortir que sa partie antérieure. Les cirres génèrent un mouvement d'eau vers sa bouche. Les minuscules particules de nourriture sont alors retenues par le filet muqueux qui recouvre les fentes branchiales. L'eau sort par ces fentes, tandis que les particules de nourriture se dirigent vers l'intestin. Chez l'amphioxus, le pharynx et les fentes branchiales participent jusqu'à un certain degré aux échanges gazeux, qui s'effectuent principalement à travers certaines parties de l'enveloppe externe.

L'amphioxus quitte fréquemment son terrier pour nager vers un nouveau site. Bien qu'il soit un piètre nageur, il utilise, de façon rudimentaire, la même technique de nage que les poissons. Il contracte de manière coordonnée ses muscles disposés en chevrons successifs (>>>>) le long de sa notocorde, qui peut alors exécuter un mouvement sinusoïdal (~) latéral. Cette organisation musculaire constituée d'une série de myomères témoigne de la segmentation de l'amphioxus. Les myomères se forment à partir de blocs de mésoderme appelés **somites** qui se trouvent de chaque côté de la notocorde chez l'embryon des cordés.

▼ **Figure 34.3 Les caractéristiques des cordés.** Tous les cordés possèdent, à un stade ou à un autre de leur développement, quatre caractéristiques propres à leur embranchement.

Notocorde
Tube neural dorsal creux
Myomères (segments musculaires coudés)
Bouche
Anus
Queue musculaire postanale
Rainures ou fentes branchiales

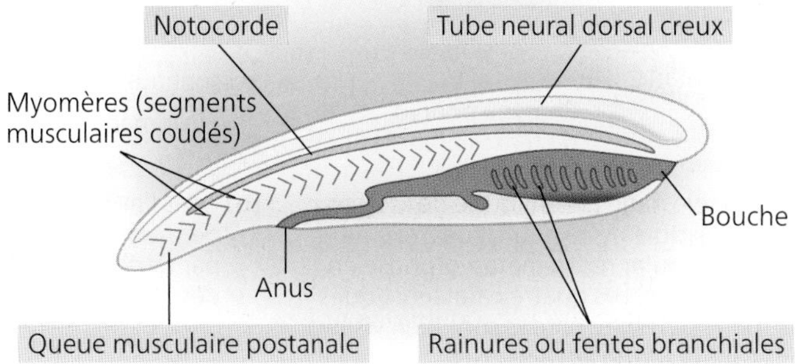

▼ Figure 34.4 L'amphioxus, *Branchiostoma lanceolatum* (sous-embranchement des céphalocordés). Ce petit animal invertébré possède les quatre principales caractéristiques des cordés. L'eau pénètre par la bouche, traverse les fentes branchiales, passe dans la cavité péribranchiale et ressort par le pore abdominal. Des cirres semblables à des tentacules empêchent les grosses particules de pénétrer dans la bouche. Grâce à ses myomères (muscles segmentés visibles sur la photo), cet amphioxus se déplace en faisant des mouvements sinusoïdaux.

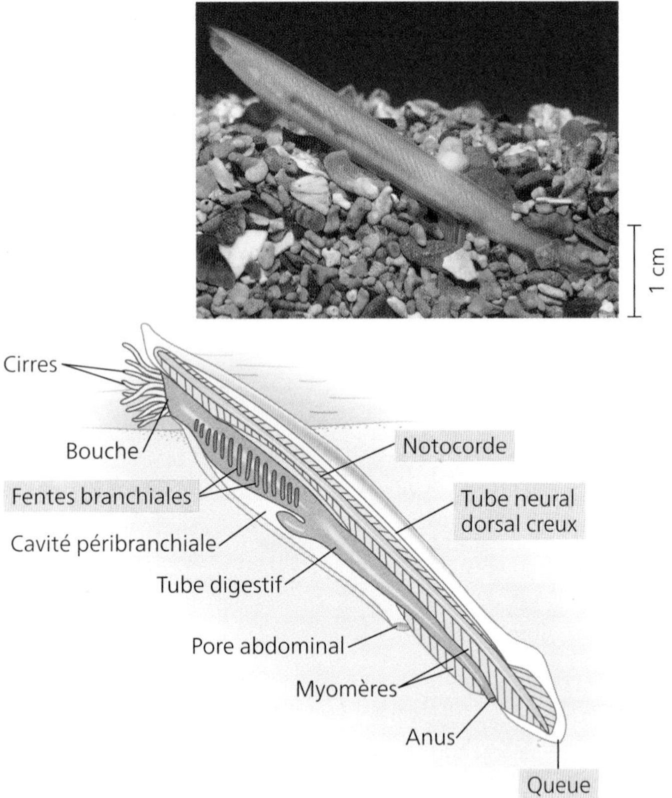

Présents notamment dans les eaux côtières européennes, les amphioxus se font généralement rares; dans quelques régions cependant (dont celle de la baie de Tampa, sur la côte ouest de la Floride), leurs populations atteignent parfois une densité de plus de 5 000 individus par mètre carré.

Les urocordés

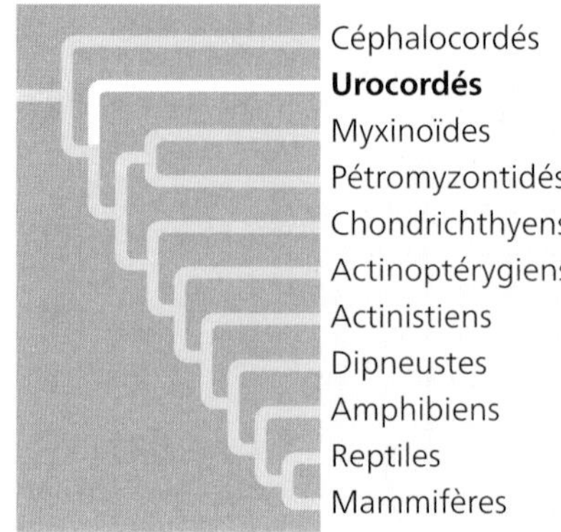

De récentes études moléculaires laissent penser que le sous-embranchement des **urocordés** (appelés communément tuniciers) est plus proche parent des autres cordés que des céphalocordés. C'est au cours de leur stade larvaire, qui ne dure parfois que quelques minutes, que les urocordés ressemblent le plus aux autres cordés (**figure 34.5a**). Chez de nombreuses espèces, la larve se déplace dans l'eau à l'aide de ses muscles caudaux et de sa notocorde pour trouver un substrat sur lequel elle peut se fixer. Dans cette recherche, elle se guide par les signaux que lui envoient des cellules sensibles à la lumière et à la force gravitationnelle.

Une fois fixée, la larve subit une métamorphose radicale marquée par la disparition de la plupart des caractères propres aux cordés. Ainsi, la queue et la notocorde se résorbent; le système

▼ Figure 34.5 L'ascidie (sous-embranchement des urocordés).

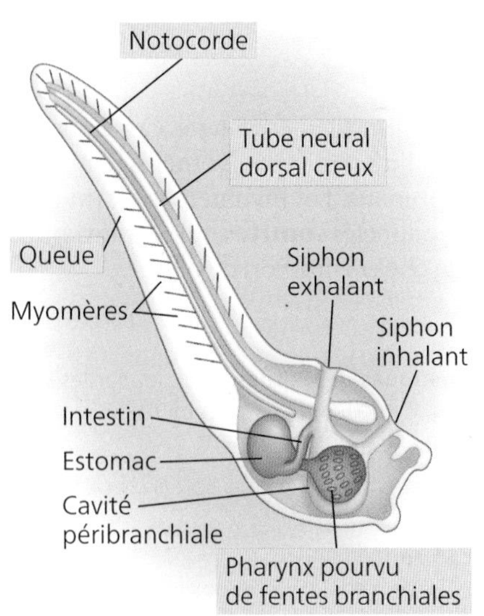

(a) La larve nageuse en forme de «têtard» de l'ascidie ne se nourrit pas; elle ne le fera qu'après sa métamorphose en forme fixe. Les quatre caractéristiques principales des cordés sont bien visibles dans la forme larvaire.

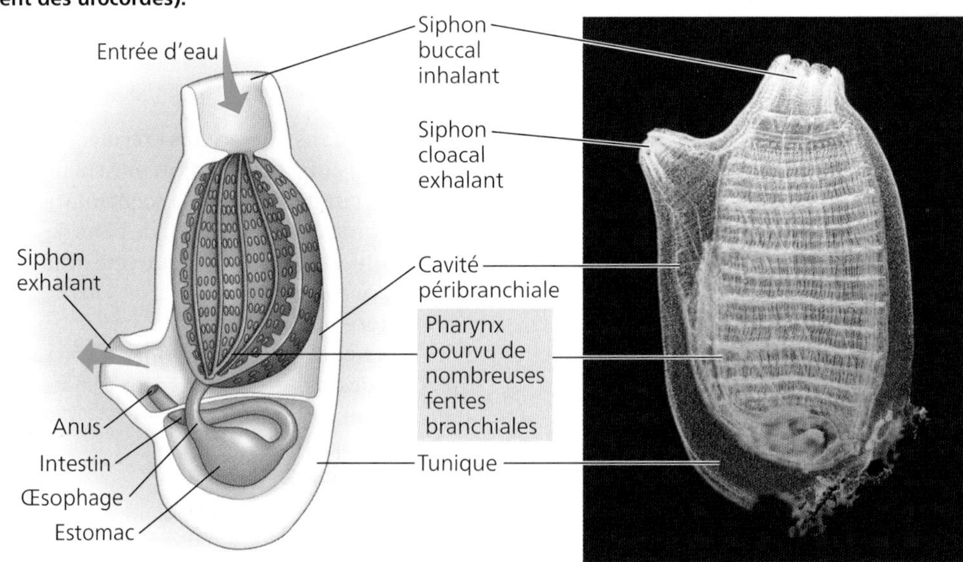

(b) Chez l'ascidie adulte, les fentes branchiales permettent à l'animal de se nourrir par filtration. Les autres caractéristiques des cordés ont disparu.

(c) Cette ascidie, souvent appelée outre de mer, est un animal sessile (approximativement de taille réelle).

nerveux dégénère ; les autres organes effectuent une rotation de 90°. Chez l'urocordé adulte, l'eau de mer pénètre à l'intérieur de l'organisme par un siphon buccal inhalant, puis passe par les fentes branchiales pour arriver dans un compartiment appelé « cavité péribranchiale, » d'où elle sort par un siphon cloacal exhalant (**figure 34.5b** et **c**). Les particules de nourriture qui se trouvent dans l'eau sont filtrées par un filet de mucus, puis acheminées par des cils dans l'œsophage. L'anus se vide dans le siphon exhalant. Chez certaines espèces, le siphon cloacal projette du liquide aussi lorsque l'animal se sent attaqué.

Il se peut que la disparition des caractères des cordés chez l'urocordé adulte se soit produite après que la lignée a divergé des autres cordés. Même les larves semblent avoir beaucoup évolué. Par exemple, les urocordés possèdent 9 gènes *Hox*, alors que les cordés étudiés jusqu'à maintenant – y compris les céphalocordés – en ont 13 en commun. L'apparente disparition de quatre gènes *Hox* indique que le plan d'organisation corporelle de l'urocordé au stade larvaire relève d'un autre jeu de contrôles génétiques que celui des cordés.

Les premières étapes de l'évolution des cordés

Bien que les urocordés et les céphalocordés soient des animaux relativement obscurs, ils occupent des positions déterminantes dans l'histoire du vivant et peuvent fournir des indices sur l'évolution des vertébrés. Par exemple, comme nous l'avons déjà mentionné, les céphalocordés présentent certains caractères des cordés au stade adulte. En outre, leur lignée diverge presque à la base de l'arbre phylogénétique des cordés. Ces observations donnent à penser que l'ancêtre des cordés pourrait avoir ressemblé à un céphalocordé, avec une bouche à son extrémité antérieure, une notocorde, un tube neural dorsal creux, des fentes branchiales et une queue postanale.

Des recherches portant sur des céphalocordés ont révélé plusieurs indices importants sur l'évolution du cerveau des cordés. Les céphalocordés ne possèdent pas un véritable cerveau : l'extrémité antérieure du tube neural dorsal comporte seulement une petite masse légèrement renflée (**figure 34.6**). Or, les gènes *Hox* qui structurent les principales régions du cerveau antérieur, du cerveau moyen et du cerveau postérieur des vertébrés s'expriment selon les mêmes modalités dans le petit amas de cellules du tube neural des céphalocordés. Cette observation donne à penser que le cerveau des vertébrés est le fruit du perfectionnement d'une structure ancestrale semblable à l'extrémité simple du tube neural des céphalocordés.

Plusieurs génomes des urocordés ont été entièrement séquencés, ce qui permet de déterminer si certains de leurs gènes auraient pu être présents chez les cordés primitifs. Les chercheurs qui utilisent cette approche ont avancé que les premiers cordés possédaient des gènes associés à des organes de vertébrés actuels, comme le cœur et la glande thyroïde. On trouve ces gènes chez les urocordés et les vertébrés, mais pas chez les invertébrés qui ne sont pas des cordés. Une étude réalisée en 2015 indique que, contrairement aux céphalocordés, les urocordés possèdent des cellules embryonnaires présentant certaines caractéristiques d'une crête neurale, un caractère dérivé commun à tous les vertébrés (voir la figure 34.7). Par conséquent, on peut supposer que des cellules embryonnaires comparables à celles des urocordés pourraient constituer une population de cellules intermédiaires à partir desquelles la crête neurale des vertébrés aurait évolué.

▼ **Figure 34.6 L'expression des gènes du développement chez les céphalocordés et les vertébrés.** Les gènes *Hox* (notamment *BF1*, *Otx* et *Hox3*) régissent le développement des principales régions du cerveau des vertébrés. Ces gènes s'expriment dans le même ordre antéropostérieur chez les céphalocordés et les vertébrés. Chaque bande colorée apparaît au-dessus de la partie du cerveau que régissent ces gènes.

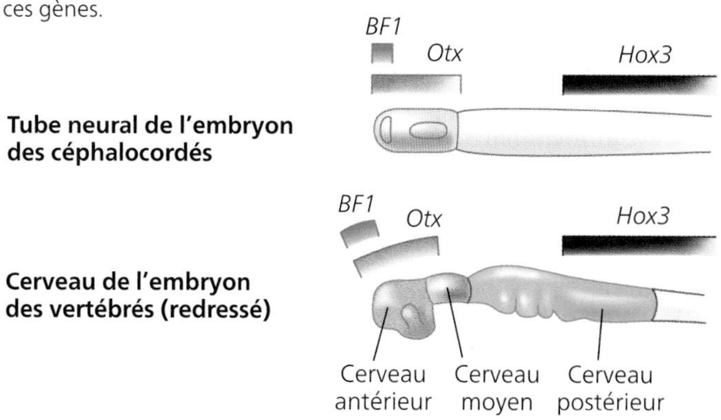

FAITES DES LIENS ▶ Que révèlent ces résultats et ceux de la figure 21.19 sur les gènes *Hox* et leur évolution ?

RETOUR SUR LE CONCEPT 34.1

1. Nommez quatre caractères dérivés présents chez tous les cordés à un moment ou un autre de leur vie.
2. Bien que vous soyez un cordé, vous êtes dépourvu de la plupart des principaux caractères dérivés des cordés. Expliquez pourquoi.
3. **HABILETÉS VISUELLES ▶** En vous appuyant sur l'arbre phylogénétique de la figure 34.2, indiquez quels groupes de vertébrés devraient avoir des poumons ou des organes apparentés. Expliquez votre réponse.

Voir les réponses proposées à l'appendice A.

CONCEPT 34.2

Les vertébrés sont des cordés pourvus d'une colonne vertébrale

Pendant la période cambrienne, il y a un demi-milliard d'années, une lignée de cordés a donné naissance aux vertébrés. Pourvus d'un système squelettique et d'un système nerveux plus complexe que celui de leurs ancêtres, les vertébrés ont acquis deux habiletés essentielles : capturer leur nourriture et éviter d'être mangés.

Les caractères dérivés des vertébrés

Les vertébrés modernes ont en commun un ensemble de caractères dérivés qui les distinguent des autres cordés. Par effet de duplication génétique, les cordés possèdent deux groupes de gènes *Hox* ou plus (les urocordés et les céphalocordés n'en ont qu'un). D'autres importantes familles de gènes produisant des facteurs de transcription et des molécules de signalisation existent aussi en double chez les vertébrés. La complexité génétique additionnelle issue de ce phénomène est liée à l'apparition d'innovations touchant le système nerveux et le squelette, notamment la présence d'un crâne et d'une colonne vertébrale formée de vertèbres. Chez certains vertébrés, les vertèbres ne sont pour ainsi dire que de petites pointes de cartilage disposées dorsalement d'une extrémité à l'autre de la notocorde. Toutefois, chez la plupart des vertébrés, elles entourent la moelle épinière et ont les mêmes fonctions mécaniques que la notocorde.

Le développement d'une **crête neurale** est une autre caractéristique propre aux vertébrés. C'est un ensemble de cellules embryonnaires situées en bordure du tube neural en formation (**figure 34.7**). Ces cellules se dispersent dans tout l'embryon, où elles donnent naissance à diverses structures, dont les dents, certains des os et des cartilages du crâne, plusieurs types de neurones et les capsules sensorielles dans lesquelles les yeux et d'autres organes se développent.

Les myxinines et les lamproies

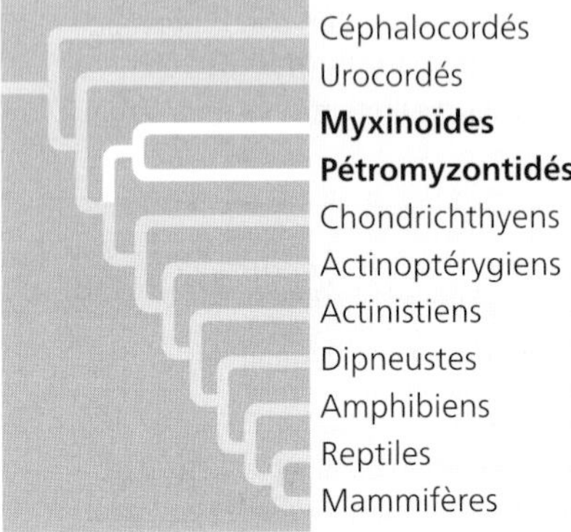

Les **lamproies** (pétromyzontidés) et les myxines (myxinoïdes) font partie des deux seules lignées de vertébrés modernes dépourvus de mâchoire. Contrairement à la plupart des vertébrés, les lamproies, ainsi que les myxines et les autres myxinoïdes, ne possèdent pas non plus de colonne vertébrale. Les lamproies sont malgré tout classées parmi les vertébrés puisqu'elles sont dotées de vertèbres rudimentaires (constituées de cartilage, et non d'os). En revanche, on a longtemps cru que les myxines ne possédaient aucune vertèbre, de sorte qu'on les considérait comme des cordés invertébrés étroitement apparentés aux vertébrés.

Cette interprétation a toutefois changé au cours des dernières années. En effet, une étude récente a démontré que, à l'instar des lamproies, les myxines possèdent également des vertèbres rudimentaires. De plus, plusieurs études phylogénétiques moléculaires ont confirmé l'hypothèse voulant que les myxines soient des vertébrés. Des analyses moléculaires montrent également que les myxines et les lamproies sont des groupes frères, comme l'illustre la figure 34.2. Ensemble, ces organismes forment un clade de vertébrés modernes sans mâchoires, les **cyclostomes**. (Tous les autres vertébrés possèdent une mâchoire et forment un clade beaucoup plus vaste, celui des gnathostomes, dont nous traiterons au concept 34.3.)

Les myxines

Les myxines sont des vertébrés caractérisés par l'absence de mâchoires, et par la présence de vertèbres rudimentaires et d'un crâne constitué de cartilage. Le mouvement ondulatoire de leur nage est rendu possible grâce à la force exercée par les myomères sur la notocorde, qu'elles conservent au stade adulte sous la forme d'une tige de cartilage résistante mais souple. Les myxines possèdent un petit cerveau, des yeux, des oreilles et une ouverture nasale qui communique avec le pharynx. Leur bouche contient des structures semblables à des dents constituées d'une protéine, la kératine.

Les 30 espèces de myxines actuelles sont toutes marines. Elles mesurent jusqu'à 60 cm de longueur, et la plupart sont des nécrophages qui vivent dans les fonds marins (**figure 34.8**) où elles se nourrissent notamment de vers et de poissons malades ou morts. À la surface de la peau des myxines, des rangées de glandes sécrètent une substance qui, en absorbant de l'eau, forme une matière gluante susceptible de repousser les autres charognards quand l'animal est en train de se nourrir. Quand un prédateur les attaque, les myxines peuvent produire plusieurs litres de matière gluante en moins d'une minute. Cette substance enrobe les branchies des poissons prédateurs,

▼ **Figure 34.7 La crête neurale de l'embryon, à l'origine de plusieurs caractéristiques des vertébrés.**

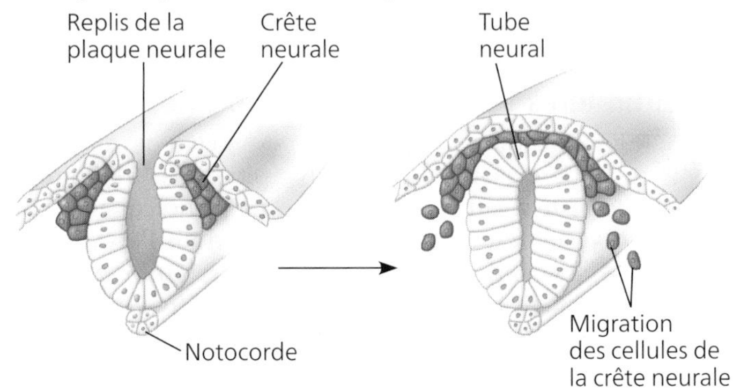

(a) La crête neurale est constituée de plusieurs couches de cellules situées près des replis de la plaque neurale. En se rejoignant, ces replis forment le tube neural dorsal creux.

(b) Les cellules de la crête neurale migrent ailleurs dans l'embryon.

(c) Ces cellules migrantes donnent naissance à certaines des structures anatomiques propres aux vertébrés, notamment les os et les cartilages qui constituent le crâne. (Le crâne représenté ici est celui d'un fœtus humain.)

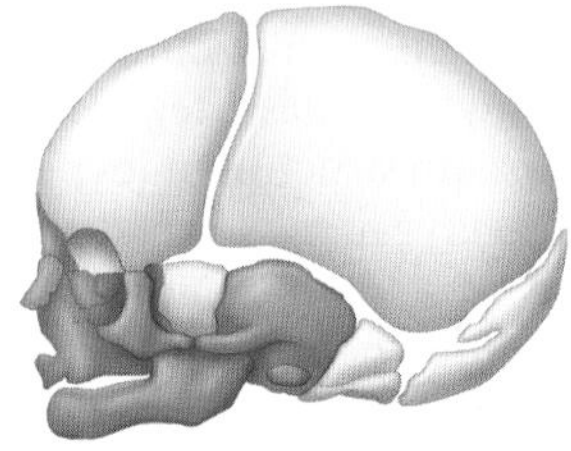

▼ **Figure 34.8 Une myxine.**

lesquels s'enfuient ou meurent étouffés. Des biologistes et des ingénieurs étudient les propriétés de cette substance visqueuse dans le but de produire un gel de remplissage qui pourrait être utile, par exemple, pour juguler les hémorragies pendant les interventions chirurgicales.

Les lamproies

Les lamproies constituent le deuxième groupe de vertébrés modernes dépourvus de mâchoires. Elles regroupent environ 38 espèces vivant dans divers milieux marins et dulcicoles (**figure 34.9**). Certaines sont des parasites qui se nourrissent en se cramponnant avec leur bouche circulaire au flanc d'un poisson vivant, leur « hôte ». Avec leur langue râpeuse, elles perforent l'épiderme de leur proie, dont elles sucent le sang et d'autres tissus.

À l'état larvaire, les lamproies vivent en eau douce. La larve est suspensivore; elle ressemble à un amphioxus et passe beaucoup de temps partiellement enfouie dans la couche sédimentaire. Environ 20 espèces de lamproies ne sont pas parasites et ne se nourrissent qu'à l'état larvaire. Après avoir passé plusieurs années dans des ruisseaux, elles atteignent leur maturité sexuelle, se reproduisent et meurent quelques jours plus tard. En revanche, les espèces parasites migrent vers la mer ou dans un lac lorsqu'elles deviennent adultes. Depuis 170 ans, la lamproie marine (*Petromyzon marinus*), une espèce parasite, a envahi les Grands Lacs (en Amérique du Nord), où elle a dévasté un certain nombre de pêcheries. La lamproie de rivière (*Lampetra fluviatilis*) est par contre considérée comme une espèce menacée en Europe.

Le squelette des lamproies est cartilagineux. Contrairement au cartilage de la plupart des vertébrés, celui des lamproies ne contient pas de collagène, mais plutôt une matrice rigide composée d'autres protéines. En forme de tige, la notocorde des lamproies subsiste chez l'adulte. Comme chez les myxines, elle tient lieu de principal squelette axial. Toutefois, la corde est entourée d'une gaine flexible tout au long de laquelle des paires de fibres cartilagineuses rappelant les vertèbres remontent dorsalement et recouvrent partiellement le tube neural.

L'évolution des vertébrés primitifs

À la fin des années 1990, des paléontologues qui travaillaient en Chine ont découvert un vaste gisement de fossiles de cordés primitifs qui semblent être des chaînons intermédiaires de l'évolution vers les vertébrés. Ces fossiles datent de l'explosion du Cambrien, il y a 530 millions d'années, une période marquée par une intense diversification de nombreux groupes d'animaux (voir le concept 32.2).

Les fossiles les plus primitifs sont ceux de *Haikouella sp.*, d'une longueur de 3 cm (**figure 34.10**). À de nombreux égards, cet organisme ressemble à un céphalocordé. La structure de sa bouche indique que, comme ce dernier, il était probablement suspensivore. Toutefois, *Haikouella sp.* possédait aussi certaines des caractéristiques des vertébrés. Par exemple, il présentait un cerveau bien formé, de petits yeux et des myomères le long du corps, comme les poissons, qui sont des vertébrés. Toutefois, contrairement aux vertébrés, *Haikouella sp.* ne possédait pas de crâne ni d'organe auditif, ce qui donne à penser que l'apparition de ces caractères a accompagné les innovations relatives au système nerveux des cordés. (Les premières « oreilles » intervenaient dans le maintien de l'équilibre, une fonction que remplissent encore les oreilles des humains et d'autres vertébrés actuels.)

Chez *Myllokunmingia sp.*, certaines structures précurseures du crâne sont visibles (voir la figure 34.1). À peu près de la même taille que *Haikouella sp.*, *Myllokunmingia sp.* était pourvu de capsules auditives et oculaires, des structures crâniennes entourant les organes sensoriels. Compte tenu de cette observation et de la présence d'autres caractères, *Myllokunmingia sp.* est considéré comme le premier cordé doté d'une tête. Chez les cordés, l'apparition d'une tête (qui abrite le cerveau situé dans la partie antérieure du tube neural dorsal, ainsi que les yeux et d'autres organes sensoriels) a permis la coordination de mouvements et de comportements alimentaires plus complexes. Même s'il possédait une tête, *Myllokunmingia sp.* n'avait pas de vertèbres et, par conséquent, il n'est pas classé parmi les vertébrés.

▼ Figure 34.9 Une lamproie marine. Les lamproies parasites utilisent leur bouche (en médaillon) et leur langue pour perforer le flanc d'un poisson. Elles ingèrent ensuite le sang et certains tissus de leur hôte.

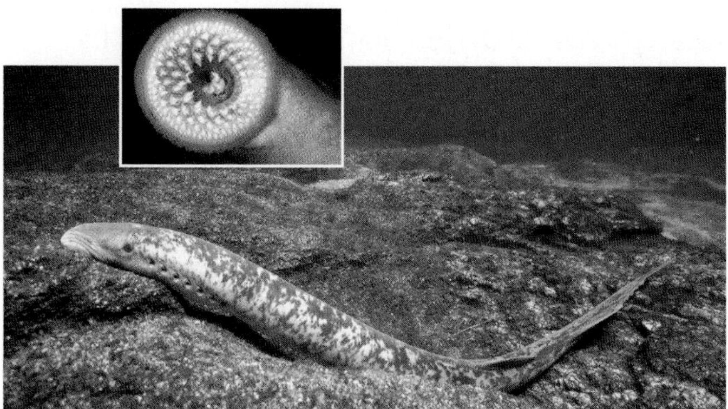

▼ Figure 34.10 Fossiles d'un cordé primitif. Découvert en 1999 dans le Sud de la Chine, *Haikouella sp.* possédait des yeux et un cerveau, mais pas de crâne, qui est un caractère dérivé des vertébrés. Les couleurs de l'illustration sont imaginées par l'artiste.

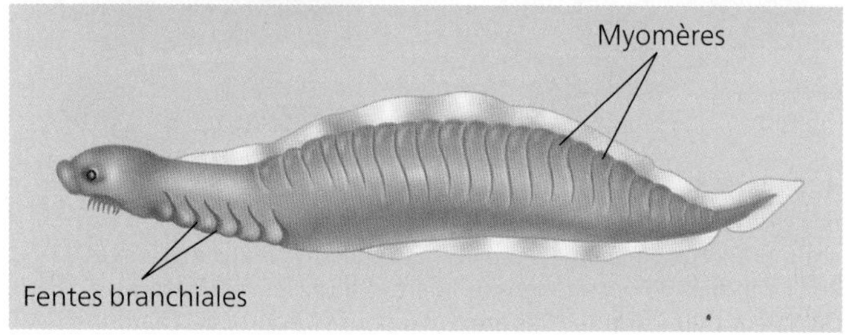

Les plus anciens fossiles de vertébrés datent de 500 millions d'années et comptent ceux de **conodontes**, un groupe de vertébrés minces et au corps mou, dépourvus de mâchoires et dotés d'un squelette interne cartilagineux. Leurs gros yeux les aidaient probablement à localiser leurs proies, qu'ils embrochaient sur une série de crochets acérés situés dans la partie antérieure de leur bouche (**figure 34.11**). Ces crochets étaient constitués de tissus dentaires *minéralisés*, c'est-à-dire imprégnés de minéraux qui leur procuraient leur rigidité, tel le calcium. La nourriture était ensuite acheminée vers le pharynx, où une autre série d'éléments dentaires servaient à la découper et à la broyer.

Les conodontes ont été extrêmement abondants pendant plus de 300 millions d'années. Leurs éléments dentaires fossilisés sont si nombreux que, durant des décennies, les géologues à la recherche de gisements de pétrole s'en servaient comme repères pour déterminer l'âge des strates rocheuses dans lesquelles ils espéraient trouver du pétrole.

Des vertébrés présentant d'autres innovations sont apparus au cours des périodes ordovicienne, silurienne et dévonienne (il y a entre 485 et 359 millions d'années). Ils possédaient des nageoires jumelées et, comme les lamproies, une oreille interne munie de deux canaux semi-circulaires qui leur procuraient le sens de l'équilibre. Comme les conodontes, ils possédaient un pharynx musculaire dont ils se servaient probablement pour aspirer les organismes ou les détritus des fonds marins, bien qu'ils aient été eux aussi dépourvus de mâchoires. Ils portaient également une cuirasse constituée de tissu osseux, dont l'étendue variait selon les espèces et qui les protégeait contre les prédateurs (**figure 34.12**). Ces vertébrés cuirassés sans mâchoires étaient exceptionnellement diversifiés, mais ils avaient tous disparu à la fin du Dévonien.

Enfin, il faut savoir que le squelette humain se compose d'os fortement minéralisés, et que le cartilage y joue un rôle assez secondaire à l'âge adulte. Mais l'appareil osseux est une innovation relativement récente dans l'histoire des vertébrés. À l'origine, le squelette des vertébrés était plutôt une structure constituée de cartilage non minéralisé. Il y a 470 millions d'années, l'apparition des os minéralisés sur la surface externe du crâne de certains vertébrés sans mâchoires a marqué les premiers pas vers l'acquisition d'un squelette osseux. Peu de temps après, la minéralisation du squelette interne a commencé, d'abord sous forme de cartilage calcifié. Puis, il y a 430 millions d'années, une fine couche de tissu a recouvert le cartilage du squelette interne de certains vertébrés. La minéralisation des os des vertébrés s'est ensuite accentuée dans le groupe des vertébrés dotés d'une mâchoire, que nous abordons maintenant.

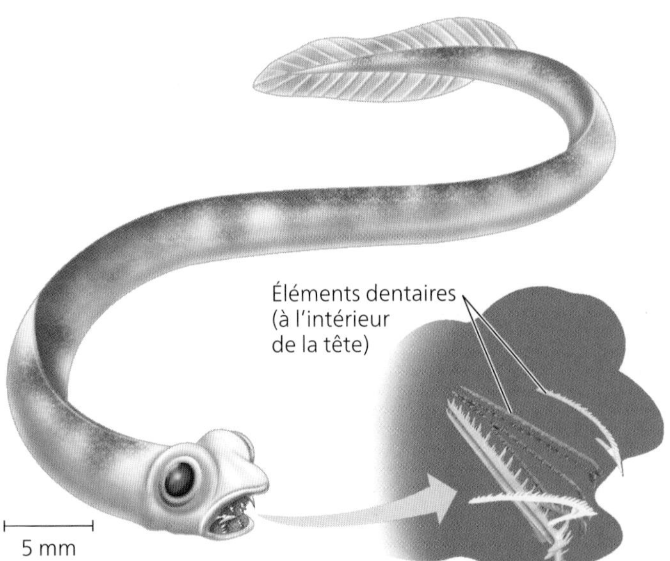

▲ **Figure 34.11 Un conodonte.** Les conodontes étaient des vertébrés primitifs dépourvus de mâchoires qui ont vécu il y a entre 500 et 200 millions d'années. Contrairement aux myxines et aux lamproies, ils possédaient des parties buccales minéralisées, qu'ils utilisaient pour capturer des proies ou pour se nourrir de charognes.

▼ **Figure 34.12 Des vertébrés cuirassés, sans mâchoires.** *Pteraspis* et *Pharyngolepis* sont deux des nombreux genres de vertébrés dépourvus de mâchoires qui sont apparus au cours des périodes ordovicienne, silurienne et dévonienne.

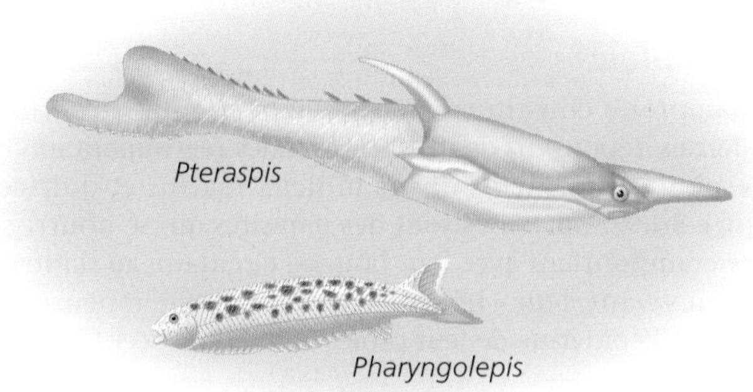

RETOUR SUR LE CONCEPT **34.2**

1. Comment les différences anatomiques entre les lamproies et les conodontes reflètent-elles les modes de nutrition respectifs de ces animaux ?
2. **ET SI ?** ▶ Dans plusieurs lignées différentes d'animaux, les organismes dotés d'une tête sont apparus il y a environ 530 millions d'années. S'agit-il d'une preuve que la sélection naturelle a favorisé l'acquisition d'une tête ? Expliquez votre réponse.
3. **ET SI ?** ▶ Quels rôles déterminants la minéralisation des os a-t-elle pu jouer chez les premiers vertébrés ?

Voir les réponses proposées à l'appendice A.

CONCEPT **34.3**

Les gnathostomes sont des vertébrés pourvus de mâchoires

Les myxines et les lamproies sont des survivantes du début du Paléozoïque, à un âge où abondaient les vertébrés sans mâchoires. Depuis, elles sont cependant beaucoup moins nombreuses que les vertébrés à mâchoires, qu'on appelle **gnathostomes**. Les gnathostomes modernes constituent un groupe diversifié dont font partie les requins et leurs cousins, les actinoptérygiens (poissons à nageoires rayonnées), les sarcoptérygiens (poissons à nageoires charnues), les amphibiens, les reptiles (qui incluent les oiseaux) et les mammifères.

Les caractères dérivés des gnathostomes

Les gnathostomes (ce qui signifie «bouche munie de mâchoires») tiennent leur nom de leurs mâchoires, des structures articulées qui, en particulier grâce à des dents, leur permettent de tenir fermement leurs aliments et de les découper. Selon une hypothèse, les mâchoires des gnathostomes résulteraient d'une modification des arcs branchiaux soutenant les fentes branchiales antérieures. La **figure 34.13** montre un stade de ce processus évolutif pendant lequel plusieurs arcs branchiaux ont évolué pour former les structures précurseures des mâchoires (en vert) et leurs soutiens (en rouge). Les autres fentes branchiales, dès lors inutiles pour la filtration de la nourriture, sont devenues des organes spécialisés dans les échanges gazeux avec le milieu environnant.

Outre les mâchoires, les gnathostomes possèdent d'autres caractères dérivés. Les ancêtres communs à tous les gnathostomes ont connu une autre duplication des gènes *Hox*, de telle sorte que l'unique groupe présent chez les premiers cordés a été multiplié par quatre. En fait, c'est tout le génome qui semble avoir subi une duplication, ce qui a permis la formation des mâchoires et d'autres caractéristiques inédites chez les gnathostomes. Leur cerveau antérieur est plus gros que celui des autres vertébrés, et il est associé au perfectionnement des sens de l'odorat et de la vue. L'**organe sensoriel de la ligne latérale** est une autre caractéristique des gnathostomes aquatiques. Cet organe composé de minuscules fossettes forme une rangée sur toute la longueur de chacun des côtés du corps et est sensible aux vibrations du milieu environnant. Des précurseurs de cet organe existaient déjà dans la cuirasse de la tête de certains vertébrés sans mâchoires.

Les fossiles des gnathostomes

Les premiers gnathostomes qui figurent dans les archives géologiques datent d'il y a environ 440 millions d'années. À partir de cette période, leur diversification a constamment progressé. Ces animaux doivent probablement leur succès à une combinaison de caractéristiques anatomiques: des nageoires jumelées et une queue (également présente chez les vertébrés sans mâchoires), qui leur permettaient de pourchasser efficacement leurs proies, et des mâchoires, grâce auxquelles ils pouvaient saisir ces proies ou simplement mordre dans leur chair. Au fil du temps, certains gnathostomes primitifs ont aussi acquis des nageoires dorsales, ventrales et anales renforcées par des structures osseuses, les rayons, qui permettent à ces animaux de se propulser et de se diriger lorsqu'ils poursuivent une proie ou tentent d'échapper à un prédateur. L'accélération de la natation a été favorisée par d'autres adaptations, dont un système d'échanges gazeux plus efficace dans les branchies.

Les plus anciens gnathostomes présents dans les archives géologiques comptent une lignée disparue de vertébrés cuirassés appelés **placodermes** (du grec *plakos*, «plaque», et *derma*, «peau»). La majorité des placodermes mesuraient moins de 1 m de longueur, mais certaines espèces géantes atteignaient 10 m (**figure 34.14**). D'autres vertébrés à mâchoires, réunis sous le nom d'**acanthodiens**, sont apparus à peu près à la même époque et ont connu une radiation pendant le Silurien et le Dévonien (il y a entre 444 et 359 millions d'années). Les placodermes ont disparu il y a environ 359 millions d'années, et les acanthodiens ont connu le même sort 70 millions d'années plus tard.

▶ Figure 34.13 Une étape possible de l'évolution des mâchoires des vertébrés.

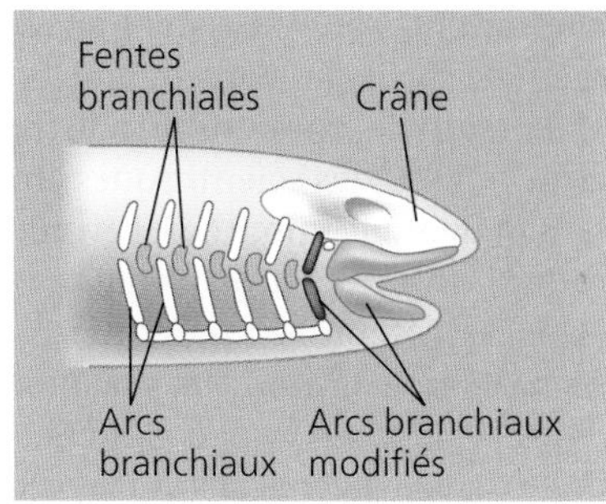

▼ Figure 34.14 Un fossile d'un gnathostome primitif. À l'âge adulte, *Dunkleosteus sp.*, un placoderme et un redoutable prédateur, atteignait 10 m de longueur. La structure de sa mâchoire révèle que les dents avant de *Dunkleosteus sp.* pouvaient exercer une pression de 560 kg/cm^2.

Dans l'ensemble, la découverte récente de nouveaux fossiles a révélé que la période comprise entre 450 et 420 millions d'années a été marquée par d'intenses changements évolutifs. Les gnathostomes qui ont vécu durant cette période présentaient une grande variété de formes. Il y a 420 millions d'années, ils ont divergé en trois lignées de vertébrés pourvus de mâchoires encore vivants aujourd'hui: les chondrichthyens, les actinoptérygiens et les sarcoptérygiens.

Les chondrichthyens (requins, raies et organismes apparentés)

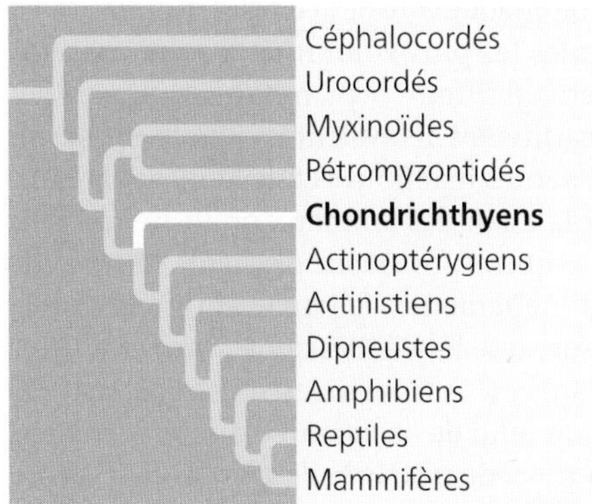

Les requins, les raies et leurs parents comprennent certains des plus gros et des plus prospères prédateurs des océans. Ils appartiennent au clade des **chondrichthyens** (ce qui signifie «poissons cartilagineux»). Comme leur nom l'indique, les chondrichthyens possèdent un squelette constitué principalement de cartilage, souvent renforcé de calcium.

Lorsque le nom chondrichthyens a été inventé, dans les années 1800, les scientifiques croyaient que ce groupe représentait un stade primitif de l'évolution du squelette des vertébrés et que la minéralisation n'était apparue que dans des lignées plus évoluées (comme les «poissons osseux»). Or, comme le montrent les vertébrés cuirassés sans mâchoires, la minéralisation du squelette des vertébrés avait commencé avant que la lignée des chondrichthyens diverge des autres vertébrés. De plus, on a observé des tissus semblables à du tissu osseux chez des chondrichthyens primitifs, par exemple le cartilage de la nageoire d'un requin ayant vécu durant le Carbonifère. Des traces de tissu osseux sont aussi visibles chez les chondrichthyens modernes : on en trouve dans leurs écailles, à la base de leurs dents et, chez certains requins, dans une mince couche à la surface des vertèbres. Ces observations laissent penser que la distribution limitée des tissus osseux dans le corps des chondrichthyens semble être un caractère dérivé qui serait apparu après qu'ils ont divergé des autres gnathostomes.

Il existe environ 1 000 espèces de chondrichthyens modernes, parmi lesquels les requins et les raies constituent le groupe le plus diversifié et le plus répandu (**figure 34.15a** et **b**). Un deuxième groupe comprend quelques douzaines d'espèces de chimères (**figure 34.15c**).

La plupart des requins ont un corps hydrodynamique. Ils nagent ainsi rapidement, certes, mais leurs manœuvres manquent un peu de précision. De puissants mouvements du tronc et de la nageoire caudale (nageoire de la queue) permettent la propulsion. Les nageoires dorsales assurent la stabilité de l'animal, tandis que les paires de nageoires pectorales (à l'avant) et pelviennes (à l'arrière) lui permettent de manœuvrer. Le requin peut augmenter sa flottabilité en emmagasinant une grande quantité d'huile dans son foie volumineux. Mais comme sa masse volumique est supérieure à celle de l'eau, il coule dès qu'il cesse de nager. En nageant continuellement, il s'assure que l'eau pénètre dans sa bouche et sort par ses branchies, où se déroulent les échanges gazeux. Cependant, certains requins ainsi qu'un grand nombre de raies et de torpilles passent beaucoup de temps à se reposer au fond de l'eau. Ils doivent alors, à l'aide des muscles de leurs mâchoires et de leur pharynx, aspirer l'eau activement pour l'amener jusqu'à leurs branchies ; l'aspiration de l'eau se fait aussi par deux évents, situés de chaque côté de la tête, derrière les yeux.

Les requins et les raies les plus volumineux sont **suspensivores** et se nourrissent en filtrant le plancton. La plupart des requins sont toutefois carnivores. Ils avalent leur proie entière ou se servent de leurs puissantes mâchoires et de leurs dents tranchantes pour déchirer la chair des animaux qu'ils ne peuvent avaler d'un coup. Les requins possèdent plusieurs rangées de dents qui arrivent graduellement à la partie antérieure de la bouche au fur et à mesure que les vieilles dents tombent. Chez un grand nombre d'espèces, le tube digestif est proportionnellement plus petit que celui de beaucoup d'autres vertébrés. Cependant, l'intestin possède une *valvule spirale*, c'est-à-dire un repli en forme de tire-bouchon qui accroît la surface d'absorption et ralentit le passage des aliments.

Le mode de vie actif des requins carnivores résulte de certaines adaptations qui se traduisent par une grande acuité sensorielle. Ces animaux ont une bonne vision, mais ne peuvent discerner

▼ **Figure 34.15** **Des chondrichthyens.**

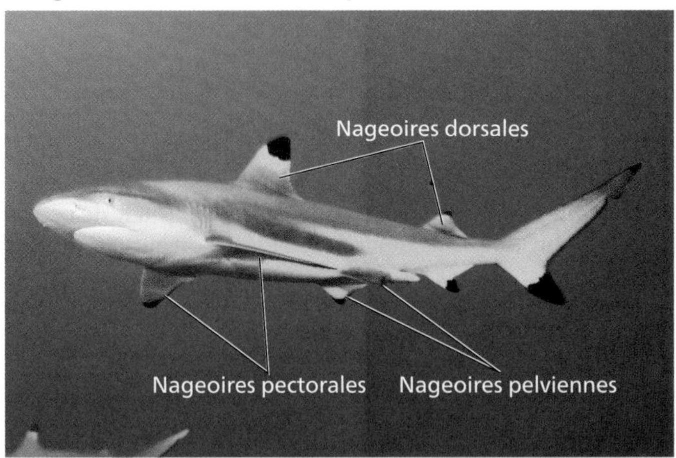

(a) Requin à pointes noires (*Carcharhinus melanopterus*). Les requins sont des nageurs rapides dotés d'une grande acuité sensorielle. Ils sont munis de paires de nageoires pectorales et pelviennes.

(b) Pastenague américaine (*Dasyatis americana*). La plupart des raies vivent au fond de l'eau et se nourrissent de mollusques et de crustacés. Certaines espèces se déplacent en eau libre et se nourrissent par filtration.

(c) Chimère d'Amérique (*Hydrolagus colliei*). Les chimères vivent pour la plupart à des profondeurs dépassant 80 m et se nourrissent de crevettes, de mollusques et d'oursins. Certaines espèces possèdent une épine venimeuse située à l'avant de leur première nageoire dorsale.

les couleurs. Leurs narines ne servent pas à la respiration, car elles se terminent par une impasse et ne peuvent donc conduire l'eau vers les branchies. Elles constituent plutôt des organes olfactifs, comme chez la plupart des poissons. Comme chez certains autres vertébrés, des récepteurs situés sous la peau de la tête et du rostre détectent le potentiel électrique engendré par les contractions musculaires des poissons et des autres animaux qui se trouvent aux alentours. Comme la plupart des autres vertébrés aquatiques (sauf ceux qui sont des mammifères), les requins n'ont pas de tympans, ces structures qui, chez les vertébrés terrestres, transmettent aux organes auditifs les ondes se propageant dans l'air. Les sons parviennent aux requins par l'intermédiaire de l'eau, et se transmettent à travers tout le corps de l'animal jusqu'aux organes auditifs présents dans l'oreille interne.

Les requins sont des animaux à fécondation interne. Grâce à une paire d'appendices copulateurs (les ptérygopodes) placés sur le bord interne des nageoires pelviennes, le mâle peut transférer son sperme dans le système reproducteur de la femelle. Certaines espèces de requins sont **ovipares**, c'est-à-dire que les femelles pondent des œufs qui vont éclore en dehors de leur corps. Avant de libérer leurs œufs, les femelles les enveloppent d'une couche protectrice. D'autres espèces sont **ovovivipares**, c'est-à-dire que les femelles gardent les œufs fécondés dans l'oviducte. L'embryon se nourrit du vitellus de l'œuf et éclot à l'intérieur de l'utérus. Enfin, quelques espèces sont **vivipares**, c'est-à-dire que l'embryon se développe dans l'utérus jusqu'à la naissance. Il se nourrit en recevant des nutriments qui lui parviennent par le placenta muni d'un sac vitellin le reliant au sang de sa mère, mais aussi en absorbant le liquide nutritif produit par l'utérus ou en dévorant d'autres œufs. Les conduits du système reproducteur aboutissent à une chambre appelée **cloaque**, où se terminent également le système urinaire et le système digestif. Le cloaque s'ouvre sur l'extérieur par un seul orifice.

Le mode de vie des raies diffère grandement de celui des requins, même si les deux types d'animaux ont des liens de parenté très étroits. La plupart des raies vivent au fond de l'eau. De forme aplatie, elles se nourrissent de mollusques et de crustacés qu'elles broient avec leurs mâchoires. Les raies sont plates et leurs nageoires pectorales très allongées servent à la propulsion. Leur queue ressemble souvent à un fouet et porte, chez un grand nombre d'espèces, un dard venimeux qui aide ce poisson à se défendre.

Les chondrichthyens ont peu changé depuis plus de 400 millions d'années. Aujourd'hui, ils sont toutefois gravement menacés par la surpêche. Selon l'Union internationale pour la conservation de la nature (UICN), 31 % des espèces de requins et raies sont menacées d'extinction dans le monde, celles vivant à proximité des humains ayant connu la plus forte baisse.

Les actinoptérygiens et les sarcoptérygiens

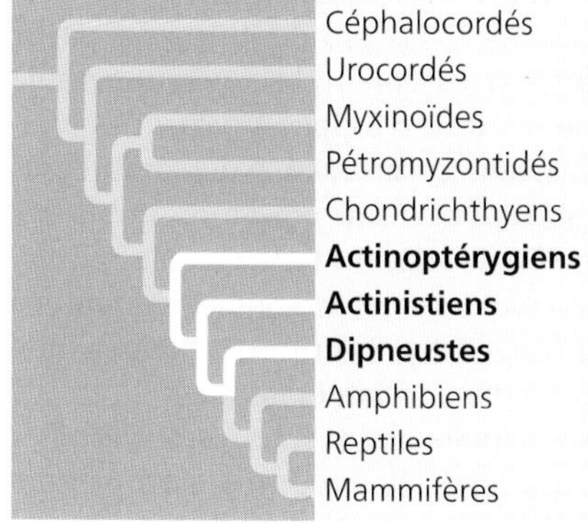

Presque tous les vertébrés appartiennent à un clade de gnathostomes, celui des **ostéichthyens**. Contrairement aux chondrichthyens, presque tous les ostéichthyens modernes possèdent un endosquelette ossifié (osseux) dont la structure est renforcée par une matrice imprégnée de sels de calcium. Comme beaucoup de noms taxinomiques, *ostéichthyens* (qui signifie « poissons osseux ») a été inventé bien avant l'avènement de la systématique phylogénétique. Au départ, le groupe excluait les tétrapodes, mais nous savons maintenant qu'un tel taxon serait en fait paraphylétique (voir la figure 34.2). Par conséquent, les systématiciens placent aujourd'hui les tétrapodes avec les poissons osseux dans le clade des ostéichthyens. Il est évident que le nom du groupe ne définit pas avec précision tous ses membres.

Cette section traitera des ostéichthyens aquatiques, communément appelés poissons. La respiration de la plupart des poissons est assurée par quatre ou cinq paires de branchies situées dans des cavités recouvertes d'une plaque osseuse protectrice appelée **opercule** (**figure 34.16**). L'eau entre par la bouche, passe par le pharynx et traverse les branchies, d'où elle est expulsée par le mouvement de l'opercule et les contractions des muscles qui se trouvent dans les cavités branchiales.

▼ Figure 34.16 L'anatomie d'un ostéichthyen aquatique, la truite (*Salmo trutta*).

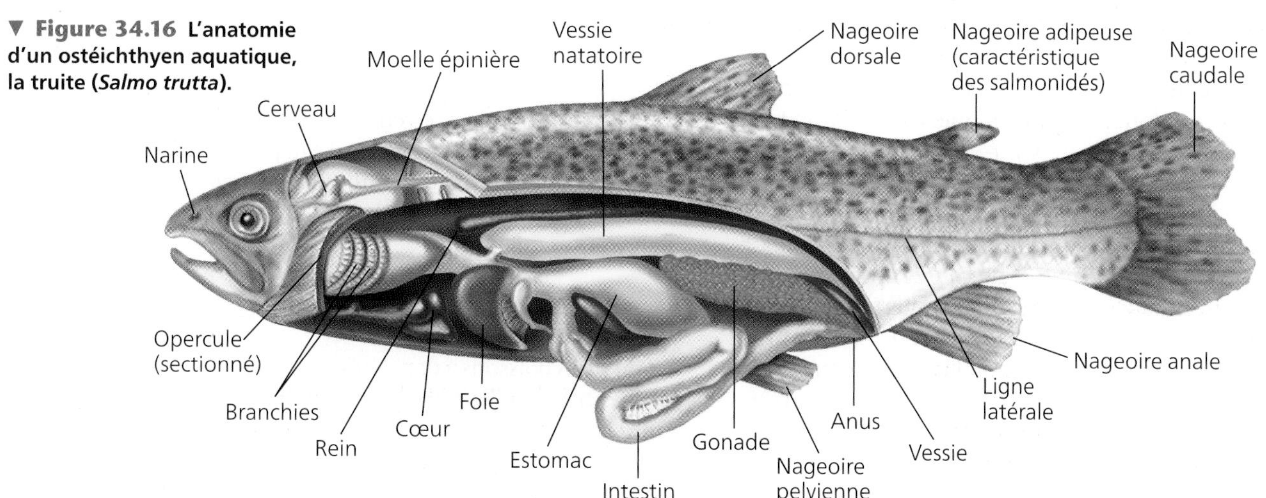

La majorité des poissons peuvent maintenir une flottabilité équivalente à la pression exercée par l'eau environnante grâce à un sac membraneux, la **vessie natatoire**, dans laquelle s'accumulent des gaz provenant du sang. (Lorsqu'un poisson nage à de plus grandes profondeurs ou vers la surface de l'eau, la pression varie; il peut alors faire des échanges de gaz entre son sang et sa vessie natatoire, ce qui lui permet de maintenir un volume de gaz constant dans sa vessie et de contrôler sa flottabilité sans grande dépense d'énergie). Au 19e siècle, Charles Darwin a avancé que les poumons des tétrapodes s'étaient développés à partir de la vessie natatoire, mais, curieusement, le contraire semble vrai: la vessie natatoire se serait développée à partir des poumons. En effet, les ostéichthyens appartenant à de nombreuses lignées ayant divergé tôt sont pourvus de poumons, qu'ils utilisent pour respirer de l'air afin de suppléer aux échanges gazeux assurés par leurs branchies. Tout indique donc que les poumons seraient apparus chez des ostéichthyens primitifs pour ensuite devenir des vessies natatoires dans certaines lignées.

La peau de presque tous les poissons est recouverte d'écailles osseuses plates, tandis que celle des requins est pourvue d'écailles dont la composition ressemble à celle de leurs dents. La viscosité de la peau des poissons osseux est attribuable à des glandes cutanées qui sécrètent un mucus. Cette adaptation réduit la friction pendant les déplacements. Comme les gnathostomes aquatiques primitifs mentionnés plus tôt, les poissons ont en commun avec les requins l'organe sensoriel de la ligne latérale, composé d'une rangée de minuscules dépressions bien visibles de chaque côté du corps.

Le mode de reproduction des poissons varie d'une espèce à l'autre. La plupart des espèces sont ovipares, c'est-à-dire qu'il y a fécondation externe après la ponte d'une grande quantité de petits œufs par la femelle. Cependant, la fécondation et le développement embryonnaire internes existent chez certaines espèces.

Les actinoptérygiens (poissons à nageoires rayonnées)

La presque totalité des ostéichthyens aquatiques que nous connaissons font partie des poissons à nageoires rayonnées, ou **actinoptérygiens** (du grec *aktis*, « rayon », et *pterugion*, « nageoire »), qui comptent plus de 27 000 espèces (**figure 34.17**). Nommés ainsi en raison des rayons osseux qui soutiennent leurs nageoires, les poissons à nageoires rayonnées sont apparus au cours du Silurien (il y a entre 444 et 419 millions d'années). Le groupe s'est diversifié considérablement depuis, comme en témoignent les modifications apparues dans la morphologie et la structure des nageoires (associées à la direction, à la défense et à d'autres fonctions), ainsi que le grand nombre d'espèces actuelles.

Les poissons à nageoires rayonnées constituent une des principales sources de protéines pour les humains, qui les pêchent depuis des dizaines de milliers d'années. Toutefois, la pêche pratiquée à l'échelle industrielle semble avoir causé l'effondrement de certaines ressources halieutiques parmi les plus importantes au monde. Ainsi, dans les années 1990, après des décennies d'exploitation florissante, la quantité de morues pêchées est tombée à 5 % de son maximum historique, entraînant l'arrêt quasi complet de la pêche à la morue. Malgré le maintien du moratoire, les populations de morues n'ont toujours pas retrouvé un niveau durable. Les poissons à nageoires rayonnées subissent aussi d'autres contraintes de la part des humains, comme la dérivation des cours d'eau par des barrages. La modification des courants hydrauliques peut compromettre l'aptitude des poissons à trouver de la nourriture, en plus de perturber leurs routes migratoires et leurs frayères.

▼ **Figure 34.17 Les poissons à nageoires rayonnées, ou actinoptérygiens.**

▲ Albacore, aussi nommé thon jaune (*Thunnus albacares*), poisson rapide vivant en bancs et présentant une importante valeur commerciale dans le monde entier.

► Poisson scorpion ou rascasse volante (*Pterois volitans*) vivant dans les récifs coralliens du Pacifique; le venin qu'il injecte par ses épines produit une réaction très douloureuse chez les humains.

▲ Hippocampe moucheté (*Hippocampus ramulosus*), poisson présentant une morphologie très différente; caractéristique inhabituelle pour le règne animal: c'est le mâle qui porte les petits pendant leur développement embryonnaire.

▲ Murène maculée (*Gymnothorax dovii*), un prédateur qui surprend ses proies en se dissimulant dans les fissures des récifs de corail.

Les sarcoptérygiens (cœlacanthes, dipneustes et tétrapodes)

Comme les poissons à nageoires rayonnées, l'autre grande lignée d'ostéichthyens, les **sarcoptérygiens**, est apparue au cours du Silurien (**figure 34.18**). Le principal caractère dérivé des sarcoptérygiens est la présence d'os en forme de tige entourés d'une épaisse couche musculaire (*sarcos* signifie « chair », « charnu »)

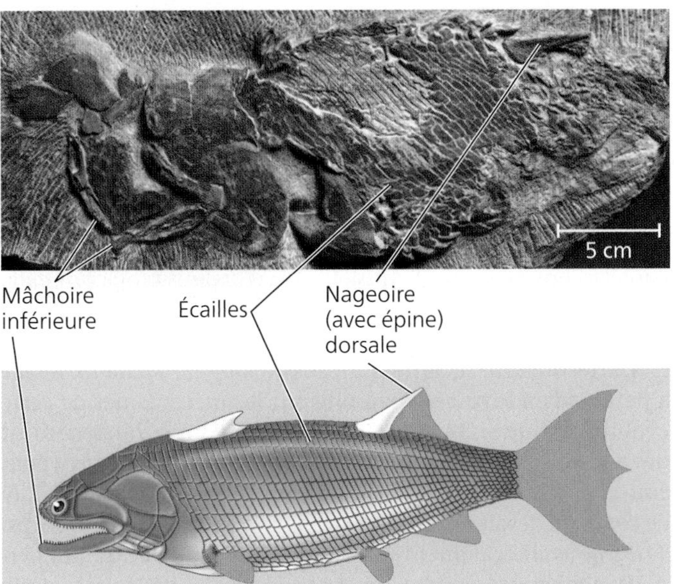

▲ **Figure 34.18 La reconstitution d'un sarcoptérygien primitif.** Découvert en 2009, *Guiyu oneiros* est le plus ancien spécimen connu et daterait de 420 millions d'années. Le fossile presque complet permet d'en faire une reconstitution juste ; les régions grises représentent les parties manquantes du fossile.

dans les nageoires pectorales et pelviennes. Au cours du Dévonien (entre 419 et 359 millions d'années avant aujourd'hui), de nombreux sarcoptérygiens vivaient dans des eaux saumâtres, comme celles des milieux humides côtiers. Les sarcoptérygiens se servaient probablement de leurs nageoires pour se déplacer sur les troncs d'arbres immergés ou à la surface des substrats vaseux (comme le font certains sarcoptérygiens actuels). Certains étaient de gigantesques prédateurs. D'ailleurs, on trouve souvent des fossiles de dents pointues de la grosseur d'un pouce humain ayant appartenu à ces animaux du Dévonien.

Dès la fin du Dévonien, la diversité des sarcoptérygiens a commencé à décroître, et il n'en reste plus que trois lignées aujourd'hui. L'une d'entre elles, les cœlacanthes (clade des actinistiens), était considérée comme disparue depuis 75 millions d'années. Or, en 1938, des pêcheurs ont capturé un cœlacanthe vivant au large de la côte est de l'Afrique du Sud (**figure 34.19**). Jusqu'aux années 1990, toutes les découvertes subséquentes ont été faites près des îles Comores, à l'ouest de l'océan Indien. Ce n'est qu'en 1999 qu'on a découvert une seconde population ailleurs, à l'est de cet océan, près de l'Indonésie. Cette population pourrait représenter une espèce distincte de la première.

La deuxième lignée de sarcoptérygiens, les dipneustes, est représentée aujourd'hui par six espèces réparties en trois genres vivant tous dans l'hémisphère Sud. Les dipneustes sont apparus en milieu océanique, mais on ne les trouve aujourd'hui que dans les habitats dulcicoles, en général dans les étangs d'eau stagnante et dans les marais. Ils remontent à la surface pour remplir d'air leurs poumons connectés à leur pharynx. Ils possèdent aussi des branchies. Chez les dipneustes australiens, les branchies sont les principaux organes des échanges gazeux. Pendant la saison sèche, certains dipneustes s'enfouissent dans la vase et entrent en estivation, c'est-à-dire qu'ils vivent dans un état d'engourdissement comparable à l'état d'hibernation (voir le concept 40.4).

▼ **Figure 34.19 Un cœlacanthe (*Latimeria chalumnae*).** Ce sarcoptérygien vit en eau profonde, au large des régions côtières du Sud de l'Afrique et en Indonésie.

La troisième lignée de sarcoptérygiens qui a survécu jusqu'à nos jours est beaucoup plus diversifiée que les cœlacanthes et les dipneustes. Au cours du dévonien moyen, ces organismes se sont adaptés à la vie sur la terre ferme et ont donné naissance à des vertébrés dotés de membres et de pieds, les tétrapodes, dont font partie les humains.

RETOUR SUR LE CONCEPT 34.3

1. Quels caractères dérivés les requins et les thons (albacores) ont-ils en commun ? Nommez quelques-unes des caractéristiques qui les différencient.
2. Décrivez les adaptations déterminantes des gnathostomes aquatiques.
3. **FAITES UN DESSIN ▶** Redessinez la figure 34.2 pour représenter les quatre lignées suivantes : les cyclostomes, les urocordés, les gnathostomes et les céphalocordés. Indiquez où se trouve l'ancêtre vertébré commun et encerclez la lignée dont font partie les êtres humains.
4. **ET SI ? ▶** Imaginons qu'il soit possible de rejouer l'histoire du vivant. Pensez-vous qu'un groupe de vertébrés ayant colonisé la terre ferme aurait pu évoluer à partir d'autres gnathostomes aquatiques que les sarcoptérygiens ? Expliquez votre réponse.

Voir les réponses proposées à l'appendice A.

CONCEPT 34.4

Les tétrapodes sont des gnathostomes pourvus de membres

L'un des événements les plus marquants de l'histoire des vertébrés a eu lieu il y a 365 millions d'années, au moment où les nageoires d'une lignée de sarcoptérygiens se sont transformées progressivement en membres et en pieds chez les tétrapodes. Jusque-là, tous les vertébrés ressemblaient fondamentalement à des poissons. Après s'être établis sur la terre ferme, les tétrapodes se sont grandement diversifiés et ils ont acquis de nombreuses nouvelles formes : certains se déplaçaient en sautant, comme les grenouilles, d'autres volaient, comme les aigles, et d'autres encore étaient bipèdes, comme les humains.

Les caractères dérivés des tétrapodes

Les **tétrapodes** (« qui possèdent quatre pieds ») doivent leur nom à leur principal caractère dérivé. Chez eux, les nageoires pectorales et pelviennes ont fait place à des membres munis de doigts. Les membres des tétrapodes les supportent sur la terre ferme et leurs pieds leur permettent de transférer au sol les forces créées par les muscles pendant la marche.

La vie sur la terre ferme a entraîné beaucoup d'autres modifications au plan d'organisation corporelle des tétrapodes. Ainsi, la tête est séparée du corps par un cou qui n'avait à l'origine qu'une vertèbre sur laquelle le crâne oscillait sur un plan vertical (de bas en haut). Plus tard, la formation d'une deuxième vertèbre a permis à la tête de tourner latéralement (d'un côté ou de l'autre). Les os de la ceinture pelvienne, auxquels sont attachées les pattes postérieures, se sont soudés à la colonne vertébrale, permettant ainsi de transférer au reste du corps les forces créées par les pattes lorsqu'elles prennent appui sur le sol. À l'exception de certaines espèces aquatiques (comme l'axolotl, dont il est question plus loin), les tétrapodes adultes actuels sont dépourvus de branchies; pendant le développement embryonnaire, les rainures branchiales donnent plutôt naissance à certaines parties des oreilles, à des glandes et à d'autres structures.

Nous verrons plus tard comment certains de ces caractères ont été perdus ou profondément modifiés chez diverses lignées de tétrapodes. Chez les oiseaux, par exemple, les nageoires pectorales sont devenues des ailes, tandis que, chez les baleines, le corps a globalement pris la forme d'un poisson (un autre exemple de convergence).

L'origine des tétrapodes

Comme nous l'avons déjà indiqué, les milieux humides côtiers du Dévonien abritaient une grande variété de sarcoptérygiens. Ceux qui se trouvaient dans des eaux peu profondes, pauvres en molécules d'oxygène (O_2), utilisaient leurs poumons pour respirer. Certaines espèces se servaient sans doute de leurs robustes nageoires pour nager ou « marcher » sous la surface de l'eau (en faisant osciller leurs nageoires, comme le font les sarcoptérygiens modernes). Ainsi, le plan d'organisation corporelle des tétrapodes n'est pas « tombé du ciel », il s'est simplement modifié à partir d'un plan préexistant.

La découverte récente d'un fossile appelé *Tiktaalik roseae* a permis d'en savoir un peu plus sur les mécanismes de cette évolution (**figure 34.20**). Comme les poissons, *T. roseae* avait des nageoires, des branchies et des poumons, et son corps était couvert d'écailles. Mais contrairement aux poissons, il était doté de côtes qui devaient faciliter la respiration et soutenir son corps. *T. roseae* avait également un cou et des épaules, ce qui lui permettait de bouger la tête. En outre, les os des nageoires pectorales étaient disposés selon le même modèle élémentaire que l'on observe chez tous les tétrapodes : un os (l'humérus) suivi de deux (le radius et l'ulna), se prolongeant eux-mêmes par un groupe d'osselets comprenant le poignet. Enfin, en 2014, on a découvert que le bassin et la nageoire dorsale de *T. roseae* étaient plus larges et plus robustes que ceux d'un poisson ; le bassin est

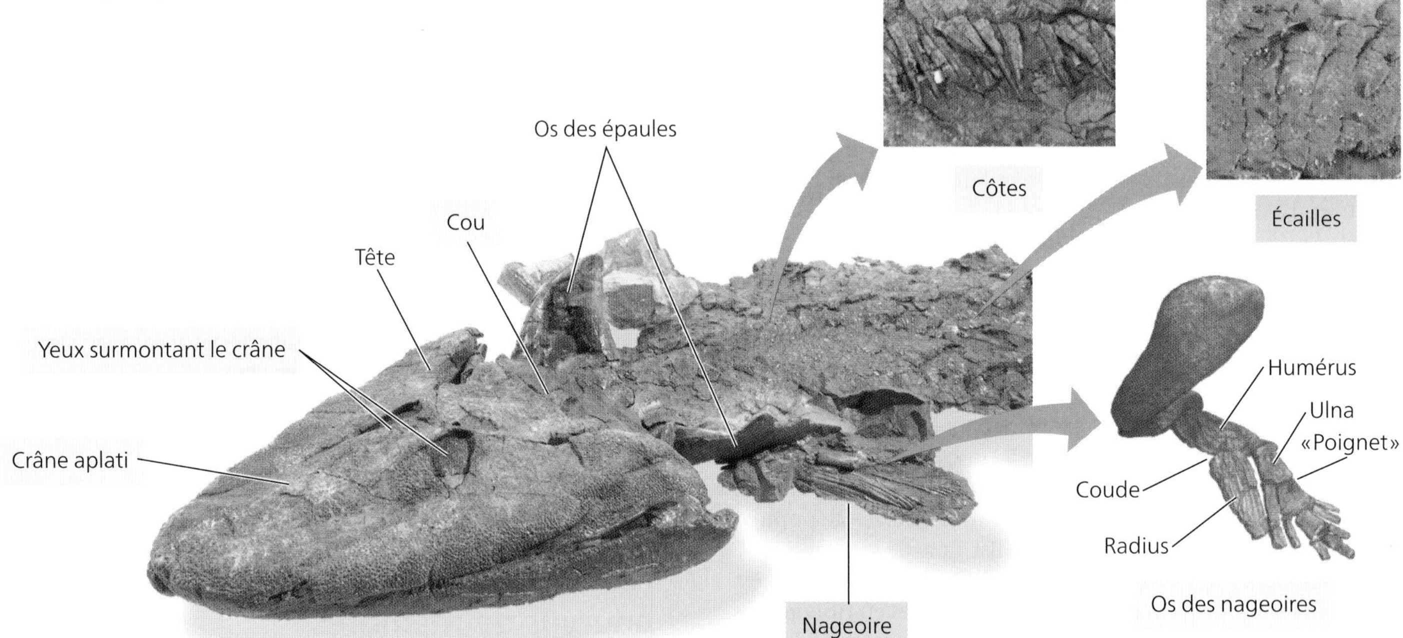

▲ **Figure 34.20 La découverte d'un «poissapode»: *Tiktaalik roseae*.** Les paléontologues étaient à la recherche de fossiles qui les éclaireraient sur l'origine évolutive des tétrapodes. D'après l'âge des fossiles découverts jusqu'alors, les scientifiques cherchaient des sites situés dans des roches datant de 385 à 365 millions d'années. L'île d'Ellesmere, dans l'Arctique canadien, était du nombre assez restreint de sites susceptibles d'abriter de tels fossiles parce qu'un fleuve l'avait déjà baignée. Les fouilles se sont avérées fructueuses : les chercheurs y ont découvert des fossiles d'un sarcoptérygien datant de 375 millions d'années qu'ils ont appelé *Tiktaalik roseae*. Comme le montrent le tableau et les photos ci-dessus, *T. roseae* présente une combinaison de caractères des poissons et des tétrapodes.

FAITES DES LIENS ▶ Décrivez comment les caractéristiques de *Tiktaalik roseae* illustrent la notion darwinienne de descendance avec modification. (Voir le concept 22.2.)

Caractères des poissons	Caractères des tétrapodes
Écailles	Cou
Nageoires	Côtes
Branchies et poumons	Nageoires osseuses
	Crâne aplati
	Yeux surmontant le crâne

la structure osseuse à laquelle les membres postérieurs sont fixés chez les tétrapodes. S'il est peu probable que *T. roseae* ait pu marcher sur la terre ferme, le squelette de ses nageoires pectorales donne à penser qu'il pouvait se soulever lorsqu'il était dans l'eau. Puisqu'il précède le plus vieux tétrapode connu, les caractéristiques de *T. roseae* laissent supposer que les traits déterminants des tétrapodes – présence de poignets, de côtes et d'un cou – étaient en fait antérieurs à leur lignée.

La découverte extraordinaire de *Tiktaalik roseae* et d'autres fossiles a permis aux paléontologues de reconstituer le processus par lequel les nageoires se sont progressivement transformées en membres, jusqu'à ce que les premiers tétrapodes acquièrent leur apparence, il y a environ 365 millions d'années (**figure 34.21**). Les 60 millions d'années qui ont suivi ont vu apparaître une grande diversité chez les tétrapodes. Certaines espèces ont conservé des branchies fonctionnelles et des membres frêles, alors que d'autres ont perdu leurs branchies et acquis des membres plus robustes favorisant la marche sur la terre ferme. Dans l'ensemble, leur morphologie et les sites où ils ont été découverts permettent de conclure que la plupart de ces tétrapodes primitifs continuaient de dépendre du milieu aquatique, une caractéristique qu'ils partagent avec certains membres du groupe le plus primitif de tétrapodes actuels comprenant les amphibiens.

Les amphibiens

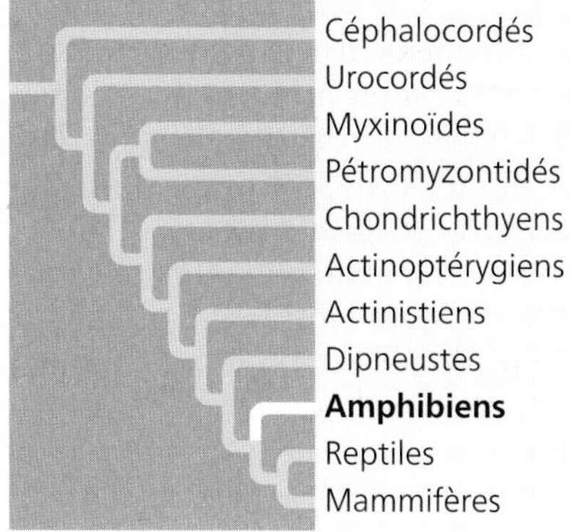

De nos jours, il existe environ 6 150 espèces d'**amphibiens** réparties en trois ordres : les urodèles (« présence d'une queue » ; salamandres), les anoures (« absence de queue » ; grenouilles, crapauds et rainettes) et les apodes (« absence de pattes » ; cécilies et autres gymnophiones).

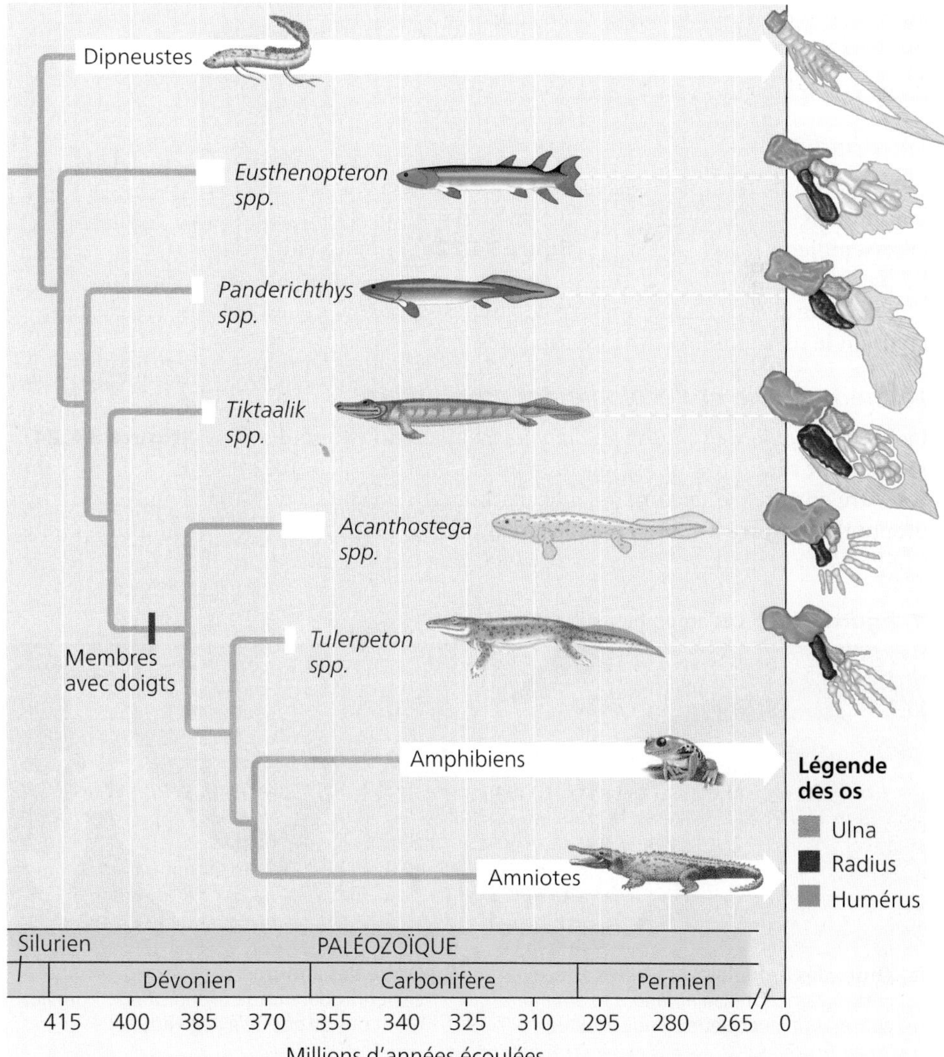

▶ **Figure 34.21 Les étapes de l'apparition des membres munis de doigts.** La section blanche de chacune des branches représente la période pendant laquelle le fossile a existé (la flèche indique une persistance de la lignée jusqu'à aujourd'hui). Les silhouettes des animaux disparus ont été reconstituées à partir de fossiles ; les couleurs sont une fantaisie de l'artiste.

ET SI ? ▶ Si le plus récent ancêtre commun des espèces du genre *Tulerpeton* et des tétrapodes vivant aujourd'hui remontait à 370 millions d'années, de quelle époque dateriez-vous l'origine des amphibiens ?

Les salamandres

On compte environ 550 espèces d'urodèles, ou salamandres. Certaines d'entre elles vivent uniquement dans l'eau, tandis que d'autres habitent le milieu terrestre toute leur vie ou seulement à l'âge adulte. La plupart des salamandres terrestres marchent en se dandinant d'un côté et de l'autre, comme le faisaient les premiers tétrapodes terrestres (**figure 34.22a**). La pédomorphose est fréquente chez les salamandres aquatiques; par exemple, l'axolotl (*Ambystoma mexicanum*) conserve des caractéristiques larvaires après avoir atteint la maturité sexuelle (voir les figures 25.24 et 42.1).

Les grenouilles

Les anoures, ou grenouilles, comptent près de 5 420 espèces. Ils sont mieux adaptés que les salamandres aux déplacements sur la terre ferme (**figure 34.22b**). Les grenouilles adultes utilisent leurs puissantes pattes postérieures pour sauter. Malgré leur apparence particulière, les animaux que nous appelons «crapauds» sont des grenouilles à peau plus épaisse ou présentant d'autres adaptations à la vie terrestre. Les grenouilles projettent leur longue langue gluante, fixée à l'avant de la bouche, pour attraper des insectes. Elles ont acquis diverses caractéristiques qui les protègent des prédateurs plus gros qu'elles. Ainsi, leurs glandes sous-cutanées peuvent sécréter un mucus désagréable, voire toxique. De nombreuses espèces venimeuses affichent des motifs colorés à des fins de camouflage, ou encore des couleurs brillantes que les prédateurs semblent associer au danger (voir la figure 54.5c).

Les apodes

On dénombre environ 170 espèces d'apodes, ou cécilies. Ces amphibiens sont dépourvus de pattes; ils sont presque aveugles et ressemblent à des vers de terre (**figure 34.22c**). Leur absence de pattes constitue un caractère secondaire, car ils sont issus d'un ancêtre qui en était pourvu. La plupart des espèces d'apodes creusent le sol humide des forêts tropicales.

Le mode de vie et l'écologie des amphibiens

Le terme *amphibien* est dérivé d'*amphibie*, qui signifie «double vie» et fait référence aux stades de vie – aquatique d'abord, terrestre ensuite – que connaissent de nombreuses espèces de grenouilles (**figure 34.23**). Le stade larvaire de la grenouille est le têtard. Celui-ci est habituellement un herbivore aquatique doté de branchies, de la ligne latérale (l'organe sensoriel semblable à celui des poissons) et d'une longue queue organisée comme une nageoire. Dépourvu de pattes, le têtard nage grâce au mouvement ondulatoire de sa queue. La métamorphose qui conduit l'animal à sa «seconde vie» est marquée par l'apparition des pattes, des poumons, d'une paire de tympans externes et d'un système digestif capable d'assimiler des protéines animales. En même temps disparaissent les branchies et, chez la plupart des espèces, la ligne latérale. Le jeune tétrapode monte ensuite sur la terre ferme où il entreprend sa vie de prédateur terrestre. Malgré leur nom, un grand nombre d'amphibiens, dont certaines grenouilles, ne connaissent pas le stade aquatique de têtard, et beaucoup ne vivent pas de «double vie» aquatique et terrestre. Les trois ordres d'amphibiens comportent à la fois des espèces exclusivement aquatiques et des espèces exclusivement terrestres. De plus, chez les urodèles et les apodes, les larves ont presque la même forme que les adultes et sont carnivores comme eux.

La plupart des amphibiens vivent dans des habitats humides tels que les marais et les forêts tropicales. Même les grenouilles, qui se sont adaptées à des habitats plus secs, passent une bonne partie de leur temps dans des terriers ou sous des feuilles mouillées, où le taux d'humidité est élevé. Si les amphibiens doivent vivre dans un milieu humide, c'est parce que leur respiration se fait par l'intermédiaire de la peau, où se déroulent de 25 à 50 % des échanges gazeux. Lorsque leur peau s'assèche, ils n'obtiennent pas suffisamment d'O_2. De plus, les amphibiens déposent habituellement leurs œufs dans l'eau ou dans des milieux terrestres humides. Dépourvus de coquille, ces œufs se déshydratent rapidement lorsqu'ils sont exposés à l'air.

Chez la plupart des amphibiens, la fécondation a lieu à l'extérieur du corps: le mâle agrippe la femelle et répand son sperme sur les œufs à mesure que celle-ci les pond (voir la figure 34.23c). Certaines espèces pondent une très grande quantité d'œufs dans des étangs temporaires; le taux de mortalité est élevé. D'autres espèces, toutefois, pondent un moins grand nombre d'œufs, mais elles prodiguent divers soins parentaux. Les mâles ou les femelles, selon l'espèce, incubent les œufs sur leur dos (**figure 34.24**), dans leur bouche, voire dans leur estomac. Certaines grenouilles vivant sur les arbres tropicaux déposent leurs œufs dans des nids mousseux; ces lieux sont suffisamment humides pour empêcher le dessèchement.

▼ **Figure 34.22 Les amphibiens.**

(a) Ordre des urodèles. Les urodèles, telle cette salamandre (*Salamandra salamandra*), conservent leur queue à l'âge adulte.

(b) Ordre des anoures. Les anoures, comme ce dendrobate fraise (*Dendrobates pumilio*), n'ont pas de queue à l'âge adulte.

(c) Ordres des apodes. Les apodes, aussi appelés gymnophiones, sont des amphibiens sans pattes, qui vivent surtout dans des terriers, comme cette cécilie (*Ichthyophis glutinosus*).

▼ **Figure 34.23 La double vie de la grenouille rousse (*Rana temporaria*).**

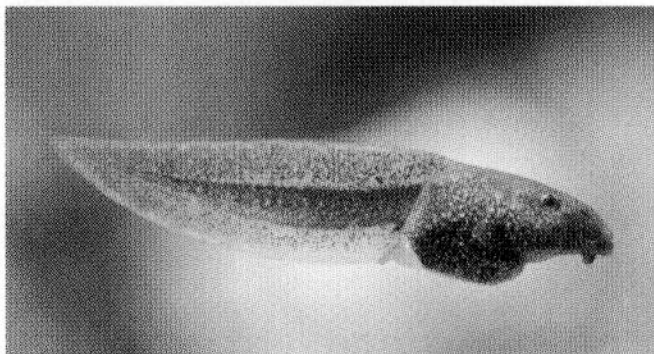

(a) Le têtard est un herbivore aquatique possédant des branchies internes et une queue en forme de nageoire.

(b) Pendant la métamorphose, les branchies et la queue se résorbent, tandis que les pattes se forment.

(c) La grenouille adulte retourne à l'eau pour s'accoupler. En agrippant la femelle, le mâle stimule la ponte des œufs. La ponte et la fécondation ont lieu sous l'eau, car les œufs, recouverts de gelée mais dépourvus de coquille, se dessécheraient à l'air libre.

► **Figure 34.24 Une pouponnière mobile.** La femelle de *Flectonotus pygmaeus* incube ses œufs dans des poches cutanées situées sur son dos, pour les protéger des prédateurs.

Beaucoup d'amphibiens manifestent des comportements sociaux complexes et diversifiés, particulièrement pendant la saison de reproduction. Les grenouilles sont habituellement des animaux silencieux. Toutefois, en période de reproduction, elles deviennent très bruyantes. Les mâles émettent des sons pour défendre leur territoire d'accouplement ou attirer des femelles. Certaines espèces terrestres migrent vers des sites d'accouplement particuliers en utilisant la communication de type vocal ou en s'orientant d'après les étoiles ou des stimulus chimiques.

Depuis 30 ans, les zoologistes s'alarment du déclin rapide de la population d'amphibiens dans diverses régions du monde. Les causes sont multiples et comptent notamment la prolifération d'un chytridiomycète pathogène (voir la figure 31.25), la destruction d'habitats propices, les changements climatiques et la pollution. Dans certains cas, la diminution des populations d'amphibiens a mené à la disparition de certaines espèces. Selon des études récentes, au moins 9 espèces d'amphibiens ont disparu au cours des quatre dernières décennies ; plus de 100 autres n'ont pas été aperçues depuis ce temps et ont probablement connu le même sort. Dans la rubrique **Résolution de problème**, vous étudierez l'une des stratégies potentielles pour prévenir la disparition des amphibiens attribuable à des infections fongiques.

RETOUR SUR LE CONCEPT 34.4

1. Décrivez l'origine des tétrapodes et nommez leurs principaux caractères dérivés.
2. Certains amphibiens ne quittent jamais le milieu aquatique, alors que d'autres peuvent survivre dans des environnements terrestres relativement secs. Comparez les adaptations qui favorisent ces deux modes de vie.
3. **ET SI ?** ► Les scientifiques croient que les populations d'amphibiens constituent un système d'alarme annonciateur des premiers signes de problèmes environnementaux. Quelles caractéristiques des amphibiens les rendent particulièrement sensibles à ce genre de problèmes ?

Voir les réponses proposées à l'appendice A.

CONCEPT 34.5

Les amniotes sont des tétrapodes dont l'œuf est adapté au milieu terrestre

Les **amniotes** forment un groupe de tétrapodes dont les membres actuels sont les reptiles (groupe qui comprend les oiseaux) et les mammifères (**figure 34.25**). Au cours de leur évolution, les amniotes ont acquis de nombreuses nouvelles adaptations à la vie sur la terre ferme.

Les caractères dérivés des amniotes

Le nom «amniote» provient du principal caractère du clade, l'**œuf amniotique**, qui contient quatre membranes spécialisées : l'amnios, le chorion, le sac vitellin et l'allantoïde (**figure 34.26**). Comme leur nom l'indique, ces *membranes extraembryonnaires*, qui ne font pas partie du corps de l'embryon, se développent à partir de couches tissulaires produites par celui-ci. L'œuf amniotique tire son nom de l'amnios, qui entoure une cavité remplie de liquide amniotique qui amortit les chocs et dans laquelle baigne l'embryon. Les autres membranes permettent les échanges gazeux, l'entreposage des déchets et le transfert à l'embryon des nutriments mis en réserve. L'œuf amniotique a constitué une innovation déterminante pour la vie terrestre puisqu'il permet à l'embryon de se développer sur la terre ferme, dans son «étang» exclusif. Grâce à cette révolution, les tétrapodes ne dépendent plus d'un environnement aqueux pour se reproduire.

Contrairement aux œufs des amphibiens, les œufs amniotiques de la plupart des reptiles et de certains mammifères sont protégés par une coquille. Celle-ci ralentit considérablement la déshydratation de l'œuf exposé à l'air. Cette adaptation a permis aux amniotes d'occuper une plus grande variété d'habitats terrestres que les amphibiens, leurs plus proches parents. (Les graines ont joué un rôle semblable dans l'évolution des végétaux terrestres, comme il est indiqué au concept 30.1.) Chez la plupart

RÉSOLUTION DE PROBLÈME Un vaccin permettrait-il de sauvegarder les populations d'amphibiens ?

Le problème

Les populations mondiales d'amphibiens diminuent rapidement. *Batrachochytrium dendrobatidis* (*Bd*), un champignon, contribue à ce déclin. En effet, cet organisme pathogène, responsable de graves infections cutanées, est associé à un taux de mortalité extrêmement élevé chez un grand nombre d'espèces d'amphibiens. Les efforts déployés jusqu'à maintenant pour protéger les amphibiens contre *Bd* n'ont connu qu'un succès limité, et peu de données démontrent que les grenouilles et les autres amphibiens acquièrent une résistance naturelle à ce champignon.

▲ **Des grenouilles des montagnes à pattes jaunes (*Rana muscosa*) tuées par une infection par *Bd* en Californie.**

Dans cet exercice, vous devez évaluer si les amphibiens peuvent acquérir une résistance à *Bd*, un champignon pathogène.

Votre méthode

Le principe directeur de votre recherche est le suivant : une exposition antérieure à un organisme pathogène permet aux amphibiens d'acquérir une résistance immunologique. Pour déterminer si les amphibiens peuvent bel et bien acquérir une telle résistance après avoir été exposés à *Bd*, vous devez analyser les données sur la résistance acquise par les rainettes de Cuba (*Osteopilus septentrionalis*).

Vos données

Pour générer une variation dans le nombre d'expositions antérieures à *Bd*, les rainettes de Cuba ont été exposées à plusieurs reprises à *Bd* (de une à trois fois), tandis que d'autres ne l'étaient pas (0 exposition). Les rainettes exposées au champignon ont ensuite été guéries de leur infection à l'aide de traitements thermiques. Les chercheurs ont par la suite exposé de nouveau toutes les rainettes à *Bd* et ont évalué l'abondance moyenne du champignon sur leur peau, leur taux de survie ainsi que la quantité de lymphocytes (un type de globule blanc participant à la réponse immunitaire) dans leur sang.

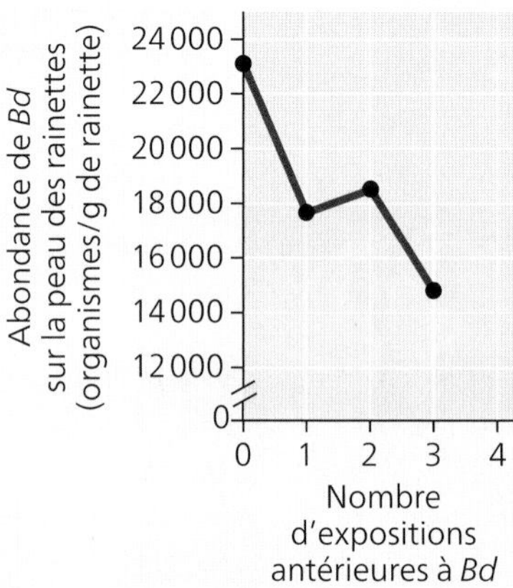

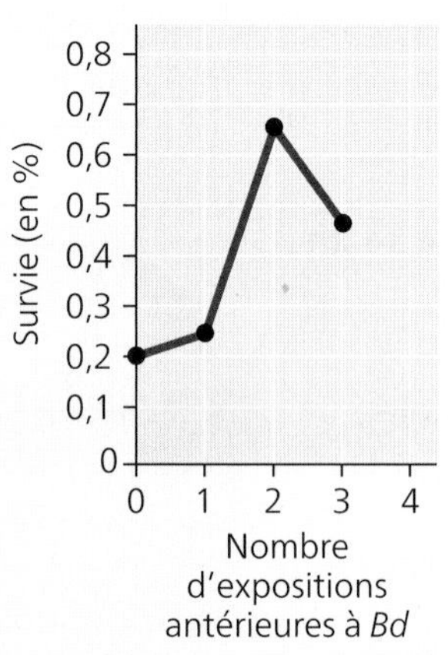

Nombre d'expositions antérieures à *Bd*	Milliers de lymphocytes par g de rainette
0	134
1	240
2	244
3	227

Votre analyse

1. Décrivez et interprétez les résultats présentés dans la figure.
2. Reportez les données du tableau dans un graphique. En vous fondant sur ces données, formulez une hypothèse expliquant les résultats présentés dans la figure.
3. Des populations reproductrices des espèces d'amphibiens menacées par *Bd* ont été élevées en captivité. Par ailleurs, les données laissent supposer que les rainettes de Cuba peuvent acquérir une résistance après une exposition à *Bd*, un champignon pathogène. D'après ces renseignements et vos réponses aux questions 1 et 2, proposez une stratégie pour repeupler les régions décimées par *Bd*.

▶ **Figure 34.25 La phylogenèse des amniotes.** Les groupes auxquels appartiennent les animaux actuels sont inscrits en caractères gras. Le symbole † indique qu'il s'agit de groupes éteints.

HABILETÉS VISUELLES ▶ D'après cette phylogenèse, les ptérosaures sont-ils des dinosaures ? Et les oiseaux ? Expliquez votre réponse.

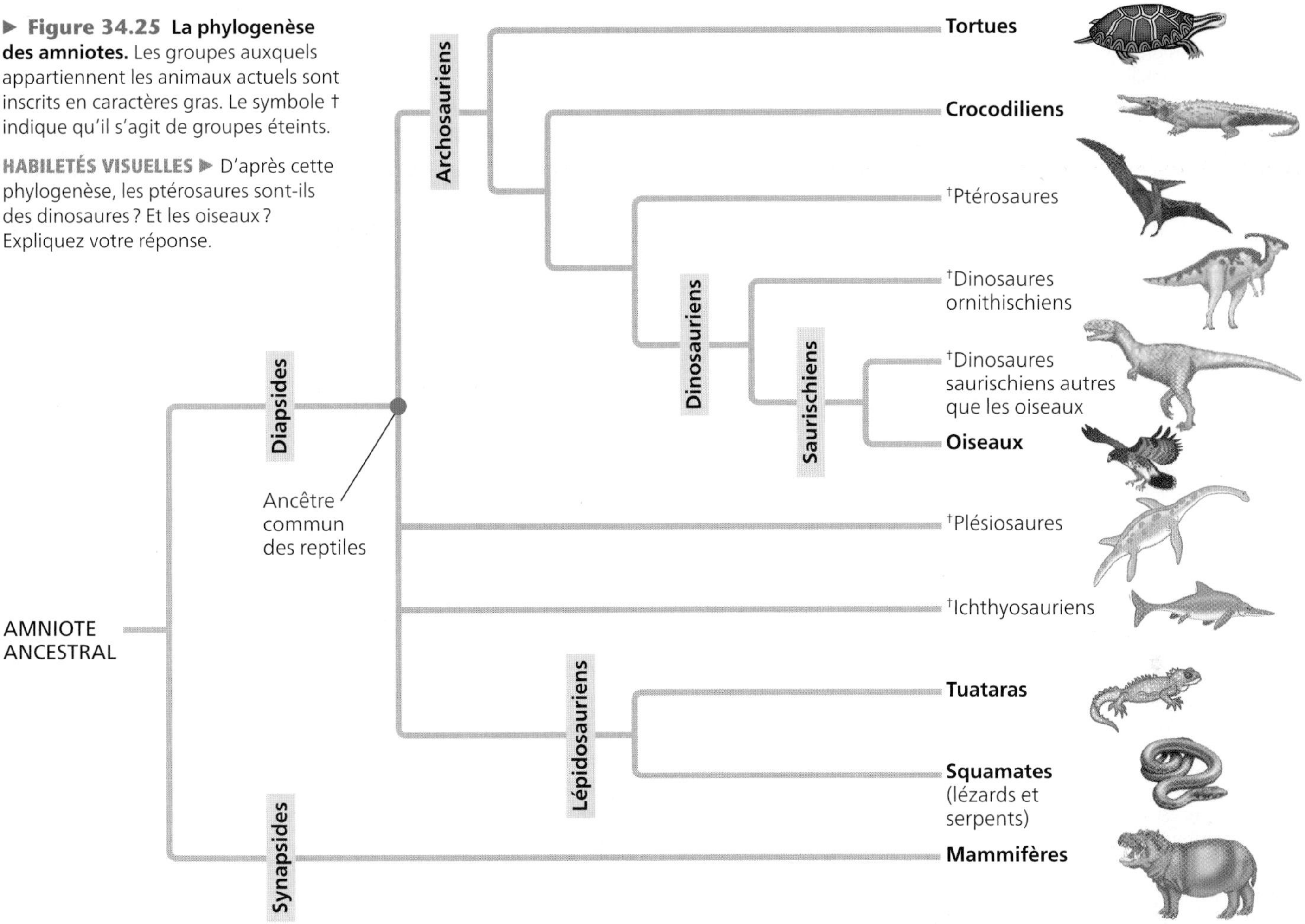

AMNIOTE ANCESTRAL
Diapsides
Synapsides
Ancêtre commun des reptiles
Archosauriens
Dinosauriens
Saurischiens
Lépidosauriens
Tortues
Crocodiliens
†Ptérosaures
†Dinosaures ornithischiens
†Dinosaures saurischiens autres que les oiseaux
Oiseaux
†Plésiosaures
†Ichthyosauriens
Tuataras
Squamates (lézards et serpents)
Mammifères

des mammifères, la coquille est disparue, car l'embryon se développe dans l'amnios, à l'intérieur du corps de la mère.

Les amniotes ont acquis d'autres adaptations à la vie sur la terre ferme. Par exemple, ils utilisent leur cage thoracique pour ventiler leurs poumons. Cette méthode est plus efficace que la ventilation par la gorge à laquelle recourent les amphibiens, en plus de respirer par la peau. L'optimisation de la ventilation par la cage thoracique aurait permis aux amniotes d'abandonner la respiration cutanée et de se doter d'une peau moins perméable, ce qui leur permettait de retenir l'eau corporelle.

Les premiers amniotes

Le plus récent ancêtre commun des amphibiens et des amniotes modernes a vécu il y a 350 millions d'années. Aucun œuf amniotique fossilisé remontant à cette période n'a été découvert, ce qui n'a rien d'étonnant compte tenu de sa fragilité. Ainsi, nous ne savons pas encore quand l'œuf amniotique est apparu, bien qu'il ait sûrement existé chez le dernier ancêtre commun des amniotes modernes, qui produisent tous des œufs amniotiques.

D'après les lieux où leurs fossiles ont été découverts, les premiers amniotes vivaient dans des milieux chauds et humides, comme les premiers tétrapodes. Avec le temps, cependant, ils se sont dispersés dans toutes sortes de nouveaux environnements, y compris dans des régions arides situées sous de plus hautes latitudes. Les archives géologiques montrent que les amniotes les plus primitifs ressemblaient à de petits lézards dotés de dents acérées : il s'agissait donc de prédateurs (**figure 34.27**). Le clade s'est ensuite enrichi d'herbivores, comme le prouvent leurs dents broyeuses et d'autres caractéristiques.

Les reptiles

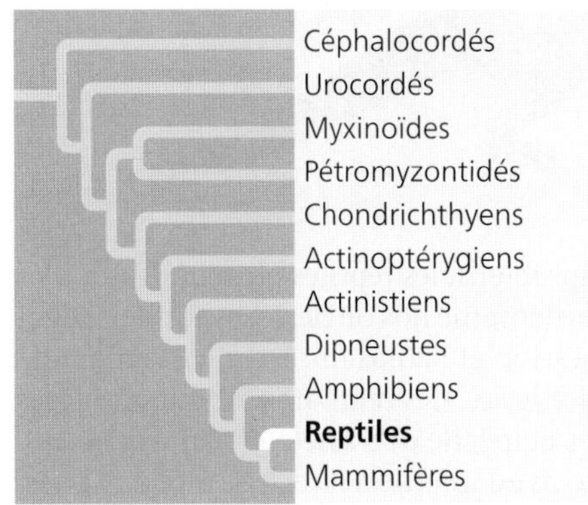

Le clade des **reptiles** comprend les tuataras, les lézards, les serpents, les tortues, les crocodiliens et les oiseaux, ainsi qu'un certain nombre de groupes disparus, par exemple les plésiosaures et les ichthyosauriens (voir la figure 34.25).

En tant que groupe, les reptiles présentent plusieurs caractères dérivés qui les distinguent des autres tétrapodes. Par exemple,

▼ **Figure 34.26 L'œuf amniotique.** Les embryons des reptiles et des mammifères produisent quatre membranes extraembryonnaires : l'amnios, le sac vitellin, l'allantoïde et le chorion. Cette illustration montre les membranes extraembryonnaires présentes à l'intérieur d'un œuf de reptile.

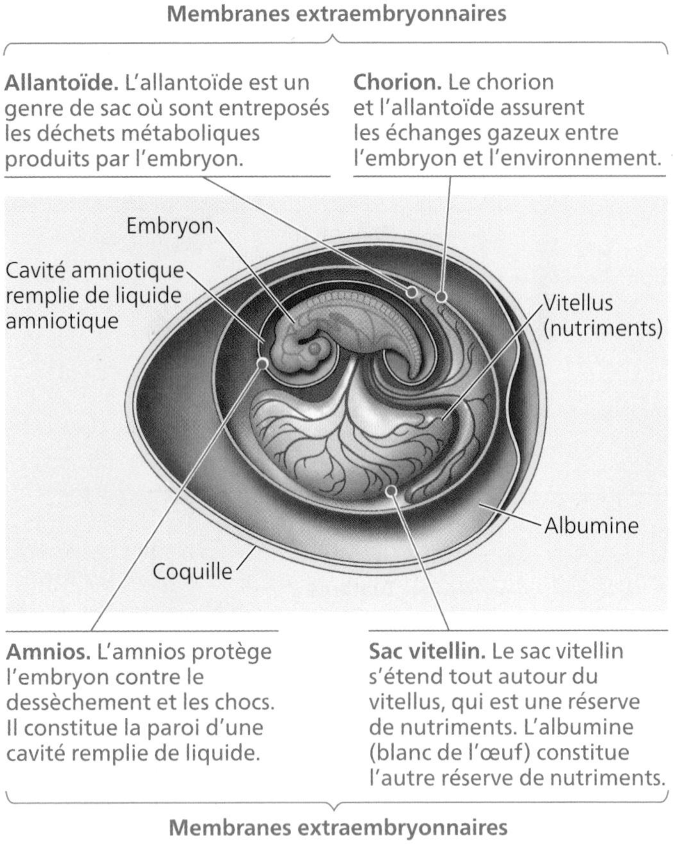

Membranes extraembryonnaires

Allantoïde. L'allantoïde est un genre de sac où sont entreposés les déchets métaboliques produits par l'embryon.

Chorion. Le chorion et l'allantoïde assurent les échanges gazeux entre l'embryon et l'environnement.

Embryon

Cavité amniotique remplie de liquide amniotique

Vitellus (nutriments)

Albumine

Coquille

Amnios. L'amnios protège l'embryon contre le dessèchement et les chocs. Il constitue la paroi d'une cavité remplie de liquide.

Sac vitellin. Le sac vitellin s'étend tout autour du vitellus, qui est une réserve de nutriments. L'albumine (blanc de l'œuf) constitue l'autre réserve de nutriments.

Membranes extraembryonnaires

▼ **Figure 34.27 Reconstitution artistique de *Hylonomus sp.*,** un amniote primitif. Mesurant environ 25 cm de longueur, cet amniote vivait il y a 310 millions d'années et mangeait probablement des insectes et d'autres petits invertébrés.

contrairement aux amphibiens, les reptiles portent des écailles contenant de la kératine (comme nos ongles). Les écailles aident à prévenir la déshydratation et l'abrasion. De plus, la majorité des reptiles pondent, sur le sol, des œufs amniotiques protégés par une coquille qui les empêche de s'assécher (**figure 34.28**). La fécondation de ces œufs est interne. Elle doit se produire avant la sécrétion de la substance qui forme la coquille.

On dit parfois des reptiles qu'ils sont des « animaux à sang froid », car ils utilisent peu leur métabolisme pour produire leur chaleur corporelle. Cependant, les reptiles adoptent certains comportements qui leur permettent d'adapter leur température corporelle. Ainsi, un grand nombre de lézards se font chauffer sous les rayons du soleil lorsque l'air est frais, mais cherchent

▼ **Figure 34.28 L'éclosion des œufs d'un reptile.** Ces caméléons panthères (*Furcifer pardalis*) brisent la coquille molle de leur œuf. La plupart des reptiles autres que les oiseaux pondent ce type d'œuf, dont la coquille a une texture semblable à celle du parchemin.

l'ombre quand il fait trop chaud. Les reptiles sont donc des **ectothermes**, c'est-à-dire qu'ils absorbent la chaleur externe plutôt que de produire entièrement leur propre chaleur. En se servant de l'énergie solaire comme source de chaleur, ils peuvent survivre avec moins de 10 % de l'apport énergétique dont ont besoin les mammifères de même taille. Les animaux qui font partie du clade des reptiles ne sont pas tous ectothermes, cependant ; les oiseaux sont **endothermes**, c'est-à-dire qu'ils peuvent conserver la chaleur corporelle au moyen de leurs activités métaboliques.

L'origine et la radiation adaptative des reptiles

Selon les archives géologiques, les premiers reptiles auraient vécu il y a environ 310 millions d'années et ils ressemblaient à des lézards. Comme tous les reptiles modernes, il s'agissait de **diapsides**. L'un des principaux caractères dérivés de ces animaux est la paire d'orifices qu'ils portent de chaque côté de leur crâne, derrière l'orbite de l'œil ; des muscles passent à travers ces ouvertures pour s'attacher à la mâchoire et en contrôler le mouvement.

Les diapsides comptent deux grandes lignées. La première a donné naissance aux **lépidosauriens**, qui comprennent les tuataras, les lézards et les serpents. Elle est aussi à l'origine de certains reptiles marins, dont les immenses mosasaures. Certaines de ces espèces marines atteignaient une longueur comparable à celle des rorquals d'aujourd'hui ; tous sont disparus. L'autre lignée de diapsides est celle des **archosauriens**, qui ont engendré les tortues, les crocodiliens, les présauriens et les dinosauriens. Dans cette section, nous examinons les lignées éteintes d'archosauriens ; nous traiterons plus loin des lézards modernes.

Les **plésiosaures**, apparus vers la fin du Trias, ont été les premiers tétrapodes à voler en battant des ailes. L'aile de ces animaux était complètement différente de celle des oiseaux et des chauves-souris. Elle était constituée d'une membrane renforcée par du collagène et s'étirait du tronc ou de la patte postérieure jusqu'à un doigt très allongé sur la patte antérieure. Les plus petits ptérosaures n'étaient pas plus gros qu'un moineau, alors que l'envergure des plus gros pouvait atteindre 11 m. Ces animaux semblent avoir convergé vers de nombreux rôles écologiques qu'ont assumé les oiseaux par la suite ; certains étaient insectivores, d'autres capturaient des poissons nageant à la surface des océans, et d'autres encore attrapaient de petits animaux à l'aide de milliers de dents fines comme des aiguilles. Il y a 66 millions d'années, les ptérosaures avaient toutefois disparu.

Sur la terre ferme, les **dinosauriens**, ou dinosaures, ont adopté une vaste gamme de formes et de tailles, allant du bipède pas plus gros qu'un pigeon au quadrupède de 45 m de longueur doté d'un cou s'étirant jusqu'à la cime des arbres. Une lignée de dinosaures, les ornithischiens, était herbivore ; elle comprenait de nombreuses espèces possédant des défenses complexes contre les prédateurs, comme les massues caudales et les crêtes cornues. L'autre grande lignée de dinosaures, les saurischiens, comprenait les géants au cou allongé et un groupe de carnivores bipèdes appelés **théropodes**. Le fameux *Tyrannosaurus rex* ainsi que les ancêtres des oiseaux faisaient partie des théropodes.

On a déjà cru que les dinosaures étaient des animaux lents et apathiques. Mais depuis les années 1970, la découverte de nouveaux fossiles et des recherches permettent de conclure que beaucoup d'entre eux étaient probablement agiles et rapides. Compte tenu de la structure de leurs membres, les dinosaures étaient capables de marcher et de courir avec beaucoup plus d'agilité que d'autres tétrapodes antérieurs dont la démarche était irrégulière. Les empreintes fossilisées et d'autres observations laissent penser que certaines espèces étaient grégaires, c'est-à-dire qu'elles vivaient et se déplaçaient en groupes, comme le font beaucoup de mammifères aujourd'hui. Les paléontologues ont aussi découvert que certains prodiguaient des soins à leurs petits, comme le font les oiseaux aujourd'hui (voir la figure 26.17). Enfin, des données anatomiques confirment l'hypothèse voulant qu'au moins quelques dinosaures aient été endothermes.

À la fin du Crétacé (il y a 66 millions d'années), tous les dinosaures (sauf les oiseaux) avaient disparu. Leur disparition pourrait avoir été causée, du moins en partie, par l'impact de l'astéroïde ou de la comète dont il a été question au concept 25.4. Certaines analyses de données géologiques semblent le confirmer puisqu'elles montrent un brusque déclin de la diversité des dinosaures à la fin du Crétacé. Selon d'autres analyses, cependant, le nombre d'espèces de dinosaures avait commencé à décliner plusieurs millions d'années avant la fin du Crétacé. Il faudra découvrir d'autres fossiles et faire plus d'analyses pour résoudre cette question.

Étudions maintenant les deux lignées modernes de reptiles, soit les lépidosauriens (tuataras, lézards et serpents) et les archosauriens (tortues, crocodiles et oiseaux).

Les lépidosauriens

Deux espèces de tuataras, des reptiles apparentés aux lézards, représentent une lignée survivante de lépidosauriens (**figure 34.29a**). Des fossiles indiquent que les ancêtres des tuataras ont vécu il y a au moins 220 millions d'années. Ces organismes ont prospéré sur de nombreux continents pendant une bonne partie du Crétacé, et pouvaient atteindre 1 m de longueur. Aujourd'hui, on ne trouve cependant les tuataras que sur 30 îles situées au large des côtes de la Nouvelle-Zélande. Lorsque les humains sont arrivés dans ce pays il y a 750 ans, les rats qui les accompagnaient ont dévoré les œufs des tuataras, si bien qu'ils ont fini par éliminer ces reptiles dans les îles principales. Les tuataras qui subsistent dans les îles avoisinantes mesurent environ 50 cm de longueur et se nourrissent d'insectes, de petits lézards, ainsi que d'œufs et d'oisillons. Ils peuvent vivre jusqu'à 100 ans. Leur survie dépend de l'absence de rats dans les habitats qu'ils ont conservés.

L'autre grande lignée de lépidosauriens moderne est celle des lézards et des serpents, ou squamates ; elle compte quelque 7 900 espèces (**figure 34.29b** et **c**). Les squamates sont pour la plupart de petite taille ; découvert récemment en République dominicaine, le gecko *Jaragua sphaero*, un lézard, qui ne mesure que 16 mm, tiendrait aisément sur une pièce de 10 cents. Par contre, le dragon de Komodo, qui vit en Indonésie, peut atteindre 3 m de longueur. Il chasse les cerfs et d'autres grosses proies en leur inoculant un venin après les avoir mordus.

Les serpents descendent de lézards dotés de pattes. Par conséquent, on les considère comme des lézards apodes, c'est-à-dire sans pattes (voir les paragraphes d'introduction du chapitre 26). Aujourd'hui, certaines espèces de serpents conservent des vestiges des os qui formaient le bassin et les membres, ce qui confirme leur ascendance. Bien qu'ils soient dépourvus de pattes, les serpents se déplacent avec beaucoup d'agilité sur la terre ferme, le plus souvent à l'aide de mouvements ondulatoires latéraux qui se propagent de la tête à la queue. Ce sont les forces exercées par les mouvements ondulatoires contre des objets solides qui permettent au serpent d'avancer. Les serpents peuvent aussi se mouvoir en utilisant leurs écailles ventrales pour agripper le sol en plusieurs endroits de leur corps : les écailles situées aux points intermédiaires sont alors soulevées légèrement du sol et entraînées vers l'avant.

Les serpents sont carnivores et présentent des adaptations qui favorisent la prédation. Ils possèdent des chimiorécepteurs très sensibles et, s'ils n'ont pas de tympans, ils peuvent ressentir les vibrations du sol et ainsi détecter les mouvements de leurs proies. Les vipéridés, dont font partie les crotales, possèdent entre leurs yeux et leurs narines des détecteurs de chaleur (thermorécepteurs) grâce auxquels ils perçoivent d'infimes variations de température. Cette adaptation permet à ces chasseurs nocturnes de localiser leurs proies. Les serpents venimeux, eux, injectent leurs neurotoxines au moyen d'une paire de dents ou de crochets creux et pointus. Leur langue n'administre pas le venin, mais contribue à acheminer les odeurs vers les organes olfactifs situés dans la paroi supérieure de la cavité buccale. La majorité des serpents ont une peau élastique et possèdent des mâchoires lâchement fixées au crâne qui leur permettent d'avaler des proies dont le diamètre est supérieur à celui de leur corps (voir la figure 23.14).

Pour conclure, examinons maintenant les trois clades d'archosauriens dont certains membres existent encore aujourd'hui : les tortues, les crocodiliens et les oiseaux.

Les tortues

Les tortues forment le groupe de reptiles modernes le plus particulier. Par exemple, contrairement aux reptiles, les tortues n'ont pas d'orifices de chaque côté du crâne, derrière l'orbite de l'œil. Souvenez-vous qu'il s'agit d'un des principaux caractères dérivés des diapsides. En outre, on ignorait jusqu'à tout récemment s'il fallait classer les tortues parmi les diapsides, comme les autres reptiles modernes. En 2015, la découverte de nouveaux fossiles a toutefois permis d'établir que les premières tortues possédaient des orifices de chaque côté du crâne, à l'instar des autres diapsides. Ces découvertes laissent donc supposer que les tortues sont des diapsides dont les orifices crâniens ont disparu au fil de l'évolution. Des études génomiques récentes confirment également l'appartenance des tortues au groupe des diapsides. En effet, ces études démontrent que les tortues sont des archosauriens plus étroitement apparentés aux crocodiles et aux oiseaux qu'aux autres reptiles (voir la figure 34.25).

Toutes les tortues sont pourvues d'une carapace en forme de coffre dont les parties supérieure et inférieure sont soudées aux vertèbres, aux clavicules et aux côtes (**figure 34.29d**). La plupart des 307 espèces connues ont une carapace dont la dureté procure une excellente protection contre les prédateurs. Les archives géologiques montrent que *Pappochelys sp.*, une tortue vieille de 240 millions d'années, présentait sur le ventre une série d'os durs faisant penser à des coquillages. Une autre tortue âgée de 220 millions d'années présentait quant à elle un plastron (la partie inférieure de la carapace) complètement formé, mais une coquille (la partie supérieure) incomplète. Il se pourrait donc que la formation de la carapace se soit produite progressivement.

Les premières tortues étaient incapables de rentrer la tête dans leur carapace, mais les mécanismes nécessaires à cette action sont apparus indépendamment dans deux embranchements distincts. Les tortues au cou latéral replient leur cou horizontalement, tandis que les tortues au cou vertical le replient verticalement.

Certaines tortues se sont adaptées à la vie dans les déserts, alors que d'autres vivent presque exclusivement dans les étangs et les cours d'eau. D'autres encore vivent dans la mer. Les tortues de mer possèdent une carapace réduite et des membres antérieurs élargis qui servent de nageoires. Elles comprennent les plus grosses tortues actuelles, les tortues luths, qui se nourrissent de méduses et dont la masse peut atteindre 1 500 kg. Elles sont menacées, comme d'autres tortues de mer, car elles se prennent dans les filets de pêche et meurent noyées. L'exploitation par les humains des plages où elles pondent leurs œufs constitue aussi une menace à leur survie.

Les crocodiliens

Les crocodiles, les caïmans et les alligators (crocodiliens) appartiennent à une lignée dont l'origine remonte à la fin du Trias. Les premiers membres de cette lignée étaient de petits quadrupèdes terrestres aux pattes longues et fines. Au fil du temps, les espèces sont devenues plus grosses et se sont adaptées aux habitats aquatiques en respirant l'air au moyen de narines situées au sommet du crâne. Certains crocodiliens du Mésozoïque atteignaient 12 m de longueur et s'attaquaient peut-être à des dinosaures et à d'autres proies circulant sur les berges.

Les 23 espèces connues de crocodiliens modernes vivent dans les régions chaudes du globe. La population d'alligators vivant dans le Sud-Est des États-Unis (**figure 34.29e**) croît aujourd'hui à un rythme soutenu, après avoir été menacée d'extinction durant plusieurs années.

Les oiseaux

Il existe quelque 10 000 espèces d'oiseaux dans le monde. Comme les crocodiliens, les oiseaux sont des archosauriens, mais presque toutes les caractéristiques de leur anatomie reptilienne ont subi des modifications en raison de leur adaptation au vol.

▼ **Figure 34.29 Quelques reptiles actuels (autres que les oiseaux).**

(a) Tuatara (*Sphenodon punctatus*)

(b) Diable cornu d'Australie (*Moloch horridus*)

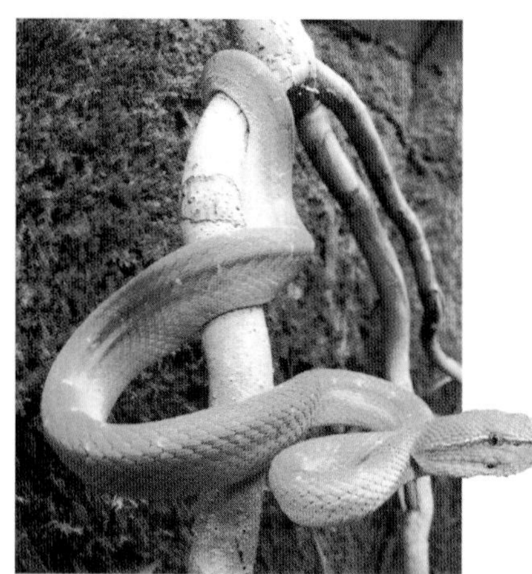

(c) Vipère de Wagler (*Tropidolaemus wagleri*)

(d) Tortue-feuille à poitrine noire (*Geomyda spengleri*)

(e) Alligator américain (*Alligator mississippiensis*)

Les caractères dérivés des oiseaux Bon nombre des caractères des oiseaux sont des adaptations qui facilitent le vol, notamment celles qui favorisent la réduction de la masse en vue de rendre le vol plus efficace. Ainsi, ces animaux n'ont pas de vessie et, chez la plupart des espèces, les femelles ne possèdent qu'un seul ovaire. Les gonades des mâles et des femelles sont généralement petites, sauf pendant la saison des amours, au cours de laquelle leur taille augmente. Les oiseaux actuels sont aussi dépourvus de dents, une adaptation qui réduit le poids de la tête. Le crâne est particulièrement léger, bien que l'ensemble du squelette de l'oiseau ne soit pas plus léger, par rapport à la masse corporelle, que celui d'un mammifère d'une taille comparable.

Les ailes et les plumes constituent les adaptations au vol les plus manifestes (**figure 34.30**). Les plumes sont constituées d'une protéine, la bêta-kératine, qu'on trouve également dans les écailles d'autres reptiles. La forme et la disposition des plumes donnent leur profil aux ailes, qui obéissent à certains des principes d'aérodynamique que les ailes d'un avion essaient d'imiter. Les oiseaux battent des ailes en contractant leurs grands muscles pectoraux (de la poitrine), qui sont reliés au sternum par un bréchet et qui produisent la force nécessaire pour décoller et ensuite pour voler. Certains oiseaux, comme les buses et les pygargues, ont des ailes adaptées au vol plané ; ils se laissent porter par les courants d'air et ne battent des ailes qu'occasionnellement. D'autres, comme le colibri, doivent battre des ailes continuellement pour se maintenir dans les airs (voir la figure 34.34). Les martinets sont les plus rapides ; ils peuvent voler sur de longs trajets à une vitesse de 170 km/h.

Le vol procure de nombreux avantages. Il facilite la chasse et la nécrophagie ; beaucoup d'oiseaux se nourrissent d'insectes volants, ressource alimentaire abondante et très nutritive. Grâce au vol, les oiseaux peuvent fuir rapidement devant les prédateurs terrestres ou encore voyager sur de grandes distances afin d'exploiter d'autres sources de nourriture et de nouvelles zones de reproduction saisonnières.

Le vol nécessite un métabolisme actif qui se traduit par de grandes dépenses d'énergie. Les oiseaux étant endothermes, ils utilisent l'énergie produite par leur métabolisme pour maintenir une température corporelle élevée. Les plumes et la couche de graisse qui enveloppent le corps de certaines espèces contribuent également à la thermorégulation. Les poumons sont reliés à de minuscules tubes conduisant à des sacs élastiques (les sacs aériens) qui améliorent le courant aérien et l'absorption d'O_2. Les systèmes respiratoire et cardiovasculaire fournissent efficacement l'O_2 et les nutriments aux tissus, contribuant ainsi à maintenir un métabolisme élevé. Le cœur est pourvu de quatre cavités.

Le vol exige aussi une bonne acuité visuelle et une coordination précise des mouvements. Les oiseaux possèdent d'excellents yeux et distinguent les couleurs. L'aire visuelle et l'aire motrice de leur cerveau sont bien développées. De fait, leur cerveau est proportionnellement plus gros que ceux des amphibiens et des autres reptiles.

La plupart des oiseaux manifestent des comportements très complexes, surtout pendant la saison de reproduction, au cours de laquelle ils exécutent des rituels de parade nuptiale de toutes sortes. Comme les œufs sont déjà enveloppés dans une coquille quand la femelle les pond, la fécondation doit être interne. Pour

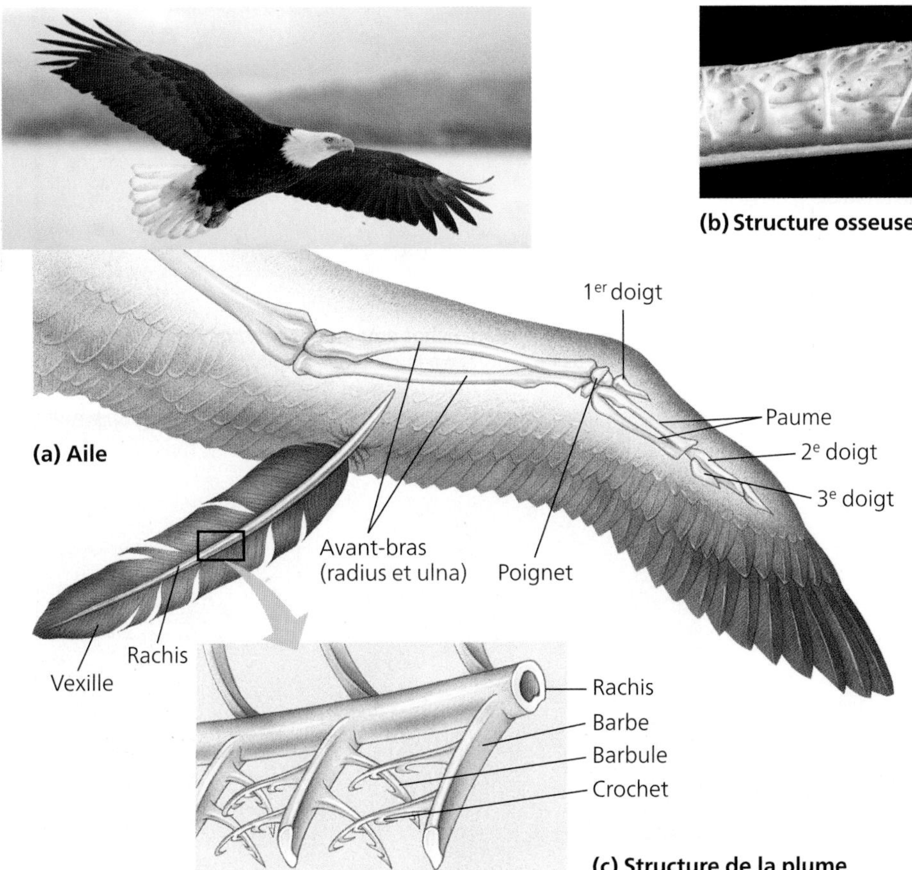

◄ **Figure 34.30 Aile et plume : un exemple de corrélation entre structure et fonction. (a)** L'aile est issue de la transformation du membre antérieur des tétrapodes. **(b)** Chez de nombreux oiseaux, les os présentent une structure interne lacunaire. **(c)** La plume est constituée d'un tube central creux, la hampe, composé de deux parties : le calamus, qui correspond à la portion dénudée de la hampe, et le rachis, sur lequel sont fixés, de part et d'autre, deux vexilles. Chaque vexille se compose de barbes d'où partent de petites ramifications appelées barbules. Les oiseaux portent deux sortes de plumes : des plumes de contour et des plumules (ou duvet). Les plumes de contour, rigides, donnent une forme aérodynamique à l'aile et au corps de l'oiseau. Les barbules de ces plumes possèdent des crochets qui s'agrippent aux barbules de la barbe voisine. Quand il lisse ses plumes, l'oiseau passe son bec sur toute la longueur de la plume. Il remet ainsi les crochets en place de façon à unir les barbes, ce qui contribue à donner une forme précise aux vexilles. Les plumules, quant à elles, sont dépourvues de crochets. La disposition désorganisée de leurs barbes forme un duvet qui retient l'air et fournit une excellente isolation.

féconder la femelle, le mâle doit monter sur son dos et lui relever la queue de façon que leurs cloaques s'abouchent l'un avec l'autre. Une fois l'œuf pondu, l'embryon doit rester au chaud. C'est pourquoi la femelle, le mâle ou les deux, selon l'espèce, couvent les œufs.

L'origine des oiseaux L'analyse cladistique de squelettes fossilisés d'oiseaux et de reptiles indique que les oiseaux appartiennent au groupe de dinosaures saurischiens bipèdes appelés théropodes. À la fin des années 1990, des paléontologues chinois ont découvert un gisement extraordinaire de fossiles de théropodes à plumes qui nous renseignent sur l'origine des oiseaux. Plusieurs espèces de dinosaures étroitement apparentés aux oiseaux portaient des plumes munies de vexilles, et d'autres, plus nombreuses, des plumes filamenteuses. Ces observations indiquent que les plumes sont apparues longtemps avant le vol battu. Parmi les possibles fonctions de ces plumes primitives, on compte l'isolation, le camouflage et la mise en valeur des partenaires au cours des rites d'accouplement.

Il s'est écoulé près de 160 millions d'années depuis que les théropodes à plumes sont devenus des oiseaux. De nombreux chercheurs estiment qu'*Archaeopteryx sp.*, découvert en 1861 en Allemagne dans des sédiments calcaires, est le plus ancien oiseau connu (**figure 34.31**). Il possédait des ailes recouvertes de plumes, mais conservait des caractères ancestraux comme des membres supérieurs munis de griffes, des dents et une longue queue. *Archaeopteryx sp.* volait bien à grande vitesse, mais contrairement aux oiseaux actuels il ne pouvait décoller du sol. Les fossiles d'oiseaux ayant vécu plus tard, durant le Crétacé, révèlent la disparition progressive de certaines caractéristiques ancestrales des dinosaures, comme les dents et les griffes aux membres supérieurs, ainsi que l'acquisition d'innovations que possèdent aujourd'hui tous les oiseaux, notamment une courte queue recouverte de plumes disposées en éventail.

Les oiseaux actuels Des preuves manifestes de la présence des néornithes, le clade qui regroupe les 28 ordres d'oiseaux actuels, remontent à la période qui a précédé la transition entre le Crétacé et le Paléogène, il y a 66 millions d'années. Plusieurs ordres d'oiseaux vivants et disparus comptent au moins une espèce incapable de voler. Les **ratites**, un ordre d'oiseaux qui compte les autruches, les nandous, les kiwis, les casoars et les émeus, sont tous inaptes au vol (**figure 34.32**). Cet ordre des ratites se caractérise par un sternum dépourvu de bréchet (lame osseuse médiane sur laquelle sont fixés les muscles du vol) et des muscles pectoraux peu développés si on les compare à ceux des oiseaux aptes au vol.

Les manchots et les gorfous constituent un ordre d'oiseaux qui ne volent pas, mais comme les oiseaux qui volent, leurs pectoraux sont très développés. Ils s'en servent pour « voler » dans l'eau : lorsqu'ils nagent, ils battent des ailes à la manière des oiseaux qui volent (**figure 34.33**). Certaines espèces de râles, de canards et de pigeons ne volent pas non plus.

▼ **Figure 34.31** ***Archaeopteryx sp.*** était-il le premier oiseau ? L'examen des fossiles nous indique qu'*Archaeopteryx sp.* était capable de vol battu tout en ayant conservé plusieurs caractères des saurischiens. Bien qu'il ait longtemps été considéré comme le premier oiseau, des fossiles mis au jour récemment ont relancé le débat. Certaines analyses montrent qu'*Archaeopteryx sp.* n'était pas un oiseau, mais un dinosaure étroitement apparenté aux oiseaux. D'autres analyses démontrent plutôt qu'il s'agissait bel et bien d'un oiseau, sans toutefois être le premier.

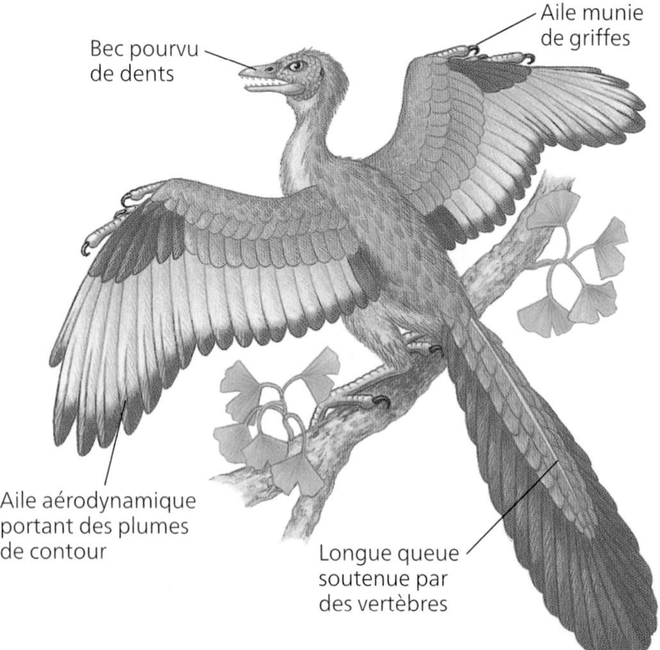

▼ **Figure 34.32 L'émeu (*Dromaius novaehollandiae*).** Cet oiseau inapte au vol est originaire d'Australie.

▼ **Figure 34.33 Le manchot empereur (*Aptenodytes patagonicus*) « volant » sous l'eau.** Grâce à leurs lignes aérodynamiques et à leurs puissants pectoraux, les manchots sont d'agiles et rapides nageurs.

En raison des exigences du vol, beaucoup d'oiseaux présentent des formes corporelles assez semblables les unes aux autres. Pourtant, les ornithologues avertis arrivent à différencier les espèces en observant leur profil, leur vol, leur comportement, la couleur de leurs plumes et la forme de leur bec. Le squelette unique de l'aile du colibri fait de cet oiseau le seul capable de voler sur place ou à reculons (**figure 34.34**). Les oiseaux adultes n'ont pas de dents, mais au cours de l'évolution le bec a pris une grande variété de formes adaptées à différents régimes alimentaires. Certains oiseaux, comme le perroquet, ont un bec capable de broyer des graines et d'ouvrir des noix. D'autres, notamment le flamand rose, sont des oiseaux filtreurs. Leur bec est équipé de filtreurs remarquables qui leur permettent de retenir des particules de nourriture repêchée de l'eau (**figure 34.35**). La structure des pieds présente aussi de nombreuses variations. Certains oiseaux se servent de leurs pieds pour se percher sur des branches (**figure 34.36**), saisir les aliments, se défendre, nager ou marcher, et même pour attirer les femelles au cours de la parade nuptiale (voir la figure 24.3e).

▼ **Figure 34.34 Un colibri recueillant du nectar en volant sur place.** Un colibri peut orienter ses ailes dans toutes les directions, ce qui lui permet de voler sur place ou à reculons.

▼ **Figure 34.35 Un exemple de bec spécialisé.** Le flamand rose (*Phoenicopterus roseus*) filtre l'eau avec son bec pour en retenir la nourriture.

▼ **Figure 34.36 Les pieds des oiseaux percheurs.** Cette mésange charbonnière (*Parus major*) appartient à l'ordre des passériformes. Les passériformes portent aussi le nom d'oiseaux percheurs, car leurs doigts peuvent s'agripper autour des branches ou des fils, ce qui leur permet de rester longtemps immobiles.

RETOUR SUR LE CONCEPT 34.5

1. Décrivez trois adaptations qui ont permis aux amniotes de vivre sur la terre ferme.
2. Les serpents sont-ils des tétrapodes ? Expliquez votre réponse.
3. Indiquez quatre adaptations des oiseaux au vol.
4. **HABILETÉS VISUELLES ▶** D'après la phylogenèse de la figure 34.25, indiquez quel est le groupe frère (a) des reptiles; (b) des squamates; et (c) du clade regroupant les crocodiliens et les oiseaux.

Voir les réponses proposées à l'appendice A.

CONCEPT 34.6

Les mammifères sont des amniotes recouverts de poils et produisant du lait

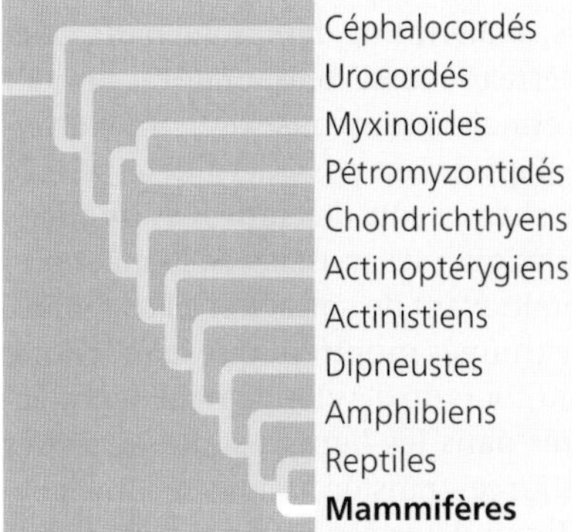

Les reptiles dont nous avons traité représentent l'une des deux lignées d'amniotes modernes. L'autre est notre propre lignée, celle des **mammifères**. Aujourd'hui, il existe plus de 5 300 espèces connues de mammifères sur la Terre.

Les caractères dérivés des mammifères

Les glandes mammaires, qui produisent du lait, sont le caractère distinctif auquel les mammifères doivent leur nom. Toutes les femelles des mammifères nourrissent leurs petits de leur lait, lequel constitue un régime équilibré et riche en lipides, en glucides, en protéines, en minéraux et en vitamines. Les poils, une autre caractéristique des mammifères, et la couche de lipides située sous la peau font office d'isolant et permettent au corps de conserver son eau, tout en le protégeant contre les températures extrêmes. Les reins, qui assurent une récupération efficace de l'eau lors de l'élimination des déchets, sont une autre adaptation des mammifères à la vie terrestre (voir la figure 44.12). Chez certains mammifères, comme le rat-kangourou, la conservation de l'eau est si efficace que l'animal peut survivre dans des milieux arides en buvant peu ou pas d'eau (**figure 34.37**).

Comme les oiseaux, les mammifères sont endothermes et, chez la plupart, la vitesse du métabolisme est élevée. Celui-ci est entretenu par des systèmes respiratoire et cardiovasculaire efficaces. Dans le système respiratoire, un muscle aplati appelé diaphragme facilite la ventilation des poumons. Dans le système cardiovasculaire, le cœur est divisé en quatre cavités. De plus, comme les oiseaux, les mammifères ont un cerveau plus gros que les autres vertébrés de même taille. Ils semblent aussi être les plus doués pour l'apprentissage. Les parents doivent passer un temps relativement long à prodiguer des soins à leur progéniture. De cette façon, les jeunes ont amplement l'occasion d'apprendre, par l'observation, d'importantes techniques de survie. Les mammifères se caractérisent également par la différenciation de leurs dents. Alors que la forme et la taille des dents des reptiles sont généralement uniformes, les mâchoires des mammifères présentent divers types de dents dont la taille et la forme sont adaptées à la mastication de différents types d'aliments. À l'instar de la plupart des mammifères, nous jouissons d'une dentition adaptée à divers usages : des incisives qui servent à trancher, des canines qui servent à déchirer, et des prémolaires et des molaires qui servent à broyer.

▼ **Figure 34.37 Les adaptations du rat-kangourou à son habitat extrêmement aride.**

❷ L'animal demeure dans son terrier frais et relativement humide pendant la période chaude du jour, et il en sort la nuit pour chercher de la nourriture.
❶ La peau épaisse et huileuse du rat-kangourou limite les pertes d'eau attribuables à l'évaporation.
❸ Étant donné la forme inhabituelle de ses voies nasales, l'animal perd très peu d'eau lorsqu'il expire.
❹ Le rat-kangourou n'a pas besoin de boire : ses voies cataboliques et l'humidité des aliments dont il se nourrit lui fournissent toute l'eau qui lui est nécessaire.
❺ Le gros intestin et les reins du rat-kangourou absorbent l'eau avec une grande efficacité de sorte que la perte d'eau dans les fèces et l'urine de l'animal est très faible.

FAITES DES LIENS ▶ Expliquez comment les voies cataboliques (❹) peuvent fournir de l'eau au rat-kangourou. (Voir le concept 9.1.)

Les premières étapes de l'évolution des mammifères

Les mammifères appartiennent à un groupe d'amniotes qu'on appelle **synapsides**. Les premiers synapsides non mammaliens étaient dépourvus de poils, avaient une démarche bancale et pondaient des œufs. La fenêtre (ou fosse) temporale est un trait distinctif des synapsides. Cette structure consiste en une ouverture unique (alors que les diapsides en possèdent deux) située derrière l'orbite de l'œil, de chaque côté du crâne. Les humains ont conservé cette caractéristique ; les muscles de la mâchoire traversent la fenêtre temporale avant de s'attacher à l'os temporal (la tempe). Les fossiles exhumés montrent que la mâchoire a subi des transformations au cours du développement des caractéristiques des mammifères dans les lignées successives des synapsides (voir la figure 25.7) ; ces transformations se sont échelonnées sur plus de 100 millions d'années. De plus, deux des os formant l'articulation de la mâchoire (l'os carré et l'os articulaire) ont été intégrés à l'oreille interne des mammifères (**figure 34.38**). Cette transformation évolutive se reflète dans le changement qui survient au cours du développement. Par exemple, au cours du développement embryonnaire, on remarque que la région postérieure de la mâchoire – qui correspond à l'articulation chez les reptiles – se détache de la mâchoire et migre jusqu'à l'oreille, où elle forme le malléus.

Au cours du Permien (il y a entre 299 et 252 millions d'années), les synapsides sont devenus des herbivores et des carnivores de grande taille. Ils ont été pendant un temps les tétrapodes dominants. Toutefois, les extinctions du Permien et du Trias ont fait un grand nombre de victimes parmi eux, si bien que leur diversité a chuté au cours du Trias (il y a entre 252 et 201 millions d'années). Les synapsides apparentés aux mammifères sont apparus en nombre grandissant à la fin de cette période. Bien qu'ils n'étaient pas de véritables mammifères, ces animaux possédaient un certain nombre des caractères dérivés qui distinguent les mammifères des autres amniotes. Petits et probablement velus, ils se nourrissaient sans doute d'insectes la nuit. Leurs os montrent que leur croissance était plus rapide que celle des autres synapsides, ce qui permet de supposer que leur métabolisme l'était aussi ; mais ils pondaient encore des œufs.

Le Jurassique (il y a entre 201 et 145 millions d'années) a vu l'arrivée des premiers vrais mammifères. Ceux-ci se sont ensuite divisés en un grand nombre de lignées qui ont rapidement disparu. Une multitude d'espèces de mammifères ont coexisté avec les dinosaures durant le Jurassique et le Crétacé, mais elles n'étaient ni abondantes ni dominantes au sein de leur communauté, et la plupart mesuraient moins de 1 m de longueur. Il se peut qu'elles aient conservé cette petite taille parce que les dinosaures occupaient déjà les niches écologiques des grands animaux.

Au début du Crétacé (il y a 140 millions d'années), les trois principales lignées de mammifères étaient apparues, soit celles qui ont engendré les monotrèmes (mammifères qui pondent des œufs), les marsupiaux (mammifères munis d'une poche ventrale) et les euthériens (mammifères dotés d'un placenta complexe). Après l'extinction des grands dinosaures, des ptérosaures et des reptiles marins à la fin du Crétacé, les mammifères ont subi une radiation adaptative qui a donné naissance aux prédateurs et aux herbivores de grande taille, ainsi qu'aux espèces volantes et aquatiques.

▶ **Figure 34.38 L'évolution des os de l'oreille chez les mammifères.** *Biarmosuchus sp.* était un synapside, une lignée dont descendent les mammifères. Les os qui transmettent le son dans l'oreille des mammifères se sont formés dans la foulée des modifications qu'ont subies les os de la mâchoire des synapsides non mammaliens.

FAITES DES LIENS ▶ Relisez la définition de l'exaptation, dans le concept 25.6. Résumez-en les mécanismes et expliquez comment l'incorporation des os articulaire et carré dans l'oreille interne des mammifères en constitue un exemple.

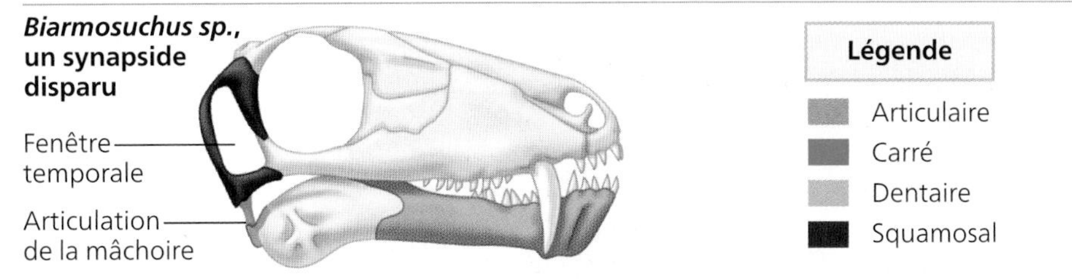

(a) Chez *Biarmosuchus sp.*, les os articulaire et carré forment l'articulation de la mâchoire.

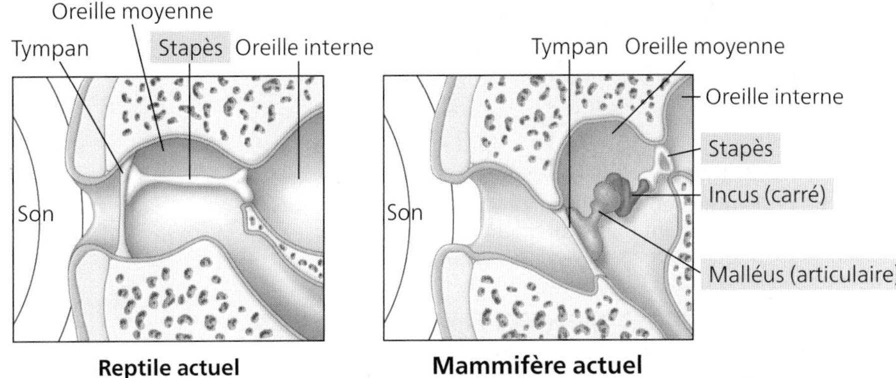

(b) Au cours de l'évolution du crâne des mammifères, une nouvelle articulation s'est formée dans la mâchoire, entre les os dentaire et squamosal (voir la figure 25.7). Devenus inutiles, les os carré et articulaire se sont intégrés à l'oreille moyenne, constituant deux des trois os qui acheminent les sons du tympan à l'oreille interne.

Les monotrèmes

Les **monotrèmes** n'existent qu'en Australie et en Nouvelle-Guinée, et sont représentés par une espèce d'ornithorynque (*Ornithorhyncus anatinus*) et quatre espèces d'échidnés (**figure 34.39**). Les monotrèmes pondent des œufs, un caractère ancestral des amniotes que la majorité des reptiles ont conservé. Comme tous les mammifères, les monotrèmes sont poilus et fabriquent du lait pour leurs petits, mais ils n'ont pas de mamelons. Leur lait est sécrété par des glandes situées sur l'abdomen de la mère. Lorsqu'il sort de l'œuf, le bébé suce le lait qui coule sur la fourrure maternelle.

▼ **Figure 34.39 L'échidné d'Australie (*Tachyglossus aculeatus*), un monotrème.** Les monotrèmes portent des poils et sécrètent du lait, mais ne possèdent pas de mamelons. Ce sont les seuls mammifères qui pondent des œufs (voir en médaillon).

Les marsupiaux

Les opossums, les kangourous et les koalas sont des **marsupiaux**. Les euthériens et les marsupiaux ont en commun des caractères dérivés qu'on ne trouve pas chez les monotrèmes. Leur métabolisme est élevé ; ils possèdent des mamelons et donnent naissance à des petits incomplètement formés. L'embryon se développe dans l'utérus, organe de l'appareil reproducteur de la femelle, et les membranes extraembryonnaires issues de l'embryon forment le **placenta**, structure à travers laquelle les nutriments provenant du sang de la mère parviennent à l'embryon.

Les marsupiaux naissent très prématurément et poursuivent leur développement fœtal en se nourrissant du lait de leur mère (**figure 34.40a**). Chez la plupart des espèces, les petits demeurent à cette fin dans une poche ventrale appelée *marsupium*. Par exemple, le petit du kangourou roux naît 33 jours après la fécondation, alors qu'il a la taille d'une abeille. Ses pattes postérieures sont à peine formées, mais ses pattes antérieures sont suffisamment fortes pour lui permettre de ramper de la sortie du système reproducteur jusqu'à la poche de sa mère, qui s'ouvre vers l'avant du corps. Ce périple ne dure que quelques minutes. Chez d'autres espèces, le marsupium s'ouvre vers l'arrière du corps de la mère ; chez les bandicoots-lapins, les petits sont ainsi protégés pendant que la mère creuse le sol (**figure 34.40b**).

Les marsupiaux se sont répandus dans toutes les parties du monde pendant le Mésozoïque, mais aujourd'hui on n'en trouve que dans la région australienne ainsi qu'en Amérique du Nord et en Amérique du Sud. Leur biogéographie illustre l'interaction entre l'évolution biologique et l'évolution géologique (voir le

▼ **Figure 34.40** **Des marsupiaux australiens.**

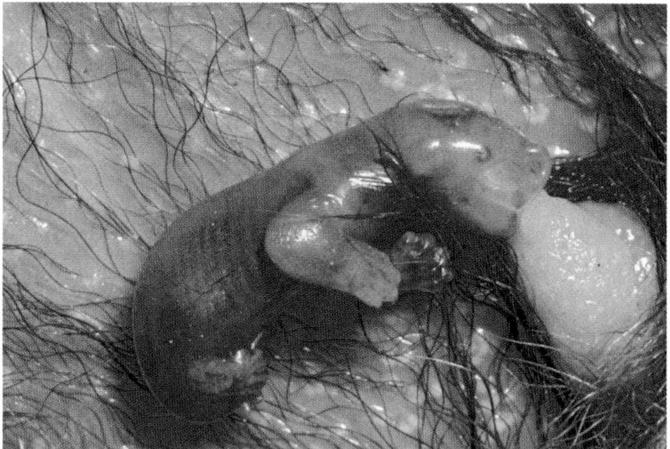

(a) Petit de phalanger-renard (*Trichosurus vulpecula*). Les petits des marsupiaux naissent prématurément et terminent leur croissance en tétant une mamelle située, le plus souvent, à l'intérieur de la poche ventrale de leur mère.

(b) Bandicoot-lapin (*Macrotis lagotis*). Le bandicoot-lapin creuse le sol et s'enfouit sous terre. Il se nourrit de termites et d'autres insectes, de graines, de racines et de bulbes de différentes plantes. Placé dans une poche qui s'ouvre vers l'arrière, le petit est protégé de la poussière et de la terre lorsque sa mère creuse. Chez d'autres marsupiaux, comme les kangourous, la poche s'ouvre vers l'avant.

concept 25.4). Après le morcellement de la Pangée, l'Amérique du Sud et l'Australie sont devenues des continents isolés. Les marsupiaux qui s'y trouvaient se sont diversifiés indépendamment des euthériens, qui avaient amorcé une radiation adaptative sur les continents septentrionaux. L'Australie est séparée des autres continents depuis le Cénozoïque, c'est-à-dire depuis environ 66 millions d'années. Dans ce pays, une évolution convergente a donné naissance à une diversité de marsupiaux qui ressemblent à certains euthériens et qui jouent le même rôle écologique dans d'autres parties du monde (**figure 34.41**). La faune des marsupiaux était diversifiée en Amérique du Sud tout au long du Paléogène, mais ce continent a connu plusieurs migrations d'euthériens. L'une des plus importantes s'est produite il y a environ 3 millions d'années, au moment où l'Amérique du Nord et l'Amérique du Sud ont été reliées par l'isthme de Panama : cette voie terrestre a permis à un grand nombre d'animaux de circuler dans les deux sens.

▼ **Figure 34.41** **L'évolution convergente des marsupiaux et des euthériens (mammifères placentaires).** (Les illustrations ne sont pas à l'échelle.)

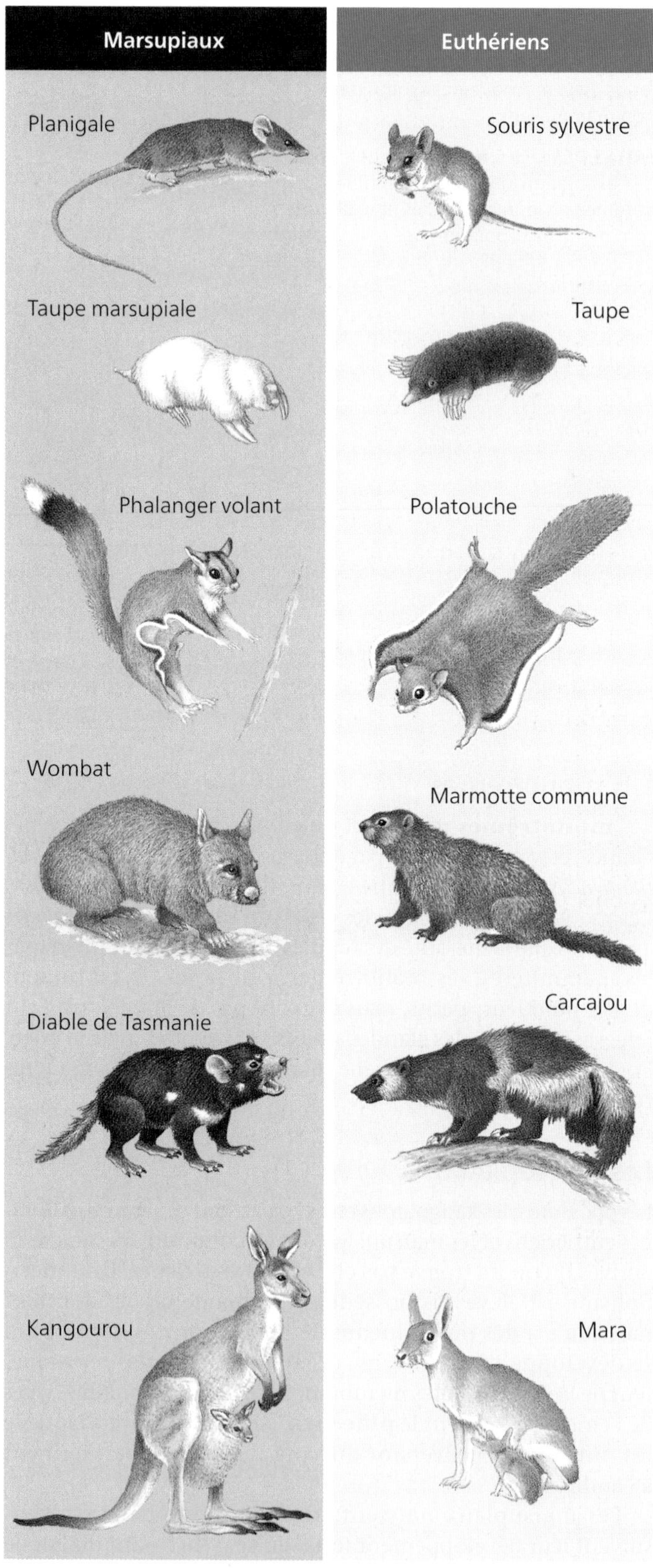

Aujourd'hui, seules trois familles de marsupiaux subsistent hors de la région australienne, et quelques espèces d'opossums seulement vivent encore en Amérique du Nord.

Les euthériens (mammifères placentaires)

Les **euthériens** sont communément appelés mammifères placentaires, car leur placenta est plus complexe que celui des marsupiaux. Les euthériens ont une plus longue durée de gestation que les marsupiaux. L'embryon se forme complètement dans l'utérus et il est relié à sa mère par un placenta bien développé. Ce type de placenta permet une association étroite et durable entre la mère et le petit en développement.

Les principaux groupes d'euthériens modernes pourraient avoir divergé les uns des autres lors d'une explosion de modifications évolutives. On demeure incertain du moment où elle s'est produite : les données moléculaires la situent il y a près de 100 millions d'années, contre environ 60 millions d'années selon les données morphologiques. La **figure 34.42**, qui occupe les deux prochaines pages, présente plusieurs ordres principaux et les liens phylogénétiques qui pourraient exister entre les euthériens et entre les monotrèmes et les marsupiaux.

Les primates

L'ordre des primates comprend les lémurs, les tarsiers, les singes et les grands singes, dont font partie les humains.

Les caractères dérivés des primates La plupart des primates possèdent des mains et des pieds pour s'agripper. À la place des griffes effilées des autres mammifères, ils ont des ongles plats à l'extrémité de leurs mains. Les mains et les pieds ont subi d'autres transformations au cours de l'évolution, pour donner, par exemple, les reliefs de la peau à l'extrémité des doigts (responsables des empreintes digitales). Les primates ont un cerveau plus volumineux que les autres mammifères ; leurs mâchoires sont aussi plus courtes, ce qui fait qu'ils ont un visage aplati. Leurs yeux, rapprochés sur le devant du visage, leur permettent de regarder vers l'avant. Les primates dépensent beaucoup d'énergie à soigner leurs petits et ont un comportement social complexe.

Les premiers primates connus étaient arboricoles, et bon nombre de leurs caractéristiques sont des adaptations aux exigences de ce mode de vie. Ainsi, leurs mains et leurs pieds permettent la saisie des branches d'arbres. Chez tous les primates actuels, *Homo* excepté, le pied comporte un gros orteil bien séparé des autres, ce qui les aide à s'agripper aux branches. Tous les primates possèdent un pouce relativement mobile et dissocié des autres doigts, mais les singes et les grands singes possèdent un **pouce opposable** complètement, c'est-à-dire qu'ils peuvent toucher avec le pouce l'extrémité intérieure des doigts de la même main. Chez les singes et les grands singes, ce pouce opposable sert à s'agripper fermement, mais chez les humains il permet une manipulation fine des objets. La dextérité des humains repose sur la structure osseuse située à la base du pouce. Elle résulte d'une transformation des mains de nos ancêtres adaptées à la vie dans les arbres. Le déplacement dans les arbres nécessite aussi une excellente coordination entre les mouvements des yeux et ceux des mains. Ainsi, le chevauchement des champs visuels accroît la vision stéréoscopique (vision du relief), un avantage évident pendant la brachiation (déplacement effectué en se balançant d'une branche d'arbre à une autre).

Les primates actuels Il existe trois grands groupes de primates modernes : (1) les lémurs de Madagascar (**figure 34.43**), les loris et les galagos d'Afrique tropicale et du Sud de l'Asie ; (2) les tarsiers, qui vivent en Asie du Sud-Est ; et (3) les **anthropoïdés**, qui comprennent les singes et les grands singes, et qui sont répandus un peu partout dans le monde. Les mammifères du premier groupe, les lémurs, les loris et les galagos, ressemblent probablement aux premiers primates arboricoles. Les plus anciens fossiles d'anthropoïdés ont été découverts il y a 55 millions d'années. Tout comme les données génétiques, ils laissent supposer que les tarsiers sont plus proches des anthropoïdés que des lémurs (**figure 34.44**).

Comme le montre la figure 34.44, les singes ne forment pas un clade, mais deux groupes, soit les singes du Nouveau Monde et ceux de l'Ancien Monde. Ces deux groupes seraient originaires d'Afrique ou d'Asie. Les archives géologiques indiquent que les singes du Nouveau Monde ont d'abord colonisé l'Amérique du Sud, il y a quelque 25 millions d'années. À cette époque, l'Afrique et l'Amérique du Sud s'étaient déjà séparées, en raison de la dérive des continents, et les singes auraient traversé l'océan de l'Afrique à l'Amérique du Sud sur des troncs d'arbres ou d'autres débris. Mais une chose est certaine, les singes du Nouveau Monde et les singes de l'Ancien Monde ont suivi des voies différentes durant des millions d'années (**figure 34.45**). Tous les singes du Nouveau Monde sont arboricoles, tandis que les singes de l'Ancien Monde comprennent des espèces arboricoles et des espèces terrestres. La plupart des singes des deux groupes sont diurnes (actifs durant le jour), vivent en bandes et mènent une existence régie par des comportements sociaux.

L'autre groupe d'anthropoïdés est composé des primates appelés familièrement grands singes (**figure 34.46**). Ce groupe comprend les genres *Hylobates* (gibbons), *Pongo* (orangs-outans), *Gorilla* (gorilles), *Pan* (chimpanzés et bonobos) et *Homo* (humains). Les grands singes ont divergé des singes de l'Ancien Monde il y a environ entre 30 et 25 millions d'années. Aujourd'hui, les grands singes autres que les humains vivent exclusivement dans les régions tropicales de l'Ancien Monde. À l'exception des gibbons, les grands singes modernes sont plus gros que les singes du Nouveau et de l'Ancien Monde. Tous les grands singes actuels sont dépourvus de queue, et possèdent des membres antérieurs relativement longs et des membres postérieurs courts. Bien que tous les grands singes autres que les humains passent du temps dans les arbres, seuls les gibbons et les orangs-outans ont conservé une existence principalement arboricole. Les grands singes n'observent pas tous le même type d'organisation sociale ; celle des gorilles et des chimpanzés est très évoluée. Enfin, les grands singes sont dotés d'un cerveau plus gros, par rapport au reste du corps, que celui des autres primates, ce qui explique leur plus grande adaptabilité. Ces deux caractéristiques sont particulièrement marquées dans le prochain groupe, les homininés.

RETOUR SUR LE CONCEPT 34.6

1. Comparez les façons dont les monotrèmes, les marsupiaux et les euthériens portent leurs petits.
2. Indiquez au moins cinq caractères dérivés des primates.
3. **FAITES DES LIENS** ▶ Formulez une hypothèse pour expliquer l'augmentation de la diversité des mammifères durant le Cénozoïque. Votre explication devrait tenir compte des adaptations des mammifères et de facteurs comme les extinctions et la dérive des continents (ces facteurs sont expliqués au concept 25.4).

Voir les réponses proposées à l'appendice A.

PANORAMA ▼ **Figure 34.42**

La diversité des mammifères

Liens phylogénétiques des mammifères

Les données fournies par de nombreux fossiles et des analyses moléculaires indiquent que les monotrèmes ont divergé des autres mammifères il y a environ 180 millions d'années et que les marsupiaux ont divergé des euthériens (mammifères placentaires) il y a environ 140 millions d'années. Bien qu'aucun arbre phylogénétique ne fasse encore l'objet d'un consensus général, la systématique moléculaire a contribué à la clarification des liens de l'évolution entre les ordres d'euthériens. Selon une hypothèse, représentée par l'arbre ci-dessous, les ordres d'euthériens sont divisés en quatre grands clades.

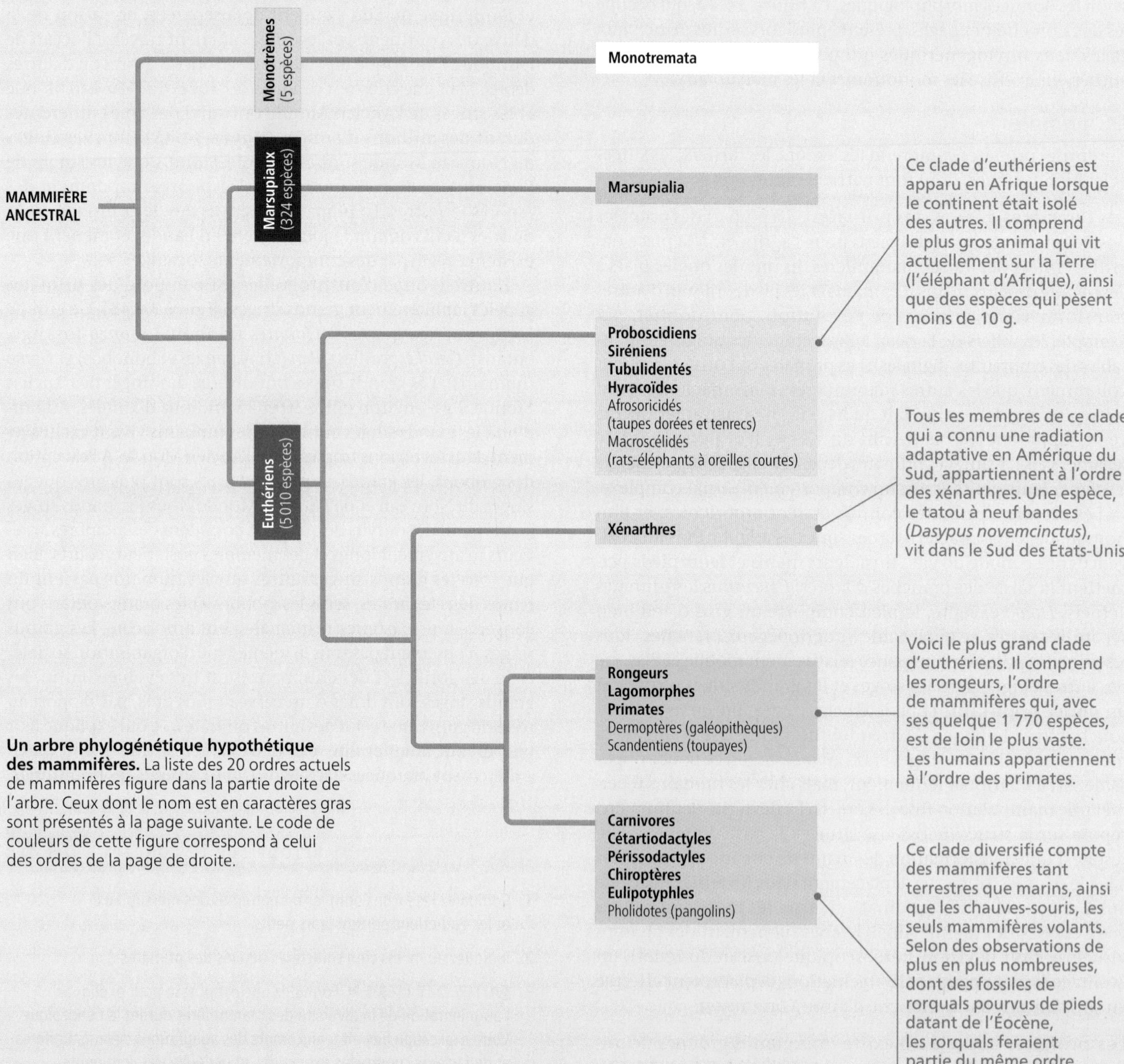

MAMMIFÈRE ANCESTRAL
Monotrèmes (5 espèces)
Marsupiaux (324 espèces)
Euthériens (5 010 espèces)
Monotremata
Marsupialia
Proboscidiens
Siréniens
Tubulidentés
Hyracoïdes
Afrosoricidés (taupes dorées et tenrecs)
Macroscélidés (rats-éléphants à oreilles courtes)
Xénarthres
Rongeurs
Lagomorphes
Primates
Dermoptères (galéopithèques)
Scandentiens (toupayes)
Carnivores
Cétartiodactyles
Périssodactyles
Chiroptères
Eulipotyphles
Pholidotes (pangolins)
Ce clade d'euthériens est apparu en Afrique lorsque le continent était isolé des autres. Il comprend le plus gros animal qui vit actuellement sur la Terre (l'éléphant d'Afrique), ainsi que des espèces qui pèsent moins de 10 g.
Tous les membres de ce clade, qui a connu une radiation adaptative en Amérique du Sud, appartiennent à l'ordre des xénarthres. Une espèce, le tatou à neuf bandes (Dasypus novemcinctus), vit dans le Sud des États-Unis.
Voici le plus grand clade d'euthériens. Il comprend les rongeurs, l'ordre de mammifères qui, avec ses quelque 1 770 espèces, est de loin le plus vaste. Les humains appartiennent à l'ordre des primates.
Ce clade diversifié compte des mammifères tant terrestres que marins, ainsi que les chauves-souris, les seuls mammifères volants. Selon des observations de plus en plus nombreuses, dont des fossiles de rorquals pourvus de pieds datant de l'Éocène, les rorquals feraient partie du même ordre (cétartiodactyles) que les cochons, les vaches et les hippopotames.

Un arbre phylogénétique hypothétique des mammifères. La liste des 20 ordres actuels de mammifères figure dans la partie droite de l'arbre. Ceux dont le nom est en caractères gras sont présentés à la page suivante. Le code de couleurs de cette figure correspond à celui des ordres de la page de droite.

Ordres et exemples	Principales caractéristiques
Monotrèmes Ornithorynque, échidnés  Échidné	Ovipares. Ne possèdent pas de mamelons. Les petits sucent le lait qui coule sur la fourrure de la mère.
Proboscidiens Éléphants  Éléphant d'Afrique ou de savane	Possèdent une longue trompe musculeuse. Peau épaisse et lâche. Incisives supérieures allongées en défenses.
Siréniens Lamantins, dugongs 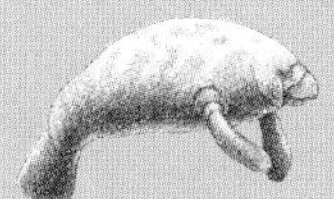 Lamantin	Herbivores aquatiques. Possèdent des membres antérieurs en forme de nageoire, mais pas de membres postérieurs.
Xénarthres Paresseux, fourmiliers, tatous 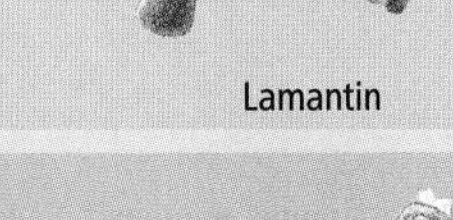 Tamandua	Absence de dents ou dents de taille réduite. Herbivores (paresseux) ou carnivores (fourmiliers, tatous).
Lagomorphes Lapins, lièvres, pikas  Lièvre de Californie	Possèdent des incisives tranchantes. Pattes postérieures adaptées au saut et à la course, plus longues que les pattes antérieures. Herbivores.
Carnivores Chiens, loups, ours, chats, belettes, loutres, phoques, morses  Coyote	Possèdent des canines pointues et tranchantes, et des molaires pour déchiqueter. Carnivores.
Cétartiodactyles Artiodactyles: moutons, porcs, bovins, cerfs, girafes, hippopotames  Mouflon d'Amérique	Possèdent des sabots avec un nombre pair de doigts à chaque pied. Herbivores.
Cétacés: rorquals, dauphins, marsouins  Dauphin à flancs blancs du Pacifique	Animaux marins pisciformes. Possèdent des membres antérieurs en forme de nageoire. Dépourvus de membres postérieurs. Épaisse couche de graisse isolante. Carnivores.

Ordres et exemples	Principales caractéristiques
Marsupiaux Kangourous, opossums, koalas  Koala	Le développement fœtal se termine dans la poche marsupiale.
Tubulidentés Oryctérope  Oryctérope	Possèdent des dents composées de minces tubes soudés les uns aux autres. Se nourrissent de fourmis et de termites.
Hyracoïdes Damans  Pika	Possèdent de courtes pattes et une queue courte et épaisse. Herbivores dotés d'un estomac complexe, à cavités multiples.
Rongeurs Écureuils, castors, rats, porcs-épics, souris  Écureuil roux	Usent en rongeant leurs incisives tranchantes qui poussent constamment. Herbivores.
Primates Lémurs, singes, grands singes, humains  Tamarin lion	Possèdent un pouce opposable aux autres doigts. Yeux dirigés vers l'avant. Cortex cérébral bien développé. Omnivores.
Périssodactyles Chevaux, zèbres, tapirs, rhinocéros  Rhinocéros unicorne de l'Inde	Possèdent des sabots avec un nombre impair de doigts à chaque pied. Herbivores.
Chiroptères Chauves-souris  Phyllostome à lèvres frangées	Adaptés au vol. Possèdent un grand repli de peau qui s'attache aux doigts allongés et s'étend au corps et aux pattes. Carnivores ou herbivores.
Eulipotyphles Animaux essentiellement insectivores: certaines taupes, certaines musaraignes et les hérissons  Condylure étoilé	Se nourrissent surtout d'insectes et d'autres petits invertébrés.

▶ **Figure 34.43** **Le propithèque de Verreaux (*Propithecus verreauxi*), un type de lémur.**

CONCEPT **34.7**

Les humains sont des mammifères bipèdes pourvus d'un cerveau volumineux

Notre exploration de la biodiversité de la Terre nous conduit enfin à l'étude de notre propre espèce, *Homo sapiens*, qui existe depuis environ 200 000 ans. Comme la vie est apparue sur la Terre il y a au moins 3,5 milliards d'années, nous y sommes manifestement des nouveaux venus.

Les caractères dérivés des humains

De nombreux caractères distinguent les humains des autres grands singes. La plus manifeste de ces différences est la station verticale des humains, qui sont bipèdes. En outre, leur cerveau est beaucoup plus volumineux ; le langage, la pensée symbolique et l'expression artistique sont à leur portée, et ils sont en mesure de fabriquer et d'utiliser des outils complexes. Les os et les muscles de leurs mâchoires sont réduits par rapport à ceux des autres hominoïdes, et leur tube digestif est plus court.

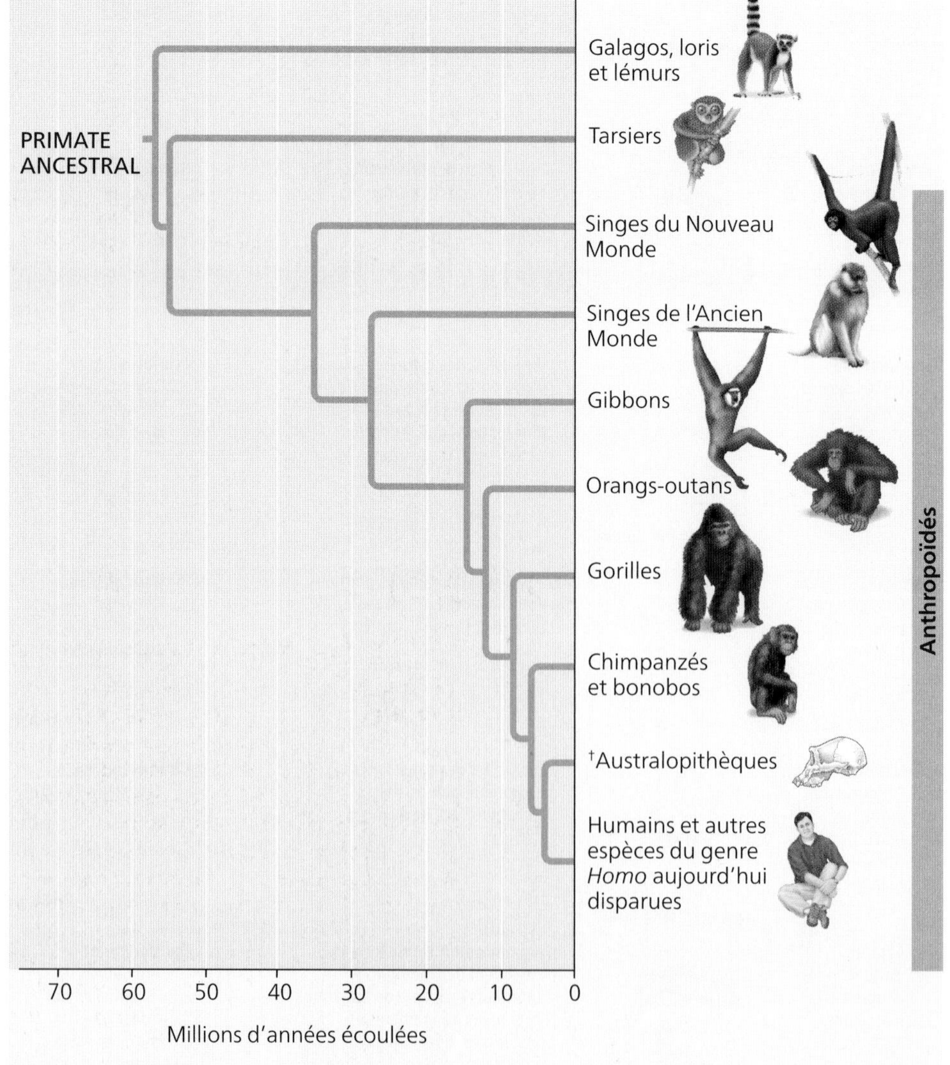

▶ **Figure 34.44** **L'arbre phylogénétique des primates.** Les archives géologiques indiquent que le point de divergence entre les anthropoïdés et les autres primates date d'environ 55 millions d'années. Les singes du Nouveau Monde, les singes de l'Ancien Monde et les grands singes (le clade qui réunit les gibbons, les orangs-outans, les gorilles, les chimpanzés et les humains) ont évolué séparément durant plus de 25 millions d'années. La lignée qui a donné naissance aux humains et aux australopithèques a divergé de celles des autres hominoïdes à un moment qui se situe quelque part au cours de la période s'étendant d'il y a entre 7 et 6 millions d'années.

HABILETÉS VISUELLES ▶ La phylogenèse présentée ici est-elle cohérente avec la notion voulant que l'humain descende du chimpanzé ? Expliquez votre réponse.

▼ **Figure 34.45** **Les singes du Nouveau Monde et de l'Ancien Monde.**

(a) Les singes du Nouveau Monde, comme les singes-araignées (dont *Brachyteles arachnoides*, représenté ici, à droite), les ouistitis et les capucins, possèdent une queue préhensile (apte à saisir) et des narines qui s'ouvrent sur les côtés du nez.

(b) Les singes de l'Ancien Monde n'ont pas de queue préhensile et leurs narines s'ouvrent vers l'avant et vers le bas. Ce groupe inclut les macaques (dont *Macaca silenus*, représenté ici, à gauche), les mandrills, les babouins et les singes rhésus.

À l'échelle moléculaire, la liste des caractères dérivés s'allonge au fur et à mesure que les scientifiques comparent les génomes des humains et des chimpanzés. Bien que les deux génomes soient identiques dans une proportion de 99 %, une disparité de 1 % peut représenter de nombreuses différences lorsque 3 milliards de paires de bases sont en jeu. De plus, des modifications touchant un petit nombre de gènes peuvent entraîner des effets considérables, comme en témoignent les découvertes récentes montrant que les humains se distinguent des chimpanzés dans l'expression de 19 gènes régulateurs. Ces gènes activent ou désactivent d'autres gènes, et jouent donc un rôle dans les nombreuses différences qui distinguent les humains des chimpanzés.

N'oubliez pas que ces différences génomiques, et les caractères phénotypiques dérivés dont elles détiennent le message, distinguent les humains des autres grands singes *actuels*. Mais beaucoup de ces nouveaux caractères sont d'abord apparus chez nos ancêtres, bien avant l'avènement de notre propre espèce. Examinons quelques-uns de ces ancêtres afin de comprendre l'origine de ces caractères.

Les premiers homininés

La **paléoanthropologie** est l'étude de l'origine et de l'évolution de l'humain. Les paléoanthropologues ont découvert des fossiles d'environ 20 espèces d'hominoïdes disparus,

▼ **Figure 34.46** **Les grands singes autres que les humains.**

(a) Les gibbons gris de Müller (*Hylobates muelleri*) ne vivent que dans le Sud-Est de l'Asie. Leurs membres antérieurs et leurs doigts très longs sont des adaptations à la brachiation (déplacement de branche en branche en se balançant à bout de bras).

(b) Les orangs-outans (dont *Pongo pygmaeus*, ci-dessous) sont des singes anthropoïdes timides et solitaires qui vivent dans les forêts humides de Sumatra et de Bornéo. Ils passent presque tout leur temps dans les arbres; remarquez leur pied adapté à la préhension et leur pouce opposable.

(c) Les gorilles (tels que *Gorilla gorilla*, ci-dessous) sont les plus grands singes anthropoïdes; certains mâles atteignent près de 2 m et pèsent environ 200 kg. Ces herbivores vivent en Afrique seulement, en petits groupes d'une vingtaine d'individus.

(d) Les chimpanzés (*Pan troglodytes*) vivent en Afrique tropicale. Ils se nourrissent et dorment dans les arbres, mais passent aussi beaucoup de temps au sol. Les chimpanzés sont intelligents, communicatifs et sociables.

(e) Les bonobos (*Pan paniscus*) sont du même genre que les chimpanzés, mais ils sont plus petits qu'eux. On n'en trouve plus aujourd'hui que dans les forêts de la République démocratique du Congo, en Afrique.

plus étroitement apparentées aux humains qu'aux chimpanzés. Ces espèces portent le nom d'**homininés** (**figure 34.47**). Depuis 1994, des fossiles de quatre espèces d'homininés datant d'il y a plus de 4 millions d'années ont été découverts. Le plus ancien, *Sahelanthropus tchadensis*, a vécu il y a environ 6,5 millions d'années.

Sahelanthropus sp. et d'autres homininés primitifs présentaient certains des caractères dérivés des humains. Par exemple, la taille de leurs canines était réduite, et certains fossiles semblent indiquer que leur visage était relativement plat. D'autres signes révèlent qu'ils se tenaient plus droits que les autres grands singes et qu'ils se déplaçaient plus souvent en station verticale. Ainsi, chez les chimpanzés, le trou occipital, une ouverture située à la base du crâne et traversée par la moelle épinière, se trouve relativement loin vers l'arrière du crâne, tandis que, chez les premiers homininés (et chez les humains), il est placé au-dessous de lui. Ce trait dérivé permet à notre tête d'être en ligne droite avec notre corps, ce qui, semble-t-il, était aussi le cas chez les premiers homininés. Le bassin, les os des jambes et les pieds d'*Ardipithecus ramidus*, qui a vécu il y a 4,4 millions d'années avant notre ère, laissent aussi penser que les premiers homininés étaient de plus en plus bipèdes (**figure 34.48**). (Nous reparlerons de la bipédie plus loin dans ce chapitre.)

Les caractéristiques qui distinguent les humains des autres grands singes actuels ne sont pas apparues simultanément. Chez des homininés primitifs qui présentaient des signes de bipédie, le volume du cerveau demeurait faible: il atteignait environ 300 à 450 cm³, comparativement à 1 300 cm³ en moyenne chez *Homo sapiens*. De plus, les plus anciens homininés étaient généralement de petite taille. (On estime que *A. ramidus*, par exemple, ne mesurait que 1,2 m.) Leurs dents étaient relativement grandes, et leur mâchoire inférieure se prolongeait au-delà de la partie supérieure du visage. Les humains, eux, mesurent en moyenne 1,7 m et ont un visage relativement plat; comparez votre propre visage avec celui des chimpanzés de la figure 34.46d.

Il est important de se débarrasser de deux mythes courants relatifs aux homininés primitifs. Évitons d'abord de croire que ce sont des chimpanzés ou leurs descendants. En effet, les chimpanzés représentent la partie supérieure d'une branche distincte de l'évolution, et ils ont acquis des caractères dérivés qui leur sont propres après avoir divergé de l'ancêtre qu'ils partagent avec les humains.

Un autre mythe veut que l'évolution de l'humain se compare à une route unique qu'aurait suivie un grand singe ancestral pour se transformer lentement en *Homo sapiens*. Vous avez sûrement déjà vu ces illustrations qui montrent des homininés défilant l'un derrière l'autre, du plus primitif au plus contemporain, et devenant de plus en plus semblables à l'humain actuel. Si on veut comparer l'évolution de l'humain à une sorte de défilé, on doit préciser que ce défilé est plutôt désordonné, puisque plusieurs groupes ont bifurqué et disparu. À certaines époques, plusieurs espèces d'homininés ont coexisté. Elles se distinguaient souvent

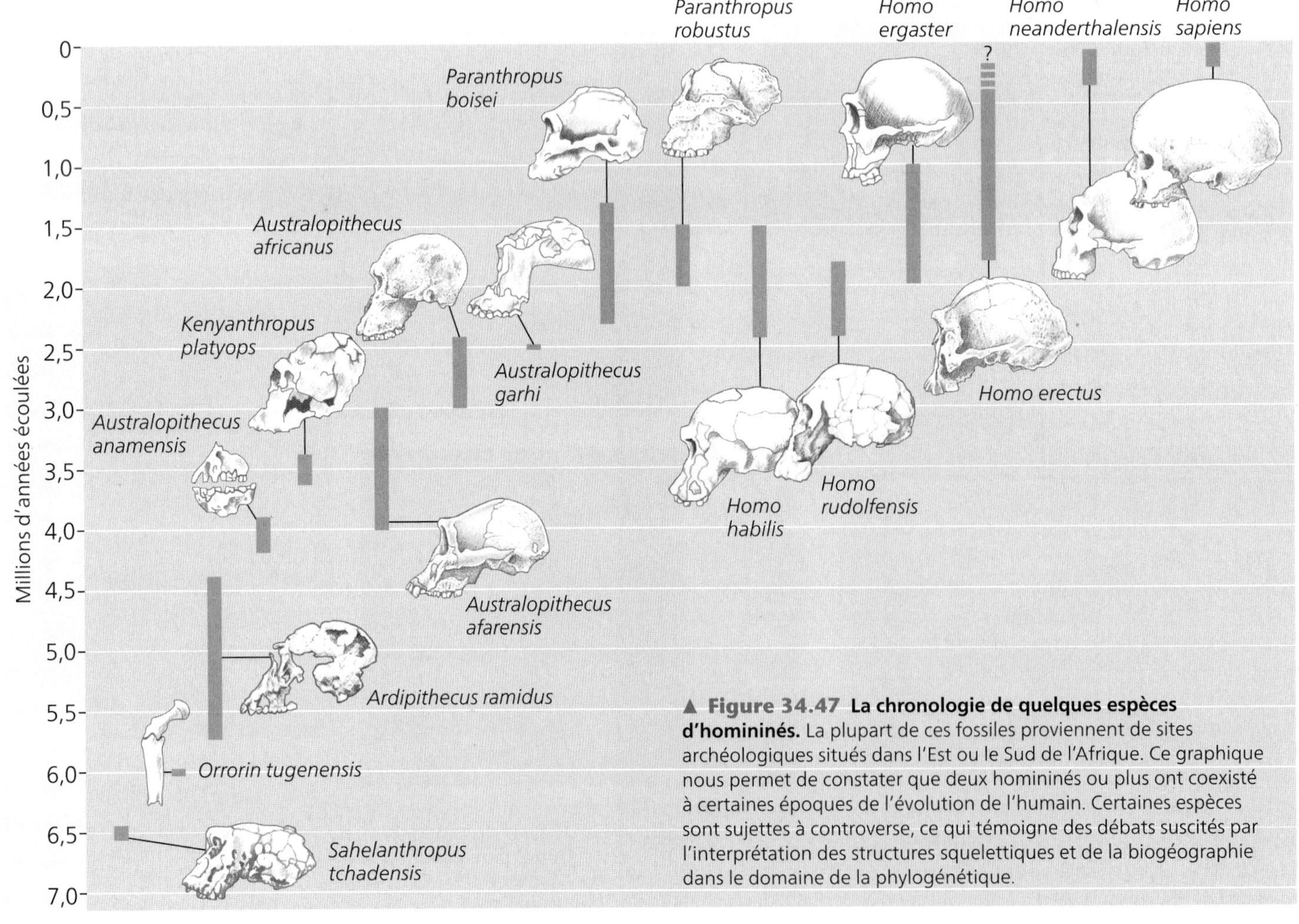

▲ **Figure 34.47 La chronologie de quelques espèces d'homininés.** La plupart de ces fossiles proviennent de sites archéologiques situés dans l'Est ou le Sud de l'Afrique. Ce graphique nous permet de constater que deux homininés ou plus ont coexisté à certaines époques de l'évolution de l'humain. Certaines espèces sont sujettes à controverse, ce qui témoigne des débats suscités par l'interprétation des structures squelettiques et de la biogéographie dans le domaine de la phylogénétique.

▶ **Figure 34.48 Le squelette d'« Ardi », un homininé vieux de 4,4 millions d'années, *Ardipithecus ramidus*.**

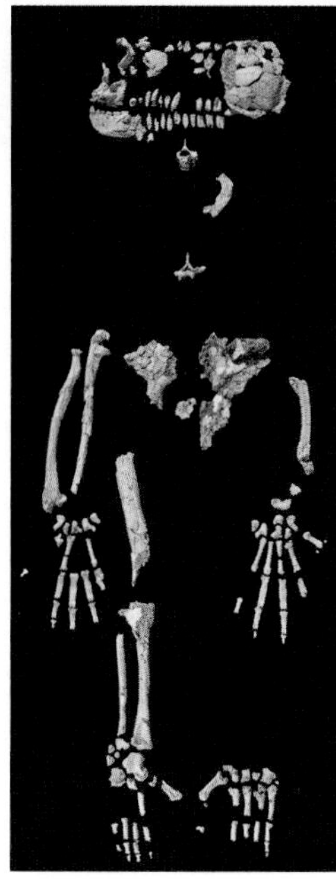

par la forme du crâne, la taille et l'alimentation (que laissent deviner leurs dents). Finalement, toutes les lignées se sont éteintes, à l'exception d'une seule, qui a donné naissance à *Homo sapiens*. Dans l'ensemble, si on considère les caractéristiques de tous les homininés ayant vécu au cours des 6,5 millions d'années qui nous précèdent, *H. sapiens* n'apparaît pas comme le produit d'une route évolutive bien droite, mais plutôt comme l'unique survivant d'un arbre aux nombreuses ramifications.

Les australopithèques

Les archives géologiques indiquent que la diversité des homininés a connu une croissance extraordinaire au cours d'une période qui se situe entre 4 et 2 millions d'années avant notre ère. La plupart des homininés de cette époque sont groupés sous l'appellation d'australopithèques. Leur phylogenèse demeure incertaine à de nombreux égards, mais ils forment un groupe presque certainement paraphylétique. Le représentant le plus primitif de ce groupe, *Australopithecus anamensis*, a vécu il y a entre 4,2 et 3,9 millions d'années, non loin de l'époque d'homininés plus anciens, comme *Ardipithecus ramidus*.

En 1924, on a découvert en Afrique du Sud *Australopithecus africanus* (« grand singe du Sud de l'Afrique »), qui a vécu il y a entre 3 et 2,4 millions d'années avant notre ère. C'est à lui que les australopithèques doivent leur nom. Grâce à la découverte d'autres fossiles, on a acquis la certitude qu'*A. africanus* marchait en station verticale (il était bipède) et possédait des mains et des dents semblables à celles des humains. Cependant, son cerveau ne dépassait pas le tiers du volume de celui de l'humain actuel.

En 1974, dans la région d'Afar, en Éthiopie, des scientifiques ont découvert le squelette (40 % des os) d'une australopithèque. « Lucy » – c'est le nom qu'on lui a donné – était menue : elle ne mesurait que 1 m. Le squelette datait de 3,24 millions d'années. Lucy et les fossiles qui lui ressemblaient ont été appelés *Australopithecus afarensis* (du nom de la région d'Afar). D'après les archives géologiques, l'espèce *A. afarensis* aurait vécu durant au moins 1 million d'années.

En simplifiant à l'extrême, on pourrait affirmer que, chez *A. afarensis*, les caractères dérivés propres aux humains étaient moins nombreux dans la partie située au-dessus du cou que dans la partie située au-dessous. Le cerveau de Lucy était gros comme un pamplemousse, ce qui correspond au volume d'un chimpanzé de sa taille. Les crânes d'*A. afarensis* présentent aussi une longue mâchoire inférieure. Leurs squelettes laissent aussi supposer un mode de locomotion arboricole : par rapport au corps, les bras sont relativement longs si on les compare à ceux des humains d'aujourd'hui. Toutefois, des fragments du bassin et du crâne indiquent qu'*A. afarensis* était bipède. Des empreintes de pieds fossilisées découvertes à Laetoli, en Tanzanie, confirment les données fournies par l'analyse des squelettes, selon lesquelles les homininés vivant à l'époque d'*A. afarensis* marchaient sur deux pieds (**figure 34.49**).

Les australopithèques « robustes » faisaient partie d'une autre lignée. Ces homininés, auxquels appartenaient des espèces comme *Paranthropus boisei*, possédaient un crâne solide muni de mâchoires puissantes et de grosses dents faites pour la mastication et le broyage d'aliments coriaces. Ils se distinguent des australopithèques « graciles », notamment d'*A. afarensis* et d'*A. africanus*, qui présentent un appareil masticateur moins puissant, conçu pour des aliments plus mous.

Grâce aux observations provenant des premiers homininés et à l'analyse des fossiles beaucoup plus nombreux d'australopithèques plus récents, on peut formuler des hypothèses relatives aux grandes tendances de l'évolution des homininés. Dans la rubrique **Habiletés scientifiques**, vous analyserez une de

▶ **Figure 34.49 La preuve que les homininés étaient bipèdes il y a 3,5 millions d'années.**

(a) Les empreintes de pieds de Laetoli, qui datent de plus de 3,5 millions d'années, confirment que la bipédie est apparue relativement tôt dans l'évolution des homininés.

(b) Une reconstitution d'*A. afarensis* imaginée par un artiste.

DÉMARCHE SCIENTIFIQUE

HABILETÉS SCIENTIFIQUES

Établir l'équation d'une droite de régression

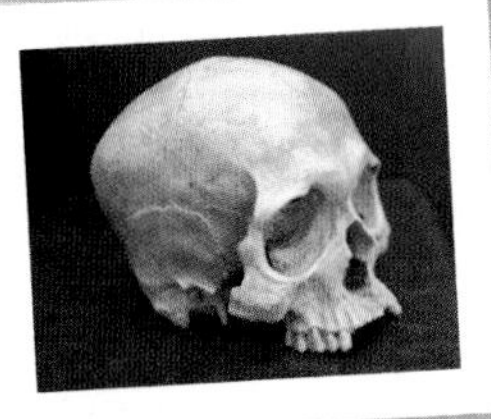

■ COMMENT LE VOLUME DU CERVEAU DES HOMININÉS A-T-IL CHANGÉ AU FIL DU TEMPS ? ■ *Homo sapiens* fait partie du taxon des homininés, et on croit qu'une vingtaine d'espèces éteintes sont des parents primitifs de l'humain. Des chercheurs ont découvert que le volume du cerveau des premiers homininés variait de 300 à 450 cm^3, un volume comparable à celui du cerveau des chimpanzés. Les humains modernes ont un cerveau dont le volume varie de 1 200 à 1 800 cm^3. Dans cet exercice, vous déterminerez dans quelle mesure le volume du cerveau a évolué au fil du temps parmi les différentes espèces d'homininés.

■ MÉTHODE ■ Dans ce tableau, x_i correspond à l'âge moyen de chaque espèce d'homininés, et y_i, au volume moyen du cerveau (cm^3). Les valeurs négatives représentent le nombre d'années (millions) avant notre époque (âge de 0,0).

Espèces d'homininés	Âge moyen (millions d'années ; x_i)	$(x_i - \bar{x})$	Volume moyen du cerveau (cm^3 ; y_i)	$(y_i - \bar{y})$	$(x_i - \bar{x}) \times (y_i - \bar{y})$
Ardipithecus ramidus	−4,4		325		
Australopithecus afarensis	−3,4		375		
Homo habilis	−1,9		550		
Homo ergaster	−1,6		850		
Homo erectus	−1,2		1 000		
Homo heidelbergensis	−0,5		1 200		
Homo neanderthalensis	−0,1		1 400		
Homo sapiens	0,0		1 350		

Source des données : Dean Falk, Florida State University, 2013.

INTERPRÉTEZ LES DONNÉES ▼

Comment le volume du cerveau des homininés a-t-il changé au fil du temps ? Plus précisément, existe-t-il un rapport linéaire (une droite) entre le volume du cerveau et le temps ?

Pour répondre à cette question, il faut utiliser la régression linéaire, une analyse qui permet d'établir l'équation de la droite la mieux adaptée à un ensemble de données. Rappelez-vous que l'équation qui permet de calculer la droite entre deux variables (x et y) est la suivante :

$$y = mx + b$$

Dans cette équation, m représente la pente de la droite, et b, l'ordonnée à l'origine (point où la droite croise l'axe y). Lorsque m est inférieure à 0, la pente de la droite est négative, ce qui indique que les valeurs de *y diminuent* à mesure que les valeurs de *x augmentent*. Lorsque m est supérieure à 0, la pente de la droite est positive, ce qui signifie que les valeurs de y augmentent en même temps que les valeurs de x. Lorsque m équivaut à 0, la valeur de y est constante (b).

On peut utiliser le coefficient de corrélation (r) pour calculer les valeurs de m et de b dans une régression linéaire :

$$m = r\frac{s_y}{s_x} \quad \text{et} \quad b = \bar{y} - m\bar{x}$$

Dans ces équations, s_x et s_y correspondent aux écarts types des variables x et y, respectivement, alors que $\bar{x}$ et $\bar{y}$ correspondent aux moyennes de ces deux variables. (Voir la rubrique Habiletés scientifiques du chapitre 32 pour de plus amples renseignements au sujet du coefficient de corrélation, de la moyenne et de l'écart type.)

1. Calculez les moyennes ($\bar{x}$ et $\bar{y}$) des points de données $n = 8$ du tableau. Remplissez ensuite les colonnes $(x_i - \bar{x})$ et $(y_i - \bar{y})$ correspondantes du tableau, et utilisez vos résultats pour calculer les écarts types s_x et s_y.
2. Comme on le précise dans la rubrique Habiletés scientifiques du chapitre 32, la formule qui permet de calculer le coefficient de corrélation est la suivante :

$$r = \frac{\frac{1}{n-1}\sum (x_i - \bar{x})(y_i - \bar{y})}{s_x s_y}$$

Remplissez la colonne du tableau pour le produit $(x_i - \bar{x}) \times (y_i - \bar{y})$. Utilisez ces valeurs et les écarts types de la question 1 pour calculer le coefficient de corrélation (r) entre le volume du cerveau des différentes espèces d'homininés (y) et l'âge de ces espèces (x).

3. D'après la valeur de r calculée à la question 2, décrivez dans vos mots la corrélation entre le volume moyen du cerveau des espèces d'homininés et l'âge moyen de ces espèces.
4. (a) Utilisez la valeur de r pour calculer la pente (m) et l'ordonnée à l'origine de la droite de régression (b) d'une droite de régression pour cet ensemble de données. (b) Tracez le graphique de la droite de régression du volume moyen du cerveau des espèces d'homininés par rapport à l'âge moyen des espèces. Assurez-vous d'établir et de nommer correctement les axes. (c) Portez les données du tableau dans le graphique de la droite de régression. Cette droite semble-t-elle bien correspondre aux données ?
5. On peut utiliser l'équation d'une droite de régression pour calculer la valeur prévue de y pour toute valeur de x. Par exemple, supposez qu'une régression linéaire indique que $m = 2$ et $b = 4$. Dans ce cas, si $x = 5$, on peut s'attendre à ce que $y = 2x + 4 = (2 \times 5) + 4 = 14$. D'après les valeurs de m et de b calculées à la question 4, utilisez cette approche pour calculer le volume moyen prévu du cerveau d'un homininé ayant vécu il y a 4 millions d'années ($x = -4$).
6. On peut définir la pente d'une droite par la formule $m = \frac{y_2 - y_1}{x_2 - x_1}$ dans laquelle (x_1, y_1) et (x_2, y_2) sont les coordonnées de deux points sur la ligne. Par conséquent, la pente représente le rapport entre la distance verticale (dans quelle mesure la droite se déplace à la verticale) et la distance horizontale (dans quelle mesure la droite se déplace à l'horizontale). Utilisez la définition d'une pente pour estimer combien de temps s'est écoulé avant que le volume moyen du cerveau augmente de 100 cm^3 pendant l'évolution des homininés.

ces tendances : comment le volume du cerveau des homininés a-t-il évolué au fil du temps ? Dans cette section, nous examinons également deux autres tendances : l'apparition de la bipédie et l'utilisation des outils.

La bipédie

Il y a entre 35 et 30 millions d'années, nos ancêtres anthropoïdés étaient encore arboricoles. Mais il y a environ 10 millions d'années, la collision des plaques tectoniques indienne et eurasienne a entraîné la formation de la chaîne de l'Himalaya (voir la figure 25.16). Le climat s'est ensuite asséché et, dans les régions qui forment aujourd'hui l'Afrique et l'Asie, les forêts ont rétréci. Ce phénomène a entraîné une augmentation de la superficie des habitats de savane (prairies), pauvres en arbres. Des chercheurs ont formulé l'hypothèse voulant qu'avec le changement des habitats, la sélection naturelle ait favorisé les adaptations facilitant les déplacements en terrain découvert. Cette hypothèse repose sur le fait que, si les autres grands singes sont remarquablement bien adaptés pour grimper aux arbres, il n'en va pas autant pour les déplacements terrestres. Ainsi, un chimpanzé dépense quatre fois plus d'énergie pour marcher qu'un humain.

Bien que des éléments de cette hypothèse subsistent, la situation semble aujourd'hui un peu plus complexe. En effet, même si tous les fossiles d'homininés primitifs récemment découverts présentent des signes de bipédie, aucun ne vivait dans les savanes. Ces homininés occupaient plutôt des habitats mixtes, dont la diversité s'étendait des forêts aux terrains découverts. De plus, quelle qu'ait été la force sélective ayant mené à la bipédie, les homininés ne sont pas devenus bipèdes de façon simple et linéaire. Des éléments d'un squelette du genre *Ardipithecus* indiquent qu'il pouvait marcher comme un bipède, mais qu'il était également capable de grimper aux arbres. Il semble en outre que les australopithèques utilisaient divers modes de locomotion et que certains passaient plus de temps au sol que d'autres. Les homininés ont commencé à franchir de longues distances sur deux pieds il y a seulement 1,9 million d'années. Ils vivaient alors dans des milieux arides, où la bipédie exigeait une dépense énergétique moindre que les déplacements à quatre pattes.

L'utilisation des outils

Comme nous l'avons vu plus tôt, la fabrication et l'utilisation d'outils complexes sont des caractères comportementaux dérivés propres aux humains. Déterminer l'origine de l'utilisation des outils au cours de l'évolution des homininés constitue une entreprise des plus difficiles ; d'autres grands singes sont capables de se servir d'outils étonnamment perfectionnés. Par exemple, les orangs-outans transforment de petites branches en un instrument dont ils se servent pour retirer des insectes de leurs nids. Les chimpanzés sont encore plus habiles : ils utilisent des pierres pour fendre la coquille de certains aliments et protègent leurs pieds à l'aide de feuilles lorsqu'ils marchent sur des épines. Les homininés primitifs pouvaient probablement utiliser des outils simples, mais il est pratiquement impossible de trouver des objets fossilisés comme des branches modifiées ou des feuilles utilisées en guise de chaussures.

Les plus anciennes preuves généralement reconnues de l'utilisation des outils par les homininés sont des entailles vieilles de 2,5 millions d'années pratiquées sur des os d'animaux découverts en Éthiopie. Ces entailles semblent indiquer que ces homininés se servaient d'outils de pierre pour retirer la chair des os des animaux. Fait intéressant, les homininés dont les fossiles ont été trouvés près du site où ces os ont été mis au jour possédaient un cerveau relativement petit. Si ces homininés, appelés *Australopithecus garhi*, ont effectivement été les créateurs des outils de pierre utilisés pour entailler les os, leur utilisation serait antérieure à l'apparition d'un cerveau volumineux chez les homininés.

Les premiers représentants du genre *Homo*

Les premiers fossiles qui ont été classés dans le genre auquel nous appartenons, c'est-à-dire *Homo*, font partie de l'espèce *Homo habilis*. Ils datent de 1,6 à 2,4 millions d'années, et montrent clairement des caractères attribués aux homininés modernes dans l'anatomie située au-dessus du cou. Par rapport aux australopithèques, *H. habilis* possédait une mâchoire moins allongée et un cerveau plus gros, soit d'un volume d'environ 550 à 750 cm^3. À quelques reprises, les anthropologues ont trouvé des outils de pierre tranchants près de fossiles d'*H. habilis*, qui signifie d'ailleurs « homme bien adapté ».

Des fossiles datant de la période comprise entre 1,9 et 1,5 million d'années avant notre ère témoignent par ailleurs d'une nouvelle étape de l'évolution des homininés. Un certain nombre de paléoanthropologues considèrent que ces fossiles appartiennent à une espèce distincte, *Homo ergaster* (du grec *ergon*, « travail »). *H. ergaster* avait un cerveau beaucoup plus gros que celui d'*H. habilis* (son volume dépassait 900 cm^3), ainsi que de longues jambes fines et des hanches bien adaptées à la marche sur de longues distances (**figure 34.50**). Ses doigts relativement courts et droits semblent indiquer qu'il ne grimpait pas aux arbres comme les homininés plus primitifs. Les fossiles d'*H. ergaster* ont été découverts dans des milieux beaucoup plus arides que ceux des homininés qui l'ont précédé, et on pense qu'il fabriquait des outils de pierre plus complexes qu'eux. En outre, la petite taille de ses dents autorise à penser que son régime alimentaire différait de celui des australopithèques

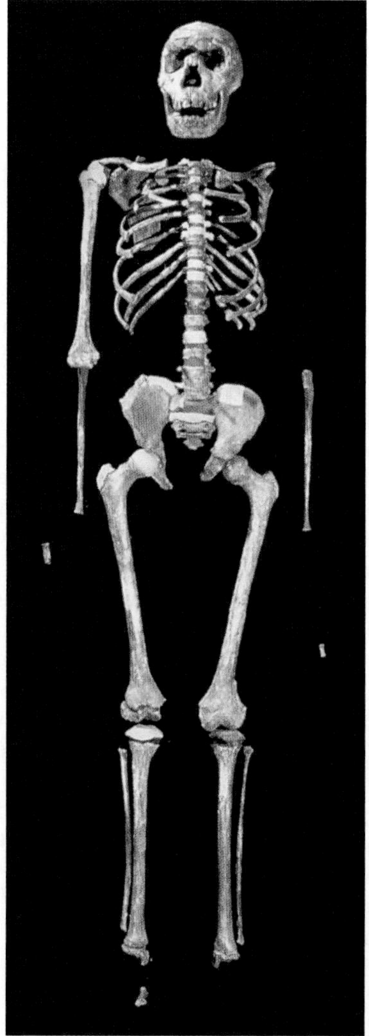

◀ **Figure 34.50 Un fossile.** Ce fossile de 1,7 million d'années découvert au Kenya appartient à un jeune *Homo ergaster* mâle. Grand et mince, cet individu était complètement bipède et possédait un cerveau relativement volumineux.

(il consommait plus de viande et moins de matières végétales qu'eux) ou qu'il préparait certains de ses aliments avant de les mastiquer, peut-être en les cuisant ou en les broyant.

H. ergaster marque une transition importante en ce qui concerne les tailles relatives des mâles et des femelles. Chez les primates, la différence de taille entre les mâles et les femelles est un important élément de dimorphisme sexuel (voir le concept 23.4). En moyenne, les gorilles et les orangs-outans mâles ont une masse deux fois plus élevée que celle des femelles de leur espèce. Chez *Australopithecus afarensis*, la masse des mâles représentait 1,5 fois celle des femelles. Mais chez les premières espèces du genre *Homo*, le dimorphisme sexuel était beaucoup moins prononcé, tendance qui s'est perpétuée jusqu'à nous: chez les humains, la masse des mâles est en moyenne 1,2 fois plus élevée que celle des femelles.

L'atténuation du dimorphisme sexuel peut nous renseigner sur les systèmes sociaux des homininés disparus. Chez les primates modernes, le dimorphisme sexuel extrême est associé à une compétition intense entre des mâles qui se disputent de multiples femelles. Il est moins important chez les espèces où existent davantage d'unions monogames (dont la nôtre). Les mâles et les femelles *H. ergaster* formaient plus souvent des couples que les homininés qui les avaient précédés.

Les fossiles aujourd'hui généralement reconnus comme ceux d'*H. ergaster* étaient autrefois considérés comme les membres primitifs d'une autre espèce, *Homo erectus*, point de vue d'ailleurs encore défendu par certains paléoanthropologues. Apparu en Afrique, *H. erectus* a été le premier homininé à migrer hors de ce continent. Les plus anciens fossiles d'homininés trouvés à l'extérieur de l'Afrique datent de 1,8 million d'années et ont été découverts en 2000 en Géorgie, un pays de l'Europe de l'Est. *H. erectus* a plus tard migré jusqu'en Indonésie. Des données géologiques indiquent qu'*H. erectus* a disparu à un moment indéterminé il y a entre 200 000 et 70 000 ans.

Les néandertaliens

En 1856, des mineurs ont découvert de mystérieux fossiles humains dans une caverne de la vallée de Neander, en Allemagne. Ces fossiles vieux de 40 000 ans appartenaient à un homininé possédant de gros os et un front proéminent, qu'on a nommé *Homo neanderthalensis* ou, plus familièrement, néandertalien. Les néandertaliens vivaient en Europe il y a 350 000 ans, puis se sont dispersés au Proche-Orient, en Asie centrale et dans le Sud de la Sibérie. Ils possédaient un cerveau plus volumineux que celui des humains actuels; ils enterraient leurs morts et étaient capables de fabriquer des outils de chasse en pierre et en bois. Mais, en dépit de ces adaptations, ils semblent avoir disparu il y a entre 40 000 et 28 000 ans.

Quel est le lien évolutif entre *H. neanderthalensis* et *H. sapiens*? Des données génétiques montrent que les lignée d'*H. sapiens* et des néandertaliens ont divergé il y a environ 400 000 ans. Par conséquent, même si les néandertaliens et les humains ont en commun un ancêtre récent, les humains ne descendent pas directement des néandertaliens (comme on l'a déjà cru). Par ailleurs, on s'interroge depuis longtemps sur de possibles croisements entre les deux espèces, ce qui aurait permis un flux interspécifique de gènes (échange de gènes). D'après certains chercheurs, des fossiles présentant un amalgame de caractéristiques des humains et des néandertaliens constituent la preuve d'un tel échange. Or, l'analyse récente d'une séquence d'ADN provenant du génome d'un néandertalien confirme qu'un échange de gènes limité avait bel et bien eu lieu entre les deux espèces (**figure 34.51**). En 2015, une étude a fourni la preuve la plus convaincante d'un flux de gènes entre les deux espèces: l'ADN tiré du fossile d'une mâchoire humaine présentait de longues séquences d'ADN néandertalien (**figure 34.52**). En fait, la quantité d'ADN néandertalien contenue dans ce fossile indiquait que les arrière-arrière-arrière-grands-parents de cet humain étaient néandertaliens. D'autres études génomiques récentes ont démontré qu'un échange de gènes avait également eu lieu entre les néandertaliens et les dénisoviens, des homininés qui n'ont pas encore été classifiés, et dont l'ADN provenait de fragments osseux vieux de 40 000 ans découverts dans une caverne de Sibérie.

Homo sapiens

Des données provenant de fossiles, de l'archéologie et d'analyses d'ADN nous ont permis de mieux comprendre la façon dont notre espèce, *Homo sapiens*, est née et s'est répandue sur toute la planète.

Les données géologiques indiquent que les ancêtres des humains sont nés en Afrique. Des espèces anciennes (peut-être *H. ergaster* ou *H. erectus*) ont engendré de nouvelles espèces dont, plus tard, *H. sapiens*. Par ailleurs, les fossiles connus les plus anciens de notre espèce ont été découverts en deux endroits différents de l'Éthiopie et comprennent des spécimens datant de 195 000 et de 160 000 ans. Ces humains primitifs ne présentaient pas l'épaisse arcade sourcilière de *H. erectus* et des néandertaliens, et étaient plus élancés que les autres homininés.

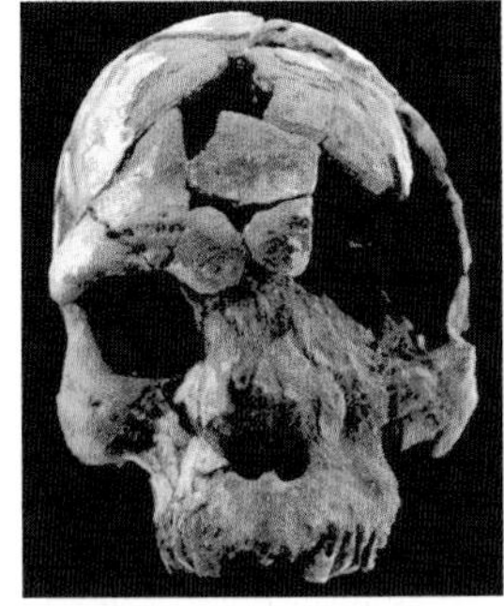

▲ **Fossile d'*Homo sapiens* vieux de 160 000 ans.**

Les fossiles éthiopiens confirment les déductions que les données moléculaires ont permis de tirer sur l'origine des humains. Des analyses génétiques montrent que les Européens et les Asiatiques ont un ancêtre commun relativement récent, et que de nombreuses lignées africaines ont formé des ramifications bien antérieures dans l'arbre généalogique des humains. Ces observations donnent fortement à penser que tous les ancêtres des humains actuels sont des *H. sapiens* provenant d'Afrique.

Les plus anciens fossiles d'*H. sapiens* découverts hors de l'Afrique proviennent du Moyen-Orient et datent d'environ 115 000 ans. Des données paléontologiques et des analyses génétiques indiquent qu'ils auraient quitté l'Afrique en une ou plusieurs vagues pour se rendre d'abord en Asie, puis en Europe et en Australie. La date à laquelle les premiers humains ont fait leur entrée dans le Nouveau Monde demeure incertaine, mais d'après les plus anciens fossiles généralement reconnus, ils y seraient arrivés il y a 15 000 ans.

▶ **Figure 34.52 Un fossile confirmant que des croisements ont eu lieu entre les humains et les néandertaliens.** Cette mâchoire appartient à un humain qui a vécu il y a 40 000 ans et qui comptait un ancêtre néandertalien relativement récent.

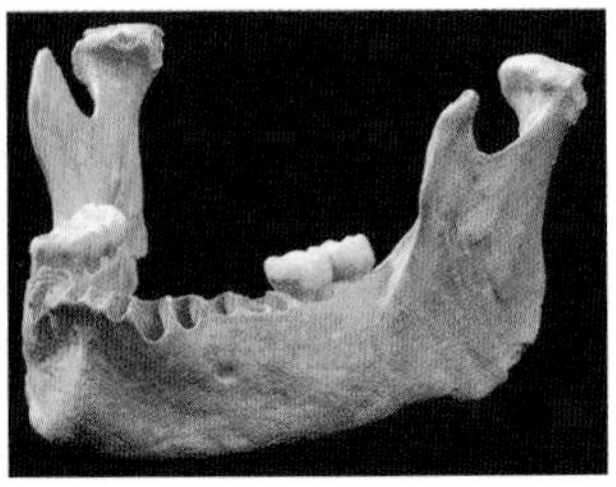

DÉMARCHE SCIENTIFIQUE

INVESTIGATION

▼ **Figure 34.51**

Un échange de gènes a-t-il eu lieu entre les néandertaliens et *Homo sapiens* ?

■ HYPOTHÈSE ■ D'après certains chercheurs, les fossiles découverts en Europe présentent un amalgame de caractéristiques néandertaliennes et humaines. S'il y a eu échange de gènes entre les deux espèces, on devrait pouvoir en trouver des traces dans le génome de leurs descendants.

■ EXPÉRIENCE ■ Pour vérifier cette hypothèse, les chercheurs ont eu recours à de l'ADN extrait de plusieurs fossiles néandertaliens pour créer une ébauche du génome de cette espèce. S'il n'était survenu aucun échange de gènes – ou tout au plus un échange limité – entre les néandertaliens et *H. sapiens* après que leurs lignées évolutives ont divergé, alors le génome des néandertaliens devrait être aussi différent des génomes de tous les humains, sans égard à leur provenance géographique.

Pour vérifier cette hypothèse, les chercheurs ont comparé le génome des néandertaliens à ceux de cinq humains modernes : l'un provenant de l'Afrique du Sud, un autre, de l'Afrique de l'Ouest, et trois autres vivant dans des régions situées en dehors de l'Afrique (France, Chine et Papouasie-Nouvelle-Guinée). Ils ont utilisé un indice de similarité génétique, *D*, équivalant au pourcentage d'ADN néandertalien au sein d'une population d'humains (H_1) moins le pourcentage d'ADN néandertalien au sein d'une deuxième population d'humains (H_2). Dans l'éventualité où aucun échange de gènes – ou tout au plus un échange limité – n'aurait eu lieu entre les néandertaliens et les humains, la valeur de D ($H_1 - H_2$) devrait s'approcher de zéro pour chaque comparaison. Par conséquent, des valeurs de *D* significativement supérieures à zéro témoigneraient d'une plus grande similarité génétique entre les néandertaliens et la première (H_1) des deux populations de comparaison et démontreraient qu'un échange de gènes a bel et bien eu lieu entre les deux espèces.

■ RÉSULTATS ■ Le nombre de variantes génétiques communes était invariablement plus grand entre les néandertaliens et les non-Africains, par rapport aux Africains. En revanche, le génome des néandertaliens était différent, dans une même mesure, de celui des humains provenant de chacune des trois régions situées en dehors de l'Afrique.

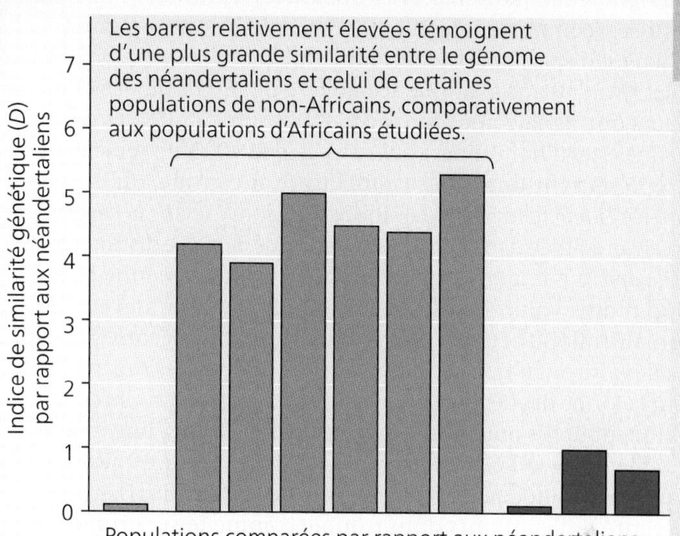

■ CONCLUSION ■ Les analyses génomiques indiquent qu'un échange de gènes a eu lieu entre les néandertaliens et certaines populations d'humains situées à l'extérieur de l'Afrique (où les aires de répartition des deux espèces se chevauchaient).

Source des données : R. E. Green et coll., A draft sequence of the Neanderthal genome, *Science* 328 : 710-722 (2010).

ET SI ? ▶ Les fossiles de néandertaliens ont été découverts en Europe et au Moyen-Orient. Expliquez comment il est possible que les néandertaliens ressemblent davantage aux non-Africains qu'aux Africains, sur le plan génétique, tout en présentant une similarité génétique comparable parmi les populations d'humains de la France, de la Chine et de la Papouasie-Nouvelle-Guinée.

De nouvelles découvertes viennent sans cesse actualiser notre compréhension de la lignée évolutive de l'humain. Par exemple, en 2015, un nouveau membre s'est ajouté à la famille des humains, soit *Homo naledi*. La structure de son pied indique qu'*H. naledi* était complètement bipède, et que la forme de sa main (**figure 34.53**) tend à démontrer qu'il possédait des habiletés motrices fines, tout comme *H. sapiens*, les néandertaliens et les autres espèces faisant un vaste usage d'outils. Étant donné la petitesse du crâne, la largeur du bassin et les autres caractéristiques d'*H. naledi*, les chercheurs en sont venus à la conclusion qu'il s'agissait d'un membre primitif de notre genre.

À ce titre, *H. naledi* a vraisemblablement vécu il y a plus de 2 millions d'années – on estime toutefois que les fossiles datent de 3 millions d'années à tout juste 100 000 ans. Si les scientifiques

▼ **Figure 34.53 Des fossiles d'os d'une main et d'un pied (vue latérale et en plan) d'*Homo naledi*.**

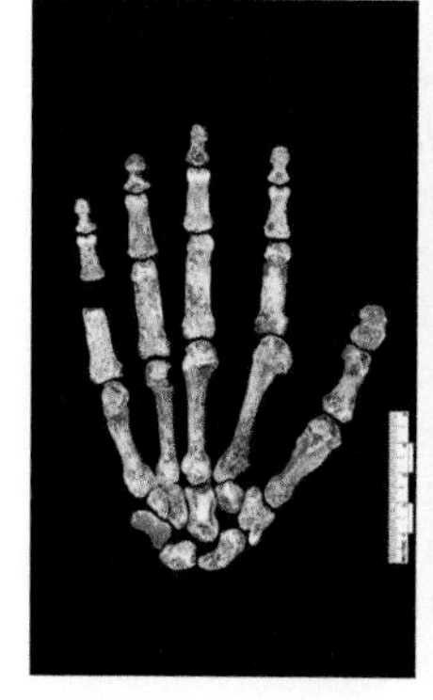

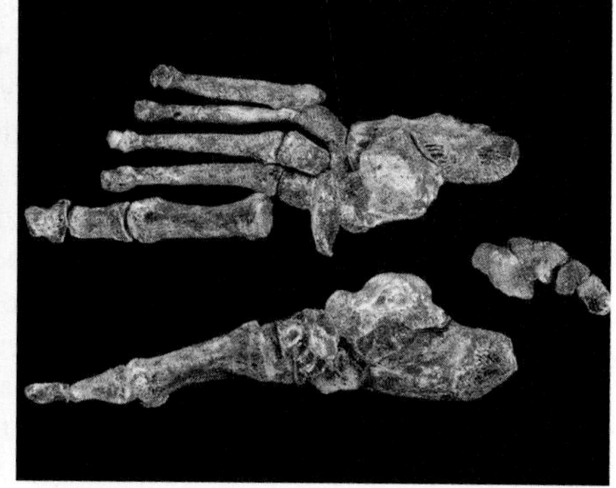

sont incapables de déterminer avec plus de précision l'âge de ces fossiles, c'est que ceux-ci ont été découverts sur le sol d'une grotte profonde et qu'ils n'étaient pas emprisonnés dans des roches que l'on aurait pu dater à l'aide d'isotopes radioactifs. Si de nouvelles preuves révélaient que les fossiles ne sont âgés que de 100 000 ans, cela signifierait que *H. naledi* est apparu il y a plusieurs millions d'années (comme tous les membres primitifs de notre genre) et qu'il n'est disparu que très récemment.

Environ 10 ans avant la découverte de *H. naledi*, des chercheurs ont signalé une autre découverte stupéfiante : les restes de squelettes d'homininés adultes vieux de 18 000 ans seulement et représentant une espèce auparavant inconnue, qu'ils ont appelée *Homo floresiensis*. Les individus trouvés dans la caverne de calcaire située dans l'île indonésienne de Flores se distinguent d'*H. sapiens* par leur petite taille et leur boîte crânienne beaucoup moins volumineuse : ils ressemblent en fait davantage à un australopithèque. Les chercheurs qui ont découvert ces fossiles affirment que certaines caractéristiques des squelettes, dont la forme des dents et l'épaisseur et les proportions du crâne, indiquent qu'ils pourraient descendre d'*H. erectus*, une espèce de plus grande taille. Des chercheurs critiquent cette explication et avancent plutôt que les fossiles sont ceux d'individus *H. sapiens* de petite taille atteints d'un trouble comme le syndrome de Down ou la microcéphalie (une anomalie qui se caractérise par un cerveau miniature et déformé).

Même si cette question demeure controversée, la plupart des études appuient l'hypothèse voulant que *H. floresiensis* soit un nouvel homininé. Une de ces études a révélé que les os des poignets des fossiles de Flores présentaient une forme semblable à ceux des grands singes non humains et des premiers homininés, mais différente de ceux des néandertaliens et d'*H. sapiens*. Ces recherches concluent que les fossiles de Flores sont ceux d'une espèce dont la lignée a bifurqué avant l'origine du clade qui comprend les néandertaliens et les humains. Une autre étude a comparé les os du pied des fossiles de Flores à ceux d'autres homininés, et conclu à son tour qu'*H. floresiensis* était apparu avant *H. sapiens*. En fait, ces chercheurs ont avancé qu'*H. floresiensis* descendait peut-être d'un homininé encore inconnu qui aurait vécu bien avant *H. erectus*. Enfin, dans un article publié en 2015 et portant sur l'analyse de la morphologie des dents des homininés, d'autres chercheurs ont avancé qu'*H. floresiensis* constituait une espèce distincte étroitement apparentée à *H. erectus*. Les découvertes anthropologiques et archéologiques de l'île de Flores permettront peut-être de résoudre de fascinantes questions. On en saura ainsi probablement davantage sur l'origine d'*H. floresiensis* ; on apprendra si les membres de cette espèce ont rencontré *H. sapiens*, avec lequel ils ont coexisté en Indonésie il y a 18 000 ans.

La rapide expansion de notre espèce a peut-être été stimulée par l'apparition de la cognition chez *H. sapiens*, alors qu'il vivait en Afrique. Par ailleurs, les spécialistes ont découvert des preuves que la pensée d'*H. sapiens* se raffinait. Par exemple, des chercheurs ont signalé la découverte en Afrique du Sud d'œuvres d'art vieilles de 77 000 ans : des dessins géométriques tracés sur des morceaux d'ocre (**figure 34.54**). De plus, des archéologues travaillant dans le Sud et l'Est de l'Afrique ont trouvé des œufs d'autruche et des coquilles d'escargots vieux de 75 000 ans dans lesquels des trous avaient été soigneusement percés. Il y a 36 000 ans, les humains réalisaient dans des cavernes des peintures admirables.

▲ **Figure 34.54 L'art, un trait distinctif des humains.** Les dessins gravés sur ce morceau d'ocre vieux de 77 000 ans, découvert à Blombos Cave, en Afrique du Sud, comptent parmi les plus anciens signes de pensée symbolique chez les humains.

Si ces développements nous aident à comprendre l'expansion d'*H. sapiens*, son rôle dans l'extinction d'autres homininés reste à clarifier. Les néandertaliens, par exemple, fabriquaient aussi des outils complexes et étaient capables de pensée symbolique. Par conséquent, certains scientifiques soutiennent que la compétition avec *H. sapiens* a entraîné l'extinction des néandertaliens, alors que d'autres remettent en question cette hypothèse.

Notre étude de l'évolution des humains termine la partie du manuel portant sur la diversité biologique. Il faut garder à l'esprit que la vie a foisonné sous de nombreuses formes, dans toutes les directions ; il serait réducteur de la considérer comme une progression hiérarchique ayant à sa base les microorganismes et à son sommet les humains. La biodiversité est le fruit des différentes ramifications de l'arbre phylogénétique. Le fait que le nombre d'espèces de poissons à nageoires rayonnées est aujourd'hui presque équivalent au nombre d'espèces de tous les autres vertébrés réunis indique une chose : nos cousins à nageoires ne sont pas des animaux incompétents et dépassés qui ont échoué dans leur tentative de coloniser la terre ferme. D'ailleurs, les tétrapodes, c'est-à-dire les amphibiens, les reptiles, les oiseaux et les mammifères, sont tous issus d'une population de sarcoptérygiens. Tandis qu'eux se sont diversifiés sur la terre ferme, les poissons ont poursuivi leur évolution divergente dans la portion de la biosphère la plus volumineuse. De même, l'omniprésence des procaryotes dans la biosphère est une preuve de la capacité de ces organismes relativement simples à se perpétuer en s'adaptant à leur milieu. L'étude du vivant célèbre toute la diversité, tant passée que présente.

RETOUR SUR LE CONCEPT 34.7

1. Nommez des caractéristiques qui distinguent les homininés des autres grands singes.
2. Donnez un exemple montrant que diverses caractéristiques des organismes de la lignée des homininés ont évolué à des rythmes différents.
3. **ET SI ?** ▶ Selon certaines études génétiques, le plus récent ancêtre commun d'*H. sapiens* ayant vécu hors de l'Afrique a quitté l'Afrique il y a environ 50 000 ans. Comparez cette date avec celles des fossiles présentés dans le texte. Se pourrait-il que les résultats génétiques et les dates attribuées aux fossiles soient justes ? Expliquez votre réponse.

Voir les réponses proposées à l'appendice A.

RÉVISION DU CHAPITRE 34

Consultez votre MANUEL NUMÉRIQUE, qui vous donne accès aux **animations**, aux **exercices** et à la plateforme d'**anatomie interactive**.

Résumé des concepts clés

Concept clé	Clade	Description
CONCEPT 34.1 **Les cordés possèdent une notocorde et un tube neural dorsal creux (p. 788 à 791)** ? Décrivez les caractéristiques probables de l'ancêtre commun des cordés et expliquez votre raisonnement.	Céphalocordés (amphioxus)	Cordés fondamentaux; ces suspensivores marins présentent les quatre caractères dérivés propres aux cordés.
	Urocordés (tuniciers)	Suspensivores marins qui présentent, au stade larvaire, les caractères dérivés des cordés.
CONCEPT 34.2 **Les vertébrés sont des cordés pourvus d'une colonne vertébrale (p. 791 à 794)** ? Nommez les caractéristiques communes à tous les fossiles de vertébrés primitifs.	Myxinoïdes (myxines) et Pétromyzontidés (lamproies)	Organismes marins sans mâchoires et aux vertèbres rudimentaires. Les myxines sont pourvues d'une tête dotée d'un crâne; elles possèdent un cerveau, des yeux et d'autres organes sensoriels; certaines lamproies se nourrissent en s'agrippant à un poisson dont elles percent le flanc pour en sucer le sang.
CONCEPT 34.3 **Les gnathostomes sont des vertébrés pourvus de mâchoires (p. 794 à 799)** ? En quoi l'apparition d'organismes munis de mâchoires a-t-elle transformé les interactions écologiques? Appuyez votre réponse sur des faits.	Chondrichtyens (requins, raies, chimères)	Gnathostomes aquatiques; présentent un squelette cartilagineux, caractère dérivé issu de la réduction d'un squelette minéralisé ancestral.
	Actinoptérygiens (poissons à nageoires rayonnées)	Gnathostomes aquatiques; possèdent un squelette osseux et des nageoires maniables soutenues par des rayons.
	Actinistiens (cœlacanthes)	Lignée primitive de sarcoptérygiens vivant toujours dans l'océan Indien.
	Dipneustes (poissons pulmonés)	Sarcoptérygiens dulcicoles dotés de poumons et de branchies; groupe frère des tétrapodes.
CONCEPT 34.4 **Les tétrapodes sont des gnathostomes pourvus de membres (p. 799 à 803)** ? Quelles caractéristiques des amphibiens ont confiné la plupart des espèces aux habitats terrestres humides et aux habitats aquatiques?	Amphibiens (grenouilles, salamandres, cécilies)	Quatre membres dérivés de nageoires modifiées; la plupart ont une peau humide par laquelle s'effectuent les échanges gazeux; un grand nombre vivent dans l'eau (au stade larvaire) et sur la terre ferme (au stade adulte).
CONCEPT 34.5 **Les amniotes sont des tétrapodes dont l'œuf est adapté au milieu terrestre (p. 803 à 811)** ? Pourquoi les oiseaux sont-ils considérés comme des reptiles?	Reptiles (tuataras, lézards et serpents, tortues, crocodiles, oiseaux)	L'un des deux groupes d'amniotes modernes; ont des œufs amniotiques et une cage thoracique qui ventile les poumons, des adaptations essentielles à la vie sur la terre ferme.
CONCEPT 34.6 **Les mammifères sont des amniotes recouverts de poils et produisant du lait (p. 811 à 818)** ? Décrivez l'origine et l'évolution des premiers mammifères.	Mammifères (monotrèmes, marsupiaux, euthériens)	Se sont développés à partir des synapsides; les monotrèmes pondent des œufs (les échidnés et l'ornithorynque); les marsupiaux ont une poche ventrale (kangourous, opossums); les euthériens sont des mammifères placentaires (comme les rongeurs et les primates).

Cordés: notocorde, tube neural dorsal creux, fentes ou rainures branchiales, queue musculaire postanale

Vertébrés: duplication des gènes *Hox*, colonne vertébrale

Cyclostomes: vertébrés sans mâchoire

Gnathostomes: mâchoires articulées, quatre jeux de gènes *Hox*

Ostéichthyens: squelette osseux

Sarcoptérygiens: membres ou nageoires musculeuses

Tétrapodes: quatre membres, cou, soudure des os de la ceinture pelvienne à la colonne

Amniotes: œuf amniotique, ventilation par la cage thoracique

CONCEPT 34.7

Les humains sont des mammifères bipèdes pourvus d'un cerveau volumineux (p. 818 à 826)

- Les caractères dérivés que présentent les humains sont la bipédie, un cerveau plus volumineux et des mâchoires plus courtes que celles des autres grands singes.
- Les **homininés** – soit les humains et les espèces qui y sont plus étroitement apparentées qu'aux chimpanzés – sont apparus en Afrique il y a au moins 6 millions d'années. Les premiers homininés avaient un cerveau peu volumineux, mais marchaient probablement en position verticale.
- Les plus anciennes preuves de l'utilisation des outils sont vieilles de 2,5 millions d'années.
- *Homo ergaster* a été le premier homininé complètement bipède pourvu d'un cerveau volumineux. *Homo erectus* a été le premier homininé à quitter l'Afrique.
- Les néandertaliens ont vécu en Europe et au Proche-Orient au cours d'une période comprise entre 350 000 et 28 000 ans avant notre ère.
- *Homo sapiens* est apparu en Afrique il y a quelque 195 000 ans et s'est répandu sur d'autres continents il y a environ 115 000 ans.

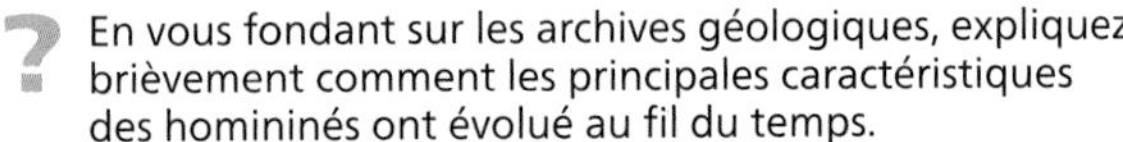

? En vous fondant sur les archives géologiques, expliquez brièvement comment les principales caractéristiques des homininés ont évolué au fil du temps.

Évaluation

NIVEAU 1 : CONNAISSANCES ET COMPRÉHENSION

1. Les vertébrés et les tuniciers ont en commun :
a) des mâchoires adaptées à l'ingestion de nourriture.
b) un degré élevé de céphalisation.
c) un endosquelette qui comprend un crâne.
d) une notocorde et un tube neural dorsal creux.

2. Les vertébrés modernes peuvent être divisés en deux principaux clades :
a) Les cordés et les tétrapodes.
b) Les urocordés et les céphalocordés.
c) Les cyclostomes et les gnathostomes.
d) Les marsupiaux et les euthériens.

3. Qu'est-ce qui caractérise à la fois les monotrèmes et les marsupiaux, mais pas les euthériens ?
a) L'absence de mamelons.
b) Une partie du développement embryonnaire se fait hors de l'utérus de la mère.
c) Ils pondent des œufs.
d) Ils vivent en Afrique et en Australie.

4. Auquel des clades suivants les humains *n'appartiennent pas* ?
a) Les synapsides.
b) Les sarcoptérygiens.
c) Les diapsides.
d) Les ostéichthyens.

5. Lorsque les homininés ont divergé des autres primates, par quel caractère se sont-ils d'abord distingués ?
a) La réduction des mâchoires.
b) L'accroissement du volume du cerveau.
c) La fabrication d'outils en pierre.
d) La bipédie.

NIVEAU 2 : APPLICATION ET ANALYSE

6. Parmi les animaux suivants, lequel pourrait être considéré comme le plus récent ancêtre commun des tétrapodes modernes ?
a) Un sarcoptérygien pourvu de nageoires solides, vivant dans des eaux peu profondes et ayant des appendices qui prenaient appui sur le squelette comme chez les vertébrés terrestres.
b) Un placoderme cuirassé muni de mâchoires et de deux paires d'appendices.
c) Un actinoptérygien primitif dont les paires de nageoires prenaient appui sur le squelette.
d) Une salamandre dont les pattes prenaient appui sur un squelette osseux, mais qui se déplaçait en se balançant d'un côté et de l'autre comme les poissons.

NIVEAU 3 : SYNTHÈSE ET ÉVALUATION

7. INTÉGRATION

FAITES UN DESSIN ▶ Pour des raisons uniquement liées à leur taille, les organismes de plus grande taille ont tendance à avoir un cerveau plus volumineux que les organismes de plus petite taille. Néanmoins, certains organismes ont un cerveau considérablement plus volumineux que ce que leur taille laisserait supposer. Le développement et l'entretien d'un cerveau volumineux par rapport à sa taille demandent beaucoup d'énergie.

a) Les données géologiques révèlent dans certaines lignées, dont celle des homininés, une tendance à l'augmentation du volume du cerveau par rapport à la taille des individus. Quelles déductions pourriez-vous faire sur l'importance relative des coûts et avantages d'un cerveau volumineux dans ces lignées ?
b) Formulez une hypothèse pour expliquer comment la sélection naturelle pourrait avoir favorisé l'évolution d'un cerveau volumineux en dépit de sa grande consommation d'énergie.
c) Le tableau ci-dessous présente des données sur 14 espèces d'oiseaux. Présentez les données dans un diagramme en plaçant l'écart relatif au volume présumé du cerveau sur l'axe des x et le taux de mortalité sur l'axe des y. Quelle conclusion pouvez-vous tirer au sujet du rapport entre le volume du cerveau et le taux de mortalité ?

Écart relatif au volume présumé du cerveau*	−2,4	−2,1	2,0	−1,8	−1,0	0,0	0,3	0,7	1,2	1,3	2,0	2,3	3,0	3,2
Taux de mortalité	0,9	0,7	0,5	0,9	0,4	0,7	0,8	0,4	0,8	0,3	0,6	0,6	0,3	0,6

Source des données : D. Sol et coll., Big-brained birds survive better in nature, *Proceedings of the Royal Society B* 274 : 763-769 (2007).

* Les valeurs < 0 indiquent un volume inférieur aux attentes ; les valeurs > 0 indiquent un volume supérieur aux attentes.

Voir les réponses proposées à l'appendice A.

Anatomie, croissance et développement des plantes vasculaires

35

VOS OUTILS INTERACTIFS

Consultez votre MANUEL NUMÉRIQUE, qui vous donne accès aux **animations**, aux **exercices** et à la plateforme d'**anatomie interactive**.

▲ **Figure 35.1** **Art numérique ?**

CONCEPTS CLÉS

35.1 Les végétaux possèdent une organisation hiérarchique constituée d'organes, de tissus et de cellules

35.2 Les méristèmes apicaux et latéraux engendrent les cellules nécessaires à la croissance primaire et à la croissance secondaire

35.3 La croissance primaire produit l'allongement des racines et des pousses

35.4 La croissance secondaire fait augmenter le diamètre des tiges et des racines des plantes ligneuses

35.5 La croissance, la morphogenèse et la différenciation cellulaire façonnent la structure des végétaux

Les plantes feraient-elles de l'art numérique?

L'objet illustré à la **figure 35.1** n'est pas la création d'un spécialiste de l'art informatique. Il s'agit d'une tête de chou bien réelle, le chou romanesco (*Brassica oleracea* var. *botrytis*), un proche parent comestible du brocoli. Chacun de ses fleurons est une reproduction en miniature du chou romanesco entier (voir en bas de page), ce qui lui confère sa beauté fascinante. (Les mathématiciens appellent ces formes répétitives des *fractales*.) Si le chou romanesco semble être le résultat d'une création numérique, c'est parce que son schéma de croissance suit une séquence d'instructions répétitive. Comme dans la plupart des végétaux, l'apex (extrémité) des tiges en croissance élabore de façon répétée un motif de tige… de feuille… de bourgeon. Ces schémas de développement répétitifs sont génétiquement déterminés et soumis à la sélection naturelle. Par exemple, une mutation qui raccourcit les segments de tiges entre les feuilles crée une plante plus touffue. Si, grâce à cette structure modifiée, la plante est en mesure d'accéder plus facilement à des ressources comme la lumière et peut ainsi produire une descendance plus nombreuse, ce caractère se répétera alors plus fréquemment chez les générations suivantes : la population aura ainsi évolué.

Le chou romanesco respecte de façon exceptionnelle son organisation structurale fondamentale. La majorité des végétaux présentent une très grande diversité de formes, étant donné que leur croissance, beaucoup plus que celle des animaux, est influencée par les conditions environnementales locales. Tous les lions adultes, par exemple, ont quatre pattes et sont à peu près de la même taille, mais les chênes se distinguent par le nombre et la disposition de leurs branches. Cette différence s'explique par le fait que les végétaux réagissent aux difficultés et aux possibilités de leur environnement immédiat en modifiant leur croissance, alors que les animaux réagissent habituellement en se déplaçant. L'éclairage latéral d'une plante, par exemple, crée des asymétries dans son plan d'organisation corporelle fondamental. Les branches croissent plus rapidement du côté éclairé d'une tige que du côté ombragé, ce qui représente un changement structural avantageux pour la photosynthèse. Les changements qui surviennent dans la croissance et le développement augmentent la capacité de la plante à obtenir des ressources dans son environnement immédiat.

Dans les chapitres 29 et 30, nous avons donné un aperçu de la diversité des végétaux et traité des plantes vasculaires et non vasculaires. La sixième partie portera principalement sur les plantes vasculaires, en particulier les angiospermes, car les plantes à fleurs servent de producteurs principaux dans de nombreux écosystèmes et ont une grande importance en agriculture. Dans le présent chapitre, nous explorerons la croissance non reproductrice (racines, tiges et feuilles), et nous nous concentrerons sur les deux principaux groupes d'angiospermes: les eudicotylédones et les monocotylédones (voir la figure 30.16). Plus loin, au chapitre 38, nous examinerons la croissance reproductrice des angiospermes, c'est-à-dire les fleurs, les graines et les fruits.

CONCEPT **35.1**

Les végétaux possèdent une organisation hiérarchique constituée d'organes, de tissus et de cellules

Comme la plupart des animaux, les végétaux sont composés de cellules, de tissus et d'organes. Une **cellule** est l'unité fondamentale du vivant. Un **tissu** est un ensemble de cellules, constitué d'un ou de plusieurs types de cellules, qui, ensemble, remplissent une fonction spécialisée. Un **organe** est constitué de divers tissus qui, ensemble, exécutent des fonctions particulières. En étudiant la hiérarchie des éléments structuraux des végétaux, gardez à l'esprit que la sélection naturelle a produit les formes des végétaux qui correspondent à leur fonction à tous les niveaux d'organisation. Nous commencerons notre étude de ces éléments structuraux par les organes, étant donné qu'ils sont les plus familiers et les plus faciles à observer.

Les trois organes fondamentaux des plantes vasculaires: les racines, les tiges et les feuilles

ÉVOLUTION Les plantes vasculaires ont une morphologie fondamentale qui reflète leur évolution sur la terre ferme, où elles doivent puiser leurs ressources dans deux milieux très différents: l'un souterrain, l'autre aérien. Elles doivent tirer l'eau et les minéraux du sol, et capter le dioxyde de carbone (CO_2) et la lumière dans l'air. La capacité d'acquérir ces ressources efficacement est attribuable à l'évolution de trois organes fondamentaux: les racines, les tiges et les feuilles. Ces organes forment le **système racinaire**, qui comprend les racines, et le **système caulinaire**, qui comprend les tiges et les feuilles (**figure 35.2**). Une **pousse** comprend une tige, ses feuilles ainsi que les structures reproductrices. Une *pousse végétative* ne comporte pas de structures reproductrices, contrairement à une *pousse reproductrice*. À part quelques exceptions, les deux systèmes sont essentiels à la survie des plantes vasculaires. En général, les racines ne sont presque jamais photosynthétiques; elles ont besoin des *photosynthétats*, soit les glucides produits au cours de la photosynthèse, qui sont fabriqués par le système caulinaire. Inversement, les tissus du système caulinaire ont besoin de l'eau et des minéraux absorbés par le système racinaire.

Les racines

Les **racines** fixent solidement les plantes vasculaires au sol, absorbent les minéraux et l'eau, et emmagasinent souvent des glucides et d'autres nutriments. La *racine primaire* (radicule), qui provient de l'embryon situé dans la graine, est la première racine (et le premier organe) à sortir de la graine en germination. Elle donne rapidement naissance à des **racines latérales**, également appelées racines fasciculées (voir la figure 35.2) qui peuvent aussi se ramifier, ce qui renforce considérablement l'ancrage du système racinaire de la plante et facilite l'absorption des ressources du sol, comme l'eau et les minéraux.

Les plantes hautes et érigées qui possèdent beaucoup de tiges et de feuilles sont généralement dotées d'un *système racinaire pivotant*, constitué d'une racine verticale principale, ou **racine pivotante**. Cette racine se développe habituellement à partir de la racine primaire. Dans les systèmes racinaires pivotants, la fonction d'absorption est en grande partie accomplie par l'apex des racines latérales. La croissance d'une racine pivotante coûte beaucoup d'énergie à la plante, mais elle favorise sa fixation dans

▼ **Figure 35.2 Aperçu d'une angiosperme.** La structure des végétaux est divisée en deux: le système racinaire et le système caulinaire, qui sont reliés par des tissus conducteurs (en violet dans l'illustration) présents dans toute la plante. La plante illustrée est une eudicotylédone théorique.

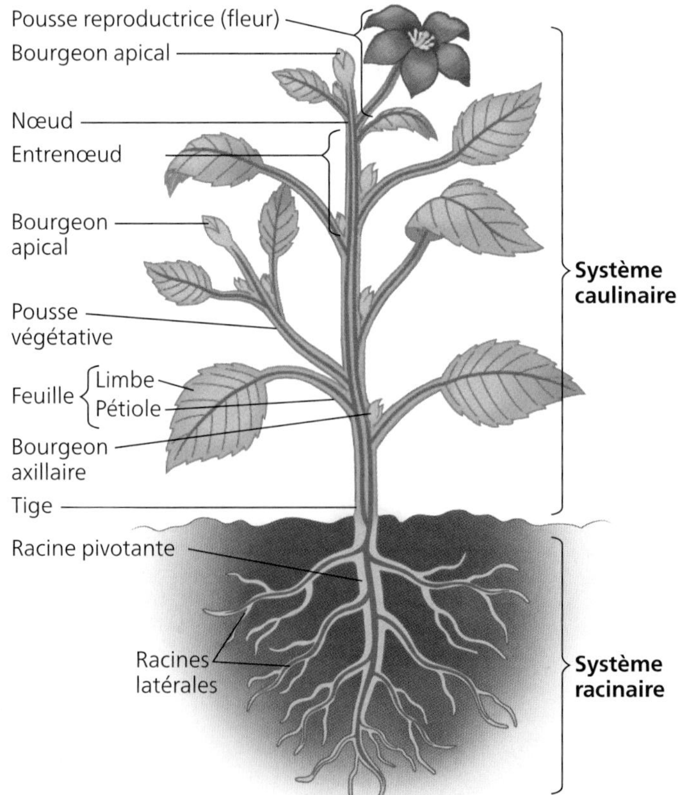

le sol. En empêchant la plante de s'affaisser, cette racine lui permet de croître en hauteur et d'obtenir ainsi plus de lumière et, dans certains cas, favorise la dispersion du pollen et des graines. Les racines pivotantes peuvent également se spécialiser dans le stockage de matières nutritives.

Les plantes vasculaires de petite taille ou celles qui ont tendance à pousser latéralement sont particulièrement vulnérables aux animaux brouteurs qui déracinent parfois la plante et la tuent. Ces plantes sont mieux fixées au sol par un *système racinaire fasciculé* (ou fibreux), composé d'un ensemble de fines racines qui courent sous la surface du sol (voir la figure 30.16). Chez les plantes dotées d'un système racinaire fasciculé, dont la plupart des monocotylédones, la racine primaire (aussi appelée radicule) meurt rapidement et ne forme pas une racine pivotante. Au lieu de cela, plusieurs petites racines croissent sur la tige. Ces racines sont appelées *adventives* (du latin *adventicius*, « qui vient du dehors ») ; ce terme désigne toute partie poussant à un endroit inhabituel, comme les racines qui se développent sur les tiges ou les feuilles. Chacune des petites racines produit ses propres racines latérales, et celles-ci, à leur tour, forment leurs propres ramifications. Comme ces racines retiennent la couche superficielle du sol, les plantes comme l'herbe, dont le système racinaire fasciculé est dense, constituent d'excellents couvre-sol pour prévenir l'érosion.

Chez la plupart des végétaux, la majeure partie de l'absorption de l'eau et des minéraux s'effectue près de l'apex des racines, où se trouvent un très grand nombre de **poils absorbants** qui augmentent considérablement la surface d'absorption (**figure 35.3**). Ces poils sont de minces prolongements tubulaires des cellules épidermiques. La plupart des systèmes racinaires forment également des *associations mycorhiziennes*, c'est-à-dire qu'elles établissent des interactions symbiotiques avec des eumycètes qui vivent dans le sol et améliorent leur capacité d'absorber des minéraux (voir la figure 37.15). Les racines de nombreuses plantes ont acquis des adaptations leur conférant des fonctions spécialisées (**figure 35.4**).

▶ **Figure 35.3 Les poils absorbants d'un semis de radis (*Raphanus sativus*).** Les poils absorbants poussent par milliers juste avant l'apex de chaque racine. En augmentant la surface de la racine, ils favorisent l'absorption de l'eau et des minéraux du sol.

▼ **Figure 35.4 Des adaptations des racines au cours de l'évolution.**

◀ **Racines contreforts.** En raison des conditions d'humidité qui règnent dans les régions tropicales, les systèmes racinaires de nombreux grands arbres sont étonnamment peu profonds. Les racines aériennes qui ressemblent à des contreforts, comme celles de ce specimen de *Gyranthera caribensis*, au Venezuela, fournissent un support aux troncs de ces arbres.

▶ **Racines tubéreuses.** De nombreuses plantes, comme la betterave (*Beta vulgaris*), stockent les nutriments et l'eau dans leurs racines.

▲ **Racines échasses.** Les racines aériennes et adventives du maïs (*Zea mays*) sont des racines échasses, appelées ainsi parce qu'elles supportent les plantes hautes et lourdes. Toutes les racines d'un plant de maïs sont adventives, peu importe qu'elles demeurent dans le sol ou en sortent.

▼ **Racines aériennes « étranglantes »**. Les graines de ce figuier-étrangleur (*Ficus aurea*) germent dans les fissures de grands arbres hôtes. Les racines aériennes croissent vers le sol et s'enroulent graduellement autour de l'arbre hôte ou d'objets tels que ce temple cambodgien en ruine. L'arbre hôte finit par mourir d'un manque de lumière causé par les feuilles du figuier.

▲ **Pneumatophores.** Aussi appelés racines aérifères, les pneumatophores sont produits par des arbres comme les palétuviers qui vivent dans les marais littoraux. En sortant de la surface de l'eau, les pneumatophores permettent au système racinaire d'obtenir des molécules d'oxygène (O_2), rares dans cette boue épaisse et noyée d'eau.

Les tiges

Une **tige** est un organe végétal qui porte des feuilles et des bourgeons. Sa principale fonction consiste à allonger et à orienter la pousse de façon à maximiser la photosynthèse par les feuilles. La tige permet également d'élever les structures reproductrices, facilitant la dispersion du pollen et des fruits. Les tiges vertes, elles, peuvent aussi effectuer une petite partie de la photosynthèse. Sur chaque tige alternent des **nœuds**, qui sont les points d'attache des feuilles ou des branches, et des **entrenœuds**, qui sont les segments de tige compris entre deux nœuds (voir la figure 35.2). L'allongement d'une jeune tige se concentre principalement près de son apex en croissance, ou **bourgeon apical**. Les bourgeons apicaux ne sont pas les seuls types de bourgeons se trouvant sur ce type de tiges. À l'intersection supérieure (aisselle) d'une feuille et de la tige se trouve un **bourgeon axillaire**, capable de donner une branche latérale ou, parfois, une épine ou une fleur.

Certaines plantes ont des tiges qui remplissent d'autres fonctions, comme le stockage de matières nutritives et la reproduction asexuée. Ces tiges modifiées prennent la forme de rhizomes, de stolons et de tubercules. On les confond souvent avec des racines (**figure 35.5**).

▼ **Figure 35.5** **Des adaptations des tiges au cours de l'évolution.**

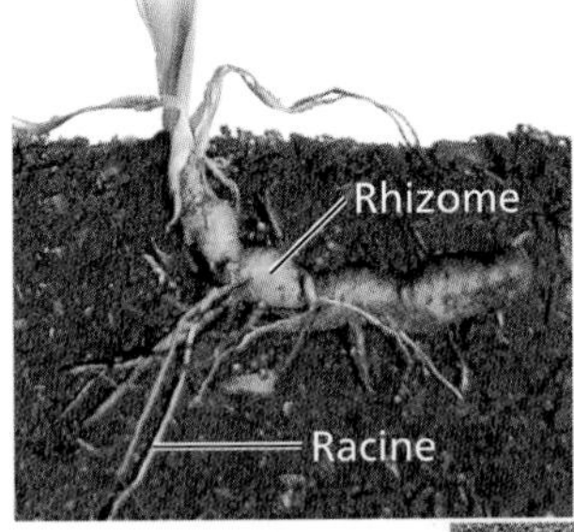

◄ **Les rhizomes.** La base de ce plant d'iris (*Iris sp.*) est un exemple de rhizome, une tige horizontale qui croît juste sous la surface du sol. Les pousses verticales se développent à partir des bourgeons axillaires sur le rhizome.

► **Les stolons** de ce fraisier (*Fragaria sp.*) sont des pousses horizontales qui croissent à la surface du sol. Ces «filets» permettent à la plante de se reproduire de manière asexuée en produisant, à chaque nœud, plusieurs petits plants en périphérie.

◄ **Les tubercules**, comme ces pommes de terre (*Solanum tuberosum*), sont des extrémités renflées de rhizomes ou de stolons et sont spécialisés dans le stockage de matières nutritives. Les «yeux» sont des grappes de bourgeons axillaires indiquant des nœuds.

Les feuilles

Les **feuilles** constituent le principal organe photosynthétique chez la plupart des plantes vasculaires. En plus de capter la lumière, les feuilles sont le siège d'échanges de gaz avec l'atmosphère ; elles dissipent également la chaleur et se protègent des herbivores et des agents pathogènes, autant de fonctions que les caractéristiques physiologiques, anatomiques ou morphologiques de la plante ne permettent pas toujours de remplir avec un égal bonheur. Par exemple, une feuille densément recouverte de poils absorbants réussira mieux à repousser les insectes herbivores, mais elle emprisonnera l'air près de sa surface, réduisant ainsi les échanges gazeux et, donc, la photosynthèse. En raison de ces besoins et de ces compromis parfois incompatibles, les feuilles prennent des formes extrêmement variables, bien qu'elles se composent généralement d'un **limbe** plat et d'une queue, le **pétiole**, qui relie la feuille au nœud de la tige (voir la figure 35.2). Les graminées et la plupart des autres monocotylédones n'ont pas de pétioles. La base de la feuille possède à la place une gaine qui enveloppe la tige.

Les **nervures** constituent le tissu conducteur des feuilles. La disposition des nervures des feuilles de monocotylédones diffère de celle des feuilles d'eudicotylédones. Les feuilles de la plupart des monocotylédones possèdent des nervures principales parallèles et d'égal diamètre qui traversent le limbe dans sa longueur. Les feuilles des eudicotylédones disposent généralement d'un réseau ramifié de nervures qui se subdivisent à plusieurs reprises à partir d'une nervure principale (appelée *nervure médiane*) qui traverse le limbe (voir la figure 30.16).

Pour identifier une angiosperme, les taxinomistes en examinent l'anatomie, en se fiant surtout à la morphologie des fleurs, mais aussi aux variations de la morphologie des feuilles (leur forme, la disposition de leurs nervures et leur distribution spatiale sur la tige, notamment). La **figure 35.6** illustre une variation de la morphologie foliaire : une feuille simple par rapport à une feuille composée. Les feuilles composées peuvent supporter les grands vents sans se déchirer. Elles peuvent

▼ **Figure 35.6** **Feuille simple et feuille composée.**

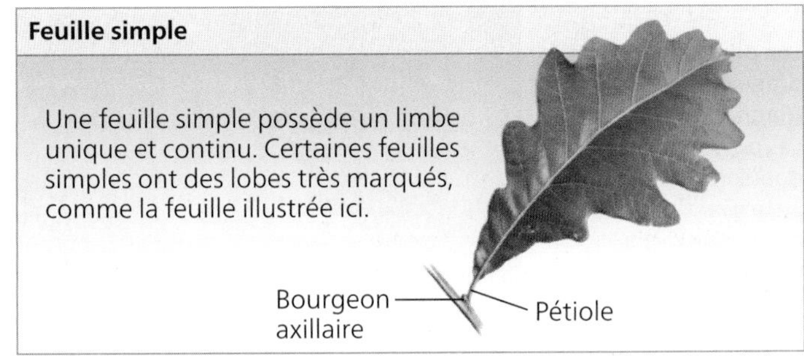

Feuille simple
Une feuille simple possède un limbe unique et continu. Certaines feuilles simples ont des lobes très marqués, comme la feuille illustrée ici.
Bourgeon axillaire
Pétiole

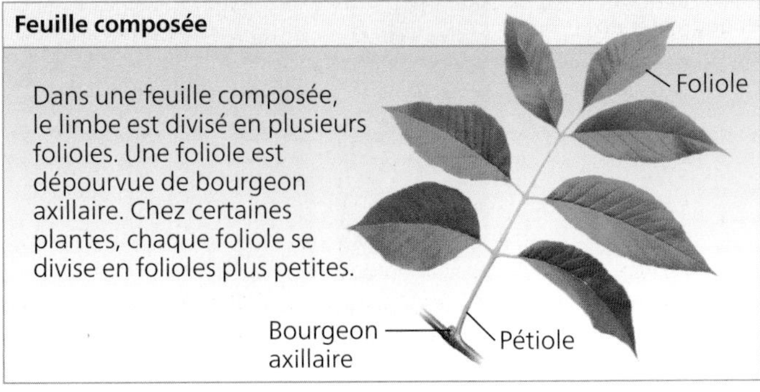

Feuille composée
Dans une feuille composée, le limbe est divisé en plusieurs folioles. Une foliole est dépourvue de bourgeon axillaire. Chez certaines plantes, chaque foliole se divise en folioles plus petites.
Foliole
Bourgeon axillaire
Pétiole

également confiner dans une seule foliole certains agents pathogènes qui envahissent la feuille, au lieu de les laisser s'étendre à toute la feuille.

Les composants morphologiques des feuilles sont souvent les produits de programmes génétiques qui sont modifiés par les conditions environnementales. Dans la rubrique **Habiletés scientifiques**, vous interpréterez des données pour examiner quelques-uns des facteurs génétiques et environnementaux qui déterminent la morphologie des feuilles de l'érable rouge (*Acer rubrum*).

Presque toutes les feuilles sont spécialisées dans la photosynthèse. Cependant, les feuilles de certaines espèces se sont adaptées pour remplir d'autres fonctions, comme le soutien, la protection, le stockage ou la reproduction (**figure 35.7**).

Les tissus de revêtement, les tissus conducteurs et les tissus fondamentaux

Les trois principaux organes (feuilles, tiges et racines) des plantes vasculaires se composent de trois types de tissus : les tissus de revêtement, les tissus conducteurs (ou vasculaires) et les tissus fondamentaux. Chacun de ces trois types forme un **système tissulaire** qui parcourt l'ensemble de la plante de manière continue et qui relie tous ses organes. Un système tissulaire comprend des *tissus simples*, composés d'un seul type cellulaire, et des *tissus complexes*, composés de plusieurs types cellulaires. Toutefois, les caractéristiques de chaque type de tissus et leur position relative varient d'un organe à l'autre (**figure 35.8**).

Les **tissus de revêtement** constituent la couche protectrice externe de la plante. Tout comme notre peau, cette couche est la première ligne de défense contre les agressions physiques et les agents pathogènes. Chez les plantes non ligneuses, les tissus de revêtement se composent normalement d'une seule couche de cellules étroitement serrées, appelée **épiderme**. L'épiderme des feuilles et de la plupart des tiges sécrète une couche de substance cireuse appelée **cuticule**, qui empêche la perte d'eau. Chez les plantes ligneuses, une couche protectrice appelée **périderme** remplace l'épiderme dans les plus vieilles régions des tiges et des racines. En plus de ses principales fonctions de protection contre la perte d'eau et la maladie, l'épiderme possède

DÉMARCHE SCIENTIFIQUE
HABILETÉS SCIENTIFIQUES

Utiliser des diagrammes à bandes pour interpréter des données

■ DIFFÉRENCES INNÉES OU ACQUISES : POURQUOI LES FEUILLES DES ÉRABLES ROUGES DES RÉGIONS NORDIQUES SONT-ELLES PLUS DENTELÉES QUE LES FEUILLES DES ÉRABLES ROUGES DES RÉGIONS DU SUD ? ■ Les feuilles des érables rouges (*Acer rubrum*) ne se ressemblent pas toutes. La taille et le nombre de dents qu'elles portent varient selon que l'arbre pousse dans une région nordique ou dans une région du Sud. (La feuille montrée ici a une apparence intermédiaire.) Ces différences morphologiques sont-elles dues à des différences génétiques entre les populations d'*Acer rubrum* du Sud et du Nord, ou à des différences environnementales entre les régions du Sud et du Nord (comme la température moyenne), lesquelles influeraient sur l'expression génique ?

■ MÉTHODE ■ Les chercheurs ont prélevé des graines d'*Acer rubrum* dans quatre sites de latitudes différentes : en Ontario (au Canada), et en Pennsylvanie, en Caroline du Sud et en Floride (aux États-Unis). Ils ont ensuite semé les graines provenant des quatre sites dans une région du Nord (Rhode Island) et dans une région du Sud (Floride). Après quelques années de croissance, les chercheurs ont recueilli des feuilles des quatre ensembles de plants de chacune des deux régions. Ils ont alors déterminé la superficie moyenne de dents mesurées individuellement, ainsi que le nombre moyen de dents par superficie de feuille.

■ RÉSULTATS ■

Lieu de prélèvement des graines	Superficie moyenne d'une dent (cm^2)		Nombre moyen de dents par cm^2 de superficie de feuille	
	Planté dans le Rhode Island	Planté en Floride	Planté dans le Rhode Island	Planté en Floride
Ontario (43,32° N)	0,017	0,017	3,9	3,2
Pennsylvanie (42,12° N)	0,020	0,014	3,0	3,5
Caroline du Sud (33,45° N)	0,024	0,028	2,3	1,9
Floride (30,65° N)	0,027	0,047	2,1	0,9

Source des données : D. L. Royer et coll., Phenotypic plasticity of leaf shape along a temperature gradient in *Acer rubrum*, *PloS ONE* 4(10) : e7653 (2009).

INTERPRÉTEZ LES DONNÉES ▼

1. Construisez un diagramme à bandes pour la taille des dents et un diagramme à bandes pour le nombre de dents. (Pour plus d'information sur les diagrammes à bandes, consultez la section de l'appendice F.) En allant du Nord au Sud, quelle tendance générale se dégage des données relativement à la taille des dents et au nombre de dents des feuilles chez *Acer rubrum* ?
2. À partir des données du tableau, concluriez-vous que les caractères qui déterminent la morphologie des feuilles de l'érable rouge découlent en grande partie des gènes transmis (génotype), de la capacité des individus d'un génotype de répondre aux changements environnementaux (plasticité phénotypique) ou de ces deux catégories de facteurs ? Dans votre réponse, précisez les données qui appuient votre affirmation.
3. Des paléoclimatologues ont estimé les températures passées d'une région à partir des dents de feuilles fossilisées dont l'âge est connu. Si une feuille d'érable rouge fossilisée datant de 10 000 ans et provenant de la Caroline du Sud a en moyenne 4,2 dents par centimètre carré de feuille, que pouvez-vous en déduire au sujet de la température de la Caroline du Sud il y a 10 000 ans comparativement à sa température aujourd'hui ? Expliquez votre raisonnement.

▼ **Figure 35.7 Des adaptations des feuilles au cours de l'évolution.**

► **Vrilles.** Ce plant de pois (*Pisum sativum*) produit une vrille pour s'entortiller autour d'un support. Une fois accrochée, la vrille forme une spirale qui maintient la plante proche de celui-ci. Les vrilles sont habituellement des feuilles modifiées, mais certaines sont des tiges modifiées (sur les vignes, par exemple).

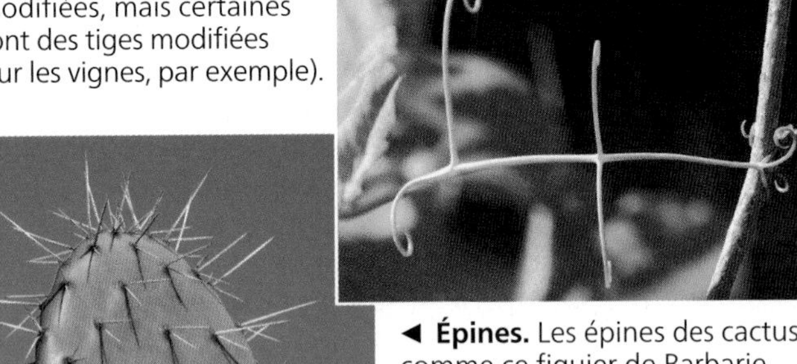

◄ **Épines.** Les épines des cactus, comme ce figuier de Barbarie (*Opuntia ficus-indica*) sont en fait des feuilles. La photosynthèse s'effectue dans les tiges vertes charnues.

◄ **Feuilles de stockage.** Les bulbes, comme cet oignon, possèdent une tige souterraine courte et des feuilles modifiées dans lesquelles sont stockées des matières nutritives.

Plantule

Feuilles de stockage

Tige

◄ **Feuilles reproductrices.** Les feuilles de certaines plantes grasses, comme le *Kalanchoe daigremontiana*, produisent des plantules adventives qui tombent des feuilles et s'enracinent au sol.

certaines caractéristiques spécialisées pour chaque organe qu'il recouvre. Dans les racines, l'eau et les minéraux du sol pénètrent dans l'épiderme, en particulier dans les poils absorbants des racines. Dans les pousses, des cellules épidermiques spécialisées appelées **cellules stomatiques** (cellules de garde) participent aux échanges gazeux. Les pousses contiennent aussi de très fines excroissances appelées **trichomes**, qui appartiennent à une autre classe de cellules épidermiques hautement spécialisées. Chez plusieurs espèces désertiques, les trichomes réduisent la perte d'eau et réfléchissent l'excès de lumière. Certains trichomes fournissent une défense contre les insectes en formant une barrière ou en sécrétant des liquides visqueux ou des composés toxiques (**figure 35.9**).

Les principales fonctions des **tissus conducteurs** sont d'assurer le transport des substances des racines jusqu'aux tiges, et inversement, et de fournir un soutien mécanique. Le xylème et le phloème sont les deux types de tissus conducteurs. Le **xylème** fait monter dans les tiges la sève brute, contenant l'eau et les minéraux dissous absorbés par les racines. Le **phloème** transporte les glucides produits par la photosynthèse, depuis l'endroit où ils sont élaborés (habituellement les feuilles) jusqu'aux régions qui en ont besoin ou qui le stockent (généralement les racines et les zones de croissance, comme les

▼ **Figure 35.8 Les trois types de tissus des organes végétaux.** Les tissus de revêtement (en bleu) recouvrent et protègent la surface entière d'une plante. Les tissus conducteurs (en violet), qui transportent les substances entre les racines et les tiges, parcourent également toute la plante, mais sont organisés différemment dans les divers organes. Les tissus fondamentaux (en jaune), responsables de la plupart des fonctions métaboliques, sont situés entre les deux autres types de tissus dans chaque organe.

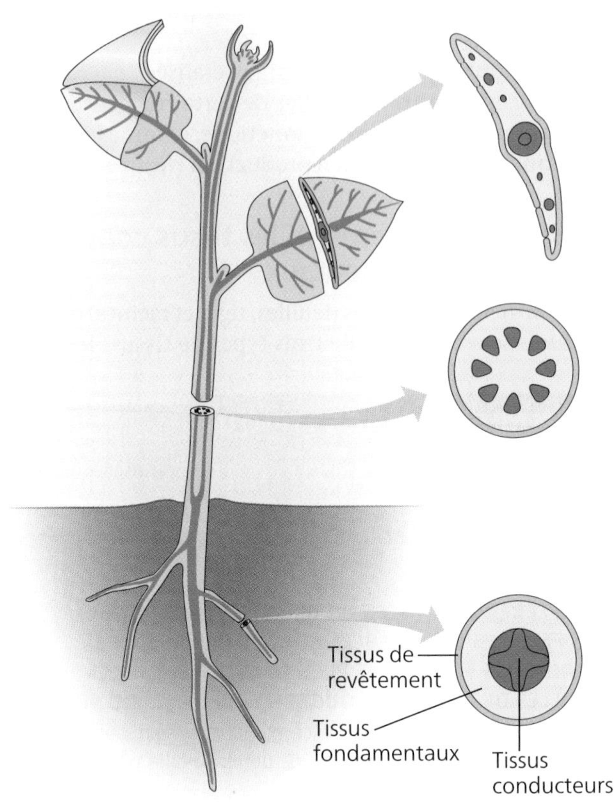

▼ **Figure 35.9 La diversité des trichomes à la surface d'une feuille.** On observe trois types de trichomes à la surface des feuilles de marjolaine (*Origanum majorana*). Les trichomes en forme de harpon aident à faire obstacle aux insectes rampants, tandis que les deux autres types de trichomes sécrètent des huiles et d'autres substances chimiques contribuant à la défense (MEB colorée).

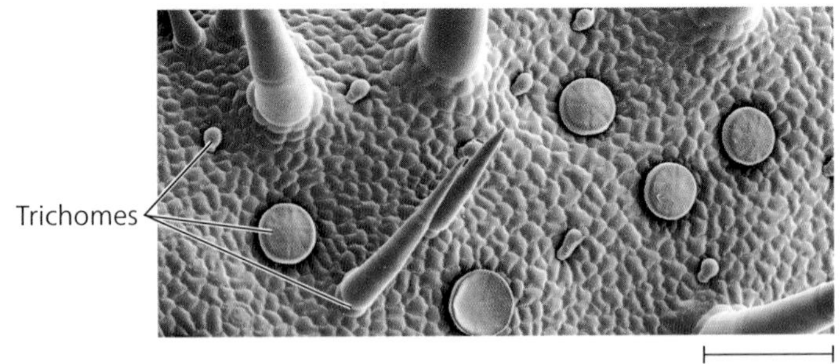

feuilles en développement et les fruits). L'ensemble des tissus conducteurs d'une racine ou d'une tige s'appelle la **stèle** (d'un mot grec signifiant « pilier »). La structure d'une stèle varie d'une espèce à l'autre et d'un organe à l'autre. Chez les angiospermes, par exemple, la stèle de la racine est un **cylindre vasculaire** plein formé de xylème et de phloème, situé au centre de la racine. Par contre, la stèle des tiges et des feuilles est constituée de *faisceaux libéroligneux*, qui sont des tubes séparés contenant le xylème et le phloème (voir la figure 35.8). Divers types de cellules composent le xylème et le phloème, dont des cellules hautement spécialisées dans le transport ou le soutien.

Les tissus qui ne sont ni des tissus de revêtement ni des tissus conducteurs sont des **tissus fondamentaux**. Ceux qui sont situés à l'intérieur du cylindre formé par les tissus conducteurs forment la **moelle**, et ceux qui se trouvent à l'extérieur composent le **cortex** (terme servant à désigner l'écorce primaire). Les tissus fondamentaux ne sont pas uniquement des tissus de remplissage. Ils renferment des cellules spécialisées dans diverses fonctions, dont le stockage de substances, la photosynthèse, le soutien et le transport sur de courtes distances.

Les principaux types de cellules végétales

Dans une plante comme dans tout organisme multicellulaire, les cellules subissent une *différenciation*, c'est-à-dire qu'elles se spécialisent sur le plan de la structure et de la fonction au cours de leur développement. La différenciation des cellules végétales peut occasionner des modifications du cytoplasme et de ses organites ainsi que de la paroi cellulaire. La **figure 35.10** présente les principaux types de cellules végétales. Remarquez les adaptations structurales qui permettent à chaque type de cellules de remplir des fonctions précises. Vous pouvez au besoin revoir la structure générale des cellules végétales (voir les figures 6.8 et 6.28).

RETOUR SUR LE CONCEPT **35.1**

1. Comment les tissus conducteurs permettent-ils aux feuilles et aux racines de combiner des fonctions qui favorisent la croissance et le développement de la plante entière ?
2. **ET SI ?** ▶ Si nous, en tant qu'humains, étions des photoautotrophes produisant des matières nutritives par photosynthèse en captant l'énergie lumineuse, en quoi notre anatomie serait-elle différente ?
3. **FAITES DES LIENS** ▶ Expliquez comment les vacuoles centrales et les parois cellulaires de cellulose contribuent à la croissance des plantes (voir les concepts 6.4 et 6.7).

Voir les réponses proposées à l'appendice A.

CONCEPT **35.2**

Les méristèmes apicaux et latéraux engendrent les cellules nécessaires à la croissance primaire et à la croissance secondaire

Contrairement à la plupart des animaux, les végétaux ont une croissance qui ne se limite pas aux périodes embryonnaire et juvénile et qui peut durer toute la vie ; ce phénomène est appelé **croissance indéfinie** (ou indéterminée). Les végétaux croissent de façon indéfinie parce qu'ils produisent des tissus indifférenciés, les **méristèmes**, dont les cellules se divisent quand les conditions le permettent afin de produire de nouvelles cellules capables de s'allonger et de se différencier (**figure 35.11**). Sauf en période de dormance, la plupart des végétaux croissent de façon continue. Par contre, la plupart des animaux et certains organes végétaux, comme les feuilles, les épines et les fleurs, ont une **croissance définie** (ou déterminée), c'est-à-dire qu'ils cessent de croître lorsqu'ils atteignent une certaine taille.

Il existe deux principaux types de méristèmes : les méristèmes apicaux et les méristèmes latéraux. Les **méristèmes apicaux**, situés à l'apex des racines et des pousses, fournissent les cellules nécessaires à la **croissance primaire**, c'est-à-dire à la croissance en longueur. La croissance primaire permet aux racines d'étendre leurs ramifications dans le sol et aux pousses d'accroître leur exposition à la lumière. La structure des plantes herbacées (non ligneuses) est presque entièrement produite par la croissance primaire. Chez les plantes ligneuses, les parties des tiges et des racines où la croissance en longueur a cessé augmentent en circonférence (et donc en diamètre). Cet épaississement, appelé **croissance secondaire**, s'effectue grâce aux **méristèmes latéraux**, plus précisément le cambium (du latin *cambiare*, « changer ») et le phellogène (du grec *phellos*, « liège »). Ces structures cylindriques constituées de cellules en division s'étendent le long des racines et des tiges. Le **cambium** produit des couches de tissus conducteurs supplémentaires appelées xylème secondaire (bois) et phloème secondaire (liber). La majeure partie de cet épaississement est constituée de xylème secondaire. Le **phellogène** produit le suber (liège) et le phelloderme, et remplace l'épiderme par le périderme, plus épais et plus solide.

Les cellules des méristèmes apicaux et latéraux se divisent fréquemment durant la saison de croissance, donnant naissance à de nouvelles cellules. Certaines d'entre elles resteront dans les méristèmes et produiront d'autres cellules encore, tandis que d'autres se spécialiseront et s'incorporeront aux tissus et aux organes. Les cellules qui sont demeurées dans les méristèmes et qui produisent d'autres cellules ont traditionnellement été appelées *cellules initiales*, mais on les appelle de plus en plus *cellules souches*, afin d'établir un parallèle avec les cellules souches animales qui elles aussi se divisent et demeurent indifférenciées.

Les nouvelles cellules qui ont quitté les méristèmes, appelées *dérivées*, peuvent continuer de se diviser à plusieurs reprises au cours du processus de différenciation qui les amènera à maturité. Durant la croissance primaire, ces cellules donnent naissance à trois tissus appelés **méristèmes primaires** : le *protoderme*, le *méristème fondamental* et le *procambium*. Ces trois méristèmes produiront les trois tissus matures d'une racine ou d'une tige, soit les tissus de revêtement, les tissus fondamentaux et les tissus conducteurs, respectivement. Les méristèmes latéraux des plantes ligneuses possèdent également des cellules souches, responsables de toute la croissance secondaire.

La relation entre la croissance primaire et la croissance secondaire est visible sur les rameaux des arbres décidus en hiver. À l'apex des tiges se situe le bourgeon apical en dormance, enfermé dans des écailles qui protègent son méristème apical (**figure 35.12**). Au printemps, le bourgeon perd ses écailles et commence une nouvelle poussée de croissance primaire, pour produire une série de nœuds et d'entrenœuds. Sur chaque segment de croissance, les nœuds sont marqués de cicatrices

▼ Figure 35.10

PANORAMA Exemples de cellules végétales différenciées

Les cellules parenchymateuses

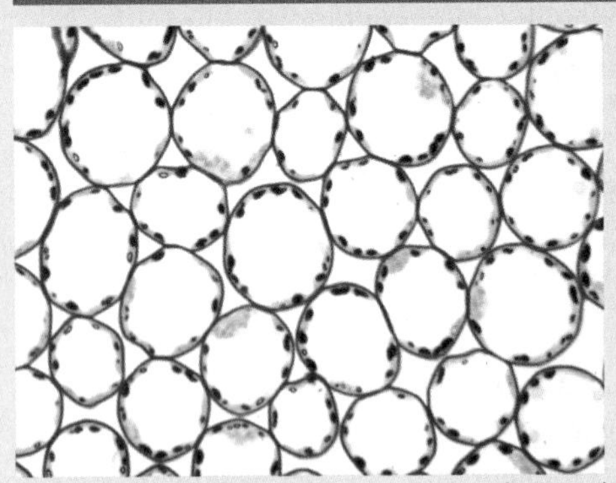

Cellules parenchymateuses d'une feuille de troène (*Ligustrum sp.*) (MP)

25 μm (400×)

Les **cellules parenchymateuses** (ou cellules du parenchyme, du grec *parenchein*, « remplissage ») matures ont une paroi primaire relativement mince et flexible. La plupart d'entre elles n'ont aucune paroi secondaire (voir la figure 6.27 pour revoir les parois cellulaires primaire et secondaire). Une grande vacuole occupe généralement le centre des cellules matures. Les cellules parenchymateuses assurent la majeure partie du métabolisme des plantes. Elles synthétisent et emmagasinent diverses substances organiques. Par exemple, la photosynthèse s'effectue à l'intérieur des chloroplastes, dans les cellules parenchymateuses des feuilles. Le parenchyme photosynthétique porte aussi le nom de *chlorenchyme*. Certaines cellules parenchymateuses situées dans les tiges et les racines possèdent des plastes incolores qui emmagasinent l'amidon (amyloplastes). De plus, les cellules parenchymateuses constituent le principal composant de la pulpe de beaucoup de fruits. La plupart des cellules parenchymateuses ont la capacité de se diviser et de se différencier en d'autres types de cellules végétales dans des conditions particulières (la réparation d'une blessure, par exemple). Il est même possible de procéder, en laboratoire, à la croissance d'une plante complète à partir d'une seule cellule parenchymateuse.

Les cellules collenchymateuses

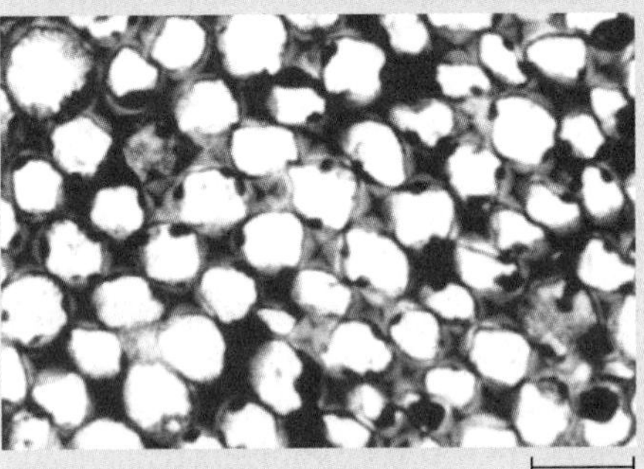

Cellules collenchymateuses dans une tige de tournesol (*Helianthus sp.*) (MP)

5 μm (1 900×)

Groupées en faisceaux, les **cellules collenchymateuses**, ou cellules du collenchyme (illustrées ici en coupe transversale), soutiennent les plus jeunes parties des pousses. Elles sont en général de forme allongée et ont une paroi primaire d'épaisseur inégale, mais plus épaisse que celle des cellules parenchymateuses. Les tiges et les pétioles en début de croissance sont donc souvent constitués de faisceaux de cellules collenchymateuses sous leur épiderme. Ces cellules assurent un soutien flexible à la plante tout en permettant sa croissance. Lorsqu'elles sont matures, ces cellules sont vivantes et flexibles. Elles s'allongent en même temps que les tiges et les feuilles qu'elles soutiennent, contrairement aux cellules sclérenchymateuses, que nous décrivons ci-dessous.

Les cellules sclérenchymateuses

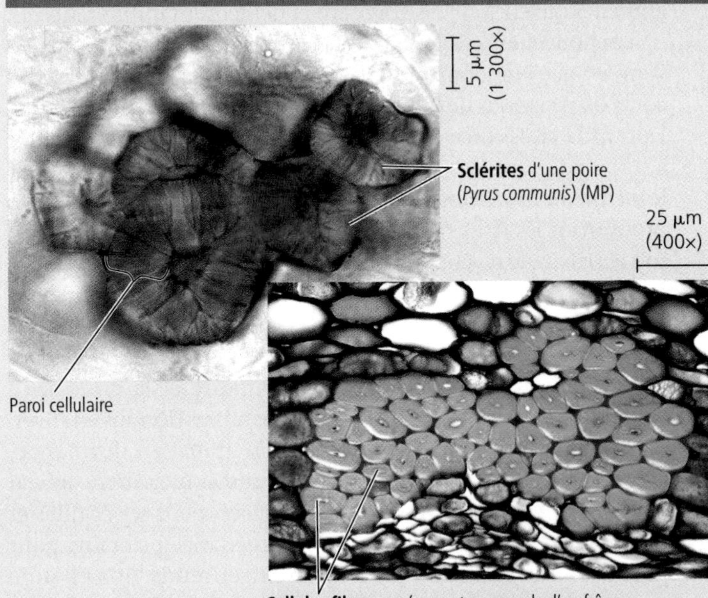

Cellules fibreuses (coupe transversale d'un frêne [*Fraxinus sp.*]) (MP)

Les **cellules sclérenchymateuses** (ou cellules du sclérenchyme) ont aussi une fonction de soutien, mais sont beaucoup plus rigides que les cellules collenchymateuses. Leurs parois secondaires, qui se forment après l'allongement de la cellule, sont épaisses et contiennent une grande quantité de **lignine**. Ce polymère de renforcement peu digestible compte pour plus du quart de la masse sèche du bois. La lignine est présente dans toutes les plantes vasculaires, mais pas dans les bryophytes (mousses, sphaignes). Les cellules sclérenchymateuses se trouvent dans les régions de la plante où la croissance en longueur a cessé, car elles ne peuvent s'allonger après leur maturité. Leur spécialisation dans le soutien de la plante est telle qu'un grand nombre d'entre elles meurent quand elles arrivent à maturité. Toutefois, avant que leur protoplaste (la partie vivante de la cellule) meure, elles produisent une paroi secondaire. Cette paroi rigide fait office de « squelette » soutenant la plante, dans certains cas durant des centaines d'années.

Il existe deux types de cellules sclérenchymateuses : les **sclérites** et les **cellules fibreuses**, qui se spécialisent uniquement dans le soutien et le renforcement. Les sclérites, plus courtes et plus larges que les cellules fibreuses et de forme irrégulière, possèdent des parois secondaires lignifiées et très épaisses. Ce sont elles qui donnent une certaine dureté à la coquille d'une noix et à l'enveloppe d'une graine, et une texture graveleuse à la chair d'une poire. Habituellement organisées en faisceaux, les cellules fibreuses sont longues, minces et fusiformes. On utilise les fibres végétales du chanvre (*Cannabis sativa*) dans la fabrication de la corde et celles du lin (*Linum usitatissimum*) dans le tissage de la toile.

Les cellules conductrices de sève brute du xylème

Les deux types de cellules conductrices de sève brute du xylème, les **trachéides** et les **éléments de vaisseau**, sont des cellules allongées tubulaires qui sont mortes et lignifiées lorsqu'elles arrivent à maturité. Les trachéides se trouvent dans le xylème de presque toutes les plantes vasculaires. En plus des trachéides, la plupart des angiospermes ainsi que quelques gymnospermes et quelques plantes vasculaires sans graines sont constituées d'éléments de vaisseau. Quand la partie interne vivante d'une trachéide ou d'un élément de vaisseau se désintègre, la paroi secondaire épaisse subsiste, formant un conduit inerte dans lequel la sève peut circuler. La paroi secondaire est souvent interrompue par des *ponctuations*, qui sont des régions moins épaisses où seule la paroi primaire est présente (voir la figure 6.27 pour une révision des parois primaire et secondaire). La sève brute peut circuler latéralement entre les cellules voisines en passant par les ponctuations.

Les trachéides sont de longues cellules minces aux extrémités en pointe. La sève brute circule d'une cellule à l'autre en passant par les ponctuations, où elle n'a pas à traverser l'épaisse paroi secondaire.

Quant aux éléments de vaisseau, ils sont généralement plus larges et plus courts que les trachéides. Ils ont par ailleurs une paroi plus mince et des extrémités moins effilées. Alignés bout à bout, ils forment de longs tubes microscopiques, les vaisseaux, qui sont parfois visibles à l'œil nu. Les extrémités des éléments de vaisseau possèdent des **plaques perforées**. Ainsi, la sève brute peut circuler librement dans les vaisseaux du xylème.

Les trachéides et les éléments de vaisseau possèdent une paroi secondaire durcie par la lignine, ce qui assure le soutien de la plante et l'empêche de s'affaisser sous la pression exercée par la sève brute en circulation.

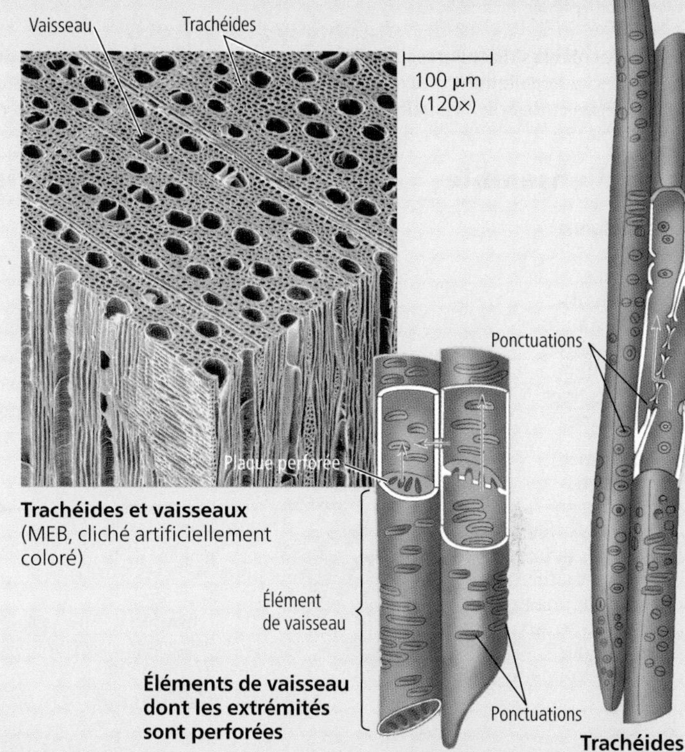

Trachéides et vaisseaux (MEB, cliché artificiellement coloré)

Éléments de vaisseau dont les extrémités sont perforées

Trachéides

Les cellules conductrices de sève élaborée du phloème

Contrairement aux cellules conductrices de sève brute du xylème, les cellules conductrices de sève élaborée du phloème sont vivantes à maturité. Dans les plantes vasculaires sans graines et les gymnospermes, les glucides et les autres nutriments organiques circulent dans des cellules allongées et étroites appelées cellules criblées. Dans le phloème des angiospermes, ce sont des tubes criblés qui assurent le transport de ces nutriments. Les tubes criblés sont constitués de chaînes de cellules qui portent le nom d'**éléments de tube criblé**.

Les éléments de tube criblé sont vivants, bien qu'ils soient dépourvus de noyau, de ribosomes, de vacuole et d'éléments de cytosquelette. Le petit nombre d'organites permet aux nutriments de circuler plus facilement dans la cellule. Les **plaques criblées**, parois poreuses, qui joignent les extrémités de deux cellules d'un tube criblé facilitent la circulation du liquide d'une cellule à l'autre. Le long de chaque élément de tube criblé se trouve une **cellule compagne**. C'est une cellule non conductrice de sève qui est reliée à l'élément de tube criblé par de nombreux canaux appelés plasmodesmes (voir la figure 6.27). La cellule compagne possède un noyau et des ribosomes qui servent également à l'élément de tube criblé adjacent. Chez certains végétaux, les cellules compagnes contribuent aussi au transfert des glucides produits dans la feuille vers les éléments de tube criblé, qui transportent ensuite les glucides vers les autres parties de la plante.

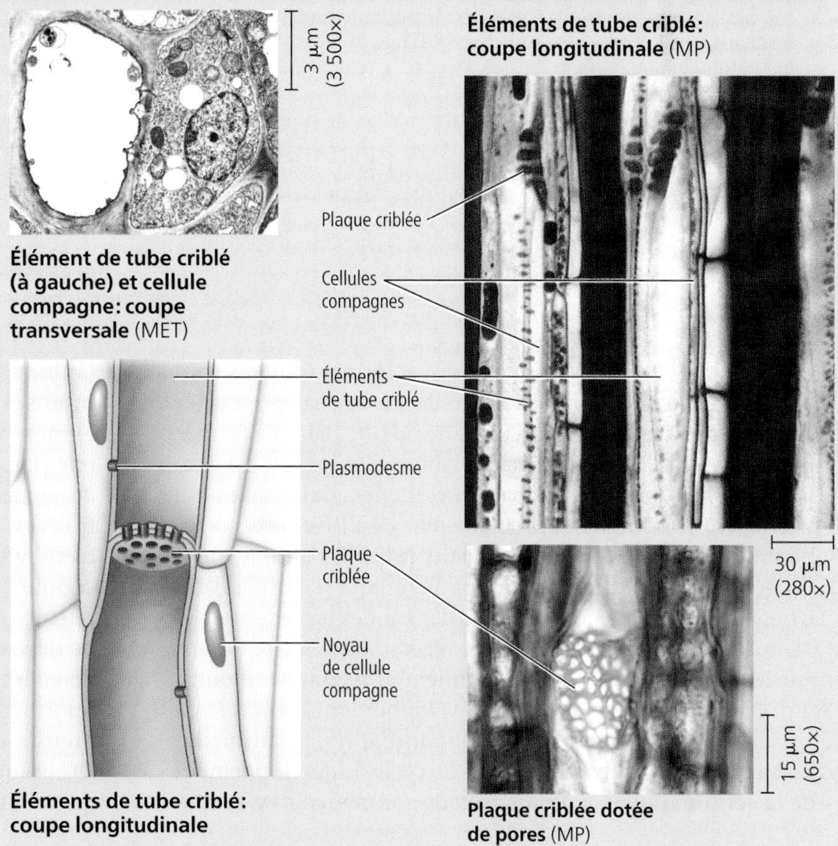

Élément de tube criblé (à gauche) et cellule compagne: coupe transversale (MET)

Éléments de tube criblé: coupe longitudinale

Éléments de tube criblé: coupe longitudinale (MP)

Plaque criblée dotée de pores (MP)

▼ **Figure 35.11**

COUP D'ŒIL La croissance primaire et la croissance secondaire

Toutes les plantes vasculaires ont une croissance primaire, c'est-à-dire une croissance en longueur. Les plantes ligneuses ont également une croissance secondaire, c'est-à-dire qu'elles croissent en diamètre. En étudiant les schémas ci-dessous, visualisez comment les tiges et les racines croissent en longueur et en diamètre.

Vue d'ensemble

La **croissance primaire** (croissance en longueur) s'effectue à partir des méristèmes apicaux situés à l'apex des tiges et des racines.

La **croissance secondaire** (croissance en diamètre) s'effectue à partir des deux méristèmes latéraux qui longent une tige ou une racine aux endroits où la croissance primaire a cessé.

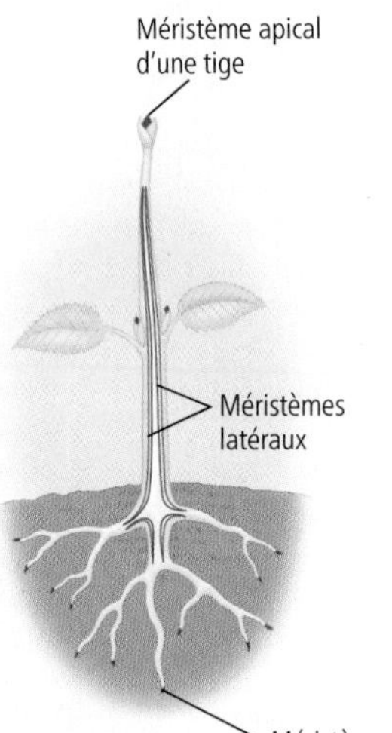

Croissance primaire (croissance en longueur)

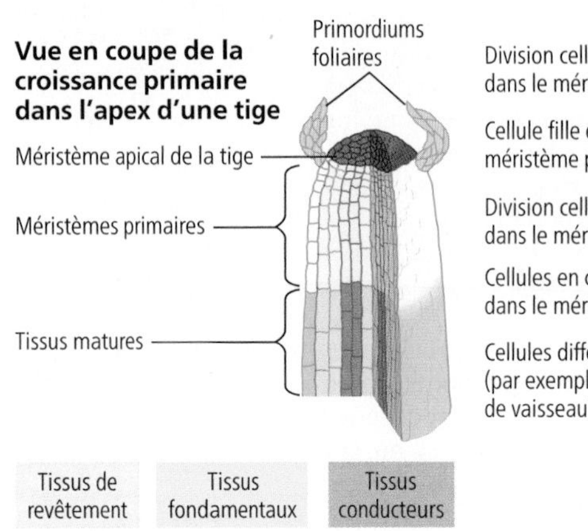

Les cellules du méristème apical de l'apex d'une tige ou d'une racine sont indifférenciées. Lorsqu'elles se divisent, certaines cellules filles demeurent dans le méristème apical, assurant ainsi une population continue de cellules indifférenciées. D'autres cellules filles quittent le méristème apical, se différencient partiellement et deviennent des cellules de méristème primaire. Après division et croissance en longueur, elles se différencient complètement et s'incorporent aux tissus matures.

? **1.** Le méristème apical d'une racine est protégé par une coiffe semblable à un dé à coudre. Dessinez un schéma simplifié qui représente une racine divisée en quatre segments : la coiffe (au bas), le méristème apical, les méristèmes primaires et les tissus matures, et indiquez le nom de chaque segment sur votre schéma.

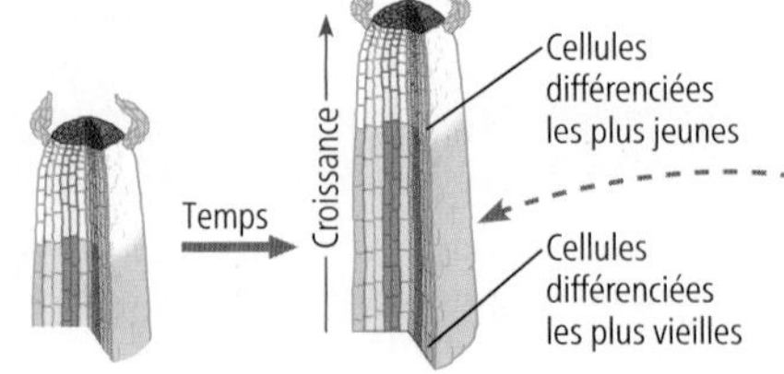

L'accumulation de cellules différenciées et allongées augmente la longueur de la tige ou de la racine.

laissées par la chute des feuilles. Ces cicatrices foliaires sont visibles sur beaucoup de rameaux. Au-dessus de chaque cicatrice foliaire se trouve un bourgeon axillaire ou une branche formée par un bourgeon axillaire. En bas du rameau s'observent des cicatrices de bourgeons laissées par les verticilles des écailles qui enfermaient le bourgeon apical au cours de l'hiver précédent. Chaque année, la croissance primaire produit l'allongement des tiges, et la croissance secondaire augmente le diamètre des parties qui se sont formées au cours des années précédentes.

Les méristèmes permettent aux végétaux de croître durant toute leur vie, mais ceux-ci, évidemment, finissent par mourir. Selon la durée de leur cycle de développement (ou cycle de croissance), les plantes à fleurs sont annuelles, bisannuelles ou vivaces. Les *plantes annuelles* ont un cycle de développement – de la germination à la production de graines, en passant par la floraison, et se terminant par la mort – qui dure un an ou moins. Un grand nombre de plantes indigènes et de plantes alimentaires de base, comme les légumineuses et les céréales, par exemple le blé (*Triticum sp.*) et le riz (*Oryza sativa*), sont annuelles. Le fait de mourir après avoir produit ses graines et ses fruits est une stratégie qui permet à la plante de consacrer le plus d'énergie possible à cette production. Les *plantes bisannuelles*, comme le navet (*Brassica rapa* L. subsp. *rapa*), nécessitent généralement deux saisons de croissance pour compléter leur cycle de développement ; elles fleurissent et donnent des fruits à la deuxième année seulement. Les *plantes vivaces*, tels les arbres, les arbustes et certaines graminées, peuvent vivre de nombreuses années. Certaines plantes herbacées des prairies de l'Amérique du Nord vivraient depuis 10 000 ans ; elles auraient germé à la fin de la dernière glaciation.

Croissance secondaire (croissance en diamètre)

Les méristèmes latéraux, appelés cambium et phellogène, sont des cylindres d'une seule couche de cellules en division.

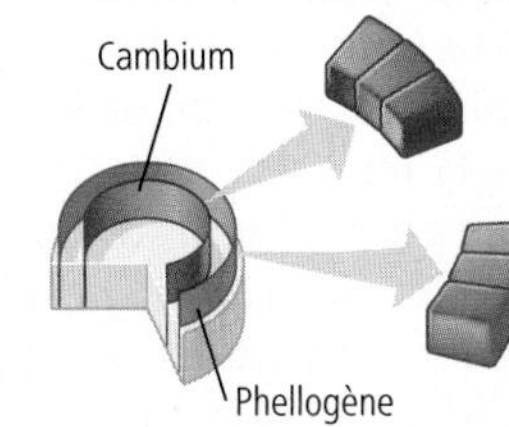

Augmentation de la circonférence. Lorsqu'une cellule de méristème latéral se divise, il arrive que les deux cellules filles demeurent dans le méristème et y croissent, augmentant la circonférence du méristème.

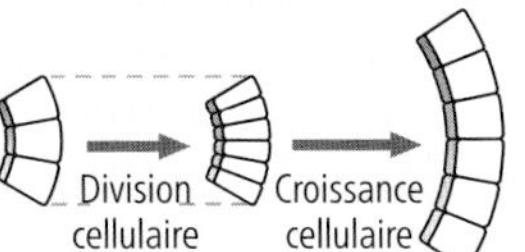

Ajout de xylème secondaire (bois) et de phloème secondaire (liber). Lorsqu'une cellule de cambium (C) se divise, il arrive qu'une des deux cellules filles devienne une cellule de xylème secondaire (X) sur la face intérieure du cambium ou une cellule de phloème secondaire (P) sur la face extérieure du cambium. Même si le schéma ci-contre montre que les cellules de xylème et les cellules de phloème s'ajoutent dans des proportions équivalentes, les cellules de xylème sont habituellement produites en plus grand nombre.

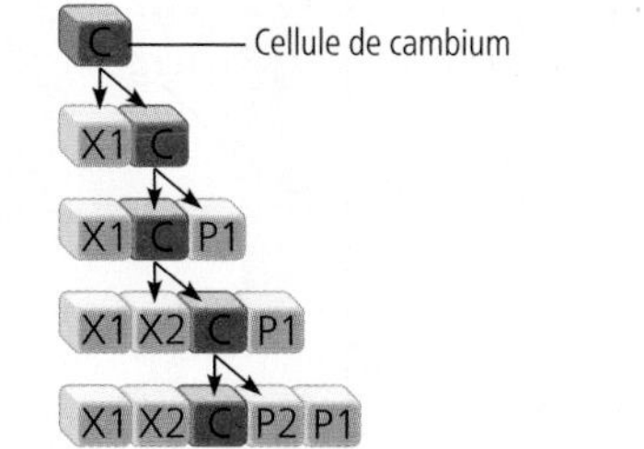

Ajout de cellules de suber et de cellules de phelloderme. Lorsqu'une cellule de phellogène (PG) se divise, il arrive qu'une des deux cellules filles devienne une cellule de suber (S) sur la face extérieure du phellogène. La division d'une cellule de phellogène peut également produire une cellule de phelloderme (PD) sur la face intérieure du phellogène.

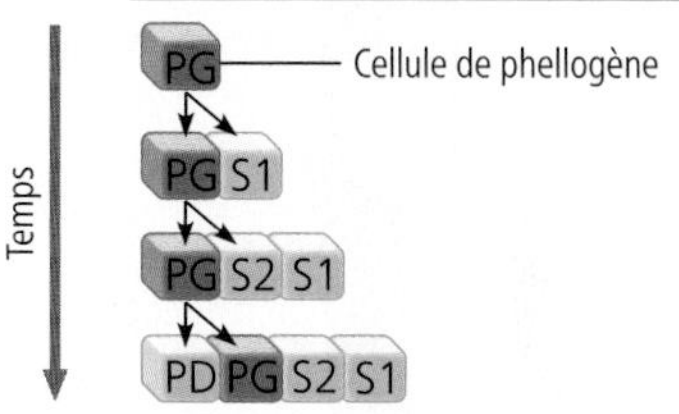

Croissance primaire terminée

Cellule de cambium

Cellule de phellogène

Lorsque le cambium et le phellogène deviennent actifs dans une tige ou une racine, la croissance primaire y a cessé.

Direction de la croissance secondaire

Cellule de xylème la plus jeune

Cellule de phloème la plus jeune

Cellules de suber

Cellule de xylème la plus vieille

Cellule de phloème la plus vieille

Le diamètre d'une tige ou d'une racine augmente à mesure que s'ajoutent le xylème secondaire, le phloème secondaire, les cellules de suber et les cellules de phelloderme. La majeure partie de cet épaississement est constitué de xylème secondaire (bois).

2. Montrez la séquence de la croissance en dessinant la rangée de cellules encadrée ci-dessous. Puis, sur votre dessin, indiquez la cellule de cambium (C), 5 cellules de xylème (de la plus vieille [X1] à la plus jeune [X5]) et 3 cellules de phloème (P1 à P3). Ensuite, pour montrer ce qui se produit après que la croissance se poursuit, dessinez une rangée contenant deux fois plus de cellules de xylème et de phloème, et indiquez-les sur votre dessin. De quelle manière le cambium se déplace-t-il ?

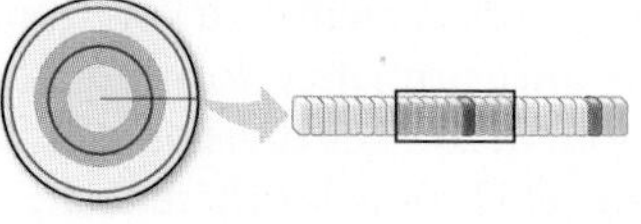

RETOUR SUR LE CONCEPT 35.2

1. La croissance primaire et la croissance secondaire peuvent-elles avoir lieu simultanément dans une même plante ?
2. La croissance des racines et des tiges est indéfinie, mais celle des feuilles ne l'est pas. Comment cela peut-il être un avantage pour les végétaux ?
3. **ET SI ?** ▶ Après avoir fait pousser des carottes pendant toute une saison, un jardinier s'aperçoit qu'elles sont trop petites. Les carottes étant des plantes bisannuelles, le jardiner décide de laisser le reste des plantes dans le sol, en pensant que leurs racines grossiront au cours de la deuxième année. Est-ce une bonne idée ? Expliquez votre réponse.

Voir les réponses proposées à l'appendice A.

CONCEPT 35.3

La croissance primaire produit l'allongement des racines et des pousses

La croissance primaire est l'effet direct des cellules produites par les méristèmes apicaux. Chez les plantes herbacées, presque toute la plante est produite par la croissance primaire. Chez les plantes ligneuses, la croissance primaire produit seulement les nouvelles parties qui ne sont pas encore lignifiées. Bien que les cellules provenant des méristèmes apicaux soient à l'origine de l'allongement à la fois des racines et des pousses, la croissance primaire des premières est très différente de celle des secondes.

▼ **Figure 35.12** **Trois années de croissance d'un rameau en hiver.**

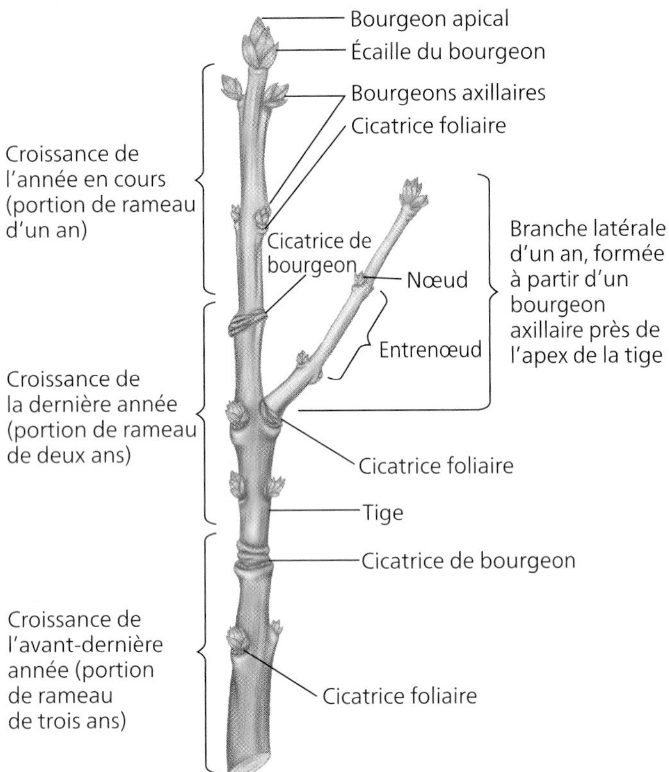

La croissance primaire des racines

L'entière biomasse d'une racine primaire vient du méristème apical de cette racine. Le délicat méristème apical racinaire produit également une **coiffe**, semblable à un dé à coudre, qui protège ce tissu contre la rugosité du sol dans lequel la racine s'enfonce. Cette coiffe sécrète un polysaccharide visqueux qui lubrifie le sol autour de l'apex de la racine. Les cellules initiales du méristème apical racinaire se situent dans une petite zone sphérique appelée *centre quiescent*. La croissance s'effectue près de l'apex de la racine, où l'on trouve, à des stades successifs de la croissance primaire, trois zones de cellules qui se chevauchent. Ce sont la zone de division cellulaire, la zone d'élongation cellulaire et la zone de différenciation cellulaire (**figure 35.13**).

La *zone de division cellulaire* comprend les cellules souches du méristème apical de la racine et leurs produits immédiats. De nouvelles cellules sont produites dans cette région, dont les cellules de la coiffe de la racine. Généralement, à quelques millimètres de l'apex de la racine, on trouve la *zone d'élongation cellulaire*, où s'effectue la majeure partie de la croissance par l'allongement des cellules de la racine; elles deviennent parfois jusqu'à 10 fois plus longues, et même davantage. C'est grâce à l'allongement des cellules dans cette zone que l'apex de la racine s'enfonce dans le sol. Entre-temps, le méristème apical racinaire maintient la croissance en produisant continuellement des cellules à l'extrémité la plus jeune de la zone d'élongation. Avant même de terminer leur allongement, plusieurs cellules de la racine commencent à se différencier sur le plan de la structure et de la fonction. Au cours de ce processus, les trois méristèmes primaires (le protoderme, le méristème fondamental et le procambium) deviennent visibles. Dans la *zone de différenciation cellulaire*, ou zone de maturation, les cellules effectuent leur différenciation et deviennent des types de cellules distincts.

Le protoderme, couche externe du méristème primaire, produit l'épiderme, une couche simple de cellules sans cuticule qui enveloppe la racine. Les poils absorbants constituent la caractéristique la plus évidente de l'épiderme de la racine. Il s'agit de cellules épidermiques modifiées dont la fonction consiste à absorber l'eau et les minéraux. Bien que les poils absorbants ne vivent généralement que quelques semaines, ils constituent de 70 à 90 % de la superficie totale d'une racine. On estime qu'un plant de seigle âgé de 4 mois possède environ 14 milliards de poils absorbants. Mis bout à bout, les poils absorbants d'un seul plant de seigle feraient 10 000 km de longueur, soit le quart de la circonférence de la Terre à l'équateur.

Pris en sandwich entre le protoderme et le procambium, le méristème fondamental produit les tissus fondamentaux matures. Les tissus fondamentaux des racines, constitués principalement de cellules parenchymateuses, se trouvent dans le cortex (ou écorce primaire), qui est la région de la racine située entre le cylindre vasculaire et l'épiderme. En plus de stocker des glucides, les cellules du cortex transportent vers le centre de la racine l'eau et les minéraux que les poils absorbants ont puisés. L'important espacement entre les cellules du cortex facilite également la diffusion *extracellulaire* de l'eau, des minéraux et des molécules d'oxygène (O_2) entre les poils absorbants et l'intérieur de la racine. La couche la plus interne du cortex est l'**endoderme**, un cylindre composé d'une seule couche de cellules entre le cortex et le cylindre vasculaire. Nous verrons que l'endoderme forme une barrière sélective qui assure la

▼ **Figure 35.13** **La croissance primaire d'une racine d'eudicotylédone.** Dans cette micrographie, les cellules qui effectuent la mitose dans le méristème apical sont révélées par coloration de la cycline, une protéine participant à la division cellulaire (MP).

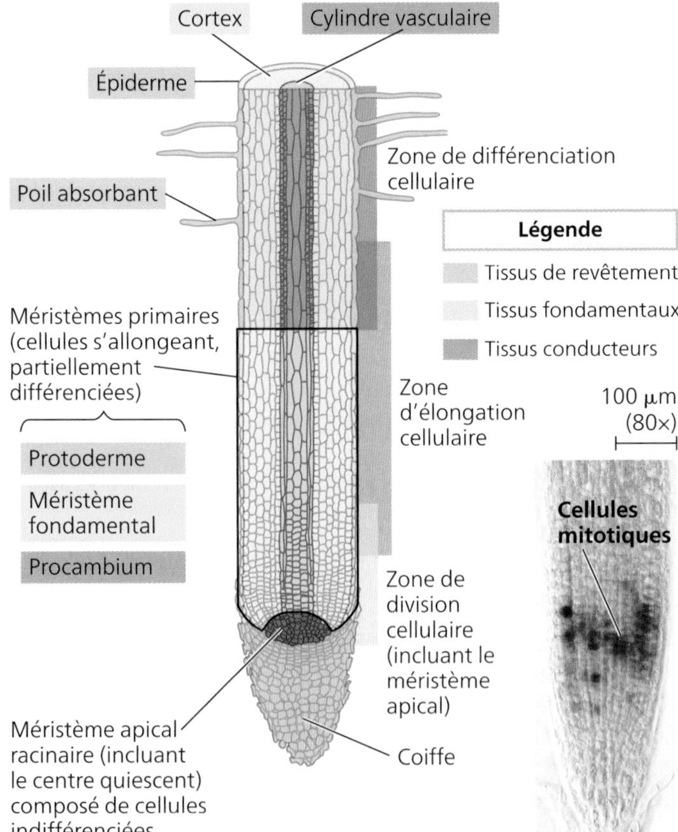

régulation du passage des substances du sol vers le cylindre vasculaire (voir la figure 36.8).

Le procambium donne naissance au cylindre vasculaire, qui consiste en un noyau de xylème et de phloème entouré d'une couche de cellules appelée **péricycle**. Une coupe transversale réalisée chez la plupart des eudicotylédones permet de voir que le xylème est en forme d'étoile et que le phloème occupe les creux entre les branches de cette «étoile» (**figure 35.14a**). Chez beaucoup de monocotylédones, les tissus conducteurs des racines consistent en un noyau de cellules parenchymateuses indifférenciées qu'entoure un anneau de tissus composé en alternance de xylème et de phloème (**figure 35.14b**).

La croissance primaire allonge les racines, facilitant ainsi leur pénétration et leur exploration dans le sol. Ces racines peuvent également se ramifier lorsqu'elles rencontrent une zone de sol riche en nutriments. La ramification est elle aussi une forme de croissance primaire. Les racines latérales (ramifications) prennent naissance dans les méristèmes actifs du péricycle, qui forme la couche cellulaire la plus externe du cylindre vasculaire, lui-même situé immédiatement sous l'endoderme (voir la figure 35.14). À mesure qu'elles croissent, les racines latérales pressent sur les tissus externes et les transpercent jusqu'à émerger de la racine mère (**figure 35.15**).

La croissance primaire des pousses

L'entière biomasse d'une pousse primaire (comprenant l'ensemble de ses tiges et de ses feuilles) provient de son méristème apical, une masse bombée de cellules en division à l'apex de la tige (**figure 35.16**). Le méristème apical d'une pousse (caulinaire) est une structure délicate que protègent les feuilles du bourgeon apical. Dans ce bourgeon, les jeunes feuilles sont serrées les unes contre les autres, car les entrenœuds sont très courts. L'allongement d'une pousse est le résultat de la croissance en longueur des cellules situées à l'intérieur des entrenœuds, près de l'apex de la tige. Comme dans le cas du méristème apical d'une racine, le méristème apical d'une pousse donne naissance à trois types de méristèmes: le protoderme, le méristème fondamental et le procambium. Ces trois méristèmes primaires donnent à leur tour naissance aux tissus primaires matures de la pousse.

La ramification des pousses, qui fait également partie de la croissance primaire, est l'effet de l'activation des bourgeons axillaires, qui possèdent chacun un méristème apical. La communication chimique effectuée par les régulateurs de croissance végétaux fait en sorte que plus un bourgeon axillaire est près d'un bourgeon apical actif, plus sa croissance est inhibée; ce phénomène est appelé **dominance apicale**. (Les changements hormonaux spécifiques de la dominance apicale sont décrits au concept 39.2.) Si un animal mange l'apex d'une pousse ou si l'ombre est telle que la lumière est plus intense sur un des côtés de la pousse, la communication chimique relevant de la dominance apicale s'interrompt. Les bourgeons axillaires sortent alors de leur dormance et commencent à croître. Une fois la dormance levée, un bourgeon axillaire vient à produire une pousse latérale complète, c'est-à-dire dotée de son propre bourgeon apical et de ses propres feuilles et bourgeons axillaires. Lorsqu'un jardinier taille un arbuste ou pince l'extrémité des tiges d'une plante verte, c'est qu'il veut réduire le nombre de bourgeons apicaux afin de permettre aux branches latérales de s'allonger et de rendre la plante plus fournie.

▼ **Figure 35.14 L'organisation des tissus primaires de jeunes racines.** Les parties **(a)** et **(b)** montrent des coupes transversales d'une racine de bouton d'or (*Ranunculus acris*) et d'une racine de maïs (*Zea mays*), respectivement. Ces deux principaux modèles d'organisation racinaire donnent lieu à plusieurs variations, selon l'espèce (MP).

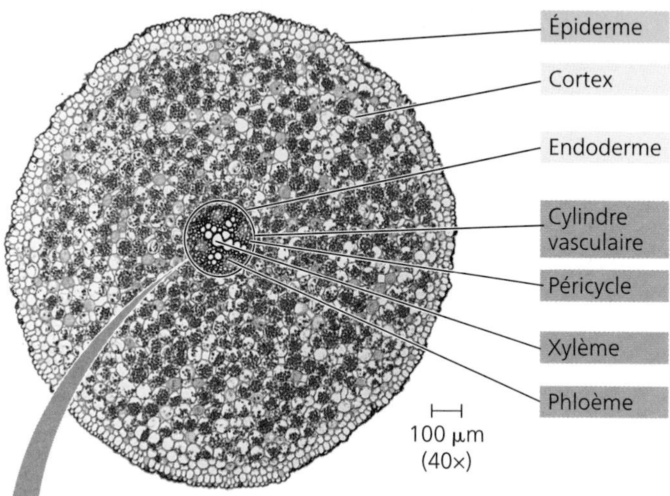

(a) Une racine dont le centre est composé de xylème et de phloème (typique des eudicotylédones). Dans les racines de gymnospermes et d'eudicotylédones typiques, ainsi que dans les racines de certaines monocotylédones, la stèle est un cylindre vasculaire apparaissant dans la coupe transversale sous forme de lobes de xylème, entre lesquels se trouve le phloème.

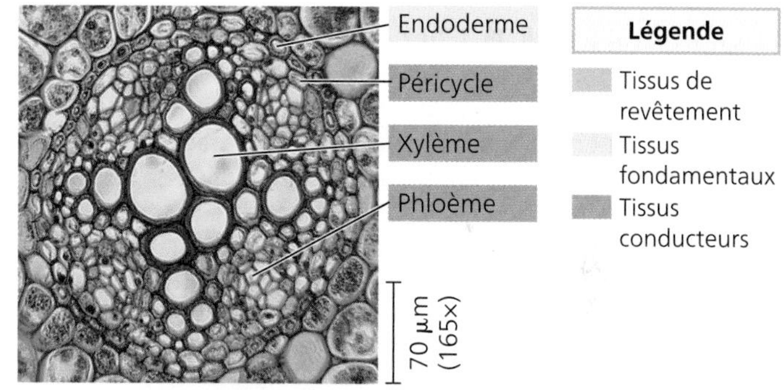

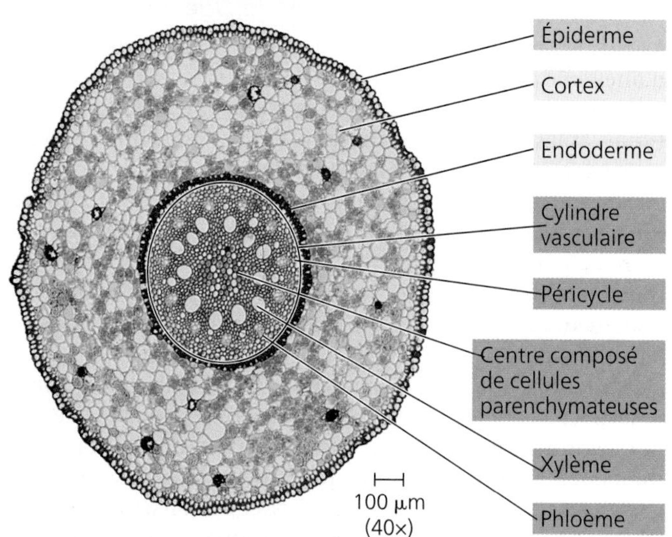

(b) Une racine dont le centre est composé de cellules parenchymateuses (typique des monocotylédones). Dans les racines de nombreuses monocotylédones, la stèle est un cylindre vasculaire dont le centre se compose d'un parenchyme entouré d'un anneau de xylème et d'un anneau de phloème.

▼ **Figure 35.15 La formation d'une racine latérale.** Une racine latérale prend naissance dans le péricycle, la couche externe du cylindre vasculaire d'une racine. Pour émerger, la racine latérale pousse sur les tissus externes et les transperce. Dans cette micrographie photonique, la racine initiale apparaît en coupe transversale, mais la racine latérale est montrée en coupe longitudinale (une vue sur la longueur).

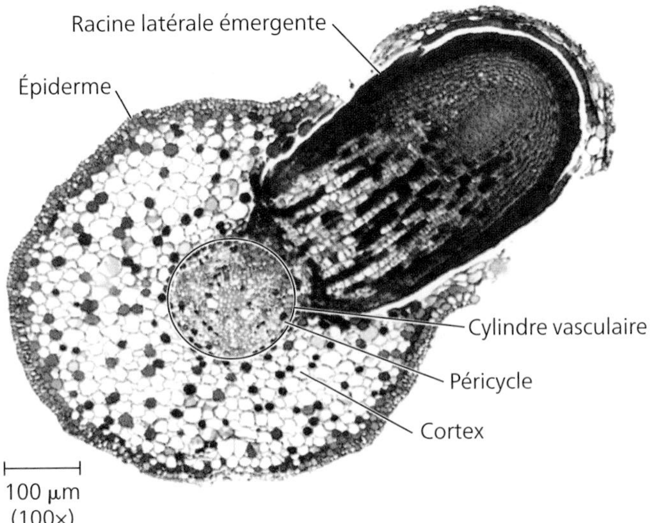

FAITES UN DESSIN ▶ Dessinez la racine primaire et la racine latérale telles qu'elles apparaîtraient si on les observait en vue de côté. Identifiez les deux racines.

POUR APPROFONDIR ■ Chez certaines monocotylédones, notamment les graminées, l'activité méristématique se produit à la base des tiges et des feuilles. Ces régions, appelées méristèmes intercalaires, permettent aux feuilles endommagées de croître de nouveau. C'est pourquoi le gazon continue de croître après avoir été tondu. La capacité des graminées de faire croître de nouveau les feuilles grâce aux méristèmes intercalaires permet aux végétaux de récupérer de façon plus efficace à la suite de dommages causés par les herbivores lors du broutage. ■

La croissance et l'anatomie de la tige

La tige est recouverte d'un épiderme habituellement formé d'une seule couche de cellules et enduit d'une cuticule cireuse qui prévient les pertes d'eau par la plante. Les cellules stomatiques et les trichomes sont des exemples de cellules épidermiques spécialisées présentes sur la tige.

Le parenchyme est le principal constituant des tissus fondamentaux, mais le collenchyme, situé juste sous l'épiderme, renforce de nombreuses tiges durant la croissance primaire. Le sclérenchyme, en particulier ses cellules fibreuses, participe également au soutien dans les parties des tiges qui ont terminé leur allongement.

Les tissus conducteurs parcourent toute la tige en formant des faisceaux libéroligneux. Contrairement aux racines latérales qui se forment dans le tissu conducteur profond de la racine et rompent le cylindre vasculaire, le cortex et l'épiderme en émergeant (voir la figure 35.15), les tiges latérales naissent des méristèmes des bourgeons axillaires sur la surface d'une tige et ne rompent aucun autre tissu (voir la figure 35.16). Près de la surface du sol, dans la zone de transition qui sépare la pousse et la racine, les faisceaux libéroligneux de la tige convergent avec le cylindre vasculaire de la racine.

▼ **Figure 35.16 L'apex d'une pousse.** Les primordiums foliaires proviennent des côtés du méristème apical bombé. Cette micrographie montre une coupe longitudinale de l'apex d'une pousse de coléus (*Coleus sp.*) (MP).

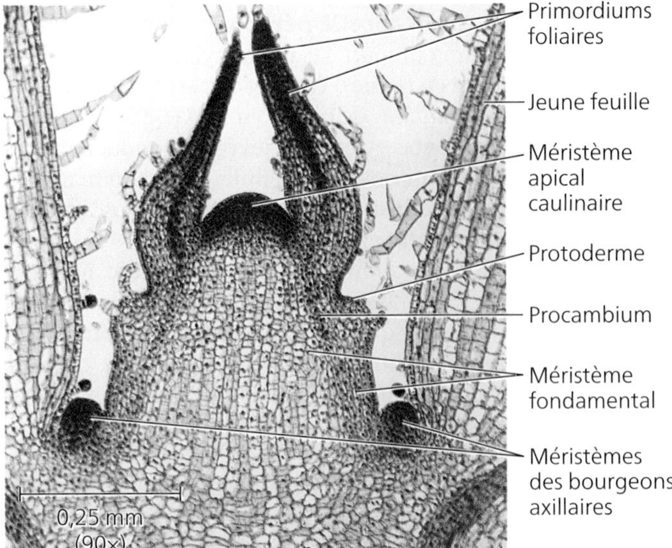

Chez la plupart des eudicotylédones, le tissu conducteur est composé de faisceaux libéroligneux disposés en anneau (**figure 35.17a**). Le xylème de chaque faisceau libéroligneux est adjacent à la moelle, et le phloème de chaque faisceau est adjacent au cortex. Dans la tige de la plupart des monocotylédones, les faisceaux libéroligneux sont dispersés dans les tissus fondamentaux au lieu de former un anneau (**figure 35.17b**).

La croissance et l'anatomie de la feuille

La **figure 35.18** montre l'anatomie générale d'une feuille. Les feuilles se forment à partir des **primordiums foliaires**, des prolongements en forme de cornes de vache qui font saillie de part et d'autre du méristème apical de la tige caulinaire (voir la figure 35.16). Contrairement aux racines et aux tiges, les feuilles ont une croissance secondaire assez faible, voire nulle. À l'instar des racines et des tiges, cependant, ce sont les trois méristèmes primaires qui donnent naissance aux tissus de l'organe mature.

L'épiderme de la feuille est recouvert d'une cuticule cireuse, sauf aux endroits portant des structures appelées **stomates**, qui permettent les échanges de CO_2 et d'O_2 entre l'air ambiant et les cellules photosynthétiques de la feuille. En plus de réguler l'absorption de CO_2 pour la photosynthèse, les stomates ouvrent un passage pour l'évaporation de l'eau de la plante. Les stomates sont composés d'un pore appelé **ostiole** entouré de deux cellules épidermiques spécialisées appelées cellules stomatiques (ou cellules de garde) qui régissent l'ouverture et la fermeture de l'ostiole. (Nous étudierons les stomates en détail au concept 36.4.)

Les tissus fondamentaux de la feuille, une région appelée **mésophylle** (du grec *mesos*, « au milieu », et *phullon*, « feuille »), prennent place entre l'épiderme supérieur et l'épiderme inférieur. Le mésophylle se compose principalement de cellules parenchymateuses spécialisées dans la photosynthèse. Dans les feuilles d'un grand nombre d'eudicotylédones, le mésophylle possède deux zones distinctes : le parenchyme palissadique (ou mésophylle palissadique) et le parenchyme lacuneux (ou

▼ **Figure 35.17 L'organisation des tissus primaires de jeunes tiges.**

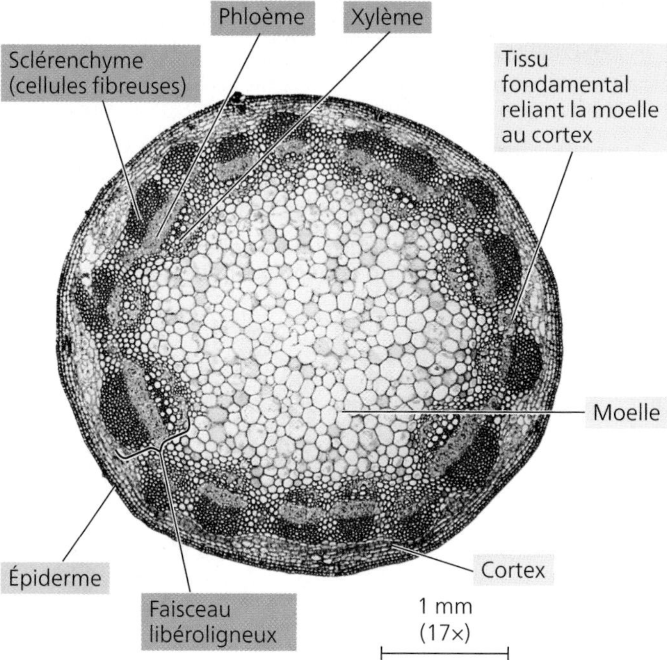

(a) Coupe transversale de faisceaux libéroligneux disposés en anneau dans une tige (typique des eudicotylédones). Le tissu fondamental à l'intérieur forme la moelle, et le tissu fondamental à l'extérieur forme le cortex (MP).

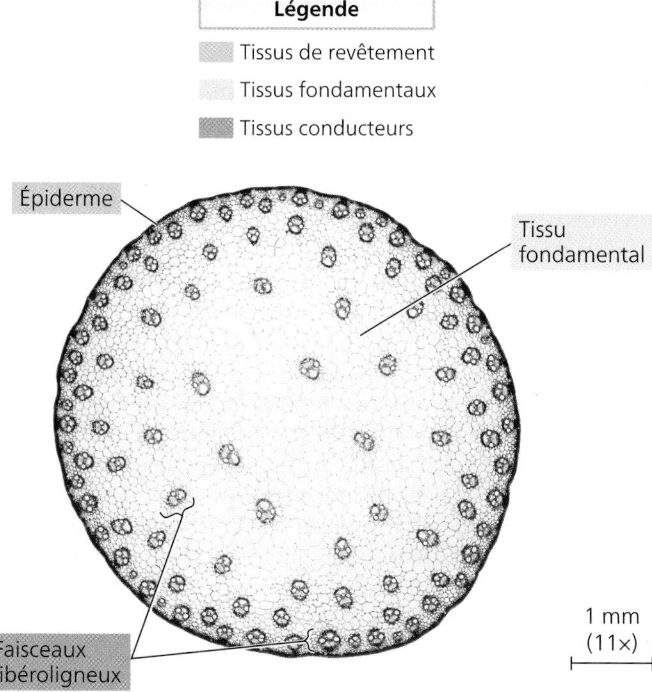

(b) Coupe transversale de faisceaux libéroligneux dispersés dans les tissus fondamentaux d'une tige (typique des monocotylédones). Dans une telle disposition, les tissus fondamentaux ne sont pas divisés en moelle et en cortex (MP).

HABILETÉS VISUELLES ▶ Comparez l'emplacement des faisceaux libéroligneux des eudicotylédones avec celui des faisceaux libéroligneux des monocotylédones. Ensuite, tentez d'expliquer pourquoi les termes *moelle* et *cortex* ne sont pas utilisés pour décrire les tissus fondamentaux des tiges de monocotylédones.

mésophylle lacuneux). Dans la partie supérieure de la feuille se trouvent une ou plusieurs couches de *parenchyme palissadique* constituées de cellules parenchymateuses allongées. Dans la partie inférieure de la feuille, sous le parenchyme palissadique, se trouve le *parenchyme lacuneux*, dont les cellules sont moins serrées les unes contre les autres et qui doit son nom aux lacunes (espaces d'air) qui forment un labyrinthe dans les tissus. Les lacunes permettent au CO_2 et à l'O_2 de circuler autour des cellules et de monter vers la région palissadique. Elles sont particulièrement volumineuses à proximité des stomates, là où la plante absorbe le CO_2 de l'air ambiant et libère l'O_2.

Les tissus conducteurs de la feuille sont reliés aux tissus conducteurs de la tige. Les nervures se subdivisent de manière répétée et se ramifient dans tout le mésophylle. Le xylème et le phloème se trouvent ainsi en contact direct avec les tissus photosynthétiques. Le xylème amène l'eau et les minéraux aux tissus photosynthétiques, tandis que le phloème y puise les glucides et les autres substances organiques, puis les achemine vers les autres parties de la plante. Les tissus conducteurs jouent aussi le rôle de squelette en offrant un soutien à la structure de la feuille. Chaque nervure est entourée d'une *gaine périfasciculaire*, une couche de cellules qui régule le mouvement des substances entre les tissus conducteurs et le mésophylle. Les cellules de la gaine périfasciculaire sont très importantes dans les feuilles des espèces végétales qui effectuent la photosynthèse en C_4 (voir le concept 10.4).

RETOUR SUR LE CONCEPT 35.3

1. Comparez la croissance primaire des racines avec celle des tiges.
2. **ET SI ? ▶** Si une espèce végétale possède des feuilles orientées verticalement, doit-on s'attendre à ce que son mésophylle soit divisé en couches de parenchyme lacuneux et de parenchyme palissadique ? Expliquez votre réponse.
3. **FAITES DES LIENS ▶** En quoi les microvillosités et les poils absorbants sont-ils des structures analogues ? (Voir la figure 6.8 et l'explication sur l'analogie au concept 26.2.)

Voir les réponses proposées à l'appendice A.

CONCEPT 35.4

La croissance secondaire fait augmenter le diamètre des tiges et des racines des plantes ligneuses

Nombre de plantes terrestres ont une croissance secondaire marquée par un épaississement produit par les méristèmes latéraux. C'est d'ailleurs grâce à l'apparition d'une croissance secondaire au cours de l'évolution que de nouvelles formes végétales ont pu apparaître, depuis les immenses arbres des forêts jusqu'aux vignes ligneuses. La croissance secondaire a lieu chez toutes les gymnospermes et chez de nombreuses eudicotylédones, mais elle est rare chez les monocotylédones. Elle survient dans les tiges et les racines, mais exceptionnellement dans les feuilles.

▼ **Figure 35.18** **L'anatomie d'une feuille.**

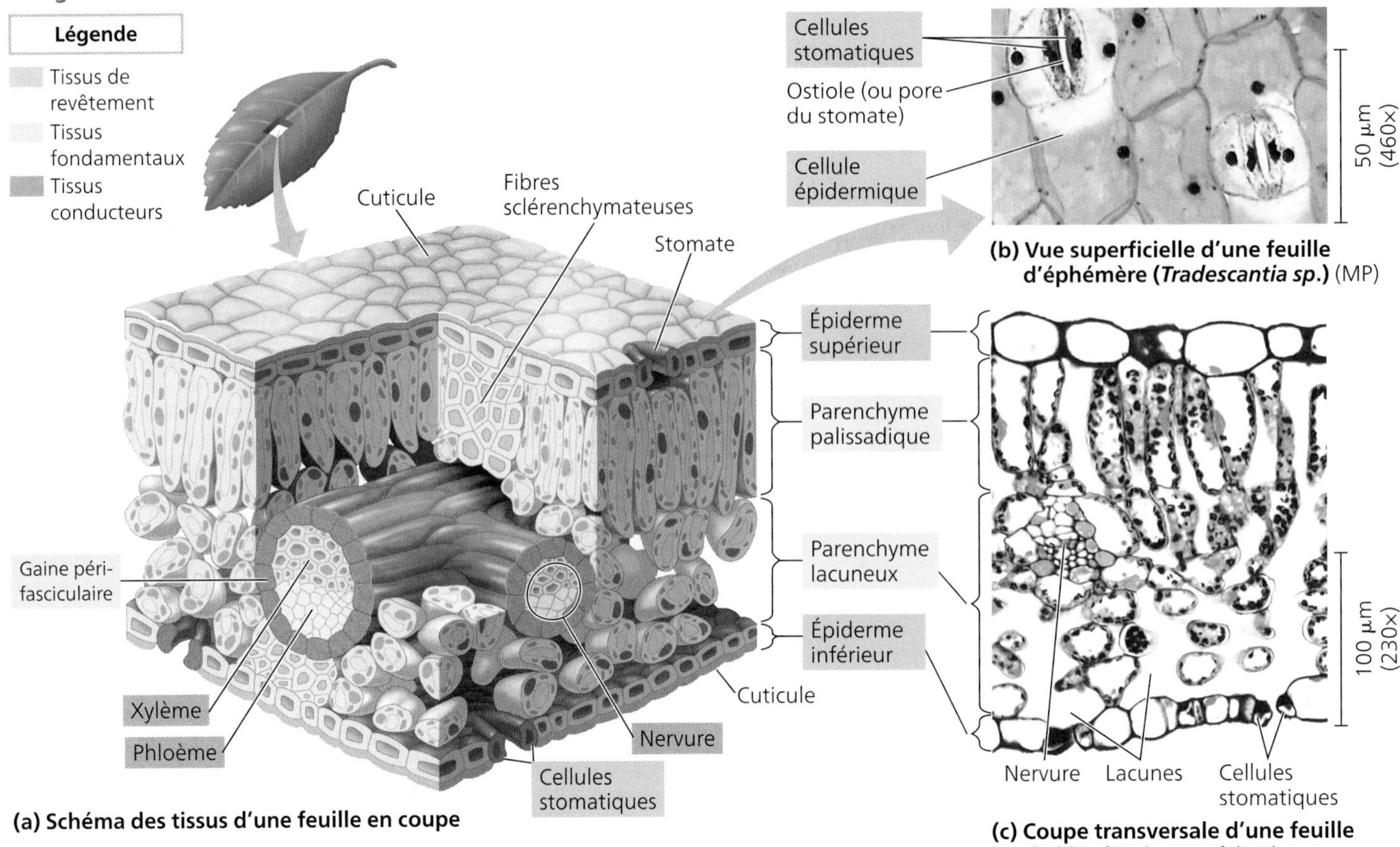

(a) Schéma des tissus d'une feuille en coupe

(b) Vue superficielle d'une feuille d'éphémère (*Tradescantia sp.*) (MP)

(c) Coupe transversale d'une feuille de lilas (*Syringa sp.*) (MP)

La croissance secondaire comprend tous les tissus fabriqués par le cambium et le phellogène. Le cambium ajoute le xylème secondaire et le phloème secondaire, augmentant ainsi l'écoulement vasculaire et le soutien des tiges. Le phellogène produit une couche épaisse et résistante composée principalement de cellules imprégnées de cire qui protègent la tige contre la perte d'eau et contre l'invasion des insectes, des bactéries et des eumycètes.

Chez les plantes ligneuses, les croissances primaire et secondaire se produisent simultanément. Alors que la croissance primaire ajoute des feuilles et allonge les tiges et les racines dans les régions plus jeunes d'une plante, la croissance secondaire augmente le diamètre des tiges et des racines dans les plus vieilles régions, là où la croissance primaire est terminée. Le processus est semblable dans les tiges et les racines. La **figure 35.19** schématise la croissance d'une tige ligneuse.

Le cambium et les tissus conducteurs secondaires

Le cambium, un cylindre de cellules méristématiques souvent disposées en une seule couche, est entièrement responsable de la production des tissus conducteurs secondaires. Dans une tige ligneuse typique, le cambium est situé à l'extérieur de la moelle et du xylème primaire, et à l'intérieur du cortex et du phloème primaire. Dans une racine ligneuse, le cambium se forme à l'extérieur du xylème primaire, et à l'intérieur du phloème primaire et du péricycle.

En coupe transversale, le cambium ressemble à un anneau de cellules méristématiques (voir l'étape 4 de la figure 35.19). À mesure que ces cellules se divisent, elles font augmenter la circonférence du cambium ; elles ajoutent du xylème secondaire sur la face intérieure du cambium et du phloème secondaire sur sa face extérieure. Chaque anneau est plus grand que l'anneau précédent, ce qui accroît le diamètre des racines et des tiges.

Certaines cellules souches du cambium sont allongées, et leur grand axe est orienté parallèlement à l'axe de la tige ou de la racine. Les cellules qu'elles produisent donnent naissance à des cellules matures telles que les trachéides, les éléments de vaisseau et les fibres du xylème, ainsi que les éléments de tube criblé, les cellules compagnes, le parenchyme orienté parallèlement à l'axe et les fibres du phloème. Les autres cellules souches du cambium sont plus courtes et orientées perpendiculairement à l'axe de la tige ou de la racine : elles produisent des *rayons vasculaires*, c'est-à-dire des rayons en majeure partie constitués de cellules parenchymateuses qui relient le xylème et le phloème secondaires (voir l'étape 3 de la figure 35.19). Ces cellules déplacent l'eau et les nutriments entre le xylème et le phloème secondaires, stockent des glucides et autres nutriments et aident à réparer les blessures.

Au fil de la croissance secondaire, les couches de xylème secondaire (bois) s'accumulent, principalement composées de trachéides, d'éléments de vaisseau et de fibres (voir la figure 35.10). La plupart des gymnospermes n'ont que des trachéides comme cellules conductrices d'eau, tandis que la plupart des angiospermes ont à la fois des trachéides et des éléments de vaisseau. Les parois des cellules de xylème secondaire sont fortement lignifiées, ce qui confère au bois sa dureté et sa résistance.

▼ **Figure 35.19 Les croissances primaire et secondaire d'une tige ligneuse.**

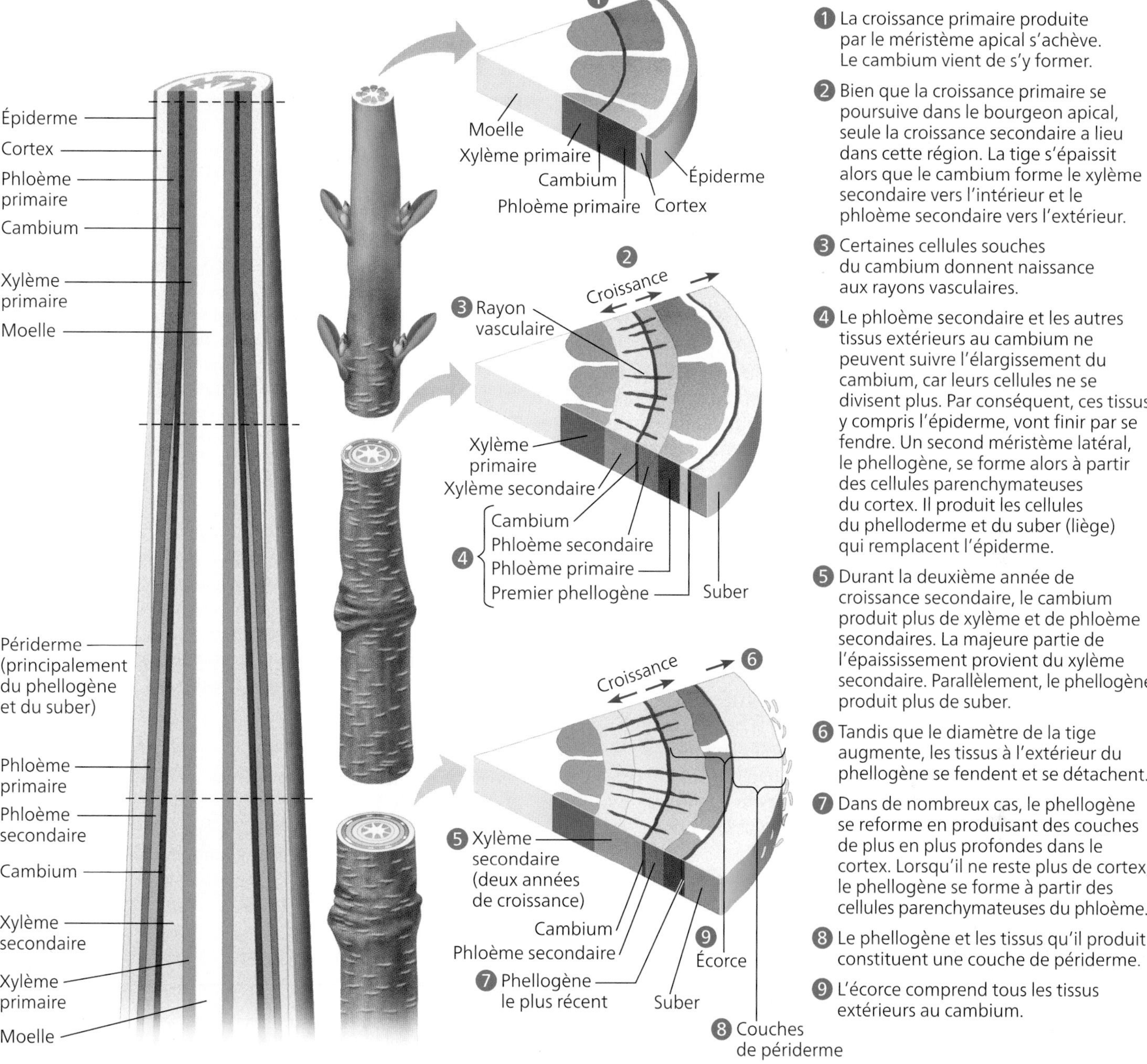

HABILETÉS VISUELLES ▶ En vous basant sur le schéma, expliquez de quelle façon le cambium provoque la rupture de certains tissus.

Dans les régions tempérées, le bois qui apparaît au début du printemps est appelé bois de printemps (ou bois initial) ; il est habituellement composé de cellules de xylème secondaire ayant généralement un grand diamètre et une paroi mince (**figure 35.20**). La structure du bois de printemps optimise l'apport d'eau aux nouvelles feuilles. Le bois produit plus tard en saison de croissance est appelé bois d'été (ou bois final). Il est composé de cellules à paroi épaisse qui ne transportent pas aussi bien l'eau que celles du bois de printemps, mais qui assurent un meilleur soutien à l'arbre. Comme il y a un contraste marqué entre les grosses cellules du nouveau bois de printemps et les petites cellules du bois d'été produites au cours de la saison de croissance précédente, on peut distinguer la croissance d'une année lorsqu'on observe la coupe transversale d'une racine ou du tronc d'un arbre, car elle prend la forme d'un anneau (*anneau de croissance*). C'est pourquoi les chercheurs peuvent évaluer l'âge d'un arbre en comptant ses anneaux. La *dendrochronologie* (du grec *dendron*, « arbre ») est la science de l'analyse des schémas de croissance des anneaux des arbres. L'épaisseur des anneaux varie selon l'importance de la croissance saisonnière. Les arbres croissent bien au cours des années humides et chaudes, mais ils croissent à peine au cours des années froides ou sèches. Comme un anneau épais indique une année chaude et un anneau mince indique une année froide ou sèche, les scientifiques peuvent étudier les changements climatiques à partir des formes des anneaux (**figure 35.21**).

▼ **Figure 35.20 Coupe transversale d'une tige de tilleul (*Tillia sp.*) de trois ans (MP).**

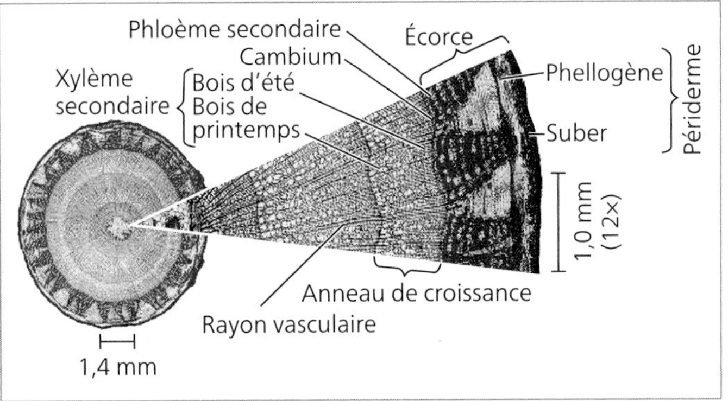

Lorsqu'un arbre ou un arbuste ligneux avance en âge, les plus vieilles couches de xylème secondaire ne transportent plus l'eau et les minéraux (une solution appelée sève brute). Situées au cœur de la tige ou de la racine, ces couches forment le *duramen*, également appelé cœur ou bois parfait (**figure 35.22**). Ce sont les couches extérieures de xylème secondaire les plus récemment formées qui assurent le transport de la sève brute ; on appelle ces couches *aubier*, ou bois imparfait. C'est la présence de l'aubier qui explique pourquoi un vieil arbre peut survivre même si le centre de son tronc est vide (**figure 35.23**). Comme chaque nouvelle couche de xylème secondaire a une circonférence plus grande que la précédente, la croissance secondaire permet au xylème de transporter une plus grande quantité de sève brute d'année en année, afin de fournir aux feuilles de plus en plus nombreuses l'eau et les minéraux dont elles ont besoin. Le duramen est habituellement plus foncé que l'aubier en raison de la résine et d'autres substances qui pénètrent dans les cavités cellulaires et qui contribuent à protéger le noyau de l'arbre des eumycètes et des insectes xylophages (du grec *xylon*, « bois », et *phagos*, « glouton »).

Du fait de sa proximité avec le cambium, seul le phloème secondaire le plus récent joue un rôle dans le transport des glucides. Au fur et à mesure que la circonférence de la tige ou de la racine augmente, le phloème secondaire plus vieux se détache ; ainsi, il ne s'accumule pas autant que le xylème secondaire.

Le phellogène et la production de périderme

Au cours des premières étapes de la croissance secondaire, l'épiderme, poussé vers l'extérieur, se fend, sèche et se détache de la tige ou de la racine. Il est remplacé par des tissus produits par le premier phellogène, un cylindre de cellules en division qui se développe dans le cortex externe de la tige (voir la figure 35.19) et dans le péricycle de la racine. Le phellogène produit les *cellules du phelloderme*, qui s'accumulent sur la face intérieure du phellogène, ainsi que les *cellules du suber*, qui s'accumulent sur la face extérieure du phellogène. À maturité, avant de mourir, les cellules du suber sécrètent une substance cireuse hydrophobe, la *subérine*, qui se dépose sur le côté interne de la paroi cellulaire. Comme les cellules du suber contiennent de la subérine et qu'elles sont généralement tassées les unes contre les autres, la majeure partie du périderme est imperméable à l'eau et aux gaz, contrairement à l'épiderme. Le suber devient donc une barrière protectrice contre les pertes d'eau, les agressions du milieu et les

DÉMARCHE SCIENTIFIQUE

MÉTHODE DE RECHERCHE

▼ **Figure 35.21**

L'étude du climat à l'aide de la dendrochronologie

■ **APPLICATION** ■ La dendrochronologie, la science de l'analyse des anneaux de croissance, est utile dans l'étude du changement climatique. La plupart des scientifiques attribuent le récent réchauffement climatique à la combustion des combustibles fossiles et à l'émission de CO_2 et d'autres gaz à effet de serre, alors qu'une petite minorité pense qu'il s'agit de variations naturelles. L'étude des modèles climatiques exige de comparer les températures passées et présentes, mais les relevés instrumentaux du climat ne couvrent que les deux derniers siècles et ne s'appliquent qu'à quelques régions. En examinant les anneaux de croissance des conifères de Mongolie datant du milieu du 16e siècle, Gordon C. Jacoby, Rosanne D'Arrigo et leurs collaborateurs, du Lamont-Doherty Earth Observatory, ont cherché à savoir si la Mongolie a connu des périodes chaudes semblables par le passé.

■ **TECHNIQUE** ■ Les chercheurs peuvent analyser les schémas des anneaux dans des arbres vivants et morts. Ils peuvent même étudier le bois utilisé dans d'anciennes constructions en comparant des échantillons avec des spécimens naturels d'époques différentes, mais se recoupant. Des carottes, chacune ayant environ le diamètre d'un crayon, sont prélevées dans le centre d'un tronc. Chaque échantillon est séché et poncé pour révéler les anneaux. En comparant, en alignant et en faisant la moyenne de nombreux échantillons de conifères de Mongolie, les chercheurs ont créé une chronologie de référence. Les arbres sont ainsi devenus des témoins des changements environnementaux.

■ **RÉSULTATS** ■ Ce graphique résume un couplage des enregistrements des indices de la largeur des anneaux des conifères de Mongolie de 1550 jusqu'à 1993. Les indices plus élevés indiquent des anneaux plus larges et des températures plus élevées.

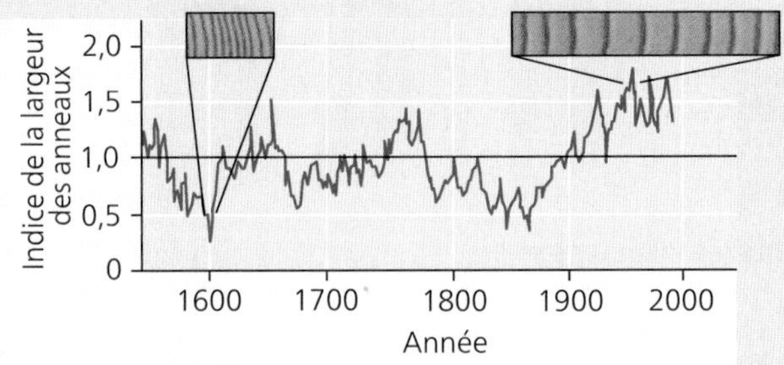

Source des données : G. C. Jacoby et coll., Mongolian tree rings and 20th-century warming, *Science* 273 : 771-773 (1996).

INTERPRÉTEZ LES DONNÉES ▶ Que nous indique le diagramme au sujet des changements environnementaux survenus entre 1550 et 1993 ?

agents pathogènes. On confond souvent à tort le suber (ou liège) à l'écorce et on s'imagine que celle-ci n'est qu'un revêtement protecteur qui recouvre une tige ligneuse ou une racine. En fait, en biologie végétale, l'**écorce** désigne l'ensemble des tissus

▼ **Figure 35.22 L'anatomie d'un tronc d'arbre.**

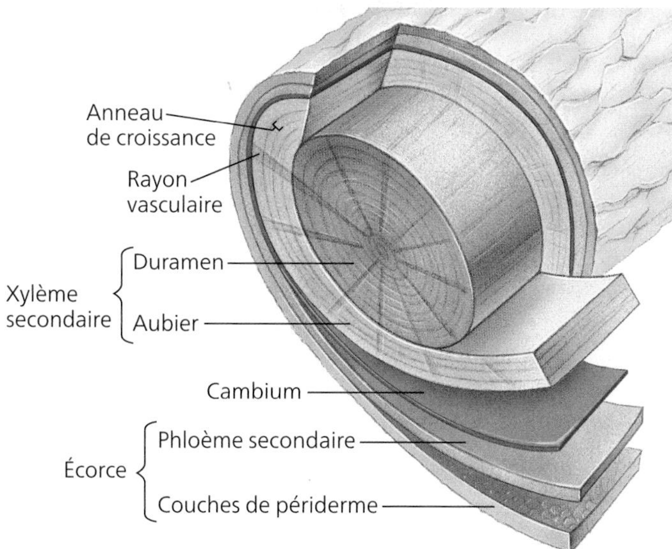

situés à l'extérieur du cambium. Elle comprend donc, de l'intérieur vers l'extérieur, le phloème secondaire (produit par le cambium), le plus récent périderme et toutes les anciennes couches de périderme (voir la figure 35.22). L'écorce interne comprend le phloème secondaire et le phelloderme, deux tissus vivants, alors que l'écorce externe comprend le phloème secondaire mort et l'ancien périderme sur la face extérieure du phellogène actif. À mesure que ce processus se poursuit, les vieilles couches de périderme se détachent peu à peu; l'écorce de nombreux troncs d'arbres qui se fend et s'exfolie témoigne de ce phénomène.

Comment les cellules vivantes des tissus internes des organes ligneux arrivent-elles à absorber de l'O_2 et à respirer, alors qu'elles sont entourées d'un périderme cireux? En fait, le périderme est parsemé de petits canaux surélevés appelés **lenticelles**, dans lesquels les cellules du suber sont moins tassées, ce qui permet aux cellules vivantes d'une tige ligneuse ou d'une racine d'effectuer des échanges gazeux avec l'air ambiant. Les lenticelles apparaissent souvent sous forme de fentes horizontales, comme il est illustré sur la tige à la figure 35.19.

La **figure 35.24** résume la relation entre les tissus primaires et secondaires d'une tige ligneuse.

▼ **Figure 35.23 Cet arbre est-il vivant ou mort?** Le tunnel de séquoia de Wawona dans le parc national de Yosemite, en Californie, a été creusé en 1881 comme attraction touristique. Ce séquoia géant (*Sequoiadendron giganteum*) a vécu encore durant 88 ans avant de tomber au cours d'un hiver rigoureux. Il atteignait 71,3 m et avait environ 2 100 ans. Aujourd'hui, des politiques de conservation empêcheraient la mutilation d'un spécimen aussi important, mais le séquoia de Wawona a enseigné une précieuse leçon de botanique: les arbres peuvent survivre à l'excision de grandes parties de leur duramen.

HABILETÉS VISUELLES ▶ Nommez, dans l'ordre, les tissus qui ont été successivement détruits lorsque les bûcherons ont foré la base de cet arbre jusqu'à son centre. Aidez-vous de la figure 35.19.

▼ **Figure 35.24 Résumé des croissances primaire et secondaire d'une pousse ligneuse.** Les racines ligneuses contiennent les mêmes méristèmes et les mêmes tissus, mais les tissus fondamentaux d'une racine ne sont pas divisés en moelle et en cortex, et le phellogène prend plutôt naissance dans le péricycle, la couche la plus externe du cylindre vasculaire.

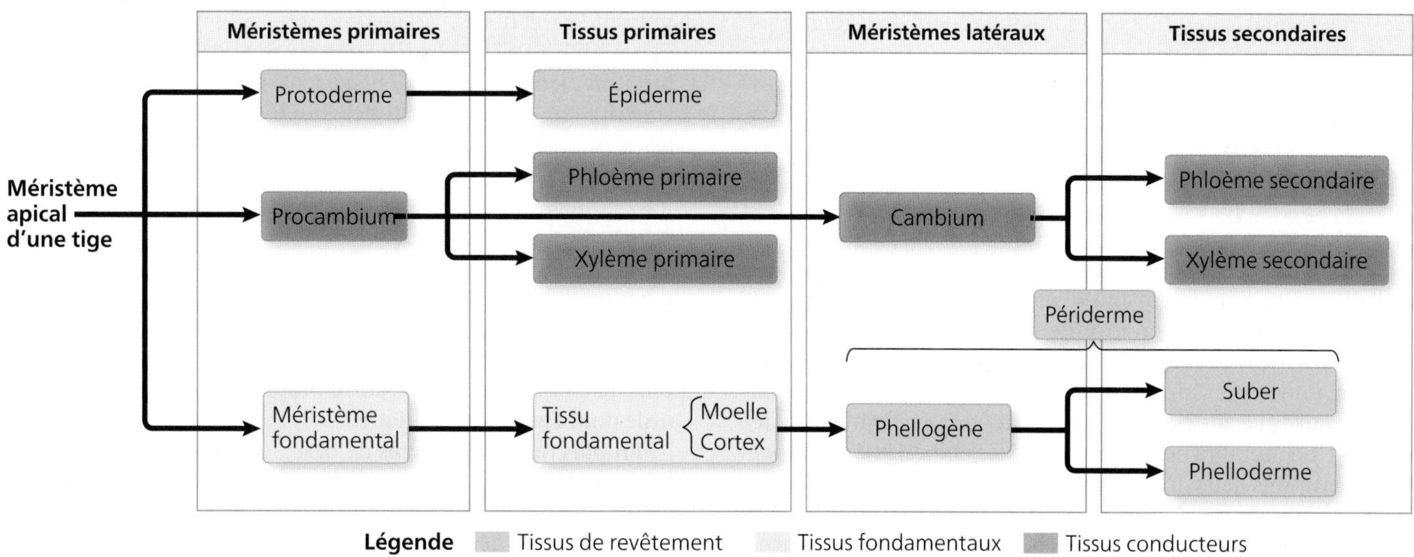

L'évolution de la croissance secondaire

ÉVOLUTION Curieusement, l'étude de la plante herbacée *Arabidopsis thaliana* (arabette des dames) a permis de comprendre l'évolution de la croissance secondaire. Les chercheurs ont découvert qu'ils peuvent stimuler la croissance secondaire dans les tiges d'*Arabidopsis* en ajoutant des poids à la plante. Ces découvertes indiquent que le poids porté par la tige active un programme de développement qui produit la formation de bois. De plus, ils ont trouvé que plusieurs gènes du développement qui assurent la régulation des méristèmes apicaux des tiges chez *Arabidopsis* assurent la régulation de l'activité du cambium chez le peuplier (*Populus*). Cela porte à croire que les mécanismes de la croissance primaire et de la croissance secondaire ont évolué de façon plus similaire qu'on le croyait auparavant.

RETOUR SUR LE CONCEPT 35.4

1. On cloue une pancarte sur un tronc d'arbre, à 2 m de sa base. Si l'arbre mesure 10 m de hauteur et s'allonge de 1 m par année, à quelle hauteur la pancarte se trouvera-t-elle après 10 ans ?
2. Les stomates et les lenticelles interviennent tous les deux dans l'échange de CO_2 et d'O_2. Pourquoi les stomates doivent-ils pouvoir se fermer, mais pas les lenticelles ?
3. Doit-on s'attendre à ce qu'un arbre tropical possède des anneaux de croissance distincts ? Pourquoi ?
4. **ET SI ?** ▶ Si on enlève un anneau complet d'écorce autour d'un tronc d'arbre (par une technique appelée annélation), l'arbre mourra-t-il lentement (après plusieurs semaines) ou rapidement (en quelques jours) ? Expliquez pourquoi.

Voir les réponses proposées à l'appendice A.

CONCEPT 35.5

La croissance, la morphogenèse et la différenciation cellulaire façonnent la structure des végétaux

La série de changements par lesquels les cellules forment des tissus, des organes et des organismes s'appelle le **développement**. Celui-ci se déroule selon les informations génétiques qu'un organisme hérite de ses parents, mais il est également influencé par l'environnement extérieur. Un seul génotype peut produire différents phénotypes dans différents environnements. Par exemple, la plante aquatique appelée cabomba (*Cabomba caroliniana*) forme deux types différents de feuilles, selon que le méristème apical caulinaire est submergé ou non (**figure 35.25**). Cette capacité d'un organisme de modifier sa forme en réaction aux conditions de son environnement immédiat est appelée *plasticité développementale*. Des exemples spectaculaires de plasticité, comme chez *Cabomba*, sont beaucoup plus répandus chez les végétaux que chez les animaux, peut-être pour compenser le manque de mobilité des végétaux qui les empêche d'échapper aux conditions défavorables.

Les trois mécanismes qui se chevauchent au cours du développement d'un organisme multicellulaire sont : la croissance, la morphogenèse et la différenciation cellulaire. La *croissance* est une augmentation irréversible de la taille. La *morphogenèse* (du grec *morphê*, « forme », et *genesis*, « création ») est le processus qui donne à un tissu, à un organe ou à un organisme sa forme et détermine les positions des différents types de cellules. La *différenciation cellulaire* est le processus par lequel les cellules ayant les mêmes gènes deviennent différentes les unes des autres. Nous étudierons ces trois mécanismes plus loin, mais examinons d'abord comment l'application des techniques de la biologie moléculaire moderne aux organismes modèles, notamment *Arabidopsis thaliana*, a révolutionné l'étude du développement des végétaux.

▼ **Figure 35.25 La plasticité développementale chez la plante aquatique *Cabomba caroliniana*.** Les feuilles submergées de *Cabomba* ont un aspect plumeux, une adaptation qui les protège des dommages en diminuant leur résistance à l'eau en mouvement, tandis que les feuilles de surface ont des coussinets qui favorisent la flottaison. Les cellules des deux types de feuilles sont génétiquement identiques, mais les conditions environnementales différentes font en sorte que les gènes responsables de la formation des feuilles s'expriment ou pas.

Les organismes modèles : une révolution dans l'étude des végétaux

Comme dans les autres domaines de la biologie, les techniques de la biologie moléculaire et une attention particulière aux organismes modèles comme *A. thaliana* ont catalysé un foisonnement de la recherche au cours des dernières décennies. Cette plante délicate de la famille des crucifères (dont fait partie la moutarde), n'a aucune valeur agricole caractéristique, mais elle constitue un organisme modèle qui intéresse les généticiens et les biologistes moléculaires pour de nombreuses raisons. La petite taille d'*A. thaliana* permet aux chercheurs de cultiver des milliers de plants dans quelques mètres carrés, en laboratoire. Son temps de génération est court : il suffit d'environ six semaines pour qu'une graine devienne une plante mature qui produit d'autres graines. Cette rapide maturation permet aux biologistes d'effectuer des expériences de croisement génétique dans un court laps de temps. De plus, un plant peut produire plus de 5 000 graines, une autre propriété qui rend *A. thaliana* utile pour l'analyse génétique.

En plus de ces caractères de base, le génome de la plante se prête particulièrement bien à l'analyse par des méthodes de génétique moléculaire. Le génome d'*A. thaliana*, qui comporte environ 27 000 gènes codant pour des protéines, est parmi les plus petits génomes de végétaux connus. De plus, la plante n'a que cinq paires de chromosomes, ce qui facilite la tâche des généticiens pour localiser des gènes particuliers. La petitesse de son génome a fait en sorte qu'*A. thaliana* a été la première plante dont on a complètement déterminé la séquence. Le territoire naturel de cette espèce inclut une grande variété de climats et d'élévations et s'étend des massifs montagneux de l'Asie centrale à la côte Atlantique européenne, et de l'Afrique du Nord au cercle arctique. Aussi, l'apparence de cette plante peut-elle être très différente selon la région où elle pousse (**figure 35.26**). Les scientifiques s'affairent aujourd'hui à séquencer le génome de centaines de populations d'*A. thaliana* de tous ses territoires naturels en Eurasie. L'information contenue dans les génomes de ces populations renseigne sur les adaptations évolutives qui ont permis à cette espèce de coloniser de nouveaux territoires après la dernière période glaciaire. Grâce à cette information, les sélectionneurs de végétaux pourront peut-être parvenir à améliorer les récoltes.

Une autre propriété qui rend *A. thaliana* attrayante pour les biologistes moléculaires est la facilité avec laquelle on peut transformer ses cellules avec des *transgènes*. Un transgène est un gène qu'on introduit dans le génome d'un organisme autre que celui dont il provient. La technologie CRISPR (voir la figure 20.14) est en train de devenir la technique de choix pour créer des plantes dotées de certaines mutations, et les chercheurs l'ont utilisée avec succès chez *A. thaliana*. En perturbant ou en rendant inactif un gène donné, les scientifiques peuvent recueillir des informations clés sur la fonction normale de ce gène.

Des projets à grande échelle sont en marche en vue de déterminer la fonction de chaque gène d'*A. thaliana*. En définissant ces fonctions et en suivant chaque voie métabolique, les chercheurs espèrent établir le plan de développement des végétaux, un des principaux objectifs de la biologie des systèmes. On prévoit la création prochaine d'une « plante virtuelle » à l'aide de l'informatique. Cela permettrait de visualiser les gènes qui sont activés dans les différentes parties de la plante tout au long de son développement.

La recherche fondamentale qui s'appuie sur des organismes modèles comme *A. thaliana* a accéléré le rythme des découvertes en botanique, dont l'identification des voies génétiques complexes qui régissent la structure des végétaux. En lisant plus sur ce sujet, vous serez en mesure d'apprécier non seulement le pouvoir de l'étude des organismes modèles, mais aussi la riche histoire de la recherche sous-jacente à toute la recherche moderne sur les végétaux.

▼ Figure 35.26 Variations dans la disposition et la forme des feuilles ainsi que dans la croissance des pousses chez différentes populations d'*Arabidopsis thaliana*. L'information que recèlent les génomes de ces populations permettra peut-être d'améliorer les stratégies utilisées pour obtenir des récoltes dans de nouveaux environnements.

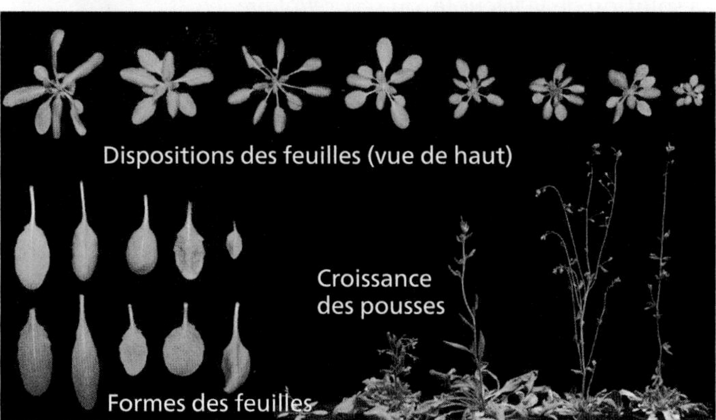

La croissance: la division et l'expansion cellulaires

En augmentant le nombre de cellules, la division cellulaire qui se déroule dans les méristèmes augmente également le potentiel de croissance. Mais c'est l'expansion cellulaire qui est responsable de la croissance de la plante comme telle. Nous avons décrit en détail la division cellulaire au chapitre 12 (voir la figure 12.10), et nous verrons l'allongement cellulaire au chapitre 39 (voir la figure 39.7). Nous nous attardons donc ici sur la façon dont la division et l'expansion cellulaires contribuent à donner une forme à la plante.

Le plan et la symétrie de la division cellulaire

Les nouvelles parois cellulaires qui divisent en deux parties les cellules végétales durant la cytocinèse se développent à partir de la plaque cellulaire (voir la figure 12.10). Le plan précis de la division cellulaire, déterminé à la fin de l'interphase, correspond habituellement au chemin le plus court qui coupe de moitié le volume de la cellule mère. Le réarrangement du cytosquelette constitue le premier signe de cette orientation spatiale. Les microtubules du cytoplasme forment un anneau appelé *bande préprophasique* (**figure 35.27**). Cette bande disparaît avant la métaphase, mais elle détermine le plan que suivra la division cellulaire.

On a longtemps cru que le plan de la division cellulaire déterminait les formes des organes des plantes, mais des études sur un maïs mutant ayant subi une désorganisation interne, appelé *tangled-1*, indiquent aujourd'hui qu'il n'en est rien. Chez les plants de maïs de type sauvage, les cellules des feuilles se divisent de façon soit transversale, soit longitudinale par rapport à l'axe de la cellule mère. Les divisions transversales précèdent l'allongement des feuilles, tandis que les divisions longitudinales précèdent leur élargissement. Dans les feuilles de *tangled-1*, les divisions transversales sont normales, mais la majorité des divisions longitudinales sont orientées anormalement, aboutissant à des cellules tordues et courbées (**figure 35.28**). Cependant, ces divisions cellulaires anormales n'influent pas sur la forme de la feuille. Les feuilles du mutant croissent plus lentement que celles de type sauvage, mais leur forme générale reste normale, ce qui

▶ Figure 35.27 La bande préprophasique et le plan de la division cellulaire. L'emplacement de la bande préprophasique indique le plan que suivra la division cellulaire. Dans cette micrographie photonique, la bande préprophasique a été colorée avec une protéine fluorescente verte qui se lie à une protéine associée aux microtubules.

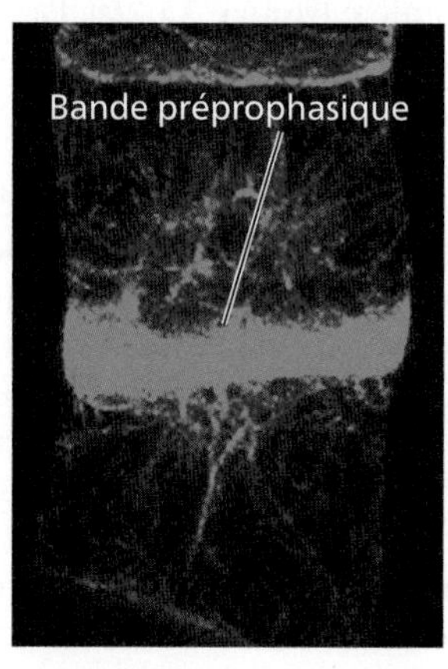

▼ **Figure 35.28 Comparaison des schémas de division cellulaire dans les plants de maïs de type sauvage et les plants mutants.** Comparées aux cellules épidermiques des plants de maïs de type sauvage (à gauche), les cellules épidermiques du mutant *tangled-1* (à droite) sont très désordonnées. Néanmoins, les plants de maïs *tangled-1* produisent des feuilles d'aspect normal.

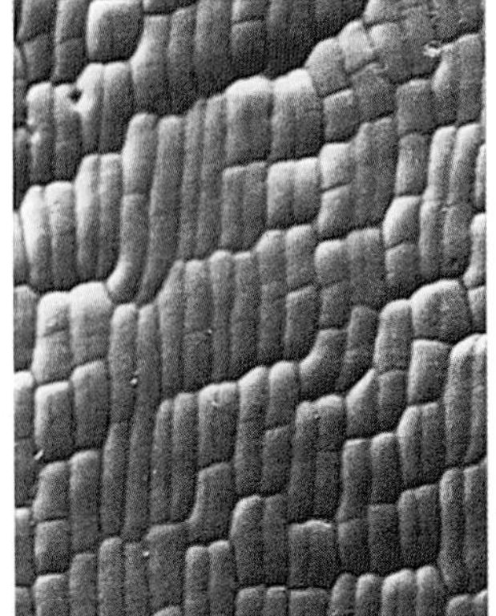

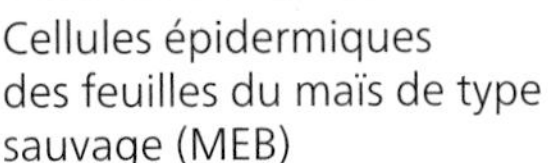

Cellules épidermiques des feuilles du maïs de type sauvage (MEB)

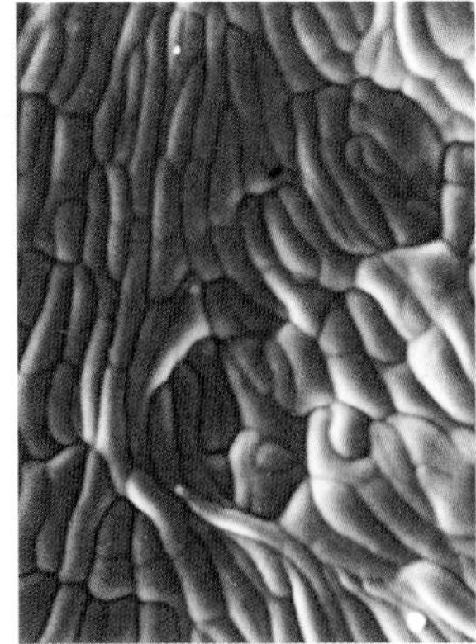

Cellules épidermiques des feuilles du maïs mutant *tangled-1* (MEB)

indique que la forme des feuilles ne dépend pas seulement d'un contrôle spatial précis de la division cellulaire. De plus, des découvertes récentes semblent indiquer que la forme de l'apex des tiges chez *A. thaliana* ne dépend pas du plan de la division cellulaire, mais des stress mécaniques liés aux microtubules et provenant du « tassement » associé à la prolifération et à la croissance des cellules.

La *symétrie* de la division, c'est-à-dire la distribution du cytoplasme entre les cellules filles, est un des aspects de la division cellulaire qui, lui, influe sur le développement d'une plante. Même si les chromosomes sont distribués en parts égales aux cellules filles durant la mitose, il peut arriver que le cytoplasme se divise de manière asymétrique. La *division cellulaire asymétrique*, qui fait en sorte que l'une des cellules filles reçoit plus de cytoplasme que l'autre au cours de la mitose, est habituellement le signe d'un événement clé du développement. Par exemple, la formation des cellules stomatiques nécessite généralement une division asymétrique et une modification du plan de la division. Une cellule épidermique se divise de manière asymétrique pour donner une cellule volumineuse, qui restera une cellule épidermique indifférenciée, et une petite cellule, qui deviendra une cellule mère stomatique. Les cellules stomatiques se forment quand cette petite cellule mère se divise perpendiculairement à la première (**figure 35.29**). Par conséquent, la division cellulaire asymétrique génère des cellules dont les destinées sont différentes, c'est-à-dire des cellules qui deviennent de différents types à maturité.

Les divisions cellulaires asymétriques jouent également un rôle dans l'établissement de la **polarité**, à savoir la présence de différences structurales ou chimiques aux extrémités opposées d'un organisme. Chez les végétaux, il existe habituellement un axe bien développé dont les deux extrémités sont différentes : l'une est une racine (partie souterraine), l'autre, une pousse (partie aérienne). Cette polarité est surtout évidente dans les différences morphologiques. Mais elle se manifeste également dans plusieurs propriétés physiologiques telles que le mouvement unidirectionnel de l'auxine (régulateur de croissance végétal)

▼ **Figure 35.29 La division cellulaire asymétrique et le développement stomatique.** Une division cellulaire asymétrique précède le développement des cellules stomatiques de l'épiderme, c'est-à-dire des cellules qui bordent l'ostiole (voir la figure 35.18).

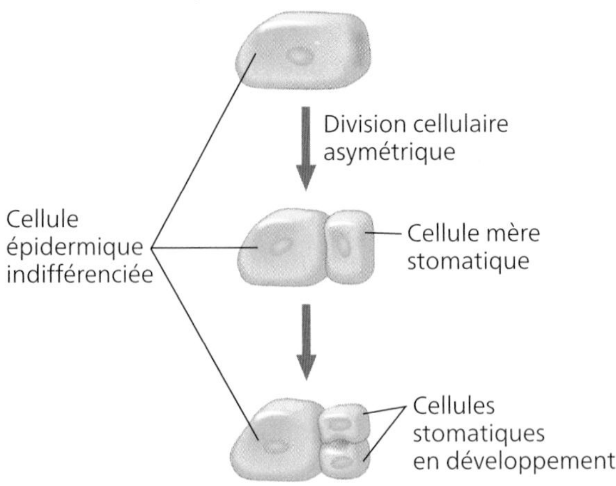

et l'apparition de racines et de tiges adventives aux extrémités appropriées des « boutures ». Dans une bouture de tige, des racines adventives se forment à l'extrémité qui était la plus près de la racine ; dans une bouture de racine, des tiges adventives se forment à l'extrémité qui était la plus près de la tige.

La première division d'un zygote végétal est normalement asymétrique et polarise la structure de la plante en une pousse et une racine. Cette polarité est difficile à renverser de façon expérimentale. Ainsi, la détermination adéquate de la polarité axiale est une étape clé de la morphogenèse d'une plante. Chez le mutant *gnome* (d'un mot allemand désignant un nain ou une personne difforme) d'*Arabidopsis thaliana*, la polarité ne s'installe pas. La première division du zygote est en effet anormalement symétrique, et le semis en forme de boule qui en résulte ne possède ni racines ni feuilles (**figure 35.30**).

L'orientation de l'expansion cellulaire

Avant d'aborder la contribution de l'expansion cellulaire à la formation de la plante, soulignons une différence entre les végétaux et les animaux. La croissance des cellules animales repose principalement sur la synthèse de cytoplasme riche en protéines, processus coûteux au point de vue métabolique. La croissance des cellules végétales nécessite aussi la fabrication de nouvelles substances riches en protéines dans le cytoplasme. Mais l'absorption d'eau représente généralement 90 % de l'expansion cellulaire. La majeure partie de cette eau est emmagasinée dans la grande vacuole centrale. La solution de la vacuole, ou *sève cellulaire*, est très diluée et presque dépourvue des macromolécules coûteuses en énergie qui sont présentes en grandes quantités dans le

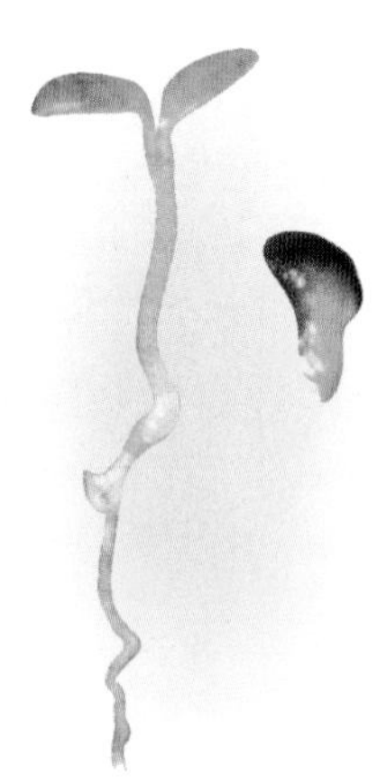

► **Figure 35.30 L'importance de la polarité axiale.** Le semis normal d'*Arabidopsis thaliana* (à gauche) possède une racine et une tige. Chez le mutant *gnome* (à droite), la première division du zygote n'a pas été asymétrique ; le semis qui en résulte présente une forme de boule et ne possède ni feuilles ni racines. Cette anomalie du mutant *gnome* est causée par son incapacité de transporter l'auxine de façon polaire.

reste du cytoplasme. Les grandes vacuoles sont donc un moyen «économique» de remplir l'espace, ce qui permet à une plante de croître rapidement et à peu de frais. Par exemple, les pousses de bambou s'allongent de plus de 2 m par semaine. Au cours de l'évolution, l'allongement rapide et efficace des racines et des pousses a été une importante adaptation des végétaux, qui a favorisé l'exposition à la lumière et augmenté la surface d'absorption en contact avec le sol.

Les cellules végétales croissent rarement de façon uniforme dans toutes les directions. Leur grande expansion est habituellement orientée selon l'axe principal de la plante. Ainsi, les cellules situées près de l'apex de la racine peuvent multiplier par 20 leur longueur initiale, mais s'élargissent peu. On attribue cela à l'orientation des microfibrilles de cellulose dans les couches profondes de la paroi cellulaire. Les microfibrilles ne s'étirent pas; la croissance cellulaire se fait donc perpendiculairement à leur orientation principale, comme l'illustre la **figure 35.31**. Selon une des hypothèses avancées, les microtubules situés immédiatement sous la membrane plasmique structurent les complexes enzymatiques producteurs de cellulose et orientent leurs mouvements à travers la membrane plasmique lorsqu'ils produisent les microfibrilles de cellulose qui formeront une grande partie de la paroi cellulaire.

▼ **Figure 35.31 L'orientation de l'expansion des cellules végétales.** C'est principalement l'absorption d'eau qui permet l'expansion des cellules végétales. Dans une cellule en croissance, les enzymes affaiblissent les liaisons transversales de la paroi, qui peut ainsi prendre de l'expansion à mesure que l'eau y pénètre par osmose; en même temps, plus de microfibrilles sont produites. L'orientation de l'expansion de la cellule se fait surtout perpendiculairement aux microfibrilles de cellulose présentes dans la paroi. L'orientation des microtubules dans le cytoplasme périphérique de la cellule détermine l'orientation des microfibrilles de cellulose (MP à fluorescence). Ces microfibrilles sont enchâssées dans une matrice comportant d'autres polysaccharides (non cellulosiques), dont quelques-uns forment les liaisons transversales visibles sur cette micrographie (MET).

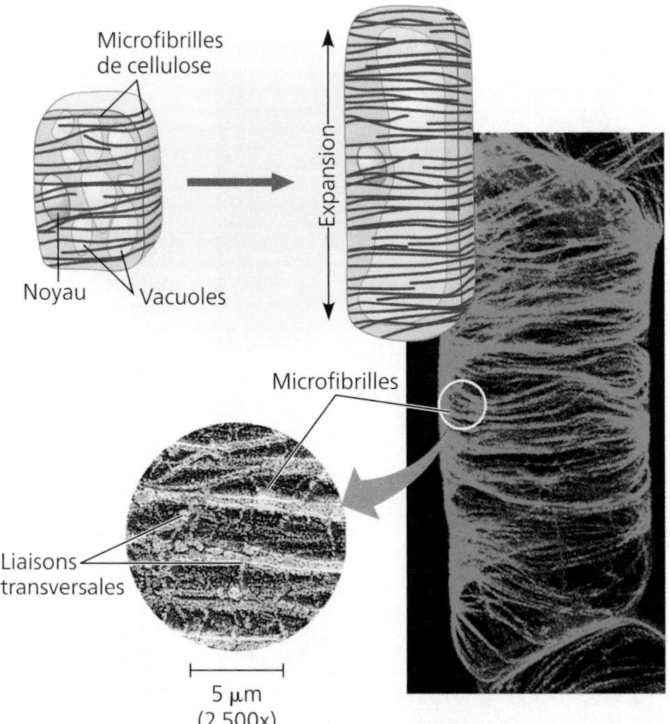

La morphogenèse et le plan d'organisation

La structure des plantes est plus qu'un ensemble de cellules en division et en expansion. Au cours de la morphogenèse, les cellules acquièrent différentes identités dans une organisation spatiale ordonnée. Par exemple, le tissu de revêtement se forme à l'extérieur, et le tissu conducteur, à l'intérieur (jamais dans le sens inverse). La formation de structures précises en des endroits précis se nomme **plan d'organisation**.

Deux types d'hypothèses ont été mis de l'avant pour expliquer comment le sort des cellules végétales est déterminé au cours de la formation du plan d'organisation. L'hypothèse fondée sur les *mécanismes liés à la lignée* propose que le sort des cellules soit déterminé au début du développement et que les cellules transmettent ce sort à leur descendance. Selon cette théorie, le plan de base de la différenciation cellulaire est cartographié selon les directions dans lesquelles les cellules méristématiques se divisent et prennent de l'expansion. D'autre part, l'hypothèse fondée sur les *mécanismes liés à la position* propose que ce soit plutôt sa position finale dans un organe en développement qui détermine le type de cellule que deviendra la cellule en question. Des expériences consistant à détruire au laser des cellules voisines ont montré que le sort d'une cellule végétale est établi vers la fin du développement et dépend en grande partie de stimulus envoyés par les cellules voisines, ce qui vient appuyer ce point de vue.

En revanche, le sort des cellules chez les animaux est en grande partie déterminé par les mécanismes dépendants de la lignée qui mettent en jeu des facteurs de transcription. Les gènes homéotiques (*Hox*) qui codent pour ces facteurs de transcription sont essentiels pour le nombre et le positionnement appropriés des structures embryonnaires, comme les pattes et les antennes, chez *Drosophila melanogaster* (voir la figure 18.19). Chose intéressante, le maïs possède un homologue des gènes *Hox* appelé *KNOTTED-1*, mais contrairement à son équivalent dans le monde animal, *KNOTTED-1* n'influe pas sur le nombre ou le positionnement des organes d'une plante. Comme nous le verrons, une classe sans lien de facteurs de transcription appelés protéines *MADS-box* joue un rôle dans les plantes. *KNOTTED-1* joue cependant un rôle important dans la morphogenèse des feuilles, y compris des feuilles composées. Si l'expression du gène *KNOTTED-1* est excessive par rapport à la normale chez la tomate (*Lycopersicum esculentum*), les feuilles normalement composées deviennent alors «supercomposées» (**figure 35.32**).

▼ **Figure 35.32 L'expression excessive d'un gène homologue des gènes *Hox* pendant la formation d'une feuille.** *KNOTTED-1* est un gène qui participe à la formation des feuilles et des folioles. Son expression excessive chez la tomate (*Lycopersicum esculentum*) donne des feuilles «supercomposées» (à droite) par rapport aux feuilles normales (à gauche).

L'expression génique et la régulation de la différenciation cellulaire

Les cellules d'un organisme en développement synthétisent différentes protéines et ont diverses structures et fonctions, même si elles ont le même génome. Si, dans un milieu de culture, une cellule mature provenant d'une racine ou d'une feuille se dédifférencie et donne naissance aux divers types de cellules végétales, c'est qu'elle possède tous les gènes nécessaires à l'élaboration de tous les types de cellules dans la plante. Il s'ensuit que la différenciation cellulaire dépend dans une large mesure de la régulation de l'expression génique, autrement dit de la régulation de la transcription et de la traduction qui entraîne la production de protéines particulières.

Des données probantes portent à croire que l'activation ou l'inactivation de gènes précis intervenant dans la différenciation cellulaire relève en grande partie de la communication de cellule à cellule. C'est l'information reçue de leurs voisines qui indique aux cellules de quelle façon elles doivent se différencier. Par exemple, deux types de cellules se forment dans l'épiderme de la racine d'*A. thaliana*: les cellules qui produisent des poils absorbants et celles qui n'en produisent pas. Le sort des cellules est lié à leur position dans l'épiderme. Les cellules épidermiques immatures qui sont en contact avec deux cellules sous-jacentes du cortex de la racine produisent des poils absorbants, tandis que les cellules épidermiques immatures qui sont en contact avec une seule cellule du cortex deviennent des cellules matures sans poil absorbant. L'expression différentielle du gène homéotique appelé *GLABRA-2* (du latin *glaber*, « chauve ») est responsable de la distribution adéquate des poils absorbants (**figure 35.33**). Les chercheurs ont démontré ce phénomène en couplant le gène *GLABRA-2* à un « gène rapporteur », qui provoque la coloration bleue de chaque cellule de la racine où le gène *GLABRA-2* s'exprime après un protocole particulier. Ce gène ne s'exprime normalement que dans les cellules épidermiques qui ne développeront pas de poil absorbant.

▼ Figure 35.33 La régulation de la différenciation cellulaire par un gène homéotique (MP).

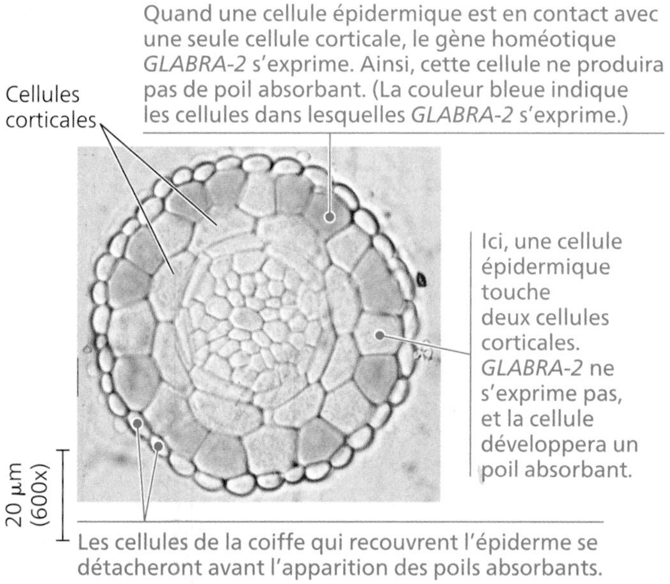

Quand une cellule épidermique est en contact avec une seule cellule corticale, le gène homéotique *GLABRA-2* s'exprime. Ainsi, cette cellule ne produira pas de poil absorbant. (La couleur bleue indique les cellules dans lesquelles *GLABRA-2* s'exprime.)

Cellules corticales

Ici, une cellule épidermique touche deux cellules corticales. *GLABRA-2* ne s'exprime pas, et la cellule développera un poil absorbant.

20 μm (600x)

Les cellules de la coiffe qui recouvrent l'épiderme se détacheront avant l'apparition des poils absorbants.

ET SI ? ▶ À quoi ressembleraient les racines si une mutation inhibait l'expression du gène *GLABRA-2* ?

Les changements de phase

Les organismes multicellulaires doivent passer par différents stades de développement. Ainsi, les humains passent par la petite enfance, l'enfance, l'adolescence et l'âge adulte, la puberté étant la ligne de démarcation entre la phase non reproductrice et la phase reproductrice. Les végétaux, eux, passent du stade végétatif juvénile au stade végétatif mature, puis au stade reproducteur mature. Chez les animaux, les changements développementaux s'effectuent dans l'organisme tout entier, et une larve d'insecte, par exemple, deviendra un insecte adulte. Chez les végétaux, en revanche, les stades de développement, appelés *phases*, touchent une seule région : le méristème apical caulinaire. Les changements morphologiques qui se produisent lors des transformations du méristème apical sont appelés **changements de phase**. Durant la transition progressive de la phase juvénile à la phase mature, la morphologie foliaire de certaines espèces présente des changements frappants (**figure 35.34**). Les nœuds et les entrenœuds juvéniles conservent leur état juvénile même si la pousse continue de s'allonger et même si, plus tard, le méristème apical caulinaire passe à la phase mature. Par conséquent, toutes les *nouvelles* feuilles qui se développent sur les branches émergeant des bourgeons axillaires des nœuds juvéniles seront elles aussi juvéniles, même si le méristème apical de l'axe principal de la tige produit des nœuds matures depuis des années.

Si les conditions environnementales sont favorables, une plante adulte s'engage dans la phase de floraison. Les biologistes ont accompli d'énormes progrès pour expliquer la régulation génétique du développement floral, le sujet de la prochaine section.

▼ Figure 35.34 Le changement de phase dans le système caulinaire d'*Acacia koa*. Cette plante originaire d'Hawaï a des feuilles juvéniles composées, qui sont constituées de nombreuses petites folioles, et des feuilles matures simples. Ces deux sortes de feuillages reflètent un changement de phase dans le développement du méristème apical de chaque tige. Une fois qu'un nœud est formé, la phase de développement – juvénile ou mature – est fixe ; les feuilles composées ne deviennent pas des feuilles simples à maturité.

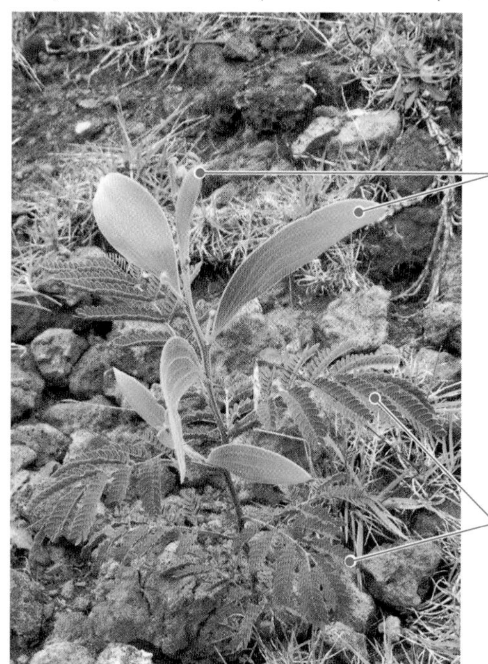

Feuilles développées durant la phase mature du méristème apical

Feuilles développées durant la phase juvénile du méristème apical

La régulation génétique de la floraison

La formation de fleurs comporte un changement de phase qui fait passer de la croissance végétative à la croissance reproductrice. Cette transition est provoquée par une combinaison de stimulus environnementaux, comme la longueur du jour, et de signaux internes, tels les régulateurs de croissance végétaux. (Le concept 39.3 aborde plus en détail les stimulus liés à la floraison.) Contrairement à la croissance végétative, qui est indéfinie, la croissance liée à la floraison est habituellement définie : la production d'une fleur par le méristème apical d'une pousse met généralement un terme à la croissance primaire de cette pousse. Le passage de la croissance végétative à la floraison est associé à l'activation des **gènes d'identité du méristème** floral. Les protéines produites par ces gènes sont des facteurs de transcription qui régulent les gènes nécessaires à la conversion des méristèmes végétatifs indéfinis en méristèmes floraux définis.

Lorsque le méristème apical d'une pousse s'est engagé dans la phase de floraison, l'ordre de l'émergence de chaque primordium en détermine le développement en un organe floral précis : un sépale, un pétale, une étamine ou un carpelle (voir la figure 30.8 pour une révision de l'anatomie de la fleur). Ces organes floraux forment quatre verticilles qui peuvent être décrits comme des cercles concentriques lorsqu'ils sont vus du dessus. Les sépales forment le premier verticille (celui le plus à l'extérieur), les pétales, le deuxième, les étamines, le troisième, et les carpelles, le quatrième (celui le plus au centre). Les botanistes ont identifié plusieurs **gènes d'identité des organes** appartenant à la famille des *MADS-box* ; ils codent pour des facteurs de transcription qui déterminent cette organisation florale caractéristique. C'est l'information de positionnement qui détermine les gènes qui s'expriment dans un primordium floral particulier. Il en résulte le développement d'un primordium floral en un organe floral précis. Une mutation dans un gène d'identité des organes d'une plante peut causer une anomalie dans le développement de la fleur ; par exemple, des pétales pousseront à la place des étamines (**figure 35.35**). Certains mutants homéotiques possédant un plus grand nombre de pétales produisent des fleurs spectaculaires qui font la joie des jardiniers.

En étudiant des mutants dotés de fleurs anormales, les chercheurs ont identifié et cloné trois classes de gènes d'identité des organes floraux. Leurs études commencent à révéler le fonctionnement de ces gènes. La **figure 35.36a** montre une version simplifiée de l'**hypothèse ABC** sur le développement floral selon laquelle trois classes de gènes dirigent la formation des quatre types d'organes floraux. D'après cette hypothèse, chaque classe de gènes d'identité des organes s'exprime dans deux verticilles précis du méristème floral. Normalement, les gènes *A* s'expriment dans les deux verticilles externes (sépales et pétales), les gènes *B*, dans les deux verticilles médians (pétales et étamines), et les gènes *C*, dans les deux verticilles internes (étamines et carpelles). Les sépales se développent dans la région du méristème où seuls les gènes *A* sont actifs. Les pétales se forment dans la région où les gènes *A* et *B* sont actifs. Les étamines se développent dans les régions où les gènes *B* et *C* sont actifs. Enfin, les carpelles proviennent des régions où seuls les gènes *C* sont actifs. L'hypothèse ABC explique les phénotypes des mutants dépourvus de gènes *A*, *B* ou *C*, avec la particularité suivante : dans les régions où le gène *A* est actif, il inhibe le gène *C*, et vice versa. Si le gène *A* est inactif, le gène *C* prend sa place, et si le gène *C* est inactif, le gène *A* le remplace. La **figure 35.36b** montre l'organisation florale chez les mutants dépourvus d'une des trois classes de gènes d'identité des organes et décrit l'explication de l'hypothèse ABC pour ces phénotypes floraux. C'est grâce à ce genre d'hypothèses et aux expériences qu'ils conçoivent pour les vérifier que les chercheurs définissent peu à peu le plan génétique du développement des végétaux.

▼ **Figure 35.35 Les gènes d'identité des organes et le plan d'organisation de la fleur.**

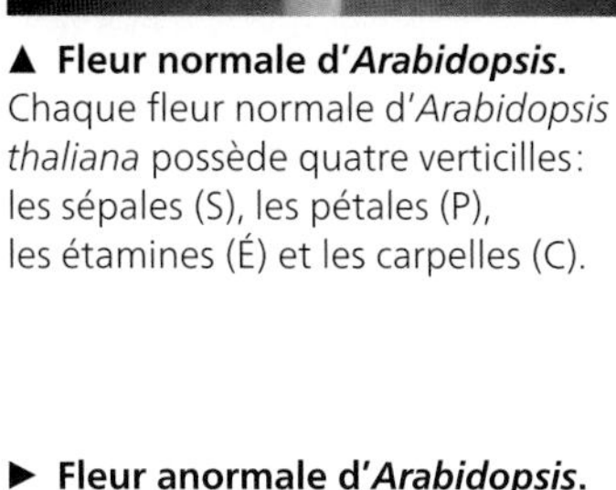

▲ **Fleur normale d'*Arabidopsis*.** Chaque fleur normale d'*Arabidopsis thaliana* possède quatre verticilles : les sépales (S), les pétales (P), les étamines (É) et les carpelles (C).

► **Fleur anormale d'*Arabidopsis*.** Les chercheurs ont relevé plusieurs mutations des gènes d'identité des organes qui sont à l'origine de la formation de fleurs anormales. Ainsi, cette fleur possède un verticille supplémentaire de pétales à la place des étamines et une fleur interne à la place des carpelles.

FAITES DES LIENS ► Donnez un autre exemple de mutation d'un gène homéotique entraînant la formation d'organes à un endroit inhabituel (voir le concept 18.4).

Lorsqu'on dissèque une plante pour en examiner les composants, comme on vient de le faire dans ce chapitre, on doit bien se rappeler que cette plante est un organisme dont les parties forment un tout. L'anatomie des végétaux reflète largement les adaptations évolutives aux défis posés par la vie photoautotrophe terrestre.

RETOUR SUR LE CONCEPT 35.5

1. Comment deux cellules végétales peuvent-elles avoir des structures très différentes alors qu'elles possèdent le même génome ?
2. Donnez trois différences entre le développement animal et le développement végétal.
3. **ET SI ?** ► Chez certaines espèces, les sépales ressemblent à des pétales, et, ensemble, ils sont appelés « tépales ». Proposez un ajout à l'hypothèse ABC qui pourrait expliquer l'origine des tépales.

Voir les réponses proposées à l'appendice A.

▼ Figure 35.36 L'hypothèse ABC sur le fonctionnement des gènes d'identité des organes dans le développement floral.

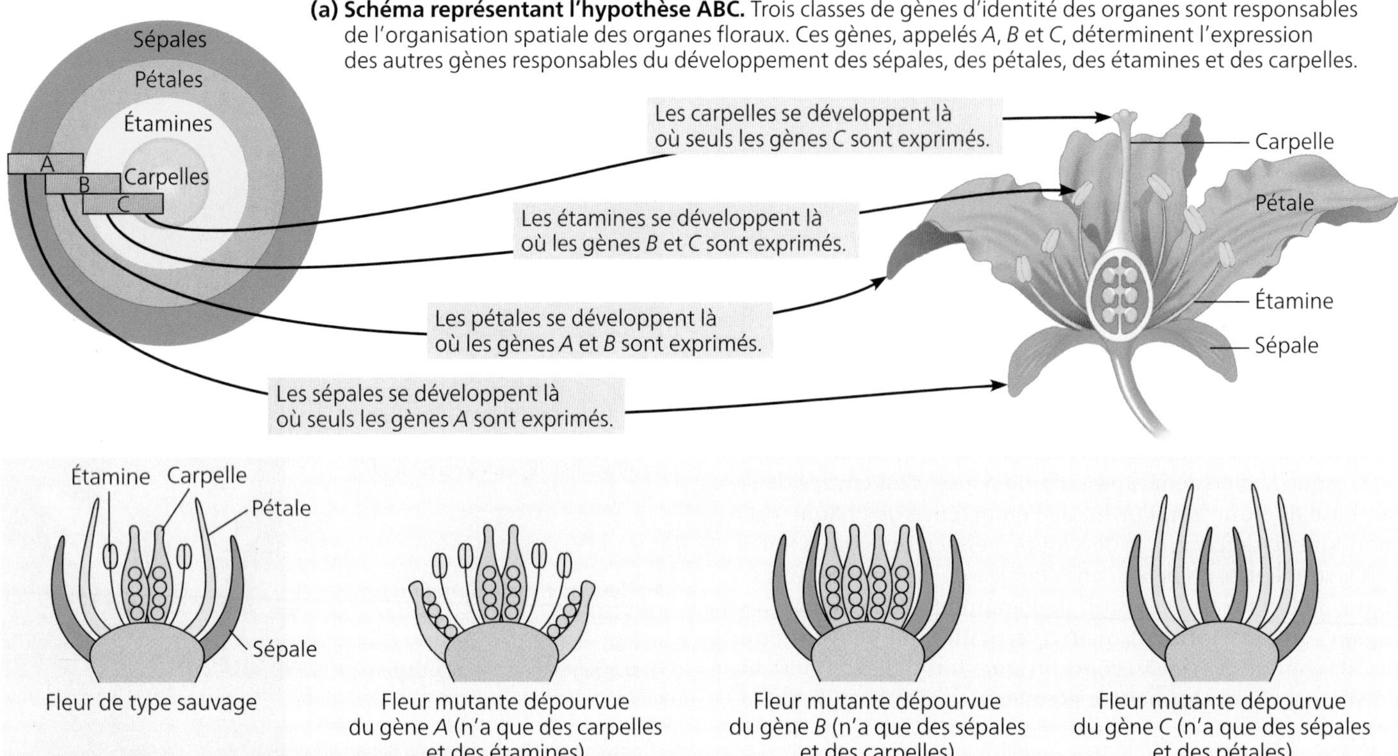
Sépales
Pétales
Étamines
Carpelles
A
B
C
Les carpelles se développent là où seuls les gènes *C* sont exprimés.
Les étamines se développent là où les gènes *B* et *C* sont exprimés.
Les pétales se développent là où les gènes *A* et *B* sont exprimés.
Les sépales se développent là où seuls les gènes *A* sont exprimés.
Carpelle
Pétale
Étamine
Sépale
Étamine
Carpelle
Pétale
Sépale
Fleur de type sauvage
Fleur mutante dépourvue du gène *A* (n'a que des carpelles et des étamines)
Fleur mutante dépourvue du gène *B* (n'a que des sépales et des carpelles)
Fleur mutante dépourvue du gène *C* (n'a que des sépales et des pétales)

(a) Schéma représentant l'hypothèse ABC. Trois classes de gènes d'identité des organes sont responsables de l'organisation spatiale des organes floraux. Ces gènes, appelés *A*, *B* et *C*, déterminent l'expression des autres gènes responsables du développement des sépales, des pétales, des étamines et des carpelles.

(b) Vue latérale d'une fleur de type sauvage et de fleurs mutantes. Pour expliquer le phénotype des mutantes dépourvues d'un gène d'identité des organes *A*, *B* ou *C*, on peut utiliser le modèle montré à la partie (a) ainsi que l'observation suivante: si le gène *A* ou le gène *C* est inactif, c'est celui des deux gènes qui n'est pas inactif qui s'exprimera dans ce verticille. Par exemple, si le gène *A* est inactif dans une fleur mutante, c'est le gène *C* qui s'exprimera là où le gène *A* se serait normalement exprimé. Par conséquent, des carpelles (expression du gène *C*) se développeront dans le verticille le plus externe, tandis que des étamines (expression des gènes *B* et *C*) se développeront dans le verticille suivant.

FAITES UN DESSIN ▶ Pour chaque fleur mutante, dessinez un diagramme concentrique comme celui du schéma (a) et indiquez-y les organes et les gènes exprimés dans chaque verticille. Ensuite, dessinez un diagramme concentrique qui représente une fleur mutante dans laquelle les gènes A et B sont inactifs, et indiquez-en les différentes parties.

RÉVISION DU CHAPITRE 35

Consultez votre MANUEL NUMÉRIQUE, qui vous donne accès aux **animations**, aux **exercices** et à la plateforme d'**anatomie interactive**.

Résumé des concepts clés

CONCEPT 35.1

Les végétaux possèdent une organisation hiérarchique constituée d'organes, de tissus et de cellules (p. 830 à 835)

- Les plantes vasculaires sont constituées de **tiges**, de **feuilles** et, chez les angiospermes, de fleurs. Les **racines** ancrent la plante dans le sol, absorbent l'eau et les minéraux qu'elles transportent, et emmagasinent les matières nutritives. Les feuilles sont reliées aux **nœuds** de la tige et sont les principaux **organes** de la photosynthèse. Les **bourgeons axillaires**, situés aux aisselles des feuilles et des tiges, donnent naissance aux branches. Les organes des végétaux peuvent être adaptés pour des fonctions spécialisées.
- Les plantes vasculaires possèdent trois **systèmes tissulaires** qui parcourent toute la plante: les tissus de revêtement, les tissus conducteurs et les tissus fondamentaux. Les **tissus de revêtement** recouvrent la plante d'une couche protectrice. Les **tissus conducteurs** (**xylème** et **phloème**) assurent le transport à grande distance des substances. Les **tissus fondamentaux** remplissent des fonctions de stockage, de métabolisme et de régénération.
- Les **cellules parenchymateuses** sont des cellules indifférenciées aux parois minces qui gardent toujours la capacité de se diviser; elles remplissent la plupart des fonctions métaboliques de synthèse et de stockage. Les **cellules collenchymateuses**, qui ont une paroi d'épaisseur variable, soutiennent les jeunes parties de la plante en développement. Enfin, les **cellules sclérenchymateuses** (**cellules fibreuses** et **sclérites**) ont une paroi épaisse et lignifiée qui fournit un support aux parties matures de la plante, qui ont terminé leur croissance. Les **trachéides** et les **éléments de vaisseau**, les cellules de transport du xylème, ont une paroi épaisse et sont morts lorsqu'ils atteignent la maturité. Les **éléments de tube criblé** sont des cellules vivantes, mais très modifiées, très dépourvues d'organites internes; ce sont les cellules qui effectuent le transport des glucides dans le phloème chez les angiospermes.

? Décrivez aux moins trois spécialisations des organes végétaux et des cellules végétales qui sont des adaptations à la vie terrestre.

CONCEPT 35.2

Les méristèmes apicaux et latéraux engendrent les cellules nécessaires à la croissance primaire et à la croissance secondaire (p. 835 à 839)

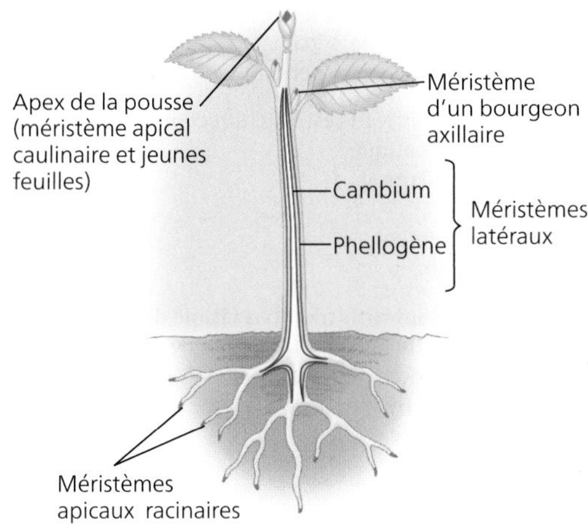

? Quelle est la différence entre la croissance primaire et la croissance secondaire ?

CONCEPT 35.3

La croissance primaire produit l'allongement des racines et des pousses (p. 839 à 843)

- Dans les racines, le **méristème apical** se trouve près de l'apex de la racine, où il génère les cellules pour la racine en croissance et la **coiffe**.
- Dans les pousses, le méristème apical se trouve dans le **bourgeon apical**, où il produit plusieurs **entrenœuds** et nœuds porteurs de feuilles.
- Chez les eudicotylédones, les faisceaux libéroligneux des tiges sont disposés en anneau. Chez les monocotylédones, ils sont répartis dans tous les tissus fondamentaux.
- Les cellules du **mésophylle** sont spécialisées dans la photosynthèse. Les **stomates** sont des pores de l'épiderme bordés par des paires de **cellules stomatiques** (cellules de garde) ; ils permettent les échanges gazeux et servent également de passage pour l'évaporation de l'eau.

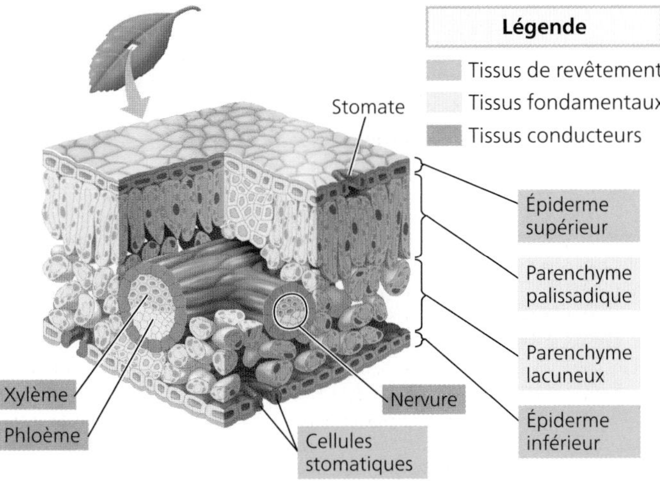

? Quelle est la différence entre la ramification des racines et celle des tiges ?

CONCEPT 35.4

La croissance secondaire fait augmenter le diamètre des tiges et des racines des plantes ligneuses (p. 843 à 848)

- Le **cambium** est un cylindre méristématique qui produit le xylème secondaire et le phloème secondaire durant la **croissance secondaire**. Les plus vieilles couches de xylème secondaire (duramen) deviennent inactives, tandis que les plus jeunes couches (aubier) continuent de transporter l'eau.

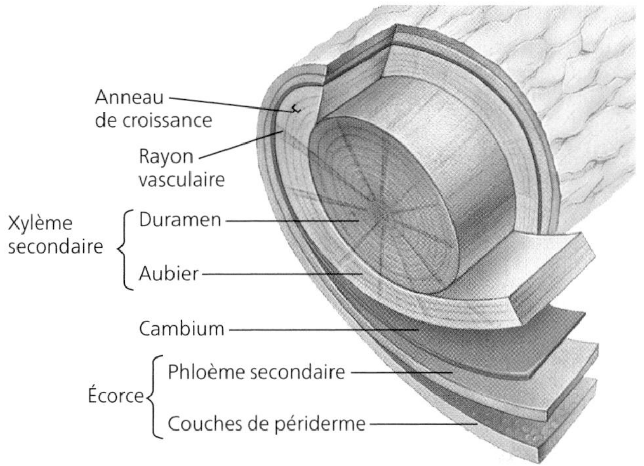

- Le **phellogène** donne naissance à un tissu de revêtement épais, ou périderme, qui protège la structure de la plante. Ce tissu comprend le phellogène et les couches de cellules du phelloderme (non illustré) et de suber qu'il produit.

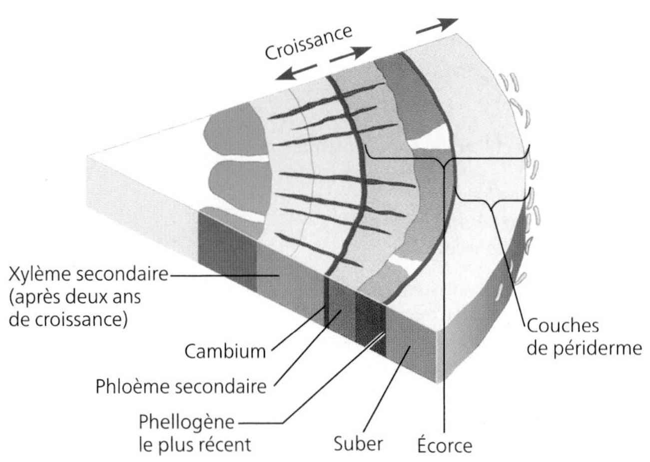

? Quels avantages les végétaux ont-ils retirés de l'évolution de la croissance secondaire ?

CONCEPT 35.5

La croissance, la morphogenèse et la différenciation cellulaire façonnent la structure des végétaux (p. 848 à 854)

- La division et l'expansion cellulaires sont les principaux mécanismes qui déterminent la croissance. Une bande préprophasique de microtubules établit l'endroit où se formera la plaque cellulaire dans la cellule en division. L'orientation des microtubules détermine également la direction de l'expansion cellulaire en régissant l'orientation des microfibrilles de cellulose qui se trouvent dans la paroi.

- La morphogenèse, c'est-à-dire le développement de la morphologie et de l'organisation, dépend des cellules qui reçoivent l'information de positionnement de leurs voisines et y répondent.
- La différenciation cellulaire, le résultat de l'activation génique différentielle, permet aux cellules d'une plante d'assumer différentes fonctions malgré leurs génomes identiques. La position d'une cellule dans une plante en développement détermine sa voie de différenciation.
- Des stimulus internes ou environnementaux peuvent provoquer chez une plante le passage d'un stade de développement à l'autre, par exemple, de la production de feuilles juvéniles à la production de feuilles matures. Ces changements morphologiques sont appelés **changements de phase**.
- La recherche effectuée sur les **gènes d'identité des organes** des fleurs en développement fournit un modèle pour l'étude des **plans d'organisation**. L'**hypothèse ABC** explique comment trois classes de gènes d'identité des organes régissent la formation des sépales, des pétales, des étamines et des carpelles.

? Par quel mécanisme les cellules végétales ont-elles tendance à s'allonger le long d'un axe au lieu de prendre de l'expansion dans toutes les directions comme un ballon ?

Évaluation

NIVEAU 1 : CONNAISSANCES ET COMPRÉHENSION

1. La majeure partie de la croissance de la morphologie des végétaux est le résultat de :
a) la différenciation cellulaire.
b) la morphogenèse.
c) la division cellulaire.
d) l'allongement cellulaire.

2. La couche la plus interne de l'écorce des racines est :
a) le centre.
b) le péricycle.
c) l'endoderme.
d) la moelle.

3. Le duramen et l'aubier sont constitués :
a) d'écorce.
b) de périderme.
c) de xylème secondaire.
d) de phloème secondaire.

4. Le passage d'un méristème apical de la phase végétative juvénile à la phase végétative mature se manifeste souvent par :
a) une modification dans la morphologie des feuilles produites.
b) le début de la croissance secondaire.
c) la formation des racines latérales.
d) l'activation des gènes d'identité du méristème floral.

NIVEAU 2 : APPLICATION ET ANALYSE

5. Supposons une fleur dont les gènes *A* et *C* s'expriment normalement et dont le gène *B* s'exprime dans les quatre verticilles. En vous appuyant sur l'hypothèse ABC, quelle serait la structure de cette fleur, en commençant par le verticille le plus à l'extérieur ?
a) Carpelle, pétale, pétale, carpelle.
b) Pétale, pétale, étamine, étamine.
c) Sépale, carpelle, carpelle, sépale.
d) Sépale, sépale, carpelle, carpelle.

6. Lequel des éléments suivants est issu, directement ou indirectement, de l'activité méristématique ?
a) Le xylème secondaire.
b) La feuille.
c) Le tissu de revêtement.
d) Tous ces éléments.

7. Lequel des éléments suivants n'est pas visible dans une coupe transversale de la partie ligneuse d'une racine ?
a) Les cellules sclérenchymateuses.
b) Les cellules parenchymateuses.
c) Les éléments de tube criblé.
d) Les poils absorbants.

8. **FAITES UN DESSIN ▶** Sur cette coupe transversale d'une eudicotylédone ligneuse, indiquez un anneau de croissance, le bois d'été, le bois de printemps et un élément de vaisseau. Ensuite, dessinez une flèche dans le sens de la moelle vers le suber.

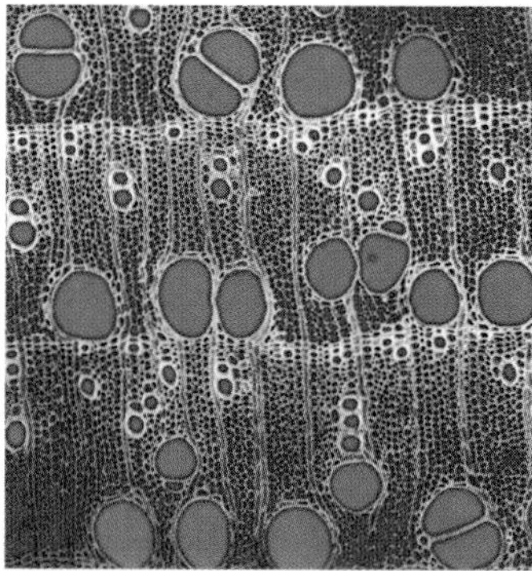

Voir les réponses proposées à l'appendice A.

L'acquisition et le transport des ressources chez les plantes vasculaires

36

VOS OUTILS INTERACTIFS

Consultez votre MANUEL NUMÉRIQUE, qui vous donne accès aux **animations**, aux **exercices** et à la plateforme d'**anatomie interactive**.

▲ **Figure 36.1** **Pourquoi les feuilles de peupliers faux-trembles frémissent-elles ?**

CONCEPTS CLÉS

36.1 Les adaptations permettant l'acquisition des ressources ont été des étapes déterminantes dans l'évolution des plantes vasculaires

36.2 Différents mécanismes transportent les substances sur de courtes et de longues distances

36.3 L'eau et les minéraux absorbés par les racines montent dans le xylème jusqu'aux pousses sous l'effet de la transpiration

36.4 Les stomates assurent la régulation de la transpiration

36.5 Le phloème transporte les glucides des organes sources aux organes cibles

36.6 Le symplasme est hautement dynamique

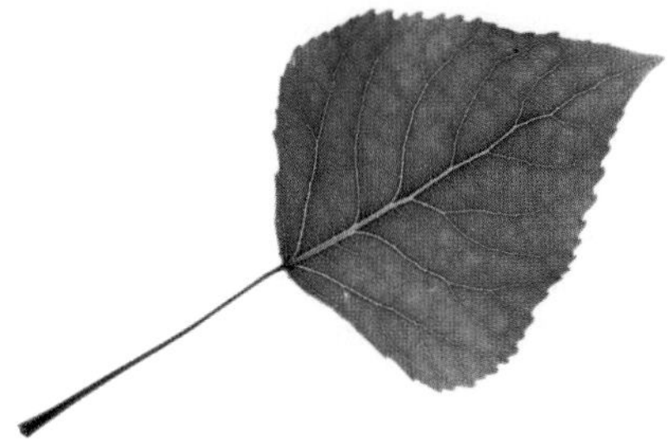

Des frémissements au moindre souffle

Quiconque marche par temps clair dans une forêt de peupliers faux-trembles (*Populus tremuloides*) est émerveillé par le chatoiement des feuilles de ces arbres sous le jeu de la lumière (**figure 36.1**). Même sous le plus doux des vents, les feuilles frémissent et font miroiter les rayons de soleil sur le sol, aussitôt moucheté de mille et un scintillements. Le mouvement passif des feuilles des faux-trembles a une raison bien simple : le pétiole de chaque feuille est aplati sur les côtés, si bien que cette feuille ne peut s'agiter que sur le plan horizontal. Plus intrigante est la façon dont cette singulière adaptation est apparue chez *Populus* au cours de l'évolution.

On a avancé plusieurs hypothèses pour expliquer l'avantage que *Populus* tire du tremblement de ses feuilles. Les expériences ont permis de rejeter les hypothèses voulant que le tremblement des feuilles aide à dissuader les herbivores ou à remplacer l'air pauvre en dioxyde de carbone (CO_2) qui se trouve près de leur surface. L'hypothèse retenue est que le tremblement des feuilles laisse passer plus de lumière jusqu'aux feuilles du bas de l'arbre, améliorant ainsi la productivité photosynthétique de toute la plante. Sans l'ensoleillement intermittent que ce mouvement foliaire permet, les feuilles du bas seraient trop à l'ombre pour produire une photosynthèse suffisante.

Dans ce chapitre, nous examinerons les diverses adaptations qui ont permis aux plantes d'obtenir plus efficacement des ressources comme l'eau, les minéraux, le CO_2 et la lumière. Nous verrons de quelles matières nutritives les végétaux ont besoin et comment leur nutrition fait souvent intervenir d'autres organismes. L'acquisition des ressources, cependant, n'est pas le point final du processus. Il en est plutôt le début, car les ressources doivent être transportées dans la plante jusqu'aux régions où elle en a besoin. Nous nous pencherons donc également sur la façon dont l'eau, les minéraux et les produits de la photosynthèse (glucides) sont transportés chez les plantes vasculaires.

CONCEPT **36.1**

Les adaptations permettant l'acquisition des ressources ont été des étapes déterminantes dans l'évolution des plantes vasculaires

ÉVOLUTION Les végétaux terrestres habitent généralement deux mondes : l'un aérien, où leurs pousses captent la lumière du soleil et le CO_2, et l'autre souterrain, où leurs racines absorbent l'eau et les minéraux. Sans les adaptations qui leur ont permis d'acquérir des ressources essentielles de ces deux environnements différents, les végétaux n'auraient pas été en mesure de coloniser les milieux terrestres.

Les algues vertes, ancêtres des végétaux, absorbaient l'eau, les minéraux et le CO_2 directement du milieu aqueux dans lequel elles vivaient. Dans ces algues, le transport se déroulait assez simplement, étant donné que chaque cellule était située près de la source de ces substances. Les premiers végétaux terrestres étaient des plantes non vasculaires qui produisaient des pousses photosynthétiques au-dessus de l'eau douce peu profonde dans laquelle elles vivaient. Ces pousses dépourvues de feuilles possédaient généralement des cuticules cireuses et quelques stomates qui empêchaient la perte d'eau excessive, tout en permettant un certain échange de CO_2 et de molécules d'oxygène (O_2) pour la photosynthèse. Les fonctions de fixation au substrat et d'absorption des premiers végétaux terrestres ont été assumées par la base de la tige ou par des rhizoïdes filamenteux (voir la figure 29.7).

Au fur et à mesure que les végétaux ont évolué et augmenté en nombre, la compétition pour la lumière, l'eau et les nutriments s'est intensifiée. Des plantes plus grandes portant des appendices plats et larges possédaient un avantage pour absorber la lumière. Cependant, cette augmentation de la surface favorisait l'évaporation et créait par conséquent un plus grand besoin en eau. Des pousses de plus grande taille nécessitaient également un meilleur ancrage au sol. Ces besoins ont favorisé la production de racines ramifiées multicellulaires. Pendant ce temps, comme les pousses toujours plus hautes accentuaient la distance entre le haut de la pousse photosynthétique et les parties souterraines non photosynthétiques, la sélection naturelle favorisait les végétaux capables d'assurer un transport efficace de l'eau, des minéraux et des produits de la photosynthèse sur de longues distances.

L'évolution des tissus conducteurs constitués de xylème et de phloème a rendu possible le développement de systèmes racinaires et caulinaires importants pour effectuer le transport sur de longues distances (voir la figure 35.10). Le **xylème** transporte l'eau et les minéraux des racines jusqu'aux pousses. Le **phloème** transporte les produits de la photosynthèse de la région où ils sont élaborés ou emmagasinés jusqu'aux régions qui en ont besoin. La **figure 36.2** illustre l'acquisition et le transport des ressources dans une plante en train d'effectuer la photosynthèse.

L'architecture des pousses et le captage de la lumière

Comme la plupart des végétaux sont photoautotrophes, leur succès dépend de leur capacité d'effectuer la photosynthèse. Au cours de l'évolution, les végétaux ont acquis toutes sortes de structures caulinaires qui permettent à chaque espèce, dans la niche écologique qu'elle occupe, de rivaliser avec les autres pour obtenir efficacement la lumière du soleil. La longueur et le diamètre des tiges, par exemple, ainsi que le schéma de ramification sont autant de caractéristiques architecturales qui influent sur la capacité d'une plante d'absorber de la lumière. Les tiges assurent le soutien des feuilles et servent de canaux pour le transport de l'eau et des nutriments. Les végétaux de haute taille évitent l'ombrage causé par les végétaux voisins. La plupart des grands végétaux ont besoin de tiges épaisses, ce qui favorise l'écoulement de la sève vers les feuilles et leur fournit un soutien mécanique. Les vignes constituent une exception : elles dépendent d'autres structures (habituellement d'autres végétaux) pour le soutien de leurs tiges. Chez les plantes ligneuses, les tiges deviennent plus épaisses grâce à la croissance secondaire (voir la figure 35.11). Quant aux ramifications, elles permettent généralement aux plantes de capter plus efficacement la lumière solaire pour la photosynthèse. Toutefois, certaines espèces, comme le cocotier (*Cocos nucifera*), ne forment aucune ramification. Pourquoi y a-t-il autant de variations dans les schémas de ramification ? Les plantes n'ont qu'une quantité limitée d'énergie à consacrer à la croissance des pousses. Si la majeure partie de cette énergie sert à la formation de ramifications, il en reste moins pour la croissance en hauteur, si bien que la plante risque de se retrouver à l'ombre des plantes plus hautes. À l'inverse, si la majeure partie de l'énergie sert à la croissance en hauteur, la plante n'exploitera pas de façon optimale la lumière du soleil.

La taille et la structure des feuilles sont responsables de la diversité extérieure de la forme des végétaux. La longueur des feuilles varie entre 1,3 mm dans le cas des minuscules feuilles de la tillée dressée (*Crassula erecta*), une plante indigène des régions sablonneuses arides de l'Ouest des États-Unis, et 20 m dans le cas des feuilles du palmier *Raphia regalis*, qui croît naturellement dans les forêts tropicales humides de l'Afrique. Ces espèces représentent des exemples extrêmes d'une corrélation générale observée entre la disponibilité de l'eau et la taille des feuilles. Les feuilles les plus larges s'observent habituellement chez les espèces vivant dans les forêts tropicales humides, alors que les plus petites sont généralement typiques des espèces des milieux secs ou très froids, où l'eau liquide est rare et les pertes par évaporation des feuilles sont plus susceptibles de causer des problèmes.

La disposition des feuilles sur la tige, appelée **phyllotaxie**, est une caractéristique architecturale d'une grande importance pour le captage de la lumière. La phyllotaxie est déterminée par le méristème apical caulinaire (voir la figure 35.16) et elle est propre à chaque espèce (**figure 36.3**). Ainsi, une espèce peut avoir une feuille par nœud (phyllotaxie alternée ou spiralée), deux feuilles par nœud (phyllotaxie opposée) ou plus (phyllotaxie verticillée). La plupart des angiospermes possèdent une phyllotaxie alternée, les feuilles étant disposées en spirale ascendante autour de la tige, chaque feuille successive émergeant à 137,5° du site de la précédente. Pourquoi 137,5° ? Une des hypothèses mises de l'avant est que cet angle minimise l'ombrage que les feuilles du haut produisent sur celles du bas. Dans les milieux

▼ Figure 36.2 L'acquisition et le transport des ressources dans une plante vasculaire durant le jour: vue d'ensemble.

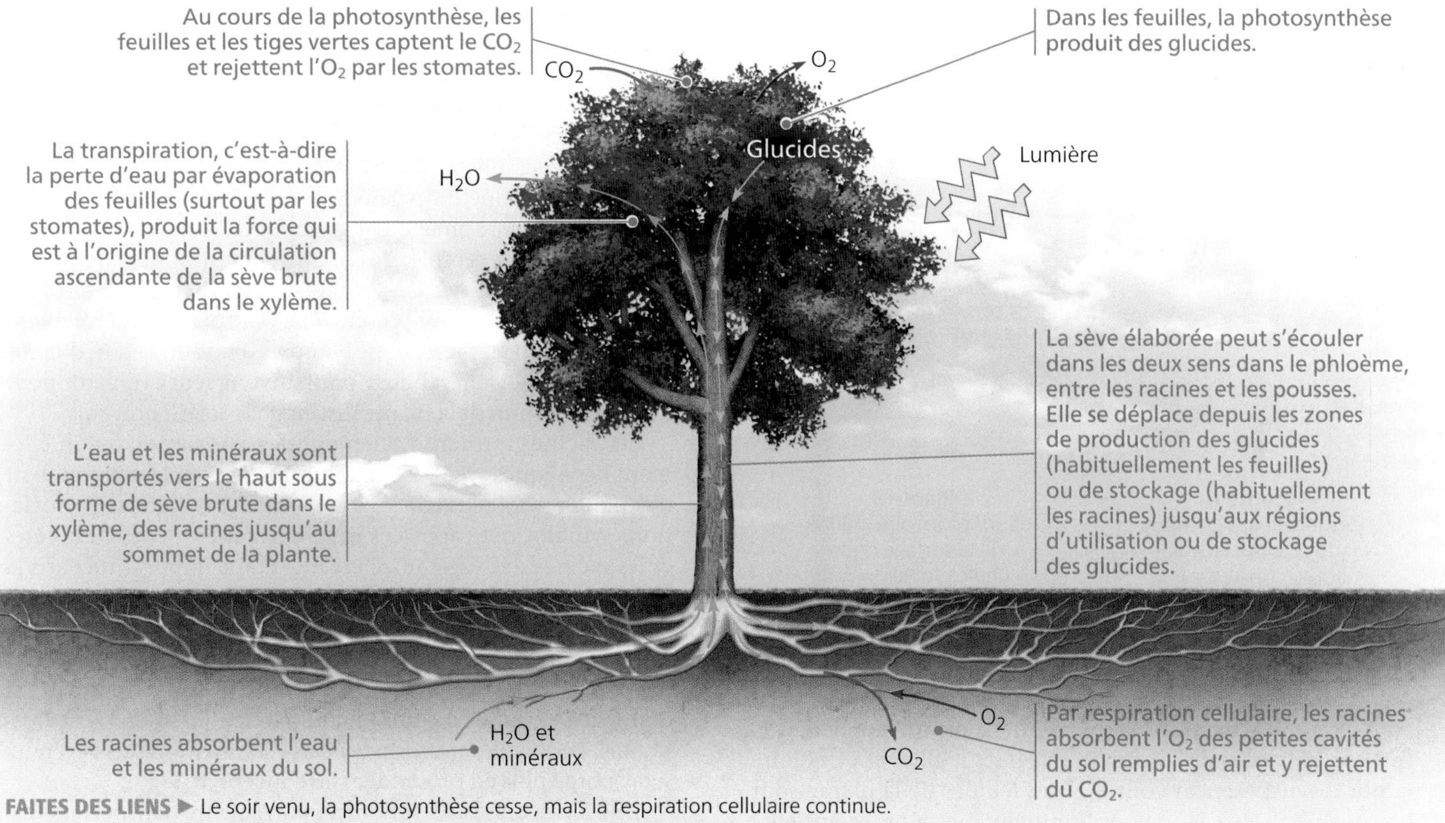

Au cours de la photosynthèse, les feuilles et les tiges vertes captent le CO_2 et rejettent l'O_2 par les stomates.
CO_2
O_2
Dans les feuilles, la photosynthèse produit des glucides.
La transpiration, c'est-à-dire la perte d'eau par évaporation des feuilles (surtout par les stomates), produit la force qui est à l'origine de la circulation ascendante de la sève brute dans le xylème.
H_2O
Glucides
Lumière
La sève élaborée peut s'écouler dans les deux sens dans le phloème, entre les racines et les pousses. Elle se déplace depuis les zones de production des glucides (habituellement les feuilles) ou de stockage (habituellement les racines) jusqu'aux régions d'utilisation ou de stockage des glucides.
L'eau et les minéraux sont transportés vers le haut sous forme de sève brute dans le xylème, des racines jusqu'au sommet de la plante.
Les racines absorbent l'eau et les minéraux du sol.
H_2O et minéraux
CO_2
O_2
Par respiration cellulaire, les racines absorbent l'O_2 des petites cavités du sol remplies d'air et y rejettent du CO_2.

FAITES DES LIENS ▶ Le soir venu, la photosynthèse cesse, mais la respiration cellulaire continue. Expliquez en quoi cela influe sur les échanges gazeux dans les cellules des feuilles durant la nuit. Reportez-vous à la figure 10.23 pour revoir les échanges gazeux entre les chloroplastes et les mitochondries.

▼ Figure 36.3 Phyllotaxie de l'émergence des feuilles de l'épinette de Norvège (*Picea abies*). Cette micrographie par MEB, prise du dessus de l'apex d'une tige, montre le schéma d'émergence des feuilles. Les feuilles sont numérotées, le numéro 1 correspondant à la plus jeune feuille. (Certaines feuilles numérotées ne sont pas visibles dans le gros plan.)

Bourgeons
42
29
24
32
40
16
11
19
34
21
8
3
27
6
14
13
26
Méristème apical caulinaire
1
22
5
9
18
10
2
4
17
31
23
15
7
12
20
25
28
1 mm
(60×)

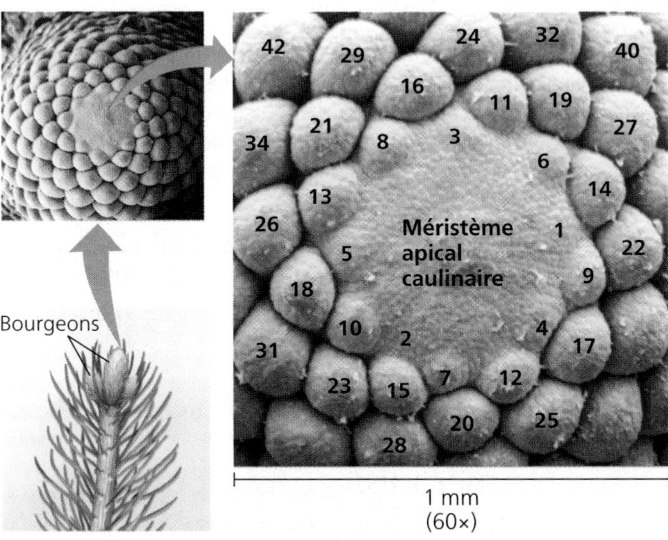

HABILETÉS VISUELLES ▶ Avec votre doigt, tracez la progression de l'émergence des feuilles, de la feuille numéro 29 à la feuille numéro 28, puis 27, et ainsi de suite. Quel est le schéma de l'émergence ? Selon ce schéma phyllotaxique, indiquez les deux primordiums foliaires entre lesquels le prochain primordium émergera.

où la lumière du soleil de forte intensité peut endommager les feuilles, la disposition opposée des feuilles, qui produisent ainsi plus d'ombre, peut s'avérer un avantage.

Dans une communauté, la superficie totale de la portion foliaire de toutes les plantes, depuis la couche supérieure de végétation jusqu'à la couche inférieure, influe sur la productivité de chaque plante. Lorsqu'il y a plusieurs couches de végétation, l'ombre sous laquelle se trouvent les feuilles du bas est si dense que la photosynthèse qui s'y effectue est moindre que la respiration. Lorsqu'il en est ainsi, les feuilles ou les branches non productives subissent la mort cellulaire programmée (apoptose) et finissent par tomber. Ce phénomène porte le nom d'*élagage naturel*.

Les caractéristiques qui permettent à une plante de réduire l'ombre qu'elle se fait augmentent le captage de la lumière. Une mesure utile à cet égard est l'*indice foliaire*, qui se définit comme le rapport de la surface totale supérieure des feuilles d'une plante ou d'une culture entière sur la surface de terre où la plante ou la culture se développe (**figure 36.4**). Des valeurs d'indice foliaire allant jusqu'à 7 sont courantes pour de nombreuses cultures matures, mais, en agriculture, il y a peu d'avantages à atteindre des indices foliaires supérieurs à cette valeur. Augmenter le nombre de feuilles accroît l'ombrage sur les feuilles inférieures au point où survient l'élagage naturel.

L'orientation des feuilles constitue un autre facteur qui influe sur le captage de la lumière. Certains végétaux orientent leurs feuilles horizontalement, tandis que d'autres, comme les graminées, les orientent verticalement. Dans des conditions de faible luminosité, les feuilles horizontales captent la lumière beaucoup plus efficacement que les feuilles verticales. Dans les pâturages

▼ Figure 36.4 L'indice foliaire. L'indice foliaire d'une plante est le rapport de la surface supérieure totale des feuilles sur la surface de sol couverte par la plante, comme le montre l'illustration de deux plantes vues du dessus. Quand les couches de feuilles sont nombreuses, l'indice foliaire peut facilement dépasser 1.

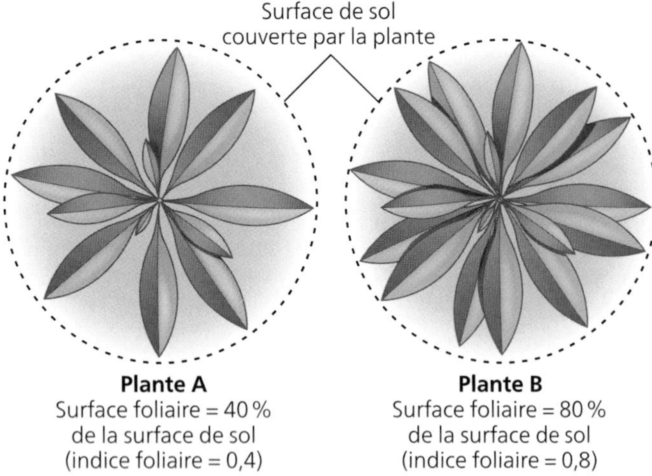

? Un indice foliaire plus élevé augmente-t-il toujours la photosynthèse ? Expliquez votre réponse.

ou d'autres régions ensoleillées, cependant, l'orientation horizontale risque d'exposer les feuilles du haut à une lumière trop intense, et, ce faisant, d'endommager les feuilles et de réduire la photosynthèse. Par contre, si les feuilles de la plante sont presque verticales, les rayons lumineux sont alors essentiellement parallèles aux surfaces des feuilles, de sorte qu'aucune feuille ne reçoit trop de lumière, et celle-ci pénètre plus en profondeur vers les feuilles du bas.

Favoriser la photosynthèse ou prévenir la perte d'eau : un compromis à trouver

La grande surface de la plupart des feuilles favorise l'exposition à la lumière, et donc son absorption, tandis que l'ouverture des stomates permet la diffusion du CO_2 dans les tissus photosynthétiques. Lorsque les stomates sont ouverts, toutefois, ils laissent l'eau s'échapper de la plante. En fait, on estime que l'évaporation par les stomates causerait 90 % des pertes d'eau d'une plante. Les adaptations des pousses sont donc des compromis servant à la fois à favoriser la photosynthèse et à prévenir la perte d'eau, surtout dans les environnements où l'eau se fait rare. Plus loin dans le présent chapitre, nous verrons comment la régulation de l'ouverture des stomates permet aux plantes d'améliorer l'absorption de CO_2 tout en réduisant au minimum la perte d'eau.

L'architecture des racines et l'acquisition de l'eau et des minéraux

Tout comme le CO_2 et la lumière du soleil sont des ressources exploitées par le système caulinaire, le sol contient des ressources exploitées par le système racinaire. Les végétaux peuvent adapter l'architecture et la physiologie de leurs racines pour tirer profit des parcelles de terrain contenant des nutriments accessibles dans le sol. Les racines de nombreux végétaux, par exemple, traversent directement les poches de sol pauvre en nitrates au lieu de s'y ramifier. En revanche, quand elles rencontrent une poche de sol riche en nitrates, elles s'y ramifient souvent de façon importante. Par ailleurs, lorsqu'elles rencontrent des concentrations élevées de nitrates, les cellules des racines synthétisent en grande quantité les protéines qui participent au transport et à l'assimilation de ces ions. Par conséquent, la plante consacre une plus grande partie de sa masse pour exploiter une parcelle riche en nitrates, et les cellules absorbent les nitrates plus efficacement.

Il existe par ailleurs un mécanisme physiologique fascinant qui réduit la compétition dans le système racinaire d'une plante, contribuant ainsi à améliorer l'absorption des nutriments moins abondants. Par exemple, des boutures de stolons d'herbe aux bisons (*Buchloe dactyloides*) produisent moins de racines et des racines plus courtes en présence de boutures du même plant qu'ils ne le font en présence de boutures d'un autre plant d'herbe aux bisons. Les chercheurs poursuivent leurs travaux pour découvrir comment la plante distingue le soi du non-soi.

Les racines forment également des associations mutuellement bénéfiques avec des microorganismes qui leur permettent d'exploiter le sol plus efficacement. Ainsi, l'évolution d'associations symbiotiques appelées **mycorhizes** entre des eumycètes et les racines des végétaux a été une étape importante dans la réussite de la colonisation du milieu terrestre par les plantes vasculaires, notamment en raison des sols pauvres disponibles à cette époque. Les hyphes mycorhiziennes dotent les racines des eumycètes et des végétaux d'une grande surface permettant d'absorber l'eau et les minéraux, particulièrement les phosphates. Le rôle des mycorhizes dans la nutrition des végétaux sera abordé plus en profondeur au concept 37.3.

Une fois acquises, les ressources doivent être transportées vers d'autres parties de la plante qui en ont besoin. Dans la prochaine section, nous examinerons les processus et les voies qui permettent aux ressources comme l'eau, les minéraux et les glucides d'être transportées dans toute la plante.

RETOUR SUR LE CONCEPT 36.1

1. Pourquoi le transport sur de longues distances est-il important pour les plantes vasculaires ?
2. Certaines plantes peuvent détecter l'augmentation de l'intensité de la lumière réfléchie par les feuilles de plantes voisines envahissantes. Cette détection provoque l'allongement de la tige, la production de feuilles dressées et la diminution des ramifications latérales. Comment ces réactions aident-elles la plante à affronter la compétition avec les autres plantes ?
3. **ET SI ?** ▶ Si on taillait les apex des tiges d'une plante, quel serait l'effet à court terme sur sa ramification et sur son indice foliaire ?

Voir les réponses proposées à l'appendice A.

CONCEPT 36.2

Différents mécanismes transportent les substances sur de courtes et de longues distances

Il n'est pas surprenant que les végétaux emploient une variété de processus de transport, car les substances qui se déplacent dans les plantes sont très variées, tout comme les distances et les barrières qu'elles doivent franchir. Cependant, avant de nous pencher sur ces processus, nous devons examiner les deux principales voies de transport : l'apoplasme et le symplasme.

L'apoplasme et le symplasme: des ensembles continus pour le transport

Les tissus végétaux comportent deux compartiments principaux: l'apoplasme et le symplasme. L'**apoplasme** est constitué de tout ce qui est extérieur aux membranes plasmiques des cellules vivantes et comprend les parois cellulaires, les espaces extracellulaires et l'intérieur des cellules mortes telles que les éléments de vaisseau et les trachéides (voir la figure 35.10). Le **symplasme** comprend la masse entière du cytosol de toutes les cellules vivantes d'une plante, dont les cellules adjacentes, de même que les plasmodesmes, les canaux cytoplasmiques qui les relient.

La structure des compartiments des végétaux détermine trois voies pour le transport vers un tissu ou un organe : la voie de l'apoplasme, la voie du symplasme et la voie transmembranaire (**figure 36.5**). Dans la *voie de l'apoplasme,* l'eau et les solutés (substances chimiques dissoutes) se déplacent le long du continuum des parois cellulaires et des espaces extracellulaires. Dans la *voie du symplasme,* l'eau et les solutés se déplacent le long du continuum du cytosol. Cette voie oblige les substances à traverser une membrane plasmique une fois : lorsqu'elles pénètrent dans la plante. Après avoir pénétré dans une cellule, les substances peuvent se déplacer d'une cellule à l'autre par les plasmodesmes. Dans la *voie transmembranaire,* l'eau et les solutés sortent d'une cellule, en traversant la paroi cellulaire, et pénètrent dans la cellule voisine, qui peut les faire passer à la cellule suivante de la même manière. Dans cette voie, les substances doivent donc traverser continuellement les membranes plasmiques, en sortant d'une cellule pour pénétrer dans la suivante. Ces trois voies ne sont pas mutuellement exclusives, et certaines substances peuvent utiliser plus d'une voie à divers degrés.

Le transport des solutés sur de courtes distances à travers les membranes plasmiques

Chez les végétaux comme chez tout organisme, c'est la perméabilité sélective de la membrane plasmique qui régule le transport des substances sur de courtes distances à travers cette membrane (voir le concept 7.2). Les végétaux ont eux aussi des mécanismes de transport actif et de transport passif, et les membranes de leurs cellules sont munies de pompes et de protéines de transport (canaux, transporteurs et cotransporteurs) qui sont comparables, *de façon générale,* à celles des membranes des cellules animales. Il existe toutefois des différences *spécifiques* entre les mécanismes de transport transmembranaire des cellules végétales et ceux des cellules animales. Dans la présente section, nous examinerons quelques-unes de ces différences.

Contrairement à ce qui se passe dans les cellules animales, ce sont les ions hydrogène (H^+) plutôt que les ions sodium (Na^+) qui jouent un rôle de premier plan dans les principaux processus de transport des cellules végétales. Par exemple, dans les cellules végétales, le potentiel de membrane (la différence de potentiel électrique à travers la membrane) est généré surtout grâce au pompage d'ions H^+ par les pompes à protons (**figure 36.6a**), plutôt qu'au pompage d'ions Na^+ par les pompes à sodium et à potassium. De plus, chez les végétaux, les H^+ sont le plus souvent déplacés par cotransport, alors que chez les animaux, ce sont les Na^+ qui sont généralement déplacés par cotransport. Au cours du cotransport, les cellules végétales utilisent l'énergie du gradient de H^+ et le potentiel de membrane pour amorcer le transport actif de nombreux solutés différents. Par exemple, le cotransport avec H^+ est responsable de l'absorption des solutés neutres, comme le saccharose, par les cellules du phloème et d'autres cellules végétales. Un cotransporteur de H^+ et de saccharose couple le déplacement du saccharose à l'encontre de son gradient de concentration grâce au déplacement des ions H^+ dans le sens de leur gradient électrochimique (**figure 36.6b**). Le cotransport avec les H^+ facilite également le déplacement des ions, comme dans l'absorption des nitrates (NO_3^-) par les cellules des racines (**figure 36.6c**).

Les membranes des cellules végétales possèdent également des canaux ioniques qui ne laissent passer que certains ions (**figure 36.6d**). Comme dans les cellules animales, la plupart des canaux possèdent des ouvertures contrôlées, qui s'ouvrent ou se ferment en réaction à des stimulus tels que des substances chimiques, la pression ou la différence de potentiel électrique. Nous verrons plus loin de quelle façon la régulation des canaux ioniques à potassium (K^+) présents dans les membranes des cellules stomatiques (cellules de garde) permet l'ouverture ou la fermeture des stomates. Les canaux ioniques interviennent également dans la production de signaux électriques analogues aux potentiels d'action chez les animaux (voir le concept 48.2). Toutefois, ces signaux sont 1 000 fois plus lents et emploient des canaux anioniques activés par des ions Ca^{2+} plutôt que des canaux ioniques à sodium (Na^+) utilisés dans les cellules animales.

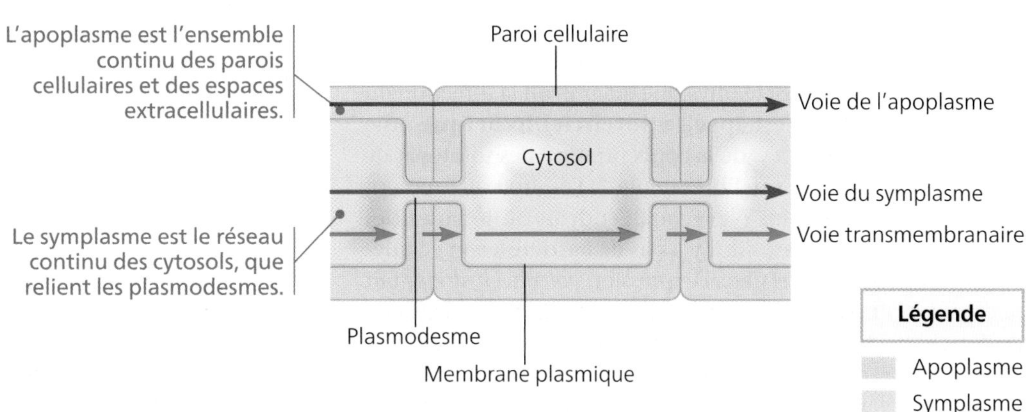
L'apoplasme est l'ensemble continu des parois cellulaires et des espaces extracellulaires.
Paroi cellulaire
Voie de l'apoplasme
Cytosol
Voie du symplasme
Le symplasme est le réseau continu des cytosols, que relient les plasmodesmes.
Voie transmembranaire
Plasmodesme
Membrane plasmique
Légende
Apoplasme
Symplasme

▶ **Figure 36.5 Les compartiments et les voies cellulaires pour le transport sur une courte distance.** Certaines substances peuvent utiliser plus d'une voie de transport.

▶ Figure 36.6 Le transport des solutés à travers les membranes plasmiques des cellules végétales.

? Supposez qu'une cellule végétale possède les quatre protéines de transport de membrane plasmique illustrées ci-contre et supposez également que vous ayez un inhibiteur spécifique pour chacune de ces protéines. Selon vous, quel serait l'effet de chaque inhibiteur sur le potentiel de membrane de la cellule ?

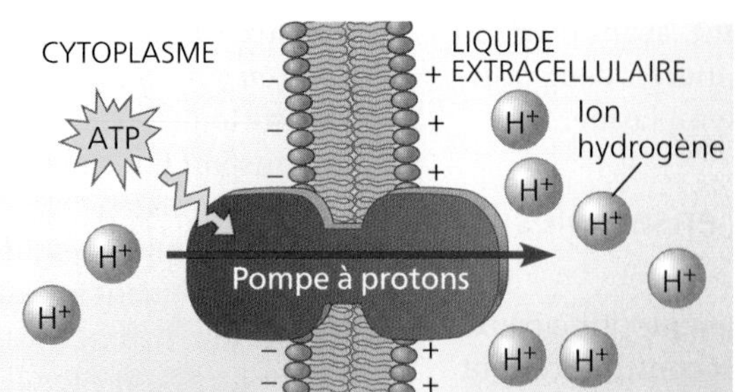

(a) Les ions H^+ et le potentiel de membrane. Les membranes plasmiques des cellules végétales utilisent des pompes à protons activées par l'ATP pour expulser les H^+ de la cellule. Ces pompes contribuent au potentiel de membrane et à l'établissement d'un gradient de pH à travers la membrane. Ces deux formes d'énergie potentielle peuvent effectuer le transport des solutés.

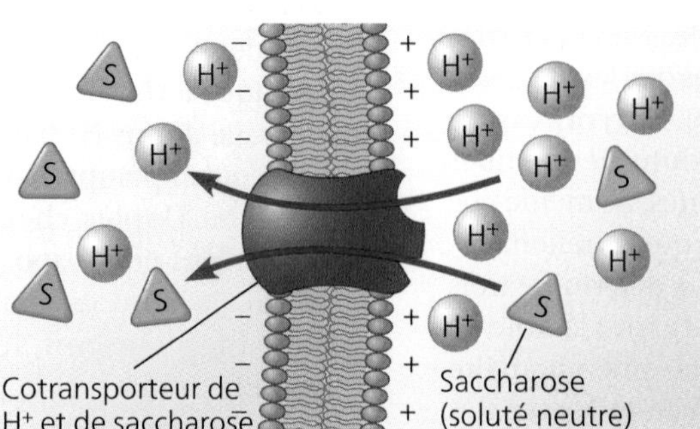

(b) Les ions H^+ et le cotransport des solutés neutres. Les solutés neutres comme les glucides peuvent être acheminés vers les cellules végétales par cotransport avec des ions H^+. Les cotransporteurs de H^+ et de saccharose, par exemple, jouent un rôle déterminant en acheminant les glucides vers le phloème avant le transport de ces glucides dans toute la plante.

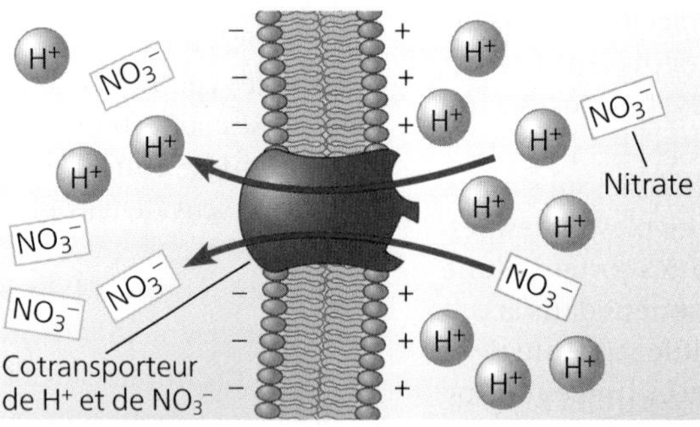

(c) Les ions H^+ et le cotransport des ions. Les mécanismes de cotransport qui font intervenir les H^+ participent également à la régulation du flux des ions à travers les membranes. Par exemple, les cotransporteurs de H^+ et de NO_3^- dans les membranes plasmiques des cellules des racines sont importants pour l'absorption de NO_3^- par les racines des plantes.

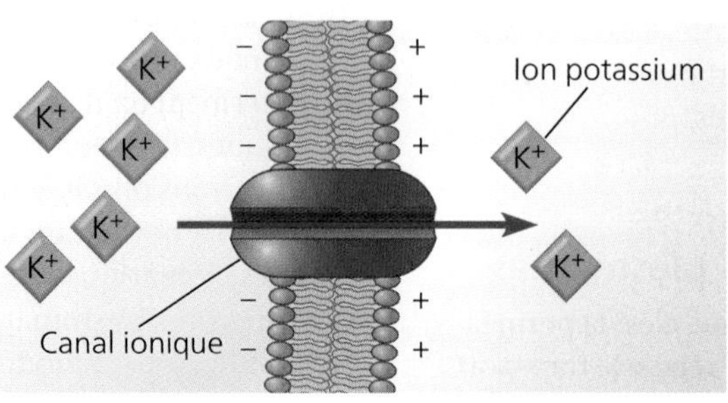

(d) Les canaux ioniques. Les canaux ioniques des végétaux ouvrent et ferment en réaction à une différence de potentiel électrique, à l'étirement de la membrane et à des facteurs chimiques. Lorsqu'ils sont ouverts, les canaux ioniques permettent à des ions spécifiques de diffuser à travers les membranes. Par exemple, un canal ionique à K^+ participe à la libération de K^+ par les cellules stomatiques quand les stomates ferment.

Le transport de l'eau sur de courtes distances à travers les membranes plasmiques

L'**osmose**, ou la diffusion de l'eau libre (c'est-à-dire l'eau qui n'est pas liée aux solutés ou aux surfaces) à travers une membrane, permet à une cellule d'absorber ou de perdre de l'eau (voir la figure 7.12). La propriété physique qui prévoit la direction du déplacement de l'eau est appelée **potentiel hydrique**, une valeur qui inclut les effets de la concentration des solutés et de la pression physique. L'eau libre circule de l'endroit où le potentiel hydrique est le plus élevé vers l'endroit où le potentiel hydrique est le plus bas, s'il n'y a pas de barrière à son écoulement. Le terme *potentiel* dans l'expression *potentiel hydrique* fait référence à l'énergie potentielle de l'eau, c'est-à-dire la capacité de l'eau à effectuer un travail lorsqu'elle se déplace d'un endroit où le potentiel hydrique est élevé vers un endroit où le potentiel hydrique est faible. Par exemple, si une cellule végétale ou une graine est immergée dans une solution dont le potentiel hydrique est plus élevé que celui de la cellule, l'eau se déplacera vers la cellule ou la graine et y entrera, provoquant leur expansion. L'expansion d'une cellule végétale ou d'une graine peut exercer une force très puissante. Par exemple, les racines d'un arbre peuvent finir par briser le béton d'un trottoir si leurs cellules enflent, et l'expansion de graines céréalières dans la cale d'un navire en mauvais état peut littéralement briser la coque du navire et le faire couler. Compte tenu de l'immense force que peut exercer la simple expansion des graines, il est intéressant de se demander si l'absorption de l'eau par les graines est un processus actif. C'est cette question que vous examinerez dans la rubrique **Habiletés scientifiques**. Plus précisément, vous étudierez l'effet de la température sur le processus d'expansion.

L'abréviation du potentiel hydrique est la lettre grecque psi (Ψ). Les biologistes mesurent le Ψ en unités de pression appelées **mégapascals** (MPa). Par définition, la valeur zéro ($\Psi = 0$ MPa)

DÉMARCHE SCIENTIFIQUE
HABILETÉS SCIENTIFIQUES

Calculer et interpréter des coefficients de température

■ L'ABSORPTION INITIALE D'EAU PAR DES GRAINES DÉPEND-ELLE DE LA TEMPÉRATURE ? ■ Une des façons de répondre à cette question est de faire tremper des graines dans de l'eau à différentes températures et de mesurer la vitesse d'absorption de l'eau par les graines à chaque température. Les données peuvent ensuite servir à calculer le coefficient de température, Q_{10}, défini comme le facteur par lequel la vitesse de la réaction (ou du processus) physiologique augmente lorsque la température augmente de 10 °C:

$$Q_{10} = \left(\frac{k_2}{k_1}\right)^{\frac{10}{t_2 - t_1}}$$

où t_2 est la température la plus élevée (°C), t_1, la température la plus basse, k_2, la vitesse de la réaction (du processus) à la température t_2, et k_1, la vitesse de la réaction (du processus) à la température t_1. (Si $t_2 - t_1 = 10$, comme ici, le calcul est simplifié.)

On peut utiliser les valeurs de Q_{10} pour faire des déductions au sujet du processus physiologique à l'étude. Les processus chimiques (métaboliques) durant lesquels les changements de forme des protéines sont importants dépendent en grande partie de la température et ils ont un Q_{10} (coefficient de température) plus élevé, proche de 2 ou 3. Par contre, de nombreux paramètres physiques (mais pas tous) sont relativement indépendants de la température et leur Q_{10} est plus proche de 1. Par exemple, le Q_{10} du changement de viscosité de l'eau est de 1,2-1,3. Dans le présent exercice, vous allez calculer le Q_{10} à partir de données obtenues sur des graines de radis (*Raphanus sativum*) et déterminer si l'absorption initiale d'eau par les graines est un processus physique ou chimique.

■ MÉTHODE ■ Les chercheurs ont pesé des échantillons de graines de radis et les ont immergés dans de l'eau à quatre températures différentes. Après 30 minutes, ils ont retiré les graines de l'eau, les ont séchées et les ont pesées une seconde fois. Ensuite, pour chaque échantillon, ils ont calculé le pourcentage d'augmentation de la masse dû à l'absorption d'eau.

■ RÉSULTATS ■

Température	% d'augmentation de la masse dû à l'absorption d'eau après 30 minutes
5 °C	18,5
15 °C	26,0
25 °C	31,0
35 °C	36,2

Source des données: J. B. Murphy et T. L. Noland. Temperature effects on seed imbibition and leakage mediated by viscosity and membranes, *Plant Physiology* 69: 428-431 (1982).

INTERPRÉTEZ LES DONNÉES ▼

1. D'après les données du tableau, l'absorption d'eau par les graines de radis varie-t-elle en fonction de la température ? Quelle est la relation entre la température et l'absorption d'eau ?
2. (a) À partir des données pour les températures de 35 °C et de 25 °C, calculez le Q_{10} pour l'absorption d'eau par les graines de radis. Refaites le même calcul, mais avec les températures de 25 °C et de 15 °C, puis avec les températures de 15 °C et de 5 °C. (b) Quel est le Q_{10} moyen ? (c) Vos résultats donnent-ils à penser que l'absorption d'eau par les graines de radis est essentiellement un processus physique ou bien un processus chimique (métabolique) ? (d) Étant donné que le Q_{10} du changement de viscosité de l'eau est de 1,2-1,3, est-il possible que le faible lien entre la température et l'absorption de l'eau par les graines témoigne du faible lien entre la température et la viscosité de l'eau ?
3. Outre la température, quelles autres variables indépendantes pourriez-vous modifier pour vérifier si le gonflement des graines de radis est essentiellement un processus physique ou essentiellement un processus chimique ?
4. Diriez-vous que la croissance d'une plante a probablement un Q_{10} proche de 1 ou proche de 3 ? Pourquoi ?

est attribuée au potentiel hydrique de l'eau pure dans un récipient ouvert à l'air libre dans des conditions normales (au niveau de la mer et à température ambiante). Ainsi, 1 MPa équivaut à environ 10 fois la pression atmosphérique au niveau de la mer. La pression interne dans une cellule végétale vivante due à l'absorption d'eau par osmose est d'environ 0,5 MPa, soit environ 2 fois la pression avec laquelle on gonfle un pneu d'automobile.

L'influence des solutés et de la pression sur le potentiel hydrique

La concentration de solutés et la pression physique sont les deux principaux déterminants du potentiel hydrique d'une plante hydratée, comme le montre l'*équation du potentiel hydrique*:

$$\Psi = \Psi_O + \Psi_P$$

où Ψ est le potentiel hydrique, Ψ_O, le potentiel osmotique, et Ψ_P, le potentiel de pression. Le **potentiel osmotique** ou potentiel de soluté (Ψ_O) d'une solution est directement proportionnel à sa concentration molaire volumique (ou molarité). Chez les végétaux, les solutés sont généralement des ions minéraux et des glucides. Par définition, le Ψ_O de l'eau pure est égal à 0*. Quand on ajoute des solutés, ils se lient à des molécules d'eau. Par conséquent, le nombre de molécules d'eau libre diminue, ce qui réduit la capacité de l'eau de se déplacer et d'effectuer un travail. De cette façon, une augmentation de la concentration de solutés a un effet négatif sur le potentiel hydrique ; c'est pour cette raison que le Ψ_O d'une solution est toujours exprimé par un nombre négatif. Par exemple, une solution de 0,1 mol/L d'un

* La contrainte de la convention qui fixe le Ψ_O à 0 MPa conduit à une aberration pour les physiciens. En effet, des valeurs négatives de pression apparaissent dans les mesures et les calculs. Or, selon les physiciens, la pression négative n'existe pas et, par conséquent, on ne peut pas la mesurer. On aurait pu éviter ce problème si l'on avait donné au Ψ de référence une valeur conventionnelle supérieure à zéro et prenant en compte la pression atmosphérique et la pression exercée par la paroi du récipient. Comme aucun auteur ne propose une valeur de ce genre, nous devons pour le moment respecter la convention, malgré ses écueils.

glucide a un Ψ_O de –0,23 MPa. À mesure que la concentration de solutés augmente, le Ψ_O devient plus négatif.

Le **potentiel de pression** (Ψ_P) est la pression physique exercée sur une solution. Contrairement au Ψ_O, le Ψ_P peut être positif ou négatif par rapport à la pression atmosphérique. Par exemple, une solution aspirée dans une seringue est sous pression négative, tandis qu'une solution expulsée par une seringue est sous pression positive. L'eau contenue dans les cellules vivantes subit habituellement une pression positive causée par l'absorption de l'eau par osmose. En particulier, le **protoplaste** (la partie vivante de la cellule, qui comprend également la membrane plasmique) exerce une pression sur la paroi cellulaire, créant une **pression de turgescence**. L'effet de poussée résultant de cette pression interne, comparable à l'air dans un pneu gonflé, est indispensable au fonctionnement de la plante parce qu'elle contribue à maintenir la rigidité des tissus végétaux et sert également de force motrice pour l'élongation cellulaire. À l'opposé, l'eau contenue dans les cellules mortes et creuses du xylème (trachéides et éléments de vaisseau) d'une plante est souvent sous un potentiel de pression (tension) négatif inférieur à –2,0 MPa.

En apprenant à vous servir de l'équation du potentiel hydrique, souvenez-vous du principe fondamental suivant : *l'eau circule de l'endroit où le potentiel hydrique est le plus élevé vers l'endroit où le potentiel hydrique est le plus bas.*

Le déplacement de l'eau à travers les membranes de cellules végétales

Voyons maintenant comment le potentiel hydrique influe sur l'absorption et la perte d'eau dans les cellules végétales vivantes. Dans un premier temps, imaginons une cellule **flasque** (molle), à la suite de la perte d'eau. Son Ψ_P est de 0 MPa. Supposons que cette cellule baigne dans une solution dont la concentration de solutés est plus élevée (potentiel osmotique plus négatif) que celle de la cellule (**figure 36.7a**). Comme la solution externe a le potentiel hydrique le plus faible (plus négatif), l'eau sortira de la cellule. Il se produira ainsi une **plasmolyse**, c'est-à-dire que le protoplaste de la cellule rétrécira et que sa membrane plasmique s'éloignera de la paroi cellulaire. Plaçons maintenant cette cellule flasque dans de l'eau pure (Ψ = 0 MPa ; **figure 36.7b**). La présence de solutés dans la cellule rend le potentiel hydrique de cette dernière plus faible que celui du milieu environnant (l'eau). L'eau entre alors dans la cellule par osmose. Le contenu cellulaire se met à gonfler et pousse la membrane plasmique contre la paroi cellulaire. La paroi, partiellement élastique, exerce une pression de turgescence et confine ainsi le protoplaste comprimé. Lorsque cette pression sera suffisante pour s'opposer à l'entrée d'eau dans la cellule en raison de la présence des solutés, le Ψ_P et le Ψ_O auront la même valeur, et le Ψ sera égal à 0. Le potentiel hydrique du contenu cellulaire égalera celui du milieu extracellulaire (0 MPa dans cet exemple). Un équilibre dynamique sera atteint, ce qui fera cesser tout déplacement *net* de l'eau.

Turgescent

Flétri

Contrairement à la cellule flasque, la cellule à paroi dont la concentration en solutés est supérieure à celle de son milieu environnant est **turgescente**, c'est-à-dire très ferme. Lorsque les cellules turgescentes dans un tissu non ligneux poussent les unes contre les autres, le tissu est renforcé. Le **flétrissement** d'un plant montre les conséquences d'une perte de turgescence, lorsque les feuilles et les tiges commencent à se faner à la suite de la perte d'eau par les cellules.

▼ **Figure 36.7 Les cellules végétales et la diffusion de l'eau.** Dans ces deux expériences, des cellules flasques (cellules dans lesquelles le protoplaste est en contact avec la paroi des cellules, mais n'exerce pas de pression de turgescence) sont placées dans deux milieux différents. Les flèches bleues indiquent la direction du déplacement net de l'eau dans les conditions initiales.

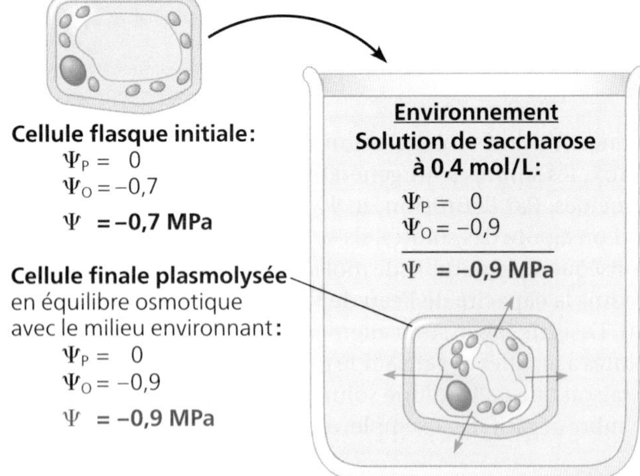

(a) Conditions initiales : Ψ intracellulaire > Ψ extracellulaire. Le protoplaste perd de l'eau, et la cellule subit une plasmolyse. Quand celle-ci est terminée, le potentiel hydrique de la cellule est identique à celui du milieu environnant.

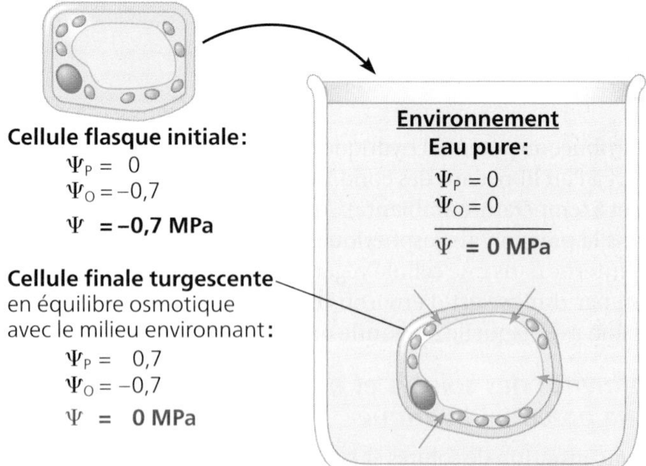

(b) Conditions initiales : Ψ intracellulaire < Ψ extracellulaire. Grâce à l'osmose, l'eau pénètre dans la cellule et la rend turgescente. Lorsque la pression exercée par la paroi cellulaire élastique vers l'intérieur de la cellule compense cette tendance qu'a l'eau de pénétrer dans la cellule, le potentiel hydrique de la cellule devient identique à celui du milieu environnant. (La variation du volume de la cellule est amplifiée dans cette illustration.)

Les aquaporines : l'aide à la diffusion de l'eau

Une différence dans le potentiel hydrique détermine la *direction* du déplacement de l'eau à travers les membranes, mais comment les molécules d'eau traversent-elles ces membranes ? En fait, les molécules d'eau sont suffisamment petites pour diffuser à travers la bicouche de phospholipides, bien que l'intérieur de cette bicouche soit hydrophobe. Cependant, leur déplacement à travers les membranes biologiques est trop rapide pour s'expliquer uniquement par la diffusion simple. De fait, le transport des molécules d'eau à travers les membranes s'effectue avec l'aide de protéines de transport appelées **aquaporines** (voir la figure 7.1 et le concept 7.2). Ces canaux sélectifs, qui peuvent s'ouvrir et se fermer, influent sur la *vitesse* à laquelle l'eau traverse la membrane par osmose. Leur perméabilité est réduite par les augmentations de Ca^{2+} ou les diminutions du pH du cytosol.

Le transport sur de longues distances : le rôle du courant de masse

La diffusion est un mécanisme de transport efficace à l'échelle cellulaire. Cependant, elle s'effectue beaucoup trop lentement pour permettre le transport de substances sur de longues distances. Bien que la diffusion d'une extrémité à l'autre d'une cellule s'effectue en quelques secondes, la diffusion des racines jusqu'à la cime d'un séquoia prendrait plusieurs siècles. C'est plutôt le **courant de masse** qui assure le transport sur de longues distances. Le courant de masse désigne le déplacement de liquides sous l'effet d'un gradient de pression. Ce courant de substances se produit toujours de la pression la plus élevée vers la pression la plus faible. Contrairement à l'osmose, le courant de masse est indépendant de la concentration de solutés.

Grâce à ce courant, l'eau et les solutés se déplacent sur de longues distances dans des cellules spécialisées des tissus conducteurs, plus précisément dans les trachéides et les vaisseaux du xylème ainsi que dans les éléments de tube criblé du phloème. Dans les feuilles, la nervation (disposition des nervures) fait en sorte qu'aucune cellule n'est séparée du tissu conducteur par plus de quelques cellules (**figure 36.8**).

▼ **Figure 36.8 La nervation d'une feuille de peuplier faux-tremble.** Grâce à la ramification de plus en plus fine des nervures des feuilles d'eudicotylédones, aucune cellule n'est loin du tissu conducteur.

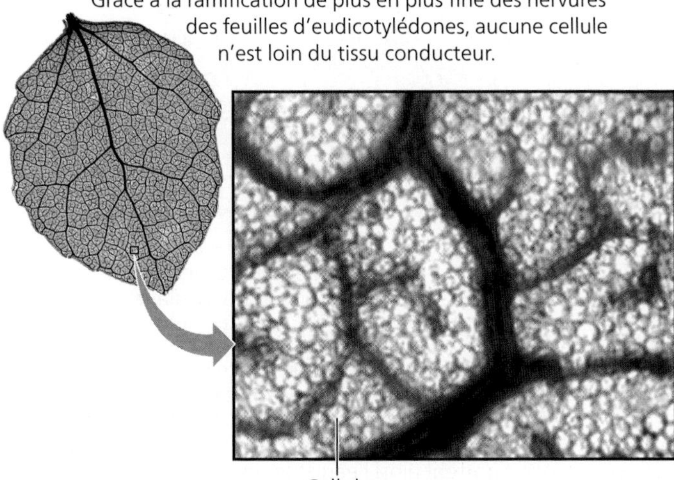

HABILETÉS VISUELLES ▶ Dans cette feuille, quel est le nombre maximum de cellules entre une cellule du mésophylle et une nervure ?

La structure des cellules conductrices du xylème et du phloème contribue au courant de masse. Les trachéides matures et les éléments de vaisseau sont des cellules mortes, et, par conséquent, elles ne contiennent pas de cytoplasme ; par ailleurs, le cytoplasme des éléments de tube criblé est presque dépourvu d'organites internes (voir la figure 35.10). Si le drain de votre évier a déjà été partiellement bouché, vous avez pu constater que la vitesse d'écoulement de l'eau dépendait du diamètre du tuyau d'évacuation ; les déchets de nourriture réduisent le diamètre efficace du tuyau. Cette analogie aide à comprendre comment la structure des cellules végétales spécialisées dans le courant de masse est compatible avec leur fonction. De la même façon que pour la désobstruction d'un évier de cuisine, l'absence ou la faible quantité de cytoplasme dans la « plomberie » d'une plante facilite le passage du courant de masse dans le xylème et le phloème, tout comme les plaques perforées aux extrémités des éléments de vaisseau et les plaques criblées poreuses qui joignent les éléments de tube criblé.

La diffusion, le transport actif et le courant de masse agissent de concert pour transporter les ressources partout dans la plante. Par exemple, le courant de masse induit par une différence de pression est le mécanisme de transport sur de longues distances des glucides dans le phloème, mais le transport actif des glucides à l'échelle cellulaire maintient cette différence de pression. Dans les trois prochaines sections, nous allons étudier plus en détail le transport de l'eau et des minéraux des racines jusqu'aux parties aériennes, la régulation de la transpiration et le transport des glucides.

RETOUR SUR LE CONCEPT 36.2

1. Si une cellule végétale immergée dans de l'eau pure a un Ψ_S de −0,7 MPa et un Ψ de 0 MPa, quel est son Ψ_P ? Si on plaçait la même cellule dans un bécher ouvert contenant une solution dont le Ψ est de −0,4 MPa, quel serait le Ψ_P cellulaire à l'équilibre ?
2. Comment la réduction du nombre de canaux d'aquaporines influe-t-elle sur la capacité d'une cellule végétale à s'adapter à de nouvelles conditions osmotiques ?
3. Si les trachéides et les éléments de vaisseau étaient vivants à maturité, comment cela influerait-il sur le transport de l'eau sur de longues distances ? Expliquez votre réponse.
4. **ET SI ?** ▶ Qu'arriverait-il si on plaçait des protoplastes végétaux dans l'eau pure ? Expliquez votre réponse.

Voir les réponses proposées à l'appendice A.

CONCEPT 36.3

L'eau et les minéraux absorbés par les racines montent dans le xylème jusqu'aux pousses sous l'effet de la transpiration

Imaginez-vous en train de peiner pour monter en haut d'un escalier un contenant de 19 L rempli d'eau et pesant 19 kg, et imaginez que vous faites ce déplacement 40 fois par jour.

Considérez alors le fait qu'un arbre de taille moyenne, même s'il n'a ni cœur ni muscles, transporte chaque jour et sans effort à peu près autant d'eau. Comment les arbres accomplissent-ils un tel exploit ? Pour répondre à cette question, nous allons suivre chaque étape du parcours de l'eau et des minéraux, depuis les racines jusqu'aux feuilles.

L'absorption de l'eau et des minéraux par les cellules des racines

Bien que toutes les cellules végétales vivantes absorbent les nutriments à travers leurs membranes plasmiques, les cellules près de l'apex des racines sont particulièrement importantes, car c'est là que s'effectue la majeure partie de l'absorption de l'eau et des minéraux. Dans cette région, les cellules de l'épiderme sont perméables à l'eau ; elles sont nombreuses à se différencier en poils absorbants. Ces derniers sont des cellules modifiées qui comptent pour beaucoup dans l'absorption de l'eau par les racines (voir la figure 35.3). Les poils absorbants absorbent la solution du sol, composée de molécules d'eau et d'ions minéraux dissous qui ne sont pas fortement liés à des particules du sol. Cette solution est attirée dans la paroi hydrophile des cellules épidermiques et circule librement le long des parois cellulaires et des espaces extracellulaires dans le cortex de la racine. L'écoulement augmente le contact des cellules du cortex avec la solution du sol, de sorte que la surface membranaire d'absorption est bien plus grande que la seule surface de l'épiderme. La solution du sol a habituellement une faible concentration en minéraux, mais le transport actif permet aux racines d'accumuler certains minéraux essentiels, comme les ions K^+, à des concentrations des centaines de fois plus élevées.

Le transport de l'eau et des minéraux dans le xylème

L'eau et les minéraux présents dans le cortex de la racine ne peuvent passer dans le reste de la plante tant qu'ils n'ont pas pénétré dans le xylème du cylindre vasculaire, ou stèle. L'**endoderme**, la couche cellulaire interne du cortex des racines, effectue une dernière sélection des minéraux avant leur passage du cortex vers le cylindre vasculaire (**figure 36.9**). Lorsqu'ils atteignent l'endoderme, les minéraux qui se trouvent déjà

▼ **Figure 36.9 Le transport de l'eau et des minéraux des poils absorbants jusqu'au xylème.**

HABILETÉS VISUELLES ▶ Étudiez ces schémas, puis expliquez comment la bande de Caspary force l'eau et les minéraux à traverser les membranes plasmiques des cellules de l'endoderme.

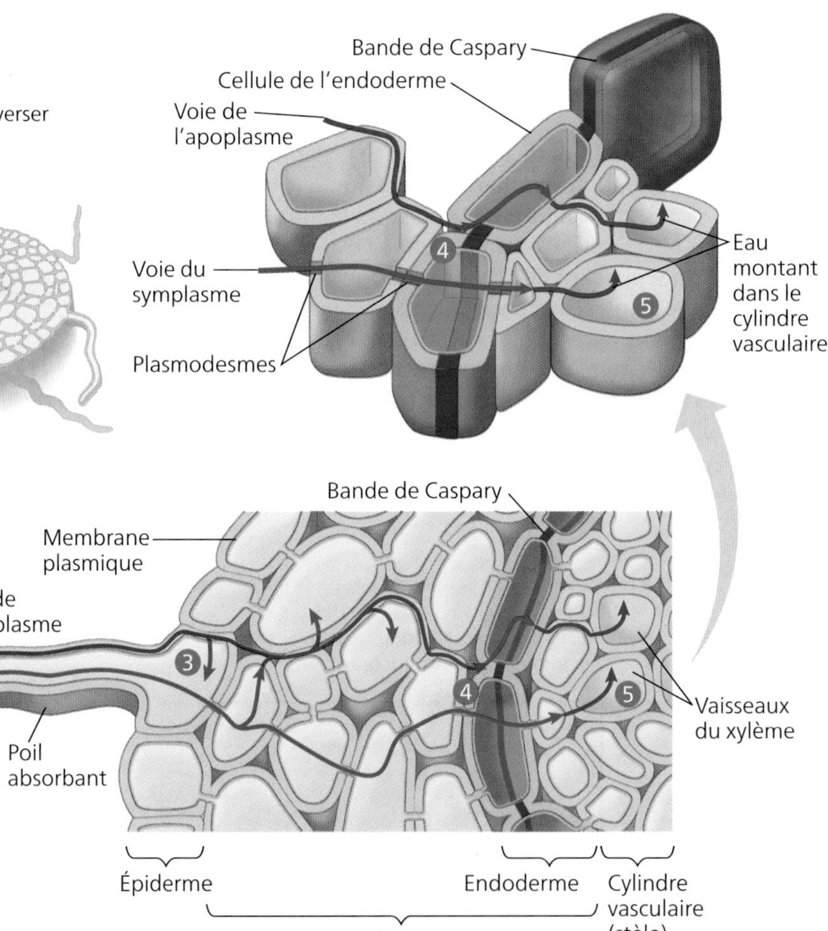

❶ **Voie de l'apoplasme.** La paroi hydrophile des poils absorbants permet l'entrée de la solution du sol et ouvre la voie de l'apoplasme. L'eau et les minéraux peuvent alors diffuser dans le cortex en suivant cet ensemble de parois cellulaires et d'espaces extracellulaires.

❷ **Voie du symplasme.** L'eau et les minéraux qui traversent la membrane plasmique des poils absorbants peuvent pénétrer dans le symplasme.

❸ **Voie transmembranaire.** Tandis que la solution du sol circule dans l'apoplasme, certaines molécules d'eau et de minéraux passent dans le protoplaste des cellules de l'épiderme et du cortex, et se déplacent ensuite vers l'intérieur en empruntant la voie du symplasme.

❹ **Endoderme : la régulation de l'entrée dans le cylindre vasculaire (stèle).** Il y a, dans les parois transversale et radiale de chaque cellule endodermique, une ceinture constituée d'une substance cireuse, la bande de Caspary (représentée ici par la bande violette). Cette ceinture bloque le passage de l'eau et des minéraux dissous. Seuls les minéraux dissous qui se trouvent déjà dans le symplasme ou qui empruntent cette voie en traversant la membrane plasmique d'une cellule endodermique peuvent contourner la bande de Caspary et passer dans le cylindre vasculaire (stèle).

❺ **Transport dans le xylème.** Les cellules endodermiques et les cellules vivantes du cylindre vasculaire font passer l'eau et les minéraux dans leur paroi (apoplasme). Les éléments de vaisseau du xylème transportent ainsi l'eau et les minéraux par courant de masse jusque dans le système caulinaire.

dans le symplasme traversent les plasmodesmes des cellules endodermiques et pénètrent dans le cylindre vasculaire. Ces minéraux ont déjà fait l'objet d'une sélection lorsqu'ils ont traversé la membrane plasmique pour pénétrer dans le symplasme de l'épiderme ou du cortex.

Les minéraux qui atteignent l'endoderme par la voie de l'apoplasme butent quant à eux contre une barrière qui les empêche de pénétrer dans le cylindre vasculaire. Cette barrière, située dans les parois transversale et radiale de chaque cellule endodermique, est la **bande de Caspary**, une ceinture composée d'une cire, la subérine, qui est imperméable à l'eau et aux minéraux dissous (voir la figure 36.9). La bande de Caspary empêche l'eau et les minéraux d'emprunter la voie de l'apoplasme pour traverser l'endoderme et de pénétrer dans le cylindre vasculaire. Elle force plutôt l'eau et les minéraux, qui se déplacent passivement dans l'apoplasme, à traverser la membrane plasmique *sélectivement perméable* d'une cellule endodermique avant de pouvoir entrer dans le cylindre vasculaire. Ainsi, l'endoderme peut transporter les minéraux nécessaires du sol vers le xylème et retenir à l'extérieur un grand nombre de substances inutiles ou toxiques. L'endoderme empêche également les solutés accumulés dans le xylème de retourner dans la solution du sol.

Le dernier segment de la voie menant du sol au xylème est celui qui permet à l'eau et aux minéraux d'atteindre les trachéides et les éléments de vaisseau du xylème. À maturité, les cellules conductrices ne possèdent pas de protoplastes et, par conséquent, elles font partie de l'apoplasme. Les cellules endodermiques et les cellules vivantes du cylindre vasculaire font passer les minéraux du protoplaste dans leur propre paroi cellulaire. Ce transfert de solutés du symplasme à l'apoplasme s'effectue grâce à des mécanismes de diffusion et de transport actif. L'eau et les minéraux peuvent ensuite pénétrer dans les trachéides et les éléments de vaisseau, où ils sont transportés vers le système caulinaire par le courant de masse.

Le transport par courant de masse dans le xylème

L'eau et les minéraux provenant du sol entrent dans la plante par l'épiderme des racines, traversent le cortex des racines et passent dans le cylindre vasculaire. De là, la **sève brute**, soit l'eau et les minéraux dissous présents dans le xylème, est transportée sur de longues distances par le courant de masse jusqu'aux nervures des feuilles. Comme nous l'avons mentionné précédemment, le courant de masse se fait beaucoup plus rapidement que la diffusion ou le transport actif. Les vitesses de pointe dans le transport de la sève brute peuvent varier de 16 à 45 m/h (4 à 13 mm/s) dans les arbres dotés de larges éléments de vaisseau. Le bon état des tiges et des feuilles dépend de la rapidité de fonctionnement de ce système d'approvisionnement en eau et en minéraux.

Le processus de transport de la sève brute implique la perte d'une étonnante quantité d'eau par **transpiration**, c'est-à-dire l'évaporation de l'eau par les feuilles et les autres parties aériennes. Au cours d'une seule saison de croissance, un plant de maïs (*Zea mays*) perd 60 L d'eau par transpiration. Ainsi, au cours d'une seule saison de croissance, la culture d'un hectare de maïs, semé à une densité standard de 60 000 plants par hectare, entraîne une perte d'environ 4 millions de litres d'eau. Si l'eau perdue par transpiration n'est pas remplacée par de l'eau provenant des racines et amenée par le xylème, les feuilles se dessèchent progressivement et finissent par mourir.

La sève brute réussit à atteindre le sommet des plus grands arbres, lesquels pourraient mesurer jusqu'à environ 120 m. Est-elle *poussée* vers le haut par les racines, ou *aspirée* par les feuilles ? Évaluons la contribution relative de chacun des deux mécanismes.

La pression racinaire pousse la sève brute dans le xylème

Pendant la nuit, lorsqu'il n'y a presque pas de transpiration, les cellules de la racine dépensent encore de l'énergie pour acheminer les minéraux dans le xylème du cylindre vasculaire. Entretemps, la bande de Caspary de l'endoderme empêche les ions de ressortir et de retourner dans le cortex et le sol. L'accumulation de minéraux qui en résulte abaisse le potentiel hydrique dans le cylindre vasculaire. L'eau du cortex y pénètre par osmose, créant une **pression racinaire**, c'est-à-dire une poussée ascendante qui s'exerce sur la sève brute dans le xylème. La pression racinaire peut parfois faire entrer dans les feuilles plus d'eau que celles-ci en ont perdu, ce qui entraîne une **guttation**, c'est-à-dire l'excrétion de gouttelettes d'eau qu'on peut observer le matin à l'extrémité ou sur la bordure des feuilles (**figure 36.10**). Le liquide de la guttation est différent de la rosée, qui est le résultat de la condensation de l'humidité atmosphérique.

Chez la plupart des végétaux, la pression racinaire ne constitue pas le principal mécanisme de la montée de la sève brute dans le xylème. Cette pression peut pousser l'eau sur quelques mètres seulement, au mieux. Les pressions positives produites sont simplement trop faibles pour vaincre la force gravitationnelle de la colonne d'eau dans le xylème, notamment chez les plantes hautes. D'ailleurs, un grand nombre de végétaux ne créent aucune pression racinaire ou ne le font que durant une partie de la saison de croissance. Mais même chez les plantes qui manifestent une guttation, la pression racinaire ne peut suffire à suivre le rythme de la transpiration après le lever du jour. La poussée vers le haut de la sève brute par la pression racinaire est un phénomène moins important que l'effet d'aspiration créé par les feuilles.

L'aspiration de la sève brute du xylème : l'hypothèse de cohésion-tension

Comme nous l'avons vu, la pression racinaire, qui dépend du transport actif des solutés par les végétaux, ne constitue pas la principale force dans la montée de la sève brute dans le xylème. Loin de dépendre de l'activité métabolique des cellules, la majeure partie de la sève brute qui monte dans un arbre n'a même pas

▶ **Figure 36.10**
La guttation. La pression racinaire expulse l'excès d'eau de cette feuille de fraisier des champs (*Fragaria virginiana*).

besoin des cellules vivantes. Comme l'a démontré Eduard Strasburger en 1891, les tiges feuillues dont la partie inférieure est immergée dans des solutions toxiques de sulfate de cuivre ou d'acide vont facilement faire monter ces poisons si la tige est coupée sous la surface du liquide. En montant, les solutions toxiques tuent toutes les cellules vivantes sur leur passage; une fois arrivées dans les feuilles qui transpirent, elles tuent aussi les cellules de ces feuilles. Néanmoins, comme l'a fait remarquer Strasburger, l'absorption de solutions toxiques et la perte d'eau par les feuilles mortes peuvent se poursuivre pendant des semaines.

En 1894, quelques années après les découvertes de Strasburger, deux scientifiques irlandais, John Joly et Henry Dixon, avancent une hypothèse qui demeure l'explication principale de la montée de la sève brute du xylème. Selon leur **hypothèse de cohésion-tension**, la transpiration crée un effet d'aspiration de la sève brute vers le haut, et la cohésion entre les molécules d'eau transmet le mouvement ascendant sur toute la longueur du xylème, des pousses jusqu'aux racines. Ainsi, la sève brute est normalement sous une pression négative, ou tension. Étant donné que la transpiration est un processus d'« aspiration », notre étude de la montée de la sève brute dans le xylème par le mécanisme de cohésion-tension commence par les feuilles, où la transpiration crée l'effet d'aspiration, et non par les racines.

L'effet d'aspiration créé par la transpiration Les stomates, situés à la surface de la feuille, donnent accès à un labyrinthe de lacunes qui permet aux cellules du mésophylle d'entrer en contact avec le CO_2 nécessaire à la photosynthèse. L'air contenu dans les lacunes est saturé en vapeur d'eau, parce qu'il se trouve en contact avec les parois humides des cellules. La plupart du temps, l'air est plus sec à l'extérieur de la feuille, c'est-à-dire que la concentration en eau est plus faible à l'extérieur qu'à l'intérieur de celle-ci. Le potentiel hydrique de la feuille est donc supérieur à celui du milieu environnant. Par conséquent, la vapeur d'eau dans les lacunes d'une feuille diffuse selon son gradient de potentiel hydrique et quitte la feuille par les stomates. C'est cette perte de vapeur d'eau par diffusion et évaporation que nous appelons *transpiration*.

Mais comment la perte de vapeur d'eau par les feuilles se transforme-t-elle en force d'aspiration qui fait monter l'eau dans la plante? Le potentiel de pression négatif qui fait monter l'eau par le xylème est créé à la surface des parois des cellules du mésophylle dans la feuille (**figure 36.11**). La paroi cellulaire agit comme un réseau de très fins capillaires. L'eau adhère aux microfibrilles de cellulose et aux autres constituants hydrophiles des parois cellulaires. À mesure que l'eau s'évapore de la pellicule d'eau qui tapisse les parois des cellules de mésophylle, l'interface air-eau est déplacée plus loin à l'intérieur de la paroi cellulaire. À cause de la tension superficielle élevée de l'eau, la courbure de l'interface induit une tension, c'est-à-dire un potentiel de pression négatif, dans l'eau. Lorsque la quantité d'eau évaporée augmente encore, la courbure de l'interface air-eau s'accentue, et la pression de l'eau devient de plus en plus négative. Les molécules d'eau des parties plus hydratées de la feuille sont ainsi tirées vers cette région, ce qui réduit la tension. Ces forces d'aspiration sont transférées au xylème parce que chaque molécule d'eau se lie par cohésion à la molécule adjacente au moyen des liaisons hydrogène. Ainsi, l'effet d'aspiration de la transpiration dépend de plusieurs des propriétés particulières de l'eau dont nous avons discuté au concept 3.2: adhérence, cohésion et tension superficielle.

Le rôle du potentiel de pression négatif dans la transpiration correspond à l'équation du potentiel hydrique, parce que ce potentiel *réduit* le potentiel hydrique. Comme l'eau se déplace de l'endroit où le potentiel hydrique est le plus élevé vers celui où il est le plus faible, le potentiel de pression plus négatif à l'interface air-eau fait que l'eau dans les cellules du xylème est « aspirée » dans les cellules du mésophylle qui perdent de l'eau dans les lacunes; cette eau diffuse ensuite à l'extérieur par les

▼ **Figure 36.11 La tension créée par la transpiration et produisant une aspiration.** La pression négative (tension) qui se crée à l'interface air-eau dans la feuille constitue le point de départ de l'aspiration créée par la transpiration, qui fait sortir l'eau du xylème.

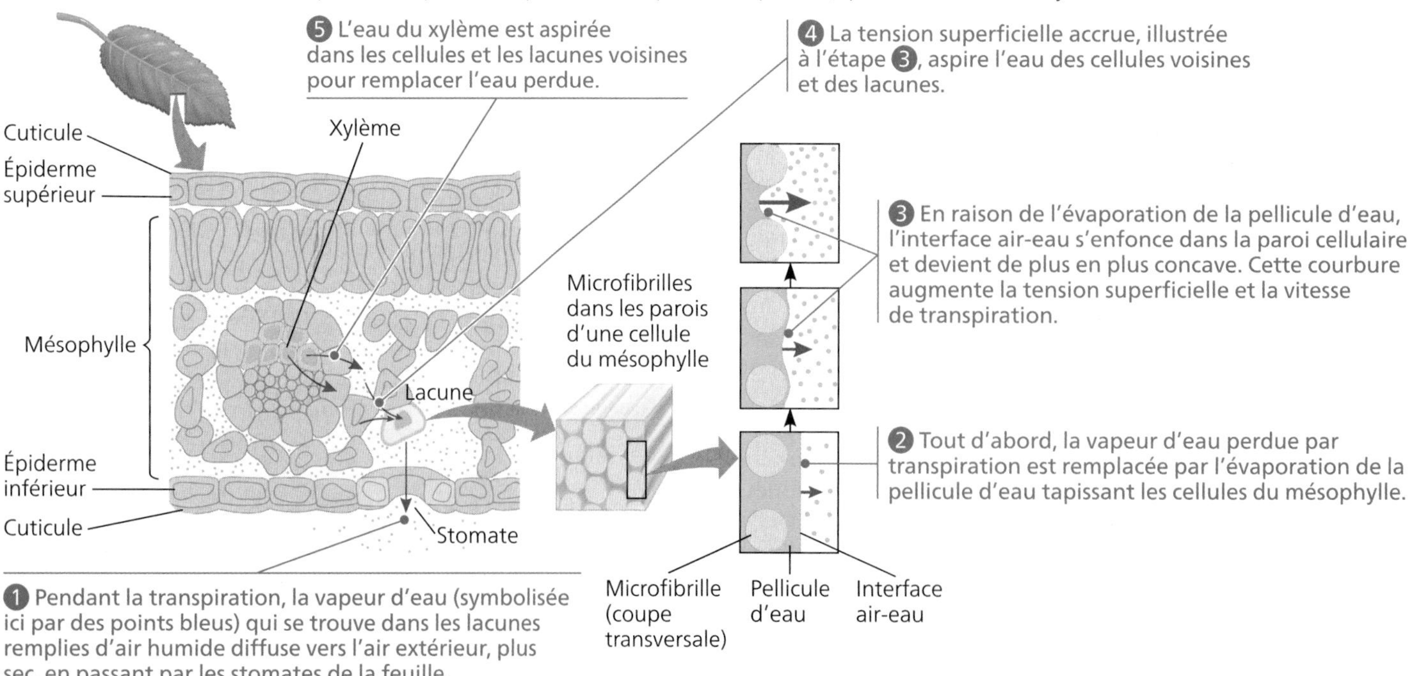
5 L'eau du xylème est aspirée dans les cellules et les lacunes voisines pour remplacer l'eau perdue.
4 La tension superficielle accrue, illustrée à l'étape 3, aspire l'eau des cellules voisines et des lacunes.
Cuticule
Épiderme supérieur
Xylème
Mésophylle
Microfibrilles dans les parois d'une cellule du mésophylle
Lacune
Épiderme inférieur
Cuticule
Stomate
3 En raison de l'évaporation de la pellicule d'eau, l'interface air-eau s'enfonce dans la paroi cellulaire et devient de plus en plus concave. Cette courbure augmente la tension superficielle et la vitesse de transpiration.
2 Tout d'abord, la vapeur d'eau perdue par transpiration est remplacée par l'évaporation de la pellicule d'eau tapissant les cellules du mésophylle.
1 Pendant la transpiration, la vapeur d'eau (symbolisée ici par des points bleus) qui se trouve dans les lacunes remplies d'air humide diffuse vers l'air extérieur, plus sec, en passant par les stomates de la feuille.
Microfibrille (coupe transversale)
Pellicule d'eau
Interface air-eau

stomates. Ainsi, la transpiration produit un effet d'aspiration, provoqué par le potentiel hydrique négatif dans les feuilles. L'effet d'aspiration produit par la transpiration sur la sève brute est transmis à partir des feuilles jusqu'aux jeunes racines, et même jusque dans la solution du sol (**figure 36.12**).

La cohésion et l'adhérence de l'eau dans la montée de la sève brute La cohésion et l'adhérence facilitent le transport de l'eau par courant de masse. La cohésion est la force d'attraction entre les molécules d'une même substance. L'eau possède une force de cohésion singulièrement élevée en raison des liaisons hydrogène que chaque molécule d'eau peut établir avec d'autres molécules d'eau. On évalue que la force de cohésion de l'eau dans le xylème lui confère une résistance à la rupture équivalente à celle d'un fil d'acier de diamètre similaire. C'est la cohésion de l'eau qui fait qu'une colonne de sève brute peut être aspirée vers le haut dans le xylème sans que les molécules d'eau se séparent. Les molécules d'eau qui quittent le xylème pour entrer dans la feuille tirent sur les molécules adjacentes. Cet effet d'aspiration est transmis d'une molécule à l'autre jusqu'au bas de la colonne d'eau qui s'est formée dans le xylème. De plus, la forte adhérence des molécules d'eau à la paroi hydrophile des cellules du xylème (attribuable elle aussi aux liaisons hydrogène) aide également à contrer la force gravitationnelle.

L'effet d'aspiration exercé sur la sève crée une tension dans les éléments de vaisseau et les trachéides, qui se comportent comme des tuyaux élastiques. Des pressions positives peuvent faire distendre ces tuyaux élastiques, tandis que la tension fait se rapprocher les parois. Par temps chaud, il est même possible de mesurer la diminution du diamètre d'un tronc d'arbre. Cependant, les épaisses parois secondaires, qui forment des anneaux peu élastiques empêchant les vaisseaux du xylème de s'affaisser, limitent cette réduction de diamètre, tout comme les anneaux métalliques empêchent le tuyau d'un aspirateur de se déformer. La tension créée par l'effet d'aspiration provoqué par la transpiration réduit suffisamment le potentiel hydrique du xylème des racines pour entraîner un mouvement passif de l'eau du sol, laquelle traverse le cortex des racines pour aller jusqu'au cylindre vasculaire.

L'effet d'aspiration créé par la transpiration ne peut se transmettre aux racines que si la chaîne de molécules d'eau reste intacte. Or, celle-ci peut se rompre à cause de la formation d'une bulle de vapeur d'eau, un phénomène appelé *cavitation*. Ce phénomène est plus commun dans les larges éléments de vaisseau que dans les trachéides, et il peut se produire pendant une sécheresse ou quand la sève brute gèle en hiver. Les bulles d'air créées par la cavitation se dilatent et bloquent les canaux d'eau du xylème. La dilatation rapide des bulles d'air produit des

▶ Figure 36.12 La montée de la sève brute. Les liaisons hydrogène permettent la formation d'une chaîne continue de molécules d'eau qui s'étend des feuilles jusqu'au sol. La force qui fait monter la sève brute dans le xylème est créée par un gradient de potentiel hydrique (Ψ). En ce qui concerne le courant de masse sur de longues distances, le gradient de Ψ est principalement attribuable au gradient de potentiel de pression (Ψ_P). La transpiration provoque une diminution du Ψ_P à l'extrémité du xylème située près de la feuille, qui devient alors inférieur au Ψ_P de l'extrémité située près de la racine. Les valeurs du Ψ montrées à gauche sont des «instantanés». Durant le jour, ces valeurs peuvent varier, mais la direction du gradient du potentiel hydrique demeure la même.

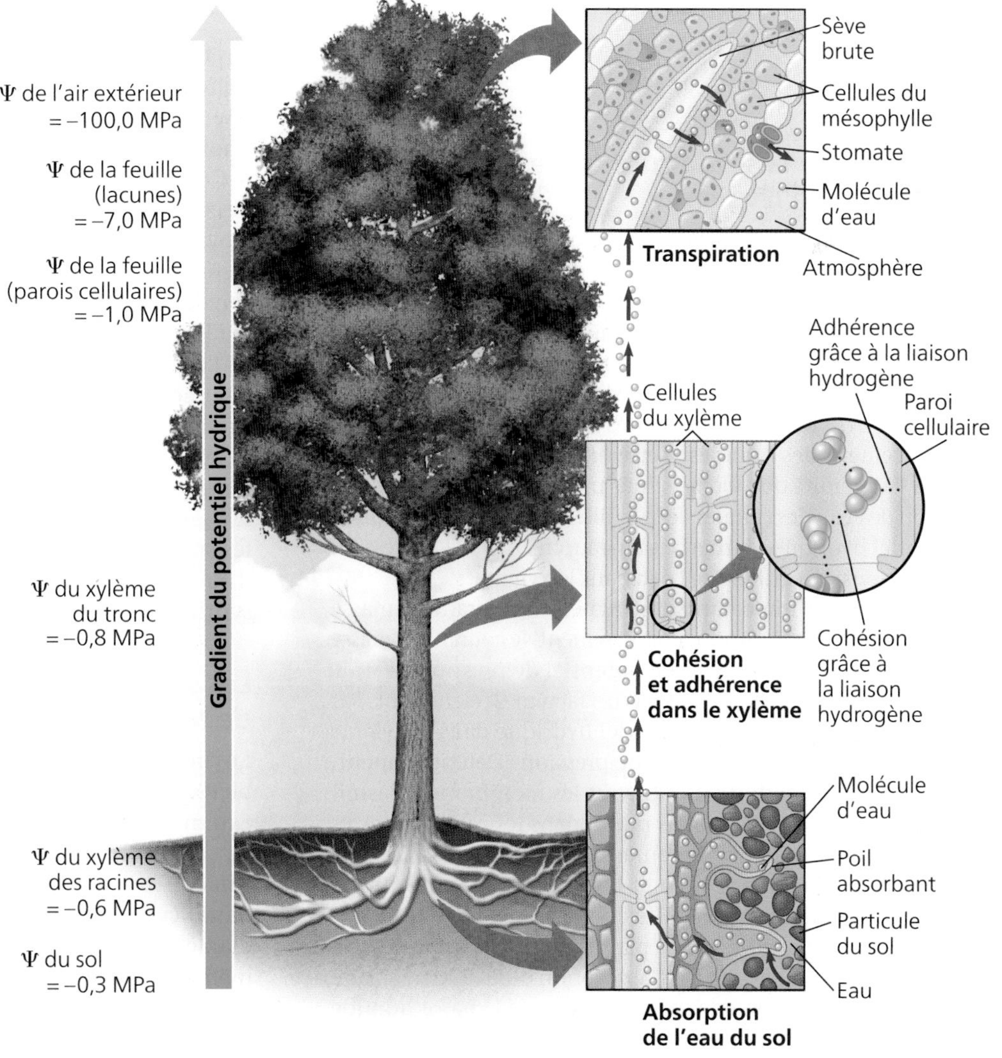

cliquetis qu'on peut entendre en plaçant un microphone sensible à la surface de la tige.

L'interruption du transport de la sève brute par la cavitation n'est pas toujours permanente. La chaîne de molécules d'eau peut utiliser une voie de contournement par les ponctuations entre les trachéides ou les vaisseaux adjacents (voir la figure 35.10). De plus, la pression racinaire permet aux petites plantes de remplir les vaisseaux bloqués par les bulles d'air. Des découvertes récentes semblent indiquer que la cavitation peut même être réparée lorsque la sève brute est sous une pression négative, quoique le mécanisme de ce phénomène soit incertain. En outre, la croissance secondaire ajoute chaque année une couche de nouveaux vaisseaux dans le xylème. Seuls les plus jeunes vaisseaux, situés à la périphérie du xylème, transportent l'eau. Bien qu'elles ne transportent plus d'eau, les plus vieilles zones du xylème secondaire servent à soutenir l'arbre (voir la figure 35.22).

POUR APPROFONDIR ■ Des chercheurs ont récemment découvert que le transfert d'eau du phloème au xylème peut, dans certains cas, prévenir la cavitation dans les arbres. À l'aide d'un colorant fluorescent permettant de suivre les molécules d'eau, les chercheurs ont constaté que l'eau peut se déplacer très rapidement par la voie du symplasme, du xylème au phloème, et inversement, dans les cellules parenchymateuses des rayons vasculaires (voir la figure 35.20). Durant la nuit, l'eau est plus susceptible de se déplacer du xylème au phloème, car elle est plus disponible. Elle est alors stockée temporairement dans le phloème jusqu'à ce que l'arbre en ait besoin, auquel cas elle retourne dans le xylème. ■

La montée de la sève brute grâce au courant de masse: *une révision*

Le mécanisme de cohésion-tension qui assure le transport de la sève brute dans le xylème, à l'encontre de la force gravitationnelle, illustre bien la façon dont les principes physiques s'appliquent aux processus biologiques. Lors du transport de l'eau sur de longues distances, des racines jusqu'aux feuilles, assuré par le courant de masse, c'est la différence de potentiel hydrique entre les deux extrémités du xylème qui provoque le déplacement des liquides. Cette différence de potentiel est créée, à l'extrémité du xylème située près de la feuille, par l'évaporation de l'eau des cellules de la feuille. L'évaporation diminue le potentiel hydrique à l'interface air-eau, créant ainsi la pression négative (tension) qui aspire l'eau dans le xylème.

Trois éléments importants distinguent le courant de masse dans le xylème et la diffusion. Premièrement, le courant de masse est assuré par des différences de potentiel de pression (Ψ_P); le potentiel osmotique (Ψ_O) n'est pas un facteur déclenchant. Par conséquent, le gradient de potentiel hydrique dans le xylème est essentiellement un gradient de pression. Deuxièmement, le courant ne se produit pas à travers les membranes plasmiques des cellules vivantes, mais plutôt dans les cellules mortes et creuses. Troisièmement, le courant de masse déplace toute la solution, non seulement l'eau et les solutés, et à une vitesse beaucoup plus grande que la diffusion.

Grâce au courant de masse, la plante n'utilise aucune énergie pour faire monter la sève brute. L'absorption de la lumière solaire fait transpirer la plante en évaporant l'eau de la paroi humide des cellules du mésophylle et en réduisant le potentiel hydrique dans les lacunes des feuilles. C'est donc l'énergie solaire qui est à l'origine de l'ascension de la sève brute dans le xylème, tout comme pour la photosynthèse.

RETOUR SUR LE CONCEPT 36.3

1. Un horticulteur remarque que lorsque des fleurs de zinnia (*Zinnia sp.*) sont coupées à l'aube, une petite goutte d'eau perle à la surface du bout coupé. Cependant, lorsque les fleurs sont coupées à midi, il n'observe aucune goutte. Proposez une explication à ce phénomène.
2. **ET SI ?** ▶ Supposons qu'un mutant d'arabette des dames (*Arabidopsis sp.*) dépourvu d'aquaporines fonctionnelles a des racines dont la masse est trois fois plus grande que celle des plantes de type sauvage. Proposez une explication.
3. **FAITES DES LIENS** ▶ En quoi la bande de Caspary et les jonctions serrées sont-elles semblables (voir la figure 6.30) ?

Voir les réponses proposées à l'appendice A.

CONCEPT 36.4

Les stomates assurent la régulation de la transpiration

Les feuilles ont généralement une grande surface et présentent donc un rapport surface-volume élevé. Leur grande surface favorise l'absorption de la lumière nécessaire pour permettre la photosynthèse. Le rapport surface-volume élevé aide à absorber le CO_2 pendant la photosynthèse et à libérer l'O_2, sous-produit de celle-ci. Le CO_2 diffuse par les stomates, puis il pénètre dans le labyrinthe de lacunes que forment les cellules du parenchyme lacuneux (ou mésophylle lacuneux; voir la figure 35.18). En raison de la forme irrégulière de ces cellules, la surface interne de la feuille peut être de 10 à 30 fois plus grande que la surface externe.

La grande surface des feuilles ainsi que leur rapport surface-volume élevé favorisent la photosynthèse, mais ils augmentent également la perte d'eau par les stomates. Ainsi, les énormes besoins en eau d'une plante résultent principalement des besoins du système caulinaire pour les nombreux échanges de CO_2 et d'O_2 nécessaires à la photosynthèse. En ouvrant et en fermant les stomates, les cellules stomatiques permettent à la plante d'équilibrer ses besoins en eau avec ses besoins pour la photosynthèse (**figure 36.13**).

Les stomates: les principales voies de la transpiration

Environ 95 % de l'eau perdue par la plante sort par les stomates, bien que ces pores ne représentent que 1 à 2 % de la surface externe des feuilles. La cuticule cireuse limite les pertes d'eau aux endroits de la feuille qui sont dépourvus de stomates. Chaque stomate est constitué de deux cellules stomatiques. La modification de la forme des cellules stomatiques fait varier le diamètre de l'ostiole, c'est-à-dire l'orifice du stomate. Dans les mêmes conditions ambiantes, la quantité d'eau perdue par une feuille dépend du nombre de stomates et du diamètre moyen de leurs ostioles.

▼ **Figure 36.13** **Un stomate ouvert (à gauche) et un stomate fermé (à droite) (MEB).**

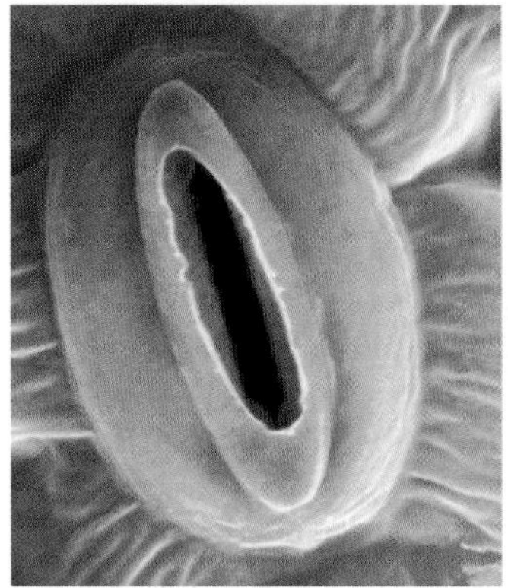

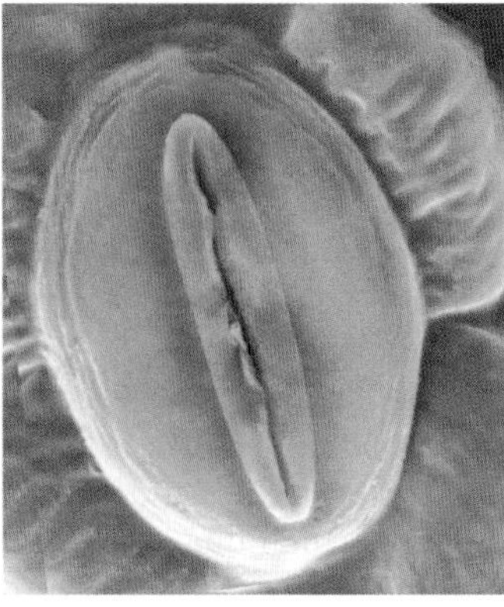

La densité stomatique d'une feuille, qui peut dépasser les 20 000 stomates par centimètre carré, dépend de facteurs génétiques et environnementaux. Par exemple, l'évolution par sélection naturelle a fait en sorte que les végétaux désertiques sont génétiquement programmés pour avoir une densité stomatique moins élevée que les végétaux des marais. Par contre, chez un grand nombre de végétaux, la densité stomatique représente également une caractéristique flexible acquise au cours du développement. Ainsi, chez de nombreuses espèces, une exposition élevée à la lumière jumelée à un faible niveau de CO_2 pendant le développement des feuilles entraîne une augmentation de la densité stomatique. En mesurant la densité stomatique de fossiles de feuilles, les scientifiques ont appris beaucoup sur les concentrations de CO_2 atmosphérique des climats antérieurs. Une récente étude britannique a permis d'établir que la densité stomatique de nombreuses espèces de régions boisées a diminué depuis 1927, année où une étude du même type a été réalisée. Ce constat concorde avec les autres découvertes révélant que les niveaux de CO_2 atmosphérique ont considérablement augmenté vers la fin du 20e siècle.

Le mécanisme d'ouverture et de fermeture des stomates

Lorsqu'elles absorbent, par osmose, de l'eau provenant des cellules voisines, les cellules stomatiques deviennent turgescentes. Chez la plupart des angiospermes, les cellules stomatiques possèdent une paroi dont l'épaisseur n'est pas uniforme. Cette paroi contient des microfibrilles de cellulose dont l'orientation permet aux cellules stomatiques de courber vers l'extérieur quand elles sont turgescentes (**figure 36.14a**). Cette déformation augmente la taille de l'ostiole. Quand les cellules stomatiques perdent de l'eau et deviennent flasques, leur courbure diminue, ce qui ferme l'ostiole.

Les variations de turgescence des cellules stomatiques dépendent de l'absorption et de la perte réversibles d'ions potassium (K^+). Les stomates s'ouvrent lorsque les cellules stomatiques accumulent des ions K^+ provenant des cellules épidermiques voisines (**figure 36.14b**). Le flux d'ions K^+ à travers la membrane plasmique des cellules stomatiques est associé à la création, par les pompes à protons, d'un potentiel de membrane (voir la figure 36.6a). L'ouverture des stomates correspond à la sortie de protons (H^+), par transport actif, des cellules stomatiques. La différence de potentiel électrique (potentiel de membrane) ainsi obtenue transporte les ions K^+ provenant des cellules épidermiques dans la cellule stomatique par l'intermédiaire des canaux spécifiques de la membrane plasmique. L'absorption de K^+ rend le potentiel hydrique plus négatif dans les cellules stomatiques, et les cellules deviennent plus turgescentes à mesure que l'eau entre par osmose. Parce que la majeure partie des ions K^+ et de l'eau est emmagasinée dans la vacuole, la membrane vacuolaire joue également un rôle dans la régulation de la dynamique des cellules stomatiques. La fermeture des stomates résulte de la perte d'ions K^+ par les cellules stomatiques au profit des cellules voisines, ce qui cause une perte d'eau par osmose. L'absorption des anions, comme les ions malate et les ions chlorure (Cl^-), contribue également à la dilatation des cellules stomatiques. Les aquaporines contribuent également à la régulation de la dilatation et du rétrécissement osmotiques des cellules stomatiques.

▼ **Figure 36.14** **Le mécanisme d'ouverture et de fermeture d'un stomate.**

Cellules stomatiques turgescentes (stomate ouvert) | **Cellules stomatiques flasques (stomate fermé)**

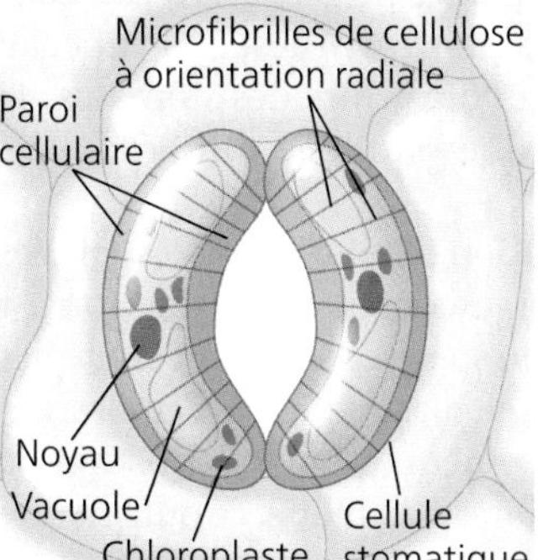

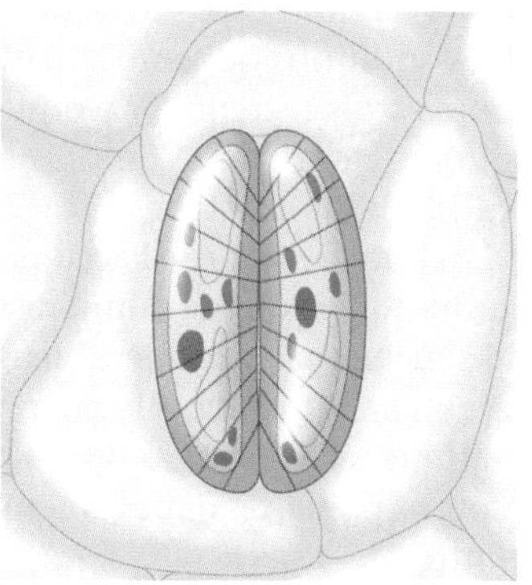

(a) Variations de forme des cellules stomatiques qui permettent l'ouverture et la fermeture du stomate (vue de la surface). Cette illustration montre les cellules stomatiques turgescentes (stomate ouvert) et flasques (stomate fermé) d'une angiosperme. L'orientation radiale des microfibrilles de cellulose dans les parois cellulaires fait en sorte que les cellules stomatiques se dilatent plus en longueur qu'en largeur lorsqu'elles deviennent turgescentes. Les cellules stomatiques étant fortement reliées à leurs extrémités, elles se courbent vers l'extérieur quand elles sont turgescentes, ce qui cause l'ouverture des stomates.

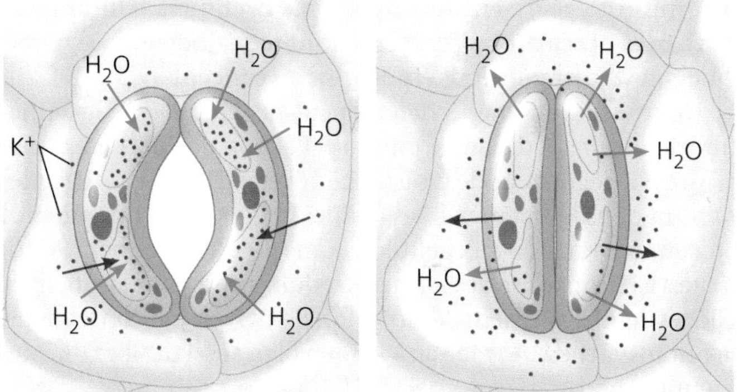

(b) Rôle du potassium dans l'ouverture et la fermeture du stomate. Le transport des ions K^+ (symbolisés ici par des points rouges) à travers la membrane plasmique et la membrane vacuolaire modifie la turgescence des cellules stomatiques. L'accumulation d'ions K^+ modifie le potentiel hydrique et favorise l'entrée ou la sortie d'eau par osmose.

Les stimulus de l'ouverture et de la fermeture des stomates

Normalement, les stomates sont ouverts le jour et généralement fermés la nuit. De cette façon, la plante ne perd pas d'eau dans des conditions qui empêchent la photosynthèse. À l'aube, au moins trois facteurs provoquent l'ouverture des stomates : la lumière, le manque de CO_2 et une « horloge » interne dans les cellules stomatiques.

La lumière favorise l'accumulation d'ions K^+ dans les cellules stomatiques, qui deviennent turgescentes. Cette réaction est déclenchée par la lumière bleue du spectre visible qui excite des récepteurs situés dans la membrane plasmique des cellules stomatiques. L'activation de ces récepteurs stimule les pompes à protons présentes dans la membrane plasmique, ce qui favorise l'entrée des ions K^+.

La baisse de CO_2 dans les lacunes de la feuille à la suite de la photosynthèse provoque aussi l'ouverture des stomates. Au fur et à mesure que la concentration de CO_2 décroît durant le jour, les stomates s'ouvrent progressivement si la feuille reçoit assez d'eau.

L'« horloge » interne des cellules stomatiques fait en sorte que les stomates continuent leur cycle quotidien d'ouverture et de fermeture. Ce cycle a lieu même si une plante est placée dans un endroit obscur. Tous les eucaryotes possèdent des horloges internes qui régissent des processus cycliques. On appelle **rythmes circadiens** les cycles dont la période est d'environ 24 heures (sujet que nous étudierons au concept 39.3).

Un stress tel qu'une sécheresse peut aussi provoquer la fermeture des stomates durant le jour sous l'action de l'**acide abscissique**. Ce régulateur de croissance végétal (hormone végétale) produit dans les racines et les feuilles en réponse à une carence en eau, commande aux cellules stomatiques de fermer les stomates. Cette réponse des stomates réduit la déshydratation, mais elle restreint également l'absorption de CO_2 et, par conséquent, la photosynthèse. L'acide abscissique peut aussi inhiber directement la photosynthèse.

Ainsi, en analysant divers stimulus internes et externes, les cellules stomatiques régissent à chaque instant les processus complémentaires de la photosynthèse et de la transpiration. Le simple passage d'un nuage ou l'ensoleillement inégal au travers du couvert forestier peut influer sur la transpiration.

Les effets de la transpiration sur le flétrissement et la température de la feuille

Tant que les stomates demeurent ouverts, la transpiration est à son maximum par temps chaud, ensoleillé, sec et venteux, car ces facteurs climatiques augmentent l'évaporation de l'eau. Si la transpiration n'arrive pas à aspirer suffisamment d'eau jusqu'aux feuilles, les pousses se mettent à flétrir, puisque la pression de turgescence de leurs cellules diminue. Une plante peut s'adapter à de telles conditions de légère sécheresse en refermant rapidement ses stomates, mais elle perdra une certaine quantité d'eau par la cuticule. Ainsi, si les feuilles sont soumises à une sécheresse prolongée, elles deviennent très flétries et endommagées de façon irréversible.

De plus, la transpiration a un effet de refroidissement par évaporation, et peut diminuer la température de la feuille de 10 °C par rapport à la température ambiante. Ainsi, la feuille n'atteint pas une température susceptible de dénaturer les différentes enzymes qui catalysent la photosynthèse ou d'autres réactions métaboliques.

Les adaptations qui réduisent la perte d'eau par évaporation

La disponibilité de l'eau est déterminante dans la productivité de la plante. Cependant, la raison pour laquelle la productivité des plantes dépend tellement de la disponibilité de l'eau n'a pas de rapport avec le besoin direct en eau pour effectuer la photosynthèse, mais plutôt avec le fait que l'eau librement disponible permet aux plantes de garder leurs stomates ouverts et de capter plus de CO_2. Le manque d'eau est un problème réel pour les plantes qui poussent dans le désert. Celles qui se sont adaptées à des milieux arides sont appelées **xérophytes** (du grec *xero*, « sec »).

De nombreuses espèces de plantes du désert évitent la déshydratation en complétant leurs courts cycles de vie durant les brèves saisons des pluies. Il pleut rarement dans les déserts, mais quand la pluie survient, la végétation change tout d'un coup lorsque les graines en dormance des espèces annuelles germent rapidement et fleurissent, complétant leur cycle de développement avant que les conditions de sécheresse ne reviennent.

D'autres espèces xérophytes sont dotées d'adaptations physiologiques et morphologiques inhabituelles qui leur permettent de résister aux conditions difficiles du désert. Ainsi, les tiges de beaucoup de xérophytes sont charnues parce qu'elles emmagasinent de l'eau en prévision des longues périodes de sécheresse. Quant aux cactus, ils possèdent des feuilles très réduites qui résistent aux pertes d'eau excessives et ils effectuent la photosynthèse surtout dans leurs tiges. Enfin, les plantes grasses de la famille des crassulacées et plusieurs autres familles de végétaux (voir la figure 10.21) font appel à un autre type d'adaptation aux habitats arides : le métabolisme acide des crassulacées (en anglais *crassulacean acid metabolism*, ou CAM), qui est une forme spécialisée de photosynthèse. Comme les feuilles de ces végétaux assimilent le CO_2 pendant la nuit, leurs stomates peuvent se refermer le jour, alors que le stress causé par l'évaporation est plus grand. La **figure 36.15** montre d'autres exemples d'adaptations des xérophytes.

RETOUR SUR LE CONCEPT 36.4

1. Quels sont les stimulus qui assurent la régulation de l'ouverture et de la fermeture des stomates ?
2. *Fusicoccum amygdali*, un eumycète pathogène, sécrète une toxine appelée fusicoccine qui active les pompes à protons des membranes plasmiques des cellules végétales et provoque une perte d'eau incontrôlée. Proposez un mécanisme par lequel l'activation des pompes à protons peut provoquer un important flétrissement.
3. **ET SI ?** ▶ Quand vous achetez des fleurs coupées, pourquoi le fleuriste vous recommande-t-il de couper les tiges sous l'eau et de transférer les fleurs dans un vase pendant que les bouts coupés sont encore humides ?
4. **FAITES DES LIENS** ▶ Expliquez pourquoi l'évaporation de l'eau sur les feuilles abaisse leur température (voir le concept 3.2).

Voir les réponses proposées à l'appendice A.

▼ **Figure 36.15 Quelques adaptations de xérophytes.**

► L'ocotillo (*Fouquieria splendens*) est un arbuste commun dans le Sud-Ouest des États-Unis et le Nord du Mexique. Pendant presque toute l'année, il est dépourvu de feuilles, ce qui lui évite des pertes d'eau excessives (à droite). Immédiatement après une forte pluie, il produit des petites feuilles (ci-dessous et dans le gros plan). Lorsque le sol s'assèche, les feuilles se recroquevillent rapidement et meurent.

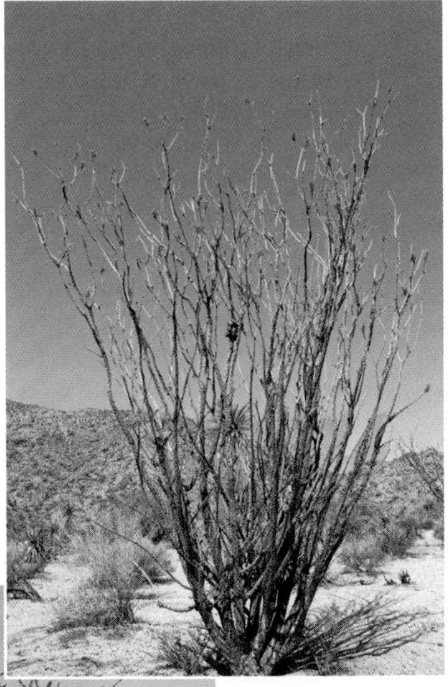

▼ On trouve couramment le laurier rose (*Nerium oleander*, ci-dessous, à droite) dans les régions arides. Ses feuilles possèdent une cuticule épaisse et un épiderme constitué de plusieurs couches qui réduisent la perte d'eau. Les stomates sont enfoncés dans des cavités appelées «cryptes», une adaptation structurale qui réduit la transpiration en les protégeant des vents chauds et secs. Les trichomes contribuent également à réduire la transpiration en gênant la circulation d'air, ce qui permet de conserver un taux d'humidité plus élevé à l'intérieur de la crypte que dans le milieu ambiant (MP).

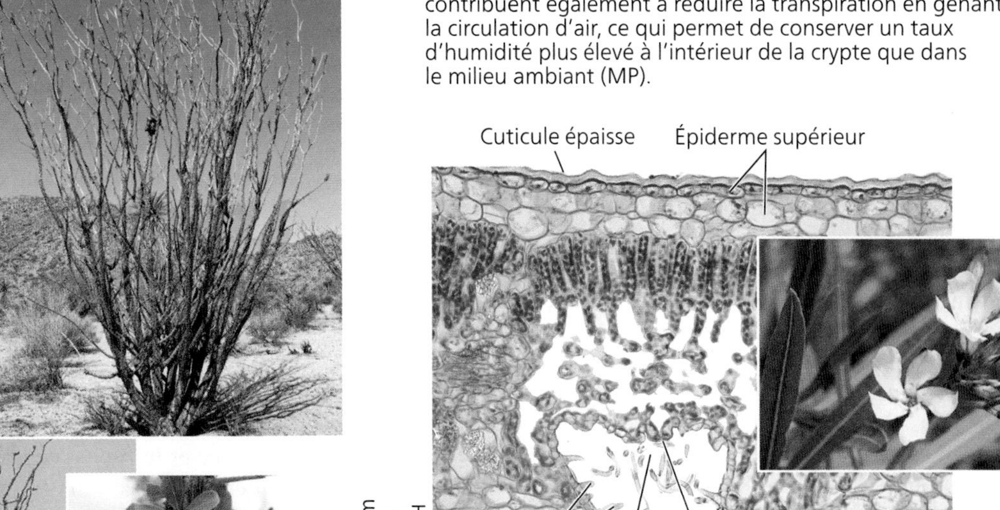

► Les longues soies blanches qui ressemblent à des cheveux et qui recouvrent les tiges de ce cactus appelé tête de vieillard (*Cephalocereus senilis*, à droite) aident à refléter le soleil brûlant du désert mexicain.

CONCEPT **36.5**

Le phloème transporte les glucides des organes sources aux organes cibles

La circulation unidirectionnelle de l'eau et des minéraux du sol dans le xylème, depuis les racines jusqu'aux feuilles, est principalement ascendante. En revanche, le mouvement des produits de la photosynthèse (photosynthétats) se fait souvent dans la direction opposée, transportant des glucides depuis les feuilles matures vers les parties inférieures de la plante, comme les apex des racines qui requièrent de grandes quantités de glucides pour leur énergie et leur croissance. Le transport des produits de la photosynthèse, appelé **translocation**, est effectué par un autre tissu, le phloème.

Le transport des organes sources aux organes cibles

Chez les angiospermes, les cellules spécialisées qui servent de canaux pour la translocation des glucides sont les éléments de tube criblé. Ceux-ci sont disposés bout à bout pour former les tubes criblés (voir la figure 35.10). De plus, ils sont séparés par des plaques criblées, qui permettent la circulation de la sève élaborée. La **sève élaborée**, la solution aqueuse qui circule par les tubes criblés, diffère sensiblement de la sève brute qui est transportée par les trachéides et les éléments de vaisseau du xylème. Chez la plupart des espèces végétales, les glucides, généralement le saccharose, constituent les solutés principaux de la sève élaborée. La concentration de saccharose peut s'élever à 30% en poids, ce qui donne à la sève son épaisseur sirupeuse. La sève élaborée peut également contenir des acides aminés, des régulateurs de croissance et des minéraux.

Contrairement au transport de la sève brute, qui est unidirectionnel (des racines aux feuilles), le transport de la sève élaborée se fait à partir des zones de production des glucides vers les régions où ils sont utilisés ou stockés (voir la figure 36.2). Un **organe source** est un producteur net de glucides, soit par photosynthèse, soit par hydrolyse de l'amidon. À l'opposé, un **organe cible**, ou organe puits, consomme ou emmagasine les glucides. Les racines, les bourgeons, les tiges et les fruits en croissance constituent des organes cibles. Les feuilles en développement sont des organes cibles, mais les feuilles matures, si elles reçoivent suffisamment de lumière, sont des organes sources. Un organe de stockage, par exemple un tubercule ou un bulbe, est, selon la saison, un organe source ou un organe cible. L'été, lorsqu'il entrepose des glucides, l'organe de stockage est un organe cible. Au début du printemps, après la dormance, l'organe de stockage devient un organe source, car l'amidon qu'il contient est décomposé en saccharose, lequel est ensuite acheminé vers l'apex des pousses en croissance.

Un organe cible est alimenté en glucides par les organes sources les plus proches. Les feuilles supérieures d'une branche peuvent envoyer les glucides à l'apex de la pousse en croissance, tandis que les feuilles les plus basses envoient les glucides aux racines. Un fruit en croissance peut monopoliser tous les organes sources situés à proximité. La direction du transport dans chaque tube criblé ne dépend que des endroits où se trouvent l'organe source et l'organe cible auxquels il est relié. Par conséquent, les tubes criblés voisins peuvent acheminer la sève dans des directions opposées, si le point de départ et le point d'arrivée sont situés à des endroits différents.

Les glucides doivent être transportés ou entrer dans les éléments de tube criblé avant d'être acheminés vers les organes cibles. Chez certaines espèces, ils circulent des cellules du mésophylle aux éléments de tube criblé en empruntant le symplasme, c'est-à-dire en passant d'une cellule à l'autre par les plasmodesmes. Chez d'autres espèces, ils empruntent un itinéraire qui passe par les voies du symplasme et de l'apoplasme. Dans les feuilles de maïs, par exemple, le saccharose diffuse à travers le symplasme des cellules photosynthétiques du mésophylle jusqu'aux petites nervures. La majeure partie des glucides entre alors dans l'apoplasme et s'accumule dans les éléments de tube criblé à proximité, soit directement, soit en passant par les cellules compagnes (**figure 36.16a**). Chez certains végétaux, les cellules compagnes ont une paroi qui comporte de nombreuses invaginations, ce qui favorise le transfert de solutés entre l'apoplasme et le symplasme.

Chez de nombreux végétaux, le déplacement des glucides dans le phloème nécessite un transport actif, car le saccharose est plus concentré dans les éléments de tube criblé et les cellules compagnes que dans le mésophylle. Ce sont les pompes à protons ainsi que le cotransport du saccharose et des protons (H^+) qui permettent au saccharose de se déplacer des cellules du mésophylle vers les éléments de tube criblé ou les cellules compagnes (**figure 36.16b**).

Le saccharose sort lorsqu'il atteint l'extrémité du tube criblé situé à proximité de l'organe cible. Ce processus varie selon l'espèce et le type d'organe. Cependant, la concentration en glucides libres dans l'organe cible est toujours inférieure à la concentration interne du tube criblé parce que les glucides qui sortent sont soit consommés pour assurer la croissance et le métabolisme des cellules cibles, soit convertis en polymères insolubles comme l'amidon. Résultat de ce gradient de concentration de glucides: les molécules de glucides diffusent du phloème vers les tissus des organes cibles; l'eau suit par osmose.

Le courant de masse créé par une pression positive: le mécanisme de la translocation chez les angiospermes

La sève élaborée circule de l'organe source à l'organe cible à une vitesse qui peut atteindre 1 m/h. On estime que cette vitesse est

▼ Figure 36.16 L'entrée du saccharose dans le phloème.

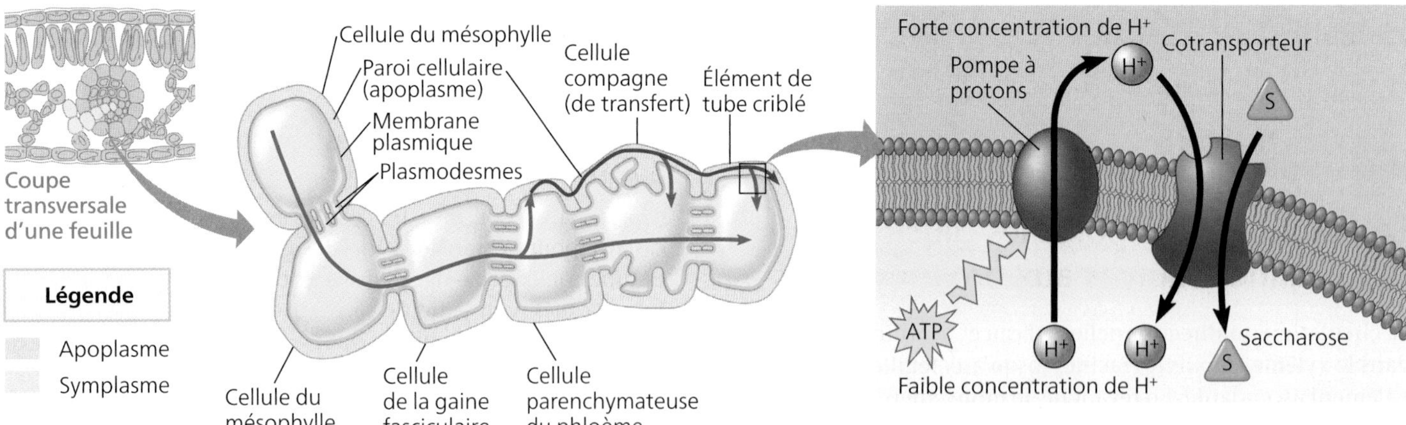

(a) Le saccharose produit dans les cellules du mésophylle peut emprunter la voie du symplasme (flèches bleues) pour entrer dans les éléments de tube criblé. Chez certaines espèces, le saccharose sort du symplasme près des tubes criblés et passe par l'apoplasme (flèche rouge). Il s'accumule par cotransport dans les éléments de tube criblé et leurs cellules compagnes.

(b) Un mécanisme chimiosmotique est responsable du transport actif du saccharose dans les cellules compagnes et les éléments de tube criblé. Les pompes à protons créent un gradient de H^+ entraînant l'accumulation de saccharose, avec l'aide d'un cotransporteur qui couple le transport du saccharose à la diffusion de H^+ retournant dans la cellule.

beaucoup plus rapide que celle de la diffusion ou des mouvements du cytoplasme (ou cyclose). Des chercheurs ont conclu que la sève élaborée se déplace dans les tubes criblés des angiospermes grâce au courant de masse, lequel est créé par une pression positive, dite *flux de pression* (**figure 36.17**). L'augmentation de pression à proximité de l'organe source et la diminution de pression à proximité de l'organe cible amènent la sève à circuler de l'organe source vers l'organe cible.

Cette hypothèse du gradient de pression qui crée un courant de masse permet d'expliquer pourquoi la sève élaborée du phloème circule de l'organe source à l'organe cible. Des expériences (**figure 36.18**) indiquent que ce modèle du gradient de pression s'applique particulièrement bien aux angiospermes, en tant que mécanisme de translocation. Cependant, des études menées à l'aide de microscopes électroniques donnent à penser que chez les plantes vasculaires sans fleurs, les pores entre les cellules du phloème pourraient être trop petits ou obstrués et empêcher ainsi l'établissement d'un gradient de pression.

Les besoins énergétiques et la capacité à capter les glucides varient d'un organe cible à l'autre. Parfois, les organes sources ne peuvent approvisionner les organes cibles, trop nombreux. Dans de tels cas, une plante peut cesser la formation de fleurs, de graines ou de fruits, un phénomène appelé *autoréduction*. La suppression d'organes cibles peut s'avérer une pratique utile en horticulture. Par exemple, étant donné que les grosses pommes se vendent à un prix plus élevé que les petites, les producteurs suppriment parfois des fleurs ou de jeunes fruits afin que leurs pommiers produisent moins de pommes, mais plus grosses.

▼ Figure 36.17 Le courant de masse créé par une pression positive (gradient de pression) dans un tube criblé.

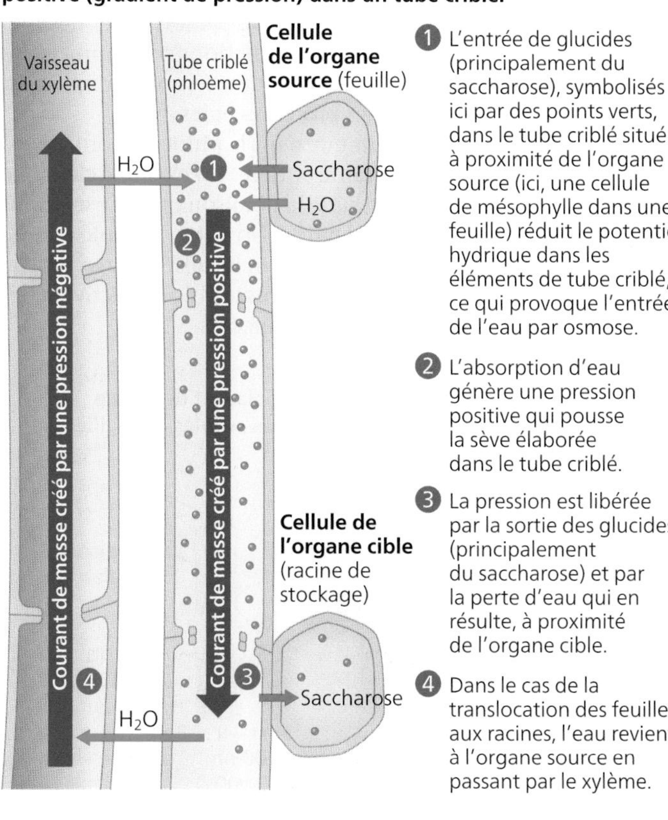

1. L'entrée de glucides (principalement du saccharose), symbolisés ici par des points verts, dans le tube criblé situé à proximité de l'organe source (ici, une cellule de mésophylle dans une feuille) réduit le potentiel hydrique dans les éléments de tube criblé, ce qui provoque l'entrée de l'eau par osmose.
2. L'absorption d'eau génère une pression positive qui pousse la sève élaborée dans le tube criblé.
3. La pression est libérée par la sortie des glucides (principalement du saccharose) et par la perte d'eau qui en résulte, à proximité de l'organe cible.
4. Dans le cas de la translocation des feuilles aux racines, l'eau revient à l'organe source en passant par le xylème.

DÉMARCHE SCIENTIFIQUE
INVESTIGATION

▼ Figure 36.18
La sève élaborée contient-elle plus de glucides près des organes sources que près des organes cibles ?

■ HYPOTHÈSE ■ Selon l'hypothèse du gradient de pression, la sève élaborée à proximité des organes sources devrait avoir une teneur en glucides plus élevée que la sève à proximité des organes cibles.

■ EXPÉRIENCE ■ Pour vérifier cette affirmation, des chercheurs ont utilisé des pucerons (famille des aphididés) qui se nourrissent de sève élaborée. Pour ce faire, l'insecte insère dans la plante une pièce buccale modifiée, appelée stylet, jusqu'à ce que l'appendice pénètre dans un élément de tube criblé. Pendant que la pression interne du tube criblé poussait la sève élaborée dans le stylet, les chercheurs ont séparé le puceron de son stylet, qui est resté dans la plante; celui-ci a servi de minuscule robinet par lequel s'est écoulée la sève élaborée pendant des heures. Les chercheurs ont ensuite mesuré la concentration en glucides de la sève des stylets à différents endroits entre un organe source et un organe cible.

Le puceron se nourrit.

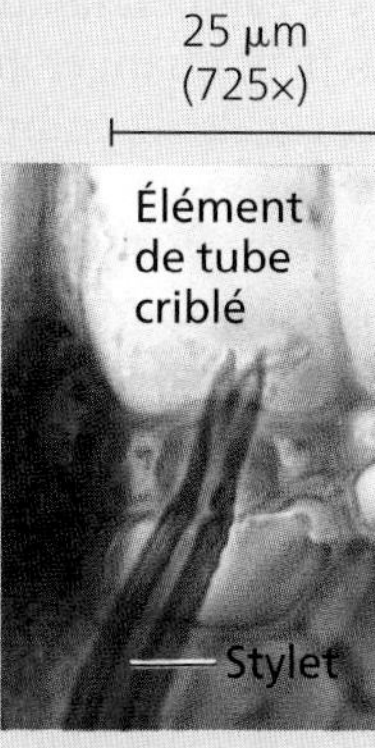

Le stylet pénètre dans un élément de tube criblé.

Le stylet amputé du puceron exsude la sève élaborée.

■ RÉSULTATS ■ Plus le stylet se trouvait près d'un organe source, plus la concentration en glucides de la sève qu'il contenait était élevée.

■ CONCLUSION ■ Les résultats de cette expérience appuient l'hypothèse du gradient de pression qui prévoit que les concentrations en glucides devraient être plus élevées dans les tubes criblés à proximité des organes sources.

Source des données: S. Rogers et A. J. Peel, Some evidence for the existence of turgor pressure gradients in the sieve tubes of willow, *Planta* 126: 259-267 (1975).

ET SI ? ▶ Les aphrophores (*Clasirptora sp.*) sont des insectes suceurs de sève brute qui utilisent des muscles puissants pour pomper la sève brute dans leur intestin. Pourrait-on isoler la sève brute des stylets amputés des aphrophores ?

RETOUR SUR LE CONCEPT 36.5

1. Comparez les forces qui font circuler la sève élaborée et les forces qui font circuler la sève brute sur de longues distances.
2. Nommez des organes végétaux qui sont des organes sources, des organes cibles, ou qui peuvent être l'un ou l'autre. Expliquez votre réponse.
3. Pourquoi le xylème peut-il transporter l'eau et les minéraux au moyen de cellules mortes, alors que le phloème a besoin de cellules vivantes ?
4. ET SI ? ▶ Au Japon, les pomiculteurs font une entaille inoffensive en forme de spirale autour de l'écorce des arbres qui sont destinés à l'abattage à la fin de la saison de croissance. Cette pratique rend les pommes plus sucrées. Pourquoi ?

Voir les réponses proposées à l'appendice A.

CONCEPT 36.6

Le symplasme est hautement dynamique

Nous avons expliqué le transport dans les plantes surtout en termes physiques, à la manière de l'écoulement d'un liquide dans un tuyau, mais il s'agit en fait d'un processus dynamique finement régulé qui peut changer au fil du temps. Ainsi, une feuille peut commencer sa vie comme un organe cible, avant de devenir un organe source. De plus, il arrive que des modifications de l'environnement déclenchent des réactions dans les mécanismes de transport. Le stress hydrique peut activer des voies de transduction du signal qui altèrent considérablement les protéines de transport membranaire régissant le transport global de l'eau et des minéraux. Parce que le symplasme est un tissu vivant, il est grandement responsable des modifications dynamiques dans les mécanismes de transport des végétaux. Nous allons maintenant examiner d'autres exemples : la modification des plasmodesmes, la signalisation chimique et la signalisation électrique.

Le nombre de plasmodesmes et la taille des pores peuvent changer

Autrefois, les biologistes croyaient que les plasmodesmes étaient des structures fixes et semblables à des pores, car leurs observations reposaient surtout sur des images statiques obtenues en microscopie électronique. Or, de récentes études ont révélé que les plasmodesmes sont des structures hautement dynamiques dont la perméabilité et le nombre peuvent changer. Ils sont capables de s'ouvrir ou de se fermer rapidement en réponse à des changements de la pression de turgescence, de la concentration de Ca^{2+} cytosolique ou du pH cytosolique. Par ailleurs, la formation des plasmodesmes ne s'effectue pas seulement au cours de la cytocinèse : elle peut aussi survenir beaucoup plus tard. De plus, la perte de fonction est courante au cours de la différenciation. Par exemple, quand une feuille évolue d'un organe cible à un organe source, ses plasmodesmes peuvent se fermer ou être éliminés, ce qui cause l'arrêt de la sortie des glucides et de l'eau du phloème.

À la suite de leurs premières études, les phytophysiologistes et les phytopathologistes sont parvenus à des conclusions différentes concernant la taille des pores des plasmodesmes. Les phytophysiologistes ont injecté des sondes fluorescentes de différentes tailles moléculaires dans les cellules et ont cherché à savoir si les molécules passaient vers les cellules adjacentes. À la suite de leurs observations, ils ont conclu que la taille des pores était approximativement de 2,5 nm, et qu'ils étaient donc trop petits pour laisser passer des macromolécules comme les protéines. Par contre, des micrographies électroniques ont montré qu'ils pouvaient être traversés par des particules virales d'au moins 10 nm de diamètre (**figure 36.19**).

Par la suite, on a appris que les virus des plantes produisaient des *protéines virales de mouvement* qui causent la dilatation des plasmodesmes, ce qui permet à l'ARN viral de passer entre les cellules. Des observations plus récentes montrent que les cellules végétales elles-mêmes assurent la régulation des plasmodesmes en tant que partie d'un réseau de communication. Les virus perturbent ce réseau en imitant les régulateurs des cellules des plasmodesmes.

Il existe un degré élevé de liens entre les constituants du cytosol seulement chez certains groupes de cellules et de tissus, appelés *domaines symplastiques*. Des molécules messagères, comme les protéines et les ARN, coordonnent le développement entre les cellules dans chaque domaine symplastique. Si la communication symplastique est interrompue, le développement peut être sensiblement perturbé.

Le phloème : une autoroute de l'information

En plus de transporter les glucides, le phloème est une « autoroute » pour le transport des macromolécules et des virus. Ce transport systémique (dans tout l'organisme) influe sur tous les systèmes ou organes de la plante. Les macromolécules circulant dans le phloème comprennent des protéines et divers types d'ARN qui pénètrent dans les tubes criblés par les plasmodesmes. Bien qu'on les compare souvent aux jonctions communicantes entre les cellules animales, les plasmodesmes sont uniques par leur capacité à faire circuler les protéines et les ARN.

La communication systémique dans le phloème contribue à intégrer les fonctions de la plante entière. Un exemple classique est le signal chimique qui entraîne la floraison que transmettent les feuilles aux méristèmes végétatifs. Un autre exemple est une réponse de défense contre une infection localisée, dans laquelle des signaux chimiques qui voyagent dans le phloème activent des gènes de défense dans les tissus non infectés.

▼ **Figure 36.19 Particules virales se déplaçant de cellule en cellule par un plasmodesme reliant des cellules de feuille de navet (MET).**

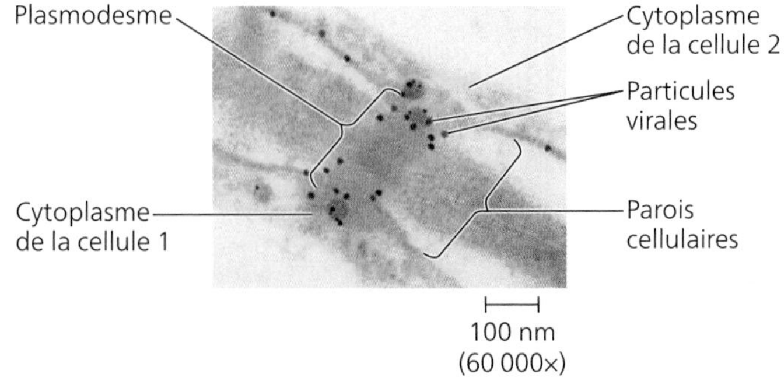

Les signaux électriques dans le phloème

Des signaux électriques rapides sur de longues distances passant par le phloème constituent une autre caractéristique dynamique du symplasme. Les signaux électriques ont fait l'objet d'études approfondies chez les végétaux dont les feuilles font des mouvements rapides, comme la sensitive (*Mimosa pudica*) et la dionée attrape-mouches (*Dionaea muscipula*). Cependant, leur rôle chez d'autres espèces est moins clair. Certaines études ont révélé qu'un stimulus dans une partie d'une plante peut déclencher un signal électrique dans le phloème et exercer une influence sur une autre région, par exemple en modifiant la transcription génétique, la respiration, la photosynthèse, la sortie des substances du phloème ou les concentrations hormonales. Le phloème peut donc remplir une fonction semblable à celle des nerfs, permettant une communication électrique rapide entre des organes très éloignés.

Le transport coordonné des substances et de l'information est fondamental pour la survie des plantes. Les plantes n'acquièrent qu'une certaine quantité de ressources au cours de leur durée de vie. En fin de compte, l'acquisition efficace de ces ressources et leur distribution optimale sont les principaux facteurs déterminants pour que la plante puisse soutenir la compétition avec succès.

RETOUR SUR LE CONCEPT 36.6

1. En quoi les plasmodesmes diffèrent-ils des jonctions communicantes ?
2. Chez les végétaux, les signaux agissant comme les signaux nerveux des animaux sont des milliers de fois moins rapides que chez ces derniers. Proposez une raison comportementale pour cette différence.
3. **ET SI ?** ▶ Supposons que des plantes ont été modifiées génétiquement pour être insensibles aux protéines virales de mouvement. Est-ce que ce serait une bonne façon d'empêcher la propagation de l'infection ? Expliquez votre réponse.

Voir les réponses proposées à l'appendice A.

RÉVISION DU CHAPITRE 36

Consultez votre MANUEL NUMÉRIQUE, qui vous donne accès aux **animations**, aux **exercices** et à la plateforme d'**anatomie interactive**.

Résumé des concepts clés

CONCEPT 36.1

Les adaptations permettant l'acquisition des ressources ont été des étapes déterminantes dans l'évolution des vasculaires (p. 858 à 860)

- La fonction des feuilles consiste généralement à capter la lumière solaire et le CO_2. Les tiges servent de structures de soutien pour les feuilles et de canaux pour le transport sur de longues distances de l'eau et des nutriments. Les racines puisent de l'eau et des minéraux dans le sol, en plus d'y ancrer la plante entière.
- De par la sélection naturelle, chaque espèce végétale est dotée d'une architecture qui optimise l'acquisition des ressources dans la niche écologique naturelle de cette espèce.

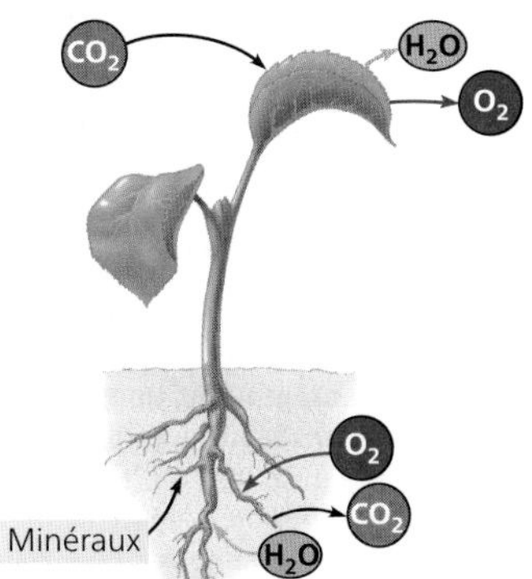

? Comment l'évolution du xylème et du phloème contribue-t-elle à la réussite de la colonisation des milieux terrestres par les vasculaires ?

CONCEPT 36.2

Différents mécanismes transportent les substances sur de courtes et de longues distances (p. 860 à 865)

- La perméabilité sélective de la membrane plasmique assure la régulation du déplacement des substances qui entrent dans les cellules et en sortent. Des mécanismes de transport actif et passif se produisent dans les plantes.
- Les tissus végétaux possèdent deux compartiments principaux : l'**apoplasme** (tout ce qui est à l'extérieur des membranes plasmiques des cellules) et le **symplasme** (le cytosol et les plasmodesmes qui relient les cellules entre elles).
- La direction du déplacement de l'eau dépend du **potentiel hydrique**, une quantité qui intègre la concentration de solutés et la pression physique. L'absorption osmotique de l'eau par les cellules végétales et l'augmentation subséquente de la pression interne rendent les cellules végétales **turgescentes**.
- Le **courant de masse**, c'est-à-dire le déplacement de fluides sous l'effet d'un gradient de pression, assure le transport sur de longues distances. Le courant de masse se produit dans les trachéides et les éléments de vaisseau du **xylème** ainsi que dans les éléments de tube criblé du **phloème**.

? La sève brute est-elle poussée ou aspirée vers le haut de la plante ?

CONCEPT 36.3

L'eau et les minéraux absorbés par les racines montent dans le xylème jusqu'aux pousses sous l'effet de la transpiration (p. 865 à 870)

- L'eau et les minéraux du sol entrent dans la plante par l'épiderme des racines, traversent le cortex des racines, puis entrent dans le cylindre vasculaire en passant par des cellules à perméabilité sélective de l'**endoderme**. À partir du cylindre vasculaire, la **sève brute** est transportée sur de longues distances par le courant de masse vers les nervures qui se ramifient dans chaque feuille.
- Selon l'**hypothèse de cohésion-tension**, la circulation de la sève brute est assurée par la différence de potentiel hydrique créée à l'extrémité du xylème située près de la feuille par l'évaporation de l'eau des cellules des feuilles. L'évaporation diminue le potentiel hydrique à l'interface air-eau, générant ainsi une pression négative qui aspire l'eau dans le xylème.

? Pourquoi la capacité des molécules d'eau à former des liaisons hydrogène est-elle importante pour la circulation de la sève brute ?

CONCEPT 36.4

Les stomates assurent la régulation de la transpiration (p. 870 à 873)

- La **transpiration** est la perte de vapeur d'eau par les plantes. Le **flétrissement** se produit lorsque les racines ne peuvent remplacer l'eau perdue par transpiration. Les plantes réagissent au manque d'eau en fermant leurs stomates. Lorsqu'une sécheresse perdure, elles subissent des dommages irréversibles.
- Les stomates constituent la voie principale pour la perte d'eau des plantes. Les orifices des stomates (ostioles) s'élargissent lorsque les cellules stomatiques absorbent des ions K^+. La lumière, le CO_2, l'**acide abscissique** (un régulateur de croissance dont la production est stimulée par la sécheresse) et le **rythme circadien** assurent la régulation de l'ouverture et de la fermeture des stomates.
- Les **xérophytes** sont des plantes qui se sont adaptées aux environnements arides. La petitesse des feuilles de certaines espèces végétales ainsi que le processus photosynthétique appelé métabolisme acide des crassulacées, ou CAM, sont des exemples d'adaptations à des milieux arides.

Pourquoi les stomates sont-ils nécessaires ?

CONCEPT 36.5

Le phloème transporte les glucides des organes sources aux organes cibles (p. 873 à 876)

- Les feuilles matures sont les principaux **organes sources**. Les organes de stockage peuvent être des organes sources à certaines saisons. Les organes en croissance comme les racines, les tiges et les fruits sont les principaux **organes cibles**. Le transport dans le phloème se fait toujours depuis l'organe source jusqu'à l'organe cible.
- L'entrée de substances dans le phloème dépend du transport actif du saccharose. Le saccharose est transporté avec les ions H^+, qui diffusent dans le sens du gradient généré par les pompes à protons. L'entrée des glucides dans le tube criblé à l'extrémité située à proximité d'un organe source et leur sortie à l'extrémité située à proximité d'un organe cible maintiennent une différence de pression qui permet la circulation de la sève dans le tube criblé.

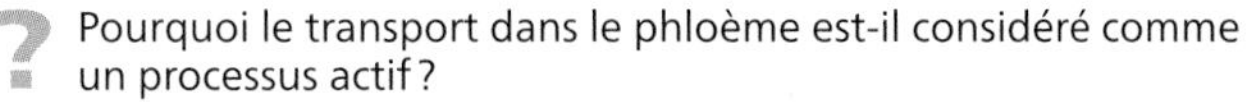
Pourquoi le transport dans le phloème est-il considéré comme un processus actif ?

CONCEPT 36.6

Le symplasme est hautement dynamique (p. 876 et 877)

- La perméabilité des plasmodesmes peut varier, tout comme leur nombre. Lorsqu'ils sont dilatés, les plasmodesmes fournissent un passage pour le transport symplastique des protéines, des ARN et d'autres macromolécules sur de longues distances. Le phloème conduit également des signaux électriques semblables à des signaux nerveux qui aident à intégrer les fonctions de la plante entière.

Quels mécanismes assurent la régulation de la communication symplastique ?

Évaluation

NIVEAU 1 : CONNAISSANCES ET COMPRÉHENSION

1. Parmi les structures ou les processus suivants, laquelle ou lequel est une adaptation qui augmente l'absorption de l'eau et des minéraux par les racines ?
a) Les mycorhizes.
b) Le pompage à travers les plasmodesmes.
c) L'absorption sélective de minéraux par les éléments de vaisseau.
d) Les contractions rythmiques par les cellules du cortex racinaire.

2. Quelle structure ou quel compartiment fait partie du symplasme ?
a) L'intérieur d'un élément de vaisseau.
b) L'intérieur d'un tube criblé.
c) La paroi cellulaire d'une cellule du mésophylle.
d) Une lacune extracellulaire.

3. La circulation de la sève élaborée d'un organe source à un organe cible :
a) s'effectue dans l'apoplasme des éléments de tube criblé.
b) dépend, au final, de l'activité des pompes à protons.
c) dépend de la tension, ou potentiel de pression négatif.
d) est principalement générée par la diffusion.

NIVEAU 2 : APPLICATION ET ANALYSE

4. La photosynthèse cesse quand les feuilles flétrissent, surtout parce que :
a) la chlorophylle des feuilles qui se flétrissent se dégrade.
b) l'accumulation de CO_2 dans la feuille inhibe les enzymes de la photosynthèse.
c) les stomates se referment, empêchant le CO_2 de pénétrer dans la feuille.
d) la photolyse, étape où la molécule d'eau est scindée, ne peut avoir lieu quand l'eau manque.

5. Parmi les facteurs suivants, lequel favoriserait l'absorption de l'eau par une cellule végétale ?
a) Une diminution du Ψ de la solution environnante.
b) Une pression positive sur la solution environnante.
c) La perte de solutés par la cellule.
d) Une augmentation du Ψ cytosolique.

6. Une cellule végétale dont le potentiel osmotique (Ψ_O) est de –0,65 MPa garde un volume constant quand elle baigne dans une solution dont le Ψ_O est de –0,30 MPa et qui se trouve dans un récipient ouvert. La cellule a :
a) un Ψ_P de +0,65 MPa.
b) un Ψ de –0,65 MPa.
c) un Ψ_P de +0,35 MPa.
d) un Ψ de 0 MPa.

7. Comparativement à une cellule comportant peu d'aquaporines dans sa membrane, une cellule qui en contient beaucoup :
a) aura une plus grande vitesse d'osmose.
b) aura un potentiel hydrique plus faible.
c) aura un potentiel hydrique plus élevé.
d) accumulera de l'eau par transport actif.

8. Parmi les facteurs suivants, lequel aurait tendance à augmenter la transpiration ?
a) Des feuilles épineuses.
b) Des stomates enfoncés.
c) Une cuticule épaisse.
d) Une densité stomatique élevée.

Voir les réponses proposées à l'appendice A.

Les sols et la nutrition chez les végétaux

37

VOS OUTILS
INTERACTIFS

Consultez votre MANUEL NUMÉRIQUE, qui vous donne accès aux **animations**, aux **exercices** et à la plateforme d'**anatomie interactive**.

▲ **Figure 37.1** **Cette plante a-t-elle des racines ?**

CONCEPTS CLÉS

37.1 Le sol contient un écosystème vivant et complexe

37.2 Les racines des végétaux puisent dans le sol les éléments essentiels

37.3 La nutrition des végétaux comporte souvent des associations avec d'autres organismes

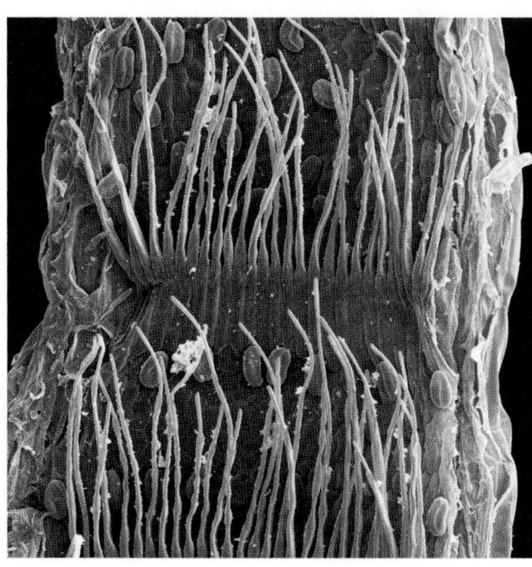

La spirale fatale d'une carnivore

Les appendices blanchâtres, semblables à des racines, de *Genlisea*, l'herbe de marécage de la **figure 37.1**, sont en fait des feuilles souterraines hautement modifiées dont les adaptations permettent la capture et la digestion de toutes sortes d'organismes minuscules vivant dans le sol, tels que bactéries, algues, protozoaires, nématodes et copépodes. Mais de quelle façon ces feuilles agissent-elles comme des pièges ? Imaginez que vous roulez une étroite bande de papier pour en faire une paille : c'est à peu près ainsi que les feuilles tubulaires de cette plante sont faites. Sur presque toute leur longueur, ces feuilles sont parcourues par une mince fente spiralée et bordée de cils recourbés. Les microorganismes peuvent s'introduire dans le tube ainsi formé, mais ils sont incapables d'en ressortir. Une fois entrées, les proies ne peuvent plus échapper à leur sort : elles sont inexorablement emportées vers le haut où se trouve une petite cavité parsemée de glandes digestives. Elles ne peuvent rebrousser chemin, car un autre ensemble de cils recourbés ne permet le passage que dans un sens (voir la micrographie à gauche). Le penchant carnivore de *Genlisea* est une étonnante adaptation qui lui permet de se nourrir des minéraux libérés par les proies qu'elle digère, suppléant ainsi aux maigres rations en minéraux que lui fournit le sol pauvre et détrempé des marécages où elle vit.

Comme nous l'avons expliqué au concept 36.1, les végétaux puisent leur nourriture dans l'atmosphère et le sol. En utilisant la lumière du soleil comme source d'énergie, ils produisent des nutriments organiques en réduisant les molécules de dioxyde de carbone (CO_2) en glucides par le biais de la photosynthèse. Par ailleurs, leur système racinaire leur permet d'absorber de l'eau et divers nutriments inorganiques du sol. Le présent chapitre porte sur la nutrition des végétaux, c'est-à-dire sur les minéraux nécessaires à leur croissance. Après avoir examiné les propriétés physiques fondamentales des sols et les facteurs qui déterminent leur qualité, nous verrons pourquoi certains minéraux sont indispensables aux fonctions des végétaux. Enfin, nous étudierons certaines des adaptations que les plantes ont dû acquérir pour se nourrir, souvent en association avec d'autres organismes.

CONCEPT **37.1**

Le sol contient un écosystème vivant et complexe

Les couches supérieures du sol, dans lesquelles les végétaux puisent presque toute l'eau et tous les minéraux dont ils ont besoin, contiennent un vaste éventail d'organismes vivants qui interagissent les uns avec les autres et avec le milieu physique. Cet écosystème complexe peut nécessiter des siècles pour se former, mais l'activité humaine, notamment une mauvaise gestion des sols, peut le détruire en quelques années. Pour comprendre pourquoi il importe de préserver les sols et pourquoi certaines espèces végétales croissent dans un endroit donné, il faut d'abord examiner les propriétés physiques du sol : sa texture et sa composition.

La texture du sol

La texture d'un sol dépend de la taille des particules qui s'y trouvent. On classe ces particules selon une échelle allant du sable grossier (0,02 à 2 mm de diamètre) aux particules microscopiques de l'argile (moins de 0,002 mm), en passant par le limon (0,002 à 0,02 mm). Ces particules de différentes tailles (classes granulométriques) proviennent de l'altération climatique de la roche mère. Cette dernière s'effrite par l'action de l'eau qui, en s'infiltrant, gèle dans les fissures durant l'hiver et cause la fracturation mécanique. Les acides faibles contenus dans le sol jouent également un rôle de décomposeurs chimiques. Les organismes qui réussissent à s'infiltrer dans la roche mère en accélèrent la désagrégation, mécaniquement ou chimiquement. Les racines, par exemple, sécrètent des acides qui dissolvent la roche et entraînent des fracturations mécaniques lorsqu'elles croissent dans les fissures. Les particules minérales libérées par l'altération climatique de la roche se mélangent avec des organismes vivants et l'**humus** (le résidu de la décomposition d'organismes morts et d'autres matières organiques) et forment le **sol de surface** (terre arable). Le sol de surface et les autres couches de sol sont appelés **horizons** d'un sol (**figure 37.2**). La profondeur du sol de surface, ou horizon A, peut varier de quelques millimètres à plusieurs mètres. Nous mettrons surtout l'accent sur les propriétés de la couche de surface parce qu'elle est généralement la plus importante pour la croissance des végétaux.

Les sols de surface les plus fertiles (ceux qui favorisent la croissance la plus importante) sont les **loams** (ou limon argileux-sableux). Ils se composent de sable, de limon et d'argile en quantités à peu près égales. Les loams contiennent suffisamment de particules fines de limon et d'argile pour fournir une grande surface d'adhérence et de rétention des minéraux et de l'eau.

En fait, les végétaux se nourrissent de la solution du sol, c'est-à-dire de l'eau et des minéraux dissous présents dans les pores entre les particules de sol. Après une pluie abondante, l'eau s'écoule à travers les interstices les plus larges entre les particules, mais elle est retenue dans les espaces plus étroits, car les molécules d'eau sont attirées par les charges électriques négatives qui recouvrent la surface des particules d'argile et d'autres matériaux. Les grands interstices entre les particules des sols sablonneux ne retiennent donc généralement pas suffisamment d'eau pour permettre une croissance vigoureuse des végétaux, mais ils permettent une diffusion efficace des molécules d'oxygène (O_2) vers les racines. Par contre, les sols argileux ont tendance à trop retenir l'eau, et lorsque le drainage du sol est insuffisant, l'air est remplacé par de l'eau, de sorte que les racines suffoquent par manque d'O_2. En général, les sols de surface très fertiles possèdent des pores qui retiennent suffisamment d'eau et d'air, permettant ainsi un bon équilibre entre l'aération, le drainage et la capacité de stockage de l'eau. Les amendements des sols, soit l'incorporation de substances comme la mousse de tourbe, le compost, le fumier ou le sable, permettent d'ajuster leurs propriétés physiques.

La composition du sol de surface

Le sol est constitué de composés chimiques inorganiques (minéraux) et organiques. Les composés organiques comprennent les nombreuses formes de vie qui vivent dans le sol.

Les composés inorganiques

Les charges superficielles des particules du sol déterminent leur capacité à se lier à de nombreux nutriments. La plupart des particules des sols productifs sont chargées négativement et ne se lient donc pas avec des ions chargés négativement (anions) tels que le nitrate (NO_3^-), le phosphate ($H_2PO_4^-$) et le sulfate (SO_4^{2-}),

▼ **Figure 37.2** **Les horizons du sol.**

L'horizon A constitue le sol de surface. Il est formé d'un mélange de fragments de roches de différentes classes granulométriques, d'organismes vivants et de matières organiques en décomposition.

L'horizon B contient beaucoup moins de matières organiques que l'horizon A et est moins altéré par l'action des agents climatiques.

L'horizon C est composé principalement de roche partiellement altérée physiquement. Une partie de cette roche constitue la matière première des minéraux qui contribuent par la suite à la formation des horizons supérieurs du sol.

qui sont tous des nutriments pour les végétaux. Par conséquent, ces nutriments sont facilement perdus par *lessivage*, c'est-à-dire par percolation de l'eau à travers le sol. Quant aux ions chargés positivement (cations), comme les ions potassium (K^+), les ions calcium (Ca^{2+}) et les ions magnésium (Mg^{2+}), ils adhèrent aux particules du sol chargées négativement et sont donc difficilement perdus par lessivage.

Il est important de comprendre que les racines n'absorbent pas les cations minéraux directement des particules du sol; ces derniers proviennent plutôt de la solution du sol. Les cations minéraux entrent dans la solution du sol par **échange de cations**, un processus dans lequel les cations sont remplacés, à la surface des particules du sol, par d'autres cations, notamment les ions hydrogène (H^+) (**figure 37.3**). Par conséquent, la capacité d'un sol à échanger des cations est déterminée par le nombre de sites d'adhérence des cations et par le pH du sol. En général, plus un sol contient d'argile et de matière organique, meilleure est sa capacité d'échanger des cations. Le contenu en argile est important, car le généreux rapport surface/volume de ses petites particules favorise l'échange de cations.

Les composés organiques

L'humus, principal constituant organique du sol de surface, est composé de matière organique que les bactéries et les eumycètes du sol produisent en décomposant les feuilles mortes, les organismes morts, les matières fécales et d'autres déchets organiques. En prévenant le tassement des particules d'argile, l'humus rend le sol à la fois friable et poreux, donc capable de retenir l'eau tout en favorisant l'aération des racines. De plus, il améliore la capacité du sol à échanger des cations et constitue une réserve nutritive d'éléments minéraux, lesquels retournent graduellement dans le sol au fur et à mesure de la décomposition de la matière organique par les microorganismes.

▼ **Figure 37.3** **L'échange de cations dans le sol.**

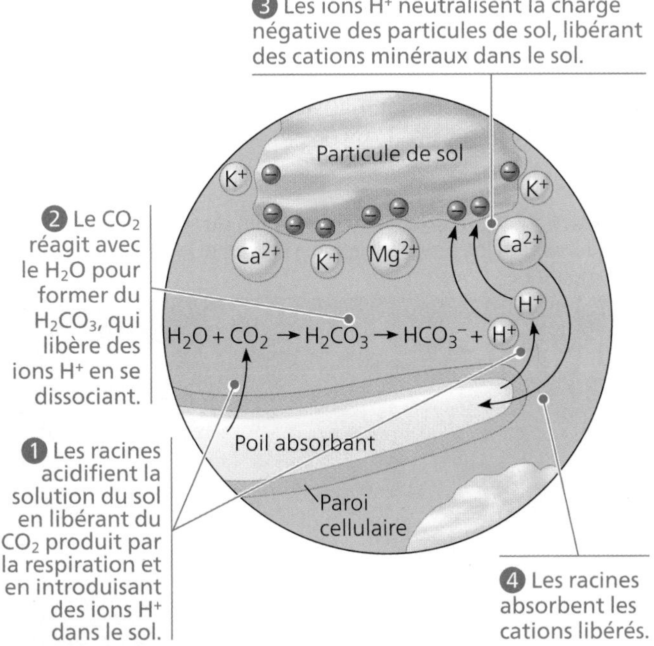

③ Les ions H⁺ neutralisent la charge négative des particules de sol, libérant des cations minéraux dans le sol.
Particule de sol
K⁺
Ca²⁺
K⁺
Mg²⁺
Ca²⁺
K⁺
H⁺
② Le CO₂ réagit avec le H₂O pour former du H₂CO₃, qui libère des ions H⁺ en se dissociant.
$H_2O + CO_2 \rightarrow H_2CO_3 \rightarrow HCO_3^- + H^+$
Poil absorbant
Paroi cellulaire
① Les racines acidifient la solution du sol en libérant du CO₂ produit par la respiration et en introduisant des ions H⁺ dans le sol.
④ Les racines absorbent les cations libérés.

HABILETÉS VISUELLES ▶ Quels ions sont les plus susceptibles d'être lessivés du sol par une diminution du pH : les cations ou les anions ? Expliquez votre réponse.

Le sol de surface abrite une quantité et une diversité étonnantes d'organismes; une cuillère à café de sol contient environ 5 milliards de bactéries qui partagent cet habitat avec des eumycètes, des algues et d'autres eucaryotes unicellulaires, des insectes, des lombricidés (vers de terre), des nématodes et des racines de végétaux. L'activité de tous ces organismes influe sur les propriétés physiques et chimiques du sol. Ainsi, les vers de terre consomment des matières organiques et obtiennent leurs nutriments des bactéries et des eumycètes qui croissent sur ces matières. Ils excrètent des déchets et déplacent de grandes quantités de matières à la surface du sol. De plus, ils introduisent de la matière organique dans les couches plus profondes du sol et, en mélangeant et en agglutinant des particules de sol, ils améliorent la diffusion gazeuse et la rétention d'eau. Les racines influent également sur la texture et la composition du sol. Elles contribuent en outre à réduire l'érosion en retenant le sol, et à diminuer le pH du sol en libérant des acides organiques.

La conservation du sol et l'agriculture durable

Durant la période néolithique, les agriculteurs constataient sans doute une diminution progressive du rendement des terres qu'ils cultivaient et observaient le même déclin progressif après s'être installés dans de nouvelles régions non cultivées. Avec le temps, ils se sont aperçus que la **fertilisation**, l'ajout de nutriments inorganiques au sol, pouvait faire du sol une ressource renouvelable, qui permettait des récoltes saison après saison, toujours au même endroit. Cette agriculture sédentaire a rendu possible un nouveau mode de vie. Les humains ont commencé à construire des habitations permanentes, qui sont devenues les premiers villages. Ils stockaient également des aliments pour se nourrir entre les récoltes, et les surplus alimentaires permettaient à certains membres de ces premières communautés de se spécialiser dans des activités autres que l'agriculture. En somme, la gestion des sols, par la fertilisation et d'autres pratiques, a contribué à ouvrir la voie aux sociétés modernes.

Malheureusement, la mauvaise gestion des sols est un problème récurrent dans l'histoire de l'humanité. Ainsi, le terme Dust Bowl (de l'anglais « cuvette de poussière ») désigne une région des grandes plaines du Sud-Ouest des États-Unis où s'est produit un désastre écologique et humain dans les années 1930. Des tempêtes de poussière dévastatrices provoquées par une sécheresse prolongée et des décennies de techniques agricoles inappropriées ont dévasté cette région. Avant l'arrivée des agriculteurs, la région des grandes plaines était couverte d'herbes rustiques qui maintenaient le sol en place malgré les périodes récurrentes de sécheresse et de pluies torrentielles. Or, à la fin du 19e et au début du 20e siècle, un grand nombre de colons s'y sont installés pour cultiver du blé (*Triticum spp.*) et élever du bétail, et le sol ainsi exploité a été peu à peu exposé à l'érosion des vents. Quelques années de sécheresse ont aggravé la situation. Au cours des années 1930, de très grandes quantités de terre fertile ont été emportées par des « blizzards noirs », rendant incultivables des millions d'hectares de terre agricole (**figure 37.4**). Au cours de l'une des pires tempêtes, des nuages de poussière ont été transportés vers l'est jusqu'à Chicago, où celle-ci retomba comme de la neige; les nuages ont même atteint la côte atlantique. Des centaines de milliers de gens de la région du Dust Bowl ont dû abandonner leur foyer et leurs terres, une misère qu'a immortalisée l'Américain John Steinbeck dans son roman *Les raisins de la colère* (1939).

▼ **Figure 37.4 Une tempête de poussière massive durant le Dust Bowl américain au cours des années 1930.**

? Quel horizon du sol a contribué à former ces nuages de poussière ?

La mauvaise gestion des sols représente encore un problème majeur de nos jours. Plus de 30 % des terres agricoles dans le monde ont une faible productivité, en raison des mauvaises conditions du sol entraînées notamment par la contamination chimique, les carences minérales, l'acidité, la salinité et un drainage insuffisant. Plus la population mondiale croît, plus la demande alimentaire augmente. Comme le rendement des cultures dépend grandement de la qualité du sol, la nécessité d'exploiter avec prudence les ressources du sol n'a jamais été si pressante. À l'heure actuelle, les terres les plus productives sont déjà dévolues à l'agriculture ; les fermiers ne peuvent pas acquérir plus de terres. Il est donc devenu impératif de pratiquer l'**agriculture durable** (ou agriculture intégrée), qui consiste à appliquer des méthodes de culture intégrant la conservation des ressources, le respect de l'environnement et la rentabilité. L'agriculture durable repose aussi sur l'utilisation prudente de l'irrigation et de l'amendement des sols, sur la protection du sol de surface contre la salinisation et l'érosion, et sur la restauration des terres dégradées.

L'irrigation

Comme c'est la disponibilité de l'eau qui limite le plus souvent la croissance végétale, il semble qu'aucune technologie n'ait augmenté le rendement des cultures autant que l'irrigation. Toutefois, l'irrigation agit comme un immense drain sur les réserves d'eau douce. À l'échelle mondiale, l'agriculture accapare environ 75 % de l'eau douce. Ainsi, dans les régions arides, on a réduit un grand nombre de rivières à des filets d'eau en les détournant pour l'irrigation des terres agricoles. Cependant, ce ne sont pas les eaux de surface comme les rivières et les lacs qui constituent la principale source d'eau pour l'irrigation, mais les réserves d'eau souterraine appelées *aquifères*. Dans certaines parties du monde, le rythme de prélèvement d'eau dépasse celui du renouvellement naturel de ces réservoirs. Il s'ensuit un *affaissement du sol*, un tassement graduel ou un enfoncement soudain de la surface terrestre (**figure 37.5**). L'affaissement du sol modifie les réseaux hydrographiques, cause des dommages aux structures d'origine humaine, contribue à la perte de sources souterraines et augmente les risques d'inondation.

Par ailleurs, l'irrigation, particulièrement au moyen de l'eau souterraine, peut également causer la *salinisation* du sol, c'est-à-dire l'accumulation de sels dans le sol au point de le rendre infertile. Les sels dissous dans l'eau d'arrosage s'accumulent dans le sol à mesure que l'eau s'évapore, ce qui rend le potentiel hydrique (Ψ) de la solution du sol plus négatif. Du même coup, l'absorption d'eau diminue par la réduction du gradient de potentiel hydrique, du sol aux racines (voir la figure 36.12).

De nombreuses formes d'irrigation, comme l'inondation des champs, constituent un gaspillage puisque la majeure partie de l'eau se perd par évaporation. Afin d'utiliser l'eau avec efficacité, les agriculteurs doivent connaître la capacité de rétention d'eau de leur sol, les besoins en eau de leurs cultures et la technologie appropriée d'irrigation. L'*irrigation au goutte-à-goutte* est une technique populaire dans laquelle un système de tuyaux en plastique perforés et placés à proximité des racines permet à l'eau de s'égoutter lentement. Comme ce type d'irrigation exige moins d'eau et réduit la salinisation, on l'utilise surtout dans les régions agricoles au climat aride.

La fertilisation

Dans les écosystèmes naturels, les minéraux sont généralement recyclés par l'excrétion des déchets animaux et la décomposition de l'humus. L'agriculture, cependant, n'est pas naturelle. La laitue que nous mangeons, par exemple, contient des minéraux provenant du champ du cultivateur, mais quand nous éliminons nos déchets, ces minéraux se retrouvent loin de leur source originale. Par conséquent, après plusieurs récoltes, le champ du cultivateur finit par s'appauvrir en nutriments. L'épuisement des nutriments est une cause majeure de la dégradation générale des sols. Les cultivateurs doivent remédier à l'épuisement des nutriments par la fertilisation.

De nos jours, la plupart des agriculteurs des pays industrialisés emploient des fertilisants contenant des minéraux qui proviennent soit d'une extraction minière, soit de procédés énergivores. Ces produits fertilisants sont habituellement enrichis en azote (N), en phosphore (P) et en potassium (K), les nutriments le plus souvent manquants dans les sols épuisés. Vous avez peut-être déjà remarqué que les emballages de fertilisants portent un code de trois lettres appelé NPK (N pour azote, P pour phosphore et K potassium), qui permet de connaître les proportions de ces trois composants. Par exemple, les indications « 15-10-5 » signifient que le fertilisant en question contient 15 % de N (sous forme d'ammonium ou de nitrate), 10 % de P (sous forme de phosphate) et 5 % de K (sous forme de sel de potassium).

▼ **Figure 37.5 Un affaissement soudain du sol.** Une surutilisation de l'eau souterraine pour l'irrigation a provoqué la formation de ce gouffre en Floride.

Le fumier, la farine de poisson et le compost font partie des fertilisants dits « organiques », parce qu'ils sont d'origine biologique et qu'ils contiennent des matières organiques en décomposition. Cependant, avant que les éléments présents dans le compost puissent être utiles aux végétaux, la matière organique doit être décomposée en nutriments inorganiques assimilables par les racines. Ces minéraux se présentent sous la même forme, qu'ils proviennent d'une source organique ou qu'ils aient été produits industriellement, à la différence que les minéraux provenant des fertilisants organiques sont libérés progressivement, alors que ceux des fertilisants industriels sont immédiatement disponibles. Cette disponibilité immédiate n'est pas toujours avantageuse, car les minéraux ne sont pas retenus indéfiniment par le sol, et ceux qui ne sont pas absorbés rapidement par les racines sont souvent perdus par lessivage sous l'action de la pluie ou de l'irrigation. Dans le pire des cas, ils rejoignent les lacs où ils risquent de provoquer l'explosion de populations d'algues qui peuvent épuiser la teneur en O_2 et décimer les populations de poissons.

L'ajustement du pH des sols

Le pH des sols est un facteur important qui influe sur la forme chimique des minéraux et leur disponibilité, par son effet sur l'échange de cations. Selon le pH du sol, un minéral particulier peut être trop fortement lié à l'argile ou se trouver sous une forme que la plante ne peut absorber. La plupart des végétaux préfèrent un sol légèrement acide, parce que les concentrations élevées de H^+ peuvent déloger les minéraux chargés positivement retenus sur les particules du sol, les rendant plus disponibles pour l'absorption. L'ajustement du pH du sol est une opération délicate, parce qu'une modification de la concentration de protons (ions H^+) peut améliorer la disponibilité d'un élément, mais aussi réduire celle d'un autre. Si le pH du sol est à 8, par exemple, les végétaux peuvent absorber le calcium, mais il leur est presque impossible d'assimiler le fer. Il faut donc ajuster le pH du sol aux besoins particuliers en minéraux des végétaux en culture. Si le sol est trop alcalin, on ajoutera du sulfate pour diminuer le pH ; s'il est trop acide, on ajoutera de la chaux, sous forme de carbonate de calcium ou d'hydroxyde de calcium, pour élever le pH.

Si le pH d'un sol diminue jusqu'à 5 ou moins, les ions aluminium toxiques (Al^{3+}) deviennent plus solubles et sont absorbés par les racines, ce qui retarde leur croissance et empêche l'absorption de calcium, un nutriment nécessaire pour les plantes. Certaines plantes peuvent contrer la concentration élevée d'ions Al^{3+} dans le sol en sécrétant des anions organiques qui se lient aux ions Al^{3+} pour les rendre inoffensifs. Cependant, un pH faible et la toxicité des Al^{3+} continuent de poser de sérieux problèmes, notamment dans les régions tropicales, où la pression sur la production d'aliments pour une population croissante est souvent la plus critique.

La régulation de l'érosion

Comme il est arrivé de façon spectaculaire dans les régions du Dust Bowl, l'érosion causée par l'eau et le vent peut arracher une quantité considérable de sol de surface. L'érosion est une cause importante de la dégradation des sols parce que les nutriments sont emportés par le vent et les cours d'eau. Pour réduire l'érosion, les agriculteurs plantent des rangées d'arbres au bord des champs en guise de brise-vent efficaces, aménagent des terrasses sur le flanc des collines pour éviter le ruissellement et le lessivage du sol pendant des pluies abondantes, ou cultivent les plantes suivant les courbes de niveau (**figure 37.6**). Certaines cultures comme la luzerne (*Medicago sativa*) et le blé fournissent une bonne couverture au sol et le protègent mieux que le maïs (*Zea mays*) et d'autres cultures normalement semées en rangs.

Il est également possible de réduire l'érosion grâce à une technique appelée **agriculture sans labour**. Dans la méthode traditionnelle de labour, le champ entier est labouré, ou retourné, et bien que cette pratique contribue à réduire la croissance des mauvaises herbes, elle détruit le réseau de racines qui maintient le sol en place et aggrave le ruissellement et l'érosion qui s'ensuit. Dans l'agriculture sans labour, en revanche, une charrue spéciale crée des sillons étroits pour les semences et les fertilisants, de sorte qu'on peut ensemencer le champ en limitant l'altération du sol et en utilisant moins de fertilisants.

La phytoremédiation

En contaminant le sol ou l'eau souterraine avec des métaux toxiques ou des polluants organiques, certaines activités humaines ont rendu des terres impropres à l'agriculture. Les méthodes d'assainissement traditionnelles, comme la restauration des sols, c'est-à-dire la détoxification des sols contaminés, ont mis l'accent sur des technologies non biologiques, comme l'enlèvement des sols contaminés et leur entreposage dans des sites d'enfouissement, mais ces méthodes sont coûteuses et détruisent le paysage. La **phytoremédiation** est une technique de biotechnologie qui respecte le paysage et fait appel à la capacité qu'ont certaines espèces végétales d'absorber des polluants du sol et de les concentrer dans des parties d'elles-mêmes qui sont faciles à récolter. On peut ainsi récupérer les polluants et les éliminer sans danger. Par exemple, le tabouret bleuâtre (*Noccaea caerulescens*) peut accumuler le zinc dans ses pousses à des concentrations 300 fois supérieures à celles de la plupart des autres végétaux. En récoltant les pousses, on enlève donc le zinc à l'origine de la contamination. Ce genre de plantes est prometteur pour l'assainissement des régions contaminées par les fonderies, les mines ou les produits radioactifs. La phytoremédiation est un type de bioremédiation qui compte également sur l'utilisation de procaryotes et d'eucaryotes unicellulaires pour assainir les sites pollués (voir les concepts 27.6 et 55.5).

▼ Figure 37.6 La culture suivant les courbes de niveau. Ces plantes ont été semées en rangs disposés en cercles, selon les niveaux de la pente, plutôt que de haut en bas de celle-ci. Ce type de culture contribue à ralentir le ruissellement de l'eau et l'érosion du sol de surface après de fortes pluies.

Nous avons examiné l'importance de la conservation des sols pour une agriculture durable. Les minéraux contribuent grandement à la fertilité des sols, mais quels minéraux sont les plus importants, et pourquoi les végétaux en ont-ils besoin ? Nous abordons ces sujets dans la section suivante.

RETOUR SUR LE CONCEPT **37.1**

1. Expliquez comment l'expression «trop d'une bonne chose» peut s'appliquer à l'arrosage et à la fertilisation des végétaux.
2. Certaines tondeuses à gazon sont munies de sacs qui recueillent les déchets de coupe. Quel est l'effet négatif de cette pratique sur la nutrition des végétaux ?
3. **ET SI ?** ▶ Comment l'addition d'argile à un loam peut-elle influer sur la capacité du sol à échanger des cations et à retenir l'eau ? Expliquez votre réponse.
4. **FAITES DES LIENS** ▶ Nommez trois propriétés par lesquelles l'eau contribue à la formation des sols. Revoyez le concept 3.2.

Voir les réponses proposées à l'appendice A.

CONCEPT **37.2**

Les racines des végétaux puisent dans le sol les éléments essentiels

Le sol, l'eau et l'air contribuent tous trois à la croissance d'une plante. Il est possible de mesurer la quantité d'eau contenue dans une plante en comparant la masse initiale de la plante à la masse après déshydratation complète. En général, une plante se compose d'environ 80 à 90 % d'eau, le reste constituant sa masse sèche. Quelque 96 % de cette masse sèche se compose de glucides produits par photosynthèse (comme la cellulose et l'amidon). Ainsi, les éléments constitutifs des glucides, c'est-à-dire le carbone, l'hydrogène et l'oxygène, sont les plus abondants de la matière végétale sèche. L'azote, le soufre et le phosphore, présents dans un grand nombre de macromolécules, y sont aussi relativement abondants. Bien qu'essentielles à la survie des végétaux, les substances inorganiques du sol ne représentent qu'environ 4 % de la cette masse sèche.

Les éléments essentiels

Les substances inorganiques présentes dans les végétaux contiennent plus de 50 éléments. Lorsqu'on étudie la composition chimique des végétaux, on doit bien faire la distinction entre les éléments essentiels et ceux qui ne le sont pas. Un **élément essentiel** est un élément chimique dont une plante a besoin pour accomplir son cycle de développement et pour se reproduire.

Pour savoir quels éléments chimiques sont essentiels, les chercheurs utilisent la **culture hydroponique**, qui consiste à faire pousser des végétaux sans sol, directement dans des solutions minérales (**figure 37.7**). Cette technique a permis de déterminer 17 éléments essentiels à tous les végétaux. La culture hydroponique est également utilisée à petite échelle pour exploiter des cultures en serre.

DÉMARCHE SCIENTIFIQUE

MÉTHODE DE RECHERCHE

▼ **Figure 37.7**
La culture hydroponique

■ **APPLICATION** ■ La culture hydroponique consiste à faire pousser des végétaux dans des solutions minérales, sans sol. Un des objectifs de ce type de culture est de déterminer les éléments essentiels pour les végétaux.

■ **TECHNIQUE** ■ On plonge les racines de la plante dans une solution aérée d'une composition minérale connue. L'aération de la solution fournit aux racines l'O_2 nécessaire pour la respiration cellulaire. (*Remarque :* Les fioles sont normalement opaques pour empêcher le développement d'algues.) On peut omettre un minéral, comme le fer, pour vérifier s'il est essentiel.

■ **RÉSULTATS** ■ Si le minéral omis est essentiel, des symptômes de carence apparaissent, comme un arrêt de la croissance ou une décoloration des feuilles. Par définition, la plante ne pourrait pas terminer son cycle de développement. Les symptômes de carence varient selon le minéral manquant, ce qui aide à diagnostiquer les carences en minéraux dans les sols.

Neuf des éléments essentiels portent le nom d'**éléments majeurs** (ou *macroéléments*) parce que ce sont les éléments dont une plante a besoin en quantités relativement importantes. Six d'entre eux sont les constituants majeurs des substances organiques qui forment la structure d'une plante : le carbone, l'oxygène, l'hydrogène, l'azote, le phosphore et le soufre. Les trois autres éléments majeurs sont le potassium, le calcium et le magnésium. De tous les éléments minéraux nutritifs, l'azote est celui qui contribue le plus à la croissance des végétaux et au rendement des cultures. C'est un élément essentiel des protéines, des acides nucléiques, de la chlorophylle et d'autres molécules organiques importantes pour les végétaux. Le **tableau 37.1** résume les fonctions des éléments essentiels.

Les autres éléments essentiels sont les **éléments mineurs** (ou *microéléments*) parce que ce sont les éléments dont une plante a besoin en très petites quantités. Les huit éléments mineurs sont le chlore, le fer, le manganèse, le bore, le zinc, le cuivre, le nickel et le molybdène. Le sodium est un neuvième élément mineur, mais seulement pour les plantes de type C_4 et

Tableau 37.1 Les éléments essentiels dans la nutrition des végétaux			
Élément nutritif (forme principalement absorbée par les végétaux)	**% de la masse sèche**	**Fonction(s) principale(s)**	**Premier(s) symptôme(s) visible(s) d'une carence minérale**
Éléments majeurs			
Carbone (CO_2)	45,0 %	Constituant essentiel des molécules organiques des végétaux	Faible croissance
Oxygène (CO_2)	45,0 %	Constituant essentiel des molécules organiques des végétaux	Faible croissance
Hydrogène (H_2O)	6,0 %	Constituant essentiel des molécules organiques des végétaux	Flétrissement, faible croissance
Azote (NO_3^-, NH_4^+)	1,5 %	Constituant des acides nucléiques, des protéines et de la chlorophylle	Chlorose à l'extrémité des vieilles feuilles (fréquent dans les sols intensément cultivés ou pauvres en matières organiques)
Potassium (K^+)	1,0 %	Cofacteur de nombreuses enzymes; soluté essentiel à l'équilibre hydrique; ouverture et fermeture des stomates	Présence de taches sur les vieilles feuilles et dessèchement du pourtour des feuilles; tiges fragiles; racines peu développées (fréquent dans les sols acides ou sablonneux)
Calcium (Ca^{2+})	0,5 %	Élément important de la lamelle moyenne et des parois cellulaires; maintien des fonctions membranaires; transduction du signal	Plissement des jeunes feuilles; mort des bourgeons terminaux (fréquent dans les sols acides ou sablonneux)
Magnésium (Mg^{2+})	0,2 %	Constituant de la chlorophylle; cofacteur de nombreuses enzymes	Chlorose entre les nervures des vieilles feuilles (fréquent dans les sols acides ou sablonneux)
Phosphore ($H_2PO_4^-$, HPO_4^{2-})	0,2 %	Constituant des acides nucléiques, des phospholipides et de l'ATP	Apparence saine, mais développement très lent; tiges minces; nervures violacées; piètre production de fleurs et de fruits (fréquent dans les sols acides, humides ou froids)
Soufre (SO_4^{2-})	0,1 %	Constituant des protéines	Chlorose généralisée chez les jeunes feuilles (fréquent dans les sols sablonneux ou très mouilleux)
Éléments mineurs			
Chlore (Cl^-)	0,01 %	Élément nécessaire lors de la photolyse de l'eau durant la photosynthèse; rôle dans l'équilibre hydrique	Flétrissement; racines courtes; présence de taches sur les vieilles feuilles (peu fréquent)
Fer (Fe^{3+}, Fe^{2+})	0,01 %	Constituant des cytochromes; cofacteur de certaines enzymes (synthèse de la chlorophylle); nécessaire à la photosynthèse et à la respiration	Chlorose entre les nervures des jeunes feuilles (fréquent dans les sols alcalins riches en humus)
Manganèse (Mn^{2+})	0,005 %	Participation à la synthèse des acides aminés; activation de certaines enzymes; nécessaire à l'étape de la photolyse de l'eau dans la photosynthèse	Chlorose entre les nervures des jeunes feuilles (fréquent dans les sols alcalins)
Bore ($H_2BO_3^-$)	0,002 %	Cofacteur dans la synthèse de la chlorophylle; possible rôle dans le transport des glucides, dans la synthèse des acides nucléiques, dans les fonctions de la paroi cellulaire et dans la croissance du tube pollinique	Mort des méristèmes; feuilles épaisses, tannées et décolorées (survient dans tous les types de sols; carence minérale en éléments mineurs la plus fréquente)
Zinc (Zn^{2+})	0,002 %	Participation à la synthèse de la chlorophylle; cofacteur de certaines enzymes; nécessaire à la transcription de l'ADN	Réduction de la longueur des entrenœuds; feuilles plissées (fréquent dans certaines régions géographiques)
Cuivre (Cu^+, Cu^{2+})	0,001 %	Constituant de nombreuses enzymes d'oxydoréduction et d'enzymes assurant la synthèse de la lignine	Coloration vert pâle des jeunes feuilles et dessèchement de l'extrémité des feuilles; racines rabougries et excessivement ramifiées (fréquent dans certaines régions géographiques)
Nickel (Ni^{2+})	0,001 %	Cofacteur d'une enzyme participant au métabolisme de l'azote	Chlorose généralisée de toutes les feuilles; mort des extrémités des feuilles (fréquent dans les sols acides ou sablonneux)
Molybdène (MoO_4^{2-})	0,0001 %	Élément essentiel à l'association symbiotique avec des bactéries fixatrices d'azote; cofacteur nécessaire à la réduction des nitrates	Mort des apex des racines et des pousses; chlorose des vieilles feuilles (fréquent dans les sols acides de certaines régions géographiques)

FAITES DES LIENS ▶ Expliquez pourquoi c'est le CO_2 plutôt que le O_2 qui représente la source d'une bonne partie de l'oxygène dans la masse sèche d'une plante. Voir le concept 10.1.

de type CAM (voir le concept 10.4), car les ions sodium sont nécessaires à la régénération du phosphoénolpyruvate (qui est l'accepteur de CO_2 dans ces deux types de fixation du carbone).

Les éléments mineurs agissent principalement à titre de cofacteurs (aides non protéiques) des réactions enzymatiques (voir le concept 8.4). Le fer, par exemple, est le constituant métallique des cytochromes, protéines qui interviennent dans les chaînes de transport d'électrons des chloroplastes et des mitochondries. Comme ils ne jouent que des rôles catalytiques dans les plantes, ces microéléments ne sont nécessaires qu'en très faibles quantités. Ainsi, le besoin en molybdène s'avère tellement minime qu'on ne trouve dans la matière asséchée d'une plante qu'un seul atome de cet élément pour 60 millions d'atomes d'hydrogène. Malgré tout, une carence en molybdène ou en un autre élément mineur peut affaiblir, voire tuer une plante.

Les symptômes d'une carence minérale

Les symptômes d'une carence minérale dépendent en partie de la fonction nutritive de l'élément manquant. Par exemple, une carence en magnésium, le constituant central de la chlorophylle, provoque la *chlorose*, un jaunissement des feuilles. Dans certains cas, la relation entre la carence et ses symptômes est moins directe. Ainsi, bien que la chlorophylle ne contienne pas de fer, une carence en fer peut également causer la chlorose. Cela s'explique par le fait que les ions de fer sont des cofacteurs dans l'une des étapes enzymatiques de la synthèse de la chlorophylle.

Les symptômes d'une carence minérale dépendent non seulement du rôle de l'élément nutritif, mais aussi de sa mobilité dans la plante. Si un élément se déplace presque librement d'une partie à l'autre de la plante, les symptômes causés par la carence apparaîtront d'abord dans les plus vieux organes. En effet, les jeunes tissus en croissance utilisent plus d'éléments peu disponibles que les tissus arrivés à maturité. Par exemple, le magnésium, qui se déplace assez bien dans la plante, s'achemine de préférence vers les jeunes feuilles. Par conséquent, une plante pauvre en magnésium présentera, dans un premier temps, des signes de chlorose sur ses plus vieilles feuilles. Par contre, une carence en un minéral relativement immobile se manifestera en premier lieu dans les nouvelles parties de la plante. Les plus vieux tissus peuvent en effet déjà posséder une quantité suffisante de cet élément, qu'ils ont la capacité de retenir lorsqu'il se fait rare. Par exemple, une carence en fer, un élément qui voyage difficilement dans la plante, provoquera le jaunissement des jeunes feuilles avant que cet effet soit visible sur les vieilles feuilles. Les besoins en minéraux d'une plante varient également selon la période de l'année et l'âge de la plante. Les jeunes semis, par exemple, présentent rarement des symptômes de carence minérale, leurs besoins étant grandement satisfaits par les minéraux libérés des réserves emmagasinées dans la graine elle-même.

Les symptômes d'une carence en minéraux peuvent varier d'une espèce à l'autre, mais selon la plante carencée, ils sont souvent suffisamment distincts pour aider au diagnostic. Les carences en potassium, en phosphore et particulièrement en azote sont les plus fréquentes, comme le montre l'exemple des feuilles de maïs de la **figure 37.8**. Dans la rubrique **Habiletés scientifiques**, vous aurez l'occasion de diagnostiquer une carence en minéraux chez des feuilles d'oranger (*Citrus sinensis*). Les carences en éléments mineurs sont plus rares que celles en éléments majeurs, et elles affectent plus fréquemment les végétaux de certaines régions où la composition du sol est particulière. Une des façons de confirmer un diagnostic de carence est d'analyser le contenu en minéraux de la plante ou du sol où elle pousse. Généralement, il suffit d'apporter une faible quantité d'éléments mineurs pour pallier une carence. Ainsi, on peut corriger une carence en zinc chez des arbres fruitiers en enfonçant tout simplement quelques clous de zinc dans les troncs. Il faut cependant procéder avec modération, car des doses excessives peuvent s'avérer nuisibles ou toxiques. Trop d'azote, par exemple, peut provoquer une croissance excessive du pied des plants de tomates (*Solanum lycopersicum*) aux dépens d'une bonne production de fruits.

▼ **Figure 37.8 Les carences minérales les plus courantes, telles qu'elles se manifestent chez le maïs.** Les symptômes de carences minérales peuvent varier selon les espèces. Chez le maïs, la carence en azote cause un jaunissement qui commence à l'extrémité des feuilles, puis gagne le centre (nervure médiane) des feuilles matures. Dans le cas d'une carence en phosphore, les feuilles, surtout les plus jeunes, ont les bords rougeâtres. Dans le cas d'une carence en potassium, les bords et l'extrémité des feuilles matures paraissent brûlés, asséchés.

L'amélioration de la nutrition des végétaux par modification génétique

Dans notre étude de la nutrition des végétaux, nous avons examiné jusqu'ici comment les agriculteurs utilisent l'irrigation, la fertilisation et les autres moyens pour adapter les conditions du sol à une culture. Une approche contraire consiste à adapter la plante par génie génétique pour qu'elle s'ajuste au sol. Nous présentons ici trois exemples de la façon dont le génie génétique améliore la nutrition des végétaux et l'utilisation des fertilisants.

La résistance à la toxicité de l'aluminium

L'aluminium dans les sols acides endommage les racines et réduit grandement le rendement des cultures. Le principal mécanisme de la résistance à l'aluminium est la sécrétion d'acides organiques (comme l'acide malique et l'acide citrique) par les racines. Ces acides se lient aux ions aluminium libres et abaissent les concentrations d'aluminium dans le sol. Des scientifiques ont modifié des plants de tabac (*Nicotiana tabacum*) et de papaye

DÉMARCHE SCIENTIFIQUE
HABILETÉS SCIENTIFIQUES

Faire des observations

■ DE QUELLE CARENCE MINÉRALE CETTE PLANTE SOUFFRE-T-ELLE ? ■ Souvent, pour diagnostiquer les carences en minéraux de leurs cultures, les cultivateurs observent d'abord les changements foliaires tels que la chlorose (jaunissement), la chute des feuilles, la décoloration, la présence de tachetures, de brûlures ou diverses modifications de la taille ou de la texture. Dans le présent exercice, vous allez diagnostiquer une carence en examinant les feuilles d'une plante et en utilisant ce que vous avez appris sur les symptômes dans les sections précédentes ainsi que dans le tableau 37.1.

■ DONNÉES ■ Les données de cet exercice viennent de la photographie ci-dessous, où l'on voit les feuilles d'un oranger carencé.

INTERPRÉTEZ LES DONNÉES ▼

1. En quoi l'apparence des jeunes feuilles diffère-t-elle de celle des vieilles feuilles ?
2. Nommez en trois mots le symptôme de carence le plus évident sur la photo. Énumérez les trois nutriments dont la carence peut provoquer ce symptôme. D'après la zone où le symptôme se manifeste, on peut inférer qu'un de ces trois nutriments n'est pas en cause ; lequel et pourquoi ? Que nous indique la zone du symptôme au sujet des deux autres nutriments ?
3. Si des analyses montraient que le sol où pousse l'oranger est pauvre en humus, en quoi cela influerait-il sur votre hypothèse au sujet de la cause de la carence ?

(*Carica papaya*) en introduisant dans les génomes des plants un gène de la citrate synthase provenant d'une bactérie. La surproduction résultante d'acide citrique a augmenté la résistance à l'aluminium dans ces deux cultures.

La tolérance à l'asphyxie lors d'inondations

Les sols saturés d'eau privent les racines d'O_2, et peuvent également endommager la plante lorsque s'accumulent l'éthanol et d'autres produits toxiques provenant de la fermentation alcoolique de la plante. Dans les pays asiatiques, les inondations durant la saison de la mousson détruisent souvent les cultures de riz (*Oryza sativa*). Bien que la majeure partie des variétés de riz meurent après avoir été submergées pendant des semaines, certains types peuvent survivre à ces épisodes d'inondation. Un gène appelé *Submergence 1A1* (*Sub1A1*) est la principale source de la tolérance à la submersion chez le riz résistant aux inondations. La protéine Sub1A1 assure la régulation de l'expression des gènes qui sont normalement activés dans des conditions anaérobies, comme ceux qui codent pour la synthèse de l'alcool déshydrogénase, une enzyme qui décompose l'éthanol. L'expression accrue de *Sub1A1* chez les variétés de riz tolérantes aux inondations augmente les niveaux de cette enzyme, ce qui confère à ces plantes une meilleure tolérance à la submersion. Augmenter l'expression de *Sub1A1* par génie génétique peut améliorer la tolérance aux inondations chez d'autres espèces de cultures.

Les végétaux « intelligents »

Les chercheurs en agriculture mettent au point des méthodes permettant de réduire l'utilisation de fertilisants industriels sans nuire au rendement des cultures. Une de ces méthodes consiste à concevoir génétiquement des végétaux « intelligents » qui informeront les agriculteurs du risque de carence, mais *avant* que celle-ci fasse des dommages. Un de ces végétaux intelligents tire profit d'un promoteur (une séquence d'ADN qui indique où commence la transcription d'un gène) qui se lie facilement à l'ARN polymérase (l'enzyme intervenant dans la transcription des gènes) lorsque le taux de phosphore des tissus d'une plante commence à diminuer. Ce promoteur est associé à un gène « rapporteur » qui active la production d'un pigment bleu dans les cellules des feuilles (**figure 37.9**). Lorsque les feuilles de ces végétaux intelligents commencent à bleuir, l'agriculteur sait qu'il est temps d'ajouter un fertilisant à base de phosphore.

Jusqu'ici, nous avons appris que, pour favoriser une croissance végétale vigoureuse, le sol doit contenir assez de minéraux, tout en présentant une aération suffisante, une bonne capacité de rétention d'eau, une faible salinité et un pH près de la neutralité. Le sol doit également être exempt de minéraux et d'autres substances chimiques à des concentrations toxiques. Ces caractéristiques physiques et chimiques du sol, cependant, n'expliquent pas tout : nous devons également examiner les composants vivants du sol.

▼ Figure 37.9 Les signaux de carence émis par les végétaux « intelligents ». Certains végétaux ont été génétiquement modifiés afin de pouvoir signaler une carence nutritive imminente avant que des dommages irréparables apparaissent. Ainsi, à la suite de manipulations en laboratoire, *Arabidopsis thaliana* produit une coloration bleue lorsqu'une carence en phosphore est imminente.

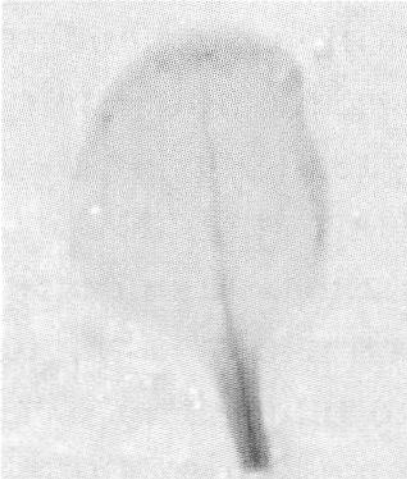
Aucune carence en phosphore

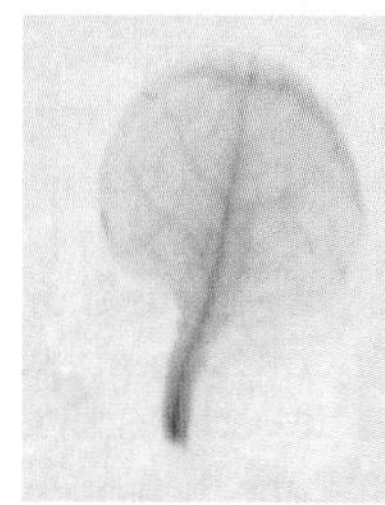
Début de carence en phosphore

Carence importante en phosphore

RETOUR SUR LE CONCEPT **37.2**

1. Y a-t-il des éléments essentiels plus importants que d'autres ? Expliquez votre réponse.
2. **ET SI ?** ▶ Si un élément augmente la vitesse de croissance d'une plante, est-ce qu'il peut être défini comme un élément essentiel ?
3. **FAITES DES LIENS** ▶ En vous basant sur la figure 9.17, expliquez pourquoi les plantes de cultures hydroponiques pousseraient beaucoup plus lentement si l'aération de leurs racines était insuffisante.

Voir les réponses proposées à l'appendice A.

CONCEPT **37.3**

La nutrition des végétaux comporte souvent des associations avec d'autres organismes

Jusqu'ici, nous avons décrit la capacité des végétaux à tirer profit des ressources du sol. Mais les végétaux et le sol sont interdépendants. Les végétaux morts fournissent une grande partie de l'énergie nécessaire aux bactéries et aux eumycètes qui vivent dans le sol. Bon nombre de ces microorganismes profitent également des sécrétions riches en glucides produites par les racines. Les végétaux bénéficient eux aussi de leurs associations avec les bactéries et les eumycètes du sol. Comme le montre la **figure 37.10**, les associations mutuellement bénéfiques entre règnes ou domaines ne sont pas rares dans la nature, mais elles sont tout particulièrement importantes chez les végétaux. Dans cette section, nous examinerons quelques exemples de *mutualisme* entre les végétaux et le sol. Nous décrirons aussi certaines formes de nutrition non mutualistes plutôt singulières qui existent chez les végétaux.

Les bactéries et la nutrition des végétaux

Diverses bactéries du sol contribuent de façon importante à la nutrition des végétaux. Certaines participent à des échanges chimiques mutuellement bénéfiques avec les racines des végétaux. D'autres favorisent la décomposition des matières organiques et augmentent la disponibilité des nutriments. Certaines vivent même à l'intérieur des racines et convertissent l'azote de l'air en une forme assimilable par les plantes.

Les rhizobactéries

Les **rhizobactéries** sont des bactéries qui vivent soit en étroite association avec des racines, soit dans la **rhizosphère**, qui désigne la couche de sol qui entoure les racines d'une plante. Beaucoup de rhizobactéries vivent en relation mutuellement bénéfique avec des racines. Elles se nourrissent de nutriments tels que les glucides, les acides aminés et les acides organiques sécrétés par les cellules végétales. On estime que près de 20 % de la production photosynthétique d'une plante sert à nourrir ces communautés bactériennes complexes. En retour, la plante tire plusieurs avantages de cette association mutualiste. Certaines rhizobactéries produisent des substances antibiotiques qui protègent les racines contre la maladie. D'autres absorbent les métaux toxiques ou rendent les nutriments plus facilement assimilables par les racines. D'autres encore convertissent l'azote gazeux en formes utilisables par la plante ou produisent des substances chimiques qui stimulent sa croissance. L'inoculation de rhizobactéries promotrices de la croissance végétale dans des graines peut augmenter le rendement des cultures et réduire les besoins en fertilisants et en pesticides.

Certaines rhizobactéries vivent librement dans la rhizosphère, tandis que d'autres sont des **endophytes** qui vivent entre les cellules situées à l'intérieur de la plante. Les espaces intercellulaires occupés par les bactéries endophytes ainsi que la rhizosphère associée avec chaque système racinaire de la plante renferment un cocktail unique et complexe de sécrétions racinaires et de substances microbiennes qui diffèrent de celles du sol environnant. Une récente étude métagénomique a révélé plusieurs différences entre les compositions bactériennes de ces deux types de communautés (**figure 37.11**). Une meilleure compréhension des différents types de bactéries vivant à l'intérieur des racines et autour des racines permettra peut-être d'améliorer radicalement l'agriculture moderne.

Le rôle des bactéries dans le cycle de l'azote

Comme l'azote est nécessaire en grandes quantités pour la synthèse des protéines et des acides nucléiques, aucune autre carence minérale n'est plus limitante pour la croissance des plantes. Les ions ammonium (NH_4^+) et les ions nitrate (NO_3^-) sont les formes d'azote que les plantes peuvent utiliser. Une partie de l'azote du sol provient de l'altération climatique de la roche mère, et la foudre produit également de petites quantités de NO_3^- qui peuvent être amenées au sol par la pluie, mais c'est l'activité des bactéries du sol qui constitue la source principale de l'azote (**figure 37.12**). Cette activité fait partie du **cycle de l'azote**, une série de processus naturels par lesquels certaines substances azotées de l'air et du sol deviennent disponibles aux êtres vivants, sont utilisées par eux, puis retournent dans l'air et le sol (voir la figure 55.14).

Les végétaux obtiennent leur azote principalement sous forme de nitrates (NO_3^-). Les ions NO_3^- du sol sont en grande partie formés par un processus en deux étapes appelé *nitrification*, au cours duquel l'ammoniac (NH_3) est oxydé en nitrites (NO_2^-), puis en nitrates (NO_3^-). Différents types de *bactéries nitrifiantes* interviennent à chaque étape, comme le montre le bas de la figure 37.12. Une fois que les ions NO_3^- ont été absorbés par les racines, une enzyme végétale les réduit en NH_4^+, que d'autres enzymes incorporent dans les acides aminés et dans d'autres substances organiques. La plupart des espèces végétales acheminent l'azote, des racines jusqu'aux pousses, par le xylème, sous forme de NO_3^- ou de composés organiques synthétisés dans les racines. Une partie de cet azote est perdue, notamment dans les sols anaérobies, lorsque les bactéries dénitrifiantes transforment les ions NO_3^- en N_2 qui diffuse dans l'atmosphère.

En plus du NO_3^-, les plantes peuvent obtenir leur azote sous la forme d'ions ammonium (NH_4^+) suivant deux processus, comme on peut le voir dans la partie gauche de la figure 37.12. Dans un des deux processus, des *bactéries fixatrices d'azote* convertissent le diazote gazeux (N_2) en NH_3, qui s'approprie alors un autre H^+ dans la solution du sol pour former des ions NH_4^+. Dans le second processus, des *bactéries ammonifiantes*, qui sont généralement des décomposeurs vivant dans un sol riche en humus, libèrent du NH_4^+ en décomposant les protéines et d'autres composés organiques de l'humus.

FAITES DES LIENS

▼ **Figure 37.10**

Le mutualisme entre règnes ou domaines

Certaines espèces de poissons toxiques ne fabriquent pas elles-mêmes leur poison. Comment est-ce possible ? Certaines espèces de fourmis mastiquent des feuilles mais ne les mangent pas. Pourquoi ? Répondre à ces questions, c'est explorer des associations mutualistes fascinantes, c'est-à-dire des relations entre espèces où chaque espèce fournit une substance ou un service qui bénéficie à l'autre (voir le concept 54.1). Une relation mutualiste peut s'établir entre deux espèces d'un même règne, par exemple entre deux espèces animales. Mais beaucoup d'associations mutualistes touchent des espèces appartenant à des règnes ou à des domaines différents, comme le montrent les exemples ci-dessous.

Eumycète-bactérie

Un lichen est le résultat d'un partenariat mutualiste entre un eumycète et un organisme photosynthétique. Ainsi, dans le lichen *Peltigera*, le partenaire photosynthétique est une cyanobactérie. Celle-ci procure les glucides, tandis que l'eumycète fournit le support, la protection, les minéraux et l'eau. (Voir la figure 31.22.)

Lichen *Peltigera*.

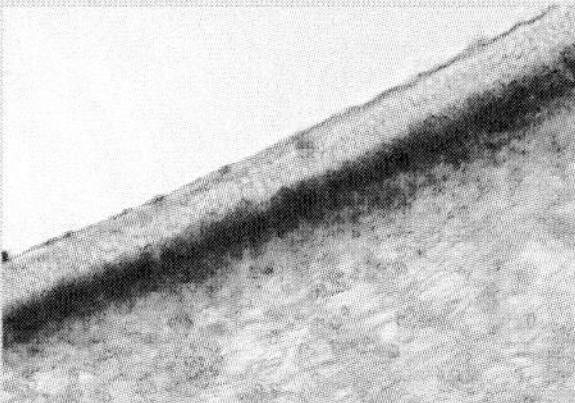

Coupe longitudinale du lichen *Peltigera* ; on voit la bactérie photosynthétique verte entre deux couches de l'eumycète.

Animal-bactérie

Fugu est le nom japonais du poisson-globe (*Takifugu spp.*) et aussi de la spécialité gastronomique qu'on prépare avec ce poisson, mais qui peut être mortelle. En effet, la plupart des espèces de poissons-globes contiennent dans leurs organes (en particulier le foie, les ovaires et les intestins) une dose mortelle d'une neurotoxine, la tétrodotoxine. Le chef cuisinier spécialement formé qui prépare ce poisson doit donc impérativement retirer adéquatement les viscères empoisonnés. La tétrodotoxine est synthétisée par les bactéries (diverses espèces de *Vibrio*) vivant en association mutualiste avec le fugu. Le poisson dispose ainsi d'une puissante défense chimique, tandis que la bactérie vit dans un milieu où elle trouve beaucoup de nutriments et peu de rivaux.

Poisson-globe (fugu)

Plante-bactérie

Cette fougère flottante du genre *Azolla* fournit des glucides à une cyanobactérie fixatrice d'azote qui vit dans les espaces aériens de ses feuilles. En retour, la cyanobactérie fournit de l'azote à la fougère. (Voir la figure 27.5.)

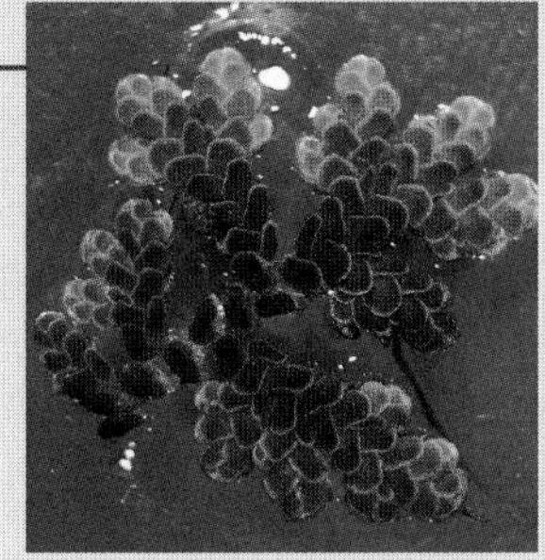

Fougère flottante *Azolla*.

Animal-eumycète

Les fourmis coupe-feuille (aussi appelées fourmis champignonnistes et appartenant aux genres *Atta* et *Acromyrmex*) cueillent des feuilles qu'elles rapportent à leur nid, mais elles ne les mangent pas. Les nutriments des feuilles servent plutôt de nourriture pour des eumycètes que les fourmis cultivent et dont elles se nourriront ensuite.

Fourmis coupe-feuille rapportant des feuilles à leur nid.

Fourmis cultivant des eumycètes dans leur nid.

Plante-eumycète

La plupart des espèces végétales hébergent des mycorhizes, qui sont des associations mutualistes entre les racines et un eumycète. Les racines fournissent des glucides à l'eumycète et, en retour, ce dernier augmente la surface d'absorption grâce à son mycélium (le dense réseau de filaments appelés hyphes). Ce faisant, les racines peuvent capter plus efficacement l'eau et les minéraux du sol. (Voir la figure 31.4.)

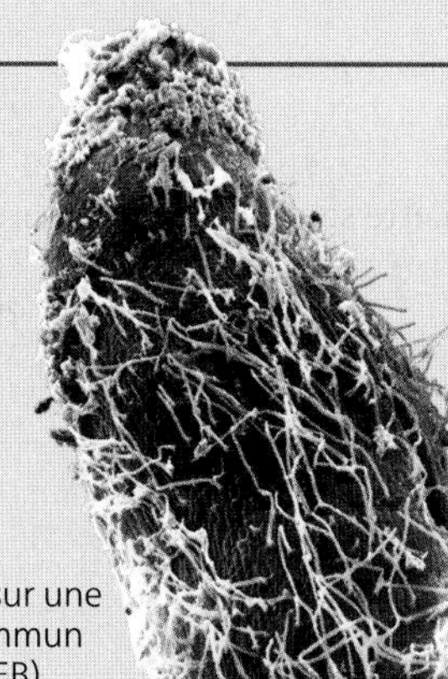

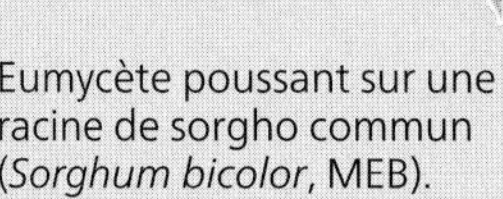

Eumycète poussant sur une racine de sorgho commun (*Sorghum bicolor*, MEB).

Plante-animal

Certaines espèces de végétaux du genre *Acacia* hébergent dans leurs épines creuses une armée de fourmis très combatives qui les protègent des prédateurs et des rivaux. En contrepartie, la plante fournit aux fourmis un nectar riche en glucides et des structures protéinées qui se trouvent à la base de ses feuilles. (Voir la figure 54.8.)

Les fourmis protectrices récoltent les structures protéinées d'un plant d'*Acacia*.

FAITES DES LIENS ▶ Décrivez trois autres exemples de mutualisme. (Voir les figures 27.19 et 38.4 et le concept 41.4.)

DÉMARCHE SCIENTIFIQUE

INVESTIGATION

▼ **Figure 37.11**

Dans quelle mesure la composition des communautés bactériennes à l'intérieur des racines est-elle différente de celle à l'extérieur des racines ?

■ HYPOTHÈSE ■ On pense que la présence de communautés bactériennes à l'intérieur du système racinaire d'une plante et directement sur l'extérieur de ses racines améliore la croissance des plantes. Pour concevoir des stratégies agricoles susceptibles d'accroître les effets positifs de ces communautés bactériennes, il faut commencer par en évaluer la complexité et déterminer quels facteurs relèvent de leur composition.

Dans cette enquête, les chercheurs ont postulé que les communautés bactériennes endophytes différaient des communautés bactériennes environnantes. Or, une des difficultés inhérentes à l'étude de ces communautés bactériennes est qu'une seule poignée de sol peut contenir jusqu'à 10 000 types de bactéries, soit plus que toutes les espèces bactériennes décrites à ce jour. Et comme on ne peut pas simplement mettre en culture chacune de ces espèces et les identifier au moyen d'une clé taxonomique, il est nécessaire de recourir à une méthode d'analyse moléculaire.

▼ Bactéries (en vert) à la surface d'une racine (MP par fluorescence).

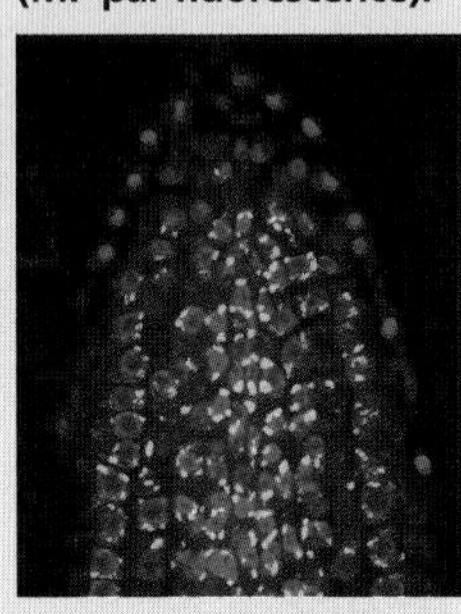

■ EXPÉRIENCE ■ Jeffery Dangl et ses collègues ont pu estimer le nombre d'«espèces» bactériennes de divers échantillons en utilisant une technique dite *métagénomique* (voir le concept 21.1). Les échantillons de communautés bactériennes étudiées différaient par trois variables : la zone de prélèvement de l'échantillon (endophyte, rhizosphère ou extérieur de la rhizosphère), le type de sol (argileux ou poreux) et le stade de développement du système racinaire avec lequel les bactéries étaient associées (vieux ou jeune). Les chercheurs ont purifié l'ADN de chaque échantillon, puis ils ont utilisé la réaction en chaîne par polymérase (PCR) pour amplifier l'ADN qui code pour les sous-unités d'ARN ribosomiques 16*S*. Ils ont alors mis en évidence plusieurs milliers de variations de séquences d'ADN dans chaque échantillon, puis regroupé en «unités taxonomiques» ou «espèces» les séquences qui étaient identiques à 97 %. (Le mot *espèces* est ici entre guillemets, car aucune définition de ce qu'est une espèce ne s'appuie sur le critère «deux organismes dont un gène est identique à 97 %».) Après avoir établi les types d'«espèces» de chaque communauté bactérienne, les chercheurs ont construit un diagramme en arborescence qui montre le pourcentage d'«espèces» bactériennes présentes dans chacune des communautés, classées selon les trois variables évoquées.

■ RÉSULTATS ■ Le diagramme sépare la parenté des communautés bactériennes en ramifications de plus en plus étroites. Les deux encadrés à gauche du diagramme expliquent comment interpréter cette arborescence.

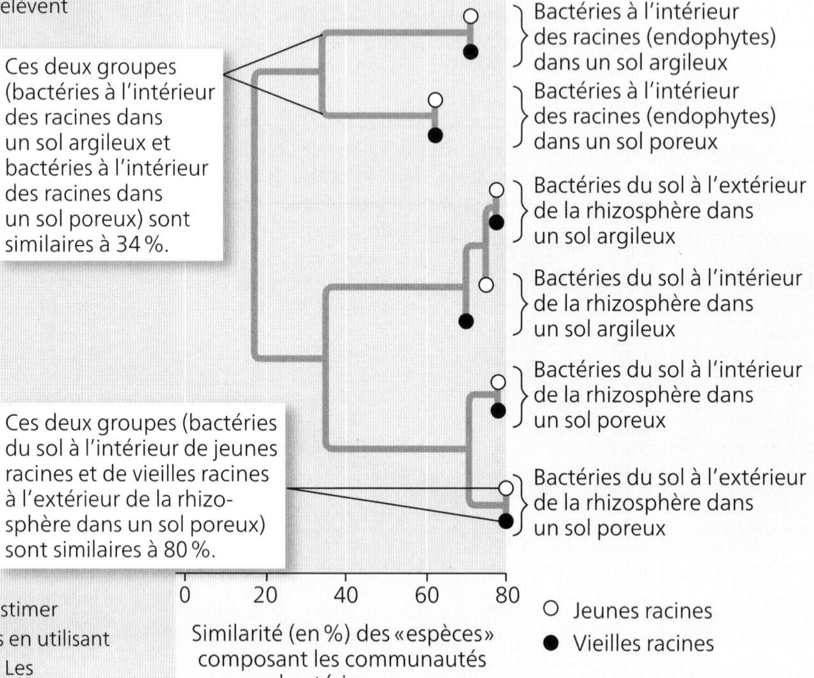

Source des données : D. S. Lundberg et coll., Defining the core *Arabidopsis thaliana* root microbiome, *Nature* 488 : 86-90 (2012).

■ CONCLUSION ■ Les «espèces» composant les communautés bactériennes différaient considérablement selon le type de sol et selon que les échantillons provenaient de l'intérieur ou de l'extérieur des racines.

INTERPRÉTEZ LES DONNÉES ▶ (a) Laquelle des trois zones de prélèvement des échantillons présente la (les) plus grande(s) différence(s) par rapport aux autres ? (b) Classez les trois variables (zone de prélèvement, type de sol et stade de développement) selon l'effet qu'elles ont sur la composition des communautés bactériennes.

Les bactéries fixatrices d'azote : une étude détaillée

Bien que l'atmosphère terrestre soit composée de 79 % d'azote, les végétaux ne peuvent pas utiliser le diazote (N_2) gazeux libre parce que cette molécule est presque inerte en raison de la liaison triple qui réunit les deux atomes d'azote. Pour que le N_2 atmosphérique soit assimilable par les végétaux, il doit être réduit en NH_3 par un procédé appelé **fixation de l'azote**. Tous les organismes fixateurs d'azote sont des bactéries. Certaines vivent

▼ **Figure 37.12 Le rôle des bactéries du sol dans la nutrition azotée des végétaux.** Deux types de bactéries du sol fournissent de l'ammonium aux végétaux : celles qui fixent le N_2 atmosphérique (bactéries fixatrices d'azote) et celles qui décomposent la matière organique (bactéries ammonifiantes). Bien qu'ils absorbent une certaine quantité d'ammonium, les végétaux absorbent principalement des nitrates, produits par les bactéries nitrifiantes à partir de l'ammonium. Ces végétaux réduisent ensuite les nitrates en ammonium avant d'incorporer l'azote dans les composés organiques.

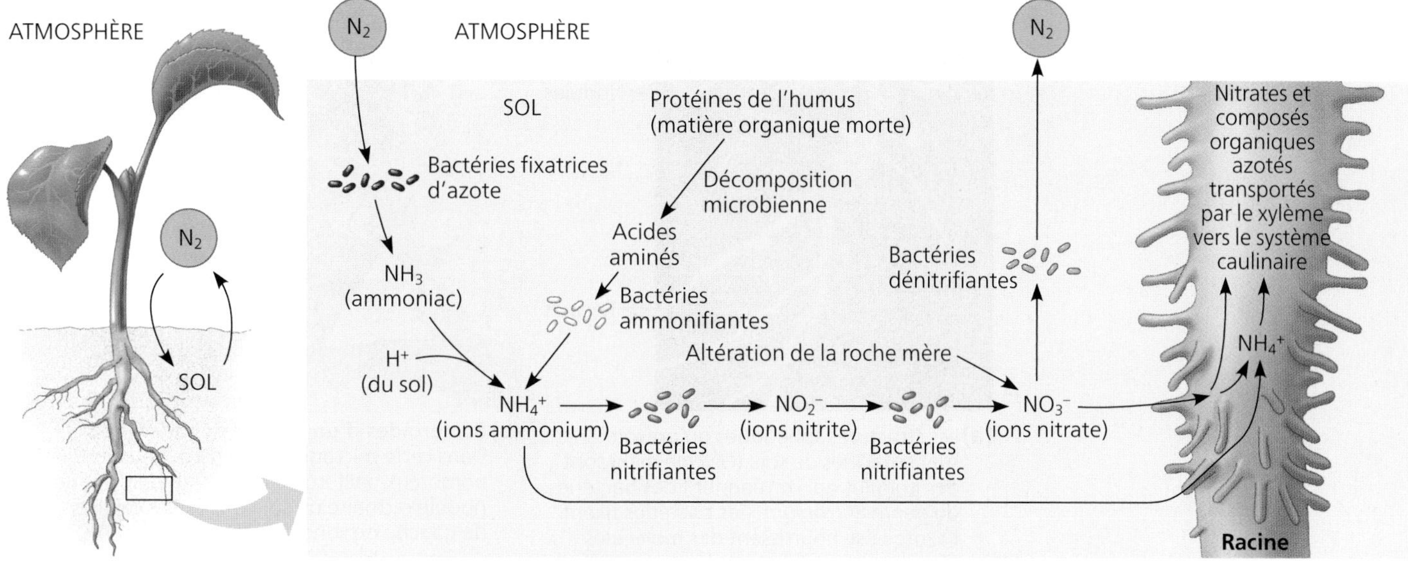

HABILETÉS VISUELLES ▶ Si un animal meurt près d'une racine, la plante aura-t-elle davantage accès à l'ammonium, à l'azote, ou aux deux ?

librement dans le sol (voir la figure 37.12), tandis que d'autres vivent dans la rhizosphère, où des membres du genre *Rhizobium* (du grec *rhiza*, « racine », et *bios*, « vie ») établissent alors des associations étroites et efficaces entre ces bactéries et les racines des légumineuses (fabacées) comme le pois (*Pisum sativum*), la luzerne et l'arachide (*Arachis hypogea*), dont la structure racinaire est modifiée en retour, comme nous le verrons un peu plus loin.

La transformation du N_2 en NH_3 comprend plusieurs étapes qu'on peut résumer comme suit :

$$N_2 + 8\,e^- + 8\,H^+ + 16\,ATP \rightarrow 2\,NH_3 + H_2 + 16\,ADP + 16\,Ⓟ_i$$

Le complexe enzymatique qu'est la *nitrogénase* catalyse la réaction. Étant donné que le processus de la fixation de l'azote exige 16 molécules d'ATP pour synthétiser chaque groupe de 2 NH_3, les bactéries fixatrices d'azote ont besoin d'un apport riche en glucides provenant de la décomposition de la matière, des sécrétions des racines ou (dans le cas des bactéries du genre *Rhizobium*) du tissu conducteur des racines.

Le mutualisme entre les bactéries du genre *Rhizobium* et les racines des légumineuses est marqué par des changements spectaculaires dans la structure des racines. Les racines de ces végétaux portent en effet des renflements appelés **nodules** (ou nodosités), qui sont formés de cellules végétales renfermant des bactéries du genre *Rhizobium* (**figure 37.13**). Dans chaque nodule, les *Rhizobium* se présentent sous la forme de **bactéroïdes** contenus dans des vésicules qui se créent à l'intérieur des cellules racinaires. Pour une légumineuse, la symbiose avec *Rhizobium* produit plus d'azote assimilable que n'importe quel fertilisant industriel utilisé de nos jours, sans compter que ce mutualisme fournit les bonnes quantités aux bons moments sans aucun coût pour l'agriculteur.

La fixation de l'azote par les bactéries du genre *Rhizobium* nécessite des conditions anaérobies, et le fait que les bactéroïdes se trouvent dans les cellules vivantes non photosynthétiques du cortex racinaire favorise ces conditions. Les couches externes lignifiées des nodules des racines limitent également les échanges gazeux. Certains nodules des racines présentent une couleur rouge qu'ils doivent à une molécule appelée leghémoglobine (*leg-* pour légumineuse). La leghémoglobine est une protéine renfermant du fer qui, comme l'hémoglobine des érythrocytes humains, se lie avec l'O_2 de façon réversible. Elle agit comme un « tampon » à l'égard de l'oxygène qui réduit la concentration d'O_2 libre, fournissant ainsi un milieu anaérobie pour la fixation de l'azote, tout en régulant l'apport d'O_2 pour alimenter l'intense processus de respiration cellulaire qui est requis pour produire toute l'ATP nécessaire à la fixation de l'azote.

Chaque espèce de légumineuse s'associe avec une souche particulière de bactéries du genre *Rhizobium*. La **figure 37.14** décrit les étapes du développement des nodules une fois que les bactéries sont introduites dans un poil absorbant par l'intermédiaire d'un filament d'infection. La relation symbiotique existant entre les espèces de légumineuses et les bactéries fixatrices d'azote est une association mutualiste. Les bactéries fournissent l'azote fixé aux légumineuses, tandis que celles-ci procurent aux bactéries les glucides et les autres substances organiques. Les nodules utilisent la majeure partie de l'ammonium produit pour synthétiser des acides aminés, qui passent ensuite dans le xylème pour se rendre dans le système caulinaire.

Comment une espèce de légumineuses reconnaît-elle une certaine souche de *Rhizobium* parmi les nombreuses souches de bactéries qui vivent dans le sol autour de ses racines ? Et comment la rencontre entre cette légumineuse et cette souche particulière de *Rhizobium* conduit-elle à la formation de nodules ? Chaque partenaire répond aux stimulus chimiques émis par l'autre en exprimant certains gènes dont les produits contribuent à la formation d'un nodule. En comprenant la biologie moléculaire qui régit la formation de nodules sur les racines, les chercheurs espèrent apprendre comment induire l'entrée de *Rhizobium* et la formation de nodules dans les plantes cultivées qui ne forment normalement pas de telles associations mutualistes de fixation de l'azote.

▶ **Figure 37.13 Des nodules sur les racines d'une légumineuse.**

? En quoi l'association entre les légumineuses et les bactéries du genre *Rhizobium* est-elle mutualiste ?

Nodules
Racines

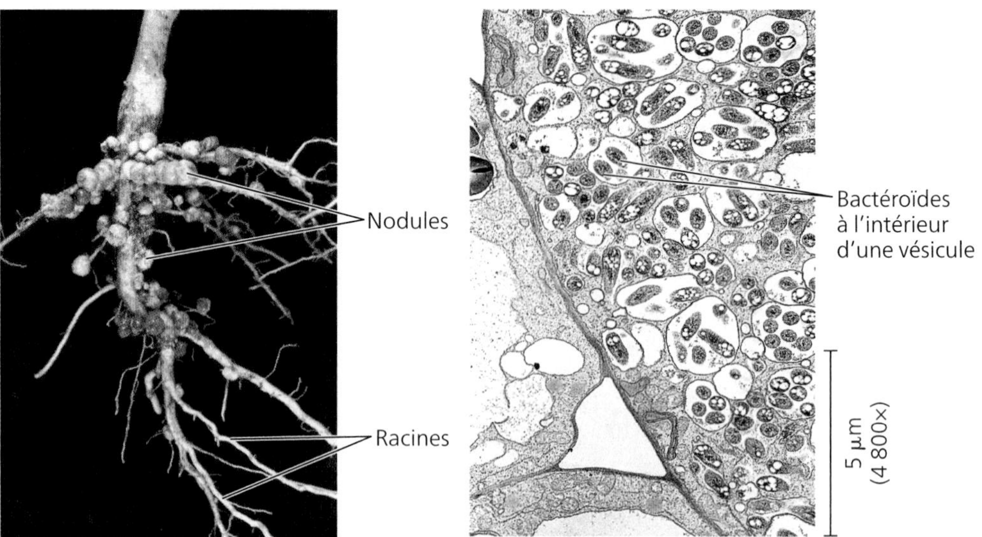

(a) Les structures sphériques qu'on voit sur ces racines de soja (*Glycine max*) sont des nodules qui contiennent des bactéries du genre *Rhizobium*. Ces bactéries fixent l'azote et se nourrissent des molécules organiques que fabrique la plante pendant la photosynthèse.

Bactéroïdes à l'intérieur d'une vésicule
5 μm (4 800×)

(b) Bactéroïdes d'un nodule de racine de soja. Dans cette micrographie, on peut observer de nombreux bactéroïdes dans une cellule d'un nodule racinaire du soja (MET). Les cellules de gauche ne sont pas infectées.

▼ **Figure 37.14 La formation d'un nodule dans une racine de soja (*Glycine max*).**

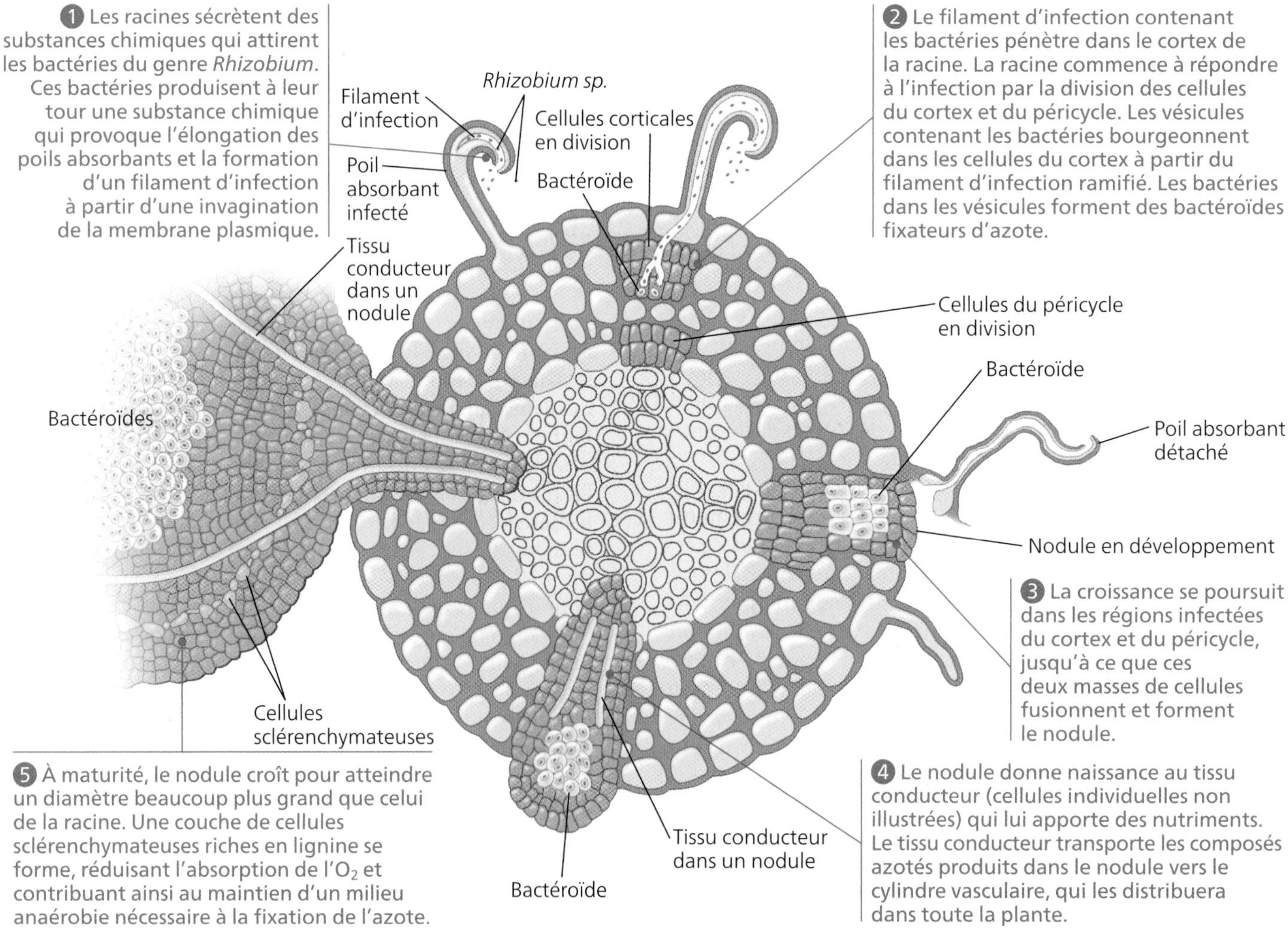

1 Les racines sécrètent des substances chimiques qui attirent les bactéries du genre Rhizobium. Ces bactéries produisent à leur tour une substance chimique qui provoque l'élongation des poils absorbants et la formation d'un filament d'infection à partir d'une invagination de la membrane plasmique.
Filament d'infection
Rhizobium sp.
Poil absorbant infecté
Cellules corticales en division
Bactéroïde
2 Le filament d'infection contenant les bactéries pénètre dans le cortex de la racine. La racine commence à répondre à l'infection par la division des cellules du cortex et du péricycle. Les vésicules contenant les bactéries bourgeonnent dans les cellules du cortex à partir du filament d'infection ramifié. Les bactéries dans les vésicules forment des bactéroïdes fixateurs d'azote.
Tissu conducteur dans un nodule
Cellules du péricycle en division
Bactéroïde
Bactéroïdes
Poil absorbant détaché
Nodule en développement
3 La croissance se poursuit dans les régions infectées du cortex et du péricycle, jusqu'à ce que ces deux masses de cellules fusionnent et forment le nodule.
Cellules sclérenchymateuses
5 À maturité, le nodule croît pour atteindre un diamètre beaucoup plus grand que celui de la racine. Une couche de cellules sclérenchymateuses riches en lignine se forme, réduisant l'absorption de l'O2 et contribuant ainsi au maintien d'un milieu anaérobie nécessaire à la fixation de l'azote.
Tissu conducteur dans un nodule
Bactéroïde
4 Le nodule donne naissance au tissu conducteur (cellules individuelles non illustrées) qui lui apporte des nutriments. Le tissu conducteur transporte les composés azotés produits dans le nodule vers le cylindre vasculaire, qui les distribuera dans toute la plante.

HABILETÉS VISUELLES ▶ Quels systèmes tissulaires végétaux sont modifiés par la formation d'un nodule dans une racine ?

La fixation de l'azote et l'agriculture

La plupart des types de **rotation des cultures** (ou assolement) sont basés sur les avantages de la fixation de l'azote. Selon cette méthode, si une année on sème une espèce qui ne fait pas partie des légumineuses, comme le maïs, on sèmera l'année suivante de la luzerne ou d'autres légumineuses, afin d'augmenter la concentration d'azote fixé dans le sol. Pour s'assurer que la légumineuse entre en contact avec la souche de *Rhizobium* qui lui est propre, on expose les graines aux bactéries avant de les semer (bactérisation). Au lieu de récolter les légumineuses, on peut les enfouir durant le labour afin que leur décomposition produise de l'« engrais vert » ; on a ainsi moins besoin d'utiliser des fertilisants industriels.

De nombreuses familles de végétaux autres que les légumineuses comptent des espèces qui tirent un bénéfice de la fixation mutualiste de l'azote. Ainsi, les aulnes rouges (*Alnus rubra*) sont les hôtes d'actinobactéries (autrefois appelées actinomycètes), un groupe de bactéries fixatrices d'azote (voir les bactéries à Gram positif à la figure 27.16). Quant au riz, dont l'importance commerciale s'avère primordiale, il tire un avantage indirect de la fixation mutualiste de l'azote par suite de l'interaction qu'il entretient dans les rizières avec une fougère aquatique et flottante du genre *Azolla*. Plus précisément, cette fougère établit une relation mutualiste avec certaines cyanobactéries qui fixent l'azote et augmentent la productivité de la rizière. En grandissant, le plant de riz fait de l'ombre à l'*Azolla*, qui en meurt. La décomposition de la matière organique riche en azote laissée par la fougère augmente la fertilité de la rizière. Les canards se nourrissent d'*Azolla*, ce qui fournit à la rizière une autre source de fumier tout en étant une importante source de viande pour les fermiers.

Les eumycètes et la nutrition des végétaux

Certaines espèces d'eumycètes du sol forment également des associations mutualistes avec les racines des végétaux et jouent un rôle majeur dans leur nutrition. Quelques-unes de ces espèces sont des endophytes, mais la plupart sont des **mycorhizes** (du grec *mukês*, « champignon », et *rhiza*, « racine »). Les mycorhizes sont des associations mutualistes étroites entre les racines et le mycélium des eumycètes (voir la figure 31.14). L'eumycète bénéficie d'une réserve constante de glucides fournis par la plante hôte. En retour, il augmente la surface d'absorption des racines pour l'eau. De plus, il absorbe de manière sélective le phosphore et d'autres minéraux du sol, qu'il transfère à la plante. Le mycélium des mycorhizes sécrète des facteurs de croissance qui stimulent le développement et la ramification des racines. Il produit également des antibiotiques qui protègent la plante hôte des agents pathogènes présents dans le sol.

Les mycorhizes et l'évolution des végétaux

ÉVOLUTION Les mycorhizes ne sont pas des curiosités. On en trouve chez presque toutes les espèces végétales. En fait, il est probable que ce mutualisme entre les plantes et les eumycètes soit une des adaptations évolutives qui ont permis aux végétaux de coloniser la terre ferme (voir le concept 29.1). Il y a entre 500 et 400 millions d'années, lorsque les premiers végétaux, descendants des algues vertes, ont commencé à envahir les milieux terrestres, ils ont probablement vécu dans un environnement peu favorable. Le sol contenait des minéraux, certes, mais pas de matières organiques, de sorte que la pluie lessivait probablement rapidement une bonne partie des minéraux solubles pouvant servir de nutriments. Ces terres hostiles comportaient cependant des avantages : la lumière et le CO_2 y étaient abondants, et la compétition et l'herbivorisme, peu présents.

Ni les premiers végétaux terrestres ni les premiers eumycètes terrestres n'avaient guère de moyens pour exploiter les écosystèmes terrestres. Ces végétaux ne pouvaient extraire du sol les nutriments essentiels, et les eumycètes étaient incapables de fabriquer des glucides. Plutôt que de parasiter les rhizoïdes des végétaux en train d'évoluer (les racines et les poils absorbants n'étaient pas encore apparus), les eumycètes ont établi des associations mycorhiziennes avec les plantes, c'est-à-dire une symbiose mutualiste qui permettait aux deux organismes d'exploiter l'environnement terrestre. Les archives fossiles appuient l'hypothèse selon laquelle des associations mycorhiziennes existaient chez les premiers végétaux terrestres. Le petit nombre d'angiospermes existant de nos jours qui sont non mycorhiziens ont probablement perdu les gènes codant pour la capacité d'établir de telles associations.

Les types de mycorhizes

Il existe deux types de mycorhizes : les ectomycorhizes et les endomycorhizes (parfois appelées mycorhizes à arbuscules). Les **ectomycorhizes** ont un mycélium (hyphes en réseau de filaments ramifiés ; voir la figure 31.2) qui forme une enveloppe, ou manchon dense, à la surface de la racine (**figure 37.15a**). De là, les hyphes fongiques s'étendent dans le sol, augmentant grandement la surface d'absorption pour l'eau et les minéraux. Elles croissent également dans le cortex de la racine. Elles ne pénètrent pas dans les cellules de la racine, mais forment un réseau dans l'apoplasme (ou ensemble des interstices entre les cellules) pour faciliter les échanges de nutriments entre l'eumycète et la plante. Les ectomycorhizes sont généralement plus épaisses, plus courtes et plus ramifiées que les racines « non infectées ». Elles ne produisent habituellement pas de poils absorbants, ce qui serait superflu étant donné l'importance de la surface d'absorption fournie par le mycélium. Seulement 10 % environ des familles de végétaux comprennent des espèces qui forment des ectomycorhizes. La grande majorité de ces espèces sont ligneuses, comme les pins (*Pinus spp.*), les chênes (*Quercus spp.*), les bouleaux (*Betula spp.*) et les eucalyptus (*Eucalyptus spp.*).

Contrairement aux ectomycorhizes, les **endomycorhizes** ne forment pas de manchon autour de la racine et sont plutôt enchâssées dans celle-ci (**figure 37.15b**). Les associations mycorhiziennes se forment lorsque les hyphes du mycélium qui partent du sol réagissent à la présence d'une racine en s'étendant vers elle, en établissant le contact et en croissant le long de sa surface. Les hyphes pénètrent entre les cellules épidermiques, puis entrent dans le cortex de la racine où elles digèrent de petits morceaux de parois cellulaires, mais sans transpercer la membrane plasmique. Au lieu d'entrer dans le cytoplasme, elles croissent dans un tube formé par une invagination de cette membrane, un peu comme quand on enfonce un doigt dans un ballon sans le crever. Une fois cette pénétration de la paroi cellulaire réalisée, certaines des hyphes se ramifient fortement pour donner des structures qu'on appelle *arbuscules* (petits arbres). Les arbuscules sont d'importants sites de transfert de nutriments

▼ **Figure 37.15** **Les mycorhizes.**

(a) Ectomycorhizes. Le mycélium de l'eumycète forme un manchon qui enveloppe la racine. Les hyphes s'étendent du manchon dans le sol pour en absorber l'eau et les minéraux, surtout le phosphore. Elles pénètrent également dans les interstices du cortex de la racine, offrant ainsi une grande surface pour l'échange de nutriments entre l'eumycète et la plante hôte.

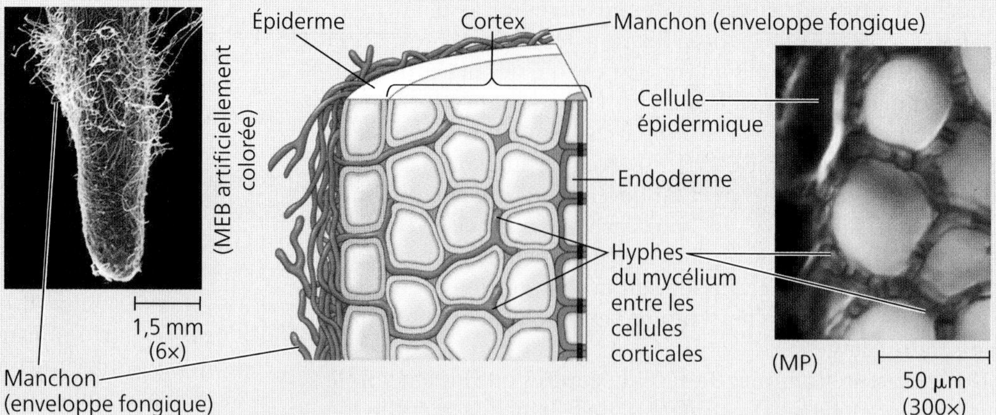

(b) Endomycorhizes (mycorhizes à arbuscules). Aucun manchon n'enveloppe la racine, bien que les hyphes microscopiques de l'eumycète s'étendent à l'intérieur de cette dernière. Dans le cortex de la racine, l'eumycète produit une grande surface de contact avec la plante, grâce aux ramifications de ses hyphes qui forment des arbuscules. Les arbuscules fournissent une très grande surface de contact pour l'échange de nutriments. Les hyphes traversent les parois cellulaires, mais pas les membranes plasmiques des cellules du cortex.

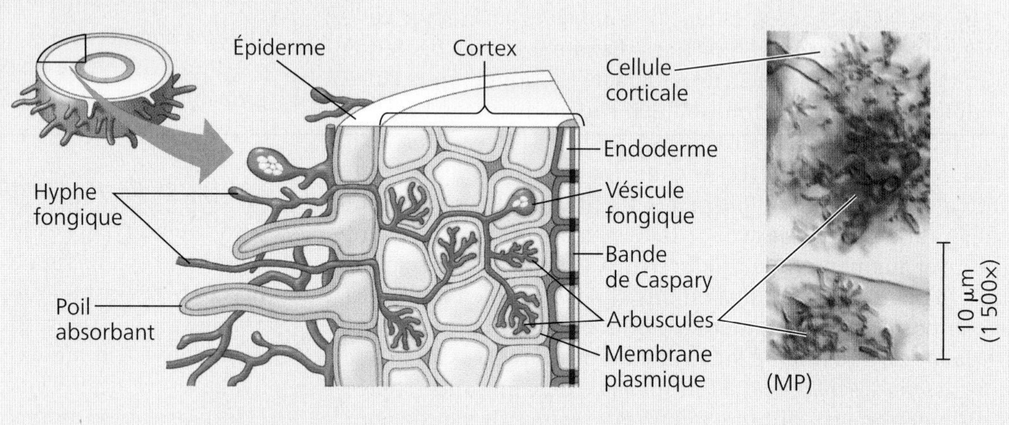

entre l'eumycète et la plante hôte. Dans les hyphes elles-mêmes, des vésicules ovales peuvent se former; elles emmagasinent probablement de la nourriture pour l'eumycète. Les endomycorhizes sont beaucoup plus courantes que les ectomycorhizes: on en observe chez plus de 85 % des espèces végétales, y compris chez la plupart des espèces cultivées. Environ 5 % des espèces de plantes ne forment pas d'associations mycorhiziennes.

L'importance des mycorhizes en agriculture et en écologie

Souvent, les bonnes récoltes dépendent de la formation de mycorhizes. Les racines peuvent former des symbioses mycorhiziennes seulement si elles sont en présence de l'espèce d'eumycètes appropriée. Dans la plupart des écosystèmes, ces eumycètes sont présents dans le sol, et l'association s'effectue dès l'apparition des jeunes plants. Mais quand on sème des graines provenant d'un certain environnement dans des sols étrangers, on peut remarquer des signes de malnutrition chez les végétaux (particulièrement des signes de carence en phosphore), en raison de l'absence de partenaire fongique. Le traitement des graines avec des spores d'eumycètes mycorhiziens contribue parfois à la formation de mycorhizes sur les jeunes plants. Grâce à cette approche, les écosystèmes naturels endommagés récupèrent plus rapidement (voir le concept 55.5); il est également possible d'améliorer le rendement des cultures.

Les associations mycorhiziennes permettent également de mieux comprendre les relations écologiques. Les endomycorhizes ont peu de spécificité à l'égard de leurs hôtes; un seul eumycète peut former un réseau de mycorhizes commun à plusieurs végétaux, et ce, même s'ils appartiennent à des espèces différentes. Il arrive aussi qu'au sein d'une communauté végétale, les réseaux mycorhiziens apportent davantage à une espèce qu'à une autre espèce. D'autres exemples des effets des mycorhizes sur les structures des communautés végétales nous viennent d'études portant sur les espèces végétales envahissantes. Par exemple, l'alliaire officinale (*Alliaria petiolata*), une plante européenne exotique qui a envahi les régions boisées dans tout l'Est des États-Unis et du Canada, ne forme pas de mycorhizes, mais ralentit la croissance d'autres espèces de plantes en empêchant la croissance d'eumycètes mycorhiziens à arbuscules.

Les épiphytes, les plantes parasites et les plantes carnivores

Presque toutes les espèces végétales forment des associations mutualistes avec des eumycètes ou des bactéries du sol, ou les deux. Certaines espèces, dont les épiphytes, les plantes parasites et les plantes carnivores, ont des adaptations insolites qui les aident à exploiter d'autres organismes (**figure 37.16**).

▼ Figure 37.16

PANORAMA Les adaptations nutritives insolites chez les végétaux

Les épiphytes

Un **épiphyte** (du grec *epi*, « sur », et *phyton*, « plante ») est une plante qui croît sur une autre plante. Les épiphytes produisent et recueillent leurs propres nutriments ; ils ne siphonnent pas leur hôte pour leur subsistance. Habituellement ancrés sur les branches ou le tronc d'un arbre vivant, les épiphytes absorbent l'eau et les minéraux contenus dans la pluie, davantage par les feuilles que par les racines. Une espèce de fougère, la corne d'élan (*Platycerium bifurcatum*), les broméliacées et de nombreuses espèces d'orchidées, dont le vanillier (*Vanilla planifolia*), sont des exemples d'épiphytes.

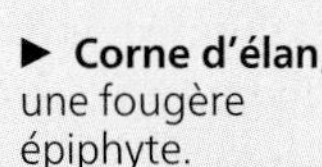

► **Corne d'élan**, une fougère épiphyte.

Les plantes parasites

Contrairement aux épiphytes, les plantes parasites absorbent l'eau, des minéraux et parfois des produits de la photosynthèse de leurs plantes hôtes. Beaucoup d'espèces ont des racines qui servent de suçoirs (ou haustoriums) ; ces digitations pénètrent dans l'hôte pour extraire des nutriments. Certaines espèces parasites, comme la cuscute (*Cuscuta spp.*) formée de filaments de couleur orange, n'ont aucune chlorophylle, alors que d'autres, comme le gui de chêne (*Phoradendron flavescens*, d'Amérique, et *Viscum album*, d'Europe), sont photosynthétiques. D'autres encore, comme le monotrope uniflore (*Monotropa uniflora*), absorbent les matières nutritives par l'intermédiaire des hyphes fongiques de mycorhizes associées à d'autres plantes.

◄ **Gui de chêne**, plante parasite photosynthétique.

▲ **Cuscute**, plante parasite non photosynthétique (orange).

▲ **Monotrope uniflore**, plante non photosynthétique parasite.

Les plantes carnivores

Les plantes carnivores sont photosynthétiques, mais elles complètent leur régime en minéraux en capturant des insectes et d'autres petits animaux. Elles vivent dans les tourbières acides et d'autres habitats où le sol est pauvre en azote et en d'autres minéraux. Les sarracéniacées comme les genres *Nepenthes* et *Sarracenia* ont des feuilles en forme d'urne remplies d'eau dans lesquelles les proies glissent et se noient. Ces pièges sont habituellement munis de glandes qui sécrètent des enzymes digestives. Les droséras (ou rossolis, du genre *Drosera*) exsudent un liquide collant par leurs glandes en forme de tentacules, situées sur des feuilles très modifiées. Les glandes pédonculées sécrètent une gomme sucrée qui attire et prend au piège les insectes, et libèrent également des enzymes digestives. D'autres glandes absorbent alors la « soupe » nutritive. Les feuilles très modifiées de la dionée attrape-mouches (*Dionaea muscipula*) se referment rapidement mais partiellement lorsqu'une proie frappe deux poils déclencheurs en succession assez rapide. Les plus petits insectes peuvent s'échapper, mais les plus gros sont emprisonnés par les dents à la bordure des lobes. L'excitation causée par la proie fait rétrécir le piège davantage et libérer des enzymes digestives.

◄ **Sarracénie** (*Sarracenia sp.*).

▲ **Droséra** (*Drosera sp.*).

▼ **Dionée attrape-mouches** (*Dionaea sp.*).

Les résultats d'une étude récente laissent présumer que l'exploitation d'autres organismes est peut-être la norme. Chalyarat Paungfoo-Lonhienne et ses collègues de la University of Queensland, en Australie, ont obtenu des résultats qui montrent qu'*Arabidopsis* et la tomate peuvent absorber des bactéries et des levures dans leurs racines et les digérer. En raison de la petite taille des pores de la paroi cellulaire (moins de 10 nm) comparativement à celle des cellules bactériennes (environ 1 000 nm), l'absorption de microorganismes peut dépendre de la digestion de la paroi cellulaire. Une étude sur le blé donne à penser que les microorganismes ne répondent qu'à une petite fraction des besoins de la plante en azote, mais il n'en est peut-être pas ainsi pour tous les végétaux. Ces données indiquent que nombre d'espèces végétales pourraient mettre en œuvre certains comportements carnivores.

RETOUR SUR LE CONCEPT **37.3**

1. Pourquoi l'étude de la rhizosphère est-elle essentielle à la compréhension de la nutrition des végétaux ?
2. Comment les bactéries du sol et les mycorhizes contribuent-elles à la nutrition des végétaux ?
3. **FAITES DES LIENS ▶** Quel terme général désigne la stratégie de nutrition qui consiste à utiliser la photosynthèse *et* l'hétérotrophie (voir le concept 28.1) ? Quelle classe d'eucaryotes unicellulaires bien connue a recours à cette stratégie ?
4. **ET SI ? ▶** Un cultivateur d'arachides trouve que les vieilles feuilles de ses plantes jaunissent après une longue période de temps humide. Proposez une explication à ce phénomène.

Voir les réponses proposées à l'appendice A.

RÉVISION DU CHAPITRE 37

Consultez votre MANUEL NUMÉRIQUE, qui vous donne accès aux **animations**, aux **exercices** et à la plateforme d'**anatomie interactive**.

Résumé des concepts clés

CONCEPT 37.1

Le sol contient un écosystème vivant et complexe (p. 880 à 884)

- On trouve dans le sol des particules de roches de diverses tailles (classes granulométriques). La taille des particules dans le sol influe sur la disponibilité de l'eau, de l'O_2 et des minéraux.
- La composition d'un sol se caractérise par ses constituants inorganiques et organiques. Le **sol de surface** est un écosystème complexe qui renferme d'innombrables êtres vivants (bactéries, eumycètes, eucaryotes unicellulaires et animaux) ainsi que des racines de végétaux.
- Certaines pratiques agricoles appauvrissent le sol, compromettent les réserves d'eau et accentuent l'érosion. L'objectif de la conservation du sol est de réduire ces dommages le plus possible.

 En quoi le sol est-il un écosystème complexe ?

CONCEPT 37.2

Les racines des végétaux puisent dans le sol les éléments essentiels (p. 884 à 888)

- Les **éléments majeurs**, ceux dont la plante a besoin en grandes quantités, sont le carbone, l'hydrogène, l'oxygène, l'azote et d'autres constituants importants des composés organiques. Les **éléments mineurs**, soit ceux dont la plante a besoin en petites quantités, ont une fonction catalytique en tant que cofacteurs d'enzymes.
- Une carence en un élément minéral mobile dans une plante touche habituellement plus les vieux organes que les jeunes. C'est l'inverse pour les minéraux peu mobiles. Les carences en éléments majeurs sont les plus courantes, particulièrement les carences en azote, en phosphore et en potassium.
- Plutôt que d'adapter le sol aux plantes, les spécialistes du génie génétique adaptent les plantes au sol.

? Les plantes ont-elles besoin de sol pour croître ? Expliquez votre réponse.

CONCEPT 37.3

La nutrition des végétaux comporte souvent des associations avec d'autres organismes (p. 888 à 896)

- Les **rhizobactéries** puisent leur énergie dans la **rhizosphère**, un écosystème riche en microorganismes très étroitement associés aux racines. Les sécrétions des végétaux satisfont aux besoins en énergie de la rhizosphère. Certaines bactéries produisent des antibiotiques, alors que d'autres rendent les nutriments plus disponibles pour les végétaux. La plupart d'entre elles sont à l'état libre, mais certaines vivent à l'intérieur des végétaux. Les végétaux satisfont à leurs grands besoins en azote par la décomposition bactérienne de l'**humus** et la fixation de l'azote gazeux.

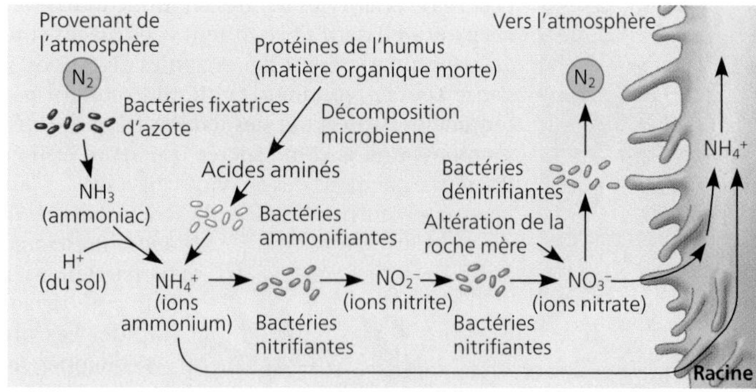

- Les bactéries fixatrices d'azote transforment le N_2 atmosphérique en minéraux azotés, source d'azote pour la synthèse de matière organique, que les végétaux peuvent absorber. Le mutualisme le plus efficace entre les plantes et les bactéries fixatrices d'azote s'établit dans les **nodules** formés par les bactéries du genre *Rhizobium* qui croissent dans les racines des légumineuses. Ces bactéries obtiennent les glucides d'une plante, à laquelle elles fournissent l'azote fixé. En agriculture, la rotation des cultures de légumineuses avec d'autres cultures est pratiquée pour renouveler l'azote dans le sol.
- Les **mycorhizes** sont des associations mutualistes d'eumycètes et de racines de végétaux. Les hyphes fongiques des mycorhizes absorbent l'eau et les minéraux, et les transfèrent à leur plante hôte.

- Les **épiphytes** croissent à la surface d'autres plantes, mais tirent leur eau et leurs minéraux de la pluie. Les plantes parasites absorbent des nutriments des plantes hôtes. Les plantes carnivores complètent leur nutrition minérale en digérant des animaux.

? Tous les végétaux tirent-ils leur énergie directement de la photosynthèse ? Expliquez votre réponse.

Évaluation

NIVEAU 1 : CONNAISSANCES ET COMPRÉHENSION

1. Le nutriment inorganique le plus souvent manquant chez les plantes cultivées est :
a) le carbone.
b) l'azote.
c) le phosphore.
d) le potassium.

2. Les éléments mineurs ne sont nécessaires qu'en très petites quantités, parce que :
a) la plupart d'entre eux sont mobiles dans la plante.
b) la plupart d'entre eux servent de cofacteurs enzymatiques.
c) la plupart d'entre eux existent en quantités suffisamment importantes dans les graines.
d) ils jouent un rôle mineur dans la croissance et la santé des végétaux.

3. Les mycorhizes améliorent la nutrition des végétaux principalement en :
a) absorbant l'eau et les minéraux par les hyphes fongiques.
b) fournissant les glucides aux cellules des racines, qui ne possèdent pas de chloroplastes.
c) convertissant l'azote atmosphérique en ammoniac.
d) permettant aux racines de parasiter des plantes voisines.

4. Les épiphytes sont :
a) des eumycètes qui attaquent les végétaux.
b) des eumycètes qui forment des associations mutualistes avec les racines.
c) des plantes parasites non photosynthétiques.
d) des plantes qui croissent sur d'autres plantes.

5. Certains des problèmes associés à une irrigation intensive incluent tous les exemples suivants sauf :
a) la salinisation du sol.
b) la fertilisation excessive.
c) l'affaissement d'un sol.
d) l'épuisement d'un aquifère.

NIVEAU 2 : APPLICATION ET ANALYSE

6. Une carence en un minéral donné touche plus les vieilles feuilles que les jeunes feuilles si :
a) le minéral est un élément mineur.
b) le minéral est très mobile dans la plante.
c) le minéral est nécessaire à la synthèse de la chlorophylle.
d) le minéral est un élément majeur.

7. Nous observerions la plus grande différence de l'aspect général entre deux groupes de plantes de la même espèce, l'un caractérisé par la présence de mycorhizes et l'autre par leur absence, dans un milieu :
a) où les bactéries fixatrices d'azote sont abondantes.
b) dont le sol est mal drainé.
c) où les étés sont chauds et les hivers froids.
d) dont le sol est relativement pauvre en minéraux.

8. On fait pousser deux groupes de plants de tomates en laboratoire, l'un dans un sol enrichi d'humus, l'autre, le groupe témoin, dans un sol sans humus. Les feuilles des plants qui poussent sans humus sont plus jaunes (moins vertes) que celles des plants qui poussent dans l'humus. La meilleure explication de cette disparité est la suivante :
a) Les plants sains utilisent la nourriture présente dans les feuilles en décomposition de l'humus pour obtenir l'énergie nécessaire à la synthèse de la chlorophylle.
b) L'humus rend le sol moins compact, alors l'eau se rend plus facilement aux racines.
c) L'humus contient des minéraux comme le magnésium et le fer qui sont nécessaires à la synthèse de la chlorophylle.
d) La chaleur dégagée par la décomposition des feuilles dans l'humus permet une croissance rapide et une synthèse rapide de la chlorophylle.

9. De quel facteur dépend probablement la relation particulière entre une légumineuse et la souche de bactéries du genre *Rhizobium* de l'association mutualiste ?
a) Du dialogue chimique qui s'établit entre chaque légumineuse et un eumycète.
b) De la forme de nitrogénase produite par chaque souche de *Rhizobium* qui ne fonctionne que dans la légumineuse hôte appropriée.
c) De la présence dans le sol du seul *Rhizobium* qui est propre à chaque légumineuse.
d) De la reconnaissance spécifique entre les signaux chimiques et les récepteurs de signaux des espèces de *Rhizobium* et de légumineuses.

10. **FAITES UN DESSIN ▶** Dessinez un schéma simple d'un échange de cations, en montrant des poils absorbants, une particule de sol avec des anions et un ion hydrogène qui déplace un cation minéral.

Voir les réponses proposées à l'appendice A.

La reproduction des angiospermes et la biotechnologie végétale
38
VOS OUTILS INTERACTIFS
Consultez votre MANUEL NUMÉRIQUE, qui vous donne accès aux **animations**, aux **exercices** et à la plateforme d'**anatomie interactive**.

▲ **Figure 38.1** **Pourquoi des mouches à viande ont-elles pondu leurs œufs sur cette fleur ?**

CONCEPTS CLÉS

38.1 Les fleurs, la double fécondation et les fruits sont des caractéristiques fondamentales du cycle de développement des angiospermes

38.2 Les plantes à fleurs se reproduisent par voie sexuée, asexuée, ou les deux

38.3 Les humains modifient les cultures par la sélection et le génie génétique

Une fleur trompeuse

L'unique partie visible de *Rhizanthes lowii*, qui vit dans les forêts tropicales humides de l'Asie du Sud-Est, est sa grosse fleur de couleur chair (**figure 38.1**). Pour fleurir, *R. lowii* subtilise toute l'énergie dont elle a besoin à une vigne tropicale qu'elle parasite. Elle recourt également à un subterfuge pour la pollinisation : lors de son éclosion, sa fleur dégage l'odeur pestilentielle d'un cadavre en décomposition. Les mouches à viande femelles (de la famille des calliphoridés), qui déposent habituellement leurs œufs sur de la charogne, sont irrésistiblement attirées par cette odeur nauséabonde. Elles se posent sur la fleur pour y pondre leurs œufs. Or, une fois posées, elles se chargent de grains de pollen collants et on peut supposer que ces mouches s'envoleront vers une autre fleur de *R. lowii* qu'elles féconderont.

Ce qui est inusité dans l'exemple de *Rhizanthes*, c'est que l'insecte ne tire aucun bénéfice de son interaction avec la fleur. Pire encore, les asticots de la mouche qui sortiront des œufs déposés sur la fleur de *Rhizanthes* n'y trouveront aucune charogne à manger et mourront rapidement. Normalement, une plante n'attire pas un animal pollinisateur en le leurrant de la sorte, mais plutôt en le récompensant par du nectar ou du pollen riche en énergie. La plante et le pollinisateur sont tous les deux gagnants ; autrement dit, l'association symbiotique est mutualiste. Dans le règne végétal, la participation à des associations mutualistes avec d'autres organismes est très courante. Ainsi, au cours de l'évolution récente, certaines plantes à fleurs ont établi des associations mutualistes avec un animal bien connu qui non seulement dissémine leurs graines, mais leur fournit de l'eau et des minéraux, et les protège énergiquement des compétiteurs envahissants, des agents pathogènes et des prédateurs. En échange de ces faveurs, l'animal obtient généralement la possibilité de se nourrir d'une fraction des graines et des fruits de la plante. Ces plantes, ce sont nos cultures, et cet animal, c'est l'humain.

Depuis plus de 10 000 ans, les sélectionneurs de végétaux ont eu recours à la sélection artificielle pour manipuler génétiquement les caractères de centaines d'espèces sauvages d'angiospermes et les ont ainsi transformées en cultivars aux propriétés avantageuses, ceux-là mêmes que nous faisons pousser aujourd'hui. La technologie du génie génétique a multiplié de façon spectaculaire les méthodes de modification des végétaux et accéléré le processus.

Aux chapitres 29 et 30, nous avons abordé la reproduction des végétaux sous l'angle de l'évolution, en suivant la lignée des végétaux terrestres depuis leurs ancêtres aquatiques, les algues vertes. Puisque ce sont les angiospermes qui forment le groupe de végétaux le plus important en agriculture et dans la plupart des écosystèmes terrestres, nous allons examiner en détail la biologie de la reproduction des plantes à fleurs. Nous décrirons les modes de reproduction sexuée et asexuée des angiospermes, puis nous étudierons le rôle des humains dans le remaniement génétique des espèces de végétaux cultivées. Nous verrons également les controverses que suscite la biotechnologie végétale moderne.

▼ **Figure 38.2 La structure d'une fleur type.**

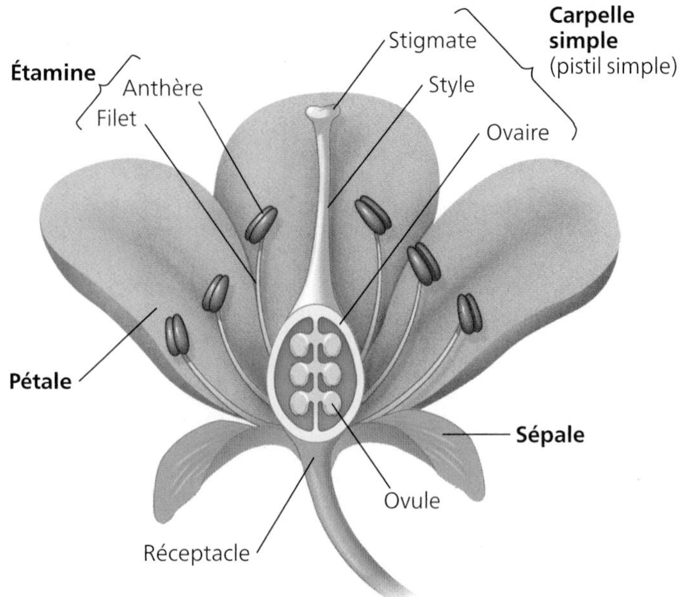

CONCEPT **38.1**

Les fleurs, la double fécondation et les fruits sont des caractéristiques fondamentales du cycle de développement des angiospermes

Le cycle de développement des végétaux se caractérise par l'alternance de générations : une génération haploïde (n) multicellulaire alterne avec une génération diploïde ($2n$) multicellulaire (voir la figure 13.6b). La plante diploïde, appelée *sporophyte*, produit des spores haploïdes par méiose. Chacune des spores se divise par mitose et donne naissance à une plante haploïde mâle ou femelle, le *gamétophyte* multicellulaire. Puis, les gamétophytes produisent des gamètes (spermatozoïdes et oosphères). La fécondation, l'union des gamètes, engendre un zygote diploïde qui se divise par mitose et donne un nouveau sporophyte. Chez les angiospermes, la génération du sporophyte domine, car elle est plus grande et plus apparente, et elle vit plus longtemps que le gamétophyte. On peut se rappeler les caractères du cycle de développement des angiospermes comme les « trois F » : *f*leurs, double *f*écondation et *f*ruits. Nous nous pencherons d'abord sur les fleurs.

La structure et la fonction de la fleur

La **fleur**, c'est-à-dire la structure comportant les organes reproducteurs du sporophyte chez les angiospermes, est généralement composée de quatre pièces florales : les **sépales**, les **pétales**, les **étamines** et les **carpelles** (**figure 38.2**). Vus du dessus, ces organes ont la forme de verticilles concentriques (voir la figure 35.36). Les carpelles forment le premier verticille (le plus intérieur), les étamines, le deuxième, les pétales, le troisième, et les sépales, le quatrième (le plus extérieur). Toutes les pièces florales sont reliées au **réceptacle**. Les pousses florales ont une croissance définie ; elles cessent de croître après la formation de la fleur et des fruits.

Les étamines et les carpelles sont des feuilles modifiées spécialisées dans la reproduction (c'est-à-dire des sporophylles ; voir le concept 30.1), tandis que les sépales et les pétales sont des feuilles modifiées stériles. Le carpelle (mégasporophylle) comporte un **ovaire** formant un renflement à sa base et un long tube étroit, le **style**, qui se dresse au-dessus. Le sommet du style porte un **stigmate** généralement gluant qui capte le pollen. L'ovaire renferme un ou plusieurs **ovules** (selon l'espèce) qui deviennent des graines une fois fécondés. La fleur illustrée à la figure 38.2 est constituée d'un seul **carpelle**, mais plusieurs espèces portent de multiples carpelles. Chez la plupart des espèces, les carpelles sont fusionnés en une seule structure, ce qui donne un ovaire à deux ou plusieurs loges contenant chacune un ou plusieurs ovules. On emploie donc le terme **pistil** pour désigner soit une structure à un seul carpelle, soit un groupe de carpelles fusionnés (**figure 38.3**). Une étamine (microsporophylle) se compose d'une partie mince et allongée appelée *filet* et d'une structure terminale, l'**anthère**. Celle-ci possède des loges appelées microsporanges (sacs polliniques), dans lesquels se forme le pollen. Les pétales sont généralement plus vivement colorés que les sépales et servent à attirer vers les fleurs les insectes et les autres pollinisateurs. Les sépales, qui entourent et protègent le bouton floral avant son ouverture, sont les pièces florales qui ressemblent le plus à des feuilles.

Les **fleurs complètes** possèdent les quatre ensembles de pièces florales (voir la figure 38.2). Certaines espèces ont des **fleurs incomplètes**, c'est-à-dire des fleurs privées d'une ou de plusieurs entités florales (sépales, pétales, étamines ou carpelles). Par exemple, les fleurs de la plupart des graminées n'ont pas de pétales. Certaines fleurs incomplètes sont stériles, dépourvues d'étamines et de carpelles fonctionnels ; d'autres sont *unisexes* (parfois dites *imparfaites*), dépourvues soit d'étamines, soit de carpelles. Les fleurs varient également sur le plan de la taille, de la forme, de la couleur, de l'odeur, de la disposition des pièces florales et de la période d'ouverture. Chez certaines espèces, les fleurs sont individuelles ; chez d'autres, elles forment des regroupements

▼ Figure 38.3 La relation entre les termes *carpelle* et *pistil*. Un pistil simple comprend un seul carpelle non fusionné, tandis qu'un pistil composé comprend au moins deux carpelles fusionnés. Certains types de fleurs ont seulement un carpelle simple, alors que d'autres ont des carpelles multiples. Dans les deux cas, les pistils peuvent être simples ou composés.

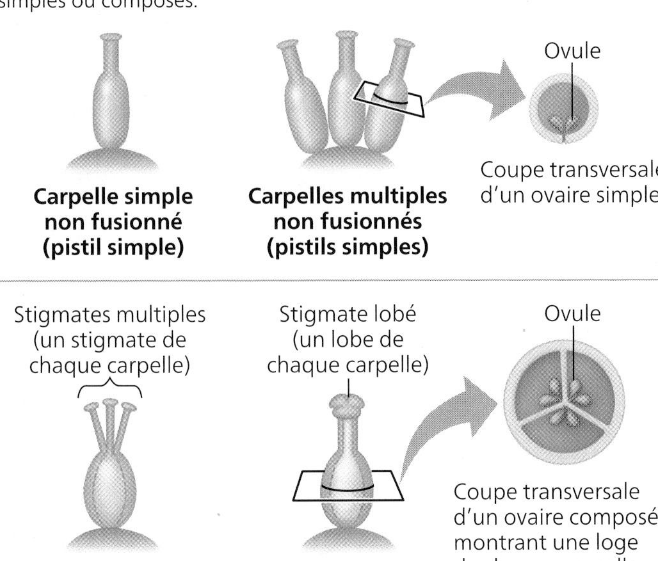

voyants qu'on appelle **inflorescences**. Par exemple, le disque central de la fleur du tournesol (*Helianthus annuus*) contient un amas de centaines de petites fleurs incomplètes, entourées de languettes jaune vif; ces languettes ressemblent à des pétales, mais sont en réalité des fleurs stériles (voir la figure 40.23). Une bonne partie de cette diversité résulte de l'adaptation à des groupes précis de pollinisateurs.

Les méthodes de pollinisation

La **pollinisation** est le processus par lequel le pollen est transporté vers la partie d'une plante à graines (spermatophyte) qui contient les ovules. Chez les angiospermes, la pollinisation se fait d'une anthère à un stigmate. Elle s'effectue par le vent, l'eau ou les animaux pollinisateurs (**figure 38.4**). Chez les espèces pollinisées par le vent, dont les graminées et de nombreux arbres, la libération d'importantes quantités de minuscules grains de pollen compense le caractère aléatoire de ce mode de dissémination. D'ailleurs, les personnes allergiques au pollen savent qu'à certaines périodes de l'année, l'air en est rempli. Pour certaines plantes aquatiques, c'est l'eau qui est l'agent de dissémination du pollen. Cependant, la plupart des angiospermes doivent compter sur les insectes, les oiseaux ou d'autres animaux pollinisateurs, qui transportent directement le pollen d'une fleur à l'autre.

ÉVOLUTION Les animaux pollinisateurs sont attirés vers les fleurs pour la nourriture qu'elles offrent: le pollen et le nectar. La stratégie consistant à attirer des pollinisateurs fidèles à une espèce végétale donnée est efficace pour transporter le pollen jusqu'à une autre fleur de la même espèce. C'est pourquoi la sélection naturelle favorise les plantes dotées de déviations structurales ou physiologiques qui améliorent le mutualisme entre les fleurs et leurs pollinisateurs. Autrement dit, si une espèce végétale acquiert des caractères qui avantagent les pollinisateurs, alors la sélection naturelle favorisera les pollinisateurs qui recueillent aisément la nourriture de ces fleurs. On donne le nom de **coévolution** à cette évolution conjointe de deux espèces en interaction, chacune en réponse à une sélection imposée par l'autre. Certaines espèces, par exemple, possèdent des fleurs dont les pétales ont fusionné pour former des structures en forme de longs tubes au fond desquels les nectaires sont regroupés. Charles Darwin avait proposé qu'une compétition entre une fleur et un insecte puisse aboutir à une corrélation entre la longueur du tube floral et celle de la trompe d'un insecte (organe buccal semblable à une paille très fine). En fait, en se basant sur le très long tube floral d'une fleur tubulaire vivant sur l'île de Madagascar, Darwin avait prédit l'existence d'un papillon nocturne pollinisateur muni d'une trompe de 28 cm. Cet insecte a été découvert deux décennies après la mort du naturaliste (**figure 38.5**).

Il se peut bien que les changements climatiques soient en train de nuire à cette relation de si longue date entre les végétaux et les animaux pollinisateurs. Par exemple, la trompe de deux espèces de bourdons des montagnes Rocheuses a raccourci d'environ 25 % depuis 40 ans. En effet, les fleurs attirant les pollinisateurs à longue trompe ayant connu un déclin depuis que le climat s'est réchauffé dans les Rocheuses, une pression de sélection s'est exercée favorisant les bourdons à trompe courte.

Le cycle de développement des angiospermes: *un aperçu*

La pollinisation est une étape parmi plusieurs autres dans le cycle de développement des angiospermes. La **figure 38.6** présente toutes les étapes de ce cycle de développement, en particulier le développement des gamétophytes, la libération des spermatozoïdes dans les tubes polliniques, la double fécondation et la maturation des graines.

Au cours de l'évolution des plantes à graines, les gamétophytes sont devenus plus petits et entièrement dépendants des sporophytes sur le plan nutritionnel (voir la figure 30.2). Constitués d'à peine quelques cellules, les gamétophytes des angiospermes sont les végétaux les plus minuscules; en fait, ils sont microscopiques, et des tissus protecteurs dissimulent leur développement.

La formation des gamétophytes femelles (sacs embryonnaires) À mesure qu'un carpelle se développe, un ovule (ou plusieurs ovules) se forme au fond de son ovaire, sa base renflée. Un gamétophyte femelle, également appelé **sac embryonnaire**, se développe à l'intérieur de chaque ovule. Le processus de formation du sac embryonnaire se déroule à l'intérieur de chaque ovule, dans un tissu appelé mégasporange ❶. Deux *téguments de l'ovule* (couches de tissu protecteur du sporophyte qui deviendront les téguments de la graine) entourent chaque mégasporange, à l'exception d'une ouverture appelée *micropyle*. La formation du gamétophyte femelle commence quand une cellule dans le mégasporange de chaque ovule, le *mégasporocyte* (ou cellule mère des mégaspores), croît et produit par méiose quatre **mégaspores** haploïdes. Une seule mégaspore survit, les autres dégénèrent.

Le noyau de la mégaspore qui survit se divise trois fois par mitose, sans cytocinèse, et donne une grosse cellule contenant huit noyaux haploïdes. Puis, des membranes séparent cette

▼ Figure 38.4

PANORAMA La pollinisation des fleurs

Pour la plupart des angiospermes, c'est un agent pollinisateur vivant (biotique) ou non vivant (abiotique) qui peut transporter le pollen de l'anthère d'une fleur au stigmate d'une fleur sur une autre plante. Chez les angiospermes, environ 80 % de la pollinisation s'effectue de façon biotique, ce qui signifie que les plantes ont recours à des intermédiaires animaux. Parmi les espèces pollinisées de façon abiotique, 98 % dépendent du vent et 2 % de l'eau. (Certaines espèces d'angiospermes, qui ne se reproduisent que par autofécondation, restent limitées à la consanguinité dans la nature.)

La pollinisation abiotique par le vent

Environ 20 % des espèces d'angiospermes sont pollinisées par le vent. Comme elles n'ont pas besoin de pollinisateurs pour se reproduire, la pression sélective n'a pas œuvré de manière à favoriser les fleurs colorées ou odorantes. C'est pourquoi les fleurs des espèces pollinisées par le vent sont souvent petites, vertes et moins voyantes, et elles ne produisent ni nectar ni odeur. La plupart des arbres et des graminées des régions tempérées sont pollinisés par le vent. Les fleurs du noisetier commun (*Corylus avellana*) et de nombreuses autres espèces des régions tempérées pollinisées par le vent apparaissent au début du printemps, lorsque l'absence de feuilles facilite le déplacement du pollen. L'inefficacité relative de ce mode de pollinisation (ou anémophilie) est compensée par la production de quantités abondantes de grains de pollen. Les expériences en soufflerie révèlent qu'il est souvent plus efficace qu'on l'imagine parce que les structures florales peuvent favoriser la formation de tourbillons qui facilitent la capture du pollen en le dirigeant directement vers les carpelles.

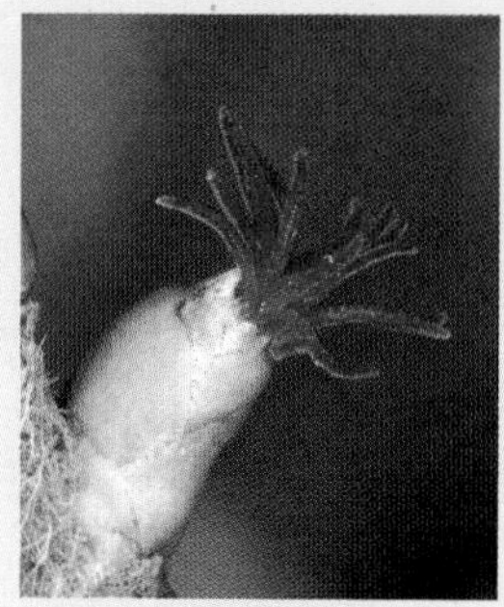

▲ **Fleur femelle du noisetier (pourvue seulement de carpelles).**

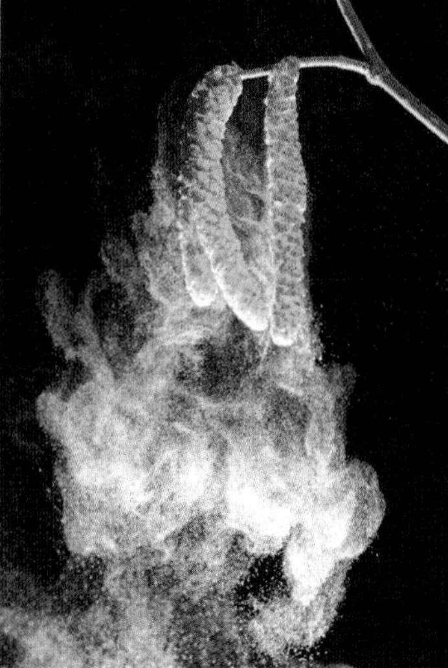

▲ **Fleurs mâles du noisetier (pourvues seulement d'étamines) relâchant des nuées de pollen.**

La pollinisation par les abeilles

▲ **Pissenlit officinal sous la lumière normale.**

▲ **Pissenlit officinal sous la lumière ultraviolette.**

Environ 65 % des plantes à fleurs ont besoin d'insectes pour la pollinisation; le pourcentage est encore plus élevé pour les grandes cultures. Les abeilles (de l'ordre des hyménoptères) sont les insectes pollinisateurs les plus importants, et on s'inquiète beaucoup de l'importante diminution des populations d'abeilles domestiques en Europe et en Amérique du Nord. Les abeilles pollinisatrices dépendent du nectar et du pollen pour leur alimentation. Généralement, les fleurs pollinisées par les abeilles possèdent un léger parfum sucré. Les abeilles sont attirées par les couleurs vives, surtout le jaune et le bleu. Le rouge leur apparaît sans éclat, mais elles peuvent voir les radiations ultraviolettes. De nombreuses espèces de fleurs pollinisées par les abeilles, comme le pissenlit officinal, ou pissenlit commun (*Taraxacum officinale*), ont des marques ultraviolettes appelées « guides de nectar » qui aident les insectes pollinisateurs à repérer les nectaires (glandes qui produisent le nectar), mais elles ne sont perceptibles par l'œil humain que sous la lumière ultraviolette.

La pollinisation par les papillons nocturnes et les papillons diurnes

Les papillons nocturnes et les papillons diurnes (tous deux de l'ordre des lépidoptères) détectent les odeurs, et les fleurs qu'ils pollinisent dégagent souvent un doux parfum. Les papillons diurnes perçoivent de nombreuses couleurs vives; par contre, les fleurs pollinisées par les papillons nocturnes sont habituellement blanches ou jaunes, faciles à distinguer la nuit lorsque ceux-ci sont actifs. Un yucca (*Yucca sp.*, illustré ci-contre) est généralement pollinisé par une seule espèce de papillon nocturne muni d'appendices qui accumulent le pollen sur les stigmates. Le papillon nocturne dépose ensuite ses œufs directement dans l'ovaire. Les larves se nourrissent de quelques graines en croissance, mais cette perte est compensée par l'avantage qu'apporte un pollinisateur efficace et fiable. Si un papillon nocturne dépose trop d'œufs, la fleur avorte et tombe, ce qui élimine les individus qui surexploitent la plante.

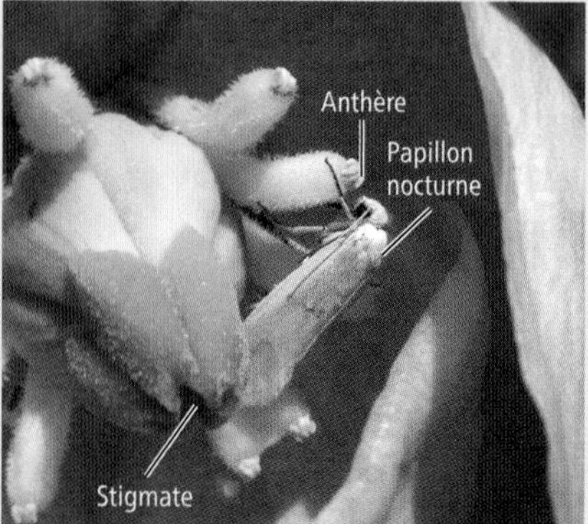

▲ **Papillon nocturne sur une fleur de yucca.**

? Quels sont les avantages et les dangers pour une plante d'avoir un pollinisateur animal hautement spécifique ?

▼ **Figure 38.5 La coévolution d'une fleur et d'un insecte pollinisateur.** Le long tube floral de l'orchidée de Madagascar *Angraecum sesquipedale* a coévolué avec la trompe d'une longueur de 28 cm de son pollinisateur, le sphinx *Xanthopan morgani praedicta*. Ce grand papillon nocturne a été nommé en l'honneur de la prédiction de son existence par Darwin.

La pollinisation par les chauves-souris

Les fleurs pollinisées par les chauves-souris (de l'ordre des chiroptères), comme celles qui le sont par les papillons nocturnes, sont aromatiques et de couleur pâle, ce qui attire leurs pollinisateurs nocturnes. La petite chauve-souris à long nez (*Leptonycteris yerbabuenae*) se nourrit du nectar et du pollen des fleurs d'agave (*Agave sp.*) et de cactus (famille des cactacées) dans le Sud-Ouest des États-Unis et au Mexique. En se nourrissant, les chauves-souris transportent le pollen d'une plante à l'autre. Les chauves-souris à long nez sont une espèce en voie de disparition.

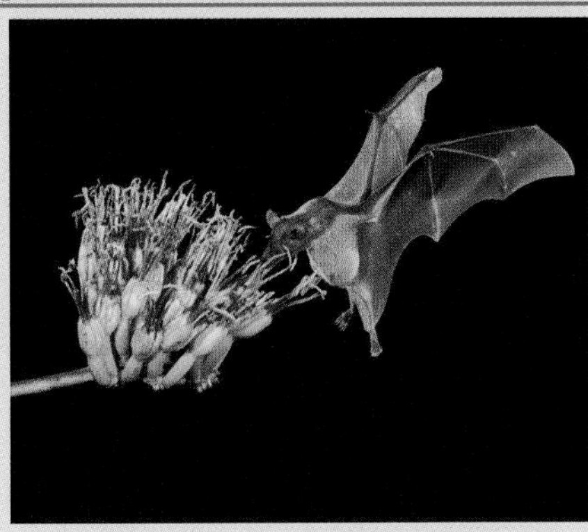

▲ **Chauve-souris à long nez se nourrissant sur une fleur d'agave la nuit.**

La pollinisation par les mouches

Beaucoup de fleurs pollinisées par les mouches (de l'ordre des diptères) sont rougeâtres et charnues et dégagent une odeur nauséabonde, comme *Stapelia*. Leurrées par cette odeur, les mouches prennent les fleurs de *Stapelia* pour de la charogne, et s'y posent pour pondre leurs œufs. Des grains de pollen collants adhèrent alors à leur corps, qu'elles transportent ensuite sur d'autres fleurs. Lorsque leurs larves sortent des œufs restés sur la fleur trompeuse, elles ne trouvent pas la charogne censée les nourrir et meurent.

▲ **Une mouche à viande sur une fleur de *Stapelia sp.***

La pollinisation par les oiseaux

Les fleurs pollinisées par les oiseaux, comme les fleurs d'ancolie (*Aquilegia sp.*), sont habituellement grandes et d'un rouge ou d'un jaune vif, mais elles sont peu odorantes. Étant donné que beaucoup d'oiseaux ont un sens de l'odorat peu développé, la pression sélective n'a pas œuvré de manière à favoriser la production d'odeur. Cependant, les fleurs produisent le nectar sucré qui permet de satisfaire aux besoins énergétiques élevés des oiseaux pollinisateurs. La fonction principale du nectar, qui est produit par les nectaires à la base de nombreuses fleurs, est de «récompenser» le pollinisateur. Les pétales des fleurs nectarifères sont souvent fusionnés, formant un tube floral recourbé qui convient au bec arqué de l'oiseau.

► **Un colibri (famille des trochilidés) buvant le nectar d'une fleur d'ancolie.**

masse multinucléée, qui devient un sac embryonnaire. Près du micropyle se trouvent deux cellules appelées *synergides*, situées de part et d'autre de l'oosphère. Les synergides attirent et guident le tube pollinique vers le sac embryonnaire. À l'autre extrémité du sac embryonnaire se trouvent trois autres cellules, les cellules antipodales, de fonction inconnue. Les deux noyaux restants, les noyaux polaires, ne sont pas séparés par des membranes. Ils partagent le cytoplasme de la grosse cellule centrale du sac embryonnaire. À maturité, ce sac comprend huit noyaux contenus dans sept cellules. L'ovule, qui deviendra une graine s'il est fécondé, est alors composé du sac embryonnaire délimité par le mégasporange (qui dégénérera) et de ses deux téguments.

La formation des gamétophytes mâles dans les grains de pollen Lorsque les étamines sont produites, chaque anthère ❷ engendre quatre microsporanges, également appelés sacs polliniques. À l'intérieur des microsporanges se trouvent de nombreuses cellules diploïdes appelées *microsporocytes*, ou cellules mères des microspores. Chaque microsporocyte subit une méiose et donne quatre **microspores** haploïdes, ❸ dont chacune donnera naissance à un gamétophyte mâle haploïde. Chaque microspore subit ensuite une mitose, et produit un gamétophyte mâle haploïde constitué de seulement deux cellules: une *cellule générative* et une *cellule végétative*. Le tout forme un **grain de pollen**. La paroi de la spore, constituée de matériaux

▼ **Figure 38.6 Le cycle de développement des angiospermes.** Par souci de simplicité, on montre ici une fleur à un seul carpelle (pistil simple). Beaucoup d'espèces végétales ont plusieurs carpelles, soit séparés, soit fusionnés.

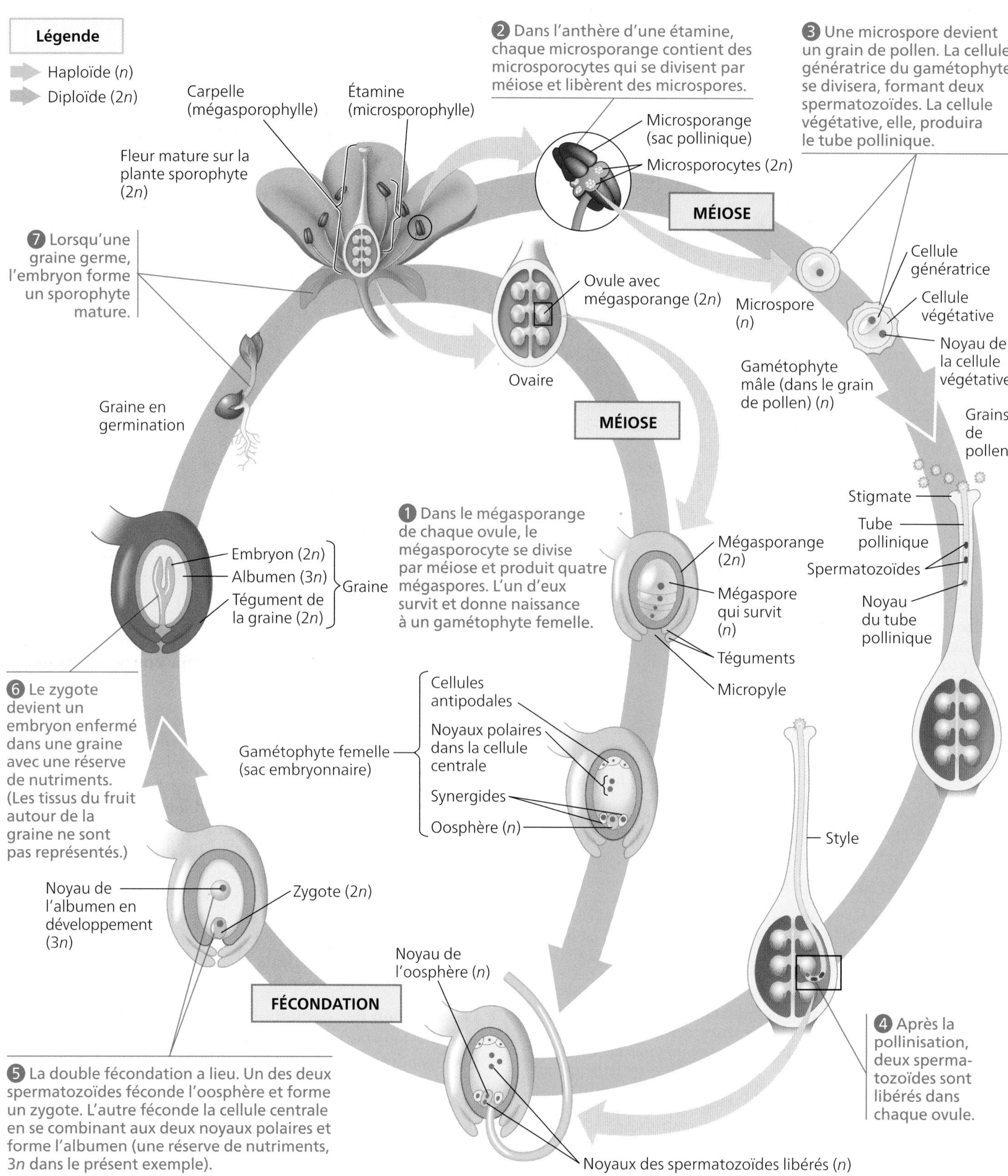
Légende
Haploïde (n)
Diploïde (2n)
Carpelle (mégasporophylle)
Étamine (microsporophylle)
Fleur mature sur la plante sporophyte (2n)
2 Dans l'anthère d'une étamine, chaque microsporange contient des microsporocytes qui se divisent par méiose et libèrent des microspores.
Microsporange (sac pollinique)
Microsporocytes (2n)
3 Une microspore devient un grain de pollen. La cellule génératrice du gamétophyte se divisera, formant deux spermatozoïdes. La cellule végétative, elle, produira le tube pollinique.
MÉIOSE
7 Lorsqu'une graine germe, l'embryon forme un sporophyte mature.
Ovule avec mégasporange (2n)
Microspore (n)
Cellule génératrice
Cellule végétative
Noyau de la cellule végétative
Ovaire
Gamétophyte mâle (dans le grain de pollen) (n)
Graine en germination
MÉIOSE
Grains de pollen
Stigmate
Tube pollinique
Spermatozoïdes
Noyau du tube pollinique
1 Dans le mégasporange de chaque ovule, le mégasporocyte se divise par méiose et produit quatre mégaspores. L'un d'eux survit et donne naissance à un gamétophyte femelle.
Embryon (2n)
Albumen (3n)
Tégument de la graine (2n)
Graine
Mégasporange (2n)
Mégaspore qui survit (n)
Téguments
Micropyle
6 Le zygote devient un embryon enfermé dans une graine avec une réserve de nutriments. (Les tissus du fruit autour de la graine ne sont pas représentés.)
Cellules antipodales
Noyaux polaires dans la cellule centrale
Synergides
Oosphère (n)
Gamétophyte femelle (sac embryonnaire)
Style
Noyau de l'albumen en développement (3n)
Zygote (2n)
Noyau de l'oosphère (n)
FÉCONDATION
4 Après la pollinisation, deux spermatozoïdes sont libérés dans chaque ovule.
5 La double fécondation a lieu. Un des deux spermatozoïdes féconde l'oosphère et forme un zygote. L'autre féconde la cellule centrale en se combinant aux deux noyaux polaires et forme l'albumen (une réserve de nutriments, 3n dans le présent exemple).
Noyaux des spermatozoïdes libérés (n)

HABILETÉS VISUELLES ▶ À quel moment de ce cycle de développement les divisions mitotiques se produisent-elles en plus grand nombre ?

produits par la microspore et l'anthère, comporte habituellement un motif complexe qui est propre à l'espèce. Durant la maturation du gamétophyte mâle, la cellule générative va se loger dans la cellule végétative. La cellule végétative contient alors, dans son cytoplasme, une autre cellule tout aussi autonome qu'elle.

La libération des spermatozoïdes par les tubes polliniques

Après l'ouverture du microsporange libérant le pollen, un grain de pollen peut être transporté sur la surface réceptrice d'un stigmate: c'est la pollinisation à proprement parler. À ce moment, le grain de pollen ne comprend habituellement que la cellule végétative et la cellule générative. Par la suite, le grain de pollen absorbe de l'eau et germe en produisant une longue protubérance cellulaire, le **tube pollinique**. Formé par la cellule végétative, ce tube déversera les spermatozoïdes (gamètes mâles) dans le gamétophyte femelle. Durant l'élongation du tube pollinique dans le style, le noyau de la cellule générative se divise par mitose et produit deux spermatozoïdes (aussi appelées cellules spermatiques), lesquels demeurent toujours à l'intérieur de la cellule végétative. Le noyau du tube pollinique reste devant les deux spermatozoïdes pendant que le tube pollinique s'allonge vers le micropyle, attiré par les substances chimiques libérées par les synergides. L'arrivée du tube pollinique déclenche la mort d'une des deux synergides, ouvrant un passage dans le sac embryonnaire. Le tube pollinique ❹ libère alors son noyau et les deux spermatozoïdes à proximité du gamétophyte femelle.

La double fécondation

La **fécondation** est la fusion de deux gamètes. Elle a lieu lorsque les deux spermatozoïdes atteignent le gamétophyte femelle. L'un des spermatozoïdes féconde alors l'oosphère; cette union donne le zygote. L'autre spermatozoïde s'unit aux deux noyaux polaires; le tout forme un noyau triploïde ($3n$) au milieu de la grosse cellule centrale du sac embryonnaire. Cette cellule donnera naissance au tissu nutritif de la graine, l'**albumen**. ❺ On appelle **double fécondation** l'union des deux spermatozoïdes à deux noyaux différents du gamétophyte femelle. Cette fécondation fait en sorte que l'albumen se forme seulement dans un ovule où l'oosphère a été fécondée. Ainsi, il n'y a pas de gaspillage de nutriments. À peu près au moment de la double fécondation, le noyau du tube pollinique, l'autre synergide et les cellules antipodales dégénèrent.

La formation de la graine

❻ Après la double fécondation, l'ovule devient une graine. L'ovaire, quant à lui, devient un fruit qui contient la ou les graines (selon que l'ovaire comporte un ou plusieurs ovules), ce qui favorise leur dispersion par le vent ou les animaux. À mesure que le zygote se transforme en embryon, la graine accumule des protéines, des huiles et de l'amidon en quantités variables selon l'espèce. Voilà pourquoi les graines constituent des réserves de nutriments si importantes. C'est l'albumen de la graine qui, au départ, stocke les glucides et les autres nutriments. Mais, selon les espèces, les cotylédons (feuilles embryonnaires) peuvent prendre le relais de cette fonction. Lorsqu'une graine germe, ❼ l'embryon devient un nouveau sporophyte. Ce sporophyte mature produit ses propres fleurs et ses propres fruits. Et le cycle de développement s'achève ainsi. Mais voyons comment un ovule évolue en une graine mature.

Le développement et la structure de la graine: *une étude détaillée*

Lorsque la pollinisation et la double fécondation réussissent, une graine commence à se former. Durant ce processus, l'albumen et l'embryon se développent. À maturité, une **graine** est un embryon en dormance entouré de réserves de nourriture et de couches protectrices.

La formation de l'albumen

La formation de l'albumen commence généralement avant celle de l'embryon. Après la double fécondation, le noyau triploïde de la cellule centrale de l'ovule se divise et forme une «supercellule» multinucléée de consistance laiteuse. Cette masse liquide, appelée albumen, devient multicellulaire au moment où la cytocinèse divise le cytoplasme et élabore des membranes entre les noyaux. Par la suite, ces cellules seulement délimitées par une membrane forment une paroi. L'albumen devient alors solide. Le «lait» et la «chair» de la noix de coco sont des exemples d'albumen liquide et solide, respectivement. La partie blanche gonflée du maïs soufflé est un autre exemple d'albumen. L'albumen de trois céréales seulement (blé, maïs et riz) compte pour une grande partie de l'alimentation humaine.

Chez les céréales et la plupart des monocotylédones ainsi que chez certaines espèces d'eudicotylédones, l'albumen contient aussi des réserves de nutriments destinés à la plantule issue de la germination. Chez d'autres espèces d'eudicotylédones, les réserves de nutriments de l'albumen sont complètement transférées aux cotylédons, qui sont encore à l'intérieur de la graine et y restent tant que celle-ci n'a pas terminé son développement; par conséquent, la graine mature est dépourvue d'albumen.

La formation de l'embryon

La première division mitotique du zygote est asymétrique et scinde l'oosphère fécondée en deux cellules: l'une basale, l'autre terminale (**figure 38.7**). La cellule terminale donne naissance à la plus grande partie de l'embryon. La cellule basale continue de se diviser et produit une chaîne de cellules appelée *suspenseur*, qui attache l'embryon à la plante mère. Le suspenseur transfère des nutriments à l'embryon à partir de la plante mère et, chez quelques espèces, à partir de l'albumen. À mesure qu'il allonge, le suspenseur pousse l'embryon plus profondément dans les tissus nourriciers et protecteurs. Pendant ce temps, la cellule terminale se divise à plusieurs reprises et donne naissance à un proembryon (précurseur de l'embryon, non différencié) sphérique attaché au suspenseur. Les cotylédons apparaissent sous la forme de protubérances situées sur le proembryon. Au stade embryonnaire, les eudicotylédones possèdent deux cotylédons et ont la forme d'un cœur.

Peu de temps après l'apparition des ébauches de cotylédons, l'embryon s'allonge. L'apex de la tige embryonnaire, qui contient le méristème apical, est entouré des cotylédons. À l'autre extrémité de l'axe embryonnaire, c'est-à-dire au point d'attache du suspenseur, se forme l'apex de la racine embryonnaire. Après la germination de la graine, et tout au long de la vie de la plante, les méristèmes apicaux situés à l'apex de la tige (ou pousse) et de la racine serviront à la croissance primaire (voir la figure 35.11).

La structure de la graine mature

Au cours des derniers stades de sa maturation, la graine se déshydrate jusqu'à ce que l'eau ne représente plus que 5 à 15 % de sa masse. L'embryon, entouré de sa réserve de nutriments (les cotylédons, l'albumen, ou les deux), entre en **dormance** ; il cesse de croître et son métabolisme devient minimal. Un **tégument** épais et protecteur, provenant des téguments de l'ovule, enveloppe l'embryon avec sa réserve de nutriments. Chez certaines espèces, c'est la présence d'un tégument entier plutôt que l'embryon lui-même qui induit la dormance.

Si vous ouvrez une graine de haricot commun (*Phaseolus vulgaris*, une eudicotylédone), vous pouvez voir que l'embryon est constitué d'une structure allongée, l'axe embryonnaire, qui est attachée à deux cotylédons épais et charnus (**figure 38.8a**). Au-dessous du point d'attache des cotylédons, l'axe embryonnaire porte le nom d'**hypocotyle** (du grec *hypo*, « au-dessous »). Il se termine par la **radicule**, ou racine embryonnaire. Au-dessus des cotylédons et sous la première paire de feuilles miniatures, l'axe embryonnaire est appelé **épicotyle** (du grec *epi*, « au-dessus »). L'épicotyle, les jeunes feuilles et le méristème apical caulinaire sont appelés ensemble la *gemmule*.

▼ Figure 38.7 La formation de l'embryon d'une eudicotylédone. Pendant que l'ovule devient une graine mature et que les téguments qui l'enveloppent s'épaississent et durcissent, le zygote donne naissance à un embryon formé d'organes rudimentaires.

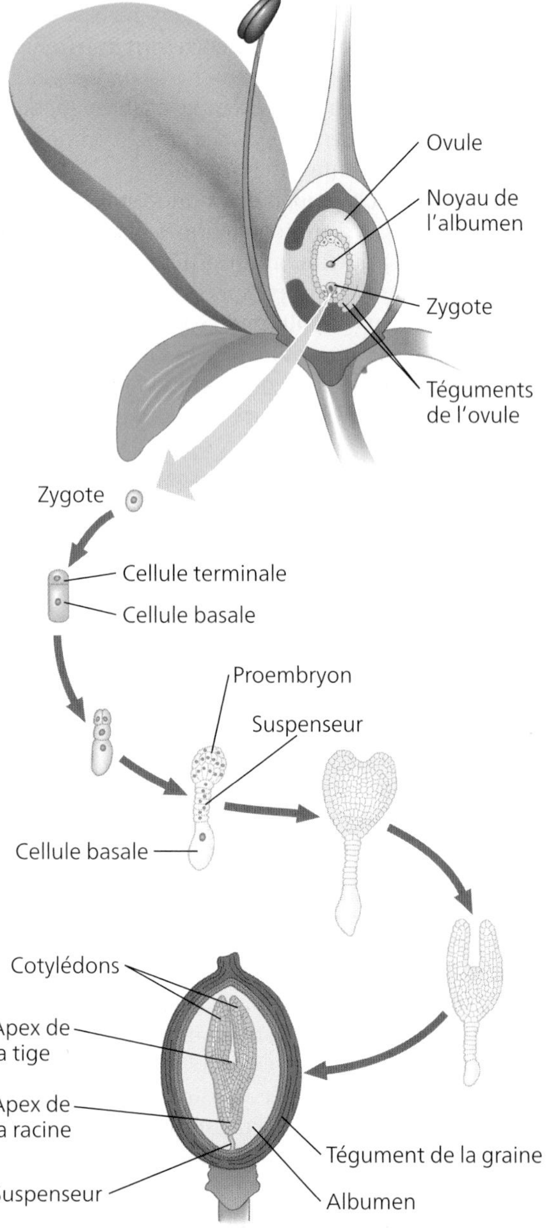

Les cotylédons du haricot commun sont remplis d'amidon avant la germination, car ils ont absorbé les nutriments de l'albumen pendant la formation de la graine. Cependant, dans les graines de certaines espèces d'eudicotylédones, comme le ricin (*Ricinus communis*), la réserve de nutriments reste dans l'albumen. Les cotylédons sont alors très minces (**figure 38.8b**). Ils absorberont les nutriments de l'albumen et les transféreront à l'embryon au cours de la germination de la graine.

L'embryon des monocotylédones comprend un seul cotylédon (**figure 38.8c**). Les graminées, notamment le maïs (*Zea mays*) et le blé (*Triticum sp.*), possèdent un cotylédon spécialisé appelé *scutellum* (du latin *scutella*, « petit bouclier », qui fait référence à la forme du scutellum). Le scutellum a une grande surface en contact avec l'albumen, dont il absorbe les nutriments pendant la germination. L'embryon d'une graminée est entouré de deux gaines protectrices : le **coléoptile**, qui enserre la jeune pousse, et le **coléorhize**, qui recouvre la jeune racine. Les deux structures contribuent à la pénétration du sol après la germination.

La dormance des graines : une adaptation aux conditions difficiles

Les conditions environnementales qui rompent la dormance varient selon les espèces. Les graines de certaines espèces germent dès qu'elles se trouvent dans un milieu adéquat. D'autres, même semées dans un milieu favorable, ne sortent de leur dormance que sous l'action d'un stimulus extérieur particulier.

L'exigence de stimulus particuliers pour rompre la dormance augmente les chances que la germination se produise à un moment et dans un endroit favorables pour la plantule. Les graines de nombreuses espèces du désert, par exemple, germent seulement après d'abondantes précipitations. Si elles germaient après une petite averse, le sol serait déjà trop sec au moment de l'émergence des plantules. Dans les régions où les incendies naturels sont fréquents, de nombreuses graines ont besoin d'une chaleur intense ou de fumée pour sortir de leur dormance. Les jeunes plants apparaissent alors après qu'un feu a éliminé la végétation concurrente. Dans les régions où l'hiver est rigoureux, les graines doivent subir une longue exposition au froid avant de germer. Les graines semées pendant l'été ou l'automne ne germent qu'au printemps suivant. Les plantules bénéficient ainsi d'une longue saison de croissance avant l'hiver. Certaines petites graines, comme celles de certaines variétés de laitue (*Lactuca sp.*), ont besoin de lumière pour germer. Elles ne sortent de leur dormance que si on les sème assez près de la surface pour qu'elles puissent émerger du sol. Certaines graines sont recouvertes d'un tégument qui doit être chimiquement dégradé par les sucs digestifs d'animaux. Par conséquent, elles germent souvent loin de la plante mère après avoir été déposées avec les matières fécales de ces animaux.

Le laps de temps pendant lequel une graine en dormance reste viable et apte à la germination varie généralement de quelques jours à quelques dizaines d'années ou plus, suivant l'espèce et les conditions environnementales. La graine la plus ancienne ayant donné une plante viable provient d'un dattier (*Phoenix dactylifera*) âgé de 2 000 ans ; elle a été trouvée dans le palais d'Hérode, en Israël, et son âge a été confirmé par une datation au carbone 14. La plupart des graines peuvent encore germer après un an ou deux, jusqu'à l'apparition de conditions favorables à leur germination. Le sol contient une réserve de graines non germées qui peuvent s'être accumulées depuis des années. C'est l'une des raisons qui expliquent la reprise si rapide de la végétation après un incendie, une sécheresse, une inondation ou une autre perturbation du milieu.

▼ **Figure 38.8** **La structure de différentes graines.**

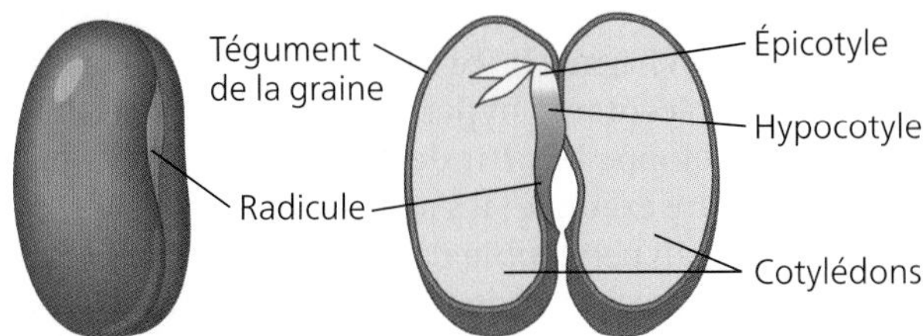

(a) Le haricot commun (*Phaseolus vulgaris*), une eudicotylédone pourvue de cotylédons épais. Les cotylédons charnus du haricot emmagasinent les nutriments provenant de l'albumen, qu'ils ont absorbés avant la germination de la graine.

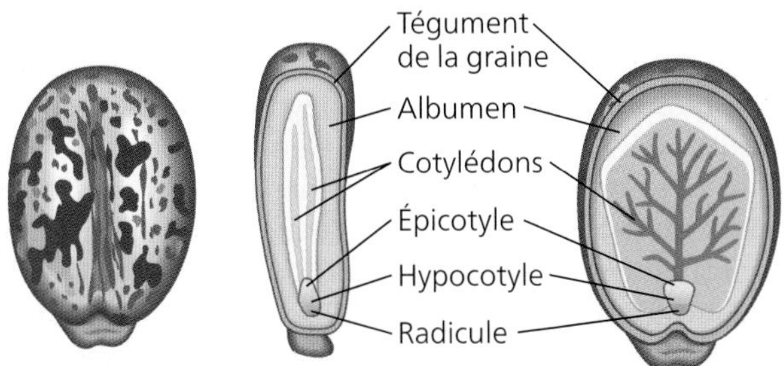

(b) Le ricin (*Ricinus communis*), une eudicotylédone pourvue de cotylédons minces. Les cotylédons étroits et membraneux (illustrés de côté et de face) absorbent les nutriments de l'albumen au moment de la germination.

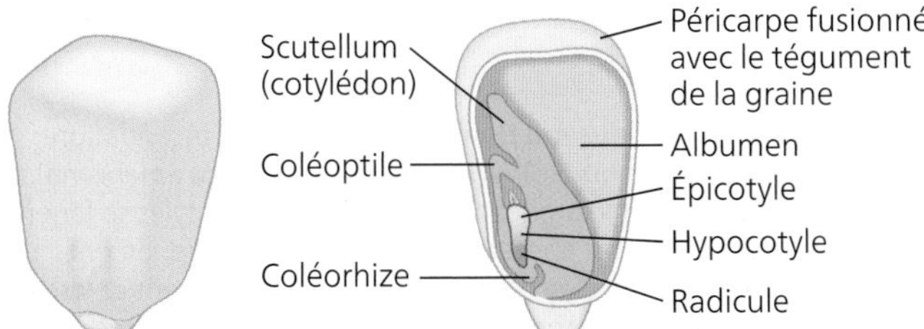

(c) Le maïs (*Zea mays*), une monocotylédone. Comme toutes les graines de monocotylédones, la graine du maïs a un seul cotylédon. Le maïs et d'autres graminées ont un gros cotylédon appelé scutellum. La pousse rudimentaire est enveloppée dans une structure nommée coléoptile, et le coléorhize recouvre la jeune racine.

FAITES DES LIENS ▶ En plus du nombre de cotylédons, en quoi la structure des monocotylédones et des eudicotylédones diffère-t-elle ? (Voir la figure 30.16.)

HABILETÉS VISUELLES ▶ Quelle graine mature ne renferme pas d'albumen ? Pourquoi ?

De la graine à la plante mature : le développement du sporophyte

Lorsque les conditions environnementales sont propices à la croissance, la dormance de la graine cesse et la germination débute. On assiste alors à la croissance des tiges, des feuilles et des racines, et, plus tard, à la floraison.

La germination des graines

La germination de la graine est déclenchée par l'**imbibition**, qui est l'absorption d'eau causée par le faible potentiel hydrique de la graine sèche. Sous l'effet de l'eau, la graine se gonfle et le tégument se fend. L'embryon subit alors des changements qui réactivent sa croissance. Par la suite, des enzymes dégradent les réserves contenues dans l'albumen ou dans les cotylédons, et les nutriments sont acheminés vers les régions en croissance de l'embryon.

Le premier organe qui émerge de la graine est la radicule, ou racine embryonnaire. Le développement d'un système racinaire permet d'ancrer la plantule dans le sol et de lui assurer l'apport en eau nécessaire à l'expansion des cellules. Cet approvisionnement est indispensable avant l'étape suivante, quand l'apex de la tige émergera du sol pour affronter des conditions plus sèches. Chez le haricot et de nombreuses autres eudicotylédones, par exemple, l'hypocotyle s'incurve, et la croissance le pousse hors du sol (**figure 38.9a**). Sous l'effet de la lumière, l'hypocotyle se redresse, les cotylédons se séparent, et l'épicotyle délicat, alors exposé, étend ses premières vraies feuilles (distinctes des cotylédons, qui sont des « feuilles embryonnaires »). Celles-ci grandissent, verdissent et commencent à fabriquer des substances nutritives grâce à la photosynthèse. Les cotylédons flétrissent et tombent de la plantule, car l'embryon a consommé leur réserve de nutriments.

Chez certaines monocotylédones, comme le maïs et d'autres graminées, les graines se frayent un passage d'une autre façon lors de la germination (**figure 38.9b**). Le coléoptile émerge du sol et atteint l'air libre. Puis, l'apex de la tige croît vers le haut dans le conduit formé par le coléoptile tubulaire et en transperce l'extrémité afin d'émerger.

La croissance et la floraison

Dès que la graine a germé et mis en route la photosynthèse, l'essentiel des ressources de la plante vont servir à la croissance des tiges, des feuilles et des racines (c'est la phase de *croissance végétative*). Ce développement, qui inclut les croissances primaire et secondaire, est le fait des cellules méristématiques (voir le concept 35.2). Durant cette étape, il s'agit de réaliser le maximum de photosynthèse et de développement avant de passer à la phase de reproduction associée à la floraison.

Les fleurs d'une espèce de plante donnée apparaissent généralement de façon soudaine et simultanée à une période déterminée de l'année. Une telle synchronisation est propice aux croisements, le principal avantage de la reproduction sexuée. La formation de la fleur exige un changement développemental au niveau du méristème de la région apicale, qui passe du mode de croissance végétatif au mode reproductif. La transition vers un *méristème floral* est déclenchée sous l'action d'une combinaison de facteurs environnementaux (comme la longueur du jour) et de signaux internes (voir le concept 39.3). Une fois enclenchée la transition vers la floraison, l'ordre d'émergence de chaque organe détermine s'il se différenciera en sépale, en pétale, en étamine ou en carpelle (voir la figure 35.36).

La structure et la fonction des fruits

Avant qu'une graine puisse germer et devenir une plante mature, elle doit être déposée dans un sol propice à son développement. Les fruits jouent ici un rôle majeur. Un **fruit** est l'ovaire mature d'une fleur. Alors que les ovules deviennent des graines, l'ovaire de la fleur produit un fruit (**figure 38.10**). Le fruit protège les graines et, à maturité, facilite leur dissémination par le vent ou des animaux. La fécondation déclenche des changements dans les concentrations de régulateurs de croissance qui provoquent la transformation de l'ovaire en fruit. En l'absence de pollinisation, la fleur ne devient habituellement pas un fruit ; elle flétrit et tombe.

Pendant la formation du fruit, la paroi de l'ovaire devient le *péricarpe*, la paroi épaisse du fruit qui entoure la ou les graines. Dans certains fruits, comme les gousses de soja (*Glycine max*), la paroi de l'ovaire s'assèche complètement à maturité, tandis que dans d'autres fruits, comme le raisin (*Vitis sp.*), elle demeure charnue. Dans d'autres fruits encore, comme la pêche (*Prunus persica*), la portion intérieure de l'ovaire devient très dure (noyau), tandis que le reste de l'ovaire demeure charnu. Les autres parties de la fleur flétrissent et tombent au fur et à mesure que l'ovaire croît.

▼ **Figure 38.9 Deux types de germination.**

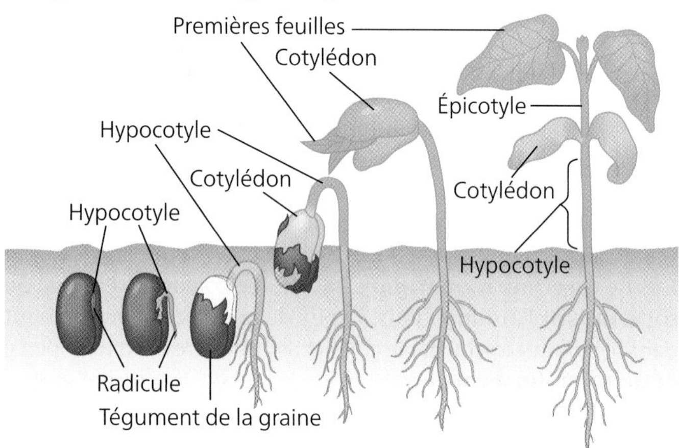

(a) Le haricot commun. Chez le haricot commun, le redressement de l'hypocotyle entraîne les cotylédons hors du sol.

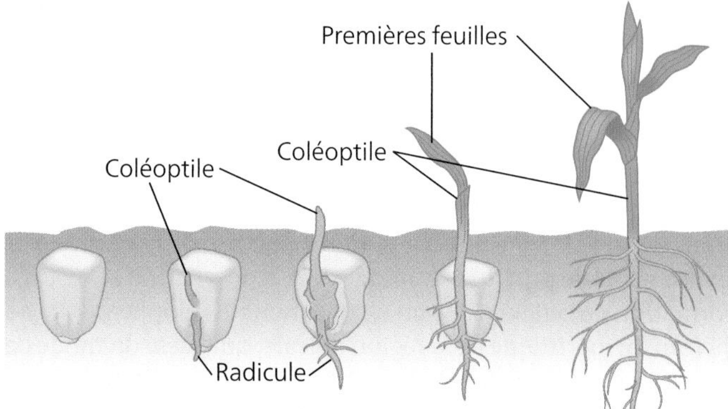

(b) Le maïs. Chez le maïs et d'autres graminées, la jeune pousse croît à la verticale, à l'intérieur du coléoptile en forme de tube.

HABILETÉS VISUELLES ▶ Comment les plantules de haricot et de maïs protègent-elles leurs systèmes caulinaires pendant qu'elles sortent du sol ?

On classe les fruits en plusieurs catégories, selon leur origine florale. La plupart sont formés par un seul carpelle ou plusieurs carpelles fusionnés ; ce sont les **fruits simples** (**figure 38.11a**). Les **fruits agrégés** sont des fruits formés par une seule fleur possédant plus d'un carpelle, chaque carpelle formant un mini-fruit (**figure 38.11b**). Ces mini-fruits sont regroupés sur un seul réceptacle, comme dans le cas des framboises (*Rubus idaeus*) et des fraises (*Fragaria sp.*). Quant aux **fruits multiples**, ils sont issus d'une inflorescence, un ensemble de fleurs formant un regroupement serré. Quand elles commencent à épaissir, les parois des nombreux ovaires fusionnent et deviennent un seul et même fruit. C'est le cas de l'ananas (*Ananas comosus*, **figure 38.11c**).

Chez certaines angiospermes, d'autres pièces florales contribuent à ce qu'on appelle communément le fruit. Ces **fruits** sont dits **accessoires** ou encore faux-fruits. Dans les fleurs du pommier (*Malus sp.*), par exemple, l'ovaire est enchâssé dans le réceptacle, et la partie charnue de ce fruit simple est principalement formée par le réceptacle hypertrophié ; seul le centre de la pomme se développe à partir de l'ovaire (**figure 38.11d**). La fraise est un autre exemple : il s'agit d'un fruit agrégé composé d'un réceptacle hypertrophié dans lequel sont partiellement enchâssés de minuscules fruits à une seule graine (akènes).

Habituellement, le fruit mûrit au moment où les graines qu'il contient terminent leur formation. Alors que le mûrissement d'un fruit sec comme la gousse de soja suppose la sénescence (vieillissement) et le dessèchement des tissus, le mûrissement d'un fruit charnu est un processus plus élaboré. Des interactions hormonales complexes produisent un fruit comestible qui attire les animaux susceptibles de disséminer les graines. La « pulpe » du fruit ramollit sous l'action d'enzymes qui dégradent les constituants de la paroi cellulaire. Généralement, la couleur passe du vert à une couleur plus voyante au travers des feuilles. Le fruit devient de plus en plus sucré, au fur et à mesure que les acides organiques ou l'amidon se transforment en glucides, dont la concentration peut atteindre 20 % dans un fruit mûr. La **figure 38.12** illustre plus en détail quelques mécanismes de dissémination des graines et des fruits.

Dans la présente section, nous avons étudié les caractéristiques propres à la reproduction sexuée chez les angiospermes : les fleurs, la double fécondation et les fruits. Nous nous pencherons maintenant sur la reproduction asexuée.

▼ **Figure 38.10 La fleur qui devient fruit.** Après la fécondation des fleurs, comme celles du raisin d'Amérique (*Phytolacca americana*), les étamines et les pétales tombent, les stigmates et les styles se fanent, et les parois des ovaires qui abritent les graines en développement gonflent et forment des fruits. Les graines en développement et les fruits sont d'importants organes cibles qui se chargent de sucres et d'autres glucides produits par la plante.

▼ **Figure 38.11** **Les modes de formation de différentes classes de fruits.**

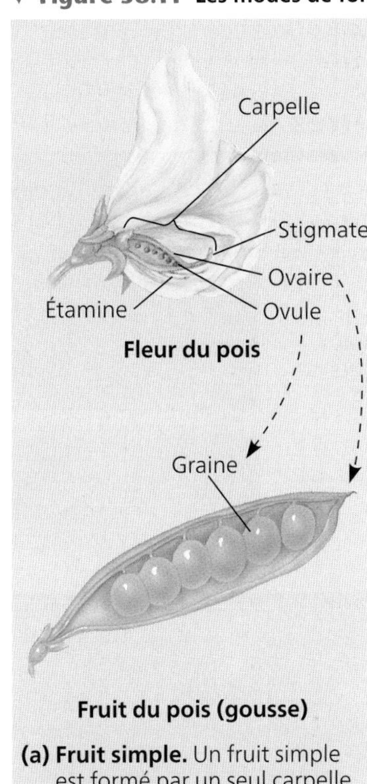

(a) Fruit simple. Un fruit simple est formé par un seul carpelle (ou par plusieurs carpelles fusionnés) provenant d'une seule fleur (exemples: pois, citron, arachide).

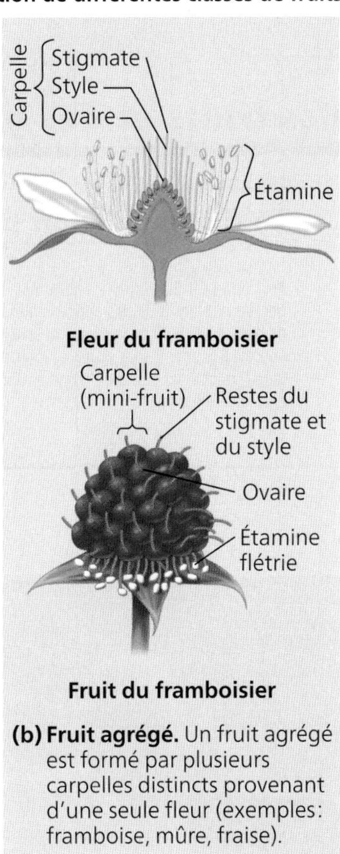

(b) Fruit agrégé. Un fruit agrégé est formé par plusieurs carpelles distincts provenant d'une seule fleur (exemples: framboise, mûre, fraise).

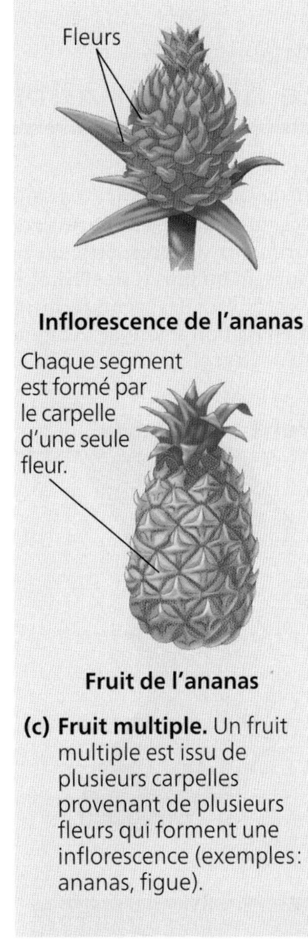

(c) Fruit multiple. Un fruit multiple est issu de plusieurs carpelles provenant de plusieurs fleurs qui forment une inflorescence (exemples: ananas, figue).

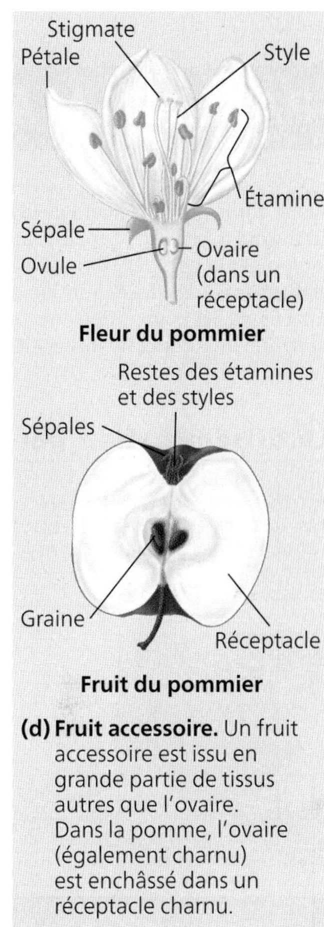

(d) Fruit accessoire. Un fruit accessoire est issu en grande partie de tissus autres que l'ovaire. Dans la pomme, l'ovaire (également charnu) est enchâssé dans un réceptacle charnu.

RETOUR SUR LE CONCEPT **38.1**

1. Établissez la différence entre la pollinisation et la fécondation.
2. **ET SI ?** ▶ Si les fleurs avaient des styles plus courts, les tubes polliniques atteindraient plus facilement le sac embryonnaire. Proposez une explication justifiant l'apparition de très longs styles chez la plupart des plantes à fleurs.
3. **FAITES DES LIENS** ▶ Est-ce que le cycle de développement des humains comporte des structures analogues aux gamétophytes des végétaux ? Expliquez votre réponse. (Voir les figures 13.5 et 13.6.)

Voir les réponses proposées à l'appendice A.

CONCEPT **38.2**

Les plantes à fleurs se reproduisent par voie sexuée, asexuée, ou les deux

Durant la **reproduction asexuée**, un seul individu produit une descendance sans recourir à l'union d'une oosphère et d'un spermatozoïde. Il en résulte un clone, c'est-à-dire un individu génétiquement identique à l'organisme parental. La reproduction asexuée est courante chez les angiospermes et d'autres végétaux; pour certaines espèces, il s'agit du principal mode de reproduction.

Les mécanismes de la reproduction asexuée

Chez les végétaux, la reproduction asexuée est un corollaire de l'aptitude à la croissance indéfinie. Les méristèmes, constitués de cellules en division, non différenciées, sont capables de maintenir et de reprendre indéfiniment la croissance (voir le concept 35.2). De plus, les cellules parenchymateuses réparties dans toute la plante peuvent se diviser et se différencier en divers types de cellules spécialisées. Cela permet à la plante de régénérer des parties perdues. Ainsi, des fragments de racine ou de tige détachés de certaines plantes ont la capacité de reconstituer des individus entiers; par exemple, chacun des morceaux de pomme de terre (*Solanum tuberosum*) possédant un « œil » (un bourgeon) peut devenir une plante entière. Le **bouturage**, la séparation d'une plante mère en parties qui redonneront des plantes entières, est l'un des modes les plus répandus de reproduction asexuée. Les plantules adventives sur les feuilles de *Kalanchoe* constituent un exemple d'un type inhabituel de bouturage (voir la figure 35.7). Dans d'autres cas, le système racinaire d'une seule plante mère, comme le peuplier (*Populus sp.*), produit de nombreuses pousses adventives qui deviennent des systèmes caulinaires distincts (**figure 38.13**). Dans l'État de l'Utah, aux États-Unis, on estime que le clone d'un peuplier est composé de 47 000 tiges d'arbres génétiquement identiques. Bien qu'il soit probable que certaines connexions du système racinaire aient été coupées, ce qui isole certains arbres du reste du clone, chaque arbre partage toujours un génome commun.

PANORAMA ▼ **Figure 38.12**

La dissémination des fruits et des graines

La vie d'une plante dépend de la fertilité du sol où elle croît. Mais une graine qui tombe sous la plante mère et y germe aura peu de chances de remporter la compétition pour les nutriments. La prospérité d'une plante suppose la dissémination des graines sur un plus vaste territoire. À cet égard, les plantes doivent compter à la fois sur des agents de dissémination biotique et sur des agents de dissémination abiotiques, comme l'eau et le vent.

La dissémination par l'eau

► Certains fruits et graines flottants peuvent survivre pendant des mois ou des années en mer. Dans la noix de coco, l'embryon de la graine et la «chair» blanche épaisse (albumen) sont situés à l'intérieur d'une couche dure (endocarpe) entourée d'une enveloppe fibreuse épaisse et flottante.

La dissémination par le vent

► D'une envergure de 12 cm, les graines ailées d'une cucurbitacée d'Asie, la grande zanonie (*Alsomitra macrocarpa*), planent dans l'air de la forêt tropicale humide en décrivant de larges cercles quand elles sont libérées.

◄ Les virevoltants (ou *tumbleweeds*) se séparent de la racine et roulent sur le sol en répandant leurs graines.

▲ Certains fruits et graines sont attachés à des «parachutes» en forme de parapluies composés d'enchevêtrements complexes de poils et souvent produits en grappes gonflées. Le moindre souffle de vent transporte en altitude ces «graines» de pissenlit officinal (qui sont en fait des akènes, des fruits secs à une seule graine).

◄ Le fruit ailé de l'érable (*Acer sp.*) tournoie comme une pale d'hélicoptère, ce qui ralentit sa descente et augmente ses chances d'être transporté plus loin par des vents horizontaux.

La dissémination par les animaux

◄ Les épines acérées, semblables à des clous, du fruit du tribule terrestre (*Tribulus terrestris*, également appelé croix-de-Malte) peuvent percer un pneu de vélo et blesser les animaux, y compris les humains. Lorsque ces «clous» douloureux sont enlevés et rejetés, les graines sont disséminées.

◄ Certains animaux, comme les écureuils (famille des sciuridés), cachent des graines ou des fruits dans le sol. Si l'animal meurt ou oublie la cachette, les graines enterrées sont bien placées pour germer.

► Les graines des fruits comestibles sont souvent disséminées par les matières fécales, comme celles de l'ours noir (*Ursus americanus*) illustrées ci-contre. Ce mode de dissémination peut transporter des graines loin de la plante mère.

► Des substances chimiques attirent les fourmis vers des graines munies d'un élaïosome (excroissance riche en acides gras, en acides aminés et en glucides). Les fourmis transportent la graine dans leur nid souterrain, où l'élaïosome (la partie de couleur pâle illustrée ci-contre) est détaché et consommé par les larves. En raison de sa taille, de sa forme encombrante ou de son revêtement dur, ce qui reste de la graine est habituellement laissé intact dans le nid, où elle germe.

▼ **Figure 38.13 La reproduction asexuée chez les peupliers.** Certains boisés de peupliers (*Populus sp.*), comme ceux-ci, comptent des milliers d'arbres qui se sont formés par reproduction asexuée à partir du système racinaire d'un seul parent. Le boisé est donc un clone. Des différences génétiques entre les boisés issus de parents différents se traduisent par le fait que les arbres prennent leurs couleurs automnales à des moments différents.

Le pissenlit et plusieurs autres espèces végétales ont développé un mode de reproduction asexuée différent. Ces végétaux peuvent parfois produire des graines sans pollinisation ni fécondation. Cette production asexuée de graines est appelée **apomixie** (d'un mot grec signifiant « loin du mélange »). Ce mot fait référence à l'absence d'union ou, en réalité, à l'absence de production du spermatozoïde et de l'oosphère. À la place, une cellule diploïde de l'ovule donne naissance à l'embryon, et les ovules deviennent des graines ; puis, dans le cas du pissenlit, les fruits sont disséminés par le vent. Le clonage par reproduction asexuée s'accompagne donc, chez ces végétaux, d'une adaptation qui est généralement associée à la reproduction sexuée, soit la dissémination des graines. Si les sélectionneurs de végétaux (ou phytogénéticiens) s'intéressent autant à l'introduction de l'apomixie dans les cultures hybrides, c'est parce qu'elle permettrait aux plantes hybrides de transmettre dans leur intégrité les génomes souhaités à leur descendance.

La reproduction asexuée et la reproduction sexuée: avantages et inconvénients

ÉVOLUTION La reproduction asexuée ne requiert aucun pollinisateur, ce qui constitue un avantage. Ce mode de reproduction peut être avantageux dans les situations où des plantes d'une même espèce sont clairsemées et qu'il est peu probable qu'elles reçoivent la visite du même pollinisateur. Une plante qui se reproduit de manière asexuée transmet son patrimoine génétique entier à sa descendance, alors qu'une plante qui se reproduit de manière sexuée transmet seulement la moitié de ses allèles. Si une plante est parfaitement adaptée à un milieu, la reproduction asexuée peut être avantageuse puisqu'une plante vigoureuse peut engendrer de nombreuses copies d'elle-même et, si les conditions du milieu demeurent stables, ces descendants seront eux aussi génétiquement bien adaptés aux conditions dans lesquelles le parent s'est développé.

La reproduction asexuée qui repose sur la croissance végétative des tiges, des feuilles ou des racines est appelée **multiplication végétative**. Généralement, les descendants issus d'une multiplication végétative sont plus résistants que les plantules issues de la reproduction sexuée. La germination des graines, au contraire, est une étape précaire dans la vie d'une plante. La graine vigoureuse donne naissance à une plantule fragile qui doit affronter des prédateurs, des parasites, le vent et d'autres dangers. Dans la nature, très peu de plantules survivent jusqu'à devenir elles-mêmes des parents. La production d'un grand nombre de graines compense les risques encourus pour la survie individuelle et donne à la sélection naturelle un grand nombre de variations génétiques à explorer. Cependant, c'est un mode de reproduction coûteux sur le plan des ressources utilisées par la floraison et la fructification.

Dans un milieu instable où les agents pathogènes en évolution et d'autres conditions changeantes nuisent à la survie et au succès de la reproduction, la reproduction sexuée peut être avantageuse, car elle assure la diversification génétique des descendants et des populations. La reproduction asexuée, au contraire, engendre une uniformité génotypique qui représente un risque d'extinction locale, advenant une modification catastrophique de l'environnement, comme une nouvelle souche d'un agent pathogène ou une nouvelle maladie. En outre, les graines (presque toujours issues de la reproduction sexuée) facilitent la dissémination des descendants en des endroits plus éloignés. Enfin, la dormance des graines permet de suspendre la croissance jusqu'à ce que les conditions du milieu deviennent favorables. Dans la rubrique **Habiletés scientifiques**, vous utiliserez des données pour déterminer les espèces de mimules (*Mimulus spp.*) qui se reproduisent essentiellement par voie asexuée et celles qui se reproduisent surtout par voie sexuée.

Même si la reproduction sexuée entre deux plantes génétiquement différentes produit une plus grande diversité génétique de la descendance, certaines plantes, comme le pois, ont recours à l'autofécondation. Ce processus peut être souhaitable chez certaines espèces en culture, car il garantit que chaque ovule deviendra une graine. Cependant, de nombreuses angiospermes ont acquis des mécanismes qui entravent ou empêchent l'autofécondation, comme nous l'expliquerons dans la section suivante.

Les mécanismes empêchant l'autofécondation

Les divers mécanismes qui empêchent l'autofécondation contribuent à la diversité génétique en faisant en sorte que le spermatozoïde et l'oosphère proviennent de parents différents. Dans le cas d'espèces **dioïques**, les plantes ne peuvent pas s'autoféconder parce que chaque individu possède des fleurs qui sont soit pourvues d'étamines, c'est-à-dire staminées (sans pistil), soit pourvues d'un pistil, c'est-à-dire pistillées (sans étamines) (**figure 38.14a**). D'autres plantes ont des fleurs dont les étamines et le pistil atteignent la maturité à des moments différents. D'autres encore ont des fleurs dont la morphologie est telle que l'animal pollinisateur a peu de chances de transporter le pollen des anthères au stigmate de la même fleur (**figure 38.14b**). Cependant, le mécanisme qui empêche le plus souvent l'autofécondation est l'**auto-incompatibilité** (ou autostérilité), soit la capacité qu'ont les végétaux de rejeter leur propre pollen ou celui d'un proche parent. Ainsi, quand un grain de pollen se pose sur le stigmate du même individu, un processus biochimique l'empêche de terminer son développement et de féconder l'oosphère. Cette réaction qu'on observe chez les végétaux est analogue à la réponse immunitaire des animaux, dans la mesure où les organismes peuvent distinguer les cellules du « soi » des cellules du « non-soi ». Notons cependant une différence importante : le système immunitaire animal rejette le « non-soi », comme c'est le cas lorsqu'il se mobilise pour défendre l'organisme contre un agent pathogène ou essaie de rejeter un organe

DÉMARCHE SCIENTIFIQUE
HABILETÉS SCIENTIFIQUES

Utiliser des corrélations positives et négatives pour interpréter des données

■ LES MIMULES DÉPENSENT-ELLES LA MÊME ÉNERGIE POUR SE REPRODUIRE PAR VOIE SEXUÉE QUE PAR VOIE ASEXUÉE ? ■ Au cours de sa vie, une plante ne peut absorber qu'une quantité finie de ressources et d'énergie, qu'elle doit utiliser de son mieux pour répondre à ses besoins (besoins élémentaires, croissance, défense et reproduction). Des chercheurs ont examiné comment cinq espèces de mimules (du genre *Mimulus*) utilisent leurs ressources pour se reproduire par voie sexuée et par voie asexuée.

■ MÉTHODE ■ Après avoir cultivé des plants de chaque espèce dans des pots séparés, à l'air libre, les chercheurs ont calculé des moyennes pour les quantités suivantes : volume de nectar, concentration du nectar, nombre de graines produites par fleur et nombre de fois que les plantes ont été butinées par des colibris à queue large (*Selasphorus platycercus*; voir la photo). À l'aide de plants cultivés dans une serre, les chercheurs ont calculé le nombre moyen de branches racinées par gramme de pousses fraîches de chaque espèce. Le terme *branches racinées* fait référence à la reproduction asexuée par les tiges horizontales qui forment des racines.

■ RÉSULTATS ■

Espèce	Volume de nectar (μL)	Concentration du nectar (poids du sucrose/poids total, en %)	Nombre de graines par fleur	Nombre de visites par fleur	Branches racinées par gramme de pousses fraîches
M. rupestris	4,93	16,6	2,2	0,22	0,673
M. eastwoodiae	4,94	19,8	25,0	0,74	0,488
M. nelson	20,25	17,1	102,5	1,08	0,139
M. verbenaceus	38,96	16,9	155,1	1,26	0,091
M. cardinalis	50,00	19,9	283,7	1,75	0,069

Source des données : S. Sutherland et R. K. Vickery, Jr., Trade-offs between sexual and asexual reproduction in the genus *Minulus*. *Oecologia* 76 : 330-335 (1998).

INTERPRÉTEZ LES DONNÉES ▼

1. Une corrélation est une façon de décrire la relation entre deux variables. Dans une corrélation positive, les valeurs de la seconde variable augmentent à mesure que les valeurs de la première variable augmentent. Dans une corrélation négative, les valeurs de la seconde variable diminuent à mesure que les valeurs de la première variable augmentent. Il peut aussi n'y avoir aucune corrélation entre deux variables. Si des chercheurs savent comment deux variables sont corrélées, ils peuvent faire une prédiction au sujet d'une des variables à partir de ce qu'ils savent de l'autre variable. (a) Quelle(s) variable(s) montre(nt) une corrélation positive avec le volume de nectar produit par le genre *Mimulus* ? (b) Quelle(s) variable(s) montre(nt) une corrélation négative ? (c) Pour quelle(s) variable(s) y a-t-il absence de corrélation nette ?
2. (a) Quelles espèces de *Mimulus* considéreriez-vous comme des espèces se reproduisant surtout par voie asexuée ? Pourquoi ? (b) Quelles espèces de *Mimulus* considéreriez-vous comme des espèces se reproduisant surtout par voie sexuée ? Pourquoi ?
3. (a) Quelle espèce s'en tirerait probablement mieux en présence d'un agent pathogène qui infecterait toutes les espèces de *Mimulus* ? (b) Quelle espèce s'en tirerait mieux si un agent pathogène était la cause d'un déclin des populations de colibris à queue large ?

greffé (voir le concept 43.3). Inversement, chez les végétaux, l'auto-incompatibilité rejette le « soi ».

Les scientifiques ont commencé à comprendre les mécanismes moléculaires de l'auto-incompatibilité. La reconnaissance du pollen du « soi » fait intervenir les gènes responsables de l'auto-incompatibilité, appelés gènes *S*. Dans le patrimoine génétique d'une population particulière, le gène *S* peut présenter des douzaines d'allèles différents. S'il a un allèle qui correspond à un allèle du stigmate sur lequel il se pose, un grain de pollen ne germera pas ou ne produira pas de tube pollinique dans le style de l'ovaire. Il existe deux types d'auto-incompatibilité : l'auto-incompatibilité gamétophytique ou l'auto-incompatibilité sporophytique.

Dans l'auto-incompatibilité gamétophytique, c'est l'allèle *S* du génome du pollen (génération haploïde) qui régit l'inhibition de la fécondation. Par exemple, un grain de pollen S_1 issu d'un sporophyte parental S_1S_2 ne pourra pas féconder les oosphères d'une fleur S_1S_2, mais pourra féconder une fleur S_2S_3. À titre de comparaison, un grain de pollen S_2 ne pourrait féconder aucune de ces deux fleurs. Chez certaines espèces, cette auto-incompatibilité provoque la destruction enzymatique de l'ARN cytoplasmique à l'intérieur du tube pollinique. Les ribonucléases, ou RNases, sont des enzymes qui sont produites par le style du carpelle et qui pénètrent dans le tube pollinique. Mais elles ne peuvent en détruire l'ARN que si le pollen est du type « soi ».

Dans l'auto-incompatibilité sporophytique, la fécondation est inhibée par les produits géniques de l'allèle *S* dans les tissus du sporophyte parental (génération diploïde). Par exemple, ni le grain de pollen S_1 ni le grain de pollen S_2 issus d'un sporophyte parental S_1S_2 ne féconderont les oosphères d'une fleur S_1S_2 ou S_2S_3 en raison du tissu parental S_1S_2 attaché à la paroi du pollen. Ce type d'incompatibilité active une voie de transduction du signal dans les cellules épidermiques du stigmate qui empêche la germination du grain de pollen.

▼ Figure 38.14 Quelques adaptations florales empêchant l'autofécondation.

(a) Certaines espèces, comme la sagittaire à larges feuilles (*Sagittaria latifolia*), sont dioïques; elles possèdent des plants qui ne produisent que des fleurs staminées (fleurs mâles, à gauche) ou que des fleurs pistillées (fleurs femelles, à droite).

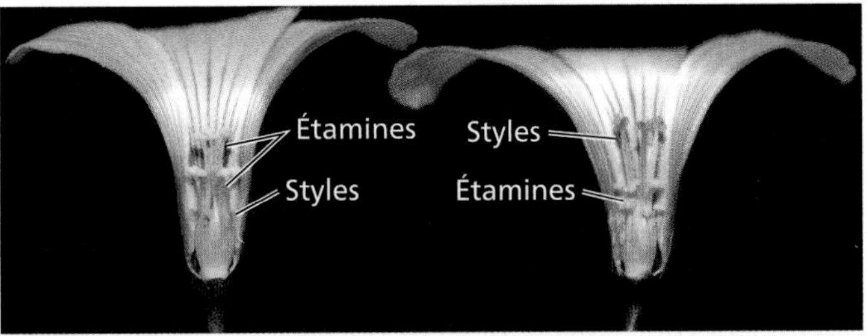

Fleur brévistylée Fleur longistylée

(b) Certaines espèces, comme l'oxalide alpine (*Oxalis alpina*), produisent deux types de fleurs sur des individus différents: les fleurs brévistylées, qui possèdent de courts styles et de longues étamines, et les fleurs longistylées, pourvues de longs styles et de courtes étamines. Un insecte qui cherche du nectar sera recouvert de pollen sur différentes parties de son corps selon le type de fleur. Le pollen qu'il recueillera sur une fleur brévistylée sera déposé sur les stigmates d'une fleur longistylée, et vice versa.

La recherche sur les mécanismes de l'auto-incompatibilité pourrait avoir des applications en agriculture. Les sélectionneurs croisent souvent deux lignées différentes de plantes cultivées afin de combiner leurs meilleures qualités et de contrer la perte de vigueur pouvant souvent résulter d'une consanguinité (*inbreeding*) excessive. Pour empêcher l'autofécondation des deux lignées, ils doivent soit extraire laborieusement les anthères des plantes mères qui fournissent les graines (comme l'a fait Mendel), soit utiliser des lignées mâles stériles de plantes cultivées, si elles existent. Si le génie génétique permet un jour de rendre à certaines variétés de plantes de culture leur autocompatibilité, les obstacles à l'hybridation commerciale de leurs graines pourraient disparaître.

La totipotence, la multiplication végétative et la culture de tissus

Dans un organisme multicellulaire, toute cellule capable de se diviser et de produire par voie asexuée un clone de l'organisme parental est dite **totipotente**. La totipotence existe chez beaucoup de végétaux, principalement mais non exclusivement dans leurs tissus méristématiques. C'est sur cette propriété de totipotence que reposent la plupart des techniques utilisées par les humains pour cloner des plantes.

La propagation végétative et la greffe

La multiplication végétative a lieu naturellement chez beaucoup de plantes, mais on peut souvent la favoriser ou la déclencher. Le bouturage est un procédé de reproduction asexuée qu'on utilise pour la plupart des plantes d'intérieur, des arbustes et arbrisseaux ornementaux et des arbres fruitiers. Il consiste à couper une partie de plante (tige, rameau, racine ou feuille), appelée bouture. Sur l'extrémité coupée d'une bouture de tige se forme une masse de cellules peu spécialisées semblable à du tissu parenchymateux plus ou moins organisé appelée **cal**, à partir de laquelle poussent ensuite des racines adventives. Si la bouture de tige comprend un nœud, les racines adventives poussent sans qu'un cal se soit formé. Pour certaines plantes, dont les violettes africaines (*Saintpaulia spp.*), on peut utiliser des boutures de feuilles. Pour d'autres, on prélève les boutures sur des tiges spécialisées contenant des réserves nutritives, comme les tubercules de pomme de terre (*Solanum tuberosum*). La poire Bartlett et la pomme Red Delicious sont des exemples de variétés qui ont été propagées par voie asexuée depuis plus de 150 ans.

La greffe, elle, consiste à joindre de façon permanente un jeune rameau d'une plante et une tige d'une autre plante. Habituellement réservée aux individus d'espèces étroitement apparentées, la greffe permet de réunir chez un seul individu les meilleures caractéristiques d'espèces ou de variétés différentes. On appelle **porte-greffe** la plante qui fournit le système racinaire, et **greffon** le jeune rameau destiné à greffer. Par exemple, les viticulteurs greffent des vignes françaises qui produisent des raisins de qualité supérieure sur des porte-greffes dont la variété produit des raisins de qualité inférieure, mais qui sont résistantes à certains agents pathogènes du sol. Le matériel génétique du greffon détermine la qualité du fruit. Durant la greffe, un cal se forme d'abord entre les deux extrémités du porte-greffe et du greffon. La différenciation cellulaire achève ensuite l'unification fonctionnelle des individus greffés.

Le clonage in vitro *et les techniques analogues*

Les phytobiologistes ont recours à des techniques *in vitro* pour cloner des plantes à des fins de recherche ou pour l'horticulture. On peut obtenir des individus entiers à partir de petits morceaux de tissu prélevés sur la plante mère ou même de cellules parenchymateuses cultivées dans un milieu artificiel contenant des nutriments et des régulateurs de croissance. Les cellules ou les tissus peuvent provenir de n'importe quelle partie d'une plante, mais la croissance peut varier selon la partie de la plante, l'espèce et le milieu artificiel. Dans certains milieux, les cellules se divisent et forment un cal de cellules totipotentes indifférenciées (**figure 38.15a**). Lorsque les concentrations de régulateurs de croissance et de nutriments sont bien dosées, un cal peut faire germer des pousses et des racines possédant des cellules complètement différenciées (**figures 38.15b** et **38.15c**). Au besoin, on repique alors les plantules ainsi obtenues dans le sol, où leur croissance se poursuit. On peut obtenir des milliers de copies d'une plante en subdivisant les cals. Cette technique s'applique à la multiplication des orchidées, ainsi que d'une grande variété d'arbres et d'arbustes.

La culture de tissus végétaux est importante pour l'élimination de virus modérément pathogènes qui peuvent nuire aux variétés à multiplication végétative. Même lorsque la présence de ces virus n'est pas manifeste, une infection peut nuire

▼ **Figure 38.15** **Le clonage d'un plant d'ail. (a)** La racine d'un bulbe d'ail (*Allium sativum*) a donné naissance à cette culture de cal, c'est-à-dire une masse de cellules totipotentes indifférenciées. **(b)** et **(c)** La différenciation d'un cal en plantule dépend de la quantité de nutriments et des concentrations de régulateurs de croissance dans le milieu artificiel, comme on peut le voir dans ces cultures de différentes durées de croissance.

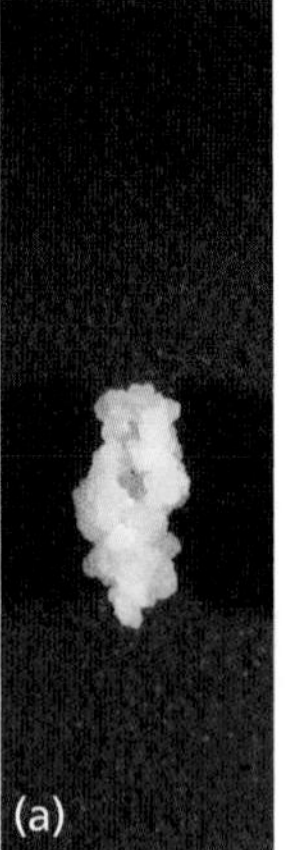

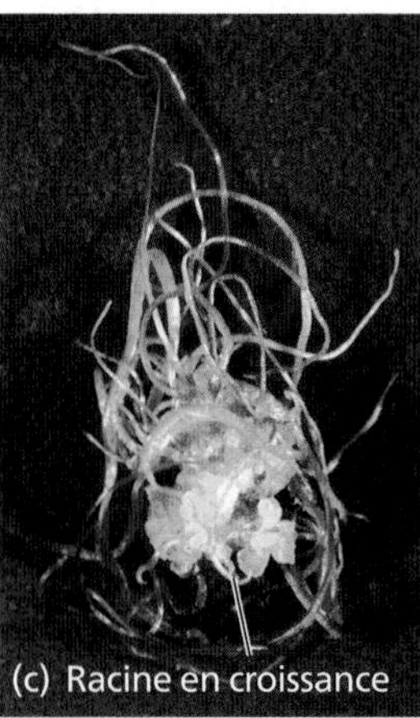

considérablement au volume ou à la qualité des récoltes. Les plants de fraises, par exemple, sont sensibles à plus de 60 virus; en général, on doit remplacer les plants chaque année à cause d'une infection virale. Toutefois, comme les méristèmes apicaux échappent souvent à l'infection, on peut les exciser et les utiliser pour produire des tissus sains à cultiver.

La culture cellulaire végétale facilite également l'étude des végétaux en génie génétique. En effet, la plupart des techniques d'introduction de gènes étrangers dans des plantes nécessitent tout d'abord des cellules végétales ou de petits morceaux de tissu végétal. La culture cellulaire végétale permet aux chercheurs d'obtenir des plantes modifiées génétiquement (transgéniques) à partir d'une seule cellule contenant de l'ADN étranger. Au chapitre 20, nous traitons en détail des techniques utilisées en génie génétique. Dans la prochaine section, nous verrons comment l'agriculture peut bénéficier de l'utilisation de plantes transgéniques et quelles sont les difficultés rencontrées.

RETOUR SUR LE CONCEPT 38.2

1. Nommez les trois façons utilisées par les plantes à fleurs pour éviter l'autofécondation.
2. La banane sans graines, qui est le fruit le plus populaire au monde, lutte actuellement contre deux épidémies fongiques. Pourquoi ce genre d'épidémie présente-t-il un risque élevé pour les cultures qui se reproduisent de manière asexuée ?
3. L'autofécondation semble avoir des inconvénients évidents en tant que «stratégie» de reproduction dans la nature ; elle a même été baptisée «impasse évolutive». Il est donc surprenant qu'environ 20 % des espèces d'angiospermes aient surtout recours à l'autofécondation. Proposez une raison pour laquelle l'autofécondation pourrait être avantageuse tout en constituant une impasse évolutive.

Voir les réponses proposées à l'appendice A.

CONCEPT **38.3**

Les humains modifient les cultures par la sélection et le génie génétique

On manipule la reproduction et le patrimoine génétique des végétaux depuis les origines de l'agriculture. Ainsi, le maïs doit son existence aux humains. Si on le laissait pousser seul dans la nature, le maïs disparaîtrait rapidement, car il ne peut disséminer ses graines. En effet, les grains de maïs sont non seulement attachés de manière permanente à l'axe central (la rafle de l'épi), mais également protégés de manière permanente par une gaine de feuilles qui enveloppent l'épi (**figure 38.16**). Ces caractéristiques proviennent d'une sélection artificielle menée par les humains. (Voir le concept 22.2 pour une révision des bases de la sélection artificielle.) En effet, même sans aucune connaissance des principes scientifiques qui régissent la sélection des végétaux, les premiers fermiers (il y a environ 10 000 ans) ont domestiqué relativement rapidement la plupart des espèces végétales que nous cultivons aujourd'hui.

Le remaniement génétique naturel des végétaux a débuté bien avant que les humains ne commencent à modifier les cultures par la sélection artificielle. Par exemple, les chercheurs ont récemment conclu que les ancêtres de la patate douce (*Ipomoea batatas*) sont entrés en contact avec *Agrobacterium* (une bactérie du sol qui est aujourd'hui le vecteur le plus utilisé pour modifier génétiquement des plantes) et qu'il s'est ensuite produit une transmission horizontale de gènes (voir le concept 26.6). Donc, la patate douce s'est modifiée génétiquement de façon naturelle. Cette découverte s'ajoute à la controverse entourant la réglementation des organismes génétiquement modifiés (OGM), surtout que les plantes qui ont été génétiquement modifiées en laboratoire à l'aide d'*Agrobacterium* font actuellement l'objet d'une réglementation sévère. Autre exemple: le blé (*Triticum sp.*) que nous utilisons dans la fabrication d'une grande partie de nos aliments est le résultat d'une hybridation naturelle entre différentes espèces de graminées. Cette hybridation est fréquente chez les végétaux, et les agriculteurs l'ont d'ailleurs longtemps exploitée pour introduire de nouvelles variations génétiques dans la sélection artificielle et pour améliorer les cultures.

La sélection des végétaux

La sélection des végétaux, c'est l'art et la science de remanier les caractères des plantes dans le but d'obtenir les caractéristiques souhaitées. Les sélectionneurs examinent soigneusement leurs champs et voyagent de par le monde pour trouver des variétés domestiquées ou des espèces sauvages apparentées qui possèdent les caractères recherchés. À l'occasion, ces caractères apparaissent spontanément par mutation, mais la vitesse naturelle des mutations est trop lente et n'est pas assez fiable pour produire toutes les mutations que les sélectionneurs voudraient étudier. Ils accélèrent parfois les mutations en traitant de grands lots de graines ou de plantules avec des radiations ou des substances chimiques.

Selon la méthode traditionnelle, lorsqu'on identifie un caractère souhaité chez une espèce sauvage, on croise cette espèce avec une variété domestique. En général, la descendance qui a hérité des caractères recherchés du parent sauvage a également hérité de nombreux caractères qui ne sont pas utiles pour l'agriculture, comme de petits fruits ou un rendement faible. La descendance qui exprime le caractère recherché est encore une fois croisée avec des membres de l'espèce domestiquée, et leur descendance est à son tour examinée pour qu'on y trouve le caractère recherché. Ce processus se poursuit jusqu'à ce que la descendance possédant le caractère sauvage recherché ressemble au parent domestiqué original quant à ses autres caractéristiques agricoles.

Alors que la plupart des sélectionneurs effectuent une pollinisation croisée de plantes d'une même espèce, certaines méthodes de sélection font appel à l'hybridation entre deux espèces distantes du même genre. Ces croisements entraînent parfois l'avortement de la graine hybride au cours du développement. Souvent, l'embryon commence à se développer, mais pas l'albumen. On sauve parfois les embryons hybrides, par la méthode de culture d'embryons zygotiques, en les retirant de l'ovule par chirurgie et en les cultivant *in vitro*.

La biotechnologie végétale et le génie génétique

L'expression *biotechnologie végétale* a deux significations. Au sens général, elle désigne les innovations liées à l'utilisation des végétaux ou de leurs dérivés et visant à fabriquer des produits destinés aux humains; ces innovations existent depuis la préhistoire. Dans un sens plus restreint, la biotechnologie végétale est l'utilisation d'organismes génétiquement modifiés (OGM) dans l'agriculture et dans l'industrie. En fait, depuis les deux dernières décennies, le génie génétique est devenu si important dans la biotechnologie que les médias confondent *génie génétique* et *biotechnologie*.

Contrairement aux sélectionneurs traditionnels, les phytobiotechnologues actuels, qui utilisent les techniques du génie génétique, ne se limitent pas au seul transfert de gènes entre espèces ou genres étroitement apparentés. Ainsi, les techniques traditionnelles de sélection végétale ne permettent pas d'introduire un gène recherché de narcisse des prés (*Narcissus pseudonarcissus*) dans le riz (*Oryza sativa*), parce que les nombreuses espèces intermédiaires entre les deux plantes et l'ancêtre commun de ces deux plantes ont disparu. En théorie, si les sélectionneurs avaient à leur disposition les espèces intermédiaires, ils pourraient, probablement en plusieurs siècles, introduire un gène de narcisse dans le riz, en utilisant des techniques traditionnelles d'hybridation et de sélection. Le génie génétique permet d'accomplir ce transfert de gènes de façon plus rapide et plus spécifique, et en l'absence des espèces intermédiaires. Le terme **transgénique** sert à décrire les organismes génétiquement modifiés (OGM) qui ont été conçus pour porter l'ADN d'un autre organisme de la même espèce ou d'une espèce différente. (Voir le concept 20.1 pour plus de détails sur les méthodes de génie génétique.)

Jusqu'à la fin du présent chapitre, nous examinerons les perspectives offertes par les cultures génétiquement modifiées ainsi que les controverses qui les entourent. Les défenseurs de la biotechnologie végétale soutiennent que la transformation génétique des plantes cultivées est la clé pour vaincre les problèmes les plus pressants du 21e siècle, notamment la faim dans le monde et la dépendance aux combustibles fossiles.

La lutte contre la faim dans le monde

Près de 1 milliard de personnes souffrent de la faim actuellement dans le monde, et les causes de ce fléau ne font pas l'unanimité.

▼ **Figure 38.16 Le maïs: un produit de la sélection artificielle.** Le maïs cultivé actuel (*Zea mays subsp. mays*, photo du bas) est issu de la téosinte (*Zea mays subsp. parviglumis* ou *subsp. mexicana*, photo du haut). Les grains de téosinte sont petits, et chaque rangée est entourée d'une enveloppe. À maturité, les feuilles se détachent et libèrent les graines, ce qui permet leur dissémination. Cela rendait probablement la récolte difficile aux premiers agriculteurs. Les agriculteurs de l'âge néolithique ont donc sélectionné les graines issues des plants ayant les plus gros épis et les plus gros grains, et pourvus d'épis recouverts d'une enveloppe de feuilles résistantes et dont les grains restaient fermement attachés.

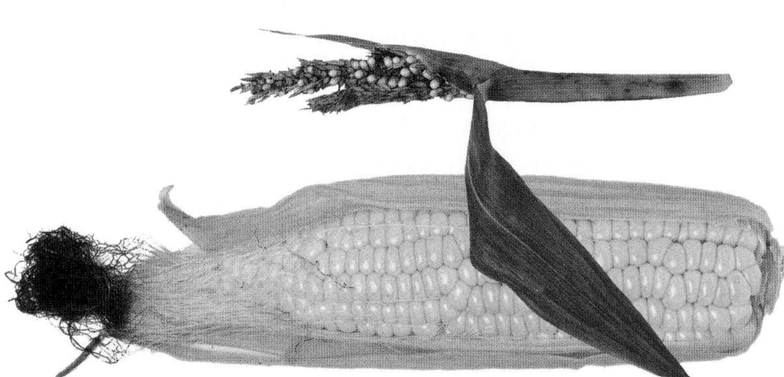

Certains affirment que le manque de nourriture est attribuable à une distribution inégale des aliments et que les gens très pauvres n'ont pas les moyens de s'acheter de la nourriture. D'autres sont d'avis que le manque de nourriture constitue une preuve de la surpopulation mondiale, c'est-à-dire que la planète ne peut nourrir autant de gens (voir le concept 53.3). Quelles que soient les causes de la famine, il semble que les humains devraient avoir pour objectif d'augmenter la production alimentaire. Comme la terre et l'eau sont les ressources les plus limitées, la meilleure option consisterait à augmenter le rendement des terres agricoles existantes. En effet, il reste très peu de terres cultivables qui ne soient déjà cultivées, surtout si l'on veut préserver les derniers espaces sauvages. Selon certaines estimations conservatrices portant sur la croissance démographique, les agriculteurs devront produire, par hectare, 40 % de grains en plus pour nourrir la population mondiale en 2030. La biotechnologie végétale pourrait les aider à atteindre ce rendement.

Les cultures qu'on a génétiquement modifiées pour qu'elles expriment les transgènes de *Bacillus thuringiensis* (une bactérie du sol) nécessitent moins de pesticide. Ces « transgènes » codent une protéine, la toxine *Bt*, qui est toxique pour beaucoup d'insectes parasites (**figure 38.17**). La toxine *Bt* utilisée dans les cultures est produite dans la plante sous forme de protoxine inoffensive, et ne devient toxique que si elle est activée par des conditions alcalines, comme celles qui existent dans l'estomac de la plupart des insectes. Étant donné que les vertébrés ont des estomacs très acides, la protoxine consommée par les humains ou les animaux d'élevage est détruite sans jamais devenir active.

On peut également améliorer la valeur nutritive des végétaux. Par exemple, chaque année, quelque 250 000 à 500 000 enfants deviennent aveugles à cause d'une carence en vitamine A. Plus de la moitié de ces enfants meurent moins d'un an après être devenus aveugles. En réponse à cette situation triste et évitable, les chercheurs en génie génétique ont créé le « riz doré », une variété transgénique dont les transgènes permettent de produire des grains de riz contenant davantage de bêta-carotène, un précurseur de la vitamine A. La commercialisation du riz doré a été retardée par des restrictions et des règlements qui exigeaient qu'on analyse en profondeur ses effets sur la santé et l'environnement. Le manioc, aliment de première nécessité pour les 800 millions de personnes les plus pauvres de la planète, se trouve aussi sous la loupe du génie génétique (**figure 38.18**).

Les chercheurs travaillent également sur des plantes transgéniques qui présenteraient une meilleure résistance aux maladies. Par exemple, dans l'archipel hawaïen, on a introduit un papayer transgénique résistant à l'un des virus des taches annulaires. Cette mesure a permis de sauver l'industrie de la papaye (fruit du *Carica papaya*).

Les cultures transgéniques résistantes au glyphosate ont suscité une importante controverse. Le glyphosate est un herbicide réputé mortel pour une grande variété de plantes parce qu'il inhibe une enzyme essentielle intervenant dans une voie biochimique des végétaux (et de la plupart des bactéries), mais pas des animaux. Les chercheurs avaient découvert une souche bactérienne dont le gène qui code pour cette enzyme avait subi une mutation qui conférait une résistance au glyphosate. Lorsqu'ils ont introduit ce gène dans le génome de diverses cultures, celles-ci sont également devenues résistantes au glyphosate, si bien que les fermiers arrivaient à contrôler presque totalement les mauvaises herbes en les pulvérisant de glyphosate. Malheureusement, la surutilisation du glyphosate a provoqué une énorme pression sélective, appauvri la diversité des mauvaises herbes et favorisé la multiplication de nombreuses espèces résistantes au glyphosate. Parallèlement, au cours des dernières décennies, on a de mieux en mieux compris le rôle des bactéries intestinales dans la santé animale et humaine, et constaté que le glyphosate nuisait peut-être à la santé humaine et animale en interférant avec les bactéries intestinales qui leur sont bénéfiques. Pire encore, l'Organisation mondiale de la Santé a déclaré en 2015 que le glyphosate était une cause probable de cancer. Toutefois, il ne semble pas y avoir de consensus à ce sujet. En effet, Santé Canada a procédé au printemps 2017 à une réévaluation des risques associés au glyphosate et en a conclu qu'il n'était pas génotoxique et qu'il était peu probable qu'il présente un risque pour le cancer chez les humains.

La réduction de la dépendance aux combustibles fossiles

Sur la planète, les sources de combustibles fossiles bon marché, particulièrement le pétrole, s'épuisent rapidement. De plus, selon la plupart des climatologues, le réchauffement climatique est principalement dû à la combustion effrénée des combustibles fossiles, comme le charbon et le pétrole, et à la libération de CO_2, un gaz à effet de serre qu'elle produit. Comment est-il possible de répondre aux demandes énergétiques du 21e siècle d'une façon économique et non polluante? Dans certaines localités, l'énergie éolienne et l'énergie solaire peuvent devenir économiquement viables, mais ces sources d'énergie renouvelables pourront difficilement satisfaire aux demandes croissantes d'énergie de la planète. De nombreux scientifiques prédisent que des **biocarburants** (carburants dérivés de la biomasse vivante) pourraient produire une partie appréciable des besoins mondiaux en énergie dans un proche avenir. La **biomasse** est la masse totale de matière organique dans un groupe d'organismes vivant dans un habitat donné. L'utilisation de biocarburants issus de la biomasse végétale réduirait l'émission nette de CO_2. Alors que la combustion des combustibles fossiles augmente les concentrations de CO_2 atmosphérique, les cultures destinées à la production de biocarburants réabsorbent par photosynthèse le CO_2 émis lors de la combustion des biocarburants; il en résulte un cycle neutre en carbone.

Les scientifiques qui travaillent à créer des cultures de biocarburants à partir de précurseurs de type sauvage concentrent leurs efforts sur les plantes à croissance rapide, comme le panic raide (*Panicum virgatum*) et le peuplier occidental (*Populus trichocarpa*), qui peuvent croître dans des sols dont la composition est trop pauvre pour produire des aliments. Les scientifiques n'envisagent pas de brûler directement la biomasse végétale, mais plutôt de faire appel à des réactions enzymatiques pour décomposer en glucides les polymères des parois cellulaires, comme la cellulose et l'hémicellulose, qui constituent les composés organiques les plus abondants sur terre. Ces glucides seraient ensuite transformés en alcool par fermentation, puis distillés pour produire des biocarburants. En plus d'augmenter le contenu des plantes en polysaccharides et la biomasse dans son ensemble, les chercheurs tentent de modifier génétiquement les parois cellulaires des plantes dans le but d'améliorer l'efficacité du processus de conversion enzymatique.

▼ **Figure 38.17 Avec ou sans toxine *Bt*.** Des essais effectués dans des champs montrent que le maïs sans toxine *Bt* (photo de gauche) est considérablement ravagé par des insectes et par la moisissure *Fusarium*, tandis que le maïs avec toxine *Bt* (photo de droite) subit moins de dommages, sinon aucun.

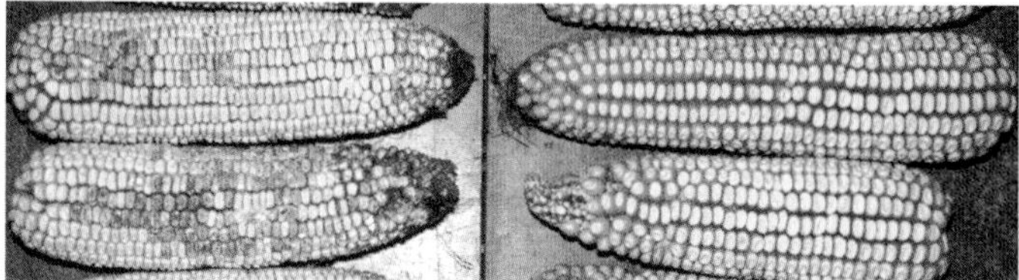

Maïs sans toxine *Bt* Maïs avec toxine *Bt*

▶ **Figure 38.18 La lutte contre la faim dans le monde grâce au manioc transgénique (*Manihot esculenta*).** Le manioc, une plante racine riche en amidon, est l'aliment de base de quelque 800 millions de pauvres dans le monde. Malheureusement, non seulement cette plante ne constitue pas un régime équilibré, mais il faut la traiter pour enlever des substances chimiques qui libèrent du cyanure (une toxine). Les chercheurs ont cependant mis au point des plants de manioc transgénique plus riches en fer et en bêta-carotène (un précurseur de la vitamine A). Ils ont également créé des plants de manioc dont les racines sont deux fois plus grosses que la normale et d'autres qui ne contiennent pratiquement aucune substance chimique produisant du cyanure.

La controverse soulevée par la biotechnologie végétale

Les arguments en défaveur de l'utilisation des OGM en agriculture sont en grande partie de nature politique, sociale, économique ou éthique. Ces débats sortent donc du cadre du présent manuel. Cependant, nous *devons* tenir compte des répercussions biologiques de l'utilisation de cultures génétiquement modifiées. Certains biologistes, particulièrement des écologistes, sont inquiets des risques inconnus que représente l'introduction des OGM dans l'environnement et se demandent dans quelle mesure ils pourraient nuire à la santé humaine ou à l'environnement. Ceux qui veulent ralentir l'essor de la biotechnologie végétale (ou l'empêcher tout court) craignent qu'il ne puisse être stoppé une fois lancé. Dans un essai clinique, si le médicament à l'étude cause des effets néfastes non attendus, on met fin à l'essai clinique. En revanche, dans les « essais » consistant à introduire de nouveaux organismes dans la biosphère, il n'est pas dit qu'on puisse mettre fin à l'expérience et revenir en arrière. Nous allons donc examiner certains des arguments soulevés par les opposants aux OGM, notamment leurs effets sur la santé humaine et sur les organismes non ciblés, ainsi que le risque de fuite transgénique.

Les enjeux relatifs à la santé humaine

Pour de nombreux opposants aux OGM, l'un des sujets d'inquiétude soulevés par le génie génétique est qu'il pourrait transférer par inadvertance des allergènes (molécules qui provoquent une réaction allergique chez certains humains) d'une espèce qui produit un allergène à une plante comestible. Cependant, les phytobiotechnologues s'emploient déjà à retirer des fèves de soja et d'autres cultures les gènes qui codent pour des protéines allergènes. Jusqu'à maintenant, il n'existe aucune preuve formelle qu'une plante génétiquement modifiée et destinée expressément à la consommation humaine aurait eu un effet allergène sur la santé des humains. En fait, certains aliments transgéniques sont peut-être plus sains que d'autres qui ne sont pas modifiés. Le maïs *Bt* (la variété transgénique possédant la toxine *Bt*), par exemple, contient 90 % moins de toxine fongique cancérigène et responsable d'anomalies congénitales que le maïs ordinaire. Cette toxine, appelée fumonisine, est hautement résistante à la dégradation, et a été découverte en concentrations inquiétantes dans toutes sortes de produits du maïs, allant des flocons de maïs à la bière. La fumonisine est produite par un type d'eumycètes (principalement *Fusarium verticillioides* et *F. proliferatum*) qui infecte le maïs attaqué par des insectes. Or, comme le maïs *Bt* se fait beaucoup moins assaillir que le maïs ordinaire, il contient beaucoup moins de fumonisine.

L'analyse des effets des OGM sur la santé humaine inclut l'évaluation de la santé des fermiers, nombreux à s'être exposés à des taux élevés d'insecticides chimiques avant l'introduction de la toxine *Bt* dans les cultures. En Inde, par exemple, l'introduction généralisée de la toxine *Bt* dans les cultures de coton (*Gossypium spp.*) a permis de diminuer de 41 % l'utilisation d'insecticides et de 80 % le nombre de cas d'intoxication aiguë chez les fermiers.

Les effets possibles sur les organismes non ciblés

De nombreux écologistes s'inquiètent des conséquences imprévues que les OGM pourraient avoir sur des organismes non ciblés. Une étude en laboratoire a indiqué que la larve (chenille) du monarque (*Danaus plexippus*) réagit mal à la consommation de feuilles d'asclépiade (*Asclepias sp.*, sa nourriture favorite) abondamment recouvertes de pollen du maïs transgénique qui produit la toxine *Bt*, et qu'elle peut même en mourir. Cette étude a toutefois été discréditée depuis, illustrant bien l'obligation qu'a la science de corriger ses propres erreurs. Il s'avère que, lorsque les auteurs de ladite étude ont agité les inflorescences du maïs mâle au-dessus des feuilles d'asclépiade, ils ont également fait tomber sur celles-ci des filets d'étamine, des microsporanges et d'autres pièces florales. Or, une étude subséquente a montré que c'étaient ces pièces florales et *non* le pollen qui contenaient une concentration élevée de toxine *Bt*. Contrairement au pollen, les pièces florales ne sont pas transportées par le vent vers les asclépiades voisines dans des conditions normales. Une seule variété de maïs, qui représente moins de 2 % de la production commerciale de maïs *Bt* (maintenant abandonnée), produit du pollen contenant une concentration élevée de toxine *Bt*.

Pour tenir compte des effets négatifs du pollen *Bt* sur les monarques, on doit également soupeser les effets de la solution de remplacement la plus probable au maïs *Bt*, à savoir l'épandage de pesticides chimiques sur le maïs ordinaire. Or, des études subséquentes ont montré que ce type d'arrosage s'avère plus dangereux pour la population locale de monarques que la production de maïs *Bt*. Même si les effets non souhaités du pollen *Bt* sur les larves de grands monarques semblent négligeables, la controverse a fait ressortir la nécessité de mener d'autres études sur le terrain et l'importance de limiter l'expression génique à certains tissus afin d'en améliorer l'innocuité.

Le problème des évasions transgéniques

La plus grande et la plus grave inquiétude, au regard des cultures génétiquement modifiées, est la possibilité qu'une hybridation entre plantes cultivées et plantes sauvages introduise chez ces dernières des caractères transgéniques. Par exemple, une hybridation spontanée entre une culture modifiée pour résister aux herbicides et une plante sauvage apparentée pourrait donner naissance à une « supermauvaise herbe » qui pourrait posséder un avantage de sélection sur les plantes sauvages, et qu'il serait très difficile de contrôler sur le terrain. Les défenseurs des OGM soutiennent que la probabilité de fuite transgénique dépend de la capacité qu'ont les espèces cultivées et sauvages de s'hybrider ainsi que des effets des transgènes sur l'adéquation des plants hybrides à leur milieu. Un caractère recherché pour une culture (par exemple, un phénotype de nanisme qui aide à contrer la verse, soit l'état des plantes couchées sur le sol par une intempérie) peut représenter un inconvénient pour une plante sauvage. Dans d'autres cas, le milieu n'abrite aucune plante sauvage apparentée susceptible d'hybridation. Par exemple, il n'existe aucune plante sauvage apparentée au soja en Amérique du Nord. Cependant, le canola (*Brassica napus* var. *napus*), le sorgho (*Sorghyn sp.*) et plusieurs autres espèces cultivées s'hybrident facilement avec des espèces sauvages ; d'ailleurs, une fuite transgénique est survenue entre une espèce cultivée de gazon et une espèce sauvage. En 2003, une variété transgénique d'agrostide (*Agrostis stolonifera*) génétiquement modifiée pour résister au glyphosate (l'herbicide) s'est « échappée » du terrain expérimental où on la faisait pousser, en Oregon, après une tempête de vent. Malgré les efforts pour éradiquer l'évadée, 62 % des plants d'*Agrostis* retrouvés dans les environs trois ans plus tard étaient résistants au glyphosate. Jusqu'à présent, l'impact écologique de cet événement semble être mineur, mais il n'en sera pas nécessairement ainsi des futures évasions transgéniques.

On tente de mettre en œuvre plusieurs stratégies afin d'empêcher les évasions transgéniques. Par exemple, en rendant stériles les individus mâles des cultures transgéniques, on obtiendrait des plantes qui continueraient de produire des graines et des fruits si elles étaient pollinisées par des individus voisins non transgéniques, mais les mâles transgéniques ne produiraient pas eux-mêmes de pollen viable. Une deuxième méthode consiste à modifier génétiquement les plantes pour introduire l'apomixie dans les cultures transgéniques. Lorsqu'une graine est produite par apomixie, l'embryon et l'albumen se développent sans fécondation. Le transfert de ce caractère aux cultures transgéniques réduirait donc la possibilité d'évasion transgénique par l'intermédiaire du pollen, car les plantes pourraient être des mâles stériles sans que la production de graines ou de fruits soit compromise. Une troisième approche consiste à insérer les transgènes dans l'ADN des chloroplastes de la culture. Comme l'ADN des chloroplastes vient uniquement de l'oosphère, les transgènes qui sont dans les chloroplastes ne peuvent être transmis par le pollen. Une quatrième méthode permettant d'éviter l'évasion transgénique consiste à modifier génétiquement des fleurs qui se développeraient normalement, mais ne réussiraient pas à s'ouvrir. Par conséquent, l'autofécondation se produirait, mais il serait peu probable que le pollen puisse s'échapper de la fleur. Cette solution nécessiterait des modifications de la structure des fleurs. On a découvert que plusieurs gènes floraux pourraient être manipulés à cette fin.

Le débat incessant sur l'utilisation des OGM en agriculture illustre l'une des idées récurrentes du présent manuel : l'importance des relations entre la science, la technologie et la société. Les progrès technologiques comportent presque toujours un risque d'obtenir des résultats inattendus. Or, dans le cas des cultures génétiquement modifiées, le niveau zéro de risque est probablement inaccessible. Les scientifiques et le public doivent donc évaluer, dans chacun des cas, les bienfaits possibles des produits transgéniques par rapport aux risques que la société est prête à prendre. Mais l'idéal est que les discussions et les prises de décision se fondent sur de l'information scientifique et des expérimentations rigoureuses, et non sur la peur ou l'optimisme aveugle.

RETOUR SUR LE CONCEPT 38.3

1. Comparez les techniques traditionnelles de sélection végétale et le génie génétique.
2. Pourquoi le maïs *Bt* contient-il moins de fumonisine que le maïs ordinaire ?
3. **ET SI ?** ▶ Chez un petit nombre d'espèces, les gènes du chloroplaste sont transmis seulement par les spermatozoïdes. En quoi cela peut-il influencer les efforts pour empêcher l'évasion transgénique ?

Voir les réponses proposées à l'appendice A.

RÉVISION DU CHAPITRE 38

Consultez votre MANUEL NUMÉRIQUE, qui vous donne accès aux **animations**, aux **exercices** et à la plateforme d'**anatomie interactive**.

Résumé des concepts clés

CONCEPT 38.1

Les fleurs, la double fécondation et les fruits sont des caractéristiques fondamentales du cycle de développement des angiospermes (p. 900 à 909)

- Chez les angiospermes, la reproduction fait intervenir une alternance des générations entre la génération sporophyte diploïde multicellulaire et la génération gamétophyte haploïde multicellulaire. Les **fleurs**, produites par le sporophyte, jouent un rôle dans la reproduction sexuée.
- Les quatre types de pièces florales sont les sépales, les pétales, les étamines et les carpelles. Les **sépales** protègent le bourgeon floral. Les **pétales** aident à attirer les pollinisateurs. Les **étamines** portent des **anthères** dans lesquelles les **microspores** haploïdes se développent en **grains de pollen** contenant un gamétophyte mâle. Les **carpelles** contiennent les **ovules** (graines immatures) dans leurs bases gonflées. Les **sacs embryonnaires** (gamétophytes femelles) se développent à partir des **mégaspores**, à l'intérieur de l'ovule.
- La **pollinisation**, qui précède la **fécondation**, est le dépôt du pollen sur le stigmate d'un carpelle. Après la pollinisation, le **tube pollinique** dépose deux spermatozoïdes dans le gamétophyte femelle. Deux spermatozoïdes sont nécessaires pour la **double fécondation**, un processus par lequel le premier spermatozoïde féconde l'oosphère, formant un zygote et éventuellement un embryon, tandis que le second spermatozoïde s'unit aux deux noyaux polaires, ce qui donne naissance à l'albumen qui entrepose les éléments nutritifs.

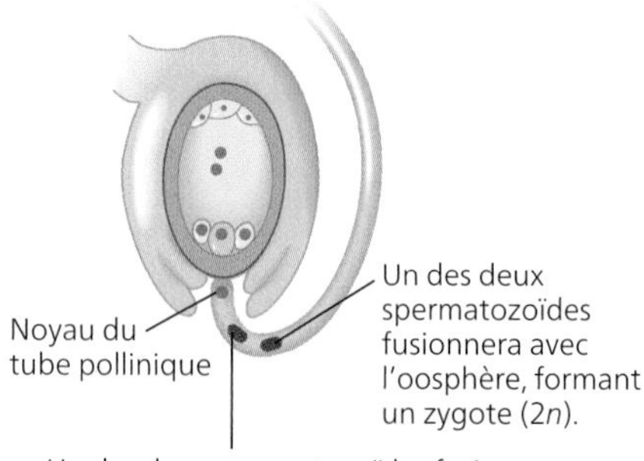
Noyau du tube pollinique
Un des deux spermatozoïdes fusionnera avec l'oosphère, formant un zygote (2*n*).
Un des deux spermatozoïdes fusionnera avec les deux noyaux polaires, formant le noyau de l'albumen (3*n*).

- La **graine** comprend un embryon en dormance ainsi qu'une réserve de nutriments emmagasinée dans l'**albumen** ou les cotylédons. La **dormance** fait en sorte que les graines germent seulement dans des conditions favorables. L'interruption de la dormance nécessite souvent des stimulus extérieurs, comme des variations de température ou de luminosité.

- Le **fruit** protège les graines qu'il renferme et en favorise la dissémination par le vent ou par les animaux qu'il attire.

? Quelles modifications subissent les quatre types de pièces florales lorsqu'une fleur se transforme en fruit ?

CONCEPT 38.2

Les plantes à fleurs se reproduisent par voie sexuée, asexuée, ou les deux (p. 909 à 914)

- La **reproduction asexuée**, aussi appelée **multiplication végétative**, permet aux plantes de se multiplier rapidement. La **reproduction sexuée**, elle, engendre la majeure partie des variations génétiques qui permettent les adaptations au cours de l'évolution.
- Les végétaux ont acquis de nombreux mécanismes pour éviter l'autofécondation, notamment la dioïcité (fleurs mâles et femelles sur des individus différents), la production non synchrone de parties mâles et femelles sur une même fleur et des réactions d'**auto-incompatibilité** dans lesquelles les grains de pollen qui portent un allèle identique à celui de la femelle sont rejetés.
- Les plantes peuvent être clonées à partir de cellules uniques qui peuvent être génétiquement modifiées avant qu'on choisisse de leur permettre de donner une plante.

? Quels sont les avantages de la reproduction asexuée et quels sont ceux de la reproduction sexuée ?

CONCEPT 38.3

Les humains modifient les cultures par la sélection et le génie génétique (p. 914 à 918)

- Dans la nature, l'hybridation entre variétés et même entre espèces différentes est courante chez les végétaux. Les sélectionneurs de végétaux, anciens et modernes, l'ont exploitée pour introduire de nouveaux gènes dans les cultures. Après avoir réussi l'hybridation entre deux plantes, les sélectionneurs choisissent la descendance qui possède les caractères recherchés.
- En génie génétique, les gènes d'organismes non apparentés sont introduits dans les plantes. Les plantes génétiquement modifiées peuvent améliorer la qualité de la nourriture dans le monde et en augmenter la quantité ; elles peuvent également devenir de plus en plus importantes en tant que biocarburants.
- Nombreux sont ceux qui s'inquiètent des risques inconnus de la dissémination d'organismes génétiquement modifiés (OGM) dans l'environnement. Mais il faut aussi tenir compte des bienfaits potentiels des cultures transgéniques.

? Donnez deux exemples de méthodes par lesquelles le génie génétique a amélioré ou pourrait améliorer la qualité des aliments.

Évaluation

NIVEAU 1 : CONNAISSANCES ET COMPRÉHENSION

1. Un fruit est :
a) un ovaire mature.
b) un ovule mature.
c) formé par une graine et son tégument.
d) un sac embryonnaire hypertrophié.

2. La double fécondation signifie que :
a) les fleurs doivent être pollinisées deux fois pour donner des fruits et des graines.
b) chaque oosphère doit recevoir deux spermatozoïdes pour produire un embryon.
c) un spermatozoïde est nécessaire pour féconder l'oosphère, et un deuxième pour féconder les noyaux polaires.
d) chaque spermatozoïde a deux noyaux.

3. Le « maïs *Bt* » :
a) résiste aux divers herbicides, ce qui permet de désherber les champs à l'aide d'herbicides.
b) contient des transgènes qui augmentent sa teneur en vitamine A.
c) contient des gènes bactériens produisant une toxine qui réduit les dommages dus aux insectes parasites.
d) est une variété de maïs « tolérante au bore (B) ».

4. Quel énoncé au sujet de la greffe est correct ?
a) Les porte-greffes et les greffons sont les jeunes rameaux de différentes espèces.
b) Les porte-greffes et les greffons doivent provenir d'espèces non apparentées.
c) Les porte-greffes fournissent les systèmes racinaires pour la greffe.
d) La greffe crée de nouvelles espèces.

NIVEAU 2 : APPLICATION ET ANALYSE

5. Certaines espèces dioïques comportent le génotype XY pour le mâle et XX pour la femelle. Après la double fécondation, quels seraient les génotypes des embryons et des noyaux de l'albumen ?
a) Embryon XY et albumen XXX, ou embryon XX et albumen XXY.
b) Embryon XX et albumen XX, ou embryon XY et albumen XY.
c) Embryon XX et albumen XXX, ou embryon XY et albumen XYY.
d) Embryon XX et albumen XXX, ou embryon XY et albumen XXY.

6. Une petite fleur qui a des pétales verts est probablement pollinisée par :
a) une abeille.
b) un oiseau.
c) une chauve-souris.
d) le vent.

7. Les points noirs qui recouvrent les fraises sont en fait des fruits individuels. La partie charnue et savoureuse d'une fraise provient du réceptacle d'une fleur comportant de nombreux carpelles séparés. Par conséquent, une fraise est :
a) un fruit simple avec de nombreuses graines.
b) à la fois un fruit multiple et un fruit accessoire.
c) à la fois un fruit simple et un fruit agrégé.
d) à la fois un fruit agrégé et un fruit accessoire.

8. **FAITES UN DESSIN ▶** Dessinez les pièces florales et nommez-les.

Voir les réponses proposées à l'appendice A.

Les réponses des végétaux aux stimulus internes et externes

39

VOS OUTILS
INTERACTIFS

Consultez votre MANUEL NUMÉRIQUE, qui vous donne accès aux **animations**, aux **exercices** et à la plateforme d'**anatomie interactive**.

▲ **Figure 39.1** Une plante «vampire»?

CONCEPTS CLÉS

39.1 Les voies de transduction du signal font le lien entre la réception du signal et la réponse

39.2 Les régulateurs de croissance végétaux coordonnent la croissance, le développement et les réponses aux stimulus

39.3 Les réponses des végétaux à la lumière sont vitales pour leur survie

39.4 Les végétaux réagissent à de nombreux stimulus autres que la lumière

39.5 Les végétaux réagissent aux attaques des agents pathogènes et des herbivores

Immobile, ou presque

Lentement, la chasseuse se fraie un passage dans les broussailles en direction de l'ombre, là où elle a plus de chances de débusquer sa proie. Quand elle a commencé sa chasse, elle ne disposait que d'une semaine de réserves. Si elle ne trouve pas bientôt de quoi se nourrir, elle mourra. Mais voilà qu'enfin elle détecte une odeur prometteuse. Elle dirige sa tige droit vers la source de l'odeur et, une fois le butin à sa portée, elle le prend au lasso. À cet instant, elle détecte la présence d'une victime plus attirante! Elle se tourne alors vers elle, l'enserre comme un serpent, perfore sa proie et, tel un vampire, la vide de ses nutriments.

Notre chasseuse est une cuscute (du genre *Cuscuta*), une plante à fleurs parasitique et non photosynthétique. Dès sa germination, la plantule de la cuscute, mue par la réserve d'énergie qu'elle a stockée durant son développement embryonnaire, se met à la recherche d'une plante hôte (**figure 39.1**). Si elle n'en trouve pas dans la première semaine de sa vie, elle meurt au bout de ses réserves. La cuscute attaque en pointant ses vrilles vers sa proie, comme on le voit sur la photo ci-contre, pour l'emprisonner. En une heure, soit elle vampirise sa victime, soit elle cherche d'autres cibles. Si elle reste accrochée à la proie qu'elle parasite, il lui faut plusieurs jours pour pénétrer le phloème à l'aide d'appendices appelés haustoria (haustorium au singulier), des suçoirs qui lui permettent de se nourrir. Elle s'enroulera davantage ou non autour de sa proie, selon la quantité de nutriments qu'elle y trouvera.

Comment la cuscute réussit-elle à repérer sa proie? Les biologistes savent depuis longtemps que cette plante pousse en direction de l'ombre (n'est-ce pas l'endroit idéal pour trouver une tige?), mais ils pensaient que la cuscute entrait en contact par hasard avec une plante hôte à vampiriser. Or, de nouvelles études révèlent que ce sont les substances chimiques libérées par une proie potentielle qui attirent la cuscute et la font se tourner sur-le-champ dans cette direction.

De prime abord, le comportement de *Cuscuta* peut sembler fort insolite, mais lorsqu'on y réfléchit, les plantes photosynthétiques ne perçoivent-elles pas leur environnement, elles aussi, lorsqu'elles tirent avantage d'un meilleur ensoleillement ou d'une poche de sol particulièrement riche ? Plus encore : ces comportements relèvent de voies de transduction du signal qui ne sont pas si différentes de certaines des voies qui vous permettent d'interagir avec votre environnement. En effet, à l'échelle de la réception du signal et de la transduction du signal, vos cellules et les cellules végétales sont beaucoup plus semblables que différentes. En tant qu'animal, cependant, votre façon de répondre aux stimulus de l'environnement est généralement très différente de celle des végétaux. Les animaux réagissent plutôt par le mouvement, et les végétaux par la modification de leur croissance et de leur développement.

Pour survivre dans leur environnement, les végétaux doivent également s'adapter aux changements qui se produisent dans le temps, comme le changement de saison. En outre, ils interagissent avec toutes sortes d'organismes. Ces interactions physiques et chimiques s'effectuent par des voies de transduction du signal qui sont complexes. Dans le présent chapitre, nous verrons quelles substances chimiques internes régulent la croissance et le développement des végétaux, puis comment les végétaux perçoivent les stimulus de leur environnement et y réagissent.

CONCEPT **39.1**

Les voies de transduction du signal font le lien entre la réception du signal et la réponse

Les cuscutes captent des signaux particuliers de leur environnement et leur répondent de façon à favoriser leur survie et à assurer leur succès reproducteur, mais elles sont loin d'être uniques à cet égard. Prenons l'exemple d'une pomme de terre (*Solanum tuberosum*) oubliée depuis longtemps au fond d'un placard. Les tubercules, des tiges souterraines modifiées, ont donné naissance à des pousses à partir des « yeux » (bourgeons axillaires) de la pomme de terre, mais ces dernières ressemblent peu aux pousses normales d'une plante. En effet, elles n'ont pas des tiges robustes portant de grandes feuilles vertes et soutenues par de longues racines. Ayant émergé dans l'obscurité, elles sont plutôt d'une blancheur spectrale et sont constituées de longues tiges minces portant de petites feuilles repliées, et de courtes racines (**figure 39.2a**). Ces adaptations morphologiques à la croissance dans l'obscurité, que décrit le terme **étiolement**, prennent tout leur sens quand on considère que, normalement, une pomme de terre germe sous terre et que la croissance des pousses se déroule dans l'obscurité. Dans de telles conditions, des feuilles déployées constitueraient un obstacle à la progression de la pousse dans le sol et elles se feraient endommager. Au contraire, avec des feuilles repliées et souterraines, il y a peu d'évaporation d'eau, et la plante n'a pas besoin d'un système racinaire complexe pour remplacer la perte d'eau par transpiration. En outre, l'énergie dépensée en vue de produire de la chlorophylle serait un pur gaspillage, puisqu'il n'y a pas du tout de lumière pour la photosynthèse. Ainsi, une pousse de pomme de terre qui croît à l'obscurité emploie toute son énergie à l'allongement de ses tiges. Cette adaptation permet aux pousses de percer la surface du sol avant l'épuisement de leurs réserves de nutriments situées dans les tubercules. La réaction d'étiolement illustre comment la morphologie et la physiologie d'une plante s'adaptent à son milieu en établissant des interactions complexes entre les signaux internes et externes.

Dès que la pousse reçoit de la lumière, la morphologie et la biochimie de la plante subissent d'importants changements que l'on regroupe sous le terme général de **verdissement** : l'allongement des tiges ralentit, les feuilles grandissent, les racines s'allongent, et toute la pousse commence à produire de la chlorophylle. En somme, la pousse commence à ressembler à une plante normale (**figure 39.2b**). Dans la présente section, nous expliquerons comment la réception d'un signal – dans le cas présent, la lumière – par une cellule végétale est convertie en réponse (verdissement). Nous verrons en cours de route les connaissances que l'étude des mutants a permis d'acquérir sur les étapes de la communication cellulaire à l'échelle moléculaire : la réception des signaux, la transduction des signaux et la réponse aux signaux (**figure 39.3**).

La réception du signal

Ce sont d'abord des récepteurs qui perçoivent les signaux. Ces récepteurs sont des protéines qui changent de forme selon les stimulus reçus. Par exemple, le récepteur qui permet le verdissement est un type de *phytochrome* appartenant à une classe de photorécepteurs que nous examinerons plus loin dans le présent chapitre. Contrairement à la plupart des récepteurs, qui se trouvent dans la membrane plasmique, ce phytochrome se trouve dans le cytoplasme. Des études effectuées sur la tomate (*Solanum lycopersicum*), une espèce étroitement apparentée à la

▼ **Figure 39.2 Le verdissement, causé par la lumière, d'un tubercule de pomme de terre qui a germé dans l'obscurité.**

(a) Avant l'exposition à la lumière. Un tubercule de pomme de terre qui germe dans l'obscurité a de longues tiges chétives et des feuilles repliées; ces adaptations morphologiques permettent aux pousses de progresser dans le sol. Les racines sont courtes, mais le besoin en eau est faible, en raison de la perte d'eau minimale des pousses.

(b) Après une semaine d'exposition à la lumière du jour. Le plant de pomme de terre commence à ressembler à une plante normale possédant de grandes feuilles vertes, de courtes tiges robustes et de longues racines. Cette transformation commence quand un pigment précis, le phytochrome, perçoit la lumière.

▼ Figure 39.3 Révision d'un modèle général des voies de transduction du signal. Comme nous l'avons vu au concept 11.1, un régulateur de croissance (une hormone), ou tout autre stimulus qui interagit avec un récepteur protéique spécifique, peut provoquer l'activation séquentielle de protéines intermédiaires et également la production de seconds messagers qui participent au processus. Le signal est propagé, entraînant, à la fin, les réponses cellulaires. Dans ce diagramme, le récepteur se trouve à la surface de la cellule cible, mais, dans d'autres cas, le stimulus interagit avec les récepteurs situés dans la cellule.

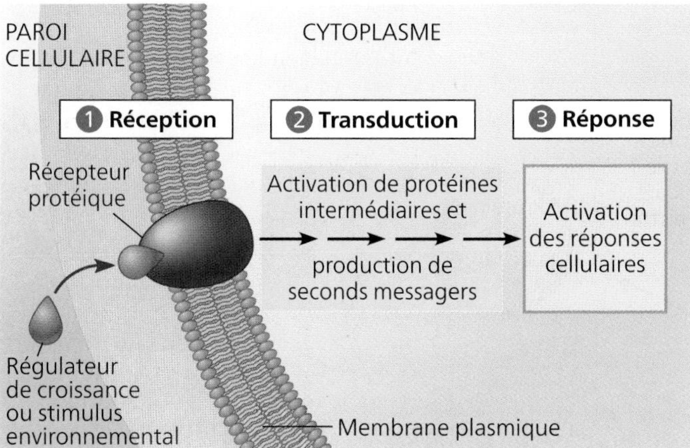

pomme de terre, ont permis aux chercheurs de mettre en évidence le rôle essentiel du phytochrome dans le verdissement. En effet, le plant de tomate mutant appelé *aurea*, qui contient peu de phytochrome, verdit moins que les plants de type sauvage en présence de lumière. (Le nom *aurea* vient du mot latin signifiant « doré », car, en l'absence de chlorophylle, les pigments accessoires jaunes et orangés appelés *caroténoïdes* deviennent apparents.) De plus, les chercheurs ont pu obtenir un verdissement normal de cellules de feuille de mutants *aurea* en y injectant du phytochrome extrait d'autres végétaux, puis en exposant les cellules à la lumière. Ces expériences ont montré que le phytochrome est un récepteur de lumière dans le processus de verdissement.

La transduction du signal

Les récepteurs peuvent être sensibles aux moindres signaux environnementaux (externes) et chimiques (internes). Ainsi, une lumière extrêmement faible, dans certains cas un éclairage équivalant à quelques secondes de lumière provenant de la lune, suffit à déclencher le verdissement. La transduction de ces signaux extrêmement faibles fait intervenir des **seconds messagers**, des petites molécules et des ions présents dans la cellule et capables d'amplifier le signal perçu par le récepteur et de le transférer à d'autres protéines qui produisent une réponse (**figure 39.4**). Au concept 11.3, nous avons vu plusieurs sortes de seconds messagers (voir les figures 11.12 et 11.14). Examinons maintenant les rôles particuliers que jouent deux types de seconds messagers dans le processus du verdissement: les ions calcium (Ca^{2+}) et le GMP cyclique, ou GMPc. (Rappelons que l'acronyme GMP est celui de la *guanosine monophosphate*, parfois appelée « acide guanylique ».)

La variation de la concentration cytosolique de Ca^{2+} joue un rôle important dans la transduction du signal par le phytochrome. La concentration de Ca^{2+} cytosolique est généralement très faible (environ 10^{-7} mol/L); toutefois, l'activation du phytochrome entraîne l'ouverture des canaux ioniques à Ca^{2+} et une augmentation transitoire de Ca^{2+} cytosolique (100 fois plus). En réponse à la lumière, le phytochrome subit un changement de structure qui mène à l'activation de la guanylyl cyclase, une enzyme qui produit le GMPc, un second messager. Pour que la réponse de verdissement soit complète, il doit y avoir production d'ions Ca^{2+} et de GMPc. L'injection du GMPc dans les cellules du plant de tomate *aurea*, par exemple, provoque seulement un verdissement partiel.

La réponse au signal

Enfin, les seconds messagers régulent une ou plusieurs activités cellulaires. Le plus souvent, ces réponses impliquent une activité accrue d'enzymes particulières. Il existe deux principaux mécanismes qui permettent à une voie de transduction de favoriser une étape enzymatique dans une voie biochimique: la modification posttraductionnelle et la régulation transcriptionnelle. La régulation transcriptionnelle augmente ou diminue la synthèse de l'ARNm qui code pour une enzyme précise, tandis que la modification posttraductionnelle active des enzymes existantes.

La modification posttraductionnelle des protéines existantes

Dans la plupart des voies de transduction du signal, les protéines existantes sont modifiées par la phosphorylation d'acides aminés spécifiques, ce qui influe sur l'hydrophobicité et l'activité des protéines. De nombreux seconds messagers, notamment le GMPc et le Ca^{2+}, activent directement les protéines kinases. Il arrive souvent qu'une protéine kinase en phosphoryle une autre, qui elle-même en phosphoryle une autre, et ainsi de suite (voir la figure 11.10). Cette cascade de phosphorylation, qui fait habituellement intervenir les facteurs de transcription, peut faire le lien entre le stimulus initial et la réponse suscitée au niveau de l'expression génique. Comme nous le verrons bientôt, de nombreuses voies de transduction du signal régulent finalement la synthèse de nouvelles protéines, en activant ou en inactivant certains gènes.

Les voies de transduction du signal doivent également avoir un moyen de se fermer lorsqu'il n'y a plus de signal, par exemple lorsqu'on remet une pomme de terre qui germe dans le placard. Les protéines phosphatases, des enzymes qui déphosphorylent certaines protéines, sont importantes dans ces processus d'« inactivation ». À tout moment, le fonctionnement d'une cellule dépend de l'équilibre entre les différentes actions des protéines kinases et phosphatases.

La régulation transcriptionnelle

Comme nous l'avons vu au concept 18.2, les protéines appelées *facteurs de transcription spécifiques* se fixent sur des régions précises de l'ADN et régulent la transcription de gènes précis (voir la figure 18.10). Dans le cas du verdissement causé par le phytochrome, la phosphorylation active plusieurs de ces facteurs de transcription lorsque les conditions lumineuses sont appropriées. L'activation de certains de ces facteurs dépend de leur phosphorylation par des protéines kinases activées par le GMPc ou les ions Ca^{2+}.

▼ **Figure 39.4** **Exemple de transduction du signal chez les végétaux : le rôle du phytochrome dans le verdissement.**

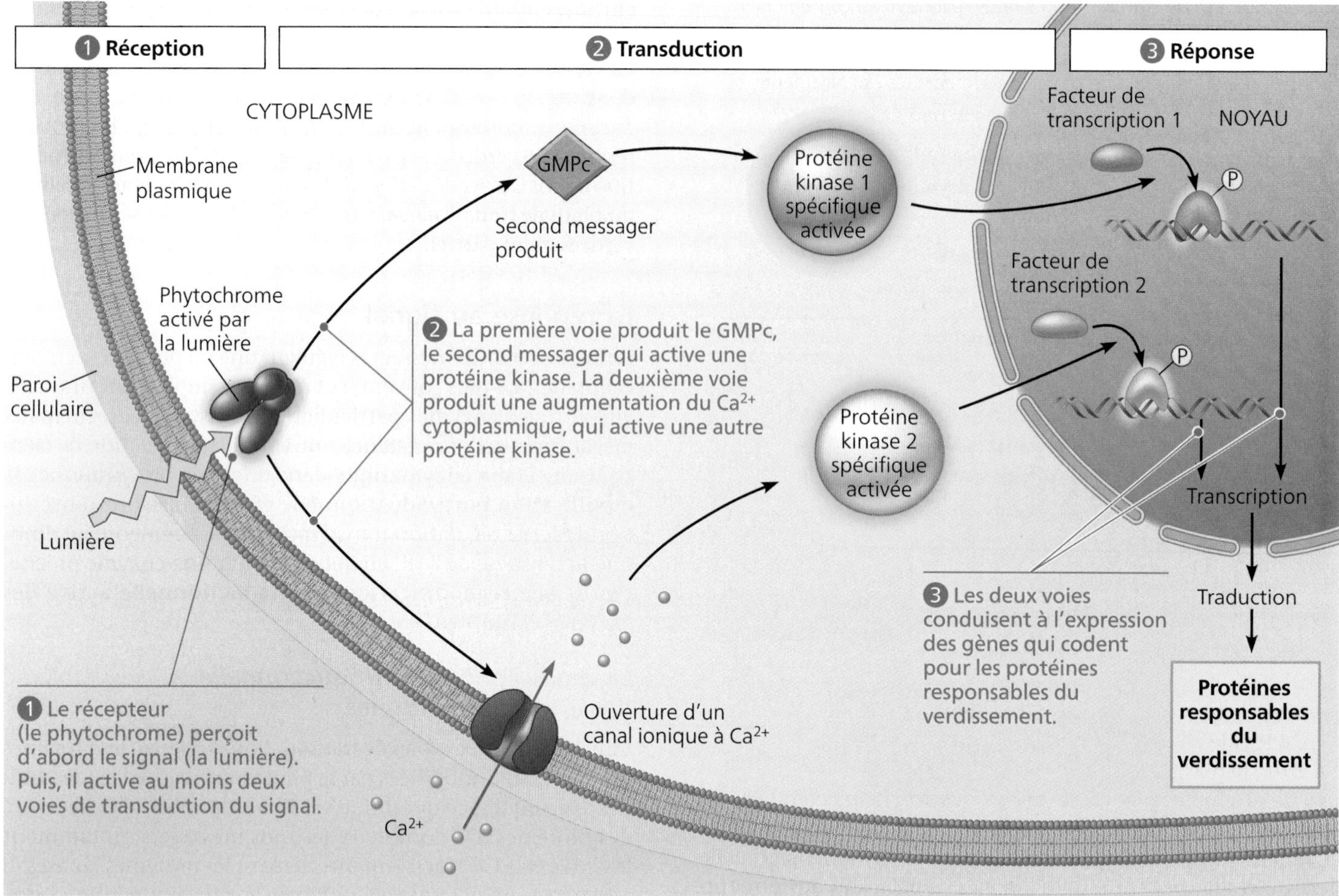

FAITES DES LIENS ▶ Quelle case dans la figure 11.17 illustre le mieux la voie de transduction du signal dépendante du phytochrome au cours du verdissement ? Expliquez votre réponse.

Le mécanisme qui fait qu'un signal est à l'origine de modifications du développement peut dépendre de facteurs de transcription qui sont des activateurs (qui *augmentent* la transcription de gènes précis) ou des répresseurs (qui *réduisent* la transcription), ou des deux. Prenons l'exemple de mutants de l'arabette des dames (*Arabidopsis thaliana*). Bien qu'on les fasse croître dans l'obscurité, ces mutants présentent la morphologie de plants exposés à la lumière : ils ont des feuilles déployées et des tiges courtes et robustes. La seule chose qui les distingue de plants exposés à la lumière est leur pâleur. Ils ne sont pas verts, parce que l'étape finale de la production de chlorophylle nécessite la présence de lumière directe. En fait, chez ces mutants, le répresseur qui inhibe normalement l'expression des gènes activés par la lumière est absent. Lorsqu'une mutation élimine le répresseur, la voie normalement inhibée se poursuit. Cela explique le fait que, exception faite de leur pâleur, ces mutants ont l'aspect de plants croissant à la lumière.

Les protéines du verdissement

Durant le verdissement, quels types de protéines sont activées ou nouvellement transcrites par la phosphorylation ? La plupart sont des enzymes qui participent directement à la photosynthèse, tandis que d'autres fournissent des précurseurs chimiques nécessaires à la production de la chlorophylle, ou encore influent sur la concentration des régulateurs de croissance des végétaux (hormones végétales). Par exemple, la concentration de deux types de régulateurs de croissance qui favorisent l'allongement de la tige (auxines et brassinostéroïdes) diminue à la suite de l'activation du phytochrome. Cette diminution explique le ralentissement de l'allongement de la tige qui accompagne le verdissement.

Si nous avons longuement décrit la transduction du signal qui entre en jeu dans le verdissement d'un plant de pomme de terre, c'est pour vous donner un aperçu de la complexité des modifications biochimiques que comporte ce seul processus. Chaque régulateur de croissance végétal, chaque stimulus environnemental activeront une ou plusieurs voies de transduction du signal d'une complexité comparable. Comme dans le cas du plant de tomate mutant *aurea*, l'isolation de mutants (une approche génétique) et les techniques de biologie moléculaire aident les chercheurs à discerner ces voies. Cependant, ces récentes recherches se fondent sur une longue histoire d'études physiologiques et biochimiques rigoureuses portant sur le fonctionnement des végétaux. Dans la prochaine section, nous verrons que ce sont les expériences classiques qui ont fourni les premiers indices montrant que les signaux moléculaires transportés, appelés hormones végétales, sont les régulateurs internes de la croissance des végétaux.

RETOUR SUR LE CONCEPT **39.1**

1. Quelles sont les différences morphologiques entre les plantes qui croissent dans l'obscurité et celles qui croissent à la lumière ? Expliquez comment l'étiolement aide une plantule à affronter la compétition avec succès.
2. Le cycloheximide inhibe la synthèse des protéines. Prédisez l'effet de ce médicament sur le verdissement.
3. **ET SI ?** ▶ Le Viagra, un médicament prescrit pour traiter les troubles érectiles, inhibe une enzyme qui dégrade le GMP cyclique. Si les cellules des feuilles d'un plant de tomate possèdent une enzyme semblable, peut-on prédire que l'application de Viagra causera un verdissement normal des feuilles du mutant *aurea* ?

Voir les réponses proposées à l'appendice A.

CONCEPT **39.2**

Les régulateurs de croissance végétaux coordonnent la croissance, le développement et les réponses aux stimulus

Une **hormone**, dans le sens premier du terme, est une molécule de signalisation produite en faibles concentrations dans une partie de l'organisme et transportée dans des organes ou des tissus cibles. Elle se fixe alors à un récepteur précis et déclenche des réponses. Chez les animaux, les hormones sont généralement, par définition, transportées dans l'appareil circulatoire. De nos jours, cependant, de nombreux phytobiologistes font valoir que les définitions étroites établies par les spécialistes en physiologie animale sont trop limitées pour décrire les processus physiologiques des végétaux. Par exemple, les végétaux ne possèdent pas de circulation sanguine pour transporter les molécules de signalisation semblables à des hormones. De plus, certaines molécules de signalisation qui sont considérées comme des hormones végétales n'agissent que localement. Enfin, certaines molécules de signalisation présentes chez les végétaux, comme le glucose, le sont généralement à des concentrations des centaines de fois plus élevées qu'une hormone type. Pourtant, elles activent des voies de transduction du signal qui modifient grandement le fonctionnement des plantes d'une manière semblable à celle d'une hormone. Par conséquent, de nombreux phytobiologistes préfèrent le terme *régulateur de croissance végétal* pour décrire les composés organiques, soit naturels, soit synthétiques, qui modifient ou régissent un ou plusieurs processus physiologiques précis dans une plante. À l'heure actuelle, les termes *hormone végétale* et *régulateur de croissance végétal* sont utilisés à peu près indifféremment, mais nous utiliserons le terme *régulateur de croissance végétal* et nous adhérerons au critère selon lequel les régulateurs de croissance végétaux sont actifs à de très faibles concentrations.

Les régulateurs de croissance végétaux sont produits en très faible quantité, mais cette quantité infime peut exercer des effets considérables sur la croissance et le développement d'une plante. Presque tous les aspects de la croissance et du développement des végétaux sont, jusqu'à un certain point, sous régulation hormonale. Chaque régulateur de croissance produit plusieurs effets, selon sa concentration, le site d'action et le stade de développement de la plante. Inversement, plusieurs régulateurs de croissance peuvent influer sur un seul processus. Habituellement, l'effet d'un régulateur de croissance dépend autant du rapport entre sa concentration et celles des autres régulateurs de croissance que de sa quantité absolue. Ce sont souvent les interactions entre différents régulateurs de croissance, et non l'action isolée de chacun, qui régissent la croissance et le développement d'une plante. Nous décrivons ces interactions dans la section suivante.

Les régulateurs de croissance végétaux: *un aperçu*

Le **tableau 39.1** présente les principales familles de régulateurs de croissance et leurs actions: les auxines, les cytokinines, les gibbérellines, l'acide abscissique, l'éthylène, les brassinostéroïdes, les jasmonates et les strigolactones.

Les auxines

C'est une série d'expériences classiques sur les réactions des tiges à la lumière qui a mis les scientifiques sur la piste des régulateurs de croissance végétaux en tant que messagers chimiques. Comme vous le savez, une plante d'intérieur posée sur le rebord d'une fenêtre pousse en direction de la lumière. Toute réaction de croissance qui fait que les organes de la plante s'orientent vers le stimulus ou en direction opposée est appelée **tropisme** (du grec *tropos*, « tour », « direction »). Lorsqu'une pousse croît vers la lumière ou s'en éloigne, on parle de **phototropisme**. Le premier phénomène est appelé phototropisme positif, et le second, phototropisme négatif.

Dans un écosystème naturel comme une forêt dense, le phototropisme oriente la croissance des pousses vers la lumière dont elles ont besoin pour la photosynthèse. Cette réponse est le résultat d'une différence de croissance entre les cellules situées sur les côtés opposés des pousses. Les cellules situées du côté sombre s'allongent plus rapidement que celles qui sont situées du côté éclairé.

À la fin du 19e siècle, Charles Darwin et son fils Francis ont été parmi les premiers à faire des expériences sur le phototropisme (**figure 39.5**). Ils ont ainsi observé que la plantule d'une graminée enveloppée dans sa gaine protectrice, le coléoptile (voir la figure 38.9b), se courbait vers la lumière seulement si l'apex de son coléoptile était bien présent. S'ils enlevaient l'apex ou le recouvraient d'un capuchon opaque, le coléoptile ne se courbait pas. En revanche, s'ils plaçaient un capuchon transparent sur l'apex ou s'ils recouvraient une autre partie du coléoptile d'une gaine opaque, la réaction de phototropisme se produisait bien. Les Darwin en ont conclu que l'apex du coléoptile était le lieu de perception de la lumière. Toutefois, ils ont noté que la réaction de croissance différentielle qui menait à la courbure du coléoptile se produisait à une certaine distance sous l'apex. Charles et Francis Darwin ont donc supposé que l'apex transmettait un message à la région du coléoptile qui s'allongeait. Quelques dizaines d'années plus tard, le scientifique danois Peter Boysen-Jensen (1883-1959) a démontré que le signal était une substance chimique mobile. Il a isolé l'apex du reste du coléoptile avec un cube de gélose (matière gélatineuse) qui empêchait le contact cellulaire entre les deux parties, mais pas

Tableau 39.1 Vue d'ensemble des régulateurs de croissance végétaux		
Catégories de régulateurs de croissance végétaux	**Sites de synthèse ou d'action**	**Principales fonctions**
Auxines (AIA)	Les méristèmes apicaux caulinaires et les jeunes feuilles sont les principaux sites de synthèse des auxines. Les méristèmes apicaux racinaires produisent également des auxines, bien que la racine dépende de la pousse pour la majeure partie de ses auxines. Les graines et les fruits en formation ont un taux élevé d'auxines, mais il n'a pas clairement été établi si elles sont nouvellement synthétisées ou transportées à partir des tissus producteurs.	Stimulent l'allongement de la tige (en faible concentration seulement); favorisent la formation de racines latérales et adventives; régulent la formation des fruits; augmentent la dominance apicale; jouent un rôle dans le phototropisme et le gravitropisme; favorisent la différenciation vasculaire; retardent l'abscission des feuilles.
Cytokinines	Ces régulateurs de croissance sont synthétisés surtout dans les racines et sont transportés jusque dans les divers organes, mais il existe aussi de nombreux sites de synthèse mineurs.	Régulent la division cellulaire dans les pousses et les racines; modifient la dominance apicale et favorisent la croissance de bourgeons latéraux; favorisent le déplacement des nutriments dans les tissus cibles; stimulent la germination des graines; retardent la sénescence des feuilles.
Gibbérellines (GA_3)	Les méristèmes des bourgeons apicaux des pousses et des racines, les jeunes feuilles et les graines en formation sont les principaux sites de synthèse.	Stimulent l'allongement des tiges, la formation du pollen, la croissance des tubes polliniques, la fructification, ainsi que la formation et la germination des graines; régulent la détermination du sexe et la transition de la phase juvénile à la phase adulte.
Acide abscissique (ABA)	Presque toutes les cellules végétales peuvent synthétiser l'acide abscissique et sa présence a été détectée dans les principaux organes et tissus vivants; peut être transporté dans le phloème ou le xylème.	Inhibe la croissance; favorise la fermeture des stomates en période de sécheresse; favorise la dormance des graines et inhibe la germination hâtive; favorise la sénescence des feuilles; favorise la tolérance à la dessiccation.
Éthylène	Ce régulateur de croissance à l'état gazeux peut être produit par la plupart des parties de la plante. Il est produit en concentrations élevées au cours de la sénescence, de l'abscission des feuilles et de la maturation de certains types de fruits. La synthèse est également stimulée par les blessures et le stress.	Favorise la maturation de nombreux fruits, l'abscission des feuilles et la triple réponse dans les plantules (inhibition de l'allongement des tiges, promotion de l'expansion latérale et croissance horizontale); augmente la vitesse de la sénescence; favorise la formation des racines et des poils absorbants; favorise la floraison dans la famille des broméliacées (p. ex., les ananas).
Brassinostéroïdes	Ces composés sont présents dans tous les tissus végétaux, bien que différents intermédiaires prédominent dans les divers organes. Les brassinostéroïdes produits à l'intérieur de la plante agissent près du site de synthèse.	Favorisent l'expansion et la division cellulaires dans les pousses; à de faibles concentrations, favorisent la croissance des racines; à des concentrations élevées, inhibent la croissance des racines; favorisent la différenciation du xylème et inhibent la différenciation du phloème; favorisent la germination des graines et l'allongement des tubes polliniques.
Jasmonates	Ces composés forment un petit groupe de molécules apparentées qui dérivent de l'acide linolénique (un acide gras). Les jasmonates sont synthétisés dans plusieurs parties de la plante et circulent dans le phloème vers d'autres tissus.	Régulent toutes sortes de fonctions, dont la maturation des fruits, le développement des fleurs, la production de pollen, l'enroulement des vrilles, la croissance des racines, la germination des graines et la sécrétion de nectar; les plantes produisent également des jasmonates en réponse au broutement d'un herbivore ou à l'action d'un agent pathogène.
Strigolactones	Ces régulateurs de croissance et signaux extracellulaires dérivés des caroténoïdes sont produits dans les racines en réponse à de faibles concentrations de phosphate ou à un flux élevé d'auxines provenant de la pousse.	Favorisent la germination des graines, la régulation de la dominance apicale et l'attraction des eumycètes mycorhiziens vers les racines.

la diffusion des substances chimiques. Ses plantules se sont courbées normalement vers la lumière. Le chercheur a ensuite isolé l'apex du reste du coléoptile avec une barrière imperméable, comme du mica minéral. Dans ce cas, aucun phototropisme ne s'est produit.

Des recherches subséquentes ont montré que l'apex du coléoptile libérait une substance chimique qu'il était possible de recueillir par diffusion dans des cubes de gélose. Les petits cubes de gélose contenant cette substance chimique pouvaient induire une courbure phototropique même dans l'obscurité totale si le cube de gélose était décentré sur la partie coupée du coléoptile décapité. Les coléoptiles s'inclinaient vers la lumière parce que la substance chimique en question se trouvait en plus forte concentration du côté sombre que du côté éclairé. Comme cette substance chimique stimulait la croissance en descendant dans le coléoptile, elle a été nommée *auxine* (du grec *auxein*, « accroître »). Plus tard, l'auxine a été purifiée, et sa structure chimique, identifiée : il s'agissait d'acide indolacétique (AIA). Le terme **auxine** désigne toute substance chimique qui favorise l'allongement des coléoptiles. Les auxines ont toutefois plusieurs fonctions chez les plantes à fleurs. La principale auxine naturelle qu'on trouve chez les végétaux est l'acide indolacétique (AIA).

DÉMARCHE SCIENTIFIQUE

INVESTIGATION

▼ **Figure 39.5**

Quelle partie du coléoptile perçoit la lumière, et comment le signal est-il transmis ?

■ HYPOTHÈSE ■ En 1880, Charles et Francis Darwin avaient observé que le coléoptile d'une graminée se courbait vers la lumière seulement lorsque l'apex était bien présent. Ils ont alors émis l'hypothèse que l'apex était responsable de la perception de la lumière. En 1913, Peter Boysen-Jensen a émis l'hypothèse que l'apex transmettait le signal phototropique par le biais d'une substance chimique mobile et activée par la lumière.

■ EXPÉRIENCE ■ Pour vérifier leur hypothèse et ainsi déterminer quelle partie perçoit la lumière, Charles et Francis Darwin ont enlevé et recouvert diverses parties des coléoptiles de plantules d'une graminée. De son côté, Peter Boysen-Jensen a isolé des coléoptiles avec différents matériaux pour déterminer comment le signal phototropique était transmis.

■ RÉSULTATS ■

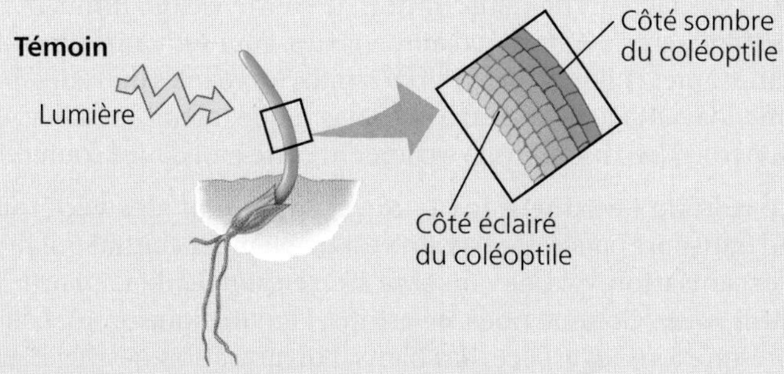

Darwin et Darwin: Le phototropisme se produit seulement quand l'apex est éclairé.

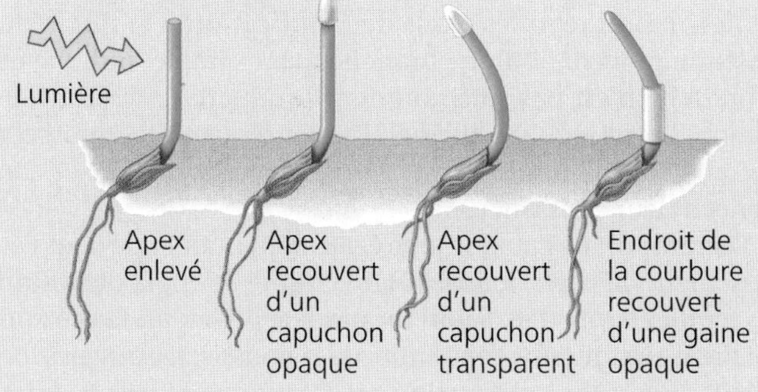

Boysen-Jensen: Le phototropisme se produit si l'apex est séparé par une barrière perméable, mais pas s'il est séparé par une barrière imperméable.

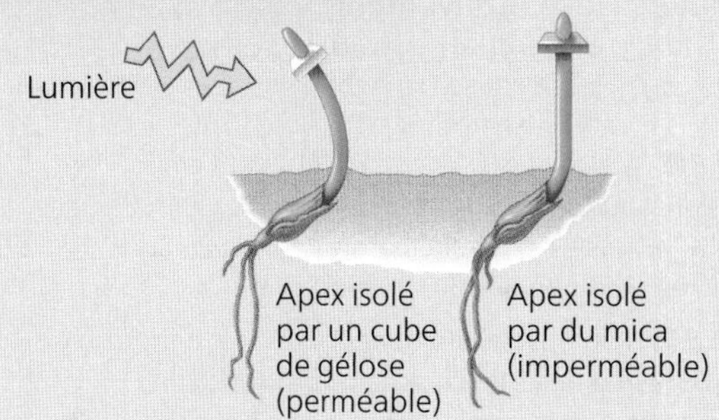

Sources des données : C. R. Darwin, The power of movement in plants, John Murray, London (1880) ; P. Boysen-Jensen, Concerning the performance of phototropic stimuli on the *Avena* coleoptile, *Berichte der Deutschen Botanischen Gesellschaft* (*Comptes rendus de la Société botanique allemande*) 31 : 559-566 (1913).

■ CONCLUSION ■ L'expérience des Darwin laisse supposer que seul l'apex du coléoptile perçoit la lumière. La courbure phototropique, toutefois, se produit à une certaine distance du site de la perception de la lumière (à l'apex). Les résultats de Boysen-Jensen donnent à penser que le signal est transmis par une substance chimique mobile activée par la lumière.

ET SI ? ▶ Comment pourrait-on déterminer quelles couleurs de la lumière sont plus efficaces pour induire une courbure phototropique ?

Il existe plusieurs autres composés naturels ou synthétiques qui ont des effets semblables à ceux de l'AIA.

L'auxine est principalement produite dans les apex des pousses et elle descend dans la tige, d'une cellule à l'autre, à une vitesse d'environ 1 cm/h. Elle ne se déplace que de l'apex d'une pousse vers la base, jamais dans le sens inverse. Ce type de transport unidirectionnel est qualifié de *transport polaire*. Le transport polaire n'est pas lié à la force gravitationnelle, car l'auxine monte même lorsqu'on place une pousse ou un coléoptile à l'envers. La polarité du déplacement de l'auxine est plutôt attribuable à la répartition polaire de la protéine de transport de ce régulateur de croissance dans les cellules. Concentrés à l'extrémité basale de la cellule, les transporteurs d'auxine l'entraînent hors de la cellule. L'auxine peut alors entrer dans l'extrémité apicale de la cellule voisine (**figure 39.6**). L'auxine provoque divers effets, notamment la stimulation de l'allongement cellulaire et la régulation de l'architecture végétale.

Le rôle de l'auxine dans l'allongement cellulaire Une des premières fonctions de l'auxine est de stimuler l'allongement des cellules dans les jeunes pousses en croissance. En migrant vers la zone d'élongation cellulaire (voir le concept 35.3), elle favorise la croissance des cellules, probablement en se fixant à un récepteur situé dans la membrane plasmique. L'auxine n'a d'effet sur la croissance que si sa concentration se situe entre 10^{-8} et 10^{-4} mol/L. À plus forte concentration, elle inhibe l'allongement cellulaire. On croit qu'une forte concentration d'auxine entraîne la synthèse d'un autre régulateur de croissance, l'éthylène, qui a généralement un effet inhibiteur sur la croissance. Nous aborderons cette interaction hormonale dans la section portant sur l'éthylène.

DÉMARCHE SCIENTIFIQUE

INVESTIGATION

▼ **Figure 39.6**

Qu'est-ce qui cause le mouvement polaire de l'auxine de l'apex de la pousse vers sa base ?

■ **HYPOTHÈSE** ■ Leo Gälweiler et ses collègues ont émis l'hypothèse selon laquelle la concentration de la protéine de transport de l'auxine à l'extrémité basale des cellules est responsable du transport polaire de l'auxine.

■ **EXPÉRIENCE** ■ Pour savoir comment l'auxine est transportée de manière unidirectionnelle, les chercheurs ont conçu une expérience qui permet de localiser la protéine de transport de ce régulateur de croissance. Ils ont utilisé une molécule fluorescente jaune-vert pour marquer les anticorps qui se lient à la protéine de transport de l'auxine. Ils ont ensuite appliqué les anticorps sur des tiges d'*Arabidopsis* coupées longitudinalement.

■ **RÉSULTATS** ■ La micrographie photonique de gauche montre que la protéine de transport de l'auxine ne se trouve pas dans tous les tissus de la tige, mais seulement dans le parenchyme du xylème. Sur la micrographie photonique de droite, un plus fort grossissement révèle que ces protéines se trouvent surtout à l'extrémité basale des cellules.

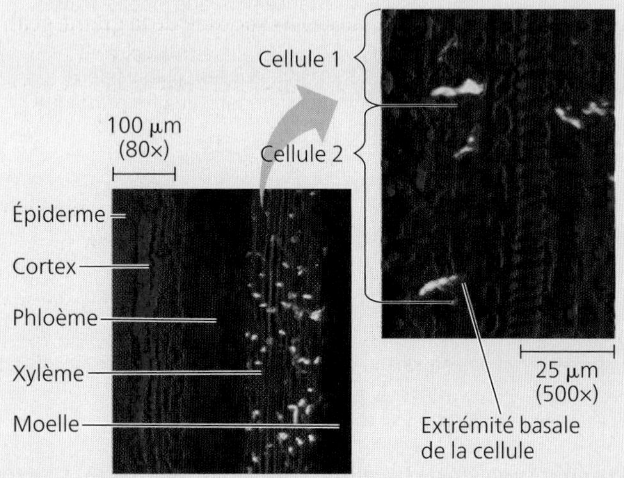

Source des données: L. Gälweiler et coll., Regulation of polar auxin transport by AtPIN1 in *Arabidopsis* vascular tissue, *Science* 282 : 2226-2230 (1998).

■ **CONCLUSION** ■ Les résultats confirment l'hypothèse selon laquelle la concentration de la protéine de transport de l'auxine à l'extrémité basale des cellules est responsable du transport polaire de l'auxine.

ET SI ? ▶ Si les protéines de transport de l'auxine étaient uniformément réparties aux deux extrémités des cellules, est-ce que le transport polaire des auxines serait encore possible ? Expliquez votre réponse.

Selon une hypothèse dite de *la croissance acidodépendante*, les pompes à protons jouent un rôle important dans la croissance cellulaire provoquée par l'auxine. Dans la zone d'élongation d'une pousse, l'auxine active les pompes à protons (H^+) situées dans la membrane plasmique. Cette action fait augmenter la différence de potentiel entre les deux côtés de la membrane (potentiel de membrane) et, en quelques minutes, entraîne une baisse du pH dans la paroi cellulaire. L'acidification de la paroi active les **expansines**, des enzymes qui rompent les liaisons non covalentes (liaisons hydrogène) entre les microfibrilles de cellulose et d'autres constituants de la paroi cellulaire, et affaiblissent la trame de la paroi (**figure 39.7**). L'augmentation du potentiel de membrane accroît l'absorption d'ions par la cellule, ce qui provoque une absorption osmotique d'eau et une augmentation de la turgescence. Cette turgescence accrue de même que la plus grande plasticité de la paroi permettent l'allongement de la cellule.

De plus, l'auxine modifie rapidement l'expression génique. Ainsi, en quelques minutes, les cellules dans la zone d'élongation produisent de nouvelles protéines. Certaines de ces protéines sont des facteurs de transcription de courte vie qui inhibent ou déclenchent l'expression d'autres gènes. Pour soutenir leur croissance après l'allongement initial rapide, les cellules doivent fabriquer davantage de matériel cytoplasmique, membranaire et de la paroi. L'auxine stimule également cette croissance soutenue.

Le rôle de l'auxine dans le développement des végétaux

Le transport polaire de l'auxine est un élément central qui régit l'organisation spatiale, ou *plan d'organisation*, de la plante en croissance. Comme nous le verrons, l'auxine joue un rôle dans presque tous les aspects des plans d'organisation des végétaux. L'auxine est synthétisée dans les apex des pousses et elle transporte des informations intégrées au sujet de la croissance, de la taille et du milieu environnant des différents rameaux. Ce flux d'information régit les plans de ramification. Un flux réduit d'auxine provenant d'une branche, par exemple, indique que la branche n'est pas suffisamment productive : de nouvelles branches sont requises ailleurs. Par conséquent, les bourgeons latéraux sous le rameau sont libérés de la dormance et commencent leur croissance.

Le transport de l'auxine joue également un rôle clé dans l'établissement de la *phyllotaxie* (voir la figure 36.3), la disposition des feuilles sur la tige. Selon un modèle novateur, le transport polaire d'auxine dans l'extrémité de la pousse crée des pics localisés de concentration d'auxine qui déterminent le site de formation d'un primordium foliaire et, ainsi, les différentes phyllotaxies trouvées dans la nature.

Le transport polaire de l'auxine à partir du bord de la feuille dirige également les motifs des nervures des feuilles. Les inhibiteurs du transport polaire de l'auxine donnent des feuilles qui manquent de continuité vasculaire le long du pétiole. Leurs nervures principales sont larges, d'organisation relâchée, leurs nervures secondaires sont plus nombreuses, et une bande dense de cellules vasculaires de formes irrégulières se trouve près du bord des feuilles.

L'activité du cambium, le méristème qui produit les tissus ligneux, est également régie par le transport de l'auxine. Lorsqu'une plante entre en dormance à la fin d'une saison de croissance, il se produit une réduction de la capacité de transport de l'auxine et de l'expression des gènes qui codent pour les transporteurs d'auxine.

▼ Figure 39.7 L'allongement cellulaire provoqué par l'auxine: l'hypothèse de la croissance acidodépendante. L'expansion de la cellule s'effectue dans une direction essentiellement perpendiculaire à l'orientation générale des microfibrilles de la paroi cellulaire (voir la figure 35.31).

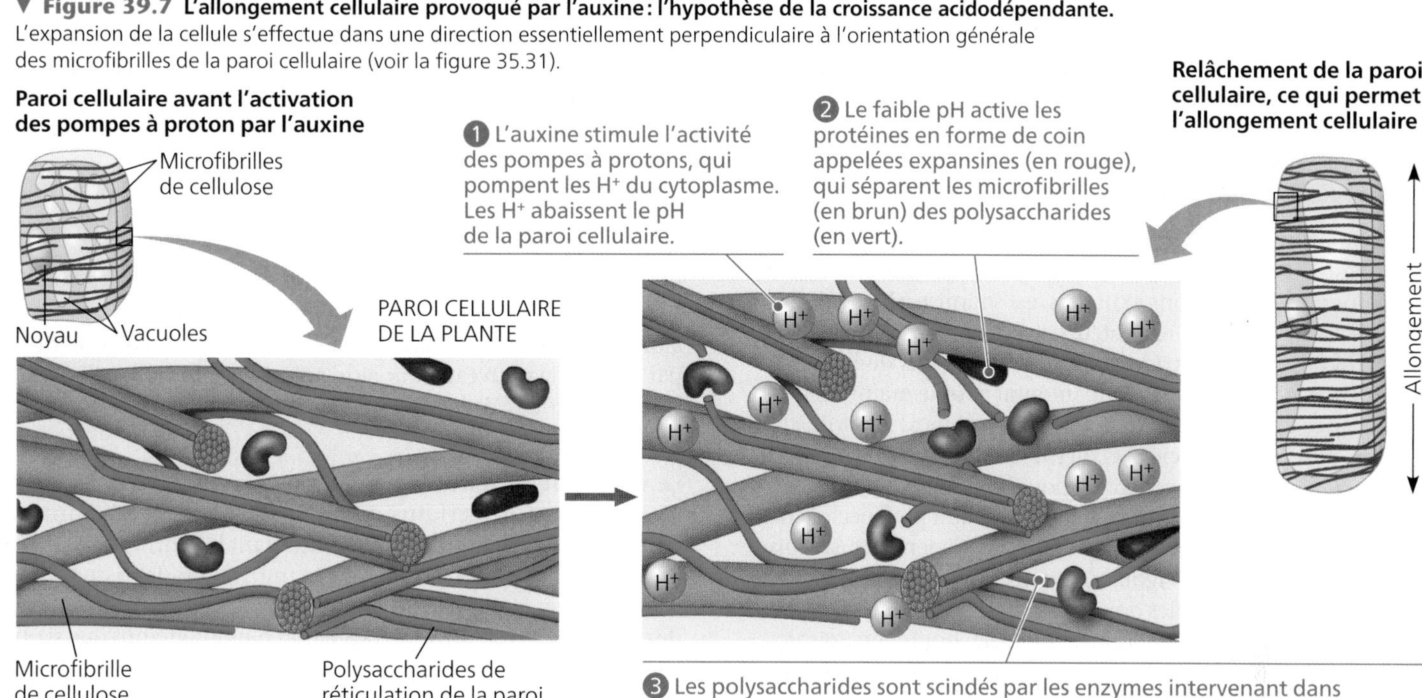

Paroi cellulaire avant l'activation des pompes à proton par l'auxine
Microfibrilles de cellulose
Noyau
Vacuoles
PAROI CELLULAIRE DE LA PLANTE
1 L'auxine stimule l'activité des pompes à protons, qui pompent les H+ du cytoplasme. Les H+ abaissent le pH de la paroi cellulaire.
2 Le faible pH active les protéines en forme de coin appelées expansines (en rouge), qui séparent les microfibrilles (en brun) des polysaccharides (en vert).
Relâchement de la paroi cellulaire, ce qui permet l'allongement cellulaire
Allongement
H+
Microfibrille de cellulose
Polysaccharides de réticulation de la paroi cellulaire (hémicellulose)
3 Les polysaccharides sont scindés par les enzymes intervenant dans le relâchement de la paroi cellulaire. Ce processus permet aux microfibrilles de glisser et rend la paroi cellulaire plus extensible. En même temps, il se forme davantage de microfibrilles (non montrées). L'absorption de l'eau ainsi que la turgescence permettent à la cellule de s'allonger.

Les effets de l'auxine sur le développement des végétaux ne sont pas limités à la plante sporophyte que nous voyons habituellement. Des découvertes récentes donnent à penser que l'organisation des gamétophytes femelles microscopiques des angiospermes est régie par un gradient d'auxine.

Les utilisations pratiques des auxines Les auxines, aussi bien naturelles que synthétiques, ont de nombreuses applications commerciales. Par exemple, l'acide indolbutyrique (AIB), une auxine naturelle, est utilisé dans la propagation végétative des plantes par bouturage. Le traitement d'une feuille ou d'une tige détachée avec une poudre contenant de l'AIB entraîne souvent la formation de racines adventives près de la surface coupée.

Certaines auxines synthétiques, comme l'acide 2,4-dichlorophénoxyacétique (2,4-D), servent couramment d'herbicides. Les monocotylédones, telles que les graminées qu'on trouve dans une pelouse (pâturin [*Poa sp.*], agrostide [*Agrostis sp.*], fétuque [*Festuca sp.*], etc.) et le maïs (*Zea mays*), peuvent rapidement inactiver ces auxines synthétiques. Par contre, les eudicotylédones en sont incapables et meurent donc d'une surdose de régulateurs de croissance. L'usage du 2,4-D dans les champs de céréales ou des pelouses permet d'éliminer les eudicotylédones à feuilles larges.

L'auxine synthétisée par les graines en formation favorise la fructification. Les plants de tomate cultivés en serre produisent souvent peu de graines, et donnent ainsi des fruits peu développés. Cependant, ceux sur lesquels on pulvérise des auxines synthétiques fructifient de façon normale; on peut donc obtenir des tomates de serre commercialement viables.

Les cytokinines

Les chercheurs ont découvert les **cytokinines** en faisant des essais par tâtonnements pour trouver des additifs chimiques qui favoriseraient la croissance et le développement des cellules végétales mises en culture. Dans les années 1940, ils ont stimulé la croissance d'embryons végétaux en ajoutant dans leur milieu de culture du lait de coco, l'albumen liquide de la graine géante du cocotier (*Cocos nucifera*). Plus tard, d'autres chercheurs ont constaté qu'il était possible d'induire la division de cellules de tabac (*Nicotiana tabacum*) en ajoutant des échantillons d'ADN dégradé au milieu de culture. Ils ont ainsi découvert que les ingrédients actifs des deux additifs expérimentaux étaient des formes modifiées d'adénine, l'un des constituants des acides nucléiques. Ces régulateurs de croissance ont été nommés cytokinines, parce qu'ils provoquaient la cytocinèse, ou division cellulaire. La plus répandue des nombreuses cytokinines végétales naturelles est la zéatine, ainsi nommée parce qu'on l'a découverte dans les grains du maïs (*Zea mays*). On connaît bien les effets des cytokinines sur la division et la différenciation cellulaires, la dominance apicale et le vieillissement.

La régulation de la division et de la différenciation cellulaires Les cytokinines sont produites dans les tissus en croissance active, notamment les racines, les embryons et les fruits. Celles qui sont formées dans les racines atteignent leurs tissus cibles en montant dans la plante par la sève brute du xylème. Agissant de concert avec l'auxine, les cytokinines stimulent la division cellulaire et influent sur la différenciation. L'observation de leurs effets sur des cellules en culture permet de comprendre leurs fonctions dans une plante intacte. Ainsi, en l'absence de cytokinines dans le milieu de culture, les cellules de parenchyme prélevées sur une tige grossissent beaucoup, mais ne se divisent pas. Par contre, elles se diviseront si on ajoute des cytokinines et de l'auxine. L'ajout de cytokinines seules n'entraîne aucun effet. En outre, le rapport entre les concentrations de cytokinines et d'auxine régule la différenciation des cellules. Si les concentrations des deux régulateurs de croissance atteignent certains niveaux, la masse de cellules continue de croître, tout en demeurant un amas indifférencié qu'on appelle cal (voir la figure 38.15). Si la concentration en cytokinines augmente, des pousses émergent du cal. Si c'est la concentration de l'auxine qui augmente, ce sont des racines qui se forment.

La régulation de la dominance apicale La dominance apicale, c'est-à-dire la capacité du bourgeon apical à inhiber le développement des bourgeons axillaires, est soumise à la régulation des glucides et de divers régulateurs de croissance, dont l'auxine, les cytokinines et les strigolactones. Les besoins de la pousse en glucides sont un facteur fondamental pour le maintien de la dominance apicale. L'excision du bourgeon apical supprime les besoins apicaux en glucides et augmente rapidement la disponibilité des glucides (saccharose) pour les bourgeons axillaires. Cette plus grande disponibilité des glucides suffit pour déclencher le développement des bourgeons axillaires. Cependant, la croissance ne sera pas aussi vigoureuse dans tous les bourgeons : en général, seulement un des bourgeons axillaires les plus proches de la zone sectionnée deviendra le nouveau bourgeon apical.

Chez les végétaux, trois régulateurs de croissance végétaux (auxine, cytokinines et strigolactones) contribuent à déterminer l'allongement de certains bourgeons axillaires (**figure 39.8**). Chez une plante intacte, l'auxine transportée depuis le bourgeon apical jusque vers le bas de la pousse empêcherait *indirectement* la croissance des bourgeons axillaires, ce qui provoquerait l'allongement de la tige aux dépens de la ramification latérale. Le flux polaire de l'auxine vers le bas de la pousse active la synthèse des strigolactones, qui inhibent *directement* la croissance des bourgeons. De leur côté, les cytokinines qui migrent des racines jusqu'au système caulinaire bloqueraient l'action de l'auxine et des strigolactones en déclenchant la croissance des bourgeons axillaires. Ainsi, dans une plante intacte, les bourgeons axillaires riches en cytokinines qui se trouvent près de la base de la plante sont souvent plus longs que les bourgeons riches en cytokinines situés plus près du bourgeon apical. Les mutants qui produisent des cytokinines en quantités excessives (ou les plants traités aux cytokinines) ont également tendance à être plus touffus que la normale.

L'excision du bourgeon apical, là où s'effectue une bonne partie de la biosynthèse de l'auxine, entraîne la diminution des concentrations d'auxine et de strigolactones dans la tige, surtout à proximité de la surface coupée (voir la figure 39.8). Les bourgeons axillaires les plus proches de la zone sectionnée croissent alors de façon vigoureuse, et l'un de ces bourgeons axillaires finit par devenir le nouveau bourgeon apical. L'application d'auxine sur le bout coupé de la tige empêcherait à nouveau la croissance des bourgeons latéraux.

Le retard de la sénescence Les cytokinines ralentissent le vieillissement de certains organes végétaux en inhibant la décomposition des protéines, en stimulant la synthèse de l'ARN et des protéines, et en mobilisant les nutriments des tissus environnants. Des feuilles détachées qu'on plonge dans une solution de cytokinines restent vertes beaucoup plus longtemps que si on ne les avait pas trempées.

Les gibbérellines

Au début du 20e siècle, des agriculteurs d'Asie ont trouvé dans leurs rizières des plants si hauts et si grêles qu'ils ployaient avant d'avoir atteint la maturité. En 1926, on a découvert qu'un eumycète (ascomycète), *Gibberella fujikuroi*, causait cette « maladie de la plantule folle » (en anglais, *foolish seedling disease*, ou maladie de Bakanae). Dans les années 1930, les scientifiques ont constaté que l'eumycète sécrétait une substance chimique, à laquelle on a donné le nom de **gibbérelline**, qui provoquait un allongement excessif des tiges du riz. Puis, dans les années 1950, les chercheurs ont découvert que les végétaux fabriquaient

▶ **Figure 39.8 La dominance apicale et l'excision du bourgeon apical.** La dominance apicale est l'inhibition de la croissance des bourgeons axillaires par le bourgeon apical d'une pousse. L'excision du bourgeon apical permet la croissance des rameaux latéraux. Plusieurs régulateurs de croissance participent à ce processus, dont l'auxine, les cytokinines et les strigolactones.

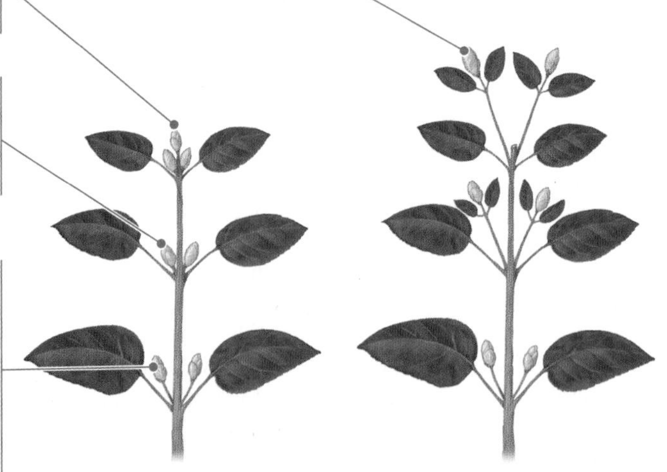

Le bourgeon apical est un important tissu cible pour les glucides et une région où s'effectue une bonne partie de la biosynthèse des auxines.
L'auxine qui descend dans la tige depuis le bourgeon apical produit des strigolactones qui inhibent la croissance des bourgeons axillaires.
Les cytokinines en provenance des racines contrent les effets de l'auxine et des strigolactones, limitant ainsi la croissance des bourgeons axillaires. Par conséquent, les bourgeons axillaires les plus éloignés de l'apex s'allongent de plus en plus.
La suppression du bourgeon apical permet aux autres bourgeons de recevoir plus de glucides pour leur croissance. Les concentrations d'auxine et de strigolactones diminuent également, surtout près de la zone sectionnée. Cette diminution entraîne une accélération de la croissance des bourgeons axillaires, surtout ceux les plus proches de l'apex, dont l'un deviendra le nouveau bourgeon apical.
Plante dont le bourgeon apical est intact
Plante dont le bourgeon apical a été supprimé

également des gibbérellines. Depuis ce temps, les scientifiques ont répertorié plus de 100 gibbérellines naturelles. Mais chaque espèce végétale en compte un nombre beaucoup plus petit. Il semble que les « plantules folles » de riz atteintes souffrent d'un excès de gibbérellines. Les gibbérellines ont différents effets sur les végétaux, comme l'allongement de la tige ainsi que la stimulation de la fructification et de la germination des graines.

L'allongement des tiges Les jeunes racines et les jeunes feuilles sont les principaux sites de production des gibbérellines. L'effet le mieux connu de ces régulateurs de croissance est de stimuler la croissance des feuilles et de la tige en favorisant l'allongement *et* la division cellulaires. Il semble qu'elles activent des enzymes qui causent un relâchement de la paroi cellulaire, ce qui facilite la pénétration des expansines. Ainsi, l'auxine et les gibbérellines agissent de concert pour favoriser l'allongement de la tige.

Pour constater les effets des gibbérellines sur l'allongement des tiges, on peut traiter certaines variétés naines (mutantes) avec ces régulateurs de croissance. Ainsi, les plants de pois nains (dont ceux étudiés par Mendel; voir le concept 14.1) atteignent une certaine hauteur après un traitement aux gibbérellines. Mais on n'obtient souvent aucune réaction si on traite des plantes de type sauvage avec des gibbérellines. Apparemment, ces plantes produisent déjà une dose optimale de ce régulateur de croissance. La *montée à graines* ou montaison c'est-à-dire la croissance rapide d'une tige florale, est l'exemple le plus évident de l'effet d'allongement que causent les gibbérellines (**figure 39.9a**).

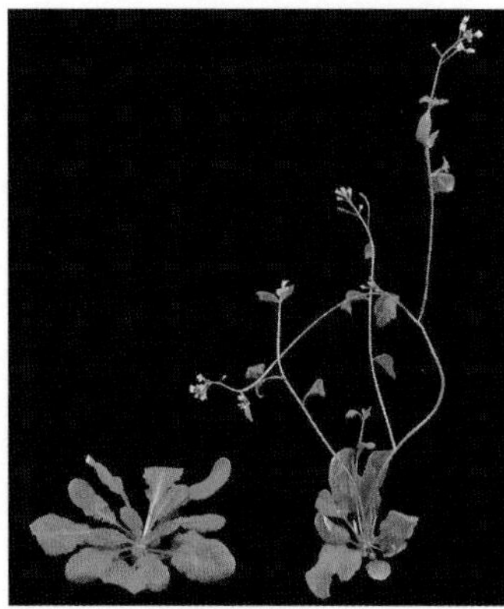

(a) Certaines plantes prennent la forme d'une rosette: elles restent basses et ont des entrenœuds très courts, comme dans le cas d'*Arabidopsis thaliana* illustrée à gauche. Lorsque ces plantes passent à la phase de reproduction, elles sécrètent massivement des gibbérellines, ce qui provoque la montée à graines. Les entrenœuds s'allongent alors rapidement, de sorte que les bourgeons floraux qui se forment aux extrémités des tiges (à droite) prennent de la hauteur.

(b) La grappe de raisins «Thompson» sans pépins de gauche représente la vigne témoin non traitée. Celle de droite se développe sur une vigne traitée aux gibbérellines au cours de la formation des fruits.

▲ **Figure 39.9 Les effets des gibbérellines sur l'allongement des tiges et la fructification.**

La fructification Chez de nombreux végétaux, l'auxine et les gibbérellines sont toutes les deux nécessaires à la formation des fruits. La production de raisins « Thompson » (*Vitis vinifera*) sans pépins est la principale application commerciale des gibbérellines (**figure 39.9b**). Ces régulateurs de croissance favorisent le grossissement des fruits. Or, le consommateur recherche de gros fruits. De plus, les gibbérellines allongent les entrenœuds sur la grappe; les raisins sont ainsi plus espacés. Cela permet une bonne circulation de l'air entre les fruits, ce qui prévient l'infection par des levures et d'autres microorganismes.

La germination L'embryon contenu dans la graine est une importante source de gibbérellines. Après l'imbibition d'eau, il libère des gibbérellines qui font sortir la graine de sa dormance et provoquent la germination. Certaines graines qui ont besoin pour germer de conditions spéciales, telles que l'exposition à la lumière ou au froid, quittent leur dormance si on les traite aux gibbérellines. Les gibbérellines assurent la croissance des plantules des céréales en déclenchant la synthèse d'enzymes digestives comme l'α-amylase, qui mobilise les nutriments emmagasinés (**figure 39.10**).

L'acide abscissique

Dans les années 1960, un groupe de recherche qui étudiait les variations chimiques précédant la dormance des bourgeons et l'abscission des feuilles des arbres à feuillage caduc (dont les feuilles tombent à l'automne) et une autre équipe qui s'intéressait aux variations chimiques précédant l'abscission des fruits du coton (*Gossypium sp.*) ont isolé le même composé: l'**acide abscissique** (ABA). Ironiquement, on ne considère plus aujourd'hui que l'ABA joue un rôle majeur dans la dormance des bourgeons ou l'abscission des feuilles. Par contre, ce régulateur de croissance végétal joue un rôle important dans d'autres fonctions. Contrairement aux régulateurs de croissance que nous avons étudiés jusqu'à maintenant (l'auxine, les cytokinines, les gibbérellines et les brassinostéroïdes), qui stimulent la croissance végétale, l'ABA *ralentit* la croissance. Souvent, il contre les effets des régulateurs qui stimulent la croissance. C'est le rapport entre la concentration d'ABA et la concentration d'un ou de plusieurs régulateurs qui stimulent la croissance qui détermine la manifestation physiologique finale. Nous examinerons ici deux des effets de l'ABA sur les végétaux: la dormance de la graine et la résistance à la sécheresse.

La dormance des graines La dormance des graines augmente la probabilité que la germination des graines n'ait lieu que dans des conditions optimales de luminosité, de température et d'humidité pour la survie des plantules (voir le concept 38.1). Qu'est-ce qui empêche une graine tombée à l'automne de germer immédiatement pour ensuite ne pas survivre à l'hiver? Quels mécanismes font en sorte que cette graine ne germe qu'au printemps? Qu'est-ce qui empêche une graine de germer dans l'intérieur obscur et humide du fruit? La réponse à ces questions se trouve dans l'ABA. La concentration d'ABA peut augmenter de 100 fois durant la maturation des graines. Cette concentration élevée dans les graines en développement inhibe la germination et entraîne la production de protéines qui aident les graines à supporter l'extrême déshydratation qui accompagne la maturation.

De nombreux types de graines en dormance germeront si on en retire l'ABA ou qu'on l'inactive. Les graines de certaines plantes du désert sortent de leur dormance uniquement quand des pluies abondantes en lessivent l'ABA. D'autres graines ont besoin d'une exposition à la lumière ou d'une longue exposition

▶ **Figure 39.10 La mobilisation des nutriments par les gibbérellines pendant la germination des graines de céréales comme l'orge (*Hordeum vulgare*).**

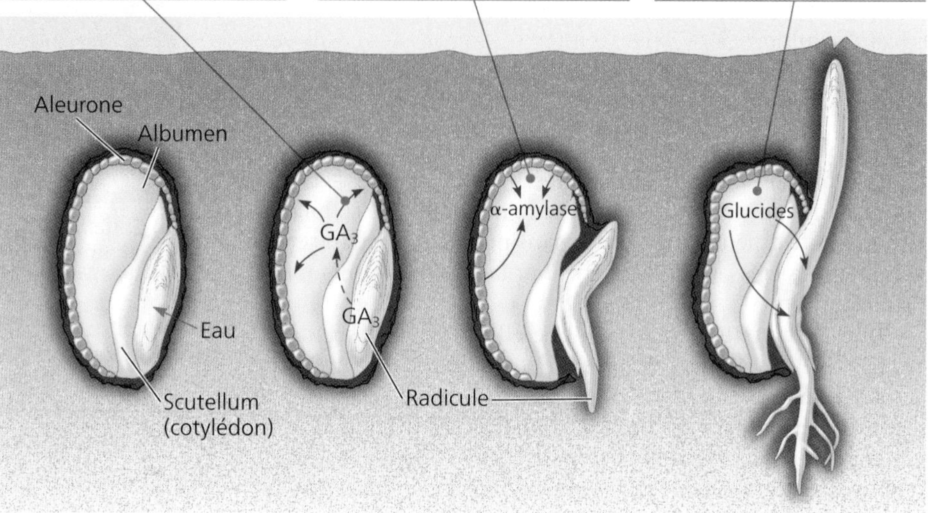

❶ Une fois que la graine a absorbé de l'eau, l'embryon libère de l'acide gibbérellique (GA_3), qui envoie un stimulus à l'aleurone, la mince couche externe de l'albumen.
❷ L'aleurone réagit en synthétisant et en sécrétant des enzymes digestives qui hydrolysent les nutriments emmagasinés dans l'albumen. Un exemple est l'α-amylase, qui hydrolyse l'amidon.
❸ Les glucides et autres nutriments absorbés de l'albumen par le scutellum (cotylédon) nourrissent l'embryon pendant la période de croissance où il devient une plantule.
Aleurone
Albumen
Eau
Scutellum (cotylédon)
GA_3
GA_3
α-amylase
Radicule
Glucides

au froid pour inactiver l'ABA. Le rapport entre la concentration d'ABA et celle des gibbérellines détermine souvent si la graine restera en dormance ou germera. L'ajout d'ABA dans des graines qui ont commencé à germer les fait reprendre leur dormance. De l'ABA inactivé ou en concentrations faibles peut causer une germination précoce (hâtive) (**figure 39.11**). Ainsi, un plant de maïs mutant dont les grains germent quand ils sont encore sur l'épi se caractérise par l'absence d'un facteur de transcription fonctionnel nécessaire au déclenchement, par l'ABA, de l'expression de certains gènes. La germination précoce des graines du palétuvier rouge (*Rhizophora mangle*), causée par de faibles concentrations d'ABA, est en fait une adaptation qui aide les jeunes plantules à se fixer comme des dards dans la boue molle sous l'arbre parent.

La résistance à la sécheresse L'ABA joue un rôle important dans la signalisation liée à la sécheresse. Quand une plante commence à flétrir, l'ABA s'accumule dans les feuilles et provoque la fermeture des stomates, ce qui réduit la transpiration et la perte d'eau. Par son action sur les seconds messagers tels que le calcium, l'ABA provoque l'ouverture des canaux ioniques à potassium des membranes des cellules stomatiques, lesquelles se vident d'une grande partie de leur potassium. La perte osmotique d'eau qui accompagne ce phénomène diminue la turgescence des cellules stomatiques et ferme les stomates (voir la figure 36.14). Dans certains cas, le manque d'eau affaiblit le système racinaire avant le système caulinaire. L'ABA transporté des racines aux feuilles peut alors agir comme un « système d'alarme précoce ». De nombreux mutants particulièrement prédisposés au flétrissement ne produisent pas d'ABA.

▼ **Figure 39.11 La germination précoce des graines sur un palétuvier rouge de type sauvage et sur un plant de maïs mutant.**

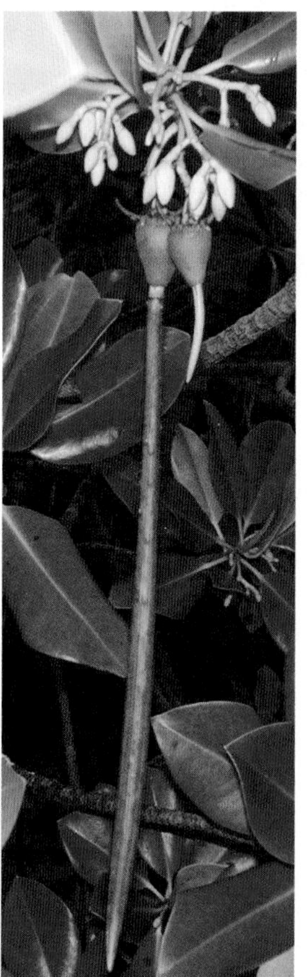

◀ Les graines du palétuvier rouge (*Rhizophora mangle*) ne produisent que de faibles concentrations d'ABA et elles germent alors qu'elles sont encore sur l'arbre. Dans ce cas, une germination hâtive représente une adaptation utile : une fois sortie de la graine, la radicule de la plantule semblable à un dard s'enfonce profondément dans les vasières où poussent les palétuviers.

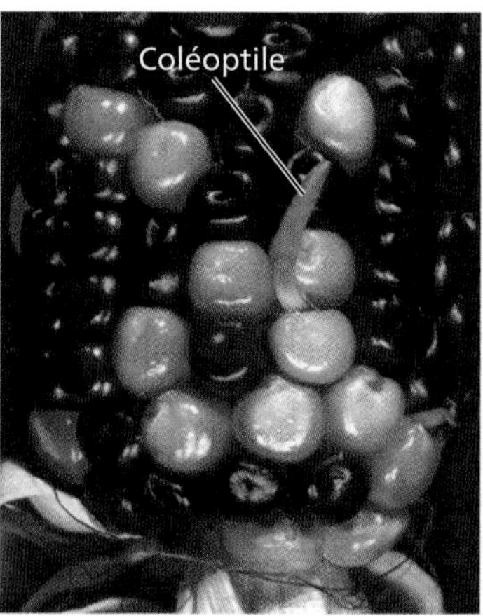

Coléoptile

▲ La germination précoce sur cet épi de maïs mutant est causée par l'absence d'un facteur de transcription fonctionnel pour l'action de l'ABA.

L'éthylène

Dans les années 1800, quand on éclairait les rues au gaz de houille, ou gaz d'éclairage, les fuites provoquaient la chute précoce des feuilles des arbres situés près des conduites. En 1901, il a été démontré que l'**éthylène** était le principal facteur actif du gaz d'éclairage. Mais on a accepté l'idée que l'éthylène était un régulateur de croissance végétal seulement lorsqu'une technique appelée chromatographie en phase gazeuse a permis de l'identifier plus simplement.

Les végétaux sécrètent de l'éthylène en réaction à des stress comme les sécheresses, les inondations, les pressions externes exercées par un liquide ou un solide, les blessures et les infections. Ils en produisent également au cours de la maturation des fruits et de la mort programmée des cellules (l'apoptose), ainsi que lorsqu'on leur donne des concentrations élevées d'auxines. En fait, de nombreux effets qu'on attribuait jadis à l'auxine, par exemple l'inhibition de l'allongement des racines, sont peut-être attribuables à la production d'éthylène déclenchée par l'auxine. Examinons quatre des nombreux effets de l'éthylène sur les végétaux : la triple réponse aux contraintes physiques, la sénescence, l'abscission des feuilles et la maturation des fruits.

La triple réponse aux contraintes physiques Imaginons une plantule de pois poussant vers le haut dans le sol et butant contre une pierre. Lorsque l'apex délicat de la tige se heurte sur l'obstacle, la contrainte exercée par l'obstacle entraîne une production d'éthylène dans la plantule. L'éthylène conduit la plantule à effectuer une manœuvre de croissance appelée **triple réponse** qui lui permet de contourner l'obstacle. Les trois parties de cette réaction sont le ralentissement de l'allongement de la tige, son épaississement (qui la rend plus forte) et sa courbure (qui la fait croître horizontalement). Lorsque les effets de l'impulsion initiale de l'éthylène diminuent, la tige reprend sa croissance verticale. Si elle rencontre de nouveau une barrière, une autre poussée de production d'éthylène survient, et la tige continue sa progression horizontale. Mais si elle ne touche aucun objet solide, la production d'éthylène diminue, et la tige, qui ne rencontre plus aucun obstacle, peut reprendre sa croissance normale vers le haut. C'est donc l'éthylène, plutôt que l'obstacle physique lui-même, qui est à l'origine de la croissance horizontale de la tige. En effet, des plantules poussant normalement et ne rencontrant aucun obstacle réagissent par une triple réponse quand on leur vaporise de l'éthylène (**figure 39.12**).

Les études effectuées sur les mutants d'*Arabidopsis thaliana* qui présentent une triple réponse anormale nous montrent comment les biologistes procèdent pour isoler une voie de transduction du signal. Les mutants *ein* (pour *ethylene-insensitive*, « insensibles à l'éthylène ») ne manifestent pas de triple réponse après une exposition à l'éthylène (**figure 39.13a**). Certains d'entre eux sont insensibles à la présence de ce régulateur de croissance en raison de l'absence de récepteurs d'éthylène fonctionnels. Des mutants d'un type différent présentent une triple réponse même hors du sol, dans l'air, où il n'y a aucun obstacle physique. Certains ont un défaut de régulation qui les fait produire de l'éthylène à une concentration 20 fois plus élevée que la normale. On peut faire retrouver le phénotype de type sauvage à ces mutants *eto* (pour *ethylene-overproducing*, « produisant de l'éthylène en excès ») en traitant les plantules avec des substances qui inhibent la synthèse de l'éthylène. D'autres mutants, appelés *ctr* (pour *constitutive triple response*, « présentant une triple réponse constitutive »), présentent une triple réponse dans la partie aérienne du plant, mais ne réagissent pas aux substances qui inhibent la synthèse de l'éthylène (**figure 39.13b**). (Les gènes constitutifs sont des gènes qui sont continuellement exprimés dans toutes les cellules d'un organisme.) Chez les mutants *ctr*, la transduction du signal lié à l'éthylène est continuellement active, même en l'absence d'éthylène.

Le gène modifié chez les mutants *ctr* code pour une protéine kinase. Le fait que cette mutation *déclenche* la triple réponse à l'éthylène permet de penser que la kinase normale produite par l'allèle sauvage est un régulateur *négatif* de la transduction du signal lié à l'éthylène. Par conséquent, la fixation de l'éthylène

▼ **Figure 39.12 La triple réponse induite par l'éthylène.**
En présence d'éthylène, un régulateur de croissance végétal gazeux, les plantules de pois qui croissent dans la pénombre présentent la triple réponse, c'est-à-dire un ralentissement de l'allongement de la tige, son épaississement et sa croissance horizontale. Plus la concentration d'éthylène est élevée, plus la réponse est grande.

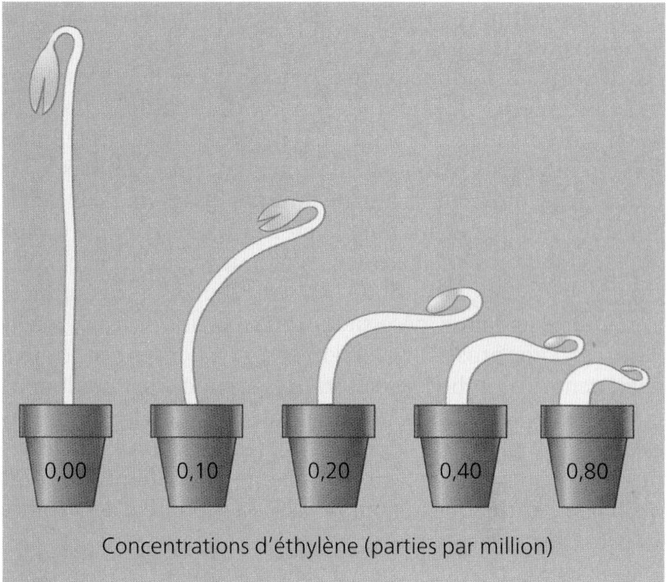

HABILETÉS VISUELLES ▶ Si l'on combinait la mutation *ein* avec la mutation *eto* (qui fait produire de l'éthylène en quantités excessives), le phénotype de la plante porteuse de cette double mutation serait-il différent du phénotype de la plante porteuse d'une seule mutation ? Expliquez votre réponse.

▼ **Figure 39.13 La triple réponse à l'éthylène chez les mutants d'*Arabidopsis*.**

(a) Mutant *ein*. Un mutant *ein* (insensible à l'éthylène) n'affiche pas de triple réponse en présence d'éthylène.

(b) Mutant *ctr*. Un mutant *ctr* (présentant une triple réponse constitutive) affiche la triple réponse, même en l'absence d'éthylène.

sur le récepteur provoque habituellement une inactivation de la kinase; et l'inactivation de ce régulateur négatif permet la synthèse des protéines nécessaires à la triple réponse.

La sénescence Observez la chute d'une feuille à l'automne ou la mort d'une plante annuelle après sa floraison. Ou bien pensez à la dernière étape de la différenciation d'un élément de vaisseau du xylème, dont le contenu vivant est alors détruit et qui devient ainsi un tube creux. Tous ces événements résultent de la **sénescence**, la mort programmée de certaines cellules ou de certains organes, ou même de la plante entière. Les cellules, les organes et les plantes génétiquement programmés pour mourir à un moment donné ne font pas qu'arrêter leur métabolisme cellulaire et attendre la mort. Au contraire, ils vivent l'un des moments les plus intenses de leur vie: à l'échelle moléculaire, le déclenchement de la mort cellulaire programmée, c'est-à-dire l'apoptose, nécessite l'expression de nouveaux gènes. Pendant l'apoptose, des enzymes nouvellement produites dégradent de nombreuses substances chimiques, notamment la chlorophylle, l'ADN, l'ARN, les protéines et les lipides membranaires. La plante peut alors récupérer une grande partie des produits de ces dégradations. Une poussée de production d'éthylène est presque toujours associée à l'apoptose des cellules au cours de la sénescence.

L'abscission foliaire Chez les arbres à feuillage caduc, la chute des feuilles prévient la dessiccation au cours des saisons où l'eau se fait très rare pour les racines. Avant l'abscission des feuilles mortes, une grande partie de leurs nutriments essentiels se dirigent vers les cellules parenchymateuses de la tige pour y être entreposés jusqu'au printemps, où ils retournent dans les jeunes feuilles. Les couleurs automnales des feuilles résultent d'un mélange de pigments rouges nouvellement fabriqués et de caroténoïdes jaunes et orange déjà existants (voir le concept 10.2) que la chlorophylle vert foncé masquait pendant l'été.

Quand une feuille tombe, à l'automne, elle se détache de la tige à une zone d'abscission qui se forme d'abord près de la base de son pétiole (**figure 39.14**). La paroi des petites cellules parenchymateuses de cette zone devient très mince et aucune cellule fibreuse n'entoure le tissu conducteur. En outre, des enzymes hydrolysent les polysaccharides de la paroi cellulaire, ce qui affaiblit encore la zone d'abscission. Enfin, la masse de la feuille et l'action du vent provoquent une rupture dans la zone d'abscission. Avant même la chute de la feuille, une couche de suber (liège) cicatrise le rameau pour empêcher les agents pathogènes d'envahir la plante.

L'abscission résulte d'une modification du rapport entre la concentration de l'éthylène et celle de l'auxine. Une vieille feuille produit de moins en moins d'auxine, ce qui rend les cellules de la zone d'abscission plus sensibles à l'éthylène. Quand l'éthylène domine dans la zone d'abscission, les cellules produisent des enzymes qui dégradent la cellulose et d'autres constituants de la paroi cellulaire.

La maturation des fruits Les fruits charnus immatures sont généralement aigres, durs et verts, des propriétés qui aident à protéger les graines en formation contre les herbivores. Après leur maturation, les fruits contribuent à *attirer* les animaux qui dispersent les graines (voir les figures 30.10 et 30.11). Dans le cas des *fruits climactériques*, un pic de production d'éthylène dans les fruits déclenche cette maturation. La dégradation enzymatique des constituants des parois cellulaires ramollit le fruit, et la transformation de l'amidon et des acides en glucides simples le rend plus sucré. La production des nouveaux arômes et l'apparition des nouvelles couleurs des fruits aident à attirer des animaux, qui les mangent et en dispersent les graines.

Une cascade de réactions a lieu durant la maturation du fruit. Tout d'abord, l'éthylène déclenche la maturation, qui, en retour, provoque la production de plus d'éthylène. Il en résulte une grande poussée de production d'éthylène. L'éthylène étant un gaz, le stimulus de maturation se propage de fruit en fruit. Si on cueille ou achète un fruit vert, on peut en accélérer la maturation en l'enveloppant dans un sac de papier, où l'éthylène s'accumulera. À l'échelle commerciale, les producteurs font mûrir de nombreux types de fruits dans d'énormes conteneurs dans lesquels ils introduisent de l'éthylène. À l'inverse, il leur arrive aussi de retarder la maturation causée par l'éthylène naturel. Ainsi, ils entreposent les pommes dans des caissons où ils injectent du dioxyde de carbone (CO_2). La circulation de l'air empêche l'accumulation de l'éthylène, et le CO_2 inhibe la synthèse de nouvelles molécules d'éthylène. Grâce à cette méthode, les pomiculteurs vendent pendant l'été les pommes qu'ils ont cueillies l'automne précédent.

Étant donné l'importance que revêt l'éthylène pour la physiologie des fruits après récolte, la manipulation génétique du mécanisme de transduction du signal lié à l'éthylène pourrait avoir des applications commerciales très intéressantes. Par exemple, en trouvant une façon d'inhiber la transcription d'un des gènes nécessaires à la synthèse de l'éthylène, les biologistes moléculaires ont créé des tomates qui mûrissent à la demande. On cueille ces fruits quand ils sont encore verts, et ils ne mûrissent pas tant qu'on ne les expose pas à l'éthylène. L'amélioration de ce genre de méthode permettra de réduire le gaspillage de fruits et de légumes, un problème qui conduit à la perte de près de la moitié des récoltes aux États-Unis et au Canada, et de plus de 10 % des récoltes en France.

▼ **Figure 39.14 L'abscission d'une feuille d'érable (*Acer sp.*).** L'abscission résulte d'une modification du rapport entre la concentration de l'éthylène et celle de l'auxine. La zone d'abscission apparaît dans cette section longitudinale sous la forme d'une bande verticale, à la base du pétiole. Après la chute de la feuille, une couche protectrice de suber ferme la cicatrice foliaire, ce qui empêche les agents pathogènes d'envahir l'arbre (MP).

Les régulateurs de croissance récemment découverts

L'auxine, les gibbérellines, les cytokinines, l'acide abscissique et l'éthylène sont souvent considérés comme les cinq régulateurs de croissance « classiques » chez les végétaux. Cependant, d'autres substances chimiques découvertes plus récemment viennent s'ajouter à ces importants régulateurs de la croissance des plantes.

Les **brassinostéroïdes** sont des stéroïdes semblables au cholestérol et aux hormones sexuelles des animaux. Les brassinostéroïdes provoquent l'allongement et la division cellulaires dans les tiges et les plantules à des concentrations de seulement 10^{-12} mol/L. De plus, ils retardent l'abscission des feuilles (chute des feuilles) et favorisent la différenciation du xylème. Ces effets ressemblent tellement à ceux de l'auxine au point de vue qualitatif qu'il a fallu des années aux phytophysiologistes pour déterminer que les brassinostéroïdes n'étaient pas des auxines.

Ce sont des études sur un mutant d'*Arabidopsis thaliana* qui ont permis d'établir que les brassinostéroïdes sont des régulateurs de croissance végétaux à part entière. En effet, même si ce mutant pousse dans le noir, il présente des caractères morphologiques semblables à ceux des plants croissant à la lumière. Les chercheurs ont ainsi constaté que la mutation touche un gène qui, en temps normal, code pour une enzyme semblable à celle qui participe à la synthèse de stéroïdes dans les cellules des mammifères. Ils ont également trouvé que des plants mutants manquant de brassinostéroïdes peuvent retrouver le phénotype normal de type sauvage s'ils reçoivent des brassinostéroïdes en laboratoire.

Les **jasmonates**, dont le *jasmonate* et le *jasmonate de méthyle*, sont des molécules dérivées d'acides gras. Ils accomplissent d'importantes fonctions dans les défenses des plantes (voir le concept 39.5) et, comme nous le verrons ici, dans leur développement. Le jasmonate de méthyle a été isolé pour la première fois de l'envoûtant parfum de la fleur de jasmin (*Jasminum grandiflorum*). Les jasmonates ont commencé à susciter un réel intérêt lorsqu'on s'est rendu compte qu'ils sont produits en réaction à des blessures et qu'ils jouent un rôle clé dans la régulation des défenses contre les herbivores et les agents pathogènes. Au fil des études sur la transduction du signal chez des mutants et sur les effets des jasmonates administrés en laboratoire à des plantes, les scientifiques ont vite compris que les jasmonates et leurs dérivés assurent la régulation de divers processus chez les végétaux, tels la sécrétion du nectar, la maturation des fruits, la production de pollen, le moment de la floraison, la germination des graines, la croissance des racines, la formation des tubercules, les symbioses mycorhiziennes et l'enroulement des vrilles. Dans ces processus, les jasmonates interviennent également dans des interactions avec le phytochrome et avec divers régulateurs de croissance, dont les gibbérellines, l'auxine et l'éthylène.

Les **strigolactones** sont des substances chimiques qui circulent dans le xylème ; elles provoquent la germination des graines, inhibent la formation de racines adventives, contribuent à l'établissement d'associations mycorhiziennes et, comme nous l'avons déjà mentionné, elles aident à la régulation de la dominance apicale. Leur découverte récente est associée à des études sur des plantes du genre *Striga*, composé de plantes parasites sans racines, au nom pittoresque, qui s'introduisent dans les racines des autres plantes afin de détourner les nutriments essentiels à leur profit, ce qui freine la croissance de celles-ci. (Dans une légende roumaine, Striga est une créature vampirique qui vit pendant des milliers d'années sans avoir besoin de s'alimenter plus d'une fois tous les 25 ans environ.) Également connues sous le nom d'herbes des sorcières, les *Striga* peuvent s'avérer les plus grands obstacles à la production alimentaire en Afrique, car elles infestent environ les deux tiers des régions consacrées aux cultures céréalières. Chaque plant de *Striga* produit des dizaines de milliers de graines minuscules qui peuvent rester très longtemps en dormance dans le sol et germer quand un hôte approprié commence à croître. Par conséquent, il est impossible d'éradiquer les plants de *Striga* en faisant pousser des cultures non céréalières pendant plusieurs années.

RETOUR SUR LE CONCEPT 39.2

1. La fusicoccine est une toxine fongique qui stimule la pompe à protons de la membrane plasmique des cellules végétales. Comment cette toxine peut-elle affecter la croissance de sections isolées de la tige ?
2. **ET SI ?** ▶ Si une plante possède la double mutation *ctr* et *ein*, quel est le phénotype résultant de la triple réponse ? Expliquez votre réponse.
3. **FAITES DES LIENS** ▶ Quel type de processus de rétroaction est illustré par la production d'éthylène au cours de la maturation des fruits ? Expliquez votre réponse. (Voir la figure 1.10.)

Voir les réponses proposées à l'appendice A.

CONCEPT 39.3

Les réponses des végétaux à la lumière sont vitales pour leur survie

La lumière est un facteur environnemental particulièrement important dans la vie des végétaux. Essentielle à la photosynthèse, elle active aussi de nombreux événements clés de leur croissance et de leur développement, et leur fournit une indication du temps qui passe, des jours et des saisons. L'ensemble de ces événements détermine le processus appelé **photomorphogenèse**.

Les végétaux perçoivent non seulement la présence de la lumière, mais aussi sa direction, son intensité et sa longueur d'onde (couleur). Un graphique appelé **spectre d'action** décrit l'efficacité relative des différentes longueurs d'onde émises par un rayonnement dans le déroulement d'un processus donné (voir la figure 10.10b). Les spectres d'action sont utiles dans l'étude de *tout* processus qui dépend de la lumière. En comparant les spectres d'action correspondant aux réponses diverses des végétaux, les chercheurs peuvent déterminer les réponses qui font intervenir les mêmes photorécepteurs (pigments). Ils comparent également les spectres d'action aux spectres d'absorption des pigments ; une corrélation étroite pour un pigment donné permet de penser que le pigment est le photorécepteur qui régule la réponse. Les spectres d'action révèlent que la lumière rouge et la lumière bleue sont les couleurs les plus importantes dans la régulation de la photomorphogenèse d'une plante. Ils ont permis aux chercheurs de distinguer deux grands groupes de photorécepteurs : les **photorécepteurs sensibles à la lumière bleue** et les **phytochromes**, des photorécepteurs qui absorbent la plus grande partie de la lumière rouge.

Les photorécepteurs sensibles à la lumière bleue

La lumière bleue déclenche diverses réponses chez les végétaux, notamment le phototropisme, l'ouverture des stomates provoquée par la lumière (voir la figure 36.13) et le ralentissement de l'allongement de l'hypocotyle causé par la lumière lorsqu'une plantule perce le sol. Dans les années 1970, les phytophysiologistes avaient tellement de mal à définir l'identité biochimique du photorécepteur de la lumière bleue qu'ils utilisaient l'expression «cryptochrome» (du grec *kruptos*, «caché», et *khrôma*, «couleur») pour faire référence à ce récepteur présumé. Une vingtaine d'années plus tard, les biologistes moléculaires qui analysaient des plants mutants d'*Arabidopsis thaliana* ont constaté que les plantes utilisaient au moins trois types de pigments différents pour percevoir la lumière bleue. Les *cryptochromes*, des molécules apparentées aux enzymes de réparation de l'ADN, interviennent dans l'inhibition induite par la lumière bleue de l'allongement de la tige qui se produit, par exemple, lorsqu'une plantule émerge du sol. La *phototropine* est une protéine kinase qui joue un rôle dans l'ouverture des stomates déclenchée par la lumière bleue, dans les déplacements des chloroplastes en réponse à la lumière et dans la régulation des courbures phototropiques (**figure 39.15**), comme celles étudiées dans les plantules de graminées par les Darwin.

▼ Figure 39.15 Le spectre d'action pour le phototropisme induit par la lumière bleue dans les coléoptiles de maïs. La courbure phototropique vers la lumière est régulée par la phototropine, un photorécepteur sensible à la lumière bleue et violette, mais principalement à la lumière bleue.

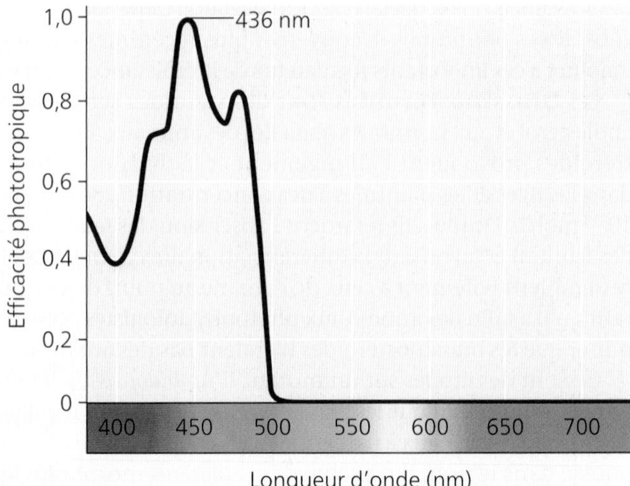

(a) Ce spectre d'action illustre que seule la lumière de longueur d'onde inférieure à 500 nm (lumière bleue et violette) induit la courbure.

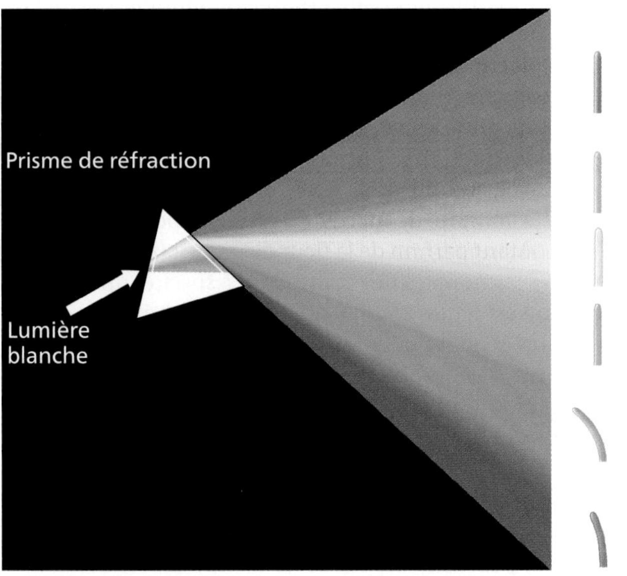

(b) Lorsque les coléoptiles sont exposés à la lumière de diverses longueurs d'onde, comme illustré ici, la lumière violette entraîne une légère courbure, et la lumière bleue, la courbure la plus prononcée vers la source lumineuse. Les autres couleurs ne causent aucune courbure.

Les phytochromes: des photorécepteurs

Quand, au début du présent chapitre, nous avons présenté le mécanisme de transduction du signal chez les végétaux, nous avons parlé du rôle que jouent les pigments végétaux appelés phytochromes dans le verdissement. Les phytochromes forment une autre classe de photorécepteurs qui régulent de nombreuses réponses des végétaux à la lumière. Examinons deux autres exemples: la germination des graines et l'héliophilie.

Les phytochromes et la germination des graines

La découverte des phytochromes est le fruit de plusieurs études portant sur la germination des graines. En raison de leur réserve de nutriments limitée, de nombreuses sortes de graines, surtout les petites, ne germent que dans des conditions quasi optimales, notamment en ce qui concerne la luminosité. Ces graines restent fréquemment en dormance durant des années, attendant la luminosité appropriée. Par exemple, la mort d'un arbre qui faisait de l'ombre ou le labourage d'un champ peuvent créer une luminosité favorable à la germination.

Dans les années 1930, les scientifiques ont déterminé le spectre d'action pour la germination des graines de laitue (*Lactuca sativa*), un processus déclenché par la lumière. Durant quelques minutes, ils ont exposé des graines gorgées d'eau à des lumières monochromes (d'une seule couleur) de différentes longueurs d'onde, avant de les mettre dans l'obscurité. Deux jours plus tard, ils ont noté le nombre de graines ayant germé dans chacune des conditions. Ils ont découvert que le pourcentage de germination atteignait son maximum lorsque les graines de laitues étaient exposées à de la lumière rouge de longueur d'onde de 660 nm, mais que la germination était inhibée par une lumière rouge lointain, c'est-à-dire une lumière dont la longueur d'onde est proche de la limite supérieure du spectre visible pour l'humain (730 nm), et ce, par comparaison avec les témoins maintenus dans l'obscurité (**figure 39.16**). Que se passe-t-il si on expose les graines de laitue à un éclair de lumière rouge puis à un éclair de lumière rouge lointain, ou inversement, à un éclair de lumière rouge lointain puis à un éclair de lumière rouge? C'est le *dernier* éclair qui détermine la réponse de la graine: les effets de la lumière rouge et de la lumière rouge lointain sont réversibles.

Les phytochromes sont les photorécepteurs à l'origine des effets opposés de la lumière rouge et de la lumière rouge lointain. À ce jour, les chercheurs ont découvert, chez *Arabidopsis thaliana*, cinq phytochromes affichant chacun une légère différence dans la structure de leur chromophore. Dans la plupart

DÉMARCHE SCIENTIFIQUE
INVESTIGATION

▼ **Figure 39.16**

Comment la séquence des éclairs de lumière rouge et de lumière rouge lointain influe-t-elle sur la germination des graines?

■ **HYPOTHÈSE** ■ Des scientifiques du United States Department of Agriculture (ministère de l'Agriculture des États-Unis) se sont intéressés aux effets de l'exposition à la lumière rouge et à la lumière rouge lointain sur la germination des graines de laitue. Ils ont formulé l'hypothèse selon laquelle la germination des graines dépend du type de lumière reçue lors de la dernière exposition.

■ **EXPÉRIENCE** ■ Pour tester leur hypothèse, ils ont exposé brièvement des échantillons de graines de laitue à la lumière rouge et à la lumière rouge lointain. Ensuite, ils ont placé les graines dans l'obscurité et comparé les résultats avec les graines témoins, qui n'avaient pas été exposées à la lumière.

■ **RÉSULTATS** ■ La barre sous chaque photo indique la séquence d'exposition aux éclairs de lumière rouge, aux éclairs de lumière rouge lointain et dans l'obscurité. Le pourcentage de germination a été considérablement plus élevé chez les graines dont la dernière exposition avait été à la lumière rouge (à gauche). La germination a été inhibée chez les échantillons de graines dont la dernière exposition avait été à la lumière rouge lointain (à droite).

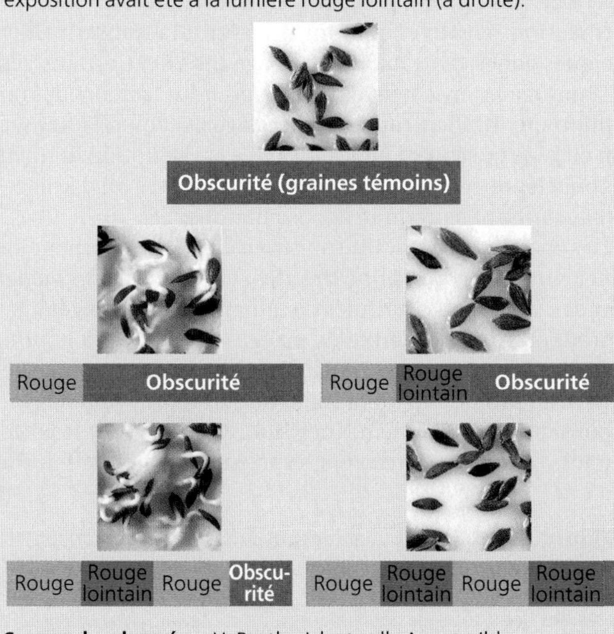
Obscurité (graines témoins)
Rouge | Obscurité
Rouge | Rouge lointain | Obscurité
Rouge | Rouge lointain | Rouge | Obscurité
Rouge | Rouge lointain | Rouge | Rouge lointain

Source des données: H. Borthwick et coll., A reversible photoreaction controlling seed germination, *Proceedings of the National Academy of Sciences* 38: 662-666 (1952).

■ **CONCLUSION** ■ La lumière rouge stimule la germination, tandis que la lumière rouge lointain l'inhibe. La dernière exposition à la lumière est déterminante. Les effets de la lumière rouge et de la lumière rouge lointain sont réversibles.

ET SI? ▶ Le phytochrome répond plus rapidement à la lumière rouge qu'à la lumière rouge lointain. Si on avait exposé les graines à la lumière blanche au lieu de les placer dans l'obscurité après les traitements à la lumière rouge et à la lumière rouge lointain, aurait-on obtenu des résultats différents?

des phytochromes, la partie qui absorbe la lumière, le chromophore, est photoréversible; il prend, en alternance, deux formes, selon la couleur de la lumière à laquelle il est exposé. Sous la forme P_r, il absorbe la lumière rouge et se convertit en P_{rl}, ce qui l'amène à absorber la lumière rouge lointain et à se convertir en P_r (**figure 39.17**). L'interconversion $P_r \leftrightarrow P_{rl}$ sert d'interrupteur pour les divers événements du développement des végétaux qui sont déclenchés par la lumière. La forme P_{rl} du phytochrome provoque de nombreuses réponses à la lumière chez les végétaux. Ainsi, le phytochrome P_r présent dans les graines de laitue exposées à la lumière rouge est converti en P_{rl}, ce qui amorce les réponses cellulaires conduisant à la germination. Quand on expose à la lumière rouge lointain les graines qui avaient déjà été exposées à la lumière rouge, le P_{rl} se reconvertit en P_r, ce qui inhibe la germination.

Comment l'interconversion des phytochromes explique-t-elle le déclenchement de la germination par la lumière dans la nature? Les végétaux synthétisent la forme P_r du phytochrome. Si leurs graines sont dans l'obscurité, le pigment reste à peu près sous cette forme (voir la figure 39.17). La lumière du soleil contient la lumière rouge et la lumière rouge lointain, mais la conversion en P_{rl} est plus rapide que la conversion en P_r. Par conséquent, le rapport entre la forme P_{rl} et la forme P_r augmente

▼ **Figure 39.17 Le phytochrome: un mécanisme de conversion moléculaire.** L'absorption de la lumière rouge pousse le P_r à se transformer en P_{rl}. La lumière rouge lointain inverse cette conversion. Dans la plupart des cas, c'est la forme P_{rl} du pigment qui déclenche les réponses physiologiques et le développement chez les végétaux.

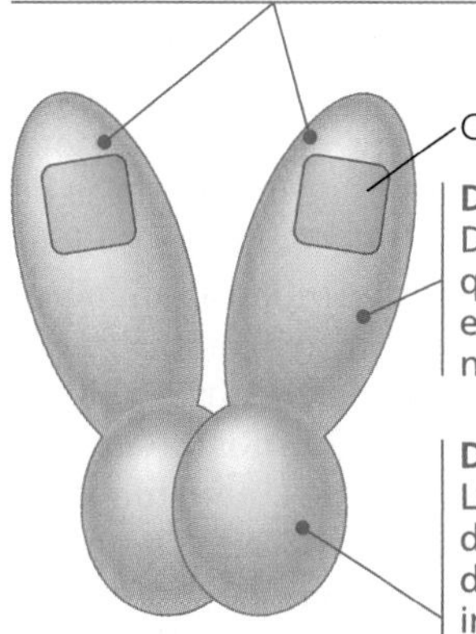
Deux sous-unités identiques. Chaque sous-unité possède deux domaines.
Chromophore
Domaine à activité de photorécepteur. Dans chaque sous-unité, un domaine qui remplit le rôle de photorécepteur est lié par covalence à un pigment non protéique, ou chromophore.
Domaine à activité de kinase. Le second domaine est le lieu d'activité de la protéine kinase. Les domaines à activité de photorécepteur interagissent avec les domaines à activité de kinase pour faire le lien entre la réception de lumière et les réponses cellulaires déclenchées par la protéine kinase.

(a) Structure d'un phytochrome

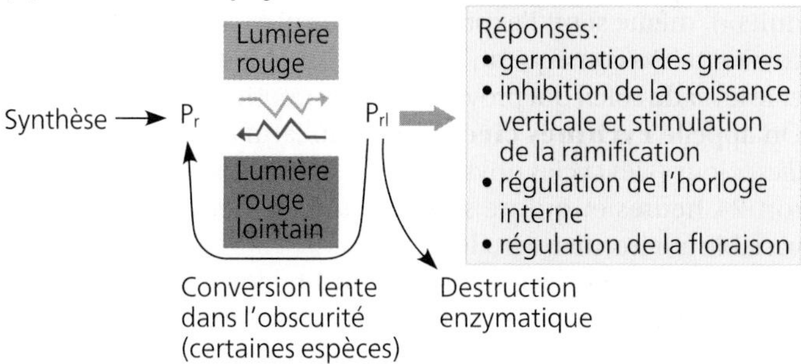
Lumière rouge
Synthèse
P_r
P_{rl}
Lumière rouge lointain
Réponses:
• germination des graines
• inhibition de la croissance verticale et stimulation de la ramification
• régulation de l'horloge interne
• régulation de la floraison
Conversion lente dans l'obscurité (certaines espèces)
Destruction enzymatique

(b) Mécanisme de conversion moléculaire

au soleil. Lorsque les graines sont exposées à la lumière solaire adéquate, la production et l'accumulation de P_{rl} provoquent la germination.

Les phytochromes et l'héliophilie

Le phytochrome renseigne aussi la plante sur la *qualité* de la lumière. Comme les rayonnements de la lumière solaire comprennent à la fois le rouge et le rouge lointain, la transformation $P_r \leftrightarrow P_{rl}$ atteint durant la journée un équilibre dynamique où le rapport entre les deux formes du phytochrome traduit les quantités respectives de lumière rouge et de lumière rouge lointain. Ce mécanisme de perception permet aux végétaux de s'adapter aux variations de luminosité. Prenons l'exemple d'un arbre héliophile, qui doit bénéficier d'une intensité lumineuse relativement forte. Si d'autres arbres lui font de l'ombre, le rapport entre les deux formes du phytochrome penche en faveur de P_r, car le couvert forestier bloque plus de lumière rouge que de lumière rouge lointain. En effet, la chlorophylle des feuilles du couvert forestier absorbe la lumière rouge et laisse passer la lumière rouge lointain (voir la figure 10.10). Ce rapport favorisant la lumière rouge lointain pousse l'arbre à consacrer la majeure partie de ses ressources à la croissance en hauteur. Au contraire, la lumière solaire directe augmente la proportion de P_{rl}, ce qui provoque la ramification et inhibe la croissance verticale.

Outre le fait qu'ils leur permettent de percevoir la lumière, les phytochromes font que les végétaux peuvent suivre la succession des jours et des saisons. Pour comprendre le rôle qu'ils jouent dans ce rapport au temps, nous devons d'abord examiner la nature de l'horloge interne des végétaux.

L'horloge biologique et les rythmes circadiens

Chez les végétaux, on observe au cours d'une journée une oscillation de nombreux processus, comme la transpiration et la synthèse de certaines enzymes. Certaines de ces fluctuations cycliques sont des réactions aux variations de luminosité et de température qui accompagnent le cycle de 24 heures du jour et de la nuit. On peut régir ces facteurs externes en faisant pousser des plantes dans des chambres de culture où l'on maintient des conditions précises de lumière et de température. Même dans ces conditions artificielles constantes, de nombreux processus physiologiques des végétaux, comme l'ouverture et la fermeture des stomates et la production des enzymes photosynthétiques, continuent d'osciller selon une période approximative de 24 heures (une période est la durée d'un cycle). Ainsi, chez de nombreuses légumineuses, les feuilles s'abaissent pendant la nuit pour se redresser au petit matin (**figure 39.18**). Un plant de haricot, par exemple, présente des mouvements nyctinastiques (« au rythme de l'alternance des jours et des nuits »), même si on l'expose à une lumière ou à une obscurité constante. Par conséquent, ce ne sont pas uniquement le coucher et le lever du soleil qui provoquent une réaction dans les feuilles. On appelle **rythmes circadiens** (du latin *circa*, « autour », et *dies*, « jour ») les cycles physiologiques dont la période est d'environ 24 heures et qui ne sont pas directement régis par une variable environnementale.

Les recherches récentes appuient l'hypothèse voulant que l'horloge des rythmes circadiens soit interne et qu'elle ne constitue pas une réponse à certains cycles environnementaux subtils mais envahissants, comme le géomagnétisme ou les radiations cosmiques. Les organismes, notamment les végétaux et les humains, gardent une activité rythmique même si on les place au fond d'une mine ou en orbite autour de la Terre. Toutefois, cette horloge se règle précisément sur une période de 24 heures grâce aux stimulus extérieurs quotidiens.

Lorsqu'un organisme est maintenu dans un milieu stable, la période de ses rythmes circadiens ne reste pas à 24 heures. En effet, elle varie entre 21 et 27 heures, selon la réaction étudiée. Ainsi, dans l'obscurité continue, les mouvements nyctinastiques d'un plant de haricot s'étendent sur une période de 26 heures. L'allongement et le raccourcissement des périodes ne traduisent pas une défaillance de l'horloge biologique. Celle-ci marque encore parfaitement le temps, mais elle n'est plus synchrone avec le monde extérieur. Pour essayer de comprendre les mécanismes qui gouvernent les rythmes circadiens, il faut d'abord faire la différence entre l'horloge et le processus cyclique qu'elle régit. Par exemple, à la figure 39.18, les feuilles du plant de haricot représentent les « aiguilles » de l'horloge biologique, mais leurs mouvements ne sont pas l'horloge elle-même. Si on attache des feuilles de haricot durant plusieurs heures et qu'on les délie, elles prennent aussitôt la position correspondant au moment de la journée. On peut entraver une manifestation du rythme biologique, mais pas le rythme lui-même.

Au cœur des mécanismes moléculaires qui contrôlent les rythmes circadiens, il y a des oscillations dans la transcription de certains gènes. Des modèles mathématiques proposent que la période de 24 heures provienne de boucles de rétro-inhibition (rétroaction négative) qui font intervenir la transcription de quelques gènes centraux de l'horloge interne. Certains gènes de l'horloge interne peuvent coder pour les facteurs de transcription qui inhibent, après un décalage de temps, la transcription du gène qui code pour le facteur de transcription lui-même. Ces boucles de rétro-inhibition, de concert avec un décalage de temps, suffisent à produire des oscillations.

Des chercheurs ont utilisé une nouvelle technique pour identifier les mutants du rythme circadien chez *Arabidopsis thaliana*. L'un des principaux rythmes circadiens chez les végétaux est la production quotidienne de protéines associées à la photosynthèse. Des biologistes moléculaires ont relié la source de ce rythme au promoteur qui déclenche la transcription des gènes responsables de ces protéines de photosynthèse. Pour trouver les mutants du rythme circadien, les scientifiques ont abouté à ce

▼ **Figure 39.18 Les mouvements nyctinastiques du haricot (*Phaseolus vulgaris*).** Les mouvements des feuilles résultent de changements réversibles de la pression de turgescence dans les cellules situées des deux côtés des pulvini (organes moteurs), des renflements situés à la base des feuilles qui commandent les mouvements.

Midi

22 h

promoteur le gène codant pour une enzyme responsable de la bioluminescence des lucioles, appelée luciférase. Lorsqu'elle active le promoteur dans le génome d'*Arabidopsis thaliana*, l'horloge biologique stimule également la production de luciférase. La plante commence alors à luire en suivant un rythme circadien. On a ainsi pu isoler les mutants du rythme circadien en sélectionnant les individus qui luisaient plus longtemps ou moins longtemps que la normale. Les gènes modifiés de certains de ces mutants transforment les protéines qui se lient normalement aux photorécepteurs. Il est possible que les mutations en question perturbent un mécanisme qui règle l'horloge biologique en fonction de la luminosité.

Les effets de la lumière sur l'horloge biologique

Comme nous l'avons vu chez le haricot, la période de rythme circadien des mouvements des feuilles est de 26 heures. Supposons que, à l'aube, nous placions un plant de haricot dans un placard sombre durant 72 heures. Les feuilles ne se redresseraient, la deuxième journée, que deux heures après l'aube réelle et, la troisième, que quatre heures après, etc. Coupée des stimulus environnementaux, une plante se désynchronise par rapport à son milieu naturel. On observe également ce phénomène de désynchronisation quand on traverse plusieurs fuseaux horaires. À destination, les horloges fixées aux murs ne sont pas synchrones avec notre horloge interne. La plupart des organismes sont probablement sujets au décalage horaire.

C'est la lumière qui règle l'horloge biologique sur une période quotidienne précise de 24 heures. Les phytochromes et les photorécepteurs sensibles à la lumière bleue peuvent régler les rythmes circadiens chez les végétaux. Mais on connaît mieux le fonctionnement des phytochromes que celui des autres photorécepteurs. Ce mécanisme implique le déclenchement et l'arrêt de réponses cellulaires au moyen de l'interconversion $P_r \leftrightarrow P_{rl}$.

Réexaminons la réaction photoréversible illustrée à la figure 39.17. Dans l'obscurité, le rapport des phytochromes penche progressivement en faveur de la forme P_r. Cette réaction est en partie attribuable au cycle des phytochromes en général. En effet, ces pigments sont synthétisés sous la forme P_r, et les enzymes détruisent plus la forme P_{rl} que la forme P_r. Chez certaines espèces végétales, P_{rl} se convertit progressivement en P_r au coucher du soleil. Dans l'obscurité, le P_r ne peut se transformer en P_{rl}, mais, au lever du soleil, la conversion du P_r se fait rapidement et provoque l'augmentation de la concentration de P_{rl}. C'est cette augmentation quotidienne du P_{rl} à l'aube qui règle l'horloge biologique : les feuilles de haricot atteignent leur position nocturne maximale 16 heures après l'aube.

Dans la nature, les interactions entre les phytochromes et l'horloge biologique permettent aux végétaux d'évaluer la durée de la nuit et du jour. Cependant, les durées relatives de la nuit et du jour changent tout au cours de l'année (sauf à l'équateur). Ce changement permet aux végétaux d'adapter leurs activités selon les saisons.

Le photopériodisme et les réactions aux changements de saison

Imaginons ce qui se passerait si une plante produisait des fleurs au moment où les insectes pollinisateurs sont absents, ou si un arbre à feuillage caduc produisait des feuilles au milieu de l'hiver. L'alternance des saisons revêt une grande importance dans le cycle de développement de la plupart des végétaux. La germination, la floraison, ainsi que le début et la fin de la dormance des bourgeons représentent des stades de développement qui surviennent généralement à des moments précis de l'année. La photopériode, c'est-à-dire le rapport entre la durée du jour et celle de la nuit au cours d'une journée, est le stimulus environnemental qui permet à la majorité des végétaux de déceler la période de l'année. Une réaction physiologique associée à certaines durées du jour ou de la nuit, comme la floraison, est appelée **photopériodisme**.

Le photopériodisme et la régulation de la floraison

Au début du 20e siècle, en étudiant la variété mutante de tabac (*Nicotiana tabacum*) « Maryland Mammoth », des chercheurs ont levé le voile sur le mécanisme qui permet aux végétaux de déceler les saisons. Les plants atteignaient une hauteur exceptionnelle, mais ne fleurissaient pas pendant l'été. Ils ont fini par fleurir en serre au mois de décembre. Après avoir tenté de déclencher la floraison en faisant varier la température, l'humidité et l'apport de nutriments minéraux, les chercheurs se sont aperçus que c'était le raccourcissement des jours pendant l'hiver qui provoquait la floraison. Des expériences ont montré que la floraison n'a lieu que si la photopériode était inférieure à 14 heures. Les plants « Maryland Mammoth » ne fleurissaient pas en été parce que, à la latitude du Maryland, les photopériodes sont trop longues.

Les chercheurs ont qualifié la variété « Maryland Mammoth » de **plante de jours courts**, ou nyctipériodique, parce qu'elle semblait avoir besoin, pour fleurir, d'une photopériode *inférieure* à une durée critique. Parmi les plantes de jours courts, on trouve les chrysanthèmes (*Chrysanthemum spp.*), les poinsettias (*Euphorbia pulcherrima*) et certaines variétés de soja (*Glycine max*). Ces plantes fleurissent à la fin de l'été, en automne ou en hiver. Un autre groupe de plantes dont la floraison dépend de la photopériode ne fleuriront que si la photopériode est *supérieure* à un certain nombre d'heures. Ces plantes sont dites **plantes de jours longs**, ou héméropériodiques, et fleurissent généralement à la fin du printemps ou au début de l'été. L'épinard (*Spinacia oleracea*), par exemple, fleurit lorsque la durée du jour dépasse 14 heures. Le radis (*Raphanus sativus*), la laitue, la betterave (*Beta vulgaris*), les iris (*Iris spp.*) et de nombreuses variétés de graminées sont également des plantes de jours longs. Les **plantes indifférentes**, comme la tomate, le maïs, le riz (*Oryza sativa*) et le pissenlit (*Taraxacum officinale*), ne subissent pas l'influence de la photopériode ; elles fleurissent quand elles arrivent à maturité, quelle que soit la photopériode.

La durée critique de la nuit Dans les années 1940, les chercheurs ont découvert que c'était la durée de la nuit, et non celle du jour (photopériode), qui régissait la floraison chez les plantes de jours courts et de jours longs. Plusieurs études portaient sur la lampourde glouteron (*Xanthium strumarium*), une plante de jours courts qui fleurit uniquement quand la durée du jour est inférieure à 16 heures (et celle des nuits, supérieure à 8 heures). S'ils interrompaient la photopériode par une brève exposition à l'obscurité, les plantes fleurissaient quand même. En revanche, s'ils interrompaient la durée de la nuit en exposant les lampourdes à une faible lumière durant quelques minutes, celles-ci ne fleurissaient pas. On a observé le même phénomène chez d'autres plantes de jours courts (**figure 39.19a**). Les lampourdes sont insensibles à la durée du jour, mais elles ont besoin d'au moins 8 heures d'obscurité continue pour fleurir. Il serait ainsi plus exact de parler de plantes de nuits longues plutôt que de plantes de jours courts, mais cette dernière expression du lexique de la physiologie végétale a été consacrée. De même, les plantes de jours longs sont en réalité des plantes de nuits courtes. En effet, si on fait pousser une plante de jours longs dans des conditions de nuits longues qui ne favorisent habituellement pas la floraison, elle fleurira si la durée de la nuit est interrompue par quelques minutes de lumière (**figure 39.19b**).

Notons que la distinction entre plantes de jours longs et plantes de jours courts repose *non pas* sur la durée absolue de la nuit, mais sur le fait que la floraison exige un nombre d'heures d'obscurité maximal (plantes de jours longs) ou minimal (plantes de jours courts). Dans les deux cas, la durée critique réelle de la nuit est propre à chaque espèce végétale.

La lumière rouge est celle qui interrompt le plus efficacement la période d'obscurité. Le spectre d'action et les expériences de photoréversibilité montrent que les phytochromes perçoivent la lumière rouge (**figure 39.20**). Par exemple, si un éclair de lumière rouge (r) est immédiatement suivi d'un éclair de lumière rouge lointain (rl) pendant la période d'obscurité, la plante ne perçoit aucune interruption dans la durée de la nuit. Comme dans le cas de la germination des graines régie par les phytochromes, la photoréversibilité $P_r \leftrightarrow P_{rl}$ se manifeste lors de la floraison.

Les végétaux mesurent avec précision la durée de la nuit. Ainsi, certaines plantes de jours courts ne fleurissent pas si la nuit dure une seule minute de moins que le temps critique. Les fleurs de certaines espèces éclosent exactement le même jour tous les ans. Les végétaux évaluent la durée de la nuit grâce à leur horloge biologique, qui se règle avec l'aide des phytochromes, ce qui leur permet de connaître la saison. L'industrie de la floriculture (production de fleurs) utilise ce concept pour produire des fleurs hors saison. Par exemple, les chrysanthèmes sont des plantes de jours courts qui fleurissent normalement en automne. Pour retarder leur floraison jusqu'à la fête des Mères, en mai, les floriculteurs ponctuent chaque longue nuit d'un éclair de lumière pour en faire deux courtes nuits.

▼ **Figure 39.19 La régulation photopériodique de la floraison.**

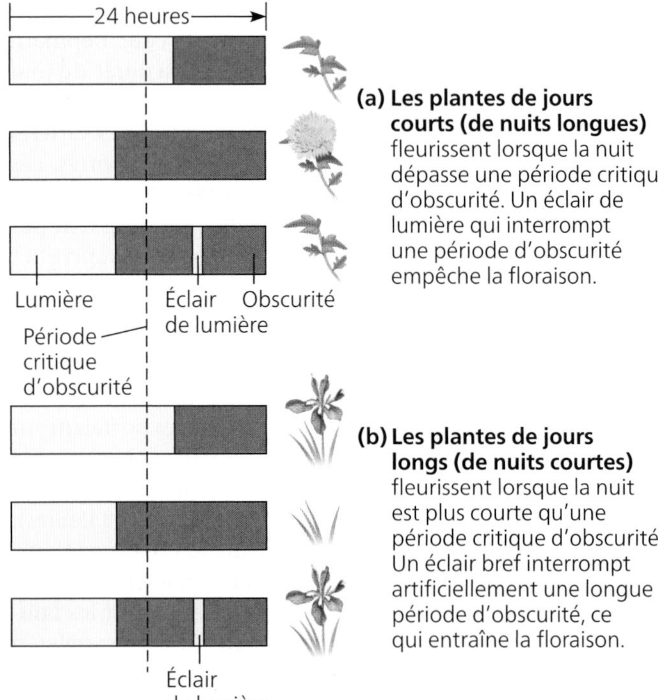

(a) Les plantes de jours courts (de nuits longues) fleurissent lorsque la nuit dépasse une période critique d'obscurité. Un éclair de lumière qui interrompt une période d'obscurité empêche la floraison.

(b) Les plantes de jours longs (de nuits courtes) fleurissent lorsque la nuit est plus courte qu'une période critique d'obscurité. Un éclair bref interrompt artificiellement une longue période d'obscurité, ce qui entraîne la floraison.

▼ **Figure 39.20 Les effets réversibles de la lumière rouge et de la lumière rouge lointain sur la réaction photopériodique.** Un éclair de lumière rouge (r) raccourcit la période d'obscurité. L'éclair de lumière rouge lointain (rl) qui suit annule l'effet de la lumière rouge.

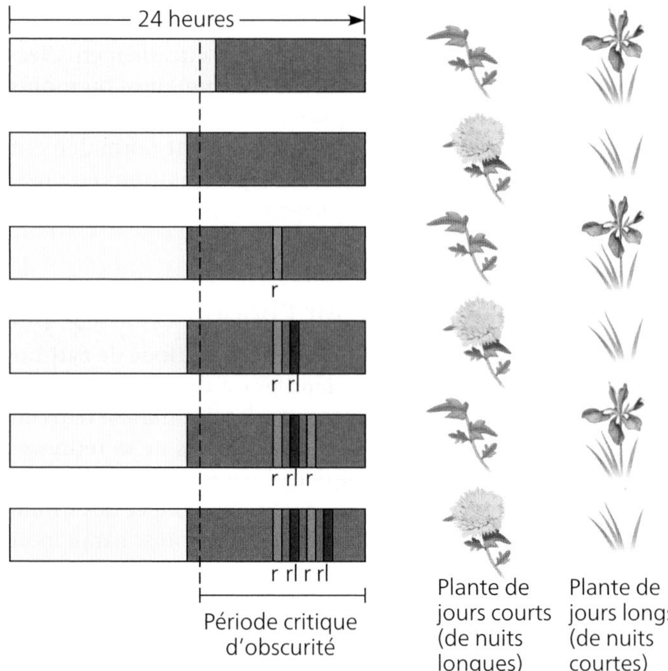

HABILETÉS VISUELLES ▶ Dans des conditions de jours longs (comme dans le premier exemple ci-dessus) ou de jours courts (comme dans le deuxième exemple), quel serait l'effet d'un seul éclair de lumière rouge lointain sur chaque plante ?

Certaines plantes fleurissent après avoir été éclairées une seule journée correspondant à la photopériode qui convient à leur floraison. D'autres ont besoin de plusieurs jours de la photopériode appropriée ou encore ne réagissent à la photopériode qu'après avoir été exposées à un premier stimulus environnemental, telle une période de froid. Ainsi, le blé d'hiver (*Triticum aestivum*) ne fleurit qu'après une exposition de plusieurs semaines à des températures inférieures à 10 °C. On appelle **vernalisation** (d'un mot latin signifiant « printemps ») l'exposition au froid nécessaire à la floraison. Quelques semaines après la vernalisation du blé d'hiver, les jours longs (les nuits courtes) entraînent la floraison.

Existe-t-il un régulateur de croissance de la floraison ?

Bien que les fleurs se forment à partir des méristèmes de bourgeons apicaux ou axillaires, ce sont les feuilles qui décèlent les changements de la photopériode et envoient des molécules de signalisation aux bourgeons pour qu'ils fleurissent. Pour déclencher la floraison d'une plante de jours courts ou d'une plante de jours longs, il suffit dans bien des cas d'exposer une seule feuille aux conditions correspondant à la photopériode appropriée. De fait, s'il ne reste même qu'une feuille sur la plante, cette feuille décèle la photopériode, et les bourgeons floraux se développent. Cependant, une plante qui a perdu toutes ses feuilles ne décèle pas la photopériode.

Des expériences classiques ont révélé que le signal de floraison pouvait se déplacer à travers une greffe provenant d'une plante dont la floraison a été stimulée vers une plante dont la floraison n'a pas débuté, et ainsi provoquer la floraison. De plus, le signal de la floraison semble être de même nature chez les plantes de jours courts que chez les plantes de jours longs, malgré les différentes conditions photopériodiques requises pour que les feuilles envoient ce signal (**figure 39.21**). La molécule de signalisation hypothétique déclenchant la floraison, appelée **florigène**, est restée inconnue pendant plus de 70 ans, alors que les scientifiques concentraient leur attention sur de petites molécules semblables à des régulateurs de croissance. Cependant, de grosses macromolécules, comme l'ARNm et des protéines, peuvent se déplacer dans la voie symplastique par les plasmodesmes et réguler le développement des végétaux. Il semble actuellement que le florigène soit une protéine. Un gène appelé locus de floraison t (*FLOWERING LOCUS T* ou *FT*) est activé dans les cellules des feuilles dans des conditions qui favorisent la floraison, et la protéine FT se déplace dans le symplasme vers le méristème apical caulinaire. Elle déclenche alors le processus qui fait passer le méristème d'un bourgeon de l'état végétatif à la floraison.

▼ **Figure 39.21 Une preuve expérimentale de l'existence d'un régulateur de croissance de la floraison.** Une plante de jours courts fleurit et une plante de jours longs ne fleurit pas si elles sont cultivées séparément dans des conditions de jours courts. Cependant, les deux fleurissent si elles sont greffées l'une sur l'autre et exposées à des jours courts. Ce résultat indique qu'une substance qui déclenche la floraison (florigène) passe à travers la greffe et induit la floraison chez les plantes de jours courts et de jours longs.

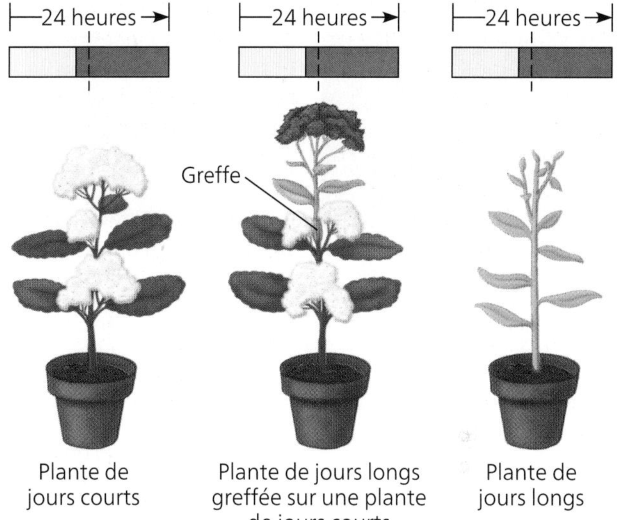

ET SI ? ▶ Si la floraison était inhibée dans les deux parties des plantes greffées, que pourrait-on conclure ?

RETOUR SUR LE CONCEPT **39.3**

1. Si une enzyme dans des feuilles de soja cultivé en plein champ est plus active à midi et moins active à minuit, est-ce que son activité est sous régulation circadienne ?
2. **ET SI ?** ▶ Une plante fleurit dans une chambre de culture à conditions contrôlées où l'on maintient un cycle quotidien de 10 heures de lumière et de 14 heures d'obscurité. Est-ce une plante de jours courts ? Expliquez votre réponse.
3. **FAITES DES LIENS** ▶ Les végétaux décèlent la qualité de leur environnement lumineux en utilisant les photorécepteurs sensibles à la lumière bleue et les phytochromes qui absorbent la lumière rouge. Après avoir revu la figure 10.10, énoncez une raison pour laquelle les plantes sont si sensibles à la longueur d'onde de ces couleurs.

Voir les réponses proposées à l'appendice A.

CONCEPT **39.4**

Les végétaux réagissent à de nombreux stimulus autres que la lumière

Les végétaux ne peuvent se déplacer, mais la sélection naturelle a fait apparaître des mécanismes qui leur permettent de s'adapter à tout un éventail de conditions environnementales par des processus de croissance et des processus physiologiques. La lumière est si importante pour le développement d'une plante que nous lui avons consacré toute la section précédente. Nous étudierons maintenant les réponses des végétaux à certains autres stimulus environnementaux courants.

La force gravitationnelle

Comme les végétaux sont photoautotrophes, il n'est pas surprenant que soient apparus, au cours de leur évolution, des mécanismes qui leur permettent de croître en direction de la lumière. Mais qu'est-ce qui pousse la plantule à croître vers le haut quand elle est sous terre et ne peut percevoir de lumière ? De même, quel facteur environnemental pousse la racine à croître vers le bas ? La réponse à ces deux questions est la force gravitationnelle.

Si on couche une plante sur le côté, sa tige se courbera vers le haut, et sa racine, vers le bas. La réaction des racines à la force gravitationnelle est appelée **gravitropisme positif** (**figure 39.22a**), tandis que celle des tiges (des pousses) est un **gravitropisme négatif**. Le gravitropisme se manifeste dès la germination de la graine, de sorte que la racine s'enfonce dans le sol et que la pousse recherche la lumière, quelle que soit la position de la graine lorsqu'elle tombe sur le sol.

Les végétaux distinguent le haut du bas parce que des **statolithes**, des constituants cytoplasmiques denses, se déposent sous l'influence de la force gravitationnelle dans la partie inférieure des cellules. Les statolithes des plantes vasculaires sont des plastes spécialisés (amyloplastes) contenant des grains d'amidon denses (**figure 39.22b**). Dans les racines, les statolithes se trouvent à l'intérieur de certaines cellules de la coiffe. Une hypothèse propose que le regroupement des statolithes dans la partie inférieure de ces cellules déclenche une nouvelle répartition du calcium, qui elle-même provoque le transport latéral de l'auxine dans la racine. Le calcium et l'auxine s'accumulent du côté inférieur de la zone d'élongation de la racine. À forte concentration, l'auxine inhibe l'allongement cellulaire, ce qui ralentit la croissance du côté inférieur de la racine. L'allongement des cellules supérieures étant plus rapide que celui des cellules inférieures, la racine croît en descendant verticalement.

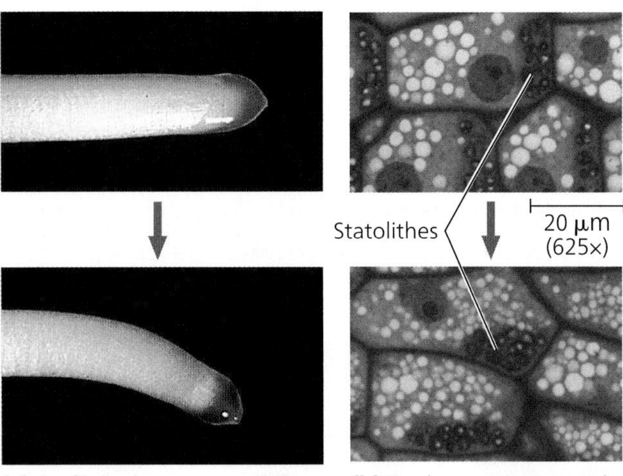

(a) Au fil des heures, une racine primaire de maïs orientée horizontalement se courbera graduellement par gravitropisme jusqu'à ce que sa pointe soit orientée à la verticale (MP).

(b) Quelques minutes après avoir placé la racine à l'horizontale, des plastes appelés statolithes migrent vers les parties inférieures des cellules de la coiffe. Cette accumulation des statolithes dans la partie inférieure des cellules constitue peut-être le mécanisme de perception de la force gravitationnelle qui entraîne la nouvelle répartition de l'auxine et une différence de vitesse d'allongement cellulaire entre les deux côtés de la racine (MP).

▲ **Figure 39.22 L'hypothèse des statolithes expliquant le gravitropisme positif des racines.**

Il n'est peut-être pas nécessaire de faire intervenir la « chute des statolithes » pour expliquer le gravitropisme des racines. Par exemple, des chercheurs ont découvert des mutants d'*Arabidopsis thaliana* et de tabac dépourvus d'organites agissant comme statolithes, mais qui présentent quand même un gravitropisme, bien que plus lent que celui des plantes de type sauvage. Il se pourrait que toute la cellule aide la racine à percevoir la force gravitationnelle par une attirance physique des protéines qui attachent le protoplaste à la paroi cellulaire. Cette attirance étirerait les protéines du côté supérieur des cellules et les comprimerait du côté inférieur. Les organites denses (en plus des grains d'amidon) peuvent également contribuer au gravitropisme en tordant le cytosquelette au fur et à mesure qu'ils sont attirés par la force gravitationnelle. En raison de leur densité, les statolithes amplifieraient la perception de la force gravitationnelle par un mécanisme qui fonctionne plus lentement en leur absence.

Les stimulus mécaniques

Les arbres qui poussent sur le flanc d'une montagne exposé au vent ont habituellement un tronc plus court et plus trapu que les arbres de la même espèce qui poussent dans des endroits abrités. Cet arrêt de croissance lui permet de résister aux fortes bourrasques. Le terme **thigmomorphogenèse** (du grec *thigma*, « toucher ») désigne les variations de forme qui résultent d'une perturbation mécanique. Les végétaux sont très sensibles aux contraintes mécaniques : le fait même de mesurer une feuille avec une règle influe sur la croissance de celle-ci. Si on frotte quelques fois par jour les tiges d'un jeune plant, la plante sera plus courte à maturité qu'une plante témoin (**figure 39.23**).

▼ **Figure 39.23 La thigmomorphogenèse chez *Arabidopsis thaliana*.** On a frotté, deux fois par jour, la plante courte, à droite. Par contre, on n'a pas touché la plante de gauche, qui a poussé beaucoup plus haut.

Au cours de leur évolution, certaines espèces végétales sont devenues des « spécialistes du toucher ». La capacité de ces plantes à réagir de manière précise aux stimulus mécaniques fait partie intégrante de leurs « stratégies de développement ». Ainsi, la plupart des vignes et des plantes grimpantes portent des vrilles qui s'enroulent autour des objets (voir la figure 35.7). Ces structures de préhension poussent droit, jusqu'à ce qu'elles touchent un objet. En réponse à ce contact, leurs cellules se mettent à croître à des vitesses différentes selon le côté où elles se trouvent. On appelle **thigmotropisme** la réaction d'orientation consécutive au contact (stimulus tactile). Cette réaction permet aux vignes de profiter de supports pour grimper aux arbres et aux arbustes.

Il existe également des végétaux spécialistes du toucher qui réagissent à un stimulus mécanique par des mouvements rapides des feuilles. Ainsi, lorsqu'on touche la feuille composée de la sensitive (*Mimosa pudica*), elle s'abaisse et ses folioles se replient (**figure 39.24**). Cette réaction, qui se produit une ou deux secondes seulement après le contact, est provoquée par une diminution rapide de la turgescence dans les cellules des pulvini, des organes moteurs spécialisés situés dans les articulations des feuilles. Les cellules motrices perdent leurs ions potassium, puis se vident de leur eau par osmose et deviennent brusquement flasques. Au bout d'une dizaine de minutes, les cellules retrouvent leur turgescence, et la feuille reprend sa forme habituelle. La fonction de cette réaction reste encore obscure. On pense que le repliement des feuilles et la diminution de leur surface permettent à la plante de paraître moins feuillue et moins attirante pour les herbivores. On présume aussi que cette réaction décourage les herbivores, car le repliement des feuilles laisse apparaître les épines de la tige.

Les mouvements rapides des feuilles ont ceci de remarquable que le stimulus se propage dans toute la plante. Si on touche une foliole de sensitive, elle se replie. Puis la foliole voisine en fait autant, et ainsi de suite jusqu'à ce que toutes les folioles se soient repliées. À partir du point de contact, le stimulus se répand dans toute la plante à la vitesse d'environ 1 cm/s. De plus, si on

Figure 39.24 **Le changement rapide de la turgescence dans le mouvement des folioles de la sensitive (*Mimosa pudica*).**

(a) En l'absence de stimulus, les folioles sont déployées.

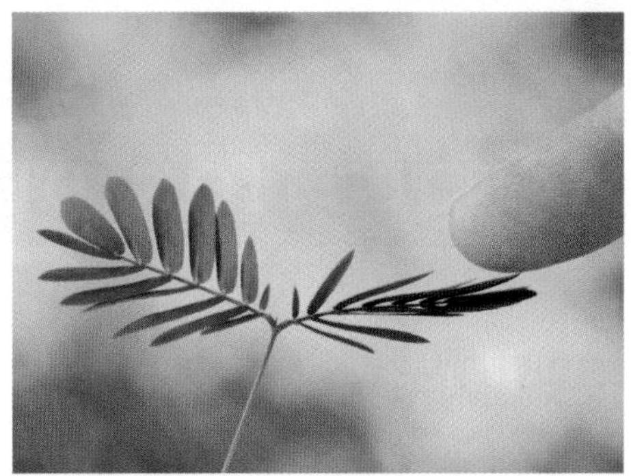

(b) Après un contact, les folioles se replient les unes sur les autres.

fixe des électrodes à la feuille, on peut déceler une impulsion électrique voyageant à la même vitesse. Cette impulsion, appelée **potentiel d'action**, ressemble à celui détecté chez les animaux, mais elle est des milliers de fois plus lente. On observe de tels potentiels d'action chez un grand nombre d'algues et de végétaux. Il constitue peut-être une forme de communication interne. Par exemple, chez la dionée attrape-mouches (*Dionaea muscipula*), les potentiels d'action se propagent des poils sensitifs du piège jusqu'aux cellules qui le ferment (voir la figure 37.16). Dans le cas de la sensitive, un stimulus violent tel que le fait de toucher une feuille avec une aiguille chaude provoque le fléchissement de *toutes* les feuilles et folioles de la plante. Cette réaction générale implique la transduction de molécules de signalisation venant de la région lésée jusque vers les autres parties de la pousse.

Les stress environnementaux

Des facteurs environnementaux peuvent changer au point de menacer la survie, la croissance et la reproduction d'une plante. Les stress environnementaux tels que les inondations, la sécheresse ou des températures extrêmes peuvent avoir un effet dévastateur sur le rendement des cultures. Dans les écosystèmes naturels, les végétaux incapables de supporter un stress environnemental meurent ou sont délogés par d'autres végétaux, ce qui conduit à leur extinction locale. Par conséquent, les stress environnementaux jouent un rôle important dans la répartition géographique des végétaux. Dans la dernière section du présent chapitre, nous aborderons les réactions de défense des végétaux aux stress **biotiques** (facteurs vivants) courants, comme les herbivores et les agents pathogènes. Voyons maintenant quelques stress **abiotiques** (facteurs non vivants) auxquels les végétaux sont souvent exposés. Comme ces facteurs abiotiques jouent un rôle déterminant dans les récoltes, les scientifiques tentent actuellement de déterminer les effets que les changements climatiques pourraient exercer sur le rendement des récoltes (voir la rubrique **Résolution de problème**).

La sécheresse

Au cours d'une journée ensoleillée et sèche, une plante peut flétrir parce qu'elle perd de l'eau par transpiration plus rapidement qu'elle peut en absorber du sol. Une sécheresse prolongée, évidemment, tuera une plante. Heureusement, les végétaux possèdent des systèmes de régulation qui leur permettent de résister à des manques d'eau moins dramatiques.

Un grand nombre de réponses d'une plante à la sécheresse lui permettent de conserver son eau en réduisant sa transpiration. Tout d'abord, le manque d'eau dans une feuille provoque la fermeture des stomates, ce qui permet de réduire considérablement la transpiration (voir la figure 36.14). Ensuite, le manque d'eau entraîne l'augmentation de la synthèse de l'acide abscissique et de sa sécrétion dans la feuille. Ce régulateur de croissance contribue à maintenir les stomates en position fermée en agissant sur la membrane plasmique des cellules stomatiques. Enfin, les feuilles réagissent au manque d'eau de plusieurs autres façons. Par exemple, lorsqu'elles flétrissent à cause d'un manque d'eau, les feuilles de graminées s'enroulent en forme de tubes pour réduire la surface exposée à l'air et au vent secs, et ainsi ralentir la transpiration. D'autres plantes, comme l'ocotillo (*Fouquieria splendens*; voir la figure 36.15), perdent leurs feuilles en réaction à des sécheresses saisonnières. Les réponses des feuilles aident les plantes à conserver leur eau, mais elles réduisent également la photosynthèse. C'est l'une des raisons pour lesquelles la sécheresse diminue le rendement des cultures. Les plantes peuvent même tirer profit de certains signaux d'alarme. En effet, les plantes voisines qui ont commencé à flétrir transmettent des substances chimiques qui permettent aux autres de se préparer à réagir plus rapidement et plus fortement au stress d'une sécheresse imminente (voir la rubrique **Habiletés scientifiques**).

L'inondation

L'excès d'eau cause également un problème aux végétaux. Par exemple, une plante d'intérieur trop arrosée peut suffoquer en raison du manque d'espaces d'air (lacunes) dans lesquels les végétaux puisent les molécules d'oxygène (O_2) nécessaires à la respiration cellulaire qui a lieu dans leurs racines. Toutefois, certaines plantes ont une structure adaptée aux habitats très humides. Par exemple, les palétuviers (*Rhizophora spp.*), ces arbres qui poussent dans les marais côtiers, ont des racines submergées qui sont contiguës à des racines aériennes. Ces dernières leur fournissent un accès à l'O_2 (voir la figure 35.4). Mais lorsque l'O_2 vient à manquer, que font les plantes moins adaptées aux milieux aquatiques dans les sols gorgés d'eau ? En fait, la carence en O_2 entraîne la production d'éthylène, qui provoque la mort par apoptose de certaines des cellules dans le cortex de la racine. La destruction de ces cellules crée des canaux d'air qui font office de « tubas » et amènent l'O_2 aux racines submergées (**figure 39.25**).

RÉSOLUTION DE PROBLÈME Quels seront les effets des changements climatiques sur le rendement des cultures ?

La croissance des végétaux est considérablement limitée par la température de l'air, la disponibilité de l'eau et le rayonnement solaire. C'est pourquoi le nombre de jours par année où ces trois variables climatiques sont propices à la croissance des plantes est un des paramètres utiles pour estimer le rendement d'une culture. Camilo Mora (de la University of Hawaii, à Manoa) et ses collègues ont analysé des modèles du climat sur l'ensemble de la planète dans le but de prédire les effets des changements climatiques sur les jours propices à la croissance des plantes d'ici 2100.

Dans cet exercice, vous examinerez les effets prévus des changements climatiques sur le rendement des cultures et vous en déterminerez l'incidence sur les humains.

Votre méthode

Analysez la carte et le tableau. Ensuite, répondez aux questions ci-dessous.

Vos données

Les chercheurs ont effectué des projections quant au changement annuel du nombre de jours propices à la croissance des plantes pour trois variables climatiques : la température, la disponibilité de l'eau et le rayonnement solaire. Pour ce faire, ils ont soustrait les moyennes récentes (1996-2005) aux moyennes prédites pour le futur (2091-2100). La carte du monde montre les changements prévus si aucune mesure n'est prise pour ralentir les changements climatiques. Les nombres sur la carte correspondent à l'emplacement des 15 nations les plus populeuses. À droite de la carte, le tableau indique le type d'économie de chaque pays (principalement industriel [🏭] ou agricole [🌱]) et son classement au regard du revenu annuel par personne.

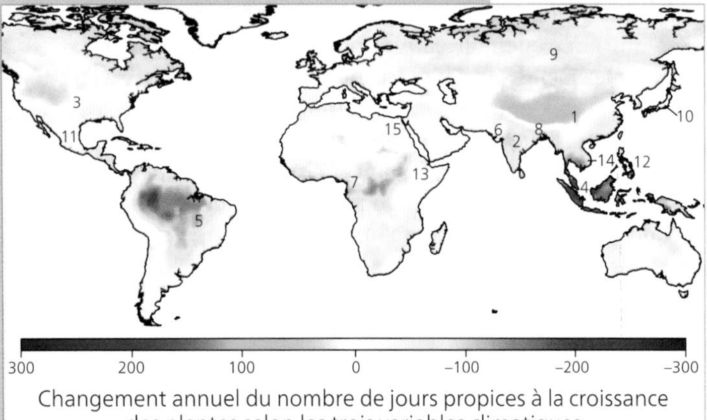

Changement annuel du nombre de jours propices à la croissance des plantes selon les trois variables climatiques

Source des données : Camilo Mora et coll., Suitable days for plant growth disappear under projected climate change : Potential human and biotic vulnerability, *PLoS Biol* 13(6) : e1002167 (2015).

Nation	Emplacement sur la carte	Population en 2014 (estimation en millions)	Type d'économie	Catégorie du revenu*
Chine	1	1 350	🏭	$ $ $
Inde	2	1 221	🌱	$ $
États-Unis	3	317	🏭	$ $ $ $
Indonésie	4	251	🌱	$
Brésil	5	201	🌱	$ $ $
Pakistan	6	193	🌱	$ $
Nigéria	7	175	🌱	$ $
Bengladesh	8	164	🌱	$
Russie	9	143	🏭	$ $ $ $
Japon	10	127	🏭	$ $ $ $
Mexique	11	116	🌱	$ $ $
Philippines	12	106	🌱	$ $
Éthiopie	13	94	🌱	$
Vietnam	14	92	🌱	$
Égypte	15	85	🌱	$ $

* Basé sur les catégories de la Banque mondiale : $ = faible : <1 035 $; $ $ = intermédiaire, tranche inférieure : 1 036 $ à 4 085 $; $ $ $ = intermédiaire, tranche supérieure : 4 086 $ à 12 615 $; $ $ $ $ = élevé : >12 615 $.

Votre analyse

1. Camilo Mora a entrepris cette étude après avoir parlé avec une personne qui estimait que les changements climatiques amélioreraient la croissance des plantes puisqu'ils feraient augmenter le nombre de jours où la température serait supérieure au point de congélation. D'après les données de la carte du monde, que répondriez-vous à cette personne ?
2. Que vous indiquent les données du tableau au sujet des conséquences des changements prévus sur l'humain ?

DÉMARCHE SCIENTIFIQUE

HABILETÉS SCIENTIFIQUES

Interpréter les résultats expérimentaux à partir d'un diagramme à bandes

■ LES PLANTES STRESSÉES PAR UNE SÉCHERESSE COMMUNIQUENT-ELLES LEUR ÉTAT À LEURS VOISINES ? ■
Des chercheurs ont voulu savoir si les plantes pouvaient informer leurs voisines de leur état de stress causé par une sécheresse et, le cas échéant, si elles le faisaient en utilisant des signaux souterrains ou aériens. Dans le présent exercice, vous interpréterez un diagramme à bandes qui représente des diamètres stomatiques afin de savoir si les plantes peuvent informer leurs voisines de leur état de stress.

■ MÉTHODE ■ Les chercheurs ont placé 11 plants de pois (*Pisum sativum*) en pots à distance égale les uns des autres et en rangée. Des tubes reliaient les systèmes racinaires des plantes 6 à 11, leurs voisines immédiates, ce qui permettait aux substances chimiques de passer des racines d'une plante aux racines de la plante voisine sans se déplacer dans le sol. Les systèmes racinaires des plantes 1 à 6, eux, n'étaient pas reliés. Les chercheurs ont soumis la plante 6 à un choc osmotique à l'aide d'une solution fortement concentrée en mannitol, un sucre naturel souvent utilisé pour simuler le stress d'une sécheresse chez les plantes vasculaires.

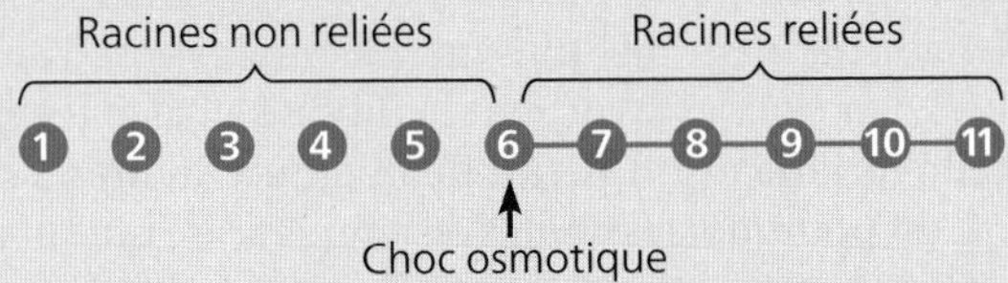

Quinze minutes après le choc osmotique imposé à la plante 6, les chercheurs ont mesuré les diamètres des stomates dans les feuilles de toutes les plantes. Par ailleurs, ils ont effectué un essai témoin dans lequel la plante 6 a reçu de l'eau plutôt que du mannitol.

■ RÉSULTATS ■

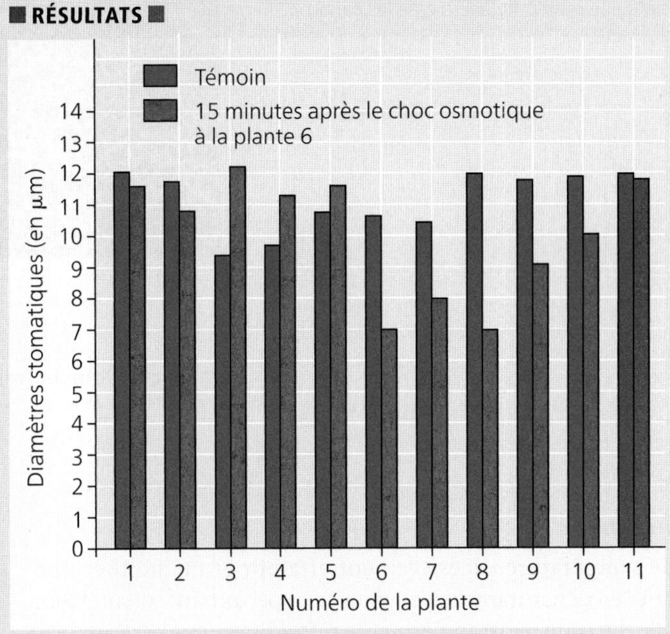

Source des données : O. Falik et coll., Rumor has it... : Relay communication of stress cues in plants, *PLoS ONE* 6(11) : e23625 (2011).

INTERPRÉTEZ LES DONNÉES ▼

1. Quelle comparaison pouvez-vous faire entre les diamètres stomatiques des plants 6 à 8 et 9 et 10 et les diamètres des stomates des autres plants de l'expérience ? Quels renseignements cela nous donne-t-il au sujet de l'état des plants 6 à 8 et des plants 9 et 10 ? (Pour plus d'information sur l'interprétation des diagrammes, voir l'appendice F.)
2. Les résultats de l'expérience appuient-ils l'hypothèse selon laquelle les plantes peuvent informer leurs voisines du stress déclenché par la sécheresse ? Si c'est le cas, les résultats indiquent-ils que cette communication fait intervenir le système caulinaire ou le système racinaire ? Dans chacune de vos réponses, indiquez sur quels résultats vous vous basez.
3. Pourquoi fallait-il s'assurer que des substances chimiques ne pouvaient pas se déplacer dans le sol d'un plant à un autre ?
4. Lorsque les chercheurs ont effectué la même expérience, mais durant 1 heure plutôt que 15 minutes, ils ont obtenu les mêmes résultats, à la différence que les diamètres stomatiques des plants 9 à 11 étaient comparables à ceux des plants 6 à 8. Proposez une explication.
5. Dans l'essai témoin, pourquoi les chercheurs ont-ils donné de l'eau au plant 6 plutôt que du mannitol ? Que nous indiquent les résultats de cet essai témoin ?

La salinité

Un excès de chlorure de sodium ou d'autres sels dans le sol menace les végétaux pour deux raisons. Premièrement, en abaissant le potentiel hydrique de la solution du sol, le sel peut provoquer une carence en eau dans les végétaux, même si le sol contient beaucoup d'eau. En effet, si elles se trouvent dans un milieu dont le potentiel hydrique est plus faible que celui de leurs tissus, les racines perdent de l'eau au lieu d'en absorber (voir la figure 36.12). Deuxièmement, le sodium et certains autres ions présents dans un sol salin sont toxiques pour les végétaux quand leur concentration est trop élevée. De nombreux végétaux peuvent réagir à une salinité modérée du sol en produisant des solutés bien tolérés à des concentrations élevées. Ces composés majoritairement organiques maintiennent le potentiel hydrique des cellules à un niveau inférieur à celui de la solution du sol sans toutefois permettre l'absorption de quantités toxiques de sel. Cependant, la plupart des végétaux ne peuvent survivre longtemps à une salinité élevée. Les halophytes représentent l'exception. Ces plantes qui tolèrent une salinité élevée sont munies de glandes spécialisées qui expulsent les sels de l'épiderme des feuilles.

▶ Figure 39.25 Le changement de structure des racines du maïs en réaction à l'inondation et au manque d'O_2. (a) Coupe transversale d'une racine témoin qui a poussé dans un milieu de culture hydroponique aéré. **(b)** Racine qui a poussé dans un milieu de culture hydroponique privé d'aération. L'apoptose (mort cellulaire programmée) déclenchée par l'éthylène a créé les canaux d'air (MEB).

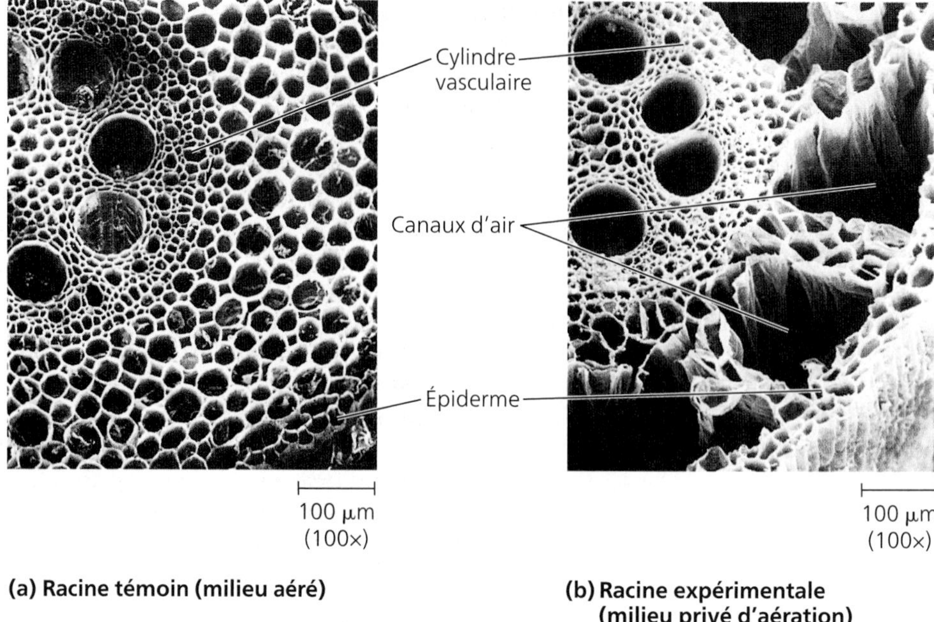

La chaleur

Une température excessive peut affaiblir et même tuer une plante en dénaturant ses enzymes et en perturbant son métabolisme. La transpiration permet le refroidissement par évaporation, ce qui aide les feuilles à abaisser leur température. Ainsi, par une journée chaude, la température d'une feuille peut être de 3 à 10 °C inférieure à celle de l'air ambiant. Un temps chaud et sec tend également à déshydrater de nombreux végétaux. La fermeture des stomates en réaction à ce stress permet à la plante de conserver son eau, mais au détriment du refroidissement par évaporation. Ce dilemme est l'une des raisons pour lesquelles les journées très chaudes et très sèches font autant de victimes chez les végétaux.

La plupart des végétaux déclenchent une réponse de secours qui leur permet de survivre à un stress thermique. Au-dessus d'une certaine température, soit environ 40 °C chez la plupart des végétaux des régions tempérées, les cellules commencent à synthétiser des **protéines de choc thermique** qui contribuent à protéger les autres protéines du stress thermique. On observe également ce type de réponse chez les animaux et les microorganismes. Certaines des protéines de choc thermique sont des protéines chaperonnes (les chaperonines), qui, en temps normal, servent de support temporaire et aident les autres protéines à acquérir leur structure fonctionnelle. En réponse à un choc thermique, ces molécules se lieraient à d'autres protéines pour prévenir leur dénaturation.

Le froid

Quand la température extérieure chute, le changement de fluidité dans les membranes cellulaires est un problème auquel les végétaux sont exposés. En effet, lorsque la température d'une membrane descend sous une valeur critique, les phospholipides se figent dans des structures cristallines, et la fluidité de la membrane diminue. Ce phénomène affecte le transport des solutés à travers la membrane et il exerce un effet négatif sur les fonctions des protéines membranaires. Les végétaux réagissent au froid en modifiant la composition lipidique de leurs membranes afin qu'elles contiennent une plus grande proportion d'acides gras insaturés, car ceux-ci favorisent la fluidité à basse température. Une telle modification prend de quelques heures à quelques jours. C'est pourquoi les chutes de température qui surviennent hors saison sont généralement plus dommageables pour les végétaux qu'une diminution progressive de la température de l'air à l'automne.

Le gel constitue un autre type de stress dû au froid. À des températures se situant sous le point de congélation, de la glace se forme dans la paroi des cellules et dans les espaces intercellulaires, chez la plupart des végétaux. Généralement, le cytosol ne gèle pas aussi rapidement que le milieu environnant, parce qu'il contient plus de solutés que la solution très diluée présente dans la paroi cellulaire. La présence de solutés abaisse le point de congélation d'une solution. La diminution de la quantité d'eau liquide dans la paroi cellulaire provoquée par la formation de glace abaisse le potentiel hydrique extracellulaire, ce qui fait sortir l'eau du cytosol. La cellule est endommagée et peut même mourir à cause de l'augmentation de la concentration d'ions dans le cytosol. La survie de la cellule dépend grandement de sa capacité à résister à la déshydratation. Dans les régions aux hivers rigoureux, les plantes indigènes sont adaptées au stress induit par le gel. En effet, avant l'arrivée de l'hiver, les cellules de nombreuses espèces qui résistent au gel augmentent la concentration cytosolique de certains de leurs solutés, comme les glucides, dont elles supportent bien les concentrations élevées et qui les aident à limiter la perte d'eau causée par le gel extracellulaire. Par ailleurs, l'augmentation de la proportion d'acides gras insaturés dans les lipides membranaires permet aux membranes de conserver une fluidité adéquate.

ÉVOLUTION De nombreux organismes, parmi lesquels certains vertébrés, eumycètes, bactéries et de nombreuses espèces de végétaux, possèdent des protéines spéciales qui retardent la croissance des cristaux de glace, ce qui les aide à éviter les dommages causés par le gel. Décrites pour la première fois chez les poissons de l'Arctique dans les années 1950, ces *protéines antigel* permettent la survie à des températures inférieures à 0 °C. Ces protéines se lient aux petits cristaux de glace et inhibent leur croissance ou, dans le cas des végétaux, empêchent la cristallisation de la glace. Les cinq principales classes de protéines antigel sont différentes les unes des autres par leurs séquences d'acides aminés, mais elles possèdent des structures tridimensionnelles semblables, ce qui semble indiquer une évolution convergente. Étonnamment, les protéines antigel du seigle d'hiver (*Secale cereale*) sont homologues aux protéines de défense antifongiques, mais elles sont produites en réponse aux températures froides et aux jours plus courts, et non en réaction aux agents pathogènes fongiques. En intégrant des gènes des protéines antigel dans les génomes des plantes au moyen de techniques du génie génétique, on a pu accomplir des progrès dans l'augmentation de la tolérance au gel des cultures.

RETOUR SUR LE CONCEPT 39.4

1. Les images thermiques sont des photographies de la chaleur émise par un objet. Les chercheurs ont utilisé des images thermiques de plantes pour isoler des mutants qui produisent de l'acide abscissique en excès. Essayez d'expliquer pourquoi ces mutants sont plus chauds que les plantes sauvages dans des conditions normalement non stressantes.
2. Un employé d'une serre trouve que les chrysanthèmes installés près des allées sont souvent moins hauts que ceux poussant plus au centre des tablettes. Donnez une explication de cet effet de bordure très fréquent en horticulture.
3. **ET SI ?** ▶ Si on enlève la coiffe d'une racine, est-ce que la racine réagira encore à la force gravitationnelle ? Expliquez votre réponse.

Voir les réponses proposées à l'appendice A.

CONCEPT 39.5

Les végétaux réagissent aux attaques des agents pathogènes et des herbivores

Grâce à la sélection naturelle, de nombreux types d'interactions avec d'autres espèces de leurs communautés sont apparus chez les végétaux. Certaines de ces interactions interspécifiques sont bénéfiques aux deux parties – par exemple, l'association de certains végétaux avec des eumycètes mycorhiziens (voir la figure 37.15) ou avec des pollinisateurs (voir les figures 38.4 et 38.5). Cependant, la plupart des interactions avec d'autres organismes n'apportent aucun avantage aux végétaux. En tant que producteurs primaires, les végétaux se trouvent à la base de la plupart des réseaux alimentaires et peuvent se faire manger par un grand nombre d'herbivores (animaux qui se nourrissent de plantes). Ils sont également sujets aux infections par différents virus, bactéries et eumycètes qui peuvent léser leurs tissus, et même causer leur mort. Afin de contrer ces menaces, les végétaux recourent à différents moyens de défense pour dissuader les animaux, prévenir les infections et combattre les agents pathogènes envahissants.

Les défenses contre les agents pathogènes

Les tissus de revêtement des végétaux constituent une barrière physique qui représente la première ligne de défense contre les infections. Dans la structure primaire, il s'agit de l'épiderme et, dans la structure secondaire, du périderme (voir la figure 35.19). Mais cette ligne de défense n'est pas impénétrable. Les lésions mécaniques des feuilles causées par les herbivores, par exemple, constituent des ouvertures à l'invasion par les agents pathogènes. Même quand les tissus végétaux sont intacts, les virus, les bactéries ainsi que les spores et les hyphes des eumycètes peuvent quand même s'introduire dans les plantes par des ouvertures naturelles telles que les stomates. Une fois qu'un agent pathogène a percé les lignes de défense mécaniques d'une plante, celle-ci doit compter sur sa prochaine ligne de défense, qui comprend deux types de réponses immunitaires : l'immunité déclenchée par des PAMP et l'immunité déclenchée par des effecteurs.

L'immunité déclenchée par des PAMP

Lorsqu'un agent pathogène envahit une plante, celle-ci réagit en activant la première de ses deux lignes de défense immunitaires. Elle met en œuvre une riposte chimique destinée à isoler l'agent pathogène et à le circonscrire au foyer d'infection. Cette première ligne de défense immunitaire est appelée *immunité déclenchée par des PAMP* et dépend de la capacité de la plante à reconnaître les **motifs moléculaires associés aux agents pathogènes** (*pathogen-associated molecular patterns* ou PAMP en anglais), autrefois appelés *éliciteurs*. Les PAMP sont des séquences moléculaires spécifiques de certains pathogènes. Par exemple, la *flagelline*, une protéine constituant une importante partie des flagelles des bactéries, est un PAMP. En tombant sur le sol, la pluie éclabousse les pousses des plantes, et ces éclaboussures contiennent toutes sortes de bactéries du sol, dont certaines variétés sont pathogènes. Si des bactéries pathogènes pénètrent dans la plante, une séquence d'acides aminés spécifique de la flagelline de leurs flagelles est détectée par un récepteur de type Toll (également présent chez les animaux où il joue un rôle majeur dans les défenses immunitaires innées ; voir le concept 43.1). Le système immunitaire inné est le système ancestral qui s'est développé au cours de l'évolution et qui domine chez les végétaux, les eumycètes, les insectes et les organismes multicellulaires primitifs. Contrairement aux vertébrés, les végétaux n'ont pas de système immunitaire adaptatif (acquis) : ils ne fabriquent donc pas d'anticorps ni ne font intervenir de lymphocytes T, pas plus qu'ils ne possèdent de cellules mobiles qui patrouillent leurs structures afin de débusquer et d'attaquer les agents pathogènes.

La capacité des végétaux à reconnaître les PAMP entraîne la mise en route d'une cascade d'événements de signalisation qui permet la production locale de *phytoalexines*, des métabolites secondaires agissant comme des antimicrobiens à large spectre et aux propriétés fongicides et bactéricides. Les parois cellulaires s'épaississent également, entravant la progression de l'agent pathogène. La deuxième ligne de réponse immunitaire qu'oppose ensuite la plante est semblable à la première, et même plus forte : l'immunité déclenchée par des effecteurs.

L'immunité déclenchée par des effecteurs

ÉVOLUTION Au cours de l'évolution, les végétaux et les agents pathogènes se sont engagés dans une véritable course aux armements. Certains agents pathogènes sont ainsi devenus capables d'échapper à l'immunité déclenchée par des PAMP des végétaux. Ces agents pathogènes injectent directement dans les cellules végétales des **effecteurs**, c'est-à-dire des protéines qui sapent le système immunitaire inné de la plante. Par exemple, certaines bactéries libèrent dans la cellule végétale des effecteurs qui bloquent la détection de leur flagelline. Les agents pathogènes peuvent alors détourner le métabolisme de l'hôte à leur avantage.

Au cours de l'évolution, la capacité des effecteurs bactériens de supprimer l'immunité déclenchée par des PAMP a entraîné l'apparition de l'*immunité déclenchée par des effecteurs*. Comme il existe des milliers d'effecteurs bactériens, cette défense immunitaire des végétaux comporte des centaines de gènes de résistance (*R*) aux maladies. Chaque gène *R* code pour une protéine *R* qui peut être activée par un effecteur spécifique. Les voies de transduction du signal permettent ensuite à la plante de fourbir son arsenal de réactions de défense, dont la *réaction d'hypersensibilité*, qui se manifeste localement, et la *résistance systémique acquise*, qui est générale. Les réponses locales et systémiques aux agents pathogènes exigent des modifications génétiques considérables et l'engagement de ressources cellulaires. Par conséquent, une plante n'active ces défenses qu'après avoir décelé l'invasion par un agent pathogène.

La réaction d'hypersensibilité La **réaction d'hypersensibilité** fait référence à la mort des cellules et des tissus au site d'infection ou à proximité. Dans certains cas, la réaction d'hypersensibilité empêche l'agent pathogène de se propager ; dans d'autres, elle semble n'être qu'un effet de l'ensemble de la réaction immunitaire. Comme le montre la **figure 39.26**, la réaction d'hypersensibilité est déclenchée par des effecteurs associés à la défense immunitaire. Cette réaction fait partie d'un système de défense complexe faisant intervenir des enzymes et des substances chimiques qui s'attaquent à la paroi cellulaire de l'agent pathogène et nuisent à son métabolisme et à sa reproduction. L'immunité déclenchée par des effecteurs stimule aussi la formation de lignine et la réticulation dans la paroi cellulaire de la plante, ce qui empêche l'agent pathogène de se propager vers d'autres parties de la plante. Une réaction d'hypersensibilité se manifeste par des lésions à la surface d'une feuille, comme l'illustre la photographie dans la partie supérieure droite de la figure 39.26. Bien qu'elle semble « malade », la feuille survivra, et sa réaction de défense aidera à protéger le reste de la plante.

▼ **Figure 39.26 Les réactions de défense contre les agents pathogènes.** Les végétaux peuvent souvent empêcher la propagation systémique d'une infection en déclenchant une réaction d'hypersensibilité. Cette réponse isole l'agent pathogène en produisant des lésions qui forment des cercles de nécrose autour de la zone d'infection.

❶ Souvent, les agents pathogènes infectent les cellules des feuilles en sécrétant des effecteurs, qui sont des protéines capables d'outrepasser l'immunité déclenchée par des PAMP.

❷ En présence d'effecteurs, il se produit une réaction d'hypersensibilité dans les cellules situées au foyer d'infection ou à proximité : les cellules élaborent des molécules antimicrobiennes, isolent la zone infectée en modifiant leur paroi et s'autodétruisent. Cette réponse localisée entraîne la formation de lésions ; ces zones de nécrose privent l'agent pathogène de nutriments et contribuent ainsi à protéger d'autres parties de la feuille infectée.

Agent pathogène

Effecteurs

❶

❷ Lésion formée à la suite de la réaction d'hypersensibilité

Feuille de tabac infectée présentant des lésions nécrosées

❸ Avant de mourir, les cellules infectées libèrent une molécule de signalisation appelée acide méthylsalicylique, laquelle est exportée vers les autres parties de la plante.

❹ Dans les cellules éloignées du site d'infection, l'acide méthylsalicylique est converti en acide salicylique qui déclenche une voie de transduction du signal qui installe la résistance systémique acquise. Cette résistance comporte des changements biochimiques qui protègent la plante contre divers agents pathogènes durant plusieurs jours.

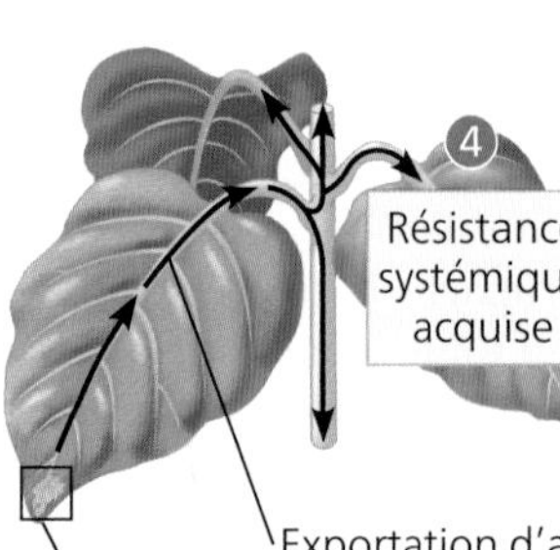

Partie infectée

Exportation d'acide méthylsalicylique vers les autres parties de la plante

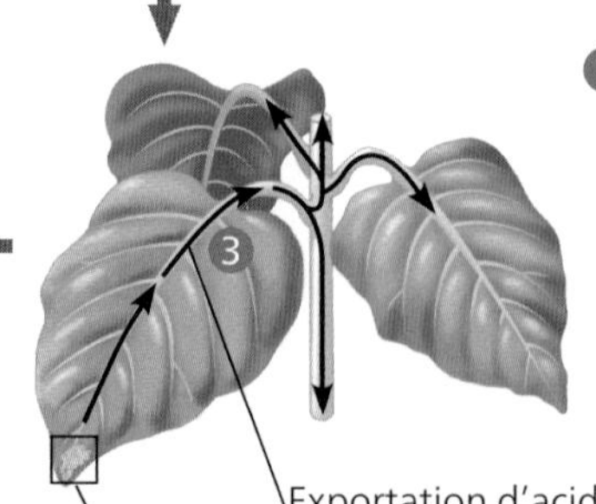

Partie infectée

Exportation d'acide méthylsalicylique vers les autres parties de la plante

La résistance systémique acquise

La réaction d'hypersensibilité est localisée et spécifique. Cependant, comme nous l'avons déjà signalé, les invasions par les agents pathogènes peuvent également produire des molécules de signalisation qui « sonnent l'alarme » d'une infection dans toute la plante. La **résistance systémique acquise** qui s'ensuit provient de l'expression, dans toute la plante, de gènes de défense. Cette résistance est non spécifique et fournit à la plante une protection qui peut durer plusieurs jours contre divers agents pathogènes. Par exemple, l'acide méthylsalicylique produit autour du site d'infection est transporté par le phloème dans toute la plante, où il est converti en **acide salicylique** dans des endroits éloignés des sites d'infection. L'acide salicylique déclenche une voie de transduction du signal qui incite le système de défense à réagir rapidement à une autre infection (voir l'étape 4 de la figure 39.26).

Les épidémies de maladies végétales, comme la brûlure de la pomme de terre (voir le concept 28.6), qui a causé la famine en Irlande dans les années 1840, peuvent causer des souffrances humaines incalculables. D'autres maladies, comme la maladie hollandaise de l'orme (voir le concept 31.5) et l'encre des chênes rouges (voir le concept 54.5), peuvent modifier radicalement les structures des communautés. Les épidémies végétales sont souvent le résultat du transport de plantes ou de bois d'œuvre infectés partout dans le monde. Avec la mondialisation du commerce, ces épidémies vont devenir beaucoup plus fréquentes. Afin de s'y préparer, les phytobiologistes accumulent les graines des plantes sauvages apparentées aux cultures dans des installations spéciales d'entreposage. Des scientifiques espèrent que des plantes non domestiquées apparentées auraient des gènes qui pourront freiner la prochaine épidémie végétale. Ces scientifiques, ainsi que des milliers d'autres phytobiologistes, perpétuent la très ancienne tradition de curiosité qui nous pousse à enrichir nos connaissances sur ces producteurs qui nourrissent notre espèce et la biosphère.

Les défenses contre les herbivores

L'**herbivorisme** (le fait de se nourrir de végétaux) représente un danger pour les végétaux dans tous les écosystèmes. Les dommages mécaniques infligés par les herbivores peuvent réduire la taille d'une plante et ainsi sa capacité d'obtenir les ressources dont elle a besoin. Ils peuvent aussi perturber sa croissance puisque beaucoup d'espèces végétales consacrent une partie de leur précieuse énergie à se défendre contre les herbivores. Les dommages subis peuvent également ouvrir la porte aux infections virales, bactériennes et fongiques. Pour se protéger des herbivores, les végétaux ont recours à des méthodes qui relèvent de tous les niveaux de l'organisation biologique (voir la **figure 39.27**) : défenses physiques, comme les épines et les trichomes (voir la figure 35.9) ainsi que défenses chimiques, comme les substances toxiques, malodorantes ou inappétentes.

RETOUR SUR LE CONCEPT 39.5

1. Quels sont quelques-uns des inconvénients causés par l'arrosage des champs avec des insecticides à usage général ?
2. Les insectes broyeurs endommagent les plantes et réduisent la surface disponible pour la photosynthèse des feuilles. De plus, ils rendent les plantes plus vulnérables aux attaques des agents pathogènes. Expliquez pourquoi.
3. De nombreux agents pathogènes fongiques obtiennent leur nourriture en forçant les cellules végétales à sécréter des nutriments dans les espaces intracellulaires. Serait-il avantageux pour l'eumycète de tuer la plante hôte de façon à ce que tous les nutriments puissent en sortir ?
4. **ET SI ?** ▶ Supposons qu'un scientifique découvre qu'une population de végétaux poussant dans un endroit venteux est plus sujette à la défoliation par les insectes qu'une population de la même espèce poussant dans un endroit à l'abri du vent. Formulez une hypothèse qui pourrait expliquer cette observation.

Voir les réponses proposées à l'appendice A.

Les herbivores sont des animaux qui se nourrissent de plantes, et on les trouve partout dans la nature. Pour se protéger de leur action destructrice, les végétaux ont recours à des stratégies très diverses qui nous montrent à quel point les processus biologiques relèvent de tous les niveaux de l'organisation du vivant : à l'échelle de la molécule, de la cellule, du tissu, de l'organe, de l'organisme, de la population ou encore de la communauté. (Voir la figure 1.3.)

Fruit du pavot somnifère

▸ Défenses à l'échelle moléculaire

À l'échelle moléculaire, les végétaux produisent des composés chimiques qui dissuadent les herbivores. En général, ces composés sont des terpénoïdes, des dérivés du phénol et des alcaloïdes. Certains terpénoïdes imitent des hormones d'insectes, de sorte que les insectes qui s'attaquent à la plante muent prématurément et meurent. Parmi les dérivés phénoliques que la plante synthétise souvent après avoir été attaquée par un herbivore, mentionnons les tannins, au goût désagréable, qui nuisent à la digestion des protéines. Quant aux alcaloïdes, pensons à la morphine, à l'héroïne et à la codéine, qui sont des alcaloïdes narcotiques provenant du pavot somnifère (*Papaver somniferum*), la plupart ont un goût répulsif et affectent le système nerveux des animaux. Ces alcaloïdes s'accumulent dans des cellules sécrétoires appelées laticifères, qui exsudent un latex blanchâtre (opium) lorsque la plante est blessée.

▾ Défenses à l'échelle cellulaire

Certaines cellules végétales sont elles-mêmes spécialisées dans la protection contre les herbivores. Ainsi, les trichomes sur les feuilles et les tiges d'une plante éloignent les insectes broyeurs. Les laticifères et, en général, les vacuoles centrales des cellules végétales servent parfois à stocker des substances chimiques qui ont un effet dissuasif vis-à-vis des herbivores. Les *idioblastes* sont des cellules spécialisées situées dans les feuilles et les tiges de nombreuses espèces, dont le taro (*Colocasia esculenta*). Certains idioblastes renferment des cristaux d'oxalate de calcium en forme d'aiguilles, appelés *raphides*. Ces raphides, qui transportent des substances irritantes, pénètrent dans les tissus mous de la langue et du palais de l'herbivore. Ces fines aiguilles facilitent l'entrée de l'irritant (vraisemblablement une protéase) dans les tissus de l'animal pour ensuite faire enfler ses lèvres, sa bouche et sa gorge. La cuisson détruit cet irritant.

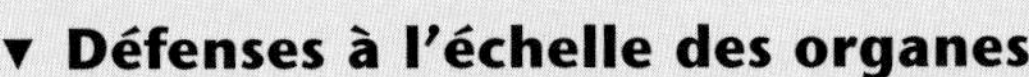

Raphides contenus dans le taro

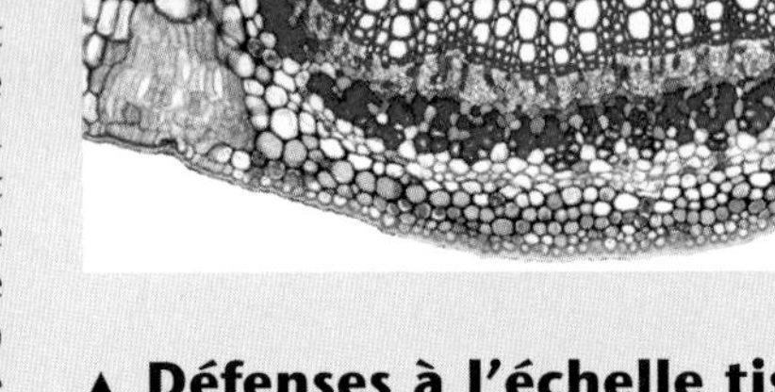

▴ Défenses à l'échelle tissulaire

Certaines feuilles éloignent les herbivores parce qu'elles possèdent une épaisse excroissance de tissu sclérenchymateux durci qui les rend très coriaces et donc difficiles à broyer. La photo ci-dessus montre une coupe transversale de la principale nervure d'une feuille d'olivier (*Olea europaea*) ; les cellules rouge vif aux parois épaisses qu'on y voit sont des fibres coriaces de sclérenchyme.

▾ Défenses à l'échelle des organes

La forme d'un organe végétal peut elle aussi dissuader un herbivore en causant de la douleur ou en rendant la plante non appétissante. Ainsi, les épines (feuilles ou tiges modifiées) sont des défenses mécaniques contre les herbivores. Les poils qui recouvrent les épines de certains cactus possèdent de redoutables pointes qui déchirent la peau lorsqu'on les retire. De son côté, la feuille de l'arbre flocon de neige (*Trevesia palmata*) possède une forme qui donne l'impression qu'elle a été partiellement grignotée et qui la rend probablement moins intéressante pour les herbivores. Certaines plantes imitent la présence d'œufs d'insectes sur leurs feuilles et dissuadent ainsi les insectes d'y pondre leurs propres œufs. Par exemple, les glandes des feuilles de certaines espèces de *Passiflora* (fleurs de la passion) ressemblent beaucoup aux œufs jaune vif du papillon *Heliconius*.

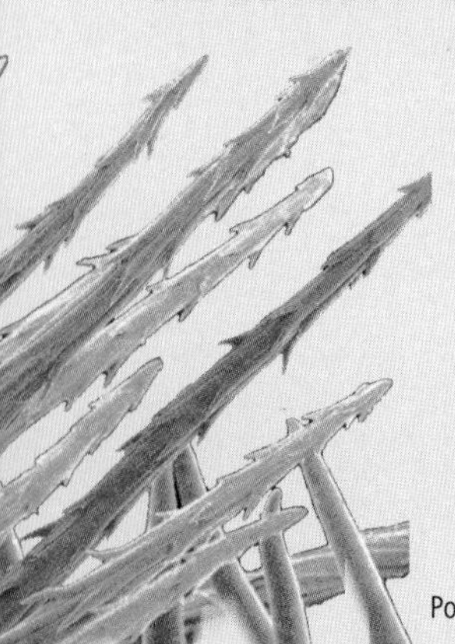

Poils piquants recouvrant les épines d'un cactus

Feuille de l'arbre flocon de neige

Glandes ressemblant à des œufs sur la feuille de Passiflora

▸ Défenses à l'échelle de l'organisme

Les dommages mécaniques causés par les herbivores peuvent modifier en profondeur la physiologie d'une plante et engendrer des réponses qui préviendront d'autres attaques de la part des prédateurs. Par exemple, chez le tabac sauvage (*Nicotiana attenuata*), le moment de la floraison change en fonction des activités des herbivores. Habituellement, cette espèce fleurit la nuit et émet alors du benzylacétone, une substance chimique qui attire les sphinx et les incite à la pollinisation. Malheureusement pour la plante, ces papillons de nuit en profitent souvent pour pondre leurs œufs sur ses feuilles. Or, les larves du sphinx sont... herbivores. Qu'à cela ne tienne, lorsque la plante est infestée de larves de sphinx, elle cesse de produire du benzylacétone et ouvre ses fleurs non plus la nuit, mais à l'aube, quand les sphinx sont absents. Ce sont alors les colibris qui viennent les polliniser. La plante n'est donc plus exposée à de nouvelles pontes et continue d'attirer des pollinisateurs, même s'ils sont d'un autre type. Les études ont montré que ce sont les sécrétions buccales des larves se nourrissant des feuilles qui incitent la plante à ouvrir ses fleurs à un autre moment.

Colibri pollinisant un plant de tabac sauvage

▾ Défenses à l'échelle de la population

Chez certaines espèces, c'est le comportement coordonné de toute une population qui aide à éloigner les herbivores. En effet, certaines plantes peuvent informer leurs congénères de leur détresse en libérant des molécules qui préviennent leurs voisines de la même espèce qu'une attaque est en cours. Par exemple, lorsque des plants de la fève de lima (*Phaseolus lunatus*) sont infestés par des araignées rouges, ils libèrent un cocktail de substances chimiques qui «annoncent» l'attaque aux plants non infestés. Recevant cet avertissement, les plants non infestés entament des modifications biochimiques qui les rendent moins sujets à une attaque par les araignées rouges.

Un autre exemple de stratégie de défense utilisée à l'échelle d'une population est la production simultanée et de façon synchrone d'énormes quantités de graines après un long intervalle (en anglais, *masting*). Quelles que soient les conditions environnementales, l'horloge interne de chaque plant de la population indique qu'il est temps de fleurir. Les populations de bambou (de la famille des graminées), par exemple, ont une croissance exclusivement végétative durant plusieurs décennies, puis, soudain, elles fleurissent en masse, produisent d'énormes quantités de graines et meurent. La quantité de graines peut atteindre 80 000 kg par hectare, ce qui dépasse de beaucoup les besoins des herbivores locaux (principalement des rongeurs). Résultat : une partie des graines échappent aux herbivores, germent et poussent afin de donner une nouvelle génération.

Plants de bambou en floraison

▾ Défenses à l'échelle de la communauté

Certaines espèces de plantes «recrutent» des animaux prédateurs qui les aident à se protéger de certains herbivores. Les guêpes parasitoïdes, par exemple, injectent leurs œufs dans des chenilles qui se nourrissent sur la plante. Ces œufs éclosent à l'intérieur des chenilles, et les larves sorties des œufs dévorent les chenilles de l'intérieur. Une fois sorties de leur hôte, les larves forment à la surface de la feuille des cocons dont elles émergeront adultes. Dans cette triste histoire, la plante est complice, car ce sont les feuilles endommagées par les chenilles qui libèrent les composés qui attirent les guêpes parasitoïdes. Le stimulus qui déclenche cette réaction est la combinaison de deux facteurs : les dommages causés à la feuille par une chenille qui s'en nourrit et un composé spécifique de la salive de cette chenille.

Cocons de guêpes parasitoïdes sur leur hôte (une chenille)

Guêpe adulte émergeant d'un cocon

FAITES DES LIENS ▸ Tout comme les adaptations permettant aux végétaux de se protéger des herbivores, une multitude de processus biologiques relèvent de plusieurs niveaux de l'organisation du vivant (figure 1.3). Donnez des exemples d'adaptations photosynthétiques spécialisées qui comportent des modifications à l'échelle moléculaire (concept 10.4), à l'échelle tissulaire (concept 36.4) et à l'échelle de tout l'organisme (concept 36.1).

RÉVISION DU CHAPITRE 39

Consultez votre MANUEL NUMÉRIQUE, qui vous donne accès aux **animations**, aux **exercices** et à la plateforme d'**anatomie interactive**.

Résumé des concepts clés

CONCEPT 39.1

Les voies de transduction du signal font le lien entre la réception du signal et la réponse (p. 922 à 925)

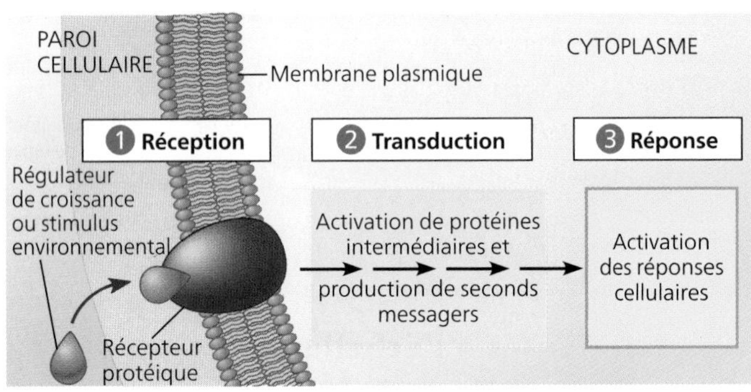

? Quels sont les deux moyens courants par lesquels les voies de transduction du signal favorisent l'activité d'enzymes spécifiques?

CONCEPT 39.2

Les régulateurs de croissance végétaux coordonnent la croissance, le développement et les réponses aux stimulus (p. 925 à 935)

- Les régulateurs de croissance régissent la croissance et le développement des végétaux en influant sur la division, l'allongement et la différenciation cellulaires. Certains régulateurs de croissance régulent également les réponses des végétaux aux stimulus environnementaux.

Régulateur de croissance végétal	Principales réactions
Auxine	Stimule l'allongement cellulaire; régule la ramification et l'inclinaison des organes.
Cytokinines	Stimulent la division cellulaire des végétaux; favorisent la croissance tardive des bourgeons; retardent la mort des organes.
Gibbérellines	Stimulent l'allongement des tiges; aident les graines à sortir de la dormance et à utiliser les réserves emmagasinées.
Acide abscissique	Favorise la fermeture des stomates en réaction à la sécheresse; favorise la dormance des graines.
Éthylène	Régule la maturation des fruits et la triple réponse.
Brassinostéroïdes	Chimiquement analogues aux hormones sexuelles des animaux; provoquent l'allongement et la division cellulaires.
Jasmonates	Agissent comme intermédiaires dans la défense de la plante contre les insectes herbivores; régulent une grande variété de processus physiologiques.
Strigolactones	Régulent la dominance apicale, la germination des graines et les associations mycorhiziennes.

? Le vieil adage selon lequel «une pomme pourrie gâte tout le panier» est-il vrai? Expliquez votre réponse.

CONCEPT 39.3

Les réponses des végétaux à la lumière sont vitales pour leur survie (p. 935 à 941)

- Les **photorécepteurs sensibles à la lumière bleue** régulent l'allongement de l'hypocotyle, l'ouverture des stomates et le phototropisme.
- Les **phytochromes** agissent comme des interrupteurs moléculaires qui régulent l'héliophilie et la germination de nombreux types de graines. La lumière rouge active les phytochromes et la lumière rouge lointain les désactive.

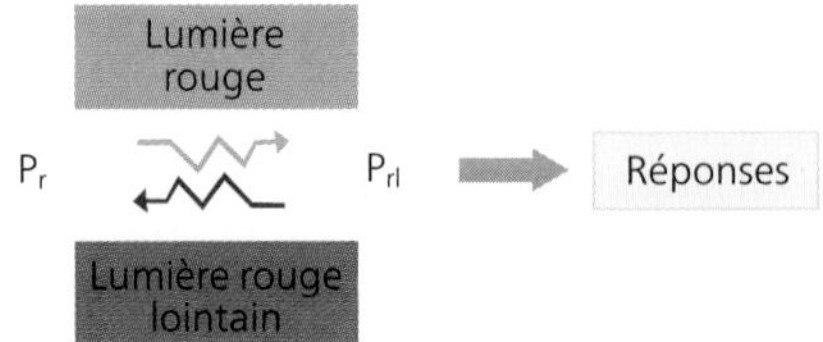

- La conversion des phytochromes fournit également des informations sur la durée du jour (photopériode) et, par conséquent, sur le temps de l'année. Le **photopériodisme** régule le temps de la floraison chez de nombreuses espèces. Les **plantes de jours courts** nécessitent une nuit plus longue que la durée critique pour la floraison. Les **plantes de jours longs** nécessitent une nuit plus courte que la période critique pour la floraison.
- De nombreux rythmes circadiens du comportement des végétaux sont régis par une horloge circadienne interne. Les **rythmes circadiens** continuent d'osciller sur une période d'environ 24 heures, mais se règlent précisément sur une période de 24 heures grâce aux effets de l'aube et du crépuscule sur la forme (P_r et P_{rl}) des phytochromes.

? Pourquoi les phytophysiologistes ont-ils proposé l'existence d'une molécule mobile (florigène) qui déclenche la floraison?

CONCEPT 39.4

Les végétaux réagissent à de nombreux stimulus autres que la lumière (p. 941 à 947)

- Le **gravitropisme** est la courbure d'un organe en réaction à la force gravitationnelle. Les racines ont un gravitropisme positif, tandis que les tiges présentent un gravitropisme négatif. Les **statolithes**, des plastes remplis d'amidon, permettent aux racines de percevoir la force gravitationnelle.

- Le **thigmotropisme** est une réaction d'orientation consécutive au contact. Les mouvements rapides de la feuille sont produits grâce à la transmission d'impulsions électriques.
- Les plantes sont sensibles aux stress environnementaux, notamment la sécheresse, l'inondation, la salinité et les extrêmes de température.

Stress environnemental	Principale réaction
Sécheresse	Production d'ABA, ce qui réduit les pertes d'eau par la fermeture des stomates
Inondation	Formation de canaux d'air qui aident les racines à survivre à la privation d'O_2
Salinité	Évitement de la perte d'eau par osmose par la production de solutés tolérés à des concentrations élevées
Chaleur	Synthèse de protéines de choc thermique qui réduisent la dénaturation des protéines à des températures élevées
Froid	Rajustement de la fluidité des membranes; évitement de la perte d'eau par osmose; production de protéines antigel

? Les plantes qui se sont acclimatées à la sécheresse sont souvent plus résistantes au gel. Proposez une explication à ce phénomène.

CONCEPT 39.5

Les végétaux réagissent aux attaques des agents pathogènes et des herbivores (p. 947 à 951)

- La **réaction d'hypersensibilité** isole l'infection et détruit l'agent pathogène ainsi que les cellules hôtes situées dans la zone d'infection. La **résistance systémique acquise** est une réaction de défense généralisée dans les organes éloignés du site d'infection.
- En plus des défenses mécaniques telles que les épines et les poils (trichomes), les végétaux produisent des composés chimiques toxiques ou au goût désagréable, de même que des substances qui attirent les animaux carnivores afin qu'ils s'attaquent aux herbivores.

? Comment les insectes rendent-ils les végétaux plus vulnérables aux attaques des agents pathogènes?

Évaluation

NIVEAU 1 : CONNAISSANCES ET COMPRÉHENSION

1. Le régulateur de croissance qui aide les végétaux à répondre à la sécheresse est:
a) l'auxine.
b) l'acide abscissique.
c) la cytokinine.
d) l'éthylène.

2. L'auxine favorise l'allongement cellulaire de toutes les façons suivantes, *sauf* par:
a) l'absorption accrue de solutés.
b) l'activation génique.
c) la dénaturation, induite par un acide, des protéines des parois cellulaires.
d) le relâchement des parois cellulaires.

3. Charles et Francis Darwin ont découvert que:
a) l'auxine est responsable de la courbure phototropique.
b) la lumière rouge est plus efficace dans le phototropisme des pousses.
c) la lumière détruit l'auxine.
d) la lumière est perçue par l'apex des coléoptiles.

4. Comment une plante peut-elle réagir à une chaleur *extrême*?
a) Elle peut orienter ses feuilles pour augmenter le refroidissement par évaporation.
b) Elle peut créer des canaux d'air pour la ventilation.
c) Elle peut produire des protéines de choc thermique, lesquelles empêchent ses propres protéines de se dénaturer.
d) Elle peut augmenter la proportion d'acides gras insaturés dans ses membranes cellulaires pour en réduire la fluidité.

NIVEAU 2 : APPLICATION ET ANALYSE

5. Une plante de jours longs peut émettre une molécule de signalisation de floraison prématurément si on l'expose à un éclair de:
a) lumière rouge lointain pendant la nuit.
b) lumière rouge pendant la nuit.
c) lumière rouge, suivi d'un éclair de lumière rouge lointain pendant la nuit.
d) lumière rouge lointain pendant le jour.

6. Si la durée critique de la nuit est de 9 heures pour une plante de jours longs, lequel des cycles de 24 heures empêche sa floraison?
a) 16 heures de clarté et 8 heures d'obscurité.
b) 14 heures de clarté et 10 heures d'obscurité.
c) 4 heures de clarté, 8 heures d'obscurité, 4 heures de clarté et 8 heures d'obscurité.
d) 8 heures de clarté, 8 heures d'obscurité, un éclair lumineux et 8 heures d'obscurité.

7. Un mutant qui présente une courbure gravitropique normale, mais qui n'emmagasine pas l'amidon dans ses plastes, devrait dicter une réévaluation du rôle ________ dans le gravitropisme.
a) de l'auxine
b) du calcium
c) des statolithes
d) de la croissance différentielle

8. **FAITES UN DESSIN ▶** Indiquez la réponse à chacune des conditions suivantes en dessinant une plantule qui pousse droit ou qui présente la triple réponse.

	Témoin	Présence d'éthylène	Ajout d'un inhibiteur de l'éthylène
Type sauvage			
Mutant *ein* (insensible à l'éthylène)			
Mutant *eto* (produisant de l'éthylène en excès)			
Mutant *ctr* (présentant une triple réponse constitutive, en l'absence d'éthylène)			

Voir les réponses proposées à l'appendice A.

La structure et la fonction chez les animaux: principes fondamentaux

40

VOS OUTILS INTERACTIFS

Consultez votre MANUEL NUMÉRIQUE, qui vous donne accès aux **animations**, aux **exercices** et à la plateforme d'**anatomie interactive**.

▲ **Figure 40.1 En quoi ses longues pattes aident-elles ce minuscule charognard à survivre dans la chaleur infernale du désert?**

CONCEPTS CLÉS

40.1 Il y a une corrélation entre les structures et les fonctions animales à tous les niveaux d'organisation

40.2 De nombreux animaux maintiennent leur milieu interne à l'aide de mécanismes de rétroaction

40.3 Les processus homéostatiques qui président à la thermorégulation font intervenir la forme, la fonction et le comportement

40.4 Les besoins énergétiques sont fonction de la taille, de l'activité et de l'environnement

Formes diverses, défis communs

La fourmi du désert (du genre *Cataglyphis*) que l'on voit à la **figure 40.1** se nourrit d'insectes qui ont succombé à la chaleur diurne du désert du Sahara. Elle doit sortir de son nid et chercher leurs cadavres durant les heures torrides de la journée, alors que la température du sable dépasse les 60 °C, une chaleur mortelle pour presque tous les animaux. Comment expliquer que la fourmi du désert arrive à survivre dans la fournaise du Sahara ? Pour répondre à cette question, il faut examiner son **anatomie**, ou structure biologique, au regard de la survie de l'espèce.

En étudiant la fourmi du désert, les chercheurs ont constaté qu'elle a des pattes démesurément longues. Ainsi juché sur des échasses de 4 mm, le corps de la fourmi est exposé à une température de 6 °C inférieure à celle du sable. Les chercheurs ont également noté que la fourmi du désert peut utiliser ses hautes pattes pour courir très vite, jusqu'à 1 m/s, soit une vitesse presque aussi grande que la vitesse maximale jamais enregistrée pour des arthropodes capables de courir. (Le record de vitesse est détenu par la cicindèle, *Cicindela hudsoni*, qui peut parcourir 2,49 m en 1 s.) La capacité de sprinter abrège les sorties de la fourmi hors de son nid et réduit son exposition au soleil et à la chaleur du sable. Les longues pattes de la fourmi du désert sont donc une adaptation qui lui permet d'être active durant les heures brûlantes de la journée, quand la concurrence pour la nourriture et le risque de rencontrer un prédateur sont à leur minimum.

Au cours de sa vie, la fourmi du désert doit relever des défis identiques à ceux des autres animaux, qu'il s'agisse d'une hydre, d'un faucon ou d'un humain. Tous les animaux doivent se procurer des molécules d'oxygène (O_2) et des nutriments, lutter contre les infections et tenter de se reproduire. Comme ces besoins sont communs à tous les animaux, pourquoi les espèces varient-elles autant du point de vue de l'organisation et de la morphologie? La réponse réside dans l'adaptation: la sélection naturelle favorise les variations qui, au sein d'une population, améliorent la valeur d'adaptation d'un individu (voir le concept 23.4). Les adaptations évolutives qui permettent la survie varient d'un environnement à l'autre et d'une espèce à l'autre, mais elles relèvent souvent de l'adéquation entre la structure et la fonction, comme c'est le cas pour les pattes de la fourmi du désert.

Il existe une corrélation entre la structure et la fonction. Aussi l'anatomie renseigne-t-elle sur la **physiologie**, c'est-à-dire sur la fonction biologique. Dans le présent chapitre, nous étudierons la structure et la fonction chez les animaux. Pour commencer, nous traiterons des niveaux d'organisation corporelle des animaux ainsi que des systèmes qui coordonnent les activités des diverses parties du corps. Ensuite, nous examinerons la thermorégulation pour comprendre comment s'effectue la régulation du milieu interne. Enfin, nous verrons comment l'anatomie et la physiologie interviennent dans le rapport de l'animal à son milieu et dans la façon dont il utilise son énergie.

CONCEPT **40.1**

Il y a une corrélation entre les structures et les fonctions animales à tous les niveaux d'organisation

La taille, la morphologie et la symétrie d'un animal sont des caractéristiques fondamentales de la structure et des fonctions qui détermineront le mode d'interaction de cet animal avec son milieu. Pour les biologistes, il y a lieu de parler de *plan d'organisation corporelle*. L'emploi de ce terme ne suppose pas que les formes corporelles d'un animal sont le produit d'une invention consciente. Ce plan résulte des modalités de développement programmées par le génome, qui est lui-même le produit de millions d'années d'évolution.

L'évolution de la taille et de la forme des animaux

ÉVOLUTION De nombreux plans d'organisation corporelle ont vu le jour au cours de l'évolution, mais les variations possibles ne sont pas infinies. En effet, les lois de la physique, qui régissent la puissance, la diffusion, le mouvement et l'échange d'énergie, limitent la diversité des formes animales.

Pour illustrer comment les lois de la physique limitent l'évolution, voyons de quelle manière les lois de l'hydrodynamique restreignent les formes possibles des animaux capables de nager très vite. Il faut savoir que la masse volumique de l'eau est environ 1 000 fois plus grande que celle de l'air; c'est pourquoi toute irrégularité à la surface du corps qui accentue la friction nuit beaucoup plus à un animal nageur qu'à un animal qui court ou qui vole. La vitesse maximale des thons et des autres poissons rapides à nageoires rayonnées (actinoptérygiens) peut atteindre 80 km/h. Les requins, les pingouins (des oiseaux), les dauphins et les phoques sont aussi des nageurs rapides. Comme on peut le remarquer dans la **figure 40.2**, ces animaux sont fusiformes, c'est-à-dire effilés à leurs deux extrémités. Le fait que ces nageurs rapides possèdent une telle morphologie est un exemple d'évolution convergente (voir le concept 22.3). La sélection naturelle produit des adaptations semblables quand divers organismes doivent faire face aux mêmes contraintes environnementales, par exemple s'opposer à la résistance de l'eau lorsqu'ils nagent.

▼ **Figure 40.2 L'évolution convergente des organismes se déplaçant rapidement dans l'eau.**

Les lois de la physique influent aussi sur la taille maximale de l'animal. Plus la taille d'un animal est grande, plus son squelette doit être robuste afin de lui fournir un soutien adéquat. Cette solidité a cependant des limites, ce qui vaut autant pour le squelette interne, comme celui des vertébrés, que pour le squelette externe, comme celui des insectes et des autres arthropodes. Par ailleurs, à mesure que la taille du corps augmente, les muscles nécessaires à la locomotion doivent représenter une fraction toujours plus élevée de la masse corporelle totale. Or, cette augmentation de la masse musculaire ne peut pas se poursuivre indéfiniment, puisqu'elle finirait par réduire la mobilité de l'animal. En examinant la fraction de la masse corporelle représentée par les muscles des jambes et l'efficacité du travail produit par ces muscles, les scientifiques arrivent à estimer la vitesse maximale à la course associée à une grande diversité de plans d'organisation corporelle. Ainsi, le dinosaure *Tyrannosaurus rex*, qui mesurait 6 m de haut, pouvait probablement courir à une vitesse de 30 km/h, soit à peu près celle du plus rapide des humains.

Les échanges avec l'environnement

Les animaux doivent échanger des nutriments, des déchets et des gaz avec leur environnement, et ces échanges imposent des limites à leur plan d'organisation corporelle. Les échanges avec l'environnement se déroulent à travers la membrane plasmique de chaque cellule par le transport actif ou passif de substances. Les organismes unicellulaires, comme l'amibe de la **figure 40.3a**, possèdent une membrane dont la surface de contact avec le milieu environnant est suffisamment grande pour permettre tous les échanges nécessaires. Par comparaison, les organismes multicellulaires sont composés de nombreuses cellules, et chacune est dotée de sa propre membrane plasmique à travers laquelle les échanges doivent survenir. La vitesse des échanges est proportionnelle à la surface membranaire, tandis que la quantité de substances qu'un animal doit échanger pour vivre est proportionnelle au volume de la cellule. Chez un organisme multicellulaire, les échanges ne sont possibles que si chaque cellule de l'animal peut accéder à un milieu aqueux approprié, à l'intérieur ou à l'extérieur de son corps.

Beaucoup d'animaux dotés d'une organisation interne simple ont un plan d'organisation corporelle qui permet des échanges directs entre presque toutes leurs cellules et le milieu externe. Ainsi, l'hydre, un invertébré sacciforme (en forme de sac), possède une mince enveloppe corporelle formée de deux couches cellulaires (**figure 40.3b**). Comme sa cavité gastrovasculaire s'ouvre sur l'extérieur, les couches cellulaires externe et interne sont en contact direct avec l'eau de l'étang. La forme corporelle plane de certains organismes constitue une autre façon d'optimiser le contact avec le milieu externe. Par exemple, le ténia, un ver parasite, peut mesurer plusieurs mètres de longueur (voir la figure 33.12), mais il est très mince, de sorte que la majorité de ses cellules baignent dans le liquide intestinal de son hôte vertébré (qui lui procure des nutriments).

Le corps des humains et celui de la plupart des animaux sont formés de masses compactes de cellules, et leur organisation interne est beaucoup plus complexe que celle d'une hydre ou d'un ténia. Le fait d'être formés d'une masse compacte de cellules diminue leur surface externe, laquelle est relativement petite comparativement à leur volume total. Par exemple, le rapport entre la surface et le volume d'une baleine (ou rorqual) est des centaines de milliers de fois plus faible que celui d'une puce d'eau (*Daphnia*). Pourtant, chaque cellule de la baleine doit être entourée de liquide et recevoir de l'O_2, des nutriments et d'autres ressources. Comment cela se passe-t-il ?

Les baleines et la plupart des autres animaux possèdent des surfaces internes comportant de nombreux replis ou des ramifications étendues (**figure 40.4**). Il s'agit d'adaptations évolutives qui leur permettent d'entretenir des échanges suffisants

▼ **Figure 40.3 Les échanges directs avec le milieu.**

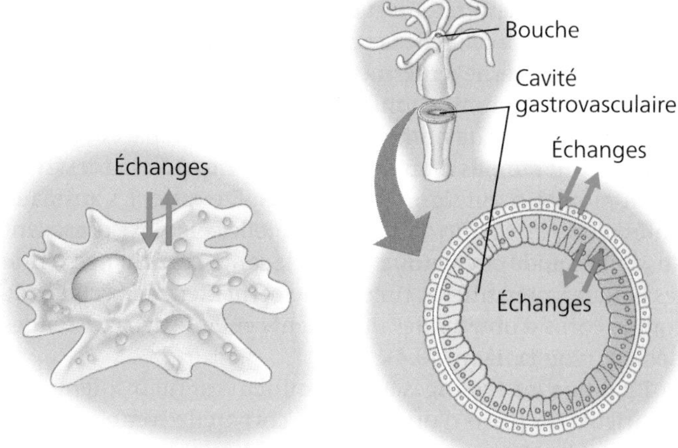

(a) Schéma d'une amibe, un organisme unicellulaire

(b) Schéma d'une hydre, un organisme multicellulaire constitué de deux couches de cellules

▼ **Figure 40.4 Les surfaces d'échanges internes des animaux complexes.** La plupart des animaux échangent des éléments chimiques avec le milieu par l'intermédiaire de surfaces spécialisées. Ces surfaces sont généralement internes, mais elles sont reliées au milieu externe par des ouvertures du corps (comme la bouche). Elles sont caractérisées par de fines ramifications ou de multiples replis, ce qui en fait des zones extrêmement étendues. Les systèmes digestif, respiratoire et urinaire sont tous munis de surfaces spécialisées de ce genre. Les éléments chimiques transportés à travers celles-ci sont ensuite répartis dans le corps grâce au système cardiovasculaire.

HABILETÉS VISUELLES ▶ Servez-vous de ce schéma pour expliquer comment les échanges effectués par les animaux peuvent se dérouler tant à l'intérieur qu'à l'extérieur du corps.

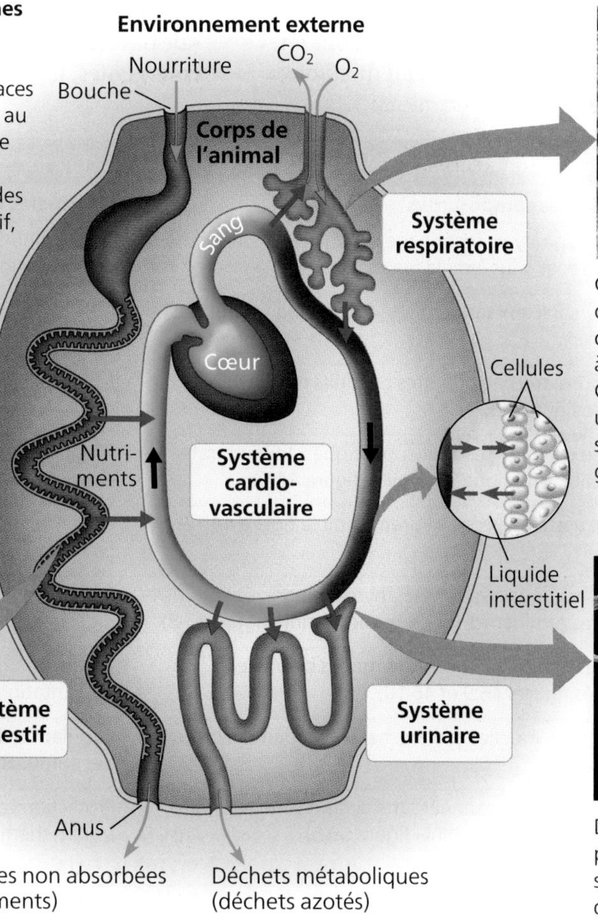

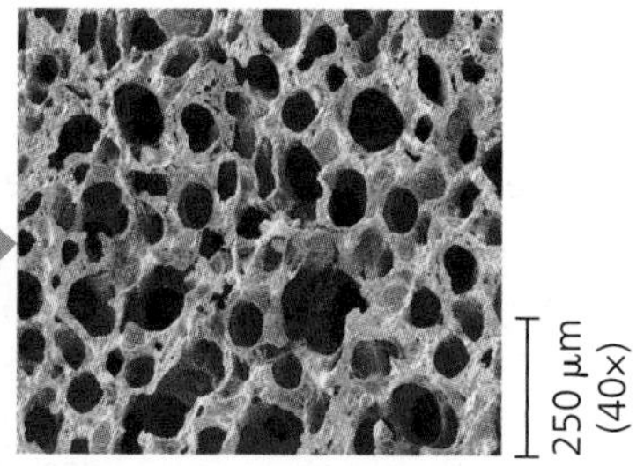

Cette micrographie permet de constater que la structure d'un poumon ressemble plus à une éponge qu'à celle d'un ballon. Cette organisation permet d'exposer une importante surface humidifiée servant notamment aux échanges gazeux avec le milieu (MEB).

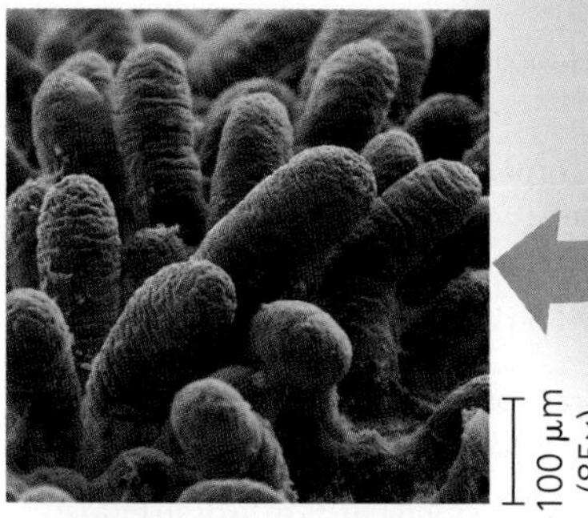

La paroi de l'intestin grêle comporte de nombreuses saillies (les villosités), qui augmentent considérablement la surface d'absorption des nutriments (MEB).

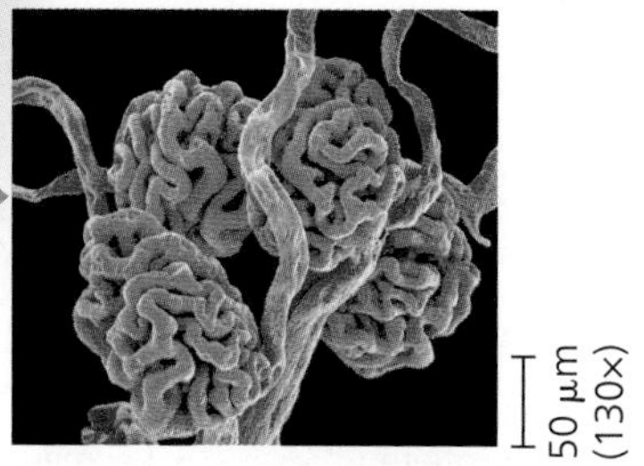

Dans le rein, le sang est filtré par la surface des vaisseaux sanguins longs et étroits qui sont entassés dans des structures globulaires (MEB).

entre leurs cellules et le milieu. En règle générale, ces surfaces d'échange se trouvent à l'intérieur du corps. Ainsi, les tissus délicats se trouvent protégés de l'abrasion ou de la déshydratation et le corps peut prendre une forme profilée propice à la nage. Grâce aux replis et aux ramifications, la surface d'échange totale est considérablement plus grande (voir la figure 33.9). Chez les humains, par exemple, les surfaces d'échange internes des systèmes digestif, respiratoire et circulatoire sont chacune 25 fois plus grandes que celles de la peau.

Le milieu interne renferme des liquides qui mettent indirectement en communication les surfaces d'échange et chacune des cellules. Chez de nombreux animaux, les espaces entre les cellules sont remplis d'un liquide appelé **liquide interstitiel** (d'un mot latin qui signifie « espace »). En outre, les animaux dotés d'un plan d'organisation corporelle complexe possèdent aussi un liquide circulatoire tel que le sang. Les échanges entre les liquides interstitiel et circulatoire permettent aux cellules de tout le corps d'obtenir des nutriments et de se débarrasser des déchets (voir la figure 40.4).

Bien que les échanges avec le milieu extérieur soient plus laborieux, les plans d'organisation corporelle complexes présentent des avantages dont les plans plus simples sont dépourvus. Par exemple, un squelette externe peut protéger un animal contre les prédateurs, tandis que ses organes sensoriels peuvent le renseigner de façon détaillée sur son environnement. De leur côté, les organes de digestion interne permettent de décomposer graduellement les aliments et de libérer progressivement l'énergie emmagasinée. Quant aux systèmes de filtration spécialisés, ils règlent constamment la composition de la solution dans laquelle baignent les cellules. Ce faisant, les animaux sont en mesure de maintenir un milieu interne relativement stable, indépendamment des variations que subit le milieu externe dans lequel ils se trouvent. En somme, un plan d'organisation corporelle complexe s'avère particulièrement avantageux pour les animaux vivant sur la terre ferme où le milieu externe peut fluctuer énormément.

La hiérarchie des niveaux d'organisation

C'est grâce à leurs propriétés émergentes que les cellules forment un animal fonctionnel. Les propriétés émergentes résultent de niveaux d'organisation structurale et fonctionnelle de complexité croissante (voir le concept 1.1). Les cellules sont groupées en **tissus**, qui sont des ensembles de cellules dotées d'une structure et d'une fonction communes. Les différents types de tissus se combinent à leur tour pour former des unités fonctionnelles appelées **organes**. (Les animaux les plus simples, telles les éponges, n'ont pas d'organes ou même de tissus véritables.) Les groupes d'organes qui travaillent en synergie constituent des **systèmes** (**tableau 40.1**). Ainsi, la peau est un organe du système tégumentaire qui protège contre les infections et aide à la régulation de la température corporelle.

Plusieurs organes remplissent plus d'une fonction physiologique. Lorsque les fonctions d'un organe sont suffisamment distinctes, on considère qu'il appartient à plus d'un système. Par exemple, le pancréas produit des enzymes essentielles au fonctionnement du système digestif, mais il participe également à la régulation du taux de sucre dans le sang, ce qui fait aussi de cet organe un élément vital du système endocrinien.

De la même façon que l'étude de l'organisation corporelle « de bas en haut » (des cellules aux systèmes) révèle les propriétés émergentes, une étude « de haut en bas » de la hiérarchie révèle

Tableau 40.1 Les principales composantes et les principales fonctions des systèmes chez les mammifères

Systèmes	Principales composantes	Principales fonctions
Digestif	Bouche, pharynx, œsophage, estomac, intestins, foie, pancréas et anus (voir la figure 41.8)	Transformation des aliments (ingestion, digestion, absorption et élimination)
Cardiovasculaire	Cœur, vaisseaux sanguins et sang (voir la figure 42.5)	Collecte, transport et distribution interne de substances
Respiratoire	Poumons, trachée et autres conduits respiratoires (voir la figure 42.24)	Échanges gazeux (absorption d'O_2 et rejet de CO_2)
Immunitaire et lymphatique	Moelle osseuse, nœuds lymphatiques, thymus, rate, vaisseaux lymphatiques (voir la figure 43.6)	Défense de l'organisme (lutte contre les infections et les cancers)
Urinaire	Reins, uretères, vessie et urètre (voir la figure 44.12)	Excrétion de déchets métaboliques; régulation de l'équilibre osmotique du sang
Endocrinien	Hypothalamus, hypophyse, thyroïde, pancréas et autres glandes productrices d'hormones (voir la figure 45.8)	Régulation des activités corporelles (par exemple digestion et métabolisme)
Reproducteur	Ovaires, testicules et autres organes connexes (voir les figures 46.9 et 46.10)	Production de gamètes; stimulation de la fécondation; implantation de l'embryon et soutien à son développement
Nerveux	Encéphale, moelle épinière, nerfs et organes sensoriels (voir la figure 49.6)	Régulation des activités corporelles; perception et intégration des stimulus, et production des réponses à ceux-ci
Tégumentaire	Peau et annexes cutanées (notamment poils, ongles, griffes et glandes) (voir la figure 50.5)	Protection contre les blessures, les infections et la déshydratation; thermorégulation
Squelettique	Squelette (os, tendons, ligaments et cartilages) (voir la figure 50.37)	Soutien corporel, protection des organes internes, mouvement
Musculaire	Muscles squelettiques (voir la figure 50.26)	Mouvement, déplacement et posture

la nature multicouches de la spécialisation. Les systèmes comprennent des organes spécialisés qui sont eux-mêmes composés de tissus et de cellules spécialisés. Par exemple, pensons au système digestif humain : la bouche, le pharynx, l'œsophage, l'estomac, l'intestin grêle et le gros intestin, les organes annexes et l'anus. Chaque organe accomplit des fonctions distinctes dans la digestion. Une des fonctions de l'estomac, par exemple, est d'amorcer la dégradation des protéines. Ce processus requiert une phase de malaxage par les muscles de l'estomac, de même que la sécrétion des sucs digestifs par la muqueuse de l'estomac. La production de ces sucs exige l'intervention de trois types de cellules hautement spécialisées : certaines fabriquent une enzyme qui digère les protéines, d'autres produisent de l'acide chlorhydrique concentré et d'autres encore sécrètent un mucus qui protège la muqueuse de l'estomac.

Les systèmes spécialisés et complexes observés chez les animaux sont issus d'un ensemble limité de types de cellules et de tissus. Par exemple, les poumons et les vaisseaux sanguins remplissent des fonctions distinctes, mais ils sont recouverts de tissus du même type et aux propriétés semblables.

Les tissus sont classés en quatre grandes catégories : le tissu épithélial, le tissu conjonctif, le tissu musculaire et le tissu nerveux. Ils sont présentés à la **figure 40.5**, de même que leurs structures et leurs fonctions. Dans les chapitres ultérieurs, nous verrons comment ces différents types de tissus contribuent au fonctionnement des différents systèmes.

La coordination et la régulation

Pour que les tissus, les organes et les systèmes des animaux accomplissent efficacement leurs fonctions spécialisées, ils doivent agir de concert. Par exemple, quand le loup de la figure 40.5 chasse, sa circulation sanguine est régulée de façon à acheminer suffisamment de nutriments et d'O_2 aux muscles de ses pattes. Ces muscles sont à leur tour activés par le cerveau qui reçoit des signaux détectés par le museau. Mais quels signaux sont émis pour assurer la coordination de ces activités ? Et comment se transmettent-ils à l'intérieur du corps ?

Les animaux possèdent deux grands systèmes de régulation et de coordination des réactions aux stimulus : le système endocrinien et le système nerveux (**figure 40.6**). Dans le **système endocrinien**, les signaux sont des molécules que les cellules endocrines libèrent dans la circulation sanguine qui les emporte partout dans le corps. Dans le **système nerveux**, ce sont les neurones qui transmettent des signaux le long de voies qui relient des régions spécifiques du corps. Dans chacun de ces deux systèmes, le type de voie utilisé est le même, peu importe que le signal parcoure toute la longueur du corps ou seulement une distance de quelques cellules.

On donne le nom d'**hormones** aux molécules servant de signaux qui sont produites par le système endocrinien. Chaque hormone déclenche des effets particuliers et seules les cellules pourvues des récepteurs compatibles avec cette hormone réagissent (figure 40.6a). Une hormone peut exercer des effets sur une seule partie du corps ou sur son ensemble, tout dépend des récepteurs concernés. Par exemple, la thyréostimuline (TSH), qui agit uniquement sur les cellules de la glande thyroïde, stimule la libération des hormones thyroïdiennes, qui, elles, agissent directement sur les cellules de presque tous les tissus afin d'accroître la consommation d'O_2 et la production de chaleur. Il faut plusieurs secondes aux hormones pour être libérées dans la circulation sanguine et acheminées dans le corps. Toutefois, les hormones exercent souvent des effets à long terme, car elles demeurent dans le sang pendant plusieurs secondes, plusieurs minutes, voire plusieurs heures.

Dans le système nerveux, les signaux, appelés potentiels d'action, se rendent aux cellules cibles en empruntant des voies de communication qui sont surtout des axones (figure 40.6b). Les potentiels d'action peuvent agir sur d'autres neurones, sur les cellules musculaires ainsi que sur les cellules et les glandes qui produisent des sécrétions. Contrairement au système endocrinien, le système nerveux achemine l'information selon la *voie* particulière empruntée par le signal. Par exemple, une personne distingue différentes notes de musique parce que dans l'oreille, la fréquence de chaque note active des neurones qui relient des régions légèrement différentes du cerveau.

La communication au sein du système nerveux fait intervenir habituellement plus d'un type de signal. Les potentiels d'action parcourent les axones, parfois sur de longues distances, sous la forme d'une variation de voltage. Dans bien des cas, toutefois, la transmission d'informations d'un neurone à un autre fait intervenir des signaux chimiques de très courte portée. Dans l'ensemble, la transmission est extrêmement rapide ; les potentiels d'action atteignent instantanément leur cible et leur durée est de l'ordre de la fraction de seconde.

Comme les types de signaux, de même que leur transmission, leur vitesse et leur durée, diffèrent selon qu'ils appartiennent au système endocrinien ou au système nerveux, il n'est pas étonnant que ces deux systèmes accomplissent des fonctions distinctes. Le système endocrinien est particulièrement bien adapté pour intervenir dans la coordination des changements graduels qui touchent le corps entier, par exemple la croissance et le développement, la reproduction, les réactions métaboliques et la digestion. De son côté, le système nerveux est adapté à ses fonctions de régulation des réactions rapides et immédiates à l'environnement, par exemple les réflexes et autres mouvements rapides.

Même si les fonctions du système endocrinien et du système nerveux sont différentes, les deux systèmes collaborent étroitement et contribuent ainsi au maintien d'un milieu interne stable, thème auquel nous allons à présent nous consacrer.

RETOUR SUR LE CONCEPT 40.1

1. Quelles propriétés tous les types d'épithéliums ont-ils en commun ?

2. **HABILETÉS VISUELLES ▸** Examinez l'animal schématisé à la figure 40.4. À quels endroits l'O_2 de l'environnement externe doit-il traverser une membrane plasmique pour se rendre au cytoplasme d'une cellule du corps ?

3. **ET SI ? ▸** Imaginez que vous vous tenez sur le bord d'une falaise et que vous trébuchez subitement : vous parvenez tout juste à garder l'équilibre et à éviter de plonger dans le vide… Votre cœur bat la chamade, vous sentez en vous une explosion d'énergie, causée par un afflux de sang dans les vaisseaux dilatés de vos muscles et par une hausse soudaine de votre taux de glucose sanguin. À votre avis, qu'est-ce que cette réaction « de fuite ou de lutte » a exigé de votre système nerveux et de votre système endocrinien ?

Voir les réponses proposées à l'appendice A.

▼ **Figure 40.5**

PANORAMA La structure et la fonction des tissus animaux

Tissu épithélial

Les **tissus épithéliaux**, ou **épithéliums**, sont formés de couches de cellules. Ils constituent l'enveloppe externe du corps dont ils tapissent les organes et les cavités internes. Comme les cellules épithéliales sont étroitement juxtaposées et souvent réunies par des jonctions serrées (voir la figure 6.30), elles servent de barrière contre les lésions mécaniques, les agents pathogènes et la perte de liquide. Les tissus épithéliaux constituent également des interfaces interactives avec l'environnement. Par exemple, l'épithélium qui tapisse les voies nasales est vital pour l'olfaction, le sens de l'odorat. Remarquez que la forme et l'arrangement des cellules servent bien le fonctionnement du type de tissu auquel elles appartiennent.

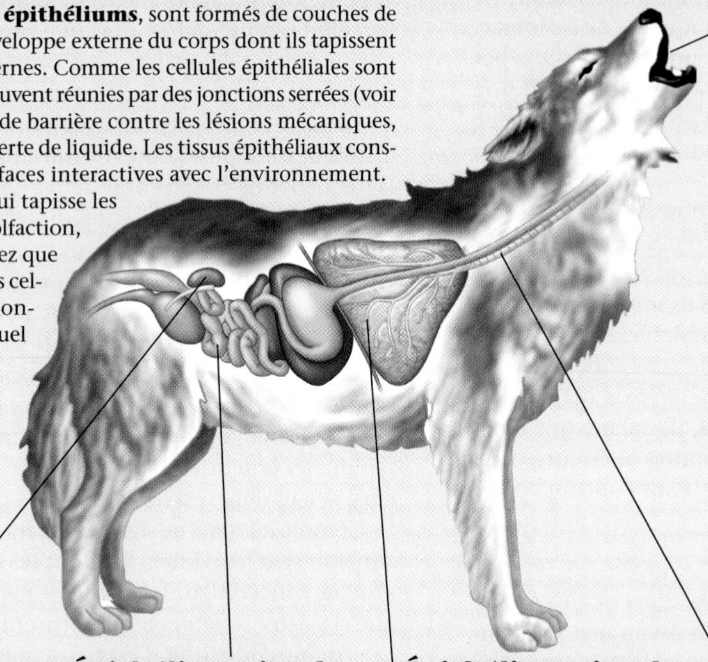

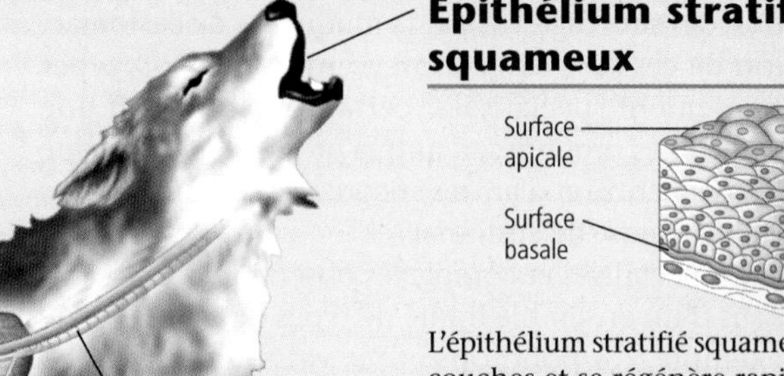

Épithélium stratifié squameux

L'épithélium stratifié squameux est multicouches et se régénère rapidement. Les nouvelles cellules qui naissent par division près de la surface basale (voir la micrographie ci-dessous) sont poussées vers la surface apicale de façon à remplacer celles qui desquament continuellement. Ce type d'épithélium se situe généralement sur les surfaces soumises à l'abrasion, comme la partie externe de la peau, ou encore sur les muqueuses de l'œsophage, de l'anus et du vagin.

Épithélium cubique

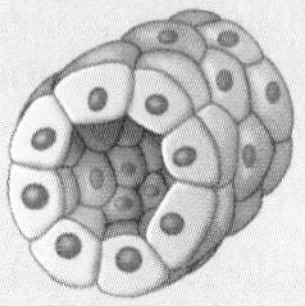

L'épithélium cubique, composé de cellules en forme de dés et spécialisé dans la sécrétion, constitue l'épithélium des tubules rénaux (représenté ici) et de nombreuses glandes, dont la thyroïde et les glandes salivaires.

Épithélium simple prismatique

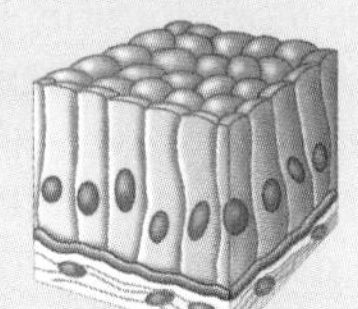

L'épithélium simple prismatique se compose de grosses cellules en forme de briques. Il recouvre souvent les régions dans lesquelles la sécrétion ou l'absorption active de substances représentent des fonctions importantes. Par exemple, il tapisse les intestins, y sécrète des sucs digestifs et absorbe des nutriments.

Épithélium simple squameux

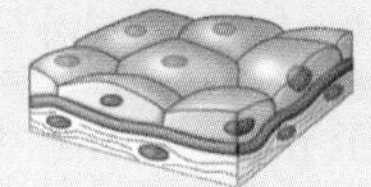

La couche unique de cellules plates qui forme l'épithélium simple squameux se spécialise dans le transport des substances par diffusion. Plutôt mince et perméable, ce type d'épithélium tapisse la face interne des vaisseaux sanguins et des alvéoles pulmonaires où la diffusion des nutriments et des gaz est vitale.

Épithélium pseudostratifié prismatique et cilié

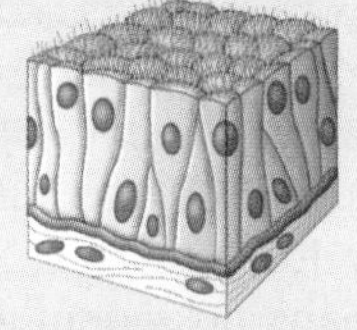

L'épithélium pseudostratifié prismatique et cilié se compose d'une couche unique de cellules de hauteur inégale dans lesquelles le noyau occupe une position variable. Chez beaucoup de vertébrés, cet épithélium forme une muqueuse ciliée qui tapisse une partie des voies respiratoires. Les cils vibratiles font glisser la pellicule de mucus le long de la surface.

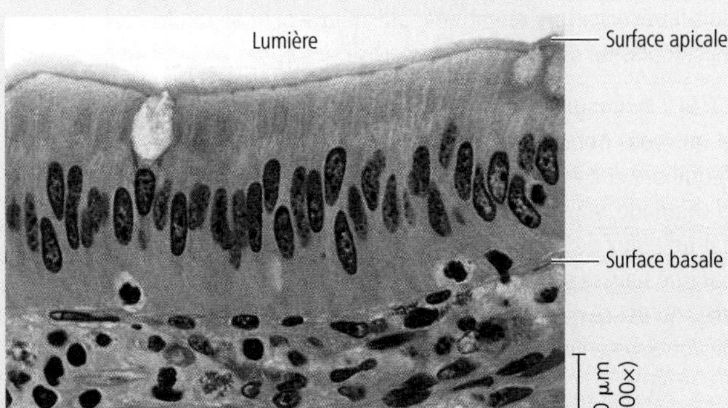

Polarité de l'épithélium

Tous les épithéliums sont polarisés, c'est-à-dire que leurs deux faces sont différentes. La surface *apicale* est orientée vers la lumière (cavité), ou l'extérieur, de l'organe ; elle est exposée à des liquides ou à l'air. Des prolongements spécialisés recouvrent souvent cette face. Par exemple, la face apicale de l'épithélium qui tapisse l'intestin grêle est recouverte de microvillosités, des prolongements de la membrane plasmique qui accroissent la surface d'absorption des nutriments. La face opposée de chaque épithélium est la surface *basale*. Celle-ci est attachée à la *lame basale*, une couche compacte de la matrice extracellulaire. La lame basale, composée principalement de glycoprotéines sécrétées par les cellules épithéliales, repose sur la lame réticulaire, constituée de fibres de collagène produites par le tissu conjonctif sous-jacent. Ensemble, ces deux lames forment la *membrane basale*.

Tissu conjonctif

Le **tissu conjonctif** a surtout pour fonction de fixer et de soutenir les autres tissus. Les tissus conjonctifs contiennent peu de cellules. Celles-ci sont dispersées dans une matrice extracellulaire, généralement composée d'un réseau de fibres enchâssées dans une substance fondamentale homogène, qui est liquide, gélatineuse ou solide. Dans la matrice se trouvent de nombreuses cellules, appelées **fibroblastes**, qui sécrètent les substances protéiques des fibres extracellulaires, et les **macrophagocytes**, qui détruisent par phagocytose les particules étrangères et les débris de cellules mortes (voir la figure 7.19).

Les fibres des tissus conjonctifs sont classées en trois catégories : les *fibres collagènes*, résistantes et souples ; les *fibres réticulaires*, qui joignent le tissu conjonctif aux tissus voisins ; et les *fibres élastiques*, qui rendent les tissus extensibles. Si vous pincez la peau qui recouvre le dos de votre main, les fibres collagènes et réticulaires empêchent que la peau qui adhère aux muscles sous-jacents soit arrachée, tandis que les fibres élastiques redonnent rapidement à votre peau sa forme originale. Divers mélanges de fibres et de matrices forment les principaux types de tissus conjonctifs présentés ci-dessous.

Tissu conjonctif lâche

Le tissu conjonctif le plus répandu chez les vertébrés est le **tissu conjonctif aréolaire**. Il fait partie du *tissu conjonctif lâche* et sert à fixer l'épithélium aux tissus sous-jacents ; il a aussi pour rôle d'envelopper les organes afin de les maintenir en place et de les protéger. On qualifie ce tissu de *lâche* parce que ses fibres, peu nombreuses et disséminées dans la substance fondamentale, s'entrecroisent de manière espacée. Il renferme les trois sortes de fibres. On le trouve dans la peau et un peu partout dans le corps.

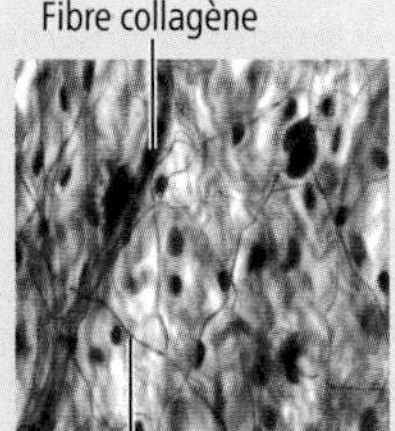

Tissu conjonctif dense

Le *tissu conjonctif dense* est compact, car il contient beaucoup de fibres collagènes. On trouve le tissu conjonctif dense régulier principalement dans les **tendons**, qui relient les muscles aux os, et dans les **ligaments**, qui unissent les os à l'endroit des articulations.

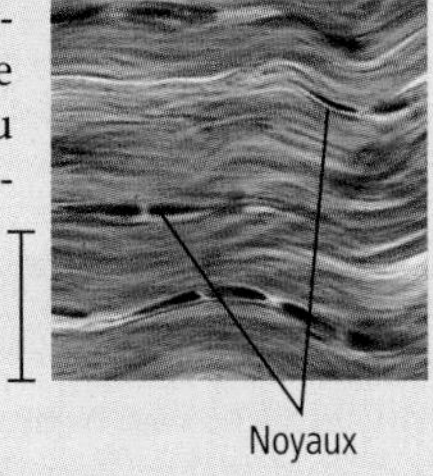

Tissu osseux

Chez la plupart des vertébrés, le squelette se compose de **tissu osseux**, c'est-à-dire d'un tissu conjonctif minéralisé. Des cellules appelées *ostéoblastes* sécrètent une matrice de collagène. Puis, en s'imprégnant de calcium, de magnésium et de phosphate, la matrice du tissu conjonctif durcit et se transforme en substance rigide. Chez les mammifères, la structure microscopique du tissu osseux compact présente une succession d'unités appelées *ostéons* (ou ostéones, ou encore systèmes de Havers). Chaque ostéon possède des couches concentriques (*lamelles*) de matrice minéralisée, déposées autour d'un canal central contenant des vaisseaux sanguins nourriciers et des nerfs.

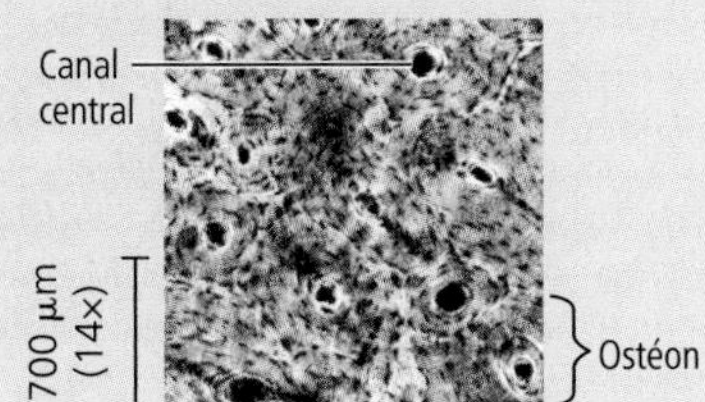

Tissu sanguin

Le **tissu sanguin** possède une matrice liquide appelée plasma et composée d'eau, de sels et de diverses protéines solubles. Trois éléments baignent dans le plasma : les érythrocytes (globules rouges), les leucocytes (globules blancs) et des fragments de cellules appelés thrombocytes (plaquettes). Les érythrocytes transportent l'O_2, les leucocytes assurent la défense immunitaire et les thrombocytes interviennent dans la coagulation du sang.

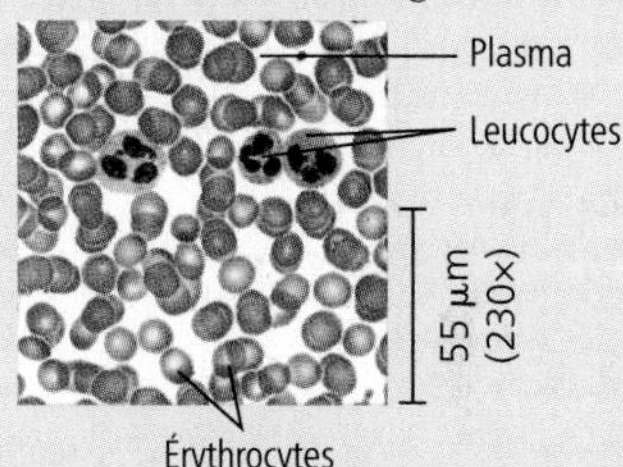

Tissu adipeux

Le **tissu adipeux** est une forme spécialisée de tissu conjonctif lâche, qui emmagasine les graisses dans les cellules adipeuses (ou adipocytes) disséminées dans sa matrice. Il contribue à réduire les pertes de chaleur du corps (isolation), à amortir les chocs et à emmagasiner de l'énergie sous forme de molécules de gras. Une cellule adipeuse renferme une gouttelette lipidique dont le volume s'accroît lorsque l'organisme emmagasine des lipides et diminue lorsqu'il en utilise comme source d'énergie.

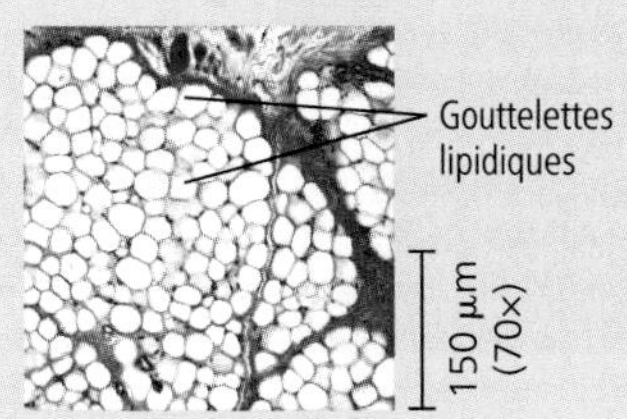

Tissu cartilagineux

Le **tissu cartilagineux** comporte des fibres collagènes, enchâssées dans une substance fondamentale caoutchouteuse (ou matrice) appelée chondroïtine sulfate (polysaccharides de la catégorie glycosaminoglycane). La chondroïtine sulfate et le collagène sont sécrétés par des cellules appelées *chondroblastes* ; lorsque ceux-ci sont matures, ils portent le nom de *chondrocytes*. L'association des fibres collagènes et de la chondroïtine sulfate fait du cartilage un matériau de soutien à la fois résistant et flexible. De nombreux vertébrés possèdent un squelette cartilagineux au cours de leur stade embryonnaire, mais cette structure est remplacée par du tissu osseux à mesure que l'embryon se développe. Néanmoins, du cartilage subsiste à certains endroits ; pensons notamment aux disques intervertébraux (cartilage fibreux), qui jouent le rôle d'amortisseurs entre les vertèbres.

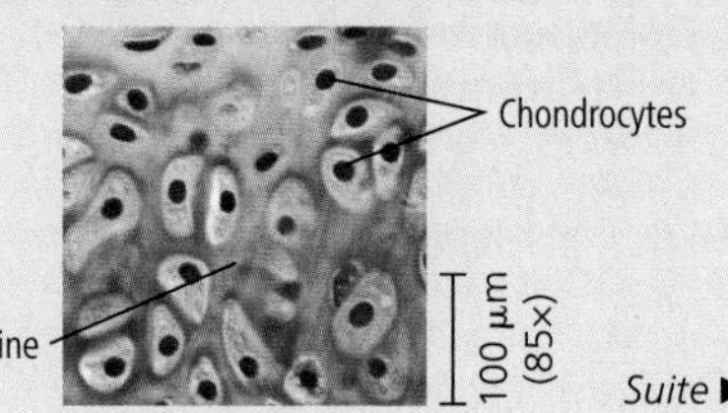

Suite ▶

PANORAMA ▼ **Figure 40.5**

La structure et la fonction des tissus animaux (*suite*)

Tissu musculaire

Le **tissu musculaire** est un tissu sollicité dans presque tous les types de mouvements du corps. Toutes les cellules musculaires comportent des filaments de protéines appelées actine et myosine, dont le travail conjoint permet aux muscles de se contracter. Il existe trois types de tissu musculaire chez les vertébrés : le tissu musculaire squelettique, le tissu musculaire lisse et le tissu musculaire cardiaque.

Tissu musculaire squelettique

Le **tissu musculaire squelettique**, ou *muscle strié*, est fixé aux os par des tendons. Il intervient dans les mouvements volontaires. Le muscle squelettique se compose de faisceaux de longues cellules appelées *myocytes* (fibres musculaires). Au cours du développement, les myocytes naissent de la fusion de plusieurs cellules, de sorte que chaque fibre contient plusieurs noyaux. La disposition des unités contractiles, ou sarcomères, donne aux cellules leur apparence rayée (striée). Chez les mammifères adultes, l'augmentation de la masse musculaire n'accroît pas le nombre de cellules musculaires, seulement leur volume.

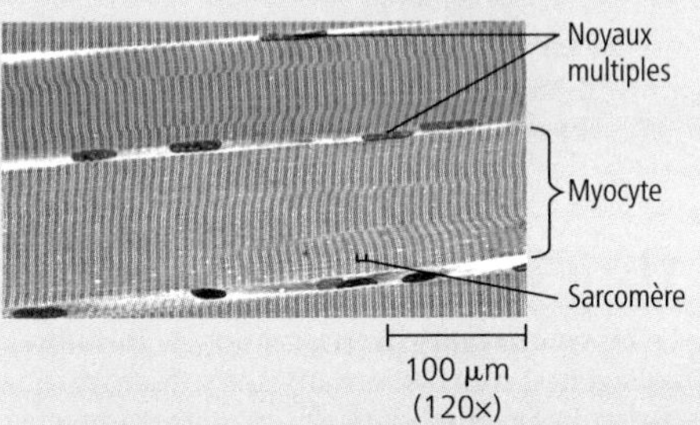

Tissu musculaire lisse

Le **tissu musculaire lisse**, dépourvu de stries, se trouve dans la paroi du tube digestif, de la vessie, des artères et d'autres organes internes. Les myocytes de ce tissu sont fusiformes. Les muscles lisses sont associés aux activités corporelles involontaires, notamment au péristaltisme du tube digestif ou à la constriction des artères.

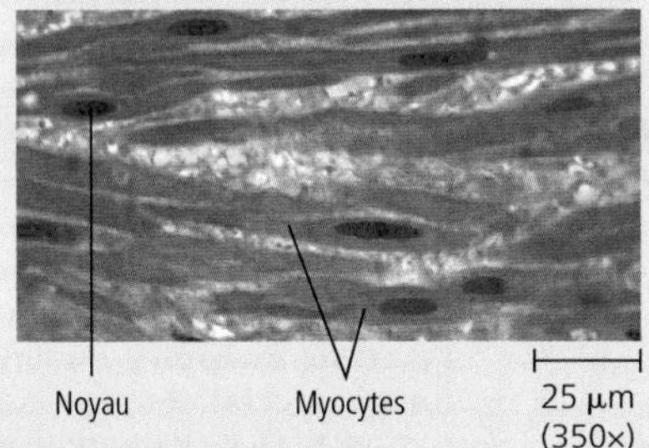

Tissu musculaire cardiaque

Le **tissu musculaire cardiaque** forme la paroi contractile (myocarde) du cœur. Il est strié, à l'instar du tissu musculaire squelettique, et possède les mêmes propriétés contractiles. Toutefois, le tissu musculaire cardiaque se distingue du muscle squelettique par la présence de fibres ramifiées et reliées par des disques intercalaires. Ces structures facilitent la transmission de signaux d'une cellule cardiaque à l'autre et contribuent à synchroniser les contractions cardiaques.

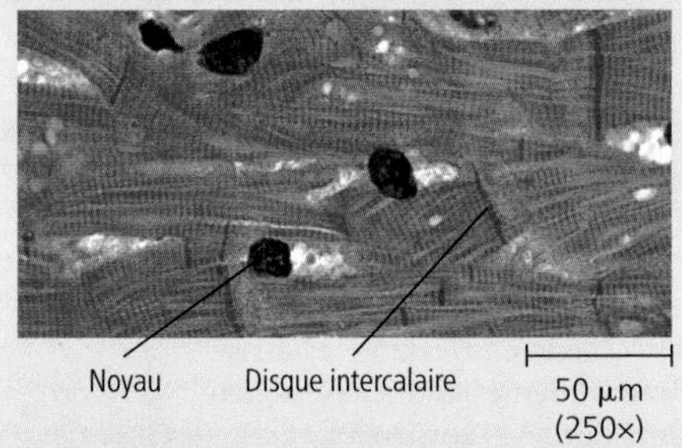

Tissu nerveux

Le **tissu nerveux** perçoit, traite et transmet les stimulus. Il contient des **neurones**, ou cellules nerveuses, spécialisés dans la conduction des potentiels d'action, ainsi que des cellules de soutien appelées **cellules gliales**. Chez de nombreux animaux, un amas de tissu nerveux forme l'encéphale, dans lequel est effectué le traitement de l'information.

Neurones

Le **neurone** est l'unité fondamentale du système nerveux. Il reçoit des signaux d'autres neurones par l'intermédiaire de son corps cellulaire et de multiples prolongements appelés dendrites. Les neurones acheminent des potentiels d'action à d'autres neurones, aux muscles et à divers types de cellules, par l'intermédiaire de prolongements appelés axones, souvent groupés en faisceaux de nerfs.

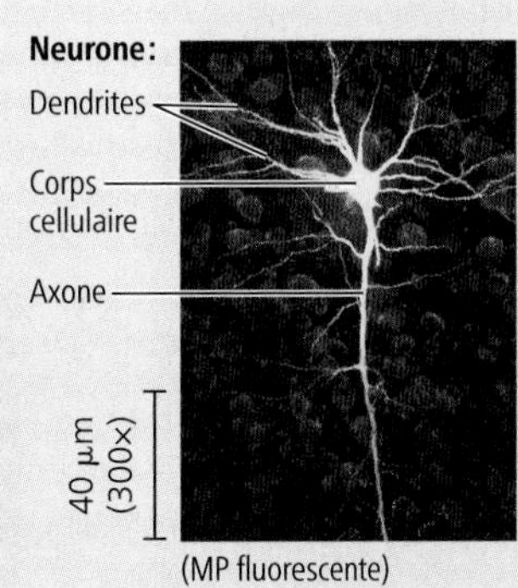

(MP fluorescente)

Cellules gliales

Les divers types de cellules gliales aident à nourrir, à isoler et à régénérer les neurones. Dans certains cas, elles aident aussi à moduler la fonction neuronale.

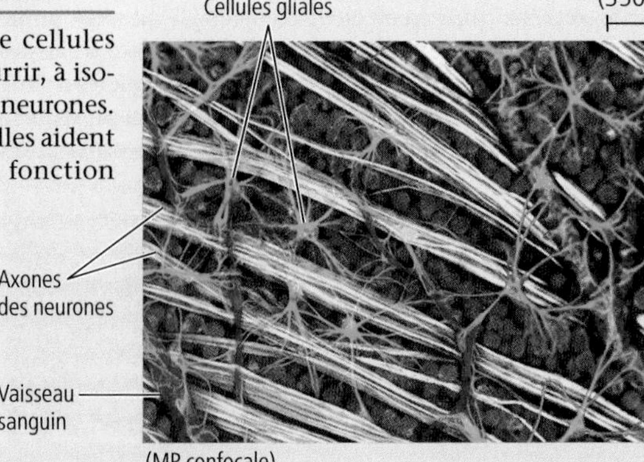

(MP confocale)

▼ **Figure 40.6** **Les signaux émis par le système endocrinien et le système nerveux.**

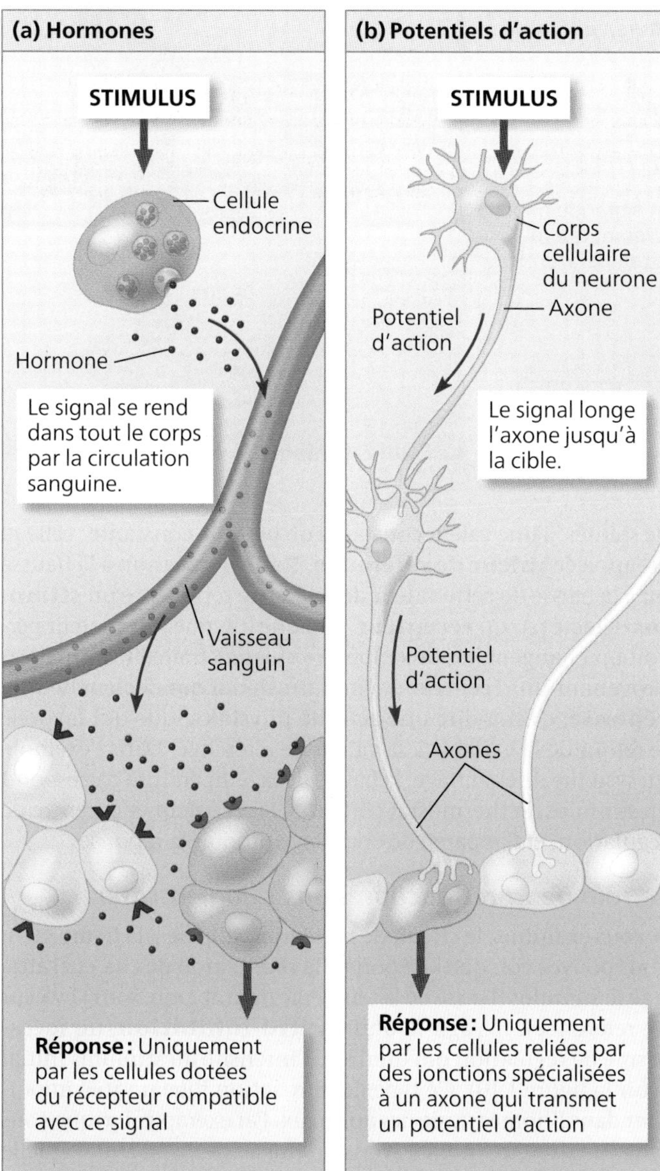

(a) Hormones
STIMULUS
Cellule endocrine
Hormone
Le signal se rend dans tout le corps par la circulation sanguine.
Vaisseau sanguin
Réponse: Uniquement par les cellules dotées du récepteur compatible avec ce signal
(b) Potentiels d'action
STIMULUS
Corps cellulaire du neurone
Axone
Potentiel d'action
Le signal longe l'axone jusqu'à la cible.
Potentiel d'action
Axones
Réponse: Uniquement par les cellules reliées par des jonctions spécialisées à un axone qui transmet un potentiel d'action

HABILETÉS VISUELLES ▶ Comparez les deux schémas et expliquez pourquoi le potentiel d'action d'un nerf donné ne peut emprunter qu'une seule voie physique, alors que la molécule d'une hormone donnée peut en emprunter plusieurs.

CONCEPT **40.2**

De nombreux animaux maintiennent leur milieu interne à l'aide de mécanismes de rétroaction

Plusieurs systèmes de l'organisme contribuent activement au maintien du milieu interne, une tâche sans répit pour le corps d'un animal. Imaginez ce qui se passerait si votre température corporelle grimpait chaque fois que vous prenez une douche ou buvez un café bien chaud. Devant les fluctuations environnementales, les animaux maintiennent la stabilité de leur milieu interne par la régulation et la tolérance.

La régulation et la tolérance

Comparez les deux ensembles de données de la **figure 40.7**. La température interne de la loutre de rivière (*Lontra canadensis*) est pratiquement indépendante de celle de l'eau dans laquelle elle nage, tandis que la température corporelle de l'achigan à grande bouche (*Micropterus salmoides*) suit la température de l'eau à mesure que celle-ci varie. Pour décrire ces deux tendances, on dit que la loutre est un régulateur, et l'achigan, un tolérant. On qualifie un animal de **régulateur** au regard d'une variable environnementale particulière s'il utilise des mécanismes de régulation interne pour atténuer les changements dans son milieu interne lorsque son environnement externe fluctue. En revanche, un animal est dit **tolérant** au regard d'une variable environnementale particulière s'il supporte les variations de son milieu interne liées à certains changements dans l'environnement externe.

Les animaux qui sont tolérants stricts ou régulateurs stricts représentent les deux extrêmes d'un continuum. La plupart des animaux se situent entre ces deux limites. En outre, un animal peut maintenir son homéostasie en assurant la régulation de certaines conditions internes et en en laissant d'autres fluctuer au gré des conditions environnementales. Par exemple, l'achigan est tolérant quant à la température de l'eau dans laquelle il vit, mais il régule la concentration de solutés dans son sang et dans son liquide interstitiel. En outre, le fait d'être un régulateur ne suppose pas toujours le changement d'une variable interne. Par exemple, de nombreux invertébrés marins, comme les araignées de mer du genre *Libinia*, vivent dans des milieux où la concentration de solutés (la salinité) est relativement stable.

L'homéostasie

Le maintien de la température corporelle de la loutre de rivière ou la stabilité de la concentration des solutés dans les tissus de l'achigan d'eau douce sont des exemples d'**homéostasie**, un terme qui signifie « maintien de l'équilibre interne ». Les racines grecques de ce terme sont *homoios*, « semblable », et *stasis*, qui signifie « position ». L'homéostasie permet aux animaux de maintenir un état stable, c'est-à-dire un milieu interne relativement constant, même lorsque les conditions du milieu externe varient fortement.

De nombreux animaux sont capables d'homéostasie à l'égard de plusieurs paramètres physiques et chimiques. Par exemple, l'humain peut garder son milieu interne à une température de 37 °C environ, et maintenir le pH de son sang et de son liquide interstitiel à 7,4. En outre, il peut ajuster la concentration du glucose sanguin de manière que la concentration ne s'écarte jamais longtemps de la valeur de 5 mmol/L de sang.

Les mécanismes de l'homéostasie

L'homéostasie suppose la présence d'un système de contrôle. Avant d'explorer l'homéostasie chez les animaux, établissons une analogie avec un système mécanique, en l'occurrence avec celui qui régule la température d'une pièce (**figure 40.8**). Supposons que l'on veuille garder cette pièce à 20 °C, une température confortable pour une activité normale. Pour ce faire, on règle le centre de régulation (le thermostat) à 20 °C. Un thermomètre intégré au thermostat détecte la température ambiante. Si celle-ci tombe sous la valeur fixée (20 °C), le thermostat

▶ **Figure 40.7 Les rapports entre les températures corporelles d'un régulateur et d'un tolérant aquatiques, et la température de l'environnement.** La loutre de rivière maintient une température interne stable, indépendamment de la température de l'environnement. L'achigan à grande bouche, par contre, engendre relativement peu de chaleur métabolique et s'adapte à la température de l'eau.

▼ **Figure 40.8 Exemple mécanique de régulation thermique: la régulation de la température dans une pièce.** La régulation de la température ambiante d'une pièce dépend d'un centre de régulation (thermostat). Celui-ci décèle les variations de température et active des mécanismes visant à la ramener à une valeur de référence.

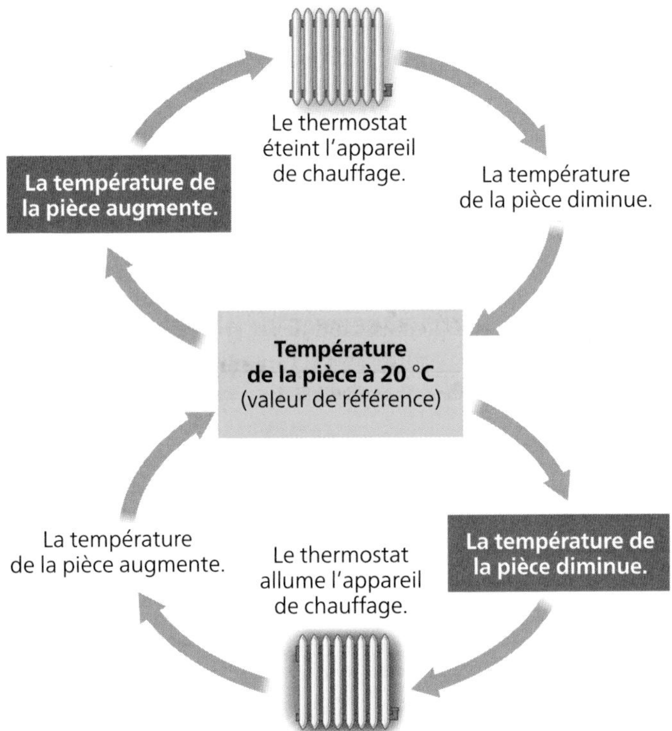

FAITES UN DESSIN ▶ Indiquez au moins un stimulus, une réponse et un récepteur (centre de régulation) dans la figure. Comment modifieriez-vous ce système pour y ajouter un climatiseur?

déclenche la mise en marche de l'appareil de chauffage. Lorsque la température de la pièce dépasse 20 °C, le thermostat commande l'arrêt de l'appareil de chauffage. Chaque fois que la température de la pièce descend sous les 20 °C, le thermostat déclenche le même processus.

Tout comme le système de chauffage, les mécanismes de l'homéostasie de l'être humain permettent de maintenir une variable, comme la température corporelle ou la concentration de solutés, à une valeur constante ou presque constante; celle-ci est appelée **valeur de référence**. Toute fluctuation à la hausse ou à la baisse de cette valeur de référence représente un **stimulus** détecté par un **récepteur**. Chaque fois que le récepteur perçoit un changement, un *centre de régulation* traite l'information provenant du récepteur et émet un signal qui déclenche une **réponse**, c'est-à-dire une activité physiologique qui favorise le retour de la variable à sa valeur de référence. Dans l'exemple du système de chauffage, la baisse de la température correspond au stimulus, le thermostat constitue le récepteur et le centre de régulation, et l'appareil de chauffage produit la réponse.

Le rôle de la rétroaction dans l'homéostasie

Si vous examinez le circuit de régulation illustré à la figure 40.8, vous pouvez voir que la réponse (la production de chaleur) atténue le stimulus (baisse de la température ambiante sous la valeur de référence). Il s'agit là d'une **rétro-inhibition**, un mécanisme de régulation qui diminue l'intensité du stimulus initial (voir la figure 1.10). Ce type de rétroaction joue un rôle important dans l'homéostasie des animaux. Par exemple, lorsque vous faites un exercice intense, vous produisez de la chaleur, laquelle fait monter votre température corporelle. Votre système nerveux détecte cette augmentation de température et déclenche le mécanisme de la transpiration. Lorsque vous transpirez, l'évaporation de la sueur de la peau rafraîchit votre corps; la température corporelle revient à sa valeur de référence et le stimulus est éliminé.

L'homéostasie est un état d'équilibre dynamique. C'est l'interaction entre des facteurs externes susceptibles d'influer sur le milieu interne, d'une part, et les mécanismes de régulation internes qui s'opposent à cette influence, d'autre part. Remarquez que les réponses physiologiques aux stimulus ne sont pas instantanées, de la même façon qu'une pièce ne se réchauffe pas aussitôt qu'on met en marche l'appareil de chauffage. En somme, l'homéostasie modère les fluctuations du milieu interne, mais ne les élimine pas. Les fluctuations sont plus importantes si une variable s'inscrit dans un *intervalle normal* – caractérisé par une limite supérieure et une limite inférieure – au lieu d'avoir une valeur de référence unique. C'est ce qui arrive lorsque le système de chauffage commence à produire de la chaleur quand la température de la pièce descend à 19 °C et cesse d'en produire quand elle atteint 21 °C. Que la valeur de référence soit unique ou qu'elle s'inscrive dans un intervalle de référence, l'homéostasie est facilitée par des adaptations qui amortissent les fluctuations, par exemple l'isolation, dans le cas de la température, ainsi que les tampons physiologiques, dans le cas du pH.

Contrairement à la rétro-inhibition, la **rétroactivation** est un mécanisme qui amplifie le stimulus initial au lieu de l'atténuer. Chez les animaux, les mécanismes de rétroactivation ne jouent pas un rôle crucial dans l'homéostasie; ils contribuent plutôt à conduire certains processus à leur terme. Au cours du travail de l'accouchement, par exemple, la pression exercée par la tête du bébé sur les récepteurs situés dans le col utérin intensifie les contractions utérines. En s'amplifiant, ces contractions augmentent la pression sur le bébé, donc sur le col utérin, lequel se dilate et s'ouvre de plus en plus. La rétroactivation amène ainsi l'accouchement à son terme.

Les variations de l'homéostasie

Les valeurs de référence et les limites normales de l'homéostasie peuvent changer dans certaines conditions. En fait, les *changements régulés* dans le milieu interne sont essentiels aux fonctions corporelles normales, car certains d'entre eux sont associés à des fonctions physiologiques particulières ou à des périodes spécifiques du développement. Pensons, par exemple, au changement radical que connaît l'équilibre hormonal au cours de l'adolescence ou aux variations hormonales cycliques qui président au cycle menstruel de la femme (voir la figure 46.14).

Chez tous les animaux (et les végétaux), certaines variations cycliques du métabolisme suivent un **rythme circadien**, lequel est un ensemble de changements physiologiques qui surviennent sur une période de 24 heures environ (**figure 40.9**). On peut observer ce rythme en suivant la température corporelle, qui augmente et diminue de plus de 0,6 °C de façon cyclique chez l'humain. Soulignons que ce rythme de variation est réglé par une horloge biologique qui fonctionne indépendamment des variations de l'activité humaine, de la température ambiante et de l'intensité lumineuse (figure 40.9a). Le rythme circadien est donc un facteur endogène du corps humain, bien que l'horloge biologique soit normalement synchronisée avec le cycle clarté-obscurité de l'environnement (figure 40.9b). Ce cycle est régulé par la mélatonine, une hormone sécrétée la nuit; la sécrétion est plus intense durant les nuits plus longues de l'hiver. L'horloge biologique est également sensible à certains stimulus externes, mais l'effet n'est pas immédiat. C'est ce qui explique pourquoi un voyageur qui traverse rapidement (en avion) plusieurs fuseaux horaires souffre de décalage horaire. Ce syndrome résulte de l'absence de concordance entre le rythme circadien et l'environnement local; il persiste jusqu'à ce que l'horloge s'ajuste, ce qui peut prendre plusieurs jours.

L'**acclimatation** peut modifier l'homéostasie. L'acclimatation est un processus d'adaptation physiologique d'un animal à une nouvelle gamme de valeurs environnementales. Par ce processus graduel, l'organisme animal s'adapte aux changements dans son milieu externe. Par exemple, quand un cerf passe d'un lieu situé au niveau de la mer à une région sise en altitude, il sera porté à respirer plus rapidement et plus profondément parce que la pression étant plus faible en haute montagne, sa capacité d'absorption d'O_2 est diminuée. Le cerf évacuera alors plus de dioxyde de carbone (CO_2) en expirant, ce qui élèvera son pH sanguin au-dessus de la valeur de référence. Pendant plusieurs jours, à mesure que le cerf s'acclimatera, sa fonction rénale se modifiera et ses reins se mettront à excréter de l'urine plus alcaline afin de ramener le pH sanguin à sa valeur normale. Ainsi, son organisme subit un certain nombre de changements physiologiques qui l'aident à accomplir ses activités. D'autres changements se produiront lors de l'acclimatation à l'altitude, dont la production d'un plus grand nombre d'érythrocytes, qui transportent l'O_2. D'autres mammifères, dont l'humain, sont également capables de s'acclimater à d'importants changements d'altitude (**figure 40.10**).

Remarquez qu'il ne faut pas confondre l'acclimatation, un changement temporaire dans la vie d'un animal, avec l'adaptation, un processus de changement imposé à une population par la sélection naturelle au cours de nombreuses générations.

▼ Figure 40.9 Le rythme circadien chez les humains.

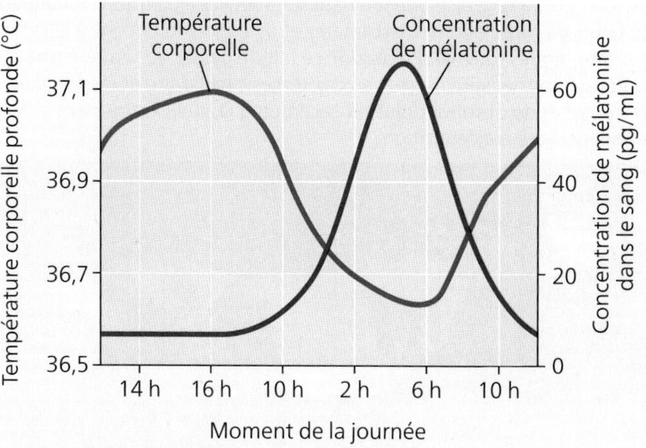

(a) Variations de la température corporelle profonde et concentration de mélatonine dans le sang. Des chercheurs ont mesuré ces deux variables chez des sujets au repos, mais éveillés, se trouvant dans une chambre d'isolement peu éclairée où la température était constante. (La mélatonine est une hormone qui semble intervenir dans les cycles veille-sommeil; voir le concept 45.3.)

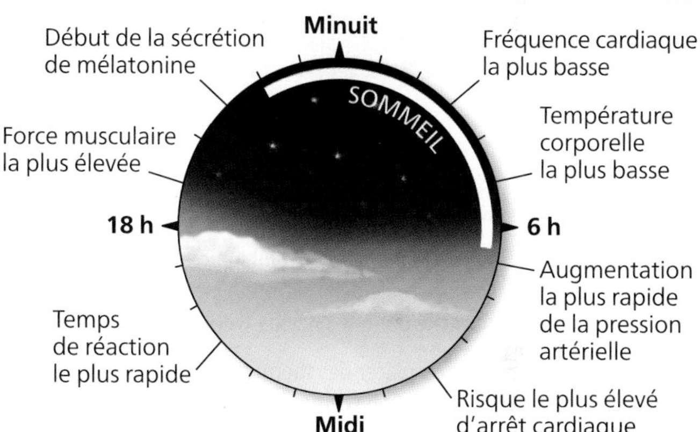

(b) L'horloge biologique humaine. Les activités métaboliques suivent des cycles quotidiens déterminés par le rythme circadien. Comme on peut le constater dans ce schéma représentant l'horloge chez une personne qui se lève tôt le matin, mange vers midi et dort la nuit, ces variations cycliques ont lieu sur une période de 24 heures.

▼ **Figure 40.10 L'acclimatation des alpinistes dans l'Himalaya.** Lorsqu'ils prévoient atteindre un haut sommet, les alpinistes bivouaquent en cours de route afin de s'acclimater et de se prémunir contre le mal des montagnes (ou mal d'altitude). Le fait de passer du temps à une altitude intermédiaire permet aux systèmes circulatoire et respiratoire de capter et de distribuer plus efficacement l'O_2 qui y est présent à une moindre concentration.

RETOUR SUR LE CONCEPT **40.2**

1. **FAITES DES LIENS ▶** En quoi la rétro-inhibition de la thermorégulation diffère-t-elle de la rétro-inhibition d'un processus biosynthétique déclenché par une enzyme (voir la figure 8.21) ?
2. Si vous deviez décider où placer des thermostats dans une maison, de quels facteurs tiendriez-vous compte ? Quel lien pouvez-vous faire entre ces facteurs et le fait qu'une grande partie des récepteurs de régulation homéostatique de l'humain sont situés dans son cerveau ?
3. **FAITES DES LIENS ▶** À l'instar des animaux, les cyanobactéries ont un rythme circadien. En analysant les gènes qui maintiennent les horloges biologiques, des scientifiques ont conclu que les rythmes de 24 heures des humains et des cyanobactéries témoignent d'une évolution convergente (voir le concept 26.2). Quelles données ont pu contribuer à cette conclusion ?

Voir les réponses proposées à l'appendice A.

CONCEPT **40.3**

Les processus homéostatiques qui président à la thermorégulation font intervenir la forme, la fonction et le comportement

Dans la présente section, nous examinerons la régulation de la température corporelle pour illustrer comment la forme et la fonction d'un animal contribuent à contrôler son environnement interne. Nous étudierons les autres mécanismes qui jouent un rôle dans le maintien de l'homéostasie dans les chapitres ultérieurs de cette partie du manuel.

La **thermorégulation** est le mécanisme par lequel les animaux maintiennent leur température corporelle dans un intervalle compatible avec la vie. Une température corporelle à l'extérieur de l'intervalle normal peut réduire l'efficacité des réactions enzymatiques, altérer la fluidité des membranes cellulaires et nuire à d'autres processus biochimiques sensibles aux variations de la température corporelle. Ces changements peuvent avoir des conséquences fatales. Par exemple, la vitesse de la plupart des réactions enzymatiques diminue d'un facteur de deux ou trois pour chaque diminution de température de 10 °C. L'élévation de la température engendre une légère accélération de la vitesse des réactions enzymatiques jusqu'à ce qu'elle devienne critique et que les protéines commencent à se dénaturer. Par exemple, à mesure que la température s'élève, l'hémoglobine se lie moins efficacement à l'O_2 qu'elle transporte dans le sang. La température influe également sur les propriétés des membranes : celles-ci deviennent de plus en plus rigides ou fluides selon que la température monte ou baisse, respectivement.

L'endothermie et l'ectothermie

Les sources de chaleur de la thermorégulation sont soit le métabolisme interne, soit l'environnement externe. Les humains et d'autres mammifères, ainsi que les oiseaux, sont des **endothermes**, ce qui signifie que les activités métaboliques constituent leur principale source de chaleur. Certaines espèces de poissons et d'insectes ainsi que quelques reptiles sont aussi principalement des endothermes. En revanche, les amphibiens, de nombreuses espèces de reptiles et de poissons ainsi que la plupart des invertébrés sont des **ectothermes**, ce qui veut dire qu'ils tirent presque toute leur chaleur de leur environnement. L'endothermie et l'ectothermie ne sont pas des modes de thermorégulation mutuellement exclusifs. Par exemple, un oiseau est d'abord un endotherme, mais il peut se réchauffer au soleil par temps froid, à l'instar d'un lézard, qui est un ectotherme.

Les endothermes arrivent à maintenir une température interne très stable même quand la température de l'environnement fluctue grandement. Quand il se trouve dans un environnement froid, un endotherme produit assez de chaleur pour maintenir son corps à une température passablement plus élevée que celle de l'environnement (**figure 40.11a**). Quand il fait chaud, les vertébrés endothermes possèdent des mécanismes qui leur permettent d'évacuer une partie de la chaleur excédentaire ; grâce à eux, ils peuvent supporter des températures que la plupart des ectothermes sont incapables de tolérer.

De nombreux ectothermes arrivent à réguler leur température interne en adoptant des comportements appropriés, comme se chauffer au soleil ou chercher de l'ombre (**figure 40.11b**). Étant donné que la principale source de chaleur des ectothermes provient de l'environnement, ces derniers doivent généralement consommer beaucoup moins d'aliments que les endothermes de taille équivalente ; il s'agit d'un avantage important quand les réserves de nourriture sont limitées. La plupart des ectothermes peuvent également tolérer de plus grandes fluctuations de leur température interne. Dans l'ensemble, l'ectothermie est une stratégie efficace dans la plupart des environnements, comme nous le montrent l'abondance et la diversité des ectothermes.

▼ **Figure 40.11 La thermorégulation par les sources de chaleur internes et externes.** Chez les endothermes, la chaleur est fournie par le métabolisme interne, tandis que chez les ectothermes, elle provient de l'environnement externe.

(a) Le morse est un endotherme.

(b) Le lézard est un ectotherme.

Les variations de la température corporelle

Une autre différence entre les animaux est que leur température corporelle peut varier ou être constante. Un animal dont la température corporelle varie en fonction de celle de l'environnement est un *poïkilotherme* (du grec *poikilos*, qui signifie « variable »). À l'inverse, un *homéotherme* est un animal qui maintient une température interne relativement stable. Par exemple, l'achigan à grande bouche est un poïkilotherme, tandis que la loutre de rivière est un homéotherme (voir la figure 40.7).

La description des ectothermes et des endothermes peut donner à penser que tous les ectothermes sont poïkilothermes et que tous les endothermes sont homéothermes. En fait, il n'existe pas de lien direct entre la source de chaleur et la stabilité de la température corporelle. De nombreux poissons marins et des invertébrés habitent des eaux dont les températures sont si stables que leur température corporelle varie encore moins que celle d'endothermes comme les humains et d'autres mammifères. À l'inverse, certains endothermes connaissent de grandes variations de leur température interne. Par exemple, la température corporelle de certaines chauves-souris baisse de 40 °C à 1 ou 2 °C lorsqu'elles entrent en hibernation.

L'idée que les ectothermes sont des animaux « à sang froid » et que les endothermes sont des animaux « à sang chaud » constitue une autre idée fausse courante. La température corporelle des ectothermes n'est pas nécessairement basse. Au contraire, quand ils se chauffent au soleil, la température interne de beaucoup de lézards ectothermes est supérieure à celle des mammifères. Par conséquent, la plupart des scientifiques préfèrent ne pas employer les termes *à sang froid* et *à sang chaud*, qui peuvent induire en erreur.

L'équilibre entre la perte et le gain de chaleur

La thermorégulation relève de la capacité d'un animal à moduler l'échange de chaleur avec son environnement. Cet échange s'effectue par quatre processus physiques : la conduction, la convection, le rayonnement (radiation) et l'évaporation (**figure 40.12**). La chaleur se propage toujours d'un objet dont la température est élevée vers un objet dont elle est plus basse.

La thermorégulation consiste à maintenir une quantité de chaleur gagnée équivalente à la quantité de chaleur perdue. Les animaux y parviennent par des mécanismes qui réduisent l'échange de chaleur dans son ensemble ou qui favorisent le passage de la chaleur dans une direction particulière. Chez les mammifères, plusieurs mécanismes de thermorégulation sont associés au **système tégumentaire**, c'est-à-dire à la couche externe de l'organisme, constituée de la peau, des poils et des ongles (les griffes ou les sabots chez certaines espèces).

L'isolation

L'isolation constitue une grande adaptation thermorégulatrice chez les mammifères et chez les oiseaux. Elle consiste à réduire le flux thermique entre le corps et l'environnement, et à abaisser le coût énergétique du maintien de la température. L'isolation est présente tant à la surface du corps (poils et plumes) que sous la surface (couches de graisse formées par le tissu adipeux). En outre, certains animaux sécrètent des substances huileuses afin de repousser l'eau qui réduirait la capacité isolante de leurs plumes ou de leurs poils, comme le font les oiseaux quand ils lissent leurs plumes.

Souvent, les animaux peuvent modifier leurs couches isolantes pour mieux réguler leur température corporelle. Ainsi, la plupart des mammifères terrestres et de nombreux oiseaux réagissent au froid en gonflant leur fourrure ou leurs plumes. Ce faisant, ils emprisonnent une couche d'air plus épaisse, ce qui augmente passablement l'efficacité de leur isolation. Les humains, qui n'ont ni plumes ni fourrure, ne peuvent guère compter que sur leur tissu adipeux pour ce qui est de l'isolation. Cela dit, lorsque nous avons froid, nous avons la chair de poule : c'est un vestige du gonflement de la fourrure de nos ancêtres plus velus.

L'isolation est tout particulièrement importante pour les mammifères marins tels que les baleines et les morses. Ces animaux nagent dans une eau dont la température est bien plus froide que celle de l'intérieur de leur corps. Un grand nombre de ces espèces passent au moins une partie de l'année dans des mers polaires où l'eau atteint presque le point de congélation. Leur thermorégulation est d'autant plus difficile que, dans l'eau, la perte de chaleur par conduction est de 50 à 100 fois plus rapide que dans l'air. Ces mammifères marins peuvent survivre dans ces conditions grâce à la présence, sous leur peau, d'une très épaisse couche de gras isolant appelée lard. Cette adaptation évolutive est tellement efficace qu'elle permet à ces animaux de maintenir une température corporelle de l'ordre de 36 à 38 °C sans nécessiter beaucoup plus d'énergie de source alimentaire que les mammifères terrestres de taille équivalente.

▶ Figure 40.12 Les échanges thermiques entre un organisme et son environnement.

HABILETÉS VISUELLES ▶
Si cette illustration montrait un morse (un endotherme) plutôt qu'un iguane, une ou des flèches pointerai(en)t-elle(s) dans une autre direction ? Expliquez votre réponse.

Le **rayonnement** est l'émission d'ondes électromagnétiques par tous les objets dont la température est supérieure au zéro absolu. Ici, un lézard absorbe de la chaleur irradiée par le soleil et il transfère une petite partie de l'énergie à l'air ambiant.

L'**évaporation** est le retrait de chaleur à la surface d'un liquide, qui perd certaines de ses molécules du fait de leur passage à l'état gazeux. L'évaporation de l'eau à la surface humide d'un lézard a un effet de refroidissement important.

La **convection** est le processus par lequel l'air ou un liquide qui se réchauffe à la surface d'un corps se dilate et tend à s'éloigner de ce corps, faisant place à l'air plus froid ou au liquide plus froid. Par exemple, le vent facilite la déperdition thermique par convection à la surface d'un lézard ayant une peau sèche ; le sang en circulation déplace la chaleur de l'intérieur du corps pour la transférer par convection aux extrémités plus froides. Chez les animaux, la convection contribue plus souvent à une perte de chaleur qu'à un gain.

La **conduction** est le transfert direct de chaleur entre les molécules de deux corps en contact ou celles de deux parties d'un même corps, par exemple quand un lézard se tient sur une roche préalablement chauffée au soleil.

La régulation de la circulation sanguine

Les systèmes circulatoires jouent un rôle important dans l'échange de chaleur entre le milieu interne et l'environnement. Les adaptations qui régulent la circulation du sang proche de la surface du corps ou qui gardent la chaleur au centre du corps sont essentielles à la thermorégulation.

En réaction aux variations de température de leur environnement, de nombreux animaux peuvent modifier la quantité de sang (et donc de chaleur) qui circule entre les parties internes de leur corps et leur peau. Un apport sanguin élevé dans la peau résulte normalement de la **vasodilatation**, soit l'augmentation du diamètre des vaisseaux sanguins superficiels (ceux qui sont situés près de la surface du corps). La vasodilatation est déclenchée par des potentiels d'action produisant un relâchement des fibres musculaires de la paroi des vaisseaux. Ceux-ci se dilatent, entraînant alors une augmentation de la circulation sanguine. Chez les endothermes, la vasodilatation accroît le transfert de la chaleur du corps à l'environnement par rayonnement, conduction et convection (voir la figure 40.12). Le processus inverse est la **vasoconstriction**, qui réduit l'apport sanguin et le transfert thermique en diminuant le diamètre des vaisseaux superficiels.

Comme les endothermes, certains ectothermes modulent l'échange de chaleur en régulant l'apport de sang. Ainsi, lorsque l'iguane marin des îles Galápagos nage dans l'eau froide de l'océan, ses vaisseaux sanguins superficiels subissent une vasoconstriction. De plus grandes quantités de sang étant acheminées vers les régions profondes du corps, l'iguane conserve sa chaleur.

Pour réduire la déperdition thermique, de nombreux oiseaux et mammifères doivent compter sur l'**échange thermique à contre-courant**, c'est-à-dire sur le transfert de chaleur (ou de solutés) entre des liquides corporels qui circulent dans des directions opposées. Dans un échangeur thermique à contre-courant, les artères et les veines passent à proximité les unes des autres (**figure 40.13**). Le sang des veines et des artères circule dans des directions opposées, et c'est cette disposition des vaisseaux sanguins qui rend le transfert de chaleur remarquablement efficace : le sang chaud qui arrive du centre du corps par les artères se trouve à transférer sa chaleur au sang moins chaud qui revient des extrémités par les veines. Plus important encore, le transfert s'effectue sur toute la longueur de l'échangeur, ce qui maximise le processus d'échange et réduit au minimum la perte de chaleur vers l'environnement.

Certains requins, poissons et insectes utilisent également l'échangeur thermique à contre-courant. Bien que les requins et les poissons soient des animaux tolérants au regard de la chaleur, certains d'entre eux, dont le grand requin blanc, le thon rouge et l'espadon, disposent d'échangeurs thermiques à contre-courant. Cette adaptation favorise l'activité vigoureuse et soutenue de ces animaux, car leurs principaux muscles natatoires peuvent ainsi demeurer à une température adéquate. De même, de nombreux insectes endothermes (les bourdons, les abeilles domestiques et certaines noctuelles ou papillons de nuit) ont un mécanisme d'échange thermique à contre-courant qui maintient une température élevée dans leur thorax, où leurs muscles alaires sont situés.

Le refroidissement par perte de chaleur du fait de l'évaporation

Beaucoup de mammifères et d'oiseaux habitent dans des milieux où la thermorégulation fait intervenir des mécanismes tantôt de refroidissement, tantôt de réchauffement. Si la température du milieu est supérieure à celle de son corps, l'évaporation constitue pour l'animal l'unique façon d'éviter que sa température corporelle augmente rapidement. Des animaux terrestres perdent de l'eau par évaporation à travers la peau et par la respiration. L'eau absorbe une quantité considérable de chaleur quand elle s'évapore (voir le concept 3.2). Cette chaleur s'éloigne de la peau et des surfaces respiratoires en même temps que la vapeur d'eau.

Certains animaux bénéficient d'adaptations qui augmentent sensiblement l'effet de refroidissement de l'évaporation. Quelques mammifères, dont les chevaux et les humains, possèdent des glandes sudoripares (**figure 40.14**). Le halètement joue un rôle important chez les oiseaux et chez de nombreux mammifères (le chien, par exemple). Certains oiseaux sont pourvus d'un sac spécialisé, très vascularisé, dans le plancher de leur cavité

▼ Figure 40.13 Les échangeurs thermiques à contre-courant. Ce mécanisme aide à retenir la chaleur au centre du corps, réduisant ainsi la déperdition thermique par les extrémités, surtout lorsqu'elles sont immergées dans de l'eau froide ou en contact avec de la glace ou de la neige. En fait, la chaleur du sang artériel provenant du centre du corps est transférée directement au sang veineux qui retourne vers cette partie du corps, au lieu de se dissiper dans l'environnement.

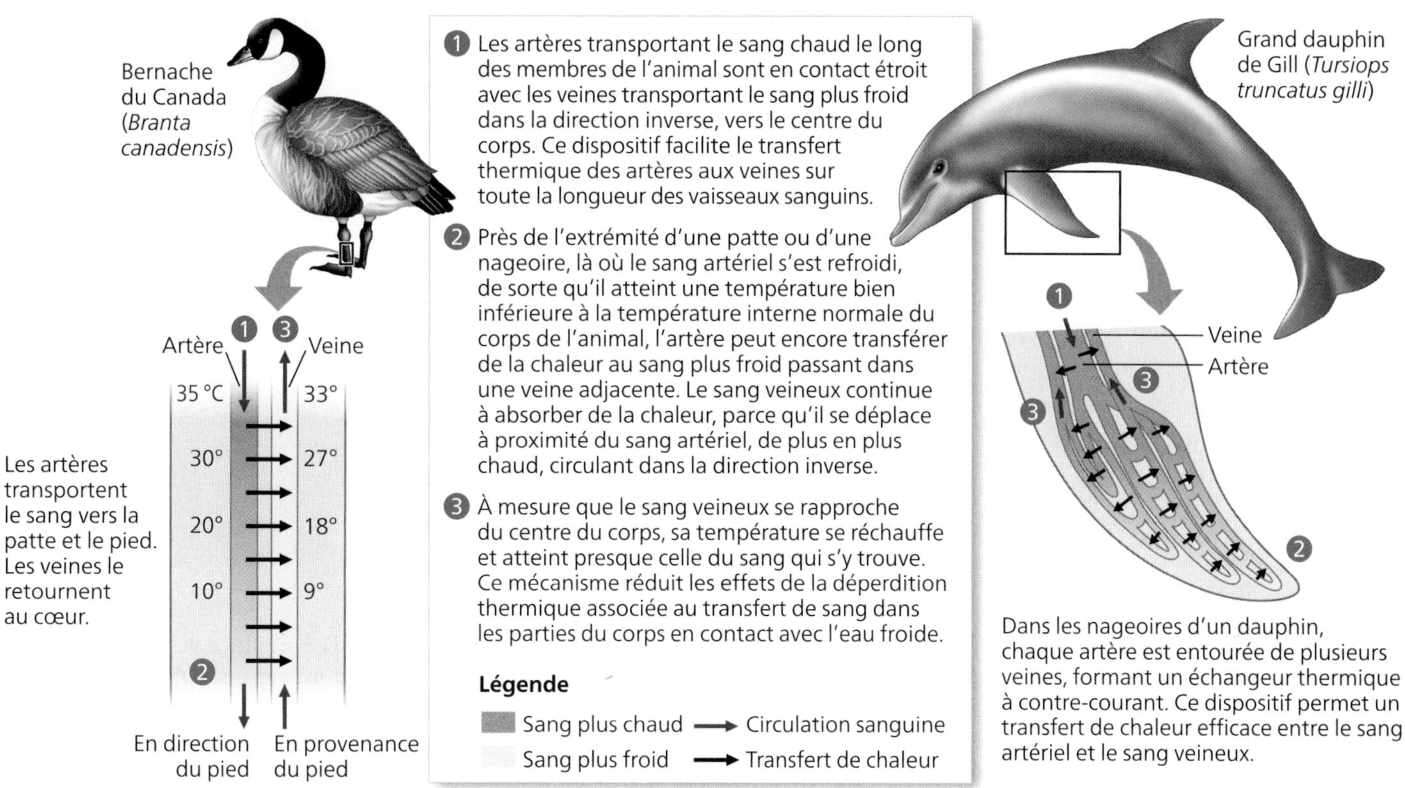

Bernache du Canada (*Branta canadensis*)
Artère
Veine
35 °C
33°
30°
27°
20°
18°
10°
9°
Les artères transportent le sang vers la patte et le pied. Les veines le retournent au cœur.
En direction du pied
En provenance du pied
1 Les artères transportant le sang chaud le long des membres de l'animal sont en contact étroit avec les veines transportant le sang plus froid dans la direction inverse, vers le centre du corps. Ce dispositif facilite le transfert thermique des artères aux veines sur toute la longueur des vaisseaux sanguins.
2 Près de l'extrémité d'une patte ou d'une nageoire, là où le sang artériel s'est refroidi, de sorte qu'il atteint une température bien inférieure à la température interne normale du corps de l'animal, l'artère peut encore transférer de la chaleur au sang plus froid passant dans une veine adjacente. Le sang veineux continue à absorber de la chaleur, parce qu'il se déplace à proximité du sang artériel, de plus en plus chaud, circulant dans la direction inverse.
3 À mesure que le sang veineux se rapproche du centre du corps, sa température se réchauffe et atteint presque celle du sang qui s'y trouve. Ce mécanisme réduit les effets de la déperdition thermique associée au transfert de sang dans les parties du corps en contact avec l'eau froide.
Légende
Sang plus chaud
Sang plus froid
Circulation sanguine
Transfert de chaleur
Grand dauphin de Gill (*Tursiops truncatus gilli*)
Veine
Artère
Dans les nageoires d'un dauphin, chaque artère est entourée de plusieurs veines, formant un échangeur thermique à contre-courant. Ce dispositif permet un transfert de chaleur efficace entre le sang artériel et le sang veineux.

▼ Figure 40.14 Une adaptation qui améliore le refroidissement par évaporation. Les chevaux et les humains font partie des animaux dont la thermorégulation est facilitée par les glandes sudoripares présentes sur tout le corps.

buccale, et dont le gonflement et le dégonflement rapide favorisent l'évaporation. Du moment que les pigeons ont assez d'eau, ils peuvent faire appel au refroidissement par évaporation pour conserver une température corporelle proche de 40 °C dans un milieu où la température de l'air atteint jusqu'à 60 °C.

Les réactions comportementales

Les ectothermes, et parfois aussi les endothermes, modulent leur température corporelle en adaptant leurs comportements aux changements environnementaux. Quand ils ont froid, ces animaux cherchent des endroits chauds; en outre, pour augmenter leur apport thermique, ils adoptent une position qui leur permet d'exposer la plus grande partie de leur surface corporelle à la source de chaleur (voir la figure 40.11b). Au contraire, quand ils ont chaud, ils se baignent, se retirent dans des zones plus fraîches ou changent de position afin de diminuer l'absorption de chaleur solaire. Par exemple, la position dite *en obélisque* que prend la libellule est une adaptation qui réduit au minimum la surface corporelle exposée au soleil, donc les gains de chaleur par rayonnement (**figure 40.15**). Bien que ces comportements soient relativement simples, ils permettent à beaucoup d'ectothermes de maintenir une température corporelle presque constante.

Les abeilles domestiques (*Apis mellifera*) font appel à un mécanisme de thermorégulation qui dépend d'un comportement social. Quand il fait froid, elles augmentent leur production de chaleur et s'entassent les unes sur les autres pour mieux la conserver. Certaines d'entre elles se déplacent, allant de la périphérie du regroupement vers le centre, où il fait plus chaud, ce qui permet de faire circuler et de distribuer la chaleur. Même quand elles s'entassent, les abeilles doivent dépenser une énergie considérable pour maintenir une température vitale durant de longues périodes de temps froid. (C'est la principale fonction du stockage,

▶ **Figure 40.15 Le comportement de thermorégulation chez la libellule.** En orientant son corps de manière à exposer au soleil seulement la partie effilée de son abdomen, la libellule réduit au minimum les gains de chaleur par rayonnement solaire.

▼ **Figure 40.16 L'activité du tissu adipeux brun en réaction au froid.** Cette tomographie par émission de positons (TEP) montre des dépôts de tissu adipeux brun dont le métabolisme est actif (régions blanches indiquées par les flèches) autour du cou.

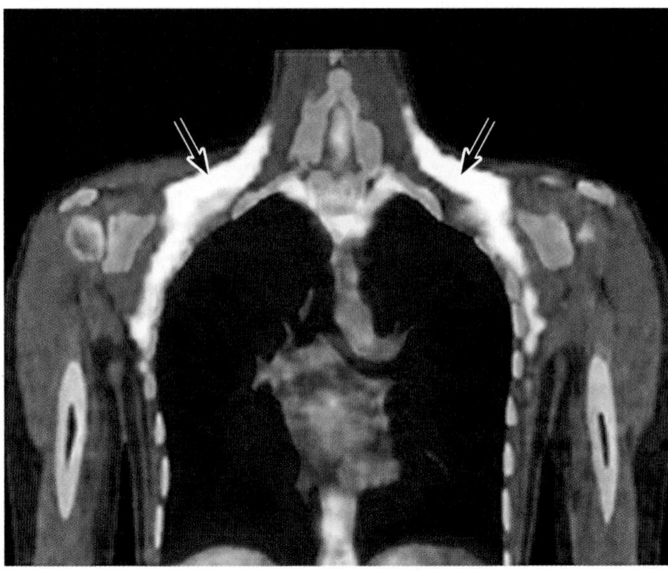

dans la ruche, d'importantes quantités d'énergie sous forme de miel.) Quand il fait chaud, les abeilles régulent également la température de la ruche en y transportant de l'eau et en battant des ailes pour faciliter l'évaporation et la convection. Ainsi, une colonie d'abeilles utilise de nombreux mécanismes de thermorégulation observés chez d'autres animaux vivant en solitaires.

L'ajustement de la production de chaleur métabolique

Étant donné qu'ils ont généralement une température corporelle plus élevée que celle de l'environnement, les endothermes doivent compenser leur perte constante de chaleur. Ceux-ci peuvent ajuster leur production de chaleur – la *thermogenèse* – en fonction de la vitesse de leur déperdition thermique. La thermogenèse augmente à la suite d'activités musculaires telles que les mouvements ou les frissons. Par exemple, grâce aux frissons, la mésange à tête noire (*Poecile atricapillus*), qui ne pèse que 20 g, peut rester active et maintenir une température corporelle presque constante, de l'ordre de 40 °C, dans un milieu atteignant parfois –40 °C.

Les plus petits de tous les endothermes (les insectes volants comme les abeilles et les noctuelles) sont également capables de modifier leur production de chaleur. De nombreux insectes endothermes frissonnent pour se réchauffer avant de s'envoler: ils contractent les muscles alaires antagonistes en synchronie. Ces contractions donnent lieu à un mouvement très léger, mais à une production de chaleur considérable. Les réactions chimiques, dont celles de la respiration cellulaire, s'accélèrent dans les muscles alaires réchauffés, ce qui permet aux insectes en question de voler même par temps froid, de jour comme de nuit.

Certains mammifères, en réaction au froid, sécrètent des hormones qui stimulent les mitochondries à accroître leur activité métabolique et à produire de la chaleur au lieu de l'ATP. Cette *thermogenèse sans frisson* peut avoir lieu dans tout le corps. D'autres mammifères ont aussi des *tissus adipeux bruns* (la couleur brune est attribuable à l'abondance des mitochondries dans les cellules). Situés dans le cou et entre les épaules, ces tissus sont spécialisés dans la production rapide de chaleur. Le tissu adipeux brun est présent chez les nouveau-nés de nombreux mammifères; il représente d'ailleurs environ 5 % de la masse corporelle totale des nouveau-nés humains. On sait depuis longtemps que du tissu adipeux brun est présent chez les mammifères qui hibernent, mais récemment, on en a découvert pour la première fois chez des humains adultes (**figure 40.16**), en quantité variable, et davantage chez les humains exposés pendant un mois à des températures froides. Grâce à ces diverses adaptations qui permettent la thermogenèse, les mammifères et les oiseaux peuvent produire de 5 à 10 fois plus de chaleur métabolique qu'ils ne le font quand la température extérieure est plus chaude.

Quelques grands reptiles deviennent endothermes dans des circonstances particulières. Par exemple, des chercheurs ont constaté qu'un python birman femelle (*Python molurus bivittatus*) maintient une température corporelle supérieure d'environ 6 °C à celle de l'air environnant pendant qu'il couve ses œufs. D'où venait cette chaleur ? Des expériences ultérieures ont montré que les pythons, comme les oiseaux, peuvent augmenter leur température corporelle en frissonnant (**figure 40.17**). L'hypothèse selon laquelle certains groupes de dinosaures du Mésozoïque étaient endothermes est encore très controversée (voir le concept 34.5).

L'acclimatation dans la thermorégulation

L'acclimatation contribue à la thermorégulation chez beaucoup d'espèces animales. Chez les oiseaux et les mammifères, l'acclimatation aux changements saisonniers de température passe généralement par une modification de la quantité d'isolant cutané (la fourrure s'épaissit en vue de l'hiver, puis elle s'éclaircit en été, lors de la mue, par exemple). De tels changements aident ces animaux endothermes à conserver une température corporelle à peu près constante, indépendamment de la saison.

DÉMARCHE SCIENTIFIQUE

INVESTIGATION

▼ **Figure 40.17**

Comment un python birman femelle produit-il de la chaleur pendant qu'il couve ses œufs ?

■ **HYPOTHÈSE** ■ Au Bronx Zoo de New York, Herndon Dowling et ses collaborateurs ont constaté que, lorsqu'un python birman femelle couvait ses œufs en enroulant son corps autour d'eux, il augmentait sa température corporelle et contractait souvent les muscles commandant ces enroulements. Les chercheurs ont émis l'hypothèse que les contractions musculaires étaient responsables de l'élévation de la température corporelle. Par conséquent, une diminution de la température de la chambre devrait entraîner une augmentation des contractions musculaires et de la consommation d'O_2.

■ **EXPÉRIENCE** ■ Pour savoir si ces contractions musculaires élevaient sa température corporelle, les chercheurs ont installé le python et ses œufs dans une chambre. Ils ont ensuite fait varier la température de cette chambre et enregistré les contractions musculaires du python ainsi que sa consommation d'O_2, laquelle renseigne sur la vitesse de la respiration cellulaire.

■ **RÉSULTATS** ■ La consommation d'O_2 du python augmente lorsque la température de la chambre diminue. Comme le montre le graphique, cette augmentation de la consommation d'O_2 coïncide avec une augmentation de la fréquence des contractions musculaires.

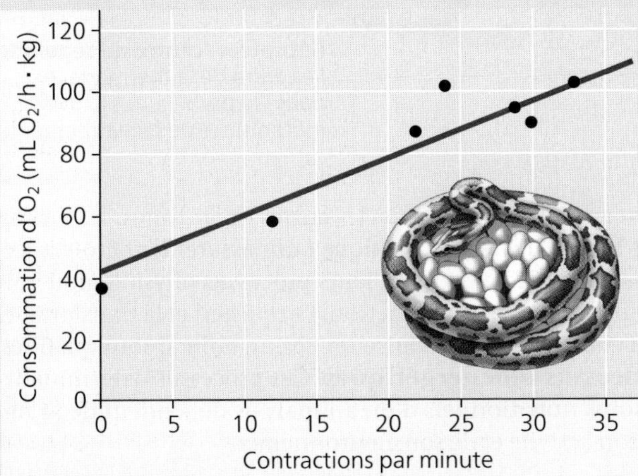

■ **CONCLUSION** ■ Étant donné qu'il y a une corrélation entre la consommation d'O_2, qui produit de la chaleur par la respiration cellulaire et la fréquence des contractions musculaires, les chercheurs ont conclu que les contractions musculaires, une forme de frisson, expliquent la hausse de la température corporelle du python birman.

Source des données : V. H. Hutchison, H. G. Dowling et A. Vinegar, Thermoregulation in a brooding female Indian python, *Python molurus bivittatus*, *Science* 151 : 694-696 (1966).

ET SI ? ▶ Supposez que vous faites varier la température de l'air et que vous mesurez la consommation d'O_2 d'un python birman femelle sans sa couvée d'œufs. Comme le python n'aura pas de frissons, comment fera-t-il, à votre avis, pour adapter sa température corporelle en fonction de la température ambiante ?

L'acclimatation des ectothermes comprend souvent des modifications au niveau cellulaire. Les cellules peuvent produire des variantes d'enzymes (isoenzymes) ayant la même fonction, mais des températures optimales différentes. La proportion de lipides saturés et insaturés dans les membranes peut aussi changer ; les lipides insaturés permettent aux membranes de garder leur fluidité malgré les baisses de température (voir la figure 7.5).

Fait remarquable, certains ectothermes survivent à des températures inférieures à zéro grâce aux protéines « antigel » qu'ils produisent et qui préviennent la formation de cristaux de glace dans leurs cellules. Dans l'océan Arctique et l'océan Austral (Antarctique), ces protéines permettent à certaines espèces de poissons de survivre dans des eaux dont la température peut atteindre –2 °C, un seuil bien inférieur au point de congélation des liquides corporels non protégés (environ –1 °C).

Les thermostats physiologiques et la fièvre

Chez l'humain et d'autres mammifères, les récepteurs associés à la thermorégulation sont regroupés dans l'**hypothalamus**, une région de l'encéphale également responsable du rythme circadien. Dans l'hypothalamus, un groupe de neurones régulateurs fonctionnent comme un véritable thermostat : ils réagissent aux changements de la température corporelle situés au-dessus ou au-dessous d'un intervalle de référence. L'hypothalamus active des mécanismes favorisant la déperdition ou le gain thermique (**figure 40.18**).

Des récepteurs distincts indiquent au thermostat hypothalamique les augmentations ou les diminutions de température du sang. Lorsque la température du corps est inférieure à l'intervalle des valeurs de référence, le centre de la thermogenèse dans l'hypothalamus inhibe les mécanismes de déperdition de chaleur et active soit ceux qui permettent de conserver la chaleur, notamment la constriction des vaisseaux superficiels, soit ceux qui permettent de produire de la chaleur, comme le frisson. Une fois que la température corporelle dépasse la valeur de référence fixée par le thermostat, le centre de la thermolyse dans l'hypothalamus désactive les mécanismes de conservation de la chaleur et enclenche le refroidissement du corps par la dilatation des vaisseaux superficiels, la sudation ou le halètement.

Au cours de certaines infections bactériennes ou virales, les mammifères et les oiseaux font de la *fièvre*, c'est-à-dire que leur température corporelle augmente. Diverses expériences ont montré que la fièvre reflète une augmentation de l'intervalle normal du thermostat biologique. Par exemple, si on fait *monter* artificiellement la température de l'hypothalamus d'un animal contaminé, on *réduit* la fièvre dans le reste du corps !

Chez certains ectothermes, l'augmentation de la température lors d'une infection est appelée fièvre comportementale. Par exemple, lorsque l'iguane du désert (*Dipsosaurus dorsalis*) est infecté par certaines bactéries, il s'installe dans un endroit chaud et maintient une température corporelle plus élevée de 2 à 4 °C. Des observations semblables chez des poissons, chez des amphibiens, et même chez les blattes, indiquent que la fièvre est commune aux endothermes et aux ectothermes.

Maintenant que nous avons exploré la thermorégulation, nous allons conclure cette introduction sur la structure et la fonction en examinant les différentes façons dont les animaux dépensent, utilisent et conservent l'énergie.

▶ **Figure 40.18 Le rôle prépondérant de l'hypothalamus dans la thermorégulation humaine.**

ET SI ? ▶ Imaginez que, au terme d'une longue séance de jogging par temps chaud, vous constatez qu'il ne reste plus de boissons froides dans la glacière. Comme vous voulez à tout prix vous rafraîchir, vous plongez la tête dans la glacière. Comment l'eau glacée influera-telle sur la vitesse à laquelle votre température corporelle reviendra à la normale ?

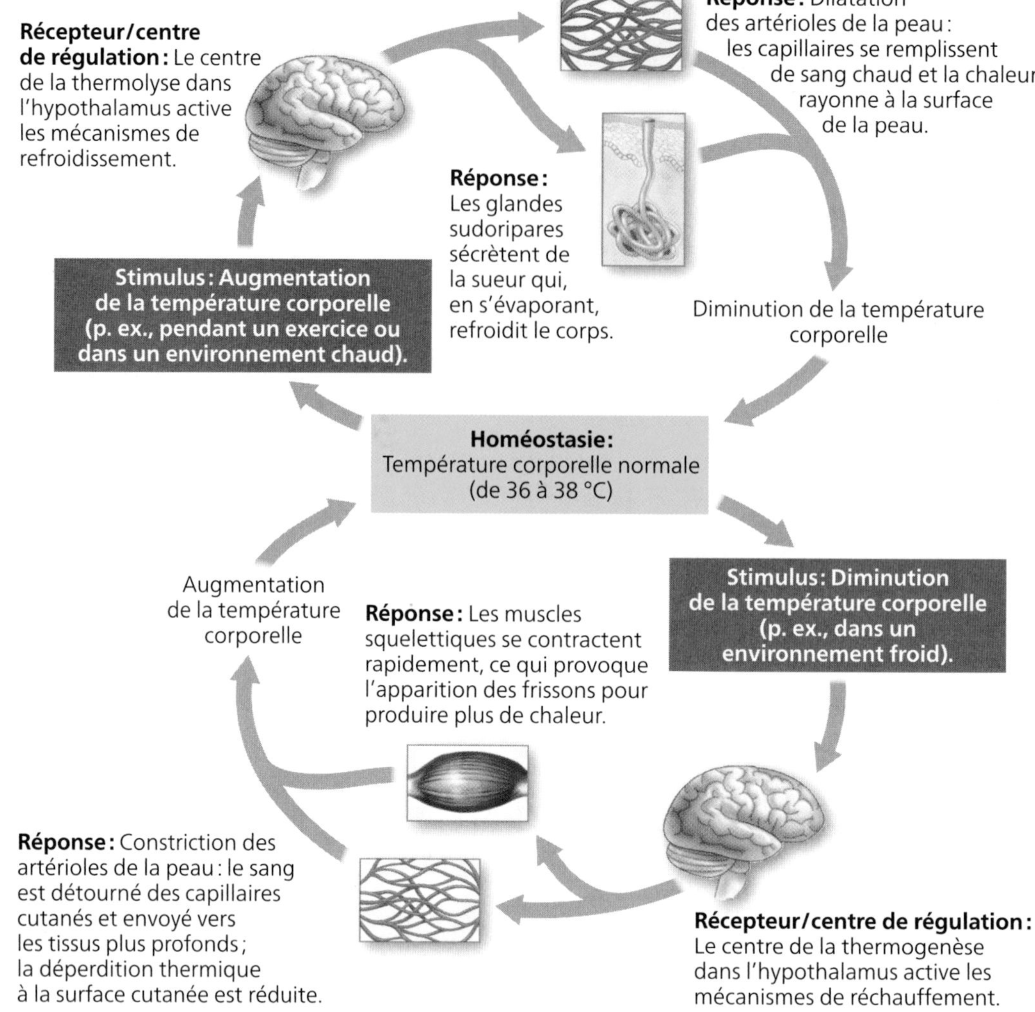

Récepteur/centre de régulation: Le centre de la thermolyse dans l'hypothalamus active les mécanismes de refroidissement.
Réponse: Dilatation des artérioles de la peau: les capillaires se remplissent de sang chaud et la chaleur rayonne à la surface de la peau.
Réponse: Les glandes sudoripares sécrètent de la sueur qui, en s'évaporant, refroidit le corps.
Stimulus: Augmentation de la température corporelle (p. ex., pendant un exercice ou dans un environnement chaud).
Diminution de la température corporelle
Homéostasie: Température corporelle normale (de 36 à 38 °C)
Augmentation de la température corporelle
Réponse: Les muscles squelettiques se contractent rapidement, ce qui provoque l'apparition des frissons pour produire plus de chaleur.
Stimulus: Diminution de la température corporelle (p. ex., dans un environnement froid).
Réponse: Constriction des artérioles de la peau: le sang est détourné des capillaires cutanés et envoyé vers les tissus plus profonds; la déperdition thermique à la surface cutanée est réduite.
Récepteur/centre de régulation: Le centre de la thermogenèse dans l'hypothalamus active les mécanismes de réchauffement.

RETOUR SUR LE CONCEPT **40.3**

1. Quel mode d'échange thermique intervient dans le «refroidissement éolien», lorsque l'air en mouvement nous paraît plus froid que l'air immobile, qui est pourtant à la même température ? Expliquez votre réponse.
2. Les fleurs n'ont pas toutes les mêmes besoins en matière d'ensoleillement. Quelle importance ce fait peut-il avoir pour un colibri cherchant du nectar par un matin frais ?
3. **ET SI ?** ▶ Pourquoi la survenue de frissons est-elle probable au début d'une fièvre ?

Voir les réponses proposées à l'appendice A.

CONCEPT **40.4**

Les besoins énergétiques sont fonction de la taille, de l'activité et de l'environnement

La vie dépend du transfert et de la transformation de l'énergie; c'est là un des thèmes intégrateurs de la biologie, présentés au concept 1.1. Comme tous les autres organismes, les animaux ont besoin d'énergie chimique pour assurer leur croissance, la réparation de leurs tissus, leurs processus physiologiques, leur régulation et leur reproduction. Le transfert et la transformation de l'énergie qui se produisent chez un animal sont qualifiés de **processus bioénergétiques**. Ces processus déterminent les besoins nutritionnels d'un animal; ils dépendent de sa taille, de son activité et de son environnement.

Les allocations et les utilisations énergétiques

On peut classer les organismes selon les sources d'approvisionnement en énergie auxquelles ils font appel. La plupart des *autotrophes*, comme les végétaux, utilisent l'énergie solaire pour élaborer des molécules organiques riches en énergie. Ils dégradent ensuite ces molécules organiques pour produire de l'énergie. La plupart des *hétérotrophes*, comme les animaux, puisent leur énergie chimique dans les aliments. Les aliments contiennent en effet des molécules organiques déjà synthétisées par d'autres organismes.

Les animaux utilisent l'énergie chimique des aliments qu'ils consomment pour alimenter leur métabolisme et leur activité. Ces aliments sont digérés par hydrolyse enzymatique (voir la figure 5.2b), et les molécules riches en énergie sont ensuite absorbées par les cellules du corps (**figure 40.19**). L'ATP (adénosine triphosphate) produite par l'intermédiaire de la respiration cellulaire ou de la fermentation alimente le travail cellulaire et permet aux cellules, aux organes et aux systèmes d'accomplir les fonctions vitales de l'organisme. L'énergie contenue dans l'ATP sert aussi à la biosynthèse, un processus qui rend possibles la croissance et la réparation des tissus, l'élaboration des substances de stockage (comme le gras) ainsi que la production des gamètes. La production et l'utilisation de l'ATP engendrent de la chaleur, que l'organisme animal rejette par la suite dans le milieu ambiant.

▼ **Figure 40.19 Vue d'ensemble de la bioénergétique d'un animal.**

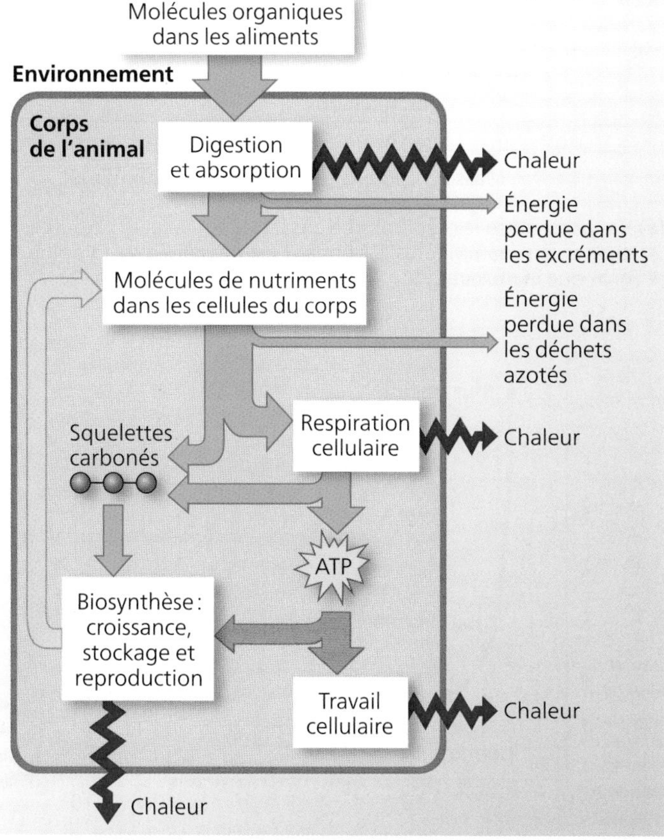

FAITES DES LIENS ▶ Servez-vous de la notion de couplage énergétique pour expliquer de quelle manière l'absorption des nutriments, la respiration cellulaire et la synthèse des biopolymères produisent de la chaleur (voir le concept 8.3).

La mesure des besoins énergétiques

Combien d'énergie (sur le total de l'énergie obtenue à partir des aliments) faut-il à un animal simplement pour rester en vie ? Quelle quantité consommera-t-il pour les déplacements, la marche, la course, la nage ou le vol ? Quelle fraction de l'apport d'énergie utilisera-t-il pour la reproduction ? Les physiologistes répondent à ces questions en mesurant la vitesse à laquelle les animaux utilisent l'énergie chimique ainsi que les variations de la vitesse du métabolisme selon les circonstances.

La **vitesse du métabolisme** correspond à la somme de toutes les dépenses d'énergie d'un animal pendant une période donnée. L'énergie se mesure en kilojoules (kJ) ou en calories ; la vitesse du métabolisme peut s'exprimer en kilojoules par heure et par kilogramme de masse corporelle, ou, plus généralement, en kilojoules par unité de temps.

Il est possible de déterminer la vitesse du métabolisme de plusieurs façons. Étant donné que presque toute l'énergie chimique utilisée au cours de la respiration cellulaire finit par se transformer en chaleur, on peut évaluer la vitesse du métabolisme en mesurant la déperdition de chaleur d'un animal. Pour ce faire, les chercheurs se servent d'un calorimètre, un appareil constitué d'une chambre fermée et isolée, munie d'un dispositif de mesure de la perte de chaleur de l'animal. On peut également mesurer le métabolisme en déterminant la quantité d'O_2 consommé ou celle CO_2 produit au cours de la respiration cellulaire (**figure 40.20**). En outre, quand les chercheurs veulent mesurer le métabolisme sur de longues périodes, ils notent la quantité d'aliments consommés, calculent l'énergie qu'ils renferment (de 19 à 21 kJ environ par gramme de protéines ou de glucides, et à peu près 38 kJ par gramme de lipides) ainsi que l'énergie chimique perdue en déchets (excréments et urine ou autres déchets azotés).

Métabolisme minimal et thermorégulation

Les animaux doivent maintenir un métabolisme minimal pour accomplir des fonctions vitales comme l'entretien et la réparation des tissus, la respiration (ventilation pulmonaire) et la circulation sanguine. La méthode utilisée par les chercheurs pour mesurer ce minimum diffère selon que l'animal est un endotherme ou un ectotherme. Le métabolisme minimal d'un endotherme au repos, qui a terminé sa croissance, qui a l'estomac vide et qui ne subit aucun stress correspond au **métabolisme basal (MB)**. Le MB se mesure dans un environnement

▶ **Figure 40.20 La mesure du taux de consommation d'O_2 chez un requin en train de nager.** Un chercheur enregistre la baisse du taux d'O_2 pendant une période donnée dans l'eau de recirculation de l'aquarium d'un jeune requin-marteau (*Sphyrna mokarran*).

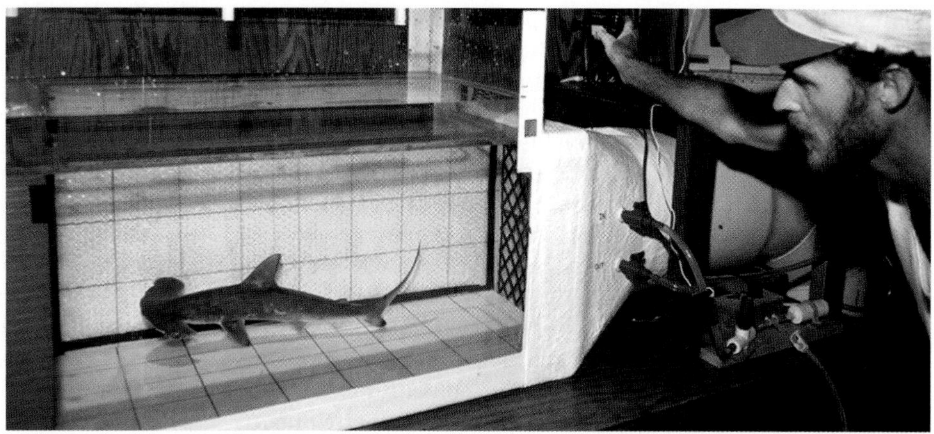

maintenu à une température « confortable » pour l'animal, c'est-à-dire une température pour laquelle la production ou la perte de chaleur est minimale. Dans le cas des ectothermes, le métabolisme minimal doit être déterminé à une température externe bien précise, parce que les variations thermiques de l'environnement influent sur la température corporelle, donc sur la vitesse du métabolisme. Le métabolisme d'un ectotherme qui est au repos, à jeun et non stressé s'appelle **métabolisme standard (MS)**.

La comparaison des métabolismes minimaux montre que l'endothermie et l'ectothermie se caractérisent par des dépenses énergétiques différentes. Celles-ci se situent entre 6 700 et 7 500 kJ/j (kilojoules par jour) chez un homme adulte, et entre 5 400 et 6 300 kJ/j chez une femme adulte. Ces dépenses d'énergie équivalent approximativement à celle d'une ampoule électrique de 75 W employée pendant 24 heures. Par comparaison, le MS d'un alligator américain ne dépasse pas 250 kJ par jour, à 20 °C. Comme cette valeur représente moins du vingtième de l'énergie utilisée par un humain adulte de taille comparable, il est évident que la dépense énergétique est considérablement moindre pour un ectotherme que pour un endotherme.

Les facteurs influant sur la vitesse du métabolisme

Outre le fait d'être endotherme ou ectotherme, de nombreux autres facteurs influent sur la vitesse du métabolisme des animaux. L'âge, le sexe, la taille, l'activité, la température et l'alimentation font partie des facteurs clés. Examinons ici l'influence de la taille et de l'activité.

La taille et la vitesse du métabolisme

Les animaux de grande taille ont une masse corporelle plus importante et requièrent donc plus d'énergie chimique. Étonnamment, la relation entre la vitesse du métabolisme et la masse corporelle est constante pour un grand nombre de tailles et de formes, comme on peut le voir dans la **figure 40.21a**, qui illustre cette observation chez les mammifères. En fait, même pour une gamme très large de tailles, allant de celle de la bactérie à celle de la baleine, le métabolisme demeure approximativement proportionnel à la masse corporelle à la puissance trois quarts ($m^{3/4}$). Les chercheurs continuent d'étudier les causes fondamentales de cette relation qui s'applique à la fois aux ectothermes et aux endothermes.

La relation entre le métabolisme basal et la taille influe fortement sur la consommation d'énergie par les cellules et les tissus de l'organisme. Comme le montre la **figure 40.21b**, la quantité d'énergie nécessaire pour maintenir chaque kilogramme de masse corporelle est inversement proportionnelle à la taille du corps. Par exemple, chaque kilogramme de masse corporelle de la souris commune (*Mus musculus*) consomme environ 20 fois plus de kilojoules que 1 kg de masse corporelle de l'éléphant d'Afrique (*Loxodonta africana*). Si on considère la masse totale de chacun de ces animaux, il va sans dire que l'éléphant d'Afrique dépense beaucoup plus de kilojoules que la souris commune. Mais le métabolisme basal des tissus d'un petit animal étant relativement élevé, sa vitesse d'approvisionnement en O_2 est proportionnellement plus grande. Pour soutenir son métabolisme plus intense, sa fréquence respiratoire doit être plus rapide, son volume sanguin, plus grand (comparativement à sa taille), et sa fréquence cardiaque, plus élevée. Il doit donc également consommer beaucoup plus d'aliments par unité de masse corporelle.

▼ Figure 40.21 Les rapports entre le métabolisme basal et la taille du corps.

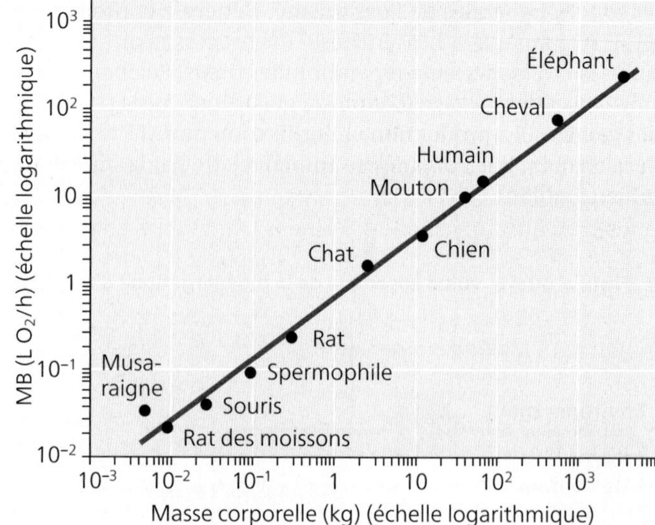

(a) Rapports entre le métabolisme basal (MB) et la taille corporelle chez divers mammifères. L'éléphant est un million de fois plus gros que la musaraigne.

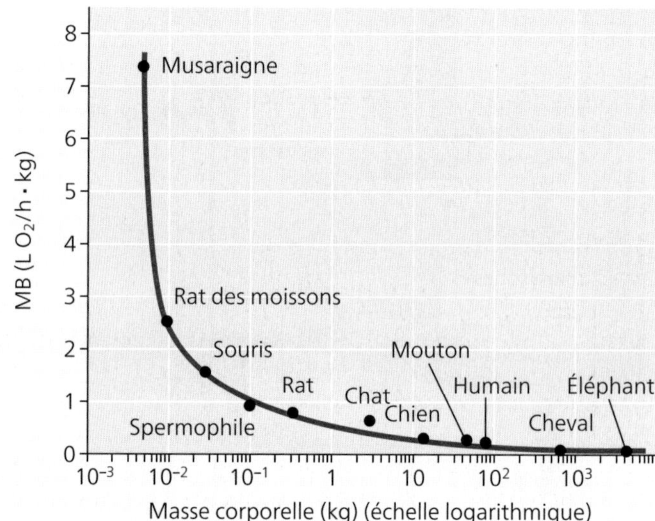

(b) Rapports entre le MB par kilogramme de masse corporelle et la taille corporelle chez les mêmes mammifères qu'en (a).

INTERPRÉTEZ LES DONNÉES ▶ En examinant le graphique (a), un observateur affirme que le métabolisme basal d'un groupe de 100 spermophiles est le même que celui de 1 chien. Un second observateur jette un coup d'œil au graphique et indique qu'il n'est pas d'accord. Qui a raison et pourquoi ?

Les principes bioénergétiques associés à la taille d'un animal mettent en évidence l'influence des échanges d'énergie sur l'évolution des plans d'organisation corporelle. Plus la taille du corps est petite, plus le coût énergétique par gramme de tissu est élevé. Plus la taille est grande, plus le coût énergétique par gramme de tissu diminue, mais alors une fraction toujours plus grande des tissus corporels est sollicitée pour l'échange, le soutien et la locomotion.

L'activité et la vitesse du métabolisme

L'activité des ectothermes et des endothermes influe grandement sur leur métabolisme. Tout comportement (que ce soit, pour un être humain, le fait de lire tranquillement à son bureau ou, pour un insecte, de déplier ses ailes) se traduit par une dépense d'énergie dépassant le métabolisme standard ou le métabolisme basal. Les métabolismes maximaux (les vitesses d'utilisation de l'ATP les plus élevées) sont observés pendant une activité de pointe, comme le soulèvement de masses lourdes, la course ou la nage rapide. En général, le métabolisme maximal d'un animal est inversement proportionnel à la durée de l'activité.

La vitesse moyenne de la consommation d'énergie quotidienne chez la plupart des animaux terrestres (ectothermes et endothermes) est de 2 à 4 fois celle du métabolisme standard ou du métabolisme basal. Les humains de la plupart des pays développés ont un métabolisme journalier moyen d'environ 1,5 fois le métabolisme basal; cela correspond à un mode de vie relativement sédentaire.

La fraction de l'« allocation énergétique » d'un animal dépend de nombreux facteurs, dont son environnement, son comportement, sa taille et sa thermorégulation. Dans la rubrique **Habiletés scientifiques**, vous devrez interpréter les données concernant les allocations énergétiques annuelles de trois vertébrés terrestres.

La torpeur et la conservation de l'énergie

En dépit de leurs nombreuses adaptations homéostatiques, les animaux sont obligés occasionnellement de faire face à des situations qui les poussent aux limites de leur capacité à équilibrer leurs allocations énergétiques. Par exemple, pendant certaines saisons de l'année (ou certains moments de la journée), la température peut atteindre des valeurs très élevées ou très basses, ou encore les aliments peuvent manquer. Pour économiser l'énergie tout en évitant de se trouver dans des circonstances difficiles ou dangereuses, certains animaux entrent dans un état de **torpeur**, c'est-à-dire un état physiologique caractérisé par une activité réduite au minimum et par un ralentissement du métabolisme.

Beaucoup de petits mammifères et d'oiseaux présentent une torpeur quotidienne qui semble adaptée à leur mode d'alimentation. Ainsi, certaines chauves-souris se nourrissent la nuit et tombent dans un état de torpeur le jour, quand elles sont inactives. De même, les mésanges et les colibris se nourrissent le jour et entrent souvent dans un état de torpeur pendant les nuits fraîches.

Tous les endothermes qui manifestent une torpeur quotidienne sont relativement petits, les gros mammifères étant incapables d'abaisser rapidement leur température interne. Quand ils sont actifs, la vitesse de leur métabolisme est accélérée et ils consomment beaucoup d'énergie. La variation de la température corporelle, et donc l'économie d'énergie, peut être remarquable: la température corporelle de la mésange tombe à 10 °C, la nuit, alors que celle de certains colibris peut passer de 40 °C, le jour, à 15 °C, la nuit.

L'**hibernation** est un état de torpeur prolongée, qui constitue une adaptation au froid hivernal et à la pénurie d'aliments pendant cette saison. Quand un mammifère entre en hibernation, sa température corporelle diminue; en fait, le thermostat de son corps est réglé à une température plus basse, mais il continue de fonctionner. Certains mammifères en hibernation maintiennent une température de 1 à 2 °C; dans au moins un cas, celui du spermophile arctique (*Spermophilus parryii*), la température corporelle peut même descendre légèrement au-dessous de 0 °C, ce qui laisse le spermophile dans un état de surfusion (sans congélation). Périodiquement, environ toutes les deux semaines, les animaux en hibernation se réveillent; leur température corporelle augmente et ils s'activent brièvement avant de retomber en hibernation.

Pendant l'hibernation, le métabolisme peut être 20 fois plus lent que lorsque l'animal maintient sa température à sa valeur normale (entre 36 et 38 °C). Les animaux qui hibernent, comme les spermophiles, sont donc en mesure de survivre aux longs mois d'hiver en disposant de réserves limitées d'énergie, emmagasinées dans les tissus de leur corps ou entassées dans leur terrier. De la même façon, le ralentissement du métabolisme et l'inactivité qui caractérisent l'*estivation*, ou torpeur estivale, permettent à certains animaux de survivre aux longues périodes de chaleur en comptant sur des réserves limitées d'eau.

Qu'arrive-t-il au rythme circadien d'un animal en hibernation ? Dans le passé, certains chercheurs avaient observé des rythmes biologiques quotidiens chez des animaux en hibernation. Toutefois, dans certains cas, ces animaux se trouvaient probablement dans un état de torpeur dont ils pouvaient facilement émerger, plutôt qu'en hibernation « profonde ». Plus récemment, un groupe de chercheurs français a abordé la question sous un angle différent. Au lieu d'examiner les rythmes régulés par l'horloge biologique, ces chercheurs se sont plutôt penchés sur son mécanisme (**figure 40.22**). Les observations qu'ils ont effectuées sur le hamster européen (*Cricetus cricetus*) ont permis de constater que les composants moléculaires de l'horloge cessaient d'osciller durant l'hibernation. Cette découverte appuie l'hypothèse selon laquelle l'horloge circadienne cesse de fonctionner durant l'hibernation, du moins chez cette espèce.

▼ **Un muscardin (*Muscardinus avellanarius*) en hibernation.**

DÉMARCHE SCIENTIFIQUE

HABILETÉS SCIENTIFIQUES

Interpréter des diagrammes circulaires

■ EN QUOI LES ALLOCATIONS ÉNERGÉTIQUES DE TROIS VERTÉBRÉS TERRESTRES DIFFÈRENT-ELLES ? ■
Pour explorer les processus bioénergétiques des animaux, nous allons examiner les allocations énergétiques annuelles de trois vertébrés terrestres dont la taille et la stratégie de thermorégulation varient : un manchot d'Adélie mâle (*Pygoscelis adeliae*) de 4 kg, une souris sylvestre femelle (*Peromyscus maniculatus*) de 25 g (0,025 kg) et un python royal femelle (*Python regius*) de 4 kg. Le manchot a une bonne isolation contre le froid de son environnement antarctique, mais il doit dépenser de l'énergie lorsqu'il nage pour chercher de la nourriture, qu'il couve les œufs de sa partenaire et qu'il rapporte de la nourriture à ses petits. La minuscule souris sylvestre, elle, vit dans un environnement tempéré où la nourriture est facile à obtenir, mais sa petite taille lui fait perdre rapidement sa chaleur corporelle. Contrairement au manchot et à la souris, le python est ectotherme, et sa croissance dure toute la vie. La femelle produit des œufs, mais elle ne les couve pas. Dans cet exercice, vous allez comparer les dépenses d'énergie de ces animaux au regard de cinq fonctions importantes : le métabolisme basal (standard), la reproduction, la thermorégulation, l'activité et la croissance.

■ MÉTHODE ■ Les chercheurs ont calculé les allocations énergétiques de chaque animal à partir de mesures effectuées sur le terrain et en laboratoire.

■ RÉSULTATS ■ Le diagramme circulaire convient bien à la comparaison des différences *relatives* entre les variables d'un ensemble. Dans les diagrammes circulaires montrés ici, chaque secteur représente une fonction, et la taille de chaque secteur représente la dépense énergétique annuelle relative correspondant à la fonction représentée (voir la légende de couleurs). La dépense énergétique annuelle totale de chaque animal est indiquée sous le diagramme qui le représente.

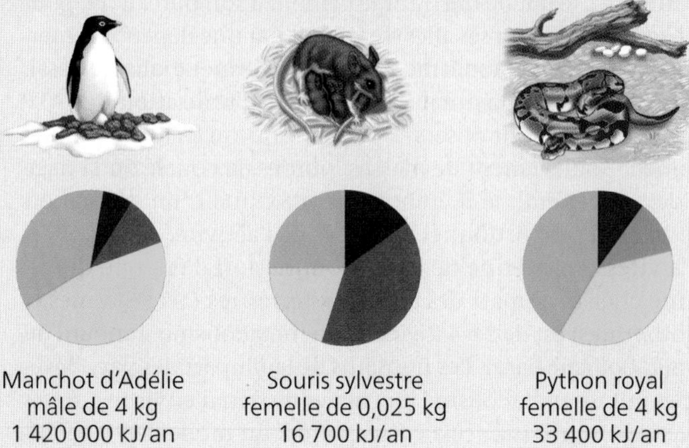

Sources des données : M. A. Chappell et coll., Energetics of foraging in breeding Adelie penguins, *Ecology* 74 : 2450-2461 (1993) ; M. A. Chappell et coll., Voluntary running in deer mice : Speed, distance, energy costs, and temperature effects, *Journal of Experimental Biology* 207 : 3839-3854 (2004) ; T. M. Ellis et M. A. Chappell, Metabolism, temperature relations, maternal behavior, and reproductive energetics in the ball python (*Python regius*), *Journal of Comparative Physiology B* 157 : 393-402 (1987).

INTERPRÉTEZ LES DONNÉES ▼

1. Pour estimer la part de chaque secteur dans un diagramme, rappelez-vous que le cercle entier représente 100 %, que la moitié du cercle correspond donc à 50 %, et ainsi de suite. Quel pourcentage de l'allocation énergétique de la souris va au métabolisme basal ? Quel pourcentage de l'allocation du manchot correspond à ses activités ?
2. Indépendamment de la taille des secteurs, en quoi les trois diagrammes circulaires diffèrent-ils pour ce qui est des fonctions représentées et non représentées ? Expliquez ces différences.
3. Quel animal dépense une plus grande partie de son allocation énergétique pour la thermorégulation : le manchot ou la souris ? Pourquoi ?
4. Maintenant, examinez la dépense énergique annuelle *totale* de chaque animal. Dans une année, combien le manchot dépense-t-il d'énergie de plus que le python, dont la taille est similaire ?
5. Quel animal dépense le plus de kilojoules par an pour sa thermorégulation ?
6. Si vous mesuriez l'allocation énergétique du manchot pendant quelques mois seulement plutôt que durant toute une année, vous pourriez constater que la fonction « croissance » représente une part considérable du diagramme circulaire. Sachant que la croissance des manchots est terminée quand ils arrivent à l'âge adulte, comment expliqueriez-vous cette observation ?

DÉMARCHE SCIENTIFIQUE

INVESTIGATION

▼ **Figure 40.22**

Qu'arrive-t-il à l'horloge circadienne durant l'hibernation ?

■ HYPOTHÈSE ■ Paul Pévet et ses collègues de l'Université Louis-Pasteur à Strasbourg, en France, ont étudié les composants moléculaires de l'horloge circadienne chez le hamster européen (*Cricetus cricetus*). Ils ont émis l'hypothèse selon laquelle l'horloge biologique continuerait de fonctionner durant l'hibernation. Si tel est le cas, la variation circadienne des taux relatifs d'ARN des gènes *Per2* et *Bmal1* devrait être semblable en activité normale (euthermie) et en hibernation.

■ EXPÉRIENCE ■ Pour déterminer si l'horloge biologique de 24 heures continue de fonctionner durant l'hibernation, Pévet et ses collègues ont mesuré les taux d'ARN de deux gènes des rythmes circadiens – *Per2* et *Bmal1* – durant l'euthermie et durant l'hibernation, qui se déroulait dans une obscurité continuelle. Les échantillons d'ARN provenaient des noyaux suprachiasmatiques (NSC), une paire de structures de l'encéphale mammalien qui régulent les rythmes circadiens.

■ CONCLUSION ■ L'hibernation modifie la variation circadienne des taux d'ARN des deux gènes des rythmes circadiens du hamster. Des expériences subséquentes ont montré que cette modification n'était pas simplement due à l'obscurité durant l'hibernation. En effet, chez les animaux qui n'étaient pas en hibernation, le degré de luminosité n'influençait pas le taux d'ARN. Les chercheurs ont conclu que l'horloge biologique cessait de fonctionner chez le hamster européen en hibernation et peut-être aussi chez d'autres mammifères au cours de cet état léthargique.

■ RÉSULTATS ■

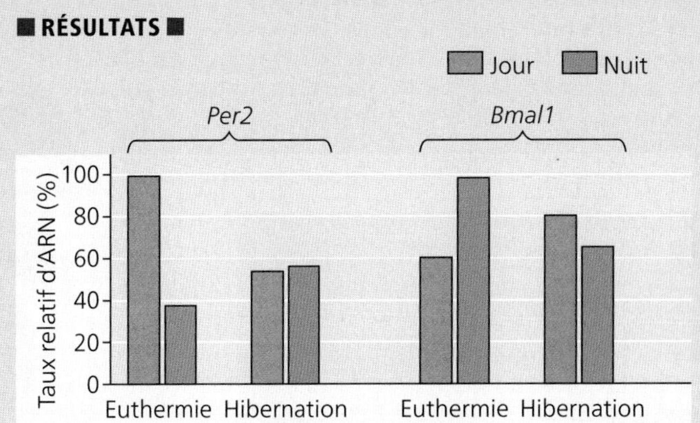

Source des données : F. G. Revel et coll., The circadian clock stops ticking during deep hibernation in the European hamster, *Proceedings of the National Academy of Sciences* 104 : 13816-13820 (2007).

ET SI ? ▶ Imaginez que vous découvrez un nouveau gène chez le hamster et que vous constatez que les taux d'ARN de ce gène sont constants durant l'hibernation. Quelle conclusion en tireriez-vous au sujet des taux d'ARN diurnes et nocturnes durant l'euthermie ?

Dans ce chapitre, nous avons étudié l'animal dans son ensemble, depuis les divers types de tissus jusqu'à l'homéostasie. Nous avons également vu comment les animaux échangent des substances avec leur milieu et comment leur taille ainsi que leur activité influent sur la vitesse de leur métabolisme. Dans la suite de la présente partie du manuel, nous verrons surtout comment les organes et systèmes spécialisés permettent aux animaux de survivre. La sixième partie portait sur le même sujet, mais chez les végétaux. La **figure 40.23** des deux prochaines pages montre quelques-unes des différences et des ressemblances entre les végétaux et les animaux quant aux adaptations évolutives. Cette figure est donc à la fois une synthèse de la sixième partie, une introduction à la septième partie et, plus important encore, une illustration des liens qui unifient les innombrables formes de vie.

RETOUR SUR LE CONCEPT 40.4

1. Si une souris et un petit lézard de même masse (tous les deux au repos) sont placés dans un respiromètre, dans des conditions ambiantes identiques, quel animal consommerait de l'O_2 à une vitesse plus grande ? Expliquez votre réponse.
2. Lequel, du chat domestique ou du lion d'Afrique (en cage dans un zoo), doit manger quotidiennement des aliments correspondant à une plus grande proportion de son poids ? Expliquez votre réponse.
3. **ET SI ?** ▶ Supposons que les animaux d'un zoo se reposent confortablement et demeurent au repos pendant que le soir descend et que la température baisse. Si la baisse de température est suffisamment importante pour causer une modification de la vitesse du métabolisme, quels changements peut-on prévoir chez un alligator et chez un lion ?

Voir les réponses proposées à l'appendice A.

FAITES DES LIENS

▼ **Figure 40.23**

Défis de la survie et solutions chez les végétaux et les animaux

Les organismes multicellulaires sont tous confrontés aux mêmes défis. Lorsqu'on compare les solutions auxquelles l'évolution a donné lieu chez les végétaux et les animaux, on voit bien l'unité, c'est-à-dire les éléments communs, et la diversité, démontrée par les caractéristiques distinctes, au sein de ces deux lignées.

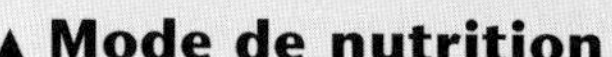

▲ Mode de nutrition

Tous les êtres vivants dépendent de leur environnement pour obtenir l'énergie et le carbone nécessaires à leur croissance, à leur survie et à leur reproduction. Les végétaux sont autotrophes, c'est-à-dire qu'ils tirent leur énergie de la photosynthèse et que leur carbone provient de sources inorganiques, tandis que les animaux sont hétérotrophes, et donc ingèrent des aliments dont ils tirent l'énergie et le carbone nécessaires à leurs besoins. Les adaptations évolutives qu'on observe chez les végétaux et les animaux concordent avec ces deux façons d'assurer la nutrition. Ainsi, la grande surface des feuilles ainsi que leur nombre (à gauche) augmentent l'absorption de la lumière pour la photosynthèse, alors que le lynx roux (à droite) doit compter sur sa furtivité, sa rapidité et ses griffes effilées pour chasser sa nourriture et en extraire efficacement l'énergie. (Voir les figures 36.2 et 41.16.)

▲ Réponse à l'environnement

Toutes les formes de vie doivent percevoir les conditions de leur environnement et y répondre adéquatement. Leurs organes spécialisés captent les signaux de l'environnement. Par exemple, la tête florale d'un tournesol (à gauche) et l'œil d'un insecte (à droite) contiennent tous deux des photorécepteurs qui détectent la lumière. Les signaux environnementaux activent des protéines réceptrices spécifiques, ouvrant des voies de transduction du signal qui déclenchent des changements cellulaires coordonnés par la communication chimique et électrique. (Voir les figures 39.19 et 50.15.)

▼ Croissance et régulation

Tant chez les végétaux que chez les animaux, la croissance et la physiologie sont régulées par des substances chimiques: des hormones chez les animaux et des substances de croissance chez les végétaux. Chez les végétaux, les régulateurs de croissance agissent localement ou circulent dans le corps de la plante. Elles régissent le mode de croissance, la floraison, le développement des fruits et d'autres fonctions (à gauche). Chez les animaux, les hormones circulent dans tout le corps et exercent leur action sur des tissus cibles, assurant ainsi les processus homéostatiques et les événements développementaux tels que la mue (ci-dessous). (Voir les figures 39.5 et 45.12.)

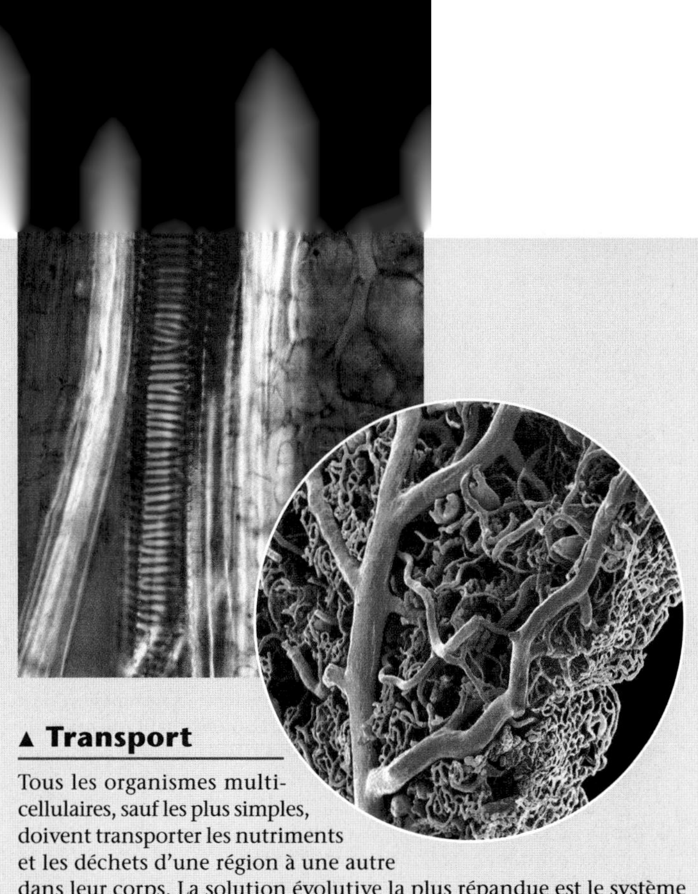

▲ Transport

Tous les organismes multicellulaires, sauf les plus simples, doivent transporter les nutriments et les déchets d'une région à une autre dans leur corps. La solution évolutive la plus répandue est le système de vaisseaux tubulaires, bien que l'on observe des variations dans les mécanismes par lesquels les nutriments et les déchets circulent dans ce système. Les végétaux utilisent l'énergie solaire pour transporter l'eau, les minéraux et les sucres dans leurs tubes spécialisés (à gauche). Chez les animaux, une pompe (le cœur) fait circuler le liquide circulatoire dans des vaisseaux (à droite). (Voir les figures 35.10 et 42.5.)

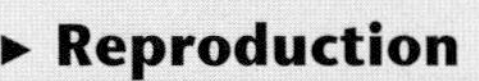

► Reproduction

Dans la reproduction sexuée, des tissus et des structures spécialisés produisent et échangent des gamètes. La progéniture dispose généralement de réserves nutritionnelles qui permettent une croissance et un développement rapides. Par exemple, les graines (à gauche) renferment des réserves nutritionnelles qui fournissent l'énergie nécessaire à la jeune plantule, tandis que le lait répond aux besoins nutritionnels des jeunes mammifères (à droite). (Voir les figures 38.8 et 46.10.)

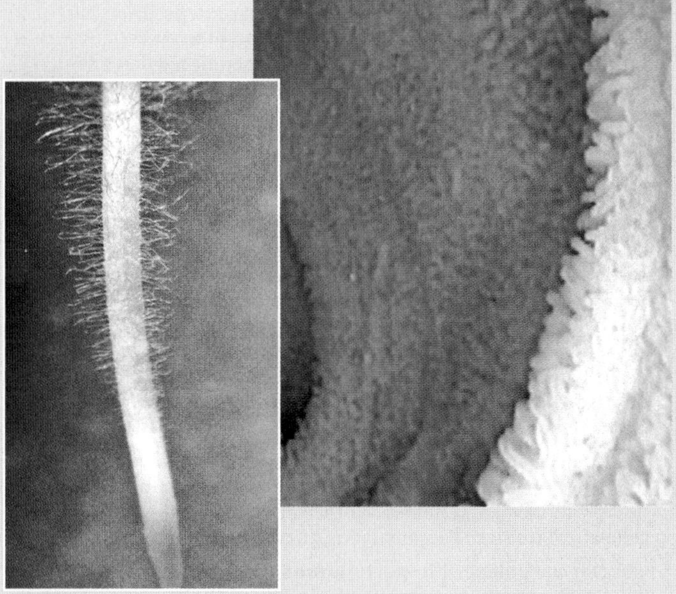

▲ Absorption

Les organismes doivent absorber des nutriments. Les poils absorbants (ou poils racinaires ; à gauche) ainsi que les villosités (saillies) qui tapissent l'intestin des vertébrés (à droite) augmentent la surface d'absorption. (Voir les figures 28.4 et 41.12.)

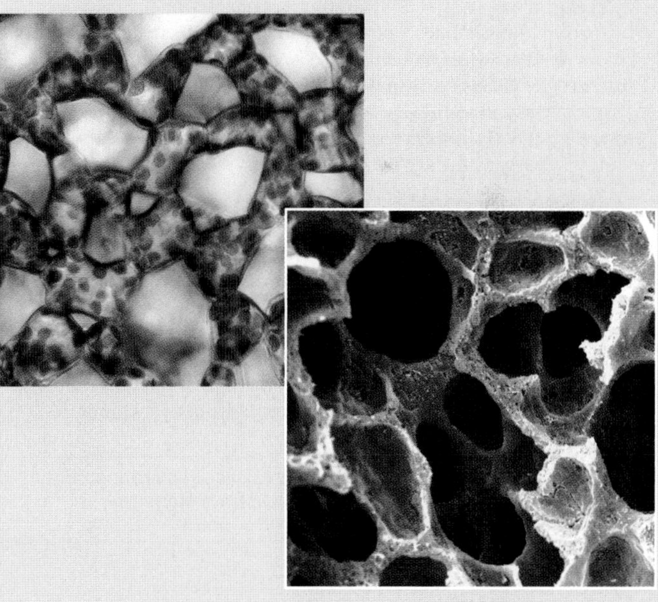

▲ Échanges gazeux

L'échange de certains gaz avec l'environnement est vital. Chez les végétaux et les animaux, la respiration nécessite l'absorption d'O_2 et le rejet du CO_2. Lors de la photosynthèse, l'échange net s'effectue dans la direction opposée : absorption de CO_2 et rejet d'O_2. Chez les végétaux comme chez les animaux, l'évolution a favorisé les tissus hautement alvéolés qui augmentent la surface disponible pour les échanges gazeux. Le mésophylle spongieux de la feuille (à gauche) ainsi que les alvéoles des poumons (à droite) en sont des exemples. (Voir les figures 35.18 et 42.24.)

FAITES DES LIENS ► Comparez les adaptations qui permettent aux végétaux et aux animaux de survivre dans les environnements très chauds et très froids. Consultez les concepts 39.4 et 40.3.

RÉVISION DU CHAPITRE 40

Consultez votre MANUEL NUMÉRIQUE, qui vous donne accès aux **animations**, aux **exercices** et à la plateforme d'**anatomie interactive**.

Résumé des concepts clés

CONCEPT 40.1

Il y a une corrélation entre les structures et les fonctions animales à tous les niveaux d'organisation (p. 956 à 963)

- Les lois de la physique contraignent l'évolution de la taille et de la morphologie d'un animal. Ces contraintes contribuent à l'évolution convergente, caractérisée par des adaptations indépendantes les unes des autres, chez différentes espèces vivant dans des conditions environnementales semblables.
- Chacune des cellules d'un animal multicellulaire doit avoir accès à un environnement aqueux. Les organismes sacciformes ou plats, constitués de deux couches de cellules, optimisent les échanges avec le milieu environnant. Les plans d'organisation corporelle plus complexes font appel à des surfaces intérieures aux replis multiples, spécialisées dans l'échange des substances avec l'environnement.
- Le corps d'un animal est organisé selon une hiérarchie déterminée par les regroupements successifs composés respectivement de cellules, de **tissus**, d'**organes** et de **systèmes**. Les quatre principaux types de tissus remplissent des fonctions distinctes. Les **tissus épithéliaux** recouvrent l'extérieur du corps et des organes, et tapissent les cavités internes; les **tissus conjonctifs** servent à fixer et à soutenir les autres tissus; le **tissu musculaire** se contracte et amène le corps à se mouvoir; et le **tissu nerveux** transmet des potentiels d'action dans tout l'organisme de l'animal.
- Le **système endocrinien** et le **système nerveux** sont les deux principaux systèmes de communication entre les diverses parties du corps. Le système endocrinien émet dans la circulation sanguine des molécules appelées **hormones** qui servent de signaux. Chaque hormone exerce ses effets propres, mais elle n'agit que sur les cellules dotées des récepteurs spécifiques qui les rendent sensibles à l'action de cette hormone. Le système nerveux envoie des messages à diverses parties du corps. Pour ce faire, il utilise des circuits cellulaires spécialisés qui font intervenir des signaux électriques et chimiques.

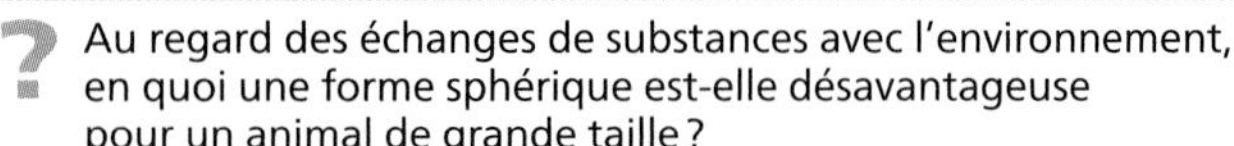

Au regard des échanges de substances avec l'environnement, en quoi une forme sphérique est-elle désavantageuse pour un animal de grande taille?

CONCEPT 40.2

De nombreux animaux maintiennent leur milieu interne à l'aide de mécanismes de rétroaction (p. 963 à 966)

- On dit d'un animal qu'il est **régulateur** s'il assure la régulation d'une condition interne et **tolérant** s'il laisse fluctuer une condition interne selon les changements externes.
- Les mécanismes de l'homéostasie font habituellement intervenir la **rétro-inhibition**, dans laquelle la **réponse** atténue le **stimulus**.
- À l'inverse, la **rétroactivation** déclenche une réponse qui intensifie le stimulus et, souvent, provoque un changement d'état, par exemple durant le travail de l'accouchement.

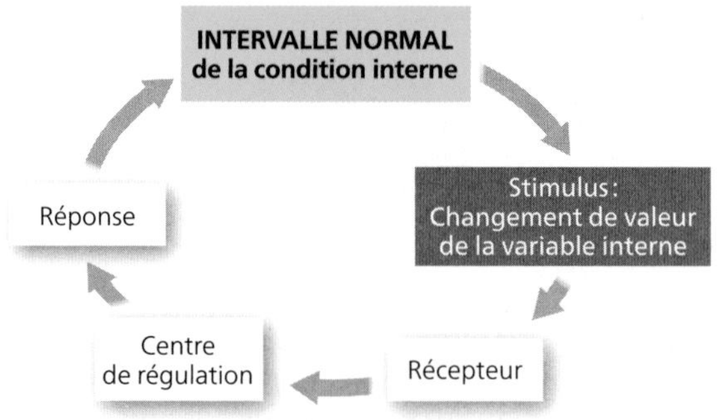

- Certains changements régulés du milieu interne sont essentiels aux fonctions normales. Les **rythmes circadiens** sont des fluctuations quotidiennes du métabolisme et du comportement. Ils suivent le cycle de clarté et d'obscurité de l'environnement. D'autres changements environnementaux déclenchent l'**acclimatation**, un changement temporaire de l'état d'équilibre.

Est-il exact de définir l'homéostasie comme étant un milieu interne constant? Expliquez votre réponse.

CONCEPT 40.3

Les processus homéostatiques qui président à la thermorégulation font intervenir la forme, la fonction et le comportement (p. 966 à 972)

- Un animal maintient sa température interne dans un intervalle compatible avec la vie grâce au processus de **thermorégulation**. Les animaux **endothermes** obtiennent la majeure partie de leur chaleur par leur métabolisme. Les animaux **ectothermes** l'obtiennent principalement de sources externes. L'endothermie requiert une plus grande dépense énergétique que l'ectothermie. La température corporelle peut varier selon la température du milieu externe, comme chez les *poïkilothermes*, ou être relativement constante, comme chez les *homéothermes*.
- Dans la thermorégulation, des adaptations physiologiques et comportementales contribuent à équilibrer les gains et les pertes de chaleur, lesquels ont lieu par rayonnement, évaporation, convection et conduction. L'isolation et l'**échange thermique à contre-courant** réduisent les pertes de chaleur, tandis que le halètement, la sudation et la baignade augmentent l'évaporation, ce qui refroidit le corps. De nombreux ectothermes et endothermes modifient la vitesse des échanges thermiques avec le milieu par **vasoconstriction** ou **vasodilatation** ainsi que par l'intermédiaire de réactions comportementales.
- Beaucoup de mammifères et d'oiseaux modifient leur niveau d'isolation thermique selon les variations de la température de l'environnement. Chez les ectothermes, divers changements cellulaires favorisent l'acclimatation aux changements de température.
- Chez les mammifères, l'**hypothalamus** abrite le thermostat qui régule la température corporelle. La fièvre entraîne une réinitialisation du thermostat à un intervalle normal plus élevé en réaction à une infection.

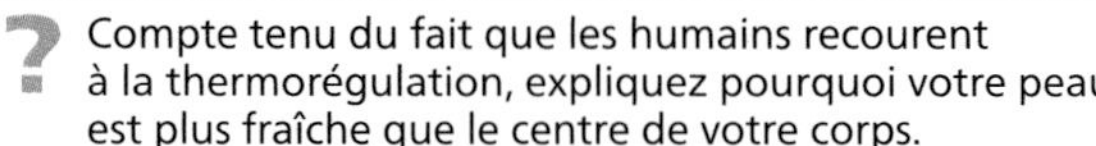

Compte tenu du fait que les humains recourent à la thermorégulation, expliquez pourquoi votre peau est plus fraîche que le centre de votre corps.

CONCEPT 40.4

Les besoins énergétiques sont fonction de la taille, de l'activité et de l'environnement (p. 972 à 979)

- Les animaux se procurent de l'énergie chimique en consommant des aliments. Ils transforment ensuite l'énergie de ces aliments en ATP pour une utilisation à court terme. Chez les animaux, la **vitesse du métabolisme** est la quantité totale d'énergie utilisée par unité de temps.
- Dans des conditions similaires et pour des animaux de même taille, le **métabolisme basal** des endothermes est considérablement plus rapide que le **métabolisme standard** des ectothermes. La vitesse du métabolisme par unité de masse est en relation inverse avec la taille du corps chez les animaux d'espèces semblables. Un animal dépense de l'énergie en fonction de son métabolisme basal ou de son métabolisme standard, de ses activités, de son homéostasie (par exemple, la régulation thermique), de sa croissance et de sa reproduction.
- La **torpeur** est un ralentissement de l'activité et du métabolisme. Elle sert à conserver l'énergie pendant les variations extrêmes de l'environnement. Cet état de torpeur peut se produire selon un rythme circadien (torpeur quotidienne), en hiver (**hibernation**) ou en été (estivation).

Pourquoi les animaux de petite taille respirent-ils plus rapidement que les animaux de grande taille ?

Évaluation

NIVEAU 1 : CONNAISSANCES ET COMPRÉHENSION

1. Le tissu composé de matériaux (fibres et substance fondamentale) et présent principalement à l'extérieur des cellules est :
a) le tissu épithélial.
b) le tissu conjonctif.
c) le tissu musculaire.
d) le tissu nerveux.

2. Parmi les éléments suivants, lequel augmenterait la vitesse des échanges thermiques entre un animal et son milieu ?
a) L'isolation par les plumes ou les poils.
b) La vasoconstriction.
c) L'exposition de la surface du corps au vent.
d) L'échange thermique à contre-courant.

3. Examinez l'allocation énergétique d'un humain, d'un éléphant, d'un manchot, d'une souris et d'un serpent. Parmi ces organismes, lequel aura la dépense d'énergie annuelle totale la plus élevée et lequel aura la plus grande dépense d'énergie par unité de masse ?
a) L'éléphant ; la souris.
b) L'éléphant ; l'humain.
c) La souris ; le serpent.
d) Le manchot ; la souris.

NIVEAU 2 : APPLICATION ET ANALYSE

4. Soit deux cellules de forme identique, l'une étant plus petite que l'autre. Chez la plus grande :
a) la surface est plus faible.
b) la surface par unité de volume est plus faible.
c) le rapport surface-volume est identique à celui de la petite cellule.
d) le rapport entre le cytoplasme et le noyau est plus faible.

5. Chez un animal, les gains d'énergie et de matière dépassent les pertes d'énergie et de matière :
a) s'il est endotherme, car il doit toujours absorber davantage d'énergie en raison de son métabolisme élevé.
b) s'il est à la recherche de nourriture.
c) s'il est en période de croissance et que sa masse augmente.
d) Aucune de ces réponses : cela n'arrive jamais, car l'homéostasie équilibre toujours les allocations d'énergie et de matière.

6. Vous étudiez un grand reptile tropical dont la température corporelle est élevée et relativement stable. Parmi les arguments suivants, lequel vous permet de déterminer s'il est endotherme ou ectotherme ?
a) Sa température élevée et constante vous permet d'affirmer que c'est un endotherme.
b) Il s'agit d'un ectotherme puisque sa température corporelle et son métabolisme changent en fonction de la température ambiante.
c) Il s'agit d'un ectotherme, car sa température corporelle correspond à la température du milieu quand celle-ci est élevée et stable.
d) La vitesse de son métabolisme étant plus élevée que celle d'une espèce apparentée qui vit dans les forêts tempérées, ce reptile est endotherme et son cousin est ectotherme.

7. Parmi les animaux suivants, lequel consacre le pourcentage le plus important de son allocation énergétique à sa régulation homéostatique ?
a) La méduse (un invertébré).
b) Le serpent dans une forêt tempérée.
c) L'insecte dans le désert.
d) L'oiseau dans le désert.

8. **FAITES UN DESSIN ▶** Faites un schéma illustrant les circuits de commande qui vous permettraient de conduire une voiture à une vitesse à peu près constante sur une route accidentée. Indiquez les caractéristiques qui représentent un récepteur, un stimulus ou une réponse.

Voir les réponses proposées à l'appendice A.

La nutrition chez les animaux

41

VOS OUTILS INTERACTIFS

Consultez votre MANUEL NUMÉRIQUE, qui vous donne accès aux **animations**, aux **exercices** et à la plateforme d'**anatomie interactive**.

▲ **Figure 41.1** **Comment une loutre peut-elle fabriquer de la fourrure à partir d'un crabe ?**

CONCEPTS CLÉS

41.1 Le régime alimentaire des animaux doit fournir de l'énergie chimique, des molécules organiques et des éléments nutritifs essentiels

41.2 La transformation des aliments comprend l'ingestion, la digestion, l'absorption et l'élimination

41.3 Les différents organes du système digestif des mammifères assurent la transformation progressive de la nourriture

41.4 Les adaptations évolutives du système digestif des vertébrés sont corrélées avec le régime alimentaire

41.5 Des circuits de rétroaction régulent la digestion, le stockage de l'énergie et l'appétit

La nécessité de s'alimenter

C'est l'heure du repas pour la loutre de mer (*Enhydra lutris*) de la **figure 41.1** (et pour le crabe également, quoique dans un tout autre sens !). Les mâchoires de la loutre déchiquetteront les muscles et les autres tissus de sa proie, puis les acides et les enzymes de son système digestif dégraderont ces petits morceaux de nourriture et les transformeront en molécules plus petites encore, que son corps absorbera. Dans son ensemble, ce processus illustre la **nutrition** chez les animaux : un animal ingère de la nourriture, la décompose, l'absorbe et élimine les déchets.

Évidemment, ce ne sont pas tous les animaux qui, à l'instar de la loutre de mer, se nourrissent de poissons, de crabes, d'oursins et d'ormeaux, mais ils ont tous en commun de consommer d'autres organismes, que ceux-ci soient morts ou vivants, entiers ou en morceaux. Contrairement aux végétaux, les animaux doivent ingérer de la nourriture pour obtenir leur énergie et pour se procurer les molécules organiques qui leur permettront de fabriquer de nouvelles molécules, de nouvelles cellules et de nouveaux tissus. Les animaux ont donc en commun le besoin de se nourrir, mais ils diffèrent par leur mode d'alimentation. Les **herbivores**, tels que les bovins, les concombres de mer et les chenilles, se nourrissent principalement de végétaux ou d'algues. Les **carnivores**, comme les loutres de mer, les buses et les araignées, dévorent d'autres animaux. Enfin, les rats et les autres **omnivores** (du latin *omni*, qui signifie « tout ») ne mangent pas réellement tout ce qu'ils trouvent, mais leur régime alimentaire est très varié puisqu'il peut se composer d'animaux aussi bien que de végétaux ou d'algues. Les humains que nous sommes sont également omnivores, tout comme les cafards et les corbeaux.

Les termes *herbivore*, *carnivore* et *omnivore* correspondent aux types d'aliments *généralement* consommés. En réalité, la plupart des animaux ont un comportement opportuniste à l'égard de l'alimentation ; ils consomment de la nourriture qui ne relève pas de leur régime alimentaire habituel quand leurs aliments favoris ne sont pas disponibles. Par exemple, les cerfs sont herbivores, mais en plus de se nourrir d'herbe et d'autres plantes, il leur arrive de consommer des petits animaux tels que des insectes ou des vers, ou des œufs d'oiseaux. Notons que les micro-organismes font inévitablement partie du régime alimentaire de tout animal.

Pour survivre et se reproduire, les animaux doivent assurer un équilibre entre la consommation, le stockage et l'utilisation de la nourriture. Par exemple, les loutres de mer maintiennent un métabolisme rapide en mangeant quotidiennement jusqu'à 25 % de leur masse corporelle. Une alimentation excessive, insuffisante ou inappropriée peut compromettre la santé d'un animal. Le présent chapitre porte sur les besoins nutritionnels des animaux, les adaptations auxquelles ils font appel pour obtenir des aliments et les transformer, ainsi que la régulation des apports et des dépenses énergétiques.

CONCEPT **41.1**

Le régime alimentaire des animaux doit fournir de l'énergie chimique, des molécules organiques et des éléments nutritifs essentiels

Dans l'ensemble, une alimentation adéquate doit satisfaire trois grands besoins nutritionnels : fournir de l'énergie chimique pour les processus cellulaires ; apporter des molécules organiques pour la fabrication de macromolécules ; et procurer des nutriments essentiels.

Le fonctionnement des cellules, des tissus et des organes ainsi que les activités des animaux eux-mêmes dépendent des sources d'énergie chimique fournies par les aliments. Cette énergie sert à produire l'ATP qui entretient les réactions cellulaires, depuis la réplication de l'ADN et la division cellulaire jusqu'à la vision et au vol (voir le concept 8.3). Pour satisfaire les besoins en ATP, les animaux ingèrent et digèrent des nutriments, dont des glucides, des protéines et des lipides, qu'ils utilisent dans la respiration cellulaire et dans le stockage d'énergie.

En plus de fournir aux animaux l'énergie destinée à la production de l'ATP, l'alimentation doit procurer les matériaux de base nécessaires à la biosynthèse. Pour fabriquer les molécules complexes essentielles à sa croissance, à son maintien et à sa reproduction, un animal doit trouver deux types de molécules organiques dans les aliments : une source de carbone organique (comme les monosaccharides et les disaccharides) et une source d'azote organique (généralement les acides aminés provenant de la digestion des protéines). À partir de ces matériaux, il peut fabriquer une grande variété de molécules organiques.

Les nutriments essentiels

Le troisième grand besoin nutritionnel des animaux concerne les **nutriments essentiels**, qu'ils sont incapables de synthétiser eux-mêmes, mais qui leur sont indispensables en raison des fonctions vitales qu'ils exercent dans les cellules. Par exemple, ils servent de substrats aux enzymes, en devenant des coenzymes ou en étant des cofacteurs dans des réactions biosynthétiques (**figure 41.2**). On classe les nutriments essentiels en quatre catégories : les acides aminés essentiels, les acides gras essentiels, les vitamines et les minéraux.

En général, un animal qui se nourrit de végétaux ou d'autres animaux obtiendra tous les acides aminés et les acides gras essentiels, ainsi que les vitamines et les minéraux nécessaires. Les besoins en nutriments varient d'une espèce à l'autre. Ainsi, la plupart des animaux peuvent synthétiser eux-mêmes l'acide ascorbique (vitamine C) à partir des autres nutriments qu'ils ingèrent, mais certains animaux (dont les humains) ne le peuvent pas et doivent avoir un régime alimentaire qui leur procure cette vitamine.

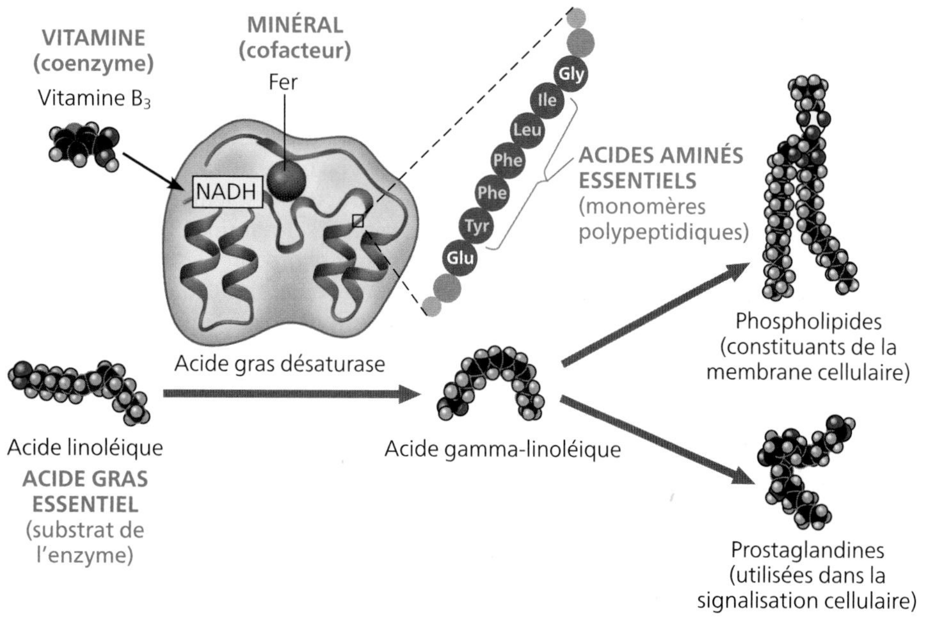

◄ **Figure 41.2 Les nutriments essentiels et leurs rôles.** Cet exemple de réaction biosynthétique illustre quelques-unes des fonctions courantes des nutriments essentiels. La conversion de l'acide linoléique en acide gamma-linoléique par une enzyme, l'acide gras désaturase, fait intervenir les quatre classes de nutriments essentiels (en bleu). Notez que, chez les animaux, presque toutes les enzymes ainsi que d'autres protéines contiennent quelques acides aminés essentiels, comme le montre la séquence partielle de l'acide gras désaturase (en violet).

Les acides aminés essentiels

Tous les organismes ont besoin des 20 acides aminés en quantité suffisante pour fabriquer un ensemble complet de protéines (voir la figure 5.14). Les végétaux et les microorganismes peuvent normalement produire tous ces acides aminés, mais la plupart des animaux possèdent les enzymes qu'il faut pour en synthétiser environ la moitié, du moment que leur régime alimentaire comporte du soufre et une source d'azote organique. Les autres doivent se trouver déjà préformés dans les aliments, d'où leur nom d'**acides aminés essentiels**. Pour beaucoup d'animaux, dont les humains (adultes), huit acides aminés sont indispensables: l'isoleucine, la leucine, la lysine, la méthionine, la phénylalanine, la thréonine, le tryptophane et la valine. (Un neuvième acide aminé, l'histidine, est nécessaire au nourrisson.)

Les protéines des produits d'origine animale (comme la viande, les œufs et le fromage) sont dites *complètes*, c'est-à-dire qu'elles contiennent tous les acides aminés essentiels, dans des proportions adéquates. En revanche, la plupart des protéines végétales sont dites *incomplètes*, car il leur manque un ou plusieurs acides aminés essentiels. Ainsi, le maïs ne contient pas de tryptophane ni de lysine, tandis que les légumineuses sont dépourvues de méthionine. Les personnes végétariennes peuvent néanmoins obtenir facilement tous les acides aminés essentiels en consommant un large éventail de protéines végétales.

Les acides gras essentiels

Les animaux ont besoin des acides gras pour synthétiser plusieurs de leurs constituants cellulaires, notamment les phospholipides membranaires, les molécules de signalisation et les graisses de réserve. Ils sont capables de synthétiser la plupart des acides gras, sauf ceux qui comportent certaines liaisons doubles dont la formation requiert l'intervention de certaines enzymes qu'ils ne possèdent pas. Les animaux doivent donc trouver dans leur alimentation ces **acides gras essentiels** qu'ils sont incapables de fabriquer eux-mêmes. Chez les mammifères, l'acide linoléique fait partie de ce groupe (voir la figure 41.2). En règle générale, la consommation de graines, de produits céréaliers, de légumes et de poissons permet aux animaux d'obtenir suffisamment d'acides gras essentiels pour couvrir leurs besoins.

Les vitamines

Albert Szent-Gyorgyi, qui a découvert la vitamine C, affirmait: « Une vitamine est une substance qui vous rend malade *si vous n'en consommez pas.* » Les **vitamines** sont des molécules organiques nécessaires en très petites quantités (de 0,01 à 100 mg par jour, selon la vitamine).

Les 13 vitamines indispensables à l'humain diffèrent par leurs propriétés chimiques et leurs fonctions (**tableau 41.1**). Par exemple, la vitamine B_2 est hydrosoluble, et dans l'organisme,

Tableau 41.1 Les besoins en vitamines chez les humains

Vitamines	Principales sources alimentaires	Principales fonctions	Symptômes de carence
Vitamines hydrosolubles			
B_1 (thiamine)	Porc, légumineuses, arachides et céréales à grains entiers	Coenzyme utilisée pour éliminer le CO_2 des composés organiques	Béribéri (picotements, troubles de la coordination, altération de la fonction cardiaque)
B_2 (riboflavine)	Produits laitiers, viandes, céréales enrichies et légumes	Constituant des coenzymes FAD et FMN	Lésions cutanées, notamment fissures aux commissures des lèvres
B_3 (niacine)	Noix, viandes et céréales	Constituant des coenzymes NAD^+ et $NADP^+$	Lésions cutanées et gastro-intestinales, hallucinations, confusion mentale
B_5 (acide pantothénique)	Viandes, produits laitiers, céréales à grains entiers, fruits et légumes	Constituant de la coenzyme A	Fatigue, perte de sensibilité, picotements dans les mains et les pieds
B_6 (pyridoxine)	Viandes, légumes et céréales à grains entiers	Coenzyme utilisée dans le métabolisme des acides aminés	Irritabilité, convulsions, secousses musculaires et anémie
B_7 (biotine)	Légumineuses, autres légumes et viandes	Coenzyme utilisée dans la synthèse des lipides, du glycogène et des acides aminés	Inflammation et desquamation cutanées, troubles neuromusculaires
B_9 (acide folique)	Légumes verts, noix, légumineuses, céréales à grains entiers et foie d'animaux	Coenzyme participant au métabolisme des acides aminés et des acides nucléiques	Anémie et malformations congénitales
B_{12} (cobalamine)	Viandes, œufs et produits laitiers	Production des acides nucléiques et des érythrocytes	Anémie, perte de sensibilité, troubles de l'équilibre
C (acide ascorbique)	Agrumes, brocoli et tomates	Utilisée pour la synthèse du collagène; antioxydant	Scorbut (dégénérescence de la peau et des dents); cicatrisation lente
Vitamines liposolubles			
A (rétinol)	Légumes vert foncé et orange, fruits et produits laitiers	Constituant des pigments visuels; entretien des tissus épithéliaux	Cécité; problèmes cutanés, affaiblissement du système immunitaire
D	Produits laitiers et jaune d'œuf	Augmentation de l'absorption et de l'utilisation du calcium et du phosphore	Rachitisme (difformités osseuses) chez les enfants, ostéomalacie chez les adultes
E (tocophérol)	Huiles végétales, noix et graines	Antioxydant; protection des membranes cellulaires	Dégénérescence du système nerveux
K (phylloquinone)	Légumes verts et thé (est aussi élaborée par les bactéries du gros intestin)	Rôle important dans la coagulation du sang	Troubles de la coagulation du sang

elle est convertie en FAD, une coenzyme intervenant dans de nombreux processus métaboliques, dont la respiration cellulaire (voir la figure 9.12), tandis que la vitamine C, également hydrosoluble, est nécessaire à la production des tissus conjonctifs.

Parmi les vitamines liposolubles, il y a la vitamine A, incorporée aux pigments visuels, et la vitamine D, qui contribue à l'absorption du calcium et à la formation des os. Nos besoins en vitamine D sont variables, ce qui n'est pas le cas des autres vitamines. Pourquoi ? Parce que nous la synthétisons à partir d'autres molécules lorsque notre peau est exposée à la lumière du soleil.

Pour les personnes dont l'alimentation n'est pas équilibrée, il peut être raisonnable de prendre des suppléments de vitamines qui fournissent la quantité quotidienne recommandée. Cependant, on ne sait pas encore si des doses massives de vitamines sont bénéfiques ou nuisibles à la santé. Un apport modérément excessif de vitamines hydrosolubles est probablement inoffensif, puisque les vitamines hydrosolubles en trop sont excrétées dans l'urine. Par contre, les vitamines liposolubles tendent à s'accumuler dans les graisses corporelles au lieu d'être éliminées, de sorte qu'une accumulation toxique est possible.

Les minéraux

Les **minéraux** fournis par les aliments, comme le fer ou le soufre, sont des nutriments inorganiques. Ils sont habituellement requis en très petites quantités, les apports quotidiens nécessaires variant de moins de 1 mg à environ 2 500 mg. Comme le montre le **tableau 41.2**, les minéraux remplissent plusieurs fonctions physiologiques chez les animaux. Certains sont intégrés dans la structure des protéines; le fer, par exemple, est incorporé dans l'hémoglobine, qui transporte des molécules d'oxygène (O_2), ainsi que dans plusieurs enzymes (voir la figure 41.2). D'autres, comme le sodium, le potassium et le chlore, jouent un rôle important dans le fonctionnement du système nerveux et dans le maintien de l'équilibre osmotique entre les cellules et le liquide interstitiel. Chez les vertébrés, l'iode est un minéral contenu dans les hormones thyroïdiennes, qui régulent la vitesse du métabolisme. Les vertébrés ont également besoin d'une quantité relativement élevée de calcium et de phosphore pour la formation et l'entretien des os.

La consommation excessive de certains minéraux peut perturber l'équilibre homéostatique et nuire à la santé. Par exemple, l'excès de sodium est associé à l'hypertension artérielle. Il s'agit d'un problème répandu en Amérique du Nord, où les gens consomment en moyenne environ 20 fois plus de sel (chlorure de sodium) que l'exigent les besoins physiologiques. Une grande partie de ce sel est cachée dans les aliments transformés, sous emballage, même dans ceux qui n'ont pas de goût salé.

Les carences nutritionnelles

La *malnutrition* est un état qui résulte d'une alimentation qui ne fournit pas tous les nutriments essentiels. La malnutrition, qui touche une personne sur quatre dans le monde, compromet non seulement la santé, mais la survie. (La *sous-alimentation*, elle, résulte d'un apport énergétique insuffisant, comme nous le verrons plus loin.)

Tableau 41.2 Les besoins en minéraux chez les humains*

Minéraux		Principales sources alimentaires	Principales fonctions	Symptômes de carence
Apport quotidien recommandé : plus de 200 mg	Calcium (Ca)	Produits laitiers, légumes vert foncé et légumineuses	Formation des os et des dents; coagulation sanguine; fonctions musculaires et nerveuses	Retard de croissance, perte de masse osseuse, tétanie musculaire
	Phosphore (P)	Produits laitiers, viandes et céréales	Formation des os et des dents; équilibre acidobasique; synthèse des nucléotides	Faiblesse, déminéralisation des os, perte de calcium
	Soufre (S)	Protéines de nombreuses sources	Constituant de certains acides aminés	Retard de croissance, fatigue, œdème
	Potassium (K)	Viandes, produits laitiers, nombreux fruits et légumes, céréales	Équilibre acidobasique; équilibre hydrique; transmission des potentiels d'action; synthèse protéique	Faiblesse musculaire, paralysie, nausées, insuffisance cardiaque
	Chlore (Cl)	Sel de table	Équilibre acidobasique; formation du suc gastrique; transmission des potentiels d'action; équilibre osmotique	Crampes musculaires, diminution de l'appétit
	Sodium (Na)	Sel de table	Équilibre acidobasique; équilibre hydrique; transmission des potentiels d'action	Crampes musculaires, diminution de l'appétit
	Magnésium (Mg)	Céréales à grains entiers et légumes verts feuillus	Cofacteur enzymatique; bioénergétique de l'ATP	Troubles neuromusculaires
Fer (Fe)		Viandes, œufs, légumineuses, céréales à grains entiers et légumes verts feuillus	Constituant de l'hémoglobine et des transporteurs d'électrons; cofacteur enzymatique	Anémie ferriprive, faiblesse, affaiblissement du système immunitaire, troubles de la thermorégulation
Fluor (F)		Eau fluorée, thé et fruits de mer	Entretien de la structure des dents (et sans doute des os)	Fréquence accrue des caries dentaires
Iode (I)		Fruits de mer, produits laitiers et sel iodé	Constituant des hormones thyroïdiennes	Goitre (hypertrophie thyroïdienne), hypothyroïdie, myxœdème

* D'autres minéraux sont requis en quantités infimes. Ce sont notamment le chrome (Cr), le cobalt (Co), le cuivre (Cu), le manganèse (Mn), le molybdène (Mo), le sélénium (Se) et le zinc (Zn). En outre, tous ces minéraux peuvent être nocifs si leur apport est excessif.

Les carences en nutriments essentiels

Un apport insuffisant de nutriments essentiels peut entraîner des déformations du squelette, diverses maladies, voire la mort. Par exemple, les os se fragilisent chez les cerfs et d'autres herbivores qui se nourrissent de végétaux poussant dans un sol dépourvu de phosphore. Dans ce type d'environnement, certains animaux de pâturage obtiennent les nutriments manquants en consommant des sources concentrées de sel ou d'autres minéraux (**figure 41.3**). De la même façon, certains oiseaux suppléent leurs carences nutritionnelles en mangeant des coquilles d'escargots, et certaines tortues, en ingérant des pierres.

Comme tous les animaux, il arrive que les humains aient des carences en nutriments essentiels. Un régime auquel il manque un ou plusieurs acides aminés essentiels entraîne une *carence protéique*, la forme de malnutrition la plus courante. Par exemple, un bébé peut souffrir d'une carence protéique si son alimentation passe du lait maternel à des aliments solides relativement pauvres en protéines, comme le riz. Lorsqu'ils survivent, ces enfants présentent souvent un retard dans leur développement physique et mental.

La sous-alimentation

Comme nous venons de le mentionner, la sous-alimentation résulte d'un apport énergétique insuffisant. Lorsqu'un animal est sous-alimenté, son organisme réagit d'abord en puisant dans ses réserves de glucides et de graisses. Ensuite, il commence à dégrader ses propres protéines pour obtenir l'énergie dont il a besoin. Les muscles s'atrophient alors, et le cerveau peut manquer de protéines. Si l'apport d'énergie demeure inférieur à la dépense d'énergie, l'animal finit par mourir. Et s'il survit malgré une sous-alimentation grave, les dommages subis peuvent être irréversibles.

Chez l'humain, la sous-alimentation est plus répandue, car des événements tels qu'une sécheresse, une guerre ou toute autre crise peuvent compromettre l'approvisionnement d'une population en nourriture. Par exemple, en Afrique subsaharienne, où l'épidémie du sida a détruit des communautés tant rurales qu'urbaines, environ 200 millions d'enfants et d'adultes souffrent de sous-alimentation.

▼ **Figure 41.3 L'obtention de nutriments essentiels d'une source inhabituelle.** Ce jeune chamois (*Rupicapra rupicapra*), un herbivore, lèche les sels présents à la surface des roches de son habitat alpin. Ce comportement est courant chez les herbivores qui vivent là où les sols et les plantes ne fournissent pas assez de minéraux.

La sous-alimentation n'est pas uniquement liée au manque de nourriture et peut résulter d'un trouble du comportement alimentaire. Par exemple, dans l'anorexie mentale, qu'on associe à une perturbation du schéma corporel, la personne présente une perte de poids beaucoup trop importante pour sa taille et son âge.

L'évaluation des besoins nutritionnels

Pour les scientifiques, la détermination du régime alimentaire idéal pour la population humaine est une question importante et difficile. En effet, l'humain n'est pas un objet d'étude facile. Contrairement aux animaux de laboratoire, les humains sont génétiquement divers. Par ailleurs, ils vivent dans des environnements très différents les uns des autres, contrairement aux milieux stables et uniformes utilisés par les scientifiques pour comparer plus aisément leurs expériences en laboratoire. Enfin, les préoccupations d'ordre éthique constituent un autre obstacle. Par exemple, il n'est pas acceptable d'étudier les besoins nutritionnels des enfants par des méthodes qui pourraient nuire à leur croissance et à leur développement.

Une bonne partie des connaissances sur la nutrition humaine nous vient de l'*épidémiologie*, qui est l'étude de la santé et de la maladie chez les populations humaines. Dans les années 1970, par exemple, les chercheurs ont découvert que les enfants nés de mères issues d'un milieu socioéconomique défavorisé présentaient un risque plus élevé de souffrir d'une anomalie particulière du tube neural, caractérisée par un défaut de fermeture de la moelle épinière (voir le concept 47.2). Le scientifique anglais Richard Smithells a émis l'hypothèse que cette malformation résultait d'une malnutrition avant le début de la grossesse. Comme le montre la **figure 41.4**, ce chercheur a constaté que les suppléments vitaminiques réduisaient considérablement le risque de malformation du tube neural, comme le spina bifida. D'autres études lui ont fourni des données probantes indiquant qu'il s'agissait d'une carence en acide folique (vitamine B_9). Cette découverte a été confirmée par d'autres chercheurs. À partir de ces données, le Canada et les États-Unis ont commencé en 1998 à exiger qu'on ajoute de l'acide folique aux produits céréaliers enrichis, notamment à ceux qu'on utilise dans la fabrication du pain et des céréales. Des études de suivi ont démontré que ce programme réduit effectivement la fréquence des anomalies du tube neural. La microchirurgie et les techniques d'imagerie médicale ultramodernes volent souvent la vedette lorsqu'on entend parler des progrès de la médecine. Pourtant, un simple changement dans l'alimentation, comme l'ajout d'acide folique, représente également une grande avancée en matière de santé humaine.

RETOUR SUR LE CONCEPT 41.1

1. Un animal a besoin des 20 acides aminés pour fabriquer des protéines. Pourquoi ces acides aminés ne sont-ils pas tous *essentiels* dans l'alimentation d'un animal ?
2. **FAITES DES LIENS ▶** Rappelez-vous la façon dont les enzymes fonctionnent (voir le concept 8.4) et expliquez pourquoi les vitamines sont nécessaires en très petites quantités.

3. **ET SI ?** ▶ Supposez qu'un animal en captivité (dans un zoo) qui mange abondamment présente des signes de malnutrition. Expliquez comment un chercheur pourrait déterminer le nutriment essentiel qui manque à l'alimentation de cet animal.

Voir les réponses proposées à l'appendice A.

DÉMARCHE SCIENTIFIQUE

INVESTIGATION

▼ **Figure 41.4**

L'alimentation a-t-elle une incidence sur la fréquence des malformations congénitales ?

■ **HYPOTHÈSE** ■ Richard Smithells, chercheur à la University of Leeds, en Angleterre, a étudié l'effet d'une supplémentation vitaminique sur le risque de malformation du tube neural chez des femmes qui avaient eu un ou plusieurs bébés présentant une telle anomalie. Il a émis l'hypothèse que la prise de suppléments vitaminiques avant et durant la grossesse diminuait le risque d'anomalie du tube neural.

■ **EXPÉRIENCE** ■ Pour vérifier cette hypothèse, Smithells a réparti ces femmes en deux groupes : le groupe expérimental comprenait celles qui avaient planifié leur grossesse et commencé à prendre des multivitamines au moins quatre semaines avant de concevoir. Le groupe témoin, lui, comprenait les femmes qui ne prenaient pas de suppléments, notamment celles qui avaient refusé de le faire et celles qui étaient déjà enceintes. Smithells a ensuite noté le nombre de cas d'anomalies du tube neural parmi les bébés des femmes des deux groupes.

■ **RÉSULTATS** ■

Groupe	Nombre de bébés ou fœtus étudiés	Nombre de bébés ou fœtus atteints
Avec suppléments vitaminiques (groupe expérimental)	141	1 (0,7 %)
Sans suppléments vitaminiques (groupe témoin)	204	12 (5,9 %)

Source des données : R. W. Smithells et coll., Possible prevention of neural-tube defects by periconceptional vitamin supplementation, *Lancet* 315 : 339-340 (1980).

■ **CONCLUSION** ■ Cette étude a montré que les suppléments vitaminiques diminuaient le risque d'anomalie du tube neural, du moins après la première grossesse. Des études de suivi ont montré que les suppléments contenant uniquement de l'acide folique exerçaient un effet protecteur équivalent.

INTERPRÉTEZ LES DONNÉES ▶ Aux États-Unis, la prescription généralisée de suppléments d'acide folique chez les femmes enceintes a été suivie d'une diminution de la fréquence des anomalies du tube neural (1 cas sur 5 000 naissances vivantes). Proposez deux raisons qui pourraient expliquer pourquoi la fréquence observée était beaucoup plus élevée dans le groupe expérimental de l'étude de Smithells.

CONCEPT **41.2**

La transformation des aliments comprend l'ingestion, la digestion, l'absorption et l'élimination

Maintenant que nous avons présenté les besoins nutritionnels des animaux, nous décrirons en quatre étapes les processus qui transforment les aliments : l'ingestion, la digestion, l'absorption et l'élimination.

La transformation des aliments commence par l'**ingestion**, soit l'acte de manger à proprement parler. Comme le montre la **figure 41.5**, on peut classer en quatre groupes les modes d'ingestion de la plupart des animaux.

La **digestion** constitue la deuxième étape de la transformation des aliments. Elle consiste à décomposer les aliments en molécules suffisamment petites pour être absorbées par le corps. Pour ce faire, elle fait généralement intervenir des processus mécaniques et chimiques. La digestion mécanique, par la mastication ou le broyage, par exemple, fragmente les aliments en petits morceaux, ce qui augmente la surface exposée aux processus chimiques. Les particules de nourriture subissent ensuite une digestion chimique qui permet de décomposer les grosses molécules en plus petits composants.

La digestion chimique est nécessaire puisque les animaux ne peuvent pas utiliser directement les protéines, les glucides, les acides nucléiques, les lipides et les phospholipides contenus dans les aliments : ces macromolécules sont trop volumineuses pour passer à travers les membranes cellulaires et pénétrer dans les cellules, et elles ne conviennent pas nécessairement, telles quelles, aux tissus et aux besoins physiologiques d'un animal. En décomposant les macromolécules des aliments en leurs constituants, la digestion chimique permet à l'animal de les utiliser pour assembler des macromolécules qui répondront à ses besoins propres. Par exemple, même si la mouche tsé-tsé et la baleine à bosse de la figure 41.5 ont des alimentations fort différentes, elles décomposent toutes deux les protéines de leur nourriture pour obtenir les 20 mêmes acides aminés à partir desquels elles élaboreront toutes les protéines propres à leur organisme.

Une cellule fabrique une macromolécule ou un lipide en réunissant des composants plus petits ; elle y arrive en éliminant une molécule d'eau pour chaque nouvelle liaison covalente formée. La digestion chimique inverse ce processus : elle rompt chaque liaison en ajoutant une molécule d'eau (voir la figure 5.2). Ce processus de dégradation des macromolécules est catalysé par les enzymes digestives et s'appelle **hydrolyse enzymatique**. Les polysaccharides et les disaccharides sont décomposés en monosaccharides, comme illustré ici pour le saccharose :

▼ **L'hydrolyse enzymatique d'un disaccharide.**

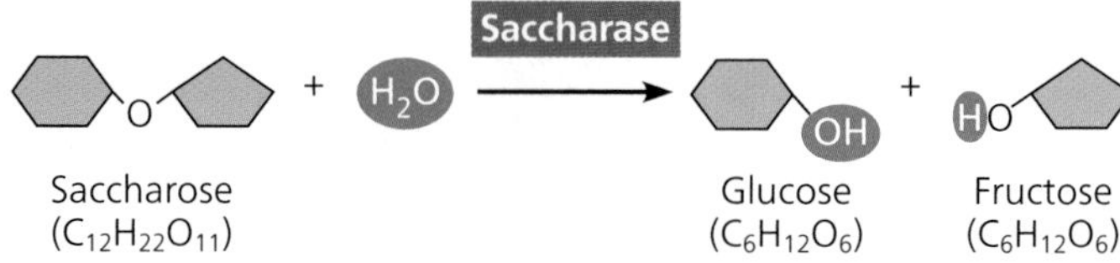

▼ Figure 41.5

PANORAMA Les quatre principaux modes d'ingestion des aliments par les animaux

L'ingestion par filtration

Les **organismes filtreurs** sont des animaux aquatiques qui se nourrissent en filtrant les petits organismes ou les particules d'aliments en suspension dans leur milieu. Cette baleine à bosse (*Megaptera novaeangliae*) en est un exemple. Pour se nourrir, elle utilise ses fanons – deux rangées de lames cornées en forme de peigne suspendues à sa mâchoire supérieure – pour filtrer d'énormes quantités d'eau (et parfois de boue) contenant des petits invertébrés et des poissons. L'ingestion par filtration est un type de microphagie suspensivore, qui inclut également le retrait de particules d'aliments en suspension dans le milieu environnant par divers mécanismes de capture et de piégeage.

L'ingestion du substrat

Les animaux qui se nourrissent par **ingestion du substrat** vivent sur leur source de nourriture ou à l'intérieur de celle-ci. Cette chenille processionnaire du chêne, qui est la larve d'un papillon de nuit (*Thaumetopoea processionea*), se fraye un chemin dans le tissu mou d'une feuille de chêne en mangeant ce tissu à mesure et en laissant une traînée de matières fécales noirâtres sur son passage. Les asticots (larves de mouches), qui se nourrissent de cadavres d'animaux, font également partie de cette catégorie.

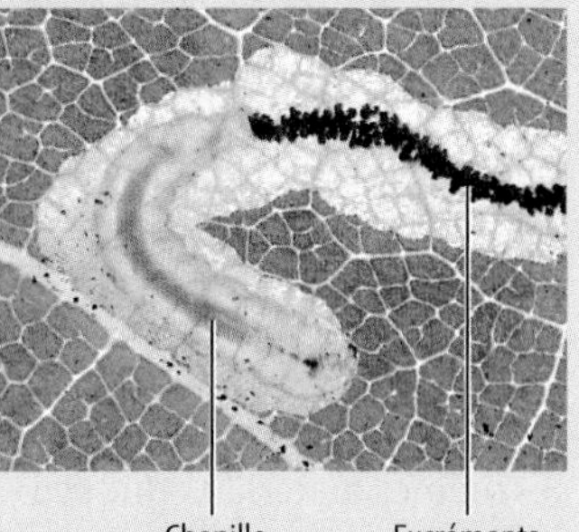

L'ingestion par aspiration

Les espèces qui ont recours à un mécanisme d'**ingestion par aspiration** tirent des liquides riches en nutriments d'un hôte vivant. Cette mouche tsé-tsé (*Glossina sp.*) a perforé l'épiderme de son hôte humain au moyen d'une pièce buccale semblable à une aiguille hypodermique.Elle remplit de sang son tube digestif. De même, les pucerons (de la superfamille des *aphidoidea*) puisent la sève élaborée du phloème de certains végétaux. Contrairement à ces parasites qui nuisent à leurs hôtes, d'autres espèces qui utilisent l'ingestion par aspiration rendent service à ces derniers. Par exemple, les colibris et les abeilles transportent du pollen quand ils visitent les fleurs à la recherche de nectar.

L'ingestion en vrac

La plupart des animaux, notamment les humains, se nourrissent par **ingestion en vrac**. Ils utilisent différentes parties anatomiques pour tuer les proies, déchirer la chair ou arracher des matières végétales : des tentacules, des pinces, des griffes, des crochets venimeux, des mâchoires et des dents. Ils consomment des morceaux de nourriture relativement gros. Dans cette scène étonnante, un python de Séba (*Python sebae*) commence à ingérer une gazelle qu'il a capturée et tuée. (On a déjà trouvé les restes d'un adulte humain dans le tube digestif d'un python indien, *Python molurus*.) Les serpents sont incapables de déchiqueter leur proie et de les mâcher pour les diviser en morceaux. Ils doivent avaler la proie tout entière, même si elle excède leur propre diamètre. Ils en sont capables parce que leur mâchoire inférieure est attachée lâchement à leur crâne par un ligament élastique qui permet à la bouche et à la gorge de s'ouvrir très grand. Il faudra plus d'une heure au python pour avaler cette gazelle. Il passera ensuite au moins deux semaines dans un lieu calme situé à proximité pour digérer son repas.

De la même façon, les protéines sont décomposées en petits peptides et en acides aminés, et les acides nucléiques sont réduits en nucléotides et en leurs constituants. L'hydrolyse enzymatique libère également des acides gras et d'autres composants que renferment les lipides et les phospholipides. Chez beaucoup d'animaux, les bactéries vivant dans le système digestif accomplissent une partie de la digestion chimique.

Les deux derniers processus qui transforment les aliments se déroulent après la digestion. Au cours de la troisième étape, l'**absorption**, les cellules absorbent les petites molécules telles que les acides aminés et les glucides simples. Lors de la dernière étape, l'**élimination**, les matières qui n'ont pas subi de digestion ni d'absorption quittent l'organisme selon l'une des façons décrites dans la section suivante.

Les compartiments de la digestion

Nous venons de voir que les matériaux biologiques (protéines, lipides, glucides, etc.) hydrolysés par les enzymes digestives sont les mêmes matériaux que ceux qui composent l'animal lui-même. Comment, alors, l'animal arrive-t-il à digérer sa nourriture sans se digérer lui-même? Ce tour de force est le fruit d'une adaptation évolutive, en l'occurrence des compartiments spécialisés intracellulaires ou extracellulaires dont la fonction consiste à traiter les aliments séparément des tissus de l'animal.

La digestion intracellulaire

Les phagosomes (vacuoles digestives) sont les cavités digestives les plus simples. Il s'agit d'organites cellulaires servant à décomposer les aliments. Cette digestion, appelée **digestion intracellulaire**, commence dans la cellule une fois que celle-ci a incorporé les aliments par phagocytose ou par pinocytose (voir la figure 7.19). Les phagosomes nouvellement formés fusionnent avec des lysosomes, des organites contenant des enzymes hydrolytiques. La fusion des organites permet aux enzymes d'entrer en contact avec les aliments et de procéder à la digestion dans une cavité délimitée par une membrane protectrice, sans que les enzymes hydrolytiques qu'ils contiennent dégradent le cytoplasme de la cellule. Les éponges se distinguent des autres animaux en ce qu'elles digèrent entièrement leur nourriture grâce à ce mécanisme intracellulaire (voir la figure 33.4).

La digestion extracellulaire

Chez la plupart des animaux, l'hydrolyse s'effectue en grande partie au cours de la **digestion extracellulaire**, un processus de dégradation des aliments qui se déroule dans des compartiments communiquant avec l'extérieur du corps des animaux. Le fait de disposer de compartiments extracellulaires servant à la digestion permet à un animal de dévorer des proies beaucoup plus grosses que celles qui sont phagocytées et digérées à l'intérieur d'une cellule.

Les animaux dont le plan d'organisation corporelle est simple possèdent généralement une cavité digestive à une seule ouverture (**figure 41.6**). Cette structure en forme de sac, appelée **cavité gastrovasculaire**, sert à la fois à la digestion des nutriments et à leur circulation dans tout l'organisme (d'où le qualificatif *vasculaire*). L'hydre (*Hydra sp.*), un petit cnidaire d'eau douce, illustre bien le fonctionnement de la cavité gastrovasculaire.

▼ **Figure 41.6 La digestion chez l'hydre.** La digestion commence dans la cavité gastrovasculaire. Elle se poursuit dans les cellules gastrodermiques, une fois que les petites particules d'aliments y sont entrées par phagocytose.

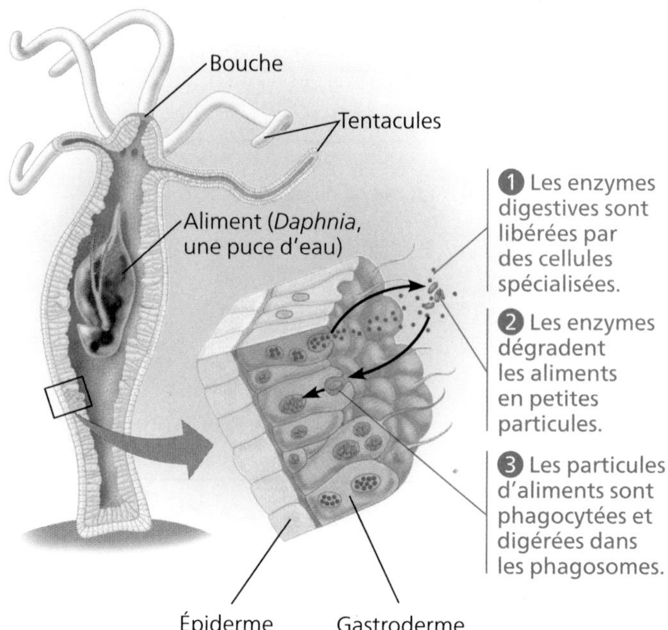
Bouche
Tentacules
Aliment (*Daphnia*, une puce d'eau)
❶ Les enzymes digestives sont libérées par des cellules spécialisées.
❷ Les enzymes dégradent les aliments en petites particules.
❸ Les particules d'aliments sont phagocytées et digérées dans les phagosomes.
Épiderme
Gastroderme

FAITES UN DESSIN ▶ Dessinez un schéma simple qui montre le trajet suivi par les nutriments, depuis le moment où ils entrent dans la bouche de l'hydre jusqu'au moment où ils atteignent une cellule située sur la couche externe (l'épiderme) à l'extrémité d'un de ses tentacules. Ensuite, indiquez les différentes structures représentées sur votre dessin.

Cet animal carnivore utilise ses tentacules pour porter la proie capturée à sa bouche et l'introduire dans sa cavité gastrovasculaire. Des cellules spécialisées du gastroderme (le tissu tapissant la cavité) sécrètent alors des enzymes digestives qui séparent les tissus mous de la proie en petits fragments. Ensuite, d'autres cellules gastrodermiques ingèrent par phagocytose les particules d'aliments, et la plus grande partie de l'hydrolyse des macromolécules se fait à l'intérieur des cellules, comme chez les éponges; la digestion chez les cnidaires n'est donc que partiellement extracellulaire. Une fois qu'elle a digéré son repas, l'hydre élimine par son orifice unique les matières non digérées restant dans sa cavité gastrovasculaire (les exosquelettes de petits crustacés, par exemple). Son unique orifice lui sert à la fois de bouche et d'anus. De nombreux vers plats possèdent aussi une cavité gastrovasculaire munie d'un seul orifice (voir la figure 33.10).

Chez les animaux dont le plan d'organisation corporelle est complexe, la cavité gastrovasculaire est remplacée par un conduit doté de deux ouvertures: la bouche et l'anus (**figure 41.7**). Ce conduit s'appelle **tube digestif**, *tractus digestif* ou *canal alimentaire*. Pareille structure a pu apparaître chez les animaux grâce à une importante innovation évolutive, la cavité interne, ou cœlome, dont il a été question au concept 32.3. Comme la nourriture se déplace dans une seule direction, le tube digestif peut comprendre plusieurs compartiments spécialisés effectuant graduellement la digestion des aliments puis l'absorption des nutriments. Un autre avantage d'un tube digestif complet est de rendre possible l'ingestion de nourriture avant que les repas précédents aient été entièrement digérés. La digestion se déroule donc de façon continue et la nourriture digérée reste relativement séparée de celle qui ne l'est pas encore. Les animaux munis d'une simple cavité gastrovasculaire n'ont pas ce privilège.

Étant donné que la plupart des animaux, dont les mammifères, possèdent un tube digestif, nous prendrons l'exemple du tube digestif de ces vertébrés dans la prochaine section pour illustrer les principes généraux de la transformation des aliments dans l'organisme.

▼ **Figure 41.7 Différents tubes digestifs.** Ces exemples montrent à quel point l'organisation et la structure des compartiments destinés à la digestion, au stockage et à l'absorption des aliments peuvent différer d'un animal à l'autre.

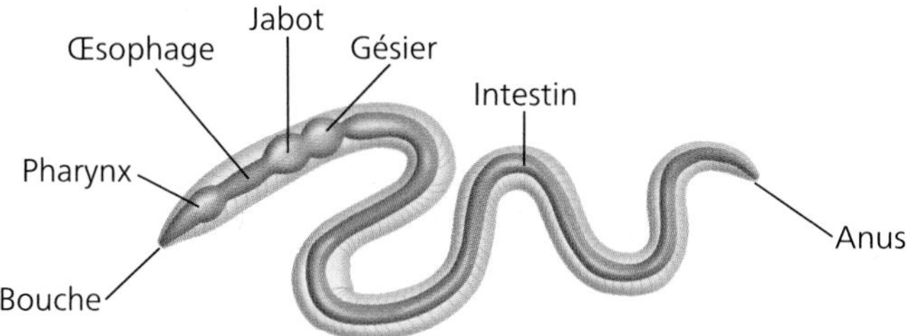

(a) Ver de terre. Le tube digestif du ver de terre commence par la bouche. Les aliments y entrent par un mouvement d'aspiration déclenché par le pharynx, qui est musculeux. Ils passent ensuite dans l'œsophage, avant d'atteindre le jabot, où ils sont emmagasinés et humidifiés. La digestion mécanique a lieu dans le gésier, également musculeux, qui contient de petits morceaux de sable et de gravier facilitant le broyage de la nourriture. La digestion et l'absorption s'effectuent dans l'intestin.

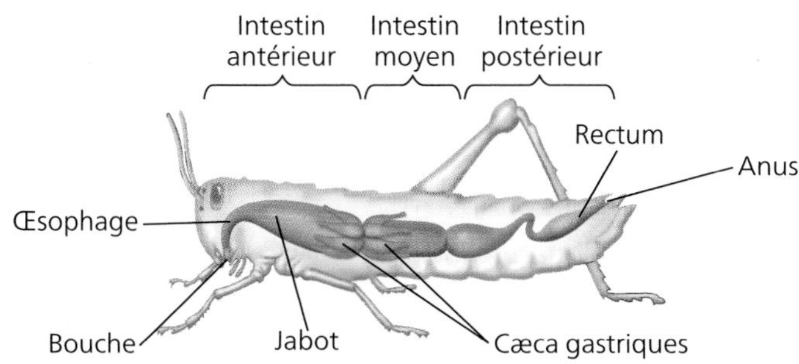

(b) Criquet. Le criquet possède plusieurs cavités digestives, groupées en trois régions principales: l'intestin antérieur (comportant l'œsophage et le jabot), l'intestin moyen et l'intestin postérieur. Les aliments sont humidifiés et emmagasinés dans le jabot, mais la majeure partie de la digestion s'effectue dans l'intestin moyen. Des cæca gastriques, soit des structures en forme de sac émergeant de l'intestin moyen, servent à digérer et à absorber les nutriments.

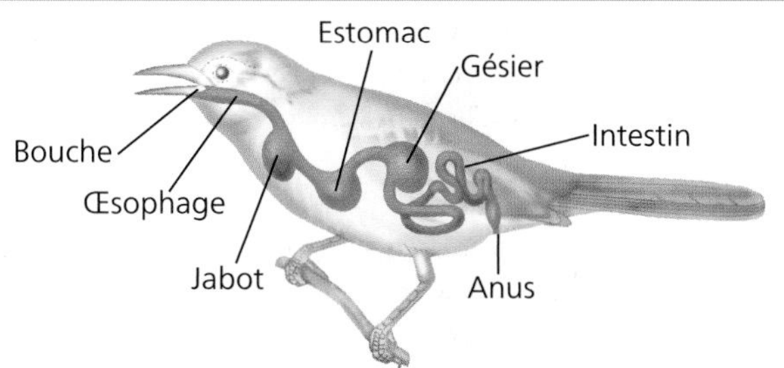

(c) Oiseau. De nombreux oiseaux possèdent un jabot pour emmagasiner la nourriture ainsi qu'un estomac et un gésier pour la digérer mécaniquement. La digestion chimique et l'absorption des nutriments se déroulent dans l'intestin.

RETOUR SUR LE CONCEPT **41.2**

1. Quelle est la principale différence anatomique entre une cavité gastrovasculaire et un tube digestif ?
2. Dans quel sens peut-on dire que les nutriments ingérés lors d'un repas ne sont pas vraiment «à l'intérieur» de notre organisme avant l'absorption, une des étapes de la transformation des aliments ?
3. **ET SI ?** ▶ De manière générale, quelles ressemblances y a-t-il entre la digestion dans le corps d'un animal et la dégradation de l'essence dans une voiture ? (Il n'est pas nécessaire de s'y connaître en mécanique automobile pour répondre à cette question.)

Voir les réponses proposées à l'appendice A.

CONCEPT **41.3**

Les différents organes du système digestif des mammifères assurent la transformation progressive de la nourriture

Chez les mammifères, divers organes annexes comme les trois paires de glandes salivaires, les dents, la langue, le pancréas, le foie et la vésicule biliaire participent à la transformation des aliments soit en contribuant à la digestion mécanique, soit en déversant par des conduits diverses substances intervenant dans la digestion chimique qui se déroule dans le tube digestif. Pour comprendre la coordination des fonctions du tube digestif et des organes annexes, nous allons suivre le trajet des aliments dans le tube digestif de l'humain et examiner en détail ce qu'ils deviennent à chaque étape de leur transformation.

La cavité orale, le pharynx et l'œsophage

Dès qu'un aliment entre dans votre bouche, ou **cavité orale**, la transformation de la nourriture commence (**figure 41.8**). Les dents de diverses formes coupent, écrasent et broient les aliments en petits morceaux. Cette décomposition mécanique a pour effet d'augmenter la surface exposée aux agents chimiques et de faciliter la déglutition. La présence d'aliments dans la cavité buccale (ou la seule idée de leur arrivée) déclenche la sécrétion de salive par les **glandes salivaires**.

La salive est un mélange complexe de substances dont les fonctions sont importantes. Un des principaux composants de la salive est le **mucus**, un mélange visqueux d'eau, de sels, de cellules et de glycoprotéines (complexes glucides-protéines). Le mucus protège les muqueuses de la bouche contre l'abrasion et lubrifie les aliments pour faciliter leur déglutition. Il favorise en outre le goût et l'odorat. La salive contient également des solutions tampons qui aident à prévenir la carie dentaire en neutralisant les substances acides introduites dans la bouche. En outre, les agents antibactériens salivaires (tel le lysozyme; voir la figure 5.16) protègent contre les bactéries ingérées avec la nourriture.

Les scientifiques comprennent mal pourquoi la salive contient une si grande quantité d'**amylase salivaire**, une enzyme

▼ **Figure 41.8 Le système digestif de l'humain.** Après avoir été mastiqués et déglutis, les aliments prennent de 5 à 10 secondes pour parcourir l'œsophage et entrer dans l'estomac. Ils y restent de 2 à 6 heures, partiellement digérés. La majeure partie de la digestion et de l'absorption des nutriments se produit dans l'intestin grêle; elle dure de 5 à 6 heures. En 12 à 24 heures, tous les résidus de la digestion traversent le gros intestin jusqu'à l'anus, par lequel les matières fécales sont expulsées.

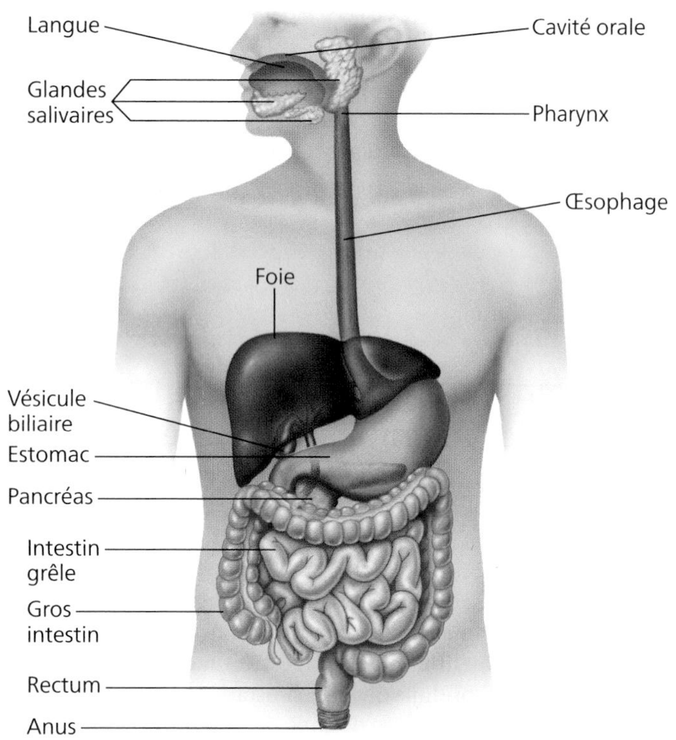

digestive qui dégrade l'amidon (polymère de glucose produit par les végétaux) et le glycogène (polymère de glucose produit par des animaux). La majeure partie de la digestion chimique a lieu non pas dans la bouche, mais dans l'intestin grêle, où l'amylase est également présente. Pourquoi, alors, y a-t-il autant d'amylase dans la salive, se demandent les scientifiques ? Une des hypothèses actuelles veut que l'amylase salivaire libère les particules d'aliments collées aux dents, réduisant ainsi la quantité de nutriments offerts aux microorganismes qui vivent dans la bouche.

La langue joue également un rôle important dans la transformation des aliments. À la manière d'un portier qui contrôle et oriente les personnes qui entrent dans un édifice, la langue participe à la digestion en évaluant certaines qualités des substances ingérées et en déterminant quels aliments poursuivront leur chemin dans le tube digestif. (Voir le concept 50.4 pour une description du sens du goût.) Une fois la nourriture jugée acceptable, la mastication débute et les mouvements de la langue façonnent les aliments en une boule appelée **bol alimentaire** (**figure 41.9**). En outre, la langue sécrète une enzyme, la lipase linguale, qui amorce la digestion chimique des triglycérides. Pendant la déglutition, la langue a également pour fonction de pousser le bol alimentaire vers l'arrière de la cavité orale, dans le pharynx.

Chaque bol alimentaire descend dans la région que nous appelons *gorge* et qui correspond au **pharynx**. Le pharynx est un carrefour qui communique aussi bien avec l'œsophage qu'avec les voies respiratoires (trachée). L'**œsophage** est un conduit musculeux qui s'abouche avec l'estomac, tandis que la trachée mène aux poumons. Le mécanisme de la déglutition doit donc se dérouler correctement pour que la nourriture et les liquides ne s'introduisent pas dans la trachée et n'obstruent pas les voies respiratoires, causant un étouffement. Le manque d'air

▼ **Figure 41.9 L'intersection des voies respiratoires et du tube digestif chez l'humain.** Chez l'humain, le pharynx communique à la fois avec la trachée et l'œsophage. **(a)** La plupart du temps, le sphincter œsophagien supérieur est contracté et bloque ainsi l'entrée de l'œsophage, tandis que la trachée demeure ouverte. **(b)** L'arrivée d'un bol alimentaire dans le pharynx déclenche le réflexe de déglutition. Le mouvement du larynx (partie supérieure des voies respiratoires) renverse alors l'épiglotte sur la glotte, ce qui empêche la nourriture de s'introduire dans la trachée. Par ailleurs, l'uvule palatine (luette) remonte et prévient le reflux des aliments dans la cavité nasale. Au même moment, le sphincter œsophagien supérieur se détend et permet au bol alimentaire de passer dans l'œsophage. La trachée s'ouvre à nouveau, et des ondes de contraction musculaire (péristaltisme) font descendre le bol alimentaire dans l'œsophage jusqu'à l'estomac.

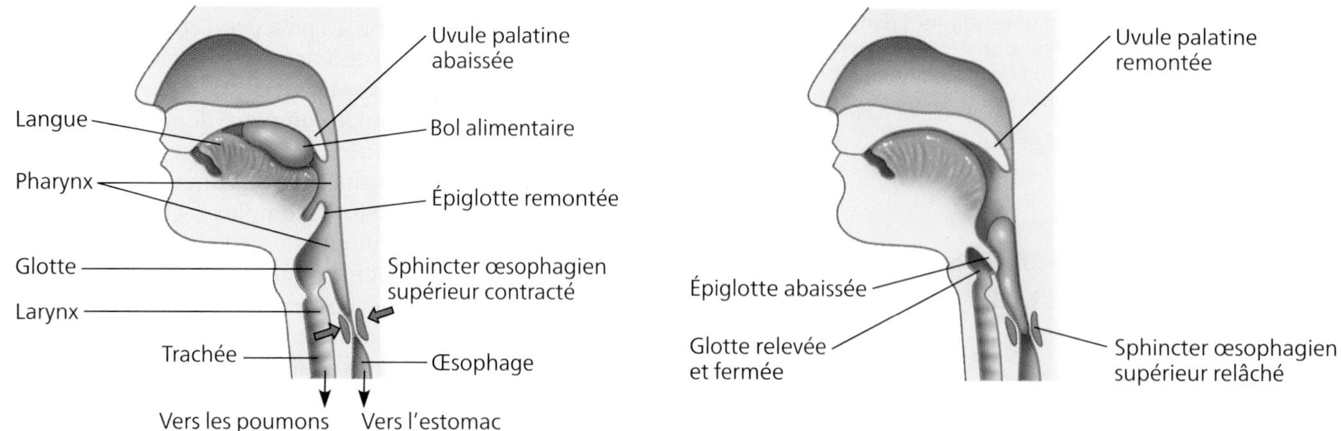

HABILETÉS VISUELLES ▶ Si vous riez en buvant de l'eau, le liquide peut vous sortir par les narines. Servez-vous du diagramme pour expliquer pourquoi cela arrive, en tenant compte du fait que pour rire, il faut expirer.

aux poumons peut alors être fatal si la cause de l'obstruction n'est pas expulsée rapidement par une toux vigoureuse ou une forte pression sur le diaphragme, vers le haut (manœuvre de Heimlich).

Dans l'œsophage, les aliments avancent dans le canal alimentaire grâce au **péristaltisme**, c'est-à-dire un mouvement produit par une succession de contractions rythmiques résultant de l'action des muscles lisses. Arrivé au bout de l'œsophage, le bol alimentaire rencontre un **sphincter** (ou muscle sphincter), qui est une valve musculaire en forme d'anneau (**figure 41.10**). Celui-ci ouvre et ferme le tube à la manière d'un nœud coulant, régulant le passage des aliments d'un compartiment à l'autre.

La digestion dans l'estomac

L'**estomac**, situé immédiatement sous le diaphragme, remplit deux grandes fonctions. La première est d'entreposer la nourriture. Grâce à ses replis en accordéon et à sa paroi extrêmement élastique, il peut s'étirer jusqu'à contenir environ 2 L d'aliments et de liquides. La seconde est de transformer les aliments en une suspension liquide. Comme on le voit dans la figure 41.10, l'estomac sécrète le **suc gastrique**, une solution digestive qui se mélange aux aliments grâce aux contractions des muscles lisses de la paroi stomacale. La bouillie formée par les aliments et les sucs gastriques est appelée **chyme**.

La digestion chimique

Deux constituants du suc gastrique aident à liquéfier le bol alimentaire dans l'estomac. Premièrement, l'acide chlorhydrique (HCl) démantèle la matrice extracellulaire qui assemble les cellules des tissus végétaux et animaux. Sa concentration est si élevée que le pH du suc gastrique est d'environ 2, ce qui est suffisamment acide pour dissoudre du fer (et tuer la plupart des bactéries). Ce pH très bas dénature (déplie) les protéines de la nourriture et expose ainsi leurs liaisons peptidiques. Les liaisons exposées sont alors attaquées par le deuxième composant du suc gastrique, la **pepsine**, qui est une **protéase** (c'est-à-dire une enzyme qui hydrolyse les protéines). La pepsine fait partie des rares enzymes parfaitement adaptées au travail en milieu fortement acide. En brisant les liaisons peptidiques, elle décompose les protéines en polypeptides plus petits et expose davantage le contenu des tissus ingérés.

▼ **Figure 41.10 L'estomac et ses sécrétions.**

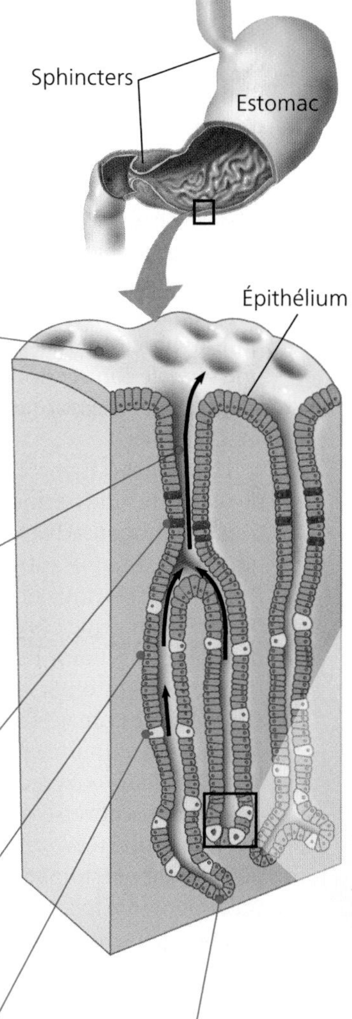

Sphincters
Estomac
Épithélium
Muqueuse de l'estomac. La paroi interne de l'estomac comporte un grand nombre de replis parsemés de cryptes, des invaginations qui communiquent avec une ou plusieurs glandes gastriques.
Glandes gastriques. Les glandes gastriques sont constituées d'un épithélium simple prismatique, qui comporte trois types de cellules: les cellules à mucus, les cellules principales et les cellules pariétales. Chaque type de cellules sécrète une substance particulière dont l'ensemble constitue le suc gastrique.
Les **cellules à mucus** sécrètent du mucus, une substance qui lubrifie et protège les cellules de la paroi stomacale.
Les **cellules principales** sécrètent des enzymes digestives, de la lipase gastrique et du pepsinogène, la forme inactive de la pepsine.
Les **cellules pariétales** produisent les constituants de l'acide chlorhydrique (HCl). Elles sécrètent également dans l'intestin grêle le facteur intrinsèque, essentiel à l'absorption de la vitamine B_{12}.
Les **cellules G** sécrètent la gastrine, une hormone, dans le sang.

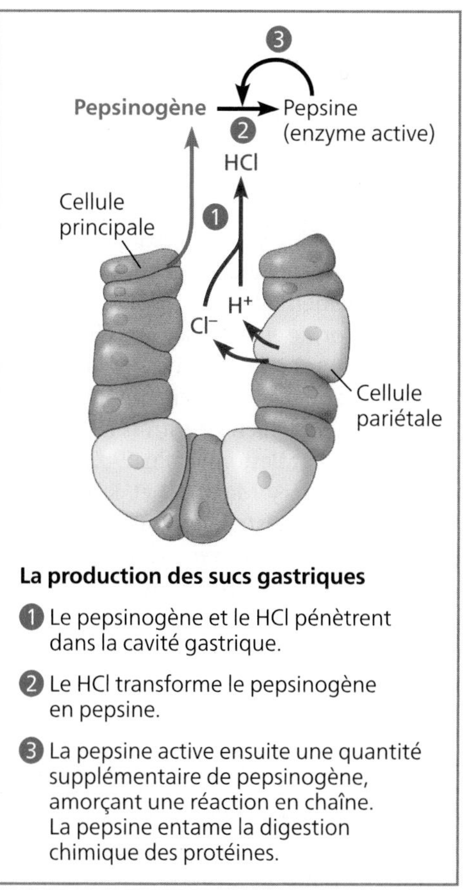

3
Pepsinogène
Pepsine (enzyme active)
2
HCl
Cellule principale
1
H^+
Cl^-
Cellule pariétale
La production des sucs gastriques
1 Le pepsinogène et le HCl pénètrent dans la cavité gastrique.
2 Le HCl transforme le pepsinogène en pepsine.
3 La pepsine active ensuite une quantité supplémentaire de pepsinogène, amorçant une réaction en chaîne. La pepsine entame la digestion chimique des protéines.

Les composants du suc gastrique sont produits par deux types de cellules contenues dans les glandes gastriques de l'estomac. Les *cellules pariétales* utilisent une pompe activée par l'ATP pour expulser les ions hydrogène (H^+) dans la cavité. Au même moment, les ions chlorure (Cl^-) diffusent dans la cavité par des canaux membranaires spécifiques des cellules pariétales. Ce n'est qu'une fois mis en présence dans la lumière stomacale que ces deux constituants se combinent pour donner le HCl (voir la figure 41.10). Les cellules pariétales sécrètent aussi le facteur intrinsèque. Ce dernier protège la vitamine B_{12} de l'acidité gastrique et rend possible son absorption. Une carence de cette vitamine entraîne l'anémie pernicieuse. Dans l'intervalle, les *cellules principales* libèrent la pepsine dans la lumière stomacale, sous une forme inactive appelée **pepsinogène**. Le HCl convertit le pepsinogène en pepsine (active) en retirant un fragment de la molécule et en exposant son site actif. Au cours de ces processus, c'est donc dans la lumière (cavité) de l'estomac, et non dans les cellules des glandes gastriques, que se forment le HCl et la pepsine. C'est ainsi que les cellules pariétales et principales peuvent produire le suc gastrique sans être digérées de l'intérieur par les constituants du suc. Les cellules principales sécrètent également la lipase gastrique qui, à l'instar de la lipase linguale, digère une petite quantité des triglycérides (15 %), plus précisément les triglycérides à chaînes courtes. Enfin, d'autres cellules, les cellules G, sécrètent la gastrine, une hormone qui passe dans le sang pour aller stimuler la production des sucs gastriques.

Une fois que le HCl a converti une petite quantité de pepsinogène en pepsine, cette pepsine active elle-même le reste du pepsinogène. Comme le HCl, la pepsine peut couper le pepsinogène pour exposer le site actif de l'enzyme. Cette réaction produit plus de pepsine, laquelle active davantage de pepsinogène, ce qui accroît les quantités d'enzyme active. L'activation du pepsinogène constitue un exemple de rétroactivation, un mécanisme qui amplifie l'effet d'un stimulus (voir le concept 40.2).

Comment se fait-il que la muqueuse gastrique ne soit pas endommagée par le HCl et par la pepsine ? Tout d'abord, le mucus sécrété par les cellules des glandes gastriques protège la muqueuse contre l'autodigestion (voir la figure 41.10). De plus, les cellules épithéliales de la muqueuse gastrique se multiplient continuellement, de sorte que tous les trois jours, une nouvelle couche se forme et remplace les cellules érodées par les sucs gastriques. Malgré cela, il arrive que des lésions, appelées ulcères gastriques, apparaissent. Pendant des décennies, les scientifiques ont attribué les ulcères au stress et à son influence sur la sécrétion d'acide par l'estomac. En 1982, cependant, les chercheurs australiens Barry Marshall et Robin Warren ont découvert que les ulcères gastriques étaient principalement causés par la bactérie *Helicobacter pylori*. Ils ont également montré qu'une antibiothérapie pouvait guérir la plupart des ulcères gastriques. En 2005, ces découvertes ont valu un prix Nobel aux deux chercheurs.

La digestion mécanique

L'activité musculaire de l'estomac contribue à la dégradation des aliments par le suc gastrique. En effet, toutes les 20 secondes environ, les muscles lisses de l'estomac brassent et pétrissent son contenu. Cette action de malaxage de l'estomac facilite la digestion chimique en exposant tout le bol alimentaire au suc gastrique sécrété par l'estomac. C'est ainsi qu'un repas qui vient d'être ingéré devient une bouillie acide riche en éléments nutritifs appelée chyme.

Les contractions des muscles de l'estomac aident aussi à pousser les aliments qu'il contient dans le tube digestif. En général, le contenu de l'estomac atteint l'intestin grêle de 2 à 6 heures après un repas, principalement grâce au péristaltisme. Dans la partie inférieure de l'estomac, qui communique avec l'intestin grêle, se trouve le sphincter pylorique, un muscle qui règle le passage du chyme dans l'intestin, un jet à la fois. L'orifice du cardia, par lequel l'estomac communique avec l'œsophage et qui est contrôlé par le sphincter œsophagien inférieur, ne se dilate habituellement qu'à l'arrivée d'un bol alimentaire. Parfois, cependant, le reflux de chyme acide dans la partie inférieure de l'œsophage cause des aigreurs (les « brûlures d'estomac »).

La digestion dans l'intestin grêle

Bien que la digestion chimique de certains nutriments commence dans la cavité orale ou dans l'estomac, la majeure partie de l'hydrolyse enzymatique des macromolécules alimentaires se déroule dans l'intestin grêle (**figure 41.11**). Cet organe a hérité du qualificatif « grêle » non pas parce qu'il est mince ou très fin, mais en raison de son diamètre qui est petit en comparaison de celui du gros intestin. En fait, l'**intestin grêle** est le plus long compartiment du tube digestif : il mesure plus de 6 m chez l'humain. Le premier segment de 25 cm environ s'appelle **duodénum**. C'est là que le chyme acide en provenance de l'estomac se mêle aux substances facilitant la digestion issues du pancréas, du foie, de la vésicule biliaire et des cellules glandulaires de la muqueuse intestinale. Comme nous le verrons au concept 41.5, les hormones libérées par l'estomac et le duodénum régulent les sécrétions gastriques dans le tube digestif. La progression du chyme dans l'intestin grêle est assurée par le péristaltisme combiné au processus de la **segmentation**. Ce dernier consiste en une série de contractions de la paroi intestinale qui contribuent à fragmenter mécaniquement le chyme et à le mélanger avec les sucs digestifs.

L'arrivée du chyme dans le duodénum déclenche la libération de sécrétine, une hormone qui incite le **pancréas** à sécréter des ions bicarbonate (HCO_3^-), ainsi que la libération de cholécystokinine (CCK), une autre hormone qui augmente les sécrétions de suc pancréatique et provoque la contraction de la vésicule biliaire. Notez que ces deux hormones ont d'autres effets : elles provoquent notamment la diminution des sécrétions et de la motilité de l'estomac. Les ions HCO_3^- neutralisent l'acidité du chyme de l'estomac et agissent comme substance tampon pour la digestion chimique dans l'intestin grêle. Le pancréas y sécrète aussi plusieurs enzymes, dont la trypsine et la chymotrypsine, des protéases déversées dans le duodénum sous une forme inactive. Dans une réaction en chaîne semblable à l'activation de la pepsine dans l'estomac, les protéases pancréatiques sont activées seulement une fois parvenues dans la lumière du duodénum, là où elles peuvent accomplir leurs fonctions sans risque de léser les autres tissus. Le pancréas sécrète également la carboxypeptidase pancréatique, les amylases pancréatiques, la lipase pancréatique et les nucléases pancréatiques, des enzymes qui participent à la digestion des polypeptides, de l'amidon, des lipides et des acides nucléiques.

La paroi épithéliale du duodénum est la source de plusieurs enzymes digestives. Certaines d'entre elles sont sécrétées dans la cavité du duodénum, alors que d'autres sont en fait liées à la surface des cellules épithéliales. La majeure partie de la digestion s'achève dans le duodénum sous l'action des enzymes pancréatiques (disaccharidases, dipeptidases, carboxypeptidase, aminopeptidases, nucléotidases, nucléosidases et phosphatases).

La digestion des graisses et autres lipides représente un défi particulier pour le corps. Insolubles dans l'eau, les lipides forment des globules que les enzymes digestives ne peuvent pas fractionner facilement. Chez les humains et les autres vertébrés, la digestion des lipides requiert la production de sels biliaires, qui servent d'émulsifiants (détergents) pour dégrader les globules lipidiques. L'agent émulsifiant fragmente les globules lipidiques en fines gouttelettes sur lesquelles la lipase pancréatique peut effectuer son travail de dégradation des triglycérides. Les sels biliaires composent une grande partie de la **bile**, sécrétée par le **foie**. La **vésicule biliaire** emmagasine et concentre la bile qui ne sert pas immédiatement.

La production de bile fait partie intégrante d'une autre fonction du foie : la dégradation des globules rouges non fonctionnels. Les pigments produits durant la dégradation des érythrocytes font partie des pigments biliaires que l'organisme élimine en même temps dans les matières fécales. (L'un de ces pigments biliaires, la bilirubine, est transformé en stercobiline par des microorganismes lors de son passage dans l'intestin. Ce pigment est responsable de la coloration caractéristique des selles.) Dans certaines affections du foie ou du sang, les pigments biliaires s'accumulent dans la peau et lui donnent une coloration jaune appelée ictère (jaunisse).

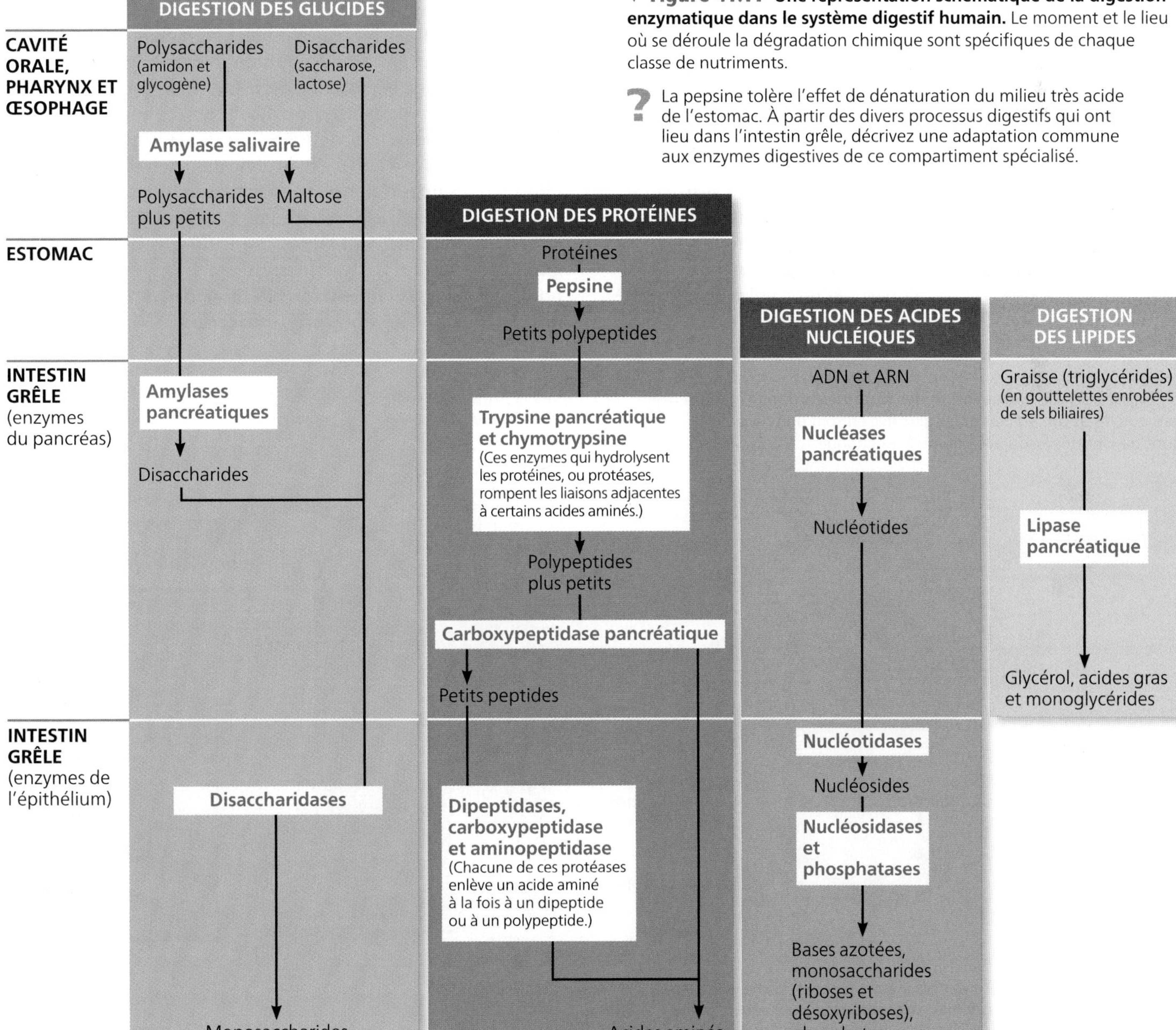

▼ **Figure 41.11 Une représentation schématique de la digestion enzymatique dans le système digestif humain.** Le moment et le lieu où se déroule la dégradation chimique sont spécifiques de chaque classe de nutriments.

? La pepsine tolère l'effet de dénaturation du milieu très acide de l'estomac. À partir des divers processus digestifs qui ont lieu dans l'intestin grêle, décrivez une adaptation commune aux enzymes digestives de ce compartiment spécialisé.

L'absorption des nutriments dans l'intestin grêle

Pendant que la digestion s'achève, le péristaltisme déplace le contenu du duodénum dans les deux derniers segments de l'intestin grêle : le *jéjunum* et l'*iléon*. C'est là que l'absorption des nutriments s'effectue en traversant la muqueuse de l'intestin (**figure 41.12**). La muqueuse qui tapisse l'entière surface intérieure de l'intestin est fortement plissée et parsemée de prolongements digitiformes appelés **villosités intestinales**. Sur ces villosités, chaque cellule épithéliale possède à son tour des milliers d'appendices microscopiques, appelés **microvillosités**, qui sont en contact avec le contenu de l'intestin. Densément alignées, les microvillosités confèrent à l'épithélium intestinal un aspect qui lui vaut le nom de *bordure en brosse*. Collectivement, ces plis, villosités et microvillosités possèdent une aire immense de 200 à 300 m^2, soit à peu près l'équivalent d'un court de tennis. Cette énorme surface constitue une adaptation évolutive qui permet d'accélérer considérablement l'absorption des nutriments (voir la figure 33.9 pour plus de détails et d'exemples au sujet de la maximisation de la surface d'absorption chez divers organismes).

Le transport des nutriments de part et d'autre de la membrane des cellules épithéliales fait intervenir des mécanismes passifs ou actifs, selon le nutriment (voir les concepts 7.3 et 7.4). Par exemple, le fructose, un monosaccharide, se déplace par diffusion suivant son gradient de concentration, de la lumière intestinale jusque dans les cellules épithéliales. De là, le fructose quitte la face basale et passe dans des vaisseaux sanguins microscopiques, ou capillaires, qui parcourent le centre de chaque villosité. D'autres nutriments, dont les acides aminés, les petits peptides, les vitamines et la plupart des molécules de glucose, sont pompés contre leur gradient de concentration à travers les membranes épithéliales. Grâce au transport actif, l'intestin peut absorber une proportion beaucoup plus élevée de ces nutriments que ne le permettrait la seule diffusion passive.

Les capillaires et les veines des villosités qui transportent le sang riche en éléments nutritifs se déversent dans la **veine porte hépatique**, un vaisseau sanguin qui communique directement avec les capillaires du foie. Quand le sang sort de cet organe, il se rend au cœur puis à toutes les parties du corps. Grâce à cette position stratégique, le foie est en mesure d'exercer simultanément deux fonctions cruciales. Premièrement, il régule la distribution des nutriments dans le reste du corps. Comme cet organe est capable de convertir plusieurs types de nutriments organiques en d'autres molécules qui seront utilisées ailleurs, la composition nutritionnelle du sang qui sort du foie peut être très différente du sang qui y pénètre. Deuxièmement, le foie peut débarrasser le sang des substances toxiques avant que celles-ci circulent vers toutes les autres régions du corps. Le foie est le principal lieu de détoxication d'un grand nombre de molécules organiques qui sont des substances étrangères pour l'organisme, dont les médicaments et certains déchets métaboliques.

La plupart des nutriments quittent l'intestin grêle par la circulation sanguine et passent dans le foie pour y être traités, sauf certains produits de la digestion des lipides (comme les triglycérides, aussi appelés triacylglycérols), qui empruntent une voie différente (**figure 41.13**). L'hydrolyse des triglycérides alimentaires par les lipases donne des acides gras libres et des monoglycérides (glycérol lié à un acide gras). Après leur absorption par les cellules épithéliales de l'intestin grêle, le glycérol et les acides gras reforment des triglycérides. Ils sont ensuite recouverts de phospholipides, de cholestérol et de protéines, de façon à former de petits globules nommés **chylomicrons**.

▼ **Figure 41.12 L'absorption des nutriments dans l'intestin grêle.** Les nutriments hydrosolubles tels que les acides aminés et les glucides entrent dans la circulation sanguine, alors que les triglycérides sont transportés jusqu'au système lymphatique.

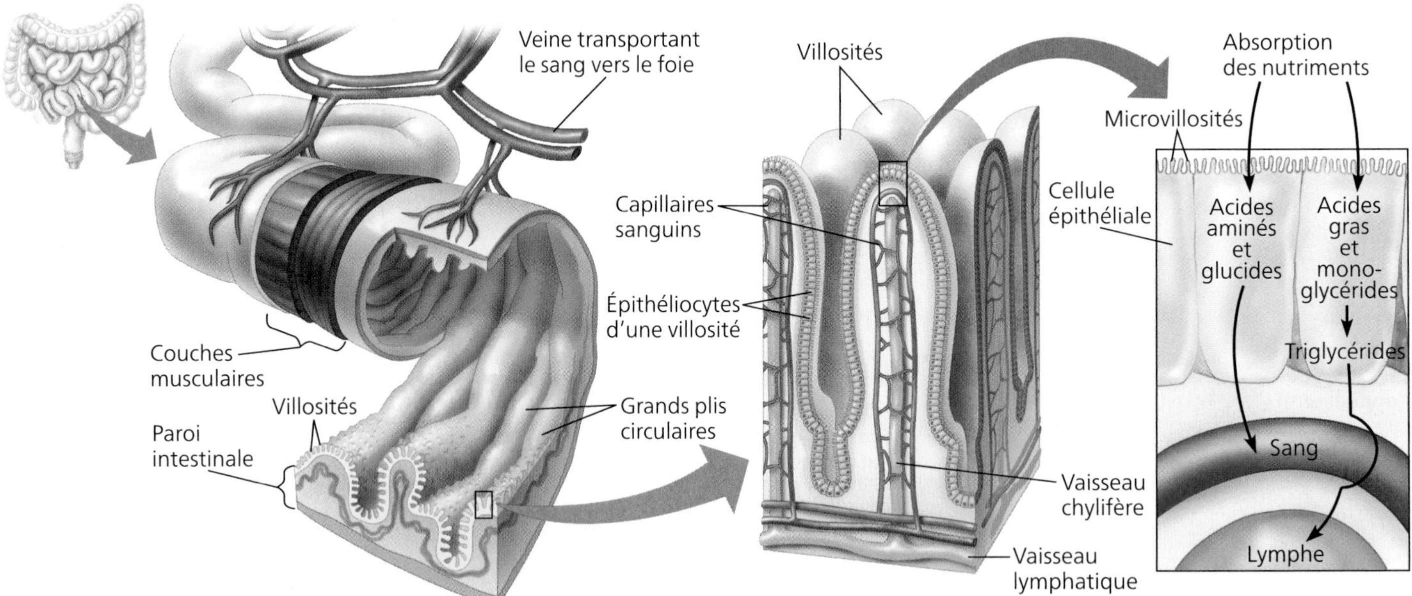

? Les vers plats infectent parfois le tube digestif des humains et s'accrochent à la paroi de l'intestin grêle. À partir de ce que vous savez sur la compartimentation de la digestion dans le tube digestif mammalien, quelles fonctions digestives ces parasites possèdent-ils, à votre avis ?

▼ **Figure 41.13 La digestion et l'absorption des triglycérides.** Insolubles dans l'eau, les triglycérides sont dégradés dans la lumière de l'intestin grêle et réassemblés dans les cellules épithéliales. Ils sont ensuite transportés dans des globules hydrosolubles, les chylomicrons, qui entrent dans la lymphe par l'intermédiaire d'étroits capillaires lymphatiques appelés chylifères. De là, les chylomicrons sont emportés par la circulation lymphatique vers le conduit thoracique, un vaisseau lymphatique de grande taille qui se jette dans la veine subclavière gauche, puis menés au cœur. Ils sont ensuite captés par les tissus adipeux et par le foie.

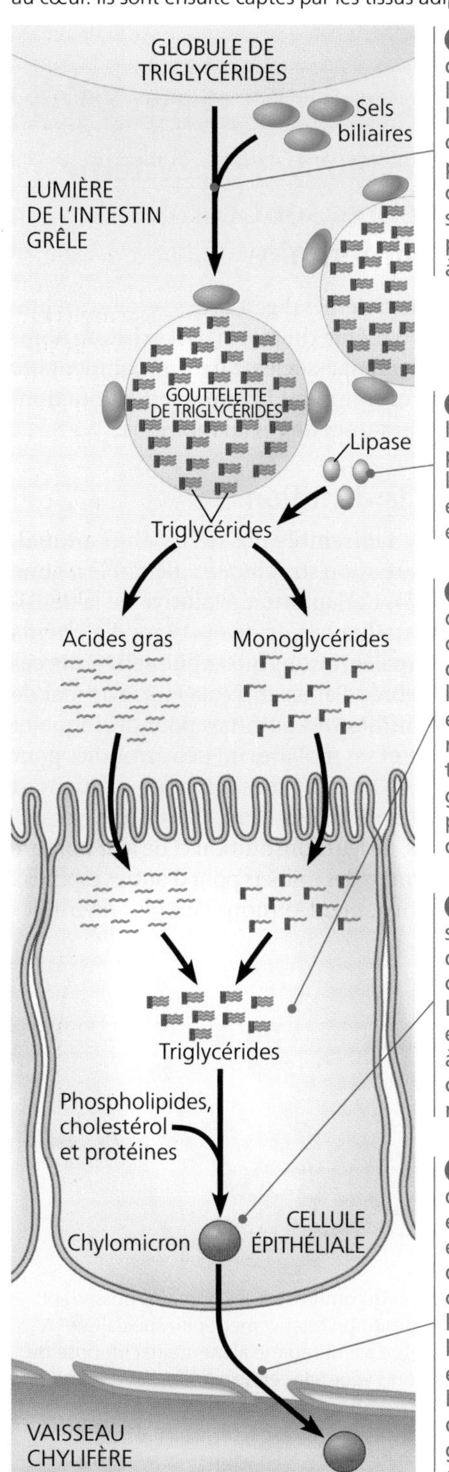

1 Dans la lumière de l'intestin grêle, les sels biliaires brisent les gros globules de triglycérides en petites gouttelettes, ce qui augmente leur surface d'exposition pour l'hydrolyse à venir.

2 Durant l'hydrolyse, la lipase pancréatique dégrade les triglycérides en acides gras et en monoglycérides.

3 Après leur diffusion dans les cellules épithéliales de l'intestin grêle, les monoglycérides et les acides gras reforment des triglycérides. (Certains glycérols et acides gras passent directement dans les capillaires.)

4 Les triglycérides sont incorporés dans des globules appelés chylomicrons. Les phospholipides et les protéines à la surface des chylomicrons les rendent hydrosolubles.

5 Les chylomicrons quittent les cellules épithéliales par exocytose et entrent dans les chylifères où circule la lymphe qui les transporte hors de l'intestin. Ils gagnent ensuite les vaisseaux lymphatiques avant de parvenir aux grandes veines menant directement au cœur.

HABILETÉS VISUELLES ▶ Dans cette figure, deux des flèches indiquent un mouvement de substances entre la cellule et son environnement. L'un de ces mouvements requiert-il un apport d'énergie ? Expliquez votre réponse.

En plus d'absorber les nutriments, l'intestin grêle récupère de l'eau et des ions. Chaque jour, une personne consomme environ 2 L d'eau et en sécrète 7 L en sucs digestifs dans le tube digestif. En général, toute cette eau (sauf environ 0,1 L) est réabsorbée dans les intestins, et la majeure partie de la récupération s'effectue dans l'intestin grêle. Il n'y a pas de mécanisme de transport actif de l'eau. Elle est réabsorbée par osmose quand les ions sodium (Na^+) et d'autres ions sont pompés à l'intérieur des cellules à partir de la lumière de l'intestin.

L'absorption dans le gros intestin

Le tube digestif se termine par le **gros intestin**, qui comprend le cæcum, le côlon et le rectum. Le petit intestin est relié au gros intestin par une jonction en T (**figure 41.14**). L'un des bras du T forme le **côlon**, qui mesure 1,5 m de longueur et mène au rectum et à l'anus. Le côlon est constitué de quatre portions : ascendante, transverse, descendante et sigmoïde. L'autre bras du T forme un renflement appelé **cæcum**. Ce segment en forme de cul-de-sac joue un rôle important dans la fermentation des matières ingérées, surtout chez les herbivores. En comparaison de nombreux autres mammifères, l'humain possède un cæcum relativement petit, portant un prolongement en forme de doigt, l'**appendice vermiforme**. L'appendice vermiforme servirait de réservoir aux microorganismes symbiotiques, dont il sera question au concept 41.4. Cette structure renferme de nombreux follicules lymphatiques où se produisent des réactions immunitaires qui permettent de contrôler la croissance bactérienne dans le gros intestin.

C'est dans le côlon que s'achève la récupération de l'eau qui a débuté dans l'intestin grêle. Les résidus de la digestion avancent dans le côlon sous l'effet du péristaltisme et forment les **matières fécales**, qui se solidifient progressivement. Leur mouvement est lent ; il faut de 12 à 24 heures aux résidus pour traverser l'organe d'un bout à l'autre. Lorsque la muqueuse du côlon est irritée à la suite d'une infection virale ou bactérienne, par exemple, la réabsorption d'eau diminue, ce qui cause la diarrhée. Le problème contraire, la constipation, survient par suite du ralentissement du péristaltisme. Comme les matières fécales progressent plus lentement, de plus grandes quantités d'eau sont réabsorbées, ce qui rend les selles trop compactes et plus difficiles à évacuer.

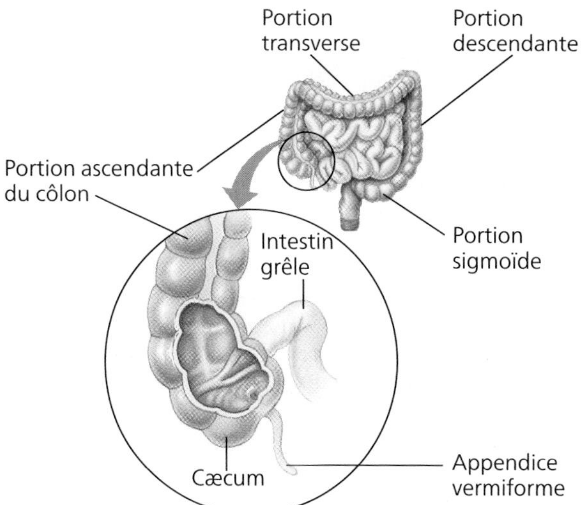

▲ **Figure 41.14 La jonction de l'intestin grêle et du gros intestin.**

Les matières non digérées présentes dans les matières fécales contiennent notamment des fibres de cellulose. Ces matériaux ne possèdent aucune valeur énergétique pour l'humain, mais ils facilitent le déplacement du bol alimentaire dans le tube digestif.

Une importante communauté bactérienne vit en symbiose avec les cellules épithéliales du côlon. Formant le microbiote normal du côlon, ces bactéries vivent des matières organiques non absorbées du côlon et représentent environ le tiers des matières fécales. Au cours de leurs activités métaboliques, de nombreuses bactéries du côlon produisent des gaz, notamment du méthane et du sulfure de dihydrogène (lequel a une odeur désagréable), qui sont expulsés par l'anus en même temps que l'air ingéré. Certaines bactéries intestinales produisent des vitamines, par exemple de la biotine, de l'acide folique, de la vitamine K et plusieurs vitamines du groupe B. Ces substances sont absorbées dans le sang et contribuent aux apports alimentaires en vitamines. Le segment terminal du gros intestin s'appelle **rectum** ; c'est là que les matières fécales s'accumulent avant d'être éliminées. Entre le rectum et l'anus se trouvent deux sphincters qui ferment l'orifice distal du tube digestif. L'un est involontaire (le muscle sphincter interne de l'anus, un muscle lisse), l'autre, volontaire (le muscle sphincter externe de l'anus, un muscle squelettique). Une ou plusieurs fois par jour, de puissantes contractions du côlon provoquent le besoin de déféquer. Ce besoin se fait souvent sentir après un repas parce que le remplissage de l'estomac déclenche un réflexe qui augmente le rythme des contractions dans le côlon.

Maintenant que nous avons suivi le trajet d'un repas dans tout le tube digestif, nous allons examiner quelques adaptations du système digestif chez divers animaux.

RETOUR SUR LE CONCEPT **41.3**

1. Expliquez pourquoi un inhibiteur de la pompe à protons, par exemple le médicament oméprazole, soulage les symptômes du reflux gastrique.
2. En vous basant sur les besoins nutritionnels des humains et sur leur façon de s'alimenter, essayez d'expliquer, du point de vue de l'évolution, pourquoi l'amylase, contrairement aux autres enzymes digestives, est sécrétée dans la bouche.
3. **ET SI ?** ▶ Prédisez ce qui se passerait si vous mélangiez un suc gastrique et des aliments broyés dans une éprouvette.

Voir les réponses proposées à l'appendice A.

CONCEPT **41.4**

Les adaptations évolutives du système digestif des vertébrés sont corrélées avec le régime alimentaire

ÉVOLUTION Les différents systèmes digestifs des vertébrés représentent des variations d'un même thème, mais il existe de nombreuses adaptations étroitement associées au régime alimentaire de l'animal. Afin d'illustrer comment la forme sert la fonction, nous présenterons quelques-unes de ces adaptations.

Les adaptations de la dentition

La dentition, c'est-à-dire l'ensemble des dents d'un animal, constitue un exemple de variation structurale reflétant le régime alimentaire (**figure 41.15**). L'adaptation évolutive de la dentition des mammifères au traitement de divers types d'aliments constitue l'une des principales raisons qui expliquent le succès de cette catégorie de vertébrés. Par exemple, la loutre de mer de la figure 41.1 utilise ses canines très pointues pour déchiqueter des proies comme le crabe et ses molaires un peu arrondies pour en broyer la carapace. Les mécanismes adaptatifs touchent un grand nombre d'aspects de la dentition. C'est le cas notamment de la forme des dents, de leur constitution et de leur nombre (32 chez l'humain adulte, mais des milliers pour d'autres espèces). Parmi les autres adaptations, mentionnons l'emplacement des

▼ **Figure 41.15 La dentition et le régime alimentaire.**

Carnivore

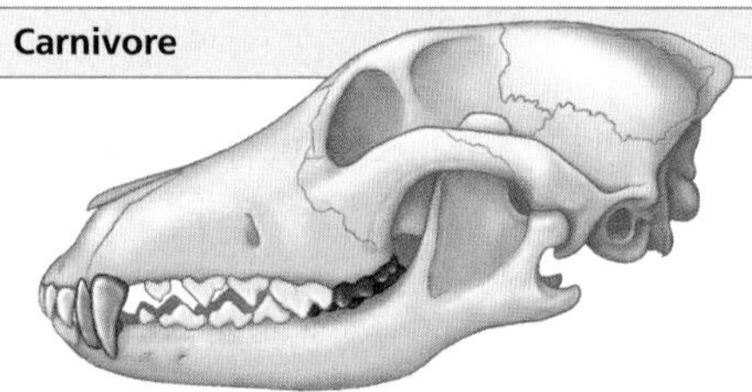

Les animaux carnivores, tels que les chiens et les chats, possèdent généralement de grandes incisives et canines pointues, qui leur servent à tuer une proie et à déchirer des morceaux de chair. Les prémolaires et les molaires, à la surface irrégulière, écrasent et déchiquettent la nourriture.

Herbivore

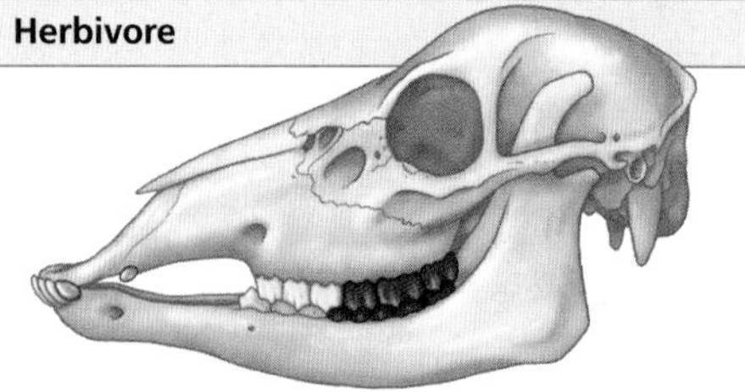

Les herbivores, comme les chevaux et les cerfs, possèdent habituellement des molaires et prémolaires à surface large et crénelée qui broient la matière végétale résistante. Leurs incisives et leurs canines sont généralement modifiées pour trancher les végétaux qu'ils broutent. Certains herbivores sont dépourvus de canines.

Omnivore

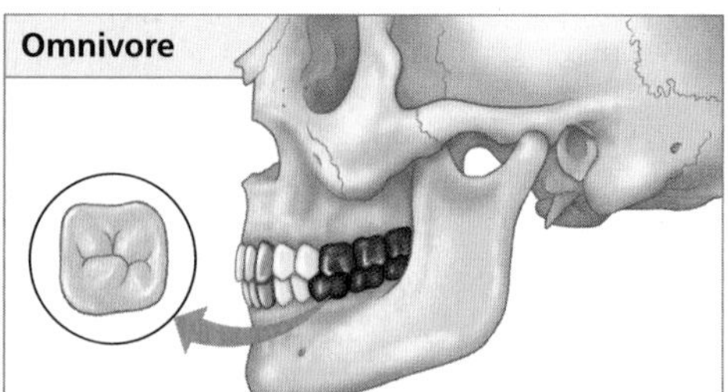

En tant qu'omnivores, les humains possèdent une dentition relativement peu spécialisée adaptée à leur régime alimentaire composé de matières végétales et de viande. Les adultes ont 32 dents. À partir du milieu des mâchoires supérieure et inférieure, on trouve deux incisives tranchantes servant à couper les aliments, une canine pointue permettant de les déchirer, deux prémolaires destinées à les broyer et enfin trois molaires aidant à les écraser (en médaillon).

Légende Incisives · Canines · Prémolaires · Molaires

dents (sur plusieurs os du squelette buccal ou seulement sur les arcades dentaires des maxillaires), le rythme de remplacement (certains animaux ont une centaine de dentitions au cours de leur vie), leur mode d'implantation (soudées à l'os ou reliées à lui par un ligament) ainsi que leur croissance (limitée ou non). Les mammifères possèdent généralement une dentition plus spécialisée (la « dent » du narval et les défenses de l'éléphant) que celle des autres vertébrés, mais il existe des exceptions intéressantes. Par exemple, les serpents venimeux, comme les crotales (de la sous-famille des crotalinés), sont armés de crochets : ce sont des dents modifiées qui injectent du venin dans les proies. Certains crochets sont creux comme des seringues, tandis que d'autres laissent tomber le venin goutte à goutte le long de rainures parcourant la surface des dents.

Les adaptations de l'estomac et de l'intestin

Les adaptations évolutives qui découlent du régime alimentaire se traduisent parfois par des variations dans la taille des organes digestifs. Par exemple, les vertébrés carnivores sont souvent dotés d'un grand estomac extensible ; comme il leur arrive d'être privés de nourriture durant de longues périodes, ils doivent consommer autant de nourriture que possible quand ils réussissent à capturer une proie. Ainsi, c'est un estomac extensible qui permet à un python de Séba d'avaler une gazelle entière (voir la figure 41.5) et à un lion d'Afrique (*Panthera leo*) de 200 kg d'ingérer jusqu'à 40 kg de viande en un seul repas !

Chez les vertébrés, la longueur du système digestif peut également témoigner d'adaptations évolutives au régime alimentaire. En général, les herbivores et les omnivores ont des tubes digestifs un peu plus longs par rapport à leur taille corporelle que ceux des carnivores (**figure 41.16**). Les végétaux contiennent des parois cellulaires riches en cellulose, un polysaccharide difficile à digérer. Un tube digestif plus long est utile dans la mesure où il permet de prolonger la digestion et d'augmenter la zone de surface essentielle à l'absorption des nutriments. Prenons l'exemple du coyote et du koala. Ces deux mammifères ont environ la même taille, mais le tube digestif du koala (*Phascolarctos cinereus*) est beaucoup plus long que celui du coyote (*Canis latrans*). Cette adaptation favorise la digestion des feuilles d'eucalyptus – qui sont fibreuses et pauvres en protéines – dont ce marsupial tire la totalité ou presque de son apport en nutriments et en eau.

Les adaptations mutualistes

On estime que de 10 à 100 milliards de bactéries vivent dans le système digestif de l'humain. Une de ces bactéries, *Escherichia coli*, est si répandue que sa présence dans les lacs et les rivières est un indicateur utile de la contamination fécale provenant des eaux usées non traitées.

Cette cohabitation des humains avec d'innombrables bactéries intestinales est un exemple de mutualisme, une interaction mutuellement bénéfique entre deux espèces (voir le concept 54.1). Par exemple, certaines bactéries intestinales produisent des vitamines comme la vitamine K, la biotine et l'acide folique, qui sont absorbées dans le sang, s'ajoutant ainsi à notre apport alimentaire. Les bactéries intestinales régulent également le développement de l'épithélium intestinal et la fonction de l'immunité innée. En échange, les bactéries reçoivent un apport constant de nutriments et bénéficient de l'environnement stable de leur hôte.

▼ **Figure 41.16 Le tube digestif d'un carnivore (coyote) et celui d'un herbivore (koala).** Un tube digestif relativement court suffit au coyote pour digérer la viande et absorber les nutriments. En comparaison, le long tube digestif du koala est adapté à la digestion des feuilles d'eucalyptus. La mastication prolongée permet de découper les feuilles ingérées en tous petits fragments, ce qui augmente la surface exposée aux sucs digestifs. Dans le très long cæcum et la portion supérieure du côlon, les bactéries symbiotiques dégradent les feuilles déchiquetées, ce qui libère les nutriments que le koala peut absorber.

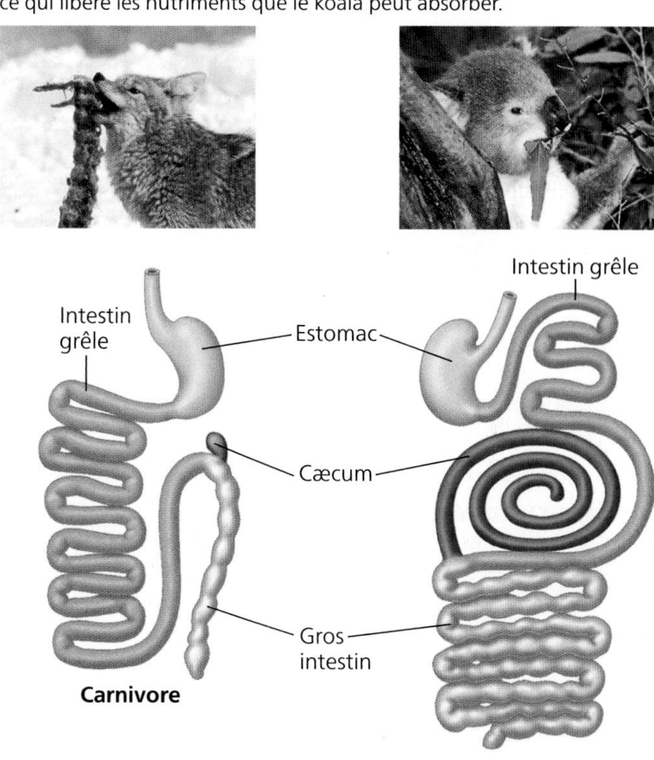

Au cours des dernières années, notre compréhension du microbiote s'est considérablement approfondie. Le **microbiote** est l'ensemble des microorganismes qui vivent dans l'organisme et sur lui, tandis que le **microbiome** est l'ensemble de leurs génomes. Pour étudier le microbiote, les scientifiques utilisent une technique de séquençage de l'ADN par amplification en chaîne par polymérase (voir la figure 20.7). Ils ont ainsi découvert plus de 400 espèces bactériennes dans le tube digestif de l'humain, un nombre beaucoup plus élevé que le nombre de bactéries identifiées par culture en laboratoire et par caractérisation. Les chercheurs ont en outre constaté des différences notables d'un microbiote à l'autre, selon l'alimentation de la personne, son âge et la présence de maladie (**figure 41.17**).

Une des études réalisées sur le sujet a fourni des données très éclairantes qui aident à expliquer pourquoi la bactérie *H. pylori* peut nuire à la santé de l'estomac et entraîner des ulcères. Après avoir identifié toutes les bactéries présentes dans les échantillons de tissus stomacaux prélevés chez des adultes (certains tissus étant infectés par *H. pylori* et d'autres non infectés), les chercheurs de cette étude ont fait une découverte remarquable : la présence d'une infection par *H. pylori* éliminait presque toutes les autres espèces bactériennes de l'estomac (**figure 41.18**). Les études qui portent sur les différences microbiotiques associées à des maladies sont particulièrement prometteuses pour la mise au point de traitements innovateurs efficaces.

▼ **Figure 41.17 La composition du microbiote selon le stade de développement chez l'humain.** En copiant et en séquençant l'ADN bactérien contenu dans des échantillons de tubes digestifs humains, les chercheurs ont pu caractériser la communauté bactérienne qui compose le microbiote intestinal de l'humain.

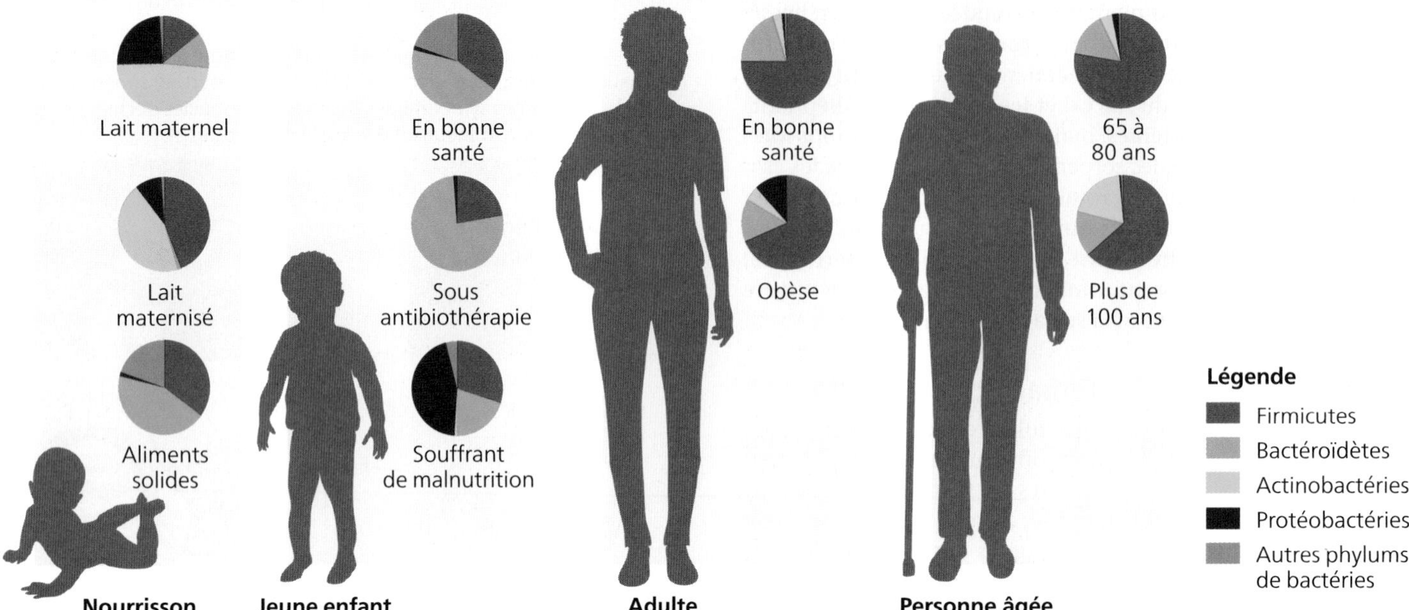

INTERPRÉTEZ LES DONNÉES ▶ Comparez la proportion relativement élevée d'actinobactéries dans le microbiote de l'intestin d'adultes en santé avec leur proportion dans un estomac en santé (voir la figure 41.18). Tentez d'expliquer pourquoi la composition du microbiote de ces deux organes est différente malgré que l'intestin et l'estomac sont directement reliés.

▼ **Figure 41.18 Le microbiote de l'estomac.** En copiant et séquençant l'ADN d'échantillons d'estomacs humains, des chercheurs ont pu caractériser la communauté bactérienne composant le microbiote de l'estomac. Dans les échantillons provenant de personnes infectées par *Helicobacter pylori*, plus de 95 % des séquences d'ADN appartenaient à cette espèce bactérienne, classée dans le phylum des protéobactéries. Chez les personnes non infectées par *H. pylori*, le microbiote de l'estomac était beaucoup plus diversifié.

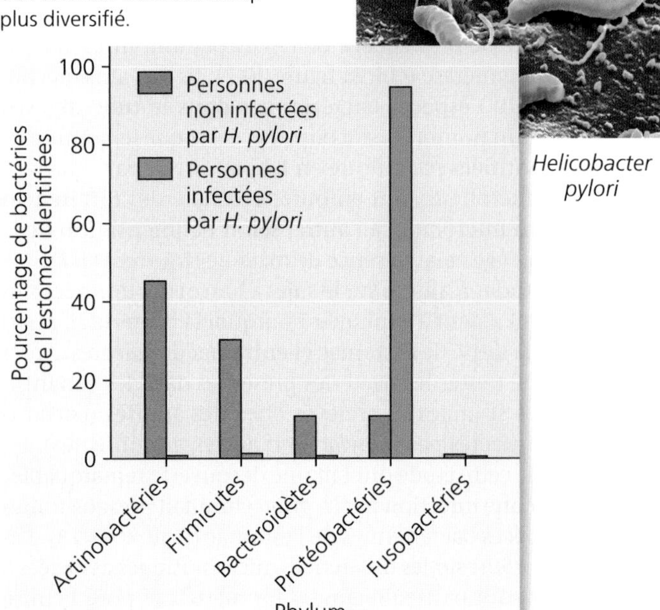

Selon les données actuelles, les changements qui affectent le microbiote intestinal pourraient jouer un rôle dans l'obésité, les carences nutritionnelles, le diabète, les maladies cardiovasculaires, les maladies inflammatoires du tube digestif, et même perturber certaines fonctions cérébrales et l'humeur. Par exemple, une expérience a montré que les souris chez qui on éliminait les microorganismes du tube digestif présentaient des concentrations élevées de corticostérone, une hormone de stress. De plus, en présence d'une limitation de la mobilité, leur réaction de stress était plus forte que celle des souris témoins.

Le microbiome (ensemble des génomes bactériens) du tube digestif d'une personne renferme quelque 100 fois plus de gènes qu'une seule de ses cellules. Cette énorme différence dans le nombre de gènes permettra sans doute aux scientifiques de faire des découvertes cruciales à propos du rôle des gènes bactériens dans la physiologie de la santé et des maladies humaines.

Les adaptations mutualistes chez les herbivores

Les relations mutualistes avec des microorganismes sont tout particulièrement importantes chez les herbivores. La majorité de l'énergie chimique contenue dans le régime alimentaire d'un herbivore doit être extraite de la cellulose de la paroi des cellules végétales. Toutefois, ces animaux ne produisent pas eux-mêmes les enzymes (cellulases) nécessaires à l'hydrolyse de la cellulose. De nombreux vertébrés (ainsi que les termites, qui s'alimentent en consommant du bois composé de cellulose) règlent le problème en abritant d'énormes populations de bactéries et de protistes symbiotiques (des trichomonadines, dans le cas des termites) ou encore d'eumycètes dans des chambres de fermentation spéciales, situées le long de leur tube digestif. Ces microorganismes mutualistes possèdent des enzymes capables de digérer la cellulose et de la convertir en monosaccharides et en d'autres composés absorbables par l'animal qui les abrite. Dans bien des cas, les microorganismes peuvent également utiliser les monosaccharides issus de la digestion de la cellulose et les minéraux présents dans le tube digestif pour fabriquer toutes sortes de nutriments essentiels, notamment des vitamines, des acides aminés et des acides gras.

Chez les chevaux (*Equus caballus*), les koalas et les éléphants (famille des éléphantidés), les microorganismes symbiotiques vivent dans le cæcum. Chez l'hoazin (*Opisthocomus hoazin*), un oiseau herbivore des forêts tropicales d'Amérique du Sud, c'est dans un grand jabot musculeux (une poche œsophagienne; voir la figure 41.7) que vivent les microorganismes symbiotiques. Des rainures rigides situées dans la paroi du jabot réduisent les feuilles en fragments, et les microorganismes se chargent de décomposer la cellulose.

Les bactéries mutualistes des lapins et de certains rongeurs vivent dans le gros intestin ainsi que dans le cæcum. Étant donné que la plupart des nutriments sont absorbés dans l'intestin grêle, ceux qui résultent de la fermentation bactérienne dans le gros intestin quittent l'organisme en même temps que les matières fécales. Pour récupérer ces nutriments, les lapins et certains rongeurs ingèrent une partie de leurs matières fécales (cæcotrophie), faisant ainsi repasser les aliments dans leur tube digestif. Les crottes de lapin qui ne sont pas réingérées constituent les selles (ou fèces) éliminées une fois que la nourriture est passée de nouveau dans le tube digestif.

Les adaptations les plus complexes associées à un régime herbivore ont évolué chez les *ruminants*, c'est-à-dire chez des animaux qui ruminent comme les cerfs, les girafes, les bovins et les ovins (**figure 41.19**).

Même si nous nous sommes intéressés tout particulièrement aux vertébrés jusqu'à maintenant, il existe beaucoup d'adaptations relatives à la digestion chez les autres animaux. Certaines sont remarquables, d'ailleurs, notamment celles des vers tubicoles géants (*Riftia pachyptila*). Ces vers, qui mesurent plus de 3 m de long, tolèrent des pressions de l'ordre de 260 atmosphères et vivent à proximité des cheminées hydrothermales des grands fonds océaniques (voir la figure 52.15). Ils n'ont ni bouche ni système digestif et comptent plutôt sur des bactéries mutualistes qui vivent à l'intérieur d'eux pour produire l'énergie et les nutriments dont ils ont besoin. En effet, ces bactéries sont chimioautotrophes (voir le concept 27.3) à partir du dioxyde de carbone (CO_2), des molécules d'oxygène (O_2), du sulfure d'hydrogène (H_2S) et du nitrate (NO_3^-) qui s'échappent de ces cheminées. En somme, pour les invertébrés aussi bien que pour les vertébrés, l'évolution des relations mutualistes avec des microorganismes symbiotiques a été, au cours de l'évolution, une stratégie générale pour multiplier les sources de nutriments disponibles.

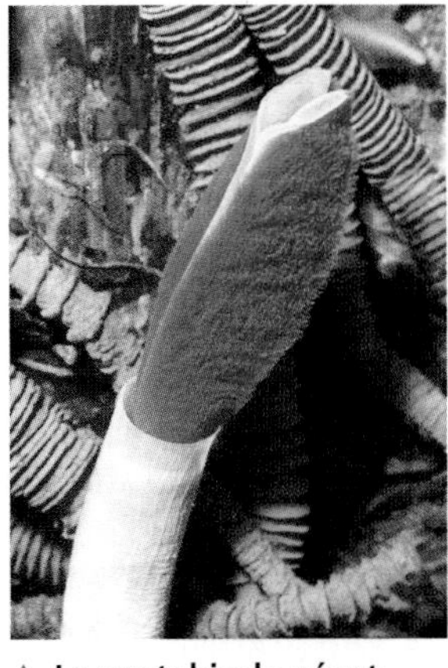

▲ **Le ver tubicole géant.**

Maintenant que nous avons vu comment les animaux optimisent l'extraction des nutriments contenus dans la nourriture, nous allons examiner la façon dont ils utilisent ces nutriments de manière équilibrée.

RETOUR SUR LE CONCEPT 41.4

1. Nommez deux avantages d'avoir un tube digestif long pour transformer les matières végétales difficiles à digérer.

2. Quelles caractéristiques du tube digestif d'un mammifère en font un habitat de choix pour les microorganismes mutualistes?

3. **ET SI?** ▶ Certaines personnes souffrent d'intolérance au lactose, un trouble qui se manifeste par des crampes, des ballonnements ou de la diarrhée quand elles mangent des produits laitiers. Elles sont en effet incapables de sécréter la lactase, l'enzyme qui dégrade le lactose du lait. Supposons qu'une personne intolérante au lactose mange du yogourt contenant des bactéries productrices de lactase. Pourquoi l'ingestion de ce yogourt ne fera-t-elle, au mieux, que soulager temporairement les symptômes?

Voir les réponses proposées à l'appendice A.

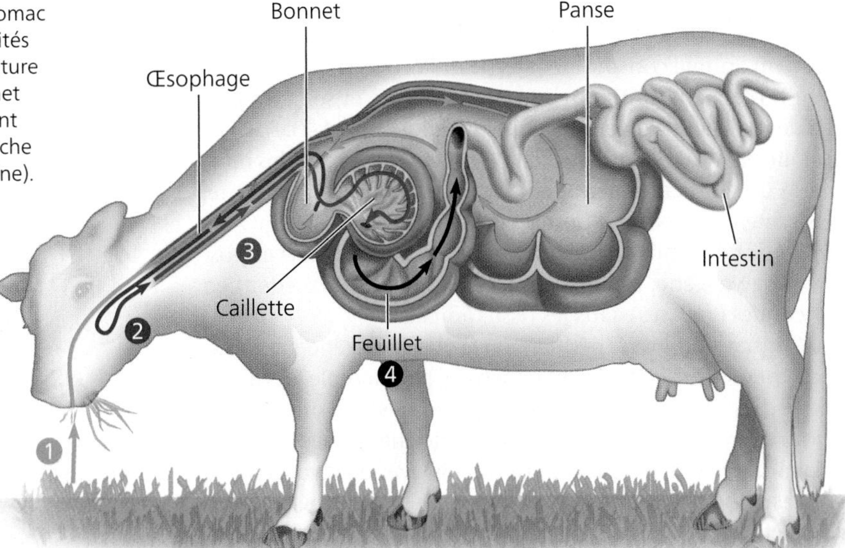

▶ **Figure 41.19 La digestion chez les ruminants.** L'estomac de la vache (*Bos taurus*, un ruminant) comporte quatre cavités qui abritent des microorganismes mutualistes. ❶ La nourriture mâchée entre d'abord dans la panse (ou rumen) et le bonnet (ou réticulum), où des microorganismes mutualistes digèrent la cellulose des végétaux ingérés. ❷ Périodiquement, la vache régurgite le contenu de la panse et le «remâche» (elle rumine). Cette rumination assure une meilleure décomposition des fibres et les prépare à l'action microbienne. ❸ Les matières ruminées passent ensuite dans la caillette (ou omasum), où une partie de l'eau est retirée. ❹ Puis elles vont dans le feuillet (ou abomasum) pour y être digérées par les enzymes produites par la vache. C'est ainsi que cet animal obtient une quantité considérable de nutriments, qui proviennent non seulement de l'herbe, mais aussi des microorganismes mutualistes, dont la population demeure stable chez le ruminant.

CONCEPT 41.5

Des circuits de rétroaction régulent la digestion, le stockage de l'énergie et l'appétit

Pour approfondir notre étude de la nutrition des animaux, nous allons voir comment leur façon d'obtenir et d'utiliser les nutriments correspond aux exigences du moment et à leurs besoins énergétiques.

La régulation de la digestion

Chez bien des animaux, les repas peuvent être très espacés. Lorsque c'est le cas, le système digestif n'a pas besoin de fonctionner continuellement. Au lieu de cela, chaque étape de la digestion n'est activée qu'en présence de nourriture : au moment où des aliments arrivent dans un compartiment du tube digestif, ils déclenchent la sécrétion de sucs digestifs qui mettent en route l'étape suivante de la digestion chimique. Des contractions musculaires font également avancer la nourriture dans le tube digestif. Par exemple, nous avons vu que des réflexes nerveux stimulent la libération de salive lorsque de la nourriture est introduite dans la cavité buccale et orchestrent la déglutition quand un bol alimentaire entre dans le pharynx. De la même façon, l'arrivée de nourriture dans l'estomac active le malaxage et la libération des sucs gastriques. Une partie du système nerveux appelée *système nerveux entérique*, spécialisée dans les organes de la digestion, régule ces étapes ainsi que le péristaltisme dans l'intestin grêle et le gros intestin.

Le système endocrinien joue aussi un rôle crucial dans la régulation de la digestion. Comme l'illustre la **figure 41.20**, les hormones libérées par l'estomac et le duodénum font en sorte que les sécrétions du système digestif interviennent seulement au moment voulu. Comme toutes les hormones, celles qui sont libérées par l'estomac et le duodénum circulent dans le sang, y compris la gastrine dont la cible (l'estomac) est aussi l'organe qui la sécrète.

La régulation des réserves d'énergie

Lorsqu'un animal consomme plus de molécules riches en énergie qu'il n'en a besoin pour son métabolisme et ses activités, l'excédent d'énergie est emmagasiné (voir le concept 40.4). Chez l'humain, ce sont d'abord les cellules du foie et les cellules musculaires qui emmagasinent l'énergie sous forme de glycogène, un polymère composé de nombreuses unités de glucose (voir la figure 5.6b). Quand l'organisme a fait toutes les réserves possibles de glycogène, il transforme généralement l'excédent en triglycérides (graisses) dans les tissus adipeux.

À l'inverse, durant les périodes où la quantité d'énergie absorbée est inférieure à celle qui est dépensée, par exemple lors d'une période d'exercice physique intense ou en raison d'un manque de nourriture, le corps humain commence habituellement par consommer le glucose provenant des réserves de glycogène du foie. Ensuite, le corps puise dans les réserves de glycogène musculaire et, enfin, dans les graisses. Les triglycérides sont particulièrement riches en énergie. L'oxydation de 1 g de triglycérides

▼ **Figure 41.20 La régulation hormonale de la digestion.**

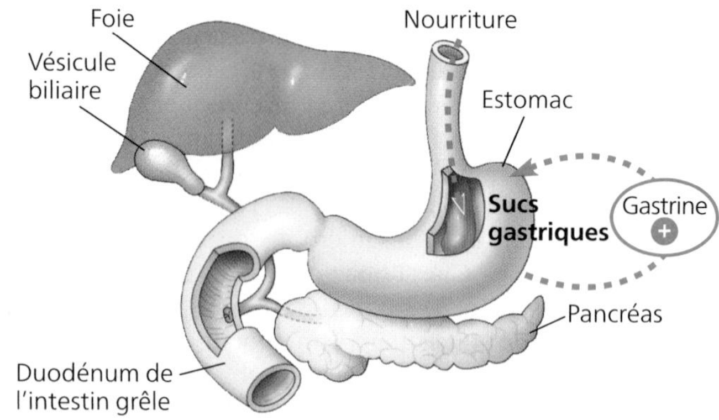

❶ L'entrée de nourriture dans l'estomac provoque l'étirement des parois, un stimulus qui déclenche la libération de *gastrine*. Cette hormone emprunte la circulation sanguine pour atteindre l'estomac où elle stimule la production de sucs gastriques.

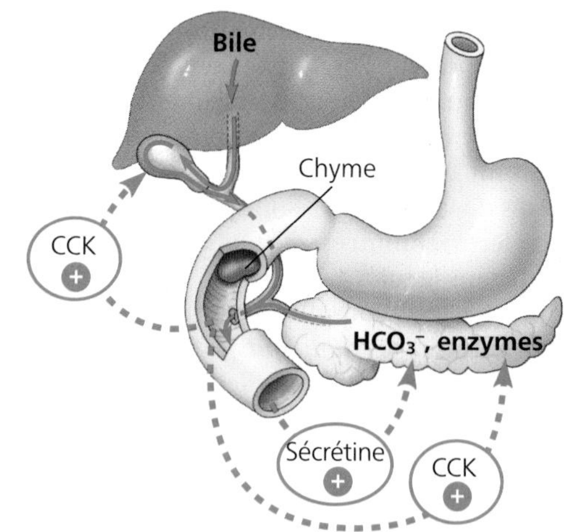

❷ Après un certain temps, le chyme (une bouillie acide formée par la nourriture partiellement digérée) passe de l'estomac au duodénum. Le duodénum réagit aux acides aminés ou aux acides gras du chyme en libérant des hormones digestives : la cholécystokinine et la sécrétine. La *cholécystokinine* (CCK) déclenche à son tour la sécrétion d'enzymes digestives par le pancréas et de bile par la vésicule biliaire. Sous l'effet de la *sécrétine*, le pancréas libère du bicarbonate (HCO_3^-) qui neutralise le chyme acide.

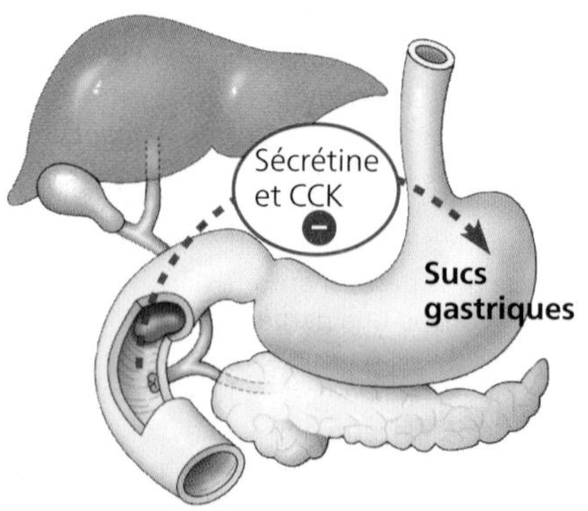

❸ Si le chyme est riche en graisses, les taux élevés de sécrétine et de CCK libérées incitent l'estomac à inhiber le péristaltisme et la sécrétion de sucs gastriques, ralentissant ainsi la digestion.

Légende  Stimulation  Inhibition libère environ deux fois plus d'énergie que l'oxydation de 1 g de glucides ou de protéines. C'est pour cette raison que le tissu adipeux est la façon la plus efficace, au regard de l'espace disponible, de stocker de grandes quantités d'énergie. La plupart des personnes en bonne santé disposent de suffisamment de réserves de graisse pour supporter plusieurs semaines de jeûne.

La régulation de la glycémie

La synthèse et la dégradation du glycogène sont des processus vitaux non seulement pour le stockage de l'énergie, mais également pour le maintien de l'équilibre métabolique par l'intermédiaire de la régulation de la glycémie. Chez l'humain, les valeurs normales de la glycémie (taux de glucose sanguin) se situent entre 3,9 et 6,1 mmol/L. Comme le glucose est un carburant important pour la respiration cellulaire et une source de squelettes carbonés tout aussi importante pour la biosynthèse, le maintien de la glycémie dans cet intervalle de valeurs est essentiel.

La régulation du glucose relève principalement des effets antagonistes (opposés) de deux hormones : l'insuline et le glucagon (**figure 41.21**). Quand la glycémie est trop élevée, la sécrétion d'**insuline** déclenche l'absorption du glucose du sang dans les cellules du corps pour abaisser la glycémie. Quand la glycémie est trop basse, la sécrétion de **glucagon** stimule la libération de glucose dans le sang pour augmenter la glycémie; ce glucose provient des réserves de l'organisme, comme le glycogène du foie.

Le foie est un organe cible que l'insuline et le glucagon gardent très actif. Après un repas riche en glucides, par exemple, le taux d'insuline s'élève, ce qui stimule la biosynthèse du glycogène à partir du glucose qui arrive au foie par la veine porte hépatique. Entre les repas, alors que la glycémie dans la veine porte hépatique est beaucoup plus faible, le glucagon stimule la dégradation du glycogène hépatique, ce qui entraîne la libération de glucose dans le sang. L'action combinée et opposée de l'insuline et du glucagon permet au sang qui sort du foie d'avoir une concentration de glucose qui se situe presque tout le temps dans les limites de la normale.

L'insuline a également un effet sur presque toutes les cellules du corps lorsqu'elle stimule l'absorption de glucose du sang, à l'exception des cellules de l'encéphale, qui consomment du glucose même en l'absence d'insuline. Grâce à cette adaptation évolutive, l'encéphale a accès presque en tout temps au glucose en circulation, même lorsque la glycémie est basse.

Le glucagon et l'insuline sont tous deux produits par le pancréas, dans lequel sont dispersés des amas de cellules endocrines appelées îlots pancréatiques (ou îlots de Langerhans). Chaque îlot renferme des *cellules alpha*, qui fabriquent le glucagon, et des *cellules bêta*, qui fabriquent l'insuline. Comme toutes les hormones, l'insuline et le glucagon sont sécrétés dans le liquide interstitiel et entrent ensuite dans la circulation sanguine.

En tout, les cellules productrices d'hormones ne comptent que pour 1 à 2 % de la masse du pancréas. D'autres cellules pancréatiques synthétisent et sécrètent des ions HCO_3^- et les enzymes digestives qui s'activent dans l'intestin grêle (voir la figure 41.11). Ces substances sont déversées dans de petits conduits reliés au canal pancréatique qui, lui, s'ouvre sur l'intestin grêle. Par conséquent, le pancréas travaille à la fois pour le système endocrinien et pour l'appareil digestif.

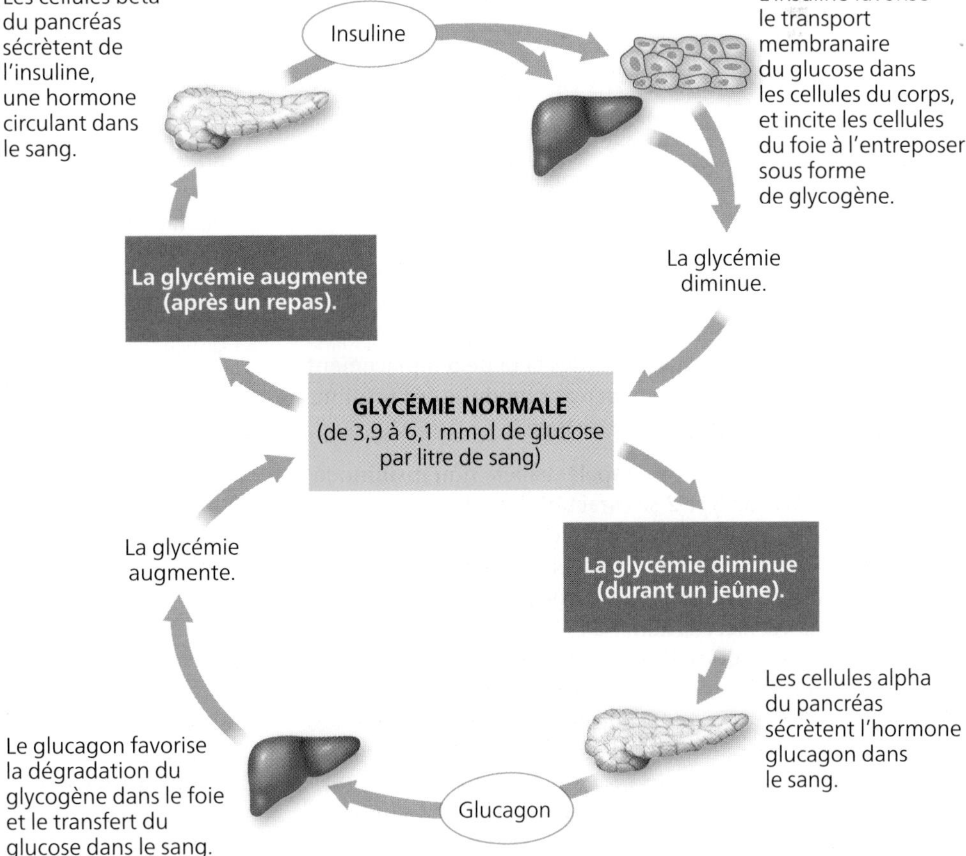

Les cellules bêta du pancréas sécrètent de l'insuline, une hormone circulant dans le sang.
Insuline
L'insuline favorise le transport membranaire du glucose dans les cellules du corps, et incite les cellules du foie à l'entreposer sous forme de glycogène.
La glycémie diminue.
La glycémie augmente (après un repas).
GLYCÉMIE NORMALE (de 3,9 à 6,1 mmol de glucose par litre de sang)
La glycémie augmente.
La glycémie diminue (durant un jeûne).
Les cellules alpha du pancréas sécrètent l'hormone glucagon dans le sang.
Glucagon
Le glucagon favorise la dégradation du glycogène dans le foie et le transfert du glucose dans le sang.

▶ **Figure 41.21 La régulation du glucose, une des sources d'énergie cellulaire.** Après la digestion d'un repas, le glucose et les autres monomères sont absorbés par les tissus du tube digestif et passent dans le sang. Le corps humain régule l'utilisation et l'entreposage du glucose, qui constitue une importante source d'énergie cellulaire. Le mécanisme de régulation fait intervenir deux hormones pancréatiques, l'insuline et le glucagon, qui agissent sur la glycémie, c'est-à-dire sur la concentration molaire volumique de glucose dans le sang.

FAITES DES LIENS ▶ Quel mécanisme de régulation par rétroaction chacun de ces circuits de régulation illustre-t-il (voir le concept 40.2) ?

Le diabète sucré

Jusqu'à maintenant, nous avons décrit le rôle de l'insuline et du glucagon dans la régulation de la glycémie, mais exclusivement dans le contexte de bon fonctionnement. Il existe toutefois un certain nombre de maladies susceptibles de perturber la régulation du glucose et de nuire à la santé, en affectant notamment le cœur, les vaisseaux sanguins, les yeux et les reins. Parmi ces maladies, le diabète sucré est la plus connue et la plus répandue.

Le **diabète sucré** est une maladie causée par un déficit d'insuline ou par une réponse inadéquate des tissus cibles à l'insuline. Quand la glycémie augmente, les cellules sont incapables d'absorber suffisamment de glucose pour répondre aux besoins métaboliques. Il s'ensuit que les graisses deviennent le principal substrat de la respiration cellulaire. Dans les formes les plus graves de la maladie, des métabolites acides se forment durant la dégradation des graisses et s'accumulent dans le sang, ce qui peut être dangereux puisque leur présence abaisse le pH et épuise les ions sodium et potassium de l'organisme.

Chez les personnes diabétiques, la glycémie peut excéder la capacité des reins à réabsorber le glucose. Celui-ci demeure donc dans le filtrat rénal et il est excrété dans l'urine. C'est pour cette raison que la recherche de glucose dans l'urine est une des méthodes de dépistage du diabète. L'accumulation du glucose dans l'urine a pour effet d'attirer de plus grandes quantités d'eau, si bien que le volume d'urine augmente considérablement. Le terme *diabète* (du grec *diabainein*, «qui traverse») évoque d'ailleurs ces mictions abondantes, tandis que le terme *sucré* désigne, évidemment, la présence de sucre (glucose) dans l'urine.

Il existe deux types de diabète sucré, soit de type 1 ou de type 2. Chaque type se caractérise par une glycémie élevée, mais leurs causes sont fort différentes.

Le diabète de type 1 Aussi appelé diabète insulinodépendant, le *diabète de type 1* est une maladie auto-immune dans laquelle le système immunitaire s'attaque aux cellules bêta du pancréas. Cette forme de diabète apparaît habituellement dans l'enfance et anéantit la capacité à produire de l'insuline. Le traitement consiste en injections d'insuline, généralement plusieurs fois par jour. Auparavant, l'insuline injectable provenait de pancréas animaux, mais de nos jours, on utilise l'hormone humaine produite par des bactéries génétiquement modifiées, une source relativement peu coûteuse (voir la figure 20.4). La recherche sur les cellules souches progresse rapidement; il serait possible de les utiliser pour obtenir des cellules bêta de remplacement qui rétabliraient la capacité du pancréas à produire de l'insuline. On pourrait ainsi guérir le diabète de type 1.

Le diabète de type 2 Aussi appelé diabète non insulinodépendant, le *diabète de type 2* se caractérise par l'incapacité des cellules cibles de répondre normalement à l'insuline. Le pancréas produit bel et bien de l'insuline, mais les cellules cibles sont incapables d'absorber le glucose sanguin, de sorte que la glycémie demeure élevée. La résistance à l'insuline qui caractérise le diabète de type 2 est parfois due à une malformation héréditaire du récepteur de l'insuline ou de la voie de transduction de la réponse à l'insuline. Dans beaucoup de cas, toutefois, ce sont des événements survenant dans les cellules cibles qui inactivent la voie de transduction de la réponse qui, elle, s'avère fonctionnelle. Cette inactivation semble être associée à une réaction inflammatoire de l'immunité innée (voir le concept 43.1).

Bien que l'hérédité soit un facteur dans le diabète de type 2, l'excès de poids et la sédentarité augmentent considérablement le risque de voir s'installer la maladie. Cette forme de diabète apparaît généralement après l'âge de 40 ans, mais elle peut également toucher les enfants, surtout s'ils sont sédentaires et font de l'embonpoint. Plus de 90% des personnes diabétiques souffrent de diabète de type 2, et si bon nombre d'entre eux peuvent maîtriser leur glycémie au moyen d'une activité physique régulière et d'une saine alimentation, beaucoup ont besoin de médicaments. Chose certaine, le diabète de type 2 est la septième cause de décès aux États-Unis, la sixième au Canada et en France. Cette maladie représente un problème de santé publique de plus en plus important dans le monde.

On effectue actuellement des études sur des animaux de laboratoire et chez les humains afin de déterminer le rôle de l'obésité et de la sédentarité dans l'inactivation de la voie de transduction de la réponse à l'insuline.

La régulation de l'appétit et de l'apport énergétique

La **suralimentation** résulte d'un apport calorique supérieur aux besoins métaboliques. Elle cause l'obésité, qui se manifeste par l'accumulation excessive de graisses dans l'organisme. L'obésité est associée à de nombreux problèmes de santé, notamment le diabète de type 2, les cancers du côlon et du sein, ainsi que les maladies cardiovasculaires, telles les crises cardiaques, et les accidents vasculaires cérébraux. Aux États-Unis seulement, on estime qu'annuellement l'obésité est en cause dans 300 000 décès. Les États-Unis ont peut-être le triste record du nombre de personnes souffrant d'obésité, mais ce problème est devenu un phénomène mondial que plusieurs décrivent comme une véritable épidémie.

Les chercheurs ont découvert plusieurs mécanismes homéostatiques qui fonctionnent comme des circuits de rétroaction dont le rôle est de régir la mise en réserve et le métabolisme des graisses corporelles. Un réseau de neurones transmet et traite l'information envoyée par l'estomac pour réguler la sécrétion des hormones qui assurent la régulation de l'appétit à court et à long terme. La cible de ces hormones est un «centre de la satiété» situé dans l'encéphale (**figure 41.22**). Par exemple, la *ghréline*, une hormone également sécrétée par l'estomac, déclenche la sensation de faim avant les repas. En revanche, l'insuline et le peptide tyrosine tyrosine (PYY), une hormone sécrétée par l'intestin grêle après les repas, suppriment l'appétit. La *leptine*, elle, est produite par le tissu adipeux (les graisses) et inhibe aussi l'appétit; elle semble jouer un rôle majeur dans la régulation du taux de graisses de l'organisme. Dans la rubrique **Habiletés scientifiques**, vous interpréterez les données d'une expérience portant sur les gènes qui affectent la production de leptine et son fonctionnement chez la souris.

Trouver de la nourriture, la digérer et en absorber les nutriments: voilà comment les animaux obtiennent l'énergie dont ils ont besoin pour leurs activités. Mais ce n'est pas tout. Encore faut-il que l'organisme de l'animal distribue dans toutes ses cellules les nutriments absorbés (circulation) et que, pour les utiliser à des fins métaboliques, il effectue des échanges gazeux avec l'environnement. Ces processus ainsi que les adaptations qui les facilitent sont les sujets du chapitre 42.

▶ **Figure 41.22 Quelques hormones de régulation de l'appétit.** Les hormones sécrétées par divers organes et tissus atteignent l'encéphale par l'intermédiaire de la circulation sanguine. Ces signaux agissent sur l'hypothalamus, une région de l'encéphale, qui à son tour régit le «centre de la satiété». Ce dernier génère les potentiels d'action à l'origine de la sensation de faim ou de satiété. L'hormone ghréline stimule l'appétit; les trois autres l'inhibent.

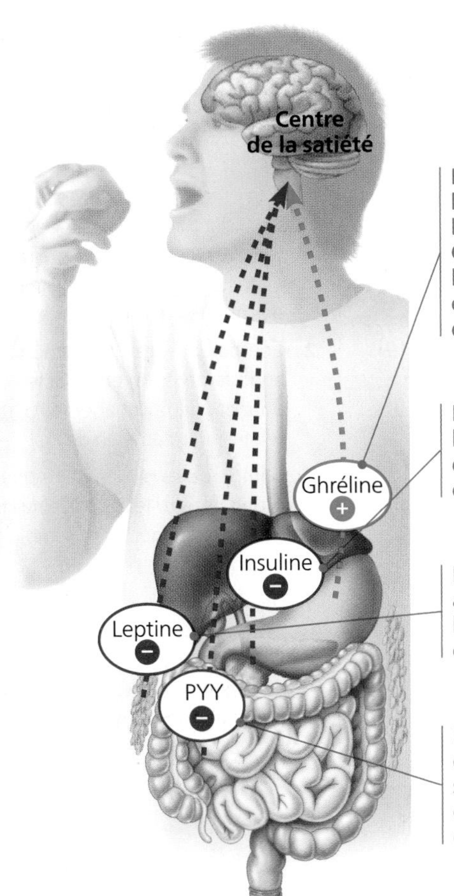

La **ghréline**, découverte en 1999, est sécrétée par l'estomac; c'est l'un des médiateurs qui déclenche la sensation de faim quand l'heure des repas approche. Chez les personnes qui suivent un régime amaigrissant, la concentration de ghréline augmente, ce qui expliquerait pourquoi il est si difficile de faire preuve de persévérance.

L'élévation de la glycémie après un repas stimule la sécrétion de l'**insuline** par le pancréas. En plus de ses autres fonctions, l'insuline inhibe l'appétit en agissant sur l'encéphale.

La **leptine**, découverte en 1994, est produite par les cellules adipeuses; l'augmentation de sa concentration supprime l'appétit. Lorsque les graisses corporelles diminuent, la concentration de leptine baisse et l'appétit augmente.

Le **PYY** (peptide agissant sur les récepteurs de type Y2 de l'hypothalamus), découvert en 2002, est une hormone sécrétée par l'intestin grêle et le côlon après les repas; elle agit comme un suppresseur d'appétit et se comporte comme un antagoniste de la ghréline, qui stimule l'appétit.

DÉMARCHE SCIENTIFIQUE

HABILETÉS SCIENTIFIQUES

Interpréter les données d'expériences portant sur des mutants

■ **QUELS RÔLES LES GÈNES *OB* ET *DB* JOUENT-ILS DANS LA RÉGULATION DE L'APPÉTIT ?** ■ Les chercheurs utilisent souvent un gène mutant qui perturbe un processus physiologique pour étudier le fonctionnement normal du même gène. Idéalement, ils effectuent l'expérience dans des conditions standardisées et comparent des animaux qui diffèrent génétiquement par la présence, ou non, d'une unique mutation sur un gène donné. Le gène muté est non fonctionnel, tandis que le gène normal (type sauvage) est fonctionnel. Ainsi, si les chercheurs constatent une différence dans le phénotype, qui est la propriété physiologique mesurée, alors ils peuvent l'attribuer à la différence observée dans le génotype, c'est-à-dire à l'absence ou à la présence de la mutation. Pour étudier le rôle de gènes spécifiques associés à la régulation de l'appétit, des chercheurs ont utilisé des animaux de laboratoire porteurs de telles mutations.

Les souris chez qui les mutations récessives inactivent les deux copies du gène *ob* ou du gène *db* mangent énormément et grossissent beaucoup plus que les souris porteuses des formes sauvages des deux gènes. Dans la photographie, la souris de droite est de type sauvage, tandis que la souris obèse de gauche porte une mutation qui inactive les deux copies du gène *ob*.

Selon une des hypothèses formulées, le rôle normal des gènes *ob* et *db* serait de participer à une voie hormonale qui supprime l'appétit lorsque l'apport énergétique est suffisant. Avant d'isoler l'hormone, les chercheurs ont exploré cette hypothèse du point de vue génétique.

■ **MÉTHODE** ■ Les chercheurs ont mesuré les masses corporelles de jeunes souris possédant des génotypes différents, après quoi ils ont relié chirurgicalement le système circulatoire de chaque sujet à celui d'une autre souris. Ce faisant, tout facteur présent dans la circulation sanguine d'une des souris devrait être transféré à l'autre. Après huit semaines, ils ont mesuré à nouveau la masse de chaque sujet. ▶

DÉMARCHE SCIENTIFIQUE

HABILETÉS SCIENTIFIQUES

Interpréter les données d'expériences portant sur des mutants (*suite*)

■ RÉSULTATS ■

	Appariement des génotypes (les gènes mutants sont en rouge)		Changement moyen de la masse corporelle (g) du sujet
	Sujet	Apparié avec	
(a)	ob^+/ob^+, db^+/db^+	ob^+/ob^+, db^+/db^+	8,3
(b)	ob/ob, db^+/db^+	ob/ob, db^+/db^+	38,7
(c)	ob/ob, db^+/db^+	ob^+/ob^+, db^+/db^+	8,2
(d)	ob/ob, db^+/db^+	ob^+/ob^+, db/db	−14,9*

* En raison d'une importante perte de poids et de l'affaiblissement, les sujets de ces paires ont été pesés à nouveau avant la fin de la période de huit semaines.

Source des données: D. L. Coleman, Effects of parabiosis of obese mice with diabetes and normal mice. *Diabetologia* 9: 294-298 (1973).

INTERPRÉTEZ LES DONNÉES ▼

1. Premièrement, exercez-vous à lire les données génotypiques présentées dans le tableau. Par exemple, l'appariement (a) combine deux souris ayant chacune le type sauvage des deux gènes. Décrivez les deux souris de l'appariement (b), de l'appariement (c) et de l'appariement (d). Expliquez de quelle façon chacune des quatre combinaisons a contribué au plan de l'expérience.
2. Comparez les résultats phénotypiques obtenus pour les appariements (a) et (b). Si les résultats avaient été identiques pour ces deux appariements, qu'est-ce que cela aurait indiqué relativement au plan de l'expérience?
3. Comparez les résultats observés pour l'appariement (c) avec ceux observés pour les appariements (a) et (b). D'après ces résultats, le produit du gène ob^+ semble-t-il stimuler l'appétit ou le supprimer? Expliquez votre réponse.
4. Décrivez les résultats obtenus pour l'appariement (d). Notez la différence d'avec les résultats obtenus pour l'appariement (b). Formulez une hypothèse qui expliquerait cette différence. Comment pourriez-vous tester votre hypothèse avec les mêmes types de souris que ceux de cette expérience?

RETOUR SUR LE CONCEPT 41.5

1. Expliquez comment un individu peut devenir obèse, même s'il mange relativement peu de lipides alimentaires comparativement à son ingestion de glucides.
2. **ET SI? ▶** Vous étudiez deux groupes de personnes obèses porteuses d'anomalies génétiques qui perturbent la voie de la leptine. Dans l'un de ces deux groupes, les taux de leptine sont anormalement élevés, alors que dans l'autre, ils sont anormalement bas. Comment les taux de leptine de chaque groupe changeront-ils si les deux groupes suivent un régime amaigrissant pendant une longue période? Expliquez votre réponse.
3. **ET SI? ▶** Un insulinome est une masse de cellules bêta du pancréas, parfois cancéreuses, qui sécrètent de l'insuline, mais ne répondent pas aux mécanismes de rétroaction. D'après vous, comment cette tumeur affecte-t-elle la glycémie et l'activité du foie?

Voir les réponses proposées à l'appendice A.

RÉVISION DU CHAPITRE 41

Consultez votre MANUEL NUMÉRIQUE, qui vous donne accès aux **animations**, aux **exercices** et à la plateforme d'**anatomie interactive**.

Résumé des concepts clés

- Les animaux ont divers régimes alimentaires. Les **herbivores** consomment surtout des végétaux, et les **carnivores**, principalement d'autres animaux. Les **omnivores** ingèrent régulièrement des matières animales et végétales. Tous les animaux doivent équilibrer l'apport, l'entreposage et la dépense d'énergie.

CONCEPT 41.1

Le régime alimentaire des animaux doit fournir de l'énergie chimique, des molécules organiques et des nutriments essentiels (p. 984 à 988)

- La nourriture procure aux animaux l'énergie dont ils ont besoin pour produire de l'ATP, des squelettes carbonés pour la biosynthèse et des **nutriments essentiels**, qui doivent être fournis sous une forme préassemblée. Les nutriments essentiels comprennent: certains acides aminés et acides gras que les animaux sont incapables de synthétiser eux-mêmes; des **vitamines**, qui sont des molécules organiques; et des **minéraux**, qui sont des substances inorganiques.

- La malnutrition résulte d'un apport inadéquat de nutriments essentiels, alors que la sous-alimentation découle d'un apport énergétique insuffisant. Les études sur les malformations génétiques et sur la maladie au sein des populations aident les chercheurs à déterminer les besoins nutritionnels de l'humain.

? Comment un cofacteur enzymatique nécessaire à un processus essentiel peut-il être un nutriment essentiel pour quelques animaux seulement ?

CONCEPT 41.2

La transformation des aliments comprend l'ingestion, la digestion, l'absorption et l'élimination (p. 988 à 991)

- Les modes d'ingestion des aliments varient d'une espèce animale à l'autre. Beaucoup d'animaux, notamment les humains, se nourrissent par **ingestion en vrac**. Ils consomment des morceaux de nourriture relativement gros. L'**ingestion par filtration**, l'**ingestion du substrat** et l'**ingestion par aspiration** sont d'autres stratégies.
- La compartimentation du tube digestif permet d'éviter l'autodigestion. Dans la digestion intracellulaire, les particules alimentaires pénètrent dans les cellules par phagocytose, puis elles sont digérées au sein de phagosomes qui ont fusionné avec des lysosomes. La plupart des animaux font appel à la digestion extracellulaire. Dans ce cas, l'hydrolyse enzymatique est effectuée à l'extérieur des cellules, dans une **cavité gastrovasculaire** ou dans un **tube digestif**.

? Proposez une alimentation artificielle qui éliminerait une des trois premières étapes de la transformation des aliments.

CONCEPT 41.3

Les différents organes du système digestif des mammifères assurent la transformation progressive de la nourriture (p. 991 à 998)

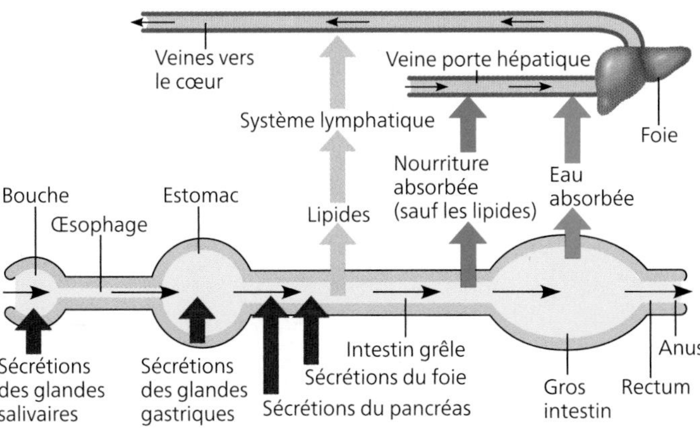

? Quelle caractéristique structurale de l'intestin grêle fait de lui un organe mieux adapté que l'estomac à l'absorption des nutriments ?

CONCEPT 41.4

Les adaptations évolutives du système digestif des vertébrés sont corrélées avec le régime alimentaire (p. 998 à 1001)

- Chez les vertébrés, plusieurs adaptations évolutives sont reliées au régime alimentaire. Par exemple, la dentition (l'ensemble des dents), correspond généralement au régime alimentaire. Aussi, beaucoup d'herbivores possèdent des chambres de fermentation spéciales, dans lesquelles des microorganismes mutualistes digèrent la cellulose. De même, les herbivores ont habituellement un tube digestif plus long que celui des carnivores, car il faut plus de temps pour digérer les matières végétales que les matières animales.

? Quelles caractéristiques de notre anatomie nous donnent à penser que nos ancêtres les primates n'étaient pas exclusivement végétariens ?

CONCEPT 41.5

Des circuits de rétroaction régulent la digestion, le stockage de l'énergie et l'appétit (p. 1002 à 1006)

- La régulation de la nutrition intervient à plusieurs niveaux. La présence de nourriture dans le tube digestif déclenche des réactions nerveuses et hormonales qui provoquent la sécrétion des sucs digestifs et qui facilitent le déplacement de la nourriture ingérée dans le tube digestif. La disponibilité du glucose pour la production d'énergie est régulée par l'**insuline** et le **glucagon**, deux hormones qui président à la synthèse et à la dégradation du glycogène, respectivement.
- Les vertébrés emmagasinent l'énergie excédentaire sous forme de glycogène (dans le foie et dans les muscles), ainsi que sous forme de triglycérides (dans les cellules adipeuses). Ils peuvent puiser dans ces réserves quand ils dépensent plus d'énergie qu'ils n'en ingèrent. S'ils consomment plus de calories qu'ils n'en ont besoin pour leur métabolisme, la suralimentation qui en résulte peut causer un problème de santé sérieux : l'obésité.
- Plusieurs hormones, notamment la leptine et l'insuline, agissent sur le centre de la satiété dans le cerveau et régulent ainsi l'appétit.

? Expliquez pourquoi votre estomac peut gargouiller lorsque vous sautez un repas.

Évaluation

NIVEAU 1 : CONNAISSANCES ET COMPRÉHENSION

1. La digestion des graisses produit des acides gras et du glycérol. La digestion des protéines produit des acides aminés. Ces deux processus de la digestion :
a) ont lieu dans les cellules de la plupart des animaux.
b) ajoutent une molécule d'eau pour rompre des liaisons.
c) requièrent un faible pH en raison de la sécrétion de HCl.
d) consomment de l'ATP.

2. Chez les mammifères, la trachée et l'œsophage s'ouvrent dans :
a) le pharynx.
b) l'estomac.
c) le gros intestin.
d) le rectum.

3. Voici une liste d'organes associés chacun à une fonction. Parmi ces associations, laquelle est *erronée* ?
a) Estomac : digestion des protéines.
b) Gros intestin : production de bile.
c) Intestin grêle : absorption des nutriments.
d) Pancréas : production d'enzymes.

4. Parmi les activités suivantes, laquelle *n'est pas* une des principales activités de l'estomac ?
a) Le stockage.
b) La production de HCl.
c) L'absorption de nutriments.
d) La sécrétion d'enzymes.

NIVEAU 2 : **APPLICATION ET ANALYSE**

5. Si vous placez les événements ci-dessous dans l'ordre où ils ont lieu dans le tube digestif de l'humain, le troisième événement sera :
   a) Les cellules des cryptes gastriques sécrètent des protons.
   b) La pepsine active le pepsinogène.
   c) Le HCl active le pepsinogène.
   d) Les aliments partiellement digérés entrent dans l'intestin grêle.

6. Après avoir subi l'ablation de la vésicule biliaire du fait d'une infection, une personne doit faire particulièrement attention à ce qu'elle mange et restreindre sa consommation :
   a) d'amidon.
   b) de protéines.
   c) de glucides.
   d) de lipides.

7. Si vous allez courir sur une distance de 1 km quelques heures après avoir mangé, à quelle source d'énergie votre organisme fera-t-il d'abord appel ?
   a) Aux protéines des muscles.
   b) Au glycogène des muscles et du foie.
   c) Aux graisses emmagasinées dans le foie.
   d) Aux graisses des tissus adipeux.

NIVEAU 3 : **SYNTHÈSE ET ÉVALUATION**

8. **FAITES UN DESSIN ▶** Faites un schéma du cheminement parcouru par la nourriture partiellement digérée lorsqu'elle quitte l'estomac. Utilisez les termes suivants : sécrétion de HCO_3^-, circulation, diminution de l'acidité, augmentation de l'acidité, sécrétion de sécrétine, détection de signaux. À côté de chacun de ces termes, indiquez le ou les compartiments concernés. Vous pouvez utiliser le même terme plus d'une fois.

Voir les réponses proposées à l'appendice A.

La circulation et les échanges gazeux

42

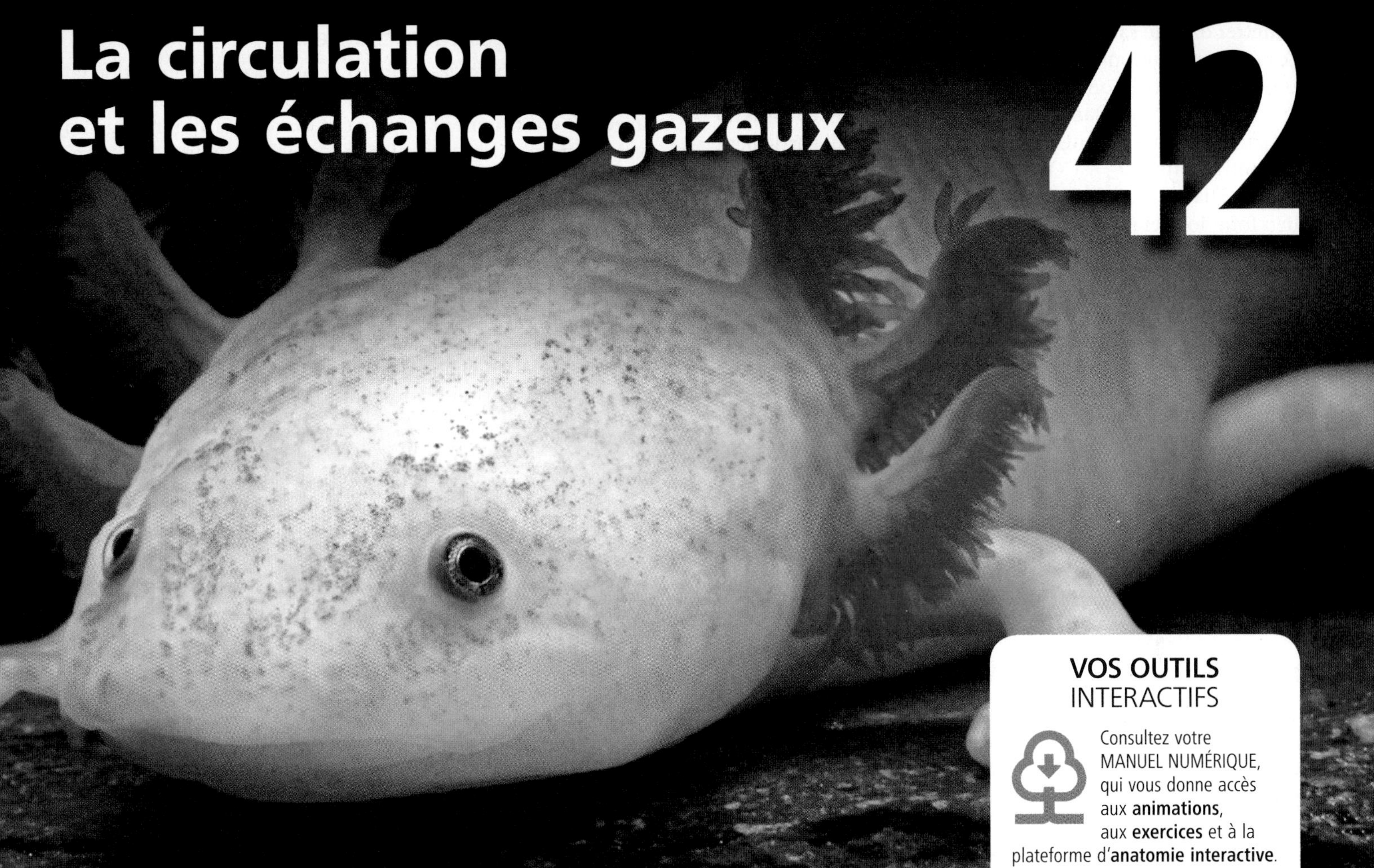
VOS OUTILS
INTERACTIFS
Consultez votre MANUEL NUMÉRIQUE, qui vous donne accès aux **animations**, aux **exercices** et à la plateforme d'**anatomie interactive**.

▲ **Figure 42.1 Comment des appendices plumeux aident-ils cet animal à survivre ?**

CONCEPTS CLÉS

42.1 Les systèmes cardiovasculaires mettent en relation les surfaces d'échange et toutes les cellules de l'organisme

42.2 Chez les mammifères, les cycles coordonnés des contractions du cœur rendent possible la circulation double

42.3 La pression artérielle et le débit sanguin sont le reflet de la structure et de l'agencement des vaisseaux sanguins

42.4 Les divers composants du sang participent aux échanges, au transport et à l'immunité

42.5 Les échanges gazeux s'effectuent à travers des surfaces respiratoires spécialisées

42.6 La respiration permet de ventiler les poumons

42.7 Les pigments respiratoires qui captent les gaz et les transportent sont des adaptations qui favorisent les échanges gazeux

Les échanges avec le milieu extérieur

L'animal de la **figure 42.1** ressemble à une créature de film de science-fiction, mais il s'agit d'un animal réel, appelé axolotl (*Ambystoma mexicanum*), une salamandre vivant dans les étangs peu profonds du Mexique. Les appendices plumeux rouges qui coiffent la tête de cet adulte albinos sont des branchies. Bien que les branchies externes soient rares chez les animaux adultes, elles permettent à l'axolotl d'accomplir une fonction vitale, commune à tous les animaux : échanger des substances avec le milieu extérieur.

Le transfert de substances entre un axolotl (ou tout autre animal) et le milieu extérieur se déroule au niveau cellulaire. Les ressources nécessaires, notamment les nutriments et les molécules d'oxygène (O_2), traversent la membrane plasmique pour pénétrer dans le cytoplasme ; quant aux déchets, notamment le dioxyde de carbone (CO_2), ils quittent la cellule en traversant la même membrane. Les organismes unicellulaires échangent les substances directement avec le milieu externe, aussi à travers leur membrane cellulaire. Par contre, la plupart des organismes multicellulaires sont incapables d'effectuer des échanges directs de substances entre chacune de leurs cellules et le milieu extérieur. Un grand nombre d'animaux, dont les humains, possèdent donc des systèmes respiratoires spécialisés où ont lieu les échanges avec le milieu et des systèmes circulatoires qui transportent ensuite les substances reçues vers le reste du corps.

La coloration rougeâtre ainsi que la structure ramifiée des branchies de l'axolotl rendent compte d'un lien étroit entre les échanges et le transport. De minuscules vaisseaux sanguins se trouvent tout près de la surface de chacun des filaments des branchies. L'O_2 dissous dans l'eau environnante diffuse à travers cette surface pour pénétrer dans le sang, tandis que le CO_2 diffuse du sang vers l'eau. Cette diffusion est rapide, car la distance à franchir est très courte. Les contractions du cœur de l'axolotl propulsent ensuite le sang oxygéné des filaments branchiaux vers tous les tissus du corps. Là, d'autres échanges se produisent, auxquels participent des nutriments, l'O_2, le CO_2 et d'autres déchets.

Les échanges gazeux et le transport interne font l'objet d'un lien fonctionnel non seulement chez les axolotls, mais également chez la plupart des animaux; c'est pourquoi nous étudierons simultanément le système cardiovasculaire et le système respiratoire. À partir d'un certain nombre d'exemples de ces deux systèmes chez diverses espèces, nous explorerons les points communs tout autant que la diversité remarquable des formes et de l'organisation. Nous verrons aussi comment ces deux systèmes contribuent à l'homéostasie, c'est-à-dire au maintien de l'équilibre physiologique (voir le concept 40.2).

CONCEPT **42.1**

Les systèmes cardiovasculaires mettent en relation les surfaces d'échange et toutes les cellules de l'organisme

Toutes les cellules de l'organisme doivent participer aux échanges moléculaires qu'un animal entretient avec son environnement afin d'absorber de l'O_2 et des nutriments, d'une part, et de rejeter du CO_2 et d'autres déchets, d'autre part. Les petites molécules autour ou à l'intérieur des cellules, dont l'O_2 et le CO_2, se déplacent par **diffusion**, un mouvement thermique aléatoire (voir le concept 7.3). Lorsqu'il y a une différence de concentration, comme cela se produit entre une cellule et son environnement immédiat, la diffusion peut engendrer un mouvement net. Toutefois, un tel mouvement est très lent lorsqu'il a lieu sur des distances supérieures à quelques millimètres, car le temps que prend une substance pour diffuser d'un endroit à l'autre est proportionnel au *carré* de la distance. Ainsi, s'il faut 1 s à une certaine quantité de glucose pour diffuser sur 100 μm, il faut 100 s pour que la même quantité diffuse sur 1 mm, et près de 3 h pour 1 cm.

Étant donné que le mouvement net par diffusion ne se déroule rapidement que sur de très courtes distances, comment chaque cellule d'un animal peut-elle participer aux échanges? La sélection naturelle a apporté deux adaptations générales qui permettent des échanges efficaces pour toutes les cellules de l'animal.

La première adaptation est un plan d'organisation corporelle simple qui favorise le contact direct entre le milieu externe et la majorité ou la totalité des cellules. Chaque cellule peut donc échanger des substances directement avec le milieu externe. Ce plan d'organisation corporelle est caractéristique de certains invertébrés, dont les cnidaires et les vers plats. La seconde adaptation est celle que l'on observe en l'absence de plan d'organisation corporelle simple: elle prend la forme d'un système cardiovasculaire, qui fait circuler du liquide entre l'environnement immédiat de chaque cellule et les tissus. Grâce à ce système, les échanges avec l'environnement et les échanges avec les tissus se produisent sur de très courtes distances.

Les cavités gastrovasculaires

Examinons d'abord des animaux dont le plan d'organisation fait en sorte qu'une grande partie de leurs cellules sont en contact avec l'environnement et peuvent vivre sans système cardiovasculaire distinct. Chez les méduses, les hydres et d'autres cnidaires, une enveloppe corporelle renferme une **cavité gastrovasculaire** centrale, utilisée tant pour la digestion que pour la distribution des substances dans le corps (voir la figure 41.6). Le liquide présent dans la cavité communique avec l'eau du milieu externe par un orifice; de cette manière, les couches cellulaires interne et externe sont en contact avec le liquide environnant. Chez l'hydre, de minces prolongements de la cavité gastrovasculaire s'étendent dans les tentacules. Les méduses et d'autres cnidaires sont dotés d'une cavité gastrovasculaire ramifiée encore plus complexe (**figure 42.2a**).

Chez les animaux dotés d'une cavité gastrovasculaire, les couches de tissus internes et externes baignent dans le liquide, ce qui facilite les échanges de gaz et de déchets cellulaires. Seules les cellules de la couche interne de la cavité ont un accès direct aux nutriments libérés par la digestion. Toutefois, comme la paroi du corps ne comprend que deux couches cellulaires, les nutriments n'ont pas à diffuser sur une grande distance pour atteindre les cellules de la couche externe.

Les planaires et la plupart des autres vers plats sont également dépourvus de systèmes cardiovasculaires. Leur cavité gastrovasculaire, combinée à la forme aplatie de leur corps, est bien adaptée à l'échange de substances avec le milieu externe (**figure 42.2b**). Un corps aplati optimise en effet les échanges par diffusion, car la surface est accrue, et les distances de diffusion, réduites au minimum.

Les systèmes cardiovasculaires ouverts et clos

Un système cardiovasculaire a trois composants structuraux: un liquide circulatoire, un réseau de vaisseaux et une pompe musculaire, en l'occurrence un **cœur**. Le cœur fait circuler le sang en utilisant de l'énergie métabolique pour élever sa pression hydrostatique, c'est-à-dire la pression qu'exerce le liquide sur les vaisseaux environnants. Le sang circule dans l'organisme, puis revient au cœur.

En transportant un liquide dans tout le corps, le système circulatoire établit un lien fonctionnel entre le milieu aqueux des cellules du corps et les organes qui échangent des gaz, absorbent des nutriments et éliminent les déchets. Chez les mammifères, par exemple, l'O_2 de l'air inhalé diffuse à travers à peine deux couches de cellules dans les poumons avant d'atteindre le sang. Le système cardiovasculaire peut ensuite acheminer le sang oxygéné dans toutes les parties du corps. Lorsque ce sang arrive dans les tissus par de minuscules vaisseaux sanguins, l'O_2 qu'il contient n'a plus qu'à diffuser sur une très courte distance pour pénétrer dans le liquide qui baigne les cellules.

Les systèmes cardiovasculaires sont soit clos, soit ouverts. Dans un **système cardiovasculaire ouvert**, le liquide circulatoire, appelé **hémolymphe**, est également le *liquide interstitiel* dans lequel baignent les cellules. Les arthropodes (comme les criquets) et certains mollusques (comme les palourdes) ont un système cardiovasculaire ouvert. Le cœur pompe l'hémolymphe dans le réseau de cavités entourant les organes, c'est-à-dire les sinus (**figure 42.3a**). C'est dans ces sinus que se produisent les échanges gazeux et chimiques entre l'hémolymphe et les

▼ Figure 42.2 Le transport interne dans les cavités gastrovasculaires.

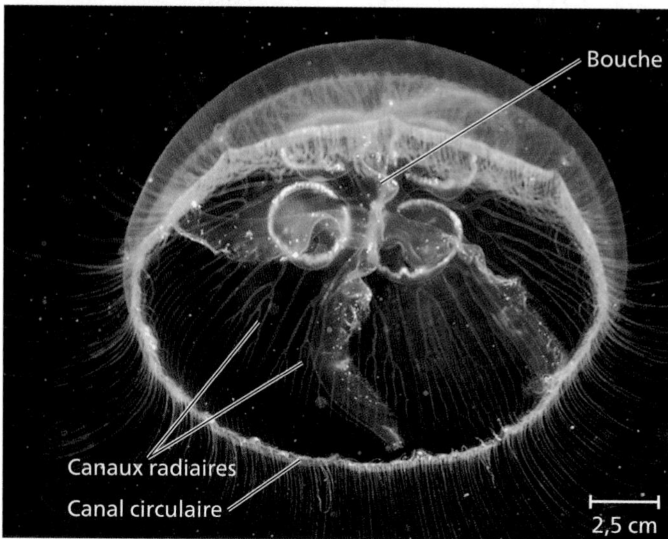

(a) Méduse *Aurelia sp.*, un cnidaire. On voit ici la face inférieure de la méduse (pôle oral). La bouche conduit à une cavité gastrovasculaire complexe, dont les canaux radiaires communiquent avec un canal circulaire. Les liquides circulent dans la cavité gastrovasculaire sous l'action des cellules ciliées qui tapissent les canaux.

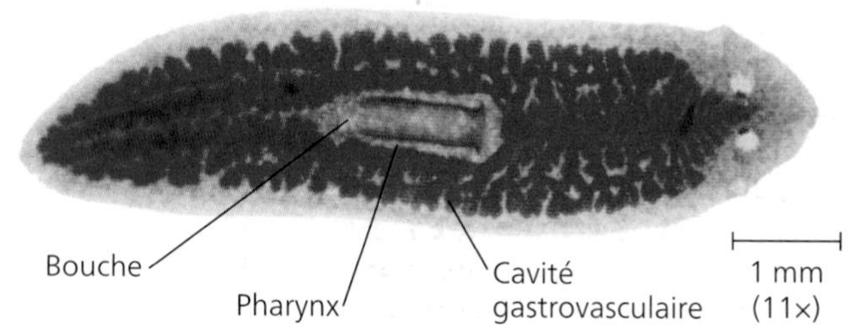

(b) Planaire *Dugesia sp.*, un ver plat. La bouche et le pharynx sur la face ventrale du ver conduisent à une cavité gastrovasculaire très ramifiée, montrée en rouge foncé sur ce spécimen (MP).

ET SI ? ▶ Supposons qu'une cavité gastrovasculaire comporte une ouverture à chacune de ses deux extrémités et que le liquide entre dans la cavité par une extrémité pour en ressortir par l'autre. Comment cette organisation changerait-elle le fonctionnement de la cavité au regard des échanges gazeux et de la digestion ?

▼ Figure 42.3 Les systèmes cardiovasculaires ouverts et les systèmes cardiovasculaires clos.

(a) Système cardiovasculaire ouvert

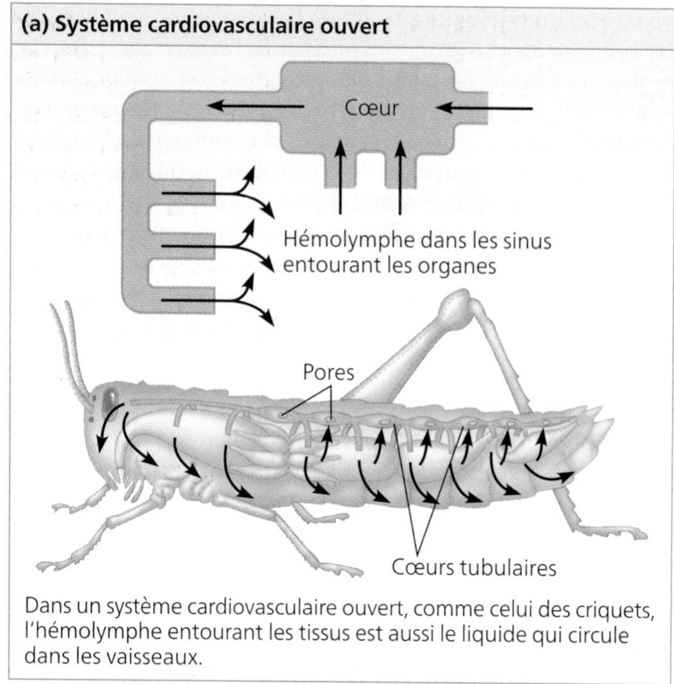

Dans un système cardiovasculaire ouvert, comme celui des criquets, l'hémolymphe entourant les tissus est aussi le liquide qui circule dans les vaisseaux.

(b) Système cardiovasculaire clos

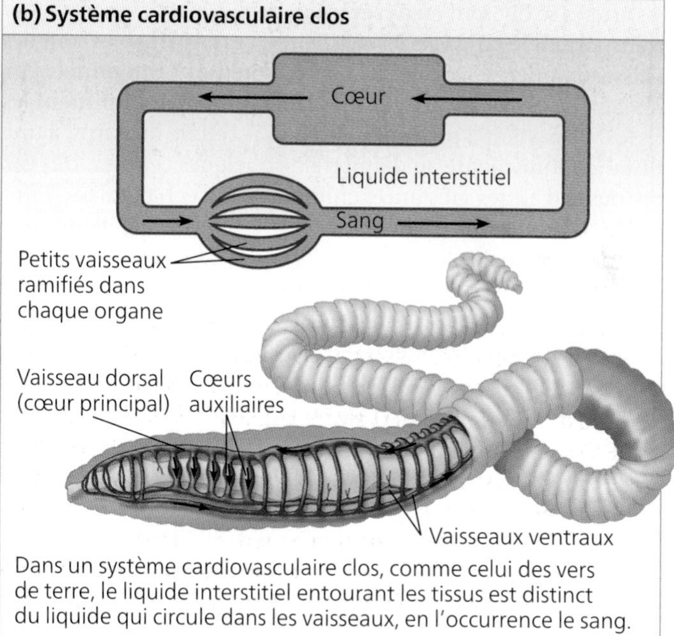

Dans un système cardiovasculaire clos, comme celui des vers de terre, le liquide interstitiel entourant les tissus est distinct du liquide qui circule dans les vaisseaux, en l'occurrence le sang.

cellules. L'hémolymphe retourne au cœur quand celui-ci se relâche ; en chemin, elle traverse des pores pourvus de valves, lesquelles se ferment quand le cœur se contracte. Les mouvements du corps compriment périodiquement les sinus, ce qui facilite la circulation de l'hémolymphe. Le système cardiovasculaire des gros crustacés, comme les homards (*Homarus spp.*) et les crabes, possède un réseau de vaisseaux plus développé de même qu'un organe de pompage accessoire.

Dans un **système cardiovasculaire clos**, le liquide circulatoire est appelé **sang**. Confiné dans les vaisseaux, le sang constitue un liquide distinct du liquide interstitiel (**figure 42.3b**). Un ou plusieurs cœurs pompent le sang dans de grands vaisseaux qui se divisent en plus petits vaisseaux parcourant les tissus et les organes. Les échanges chimiques se déroulent entre le sang et le liquide interstitiel, ainsi qu'entre le liquide interstitiel et les cellules du corps. Les annélides (dont les vers de terre), les céphalopodes (dont les calmars et les pieuvres) et tous les vertébrés ont un système cardiovasculaire clos.

Le système cardiovasculaire ouvert et le système cardiovasculaire clos sont aussi répandus l'un que l'autre chez les animaux, ce qui donne à penser que chacun offre des avantages du point de vue de l'évolution. Par exemple, comparativement aux systèmes clos, les systèmes cardiovasculaires ouverts requièrent une pression hydrostatique plus faible, et donc moins d'énergie. Aussi, chez certains invertébrés, les systèmes cardiovasculaires ouverts remplissent bien d'autres fonctions. Par exemple, les araignées utilisent la pression hydrostatique produite par leur système cardiovasculaire ouvert pour étirer leurs pattes. Les systèmes circulatoires clos présentent également leurs avantages. Entre autres, la pression artérielle y est suffisamment élevée pour permettre un transport efficace de l'O_2 et des nutriments chez les animaux les plus gros et les plus actifs. Par exemple, parmi les mollusques, seules les espèces les plus grosses et les plus actives, telles que les calmars et les pieuvres, ont des systèmes cardiovasculaires clos. Par ailleurs, les systèmes clos sont particulièrement bien adaptés à la régulation de la distribution du sang dans les organes, comme nous le verrons plus loin dans ce chapitre. Dans notre étude plus détaillée des systèmes cardiovasculaires clos, nous nous intéresserons notamment aux vertébrés.

L'organisation des systèmes cardiovasculaires chez les vertébrés

On emploie souvent le terme **système cardiovasculaire** pour désigner le cœur et les vaisseaux sanguins chez les vertébrés. Pompé par le cœur, le sang circule dans un réseau extraordinairement élaboré de vaisseaux. Chez un humain adulte, la longueur totale des vaisseaux sanguins équivaut à deux fois la circonférence de la Terre à l'équateur !

Les artères, les veines et les capillaires sont les trois principaux types de vaisseaux sanguins. Dans chaque type, le sang circule dans une seule direction. Les **artères** acheminent le sang propulsé par le cœur vers les organes du corps. Au sein des organes, les artères se divisent en **artérioles**, de plus petits vaisseaux qui transportent le sang vers les capillaires. Les **capillaires** sont des vaisseaux microscopiques à la paroi poreuse et très mince. Des réseaux de ces vaisseaux, appelés **lits capillaires**, infiltrent les tissus. Ils passent à proximité de chaque cellule du corps, à une distance équivalente au diamètre de quelques cellules. Des gaz dissous et d'autres substances chimiques sont échangés par diffusion à travers la mince paroi qui sépare le sang des capillaires et le liquide interstitiel entourant les cellules. Les capillaires convergent à leur extrémité pour former des **veinules**, qui se jettent à leur tour dans des **veines**, les vaisseaux qui ramènent le sang au cœur.

Il importe de se rappeler que les artères et les veines se distinguent par la *direction* dans laquelle elles transportent le sang, et non par leur contenu en O_2 ou par d'autres caractéristiques du sang qu'elles contiennent. Toutes les artères transportent le sang *du cœur vers les capillaires*, et toutes les veines renvoient le sang *des capillaires vers le cœur*. Seules les veines portes font exception : elles acheminent le sang entre des paires de lits capillaires. Par exemple, la veine porte hépatique achemine le sang des lits capillaires du système digestif vers ceux du foie.

Le cœur de tous les vertébrés comporte deux cavités musculaires ou plus. Les cavités qui reçoivent le sang revenant au cœur sont les **oreillettes**, tandis que les cavités qui pompent le sang hors du cœur sont les **ventricules**. Le nombre de cavités ainsi que la façon dont elles sont séparées les unes des autres diffèrent considérablement selon les groupes de vertébrés, comme nous le constaterons dans la section suivante. Ces différences importantes traduisent l'adéquation entre la forme et la fonction à laquelle la sélection naturelle a donné lieu.

La circulation simple

Chez les requins, les raies et les poissons osseux, le sang circule dans le corps et revient à son point de départ en un seul circuit (boucle). Ce type de circulation est appelé **circulation simple** (**figure 42.4a**). Le cœur de ces animaux comprend deux cavités : une oreillette et un ventricule. Le sang qui entre dans le cœur s'accumule dans l'oreillette avant d'atteindre le ventricule. La contraction du ventricule pousse ensuite le sang vers un lit capillaire dans les branchies, où il y a diffusion nette d'O_2 dans le sang et de CO_2 hors du sang. Quand le sang quitte les branchies, les capillaires convergent dans un vaisseau qui achemine le sang oxygéné vers les lits capillaires de tout le corps. Une fois les échanges gazeux effectués dans les lits capillaires, le sang emprunte les veines et retourne au cœur.

Dans la circulation simple, le sang qui sort du cœur doit traverser deux lits capillaires avant de retourner au cœur. Lorsque ce liquide passe dans un lit capillaire, la force motrice qui le propulse, soit la pression artérielle, chute de façon importante, pour des raisons que nous verrons plus loin dans le présent chapitre. Cette baisse de la pression artérielle dans les branchies limite la vitesse à laquelle le sang se rend dans le reste du corps. Quand l'animal nage, toutefois, la contraction et le relâchement de ses muscles aident à accélérer la circulation, plutôt lente.

La circulation double

Les amphibiens, les reptiles et les mammifères sont pourvus de deux circuits de circulation sanguine, dont l'ensemble est appelé **circulation double** (**figure 42.4b** et **c**). Chez ces animaux, les pompes des deux circuits forment un seul organe : le cœur. Le fait d'avoir deux pompes dans un seul cœur simplifie la coordination des cycles de contractions.

Dans un des circuits, le côté droit du cœur pompe le sang désoxygéné vers les lits capillaires des tissus où s'effectuent les échanges gazeux, là où le sang capte de l'O_2 et rejette du CO_2. Chez la plupart des vertébrés, dont les reptiles et les mammifères, cette partie de la circulation est appelée *circulation pulmonaire* parce que les échanges gazeux ont lieu dans les poumons. Chez beaucoup d'amphibiens, on lui donne le nom de *circulation pulmocutanée* parce que les lits capillaires où s'effectuent les échanges gazeux se trouvent tant dans les poumons que dans la peau.

L'autre circuit, appelé *circulation systémique*, commence après que le sang a quitté les organes où se font les échanges gazeux. Le côté gauche du cœur pompe ce sang oxygéné vers les lits capillaires de tous les tissus du corps. Une fois que les tissus ont capté l'O_2 de même que les nutriments et rejeté le CO_2 et les déchets, le sang appauvri en O_2 revient vers le cœur. Ainsi s'achève la circulation systémique.

Ce système de circulation double assure un apport vigoureux de sang à l'encéphale, aux muscles et aux autres organes, parce que le sang est pompé une seconde fois après que sa pression a chuté dans les lits capillaires des poumons ou de la peau. De fait, la pression du sang est souvent plus élevée dans le circuit systémique que dans le circuit d'échanges gazeux. C'est là une grande différence d'avec la circulation simple, où le sang circule sous une faible pression directement des organes d'échanges gazeux aux autres organes du corps.

Les variantes évolutives de la circulation double

ÉVOLUTION Certains vertébrés dotés d'une circulation double respirent de façon intermittente. Par exemple, les amphibiens et de nombreux reptiles remplissent leurs poumons d'air périodiquement et peuvent demeurer de longs moments sans avoir besoin d'échanges gazeux, ou alors ils peuvent compter sur des échanges gazeux qui s'effectuent dans un tissu autre que celui

▼ **Figure 42.4** **Des exemples de circulation simple et de circulation double chez les vertébrés.**

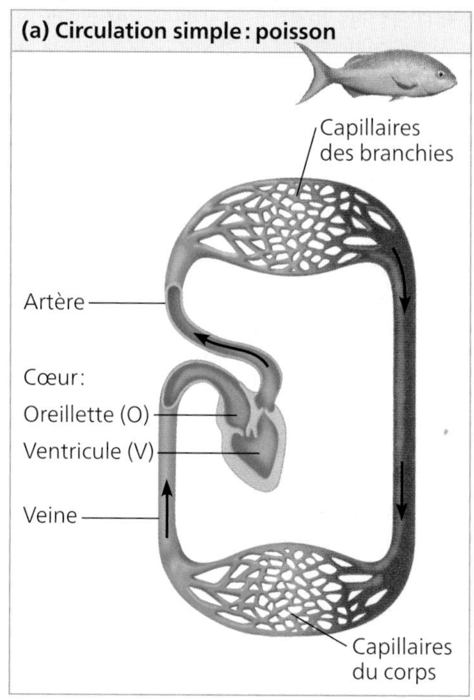

Les poissons osseux, les raies et les requins ont une circulatoire simple: leur cœur est muni de deux cavités.

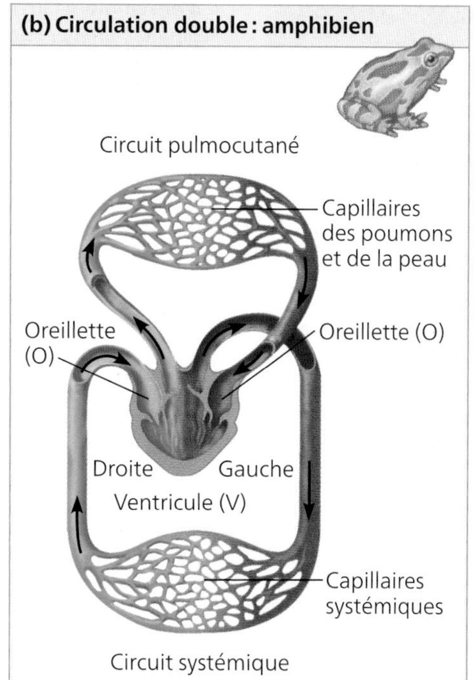

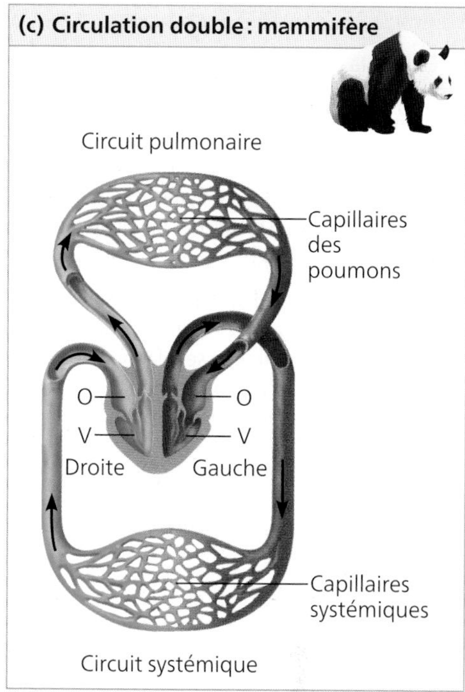

Chez les amphibiens, les reptiles et les mammifères, la circulation sanguine comporte deux circuits et deux pompes, qui fusionnent en un cœur à plusieurs cavités.

Notons que les systèmes circulatoires sont montrés ici comme si l'animal nous faisait face. C'est pourquoi le côté droit de leur cœur est à gauche sur la page, et vice versa.

Légende ■ Sang riche en O_2 ■ Sang pauvre en O_2

des poumons, habituellement la peau. Chez les organismes à respiration intermittente, on observe toutes sortes d'adaptations qui permettent au système cardiovasculaire de contourner temporairement les poumons, en partie ou totalement:

- Les grenouilles et les autres amphibiens sont pourvus d'un cœur à trois cavités: deux oreillettes et un ventricule (voir la figure 42.4b). Le ventricule est muni d'une crête qui dévie la majeure partie (environ 90%) du sang riche en O_2 de l'oreillette gauche vers la circulation systémique et qui dévie la majeure partie du sang appauvri en O_2 de l'oreillette droite vers la circulation pulmocutanée. Lorsqu'elle est sous l'eau, la grenouille tire avantage de la division incomplète du ventricule et modifie sa circulation. En gros, elle coupe la circulation de sang vers ses poumons temporairement non fonctionnels. Le sang poursuit plutôt sa route vers la peau, qui devient l'unique organe d'échanges gazeux pendant que la grenouille est sous l'eau.
- Le cœur des tortues, des serpents et des lézards comporte trois cavités et l'unique ventricule est partiellement cloisonné en deux cavités séparées droite et gauche. Les deux grosses artères, appelées aortes, sortent du cœur et donnent naissance à la circulation systémique. Comme chez les amphibiens, le système cardiovasculaire permet de moduler la quantité relative de sang circulant vers les poumons et le reste du corps.
- Chez les alligators, les caïmans et d'autres crocodiliens, les ventricules sont complètement séparés par un septum, mais la circulation pulmonaire et la circulation systémique se rejoignent là où les artères quittent le cœur. Cette communication permet aux valvules artérielles de détourner le sang de la circulation pulmonaire vers la circulation systémique quand l'animal est sous l'eau.

Chez les oiseaux et les mammifères, qui respirent presque tous de façon continue, la circulation double diffère de celle des autres vertébrés. Comme dans l'exemple du panda géant (*Ailuropoda melanoleuca*) de la figure 42.4c, le cœur comporte deux oreillettes et deux ventricules complètement cloisonnés. La partie gauche du cœur ne reçoit et ne pompe que du sang riche en O_2, tandis que la partie droite ne traite que du sang pauvre en O_2. Contrairement aux amphibiens et à beaucoup de reptiles, les oiseaux et les mammifères ne peuvent pas modifier leur circulation vers les poumons sans modifier aussi celle de tout le corps.

Comment la sélection naturelle a-t-elle conduit à cette adaptation de la circulation double chez les oiseaux et les mammifères? Étant donné que ces animaux sont des endothermes, ils utilisent environ 10 fois plus d'énergie que les ectothermes de tailles comparables (voir le concept 40.4). Leurs systèmes cardiovasculaires doivent donc fournir environ 10 fois plus de carburant et d'O_2 à leurs tissus et rejeter 10 fois plus de CO_2 et autres déchets. Cette abondante circulation de substances est possible grâce à un cœur volumineux et à deux circuits séparés et alimentés de manière indépendante: le circuit systémique et le circuit pulmonaire. L'apparition d'un cœur puissant à quatre cavités chez des oiseaux et des mammifères, dont les ancêtres sont différents, témoigne d'une évolution convergente (voir le concept 22.3).

Dans la prochaine section, nous nous concentrerons sur la circulation chez les mammifères ainsi que sur l'anatomie et la physiologie de l'organe clé du système cardiovasculaire: le cœur.

RETOUR SUR LE CONCEPT **42.1**

1. En quoi la circulation de l'hémolymphe dans un système circulatoire ouvert ressemble-t-elle à la circulation de l'eau dans une fontaine extérieure ?
2. Dans le passé, on estimait que les cœurs à trois cavités munis d'une cloison incomplète étaient moins bien adaptés à la fonction circulatoire que les cœurs des mammifères. Quel avantage ce point de vue négligeait-il ?
3. **ET SI ?** ▶ Le cœur d'un fœtus qui se développe normalement comporte un petit orifice entre l'oreillette droite et l'oreillette gauche. Il arrive que cet orifice ne se referme pas complètement juste après la naissance. S'il n'y a pas de correction par chirurgie, quel sera son effet sur le contenu en O_2 du sang qui entre dans la circulation systémique ?

Voir les réponses proposées à l'appendice A.

CONCEPT **42.2**

Chez les mammifères, les cycles coordonnés des contractions du cœur rendent possible la circulation double

La distribution d'O_2 aux organes du corps ne peut tolérer d'interruption. D'ailleurs, cet apport est si vital que certaines cellules du cerveau meurent au bout de quelques minutes si elles manquent d'O_2. Comment le système cardiovasculaire des mammifères réussit-il à s'acquitter des besoins incessants (mais variables) de l'organisme en O_2 ? Pour répondre à cette question, nous devons examiner les composants de ce système et le fonctionnement de chacun d'entre eux.

La circulation chez les mammifères

En lisant l'explication détaillée sur la circulation sanguine dans le système cardiovasculaire des mammifères, reportez-vous aux chiffres correspondants de la **figure 42.5**. Nous allons commencer par la circulation pulmonaire (poumons). ❶ La contraction du ventricule droit pompe le sang vers les poumons par l'intermédiaire du tronc pulmonaire ❷, qui se subdivise en artères pulmonaires droite et gauche . À mesure qu'il s'écoule dans les lits capillaires des poumons droit et gauche ❸, le sang capte de l'O_2 et perd du CO_2. Le sang enrichi en O_2 revient des poumons par l'intermédiaire des veines pulmonaires droite et gauche pour rejoindre l'oreillette gauche du cœur ❹. Ensuite, le sang riche en O_2 s'écoule dans le ventricule gauche du cœur ❺, à mesure que le ventricule s'ouvre et que l'oreillette gauche se contracte. Le ventricule gauche expulse le sang riche en O_2 vers les tissus du corps par l'intermédiaire de la circulation systémique. Le sang quitte le ventricule gauche par l'aorte ❻, qui transporte le sang aux autres artères parcourant le corps. Les premières branches de l'aorte sont les artères coronaires (elles ne figurent pas sur le schéma), lesquelles apportent du sang au muscle cardiaque lui-même. Puis les branches suivantes de l'aorte débouchent sur les lits capillaires de la tête et des bras ❼ (ou des membres antérieurs). L'aorte descend ensuite dans l'abdomen et fournit du sang riche en O_2 aux lits capillaires

▼ **Figure 42.5 Le système cardiovasculaire des mammifères : vue d'ensemble.** Il faut comprendre que les deux circulations travaillent simultanément et non en série, comme la numérotation du schéma pourrait le faire croire. Les deux ventricules se contractent presque en même temps et pompent le même volume de sang. Toutefois, le volume total de sang se déplaçant dans le circuit systémique est beaucoup plus élevé que celui dans la circulation pulmonaire.

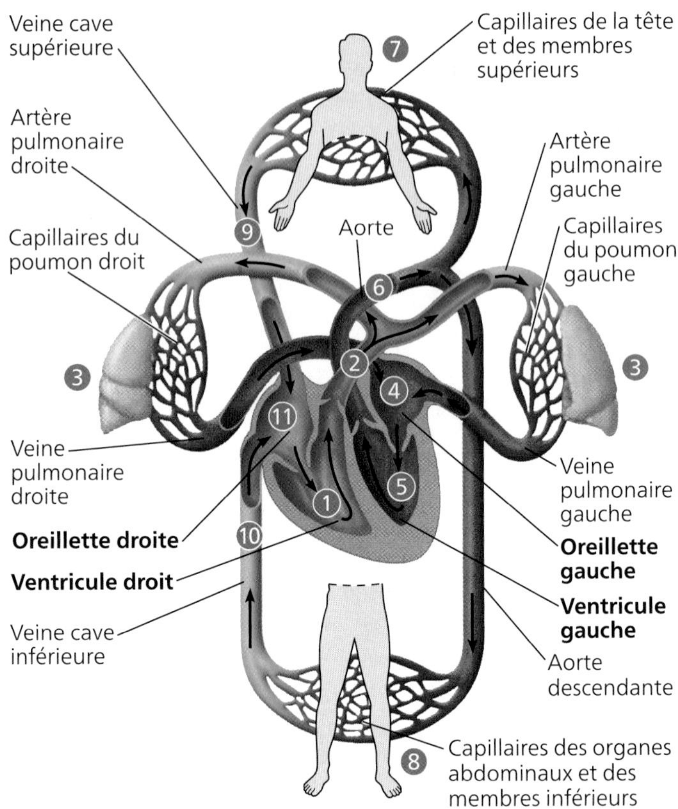

HABILETÉS VISUELLES ▶ Supposons que vous suiviez le trajet d'une molécule de CO_2, depuis le moment où elle se trouve dans une artériole du pouce droit jusqu'à sa sortie du corps dans l'air expiré. Quel est le nombre minimum de lits capillaires traversés par cette molécule ?

des organes abdominaux et des jambes ❽ (ou des membres postérieurs). Dans les capillaires, il y a une diffusion nette d'O_2 du sang vers les tissus, et de CO_2 (produit par la respiration cellulaire) des tissus vers le sang. Les capillaires se rejoignent pour former des veinules dont le sang s'écoule dans les veines. Le sang appauvri en O_2 provenant de la tête, du cou et des membres antérieurs est canalisé dans une grande veine appelée veine cave supérieure ❾. Une autre grande veine, la veine cave inférieure, recueille le sang du tronc et des membres postérieurs ❿. Les deux veines caves déversent leur sang dans l'oreillette droite ⓫, à partir de laquelle le sang appauvri en O_2 se déverse dans le ventricule droit avant de retourner aux poumons.

Le cœur des mammifères : *une étude détaillée*

Un examen plus détaillé du cœur humain nous permettra de mieux comprendre le fonctionnement du cœur des mammifères (**figure 42.6**). Le cœur humain est situé derrière le sternum ; il a environ la taille d'un poing fermé et se compose surtout de tissu musculaire cardiaque (voir la figure 40.5). Les deux oreillettes ont une paroi relativement mince et servent de réservoirs au sang qui retourne au cœur depuis les poumons ou les autres tissus du corps; la majeure partie du sang qui entre dans les oreillettes s'écoule dans les ventricules lorsque les quatre cavités du cœur se relâchent. Le reste est transféré par la contraction des oreillettes avant que les ventricules commencent à se contracter. Comparativement aux oreillettes, les ventricules ont une paroi plus épaisse et leurs contractions sont beaucoup plus puissantes, surtout celles du ventricule gauche, qui doit envoyer le sang à tous les organes du corps par la circulation systémique. Bien que la contraction du ventricule gauche soit plus forte que celle du ventricule droit, les deux ventricules pompent la même quantité de sang à chaque contraction.

Le cœur se contracte et se relâche de façon rythmique. Lorsqu'il se contracte, il agit telle une pompe foulante et expulse le sang dans le tronc pulmonaire et dans l'aorte. Lorsqu'il se relâche, il agit telle une pompe aspirante et ses cavités se remplissent de sang. Un cycle complet, comportant une phase d'éjection et une autre de remplissage, se nomme **révolution cardiaque**, ou cycle cardiaque. La phase de contraction de la révolution cardiaque s'appelle **systole** et la phase de relaxation **diastole** (**figure 42.7**).

Le **débit cardiaque** (**D_c**) correspond au volume de sang éjecté par minute par chaque ventricule. Il dépend de deux facteurs : le nombre de contractions par unité de temps, c'est-à-dire la **fréquence cardiaque** (**f_c**, autrement dit, le nombre de battements cardiaques par minute) et le **volume systolique** (**V_s**), c'est-à-dire la quantité de sang expulsée par un des ventricules à chaque contraction. Le volume systolique moyen de l'humain s'élève à environ 70 mL par battement (0,070 L/batt.). Si on multiplie ce volume systolique par une fréquence cardiaque au repos de 72 batt./min, on obtient un débit cardiaque de 5 L/min. C'est à peu près l'équivalent du volume sanguin total du corps humain. Le débit cardiaque peut être multiplié par cinq pendant un exercice intense et peut ainsi répondre à la demande accrue en O_2.

▼ **Figure 42.6 Le cœur des mammifères : une étude détaillée.** Notez la présence des valvules, qui empêchent le sang de refluer dans le cœur, de même que l'épaisseur différente des parois musculaires des oreillettes et des ventricules gauche et droit.

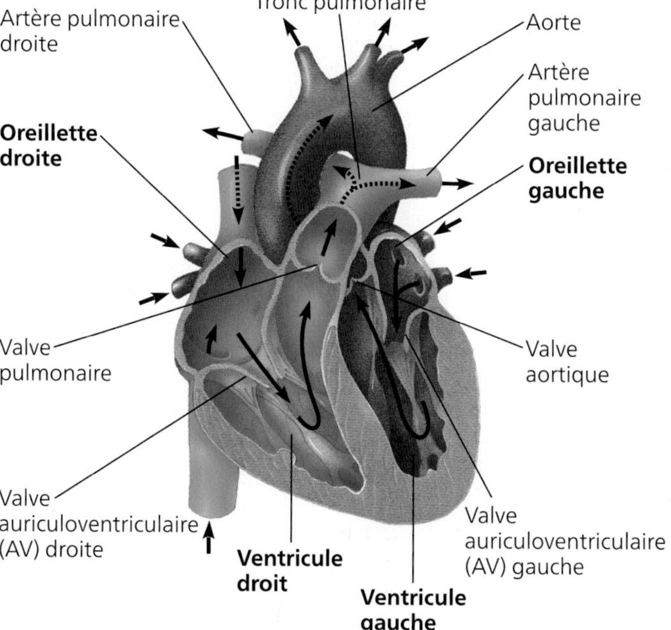

Le cœur comporte quatre valves qui empêchent le sang de refluer et qui contribuent à l'orienter dans la bonne direction (voir les figures 42.6 et 42.7). Composées de replis de tissu conjonctif nommés cuspides ou valvules, ces valves s'ouvrent quand elles sont poussées d'un côté et se referment quand elles sont poussées de l'autre côté. Entre chaque oreillette et chaque ventricule se trouve une **valve auriculoventriculaire** (**valve AV**). Les cuspides des valves AV sont ancrées dans les ventricules par de fins cordons de collagène (les cordages tendineux) qui les empêchent de remonter dans les oreillettes durant la systole ventriculaire. La pression produite par la puissante contraction des ventricules ferme les valves AV, empêchant le sang de retourner dans les oreillettes. La **valve mitrale** (ou valve bicuspide), c'est-à-dire la valve AV située entre l'oreillette gauche et le ventricule gauche, est composée de deux cuspides, alors que la **valve tricuspide**, située entre l'oreillette droite et le ventricule droit, en comporte trois. Les **valves semi-lunaires**, composées chacune de trois valvules, sont situées aux deux sorties du cœur. La **valve aortique** ferme l'artère à la sortie du ventricule gauche et la **valve pulmonaire** sépare ce dernier

▼ **Figure 42.7 La révolution cardiaque.** Chez un humain adulte au repos dont la fréquence cardiaque est d'environ 72 batt./min, une révolution cardiaque prend environ 0,8 s. Notez que, durant la majeure partie de la révolution cardiaque, soit 0,7 s, les oreillettes sont relâchées et se remplissent du sang issu des veines.

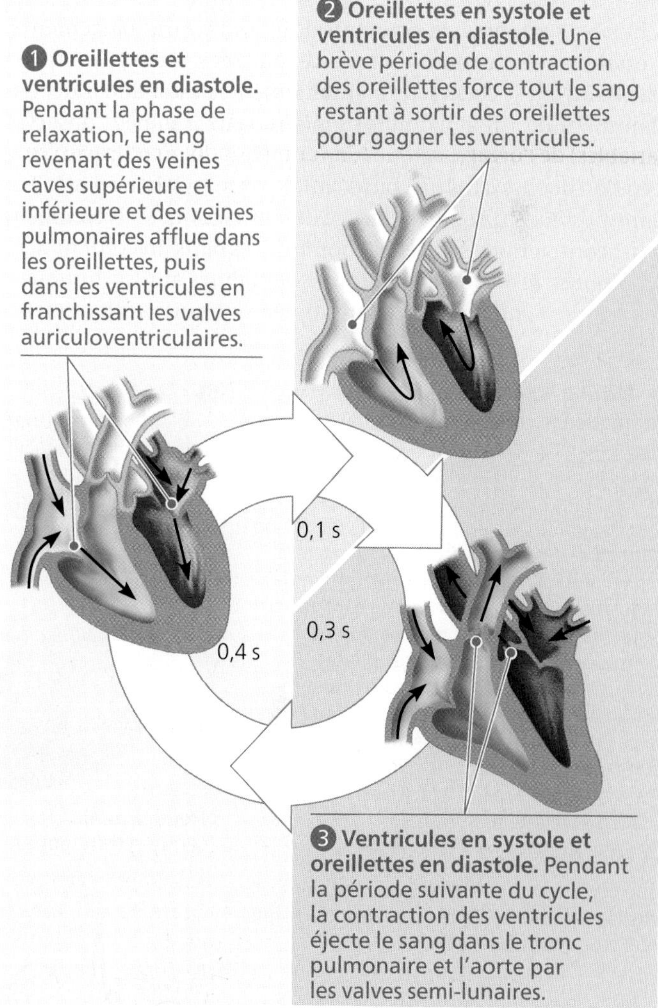

❶ Oreillettes et ventricules en diastole. Pendant la phase de relaxation, le sang revenant des veines caves supérieure et inférieure et des veines pulmonaires afflue dans les oreillettes, puis dans les ventricules en franchissant les valves auriculoventriculaires.
❷ Oreillettes en systole et ventricules en diastole. Une brève période de contraction des oreillettes force tout le sang restant à sortir des oreillettes pour gagner les ventricules.
0,1 s
0,3 s
0,4 s
❸ Ventricules en systole et oreillettes en diastole. Pendant la période suivante du cycle, la contraction des ventricules éjecte le sang dans le tronc pulmonaire et l'aorte par les valves semi-lunaires.

du ventricule droit. Ces valves sont ouvertes de force par la pression des contractions ventriculaires. Quand les ventricules se relâchent, le sang commence à revenir vers le cœur, fermant les valves au passage. Cela l'empêche de refluer dans les ventricules.

Vous pouvez entendre la fermeture des deux séries de valves cardiaques avec un stéthoscope ou en pressant votre oreille sur la poitrine d'un ami (ou d'un chien que vous connaissez bien). Vous entendrez le claquement produit par la fermeture des valves. Ils comprennent deux temps, répétés à l'infini jusqu'à la mort: «toc-tac». Le premier (soit le «toc») correspond au reflux du sang contre les valves AV. Le second (le «tac»), plus clair, correspond aux vibrations causées par la fermeture des valves semi-lunaires.

Le refoulement du sang par une valve défectueuse peut provoquer un bruit du cœur anormal appelé **souffle cardiaque**. Certaines personnes naissent avec un souffle cardiaque; chez d'autres, les valves sont endommagées à la suite d'une infection (causée par le rhumatisme articulaire aigu, une inflammation du cœur ou d'autres tissus consécutive à certaines infections bactériennes, par exemple). La plupart des souffles cardiaques ne réduisent pas l'efficacité du débit sanguin au point de justifier une intervention chirurgicale. Toutefois, lorsque c'est le cas, on peut remplacer la valve défectueuse par une valve artificielle.

La régulation de la fréquence cardiaque

Chez les vertébrés, le cœur produit ses propres battements. Certaines cellules du muscle cardiaque sont autorythmiques; elles peuvent se contracter spontanément, c'est-à-dire indépendamment des signaux du système nerveux. On peut observer ces contractions rythmiques dans un tissu qu'on retire du cœur et qu'on dépose dans un contenant de verre en laboratoire! Chacune possède sa propre fréquence de contraction. Mais comment leurs contractions sont-elles coordonnées dans un cœur intact? La réponse réside dans un groupe de cellules autorythmiques, les *cellules cardionectrices*, formant le système cardionecteur. Certaines de ces cellules sont logées dans la paroi de l'oreillette droite, près de l'endroit où la veine cave supérieure pénètre dans le cœur. Ce groupe de cellules est appelé **nœud sinusal**, ou centre rythmogène (de l'anglais *pacemaker*). C'est lui qui fixe la fréquence et la synchronisation des contractions de toutes les cellules du muscle cardiaque. (Contrairement à celui des vertébrés, le centre rythmogène de certains arthropodes se trouve dans le système nerveux, à l'extérieur du cœur.)

Le nœud sinusal émet des impulsions électriques (potentiels d'action) semblables à celles des neurones. Étant donné que les cellules du muscle cardiaque sont couplées sur le plan électrique par des jonctions ouvertes (voir la figure 6.30), les potentiels d'action du nœud sinusal se propagent rapidement dans les tissus du cœur où ils induisent des courants électriques qu'il est possible de mesurer lorsqu'ils atteignent la peau par l'intermédiaire des liquides corporels. On peut d'ailleurs mesurer l'activité électrique du cœur en détectant les variations de ces courants à l'aide d'électrodes collées sur la peau à différents endroits; puis un appareil enregistreur convertit les variations d'amplitude des impulsions électriques en un tracé qu'on peut interpréter. On obtient ainsi un **électrocardiogramme (ECG)** (**figure 42.8**). La forme de ce tracé de l'activité électrique en fonction du temps est caractéristique des étapes de la révolution cardiaque.

Les impulsions du nœud sinusal se propagent rapidement dans la paroi des oreillettes, ce qui en provoque la contraction simultanée. Durant la contraction des oreillettes, les impulsions provenant du nœud sinusal gagnent d'autres cellules cardionectrices situées dans la paroi qui sépare les deux oreillettes. Ces cellules forment un point de relais appelé **nœud auriculoventriculaire** (nœud AV). Ici, les potentiels d'action sont retardés d'environ 0,1 s avant d'atteindre l'apex du cœur, ce qui permet aux oreillettes de se vider complètement avant que les ventricules commencent à se contracter. Puis des structures spécialisées, appelées branches du faisceau auriculoventriculaire (faisceau de His) et myofibres de conduction cardiaque (ou fibres de Purkinje), transmettent les potentiels d'action du nœud AV à l'apex du cœur et dans toutes les parois ventriculaires.

▶ **Figure 42.8 La régulation de la fréquence cardiaque.** Les signaux électriques suivent un trajet déterminé pour réguler la fréquence cardiaque. Les schémas du haut montrent le mouvement de ces signaux (en jaune) durant la révolution cardiaque; les parties en orangé montrent les cellules musculaires spécialisées dans la régulation électrique du rythme cardiaque. Sous chaque étape, les régions du tracé correspondant aux différentes phases enregistrées lors de l'électrocardiogramme (ECG,) sont colorées en jaune. À l'étape ④, la partie en noir de l'ECG, à la droite du pic, correspond à l'activité électrique qui prépare les ventricules à réagir à la série de potentiels d'action excitateurs suivante.

ET SI? ▶ Si un médecin vous donnait une copie de votre ECG, comment feriez-vous pour déterminer la fréquence cardiaque que vous aviez durant l'ECG?

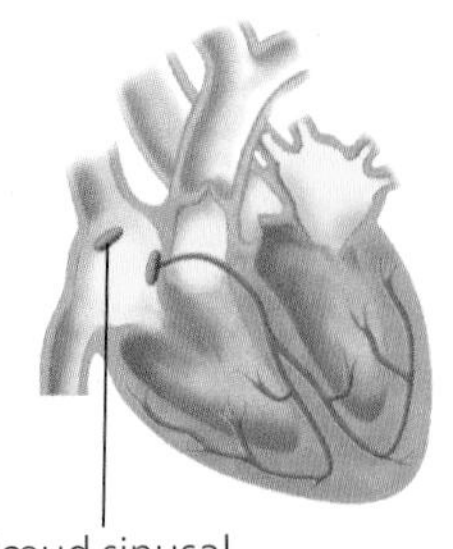
① Les potentiels d'action (en jaune) du nœud sinusal se propagent dans les oreillettes.
Nœud sinusal (centre rythmogène)

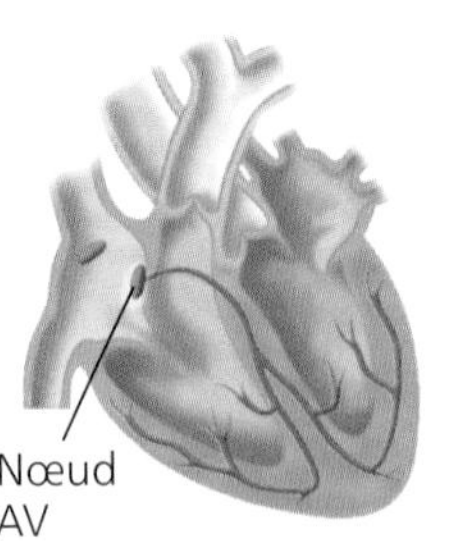
② Les potentiels d'action sont retardés au nœud auriculoventriculaire (nœud AV).
Nœud AV

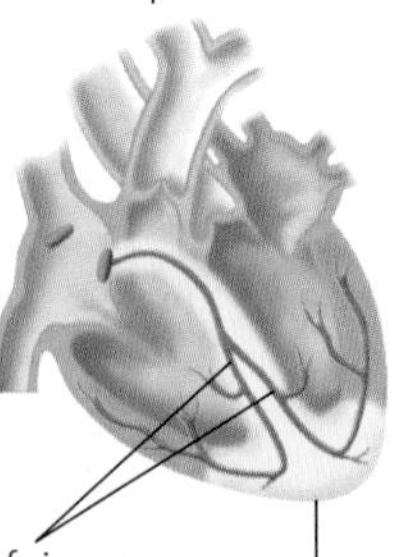
③ Les branches du faisceau auriculoventriculaire transmettent les potentiels d'action à l'apex du cœur.
Branches du faisceau auriculoventriculaire (faisceau de His)
Apex du cœur

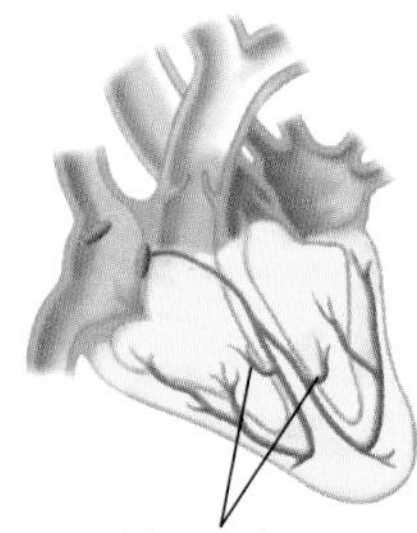
④ Les potentiels d'action se propagent dans les ventricules.
Myofibres de conduction cardiaque (fibres de Purkinje)

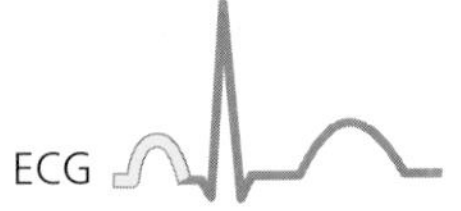
ECG

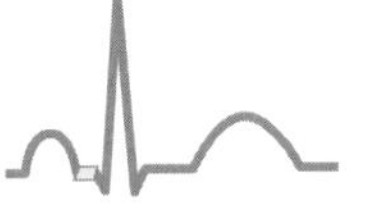

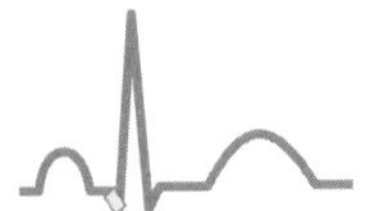

Certains signaux physiologiques influent sur la fonction régulatrice du nœud sinusal et peuvent ainsi modifier le rythme du cœur. Cette influence relève principalement de deux parties du système nerveux : le système nerveux sympathique et le système nerveux parasympathique. Ces deux parties fonctionnent comme l'accélérateur et les freins d'une automobile. Par exemple, quand vous vous levez et que vous marchez, votre système nerveux sympathique accélère votre fréquence cardiaque, ce qui permet à votre système cardiovasculaire de fournir aux muscles actifs l'O_2 supplémentaire dont ils ont besoin. Lorsque vous vous rassoyez, votre système nerveux parasympathique réduit votre fréquence cardiaque, ce qui permet de conserver l'énergie. Le nœud sinusal subit aussi l'influence d'hormones sécrétées dans le sang. Par exemple, l'adrénaline, une hormone associée au stress et produite par les glandes surrénales, élève la fréquence cardiaque. La température corporelle est un autre facteur influant sur l'activité du nœud sinusal. Il suffit d'une augmentation de 1 °C de la température corporelle pour que la fréquence cardiaque augmente d'environ 10 batt./min. C'est pourquoi le pouls d'une personne fiévreuse est beaucoup plus rapide que la normale.

Maintenant que nous avons examiné le fonctionnement du cœur, nous consacrerons la section suivante aux forces et aux structures qui influent sur la circulation sanguine dans les vaisseaux de chaque circuit.

RETOUR SUR LE CONCEPT **42.2**

1. Expliquez pourquoi la concentration en O_2 du sang des veines pulmonaires est supérieure à celle du sang des veines caves.
2. Pourquoi est-il important que le nœud AV diminue ou retarde les potentiels d'action qui passent du nœud sinusal et des parois auriculaires aux ventricules ?
3. **ET SI ?** ▶ Après avoir fait de l'exercice régulièrement pendant plusieurs mois, vous constatez que votre fréquence cardiaque au repos a diminué, mais que votre débit cardiaque au repos demeure inchangé. À partir de ces observations, quel autre changement allez-vous probablement observer dans le fonctionnement de votre cœur au repos ?

Voir les réponses proposées à l'appendice A.

CONCEPT **42.3**

La pression artérielle et le débit sanguin sont le reflet de la structure et de l'agencement des vaisseaux sanguins

C'est grâce aux vaisseaux sanguins, dont la structure sert parfaitement la fonction, que le système cardiovasculaire des vertébrés peut distribuer l'O_2 et les nutriments, et éliminer les déchets dans tout le corps.

La structure et la fonction des vaisseaux sanguins

Tous les vaisseaux sanguins comportent une lumière (cavité) centrale tapissée d'un **endothélium**, une couche simple de cellules épithéliales aplaties (épithélium simple squameux). Telle la surface polie d'un tuyau de cuivre, la surface lisse de l'endothélium réduit au minimum la résistance à la circulation sanguine. L'endothélium est entouré de couches de tissus dont la nature varie selon que le vaisseau sanguin est un capillaire, une artère ou une veine, et qui témoignent ainsi des adaptations propres aux fonctions de chaque type de vaisseau (**figure 42.9**).

De tous les vaisseaux sanguins, les capillaires sont les plus petits. Leur diamètre ne dépasse pas de beaucoup celui d'un érythrocyte. Leur paroi très mince se compose uniquement d'un endothélium et d'une couche extracellulaire appelée membrane basale. Ces deux couches forment la tunique interne. Les échanges de substances entre le sang et le liquide interstitiel ont lieu exclusivement dans les capillaires parce que seuls les capillaires ont une paroi suffisamment mince pour permettre ces échanges.

Les parois des artères et des veines, contrairement à celles des capillaires, sont formées d'un endothélium entouré de deux couches (ou tuniques) de tissus différents. La première couche, ou tunique externe, se compose de tissu conjonctif riche en fibres élastiques et en collagène. La présence de ces fibres permet aux vaisseaux de s'étirer et de reprendre leur forme, tandis que le collagène rend la paroi plus résistante. La seconde couche, la tunique moyenne, en contact avec l'endothélium, contient des fibres musculaires et davantage de fibres élastiques.

La paroi des artères est épaisse, résistante et élastique. Ces caractéristiques permettent aux artères de transporter un sang pompé à forte pression par le cœur en se distendant au moment du passage du sang et en se rétractant quand le cœur se relâche entre les contractions. Comme nous le verrons un peu plus loin, l'élasticité de la paroi artérielle joue un rôle essentiel dans le maintien de la pression artérielle et de l'acheminement du sang vers les capillaires.

Les muscles lisses des parois des artères et des artérioles contribuent à la régulation de l'écoulement du sang. Les signaux du système nerveux ainsi que les hormones circulant dans le sang agissent sur le tissu musculaire lisse dans les artères et les artérioles ; ils peuvent déclencher la dilatation ou la constriction de ces vaisseaux et moduler ainsi l'irrigation sanguine de diverses parties du corps.

Comme les veines ramènent le sang au cœur sous une pression plus faible, elles n'ont pas besoin d'une paroi épaisse. Dans un vaisseau sanguin d'un calibre donné, l'épaisseur de la paroi d'une veine équivaut au tiers environ de celle de la paroi d'une artère. Contrairement aux artères, les veines sont munies de valvules qui maintiennent une circulation unidirectionnelle, malgré la faible pression.

Nous allons maintenant examiner comment la circulation du sang vers les différentes parties du corps est influencée par le diamètre des vaisseaux sanguins, le nombre de vaisseaux et la pression sanguine à l'intérieur des vaisseaux.

La vitesse de la circulation sanguine

Pour comprendre comment le diamètre d'un vaisseau influe sur le débit sanguin, examinons l'exemple de l'eau qui circule dans un gros tuyau d'arrosage branché à un robinet. Quand on ouvre le robinet, l'eau s'écoule à la même vitesse partout dans le tuyau. Mais qu'arrive-t-il si on branche une buse étroite à l'extrémité

▶ **Figure 42.9** **La structure des vaisseaux sanguins.**

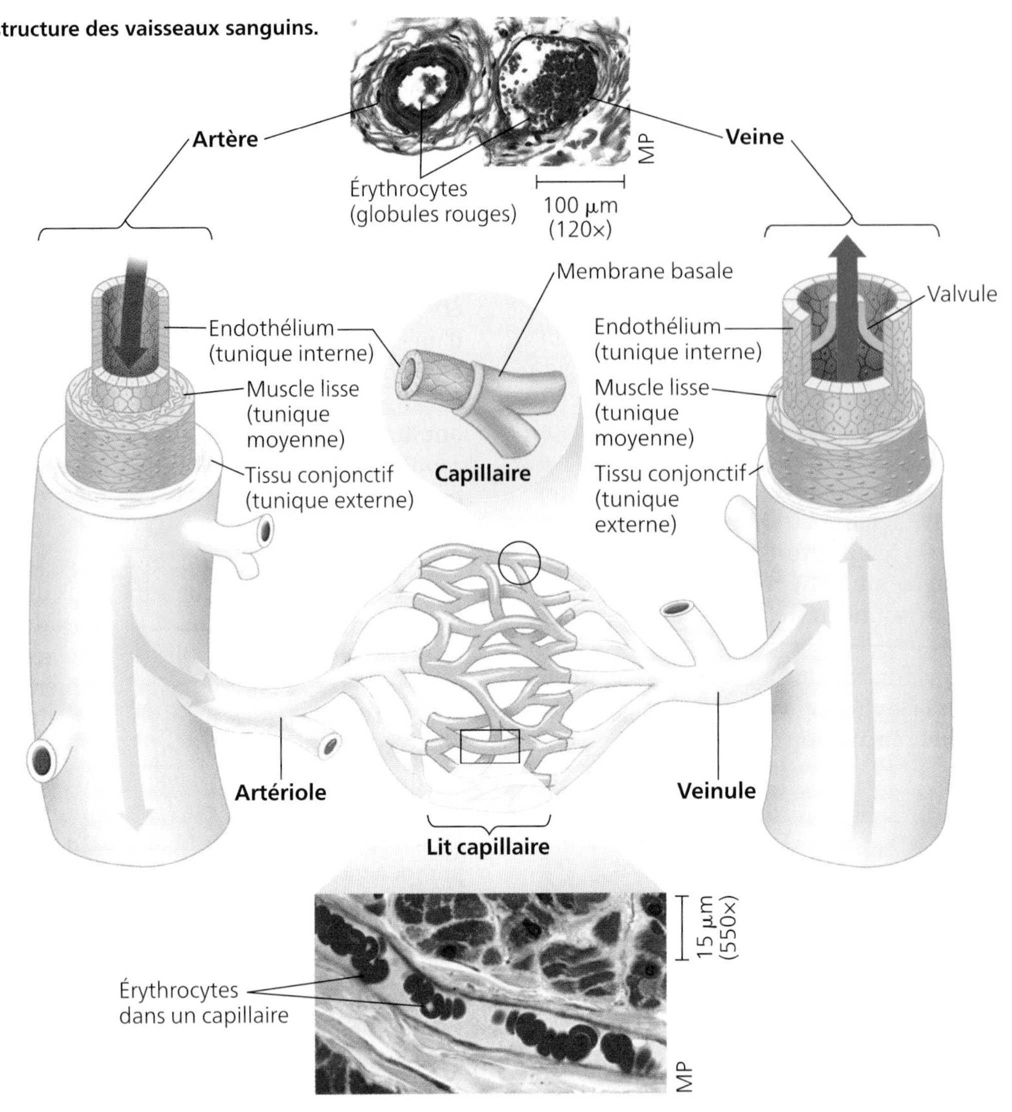

du boyau ? Comme l'eau est incompressible, le volume d'eau qui passe dans la buse à n'importe quel moment doit être le même que le volume qui se déplace dans le reste du tuyau. Comme le calibre de la buse est inférieur à celui du boyau, l'eau sort de la buse à une vitesse plus élevée.

La situation est un peu la même dans le système cardiovasculaire, et pourtant le sang *ralentit* lorsqu'il se déplace des artères aux artérioles puis aux capillaires. Pourquoi ? Parce que le nombre de capillaires est extrêmement élevé : environ 7 milliards dans le corps humain. Et donc, les capillaires auxquels chaque artériole conduit le sang sont si nombreux que, cumulativement, la section (superficie) transversale *totale* des conduits est beaucoup plus grande dans les lits capillaires que dans les artères ou toute autre partie du système cardiovasculaire (**figure 42.10**). C'est l'augmentation considérable de la section transversale qui fait que la vitesse de la circulation sanguine ralentit fortement à partir de l'aorte jusqu'aux capillaires : le sang se déplace 500 fois plus lentement dans les capillaires (environ 0,1 cm/s) que dans l'aorte (environ 48 cm/s). Quand le sang quitte les capillaires pour gagner les veinules et les veines, il accélère de nouveau, parce que les veinules et les veines ont, collectivement, une section transversale *totale* plus petite que celui des capillaires.

La pression sanguine

Comme tous les liquides, le sang se déplace toujours des zones de forte pression vers les zones de plus faible pression. C'est dans le cœur, où se produit la contraction, que la pression sanguine est la plus élevée. Cette pression sanguine exerce une force dans toutes les directions et celle qui s'exerce dans le sens de la longueur dans une artère chasse le sang du cœur et le pousse dans les vaisseaux. Sous l'effet de la pression exercée par le sang, la paroi élastique des artères s'étire, avant de reprendre sa forme. Après la contraction ventriculaire, ces mouvements de dilatation de la paroi contribuent grandement à maintenir la pression sanguine et à assurer la progression du sang dans les vaisseaux, durant toute la durée de la révolution cardiaque. Lorsque le sang entre dans les millions de minuscules artérioles et capillaires, le petit diamètre de ces vaisseaux produit une résistance considérable à la circulation sanguine. Cette résistance aura amorti une grande partie de la pression générée par les contractions cardiaques lorsque le sang entrera dans les veines (voir la figure 42.10).

▼ **Figure 42.10 Les rapports entre la section transversale totale des vaisseaux sanguins, la vitesse de la circulation sanguine et la pression sanguine.** En raison de l'augmentation de la section transversale totale, le sang ralentit considérablement dans les artérioles et se déplace très lentement dans les capillaires. La pression artérielle, qui est la principale force conduisant le sang du cœur aux capillaires, est à son plus haut dans l'aorte.

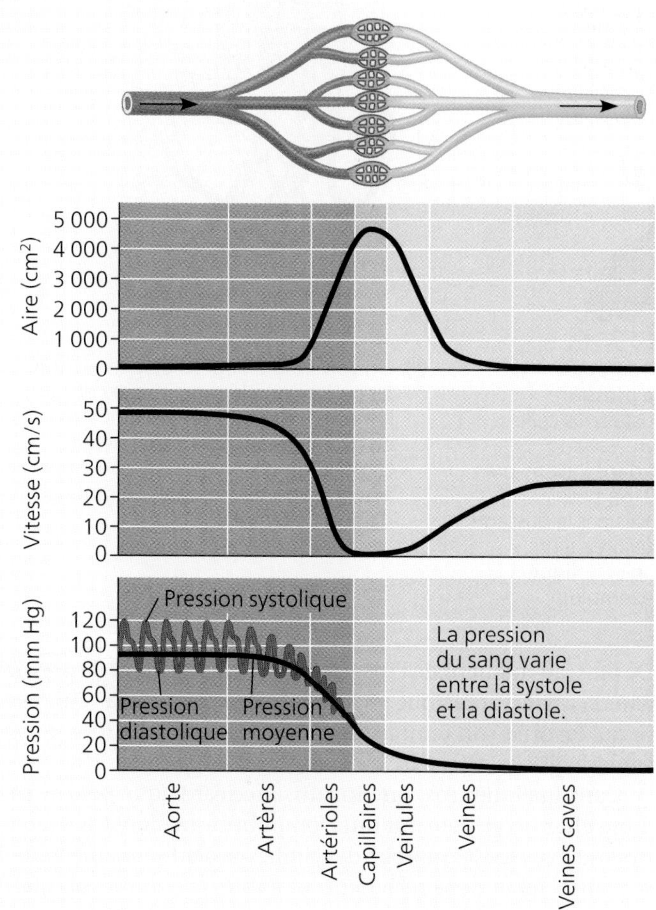

Les changements de la pression sanguine durant la révolution cardiaque

La pression sanguine atteint un maximum dans les artères au moment où le cœur se contracte durant la systole ventriculaire. À cet instant, la pression est appelée **pression systolique** (voir la figure 42.10). Chaque contraction ventriculaire provoque un pic de la pression sanguine qui dilate les artères. Quand vous prenez votre **pouls** en plaçant les doigts sur la face interne du poignet, à l'endroit où l'artère radiale passe tout près de la peau, vous sentez en fait le gonflement de cette artère à chaque battement du cœur. Cette onde pulsatile est en partie causée par le diamètre réduit des artérioles, qui entrave la sortie du sang des artères. Lorsque le cœur se contracte, le sang entre dans les artères plus vite qu'il ne peut en sortir; les vaisseaux se dilatent et leur diamètre augmente sous l'effet de la pression.

La paroi élastique des artères revient en place pendant la diastole. Par conséquent, la pression sanguine est plus faible, mais elle est encore considérable lorsque les ventricules sont relâchés (**pression diastolique**). Le cœur se contracte de nouveau avant qu'une quantité suffisante de sang ait circulé dans les artérioles de façon à dissiper complètement la pression artérielle (ou tension artérielle). Étant donné que la pression persiste dans les artères tout au long de la révolution cardiaque (voir la figure 42.10), le sang circule continuellement dans les artérioles et les capillaires.

La régulation de la pression sanguine

Des mécanismes homéostatiques assurent la régulation de la pression artérielle en modifiant le diamètre des artérioles. Si les muscles lisses des parois des artérioles se contractent, les artérioles se resserrent; cette réaction est appelée **vasoconstriction**. La vasoconstriction augmente la pression sanguine en amont dans les artères. Lorsque les muscles lisses se relâchent, il se produit une réaction contraire, appelée **vasodilatation**, au cours de laquelle le calibre des artérioles augmente, ce qui s'accompagne d'une baisse de la pression sanguine dans les artères.

Des chercheurs ont constaté que les réactions de vasodilatation et de vasoconstriction sont déclenchées par des substances chimiques produites par les vaisseaux sanguins en réaction à des informations transmises par les systèmes nerveux et endocrinien. Le monoxyde d'azote (NO), un gaz, est un important déclencheur de la vasodilatation, tandis que l'endothéline, un peptide, est le plus puissant déclencheur de la vasoconstriction. Ce sont les effets opposés du NO et de l'endothéline qui permettent la régulation de la pression sanguine.

La vasoconstriction et la vasodilatation s'accompagnent souvent de variations du débit cardiaque, lesquelles influent également sur la pression sanguine. Cette coordination des mécanismes de régulation permet d'assurer une circulation sanguine adéquate, selon les besoins auxquels le système cardiovasculaire doit répondre. Par exemple, pendant une activité physique intense, les artérioles des muscles sollicités se dilatent afin de fournir plus de sang riche en O_2 aux muscles. Pour éviter que la vasodilatation locale fasse chuter la pression sanguine (donc la circulation sanguine) dans d'autres régions du corps, le débit cardiaque augmente en conséquence de façon à maintenir la pression artérielle et à concourir à l'augmentation de la circulation sanguine dont les muscles ont besoin.

La pression sanguine et la force gravitationnelle

La pression sanguine se mesure généralement dans une artère du bras maintenu à la même hauteur que le cœur (**figure 42.11**). Chez un sujet de 20 ans en bonne santé et au repos, la pression artérielle dans la circulation systémique est habituellement d'environ 120 millimètres de mercure (mm Hg) durant la systole et de 70 mm Hg durant la diastole, notée comme suit: 120/70. (La pression artérielle dans la circulation pulmonaire est de 6 à 10 fois plus basse.)

La force gravitationnelle exerce un effet considérable sur la pression sanguine. Lorsque vous êtes debout, par exemple, le sang doit monter d'environ 35 cm pour passer du cœur au cerveau et la pression artérielle dans votre cerveau est inférieure d'environ 27 mm Hg à celle qui est à proximité de votre poitrine. Ce lien entre la pression sanguine et la force gravitationnelle aide à comprendre ce qui se produit quand on perd connaissance: si la pression sanguine dans votre cerveau est trop faible pour assurer un débit sanguin suffisant, le système nerveux le détecte, et vous vous évanouissez. En vous évanouissant, vous tombez au sol et votre tête se trouve au même niveau que votre cœur, de sorte que la circulation sanguine dans votre cerveau augmente rapidement et rétablit la situation.

▼ **Figure 42.11 La mesure de la pression artérielle.** La pression artérielle est notée à l'aide de deux nombres séparés par une barre oblique ; la première valeur représente la pression systolique, la seconde, la pression diastolique.

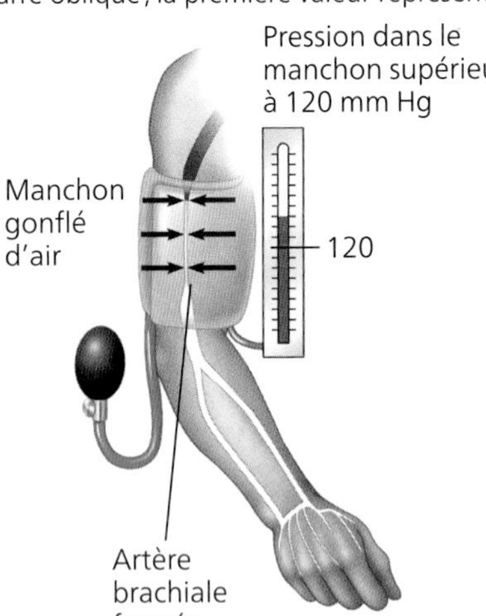

❶ Le sphygmomanomètre, constitué d'un manchon gonflable relié à un manomètre, sert à mesurer la pression artérielle. Le manchon est enroulé autour de la partie supérieure du bras ; on le gonfle jusqu'à ce que la pression ferme l'artère brachiale et bloque complètement la circulation sanguine en aval du manchon. La pression exercée par ce dernier dépasse alors la pression dans l'artère.

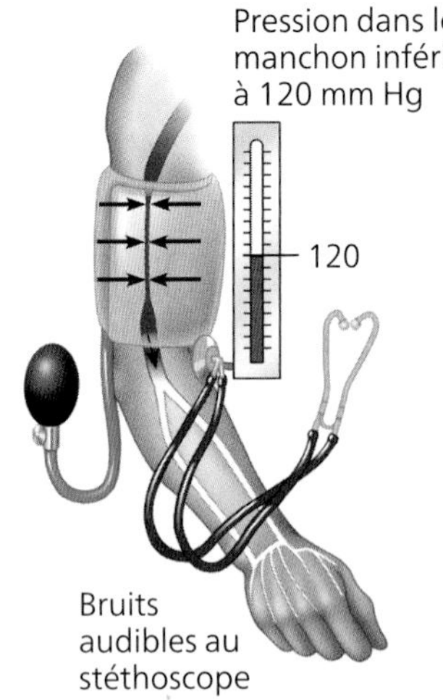

❷ On dégonfle progressivement le manchon. Lorsque la pression qu'il exerce s'abaisse juste sous celle qui s'exerce dans l'artère, le sang recommence à circuler dans l'avant-bras, et avec un stéthoscope, on peut entendre les bruits causés par le passage du sang. La pression mesurée alors correspond à la pression systolique (120 mm Hg dans cet exemple).

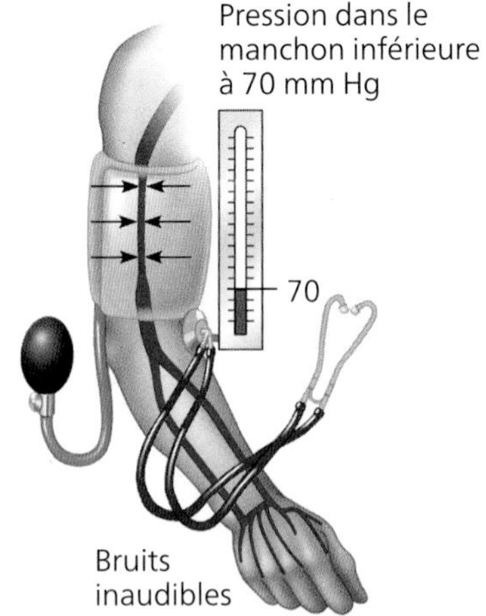

❸ On continue à dégonfler le manchon jusqu'à ce que le sang puisse circuler librement dans l'artère et que les bruits en aval du manchon disparaissent. La pression observée alors correspond à la pression diastolique (70 mm Hg dans cet exemple).

Chez les animaux au long cou, la pression sanguine nécessaire pour contrecarrer la force gravitationnelle doit être très élevée. Par exemple, chez une girafe (*Giraffa camelopardalis*) en position debout, la pression systolique dans la région cardiaque doit être supérieure à 250 mm Hg pour que le sang puisse se rendre jusqu'à l'encéphale. Quand la girafe baisse la tête pour boire, des valvules faisant office de clapets antiretour, ainsi que les sinus et des mécanismes de rétro-inhibition réduisant le débit cardiaque, empêchent cette forte pression d'endommager les tissus de l'encéphale. Chez un dinosaure doté d'un cou pouvant atteindre 10 m de longueur, la pression systolique devait être encore plus forte – près de 760 mm Hg – pour arriver à pomper le sang au cerveau lorsque la tête était en position verticale. Toutefois, des calculs réalisés à partir de données anatomiques et d'estimations de la vitesse du métabolisme nous indiquent que le cœur des dinosaures était incapable d'engendrer une telle pression. En s'appuyant sur cette analyse et sur des études portant sur la structure des os du cou, des biologistes en sont arrivés à la conclusion que les dinosaures à long cou se nourrissaient en gardant la tête près du sol plutôt que de l'élever pour manger le feuillage se trouvant en hauteur.

La force gravitationnelle a également un effet sur la circulation veineuse, particulièrement sur celle des membres inférieurs. Quand vous êtes en position debout ou assise, la force gravitationnelle attire votre sang vers vos pieds et ralentit son retour vers le cœur. Comme la pression sanguine est relativement basse dans les veines, les valvules qui s'y trouvent sont très importantes pour assurer la circulation unidirectionnelle du sang vers le cœur. Les contractions rythmiques des muscles lisses de la paroi des veinules et des veines favorisent également le retour du sang veineux, tout comme l'activité des muscles squelettiques sollicités durant l'activité physique (**figure 42.12**). De plus, au moment de l'inspiration, le changement de pression dans la cavité thoracique provoque la dilatation de la veine cave, ce qui favorise son remplissage, ainsi que celui d'autres grosses veines voisines du cœur.

Dans quelques cas, une insuffisance cardiaque peut se produire chez un athlète qui interrompt brusquement un exercice intense. Lorsque les muscles des jambes cessent soudainement de se contracter et de se relâcher tour à tour, le cœur reçoit moins de sang, bien qu'il continue momentanément de battre rapidement. Si le cœur est affaibli ou endommagé, une réduction brutale de l'apport sanguin peut provoquer une défaillance. Pour éviter d'exposer le cœur à un stress excessif, les athlètes devraient toujours terminer une activité intense par une période d'activité modérée, comme la marche, afin de « calmer » le cœur jusqu'à ce que sa fréquence revienne à sa valeur au repos.

La fonction des capillaires

À tout moment, le sang n'irrigue que de 5 à 10 % des capillaires du corps. Cependant, tous les tissus sont irrigués par de nombreux capillaires, permettant ainsi aux différentes parties du corps de recevoir du sang en permanence. Les capillaires de l'encéphale, du cœur, des reins et du foie sont généralement remplis au maximum de leur capacité. Dans de nombreux autres organes, l'approvisionnement en sang varie en fonction des besoins à mesure que la circulation est dérivée vers d'autres destinations. Par exemple, la circulation sanguine vers la peau est régulée afin de contrôler la température corporelle. Après un repas, le tube digestif reçoit plus de sang. En revanche, pendant un exercice physique intense, le sang est détourné du tube digestif et va irriguer plus généreusement (jusqu'à 30 fois plus qu'au repos) les muscles squelettiques et la peau. C'est l'une des

▼ Figure 42.12 La circulation sanguine dans les veines. La contraction des muscles squelettiques comprime les veines. Les replis du tissu endothélial des veines agissent comme des valvules bloquant le reflux du sang, de sorte que celui-ci ne peut se déplacer qu'en direction du cœur. Les personnes qui restent assises ou debout trop longtemps constatent parfois que leurs pieds enflent: l'immobilité ralentit le retour veineux et de plus grandes quantités de sang stagnent dans les extrémités.

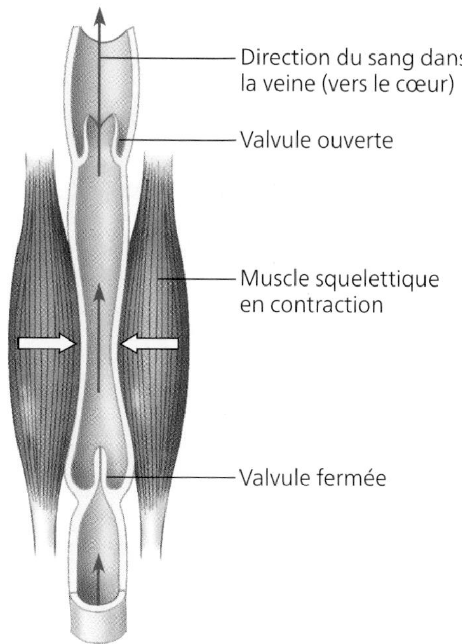

▼ Figure 42.13 La circulation sanguine dans les lits capillaires. Les sphincters précapillaires régulent le passage du sang dans les lits capillaires. Une certaine quantité de sang passe directement des artérioles aux veinules par l'intermédiaire de capillaires appelés *métartérioles*; celles-ci sont toujours ouvertes.

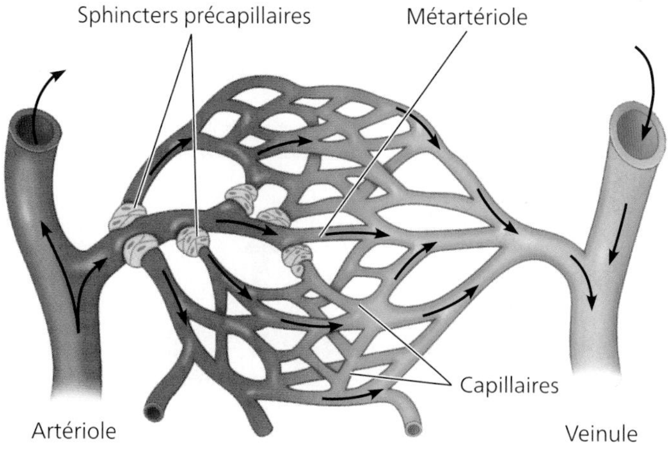

(a) Sphincters ouverts

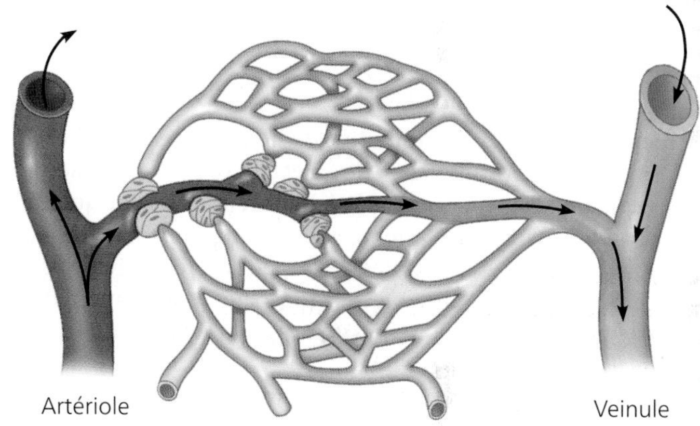

(b) Sphincters fermés

raisons pour lesquelles il est déconseillé de faire de l'activité physique de manière soutenue immédiatement après avoir mangé copieusement.

Étant donné que les capillaires sont dépourvus de tissu musculaire lisse, comment la circulation sanguine dans les lits capillaires peut-elle fluctuer? Un premier mécanisme est la contraction ou la dilatation des artérioles qui irriguent les lits capillaires. Un second mécanisme fait intervenir les *sphincters précapillaires*, des anneaux de muscles lisses à l'entrée des lits capillaires (**figure 42.13**). L'ouverture et la fermeture de ces anneaux musculaires régulent et redirigent le passage du sang dans les capillaires selon les besoins. Les signaux qui régissent la circulation sanguine par ces mécanismes comprennent les potentiels d'action, les hormones qui circulent dans le sang et des facteurs chimiques locaux. Par exemple, les cellules d'un tissu lésé sécrètent de l'histamine, une substance chimique qui provoque la vasodilatation. Cette vasodilatation augmente l'apport de sang dans la zone de la lésion et permet ainsi aux leucocytes de s'y rendre plus facilement pour défendre l'organisme contre les microorganismes envahisseurs.

Comme nous l'avons vu précédemment, l'échange de substances entre le sang et le liquide interstitiel dans lequel baignent les cellules revêt une importance primordiale. Ce processus se déroule à travers la mince paroi endothéliale des capillaires, mais comment? Certaines macromolécules sont acheminées à travers la paroi d'une cellule endothéliale dans des vésicules formées par endocytose sur un côté de la cellule. Le contenu des vésicules est ensuite exporté par exocytose du côté opposé. Les petites molécules neutres, notamment celles de l'O_2 et du CO_2, diffusent à travers les cellules endothéliales. Dans certains tissus, la diffusion peut aussi s'effectuer par des pores intercellulaires de la paroi capillaire. Ces pores permettent également de faire passer des petits solutés tels que des glucides, des sels et de l'urée, ainsi que les courants de masse des liquides poussés par la pression sanguine dans les capillaires.

Deux forces opposées régulent le mouvement des liquides entre les capillaires et les tissus voisins: la pression sanguine pousse les liquides vers l'extérieur des capillaires, tandis que la présence de protéines sanguines tend à ramener le liquide à l'intérieur (**figure 42.14**). Bien des protéines sanguines (et toutes les cellules sanguines) sont trop grosses pour traverser facilement l'endothélium, de sorte qu'elles restent prisonnières des capillaires. Ces protéines dissoutes sont à l'origine d'une bonne partie de la *pression osmotique* du sang (la pression produite par la différence entre la concentration de soluté d'un côté de la membrane et la concentration de soluté de l'autre côté). La différence de pression osmotique entre le sang et le liquide interstitiel s'oppose au mouvement vers l'extérieur des capillaires. Habituellement, la pression sanguine est plus élevée que les forces opposées. Il y a donc une perte nette de liquide des capillaires. Celle-ci est généralement plus importante à l'extrémité artérielle de ces vaisseaux, là où la pression est la plus élevée.

▼ Figure 42.14 Le mouvement des liquides entre les capillaires et le liquide interstitiel. Ce schéma illustre un capillaire dans lequel la pression sanguine est supérieure à la pression osmotique sur toute la longueur du capillaire. Dans d'autres capillaires, la pression sanguine peut être plus faible que la pression osmotique sur toute la longueur du capillaire ou uniquement sur une partie.

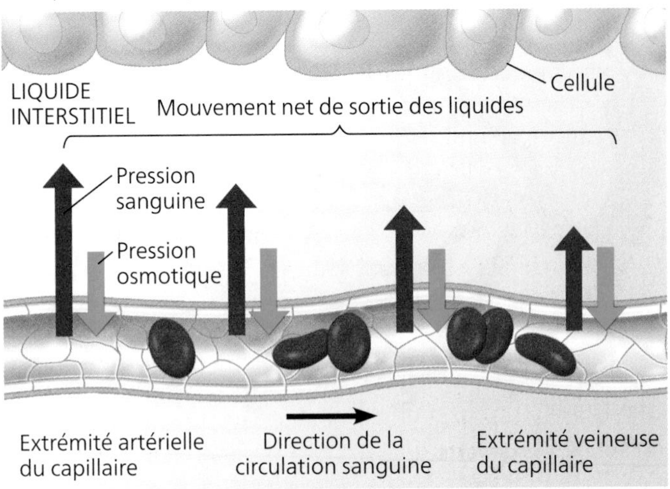

Cellule
LIQUIDE INTERSTITIEL
Mouvement net de sortie des liquides
Pression sanguine
Pression osmotique
Extrémité artérielle du capillaire
Direction de la circulation sanguine
Extrémité veineuse du capillaire

▼ Figure 42.15 L'étroite association des vaisseaux lymphatiques et des capillaires sanguins.

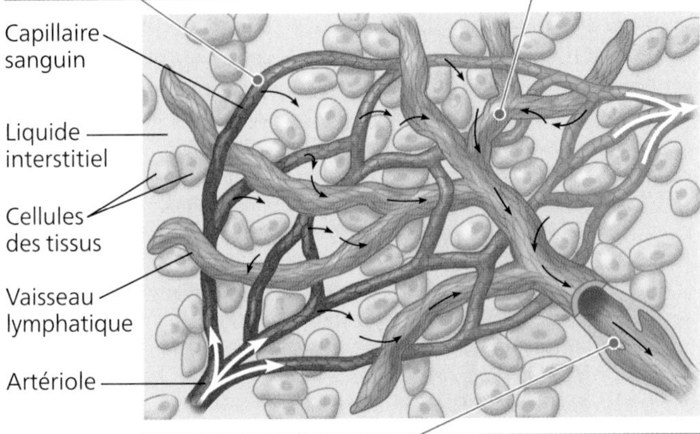

Des liquides et des protéines s'échappent des capillaires sanguins et entrent dans le liquide interstitiel.
Les vaisseaux lymphatiques récupèrent les liquides et protéines qui ont fui et les acheminent jusqu'aux grandes veines à la base du cou.
Capillaire sanguin
Liquide interstitiel
Cellules des tissus
Vaisseau lymphatique
Artériole
Dans les gros vaisseaux lymphatiques, des valvules empêchent le liquide de refluer.

Le retour des liquides par l'intermédiaire du système lymphatique

Chaque jour, la perte cumulative de liquide passant des capillaires aux tissus voisins varie entre 4 et 8 L chez l'humain adulte. Les capillaires laissent également échapper une certaine quantité de protéines sanguines, même si leur paroi n'est pas très perméable à ces grosses molécules. Les liquides perdus, ainsi que les protéines qu'ils contiennent, sont récupérés et reviennent dans le sang par l'intermédiaire du **système lymphatique** (voir la figure 43.6).

Le liquide diffuse dans le système lymphatique par l'intermédiaire d'un réseau de minuscules vaisseaux juxtaposés aux capillaires (**figure 42.15**). Le liquide récupéré, appelé **lymphe**, circule dans le système lymphatique avant de se déverser dans deux grandes veines du système cardiovasculaire situées à la base du cou. Cette communication entre le système lymphatique et le système cardiovasculaire mène à son terme la récupération des liquides des capillaires ainsi que le passage des lipides de l'intestin grêle au sang (voir la figure 41.13).

Les mécanismes qui favorisent le mouvement de la lymphe entre les tissus périphériques et le cœur ressemblent à ceux qui facilitent la circulation sanguine dans les veines. En effet, les vaisseaux lymphatiques possèdent eux aussi des valvules qui empêchent la lymphe de refluer. Les contractions rythmiques de leur paroi facilitent le drainage des liquides récupérés par les capillaires lymphatiques. Enfin, comme celles des veines, les contractions des muscles squelettiques facilitent le déplacement des liquides.

Les diverses affections qui perturbent le système lymphatique entraînent souvent une accumulation de liquide dans les tissus, appelée œdème. Dans certains cas, les conséquences peuvent être très graves. Par exemple, certains vers parasites se logent dans les vaisseaux lymphatiques et peuvent obstruer l'écoulement de la lymphe au point de faire enfler à l'extrême les membres et d'autres parties du corps, une affection qu'on appelle *éléphantiasis*.

Le long des vaisseaux lymphatiques se trouvent de petits organes qui filtrent la lymphe, appelés **nœuds lymphatiques** (ou *ganglions lymphatiques*). Les nœuds lymphatiques s'attaquent aux bactéries et aux virus envahisseurs et jouent donc un rôle clé dans l'immunité. Ils renferment un réseau réticulé de tissu conjonctif dont les espaces sont occupés par des leucocytes (globules blancs) spécialisés dans la défense de l'organisme. Lorsque le corps lutte contre une infection, ces leucocytes se multiplient rapidement. Les nœuds enflent alors et deviennent sensibles. (C'est pourquoi les médecins palpent les nœuds lymphatiques du cou.) Comme les nœuds lymphatiques exercent des fonctions de filtrage et de surveillance, les médecins examinent les nœuds lymphatiques des patients cancéreux pour déceler la dissémination des cellules cancéreuses.

Au cours des dernières années, les recherches ont montré que le système lymphatique joue aussi un rôle dans les réactions immunitaires indésirables comme celles qui provoquent l'asthme. Grâce à ces découvertes et à d'autres encore, le système lymphatique, peu étudié avant les années 1990, est devenu un domaine de recherche très actif et très prometteur de la biomédecine.

RETOUR SUR LE CONCEPT 42.3

1. Quelle est la principale cause de la lenteur de la circulation sanguine dans les capillaires ?
2. Quels changements temporaires dans le fonctionnement cardiovasculaire d'un animal pourraient le mieux l'aider à utiliser ses muscles squelettiques pour fuir un danger ?
3. **ET SI ?** ▶ Imaginez que vous avez plusieurs cœurs dans votre corps. Nommez un avantage et un inconvénient liés à cette particularité anatomique.

Voir les réponses proposées à l'appendice A.

CONCEPT 42.4

Les divers composants du sang participent aux échanges, au transport et à l'immunité

Comme nous l'avons vu au concept 42.1, le liquide transporté par un système cardiovasculaire ouvert est le même que celui qui entoure toutes les cellules du corps; il a donc la même composition. Par contre, le liquide acheminé par un système cardiovasculaire clos est beaucoup plus spécialisé, comme on l'observe chez les vertébrés.

La composition et la fonction du sang

Le sang des vertébrés est un tissu conjonctif composé de diverses sortes de cellules en suspension dans une matrice liquide appelée **plasma**. Lorsqu'on sépare les composants du sang en le centrifugeant, on constate que les éléments figurés (soit les cellules et les fragments cellulaires) occupent environ 45 % du volume sanguin (**figure 42.16**). La fraction représentée par les érythrocytes se nomme *hématocrite*. Le reste est le plasma.

Le plasma

Dissous dans le plasma, les ions et les protéines participent, avec les cellules sanguines, à la régulation osmotique et interviennent dans le transport et dans l'immunité. Les sels inorganiques qui s'y trouvent, sous forme d'ions dissous, constituent un élément essentiel du sang. En effet, plusieurs ions agissent comme tampons dans le sang, tandis que d'autres contribuent à maintenir l'équilibre osmotique du sang. De plus, la concentration des ions du plasma a un effet direct sur la composition du liquide interstitiel; beaucoup d'ions jouent un rôle déterminant dans l'activité musculaire et nerveuse. Pour que les électrolytes du plasma accomplissent efficacement leur rôle, leur concentration doit demeurer très stable.

À l'instar des ions dissous, les protéines plasmatiques (comme les albumines) exercent un effet tampon qui contribue à maintenir le pH aux environs de la valeur de référence, et elles équilibrent la pression osmotique entre le sang et le liquide interstitiel. Certaines protéines plasmatiques remplissent également des fonctions particulières. Ainsi, les immunoglobulines, ou anticorps, aident à lutter contre les virus et les autres agents pathogènes qui s'introduisent dans le corps (voir la figure 43.10), tandis que les apolipoprotéines servent au transport des lipides, qui sont insolubles dans l'eau et ne peuvent circuler dans le sang qu'une fois liés à des protéines. Enfin, certaines protéines plasmatiques sont des fibrinogènes, c'est-à-dire des facteurs de coagulation qui contribuent à colmater les fuites lorsqu'un vaisseau sanguin subit une lésion. (Le plasma sanguin dont les facteurs de coagulation ont été retirés porte le nom de *sérum*.)

Le plasma contient également beaucoup d'autres substances en transit (notamment des nutriments, des déchets métaboliques, des gaz respiratoires et des hormones), qui se déplacent

▼ **Figure 42.16 La composition du sang des mammifères.** Après centrifugation, le sang se sépare en trois couches: le plasma sur le dessus; les leucocytes et les thrombocytes au milieu; les érythrocytes au fond.

Plasma 55 %	
Composants	**Principales fonctions**
Eau	Solvant
Ions (électrolytes sanguins) Sodium Potassium Calcium Magnésium Chlorure Bicarbonate	Équilibre osmotique, effet tampon sur le pH et régulation de la perméabilité des membranes
Protéines plasmatiques	
Albumine	Équilibre osmotique et effet tampon sur le pH
Immunoglobulines	Défense de l'organisme (anticorps)
Apolipoprotéines	Transport des lipides
Fibrinogène	Coagulation
Autres substances transportées par le sang Nutriments (p. ex., glucose, acides gras et vitamines), déchets métaboliques, gaz respiratoires (O_2 et CO_2), hormones	

Séparation des composants du sang

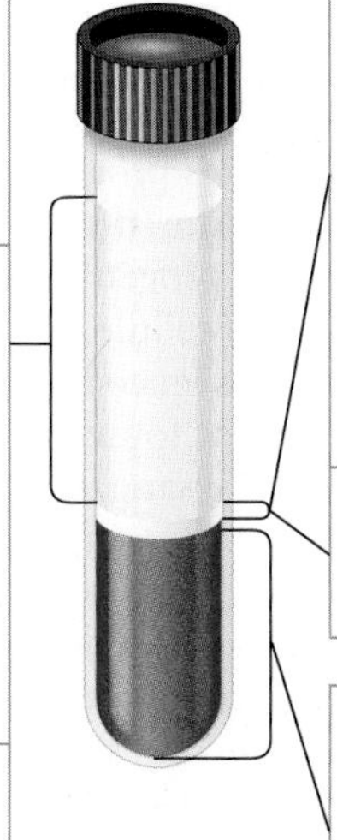

Éléments figurés 45 %		
Types de cellules	**Nombre par litre de sang**	**Fonctions**
Leucocytes (globules blancs) 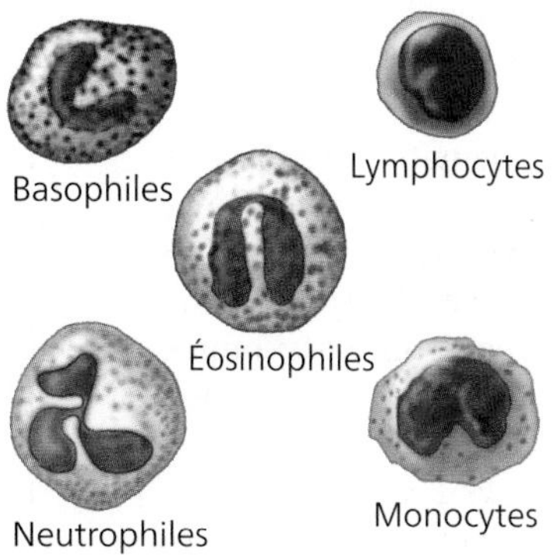 Basophiles, Lymphocytes, Éosinophiles, Neutrophiles, Monocytes	5 à 10 × 10^9	Défense et immunité
Thrombocytes (plaquettes) 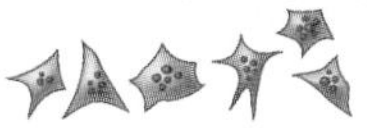	250 à 400 × 10^9	Coagulation
Érythrocytes (globules rouges) 	5 à 6 × 10^{12}	Transport de l'O_2 et contribution au transport du CO_2

d'une partie du corps à l'autre par l'intermédiaire du sang. Le plasma sanguin et le liquide interstitiel ont une composition semblable, sauf que le plasma contient une concentration beaucoup plus élevée de protéines (rappelons-nous que la paroi des capillaires n'est pas très perméable aux protéines).

Les éléments figurés

Le plasma sanguin renferme deux types de cellules en suspension (voir la figure 42.16) : les **érythrocytes** (ou globules rouges, ou hématies), qui transportent l'O_2 et une partie du CO_2 ; les **leucocytes** (ou globules blancs), qui sont des composants du système immunitaire. Un troisième élément est aussi contenu dans le plasma sanguin : les **thrombocytes** (ou plaquettes), soit des fragments de cellules contribuant à la coagulation.

Les érythrocytes Les érythrocytes sont de loin les cellules sanguines les plus nombreuses (voir la figure 42.16). Leur fonction principale est le transport de l'O_2, et leur structure est étroitement liée avec cette fonction. Chez l'humain, les érythrocytes sont de petits disques biconcaves (d'environ 7 à 8 μm de diamètre), plus minces au centre qu'au bord. Cette forme augmente leur surface de contact, de sorte que la diffusion de l'O_2 est plus rapide à travers la membrane plasmique. Les érythrocytes matures des mammifères sont dépourvus de noyau. Cette caractéristique cellulaire inhabituelle leur permet de contenir plus de molécules d'**hémoglobine**, une protéine contenant quatre ions ferreux (Fe^{2+}) transportant chacun une molécule d'O_2 (voir la figure 5.18). Les érythrocytes sont également dépourvus de mitochondries et ils produisent leur ATP exclusivement par métabolisme anaérobie. Si leur métabolisme nécessitait une respiration aérobie, le transport de l'O_2 serait moins efficace, car une partie de l'O_2 transporté serait consommée en cours de route.

Malgré sa petite taille, un érythrocyte contient environ 250 millions de molécules d'hémoglobine (Hb). Étant donné que chaque molécule d'hémoglobine fixe jusqu'à quatre molécules d'O_2, un érythrocyte peut en transporter environ 1 milliard. Quand les érythrocytes passent dans les lits capillaires des poumons, des branchies ou des autres organes respiratoires, l'O_2 diffuse dans les érythrocytes et se fixe à l'hémoglobine. Dans les capillaires irriguant les tissus, l'O_2 se dissocie de l'hémoglobine et diffuse dans les cellules du corps.

Dans la **drépanocytose** (ou anémie à hématies falciformes), l'hémoglobine a une forme anormale (Hb^s) et elle polymérise en agrégats. Comme la concentration d'hémoglobine dans les érythrocytes est très forte, ces amas sont assez gros pour déformer les érythrocytes, qui deviennent courbes et allongés comme des faucilles, d'où le terme *falciforme*. Cette anomalie est la conséquence d'une simple modification de la séquence des acides aminés de l'hémoglobine (voir la figure 5.19).

La drépanocytose altère considérablement la fonction du système cardiovasculaire. Les cellules déformées bloquent souvent les artérioles et les capillaires, et empêchent la distribution de l'O_2 et des nutriments, ainsi que le retrait du CO_2 et des autres déchets. L'obstruction des vaisseaux sanguins cause une enflure des organes, souvent douloureuse. De plus, les cellules falciformes ont tendance à se rompre, réduisant le nombre d'érythrocytes disponibles pour le transport de l'O_2. En outre, la durée de vie moyenne d'une hématie falciforme est de 20 jours seulement, soit six fois moins que celle d'un érythrocyte normal. La perte d'érythrocytes excède leur production par la moelle osseuse. Le traitement à court terme comprend le remplacement des érythrocytes par transfusion sanguine. À long terme, les traitements consistent généralement à inhiber l'agrégation de Hb^s.

Les leucocytes On dénombre cinq grands types de leucocytes (ou globules blancs). Leur rôle est de combattre les infections. Certains sont des phagocytes qui absorbent et digèrent les microorganismes de même que les débris de cellules mortes de l'organisme. D'autres leucocytes, appelés lymphocytes, participent à la réaction immunitaire (comme nous le verrons aux concepts 43.2 et 43.3). En temps normal, 1 μL de sang humain contient de 5 000 à 10 000 leucocytes, mais leur nombre augmente provisoirement chaque fois que le corps combat une infection. Contrairement aux érythrocytes, les leucocytes sont présents aussi hors du système cardiovasculaire, où ils patrouillent dans le liquide interstitiel et le système lymphatique. Les leucocytes sont classés en deux grandes catégories selon qu'ils contiennent ou non des granulations cytoplasmiques visibles au microscope. Les *granulocytes*, ou leucocytes granuleux, comprennent les basophiles, les neutrophiles et les éosinophiles, alors que les *agranulocytes*, ou leucocytes non granuleux, comprennent les lymphocytes et les monocytes.

Les thrombocytes Enfin, les thrombocytes, ou plaquettes, qui représentent la troisième catégorie d'éléments figurés du sang, sont des fragments cytoplasmiques de cellules spécialisées provenant de la moelle osseuse. Les thrombocytes mesurent de 2 à 3 μm de diamètre et sont dépourvus de noyau. Les thrombocytes remplissent des fonctions structurales et moléculaires essentielles à la coagulation.

Les cellules souches et le remplacement des éléments figurés du sang

Les érythrocytes, les leucocytes et les thrombocytes se différencient à partir d'une source commune : les **cellules souches hématopoïétiques (CSH)**, des cellules souches multipotentes dont la fonction est de réapprovisionner le sang en éléments figurés. Comme nous l'avons vu au concept 20.3, une **cellule souche** peut se reproduire indéfiniment. Quand elle se divise par mitose, une des cellules filles reste à l'état de cellule souche pendant que l'autre se différencie en cellule spécialisée. Les cellules souches qui produisent les cellules sanguines se trouvent dans la moelle rouge des os, particulièrement dans les côtes, les vertèbres, le sternum et le bassin. Lorsqu'elles se divisent et se renouvellent, les cellules souches donnent naissance à deux types de cellules progénitrices dont la capacité de renouvellement est moindre (**figure 42.17**). Un des deux types, les cellules lymphoïdes progénitrices (CLP), produit des lymphocytes. L'autre type, les cellules myéloïdes progénitrices (CMP), produit tous les autres leucocytes, les érythrocytes et les thrombocytes.

Durant toute la vie, les CSH remplacent les vieux éléments figurés du sang. Les érythrocytes sont les éléments qui vivent le moins longtemps : ils ne restent en circulation que durant 120 jours environ avant d'être remplacés. La production d'érythrocytes dépend d'un mécanisme de rétroaction sensible à la concentration molaire volumique d'O_2. Si cette concentration baisse, le rein synthétise et sécrète une hormone appelée **érythropoïétine (EPO)**, qui stimule la production d'érythrocytes par les CMP.

De nos jours, on fait appel à la technologie de l'ADN recombiné pour synthétiser l'EPO dans des cultures cellulaires. Les

▼ **Figure 42.17 La différenciation des cellules sanguines.** La division des cellules souches hématopoïétiques situées dans la moelle osseuse donne naissance à deux types de cellules spécialisées : les cellules lymphoïdes progénitrices qui produisent des cellules immunitaires appelées lymphocytes, principalement des lymphocytes B et T ; et les cellules myéloïdes progénitrices qui produisent d'autres cellules immunitaires, des érythrocytes (globules rouges) et des fragments cellulaires appelés thrombocytes (plaquettes).

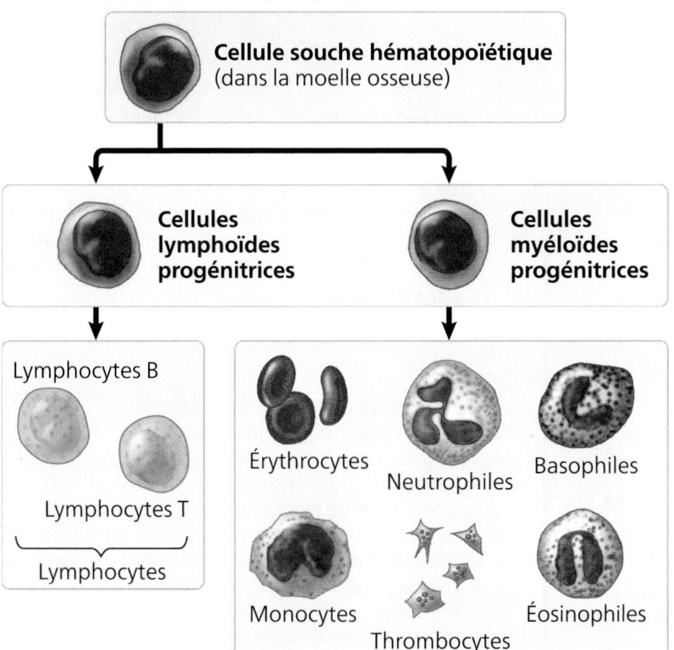

médecins utilisent de l'EPO de synthèse pour traiter les sujets souffrant de divers problèmes de santé, dont l'*anémie*, un état aux causes multiples entraînant un appauvrissement de la capacité de transport de l'O_2 du sang par suite de la diminution de la concentration d'érythrocytes ou d'hémoglobine. Malheureusement, certains athlètes font un usage abusif de l'EPO en s'injectant ce produit afin d'augmenter leur taux d'érythrocytes. Cette pratique, appelée dopage sanguin, est aujourd'hui interdite par la plupart des grandes organisations sportives. Au cours des dernières années, bon nombre de cyclistes et de coureurs ont eu des résultats positifs aux épreuves de dépistage de substances chimiques analogues à l'EPO et ont ainsi été dépouillés de leurs records et médailles ainsi que de leur droit de participer à des compétitions.

La coagulation du sang

Lorsqu'il nous arrive de nous couper ou de nous égratigner, certains composants sanguins colmatent rapidement les vaisseaux lésés, ce qui met fin à la perte de sang et réduit le risque d'infection. L'événement mécanique le plus important de cette réaction est la coagulation, c'est-à-dire la conversion des éléments liquides du sang en une masse solide appelée caillot.

En l'absence de lésion, le coagulant (ou scellant) circule sous sa forme inactive, appelée *fibrinogène*. La coagulation du sang commence lorsqu'une lésion entraîne l'exposition des protéines d'une paroi vasculaire aux composants du sang. Les protéines exposées attirent alors les thrombocytes, qui se mobilisent dans la zone de la lésion et libèrent des facteurs de coagulation. Ces facteurs déclenchent aussitôt une cascade de réactions qui activent la *thrombine* à partir d'une enzyme inactive appelée prothrombine (**figure 42.18**). La thrombine est l'enzyme qui transforme le fibrinogène en *fibrine*. C'est cette fibrine nouvellement constituée qui s'agglutine en filaments pour former le caillot. Toute mutation génétique qui entrave une étape de la coagulation peut causer l'hémophilie, une maladie héréditaire caractérisée par un saignement et la formation d'ecchymoses excessifs à la moindre coupure ou meurtrissure (voir le concept 15.2).

Comme le montre la figure 42.18, la coagulation fait intervenir une rétroactivation : au départ, la réaction de coagulation convertit seulement une partie de la prothrombine en thrombine dans la région du caillot. Toutefois, la présence de thrombine elle-même stimule ensuite la cascade enzymatique, de sorte qu'il se convertit davantage de prothrombine en thrombine, jusqu'à ce que s'achève la formation du caillot.

Normalement, les facteurs anticoagulants du sang empêchent la coagulation spontanée en l'absence de lésion. Il arrive cependant que des amas de thrombocytes et de fibrine coagulent dans un vaisseau sanguin et bloquent la circulation du sang. Ces caillots sont appelés **thrombus**. Lorsqu'un thrombus se détache et rejoint la circulation sanguine, il s'agit alors d'un **embole**. Nous verrons plus loin dans ce chapitre comment un thrombus se forme et les dangers qu'il représente.

Les maladies cardiovasculaires

En Amérique du Nord, plus de la moitié des décès sont provoqués par les **maladies cardiovasculaires**, c'est-à-dire par les maladies touchant le cœur et les vaisseaux sanguins. Dans le monde, la proportion est de un tiers. En fait, les maladies cardiovasculaires sont la première cause de mortalité dans le monde. Ces maladies prennent diverses formes, depuis la simple défectuosité d'une veine ou d'une valve cardiaque jusqu'à l'obstruction potentiellement mortelle de l'apport de sang au cœur ou au cerveau.

L'athérosclérose, l'infarctus du myocarde et l'accident vasculaire cérébral

Dans une artère saine, la paroi est lisse et offre donc peu de résistance à la circulation sanguine. Une lésion ou une infection peut toutefois rendre cette paroi rugueuse et provoquer de l'**athérosclérose**, un durcissement des artères causé par l'accumulation de dépôts adipeux. Le cholestérol joue un rôle de premier plan dans l'athérosclérose. Le cholestérol est un stéroïde qui aide à maintenir la fluidité des membranes dans les cellules animales (voir la figure 7.5). Le cholestérol se déplace dans le sang principalement sous forme de particules composées de milliers de molécules de cholestérol et d'autres lipides liés à une protéine. Certaines de ces particules sont appelées **lipoprotéines de basse densité**, ou **LDL** (pour *low-density lipoproteins*), ou encore *mauvais cholestérol*. Les LDL fournissent du cholestérol aux cellules qui en ont besoin pour former leurs membranes. Un autre type de particules, appelées **lipoprotéines de haute densité**, ou **HDL** (pour *high-density lipoproteins*), ou encore *bon cholestérol*, retire l'excès de cholestérol et le renvoie au foie. Chez les personnes présentant un rapport LDL/HDL élevé, le risque d'athérosclérose est considérablement accru.

Dans l'athérosclérose, une lésion de la paroi des artères provoque une *inflammation*, qui est une réaction de l'organisme

▼ **Figure 42.18 La coagulation du sang.**

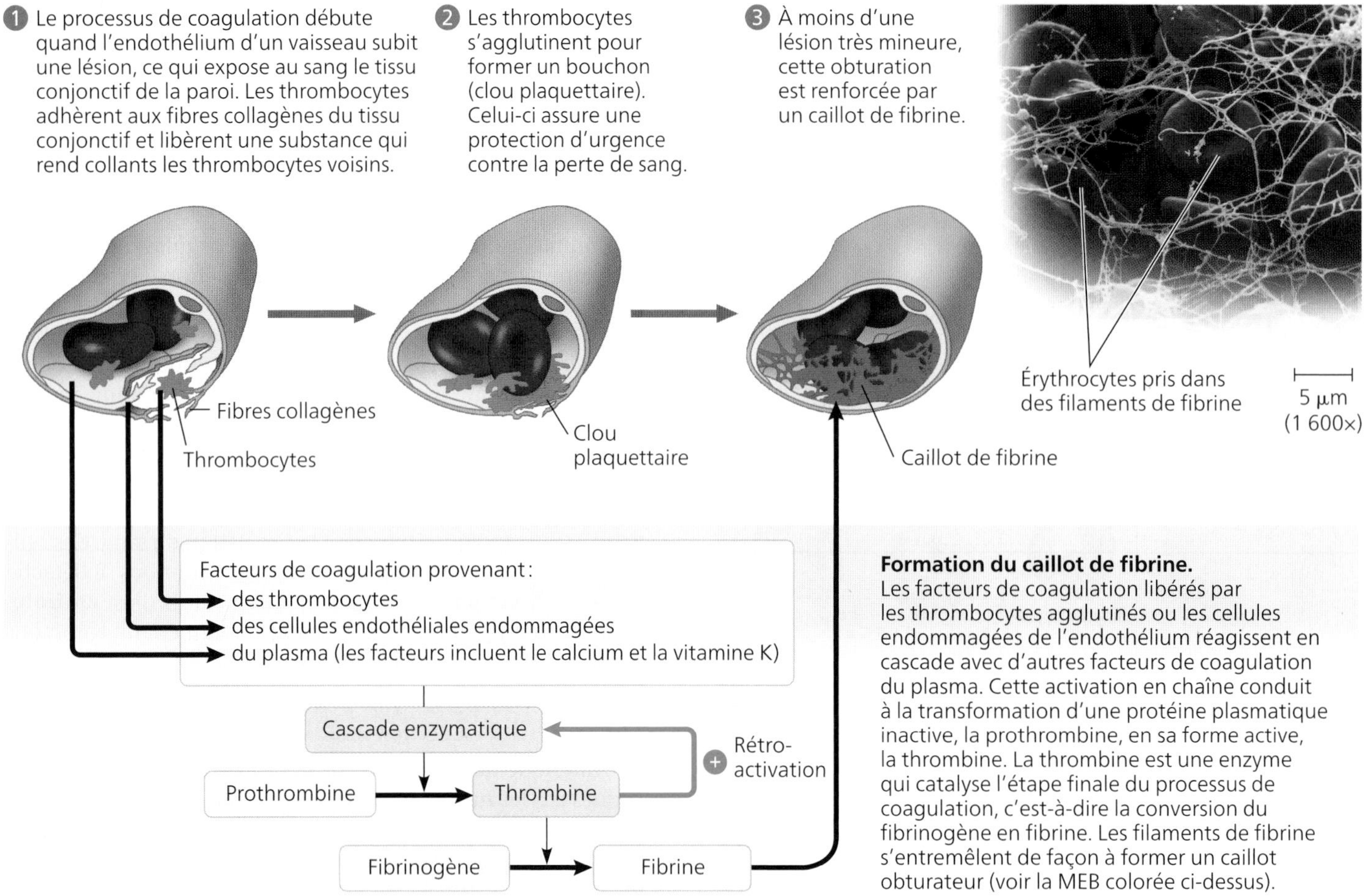

1 Le processus de coagulation débute quand l'endothélium d'un vaisseau subit une lésion, ce qui expose au sang le tissu conjonctif de la paroi. Les thrombocytes adhèrent aux fibres collagènes du tissu conjonctif et libèrent une substance qui rend collants les thrombocytes voisins.

2 Les thrombocytes s'agglutinent pour former un bouchon (clou plaquettaire). Celui-ci assure une protection d'urgence contre la perte de sang.

3 À moins d'une lésion très mineure, cette obturation est renforcée par un caillot de fibrine.

Fibres collagènes

Thrombocytes

Clou plaquettaire

Caillot de fibrine

Érythrocytes pris dans des filaments de fibrine

5 μm (1 600×)

Facteurs de coagulation provenant :
- des thrombocytes
- des cellules endothéliales endommagées
- du plasma (les facteurs incluent le calcium et la vitamine K)

Cascade enzymatique

Prothrombine → Thrombine

Rétro-activation

Fibrinogène → Fibrine

Formation du caillot de fibrine. Les facteurs de coagulation libérés par les thrombocytes agglutinés ou les cellules endommagées de l'endothélium réagissent en cascade avec d'autres facteurs de coagulation du plasma. Cette activation en chaîne conduit à la transformation d'une protéine plasmatique inactive, la prothrombine, en sa forme active, la thrombine. La thrombine est une enzyme qui catalyse l'étape finale du processus de coagulation, c'est-à-dire la conversion du fibrinogène en fibrine. Les filaments de fibrine s'entremêlent de façon à former un caillot obturateur (voir la MEB colorée ci-dessus).

à une blessure (voir la figure 43.7). Des leucocytes sont attirés sur les lieux de la lésion et capturent des lipides circulants, dont du cholestérol. Un dépôt graisseux, appelé **athérome** (ou plaque), se forme peu à peu, auquel s'ajoutent du tissu conjonctif fibreux et davantage de cholestérol. À mesure que l'athérome grossit, la paroi de l'artère perd de l'élasticité et s'épaissit, de sorte que l'obstruction de l'artère augmente. Si l'athérome se rompt, un thrombus (caillot) peut se former dans l'artère (**figure 42.19**) et provoquer une crise cardiaque ou un accident vasculaire cérébral.

L'**infarctus du myocarde** (communément appelé *crise cardiaque*) résulte de l'obstruction d'une ou des deux artères coronaires, les vaisseaux qui approvisionnent le cœur en sang riche en O_2. En raison de leur faible diamètre, les artères coronaires sont particulièrement vulnérables à une obstruction par un athérome ou un thrombus. Une telle obstruction peut causer rapidement de graves lésions dans le muscle cardiaque, car ses contractions incessantes exigent un apport continuel d'O_2. Si une zone suffisamment importante de ses tissus est atteinte, le cœur cesse de battre. La victime peut survivre si l'on rétablit la fonction cardiaque dans les quelques minutes suivant la crise, grâce à une réanimation cardiorespiratoire (RCR) ou à toute autre intervention d'urgence adéquate.

L'**accident vasculaire cérébral** (AVC), lui, cause la mort de certains tissus de l'encéphale à cause d'un manque d'O_2.

▼ **Figure 42.19 L'athérosclérose.** L'athérosclérose se caractérise par l'épaississement de la paroi d'une artère. Cet épaississement est causé par la formation d'athéromes (plaques) qui, à la longue, peuvent obstruer la circulation du sang dans l'artère. Si un athérome se rompt, un thrombus (caillot) peut se former, obstruant davantage la circulation du sang. Parfois, des fragments d'athéromes se détachent, se déplacent dans la circulation sanguine et se logent dans une autre artère. Si cette artère dessert le cœur ou le cerveau, l'obstruction causée par un de ces fragments risque de provoquer une crise cardiaque ou un accident vasculaire cérébral.

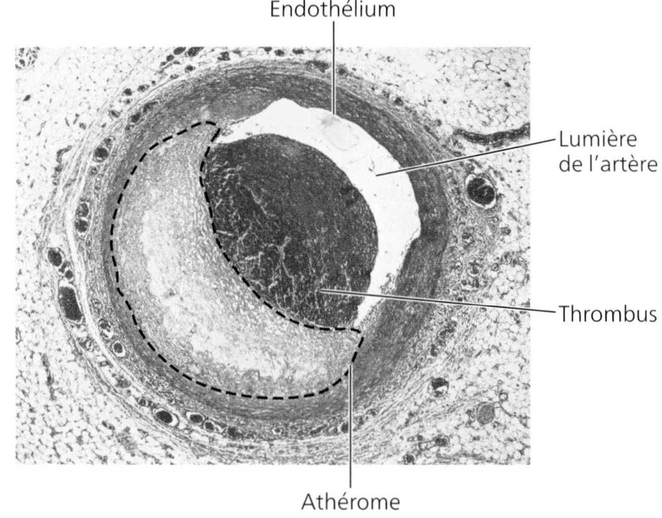

L'AVC survient généralement à la suite de la rupture ou de l'obstruction d'une artère dans le crâne. Les effets d'un AVC et les possibilités de récupération dépendent de l'emplacement et de l'ampleur de la lésion dans les tissus de l'encéphale. Si l'AVC est dû à une artère obstruée par un thrombus, l'administration rapide de médicaments thrombolytiques, qui dissolvent les caillots, peut circonscrire les dommages.

Souvent, l'athérosclérose est diagnostiquée seulement lorsque l'obstruction d'un vaisseau sanguin est dangereuse, mais certains signes avant-coureurs peuvent se présenter. Par exemple, si une artère coronaire n'est que partiellement bloquée, le sujet atteint peut ressentir des douleurs thoraciques occasionnelles, affection appelée *angine de poitrine*. Ces douleurs apparaissent généralement quand le cœur travaille de manière plus intense que d'habitude, en période de stress, et elles indiquent qu'une partie de l'organe ne reçoit pas suffisamment d'O_2. Il est possible de désobstruer chirurgicalement une artère en insérant un treillis cylindrique, appelé endoprothèse vasculaire, qui dilate l'artère (**figure 42.20**), ou en greffant un vaisseau sanguin sain prélevé dans la poitrine ou dans un membre de manière à contourner l'obstruction.

Les facteurs de risque et le traitement des maladies cardiovasculaires

Dans une certaine mesure, la susceptibilité (ou prédisposition) aux maladies cardiovasculaires est héréditaire, mais le mode de vie joue également un rôle important. Par exemple, l'exercice contribue à réduire le rapport LDL/HDL, donc à diminuer le risque de maladie cardiovasculaire, tandis que le tabagisme et un régime riche en matières grasses appelées *gras trans* (voir le chapitre 5) augmentent le rapport LDL/HDL. Depuis une dizaine d'années, la prévention des maladies cardiovasculaires a beaucoup progressé. Bon nombre de personnes à haut risque sont maintenant traitées par des médicaments, appelés statines, qui abaissent le taux de LDL et, par le fait même, diminuent le risque d'infarctus du myocarde. Dans la rubrique **Habiletés scientifiques**, vous interpréterez les données d'une étude concernant les effets d'une mutation génétique sur les taux de LDL dans le sang.

Si les traitements s'améliorent, c'est aussi parce qu'on connaît mieux le rôle capital de l'inflammation dans l'athérosclérose et la formation de thrombus. Par exemple, on a constaté que l'aspirine, qui inhibe la réaction inflammatoire, aide à prévenir la récurrence de l'infarctus du myocarde et de l'AVC.

L'**hypertension** (pression artérielle élevée) augmente également le risque de souffrir d'un infarctus du myocarde ou d'un AVC. Il semble que l'hypertension chronique endommage l'endothélium tapissant les artères et stimule la formation d'athéromes. L'hypertension chez l'adulte se définit habituellement comme une pression systolique supérieure à 140 mm Hg ou une pression diastolique supérieure à 90 mm Hg. Heureusement, il est relativement facile de diagnostiquer l'hypertension, et l'on peut généralement la maîtriser en changeant de régime alimentaire, en faisant de l'exercice ou en prenant des médicaments antihypertenseurs.

▼ Figure 42.20 Insertion d'une endoprothèse vasculaire pour dilater une artère obstruée.

1. On insère dans l'artère obstruée une endoprothèse vasculaire dans laquelle se trouve un ballonnet dégonflé.

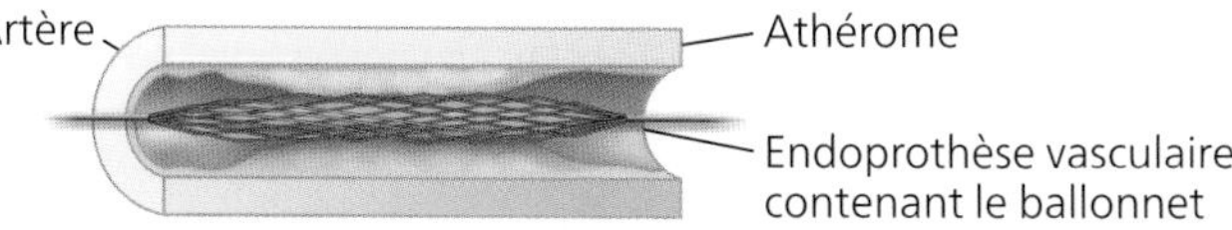

2. On gonfle le ballonnet pour ouvrir l'endoprothèse vasculaire et dilater l'artère.

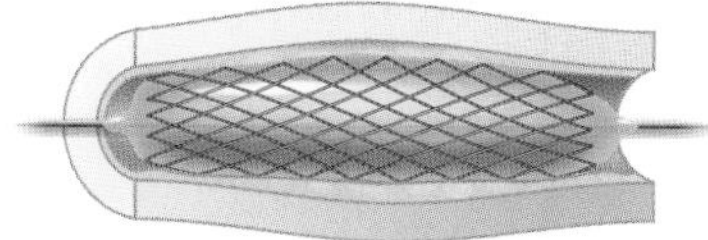

3. On retire le ballonnet en laissant l'endoprothèse vasculaire dans l'artère.

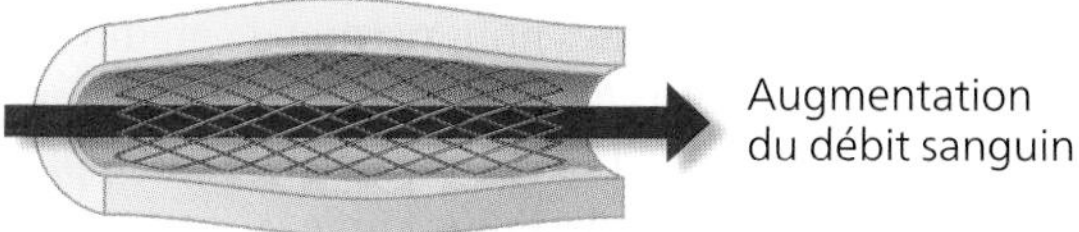

RETOUR SUR LE CONCEPT **42.4**

1. Expliquez pourquoi un médecin peut demander une leucocytémie (taux de globules blancs) pour une personne présentant des symptômes d'infection.
2. La présence de caillots dans les artères peut causer des infarctus du myocarde et des accidents vasculaires cérébraux. Pourquoi, alors, traite-t-on les hémophiles en leur injectant des facteurs de coagulation dans le sang ?
3. **ET SI ?** ▶ On prescrit parfois de la nitroglycérine (un composé chimique clé de la dynamite) aux personnes souffrant d'une maladie cardiaque. Dans le corps, la nitroglycérine est convertie en monoxyde d'azote (voir le concept 42.3). Pourquoi pensez-vous que la nitroglycérine peut soulager la douleur thoracique causée par un rétrécissement des artères cardiaques ?
4. **FAITES DES LIENS** ▶ En quoi les cellules souches de la moelle osseuse d'un adulte diffèrent-elles des cellules souches embryonnaires (voir le concept 20.3) ?

Voir les réponses proposées à l'appendice A.

CONCEPT **42.5**

Les échanges gazeux s'effectuent à travers des surfaces respiratoires spécialisées

Dans le reste du chapitre, nous nous concentrerons sur les **échanges gazeux**. Toutefois, il ne faut pas confondre ce processus, souvent appelé *respiration*, avec les transformations énergétiques relevant de la respiration cellulaire proprement dite. Les échanges gazeux assistent la respiration cellulaire en lui fournissant l'O_2 puisé dans l'environnement et en recueillant le CO_2 pour le rejeter dans l'environnement.

DÉMARCHE SCIENTIFIQUE

HABILETÉS SCIENTIFIQUES

Construire et interpréter des histogrammes

■ L'INACTIVATION DE L'ENZYME HÉPATIQUE PCSK9 ABAISSE-T-ELLE LE TAUX DE LDL DANS LE PLASMA ? ■ Des chercheurs intéressés par l'incidence de facteurs génétiques sur la susceptibilité à la maladie cardiovasculaire ont examiné l'ADN de 15 000 sujets. Ils ont découvert que 3 % de ces sujets étaient porteurs de mutations qui inactivent une copie du gène qui code pour la synthèse de l'enzyme hépatique PCSK9. Comme les mutations qui *augmentent* l'activité de PCSK9 sont réputées pour *augmenter* également les taux de LDL dans le sang, les chercheurs ont posé l'hypothèse que les mutations inactivantes de ce gène *abaisseraient* les taux de LDL. Dans le présent exercice, vous allez interpréter les résultats de l'expérience qu'ils ont réalisée pour tester leur hypothèse.

■ MÉTHODE ■ Les chercheurs ont mesuré les taux plasmatiques de LDL chez 85 sujets porteurs d'une mutation inactivant une copie du gène *PCSK9* (groupe expérimental) et chez 3 278 sujets porteurs de deux copies fonctionnelles du gène (groupe témoin).

■ RÉSULTATS ■

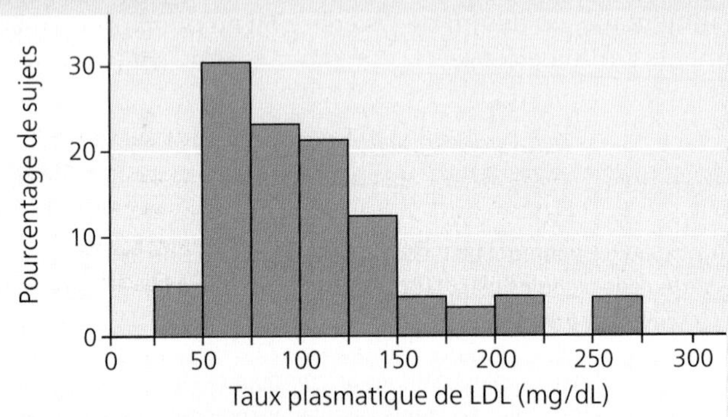

Individus porteurs d'une mutation inactivant une copie du gène *PCSK9* (groupe expérimental)

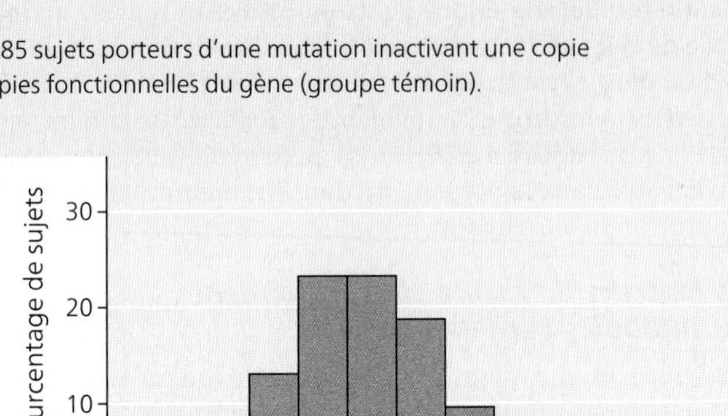

Individus porteurs de deux copies fonctionnelles du gène *PCSK9* (groupe témoin)

Source des données : J. Cohen et coll., Sequence variations in *PCSK9*, low LDL, and protection against coronary heart disease, *New England Journal of Medicine* 354 : 1264-1272 (2006).

INTERPRÉTEZ LES DONNÉES ▼

1. Les résultats sont présentés dans un *histogramme*, une variante du diagramme à bandes. Dans un histogramme, les valeurs de la variable représentée sur l'axe des *x* sont regroupées par étendues. Ainsi, la hauteur de chaque bande de l'histogramme reflète le pourcentage d'échantillons dont le taux plasmatique de LDL se situe dans l'étendue représentée par cette bande. Par exemple, dans l'histogramme du haut, environ 4 % des sujets ont un taux plasmatique de LDL situé dans l'étendue allant de 25 à 50 mg/dL (milligrammes par décilitre). Pour calculer le pourcentage de sujets du groupe témoin et du groupe expérimental dont le taux de LDL est de 100 mg/dL ou moins, vous devez additionner les pourcentages des bandes concernées. (Pour plus de renseignements sur les histogrammes, voir l'appendice F.)
2. Si vous comparez les deux histogrammes, observez-vous des données qui appuient l'hypothèse des chercheurs ? Expliquez votre réponse.
3. En quoi les conclusions des chercheurs seraient-elles différentes si, au lieu de représenter graphiquement leurs résultats, ils avaient comparé les étendues des taux plasmatiques de LDL (de faible à élevé) des groupes témoin et expérimental ?
4. Les deux histogrammes se chevauchent en bonne partie ; qu'est-ce que cela vous indique au sujet du lien entre PCSK9 et les taux plasmatiques de LDL ?
5. La comparaison des deux histogrammes a permis aux chercheurs de tirer une conclusion au sujet de l'effet des mutations de *PCSK9* sur les taux de LDL. Prenons deux sujets dont le taux plasmatique de LDL est de 160 mg/dL, soit un sujet du groupe expérimental et un sujet du groupe témoin. Selon vous, quel sera leur risque respectif d'être atteint d'une maladie cardiovasculaire ? Quel a été le rôle des histogrammes dans votre prédiction ?

Les gradients de pression partielle dans les échanges gazeux

Pour comprendre les forces qui président aux échanges gazeux, il faut calculer la **pression partielle**, c'est-à-dire la pression exercée par un gaz donné dans un mélange de gaz. La détermination des pressions partielles nous permet de prédire le résultat net de la diffusion à travers les surfaces d'échange : un gaz diffuse toujours de la région où la pression partielle est la plus élevée vers la région où la pression est plus faible.

Pour calculer la pression partielle, il importe de connaître la pression que le mélange exerce et la fraction que le gaz en question représente par rapport au mélange. Prenons l'exemple de l'O_2. Au niveau de la mer, l'atmosphère exerce une pression totale de 760 mm Hg. Étant donné qu'elle se compose de 21 % d'O_2 (en volume), la pression partielle de l'O_2 (P_{O_2}) est de 0,21 × 760 mm Hg, soit environ 160 mm Hg. C'est la partie de la pression atmosphérique attribuable à la présence d'O_2, d'où l'expression *pression partielle*. Beaucoup plus faible, la pression partielle du CO_2 (P_{CO_2}) au niveau de la mer n'est que de 0,29 mm Hg.

Les pressions partielles s'appliquent également aux gaz dissous dans un liquide, notamment dans l'eau. En effet, quand l'air entre en contact avec l'eau, un état d'équilibre s'établit, de sorte que la pression partielle d'un gaz dans l'eau est égale à la pression partielle de ce gaz dans l'air. Par conséquent, au niveau de la mer, la P_{O_2} de l'eau exposée à l'air est de 160 mm Hg, comme dans l'atmosphère. Toutefois, les *concentrations* en O_2 de l'air et de l'eau diffèrent considérablement, puisque l'O_2 est beaucoup moins soluble dans l'eau que dans l'air (**tableau 42.1**). En outre, plus l'eau est chaude et salée, moins elle contient d'O_2 dissous.

Les milieux respiratoires

Les conditions des échanges gazeux varient beaucoup, selon que la source d'O_2, appelée **milieu respiratoire**, est l'air ou l'eau. Comme nous l'avons vu précédemment, l'atmosphère est le réservoir principal d'oxygène de la Terre : elle est formée à 21 % environ d'O_2. Comme le montre le tableau 42.1, l'air est beaucoup moins dense et visqueux que l'eau, de sorte qu'il est facile à déplacer et qu'il passe aisément dans de petites ouvertures. Donc, la respiration est relativement facile et n'a pas à être particulièrement efficace. Les humains, par exemple, extraient seulement 25 % environ de l'O_2 présent dans l'air inhalé.

L'eau est un milieu respiratoire beaucoup plus exigeant que l'air. La quantité d'O_2 dissous dans un volume d'eau donné varie considérablement, mais elle reste très inférieure à celle de l'O_2 contenu dans un volume d'air équivalent. Les océans, les lacs et les autres plans d'eau ne contiennent qu'environ 7 mL d'O_2 dissous par litre, soit près de 30 fois moins que la concentration dans l'air. Le faible taux d'O_2 de l'eau, sa grande densité et sa grande viscosité signifient que les échanges gazeux chez les animaux aquatiques comme les poissons et les crustacés sont des processus qui requièrent beaucoup d'énergie. En raison de ces contraintes physicochimiques, des adaptations sont apparues au cours de l'évolution ; elles rendent les échanges gazeux beaucoup plus efficaces chez la plupart des animaux aquatiques. Plusieurs de ces adaptations ont trait à la structure des surfaces intervenant dans ces échanges.

Tableau 42.1 Comparaison de deux milieux respiratoires : l'air et l'eau

	Air (niveau de la mer)	Eau (20 °C)	Proportion air-eau
Pression partielle d'O_2	160 mm	160 mm	1:1
Concentration d'O_2	210 mL/L	7 mL/L	30:1
Densité	0,0013 kg/L	1 kg/L	1:770
Viscosité	0,02 cP*	1 cP	1:50

* cP : centipoise. 1 cP équivaut à 1 mPa · s (millipascal-seconde)

Les surfaces respiratoires

La surface respiratoire est la surface corporelle de l'animal où se produisent les échanges gazeux avec le milieu ; sa structure est généralement bien adaptée au rôle qu'elle joue. Comme toute cellule vivante, les cellules qui accomplissent les échanges gazeux ont une membrane plasmique qui doit absolument être en contact avec une solution aqueuse. C'est pourquoi les surfaces respiratoires sont toujours humides.

Le transport membranaire des molécules d'O_2 et de CO_2 s'effectue entièrement par diffusion simple. La vitesse de diffusion est directement proportionnelle à l'aire de la surface respiratoire, et inversement proportionnelle au *carré* de la distance que les molécules doivent couvrir pour traverser les membranes. Autrement dit, les échanges gazeux sont d'autant plus rapides que la surface de diffusion est grande, et la distance de diffusion, réduite. C'est pourquoi les surfaces respiratoires sont généralement minces et étendues.

Chez certains animaux relativement simples, notamment les éponges, les cnidaires et les vers plats, la membrane plasmique de chaque cellule du corps est suffisamment proche de l'environnement externe pour que les gaz puissent diffuser vers l'extérieur et vers l'intérieur. Cependant, toutes les parties du corps de nombreux animaux ne peuvent accéder directement au milieu respiratoire. Dans leur cas, la surface respiratoire est un épithélium simple et humide qui constitue un organe respiratoire.

Chez le ver de terre, certains amphibiens et d'autres animaux, c'est la surface cutanée externe qui sert d'organe respiratoire. Immédiatement sous l'épiderme se trouve un réseau compact de capillaires qui facilite les échanges gazeux entre le système cardiovasculaire et l'environnement. Chez la plupart des animaux, cependant, la surface cutanée n'est pas assez grande pour assurer les échanges gazeux de tout l'organisme.

La solution apparue au cours de l'évolution pour résoudre ce problème est un organe respiratoire dont les multiples replis ou ramifications augmentent la surface respiratoire dévolue aux échanges gazeux. Les branchies, les trachées et les poumons sont trois exemples d'un tel organe respiratoire.

Les branchies chez les animaux aquatiques

Les branchies sont des évaginations de la surface corporelle en contact avec l'eau. Comme le montre la **figure 42.21** (et la figure 42.1), la disposition des branchies sur la surface corporelle peut varier considérablement. Indépendamment de leur position, l'aire totale des branchies est souvent bien supérieure à celle du reste du corps.

Le mouvement autour et au-dessus de la surface respiratoire est appelé **ventilation**. Ce processus maintient à travers les branchies les gradients de pression partielle d'O_2 et de CO_2 sans lesquels les échanges gazeux ne pourraient se dérouler. Pour favoriser la ventilation, la plupart des animaux dotés de branchies les remuent dans l'eau ou bien déplacent de l'eau autour d'elles. Par exemple, les écrevisses et les homards, des crustacés, possèdent des appendices ressemblant à des pagaies qui font circuler l'eau à proximité de leurs branchies. De leur côté, les moules et les palourdes, des mollusques bivalves, remuent l'eau à l'aide de cils qui la font circuler autour des surfaces d'échange. Les pieuvres et les calmars, des mollusques céphalopodes, ventilent leurs branchies en aspirant de l'eau et en la refoulant, et ils profitent grandement de cette circulation d'eau pour se

▼ **Figure 42.21** **La diversité dans la structure des branchies, qui sont des surfaces corporelles externes spécialisées dans les échanges gazeux.**

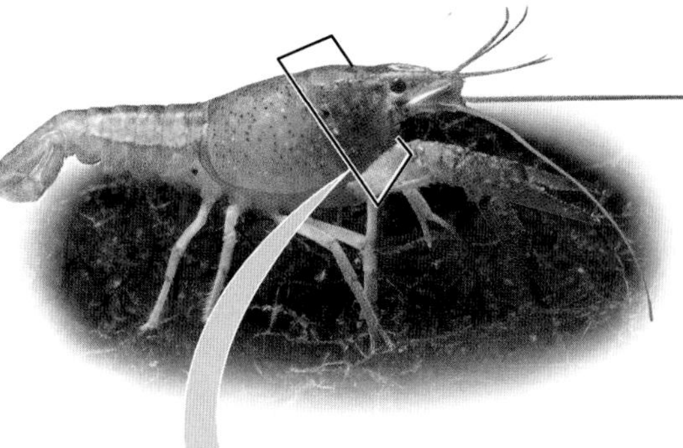

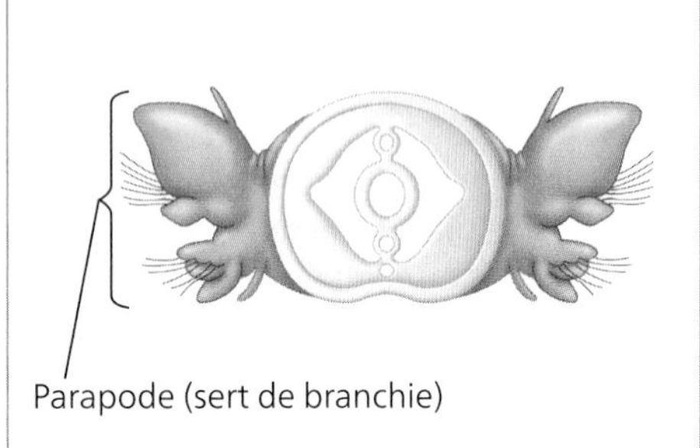

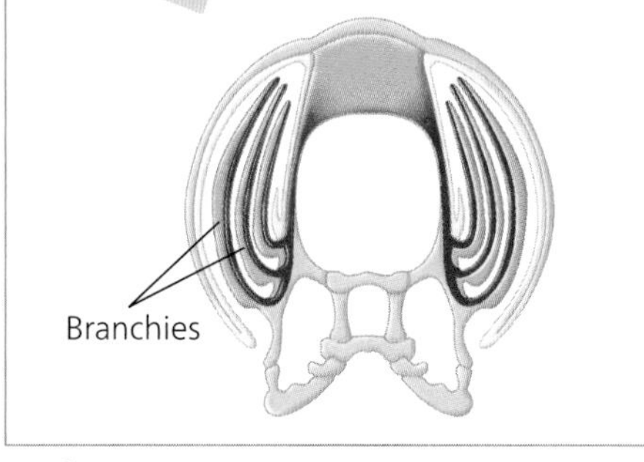

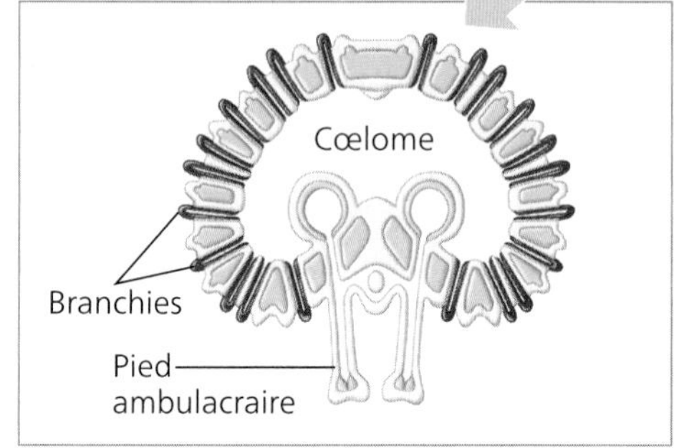

(a) Polychète. De nombreux polychètes, des vers marins de l'embranchement des annélides, possèdent une paire d'appendices aplatis, appelés parapodes, sur chacun des segments de leur corps. Les parapodes servent de branchies; ils facilitent aussi la natation et la reptation.

(b) Écrevisse. L'écrevisse et les autres crustacés possèdent de longues branchies plumeuses situées sous l'exosquelette. Des appendices spécialisés font circuler l'eau sur la surface des branchies.

(c) Étoile de mer. Les branchies d'une étoile de mer, un échinoderme de la classe des astéries, sont de simples projections tubulaires de la peau. Elles sont creuses et communiquent directement avec le cœlome (cavité interne). Les échanges gazeux s'effectuent par diffusion simple à travers leur surface. Le liquide du cœlome circule dans les branchies et facilite le transport des gaz. Les surfaces des pieds ambulacraires en forme de tube jouent aussi un rôle dans les échanges gazeux.

mouvoir. Chez les poissons, la ventilation se fait par l'intermédiaire des mouvements qu'ils génèrent quand ils nagent, d'une part, et par une série de mouvements coordonnés de leur bouche et de leurs branchies, d'autre part. Dans les deux cas, l'eau qu'ils aspirent par la bouche baigne leurs branchies et ressort du corps (**figure 42.22**).

Chez les poissons, l'efficacité des échanges gazeux est maximisée par l'**échange à contre-courant**, un processus extrêmement efficace qui consiste à échanger une substance ou de la chaleur entre deux liquides circulant dans des directions opposées (ici, l'eau et le sang). Puisque le sang circule dans la direction opposée à celle de l'eau traversant les branchies, il est toujours moins saturé en O_2 que l'eau qui se trouve à proximité (voir la figure 42.22). Quand le sang entre dans le capillaire branchial, il croise de l'eau qui termine son passage dans la branchie. Débarrassée de la plus grande partie de son O_2 dissous, cette eau a néanmoins une P_{O_2} supérieure à celle du sang qui pénètre dans cette branchie, ce qui permet à l'O_2 de diffuser. À mesure que le sang progresse dans le capillaire, sa P_{O_2} augmente régulièrement, puisqu'à chaque point successif du capillaire que parcourt le sang correspond un point que l'eau occupait en passant dans la branchie. Ce faisant, il s'établit un gradient de pression partielle favorisant la diffusion de l'O_2 de l'eau vers le sang sur toute la longueur du capillaire.

Les mécanismes d'échanges à contre-courant sont d'une telle efficacité que les branchies des poissons arrivent à récupérer plus de 80 % de l'O_2 dissous dans l'eau qui passe à proximité de la surface respiratoire. Ce mécanisme joue aussi un rôle important dans la régulation thermique, de même que dans le fonctionnement des reins chez les mammifères (voir les concepts 40.3 et 44.4).

Le système trachéen chez les insectes

Chez la plupart des animaux terrestres, les surfaces respiratoires se trouvent à l'intérieur du corps et communiquent avec l'extérieur par l'intermédiaire de conduits très étroits. Le poumon en est l'exemple le plus connu, mais il n'est pas le plus courant puisque les insectes, qui forment le groupe d'animaux le plus important, font appel à un **système trachéen** pour respirer. Ce système se compose de tubes aériens qui se ramifient dans tout le corps. Les tubes les plus grands, les trachées, débouchent sur l'extérieur (**figure 42.23**). Aux extrémités des plus petites ramifications (les trachéoles) se trouve un épithélium humide qui permet les échanges gazeux par diffusion. Comme presque toutes les cellules du corps sont situées à proximité du milieu respiratoire, le système cardiovasculaire ouvert des insectes n'intervient pas dans le transport de l'O_2 et du CO_2.

▼ Figure 42.22 La structure et les fonctions des branchies chez les poissons. Les poissons aspirent continuellement de l'eau par la bouche et par les branchies. Cette ventilation s'effectue par les mouvements coordonnés des mâchoires et des opercules (pièces osseuses qui protègent les branchies). (Un poisson en train de nager n'a qu'à ouvrir la bouche et à laisser l'eau passer sur ses branchies.) Chaque arc branchial possède deux rangées de filaments branchiaux, eux-mêmes composés de structures aplaties appelées lamelles. C'est le sang qui circule dans les capillaires de ces lamelles qui capte l'O_2 de l'eau. À noter que la circulation à contre-courant de l'eau et du sang maintient un gradient de pression partielle qui permet la diffusion nette de l'O_2 de l'eau vers le sang sur toute la longueur d'un capillaire.

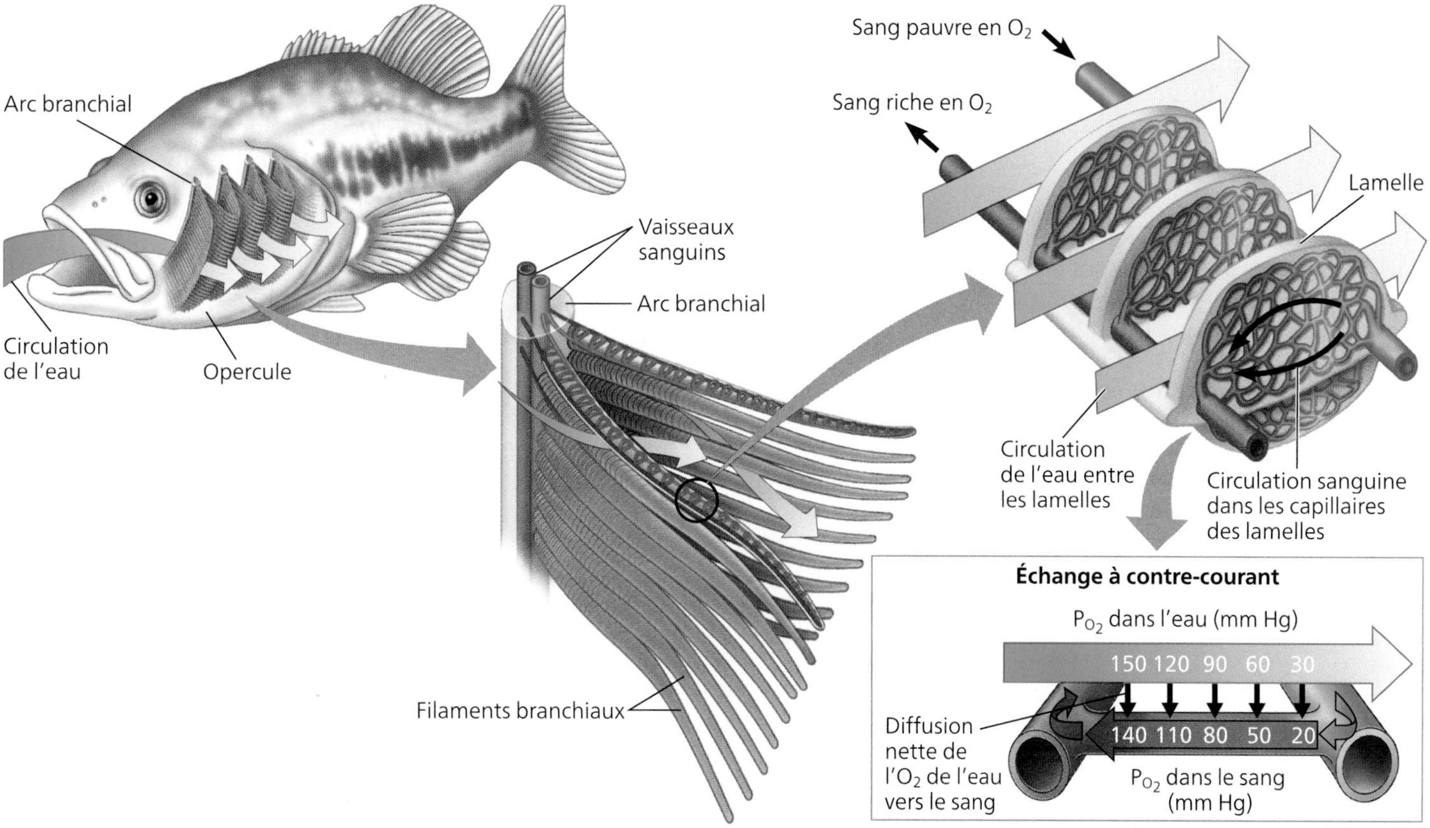

▼ Figure 42.23 Le système trachéen.

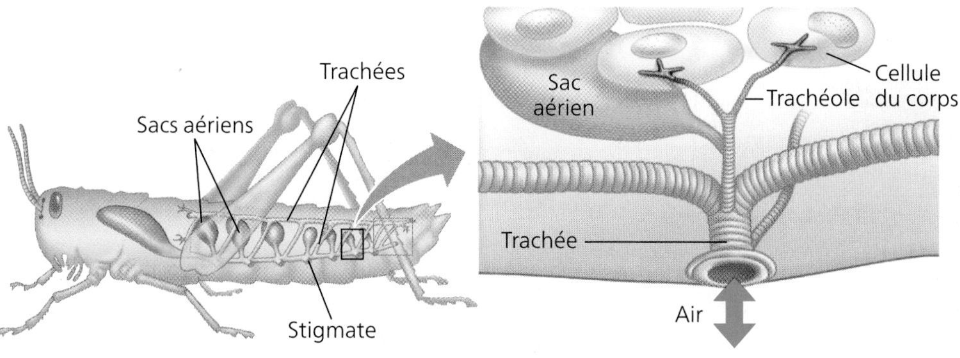

(a) Le système respiratoire des insectes comporte des tubes internes ramifiés. Les tubes les plus grands, les trachées, sont reliés à des ouvertures (stigmates) situées sur la surface du corps. Les sacs aériens formés par l'élargissement des trachées sont situés à proximité des organes exigeant un apport élevé d'O_2.

(b) Des anneaux de chitine empêchent les trachées de s'affaisser et permettent à l'air de circuler pour atteindre les tubes plus étroits, les trachéoles. Les ramifications de ces conduits fournissent l'air directement aux cellules de tout le corps. Elles possèdent des extrémités fermées, remplies de liquide (en gris dans l'illustration). Quand l'animal est en pleine activité et que ses besoins en O_2 sont très élevés, la plus grande partie de ce liquide est réabsorbée dans son corps. Cela accroît la surface des trachéoles remplies d'air en contact avec les cellules.

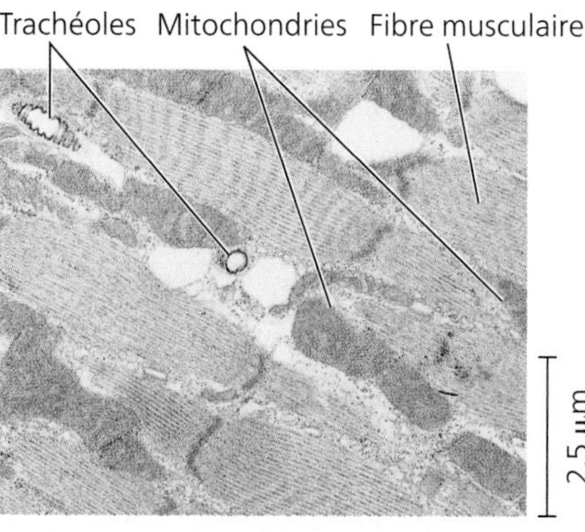

(c) Cette micrographie montre une coupe transversale des trachéoles contenues dans un fragment de tissu musculaire alaire d'un insecte (MET). La distance séparant les trachéoles de chacune des nombreuses mitochondries des cellules musculaires est d'environ 5 μm.

Les adaptations des systèmes trachéens sont souvent en étroite relation avec la bioénergétique. Prenons l'exemple d'un insecte en plein vol : il consomme alors de 10 à 200 fois plus d'O_2 que lorsqu'il est au repos. Chez de nombreux insectes volants, l'alternance de la contraction et de la relaxation des muscles alaires produit une compression et une expansion corporelles qui permettent de pomper rapidement de l'air dans le système trachéen. La ventilation s'en trouve accrue et peut fournir amplement d'O_2 aux mitochondries densément regroupées qui alimentent le métabolisme très rapide des muscles (figure 42.23).

Les poumons

Contrairement aux trachées, qui se ramifient dans tout le corps des insectes, les **poumons** sont des organes respiratoires localisés. Leur surface, repliée vers l'intérieur, se compose d'une multitude de pochettes. Étant donné que la surface respiratoire pulmonaire n'est pas en contact direct avec toutes les parties du corps, le système cardiovasculaire doit assurer le transport des gaz entre les poumons et le reste du corps. Des poumons sont apparus chez des organismes pourvus d'un système cardiovasculaire ouvert, tels les araignées et les escargots terrestres, aussi bien que chez les vertébrés.

Chez les vertébrés dépourvus de branchies, on observe diverses modalités d'utilisation des poumons pour assurer les échanges gazeux. Les échanges gazeux des amphibiens dépendent essentiellement de la diffusion qui a lieu à travers d'autres surfaces corporelles, par exemple la peau. Chez les amphibiens dotés de poumons, ces organes sont relativement petits et leur surface d'échange est réduite. En revanche, la plupart des reptiles (y compris tous les oiseaux) et tous les mammifères comptent exclusivement sur leurs poumons pour effectuer leurs échanges gazeux (les échanges par la peau sont négligeables). Les tortues constituent une exception : leur respiration pulmonaire s'accompagne d'échanges gazeux qui s'accomplissent à travers les surfaces épithéliales humides de leur bouche et de leur anus. Par ailleurs, quelques vertébrés aquatiques possèdent des poumons, ce qui leur permet d'inspirer directement l'O_2 de l'air (on les appelle *poissons pulmonés*) ; c'est une adaptation à la vie dans une eau pauvre en O_2 ou à des séjours prolongés hors de l'eau, par exemple quand le niveau de l'eau d'une mare s'abaisse.

Le système respiratoire des mammifères : une étude détaillée

Chez les mammifères, des conduits ramifiés conduisent l'air jusqu'aux poumons, situés dans la *cavité thoracique* délimitée par les côtes et par le diaphragme. L'air pénètre par les narines ; il est alors filtré par des poils, réchauffé, humidifié, et les odeurs qu'il transporte sont analysées à mesure qu'il circule dans le dédale des espaces de la cavité nasale. Cette cavité conduit au pharynx, le carrefour des conduits aériens et digestifs (**figure 42.24**). Lorsque nous avalons des aliments, le **larynx** (la partie supérieure du système respiratoire) se déplace vers le haut et fait

▼ **Figure 42.24 Le système respiratoire des mammifères.** L'air inhalé va de la cavité nasale au pharynx ; il traverse le larynx, la trachée et les bronches, avant de se disperser dans les plus petites bronchioles. Celles-ci se terminent par des sacs alvéolaires microscopiques, les alvéoles. Un épithélium mince et humide recouvre les cavités alvéolaires. Les ramifications des artères pulmonaires apportent du sang pauvre en O_2 aux alvéoles, tandis que les embranchements des veines pulmonaires transportent du sang riche en O_2 des alvéoles au cœur.

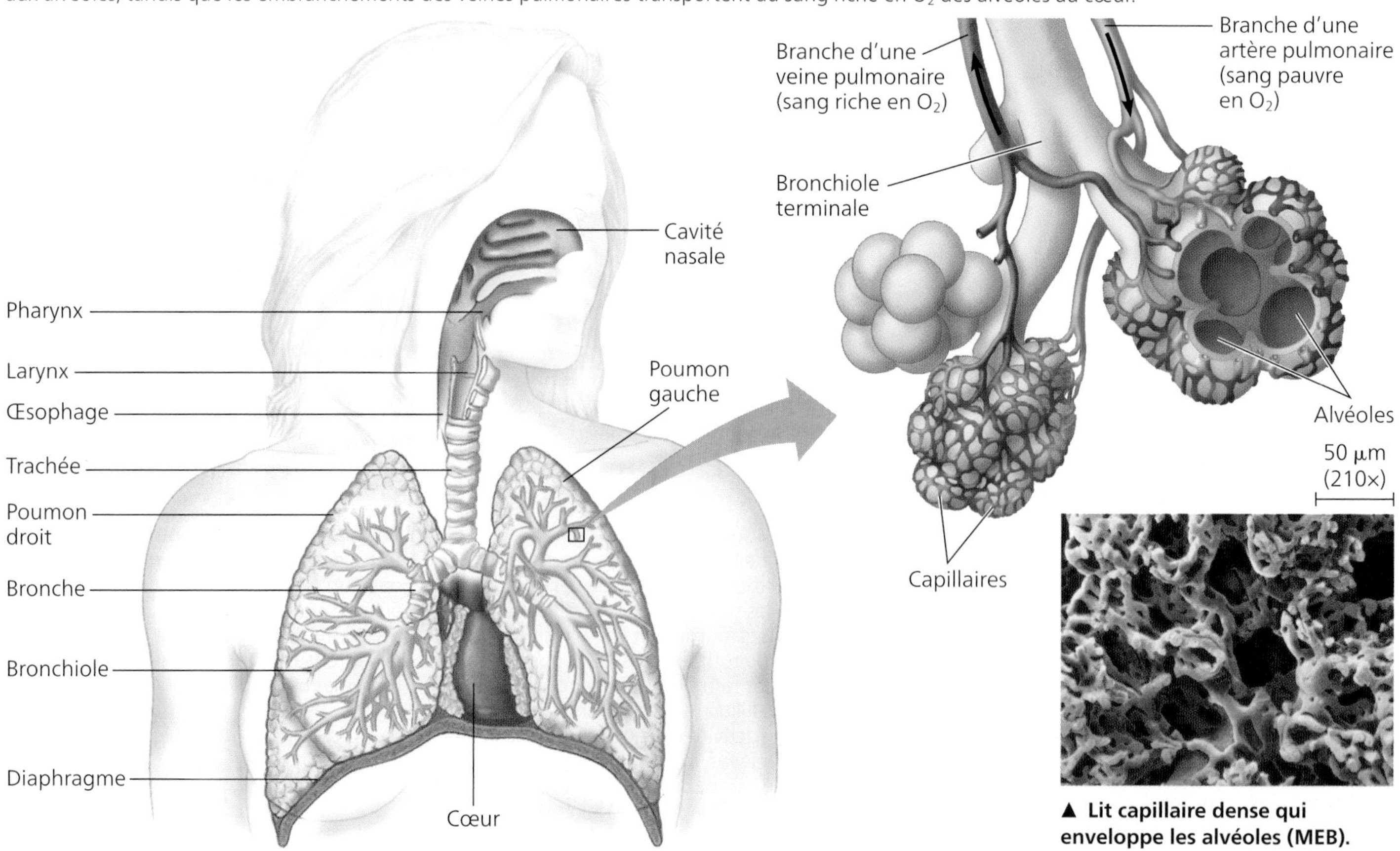

▲ **Lit capillaire dense qui enveloppe les alvéoles (MEB).**

basculer l'épiglotte sur la glotte, qui est l'ouverture de la **trachée**. La nourriture déviée peut ainsi emprunter l'œsophage pour descendre dans l'estomac (voir la figure 41.9). Le reste du temps, la glotte est ouverte, nous permettant de respirer.

En quittant le larynx pour se diriger vers les poumons, l'air passe dans la trachée. Du cartilage renforce les parois du larynx et de la trachée, et les maintient ouvertes. Dans le larynx de la plupart des mammifères, l'air expulsé des poumons au moment de l'expiration heurte au passage une paire de cordes vocales, qui sont deux replis muqueux du larynx. Les sons surviennent lorsque des muscles volontaires du larynx sont mis sous tension, ce qui provoque l'étirement des cordes vocales et leur vibration. Les sons aigus sont produits lorsque les cordes vocales sont très tendues et qu'elles vibrent rapidement ; les sons graves, eux, sont émis par la vibration lente de cordes vocales plus lâches.

La trachée se divise en deux **bronches**, conduisant chacune à un poumon. Dans les poumons, les bronches se ramifient en conduits de plus en plus étroits appelés **bronchioles**. Tout le réseau de conduits aériens ressemble à un arbre à l'envers, dont la trachée serait le tronc. L'épithélium tapissant les principales ramifications de cet arbre respiratoire est recouvert de cils vibratiles et d'une mince pellicule de mucus. Celui-ci emprisonne les poussières, le pollen et d'autres particules de contaminants ; le battement des cils fait remonter le mucus vers le pharynx, où il peut être avalé ou expectoré. Ce processus contribue à nettoyer le système respiratoire.

Chez les mammifères, les échanges gazeux ont lieu dans les **alvéoles pulmonaires** (voir la figure 42.24). Les alvéoles sont des amas de minuscules cavités attachés aux extrémités des plus petites bronchioles. Les poumons humains contiennent plusieurs millions d'alvéoles. La surface d'échange formée par l'ensemble de ces alvéoles est d'environ 100 m^2, soit 50 fois l'aire de la peau. L'O_2 de l'air apporté aux alvéoles se dissout dans la pellicule humide qui tapisse les surfaces internes et diffuse rapidement à travers l'épithélium, formé d'épithéliocytes respiratoires (ou pneumocytes de type I) vers un réseau de capillaires entourant chaque alvéole. Le CO_2 diffuse des capillaires dans la direction inverse et traverse l'épithélium des alvéoles pour passer dans les voies aériennes.

Comme elles sont dépourvues de cils et qu'elles ne sont pas exposées aux courants aériens susceptibles de déloger les particules de leur surface, les alvéoles sont très vulnérables à la contamination. Habituellement, les leucocytes patrouillent dans les alvéoles et absorbent les particules étrangères, mais si les particules sont trop nombreuses, ils ne suffisent plus à la tâche. De l'inflammation peut alors apparaître et causer des dommages irréversibles. Par exemple, les particules de la fumée du tabac qui entre dans les alvéoles peuvent causer une diminution permanente de la capacité pulmonaire. Dans les mines de charbon, les mineurs inhalent de grandes quantités de poussière de charbon, ce qui peut causer la silicose, une maladie pulmonaire invalidante et irréversible, potentiellement mortelle.

La pellicule de liquide qui tapisse les alvéoles est sensible à la tension superficielle, une force d'attraction qui cause une diminution de la surface d'un liquide (voir le concept 3.2). Logiquement, compte tenu de leur diamètre minuscule (environ 0,25 mm), les alvéoles devraient s'affaisser sous la forte tension superficielle. Mais ce n'est pas le cas, car des cellules des alvéoles, les pneumocytes de type II (ou grands épithéliocytes), produisent un mélange de phospholipides et de protéines appelé **surfactant**. Ce surfactant enrobe les alvéoles et réduit la tension superficielle, empêchant ainsi l'alvéole de s'affaisser.

Dans les années 1950, Mary Ellen Avery a mené la première expérience sur le lien entre le manque de surfactant et le *syndrome de détresse respiratoire* (SDR), une affection courante chez les bébés nés 6 semaines ou plus avant terme (**figure 42.25**). (Une grossesse à terme dure en moyenne 38 semaines chez les humains.) Les études subséquentes ont révélé qu'on trouve du surfactant dans les poumons après la 33e semaine de gestation. Dans les années 1950, le SDR était à l'origine de 10 000 morts infantiles par année aux États-Unis. Aujourd'hui, on utilise couramment du surfactant artificiel pour traiter les grands prématurés. Les bébés dont le poids à la naissance dépasse 900 g et qui reçoivent du surfactant survivent généralement sans problèmes de santé chroniques. Pour ses découvertes, Mary Ellen Avery a reçu la National Medal of Science en 1991.

Maintenant que nous avons exploré les voies empruntées par l'air que nous respirons, nous allons nous pencher sur le mécanisme de la respiration proprement dit.

RETOUR SUR LE CONCEPT **42.5**

1. Pourquoi est-il avantageux pour les animaux terrestres d'avoir leurs tissus pulmonaires à *l'intérieur* du corps ?
2. Après une forte pluie, les vers de terre gagnent la surface du sol. Expliquez ce comportement en tenant compte de ce dont les vers de terre ont besoin pour effectuer les échanges gazeux.
3. **FAITES DES LIENS ▶** Décrivez les similarités entre les échanges à contre-courant qui permettent la respiration chez le poisson et la thermorégulation chez les oies (voir le concept 40.3).

Voir les réponses proposées à l'appendice A.

CONCEPT **42.6**

La respiration permet de ventiler les poumons

Comme les poissons, les vertébrés terrestres ont recours à la ventilation pour maintenir une forte concentration en O_2 et une faible concentration en CO_2 à proximité de la surface respiratoire. L'alternance d'inspiration d'air (inhalation) et d'expiration (exhalation) est un processus nommé **ventilation pulmonaire**, communément appelé respiration. Divers mécanismes servant à déplacer l'air dans les poumons sont apparus au cours de l'évolution, comme nous le verrons en examinant la respiration chez les amphibiens, les oiseaux et les mammifères.

Le mécanisme de la respiration chez les amphibiens

Un amphibien, comme la grenouille (ordre des anoures), ventile ses poumons par un mécanisme de **ventilation à pression positive**, qui fait gonfler les poumons en forçant l'air à y entrer. L'inspiration s'amorce quand des muscles abaissent le plancher

DÉMARCHE SCIENTIFIQUE

INVESTIGATION

▼ **Figure 42.25**

Quelle est la cause du syndrome de détresse respiratoire ?

■ **HYPOTHÈSE** ■ Mary Ellen Avery, une chercheuse de la Harvard University, a posé l'hypothèse qu'un manque de surfactant causait le syndrome de détresse respiratoire (SDR) chez les bébés prématurés.

■ **EXPÉRIENCE** ■ Pour vérifier son hypothèse, Mary Ellen Avery a employé des échantillons de tissus pulmonaires provenant de l'autopsie de bébés décédés du SDR ou d'autres causes. Elle a mélangé les échantillons à une solution saline puis les a filtrés. Elle a déposé le filtrat sur de l'eau et l'a laissé former une pellicule. Elle a ensuite mesuré la tension superficielle (en dynes par centimètre) à la surface de l'eau, puis elle a noté la plus faible tension pour chaque échantillon.

■ **RÉSULTATS** ■ La chercheuse a observé une tendance lorsqu'elle a regroupé les échantillons en fonction de la masse corporelle des bébés : ceux de moins de 1 200 g et ceux de 1 200 g ou plus.

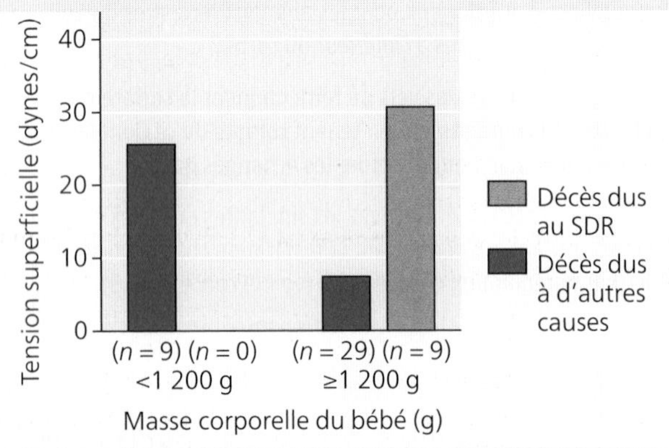

Source des données : M. E. Avery et J. Mead, Surface properties in relation to atelectasis and hyaline membrane disease, *American Journal of Diseases of Children* 97 : 517-523 (1959).

■ **CONCLUSION** ■ Dans le groupe des bébés de 1 200 g ou plus, les échantillons prélevés chez ceux décédés du SDR indiquaient une tension superficielle beaucoup plus élevée que chez ceux décédés d'autres causes. La chercheuse en a déduit que les poumons des bébés devaient normalement contenir une substance qui réduit la tension superficielle (aujourd'hui appelée surfactant) et qu'une production insuffisante de cette substance était une cause possible du SDR. Les résultats obtenus chez les bébés de moins de 1 200 g se comparaient à ceux obtenus pour les bébés décédés du SDR, ce qui donne à penser que le surfactant n'est pas produit chez les fœtus dont le poids est inférieur à 1 200 g.

ET SI ? ▶ Si la chercheuse avait plutôt mesuré la quantité de surfactant dans les échantillons de poumons, quelle relation pourriez-vous vraisemblablement observer entre la quantité de surfactant et la masse corporelle des bébés ?

de la cavité buccale, entraînant l'aspiration de l'air par les narines. Puis les narines et la bouche se ferment, et le plancher de la cavité buccale se soulève, ce qui oblige l'air à pénétrer dans la trachée. La détente élastique des poumons et la compression par la paroi musculaire du corps forcent ensuite l'air à ressortir des poumons ; c'est l'expiration. Quand la grenouille mâle se gonfle pour prendre une attitude agressive afin d'éloigner un prédateur ou pour faire la cour à une femelle, il se produit une modification du cycle respiratoire : l'animal prend plusieurs inspirations sans laisser l'air ressortir.

Le mécanisme de la respiration chez les oiseaux

Lorsqu'un oiseau respire, l'air circule sur la surface d'échange gazeux dans une seule direction. Il entre d'abord dans des sacs aériens postérieurs qui, tels des soufflets, le dirigent dans les poumons, puis, une fois les échanges gazeux effectués dans les très fins conduits pulmonaires nommés *parabronches*, il ressort par des sacs aériens antérieurs. Le passage de l'air dans tout le système (sacs aériens → poumons → sacs aériens) requiert deux cycles inspiration-expiration (**figure 42.26**).

La ventilation est très efficace chez les oiseaux, non seulement parce que l'air passe sur la surface d'échanges gazeux dans une seule direction, mais aussi parce que l'air frais ne se mélange

▼ **Figure 42.26 Le système respiratoire des oiseaux.** Ce schéma montre une inspiration dans le système respiratoire d'un oiseau.

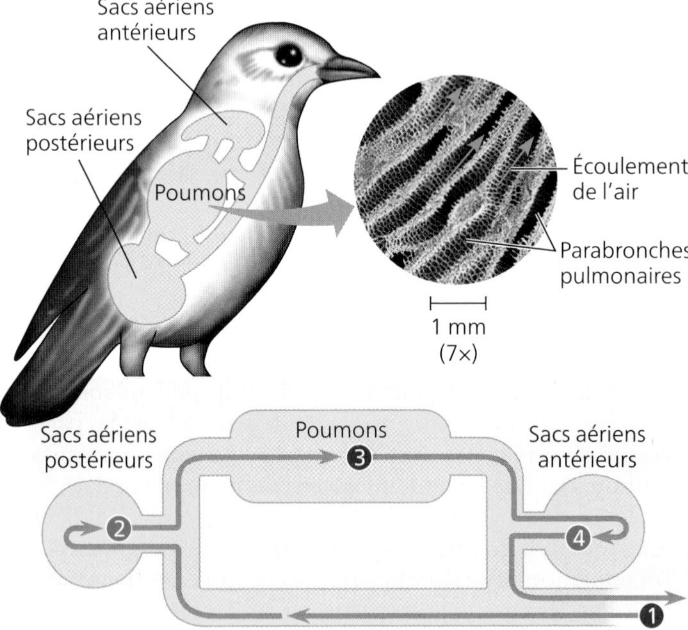

Il faut deux cycles inspiration-expiration pour que l'air inspiré traverse tout le système :

❶ Première inspiration : l'air remplit les sacs aériens postérieurs.

❷ Première expiration : les sacs aériens postérieurs se contractent, poussant l'air dans les poumons.

❸ Seconde inspiration : l'air traverse les poumons et remplit les sacs aériens antérieurs.

❹ Seconde expiration : lorsque les sacs aériens antérieurs se contractent, l'air entré au cours de la première inspiration est poussé hors du corps.

pas avec l'air qui a déjà participé aux échanges gazeux, ce qui maximise la différence de pression partielle avec le sang qui circule dans les poumons.

Le mécanisme de la respiration chez les mammifères

Pour comprendre la respiration chez les mammifères, pensez à une seringue qu'on remplit. Lorsqu'on tire le piston, on abaisse la pression dans la seringue, de sorte que le gaz ou le liquide monte dans l'aiguille jusque dans le corps de la seringue. Un peu de la même façon, les mammifères utilisent un mécanisme de **ventilation à pression négative** qui aspire l'air dans les poumons (**figure 42.27**). En utilisant leurs muscles pour augmenter le volume de leur cage thoracique, les mammifères abaissent la pression de l'air dans leurs poumons, de sorte qu'elle devient inférieure à celle de l'air à l'extérieur de leur corps. Comme les gaz circulent toujours vers une zone où la pression est plus faible, la pression moindre qui existe dans les poumons fait que l'air s'engouffre dans les narines et la bouche, et descend dans les conduits respiratoires vers les alvéoles.

L'augmentation du volume de la cavité thoracique durant l'inspiration sollicite les muscles intercostaux de l'animal de même que son **diaphragme**, un muscle squelettique large et en forme de dôme constituant le plancher de la cavité thoracique. La contraction des muscles intercostaux soulève les côtes ainsi que le sternum vers le haut et vers l'extérieur, provoquant une expansion de la cage thoracique. En même temps, la cage thoracique augmente de volume par suite de la contraction du diaphragme qui descend tel un piston.

L'inspiration est toujours active et exige de l'énergie, tandis que l'expiration est habituellement passive. Durant l'expiration, les muscles assurant le mouvement de la cavité thoracique se relâchent, de sorte que le volume de la cavité thoracique diminue. La pression de l'air alors accrue dans les alvéoles force l'air à remonter dans les voies respiratoires jusqu'à sortir du corps.

À l'intérieur de la cavité thoracique, les poumons sont enveloppés dans une membrane à deux feuillets. Le feuillet interne de la membrane adhère à la face externe des poumons, tandis que le feuillet externe adhère à la cage thoracique. Un mince espace rempli de liquide sépare les deux feuillets. En raison de la tension superficielle, les feuillets se déplacent simultanément comme deux plaques de verre collées ensemble au moyen d'une pellicule d'eau. Ces plaques glissent sans difficulté l'une sur l'autre, mais elles sont difficiles à séparer. Le volume de la cavité thoracique et le volume des poumons changent donc en concordance.

Quand un mammifère est au repos, ses muscles intercostaux et son diaphragme suffisent pour faire varier le volume de ses poumons. Pendant une période d'exercice, toutefois, d'autres muscles, tels que ceux du cou, du dos et du thorax, participent à la dilatation de la cavité thoracique en élevant davantage la cage thoracique. Chez les kangourous (famille des macropodidés) et quelques autres mammifères, la locomotion s'accompagne de mouvements rythmiques qui amènent les organes abdominaux, dont l'estomac et le foie, à glisser à chaque foulée vers l'avant, puis vers l'arrière, dans la cavité corporelle. Ce mécanisme de pompage interne augmente davantage le volume de la ventilation en accentuant l'abaissement du diaphragme.

Le volume d'air inspiré et expiré à chaque respiration s'appelle **volume courant** (**VC**). Chez l'humain au repos, il s'élève en moyenne à 500 mL. On appelle **capacité vitale** (**CV**) le volume maximal d'air inspiré et expiré au cours d'une respiration forcée; elle est d'environ 3,4 L chez la femme et de 4,8 L chez l'homme. La quantité d'air qui demeure dans les poumons après une expiration forcée est le **volume résiduel** (**VR**). Avec l'âge, les poumons perdent de leur élasticité; le volume résiduel augmente donc, au détriment de la capacité vitale.

Comme les poumons des mammifères ne se vident jamais complètement, dans des conditions normales, et qu'ils ne se remplissent pas totalement d'air nouveau à chaque cycle respiratoire, l'air qui est inhalé est mélangé à un volume d'air résiduel pauvre en O_2; par conséquent, la P_{O_2} maximale dans les alvéoles est très inférieure à celle de l'atmosphère. Les P_{O_2} maximales dans les poumons sont moins élevées chez les mammifères que chez les oiseaux, qui font passer l'air dans une seule direction. C'est grâce à cette propriété, notamment, que les oiseaux réagissent mieux que les mammifères en haute altitude. Par exemple, l'organisme d'un alpiniste a de la difficulté à s'approvisionner en O_2 lorsqu'il gravit des sommets très élevés, comme ceux de l'Himalaya. Par comparaison, diverses espèces d'oiseaux (notamment l'oie à tête barrée, *Anser indicus*) survolent sans problèmes respiratoires la même chaîne de montagnes pendant leur migration.

▶ **Figure 42.27 La respiration à pression négative.** Les mammifères respirent en faisant varier la pression de l'air dans leurs poumons par rapport à la pression atmosphérique.

ET SI ? ▶ Les alvéoles peuvent se dilater et se contracter à chaque respiration parce que leurs parois contiennent des fibres élastiques. Quel effet la perte de cette élasticité aurait-elle sur les échanges gazeux dans les poumons ?

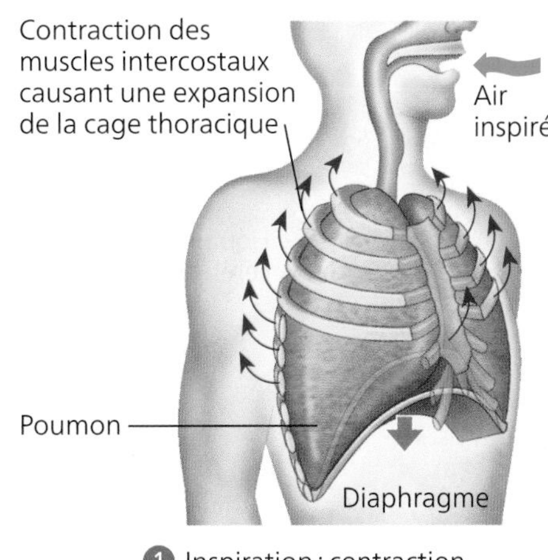

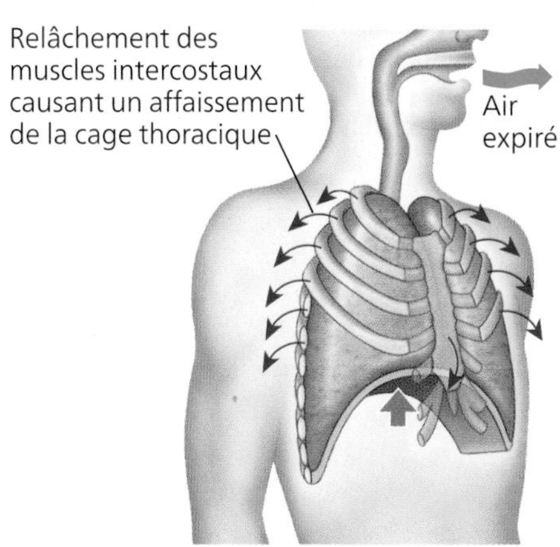

La régulation de la respiration chez les humains

Les humains sont capables de retenir leur respiration pendant quelque temps ou de faire un effort pour respirer plus vite et plus profondément. Cependant, la plupart du temps, la ventilation est régie par des automatismes. Le fonctionnement du système respiratoire doit se faire en coordination avec celui du système cardiovasculaire, compte tenu des exigences métaboliques en matière d'échanges gazeux.

Les neurones qui participent directement à la régulation de la ventilation sont situés dans le bulbe rachidien, à la base de l'encéphale (**figure 42.28**). Les circuits neuronaux du bulbe rachidien forment une paire de *centres de régulation de la respiration* qui fixent le rythme respiratoire. Un troisième centre de régulation est situé dans le pont. Lorsque nous inspirons profondément, un mécanisme de rétro-inhibition empêche nos poumons de se gonfler exagérément; des récepteurs de tension situés dans les tissus pulmonaires transmettent des signaux inhibiteurs au centre inspiratoire du bulbe rachidien.

Pour réguler l'activité respiratoire, le bulbe rachidien interprète les variations du pH du liquide cérébrospinal dans lequel il baigne. C'est parce que le pH de ce liquide qui entoure l'encéphale et la moelle épinière (aussi appelé *liquide cérébrospinal*) est principalement déterminé par les concentrations sanguines de CO_2. Le CO_2 diffuse du sang au liquide cérébrospinal où il réagit avec l'eau pour former de l'acide carbonique (H_2CO_3). L'acide carbonique peut ensuite se dissocier en un ion bicarbonate (HCO_3^-) et un ion hydrogène (H^+), d'où l'abaissement du pH:

$$CO_2 + H_2O \rightleftharpoons H_2CO_3 \rightleftharpoons HCO_3^- + H^+$$

Voyons ce qui se passe lorsque l'activité métabolique augmente (durant une activité sportive, par exemple). Comme le montre la figure 42.28, l'augmentation de l'activité métabolique élèvera la concentration de CO_2 dans le sang et dans le liquide cérébrospinal. La concentration accrue de CO_2 fera à son tour augmenter la quantité d'ions hydrogène, ce qui abaissera le pH. C'est ce changement de pH que détectent les chimiorécepteurs situés dans les principaux vaisseaux sanguins et dans le bulbe rachidien. Les centres de régulation du bulbe rachidien y réagissent en augmentant la fréquence et l'amplitude respiratoires (voir la figure 42.28), qui demeureront élevées jusqu'à ce que le CO_2 excédentaire soit éliminé dans l'air expiré et que le pH revienne à une valeur normale.

La concentration de l'O_2 dans le sang a généralement peu d'effet sur les centres de régulation de la respiration. Toutefois, quand la concentration en O_2 est très faible (en haute altitude, par exemple), des chimiorécepteurs d'O_2 situés dans l'aorte et dans les artères carotides stimulent les centres de régulation de la respiration, qui réagissent en faisant augmenter la fréquence respiratoire. D'autres circuits neuronaux participent à la régulation de la respiration, surtout dans le pont, une partie de l'encéphale située près du bulbe rachidien (aussi appelée protubérance annulaire).

La régulation de la respiration n'est efficace que s'il y a concordance entre la ventilation des poumons et la quantité de sang en circulation dans les capillaires des alvéoles. Durant la pratique d'un sport, par exemple, le débit cardiaque augmente en fonction de la hausse de la fréquence respiratoire. Cette synchronisation maximise l'absorption d'O_2 et l'élimination du CO_2 à mesure que le sang circule dans les poumons.

RETOUR SUR LE CONCEPT 42.6

1. Quels sont les effets d'une augmentation de la concentration du CO_2 dans le sang sur le pH du liquide cérébrospinal?
2. Une légère diminution du pH sanguin provoque une augmentation de la fréquence cardiaque. Quelle est la fonction de ce mécanisme de régulation?
3. **ET SI?** ▶ Supposez qu'un accident provoque une petite perforation dans les membranes enveloppant vos poumons, quels seraient les effets sur votre fonction pulmonaire?

Voir les réponses proposées à l'appendice A.

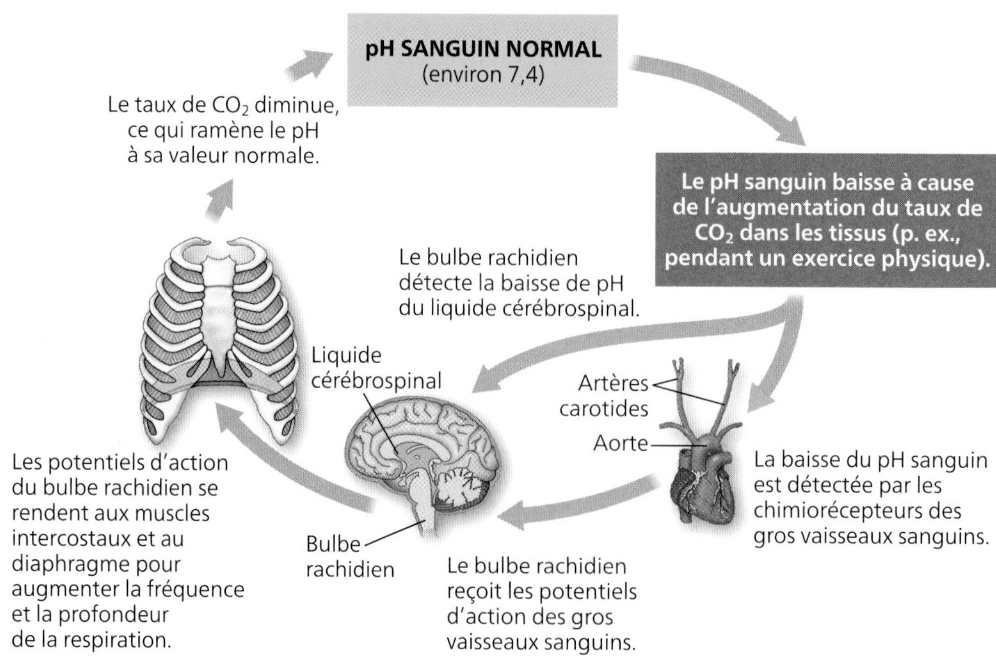

pH SANGUIN NORMAL
(environ 7,4)
Le pH sanguin baisse à cause de l'augmentation du taux de CO₂ dans les tissus (p. ex., pendant un exercice physique).
La baisse du pH sanguin est détectée par les chimiorécepteurs des gros vaisseaux sanguins.
Artères carotides
Aorte
Le bulbe rachidien reçoit les potentiels d'action des gros vaisseaux sanguins.
Le bulbe rachidien détecte la baisse de pH du liquide cérébrospinal.
Liquide cérébrospinal
Bulbe rachidien
Les potentiels d'action du bulbe rachidien se rendent aux muscles intercostaux et au diaphragme pour augmenter la fréquence et la profondeur de la respiration.
Le taux de CO₂ diminue, ce qui ramène le pH à sa valeur normale.

▶ **Figure 42.28 La régulation homéostatique de la respiration.**

ET SI? ▶ Supposons qu'une personne se met à respirer très rapidement alors qu'elle est au repos. Décrivez l'effet de cette respiration sur le CO_2 sanguin et sur les étapes que devra suivre le circuit de rétro-inhibition illustré ici pour rétablir l'homéostasie.

CONCEPT **42.7**

Les pigments respiratoires qui captent les gaz et les transportent sont des adaptations qui favorisent les échanges gazeux

Pour satisfaire les besoins métaboliques élevés de nombreux animaux, il faut que le sang transporte de grandes quantités d'O_2 et de CO_2. Dans cette section, nous verrons comment certaines molécules du sang, qu'on nomme *pigments respiratoires*, participent aux échanges gazeux. Nous examinerons aussi les adaptations, apparues au cours de l'évolution, qui permettent aux animaux d'être actifs dans des conditions où les besoins métaboliques sont élevés ou la concentration maximale de O_2 très limitée. En premier lieu, nous devons faire une récapitulation des échanges gazeux chez les humains.

La coordination de la circulation et des échanges gazeux

Pour mieux comprendre la coordination de la circulation et des échanges gazeux, suivons la variation des pressions partielles d'O_2 et de CO_2 aux différents endroits des systèmes cardiovasculaire et respiratoire (**figure 42.29**). ❶ Durant l'inspiration, l'air qui vient d'être introduit se mélange avec l'air demeurant dans les poumons. ❷ La P_{O_2} de ce mélange formé dans les alvéoles est plus élevée que celle du sang qui circule dans les capillaires alvéolaires. Par conséquent, il y a diffusion nette d'O_2 suivant son gradient de pression partielle, et cette diffusion s'effectue de l'air contenu dans les alvéoles vers le sang. Entre-temps, la P_{CO_2} alvéolaire plus élevée dans les capillaires que dans l'air provoque une diffusion nette de CO_2 du sang vers l'air. ❸ Au moment où le sang quitte les poumons par les veines pulmonaires, sa P_{O_2} et sa P_{CO_2} concordent avec celles de l'air présent dans les alvéoles. Après son retour au cœur, il est renvoyé dans la circulation systémique.

❹ Dans les capillaires des tissus de l'organisme, les gradients de pression partielle favorisent la diffusion nette de l'O_2 du sang vers le liquide interstitiel et les cellules, et la diffusion nette du CO_2 des cellules et du liquide interstitiel vers le sang. Si les gradients de pression partielle agissent en ce sens, c'est parce que la respiration cellulaire dans les mitochondries des cellules utilise l'O_2 du liquide interstitiel et lui ajoute du CO_2. ❺ Après avoir libéré l'O_2 et absorbé le CO_2, le sang retourne au cœur et est de nouveau pompé vers les poumons. ❻ Dans les poumons, un échange s'effectue à travers les capillaires alvéolaires, qui donne lieu à l'expiration d'air riche en CO_2 et pauvre en O_2.

Les pigments respiratoires

La faible solubilité de l'O_2 dans l'eau (et par conséquent dans le sang) pose un problème pour les animaux qui dépendent d'un système cardiovasculaire pour le transport de l'O_2. Par exemple, pendant une période d'exercice intense, un humain peut consommer près de 2 L d'O_2 à la minute et le tout doit être transporté par le sang qui sort des poumons pour se rendre jusqu'aux tissus actifs. Dans les poumons, à la température corporelle et à la pression atmosphérique normales, la solubilité de l'O_2 dans le sang n'est que de 4,5 mL/L. Même si le sang pouvait transporter 80 % de l'O_2 en solution jusqu'aux tissus, il faudrait tout de même que le cœur pompe 555 L de sang par minute !

Heureusement, la plupart des animaux transportent la plus grande partie de l'O_2 de leur sang non pas sous forme dissoute, mais en le fixant à des protéines spéciales, les **pigments respiratoires**. Ces pigments circulent avec le sang ou l'hémolymphe

▶ **Figure 42.29 L'absorption et la libération des gaz respiratoires.**

ET SI ? ▶ Si, à chaque expiration, vous faites sortir l'air de vos poumons volontairement et avec force, quel effet cela aura-t-il sur les valeurs indiquées dans cette figure ?

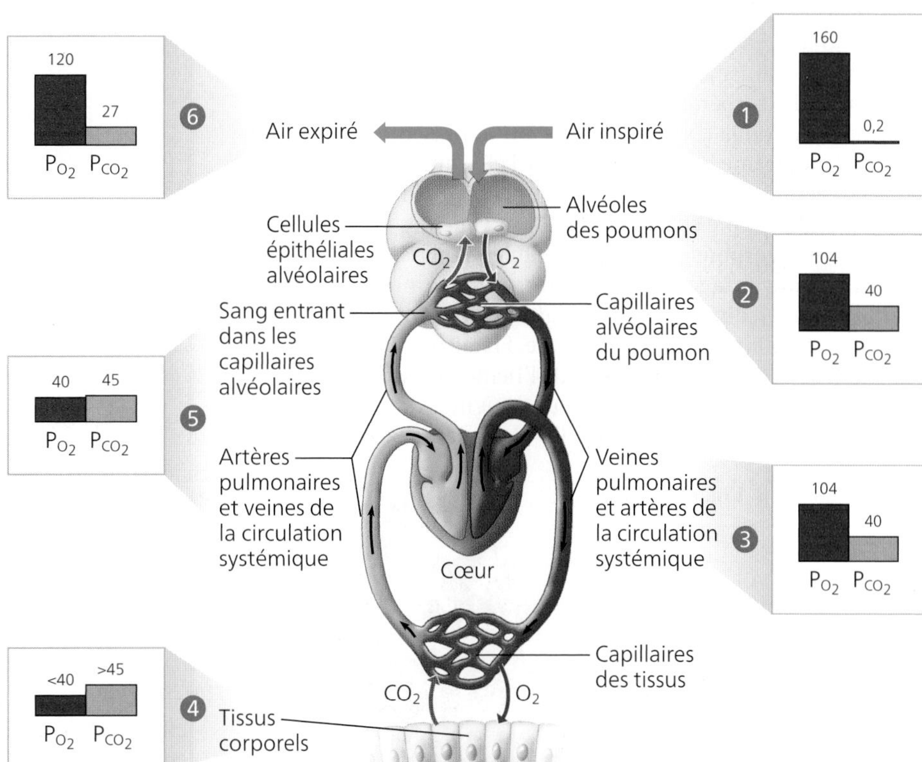

et sont souvent contenus dans des cellules spécialisées. Leur présence augmente considérablement la quantité d'O_2 susceptible d'être transportée dans le sang (de 4,5 à environ 200 mL par litre de sang chez les mammifères). Dans notre exemple d'une personne pratiquant un exercice, les pigments respiratoires permettent de réduire considérablement le travail cardiaque nécessaire au transport de l'O_2 pour en arriver à un débit de 12,5 L de sang par minute (en conservant un rendement de 80 %).

Divers pigments respiratoires sont apparus au cours de l'évolution chez les animaux. Sauf quelques exceptions, ces molécules ont une couleur particulière (d'où le terme *pigment*) et se composent d'un métal lié à une protéine. C'est notamment le cas de l'*hémocyanine*, que l'on trouve chez les arthropodes et chez de nombreux mollusques. Ce pigment contient du cuivre (Cu^{2+}) comme substance fixatrice d'O_2, ce qui confère au sang une couleur bleuâtre.

Chez beaucoup d'invertébrés et presque tous les vertébrés, le pigment respiratoire est l'hémoglobine (Hb). Chez les vertébrés, cette protéine est contenue dans les érythrocytes et comporte quatre sous-unités. Chaque sous-unité possède un polypeptide et un cofacteur appelé *groupement hème*, portant en son centre un ion ferreux (Fe^{2+}) (**figure 42.30**). Une molécule d'O_2 se lie à chaque ion ferreux ; donc, chaque molécule d'hémoglobine peut transporter quatre molécules d'O_2. Comme tous les pigments respiratoires, l'hémoglobine fixe l'O_2 de façon réversible ; elle doit être capable de capter l'O_2 dans les poumons ou dans les branchies et de le libérer pour approvisionner les tissus des autres parties du corps. La coopération entre les sous-unités de la molécule d'hémoglobine facilite le processus (voir le concept 8.5). Quand une molécule d'O_2 se fixe à l'une des chaînes polypeptidiques, les autres changent légèrement de forme, de sorte que l'affinité pour l'O_2 augmente. Quand quatre molécules d'O_2 sont liées et qu'une chaîne polypeptidique libère son O_2, les trois autres l'imitent rapidement, car le changement de conformation de la première chaîne diminue l'affinité des autres chaînes à l'égard de l'O_2.

La *courbe de dissociation* de l'hémoglobine représente clairement le mécanisme de coopérativité qui a lieu au cours de la fixation et de la libération d'O_2 (**figure 42.31a**). Dans l'intervalle de la P_{O_2} où la courbe de dissociation présente une pente abrupte, même une légère variation de la P_{O_2} amène l'hémoglobine à fixer ou à libérer une quantité importante d'O_2. La partie abrupte de la courbe correspond à l'intervalle des P_{O_2} trouvées dans les tissus corporels. Quand les cellules d'un tissu particulier travaillent davantage – pendant un exercice physique, par exemple –, la P_{O_2} diminue dans la région avoisinante, car l'O_2 est consommé par la respiration cellulaire. En raison des effets de la coopérativité entre les sous-unités de l'hémoglobine, une légère baisse de la P_{O_2} suffit à provoquer une augmentation relativement importante de la quantité d'O_2 libéré par le sang.

▶ **Figure 42.30 L'hémoglobine.**

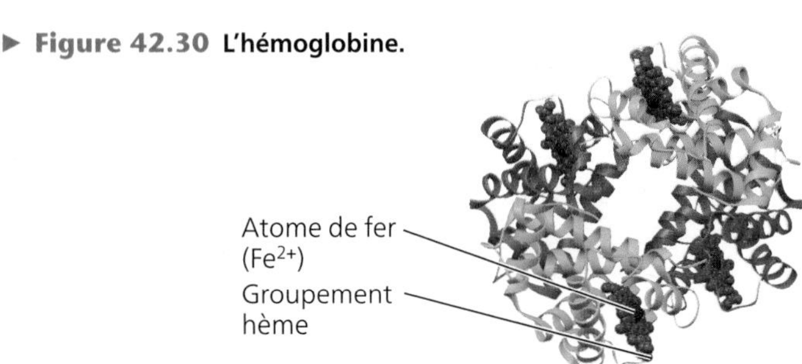

▼ **Figure 42.31 La dissociation de l'hémoglobine à une température de 37 °C.**

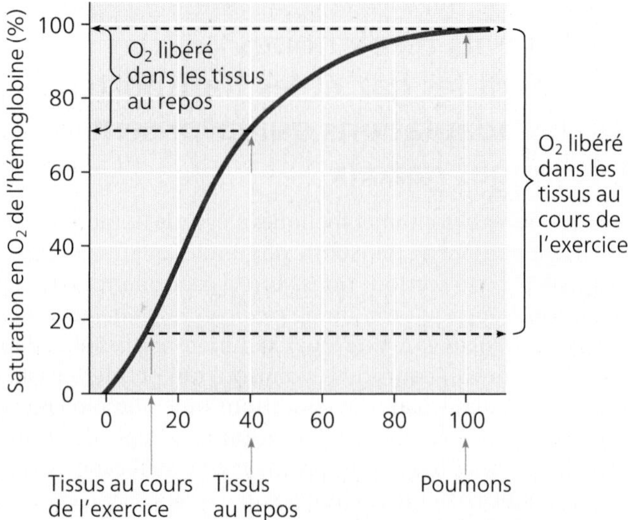

(a) P_{O_2} et dissociation de l'hémoglobine à un pH de 7,4. La courbe montre les quantités relatives d'O_2 lié à l'hémoglobine exposée à des solutions dont la P_{O_2} varie. À une P_{O_2} de 100 mm Hg, caractéristique des poumons, l'hémoglobine montre un taux de saturation en O_2 d'environ 98 %. À une P_{O_2} de 40 mm Hg, fréquente dans les tissus au repos, la saturation de l'hémoglobine est de 70 % environ, presque le tiers de son O_2 ayant été libéré par dissociation. Comme le montre le graphique ci-dessus, l'hémoglobine peut libérer beaucoup plus d'O_2 dans des tissus extrêmement actifs sur le plan métabolique, comme les tissus musculaires pendant un exercice physique.

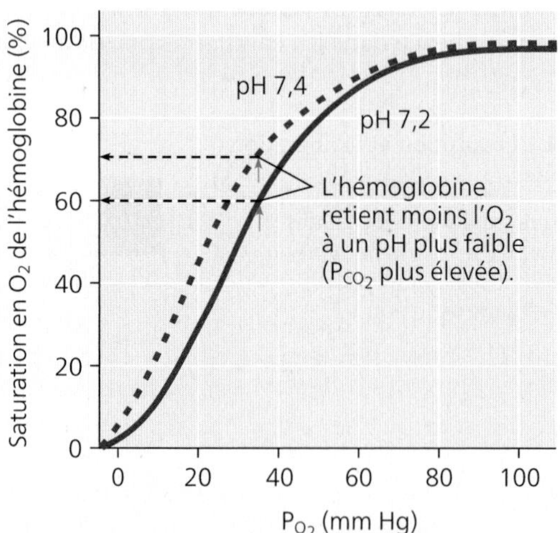

(b) pH et dissociation de l'hémoglobine. Dans les tissus très actifs, le CO_2 produit par la respiration cellulaire réagit avec l'eau, formant de l'acide carbonique, ce qui abaisse le pH. Étant donné que les protons (H^+) influent sur la conformation de l'hémoglobine, une chute du pH déphase la courbe de dissociation de l'hémoglobine vers la droite (effet Bohr). Pour une P_{O_2} donnée, l'hémoglobine libère plus d'O_2 lorsque le pH est faible, ce qui alimente la respiration cellulaire lorsque celle-ci s'accroît.

La libération d'O_2 par l'hémoglobine est particulièrement efficace dans les tissus qui consomment activement de l'O_2, mais cette efficacité accrue tient davantage à la production de CO_2

qu'à la consommation d'O_2. Dans la respiration cellulaire, les tissus ne font pas que consommer de l'O_2, ils produisent du CO_2. Comme nous l'avons vu, le CO_2 réagit avec l'eau pour former de l'acide carbonique (H_2CO_3), lequel abaisse le pH des tissus environnants. Une chute du pH diminue l'affinité de l'hémoglobine à l'égard de l'O_2 ; c'est un phénomène appelé **effet Bohr** (**figure 42.31b**). Donc, l'hémoglobine libérera plus d'O_2 là où le CO_2 est le plus abondant, ce qui permet de répondre aux besoins de la respiration cellulaire.

Le transport du dioxyde de carbone

Seulement 7 % environ du CO_2 libéré par la respiration cellulaire est transporté sous forme de CO_2 dissous dans le plasma sanguin. Le reste diffuse du plasma dans les érythrocytes et réagit avec l'eau (avec l'aide d'une enzyme, l'anhydrase carbonique), formant de l'acide carbonique (H_2CO_3). Le H_2CO_3 se dissocie ensuite en H^+ et en HCO_3^- (**figure 42.32**). La plupart des H^+ provenant de la dissociation du H_2CO_3 se fixent à l'hémoglobine et à d'autres protéines, ce qui réduit les variations du pH dans le sang. La majorité des ions HCO_3^-, eux, diffusent hors des érythrocytes et sont transportés dans le plasma jusqu'aux poumons. Les ions HCO_3^- restants, qui représentent environ 5 % du CO_2, se lient à l'hémoglobine et sont transportés dans les érythrocytes.

Lorsque le sang circule dans les poumons, les pressions partielles relatives du CO_2 favorisent la diffusion du CO_2 hors du sang. À mesure que le CO_2 diffuse dans les alvéoles, la quantité de CO_2 dans le sang diminue. Cette diminution déplace l'équilibre chimique dans les érythrocytes en faveur de la conversion de l'ion HCO_3^- en CO_2, ce qui permet une diffusion nette accrue de CO_2 dans les alvéoles. Dans l'ensemble, le gradient de P_{CO_2} est suffisant pour réduire celle-ci d'environ 15 % durant le passage du sang dans les poumons.

Les adaptations respiratoires des mammifères plongeurs

ÉVOLUTION Les animaux n'ont pas tous la même capacité de passer du temps dans des environnements où ils n'ont pas accès à leur milieu respiratoire normal. C'est le cas, par exemple, des animaux qui d'habitude respirent de l'air, mais qui plongent aussi sous l'eau. La plupart des humains, même les plongeurs expérimentés, ne peuvent retenir leur respiration durant plus de deux ou trois minutes (bien que des temps record dépassant 8 minutes aient été dûment établis), et ils n'arrivent à nager qu'à des profondeurs maximales de 20 m environ. En revanche, le phoque de Weddell (*Leptonychotes weddelli*), vivant dans l'Antarctique, plonge couramment à des profondeurs allant de 200 à 500 m ; il y reste immergé durant 20 minutes environ (parfois même plus de 1 heure). Une autre espèce de mammifère plongeur, appelée baleine-à-bec de Cuvier (*Ziphius cavirostris*), peut atteindre des profondeurs de 2 900 m et rester immergée durant plus de 2 heures ! Quelles sont donc les adaptations évolutives qui permettent à ces animaux de réaliser d'aussi remarquables exploits ?

L'une des adaptations évolutives des mammifères plongeurs réside dans leur capacité à stocker des quantités importantes d'O_2 dans leur corps. Le phoque de Weddell contient environ deux fois plus de sang par kilogramme de masse corporelle que l'humain. Les muscles des mammifères plongeurs possèdent

▶ **Phoque de Weddell.**

également une forte concentration de **myoglobine** (protéine de mise en réserve de l'O_2 dont l'affinité pour l'O_2 est plus élevée que celle de l'hémoglobine). Le phoque de Weddell peut ainsi retenir environ deux fois plus d'O_2 par kilogramme de masse corporelle que l'humain.

Non seulement les mammifères plongeurs entreprennent-ils leurs voyages sous-marins munis d'une réserve relativement importante d'O_2, mais ils bénéficient en outre d'adaptations leur permettant de conserver l'O_2. Ils nagent en faisant un minimum d'efforts musculaires et peuvent glisser passivement pendant de longues périodes. Durant l'immersion, leur fréquence cardiaque et leur consommation d'O_2 diminuent, et la majeure partie de leur sang est acheminée aux tissus vitaux : l'encéphale, la moelle épinière, les yeux, les glandes surrénales et le placenta (dans le cas des femelles gestantes). L'apport sanguin aux muscles est restreint ou complètement bloqué pendant les plongées de longue durée. Lorsque les plongées durent plus de 20 minutes, les muscles du phoque de Weddell épuisent l'O_2 stocké dans la myoglobine, puis tirent leur ATP de la fermentation plutôt que de la respiration cellulaire aérobie (voir le concept 9.5).

Comment ces adaptations sont-elles apparues au cours de l'évolution ? Tous les mammifères, dont les humains, ont un réflexe dit « de plongée » qui se déclenche à la suite d'une immersion ou d'une chute dans l'eau : lorsque la face de l'animal entre en contact avec l'eau froide, sa fréquence cardiaque ralentit immédiatement, et le débit sanguin vers ses extrémités diminue. Des changements génétiques ont peut-être renforcé ce réflexe et fait en sorte que la sélection naturelle a favorisé les premiers phoques qui cherchaient de la nourriture sous l'eau. D'autres variations génétiques auraient pu renforcer également des caractères comme le volume sanguin ou la concentration de myoglobine et donné lieu à une amélioration de la capacité de plonger, ce que la sélection naturelle a ensuite pu favoriser sur de nombreuses générations.

RETOUR SUR LE CONCEPT 42.7

1. Qu'est-ce qui détermine s'il y a diffusion nette d'O_2 et de CO_2 vers l'intérieur ou l'extérieur des capillaires ? Expliquez votre réponse.
2. Comment l'effet Bohr contribue-t-il au transport d'O_2 dans des tissus très actifs ?
3. **ET SI ?** ▶ Un médecin prescrit du bicarbonate (HCO_3^-) à un patient qui respire très rapidement. Que présume-t-il au sujet de la composition du sang de ce patient ?

Voir les réponses proposées à l'appendice A.

▶ **Figure 42.32** **Le transport des molécules de dioxyde de carbone dans le sang.**

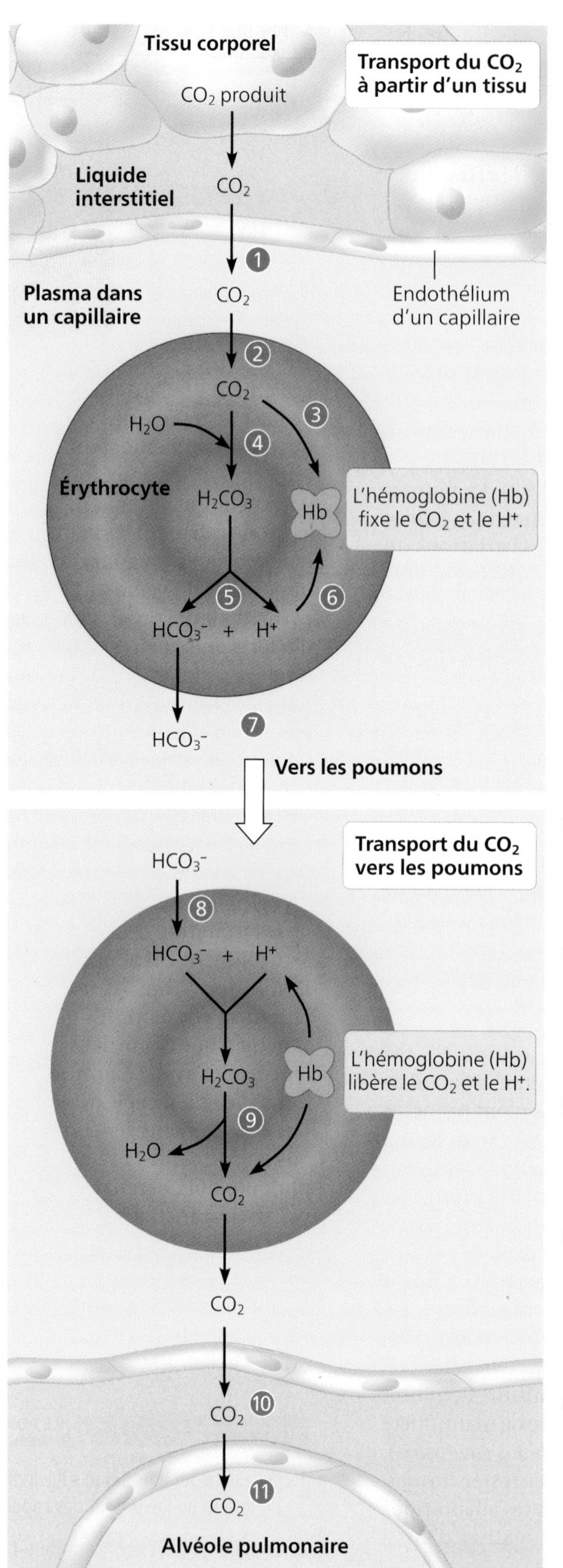

❶ Le CO_2 produit par les tissus corporels diffuse dans le liquide interstitiel et le plasma.

❷ Plus de 90 % du CO_2 diffuse dans les érythrocytes, ce qui ne laisse que 7 % dans le plasma, sous forme de CO_2 dissous.

❸ Une partie du CO_2 est captée et transportée par l'hémoglobine.

❹ Toutefois, la majeure partie du CO_2 réagit avec l'eau dans les érythrocytes, formant l'acide carbonique (H_2CO_3), une réaction catalysée par l'anhydrase carbonique contenue dans les érythrocytes.

❺ Le H_2CO_3 se dissocie pour constituer un ion bicarbonate (HCO_3^-) et un ion hydrogène (H^+).

❻ L'hémoglobine fixe la majeure partie des H^+, ce qui empêche les ions H^+ d'acidifier le sang et prévient l'effet Bohr.

❼ La majeure partie du HCO_3^- diffuse dans le plasma où la circulation sanguine l'entraîne vers les poumons.

❽ Dans les poumons, le HCO_3^- diffuse du plasma vers les érythrocytes, en se combinant avec les H^+ libérés par l'hémoglobine et formant le H_2CO_3.

❾ Le H_2CO_3 est transformé de nouveau en CO_2 et en eau. Du CO_2 est également libéré par l'hémoglobine.

❿ Le CO_2 diffuse dans le plasma et le liquide interstitiel.

⓫ Le CO_2 diffuse dans l'alvéole pulmonaire d'où il est expulsé pendant l'expiration. La diminution de la concentration en CO_2 dans le plasma force la décomposition du H_2CO_3 en CO_2 et en eau dans les érythrocytes (voir l'étape ❾), une inversion de la réaction qui a lieu dans les capillaires des tissus (voir l'étape ❹).

RÉVISION DU CHAPITRE 42

Consultez votre MANUEL NUMÉRIQUE, qui vous donne accès aux **animations**, aux **exercices** et à la plateforme d'**anatomie interactive**.

Résumé des concepts clés

CONCEPT 42.1

Les systèmes cardiovasculaires mettent en relation les surfaces d'échange et toutes les cellules de l'organisme (p. 1010 à 1014)

- Chez les animaux qui ont un plan d'organisation corporelle simple, c'est dans les **cavités gastrovasculaires** que se font par diffusion les échanges entre l'environnement et les cellules. Comme la **diffusion** est lente sur de longues distances, la plupart des animaux dotés d'un plan d'organisation complexe disposent d'un système de transport interne qui assure la circulation des liquides entre les cellules du corps et les organes qui effectuent les échanges avec l'environnement. Les arthropodes et la plupart des mollusques ont un **système cardiovasculaire ouvert**, dans lequel l'**hémolymphe** baigne les organes. Les vertébrés ont un **système cardiovasculaire fermé**, dans lequel circule le **sang**. Ce système comprend un réseau fermé, constitué de vaisseaux et de pompes.
- Les éléments du système cardiovasculaire fermé des vertébrés sont le sang, les vaisseaux sanguins et un **cœur** comportant de deux à quatre cavités. Le sang pompé par un **ventricule** circule dans des **artères** jusqu'aux **capillaires**. Ceux-ci constituent des sites d'échange de substances chimiques entre le sang et le liquide interstitiel. Les **veines** ramènent le sang des capillaires à une **oreillette**, laquelle renvoie le sang à un ventricule. Les poissons, les raies et les requins ont une seule pompe dans leur circulation. Les vertébrés terrestres ont deux pompes formant un seul cœur. Les variations quant au nombre de ventricules ainsi qu'à la présence d'une cloison représentent des adaptations à des environnements et à des besoins métaboliques différents.

? En ce qui a trait à la distance franchie, à la direction suivie et à l'énergie nécessaire, en quoi la circulation d'un liquide dans un système cardiovasculaire fermé est-elle différente du mouvement des molécules entre les cellules et leur environnement ?

CONCEPT 42.2

Chez les mammifères, les cycles coordonnés des contractions du cœur rendent possible la circulation double (p. 1014 à 1017)

- Le ventricule droit pompe le sang vers les poumons où il capte l'O_2 et libère le CO_2. Le sang riche en O_2 provenant des poumons entre dans le cœur par l'oreillette gauche et il est pompé vers les tissus de l'organisme par le ventricule gauche. Le sang retourne au cœur par l'oreillette droite.
- La **révolution cardiaque** est un cycle qui comporte une phase d'éjection du sang, pendant une contraction appelée **systole**, et une phase de remplissage du cœur, pendant une relaxation appelée **diastole**. On peut évaluer la fonction cardiaque en mesurant le **pouls** (nombre de fois que le cœur bat en une minute) et le **débit cardiaque** (volume de sang éjecté par chaque ventricule par minute).
- Le rythme cardiaque est issu des potentiels d'action émis par le **nœud sinusal** (ou centre rythmogène) de l'oreillette droite. Ces signaux déclenchent la contraction des deux oreillettes avant de se propager au **nœud auriculoventriculaire**. Après un certain temps, ils arrivent aux branches du faisceau auriculoventriculaire et aux fibres de Purkinje, puis déclenchent la contraction des deux ventricules. Le centre rythmogène réagit en fonction de la stimulation produite par le système nerveux, par les hormones et par la température corporelle.

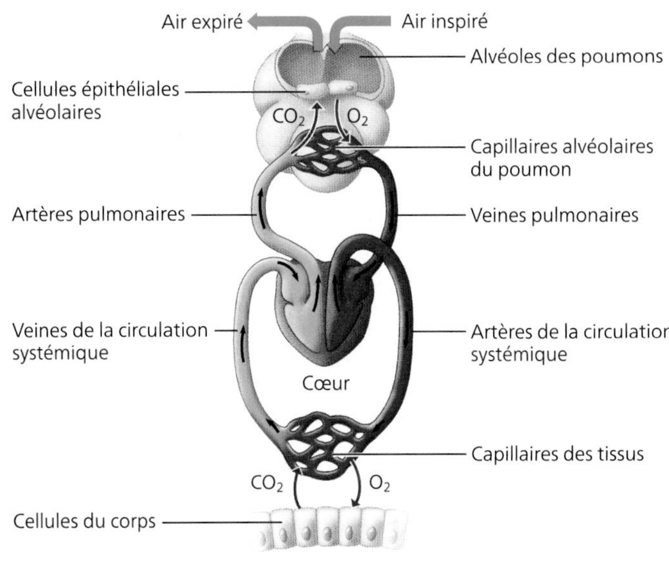

? À votre avis, comment la fonction cardiaque change-t-elle après le remplacement chirurgical d'une valve cardiaque défectueuse ?

CONCEPT 42.3

La pression artérielle et le débit sanguin sont le reflet de la structure et de l'agencement des vaisseaux sanguins (p. 1017 à 1022)

- Les différences structurales entre les artères, les veines et les capillaires sont en rapport avec les fonctions de ces vaisseaux. Les capillaires ont un très petit diamètre et une paroi très mince qui facilitent les échanges. La vitesse de la circulation sanguine est la plus lente dans les lits capillaires en raison de l'importance de l'aire de leur section transversale totale. Les artères ont des parois élastiques et épaisses qui maintiennent la pression sanguine. Les veines comportent des valvules qui favorisent le retour du sang au cœur. La pression sanguine est altérée par le débit cardiaque et par la constriction variable des artérioles.
- Le **système lymphatique** renvoie dans le sang les liquides sortis des capillaires et intervient également dans la défense de l'organisme.

? Si vous placez votre avant-bras sur votre tête, quel effet cela aura-t-il sur votre pression artérielle ?

CONCEPT 42.4

Les divers composants du sang participent aux échanges, au transport et à l'immunité (p. 1023 à 1027)

- Le sang total se compose de cellules et de fragments de cellules (**thrombocytes**) en suspension dans une matrice liquide qui porte le nom de **plasma**. Les protéines plasmatiques influent sur le pH sanguin, la pression osmotique et la viscosité du sang ; elles contribuent au transport des lipides, à l'immunité (anticorps) et à la coagulation sanguine (fibrinogène). Les **érythrocytes**, ou globules rouges, transportent l'O_2 et une faible partie du CO_2. Cinq types de **leucocytes**, ou globules blancs, jouent un rôle dans la défense immunitaire : ils phagocytent des virus, des bactéries et des débris, ou produisent des anticorps. Les thrombocytes, ou plaquettes, jouent un rôle dans la coagulation du sang. Ce processus repose sur le déroulement d'une cascade de réactions complexes qui aboutit à la conversion du fibrinogène plasmatique en fibrine.
- Diverses maladies portent atteinte au fonctionnement du système cardiovasculaire. Dans la **drépanocytose**, une **hémoglobine** anormale modifie la forme et la fonction des érythrocytes, ce qui cause une obstruction des petits vaisseaux sanguins et une diminution de la capacité du sang à transporter l'O_2. Dans les maladies cardiovasculaires, l'inflammation d'une paroi artérielle favorise les dépôts de lipides et de cellules ; il en résulte une atteinte parfois mortelle au cerveau ou au cœur.

? En l'absence d'infection, quel pourcentage des cellules du sang humain les leucocytes représentent-ils ?

CONCEPT 42.5

Les échanges gazeux s'effectuent à travers des surfaces respiratoires spécialisées (p. 1027 à 1033)

- Dans toutes les surfaces d'**échanges gazeux**, les gaz diffusent du milieu où leur **pression partielle** est élevée vers celui où leur pression partielle est faible. L'air est plus propice que l'eau aux échanges gazeux parce qu'il contient plus d'O_2, et aussi parce qu'il est moins dense et moins visqueux.
- La structure et l'organisation des surfaces respiratoires varient d'une espèce animale à l'autre. Les branchies résultent d'adaptations du système respiratoire de la plupart des animaux aquatiques. Elles sont des évaginations de la surface corporelle spécialisées dans les échanges gazeux. L'efficacité des échanges gazeux de certaines branchies, notamment celles des poissons, est accrue grâce à la **ventilation** et à la **circulation à contre-courant** du sang et de l'eau. Chez les insectes, les échanges gazeux ont lieu dans un **système trachéen**, un réseau ramifié de tubes qui pénètrent dans le corps, apportant l'O_2 directement aux cellules. Les araignées, les escargots terrestres et la plupart des vertébrés terrestres ont des **poumons** internes. Chez les mammifères, l'air inhalé par les narines passe dans le pharynx pour se rendre dans la **trachée**, les **bronches**, les **bronchioles** et les alvéoles en culs-de-sac où se déroulent les échanges gazeux.

? Pourquoi l'altitude n'a-t-elle presque aucun effet sur la capacité d'un animal de se débarrasser du CO_2 par échanges gazeux ?

CONCEPT 42.6

La respiration permet de ventiler les poumons (p. 1033 à 1036)

- Les mécanismes de ventilation varient considérablement chez les vertébrés. Un amphibien ventile ses poumons par un mécanisme de **ventilation à pression positive** qui force l'air à descendre dans la trachée. Les oiseaux possèdent huit ou neuf sacs aériens qui, tels des soufflets, maintiennent la circulation de l'air dans les poumons. L'air qui traverse les poumons suit un parcours unidirectionnel qui empêche le mélange de l'air inspiré et de l'air expiré. Les mammifères ventilent leurs poumons par une **ventilation à pression négative** qui attire l'air dans les poumons lorsque les muscles intercostaux et le **diaphragme** se contractent. L'air entrant et l'air sortant se mélangent, ce qui réduit l'efficacité de la ventilation.
- Des chimiorécepteurs détectent les variations de pH du liquide cérébrospinal (qui est en relation avec la concentration en CO_2 dans le sang). Le bulbe rachidien modifie la fréquence et l'amplitude de la respiration en fonction des besoins métaboliques du corps. Des chimiorécepteurs périphériques situés dans la paroi de l'aorte et dans les artères carotides (du cou) décèlent les changements dans les concentrations sanguines d'O_2 et de CO_2 (par le pH sanguin).

? En quoi l'air déjà présent dans les poumons diffère-t-il de l'air nouveau qui entre dans le corps durant l'inspiration ?

CONCEPT 42.7

Les pigments respiratoires qui captent les gaz et les transportent sont des adaptations qui favorisent les échanges gazeux (p. 1037 à 1040)

- Dans les poumons, les gradients de pression partielle favorisent la diffusion nette de l'O_2 dans le sang et la diffusion du CO_2 hors du sang. C'est l'inverse dans les autres parties du corps. Les **pigments respiratoires** tels que l'hémocyanine et l'hémoglobine se lient aux gaz. Ils augmentent considérablement la quantité d'O_2 que peut transporter le système cardiovasculaire.
- Des adaptations évolutives permettent à certains animaux de répondre à des besoins exceptionnels en O_2. Les mammifères qui plongent en eau profonde accumulent dans leur sang et d'autres tissus des réserves d'O_2 qu'ils utilisent lentement.

? En quoi le rôle d'un pigment respiratoire ressemble-t-il à celui d'une enzyme ?

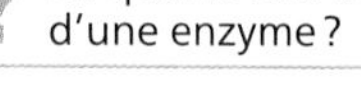

Évaluation

NIVEAU 1 : CONNAISSANCES ET COMPRÉHENSION

1. Lequel des systèmes respiratoires suivants *n'est pas* étroitement associé à l'apport sanguin ?
a) Les poumons des vertébrés.
b) Les branchies des poissons.
c) Le système trachéen des insectes.
d) L'épiderme des vers de terre.

2. Chez les mammifères, le sang qui revient au cœur par une veine pulmonaire se déverse d'abord dans :
a) l'oreillette gauche.
b) l'oreillette droite.
c) le ventricule gauche.
d) le ventricule droit.

3. Le pouls constitue une mesure directe :
a) de la pression sanguine.
b) du volume systolique.
c) du débit cardiaque.
d) de la fréquence cardiaque.

4. Lorsqu'une personne retient son souffle, lequel des changements suivants dans la concentration des gaz sanguins provoque tout d'abord l'envie pressante de respirer ?
a) Une hausse de la concentration d'O_2.
b) Une baisse de la concentration d'O_2.
c) Une hausse de la concentration de CO_2.
d) Une baisse de la concentration de CO_2.

5. Une des caractéristiques communes aux amphibiens et aux humains est la suivante :
a) le nombre de cavités cardiaques.
b) une séparation complète entre les systèmes circulatoires.
c) le nombre de circuits de circulation sanguine.
d) une pression sanguine faible dans la circulation systémique.

NIVEAU 2 : **APPLICATION ET ANALYSE**

6. Si une molécule de CO_2 libérée dans le sang d'un orteil de votre pied gauche est expirée par le nez, elle doit passer dans tous les conduits suivants, sauf un. Lequel ?
a) La veine pulmonaire.
b) La trachée.
c) L'oreillette droite.
d) Le ventricule droit.

7. Comparativement au liquide interstitiel dans lequel baignent les cellules musculaires actives, le sang qui atteint les artérioles a :
a) une P_{O_2} plus élevée.
b) une P_{CO_2} plus élevée.
c) une concentration d'ions bicarbonate plus élevée.
d) un pH plus faible.

NIVEAU 3 : **SYNTHÈSE ET ÉVALUATION**

8. **FAITES UN DESSIN ▶** Représentez graphiquement la pression sanguine en fonction du temps durant une révolution cardiaque chez l'humain. Faites un premier tracé illustrant la pression dans l'aorte, un deuxième, la pression dans le ventricule gauche, et un troisième, la pression dans le ventricule droit. Sous l'axe du temps, tracez une flèche verticale indiquant le moment où la pression sanguine devrait culminer dans l'oreillette.

Voir les réponses proposées à l'appendice A.

Le système immunitaire

43

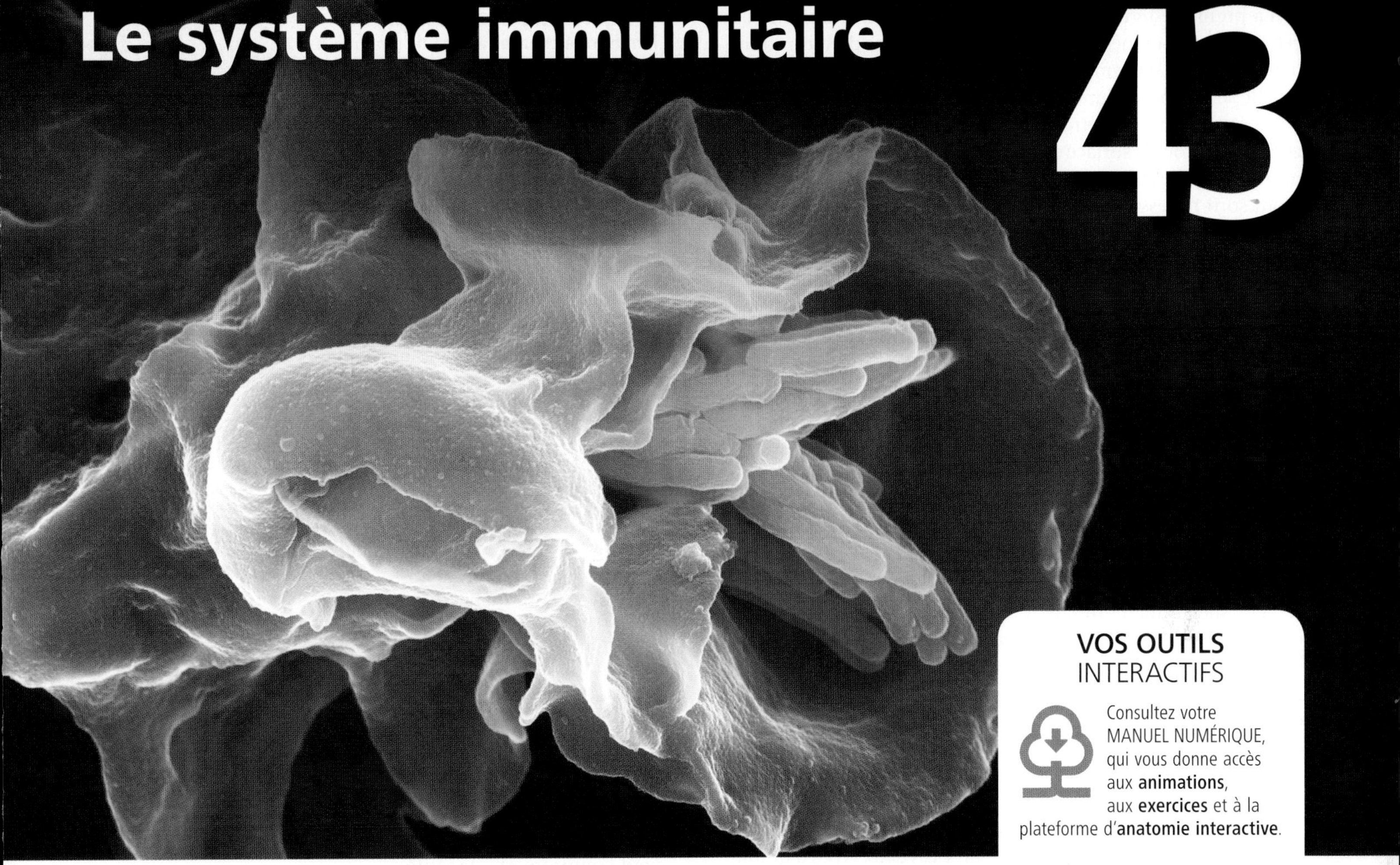

VOS OUTILS
INTERACTIFS

Consultez votre MANUEL NUMÉRIQUE, qui vous donne accès aux **animations**, aux **exercices** et à la plateforme d'**anatomie interactive**.

▲ **Figure 43.1** **Qu'est-ce qui a déclenché cette attaque d'un amas de bactéries par une cellule immunitaire ?**

CONCEPTS CLÉS

43.1 Dans l'immunité innée, la reconnaissance et la réponse reposent sur des caractères communs à des groupes d'agents pathogènes

43.2 Dans l'immunité adaptative, la reconnaissance repose sur des récepteurs spécifiques des agents pathogènes

43.3 L'immunité adaptative combat l'infection des liquides corporels et des cellules de l'organisme

43.4 Un dérèglement de la fonction immunitaire peut entraîner ou exacerber des maladies

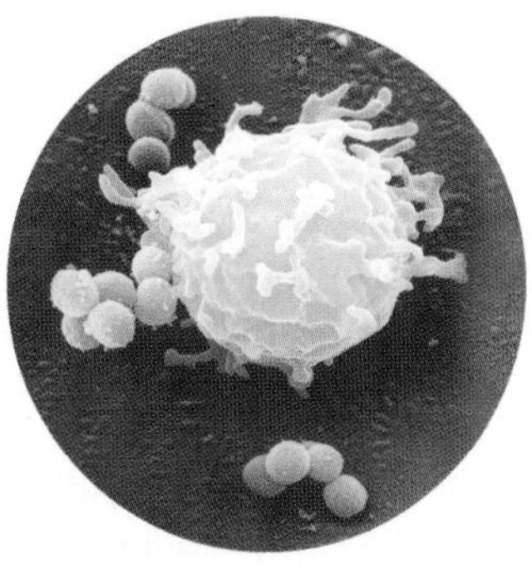

Reconnaissance et réponse

Pour les **agents pathogènes** (bactéries, eumycètes, virus ou autres microorganismes capables de causer la maladie), le milieu interne d'un animal est un habitat presque idéal : il offre une source de nutriments abondante, un environnement protégé, des conditions propices à la croissance et à la reproduction, et même un moyen de transport vers de nouveaux environnements. Du point de vue du virus du rhume ou de la grippe, par exemple, nous sommes, à de multiples égards, les hôtes rêvés. Pour nous, cependant, la situation n'est pas si rose ; personne n'aime être malade. Heureusement, des adaptations apparues au cours de l'évolution permettent aux animaux de se protéger contre une foule d'agents pathogènes.

Les liquides et tissus corporels de la plupart des animaux contiennent des cellules immunitaires particulières qui interagissent de manière spécifique avec des agents pathogènes afin de les détruire. Dans la **figure 43.1**, on peut voir une cellule immunitaire appelée macrophagocyte (en brun) qui absorbe des bactéries en forme de bâtonnet (en vert). Certaines cellules immunitaires sont des leucocytes (globules blancs) spécialisés appelés lymphocytes (comme ceux qui apparaissent en médaillon avec quelques bactéries). La plupart des lymphocytes sont spécialisés dans la défense contre des agents pathogènes spécifiques. Collectivement, les défenses immunitaires sont l'œuvre du **système immunitaire**, qui permet à un animal d'éviter un grand nombre d'infections ou d'en atténuer la gravité. Une molécule ou cellule étrangère n'a pas besoin d'être pathogène pour déclencher une réponse immunitaire, mais nous nous limiterons ici à la fonction immunitaire qui défend l'organisme contre les agents dits pathogènes.

La première ligne de défense du système immunitaire est celle qui aide à empêcher les agents pathogènes de s'introduire dans le corps. Par exemple, l'enveloppe externe d'un organisme, qu'elle se compose d'une coquille ou de peau, agit comme une barrière qui bloque l'introduction de nombreux agents pathogènes. Toutefois, la surface d'un organisme n'est pas entièrement imperméable, car des orifices communiquant avec l'environnement sont nécessaires pour qu'aient lieu les échanges gazeux, l'alimentation et la reproduction. C'est pourquoi des sécrétions qui emprisonnent et tuent les agents pathogènes protègent les orifices d'entrée et de sortie du corps, tandis que les muqueuses du tube digestif, des voies respiratoires et des autres surfaces d'échange forment d'autres barrières contre l'infection.

Lorsqu'un agent pathogène réussit à franchir la première ligne de défense et pénètre à l'intérieur des liquides et des tissus de l'organisme, la nature de la réponse contre cet agent change radicalement: l'étranger devient un envahisseur. Pour combattre une infection, le système immunitaire des animaux doit reconnaître les particules et cellules qui sont étrangères à son corps. Autrement dit, un système immunitaire pleinement fonctionnel est un système capable de distinguer le soi du non-soi. Pour ce faire, les cellules immunitaires produisent des récepteurs qui se lient spécifiquement aux molécules des cellules étrangères ou des virus et qui activent la réponse immunitaire. Cette liaison spécifique des récepteurs immunitaires avec les molécules étrangères est une forme de *reconnaissance moléculaire*, le principal événement dans la détection des molécules, des particules et des cellules qui ne font pas partie du soi.

La reconnaissance moléculaire s'accomplit de deux façons, selon qu'elle relève de l'immunité innée, qui existe chez tous les animaux, ou de l'immunité adaptative, présente exclusivement chez les vertébrés. La **figure 43.2** résume ces deux types d'immunité et explique en quoi elles sont semblables et différentes.

Dans l'**immunité innée** (aussi appelée immunité non spécifique), qui inclut les défenses externes constituant des barrières, la reconnaissance moléculaire relève d'un petit groupe de protéines réceptrices. Ces protéines se lient aux molécules ou structures étrangères au corps de l'animal, mais qui sont communes à un groupe de virus, de bactéries ou d'autres agents pathogènes. La liaison d'un récepteur immunitaire inné à une molécule étrangère mobilise les défenses internes et permet de réagir à une très vaste gamme d'agents pathogènes.

Dans l'**immunité adaptative** (aussi appelée immunité acquise ou spécifique), la reconnaissance moléculaire dépend d'un imposant arsenal de récepteurs, et chacun de ces récepteurs reconnaît une structure spécifique qui est habituellement exclusive à une région précise d'une molécule caractéristique d'un agent pathogène particulier. Dans l'immunité adaptative, la reconnaissance et la réponse sont donc remarquablement spécifiques.

La réponse immunitaire adaptative ne s'active qu'après la réponse immunitaire innée et se déroule plus lentement qu'elle. Cette réponse immunitaire est dite *adaptative* parce qu'elle est renforcée par une exposition antérieure à l'agent pathogène qui a déclenché l'infection. La synthèse de protéines qui inactivent des toxines bactériennes de même que la destruction ciblée d'une cellule du soi infectée par un virus sont des exemples de réponses adaptatives.

Dans le présent chapitre, nous verrons comment chaque type d'immunité protège les animaux contre la maladie. Nous verrons aussi comment les agents pathogènes arrivent à prendre le dessus sur le système immunitaire ou à échapper à son action, et comment le dysfonctionnement du système immunitaire peut compromettre la santé.

▼ **Figure 43.2 Vue d'ensemble de l'immunité chez les animaux.** L'immunité innée confère une défense primaire chez tous les animaux et précède l'immunité adaptative chez les vertébrés.

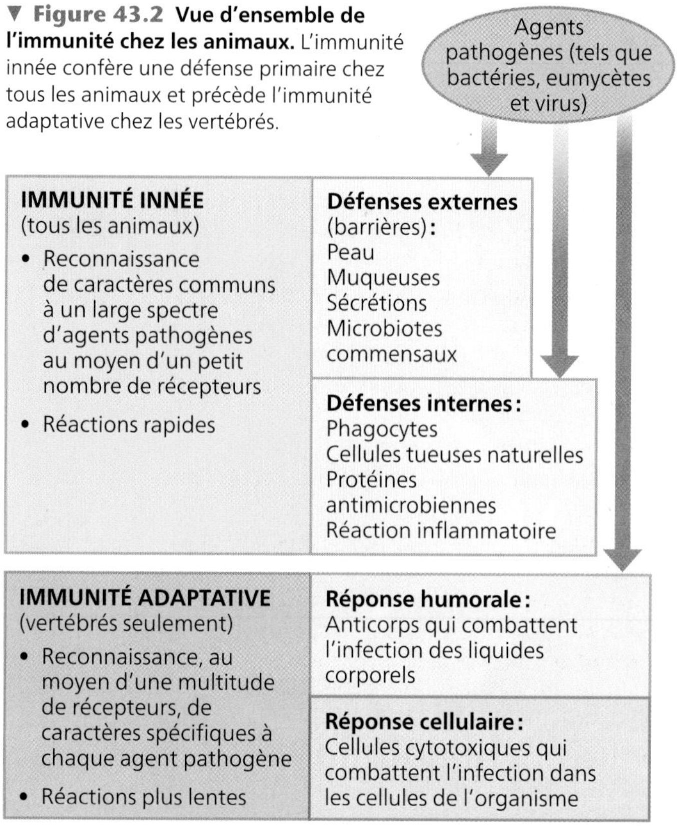

Agents pathogènes (tels que bactéries, eumycètes et virus)

IMMUNITÉ INNÉE (tous les animaux) • Reconnaissance de caractères communs à un large spectre d'agents pathogènes au moyen d'un petit nombre de récepteurs • Réactions rapides	**Défenses externes** (barrières)**:** Peau Muqueuses Sécrétions Microbiotes commensaux **Défenses internes:** Phagocytes Cellules tueuses naturelles Protéines antimicrobiennes Réaction inflammatoire
IMMUNITÉ ADAPTATIVE (vertébrés seulement) • Reconnaissance, au moyen d'une multitude de récepteurs, de caractères spécifiques à chaque agent pathogène • Réactions plus lentes	**Réponse humorale:** Anticorps qui combattent l'infection des liquides corporels **Réponse cellulaire:** Cellules cytotoxiques qui combattent l'infection dans les cellules de l'organisme

CONCEPT **43.1**

Dans l'immunité innée, la reconnaissance et la réponse reposent sur des caractères communs à des groupes d'agents pathogènes

Tous les animaux disposent d'une immunité innée (ainsi que les végétaux). Nous entreprendrons notre exploration de l'immunité innée en examinant les invertébrés, qui combattent l'infection avec ce seul type d'immunité. Ensuite, nous nous pencherons sur les vertébrés, chez qui l'immunité innée est à la fois une défense immédiate contre l'infection et la première ligne de l'immunité adaptative.

Les mécanismes d'immunité chez les invertébrés

La bonne cohabitation des insectes avec toutes sortes d'agents pathogènes dans les habitats terrestres et dulcicoles révèle toute l'efficacité de l'immunité innée chez les invertébrés. Dans n'importe quel environnement, l'exosquelette des insectes agit comme première ligne de défense contre l'infection. Principalement composé d'un polysaccharide appelé chitine, l'exosquelette forme une barrière efficace contre la plupart des agents pathogènes. Une couche protectrice renfermant de la chitine tapisse également les intestins des insectes; elle bloque l'infection que pourraient causer de nombreux agents pathogènes ingérés avec la nourriture. Le **lysozyme**, une enzyme qui dégrade les parois des cellules bactériennes, protège aussi le tube digestif des insectes.

Les agents pathogènes qui réussissent à franchir les barrières immunitaires externes d'un insecte se heurtent à un certain nombre de défenses internes. Les cellules immunitaires des insectes produisent un ensemble de protéines de reconnaissance, et chacune de ces protéines se lie à une molécule qu'on trouve chez un vaste groupe d'agents pathogènes. Très souvent, cette molécule fait partie des parois cellulaires d'eumycètes ou de bactéries. Comme cette molécule est étrangère aux cellules de l'insecte, elle devient une sorte de porte-nom qui révèle l'identité de l'agent pathogène dont elle fait partie et qui permet sa détection par la protéine. Une fois liée à une molécule pathogène, la protéine de reconnaissance déclenche une réponse immunitaire innée.

La majorité des cellules immunitaires des insectes sont des *hémocytes*. Comme les amibes, certains hémocytes ingèrent et digèrent des microorganismes par **phagocytose** (**figure 43.3**). D'autres hémocytes produisent une molécule de défense qui aide à emprisonner les agents pathogènes de grande taille, comme *Plasmodium*, le parasite du moustique qui transmet le paludisme (malaria) chez l'humain. D'autres hémocytes encore sécrètent des *peptides antimicrobiens*, qui circulent dans tout le corps de l'insecte et qui inactivent ou détruisent les eumycètes et les bactéries en altérant leurs membranes plasmiques.

▼ **Figure 43.3 La phagocytose.** Ce schéma illustre l'absorption et la destruction d'agents pathogènes par un phagocyte.

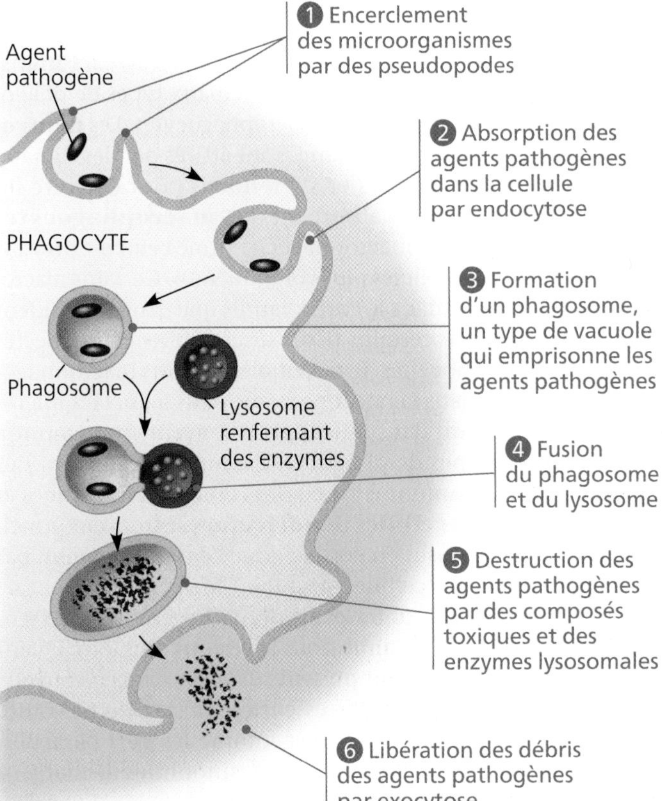
1 Encerclement des microorganismes par des pseudopodes
Agent pathogène
2 Absorption des agents pathogènes dans la cellule par endocytose
PHAGOCYTE
3 Formation d'un phagosome, un type de vacuole qui emprisonne les agents pathogènes
Phagosome
Lysosome renfermant des enzymes
4 Fusion du phagosome et du lysosome
5 Destruction des agents pathogènes par des composés toxiques et des enzymes lysosomales
6 Libération des débris des agents pathogènes par exocytose

Les réponses immunitaires innées des insectes varient selon la classe d'agents pathogènes en cause. Par exemple, lorsqu'un eumycète infecte un insecte, la liaison des protéines de reconnaissance avec des molécules de la paroi cellulaire de cet eumycète forme un complexe qui active un récepteur transmembranaire appelé Toll. Ce récepteur active à son tour la synthèse et la sécrétion de peptides antimicrobiens qui agissent spécifiquement contre l'eumycète. Détail intéressant, on a découvert que les cellules phagocytaires des mammifères reconnaissent les molécules virales, fongiques et bactériennes à l'aide de récepteurs protéiques ressemblant fortement au récepteur Toll (voir la figure 43.5). Cette découverte a d'ailleurs valu aux chercheurs Bruce A. Beutler et Jules A. Hoffmann le prix Nobel de physiologie ou médecine en 2011.

Les insectes se protègent aussi des infections virales à l'aide de défenses spécifiques. Parmi les virus qui infectent les insectes, nombre d'entre eux ont un génome formé d'ARN simple brin. Lorsque le virus se réplique dans la cellule hôte, ce brin d'ARN sert de matrice pour la synthèse d'ARN double brin. Comme les animaux ne produisent pas d'ARN double brin, sa présence peut déclencher une défense spécifique contre le virus envahisseur, comme l'illustre la **figure 43.4**.

L'immunité innée chez les vertébrés

Chez les vertébrés à mâchoires, les défenses immunitaires innées coexistent avec l'immunité adaptative, apparue plus tard dans l'évolution. Comme la plupart des découvertes sur l'immunité innée des vertébrés proviennent d'études sur les souris et les humains, nous nous pencherons ici sur les mammifères. Dans la présente section, nous examinerons d'abord les défenses innées, semblables à celles des invertébrés, qui comprennent les barrières externes, la phagocytose et les peptides antimicrobiens. Nous verrons ensuite quelques-uns des aspects de l'immunité innée propres aux vertébrés, par exemple les cellules tueuses naturelles, les interférons et la réaction inflammatoire.

Les barrières externes

Chez les mammifères, les barrières externes que sont les muqueuses et la peau constituent un obstacle que beaucoup d'agents pathogènes ne peuvent franchir. Les muqueuses qui tapissent les voies digestives, respiratoires et génito-urinaires sécrètent du *mucus*, un liquide épais (visqueux) qui retient les agents pathogènes et les autres particules. Dans les voies respiratoires, par exemple, des cellules épithéliales ciliées refoulent vers le pharynx le mucus et les microorganismes qu'il emprisonne, empêchant ainsi leur introduction dans les poumons. La salive, les larmes et les sécrétions des muqueuses nettoient la surface de divers épithéliums exposés à l'environnement, ce qui prévient l'implantation des eumycètes et des bactéries.

Outre leur rôle de barrière physique qui entrave l'entrée des microorganismes, les sécrétions corporelles créent un milieu hostile à beaucoup d'agents pathogènes. Le lysozyme présent dans la salive, les larmes et les sécrétions des muqueuses peut détruire les parois cellulaires de bactéries qui tentent de s'introduire dans les voies respiratoires supérieures et dans les cavités dans lesquelles sont logés les yeux. Les agents pathogènes présents dans les aliments ou dans l'eau, ou ceux qui sont avalés avec le mucus provenant des voies respiratoires supérieures, doivent affronter l'environnement extrêmement acide de

▼ **Figure 43.4** **La défense antivirale des insectes.** Lorsque les cellules d'un insecte sont infectées par un virus à ARN, elles se défendent en poussant le génome viral à s'autodétruire: le génome viral est découpé en petits fragments que les cellules utilisent ensuite comme molécules indicatrices pour trouver et détruire les ARN messagers (ARNm) du virus.

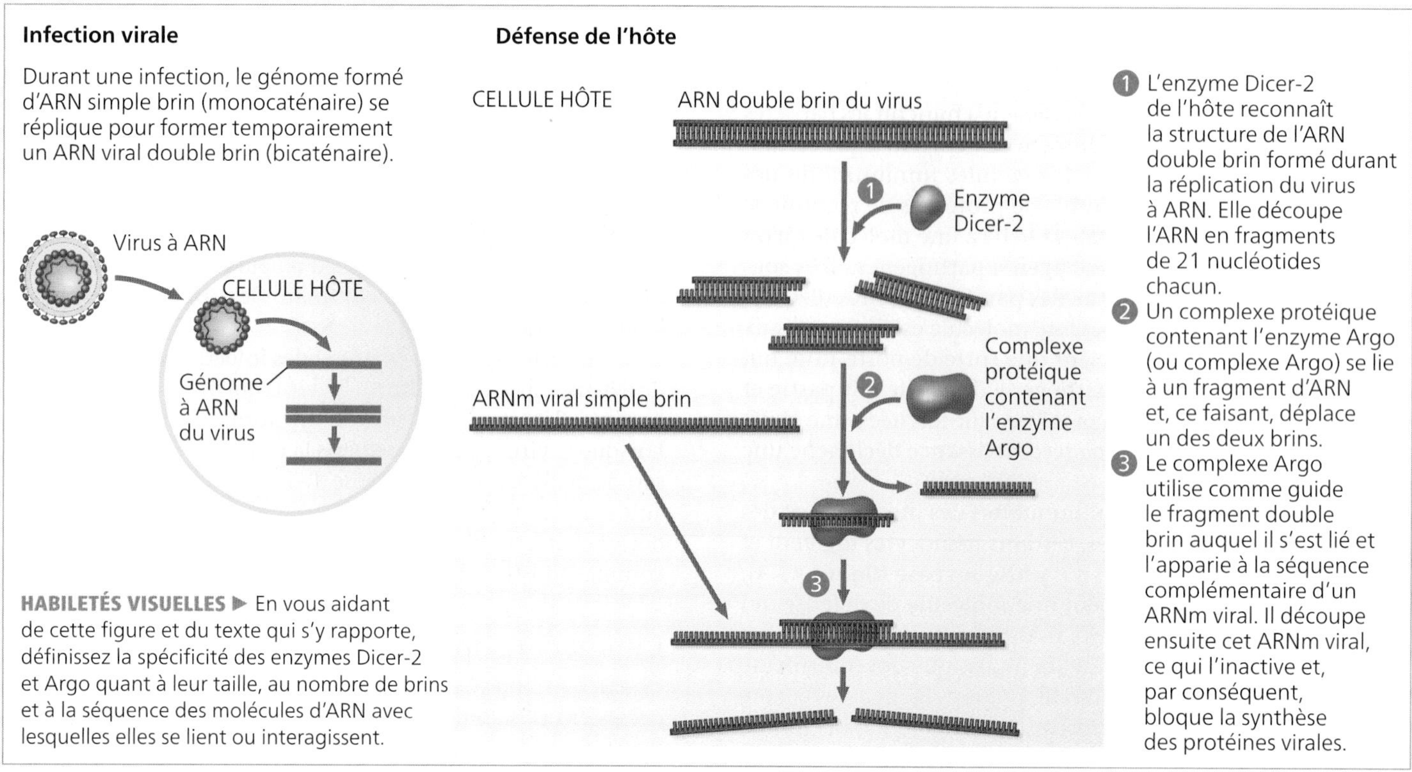

Infection virale
Durant une infection, le génome formé d'ARN simple brin (monocaténaire) se réplique pour former temporairement un ARN viral double brin (bicaténaire).
Virus à ARN
CELLULE HÔTE
Génome à ARN du virus
Défense de l'hôte
CELLULE HÔTE
ARN double brin du virus
Enzyme Dicer-2
Complexe protéique contenant l'enzyme Argo
ARNm viral simple brin
1 L'enzyme Dicer-2 de l'hôte reconnaît la structure de l'ARN double brin formé durant la réplication du virus à ARN. Elle découpe l'ARN en fragments de 21 nucléotides chacun.
2 Un complexe protéique contenant l'enzyme Argo (ou complexe Argo) se lie à un fragment d'ARN et, ce faisant, déplace un des deux brins.
3 Le complexe Argo utilise comme guide le fragment double brin auquel il s'est lié et l'apparie à la séquence complémentaire d'un ARNm viral. Il découpe ensuite cet ARNm viral, ce qui l'inactive et, par conséquent, bloque la synthèse des protéines virales.

HABILETÉS VISUELLES ▶ En vous aidant de cette figure et du texte qui s'y rapporte, définissez la spécificité des enzymes Dicer-2 et Argo quant à leur taille, au nombre de brins et à la séquence des molécules d'ARN avec lesquelles elles se lient ou interagissent.

l'estomac (pH de 2) qui détruit la plupart d'entre eux avant qu'ils pénètrent dans l'intestin grêle. De même, les sécrétions des glandes sébacées et sudoripares donnent à la peau un pH variant entre 3 et 5, donc suffisamment acide pour empêcher de nombreux microorganismes de s'y établir.

Enfin, la peau et les muqueuses hébergent un **microbiote** normal varié (anciennement appelé microflore normale) qui empêche les agents pathogènes de s'installer sur ces tissus soit par compétition pour les mêmes ressources, soit par sécrétion de toxines antibactériennes ou par la production de déchets qui modifient l'environnement: c'est l'**antagonisme microbien** ou effet barrière. Par exemple, les cellules épithéliales du vagin sécrètent du glycogène. Celui-ci est métabolisé en acide lactique par des bactéries lactiques. Ce faisant, elles acidifient la muqueuse vaginale et la rendent moins hospitalière aux agents pathogènes comme la levure *Candida albicans* responsable des vaginites.

Les défenses cellulaires innées

Chez les mammifères comme chez les insectes, les cellules de l'immunité innée ont pour fonction de détecter, de capturer et de détruire les agents pathogènes. Pour accomplir leurs tâches, ces cellules ont souvent besoin d'un **récepteur de type Toll** (ou **TLR**, de l'anglais *Toll-like receptor*), une protéine de reconnaissance présente chez les mammifères qui ressemble à la protéine Toll des insectes. Lorsqu'elles reconnaissent des agents pathogènes, les protéines TLR émettent des signaux qui déclenchent une réponse immunitaire dirigée contre les envahisseurs.

Chaque protéine TLR se lie à des fragments de molécules caractéristiques d'un ensemble d'agents pathogènes (**figure 43.5**). Par exemple, le TLR3, situé sur la face interne des vésicules formées par endocytose, se lie à l'ARN double brin, une forme d'acide nucléique produit par certains virus. De même, le TLR4 situé sur les membranes plasmiques des cellules immunitaires reconnaît le lipopolysaccharide, une molécule de surface spécifique présente chez de nombreuses bactéries. Le TLR5, lui, reconnaît la flagelline, principale protéine des flagelles bactériens.

Chez les mammifères, les deux principaux types de phagocytes sont les neutrophiles et les macrophagocytes. Les **neutrophiles**, qui circulent dans le sang, sont attirés par des signaux émis par les tissus infectés et s'y rendent pour détruire les agents pathogènes en les absorbant. Les **macrophagocytes** («gros mangeurs»), ou macrophages, comme celui montré à la figure 43.1, sont des cellules plus volumineuses. Certains macrophagocytes migrent dans le corps, tandis que d'autres résident en permanence dans certains tissus susceptibles d'être infectés par des agents pathogènes. Par exemple, certains macrophagocytes se tiennent dans la rate, un organe dans lequel les microorganismes circulant dans le sang sont souvent emprisonnés.

Deux autres types de phagocytes assurent également des fonctions dans l'immunité innée: les cellules dendritiques et les éosinophiles. Les **cellules dendritiques** se trouvent principalement dans les tissus en contact avec l'environnement, par exemple la peau. Ces cellules stimulent le développement de l'immunité adaptative contre les agents pathogènes qu'elles rencontrent et absorbent, comme nous le verrons plus loin. Quant aux **éosinophiles**, souvent présents dans les tissus recouverts d'un épithélium, ils ont un rôle essentiel dans la défense contre des envahisseurs multicellulaires comme les vers parasites. Pour combattre de tels parasites, les éosinophiles déchargent des enzymes destructrices.

▼ **Figure 43.5 Les récepteurs de type Toll (TLR).** Chaque récepteur de type Toll des mammifères reconnaît un composant moléculaire spécifique d'un groupe d'agents pathogènes. Le lipopolysaccharide, la flagelline, l'ADN CpG (ADN contenant des séquences CG non méthylées) et l'ARN double brin caractérisent les bactéries, les eumycètes ou les virus, mais pas les cellules animales. De concert avec d'autres facteurs de reconnaissance et de réponse, les protéines TLR déclenchent la mobilisation des défenses cellulaires internes innées, y compris la production de cytokines et de peptides antimicrobiens.

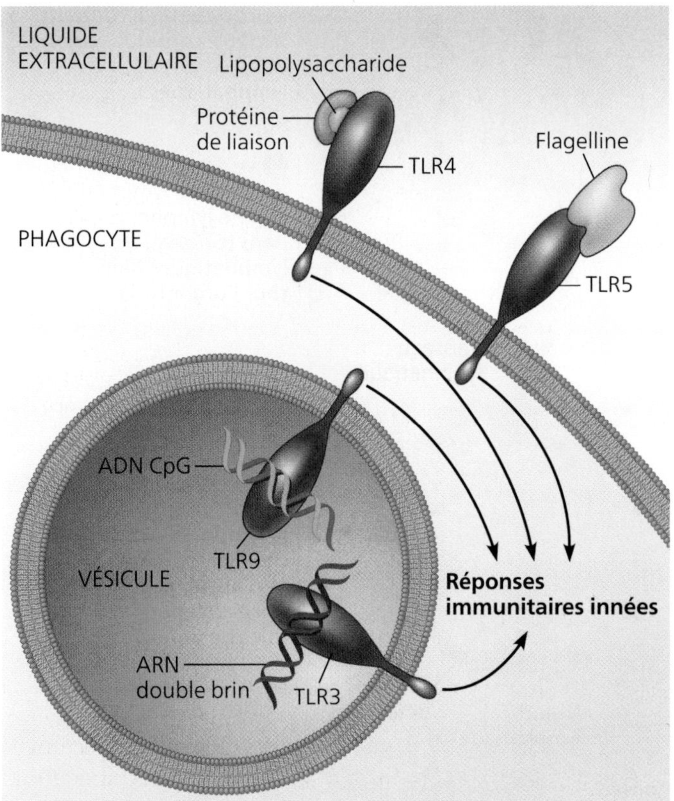

HABILETÉS VISUELLES ▶ Examinez l'emplacement de chaque protéine TLR, puis nommez un avantage possible de cette répartition.

Les **cellules tueuses naturelles** (ou lymphocytes NK, de l'anglais *natural killer*) jouent également un rôle important dans les défenses innées chez les vertébrés. Ces cellules circulent dans tout l'organisme et détectent les arrangements anormaux de protéines membranaires des cellules cancéreuses ou de certaines cellules infectées par un virus. Les cellules tueuses naturelles n'absorbent pas les cellules capturées. Elles libèrent plutôt des substances chimiques, comme les perforines et les granzymes, qui les détruisent et les empêchent de se disséminer. Les perforines sont des protéines qui s'insèrent dans la membrane plasmique de la cellule cible et forment des pores qui laissent entrer des granzymes. Celles-ci activent les caspases, des protéines intervenant dans la voie de signalisation menant à l'apoptose (voir le concept 11.5).

Chez les vertébrés, un grand nombre de défenses innées cellulaires reposent sur la participation du système lymphatique, un réseau qui distribue dans tout l'organisme un liquide appelé lymphe (**figure 43.6**). Certains macrophagocytes résident en permanence dans les nœuds lymphatiques (ou ganglions lymphatiques), où ils capturent les agents pathogènes qui ont pénétré dans la lymphe depuis le liquide interstitiel. Les cellules dendritiques vivent hors du système lymphatique, mais elles migrent vers les nœuds lymphatiques après leur rencontre avec des agents pathogènes. Une fois dans les nœuds lymphatiques, elles interagissent avec d'autres cellules immunitaires de manière à stimuler l'immunité adaptative.

Les protéines et peptides antimicrobiens

Chez les mammifères, la reconnaissance des agents pathogènes déclenche la production et la libération de divers peptides et protéines qui détruisent les agents pathogènes ou inhibent leur reproduction. Comme chez les insectes, certaines de ces molécules de défense agissent comme des peptides antimicrobiens : elles s'attaquent à de vastes groupes d'agents pathogènes en altérant l'intégrité de leur membrane. D'autres, dont les interférons et les protéines du complément, sont propres aux systèmes immunitaires des vertébrés.

Les **interférons** sont des protéines qui assurent une défense innée contre les infections virales. Les cellules infectées par des virus sécrètent ces protéines, qui incitent les cellules voisines qui ne sont pas encore infectées à produire d'autres substances inhibant la réplication virale. C'est pourquoi les interférons limitent la transmission des virus d'une cellule à l'autre à l'intérieur de l'organisme. Ils permettent ainsi de mieux maîtriser les infections virales, notamment les rhumes et la grippe. Certains leucocytes sécrètent un autre type d'interféron, qui contribue à activer les macrophagocytes en augmentant leur capacité phagocytaire. Aujourd'hui, les compagnies pharmaceutiques utilisent la technique de l'ADN recombiné pour produire en série des interférons qui aident au traitement des infections virales comme l'hépatite C.

Le **système du complément** comprend une trentaine de protéines qui sont présentes dans le plasma sanguin et qui combattent l'infection. En temps normal, ces protéines demeurent en circulation à l'état inactif. Elles sont activées par des substances présentes à la surface de beaucoup d'agents pathogènes. Leur activation donne lieu à une cascade de réactions biochimiques qui peuvent mener à la lyse (éclatement) des cellules étrangères. Le système du complément contribue également à déclencher l'inflammation, notre prochain sujet, et joue un rôle dans la défense adaptative, dont nous parlerons plus loin dans ce chapitre.

La réaction inflammatoire

Lorsqu'on s'enfonce une écharde dans un doigt, la peau autour devient enflée et chaude au toucher. Ce sont là des manifestations de la **réaction inflammatoire localisée**, qui comprend plusieurs événements. En présence d'une telle lésion, et aussi lors d'une infection, l'organisme sécrète des molécules de signalisation qui déclenchent ces événements (**figure 43.7**). Ainsi, les macrophagocytes activés sécrètent des molécules de signalisation appelées **cytokines**, qui recrutent des neutrophiles dans la région lésée ou infectée, où se rend également l'**histamine**, une molécule de signalisation sécrétée par des cellules du tissu conjonctif appelées **mastocytes**. L'histamine provoque la dilatation des vaisseaux avoisinants et augmente ainsi leur perméabilité. Il s'ensuit un afflux de sang qui cause la rougeur et la sensation de chaleur caractéristiques de la réaction inflammatoire (qui vient du latin *inflammare*, « mettre le feu à »).

▼ **Figure 43.6 Le système lymphatique humain.** Le système lymphatique est composé de vaisseaux lymphatiques (en vert), dans lesquels circule la lymphe, et de diverses structures qui capturent les substances étrangères. Ces structures comprennent les nœuds (ganglions) lymphatiques (en orange) et les organes lymphoïdes (en jaune): les tonsilles (ou amygdales) pharyngiennes, les tonsilles palatines et linguales, les nœuds lymphatiques, le thymus, la rate, les follicules lymphatiques agrégés (ou plaques de Peyer) et l'appendice vermiforme. Les étapes 1 à 4 montrent le trajet de la lymphe et illustrent le rôle des nœuds lymphatiques dans l'activation de l'immunité adaptative. (Le concept 42.3 décrit la relation entre les systèmes lymphatique et cardiovasculaire.)

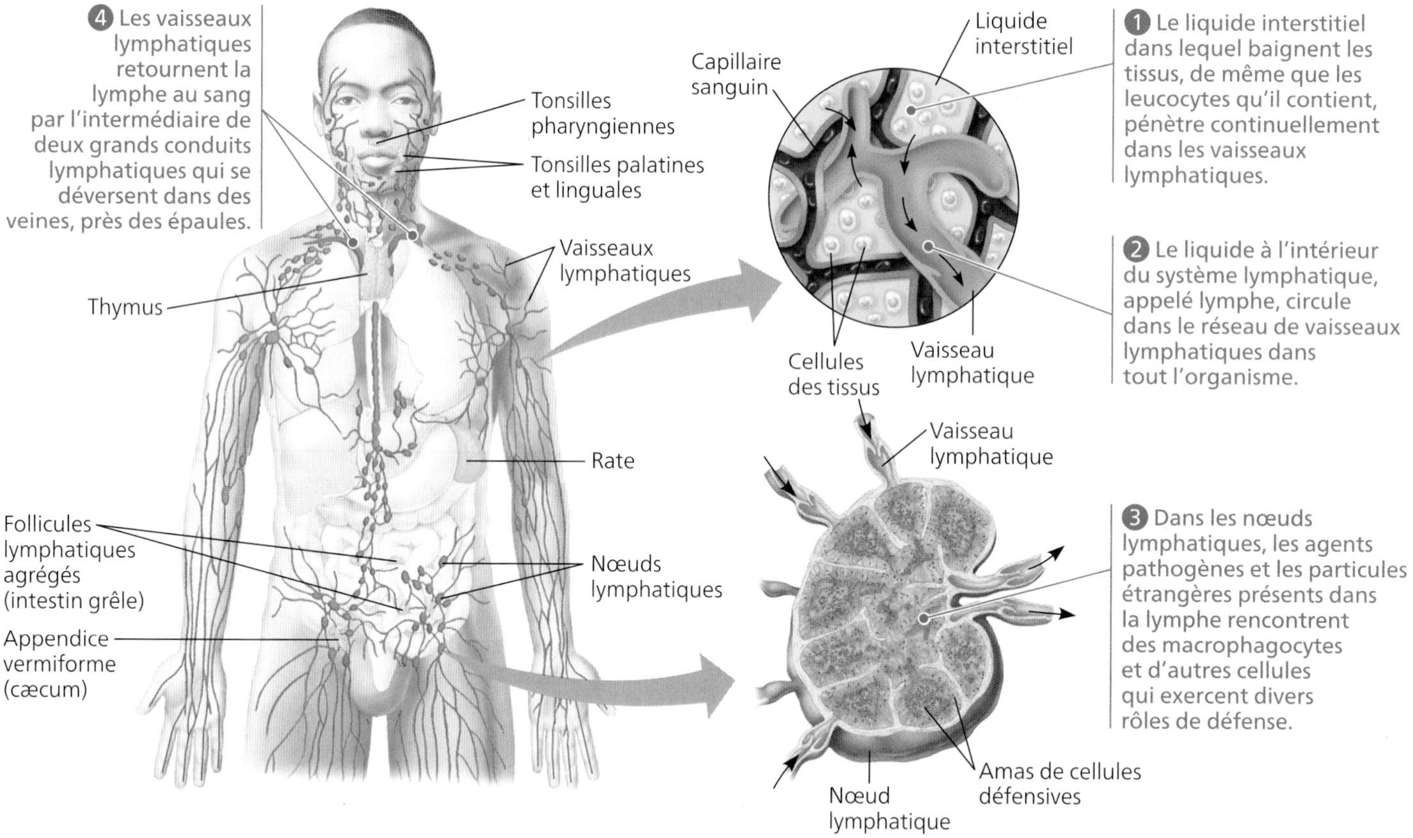

4 Les vaisseaux lymphatiques retournent la lymphe au sang par l'intermédiaire de deux grands conduits lymphatiques qui se déversent dans des veines, près des épaules.

Tonsilles pharyngiennes

Tonsilles palatines et linguales

Vaisseaux lymphatiques

Thymus

Rate

Follicules lymphatiques agrégés (intestin grêle)

Nœuds lymphatiques

Appendice vermiforme (cæcum)

Capillaire sanguin

Liquide interstitiel

Cellules des tissus

Vaisseau lymphatique

1 Le liquide interstitiel dans lequel baignent les tissus, de même que les leucocytes qu'il contient, pénètre continuellement dans les vaisseaux lymphatiques.

2 Le liquide à l'intérieur du système lymphatique, appelé lymphe, circule dans le réseau de vaisseaux lymphatiques dans tout l'organisme.

Vaisseau lymphatique

3 Dans les nœuds lymphatiques, les agents pathogènes et les particules étrangères présents dans la lymphe rencontrent des macrophagocytes et d'autres cellules qui exercent divers rôles de défense.

Nœud lymphatique

Amas de cellules défensives

▼ **Figure 43.7 Les principaux événements de la réaction inflammatoire localisée.**

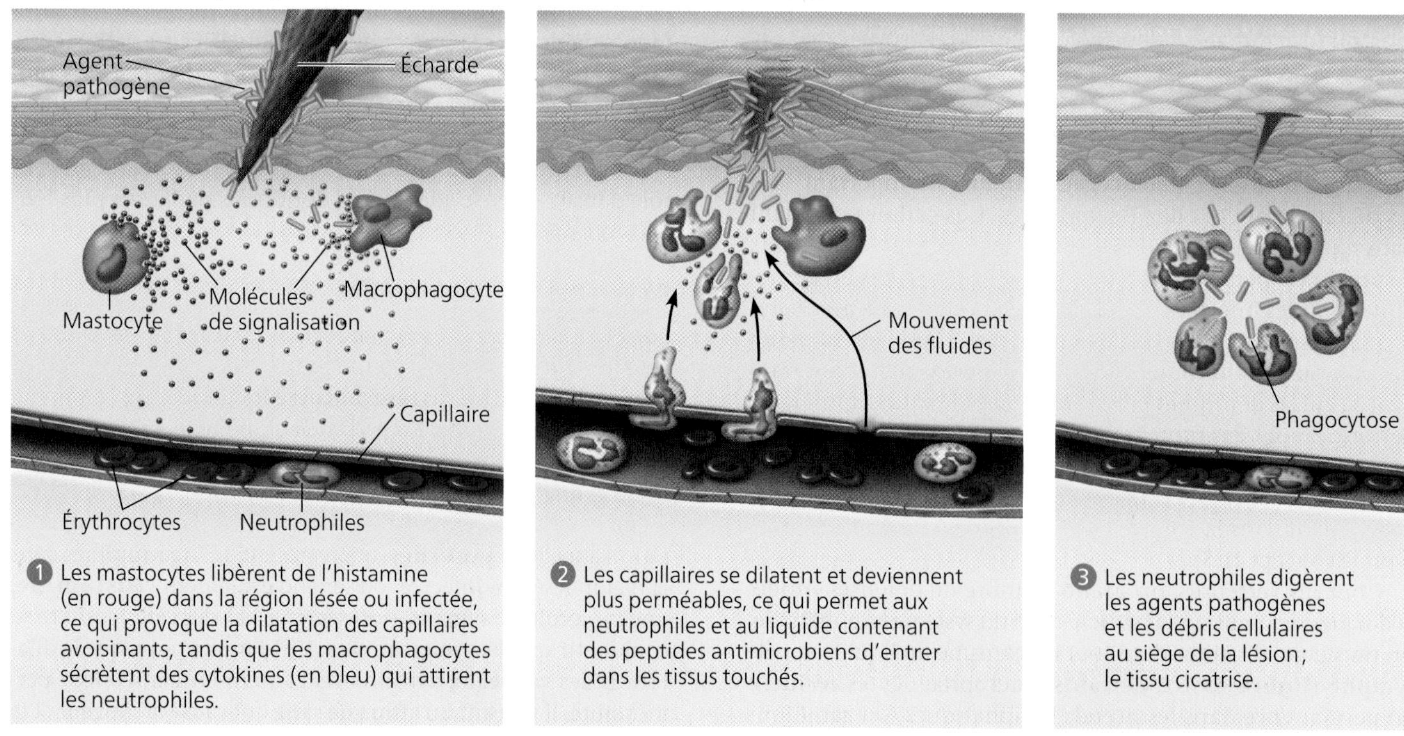

Agent pathogène
Écharde
Mastocyte
Molécules de signalisation
Macrophagocyte
Capillaire
Érythrocytes
Neutrophiles
1 Les mastocytes libèrent de l'histamine (en rouge) dans la région lésée ou infectée, ce qui provoque la dilatation des capillaires avoisinants, tandis que les macrophagocytes sécrètent des cytokines (en bleu) qui attirent les neutrophiles.
Mouvement des fluides
2 Les capillaires se dilatent et deviennent plus perméables, ce qui permet aux neutrophiles et au liquide contenant des peptides antimicrobiens d'entrer dans les tissus touchés.
Phagocytose
3 Les neutrophiles digèrent les agents pathogènes et les débris cellulaires au siège de la lésion; le tissu cicatrise.

? Votre expérience des lésions causées par des échardes vous permet-elle de dire si les signaux qui participent à la réaction inflammatoire sont de courte ou de longue durée? Expliquez votre réponse.

Au cours de la réaction inflammatoire, des cycles de signalisation et de réponse transforment les tissus touchés. Les protéines du complément activées continuent de stimuler la libération d'histamine, de sorte que d'autres phagocytes envahissent les tissus lésés (voir la figure 43.7) et renforcent la phagocytose. Parallèlement, l'augmentation de la circulation sanguine dans les tissus touchés favorise la migration des peptides antimicrobiens. Il en résulte une accumulation de *pus*, un liquide riche en leucocytes, en agents pathogènes morts et en débris provenant des tissus endommagés.

Une lésion mineure cause une inflammation localisée. Toutefois, le corps peut aussi déclencher une réaction systémique (généralisée) dans le cas d'une lésion ou d'une infection plus importante. Les cellules endommagées lancent un appel à l'aide : elles sécrètent des molécules qui stimulent la production de neutrophiles supplémentaires par la moelle osseuse rouge. Dans le cas d'une infection grave, comme la méningite ou l'appendicite, le nombre de leucocytes dans le sang peut s'élever considérablement en quelques heures seulement après le début de la réaction inflammatoire.

La fièvre fait parfois partie de la réaction inflammatoire systémique. Elle peut être déclenchée par les toxines produites par les agents pathogènes ou par des substances libérées par les macrophagocytes activés qui règlent le thermostat de l'organisme à une température plus élevée que la normale (voir le concept 40.3). Il est fort possible que la fièvre aide à combattre une infection, mais les mécanismes qu'elle fait intervenir font toujours l'objet de controverses. Une des hypothèses à l'étude veut qu'une fièvre modérée favorise la phagocytose et augmente la vitesse de la réparation tissulaire en accélérant les réactions chimiques dans l'organisme. La fièvre diminue également la croissance des bactéries en stimulant le foie et la rate à séquestrer le fer et le zinc nécessaires à la croissance de ces agents pathogènes.

Certaines infections bactériennes peuvent provoquer une réaction inflammatoire systémique, entraînant une affection potentiellement mortelle appelée *choc septique*. Le choc septique se caractérise par une fièvre très élevée, une pression artérielle très basse et un fort ralentissement de la circulation sanguine dans les capillaires. Il touche surtout les personnes très âgées ou très jeunes. Ce syndrome est fatal dans environ un tiers des cas et contribue au décès de plus de 200 000 personnes chaque année aux États-Unis seulement.

L'inflammation chronique (continue) peut aussi compromettre la santé. Par exemple, des millions de personnes dans le monde souffrent de la maladie de Crohn et de colite ulcéreuse, des maladies souvent invalidantes qui se caractérisent par un dysfonctionnement de la réaction inflammatoire qui altère la fonction intestinale.

La capacité des agents pathogènes d'échapper à l'immunité innée

Divers agents pathogènes possèdent des adaptations qui les protègent de la phagocytose. Par exemple, la paroi de certaines bactéries est entourée d'une capsule qui masque ses polysaccharides, ce qui les met à l'abri de la reconnaissance moléculaire et de la phagocytose. Une de ces bactéries, *Streptococcus pneumoniae*, est à l'origine de nombreux cas de pneumonie et de méningite chez les humains (voir le concept 16.1).

D'autres bactéries sont bel et bien reconnues par les macrophagocytes, mais elles résistent à la destruction une fois absorbées par ces cellules. C'est le cas notamment de *Mycobacterium tuberculosis*, la bactérie illustrée au tout début du chapitre (figure 43.1). Au lieu d'être détruite à l'intérieur des cellules hôtes, cette bactérie croît et se reproduit, parfaitement à l'abri des défenses acquises de l'organisme. L'infection causée par cette bactérie est appelée tuberculose, une maladie qui s'attaque aux poumons et à d'autres tissus. Chaque année, la tuberculose tue plus d'un million de personnes dans le monde.

RETOUR SUR LE CONCEPT 43.1

1. Le pus est à la fois un signe d'infection et un signe que les défenses immunitaires sont actives. Expliquez pourquoi.
2. **FAITES DES LIENS ▶** En quoi les molécules qui activent la voie de transduction du signal TLR chez les vertébrés sont-elles différentes des ligands de la plupart des autres voies de signalisation (voir le concept 11.2) ?
3. **ET SI ? ▶** Les guêpes parasites injectent leurs œufs dans les larves d'autres insectes. Si le système immunitaire de la larve hôte ne tue pas les œufs parasites, ceux-ci écloront dans la larve hôte, et les larves qui en sortiront la dévoreront pour subvenir à leurs besoins. Pourquoi certains insectes sont-ils capables d'opposer une réponse immunitaire aux œufs des guêpes parasites, alors que d'autres en sont incapables ?

Voir les réponses proposées à l'appendice A.

CONCEPT 43.2

Dans l'immunité adaptative, la reconnaissance repose sur des récepteurs spécifiques des agents pathogènes

Les vertébrés bénéficient d'un système immunitaire unique : en plus de leurs défenses innées, ils disposent de défenses immunitaires adaptatives. La réponse immunitaire adaptative repose sur deux types de **lymphocytes** : les lymphocytes T et les lymphocytes B (**figure 43.8**). Comme toutes les autres cellules sanguines, les lymphocytes sont issus des cellules souches de la moelle osseuse. Certains lymphocytes migrent de la moelle osseuse vers le **thymus**, un organe situé dans la cavité thoracique, au-dessus du cœur (voir la figure 43.6). Ces lymphocytes deviennent des **lymphocytes T** (*T* pour *thymus*). Les lymphocytes qui restent dans la moelle osseuse et qui y poursuivent leur maturation deviennent des **lymphocytes B** (*B* pour *bone marrow*, ou moelle osseuse en anglais). Des lymphocytes d'un

▶ Figure 43.8
Les lymphocytes B et T.

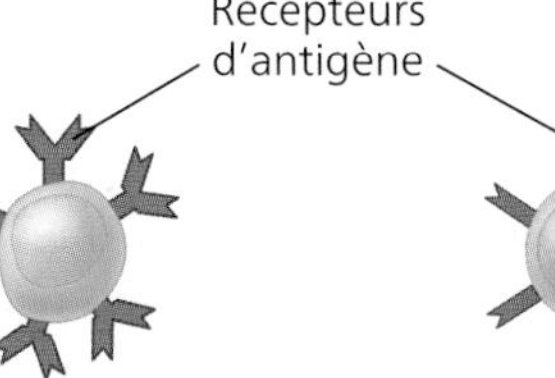

troisième type demeurent dans le sang et deviennent les cellules tueuses naturelles de l'immunité innée.

Toute substance qui suscite une réponse de la part d'un lymphocyte B ou T est un **antigène** (de l'anglais *anti*body *gene*rating). Dans l'immunité adaptative, la reconnaissance a lieu quand un lymphocyte B ou T se lie à un antigène tel qu'une protéine bactérienne ou virale par l'intermédiaire d'une protéine appelée **récepteur d'antigène**. Chaque récepteur d'antigène est spécifique : il se lie à une seule partie de telle molécule située sur tel agent pathogène, par exemple une espèce bactérienne ou une souche virale.

Les cellules du système immunitaire produisent des millions de récepteurs d'antigènes différents. Un même lymphocyte, toutefois, n'en produit qu'une seule variété ; tous les récepteurs d'antigènes produits par un même lymphocyte B ou T sont donc identiques. Ainsi, une infection par un virus, une bactérie ou un autre agent pathogène mobilise les lymphocytes B ou T munis des récepteurs d'antigènes spécifiques des parties de cet agent pathogène. Les illustrations de lymphocytes B et T ne montrent souvent que quelques récepteurs seulement ; dans la réalité, il y a environ 100 000 récepteurs d'antigènes à la surface d'un seul lymphocyte B ou T.

Les antigènes sont pour la plupart des macromolécules, soit des protéines ou des polysaccharides. Plusieurs antigènes sont membranaires et font saillie à la surface des cellules étrangères ou des virus. D'autres types d'antigènes, notamment les toxines sécrétées par des bactéries, sont dissous dans le liquide extracellulaire ; c'est pourquoi on les qualifie d'antigènes libres. Les antigènes du non-soi provenant de microorganismes extracellulaires ou de toxines sont dits *exogènes*, alors que les antigènes provenant de cellules cancéreuses ou d'agents pathogènes intracellulaires et associés à des cellules infectées sont dits *endogènes*. Les antigènes du soi, les *autoantigènes*, sont des constituants présents à la surface des cellules de l'organisme (donc qui ne proviennent pas d'un organisme étranger), qui, normalement, ne déclenchent pas de réaction de la part du système immunitaire.

Sur un antigène, la petite portion accessible qui se lie à un récepteur d'antigène est appelée **épitope**, ou déterminant antigénique. Un groupe d'acides aminés d'une certaine protéine est un exemple d'épitope. Un même antigène comporte généralement plusieurs épitopes. Chacun est capable de se lier à un récepteur différent selon sa propre spécificité. Étant donné que tous les récepteurs d'antigène produits par un même lymphocyte B ou T sont identiques, ils se lient au même épitope. Donc, chaque lymphocyte B ou T a une *spécificité* pour tel ou tel épitope, et cette spécificité le rend capable de réagir avec tous les agents pathogènes qui produisent des molécules dotées de cet épitope.

Les récepteurs d'antigènes des lymphocytes B et T ont des composants semblables, mais ils se lient chacun à leur façon aux antigènes. Nous allons maintenant voir comment.

La reconnaissance des antigènes par les lymphocytes B et les anticorps

Chaque récepteur d'antigène d'un lymphocyte B est une protéine en forme de Y formée de quatre chaînes polypeptidiques : deux **chaînes lourdes** identiques constituées d'environ 450 acides aminés et deux **chaînes légères** identiques formées de quelque 200 acides aminés. Les chaînes sont reliées par des ponts disulfure (**figure 43.9**).

▼ Figure 43.9 La structure d'un récepteur d'antigène de lymphocyte B.

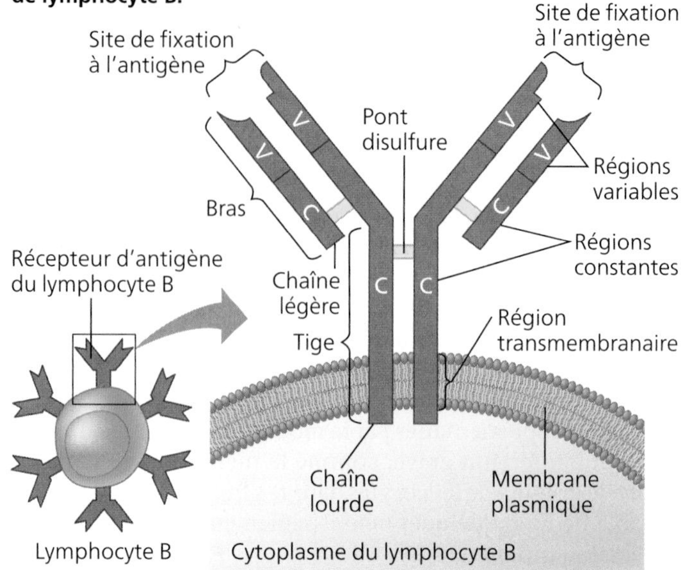

Chaque chaîne légère ou lourde comporte une *région constante* (*C*), où les séquences d'acides aminés varient très peu d'un lymphocyte B à l'autre. La région constante des chaînes lourdes forme la tige et peut comprendre une région transmembranaire qui ancre le récepteur dans la membrane plasmique de la cellule. Comme on le voit dans la figure 43.9, chaque chaîne légère ou lourde possède également une *région variable* (*V*), appelée ainsi parce que la séquence de leurs acides aminés varie considérablement d'un lymphocyte B à l'autre. Ensemble, les portions variables des chaînes lourdes et des chaînes légères déterminent un site asymétrique de liaison avec l'antigène. Donc, chaque récepteur de l'antigène d'un lymphocyte B porte deux sites de liaison identiques.

La liaison du récepteur d'antigène d'un lymphocyte B avec un antigène amorce l'activation du lymphocyte B, laquelle conduit à la naissance de cellules qui sécréteront une forme soluble du récepteur (**figure 43.10a**). Ce récepteur soluble est une protéine appelée **anticorps**, ou **immunoglobuline (Ig)**. Les anticorps ont la même structure en Y que les récepteurs d'antigènes des lymphocytes B, mais ils ne sont pas ancrés dans la membrane. Nous verrons plus loin que les anticorps confèrent une défense directe contre les agents pathogènes présents dans les liquides corporels.

Le site de fixation à l'antigène d'un récepteur ancré dans la membrane ou d'un anticorps a une forme unique qui correspond à un épitope spécifique, exactement comme une clé dans une serrure. Des liaisons non covalentes stabilisent l'interaction entre un épitope et la surface du site de fixation de l'antigène. Ce sont les différences entre les séquences d'acides aminés des régions variables qui confèrent la diversité des surfaces de liaison, diversité nécessaire pour assurer l'établissement de liaisons hautement spécifiques.

Les récepteurs d'antigènes des lymphocytes B ainsi que les anticorps sécrétés se lient à des antigènes intacts dans le sang et la lymphe. Comme l'indique la **figure 43.10b**, les anticorps se fixent aux antigènes membranaires exprimés à la surface des pathogènes ou aux antigènes libres circulant dans les liquides corporels.

▼ **Figure 43.10 La reconnaissance des antigènes par les lymphocytes B et les anticorps.**

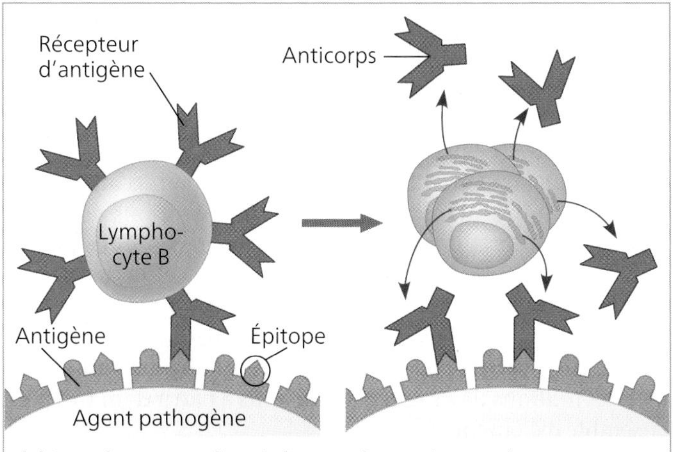

(a) Les récepteurs d'antigènes et les anticorps des lymphocytes B. Un récepteur d'antigène de lymphocyte B se lie à un épitope, une région spécifique de l'antigène. Après liaison, le lymphocyte B produit un groupe de cellules (ou clone) qui sécrètent la forme soluble du récepteur d'antigène. Le récepteur soluble, appelé anticorps, est spécifique du même épitope que le lymphocyte B dont il est issu.

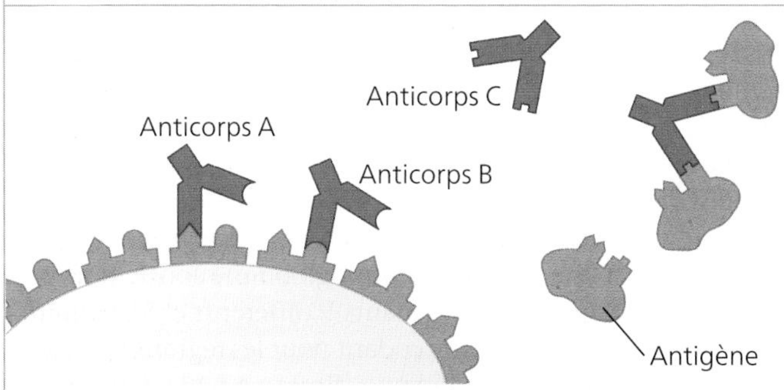

(b) La spécificité du récepteur d'antigène. Différents anticorps peuvent reconnaître différents épitopes sur le même antigène. De plus, les anticorps peuvent reconnaître aussi bien les antigènes exogènes libres que les antigènes exogènes membranaires d'un agent pathogène.

FAITES DES LIENS ▶ Les interactions montrées ici reposent sur la liaison hautement spécifique entre un antigène et un récepteur (voir la figure 5.17). En quoi ce type de liaison est-il semblable à l'interaction enzyme-substrat (voir la figure 8.15) ?

La reconnaissance des antigènes par les lymphocytes T

Chaque **récepteur d'antigène d'un lymphocyte T** est constitué de deux chaînes polypeptidiques différentes, une *chaîne* α et une *chaîne* β, reliées par un pont disulfure (**figure 43.11**). Près de la base du récepteur d'antigène se trouve une région transmembranaire ; c'est par cette région hydrophobe que les deux chaînes de la molécule s'attachent aux phospholipides de la membrane plasmique du lymphocyte. À la pointe externe de la molécule, les régions variables (V) des chaînes α et β forment un site unique de fixation à l'antigène. Le reste de la molécule est constitué des régions constantes (C).

Les récepteurs d'antigènes des lymphocytes T se lient seulement aux fragments d'antigènes exposés, ou *endogènes,* à la surface des cellules hôtes. Ce mécanisme de reconnaissance se distingue de celui des récepteurs d'antigènes des lymphocytes B,

▼ **Figure 43.11 La structure d'un récepteur d'antigène de lymphocyte T.**

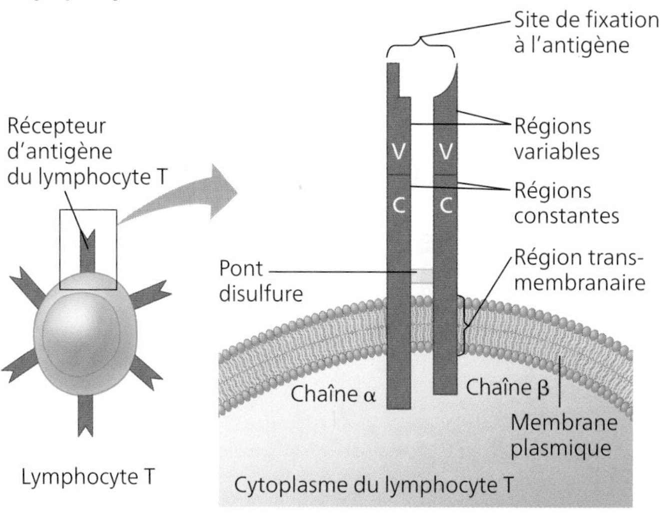

qui, eux, se lient aux épitopes d'antigènes *exogènes* circulant dans les liquides corporels. La protéine hôte qui présente le fragment d'antigène à la surface de la cellule est appelée *molécule du CMH*. On la désigne ainsi parce qu'elle est encodée par une famille de gènes appelée **complexe majeur d'histocompatibilité (CMH)**. Par son rôle de présentatrice d'antigène, cette molécule est indispensable à la reconnaissance des antigènes par les lymphocytes T.

La présentation et la reconnaissance des antigènes protéiques commencent lorsqu'un agent pathogène infecte une cellule de l'animal hôte ou que des parties d'un agent pathogène sont capturées par une cellule immunitaire (**figure 43.12a**). À l'intérieur de la cellule de l'animal, des enzymes découpent chaque antigène en fragments, qui sont habituellement de petits peptides. Chaque fragment se lie alors à une molécule du CMH, qui transporte le petit peptide ainsi lié à la surface de la cellule. On appelle **présentation de l'antigène** ce processus qui consiste à exposer le fragment d'antigène préalablement disposé dans un sillon de la protéine du CMH. La **figure 43.12b** illustre la présentation de l'antigène, comparable à une enseigne qui avertit de la présence d'une substance étrangère dans la cellule hôte. Si un lymphocyte T possédant le récepteur spécifique du complexe antigène-CMH croise la cellule qui présente le fragment d'antigène, alors le récepteur d'antigène de ce lymphocyte T peut se lier à la fois au fragment d'antigène et à la molécule du CMH. Comme nous le verrons au concept 43.3, cette interaction entre la molécule du CMH, le fragment d'antigène et le récepteur d'antigène du lymphocyte T est l'amorce d'une réponse immunitaire adaptative.

Le développement des lymphocytes B et T

Maintenant que nous avons appris comment les lymphocytes B et les lymphocytes T reconnaissent les antigènes, examinons quatre grandes caractéristiques de l'immunité adaptative. Premièrement, il existe une immense diversité de lymphocytes et de récepteurs, et c'est ce qui permet au système immunitaire de détecter des antigènes et des agents pathogènes qu'il n'a jamais rencontrés. Deuxièmement, l'immunité adaptative chez les animaux est normalement tolérante à l'égard du soi, c'est-à-dire

▼ Figure 43.12 La reconnaissance de l'antigène par les lymphocytes T.

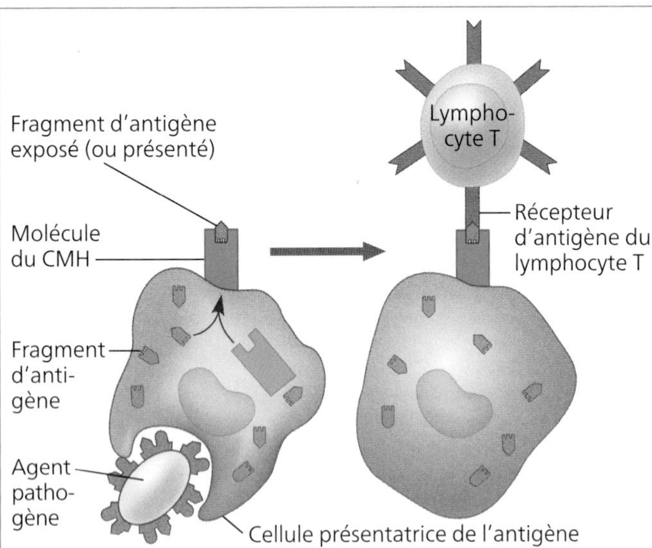

(a) Reconnaissance d'un antigène par un lymphocyte T. Un fragment d'antigène d'un agent pathogène présent à l'intérieur de la cellule présentatrice de l'antigène s'associe à une molécule du CMH, puis il est transporté à la surface de la cellule, où il est exposé (ou présenté). Le complexe CMH-antigène est alors reconnu par le lymphocyte T.

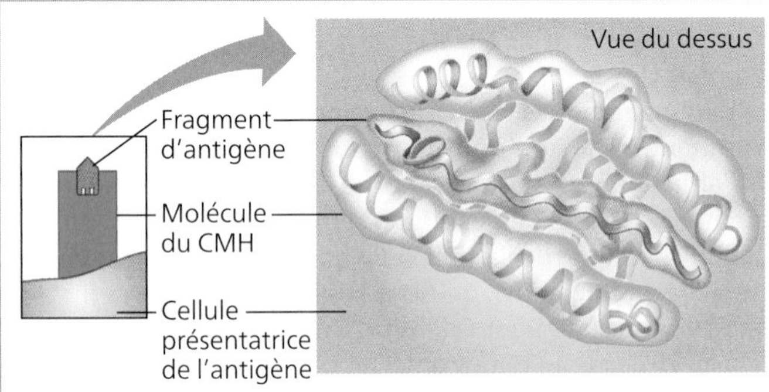

(b) Détails de la présentation de l'antigène. Comme on le voit dans ce schéma agrandi présentant une vue du dessus, le haut de la molécule du CMH enserre un fragment d'antigène, un peu comme un pain à hot dog entoure une saucisse. Une molécule du CMH peut présenter plusieurs fragments d'antigène différents, mais chaque récepteur d'antigène d'un lymphocyte T ne reconnaît qu'un seul type de fragment d'antigène associé à un CMH.

qu'elle ne lancera pas d'attaque contre ses propres cellules et molécules. Troisièmement, la prolifération cellulaire déclenchée par la rencontre d'un antigène augmente le nombre de lymphocytes B et T qui sont spécifiques à cet antigène. Quatrièmement, la réponse immunitaire adaptative à l'égard d'un antigène déjà rencontré est plus intense et plus rapide grâce à l'intervention d'un mécanisme appelé *mémoire immunologique*, que nous approfondirons plus loin dans ce chapitre.

La diversité des récepteurs ainsi que la tolérance du soi se développent au cours de la maturation d'un lymphocyte. La prolifération des cellules ainsi que la formation de la mémoire immunologique ont lieu plus tard, une fois qu'un lymphocyte parvenu à maturation a reconnu et fixé un antigène spécifique. Nous allons nous pencher sur ces quatre caractéristiques dans l'ordre où elles apparaissent.

La production de la diversité des lymphocytes B et des lymphocytes T

On estime que chaque personne possède jusqu'à 1 million de récepteurs d'antigènes de lymphocytes B et 10 millions de récepteurs d'antigènes de lymphocytes T, tous différents. Pourtant, le génome humain ne renferme pas plus de 20 000 gènes codant pour des protéines. Comment l'organisme fait-il, alors, pour générer une aussi grande diversité de récepteurs d'antigènes ? La réponse réside dans le nombre de combinaisons possibles, ce que reflète d'ailleurs la structure des récepteurs. Imaginons que vous devez choisir un téléphone cellulaire dont il existe 3 formats et 6 couleurs possibles. Il existe donc 18 (3 × 6) combinaisons possibles. De la même façon, en combinant des composants variables, le système immunitaire arrive à assembler des millions de récepteurs différents à partir d'un très petit ensemble d'éléments.

Pour comprendre l'origine de la diversité des récepteurs, examinons un gène d'immunoglobuline (Ig) qui code pour la chaîne légère des récepteurs d'antigènes membranaires d'un lymphocyte B et des anticorps sécrétés (immunoglobulines). Nous n'analyserons qu'un seul gène de chaîne légère d'Ig, mais tous les récepteurs d'antigènes de lymphocytes B et T subissent des remaniements similaires.

La capacité de générer de la diversité repose sur la structure même des gènes d'Ig. Trois segments de gènes codent pour la chaîne légère d'un récepteur : un segment variable (*V*), un segment de jonction (*J*) et un segment constant (*C*). Les segments *V* et *J* codent ensemble pour la région variable de la chaîne du récepteur, tandis que le segment *C* code pour la région constante. Le gène de la chaîne légère d'immunoglobuline contient un seul segment *C*, une série de 40 segments *V* différents et 5 segments *J* différents. Tous ces fragments codant pour les régions V et J sont disposés en séries le long du gène (**figure 43.13**). Comme un gène fonctionnel est issu d'une copie de chaque type de segment, les morceaux peuvent être combinés de 200 manières différentes (40 *V* × 5 *J* × 1 *C*). Le nombre de combinaisons différentes de chaînes lourdes est encore plus grand, ce qui contribue d'autant à la diversité.

L'assemblage d'un gène d'Ig fonctionnel exige que l'ADN se recombine. Au début de la différenciation d'un lymphocyte B, un ensemble d'enzymes appelées collectivement *recombinase* relie un segment de gène *V* à un segment de gène *J*. Cette recombinaison élimine le long bout d'ADN qui les séparait, entraînant ainsi la formation d'un unique exon constitué d'un segment du gène *V* et d'un segment du gène *J*. Comme il y a seulement un intron entre les segments *J* et *C*, aucun autre réarrangement de l'ADN n'est nécessaire. Les segments *J* et *C* du produit de la transcription d'ARN se réuniront plutôt lorsque l'épissage retirera l'ARN intercalaire (voir la figure 17.12).

L'action de la recombinase est aléatoire, c'est-à-dire qu'elle peut lier n'importe quel des 40 segments de gènes *V* à n'importe quel des 5 segments de gènes *J*. Les gènes de chaîne légère et les gènes de chaîne lourde subissent le même type de remaniement. Dans une même cellule, toutefois, seulement un allèle du gène de chaîne légère et un allèle du gène de chaîne lourde sont remaniés. Ces remaniements sont permanents et transmis aux cellules filles durant la division du lymphocyte.

Une fois que le remaniement des gènes de chaîne légère et de chaîne lourde a eu lieu, les récepteurs d'antigènes peuvent

▼ **Figure 43.13 Le remaniement d'un gène d'immunoglobuline (anticorps).** Un gène fonctionnel qui encode le polypeptide à chaîne légère du récepteur d'antigène d'un lymphocyte B résulte de l'assemblage aléatoire des segments de gènes *V* et *J* (V_{39} et J_5 dans le présent exemple). La transcription, l'épissage et la traduction donnent une chaîne légère qui se combine avec un polypeptide issu d'un gène de chaîne lourde indépendamment remanié pour former un récepteur fonctionnel. Les lymphocytes B (et T) parvenus à maturation sont des exceptions au principe voulant que toutes les cellules somatiques d'un organisme renferment exactement la même copie d'ADN.

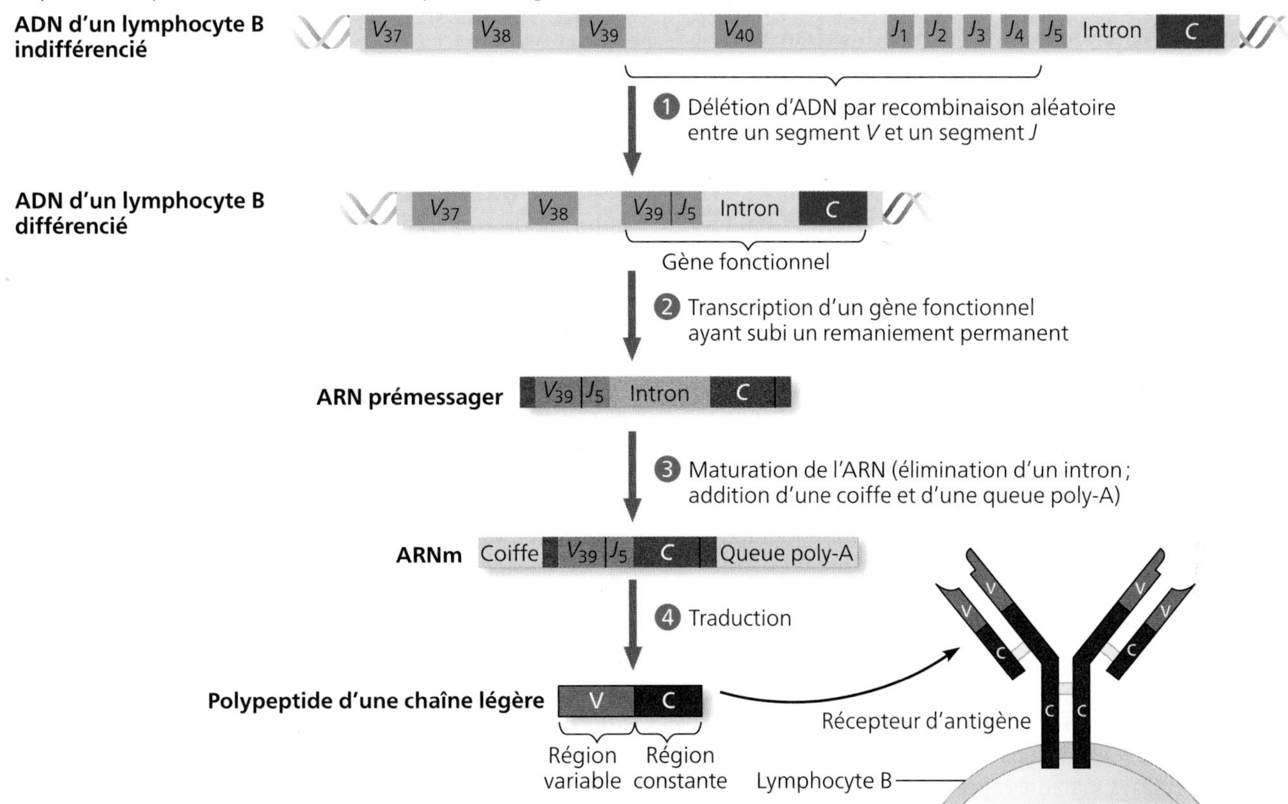

FAITES DES LIENS ▶ L'épissage alternatif et la jonction des segments *V* et *J* par recombinaison donnent des produits génétiques divers à partir d'un ensemble limité de segments de gènes. En quoi ces deux processus diffèrent-ils (voir la figure 18.13)?

être fabriqués. Les gènes remaniés sont transcrits, et les transcrits subissent une maturation qui les prépare à la traduction. Après la traduction, la chaîne légère et la chaîne lourde s'unissent et forment un récepteur d'antigène (voir la figure 43.13). Chaque paire de chaînes lourde et légère remaniée au hasard donne un site de fixation à l'antigène différent. Dans le cas de la population totale de lymphocytes B du corps humain, on a établi le nombre de combinaisons possibles à $3{,}5 \times 10^6$. Par ailleurs, les mutations qui ont lieu durant la recombinaison *VJ* ajoutent à la variation et augmentent encore plus le nombre de sites de fixation à l'antigène.

L'origine de la tolérance au soi

Dans l'immunité adaptative, comment l'organisme fait-il pour distinguer le soi du non-soi? Étant donné que les remaniements des gènes de récepteurs d'antigènes s'effectuent au hasard, certains lymphocytes encore immatures produisent des récepteurs d'antigènes qui sont spécifiques d'épitopes des molécules de l'organisme lui-même. Si ces lymphocytes autoréactifs n'étaient pas éliminés ou inactivés, le système immunitaire ne pourrait pas distinguer le soi du non-soi et attaquerait les protéines, les cellules et les tissus du soi. Heureusement, pendant la maturation des lymphocytes B et T dans la moelle osseuse rouge et le thymus, un contrôle des récepteurs d'antigènes permet de déceler une éventuelle autoréactivité. Une partie des lymphocytes B et T munis de récepteurs spécifiques de molécules du soi sont détruits par *apoptose,* ou mort cellulaire programmée (voir le concept 11.5). Le reste des lymphocytes autoréactifs deviennent habituellement non fonctionnels. Les lymphocytes restants, dits *naïfs*, sont ceux qui réagiront aux molécules étrangères s'ils rencontrent leurs antigènes respectifs. Ainsi, en temps normal, le corps ne comporte aucun lymphocyte mature qui réagit contre ses propres molécules, ce qui confère au système immunitaire une caractéristique essentielle, la *tolérance au soi.*

La prolifération des lymphocytes B et T

Malgré l'immense diversité des récepteurs d'antigènes, seule une infime fraction est spécifique d'un épitope donné. Dans ces conditions, comment une réponse immunitaire adaptative efficace est-elle possible? Le résultat de la présentation de l'antigène y est pour beaucoup. L'antigène est présenté aux lymphocytes naïfs en patrouille dans les nœuds lymphatiques (voir la figure 43.6), et lorsqu'il rencontre un récepteur d'antigène qui lui est complémentaire, il s'y fixe. Cet appariement entre un récepteur d'antigène et un épitope déclenche alors des événements qui activent le lymphocyte naïf porteur du récepteur complémentaire.

Une fois activé, le lymphocyte B ou T se divise plusieurs fois. La division de chaque lymphocyte activé donne un clone, c'est-à-dire une population de cellules identiques à la cellule mère. Une partie des cellules du clone deviennent des **cellules effectrices**. Les cellules effectrices ont pour la plupart une courte durée de vie et se mettent immédiatement à combattre l'antigène et tous les agents pathogènes produisant cet antigène. Les cellules effectrices des lymphocytes B sont des cellules plasmatiques appelées **plasmocytes**, qui sécrètent des anticorps, tandis que les cellules effectrices des lymphocytes T sont des lymphocytes T auxiliaires ou des lymphocytes T cytotoxiques, dont nous explorerons les rôles au concept 43.3. Les autres cellules du clone deviennent des **cellules mémoire**, dotées d'une longue durée de vie et pouvant donner naissance à des cellules effectrices si l'organisme entre à nouveau en contact avec le même antigène plus tard au cours de sa vie.

La prolifération d'un lymphocyte B en un clone a lieu en réponse à un antigène donné et aux signaux d'une cellule immunitaire. Ce clonage de lymphocytes en fonction d'un antigène particulier s'appelle **sélection clonale**, parce que la rencontre avec un antigène active de façon *sélective* le lymphocyte, qui se divisera pour donner naissance à une population *clonale* de milliers de lymphocytes spécifiques de cet épitope. Les lymphocytes possédant des récepteurs d'antigènes spécifiques d'autres antigènes ne réagissent pas.

La **figure 43.14** résume le processus de sélection clonale des lymphocytes B, qui donnent naissance à des cellules mémoire et à des plasmocytes. Lorsque ce sont des lymphocytes T qui subissent une sélection clonale, ils produisent plutôt des cellules T mémoire et des cellules T effectrices (lymphocytes T cytotoxiques et lymphocytes T auxiliaires).

La mémoire immunologique

On appelle *mémoire immunologique* la protection à long terme acquise contre certaines maladies après exposition aux agents pathogènes responsables. La varicelle est un exemple d'une telle maladie. Cette protection a été reconnue voilà 2 400 ans par l'historien grec Thucydide d'Athènes, qui rapporte dans ses écrits que les pestiférés malades étaient soignés par ceux qui avaient survécu à la maladie, « car nul ne souffrait de la peste à deux reprises ».

L'exposition antérieure à un antigène modifie la vitesse, l'intensité et la durée de la réponse immunitaire. La toute première fois qu'un organisme est exposé à un antigène, les cellules effectrices issues des clones de lymphocytes déclenchent une **réponse immunitaire primaire**. Cette réponse primaire culmine de 10 à 17 jours environ après l'exposition initiale. Pendant cette période, les lymphocytes B et T donnent naissance à leurs formes effectrices. Si le même organisme rencontre le même antigène une deuxième fois, la réaction de défense sera beaucoup plus rapide (de deux à sept jours), plus longue et plus intense. C'est la **réponse immunitaire secondaire**. Les différences qui existent entre la réponse immunitaire primaire et la réponse immunitaire secondaire ressortent clairement lorsqu'on représente graphiquement les concentrations d'anticorps spécifiques dans le sang en fonction du temps (**figure 43.15**).

La réponse immunitaire secondaire dépend des clones de cellules B et T mémoire formés en réponse à la première exposition à un antigène. Comme ces cellules ont une longue durée de vie, ce sont elles qui assurent la mémoire immunologique, qui peut s'étendre sur plusieurs décennies. (La plupart des cellules effectrices ont une durée de vie plus courte.) Quand l'organisme entre en contact avec le même antigène plus tard dans sa vie, les cellules mémoire spécifiques de cet antigène donnent

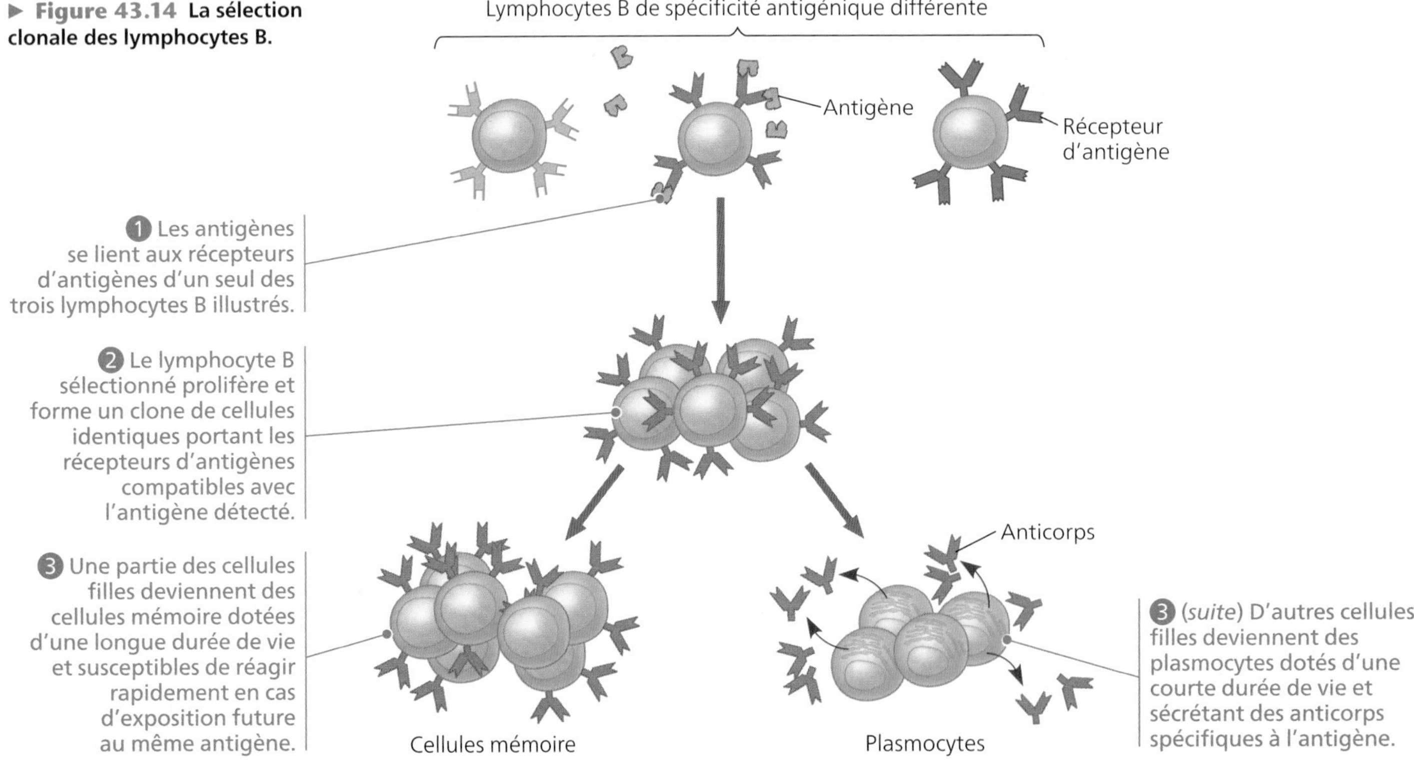

Lymphocytes B de spécificité antigénique différente
Antigène
Récepteur d'antigène
1 Les antigènes se lient aux récepteurs d'antigènes d'un seul des trois lymphocytes B illustrés.
2 Le lymphocyte B sélectionné prolifère et forme un clone de cellules identiques portant les récepteurs d'antigènes compatibles avec l'antigène détecté.
3 Une partie des cellules filles deviennent des cellules mémoire dotées d'une longue durée de vie et susceptibles de réagir rapidement en cas d'exposition future au même antigène.
Anticorps
3 (suite) D'autres cellules filles deviennent des plasmocytes dotés d'une courte durée de vie et sécrétant des anticorps spécifiques à l'antigène.
Cellules mémoire
Plasmocytes

▶ Figure 43.14 La sélection clonale des lymphocytes B.

HABILITÉS VISUELLES ▶ Par souci de simplicité, cette figure montre seulement quelques représentants de chaque type de cellule ou de molécule. À partir de ce que vous avez lu au concept 43.2, estimez le nombre de lymphocytes B différents et le nombre de récepteurs d'antigènes sur chaque lymphocyte B.

▼ **Figure 43.15 La spécificité de la mémoire immunologique.** Les cellules mémoire à longue durée de vie engendrées au cours de la réponse immunitaire primaire à l'antigène A donnent naissance à une réponse immunitaire secondaire plus intense au même antigène, mais n'influent pas sur la réponse primaire à un antigène différent (B).

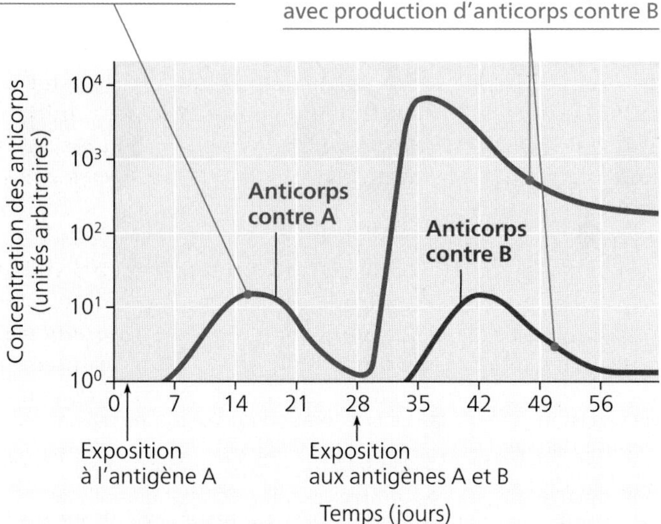

INTERPRÉTEZ LES DONNÉES ▶ Supposons qu'en moyenne, dans l'organisme, 1 lymphocyte B sur 100 000 est spécifique de l'antigène A au jour 16 et que le nombre de lymphocytes B produisant un anticorps spécifique de cet antigène est proportionnel à la concentration de cet anticorps. Selon vous, quelle sera la proportion des lymphocytes B spécifiques de l'antigène A au jour 36?

immédiatement naissance à des clones de milliers de cellules effectrices également spécifiques à cet antigène. Il en résulte une défense immunitaire encore plus efficace.

Les processus de la reconnaissance des antigènes, de la sélection clonale et de la mémoire immunologique sont similaires pour les lymphocytes B et les lymphocytes T, mais ces deux classes de lymphocytes combattent l'infection par des moyens différents et dans des circonstances différentes, comme nous allons le voir au concept 43.3.

RETOUR SUR LE CONCEPT 43.2

1. **FAITES UN DESSIN ▶** Dessinez un récepteur d'antigène de lymphocyte B et indiquez les régions V et C des chaînes légères et lourdes. Indiquez ensuite les parties suivantes: ponts disulfure, sites de fixation à l'antigène et région transmembranaire. Où ces dernières parties sont-elles situées par rapport aux régions V et C?
2. Nommez deux avantages que procurent les cellules mémoire quand notre organisme entre en contact avec un agent pathogène pour la seconde fois.
3. **ET SI? ▶** Si deux copies d'un gène de chaîne légère et d'un gène de chaîne lourde se recombinaient dans chaque lymphocyte B (diploïde), en quoi la maturation et la fonction du lymphocyte B seraient-elles différentes?

Voir les réponses proposées à l'appendice A.

CONCEPT 43.3

L'immunité adaptative combat l'infection des liquides corporels et des cellules de l'organisme

Maintenant que nous avons exploré la production des clones des lymphocytes, nous allons voir comment ces cellules aident à combattre les infections et à atténuer les dommages causés par les agents pathogènes. La protection conférée par les lymphocytes B et T relève de deux types de réponses: la réponse immunitaire humorale et la réponse immunitaire cellulaire. La **réponse immunitaire humorale** a lieu dans le sang et la lymphe, autrefois appelés humeurs (liquides), d'où le qualificatif *humorale*. Dans cette réponse immunitaire, les anticorps aident à neutraliser ou à détruire les toxines et les agents pathogènes, donc les antigènes exogènes présents dans le sang et la lymphe. Dans la **réponse immunitaire cellulaire**, ou à médiation cellulaire, des lymphocytes T spécialisés détruisent directement des cellules infectées, c'est-à-dire les cellules présentant des antigènes endogènes. Les réponses humorale et cellulaire comprennent toutes deux une réponse immunitaire primaire et une réponse immunitaire secondaire; ce sont les cellules mémoire qui permettent à la réponse secondaire d'avoir lieu.

Les lymphocytes T auxiliaires: des activateurs de l'immunité adaptative

C'est un type de lymphocyte T, appelé **lymphocyte T auxiliaire** (LTA), qui active la réponse humorale et la réponse cellulaire. Cette activation ne peut toutefois se faire qu'à deux conditions. Premièrement, une molécule étrangère doit se lier spécifiquement au récepteur d'antigène du LTA. Deuxièmement, cet antigène doit être exposé à la surface d'une **cellule présentatrice d'antigène**. La cellule présentatrice d'antigène peut être une cellule dendritique, un macrophagocyte ou un lymphocyte B.

À l'instar des cellules immunitaires, les cellules infectées exposent, elles aussi, les antigènes à leur surface. Quelle différence, donc, y a-t-il entre ces cellules et les cellules présentatrices d'antigène? En fait, la différence réside dans l'existence de deux classes de molécules du CMH. La plupart des cellules de l'organisme possèdent seulement des molécules du CMH de classe I, alors que les cellules présentatrices d'antigène ont à la fois les molécules du CMH de classe I et celles du CMH de classe II. Les molécules du CMH de classe I présentent des antigènes endogènes et des autoantigènes. Les molécules du CMH de classe II présentent des antigènes exogènes. Ce sont les molécules du CMH de classe II qui donnent à la cellule présentatrice d'antigène une signature moléculaire reconnaissable.

La présentation d'un épitope spécifique met en œuvre des interactions d'une très grande complexité entre un LTA naïf et une cellule présentatrice d'antigène (**figure 43.16**). Les récepteurs d'antigènes à la surface du LTA se lient au fragment d'antigène exogène et à la molécule du CMH de classe II qui présente ce fragment sur la cellule présentatrice d'antigène. Au même moment, une protéine accessoire appelée CD4 à la surface du LTA se lie à cette molécule du CMH de classe II afin d'aider les

▼ **Figure 43.16 Le rôle central des lymphocytes T auxiliaires dans les réponses immunitaires humorale et cellulaire.** Dans cet exemple, un lymphocyte T auxiliaire réagit à une cellule dendritique qui présente un antigène.

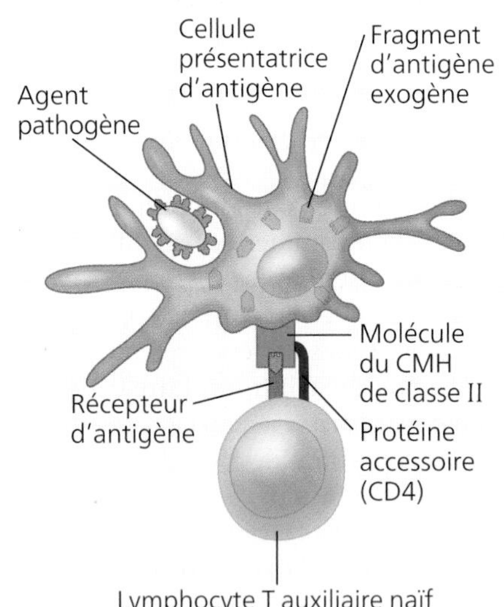

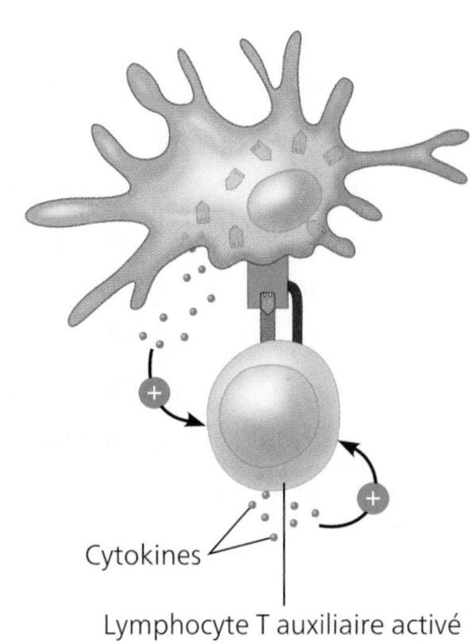

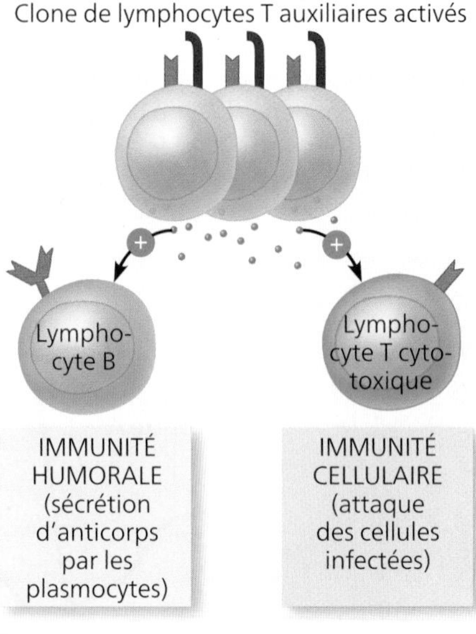

1 Après avoir capturé et dégradé un agent pathogène, une cellule présentatrice d'antigène expose des fragments d'antigène exogène formant un complexe avec des molécules du CMH de classe II à la surface de la cellule. Un lymphocyte T auxiliaire (LTA) spécifique s'attache à ce complexe par l'intermédiaire de son récepteur d'antigène et d'une protéine accessoire appelée CD4.

2 La liaison du LTA stimule la sécrétion de cytokines par la cellule présentatrice d'antigène. Ces cytokines ainsi que les cytokines du LTA lui-même activent le LTA et stimulent sa prolifération.

3 La prolifération du LTA donne naissance à un clone de LTA activés, qui sont tous dotés de récepteurs pour le même complexe CMH-fragment d'antigène. Ces LTA sécrètent d'autres cytokines qui contribuent à l'activation des lymphocytes B et des lymphocytes T cytotoxiques.

cellules à demeurer réunies. Durant cette interaction entre les deux cellules, des signaux émis sous la forme de cytokines sont échangés dans les deux directions. Par exemple, quand elle présente un antigène à un LTA, une cellule dendritique sécrète des cytokines qui, en collaboration avec l'antigène présenté, viennent activer le LTA, qui produit alors son propre ensemble de cytokines. Le contact prolongé entre les surfaces cellulaires donne aussi lieu à d'autres échanges d'information.

Les cellules présentatrices d'antigène interagissent avec les lymphocytes T auxiliaires dans plusieurs contextes. Par exemple, la présentation d'un antigène par une cellule dendritique ou un macrophagocyte active un LTA naïf, qui se divise ensuite et donne naissance à un clone de LTA activés. Les lymphocytes B, eux, présentent des antigènes aux LTA *déjà* activés, qui à leur tour activent les lymphocytes B eux-mêmes. Les LTA activés aident également à stimuler les lymphocytes T cytotoxiques, comme nous le verrons bientôt.

Les lymphocytes B et les anticorps réagissent aux agents pathogènes extracellulaires

La sécrétion d'anticorps est la caractéristique distinctive de la réponse immunitaire humorale, et elle débute par l'activation des lymphocytes B.

L'activation des lymphocytes B

Comme le montre la **figure 43.17**, l'activation de la réponse immunitaire humorale fait intervenir des lymphocytes T auxiliaires et des protéines de surface des agents pathogènes. Stimulé par l'antigène et les cytokines, le lymphocyte B prolifère et se différencie en lymphocytes B mémoire et en plasmocytes qui sécrètent des anticorps.

La voie du traitement d'un antigène et de sa présentation chez les lymphocytes B diffère de celles des autres cellules présentatrices d'antigène. Alors que le macrophagocyte et la cellule dendritique présentent des fragments provenant d'une grande variété d'antigènes protéiques, le lymphocyte B présente seulement l'antigène auquel il se lie spécifiquement. Quand les molécules d'un antigène se fixent pour la première fois aux récepteurs à la surface d'un lymphocyte B naïf, la cellule absorbe quelques molécules étrangères grâce à une endocytose par récepteurs interposés (voir la figure 7.19). La protéine du CMH de classe II du lymphocyte B présente alors un fragment à un LTA. Ce contact direct, de cellule à cellule, est essentiel à l'activation des lymphocytes B (voir l'étape 2 dans la figure 43.17).

L'activation d'un lymphocyte B provoque une imposante réponse immunitaire humorale : un seul lymphocyte B activé donne naissance à des milliers de plasmocytes identiques. Ces plasmocytes cessent d'exprimer le récepteur d'antigène lié à la membrane et commencent plutôt à sécréter la forme soluble du récepteur : des anticorps (voir l'étape 3 de la figure 43.17). Chaque plasmocyte sécrète environ 2 000 molécules d'anticorps par seconde, soit presque 1 milliard de molécules d'anticorps en tout pendant

▼ **Un plasmocyte.**

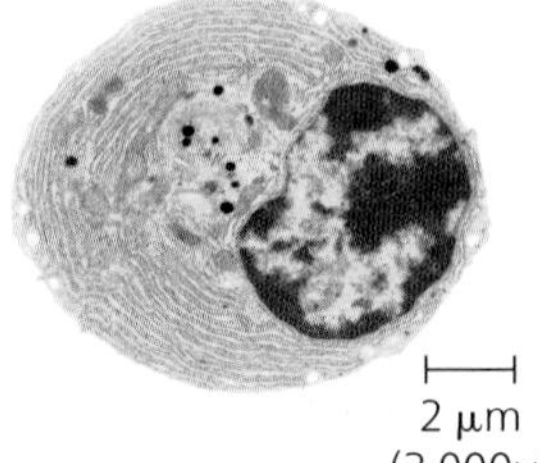

▼ Figure 43.17 L'activation d'un lymphocyte B dans la réponse immunitaire humorale. Pour amorcer une réponse humorale, la plupart des antigènes protéiques nécessitent l'intervention des lymphocytes T auxiliaires activés. Un macrophagocyte (illustré ici) ou une cellule dendritique peuvent activer un lymphocyte T auxiliaire (LTA) qui, à son tour, permet au lymphocyte B de donner naissance à des plasmocytes sécréteurs d'antigènes.

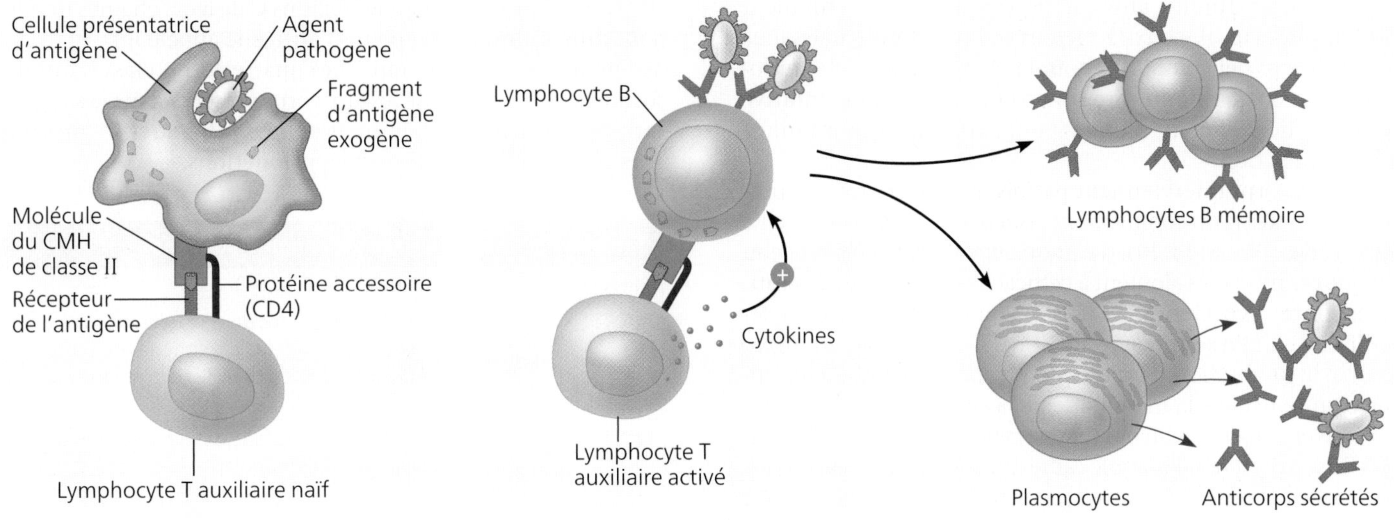

❶ Après avoir absorbé et dégradé un agent pathogène, la cellule présentatrice d'antigène présente un fragment d'antigène exogène associé à une molécule du CMH de classe II. Un LTA naïf qui reconnaît le complexe présenté est activé par des cytokines sécrétées par la cellule présentatrice d'antigène.

❷ Le lymphocyte B muni de récepteurs pour le même épitope absorbe l'antigène. Il présente ensuite un fragment de cet antigène exogène associé à une molécule du CMH de classe II. Un LTA activé portant des récepteurs spécifiques du fragment présenté se lie au lymphocyte B et l'active.

❸ Le lymphocyte B activé prolifère et se différencie en lymphocytes B mémoire et en plasmocytes sécrétant des anticorps. Les anticorps sécrétés sont spécifiques du même antigène bactérien qui a amorcé la réponse.

? Examinez les étapes illustrées dans cette figure, puis indiquez une fonction accomplie par les récepteurs d'antigènes de surface des lymphocytes B mémoire.

la durée de sa vie (4 ou 5 jours). En outre, comme la plupart des antigènes reconnus par les lymphocytes B contiennent de multiples épitopes, une exposition à un seul antigène activera donc normalement une grande variété de lymphocytes B, et ceux-ci sécréteront les différents plasmocytes qui produiront des anticorps dirigés contre les différents épitopes de ce même antigène.

La fonction des anticorps

Les anticorps ne détruisent pas directement les agents pathogènes en se liant à leurs antigènes. Ils perturbent plutôt leurs activités et les marquent de diverses manières afin de les inactiver ou de les préparer à être détruits. Pensons, par exemple, à la *neutralisation*, un processus au cours duquel l'anticorps se fixe à une protéine de surface d'un virus (**figure 43.18**). En se liant à ces protéines, les anticorps neutralisent les virus et les empêchent d'infecter une cellule hôte. Les anticorps se lient parfois à des toxines libérées dans les liquides corporels afin de les empêcher de pénétrer dans les cellules de l'organisme.

Dans un autre processus, l'*opsonisation*, la liaison des anticorps à des bactéries n'empêche pas l'infection ; elle favorise plutôt la reconnaissance par des macrophagocytes ou des neutrophiles et, par le fait même, facilite la phagocytose (**figure 43.19**). Étant donné que chaque anticorps possède deux sites de fixation de l'antigène, les anticorps peuvent aussi accélérer la phagocytose en liant ensemble des cellules bactériennes, des virus ou d'autres substances étrangères afin de former des agrégats : c'est l'*agglutination*.

Quand des anticorps facilitent la phagocytose par l'intermédiaire de l'opsonisation, par exemple, ils contribuent également

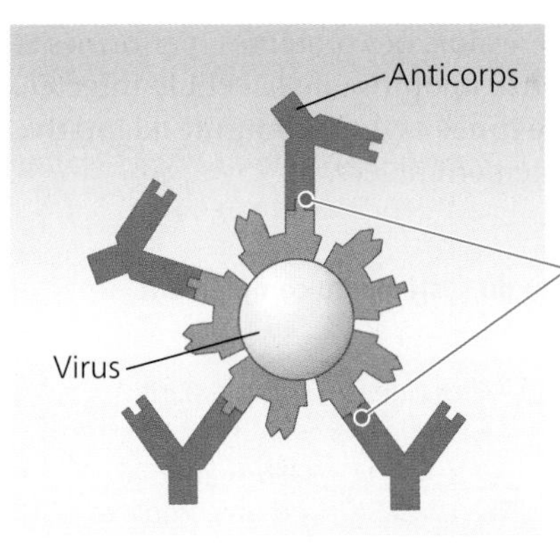

◄ Figure 43.18 La neutralisation.

Les anticorps liés aux antigènes de surface d'un virus neutralisent le virus en l'empêchant de se lier à une cellule hôte.

► Figure 43.19 L'opsonisation.

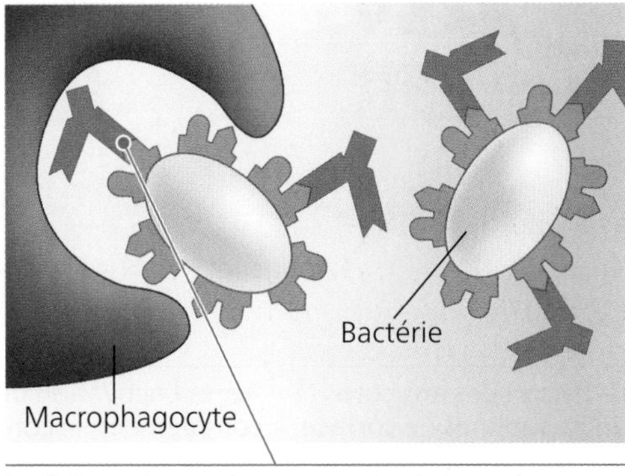

La liaison des anticorps aux antigènes de surface des bactéries facilite la phagocytose par les macrophagocytes et les neutrophiles.

à mieux cibler la réponse immunitaire humorale. Rappelez-vous que la phagocytose permet aux macrophagocytes et aux cellules dendritiques de présenter des antigènes aux lymphocytes T auxiliaires et de les stimuler afin que ceux-ci, à leur tour, stimulent des lymphocytes B, ceux-là mêmes qui ont donné naissance aux anticorps déjà mobilisés pour la phagocytose. Cette rétroactivation entre l'immunité innée et l'immunité adaptative permet le déploiement d'une réponse efficace et coordonnée contre l'infection.

Les anticorps interviennent parfois de concert avec les protéines du système du complément pour se débarrasser des agents pathogènes (**figure 43.20**). (Le nom *complément* fait référence au fait que ces protéines ajoutent à l'efficacité des attaques des anticorps contre les bactéries.) La liaison d'une protéine du complément à un complexe antigène-anticorps sur une cellule étrangère amorce la production d'un *complexe d'attaque membranaire* qui perce un pore dans la membrane de la cellule. Ce pore permet aux ions et à l'eau de pénétrer dans la cellule, qui gonfle et meurt. Qu'elle soit déclenchée dans le cadre des défenses innées ou dans le cadre des défenses adaptatives, cette cascade d'activités aboutit à la lyse des cellules étrangères et à la production de facteurs qui provoquent l'inflammation ou stimulent la phagocytose.

Les anticorps mènent leurs principales batailles dans les liquides corporels, mais il existe un autre mécanisme par lequel ils peuvent détruire des cellules infectées. Quand un virus détourne le mécanisme biosynthétique d'une cellule hôte pour produire ses propres protéines virales, celles-ci peuvent apparaître à la surface de la cellule infectée, ce qui constitue un antigène endogène. Si des anticorps spécifiques des épitopes de ces protéines virales se lient aux protéines exposées, il se forme des complexes dont la présence peut mobiliser une cellule tueuse naturelle. Cette cellule libère alors des protéines (perforines et granzymes) qui provoquent l'apoptose de la cellule infectée. Les activités de l'immunité innée et de l'immunité adaptative sont, encore une fois, étroitement reliées.

▼ **Figure 43.20 L'activation du système du complément et la formation de pores.**

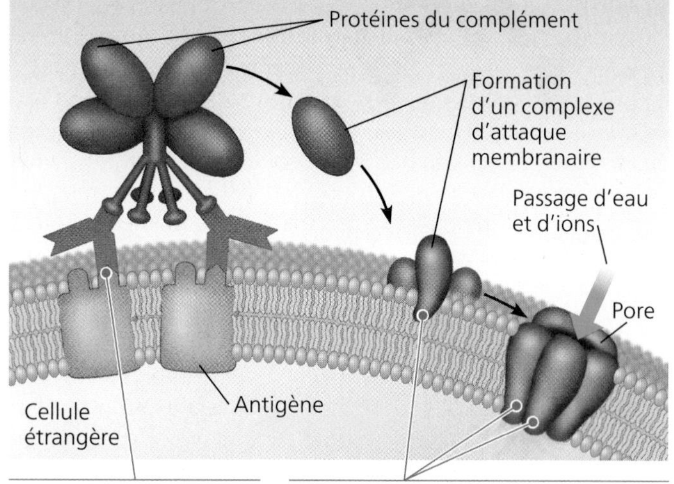

La liaison des anticorps aux antigènes de surface d'une cellule étrangère active le système du complément.

Après l'activation du système du complément, le complexe d'attaque membranaire perce des pores dans la membrane de la cellule étrangère. Ces pores laissent entrer de l'eau et des ions. La cellule gonfle et meurt.

Les lymphocytes B peuvent exprimer cinq types, ou *classes*, d'immunoglobulines (IgA, IgD, IgE, IgG et IgM). Pour un lymphocyte B donné, chaque classe possède la même spécificité de fixation à l'antigène, mais les régions C de leurs chaînes lourdes sont différentes. Le récepteur d'antigène appelé IgD est exclusivement lié à la membrane. Les quatre autres classes ont des formes solubles, comme les anticorps présents dans le sang, les larmes, la salive et le lait maternel. Le **tableau 43.1** présente les cinq classes d'anticorps et leurs fonctions.

Tableau 43.1 Les cinq classes d'immunoglobulines

Classe	Fonction
IgA Dimère	Les plus abondantes dans les sécrétions; empêchent les agents pathogènes de s'attacher aux cellules épithéliales des muqueuses et de l'épiderme.
IgD Monomère	Ancrées à la membrane des lymphocytes B; servent de récepteur d'antigène.
IgE Monomère	Se lient aux mastocytes et aux basophiles par l'intermédiaire de leur tige; déclenchent la sécrétion d'histamine lorsqu'elles sont activées par un antigène qui se fixe à leurs sites de liaison.
IgG Monomère	Principaux anticorps de la réponse immunitaire secondaire; neutralisent les antigènes; facilitent leur phagocytose et activent le système du complément.
IgM Pentamère	Premiers anticorps sécrétés par les plasmocytes durant la réponse immunitaire primaire; fixent et activent le système du complément. La forme monomère (non illustrée) est ancrée à la membrane des lymphocytes B; servent de récepteur d'antigène (comme les IgD).

Les lymphocytes T cytotoxiques réagissent aux cellules infectées

En l'absence de réponse immunitaire, les agents pathogènes peuvent se reproduire dans les cellules qu'ils infectent et les détruire (**figure 43.21**). Dans la réponse immunitaire cellulaire, les **lymphocytes T cytotoxiques** (LTC) utilisent des protéines toxiques pour détruire les cellules infectées par des virus ou d'autres agents pathogènes intracellulaires, et elles le font avant que ces agents pathogènes parviennent à maturité. Pour devenir actifs, les LTC naïfs doivent recevoir des signaux émis par des lymphocytes T auxiliaires et interagir avec une cellule présentatrice d'antigène endogène. Plus précisément, les LTC naïfs doivent se lier, à l'aide de leurs récepteurs d'antigènes, à une cellule présentatrice d'antigène qui affiche un antigène endogène associé avec le CMH de classe I. Pour que l'activation devienne opérationnelle, le LTC doit recevoir des signaux émis par le LT auxiliaire qui a été préalablement activé. Le LTC activé subit alors la sélection clonale et forme des cellules mémoire et des cellules effectrices. Les fragments de protéines étrangères synthétisées dans des cellules hôtes infectées,

▼ **Figure 43.21 La destruction d'une cellule hôte infectée par des lymphocytes T cytotoxiques.** Un lymphocyte T cytotoxique (LTC) activé libère des molécules qui perforent la membrane de la cellule infectée ainsi que des enzymes qui dégradent les protéines et provoquent la mort cellulaire.

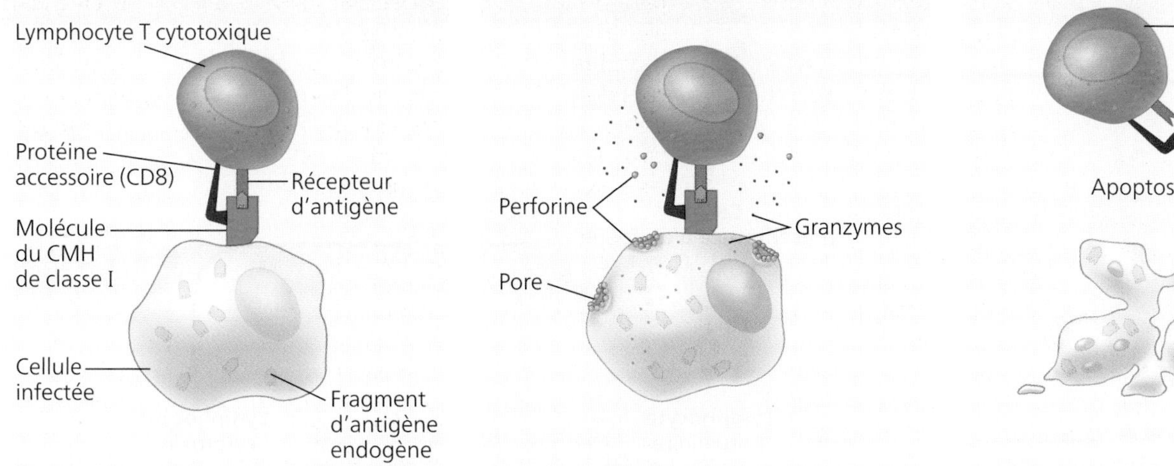

❶ Un LTC activé se fixe sur une cellule infectée par l'intermédiaire du complexe formé par le CMH de classe I et le fragment d'antigène endogène sur la cellule infectée. Cette liaison s'effectue au moyen de son récepteur d'antigène avec l'aide d'une protéine accessoire appelée CD8.

❷ Le LTC libère des molécules de perforine, qui perforent la membrane de la cellule infectée, et des granzymes (enzymes qui dégradent des protéines), qui pénètrent dans la cellule infectée par endocytose.

❸ Les granzymes amorcent l'apoptose dans la cellule infectée, ce qui mène à la fragmentation du noyau et du cytoplasme et, par la suite, à la mort de la cellule. Après la destruction de la cellule, le LTC peut attaquer d'autres cellules infectées.

les antigènes endogènes, s'associent aux molécules du CMH de classe I et sont exposés à la surface des cellules, où ils peuvent être reconnus par les LTC. Comme les lymphocytes T auxiliaires, les LTC possèdent une protéine accessoire qui se lie à la molécule du CMH. Cette protéine accessoire, appelée CD8, aide à garder les deux cellules en contact, le temps que le LTC détruise la cellule infectée.

La destruction d'une cellule hôte infectée par un lymphocyte T cytotoxique fait appel à la sécrétion de protéines (perforines et granzymes) qui altèrent l'intégrité de la membrane et provoquent la mort cellulaire (l'apoptose; voir la figure 43.21). Non seulement la mort de la cellule infectée prive l'agent pathogène d'un lieu de multiplication, mais elle l'expose aussi aux anticorps en circulation. La liaison des anticorps aux antigènes et l'élimination de l'agent pathogène s'en trouvent facilitées.

La réponse immunitaire humorale et la réponse immunitaire cellulaire: *un résumé*

Comme nous l'avons vu, les réponses immunitaires humorales et cellulaires peuvent comporter des réactions primaires et secondaires. Les cellules mémoire de chaque type – lymphocyte T auxiliaire, lymphocyte B et lymphocyte T cytotoxique – permettent la réaction secondaire. Par exemple, quand les liquides corporels sont réinfectés par un agent pathogène antérieurement responsable d'une infection, les lymphocytes B mémoire et les lymphocytes T auxiliaires mémoire enclenchent une réponse humorale secondaire. La **figure 43.22** résume l'immunité adaptative et schématise les événements qui déclenchent les réponses immunitaires humorale et cellulaire. Elle fait également ressortir les différences touchant la réponse immunitaire selon qu'elle a lieu dans les liquides corporels ou les cellules, ainsi que le rôle central des lymphocytes T auxiliaires.

L'immunisation

La protection conférée par la réponse immunitaire secondaire est à la base de l'**immunisation**, une opération qui consiste à mettre l'organisme en contact avec des antigènes dans le but de provoquer une réponse immunitaire adaptative et la production de cellules mémoire. En 1796, le médecin britannique Edward Jenner a observé que les femmes travaillant dans les laiteries qui avaient contracté la vaccine, une infection virale des vaches, résistaient à la variole, une maladie beaucoup plus dangereuse. Jenner a pratiqué la toute première immunisation connue (aussi appelée *vaccination*, du latin *vacca*, «vache»): il a utilisé le virus de la vaccine des vaches pour induire l'immunité adaptative contre le virus de la variole, très semblable. De nos jours, l'immunisation se fait au moyen de vaccins (préparations d'antigènes) fabriqués à partir de diverses sources, dont des toxines bactériennes inactives, des agents pathogènes morts ou affaiblis, des fragments d'agent pathogène et, même, des gènes qui codent pour des protéines microbiennes. Tous ces agents déclenchent une réponse immunitaire primaire et la mémoire immunitaire à long terme, grâce aux cellules mémoire (voir la figure 43.15). Une personne vaccinée qui entre en contact avec l'agent pathogène contre lequel elle a été immunisée manifestera la même réponse immunitaire secondaire qu'une personne ayant déjà eu la maladie.

Les programmes de vaccination ont permis de mettre un frein à beaucoup de maladies qui, autrefois, tuaient ou handicapaient des milliers de personnes. À la fin des années 1970, une campagne de vaccination à l'échelle mondiale a mené à l'éradication de la variole. Dans les pays développés, la vaccination systématique des nourrissons et des enfants a considérablement réduit l'incidence de maladies parfois dévastatrices comme la poliomyélite et la rougeole (**figure 43.23**). Malheureusement, on ne dispose pas de vaccins contre tous les agents pathogènes, et

▼ **Figure 43.22** La réponse immunitaire adaptative.

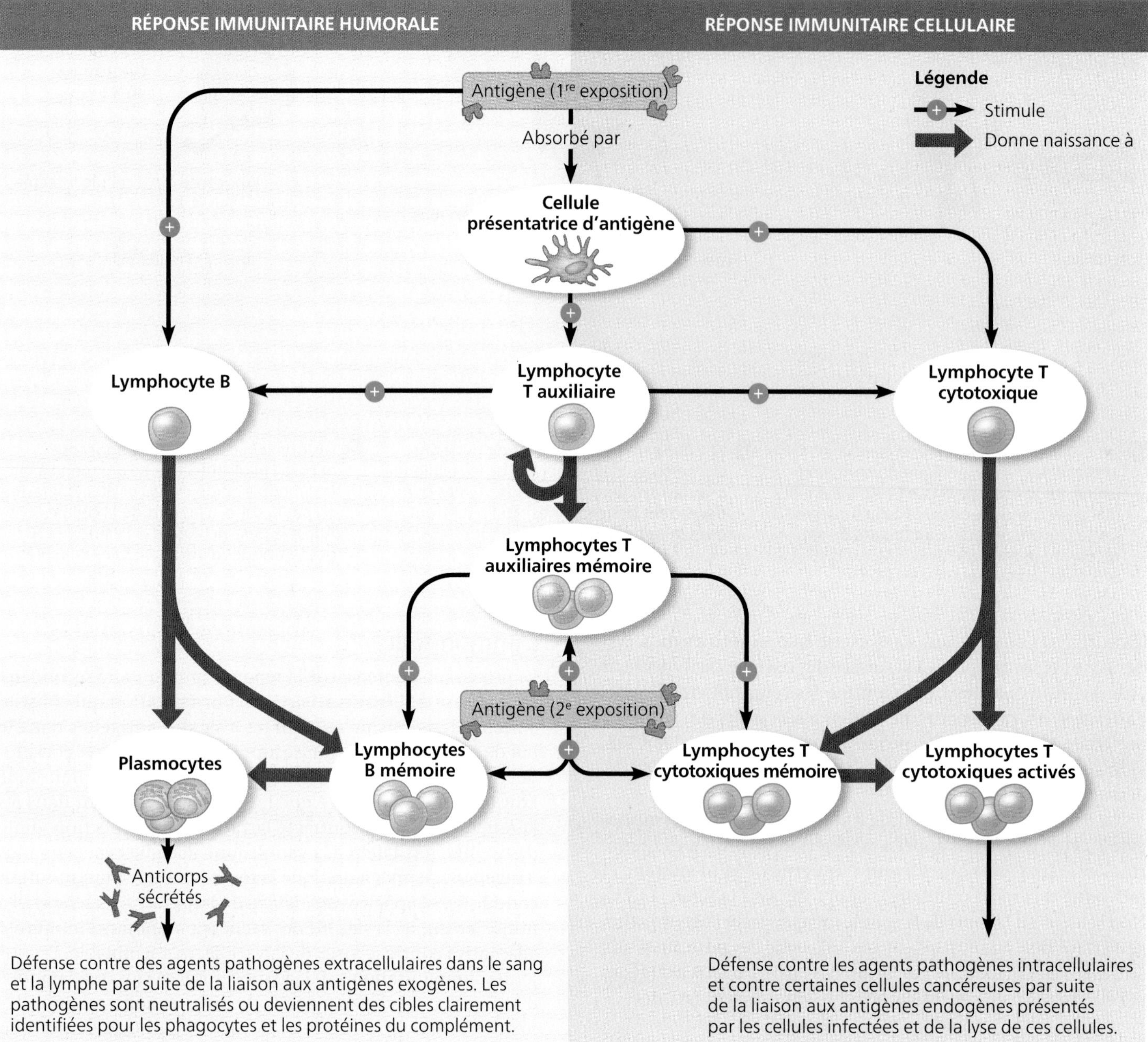
RÉPONSE IMMUNITAIRE HUMORALE
RÉPONSE IMMUNITAIRE CELLULAIRE
Légende
Stimule
Donne naissance à
Antigène (1re exposition)
Absorbé par
Cellule présentatrice d'antigène
Lymphocyte B
Lymphocyte T auxiliaire
Lymphocyte T cytotoxique
Lymphocytes T auxiliaires mémoire
Antigène (2e exposition)
Plasmocytes
Lymphocytes B mémoire
Lymphocytes T cytotoxiques mémoire
Lymphocytes T cytotoxiques activés
Anticorps sécrétés
Défense contre des agents pathogènes extracellulaires dans le sang et la lymphe par suite de la liaison aux antigènes exogènes. Les pathogènes sont neutralisés ou deviennent des cibles clairement identifiées pour les phagocytes et les protéines du complément.
Défense contre les agents pathogènes intracellulaires et contre certaines cellules cancéreuses par suite de la liaison aux antigènes endogènes présentés par les cellules infectées et de la lyse de ces cellules.

HABILETÉS VISUELLES ▶ Indiquez les flèches faisant partie de la réponse immunitaire primaire et celles faisant partie de la réponse immunitaire secondaire.

certains vaccins ne sont pas disponibles facilement dans les régions défavorisées du monde.

La désinformation au sujet de l'innocuité des vaccins et les craintes relatives aux effets secondaires causent un problème de santé publique de plus en plus préoccupant. Prenons l'exemple de la rougeole. Les effets secondaires du vaccin contre la rougeole sont extrêmement rares: moins de 1 enfant sur 1 million présente une réaction allergique grave à ce vaccin. La maladie, par contre, est demeurée très dangereuse: bon an mal an, elle tue plus de 200 000 personnes. Malheureusement, la baisse des taux de vaccination contre la rougeole aux Pays-Bas, en Russie et aux États-Unis a entraîné de récentes flambées de la maladie et beaucoup de décès évitables. En 2014-2015, une éclosion de rougeole a été déclenchée par un visiteur du parc thématique de Disney dans le Sud de la Californie. La maladie s'est propagée dans plusieurs États et a infecté de nombreuses personnes de tous les groupes d'âge (de 6 à 70 ans).

L'immunité active et l'immunité passive

Jusqu'à maintenant, notre exploration a surtout porté sur l'**immunité active**, celle qui s'obtient naturellement après une exposition à un agent pathogène (par infection ou vaccination) et qui se manifeste par une réponse immunitaire. Un autre type d'immunité est conféré lorsque les anticorps IgG d'une femme enceinte sont transmis au fœtus par l'intermédiaire du placenta.

▶ **Figure 43.23 La protection par la vaccination contre deux maladies contagieuses potentiellement mortelles.** Les deux graphiques représentent le nombre annuel de décès causés par la poliomyélite et la rougeole, respectivement, aux États-Unis. Les cartes du monde montrent les progrès réalisés pour éradiquer ces maladies.

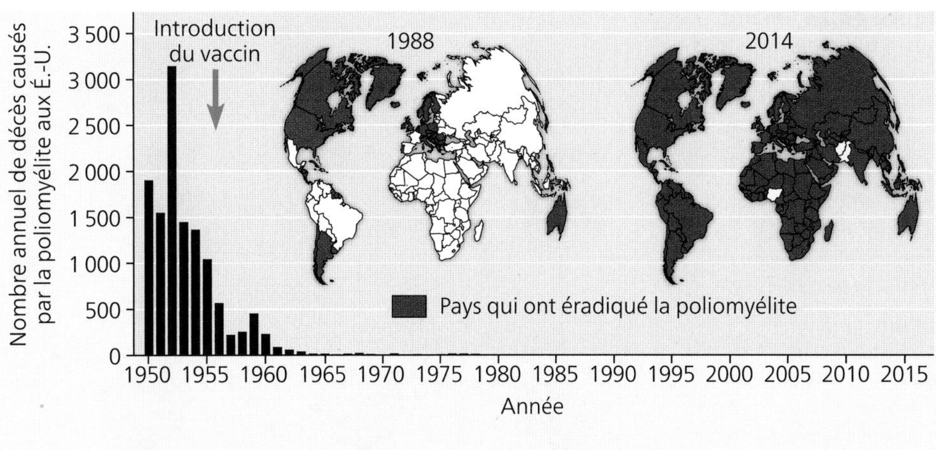

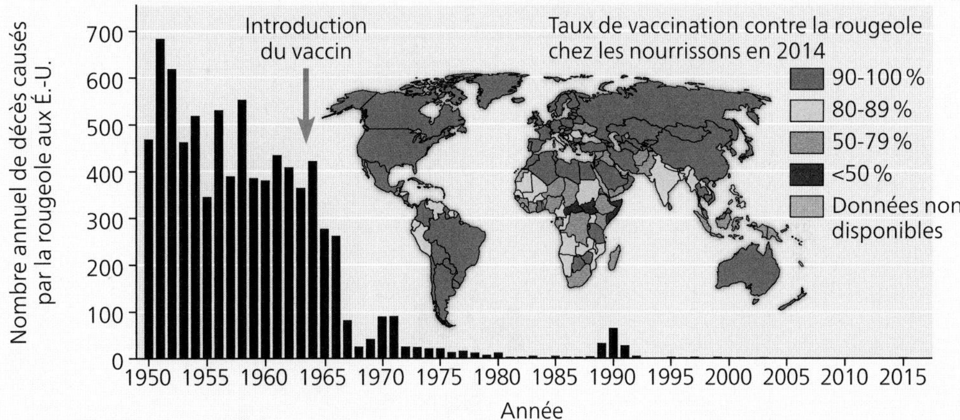

Cette immunité est appelée **immunité passive**, parce que les anticorps du receveur (le fœtus) sont produits par un autre individu (la mère). Après la naissance, les anticorps IgA contenus dans le lait maternel protègent le tube digestif du bébé contre les infections jusqu'à ce que son propre système immunitaire se soit développé. Étant donné que l'immunité passive ne sollicite pas l'action des lymphocytes B et T du receveur, elle procure une protection immédiate, mais dont la durée ne dépasse pas celle des anticorps produits (quelques semaines à quelques mois).

Dans l'immunisation passive artificielle, les anticorps d'un animal qui a déjà acquis l'immunité sont injectés à un autre animal qui n'est pas immunisé. Par exemple, une personne qui a été mordue par une chauve-souris est parfois traitée avec un sérum antirabique, que l'on a obtenu de chevaux immunisés contre le virus de la rage. Quand le sérum antirabique est administré dans les heures suivant la morsure, les anticorps du sérum administré peuvent neutraliser les virus avant qu'ils ne causent d'importants dommages.

Les anticorps: des outils

Les anticorps qu'un animal produit après avoir rencontré un antigène sont les produits de nombreux clones différents de plasmocytes, qui correspondent chacun spécifiquement à un épitope différent. Il est toutefois possible d'obtenir en laboratoire des **anticorps monoclonaux** que l'on prépare à partir d'une seule lignée clonale de lymphocytes B mis en culture. Tous les anticorps monoclonaux produits dans une telle culture sont identiques et spécifiques au même type d'épitope d'un antigène.

Les anticorps monoclonaux ont grandement contribué aux progrès récents accomplis par la médecine. Par exemple, les tests de grossesse font appel à des anticorps monoclonaux pour révéler la présence de l'hormone gonadotrophine chorionique humaine (hCG). Étant donné que l'hCG est produite dès l'implantation de l'embryon dans l'utérus (voir le concept 46.5), sa présence dans l'urine est un indicateur fiable de la grossesse et permet donc de la détecter très tôt. On a aussi recours à l'injection d'anticorps monoclonaux pour traiter de nombreuses maladies humaines, dont certains types de cancer.

Un des plus récents outils diagnostiques permet de répertorier tous les virus qu'une personne a rencontrés dans sa vie à la suite d'une infection ou d'une vaccination à partir d'une simple goutte de sang. Pour détecter les anticorps que la personne a produits contre ces virus, les chercheurs utilisent une banque d'environ 100 000 bactériophages qui présentent chacun un peptide différent provenant des quelque 200 espèces de virus qui infectent les humains. La **figure 43.24** donne un aperçu du fonctionnement de cette technique diagnostique.

Le rejet immunitaire

Le système immunitaire effectue la distinction entre les cellules de l'organisme et les agents pathogènes envahisseurs, mais il peut aussi attaquer les cellules provenant d'autres individus. Par exemple, un fragment de peau greffé sur une personne génétiquement différente du donneur aura une apparence saine pendant environ une semaine, mais il sera détruit (rejeté) ensuite par la réponse immunitaire du receveur. Il s'avère que les molécules du

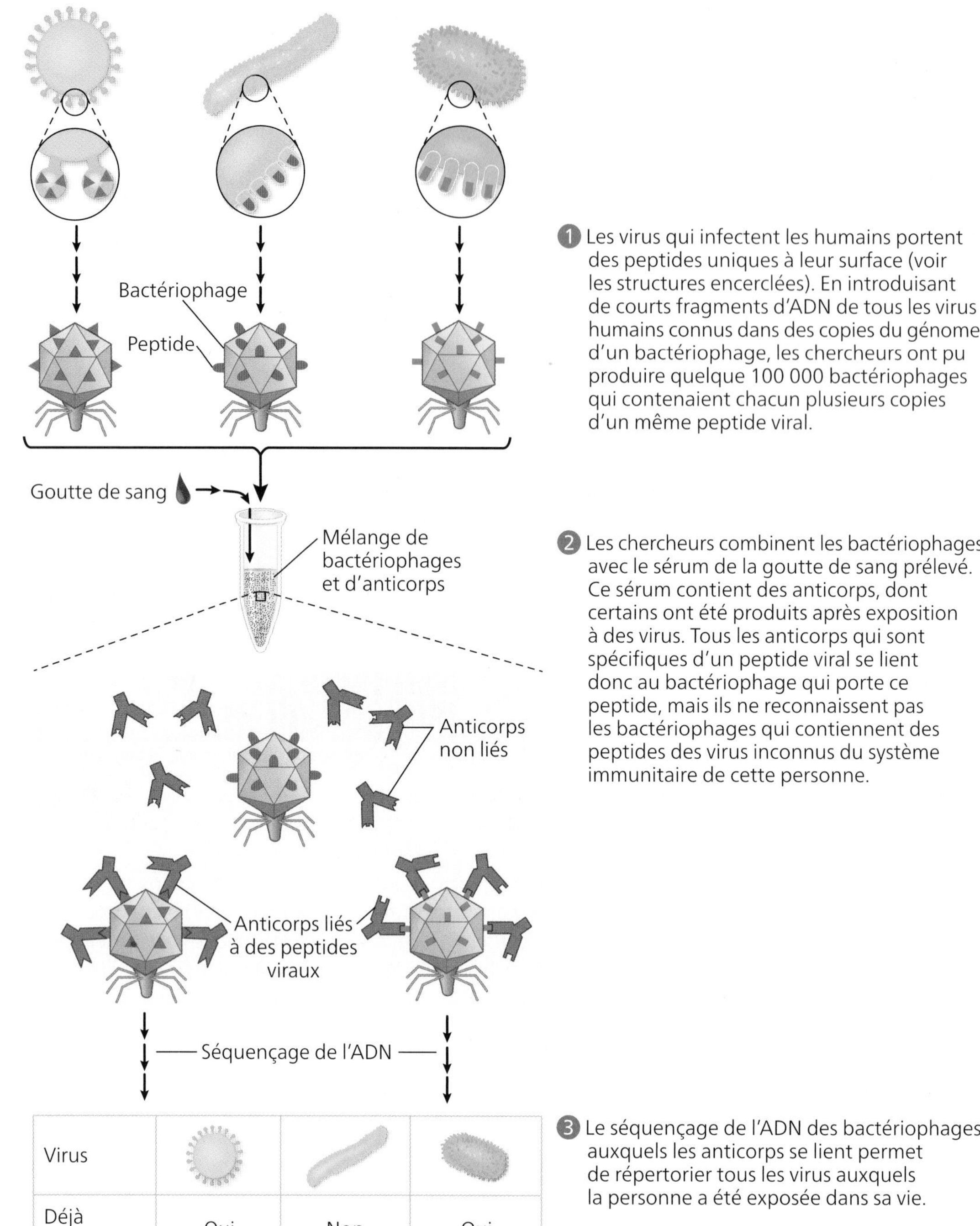

Bactériophage
Peptide
1 Les virus qui infectent les humains portent des peptides uniques à leur surface (voir les structures encerclées). En introduisant de courts fragments d'ADN de tous les virus humains connus dans des copies du génome d'un bactériophage, les chercheurs ont pu produire quelque 100 000 bactériophages qui contenaient chacun plusieurs copies d'un même peptide viral.
Goutte de sang
Mélange de bactériophages et d'anticorps
2 Les chercheurs combinent les bactériophages avec le sérum de la goutte de sang prélevé. Ce sérum contient des anticorps, dont certains ont été produits après exposition à des virus. Tous les anticorps qui sont spécifiques d'un peptide viral se lient donc au bactériophage qui porte ce peptide, mais ils ne reconnaissent pas les bactériophages qui contiennent des peptides des virus inconnus du système immunitaire de cette personne.
Anticorps non liés
Anticorps liés à des peptides viraux
Séquençage de l'ADN
Virus
Déjà rencontré ?
Oui
Non
Oui
3 Le séquençage de l'ADN des bactériophages auxquels les anticorps se lient permet de répertorier tous les virus auxquels la personne a été exposée dans sa vie.

▶ **Figure 43.24 Un test exhaustif qui répertorie tous les virus rencontrés dans le passé.** En combinant la puissance du séquençage de l'ADN avec la spécificité de la reconnaissance des antigènes par les anticorps, des chercheurs ont pu identifier chaque virus que le système immunitaire d'une personne a affronté au cours de sa vie.

ET SI ? ▶ Pour tous les anticorps illustrés ici, un seul site de liaison à l'antigène est occupé. Si un même anticorps se lie à deux bactériophages, en quoi cela changera-t-il les résultats ?

CMH sont très souvent responsables de ce type de rejet. Pourquoi ? Parce que chacun de nous exprime des protéines du CMH dont la synthèse est commandée par plus d'une douzaine de gènes différents. De plus, chez l'humain, il existe plus d'une centaine de versions différentes (ou allèles) des gènes du CMH. Par conséquent, il est pratiquement impossible, sauf chez les jumeaux homozygotes, que deux personnes aient le même ensemble de protéines du CMH à la surface de leurs cellules. Ce sont ces différences qui peuvent déclencher une réponse immunitaire chez le receveur d'une greffe ou d'une transplantation, réponse qui se soldera par un rejet. Pour atténuer le risque de rejet dans le cas de transplants non identiques, il faut utiliser le tissu d'un donneur dont les molécules du CMH présentent un maximum de compatibilité avec celles du receveur. De plus, le receveur doit absorber divers médicaments pour supprimer les réponses immunitaires (mais ces médicaments le rendront plus susceptible de souffrir d'une infection).

Les groupes sanguins et les transfusions sanguines

En ce qui concerne les transfusions sanguines, le système immunitaire du receveur est capable de reconnaître les glucides étrangers présents à la surface des érythrocytes ; le cas échéant, il déclenchera une réponse immédiate et catastrophique. Pour éviter ce danger, la transfusion doit impérativement tenir compte du système sanguin ABO du donneur et du receveur. Les érythrocytes du groupe sanguin A portent le glucide A à leur surface. De la même façon, les érythrocytes du groupe B portent le glucide B et ceux du groupe AB portent à la fois les glucides A et B. Quant aux érythrocytes du groupe O, ils ne portent aucun de ces glucides (voir la figure 14.11).

Pourquoi le système immunitaire reconnaît-il certains glucides présents sur les érythrocytes ? Parce que certaines bactéries auxquelles nous sommes exposés possèdent des épitopes très semblables aux glucides des érythrocytes humains. Une personne du groupe A réagira donc à l'épitope bactérien similaire au glucide B et fabriquera des anticorps qui réagiront avec n'importe quel glucide B introduit dans son organisme lors d'une transfusion. Mais elle ne fabriquera pas d'anticorps visant les épitopes bactériens semblables aux glucides A, parce que les lymphocytes qui réagissent aux molécules du soi sont inactivés ou détruits au cours du développement.

Pour comprendre l'incidence des groupes sanguins ABO sur les transfusions, poursuivons avec l'exemple d'une personne du groupe A qui reçoit une transfusion de sang du groupe B. Ses anticorps anti-B déclencheront une réponse immunitaire marquée par la lyse des érythrocytes transfusés, qui s'accompagnera de frissons, de fièvre, d'un état de choc et de troubles rénaux. De même, les anticorps anti-A présents dans le sang du groupe B du donneur agiront contre les érythrocytes du groupe A du receveur. Bien que ce type de réaction empêche les personnes du groupe O de recevoir des transfusions de tout autre groupe sanguin, la récente découverte d'enzymes pouvant éliminer les glucides A et B à la surface des érythrocytes pourrait contourner le problème dans le futur.

RETOUR SUR LE CONCEPT **43.3**

1. Si un enfant naît sans thymus, quelles sont les cellules et les fonctions qui feront défaut à son organisme ? Expliquez votre réponse.
2. Lorsqu'on traite des anticorps avec une certaine protéase, les chaînes lourdes sont coupées en deux, de sorte que les deux bras de la molécule en forme de Y sont libres. Comment ces anticorps peuvent-ils continuer à fonctionner ?
3. **ET SI ?** ▶ Une personne mordue par une chauve-souris reçoit un sérum antirabique. Pourquoi le même traitement pourrait-il avoir des résultats différents dans le cas d'une seconde morsure ?

Voir les réponses proposées à l'appendice A.

CONCEPT **43.4**

Un dérèglement de la fonction immunitaire peut entraîner ou exacerber des maladies

L'immunité adaptative confère une protection considérable contre une foule d'agents pathogènes, mais elle n'est pas infaillible. Dans la présente et dernière partie de ce chapitre, nous nous pencherons sur les problèmes de santé causés par la suppression ou l'altération du système immunitaire. Nous verrons ensuite certaines adaptations qui sont apparues chez les agents pathogènes au cours de l'évolution et qui leur permettent d'affaiblir la réponse immunitaire adaptative de leurs hôtes.

Les réponses immunitaires excessives, autodirigées ou diminuées

Les interactions des lymphocytes avec des substances étrangères et les interactions des lymphocytes entre eux ou avec les autres cellules du corps sont extrêmement complexes. Elles offrent une protection extraordinaire contre de nombreux agents pathogènes. Il arrive toutefois que les allergies, les affections auto-immunes ou certaines formes d'immunodéficience perturbent ce fragile équilibre et soient à l'origine de troubles souvent sérieux.

Les allergies

Les allergies sont des réactions d'hypersensibilité (réactions excessives) à certains antigènes, appelés **allergènes**. Les allergies les plus courantes font intervenir des anticorps de la classe des IgE. Par exemple, la rhinite allergique (ou « rhume des foins ») affecte actuellement environ 10 % de la population au Québec et plus de 15 % de la population âgée de 15 à 50 ans en France. Cette réaction survient lorsque les plasmocytes sécrètent des anticorps IgE qui se lient spécifiquement aux allergènes à la surface des grains de pollen (**figure 43.25**). Certains des anticorps IgE s'attachent par leur base aux mastocytes présents dans les

▼ **Figure 43.25 Les mastocytes, les IgE et la réaction allergique.** Dans cet exemple, des grains de pollen constituent l'allergène.

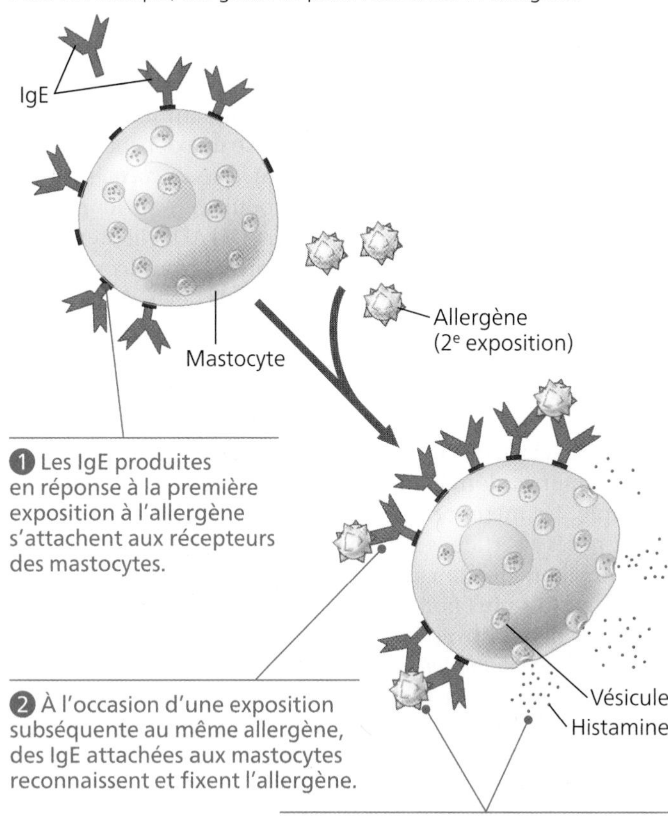

IgE
Mastocyte
Allergène (2e exposition)
❶ Les IgE produites en réponse à la première exposition à l'allergène s'attachent aux récepteurs des mastocytes.
❷ À l'occasion d'une exposition subséquente au même allergène, des IgE attachées aux mastocytes reconnaissent et fixent l'allergène.
Vésicule
Histamine
❸ La réticulation des molécules d'IgE adjacentes libère de l'histamine et d'autres substances chimiques, ce qui cause des symptômes d'allergie.

tissus conjonctifs. C'est ainsi qu'une personne prédisposée est sensibilisée à l'antigène spécifique du pollen. Par la suite, chaque fois qu'un grain de pollen pénètre dans son corps et lie simultanément deux IgE adjacentes, les mastocytes libèrent dans leur environnement de l'histamine et d'autres agents inflammatoires. Ces molécules de signalisation agissent sur différentes cellules et sont à l'origine des symptômes typiques de l'allergie : les éternuements, l'écoulement nasal, les larmes et les contractions des muscles lisses dans les bronches, qui peuvent provoquer des difficultés respiratoires. Les antihistaminiques sont des médicaments qui atténuent les symptômes d'allergie en bloquant les récepteurs de l'histamine.

Une réaction allergique aiguë peut causer un *choc anaphylactique*, soit une réaction potentiellement mortelle de tout l'organisme. Le choc anaphylactique se produit lorsque la libération massive d'agents inflammatoires par les cellules immunitaires provoque une constriction des bronchioles et une dilatation démesurée des vaisseaux sanguins périphériques, laquelle provoque une chute subite de la pression sanguine. La mort peut survenir en quelques minutes en raison des difficultés respiratoires et du faible débit sanguin. Le venin d'abeille, la pénicilline, les arachides et les fruits de mer font partie des substances susceptibles de provoquer un choc anaphylactique chez les personnes qui y sont extrêmement allergiques. Celles-ci doivent d'ailleurs toujours porter sur elles un auto-injecteur contenant une dose d'adrénaline. L'injection d'adrénaline neutralise rapidement la réaction allergique en provoquant une constriction des vaisseaux sanguins périphériques, une diminution de l'enflure de la gorge et un relâchement de la musculature pulmonaire, ce qui facilite la respiration (voir la figure 45.20b).

Les maladies auto-immunes

Chez certains individus, il peut arriver que le système immunitaire attaque des molécules du soi, provoquant une **maladie auto-immune**. Cette perte de tolérance du soi peut se manifester de diverses façons. Dans le cas du *lupus érythémateux systémique*, le système immunitaire produit des anticorps qui s'attaquent notamment aux histones et à l'ADN libérés par la dégradation normale des cellules du corps. Les anticorps autoréactifs causent des éruptions cutanées, de la fièvre, de l'arthrite et des troubles rénaux. Parmi les autres cibles des lymptocytes T cytotoxiques auto-immuns, mentionnons les cellules bêta du pancréas (diabète de type 1) et la gaine de myéline qui se forme autour de certains neurones (sclérose en plaques).

Plusieurs facteurs influent sur la prédisposition aux maladies auto-immunes, dont l'hérédité, le sexe et l'environnement. Par exemple, les membres de certaines familles sont davantage prédisposés à certaines maladies auto-immunes, et les femmes en sont plus fréquemment atteintes que les hommes. Ainsi, elles sont neuf fois plus nombreuses que les hommes à souffrir de lupus, et deux à trois fois plus nombreuses à être atteintes de *polyarthrite rhumatoïde*, une maladie inflammatoire douloureuse qui endommage les tissus cartilagineux et osseux des articulations (**figure 43.26**). Les causes de cette prédisposition liée au sexe, de même que l'incidence accrue des maladies auto-immunes dans les pays industrialisés, demeurent controversées et font l'objet de plusieurs recherches.

À l'heure actuelle, les études portant sur les maladies auto-immunes s'intéressent tout particulièrement à l'activité des *lymphocytes T régulateurs*. Ces lymphocytes T spécialisés contribuent

▼ **Figure 43.26 Une radiographie de mains déformées par l'arthrite rhumatoïde.**

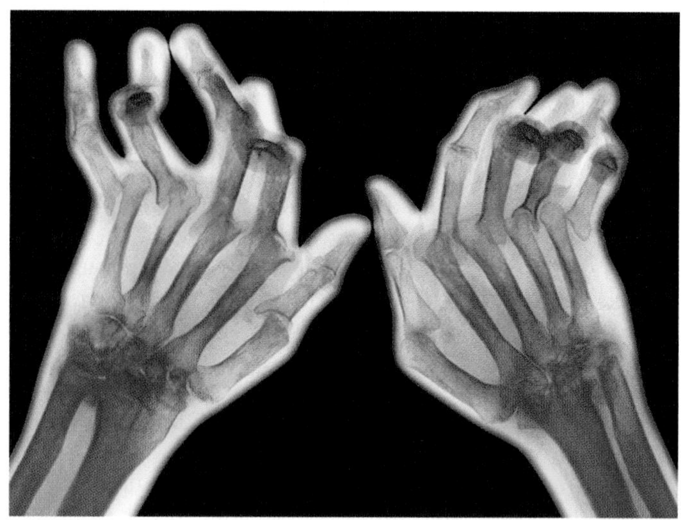

à la modulation de l'activité immunitaire et préviennent le déclenchement de réponses aux auto-antigènes.

L'effort, le stress et le système immunitaire

L'effort et le stress influent sur la fonction immunitaire. Par exemple, l'exercice modéré améliore la fonction du système immunitaire et diminue considérablement la vulnérabilité au rhume et aux autres infections des voies respiratoires supérieures. En revanche, l'exercice jusqu'à l'épuisement peut augmenter la fréquence des infections et en aggraver les symptômes. Des études effectuées chez des marathoniens appuient la conclusion selon laquelle l'intensité de l'exercice est une variable déterminante. Globalement, ces coureurs sont moins malades que leurs congénères sédentaires durant leurs périodes d'entraînement, où leur activité physique est intensive, mais pas jusqu'à épuisement. Toutefois, ils tombent beaucoup plus souvent malades durant la période qui suit immédiatement l'épreuve épuisante que constitue un marathon. De même, il a été démontré que le stress psychologique dérègle le système immunitaire parce qu'il altère les interactions entre les systèmes endocrinien, nerveux et immunitaire (voir la figure 45.19). Des recherches récentes confirment également que le repos est important pour l'immunité : les adultes qui dorment moins de 7 heures par jour en moyenne contractent trois fois plus souvent le virus du rhume lorsqu'ils y sont exposés que les adultes qui dorment en moyenne au moins 8 heures par jour.

Les maladies de l'immunodéficience

L'incapacité du système immunitaire à protéger le corps contre des agents pathogènes ou des cellules cancéreuses qu'il devrait normalement pouvoir combattre est appelée immunodéficience. Quelles que soient la cause et la nature de l'immunodéficience, une personne atteinte d'une telle maladie est sujette à des infections fréquentes et récurrentes, et est également plus susceptible de souffrir de certains cancers.

Les *déficits immunitaires héréditaires* sont attribuables à des anomalies génétiques ou développementales dans diverses cellules du système immunitaire ou dans la production de protéines particulières, notamment les anticorps ou certains composants du complément. Selon l'anomalie en cause, les défenses innées, les défenses adaptatives, ou les deux, peuvent être insuffisantes. Dans le cas d'un *déficit immunitaire combiné sévère*, les deux types de défense adaptative, humorale et cellulaire, cessent de fonctionner. Sans réponse immunitaire adaptative fonctionnelle, les personnes atteintes de cette maladie génétique sont sujettes à des infections qui peuvent être fatales en bas âge, comme la pneumonie et la méningite. Le traitement consiste à greffer des cellules souches ou de la moelle osseuse.

Au cours de la vie, l'exposition à certains agents chimiques ou biologiques peut entraîner une *immunodéficience acquise*. Par exemple, les médicaments utilisés pour lutter contre les maladies auto-immunes ou pour empêcher le rejet d'un transplant inhibent le fonctionnement du système immunitaire, ce qui provoque un état d'immunodéficience. Par ailleurs, certains cancers détruisent le système immunitaire, surtout la maladie de Hodgkin, qui endommage le système lymphatique. Les déficits immunitaires acquis vont d'états temporaires, qui peuvent survenir à l'occasion d'un stress physiologique, au **syndrome d'immunodéficience acquise** (**sida**), qui est causé par un virus et dont les conséquences sont catastrophiques. Nous nous pencherons sur le cas du sida dans la prochaine section.

Les adaptations évolutives qui permettent aux agents pathogènes d'échapper au système immunitaire

ÉVOLUTION De la même façon que les systèmes immunitaires qui combattent les agents pathogènes ont évolué chez les animaux, les mécanismes qui suscitent des réponses immunitaires ont évolué chez les agents pathogènes. Nous prendrons l'exemple des agents pathogènes humains pour décrire trois mécanismes communs: la variation antigénique, la latence et l'attaque directe du système immunitaire.

La variation antigénique

Un des mécanismes utilisés par les agents pathogènes pour échapper au système immunitaire de leur hôte consiste à modifier leur apparence. La mémoire immunologique est un répertoire des épitopes étrangers qu'un animal a déjà rencontrés. Si un agent pathogène qui exprimait certains épitopes répertoriés ne les exprime plus, il peut réinfecter l'hôte ou y vivre sans déclencher la réponse rapide et intense des cellules mémoire. La modification de l'expression des épitopes est appelée *variation antigénique*. Le parasite qui cause la maladie du sommeil (trypanosomiase africaine) en est un exemple extrême. Ce parasite, appelé trypanosome (*Trypanosoma brucei*), possède environ 1 000 versions différentes de la protéine qui recouvre sa surface; en changeant périodiquement de version, cet agent pathogène peut continuer à vivre dans le corps de son hôte sans susciter de réponse immunitaire adaptative efficace. Dans la rubrique **Habiletés scientifiques**, vous interpréterez des données concernant cette forme de variation antigénique et la réponse immunitaire de l'organisme.

Le mécanisme de la variation antigénique explique pourquoi le virus de l'influenza, ou grippe, demeure un problème de santé publique majeur. Lors de sa réplication d'un humain à l'autre, le virus de l'influenza humain mute fréquemment. Puisque tout changement qui a pour effet de rendre le virus méconnaissable pour le système immunitaire constitue un avantage sélectif, ce virus accumule les mutations qui modifient ses protéines de surface et, par le fait même, diminue l'efficacité de la réponse immunitaire de son hôte. C'est pourquoi il faut chaque année mettre au point un nouveau vaccin antigrippal, le produire et le distribuer. De plus, il se forme parfois de nouvelles souches, car le virus humain de la grippe échange des gènes avec les virus grippaux qui touchent les animaux d'élevage comme le porc ou le poulet. Lorsque cela se produit, il peut arriver qu'aucune cellule mémoire de la population humaine ne soit en mesure de reconnaître la nouvelle souche. Une mutation de ce genre peut être désastreuse, comme celle qui a causé l'épidémie de grippe de 1918-1919 et qui a tué plus de 20 millions de personnes dans le monde.

La latence

Certains virus échappent au système immunitaire en infectant des cellules pour ensuite entrer dans un état pratiquement inactif appelé *latence*. Comme les virus latents cessent de fabriquer la plupart de leurs protéines virales et ne produisent habituellement plus de virus libres, ils ne suscitent pas de réponse immunitaire adaptative. Cependant, le génome viral persiste dans le noyau des cellules infectées, soit comme petite molécule d'ADN distincte, soit comme copie intégrée dans le génome de l'hôte. Cet état de latence se poursuit jusqu'à l'apparition de conditions favorables à la transmission virale ou défavorables à la survie de l'hôte, par exemple lorsque l'hôte est infecté par un autre agent pathogène. Ces conditions déclenchent la synthèse et la libération de virus libres qui peuvent infecter de nouveaux hôtes.

Les virus de l'herpès simplex, qui s'établissent eux-mêmes dans les neurones sensitifs humains, sont un bon exemple de latence. Le virus de type 1 cause la plupart des cas d'herpès buccal, tandis que le virus de type 2 est responsable de la plupart des cas d'herpès génital. Comme les neurones sensitifs expriment relativement peu de molécules du CMH I, les cellules infectées ne présentent pas efficacement les antigènes viraux aux lymphocytes circulants. Des stimulus tels que la fièvre, le stress émotionnel ou la menstruation réactivent le virus, qui se réplique alors et infecte les tissus épithéliaux voisins. L'activation du type 1 peut causer des vésicules autour de la bouche qu'on appelle «feux sauvages». Le virus de type 2, lui, peut causer des vésicules génitales, mais les personnes infectées par le type 1 ou 2 sont souvent asymptomatiques. L'infection par le virus de type 2, transmissible sexuellement, représente une importante menace pour la santé des bébés de mères infectées et peut augmenter le risque de transmission du VIH, le virus qui cause le sida.

L'attaque du système immunitaire par le VIH

Le **virus de l'immunodéficience humaine** (**VIH**), qui cause le sida, est capable à la fois d'échapper au système immunitaire et de l'attaquer. Une fois qu'il a pénétré dans l'organisme, le VIH infecte les lymphocytes T auxiliaires avec beaucoup d'efficacité en se liant spécifiquement à la protéine accessoire CD4 (voir la figure 43.17). Le virus infecte également d'autres types de cellules qui ont de faibles taux de CD4, notamment les macrophagocytes et les neurones. Dans la cellule, le génome d'ARN du VIH fait l'objet d'une transcription inverse. L'ADN produit est intégré dans le génome de la cellule hôte et dirige la production de nouvelles particules virales (voir la figure 19.8). Sous cette forme, le génome viral peut diriger la production de nouvelles particules virales.

DÉMARCHE SCIENTIFIQUE

HABILETÉS SCIENTIFIQUES

Comparer deux variables sur un même axe

■ COMMENT LE SYSTÈME IMMUNITAIRE RÉAGIT-IL À UN AGENT PATHOGÈNE CHANGEANT ? ■ La sélection naturelle favorise les parasites capables de maintenir chez un hôte une infection de faible intensité, mais sur une longue période. *Trypanosoma*, le parasite unicellulaire qui cause la maladie du sommeil, en est un exemple. Les glycoprotéines situées à la surface d'un trypanosome sont codées par un gène qui est répliqué plus de 1 000 fois dans le génome de ce parasite. Chaque copie est légèrement différente des autres. En passant d'un gène à l'autre, le trypanosome se trouve à porter des glycoprotéines dont les structures moléculaires diffèrent constamment. Dans le présent exercice, vous allez interpréter deux ensembles de données afin d'explorer des hypothèses sur les avantages des glycoprotéines changeantes au regard de la réponse immunitaire de l'hôte.

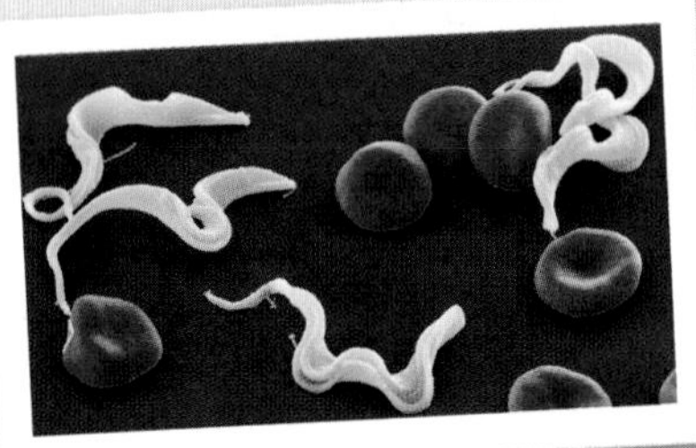

■ PARTIE A : DONNÉES D'UNE ÉTUDE SUR LA QUANTITÉ DE PARASITES ■ Dans cette étude, les chercheurs ont mesuré la quantité de parasites se trouvant dans le sang d'un sujet humain durant les premières semaines d'une infection chronique.

Jour	Quantité de parasites (en millions) par mL de sang
4	0,1
6	0,3
8	1,2
10	0,2
12	0,2
14	0,9
16	0,6
18	0,1
20	0,7
22	1,2
24	0,2

■ PARTIE A : INTERPRÉTEZ LES DONNÉES ▼

1. Représentez les données du tableau dans un diagramme linéaire. Pour ce faire, demandez-vous d'abord dans quelle colonne du tableau se trouve la variable indépendante et dans laquelle se trouve la variable dépendante. Représentez la variable indépendante sur l'axe des *x*. (Pour en savoir plus sur les diagrammes, voir l'appendice F.)
2. La représentation graphique aide parfois à faire ressortir les tendances d'un ensemble de données. Décrivez toutes les tendances qui se dégagent de votre diagramme.
3. En supposant qu'une baisse de la quantité de parasites signifie que la réponse immunitaire de l'hôte est efficace, formulez une hypothèse qui explique la tendance que vous avez dégagée à la question 2.

■ PARTIE B : DONNÉES D'UNE ÉTUDE SUR LA QUANTITÉ D'ANTICORPS ■ Plusieurs décennies après que des scientifiques eurent observé pour la première fois les tendances relatives au nombre de *Trypanosoma* au cours d'une infection, des chercheurs ont identifié des anticorps spécifiques de différentes variantes des glycoprotéines de surface du parasite. Le tableau ci-dessous présente la quantité relative de deux de ces anticorps en début d'infection. L'échelle utilisée s'étend de 0 (anticorps absents) à 1.

Jour	Anticorps spécifiques de la variante A des glycoprotéines	Anticorps spécifiques de la variante B des glycoprotéines
4	0	0
6	0	0
8	0,2	0
10	0,5	0
12	1	0
14	1	0,1
16	1	0,3
18	1	0,9
20	1	1
22	1	1
24	1	1

■ PARTIE B : INTERPRÉTEZ LES DONNÉES ▼

4. Notez que les données de la partie B ont été recueillies durant la même période (jours 4 à 24 de l'infection) que les données de la partie A. Vous pouvez donc incorporer les données de la partie B au diagramme que vous avez fait dans la partie A, en utilisant de nouveau l'axe des *x*. Toutefois, comme la quantité d'anticorps n'est pas mesurée de la même façon que la quantité de parasites, ajoutez un autre axe des *y* du côté droit de votre diagramme, avec l'échelle appropriée. Ensuite, à l'aide de couleurs différentes ou de symboles différents, inscrivez les données des deux types d'anticorps. L'ajout d'un second axe des *y* vous permet d'observer comment deux variables dépendantes changent en fonction de la même variable indépendante.
5. Décrivez les tendances que vous observez en comparant les deux ensembles de données pour la même période. Ces tendances vont-elles dans le sens de l'hypothèse que vous avez formulée dans la partie A ? Prouvent-elles votre hypothèse ? Expliquez votre réponse.
6. De nos jours, les scientifiques peuvent également distinguer la quantité de trypanosomes reconnus spécifiquement par les anticorps anti-A et les anticorps anti-B. En quoi votre diagramme serait-il différent si vous y incorporiez cette donnée ?

Sources des données : L. J. Morrison et coll., Probabilistic order in antigenic variation of *Trypanosoma brucei*, *International Journal for Parasitology* 35 : 961-972 (2005) ; L. J. Morrison et coll., Antigenic variation in the African trypanosome : Molecular mechanisms and phenotypic complexity, *Cellular Microbiology* 1 : 1724-1734 (2009).

Le système immunitaire réagit adéquatement à l'infection par le VIH et lance des attaques qui détruisent une bonne partie des virus, mais certains d'entre eux lui échappent invariablement. Cet échec est en partie attribuable au taux de mutation très élevé du VIH durant sa réplication. La modification des protéines de surface de certains virus mutants rend difficile l'interaction avec les anticorps et les lymphocytes T cytotoxiques, de sorte que certains mutants se multiplient et subissent d'autres mutations. Le VIH se trouve donc à évoluer constamment dans l'organisme. Le mécanisme de latence contribue également à la présence persistante du VIH. Quand l'ADN du virus s'incorpore au chromosome d'une cellule hôte, mais sans produire de nouvelles protéines ou particules virales, il se protège du système immunitaire en restant ainsi tapi et inactif. Cet ADN viral est alors protégé non seulement du système immunitaire, mais également des médicaments antiviraux présentement utilisés contre le VIH, puisque ces médicaments n'attaquent que les virus en cours de réplication active.

Au fil du temps et en l'absence de traitement, l'infection par le VIH ne fait pas qu'échapper au système immunitaire : elle le supprime (**figure 43.27**). La reproduction du virus et la destruction des cellules par celui-ci provoquent la disparition des lymphocytes T auxiliaires, de sorte que les réponses immunitaires humorale et cellulaire deviennent déficientes. C'est alors que peut se manifester le **syndrome d'immunodéficience acquise** (**sida**), caractérisé par une grande vulnérabilité à des infections et à des cancers que le système immunitaire est normalement capable de combattre. Par exemple, une infection causée par *Pneumocystis jirovecii*, un eumycète très répandu, peut provoquer des pneumonies graves chez une personne atteinte du sida, alors qu'elle est repoussée chez un individu bien portant. Ces maladies opportunistes, de même que les troubles neurologiques et un affaiblissement généralisé, sont les principales causes de décès chez les sidéens, et non le VIH lui-même.

Le VIH se transmet d'une personne à l'autre par l'intermédiaire de liquides corporels infectés, notamment le sperme, le sang et le lait maternel. Les relations sexuelles non protégées (c'est-à-dire sans utilisation de préservatif) et l'emploi de seringues contaminées par le VIH (généralement par des toxicomanes s'injectant des drogues intraveineuses) sont à l'origine de la plupart des cas d'infection au VIH. Le virus peut pénétrer dans le corps par les muqueuses du vagin, de la vulve, du pénis ou du rectum durant les rapports sexuels ou par la bouche lors des pratiques sexuelles orales. Les personnes infectées par le VIH peuvent transmettre la maladie au cours des semaines qui suivent l'exposition au virus, c'est-à-dire *avant* de produire des anticorps qu'une analyse sanguine révélerait. À l'heure actuelle, entre 10 et 50 % de tous les nouveaux cas d'infections par le VIH semblent causés par des personnes infectées depuis peu. À ce jour, l'infection par le VIH est toujours incurable, bien que certains médicaments puissent ralentir la réplication du virus et l'évolution de la maladie jusqu'au stade du sida.

▼ **Figure 43.27 L'évolution d'une infection par le VIH en l'absence de traitement.**

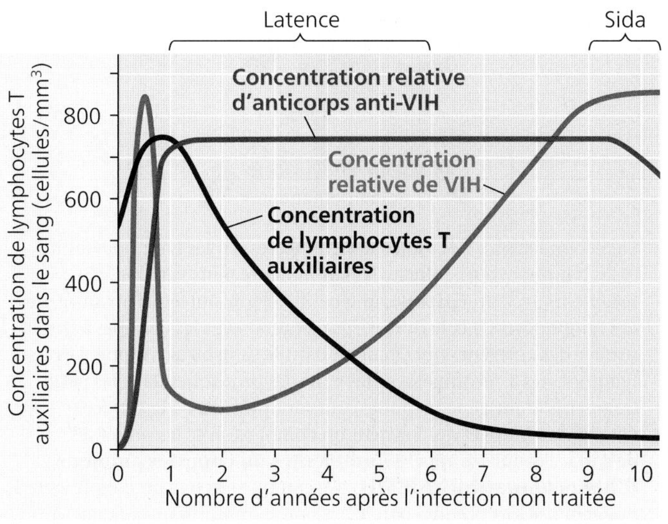

Le cancer et l'immunité

Lorsque l'immunité adaptative est déficiente, l'incidence de certains cancers augmente de façon spectaculaire. Par exemple, le risque de souffrir d'un sarcome de Kaposi est 20 000 fois plus grand chez les sidéens non traités que chez les gens bien portants. Cette observation est inattendue : si le système immunitaire reconnaît seulement le non-soi, alors il devrait être incapable de reconnaître la croissance anarchique des cellules du soi, laquelle caractérise le cancer. Toutefois, il semble que les virus contribuent à 15 ou 20 % environ de tous les cancers humains. Comme le système immunitaire peut reconnaître la nature étrangère des protéines virales, il peut combattre les virus qui causent le cancer ainsi que les cellules cancéreuses qui abritent ces virus. Un vaccin contre le virus de l'hépatite B, mis au point en 1986, a d'ailleurs été le tout premier vaccin contribuant à prévenir un cancer humain.

Dans les années 1970, Harald zur Hausen, un chercheur vivant à Heidelberg en Allemagne, a posé l'hypothèse que le papillomavirus humain (VPH) causait le cancer du col utérin. Son hypothèse a laissé perplexes beaucoup de scientifiques qui imaginaient difficilement que ce cancer puisse être associé à une infection par le VPH, l'agent pathogène le plus souvent transmis sexuellement. Cependant, après plus de 10 années de travail, zur Hausen a été capable d'isoler deux types particuliers de VPH chez des patientes atteintes du cancer du col utérin. Il en a rapidement préparé des échantillons afin de permettre à d'autres scientifiques de corroborer ses travaux, ce qui a permis en 2006 de mettre au point des vaccins très efficaces contre le cancer du col utérin. L'image produite par ordinateur qu'on peut voir à la **figure 43.28** montre une particule du VPH. On peut voir les nombreuses copies de la protéine capside (en jaune) qu'on utilise comme antigène dans le vaccin.

► **Figure 43.28 Le papillomavirus humain (VPH).**

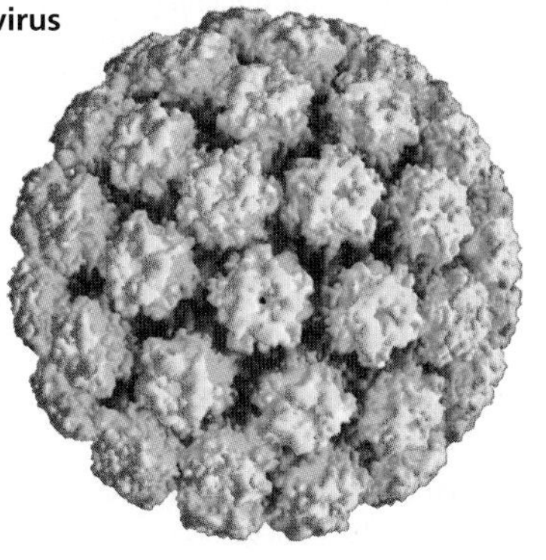

Le cancer du col utérin compte pour de 4 à 6 % des cancers féminins en Amérique du Nord et en Europe et pour de 20 à 30 % dans les pays du tiers monde. Responsable de 270 000 décès annuellement, il est le cinquième cancer le plus répandu chez les femmes dans le monde. Les jeunes filles et jeunes femmes qui reçoivent le vaccin contre le VPH, soit Gardasil ou Cervarix, présentent un risque beaucoup plus faible d'être infectées par les types de VPH qui causent des cancers du col utérin, des cancers de la bouche ainsi que des verrues génitales. En 2008, le chercheur Harald zur Hausen a reçu le prix Nobel de physiologie ou médecine pour sa découverte.

RETOUR SUR LE CONCEPT 43.4

1. La myasthénie est une maladie neuromusculaire causée par la liaison d'anticorps avec certains récepteurs de l'acétylcholine aux jonctions neuromusculaires. Cette liaison bloque les récepteurs et empêche la contraction musculaire. Doit-on parler d'immunodéficience, de maladie auto-immune ou d'allergie ? Expliquez votre réponse.
2. Les personnes atteintes de l'herpès simplex de type 1 ont souvent des feux sauvages autour de la bouche en même temps qu'un rhume ou une infection de ce genre. Pourquoi cet emplacement est-il avantageux pour le virus ?
3. ET SI ? ▶ Comment un déficit en macrophagocytes est-il susceptible de nuire aux défenses innées et adaptatives ?

Voir les réponses proposées à l'appendice A.

RÉVISION DU CHAPITRE 43

Consultez votre MANUEL NUMÉRIQUE, qui vous donne accès aux **animations**, aux **exercices** et à la plateforme d'**anatomie interactive**.

Résumé des concepts clés

CONCEPT 43.1

Dans l'immunité innée, la reconnaissance et la réponse reposent sur des caractères communs à des groupes d'agents pathogènes (p. 1046 à 1051)

- Chez les invertébrés et les vertébrés, l'**immunité innée** est assurée par des barrières chimiques et physiques ainsi que des barrières cellulaires. L'activation des réponses immunitaires innées repose sur des protéines de reconnaissance qui sont spécifiques d'une grande variété d'agents pathogènes. Les agents pathogènes qui franchissent les défenses innées externes sont ingérés par des phagocytes, qui comprennent, chez les vertébrés, les **macrophagocytes** et les **cellules dendritiques**. Les **cellules tueuses naturelles** font aussi partie des défenses cellulaires et peuvent détruire les cellules infectées par des virus. Les protéines du **système du complément**, les **interférons** et d'autres peptides antimicrobiens jouent également un rôle dans la défense de l'organisme contre les agents pathogènes. Dans la **réaction inflammatoire localisée**, l'**histamine** et d'autres substances chimiques sont libérées dans la région lésée et agissent sur les vaisseaux sanguins, qui laissent alors passer plus facilement les cellules immunitaires.
- Certains agents pathogènes réussissent cependant à échapper aux défenses immunitaires innées. Par exemple, certaines bactéries ont une capsule qui empêche le système immunitaire de les reconnaître, tandis que d'autres sont résistantes à la dégradation dans les lysosomes.

? Comment l'immunité innée protège-t-elle le tube digestif des mammifères ?

CONCEPT 43.2

Dans l'immunité adaptative, la reconnaissance repose sur des récepteurs spécifiques des agents pathogènes (p. 1051 à 1057)

- L'**immunité adaptative** repose sur l'intervention de deux types de lymphocytes, qui se développent à partir de cellules souches de la moelle osseuse : les **lymphocytes B** et les **lymphocytes T**. Les lymphocytes possèdent des **récepteurs d'antigènes** membranaires qui se lient spécifiquement aux molécules étrangères (**antigènes**). Tous les récepteurs d'antigènes situés sur un même lymphocyte B ou T sont spécifiques du même antigène, mais les millions de lymphocytes B et T du corps ont des récepteurs qui reconnaissent des molécules différentes. Une infection active les lymphocytes B et T spécifiques. Certains lymphocytes T aident d'autres lymphocytes ; d'autres détruisent les cellules hôtes infectées. Les lymphocytes B appelés **plasmocytes** produisent des protéines solubles appelées **anticorps**, qui se lient aux molécules et aux cellules étrangères. Les lymphocytes B et T activés appelés **cellules mémoire** défendent l'organisme contre une infection par un agent pathogène qu'ils ont déjà rencontré.

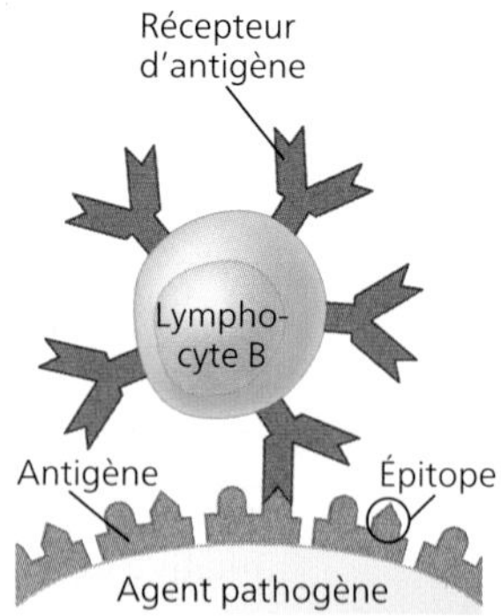

- La reconnaissance des molécules étrangères par les lymphocytes B et les lymphocytes T sollicite la liaison des régions variables des récepteurs avec un **épitope**, une petite région située sur un antigène. Les lymphocytes B et les anticorps reconnaissent les épitopes à la surface des antigènes qui circulent dans le sang ou la lymphe. Les lymphocytes T reconnaissent les épitopes protéiques dans les petits fragments d'antigène (peptides) qui sont présentés à la surface des cellules hôtes et qui forment un complexe avec les protéines de surface cellulaire appelées **molécules du complexe majeur d'histocompatibilité** (**CMH**). Ce complexe active un lymphocyte T, qui peut dès lors prendre part à la réponse immunitaire adaptative.

- Les quatre principales caractéristiques du développement des lymphocytes B et T sont la diversification cellulaire, la tolérance à l'égard du soi immunologique, la prolifération et la mémoire immunologique. La prolifération et la mémoire relèvent toutes deux de la **sélection clonale**, illustrée ici pour les lymphocytes B :

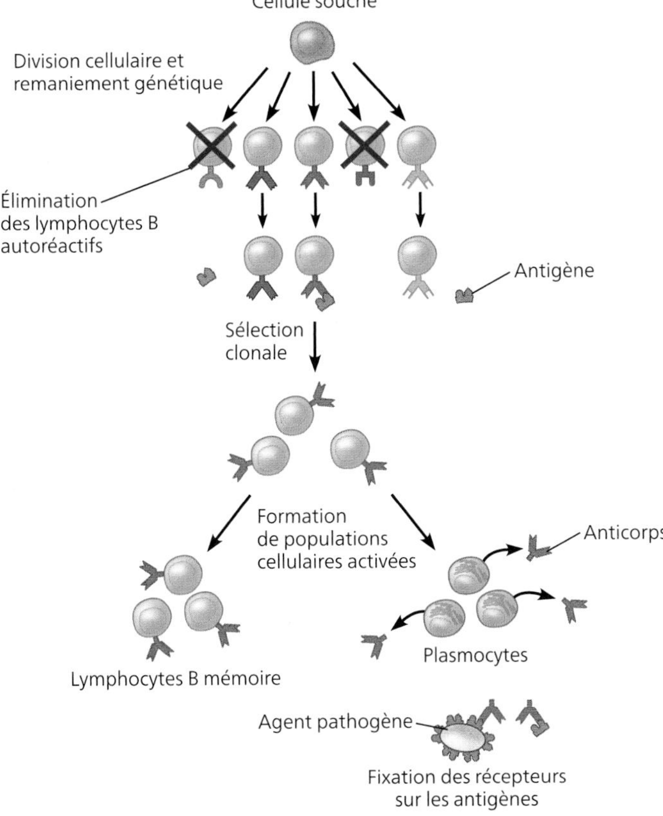

? Pourquoi la réponse immunitaire adaptative à une infection initiale est-elle plus lente que la réponse innée ?

CONCEPT 43.3

L'immunité adaptative combat l'infection des liquides corporels et des cellules de l'organisme (p. 1057 à 1065)

- Les **lymphocytes T auxiliaires** interagissent avec des fragments d'antigène exogène présentés par des molécules du CMH de classe II situées à la surface des **cellules présentatrices d'antigène** : cellules dendritiques, macrophagocytes et lymphocytes B. Les lymphocytes T auxiliaires activés sécrètent des **cytokines** qui stimulent d'autres lymphocytes. Dans la **réponse immunitaire humorale**, les anticorps aident à détruire les antigènes au moyen de la phagocytose et de la lyse médiée par le complément. Dans la **réponse immunitaire cellulaire**, les **lymphocytes T cytotoxiques** activés amorcent la destruction des cellules infectées.
- L'**immunité active** se développe en réaction à une infection ou par l'intermédiaire d'un vaccin (**immunisation**). Dans l'**immunité passive,** le transfert d'anticorps assure une protection immédiate à court terme.
- Les cellules ou les tissus transplantés d'une personne à une autre peuvent être rejetés par le système immunitaire du receveur de la transplantation. Les molécules du CMH sont responsables de la stimulation du rejet des greffes de tissus et d'organes. Lors d'une transplantation de moelle osseuse d'une personne à une autre, les lymphocytes du receveur peuvent causer une réaction du greffon contre l'hôte.

? La mémoire immunologique après une infection naturelle est-elle fondamentalement différente de la mémoire immunologique conférée après une vaccination ? Expliquez votre réponse.

CONCEPT 43.4

Un dérèglement de la fonction immunitaire peut entraîner ou exacerber des maladies (p. 1065 à 1070)

- Dans les allergies, comme le rhume des foins, les interactions entre les anticorps et les allergènes incitent les cellules immunitaires à libérer de l'histamine et d'autres molécules de signalisation qui causent des changements vasculaires et des symptômes allergiques. La perte de la tolérance au soi du système immunitaire peut provoquer des **maladies auto-immunes**, comme la sclérose en plaques. Le déficit immunitaire primaire est attribuable à des anomalies héréditaires ou congénitales qui empêchent le bon fonctionnement des défenses innées, humorales ou cellulaires. Le **sida** est une immunodéficience acquise (secondaire) causée par le virus de l'immunodéficience humaine (**VIH**).
- La variation antigénique, la latence et l'attaque directe du système immunitaire permettent à certains agents pathogènes d'échapper au système immunitaire. L'infection par le VIH détruit des lymphocytes T auxiliaires et rend le patient vulnérable aux infections. Les défenses immunitaires contre le cancer semblent faire intervenir d'abord des actions contre des virus en cause dans le processus de cancérisation ainsi que des actions contre les cellules cancéreuses qui abritent des virus.

? Diriez-vous qu'être infecté par le VIH ou avoir le sida, cela signifie la même chose ? Expliquez votre réponse.

Évaluation

NIVEAU 1 : CONNAISSANCES ET COMPRÉHENSION

1. Parmi les fonctions suivantes, laquelle *ne fait pas* partie du système de défense immunitaire d'un insecte contre les infections ?
a) L'activation enzymatique de substances chimiques tueuses d'agents pathogènes.
b) L'activation des cellules tueuses naturelles.
c) La phagocytose par les hémocytes.
d) La production de peptides antimicrobiens.

2. À quelle partie d'un anticorps ou d'un récepteur d'antigène un épitope se lie-t-il ?
a) À la région transmembranaire.
b) Aux régions constantes de la chaîne lourde seulement.
c) Aux régions variables de la chaîne lourde et de la chaîne légère.
d) Aux régions constantes de la chaîne légère.

3. Parmi les énoncés suivants, lequel décrit le mieux la différence entre les réponses des lymphocytes B effecteurs (plasmocytes) et celles des lymphocytes T cytotoxiques ?
a) Les lymphocytes B effecteurs confèrent une immunité active ; les lymphocytes T cytotoxiques confèrent une immunité passive.
b) Les lymphocytes B effecteurs réagissent la première fois que l'envahisseur est présent ; les lymphocytes T cytotoxiques réagissent par la suite.
c) Les lymphocytes B effecteurs sécrètent des anticorps contre un agent pathogène ; les lymphocytes T cytotoxiques tuent les cellules infectées par un agent pathogène.
d) Les lymphocytes B effecteurs accomplissent l'immunité cellulaire ; les lymphocytes T cytotoxiques accomplissent l'immunité humorale.

NIVEAU 2 : APPLICATION ET ANALYSE

4. Parmi les énoncés suivants, lequel est *faux* ?
a) Un anticorps a plus d'un site de fixation à l'antigène.
b) Un lymphocyte porte des récepteurs pour plusieurs antigènes différents.
c) Un antigène peut avoir plusieurs épitopes.
d) Une cellule hépatique ou musculaire fabrique une classe de molécules du CMH.

5. Parmi les éléments suivants, lequel devrait être identique chez de vrais jumeaux?
   a) L'ensemble des anticorps produits.
   b) L'ensemble des molécules du CMH produites.
   c) L'ensemble des récepteurs d'antigènes des lymphocytes T.
   d) L'ensemble de cellules immunitaires détruites en raison de leur autoréactivité.

NIVEAU 3: **SYNTHÈSE ET ÉVALUATION**

6. La vaccination augmente le nombre:
   a) de récepteurs différents qui reconnaissent un agent pathogène.
   b) de lymphocytes dont les récepteurs peuvent se lier avec l'agent pathogène.
   c) d'épitopes que le système immunitaire peut reconnaître.
   d) de molécules du CMH qui peuvent présenter un antigène.

7. Parmi les énoncés suivants, lequel *n'aiderait pas* un virus à éviter le déclenchement d'une réponse immunitaire adaptative?
   a) Subir des mutations fréquentes dans les gènes des protéines de surface.
   b) Infecter des cellules qui produisent très peu de molécules du CMH.
   c) Produire des protéines très semblables à celles des autres virus.
   d) Infecter et détruire des lymphocytes T auxiliaires.

8. **FAITES UN DESSIN ▶** Imaginez une protéine en forme de crayon et munie de deux épitopes: Y (l'extrémité «gomme à effacer») et Z (l'extrémité «mine»). Ces épitopes sont reconnus par les anticorps A1 et A2, respectivement. Dessinez les anticorps qui forment avec les protéines un complexe capable de déclencher l'endocytose par un macrophagocyte, puis indiquez-en les diverses parties.

Voir les réponses proposées à l'appendice A.

L'osmorégulation et l'excrétion

44

VOS OUTILS INTERACTIFS

Consultez votre MANUEL NUMÉRIQUE, qui vous donne accès aux **animations**, aux **exercices** et à la plateforme d'**anatomie interactive**.

▲ **Figure 44.1** **Comment l'albatros hurleur peut-il ne boire que de l'eau de mer sans être malade?**

CONCEPTS CLÉS

44.1 L'osmorégulation établit un équilibre entre l'apport et la perte d'eau et de solutés

44.2 Les animaux produisent des déchets azotés qui reflètent leur phylogenèse et leur habitat

44.3 Les divers systèmes urinaires constituent des variations sur le thème des tubules

44.4 La structure du néphron est adaptée au traitement par étapes du filtrat sanguin

44.5 Des circuits hormonaux influent en même temps sur la fonction rénale, l'équilibre hydrique et la pression artérielle

Une question d'équilibre

Large de 3,5 m lorsqu'il plane au-dessus de la mer, l'albatros hurleur (*Diomedea exulans*) possède la plus grande envergure de tous les oiseaux vivants. Mais l'albatros a une autre caractéristique remarquable : il reste au large à longueur d'année, jour et nuit, et ne retouche terre que pour se reproduire. Un humain qui ne boirait que de l'eau de mer mourrait de déshydratation. L'albatros, lui, le fait sans aucun problème (**figure 44.1**).

Qu'il soit humain ou albatros, un animal doit entretenir l'équilibre hydrique de ses tissus. Cela signifie que les concentrations relatives d'eau et de solutés dans son corps doivent se maintenir dans des limites relativement étroites. Cela signifie aussi que des ions tels le sodium et le calcium doivent demeurer dans des concentrations qui permettent l'activité normale des muscles, des neurones et des autres cellules du corps. L'homéostasie commande donc une **osmorégulation**, un terme général qui désigne les processus par lesquels les animaux régulent les concentrations de solutés et équilibrent les apports et les pertes d'eau.

Différents mécanismes d'osmorégulation apparus au cours de l'évolution témoignent des contraintes que l'environnement peut imposer à un animal à cet égard. Par exemple, les animaux qui vivent dans l'environnement aride d'un désert peuvent rapidement se déshydrater. Il en va de même des albatros et des autres animaux marins. Dans les habitats propices à la déshydratation, la survie des animaux repose entièrement sur la conservation de l'eau et, dans le cas de plusieurs oiseaux et poissons marins, sur l'élimination des sels excédentaires. En revanche, les animaux d'eau douce vivent dans un environnement externe qui menace d'envahir et de diluer leurs liquides corporels. Ils présentent donc des adaptations qui conservent les solutés et absorbent les sels.

En même temps qu'ils doivent maintenir leur équilibre hydrique, les animaux doivent également débarrasser leur organisme de l'ammoniac, un métabolite toxique produit par la dégradation des déchets *azotés* (contenant de l'azote), qui proviennent principalement des protéines et des acides nucléiques. Au cours de l'évolution sont apparus divers mécanismes d'**excrétion**, un processus par lequel l'organisme élimine les métabolites azotés et autres déchets métaboliques. Étant donné que l'excrétion et l'osmorégulation sont liées du point de vue structural et fonctionnel chez beaucoup d'animaux, le présent chapitre sera consacré à ces deux processus.

CONCEPT **44.1**

L'osmorégulation établit un équilibre entre l'apport et la perte d'eau et de solutés

La thermorégulation dépend de l'équilibre entre les gains et les pertes de chaleur (voir le concept 40.3). De la même manière, la régulation de la composition chimique des liquides corporels repose sur l'équilibre entre l'apport et la perte d'eau et de solutés. Si un animal absorbe trop d'eau, ses cellules gonflent et éclatent; s'il perd trop d'eau, elles se ratatinent (deviennent crénelées) et meurent. Le mouvement de l'eau et des solutés (chez les animaux comme chez tous les autres organismes) obéit au gradient de concentration du ou des solutés qui traversent la membrane plasmique.

L'osmose et l'osmolarité

L'eau pénètre dans la cellule et en sort par osmose. L'osmose se produit quand deux solutions séparées par une membrane n'ont pas la même concentration totale de solutés (**figure 44.2**). L'unité de mesure de la concentration de solutés est l'**osmolarité**, c'est-à-dire le nombre de moles de solutés par litre de solution. Par exemple, l'osmolarité du sang humain est d'environ 300 milliosmoles par litre (mOsm/L), tandis que celle de l'eau de mer s'élève à quelque 1 000 mOsm/L.

Lorsque deux solutions ont la même osmolarité, elles sont dites *isoosmotiques*. Si on les sépare par une membrane à perméabilité sélective, les molécules d'eau traverseront continuellement la membrane à la même vitesse dans les deux directions. Il n'y a donc aucun mouvement *net* d'eau par osmose entre deux solutions isoosmotiques. En revanche, quand deux solutions n'ont pas la même osmolarité, celle qui a la concentration la plus grande de solutés est dite *hyperosmotique*, tandis que la solution plus diluée est dite *hypoosmotique*. L'eau passe par osmose d'une solution hypoosmotique à une solution hyperosmotique, ce qui réduit la différence de concentration, tant celle des solutés que celle de l'eau libre (voir la figure 44.2).

Dans le présent chapitre, nous emploierons les termes *isoosmotique*, *hypoosmotique* et *hyperosmotique*, qui se rapportent spécifiquement à l'osmolarité, et non les termes *isotonique*, *hypotonique* et *hypertonique*, qui s'appliquent plutôt à la réaction des cellules (qui gonflent ou qui rétrécissent) quand elles sont placées dans des solutions dont les concentrations en solutés sont connues.

Les mécanismes de l'osmose au service des habitats

Un animal peut maintenir son équilibre hydrique de deux manières. La première est le fait des **osmotolérants**, c'est-à-dire les animaux qui sont isoosmotiques avec l'environnement. Tous les osmotolérants sont des animaux marins. Comme leur osmolarité interne est la même que celle du milieu, les osmotolérants n'ont pas tendance à acquérir ni à perdre de l'eau. Beaucoup d'osmotolérants vivent dans une eau dont la composition est très stable. C'est pourquoi leur osmolarité interne varie très peu.

La seconde manière de maintenir l'équilibre hydrique est propre aux **osmorégulateurs**, c'est-à-dire les animaux qui régulent leur osmolarité interne, quelle que soit celle de leur environnement. L'osmorégulation permet aux animaux de vivre dans des milieux où les osmotolérants sont incapables de survivre, notamment les habitats d'eau douce et les milieux terrestres, ou de se déplacer entre un habitat marin et un habitat d'eau douce (**figure 44.3**).

Pour survivre dans un milieu hypoosmotique, un osmorégulateur doit éliminer l'eau en excès. Dans un environnement hyperosmotique, un osmorégulateur doit, à l'inverse, absorber de l'eau pour compenser la perte osmotique. L'osmorégulation permet à de nombreux animaux marins de maintenir une osmolarité interne différente de celle de l'eau de mer.

La plupart des animaux, qu'ils soient osmotolérants ou osmorégulateurs, ne peuvent supporter les changements importants de l'osmolarité externe. Ils sont donc dits *sténohalins* (du grec

▼ **Figure 44.2** **La concentration de solutés et l'osmose.**

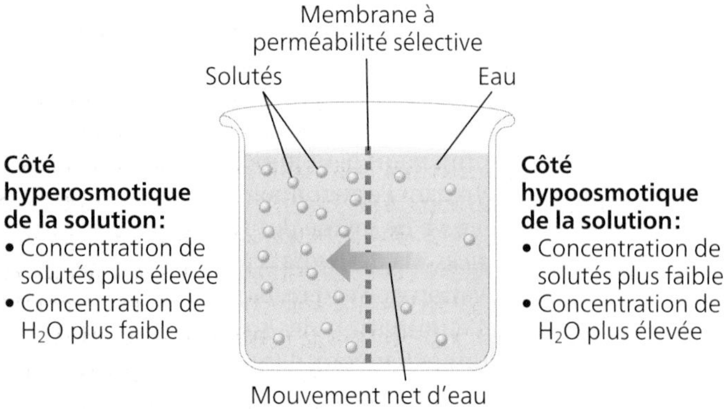

▼ **Figure 44.3** **Le saumon rouge (*Oncorhynchus nerka*), un osmorégulateur qui migre entre les rivières et l'océan.**

stenos, « étroit », et *halos*, « sel »). En revanche, les animaux *euryhalins* (du grec *eurys*, « large ») peuvent résister à des fluctuations importantes de l'osmolarité externe (cette catégorie comprend des osmotolérants et des osmorégulateurs). Les osmotolérants euryhalins, comme les balanes et les moules, sont des organismes qui vivent dans les estuaires en étant exposés alternativement à l'eau douce et à l'eau salée. Parmi les osmorégulateurs euryhalins, citons le bar d'Amérique (*Morone saxatilis*) et diverses espèces de saumons (voir la figure 44.3).

Nous allons maintenant nous pencher de plus près sur certaines adaptations d'osmorégulation qui ont évolué chez les animaux marins, les animaux dulcicoles et les animaux terrestres.

Les animaux marins

La plupart des invertébrés marins sont osmotolérants. Leur osmolarité est la même que celle de l'eau de mer. Ils n'ont donc pas de difficulté à maintenir leur équilibre hydrique. Toutefois, ils transportent activement des solutés *spécifiques* qui établissent dans leur hémolymphe (liquide circulatoire) des concentrations différentes de celles de l'océan. Par exemple, les mécanismes d'homéostasie du homard (*Homarus americanus*) maintiennent une concentration d'ions magnésium (Mg^{2+}) de moins de 9 mmol/L, ce qui est bien en deçà de celle de l'océan (50 mmol/L).

Les vertébrés marins peuvent vivre dans un environnement très déshydratant grâce à deux mécanismes d'osmorégulation apparus au cours de l'évolution. L'un de ces mécanismes s'observe chez les « poissons osseux », qui incluent les actinoptérygiens et les crossoptérygiens, et l'autre, chez les requins marins et la plupart des autres chondrichtyens (animaux cartilagineux ; voir le concept 34.3).

Les poissons osseux marins tels que la morue de l'Atlantique (*Gadus morhua*) de la **figure 44.4a** perdent constamment de l'eau par osmose. Pour compenser ces pertes, ils boivent de grandes quantités d'eau de mer. Ils utilisent leurs branchies et leurs reins pour se débarrasser des sels ingérés en excès en même temps que l'eau.

Comme nous l'avons mentionné plus tôt, l'osmorégulation s'accompagne souvent de l'élimination des déchets azotés, tels que l'urée. L'élimination de cette substance est importante, car sa présence en fortes concentrations cause la dénaturation (dépliement) des protéines et perturbe ainsi les fonctions cellulaires. Pourtant, les tissus des requins contiennent une forte concentration d'urée : pourquoi n'est-elle pas toxique pour eux ? La réponse réside dans une molécule organique appelée oxyde de triméthylamine (TMAO), qui est produite par les tissus du requin et protège les protéines contre les effets dommageables de l'urée.

Chez les requins, le TMAO participe également à l'osmorégulation. Comme chez les poissons osseux, la concentration de sel du milieu interne des requins est beaucoup plus faible que celle de l'eau de mer. Par conséquent, le sel a tendance à diffuser de l'eau vers le corps, et en particulier dans les branchies. Ensemble, toutefois, les sels, l'urée, le TMAO et les autres composés présents dans les liquides corporels du requin donnent une osmolarité qui est, en fait, légèrement supérieure à 1 000 mOsm/L. C'est pourquoi l'eau pénètre *lentement* dans le corps des requins par osmose, ainsi que par les aliments (les requins ne boivent pas).

Cette faible entrée d'eau est excrétée dans l'urine produite par les reins en même temps qu'une partie des sels qui diffuse dans le corps du requin. Le reste est expulsé par la glande rectale ou disséminé dans les selles.

Les animaux dulcicoles

Les problèmes d'osmorégulation des animaux dulcicoles sont tout à l'opposé de ceux auxquels se heurtent les animaux marins. Les liquides corporels des animaux dulcicoles doivent être hyperosmotiques, car les cellules animales ne peuvent pas tolérer des concentrations de sel aussi faibles que celles des lacs ou des rivières. L'osmolarité de leurs liquides internes étant beaucoup plus élevée que celle de leur milieu, les animaux dulcicoles acquièrent constamment de l'eau par osmose et perdent des sels par diffusion. Beaucoup d'animaux dulcicoles, dont des poissons osseux comme la perchaude (*Perca flavescens*) de la **figure 44.4b**, maintiennent leur équilibre hydrique en ne buvant presque pas d'eau et en excrétant des quantités importantes d'urine très diluée. Les sels perdus par diffusion et dans l'urine sont remplacés par ceux contenus dans les aliments et ceux absorbés à travers leurs branchies.

Les saumons et les autres poissons euryhalins qui passent de l'eau douce à l'eau salée vivent des changements rapides et importants sur le plan de l'osmorégulation. Quand ils se trouvent dans les rivières et les ruisseaux, les saumons assurent

▼ **Figure 44.4 Comparaison de l'osmorégulation chez les poissons osseux marins et dulcicoles.**

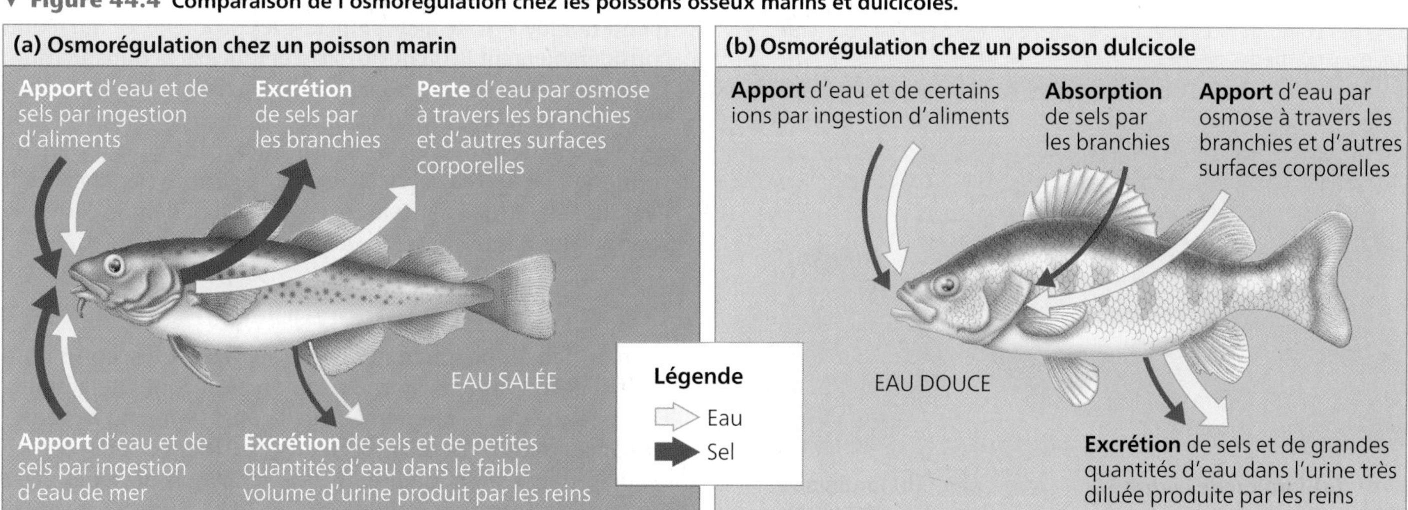

leur osmorégulation comme les autres poissons dulcicoles, c'est-à-dire en produisant une quantité importante d'urine diluée et en absorbant par leurs branchies le sel du milieu dilué. Quand ils migrent dans l'océan, les saumons s'acclimatent (voir le concept 40.2). Ils se mettent à produire davantage de cortisol, une hormone stéroïde qui augmente le nombre et la taille des cellules spécialisées sécrétrices de sel. Grâce à ce mécanisme d'acclimatation, entre autres, le saumon vivant dans l'eau salée excrète le sel excédentaire par les branchies et n'excrète que de petites quantités d'urine, comme les poissons qui passent leur vie entière dans l'eau salée.

Les animaux vivant dans des habitats aquatiques précaires

La déshydratation extrême, ou *dessiccation*, condamnerait la plupart des animaux à une mort certaine. Cependant, certains invertébrés aquatiques vivant dans des étangs temporaires ou dans des pellicules d'eau entourant des particules de sol peuvent perdre presque toute leur eau et survivre dans un état d'inactivité lorsque leur habitat se dessèche. Cette adaptation remarquable s'appelle **anhydrobiose** (« vie sans eau »). Parmi les exemples les plus frappants figurent les tardigrades (embranchement proche des arthropodes), de minuscules invertébrés qui mesurent moins de 1 mm de long (**figure 44.5**). Dans leur phase active et hydratée, l'eau représente environ 85 % de leur masse, mais ils peuvent se déshydrater jusqu'à ce qu'elle ne représente plus que 2 % de leur masse. Ils survivent alors dans un état d'inactivité, secs comme de la poussière, pendant une décennie ou plus. Il suffit qu'il y ait de nouveau un peu d'eau pour que les tardigrades réhydratés se déplacent et se nourrissent.

Les animaux capables d'anhydrobiose doivent posséder des adaptations qui protègent leurs membranes cellulaires. Les chercheurs commencent à peine à comprendre comment les tardigrades arrivent à survivre une fois qu'ils sont desséchés. Les études sur certains vers ronds (nématodes, voir le concept 33.4) capables d'anhydrobiose montrent que les sujets déshydratés contiennent des quantités importantes de glucides (jusqu'à 15 % de la masse sèche). En particulier, un disaccharide appelé *tréhalose* semble protéger les cellules en remplaçant l'eau qui hydrate habituellement les lipides membranaires et les protéines, et les autres macromolécules. De nombreux insectes qui survivent à la congélation en hiver utilisent aussi le tréhalose pour protéger leurs membranes, tout comme le font les plantes résistantes à la dessiccation.

▼ **Figure 44.5 L'anhydrobiose.** Les tardigrades (MEB) vivent dans des étangs temporaires et dans des gouttelettes d'eau présentes sur le sol ou sur des plantes.

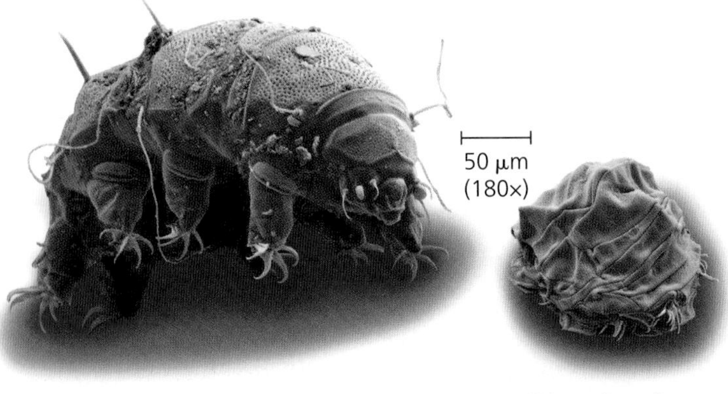

Depuis peu, les scientifiques appliquent à la préservation des matières biologiques les connaissances qu'ils ont acquises dans leur étude de l'anhydrobiose. Auparavant, on conservait les échantillons de protéines, d'ADN et de cellules dans des congélateurs ultrafroids (–80 °C), une pratique qui demandait beaucoup d'énergie et d'espace. La fabrication de matériaux inspirés des structures protectrices que possèdent les espèces capables d'anhydrobiose permet aujourd'hui d'entreposer ces échantillons dans des chambres compactes à température ambiante.

Les animaux terrestres

La menace posée par la déshydratation est le problème de régulation le plus important que les végétaux et les animaux terrestres doivent affronter. Les adaptations qui réduisent la perte d'eau sont essentielles à la survie sur la terre ferme. Tout comme les plantes terrestres ont une cuticule cireuse qui contribue à leur survie, la plupart des animaux terrestres ont des surfaces corporelles qui aident à prévenir la déshydratation. On peut donner comme exemples la chitine (un polysaccharide) de l'exosquelette des insectes que recouvrent des couches cireuses (lipides), la coquille des escargots terrestres, ou encore les couches de cellules épidermiques mortes kératinisées qui recouvrent la plupart des vertébrés terrestres, dont les humains, et qui forment une couche cornée imperméable constituée de protéines et de lipides. De nombreux animaux terrestres, surtout ceux qui vivent en milieu désertique, ont un mode de vie nocturne. Ce faisant, ils réduisent les pertes d'eau par évaporation en profitant des températures plus basses et de l'humidité relative plus élevée de l'air pendant la nuit.

Malgré ces adaptations, les sources de pertes d'eau demeurent nombreuses chez la plupart des animaux terrestres : ils en perdent en effet au niveau des surfaces humidifiées des organes d'échanges gazeux, de même qu'à travers la peau, dans leur urine et dans leurs excréments. Ces animaux maintiennent leur équilibre hydrique en buvant et en consommant des aliments hydratés, et en produisant de l'eau par des moyens métaboliques comme la respiration cellulaire.

Certains animaux du désert sont si bien adaptés à la réduction des pertes d'eau qu'ils peuvent y survivre sans même boire. Les chameaux (*Camelus spp.*), par exemple, tolèrent une augmentation de 7 °C de leur température corporelle, ce qui réduit considérablement la quantité d'eau perdue par la transpiration. Ils peuvent également perdre 25 % de leur eau corporelle et survivre. (En comparaison, un humain qui perdrait la moitié de cette quantité mourrait d'insuffisance cardiaque.) Dans la rubrique **Habiletés scientifiques**, vous vous pencherez sur l'équilibre hydrique d'une autre espèce vivant dans le désert : la souris d'Hermannsburg (*Pseudomys hermannsburgensis*).

L'énergétique de l'osmorégulation

Le maintien d'une différence d'osmolarité entre le corps d'un animal et son milieu externe a toujours un coût énergétique. Étant donné que le phénomène de la diffusion tend à égaliser les concentrations, les osmorégulateurs doivent en effet dépenser de l'énergie pour maintenir les gradients osmotiques grâce auxquels l'eau entre et sort du corps. Pour ce faire, ils font appel

DÉMARCHE SCIENTIFIQUE
HABILETÉS SCIENTIFIQUES

Décrire et interpréter des données quantitatives

■ COMMENT LA SOURIS D'HERMANNSBURG MAINTIENT-ELLE L'HOMÉOSTASIE OSMOTIQUE ? ■ La souris d'Hermannsburg (*Pseudomys hermannsburgensis*) est un mammifère du désert australien qui peut survivre indéfiniment en mangeant des graines sèches et sans boire d'eau. Pour étudier les adaptations de cette espèce à l'environnement aride du désert, des chercheurs ont réalisé une expérience de laboratoire dans laquelle ils contrôlaient l'accès à l'eau. Dans le présent exercice, vous allez analyser une partie des données de cette expérience.

■ MÉTHODE ■ Les chercheurs ont capturé neuf souris, les ont gardées dans une pièce dont les conditions étaient contrôlées et les ont nourries de graines séchées à l'air (10 % d'eau au poids). Dans le groupe A de l'étude, les souris pouvaient accéder à de l'eau et s'abreuver librement ; dans le groupe B, les souris n'ont pas reçu d'eau à boire durant 35 jours, ce qui est comparable aux conditions de leur habitat naturel. À la fin de l'expérience, les chercheurs ont mesuré l'osmolarité et la concentration d'urée de l'urine et du sang de chaque souris de deux groupes. Ils avaient également pesé les souris trois fois par semaine.

■ RÉSULTATS ■

	Osmolarité moyenne (mOsm/L)		Concentration moyenne d'urée (mmol/L)	
Accès à l'eau	**Urine**	**Sang**	**Urine**	**Sang**
Groupe A : illimité	490	350	330	7,6
Groupe B : aucun	4 700	320	2 700	11

Dans le groupe A, les souris buvaient l'équivalent d'environ 33 % de leur masse corporelle par jour. La variation de la masse corporelle au cours de l'étude a été négligeable chez toutes les souris.

Source des données: R. E. MacMillen, R. V. Baudinette et A. K. Lee, Water economy and energy metabolism of the sandy inland mouse, *Leggadina hermannsburgensis, Journal of Mammalogy* 53 : 529-539 (1972).

INTERPRÉTEZ LES DONNÉES ▼

1. Examinez les données des deux groupes de souris et, dans vos mots, décrivez les différences quant aux éléments suivants : (a) l'osmolarité de l'urine, (b) l'osmolarité du sang, (c) la concentration d'urée dans l'urine et (d) la concentration d'urée dans le sang. (e) Cet ensemble de données témoigne-t-il d'une régulation de l'homéostasie ? Expliquez votre réponse.
2. (a) Calculez le rapport osmolarité urinaire/osmolarité sanguine pour les souris qui ont pu boire à volonté. (b) Calculez ce même rapport pour les souris qui n'avaient pas accès à de l'eau. (c) Quelle conclusion pourriez-vous tirer de ces rapports ?
3. Si la quantité d'urine produite était différente entre les deux groupes de souris, en quoi cela changerait-il vos calculs ? Expliquez votre réponse.

au transport actif et modifient au besoin les concentrations de solutés dans leurs liquides corporels.

Le coût énergétique de l'osmorégulation dépend de plusieurs facteurs : l'écart entre l'osmolarité de l'animal et celle de l'environnement, la facilité avec laquelle l'eau et les solutés traversent la surface de l'animal et la quantité de travail nécessaire pour pomper les solutés et effectuer le transport membranaire. L'osmorégulation compte pour près de 5 % du métabolisme au repos de nombreux poissons. Chez les artémies (*Artemia salina*), de petits crustacés vivant dans des lacs très salés, le gradient entre les osmolarités interne et externe est très grand. Aussi le coût de l'osmorégulation est-il extrêmement élevé : il peut compter pour 30 % du métabolisme au repos.

L'adaptation des liquides corporels à la salinité de l'habitat d'un animal diminue l'énergie que celui-ci doit déployer pour maintenir l'équilibre hydrique et ionique dans son organisme. Les liquides corporels de la plupart des animaux dulcicoles (dont l'osmolarité varie entre 0,5 et 15 mOsm/L) ont une concentration de solutés inférieure à celle des liquides corporels de leurs plus proches parents qui vivent dans l'eau salée (1 000 mOsm/L). Par exemple, la concentration de solutés des liquides corporels des mollusques marins est d'environ 1 000 mOsm/L, tandis que celle des mollusques d'eau douce n'est que de 40 mOsm/L. Dans chaque cas, les mécanismes qui diminuent la différence osmotique entre les liquides corporels et le milieu externe réduisent le coût énergétique de l'osmorégulation.

Les épithéliums de transport dans l'osmorégulation

La fonction première de l'osmorégulation est de maintenir les concentrations de solutés dans les cellules, mais la plupart des animaux le font indirectement en ajustant la composition du liquide interstitiel dans lequel baignent leurs cellules. Chez les insectes et d'autres animaux dotés d'un système cardiovasculaire ouvert, ce liquide s'appelle *hémolymphe*. Chez les vertébrés et d'autres animaux dotés d'un système cardiovasculaire clos, les cellules baignent dans un liquide interstitiel dont la composition dépend indirectement de celle du sang. Le maintien de la composition des liquides dépend de structures spécialisées qui vont des cellules qui régulent le mouvement des solutés aux organes complexes comme les reins, chez les vertébrés.

Chez la plupart des animaux, un ou plusieurs types d'**épithéliums de transport** (une ou plusieurs couches de cellules épithéliales spécialisées, régulant le mouvement des solutés) sont des composants essentiels de l'osmorégulation et de l'élimination des déchets métaboliques. Les épithéliums de transport déplacent des solutés particuliers en quantités contrôlées et dans une direction précise. Les épithéliums de transport sont organisés en réseaux tubulaires comprenant une grande surface d'échange. Certains épithéliums de transport sont en communication directe avec l'environnement externe, tandis que d'autres tapissent des voies reliées à l'extérieur par une ouverture à la surface du corps.

Ce n'est que récemment qu'on a commencé à élucider le mystère de l'épithélium de transport qui permet à l'albatros et à d'autres oiseaux marins de survivre en buvant uniquement de l'eau salée. Pour étudier la question, des chercheurs ont donné à boire uniquement de l'eau de mer à des oiseaux marins en captivité. Ils ont alors constaté que l'urine de ces oiseaux contient très peu de sel, mais que le liquide qui dégoutte le long de leur bec est une solution concentrée de sel (NaCl). Cette solution est produite par une paire de glandes à sel nasales remplies d'épithéliums de transport (**figure 44.6**). Ces glandes à sel, qu'on trouve

▼ **Figure 44.6 La sécrétion de sel dans les glandes nasales d'un oiseau marin.** Un épithélium de transport achemine le sel du sang vers les tubules sécréteurs, qui se vident dans les conduits centraux abouchés aux narines.

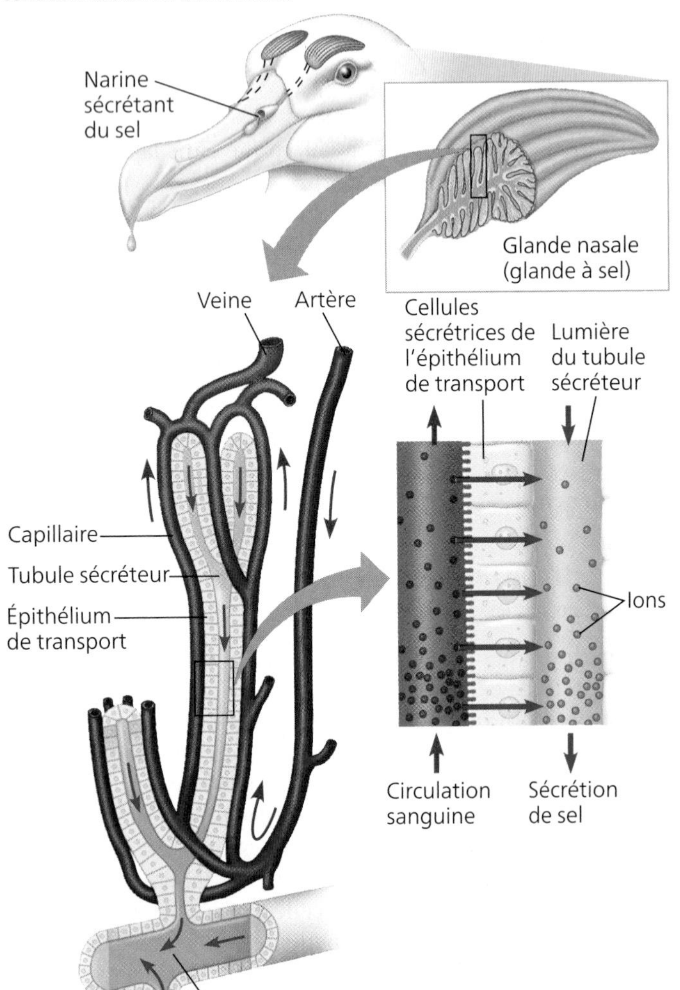

également chez les tortues de mer (superfamille des *Chelonioidea*) et les iguanes marins (*Amblyrhynchus cristatus*), utilisent le transport actif des ions pour sécréter un liquide beaucoup plus salé que l'eau de mer. Par conséquent, même si l'ingestion d'eau de mer introduit beaucoup de sel dans leur organisme, les oiseaux marins sont en mesure d'en arriver à un gain net d'eau. Par contre, l'humain qui boit une certaine quantité d'eau de mer doit utiliser un *plus grand* volume d'eau pour excréter la charge saline, avec pour résultat qu'il se déshydrate.

Souvent, les épithéliums de transport qui assurent le maintien de l'équilibre hydrique contribuent également à l'élimination des déchets métaboliques. Nous allons maintenant examiner cette double fonction en étudiant l'exemple du ver de terre ainsi que les systèmes excréteurs des insectes et le rein des vertébrés.

RETOUR SUR LE CONCEPT 44.1

1. Le passage de sel dans le sang d'un poisson dulcicole à partir de l'eau de son milieu nécessite une dépense énergétique sous forme d'ATP. Pourquoi ?
2. Pourquoi aucun animal dulcicole n'est-il osmotolérant ?
3. **ET SI ?** ▶ Des chercheurs ont constaté qu'un chameau exposé au soleil avait besoin de beaucoup plus d'eau lorsque sa fourrure était rasée, même si sa température corporelle demeurait la même. Que pouvez-vous en déduire au regard de la relation entre l'osmorégulation et l'isolation fournie par la fourrure ?

Voir les réponses proposées à l'appendice A.

CONCEPT 44.2

Les animaux produisent des déchets azotés qui reflètent leur phylogenèse et leur habitat

Comme la plupart des déchets métaboliques des animaux doivent être dissous dans de l'eau quand ils sont éliminés du corps, leur type et leur quantité ont une incidence importante sur l'équilibre hydrique. À cet égard, les déchets les plus déterminants sont les produits azotés issus de la dégradation des acides nucléiques et des protéines. Quand les protéines et les acides nucléiques sont hydrolysés pour fournir de l'énergie aux cellules, ou encore quand ces composés sont convertis en glucides ou en lipides, des enzymes retirent l'azote qu'ils renferment et forment avec celui-ci de l'**ammoniac** (NH_3). L'ammoniac est une molécule extrêmement toxique, notamment parce que son ion, l'ammonium (NH_4^+), peut contrecarrer la phosphorylation oxydative. Certains animaux peuvent excréter l'ammoniac directement, mais de nombreuses espèces le convertissent d'abord en des composés organiques moins toxiques.

Les formes de déchets azotés

Les animaux excrètent des déchets azotés sous la forme d'ammoniac, d'urée ou d'acide urique (**figure 44.7**). La toxicité et le coût énergétique de ces déchets varient considérablement d'un animal à l'autre.

▼ Figure 44.7 Les diverses formes de déchets azotés chez les animaux.

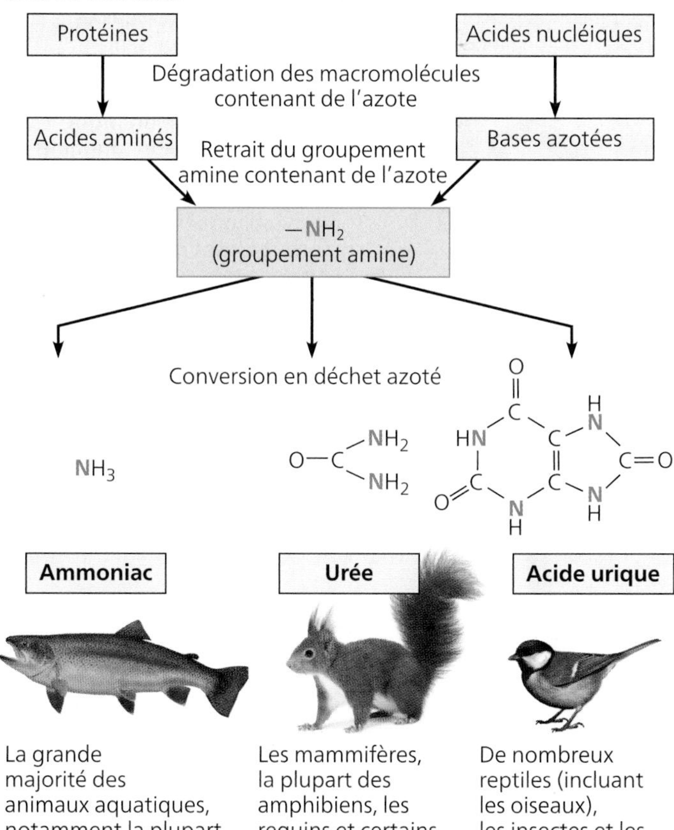

L'ammoniac

Les animaux excrétant de l'ammoniac ont besoin d'avoir accès à beaucoup d'eau, car l'ammoniac ne peut être toléré qu'à de très faibles concentrations. C'est pourquoi l'excrétion d'ammoniac est surtout courante chez les espèces aquatiques. Les molécules extrêmement solubles de l'ammoniac, qui s'interconvertissent en NH_3 et en NH_4^+, traversent facilement la membrane plasmique et sont aisément éliminées par diffusion dans l'eau environnante. Chez de nombreux invertébrés, la diffusion de l'ammoniac se fait sur toute la surface corporelle.

L'urée

L'excrétion de l'ammoniac convient à de nombreuses espèces aquatiques, mais elle ne réussit pas aussi bien aux animaux terrestres. En effet, l'ammoniac est si toxique qu'il ne peut être transporté dans le corps et excrété de celui-ci que dans des volumes importants de solutions très diluées. Or, la plupart des animaux terrestres et de nombreuses espèces marines n'ont pas accès à assez d'eau pour excréter quotidiennement de l'ammoniac. Par conséquent, ils excrètent surtout un déchet azoté différent: l'**urée**. Chez les vertébrés, l'urée est une substance produite dans le foie par un cycle métabolique combinant l'ammoniac au dioxyde de carbone (CO_2).

L'avantage principal de l'urée est sa très faible toxicité. Les animaux peuvent transporter et stocker l'urée en toute sécurité à de fortes concentrations. De plus, la quantité d'eau nécessaire pour l'excrétion de l'azote est considérablement réduite: en effet, la perte d'eau est beaucoup plus faible (environ 10 fois moins) quand une quantité donnée d'azote est excrétée sous forme de solution concentrée d'urée que sous forme de solution diluée d'ammoniac. Le principal désavantage de l'urée réside dans le fait que les animaux doivent dépenser de l'énergie pour la produire à partir de l'ammoniac. Sur le plan bioénergétique, on pourrait présumer que les animaux qui passent une partie de leur vie dans l'eau et une autre partie sur la terre ferme recourent tour à tour à l'excrétion d'ammoniac (pour économiser de l'énergie) et à l'excrétion d'urée (pour réduire la perte d'eau). De fait, de nombreux amphibiens sécrètent principalement de l'ammoniac quand ils sont au stade aquatique de têtard, puis produisent de l'urée une fois qu'ils sont adultes et qu'ils évoluent sur la terre ferme.

L'acide urique

Les insectes, les escargots terrestres et de nombreux reptiles, incluant les oiseaux, excrètent de l'**acide urique** comme principal déchet azoté. Les excréments des oiseaux, ou *guano*, sont un mélange d'acide urique blanc et de matières fécales brunes. L'acide urique est relativement peu toxique et est presque insoluble dans l'eau. Il peut donc être sécrété comme une pâte semi-solide, ce qui limite la perte d'eau. Cependant, l'acide urique est encore plus coûteux à produire que l'urée sur le plan énergétique; il nécessite une quantité considérable d'ATP pour sa synthèse à partir de l'ammoniac.

Même s'ils ne sont pas de grands producteurs d'acide urique, les humains et quelques autres animaux en émettent une petite quantité par dégradation de la purine. Les maladies qui altèrent ce processus mettent en évidence les problèmes que peut représenter un produit métabolique insoluble. Par exemple, il existe une anomalie génétique qui prédispose les chiens dalmatiens à la formation de calculs d'acide urique dans la vessie. Chez l'humain, les hommes adultes sont particulièrement sujets à la goutte, une inflammation douloureuse des articulations causée par des dépôts d'acide urique sous forme de cristaux d'urate. Une alimentation qui contient trop de produits animaux riches en purine peut accroître le risque de goutte. Il semble que certains dinosaures aient été touchés par ce type d'inflammation: l'analyse d'os fossilisés de *Tyrannosaurus rex* a révélé la présence des caractéristiques articulaires de la goutte.

L'influence de l'évolution et de l'environnement sur les déchets azotés

ÉVOLUTION De par la sélection naturelle, le type et la quantité de déchets azotés produits par une espèce sont fonction de son environnement. Dans un habitat, un des facteurs clés de l'adaptation est la disponibilité de l'eau. Par exemple, les tortues terrestres (de la famille des testudinidés, qui habitent souvent dans des zones sèches) excrètent surtout de l'acide urique, tandis que les tortues aquatiques sécrètent de l'urée et de l'ammoniac.

Dans certains cas, l'environnement immédiat de l'œuf d'un animal est le facteur qui influe sur le type de déchets azotés excrétés. Par exemple, les déchets solubles peuvent diffuser vers l'extérieur des œufs sans coquille, comme ceux des amphibiens, ou bien être transportés par le sang de la mère de l'embryon chez les mammifères. Toutefois, les œufs à coquille des oiseaux et des autres reptiles sont perméables aux gaz, mais non aux liquides: les déchets azotés solubles produits par l'embryon seraient donc emmagasinés dans l'œuf et s'accumuleraient, atteignant des concentrations toxiques (l'urée est beaucoup moins toxique que l'ammoniac, mais elle finit par devenir nuisible à de très fortes concentrations). L'évolution a donc favorisé la production d'acide urique insoluble parce qu'il ne reste pas en solution : il précipite, et il peut être stocké dans l'œuf en tant que solide extraembryonnaire inoffensif.

Quel que soit le type de déchets azotés produits, la quantité dépend de l'allocation énergétique. Ainsi, les endothermes, qui utilisent de l'énergie à une vitesse élevée, consomment plus d'aliments que les ectothermes et produisent davantage de déchets azotés. La quantité de déchets azotés est également fonction du régime alimentaire. Les prédateurs, qui tirent la majeure partie de leur énergie des protéines, doivent excréter plus d'azote que les animaux qui dégradent surtout des lipides ou des glucides pour obtenir leur énergie.

Maintenant que nous avons exploré les diverses formes de déchets azotés et les liens qu'on peut établir avec l'habitat et la consommation d'énergie, nous examinerons les mécanismes et les systèmes qui permettent aux animaux d'excréter les déchets azotés et les autres déchets.

RETOUR SUR LE CONCEPT **44.2**

1. Quel avantage l'acide urique offre-t-il comme déchet azoté dans les milieux arides ?
2. **ET SI ?** ▶ Supposons qu'un oiseau et un humain souffrent de la goutte. Pourquoi la diminution de l'apport alimentaire en purine aidera-t-elle davantage l'humain que l'oiseau ?

Voir les réponses proposées à l'appendice A.

▼ Figure 44.8 Les étapes clés des fonctions importantes des systèmes urinaires. La plupart des systèmes urinaires produisent un filtrat par un processus de filtration sous pression des liquides corporels, puis en modifient le contenu. Ce schéma représente le système urinaire des vertébrés.

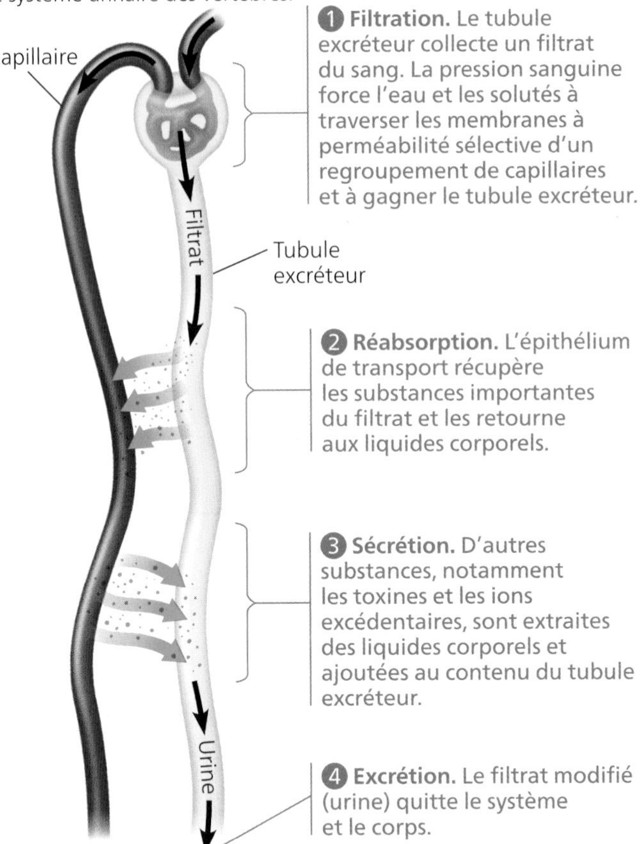

Capillaire
Filtrat
Tubule excréteur
Urine
1 Filtration. Le tubule excréteur collecte un filtrat du sang. La pression sanguine force l'eau et les solutés à traverser les membranes à perméabilité sélective d'un regroupement de capillaires et à gagner le tubule excréteur.
2 Réabsorption. L'épithélium de transport récupère les substances importantes du filtrat et les retourne aux liquides corporels.
3 Sécrétion. D'autres substances, notamment les toxines et les ions excédentaires, sont extraites des liquides corporels et ajoutées au contenu du tubule excréteur.
4 Excrétion. Le filtrat modifié (urine) quitte le système et le corps.

CONCEPT **44.3**

Les divers systèmes urinaires constituent des variations sur le thème des tubules

Même si les problèmes de l'équilibre hydrique sur la terre ferme, dans l'eau salée et dans l'eau douce sont très différents, leurs solutions dépendent toutes de la régulation du mouvement des solutés entre les liquides internes et le milieu externe. La majeure partie de ces fonctions sont exécutées par les systèmes excréteurs (ou systèmes urinaires) : ceux-ci jouent un rôle essentiel dans l'homéostasie, parce qu'ils éliminent les déchets métaboliques et régulent la composition des liquides corporels en limitant les pertes de solutés particuliers.

Les processus d'excrétion

Une très grande variété d'espèces animales produisent un déchet liquide appelé urine grâce à un processus en plusieurs étapes qu'illustre la **figure 44.8**. À la première étape, le liquide corporel (sang, lymphe, liquide interstitiel, liquide cœlomique ou hémolymphe) entre en contact avec la membrane à perméabilité sélective d'un épithélium de transport. Dans la plupart des cas, la pression hydrostatique (pression sanguine chez de nombreux animaux) enclenche un processus de **filtration**. Les cellules, les protéines et les autres macromolécules ne peuvent pas traverser la membrane épithéliale et sont donc retenues dans le liquide corporel. Par contre, l'eau et les petits solutés, notamment les sels, les monosaccharides, les acides aminés et les déchets azotés, traversent la membrane et forment une solution appelée **filtrat**.

Le filtrat est converti en un déchet liquide grâce au transport spécifique des substances qui sont retenues dans le filtrat ou qui en sortent. Le processus de **réabsorption** sélective récupère les petites molécules essentielles ainsi que l'eau du filtrat et les retourne aux liquides corporels. Le transport actif permet de réabsorber les solutés précieux, notamment du glucose, certains ions, des vitamines, des hormones et des acides aminés. Les solutés superflus et les déchets sont laissés dans le filtrat ou y sont ajoutés par une **sécrétion** sélective, laquelle fait également appel au transport actif. Le transport membranaire des divers solutés détermine à son tour le mouvement osmotique de l'eau qui pénètre dans le filtrat ou en sortira. Dans la dernière étape – l'**excrétion** –, le filtrat traité est expulsé du corps sous forme d'urine.

Les systèmes urinaires : *un aperçu*

Les systèmes qui effectuent les fonctions excrétoires de base varient énormément selon les groupes d'animaux. Cependant, ils forment généralement un réseau complexe de tubules qui fournissent de grandes surfaces permettant l'échange efficace et rapide d'eau et de solutés, notamment des déchets azotés. Nous allons maintenant examiner les systèmes urinaires des vers plats, des vers de terre, des insectes et des vertébrés. Ces exemples témoignent de la diversité évolutive des réseaux de tubules.

La protonéphridie

Comme le montre la **figure 44.9**, les vers plats (embranchement des plathelminthes) et les animaux acœlomates n'ont ni cœlome ni cavité corporelle, mais un système urinaire constitué d'organes appelés **protonéphridies**. Une protonéphridie est un réseau de tubules qui se terminent en cul-de-sac. Ouverts sur l'extérieur, les tubules se ramifient dans tout le corps. Des cellules bulbeuses, qui portent le nom de *cellules-flammes*, referment les branches de chaque protonéphridie. Chaque cellule-flamme possède une touffe de cils vibratiles qui forment saillie dans le tubule.

Durant la filtration, le battement des cils attire l'eau et les solutés du liquide interstitiel et les fait circuler à travers les replis de la membrane de la cellule-flamme jusqu'au réseau tubulaire. (Les cils vibratiles en action ressemblent à une flamme vacillante, d'où l'appellation *cellule-flamme*.) Ensuite, le filtrat traité est propulsé dans les tubules jusqu'à ce que ceux-ci se vident sous forme d'urine dans l'environnement externe par des ouvertures appelées *néphridiopores*. Comme l'urine excrétée par les vers plats d'eau douce a une faible concentration de solutés, sa production équilibre l'entrée d'eau du milieu environnant par osmose.

On trouve aussi des protonéphridies chez les rotifères, certains annélides, les larves des mollusques et les amphioxus, qui sont des cordés invertébrés (voir la figure 34.4). Chez les vers plats d'eau douce, l'osmorégulation est la principale fonction des protonéphridies : la plupart des déchets métaboliques sont excrétés à travers la surface corporelle ou dans la cavité gastrovasculaire, puis éliminés par la bouche (voir la figure 33.10). En revanche, chez les vers plats parasites qui sont isoosmotiques par rapport aux liquides environnants de leur hôte, les protonéphridies servent surtout à excréter les déchets azotés. La sélection naturelle a fait en sorte que les protonéphridies se soient adaptées selon les milieux.

▼ Figure 44.9 Les protonéphridies chez un ver plat.

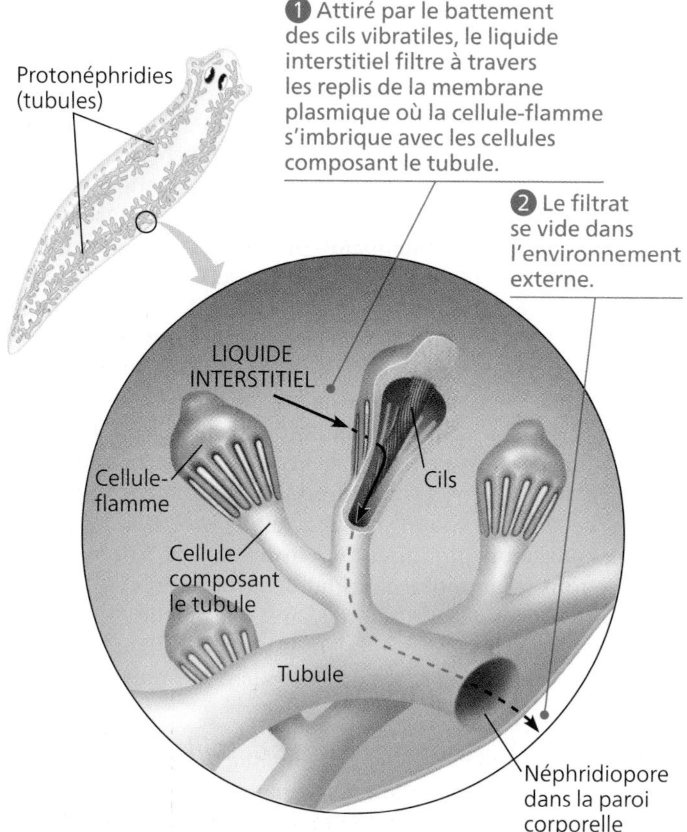

Les métanéphridies

La plupart des annélides, notamment le ver de terre (*Lumbricus terrestris*), ont des **métanéphridies**. Ce sont des organes excréteurs qui recueillent le liquide directement du cœlome (**figure 44.10**). Chaque segment du ver de terre possède sa propre paire de métanéphridies. Celles-ci sont immergées dans le liquide cœlomique et enveloppées d'un réseau de capillaires. L'ouverture interne d'une métanéphridie est entourée d'un entonnoir cilié, le néphrostome. Sous l'effet du battement des cils, le liquide pénètre dans un tubule collecteur, lequel comprend une vessie communiquant avec l'extérieur grâce au néphridiopore.

Les vers de terre vivent dans la terre humide, de sorte qu'ils subissent généralement une entrée nette d'eau par osmose à travers la cuticule et l'épiderme. Les métanéphridies équilibrent l'apport hydrique en produisant de l'urine diluée (hypoosmotique par rapport aux liquides corporels). L'élaboration d'un filtrat hypoosmotique permet à l'épithélium de transport de réabsorber la plupart des solutés et de les ramener au sang par les capillaires, tout en laissant dans le tubule les déchets azotés, qui seront évacués vers l'extérieur. Les métanéphridies du ver de terre ont donc des fonctions tant excrétrices qu'osmorégulatrices.

Les tubes de Malpighi

Le système urinaire des insectes et des autres arthropodes terrestres est constitué d'organes appelés **tubes de Malpighi**, qui retirent les déchets azotés et jouent un rôle dans l'osmorégulation (**figure 44.11**). Chaque tube est ainsi constitué que l'une de ses extrémités est en cul-de-sac et immergée dans l'hémolymphe, tandis que l'autre extrémité débouche dans le tube

▼ Figure 44.10 Les métanéphridies du ver de terre (*Lumbricus terrestris*). Chaque segment du ver de terre est doté d'une paire de métanéphridies, qui drainent le liquide cœlomique du segment antérieur adjacent. (Seulement une métanéphridie de chaque paire est illustrée ici.)

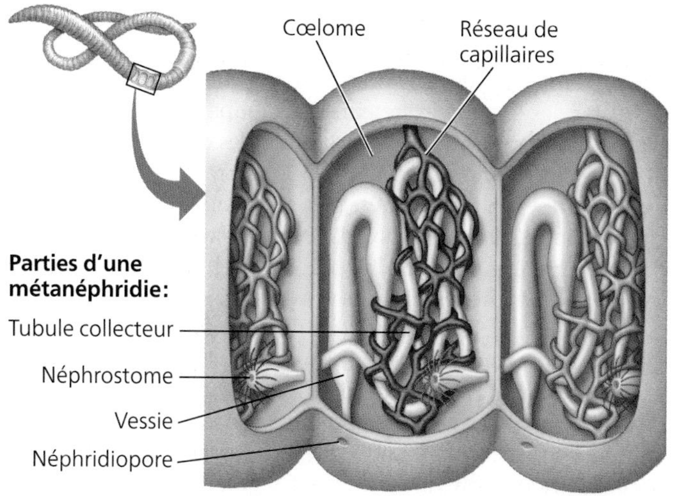

▼ **Figure 44.11** **Les tubes de Malpighi des insectes.** Les tubes de Malpighi sont des poches excroissantes du tube digestif. Ils sont le siège de l'élimination des déchets azotés et jouent un rôle dans l'osmorégulation.

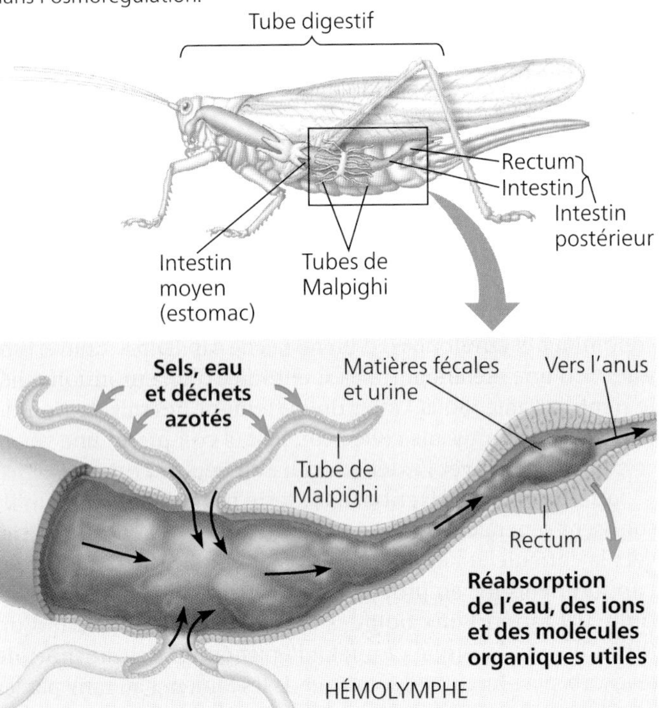

digestif. L'étape de filtration qui caractérise certains systèmes excréteurs est absente. Elle est remplacée par la sécrétion de certains solutés par l'épithélium de transport tapissant les tubes de Malpighi, notamment des déchets azotés, qui passent de l'hémolymphe dans la cavité du tubule. L'eau suit les solutés par osmose.

Pendant que la solution passe des tubules au rectum, la plupart des solutés sont réabsorbés et retournés à l'hémolymphe, tandis que l'eau est réabsorbée par osmose. Les déchets azotés (surtout de l'acide urique insoluble) sont éliminés sous forme de résidus presque secs avec les excréments. Remarquablement efficace sur le plan de la conservation de l'eau, le système urinaire des insectes est l'une des adaptations qui a le plus contribué à l'énorme succès de ces animaux sur la terre ferme.

Les reins

Chez les vertébrés et quelques autres cordés, un organe compact appelé **rein** exerce des fonctions d'osmorégulation et d'excrétion. À l'instar des organes excréteurs de la plupart des animaux, les reins se composent de tubules. Les tubules de ces organes sont disposés selon une structure précise et étroitement associés à un dense réseau de capillaires. Le système urinaire des vertébrés comporte aussi des conduits et d'autres structures de transport de l'urine hors des tubules et du rein, et aussi hors de l'organisme.

Habituellement, les reins des vertébrés ne sont pas segmentés. Cependant, chez les myxines (famille des myxinidés), des vertébrés sans mâchoires (voir le concept 34.2), les reins comportent des tubules excréteurs disposés en segments. Comme les myxines et d'autres vertébrés ont un ancêtre commun appartenant aux cordés, il est possible que les structures excrétrices des ancêtres des vertébrés aient aussi été segmentées.

Nous terminons cette introduction au sujet des systèmes excréteurs en explorant l'anatomie du rein et des structures qui lui sont associées chez les mammifères (**figure 44.12**). Prenez le temps de vous familiariser avec les termes et les schémas de cette figure avant d'aborder le traitement du filtrat dans les reins, sujet de la prochaine section de ce chapitre.

RETOUR SUR LE CONCEPT **44.3**

1. Comparez les différentes façons dont les déchets métaboliques entrent dans le système urinaire des vers plats, des vers de terre et des insectes.
2. Où et comment le filtrat se forme-t-il dans le rein des vertébrés, et par quelles voies ses constituants quittent-ils le rein ?
3. **ET SI ?** ▶ L'insuffisance rénale est souvent traitée par hémodialyse, qui consiste à faire passer le sang du corps dans une machine qui le filtre puis à le faire circuler le long d'une membrane semi-perméable. Un liquide appelé dialysat circule en sens opposé de l'autre côté de la membrane. Comme le dialysat remplace la réabsorption et la sécrétion des solutés dans un rein fonctionnel, sa composition de départ est capitale. Quelle composition initiale de solutés serait adéquate ?

Voir les réponses proposées à l'appendice A.

CONCEPT **44.4**

La structure du néphron est adaptée au traitement par étapes du filtrat sanguin

Dans le rein humain, le filtrat se forme lorsque le liquide passe de la circulation sanguine à la lumière de la capsule glomérulaire. Les capillaires glomérulaires et les cellules spécialisées de la capsule glomérulaire retiennent les éléments figurés du sang et les macromolécules (comme les protéines plasmatiques), mais ils sont perméables à l'eau et aux petits solutés. Par conséquent, le filtrat de la capsule glomérulaire contient des ions, du glucose, des acides aminés, des vitamines, des déchets azotés et d'autres petites molécules. Étant donné que ces molécules circulent librement entre les capillaires glomérulaires et la capsule glomérulaire, les concentrations de ces substances dans le filtrat initial sont les mêmes que dans le plasma sanguin.

Dans des conditions normales, environ 1 600 L de sang passent chaque jour dans les deux reins : c'est un volume qui équivaut à environ 300 fois le volume total de sang dans le corps. En traitant cet énorme volume de sang, les néphrons et les tubules rénaux collecteurs produisent environ 180 L de filtrat initial. Presque tous les monosaccharides, les vitamines et les autres nutriments organiques de ce filtrat, ainsi que près de 99 % de son eau, sont réabsorbés et passent dans le sang, ce qui ne laisse que 1,5 L d'urine environ à transporter vers la vessie puis à excréter.

Du filtrat à l'urine : *une étude détaillée*

Pour mieux comprendre la transformation du filtrat en urine, nous allons suivre le filtrat sur son trajet dans le néphron (**figure 44.13**, p. 1086). Les chiffres encerclés correspondent aux étapes de la transformation dans l'épithélium de transport à mesure que le filtrat avance dans le cortex rénal et la médulla.

❶ **Tubule contourné proximal.** La réabsorption dans le tubule contourné proximal est essentielle à la recapture des ions, de l'eau et des nutriments utiles présents dans l'énorme volume du filtrat initial. Le NaCl (sel) du filtrat entre dans les cellules de l'épithélium de transport par diffusion facilitée et cotransport, puis il est transporté activement vers le liquide interstitiel (voir le concept 7.4). Ce transfert de charge positive hors du tubule engendre le transport passif de Cl^-.

À mesure que le sel passe du filtrat au liquide interstitiel, l'eau suit par osmose, de sorte que le volume du filtrat diminue considérablement. Le sel et l'eau qui sortent du filtrat passent du liquide interstitiel aux capillaires péritubulaires par diffusion. Le glucose, les acides aminés, les ions potassium (K^+) et d'autres substances essentielles passent également, par transport actif ou passif, du filtrat au liquide interstitiel, puis dans les capillaires péritubulaires.

Le traitement du filtrat dans le tubule contourné proximal favorise le maintien d'un pH relativement stable dans les liquides corporels. Les cellules de l'épithélium de transport sécrètent des ions H^+ dans la lumière du tubule, mais elles synthétisent et sécrètent aussi de l'ammoniac, qui agit comme tampon pour neutraliser les ions H^+ sous la forme d'ions ammonium (NH_4^+). Plus le filtrat est acide, plus les cellules de l'épithélium de transport produisent de plus grandes quantités d'ammoniac, de sorte que l'urine d'un mammifère contient toujours un peu d'ammoniac provenant de cette source (même si la plupart des déchets azotés sont excrétés sous forme d'urée). En outre, le tubule contourné proximal réabsorbe par diffusion facilitée environ 90 % des ions bicarbonate (HCO_3^-), qui jouent un rôle important dans le sang : en tant que substance tampon, ils contribuent à maintenir un pH équilibré dans les liquides corporels.

Pendant que le filtrat passe dans le tubule contourné proximal, les substances à excréter deviennent plus concentrées. Beaucoup de déchets quittent les liquides corporels durant la filtration non sélective et demeurent dans le filtrat pendant que l'eau et les sels sont réabsorbés. L'urée, par exemple, est retournée dans le sang beaucoup plus lentement que le sel et l'eau. En outre, certaines substances sont sécrétées activement dans le filtrat en provenance de tissus voisins. Par exemple, les médicaments et les toxines que le foie a déjà traités passent des capillaires péritubulaires au liquide interstitiel, puis ils sont activement sécrétés par l'épithélium de transport dans la lumière du tubule contourné proximal.

❷ **Partie descendante de l'anse du néphron.** Après avoir quitté le tubule contourné proximal, le filtrat entre dans l'anse du néphron, où son volume diminuera au fil des différentes étapes du mouvement de l'eau. Dans la première partie de l'anse du néphron, c'est-à-dire la partie descendante, de nombreux canaux formés d'**aquaporine** rendent l'épithélium de transport tout à fait perméable à l'eau. Par contre, il n'y a presque pas de canaux pour le sel et les autres petits solutés. La perméabilité à ces substances est donc très faible.

Pour que l'eau sorte du tubule par osmose, le liquide interstitiel dans lequel baigne le tubule doit être hyperosmotique par rapport au filtrat. L'osmolarité du liquide interstitiel augmente graduellement à mesure qu'on avance de la face externe du cortex rénal vers la médulla rénale interne. C'est pourquoi le filtrat qui se déplace du cortex vers la médulla, dans la partie descendante de l'anse du néphron, continue de perdre de l'eau au profit du liquide interstitiel, dont l'osmolarité est croissante, ce qui augmente la concentration en solutés du filtrat. L'osmolarité la plus élevée (environ 1 200 mOsm/L) est observée dans la courbure de l'anse du néphron.

❸ **Partie ascendante de l'anse du néphron.** Le filtrat atteint le fond de l'anse, puis remonte vers le cortex rénal dans la partie ascendante de l'anse du néphron. Contrairement à l'épithélium de transport de la partie descendante, l'épithélium de transport de la partie ascendante est dépourvu d'aquaporines. Par conséquent, la membrane épithéliale qui fait face au filtrat dans la partie ascendante est imperméable à l'eau.

La partie ascendante possède deux régions spécialisées : le segment grêle près du fond de l'anse et le segment large conduisant au tubule contourné distal. À mesure que le filtrat monte dans le segment grêle, le Na^+ et le Cl^-, devenus très concentrés dans la partie descendante, traversent le tubule par diffusion facilitée et se retrouvent dans le liquide interstitiel. Cette perte aide à maintenir l'osmolarité du liquide interstitiel présent dans la médulla rénale.

Le retrait du Na^+ et du Cl^- du filtrat se poursuit dans le segment large de la partie ascendante ; cependant, dans cette région, l'épithélium procède au transport actif du Na^+ et du Cl^- vers le liquide interstitiel. En perdant du sel sans perdre d'eau, le filtrat se dilue progressivement, à mesure qu'il remonte vers le cortex rénal dans la partie ascendante de l'anse du néphron.

❹ **Tubule contourné distal.** Le tubule contourné distal joue un rôle clé dans la régulation de la concentration du K^+ ainsi que du Na^+ et du Cl^- dans les liquides corporels : il fait varier la quantité de K^+ sécrétée dans le filtrat et la quantité de Na^+ et de Cl^- réabsorbée du filtrat par cotransport ou par transport actif. Le tubule contourné distal participe également à la régulation du pH, et ce, par la sécrétion contrôlée de H^+ et par la réabsorption des ions bicarbonate (HCO_3).

❺ **Tubule rénal collecteur.** Le tubule rénal collecteur transforme le filtrat en urine, qu'il transporte à travers la médulla rénale jusqu'au pelvis rénal (voir la figure 44.12). Pendant que le filtrat passe sur l'épithélium de transport du tubule rénal collecteur, la régulation hormonale de la perméabilité et du transport détermine la concentration de l'urine.

Quand les reins conservent l'eau, les canaux d'aquaporines du tubule rénal collecteur permettent aux molécules d'eau de traverser l'épithélium. En même temps, l'épithélium demeure imperméable au Na^+ et au Cl^- et, dans le cortex rénal, à l'urée. Ainsi, à mesure que le tubule rénal collecteur traverse le gradient d'osmolarité dans le rein, le filtrat se concentre de plus en plus en perdant de l'eau par osmose au profit du liquide interstitiel hyperosmotique. Dans la médulla rénale interne, l'épithélium du tubule rénal collecteur devient perméable à l'urée. En raison de sa concentration élevée dans le filtrat à ce moment, une certaine partie de l'urée diffuse hors du tubule vers le liquide interstitiel. Avec le Na^+ et le Cl^-, cette urée interstitielle contribue de manière importante à l'osmolarité élevée du liquide interstitiel présent dans la médulla rénale. Et c'est cette osmolarité élevée du liquide interstitiel qui permet au rein de conserver de l'eau en excrétant une urine hyperosmotique par rapport aux liquides corporels en général.

▼ **Figure 44.12**

PANORAMA Le système urinaire des mammifères

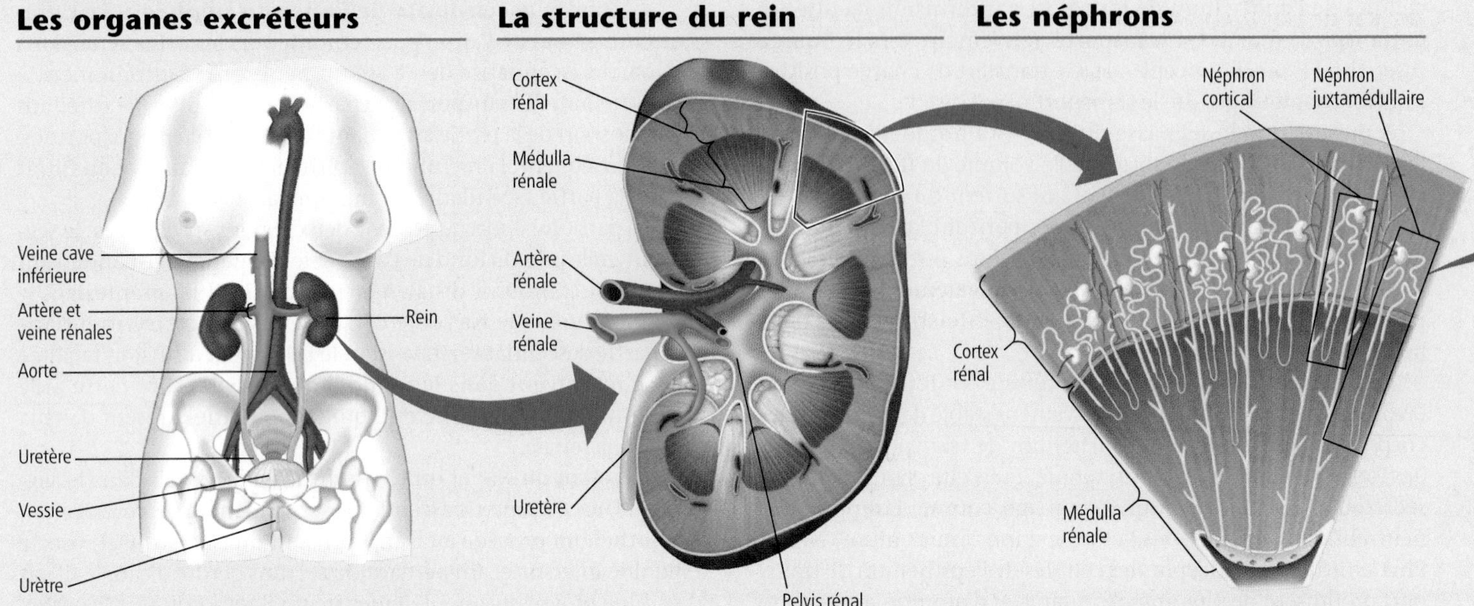

Chez l'humain, le système urinaire comprend une paire de **reins**, en forme de haricot et mesurant environ 10 cm de longueur, ainsi que des structures spécialisées dans le transport et le stockage de l'urine. L'urine produite par chaque rein s'écoule dans un conduit appelé **uretère**; les deux uretères se déversent dans un sac commun, la **vessie**. Durant la miction, l'urine est expulsée de la vessie par l'**urètre**, un conduit qui s'ouvre à l'extérieur du corps, chez la femme, par un petit orifice situé entre le clitoris et le vagin, et chez l'homme, à l'extrémité du pénis. Des sphincters (des muscles) à proximité de la jonction de l'urètre et de la vessie régulent la miction.

Chaque rein possède une enveloppe externe, le **cortex rénal**, et une enveloppe interne, la **médulla rénale**. Ces deux régions sont desservies en sang par une artère rénale et drainées par une veine rénale. Le cortex et la médulla abritent des tubules excréteurs densément alignés ainsi que des vaisseaux sanguins associés. Les tubules excréteurs transportent et traitent le filtrat provenant du sang qui entre dans le rein. Presque tout le liquide de ce filtrat est réabsorbé dans les vaisseaux sanguins avoisinants et sort du rein par la veine rénale. Le reste du liquide quitte les tubules excréteurs sous forme d'urine, puis il est recueilli dans le **pelvis rénal** (aussi appelé bassinet), à l'intérieur, et quitte le rein par l'uretère.

Enchevêtrés dans le cortex rénal et la médulla rénale, les **néphrons** sont les unités fonctionnelles du rein des vertébrés. Un rein humain contient environ 1 million de néphrons, dont 85 % sont des **néphrons corticaux**, qui s'avancent peu dans la médulla. Le reste est constitué de **néphrons juxtamédullaires**, qui, eux, descendent profondément dans la médulla. Les néphrons juxtamédullaires sont essentiels à la production d'une urine hyperosmotique par rapport aux liquides corporels, une adaptation importante pour la conservation de l'eau chez les mammifères.

Quand il produit une urine diluée plutôt qu'une urine concentrée, le tubule rénal collecteur réabsorbe activement les sels sans permettre à l'eau de suivre par osmose. L'épithélium est alors dépourvu de canaux d'aquaporines, et du Na^+ et du Cl^- sortent du filtrat par transport actif. Comme nous le verrons, la présence d'aquaporines dans l'épithélium du tubule rénal collecteur est régulée par des hormones qui maintiennent la pression artérielle, le volume sanguin et l'osmolarité.

Les gradients de solutés et la conservation de l'eau

La capacité du rein mammalien de conserver l'eau est une adaptation essentielle à la vie terrestre. L'osmolarité du sang humain est de l'ordre de 300 mOsm/L, mais le rein peut excréter une urine jusqu'à 4 fois plus concentrée (dont l'osmolarité atteint 1 200 mOsm/L). Quelques mammifères peuvent faire encore mieux. Par exemple, la souris sauteuse australienne (*Notomys sp.*), qui vit dans un milieu très sec, produit parfois de l'urine dont la concentration atteint 9 300 mOsm/L. Cette urine est donc 9 fois plus concentrée que l'eau de mer et 25 fois plus concentrée que les liquides corporels de l'animal.

Dans les reins des mammifères, le maintien des gradients osmotiques et la production d'urine hyperosmotique ne sont possibles qu'au prix d'une dépense considérable d'énergie pour assurer le transport actif ou le cotransport des solutés contre les gradients de concentration. En fait, on peut considérer le néphron, et particulièrement l'anse du néphron, comme une machine minuscule consommatrice d'énergie, dont la fonction est de créer une zone de forte osmolarité dans le rein afin

La structure du néphron

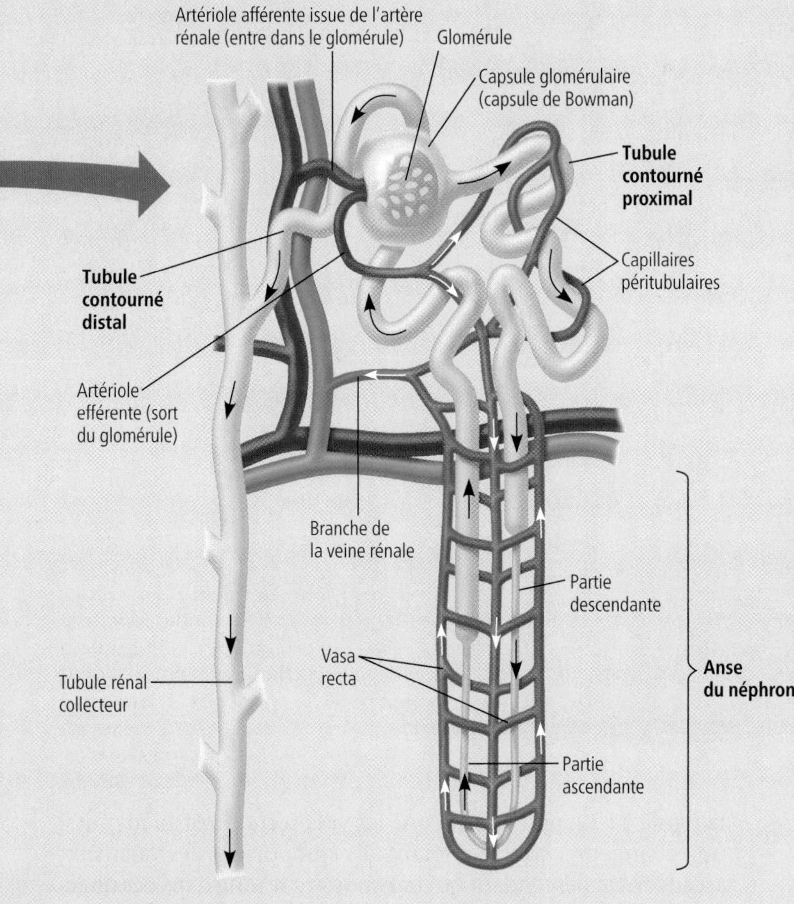

Chaque néphron comprend un seul long tubule et une boule de capillaires appelée **glomérule**. L'extrémité fermée du tubule forme un réceptacle sphérique et creux, la **capsule glomérulaire** (ou capsule de Bowman), qui entoure le glomérule. Le filtrat se forme quand la pression artérielle pousse le sang dans le glomérule, plus précisément dans la cavité de la capsule glomérulaire rénale. À partir de la capsule glomérulaire rénale, le filtrat traverse trois régions du néphron : le **tubule contourné proximal**, l'**anse du néphron** (ou anse de Henle), qui est une boucle en forme d'épingle à cheveux constituée d'une partie descendante et d'une partie ascendante, et le **tubule contourné distal**. Celui-ci se déverse dans un **tubule rénal collecteur**, qui reçoit le filtrat de plusieurs néphrons. Le filtrat s'écoule des nombreux tubules rénaux collecteurs dans le pelvis rénal, compartiment en forme d'entonnoir qui débouche dans l'uretère.

Chaque néphron est approvisionné en sang par une *artériole afférente*, une branche d'une artère interlobulaire elle-même issue d'une artère rénale, qui se ramifie pour former les capillaires du glomérule. À leur sortie de la capsule glomérulaire, les capillaires convergent en une *artériole efférente*. Ce vaisseau se subdivise à son tour en un réseau secondaire de capillaires, les **capillaires péritubulaires**, qui s'enchevêtrent avec les tubules contournés proximal et distal du néphron. D'autres capillaires se dirigent vers le bas pour former les **vasa recta**, des capillaires en forme d'épingle à cheveux qui desservent la médulla rénale et longent l'anse des néphrons juxtamédullaires.

▶ Dans cette MEB de bouquets denses de vaisseaux sanguins d'un rein humain, les artérioles et les capillaires péritubulaires sont en rose et les glomérules en jaune.

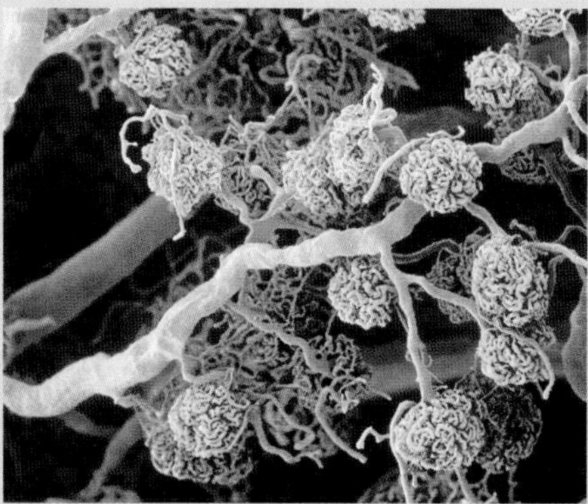

d'extraire l'eau de l'urine contenue dans le tubule rénal collecteur. Les solutés primaires de ce gradient d'osmolarité sont le Na^+ et le Cl^-, réabsorbés dans la médulla rénale par l'anse du néphron, et l'urée, qui passe à travers l'épithélium des tubules rénaux collecteurs dans la médulla rénale interne.

La concentration de l'urine par le rein des mammifères

Afin de mieux comprendre comment la physiologie du rein mammalien permet de conserver l'eau, examinons à nouveau le trajet du filtrat dans le tubule excréteur, mais en insistant cette fois sur la façon dont les néphrons juxtamédullaires maintiennent un gradient d'osmolarité dans les tissus entourant l'anse du néphron et utilisent ce gradient pour excréter une urine hyperosmotique (**figure 44.14**). Quand le filtrat sort de la capsule glomérulaire et se dirige vers le tubule contourné proximal, son osmolarité est environ celle du sang. À mesure que le filtrat s'écoule dans le tubule contourné proximal (à l'intérieur du cortex rénal), une grande quantité d'eau *et* de sel est réabsorbée ; ainsi, le volume de filtrat diminue substantiellement, mais, en raison de la perte de sel, son osmolarité reste à peu près la même.

À mesure que le filtrat s'écoule du cortex rénal à la médulla rénale par la partie descendante de l'anse du néphron, l'eau sort du tubule par osmose. L'osmolarité du filtrat augmente alors à mesure que les solutés, dont le NaCl, se concentrent. La diffusion de sel vers l'extérieur du tubule atteint un maximum lorsque le filtrat quitte la courbure et entre dans la partie ascendante de l'anse du néphron, qui, rappelons-le, est perméable au sel mais pas à l'eau. Le NaCl diffuse de la partie ascendante,

▼ Figure 44.13 Le néphron et le tubule rénal collecteur: les fonctions des diverses régions de l'épithélium de transport. Les éléments numérotés du schéma renvoient aux chiffres encerclés et mis en évidence dans le texte du début de la présente section.

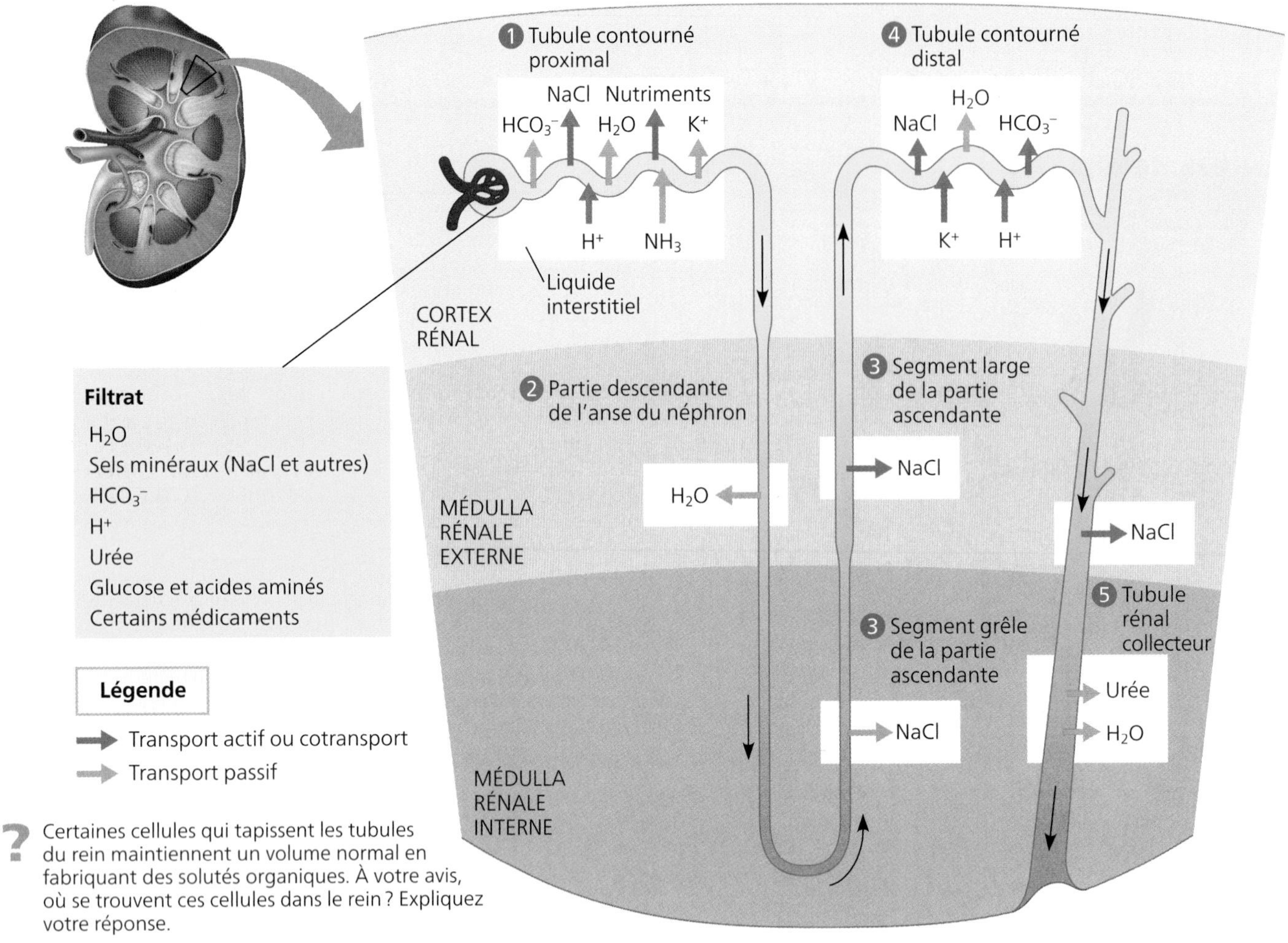

? Certaines cellules qui tapissent les tubules du rein maintiennent un volume normal en fabriquant des solutés organiques. À votre avis, où se trouvent ces cellules dans le rein? Expliquez votre réponse.

ce qui aide à maintenir une osmolarité élevée dans le liquide interstitiel de la médulla rénale.

L'anse du néphron et les capillaires voisins fonctionnent comme un échangeur à contre-courant qui produit un gradient osmotique très élevé entre la médulla et le cortex. Rappelez-vous que les systèmes à contre-courant de certains endothermes réduisent la perte de chaleur et que les échanges gazeux à contre-courant dans les branchies optimisent l'absorption des molécules d'oxygène (O_2) (voir les figures 40.13 et 42.21). Ces systèmes font intervenir un mouvement passif le long d'un gradient de concentration d'O_2 ou d'un gradient thermique. Dans le cas de l'anse du néphron, le système à contre-courant fait intervenir un mécanisme de transport actif et, par le fait même, entraîne une dépense d'énergie. Le transport actif du NaCl du filtrat dans le haut de la partie ascendante de l'anse maintient une forte concentration de NaCl à l'intérieur du rein, ce qui lui donne la capacité de produire une urine concentrée. Ces systèmes à contre-courant qui dépensent de l'énergie pour créer des gradients de concentration s'appellent **systèmes à contre-courant multiplicateurs**.

Qu'est-ce qui empêche les capillaires des vasa recta d'éliminer le gradient d'osmolarité en ramenant dans la circulation veineuse principale la forte concentration de NaCl présente dans le liquide interstitiel de la médulla rénale? En examinant la figure 44.12, on constate que les vasa recta constituent aussi un échangeur à contre-courant: ils comportent des vaisseaux ascendant et descendant qui transportent le sang dans des directions opposées, au fil du gradient d'osmolarité du rein. À mesure que le vaisseau descendant transporte le sang vers la médulla rénale interne, l'eau quitte le sang vers le liquide interstitiel, et le NaCl contenu dans ce dernier diffuse vers le sang. Ces flux sont inversés quand le sang retourne au cortex rénal par le vaisseau ascendant: l'eau retourne dans le sang et le NaCl diffuse hors de celui-ci. Les vasa recta peuvent donc fournir au rein des nutriments et d'autres substances importantes transportées par le sang, et ce, sans nuire au gradient d'osmolarité dans la médulla interne et externe.

Le processus d'échange à contre-courant de l'anse du néphron et des vasa recta facilite le maintien du gradient osmotique prononcé entre la médulla et le cortex du rein. Cependant, tout gradient osmotique sera éventuellement annulé par la diffusion, à moins que de l'énergie ne soit dépensée pour le protéger. Dans le rein, cette dépense se fait principalement dans le segment large de la partie ascendante de l'anse du néphron. C'est là que le NaCl est transporté activement hors du tubule. Même avec les avantages de l'échange à contre-courant, ce processus (ainsi que d'autres systèmes de transport actif rénal) consomme une quantité importante d'ATP. Aussi, au regard de leur taille, les reins

▼ **Figure 44.14 La concentration de l'urine par le rein humain.** Deux solutés contribuent à l'augmentation de l'osmolarité du liquide interstitiel : le NaCl (l'écriture abrégée désigne collectivement le Na^+ et le Cl^-) et l'urée. L'anse du néphron maintient le gradient de NaCl entre le filtrat et le liquide interstitiel, dont la concentration augmente continuellement depuis le cortex rénal jusqu'à la médulla rénale. L'urée s'ajoute au liquide interstitiel de la médulla rénale par diffusion hors du tubule rénal collecteur (bien que la majeure partie de l'urée du filtrat reste dans le tubule rénal collecteur et est excrétée). Le filtrat traverse trois fois le cortex et la médulla du rein : d'abord vers le bas, jusqu'au fond de l'anse du néphron, puis vers le haut, jusqu'au tubule contourné distal, puis de nouveau vers le bas, dans le tubule rénal collecteur. À mesure que le filtrat s'écoule dans le tubule rénal collecteur, longeant un liquide interstitiel dont l'osmolarité est croissante, de plus en plus d'eau sort du tubule par osmose. Ce mécanisme concentre les solutés, notamment l'urée, qui restent dans le filtrat et seront excrétés dans l'urine.

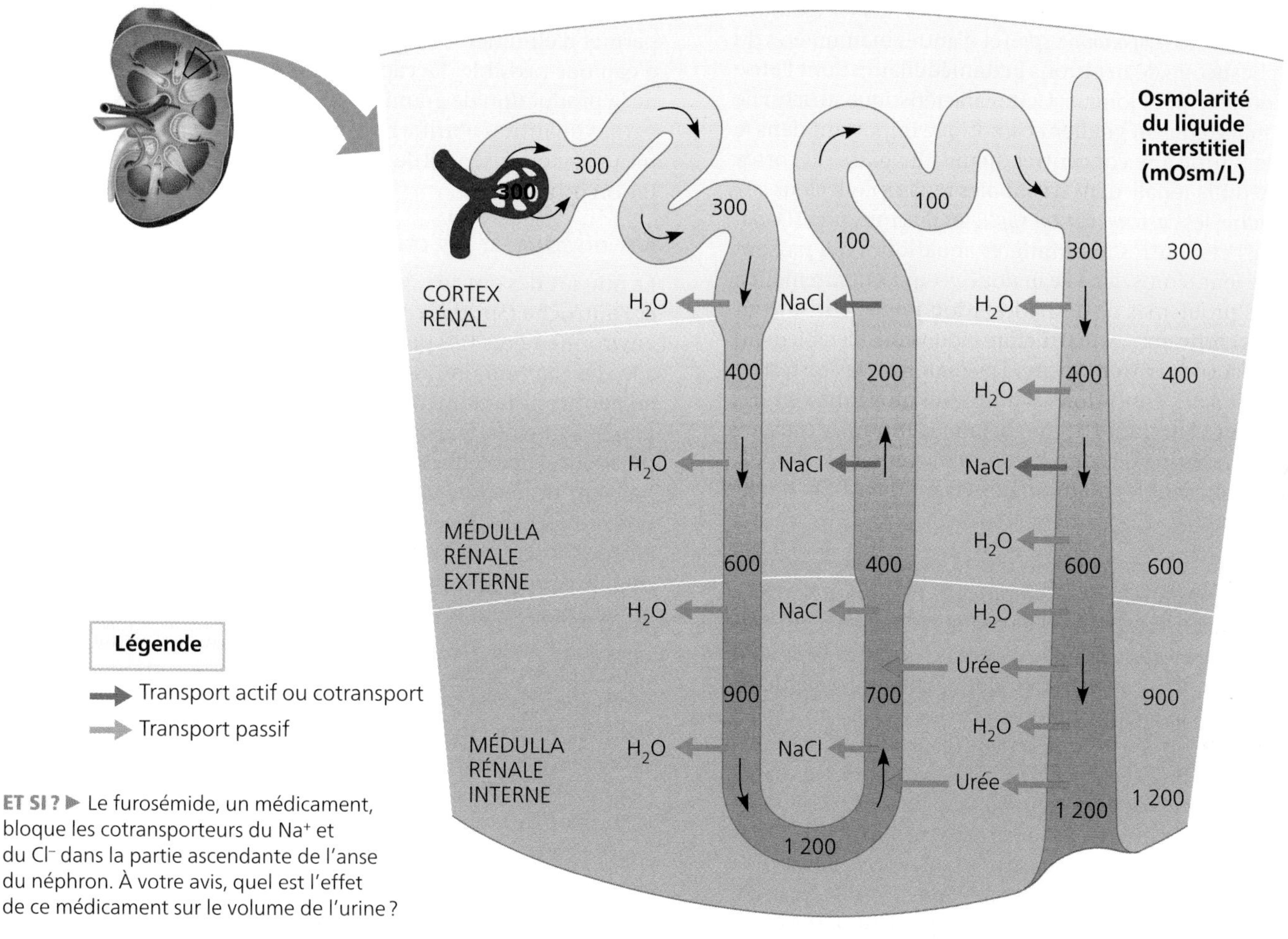

ET SI ? ▶ Le furosémide, un médicament, bloque les cotransporteurs du Na^+ et du Cl^- dans la partie ascendante de l'anse du néphron. À votre avis, quel est l'effet de ce médicament sur le volume de l'urine ?

présentent un métabolisme dont la vitesse est bien supérieure à celle de la plupart des autres organes.

Au moment où il atteint le tubule contourné distal, le filtrat est hypoosmotique par rapport aux liquides corporels en raison du transport actif de NaCl hors du segment large de la partie ascendante de l'anse du néphron. Ensuite, il redescend vers la médulla rénale, cette fois dans le tubule rénal collecteur, qui est perméable à l'eau mais pas au sel. Par conséquent, l'osmose fait en sorte que de l'eau sorte du filtrat à mesure que celui-ci passe du cortex à la médulla du rein et qu'il traverse des zones dont le liquide interstitiel est d'osmolarité croissante. Ce processus permet de concentrer le sel, l'urée et d'autres solutés dans le filtrat. Une partie de l'urée est réabsorbée dans la portion inférieure du tubule rénal collecteur et vient participer à l'osmolarité interstitielle élevée de la médulla rénale interne. (Cette urée est récupérée par diffusion dans le segment grêle de la partie ascendante de l'anse du néphron, mais sa réabsorption continuelle par l'épithélium de transport du tubule rénal collecteur maintient une concentration interstitielle d'urée élevée.) Quand le rein concentre l'urine au maximum, l'urine a une osmolarité atteignant celle du liquide interstitiel de la médulla rénale interne, qui peut s'élever à 1 200 mOsml/L. Même si elle est *isoosmotique* par rapport au liquide interstitiel de la médulla rénale interne, l'urine est en fait *hyperosmotique* par rapport au sang et au liquide interstitiel du reste du corps. Cette osmolarité élevée permet aux solutés qui restent dans l'urine d'être excrétés hors du corps avec une perte minimale d'eau.

L'évolution a amené les reins des vertébrés à s'adapter à des habitats différents

ÉVOLUTION Les vertébrés occupent des habitats qui s'étendent des forêts pluviales aux déserts et des étendues d'eau parmi les plus salées aux eaux pures des lacs de haute montagne. Lorsqu'on compare des vertébrés vivant dans des habitats différents, on observe des variations adaptatives de la structure et de la fonction de leurs néphrons. Chez les mammifères, par exemple, le néphron juxtamédullaire est une adaptation essentielle qui permet aux animaux terrestres d'éliminer les sels et les déchets azotés sans gaspiller l'eau. La longueur de l'anse des néphrons varie également d'une espèce à l'autre, de même que le nombre relatif de néphrons juxtamédullaires et corticaux ; ces différences contribuent à une meilleure adéquation entre l'osmorégulation et l'habitat de chaque espèce.

Les mammifères

Les mammifères qui excrètent l'urine la plus hyperosmotique, notamment la souris sauteuse australienne, les rats-kangourous d'Amérique du Nord (*Dipodomys spp.*) et d'autres mammifères du désert, ont beaucoup de néphrons juxtamédullaires dont l'anse est exceptionnellement longue. Cette caractéristique structurale permet de maintenir un gradient osmotique important dans le rein et force l'urine à se concentrer quand elle passe du cortex rénal à la médulla rénale dans les tubules rénaux collecteurs.

En revanche, les castors (*Castor spp.*), les rats musqués (*Ondatra zibethicus*) et d'autres mammifères aquatiques qui passent la plupart de leur temps dans l'eau douce et qui ont rarement à affronter des problèmes de déshydratation possèdent surtout des néphrons corticaux ; cette structure réduit considérablement leur capacité à concentrer l'urine. Les mammifères terrestres qui vivent dans des conditions d'humidité moyenne ont des néphrons munis d'une anse de longueur moyenne et la capacité de fabriquer une urine de concentration moyenne par rapport à celle que produisent les mammifères vivant dans l'eau douce ou dans le désert.

Étude de cas : la fonction rénale chez le vampire commun

Le vampire commun (*Desmodus rotundus*) d'Amérique du Sud présenté à la **figure 44.15** illustre bien la polyvalence du rein mammalien. Cette espèce de chauve-souris se nourrit la nuit du sang de grands oiseaux et de mammifères. Elle utilise ses dents acérées pour faire une petite incision dans la peau de sa victime, puis aspire le sang qui s'écoule de la plaie (la proie n'est habituellement pas blessée sérieusement). Des agents anticoagulants contenus dans sa salive permettent au sang de rester liquide.

Étant donné qu'il cherche souvent un animal pendant des heures et qu'il doit parcourir de grandes distances, le vampire a avantage à consommer autant de sang que possible quand il trouve une proie. Mais, après s'être alimenté, il est parfois trop lourd pour s'envoler. Cependant, ses reins excrètent de grandes quantités d'urine diluée pendant qu'il boit du sang, ce qui lui permet de perdre jusqu'à 24 % de sa masse corporelle par heure. Une fois qu'il a perdu suffisamment d'eau pour prendre son envol, le vampire revient à son perchoir, dans une cave ou un arbre creux, et y passe la journée.

▶ Figure 44.15 Le vampire commun (*Desmodus rotundus*), une chauve-souris aux prises avec des défis d'excrétion bien particuliers.

Mais une fois perché, il doit affronter un problème de régulation très différent : sa nourriture contient surtout des protéines, et la digestion de celles-ci produit de grandes quantités d'urée. Or, les chauves-souris ne peuvent diluer ce composé, car elles n'ont généralement pas accès à de l'eau dans leur aire de repos. C'est pourquoi leurs reins, contrairement à la normale, produisent de petites quantités d'urine extrêmement concentrée (jusqu'à 4 600 mOsm/L). Cette adaptation leur permet d'éliminer le surplus d'urée tout en conservant autant d'eau que possible. La capacité du vampire commun à passer de la production de grandes quantités d'urine diluée à celle de petites quantités d'urine hyperosmotique, et vice versa, constitue un facteur essentiel de son adaptation à une source d'alimentation inhabituelle.

Les oiseaux et les autres reptiles

La plupart des oiseaux, y compris l'albatros (voir la figure 44.1) et l'autruche (*Struthio camelus*) (**figure 44.16**), vivent dans des environnements très propices à la déshydratation. Les oiseaux, avec les mammifères, sont les seuls à posséder des reins dotés de néphrons juxtamédullaires, contrairement aux autres animaux. Toutefois, leurs néphrons possèdent une anse beaucoup plus courte que celle des néphrons mammaliens. Leurs reins ne peuvent donc concentrer l'urine autant que ceux des mammifères. Même s'ils peuvent produire une urine hyperosmotique afin de conserver de l'eau, les oiseaux excrètent l'azote sous forme d'acide urique, qui peut être rejeté sous une forme pâteuse, ce qui réduit le volume d'urine.

Les reins des autres reptiles se composent uniquement de néphrons corticaux. Leur urine peut être isoosmotique ou hypoosmotique par rapport aux liquides corporels. Toutefois, l'épithélium de leur cloaque, à partir duquel l'urine et les fèces sont excrétées, conserve des liquides en réabsorbant une partie de l'eau présente dans ces déchets. En outre, comme les oiseaux, la plupart des reptiles terrestres excrètent les déchets azotés sous forme d'acide urique.

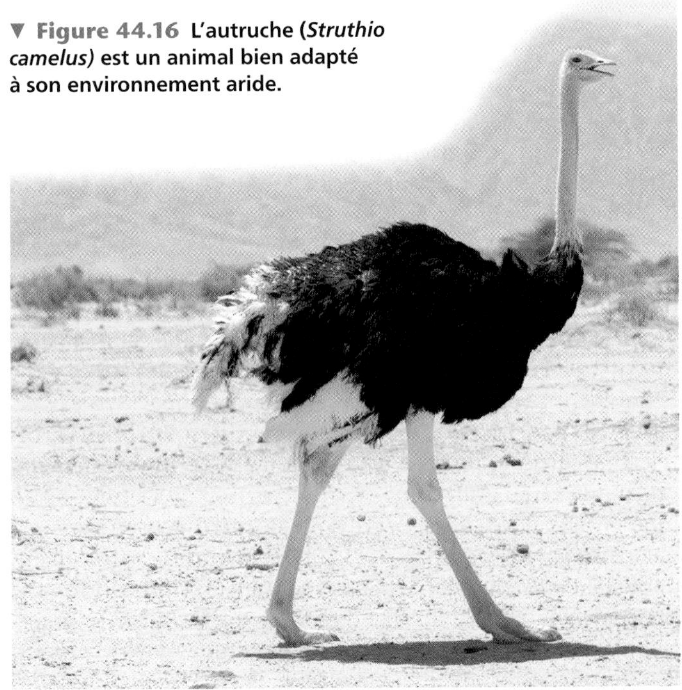

▼ Figure 44.16 L'autruche (*Struthio camelus*) est un animal bien adapté à son environnement aride.

Les poissons dulcicoles et les amphibiens

Les poissons dulcicoles sont hyperosmotiques par rapport à leur milieu et, de ce fait, excrètent de grands volumes d'urine très diluée. Leurs reins pourvus d'un très grand nombre de néphrons corticaux produisent un filtrat très rapidement. Les poissons d'eau douce gardent les sels en réabsorbant les ions du filtrat contenu dans leurs tubules contournés distaux, et ne retiennent pas l'eau.

Les reins des amphibiens fonctionnent à peu près comme ceux des poissons d'eau douce. Quand les grenouilles se tiennent dans l'eau douce, leurs reins excrètent une urine diluée, alors que leur peau et l'épithélium de leur vessie concentrent certains sels extraits de l'eau. Sur la terre ferme, quand la déshydratation constitue le principal défi au regard de l'osmorégulation, elles conservent leurs liquides corporels en réabsorbant de l'eau à travers l'épithélium de leur vessie.

Les poissons osseux marins

Comparativement aux poissons dulcicoles, les poissons marins ont moins de néphrons, et ces derniers sont plus petits et dépourvus de tubules contournés distaux. En outre, les reins de la plupart des poissons marins possèdent de petits glomérules, et quelques-uns n'en ont pas du tout. Par conséquent, les reins des poissons marins ont des vitesses de filtration faibles et excrètent très peu d'urine.

Les reins des poissons marins servent surtout à débarrasser l'organisme des ions bivalents (qui portent deux charges positives ou négatives), notamment les ions calcium (Ca^{2+}), magnésium (Mg^{2+}) et sulfate (SO_4^{2-}), que les poissons absorbent en buvant constamment de l'eau de mer. Les poissons marins éliminent ces ions en les sécrétant dans les tubules contournés proximaux des néphrons et en les évacuant avec l'urine. Chez ces poissons, l'osmorégulation relève également des *cellules à chlorures* situées dans les branchies. En établissant des gradients ioniques qui permettent la sécrétion de sel (NaCl) dans l'eau de mer, les cellules à chlorures maintiennent des concentrations appropriées d'ions monovalents (charge de 1+ ou de 1–) comme le Na^+ et le Cl^-.

L'établissement de gradients ioniques ainsi que le mouvement transmembranaire des ions sont essentiels à l'équilibre sodique et hydrique des poissons osseux marins, mais ce processus ne leur est pas spécifique ; on l'observe également chez beaucoup d'autres organismes et ce n'est pas le seul mécanisme permettant l'homéostasie. Comme le montrent les exemples de la **figure 44.17**, l'osmorégulation par les cellules à chlorures n'est qu'un des nombreux processus physiologiques qui sont alimentés par le mouvement des ions à travers une membrane.

RETOUR SUR LE CONCEPT 44.4

1. Que nous indiquent le nombre de néphrons et leur longueur au sujet de l'habitat d'un poisson ? Quelle corrélation existe-t-il avec la production d'urine ?
2. Certains médicaments rendent l'épithélium du tubule rénal collecteur moins perméable à l'eau. Comment ce changement se répercute-t-il sur la fonction rénale ?
3. **ET SI ?** ▶ Comment une diminution de la pression artérielle dans l'artériole qui mène au glomérule influe-t-elle sur la vitesse de filtration du sang dans la capsule glomérulaire ? Expliquez votre réponse.

Voir les réponses proposées à l'appendice A.

CONCEPT 44.5

Des circuits hormonaux influent en même temps sur la fonction rénale, l'équilibre hydrique et la pression artérielle

L'une des caractéristiques les plus importantes du rein mammalien est sa capacité à adapter le volume ainsi que l'osmolarité de l'urine, et ce, en fonction de l'équilibre hydrique et électrolytique, et aussi de la vitesse de production de l'urée. Quand il absorbe beaucoup de sel et qu'il n'a pas accès à une grande quantité d'eau, un mammifère peut excréter de l'urée et du sel et perdre très peu d'eau en produisant un faible volume d'urine hyperosmotique. Inversement, s'il absorbe peu de sel mais beaucoup d'eau, il peut éliminer l'eau excédentaire et ne perdre que peu de sel en produisant un volume important d'urine hypoosmotique. À ce moment, l'urine très diluée peut atteindre 70 mOsm/L, soit moins du quart de celle du sang humain.

Comment une régulation aussi efficace du volume et de l'osmolarité de l'urine est-elle possible ? Comme nous allons le voir dans la dernière section de ce chapitre, le maintien et le rétablissement de l'équilibre hydrique et sodique relèvent de deux mécanismes de régulation qui répondent ensemble aux divers stimulus.

La régulation homéostatique du rein

C'est une combinaison de mécanismes nerveux et hormonaux qui assure la fonction osmorégulatrice du rein mammalien. Par leurs effets sur le volume et l'osmolarité de l'urine, ces mécanismes contribuent à l'homéostasie de la pression sanguine et du volume sanguin.

L'hormone antidiurétique

L'**hormone antidiurétique** (**ADH**, pour *antidiuretic hormone*), aussi appelée *vasopressine*, joue un rôle important dans le rein. Les molécules d'ADH libérées par le lobe postérieur de l'hypophyse (neurohypophyse) se lient aux récepteurs membranaires des cellules des tubules rénaux collecteurs et les activent. L'activation de ces récepteurs amorce une cascade de transduction du signal qui orchestre l'insertion d'aquaporines dans la membrane des tubules (**figure 44.18**). Plus il y a d'aquaporines, plus la réabsorption de l'eau est importante et plus le volume d'urine diminue. (Le terme *diurèse* signifie « élimination urinaire » ; c'est parce que l'ADH diminue la production d'urine qu'on l'appelle hormone *anti*diurétique.)

Pour comprendre le rôle de l'ADH, observons ce qui se produit quand l'osmolarité du sang augmente, par exemple après un repas riche en sel ou après une transpiration abondante (**figure 44.19**). Lorsque l'osmolarité du sang dépasse la valeur de

FAITES DES LIENS ▼ Figure 44.17 Mouvement et gradients des ions

Le transport des ions à travers la membrane plasmique d'une cellule est une activité fondamentale chez tous les animaux et, plus généralement, chez tous les organismes vivants. En produisant des gradients ioniques, le transport des ions fournit l'énergie nécessaire pour alimenter toutes sortes de processus, telles la régulation des sels et des gaz dans les liquides corporels, la perception de l'environnement et la locomotion.

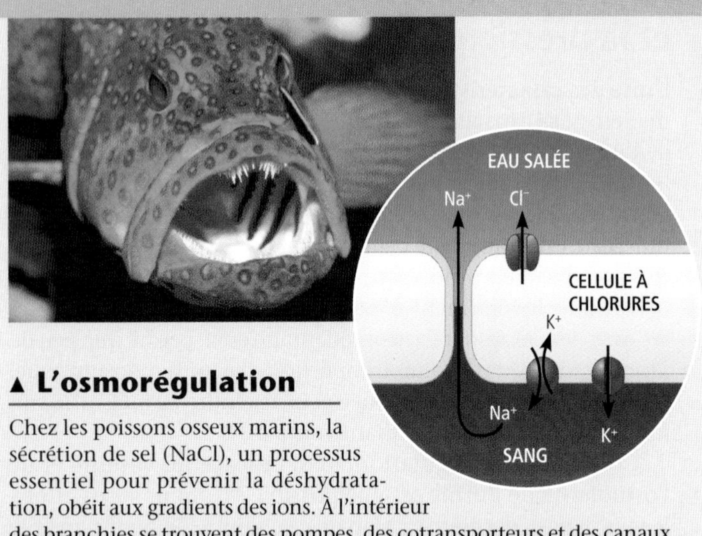

▲ L'osmorégulation

Chez les poissons osseux marins, la sécrétion de sel (NaCl), un processus essentiel pour prévenir la déshydratation, obéit aux gradients des ions. À l'intérieur des branchies se trouvent des pompes, des cotransporteurs et des canaux de cellules à chlorures qui, ensemble, font passer le sel du sang à travers l'épithélium jusqu'à l'eau salée environnante. (Voir la figure 44.4.)

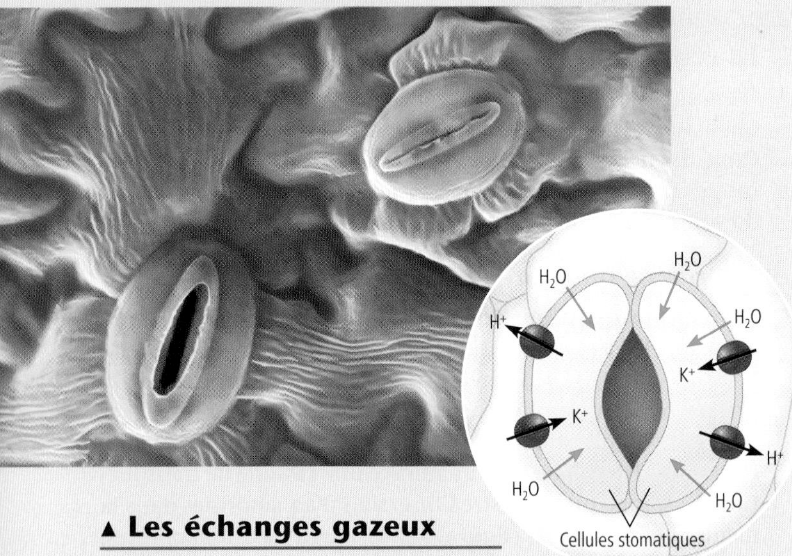

▲ Les échanges gazeux

Ce sont également des gradients ioniques qui permettent l'ouverture et la fermeture des stomates des plantes par les cellules stomatiques. Quand les protons sortent de la cellule par transport actif, ils génèrent une différence de potentiel électrique (un potentiel membranaire) qui transporte des ions K^+ à l'intérieur des cellules. L'absorption d'ions K^+ par les cellules stomatiques déclenche une entrée d'eau par osmose qui modifie leur forme : les cellules s'arquent, ce qui provoque l'ouverture des stomates. (Voir le concept 36.4.)

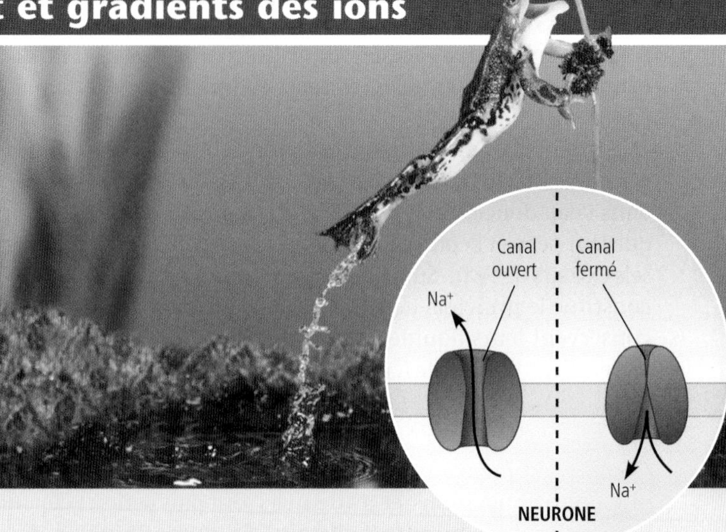

▲ Le traitement de l'information

Dans les neurones, c'est grâce à l'ouverture et à la fermeture des canaux à sodium (ou à d'autres ions) que de l'information peut être transmise sous forme de potentiels d'action. Ces signaux permettent au système nerveux de recevoir de l'information, de procéder à son traitement et de produire les réponses appropriées, comme le saut que fait cette grenouille pour attraper sa proie. (Voir les concepts 48.3 et 50.5.)

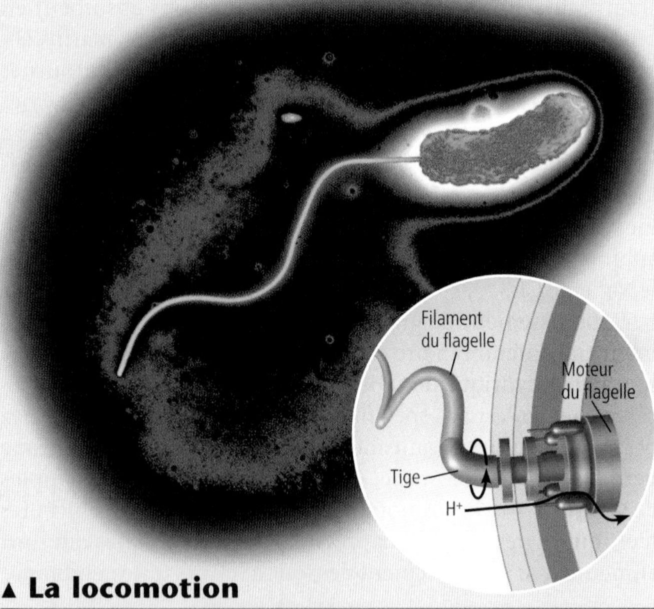

▲ La locomotion

C'est grâce à un gradient d'ions H^+ que le flagelle permet à une bactérie de se propulser. Une chaîne de transport d'électrons génère ce gradient en établissant une concentration de protons plus élevée à l'extérieur de la cellule. Les protons qui entrent à nouveau dans la cellule produisent une force qui alimente la rotation du moteur du flagelle. Ce moteur fait alors tourner la tige recourbée du flagelle, ce qui met en mouvement le filament qui propulse la cellule. (Voir le concept 9.4 et la figure 27.7.)

FAITES DES LIENS ▶ Expliquez pourquoi l'ensemble des forces qui alimentent le déplacement des ions à travers la membrane plasmique d'une cellule est décrit comme un gradient électrochimique (électrique et chimique). (Voir le concept 7.4.)

▼ **Figure 44.18 La régulation de la perméabilité du tubule rénal collecteur par l'hormone antidiurétique (ADH).**

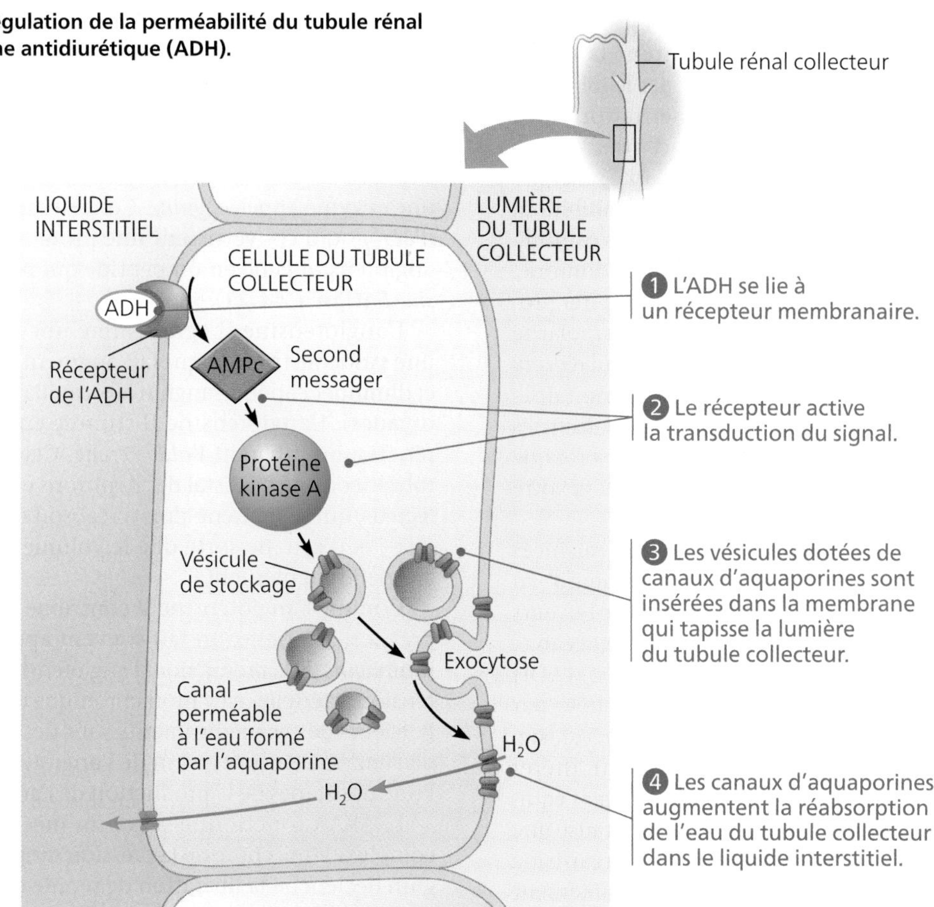

Tubule rénal collecteur
LIQUIDE INTERSTITIEL
CELLULE DU TUBULE COLLECTEUR
LUMIÈRE DU TUBULE COLLECTEUR
ADH
Récepteur de l'ADH
AMPc
Second messager
Protéine kinase A
Vésicule de stockage
Exocytose
Canal perméable à l'eau formé par l'aquaporine
H_2O
H_2O
1 L'ADH se lie à un récepteur membranaire.
2 Le récepteur active la transduction du signal.
3 Les vésicules dotées de canaux d'aquaporines sont insérées dans la membrane qui tapisse la lumière du tubule collecteur.
4 Les canaux d'aquaporines augmentent la réabsorption de l'eau du tubule collecteur dans le liquide interstitiel.

▼ **Figure 44.19 La régulation de la rétention liquidienne dans le rein humain.** Les osmorécepteurs de l'hypothalamus surveillent l'osmolarité du sang selon son effet sur la diffusion nette d'eau qui entre dans les cellules réceptrices ou en sort. Quand l'osmolarité du sang augmente, des signaux émis par ces osmorécepteurs déclenchent la libération d'ADH par le lobe postérieur de l'hypophyse (neurohypophyse) et provoquent la soif. La réabsorption de l'eau dans le tubule rénal collecteur ainsi que l'absorption d'eau ramènent l'osmolarité du sang à sa valeur de référence, ce qui inhibe la sécrétion d'ADH.

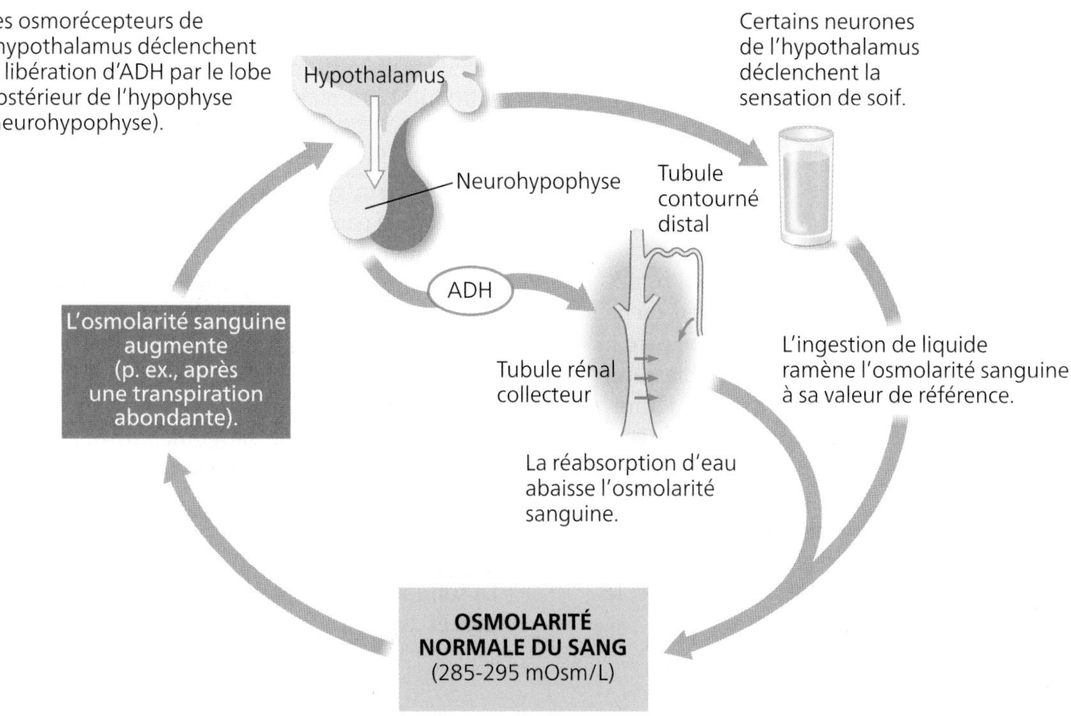

Les osmorécepteurs de l'hypothalamus déclenchent la libération d'ADH par le lobe postérieur de l'hypophyse (neurohypophyse).
Hypothalamus
Neurohypophyse
Certains neurones de l'hypothalamus déclenchent la sensation de soif.
Tubule contourné distal
ADH
L'osmolarité sanguine augmente (p. ex., après une transpiration abondante).
Tubule rénal collecteur
L'ingestion de liquide ramène l'osmolarité sanguine à sa valeur de référence.
La réabsorption d'eau abaisse l'osmolarité sanguine.
OSMOLARITÉ NORMALE DU SANG (285-295 mOsm/L)

référence (chez l'humain: entre 285 et 295 mOsm/L), les cellules osmoréceptrices de l'hypothalamus augmentent la quantité d'ADH libérée dans la circulation sanguine par le lobe postérieur de l'hypophyse. Il s'ensuit une augmentation de la réabsorption de l'eau, ce qui a pour effet de concentrer l'urine, de réduire le volume de celle-ci et d'abaisser l'osmolarité sanguine vers sa valeur de référence. Par un mécanisme de rétro-inhibition, l'osmolarité décroissante du sang réduit l'activité des osmorécepteurs dans l'hypothalamus, et la sécrétion d'ADH diminue.

Qu'arrive-t-il si, au lieu d'ingérer du sel ou de transpirer profusément, vous buvez une grande quantité d'eau? L'osmolarité sanguine baissera en deçà de sa valeur de référence, ce qui réduira de beaucoup la sécrétion d'ADH. En présence d'une faible concentration d'ADH, la perméabilité des tubules contournés distaux et des tubules rénaux collecteurs diminue, de sorte que la réabsorption de l'eau est alors réduite, ce qui amènera votre organisme à produire davantage d'urine diluée.

Contrairement à la croyance populaire, les boissons caféinées n'accroissent guère plus la production d'urine qu'un volume d'eau comparable. Dans plusieurs études effectuées auprès de buveurs de café et de thé, la caféine a eu un effet diurétique négligeable.

En temps normal, l'osmolarité du sang, la libération d'ADH et la réabsorption de l'eau dans le rein sont interreliées par un mécanisme de rétroaction qui contribue à l'homéostasie. Tout ce qui perturbe ce mécanisme peut également altérer l'équilibre hydrique. Par exemple, l'alcool peut modifier l'équilibre hydrique en inhibant la libération d'ADH, ce qui cause une perte excessive d'eau dans l'urine et déshydrate l'organisme (certains symptômes de la «gueule de bois» sont probablement associés à cette déshydratation).

Certaines mutations qui inhibent la production d'ADH ou inactivent le gène de son récepteur perturbent l'homéostasie parce qu'elles limitent l'insertion d'aquaporines supplémentaires dans la membrane des tubules rénaux collecteurs. La maladie qui en résulte peut entraîner une grave déshydratation et un déséquilibre des solutés, car l'urine produite est anormalement abondante et très diluée. Ces symptômes sont à l'origine du nom de cette maladie: le *diabète insipide* (une expression formée de mots grecs signifiant «qui traverse» et «qui n'a pas de goût»). Des mutations du gène même de l'aquaporine pourraient-elles causer le diabète insipide? La **figure 44.20** décrit une expérience sur cette question.

Le système rénine-angiotensine-aldostérone

La libération d'ADH est activée par l'augmentation de l'osmolarité sanguine, comme lorsque l'organisme est déshydraté ou ne reçoit pas suffisamment d'eau. Toutefois, si l'organisme perd à la fois trop de sels et d'eau (à cause d'une importante blessure, par exemple, ou d'une diarrhée grave), le volume sanguin diminuera *sans* augmentation de l'osmolarité. Étant donné que cela n'aura pas d'effet sur la libération d'ADH, comment l'organisme réagira-t-il? Il aura recours à un mécanisme de régulation endocrinien appelé **système rénine-angiotensine-aldostérone** (**SRAA**), qui participe aussi à la fonction rénale. En présence d'une baisse du volume sanguin ou de la pression sanguine, le SRAA augmente la réabsorption d'eau et de Na^+.

Le SRAA fait intervenir l'**appareil juxtaglomérulaire** (**AJG**), un tissu constitué de cellules de l'artériole afférente qui irrigue de sang le glomérule et les tissus voisins du tubule contourné distal. Lorsque la pression sanguine (artérielle) ou le volume sanguin dans l'artériole glomérulaire afférente chute (par exemple, à la suite d'une déshydratation), l'AJG libère dans le sang une enzyme appelée *rénine*. Cette dernière active un ensemble d'étapes qui convertissent une protéine plasmatique appelée angiotensinogène en un peptide qui porte le nom d'*angiotensine II* (**figure 44.21**).

L'angiotensine II agit comme une hormone et provoque une vasoconstriction qui fait augmenter la pression sanguine et diminuer l'apport sanguin aux capillaires des reins (et d'autres organes). L'angiotensine II stimule en outre les glandes surrénales, qui libèrent l'*aldostérone*. Cette hormone agit sur le tubule contourné distal des néphrons et sur le tubule rénal collecteur, qui se mettent alors à réabsorber davantage de sodium (Na^+) et d'eau, de sorte que le volume sanguin et la pression artérielle augmentent.

Comme l'angiotensine II contribue à l'augmentation de la pression artérielle, on fait souvent appel à des médicaments inhibiteurs de la production d'angiotensine II pour traiter l'hypertension artérielle (élévation chronique de la pression artérielle). Plusieurs de ces médicaments sont des inhibiteurs spécifiques de l'enzyme de conversion de l'angiotensine, laquelle catalyse l'une des étapes de la production de l'angiotensine II.

Le SRAA fonctionne selon un mécanisme de rétroaction complexe: une chute de la pression sanguine et du volume sanguin déclenche la libération de rénine qui, elle, stimule la production d'angiotensine II et d'aldostérone. Sous l'effet de ces deux substances, la pression sanguine et le volume sanguin augmentent, ce qui donne le signal que la libération de rénine par l'AJG peut diminuer.

Le maintien de l'équilibre entre eau et solutés

L'ADH et le SRAA agissent de concert pour augmenter la réabsorption de l'eau dans le rein. Toutefois, si l'ADH agissait seule, elle pourrait abaisser la concentration sanguine de Na^+ en stimulant la réabsorption de l'eau dans les reins, mais le SRAA aide à maintenir l'osmolarité des liquides corporels en stimulant la réabsorption de Na^+.

Une autre hormone, un peptide appelé **facteur natriurétique auriculaire** (**FNA**), s'oppose à l'action du SRAA. Le FNA est libéré par la paroi des oreillettes, lorsqu'elle est étirée par suite d'une augmentation du volume sanguin et de la pression sanguine. Il inhibe la réabsorption de Na^+ par les tubules rénaux collecteurs (d'où la dénomination de ce facteur, *natrium* signifiant «sodium» en latin) ainsi que la libération de rénine de l'AJG. De plus, ce facteur réduit la libération d'aldostérone par les glandes surrénales. Il s'ensuit une diminution du volume sanguin et de la pression sanguine. Ainsi, l'ADH, le SRAA et le FNA font partie d'un mécanisme complexe de vérification et de maintien de l'équilibre hydrique, qui régule la capacité du rein à contrôler l'osmolarité du sang, la concentration de sels, le volume sanguin et la pression artérielle.

La soif joue un rôle vital dans le maintien de l'équilibre des solutés et de l'eau. Récemment, des chercheurs ont découvert

DÉMARCHE SCIENTIFIQUE

INVESTIGATION

▼ **Figure 44.20**

Des mutations de l'aquaporine peuvent-elles causer le diabète insipide ?

■ HYPOTHÈSE ■ Des chercheurs ont étudié un patient qui souffrait de diabète insipide. Ce patient possédait un gène normal pour le récepteur de l'ADH, mais deux allèles mutants (A et B) du gène de l'aquaporine-2. Le tableau ci-dessous indique les modifications de séquences qui en résultent et permet de comparer l'alignement des séquences d'acides aminés (chez l'humain et chez d'autres espèces).

Provenance de la séquence du gène d'aquaporine-2	Acides aminés 183-191* dans la protéine encodée	Acides aminés 212-220* dans la protéine encodée
Grenouille (*Xenopus laevis*)	MNPARSFAP	GIFASLIYN
Lézard (*Anolis carolinensis*)	MNPARSFGP	AVVASLLYN
Poulet (*Gallus gallus*)	MNPARSFAP	AAAASIIYN
Humain (*Homo sapiens*)	MNPARSLAP	AILGSLLYN
Acides aminés conservés	MNPARSxxP	xxxxSxxYN
Gène du patient: allèle A	MNPACSLAP	AILGSLLYN
Gène du patient: allèle B	MNPARSLAP	AILGPLLYN

* La numérotation est basée sur la séquence de l'aquaporine-2 chez l'humain.

Chaque mutation a modifié la séquence de protéines à une position hautement conservée. Les chercheurs ont émis l'hypothèse selon laquelle ces modifications causent une dysfonction.

■ EXPÉRIENCE ■ Pour vérifier leur hypothèse, les chercheurs ont utilisé des ovocytes de grenouilles, car ces cellules expriment l'ARN messager étranger et il est possible de prélever les ovocytes en grand nombre chez une femelle adulte.

1 L'ARNm transcrit à partir de gènes de type sauvage et de gènes mutants de l'aquaporine a été injecté dans les ovocytes de grenouilles. À l'intérieur des ovocytes, le mécanisme cellulaire a traduit l'ARNm en aquaporines.

2 Les chercheurs ont transféré les ovocytes d'une solution à 200 mOsm à une solution à 10 mOsm. Ils ont ensuite mesuré la vitesse de gonflement par microscopie photonique et calculé la perméabilité des ovocytes à l'eau.

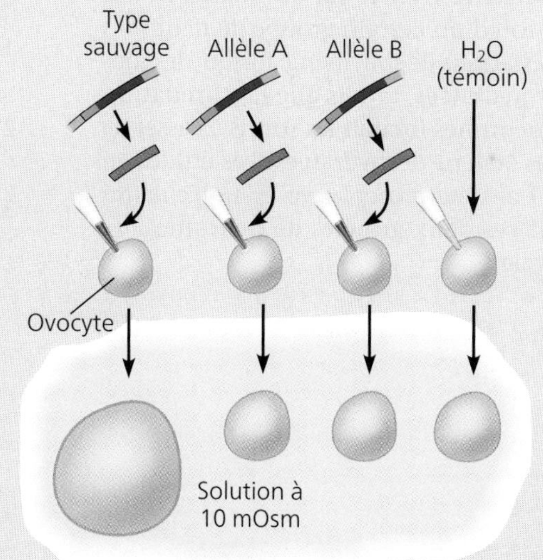

■ RÉSULTATS ■

Provenance de l'ARNm injecté	Vitesse de gonflement (μm/s)
Type sauvage	196
Allèle A	17
Allèle B	18
Aucun (témoin, H_2O)	20

■ CONCLUSION ■ Étant donné que chaque mutation a pour conséquence une incapacité de l'aquaporine d'agir comme canal perméable à l'eau, la maladie du patient peut être attribuée à ces mutations.

Source des données: P. M. Deen et coll., Requirement of human renal water channel aquaporin-2 for vasopressin-dependent concentration of urine, *Science* 264 : 92-95 (1994).

ET SI ? ▶ À votre avis, si vous mesuriez les taux d'ADH chez des patients ayant des récepteurs d'ADH mutants et chez des patients ayant des aquaporines mutantes, que constateriez-vous comparativement à des sujets de type sauvage ?

▶ Figure 44.21 La régulation du volume sanguin et de la pression artérielle par le système rénine-angiotensine-aldostérone (SRAA).

HABILETÉS VISUELLES ▶ Mettez en évidence chaque flèche associée à la sécrétion d'une hormone.

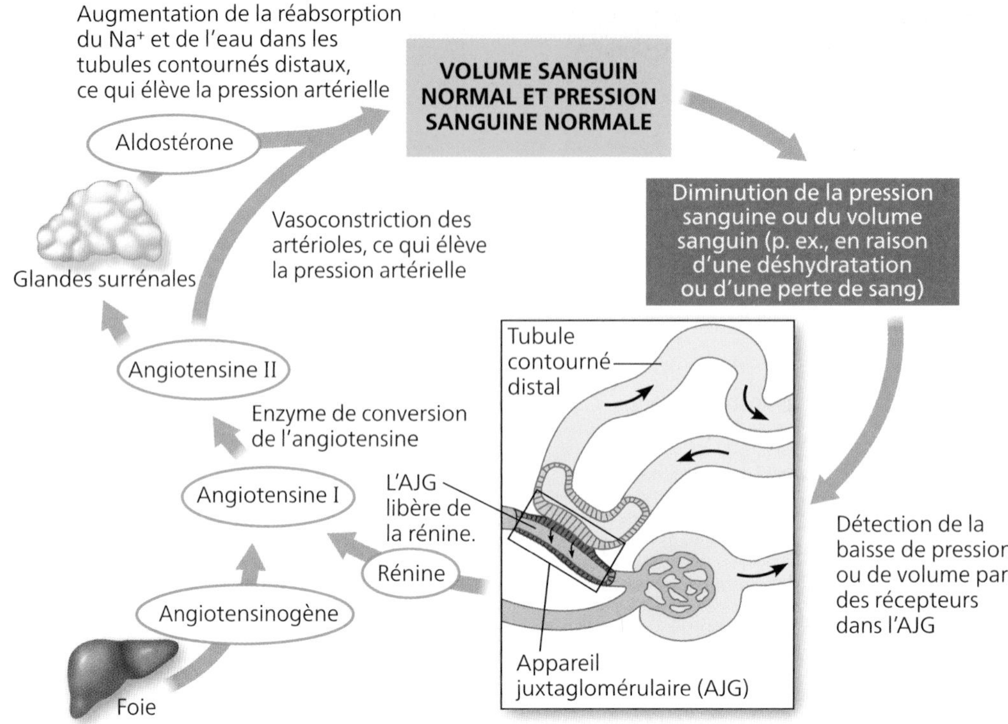

que des neurones de l'hypothalamus participent à la régulation de la soif. Dans une expérience réalisée sur des souris, ils ont constaté que la stimulation d'un certain groupe de neurones causait d'intenses manifestations de soif, même lorsque les souris étaient parfaitement hydratées, tandis que la stimulation d'un second groupe de neurones incitait les souris à cesser de boire, même lorsqu'elles étaient déshydratées. Les études en cours sur ce sujet tentent de déterminer les voies moléculaires et cellulaires qui relient ces deux groupes de neurones aux réponses comportementales.

RETOUR SUR LE CONCEPT 44.5

1. Comment l'alcool influe-t-il sur la régulation de l'équilibre hydrique dans le corps ?
2. En quoi peut-il être dangereux de boire une très grande quantité de liquide en un très court laps de temps ?
3. **ET SI ? ▶** Le syndrome de Conn est causé par une tumeur du cortex surrénal qui est responsable de la sécrétion irrégulière de grandes quantités d'aldostérone. À votre avis, quel est le principal symptôme de ce syndrome ?

Voir les réponses proposées à l'appendice A.

RÉVISION DU CHAPITRE 44

Consultez votre MANUEL NUMÉRIQUE, qui vous donne accès aux **animations**, aux **exercices** et à la plateforme d'**anatomie interactive**.

Résumé des concepts clés

CONCEPT 44.1

L'osmorégulation établit un équilibre entre l'apport et la perte d'eau et de solutés (p. 1074 à 1078)

Animal	Entrée/sortie	Urine
Poisson dulcicole. Vit dans une eau moins concentrée que ses liquides corporels; a tendance à acquérir de l'eau et à perdre du sel.	Ne boit pas. Gain de sel (transport actif par les branchies); Absorption de H_2O; Perte de sel; Perte de H_2O	▶ Volume urinaire élevé ▶ Urine moins concentrée que les liquides corporels
Poisson marin. Vit dans une eau plus concentrée que ses liquides corporels; a tendance à perdre de l'eau et à acquérir du sel.	Boit de l'eau. Gain de sel; Perte de H_2O; Perte de sel (transport actif par les branchies)	▶ Volume urinaire faible ▶ Urine légèrement moins concentrée que les liquides corporels
Vertébré terrestre. Vit sur la terre ferme; a tendance à rejeter de l'eau dans l'environnement.	Boit de l'eau. Gain de sel (par la bouche); Perte de H_2O et de sel	▶ Volume urinaire moyen ▶ Urine plus concentrée que les liquides corporels

- Les cellules équilibrent les apports et les pertes d'eau par divers mécanismes d'**osmorégulation**, un processus basé sur le mouvement régulé des solutés entre le liquide interstitiel et l'environnement externe ainsi que sur le mouvement de l'eau, qui suit par osmose.
- Les **osmotolérants** sont isoosmotiques par rapport à leur environnement marin et ne régulent pas leur **osmolarité**. En revanche, les **osmorégulateurs** contrôlent les entrées et les sorties d'eau dans un milieu hypoosmotique ou hyperosmotique, respectivement. Les animaux terrestres combattent la déshydratation grâce à des organes d'excrétion conservant l'eau. Les animaux vivant dans des habitats aquatiques précaires peuvent entrer dans un état de dormance appelé **anhydrobiose** lorsque leurs habitats s'assèchent.
- Les **épithéliums de transport** contiennent des couches de cellules épithéliales spécialisées qui régulent le mouvement des solutés nécessaires à l'élimination des déchets et à l'osmorégulation.

? Dans quelles conditions environnementales l'eau se déplace-t-elle dans une cellule par osmose?

CONCEPT 44.2

Les animaux produisent des déchets azotés qui reflètent leur phylogenèse et leur habitat (p. 1078 à 1080)

- Le métabolisme des protéines et des acides nucléiques produit de l'**ammoniac**. La plupart des animaux aquatiques évacuent l'ammoniac. Les mammifères et la plupart des amphibiens adultes convertissent l'ammoniac en **urée**, moins toxique. Celle-ci est transportée dans les reins, où elle est concentrée et excrétée avec une perte d'eau minimale. L'**acide urique** est un précipité insoluble excrété dans l'urine pâteuse des escargots terrestres, des insectes, des oiseaux et de nombreux reptiles.
- Les types de déchets azotés excrétés dépendent de l'habitat d'un animal, tandis que la quantité excrétée dépend de l'allocation énergétique de l'animal et de son apport en protéines.

FAITES UN DESSIN ▶ Construisez un tableau qui présente les trois principaux types de déchets azotés ainsi que leur toxicité relative, leur coût énergétique et la perte d'eau associée durant l'excrétion.

CONCEPT 44.3

Les divers systèmes urinaires constituent des variations sur le thème des tubules (p. 1080 à 1082)

- Les fonctions clés de la plupart des systèmes urinaires sont la **filtration**, la **réabsorption**, la **sécrétion** et l'**excrétion**. Les systèmes urinaires chez les invertébrés comprennent les **protonéphridies** chez les vers plats, les **métanéphridies** chez les vers de terre et les **tubes de Malpighi** chez les insectes. Les **reins**, organes excréteurs des vertébrés, servent à la fois à l'excrétion et à l'osmorégulation.
- Les tubules excréteurs (qui se composent d'un **néphron** et d'un **tubule rénal collecteur**) ainsi que des vaisseaux sanguins connexes forment les reins mammaliens. La filtration se fait à mesure que la pression artérielle pousse le sang dans le **glomérule**, plus précisément dans la cavité de la **capsule glomérulaire**. Après la réabsorption et la sécrétion, le filtrat s'écoule dans un tubule rénal collecteur. L'**uretère** transporte l'urine du **pelvis rénal** à la **vessie**.

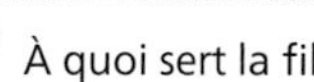

? À quoi sert la filtration dans les systèmes urinaires?

CONCEPT 44.4

La structure du néphron est adaptée au traitement par étapes du filtrat sanguin (p. 1082 à 1089)

- À l'intérieur des néphrons, la sécrétion et la réabsorption sélectives dans le **tubule contourné proximal** modifient considérablement le volume et la composition du filtrat. La *partie descendante* de l'**anse du néphron** est perméable à l'eau mais non au sel; l'eau se déplace par osmose dans le liquide interstitiel hyperosmotique. La *partie ascendante* de l'anse du néphron est perméable au sel mais pas à l'eau; au fur et à mesure que le filtrat monte dans le tube, le sel en sort par diffusion et transport actif. Le **tubule contourné distal** et le **tubule rénal collecteur** jouent un rôle clé dans la régulation de la concentration du K^+ et du NaCl dans les liquides corporels.

- Chez les mammifères, le **système à contre-courant multiplicateur**, qui comprend l'anse du néphron, maintient un gradient de concentration élevé de sels à l'intérieur du rein. L'urée diffuse hors du tubule rénal collecteur et contribue au gradient osmotique du rein.
- La sélection naturelle a façonné la structure et la fonction des néphrons de divers types de vertébrés pour répondre aux défis de l'osmorégulation associés aux divers habitats des animaux. Chez les mammifères du désert, qui excrètent l'urine la plus hyperosmotique, les néphrons possèdent une anse exceptionnellement longue et profondément enfoncée dans la **médulla rénale**. En revanche, chez les animaux vivant dans des habitats humides ou aquatiques, les néphrons sont pourvus d'une anse très courte et excrètent une urine moins concentrée.

? Quelles sont les différences entre les néphrons corticaux et juxtamédullaires du point de vue de la réabsorption de nutriments et de la concentration de l'urine ?

CONCEPT 44.5

Des circuits hormonaux influent en même temps sur la fonction rénale, l'équilibre hydrique et la pression artérielle (p. 1089 à 1094)

- Le lobe postérieur de l'hypophyse libère l'**hormone antidiurétique** (**ADH**) quand l'osmolarité du sang dépasse sa valeur de référence, par exemple à cause d'un apport hydrique insuffisant. L'ADH augmente la perméabilité à l'eau dans les tubules rénaux collecteurs en augmentant le nombre d'**aquaporines** dans l'épithélium.
- Si la pression artérielle ou le volume sanguin baissent dans l'artériole afférente, l'**appareil juxtaglomérulaire** libère de la *rénine*. L'*angiotensine II* formée en réaction à la rénine provoque une constriction des artérioles et déclenche la libération de l'hormone aldostérone, ce qui élève la pression artérielle et abaisse le taux de rénine. Les fonctions du **système rénine-angiotensine-aldostérone** s'ajoutent à celles de l'ADH et s'opposent à celles du **facteur natriurétique auriculaire**.

? Ce ne sont pas tous les patients souffrant de diabète insipide qui répondent au traitement à l'ADH. Pourquoi ?

Évaluation

NIVEAU 1 : CONNAISSANCES ET COMPRÉHENSION

1. *Contrairement* aux métanéphridies des vers de terre, les néphrons mammaliens :
   a) sont étroitement associés à un réseau de capillaires.
   b) jouent un rôle dans l'osmorégulation et dans l'excrétion des déchets azotés.
   c) assurent le traitement du sang, non du liquide cœlomique.
   d) possèdent un épithélium de transport.

2. Quel est le processus le *moins* sélectif lié au néphron ?
   a) La filtration.
   b) La réabsorption.
   c) Le transport actif.
   d) La sécrétion.

3. Parmi les animaux suivants, lequel a généralement la plus faible production d'urine ?
   a) Une chauve-souris vampire.
   b) Un saumon dans de l'eau douce.
   c) Un poisson osseux marin.
   d) Un ver plat d'eau douce.

NIVEAU 2 : APPLICATION ET ANALYSE

4. L'osmolarité élevée de la médulla rénale est maintenue par tous les éléments suivants, *sauf* :
   a) le transport actif du sel dans le segment large de la partie ascendante de l'anse du néphron.
   b) l'arrangement spatial des néphrons juxtamédullaires.
   c) la diffusion de l'urée à partir du tubule rénal collecteur.
   d) la diffusion de sel quittant le filtrat dans la partie descendante de l'anse du néphron.

5. Chez quelle espèce, parmi les suivantes, la sélection naturelle favorise-t-elle la plus grande proportion de néphrons juxtamédullaires ?
   a) Une loutre de rivière.
   b) Une espèce de souris qui vit dans une forêt tempérée décidue.
   c) Une espèce de souris qui vit dans le désert.
   d) Un castor.

6. Le dipneuste africain (*Protopterus annectens*), qui se trouve souvent dans de petites nappes d'eau dormante, produit de l'urée comme déchet azoté. Quel est l'avantage de cette adaptation ?
   a) Il faut moins d'énergie pour synthétiser l'urée que l'ammoniac.
   b) Les petites nappes d'eau dormantes ne fournissent pas assez d'eau pour diluer l'ammoniac toxique.
   c) L'urée forme un précipité et ne s'accumule pas dans l'eau environnante.
   d) Une accumulation d'urée dans le sang rend le dipneuste hypoosmotique par rapport à son milieu.

Voir les réponses proposées à l'appendice A.

Les hormones et le système endocrinien

45

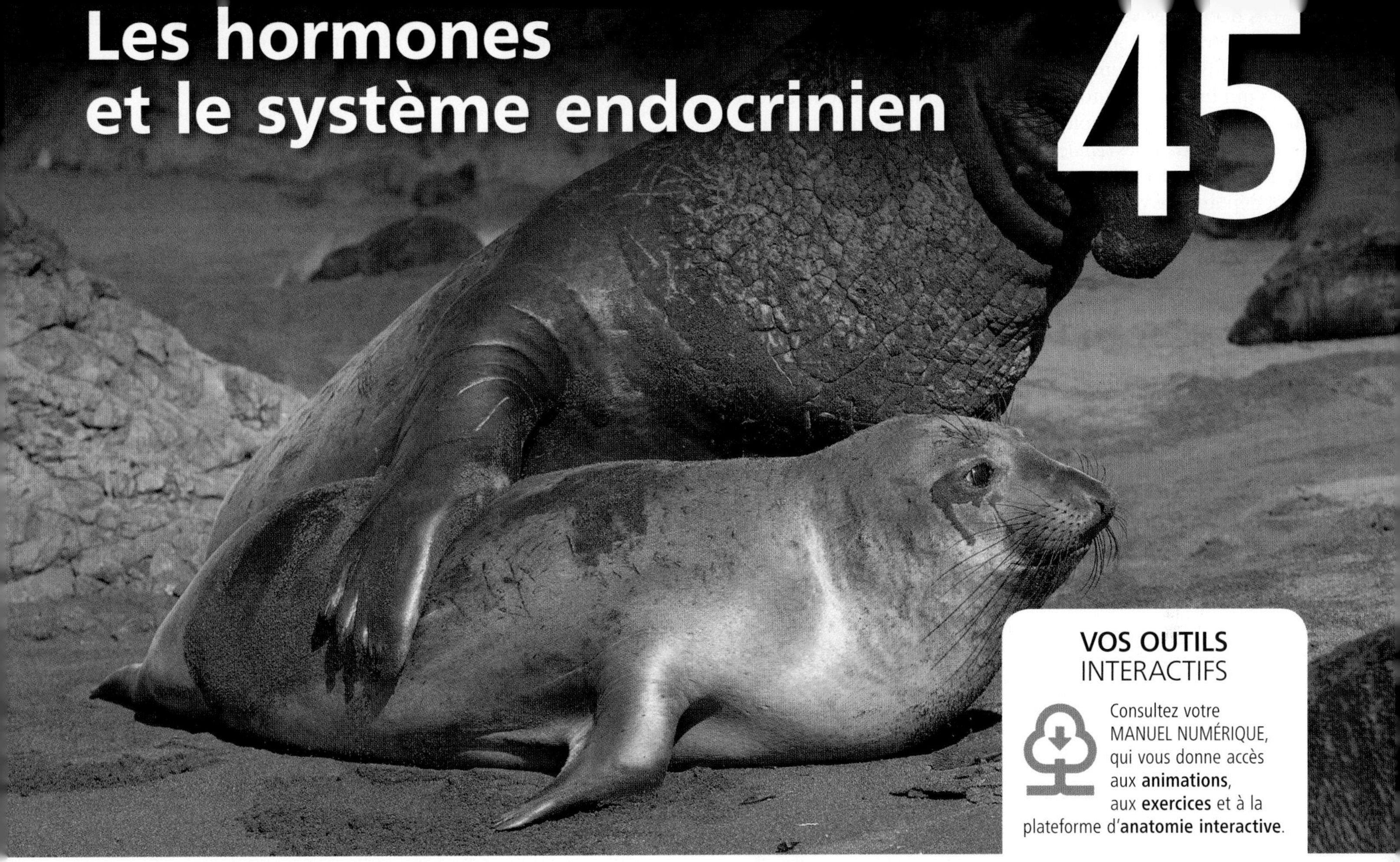

VOS OUTILS INTERACTIFS

Consultez votre MANUEL NUMÉRIQUE, qui vous donne accès aux **animations**, aux **exercices** et à la plateforme d'**anatomie interactive**.

▲ **Figure 45.1 Comment se fait-il que le mâle et la femelle soient si différents chez les éléphants de mer ?**

CONCEPTS CLÉS

45.1 Les hormones et d'autres molécules de signalisation se fixent aux récepteurs des cellules cibles pour activer des voies de réponse spécifiques

45.2 La régulation par rétroaction et la coordination avec le système nerveux sont des voies souvent empruntées par les hormones

45.3 Les glandes endocrines réagissent à divers stimulus dans la régulation de l'homéostasie, du développement et du comportement

▲ **Deux éléphants de mer mâles s'affrontent.**

La régulation à long terme de l'organisme

C'est souvent l'apparence physique qui permet de distinguer les espèces animales, mais il arrive que le mâle et la femelle d'une même espèce présentent des différences physiques considérables. C'est le cas des éléphants de mer (*Mirounga angustirostris*) de la **figure 45.1**. Non seulement le mâle est-il beaucoup plus gros que la femelle, mais lui seul porte l'étrange proboscis (trompe) qui vaut à l'espèce son nom. Le mâle est également beaucoup plus territorial et agressif que la femelle. C'est un gène situé sur le chromosome Y qui détermine qu'un éléphant de mer sera un mâle. Mais comment la présence de ce gène aboutit-elle à de telles différences de taille, de morphologie et de comportement ? L'explication de ces différences et de beaucoup d'autres processus biologiques réside dans des molécules de signalisation appelées **hormones** (du grec *hormôn*, « exciter »).

Chez les animaux, les hormones sont sécrétées dans le liquide extracellulaire, circulent dans le sang (ou dans l'hémolymphe) et transmettent des commandes régulatrices à tout l'organisme. Dans le cas de l'éléphant de mer comme pour bien des mammifères, la production de certaines hormones s'accroît à la puberté et stimule la maturation sexuelle ainsi que les changements qui l'accompagnent. Il en résulte un *dimorphisme sexuel*, c'est-à-dire un ensemble de différences morphologiques qui distinguent les mâles et les femelles adultes. Mais les effets des hormones ne se limitent pas aux caractéristiques sexuelles et à la reproduction. En présence d'un stress, de déshydratation ou d'une baisse de la glycémie, pour ne nommer que quelques exemples, ce sont également les hormones qui coordonnent les réponses physiologiques susceptibles de rétablir l'équilibre dans l'organisme de l'éléphant de mer – et de tout autre mammifère, en fait, y compris l'humain.

Les hormones se lient à des récepteurs spécifiques dans le corps. Bien que chaque hormone atteigne toutes les cellules de l'organisme, seulement quelques cellules portent les récepteurs qui lui correspondent. Une hormone déclenchera donc une réaction – par exemple, une modification du métabolisme – uniquement dans les *cellules cibles*, c'est-à-dire les cellules dotées du récepteur spécifique de cette hormone. Les cellules qui en sont dépourvues ne réagiront pas à l'hormone.

La communication chimique par les hormones est la fonction même du **système endocrinien**, un des deux principaux systèmes de communication et de régulation de l'organisme de l'animal. Les hormones sécrétées par les cellules endocriniennes régulent la reproduction, le développement, le métabolisme énergétique, la croissance et le comportement. L'autre système de communication et de régulation important est le **système nerveux**, un réseau de cellules spécialisées – les neurones – qui transmettent des signaux dans des voies dédiées. À leur tour, ces signaux régulent les neurones, les cellules musculaires et les cellules endocriniennes. Comme les signaux émis par des neurones peuvent réguler la libération d'hormones, les fonctions du système nerveux et du système endocrinien se chevauchent et se complètent.

Dans le présent chapitre, nous allons explorer les différents types de signaux chimiques chez les animaux. Nous verrons ensuite comment les hormones régulent les cellules cibles, comment la sécrétion hormonale est régulée et comment les hormones concourent à maintenir l'homéostasie. Pour terminer, nous examinerons la coordination des activités des systèmes endocrinien et nerveux de même que le rôle des hormones dans la croissance et le développement.

CONCEPT **45.1**

Les hormones et d'autres molécules de signalisation se fixent aux récepteurs des cellules cibles pour activer des voies de réponse spécifiques

Pour commencer, examinons les diverses façons dont un animal utilise la signalisation chimique pour communiquer.

La communication intercellulaire

La communication par l'intermédiaire d'hormones entre les cellules d'un animal est souvent classée selon deux critères: le type de cellule sécrétrice et la voie empruntée par le signal pour atteindre sa cible. La **figure 45.2** illustre les cinq formes de communication que ces critères permettent de distinguer: endocrine, paracrine, autocrine, synaptique ou neuroendocrine. À des moyens de signalisation s'ajoute la communication cellulaire par contact direct, qui n'est pas représentée ici (voir la figure 11.4).

La communication endocrine

Dans la communication endocrine (voir la figure 45.2a), les hormones sécrétées dans le liquide extracellulaire par les cellules endocrines atteignent les cellules cibles par la circulation sanguine (ou l'hémolymphe chez les arthropodes). Une des fonctions de la communication endocrine est de maintenir l'homéostasie. Les hormones régulent des paramètres tels que la pression artérielle, le volume sanguin, le métabolisme et l'allocation énergétiques, ainsi que les concentrations de solutés dans les liquides corporels. En outre, la communication endocrine

▼ **Figure 45.2 La communication intercellulaire par des molécules sécrétées.** Dans chaque type de communication, des molécules sécrétées (●) se lient à un récepteur protéique spécifique (◡) exprimé par les cellules cibles. Certains récepteurs se trouvent à l'intérieur des cellules; cependant, par commodité, cette illustration les représente tous à la surface des cellules.

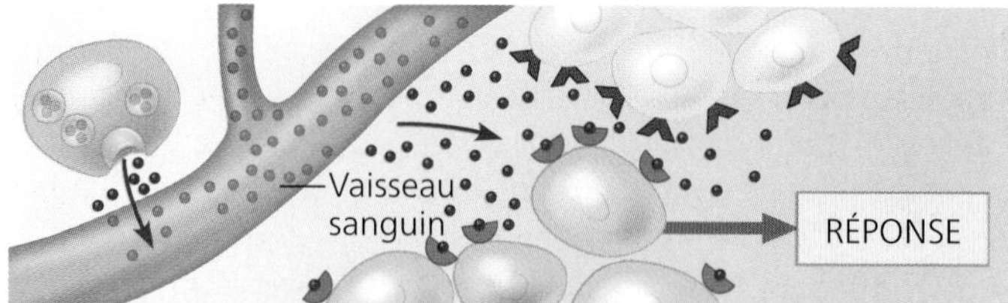

(a) Dans la **communication endocrine**, des molécules sécrétées diffusent dans la circulation sanguine et déclenchent des réponses dans les cellules cibles de tout le corps.

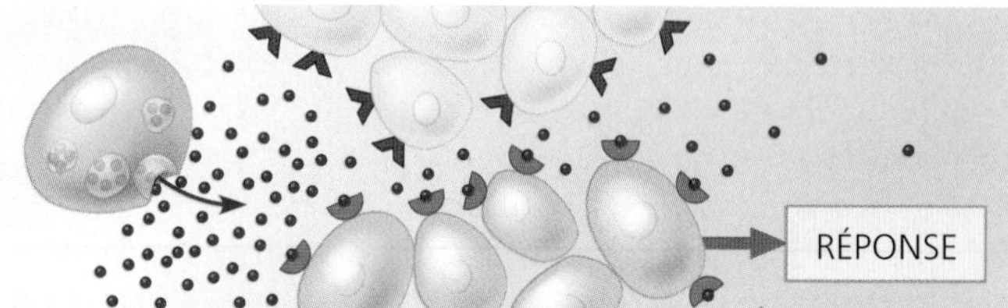

(b) Dans la **communication paracrine**, des molécules sécrétées diffusent localement et déclenchent une réponse dans les cellules voisines.

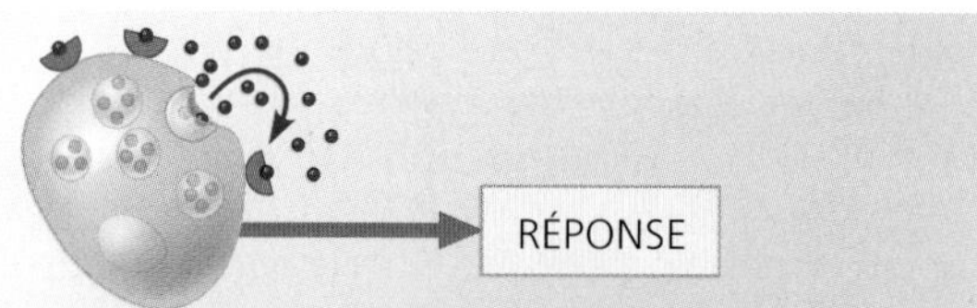

(c) Dans la **communication autocrine**, des molécules sécrétées diffusent localement et déclenchent une réponse dans les cellules qui les sécrètent.

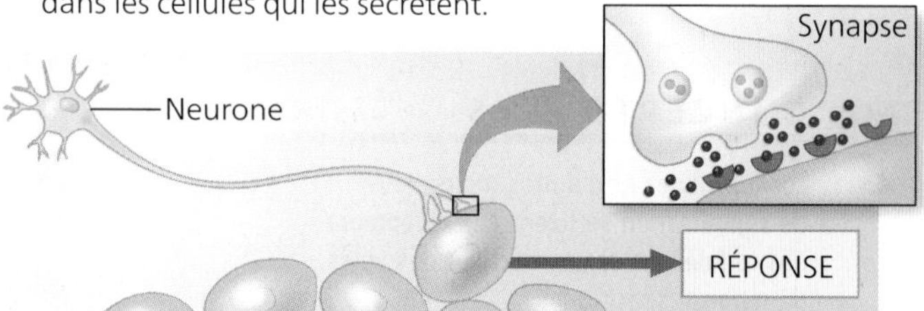

(d) Dans la **communication synaptique**, des neurotransmetteurs diffusent à travers les synapses et déclenchent des réponses dans les cellules des tissus cibles (neurones, muscles ou glandes).

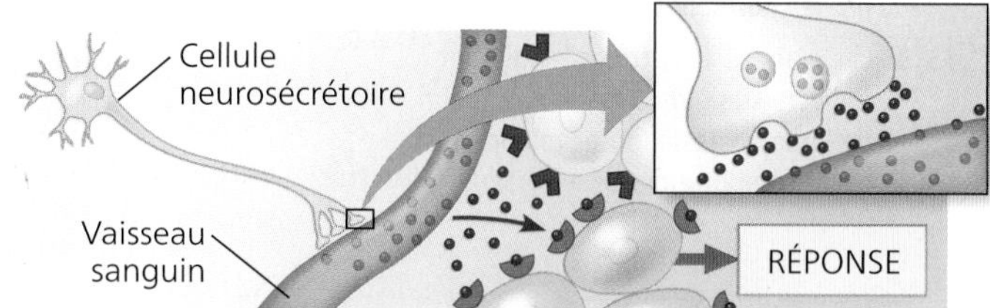

(e) Dans la **communication neuroendocrine**, des neurohormones diffusent dans la circulation sanguine et déclenchent des réponses dans le corps.

coordonne les réactions aux stimulus environnementaux, règle la croissance et le développement, et, comme nous l'avons vu plus tôt, amorce les changements comportementaux et physiques qui participent au développement sexuel et à la reproduction.

La communication paracrine et autocrine

Plusieurs types de cellules produisent et sécrètent des **régulateurs locaux**, c'est-à-dire des molécules qui agissent sur de courtes distances, atteignent leurs cibles par seule diffusion et agissent sur elles en quelques secondes à peine, voire quelques millisecondes. La communication paracrine et autocrine intervient dans de nombreux processus physiologiques, dont la régulation de la pression artérielle, la fonction nerveuse et la reproduction.

Selon la cellule cible, la communication par les régulateurs locaux peut être paracrine ou autocrine. Dans la communication **paracrine** (du grec *para*, « à côté de »), les cellules cibles se trouvent près de la cellule sécrétrice (voir la figure 45.2b). Par ailleurs, la communication est dite *homocrine* lorsque les cellules cibles sont de même type que la cellule sécrétrice et *hétérocrine* lorsque les cellules sont différentes. Enfin, dans la communication **autocrine** (du grec *auto*, « soi-même »), les cellules cibles sont les cellules sécrétrices elles-mêmes (voir la figure 45.2c).

Les **prostaglandines (PG)** forment un groupe de régulateurs locaux qui assurent des fonctions diverses et très étendues dans l'organisme. On les a nommés ainsi parce qu'on les a d'abord découvertes parmi les sécrétions de la prostate qui entrent dans la composition du liquide séminal, chez l'homme. Produites par de nombreuses catégories de cellules, les PG exercent diverses fonctions. Les PG présentes dans le sperme déposé dans les voies reproductrices de la femelle provoquent la contraction des muscles lisses de la paroi utérine, ce qui facilite le déplacement des spermatozoïdes vers l'ovule. Au cours de l'accouchement, les PG sécrétées par les cellules du placenta stimulent le muscle utérin et accroissent son excitabilité, ce qui déclenche le travail à la fin de la gestation (voir la figure 46.18).

Dans le système immunitaire, les PG favorisent la réaction inflammatoire et l'apparition de la fièvre qui surviennent à la suite d'une blessure ou d'une infection ; elles amplifient aussi la sensation de douleur. L'action inhibitrice de l'aspirine et de l'ibuprofène sur la synthèse des PG explique les effets anti-inflammatoires et analgésiques de ces substances.

Les PG participent également à la régulation de l'agrégation plaquettaire, une étape initiale de la coagulation sanguine. Étant donné que les caillots sanguins peuvent causer des accidents vasculaires s'ils obstruent la circulation sanguine dans les vaisseaux qui irriguent le cœur (voir le concept 42.4), certains médecins prescrivent de l'aspirine à prendre régulièrement aux personnes présentant des risques élevés de crise cardiaque.

La communication synaptique et neuroendocrine

Les molécules sécrétées sont essentielles à la fonction du système nerveux. Les neurones communiquent avec des cellules cibles, tels d'autres neurones ou des cellules musculaires, par l'intermédiaire de jonctions spécialisées appelées synapses. À la plupart des synapses, les neurones sécrètent des molécules appelées **neurotransmetteurs**, qui diffusent sur une très courte distance (une fraction du diamètre cellulaire) et se lient aux récepteurs des cellules cibles (voir la figure 45.2d). Cette *communication synaptique* est indispensable à la sensation, à la mémoire, à la cognition et au mouvement (comme nous le verrons aux chapitres 48 à 50).

Dans la *communication neuroendocrine*, des neurones spécialisés appelés cellules neurosécrétoires sécrètent des **neurohormones**, qui sortent des extrémités des neurones par diffusion et entrent dans la circulation sanguine (voir la figure 45.2e). L'hormone antidiurétique (ADH), aussi appelée vasopressine, en est un exemple. L'ADH est essentielle à la fonction rénale et à l'équilibre hydrique (voir le concept 44.5). Elle joue également un rôle important dans la parade nuptiale. Comme nous le verrons plus loin dans ce chapitre, de nombreuses neurohormones régulent la communication endocrine.

La communication par les phéromones

Les molécules de signalisation sécrétées n'agissent pas toutes à l'intérieur du corps. Les membres d'une même espèce animale communiquent parfois entre eux par des **phéromones**, des substances chimiques qui sont libérées dans l'environnement. Par exemple, quand une fourmi ouvrière découvre une nouvelle source de nourriture, elle retourne au nid en marquant son trajet avec une phéromone. Les fourmis utilisent également les phéromones pour s'orienter lorsqu'une colonie migre dans un nouvel endroit (**figure 45.3**).

Les phéromones exercent plusieurs fonctions. Elles servent notamment à définir des territoires, à prévenir de la présence de prédateurs et à attirer les partenaires sexuels potentiels. Le polyphème d'Amérique (*Antheraea polyphemus*) constitue un exemple remarquable : la femelle de ce papillon nocturne émet dans l'air des phéromones sexuelles qui lui permettent d'attirer un mâle de son espèce se trouvant à aussi loin que 4,5 km de distance. Vous en apprendrez davantage sur les fonctions des phéromones lorsque nous traiterons du comportement animal au chapitre 51.

Les classes chimiques de régulateurs locaux et d'hormones

Quels types de molécules transmettent des signaux dans l'organisme d'un animal ? Il peut s'agir de molécules organiques ou inorganiques qui exercent de multiples fonctions. Jetons un coup d'œil.

▼ **Figure 45.3 La communication à l'aide de phéromones.** Avec leurs antennes abaissées, ces fourmis légionnaires asiatiques (*Leptogenys distinguenda*) suivent une piste marquée par les phéromones pendant qu'elles transportent des pupes et des larves vers un nouveau site de nidification.

Les classes chimiques de régulateurs locaux

Plusieurs types de composés chimiques agissent comme régulateurs locaux. Certains de ces régulateurs sont des dérivés d'acides aminés, notamment les neurotransmetteurs, qui jouent des rôles clés dans le système nerveux, ainsi que l'histamine, qui intervient notamment dans la réaction inflammatoire. Les *eicosanoïdes* sont des acides gras modifiés parmi lesquels figurent les prostaglandines et les leucotriènes. Beaucoup d'autres régulateurs locaux sont des polypeptides, comme les cytokines, qui permettent aux cellules immunitaires de communiquer (voir les figures 43.16 et 43.17), ainsi que des facteurs de croissance, qui agissent sur les cellules en stimulant leur croissance, leur division et leur développement. Certains régulateurs locaux sont des gaz.

Dans l'organisme, le **monoxyde d'azote (NO)**, un gaz, se comporte à la fois comme un régulateur local et comme un neurotransmetteur. Lorsque la concentration sanguine de molécules d'oxygène (O_2) chute, les cellules endothéliales dans les parois des vaisseaux sanguins synthétisent et libèrent du NO. Après avoir diffusé dans les cellules des muscles lisses voisines, le NO active une enzyme qui provoque le relâchement des fibres musculaires. Il en résulte une vasodilatation qui accroît l'irrigation des tissus.

Cet effet vasodilatateur du NO joue également un rôle dans la fonction sexuelle de l'homme en augmentant l'afflux de sang dans le pénis et en produisant ainsi une érection. Le Viagra (citrate de sildénafil), utilisé pour traiter la dysfonction érectile chez l'homme, maintient l'érection en inhibant l'enzyme (une phosphodiestérase; voir la figure 11.11) qui, normalement, détruit le messager secondaire (GMP cyclique) dans la voie de réponse du NO; il prolonge donc ainsi l'activité de cette voie.

Les classes chimiques d'hormones

Les trois principales classes chimiques d'hormones sont: les polypeptides (protéines et peptides), les stéroïdes et les amines (**figure 45.4**). Par exemple, l'insuline, une hormone de la classe des polypeptides, se compose de deux chaînes polypeptidiques sous sa forme active. Les hormones stéroïdes, comme le cortisol, sont des lipides constitués de quatre cycles carbonés attachés les uns aux autres. Toutes les hormones stéroïdes sont des dérivées d'un même stéroïde: le cholestérol (voir la figure 5.12). L'adrénaline et la thyroxine, elles, font partie des hormones dérivées d'amines (amines biogènes), c'est-à-dire synthétisées à partir d'un seul acide aminé, soit la tyrosine ou le tryptophane.

Comme la figure 45.4 l'indique, la solubilité des hormones dans les milieux aqueux ou riches en lipides varie. Les polypeptides et la plupart des hormones dérivées d'amines sont hydrosolubles, tandis que les hormones stéroïdes et d'autres hormones essentiellement non polaires (hydrophobes), comme la thyroxine, sont liposolubles.

Les voies de réponse cellulaires des hormones

Il existe plusieurs différences entre les voies de réponse des hormones hydrosolubles et celles des hormones liposolubles. Une des différences clés est l'emplacement des récepteurs protéiques des cellules cibles. Les hormones hydrosolubles sont sécrétées par exocytose et circulent librement dans le sang. Comme elles sont insolubles dans les lipides, elles ne peuvent pas traverser les membranes des cellules cibles par diffusion.

▼ **Figure 45.4 La structure et la solubilité des hormones varient.**

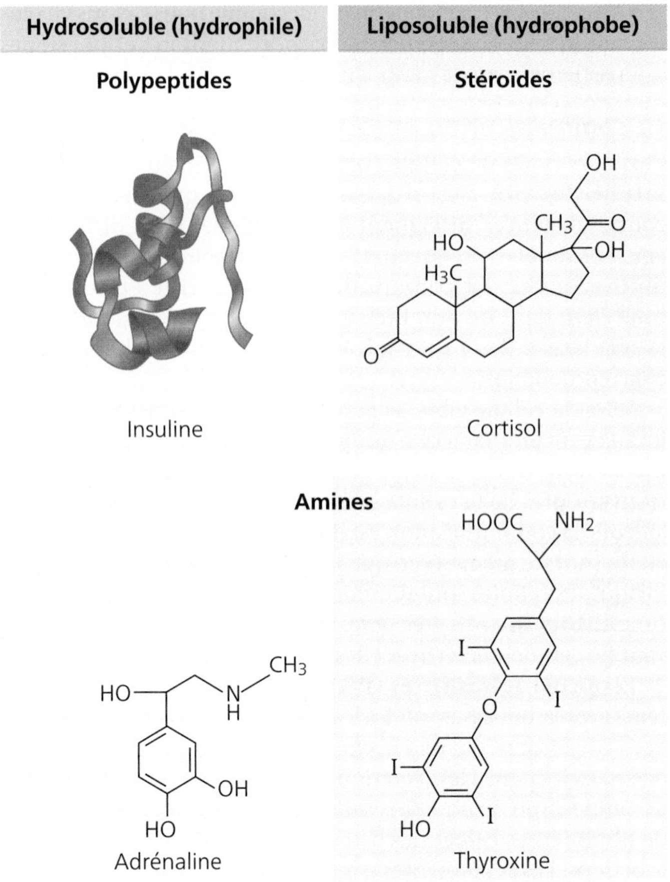

FAITES DES LIENS ▶ Les cellules synthétisent l'adrénaline à partir de la tyrosine, un acide aminé (voir la figure 5.14). Sur la structure de l'adrénaline montrée ci-dessus, tracez une flèche qui pointe vers la position du carbone α de la tyrosine.

Elles se lient plutôt aux récepteurs de surface de ces cellules, ce qui induit des changements dans les molécules cytoplasmiques et parfois dans la transcription génique (**figure 45.5a**). De leur côté, les hormones liposolubles sortent des cellules endocrines par diffusion transmembranaire. Une fois à l'extérieur des cellules endocrines, elles se lient à des protéines de transport qui les gardent solubles dans le sang. Quand elles quittent la circulation sanguine, ces hormones diffusent dans les cellules cibles et, généralement, se lient aux récepteurs présents dans le cytoplasme ou le noyau (**figure 45.5b**). Cette liaison déclenche alors des changements dans la transcription génique.

Pour mieux comprendre les réponses différentes des cellules aux hormones hydrosolubles et aux hormones liposolubles, nous examinerons tour à tour les deux voies.

La voie de réponse des hormones hydrosolubles

La liaison d'une hormone hydrosoluble à un récepteur protéique situé à la surface d'une cellule cible provoque une réponse de la part de cette cellule. Cette réponse peut être l'activation d'une enzyme, une modification de l'absorption ou de la sécrétion de certaines molécules, ou le réarrangement du cytosquelette. Il arrive aussi que des récepteurs à la surface cellulaire activent des protéines dans le cytoplasme; celles-ci se déplacent alors vers le noyau et modifient la transcription de gènes spécifiques.

▼ **Figure 45.5 L'emplacement du récepteur varie selon le type d'hormone.**

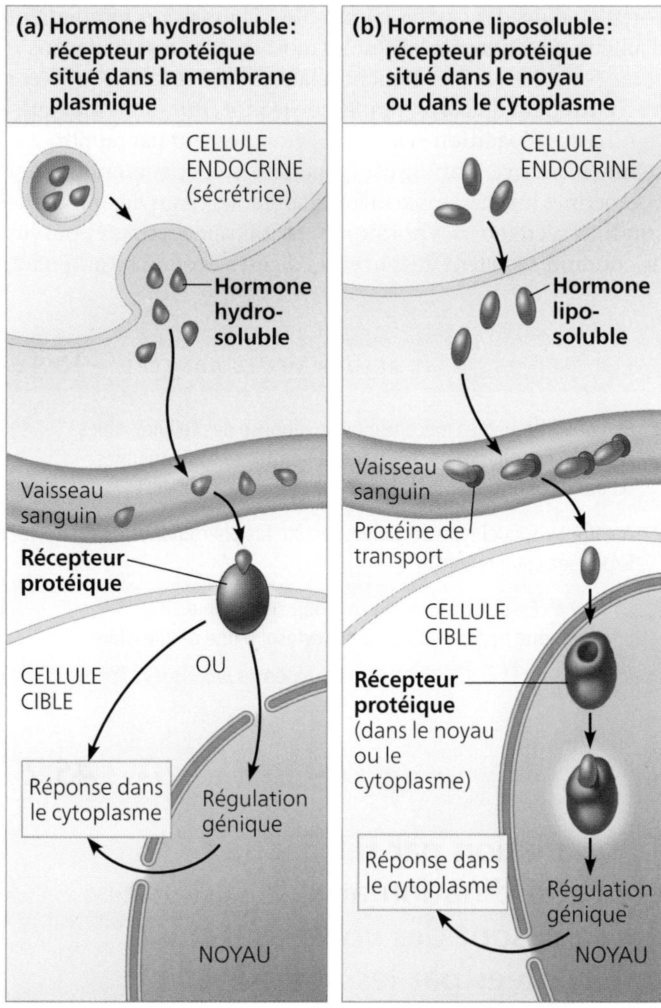

ET SI ? ▶ Imaginez que vous étudiez la réponse d'une cellule à une hormone. Vous constatez que la réponse à cette hormone demeure inchangée même quand vous traitez la cellule avec une substance chimique qui bloque la transcription. Que pouvez-vous supposer au sujet de cette hormone et de son récepteur ?

La cascade d'événements qui se produit dans les protéines cellulaires et qui convertit un signal chimique extracellulaire en une réponse intracellulaire est appelée **transduction du signal** (voir la figure 11.6). Prenons comme exemple la réponse au stress. Quand vous vivez une situation de stress, par exemple lorsque vous courez pour ne pas rater votre autobus, vos glandes surrénales (qui coiffent vos reins) sécrètent de l'**adrénaline**, une hormone également appelée *épinéphrine*. L'adrénaline régule plusieurs organes, dont le foie, où elle se lie à un récepteur couplé à une protéine G dans la membrane plasmique des cellules cibles. Comme on le voit dans la **figure 45.6**, cette liaison de l'adrénaline au récepteur déclenche une cascade d'événements qui comprend la synthèse de l'AMP cyclique (AMPc), qui devient un *second messager* de courte durée. L'activation de la protéine kinase A par l'AMPc entraîne l'activation d'une enzyme nécessaire à la dégradation du glycogène et l'inactivation d'une enzyme nécessaire à la synthèse du glycogène. Il en résulte que le foie libère du glucose dans la circulation sanguine et fournit ainsi le surplus d'énergie dont l'organisme a besoin.

▼ **Figure 45.6 La transduction du signal déclenchée par le récepteur de surface d'une hormone.**

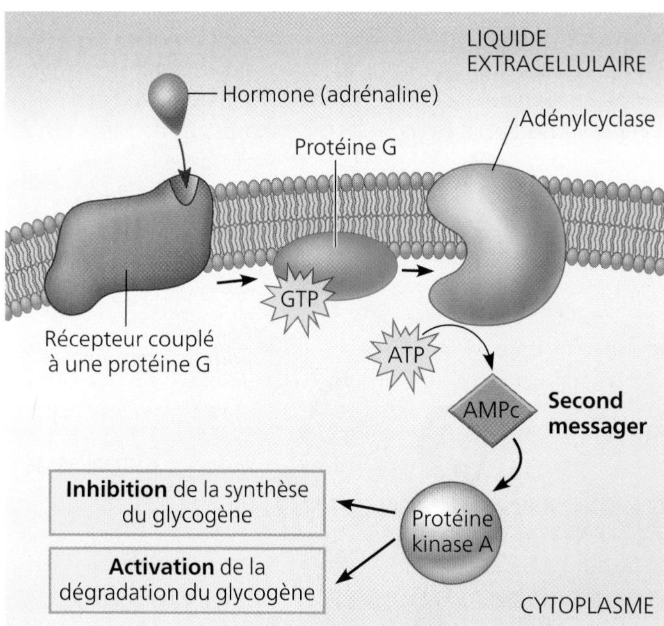

HABILETÉS VISUELLES ▶ Chaque flèche représente un des événements qui relient l'adrénaline à la protéine kinase A. En quoi l'événement représenté par la flèche entre l'ATP et l'AMPc diffère-t-il des quatre autres événements ?

La voie de réponse des hormones liposolubles

Les récepteurs intracellulaires auxquels se lient les hormones liposolubles accomplissent en entier la tâche de la transduction du signal dans une cellule cible. L'hormone active le récepteur et celui-ci déclenche alors directement la réponse de la cellule. Dans la plupart des cas, la réponse à une hormone liposoluble est une modification de l'expression génétique.

La plupart des récepteurs d'hormones stéroïdes se trouvent déjà dans le cytosol avant de se lier à une hormone. La fixation d'une hormone stéroïde à son récepteur cytoplasmique forme un complexe hormone-récepteur qui se déplace vers le noyau (voir la figure 11.9). Une fois dans ce dernier, la partie récepteur du complexe modifie la transcription de gènes spécifiques en interagissant avec une protéine de liaison à l'ADN ou un élément de réponse dans l'ADN. (Dans certains types de cellules, les hormones stéroïdes déclenchent d'autres réponses en interagissant avec d'autres types de récepteurs protéiques situés à la surface de la cellule.)

Les récepteurs qui se lient aux œstrogènes, des hormones stéroïdes nécessaires au système reproducteur femelle des vertébrés, sont parmi les récepteurs d'hormones stéroïdes les mieux caractérisés. Par exemple, chez les oiseaux et les grenouilles, les cellules du foie possèdent un récepteur cytoplasmique spécifique pour l'œstradiol, une forme d'œstrogène. La liaison de l'œstradiol à ce récepteur active la transcription du gène codant pour la protéine vitellogénine (**figure 45.7**). Après la traduction de l'ARN messager, la vitellogénine est sécrétée et transportée par le sang vers le système reproducteur, où elle sert à produire le jaune de l'œuf.

Les récepteurs de la thyroxine, de la vitamine D et d'autres hormones liposolubles non stéroïdiennes sont habituellement situés dans le noyau des cellules. Ils se lient aux molécules

▼ **Figure 45.7 La régulation directe de l'expression génétique par le récepteur d'une hormone stéroïde.**

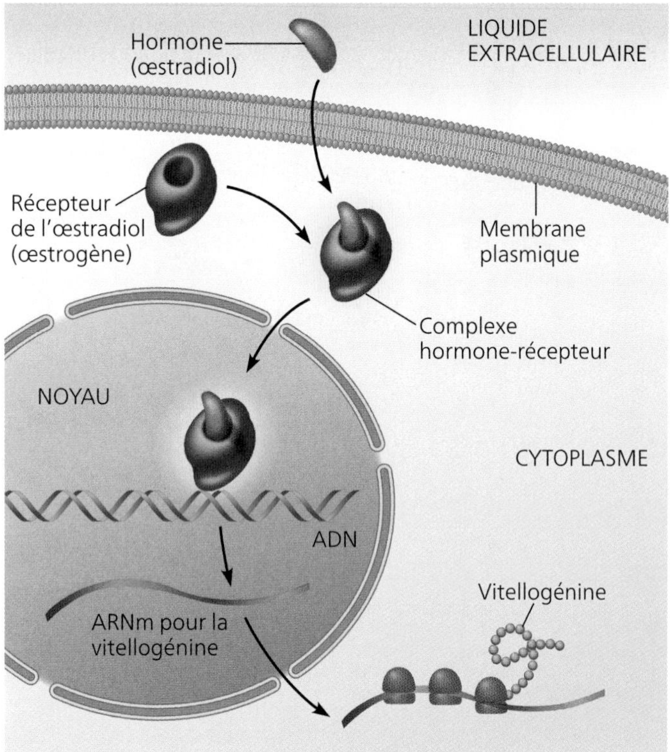

d'hormones qui sortent de la circulation sanguine, puis traversent par diffusion la membrane plasmique et l'enveloppe du noyau. Une fois liés à une hormone, ces récepteurs se fixent aux sites spécifiques dans l'ADN de la cellule et stimulent la transcription de gènes spécifiques.

Les réponses multiples à une seule hormone

Même si les hormones se lient à des récepteurs qui leur sont spécifiques, elles n'exercent pas toujours les mêmes effets. Ainsi, une hormone peut susciter différentes réponses dans certaines cellules cibles, selon le type de récepteur de ces cellules cibles ou selon les molécules qu'elles produisent en réponse à cette hormone. C'est pourquoi une seule et même hormone peut déclencher plusieurs effets différents qui, ensemble, concourent à former une réponse coordonnée à un stimulus. Par exemple, les multiples effets de l'adrénaline contribuent à la mise en œuvre de la « réaction de lutte ou de fuite », une réponse rapide de l'organisme à un stress dont nous parlerons plus loin, au concept 45.3.

Les tissus et les organes endocriniens

Certaines cellules du système endocrinien se trouvent dans des organes qui font partie d'autres systèmes. Par exemple, l'estomac contient des cellules endocrines isolées qui contribuent à la régulation des processus digestifs en sécrétant une hormone appelée gastrine. Le plus souvent, les cellules endocrines sont regroupées dans des organes dépourvus de conduits appelés **glandes endocrines**, par exemple les glandes thyroïde et parathyroïdes ainsi que les gonades (c'est-à-dire les testicules chez l'homme ou les ovaires chez la femme) (voir la **figure 45.8**).

Remarquez que les glandes endocrines sécrètent les hormones directement dans le liquide environnant. Les *glandes exocrines*, au contraire, ont des conduits qui déversent les substances sécrétées, comme la sueur ou la salive, sur les surfaces du corps ou dans des cavités corporelles. Leurs noms témoignent d'ailleurs de ces particularités : les mots grecs *endo* (« en dedans ») et *exo* (« au-dehors ») indiquent si la sécrétion se fait à l'intérieur ou à l'extérieur du corps, tandis que le mot *crine* (d'un mot latin signifiant « séparation ») indique l'éloignement par rapport à la cellule sécrétrice. Dans le cas du pancréas, les tissus endocrines et exocrines logent dans la même glande : les tissus dépourvus de conduits sécrètent des hormones, tandis que les tissus pourvus de conduits sécrètent des enzymes digestives et du bicarbonate.

RETOUR SUR LE CONCEPT 45.1

1. En quoi diffèrent les mécanismes de réponse des cellules cibles selon qu'ils sont déclenchés par des hormones hydrosolubles ou par des hormones stéroïdes ?
2. À votre avis, quel type de glande sécrète les phéromones ? Expliquez votre réponse.
3. **ET SI ?** ▶ Prédisez ce qui se produirait si vous injectiez une hormone hydrosoluble dans le cytosol d'une cellule cible.

Voir les réponses proposées à l'appendice A.

CONCEPT 45.2

La régulation par rétroaction et la coordination avec le système nerveux sont des voies souvent empruntées par les hormones

Maintenant que nous avons exploré la structure des hormones, les mécanismes de reconnaissance et la réponse, nous allons voir comment les voies de régulation de la sécrétion hormonale sont organisées.

Les voies endocrines simples

Dans une *voie endocrine simple*, les cellules endocrines répondent directement à un stimulus interne ou environnemental en sécrétant une hormone particulière. Cette hormone emprunte alors la circulation sanguine pour se rendre aux cellules cibles, où elle interagit avec ses récepteurs spécifiques. La transduction du signal à l'intérieur des cellules cibles déclenche ensuite une réponse physiologique.

L'activité des cellules endocrines du duodénum, première portion de l'intestin grêle, est un bon exemple de voie endocrine simple. Durant la digestion, les aliments partiellement digérés qui entrent dans le duodénum contiennent les sucs gastriques très acides sécrétés par l'estomac. Avant que la digestion puisse se poursuivre, ce mélange acide doit être neutralisé. La **figure 45.9** présente la voie endocrine simple qui assure cette neutralisation.

Le faible pH des aliments partiellement digérés qui entrent dans l'intestin grêle est détecté par certaines cellules endocrines qui s'y trouvent, les cellules S, qui se mettent alors à sécréter

▼ Figure 45.8 Les glandes endocrines de l'humain et leurs hormones. Cette figure indique l'emplacement des principales glandes endocrines chez l'humain ainsi que leurs fonctions premières. On trouve également des tissus et organes endocriniens dans le thymus, le cœur, le foie, l'estomac, les reins et l'intestin grêle.

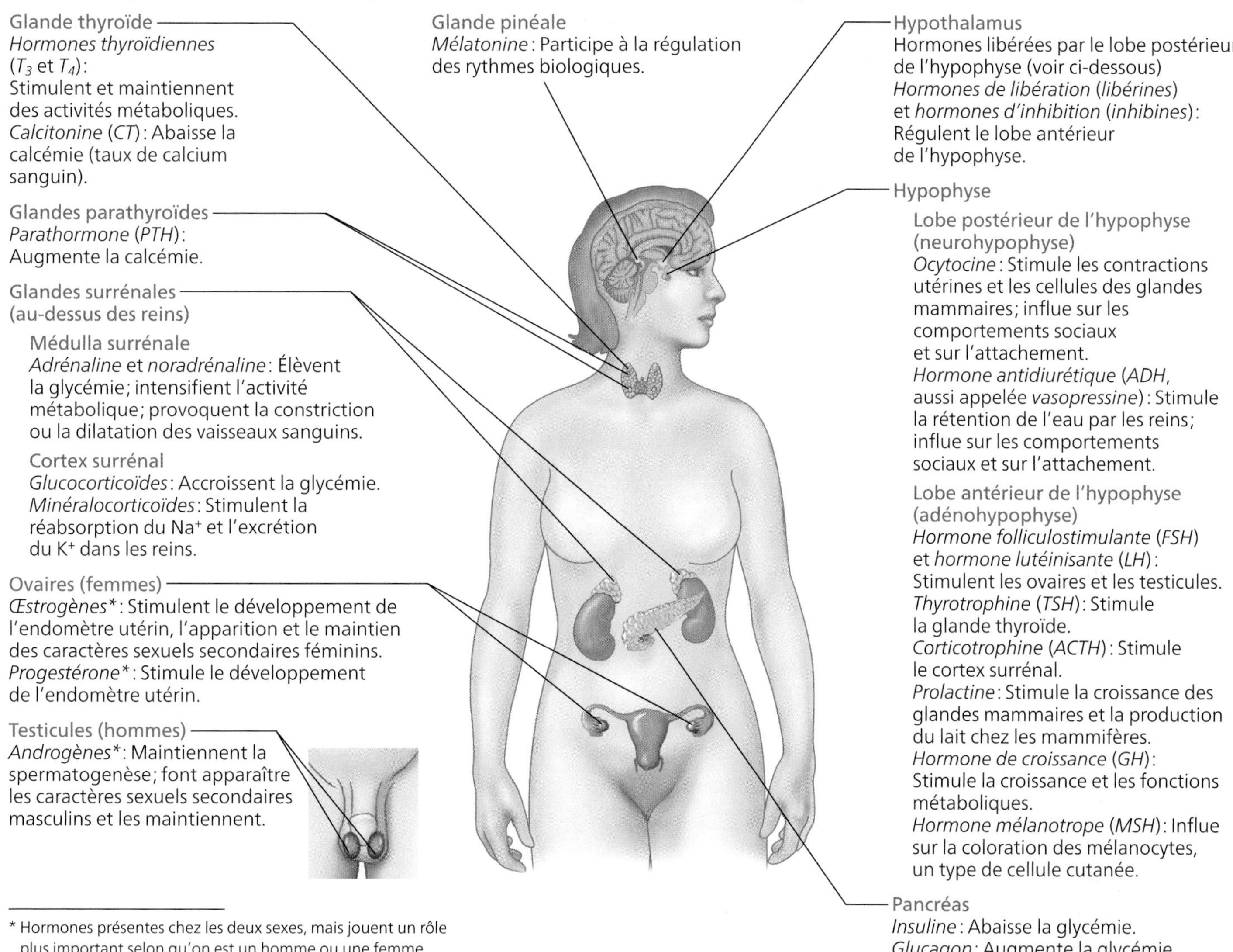

Glande thyroïde
Hormones thyroïdiennes (T_3 et T_4) : Stimulent et maintiennent des activités métaboliques.
Calcitonine (*CT*) : Abaisse la calcémie (taux de calcium sanguin).
Glandes parathyroïdes
Parathormone (*PTH*) : Augmente la calcémie.
Glandes surrénales (au-dessus des reins)
Médulla surrénale
Adrénaline et *noradrénaline* : Élèvent la glycémie; intensifient l'activité métabolique; provoquent la constriction ou la dilatation des vaisseaux sanguins.
Cortex surrénal
Glucocorticoïdes : Accroissent la glycémie.
Minéralocorticoïdes : Stimulent la réabsorption du Na^+ et l'excrétion du K^+ dans les reins.
Ovaires (femmes)
*Œstrogènes** : Stimulent le développement de l'endomètre utérin, l'apparition et le maintien des caractères sexuels secondaires féminins.
*Progestérone** : Stimule le développement de l'endomètre utérin.
Testicules (hommes)
*Androgènes** : Maintiennent la spermatogenèse; font apparaître les caractères sexuels secondaires masculins et les maintiennent.
Glande pinéale
Mélatonine : Participe à la régulation des rythmes biologiques.
Hypothalamus
Hormones libérées par le lobe postérieur de l'hypophyse (voir ci-dessous)
Hormones de libération (*libérines*) et *hormones d'inhibition* (*inhibines*) : Régulent le lobe antérieur de l'hypophyse.
Hypophyse
Lobe postérieur de l'hypophyse (neurohypophyse)
Ocytocine : Stimule les contractions utérines et les cellules des glandes mammaires; influe sur les comportements sociaux et sur l'attachement.
Hormone antidiurétique (*ADH*, aussi appelée *vasopressine*) : Stimule la rétention de l'eau par les reins; influe sur les comportements sociaux et sur l'attachement.
Lobe antérieur de l'hypophyse (adénohypophyse)
Hormone folliculostimulante (*FSH*) et *hormone lutéinisante* (*LH*) : Stimulent les ovaires et les testicules.
Thyrotrophine (*TSH*) : Stimule la glande thyroïde.
Corticotrophine (*ACTH*) : Stimule le cortex surrénal.
Prolactine : Stimule la croissance des glandes mammaires et la production du lait chez les mammifères.
Hormone de croissance (*GH*) : Stimule la croissance et les fonctions métaboliques.
Hormone mélanotrope (*MSH*) : Influe sur la coloration des mélanocytes, un type de cellule cutanée.
Pancréas
Insuline : Abaisse la glycémie.
Glucagon : Augmente la glycémie.
* Hormones présentes chez les deux sexes, mais jouent un rôle plus important selon qu'on est un homme ou une femme.

l'hormone *sécrétine*. Celle-ci passe dans la circulation sanguine et se rend au pancréas. Les cellules cibles du pancréas libèrent ensuite du bicarbonate dans les conduits qui mènent au duodénum. Au cours de la dernière étape de cette voie, le bicarbonate libéré dans le duodénum élève le pH et neutralise ainsi l'acidité des aliments provenant de l'estomac.

Les voies neuroendocrines simples

Dans une *voie neuroendocrine simple*, le stimulus est reçu par un neurone sensitif plutôt que par un tissu endocrinien. Ce neurone sensitif à son tour stimule une cellule neurosécrétoire, laquelle sécrète une neurohormone. Comme toutes les hormones, celle-ci diffuse dans la circulation et se rend jusqu'aux cellules cibles.

C'est une voie semblable qui régule la sécrétion lactée durant l'allaitement chez les mammifères (**figure 45.10**). La succion du bébé stimule les neurones sensitifs des mamelons, et des signaux sont alors envoyés au système nerveux, plus précisément à l'hypothalamus. En réponse, ce dernier envoie un signal qui déclenche la libération d'**ocytocine** par la neurohypophyse. L'ocytocine provoque la contraction des cellules des glandes mammaires, ce qui pousse le lait hors des réservoirs lactifères.

La régulation par rétroaction

Bon nombre de voies de régulation comportent une boucle de rétroaction qui relie la réponse au stimulus initial. Souvent, cette boucle est un mécanisme de **rétro-inhibition** dans lequel la réponse de la cellule cible réduit le stimulus initial. Par exemple, la libération de bicarbonate en réponse à la sécrétine augmente le pH dans l'intestin, ce qui supprime le stimulus, entraînant par le fait même l'arrêt de la libération de sécrétine (voir la figure 45.9). En diminuant ou en bloquant un signal hormonal, le mécanisme de rétro-inhibition empêche une réaction excessive.

Contrairement à la rétro-inhibition qui inhibe le stimulus, la **rétroactivation** l'amplifie et provoque une réponse encore plus intense. La voie de l'ocytocine, décrite à la figure 45.10, en est un bon exemple : la présence d'ocytocine dans la circulation

▼ **Figure 45.9 La voie endocrine simple.** Les cellules endocrines détectent un changement dans une variable interne ou externe – le stimulus – et sécrètent des molécules hormonales qui déclenchent une réponse spécifique de la part des cellules cibles. Dans le cas de la communication par la sécrétine, la voie endocrine simple est automodératrice puisque la réponse à la sécrétine (libération de bicarbonate) atténue le stimulus (baisse du pH) par rétro-inhibition.

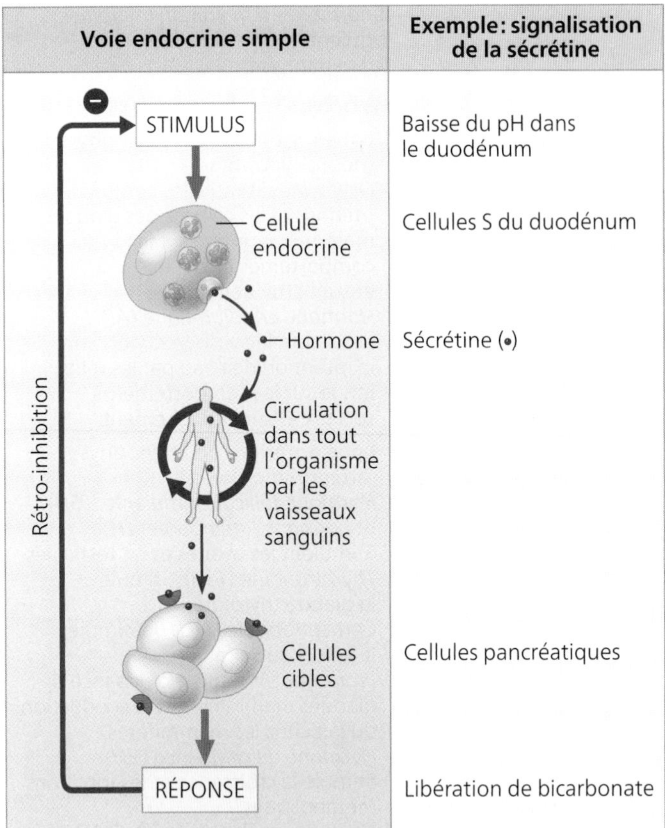

▼ **Figure 45.10 La voie neuroendocrine simple.** Les neurones sensitifs réagissent au stimulus en envoyant des potentiels d'action à une cellule neurosécrétoire, qui sécrète alors une neurohormone. Cette dernière est transportée par la circulation sanguine jusqu'aux cellules cibles. La liaison de l'hormone et du récepteur déclenche une réponse spécifique. Dans la voie de signalisation de l'ocytocine, la réponse augmente le stimulus, de sorte qu'une boucle de rétroactivation amplifie celui-ci.

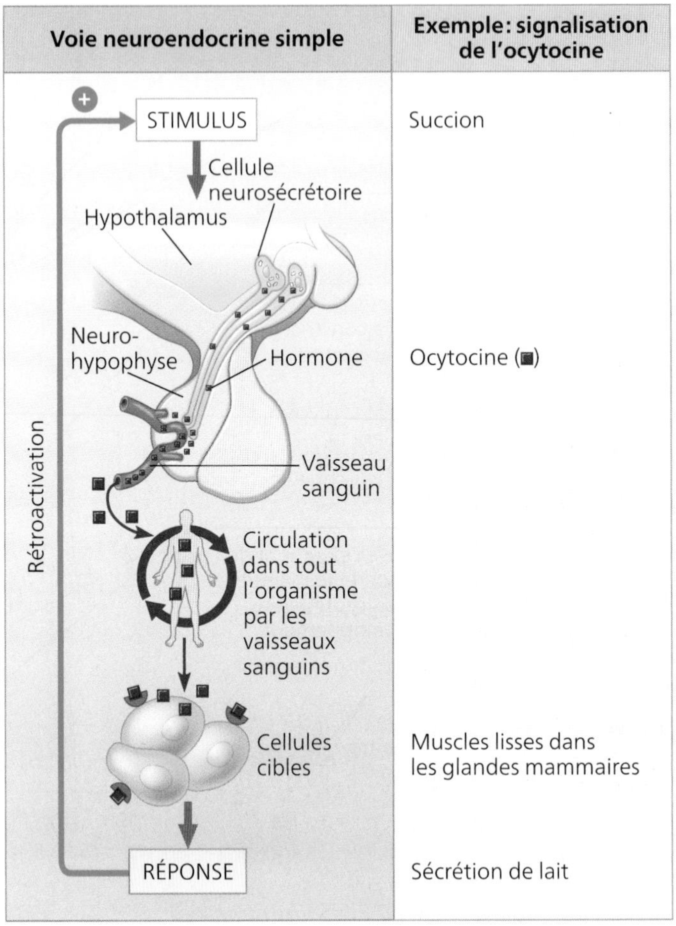

Voie neuroendocrine simple	Exemple: signalisation de l'ocytocine
STIMULUS	Succion
Cellule neurosécrétoire; Hypothalamus	
Neurohypophyse; Hormone	Ocytocine (■)
Vaisseau sanguin	
Circulation dans tout l'organisme par les vaisseaux sanguins	
Cellules cibles	Muscles lisses dans les glandes mammaires
RÉPONSE	Sécrétion de lait
(Rétroactivation)	

sanguine stimule la sécrétion de lait, laquelle incite le bébé à téter davantage, ce qui a pour effet d'accroître la sécrétion d'ocytocine. L'activation de la voie se poursuit jusqu'à ce que le bébé cesse de téter. La régulation des contractions utérines par l'ocytocine durant l'accouchement se produit elle aussi par rétroactivation, jusqu'à ce que l'accouchement soit terminé.

Lorsqu'on compare la rétroactivation et la rétro-inhibition, on constate aisément que la rétroactivation amplifie à la fois le stimulus et la réponse, tandis que la rétro-inhibition favorise le retour à l'état initial. Il n'est donc pas étonnant que les voies hormonales intervenant dans le maintien de l'homéostasie sollicitent davantage la rétro-inhibition que la rétroactivation. En fait, certains systèmes de contrôle homéostatiques reposent sur des voies hormonales de rétro-inhibition qui fonctionnent en paires parce qu'elles se contrebalancent mutuellement. Par exemple, la régulation de la glycémie est assurée par les effets opposés de l'insuline et du glucagon qui (voir la figure 41.21).

La coordination du système endocrinien et du système nerveux

Chez une grande diversité d'animaux, les organes endocriniens de l'encéphale intègrent les fonctions des systèmes endocrinien et nerveux. Pour illustrer cette coordination, examinons ses principes de base chez les invertébrés et les vertébrés.

Les invertébrés

La régulation du développement chez le papillon de nuit illustre bien la coordination neuroendocrine chez les invertébrés. La larve d'un papillon, comme la chenille de la saturnie cécropia (*Hyalophora cecropia*) à la **figure 45.11**, croît par étapes. Comme son exosquelette n'est pas extensible, la larve doit périodiquement muer, c'est-à-dire se débarrasser de son vieil exosquelette et en sécréter un nouveau. La voie endocrine qui dirige la mue débute dans le cerveau de la larve (**figure 45.12**), où des cellules neurosécrétoires produisent l'**hormone prothoracotrope** (**PTTH**), une neurohormone polypeptidique. La PTTH

► **Figure 45.11**
La larve de la saturnie cécropia.

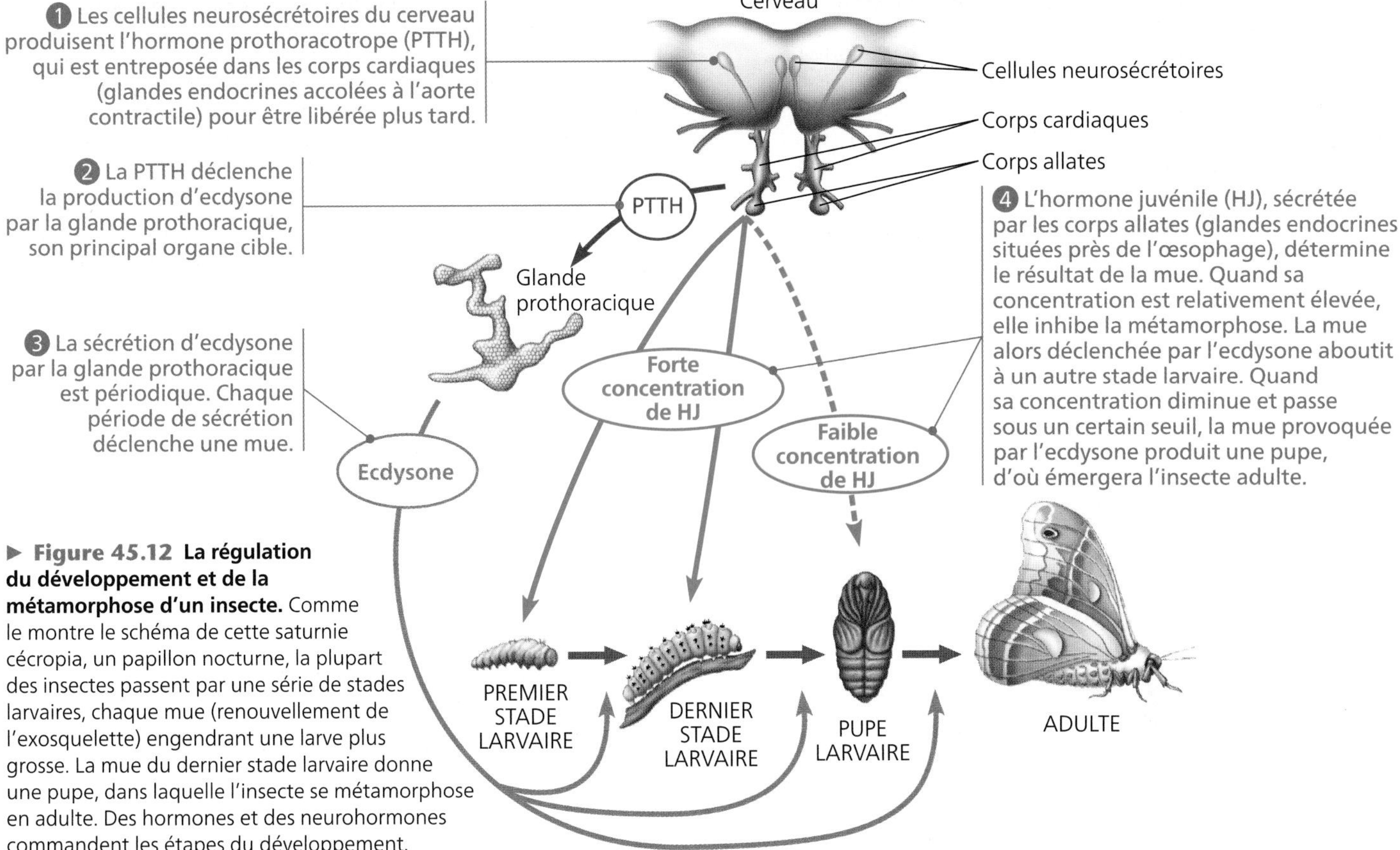

1 Les cellules neurosécrétoires du cerveau produisent l'hormone prothoracotrope (PTTH), qui est entreposée dans les corps cardiaques (glandes endocrines accolées à l'aorte contractile) pour être libérée plus tard.
2 La PTTH déclenche la production d'ecdysone par la glande prothoracique, son principal organe cible.
3 La sécrétion d'ecdysone par la glande prothoracique est périodique. Chaque période de sécrétion déclenche une mue.
Cerveau
Cellules neurosécrétoires
Corps cardiaques
Corps allates
4 L'hormone juvénile (HJ), sécrétée par les corps allates (glandes endocrines situées près de l'œsophage), détermine le résultat de la mue. Quand sa concentration est relativement élevée, elle inhibe la métamorphose. La mue alors déclenchée par l'ecdysone aboutit à un autre stade larvaire. Quand sa concentration diminue et passe sous un certain seuil, la mue provoquée par l'ecdysone produit une pupe, d'où émergera l'insecte adulte.
PTTH
Glande prothoracique
Forte concentration de HJ
Faible concentration de HJ
Ecdysone
PREMIER STADE LARVAIRE
DERNIER STADE LARVAIRE
PUPE LARVAIRE
ADULTE

▶ **Figure 45.12 La régulation du développement et de la métamorphose d'un insecte.** Comme le montre le schéma de cette saturnie cécropia, un papillon nocturne, la plupart des insectes passent par une série de stades larvaires, chaque mue (renouvellement de l'exosquelette) engendrant une larve plus grosse. La mue du dernier stade larvaire donne une pupe, dans laquelle l'insecte se métamorphose en adulte. Des hormones et des neurohormones commandent les étapes du développement.

provoque la sécrétion d'ecdysone par les glandes prothoraciques, une paire de glandes endocrines situées juste derrière la tête. C'est l'ecdysone qui amorce chaque mue.

L'ecdysone régule également une transformation remarquable appelée métamorphose. Dans la chenille à l'état larvaire reposent des îlots de tissus qui formeront un jour les yeux, les ailes, l'encéphale et les autres structures du papillon. Lorsque la chenille dodue et rampante se transforme en une pupe immobile, ces cellules de l'adulte en devenir s'éveillent: elles terminent leur programme de développement pendant qu'une bonne partie des tissus larvaires subissent la mort cellulaire programmée. Le résultat final est un papillon adulte qui vole librement, aussi délicat que la chenille était dodue, très différent de la larve et de la nymphe dont il est issu.

Étant donné que l'ecdysone déclenche à la fois la mue et la métamorphose, qu'est-ce qui détermine cette dernière? La réponse réside dans une autre molécule, l'hormone juvénile (HJ), sécrétée par une paire de petites glandes endocrines situées derrière le cerveau. Cette hormone module l'action de l'ecdysone. Tant que le taux d'HJ est élevé, l'ecdysone stimule la mue larvaire (et maintient ainsi les caractéristiques «juvéniles»). Lorsque le taux d'HJ baisse, l'ecdysone stimule plutôt la formation d'une pupe à l'intérieur de laquelle la métamorphose se déroulera.

La connaissance de la coordination entre le système nerveux et le système endocrinien des insectes a permis la mise au point de nouvelles méthodes de lutte contre les ravageurs en agriculture. Par exemple, une méthode récente consiste à appliquer une substance chimique qui se lie au récepteur de l'ecdysone, ce qui provoque une mue prématurée et fait mourir la larve.

Les vertébrés

Chez les vertébrés, la coordination du système endocrinien et du système nerveux relève en grande partie de l'**hypothalamus** (**figure 45.13**). L'hypothalamus reçoit de l'information en provenance des nerfs périphériques et des autres régions de l'encéphale, et en réponse il établit une communication neuroendocrine en fonction des conditions du milieu. Ainsi, chez de nombreux vertébrés, certaines régions de l'encéphale transmettent à l'hypothalamus, par l'intermédiaire de potentiels d'action, de l'information sensorielle concernant les changements saisonniers ou la disponibilité d'un partenaire sexuel. L'hypothalamus déclenche alors la libération des hormones sexuelles nécessaires à la reproduction.

Les signaux émis par l'hypothalamus se rendent dans l'**hypophyse** (voir la figure 45.13). À peine plus grosse qu'un haricot de Lima et située sous l'hypothalamus, l'hypophyse se compose de deux glandes fusionnées qui forment deux lobes distincts: le lobe antérieur de l'hypophyse et le lobe postérieur de l'hypophyse. Les fonctions des deux lobes sont très différentes. Le **lobe postérieur de l'hypophyse**, ou **neurohypophyse**, est un prolongement de l'hypothalamus. La neurohypophyse emmagasine deux hormones fabriquées par certaines cellules neurosécrétoires de l'hypothalamus, et les longs processus (axones) de ces cellules transportent les hormones vers elle. Quant au **lobe antérieur de l'hypophyse**, ou **adénohypophyse** (le préfixe *adéno* signifie «glande»), c'est une glande endocrine qui produit et sécrète des hormones en réponse aux hormones de l'hypothalamus.

▼ **Figure 45.13** **Les glandes endocrines dans l'encéphale humain.** Cette vue latérale de l'encéphale montre la position de l'hypothalamus, de l'hypophyse et de la glande pinéale. (La glande pinéale participe à la régulation des rythmes biologiques.)

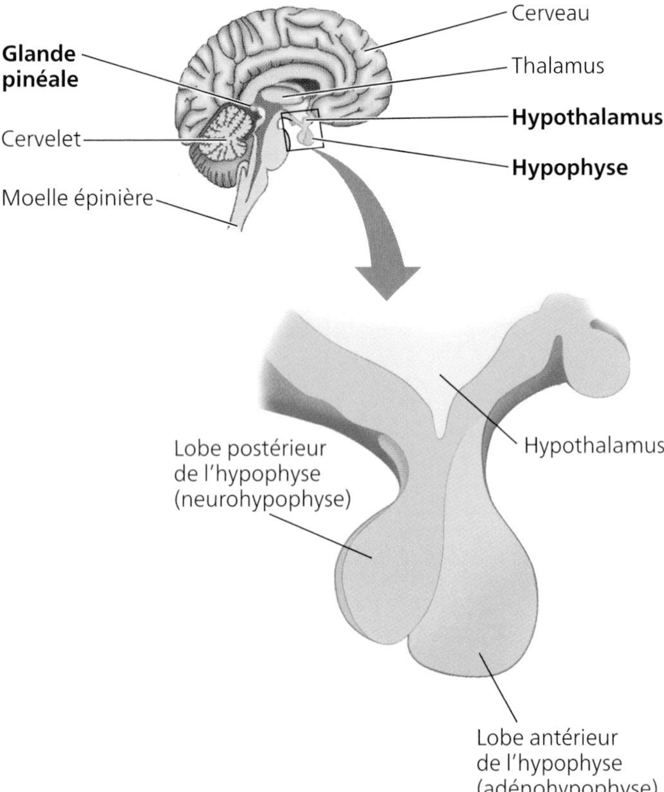

▼ **Figure 45.14** **La production et la libération d'hormones par la neurohypophyse.** Le lobe postérieur de l'hypophyse (neurohypophyse) est un prolongement de l'hypothalamus. Certaines cellules neurosécrétoires de l'hypothalamus synthétisent l'hormone antidiurétique (ADH) et l'ocytocine, qui sont transportées jusqu'à la neurohypophyse, où elles sont entreposées. Des potentiels d'action provenant de l'hypothalamus déclenchent la libération de ces neurohormones.

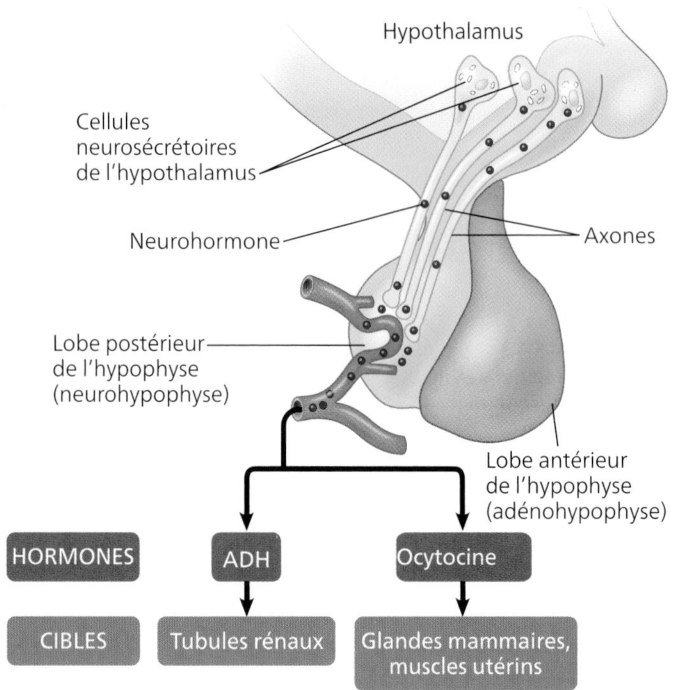

Les hormones neurohypophysaires Les cellules neurosécrétoires de l'hypothalamus produisent les deux hormones de la neurohypophyse, à savoir l'hormone antidiurétique (ADH) et l'ocytocine. Après s'être rendues à la neurohypophyse par les longs axones des cellules neurosécrétoires, ces neurohormones y sont emmagasinées et ne sont libérées qu'en réponse aux potentiels d'action transmis par l'hypothalamus (**figure 45.14**).

L'**hormone antidiurétique** (**ADH**, pour *antidiuretic hormone*) régule la fonction rénale. La sécrétion d'ADH augmente la rétention d'eau dans les reins et contribue ainsi au maintien d'une osmolarité sanguine normale (voir le concept 44.5). L'ADH joue également un rôle important dans le comportement social (voir le concept 51.4).

L'ocytocine possède plusieurs fonctions associées à la reproduction. Comme on l'a vu, chez les mammifères femelles, elle régule la sécrétion lactée dans les glandes mammaires ainsi que les contractions utérines lors de la parturition (appelée accouchement chez l'humain). Elle a aussi des cellules cibles dans le cerveau, où elle influe, comme l'ADH, sur les comportements associés aux soins maternels, à l'attachement et à l'activité sexuelle; elle aurait aussi un effet antalgique (antidouleur) chez les nouveau-nés, qui se prolongerait quelques heures après la naissance.

Les hormones adénohypophysaires Les hormones sécrétées par l'adénohypophyse régulent plusieurs fonctions dans le corps humain, notamment le métabolisme, l'osmorégulation et la reproduction. Comme le montre la **figure 45.15**, une grande partie des hormones adénohypophysaires (mais pas toutes) régulent les glandes ou tissus endocriniens. Ce sont des hormones sécrétées par l'hypothalamus qui régulent la libération des hormones de l'adénohypophyse. Chaque hormone hypothalamique qui régule la libération d'une ou de plusieurs hormones adénohypophysaires est soit une *hormone de libération* (ou *libérine*), soit une *hormone d'inhibition* (ou *inhibine*). Par exemple, l'*hormone de libération de la prolactine* est une hormone hypothalamique qui stimule l'adénohypophyse pour qu'elle sécrète de la **prolactine**, laquelle participe à la production de lait par les glandes mammaires. Toutes les hormones adénohypophysaires sont régulées par au moins une hormone de libération. Certaines, comme la prolactine, obéissent à la fois à une hormone de libération et à une hormone d'inhibition.

L'hypothalamus sécrète ses hormones de libération et ses hormones d'inhibition dans des capillaires de la région située à sa base. Ces capillaires rejoignent de courtes veines portes qui se ramifient pour donner un second lit de capillaires à l'intérieur de l'adénohypophyse (alors que les veines ramènent généralement le sang au cœur directement, sans traverser d'autres capillaires). Les hormones hypothalamiques ont donc un accès direct à la glande qu'elles commandent.

Dans les voies neuroendocriniennes, les hormones de l'hypothalamus, de l'adénohypophyse et des glandes endocrines cibles interagissent souvent selon un mécanisme en *cascade*, une forme de régulation dans laquelle de nombreux organes et signaux endocriniens agissent successivement. Tel l'effet domino, des stimulus envoyés à l'encéphale déclenchent la libération d'une neurohormone hypothalamique qui provoque ou inhibe la libération d'une hormone spécifique par l'adénohypophyse. Cette hormone stimule alors un autre organe endocrinien, l'incitant à sécréter à son tour une hormone qui, elle,

▶ Figure 45.15 La production et la libération d'hormones par l'adénohypophyse. Les hormones de libération et les hormones d'inhibition de l'hypothalamus commandent la libération des hormones synthétisées dans l'adénohypophyse. Les cellules neurosécrétoires de l'hypothalamus sécrètent les hormones hypothalamiques dans un réseau de capillaires à l'intérieur de l'hypothalamus. Ces capillaires se déversent dans des veines portes, puis dans un second réseau de capillaires situé dans l'adénohypophyse.

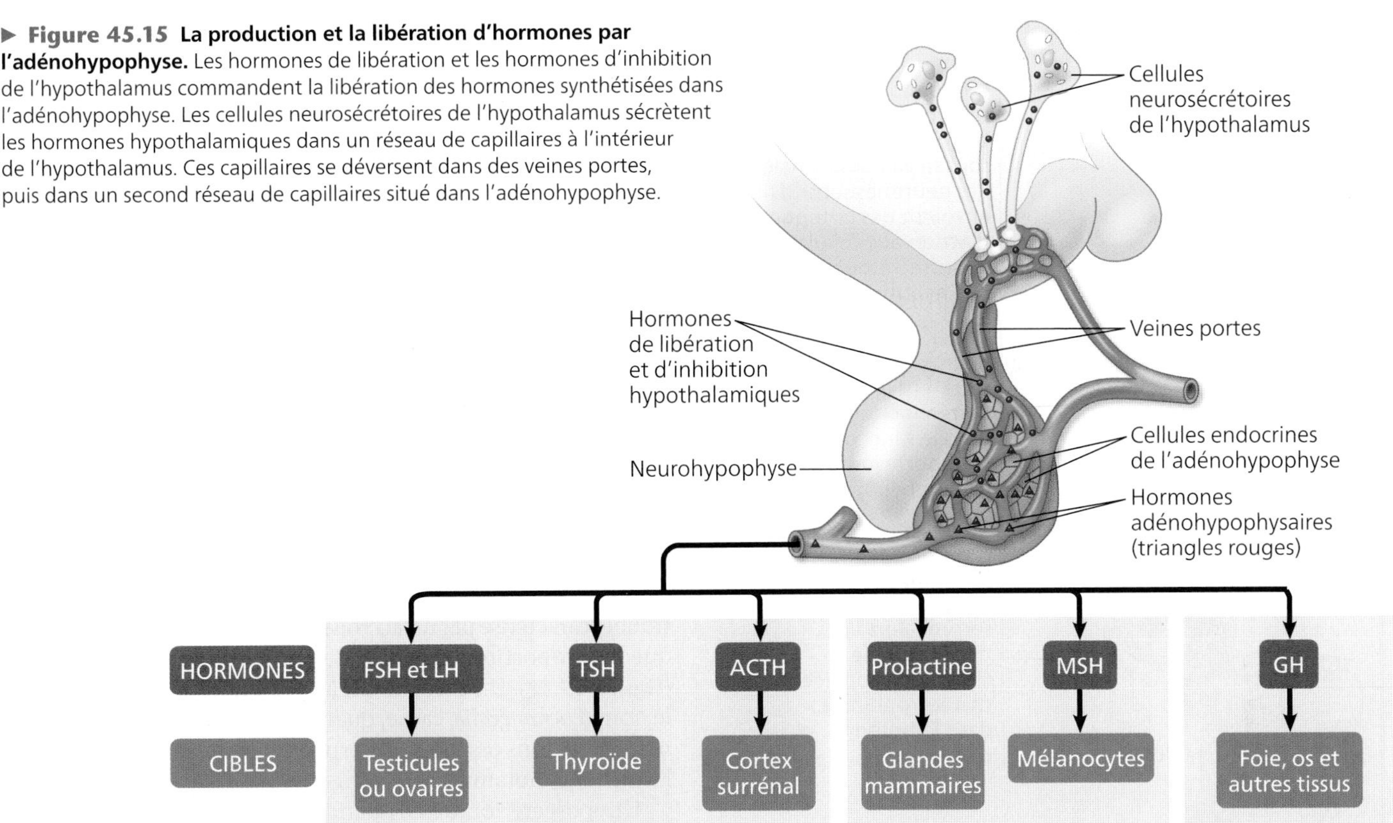

agira directement sur les tissus cibles. Par exemple, l'hypothalamus peut inciter l'adénohypophyse à libérer les hormones FSH et LH, qui régulent ensuite la sécrétion d'hormones par les gonades (ovaires et testicules).

En un sens, les voies hormonales en cascade redirigent les signaux de l'hypothalamus vers d'autres glandes endocrines. Pour cette raison, les hormones adénohypophysaires de telles voies sont appelées trophines et agissent en tant que stimulines sur leurs organes cibles. Ainsi, la FSH et la LH sont des gonadotrophines (ou gonadostimulines) parce qu'elles transmettent des signaux de l'hypothalamus aux gonades. Pour en savoir davantage sur les stimulines et les voies en cascade, examinons la fonction et la régulation de la glande thyroïde.

La régulation de la thyroïde: une voie hormonale en cascade

Chez les mammifères, les **hormones thyroïdiennes** (T_3 et T_4) régulent la bioénergétique; elles aident à maintenir la pression artérielle, la fréquence cardiaque et le tonus musculaire à des valeurs normales; en outre, elles régulent les fonctions digestives et reproductrices. La **figure 45.16** donne un aperçu de la voie en cascade qui régule la libération des hormones thyroïdiennes. Quand le taux sanguin d'hormones thyroïdiennes baisse, l'hypothalamus sécrète la thyréolibérine (TRH: hormone de libération de la thyrotrophine). En réaction à cette hormone, l'adénohypophyse sécrète la thyrotrophine (TSH), également appelée thyréotrophine. La TSH stimule alors la **glande thyroïde**, un organe composé de deux lobes situés sur la face antérieure de la trachée, qui réagit en sécrétant les hormones thyroïdiennes, ce qui augmente la vitesse du métabolisme.

Comme dans d'autres voies en cascade, des mécanismes de rétro-inhibition interviennent souvent à plusieurs étapes. Par exemple, les hormones thyroïdiennes exercent une rétro-inhibition à la fois sur l'hypothalamus et l'adénohypophyse, empêchant chacune de libérer l'hormone qui stimule leur production (voir la figure 45.16).

Les perturbations de la fonction et de la régulation des hormones thyroïdiennes

Les perturbations de la production ou de la régulation des hormones thyroïdiennes peuvent entraîner de graves maladies. Une de ces maladies est en lien avec la composition chimique très particulière des hormones thyroïdiennes, qui sont les seules molécules de l'organisme à contenir de l'iode. Les *hormones thyroïdiennes* désignent en fait deux molécules très semblables dérivées de la tyrosine (un acide aminé): la **triiodothyronine (T_3)**, qui contient trois atomes d'iode, et la tétraiodothyronine, ou **thyroxine (T_4)**, qui en compte quatre (voir la figure 45.4).

Bien que l'iode soit abondant dans les fruits de mer et le sel iodé, le régime alimentaire de certaines personnes vivant dans plusieurs régions du monde ne leur en fournit pas assez pour permettre la synthèse de ces deux hormones. À cause de cette concentration sanguine insuffisante, l'adénohypophyse n'est soumise à aucune rétro-inhibition et continue donc de sécréter la TSH, qui s'accumule excessivement et provoque un gonflement de la thyroïde, caractéristique d'une affection appelée goitre. Dans la rubrique **Résolution de problème**, vous en apprendrez davantage sur les dysfonctions thyroïdiennes dans le contexte d'une énigme médicale.

▼ **Figure 45.16 La régulation de la sécrétion des hormones thyroïdiennes : une voie hormonale en cascade.**

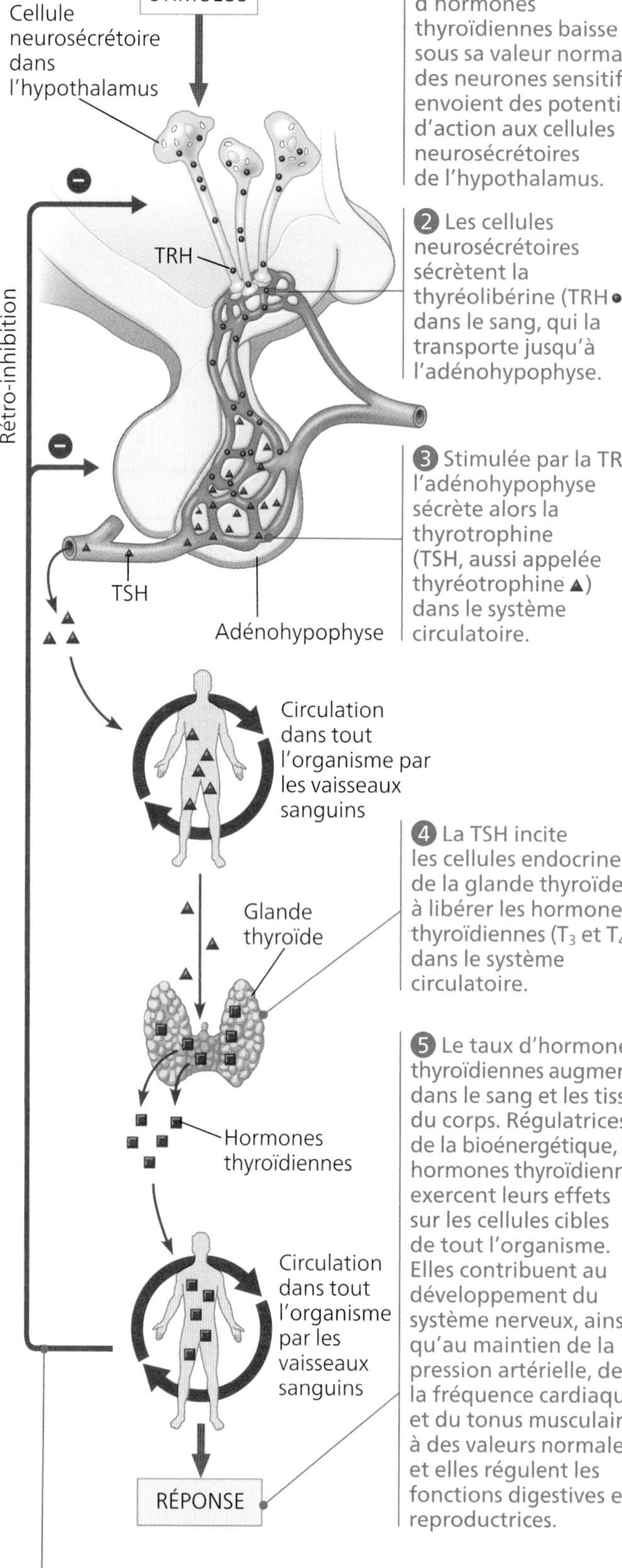

STIMULUS
Cellule neurosécrétoire dans l'hypothalamus
① Quand le taux d'hormones thyroïdiennes baisse sous sa valeur normale, des neurones sensitifs envoient des potentiels d'action aux cellules neurosécrétoires de l'hypothalamus.
TRH
② Les cellules neurosécrétoires sécrètent la thyréolibérine (TRH ●) dans le sang, qui la transporte jusqu'à l'adénohypophyse.
Rétro-inhibition
③ Stimulée par la TRH, l'adénohypophyse sécrète alors la thyrotrophine (TSH, aussi appelée thyréotrophine ▲) dans le système circulatoire.
TSH
Adénohypophyse
Circulation dans tout l'organisme par les vaisseaux sanguins
④ La TSH incite les cellules endocrines de la glande thyroïde à libérer les hormones thyroïdiennes (T_3 et T_4 ■) dans le système circulatoire.
Glande thyroïde
Hormones thyroïdiennes
⑤ Le taux d'hormones thyroïdiennes augmente dans le sang et les tissus du corps. Régulatrices de la bioénergétique, les hormones thyroïdiennes exercent leurs effets sur les cellules cibles de tout l'organisme. Elles contribuent au développement du système nerveux, ainsi qu'au maintien de la pression artérielle, de la fréquence cardiaque et du tonus musculaire à des valeurs normales, et elles régulent les fonctions digestives et reproductrices.
Circulation dans tout l'organisme par les vaisseaux sanguins
RÉPONSE
⑥ À mesure que les concentrations hormonales reviennent à la normale, les hormones thyroïdiennes bloquent la libération de TRH par l'hypothalamus et la libération de TSH par l'adénohypophyse, formant une boucle de rétro-inhibition qui empêche la surproduction d'hormones thyroïdiennes.

La régulation hormonale de la croissance

L'**hormone de croissance** (**GH**, pour *growth hormone*), ou somatotrophine, régit la croissance par ses actions à la fois comme stimuline et comme hormone à action directe. Sa principale action en tant que stimuline consiste à faire produire par le foie des *facteurs de croissance insulinomimétiques* (ou somatomédines ou IGF pour *insulin-like growth factor*) qui circulent dans le sang et activent la croissance osseuse et cartilagineuse. (Ces facteurs semblent aussi jouer un rôle clé dans le vieillissement de plusieurs espèces animales.) En l'absence de GH, la croissance squelettique d'un animal immature cesse. La GH exerce également sur le métabolisme divers effets qui tendent à augmenter la glycémie, s'opposant ainsi aux effets de l'insuline.

Chez l'humain, on associe divers troubles de la croissance à une production anormale d'hormone de croissance. Ils sont déterminés par l'âge auquel le problème apparaît et varient selon qu'ils mettent en jeu une hypersécrétion (sécrétion excessive) ou une hyposécrétion (sécrétion insuffisante). Une hypersécrétion de GH pendant l'enfance peut mener au gigantisme, trouble caractérisé par un accroissement exagéré de la taille, bien que les proportions du corps demeurent à peu près normales (**figure 45.17**). Un excès de GH à l'âge adulte, maladie qui porte le nom d'*acromégalie*, cause, quant à lui, un accroissement anormal des régions osseuses du corps encore sensibles à l'action de l'hormone, notamment le visage, les mains et les pieds.

L'hyposécrétion de GH pendant l'enfance peut retarder la croissance des os longs et provoquer le nanisme hypophysaire. La taille des personnes atteintes de cette affection dépasse

▼ **Figure 45.17 Les effets d'une production excessive d'hormone de croissance.** On voit ici, entourée de sa famille, Robert Wadlow, dont la taille atteignait 2,72 m à sa mort à l'âge de 22 ans, ce qui en fait l'homme le plus grand de l'histoire. L'hypophyse de cet homme produisait une quantité excessive d'hormone de croissance.

RÉSOLUTION DE PROBLÈME La glande thyroïde de ce patient fonctionne-t-elle normalement ?

Le bon fonctionnement de la glande thyroïde est indispensable à une bonne santé. L'hypothyroïdie, c'est-à-dire la sécrétion insuffisante d'hormones thyroïdiennes (T_3 et T_4), se manifeste notamment par un gain de poids, un état léthargique et une sensibilité extrême au froid chez les adultes. À l'inverse, la sécrétion excessive d'hormones thyroïdiennes, appelée hyperthyroïdie, provoque une élévation de la température corporelle, des sueurs abondantes, une perte de poids, de la faiblesse musculaire, de l'irritabilité et de l'hypertension. C'est la TSH (thyrotrophine) qui stimule la libération des hormones thyroïdiennes (T_3 et T_4) par la glande thyroïde. Le dosage des taux de T_3 et de T_4 ainsi que celui de la TSH dans le sang peut aider à diagnostiquer divers problèmes de santé.

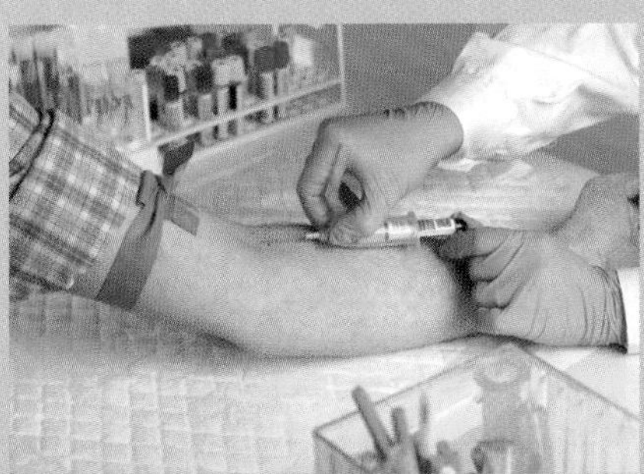

Dans cet exercice, vous allez déterminer si un homme de 35 ans admis à l'urgence pour des accès de paralysie souffre de problèmes thyroïdiens.

Votre méthode

En tant que médecin urgentiste, vous prescrivez une batterie d'analyses sanguines, dont quatre sont destinées à évaluer la fonction thyroïdienne de ce patient. Pour savoir si sa glande thyroïde fonctionne normalement, vous allez comparer ses résultats d'analyse avec les valeurs de référence, lesquelles sont basées sur une vaste population de personnes en bonne santé.

Vos données

Numéro de l'analyse	Analyse	Résultat du patient	Valeur de référence	Commentaires
1	T_3 totale sérique	2,93 nmol/L	0,89 à 2,44 nmol/L	
2	Thyroxine (T_4) libre	27,4 pmol/L	9,0 à 21,0 pmol/L	
3	Taux de TSH	5,55 mU/L	0,35 à 4,94 mU/L	
4	Anticorps anti-récepteurs de la TSH	0,2 U/mL	0 à 1,5 U/L	

Votre analyse

1. Pour chaque analyse sanguine, indiquez si le résultat du patient est élevé, faible ou normal par rapport aux valeurs de référence. Ensuite, écrivez *Élevé*, *Faible* ou *Normal* dans la dernière colonne du tableau (Commentaires).
2. D'après les analyses 1 à 3, votre patient souffre-t-il d'hypothyroïdie ou d'hyperthyroïdie ?
3. L'analyse 4 mesure le taux d'anticorps anti-récepteurs de la TSH, c'est-à-dire la quantité d'auto-anticorps qui se lient à ces récepteurs et les activent. Lorsque le taux de ces anticorps est élevé, la glande thyroïde est constamment stimulée à produire des hormones thyroïdiennes, ce qui entraîne une maladie auto-immune appelée maladie de Graves (ou maladie de Basedow). Est-il plausible que votre patient soit atteint de cette maladie ? Expliquez votre réponse.
4. La présence d'une tumeur dans la glande thyroïde entraîne une augmentation de la masse de cellules produisant les hormones T_3 et T_4, tandis qu'une tumeur à l'adénohypophyse fait augmenter la masse de cellules produisant la TSH. À votre avis, les résultats du patient sont-ils compatibles avec la présence d'une tumeur ? Expliquez votre réponse.

rarement 1,2 m, bien que les proportions du corps demeurent à peu près normales. S'il est diagnostiqué avant la puberté, le nanisme hypophysaire peut être traité par injection d'hormone de croissance humaine. De nos jours, on utilise couramment les traitements par GH synthétisé à l'aide de la technologie de l'ADN recombiné.

RETOUR SUR LE CONCEPT 45.2

1. Quels sont les rôles de l'ocytocine et de la prolactine dans la régulation des glandes mammaires ?
2. Quelles sont les différences de fonctionnement des deux glandes fusionnées de l'hypophyse ?
3. **ET SI ?** ▶ Proposez une explication au fait que les personnes présentant des troubles des voies endocrines ont habituellement des anomalies dans la glande se trouvant à la fin de ces voies plutôt que dans l'hypothalamus ou l'hypophyse.
4. **ET SI ?** ▶ On a diagnostiqué une production excessive d'hormones thyroïdiennes chez deux patients. Les tests de laboratoire révèlent un taux élevé de TSH chez l'un d'eux seulement. Le diagnostic d'un des patients est-il forcément erroné ? Expliquez votre réponse.

Voir les réponses proposées à l'appendice A.

CONCEPT **45.3**

Les glandes endocrines réagissent à divers stimulus dans la régulation de l'homéostasie, du développement et du comportement

Jusqu'à la fin du chapitre, nous nous concentrerons sur le rôle du système endocrinien dans l'homéostasie, le développement et le comportement. Pour commencer, examinons un autre exemple de voie hormonale simple: la régulation de la concentration d'ions calcium (calcémie) dans le système circulatoire.

La parathormone et la vitamine D: la régulation de la calcémie

La régulation homéostatique rigoureuse de la calcémie est vitale, car la disponibilité d'ions calcium (Ca^{2+}) en circulation est essentielle au fonctionnement normal de toutes les cellules. Une forte baisse de la calcémie provoque des contractions convulsives des muscles squelettiques. Non traitée, cette affection est mortelle. À l'inverse, une augmentation marquée de la calcémie peut entraîner la formation de dépôts de phosphate de calcium dans les tissus corporels, ce qui peut causer des dommages étendus aux organes.

Chez les mammifères, quatre petites structures appelées **glandes parathyroïdes** sont enchâssées dans la face postérieure de la thyroïde (voir la figure 45.8; notez que le nombre et l'emplacement de ces glandes peut varier chez certains individus); elles jouent un rôle primordial dans le maintien de la concentration sanguine de Ca^{2+}. Lorsque la calcémie tombe sous sa valeur de référence d'environ 2,5 mmol/L, les glandes parathyroïdes sécrètent la **parathormone** (**PTH**, pour *parathyroid hormone*).

La PTH élève la concentration sanguine de Ca^{2+} en agissant directement sur les os et les reins de même qu'indirectement sur les intestins (**figure 45.18**). Dans les os, la PTH provoque la dégradation de la matrice minéralisée qui renferme du phosphate de calcium, ce qui libère du Ca^{2+} dans le sang. Dans les reins, elle stimule directement la réabsorption de Ca^{2+} par les tubules rénaux. De plus, elle augmente indirectement la calcémie en favorisant la production de vitamine D. Le précurseur de la vitamine D est apporté par l'alimentation ou il est synthétisé dans la peau exposée au soleil. La conversion du précurseur en la forme active de la vitamine D commence dans le foie, mais la PTH agit sur les reins pour compléter le processus de conversion. La vitamine D agit à son tour sur les intestins, où elle stimule l'absorption du Ca^{2+} présent dans les aliments. À mesure qu'augmente la concentration sanguine de Ca^{2+}, une boucle de rétro-inhibition fait cesser la libération de PTH par les glandes parathyroïdes (non montrée à la figure 45.18).

La glande thyroïde participe elle aussi à l'homéostasie du calcium: si la calcémie dépasse la valeur de référence, elle libérera de la **calcitonine**, une hormone qui inhibe la résorption osseuse et stimule l'excrétion de Ca^{2+} par les reins. Chez les poissons et les rongeurs ainsi que chez certains autres animaux, la calcitonine participe à l'homéostasie du Ca^{2+}. Chez les humains, toutefois, elle ne semble nécessaire que dans l'enfance, durant les périodes intensives de croissance osseuse.

Les hormones surrénales: la réponse au stress

Les glandes surrénales des vertébrés jouent un rôle très important dans la réponse au stress, un état qui peut compromettre l'homéostasie. Coiffant chaque rein (d'où l'adjectif *sur*rénal), chaque **glande surrénale** est en fait constituée de deux glandes qui se distinguent par leurs types de cellules, leurs fonctions et leur origine embryonnaire. Elles se composent en effet du *cortex surrénal*, ou portion externe, et de la *médulla surrénale*, ou portion interne. Le cortex surrénal est constitué de cellules endocrines véritables, alors que les cellules sécrétrices de la médulla surrénale viennent des tissus nerveux. À l'instar de l'hypophyse, chaque glande surrénale se compose d'une glande endocrine et d'une glande neuroendocrine.

► **Figure 45.18 Le rôle de la parathormone (PTH) dans la régulation hormonale de la calcémie chez les mammifères.**

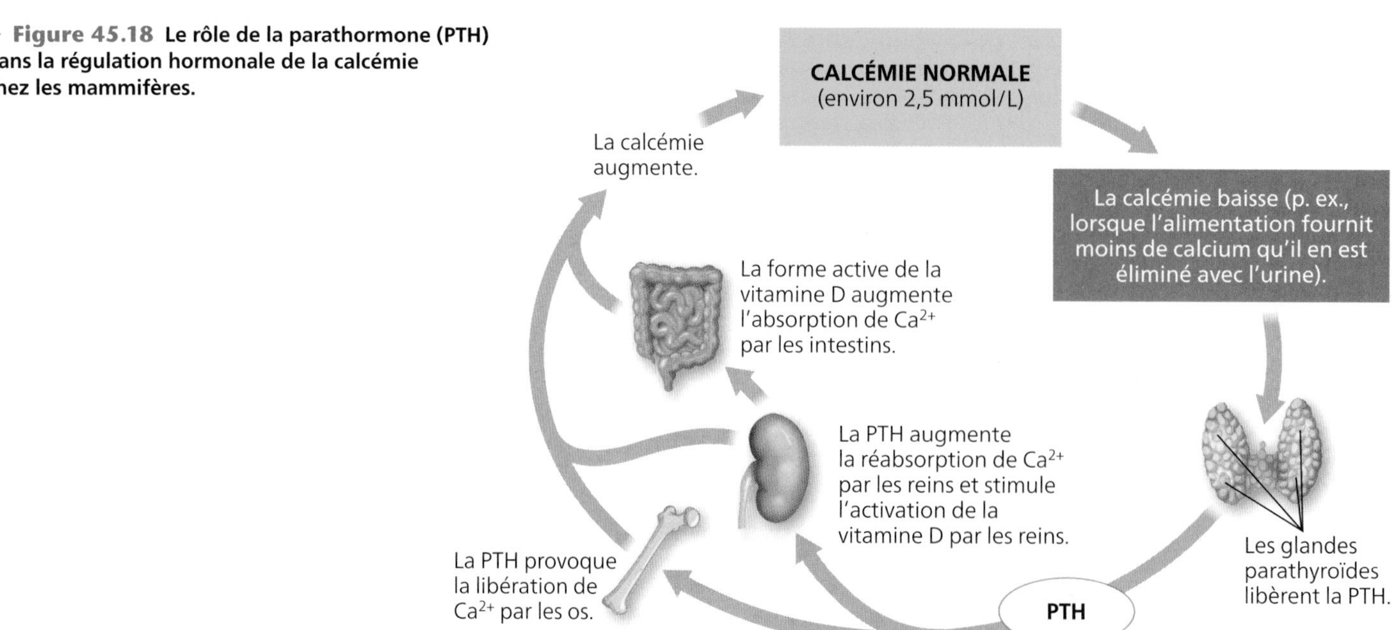
CALCÉMIE NORMALE
(environ 2,5 mmol/L)
La calcémie baisse (p. ex., lorsque l'alimentation fournit moins de calcium qu'il en est éliminé avec l'urine).
Les glandes parathyroïdes libèrent la PTH.
PTH
La PTH augmente la réabsorption de Ca2+ par les reins et stimule l'activation de la vitamine D par les reins.
La forme active de la vitamine D augmente l'absorption de Ca2+ par les intestins.
La PTH provoque la libération de Ca2+ par les os.
La calcémie augmente.

Le rôle de la médulla surrénale

Supposez que vous marchez en forêt une fois la nuit tombée et que vous entendez un grognement. Vous vous demandez si un ours approche. Votre fréquence cardiaque se met alors à augmenter, votre respiration s'accélère, vos muscles se tendent, vos pensées se bousculent. Ces réactions presque instantanées à la perception d'un danger font partie de la réaction « de lutte ou de fuite ». Il s'agit de changements physiologiques coordonnés qui sont déclenchés par deux hormones : l'adrénaline et la **noradrénaline** (aussi appelée norépinéphrine), produites par la médulla surrénale. L'adrénaline et la noradrénaline font partie des *catécholamines*, une classe de composés synthétisés à partir de la tyrosine un acide aminé. Comme vous l'apprendrez au concept 48.4, ces deux molécules fonctionnent également comme neurotransmetteurs.

Une des principales fonctions de ces hormones est d'accroître la quantité d'énergie chimique que l'organisme pourra utiliser sur-le-champ pour réagir au danger (**figure 45.19a**). Les deux catécholamines veillent donc à accélérer la dégradation du glycogène dans le foie et les muscles squelettiques ainsi qu'à stimuler la libération de glucose par les hépatocytes et la libération d'acides gras par les adipocytes. Ce glucose et ces acides gras circulent alors dans le sang, prêts à être utilisés comme source d'énergie par les cellules de l'organisme.

Les catécholamines exercent également des effets importants sur les systèmes cardiovasculaire et respiratoire. Par exemple, elles font augmenter à la fois la fréquence cardiaque et le volume systolique, et elles dilatent les bronchioles des poumons, actions qui accélèrent le transport de l'O_2 jusqu'aux cellules de l'organisme. C'est pourquoi les médecins prescrivent parfois de l'adrénaline comme stimulant cardiaque et comme bronchodilatateur en cas de crise d'asthme. Les catécholamines provoquent aussi la contraction des muscles lisses de certains vaisseaux sanguins et le relâchement de certains autres. Ce mécanisme vise à diminuer l'apport de sang à la peau, aux intestins et aux reins, et à augmenter l'apport sanguin vers le cœur, l'encéphale et les muscles squelettiques.

Les multiples effets de l'adrénaline : ***une étude détaillée*** Comment l'adrénaline coordonne-t-elle une réponse au stress qui se manifeste par des effets très différents d'un tissu à l'autre ? Pour répondre à cette question, examinons les diverses voies que l'adrénaline utilise pour déployer cette réponse (**figure 45.20**) dans toutes sortes de cellules cibles :

▼ **Figure 45.19** Le stress et les glandes surrénales.

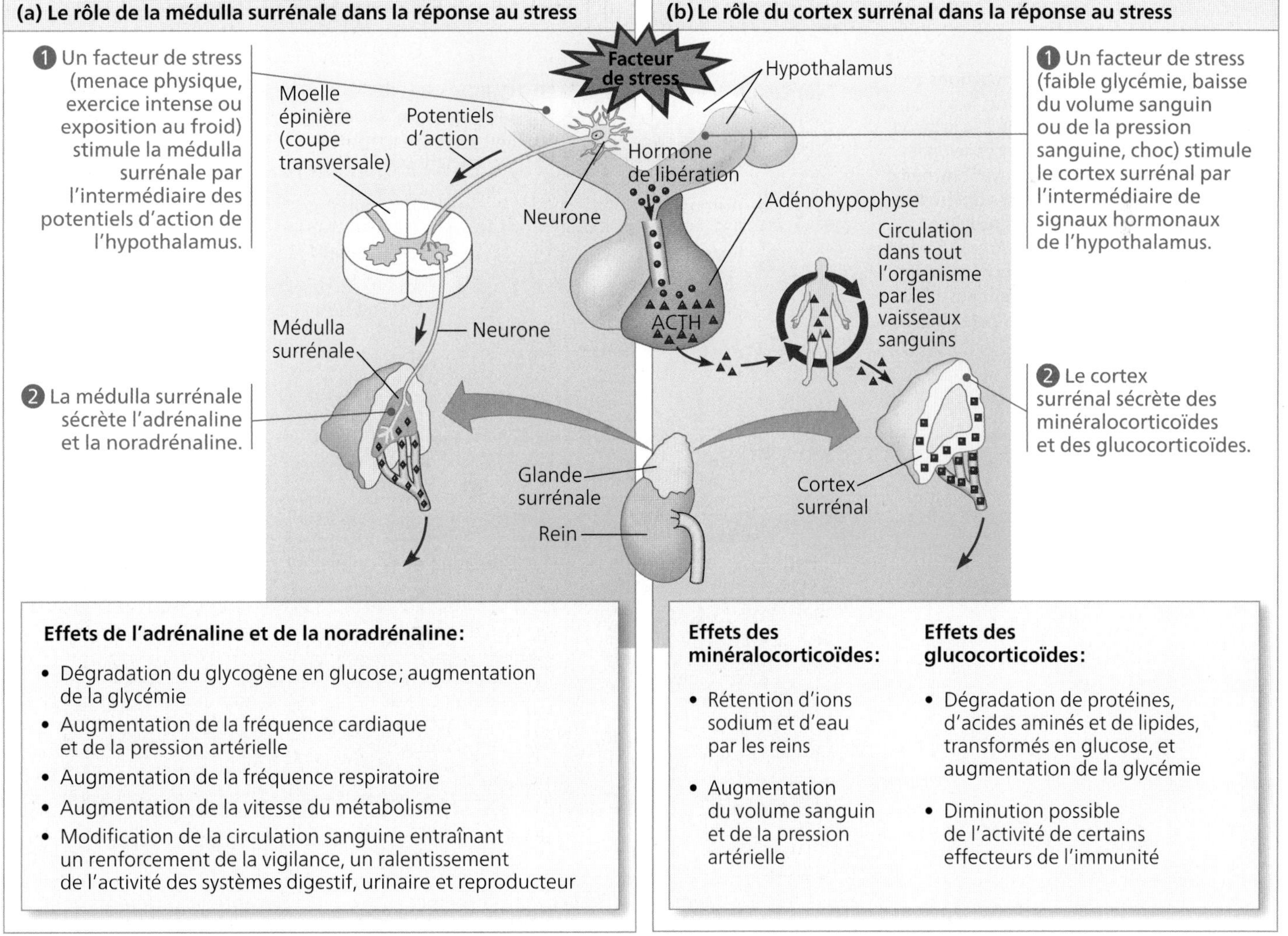

(a) Le rôle de la médulla surrénale dans la réponse au stress
(b) Le rôle du cortex surrénal dans la réponse au stress
1 Un facteur de stress (menace physique, exercice intense ou exposition au froid) stimule la médulla surrénale par l'intermédiaire des potentiels d'action de l'hypothalamus.
Moelle épinière (coupe transversale)
Potentiels d'action
Facteur de stress
Hypothalamus
Neurone
Hormone de libération
Adénohypophyse
ACTH
Circulation dans tout l'organisme par les vaisseaux sanguins
1 Un facteur de stress (faible glycémie, baisse du volume sanguin ou de la pression sanguine, choc) stimule le cortex surrénal par l'intermédiaire de signaux hormonaux de l'hypothalamus.
Médulla surrénale
Neurone
2 La médulla surrénale sécrète l'adrénaline et la noradrénaline.
Glande surrénale
Rein
Cortex surrénal
2 Le cortex surrénal sécrète des minéralocorticoïdes et des glucocorticoïdes.
Effets de l'adrénaline et de la noradrénaline :
• Dégradation du glycogène en glucose ; augmentation de la glycémie
• Augmentation de la fréquence cardiaque et de la pression artérielle
• Augmentation de la fréquence respiratoire
• Augmentation de la vitesse du métabolisme
• Modification de la circulation sanguine entraînant un renforcement de la vigilance, un ralentissement de l'activité des systèmes digestif, urinaire et reproducteur
Effets des minéralocorticoïdes :
• Rétention d'ions sodium et d'eau par les reins
• Augmentation du volume sanguin et de la pression artérielle
Effets des glucocorticoïdes :
• Dégradation de protéines, d'acides aminés et de lipides, transformés en glucose, et augmentation de la glycémie
• Diminution possible de l'activité de certains effecteurs de l'immunité

- Dans le foie, l'adrénaline se lie au récepteur de type β de la membrane plasmique des cellules. Ce récepteur active l'enzyme kinase A qui, à son tour, régule des enzymes dans le métabolisme du glycogène pour libérer du glucose dans le sang (**figure 45.20a**). Notez que c'est cette voie de transduction du signal qui est illustrée dans la figure 45.6.
- Dans les cellules des muscles lisses de la paroi des vaisseaux sanguins qui irriguent les muscles squelettiques, la même kinase activée par le même récepteur de l'adrénaline inactive une enzyme spécifique du muscle. Il s'ensuit un relâchement du muscle lisse entraînant une vasodilatation et donc une augmentation du débit sanguin vers le muscle squelettique (**figure 45.20b**).
- Dans les cellules des muscles lisses entourant la paroi des vaisseaux sanguins intestinaux, l'adrénaline se lie avec un récepteur de type α (**figure 45.20c**). Et au lieu d'activer la kinase A, le récepteur α déclenche une voie de signalisation différente qui fait intervenir une protéine G et des enzymes particulières. Il en résulte la contraction du muscle lisse et la diminution du débit sanguin vers les intestins.

En somme, les réponses multiples déclenchées par l'adrénaline sont dues au fait que les cellules cibles ne portent pas toutes le même récepteur ou qu'elles produisent une molécule différente en réaction à l'adrénaline. Comme en témoignent ces exemples, la diversité des réponses joue un rôle crucial; l'adrénaline peut déclencher plusieurs changements qui, collectivement, permettent à l'organisme de réagir au stress de façon rapide et coordonnée.

Le rôle du cortex surrénal

Tout comme la médulla surrénale, le cortex surrénal participe à la réponse endocrine au stress (**figure 45.19b**). Ces deux parties de la glande surrénale ne répondent toutefois pas au même type de stress ni ne visent les mêmes cellules cibles lorsqu'elles libèrent une hormone.

Le cortex surrénal s'active en présence de certains stimulus de stress: une faible glycémie, une baisse du volume sanguin et de la pression sanguine, ou un choc. En réponse à ces stimulus, l'hypothalamus produit une libérine qui provoque la libération d'ACTH (stimuline) par l'adénohypophyse. Lorsqu'elle atteint le cortex surrénal en passant par la circulation sanguine, l'ACTH stimule les cellules endocrines qui synthétisent et sécrètent une famille d'hormones stéroïdes appelées *corticostéroïdes*. Chez l'humain, les deux principaux types de corticostéroïdes sont les glucocorticoïdes et les minéralocorticoïdes.

Les **glucocorticoïdes**, comme le cortisol (voir la figure 45.4), favorisent la synthèse du glucose à partir de sources qui ne sont pas des glucides, comme les protéines, et augmentent la glycémie. Les glucocorticoïdes agissent également sur les muscles squelettiques, dans lesquels ils provoquent la dégradation des protéines en acides aminés. Ces acides aminés sont transportés jusqu'au foie et aux reins, où ils sont convertis en glucose et

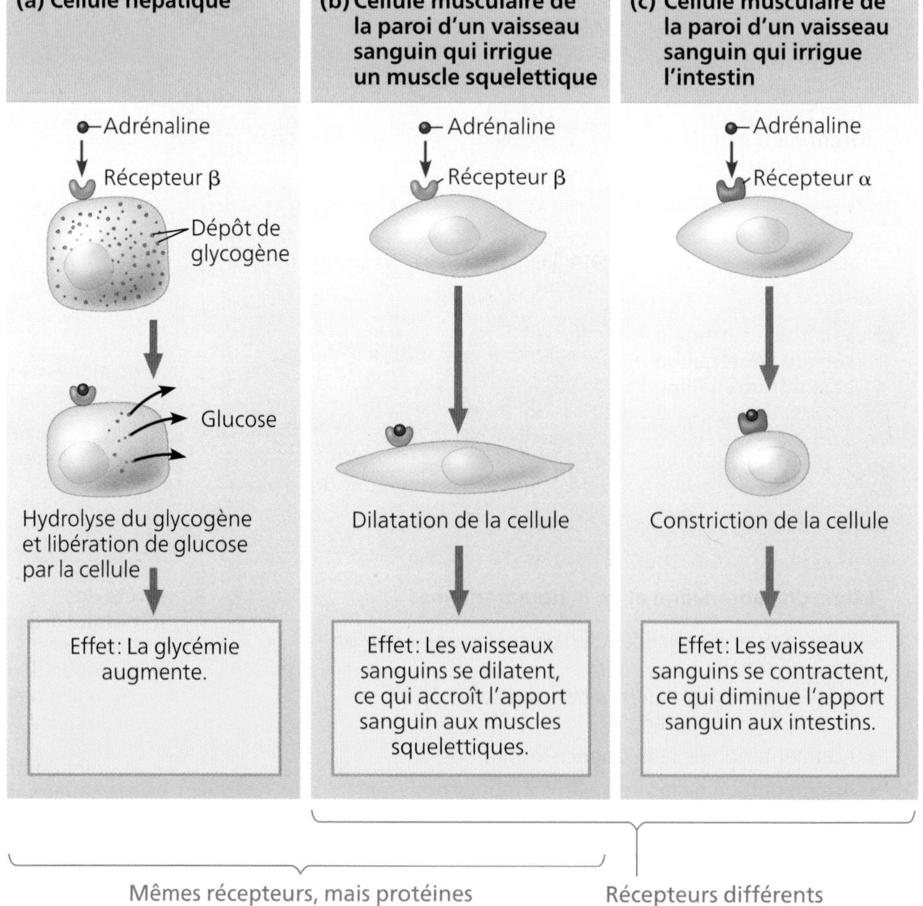

▶ **Figure 45.20 Différentes réactions à une même hormone.** L'adrénaline, la principale hormone qui prépare l'organisme à la lutte ou à la fuite, entraîne diverses réponses selon les cellules cibles. Les cellules cibles ayant le même récepteur présentent des réponses différentes si elles possèdent des voies de transduction du signal ou des protéines effectrices différentes (comparez **a** avec **b**). Des différences entre les récepteurs d'une hormone peuvent aussi être à l'origine de cette disparité (comparez **b** avec **c**).

libérés dans le sang. La synthèse du glucose à partir des protéines musculaires apporte une quantité supplémentaire d'énergie quand l'activité en nécessite plus que ce que la réserve de glycogène du foie peut fournir.

Quand les glucocorticoïdes sont présents en concentrations trop élevées dans le corps, ils exercent un effet suppresseur sur certains composants du système immunitaire. En raison de cet effet anti-inflammatoire, les glucocorticoïdes sont parfois utilisés pour traiter des maladies inflammatoires telles que l'arthrite. Cependant, l'usage prolongé de ces substances peut avoir des effets secondaires graves sur le métabolisme. C'est pourquoi on préfère traiter les maladies inflammatoires chroniques à l'aide d'anti-inflammatoires non stéroïdiens (AINS), comme l'aspirine et l'ibuprofène.

Les **minéralocorticoïdes** agissent surtout sur l'équilibre électrolytique et hydrique, et jouent donc, comme la parathormone, un rôle vital dans l'organisme. Ainsi, dans le rein, l'*aldostérone* participe à l'homéostasie des ions et de l'eau dans le sang (voir la figure 44.21). À l'instar des glucocorticoïdes, les minéralocorticoïdes contribuent non seulement à la réponse au stress, mais aussi à la régulation du métabolisme. Dans la rubrique **Habiletés scientifiques**, vous allez explorer les changements qui se produisent dans la sécrétion d'ACTH au moment du réveil, et ce, à partir d'une expérience que des chercheurs ont réalisée.

DÉMARCHE SCIENTIFIQUE

HABILETÉS SCIENTIFIQUES

Concevoir une expérience contrôlée

■ DE QUELLE FAÇON LA SÉCRÉTION NOCTURNE D'ACTH EST-ELLE RELIÉE À LA DURÉE PRÉVUE DU SOMMEIL ? ■ Durant les dernières phases d'un sommeil normal, les humains sécrètent des quantités de plus en plus grandes d'ACTH, et cette sécrétion culmine au moment du réveil spontané. Comme l'ACTH est libérée en réponse à un stimulus de stress, les scientifiques ont posé l'hypothèse que la sécrétion d'ACTH précédant l'éveil pourrait être une réaction à un stress «attendu» (prévu), soit celui associé à la transition sommeil-éveil. Autrement dit, le fait qu'une personne sache le moment où elle se réveillera pourrait influer sur le moment où elle sécrétera de l'ACTH. Comment peut-on vérifier une hypothèse comme celle-ci ? Dans le présent exercice, vous examinerez comment les chercheurs ont procédé pour concevoir une expérience contrôlée, c'est-à-dire avec groupe témoin, pour voir comment le fait de savoir à l'avance l'heure de son réveil influe sur la sécrétion d'ACTH.

■ MÉTHODE ■ Pendant trois nuits, les chercheurs ont étudié 15 volontaires dans la mi-vingtaine et en bonne santé. Chaque soir, on indiquait à chaque sujet l'heure à laquelle on le réveillerait, soit 6 h ou 9 h. Les sujets allaient se coucher à minuit. Au matin, on réveillait à l'heure prévue les sujets du groupe Nuit courte et du groupe Nuit longue (réveil à 6 h et à 9 h, respectivement). Quant aux sujets du groupe Réveil surprise, on leur disait qu'on les réveillerait à 9 h, mais on les réveillait trois heures plus tôt, c'est-à-dire à 6 h. Aux moments prédéterminés, on prélevait des échantillons de sang pour mesurer les concentrations plasmatiques d'ACTH. Pour déterminer la variation (Δ) de la concentration d'ACTH après le réveil, les chercheurs ont comparé les échantillons prélevés au réveil avec ceux prélevés 30 minutes après le réveil.

■ RÉSULTATS ■

Protocole de sommeil	Heure de réveil prévue	Heure de réveil réel	Taux plasmatique moyen d'ACTH (pg/mL)		
			À 1 h	À 6 h	Δ durant les 30 minutes suivant le réveil
Nuit courte	6 h	6 h	9,9	37,3	10,6
Nuit longue	9 h	9 h	8,1	26,5	12,2
Réveil surprise	9 h	6 h	8,0	25,5	22,1

Source des données : J. Born et coll., Timing the end of nocturnal sleep, *Nature* 397 : 29-30 (1999).

INTERPRÉTEZ LES DONNÉES ▼

1. Décrivez le rôle du protocole Réveil surprise dans le plan de cette expérience.
2. Chaque soir, les chercheurs donnaient à chaque sujet un protocole différent, et l'ordre d'attribution des protocoles différait d'un sujet à l'autre. Autrement dit, chaque soir, le tiers des sujets était soumis à l'un des trois protocoles. En procédant ainsi, quels facteurs les chercheurs ont-ils tenté de contrôler ?
3. Chez les sujets du protocole Nuit courte, quel était le taux moyen d'ACTH au réveil ? À l'aide des données des deux dernières colonnes du tableau, calculez le taux moyen 30 minutes plus tard. Durant cet intervalle de 30 minutes, le taux d'ACTH variait-il plus rapidement ou plus lentement qu'entre 1 h et 6 h du matin ?
4. Quelle comparaison pouvez-vous faire entre la variation du taux d'ACTH entre 1 h et 6 h chez les sujets du protocole Réveil surprise et cette variation chez les sujets des deux autres protocoles ? Ce résultat appuie-t-il l'hypothèse que les chercheurs tentaient de vérifier ? Expliquez votre réponse.
5. À l'aide des données des deux dernières colonnes, calculez le taux moyen d'ACTH observé 30 minutes après le réveil chez les sujets du protocole Réveil surprise, puis comparez ce taux moyen et votre réponse à la question 3. À partir de vos résultats, que pouvez-vous conclure au sujet de la réaction physiologique d'une personne immédiatement après le réveil ?
6. Suggérez quelques variables qui n'étaient pas contrôlées dans cette expérience et qui pourraient faire l'objet d'une étude de suivi.

Les hormones sexuelles

Les hormones sexuelles influent sur la croissance, le développement, les cycles reproducteurs et les comportements sexuels. Bien que les glandes surrénales sécrètent de petites quantités d'hormones sexuelles, les gonades mâles (testicules) et femelles (ovaires) sont la source principale de ces hormones. Les gonades produisent et sécrètent trois grands types d'hormones stéroïdes : les androgènes, les œstrogènes et la progestérone. Ces trois types d'hormones sont présents chez les mâles et les femelles, mais en des proportions différentes.

Les testicules synthétisent surtout des **androgènes**, la principale hormone de ce groupe étant la **testostérone**. Chez l'humain, la testostérone commence à produire des effets bien avant la naissance puisqu'elle contribue au développement des structures reproductrices masculines (**figure 45.21**). Les androgènes jouent un rôle majeur à la puberté : ils provoquent l'apparition des caractères sexuels secondaires. Chez les garçons, des concentrations élevées stimulent la pilosité et la mue de la voix ; elles causent également un gain de masse musculaire et la croissance osseuse. L'action de la testostérone et d'autres stéroïdes anabolisants sur le développement des muscles a incité certains athlètes à en prendre comme suppléments malgré leur interdiction dans presque tous les sports. Les stéroïdes anabolisants augmentent efficacement la masse musculaire, mais ils peuvent causer des poussées d'acné graves et des dommages au foie ainsi qu'une diminution du nombre de spermatozoïdes et du volume des testicules.

▼ **Figure 45.21 Les hormones sexuelles régulent la formation des structures reproductrices durant le développement humain.** Chez l'embryon de sexe masculin (XY), les gonades bipotentielles (gonades pouvant prendre l'une ou l'autre de deux formes) deviennent les testicules, qui sécrètent la testostérone et l'hormone antimüllérienne (AMH). La testostérone dirige la formation des conduits transporteurs de spermatozoïdes (le canal déférent et les vésicules séminales), tandis que l'AMH provoque la dégénération des conduits féminins. En l'absence de ces deux hormones, ce sont les conduits masculins qui dégénèrent, et les structures féminines se forment alors, y compris les trompes utérines, l'utérus et le vagin.

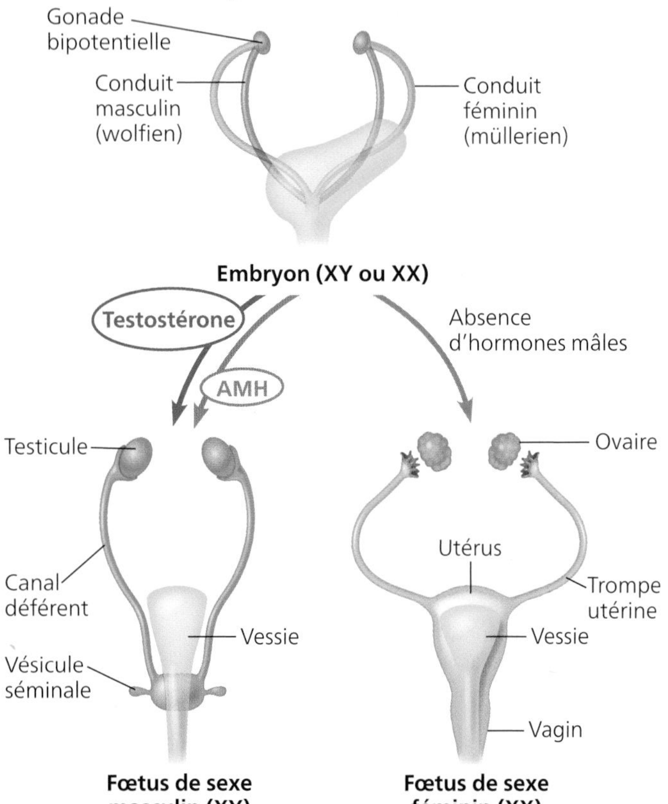

HABILETÉS VISUELLES ▶ Examinez la figure et expliquez pourquoi l'adjectif « bipotentielle » est employé uniquement pour décrire la gonade.

Les **œstrogènes**, dont le plus important est l'**œstradiol**, sont responsables du fonctionnement du système reproducteur femelle et de l'apparition des caractères sexuels secondaires féminins. Chez les mammifères, les fonctions de la **progestérone** ont surtout trait à la mise en place de la phase sécrétoire du cycle utérin ainsi qu'à la préparation et au maintien des tissus de l'utérus, qui assurent la croissance et le développement de l'embryon.

Les œstrogènes et les androgènes font partie des voies hormonales en cascade. Leur synthèse relève principalement de deux gonadotrophines sécrétées par l'adénohypophyse : l'hormone folliculostimulante (FSH) et l'hormone lutéinisante (LH ; voir la figure 45.15). La sécrétion de ces gonadotrophines est elle-même régie par la gonadolibérine (GnRH, pour *gonadotropin-releasing hormone*). Au chapitre 46, nous décrirons en détail la rétroaction complexe qui détermine la sécrétion des hormones sexuelles par les gonades.

Les perturbateurs endocriniens

Entre 1938 et 1971, on a prescrit un œstrogène synthétique appelé diéthylstilbestrol (DES) à certaines femmes présentant une grossesse à risque, car on pensait alors que ce médicament prévenait les fausses-couches (avortements spontanés) et les accouchements prématurés. Malheureusement, on a découvert en 1971 que l'exposition au DES pouvait altérer le développement du système génital du fœtus. Chez les filles des femmes qui ont reçu du DES, certaines affections génitales sont beaucoup plus fréquentes, notamment une forme de cancer du vagin et du col utérin. On constate également que ces jeunes femmes présentent plus souvent certaines malformations génitales et courent plus de risques de faire des fausses-couches. On craint même que les petites-filles des femmes exposées au DES connaissent aussi des troubles de reproduction à cause de mécanismes propres à l'hérédité épigénétique (voir le chapitre 18). On sait maintenant que le DES est un *perturbateur endocrinien*, c'est-à-dire une molécule qui perturbe le fonctionnement normal d'une voie hormonale. En se fixant au récepteur protéique de l'hormone, cette molécule peut soit imiter l'effet de l'hormone, soit bloquer l'accès de celle-ci à son récepteur.

Au cours des dernières années, on a émis l'hypothèse que certaines molécules de l'environnement se comporteraient comme des perturbateurs endocriniens. C'est le cas notamment du bisphénol A, une substance chimique utilisée dans la fabrication de certains plastiques (et présent notamment dans les biberons et les jouets pour bébés de même qu'à la face interne des parois de boîtes de conserve métalliques) et étudiée pour son potentiel d'interférence avec la fonction reproductrice et le développement. Par ailleurs, on a constaté également que des molécules similaires aux œstrogènes, dont celles que contiennent la fève de soja et d'autres produits alimentaires végétaux, semblent réduire le risque du cancer du sein. Toutefois, les femmes aux prises avec un cancer du sein hormonodépendant doivent s'abstenir de prendre de tels aliments. Les chercheurs ont du mal à élucider les effets des perturbateurs endocriniens, notamment parce que les enzymes du foie modifient les propriétés de ces molécules qui pénètrent dans l'organisme par les voies digestives. En outre, un polluant susceptible de se comporter comme perturbateur endocrinien est rarement isolé dans l'environnement ; or, les effets combinés de plusieurs perturbateurs sont imprévisibles. Quoi qu'il en soit, au Canada, l'emploi de bisphénol A dans les biberons et les gobelets pour enfants est interdit depuis 2008.

La mélatonine et les rythmes biologiques

Il reste encore beaucoup à apprendre au sujet de la **mélatonine**. Produite par la **glande pinéale**, ou épiphyse, une petite masse de tissu située près du centre de l'encéphale (voir la figure 45.13), la mélatonine est un acide aminé (tryptophane) modifié qui régule les fonctions associées à la luminosité et à la durée de l'éclairement diurne selon les saisons.

Chez de nombreux vertébrés, la mélatonine agit sur la pigmentation de la peau, mais ses principales fonctions sont liées aux rythmes circadiens qui interviennent dans la reproduction et le niveau d'activité diurne (voir la figure 40.9). Comme la sécrétion de mélatonine se fait la nuit, la quantité produite dépend de la durée de l'obscurité. Ainsi, en hiver, la longueur des nuits en favorise la production. Il semblerait également que l'augmentation nocturne des taux de mélatonine contribue grandement à favoriser le sommeil. En 2011, des chercheurs de l'Université McGill à Montréal ont découvert les rôles opposés que jouent deux principaux récepteurs de la mélatonine dans la régulation du sommeil. Cette découverte permettra peut-être de mettre au point des médicaments contre l'insomnie plus efficaces que les médicaments actuels, en favorisant sélectivement le sommeil profond.

La libération de mélatonine par la glande pinéale est régie par un groupe de neurones hypothalamiques appelé noyau suprachiasmatique (SCN). Ce noyau fonctionne comme une horloge biologique et reçoit des potentiels d'action de certains neurones photosensibles de la rétine de l'œil. Même si le SCN régule la production de mélatonine durant le cycle jour/nuit de 24 heures, cette dernière influe elle aussi sur l'activité de ce noyau. Nous verrons plus en détail les rythmes biologiques au concept 49.2, où nous analyserons des expériences sur la fonction du SCN.

L'évolution de la fonction hormonale

ÉVOLUTION Au cours de l'évolution, les fonctions exercées par des hormones se sont diversifiées et singularisées au sein de certaines espèces. Par exemple, les hormones thyroïdiennes jouent un rôle dans la régulation du métabolisme de plusieurs lignées évolutives (voir la figure 45.16). Chez les grenouilles, toutefois, la thyroxine (T_4) a pour unique fonction de stimuler la résorption de la queue du têtard quand celui-ci se métamorphose en grenouille (**figure 45.22**).

▼ **Figure 45.22 La fonction spécialisée d'une hormone dans la métamorphose du têtard en grenouille.** Chez les batraciens, l'hormone thyroxine a pour seule fonction de commander la résorption de la queue du têtard lorsque la grenouille prend sa forme adulte.

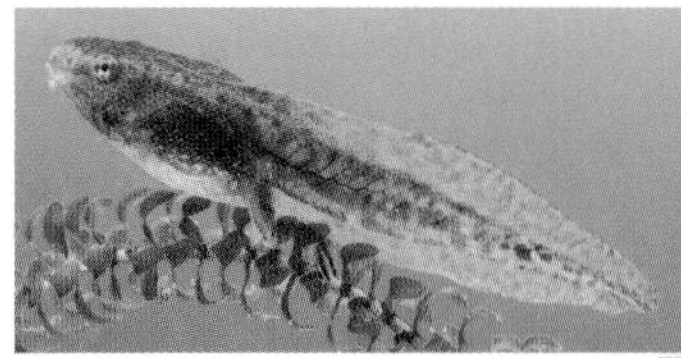

▲ **Têtard.**

▲ **Grenouille adulte.**

La *prolactine* intervient dans une gamme d'activités particulièrement grande. Elle favorise la croissance des glandes mammaires, et elle déclenche et maintient la synthèse du lait durant la période d'allaitement chez les mammifères. Elle assure également la régulation du métabolisme des graisses et de la reproduction chez les oiseaux, retarde la métamorphose chez les amphibiens, et intervient dans l'équilibre hydrique et électrolytique chez les poissons dulcicoles. Ces rôles très divers donnent à penser que la prolactine est une hormone ancienne dont les fonctions se sont diversifiées au cours de l'évolution, dans les divers groupes de vertébrés.

Sécrétée par l'adénohypophyse, l'**hormone mélanotrope** (**MSH**, pour *melanocyte-stimulating hormone*) est un autre exemple d'hormone dont les fonctions se sont diversifiées au cours de l'évolution. Chez les amphibiens, les poissons et les reptiles, la MSH régule la coloration de la peau en contrôlant la distribution des pigments dans les cellules cutanées appelées mélanocytes. En revanche, chez les mammifères, elle joue un rôle dans l'appétit et le métabolisme, en plus de la pigmentation de la peau.

L'évolution de la fonction spécialisée de la MSH dans l'encéphale mammalien pourrait être d'une grande importance dans le domaine médical. Beaucoup de patients atteints du cancer, du sida, de la tuberculose et de certaines affections liées au vieillissement souffrent d'un amaigrissement important appelé marasme (ou cachexie). Caractérisé par une perte de poids extrême, une atrophie musculaire et une perte d'appétit, le marasme ne répond guère aux traitements existants. Toutefois, on sait maintenant que l'activation d'un récepteur de la MSH dans l'encéphale provoque les mêmes changements que ceux associés au marasme. En outre, dans des expériences réalisées auprès de souris ayant des mutations qui provoquent le développement de tumeurs cancéreuses et, du même coup, le marasme, le traitement par des médicaments qui inhibent le récepteur de la MSH dans l'encéphale a permis d'empêcher le marasme. La possibilité d'utiliser ces médicaments pour traiter cet état chez les humains est en cours d'étude.

RETOUR SUR LE CONCEPT 45.3

1. Si une voie hormonale produit une réponse transitoire à un stimulus, comment le fait de diminuer la durée de ce stimulus influerait-il sur la nécessité d'une rétro-inhibition ?

2. **ET SI ?** ▶ Si vous recevez une injection de cortisone (un glucocorticoïde) dans une articulation enflammée, de quelles propriétés glucocorticoïdiennes bénéficierez-vous ? Si un comprimé de glucocorticoïde était également efficace pour traiter l'inflammation, pourquoi demeurerait-il préférable d'utiliser ce médicament localement ?

3. **FAITES DES LIENS** ▶ Quels parallèles pouvez-vous faire au sujet des propriétés de l'adrénaline et de l'auxine (une hormone végétale ; voir le concept 39.2) quant à leurs effets dans divers tissus cibles ?

Voir les réponses proposées à l'appendice A.

RÉVISION DU CHAPITRE 45

Consultez votre MANUEL NUMÉRIQUE, qui vous donne accès aux **animations**, aux **exercices** et à la plateforme d'**anatomie interactive**.

Résumé des concepts clés

CONCEPT 45.1

Les hormones et d'autres molécules de signalisation se fixent aux récepteurs des cellules cibles pour activer des voies de réponse spécifiques (p. 1098 à 1102)

- Les formes de signalisation entre les cellules d'un animal diffèrent selon la cellule sécrétrice et selon la voie empruntée pour diriger le signal vers sa cible. La communication endocrine s'effectue par des **hormones** qui sont sécrétées dans les liquides extracellulaires par des cellules endocrines ou des glandes endocrines. Les hormones se rendent aux cellules cibles par le sang et les autres liquides circulatoires, et se lient à leurs récepteurs pour déclencher une réponse cellulaire. La communication **paracrine** se réalise par des régulateurs locaux agissant sur les cellules voisines, tandis que le régulateur dans la communication **autocrine** agit sur la cellule sécrétrice elle-même. Les **neurotransmetteurs** agissent aussi localement, mais les **neurohormones** peuvent intervenir dans tout l'organisme. Les **phéromones** sont libérées dans l'environnement pour permettre la communication entre individus (animaux) de même espèce.
- Les **régulateurs locaux** sont responsables de la communication paracrine et de la communication autocrine. Ils comprennent les cytokines et les facteurs de croissance (polypeptidiques), les **prostaglandines** (acides gras modifiés) et le **monoxyde d'azote** (gaz).
- Les principales classes d'hormones animales sont les polypeptides, les stéroïdes et les amines. Les hormones activent des voies de réponse différentes selon qu'elles sont hydrosolubles ou liposolubles. Les cellules endocrines qui sécrètent des hormones sont souvent situées dans des glandes dont la principale ou unique fonction est la communication endocrine.

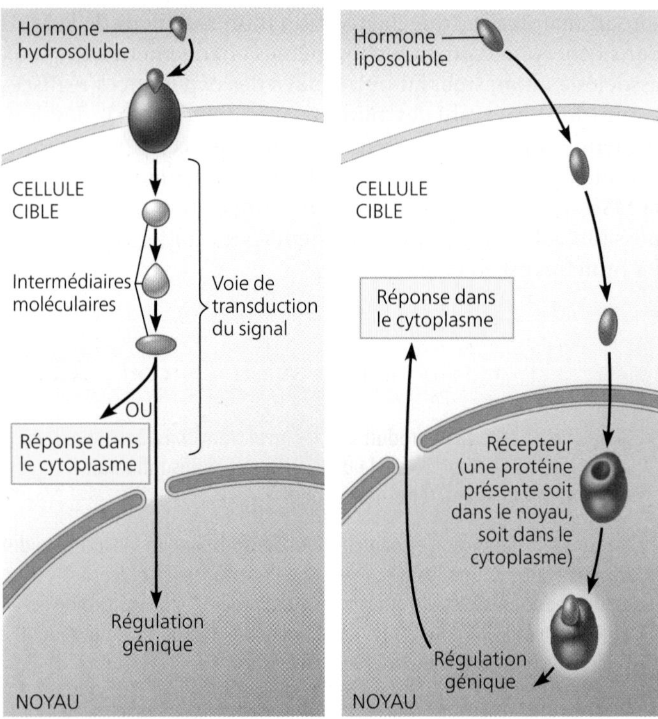

FAITES DES LIENS ▶ Quelles formes de communication activent un lymphocyte T auxiliaire dans les réponses immunitaires (voir la figure 43.16) ?

CONCEPT 45.2

La régulation par rétroaction et la coordination avec le système nerveux sont des voies souvent empruntées par les hormones (p. 1102 à 1109)

- Dans une *voie endocrine simple*, les cellules endocrines répondent directement au stimulus, tandis que dans une *voie neuroendocrine simple*, c'est un neurone sensitif qui reçoit le stimulus.
- Les voies hormonales peuvent être régulées par **rétro-inhibition**, un mécanisme dans lequel la réponse de la cellule cible réduit le stimulus initial, ou par **rétroactivation**, qui amplifie le stimulus et provoque une réponse encore plus intense.

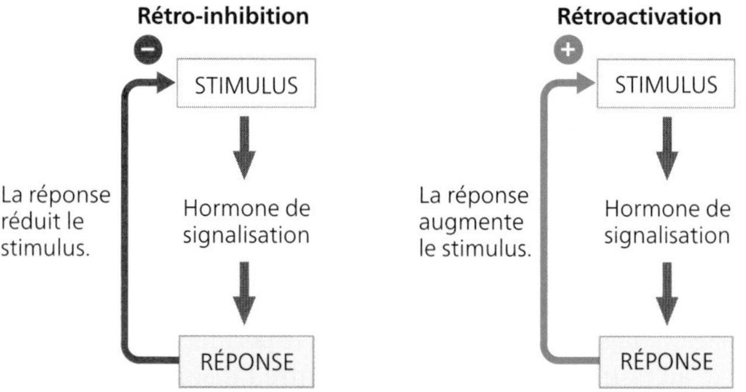

- Chez les insectes, trois hormones principales régulent la mue et le développement : l'hormone prothoracotrope (PTTH), une neurohormone stimuline ; l'ecdysone, dont la libération est déclenchée par l'hormone prothoracotrope ; et l'hormone juvénile (HJ). La coordination des signaux du système nerveux et du système endocrinien ainsi que la modulation de l'activité d'une hormone par une autre hormone provoquent une série de stades de développement qui aboutissent à la forme adulte.
- Chez les vertébrés, les cellules neurosécrétoires de l'**hypothalamus** produisent deux hormones qui agissent directement sur les tissus non endocriniens et qui sont emmagasinées dans la **neurohypophyse**, d'où elles sont libérées : l'**ocytocine,** qui déclenche la contraction des muscles utérins et provoque l'éjection du lait des glandes mammaires, et l'**hormone antidiurétique** (**ADH**), qui accentue la rétention d'eau par les reins.
- D'autres cellules hypothalamiques produisent des hormones que les vaisseaux portes acheminent jusqu'à l'**adénohypophyse**, où elles stimulent ou inhibent la libération de certaines hormones.
- Souvent, les hormones de l'adénohypophyse agissent en cascade. Par exemple, la sécrétion de la thyrotrophine (TSH) est régulée par la thyréolibérine (TRH). La TSH stimule la **glande thyroïde**, qui sécrète alors les **hormones thyroïdiennes**, une combinaison d'hormones iodées appelées $\mathbf{T_3}$ et $\mathbf{T_4}$. Les hormones thyroïdiennes augmentent la vitesse du métabolisme et agissent sur le développement et la maturation.

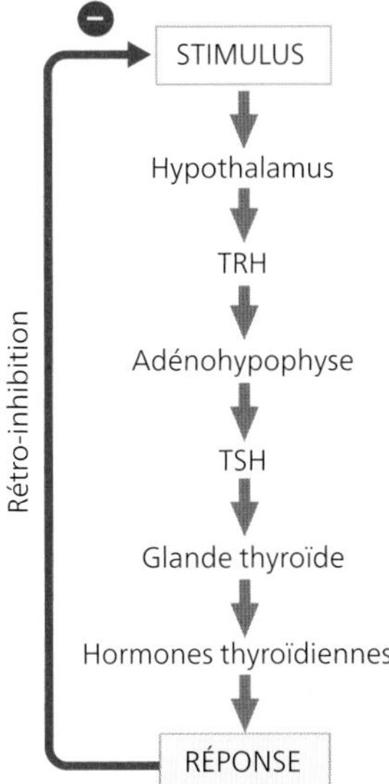

- La plupart des hormones de l'adénohypophyse sont des stimulines et agissent sur des tissus endocriniens ou des glandes endocrines pour réguler la sécrétion des hormones. Les stimulines de l'adénohypophyse sont la thyrotrophine (TSH), l'hormone folliculostimulante (FSH), l'hormone lutéinisante (LH) et la corticotrophine (ACTH). L'**hormone de croissance** (GH) est à la fois une stimuline et une hormone à action directe. Elle intervient directement dans la croissance, elle exerce divers effets sur le métabolisme et elle favorise également la production de facteurs de croissance par d'autres tissus.

? Quels organes endocriniens importants décrits dans la figure 45.8 sont régulés sans l'intervention de l'hypothalamus et de l'hypophyse ? Expliquez votre réponse.

CONCEPT 45.3

Les glandes endocrines réagissent à divers stimulus dans la régulation de l'homéostasie, du développement et du comportement (p. 1110 à 1115)

- La **parathormone** (PTH), sécrétée par les **glandes parathyroïdes**, favorise la libération de calcium (Ca^{2+}) des os vers le sang et stimule la réabsorption du Ca^{2+} par les reins, ce qui élève la calcémie. La PTH intervient aussi indirectement en stimulant dans les reins la conversion de la vitamine D en sa forme active. La forme active de la vitamine D agit sur les intestins, où elle renforce l'absorption du Ca^{2+} contenu dans les aliments. La **calcitonine**, sécrétée par la thyroïde, a les effets opposés de la PTH sur les os et les reins. Elle joue un rôle essentiel dans l'homéostasie du Ca^{2+} de certains vertébrés adultes, mais pas chez les humains.
- Sous l'effet du stress, des cellules neurosécrétoires dans la médulla surrénale libèrent l'**adrénaline** et la **noradrénaline**, deux hormones assurant les différentes réactions permettant la lutte ou la fuite. Le cortex surrénal sécrète des **glucocorticoïdes**, comme le cortisol, qui agissent sur le métabolisme du glucose et le système immunitaire. Il produit aussi des **minéralocorticoïdes**, surtout l'aldostérone, qui agissent sur l'équilibre électrolytique et hydrique.
- Les hormones sexuelles régulent la croissance, le développement, la reproduction et le comportement sexuel. Le cortex surrénal produit également de petites quantités d'hormones sexuelles, mais ce sont les gonades (testicules et ovaires) qui produisent la majeure partie des hormones sexuelles de l'organisme : les **androgènes**, les **œstrogènes** et la **progestérone**. Les mâles et les femelles produisent les trois types d'hormones, mais dans des proportions différentes.
- La **glande pinéale**, située dans l'encéphale, sécrète la **mélatonine**. Il semble que la principale fonction de cette hormone soit liée aux rythmes biologiques associés à la reproduction et au sommeil. La libération de mélatonine est régulée par le noyau suprachiasmatique (SCN), une région de l'hypothalamus qui agit comme une horloge biologique.
- Les hormones ont parfois acquis des rôles différents d'une espèce à l'autre au cours de l'évolution. La **prolactine** déclenche la lactation chez les mammifères, mais elle provoque bien d'autres effets chez les diverses espèces de vertébrés. L'**hormone mélanotrope** (MSH) influe sur la pigmentation de la peau chez certains vertébrés et le métabolisme des graisses chez les mammifères.

? L'ADH et l'adrénaline agissent comme des hormones lorsqu'elles sont libérées dans la circulation sanguine, mais comme des neurotransmetteurs lorsqu'elles sont libérées dans les synapses entre les neurones. Quel est le point commun entre les glandes endocrines qui produisent ces deux molécules ?

Évaluation

NIVEAU 1 : CONNAISSANCES ET COMPRÉHENSION

1. Parmi les affirmations suivantes sur les hormones, laquelle est *fausse* ?
a) Les hormones sont des médiateurs chimiques qui atteignent leurs cellules cibles en passant par le système cardiovasculaire.
b) Les hormones assurent souvent l'homéostasie par leurs fonctions antagonistes.
c) Les hormones de la même classe chimique exercent habituellement des fonctions similaires.
d) Les hormones sont souvent régulées par des mécanismes de rétroaction.

2. L'hypothalamus :
a) synthétise toutes les hormones libérées par l'hypophyse.
b) exerce des effets sur la fonction d'un seul des deux lobes de l'hypophyse.
c) produit uniquement des hormones d'inhibition.
d) régule la reproduction et la température corporelle.

3. Les facteurs de croissance sont des régulateurs locaux qui :
a) sont produits par l'adénohypophyse.
b) sont des acides gras modifiés qui provoquent la croissance des os et des cartilages.
c) se trouvent à la surface des cellules cancéreuses et provoquent une division cellulaire anormale.
d) se lient aux récepteurs de la membrane plasmique et provoquent la croissance et le développement des cellules cibles.

4. Parmi les hormones suivantes, laquelle *n'est pas* associée à son action ?
a) Ocytocine : déclenche les contractions utérines pendant l'accouchement.
b) Thyroxine : inhibe les processus métaboliques.
c) ACTH : provoque la libération des glucocorticoïdes par le cortex surrénal.
d) Mélatonine : influe sur les cycles biologiques et la reproduction saisonnière.

NIVEAU 2 : APPLICATION ET ANALYSE

5. Quelle caractéristique les hormones stéroïdes et peptidiques partagent-elles habituellement ?
a) Elles sont solubles dans les membranes cellulaires.
b) Elles se déplacent dans la circulation sanguine.
c) Leurs récepteurs sont situés au même endroit.
d) Elles dépendent de la transduction du signal dans la cellule.

6. Parmi les propositions suivantes, laquelle rend le mieux compte d'une hypothyroïdie chez un patient dont la concentration d'iode dans le sang est normale ?
a) Une production disproportionnée de T_3 et de T_4.
b) Une hyposécrétion de TSH.
c) Une hypersécrétion de MSH.
d) Une diminution de sécrétion de calcitonine par la glande thyroïde.

7. La relation entre l'ecdysone et l'hormone prothoracotrope (PTTH):
   a) est un exemple d'interaction entre le système endocrinien et le système nerveux.
   b) illustre le maintien de l'homéostasie par rétroactivation.
   c) illustre le fait que l'homéostasie est maintenue par des hormones antagonistes.
   d) démontre une inhibition compétitive de diverses hormones qui se lient aux mêmes récepteurs.

8. **FAITES UN DESSIN** ▶ Chez les mammifères, la sécrétion lactée par les glandes mammaires est régie par la prolactine et l'hormone de libération de la prolactine. Faites un schéma simple de cette voie hormonale, en y incluant les glandes et les tissus, les hormones, les voies des hormones et leurs effets.

Voir les réponses proposées à l'appendice A.

La reproduction chez les animaux

46

VOS OUTILS
INTERACTIFS
Consultez votre MANUEL NUMÉRIQUE, qui vous donne accès aux **animations**, aux **exercices** et à la plateforme d'**anatomie interactive**.

▲ **Figure 46.1** **Que sont ces minuscules sphères et où vont-elles ?**

CONCEPTS CLÉS

46.1 Il existe deux modes de reproduction animale : sexuée et asexuée

46.2 La fécondation repose sur des mécanismes qui permettent la rencontre d'un spermatozoïde et d'un ovule appartenant à la même espèce

46.3 Les organes reproducteurs produisent et transportent les gamètes

46.4 L'interaction complexe entre les stimulines et les hormones sexuelles régule la reproduction chez les mammifères

46.5 Chez les mammifères placentaires, le développement embryonnaire se déroule entièrement dans l'utérus

La reproduction sous toutes ses formes

Peut-être pensez-vous que les minuscules sphères de la **figure 46.1** sont en train de tomber, mais, en réalité, elles sont en train de monter. Remplies de spermatozoïdes et d'ovules, ces sphères sont libérées par les polypes coralliens de couleur rose orangé qui parsèment la surface de ce récif de corail. Une fois remontées jusqu'à la surface de l'océan, ces sphères répandent leurs spermatozoïdes et leurs ovules qui, souvent, fusionnent pour former des embryons. Ces embryons deviendront des larves qui redescendront au fond de l'eau pour constituer de nouvelles colonies de coraux.

Pour les humains que nous sommes, la reproduction signifie l'accouplement d'un mâle et d'une femelle. Toutefois, la reproduction chez les animaux prend de multiples formes. Certaines espèces peuvent se reproduire sans aucune forme d'accouplement (reproduction asexuée). Chez d'autres espèces, les individus changent de sexe au cours de leur vie, ou alors ils sont à la fois mâles et femelles. Enfin, au sein de certaines espèces, telles les abeilles mellifères, seuls quelques individus peuvent se reproduire.

L'existence d'une population ne peut dépasser la durée de vie limitée de ses membres que grâce à la reproduction, c'est-à-dire à la production de nouveaux organismes à partir de ceux qui existent déjà. Dans le présent chapitre, nous étudierons la reproduction animale. Tout d'abord, nous comparerons les divers modes et mécanismes de reproduction apparus au cours de l'évolution du règne animal. Ensuite, nous examinerons plus en détail la reproduction des mammifères, en particulier celle, abondamment étudiée, de l'humain. Au prochain chapitre, nous verrons en profondeur le développement embryonnaire, mais pour le moment nous concentrerons notre étude sur la reproduction, surtout en ce qui a trait aux parents.

CONCEPT 46.1

Il existe deux modes de reproduction animale: sexuée et asexuée

Il existe deux principaux modes de reproduction chez les animaux : sexuée et asexuée. On dit qu'il y a **reproduction sexuée** lorsque les descendants proviennent de la fusion de gamètes haploïdes donnant un **zygote** diploïde. L'animal qui se développe à partir du zygote peut à son tour engendrer des gamètes par méiose (voir la figure 13.8). Le gamète femelle, appelé **ovule**, est une cellule relativement grosse et immobile. (Pour simplifier, nous employons pour le moment le terme plus familier d'ovule, mais dans la majorité des cas, il s'agit d'un ovocyte de deuxième ordre, comme nous le verrons un peu plus loin.) Quant au gamète mâle, ou **spermatozoïde**, c'est généralement une cellule beaucoup plus petite et flagellée, donc mobile. On parle de **reproduction asexuée** lorsque les gènes des descendants proviennent d'un seul individu et qu'il n'y a pas de fusion entre un gamète femelle et un gamète mâle. Dans la plupart des cas, la reproduction asexuée repose entièrement sur la mitose. La reproduction sexuée et la reproduction asexuée sont toutes deux courantes chez les animaux.

Les mécanismes de la reproduction asexuée

Dans le règne animal, certaines formes de reproduction asexuée s'observent exclusivement chez les invertébrés. L'une d'elles est le *bourgeonnement*, un processus par lequel de nouveaux individus se forment à partir d'excroissances apparues à la face externe du parent (voir la figure 13.2). Ainsi, chez les coraux durs, le nouvel individu se forme à partir de la surface corporelle du parent et y reste associé, ce qui finira par former une colonie de plus de 1 m de diamètre qui réunit plusieurs milliers d'individus accolés. La **scissiparité** est également un mécanisme de reproduction asexuée courant chez les invertébrés, dans lequel le parent se scinde pour donner deux individus de taille à peu près égale.

Il existe un autre mécanisme de reproduction asexuée qui se déroule en deux étapes. Au cours de la *fragmentation*, le corps se dissocie en plusieurs fragments, qui subissent une *régénération*, durant laquelle les parties perdues se reconstituent. Si plus d'un morceau croît et se développe en un individu complet, il y a reproduction. Par exemple, certains annélides peuvent se scinder en plusieurs fragments, chacun devenant un ver entier en moins d'une semaine. La reproduction par fragmentation et régénération est possible chez de nombreuses espèces de coraux, d'éponges, de cnidaires et de tuniciers.

La **parthénogenèse** (de *parthenos*, qui signifie « vierge ») est un mode de reproduction plutôt singulier dans lequel un ovule se développe sans avoir été fécondé. Les invertébrés tels que certaines espèces d'abeilles, les guêpes et les fourmis se reproduisent par parthénogenèse. La progéniture peut être haploïde ou diploïde. Chez les abeilles mellifères, les mâles, appelés *faux bourdons*, sont des adultes haploïdes fertiles qui sont nés par parthénogenèse, tandis que les femelles, c'est-à-dire les ouvrières stériles et les femelles reproductrices (reines), proviennent d'ovules fécondés.

Chez les invertébrés, la parthénogenèse est réputée rare et associée à une faible densité de population. Des gardiens de zoo ont observé la parthénogenèse chez un dragon de Komodo (*Varanus komodoensis*) et chez une espèce de requin-marteau (*Sphyrna tiburo*) : dans les deux cas, les femelles avaient été gardées complètement isolées des mâles de leur espèce, mais elles s'étaient néanmoins reproduites. En 2015, une analyse d'ADN a permis de prouver un cas de parthénogenèse chez des vertébrés vivant en milieu sauvage ; il s'agissait d'un groupe de poissons-scies femelles parfaitement identiques génétiquement.

Diverses adaptations dans la reproduction sexuée

Chez de nombreuses espèces animales, dont les humains, la reproduction sexuée suppose l'accouplement d'un mâle et d'une femelle. Pour beaucoup d'animaux, toutefois, il n'est pas facile de trouver un partenaire pour s'accoupler. Des adaptations ingénieuses apparues au cours de l'évolution de certaines espèces permettent de contourner le problème en escamotant les séparations strictes entre mâles et femelles. De telles adaptations sont apparues chez les animaux sessiles (stationnaires), comme les balanes et les anatifes, des cirripèdes, chez les animaux fouisseurs, comme les palourdes (ordre des vénéroïdes), et chez certains parasites, comme les ténias (*Taenia spp.*). En effet, ces animaux n'ont guère d'occasions de rencontrer un représentant de l'autre sexe. L'**hermaphrodisme** leur offre une solution. Chaque individu possède un appareil génital mâle et un appareil génital femelle. (*Hermaphrodite* est la contraction d'« Hermès » et d'« Aphrodite », qui désignent respectivement le dieu grec messager des Olympiens et la déesse grecque de l'amour et de la fécondité.)

Comme chaque hermaphrodite joue alors à la fois le rôle du mâle et celui de la femelle, *tous* les individus rencontrés sont des partenaires potentiels. Chacun peut donner et recevoir des spermatozoïdes durant l'accouplement, comme les limaces de mer de la **figure 46.2**. Chez certaines espèces, dont de nombreux coraux, les hermaphrodites peuvent également s'autoféconder, ce qui signifie qu'ils n'ont pas besoin de partenaires pour se reproduire.

▼ **Figure 46.2 La reproduction chez les hermaphrodites.** Durant cet accouplement de limaces de mer, ou nudibranches (*Nembrotha chamberlaini*), chaque hermaphrodite fournit les spermatozoïdes qui fécondent les ovules de l'autre.

La girelle à tête bleue (*Thalassoma bifasciatus*), un poisson-labre qu'on trouve dans la mer des Caraïbes, est un exemple d'un mode de reproduction unique. Chaque mâle vit seul avec un harem de femelles. Lorsque cet unique mâle du harem meurt, la reproduction pourrait devenir impossible, mais il n'en est rien : la plus grande femelle du harem change de sexe et devient le nouveau mâle. En moins d'une semaine, l'individu ainsi transformé produit des spermatozoïdes au lieu d'ovules. Quelle pression sélective au cours de l'évolution des girelles à tête bleue a pu donner lieu à ce changement de sexe de la plus grosse femelle du harem ? Comme le mâle défend le harem contre les intrus, il se peut que, du point de vue de la reproduction, une grande taille présente un avantage plus important pour les mâles que pour les femelles.

Certaines espèces d'huîtres subissent également une inversion de sexe. Dans leur cas, les individus se reproduisent en tant que mâles et par la suite en tant que femelles, lorsque leur taille augmente. Comme la production de gamètes augmente habituellement avec la taille, le fait de passer du sexe mâle au sexe femelle (plutôt que l'inverse) maximise la production de gamètes femelles. Le succès reproducteur s'en trouve amélioré : les huîtres étant des animaux sédentaires qui libèrent leurs gamètes dans l'eau environnante au lieu de s'accoupler, le fait de libérer plus de gamètes augmente le nombre de descendants.

Les cycles de reproduction

Chez la plupart des animaux, l'activité de reproduction, qu'elle soit sexuée ou asexuée, suit un cycle qui est souvent associé à des changements saisonniers. Ce cycle est déterminé par des hormones dont la sécrétion dépend de déclencheurs environnementaux. De cette manière, les animaux peuvent économiser leurs ressources et s'y consacrer seulement lorsqu'ils disposent des sources d'énergie nécessaires et lorsque les conditions du milieu favorisent la survie des jeunes. Par exemple, les brebis (*Ovis aries*) ont un cycle reproducteur qui dure de 15 à 17 jours au milieu duquel elles ovulent. L'**ovulation** est la libération d'ovules (ou d'ovocytes de deuxième ordre) matures et a lieu au milieu de chaque cycle. Les cycles de la brebis ne surviennent toutefois qu'à l'automne et au début de l'hiver, et la durée de chaque grossesse est de cinq mois. Ainsi, la plupart des agneaux naissent à la fin de l'hiver ou au printemps, à un moment où leurs chances de survie sont maximales.

Étant donné que la température saisonnière est souvent un déclencheur important dans la reproduction, les changements climatiques risquent de perturber le succès reproducteur. Des chercheurs ont démontré un tel effet chez le caribou, ou renne (*Rangifer tarandus*), au Groenland. Au printemps, les caribous migrent vers des terrains de mise bas pour se nourrir de végétaux en germination, mettre bas et prendre soin de leurs petits. Avant 1993, l'arrivée du caribou sur les terrains de mise bas coïncidait avec la brève période durant laquelle les plantes étaient nutritives et digestes. Entre 1993 et 2006, les températures printanières moyennes dans ces zones de mise bas ont augmenté de plus de 4 °C, de sorte que les plantes germent maintenant deux semaines plus tôt. Comme c'est la longueur des journées qui déclenche la migration des caribous, et non la température, la mise bas des caribous ne coïncide plus avec la germination des plantes. Or, sans nutrition adéquate pour les femelles qui allaitent, le nombre de petits a baissé de 75 % depuis 1993. Pour en savoir davantage sur les effets des changements climatiques sur les caribous et sur les autres organismes, voir la figure 56.30 Faites des liens.

On observe également des cycles de reproduction chez les animaux qui peuvent se reproduire de façon sexuée ou asexuée. Pensons, par exemple, à la puce d'eau (du genre *Daphnia*). Une puce d'eau femelle peut produire des ovules de deux types : un des deux types doit être fécondé pour se développer, tandis que l'autre n'en a pas besoin et se développe par parthénogenèse. Les daphnies se reproduisent par voie asexuée lorsque les conditions environnementales sont favorables et par voie sexuée quand elles sont exposées à un stress environnemental. Le passage de la reproduction sexuée à la reproduction asexuée est donc passablement lié à la saison.

Chez certains lézards à queue en fouet se reproduisant par voie asexuée, le cycle des comportements de parade nuptiale associé à la reproduction sexuée semble témoigner de leur évolution. Chez ces espèces du genre *Aspidoscelis*, la reproduction est exclusivement asexuée, et il n'y a pas de mâles. Néanmoins, les individus imitent les comportements de parade nuptiale et d'accouplement qu'on observe chez les espèces sexuées du même genre. Pendant la saison de reproduction, l'une des femelles du couple joue le rôle du mâle (**figure 46.3a**). Les femelles changent ainsi de rôle deux ou trois fois dans la saison. Chaque individu adopte le comportement femelle lorsque la quantité d'œstradiol est élevée, puis il adopte le comportement mâle lorsque la concentration de progestérone est à son maximum (**figure 46.3b**). Les chances que la femelle ovule sont accrues si elle est montée par un pseudo-mâle pendant la période critique du cycle hormonal. Les lézards qui vivent isolément pondent moins d'œufs que ceux qui s'accouplent, même si dans les deux cas il n'y a pas de fécondation. Il semble que les lézards parthénogénétiques, qui descendent d'espèces comprenant deux sexes chez des individus distincts, aient encore besoin d'une certaine stimulation sexuelle pour assurer le meilleur succès reproducteur.

La reproduction sexuée : une énigme dans l'évolution

ÉVOLUTION Pour nous, il va de soi que notre espèce, comme de nombreuses autres, se reproduit par voie sexuée. Et pourtant, quand on y pense, l'existence même de la reproduction sexuée est déconcertante. Afin de comprendre pourquoi, prenons l'exemple d'une population animale dans laquelle la moitié des femelles se reproduisent par mode sexué, et l'autre moitié, par mode asexué. Nous supposerons que le nombre de descendants par femelle est une constante ; dans ce cas-ci, nous supposerons qu'il est de deux. Les deux descendants d'une femelle asexuée seront des filles qui donneront chacune naissance à deux autres filles capables de se reproduire. Par contre, chez la femelle sexuée, la moitié des descendants seront des mâles (**figure 46.4**). Le nombre de descendants sexués demeurera le même dans chaque génération puisqu'il faut un mâle et une femelle pour produire des descendants. Par conséquent, l'état asexué augmentera en fréquence à chaque génération. Toutefois, malgré ce « double coût », la reproduction sexuée demeure même chez les espèces animales qui peuvent aussi se reproduire de manière asexuée.

Compte tenu de ce double coût, quel avantage la reproduction sexuée comporte-t-elle ? La réponse n'est toujours pas claire. La plupart des hypothèses font valoir les combinaisons

▼ **Figure 46.3** **Le comportement sexuel chez les lézards parthénogénétiques.** Le lézard à queue en fouet (*Aspidoscelis uniparens*), qui vit dans les déserts semi-arides, est une espèce composée uniquement de femelles. Ces dernières se reproduisent par parthénogenèse, c'est-à-dire par la formation d'un œuf non fécondé, mais l'ovulation est favorisée par le comportement d'accouplement.

(a) Sur cette photographie, les deux lézards sont des femelles d'*A. uniparens*. La femelle du dessus joue le rôle du mâle. Deux ou trois fois pendant la saison de reproduction, les individus changent de rôle.

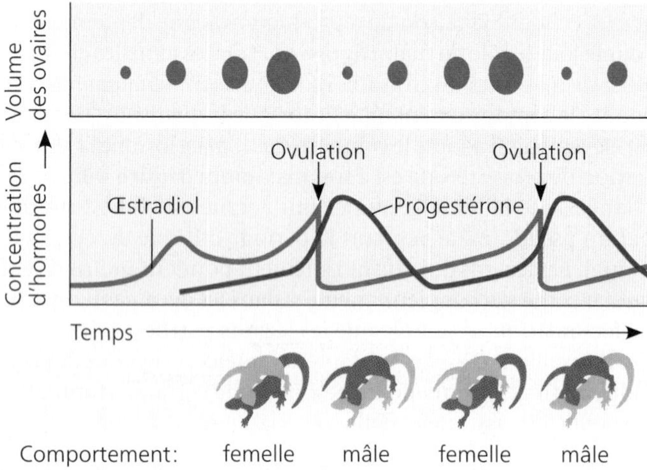

(b) Il y a une corrélation entre le changement de comportement sexuel d'*A. uniparens* et ses cycles d'ovulation et de sécrétion d'œstradiol et de progestérone, deux hormones sexuelles. Les dessins montrent la variation du volume des ovaires, des taux d'hormones et du comportement sexuel d'un lézard femelle (en brun).

INTERPRÉTEZ LES DONNÉES ▶ Si vous deviez tracer les taux d'hormones pour le lézard illustré en gris, comment ce dernier différerait-il du tracé montré en (b)?

génétiques uniques qui dérivent des gènes parentaux lors de la recombinaison méiotique et de la fécondation: en engendrant une progéniture aux génotypes variés, la reproduction sexuée augmente le succès reproducteur des parents compte tenu des changements relativement rapides de l'environnement (y compris les agents pathogènes). En revanche, on suppose que la reproduction asexuée est plus avantageuse dans les environnements stables et favorables puisqu'elle conserve les génotypes favorables avec fidélité et précision.

Plusieurs raisons expliquent pourquoi les combinaisons génétiques uniques issues de la reproduction sexuée sont avantageuses. L'une d'elles veut que les combinaisons génétiques

▼ **Figure 46.4** **Le «handicap» de la reproduction sexuée.** Ces schémas comparent le mode sexué et le mode asexué sur quatre générations, en supposant que deux individus par femelle survivent.

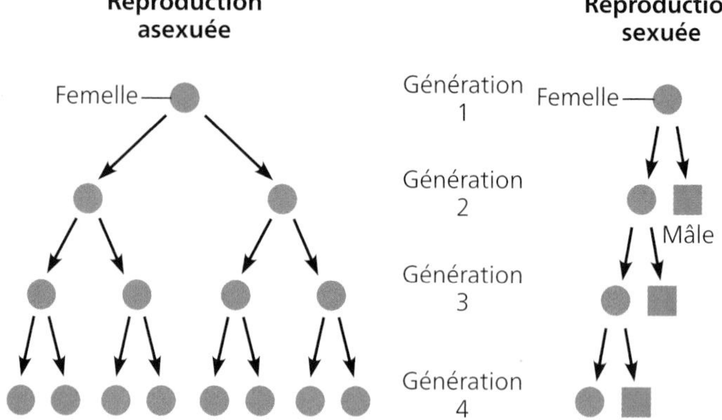

favorables consécutives à la recombinaison accélèrent vraisemblablement l'adaptation. L'idée semble évidente, mais cet avantage théorique ne vaut que si le taux de mutations est élevé et que la taille de la population est petite. Selon une autre explication, la recombinaison génétique associée à la reproduction sexuée permettrait peut-être à une population de se défaire plus rapidement des lots génétiques nuisibles.

RETOUR SUR LE CONCEPT **46.1**

1. Faites la différence entre la reproduction asexuée et la reproduction sexuée, et faites ressortir les résultats de ces deux modes de reproduction.
2. La parthénogenèse est le mode de reproduction asexuée le plus répandu chez les animaux qui, autrement, se reproduisent sexuellement. Quelle caractéristique de la parthénogenèse pourrait expliquer cette observation?
3. **ET SI? ▶** Si un hermaphrodite s'autoféconde, sa progéniture sera-t-elle identique au parent? Expliquez votre réponse.
4. **FAITES DES LIENS ▶** Chez les végétaux, quels exemples de reproduction ressemblent le plus à la reproduction asexuée des animaux? (Voir le concept 38.2.)

Voir les réponses proposées à l'appendice A.

CONCEPT **46.2**

La fécondation repose sur des mécanismes qui permettent la rencontre d'un spermatozoïde et d'un ovule appartenant à la même espèce

La **fécondation**, c'est-à-dire l'union du spermatozoïde et de l'ovule, peut être externe ou interne. Chez les espèces à *fécondation externe*, la femelle libère les ovules dans l'environnement, où le mâle les féconde (**figure 46.5**). Chez d'autres, la *fécondation est interne*: le mâle dépose les spermatozoïdes à l'intérieur ou à l'entrée du système reproducteur de la femelle, de sorte que la fécondation se fait dans l'organisme de la femelle. (Nous aborderons en détail les mécanismes cellulaires et moléculaires de la fécondation au concept 47.1.)

La fécondation externe nécessite presque toujours un habitat humide, à la fois pour empêcher les gamètes, dont la production est généralement extrêmement abondante, de se dessécher et pour permettre aux spermatozoïdes de circuler librement jusqu'à l'ovule. De nombreux invertébrés aquatiques libèrent tout simplement leurs ovules et leurs spermatozoïdes dans le milieu externe. La fécondation s'effectue alors sans qu'il y ait contact physique entre les parents. Cependant, un certain synchronisme est nécessaire pour que les spermatozoïdes matures rencontrent des ovules mûrs.

Chez certaines espèces à fécondation externe, les individus regroupés en un même lieu libèrent leurs gamètes dans l'eau simultanément, un processus appelé *frai*. Cette synchronicité de la libération des gamètes est contrôlée soit par des substances chimiques, soit par des facteurs environnementaux. Dans certains cas, ce sont les substances chimiques libérées en même temps que les gamètes d'un des individus de la population qui déclenchent l'émission des gamètes des autres individus. Dans d'autres cas, la température ou la photopériode provoquent la libération des gamètes de tous les individus d'une population. Par exemple, le ver palolo (*Palola viridis*) du Pacifique Sud, tout comme le corail de la figure 46.1, synchronise son frai avec la saison et le cycle lunaire. Au printemps, lorsque la lune est dans son dernier quartier, les vers palolo se divisent en deux et libèrent des segments de queue gorgés de spermatozoïdes ou d'ovules. Ces segments montent à la surface de l'océan et éclatent en si grand nombre que la mer semble laiteuse. Les spermatozoïdes fécondent rapidement les ovules flottants, de sorte qu'en quelques heures seulement, la frénésie reproductrice annuelle des vers palolo est terminée.

Lorsque la fécondation externe n'est pas synchrone au sein d'une population, des individus peuvent avoir un comportement sexuel qui permet à un mâle de féconder les ovules d'une femelle (voir la figure 46.5). En provoquant la libération à la fois de spermatozoïdes et d'ovules, ce comportement augmente les chances de succès de la fécondation.

▼ **Figure 46.5 La fécondation externe.** De nombreuses espèces d'amphibiens se reproduisent par fécondation externe. Chez la plupart de ces espèces, des adaptations comportementales font en sorte qu'un mâle est présent quand la femelle pond. Dans l'exemple de fécondation externe qu'illustre cette photographie, une grenouille femelle étreinte par un mâle (sur le dessus) vient juste de pondre dans l'eau. Au même moment, le mâle a arrosé les œufs de ses spermatozoïdes (non visibles), et la fécondation externe est alors survenue dans l'eau.

La fécondation interne est essentiellement une adaptation à la vie terrestre qui permet à un spermatozoïde d'atteindre un ovule lorsque les organismes reproducteurs vivent dans un environnement externe sec. Elle nécessite des systèmes reproducteurs complexes et compatibles, ainsi qu'une collaboration des individus qui aboutit à l'accouplement. L'organe copulateur du mâle libère les spermatozoïdes, tandis que les voies génitales de la femelle sont souvent dotées de réceptacles pour entreposer ces spermatozoïdes et les conduire jusqu'aux ovules.

Quel que soit le mode de fécondation, les animaux qui s'accouplent peuvent utiliser les *phéromones*, des médiateurs chimiques qui, libérés par un individu, influent sur la physiologie ou le comportement d'autres individus de la même espèce. Ces petites molécules volatiles ou hydrosolubles se dispersent facilement dans l'environnement et, à l'instar des hormones, sont actives à de très faibles concentrations (voir le concept 45.1). De nombreuses phéromones sont des substances qui exercent une attraction sexuelle. Un insecte mâle, comme le bombyx du mûrier (*Bombyx mori*), peut détecter les phéromones d'une femelle de son espèce se trouvant à plus de 1 km.

Les données concernant les phéromones humaines n'ont pas permis d'établir de conclusions indiscutables. On a déjà avancé que les femmes qui vivent ensemble produisaient des phéromones qui finissent par entraîner la synchronicité de leurs cycles menstruels, mais les analyses statistiques effectuées à ce sujet ne se sont pas avérées concluantes.

Assurer la survie de la progéniture

Les espèces animales à fécondation interne produisent habituellement moins de gamètes que les espèces à fécondation externe, mais les zygotes survivent en plus grand nombre. Ce taux de survie supérieur relève en partie du fait que le développement interne des zygotes met les embryons à l'abri des prédateurs potentiels. De plus, la fécondation interne est associée à des mécanismes qui assurent une meilleure protection à l'embryon et des soins parentaux aux petits. Par exemple, les embryons des oiseaux et autres reptiles ainsi que des mammifères monotrèmes se développent dans des œufs dont la coquille et les membranes internes préviennent les pertes d'eau et les dommages physiques (voir la figure 34.26). En comparaison, les œufs des poissons et des amphibiens ne sont dotés que d'un revêtement gélatineux et n'ont pas de membranes internes.

Au lieu de se développer dans une coquille protectrice, l'embryon de nombreux animaux se développe dans le système reproducteur de la femelle. Les mammifères marsupiaux comme les kangourous (famille des macropodidés) et les opossums (famille des didelphidés) n'abritent l'embryon dans leur utérus que durant un court laps de temps. Celui-ci rampe ensuite seul jusqu'à l'extérieur, pour terminer son développement accroché à une glande mammaire, dans la poche ventrale (marsupium) de la mère. Les embryons des euthériens (mammifères placentaires), quant à eux (les moutons et les humains, par exemple), se développent entièrement à l'intérieur de l'utérus. Les nutriments qui leur sont nécessaires leur viennent de la circulation sanguine maternelle par l'intermédiaire d'un organe particulier appelé *placenta*. Les embryons de certains poissons et requins terminent également leur développement à l'intérieur de la mère, sans qu'il y ait toutefois d'échanges nutritionnels entre la mère et l'embryon.

Quand un caribou ou un kangourou naît, ou qu'un aiglon sort de son œuf, il est dépendant. Les mammifères doivent donner la tétée, et les oiseaux doivent nourrir leurs oisillons. Les exemples de soins parentaux sont beaucoup plus nombreux qu'on le pense chez les animaux, même chez certains invertébrés (**figure 46.6**).

La production et la rencontre des gamètes

La reproduction sexuée nécessite la présence de groupes de cellules qui sont les précurseurs des gamètes. Les cellules dédiées à cette fonction apparaissent souvent très tôt au cours du développement embryonnaire, mais elles demeurent inactives pendant que le plan d'organisation corporelle prend forme. Les cycles de croissance et de mitose augmentent ensuite le nombre de cellules disponibles pour la fabrication des ovules ou des spermatozoïdes.

Chez les animaux, les systèmes reproducteurs produisant des gamètes à partir des cellules précurseures pour les rendre disponibles à la fécondation sont très variés. Les **gonades** sont les organes qui fabriquent les gamètes chez beaucoup d'animaux, mais il y a des exceptions, par exemple le ver palolo dont nous avons parlé plus haut. Ce ver et la plupart des polychètes (embranchement des annélides) ont des sexes séparés, mais sont dépourvus de gonades à proprement parler. Les gamètes proviennent de cellules indifférenciées qui tapissent le cœlome (cavité corporelle). Au fur et à mesure que les gamètes arrivent à maturité, ils se détachent de la paroi corporelle et remplissent le cœlome. Selon l'espèce, les ouvertures du système urinaire de ces vers libèrent les gamètes parvenus à maturité, ou bien le gonflement de la masse d'œufs fait éclater une portion du corps de l'individu, ce qui provoque l'éparpillement des œufs dans le milieu externe (un tel phénomène se produit également chez certains insectes).

▼ **Figure 46.6 Les soins parentaux prodigués par un invertébré.** Par rapport à beaucoup d'autres insectes, la femelle de la punaise d'eau géante (*Belostoma spp.*) produit relativement peu de descendants, mais elle fournit des soins parentaux efficaces. Après la fécondation interne, la femelle colle les œufs fécondés sur le dos du mâle (sur la photo). Le mâle les porte sur son dos durant des jours. Il fait circuler de l'eau sur les œufs, afin de conserver leur humidité, de les oxygéner et de les protéger contre les parasites.

Des systèmes reproducteurs plus élaborés comportent des tubes accessoires et des glandes qui transportent, alimentent et protègent les gamètes ainsi que, quelquefois, les embryons en développement. Par exemple, les drosophiles (*Drosophila spp.*) et la plupart des insectes ont des sexes séparés et des systèmes reproducteurs complexes (**figure 46.7**). Chez de nombreuses espèces, le système reproducteur de la femelle comporte également une **spermathèque**, un sac dans lequel les spermatozoïdes sont entreposés durant plusieurs semaines (drosophiles), voire plusieurs années (abeilles). Comme la femelle libère des gamètes mâles de la spermathèque uniquement en réponse à certains stimulus, la fécondation a lieu dans des conditions propices au développement embryonnaire et à la survie des descendants.

Les systèmes reproducteurs des vertébrés présentent des variantes peu nombreuses mais importantes. Ainsi, chez certains vertébrés, l'utérus comporte deux branches, tandis que chez

▼ **Figure 46.7 Un exemple de l'anatomie du système reproducteur d'un insecte.** Les numéros encerclés indiquent l'ordre dans lequel se déplacent les spermatozoïdes et les ovules.

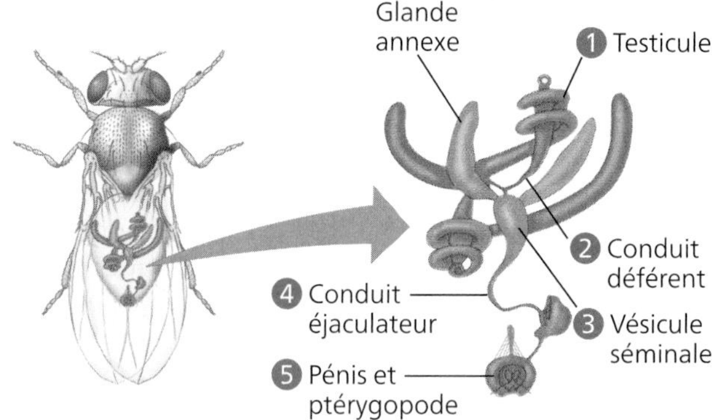

(a) Drosophile mâle. Les spermatozoïdes se forment dans les testicules, circulent dans un conduit déférent et sont entreposés dans une vésicule séminale. Au cours de l'éjaculation, le mâle libère des spermatozoïdes et du liquide provenant des glandes annexes. (Certaines espèces d'insectes et d'autres arthropodes possèdent des appendices appelés ptérygopodes qui servent à retenir la femelle pendant l'accouplement.)

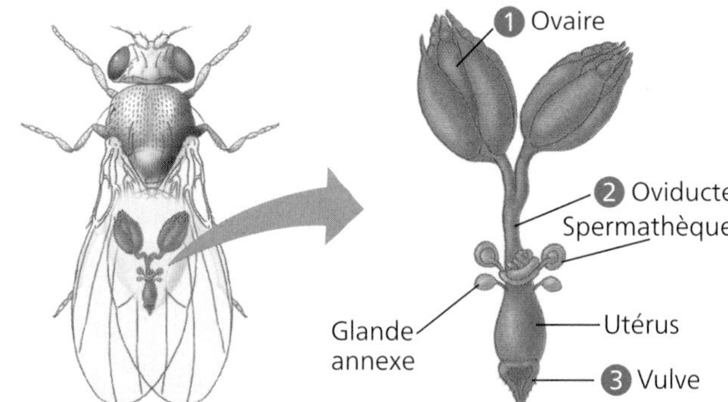

(b) Drosophile femelle. Les ovules se forment dans les ovaires, passent dans les oviductes et se déposent dans l'utérus. Après l'accouplement, les spermatozoïdes sont entreposés dans la spermathèque, sac relié au vagin par un court conduit. La femelle utilise un spermatozoïde entreposé pour féconder chaque ovule au moment où il entre dans l'utérus avant de l'expulser par la vulve.

HABILETÉS VISUELLES ▶ En vous basant sur ces illustrations, décrivez le parcours des spermatozoïdes de la drosophile, depuis leur formation jusqu'à la fécondation.

d'autres, dont les humains et les oiseaux, l'utérus ne comporte qu'une cavité. Chez de nombreux vertébrés autres que les mammifères, les systèmes digestif, urinaire et reproducteur ont tous le même orifice, à l'extrémité postérieure du corps : le **cloaque**. Il en était probablement de même chez les ancêtres des vertébrés. Les mâles de ces espèces n'ont pas de pénis bien développé ; ils éjaculent par simple éversion du cloaque. Par contre, la plupart des mammifères n'ont pas de cloaque et leur système digestif possède son propre orifice, à l'extrémité postérieure du corps. De plus, la plupart des femelles ont des orifices distincts pour les systèmes urinaire et reproducteur.

Bien que la fécondation comporte l'union d'un seul ovule et d'un seul spermatozoïde, les animaux s'accouplent souvent avec plus d'un membre de l'autre sexe. De fait, la monogamie, c'est-à-dire la formation d'un couple exclusif pendant une période prolongée, est relativement rare chez les animaux, y compris la plupart des mammifères. Au cours de l'évolution, cependant, des mécanismes ont évolué de manière à favoriser le succès reproducteur d'un mâle avec une seule femelle et réduisent la possibilité que cette dernière se reproduise avec un autre partenaire. Par exemple, certains insectes mâles transfèrent des sécrétions qui rendent la femelle moins réceptive à la parade des autres mâles, réduisant ainsi les chances qu'elle s'accouple avec un autre partenaire.

Les femelles peuvent-elles également influencer le succès reproducteur relatif de leurs partenaires ? Cette question intriguait deux scientifiques et collègues européens, Rhonda Snook et David Hosken. En étudiant des drosophiles femelles qui copulaient avec un mâle puis avec un second mâle, ces chercheurs ont tenté de déterminer ce qui arrivait aux spermatozoïdes du premier accouplement. Comme le montre la **figure 46.8**, ils ont constaté que la drosophile femelle exerce une influence déterminante sur l'issue de ses accouplements multiples. Cependant, les mécanismes par lesquels les gamètes et les individus se font concurrence durant la reproduction ne sont pas encore bien compris et demeurent des domaines de recherche très actifs.

DÉMARCHE SCIENTIFIQUE

INVESTIGATION

▼ **Figure 46.8**

Pourquoi l'utilisation des spermatozoïdes est-elle biaisée lorsque la drosophile femelle s'accouple deux fois ?

■ **HYPOTHÈSE** ■ Quand une drosophile s'accouple deux fois, 80 % de ses descendants sont issus du second accouplement. Des scientifiques ont émis l'hypothèse que l'éjaculat du deuxième accouplement déplaçait les spermatozoïdes entreposés.

■ **EXPÉRIENCE** ■ Pour vérifier leur hypothèse, Rhonda Snook de l'Université de Sheffield, en Angleterre, et David Hosken, de l'Université de Zurich, en Suisse, ont utilisé deux sortes de mâles mutants dont les systèmes reproducteurs n'étaient pas fonctionnels. Bien que tous puissent s'accoupler, les premiers ne produisaient pas d'éjaculat, tandis que les seconds produisaient des éjaculats sans spermatozoïdes. Les chercheurs ont accouplé une première fois des femelles avec des mâles de type sauvage, puis une seconde fois avec des mâles de type sauvage, ou avec des mâles « sans spermatozoïdes » ou avec des mâles « sans éjaculat ». Les femelles du groupe témoin ne s'accouplaient qu'une fois (avec des mâles de type sauvage). Les chercheurs ont ensuite disséqué chaque femelle au microscope et noté si les spermatozoïdes étaient absents de la spermathèque, principal organe d'entreposage des spermatozoïdes.

■ **RÉSULTATS** ■

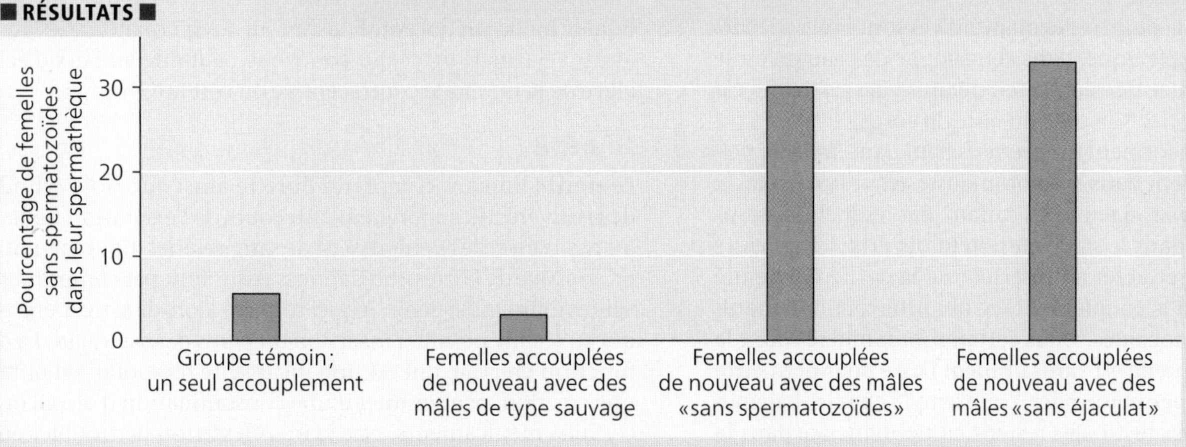

■ **CONCLUSION** ■ Étant donné que le second accouplement réduit l'entreposage des spermatozoïdes alors qu'aucun spermatozoïde ou liquide n'est transféré, l'hypothèse selon laquelle l'éjaculat d'un second accouplement déplace les spermatozoïdes entreposés est incorrecte. Il semble plutôt que les femelles se débarrassent parfois des spermatozoïdes entreposés en réaction à un nouvel accouplement. Cela pourrait être une façon pour elles de remplacer la réserve de spermatozoïdes probablement moins vigoureux par de nouveaux plus frais.

Source des données : R. R. Snook et D. J. Hosken, Sperm death and dumping in *Drosophila*, *Nature* 428 : 939-941 (2004).

ET SI ? ▶ Si les mâles du premier accouplement avaient un allèle mutant qui ferait en sorte que le caractère dominant corresponde à des yeux de petite taille (voir le concept 14.1), quelle fraction des femelles produiraient des descendants avec ce type d'yeux ?

RETOUR SUR LE CONCEPT **46.2**

1. De quelle façon la fécondation interne facilite-t-elle la vie terrestre ?
2. Quels mécanismes sont apparus au cours de l'évolution chez les animaux (a) à fécondation externe et (b) à fécondation interne pour assurer la survie de leur descendance jusqu'à l'âge adulte ?
3. **FAITES DES LIENS ▶** Quelles sont les différences et les ressemblances entre l'utérus d'un insecte et l'ovaire d'une plante à fleurs ? (Voir la figure 38.6.)

Voir les réponses proposées à l'appendice A.

CONCEPT **46.3**

Les organes reproducteurs produisent et transportent les gamètes

Maintenant que nous avons exploré les caractéristiques générales de la reproduction chez les animaux, nous consacrerons le reste du chapitre aux humains, en commençant par l'anatomie du système reproducteur de chaque sexe.

L'anatomie du système reproducteur de l'homme

Chez l'humain, les organes reproducteurs externes mâles sont le scrotum et le pénis. Les organes reproducteurs internes sont les gonades, qui produisent les spermatozoïdes et les hormones, les glandes annexes, qui sécrètent des substances essentielles à la mobilité des spermatozoïdes, et des conduits destinés au transport des spermatozoïdes et des sécrétions glandulaires (**figure 46.9**).

Les testicules

Les gonades mâles, appelées **testicules**, produisent des spermatozoïdes dans deux conduits enroulés de façon compacte et entourés de plusieurs épaisseurs de tissu conjonctif. Ces conduits sont les **tubules séminifères contournés**. Chez la plupart des mammifères, la bonne formation des spermatozoïdes se fait seulement si la température des testicules est inférieure à la température du reste du corps. C'est pourquoi les testicules des humains et de la plupart des mammifères sont situés à l'extérieur de la cavité pelvienne, dans l'enveloppe de peau qu'est le **scrotum**. Grâce à ce dernier, la température des testicules est inférieure d'environ 2 °C à celle du reste du corps.

Les testicules se forment un peu plus haut dans la cavité pelvienne et descendent dans le scrotum juste avant la naissance. Chez de nombreux rongeurs, les canaux par lesquels les testicules descendent dans le scrotum restent ouverts ; les gonades peuvent donc se rétracter à l'intérieur de la cavité pelvienne entre les saisons d'accouplement, ce qui interrompt la maturation des spermatozoïdes. Chez certains mammifères dont la température corporelle est suffisamment basse pour permettre la formation des spermatozoïdes, par exemple chez les baleines et les éléphants, les testicules restent en permanence dans la cavité pelvienne.

Les conduits

Venant des tubules séminifères contournés des testicules, les spermatozoïdes pénètrent dans les canalicules efférents qui forment l'**épididyme**. Il leur faut environ trois semaines pour traverser les 6 m de canalicules qui forment chaque épididyme de l'homme. Durant cette migration, les spermatozoïdes complètent leur maturation et acquièrent leur mobilité. À l'**éjaculation**, ils sont expulsés de l'épididyme et passent par le **conduit déférent**, dont les parois sont constituées d'épaisses couches musculaires. Chacun des deux conduits déférents (un pour chaque épididyme) quitte le scrotum, contourne la vessie et rejoint derrière elle le conduit provenant de la vésicule séminale, pour former un court *conduit éjaculateur*. Les deux conduits éjaculateurs aboutissent dans l'**urètre**, conduit qui draine à la fois le système urinaire et le système reproducteur. L'urètre passe au centre du pénis et débouche sur l'extérieur par le méat urétral (situé à l'extrémité du pénis).

Les glandes annexes

Trois types de glandes annexes ajoutent leurs sécrétions aux spermatozoïdes pour former le **sperme**, le liquide qui est éjaculé : les vésicules séminales, la prostate et les glandes bulbo-urétrales. Les deux **vésicules séminales** produisent environ 60 % du volume total du sperme. Le liquide provenant des vésicules séminales est visqueux, jaunâtre et alcalin. Il renferme du mucus, du fructose (source d'énergie pour les spermatozoïdes), une enzyme de coagulation, de l'acide ascorbique et des régulateurs locaux appelés prostaglandines (voir le concept 45.1).

La **prostate** déverse directement ses sécrétions dans l'urètre, par des petits conduits. Le liquide prostatique, clair et laiteux, contient des enzymes anticoagulantes et du citrate (la forme ionisée de l'acide citrique, un nutriment destiné aux spermatozoïdes). La prostate est le siège de problèmes médicaux courants chez l'homme ayant dépassé la quarantaine. Plus de la moitié des hommes de ce groupe d'âge et presque tous les hommes de plus de 70 ans souffrent d'un gonflement bénin (non cancéreux) de la prostate. Le cancer de la prostate est l'un des plus courants chez l'homme, le plus souvent après l'âge de 65 ans.

Les *glandes bulbo-urétrales* (ou glandes de Cowper) sont une paire de petites glandes situées à proximité du bulbe du pénis, sous la prostate, qui déversent leurs sécrétions dans l'urètre. Avant l'éjaculation, elles sécrètent un liquide clair qui neutralise l'acidité de l'urine restant dans l'urètre. Il a été montré que le liquide bulbo-urétral entraîne avec lui des spermatozoïdes libérés avant l'éjaculation, ce qui contribue peut-être au taux d'échec élevé de la méthode contraceptive du coït interrompu.

Le pénis

Le **pénis** humain comprend l'urètre ainsi que trois cylindres de tissus érectiles spongieux. Au cours de l'excitation sexuelle, les tissus érectiles s'emplissent de sang artériel. L'augmentation progressive de la pression dans ces tissus finit par comprimer les veines drainant le pénis, lequel se gorge alors de sang. L'érection qui en résulte permet l'insertion du pénis dans le vagin. La dysfonction érectile, qui est une incapacité temporaire d'obtenir une érection, peut résulter d'une consommation d'alcool ou de certains médicaments, être la manifestation de troubles émotionnels ou être due au vieillissement. Les hommes souffrant

▶ **Figure 46.9 L'anatomie du système reproducteur de l'homme.** En guise de guide, certaines des structures qui ne servent pas à la reproduction sont placées entre parenthèses.

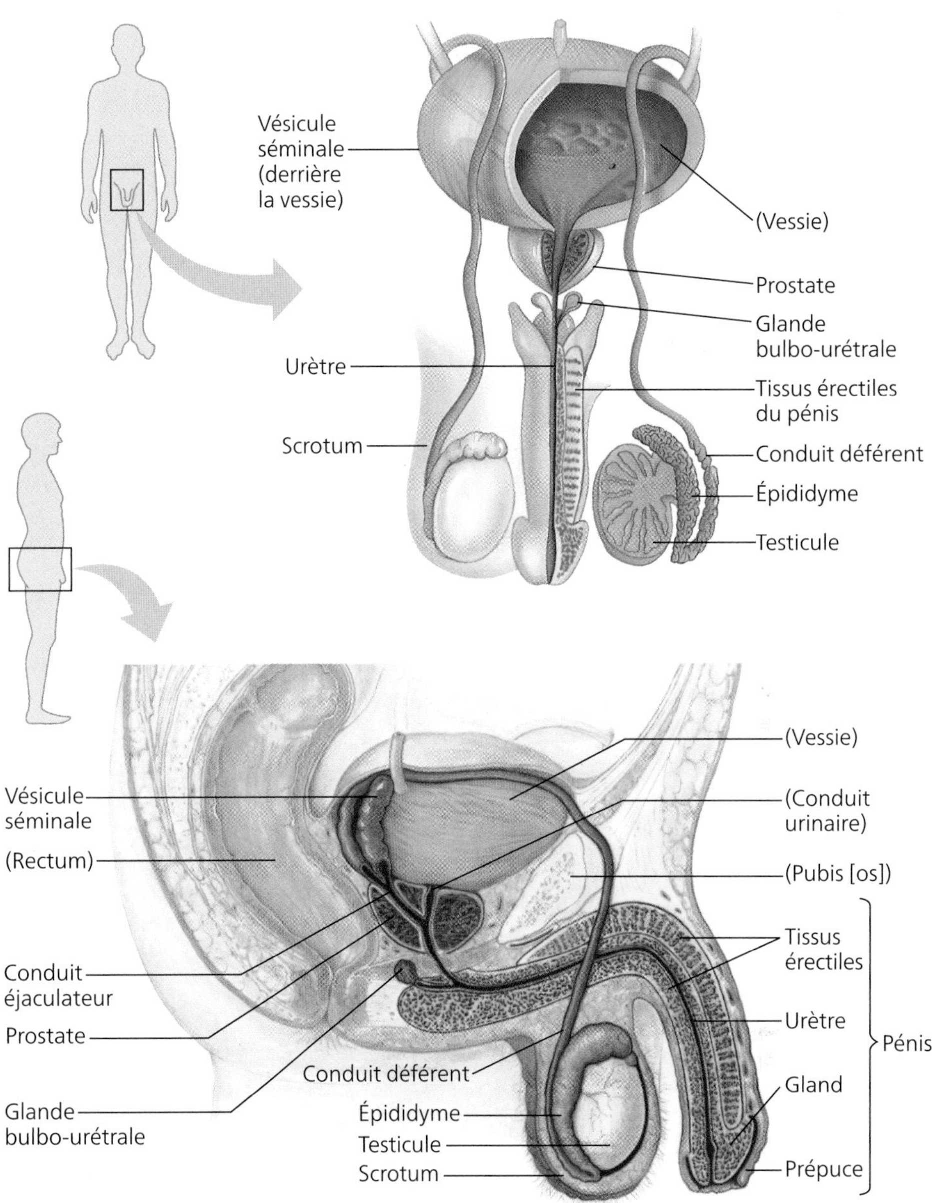

d'une dysfonction érectile chronique peuvent recourir à certains médicaments, comme le Viagra, qui favorisent l'action vasodilatatrice du monoxyde d'azote (NO ; voir le concept 45.1). Ce régulateur local provoque un relâchement des muscles lisses dans les vaisseaux sanguins du pénis. Le sang peut alors pénétrer abondamment dans les tissus érectiles et maintenir une érection. Bien que tous les mammifères doivent compter sur l'érection du pénis pour s'accoupler, le pénis des chiens (*Canis familiaris*), des ratons laveurs (*Procyon lotor*), des morses (*Odobenus rosmarus*) et de plusieurs autres mammifères renferme en outre un os, appelé baculum, qui semble contribuer à raidir le pénis lors de l'accouplement.

Une peau assez épaisse enveloppe le corps principal du pénis. La couche externe du **gland** du pénis (l'extrémité du pénis) est, quant à elle, beaucoup plus fine, ce qui la rend beaucoup plus sensible à la stimulation. Chez l'homme, un repli de peau appelé **prépuce** recouvre le gland. La circoncision consiste en l'ablation du prépuce.

L'anatomie du système reproducteur de la femme

Chez la femme, les structures externes du système reproducteur sont le clitoris et deux paires de lèvres, situées de part et d'autre du clitoris et de l'ouverture du vagin (au milieu de ces structures se trouve le méat urinaire). Les organes reproducteurs internes comportent deux gonades, qui produisent les ovules et des hormones de reproduction, et un ensemble de conduits et de cavités qui permettent le passage des gamètes, et abritent l'embryon et le fœtus (**figure 46.10**).

Les ovaires

Les gonades femelles, appelées **ovaires**, se situent dans la cavité pelvienne, de part et d'autre de l'utérus, auquel elles sont rattachées par des ligaments. La couche extérieure de chaque ovaire est remplie de follicules. Chaque **follicule** est constitué d'un ovule immature en développement, l'**ovocyte**, entouré

▶ **Figure 46.10 L'anatomie du système reproducteur de la femme.** En guise de guide, certaines structures qui ne servent pas à la reproduction sont placées entre parenthèses.

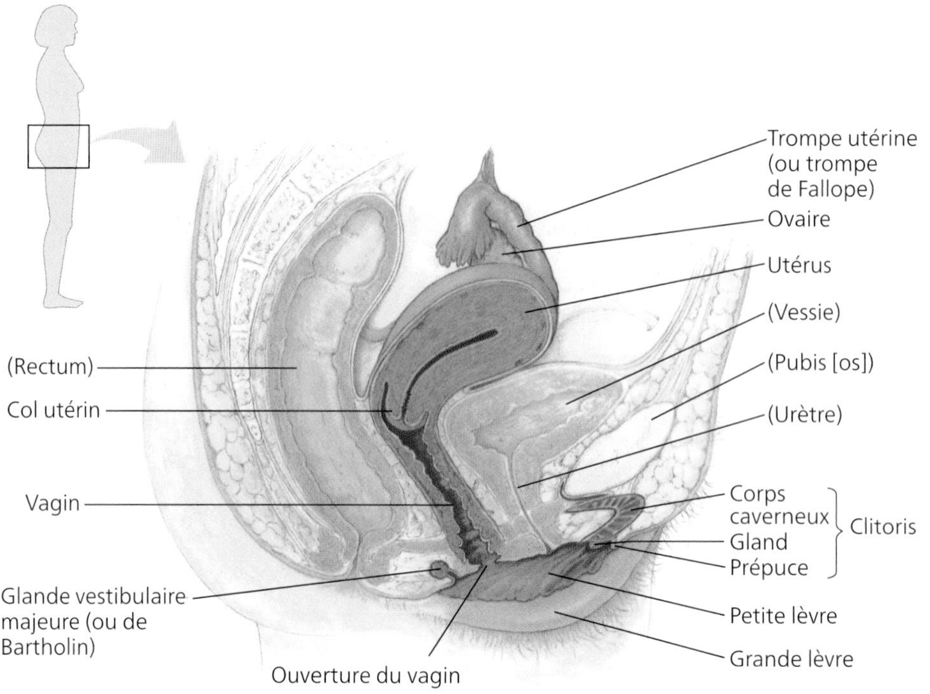

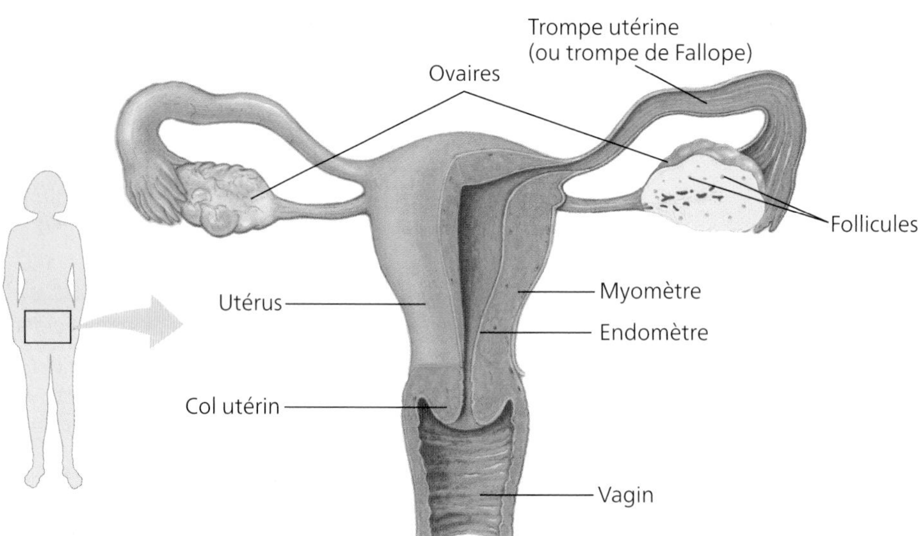

d'un groupe de cellules de soutien. Ces cellules nourrissent et protègent l'ovocyte durant une grande partie de sa formation et de son développement.

Les trompes utérines et l'utérus

Chez l'humain, l'oviducte, qui relie chaque ovaire avec l'utérus, est appelé **trompe utérine**, ou trompe de Fallope. Le diamètre de la trompe varie sur sa longueur. À proximité de l'utérus, la lumière d'une trompe est aussi étroite qu'un cheveu. À l'ovulation, les battements des cils de son épithélium interne permettent de recueillir l'ovocyte en produisant un effet d'aspiration sur le liquide de la cavité corporelle. Les battements des cils et des mouvements ondulatoires font aussi avancer l'ovocyte dans la trompe utérine, le conduisant dans l'**utérus**. Cet organe épais et musculeux qu'est l'utérus peut se distendre suffisamment pour contenir un fœtus de 4 kg. L'**endomètre**, revêtement interne de l'utérus, est une muqueuse richement vascularisée. L'orifice étroit de l'utérus, appelé **col utérin**, communique avec le vagin.

Chez d'autres mammifères comme les chiens et les chats, l'utérus se ramifie dans sa partie supérieure en deux cornes utérines, chacune reliée à un oviducte. Les embryons, souvent nombreux, se développent dans les cornes utérines. Chez les marsupiaux, à l'exception des kangourous, le vagin est divisé en deux et chaque vagin mène à un utérus indépendant relié à l'oviducte. Les mâles ont un pénis bifurqué qui leur permet de pénétrer les deux vagins simultanément.

Le vagin et la vulve

Le **vagin** est une cavité à la paroi mince, musculaire et élastique qui reçoit le pénis et les spermatozoïdes au cours des rapports sexuels et qui permet le passage du bébé à l'accouchement.

Il communique avec l'extérieur par la **vulve**, le terme qui désigne l'ensemble des organes génitaux externes de la femme.

Le reste de la vulve est protégé et partiellement recouvert par des replis épais et charnus, les **grandes lèvres**. L'entrée du vagin ainsi que l'ouverture de l'urètre, un peu plus haut, sont situées dans une cavité délimitée par des replis de peau mince appelés **petites lèvres**. Chez la femme, de la naissance jusqu'aux premières relations sexuelles, ou avant si un exercice physique vigoureux cause une rupture, l'orifice vaginal est partiellement recouvert d'une mince membrane de tissu appelée *hymen*. Situé à l'extrémité antérieure des petites lèvres, le **clitoris** est constitué d'un corps caverneux (tissu érectile) court portant un gland arrondi recouvert d'une peau, le prépuce. Au cours de l'excitation sexuelle, le clitoris, le vagin et les petites lèvres se gorgent de sang et gonflent. Le clitoris, riche en terminaisons nerveuses, représente l'un des points les plus sensibles à la stimulation sexuelle. Au cours de l'excitation sexuelle, les glandes vestibulaires majeures, situées près de l'ouverture du vagin, sécrètent du mucus dans le vestibule, pour le lubrifier et faciliter la pénétration.

Les glandes mammaires

Les **glandes mammaires** sont présentes chez les deux sexes, mais ne sont fonctionnelles que chez la femme. Bien qu'elles ne fassent pas partie du système reproducteur en tant que tel, ces structures jouent un rôle important dans la reproduction. Les glandes mammaires comportent de petites alvéoles de tissu épithélial qui sécrètent le lait. Celui-ci se déverse dans un réseau de conduits débouchant au niveau du mamelon. La masse de la glande mammaire se compose de tissus conjonctifs et, principalement, de tissus adipeux. Chez le mâle, la petite quantité d'œstradiol empêche à la fois le développement des structures lactifères et le dépôt de graisses, de sorte que les seins ne sont habituellement pas saillants.

La gamétogenèse

Maintenant que nous avons survolé l'anatomie des systèmes reproducteurs de l'homme et de la femme, nous allons explorer la **gamétogenèse,** c'est-à-dire la production des gamètes. La **figure 46.11** présente ce processus chez l'homme et la femme et permet de constater le lien étroit qui existe entre la structure et la fonction des gonades.

La **spermatogenèse**, soit la formation de spermatozoïdes mûrs par le mâle adulte, est un processus continu et très productif. Pour produire des centaines de millions de spermatozoïdes par jour, des processus de division cellulaire et de développement ont lieu dans les tubules séminifères contournés des testicules. Il faut environ sept semaines pour le développement complet d'un seul spermatozoïde.

L'**ovogenèse** est la formation d'ovocytes matures (ovocytes de deuxième ordre). Chez la femme, il s'agit d'un long processus. Les ovocytes immatures se forment dans l'ovaire dès le stade embryonnaire, mais ils ne parviennent à maturité que des années plus tard, souvent des décennies.

La spermatogenèse diffère de l'ovogenèse par trois aspects importants :

- En premier lieu, au cours de la spermatogenèse, les quatre cellules filles issues de la méiose deviennent des spermatozoïdes matures, tandis que durant l'ovogenèse la cytocinèse de la méiose est inégale, de sorte que presque tout le cytoplasme se retrouve dans une seule des cellules filles, l'ovocyte de deuxième ordre. Cette grosse cellule pourra devenir un ovule, alors que les trois cellules plus petites, appelées *globules polaires*, vont dégénérer.
- En deuxième lieu, la spermatogenèse commence à l'adolescence et se poursuit tout au long de l'âge adulte ; par comparaison, les divisions mitotiques de l'ovogenèse sont vraisemblablement déjà terminées à la naissance, et la production de gamètes matures cesse vers l'âge de 50 ans.
- En troisième lieu, la spermatogenèse produit des spermatozoïdes matures sans interruption à partir de précurseurs (spermatogonies), tandis que l'ovogenèse traverse de longues périodes de dormance.

RETOUR SUR LE CONCEPT 46.3

1. Pourquoi le fait d'utiliser fréquemment un spa peut-il rendre la fécondation difficile pour un couple ?
2. Le processus de l'ovogenèse est souvent défini comme étant la production d'un ovule haploïde par méiose ; chez certains animaux, toutefois, dont les humains, cette définition n'est pas tout à fait juste. Expliquez en quoi.
3. **ET SI ?** ▶ Si on obturait chirurgicalement chacun des conduits déférents d'un homme, quels changements se produiraient, selon vous, dans la réponse sexuelle et la composition de l'éjaculat ?

Voir les réponses proposées à l'appendice A.

CONCEPT 46.4

L'interaction complexe entre les stimulines et les hormones sexuelles régule la reproduction chez les mammifères

Chez les mammifères, la reproduction est régie par les actions coordonnées des hormones de l'hypothalamus, de l'adénohypophyse et des gonades. La régulation de la reproduction par le système endocrinien commence dans l'hypothalamus, qui sécrète la *gonadolibérine* (GnRH). Cette hormone, à son tour, stimule la sécrétion de deux gonadotrophines par l'adénohypophyse : l'**hormone folliculostimulante** (**FSH**) et l'**hormone lutéinisante** (**LH**) (voir la figure 45.15). Ces deux hormones sont des stimulines, ce qui signifie qu'elles régulent l'activité de cellules ou glandes endocrines. On les appelle *gonado*trophines parce qu'elles exercent leurs effets sur les gonades. La FSH et la LH régulent la gamétogenèse directement, notamment en stimulant la libération d'hormones sexuelles par les gonades.

Les gonades produisent et sécrètent trois grands types d'hormones stéroïdes (qui constituent la principale catégorie d'hormones sexuelles) : les *androgènes*, surtout la **testostérone** ; les *œstrogènes*, principalement l'**œstradiol** ; et la **progestérone**. On trouve ces trois hormones tant chez les femmes que chez les hommes, mais à des concentrations très différentes. Par exemple, le taux sanguin de testostérone est

PANORAMA ▼ Figure 46.11 La gamétogenèse humaine

La spermatogenèse

Les cellules souches qui donnent naissance aux spermatozoïdes se trouvent en périphérie des tubules séminifères contournés. À mesure que la spermatogenèse se déroule, ces cellules se déplacent vers le centre en passant par les stades du spermatocyte et de la spermatide. Au cours de la dernière étape, le spermatozoïde mature est libéré dans la lumière du tubule. Une fois dans ce dernier, le spermatozoïde migre vers l'épididyme, dans lequel il acquiert sa mobilité.

Les cellules germinales initiales, ou *primordiales*, des testicules de l'embryon se différencient en spermatogonies souches, qui sont, de fait, des cellules souches. Ces dernières produisent deux cellules différentes par mitose : une spermatogonie souche et une spermatogonie. Les **spermatogonies** deviennent des spermatocytes, également par mitose. (Pour simplifier, le schéma montre un seul produit pour chaque ensemble de mitoses.) Chaque spermatocyte donne naissance à quatre spermatides à l'issue de divisions cellulaires méiotiques qui réduisent le double assortiment de chromosomes homologues ($2n$ = 46 chez l'humain) en un assortiment simple (n = 23) ; on dit que la cellule reproductrice passe du stade diploïde au stade haploïde (voir la figure 13.8). La forme et l'organisation des spermatides subissent des changements importants au cours de la différenciation en spermatozoïdes.

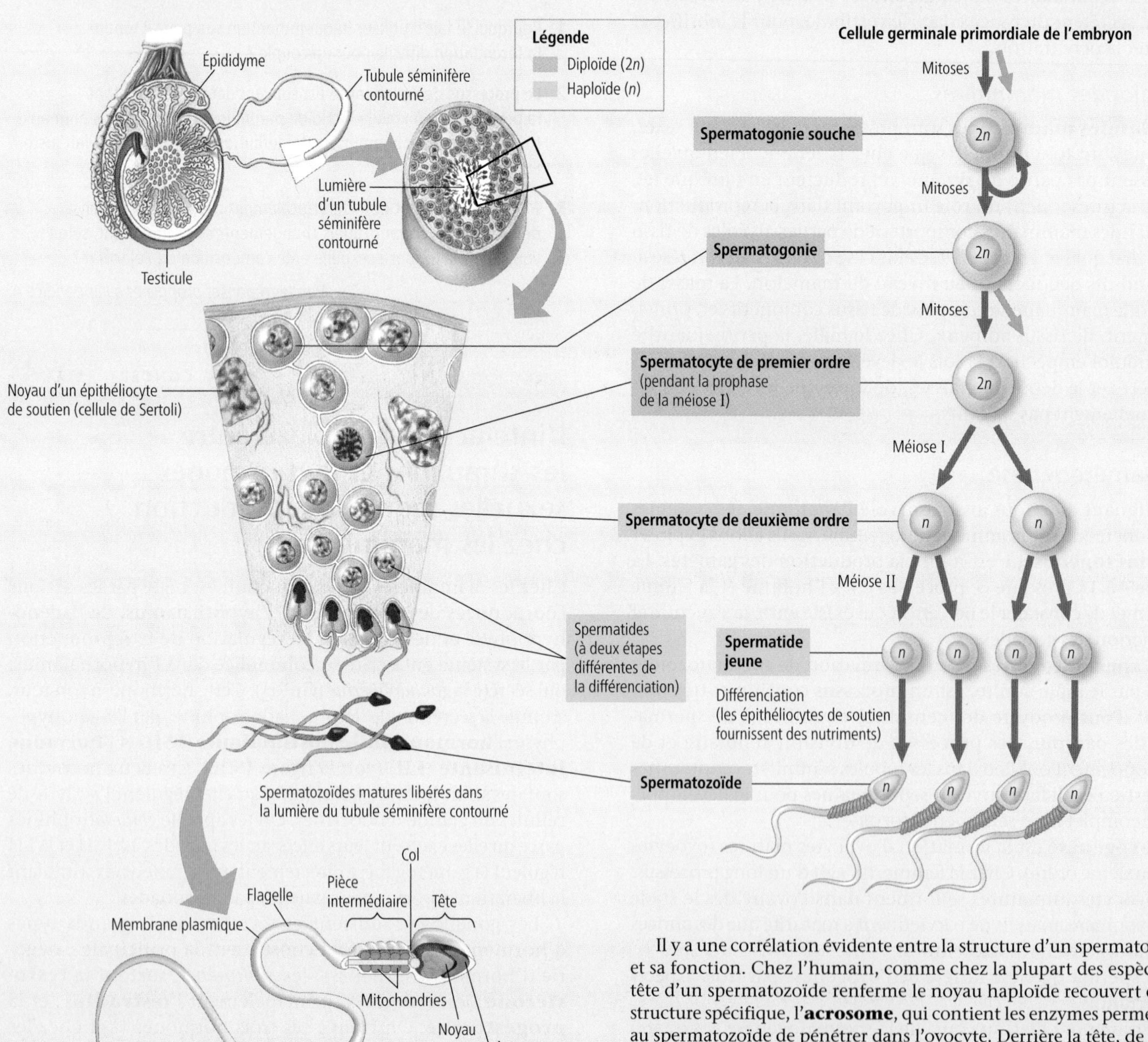

Il y a une corrélation évidente entre la structure d'un spermatozoïde et sa fonction. Chez l'humain, comme chez la plupart des espèces, la tête d'un spermatozoïde renferme le noyau haploïde recouvert d'une structure spécifique, l'**acrosome**, qui contient les enzymes permettant au spermatozoïde de pénétrer dans l'ovocyte. Derrière la tête, de nombreuses mitochondries (ou, chez certaines espèces, une seule grosse mitochondrie) fournissent l'ATP nécessaire au mouvement du flagelle.

L'ovogenèse

L'ovogenèse commence dans l'embryon par la production d'**ovogonies** à partir de cellules germinales primordiales. (Le schéma montre un seul produit de chaque ensemble de mitoses.) Une ovogonie se multiplie d'abord par mitose pour former des cellules qui amorcent la méiose, mais le processus s'arrête à la prophase I avant la naissance. Ces cellules dont le développement est interrompu, appelées **ovocytes de premier ordre**, restent alors en dormance dans des petits follicules, qui sont des cavités recouvertes d'une couche de cellules protectrices. À la naissance, les ovaires contiennent entre 1 et 2 millions de follicules, mais seulement 500 follicules environ parviennent à maturité entre la puberté et la ménopause.

Selon les connaissances actuelles, tous les ovocytes de premier ordre d'une femme sont présents à la naissance ; aucun autre ne se forme par la suite. Notons, cependant, que des chercheurs ont réfuté en 2004 une conclusion semblable au sujet de la plupart des autres mammifères après avoir observé des ovogonies qui se multipliaient dans les ovaires de souris adultes et qui se développaient en ovocytes. Si l'on constate la même chose chez les humains, alors il est possible que le déclin marqué de fertilité qui survient chez les femmes vieillissantes soit causé non seulement par le vieillissement des ovocytes, mais aussi par une dégénérescence graduelle des ovogonies.

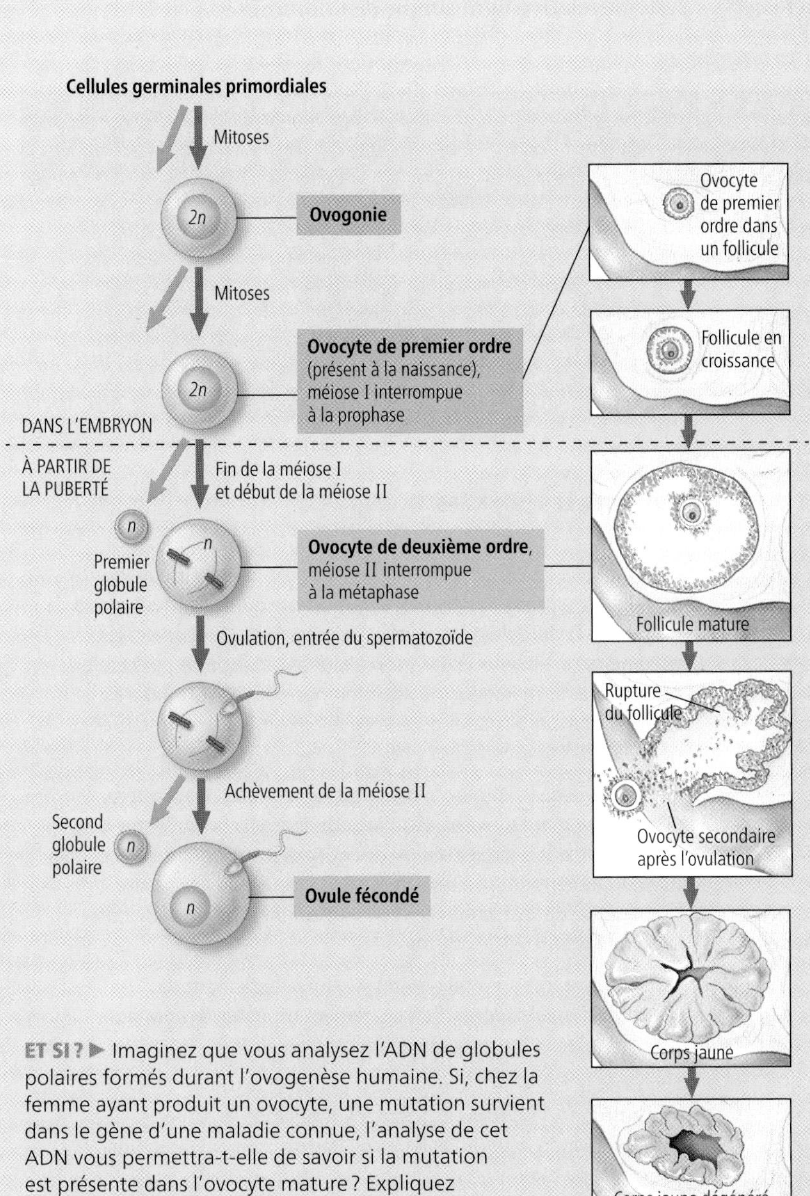

ET SI ? ▶ Imaginez que vous analysez l'ADN de globules polaires formés durant l'ovogenèse humaine. Si, chez la femme ayant produit un ovocyte, une mutation survient dans le gène d'une maladie connue, l'analyse de cet ADN vous permettra-t-elle de savoir si la mutation est présente dans l'ovocyte mature ? Expliquez votre réponse.

À partir de la puberté, l'hormone folliculostimulante (FSH) déclenche périodiquement la croissance d'un petit nombre de follicules, qui poursuit alors sa croissance et son développement. Habituellement, chez l'humain, un seul follicule par mois parvient à maturité, lorsque l'ovocyte de premier ordre qui s'y trouve termine la méiose I. La seconde division méiotique commence alors, mais elle s'interrompt à la métaphase. Ainsi arrêté à la méiose II, l'**ovocyte de deuxième ordre** est libéré pendant l'ovulation lorsque son follicule se rompt. L'ovocyte de deuxième ordre reprend sa méiose seulement si un spermatozoïde le pénètre. (Chez d'autres espèces animales, le spermatozoïde peut pénétrer dans l'ovocyte à cette même étape de la méiose, ou avant ou après cette étape.) Au cours des divisions méiotiques, la cytocinèse est inégale ; les plus petites cellules auxquelles elles donnent naissance deviennent des globules polaires qui dégénèrent ensuite (le premier globule polaire peut encore se diviser). Donc, le produit fonctionnel de l'ovogenèse complète est un seul ovule mature contenant déjà la tête d'un spermatozoïde ; la définition proprement dite de la fécondation est la fusion des noyaux haploïdes du spermatozoïde et de l'ovocyte de deuxième ordre, même si on dit communément que c'est l'entrée du spermatozoïde dans l'ovule.

Après l'ovulation, le follicule rompu restant dans l'ovaire se transforme en **corps jaune**. Le corps jaune produit de l'œstradiol, mais aussi de la progestérone, une hormone qui entretient l'endomètre utérin pendant la grossesse. S'il n'y a pas de fécondation, le corps jaune dégénère et un nouveau follicule parvient à maturité au cycle suivant.

environ 10 fois plus élevé chez l'homme que chez la femme, tandis que le taux d'œstradiol est 10 fois plus élevé chez la femme que chez l'homme. Le taux maximal de progestérone est également bien supérieur chez la femme. Les gonades sont les principaux producteurs d'hormones sexuelles, mais les glandes surrénales en produisent également un peu.

Chez les mammifères, les hormones sexuelles commencent à exercer leurs effets dès le développement de l'embryon, en particulier les androgènes. Au cours du développement de l'embryon humain, les androgènes déterminent l'apparition des caractères sexuels primaires, c'est-à-dire les structures qui participent directement à la reproduction : les vésicules séminales et les conduits associés, ainsi que les organes reproducteurs externes. Dans la rubrique **Habiletés scientifiques**, vous interpréterez les résultats d'une expérience portant sur le développement des structures reproductrices chez les mammifères.

À la puberté, les hormones sexuelles des mâles et des femelles déclenchent l'apparition des caractères sexuels secondaires, c'est-à-dire les caractères physiques et comportementaux qui ne participent pas directement à la reproduction. Les caractères sexuels secondaires amènent souvent le dimorphisme sexuel, qui fait que les mâles adultes et les femelles adultes d'une même espèce ont une apparence différente (**figure 46.12**). Ainsi, chez l'humain, lorsque le garçon arrive à la puberté, les androgènes provoquent la mue de la voix, le développement de la pilosité sur le visage et la région pubienne, et la croissance des muscles (les androgènes stimulent la synthèse protéique). Les androgènes favorisent également certains comportements sexuels et la libido, et ils augmentent le niveau général d'agressivité. De la même façon, les œstrogènes ont des effets multiples chez la femme. À la puberté, l'œstradiol stimule le développement des seins et des poils pubiens. Il influe aussi sur le comportement sexuel féminin, entraîne l'accumulation de graisses dans les seins et les hanches, augmente la rétention d'eau et modifie le métabolisme du calcium.

Chez les mammifères parvenus à maturité sexuelle, les hormones sexuelles et les gonadotrophines jouent des rôles essentiels dans la gamétogenèse. Pour mieux comprendre cette régulation hormonale de la reproduction, commençons par explorer le système relativement simple de l'homme.

DÉMARCHE SCIENTIFIQUE
HABILETÉS SCIENTIFIQUES

Formuler une inférence et concevoir une expérience

■ QUEL EST LE RÔLE DES HORMONES DANS LA DÉTERMINATION DU SEXE D'UN MAMMIFÈRE ? ■ Chez les mammifères non ovipares, les femelles ont deux chromosomes X, tandis que les mâles ont un chromosome X et un chromosome Y. Dans les années 1940, le physiologiste français Alfred Jost s'est demandé si la détermination du sexe de l'embryon mammalien par les chromosomes XX ou XY nécessitait l'intervention d'un « signal » hormonal de la part des gonades. Dans le présent exercice, vous interpréterez les résultats de l'expérience qu'Alfred Jost a réalisée pour trouver une réponse.

■ MÉTHODE ■ Le chercheur a utilisé des embryons de lapin qui étaient encore dans l'utérus de leur mère et qui se trouvaient au stade de développement où les différences sexuelles sont encore inapparentes. Il a retiré chirurgicalement la partie de chaque embryon dans laquelle se formeraient les ovaires ou les testicules. Lorsque les lapereaux sont nés, il a noté leur sexe chromosomique et vérifié si leurs structures génitales étaient mâles ou femelles.

■ RÉSULTATS ■

Jeu de chromosomes	Apparence des parties génitales	
	Embryons non opérés	**Embryons opérés (excision des gonades embryonnaires)**
XY (mâle)	Mâle	Femelle
XX (femelle)	Femelle	Femelle

Source des données : A. Jost, Recherches sur la différenciation sexuelle de l'embryon de lapin, *Archives d'anatomie microscopique et de morphologie expérimentale* 36(4) : 271-316 (1947).

INTERPRÉTEZ LES DONNÉES ▼

1. Cette expérience est un exemple de démarche scientifique dans laquelle les chercheurs formulent une inférence (déduction) au sujet d'un processus normal à partir de ce qui se produit quand on bloque le déroulement du processus normal. Quel processus normal Jost a-t-il bloqué dans son expérience ? À partir des résultats obtenus par le chercheur, quelle inférence pouvez-vous faire au sujet du rôle des gonades dans le développement des structures génitales des mammifères ?
2. Les données de l'expérience de Jost pourraient être expliquées, et non seulement inférées, si un facteur associé à la procédure chirurgicale autre que l'excision des gonades provoquait le développement de structures femelles. Si vous pouviez refaire l'expérience de Jost, comment vous y prendriez-vous pour vérifier la validité d'une telle explication ?
3. Quel résultat Jost aurait-il obtenu si le développement des structures femelles nécessitait également un signal des gonades ?
4. Concevez une autre expérience dans le but de déterminer si le signal qui contrôle le développement de structures mâles est une hormone. Vous devez formuler votre hypothèse, préciser votre prédiction et votre plan de collecte de données, et définir votre groupe témoin.

▼ **Figure 46.12 L'influence déterminante des androgènes sur l'anatomie et le comportement de l'orignal.** Le mâle et la femelle de ce couple d'orignaux (*Alces alces*) présentent des différences anatomiques et physiologiques. Chez le mâle, le taux élevé de testostérone provoque l'apparition des caractères sexuels secondaires comme les bois (la ramure); il détermine également le comportement de parade nuptiale et le comportement territorial.

▼ **Figure 46.13 La régulation hormonale de l'activité dans les testicules.**

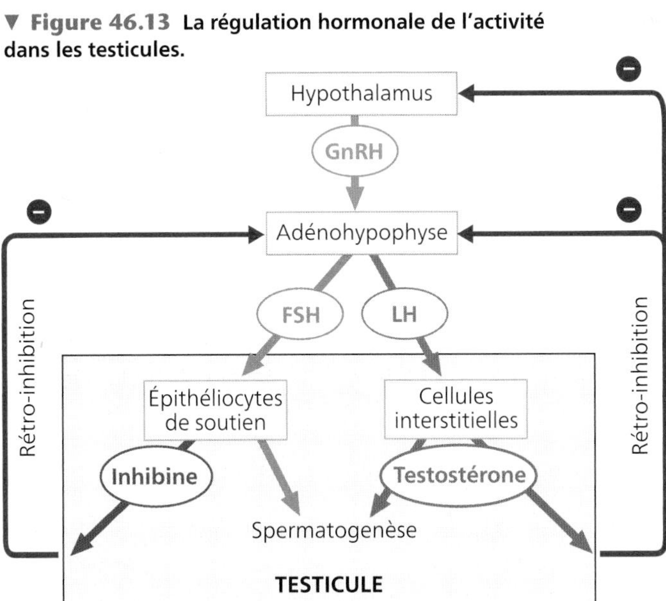

La régulation hormonale du système reproducteur mâle

Pour assurer la spermatogenèse, la FSH et la LH agissent sur deux types de cellules à l'intérieur des testicules (**figure 46.13**). La FSH favorise l'activité des *épithéliocytes de soutien* (aussi appelés cellules de Sertoli), dans les tubules séminifères; ces épithéliocytes nourrissent les spermatozoïdes en développement (voir la figure 46.11). La LH, quant à elle, régule les *cellules interstitielles* (aussi appelées cellules de Leydig), situées dans le tissu conjonctif entre les tubules séminifères. Sous l'effet de la LH, ces cellules sécrètent de la testostérone et d'autres androgènes, lesquels stimulent la spermatogenèse dans les tubules.

Deux mécanismes de rétro-inhibition assurent la régulation de la production hormonale chez les hommes (voir la figure 46.13). La testostérone régule les concentrations sanguines de GnRH, de FSH et de LH en inhibant l'hypothalamus et l'adénohypophyse. En outre, l'*inhibine*, une hormone produite par les épithéliocytes de soutien, agit sur l'adénohypophyse, qui réduit sa sécrétion de FSH. Ensemble, ces mécanismes de rétro-inhibition maintiennent la production d'androgènes à des niveaux optimaux.

Les cellules interstitielles n'ont pas l'unique fonction de produire de la testostérone. Elles sécrètent aussi de petites quantités de plusieurs autres hormones et régulateurs locaux, dont l'ocytocine, la rénine, l'angiotensine, la corticolibérine ou CRH (hormone de libération de la corticotrophine ou ACTH), des facteurs de croissance et des prostaglandines. Ces molécules contribuent à coordonner l'activité de reproduction avec la croissance, le métabolisme, l'homéostasie et le comportement.

La régulation hormonale des cycles reproducteurs des femelles

La production de spermatozoïdes est continue chez les hommes, tandis qu'il existe chez les femmes deux cycles étroitement reliés et régulés par le fonctionnement cyclique de la communication endocrine. Les événements cycliques qui ont lieu dans les ovaires déterminent le **cycle ovarien**: chaque cycle est marqué par le développement et la maturation d'un follicule, puis par la libération d'un ovocyte. Les modifications qui surviennent dans l'utérus, elles, font partie du **cycle utérin** qui, chez les humains et quelques autres primates, est un cycle menstruel. Dans chaque **cycle menstruel**, l'endomètre (muqueuse utérine) s'épaissit, se vascularise, puis se désagrège s'il n'y a pas de grossesse. On nomme **menstruation** cette désagrégation cyclique de la couche fonctionnelle de l'endomètre riche en sang, qui produit un saignement s'écoulant par le col utérin et le vagin. Le cycle menstruel humain dure en moyenne 28 jours (il peut toutefois varier de 20 à 40 jours).

En l'absence de fécondation d'un ovocyte, donc de grossesse, et après la destruction de la muqueuse utérine, les cycles ovarien et utérin redémarrent sous le contrôle de l'activité hormonale. Celle-ci synchronise la croissance du follicule ovarien et l'ovulation avec l'épaississement de l'endomètre en vue de l'implantation et du développement d'un embryon.

La **figure 46.14** présente plus en détail le cycle reproducteur de la femme et montre l'étroite coordination dans les divers tissus de l'organisme.

Le cycle ovarien

Chez la femme comme chez l'homme, l'hypothalamus joue un rôle déterminant dans la régulation de la reproduction. Le cycle ovarien débute par la libération de la GnRH par l'hypothalamus ❶, ce qui favorise la sécrétion de faibles quantités de FSH et de LH par l'adénohypophyse ❷. La FSH provoque la croissance des follicules, avec l'aide de la LH ❸, et les follicules commencent à sécréter de l'œstradiol ❹. La concentration d'œstradiol sécrété augmente lentement durant la majeure partie de la *phase folliculaire*, alors que les follicules croissent et les ovocytes parviennent à maturité. (Plusieurs follicules commencent à croître, mais habituellement un seul, chez l'humain, arrive à maturité; les autres subissent un processus appelé *atrésie* et dégénèrent.) La faible concentration d'œstradiol inhibe la sécrétion des hormones adénohypophysaires, ce qui maintient la FSH et la LH à des concentrations relativement faibles. Durant cette

▶ **Figure 46.14 Le cycle reproducteur de la femme.** Cette figure montre comment les variations de concentrations des hormones dans le plasma sanguin, décrites dans les parties **(a)**, **(b)** et **(d)**, assurent la régulation **(c)** du cycle ovarien et **(e)** du cycle utérin (menstruel). L'échelle de temps au bas de la figure s'applique aux parties (b) à (e).

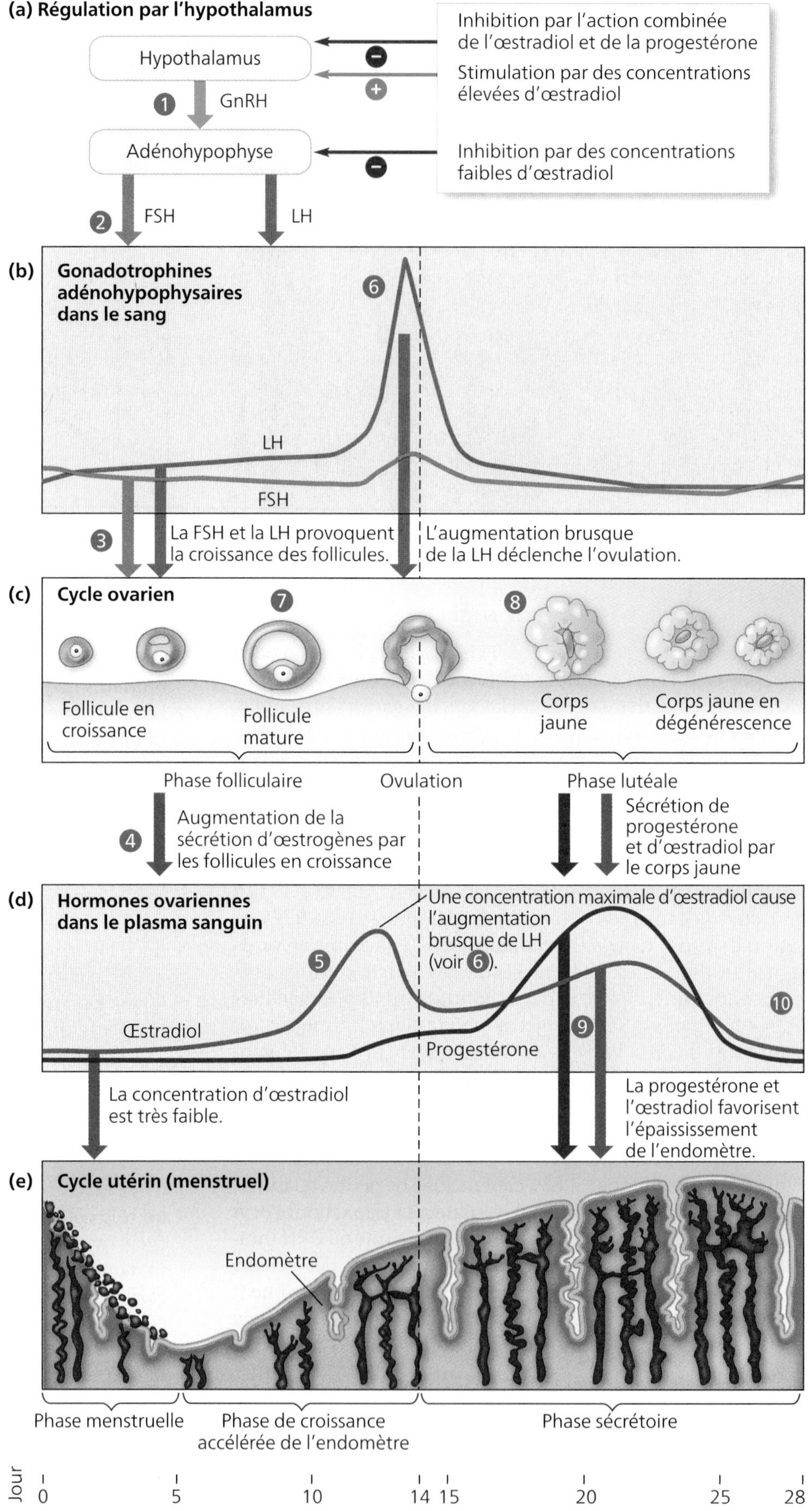

partie du cycle, la régulation des hormones ressemble beaucoup à celle observée chez les hommes.

Lorsque la sécrétion d'œstradiol par les follicules en croissance commence à augmenter brusquement ❺, les concentrations de FSH et de LH montent en flèche ❻. Pourquoi ? Alors qu'une faible concentration d'œstradiol inhibe la sécrétion des gonadotrophines adénohypophysaires, une forte concentration d'œstradiol a l'effet inverse : elle stimule la sécrétion de gonadotrophines en agissant sur l'hypothalamus, qui intensifie sa production de GnRH. La forte concentration d'œstradiol rend les cellules adénohypophysaires produisant la LH encore plus sensibles à la GnRH, ce qui augmente encore la concentration de LH.

Le follicule en cours de maturation, qui contient une cavité interne pleine de liquide, finit par former une protubérance à la surface de l'ovaire ❼. La phase folliculaire se termine par l'ovulation, environ un jour après l'augmentation brusque de la LH. En réponse à la FSH et au pic du taux de LH, le follicule et la paroi adjacente de l'ovaire se rompent pour libérer l'ovocyte de deuxième ordre. Certaines femmes perçoivent une douleur au bas-ventre au moment de l'ovulation ; elles ressentent cette douleur à gauche ou à droite, selon l'ovaire qui libère un ovocyte durant le cycle.

La *phase lutéale* du cycle ovarien suit l'ovulation. La LH déclenche la transformation des tissus folliculaires qui sont restés dans l'ovaire ❽. Ces tissus deviennent le corps jaune, qui est une structure glandulaire. Sous l'effet de la LH, le corps jaune sécrète la progestérone et l'œstradiol. Au fur et à mesure que leurs concentrations augmentent, la progestérone et l'œstradiol combinent leurs actions pour exercer une rétro-inhibition sur l'hypothalamus et l'adénohypophyse. Cette rétro-inhibition réduit la sécrétion de LH et de FSH à de très faibles taux et empêche un autre ovocyte de mûrir lorsqu'il y a eu fécondation et qu'une grossesse vient de commencer.

Vers la fin de la phase lutéale, si une grossesse n'a pas lieu, le corps jaune dégénère en raison des faibles concentrations de gonadotrophines. Par conséquent, les concentrations d'œstradiol et de progestérone diminuent fortement. Cette chute libère l'hypothalamus et l'adénohypophyse de l'inhibition exercée par ces hormones ovariennes. L'adénohypophyse se met alors à sécréter une quantité suffisante de FSH pour déclencher la croissance de nouveaux follicules dans l'ovaire, marquant le début du cycle ovarien suivant.

Le cycle utérin (menstruel)

Avant l'ovulation, les hormones stéroïdes ovariennes stimulent l'utérus pour le préparer au développement de l'embryon. L'œstradiol, sécrété en quantités de plus en plus importantes par les follicules en croissance, provoque l'épaississement de l'endomètre. De cette façon, la phase folliculaire du cycle ovarien est coordonnée avec la *phase de croissance accélérée de l'endomètre* du cycle utérin. Après l'ovulation ❾, l'œstradiol et la progestérone sécrétés par le corps jaune stimulent le maintien de la couche fonctionnelle de l'endomètre et la suite de son développement. Ce processus inclut le grossissement des artérioles et la croissance des glandes de la couche fonctionnelle de l'endomètre qui sécrètent un liquide contenant des nutriments. Ces nutriments permettent au jeune embryon de survivre avant qu'il ne s'implante dans la couche fonctionnelle de l'endomètre. Il y a donc bien une coordination entre la phase lutéale du cycle ovarien et ce qu'on appelle la *phase sécrétoire* du cycle utérin.

Si, à la fin de la phase sécrétoire, un embryon ne s'est pas implanté dans l'endomètre, le corps jaune dégénère. Il s'ensuit une chute rapide de la concentration d'hormones ovariennes qui provoque la constriction des artérioles de la couche fonctionnelle de l'endomètre ❿. Par suite du manque d'irrigation sanguine, les deux tiers intérieurs de la couche fonctionnelle de l'endomètre se désintègrent. Les petits vaisseaux sanguins dans l'endomètre se resserrent et libèrent le sang qu'ils contenaient, accompagné de liquide et de tissus endométriaux. C'est ce qu'on appelle la menstruation, c'est-à-dire la *phase menstruelle* du cycle utérin. Durant la menstruation, qui dure habituellement quelques jours, un ensemble de nouveaux follicules ovariens commence à croître. Par convention, on considère le premier jour de la menstruation comme étant le premier jour du cycle utérin (et ovarien).

Environ 7 % des femmes en âge de procréer souffrent d'**endométriose**, une affection qui se caractérise par la migration de certaines cellules de l'endomètre vers un endroit anormal, ou **ectopique** (du grec *ektopos*, « au dehors »). Une fois migré dans une structure telle qu'une trompe, un ovaire ou le gros intestin, le tissu ectopique réagit aux hormones présentes dans la circulation sanguine. Comme il le ferait dans l'endomètre, le tissu se met alors à épaissir et à se dégrader à chaque cycle ovarien, causant des douleurs pelviennes et des saignements dans l'abdomen. Les chercheurs n'ont pas encore trouvé les causes de l'endométriose, mais un traitement hormonal ou la chirurgie peut en atténuer les symptômes.

La ménopause

Après environ 500 cycles, les femmes atteignent la **ménopause**, période où l'ovulation et les menstruations s'arrêtent, habituellement entre 46 et 54 ans. Vers cet âge, les ovaires perdent la capacité de répondre aux gonadotrophines (FSH et LH) provenant de l'adénohypophyse. Il s'ensuit une diminution de la production d'œstradiol.

La ménopause est un phénomène exceptionnel. En effet, chez la plupart des espèces, les femelles et les mâles conservent toute leur vie la capacité de se reproduire. L'évolution explique-t-elle ce phénomène ? Une hypothèse intéressante avance qu'au début de l'humanité l'apparition de la ménopause après la naissance de quelques enfants permettait aux femmes de garder une meilleure forme physique. L'incapacité de se reproduire leur aurait permis de bien prendre soin de leurs enfants et de leurs petits-enfants. Cela aurait ainsi favorisé les chances de survie des individus portant leurs gènes.

Le cycle menstruel et le cycle œstral

Chez toutes les femelles des mammifères, l'endomètre s'épaissit avant l'ovulation, mais seuls les humains et quelques autres primates ont des cycles menstruels. Chez les autres mammifères, tant sauvages que domestiqués, la couche fonctionnelle de l'endomètre est réabsorbée par l'utérus lorsqu'il n'est pas gravide, et il n'y a pas ou peu de saignement. Pour les femelles de ces mammifères, les changements qui se produisent dans l'utérus font partie d'un **cycle œstral** qui régule également leur réceptivité sexuelle : alors que la femme peut se montrer réceptive à l'activité sexuelle tout au long de son cycle menstruel, il n'en est pas de même des femelles des mammifères qui ont un cycle œstral. Celles-ci ne s'accouplent qu'au moment de l'ovulation, période d'activité sexuelle appelée œstrus (mot latin signifiant «frénésie», «passion»), qui est le seul moment où la femelle se montre réceptive à l'accouplement. L'œstrus, ou rut, porte également le nom de *chaleurs* parce que la température corporelle augmente alors légèrement.

La longueur, la fréquence et la nature des cycles œstraux varient beaucoup selon les espèces de mammifères. Les ours et les chiens ont un cycle œstral par année (l'œstrus étant de 16 à 25 jours pour l'ours et de 9 jours pour le chien). Les éléphants, quant à eux, ont plusieurs cycles par année. Le rat a des cycles tout au long de l'année, chacun ne durant que cinq jours, tandis que son ennemi juré, le chat domestique, ovule seulement au moment de l'accouplement.

La réponse sexuelle chez l'humain

Chez les humains, l'excitation sexuelle est encore plus complexe; elle fait intervenir une variété de facteurs psychologiques aussi bien que physiques. Les structures génitales de l'homme et de la femme ont une apparence très différente, mais certaines ont des fonctions semblables quant à l'excitation sexuelle. Ces similarités reflètent leur origine développementale commune. Par exemple, le gland et le clitoris sont issus des mêmes tissus embryonnaires; il en est également ainsi pour le scrotum et les grandes lèvres, de même que pour la peau du pénis et les petites lèvres. La réponse sexuelle humaine suit un modèle physiologique commun chez les hommes et les femmes. On observe deux types de réactions physiologiques chez l'un et l'autre sexe. Le premier type de réaction est la *vasocongestion*, qui est l'engorgement d'un tissu causé par un afflux de sang circulant dans ses artérioles. Le second est la *myotonie*, soit l'augmentation de la tension musculaire. Les muscles squelettiques et les muscles lisses peuvent effectuer des contractions continues ou rythmiques, notamment des contractions associées à l'orgasme.

On peut diviser la réponse sexuelle en quatre phases: l'excitation, le plateau, l'orgasme et la résolution. La phase d'excitation a une fonction importante consistant à préparer le vagin et le pénis en vue du **coït** (rapport sexuel). Pendant cette phase, la vasocongestion se manifeste surtout par l'érection du pénis et du clitoris, par le gonflement des testicules, des petites lèvres (repoussant les grandes lèvres vers l'extérieur) ainsi que des seins, et par la lubrification du vagin. Il peut également y avoir une myotonie provoquant l'érection des mamelons ou une tension dans les bras et les jambes.

Dans la phase de plateau, les réactions de la phase d'excitation continuent en réponse à la stimulation directe des organes génitaux. Chez la femme, il y a vasocongestion du tiers extérieur du vagin et dilatation légère, en diamètre et en longueur, des deux tiers intérieurs. S'accompagnant de l'élévation de l'utérus, ces changements produisent une dépression qui attire le sperme au fond du vagin. La respiration s'accélère, la fréquence cardiaque augmente (parfois jusqu'à 150 batt./min) et la pression artérielle s'élève. Il ne s'agit pas seulement d'une réaction à l'effort physique que représente l'activité sexuelle, mais aussi d'une réaction involontaire à la stimulation du système nerveux autonome (voir la figure 49.9).

L'*orgasme* se manifeste chez les deux sexes par des contractions rythmiques et involontaires de certaines parties du système reproducteur. Pendant l'orgasme masculin, les contractions des glandes et des conduits du système reproducteur projettent d'abord le sperme dans l'urètre (c'est ce qu'on appelle l'*émission*). Puis, l'urètre se contracte à son tour et expulse le sperme à l'extérieur du corps (c'est l'*éjaculation* proprement dite). Pendant l'orgasme féminin, l'utérus et le tiers du vagin situé à proximité du vestibule se contractent, mais pas les deux tiers intérieurs du vagin. Cette phase est la plus courte des phases de la réponse sexuelle. Elle ne dure habituellement que quelques secondes. Chez les deux sexes, les contractions se suivent à des intervalles d'environ 0,8 s et peuvent mettre à contribution le muscle sphincter externe de l'anus et plusieurs muscles abdominaux.

La phase de résolution termine le cycle et met un terme aux réactions des étapes précédentes. Les organes qui ont été le siège d'une vasocongestion retrouvent leur taille et leur couleur normales. Les muscles se relâchent. La plupart des modifications qui se produisent pendant la résolution prennent fin en moins de cinq minutes, mais certaines peuvent durer aussi longtemps qu'une heure. Après l'orgasme, l'homme a une période réfractaire qui peut durer de quelques minutes à plusieurs heures, durant laquelle l'érection et l'orgasme sont impossibles. La femme n'a pas de période réfractaire, de sorte qu'elle peut avoir des orgasmes multiples dans un court laps de temps.

RETOUR SUR LE CONCEPT 46.4

1. En quoi les fonctions de la FSH et de la LH sont-elles semblables chez la femelle et chez le mâle?
2. Quelle est la différence entre un cycle œstral et un cycle menstruel? Chez quels types d'animaux trouve-t-on les deux sortes de cycles?
3. **ET SI?** ▶ Si une femme commence à prendre de l'œstradiol et de la progestérone immédiatement après le début d'un nouveau cycle menstruel, quel effet cela aura-t-il sur l'ovulation?
4. **FAITES DES LIENS** ▶ La coordination des événements développementaux est caractéristique des cycles reproducteurs de la femme et du cycle de réplication d'un virus à ARN enveloppé (voir la figure 19.8). Quelle est la nature de cette coordination dans chacun de ces cycles?

Voir les réponses proposées à l'appendice A.

CONCEPT 46.5

Chez les mammifères placentaires, le développement embryonnaire se déroule entièrement dans l'utérus

Maintenant que nous avons exploré les cycles ovarien et utérin de la femme, nous allons nous pencher sur la reproduction à proprement parler, en commençant par les événements qui transforment un ovule en embryon.

La fécondation, le développement embryonnaire et la naissance

Lors des rapports sexuels humains, l'homme émet de 2 à 5 mL de sperme contenant des centaines de millions de spermatozoïdes. Au moment de l'éjaculation, le sperme coagule. Il semble que cette coagulation contribue à éviter la dispersion des spermatozoïdes jusqu'à ce qu'ils aient atteint le col utérin. Peu après, les anticoagulants liquéfient le sperme, et les spermatozoïdes commencent à nager vers l'utérus et les trompes utérines. La **fécondation** d'un ovule (ovocyte mature) par un spermatozoïde a lieu dans la trompe utérine (**figure 46.15a**).

Environ 24 heures après la fécondation, le zygote commence une série de divisions cellulaires appelée **segmentation**. Quatre jours plus tard, il s'est transformé en un **blastocyste** et il a pris la forme d'une sphère de cellules creusée d'une cavité remplie de liquide (le blastocœle). Quelques jours après la formation du blastocyste, l'embryon s'implante dans l'endomètre (**figure 46.15b**). La **gestation** (**grossesse** chez l'humain) est le fait de porter dans l'utérus un ou plusieurs embryons. Chez l'humain, la grossesse dure en moyenne 266 jours (38 semaines) à partir de la fécondation de l'ovule, soit 40 semaines à partir du début du dernier cycle menstruel. En comparaison, la gestation dure environ 21 jours chez beaucoup de rongeurs, 280 jours chez les bovins et plus de 600 jours chez les éléphants. Les neuf mois que dure approximativement la gestation chez l'humain sont divisés en trois *trimestres* d'égale longueur.

Le premier trimestre

Durant le premier trimestre, l'embryon implanté sécrète des hormones qui signalent sa présence et exercent une régulation sur le système reproducteur de la mère. L'une des hormones embryonnaires, la **gonadotrophine chorionique humaine** (**hCG**, pour *human chorionic gonatotropin*), agit de la même façon que l'hormone lutéinisante (LH) adénohypophysaire. Elle maintient la sécrétion de progestérone et d'œstradiol par le corps jaune durant les premiers mois de la grossesse. Le sang contient une telle concentration de hCG qu'une certaine quantité de cette hormone est excrétée dans l'urine. C'est d'ailleurs sur la détection de cette hormone que reposent les tests immunologiques de diagnostic précoce de la grossesse.

Ce ne sont pas tous les embryons qui se développent complètement ; beaucoup meurent spontanément à cause d'anomalies chromosomiques ou développementales. Par ailleurs, il arrive que le zygote se loge dans une trompe utérine plutôt que dans

▼ Figure 46.15 La formation du zygote humain et les événements suivant la fécondation.

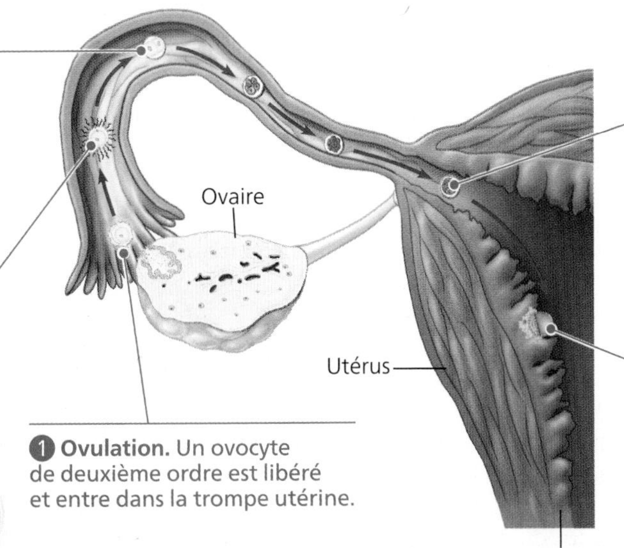

③ Segmentation. La division cellulaire commence dans la trompe utérine quand l'embryon est entraîné vers l'utérus par des mouvements péristaltiques et par les mouvements des cils.
② Fécondation. La pénétration d'un spermatozoïde déclenche la reprise de la méiose de l'ovocyte, qui devient un ovule. La fécondation a lieu quand le noyau de l'ovule et celui du spermatozoïde fusionnent pour former un zygote.
Ovaire
Utérus
① Ovulation. Un ovocyte de deuxième ordre est libéré et entre dans la trompe utérine.
Endomètre
④ Poursuite de la segmentation. Le temps qu'il atteigne l'utérus, l'embryon est devenu une boule de cellules appelée morula. Il flotte dans l'utérus pendant plusieurs jours, nourri par les sécrétions de la couche fonctionnelle de l'endomètre. Il devient un blastocyste.
⑤ Implantation du blastocyste. Le blastocyste s'implante dans l'endomètre environ sept jours après la fécondation.

(a) De l'ovulation à l'implantation (ou nidation)

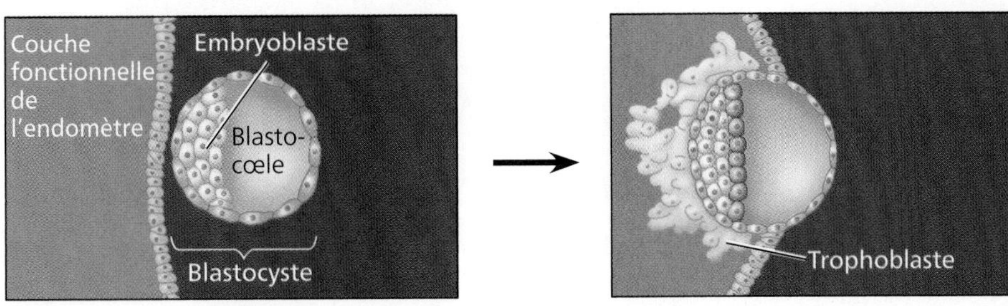

(b) Implantation du blastocyste

HABILETÉS VISUELLES ▶ Lorsque les ovules (ovocytes de deuxième ordre) d'une femme doivent être fécondés *in vitro*, on peut les introduire directement dans l'utérus, mais pas dans les trompes utérines, dont le diamètre est extrêmement petit. En vous basant sur l'illustration, indiquez quelles conditions de culture conviendraient le mieux à un ovule fécondé et permettraient d'optimiser les chances d'obtenir une grossesse.

l'utérus. Ces grossesses sont dites tubaires, ou ectopiques ; elles ne sont pas viables, et peuvent faire éclater la trompe et causer de graves hémorragies internes. Le risque de grossesse ectopique est plus grand si les trompes portent des cicatrices consécutives à une infection bactérienne contractée lors d'un accouchement (à cause des interventions médicales) ou à des infections transmissibles sexuellement.

Durant les deux à quatre premières semaines de son développement, l'embryon obtient ses nutriments directement de l'endomètre. Entre-temps, la couche externe du blastocyste, appelée **trophoblaste**, sort de l'embryon en formation et pénètre dans la couche fonctionnelle de l'endomètre, contribuant ainsi à la formation ultérieure du **placenta**. Cet organe en forme de disque qui contient des vaisseaux sanguins embryonnaires et maternels grossit au point d'atteindre la taille d'une grande assiette ; à la fin de la grossesse, il pèse près de 1 kg. La diffusion de matières entre les systèmes cardiovasculaires maternel et embryonnaire permet l'échange de gaz respiratoires, le transfert de nutriments et la protection immunitaire, ainsi que l'évacuation des déchets produits par l'embryon. Le sang provenant de l'embryon arrive au placenta en passant par des artères du cordon ombilical, et en repart par la veine ombilicale (**figure 46.16**).

Parfois, au cours du premier mois du développement, la division de l'embryon donne de vrais jumeaux, ou *jumeaux monozygotes* (un seul ovule). Les faux jumeaux, ou *jumeaux dizygotes*, sont plutôt issus de la maturation de deux follicules au cours du même cycle, suivie de la fécondation et de l'implantation indépendantes de deux embryons génétiquement distincts.

Le premier trimestre est également la principale période où s'effectue l'**organogenèse**, c'est-à-dire la formation des organes (**figure 46.17a**) à partir de trois feuillets cellulaires, appelés *feuillets embryonnaires*, dont nous reparlerons au chapitre 47. C'est durant l'organogenèse que l'embryon est le plus vulnérable. Par exemple, l'alcool qui traverse le placenta et se rend au système nerveux central du fœtus en développement peut causer le syndrome d'alcoolisation fœtale. Ce syndrome se manifeste par un retard mental et des malformations congénitales graves. Le cœur de l'embryon commence à battre dès la quatrième semaine, et on peut l'entendre au stéthoscope à la fin du premier trimestre, vers la neuvième semaine. À huit semaines, l'embryon, désormais appelé **fœtus**, possède les principales structures de l'adulte sous forme rudimentaire. À la fin du troisième mois, le fœtus déjà bien différencié ne mesure toutefois que 5 cm.

Durant le premier trimestre, la forte concentration sanguine de progestérone entraîne diverses modifications chez la

▼ **Figure 46.16 La circulation placentaire.** De la quatrième semaine à la naissance, le placenta, un organe composé de tissus maternels et embryonnaires, permet le transport de nutriments et d'anticorps (IgG) maternels, l'échange de gaz respiratoires entre la mère et l'embryon ou le fœtus, et l'évacuation des déchets produits par ce dernier. Le sang maternel arrive dans le placenta par des artères, traverse des espaces sanguins intervilleux situés dans la couche fonctionnelle de l'endomètre et ressort par des veines. Le sang embryonnaire ou fœtal, qui reste dans des vaisseaux, arrive dans le placenta par des artères et passe à travers les capillaires dans les villosités choriales digitiformes, où il absorbe les molécules d'oxygène (O_2) et les nutriments. Le sang embryonnaire ou fœtal quitte le placenta par des veines qui le ramènent au fœtus. L'échange de substances entre le lit de capillaires du fœtus et les espaces sanguins intervilleux s'effectue par diffusion, par transport actif et par absorption sélective, selon la nature des substances.

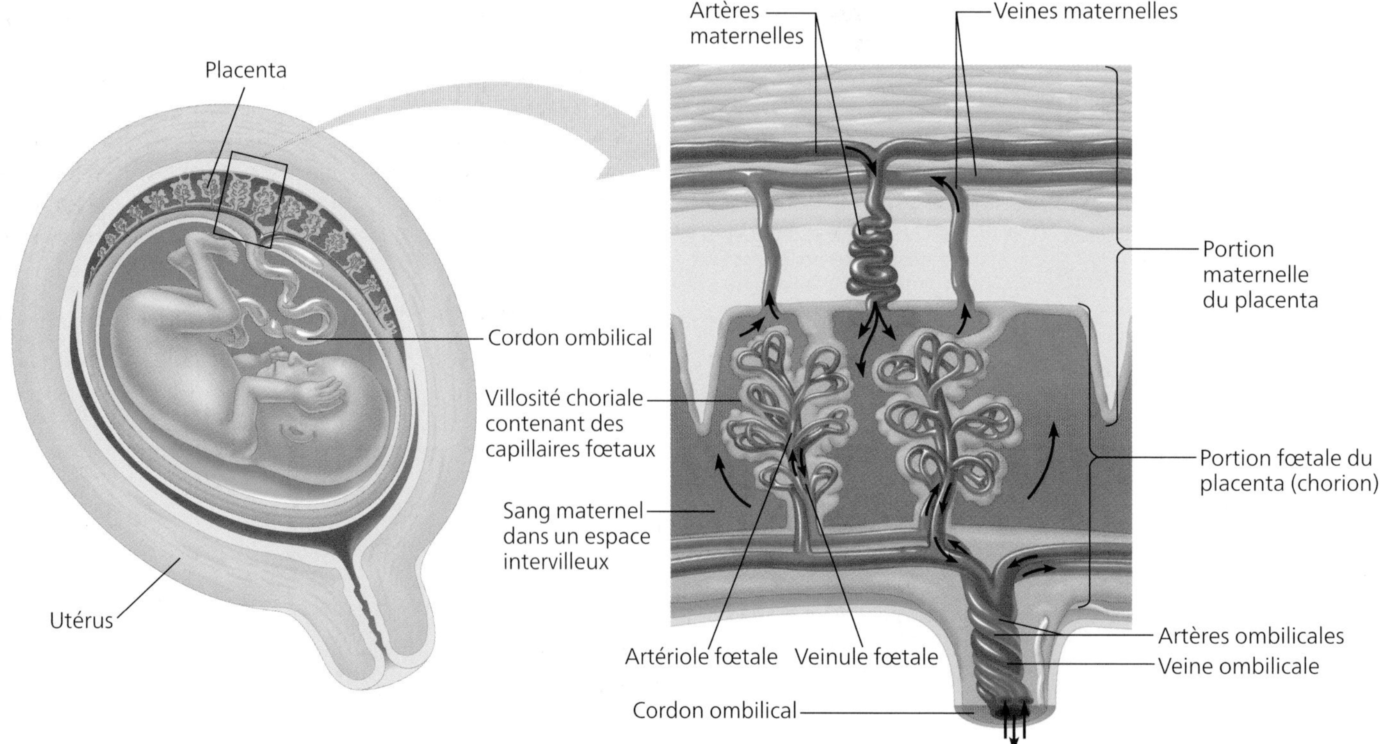

? Dans une rare anomalie génétique, l'absence d'une certaine enzyme cause une augmentation de la sécrétion de testostérone. Lorsque le fœtus est atteint de cette anomalie, la pilosité de la mère, durant la grossesse, ressemble à celle d'un homme. Expliquez pourquoi.

▼ **Figure 46.17** **Le fœtus humain au premier trimestre et au deuxième trimestre de gestation.**

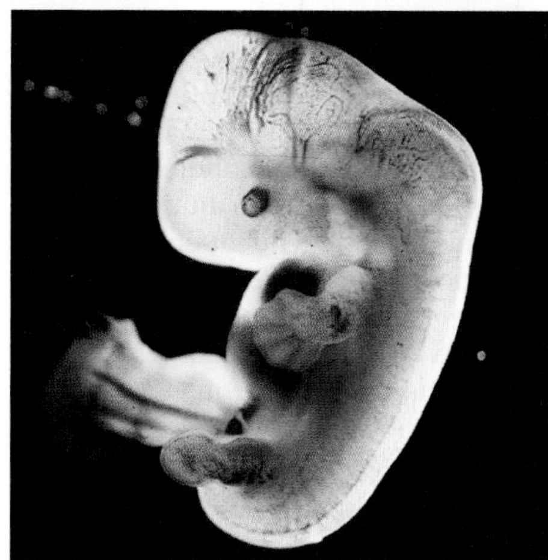

(a) 5 semaines. Les bourgeons des membres, les yeux, le cœur, le foie et les ébauches de tous les autres organes ont commencé à se former dans l'embryon, qui ne mesure que 1 cm de longueur.

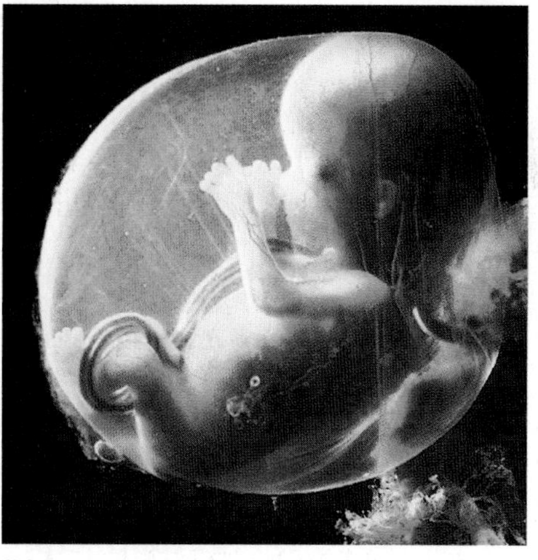

(b) 14 semaines. La croissance et le développement du nouvel individu, maintenant appelé fœtus, se poursuivent pendant le deuxième trimestre. Ce fœtus mesure 6 cm environ (à ce stade, on mesure la distance entre le point le plus élevé de la tête, ou vertex, et le coccyx).

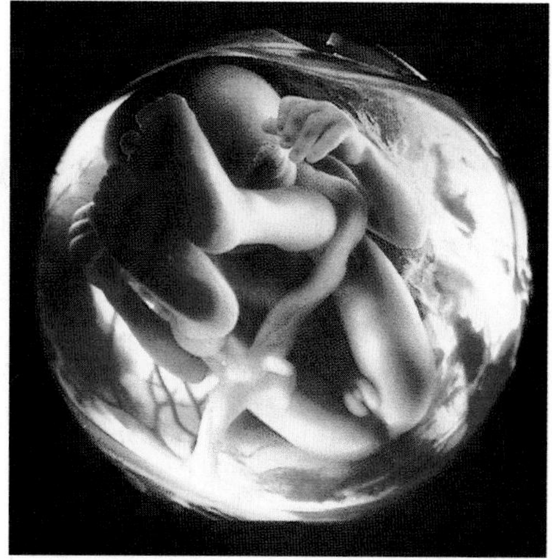

(c) 20 semaines. Lorsque le fœtus atteint environ 20 cm de longueur, la position fœtale s'impose (tête contre genoux) en raison de l'espace limité dont il dispose.

future mère : le mucus du col utérin devient très abondant et forme un bouchon protecteur contre l'infection, la partie maternelle du placenta grossit, le volume des seins et de l'utérus augmente, et l'ovulation et le cycle menstruel s'arrêtent. Environ 75 % des femmes enceintes ont des nausées au cours du premier trimestre.

Les deuxième et troisième trimestres

Au cours du deuxième trimestre, le fœtus atteint rapidement la taille de 30 cm. Son développement se poursuit ; par exemple, les ongles se forment, ainsi que les organes génitaux externes et les oreilles (**figure 46.17b** et **c**). La mère peut sentir ses mouvements dès la première partie du deuxième trimestre, et on peut le voir bouger à travers la paroi abdominale vers le milieu de cette période. La concentration hormonale se stabilise, tandis que la quantité d'hCG diminue. Le corps jaune dégénère et le placenta sécrète sa propre progestérone, ce qui maintient la grossesse ; chez d'autres espèces de mammifères, le corps jaune persiste durant toute la gestation.

Pendant le dernier trimestre, le fœtus croît rapidement. Il atteint ainsi une taille de 50 cm environ et une masse de 3 à 4 kg. Son activité diminue au fur et à mesure qu'il remplit l'espace disponible à l'intérieur des membranes fœtales. Tandis qu'il grossit et que l'utérus s'agrandit autour de lui, les organes abdominaux de la mère se trouvent comprimés et déplacés. Cela entraîne des mictions fréquentes et des blocages du tube digestif.

L'accouchement commence par le *travail*, une série de contractions utérines de plus en plus intenses et rapprochées qui poussent le fœtus et le placenta hors du corps. Une fois le travail commencé, des régulateurs locaux (prostaglandines) et certaines hormones (surtout l'œstradiol et l'ocytocine) maintiennent les contractions régulières de l'utérus (**figure 46.18**). L'action de l'ocytocine installe une boucle de rétroactivation très importante durant le travail (voir le concept 45.2) : chaque contraction utérine stimule la sécrétion d'ocytocine qui, à son tour, déclenche la contraction suivante.

▼ **Figure 46.18** **La rétroactivation du travail de l'accouchement.**

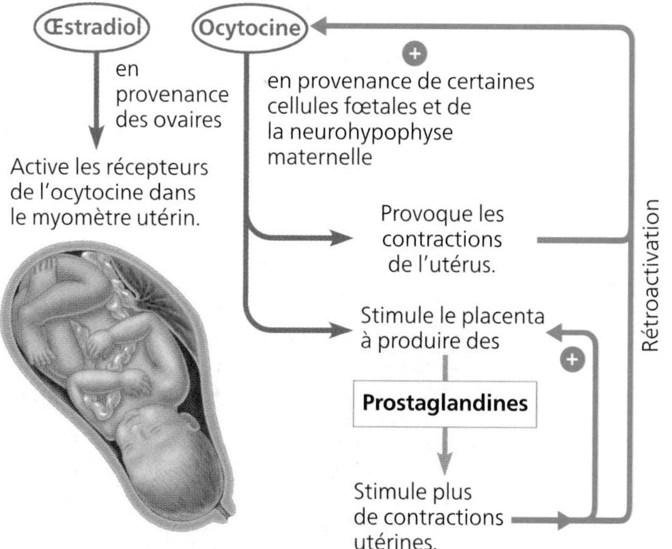

HABILETÉS VISUELLES ▶ Examinez les circuits de rétroaction. À votre avis, quel est l'effet d'une seule dose d'ocytocine administrée à une femme enceinte à la fin de la 39e semaine de gestation ?

Le travail comprend trois périodes (**figure 46.19**). La première période est celle de la dilatation du col utérin, qui s'ouvre et s'amincit. La dilatation complète du col en marque la fin. La deuxième période est celle de l'expulsion, ou naissance, de l'enfant. Les contractions vigoureuses et continues forcent le fœtus à descendre et à sortir de l'utérus et du vagin. Enfin, la troisième et dernière période est celle de la délivrance, consistant en l'expulsion du placenta, qui suit normalement la sortie de l'enfant.

La **lactation**, c'est-à-dire la production et la sécrétion de lait par les glandes mammaires, fait partie des soins postnataux propres aux mammifères. Après la naissance, la diminution de la concentration d'œstradiol ainsi que la succion du bébé font

▼ Figure 46.19 Les trois périodes du travail.

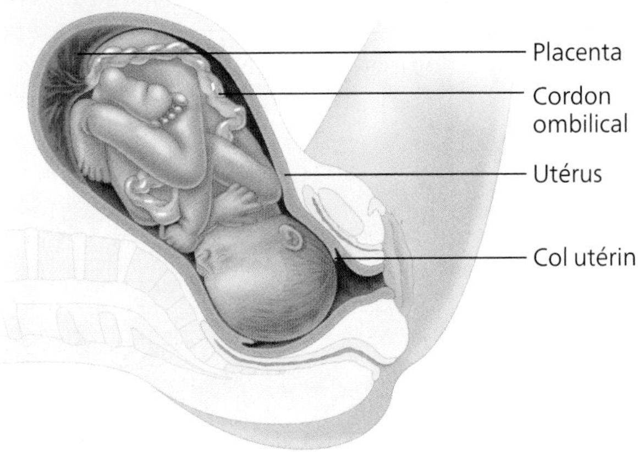

❶ Dilatation du col utérin

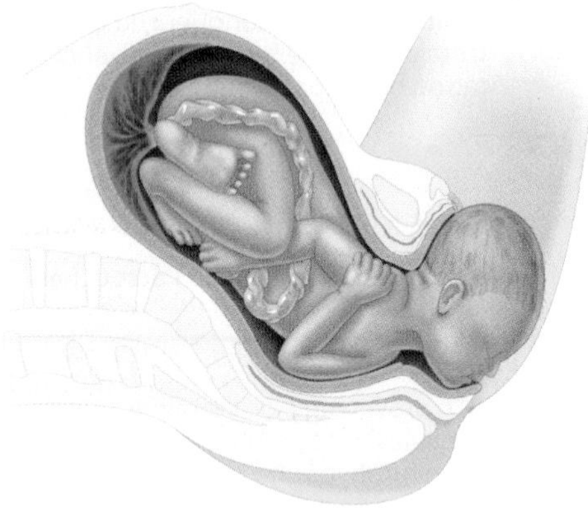

❷ Expulsion: naissance de l'enfant

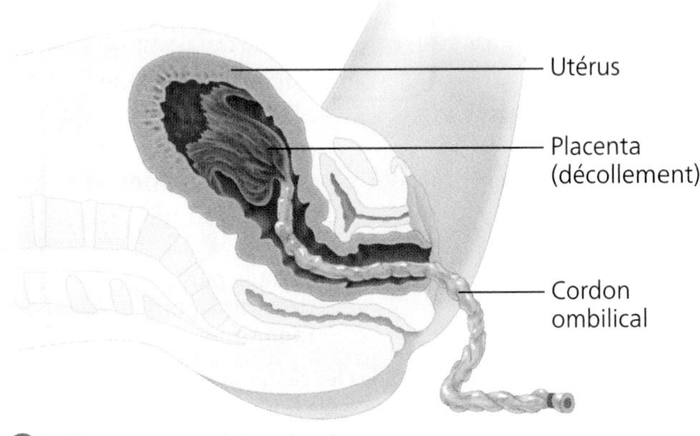

❸ Délivrance: expulsion du placenta

cesser la rétro-inhibition qui s'exerçait sur l'adénohypophyse et permettent la sécrétion de prolactine. La prolactine stimule les glandes mammaires à produire du lait. La succion du bébé stimule également la sécrétion d'ocytocine par la neurohypophyse, avec pour résultat l'éjection du lait par les glandes mammaires (voir la figure 45.14).

La tolérance immunitaire de l'embryon et du fœtus de la part de la mère

Du point de vue immunologique, la grossesse constitue une énigme. En effet, comme la moitié des gènes de l'embryon viennent du père, de nombreux marqueurs embryonnaires présents à la surface des cellules sont étrangers à la mère. Mais comment se fait-il que la mère ne rejette pas ce corps étranger comme elle rejetterait un greffon portant des antigènes venant d'une autre personne? Le lien entre certaines maladies auto-immunes et la grossesse pourrait aider à résoudre le mystère. Par exemple, les symptômes de la polyarthrite rhumatoïde, une affection articulaire auto-immune, s'atténuent durant la grossesse. Ces observations donnent à penser que la régulation générale du système immunitaire change durant la grossesse. Les immunologistes spécialistes de la reproduction essaient de comprendre comment ces changements protègent le fœtus en développement.

La contraception et l'avortement

La **contraception**, c'est-à-dire le fait de provoquer une infécondité temporaire chez la femme ou chez l'homme, recourt à différentes méthodes. Certaines d'entre elles empêchent la libération d'ovocytes matures et de spermatozoïdes mûrs par les gonades. D'autres rendent la fécondation impossible en empêchant les spermatozoïdes et les ovules de se rencontrer. D'autres encore consistent à empêcher l'implantation de l'embryon. La courte présentation qui suit (**figure 46.20**) traite des aspects biologiques de ces méthodes et n'a pas les objectifs d'un guide de contraception. Pour obtenir de l'information complémentaire, on consultera un médecin ou un autre spécialiste de la santé.

On peut éviter la fécondation en s'abstenant d'avoir des relations sexuelles ou en utilisant l'un des divers types de barrières qui empêchent les spermatozoïdes d'entrer en contact avec l'ovocyte de deuxième ordre. L'abstinence périodique, parfois appelée *planification familiale naturelle*, consiste à ne pas avoir de relations sexuelles pendant la période féconde. Comme l'ovocyte peut survivre dans la trompe utérine durant 24 à 48 heures et les spermatozoïdes jusqu'à 5 jours, un couple qui pratique l'abstinence périodique devrait éviter les relations sexuelles plusieurs jours avant l'ovulation et plusieurs jours après. Les méthodes contraceptives basées sur la prévision de la date d'ovulation nécessitent une bonne connaissance des signes physiologiques associés à l'ovulation (comme le changement de consistance de la glaire cervicale). On notera d'ailleurs que le taux d'échec va de 10 à 20% chez les couples qui utilisent cette méthode. (Le «taux d'échec» est le pourcentage annuel de femmes qui deviennent enceintes durant la période où elles utilisent une méthode de contraception.)

Le *coït interrompu*, c'est-à-dire le retrait du pénis avant l'éjaculation, n'est pas une méthode de contraception fiable. En effet, les sécrétions qui précèdent l'éjaculation peuvent contenir des spermatozoïdes. De plus, l'homme ne peut pas toujours faire preuve de la maîtrise de soi nécessaire et il suffit de moins d'une seconde pour éjaculer des dizaines de millions de spermatozoïdes.

Utilisées adéquatement, les différentes barrières mécaniques qui empêchent les spermatozoïdes d'atteindre l'ovocyte connaissent un taux d'échec inférieur à 10%. Le **préservatif masculin**, ou **condom**, est une fine membrane naturelle ou un étui de latex qui s'ajuste sur le pénis de façon à recueillir le sperme. Pour les individus actifs sexuellement, seuls les condoms en latex fournissent une protection contre la transmission du VIH

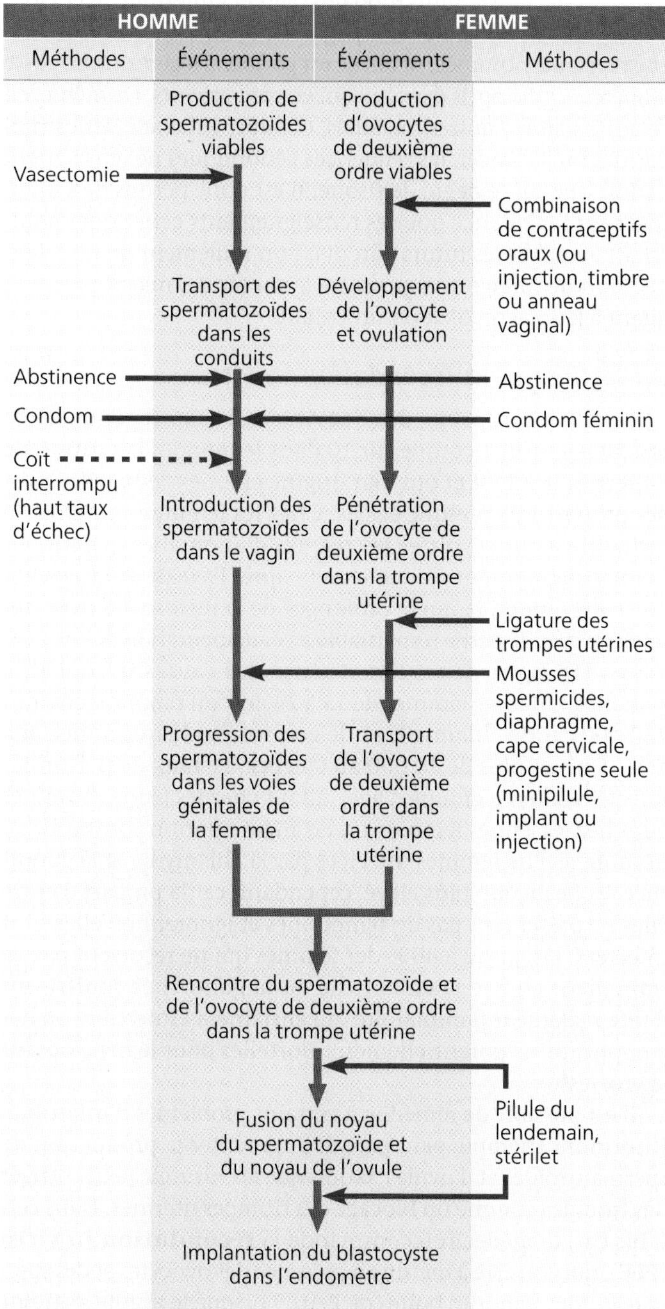

▼ **Figure 46.20 Les mécanismes de certaines méthodes de contraception.** Les flèches rouges indiquent à quel moment ces méthodes, dispositifs ou produits interviennent dans le processus menant de la production de spermatozoïdes ou d'ovocytes de deuxième ordre à un embryon implanté et en développement.

et des autres *infections transmissibles sexuellement* (*ITS*). (Cependant, cette protection n'est pas absolue.) Le **diaphragme**, barrière mécanique la plus utilisée par les femmes, est une coupole de caoutchouc mince qu'on place dans la partie profonde du vagin avant le rapport sexuel. L'efficacité de ces deux méthodes augmente lorsqu'on les combine avec une mousse ou un gel spermicides (qui tue les spermatozoïdes). Parmi les autres barrières mécaniques, on trouve la cape cervicale, préservatif féminin qui s'ajuste étroitement au col utérin et peut rester longtemps en place par succion, et la pochette vaginale, ou « condom féminin ».

À part l'abstinence complète ou la stérilisation (abordée plus loin), les méthodes contraceptives les plus efficaces sont le stérilet et les contraceptifs oraux. Le stérilet présente un taux d'échec de 1 % ou moins ; c'est la méthode réversible la plus répandue à l'extérieur des États-Unis. Inséré par un médecin, le stérilet empêche la fécondation et l'implantation. Les **contraceptifs oraux** (la « pilule ») connaissent eux aussi un taux d'échec inférieur à 1 %.

Les contraceptifs oraux les plus utilisés se composent d'un mélange d'un œstrogène synthétique et d'une hormone synthétique semblable à la progestérone appelée progestine. Cette combinaison d'hormones reproduit la rétro-inhibition du cycle ovarien en bloquant la libération de GnRH par l'hypothalamus, ainsi que la libération de FSH et de LH par l'adénohypophyse. En empêchant la libération de LH, les progestines bloquent l'ovulation. En inhibant la sécrétion de FSH, la faible dose d'œstrogènes dans la pilule entrave le développement de tout follicule.

Il existe un autre contraceptif oral très efficace qui contient seulement de la progestine. Cette hormone prévient la fécondation principalement en provoquant l'épaississement de la glaire cervicale, afin que celle-ci bloque l'accès de l'utérus au sperme. La progestine provoque également une diminution de la fréquence de l'ovulation et des modifications de la couche fonctionnelle de l'endomètre qui empêchent l'implantation s'il y a eu fécondation. Elle peut être administrée sous forme de capsule à action retardée de la grosseur d'une allumette qu'on implante sous la peau et qui agit pendant une période pouvant atteindre cinq ans. La progestine se présente également sous forme de produit qu'on injecte tous les trois mois ainsi que sous forme de comprimé (minipilule) à prendre quotidiennement. Les taux d'échec sont minimes.

Les contraceptifs hormonaux ont des effets bénéfiques et des effets nuisibles. Ainsi, ils augmentent le risque de maladie cardiovasculaire : chez les non-fumeuses, l'augmentation est légère, mais chez les femmes qui fument régulièrement, le risque de maladie cardiovasculaire est de 3 à 10 fois plus élevé. En revanche, les contraceptifs oraux éliminent les risques liés à la grossesse ; les femmes qui en prennent présentent un taux de mortalité égal à la moitié de celui des femmes enceintes. En outre, la pilule diminue les risques de cancers de l'ovaire et de l'endomètre. Il n'existe pas encore de contraceptif hormonal pour les hommes.

La stérilisation empêche la production ou la libération des gamètes dans les voies génitales de manière permanente. La **ligature des trompes** est la méthode de stérilisation la plus courante chez la femme. Elle consiste à cautériser ou à lier une section des trompes utérines afin d'empêcher la progression des ovocytes matures jusqu'à l'utérus. Chez l'homme, on procède à la **vasectomie**, c'est-à-dire à la section des conduits déférents, pour empêcher les spermatozoïdes d'entrer dans l'urètre. La stérilisation ne perturbe pas la sécrétion d'hormones sexuelles ni la fonction sexuelle, et elle n'altère pas les cycles menstruels de la femme ou le volume de l'éjaculat de l'homme. Même si la stérilisation est considérée comme définitive, les deux interventions sont réversibles par microchirurgie.

L'**avortement** (ou IVG, pour « interruption volontaire de grossesse ») est l'interruption d'une grossesse en cours. L'avortement spontané, ou *fausse couche*, survient fréquemment (un cas sur trois pour l'ensemble des grossesses, souvent même avant que la femme sache qu'elle est enceinte). Par ailleurs, chaque année, environ 200 000 femmes en France, 30 000 au Québec et 700 000 aux États-Unis choisissent l'avortement pratiqué par un médecin.

La pilule abortive RU 486 (pour *Roussel-Uclaf 486*), ou mifépristone, conçue en France dans les années 1980, permet aux femmes d'avorter dans les sept premières semaines de leur grossesse sans recourir à la chirurgie. Ayant une composition chimique semblable à celle de la progestérone, elle occupe les récepteurs de progestérone situés dans l'utérus. Elle agit comme inhibiteur compétitif et empêche la progestérone de maintenir la grossesse. On l'administre avec une petite quantité de prostaglandines afin de déclencher des contractions utérines.

Les technologies modernes en reproduction

Des découvertes scientifiques et des avancées techniques récentes ont permis de prendre des mesures à l'égard de plusieurs problèmes de reproduction, y compris les anomalies génétiques et l'infertilité.

Le dépistage des maladies durant la grossesse

Il est maintenant possible de diagnostiquer de nombreuses maladies et anomalies génétiques chez le fœtus. L'échographie, une technique non invasive qui utilise des ultrasons pour observer le fœtus, permet d'évaluer sa grosseur et son état. L'amniocentèse et la biopsie des villosités choriales sont des techniques invasives qui consistent à prélever à l'aide d'une aiguille des cellules dans le liquide ou les tissus autour de l'embryon en vue d'analyses génétiques (voir la figure 14.19).

Une technologie de la reproduction mise au point récemment permet désormais d'analyser le génome du fœtus à partir d'un échantillon sanguin de la future mère. Comme nous l'avons vu au chapitre 14, le sang d'une femme enceinte contient de l'ADN appartenant à l'embryon en développement. Comment cela se peut-il ? Eh bien, le placenta est en contact à la fois avec le sang de la mère et celui de l'embryon. Lorsque certaines cellules produites par l'embryon vieillissent et meurent, et se brisent dans le placenta, l'ADN libéré entre dans la circulation maternelle. Ainsi, bien que le sang de la mère contienne évidemment des fragments d'ADN lui appartenant, de 10 à 15 % de l'ADN qui circule dans son sang est celui de son fœtus. On peut utiliser la réaction en chaîne par polymérase (PCR) et le séquençage à haut débit pour analyser cet ADN fœtal et recueillir des données très utiles.

Malheureusement, presque toutes les maladies qu'on peut détecter de cette manière sont impossibles à soigner dans l'utérus, et beaucoup d'entre elles ne le sont pas plus après la naissance. Le dépistage génétique peut ainsi obliger les parents à faire un choix difficile : mettre fin à la grossesse ou accepter d'avoir un enfant qui pourrait souffrir d'une anomalie grave ou dont l'espérance de vie serait limitée. Il n'est pas facile de prendre de telles décisions. Cela demande une réflexion éclairée et les conseils de personnes compétentes.

Dans un proche avenir, les parents auront accès à une foule de renseignements génétiques et se heurteront à encore plus de questions. D'ailleurs, en 2012 est né le premier enfant dont on a séquencé tout le génome avant sa naissance. Pourtant, la connaissance du génome entier d'une personne ne signifie pas que l'on dispose de toute l'information possible. Pensons, par exemple, au syndrome de Klinefelter, qui touche seulement les garçons et qui se caractérise par la présence d'un chromosome X surnuméraire. Cette maladie plutôt répandue touche 1 homme sur 1 000 et peut causer une diminution du taux de testostérone, une féminisation des traits et l'infertilité. Toutefois, bien que la maladie s'accompagne de symptômes invalidants chez certains hommes, sa forme est parfois si légère qu'elle passe inaperçue, y compris par ceux qui en sont atteints. De même, en ce qui a trait à d'autres maladies, comme le diabète, les cardiopathies ou le cancer, les séquences génomiques ne renseignent parfois que sur le degré de risque. Il est donc permis de s'interroger sur l'incidence que ces renseignements génétiques pourraient avoir sur les futurs parents, non seulement quant à leur décision de mener une grossesse à son terme, mais également quant à leur façon d'élever un enfant.

L'infertilité et la fécondation in vitro

L'infertilité (incapacité de concevoir) est assez répandue. Elle touche environ 1 couple sur 10 dans le monde. Les causes de l'infertilité varient et ont leur origine chez les deux sexes dans des proportions presque égales. Chez les femmes, toutefois, la difficulté à concevoir et les risques d'anomalies génétiques fœtales augmentent graduellement après l'âge de 35 ans. Selon plusieurs études, la durée prolongée de la méiose des ovocytes serait en grande partie responsable de l'augmentation des risques.

Les ITS figurent en tête de liste des causes d'infertilité évitables. Chez les femmes de 15 à 24 ans, on rapporte environ 830 000 cas de chlamydia et de gonorrhée chaque année aux États-Unis et plus de 10 000 au Québec. Le taux de personnes infectées dans ce groupe d'âge, autant chez les jeunes hommes que chez les jeunes femmes, est en augmentation constante. Le nombre réel de femmes infectées par la chlamydia et la gonorrhée est beaucoup plus élevé, cependant, car la plupart d'entre elles ne présentent pas de symptômes et ignorent qu'elles sont infectées. Or, jusqu'à 40 % des femmes qui ne reçoivent pas de traitement contre la chlamydia ou la gonorrhée souffriront d'une maladie inflammatoire qui entraînera l'infertilité ou des complications potentiellement mortelles pour le bébé durant la grossesse.

Il est possible de remédier à certains problèmes d'infertilité. L'hormonothérapie peut parfois augmenter la production de spermatozoïdes et d'ovules, tandis que la chirurgie peut corriger des troubles comme un blocage des trompes utérines. Dans certains cas, le médecin recommande la **fécondation *in vitro*** (**FIV**), qui consiste à mettre en présence des ovocytes et des spermatozoïdes dans des boîtes de Petri. Lorsque le zygote a atteint le stade de huit cellules, on l'insère dans l'utérus en espérant qu'il s'implante. Quand les spermatozoïdes sont peu mobiles ou trop peu nombreux, on injecte un spermatozoïde entier ou le noyau d'une spermatide directement dans un ovocyte pour le féconder (**figure 46.21**). Chaque tentative de fécondation *in vitro* est coûteuse, mais on estime que plus d'un million de couples ont réussi à concevoir grâce à cette méthode.

Peu importe comment la fécondation a eu lieu, il s'ensuit un plan de développement qui transforme le zygote unicellulaire en organisme multicellulaire. Les mécanismes de ce remarquable programme de développement chez les humains et d'autres animaux font l'objet du chapitre 47.

▼ **Figure 46.21 La fécondation *in vitro* (FIV).** Dans cette méthode de FIV, on maintient l'ovule en place avec une pipette (à gauche) et, à l'aide d'une aiguille très fine, on injecte un spermatozoïde dans le cytoplasme de l'ovule (MB colorisée).

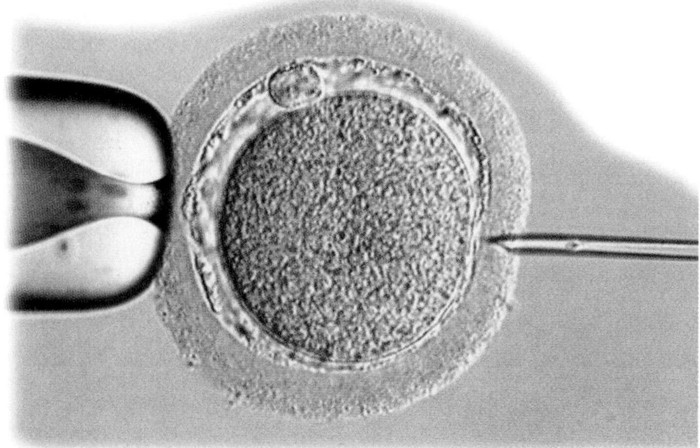

RETOUR SUR LE CONCEPT 46.5

1. Pourquoi la gonadotrophine chorionique humaine (hCG) ne sert-elle aux tests de grossesse que dans les premiers mois ? Quel est son rôle dans la grossesse ?
2. En quoi la ligature des trompes est-elle semblable à la vasectomie ?
3. **ET SI ?** ▶ Si le noyau d'un spermatozoïde est injecté dans un ovocyte, quelles étapes de la gamétogenèse et de la fécondation évite-t-on ?

Voir les réponses proposées à l'appendice A.

RÉVISION DU CHAPITRE 46

Consultez votre MANUEL NUMÉRIQUE, qui vous donne accès aux **animations**, aux **exercices** et à la plateforme d'**anatomie interactive**.

Résumé des concepts clés

CONCEPT 46.1

Il existe deux modes de reproduction animale : sexuée et asexuée (p. 1120 à 1122)

- La **reproduction sexuée** nécessite la fusion de gamètes mâle et femelle pour former un **zygote** diploïde. La **reproduction asexuée** produit des descendants dont les gènes proviennent tous d'un seul parent (sans fusion de gamètes). La **scissiparité**, le bourgeonnement et la fragmentation accompagnée d'une régénération sont des mécanismes qui permettent la reproduction asexuée. La **parthénogenèse**, l'**hermaphrodisme** et l'inversion de sexe sont des variantes des deux modes de reproduction. Les cycles reproducteurs sont régulés par des hormones et des stimulus environnementaux.

? Une paire de descendants haploïdes produits par parthénogenèse sont-ils génétiquement identiques ? Expliquez votre réponse.

CONCEPT 46.2

La fécondation repose sur des mécanismes qui permettent la rencontre d'un spermatozoïde et d'un ovule appartenant à la même espèce (p. 1122 à 1126)

- La **fécondation** peut être externe, si les spermatozoïdes et les ovules sont libérés à l'extérieur du corps, ou interne, si un des spermatozoïdes déposés par le mâle féconde un ovule se trouvant à l'intérieur du système reproducteur de la femelle. Dans les deux cas, la synchronisation est cruciale et généralement assurée par des stimulus environnementaux, des phéromones ou des stimulus comportementaux de parade nuptiale. La fécondation interne est souvent associée à une progéniture relativement peu nombreuse et à des soins parentaux plus assidus destinés à protéger les petits. Le plus simple des systèmes reproducteurs est constitué de cellules indifférenciées qui produisent des gamètes dans la cavité pelvienne. Le plus complexe comporte des **gonades**, qui produisent des gamètes, et divers conduits et glandes annexes, qui transportent et protègent les gamètes et l'embryon en développement. Bien que la reproduction sexuée nécessite la participation d'un partenaire, elle rend également possible une compétition entre individus et entre gamètes.

Systèmes reproducteurs complexes de la drosophile

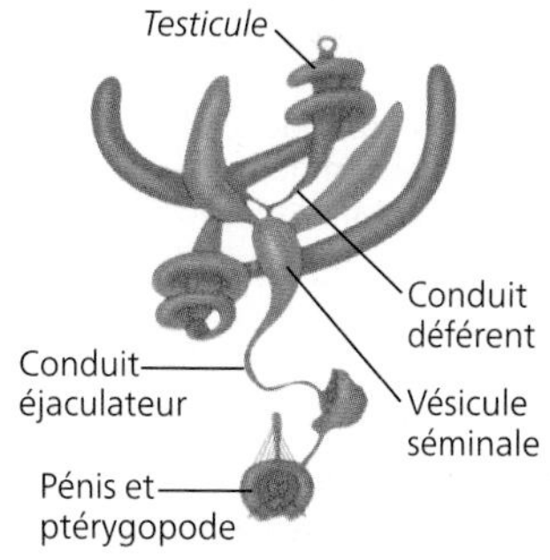

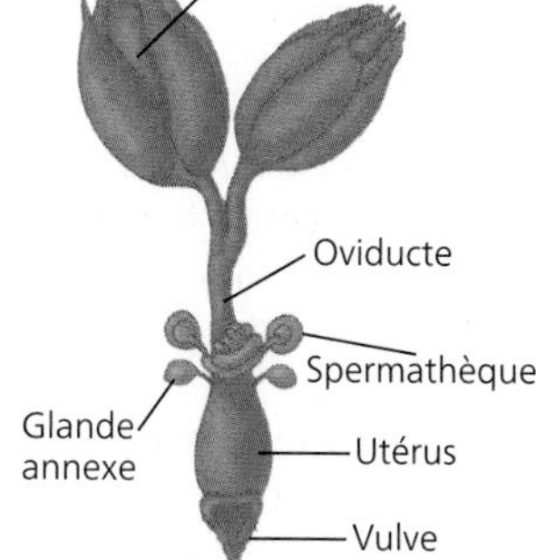

Légende
Production de gamètes
Protection et transport des gamètes

? Parmi les éléments suivants, nommez celui qui est propre aux mammifères : un utérus chez la femelle et un conduit déférent chez le mâle ; un développement interne complexe ; des soins parentaux aux petits.

CONCEPT 46.3

Les organes reproducteurs produisent et transportent les gamètes (p. 1126 à 1129)

- Chez l'homme, les **spermatozoïdes** sont produits dans les **testicules**, qui sont suspendus à l'extérieur du corps dans le **scrotum**. Des conduits dans le scrotum relient les testicules aux glandes annexes internes et à l'extrémité du **pénis**. Les organes génitaux externes de la femme comprennent principalement les **lèvres** et le **gland** du **clitoris**. Les organes génitaux internes sont le **vagin**, l'**utérus**, les **trompes utérines** et les **ovaires**. Les **ovocytes** sont produits dans les ovaires ; après avoir été fécondés, ils se développent dans l'utérus.
- Chez les femelles, la forme de **gamétogenèse**, c'est-à-dire la production de gamètes, est l'**ovogenèse**, tandis que chez le mâle c'est la **spermatogenèse**. La méiose de l'ovogenèse est discontinue et cyclique, et produit un seul ovocyte volumineux chez la femme. Par contre, la spermatogenèse est continue et produit quatre spermatozoïdes chez l'homme.

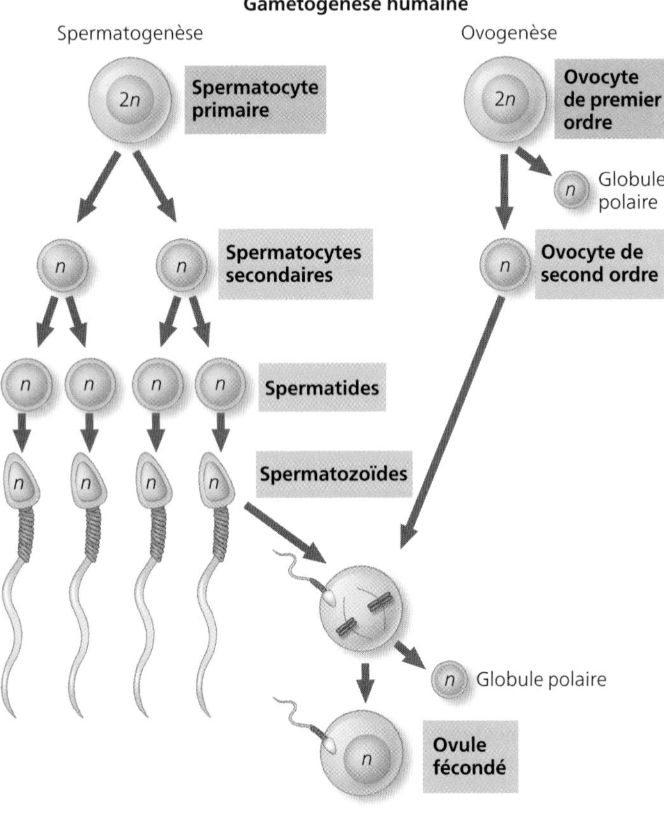

? L'ovule et le spermatozoïde présentent de grandes différences sur le plan de la taille et du contenu. Quel lien peut-on faire entre ces différences anatomiques, d'une part, et les fonctions respectives de ces gamètes dans la reproduction, d'autre part ?

CONCEPT 46.4

L'interaction complexe entre les stimulines et les hormones sexuelles régule la reproduction chez les mammifères (p. 1129 à 1136)

- Chez les mammifères, la GnRH hypothalamique régule la libération de deux hormones par l'adénohypophyse : la **FSH** et la **LH**. Chez l'homme, la FSH et la LH régissent la sécrétion des androgènes (surtout la **testostérone**) et la production de spermatozoïdes. Chez la femme, les sécrétions cycliques de FSH et de LH orchestrent les cycles ovarien et utérin par l'intermédiaire des œstrogènes, surtout l'**œstradiol**, et de la **progestérone**. Le follicule en développement et le **corps jaune** sécrètent aussi des hormones, qui aident à coordonner les cycles ovarien et utérin par des mécanismes de rétroactivation et de rétro-inhibition.

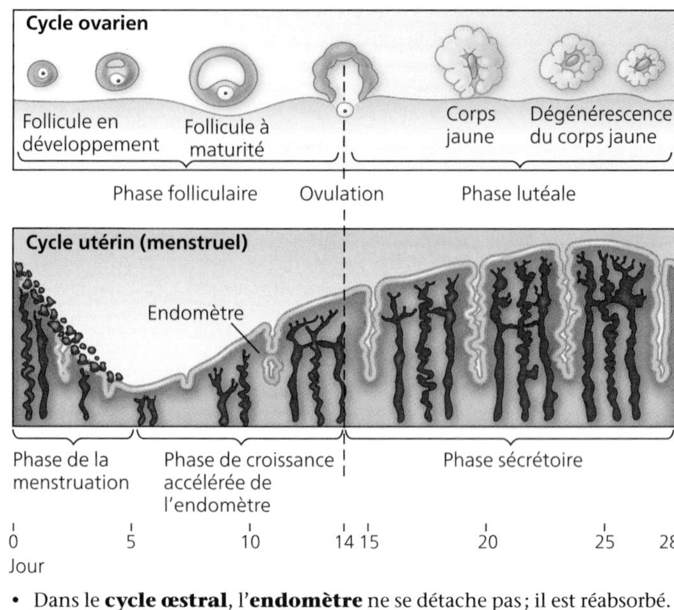

- Dans le **cycle œstral**, l'**endomètre** ne se détache pas ; il est réabsorbé. Aussi, dans ce cycle, la réceptivité sexuelle est limitée à la période des chaleurs (le rut). Chez l'homme et la femme, plusieurs caractéristiques de l'excitation sexuelle et de l'orgasme se ressemblent et témoignent de l'origine développementale commune de leurs structures reproductrices.

? Pourquoi les stéroïdes anabolisants causent-ils une diminution du nombre de spermatozoïdes ?

CONCEPT 46.5

Chez les mammifères placentaires, le développement embryonnaire se déroule entièrement dans l'utérus (p. 1136 à 1143)

- Après la fécondation de l'ovocyte et la fin de la méiose dans l'oviducte, une série de divisions cellulaires transforme le zygote en **blastocyste** avant son implantation dans l'endomètre. La formation des organes se fait en huit semaines. L'absence de rejet du fœtus de la part de la femme enceinte n'est pas encore très bien comprise, mais il est possible qu'elle résulte d'une suppression partielle de la réaction immunitaire dans l'utérus.
- Pour éviter les grossesses, on peut recourir à des méthodes de **contraception** qui empêchent les gonades de libérer des gamètes matures ainsi que la fécondation qui bloquent l'implantation de l'embryon. L'**avortement** est l'interruption d'une grossesse.
- La technologie moderne contribue à détecter des problèmes avant la naissance et peut également aider à traiter l'infertilité grâce à des traitements hormonaux et à la **fécondation *in vitro***.

? Quelle voie l'O_2 du sang de la mère doit-il suivre pour se rendre dans les cellules du corps du fœtus ?

Évaluation

NIVEAU 1 : CONNAISSANCES ET COMPRÉHENSION

1. Parmi les phénomènes suivants, lequel caractérise la parthénogenèse ?
   a) Un individu peut changer de sexe au cours de sa vie.
   b) Des groupes spécialisés de cellules peuvent devenir de nouveaux individus.
   c) Un organisme est d'abord mâle, puis femelle.
   d) Un ovule se développe sans avoir été fécondé.

2. Chez les mammifères mâles, les systèmes urinaire et reproducteur ont en commun:
   a) le conduit déférent.
   b) l'urètre.
   c) l'uretère.
   d) la prostate.

3. Parmi les structures mâles et femelles suivantes, lesquelles sont le *plus* éloignées du point de vue de la fonction?
   a) Tubules séminifères contournés: col utérin.
   b) Conduit déférent: oviducte.
   c) Testostérone: œstradiol.
   d) Scrotum: grandes lèvres.

4. Les pics de production d'hormone lutéinisante (LH) et d'hormone folliculostimulante (FSH) se produisent:
   a) pendant la phase menstruelle du cycle menstruel (utérin).
   b) au début de la phase folliculaire du cycle ovarien.
   c) juste avant l'ovulation.
   d) pendant la phase sécrétoire du cycle menstruel.

5. Au cours de la grossesse, les ébauches de tous les organes se forment:
   a) pendant le premier trimestre.
   b) pendant le deuxième trimestre.
   c) pendant le troisième trimestre.
   d) au stade du blastocyste.

NIVEAU 2: **APPLICATION ET ANALYSE**

6. Parmi les énoncés suivants, lequel est vrai?
   a) Tous les mammifères ont des cycles menstruels.
   b) La couche fonctionnelle de l'endomètre se détache dans le cycle menstruel, alors qu'elle est généralement réabsorbée dans le cycle œstral.
   c) Le cycle œstral se produit plus souvent que le cycle menstruel.
   d) Dans le cycle œstral, l'ovulation se produit avant l'épaississement de l'endomètre.

7. Parmi les nombres suivants, lequel est le même durant l'ovogenèse et la spermatogenèse?
   a) Le nombre de fois que la méiose s'interrompt.
   b) Le nombre de gamètes fonctionnels produits par méiose.
   c) Le nombre de divisions méiotiques requis pour produire chaque gamète.
   d) Le nombre de types de cellules produits par méiose.

8. Parmi les énoncés suivants au sujet de la reproduction humaine, lequel est *faux*?
   a) La fécondation a lieu dans la trompe utérine.
   b) La spermatogenèse et l'ovogenèse requièrent des températures différentes.
   c) L'ovocyte termine la méiose après qu'un spermatozoïde a pénétré à l'intérieur.
   d) Les premières étapes de la spermatogenèse se déroulent tout près de la lumière des tubules séminifères contournés.

NIVEAU 3: **SYNTHÈSE ET ÉVALUATION**

9. **FAITES UN DESSIN ▶** Au cours de la spermatogenèse humaine, la mitose des cellules souches (spermatogonies souches) donne naissance à une cellule qui reste à l'état de cellule souche et à une autre cellule qui devient une spermatogonie. (a) Dessinez quatre divisions mitotiques pour une cellule souche, puis indiquez les cellules filles. (b) Pour une spermatogonie, dessinez les cellules qu'elle produira après une division mitotique suivie d'une méiose. Identifiez les cellules, puis indiquez la mitose et la méiose.
   (c) Expliquez ce qui arriverait si les cellules souches se divisaient comme les spermatogonies.

Voir les réponses proposées à l'appendice A.

Le développement chez les animaux

47

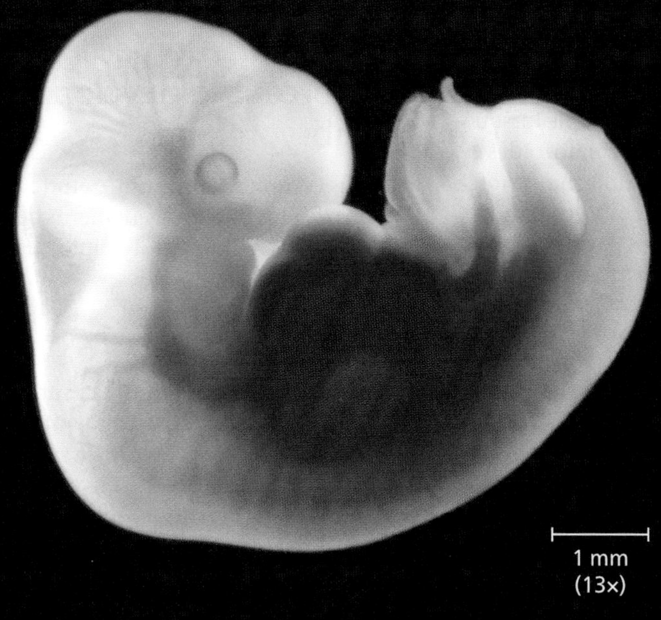

VOS OUTILS INTERACTIFS

Consultez votre MANUEL NUMÉRIQUE, qui vous donne accès aux **animations**, aux **exercices** et à la plateforme d'**anatomie interactive**.

▲ **Figure 47.1 Comment une seule et unique cellule peut-elle engendrer un embryon aussi complexe ?**

CONCEPTS CLÉS

47.1 La fécondation et la segmentation amorcent le développement embryonnaire

47.2 Chez les animaux, la morphogenèse comporte des modifications touchant la forme, l'emplacement et la survie des cellules

47.3 Les déterminants cytoplasmiques et les signaux d'induction régulent la destinée des cellules

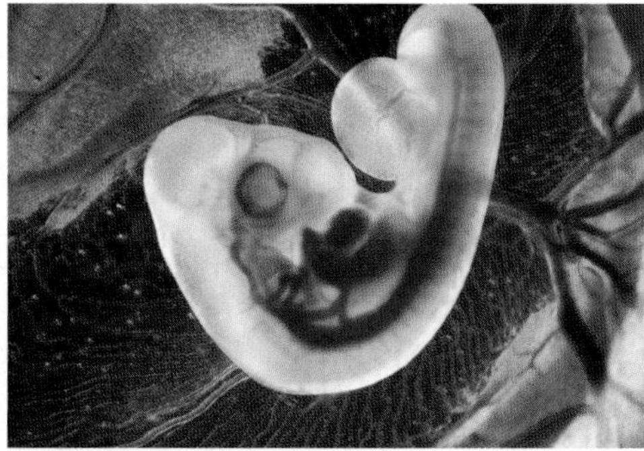

▲ **Un embryon de poulet.**

Le plan de développement des animaux

L'embryon humain de la **figure 47.1** est âgé de cinq semaines seulement, mais il a déjà franchi un nombre impressionnant d'étapes dans son développement. Son cœur (le point rouge, au centre) a commencé à battre et son tube digestif traverse toute la longueur de son corps. L'encéphale prend forme dans le crâne (en haut, à gauche), tandis que les groupes de tissus précurseurs des vertèbres s'alignent sur le dos.

Grâce aux recherches en embryologie animale, les biologistes savent depuis longtemps que certains stades embryonnaires sont communs à un grand nombre d'espèces animales, comme en témoignent les similitudes de l'embryon humain et de l'embryon de poulet (*Gallus gallus*) sur les photos de cette page. Plus récemment, des expériences ont montré que certains mécanismes d'expression génétique conduisent les cellules embryonnaires vers des fonctions distinctes durant le développement. Même chez les animaux possédant des plans d'organisation corporelle très différents, les mécanismes de développement fondamentaux sont souvent les mêmes, tout comme l'ensemble de gènes régulateurs. Par exemple, le gène qui précise l'emplacement des yeux chez l'embryon de vertébré a une contrepartie dotée d'une fonction presque identique chez la mouche à fruit *Drosophila melanogaster*. En effet, lorsqu'on introduit le gène d'une souris dans un embryon de drosophile, le gène de souris dirige la formation des yeux là où il s'exprimera, quel que soit cet emplacement.

Comme certaines étapes du développement embryonnaire se ressemblent d'une espèce à l'autre, il est souvent possible d'extrapoler à une foule d'autres animaux ce que les études nous apprennent sur un animal en particulier. C'est pourquoi l'étude du développement se prête bien à l'utilisation d'**organismes modèles**, c'est-à-dire des espèces choisies pour leur facilité d'utilisation en laboratoire. La drosophile (*Drosophila melanogaster*) est l'une de ces espèces : son cycle de vie est court, et les mutants sont faciles à repérer et à étudier (voir les concepts 15.1 et 18.4). Dans le présent chapitre, nous nous concentrerons sur quatre autres organismes modèles : l'oursin, la grenouille, le poulet et le nématode (ver rond). Nous explorerons également certains aspects du développement embryonnaire humain.

Quelle que soit l'espèce étudiée, le cycle de vie d'un animal est marqué par différentes phases de développement (**figure 47.2**). Chez la grenouille, par exemple, un des stades importants du développement est la métamorphose, durant laquelle la larve (têtard) subit des changements anatomiques radicaux lorsqu'elle se transforme en adulte. D'autres événements du développement ont aussi lieu chez l'animal adulte, par exemple lorsque les gonades adultes se mettent à produire des spermatozoïdes et des ovocytes (gamètes). Dans ce chapitre, toutefois, nous nous concentrerons sur le développement au stade embryonnaire.

Certains stades du développement embryonnaire sont communs à beaucoup d'espèces animales et se déroulent dans un ordre prédéterminé. Le premier stade est la fécondation ; le spermatozoïde fusionne avec l'ovocyte pour former le zygote. Le développement se poursuit avec le stade de la segmentation, durant laquelle une série de divisions cellulaires font du zygote un embryon multicellulaire. Habituellement rapides, les divisions de la segmentation ne sont pas suivies d'une croissance cellulaire. Elles convertissent l'embryon en une sphère creuse de cellules appelée blastula. Ensuite, cette blastula se replie sur elle-même et devient un embryon à trois feuillets, la gastrula, par un processus appelé gastrulation. Durant l'organogenèse, dernière étape du développement embryonnaire, des modifications locales de la forme des cellules et d'importants déplacements de groupes de cellules généreront les organes rudimentaires à partir desquels les structures adultes pourront croître.

▼ **Figure 47.2 Les phases de développement dans le cycle de vie d'une grenouille.**

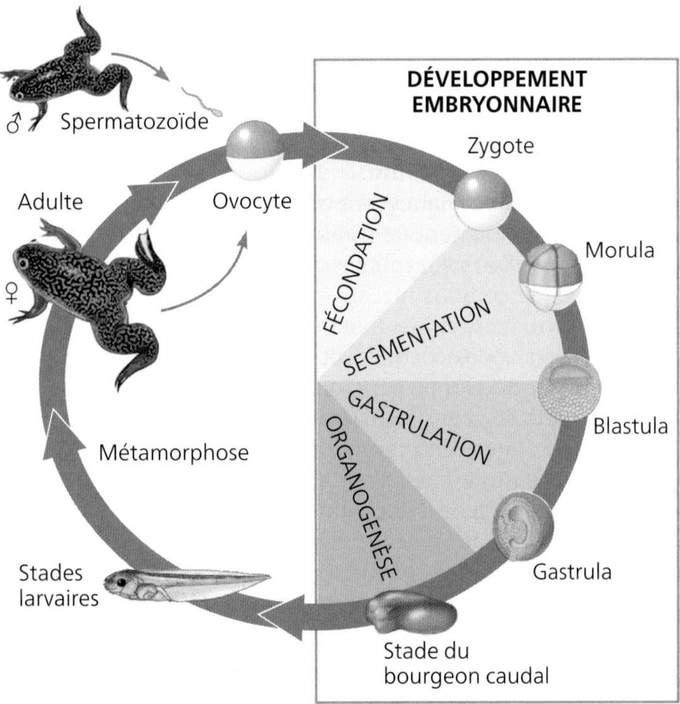

Pour commencer, nous allons décrire les principaux stades du développement embryonnaire, ceux qu'ont en commun la plupart des animaux. Ensuite, nous examinerons les mécanismes cellulaires et moléculaires qui aboutissent à un animal dans sa forme achevée. Enfin, nous verrons par quel processus les cellules embryonnaires empruntent les voies de différenciation appropriées pour arriver à jouer leur rôle.

CONCEPT **47.1**

La fécondation et la segmentation amorcent le développement embryonnaire

Nous commencerons notre étude du développement en examinant de plus près les événements de la **fécondation**, c'est-à-dire la formation d'un zygote diploïde à partir d'un ovocyte et d'un spermatozoïde haploïdes.

La fécondation

Les molécules présentes à la surface de l'ovocyte et les événements qui s'y produisent jouent un rôle crucial à chaque étape de la fécondation. D'abord, le spermatozoïde dissout ou pénètre la couche protectrice qui enveloppe l'ovocyte afin d'atteindre la membrane plasmique. Ensuite, les molécules de surface du spermatozoïde se lient aux récepteurs de surface de l'ovocyte. Cette liaison spécifique prévient l'entrée dans l'ovocyte d'un spermatozoïde provenant d'une autre espèce. Enfin, certaines modifications de la surface de l'ovocyte empêchent la **polyspermie**, c'est-à-dire l'entrée d'autres noyaux de spermatozoïdes dans l'ovocyte. Si la polyspermie avait lieu, il y aurait alors un nombre de chromosomes anormal et potentiellement fatal pour l'embryon.

C'est chez les oursins de mer, un embranchement des échinodermes (voir la figure 33.47), qu'on a effectué le plus d'études sur la fécondation. Les gamètes des oursins sont faciles à recueillir et la fécondation se déroule à l'extérieur du corps. Les chercheurs peuvent ainsi réunir ces gamètes dans de l'eau de mer, en laboratoire, et observer facilement les événements qui accompagnent la fécondation.

La réaction acrosomiale

Chez les oursins, la fécondation des ovules (ou ovotides) est externe ; elle se produit une fois que leurs gamètes ont été libérés dans l'eau de mer où ils vivent. La couche gélatineuse qui enveloppe l'ovotide exsude des molécules solubles qui attirent les spermatozoïdes, lesquels nagent alors vers l'ovotide. Aussitôt que la tête d'un spermatozoïde entre en contact avec cette couche gélatineuse, les molécules qui composent le revêtement déclenchent la **réaction acrosomiale** dans le spermatozoïde. Comme le montre la **figure 47.3**, ce processus commence lorsque l'**acrosome**, vésicule spécialisée située à l'extrémité antérieure du spermatozoïde, libère des hydrolases. Ces enzymes digèrent partiellement le revêtement gélatineux, ce qui permet au *tubule acrosomial* de se former et de s'allonger pour traverser le revêtement gélatineux de l'ovotide. La pointe du tubule acrosomial est recouverte de molécules protéiques qui se lient

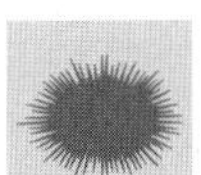

▼ Figure 47.3 Les réactions acrosomiale et corticale pendant la fécondation chez l'oursin. Les événements qui suivent l'entrée en contact d'un seul spermatozoïde avec l'ovotide (ovule) ne permettent qu'à un seul noyau de spermatozoïde de pénétrer dans le cytoplasme de l'ovotide.

L'icône ci-dessus est un dessin simplifié d'un oursin adulte. Tout au long du chapitre, cet icône d'oursin ainsi que d'autres illustrations représentant une grenouille, un nématode ou un humain indiqueront les animaux dont l'embryon est montré.

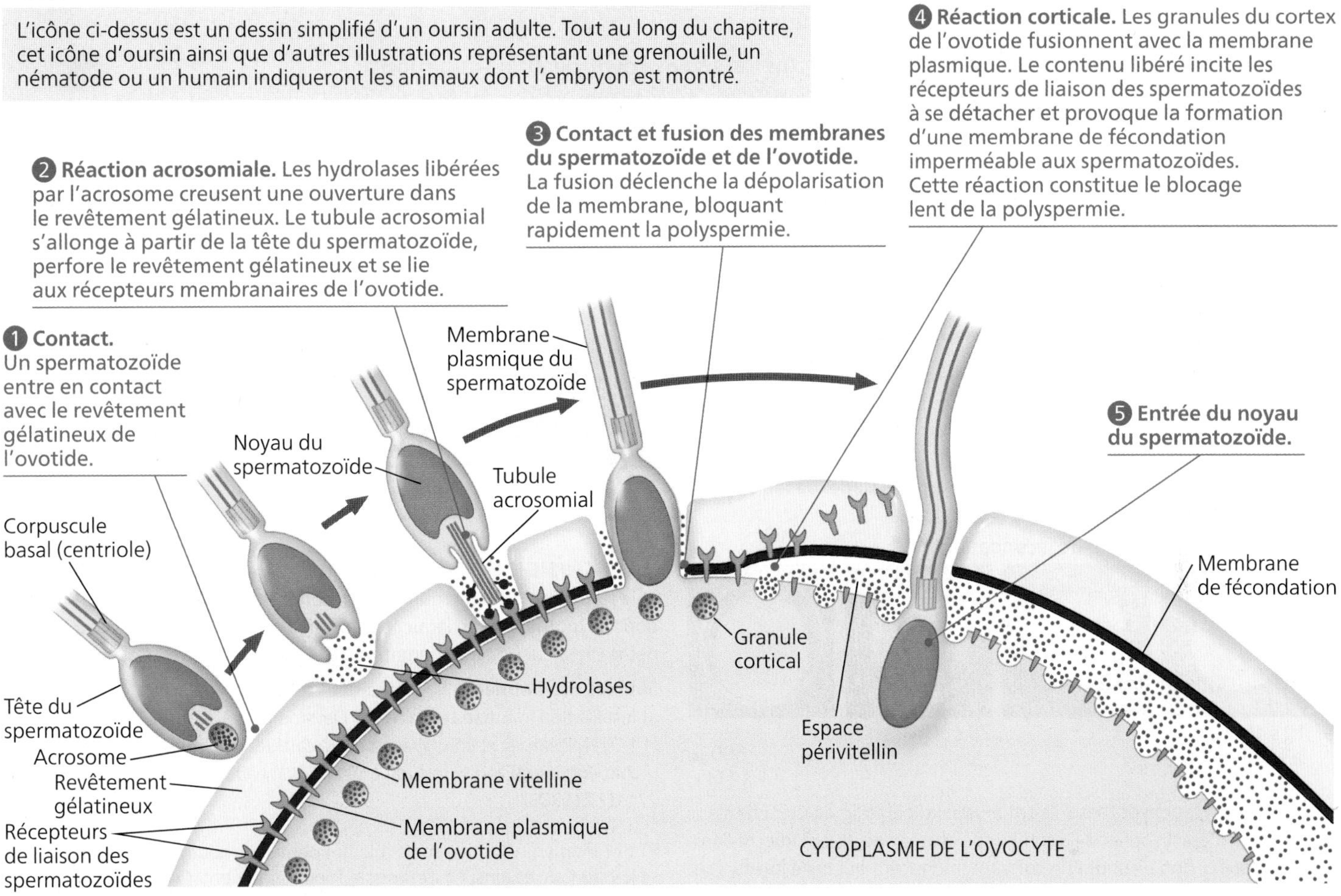

1 Contact. Un spermatozoïde entre en contact avec le revêtement gélatineux de l'ovotide.

2 Réaction acrosomiale. Les hydrolases libérées par l'acrosome creusent une ouverture dans le revêtement gélatineux. Le tubule acrosomial s'allonge à partir de la tête du spermatozoïde, perfore le revêtement gélatineux et se lie aux récepteurs membranaires de l'ovotide.

3 Contact et fusion des membranes du spermatozoïde et de l'ovotide. La fusion déclenche la dépolarisation de la membrane, bloquant rapidement la polyspermie.

4 Réaction corticale. Les granules du cortex de l'ovotide fusionnent avec la membrane plasmique. Le contenu libéré incite les récepteurs de liaison des spermatozoïdes à se détacher et provoque la formation d'une membrane de fécondation imperméable aux spermatozoïdes. Cette réaction constitue le blocage lent de la polyspermie.

5 Entrée du noyau du spermatozoïde.

Corpuscule basal (centriole)
Tête du spermatozoïde
Acrosome
Revêtement gélatineux
Récepteurs de liaison des spermatozoïdes
Noyau du spermatozoïde
Membrane plasmique du spermatozoïde
Tubule acrosomial
Hydrolases
Membrane vitelline
Membrane plasmique de l'ovotide
Granule cortical
Espace périvitellin
Membrane de fécondation
CYTOPLASME DE L'OVOCYTE

à certains récepteurs situés à la surface de l'ovotide. Cette reconnaissance moléculaire du type «clé et serrure» revêt une importance particulière pour les oursins et pour d'autres espèces à fécondation externe, car le milieu aquatique dans lequel les spermatozoïdes et les ovotides sont libérés peut contenir des gamètes provenant d'autres espèces (voir la figure 24.3g).

Cette reconnaissance entre les deux gamètes provoque la fusion de leurs membranes plasmiques. Le noyau du spermatozoïde pénètre alors dans le cytoplasme de l'ovotide par les canaux ioniques ouverts de la membrane de l'ovotide. Les ions sodium (Na^+) diffusent dans la cellule et provoquent la ***dépolarisation,*** c'est-à-dire une diminution du potentiel de membrane (lequel est la différence de potentiel électrique ; voir le concept 7.4). Cette dépolarisation se produit de une à trois secondes après qu'un spermatozoïde s'est attaché à la membrane vitelline. Elle donne lieu au *blocage rapide de la polyspermie* parce qu'elle empêche la liaison d'autres spermatozoïdes avec la membrane plasmique de l'ovocyte.

La réaction corticale

La dépolarisation de la membrane est très brève (une minute environ), mais elle est suivie d'un changement qui empêche la polyspermie pendant plus longtemps. Ce *blocage lent de la polyspermie* fait intervenir des vésicules logées sous la membrane plasmique de l'ovotide, dans la partie du cytoplasme appelée *cortex.* Quelques secondes après la liaison d'un spermatozoïde avec l'ovotide, ces vésicules, appelées granules corticaux, fusionnent avec la membrane plasmique de l'ovotide (voir la figure 47.3, étape 4). Ces granules libèrent leur contenu dans l'espace entre la membrane plasmique et la *membrane vitelline* environnante, une structure formée par la matrice extracellulaire de l'ovotide. Les enzymes et les autres granules corticaux déclenchent une *réaction corticale* au cours de laquelle la membrane vitelline s'écarte de la membrane plasmique ; la membrane vitelline devient alors une membrane protectrice de la fécondation.

La formation de la membrane de fécondation requiert une forte concentration d'ions calcium (Ca^{2+}) dans l'ovotide. Un changement de la concentration de Ca^{2+} déclencherait-il la réaction corticale ? Pour répondre à cette question, des chercheurs ont utilisé un colorant sensible au calcium pour évaluer la répartition du Ca^{2+} dans l'ovotide avant et durant la fécondation. Ils ont constaté que le Ca^{2+} se disséminait dans l'ovotide en une vague qui correspond à l'apparition de la membrane de fécondation, comme le décrit le texte de la **figure 47.4**.

D'autres expériences ont montré que la liaison du spermatozoïde avec l'ovotide active une voie de transduction du signal qui déclenche la libération de Ca^{2+} dans le cytosol par le réticulum endoplasmique. Sous l'effet de l'augmentation de la

DÉMARCHE SCIENTIFIQUE

INVESTIGATION

▼ **Figure 47.4**

Existe-t-il une corrélation entre la distribution du Ca^{2+} dans l'ovotide et la formation de la membrane de fécondation ?

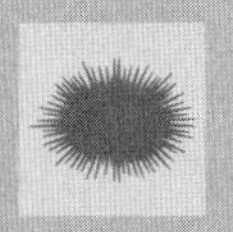

■ HYPOTHÈSE ■ Les ions calcium (Ca^{2+}) interviennent dans plusieurs activités physiologiques, notamment dans la fusion des vésicules avec la membrane plasmique durant la libération de neurotransmetteurs, dans la sécrétion d'insuline et dans la formation du tube pollinique des plantes. Les chercheurs ont émis l'hypothèse que les ions Ca^{2+} interviennent également dans la formation de la membrane de fécondation.

■ EXPÉRIENCE ■ Les chercheurs ont mélangé des ovotides d'oursin avec des spermatozoïdes. Après avoir attendu de 10 à 60 secondes, ils ont ajouté un fixateur chimique pour fixer les structures cellulaires. Lorsqu'on classe les photomicrographies de chaque échantillon en fonction du moment de la fixation, on obtient les stades de formation de la membrane de fécondation d'un ovotide.

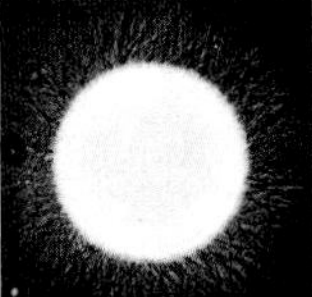

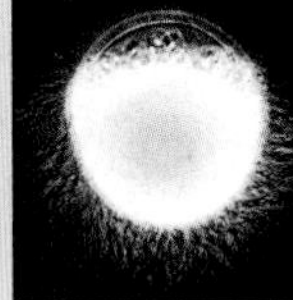

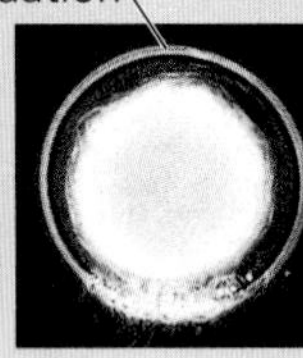

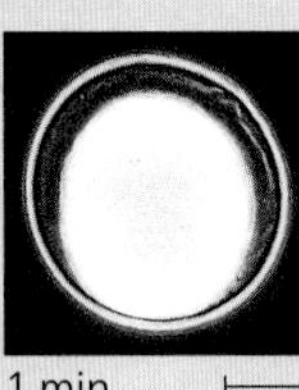

Pour vérifier leur hypothèse, ils ont étudié la libération de Ca^{2+} chez l'ovotide d'oursin après la liaison du spermatozoïde. Ils ont injecté dans des ovotides non fécondés un colorant fluorescent qui brille lorsqu'il se lie avec du Ca^{2+} libre. Ils ont ensuite ajouté des spermatozoïdes d'oursin et observé les ovotides avec un microscope à fluorescence. Vous pouvez en observer les résultats à droite.

■ RÉSULTATS ■ L'augmentation de la concentration cytosolique de Ca^{2+} débute au point d'entrée du spermatozoïde et continue telle une vague jusque de l'autre côté de l'ovotide. Peu après le passage de la vague, la membrane de fécondation apparaît.

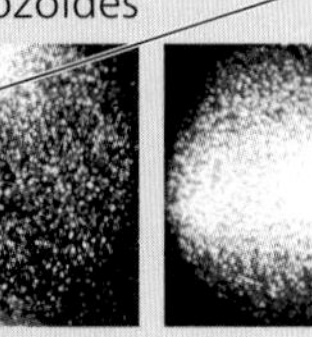

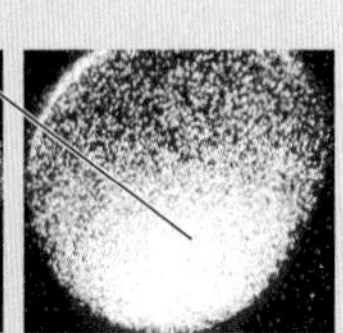

■ CONCLUSION ■ Il y a une corrélation entre la libération de Ca^{2+} et la formation de la membrane de fécondation. L'expérience confirme donc l'hypothèse selon laquelle la fusion des granules corticaux est déclenchée par une augmentation de la concentration de Ca^{2+}.

Sources des données : R. Steinhardt et coll., Intracellular calcium release at fertilization in the sea urchin egg, *Developmental Biology* 58 : 185-196 (1977) ; M. Hafner et coll., Wave of free calcium at fertilization in the sea urchin egg visualized with fura-2, *Cell Motility and the Cytoskeleton* 9 : 271-277 (1988).

ET SI ? ▶ Imaginons une molécule qui peut s'introduire dans l'ovotide, se lier au Ca^{2+} et ainsi en bloquer le fonctionnement. Comment utiliseriez-vous cette molécule pour vérifier l'hypothèse selon laquelle une augmentation de la concentration de Ca^{2+} déclenche la fusion des granules corticaux ?

concentration de Ca^{2+}, les granules corticaux fusionnent avec la membrane plasmique. La réaction corticale déclenchée par le Ca^{2+} se produit également chez les vertébrés, par exemple les poissons et les mammifères.

L'activation de l'ovule

La fécondation déclenche et accélère des réactions métaboliques qui ont pour effet d'« activer » l'ovule et de préparer le développement embryonnaire. Par exemple, après l'entrée du spermatozoïde, on observe une augmentation substantielle de la vitesse de la respiration cellulaire et de la synthèse protéique. Peu après, l'ovule et le spermatozoïde fusionnent totalement ; les cycles de la synthèse d'ADN et de la division cellulaire débutent alors.

Mais qu'est-ce qui active l'ovule, exactement ? Une bonne partie de la réponse nous vient d'expériences qui ont montré que chez l'oursin et de nombreuses autres espèces, il est possible d'activer le métabolisme de l'ovule en injectant du Ca^{2+} dans un ovule non fécondé, et ce, même en l'absence de spermatozoïdes. Cette découverte a permis aux chercheurs de conclure que l'augmentation de la concentration de Ca^{2+} qui provoque la réaction corticale entraîne aussi l'activation de l'ovule. D'autres expériences ont révélé qu'on peut même activer artificiellement un ovule dont on a enlevé le noyau. Ces observations montrent que les protéines et l'ARNm présents dans le cytoplasme de l'ovule non fécondé suffisent pour activer l'ovule.

Le noyau de l'ovule et le noyau du spermatozoïde ne fusionnent qu'environ 20 minutes après l'entrée du noyau du spermatozoïde dans l'ovule de l'oursin. La synthèse de l'ADN s'amorce à ce moment. Quant à la première division cellulaire, elle a lieu au bout de 90 minutes environ. Ainsi se termine l'étape de la fécondation.

Chez d'autres espèces, la fécondation ressemble à ce qui se passe chez les oursins. Il existe toutefois des différences, par exemple le stade de la méiose atteint par l'ovocyte au moment de la fécondation. Lorsqu'ils sont libérés par la femelle, les ovules (ovotides) des oursins ont terminé la méiose. Dans les ovocytes de beaucoup d'autres espèces, la méiose s'arrête à un certain stade et elle ne reprend qu'après l'entrée d'un spermatozoïde. Les ovocytes humains, par exemple, cessent leur développement à la métaphase de la méiose II jusqu'à l'entrée d'un spermatozoïde (voir la figure 46.11).

La fécondation chez les mammifères

Chez les animaux terrestres, notamment chez les mammifères, la fécondation est interne, ce qui n'est pas le cas chez les oursins et chez la plupart des autres invertébrés marins. Durant et après l'ovulation, l'ovocyte des mammifères est recouvert de cellules folliculaires. Comme le montre la **figure 47.5**, le spermatozoïde doit traverser cette couche de cellules folliculaires pour atteindre la **zone pellucide**, matrice extracellulaire de l'ovocyte, où la liaison d'un spermatozoïde avec un récepteur provoque une réaction acrosomiale qui aide le spermatozoïde à traverser cette zone.

Comme durant la fécondation chez l'oursin, la liaison du spermatozoïde et de l'ovocyte de deuxième ordre, chez les mammifères, provoque des changements à l'intérieur de l'ovocyte. En effet, cet événement déclenche une réaction corticale au cours de laquelle les granules du cortex de l'ovocyte déversent leurs enzymes à l'extérieur de la cellule. Ces enzymes catalysent des modifications de la zone pellucide qui assurent le blocage lent de la polyspermie. (Il ne semble pas y avoir de blocage rapide de la polyspermie chez les mammifères.)

Dans l'ensemble, la fécondation est beaucoup plus lente chez les mammifères que chez les oursins; en effet, la première division cellulaire a lieu de 12 à 36 heures après la liaison du spermatozoïde chez les mammifères, comparativement à environ 1,5 heure chez les oursins. Cette division cellulaire marque la fin de la fécondation et le début de l'étape suivante: la segmentation.

La segmentation

L'unique noyau d'un ovule nouvellement fécondé renferme trop peu d'ADN pour produire la quantité d'ARN messager (ARNm) dont la cellule a besoin pour fabriquer de nouvelles protéines. Les premières étapes du développement sont donc effectuées par les ARNm et les protéines accumulés dans l'ovocyte durant l'ovogenèse, mais le contenu en ADN demeure malgré tout insuffisant pour la taille de la cellule. Le processus qui remédie à cette lacune est la **segmentation**, une succession rapide de divisions cellulaires qui survient peu après la fécondation.

▼ **Figure 47.5 La fécondation chez les mammifères.** Le spermatozoïde montré ici a traversé les cellules folliculaires ainsi que la zone pellucide, puis il a fusionné avec l'ovocyte. La réaction corticale est déclenchée et provoque les événements qui font qu'un seul spermatozoïde pénètre dans le cytoplasme de l'ovocyte.

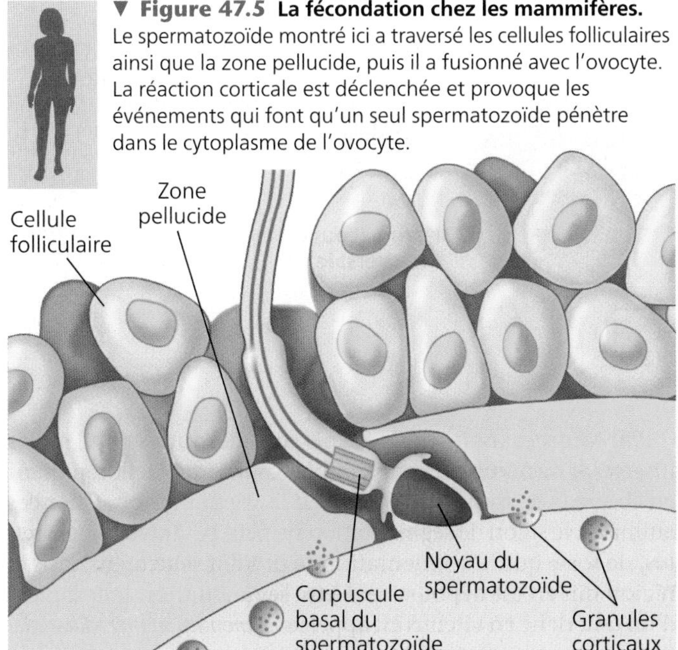

Durant la segmentation, les cellules passent de la phase S (synthèse d'ADN) à la phase M (mitose) du cycle cellulaire (voir la figure 12.6 pour une description du cycle cellulaire). Les cellules sautent souvent les phases G_1 et G_2 (G pour *gap*, «absence de réplication de l'ADN»), de sorte que la synthèse de protéines est absente ou faible. Il n'y a donc aucune augmentation de la masse. La segmentation divise plutôt le cytoplasme de la grosse cellule fécondée qu'est le zygote en un grand nombre de petites cellules appelées **blastomères**. Puisque chaque blastomère est beaucoup plus petit que le zygote, leur noyau peut fabriquer suffisamment d'ARN pour programmer la suite du développement.

Les cinq à sept premières divisions produisent une sphère creuse de cellules qu'on appelle **blastula**. À l'intérieur de la blastula se forme une cavité pleine de liquide appelée **blastocèle**. Chez certaines espèces, dont les oursins et d'autres échinodermes, le mode de division est uniforme dans tout l'embryon (**figure 47.6**). Par contre, chez d'autres espèces, comme la grenouille, le mode de division est asymétrique, de sorte que le nombre de cellules nouvellement formées ainsi que leur taille diffèrent d'une région à l'autre de l'embryon.

Le mode de segmentation chez la grenouille

Dans les ovocytes de grenouilles (et de nombreuses autres espèces animales), la concentration des substances de réserve, appelées **vitellus**, est souvent plus forte au **pôle végétatif** de l'ovocyte; elle diminue considérablement à mesure qu'on se rapproche du pôle opposé, appelé **pôle animal**. Comme nous le verrons dans la prochaine section, cette répartition inégale du vitellus fait en sorte que le mode de segmentation et la couleur des hémisphères animal et végétatif sont différents.

Lorsqu'une cellule animale se divise, un sillon appelé *sillon de segmentation* se creuse dans la surface de la cellule pendant que la cytocinèse divise la cellule en deux (**figure 47.7**). Dans l'embryon de grenouille, les deux premiers sillons de segmentation se creusent parallèlement à la ligne (ou méridien) qui relie les deux pôles. Durant ces divisions, le vitellus, très dense, ralentit le cours de la cytocinèse, de sorte que le premier sillon de segmentation n'a pas encore fini de diviser le cytoplasme vitellin de l'hémisphère végétatif au moment où la deuxième division cellulaire commence. Les deux premières divisions finissent cependant par produire quatre blastomères de taille égale s'étendant chacun du pôle animal au pôle végétatif.

Au cours de la troisième division, l'inégale distribution du vitellus dans l'embryon a des effets sur la taille relative des cellules produites dans les deux hémisphères. Cette division est équatoriale (perpendiculaire à la ligne qui relie les pôles) et produit un embryon à huit cellules (blastomères). Cependant, lorsque chacun des quatre blastomères entre en division, le vitellus autour du pôle végétatif déplace l'appareil mitotique et le sillon de segmentation de l'équateur vers le pôle animal. Par conséquent, les quatre blastomères de l'hémisphère animal sont plus petits que ceux de l'hémisphère végétatif. Cet effet de déplacement du vitellus se poursuit au cours des divisions subséquentes, de sorte que le blastocèle se forme entièrement dans l'hémisphère animal (voir la figure 47.7).

Les modes de segmentation chez les autres espèces

Bien que le vitellus influence l'endroit où survient la division dans les œufs de grenouilles et d'autres amphibiens, le sillon de segmentation traverse tout de même l'œuf en entier. Chez les

▼ **Figure 47.6 La segmentation d'un embryon d'échinoderme.** La segmentation est constituée d'une série de divisions cellulaires qui transforment le zygote en blastula, c'est-à-dire en une sphère creuse de cellules beaucoup plus petites, appelées *blastomères*. Ces photos prises au microscope photonique montrent les étapes de la segmentation de l'embryon du dollar des sables (ordre des clypéastéroïdes), qui sont presque identiques à celles de l'oursin. Chaque embryon est vu de dessus, le plan focal étant à l'équateur (les cellules que l'on distingue nettement sont donc celles se trouvant dans ce plan).

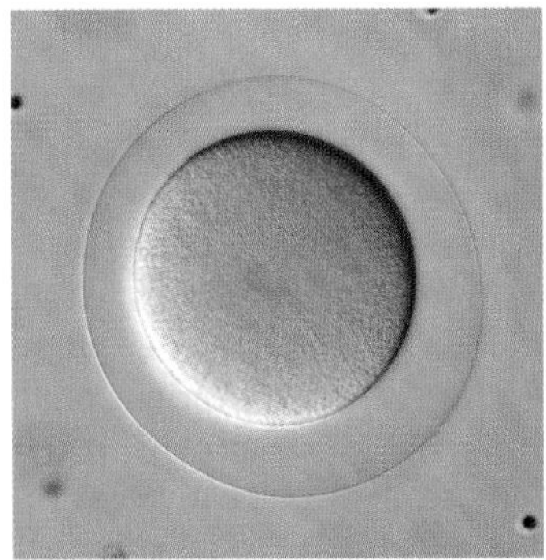

(a) Zygote. On voit ici le zygote peu avant la première division de la segmentation, encore entouré de la membrane de fécondation.

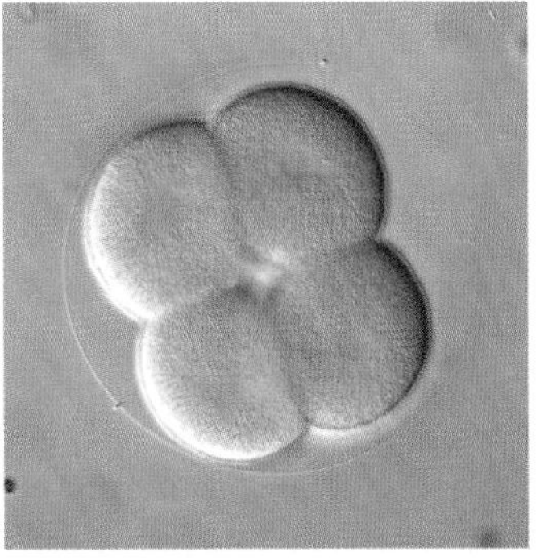

(b) Stade à quatre blastomères (morula). On peut observer les vestiges du fuseau mitotique entre les deux paires de cellules qui achèvent la deuxième division de la segmentation.

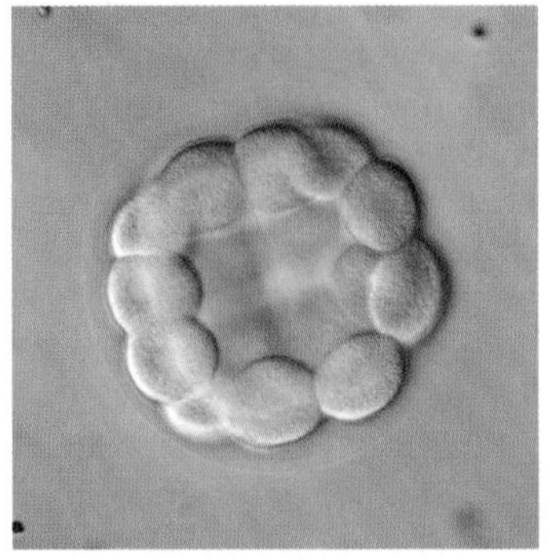

(c) Formation de la blastula. Après des divisions répétées, l'embryon est devenu une sphère multicellulaire encore recouverte de la membrane de fécondation. Le blastocèle a commencé à se former au centre.

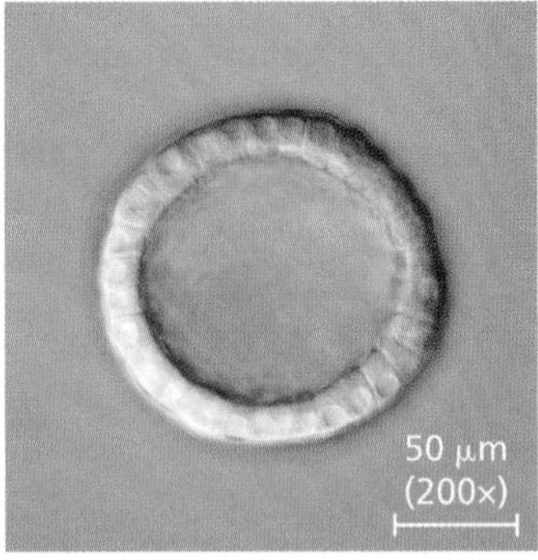

(d) Blastula. Une seule couche de cellules entoure maintenant le blastocèle agrandi. Bien qu'on ne la voie pas ici, la membrane de fécondation est encore présente.

HABILETÉS VISUELLES ▶ Si l'embryon des images (c) et (d) avait été photographié selon un plan focal à mi-chemin entre l'équateur et l'un des deux pôles, que verrait-on de différent ?

▶ **Figure 47.7 La segmentation d'un embryon de grenouille.** Les plans de segmentation des première et deuxième divisions vont du pôle animal au pôle végétatif, mais la troisième division est perpendiculaire à l'axe polaire. Chez certaines espèces, la première division sépare en deux le croissant gris, une région pâle qui apparaît du côté opposé au point d'entrée du spermatozoïde.

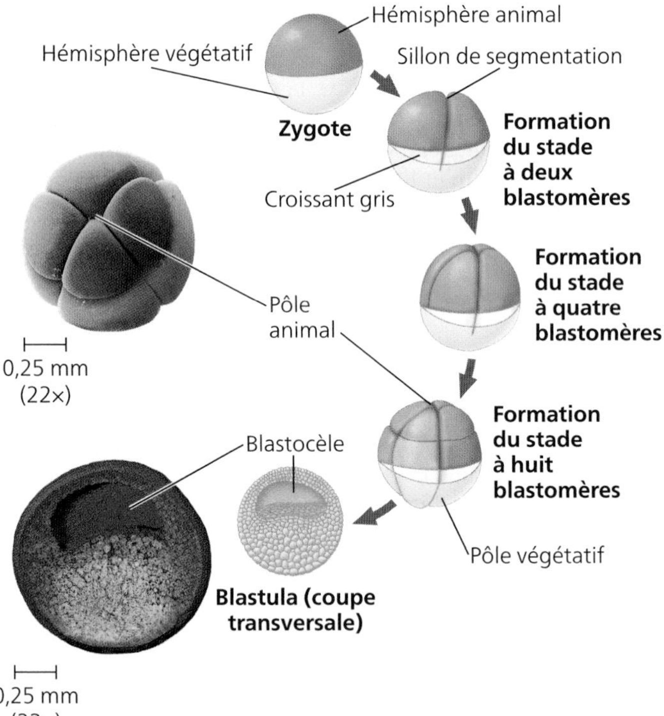

Embryon à huit blastomères (montré à partir du pôle animal). La présence d'une grande quantité de vitellus déplace la troisième division vers le pôle animal, ce qui produit deux couches de cellules. Ainsi, les quatre blastomères voisins du pôle animal sont plus petits que les quatre autres (MEB, cliché coloré artificiellement).

Blastula (à partir de 128 blastomères). Tandis que la segmentation se poursuit, une cavité remplie de liquide, le blastocèle, se forme à l'intérieur de l'embryon. En raison de la division asymétrique, le blastocèle est situé dans l'hémisphère animal. L'illustration et la MEB (montée à partir d'images fluorescentes) montrent toutes deux des coupes transversales d'une blastula d'environ 4 000 cellules.

amphibiens, il s'agit d'une *segmentation holoblastique* (du grec *holos*, « complet »). La segmentation holoblastique s'observe chez beaucoup d'autres groupes d'animaux, dont les échinodermes, les mammifères et les annélides. Chez les animaux dont les œufs contiennent relativement peu de vitellus, le blastocèle se forme au centre et les blastomères ont souvent la même taille, surtout durant les premières divisions (voir la figure 47.6). C'est le cas des humains.

Par contre, dans les œufs des oiseaux, des autres reptiles, des insectes et de nombreux poissons, le volume du vitellus, présent en abondance, influe fortement sur la segmentation. Chez ces animaux, le sillon de segmentation ne peut pas traverser le vitellus, de sorte que la segmentation se produit seulement dans la région qui en est dépourvue. Cette segmentation incomplète d'un œuf riche en vitellus est appelée *segmentation méroblastique* (du grec *meros*, « partiel »).

Chez le poulet et les autres oiseaux, la partie de l'œuf qu'on appelle communément le *jaune* correspond en fait à la totalité de l'ovocyte de deuxième ordre. Les divisions cellulaires ont lieu dans une petite région blanchâtre située au pôle animal. Ces divisions produisent un amas de cellules qui forment les feuillets inférieur et supérieur. La cavité entre les deux feuillets est la version aviaire du blastocèle.

Chez *Drosophila* et la plupart des autres insectes, le vitellus est présent dans l'ensemble de l'œuf. Au début du développement, plusieurs divisions mitotiques ont lieu sans qu'il y ait de cytocinèse. Autrement dit, aucune membrane cytoplasmique ne se forme autour des premiers noyaux (ils restent cependant définis par la membrane nucléaire). Les premières centaines de noyaux se disséminent d'abord dans le vitellus, puis migrent à la périphérie de l'œuf. Après plusieurs autres mitoses, une membrane plasmique se forme autour de chacun des noyaux. L'embryon, qui est devenu l'équivalent d'une blastula, est alors constitué d'une seule couche d'environ 6 000 cellules entourant une masse de vitellus (voir la figure 18.22). Comme le nombre de divisions de segmentation varie d'un animal à l'autre, qu'est-ce qui met fin à l'étape de la segmentation ? Dans la rubrique **Habiletés scientifiques**, vous prendrez connaissance d'une étude marquante sur cette question.

DÉMARCHE SCIENTIFIQUE

HABILETÉS SCIENTIFIQUES

Interpréter un changement de pente

■ QU'EST-CE QUI MET FIN À L'ÉTAPE DE LA SEGMENTATION DANS UN EMBRYON DE GRENOUILLE ? ■ Chez un embryon de grenouille à l'étape de la segmentation, le cycle cellulaire comporte essentiellement deux phases : la phase S (synthèse d'ADN) et la phase M (mitose). Toutefois, après la 12e division cellulaire, les phases G_1 et G_2 apparaissent ; les cellules grossissent alors et produisent des protéines et des organites cytoplasmiques. Qu'est-ce qui déclenche ce changement ?

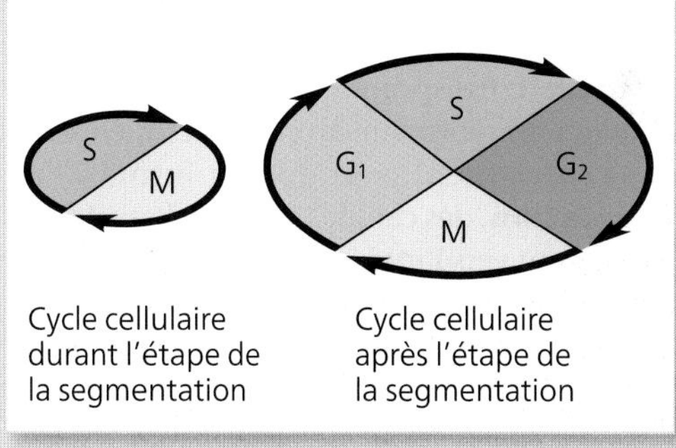

Cycle cellulaire durant l'étape de la segmentation

Cycle cellulaire après l'étape de la segmentation

■ MÉTHODE ■ Les chercheurs ont proposé l'hypothèse qu'un mécanisme de comptage des divisions cellulaires déterminerait le moment où la segmentation prend fin, en postulant que la fin de la segmentation correspondrait à une stabilisation du nombre de cellules (puisque la segmentation est caractérisée par des divisions cellulaires constantes). Pour vérifier cette hypothèse, ils ont fait absorber des nucléosides radioactifs à des embryons de grenouille, en l'occurrence de la thymidine (pour mesurer la synthèse d'ADN) ou de l'uridine (pour mesurer la synthèse d'ARN). Ils ont ensuite appliqué la même procédure, mais en présence de cytochalasine B, une substance chimique qui empêche la division cellulaire en bloquant la formation du sillon de segmentation et la cytocinèse.

■ RÉSULTATS ■

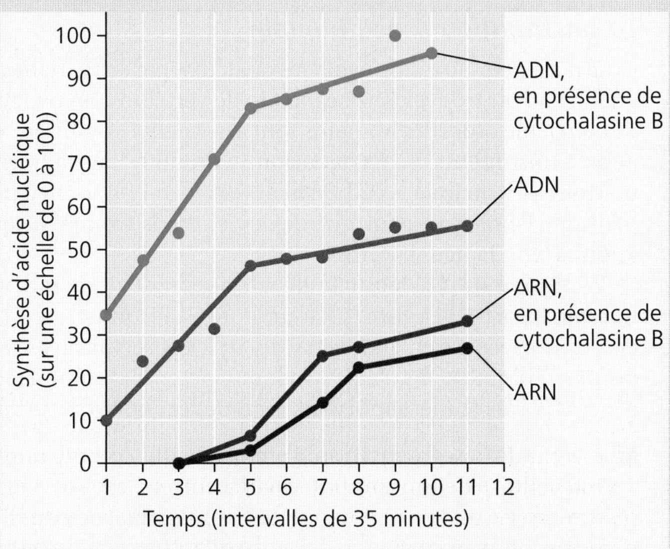

INTERPRÉTEZ LES DONNÉES ▼

1. De quelle façon l'utilisation des nucléosides radioactifs permet-elle de mesurer séparément la synthèse d'ADN et la synthèse d'ARN ?
2. Décrivez les changements qui se produisent dans la synthèse à la fin de la segmentation (le temps 5 correspond à la division cellulaire 12) ?
3. En comparant les taux de synthèse d'ADN avec et sans cytochalasine B, les chercheurs ont formulé l'hypothèse que cette toxine augmentait la diffusion de la thymidine dans les embryons. Expliquez leur raisonnement.
4. Les résultats de l'expérience appuient-ils l'hypothèse selon laquelle la fin de la segmentation dépend d'un mécanisme de comptage des divisions cellulaires ? Expliquez votre réponse.
5. Dans une autre expérience, les chercheurs ont perturbé le blocage de la polyspermie et ainsi produit des embryons comportant de 7 à 10 noyaux spermatiques. À la fin de la segmentation, le rapport entre le matériel de chaque noyau et celui du cytoplasme de ces embryons était le même que le rapport observé chez les embryons de type sauvage, mais la segmentation se terminait à la 10e division cellulaire plutôt qu'à la 12e. Qu'est-ce que cela indique au sujet du moment où la segmentation cesse ?

Source des données : J. Newport et M. Kirschner, A major developmental transition in early *Xenopus* embryos : I. Characterization and timing of cellular changes at the midblastula stage, *Cell* 30 : 675-686 (1982).

RETOUR SUR LE CONCEPT **47.1**

1. Comment la membrane de fécondation se forme-t-elle chez l'oursin ? Quelle est sa fonction ?
2. **ET SI ?** ▶ Qu'arriverait-il si du Ca^{2+} était injecté dans l'ovotide non fécondé d'un oursin ?
3. **FAITES DES LIENS** ▶ Consultez la figure 12.16, qui illustre la régulation du cycle cellulaire. À votre avis, l'activité du MPF (complexe cycline-Cdk) demeurera-t-elle stable durant la segmentation ? Expliquez votre réponse.

Voir les réponses proposées à l'appendice A.

CONCEPT **47.2**

Chez les animaux, la morphogenèse comporte des modifications touchant la forme, l'emplacement et la survie des cellules

La **morphogenèse** correspond aux deux dernières étapes du développement embryonnaire au cours desquelles les tissus et les cellules se spécialisent pour donner forme à l'animal. Durant la **gastrulation**, des cellules situées à la surface ou près de celle-ci se déplacent vers l'intérieur de la blastula, entraînant la formation de feuillets cellulaires, puis d'un tube digestif rudimentaire. D'autres transformations surviennent durant l'**organogenèse**, la formation des organes. Nous examinerons ces deux étapes l'une après l'autre.

La gastrulation

La gastrulation est un remaniement radical de la blastula qui, de la sphère creuse qu'elle était, devient un embryon tridimensionnel à deux ou trois feuillets appelé **gastrula**. Les embryons de tous les animaux, et seulement ceux des animaux, subissent une gastrulation. Durant la gastrulation, les cellules se déplacent et se positionnent différemment, souvent au point de changer de voisines. La **figure 47.8** vous aidera à vous représenter ces changements tridimensionnels. Les trois feuillets issus de la gastrulation sont des tissus embryonnaires qu'on réunit collectivement sous le nom de **feuillets embryonnaires**. L'**ectoderme** correspond au feuillet externe de la gastrula, tandis que l'**endoderme** tapisse le tube digestif de l'embryon. Chez certains animaux possédant une symétrie radiaire, seuls ces deux feuillets embryonnaires se forment durant la gastrulation. Ces animaux sont donc dits diploblastes. Les vertébrés et les autres animaux à symétrie bilatérale, eux, sont qualifiés de triploblastes parce que leur embryon comporte un troisième feuillet interne, appelé **mésoderme**, situé entre l'ectoderme et l'endoderme.

La gastrulation chez la grenouille

Chaque feuillet embryonnaire participe à l'élaboration d'un ensemble distinct de structures chez l'animal adulte, comme le montre la **figure 47.9**. L'organisation des feuillets chez l'embryon se reflète souvent chez l'adulte : l'ectoderme forme le système nerveux et l'enveloppe externe du corps ; le mésoderme donne naissance aux muscles et au squelette ; et l'endoderme tapisse plusieurs organes et conduits. Il existe toutefois de nombreuses exceptions.

La **figure 47.10** montre en détail la gastrulation chez la grenouille. La blastula des grenouilles et autres triploblastes possède une face dorsale (haut) et une face ventrale (bas), un côté gauche et un côté droit, ainsi qu'une extrémité antérieure (avant) et une extrémité postérieure (arrière). Comme on le voit à l'étape ❶ de la figure 47.10, les mouvements cellulaires qui amorcent la gastrulation se produisent sur la face dorsale de la blastula, à l'extrémité opposée au point d'entrée du spermatozoïde. L'anus de l'amphibien se développe à partir du blastopore, tandis que la bouche se forme à partir de l'autre extrémité de l'archentéron.

La gastrulation chez le poulet

Chez l'oiseau, la gastrulation commence lorsque l'embryon comporte deux feuillets cellulaires (l'*épiblaste* et l'*hypoblaste*) surmontant la masse du vitellus. Toutes les cellules qui formeront l'embryon viennent de l'épiblaste. Au cours de la gastrulation, certaines cellules de l'épiblaste se déplacent vers la ligne médiane, puis se détachent et s'enfoncent en direction du vitellus (**figure 47.11**). L'accumulation de cellules au milieu de la surface, puis vers l'intérieur de l'embryon à partir de la ligne médiane, produit un sillon appelé *ligne primitive*. Certaines de ces cellules se déplacent vers le bas pour former l'endoderme, tandis que d'autres migrent latéralement pour former le mésoderme. Les cellules qui demeurent à la surface de l'embryon à la fin de la gastrulation constitueront l'ectoderme. Plus tard, les cellules de l'hypoblaste se détachent de l'endoderme et finissent par faire partie d'une poche contenant le vitellus ainsi que d'un pédicule reliant la masse vitelline et l'embryon.

Différents termes sont employés pour décrire la gastrulation, selon l'espèce de vertébrés, mais les réarrangements et les mouvements cellulaires présentent un certain nombre de ressemblances fondamentales. La ligne primitive, notamment, que l'on voit à la figure 47.11 pour l'embryon de poulet, est la contrepartie de la lèvre du blastopore, montrée à la figure 47.10 pour l'embryon de grenouille. La formation d'une ligne primitive est également importante durant la gastrulation de l'embryon humain, qui est notre prochain sujet.

La gastrulation chez l'humain

Contrairement aux gros ovocytes de deuxième ordre riches en vitellus qu'on trouve chez beaucoup de vertébrés, les ovocytes de deuxième ordre des humains sont assez petits et contiennent peu de nutriments. La fécondation se produit dans la trompe utérine et les premières étapes du développement ont lieu pendant que l'embryon continue de descendre la trompe jusqu'à l'utérus (voir la figure 46.15).

La **figure 47.12** décrit le développement de l'embryon humain à partir d'environ six jours après la fécondation. Cette description repose en grande partie sur les observations se rapportant aux embryons d'autres mammifères, par exemple la souris, et aux très jeunes embryons issus de fécondations *in vitro*.

❶ À la fin de la segmentation, l'embryon, qui compte plus de 100 cellules délimitant une cavité centrale, est arrivé dans l'utérus. Ce stade embryonnaire est appelé **blastocyste** ; il est la version mammalienne de la blastula. Un amas de cellules nommé **embryoblaste** (ou bouton embryonnaire) fait

COUP D'ŒIL ▼ Figure 47.8 La gastrulation

La gastrulation est un processus fondamental dans la genèse du corps d'un animal principalement marqué par un changement de position des cellules. Certaines se dirigent vers l'intérieur de l'embryon, tandis que d'autres se répartissent sur sa surface. Il en résulte un réarrangement de l'embryon: de la sphère creuse qu'il était, il se compose maintenant de deux couches cellulaires (feuillets) (mais plus souvent trois). Cette figure vous aidera à vous représenter la chorégraphie générale de la gastrulation avant d'en explorer chaque mouvement selon le type d'animal.

La réorganisation de l'embryon animal en trois dimensions

La gastrulation commence habituellement par l'invagination, c'est-à-dire par l'enfoncement d'une des couches de cellules vers l'intérieur, représentée ici par une vue superficielle et une coupe transversale. Les changements qui se produisent alors dans l'épithélium de surface de l'embryon ressemblent à ce qui se passerait si vous enfonciez votre doigt dans un ballon légèrement gonflé.

Vue superficielle:

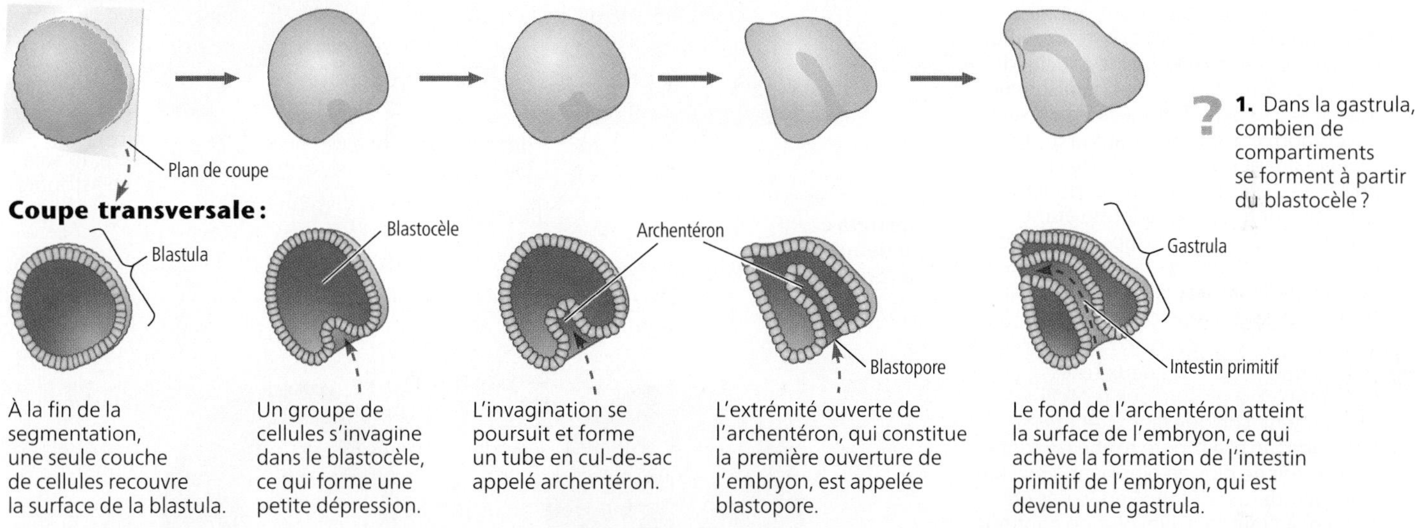

Plan de coupe
Coupe transversale:
Blastula
Blastocèle
Archentéron
Blastopore
Gastrula
Intestin primitif
À la fin de la segmentation, une seule couche de cellules recouvre la surface de la blastula.
Un groupe de cellules s'invagine dans le blastocèle, ce qui forme une petite dépression.
L'invagination se poursuit et forme un tube en cul-de-sac appelé archentéron.
L'extrémité ouverte de l'archentéron, qui constitue la première ouverture de l'embryon, est appelée blastopore.
Le fond de l'archentéron atteint la surface de l'embryon, ce qui achève la formation de l'intestin primitif de l'embryon, qui est devenu une gastrula.
? 1. Dans la gastrula, combien de compartiments se forment à partir du blastocèle?

La formation des couches de cellules primitives du corps de l'animal

Chez les diploblastes, la gastrulation forme deux feuillets embryonnaires: l'ectoderme et l'endoderme. Les triploblastes, eux, ont un troisième feuillet: le mésoderme. Au terme de l'embryogenèse, chaque feuillet embryonnaire donne naissance à des tissus et organes spécifiques. Pour vous représenter ce processus, examinez ce que deviennent les feuillets embryonnaires dans chaque rangée de dessins (coupes transversales, sauf la larve d'oursin, qui est une vue superficielle).

Légende

- Ectoderme
- Mésoderme
- Endoderme

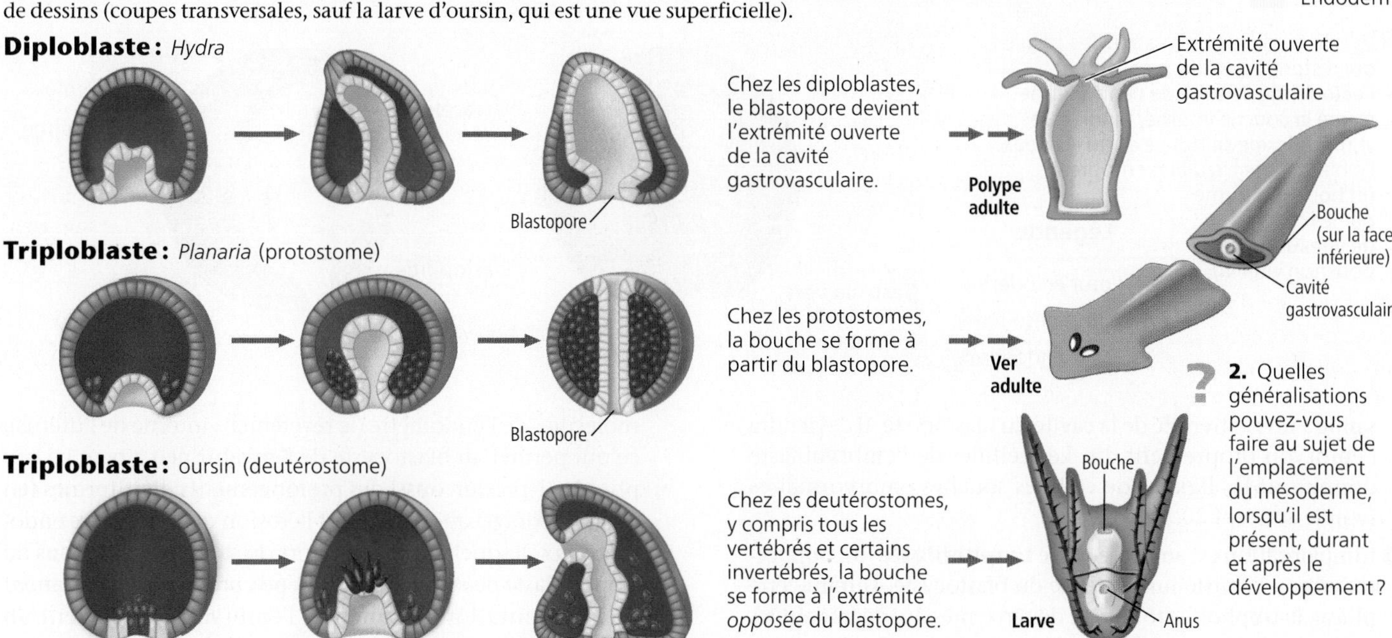

▼ Figure 47.9 Les principales structures dérivées des trois feuillets embryonnaires chez les vertébrés.

ECTODERME (couche externe)	MÉSODERME (couche intermédiaire)	ENDODERME (couche interne)
• Épiderme de la peau et annexes cutanées (notamment glandes sébacées, follicules pileux) • Systèmes nerveux et sensoriel • Hypophyse, médulla surrénale • Mâchoire et dents	• Systèmes osseux et musculaire • Systèmes cardiovasculaire et lymphatique • Systèmes reproducteur et urinaire (sauf les cellules germinales) • Derme de la peau • Cortex surrénal	• Muqueuses du tube digestif et organes annexes (foie, pancréas) • Muqueuses du système respiratoire, du système urinaire et des voies génitales • Glande thyroïde, glandes parathyroïdes, thymus

▼ Figure 47.10 La gastrulation dans un embryon de grenouille. Dans la blastula de grenouille, le blastocèle est repoussé vers le pôle animal et délimité par une paroi comportant plusieurs épaisseurs de cellules.

VUE DE LA SURFACE

COUPE TRANSVERSALE

Pôle animal

Blastocèle

Lèvre dorsale du blastopore

Lèvre dorsale du blastopore

Blastopore

Gastrula au début de sa formation

Pôle végétatif

❶ La gastrulation s'amorce quand des cellules de la face dorsale s'invaginent et forment un petit repli, le blastopore. La région située au-dessus du repli devient la face dorsale du blastopore, appelée **lèvre dorsale**. À mesure que la formation du blastopore progresse, une couche de cellules s'étend au-delà de l'hémisphère animal, passe par-dessus la lèvre dorsale (involution) et s'enfonce dans la gastrula en s'éloignant du blastopore (flèche pointillée). Elles formeront l'endoderme et le mésoderme, l'endoderme étant à l'intérieur. Pendant ce temps, les cellules du pôle animal changent de forme et recouvrent la surface de l'embryon (processus appelé épibolie).

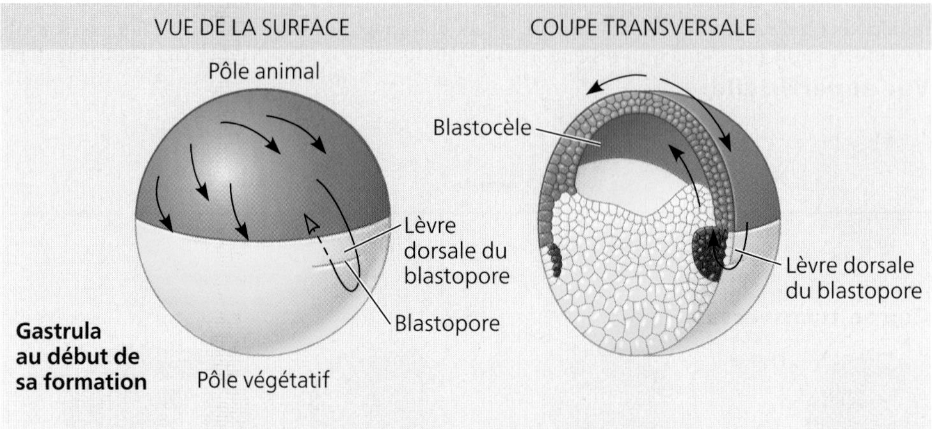

❷ Le blastopore croît des deux côtés de l'embryon à mesure que les cellules s'invaginent. Lorsque les extrémités se rejoignent, le blastopore forme un cercle qui devient de plus en plus petit à mesure que l'ectoderme s'étend vers le bas en surface. À l'intérieur, l'involution continue d'étirer l'endoderme et le mésoderme; l'archentéron se forme et grossit à mesure que le blastocèle rétrécit jusqu'à disparaître.

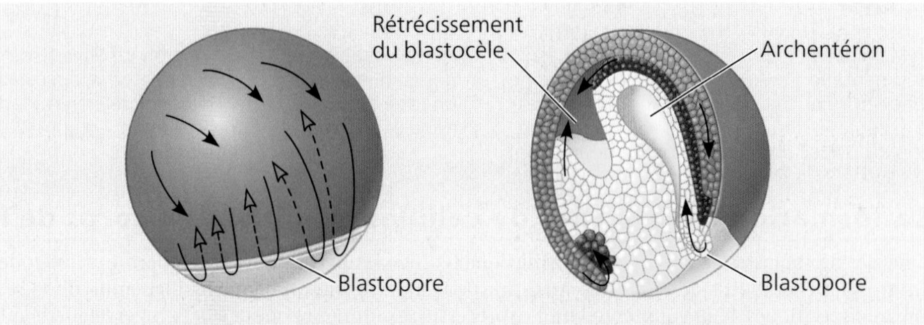

❸ Vers la fin de la gastrulation, les cellules qui restent à la surface constituent l'ectoderme; le tube de l'endoderme forme la couche interne, tandis que le mésoderme se trouve entre les deux. Le blastopore circulaire entoure un bouchon formé par les cellules de vitellus (le bouchon vitellin).

Légende

Futur ectoderme

Futur mésoderme

Futur endoderme

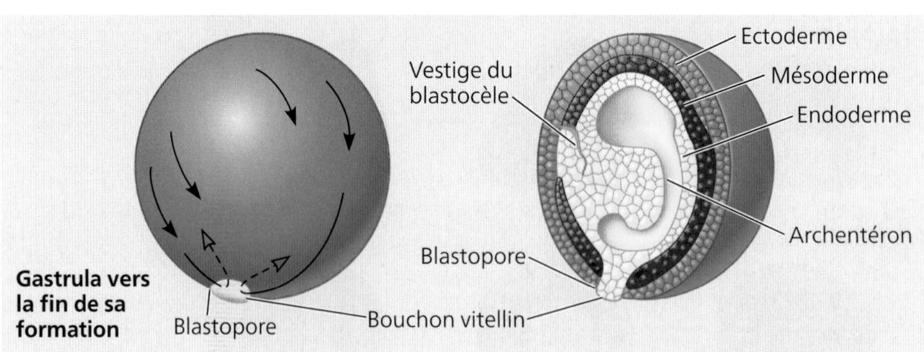

saillie à une extrémité de la cavité du blastocyste. Il deviendra l'embryon proprement dit. Les cellules de l'embryoblaste donneront les lignées de cellules souches embryonnaires (voir le concept 20.3).

❷ L'implantation est amorcée par le **trophoblaste** (ou trophectoderme), l'épithélium externe du blastocyste. Durant cette phase, le trophoblaste sécrète des enzymes qui dégradent les molécules de l'endomètre (le revêtement interne de l'utérus), ce qui permet au blastocyste de l'envahir peu à peu. Le trophoblaste produit aussi des prolongements digitiformes (en forme de doigt) qui entraînent l'érosion des capillaires endométriaux, lesquels déversent alors du sang dont les tissus du trophoblaste peuvent se gorger. À peu près au même moment où l'implantation commence, l'embryoblaste devient un

▼ **Figure 47.11 La gastrulation chez l'embryon de poulet.** On voit ici une coupe transversale à angle droit de la ligne primitive à partir d'une vue antérieure d'un embryon en cours de gastrulation. Durant la gastrulation, certaines cellules de l'épiblaste migrent (flèches) à l'intérieur de l'embryon en passant par la ligne primitive.

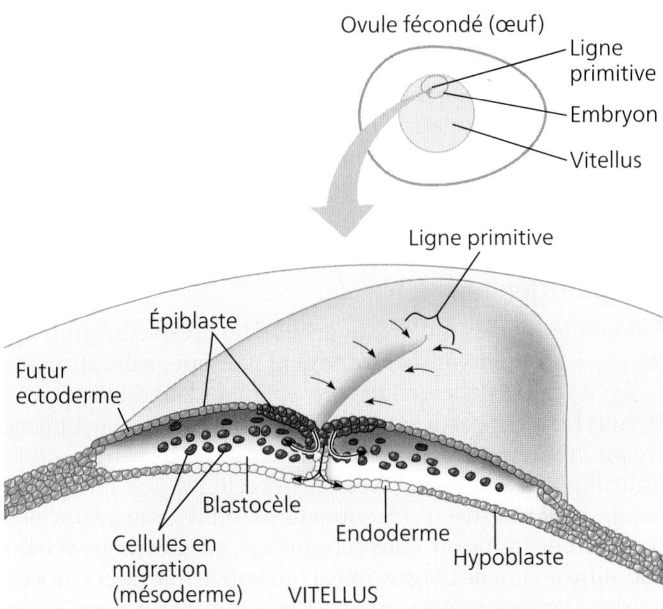

disque comportant une couche cellulaire interne, l'*épiblaste*, et une couche cellulaire externe, l'*hypoblaste*, qui sont homologues de celles qu'on trouve dans l'embryon des oiseaux. De la même façon, l'embryon des mammifères se développe presque entièrement à partir des cellules de l'épiblaste.

❸ Après l'implantation, le trophoblaste continue de s'étendre dans l'endomètre, et quatre nouvelles membranes apparaissent. Ces **membranes extraembryonnaires** sont issues de l'embryon, mais elles renferment des structures spécialisées situées à l'extérieur de l'embryon. Au terme de l'implantation, la gastrulation commence. Certaines cellules de l'épiblaste demeurent à la surface en tant qu'ectoderme, tandis que d'autres s'enfoncent à l'intérieur en passant par la ligne primitive, où elles forment le mésoderme et l'endoderme, tout comme chez le poulet (voir la figure 47.11).

❹ Vers la fin de la gastrulation, les feuillets embryonnaires sont formés. L'embryon à trois feuillets est maintenant enveloppé dans les prolongements du mésoderme extraembryonnaire et quatre membranes extraembryonnaires distinctes. À mesure que le développement progresse, le placenta se forme à partir des cellules du trophoblaste de plus en plus envahissant, de l'épiblaste et du tissu endométrial adjacent. Le placenta est l'organe vital qui assure les échanges de nutriments, de gaz et de déchets entre l'embryon en développement et la mère (voir la figure 46.16).

Les adaptations développementales chez les amniotes

ÉVOLUTION Durant le développement embryonnaire, les mammifères et les reptiles (dont les oiseaux) acquièrent quatre membranes extraembryonnaires : le chorion, l'allantoïde, l'amnios et le sac

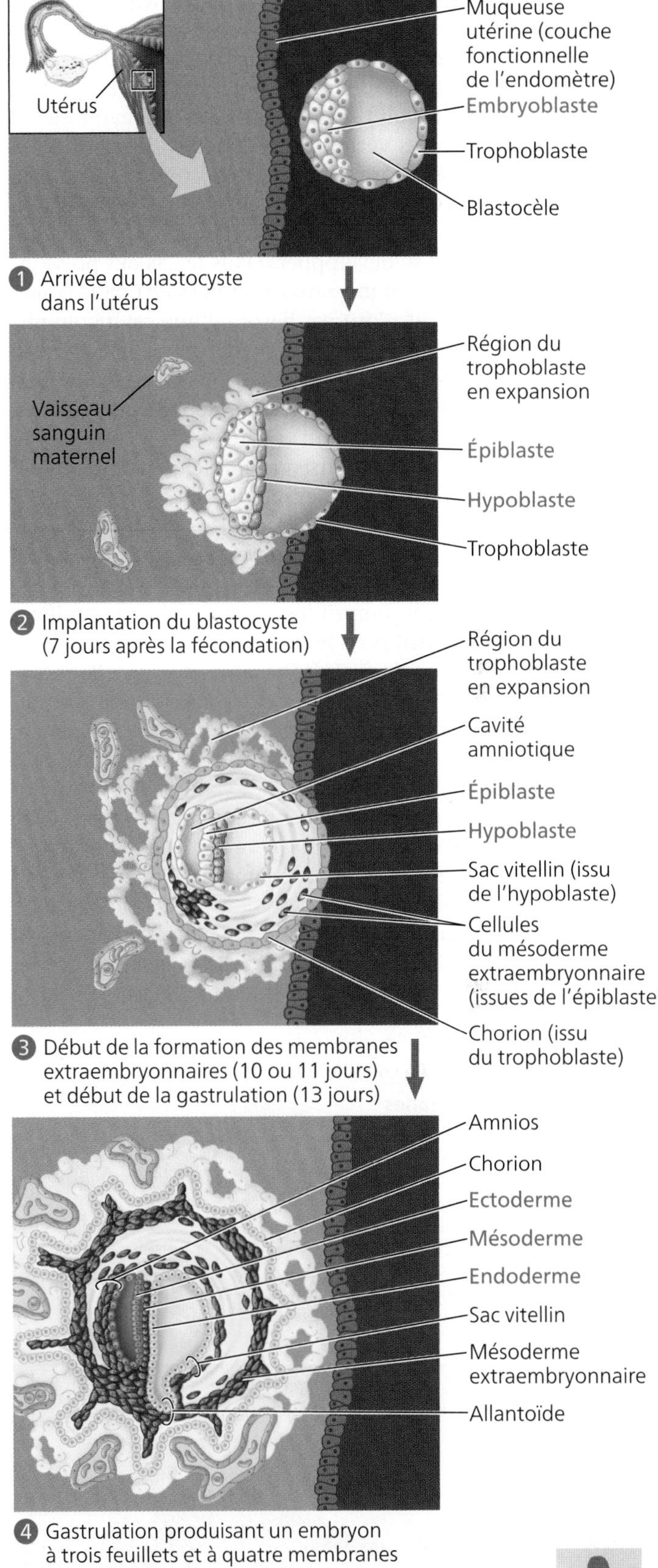

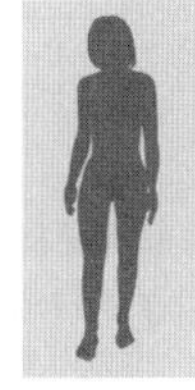

▲ **Figure 47.12 Les quatre stades au début du développement d'un embryon humain.** Les noms des tissus qui se développent à l'intérieur de l'embryon à proprement parler sont en bleu.

vitellin (**figure 47.13**). Chez tous ces groupes, les membranes extraembryonnaires constituent le « système de maintien des fonctions vitales » qui permet à l'embryon de continuer à se développer. Il y a lieu de se demander pourquoi cette adaptation est apparue durant l'évolution des reptiles et des mammifères, mais pas chez d'autres vertébrés tels que les poissons et les amphibiens. On peut formuler une hypothèse plausible en examinant certains éléments fondamentaux du développement embryonnaire. Tous les embryons de vertébrés ont besoin d'un milieu aqueux pour se développer. Dans le cas des poissons et des amphibiens, les embryons se développent dans la mer ou en eau douce, et ils n'ont pas besoin d'une cavité remplie d'eau. Par contre, lorsque les vertébrés ont commencé à vivre sur la terre ferme, leurs structures ont dû s'adapter au problème de la reproduction en milieu sec. Deux structures sont alors apparues, qui existent encore aujourd'hui : (1) les œufs à coquille des oiseaux et des autres reptiles ainsi que de quelques mammifères (monotrèmes) ; et (2) l'utérus des mammifères marsupiaux et euthériens (placentaires). À l'intérieur de la coquille ou de l'utérus, l'embryon de ces animaux baigne dans du liquide contenu dans un sac constitué d'une membrane appelée amnios. C'est pourquoi les reptiles (y compris les oiseaux) et les mammifères sont qualifiés d'**amniotes** (voir le concept 34.5).

Comme on pourrait s'y attendre en raison de leur origine évolutive commune, les membranes extraembryonnaires remplissent à peu près les mêmes fonctions chez les mammifères et chez les reptiles (voir la figure 34.26). Le chorion joue un rôle dans les échanges gazeux, tandis que le liquide contenu dans l'amnios protège l'embryon en développement. (Le liquide de cette cavité constitue les « eaux » expulsées par le vagin de la mère lorsque l'amnios se déchire avant l'accouchement.) L'allantoïde, qui débarrasse l'œuf reptilien des déchets, s'intègre au cordon ombilical chez les mammifères et elle y donne naissance à des vaisseaux sanguins. Ces derniers ont pour fonction de transporter les molécules d'oxygène (O_2) et les nutriments du placenta jusqu'à

▼ **Figure 47.13** **L'œuf à coquille des reptiles.**

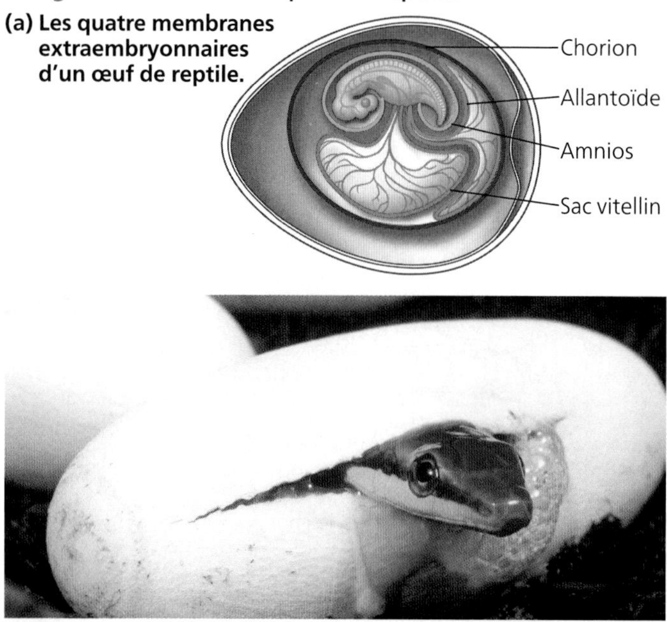

(a) Les quatre membranes extraembryonnaires d'un œuf de reptile.

(b) Un bébé serpent ratier vert à queue rouge (*Gonyosoma oxycephalum*) sort de l'œuf qui le protégeait.

l'embryon et de débarrasser celui-ci des molécules de dioxyde de carbone (CO_2) et des déchets azotés qu'il produit. La quatrième membrane extraembryonnaire, le sac vitellin, enveloppe le vitellus dans les œufs des reptiles. Chez les mammifères, la membrane du sac vitellin est le site de production des premiers globules sanguins, lesquels migrent ensuite vers l'embryon lui-même. Les membranes extraembryonnaires communes aux reptiles et aux mammifères présentent donc des adaptations propres au développement d'un embryon dans un œuf ou dans un utérus.

Lorsque la gastrulation est terminée et que les membranes extraembryonnaires sont formées, l'étape suivante du développement, soit l'organogenèse, peut commencer, durant laquelle se formeront et se développeront les organes.

L'organogenèse

Pendant le processus d'organogenèse, les diverses régions des trois feuillets embryonnaires donnent naissance à des ébauches d'organes. Souvent, les cellules provenant de deux feuillets, voire de trois feuillets, participent à la formation d'un seul et même organe ; l'interaction entre les cellules des différents feuillets contribue à déterminer la destinée des cellules. Une fois que les cellules sont investies de leurs fonctions futures, il arrive qu'elles changent de forme ou, dans certains cas, qu'elles migrent dans une autre région de l'organisme. Pour voir le rôle de ces processus dans l'organogenèse, nous allons examiner la *neurulation*, c'est-à-dire les premières étapes de la formation de l'encéphale et de la moelle épinière chez les vertébrés.

La neurulation

La neurulation débute quand les cellules du mésoderme dorsal se rejoignent pour former la **notocorde** (ou corde dorsale). La notocorde est la tige qui traverse la face dorsale de l'embryon des cordés. La **figure 47.14a** montre la notocorde d'une grenouille. Des molécules de signalisation sécrétées par ces cellules du mésoderme atteignent l'ectoderme situé immédiatement au-dessus et induisent la formation de la plaque neurale. La formation de la plaque neurale est donc un exemple d'**induction**, un processus au cours duquel un groupe de cellules ou de tissus, par d'étroites interactions, influe sur le développement d'un autre groupe de cellules ou de tissus (voir la figure 18.17b).

Après que la plaque neurale s'est formée, ses cellules changent de forme ; la plaque neurale se replie bientôt sur elle-même et les plis neuraux se referment pour donner le **tube neural**, qui longe l'axe antéropostérieur de l'embryon (**figure 47.14b**). Le tube neural deviendra le système nerveux central (encéphale dans la boîte crânienne et moelle épinière dans le reste du corps). En comparaison, la notocorde disparaît avant la naissance, bien que certaines de ses parties persistent chez les adultes sous la forme de disques intervertébraux. (Un disque intervertébral endommagé peut former une hernie et causer de la douleur, au niveau des vertèbres lombaires le plus souvent.)

Le déroulement de la neurulation, comme celui des autres étapes du développement, peut comporter des erreurs. Par exemple, chez les humains, c'est une erreur survenue dans la formation du tube neural qui est à l'origine du *spina bifida*, une malformation congénitale caractérisée par un développement incomplet du tube neural ou par un défaut de fermeture de ce tube. Dans le monde, le spina bifida touche 1 ou 2 enfants par 1 000 naissances. Ce défaut de développement ou de fermeture laisse dans la colonne vertébrale une ouverture qui entraîne une atteinte nerveuse et qui se manifeste par une paralysie plus ou moins marquée des jambes. Une intervention chirurgicale pratiquée peu après la naissance permet de refermer l'ouverture, mais l'atteinte nerveuse est permanente. La prise de suppléments d'acide folique durant la grossesse permet de diminuer les risques de telles malformations.

La migration cellulaire durant l'organogenèse

Durant l'organogenèse, certaines cellules migrent sur une longue distance. C'est le cas de deux groupes de cellules qui se développent près du tube neural, puis migrent ailleurs dans le corps. Le premier groupe de cellules est une bande, appelée **crête neurale**, qui se forme le long de la ligne de séparation du tube neural et de l'ectoderme (voir la figure 47.14b). Les cellules de la crête neurale migreront vers plusieurs régions de l'embryon et donneront divers tissus, dont les nerfs périphériques ainsi que les dents et les os du crâne.

Le second ensemble de cellules migratoires se forme quand des groupes de cellules du mésoderme de part et d'autre de la notocorde se séparent pour former des structures distinctes, appelées **somites** (**figure 47.14c**). Les somites jouent un rôle majeur dans l'organisation de la structure segmentée du corps des vertébrés. Certaines parties des somites se dissocient en cellules mésenchymateuses autonomes (libres) pour former soit les vertèbres, soit les muscles associés à la colonne vertébrale et les côtes.

En contribuant à la formation des vertèbres, des côtes et des muscles qui y sont associés, les somites sont à l'origine des structures répétitives. Les cordés, y compris les humains, sont donc des animaux segmentés, même si la forme adulte de cette segmentation est moins apparente que chez la crevette et d'autres invertébrés segmentés.

▼ **Figure 47.14 La neurulation dans un embryon de grenouille.**

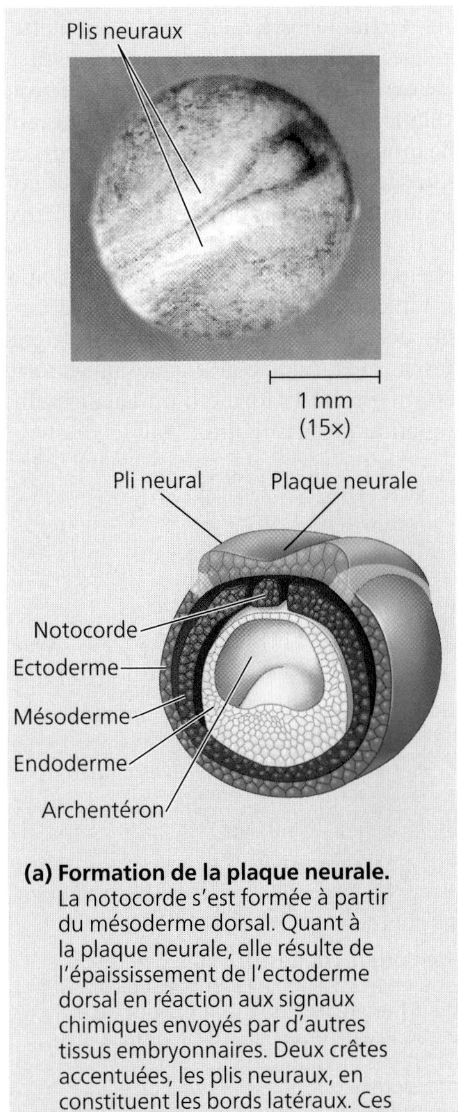

(a) Formation de la plaque neurale. La notocorde s'est formée à partir du mésoderme dorsal. Quant à la plaque neurale, elle résulte de l'épaississement de l'ectoderme dorsal en réaction aux signaux chimiques envoyés par d'autres tissus embryonnaires. Deux crêtes accentuées, les plis neuraux, en constituent les bords latéraux. Ces plis sont visibles sur la micrographie (MP) de l'embryon entier.

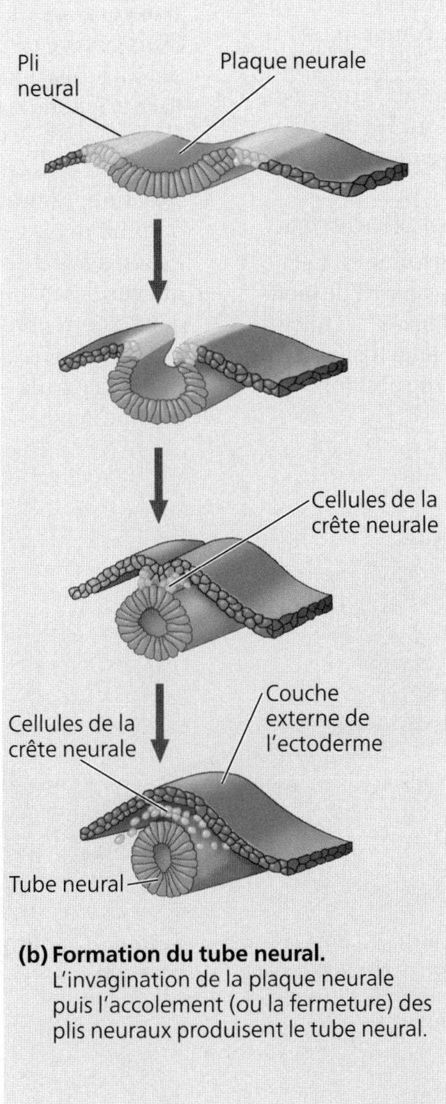

(b) Formation du tube neural. L'invagination de la plaque neurale puis l'accolement (ou la fermeture) des plis neuraux produisent le tube neural.

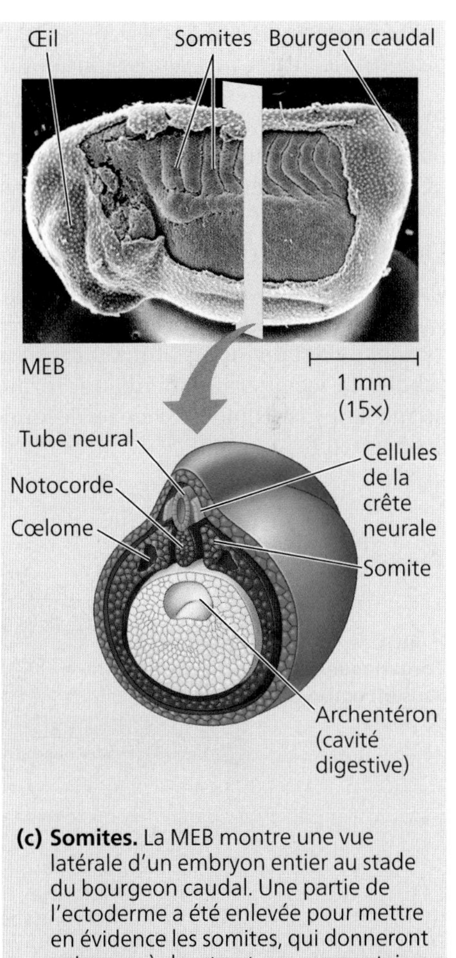

(c) Somites. La MEB montre une vue latérale d'un embryon entier au stade du bourgeon caudal. Une partie de l'ectoderme a été enlevée pour mettre en évidence les somites, qui donneront naissance à des structures segmentaires telles que les vertèbres et les muscles squelettiques. Le schéma montre un embryon au même stade, comme si l'embryon de la MEB était coupé pour apparaître en coupe transversale. Les somites, issus du mésoderme, sont disposés de part et d'autre de la notocorde.

L'organogenèse chez le poulet et les insectes

Les premières étapes de l'organogenèse chez le poulet présentent de nombreux points communs avec celles de la grenouille. Par exemple, les rebords du blastoderme (l'ensemble des trois feuillets embryonnaires) se replient vers le bas pour se rejoindre. Ce faisant, ils compriment l'embryon en un tube à trois feuillets qui, sous le point milieu du corps, communique avec le vitellus (**figure 47.15a**). Lorsque l'embryon de poulet est âgé de trois jours, les ébauches des principaux organes sont déjà visibles, dont le cerveau, les yeux et le cœur (**figure 47.15b**).

Lorsqu'on compare l'organogenèse des invertébrés avec celle des vertébrés, on voit apparaître les ressemblances fondamentales qui se cachent derrière les plans d'organisation corporelle très différents de ces deux embranchements d'animaux. Prenons l'exemple de la neurulation. Chez les insectes, les tissus du système nerveux se forment sur la face ventrale (et non dorsale) de l'embryon. Toutefois, l'ectoderme bordant l'axe antéropostérieur se replie de manière à créer un tube à l'intérieur de l'embryon, comme dans le cas du tube neural des vertébrés. En outre, même si leur emplacement diffère, les voies de signalisation moléculaire qui déclenchent les événements sont très semblables chez les insectes et chez les vertébrés. Ces points communs rappellent, encore une fois, leur origine évolutive commune.

Chez les vertébrés autant que chez les invertébrés, l'organogenèse relève en grande partie des changements de forme et de position des cellules, tout comme la gastrulation. Voyons donc de plus près comment se produisent ces remaniements.

Le rôle du cytosquelette dans la morphogenèse

Chez les animaux, une cellule peut changer de forme ou même se déplacer à l'intérieur de l'embryon grâce à la capacité de mouvement de certains de ses composants. Parmi ceux-ci, les microtubules et les microfilaments qui forment le cytosquelette permettent aux cellules de changer de forme ou de position (voir le tableau 6.1).

Les changements de forme dans la morphogenèse

Les changements de forme des cellules résultent habituellement d'un remaniement du cytosquelette. En guise d'exemple, revenons à la neurulation. Lorsque le tube neural commence à se former, les microtubules orientés parallèlement à l'axe dorsoventral de l'embryon étirent les cellules dans cette direction (**figure 47.16**). À l'extrémité apicale de chaque cellule se trouve un réseau de microfilaments d'actine parallèles et orientés dans le sens de la largeur. Ces microfilaments se contractent et donnent à la cellule une forme en biseau qui force la couche d'ectoderme à s'incurver vers l'intérieur.

La constriction apicale des filaments d'actine qui donne aux cellules une forme biseautée est un mécanisme d'invagination des couches cellulaires qu'on observe fréquemment dans le développement embryonnaire. Par exemple, durant la gastrulation de la mouche à fruit *Drosophila melanogaster*, la formation de cellules biseautées le long de la face ventrale provoque l'invagination d'un tube de cellules qui devient le mésoderme.

Durant la gastrulation chez le poulet, la ligne primitive s'allonge et s'amincit. Ce changement de forme résulte d'un mouvement de réorganisation des cellules appelé **extension convergente**, auquel participe également le cytosquelette. Dans ce type de mouvement, les cellules d'une couche de tissu se réorganisent de telle manière que la couche de tissu rétrécit dans le sens de l'intercalation (convergence) tout en s'allongeant (extension). Ce type de mouvement qui rend une structure plus longue et plus étroite survient fréquemment au cours de la gastrulation, par exemple durant la formation de la ligne primitive dans un ovule fécondé de poulet (voir la figure 47.11) et lors de l'allongement de l'archentéron chez l'embryon de l'oursin (voir la figure 47.8). L'extension convergente joue un rôle important dans d'autres processus, dont l'involution de la gastrula de grenouille. Dans ce dernier cas, l'extension convergente fait en sorte que la gastrula sphérique prend la forme d'un sous-marin, comme l'embryon de grenouille de la figure 47.14c.

▶ **Figure 47.15 L'organogenèse dans un embryon de poulet.**

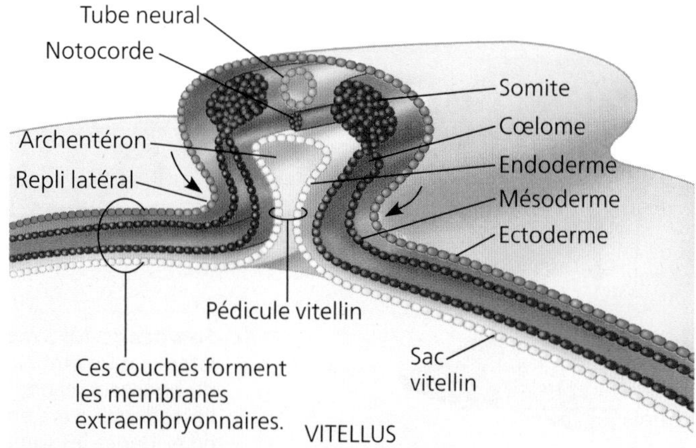

(a) Début de l'organogenèse. L'archentéron se forme lorsque des replis latéraux éloignent l'embryon du vitellus. L'embryon reste cependant relié au vitellus par le pédicule vitellin, comme le montre cette coupe transversale.

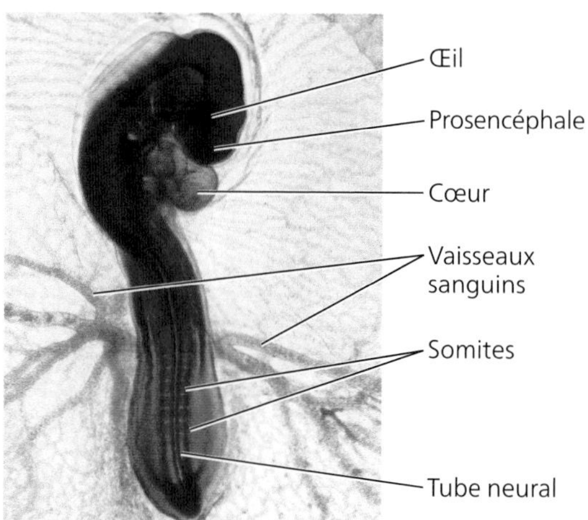

(b) Fin de l'organogenèse. Dans cet embryon de poulet âgé d'environ 3 jours et mesurant de 2 à 3 mm de longueur se trouvent déjà, à l'état d'ébauche, la plupart des principaux organes. Les membranes extraembryonnaires seront bientôt irriguées par des vaisseaux sanguins qui sortent de l'embryon; on voit plusieurs vaisseaux sanguins importants dans cette micrographie photonique.

Les mouvements cellulaires qui contribuent à l'extension convergente sont fort simples : les cellules s'allongent, et leurs extrémités pointent dans la direction où elles migreront ; elles s'intercaleront alors les unes entre les autres pour former des cordons plus fins et plus allongés (**figure 47.17**).On pourrait comparer ce mouvement à celui d'un groupe de personnes qui s'apprêtent à entrer au cinéma : elles avancent tout en formant une file indienne pour entrer en s'intercalant les unes entre les autres. En devenant plus étroite, la file s'allonge.

La migration cellulaire dans la morphogenèse

Le cytosquelette intervient non seulement dans les changements de forme des cellules, mais aussi dans leur migration. Durant l'organogenèse des vertébrés, les cellules de la crête neurale et des somites migrent un peu partout dans l'embryon. Les cellules se déplacent au sein de l'embryon en utilisant les fibres de leur cytosquelette pour allonger ou rétracter les protrusions

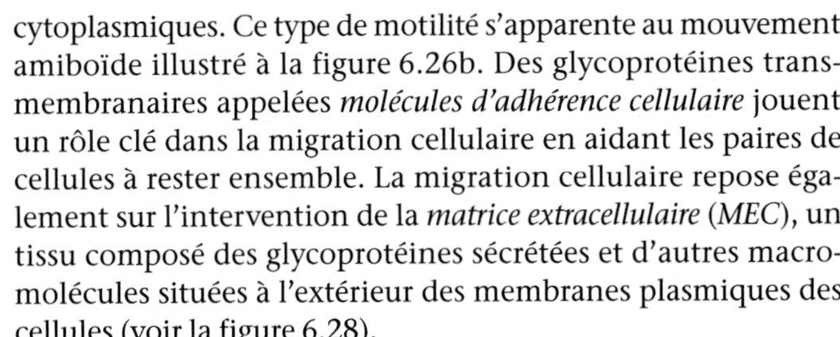

cytoplasmiques. Ce type de motilité s'apparente au mouvement amiboïde illustré à la figure 6.26b. Des glycoprotéines transmembranaires appelées *molécules d'adhérence cellulaire* jouent un rôle clé dans la migration cellulaire en aidant les paires de cellules à rester ensemble. La migration cellulaire repose également sur l'intervention de la *matrice extracellulaire* (*MEC*), un tissu composé des glycoprotéines sécrétées et d'autres macromolécules situées à l'extérieur des membranes plasmiques des cellules (voir la figure 6.28).

La MEC aide aussi à orienter les cellules dans divers types de mouvements, par exemple dans la migration de cellules individuelles et dans les changements de forme des feuillets cellulaires. Les cellules qui tapissent les voies de migration régulent le déplacement des cellules migratoires en sécrétant des molécules spécifiques dans la MEC. C'est pourquoi des chercheurs travaillent actuellement à produire une MEC artificielle qui pourrait servir de support pour la réparation et le remplacement d'organes ou de tissus endommagés. Une des méthodes prometteuses consiste à utiliser des nanofibres pour produire un matériau qui présenterait les principales propriétés d'une MEC naturelle.

▼ **Figure 47.16 Les changements de forme des cellules pendant la morphogenèse.** Les modifications morphogénétiques observées dans les tissus embryonnaires sont associées à un remaniement du cytosquelette cellulaire, comme on le voit ici.

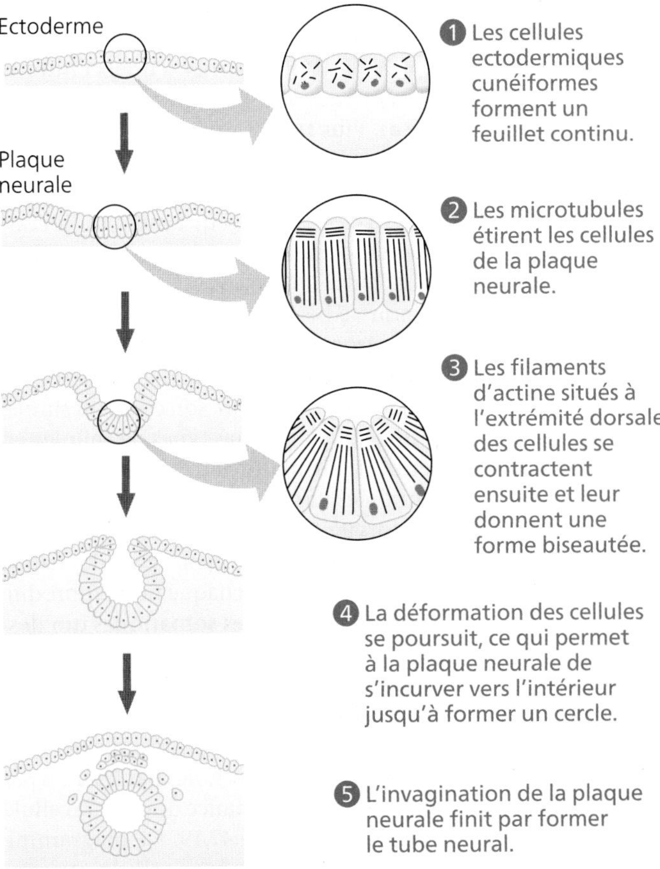

Ectoderme
1 Les cellules ectodermiques cunéiformes forment un feuillet continu.
Plaque neurale
2 Les microtubules étirent les cellules de la plaque neurale.
3 Les filaments d'actine situés à l'extrémité dorsale des cellules se contractent ensuite et leur donnent une forme biseautée.
4 La déformation des cellules se poursuit, ce qui permet à la plaque neurale de s'incurver vers l'intérieur jusqu'à former un cercle.
5 L'invagination de la plaque neurale finit par former le tube neural.

La mort cellulaire programmée

Tout comme certaines cellules de l'embryon sont programmées pour changer de forme ou de position, d'autres sont programmées pour mourir. À divers moments du développement, des cellules individuelles, des groupes de cellules ou des tissus entiers cessent de se développer, meurent et sont absorbés par les cellules voisines. En fait, l'**apoptose**, ou *mort cellulaire programmée*, est un processus fréquent au cours du développement des animaux.

L'apoptose peut notamment avoir lieu lorsqu'une structure n'est utile que dans la larve ou dans une autre forme non adulte d'un organisme. La queue du têtard (la larve nageuse de la grenouille ou du crapaud) est un exemple classique de cellules subissant l'apoptose : la queue formée au début du développement permet à la larve de se déplacer durant sa croissance, puis disparaît complètement lors de la métamorphose du têtard en sa forme adulte (voir la figure 45.22).

L'apoptose peut aussi survenir lors de la formation d'un vaste groupe de cellules au sein duquel une partie seulement de celles-ci sera dotée des propriétés requises pour la fonction prévue ; c'est ce qui se produit durant le développement du système nerveux et du système immunitaire. Chez les vertébrés, en effet, les neurones produits durant le développement du système nerveux sont beaucoup plus nombreux que ceux du système nerveux adulte. En général, les neurones survivent s'ils établissent des connexions fonctionnelles avec d'autres neurones ; autrement, ils meurent. De la même façon, dans le système immunitaire adaptatif, l'apoptose cible souvent les cellules autoréactives (celles qui ont le potentiel de réagir contre l'organisme lui-même au lieu d'attaquer les agents pathogènes).

► **Figure 47.17 L'extension convergente d'une couche de cellules.** Dans ce schéma simplifié, les cellules s'étirent dans une certaine direction et s'intercalent les unes entre les autres (*convergence*). Il en résulte une *extension* de la couche cellulaire, qui devient également plus étroite.

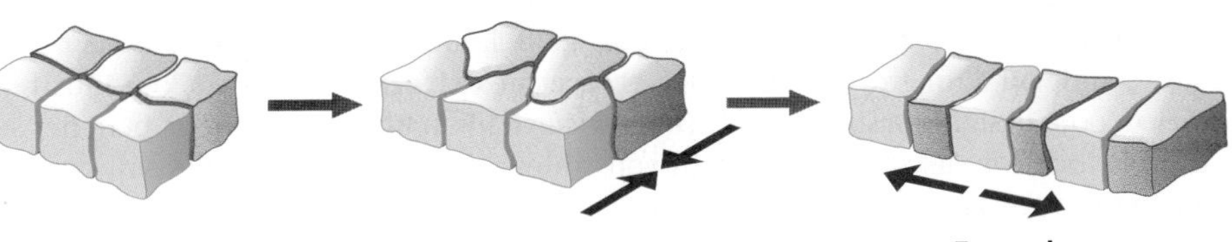

Certaines cellules qui subissent l'apoptose semblent dépourvues de fonction. Pourquoi, alors, ces cellules apparaissent-elles? L'évolution des amphibiens, des oiseaux et des mammifères permet de répondre à cette question. Lorsque ces groupes ont commencé à diverger, le programme de développement du corps vertébré était déjà en place. Les différences qu'on observe dans le corps des vertébrés d'aujourd'hui dérivent de modifications de ce programme de développement commun. Par exemple, le programme de développement commun génère des palmures entre les doigts au stade embryonnaire, mais ces palmures sont éliminées par apoptose chez beaucoup d'oiseaux et chez les mammifères (voir la figure 11.21). C'est notamment pour cette raison que des vertébrés très semblables entre eux au début du stade embryonnaire prennent des formes très différentes une fois adultes.

Comme nous l'avons vu, le comportement des cellules ainsi que certains des mécanismes moléculaires qui le sous-tendent participent activement à la morphogenèse de l'embryon. Dans la prochaine section, nous allons voir quelques-uns des mécanismes par lesquels les processus cellulaires et génétiques communs font en sorte que les différents types de cellules se retrouvent aux bons endroits.

RETOUR SUR LE CONCEPT 47.2

1. Dans l'embryon de grenouille, l'extension convergente allonge la notocorde le long de l'axe antéropostérieur. Expliquez comment les mots *extension* et *convergente* s'appliquent à ce processus?
2. **ET SI?** ▶ Supposons que, juste avant la formation du tube neural, vous traitez des embryons de grenouille avec un produit qui entre dans toutes les cellules et bloque le fonctionnement des microfilaments. Que va-t-il se passer? Expliquez votre réponse.
3. **FAITES DES LIENS** ▶ Contrairement à certains types de malformations congénitales, les anomalies du tube neural se préviennent aisément. Expliquez votre réponse. (Voir la figure 41.4.)

Voir les réponses proposées à l'appendice A.

CONCEPT 47.3

Les déterminants cytoplasmiques et les signaux d'induction régulent la destinée des cellules

Durant le développement embryonnaire, les cellules naissent par division, s'installent en des endroits précis du corps, puis adoptent une structure et une fonction spécialisées. L'endroit occupé par une cellule, son apparence ainsi que ses tâches définissent sa *destinée*. Les biologistes utilisent le terme **détermination** pour désigner le processus qui scelle la destinée d'une cellule ou d'un groupe de cellules, et le terme **différenciation** pour désigner la spécialisation qui s'ensuit dans la structure et la fonction de cette cellule. Pour vous aider à distinguer les deux processus, pensez à cette analogie: l'équivalent de la détermination serait le fait de s'inscrire à un baccalauréat à l'université, tandis que l'équivalent de la différenciation serait de suivre les cours de ce baccalauréat.

Toutes les cellules diploïdes formées durant le développement d'un animal possèdent le même génome. À l'exception de certaines cellules immunitaires parvenues à maturité, les gènes présents dans une cellule demeurent les mêmes durant toute sa vie. Alors, comment les cellules en arrivent-elles à bifurquer vers des destinées différentes les unes des autres? Comme nous l'avons vu au concept 18.4, certains tissus (et souvent certaines cellules à l'intérieur d'un tissu) sont différents des autres, car ils expriment des gènes particuliers au sein de ce génome commun.

Les mécanismes qui régissent l'expression génétique et, par le fait même, les différentes destinées des cellules au cours du développement font l'objet de recherches très actives en biologie. Pour tenter d'élucider cette question, les chercheurs étudient l'origine embryonnaire des divers types de tissus et de cellules.

La carte des territoires

L'observation directe au microscope est un des moyens utilisés pour comprendre l'origine des cellules embryonnaires. Ce type d'examen a permis à plusieurs chercheurs de produire les premières **cartes des territoires présomptifs**, c'est-à-dire des schémas qui montrent à quelles structures chaque région de l'embryon donne naissance. Ainsi, dans les années 1920, l'embryologiste allemand Walther Vogt a reconstitué la carte des territoires présomptifs pour déterminer à quels endroits de la gastrula se retrouvaient certains groupes de cellules de la blastula (**figure 47.18a**). Plus tard, d'autres chercheurs ont mis au point des techniques plus perfectionnées permettant de marquer individuellement un blastomère au moment de la segmentation, puis de suivre ce marqueur tandis qu'il était transmis à l'ensemble des descendants mitotiques de la cellule (**figure 47.18b**).

Des chercheurs ont poussé beaucoup plus loin leur étude des cartes des territoires présomptifs avec le nématode *Caenorhabditis elegans*, illustré à la **figure 47.19**, qui vit dans le sol. Ce ver rond mesure environ 1 mm de longueur, son corps est simple et transparent, il ne possède que quelques types de cellules et, au laboratoire, il devient un hermaphrodite adulte en seulement trois jours et demi. Ces caractéristiques ont permis à Sydney Brenner, Robert Horvitz et John Sulston de déterminer la «généalogie» développementale complète, ou *lignée*, de chaque cellule de *C. elegans*. Ils ont constaté que chaque hermaphrodite adulte comporte exactement 959 cellules somatiques qui descendent du zygote à peu près de la même façon chez tous les individus. Des biologistes ont suivi au microscope toutes les divisions cellulaires qui se produisent à partir de la formation du zygote, tout en effectuant des expériences consistant à détruire certaines cellules ou certains groupes de cellules par laser ou par mutation. Ils ont ainsi pu établir la provenance de chaque cellule de l'adulte, comme le montre la figure 47.19. Ce diagramme indique tous les descendants d'une même cellule, un peu comme l'arbre généalogique de votre famille vous indiquerait tous les descendants d'un de vos ancêtres.

Pour illustrer la destinée d'une cellule donnée, nous allons nous pencher sur les *cellules germinales*, c'est-à-dire sur les cellules embryonnaires qui donnent naissance aux ovocytes ou aux spermatozoïdes. Chez tous les animaux étudiés, des complexes d'ARN et de protéines participent à la détermination de la destinée des cellules germinales. Chez *C. elegans*, on peut remarquer ces complexes, ou *granules P*, dans quatre cellules de la larve nouvellement éclose (**figure 47.20**) et, plus tard, dans les cellules de la gonade adulte qui produisent des spermatozoïdes ou des ovocytes.

En suivant la position des granules P, on obtient des données très éclairantes sur les instructions qui déterminent la destinée d'une cellule durant le développement embryonnaire. Comme le montre la **figure 47.21**, les granules P sont répartis dans tout l'ovule nouvellement fécondé, mais ils se déplacent vers l'extrémité postérieure du zygote avant la première segmentation (❶ et ❷), le résultat étant que seul l'arrière des deux cellules formées par la première division contient des granules P (❸). Les granules P continuent de se positionner de manière asymétrique durant les divisions suivantes (❹). Par conséquent, les granules P se comportent en déterminants cytoplasmiques (voir le concept 8.4) : ils dirigent la destinée de la cellule germinale au tout début du développement de *C. elegans*.

▼ **Figure 47.18 La carte des territoires présomptifs de deux cordés.**

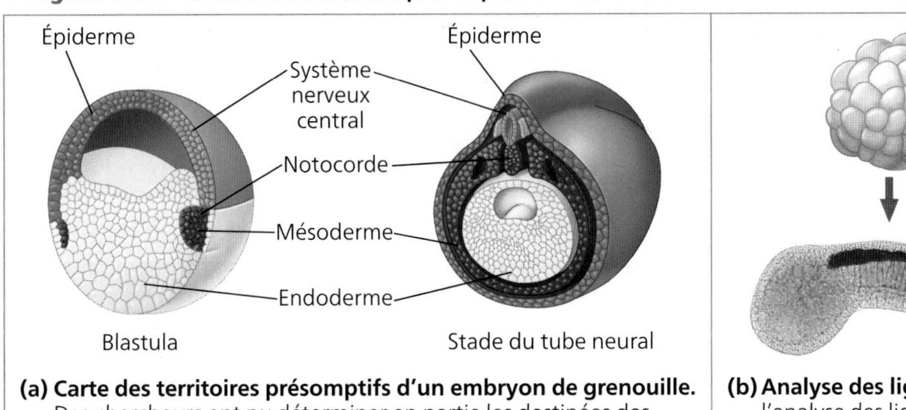

(a) Carte des territoires présomptifs d'un embryon de grenouille. Des chercheurs ont pu déterminer en partie les destinées des cellules d'un embryon de grenouille. Pour ce faire, ils ont marqué différentes régions de la surface de la blastula à l'aide de colorants non toxiques, puis ils ont observé l'emplacement des cellules colorées à différents stades du développement. Les deux stades embryonnaires montrés ici représentent le résultat de nombreuses études du même type.

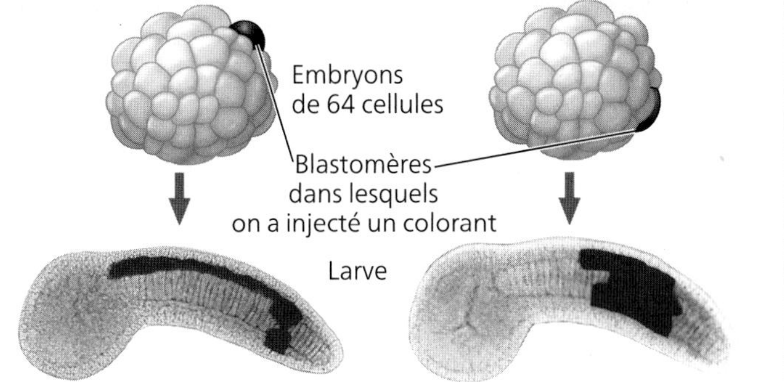

(b) Analyse des lignées cellulaires chez un urocordé. Dans l'analyse des lignées cellulaires, on injecte un colorant dans une seule cellule pendant la segmentation (images du haut). Les régions sombres qu'on distingue sur les micrographies photoniques de larves (images du bas) correspondent aux cellules qui se sont développées à partir des deux blastomères (en noir dans les images du haut).

▶ **Figure 47.19 La lignée cellulaire de *Caenorhabditis elegans*.** Le nématode *C. elegans* est transparent. Grâce à cette caractéristique, il a été possible de reconstituer la lignée de chacune de ses cellules, du zygote à l'adulte (MP). La seule lignée cellulaire que le schéma montre en détail est celle de l'intestin (en jaune) ; celui-ci descend entièrement de l'une des quatre premières cellules formées à partir du zygote.

HABILETÉS VISUELLES ▶ Le mode de division est exactement le même chez tous les embryons de *C. elegans*. Combien de divisions du zygote faut-il pour que naisse la cellule intestinale la plus proche de la bouche du ver ?

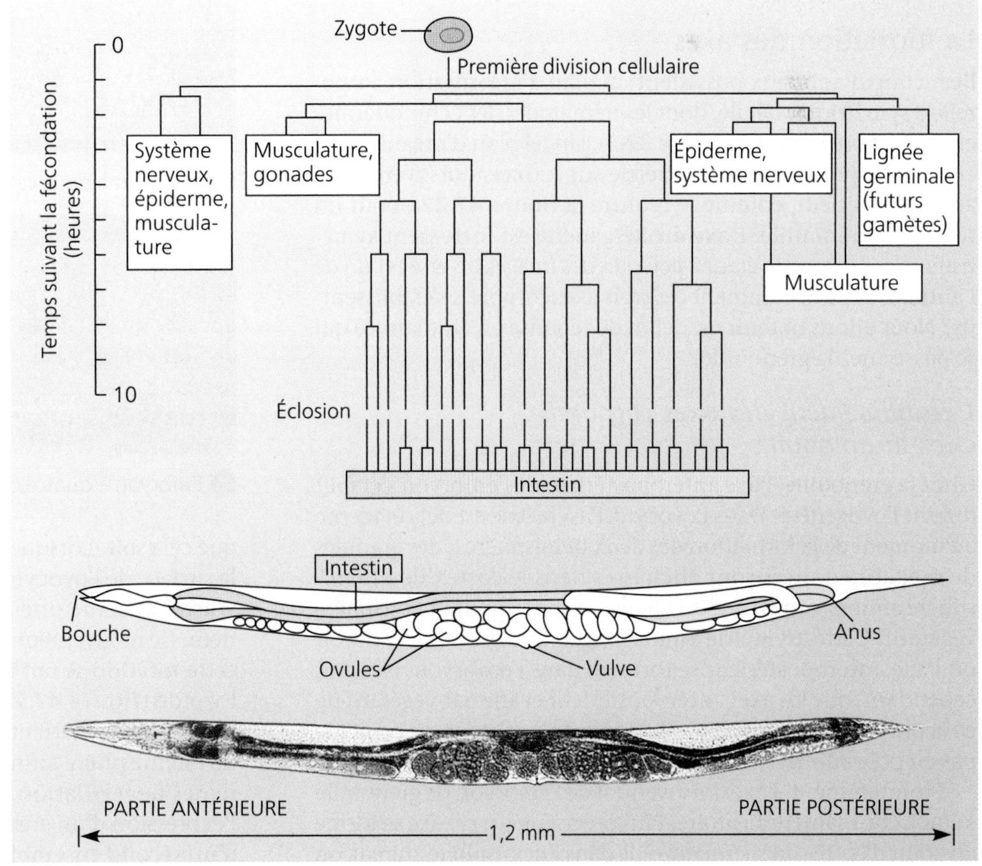

▼ **Figure 47.20 La détermination de la destinée d'une cellule germinale de *C. elegans*.** En marquant une protéine de granule P au moyen d'un anticorps fluorescent spécifique (en vert), on peut observer l'incorporation spécifique des granules P dans quatre cellules de la larve nouvellement éclose (deux de ces quatre cellules sont visibles ici).

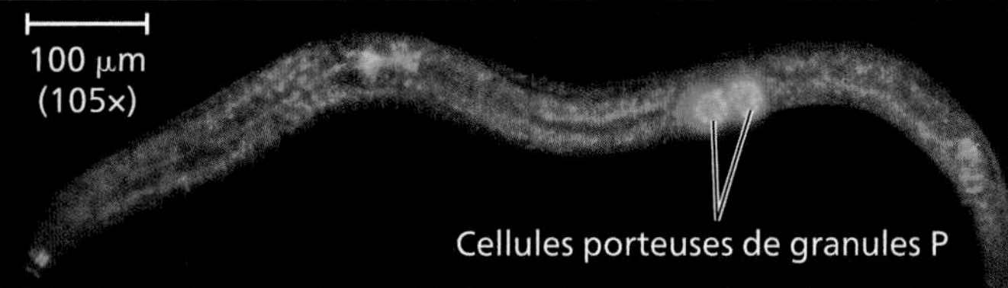

La carte des territoires présomptifs de *C. elegans* a ouvert la voie à des découvertes importantes sur la mort cellulaire programmée. Les analyses des lignées ont montré qu'exactement 131 cellules meurent durant le développement normal de *C. elegans*. Dans les années 1980, des chercheurs ont constaté que l'inactivation d'un seul gène, par mutation, permet à ces 131 cellules de vivre. D'autres expériences encore ont révélé que ce gène fait partie d'une voie de signalisation qui régule et effectue l'apoptose chez bon nombre d'animaux, y compris chez les humains. En 2002, Brenner, Horvitz et Sulston ont reçu le prix Nobel de médecine pour leur utilisation de la carte des territoires présomptifs de *C. elegans* dans leurs expériences sur la mort cellulaire programmée et sur l'organogenèse.

À partir des cartes des territoires présomptifs, des chercheurs ont pu répondre à certaines questions concernant les mécanismes sous-jacents; ils ont déterminé notamment comment les axes embryonnaires s'établissent, un processus appelé formation des axes.

La formation des axes

Beaucoup d'animaux possèdent un plan d'organisation corporelle à symétrie bilatérale, dont les nématodes, les échinodermes et les vertébrés (voir le concept 32.3). Un tel plan d'organisation corporelle présente une asymétrie sur les axes dorsoventral et antéropostérieur, comme le montre la **figure 47.22a** pour un têtard de grenouille. L'axe droite-gauche est fortement symétrique, les deux côtés étant à peu près des images inversées l'un de l'autre. Quand et comment ces trois axes corporels s'établissent-ils? Nous allons obtenir un début de réponse en étudiant ce qui se passe chez la grenouille.

L'établissement des axes corporels chez la grenouille

Chez la grenouille, l'axe antéropostérieur de l'embryon s'établit durant l'ovogenèse. Dans l'ovocyte, l'asymétrie est déjà évidente au moment de la formation des deux hémisphères: des granules de mélanine foncés sont enchâssés dans le cortex de l'hémisphère animal, tandis que du vitellus jaune remplit l'hémisphère végétatif. Cette asymétrie animal-végétatif détermine l'endroit où l'axe antéropostérieur se formera dans l'embryon. Notons, cependant, que les axes antéropostérieur et animal-végétatif ne concordent pas; autrement dit, la tête de l'embryon ne coïncide pas au pôle animal.

Étonnamment, l'axe dorsoventral de l'embryon de grenouille s'établit de manière aléatoire. Plus précisément, cet axe se forme au point d'entrée du spermatozoïde dans l'hémisphère animal, où que cela soit. Lorsque l'ovocyte et le spermatozoïde fusionnent, la surface de l'ovocyte, soit la membrane plasmique et le cortex voisin, effectue une rotation par rapport au cytoplasme intérieur. Ce mouvement est appelé *rotation corticale*. Du pôle animal, cette rotation se fait toujours vers le point d'entrée du spermatozoïde (**figure 47.22b**). Les interactions entre les molécules du cortex végétatif et les molécules du cytoplasme à l'intérieur de l'hémisphère animal déclenchent alors l'activation des protéines de régulation. Une fois activées, ces protéines dirigent l'expression d'un ensemble de gènes dans les régions dorsales et d'un second ensemble de gènes dans les régions ventrales.

▼ **Figure 47.21 Le partitionnement des granules P durant le développement de *C. elegans*.** Les micrographies par contraste interférentiel (à gauche) montrent les frontières entre les noyaux et les cellules au cours des deux premières divisions cellulaires. Les micrographies par fluorescence (à droite) montrent les mêmes stades embryonnaires colorés à l'aide d'un anticorps fluorescent, spécifique d'une protéine de granule P.

20 µm
(670×)

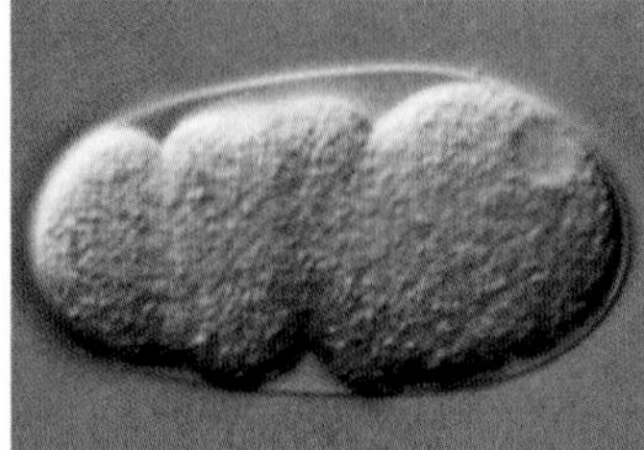

❶ Ovule nouvellement fécondé

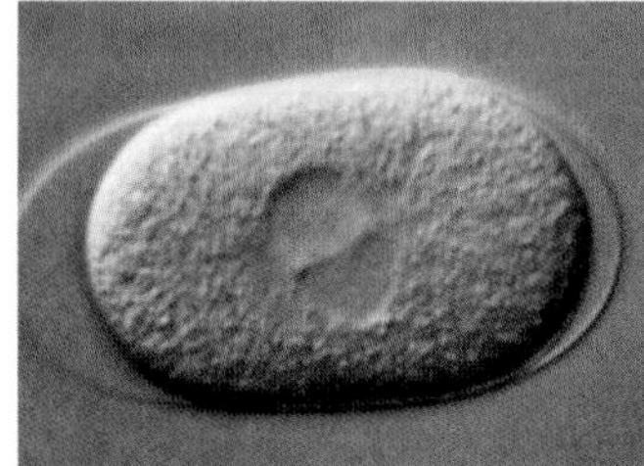
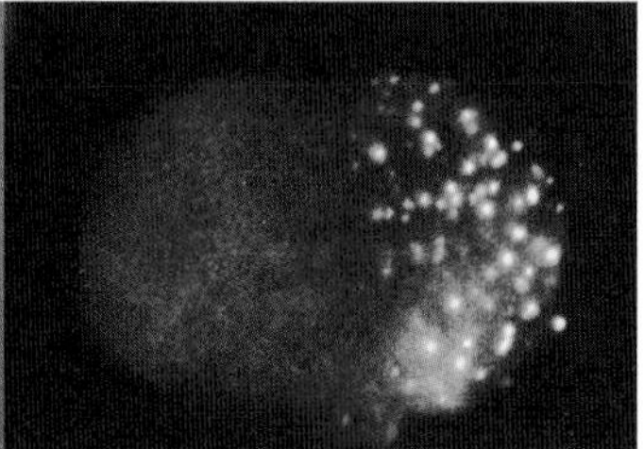

❷ Zygote avant la première division

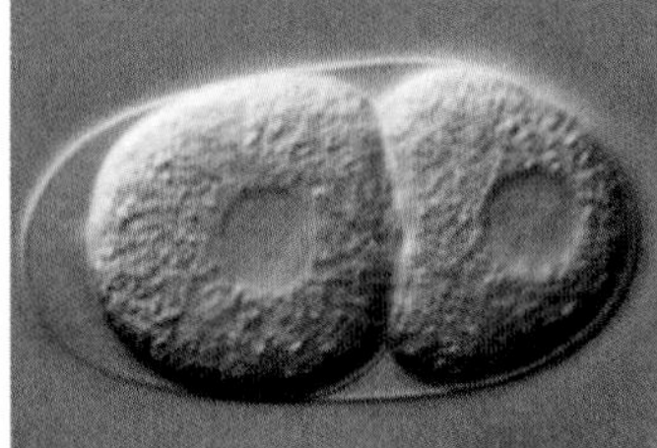
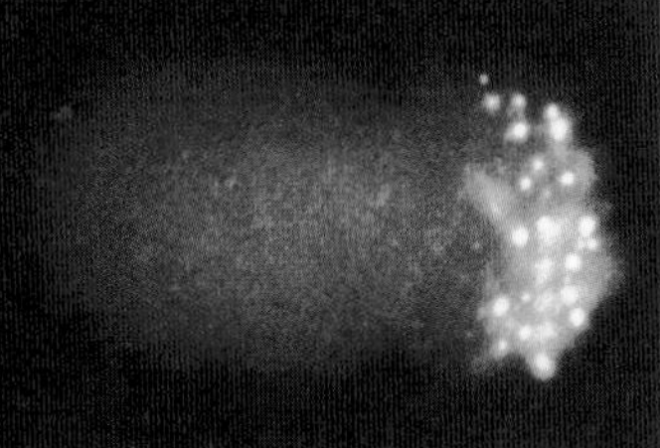

❸ Embryon à deux cellules

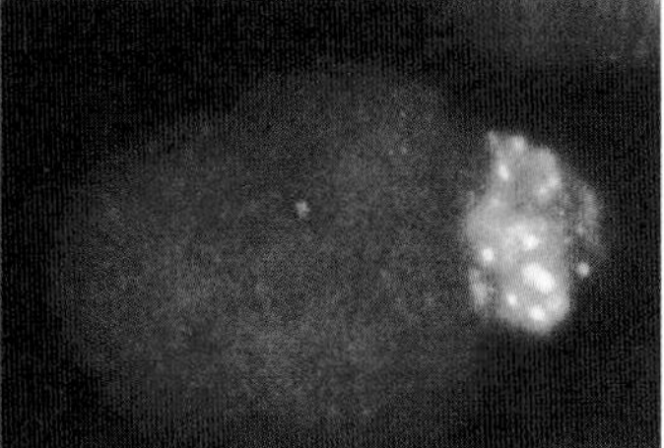

❹ Embryon à quatre cellules

▼ **Figure 47.22 Les axes corporels et leur établissement chez un amphibien.** Les trois axes s'établissent avant la segmentation du zygote.

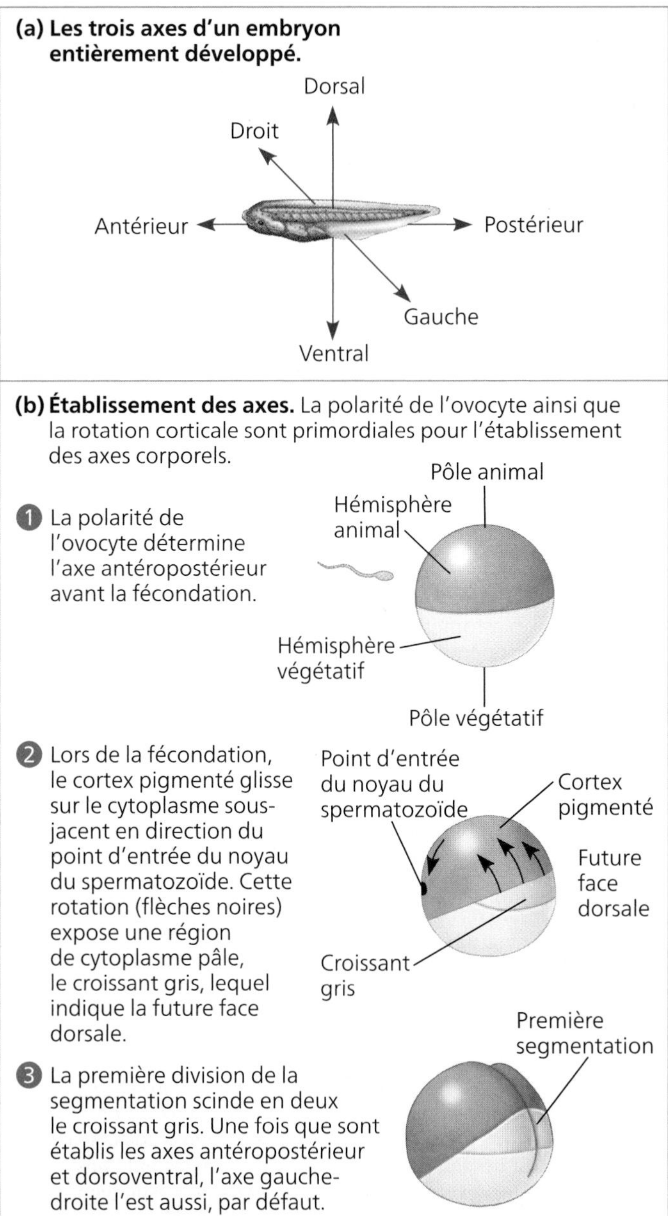

(a) Les trois axes d'un embryon entièrement développé.
Dorsal
Droit
Antérieur
Postérieur
Gauche
Ventral
(b) Établissement des axes. La polarité de l'ovocyte ainsi que la rotation corticale sont primordiales pour l'établissement des axes corporels.
1 La polarité de l'ovocyte détermine l'axe antéropostérieur avant la fécondation.
Pôle animal
Hémisphère animal
Hémisphère végétatif
Pôle végétatif
2 Lors de la fécondation, le cortex pigmenté glisse sur le cytoplasme sous-jacent en direction du point d'entrée du noyau du spermatozoïde. Cette rotation (flèches noires) expose une région de cytoplasme pâle, le croissant gris, lequel indique la future face dorsale.
Point d'entrée du noyau du spermatozoïde
Cortex pigmenté
Future face dorsale
Croissant gris
3 La première division de la segmentation scinde en deux le croissant gris. Une fois que sont établis les axes antéropostérieur et dorsoventral, l'axe gauche-droite l'est aussi, par défaut.
Première segmentation

ET SI ? ▶ Dans une expérience, des chercheurs ont laissé la rotation corticale s'accomplir normalement, puis ils l'ont forcée à se produire dans la direction opposée. Il en a résulté un embryon à deux têtes. Comment expliqueriez-vous ce résultat, compte tenu de l'influence de la rotation corticale sur la formation de l'axe corporel ?

L'établissement des axes corporels chez les mammifères, les oiseaux, les poissons et les insectes

Il s'avère que plusieurs processus différents président à l'établissement de l'axe corporel chez les embryons animaux. Chez les mammifères, les spermatozoïdes semblent contribuer à la formation de cet axe, mais différemment de ce qui se passe chez la grenouille. Mentionnons notamment le rôle que joue l'orientation des noyaux de l'ovocyte et du spermatozoïde avant leur fusion dans l'emplacement du premier plan de segmentation.

Chez le poulet, la force gravitationnelle contribue à la détermination de l'axe antéropostérieur lorsque l'œuf descend l'oviducte avant d'être pondu par la poule. Chez le poisson-zèbre (*Dania rerio*), ce sont des signaux à l'intérieur de l'embryon qui établissent l'axe antéropostérieur de façon graduelle et en une seule journée. D'autres mécanismes encore existent chez les insectes, chez qui des gradients de facteurs de transcription activés dans tout le corps établissent à la fois l'axe antéropostérieur et l'axe dorsoventral (voir le concept 18.4).

Lorsque les axes antéropostérieur et dorsoventral sont établis, la position de l'axe gauche-droite l'est aussi, par défaut. Cependant, certains mécanismes moléculaires doivent déterminer le côté qui sera le gauche et celui qui sera le droit. Chez les vertébrés, il existe des différences gauche-droite marquées entre les positions des organes internes ainsi que dans l'organisation et la structure du cœur et du cerveau. Des recherches récentes ont révélé que les cils jouent un rôle majeur dans l'établissement de l'asymétrie gauche-droite, comme nous le verrons peu avant la fin du chapitre.

L'affaiblissement du potentiel de développement de chaque cellule

Nous avons vu précédemment que la détermination est l'établissement de la destinée d'une cellule donnée. L'ovule fécondé engendre les destinées de toutes les cellules. Au cours du développement, pendant combien de temps les cellules possèdent-elles cette propriété ? Le zoologiste allemand Hans Spemann s'est penché sur cette question en 1938. En manipulant des embryons de manière à perturber leur développement normal, puis en examinant la destinée de la cellule après manipulation, il a cerné la notion de *potentiel de développement* d'une cellule, c'est-à-dire la gamme de structures auxquelles cette cellule peut donner naissance (**figure 47.23**). Les travaux de Spemann et d'autres chercheurs ont révélé que les deux premiers blastomères de l'embryon de grenouille sont **totipotents**, c'est-à-dire capables de devenir n'importe lequel des types cellulaires présents chez l'adulte.

Chez les mammifères, les cellules de l'embryon restent totipotentes jusqu'au stade à huit cellules, soit nettement plus longtemps que chez beaucoup d'autres animaux. Des recherches récentes indiquent toutefois que, dans un embryon normal, les toutes premières cellules (même les deux premières) ne sont pas réellement équivalentes. Quand elles sont séparées, leur totipotence signifie vraisemblablement qu'elles peuvent orienter leur destinée en réaction à l'environnement embryonnaire. Une fois que l'embryon mammalien a atteint le stade à 16 cellules, ses cellules forment le trophoblaste ou l'embryoblaste. Bien que les cellules présentent un potentiel de développement plus limité à partir de ce stade, leurs noyaux sont encore totipotents, comme le montrent les expériences de transplantation et de clonage (voir les figures 20.17 et 20.18).

La totipotence des cellules au début de l'embryogenèse chez l'humain explique pourquoi on peut avoir un vrai jumeau. Les vrais jumeaux (monozygotes) se développent quand les cellules ou groupes de cellules embryonnaires se séparent. Si la séparation a lieu avant la différenciation du trophoblaste et de l'embryoblaste, deux embryons se forment, chacun doté de son propre chorion et de son propre amnios. C'est ce qui se produit chez le tiers environ des vrais jumeaux. Dans les autres cas, les

DÉMARCHE SCIENTIFIQUE

INVESTIGATION

▼ **Figure 47.23**

Comment la distribution du croissant gris influe-t-elle sur le potentiel de développement des deux premières cellules filles ?

■ **HYPOTHÈSE** ■ Hans Spemann, de l'Université de Fribourg, en Allemagne, a posé l'hypothèse selon laquelle des substances étaient distribuées de manière asymétrique dans le croissant gris.

■ **EXPÉRIENCE** ■ Dans le but de vérifier cette hypothèse, Hans Spemann a réalisé l'expérience suivante, en 1938.

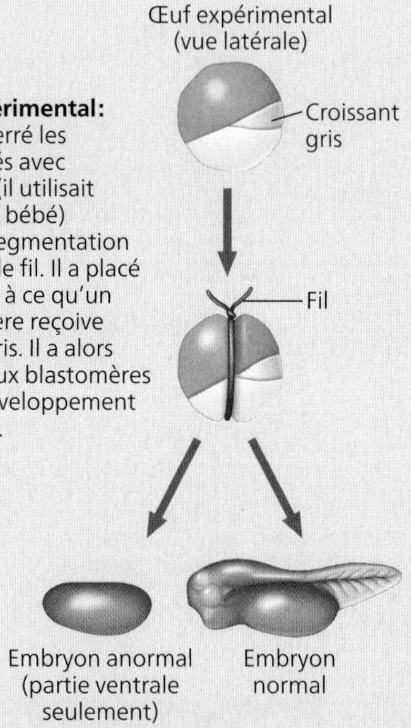

Œuf témoin
(vue dorsale)
Croissant gris
Groupe témoin:
Spemann a laissé des œufs de salamandre fécondés se diviser normalement, de sorte que le croissant gris s'est scindé de manière égale entre les deux blastomères. Spemann a alors séparé les deux blastomères et laissé le développement se poursuivre.
Embryons normaux
Œuf expérimental
(vue latérale)
Croissant gris
Groupe expérimental:
Spemann a serré les œufs fécondés avec un fil très fin (il utilisait un cheveu de bébé) pour que la segmentation se fasse sous le fil. Il a placé le fil de façon à ce qu'un seul blastomère reçoive le croissant gris. Il a alors séparé les deux blastomères et laissé le développement se poursuivre.
Fil
Embryon anormal
(partie ventrale seulement)
Embryon normal

■ **RÉSULTATS** ■ Les blastomères qui reçoivent la moitié ou la totalité du croissant gris forment des embryons normaux, mais un blastomère qui ne reçoit rien du croissant gris donne un embryon anormal, dépourvu de structures dorsales.

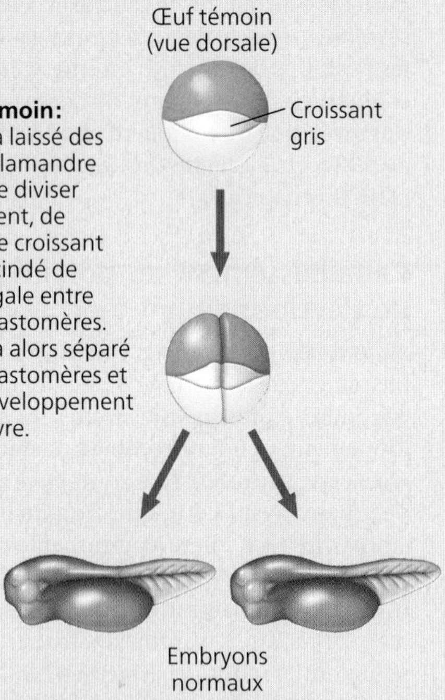

■ **CONCLUSION** ■ Le potentiel de développement des deux blastomères normalement formés durant la première division dépend des déterminants cytoplasmiques situés dans le croissant gris.

Source des données: H. Spemann, *Embryonic Development and Induction*, Yale University Press, New Haven, CT (1938).

FAITES UN DESSIN ▶ Dessinez des lignes indiquant le plan selon lequel se produirait la première division cellulaire dans les œufs fécondés ci-dessus s'ils n'étaient l'objet d'aucune manipulation.

ET SI ? ▶ Dans une expérience similaire réalisée 40 ans plus tôt, l'embryologiste Wilhelm Roux a laissé la première segmentation se produire, puis il a détruit un seul blastomère à l'aide d'une aiguille. L'embryon qui s'est développé à partir du blastomère restant (ainsi que des débris cellulaires) était anormal et avait l'aspect d'un demi-embryon. Comment la présence de molécules dans la cellule morte pourrait-elle expliquer pourquoi les résultats de Roux étaient différents des résultats du groupe témoin de Spemann ?

deux embryons en développement partagent le même chorion et, très rarement, lorsque la séparation est particulièrement tardive, le même amnios également.

Quel que soit le degré de ressemblance ou de différence entre les cellules d'un jeune embryon d'une espèce donnée, l'affaiblissement progressif du potentiel de développement cellulaire est une caractéristique commune au développement chez tous les animaux. De façon générale, dans une gastrula qui a atteint un stade avancé de développement, la destinée des cellules propres à chaque tissu est déjà déterminée, ce qui n'est pas toujours le cas dans une jeune gastrula. Par exemple, si on remplace expérimentalement l'ectoderme dorsal par de l'ectoderme prélevé à un autre endroit de la même gastrula, le tissu transplanté devient une plaque neurale. Toutefois, si on effectue la même expérience sur une gastrula arrivée à un stade avancé, l'ectoderme transplanté ne réagit pas à son nouvel emplacement et ne devient pas une plaque neurale.

La détermination des destinées et le mode de formation par les signaux d'induction

Au fur et à mesure que se poursuit le développement embryonnaire, les cellules influencent la destinée les unes des autres par induction. À l'échelle moléculaire, l'effet de l'induction (la réponse à un signal d'induction) est généralement l'activation d'un ensemble de gènes qui va entraîner la différenciation des cellules cibles en tissus ou en cellules spécifiques. Examinons quelques exemples d'induction, un mécanisme de développement qui joue un rôle important dans l'organisation du plan corporel de base d'un embryon et dans la direction du développement tridimensionnel des membres chez les vertébrés.

L'« organisateur » de Spemann et Mangold

Avant ses expériences sur la totipotence des cellules des œufs fécondés de grenouille, Hans Spemann avait étudié la détermination des destinées cellulaires durant la gastrulation. Dans ces expériences, Spemann et son étudiante Hilde Mangold ont transplanté des tissus d'une jeune gastrula à une autre. À partir des résultats de leur expérience la plus célèbre, résumée à la **figure 47.24**, les deux scientifiques ont fait une découverte remarquable : non seulement la lèvre dorsale transplantée du blastopore de la jeune gastrula continuait d'être une lèvre de blastopore, mais elle déclenchait la gastrulation dans les tissus voisins. C'est ainsi qu'ils ont pu conclure que la lèvre dorsale du blastopore de la jeune gastrula jouait un rôle d'« organisateur » essentiel dans le développement embryonnaire en amorçant une série d'inductions aboutissant à la formation de la notocorde, du tube neural et d'autres organes.

DÉMARCHE SCIENTIFIQUE

INVESTIGATION

▼ Figure 47.24
La lèvre dorsale du blastopore peut-elle inciter les cellules d'une autre partie de l'embryon amphibien à changer leur destinée ?

■ HYPOTHÈSE ■ Si un groupe de cellules orchestre la formation d'un organe de l'embryon, alors la transplantation de ce groupe de cellules dans une autre partie de l'embryon provoquera la formation d'une structure correspondant au lieu d'origine du greffon.

■ EXPÉRIENCE ■ En 1924, à l'Université de Fribourg, en Allemagne, Hans Spemann et Hilde Mangold ont étudié la capacité d'induction de la lèvre dorsale de la gastrula chez des tritons. Pour ce faire, ils ont transplanté un fragment de lèvre dorsale de gastrula sur la face ventrale d'une autre gastrula. Étant donné que l'embryon donneur était albinos et que sa gastrula était donc non pigmentée, les chercheurs pouvaient suivre *de visu* les effets que le greffon avait sur la destinée de l'embryon receveur.

■ RÉSULTATS ■ Les photographies ci-dessous proviennent d'une reprise de l'expérience classique de Spemann et Mangold dans laquelle les chercheurs ont utilisé la grenouille *Xenopus laevis*. En haut, le têtard provient d'une gastrula du groupe témoin. Lorsque les chercheurs ont transplanté la lèvre dorsale d'un donneur albinos (en bas à gauche) sur une gastrula du groupe expérimental, une seconde notocorde et un second tube neural sont apparus dans la région du greffon. Puis, un autre embryon s'est formé presque complètement, ce qui a produit un têtard à deux têtes.

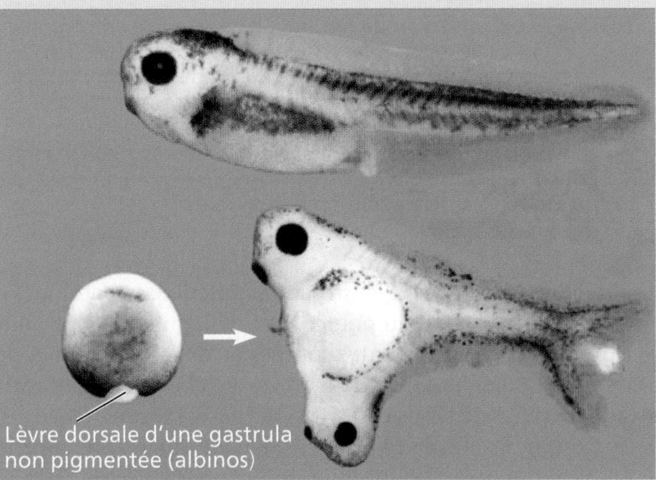

■ CONCLUSION ■ La lèvre dorsale transplantée dans une autre région du receveur a incité les cellules à former des structures différentes de celles qu'elles étaient censées former. Le greffon a « organisé » le développement futur d'un embryon entier.

Source des données : H. Spemann et H. Mangold, Induction of embryonic primordia by implantation of organizers from a different species, traduction de V. Hamburger (1924). Repris dans *International Journal of Developmental Biology* 45 : 13-38 (2001) et E. M. De Robertis et H. Kuroda, Dorsal-ventral patterning and neural induction in *Xenopus* embryos, *Annual Review of Cell and Developmental Biology* 20 : 285-308 (2004).

ET SI ? ▶ Comme la transplantation a fait en sorte que le tissu du receveur s'est différencié de façon inusitée, on peut en déduire que la lèvre dorsale a probablement émis un signal quelconque. Si vous connaissiez une protéine capable d'émettre un signal de ce genre, de quelle façon son injection dans les cellules ventrales d'une gastrula vous permettrait-elle de vérifier son mécanisme de fonctionnement ?

Un siècle plus tard, les biologistes du développement continuent d'étudier les fondements moléculaires de l'induction exercée par l'*organisateur de Spemann et Mangold* (aussi appelé *organisateur de la gastrula* ou, simplement, *organisateur*). L'étude d'un facteur de croissance appelé *protéine 4 de la morphogenèse osseuse* (ou BMP4, pour *bone morphogenetic protein 4*) a donné des indices importants à cet égard. L'une des principales fonctions de l'organisateur semble être d'inactiver la protéine 4 sur la face dorsale de l'embryon. Cette inactivation permet à la face dorsale de former des structures dorsales comme la notocorde et le tube neural. Des protéines apparentées à la protéine 4 et à ses inhibiteurs existent également chez les invertébrés comme la drosophile, où elles contribuent aussi à orchestrer l'organisation de l'axe dorsoventral.

La formation d'un membre chez les vertébrés

Les signaux d'induction jouent un rôle essentiel dans la **mise en place du plan d'organisation**, c'est-à-dire dans le processus qui assure l'arrangement des tissus et des organes à l'emplacement qui leur est caractéristique. On désigne l'ensemble des indices moléculaires qui déterminent la mise en place du plan d'organisation par l'expression générique **information de positionnement**. Ces indices situent chaque cellule par rapport à ses voisines et par rapport aux axes de l'organisme animal. Ils contribuent également à déterminer la réaction de chaque cellule et celle de ses cellules filles vis-à-vis des autres signaux moléculaires durant le développement embryonnaire.

Au concept 18.4, nous avons examiné la mise en place du plan d'organisation en analysant le développement de la drosophile. Pour l'étude des plans d'organisation chez les vertébrés, le développement des membres chez le poulet est un modèle très utile. Les ailes et les pattes, comme tous les membres des vertébrés, apparaissent d'abord sous la forme d'ébauches de tissu appelées *bourgeons de membres* (**figure 47.25a**). Chaque partie du membre du poulet (os ou muscle) se forme à un endroit précis et selon une orientation bien déterminée par rapport à trois axes : l'axe proximodistal (de la racine du membre au bout des doigts), l'axe antéropostérieur (du bord avant au bord arrière du membre, ou du pouce à l'auriculaire) et l'axe dorsoventral (de la face supérieure à la face inférieure, ou du dos de la main à la paume), comme le montre la **figure 47.25b**.

Dans un bourgeon de membre, le développement du membre subit une influence déterminante de la part de deux organisateurs : la crête ectodermique apicale et la zone d'activité polarisante. La **crête ectodermique apicale** (**CEA**) est une région épaissie de l'ectoderme, située au sommet du bourgeon (voir la figure 47.25a). L'ablation chirurgicale de la CEA bloque la croissance du membre selon l'axe proximodistal. Pourquoi ? Parce que la CEA sécrète une protéine appelée *facteur de croissance des fibroblastes* (FGF) qui favorise la croissance du bourgeon de membre. Si on remplace la CEA par des billes imprégnées de FGF, un membre presque normal se forme.

L'autre organisateur du bourgeon de membre, la **zone d'activité polarisante** (**ZAP**), est une masse spécialisée de tissu mésodermique (voir la figure 47.25a). La ZAP est responsable du développement du membre le long de son axe antéropostérieur. Les cellules qui en sont les plus proches donnent les structures postérieures, comme le plus postérieur des trois doigts du poulet (l'homologue de notre auriculaire), tandis que les cellules les plus éloignées donnent les structures antérieures, comme le plus antérieur des doigts du poulet (l'homologue de notre pouce). L'une des plus importantes sources de données au sujet de ce modèle est la série d'expériences que des chercheurs ont réalisée sur les greffes de tissus et qui est décrite à la **figure 47.26**.

Comme la CEA, la ZAP exerce des effets sur le développement en sécrétant une protéine appelée *Sonic hedgehog* (ou SHH, pour *Sonic hedgehog homolog*). Le nom de ce facteur renvoie au nom

▼ **Figure 47.25 La régulation du développement d'un membre chez les vertébrés par les « organisateurs ».**

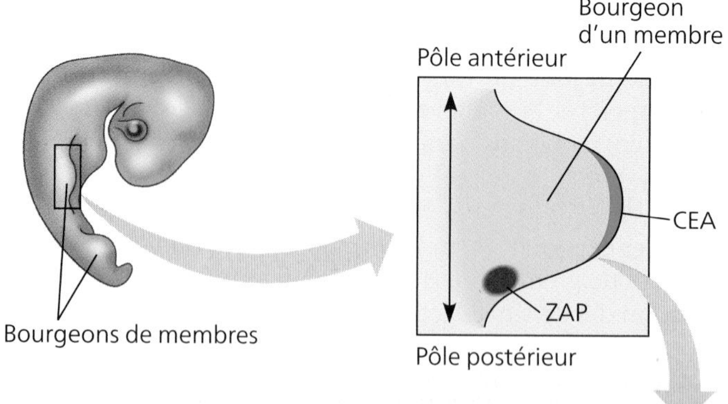

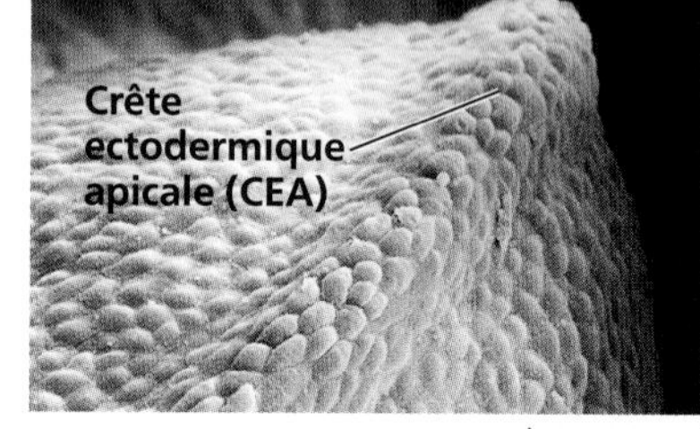

(a) Les « organisateurs ». Chez les vertébrés, les membres se développent à partir d'excroissances appelées bourgeons de membres. Deux régions sont des « organisateurs » essentiels dans la mise en place des plans d'organisation d'un membre : la crête ectodermique apicale (CEA ; montrée dans cette MEB) et la zone d'activité polarisante (ZAP).

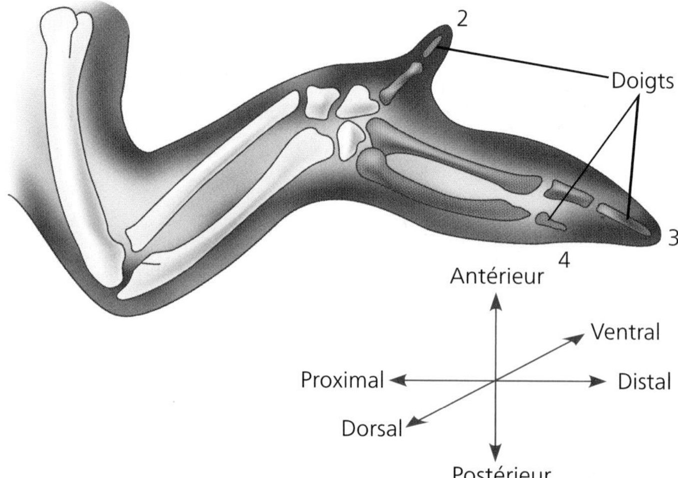

(b) Une aile d'embryon de poulet. Chaque cellule embryonnaire reçoit une information de positionnement indiquant son emplacement par rapport aux trois axes du membre. La CEA et la ZAP sécrètent des molécules qui transmettent cette information. (Les chiffres désignent les doigts selon une convention propre aux membres des vertébrés. L'aile d'un poulet possède seulement quatre doigts ; le premier doigt pointe vers l'arrière et n'est pas montré.)

DÉMARCHE SCIENTIFIQUE

INVESTIGATION

▼ **Figure 47.26**

Quel est le rôle de la zone d'activité polarisante (ZAP) dans la mise en place du plan d'organisation d'un membre de vertébré ?

■ **HYPOTHÈSE** ■ En 1985, des chercheurs souhaitaient étudier la nature de la zone d'activité polarisante. Ils ont émis l'hypothèse que la ZAP est responsable d'une partie de la mise en place du plan d'organisation de l'aile d'un poulet.

■ **EXPÉRIENCE** ■ Pour vérifier leur hypothèse, les chercheurs ont prélevé une ZAP chez un embryon de poulet donneur et l'ont transplantée sous l'ectoderme de la région antérieure d'un bourgeon de membre d'un autre poulet, faisant en sorte que l'animal receveur possède désormais deux zones d'activité polarisante.

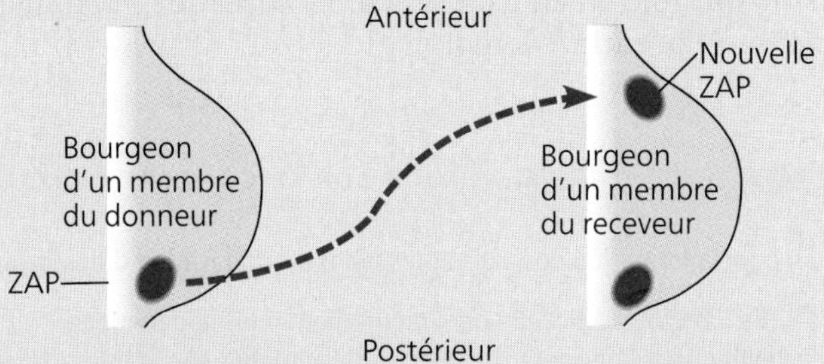

■ **RÉSULTATS** ■ La structure qui apparaît dans le membre en formation de l'embryon greffé est une image en miroir des doigts normaux, qui se sont aussi formés (reportez-vous à la figure 47.25b pour voir un schéma d'une aile de poulet normale).

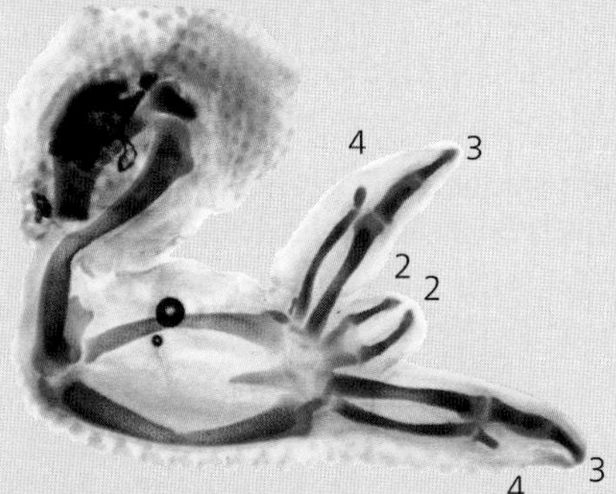

■ **CONCLUSION** ■ L'arrangement en miroir qu'on observe dans cette expérience donne à penser que les cellules de la ZAP sécrètent une molécule de signalisation qui diffuse de sa source et transmet une information de positionnement correspondant à «postérieur». À mesure que la distance de la ZAP augmente, la concentration du signal chimique diminue, d'où la formation de doigts davantage antérieurs.

Source des données : L. S. Honig et D. Summerbell, Maps of strength of positional signalling activity in the developing chick wing bud, *Journal of Embryology and Experimental Morphology* 87 : 163-174 (1985).

ET SI ? ▶ Supposons que vous avez appris que la ZAP se forme après la CEA. Vous émettez donc l'hypothèse que la CEA est indispensable à la formation de la ZAP. Si vous enleviez la CEA et recherchiez l'expression de la protéine SHH, en quoi cela vous permettrait-il de vérifier votre hypothèse ?

d'un personnage de jeu vidéo et à une protéine semblable que possède *Drosophila* et qui régule également le développement. Si des cellules modifiées génétiquement pour produire de grandes quantités de *Sonic hedgehog* sont greffées dans la région antérieure d'un bourgeon de membre normal, une structure en miroir se forme (comme si on avait greffé une ZAP au même endroit). De plus, des expériences effectuées sur des souris révèlent que la production de la protéine SHH dans une partie du bourgeon où elle est normalement absente peut causer l'apparition de doigts surnuméraires.

La CEA et la ZAP déterminent la position des axes des bourgeons de membres, mais qu'est-ce qui détermine si un bourgeon de membre doit devenir un membre antérieur ou un membre postérieur ? C'est l'information fournie par les plans d'organisation spatiale des gènes *Hox*, qui attribuent des destinées différentes selon les régions du corps (voir la figure 21.20).

Le FGF ainsi que les protéines BMP4, SHH et Hox ne sont que quelques-unes des nombreuses molécules de communication qui régissent la destinée des cellules chez les animaux. Maintenant qu'ils connaissent les rôles fondamentaux de ces molécules dans le développement embryonnaire, les chercheurs peuvent étudier leurs fonctions dans l'organogenèse, plus particulièrement dans le développement du cerveau.

Le rôle des cils dans la destinée des cellules

Récemment, des chercheurs ont constaté que les organites cellulaires appelés «cils» jouent un rôle essentiel dans les instructions qui définissent la destinée des cellules embryonnaires. À l'instar des autres mammifères, les humains ont des cils immobiles et des cils vibratiles (voir la figure 6.24). Les cils primaires immobiles, ou *monocils*, garnissent la surface de presque toutes les cellules, alors que les cils vibratiles ne se trouvent que sur les cellules qui déplacent du liquide à leur surface, comme les cellules épithéliales des voies respiratoires, ainsi que sur les spermatozoïdes (sous la forme de flagelles, lesquels permettent aux spermatozoïdes de se déplacer). Les cils immobiles et les cils vibratiles jouent un rôle crucial dans le développement.

Des études en génétique révèlent des éléments fort éclairants sur le rôle des monocils dans le développement. En 2003, des généticiens ont découvert que certaines mutations qui entravaient le développement du système nerveux de la souris commune (*Mus musculus*) gênaient aussi les gènes participant à la fabrication des monocils. D'autres chercheurs ont constaté que certaines mutations à l'origine d'une maladie rénale grave chez la souris altèrent un gène important pour le transport de substances le long des monocils. On a également établi des liens entre les mutations qui inhibent le fonctionnement des monocils et la polykystose rénale chez les humains.

Comment les monocils participent-ils au développement ? Les études montrent que les monocils accomplissent leur fonction à la surface des cellules : telles des antennes, ils reçoivent des informations de plusieurs protéines de communication, dont la SHH. Des mécanismes régulent les protéines réceptrices des cils et leur permettent d'être sensibles à certains signaux. Lorsque les monocils sont défectueux, la communication s'en trouve perturbée.

Des études portant sur le syndrome de Kartagener ont permis de mieux comprendre le rôle des cils vibratiles dans le développement. Le syndrome de Kartagener regroupe un certain nombre de problèmes de santé qui souvent se manifestent collectivement, notamment par l'infertilité masculine due à l'immobilité des spermatozoïdes et, chez les deux sexes, par des infections des sinus nasaux et des bronches. Dans ce syndrome, toutefois, le plus étonnant était un *situs inversus*, c'est-à-dire la disposition inverse, « en miroir », de tous les organes viscéraux par rapport au plan gauche-droite (**figure 47.27**). Par exemple, dans le *situs inversus*, le cœur se situe du côté droit plutôt que du côté gauche. (Comme tel, toutefois, ce *situs inversus* ne cause pas de problème de santé important.)

Les chercheurs qui étudient le syndrome de Kartagener savent maintenant que les manifestations de ce syndrome découlent toutes d'une anomalie qui rend les cils immobiles. En effet, sans motilité, la queue du spermatozoïde est incapable de battre, et les cils des voies respiratoires ne peuvent pas déloger le mucus et les agents infectieux. Quelle est la cause du *situs inversus* ? Selon le modèle actuel, le mouvement ciliaire dans une région particulière de l'embryon est essentiel au développement normal. Les données indiquent que le mouvement des cils produit un courant qui déplace les liquides vers la gauche et rompt ainsi la symétrie entre les côtés gauche et droit. Sans ce courant, l'asymétrie gauche-droite se produit de manière aléatoire ; un *situs inversus* apparaît chez la moitié de ces embryons.

▼ Figure 47.27 Le *situs inversus*, une inversion de l'asymétrie normale gauche-droite dans le thorax et l'abdomen.

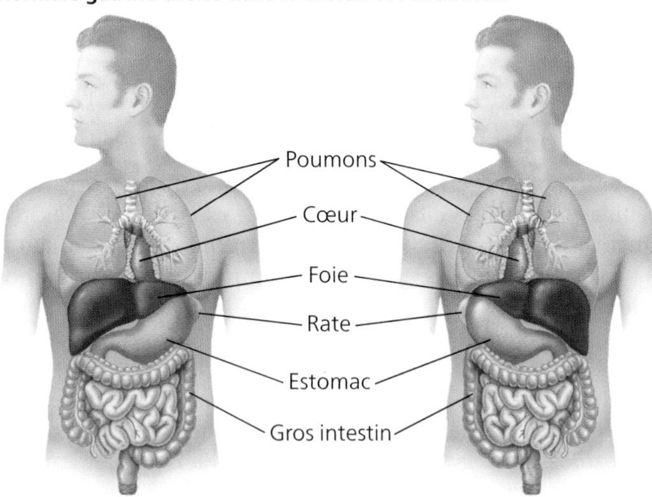

Si nous examinons le développement dans sa globalité, nous pouvons voir qu'une séquence d'événements s'en dégage, ponctuée par des cycles de signalisation et de différenciation. Au début du développement, des asymétries cellulaires permettent à différents types de cellules de s'inciter les unes les autres à exprimer différents ensembles de gènes. Les produits de ces gènes font ensuite en sorte que les cellules se différencient en types particuliers. En coordination avec la morphogenèse, divers plans d'organisation s'établissent dans toutes les parties de l'embryon en développement. Et ces processus aboutissent à la production d'un agencement complexe de nombreux tissus et organes, chaque organe et chaque tissu jouant son rôle à l'endroit prévu, de sorte que l'organisme constitue une entité coordonnée.

RETOUR SUR LE CONCEPT 47.3

1. En quoi la formation des axes et les plans d'organisation diffèrent-ils ?
2. **FAITES DES LIENS ▶** En quoi un gradient morphogénétique se distingue-t-il des déterminants cytoplasmiques et des interactions inductives à l'égard du groupe de cellules sur lequel il agit (voir le concept 18.4) ?
3. **ET SI ? ▶** Si les cellules ventrales de la jeune gastrula d'un amphibien sont forcées, en laboratoire, d'exprimer une grande quantité d'une protéine qui inhibe la BMP4, un second embryon pourrait-il se développer ? Expliquez votre réponse.
4. **ET SI ? ▶** Si vous retirez la ZAP d'un bourgeon de membre et que vous insérez une bille imbibée de SHH au milieu du bourgeon de membre, quel résultat obtiendrez-vous, à votre avis ?

Voir les réponses proposées à l'appendice A.

RÉVISION DU CHAPITRE 47

Consultez votre MANUEL NUMÉRIQUE, qui vous donne accès aux **animations**, aux **exercices** et à la plateforme d'**anatomie interactive**.

Résumé des concepts clés

CONCEPT 47.1

La fécondation et la segmentation amorcent le développement embryonnaire (p. 1148 à 1154)

- La **fécondation** forme un zygote diploïde et amorce le développement embryonnaire. La **réaction acrosomiale** libère des hydrolases spermatiques qui traversent en la digérant la substance qui entoure l'ovule.

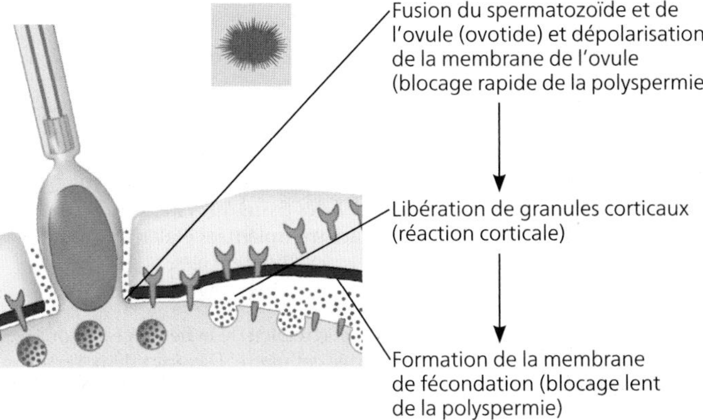

Chez les mammifères, au cours de la fécondation, la réaction corticale modifie la **zone pellucide** et établit ainsi le blocage lent de la polyspermie.

- La fécondation est suivie de la **segmentation**, étape de division cellulaire accélérée, sans croissance, dont il résulte un grand nombre de cellules appelées **blastomères**. La quantité de **vitellus** ainsi que sa distribution influe fortement sur le résultat de la segmentation. Chez bien des espèces, la fin de l'étape de la segmentation crée une sphère multicellulaire, appelée **blastula**, qui contient une cavité remplie de liquide, le **blastocèle**.

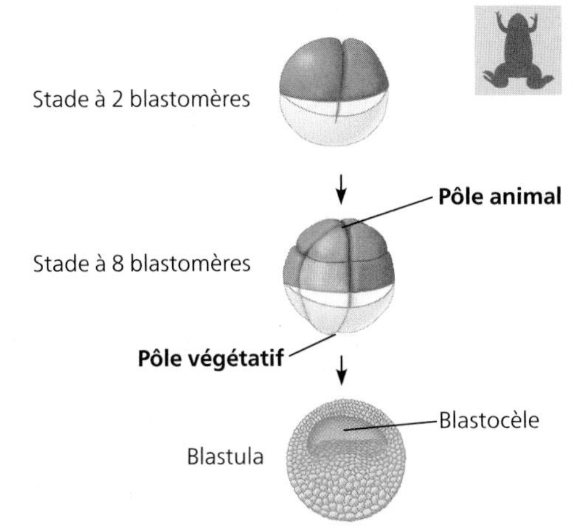

? Quel événement se produisant à la surface de la cellule serait probablement mis en échec si un spermatozoïde entrait en contact avec un ovule d'une autre espèce ?

CONCEPT 47.2

Chez les animaux, la morphogenèse comporte des modifications touchant la forme, l'emplacement et la survie des cellules (p. 1154 à 1162)

- La **gastrulation** transforme la blastula en une **gastrula** constituée d'un tube digestif rudimentaire et de trois **feuillets embryonnaires** : l'**ectoderme** (en bleu), qui forme l'enveloppe externe de l'embryon ; le **mésoderme** (en rouge), qui forme la couche intermédiaire ; et l'**endoderme** (en jaune), qui engendre les tissus internes.

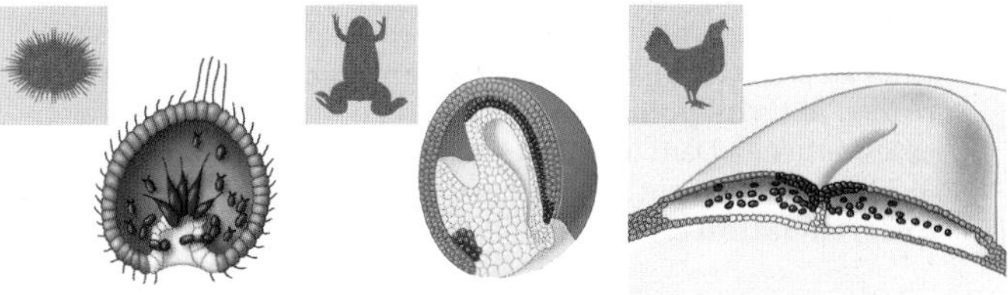

- La gastrulation et l'organogenèse des mammifères ressemblent à celles des oiseaux et des autres reptiles. Après la fécondation et le début de la segmentation, qui se déroulent dans l'un des oviductes, le **blastocyste** s'implante dans l'utérus. Le **trophoblaste** amorce alors la formation de la partie fœtale du placenta. L'embryon proprement dit se développe à partir d'une seule couche de cellules, l'épiblaste, à l'intérieur du blastocyste.
- Chez les oiseaux, les autres reptiles et les mammifères, les embryons se développent dans un sac rempli de liquide, qui est lui-même contenu dans une coquille ou dans l'utérus maternel. Dans ces organismes, les trois feuillets embryonnaires produisent quatre **membranes extraembryonnaires** : l'amnios, le chorion, le sac vitellin et l'allantoïde.
- Les organes du corps de l'animal se développent à partir de portions précises des trois feuillets embryonnaires. Chez les vertébrés, les premières étapes de l'**organogenèse** constituent la neurulation, c'est-à-dire la formation de la **notocorde** par les cellules du mésoderme dorsal et la formation du **tube neural** du fait du repliement de la plaque neurale de l'ectoderme.

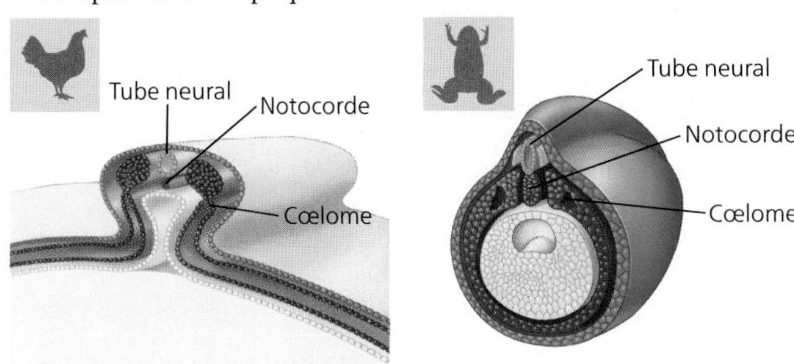

- Des remaniements du cytosquelette font en sorte que les cellules changent de forme et se déplacent au cours de la gastrulation et de l'organogenèse. Les invaginations et l'**extension convergente** sont des exemples de ce processus. Le cytosquelette joue aussi un rôle dans la migration cellulaire. Celle-ci est régie par les molécules d'adhérence cellulaire ainsi que par la matrice extracellulaire, qui aident les cellules à se rendre en des endroits précis. Les cellules migratoires sont issues tant de la crête neurale que des **somites**.
- Au cours du développement d'un animal, certains processus font intervenir l'**apoptose**, un processus de mort cellulaire programmée.

? Nommez quelques-unes des fonctions de l'apoptose dans le développement.

CONCEPT 47.3

Les déterminants cytoplasmiques et les signaux d'induction régulent la destinée des cellules (p. 1162 à 1170)

- Les **cartes des territoires présomptifs** établies par des moyens expérimentaux montrent que des régions données du zygote ou de la blastula deviennent en se développant des parties des embryons plus âgés. Les scientifiques ont établi la lignée complète des cellules de *C. elegans* et montré que la mort cellulaire programmée contribue au développement chez les animaux. Chez toutes les espèces, le potentiel de développement des cellules est de plus en plus limité à mesure que le développement embryonnaire progresse.
- Dans un embryon en cours de développement, les cellules reçoivent et interprètent une **information de positionnement** qui leur indique l'emplacement qu'elles doivent occuper. Cette information prend souvent la forme de molécules de signalisation sécrétées par les cellules de certaines régions de l'embryon appelées *organisateurs*. Ces régions sont, par exemple, la lèvre dorsale du blastopore de la gastrula, chez les amphibiens, ou la **crête ectodermique apicale (CEA)** et la **zone d'activité polarisante (ZAP)** d'un bourgeon de membre, chez les vertébrés. Dans les cellules qui les reçoivent, les molécules de signalisation influent sur l'expression génétique et entraînent la **différenciation** et la formation de structures déterminées.

? Supposons que vous avez découvert deux classes de mutations chez la souris, une qui nuit uniquement au développement des membres et l'autre qui entrave à la fois le développement des membres et des reins. Laquelle des deux classes sera la plus susceptible d'altérer le fonctionnement des monocils ? Expliquez votre réponse.

Évaluation

NIVEAU 1 : CONNAISSANCE ET COMPRÉHENSION

1. Chez l'oursin, la réaction corticale a pour conséquence directe :
a) la formation d'une membrane de fécondation.
b) le blocage rapide de la polyspermie.
c) la production d'une impulsion électrique par l'ovotide.
d) la fusion du noyau de l'ovotide et de celui du spermatozoïde.

2. Parmi les éléments énumérés ci-dessous, lesquels se retrouvent à la fois dans le développement des oiseaux et dans celui des mammifères ?
a) La segmentation holoblastique.
b) L'épiblaste et l'hypoblaste.
c) Le trophoblaste.
d) Le croissant gris.

3. L'archentéron devient :
a) le mésoderme.
b) l'endoderme.
c) le placenta.
d) la lumière du tube digestif.

4. Quelle adaptation structurale permet à la poule de pondre des œufs dans un milieu sec plutôt que dans l'eau ?
a) Des membranes extraembryonnaires.
b) Le vitellus.
c) La segmentation.
d) La gastrulation.

NIVEAU 2 : APPLICATION ET ANALYSE

5. Si on traite un ovule en employant de l'EDTA, une substance chimique qui lie les ions calcium et magnésium :
a) la réaction acrosomiale sera bloquée.
b) la fusion des noyaux du spermatozoïde et de l'ovule sera bloquée.
c) le blocage rapide de la polyspermie ne se produira pas.
d) la membrane de fécondation ne se formera pas.

6. Chez les humains, des vrais jumeaux peuvent se présenter parce que :
a) les cellules extraembryonnaires interagissent avec le noyau du zygote.
b) une extension convergente a lieu.
c) les blastomères nouvellement formés peuvent donner un embryon complet s'ils sont isolés.
d) le croissant gris divise l'axe dorsoventral en nouvelles cellules.

7. Des cellules prélevées dans le tube neural d'un embryon de grenouille ont été transplantées dans la face ventrale d'un autre embryon. Les cellules ont donné naissance à des tissus du système nerveux. Ce résultat indique que les cellules transplantées étaient :
a) totipotentes.
b) déterminées.
c) différenciées.
d) mésenchymateuses.

8. **FAITES UN DESSIN ▶** Chaque cercle bleu de la figure ci-dessous représente une cellule d'une lignée cellulaire. Dessinez deux versions modifiées de cette lignée cellulaire : chaque version doit produire trois cellules. Utilisez l'apoptose dans une des deux versions en faisant un X sur les cellules mortes.

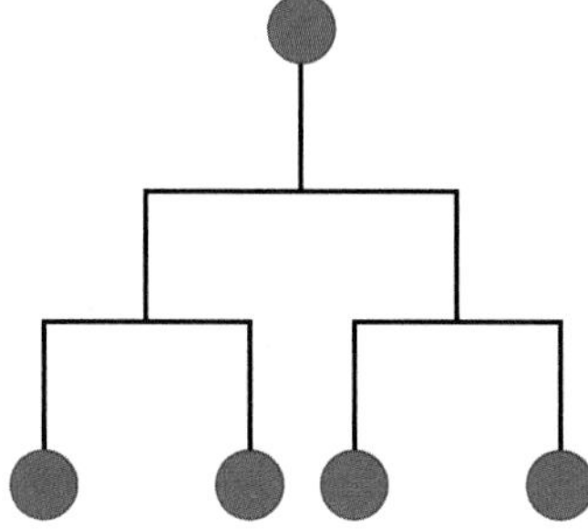

Voir les réponses proposées à l'appendice A.

Les neurones, les synapses et la communication

48

VOS OUTILS INTERACTIFS

Consultez votre MANUEL NUMÉRIQUE, qui vous donne accès aux **animations**, aux **exercices** et à la plateforme d'**anatomie interactive**.

▲ **Figure 48.1** **Pourquoi ce cône géographe est-il un dangereux prédateur?**

CONCEPTS CLÉS

48.1 L'organisation et la structure du neurone reflètent sa fonction dans la transmission de l'information

48.2 Les pompes et les canaux ioniques établissent le potentiel de repos du neurone

48.3 Les potentiels d'action sont les signaux transmis par les axones

48.4 Les neurones communiquent avec d'autres cellules aux synapses

▼ **Modèle en ruban d'un peptide toxique contenu dans le venin du cône géographe.**

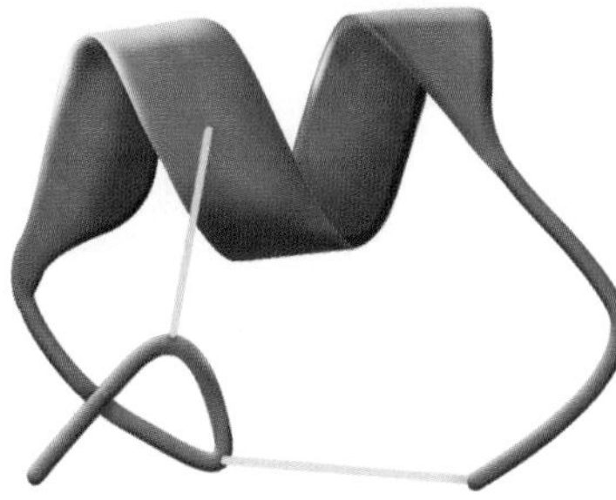

Les voies de communication

L'escargot de la **figure 48.1**, appelé cône géographe (*Conus geographus*), vit dans les mers tropicales. Il est petit et se déplace lentement, mais c'est un redoutable chasseur. Ce carnivore attaque des poissons, les tue et les dévore. Pour faire mourir sa proie, il y enfonce sa dent creuse en forme de harpon et lui injecte un venin qui la paralyse presque instantanément. Ce venin est si puissant que des plongeurs malchanceux sont morts à la suite d'une seule injection. Comment peut-il agir aussi rapidement et mortellement? En fait, le poison injecté contient un mélange de toxines. Chacune agit selon un mécanisme particulier qui désactive les **neurones**, c'est-à-dire les cellules nerveuses qui transmettent de l'information dans le corps. Comme le venin paralyse le contrôle neuronal de la locomotion et de la respiration, l'animal attaqué par le cône ne peut ni se défendre ni s'échapper: il est donc immanquablement voué à la mort.

La communication neuronale consiste essentiellement en signaux électriques sur de longues distances et en signaux chimiques sur de courtes distances. La structure spécialisée des neurones leur permet d'utiliser des impulsions électriques pour recevoir, envoyer et réguler le flux d'information dans le corps, et ce, sur de longues distances. Pour transmettre de l'information d'une cellule à une autre, les neurones font souvent intervenir des signaux chimiques qui agissent sur de très courtes distances. Si le venin du cône géographe est si puissant, c'est justement parce qu'il perturbe à la fois la communication électrique et chimique des neurones.

Tous les neurones transmettent des signaux électriques de la même façon dans la cellule. Par exemple, un neurone qui détecte une odeur transmet l'information de la même façon qu'un neurone qui contrôle le mouvement d'une partie du corps. Ce sont les connexions établies par le neurone actif qui distinguent les différents types d'information transmis. L'interprétation des impulsions nerveuses requiert donc la présence d'un réseau étendu de voies et de connexions neuronales. Chez les animaux plus complexes, le traitement de l'information s'effectue principalement dans des groupes de neurones qui forment un **encéphale** ou dans des amas plus simples appelés **ganglions**.

Dans le présent chapitre, nous examinerons la structure du neurone ainsi que les molécules et les principes physiques qui régissent la communication neuronale. Dans les autres chapitres de cette partie, nous nous pencherons sur le système nerveux et les mécanismes sensoriels et moteurs, puis nous verrons comment leurs fonctions s'intègrent pour produire un comportement.

CONCEPT **48.1**

L'organisation et la structure du neurone reflètent sa fonction dans la transmission de l'information

Nous amorçons notre exploration du système nerveux avec l'étude du neurone, un type de cellule qui illustre bien une constante qui revient souvent dans l'évolution : l'étroite adéquation entre la structure et la fonction.

La structure et la fonction du neurone

La capacité du neurone à recevoir et à transmettre de l'information relève de son organisation cellulaire hautement spécialisée (**figure 48.2**). La plupart des organites du neurone, y compris son noyau, sont situés dans le **corps cellulaire du neurone**. Dans un neurone, le corps cellulaire comporte généralement de nombreux prolongements très ramifiés appelés **dendrites** (du grec *dendron*, « arbre »). Avec le corps cellulaire du neurone, les dendrites *reçoivent* les signaux provenant d'autres neurones. Le neurone possède aussi un seul **axone**, un prolongement qui *transmet* des signaux aux autres cellules. Les axones sont généralement beaucoup plus longs que les dendrites. Certains axones, comme ceux qui relient la moelle épinière d'une girafe aux cellules des muscles de ses pieds, peuvent mesurer plus de 1 m de longueur. La région conique de l'axone, au point de jonction avec le corps cellulaire du neurone, s'appelle *cône d'implantation de l'axone* ; comme nous le verrons, c'est en général dans cette région que sont générés les signaux transmis par l'axone. Près de son extrémité, l'axone se divise habituellement en plusieurs branches (appelées télodendrons ou encore terminaisons axonales).

Chaque extrémité ramifiée d'un axone transmet de l'information à une autre cellule par une jonction appelée **synapse**. La partie de chaque ramification axonale qui forme cette jonction spécialisée est appelée *corpuscule nerveux terminal* ou bouton terminal. La plupart du temps, l'information passe du neurone transmetteur à la cellule réceptrice au moyen de messagers chimiques appelés **neurotransmetteurs** (voir la figure 48.2). Quand nous décrirons la synapse, nous utiliserons le terme *cellule présynaptique* pour désigner le neurone transmetteur et le terme *cellule postsynaptique* pour désigner le neurone, le muscle ou la glande qui reçoit le signal. Les neurones des vertébrés et de la plupart des invertébrés ont besoin de cellules de soutien appelées **gliocytes**, ou **cellules gliales** (du grec *gloios*, « glu ») (**figure 48.3**). Dans l'encéphale des mammifères, on compte de 10 à 50 gliocytes pour chaque neurone. Les gliocytes nourrissent les neurones, isolent les axones et régulent la composition du liquide extracellulaire dans lequel baignent les neurones. En outre, les gliocytes ont parfois pour tâche de regarnir certains groupes de neurones, de transmettre de l'information et de guider les neurones dans l'établissement des connexions (comme nous le verrons plus loin dans ce chapitre ainsi qu'au concept 49.1).

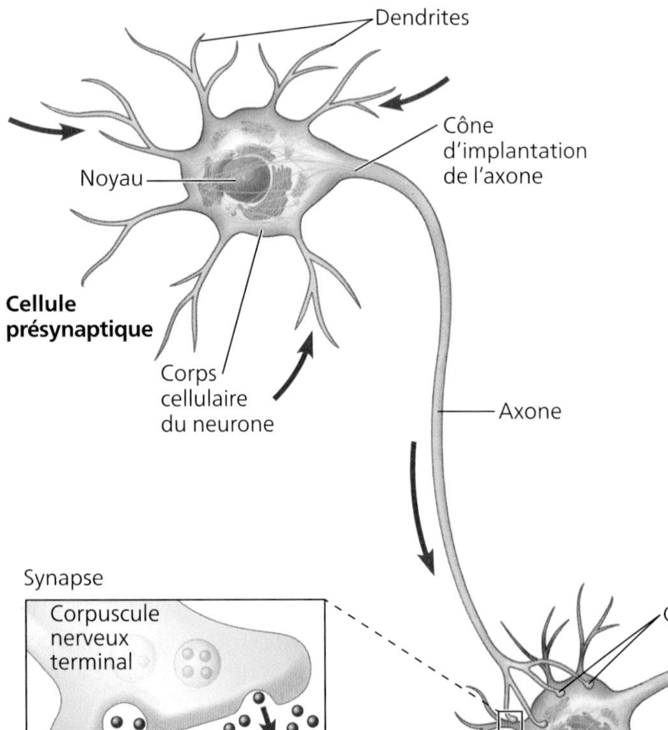

◄ **Figure 48.2 La structure d'un neurone.** Les flèches indiquent la direction des signaux, qui peuvent progresser le long d'un neurone, y entrer ou en sortir, ou se trouver entre deux neurones.

▼ **Figure 48.3 Les gliocytes dans l'encéphale des mammifères.** Cette micrographie (confocale à balayage laser avec marqueurs fluorescents) montre un fragment du cerveau d'un rat, rempli de gliocytes et d'interneurones. Les gliocytes apparaissent en rouge, l'ADN des noyaux, en bleu, et les dendrites neuronaux, en vert.

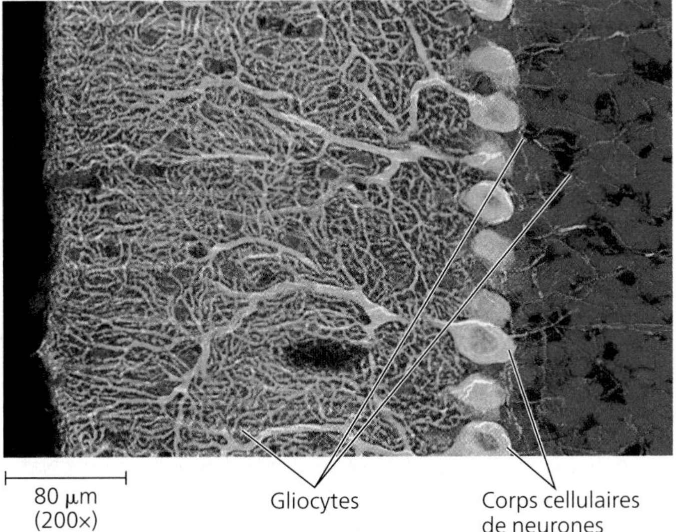

Le traitement de l'information: *un aperçu*

Les systèmes nerveux traitent l'information en trois étapes: (1) la réception de l'information sensorielle; (2) l'intégration; et (3) l'émission de commandes motrices. À titre d'exemple, revenons sur le cône géographe dont il a été question au tout début du chapitre, et voyons comment se déroulent la détection et l'attaque de la proie. Tout d'abord, l'escargot capte l'information sensorielle qui sera traitée par son système nerveux. Pour ce faire, il surveille son environnement à l'aide de son siphon tubulaire, à l'affût d'odeurs révélant la présence d'un poisson à proximité (**figure 48.4**). Ensuite, à l'étape de l'intégration, les réseaux de neurones doivent traiter l'information captée afin de déterminer s'il y a effectivement un poisson à proximité et, le cas échéant, dans quelle direction il se trouve. Enfin, des commandes motrices sont émises par le centre de traitement de l'escargot, qui déclenche l'attaque et active les neurones qui font s'enfoncer sa dent-harpon dans la proie.

Chez tous les animaux, à l'exception des plus simples, ces trois étapes sont gérées par des groupes spécialisés de neurones.

- Les **neurones sensitifs**, comme ceux situés dans le siphon de l'escargot, transmettent l'information issue des stimulus externes (comme la lumière, le toucher ou l'odeur) ou des conditions internes (comme la pression artérielle ou la tension musculaire).
- Les **interneurones** forment des circuits locaux qui relient les neurones les uns aux autres dans le cerveau ou les ganglions. Les interneurones intègrent l'information sensorielle (l'analysent et l'interprètent).
- Les **neurones moteurs** transmettent des signaux aux cellules musculaires pour provoquer leur contraction. Les neurones qui ont des prolongements à l'extérieur des centres de traitement déclenchent l'activité musculaire ou glandulaire.

Chez beaucoup d'animaux, les neurones responsables de l'intégration forment un **système nerveux central (SNC)**. Les neurones qui transmettent l'information au SNC ou qui en reçoivent de ce dernier constituent le **système nerveux périphérique (SNP)**. Groupés en faisceaux, les axones de ces neurones forment les **nerfs**.

La complexité morphologique d'un neurone dépend de sa fonction dans le traitement de l'information (**figure 48.5**). Ainsi, les neurones dotés de dendrites hautement ramifiées

▼ **Figure 48.4 Vue d'ensemble du traitement de l'information par les systèmes nerveux.** Le siphon de l'escargot cône géographe fait office de capteur et transmet l'information aux circuits neuronaux situés dans la tête de l'escargot. Si le siphon détecte une proie, ces circuits émettent des commandes motrices, c'est-à-dire des signaux qui dictent l'activité musculaire: le proboscis libère alors la dent qui harponne la proie.

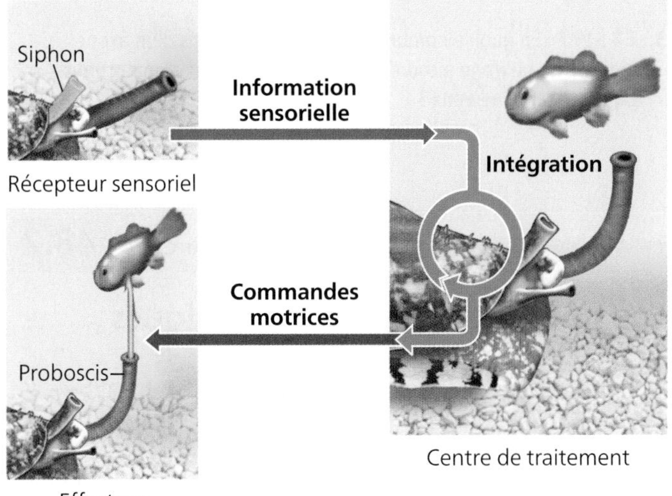

▼ **Figure 48.5 La diversité structurale des neurones des vertébrés.** Dans ces schémas, les corps cellulaires des neurones et les dendrites apparaissent en noir, et les axones, en rouge.

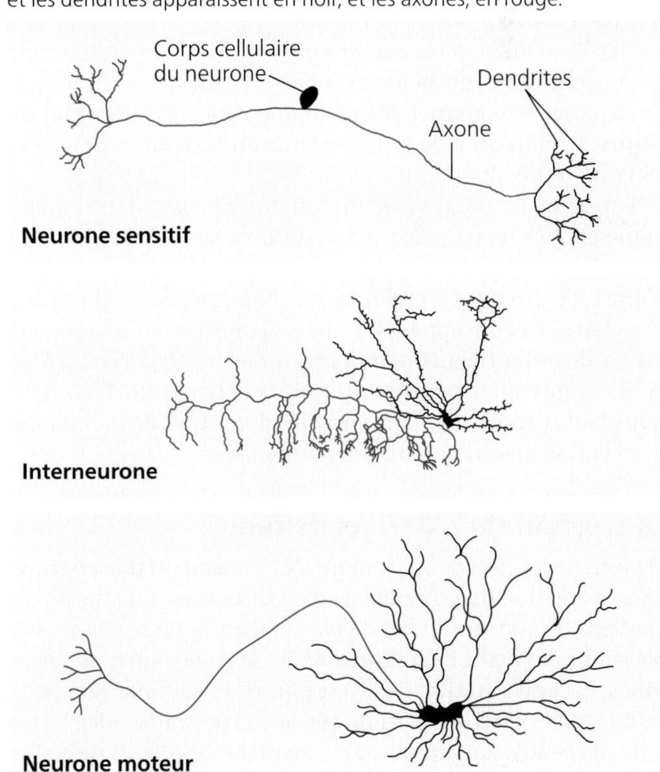

peuvent recevoir beaucoup d'information en provenance de très nombreuses synapses d'axones; certains interneurones en portent jusqu'à 100 000. De même, les neurones qui transmettent de l'information à un grand nombre de cellules cibles le font au moyen d'axones très ramifiés.

RETOUR SUR LE CONCEPT **48.1**

1. Comparez la structure et la fonction des axones et des dendrites.
2. Décrivez la principale voie qu'empruntent les neurones pour acheminer l'information et qui vous fait tourner la tête quand quelqu'un vous appelle par votre prénom.
3. ET SI ? ▶ En quoi le nombre élevé de ramifications d'un axone aide-t-il un neurone à coordonner les réponses aux signaux émis par le système nerveux ?

Voir les réponses proposées à l'appendice A.

CONCEPT **48.2**

Les pompes et les canaux ioniques établissent le potentiel de repos du neurone

Nous allons maintenant examiner le rôle essentiel des ions dans la communication neuronale. Comme pour toute cellule, les ions ne sont pas répartis également entre l'intérieur d'un neurone et le liquide à l'extérieur du neurone (voir le concept 7.4). L'intérieur a une charge négative par rapport à l'extérieur. Cette différence de charge électrique (ou tension) est appelée **potentiel de membrane**, car l'attraction entre les charges opposées de part et d'autre de la membrane est une source d'énergie potentielle. Pour un neurone au repos (qui ne transmet pas de signaux), le potentiel de membrane s'appelle **potentiel de repos**. Le potentiel de repos se situe en général entre –60 et –80 mV (millivolts).

Lorsqu'un neurone reçoit un stimulus, son potentiel de membrane change. C'est grâce aux variations rapides de potentiel de membrane que nous pouvons voir la délicate structure d'une toile d'araignée, entendre une chanson ou conduire une bicyclette. Au concept 48.3, nous reviendrons sur les changements de potentiel de membrane, appelés *potentiels d'action*. Pour comprendre comment ils transmettent l'information, il nous faut d'abord voir comment les potentiels de membrane se créent, se maintiennent et sont modifiés.

La création du potentiel de repos

Les ions potassium (K^+) et sodium (Na^+) jouent un rôle essentiel dans la création du potentiel de repos. Ces ions ont chacun un gradient de concentration de part et d'autre de la membrane plasmique du neurone (**tableau 48.1**). Dans la plupart des neurones, la concentration de K^+ est plus élevée à l'intérieur de la cellule qu'à l'extérieur, tandis que la concentration de Na^+ est plus élevée à l'extérieur qu'à l'intérieur. Les gradients de Na^+ et de K^+ sont maintenus par la **pompe à sodium et à potassium** (voir la figure 7.15). Cette pompe utilise l'énergie fournie par l'hydrolyse de l'ATP pour expulser du Na^+ de la cellule et y faire entrer du K^+, par transport actif dans les deux cas (**figure 48.6**). (Il existe aussi des gradients de concentration pour les ions chlorure [Cl^-] et d'autres anions, comme le montre le tableau 48.1, mais nous n'en tiendrons pas compte pour l'instant.)

Tableau 48.1 Concentrations d'ions à l'intérieur et à l'extérieur des neurones des mammifères

Ion	Concentration intracellulaire (m*M*)	Concentration extracellulaire (m*M*)
Potassium (K^+)	140	5
Sodium (Na^+)	15	150
Chlorure (Cl^-)	10	120
Anions volumineux (A^-), comme des protéines, à l'intérieur de la cellule	100	(ne s'applique pas)

La pompe à sodium et à potassium retourne trois ions Na^+ à l'extérieur du neurone chaque fois qu'elle y fait entrer deux ions K^+. Bien que cet échange donne lieu à une sortie nette d'une charge positive, la pompe travaille lentement, et le changement qui en résulte dans le potentiel de membrane est donc assez faible (de quelques millivolts seulement). Pourquoi, alors, y a-t-il une différence de tension de –60 à –80 mV dans un neurone au repos ? La réponse réside dans le passage de l'ion dans les **canaux ioniques**, qui sont en fait des pores membranaires formés par des amas de protéines spécialisées. Ces canaux permettent aux ions de traverser la membrane dans les deux sens par diffusion. En traversant ainsi la membrane, ces ions emportent avec eux leurs unités de charge électrique, sans compter qu'ils peuvent se déplacer plutôt rapidement dans les canaux ioniques. Lorsque cela se produit, le courant qui en résulte (un déplacement qui se solde par une charge positive ou négative *nette*) provoque un potentiel de membrane, c'est-à-dire une différence de tension de part et d'autre de la membrane.

Les gradients de concentration d'ions de part et d'autre d'une membrane sont une forme chimique d'énergie potentielle qui peut servir à alimenter des processus cellulaires (voir la figure 44.17). Dans les neurones, la conversion de cette énergie potentielle chimique en énergie potentielle électrique repose sur la *perméabilité sélective* des canaux ioniques, qui permet à certains ions seulement de passer. Par exemple, un canal à potassium laisse le K^+ diffuser librement dans la membrane, mais pas les autres ions tels que le Na^+ ou le Cl^-.

La diffusion de K^+ dans les canaux à potassium qui sont toujours ouverts (appelés canaux ioniques à fonction passive et parfois *canaux de fuite*) est essentielle à la création du potentiel de repos. La concentration de K^+ est de 140 millimolaires (m*M*) à l'intérieur de la cellule, mais de seulement 5 m*M* à l'extérieur. Le gradient de concentration chimique favorise donc une sortie nette de K^+. De plus, un neurone au repos possède beaucoup de canaux à potassium ouverts, mais très peu de canaux à sodium ouverts. Étant donné que le Na^+ et d'autres ions ne peuvent pas traverser facilement la membrane, la sortie de K^+ donne une charge négative nette à l'intérieur de la cellule. Cette accumulation de charge négative dans le neurone est la principale source de potentiel de membrane.

▼ **Figure 48.6 Le principe du potentiel de membrane.** La pompe à sodium et à potassium génère et maintient les gradients ioniques de Na^+ et de K^+ indiqués dans le tableau 48.1. Le gradient de concentration du Na^+ fait en sorte que la diffusion nette de Na^+ est très faible, car il y a très peu de canaux à sodium ouverts. En revanche, le grand nombre de canaux à potassium ouverts permet une importante sortie nette de K^+. Étant donné que la membrane est faiblement perméable aux ions chlorure et aux autres anions, la sortie de K^+ laisse une charge négative nette à l'intérieur de la cellule.

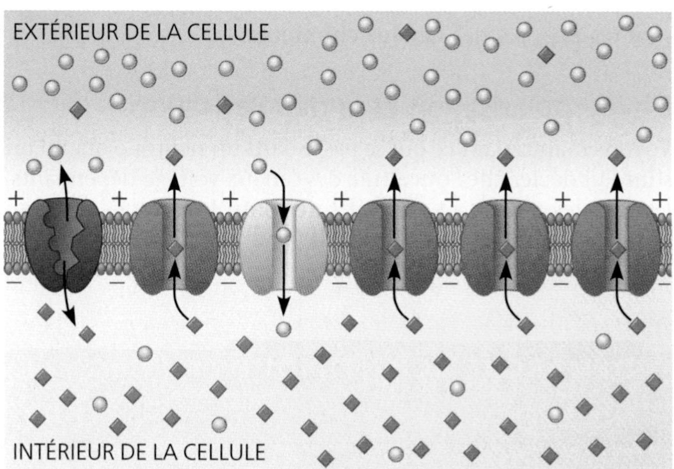

Légende

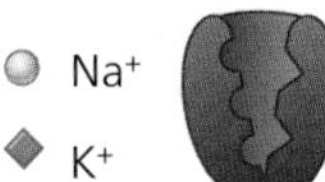

Pompe à sodium et à potassium

Canal à potassium

Canal à sodium

Qu'est-ce qui fait cesser l'accumulation de charges négatives ? Les charges négatives excédentaires à l'intérieur de la cellule exercent une force d'attraction qui s'oppose à la sortie d'autres ions potassium chargés positivement. La séparation de la charge (tension) entraîne donc un gradient électrique qui compense le gradient de concentration chimique du K^+.

Le modèle du potentiel de repos

La diffusion nette de K^+ à l'extérieur du neurone se poursuit jusqu'à ce que les forces chimiques et électriques soient en équilibre. Pour nous représenter ce processus, considérons un modèle simple constitué de deux compartiments séparés par une membrane artificielle. Pour commencer, imaginons que la membrane contient des canaux ioniques qui ne laissent passer que le K^+ (**figure 48.7a**). Afin d'obtenir un gradient de concentration de K^+ semblable à celui d'un neurone de mammifère, nous mettons 140 mmol/L de chlorure de potassium (KCl) dans le compartiment intérieur et 5 mmol/L dans le compartiment extérieur. Dans ces conditions, le K^+ diffusera selon son gradient de concentration, soit vers le compartiment extérieur. Toutefois, étant donné que les ions chlorure ne peuvent pas traverser la membrane, il y aura une charge négative excédentaire dans le compartiment intérieur.

Lorsque notre neurone artificiel atteindra l'équilibre, le gradient électrique compensera exactement le gradient chimique, de sorte qu'il n'y aura aucune diffusion nette de K^+ à travers la membrane. La valeur du potentiel de membrane d'un ion donné au point d'équilibre est appelée **potentiel d'équilibre** (**E_{ion}**). Le potentiel d'équilibre se calcule à l'aide d'une formule, l'*équation de Nernst*. Pour un ion possédant une charge nette de +1, comme le K^+ ou le Na^+, à 37 °C, l'équation de Nernst est :

$$E_{ion} = 62 \text{ mV}\left(\log \frac{[\text{Ion}]_{\text{extérieur}}}{[\text{Ion}]_{\text{intérieur}}}\right)$$

Si on résout l'équation de Nernst pour la concentration de K^+, on constate que le potentiel d'équilibre de K^+ (E_K) est −90 mV (voir la figure 48.7a). Le signe « − » indique que le K^+ est en état

► **Figure 48.7 La perméabilité sélective d'une membrane au K^+ et au Na^+.** Dans ce modèle du potentiel de membrane d'un neurone au repos, une membrane artificielle divise chaque contenant en deux compartiments. Les canaux ioniques laissent diffuser librement certains ions, ce qui donne le flux d'ions net représenté par les flèches. **(a)** En raison de l'ouverture des canaux à potassium, la membrane à perméabilité sélective ne laisse passer que le K^+, et le compartiment intérieur contient une concentration de K^+ 28 fois plus élevée que le compartiment extérieur ; au point d'équilibre, la charge négative de l'intérieur de la membrane dépasse de 90 mV celle de l'extérieur. **(b)** La membrane sélective ne laisse passer que le Na^+, et le compartiment intérieur contient une concentration de Na^+ 10 fois moins élevée que le compartiment extérieur ; au point d'équilibre, la charge positive de l'extérieur de la membrane dépasse de 62 mV celle de l'intérieur.

ET SI ? ► Si on ajoutait à la membrane en (b) des canaux à potassium ou à chlorure, comment cela influerait-il sur le potentiel de membrane ?

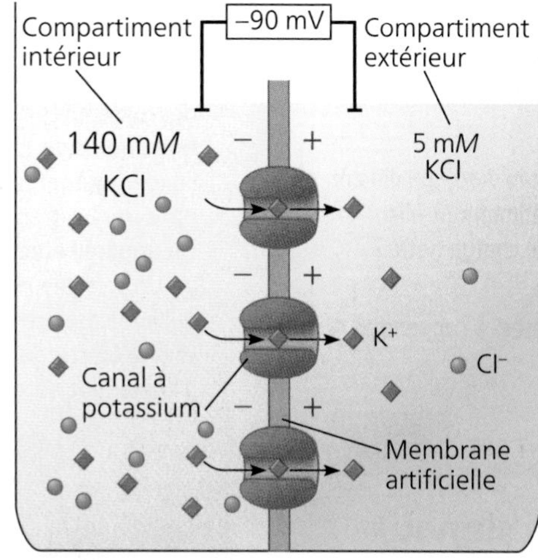

(a) Membrane laissant passer seulement le K^+
Équation de Nernst pour le potentiel d'équilibre de K^+ à 37 °C :

$$E_K = 62 \text{ mV}\left(\log \frac{5\ mM}{140\ mM}\right) = -90 \text{ mV}$$

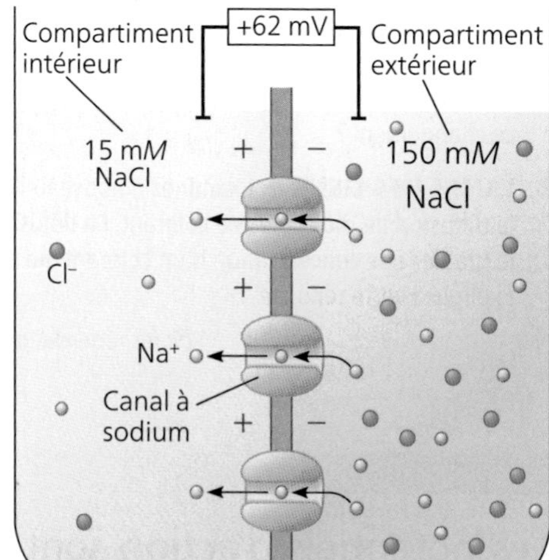

(b) Membrane laissant passer seulement le Na^+
Équation de Nernst pour le potentiel d'équilibre de Na^+ à 37 °C :

$$E_{Na} = 62 \text{ mV}\left(\log \frac{150\ mM}{15\ mM}\right) = +62 \text{ mV}$$

d'équilibre lorsque la charge négative de l'intérieur de la membrane dépasse de 90 mV celle de l'extérieur.

Alors que le potentiel d'équilibre du K^+ est de −90 mV, le potentiel de repos d'un neurone mammalien est un peu moins négatif. Cette différence rend compte du déplacement faible mais constant du Na^+ dans les quelques canaux à sodium qui sont ouverts dans un neurone au repos. Le gradient de concentration du Na^+ a une direction opposée à celui du K^+ (voir le tableau 48.1). Le Na^+ diffuse donc dans la cellule et rend l'intérieur de celle-ci moins négatif. Si nous modifions notre neurone expérimental en utilisant une membrane contenant des canaux ioniques qui ne laissent passer que le Na^+, nous verrons qu'une concentration de Na^+ 10 fois plus élevée dans le compartiment extérieur donne un potentiel d'équilibre (E_{Na}) de +62 mV (**figure 48.7b**). Dans un véritable neurone, le potentiel de repos (de −60 à −80 mV) est beaucoup plus proche de E_K que de E_{Na}, parce qu'il y a beaucoup de canaux à potassium ouverts mais peu de canaux à sodium ouverts.

Étant donné que ni le K^+ ni le Na^+ ne sont en état d'équilibre, il y a un flux net de chaque ion de part et d'autre de la membrane au repos. Le potentiel de repos demeure stable, ce qui signifie que les courants de K^+ et de Na^+ sont égaux et contraires. Les concentrations ioniques de part et d'autre de la membrane demeurent également stables. Pourquoi ? Parce que le potentiel de repos est établi par le mouvement net d'un nombre d'ions bien inférieur à celui qui est nécessaire pour modifier les gradients de concentration.

Si le Na^+ peut traverser la membrane plus facilement, le potentiel de membrane se rapprochera de E_{Na} et s'éloignera de E_K. Comme nous le verrons dans la prochaine section, c'est précisément ce qui se produit lorsque des impulsions nerveuses sont générées.

RETOUR SUR LE CONCEPT 48.2

1. Dans quelles conditions des ions pourraient-ils passer dans les canaux ioniques d'une région de faible concentration ionique à une région de forte concentration ionique ?
2. **ET SI ?** ▶ Supposons que le potentiel de membrane d'une cellule passe de −70 à −50 mV. Quelles modifications de la perméabilité de la membrane au K^+ ou au Na^+ pourraient être à l'origine de ce changement ?
3. **FAITES DES LIENS** ▶ Examinez à nouveau la figure 7.10, qui illustre la diffusion de molécules de colorant. La diffusion éliminerait-elle le gradient de concentration d'un colorant qui a une charge nette ? Expliquez votre réponse.

Voir les réponses proposées à l'appendice A.

CONCEPT 48.3

Les potentiels d'action sont les signaux transmis par les axones

Le potentiel de membrane d'un neurone change sous l'effet de divers stimulus, par exemple l'odeur du poisson que détecte un cône géographe affamé. En utilisant la méthode de l'enregistrement intracellulaire, il est possible d'étudier la variation du potentiel de membrane en fonction du temps (**figure 48.8**). Comme vous le verrez, l'enregistrement cellulaire est devenu indispensable à l'étude du transfert d'information par les neurones.

Mais comment un stimulus peut-il provoquer un changement dans le potentiel de membrane ? Les neurones contiennent des **canaux ioniques à ouverture contrôlée** (aussi appelés canaux ioniques à fonction active), c'est-à-dire des canaux qui s'ouvrent ou se ferment en réaction à des stimulus. L'ouverture ou la fermeture de ces canaux change la perméabilité de la membrane à certains ions (**figure 48.9**). Le flux d'ions s'en trouve accéléré, ce qui modifie à son tour le potentiel de membrane.

Certains types de canaux à ouverture contrôlée réagissent à d'autres sortes de stimulus. Par exemple, le **canal voltage-dépendant** illustré à la figure 48.9 s'ouvre ou se ferme en fonction des variations de tension dans la membrane plasmique du neurone. Plus loin dans ce chapitre, nous examinerons de plus près les canaux ioniques dont l'ouverture et la fermeture sont régulées par des signaux chimiques.

L'hyperpolarisation et la dépolarisation

Voyons maintenant ce qui se passe dans un neurone quand un stimulus déclenche l'ouverture des canaux voltage-dépendants. Lorsque les canaux à K^+ à ouverture contrôlée d'un neurone au repos s'ouvrent, la perméabilité de la membrane au K^+ s'accroît.

DÉMARCHE SCIENTIFIQUE

INVESTIGATION

▼ **Figure 48.8**
L'enregistrement intracellulaire du potentiel de membrane

■ **APPLICATION** ■ Les électrophysiologistes utilisent l'enregistrement intracellulaire pour mesurer le potentiel de membrane des neurones et d'autres cellules.

■ **TECHNIQUE** ■ Un tube capillaire de verre contenant une solution saline conductrice sert de microélectrode. Une des extrémités du tube se termine en une pointe extrêmement fine (moins de 1 μm de diamètre). À l'aide d'un microscope, l'expérimentateur utilise un micropositionneur pour faire pénétrer l'extrémité de la microélectrode dans une cellule. Un appareil enregistreur (habituellement un oscilloscope ou un système informatisé) mesure la tension entre l'extrémité de la microélectrode qui se trouve à l'intérieur de la cellule et une électrode de référence placée dans la solution, à l'extérieur de la cellule.

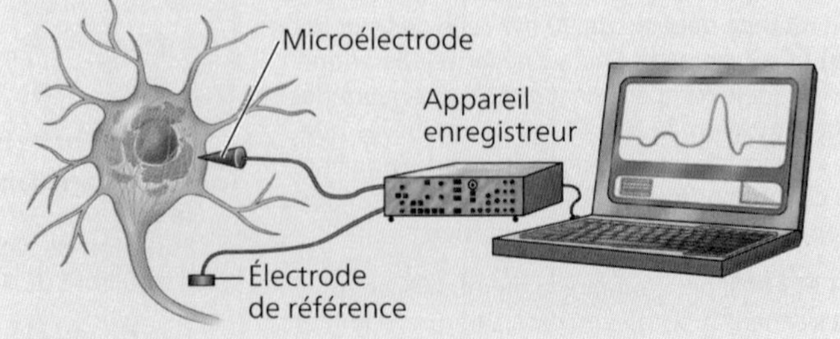

La diffusion nette de K^+ à l'extérieur du neurone augmente alors, de sorte que le potentiel de membrane s'approche de E_K (–90 mV à 37 °C). Cette augmentation de l'amplitude du potentiel de membrane, appelée **hyperpolarisation**, rend l'intérieur de la membrane plus négatif (**figure 48.10a**). Dans un neurone au repos, l'hyperpolarisation peut être causée par tout stimulus qui augmente la sortie d'ions positifs ou l'entrée d'ions négatifs.

▼ **Figure 48.9 Le canal ionique voltage-dépendant.** Un changement du potentiel de membrane dans une direction (flèche pleine) déclenche l'ouverture du canal voltage-dépendant. Le changement opposé (flèche pointillée) en provoque la fermeture.

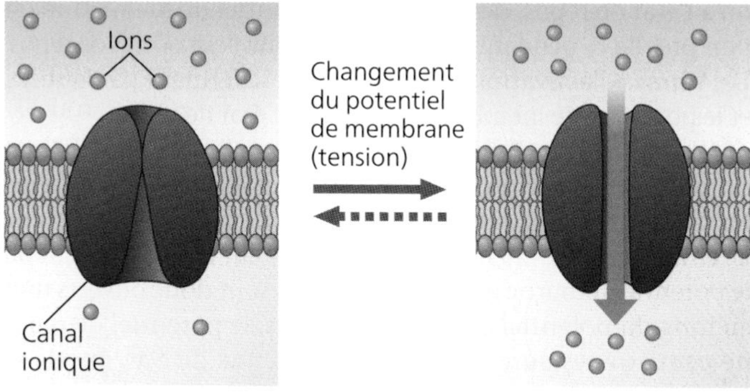

Canal fermé: aucun ion ne traverse la membrane.

Canal ouvert: des ions traversent la membrane.

HABILETÉS VISUELLES ▶ Les canaux ioniques à ouverture contrôlée laissent passer les ions dans les deux directions. À partir du schéma de cette figure, expliquez pourquoi il y a une diffusion nette d'ions lorsque le canal s'ouvre.

Bien que l'ouverture des canaux à K^+ dans un neurone au repos provoque l'hyperpolarisation, l'ouverture d'autres types de canaux ioniques entraîne l'effet contraire et rend l'intérieur de la membrane moins négatif (**figure 48.10b**). Une diminution de l'amplitude du potentiel de membrane est appelée **dépolarisation**. Dans un neurone, la dépolarisation fait souvent intervenir les canaux à Na^+ à ouverture contrôlée. Quand un stimulus provoque l'ouverture de tels canaux, la perméabilité de la membrane au Na^+ augmente. Le Na^+ diffuse dans la cellule selon son gradient de concentration, de sorte qu'il y a dépolarisation, et le potentiel s'approche alors de E_{Na} (+62 mV à 37 °C).

Les potentiels gradués et les potentiels d'action

Parfois, l'hyperpolarisation ou la dépolarisation entraîne une simple variation du potentiel de membrane. L'amplitude de cette variation, appelée **potentiel gradué**, dépend de l'intensité du stimulus: plus celui-ci est important, plus le changement provoqué dans la perméabilité membranaire l'est également (voir la figure 48.10a et b). Les potentiels gradués induisent un faible courant électrique qui fuit du neurone lorsqu'il se propage le long de la membrane. Les potentiels gradués diminuent donc avec le temps et à mesure qu'ils s'éloignent de leur source. Les potentiels gradués ne sont pas les potentiels d'action qui se propagent sur les axones, mais leur effet est important sur l'émission des potentiels d'action.

Si une dépolarisation change le potentiel de membrane suffisamment, il en résulte un changement radical dans la tension de la membrane, appelé **potentiel d'action**. Contrairement aux potentiels gradués, les potentiels d'action ont une amplitude

▼ **Figure 48.10 Les potentiels gradués et le potentiel d'action dans un neurone.**

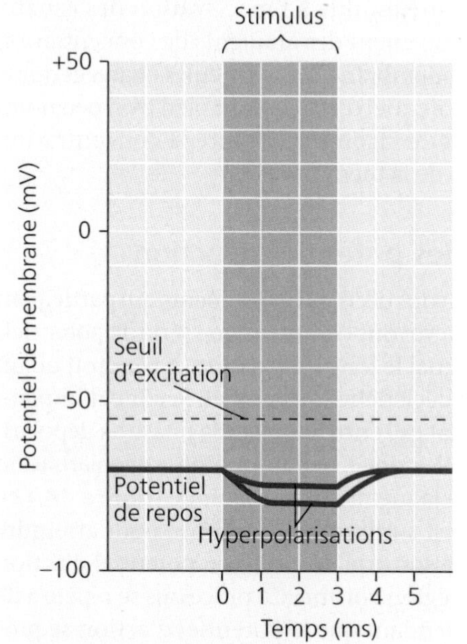

(a) Hyperpolarisations graduées produites par deux stimulus qui augmentent la perméabilité de la membrane au K^+. Le stimulus le plus intense entraîne l'hyperpolarisation la plus importante.

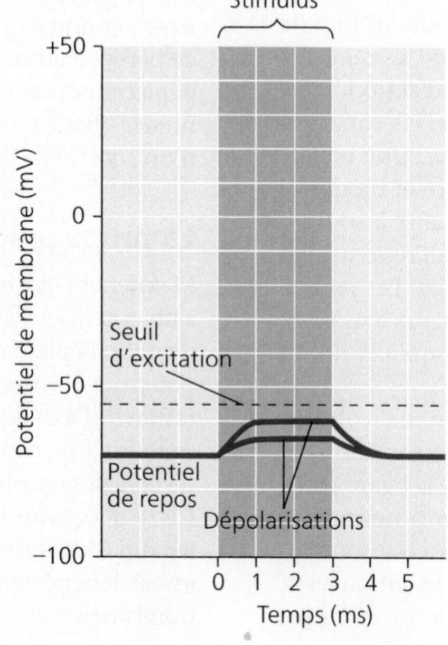

(b) Dépolarisations graduées produites par deux stimulus qui augmentent la perméabilité de la membrane au Na^+. Le stimulus le plus intense entraîne la dépolarisation la plus importante.

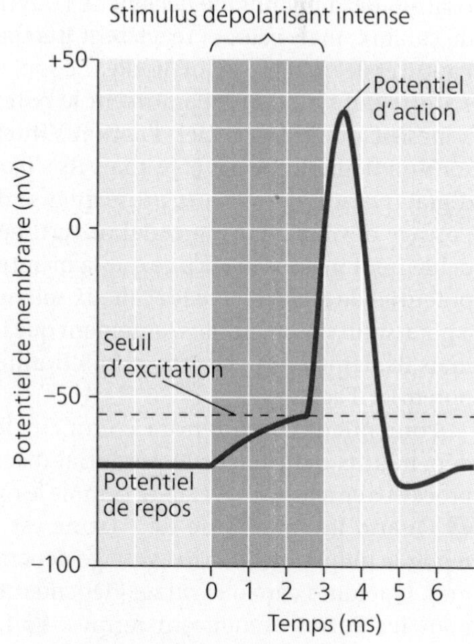

(c) Potentiel d'action déclenché par une dépolarisation qui atteint le seuil d'excitation.

FAITES UN DESSIN ▶ Refaites le graphique (c) en prolongeant l'axe des *y*. Ensuite, indiquez les positions de E_K et de E_{Na}.

constante et peuvent se régénérer dans les régions voisines de la membrane. Ils peuvent donc se propager le long des axones et transmettre des signaux sur de longues distances.

Les potentiels d'action se créent parce que certains canaux ioniques des neurones sont **voltage-dépendants** (voir la figure 48.9). Si une dépolarisation élève le potentiel de membrane jusqu'à une valeur appelée **seuil d'excitation**, les canaux voltage-dépendants à sodium s'ouvrent. Le flux de Na^+ qui en résulte dans le neurone a pour effet d'accroître la dépolarisation. Comme les canaux à sodium sont voltage-dépendants, une dépolarisation accrue provoque l'ouverture d'autres canaux à sodium, de sorte que le flux de courant s'accroît également. Il s'ensuit une *rétroactivation* qui déclenche l'ouverture très rapide de tous les canaux voltage-dépendants à sodium ainsi qu'un changement radical transitoire du potentiel de membrane qui définit le potentiel d'action (**figure 48.10c**).

Cette boucle de rétroactivation de l'ouverture des canaux ainsi que la dépolarisation créent un potentiel d'action chaque fois que le seuil d'excitation est atteint, lequel s'élève à environ –55 mV dans les neurones d'un mammifère. Une fois qu'un potentiel d'action est amorcé, son amplitude est indépendante de l'intensité du stimulus dépolarisant de départ. Le potentiel d'action est un phénomène du type *tout ou rien*: il se produit ou il ne se produit pas.

La production de potentiels d'action: *une étude détaillée*

La forme caractéristique du graphique d'un potentiel d'action montre bien les changements du potentiel de membrane que provoque le déplacement des ions dans les canaux voltage-dépendants à sodium et à potassium (**figure 48.11**). La dépolarisation de la membrane déclenche l'ouverture des deux types de canaux, mais ceux-ci réagissent indépendamment l'un de l'autre et de manière séquentielle. Ce sont d'abord les canaux à sodium qui s'ouvrent et amorcent le potentiel d'action. Puis, à mesure que le potentiel d'action s'intensifie, les canaux à sodium demeurent ouverts, mais ils s'*inactivent*: une boucle d'inactivation des canaux protéiques se déplace et bloque le passage des ions dans le canal ouvert. Les canaux à sodium demeurent inactifs jusqu'à ce que la membrane ait retrouvé son potentiel de repos et que les canaux soient fermés. Les canaux à potassium s'ouvrent plus lentement que les canaux à sodium, mais ils demeurent ouverts et fonctionnels jusqu'à la fin du potentiel d'action.

Pour mieux comprendre comment les canaux voltage-dépendants définissent le potentiel d'action, examinons le processus en suivant ses étapes, comme le montre la figure 48.11. ❶ Quand la membrane de l'axone est à son potentiel de repos, la plupart des canaux voltage-dépendants à Na^+ sont fermés. Quelques canaux voltage-dépendants à K^+ sont ouverts, mais les autres demeurent fermés. ❷ Lorsqu'un stimulus dépolarise la membrane, certains canaux voltage-dépendants à Na^+ s'ouvrent, de sorte qu'une quantité additionnelle de Na^+ diffuse dans la cellule. Si l'intensité du stimulus est suffisante, l'arrivée du Na^+ se poursuit, ce qui augmente la dépolarisation et entraîne l'ouverture d'autres canaux à ouverture contrôlée à Na^+, laquelle est suivie d'une nouvelle diffusion de Na^+ dans la cellule, et ainsi de suite. ❸ Une fois que le seuil d'excitation est franchi, ce cycle de rétroactivation entraîne rapidement le potentiel de membrane vers une valeur qui s'approche de E_{Na}. Cette étape se nomme la *phase de dépolarisation.* ❹ Toutefois, deux événements empêchent le potentiel de membrane d'atteindre effectivement E_{Na}: la plupart des canaux voltage-dépendants à Na^+ se ferment peu après leur ouverture, stoppant du même coup l'afflux de Na^+; et la plupart des canaux voltage-dépendants à K^+ s'ouvrent, entraînant une sortie rapide de K^+. Les deux événements ramènent rapidement le potentiel de membrane vers E_K. Il s'agit de la *phase de repolarisation.* ❺ En fait, pendant la phase finale du potentiel d'action, appelée *hyperpolarisation*, la perméabilité de la membrane au K^+ est plus grande qu'à l'état de repos, de sorte que le potentiel de membrane est plus près de E_K pendant cette phase qu'il ne l'est à l'état de repos. Les vannes d'activation des canaux à K^+ se ferment par la suite, et le potentiel de membrane retourne à l'état de repos.

Pourquoi l'inactivation des canaux est-elle nécessaire durant un potentiel d'action? Comme ils sont voltage-dépendants, les canaux à Na^+ s'ouvrent quand le potentiel de membrane atteint le seuil de –55 mV et ils ne se ferment qu'au moment où le potentiel retourne à l'état de repos. Ils sont donc ouverts tout au long du potentiel d'action. Toutefois, le potentiel de repos ne peut être restauré avant que cesse le flux de Na^+, et cela se fait par inactivation. Les canaux à Na^+ restent à l'état « ouvert », mais l'inactivation fait cesser l'entrée de Na^+, ce qui permet au K^+ de sortir pour repolariser la membrane.

Les canaux à Na^+ demeurent fermés pendant la repolarisation et le début de l'hyperpolarisation. Par conséquent, si un deuxième stimulus dépolarisant survient pendant cette période, il ne pourra déclencher de potentiel d'action. Cette période d'insensibilité pendant laquelle un deuxième potentiel d'action ne peut être amorcé est appelée **période réfractaire**. Il faut se rappeler que la période réfractaire est due à l'inactivation des canaux à Na^+, et non à un changement des gradients de concentration de part et d'autre de la membrane. Les particules chargées qui se déplacent durant un potentiel d'action sont bien trop peu nombreuses pour modifier de façon importante la concentration d'un côté ou de l'autre de la membrane.

La propagation des potentiels d'action

Maintenant que nous avons décrit les événements qui participent à un potentiel d'action, voyons comment une série de potentiels d'action déplace un signal le long d'un axone. À l'endroit où un potentiel d'action est déclenché (en général, le cône d'implantation de l'axone), le Na^+ qui entre pendant la phase de dépolarisation crée un courant électrique, ce qui entraîne la dépolarisation de la région voisine de la membrane plasmique (**figure 48.12**). Cette dépolarisation est suffisamment intense pour atteindre le seuil d'excitation, de sorte qu'un nouveau potentiel d'action est déclenché dans la région voisine. Ce processus se répète à de nombreuses reprises pendant que le potentiel d'action se propage le long de l'axone. Étant donné qu'un potentiel d'action est un événement de type tout ou rien, son amplitude et sa durée sont égales en tout point le long de l'axone. Il en résulte une impulsion nerveuse, aussi appelée influx nerveux, qui se déplace du corps cellulaire du neurone jusqu'aux corpuscules nerveux terminaux, un peu comme une série de dominos s'effondre en une cascade déclenchée par la chute du premier domino.

▼ **Figure 48.11 Le rôle des canaux voltage-dépendants dans la production d'un potentiel d'action.** Les numéros encerclés dans le graphique du centre de la figure et les couleurs des phases du potentiel d'action correspondent aux cinq schémas autour du tracé et qui représentent des canaux voltage-dépendants à Na^+ et des canaux voltage-dépendants à K^+ dans la membrane plasmique d'un neurone.

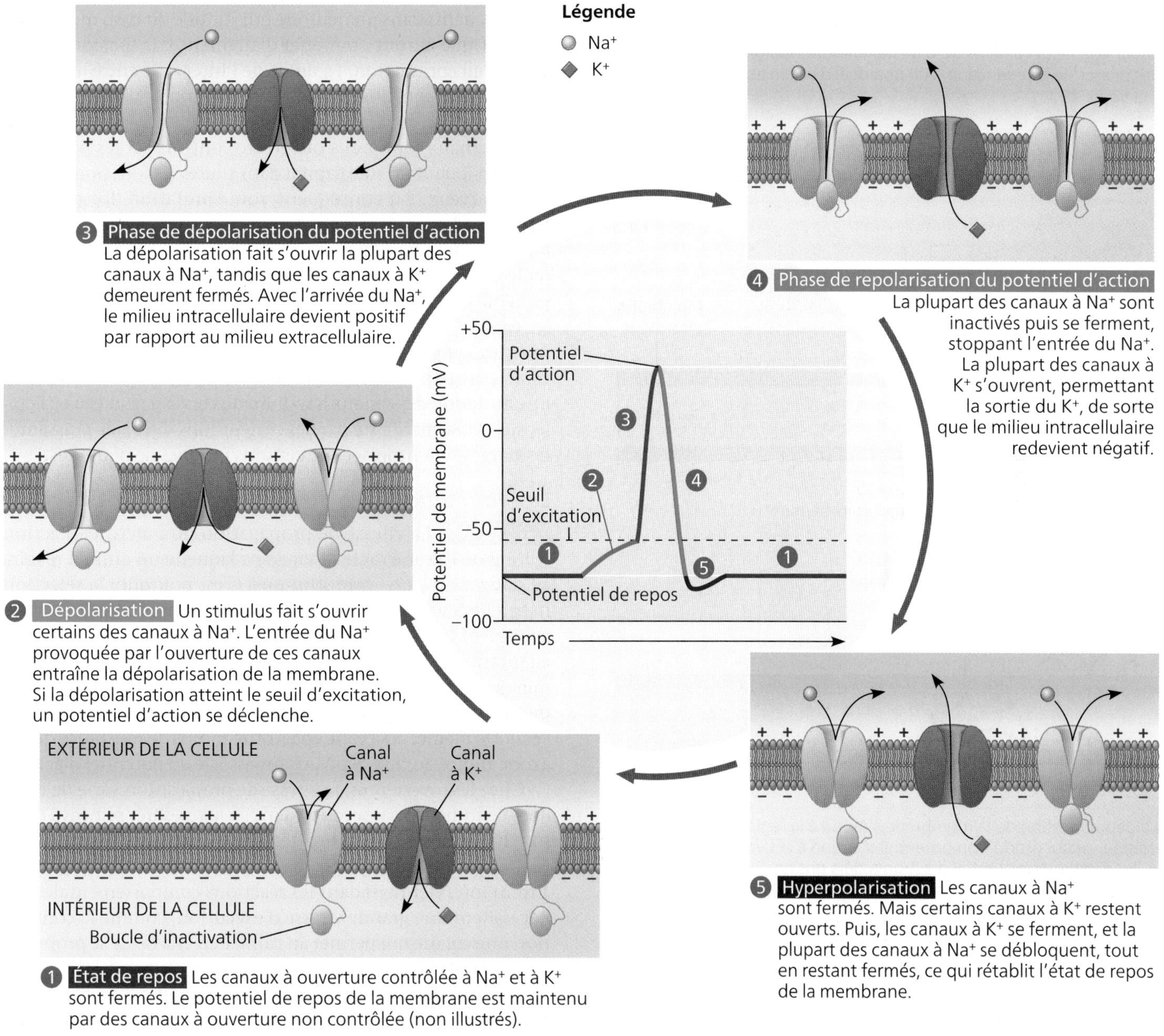

Légende
Na+
K+
3 Phase de dépolarisation du potentiel d'action
La dépolarisation fait s'ouvrir la plupart des canaux à Na+, tandis que les canaux à K+ demeurent fermés. Avec l'arrivée du Na+, le milieu intracellulaire devient positif par rapport au milieu extracellulaire.
4 Phase de repolarisation du potentiel d'action
La plupart des canaux à Na+ sont inactivés puis se ferment, stoppant l'entrée du Na+. La plupart des canaux à K+ s'ouvrent, permettant la sortie du K+, de sorte que le milieu intracellulaire redevient négatif.
+50
0
−50
−100
Potentiel de membrane (mV)
Potentiel d'action
Seuil d'excitation
Potentiel de repos
Temps
2 Dépolarisation Un stimulus fait s'ouvrir certains des canaux à Na+. L'entrée du Na+ provoquée par l'ouverture de ces canaux entraîne la dépolarisation de la membrane. Si la dépolarisation atteint le seuil d'excitation, un potentiel d'action se déclenche.
EXTÉRIEUR DE LA CELLULE
Canal à Na+
Canal à K+
INTÉRIEUR DE LA CELLULE
Boucle d'inactivation
1 État de repos Les canaux à ouverture contrôlée à Na+ et à K+ sont fermés. Le potentiel de repos de la membrane est maintenu par des canaux à ouverture non contrôlée (non illustrés).
5 Hyperpolarisation Les canaux à Na+ sont fermés. Mais certains canaux à K+ restent ouverts. Puis, les canaux à K+ se ferment, et la plupart des canaux à Na+ se débloquent, tout en restant fermés, ce qui rétablit l'état de repos de la membrane.

FAITES UN DESSIN ▶ Cette figure décrit plusieurs événements, dont un flux d'ions, un changement du potentiel de membrane, ainsi que l'ouverture, la fermeture et l'inactivation de canaux. À partir de ces trois événements, dessinez le cycle de rétroactivation associé à la phase de dépolarisation du potentiel d'action.

Un potentiel d'action qui commence au cône d'implantation de l'axone se déplace le long de l'axone dans une seule direction: vers les corpuscules nerveux terminaux. Pourquoi? Immédiatement derrière la zone de dépolarisation, les canaux à Na^+ demeurent inactivés, de sorte que la membrane est temporairement réfractaire aux stimulus (n'y réagit pas). Par conséquent, l'entrée d'ions qui entraîne la dépolarisation de la membrane plasmique *devant* le potentiel d'action ne peut produire un autre potentiel d'action *derrière* lui. C'est la raison pour laquelle les potentiels d'action ne retournent pas vers le corps cellulaire du neurone. Ainsi, une fois qu'il est amorcé, le potentiel d'action ne se déplace normalement que dans une seule direction, soit vers les corpuscules nerveux terminaux.

Une fois la période réfractaire terminée, la dépolarisation du cône d'implantation de l'axone jusqu'au seuil d'excitation déclenche un nouveau potentiel d'action. Pour beaucoup de neurones, les potentiels d'action durent moins de 2 millisecondes (ms). Cette brièveté permet au neurone de produire des centaines de potentiels d'action par seconde.

La fréquence des potentiels d'action renseigne sur l'intensité du stimulus: la fréquence à laquelle un neurone produit des potentiels d'action varie selon les stimulus. Par exemple, la

▼ Figure 48.12 La propagation d'un potentiel d'action. Cette figure illustre les événements qui se produisent à trois moments successifs, au fur et à mesure que le potentiel d'action se propage de gauche à droite. À chacune des étapes, le long de l'axone, les canaux voltage-dépendants subissent la série de changements décrits à la figure 48.11. Les couleurs de la membrane correspondent à celles des phases de la production d'un potentiel d'action représentées à la figure 48.11.

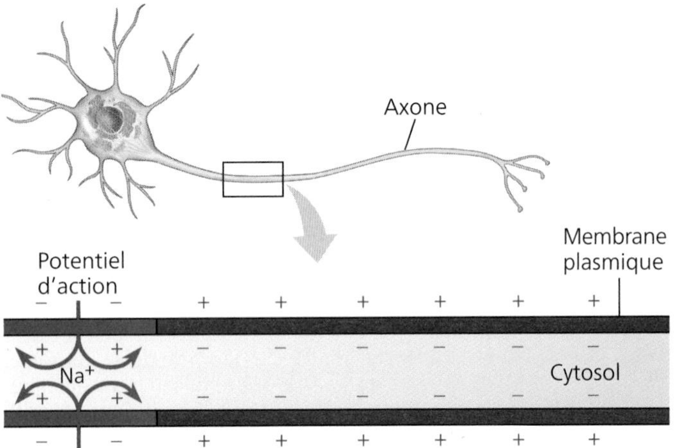

L'entrée de Na^+ dans la cellule produit localement un potentiel d'action.

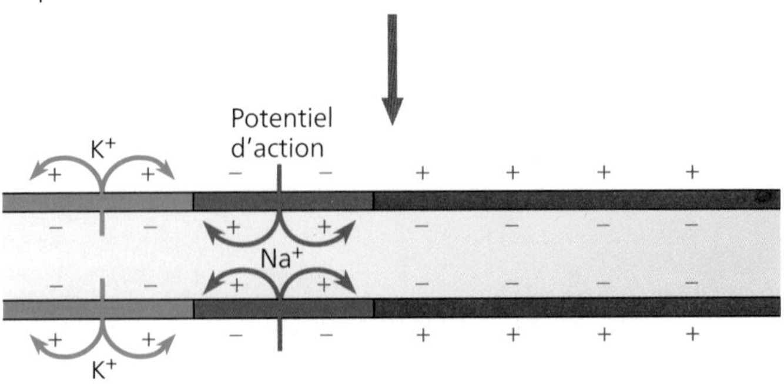

La dépolarisation de la membrane s'étend à la région voisine, ce qui produit un potentiel d'action à cet endroit. À l'endroit où le potentiel d'action a déjà pris fin, la sortie du K^+ entraîne la repolarisation de la membrane plasmique.

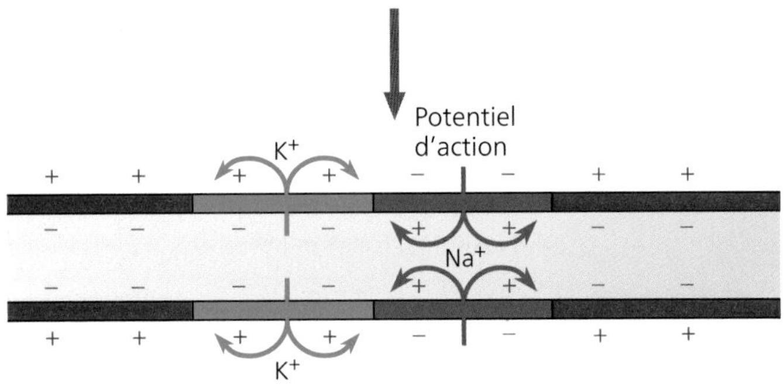

Le processus de dépolarisation et de repolarisation se répète dans la région suivante de la membrane plasmique. Ainsi, les flux d'ions *à travers* la membrane plasmique permettent la propagation du potentiel d'action *le long de* l'axone.

FAITES UN DESSIN ▶ Sur le segment d'axone montré ici, choisissez un point sur l'extrémité gauche, un point sur le milieu et un point sur l'extrémité droite. Ensuite, représentez graphiquement chaque point. Votre graphique doit représenter la variation du potentiel de membrane en fonction du temps à chacun des trois points pour un potentiel d'action qui se déplace de gauche à droite sur ce segment d'axone.

perception d'un bruit fort déclenchera des potentiels d'action plus fréquents qu'un bruit faible dans les neurones qui relient l'oreille au cerveau. De la même façon, des potentiels d'action plus fréquents dans un neurone qui stimule du tissu musculaire squelettique auront pour effet d'augmenter la tension dans le muscle en contraction. La durée de l'intervalle entre les potentiels d'action constitue, en fait, la seule variable dans l'encodage et la transmission d'information le long d'un axone.

Les canaux ioniques à ouverture contrôlée et les potentiels d'action jouent un rôle capital dans toutes les fonctions du système nerveux. Par conséquent, toute mutation des gènes qui encodent les protéines des canaux ioniques peut causer des affections touchant les nerfs ou le cerveau (ou alors les muscles ou le cœur, selon l'endroit du corps où s'exprime le gène de la protéine de canal ionique). Par exemple, une mutation qui altère les canaux voltage-dépendants à sodium dans les cellules des muscles squelettiques peut entraîner de la myotonie, laquelle se caractérise par des spasmes musculaires périodiques. De même, une mutation des canaux à sodium du cerveau peut causer l'épilepsie, qui se manifeste par des convulsions dues à de puissantes décharges synchronisées de certains groupes de neurones.

Les adaptations évolutives de la structure axonale

ÉVOLUTION La vitesse de propagation du potentiel d'action le long de l'axone dicte la vitesse à laquelle un animal réagira au danger ou à un autre stimulus. C'est pourquoi la sélection naturelle a souvent mené à des adaptations anatomiques qui accélèrent la transmission des potentiels d'action. Une de ces adaptations est l'augmentation du diamètre de l'axone. Pour mieux comprendre, pensez à un tuyau d'arrosage : plus son diamètre est grand, moins il offre de résistance à l'écoulement de l'eau. De même, un axone épais offre moins de résistance qu'un axone mince au flux dépolarisant associé au potentiel d'action.

Chez les invertébrés, la vitesse de propagation varie de quelques centimètres par seconde dans les axones très minces à environ 30 m/s dans les axones géants de certains arthropodes et mollusques. Ces axones géants (dont le diamètre peut atteindre 1 mm) interviennent dans les réactions comportementales qui nécessitent une grande vitesse d'exécution, comme la contraction musculaire qui permet au calmar en chasse de se propulser vers sa proie.

Chez les vertébrés, les axones ont un petit diamètre, mais les potentiels d'action se propagent néanmoins à une grande vitesse. Comment cela est-il possible ? L'évolution a donné naissance à un autre mécanisme pour accélérer la transmission des potentiels d'action : l'isolation électrique, un peu comme l'isolation des fils électriques par un matériau de plastique. L'isolation permet au flux dépolarisant associé au potentiel d'action de se propager sur une plus longue distance à l'intérieur de l'axone, de sorte que des régions plus éloignées atteignent plus rapidement le seuil d'excitation.

L'isolant qui recouvre les axones des vertébrés est appelé **gaine de myéline** (**figure 48.13**). Les gaines de myéline sont produites par des gliocytes : les **oligodendrocytes** dans le cas du SNC, et les **neurolemmocytes** dans le cas du SNP. Au cours du développement, ces gliocytes spécialisés enveloppent les axones dans plusieurs couches de membrane. Ces membranes sont principalement des lipides, qui sont de faibles conducteurs de courant électrique et donc de bons isolants.

Dans un axone myélinisé, les canaux voltage-dépendants à Na^+ se trouvent seulement dans les **nœuds de Ranvier**, petits intervalles dénudés situés le long de l'axone (voir la figure 48.13). En outre, le liquide extracellulaire n'entre en contact avec la membrane de l'axone qu'à la hauteur des nœuds, si bien que les potentiels d'action ne peuvent pas être engendrés dans les régions qui se trouvent entre ces derniers. Le flux vers l'intérieur produit à la hauteur du nœud pendant la phase de dépolarisation du potentiel d'action se propage plutôt dans l'axone jusqu'au prochain nœud. Une fois là, le courant dépolarise la membrane et engendre un nouveau potentiel d'action (**figure 48.14**).

Les potentiels d'action se propagent plus rapidement dans les axones myélinisés en raison de l'économie de temps due au fait que la fermeture et l'ouverture des canaux ioniques se produisent seulement à certains endroits tout au long de l'axone. Ce mécanisme est appelé **conduction saltatoire** (du latin *saltare*, « danser, bondir »), parce que le potentiel d'action semble « sauter » d'un nœud à l'autre, le long de l'axone.

L'avantage sélectif de la myélinisation est l'économie d'espace. Dans un axone myélinisé de 20 μm de diamètre, la vitesse de propagation est plus grande que dans un axone géant de calmar, dont le diamètre est 40 fois plus élevé. Conséquemment, plus de 2 000 de ces axones myélinisés pourraient tenir dans l'espace occupé par un seul axone géant.

La propagation du potentiel d'action jusqu'à l'extrémité de l'axone, qu'il soit myélinisé ou non, est la condition à remplir avant l'étape suivante dans la communication neuronale : la transmission de l'information à une autre cellule. Les synapses sont le siège de ce processus dont nous traitons à la prochaine section.

RETOUR SUR LE CONCEPT **48.3**

1. En quoi un potentiel d'action diffère-t-il d'un potentiel gradué ?
2. Dans la sclérose en plaques (du grec *skleris*, « dur »), les gaines de myéline de la personne se durcissent et se détériorent. Comment cela altère-t-il le fonctionnement du système nerveux ?
3. Comment la rétroactivation et la rétro-inhibition contribuent-elles à la variation du potentiel membranaire durant un potentiel d'action ?
4. **ET SI ?** ▶ Supposons que, à la suite d'une mutation, les vannes d'inactivation de canaux à Na^+ demeurent fermées plus longtemps, une fois qu'un potentiel d'action a été produit. En quoi cela modifiera-t-il la fréquence maximale de création des potentiels d'action ?

Voir les réponses proposées à l'appendice A.

CONCEPT **48.4**

Les neurones communiquent avec d'autres cellules aux synapses

La transmission d'information d'un neurone à une autre cellule s'effectue aux synapses, qui peuvent être électriques ou chimiques.

Les *synapses électriques* contiennent des jonctions ouvertes (voir la figure 6.30) qui permettent effectivement au courant électrique de circuler directement d'une cellule à l'autre. Les synapses électriques aident à synchroniser l'activité des neurones responsables de certains comportements rapides et invariables.

▼ **Figure 48.13 Les neurolemmocytes et la gaine de myéline.** Dans le SNP, des cellules de soutien appelées *neurolemmocytes* enveloppent de nombreux axones de couches de myéline. Les intervalles entre deux neurolemmocytes voisins portent le nom de *nœuds de Ranvier* (ou *nœuds de la neurofibre*). La micrographie (MET) présente une coupe transversale d'un axone myélinisé.

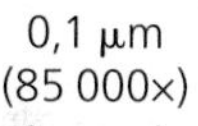

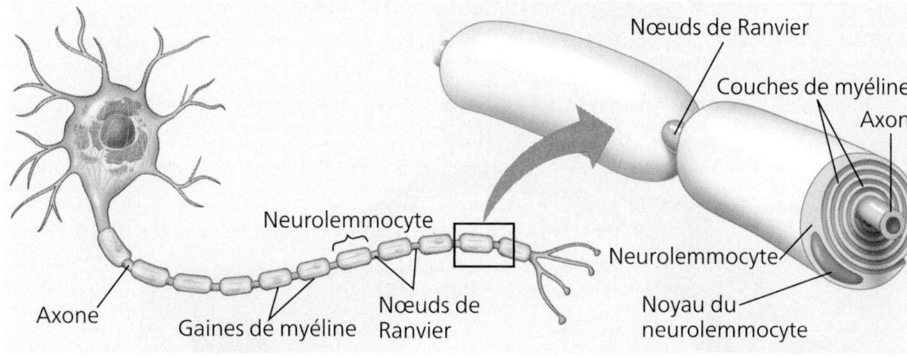

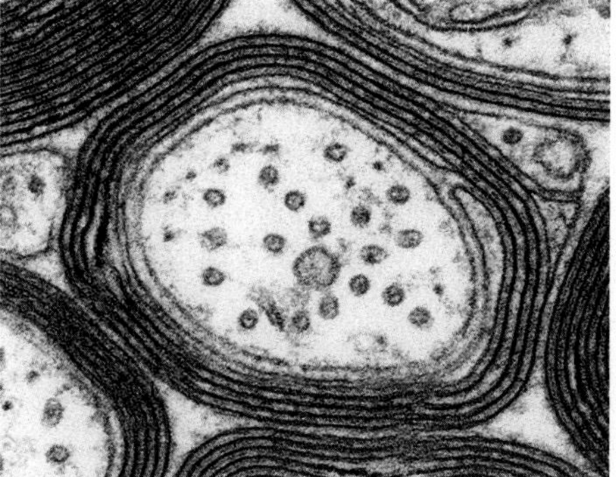

▶ **Figure 48.14 La propagation de potentiels d'action dans les axones myélinisés.** Dans un axone myélinisé, le courant de dépolarisation créé par un potentiel d'action à un nœud de Ranvier se déplace, à l'intérieur de l'axone, jusqu'au nœud suivant (flèches bleues), où les canaux voltage-dépendants à sodium reproduisent le potentiel d'action. Le potentiel d'action semble donc « sauter » d'un nœud à l'autre le long de l'axone (flèches rouges).

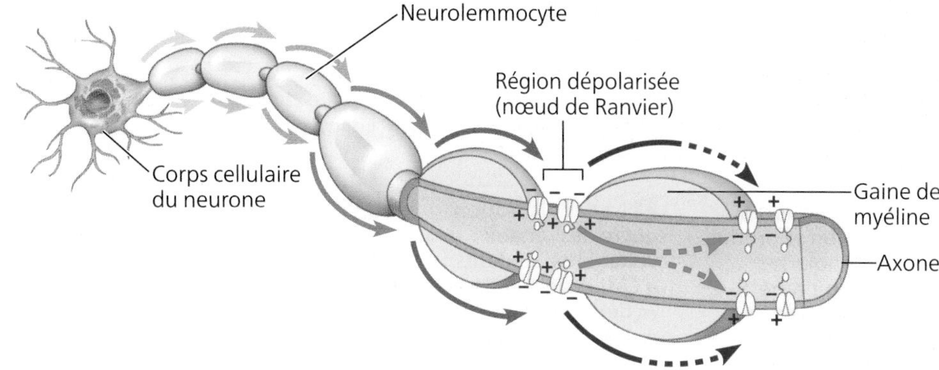

Par exemple, les synapses électriques associées aux axones géants des homards et des calmars facilitent les réactions de fuite rapides devant un danger. Il y a également des synapses électriques dans le cœur et le cerveau des vertébrés.

La majorité des synapses sont des *synapses chimiques*. Le fonctionnement des synapses chimiques repose sur la libération d'un neurotransmetteur (une molécule) par le neurone présynaptique pour transmettre l'information à la cellule cible. Au repos, le neurone présynaptique synthétise le neurotransmetteur à chaque corpuscule nerveux terminal et le confine dans des compartiments membranaires multiples appelés *vésicules synaptiques*. Lorsqu'un potentiel d'action arrive à une synapse chimique, il dépolarise la membrane en y ouvrant des canaux voltage-dépendants qui laissent entrer des ions calcium (Ca^{2+}) dans le corpuscule terminal (**figure 48.15**). Il s'ensuit une augmentation de la concentration de Ca^{2+}, laquelle entraîne la fusion de certaines vésicules synaptiques avec la membrane du corpuscule et la libération du neurotransmetteur dans la fente synaptique.

Le neurotransmetteur libéré par le corpuscule nerveux terminal traverse par diffusion la *fente synaptique*, un espace étroit séparant la cellule présynaptique de la cellule postsynaptique. Le temps de diffusion est très court, car la fente synaptique mesure moins de 50 nm de largeur. Une fois arrivé à la membrane postsynaptique, le neurotransmetteur se lie à un récepteur spécifique de la membrane et l'active.

Le transfert d'information aux synapses chimiques peut varier selon la quantité de neurotransmetteur libérée ou la réceptivité de la cellule postsynaptique. Ces variations sont à la base de la capacité de l'animal à modifier son comportement en réaction à un changement, et elles gouvernent aussi l'apprentissage et la mémoire, comme nous le verrons au concept 49.4.

La production de potentiels postsynaptiques

À de nombreuses synapses chimiques, le récepteur protéique qui lie les neurotransmetteurs et y réagit est un **canal ionique ligand-dépendant**, souvent appelé *récepteur ionotropique*. Les canaux ioniques ligand-dépendants sont groupés dans la membrane de la cellule postsynaptique, directement en face du corpuscule nerveux terminal. La liaison du neurotransmetteur (le ligand du récepteur) à une partie particulière du canal, le récepteur, déclenche l'ouverture du canal et permet à certains ions de

▼ **Figure 48.15 Une synapse chimique.** Cette figure illustre la séquence d'événements au cours de laquelle un signal est transmis dans la synapse chimique. La liaison d'un neurotransmetteur provoque l'ouverture des canaux ligand-dépendants de la membrane postsynaptique (comme on le voit ici) ou, plus rarement, leur fermeture. La transmission synaptique se termine lorsque le neurotransmetteur diffuse hors de la fente synaptique, lorsqu'il est absorbé par le corpuscule nerveux terminal ou une autre cellule, ou lorsqu'il est dégradé par une enzyme.

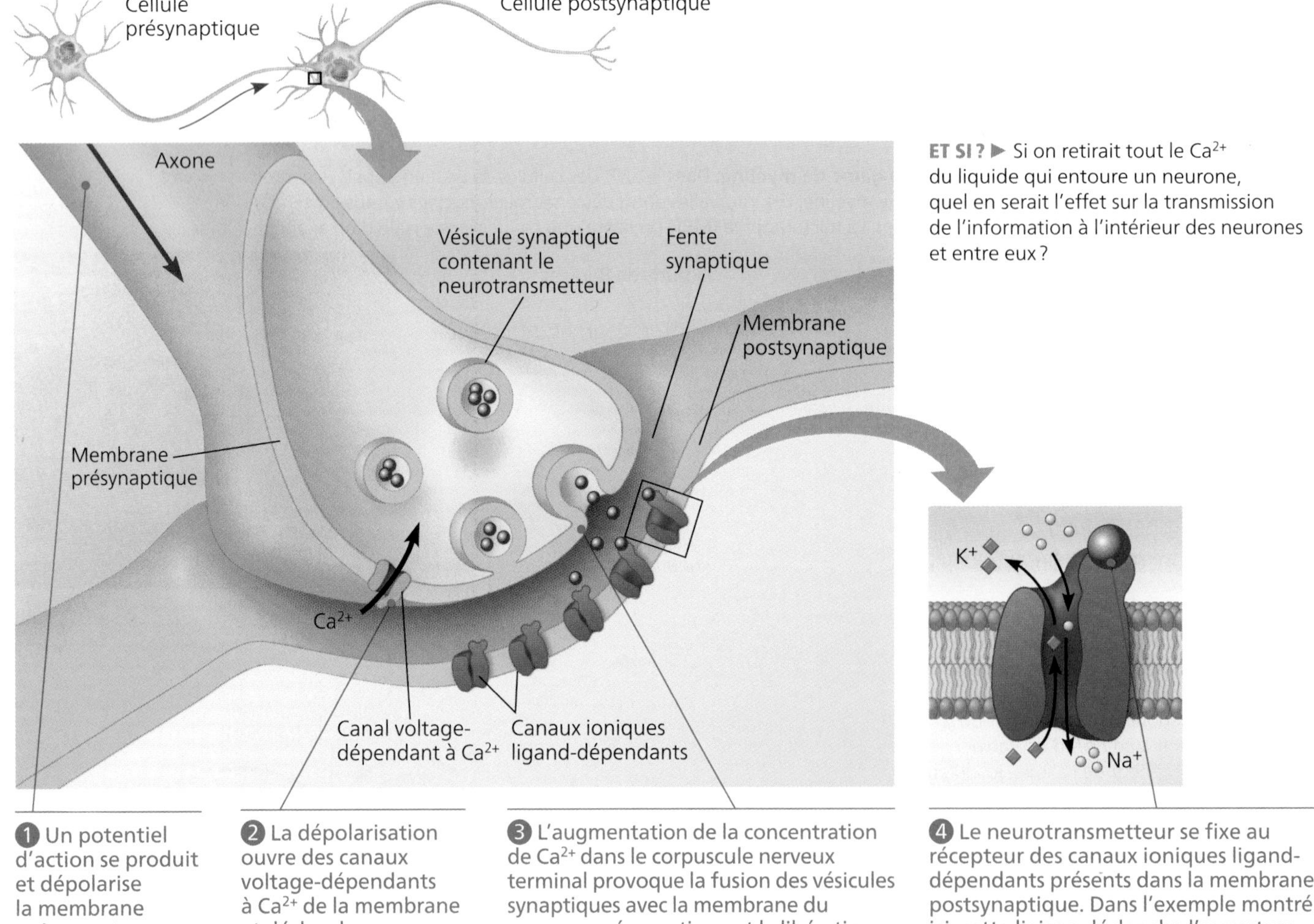

ET SI ? ▶ Si on retirait tout le Ca^{2+} du liquide qui entoure un neurone, quel en serait l'effet sur la transmission de l'information à l'intérieur des neurones et entre eux ?

❶ Un potentiel d'action se produit et dépolarise la membrane présynaptique.

❷ La dépolarisation ouvre des canaux voltage-dépendants à Ca^{2+} de la membrane et déclenche une entrée de Ca^{2+}.

❸ L'augmentation de la concentration de Ca^{2+} dans le corpuscule nerveux terminal provoque la fusion des vésicules synaptiques avec la membrane du neurone présynaptique et la libération d'un neurotransmetteur dans la fente synaptique.

❹ Le neurotransmetteur se fixe au récepteur des canaux ioniques ligand-dépendants présents dans la membrane postsynaptique. Dans l'exemple montré ici, cette liaison déclenche l'ouverture des canaux, puis la diffusion de Na^+ et de K^+.

diffuser à travers la membrane postsynaptique. Il en résulte un *potentiel postsynaptique*, soit un potentiel gradué dans la membrane postsynaptique.

À certaines synapses chimiques, par exemple, le canal ionique ligand-dépendant est perméable à la fois au Na^+ et au K^+ (voir la figure 48.15). Lorsque ce canal s'ouvre, le potentiel de membrane se dépolarise et s'approche d'une valeur qui se situe à peu près à mi-chemin entre E_K et E_{Na}. Comme elles entraînent le potentiel de membrane vers le seuil d'excitation, ces dépolarisations portent le nom de **potentiels postsynaptiques excitateurs** (**PPSE**).

À d'autres synapses chimiques, le canal ligand-dépendant est perméable uniquement au K^+ ou au Cl^-. Lorsque ce canal s'ouvre, la membrane postsynaptique s'hyperpolarise. Ces hyperpolarisations sont appelées **potentiels postsynaptiques inhibiteurs** (**PPSI**) parce qu'elles ont pour effet d'éloigner le potentiel de membrane du seuil d'excitation.

La sommation des potentiels postsynaptiques

L'interaction entre de multiples facteurs excitateurs et inhibiteurs est à la base de l'intégration dans le système nerveux. Le corps cellulaire du neurone et les dendrites d'un neurone postsynaptique peuvent recevoir des signaux des synapses chimiques dotées de centaines ou même de milliers de corpuscules nerveux terminaux (**figure 48.16**). Comment d'aussi nombreuses synapses font-elles pour contribuer au transfert de l'information ?

Un stimulus produit par une seule synapse ne suffit habituellement pas pour déclencher un potentiel d'action dans un neurone postsynaptique. Pour comprendre pourquoi, pensez au PPSE qui viendrait d'une seule synapse. Comme le potentiel postsynaptique est un potentiel gradué, il diminue à mesure qu'il s'éloigne de la synapse. Par conséquent, une fois arrivé au cône d'implantation de l'axone, le PPSE est généralement trop faible pour déclencher un potentiel d'action (**figure 48.17a**).

Parfois, des potentiels postsynaptiques individuels se combinent pour produire un potentiel plus fort ; ce processus est appelé **sommation**. Par exemple, deux PPSE peuvent se produire coup sur coup à une même synapse. Si le second PPSE commence avant que le potentiel de membrane du neurone postsynaptique ait fait place au potentiel de repos, les PPSE ont un effet cumulatif appelé *sommation temporelle*. Si les potentiels postsynaptiques cumulés dépolarisent jusqu'au seuil d'excitation la membrane dans la région du cône d'implantation de l'axone, il en résulte un potentiel d'action (**figure 48.17b**). La sommation peut aussi

▼ **Figure 48.16 Les corpuscules nerveux terminaux sur le corps cellulaire d'un neurone postsynaptique (MEB colorisée).**

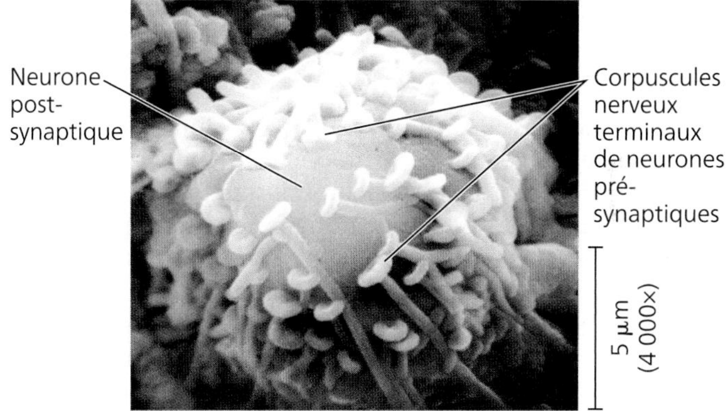

▼ **Figure 48.17 La sommation des potentiels postsynaptiques.** Ces graphiques représentent les variations du potentiel de membrane dans la région du cône d'implantation de l'axone d'un neurone postsynaptique. Les flèches indiquent les moments où les potentiels postsynaptiques se produisent à deux synapses excitatrices (E_1 et E_2, en vert dans les schémas au-dessus des graphiques) et à une synapse inhibitrice (I, en rouge). Comme la plupart des PPSE, ceux qui sont produits en E_1 ou en E_2 ne peuvent atteindre le seuil d'excitation que par sommation.

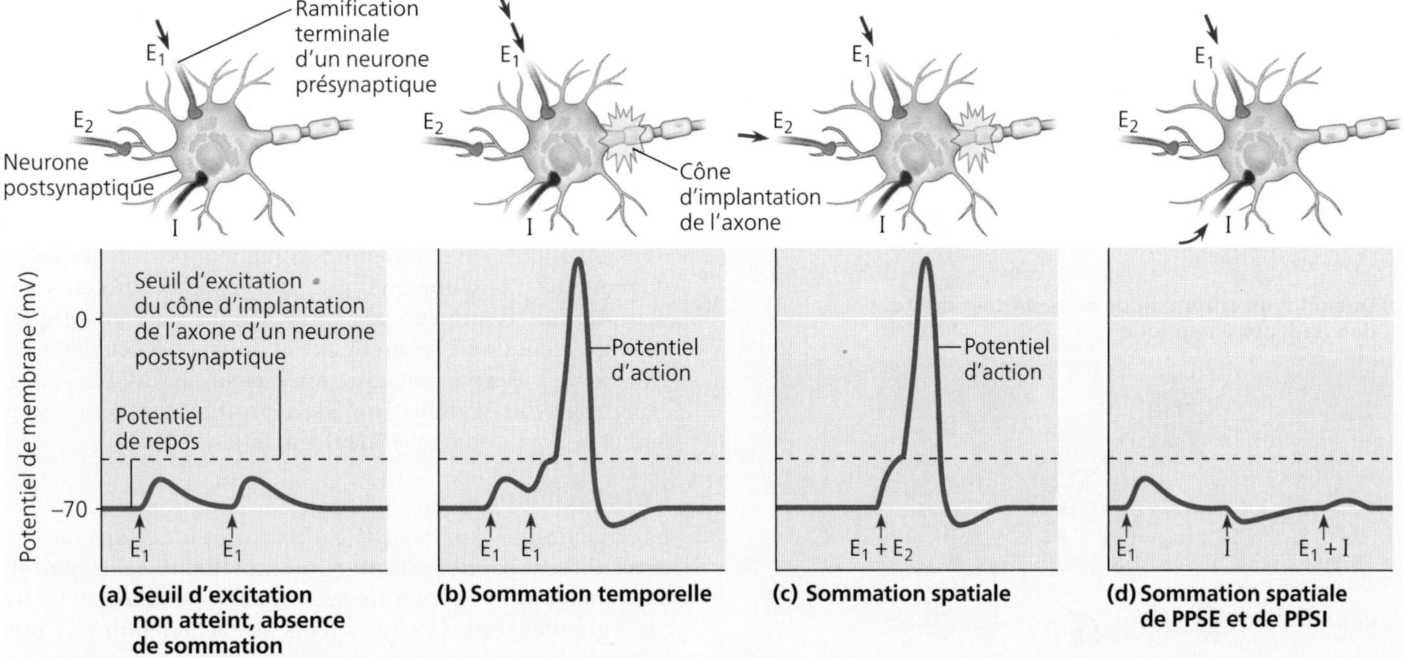

HABILETÉS VISUELLES ▶ À l'aide de ces illustrations, expliquez pourquoi on pourrait dire que, d'une certaine façon, toutes les sommations sont temporelles.

faire intervenir plusieurs synapses du même neurone postsynaptique. Si ces synapses sont actives en même temps, les PPSE produits ont un effet cumulatif appelé *sommation spatiale* (**figure 48.17c**).

La sommation s'applique aussi aux PPSI. Deux ou plusieurs PPSI qui se produisent presque simultanément ou coup sur coup ont un effet hyperpolarisant plus important qu'un seul PPSI. Par sommation, un PPSI peut aussi contrebalancer l'effet d'un PPSE (**figure 48.17d**).

Le cône d'implantation de l'axone est le centre d'intégration du neurone, c'est-à-dire la région où, à chaque instant, le potentiel de membrane représente le résultat des effets cumulatifs de tous les PPSE et PPSI. Chaque fois que le potentiel de membrane du cône d'implantation de l'axone atteint le seuil d'excitation, le potentiel d'action ainsi créé se propage le long de l'axone jusqu'aux corpuscules nerveux terminaux. Après la période réfractaire, le neurone peut produire un autre potentiel d'action si le seuil d'excitation est de nouveau atteint dans la région du cône d'implantation de l'axone.

Le retour à l'état de repos

Une fois la réponse déclenchée, la synapse chimique retourne à l'état de repos. Comment ce processus se déroule-t-il? Il faut d'abord que les molécules de neurotransmetteur se retirent de la fente synaptique. Certains neurotransmetteurs sont inactivés par hydrolyse enzymatique (**figure 48.18a**). D'autres sont réabsorbés par le neurone présynaptique (**figure 48.18b**), puis enfermés dans des vésicules synaptiques ou transférés aux gliocytes. Ils sont alors métabolisés ou recyclés vers les neurones au cours d'un processus nommé *recaptage du neurotransmetteur*.

▼ Figure 48.18 Les deux mécanismes qui mettent fin à la neurotransmission.

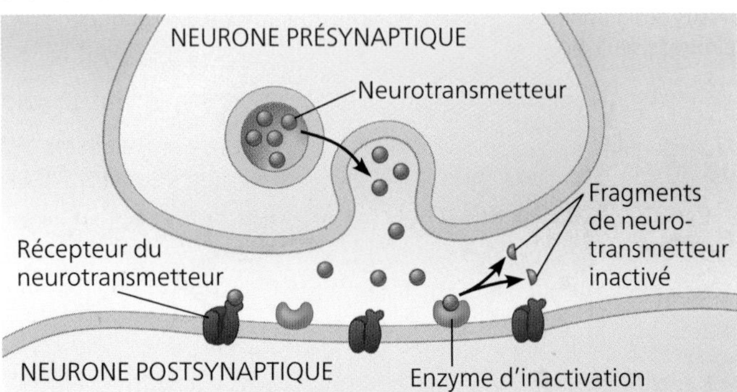

(a) Dégradation enzymatique du neurotransmetteur dans la fente synaptique

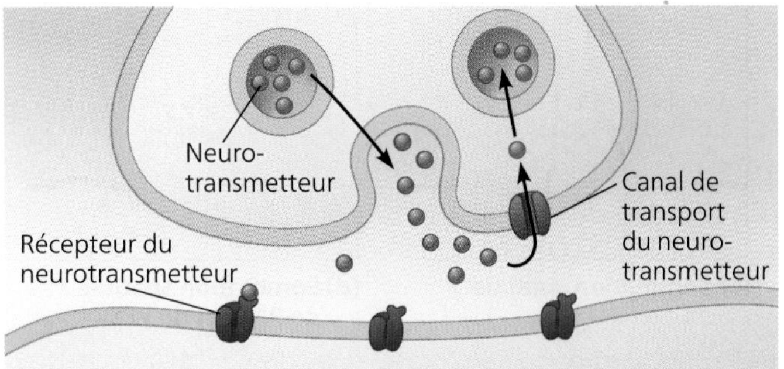

(b) Recaptage du neurotransmetteur par le neurone présynaptique

Le retrait des neurotransmetteurs de la fente synaptique est une étape essentielle à la bonne transmission de l'information dans le système nerveux, et son blocage peut avoir de graves conséquences. Le sarin, par exemple, un gaz neurotoxique, provoque la paralysie et la mort en inhibant l'enzyme qui dégrade le neurotransmetteur contrôlant les muscles squelettiques.

La communication modulée aux synapses

Jusqu'ici, nous nous sommes penchés sur la transmission synaptique directe, dans laquelle un neurotransmetteur se fixe directement à un canal ionique et le fait s'ouvrir. Il existe toutefois des synapses chimiques dans lesquelles le récepteur du neurotransmetteur *ne fait pas* partie d'un canal ionique. À ces synapses, le neurotransmetteur se lie à un récepteur couplé à une protéine G (RCPG), ce qui active une voie de transduction du signal qui met en jeu un second messager dans la cellule postsynaptique (voir le concept 11.3). Comme l'ouverture ou la fermeture des canaux ioniques qui en résulte dépend d'une ou de plusieurs étapes métaboliques, ces RCPG sont également appelés *récepteurs métabotropiques.*

Les RCPG modulent de plusieurs façons la réceptivité et l'activité des neurones postsynaptiques. Prenons l'exemple du récepteur métabotropique de la noradrénaline, un neurotransmetteur: la liaison de la noradrénaline à son RCPG active une protéine G, qui elle-même active l'adénylcyclase, l'enzyme qui convertit l'ATP en AMPc (voir la figure 11.11). L'AMPc stimule la protéine kinase A, qui phosphoryle certaines protéines des canaux de la membrane postsynaptique, entraînant leur ouverture ou leur fermeture. En raison de l'effet amplificateur de la voie de transduction du signal, la fixation d'une seule molécule de neurotransmetteur peut provoquer l'ouverture ou la fermeture de nombreux canaux ioniques.

Beaucoup de neurotransmetteurs possèdent les deux types de récepteurs: ionotropiques et métabotropiques. Comparativement aux potentiels postsynaptiques produits par des canaux ligand-dépendants, les effets des voies des protéines G se déclenchent plus lentement, mais durent plus longtemps.

Les neurotransmetteurs

L'arrivée d'un signal à une synapse déclenche une réponse qui dépend tout autant du neurotransmetteur libéré par la membrane présynaptique que du récepteur produit à la membrane postsynaptique. Un seul neurotransmetteur peut se lier spécifiquement à plus d'une douzaine de récepteurs différents. Un neurotransmetteur peut exciter des cellules postsynaptiques qui expriment un récepteur donné et inhiber des cellules postsynaptiques qui expriment un autre récepteur. En guise d'exemple, examinons l'**acétylcholine**, un neurotransmetteur présent tant chez les vertébrés que chez les invertébrés.

L'acétylcholine

L'acétylcholine est essentielle à certaines fonctions du système nerveux, dont la stimulation musculaire, la formation de la mémoire et l'apprentissage. Chez les vertébrés, il existe deux grandes classes de récepteurs de l'acétylcholine. L'une d'elles comprend les canaux ioniques ligand-dépendants. La majeure partie de ce qu'on sait à leur sujet provient de l'étude de leur fonction à la *jonction neuromusculaire* chez les vertébrés, c'est-à-dire là où un neurone moteur forme une synapse avec une cellule musculaire squelettique. Quand l'acétylcholine libérée par le neurone moteur se fixe à ce récepteur, le canal ionique s'ouvre et produit un PPSE. L'acétylcholinestérase, une enzyme de la fente synaptique, met fin rapidement à cette activité excitatrice en hydrolysant le neurotransmetteur.

Des RCPG de l'acétylcholine se trouvent en d'autres endroits, dont le SNC et le cœur des vertébrés. Dans le cœur, l'acétylcholine libérée par des neurones active une voie de transduction du signal. Les protéines G présentes dans cette voie inhibent l'adénylcyclase et ouvrent des canaux à K^+ dans la membrane de la cellule musculaire. Ces deux effets réduisent l'intensité et la fréquence des contractions du myocarde. L'effet de l'acétylcholine dans le muscle cardiaque est inhibiteur plutôt qu'excitateur.

Plusieurs substances chimiques exerçant des effets profonds sur le système nerveux imitent ou perturbent la fonction de l'acétylcholine. Ainsi, la nicotine, une substance chimique contenue dans le tabac et la fumée du tabac, exerce un effet stimulant lorsqu'elle se lie à un récepteur ionotropique de l'acétylcholine dans le SNC. Quant au gaz sarin, dont nous avons parlé plus tôt, il bloque l'action de l'acétylcholinestérase, l'enzyme qui clive l'acétylcholine. Un autre exemple est la toxine botulique, qui inhibe la libération présynaptique d'acétylcholine. En l'absence de traitement, le botulisme est généralement fatal, car le blocage de la libération d'acétylcholine empêche les muscles de la respiration de se contracter. Aujourd'hui, cette même toxine du botulisme est utilisée en chirurgie esthétique, sous la marque de commerce Botox. Son injection atténue les rides autour des yeux ou de la bouche en bloquant la transmission synaptique qui contrôle certains muscles du visage.

L'acétylcholine accomplit plusieurs fonctions, mais on connaît plus d'une centaine d'autres neurotransmetteurs. Comme le montre le **tableau 48.2**, on distingue quatre classes de neurotransmetteurs : les acides aminés, les amines biogènes, les neuropeptides et les gaz.

Tableau 48.2 Les principaux neurotransmetteurs

Neurotransmetteur	Structure
Acétylcholine	$H_3C-C(=O)-O-CH_2-CH_2-N^+(CH_3)_3$
Acides aminés	
Acide glutamique	$H_2N-CH(COOH)-CH_2-CH_2-COOH$
Acide gamma-aminobutyrique (GABA)	$H_2N-CH_2-CH_2-CH_2-COOH$
Glycine	H_2N-CH_2-COOH
Amines biogènes	
Noradrénaline	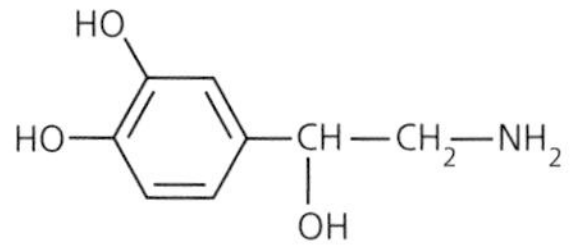 $(HO)_2C_6H_3-CH(OH)-CH_2-NH_2$
Dopamine	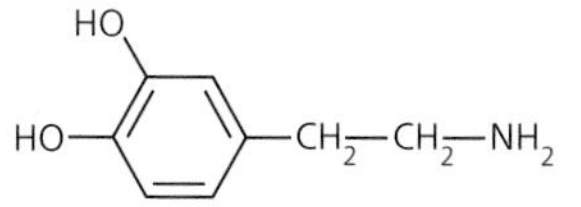 $(HO)_2C_6H_3-CH_2-CH_2-NH_2$
Sérotonine	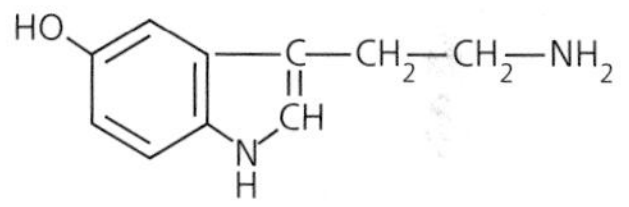 HO–(indole : C=CH–NH)–$CH_2-CH_2-NH_2$
Neuropeptides (groupe très divers dont deux exemples seulement sont présentés)	
Substance P	Arg—Pro—Lys—Pro—Gln—Gln—Phe—Phe—Gly—Leu—Met
Méténképhaline (endorphine)	Tyr—Gly—Gly—Phe—Met
Gaz	
Monoxyde d'azote	N=O

Les acides aminés

L'*acide glutamique* est l'un des quelques acides aminés qui peuvent agir comme un neurotransmetteur. Chez les invertébrés, l'acide glutamique est le neurotransmetteur à la jonction neuromusculaire, et non l'acétylcholine. Dans le système nerveux central des vertébrés, l'acide glutamique est le neurotransmetteur le plus abondant. Les synapses auxquelles intervient l'acide glutamique jouent un rôle clé dans la formation de la mémoire à long terme, comme nous le verrons au concept 49.4.

Deux acides aminés agissent comme neurotransmetteurs inhibiteurs dans le SNC : la glycine et l'acide gamma-aminobutyrique (GABA). La *glycine* agit à des synapses inhibitrices présentes dans des régions du SNC situées à l'extérieur de l'encéphale. À l'intérieur de l'encéphale, le *GABA* est le neurotransmetteur le plus abondant aux synapses inhibitrices. Il produit des PPSI en augmentant la perméabilité de la membrane postsynaptique au Cl^-. Le diazépam (Valium), un médicament abondamment prescrit, réduit l'anxiété en se liant à un récepteur du GABA.

Les amines biogènes

Les neurotransmetteurs du groupe des *amines biogènes* sont dérivés des acides aminés et comprennent la *noradrénaline*, produite à partir de la tyrosine. La noradrénaline est un neurotransmetteur excitateur du système nerveux autonome, une branche du SNP. À l'extérieur du système nerveux, la noradrénaline remplit des fonctions distinctes mais connexes en tant qu'hormone, tout comme l'*adrénaline*, une amine biogène chimiquement apparentée (voir le concept 45.3).

La *dopamine* (synthétisée à partir de tyrosine) et la *sérotonine* (synthétisée à partir de tryptophane), deux autres amines biogènes, sont libérées en de nombreux endroits de l'encéphale et agissent sur le sommeil, l'humeur, l'attention et l'apprentissage. Certaines drogues psychotropes, notamment le LSD (acide lysergique diéthylamide) et la mescaline, produisent apparemment des hallucinations en se liant aux récepteurs de la sérotonine et de la dopamine dans l'encéphale.

Les amines biogènes sont en cause dans certains troubles du système nerveux et jouent un rôle important dans le traitement de ces affections (voir le concept 49.5). Ainsi, la maladie de Parkinson, une affection dégénérative, est associée à un déficit de dopamine dans l'encéphale. La dépression, elle, est souvent traitée à l'aide de médicaments qui augmentent les concentrations d'amines biogènes, comme la noradrénaline ou la sérotonine. Le Prozac, par exemple, élève la concentration de sérotonine en inhibant son absorption une fois qu'elle est libérée.

Les neuropeptides

Plusieurs **neuropeptides**, qui sont des chaînes relativement courtes d'acides aminés, servent de neurotransmetteurs. Ceux-ci fonctionnent avec des récepteurs couplés à une protéine G. Ces peptides sont habituellement produits par clivage de précurseurs de protéines beaucoup plus grosses. Le neuropeptide appelé *substance P* est un neurotransmetteur excitateur important qui intervient dans la perception de la douleur. À l'inverse, les **endorphines** jouent le rôle d'analgésiques naturels en diminuant la perception de la douleur.

Les endorphines sont fabriquées par l'encéphale quand il est soumis à des stress physiques ou émotionnels, par exemple pendant le travail de l'accouchement. Outre qu'elles atténuent la douleur, les endorphines diminuent la production d'urine, ralentissent la respiration, provoquent l'euphorie et produisent d'autres effets psychiques. Comme les opioïdes (dont font partie la morphine et l'héroïne) se lient aux mêmes récepteurs protéiniques que les endorphines, ils agissent comme elles et produisent plusieurs de ses effets physiologiques (voir la figure 2.16). Dans la rubrique **Habiletés scientifiques**, vous interpréterez les données d'une expérience qui visait à localiser les récepteurs des opioïdes dans l'encéphale.

Les gaz

Chez les vertébrés, certains neurones libèrent des gaz dissous qui servent de neurotransmetteurs. Chez l'homme, par exemple, certains neurones diffusent du monoxyde d'azote (NO) dans les tissus érectiles du pénis pendant l'excitation sexuelle. Dans ces tissus, les cellules composant les muscles lisses de la paroi des vaisseaux sanguins se dilatent. Le corps spongieux se remplit alors de sang, ce qui produit l'érection. Le médicament Viagra contre la dysfonction érectile et les autres médicaments du

DÉMARCHE SCIENTIFIQUE
HABILETÉS SCIENTIFIQUES

Interpréter la valeur d'une donnée exprimée en notation scientifique

■ L'ENCÉPHALE CONTIENT-IL UN RÉCEPTEUR PROTÉIQUE SPÉCIFIQUE DES OPIOÏDES ? ■ En 1973, des chercheurs ont réalisé des expériences dans le but de localiser les récepteurs des opioïdes dans l'encéphale mammalien. Sachant que la naloxone, un médicament, bloque les effets analgésiques des narcotiques opioïdes, ils ont émis l'hypothèse que la naloxone agissait en se liant étroitement aux récepteurs des opioïdes, mais sans les activer. Dans le présent exercice, vous interpréterez les résultats de l'expérience que ces chercheurs ont réalisée pour vérifier leur hypothèse.

■ MÉTHODE ■ Les chercheurs ont laissé incuber de la naloxone radioactive avec un mélange protéique préparé à partir de cerveaux de rat. Si des protéines pouvant se lier à la naloxone étaient présentes, la radioactivité devrait s'associer de manière stable au mélange, selon l'hypothèse des chercheurs. Pour déterminer si la liaison était attribuable à des récepteurs spécifiques des opioïdes, ils ont testé d'autres substances (des opioïdes et des non-opioïdes) susceptibles d'interférer avec la liaison.

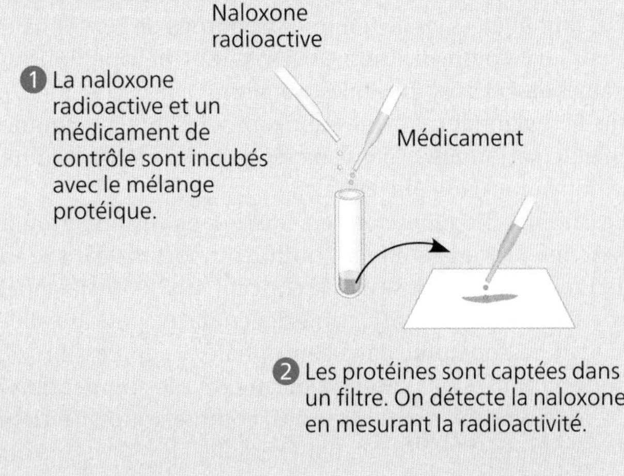

Naloxone radioactive
1 La naloxone radioactive et un médicament de contrôle sont incubés avec le mélange protéique.
Médicament
2 Les protéines sont captées dans un filtre. On détecte la naloxone en mesurant la radioactivité.

■ RÉSULTATS ■

Médicament	Opioïde	Concentration qui bloquait la liaison de naloxone
Morphine	Oui	6×10^{-9} *M*
Méthadone	Oui	2×10^{-8} *M*
Lévorphanol	Oui	2×10^{-9} *M*
Phénobarbital	Non	Aucun effet à 10^{-4} *M*
Atropine	Non	Aucun effet à 10^{-4} *M*
Sérotonine	Non	Aucun effet à 10^{-4} *M*

Source des données : C. B. Pert et S. H. Snyder, Opiate receptor : demonstration in nervous tissue, *Science* 179 : 1011-1014 (1973).

INTERPRÉTEZ LES DONNÉES ▼

1. Les résultats ci-dessus sont exprimés en notation scientifique (facteur numérique multiplié par une puissance de 10). Rappelez-vous qu'une puissance de 10 négative correspond à un nombre inférieur à 1. Par exemple, 10^{-1} *M* peut s'écrire ainsi : 0,1 *M*. Écrivez sous forme décimale les concentrations de morphine et d'atropine du tableau ci-dessus.
2. Comparez les concentrations de méthadone et de phénobarbital indiquées dans le tableau. Quelle concentration est la plus élevée ? De combien ?
3. Le phénobarbital, l'atropine ou la sérotonine auraient-ils bloqué la naloxone à une concentration de 10^{-5} *M* ? Expliquez pourquoi.
4. Quelles substances ont bloqué la liaison à la naloxone dans cette expérience ? Qu'est-ce que ces résultats indiquent au sujet des récepteurs de la naloxone dans l'encéphale ?
5. Lorsque les chercheurs ont utilisé des tissus musculaires intestinaux plutôt que des tissus encéphaliques, ils n'ont constaté aucune liaison à la naloxone. Que pouvez-vous en conclure au sujet des récepteurs des opioïdes dans les muscles mammaliens ?

même type permettent à l'homme d'obtenir et de maintenir une érection plus facilement en inhibant l'action d'une enzyme qui ralentit les effets de relaxation musculaire du NO.

Contrairement aux neurotransmetteurs courants, le NO ne peut être stocké dans des vésicules cytoplasmiques. Les cellules doivent donc le synthétiser à la demande. Ce gaz diffuse dans les cellules cibles voisines, y produit un changement et est dégradé, tout cela en quelques secondes. Dans de nombreuses cibles, notamment les cellules des muscles lisses, le NO a une action semblable à celle de plusieurs hormones : il stimule une enzyme fixée à la membrane plasmique pour l'amener à synthétiser un second messager chimique influant directement sur le métabolisme cellulaire.

Il peut être mortel d'inhaler du monoxyde de carbone (CO), mais les vertébrés en produisent une petite quantité qui joue un rôle dans la neurotransmission. Par exemple, du CO est synthétisé dans l'encéphale pour réguler la libération des hormones hypothalamiques.

Dans le prochain chapitre, nous allons voir comment les mécanismes cellulaires et biochimiques dont nous avons parlé jusqu'ici contribuent au fonctionnement du système nerveux dans son ensemble.

RETOUR SUR LE CONCEPT 48.4

1. Comment est-il possible que les effets produits par un neurotransmetteur dans différents tissus soient opposés ?
2. Certains pesticides inhibent l'acétylcholinestérase, l'enzyme qui dégrade le neurotransmetteur acétylcholine. Expliquez comment ces pesticides peuvent influencer les PPSE produits par l'acétylcholine.
3. **FAITES DES LIENS ▶** Nommez au moins une activité membranaire qui survient à la fois lors de la fécondation et lors de la libération de neurotransmetteurs (voir la figure 47.3).

Voir les réponses proposées à l'appendice A.

RÉVISION DU CHAPITRE 48

Consultez votre MANUEL NUMÉRIQUE, qui vous donne accès aux **animations**, aux **exercices** et à la plateforme d'**anatomie interactive**.

Résumé des concepts clés

CONCEPT 48.1

L'organisation et la structure du neurone reflètent sa fonction dans la transmission d'information (p. 1174 à 1176)

- La plupart des **neurones** comportent des **dendrites** très ramifiées qui reçoivent des signaux de récepteurs sensitifs ou d'autres neurones ainsi qu'un **axone** unique qui transmet les signaux à d'autres cellules, aux **synapses**. Les **gliocytes** remplissent diverses fonctions essentielles au fonctionnement des neurones : ils assurent leur soutien, les isolent et les régulent.

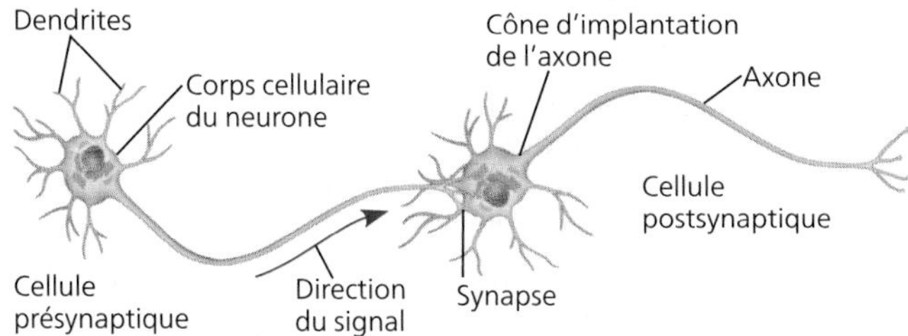

- Le **système nerveux central** (**SNC**) et le **système nerveux périphérique** (**SNP**) traitent l'information en trois étapes : la réception de l'information sensorielle, l'intégration et l'émission de commandes motrices aux cellules effectrices.

? Si on sectionne un axone, quel sera l'effet sur la circulation de l'information dans le neurone ?

CONCEPT 48.2

Les pompes et les canaux ioniques établissent le potentiel de repos du neurone (p. 1176 à 1178)

- Le **potentiel de membrane** est déterminé par les gradients ioniques qui existent de part et d'autre de la membrane plasmique. La concentration de Na^+ est plus élevée dans le liquide extracellulaire que dans le cytosol, et c'est l'inverse pour le K^+. Dans la membrane plasmique d'un neurone non stimulé, les canaux à K^+ ouverts sont nombreux, tandis que les canaux à Na^+ ouverts le sont peu. La diffusion du K^+ et du Na^+ à travers ces canaux génère de part et d'autre de la membrane une différence de charge électrique qui crée le **potentiel de repos** ; l'intérieur de la cellule est plus négatif que l'extérieur.

? Supposons que vous placez un neurone isolé dans une solution semblable au liquide extracellulaire et que, par la suite, vous transférez le neurone dans une solution dépourvue d'ions sodium. À votre avis, quel changement observeriez-vous dans le potentiel de repos ?

CONCEPT 48.3

Les potentiels d'action sont les signaux transmis par les axones (p. 1178 à 1183)

- Les neurones possèdent des **canaux ioniques à ouverture contrôlée** qui s'ouvrent et se ferment en réaction aux stimulus, ce qui produit des changements dans le potentiel de membrane. Une augmentation de l'amplitude du potentiel de membrane représente une **hyperpolarisation**, et une diminution de l'amplitude du potentiel de membrane correspond à une **dépolarisation**. Les variations du potentiel de membrane déterminées par l'intensité du stimulus se nomment **potentiels gradués**.

- Un **potentiel d'action** consiste en une dépolarisation brève, du type tout ou rien, de la membrane plasmique du neurone. Lorsqu'une dépolarisation graduée atteint le **seuil d'excitation**, de nombreux **canaux voltage-dépendants** à Na^+ s'ouvrent, déclenchant un afflux de Na^+ qui amène rapidement le potentiel de membrane à une valeur positive. Le potentiel de membrane revient à sa valeur de repos normale grâce à l'inactivation des canaux à Na^+ et à l'ouverture de nombreux canaux voltage-dépendants à K^+, laquelle accélère la sortie du K^+. Le potentiel d'action est suivi d'une **période réfractaire** qui correspond à l'intervalle pendant lequel les canaux à Na^+ sont inactivés.

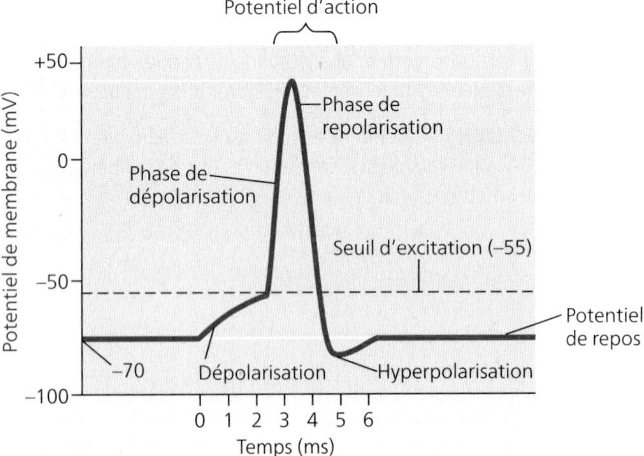

- Une impulsion nerveuse (influx nerveux) se déplace du cône d'implantation vers les corpuscules nerveux terminaux par la propagation de séries de potentiels d'action le long de l'axone. Plus le diamètre de l'axone est grand, plus la propagation du potentiel d'action est rapide; chez les vertébrés, de nombreux axones sont myélinisés, ce qui accélère aussi la propagation des potentiels d'action. Dans un axone myélinisé, les potentiels d'action semblent sauter d'un **nœud de Ranvier** à l'autre: ce processus est appelé **conduction saltatoire**.

INTERPRÉTEZ LES DONNÉES ▶ En supposant qu'une période réfractaire a la même durée qu'un potentiel d'action (voir le graphique ci-dessus), quelle est la fréquence maximale, par unité de temps, à laquelle un neurone peut décharger des potentiels d'action?

CONCEPT 48.4

Les neurones communiquent avec d'autres cellules aux synapses (p. 1183 à 1189)

- Dans une synapse électrique, le courant électrique circule directement d'une cellule à l'autre. Dans une synapse chimique, la dépolarisation provoque la fusion des vésicules synaptiques avec la membrane plasmique du corpuscule et la diffusion du **neurotransmetteur** dans la fente synaptique.
- À plusieurs synapses, le neurotransmetteur se fixe aux **canaux ioniques ligand-dépendants** présents dans la membrane postsynaptique et produit un **potentiel postsynaptique excitateur** ou **inhibiteur** (**PPSE** ou **PPSI**). Après sa libération, le neurotransmetteur s'échappe par la fente synaptique, est absorbé par les cellules avoisinantes ou est dégradé par des enzymes. La **sommation** temporelle et la sommation spatiale des PPSE et des PPSI au cône d'implantation de l'axone déterminent la production des potentiels d'action par le neurone.
- Un même neurotransmetteur peut produire différents effets sur divers types de cellules. La fixation du neurotransmetteur à certains récepteurs active des voies de transduction du signal, qui produisent dans la cellule postsynaptique des effets lents à apparaître mais durables. Les principaux neurotransmetteurs connus sont l'**acétylcholine**, les acides aminés (acide gamma-aminobutyrique, acide glutamique et glycine), les amines biogènes et les **neuropeptides**, de même que des gaz, dont le monoxyde d'azote (NO).

? Pourquoi certains médicaments utilisés pour traiter des troubles du système nerveux ou pour modifier la fonction cérébrale ciblent-ils des récepteurs spécifiques plutôt que des neurotransmetteurs spécifiques?

Évaluation

NIVEAU 1: CONNAISSANCES ET COMPRÉHENSION

1. Parmi les événements suivants, lequel se produit quand un stimulus dépolarise la membrane plasmique du neurone?
   a) Il se produit une diffusion nette de Na^+ à l'extérieur de la cellule.
   b) Le potentiel d'équilibre pour le K^+ (E_K) devient plus positif.
   c) La tension de la membrane du neurone devient plus positive.
   d) La charge à l'intérieur de la cellule devient plus négative par rapport à l'extérieur.
2. Laquelle des caractéristiques suivantes les potentiels d'action présentent-ils toujours?
   a) Ils provoquent l'hyperpolarisation puis la dépolarisation de la membrane.
   b) Ils peuvent être soumis à une sommation temporelle et à une sommation spatiale.
   c) Ils sont déclenchés par une dépolarisation qui atteint le seuil d'excitation.
   d) Ils circulent à la même vitesse le long de tous les axones.
3. Les récepteurs des neurotransmetteurs sont situés sur:
   a) la membrane nucléaire.
   b) les nœuds de Ranvier.
   c) la membrane postsynaptique.
   d) la membrane des vésicules synaptiques.

NIVEAU 2: APPLICATION ET ANALYSE

4. Les potentiels d'action se propagent généralement dans une seule direction, le long d'un axone, parce que:
   a) les ions ne peuvent circuler le long de l'axone que dans une direction.
   b) la brève période réfractaire empêche l'ouverture des canaux voltage-dépendants à Na^+.
   c) le cône d'implantation de l'axone a un potentiel membranaire plus élevé que celui des corpuscules nerveux terminaux de l'axone.
   d) les canaux voltage-dépendants à Na^+ ou à K^+ ne s'ouvrent que dans une direction.
5. La dépolarisation de la membrane présynaptique de l'axone provoque *directement*:
   a) l'ouverture, dans la membrane présynaptique, de canaux ioniques voltage-dépendants à Ca^{2+}.
   b) la fusion des vésicules synaptiques et de la membrane présynaptique.
   c) l'ouverture de canaux ligand-dépendants qui permettent à des neurotransmetteurs de diffuser dans la fente synaptique.
   d) la présence de potentiels postsynaptiques excitateurs ou inhibiteurs dans la cellule postsynaptique.
6. Un neurotransmetteur provoque un potentiel postsynaptique inhibiteur dans la cellule postsynaptique X et un potentiel postsynaptique excitateur dans la cellule postsynaptique Y. Parmi les énoncés suivants, lequel pourrait expliquer cette affirmation?
   a) Les cellules X et Y n'ont pas le même seuil d'excitation dans la membrane postsynaptique.
   b) L'axone de la cellule X est myélinisé, mais pas celui de la cellule Y.
   c) Seule la cellule Y produit une enzyme qui met fin à l'activité du neurotransmetteur.
   d) Les cellules X et Y expriment des molécules de récepteur différentes à l'égard de ce neurotransmetteur.

NIVEAU 3 : **SYNTHÈSE ET ÉVALUATION**

7. **ET SI ?** ▶ La ouabaïne, une substance végétale utilisée par certaines cultures pour empoisonner les flèches de chasse, a pour effet d'inactiver la pompe à sodium et à potassium. À votre avis, quel changement observeriez-vous dans le potentiel de repos si vous mettiez un neurone en présence de ouabaïne ?

8. **ET SI ?** ▶ Si un médicament avait le même effet que l'acide gamma-aminobutyrique dans le SNC, quel effet général vous attendriez-vous à observer sur le comportement ? Expliquez votre réponse.

9. **FAITES UN DESSIN** ▶ Imaginez qu'un chercheur introduise une paire d'électrodes à deux endroits au milieu d'un axone disséqué de calmar. En appliquant un stimulus de dépolarisation, le chercheur amène la membrane plasmique des deux endroits au seuil d'excitation. À partir de l'illustration ci-dessous, faites deux dessins qui montrent où chaque potentiel d'action se terminerait.

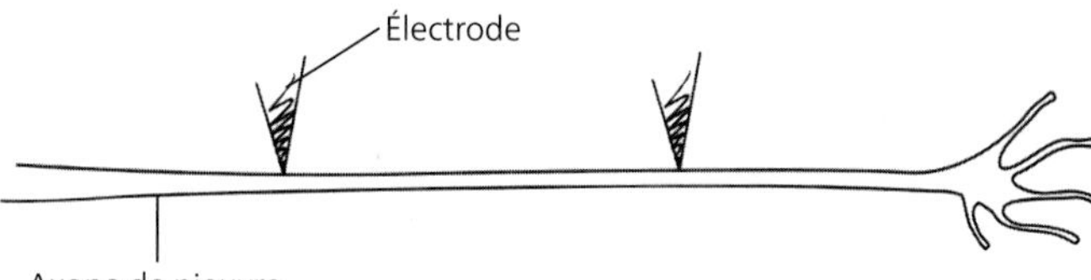

Voir les réponses proposées à l'appendice A.

Les systèmes nerveux

49

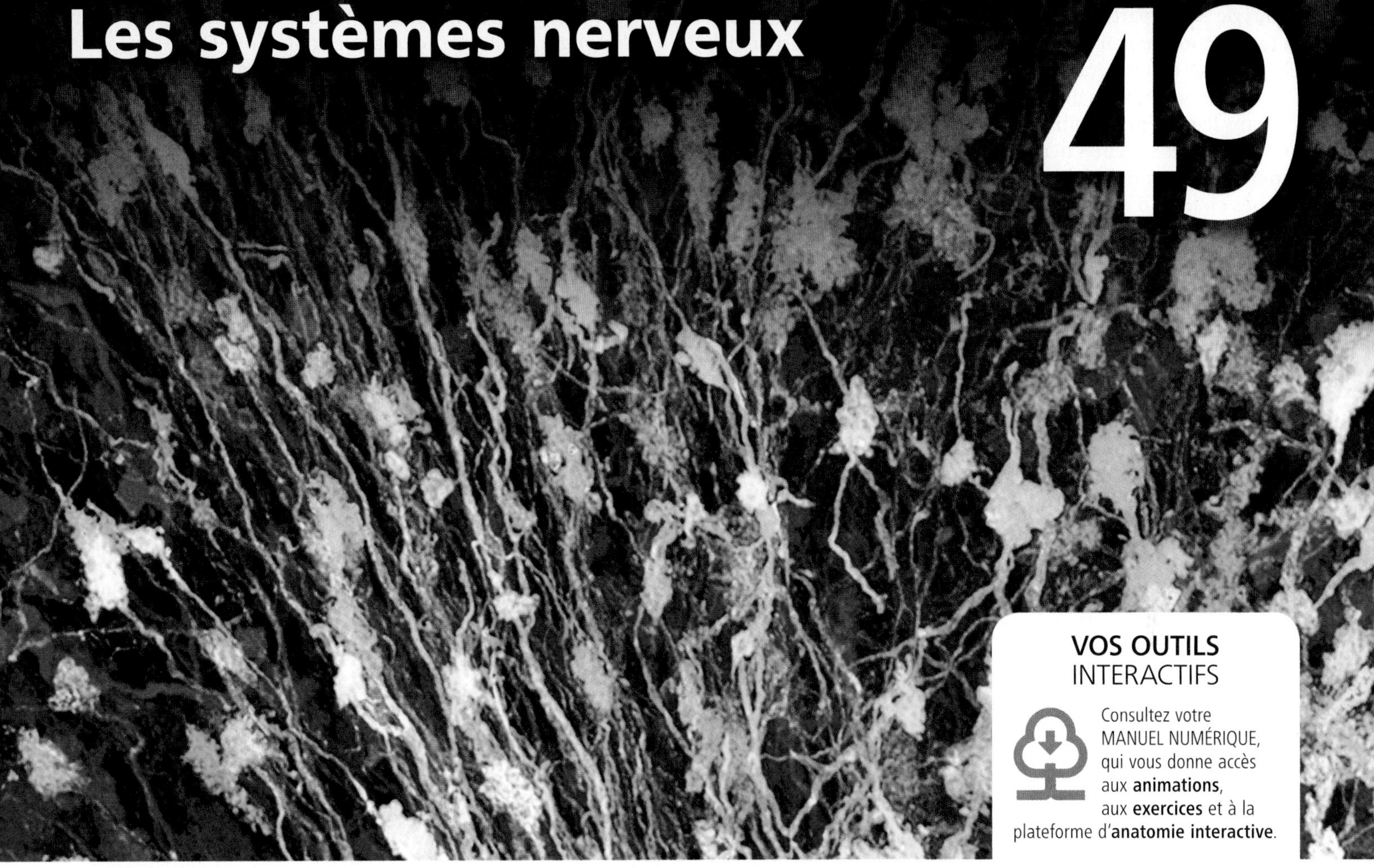

VOS OUTILS INTERACTIFS

Consultez votre MANUEL NUMÉRIQUE, qui vous donne accès aux **animations**, aux **exercices** et à la plateforme d'**anatomie interactive**.

▲ **Figure 49.1 Comment les scientifiques distinguent-ils les neurones dans le cerveau ?**

CONCEPTS CLÉS

49.1 Les systèmes nerveux sont constitués de circuits de neurones et de cellules de soutien

49.2 L'encéphale des vertébrés comporte des régions spécialisées

49.3 Le cortex cérébral contrôle les mouvements volontaires et les fonctions cognitives

49.4 La mémoire et l'apprentissage reposent sur des changements dans les connexions synaptiques

49.5 Des dérèglements moléculaires sont à l'origine de nombreuses affections du système nerveux

Un centre de commande et de contrôle

Que se passe-t-il dans votre cerveau lorsque vous résolvez un problème mathématique ou que vous écoutez de la musique ? Pendant longtemps, les scientifiques n'imaginaient pas pouvoir répondre à cette question. On estime que le cerveau humain contient 10^{11} (100 milliards) neurones organisés en circuits si complexes que, à côté d'eux, les ordinateurs les plus puissants paraissent rudimentaires. Toutefois, grâce à de nouvelles technologies fort prometteuses, les scientifiques ont commencé à élucider les mécanismes cellulaires qui traitent l'information dans le cerveau, nous dévoilant ainsi les processus qui sous-tendent les pensées et les émotions.

Des techniques d'imagerie puissantes récemment mises au point permettent désormais d'observer le cerveau en pleine activité. Les scientifiques peuvent ainsi visualiser plusieurs régions du cerveau humain d'un sujet en train d'accomplir diverses tâches, comme parler, bouger la main, regarder des images ou se représenter mentalement un objet ou le visage d'une autre personne. Ils peuvent ensuite analyser ces données pour déterminer s'il y a corrélation avec telle tâche ou telle activité dans les différentes régions du cerveau.

L'une des plus récentes techniques d'exploration du cerveau est une méthode qui permet l'expression de combinaisons aléatoires de protéines fluorescentes dans les cellules de l'encéphale et grâce à laquelle chaque cellule apparaît dans une couleur différente. Le résultat de cette technique de marquage est un « brainbow » (mot anglais associant *brain* et *rainbow*, « cerveau » et « arc-en-ciel ») comme celui de la **figure 49.1**, qui montre les neurones du cerveau d'une souris. Sur cette image, chaque neurone exprime une des combinaisons de couleurs possibles

– plus de 90 – à partir de 4 protéines fluorescentes. À l'aide de la technique *brainbow*, les chercheurs en neurologie espèrent élaborer des cartes détaillées des connexions qui acheminent l'information entre les différentes régions du cerveau.

Dans le présent chapitre, nous étudierons l'organisation et l'évolution des systèmes nerveux des animaux en examinant le fonctionnement de groupes de neurones dans les circuits spécialisés chargés d'accomplir différentes tâches. Ensuite, nous nous pencherons sur la spécialisation des régions de l'encéphale des vertébrés, puis nous verrons comment l'activité cérébrale permet de conserver et d'organiser de l'information. Enfin, nous examinerons des résultats de recherches récentes portant sur des affections du système nerveux.

CONCEPT **49.1**

Les systèmes nerveux sont constitués de circuits de neurones et de cellules de soutien

La capacité de percevoir et de réagir est apparue il y a des milliards d'années chez les procaryotes, améliorant leurs chances de survie et leur succès reproducteur dans des environnements changeants. Plus tard au cours de l'évolution, la modification de ce simple processus de perception et de réaction a fourni aux organismes multicellulaires un mécanisme permettant la communication entre les cellules. À l'époque de l'explosion du Cambrien, il y a 500 millions d'années (voir le concept 32.2), l'apparition de systèmes nerveux spécialisés a permis aux animaux de mieux percevoir leur environnement et de réagir plus rapidement.

Les plus simples animaux dotés d'un système nerveux sont les éponges, les hydres et d'autres cnidaires. Chez la plupart des cnidaires, les neurones qui commandent la contraction et l'expansion de la cavité gastrovasculaire sont disposés en *réseaux nerveux* diffus (**figure 49.2a**). Chez les animaux plus complexes, les axones de plusieurs cellules nerveuses sont souvent groupés en faisceaux qui forment des **nerfs**. Ces prolongements neuronaux filamenteux acheminent et organisent le flux d'information dans les voies spécifiques du système nerveux. Par exemple, les étoiles de mer possèdent un ensemble de nerfs radiaux reliés à un anneau nerveux central (**figure 49.2b**). Dans chacune des branches de l'étoile de mer, les nerfs radiaux sont reliés à un réseau nerveux duquel ils reçoivent des signaux et auquel ils envoient des signaux qui contrôlent la contraction des muscles.

Les animaux qui ont un corps allongé et une symétrie bilatérale possèdent des systèmes nerveux encore plus complexes. Ils présentent notamment une *céphalisation*, laquelle est une tendance évolutive à la formation de faisceaux de neurones sensitifs et d'interneurones dans un cerveau situé près de l'extrémité antérieure du corps. Les nerfs qui se prolongent vers l'extrémité postérieure permettent à ces neurones antérieurs de communiquer avec des cellules se trouvant ailleurs dans le corps.

Chez beaucoup d'animaux, les neurones responsables de l'intégration forment un **système nerveux central** (**SNC**), tandis que les neurones responsables du transport de l'information vers le système nerveux et en provenance de celui-ci forment un **système nerveux périphérique** (**SNP**). Chez les vers non segmentés, comme la planaire illustrée à la **figure 49.2c**, un petit cerveau et des cordons nerveux longitudinaux constituent le plus simple SNC nettement délimité. Chez certains de ces vers non segmentés, le système nerveux est entièrement issu de quelques cellules seulement, comme c'est le cas chez le

▼ **Figure 49.2 L'organisation de différents systèmes nerveux. (a)** Une hydre contient des neurones individuels (en violet) organisés en un réseau nerveux diffus. **(b à h)** Les animaux dotés de systèmes nerveux plus complexes contiennent des groupes de neurones (en bleu) organisés en nerfs et, souvent, en un ganglion et en un encéphale.

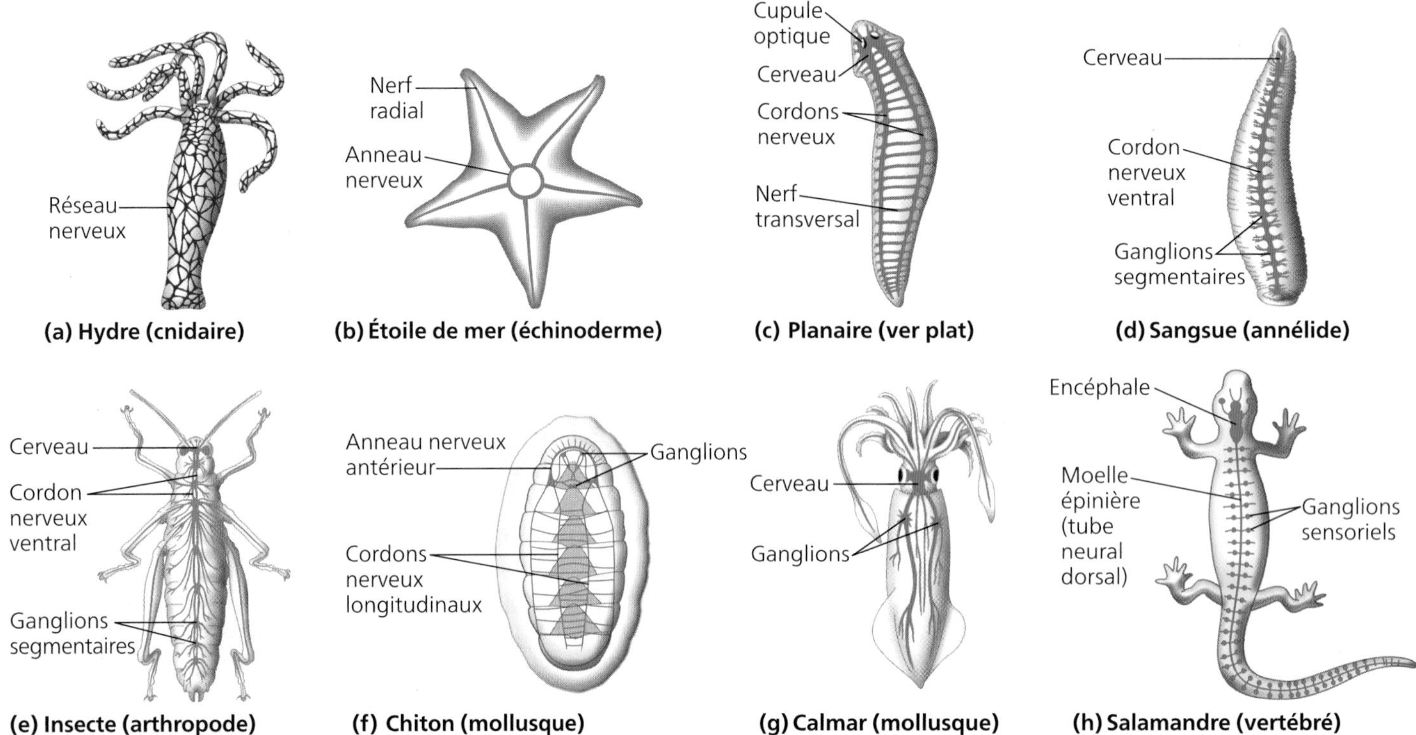

nématode *Caenorhabditis elegans*. Chez cette espèce, un ver adulte (hermaphrodite) a exactement 302 neurones, ni plus ni moins. Les invertébrés plus complexes, comme les vers segmentés (**figure 49.2d**) et les arthropodes (**figure 49.2e**), possèdent un bien plus grand nombre de neurones ; leur comportement est régi par un cerveau perfectionné et des cordons nerveux ventraux contenant des **ganglions**. Les ganglions sont des faisceaux de neurones segmentaires qui fonctionnent comme des points de relais dans la transmission de l'information.

Au sein d'un groupe d'animaux, il existe une corrélation entre l'organisation du système nerveux et le mode de vie. Par exemple, chez les mollusques sessiles ou aux mouvements lents tels que les palourdes et les chitons, la céphalisation est peu importante, voire inexistante, et les organes sensoriels sont relativement simples (**figure 49.2f**). Par contre, parmi les invertébrés, les mollusques prédateurs dont le mode de vie est actif, comme les calmars et les pieuvres (**figure 49.2g**), sont ceux qui possèdent le système nerveux le plus complexe. Grâce à leurs grands yeux qui forment des images et à leur cerveau contenant des millions de neurones, les pieuvres sont capables d'apprendre à reconnaître des formes visuelles et d'accomplir des tâches complexes, comme dévisser le couvercle d'un bocal pour y prendre de la nourriture.

Chez les vertébrés (**figure 49.2h**), le SNC est constitué de l'encéphale et de la moelle épinière. Les nerfs et les ganglions sont les structures clés du SNP. La spécialisation des diverses régions caractérise les deux systèmes, comme nous le verrons plus loin dans le présent chapitre.

Les gliocytes

Comme nous l'avons vu au concept 48.1, les systèmes nerveux des vertébrés et de la plupart des invertébrés renferment des neurones, mais aussi des **gliocytes**, ou **cellules gliales**. Les neurolemmocytes qui produisent les gaines de myéline enveloppant les axones du SNP constituent un exemple de gliocytes, tout comme les oligodendrocytes, homologues des neurolemmocytes dans le SNC. La **figure 49.3** montre les principaux gliocytes dans le système nerveux d'un adulte et donne un aperçu de la façon dont ils assurent l'apport nutritif, le soutien et la régulation du fonctionnement des neurones.

Dans l'embryon, deux types de gliocytes jouent un rôle capital dans le développement du système nerveux : les cellules gliales radiales et les astrocytes. Les *cellules gliales radiales* forment des fibres protéiques le long desquelles les neurones nouvellement formés migrent à partir du tube neural pour former la structure qui deviendra le SNC (voir la figure 47.14). Plus tard, les gliocytes appelés *astrocytes*, qui sont adjacents aux capillaires de l'encéphale, participent à la formation de la *barrière hématoencéphalique*, une barrière physiologique qui empêche la plupart des substances transportées par le sang d'entrer dans le SNC.

Les cellules gliales radiales et les astrocytes peuvent aussi jouer le rôle de cellules souches, lesquelles se divisent indéfiniment pour se renouveler elles-mêmes et produire des cellules plus spécialisées. Des études sur les souris révèlent que les cellules souches contenues dans l'encéphale donnent ainsi naissance à des neurones qui parviennent à maturité, migrent en divers endroits et s'incorporent au circuit du système nerveux

▼ **Figure 49.3 Les gliocytes du système nerveux des vertébrés.**

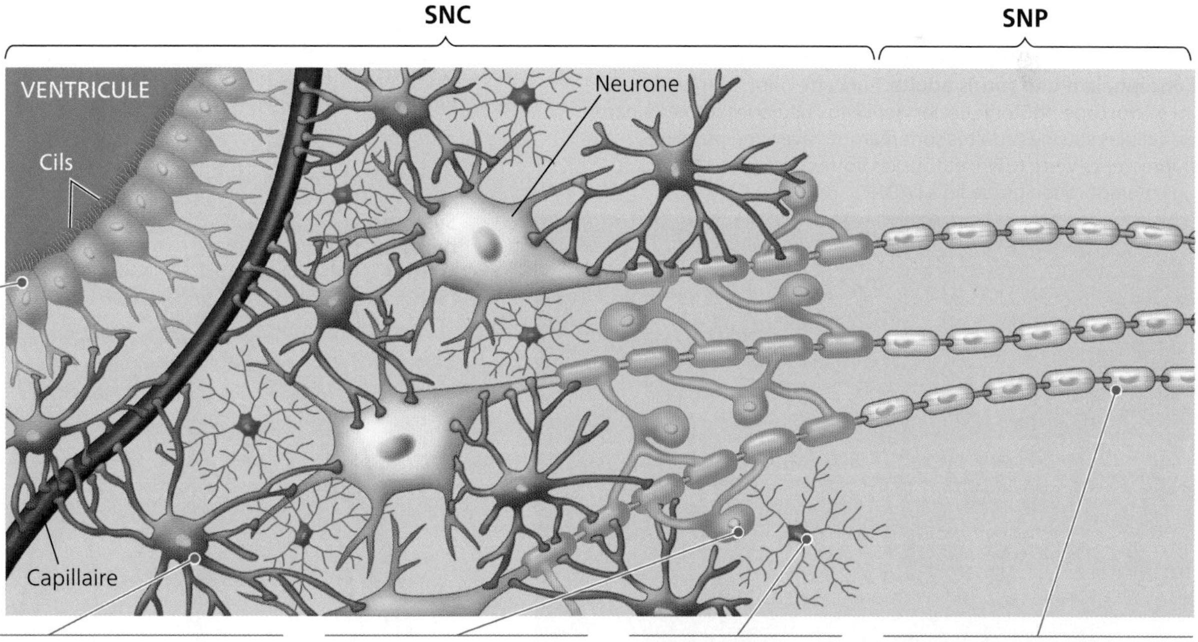

SNC

SNP

VENTRICULE

Cils

Neurone

Capillaire

Les **épendymocytes** tapissent les ventricules (des cavités de l'encéphale) et possèdent des cils qui facilitent la circulation du liquide cérébrospinal, qui remplit ces compartiments.

Les **astrocytes** (du grec *astron*, «étoile») exercent plusieurs fonctions dans le SNC : ils facilitent le transfert de l'information, régulent les concentrations extracellulaires d'ions, favorisent l'apport de sang aux neurones, aident à former la barrière hématoencéphalique, guident les neurones dans l'établissement des connexions et peuvent agir comme des cellules souches capables de se différencier en certains neurones.

Les **oligodendrocytes** myélinisent les axones du SNC. La myélinisation accroît considérablement la vitesse de conduction des potentiels d'action.

Les **microglies** sont des cellules immunitaires du SNC qui le protègent contre les agents pathogènes.

Les **neurolemmocytes** myélinisent les axones du SNP.

Les **cellules satellites** (non illustrées) soutiennent les ganglions du SNP et régulent les échanges de matières entre les neurones et le liquide interstitiel.

adulte (**figure 49.4**). À l'heure actuelle, les chercheurs tentent de voir comment utiliser ces cellules souches pour remplacer les tissus encéphaliques devenus dysfonctionnels.

L'organisation du système nerveux des vertébrés

Le SNC des vertébrés dérive du tube neural dorsal creux de l'embryon, tube qui est l'une des caractéristiques des cordés (voir la figure 34.3). La cavité du tube neural donne naissance à l'étroit *canal central* de la moelle épinière et aux quatre *ventricules* de l'encéphale (**figure 49.5**). Les ventricules et le canal central sont remplis de *liquide cérébrospinal* (LCS), ou céphalorachidien, issu de la filtration du sang artériel dans l'encéphale. Le LCS approvisionne l'encéphale en éléments nutritifs et en hormones, et assure l'élimination des déchets; il circule dans le canal central de la moelle épinière et dans les ventricules, puis retourne dans les veines. Chez les mammifères, le LCS protège mécaniquement, en raison de l'incompressibilité des liquides, l'encéphale et la moelle épinière en circulant entre deux des *méninges*, des enveloppes de tissus conjonctifs qui entourent le SNC.

Outre ces espaces remplis de liquide, l'encéphale et la moelle épinière contiennent de la substance grise et de la substance blanche (voir la figure 49.5). La **substance grise** comprend surtout des corps cellulaires de neurone. La **substance blanche** se compose de faisceaux d'axones. Dans la moelle épinière, la substance blanche forme la couche externe, ce qui correspond à sa fonction de médiation entre le SNC et les neurones sensitifs et moteurs du SNP. Dans l'encéphale, la substance blanche se trouve principalement dans la masse cérébrale, un emplacement logique également au regard de sa fonction dans la communication entre les neurones de l'encéphale qui participent à l'apprentissage, aux émotions, au traitement de l'information sensorielle et à la production de commandes.

Chez les vertébrés, la moelle épinière s'étend longitudinalement à l'intérieur de la colonne vertébrale (**figure 49.6**). Elle fait parvenir de l'information à l'encéphale, qui lui en transmet également, et produit les modes de locomotion de base. En outre, la moelle épinière agit indépendamment de l'encéphale dans les circuits nerveux simples responsables des **réflexes**, c'est-à-dire les réactions automatiques de l'organisme à certains stimulus.

▼ **Figure 49.4 La formation de nouveaux neurones dans l'encéphale d'une souris adulte.** Sur cette photographie prise au microscope photonique, les nouveaux neurones formés à partir de cellules souches adultes sont marqués avec une protéine fluorescente verte (GFP), et tous les autres neurones, avec un colorant rouge qui se lie à l'ADN.

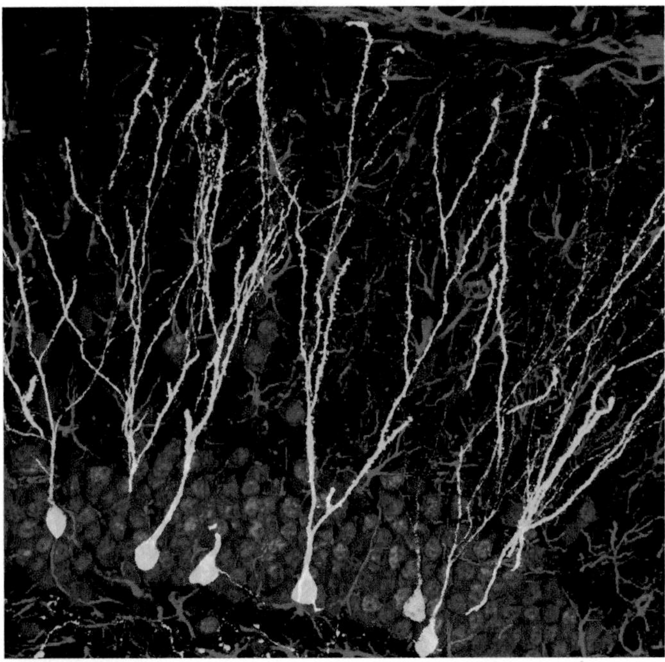

▼ **Figure 49.5 Les ventricules, la substance grise et la substance blanche.** Les ventricules, enfouis profondément dans l'encéphale, contiennent du liquide cérébrospinal. Presque toute la substance grise se trouve à la surface de l'encéphale; elle entoure la substance blanche.

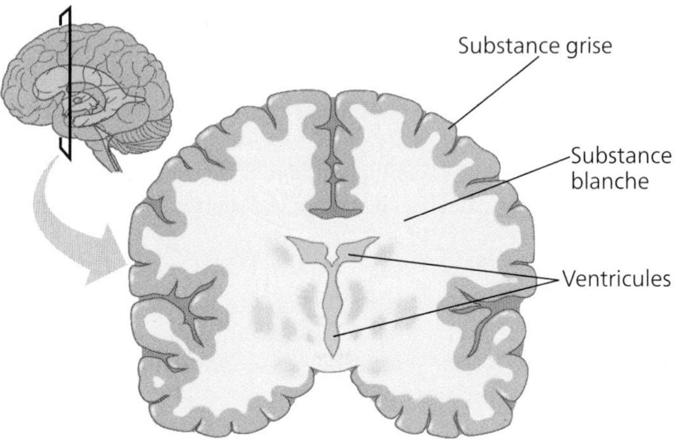

▼ **Figure 49.6 Un exemple de système nerveux des vertébrés.** L'encéphale et la moelle épinière (en jaune) constituent le SNC. Les nerfs crâniens, les nerfs spinaux (qui partent de la moelle épinière) et les ganglions composent le SNP (en ocre).

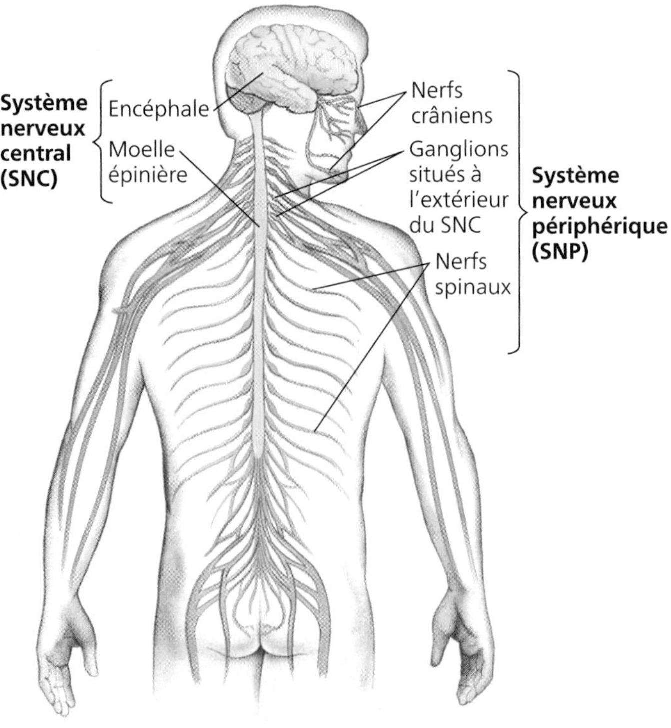

Un réflexe est une réaction rapide et involontaire qui protège le corps sous l'effet d'un stimulus. Les réflexes sont rapides parce que l'information sensorielle est utilisée pour activer directement les neurones moteurs sans que l'information ait à remonter la moelle épinière jusqu'à l'encéphale et à en revenir. Par exemple, si vous mettez la main sur un objet très chaud par inadvertance, un réflexe vous fait retirer vivement celle-ci avant même que la sensation de douleur soit traitée par votre cerveau. De même, si vos genoux cèdent lorsque vous saisissez un objet plus lourd que prévu, la tension provoquée dans vos genoux déclenchera un réflexe qui contractera les muscles des cuisses et vous permettra de rester debout et de porter l'objet. Lors de l'examen physique, le médecin déclenche le réflexe patellaire (ou rotulien) avec un marteau afin de tester les réponses nerveuses du patient (**figure 49.7**).

Le système nerveux périphérique

Le SNP assure la transmission de l'information reçue ou envoyée par le SNC et joue un rôle important dans la régulation des mouvements d'un animal et de son milieu interne (**figure 49.8**). L'information sensorielle se rend au SNC par des neurones du SNP qu'on dit *afférents* (d'un mot latin signifiant « apporter »). Après avoir été traitée dans le SNC, l'information se rend aux muscles, aux glandes et aux cellules endocrines grâce à des neurones *efférents* (d'un mot latin signifiant « emporter ») du SNP. La plupart des nerfs contiennent à la fois des neurones afférents et efférents.

Le SNP comprend deux composantes efférentes : le système nerveux somatique (moteur) et le système nerveux autonome (voir la figure 49.8). Les neurones du **système nerveux somatique** transmettent les signaux aux muscles squelettiques. Le contrôle moteur peut être volontaire, comme lorsque vous levez la main pour poser une question, ou involontaire, comme dans le cas du réflexe patellaire contrôlé par la moelle épinière. Au contraire, la régulation des muscles lisses et du muscle cardiaque par le **système nerveux autonome** est généralement involontaire. Les subdivisions sympathique et parasympathique du système nerveux autonome coordonnent le fonctionnement des organes des systèmes digestif, cardiovasculaire, urinaire et endocrinien. Un réseau de neurones distinct, qui porte désormais le nom de **système nerveux entérique**, exerce un contrôle direct et partiellement indépendant sur le tube digestif, le pancréas et la vésicule biliaire.

Les systèmes sympathique et parasympathique du système nerveux autonome ont des rôles essentiellement antagonistes (opposés) dans la régulation des fonctions des organes (**figure 49.9**). Le **système nerveux sympathique**, lorsqu'il est activé, augmente la dépense d'énergie et prépare l'individu à l'action (réaction de lutte ou de fuite). Ainsi, le cœur bat plus vite, la digestion s'arrête, le foie convertit le glycogène en glucose, et la sécrétion d'adrénaline et de noradrénaline par la médulla surrénale est déclenchée. À l'inverse, l'activation du **système nerveux parasympathique** commande des réactions contraires, à peu de chose près : l'organisme revient à l'état de calme et aux fonctions d'entretien (« repos et digestion »). Par exemple, la fréquence cardiaque diminue, la digestion reprend et la production de glycogène augmente. Toutefois, en ce qui a trait à la régulation de l'activité reproductrice, une fonction

▶ Figure 49.7 Le réflexe patellaire. Pour simplifier, le schéma ne représente qu'un neurone de chaque type, mais le réflexe fait intervenir de nombreux neurones de chaque type.

❷ Des récepteurs sensoriels détectent un étirement soudain dans le muscle quadriceps, et des **neurones sensitifs** transmettent l'information aux neurones de la moelle épinière.
❸ En réponse aux signaux des neurones sensitifs, les **neurones moteurs** transmettent au muscle quadriceps la commande de contraction, qui fait relever la jambe.
❶ Le réflexe patellaire (montré ici dans la jambe droite) est déclenché par une percussion du ligament patellaire relié au muscle quadriceps.
Corps cellulaire du neurone sensitif dans le ganglion de la racine dorsale du nerf spinal
Substance grise
Substance blanche
Muscle quadriceps
Moelle épinière (coupe transversale)
❹ Les **interneurones** de la moelle épinière reçoivent également des signaux des neurones sensitifs.
Muscles ischiojambiers
❺ Les interneurones inhibent les neurones moteurs qui desservent les muscles ischiojambiers. Cette inhibition empêche ces muscles de se contracter afin qu'ils ne s'opposent pas à l'action du muscle quadriceps.
Légende
Neurone sensitif
Neurone moteur
Interneurone

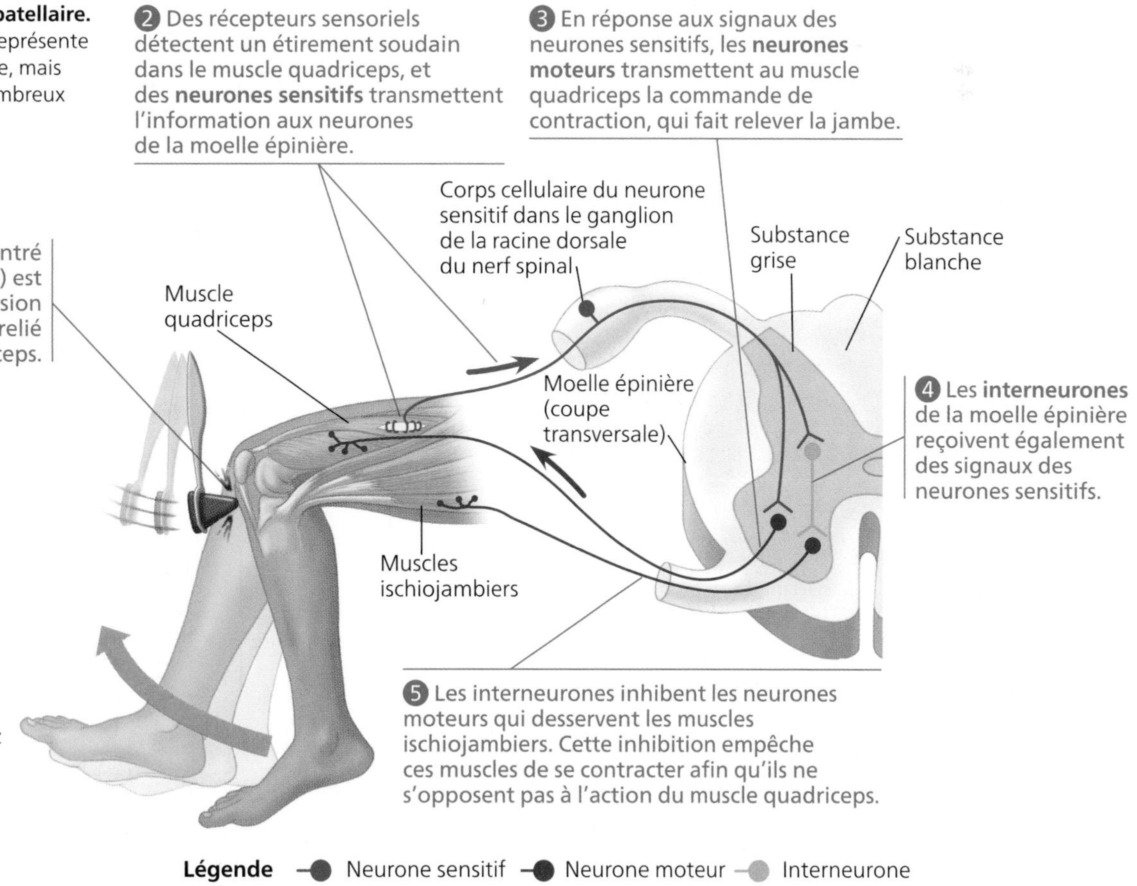

FAITES DES LIENS ▶ À partir des signaux nerveux envoyés aux muscles ischiojambiers et quadriceps dans cet exemple du réflexe patellaire, proposez un modèle de régulation de l'activité des muscles lisses dans l'œsophage durant le réflexe de déglutition (voir la figure 41.9).

▼ **Figure 49.8 La hiérarchie fonctionnelle du système nerveux périphérique des vertébrés.**

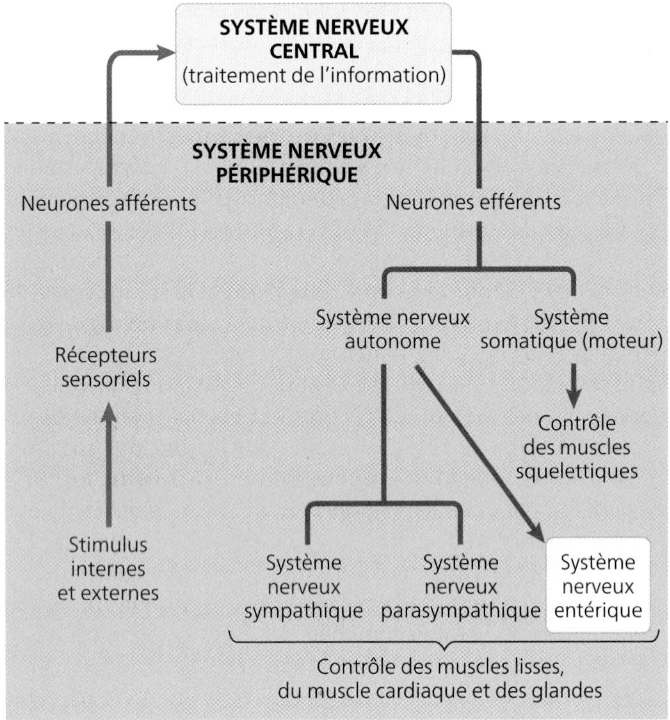

qui n'est pas homéostatique, le système nerveux parasympathique joue un rôle complémentaire plutôt qu'antagoniste avec le système nerveux sympathique, comme le montre la partie du bas de la figure 49.9).

Ces deux subdivisions se distinguent non seulement par leur fonctionnement global, mais aussi par leur organisation et par les signaux qu'elles transmettent. Les nerfs parasympathiques quittent le SNC à la base de l'encéphale ou de la moelle épinière et forment des synapses dans les ganglions près d'un organe interne ou à l'intérieur de celui-ci. Quant aux nerfs sympathiques, ils quittent habituellement le SNC à mi-chemin le long de la moelle épinière et forment des synapses dans les ganglions situés juste à l'extérieur de la moelle épinière.

Dans les deux subdivisions, la voie de transmission de l'information fait souvent intervenir un neurone préganglionnaire et un neurone postganglionnaire. Les *neurones préganglionnaires*, dont les corps cellulaires se trouvent dans le SNC, libèrent le neurotransmetteur acétylcholine (voir le concept 48.4). Quant aux *neurones postganglionnaires*, ceux de la division parasympathique libèrent de l'acétylcholine également, mais presque tous ceux de la division sympathique produisent de la noradrénaline. C'est par l'intermédiaire de ces neurotransmetteurs différents que les subdivisions sympathique et parasympathique exercent des effets opposés sur des organes comme les poumons, le cœur, les intestins et la vessie.

▶ **Figure 49.9 Les subdivisions du système nerveux autonome: systèmes nerveux parasympathique et sympathique.** La plupart des voies de chacun des systèmes comportent deux neurones. L'axone du premier neurone s'étend du corps cellulaire dans le SNC à un ensemble de neurones du SNP dont les corps cellulaires sont regroupés en un ganglion. Les axones de ces neurones du SNP transmettent les instructions aux organes internes, où ils forment des synapses avec les cellules des muscles lisses, du muscle cardiaque ou des glandes.

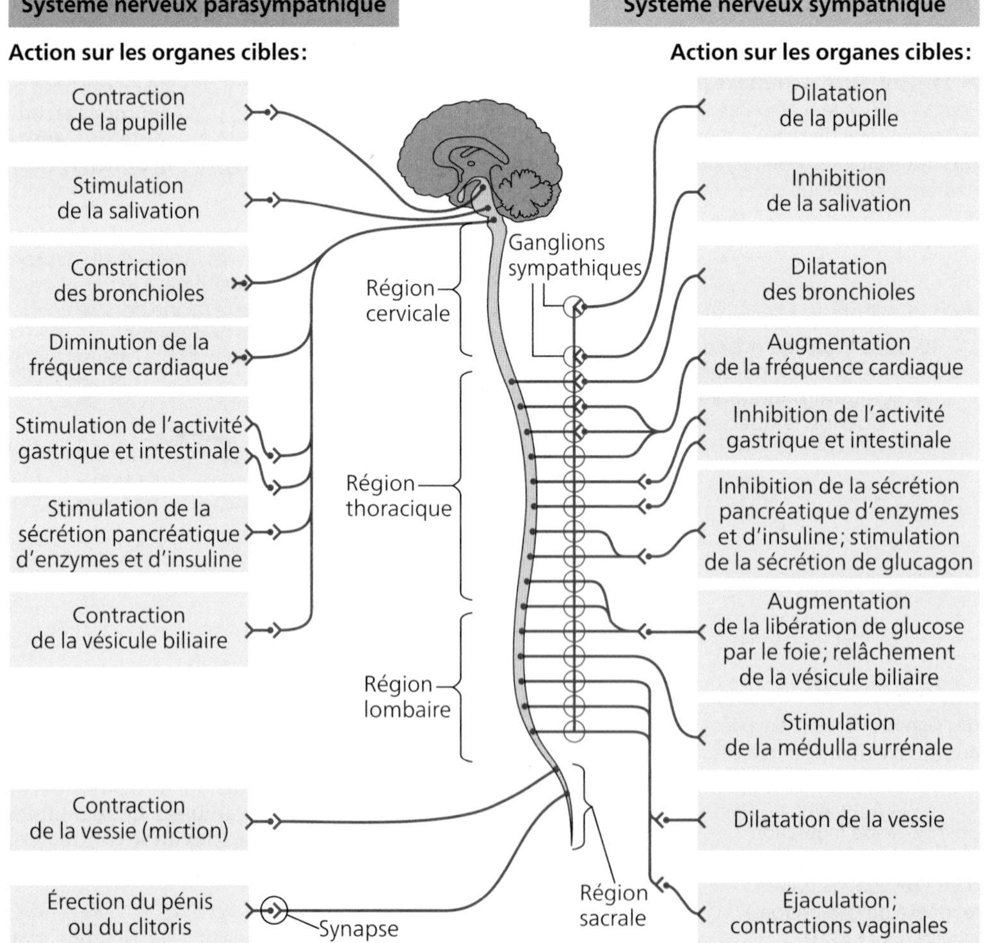

L'homéostasie repose souvent sur la collaboration entre les systèmes nerveux somatique et autonome. Par exemple, en réaction à une baisse de température, l'hypothalamus commande, par l'intermédiaire du système nerveux somatique, le frisson, pour augmenter la production de chaleur. Au même moment, pour réduire la perte de chaleur, il transmet une commande au système nerveux autonome, qui cause la constriction des vaisseaux sanguins.

RETOUR SUR LE CONCEPT 49.1

1. Quelle division du système nerveux autonome serait la plus susceptible d'être activée si, en arrivant en classe, une étudiante apprend qu'elle a oublié de se préparer pour l'examen qu'elle doit faire dans cinq minutes ? Expliquez votre réponse.
2. **ET SI ?** ▶ Imaginez qu'une personne a un accident qui lui sectionne un petit nerf essentiel au mouvement de quelques doigts de sa main droite. À votre avis, cette lésion aura-t-elle aussi un effet sur la sensation des doigts ?
3. **FAITES DES LIENS** ▶ La plupart des tissus régulés par le système nerveux autonome reçoivent des signaux sympathiques et parasympathiques des neurones postganglionnaires. Les réactions sont habituellement locales. La médulla surrénale, elle, reçoit uniquement les signaux du système sympathique, et seulement des neurones préganglionnaires. Pourtant, les réactions se font sentir dans tout le corps. Expliquez pourquoi (voir la figure 45.19).

Voir les réponses proposées à l'appendice A.

CONCEPT 49.2

L'encéphale des vertébrés comporte des régions spécialisées

Nous allons maintenant nous pencher sur l'encéphale des vertébrés, qui se divise en trois grandes régions : le prosencéphale, le mésencéphale et le rhombencéphale (illustrés ci-dessous pour un actinoptérygien, un poisson à nageoires rayonnées).

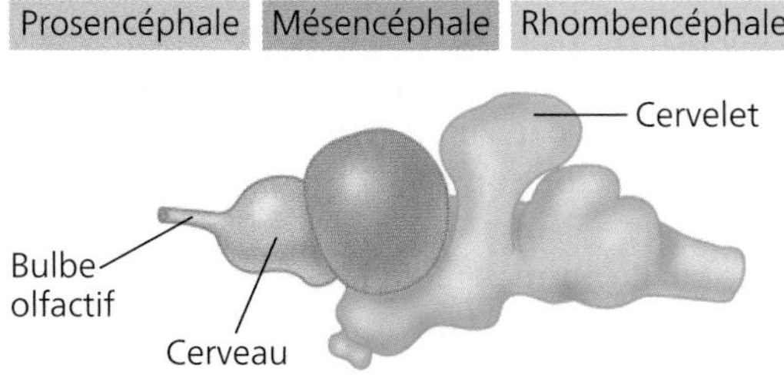

Chaque région exerce une fonction spécialisée. Le **prosencéphale** (ou cerveau antérieur), composé du *bulbe olfactif* et du *cerveau*, s'occupe du traitement de l'information olfactive (odeurs), de la régulation du sommeil, de l'apprentissage et des tâches complexes. Le **mésencéphale** (ou cerveau moyen), situé au centre de l'encéphale, coordonne le traitement de l'information sensorielle. Le **rhombencéphale** (ou cerveau postérieur), dont une partie forme le cervelet, contrôle les activités involontaires telles que la circulation sanguine et coordonne les activités motrices comme la locomotion.

ÉVOLUTION Lorsqu'on compare les vertébrés en descendant l'arbre phylogénétique, on remarque que les tailles relatives des différentes régions de l'encéphale varient (**figure 49.10**). On constate également que ces différences de taille témoignent de différences dans l'importance des fonctions des régions encéphaliques respectives. Pensons, par exemple, aux poissons à nageoires rayonnées (actinoptérygiens), qui explorent leur environnement au moyen de leur olfaction, de leur vision et de leur ligne latérale. (La ligne latérale est un organe sensoriel qui permet de percevoir les courants de l'eau, les stimulus électriques et la position du corps.) Le bulbe olfactif, qui détecte les odeurs dans l'eau, est relativement volumineux chez ces poissons, de même que le mésencéphale, qui traite l'information visuelle et l'information provenant de la ligne latérale. En comparaison, le cerveau, qui est essentiel aux tâches complexes et à l'apprentissage, est relativement petit. Chez chaque espèce, l'évolution donne lieu à une étroite adéquation entre la structure et la fonction : on observe une corrélation entre la taille de chaque région de l'encéphale et son importance respective pour le fonctionnement du système nerveux de l'espèce et, par le fait même, pour sa survie et sa reproduction.

Cette corrélation entre la taille et la fonction des régions de l'encéphale s'applique également au cervelet. Les actinoptérygiens comme le thon (famille des scombridés) contrôlent le mouvement en trois dimensions dans les eaux libres et possèdent donc un cervelet relativement volumineux. Le cervelet est beaucoup plus petit chez les espèces dont les mouvements de nage sont plus simples, comme la lamproie (famille des pétromyzontidés, appartenant à la classe des céphalaspidomorphes).

La comparaison des oiseaux et des mammifères avec des groupes qui ont divergé de l'ancêtre commun des vertébrés permet de faire ressortir deux tendances. Premièrement, le prosencéphale des oiseaux et des mammifères occupe une plus grande portion de l'encéphale que chez les amphibiens, les poissons et d'autres vertébrés. Deuxièmement, par rapport à la taille du corps, l'encéphale des oiseaux et des mammifères est beaucoup plus volumineux que celui des autres groupes. En effet, le rapport de la taille de l'encéphale à la masse corporelle est 10 fois plus grand chez les oiseaux et les mammifères que chez leurs ancêtres. Ces différences concernant la taille globale de l'encéphale et la taille relative du prosencéphale reflètent la capacité supérieure des oiseaux et des mammifères quant à la cognition et au raisonnement avancé, des caractères sur lesquels nous reviendrons plus loin dans le chapitre.

Chez les humains, les 100 milliards de neurones de l'encéphale permettent 100 billions de connexions. Comment un si grand nombre de cellules et de connexions peut-il être organisé en circuits et en réseaux capables de traiter, de stocker et de retrouver de l'information de manière aussi poussée et aussi fine ? Pour répondre à cette question, commençons par examiner la **figure 49.11**, qui décrit l'architecture générale de l'encéphale humain. Elle explique comment ses structures apparaissent au cours du développement embryonnaire, précise leur taille, leur forme et leur emplacement chez l'adulte, et résume leurs principales fonctions.

Pour mieux comprendre la correspondance entre l'organisation de l'encéphale et sa fonction, nous étudierons d'abord les cycles d'activité de l'encéphale et la physiologie des émotions. Ensuite, au concept 49.3, nous examinerons de plus près les régions spécialisées de l'encéphale.

► **Figure 49.10 La structure et l'évolution de l'encéphale des vertébrés.** On a représenté selon la même échelle de grandeur ces exemples d'encéphales de vertébrés afin de faire ressortir les différences de taille relatives des principales structures. Les différences apparues au cours de l'évolution des vertébrés sont en corrélation avec l'importance des différentes fonctions de l'encéphale chez différents groupes de vertébrés.

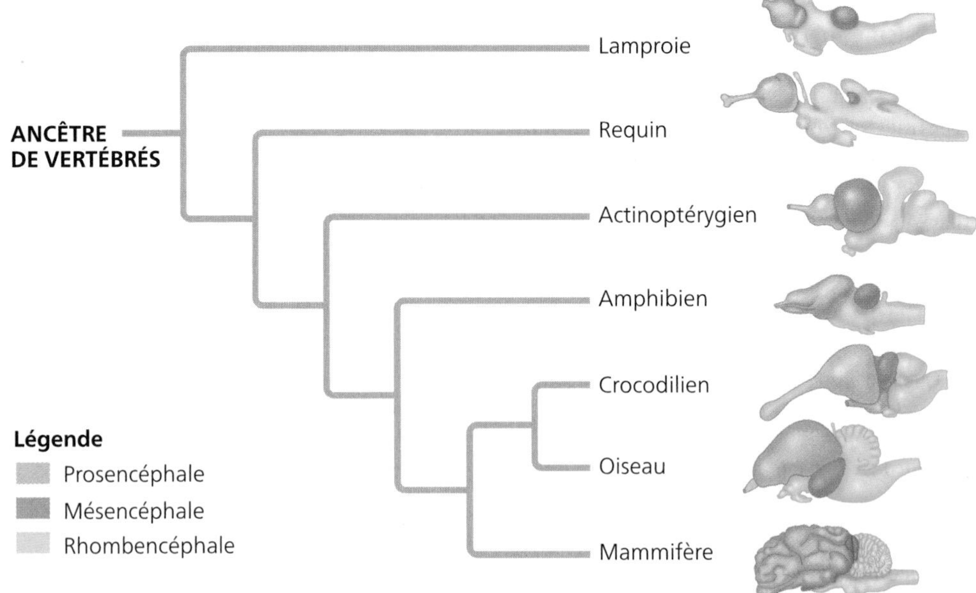

L'éveil et le sommeil

S'il vous est déjà arrivé de vous endormir en écoutant une conférence (ou en lisant un livre), alors vous savez que l'attention et la vigilance peuvent changer rapidement. Le tronc cérébral et le cerveau contrôlent le sommeil et l'éveil. L'éveil est un état de conscience du monde extérieur. Le sommeil est un état durant lequel une personne continue de recevoir des stimulus, mais sans en être consciente.

Contrairement aux apparences, le sommeil est un état actif, du moins pour l'encéphale. Lorsqu'on applique des électrodes à divers endroits sur le cuir chevelu, on peut enregistrer l'activité électrique de l'encéphale sous la forme d'ondes cérébrales. Le tracé obtenu, appelé électroencéphalogramme (EEG), montre que la fréquence des ondes cérébrales varie au fil du sommeil, à mesure que l'encéphale franchit différentes étapes.

Le sommeil est essentiel à la survie, mais on sait encore très peu de choses sur sa fonction. Une des hypothèses veut que le sommeil et les rêves contribuent à la consolidation de l'apprentissage et de la mémoire. À l'appui de cette hypothèse, des données ont montré que des personnes qu'on garde éveillées durant 36 heures ont de la difficulté à se rappeler à quel moment certains événements sont survenus, même si elles se stimulent avec de la caféine. D'autres expériences indiquent que certaines régions du cerveau qui sont activées par une tâche d'apprentissage peuvent se réactiver durant le sommeil.

La *formation réticulaire*, un réseau diffus qui se compose principalement de neurones du pont et du bulbe rachidien, contribue à la régulation du sommeil et de l'éveil (**figure 49.12**). Ces neurones déterminent le moment des périodes de sommeil paradoxal caractérisées par des mouvements oculaires rapides (MOR) et par des rêves intenses. Le sommeil est également régi par l'horloge biologique, notre prochain sujet, et par des régions du prosencéphale qui en régulent l'intensité et la durée.

Au cours de l'évolution, certains animaux ont acquis des adaptations qui leur permettent une activité considérable durant le sommeil. Par exemple, les dauphins à gros nez (genre *Tursiops*) dorment en nageant, remontant à la surface périodiquement pour respirer de l'air. Comment cela est-il possible? Comme chez les humains et les autres mammifères, le prosencéphale des dauphins est physiquement et fonctionnellement divisé en deux moitiés, les hémisphères droit et gauche. Après avoir observé que les dauphins dormaient avec un œil ouvert et l'autre fermé, les chercheurs ont émis l'hypothèse suivante: dormir avec un seul œil fermé signifie qu'un seul hémisphère de l'encéphale dort. Les EEG de chaque hémisphère de dauphins endormis ont confirmé cette hypothèse (**figure 49.13**).

La régulation de l'horloge biologique

Les cycles veille-sommeil ne sont qu'un exemple de rythme circadien, qui est le cycle quotidien de l'activité biologique. Ces cycles s'observent chez toutes sortes d'organismes, des bactéries aux humains, en passant par les végétaux. Comme chez d'autres organismes, les rythmes circadiens des mammifères dépendent d'une **horloge biologique**, un mécanisme moléculaire qui dirige l'expression génétique et l'activité cellulaire périodiques. L'horloge biologique est habituellement synchronisée avec les cycles jour-nuit de l'environnement, mais elle peut suivre un cycle d'à peu près 24 heures même en l'absence de signaux environnementaux (voir la figure 40.9). Par exemple, chez des humains maintenus dans un environnement exempt de fluctuations, le cycle veille-sommeil dure 24,2 heures et varie très peu d'un individu à l'autre.

Qu'est-ce qui lie normalement l'horloge biologique d'un animal aux cycles jour-nuit de l'environnement? Chez les mammifères, les rythmes circadiens sont coordonnés par des amas de neurones situés dans l'hypothalamus (voir la figure 49.11). Ces neurones forment une structure appelée **noyau suprachiasmatique** (NSC). (Certains amas de neurones du SNC sont appelés «noyaux».) En recevant l'information visuelle qui renseigne sur l'intensité de la lumière, ce noyau suprachiasmatique permet à l'horloge mammalienne de rester synchrone avec le cycle naturel du jour et de la nuit. Dans la rubrique **Habiletés scientifiques**, vous allez interpréter les données d'une expérience et proposer des expériences portant sur le rôle du NSC dans les rythmes circadiens du hamster doré.

▼ **Figure 49.11**

PANORAMA L’organisation de l’encéphale humain

L’encéphale est l’organe le plus complexe du corps humain. Protégé par les os épais du crâne, il comprend diverses structures distinctes, dont certaines sont visibles sur l’imagerie par résonance magnétique (IRM) de la tête d’un adulte, comme celle montrée ici, à droite. Les figures ci-dessous schématisent le développement des structures dans l’embryon. Leurs principales fonctions sont décrites dans le corps du texte.

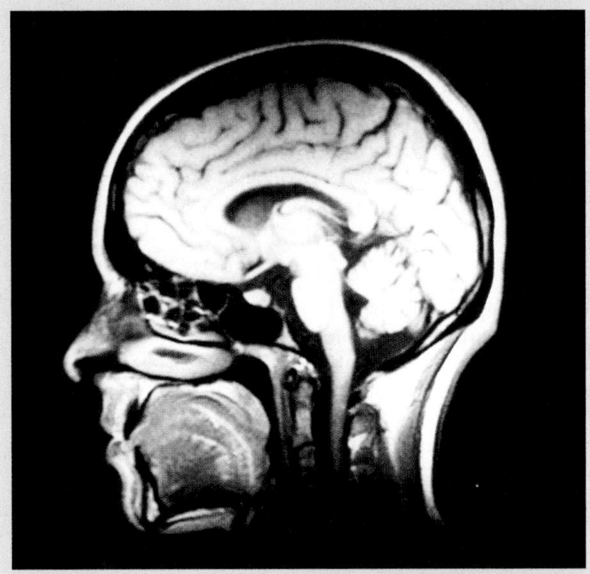

Le développement de l’encéphale humain

Durant le développement de l’embryon humain, le tube neural forme trois renflements (le prosencéphale, le mésencéphale et le rhombencéphale) qui deviendront l’encéphale adulte. Le mésencéphale ainsi que des régions du rhombencéphale donnent naissance au **tronc cérébral**, une tige reliée à la moelle épinière à la base de l’encéphale. Le reste du rhombencéphale donne naissance au **cervelet**, situé directement derrière le tronc cérébral. Entre-temps, le prosencéphale devient le diencéphale, comprenant les tissus neuroendocriniens de l’encéphale, et le télencéphale, dont est issu le **cerveau**. Aux deuxième et troisième mois, la croissance rapide et importante du télencéphale amène la partie extérieure du cerveau, appelée cortex cérébral, à recouvrir une grande partie du reste de l’encéphale.

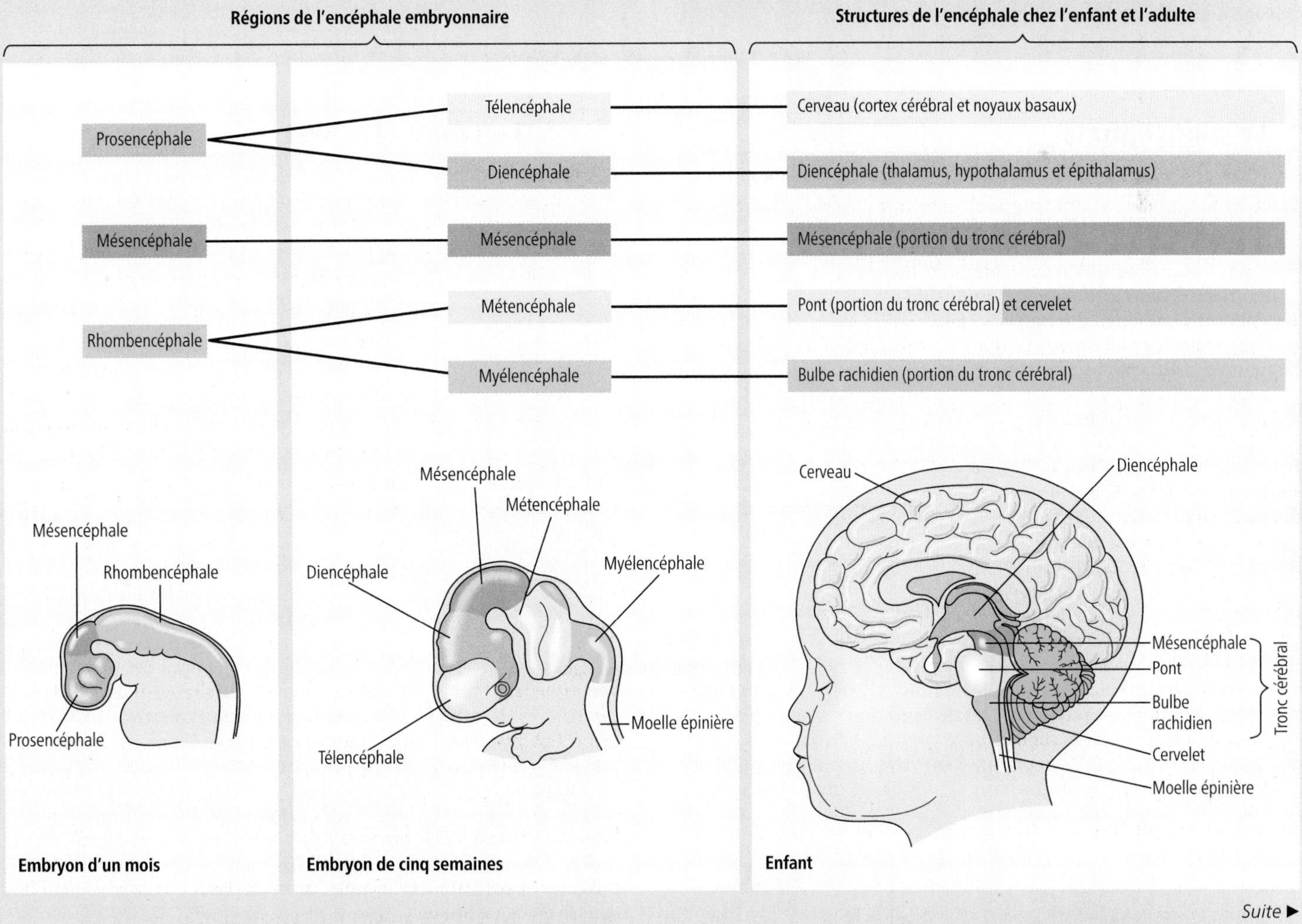

Régions de l’encéphale embryonnaire		Structures de l’encéphale chez l’enfant et l’adulte
Prosencéphale	Télencéphale	Cerveau (cortex cérébral et noyaux basaux)
	Diencéphale	Diencéphale (thalamus, hypothalamus et épithalamus)
Mésencéphale	Mésencéphale	Mésencéphale (portion du tronc cérébral)
Rhombencéphale	Métencéphale	Pont (portion du tronc cérébral) et cervelet
	Myélencéphale	Bulbe rachidien (portion du tronc cérébral)

Mésencéphale
Rhombencéphale
Prosencéphale

Embryon d’un mois

Mésencéphale
Métencéphale
Diencéphale
Myélencéphale
Moelle épinière
Télencéphale

Embryon de cinq semaines

Cerveau
Diencéphale
Mésencéphale
Pont
Bulbe rachidien
Tronc cérébral
Cervelet
Moelle épinière

Enfant

Suite ▶

▼ Figure 49.11

PANORAMA L'organisation de l'encéphale humain (*suite*)

Le cerveau

Le cerveau contrôle la contraction des muscles squelettiques et constitue le centre de l'apprentissage, des émotions, de la mémoire et de la perception. Il est divisé en deux *hémisphères cérébraux* : l'hémisphère droit et l'hémisphère gauche. La couche extérieure du cerveau est appelée **cortex cérébral**, une structure essentielle à la perception, aux mouvements volontaires et à l'apprentissage. L'hémisphère gauche reçoit l'information du côté droit du corps et commande les mouvements de ce même côté. C'est l'inverse pour l'hémisphère droit. Une épaisse bande d'axones constitue le **corps calleux**, qui établit la communication entre les hémisphères droit et gauche. Des amas de neurones appelés *noyaux basaux* sont situés profondément dans la substance blanche. Les *noyaux basaux* sont d'importants centres de planification et d'apprentissage de l'enchaînement des mouvements. Les lésions causées à cette région peuvent entraîner la paralysie cérébrale, une affection due à une altération de la transmission des commandes motrices aux muscles.

Le cervelet

Le cervelet coordonne le mouvement et l'équilibre, et aide à l'apprentissage ainsi qu'à la mémorisation des habiletés motrices. Il reçoit de l'information sensitive sur la position des articulations et le degré d'étirement des muscles, ainsi que des données provenant des organes auditifs et visuels. Il reçoit aussi de l'information relative aux commandes motrices émises par le cerveau. Il intègre ces informations sensitives et motrices afin de les coordonner et de corriger certaines erreurs susceptibles de se produire pendant les activités motrices et perceptuelles. La coordination motrice entre la main et l'œil en est un exemple. En cas de lésion du cervelet, les yeux peuvent suivre un objet que la main déplace, mais ne s'arrêtent pas au même endroit que l'objet quand la main interrompt le mouvement. En outre, le mouvement de la main s'approchant de l'objet sera erratique.

Hémisphère cérébral gauche
Hémisphère cérébral droit
Cerveau
Cortex cérébral
Corps calleux
Noyaux basaux
Cervelet

Vue de l'arrière du cerveau adulte humain

Le diencéphale

Le diencéphale donne naissance au thalamus, à l'hypothalamus et à l'épithalamus. Le thalamus et l'hypothalamus sont deux importants centres d'intégration. Le **thalamus** est le principal centre de relais pour l'information sensitive qui va au cerveau. Les données provenant de tous les organes sensoriels ainsi que du cortex cérébral sont triées dans le thalamus, puis dirigées vers les centres supérieurs appropriés, qui poursuivront leur traitement. Le thalamus est constitué de deux masses, chacune de taille et de forme équivalant approximativement à celles d'une noix. Structure beaucoup plus petite, l'**hypothalamus** est un centre de contrôle qui contient le thermostat du corps ainsi que son horloge biologique. En contrôlant l'hypophyse, il régule la faim et la soif, il joue un rôle dans les comportements sexuels et l'accouplement, et il déclenche la réaction de lutte ou de fuite. Aussi, l'hypothalamus contrôle les hormones de la neurohypophyse et celles de libération ou d'inhibition qui agissent sur l'adénohypophyse. L'*épithalamus* comprend le corps pinéal, qui produit la mélatonine, et le plexus choroïde, l'un des divers regroupements de capillaires qui produisent le liquide cérébrospinal à partir du sang.

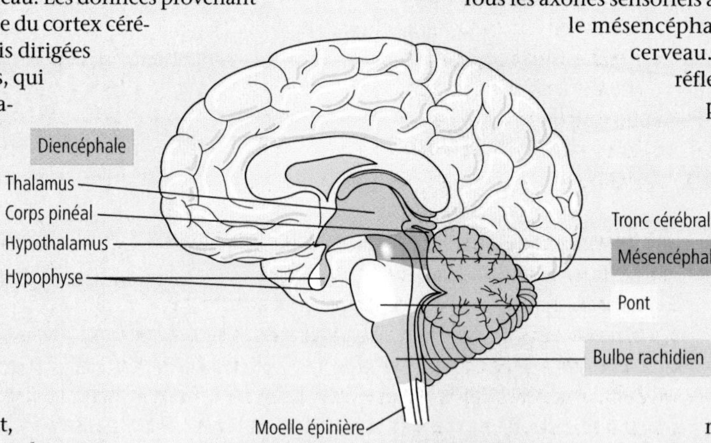

Vue de côté du cerveau adulte humain (la partie antérieure est à gauche)

Le tronc cérébral

Le tronc cérébral comprend le mésencéphale, le **pont** et le **bulbe rachidien**. Le mésencéphale reçoit et intègre plusieurs types d'information sensorielle et envoie celle-ci à des régions spécifiques du prosencéphale. Tous les axones sensoriels associés à l'audition se terminent dans le mésencéphale ou le traversent pour se rendre au cerveau. En outre, ce dernier coordonne les réflexes visuels, comme celui de la vision périphérique : la perception d'un objet du coin de l'œil déclenche l'action de tourner la tête automatiquement vers cet objet sans que l'encéphale doive en produire une image. Une des principales fonctions du pont et du bulbe rachidien consiste à transférer l'information entre le SNP et le mésencéphale et le prosencéphale. La plupart des axones qui transmettent les commandes motrices du cortex cérébral à la moelle épinière pour des mouvements corporels d'envergure changent de côté dans le bulbe rachidien. On parle alors de *décussation*. Ainsi, l'hémisphère droit régit une grande partie des mouvements effectués par le côté gauche, et l'hémisphère gauche, une partie importante des mouvements faits par le côté droit. Le bulbe rachidien contient des centres qui régulent diverses fonctions viscérales (automatiques et homéostatiques), notamment la respiration, l'activité cardiovasculaire, la déglutition, le vomissement et la digestion. Le pont participe aussi à certaines de ces activités ; il régule, par exemple, les centres respiratoires dans le bulbe rachidien.

▼ Figure 49.12 La formation réticulaire. On croyait autrefois que la formation réticulaire se composait d'un seul réseau diffus de neurones, mais on sait aujourd'hui qu'elle se compose de plusieurs amas distincts de neurones. Ces amas ont notamment pour fonction de filtrer les signaux sensitifs (flèches bleues), bloquant l'information de routine transmise continuellement au système nerveux, avant de diriger les signaux filtrés vers le cortex cérébral (flèches vertes).

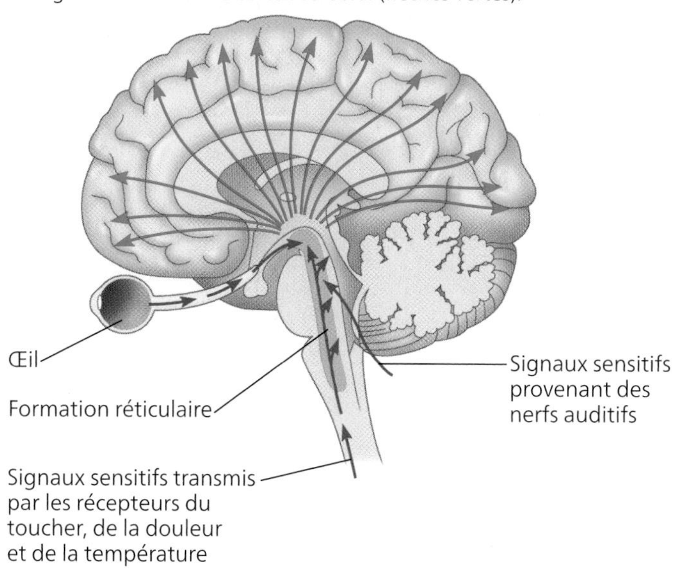

▼ Figure 49.13 Les dauphins peuvent être à la fois endormis et éveillés. Les EEG ont été enregistrés séparément pour les deux hémisphères des dauphins. Pour chaque moment enregistré, le tracé montre une activité de faible fréquence dans un hémisphère et une activité de haute fréquence, associée à l'éveil, dans l'autre hémisphère.

Légende

Ondes de faible fréquence, caractéristiques du sommeil

Ondes de forte fréquence, caractéristiques de l'éveil

Emplacement	Temps: 0 heure	Temps: 1 heure
Hémisphère gauche		
Hémisphère droit		

Les émotions

Alors qu'une seule structure de l'encéphale régule l'horloge biologique, la génération et l'expérience des émotions dépendent de plusieurs structures de l'encéphale, dont le corps amygdaloïde, l'hippocampe et certaines parties du thalamus. Comme le montre la **figure 49.14**, ces structures bordent le tronc cérébral mammalien et forment donc ensemble le *système limbique* (du latin *limbus*, « bordure »).

Un des rôles du système limbique au regard des émotions consiste à conserver nos expériences émotionnelles sous forme de souvenirs que des circonstances semblables peuvent rappeler. C'est pourquoi, par exemple, lorsque vous vivez une situation qui vous rappelle un événement effrayant, il se peut que votre fréquence cardiaque augmente et que vous vous mettiez à transpirer ou à éprouver de la peur, même s'il ne se passe rien d'effrayant ou de menaçant en réalité. La conservation de la mémoire émotionnelle et le rappel des souvenirs font partie des fonctions du **corps amygdaloïde**, une masse de noyaux (amas de neurones) en forme d'amande située près de la base du cerveau.

Souvent, différentes régions de l'encéphale participent à la naissance d'une émotion. Par exemple, dans les pleurs et le rire, le système limbique interagit avec les aires sensitives du prosencéphale. De même, des structures du prosencéphale associent des contenus émotionnels aux comportements primaires qui doivent assurer la survie (tels que l'alimentation, l'agressivité et la sexualité) et qui font intervenir les structures du tronc cérébral.

Pour étudier la fonction du corps amygdaloïde humain, les scientifiques présentent à des sujets adultes une image qu'ils font suivre d'un stimulus désagréable, par exemple une faible décharge électrique. Après plusieurs essais, les participants à l'étude présentent un *éveil autonome*, c'est-à-dire une activation du système autonome (qu'on mesure par une augmentation de la fréquence cardiaque ou de la sudation), s'ils revoient l'image. Les sujets ayant une lésion cérébrale qui touche uniquement le corps amygdaloïde peuvent se rappeler l'image parce que leur mémoire explicite est intacte, mais ils ne présentent aucun éveil autonome, ce qui indique que la lésion au corps amygdaloïde cause une altération de la mémoire émotionnelle.

L'imagerie cérébrale fonctionnelle

Au cours des dernières années, le corps amygdaloïde et d'autres structures de l'encéphale ont été étudiés à l'aide de méthodes d'imagerie fonctionnelle. En étudiant l'encéphale pendant qu'un sujet exécute une tâche donnée (comme se représenter mentalement le visage d'une personne), les chercheurs peuvent établir des correspondances entre certaines tâches et des régions particulières de l'encéphale.

Il existe plusieurs techniques d'imagerie cérébrale. La première technique couramment utilisée a été la tomographie par émission de positons (TEP), dans laquelle l'injection de glucose radioactif dans le sang d'un sujet permet d'enregistrer l'activité métabolique. L'imagerie par résonance magnétique fonctionnelle (IRMf) est la méthode la plus utilisée à l'heure actuelle. Dans cette méthode, le sujet est allongé, la tête placée au centre d'un gros aimant en forme de beignet. Quand on analyse l'encéphale par balayage à l'aide d'ondes électromagnétiques (tomodensitométrie), la variation de la concentration sanguine d'oxygène (O_2) dans les parties actives de l'encéphale produit des signaux qu'on peut enregistrer.

Dans une expérience utilisant l'IRMf (**figure 49.15**), des chercheurs ont mis en évidence des différences dans l'activité cérébrale associée à la musique que les sujets décrivent comme joyeuse ou triste. Les résultats étaient frappants : ces deux émotions contraires sollicitaient deux régions différentes de l'encéphale. Les sujets qui écoutaient de la musique triste présentaient une activité accrue dans le corps amygdaloïde. À l'inverse, l'écoute de musique joyeuse activait le *noyau accumbens*, une structure cérébrale qui joue un rôle important dans la perception du plaisir.

Comme nous l'avons vu au début du chapitre, les méthodes d'imagerie fonctionnelle ont transformé notre compréhension

DÉMARCHE SCIENTIFIQUE
HABILETÉS SCIENTIFIQUES

Concevoir une expérience utilisant des hamsters mutants

■ LE NSC CONTRÔLE-T-IL LE RYTHME CIRCADIEN CHEZ LES HAMSTERS ? ■ En observant le comportement d'animaux de laboratoire à qui on avait retiré chirurgicalement le noyau suprachiasmatique (NSC), des scientifiques ont montré que cette structure est essentielle aux rythmes circadiens. Leurs expériences n'ont toutefois pas permis de déterminer si les rythmes provenaient du NSC ou d'ailleurs. Pour répondre à cette question, des scientifiques ont transplanté du tissu cérébral entre hamsters dorés (*Mesocricetus auratus*) normaux et mutants. Alors que les hamsters de type sauvage (normaux) ont un cycle circadien qui dure 24 heures en l'absence de signaux externes, les hamsters homozygotes pour la mutation τ (tau) ont un cycle dont la durée est de 20 heures environ. Dans le présent exercice, vous allez évaluer le plan de cette expérience et en proposer d'autres qui permettraient d'en découvrir davantage.

■ MÉTHODE ■ Les chercheurs ont procédé à l'ablation chirurgicale du NSC de hamsters de type sauvage et de hamsters τ. Quelques semaines plus tard, chacun de ces hamsters a reçu un greffon de NSC provenant d'un hamster possédant le génotype opposé. Les scientifiques ont ensuite mesuré la période du cycle circadien des receveurs de greffons pendant trois semaines afin de déterminer la périodicité de l'activité rythmique des hamsters avant et après la chirurgie. Ils ont représenté les résultats de chaque journée dans un diagramme comme celui de la figure 40.9a, puis ils ont calculé la période du cycle circadien.

■ RÉSULTATS ■ Chez 80 % des hamsters privés chirurgicalement de NSC, la transplantation de tissu du NSC provenant d'un autre hamster a rétabli le rythme circadien. Le diagramme de droite représente l'effet net des deux interventions sur le rythme circadien (destruction du NSC et son remplacement) chez les hamsters ayant reçu une transplantation du NSC qui a rétabli le rythme circadien. Chaque droite rouge relie les deux résultats relatifs à chaque hamster.

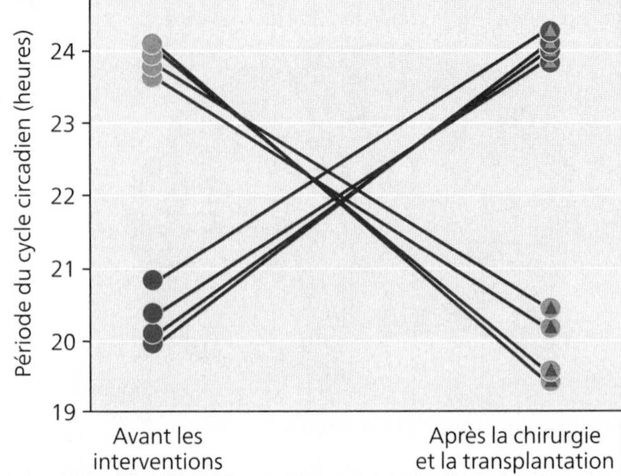

Source des données: M. R. Ralph, R. G. Foster, F. C. Davis et M. Menaker, Transplanted suprachiasmatic nucleus determine circadian period, *Science* 247 : 975-978 (1990).

INTERPRÉTEZ LES DONNÉES ▼

1. Dans une expérience contrôlée, des chercheurs manipulent une seule variable à la fois. Dans cette étude, quelle était la variable manipulée ? Pourquoi les chercheurs ont-ils utilisé plus d'un hamster lors de chaque intervention ? Quels caractères individuels les chercheurs ont-ils vraisemblablement gardés constants d'un groupe de traitement à l'autre ?
2. Pour les hamsters de type sauvage qui ont reçu les transplantations de type τ, quel aurait été un contrôle expérimental approprié ?
3. Quelles tendances générales le diagramme ci-dessus révèle-t-il au sujet de la période du cycle circadien des animaux receveurs de greffes ? Ces tendances sont-elles différentes dans le cas des receveurs de type sauvage et de type τ ? À partir de ces données, que pourriez-vous conclure au sujet du rôle du NSC dans la détermination de la période du rythme circadien ?
4. Chez 20 % des hamsters, l'activité rythmique ne se rétablissait pas après la transplantation. Nommez quelques raisons qui expliqueraient cette observation. Si votre conclusion au sujet du rôle du NSC est basée sur les données issues de 80 % des hamsters, cette conclusion est-elle fiable, à votre avis ?
5. Supposez que les chercheurs ont constaté qu'un des hamsters mutants n'a pas d'activité rythmique (autrement dit, que son cycle d'activité circadien ne présente pas de régularité). Proposez des expériences de transplantation de NSC qui utiliseraient des mutants de ce type avec (a) des hamsters de type sauvage et (b) des hamsters τ. Prédisez les résultats de ces expériences à la lumière de la conclusion que vous avez indiquée à la question 3.

de l'encéphale humain, sans compter qu'elles ont trouvé des applications importantes en médecine. Dans les hôpitaux, l'IRMf contribue à la surveillance des victimes d'accident vasculaire cérébral (AVC), à la localisation des anomalies associées aux migraines et à l'amélioration des chirurgies de l'encéphale.

RETOUR SUR LE CONCEPT 49.2

1. Lorsque vous saluez de la main, quelle partie de votre encéphale amorce l'action ?
2. Les personnes en état d'ébriété ont du mal à toucher leur nez quand elles ont les yeux fermés. Que pouvez-vous en déduire au sujet d'une des régions de l'encéphale touchées par l'alcool ?
3. **ET SI ? ▶** Imaginez que vous examinez deux groupes de personnes présentant des lésions au SNC. Dans un des groupes, la lésion a provoqué un coma (état prolongé d'inconscience); dans l'autre, elle a causé une paralysie générale (perte de la fonction musculaire squelettique dans tout le corps). Par rapport à la position du mésencéphale et du pont, dites où se trouve la lésion dans chaque groupe de patients. Expliquez votre réponse.

Voir les réponses proposées à l'appendice A.

▼ Figure 49.14 **Le système limbique de l'encéphale humain** (montré ici sans l'hémisphère gauche).

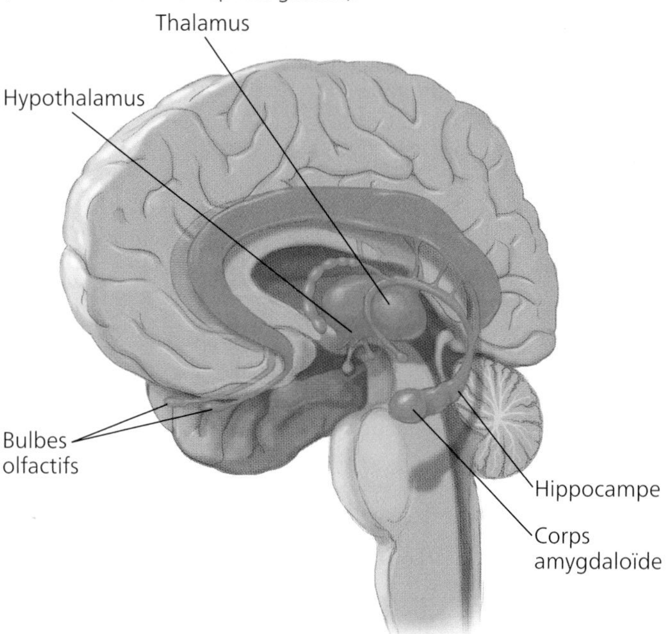

▼ Figure 49.15 **L'imagerie fonctionnelle de l'encéphale actif.** Ici, une IRMf permet de visualiser les régions de l'encéphale dont l'activité est associée à la musique que les sujets décrivent comme joyeuse ou triste. (Chaque image montre l'activité dans un seul plan du cerveau, vu de dessus.)

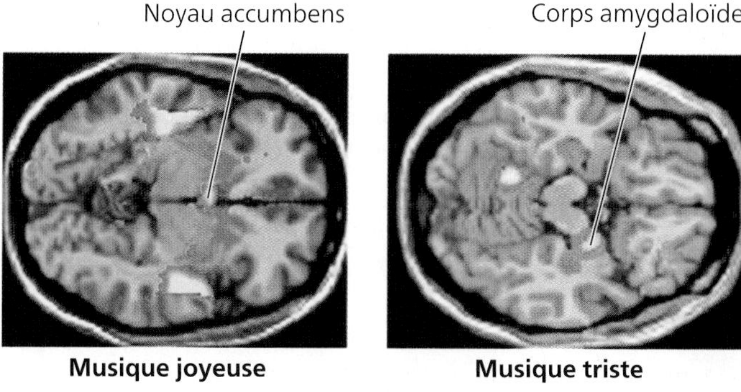

HABILETÉS VISUELLES ▶ Les deux images montrent l'activité cérébrale dans des plans horizontaux différents. Comment le savez-vous ? Que pouvez-vous conclure au sujet de l'emplacement du noyau accumbens et du corps amygdaloïde ?

CONCEPT **49.3**

Le cortex cérébral contrôle les mouvements volontaires et les fonctions cognitives

Nous allons maintenant nous pencher sur le cerveau, une partie de l'encéphale essentielle au langage, à la cognition, à la mémoire et à la conscience de l'environnement. Comme le montre la figure 49.11, le cerveau est la structure la plus volumineuse de l'encéphale humain. Comme l'encéphale dans son ensemble, le cerveau comporte des régions spécialisées. Les fonctions cognitives résident en majeure partie dans le cortex, la couche extérieure du cerveau. À l'intérieur du cortex, les *aires sensitives* reçoivent et traitent l'information sensorielle, les *aires associatives* intègrent l'information et les *aires motrices* transmettent l'information aux autres parties du corps.

Lorsque les neurobiologistes veulent localiser les fonctions particulières du cortex, ils se réfèrent souvent à quatre régions, ou lobes, comme repères physiques. Chaque lobe (frontal, temporal, occipital et pariétal) est nommé d'après l'os crânien adjacent et intervient dans des activités cérébrales spécifiques (**figure 49.16**).

Le traitement de l'information

D'un point de vue général, le cortex cérébral humain reçoit de l'information sensorielle de deux sources : une partie de l'information sensorielle vient de récepteurs individuels situés dans les mains, le cuir chevelu et ailleurs dans le corps. Ces récepteurs somatiques sensoriels, ou *récepteurs somesthésiques* (du grec *soma*, « corps »), acheminent de l'information relative au toucher, à la douleur, à la pression, à la température ainsi qu'à la position des muscles et des membres. Une autre partie de l'information sensorielle provient de récepteurs regroupés dans des organes sensoriels spécialisés, par exemple les yeux et le nez.

La majeure partie de l'information sensorielle est relayée par le thalamus vers les aires sensitives primaires des lobes du cortex cérébral. L'information reçue par les aires sensitives primaires est transmise aux aires associatives adjacentes, qui peuvent traiter des éléments particuliers des stimulus sensoriels reçus. Par exemple, dans le lobe occipital du cortex visuel primaire, certains groupes de neurones des aires visuelles primaires sont particulièrement sensibles aux rayons lumineux qui présentent une certaine orientation. Dans l'aire associative visuelle, l'information relative à ces caractéristiques est intégrée dans une région affectée à la reconnaissance d'images complexes, comme les visages.

Une fois traitée, l'information sensorielle se rend au cortex préfrontal, lequel aide à planifier les actions et les mouvements. Le cortex cérébral peut alors émettre des commandes motrices qui produisent des comportements précis : bouger un membre ou dire bonjour, par exemple. Ces commandes sont des potentiels d'action produits par les neurones dans l'aire motrice primaire du cortex moteur, qui se situe à l'arrière du lobe frontal (voir la figure 49.16). Les potentiels d'action se propagent le long des axones jusqu'au tronc cérébral et à la moelle épinière, où ils excitent des neurones moteurs, qui à leur tour stimulent les cellules des muscles squelettiques.

Dans le cortex somesthésique et le cortex moteur, les neurones sont ordonnés en fonction de la partie du corps qui leur transmet les stimulus sensoriels ou reçoit d'eux les commandes motrices (**figure 49.17**). Ainsi, les neurones qui traitent l'information sensorielle provenant des jambes et des pieds sont situés dans la région du cortex somesthésique la plus près de la ligne médiane. Ceux qui commandent les muscles des jambes et des pieds se trouvent, quant à eux, dans la région correspondante de l'aire motrice. Dans la figure 49.17, notez que la portion du cortex consacrée à chaque partie du corps n'est pas en rapport avec la taille réelle de cette partie. Dans le cas du cortex moteur, elle illustre plutôt le degré de participation neuronale nécessaire ou, dans le cas du cortex somesthésique, le nombre de neurones sensitifs amenant des axones à la partie du corps concernée. Par conséquent, la portion du cortex moteur correspondant au

▼ **Figure 49.16 Le cortex cérébral humain.** Chacun des quatre lobes du cortex cérébral est spécialisé dans certaines fonctions, dont quelques-unes sont indiquées ici. Certaines régions de l'hémisphère gauche du cerveau (montré ici) ont des fonctions différentes de celles de l'hémisphère droit (non montré).

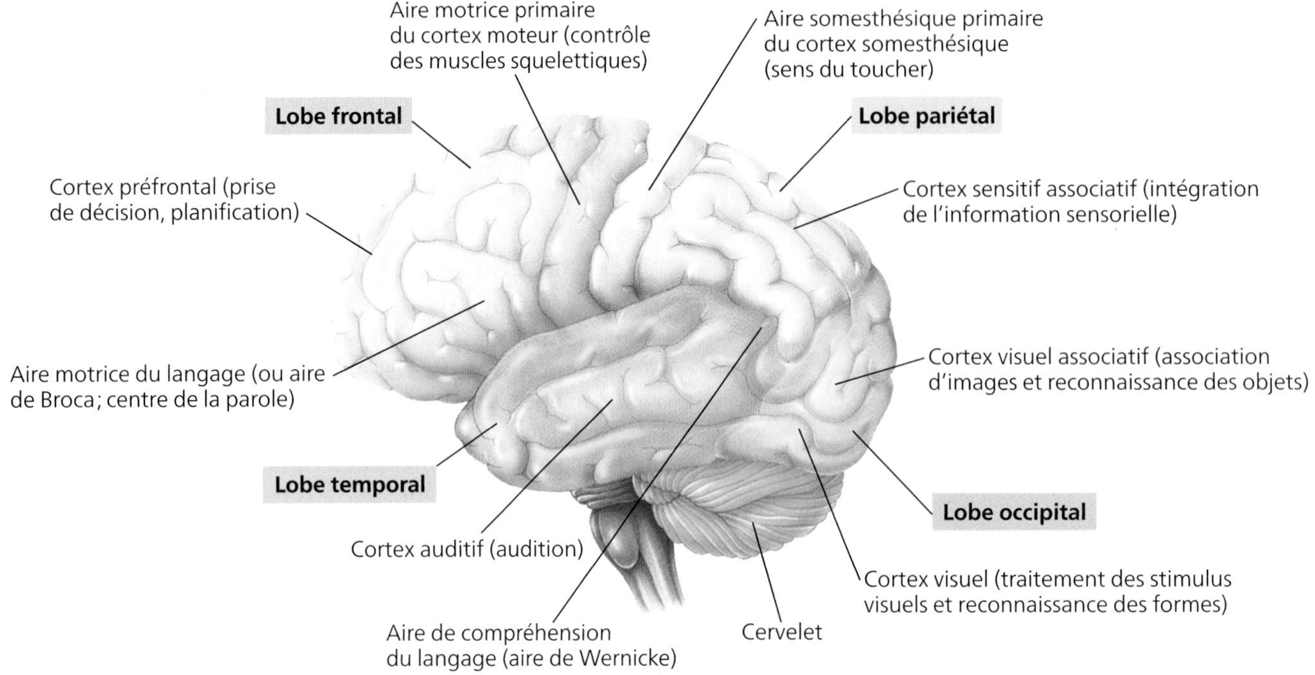

▼ **Figure 49.17 Représentation des parties du corps correspondant aux aires motrices et somesthésiques primaires du cortex cérébral.** La portion de cortex cérébral qui est consacrée à chacune des parties du corps est associée à la représentation graphique de cette même partie.

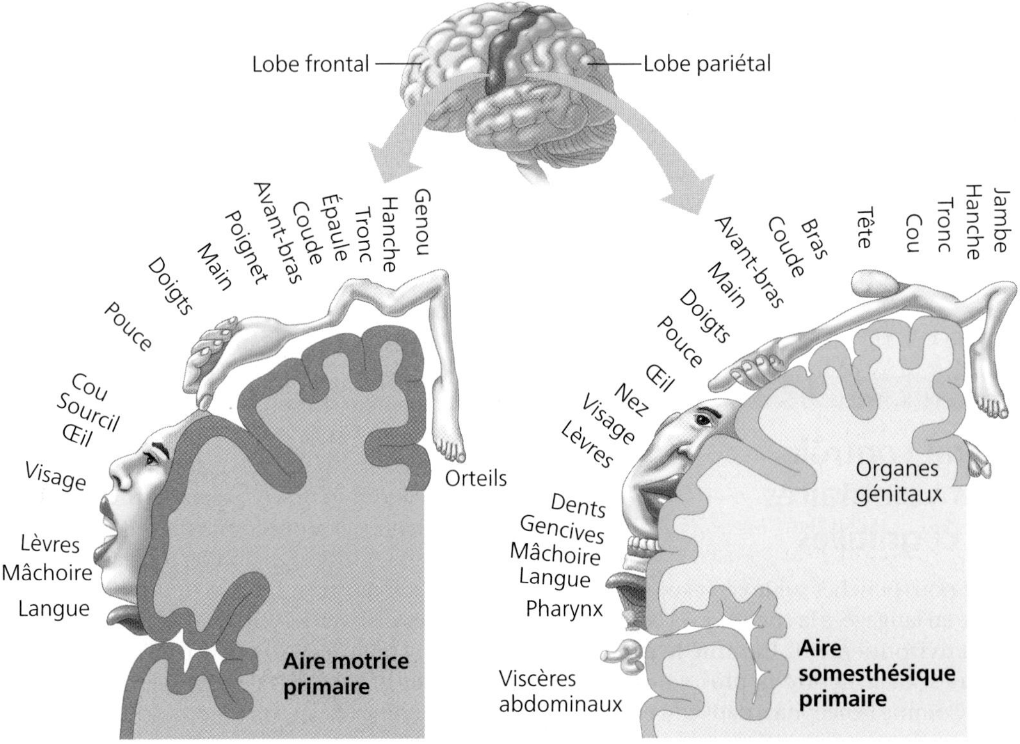

HABILETÉS VISUELLES ▶ Pourquoi la main est-elle plus grosse que l'avant-bras dans les deux parties de cette figure ?

visage est beaucoup plus grande que la portion associée au tronc, ce qui témoigne de l'importante sollicitation des muscles faciaux dans la communication.

La présente description se rapporte avant tout aux humains, mais on notera que les régions qui traitent l'information sensorielle varient d'un vertébré à l'autre. Ainsi, chez les actinoptérygiens, le mésencéphale, relativement volumineux (voir la figure 49.10), est le principal siège du traitement des stimulus visuels et des réponses qu'ils déclenchent. Les différences dans les régions qui traitent l'information sensorielle reflètent une tendance évidente dans l'évolution : lorsqu'on parcourt l'arbre phylogénétique, depuis les requins jusqu'aux actinoptérygiens, puis aux amphibiens, aux reptiles et, enfin, aux mammifères, on constate que le prosencéphale participe de plus en plus au traitement de l'information sensorielle.

Le langage et la parole

Le début de la cartographie des fonctions cognitives supérieures, associées à des aires spécifiques du cerveau, date des années 1800, lorsque des médecins ont commencé à étudier les effets de lésions causées par des blessures, des AVC ou des tumeurs dans certaines régions du cortex cérébral. Le médecin français Pierre Broca (1824-1880) a procédé à des autopsies pour examiner le cerveau de patients capables de comprendre le langage mais incapables de s'exprimer. Il a découvert que bon nombre d'entre eux présentaient des lésions dans une petite région du lobe frontal gauche, aujourd'hui appelée *aire de Broca*, ou *aire motrice du langage*, qui commande les muscles du visage. Le médecin allemand d'origine polonaise Karl Wernicke (1848-1905) a montré que les lésions touchant la partie postérieure du lobe temporal, aujourd'hui appelée *aire de Wernicke*, ou *aire de compréhension du langage*, pouvaient faire disparaître la capacité de comprendre le langage mais pas celle de parler. Depuis, la TEP a confirmé que l'aire motrice du langage est active quand on parle et que l'aire de compréhension du langage est active quand on écoute parler (**figure 49.18**).

La latéralisation des fonctions corticales

Les aires de Broca et de Wernicke sont situées dans l'hémisphère cortical gauche. Cela signifie que le côté gauche du cerveau joue un rôle plus important que le côté droit dans le langage. L'hémisphère gauche est le siège de capacités particulières pour les mathématiques et les opérations logiques, alors que l'hémisphère droit semble se spécialiser dans le traitement des images et de la communication non verbale. La reconnaissance des visages et des formes, les relations spatiales, le contenu émotionnel du langage et des expressions corporelles, la perception des formes et de l'espace, la production du contenu émotionnel du langage et le traitement simultané de divers types d'information sont donc des fonctions dans lesquelles l'hémisphère droit intervient de façon prépondérante. L'établissement de ces différences dans la fonction des hémisphères porte le nom de **latéralisation**.

Les deux hémisphères échangent normalement de l'information par l'intermédiaire des fibres du corps calleux (voir la figure 49.11). L'observation des patients épileptiques dont on a sectionné le corps calleux en vue de faire échec à leurs crises révèle l'importance de ces échanges (il s'agit d'une intervention de dernier recours pour les formes les plus graves d'épilepsie, une affection se manifestant par des convulsions). Les personnes ayant subi cette intervention ont un « cerveau dédoublé ». Lorsqu'elles voient un mot familier dans leur champ de vision gauche, elles ne peuvent le lire parce que l'information sensorielle qui se propage du champ de vision gauche à l'hémisphère droit ne peut atteindre les centres du langage dans l'hémisphère gauche. Chez elles, chaque hémisphère fonctionne indépendamment de l'autre.

La fonction du lobe frontal

En 1848, un accident de travail horrible a permis de mieux comprendre le rôle du cortex préfrontal dans le tempérament et la prise de décision. Phineas Gage supervisait la construction d'une voie ferrée, au Vermont, lorsque, à la suite d'une explosion de dynamite, une tige de métal de 3 cm de diamètre lui a transpercé le crâne. La tige, entrée juste sous l'œil gauche, ressortit par le dessus de la boîte crânienne après avoir endommagé une grande partie de son lobe frontal (**figure 49.19**). Contre toute attente, Gage s'est rétabli ; il a même survécu

▼ **Figure 49.18 Cartographie des aires associées au langage dans le cortex cérébral.** Ces images obtenues grâce à la tomographie par émission de positons (TEP) montrent la quantité d'activité du côté gauche du cerveau d'une personne au cours de quatre activités, toutes associées au langage. On remarque que l'activité est plus intense dans l'aire de compréhension du langage quand on entend des mots, dans l'aire motrice du langage quand on parle, dans le cortex visuel quand on lit des mots et dans le cortex préfrontal quand on cherche des mots (sans les lire).

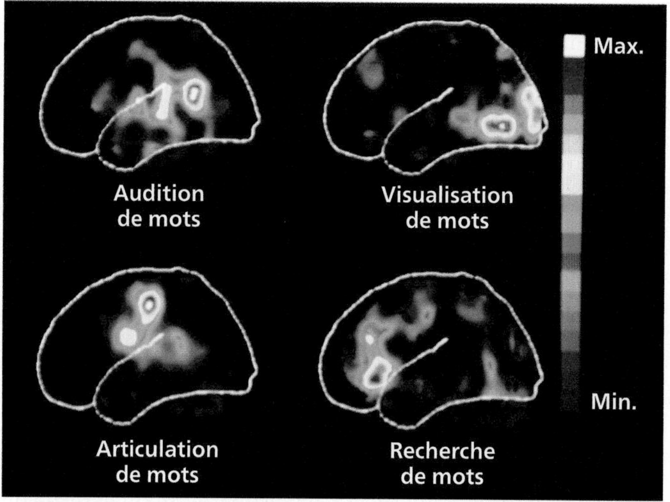

► **Figure 49.19 Le traumatisme crânien de Phineas Gage.**

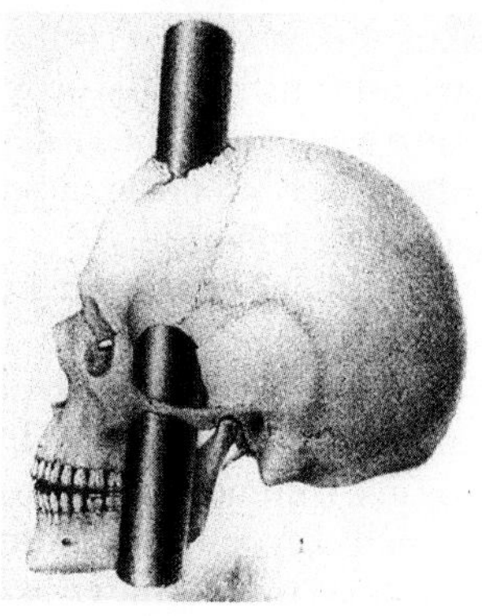

durant 12 ans, mais sa personnalité s'était radicalement transformée. Il est devenu émotionnellement détaché, impatient et inconstant dans son comportement.

D'autres données appuient l'hypothèse du lien entre les lésions du lobe frontal de Gage et les changements survenus dans sa personnalité. Tout d'abord, on sait que les patients chez qui on diagnostique des tumeurs dans le lobe frontal souffrent parfois des mêmes symptômes. Leurs capacités intellectuelles et leur mémoire semblent intactes, mais la prise de décision est perturbée et les réactions émotionnelles sont diminuées. Deuxièmement, on constate les mêmes symptômes lorsqu'on supprime le lien entre le cortex préfrontal et le système limbique. (Cette intervention chirurgicale, appelée lobotomie frontale, était autrefois un traitement couramment utilisé pour soigner les personnes présentant des troubles de comportement graves, mais elle a été ensuite délaissée par la pratique médicale.) Ces observations montrent que les lobes frontaux jouent un rôle considérable dans les fonctions souvent dites « exécutives ».

L'évolution de la cognition chez les vertébrés

ÉVOLUTION Chez presque tous les vertébrés, l'encéphale renferme les mêmes structures de base (voir la figure 49.10). Étant donné cette organisation uniforme, comment la cognition supérieure, c'est-à-dire la perception et le raisonnement qui constituent la connaissance, a-t-elle pu évoluer chez certaines espèces? On a longtemps cru que la *cognition* supérieure requérait un cortex cérébral comportant beaucoup de circonvolutions (ou *gyrus*), comme celui des humains, des autres primates et des cétacés (baleines, dauphins et marsouins). Chez les humains, en effet, le cortex cérébral représente 80 % de la masse de l'encéphale.

Comme le cortex cérébral des oiseaux ne possède pas de nombreuses circonvolutions, on croyait que leurs capacités cognitives étaient beaucoup plus limitées que celles des primates et des cétacés. Toutefois, des expériences récentes ont réfuté cette idée. Par exemple, les geais buissonniers (*Aphelocoma californica*) sont capables de se rappeler quels aliments ils ont cachés en premier. Quant aux corbeaux calédoniens (*Corvus moneduloides*), ils fabriquent et utilisent des outils avec beaucoup d'adresse, alors que l'on croyait que cette capacité était le privilège des humains et de quelques singes anthropoïdes. Par ailleurs, les perroquets gris (*Psittacus erithacus*) comprennent des concepts abstraits et numériques; ils sont capables de distinguer ce qui est « pareil » et « différent », et saisissent le concept de « rien ».

La région anatomique qui semble responsable du traitement supérieur de l'information chez les oiseaux est un regroupement de noyaux dans le *pallium*, la partie supérieure ou externe de l'encéphale (**figure 49.20a**). Ce regroupement est différent de celui observé dans le cortex cérébral humain (**figure 49.20b**), où il est constitué de six couches aplaties de neurones. L'évolution a donc donné lieu à deux types d'organisation de la partie externe de l'encéphale, chacune assurant une fonction cérébrale complexe et flexible.

Comment le pallium aviaire et le cortex cérébral humain sont-ils apparus au cours de l'évolution? Selon le consensus actuel, l'ancêtre commun des oiseaux et des mammifères avait un pallium dans lequel les neurones étaient organisés en noyaux, comme c'est encore le cas aujourd'hui chez les oiseaux. Tôt dans l'évolution mammalienne, ce regroupement de neurones s'est transformé en arrangement par couches. La capacité de connexion s'est toutefois maintenue, de sorte que, par exemple, le thalamus achemine au pallium de l'oiseau et au cortex cérébral de l'humain l'information sensorielle relative à la vue, à l'odeur et au toucher.

Le traitement supérieur de l'information dépend non seulement de l'organisation globale de l'encéphale, mais aussi des changements qui se produisent à très petite échelle et qui permettent l'apprentissage et la mémoire. Dans la prochaine section, nous nous pencherons sur ces transformations telles qu'elles surviennent chez les humains.

RETOUR SUR LE CONCEPT 49.3

1. En quoi l'étude de sujets souffrant de lésions dans certaines régions du cerveau peut-elle renseigner sur la fonction normale de ces régions ?
2. L'aire de Broca et l'aire de Wernicke sont des aires cérébrales qui jouent un rôle déterminant dans le langage. Quel rapport y a-t-il entre le rôle de chacune de ces aires et son emplacement dans le cortex cérébral ?
3. **ET SI ?** ▶ Si on demandait à une personne dont le corps calleux a été sectionné de regarder la photo d'un visage connu, d'abord dans son champ de vision gauche puis dans son champ de vision droit, pourquoi aurait-elle de la difficulté à associer un nom à ce visage, quel que soit le champ de vision utilisé ?

Voir les réponses proposées à l'appendice A.

▼ **Figure 49.20 Comparaison des régions responsables de la cognition supérieure dans l'encéphale des oiseaux et des humains.** Même s'ils sont structurellement différents, **(a)** le pallium cérébral d'un oiseau chanteur et **(b)** le cortex cérébral d'un humain jouent des rôles semblables dans les activités cognitives supérieures et établissent beaucoup de connexions similaires avec les autres structures cérébrales.

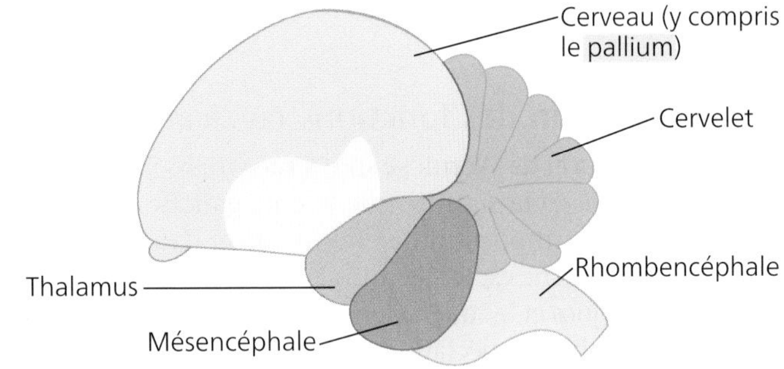

(a) Encéphale aviaire

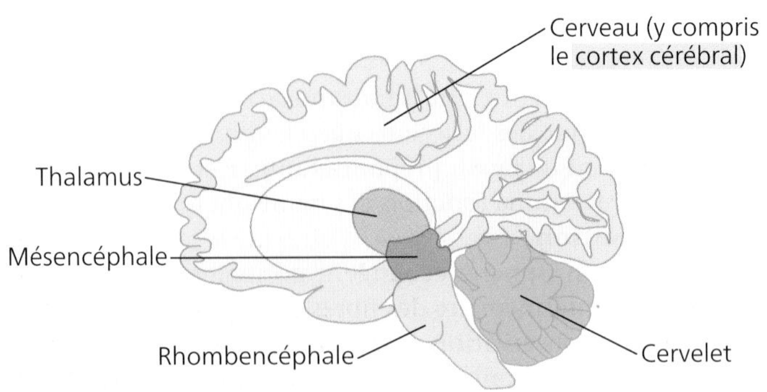

(b) Encéphale humain

CONCEPT **49.4**

La mémoire et l'apprentissage reposent sur des changements dans les connexions synaptiques

La formation du système nerveux se déroule par étapes. Tout d'abord, l'expression génétique régulée et la transduction du signal déterminent l'emplacement des neurones dans l'embryon en développement. Par la suite, les neurones se font concurrence pour survivre, plus précisément pour obtenir les facteurs de croissance que les tissus assurant leur croissance produisent en quantité limitée. Les neurones qui ne se rendent pas au bon emplacement cessent de recevoir ces facteurs et subissent l'apoptose. Le résultat net est la survie préférentielle des neurones qui jouissent d'un emplacement adéquat dans le système nerveux. La concurrence est si forte que la moitié des neurones formés dans l'embryon ont disparu au terme de cette étape.

L'élimination des synapses est la dernière phase de l'organisation du système nerveux. Un neurone en développement forme de nombreuses synapses, davantage qu'il n'en a besoin pour fonctionner correctement. Une fois qu'un neurone a commencé à être actif, son activité stabilise certaines synapses et en déstabilise d'autres. À la fin du développement embryonnaire, plus de la moitié des synapses initiales a été éliminée. Chez l'humain, l'élimination des connexions non nécessaires, un processus appelé « élagage synaptique », se poursuit après la naissance et durant toute l'enfance.

Ensemble, le développement neuronal, la mort neuronale et l'élimination des synapses établissent le réseau de base des cellules et des connexions requises dans le système nerveux durant toute la vie.

La plasticité neuronale

Même si l'organisation d'ensemble du SNC s'établit durant le développement embryonnaire, les connexions entre les neurones peuvent subir des modifications. Cette capacité que possède le système nerveux à se remodeler, particulièrement sous l'effet de sa propre activité, porte le nom de **plasticité neuronale**.

Une bonne partie du remodelage du système nerveux a lieu aux synapses. Les synapses appartenant à des circuits qui relient l'information de manière utile sont maintenues, tandis que celles qui acheminent de l'information sans contexte peuvent être éliminées. Autrement dit, lorsque l'activité d'une synapse est en corrélation avec celle d'autres synapses, des changements peuvent se produire qui renforcent la connexion synaptique. À l'inverse, quand l'activité d'une synapse n'est pas en lien avec celle d'autres synapses, il arrive que ses connexions s'affaiblissent.

La **figure 49.21a** illustre comment des événements définis par l'activité synaptique peuvent donner lieu à l'ajout ou à la perte d'une synapse. Si on se représente les signaux qui circulent dans le système nerveux comme les voitures se déplaçant sur une autoroute, on peut comparer ces changements à l'ajout ou au retrait d'une rampe d'accès. Le résultat net est l'augmentation de signaux entre certaines paires de neurones et la diminution de ceux-ci entre d'autres paires. Comme le montre la **figure 49.21b**, certains changements peuvent aussi renforcer ou affaiblir la communication à une synapse. Dans notre analogie avec la circulation routière, ces changements se comparent à l'élargissement ou au rétrécissement d'une voie d'accès.

▼ **Figure 49.21 La plasticité neuronale.** Les connexions synaptiques peuvent changer avec le temps. Elles se renforcent ou s'affaiblissent selon l'intensité de l'activité à la synapse.

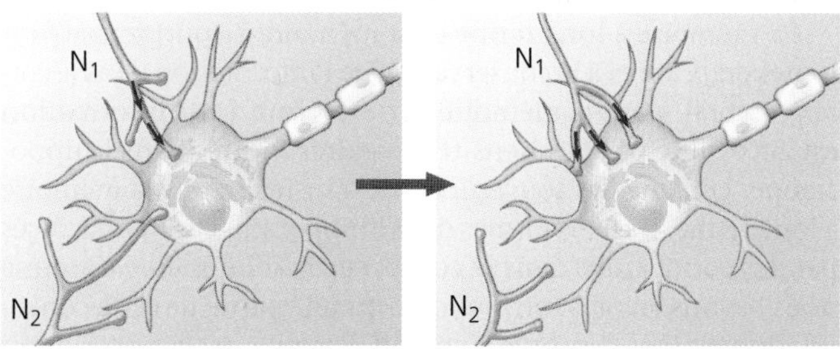

(a) Les connexions entre neurones sont renforcées ou affaiblies selon l'activité. Une activité intense à la synapse du neurone postsynaptique avec le neurone présynaptique N_1 provoque la mobilisation de corpuscules terminaux supplémentaires de ce neurone. L'absence d'activité à la synapse avec le neurone présynaptique N_2 entraîne une perte de connexions fonctionnelles avec ce neurone.

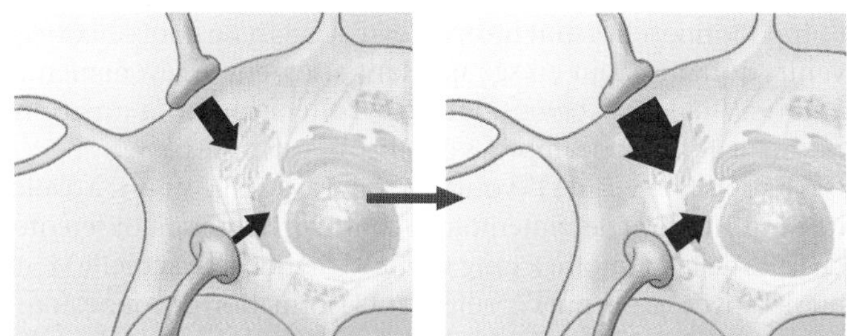

(b) Si deux synapses sur le même neurone postsynaptique sont souvent actives en même temps, alors la force de la réaction postsynaptique peut augmenter aux deux synapses.

Une altération de la plasticité neuronale pourrait être à l'origine de l'*autisme*, un trouble du développement apparaissant durant la petite enfance, dont les principales manifestations sont une difficulté à communiquer et à interagir socialement et des comportements stéréotypés et répétitifs. Un nombre croissant de recherches indique que l'autisme serait causé par une altération du remodelage synaptique défini par l'activité.

Bien qu'on ne connaisse pas encore les causes sous-jacentes de l'autisme, cette maladie et d'autres qui lui sont apparentées présentent une forte composante génétique. Des recherches approfondies ont écarté tout lien avec les agents de conservation des vaccins, que certains considéraient comme un facteur de risque potentiel. Une meilleure compréhension de l'altération de la plasticité neuronale à laquelle l'autisme est associé permettra de mieux comprendre et traiter ce trouble.

La mémoire et l'apprentissage

La plasticité neuronale est essentielle à la formation des souvenirs. Sans nécessairement en être conscients, nous effectuons sans cesse des comparaisons entre les événements présents, immédiats, et ceux qui se sont produits quelques instants avant seulement. Nous conservons momentanément l'information dans la **mémoire à court terme**, puis elle disparaît quand elle est devenue inutile. Par contre, si nous voulons retenir un nom ou un numéro de téléphone, nous activons les mécanismes de la **mémoire à long terme**. Par la suite, si nous souhaitons nous rappeler ce nom ou ce numéro de téléphone, nous pouvons l'évoquer grâce à cette mémoire à long terme et le replacer dans la mémoire à court terme.

La mémoire à long terme et la mémoire à court terme font toutes deux appel à la conservation de l'information dans le cortex cérébral. Dans la mémoire à court terme, cette information est accessible par des liens temporaires formés dans l'hippocampe. Lorsque des souvenirs sont transférés dans la mémoire à long terme, les liens formés dans l'hippocampe sont remplacés par des connexions dans le cortex cérébral lui-même. Comme nous l'avons vu plus tôt, il semble qu'une partie de cette consolidation ait lieu durant le sommeil. Par ailleurs, la réactivation de l'hippocampe qui est nécessaire pour consolider des souvenirs semble constituer la base d'au moins une partie de nos rêves.

Selon notre connaissance actuelle de la mémoire, l'hippocampe est essentiel à l'acquisition de nouveaux souvenirs à long terme, mais pas à leur conservation. Cette hypothèse explique bien les symptômes de personnes qui ont subi des lésions à l'hippocampe : elles sont incapables d'acquérir de nouveaux souvenirs durables, tout en se rappelant aisément les événements antérieurs à leur accident. En effet, l'altération de la fonction normale de l'hippocampe les emprisonne dans le passé.

Du point de vue de l'évolution, quel avantage y a-t-il à avoir une organisation de la mémoire à court terme qui soit différente de celle de la mémoire à long terme ? L'hypothèse actuelle veut que le laps de temps qui s'écoule avant la formation de connexions dans le cortex cérébral permet aux souvenirs à long terme de s'intégrer graduellement aux connaissances et aux expériences qui sont déjà conservées, afin que soient possibles des associations plus significatives. En ce sens, le transfert d'information de la mémoire à court terme à la mémoire à long terme est favorisé par l'association de nouvelles données avec de l'information déjà stockée dans la mémoire à long terme. Il est ainsi plus facile d'apprendre un nouveau jeu de cartes si on a déjà l'habitude de jouer aux cartes.

Les activités motrices telles que nouer ses lacets ou écrire sont en général apprises par la répétition. On peut ensuite les exécuter sans faire un effort conscient pour se rappeler les étapes précises à suivre. Le rappel de compétences et de méthodes (par exemple quand on apprend à faire de la bicyclette) semble faire intervenir des mécanismes cellulaires très semblables à ceux qui sont associés à la croissance et au développement de l'encéphale. Les neurones mettent alors en place de nouvelles connexions. En revanche, la mémorisation des numéros de téléphone, des faits et des endroits (qui peut se faire très rapidement et n'exiger qu'une exposition à l'élément en question) pourrait dépendre de changements dans la force des connexions nerveuses existantes. Nous allons maintenant voir comment la force des connexions peut changer.

La potentialisation à long terme

En étudiant la physiologie de la mémoire, des chercheurs ont concentré leur attention sur les processus qui peuvent altérer une connexion synaptique et, ce faisant, la rendre plus ou moins efficace. Nous nous attarderons ici à la **potentialisation à long terme (PLT)**, qui consiste en une augmentation durable de la force de la transmission synaptique.

D'abord observée dans des tranches minces de tissu de l'hippocampe, la PLT fait intervenir un neurone présynaptique qui libère de l'acide glutamique, un neurotransmetteur excitateur. Pour que la PLT se produise, une série de potentiels d'action brefs et répétés doit avoir lieu dans ce neurone présynaptique. De plus, ces signaux doivent survenir au corpuscule terminal au moment même où la cellule postsynaptique reçoit un stimulus dépolarisant d'une autre synapse. L'effet net est le renforcement d'une synapse dont l'activité coïncide avec celle d'un autre signal (voir la figure 48.17a).

La PLT fait appel à deux types de récepteurs d'acide glutamique, dont le nom correspond à chacune des deux molécules qu'on peut utiliser pour activer artificiellement ce récepteur (AMPA ou NMDA). Comme l'explique la **figure 49.22**, l'ensemble de récepteurs, situés sur la membrane postsynaptique, change en réaction à une synapse active et à un stimulus dépolarisant. Il en résulte une PLT, c'est-à-dire une augmentation stable de l'amplitude des potentiels postsynaptiques à la synapse. Comme elle peut durer des jours ou des semaines, la PLT représente peut-être un processus fondamental de stockage des souvenirs ou d'apprentissage.

RETOUR SUR LE CONCEPT 49.4

1. Nommez deux mécanismes qui peuvent accroître la circulation de l'information entre deux neurones chez un adulte.
2. Les personnes qui souffrent d'une lésion cérébrale localisée ont considérablement contribué à l'étude de plusieurs fonctions cérébrales, mais il est peu probable qu'elles puissent aider à approfondir nos connaissances concernant la conscience. Pourquoi ?
3. **ET SI ?** ▶ Imaginez qu'une personne souffrant d'une lésion à l'hippocampe est incapable d'acquérir de nouveaux souvenirs à long terme. Pourquoi l'acquisition de souvenirs à court terme est-elle susceptible d'être altérée également ?

Voir les réponses proposées à l'appendice A.

CONCEPT 49.5

Des dérèglements moléculaires sont à l'origine de nombreuses affections du système nerveux

Les affections du système nerveux, notamment la schizophrénie, la dépression, la toxicomanie, la maladie d'Alzheimer et la maladie de Parkinson, représentent un problème de santé publique majeur. Collectivement, elles sont responsables d'un plus grand nombre d'hospitalisations que les maladies du cœur ou le cancer. Pendant de nombreuses années, le seul traitement pour les personnes atteintes d'une maladie mentale était l'internement dans des établissements où la plupart demeuraient jusqu'à la fin de leurs jours. Aujourd'hui, plusieurs affections qui se manifestent par des troubles de l'humeur ou du comportement peuvent être traitées avec des médicaments, de sorte que la moyenne des séjours dans les hôpitaux psychiatriques n'est plus que de deux ou trois semaines. Plusieurs difficultés demeurent, cependant, pour prévenir ou traiter les troubles du système nerveux, surtout dans le cas de la maladie d'Alzheimer et d'autres maladies qui s'accompagnent d'une dégénérescence du système nerveux.

▼ **Figure 49.22 La potentialisation à long terme dans l'encéphale.**

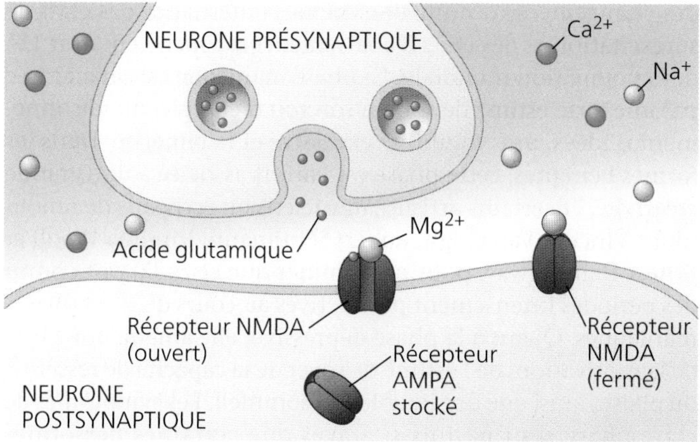

(a) La synapse avant la potentialisation à long terme (PLT). Les récepteurs NMDA s'ouvrent en réaction à l'acide glutamique, mais sont bloqués par le Mg^{2+}.

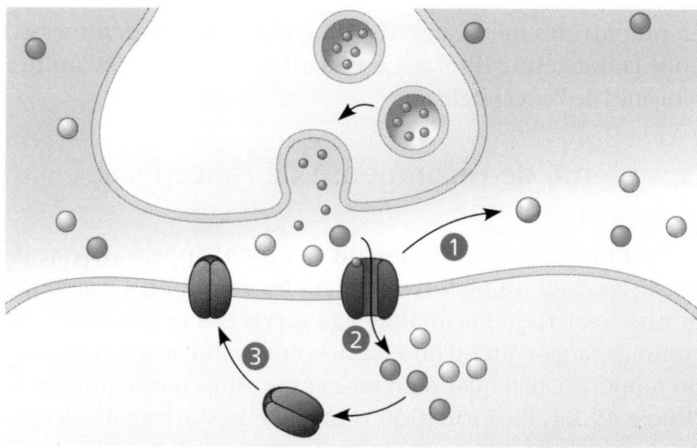

(b) L'établissement de la PLT. L'activité dans les synapses adjacentes (non montrées) dépolarise la membrane postsynaptique, ce qui entraîne la libération de Mg^{2+} par les récepteurs NMDA ❶. Les récepteurs non bloqués répondent à l'acide glutamique en laissant entrer du Na^+ et du Ca^{2+} ❷. L'arrivée de Ca^{2+} déclenche l'insertion, dans la membrane postsynaptique, des récepteurs AMPA stockés ❸.

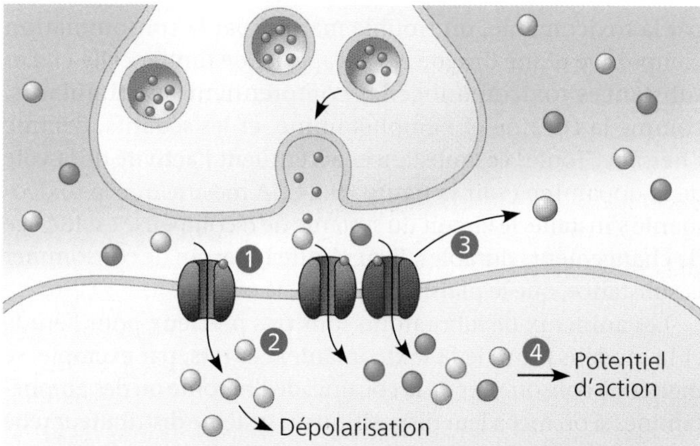

(c) Synapse présentant une PLT. La libération d'acide glutamique active les récepteurs AMPA ❶ qui déclenchent la dépolarisation ❷. La dépolarisation ouvre les récepteurs NMDA ❸. Ensemble, les récepteurs AMPA et NMDA déclenchent des potentiels postsynaptiques assez intenses pour amorcer des potentiels d'action sans signal provenant d'autres synapses ❹. Des mécanismes supplémentaires (non montrés) contribuent à la PLT, notamment la modification du récepteur par des protéines kinases.

D'importantes recherches sont en cours pour identifier les gènes qui causent les affections du système nerveux ou y contribuent. L'identification de ces gènes permettra probablement de déterminer les causes de ces maladies, d'en prédire l'évolution et de mettre au point des traitements efficaces. Toutefois, les gènes ne sont pas l'unique facteur à prendre en compte chez les personnes atteintes de ces affections du système nerveux. Les facteurs environnementaux comptent également pour beaucoup. Malheureusement, ils sont généralement très difficiles à cerner.

Pour distinguer les variables génétiques et environnementales, les chercheurs étudient souvent les familles. Dans ces études, ils déterminent les liens génétiques entre les membres de la famille, identifient ceux qui sont atteints et ceux qui ont grandi ensemble. Ces études fournissent des renseignements particulièrement précieux lorsqu'un des membres atteints a un vrai jumeau ou encore un frère adoptif ou une sœur adoptive sans lien génétique. Dans le cas de la schizophrénie, notre prochain sujet, les études portant sur les familles font état d'une forte composante héréditaire. Toutefois, comme le montre la **figure 49.23**, ce trouble est également influencé par des facteurs environnementaux puisqu'une personne dont tous les

▼ **Figure 49.23 Les facteurs génétiques associés à la schizophrénie.** Les cousins, les oncles et les tantes d'une personne atteinte de schizophrénie courent deux fois plus de risques de souffrir de la maladie que des personnes non apparentées. Dans le cas des parents plus proches, les risques sont beaucoup plus grands.

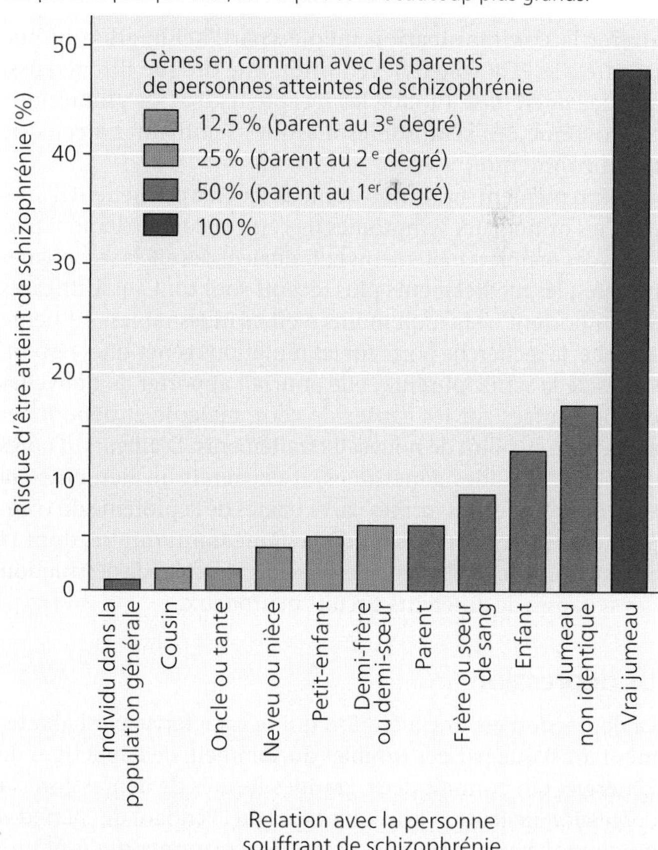

INTERPRÉTEZ LES DONNÉES ▶ Quelle est la probabilité qu'une personne souffre de schizophrénie si son jumeau non identique est atteint de ce trouble ? En quoi cette probabilité différera-t-elle si le séquençage d'ADN révèle que ces jumeaux ont en commun les variantes génétiques qui contribuent à la schizophrénie ?

gènes sont identiques à ceux de son jumeau ou de sa jumelle schizophrénique n'a environ qu'un risque de 48 % d'être atteinte de la maladie.

La schizophrénie

Environ 1 % de la population mondiale souffre de **schizophrénie**, un trouble mental grave caractérisé par des épisodes psychotiques au cours desquels la personne atteinte a une perception déformée de la réalité. En général, les symptômes de la schizophrénie comprennent les hallucinations (la plupart du temps sous forme de « voix » que seul le malade entend) et les délires (par exemple, l'idée que les autres complotent contre lui). Contrairement à la croyance populaire, les personnes atteintes de schizophrénie ne présentent pas nécessairement une personnalité multiple. Le terme *schizophrénie* (du grec *schizo*, « fendre », et *phren*, « esprit ») fait plutôt référence à la fragmentation de fonctions cérébrales normalement intégrées.

Selon l'hypothèse actuelle, la schizophrénie serait notamment causée par l'altération des voies neuronales dont la dopamine est le neurotransmetteur. Cette hypothèse s'appuie entre autres sur le fait que beaucoup des médicaments qui atténuent les symptômes de la schizophrénie bloquent les récepteurs de dopamine. Par ailleurs, l'amphétamine, une drogue qu'on appelle communément *speed*, stimule la libération de la dopamine et peut provoquer la même combinaison de symptômes que la schizophrénie. La schizophrénie pourrait également altérer la communication médiée par l'acide glutamique. En effet, le PCP (phénylcyclidine), une drogue illicite aussi appelée *angel dust*, bloque les récepteurs d'acide glutamique et provoque des symptômes marqués semblables à ceux de la schizophrénie.

Heureusement, beaucoup de médicaments permettent d'atténuer les principaux symptômes de cette maladie. Même si plusieurs des premiers traitements entraînaient des effets secondaires néfastes, les médicaments plus récents sont tout aussi efficaces et comportent beaucoup moins d'effets indésirables. À l'heure actuelle, la recherche porte sur les mutations génétiques responsables de la schizophrénie ; elle pourrait apporter de nouvelles connaissances sur les causes de cette maladie et déboucher sur la mise au point de nouveaux traitements. D'ailleurs, d'après de récentes études génétiques, il existerait un lien entre la schizophrénie et des formes particulières de la protéine du complément C4, un composant du système immunitaire, dont la production anormalement élevée serait associée à la destruction des synapses de différents circuits neuronaux.

La dépression

La dépression est une affection qui se caractérise par l'abattement ainsi que par des troubles du sommeil, de l'appétit et de l'énergie. On connaît deux grandes formes de dépression : la dépression majeure et le trouble bipolaire. Pendant des périodes qui durent souvent plusieurs mois, les personnes qui font une **dépression majeure** n'éprouvent plus de plaisir ni d'intérêt à faire des activités qui leur étaient autrefois agréables. La dépression majeure est un des troubles neurologiques les plus répandus ; un adulte sur sept en souffre à un moment ou à un autre de sa vie, dont deux fois plus de femmes que d'hommes.

Le **trouble bipolaire**, ou maniacodépression, consiste en des changements d'humeur extrêmes (alternance des états de surexcitation et des états d'abattement) et touche environ 1 % de la population mondiale. La phase maniaque est caractérisée par une forte estime de soi, un surcroît d'énergie, un foisonnement d'idées, une volubilité excessive et la témérité. Dans les formes bénignes, cette phase est parfois associée à une grande créativité, et certains artistes, musiciens ou écrivains de renom (dont Vincent Van Gogh, Robert Schumann, Virginia Woolf et Ernest Hemingway, pour ne nommer que ceux-là) ont connu des périodes intensément productives au cours de leurs phases maniaques. Quant à la phase dépressive, elle amène une perte de la motivation, de l'estime de soi et de la capacité de ressentir du plaisir, ainsi que des troubles du sommeil. Les symptômes de cette phase sont parfois si graves que certaines personnes atteintes tentent de se suicider.

La dépression majeure et le trouble bipolaire font partie des troubles neurologiques pour lesquels il existe des traitements. La plupart des médicaments qui combattent la dépression, dont la fluoxétine (Prozac), augmentent l'activité des amines biogènes de l'encéphale.

Le système de récompense de l'encéphale et la toxicomanie

L'encéphale contient un circuit neuronal appelé *système de récompense* qui influe fortement sur les émotions. Ce système motive les activités favorables à la survie et à la reproduction, comme manger quand on a faim, boire quand on a soif et avoir un rapport sexuel quand on en a envie. Ainsi que le montre la **figure 49.24**, l'information transmise au système de récompense est reçue par des neurones situés près de la base de l'encéphale, dans l'*aire tegmentale ventrale* (ATV). Lorsqu'ils sont activés, les corpuscules terminaux de ces neurones dopaminergiques libèrent de la dopamine dans certaines régions du cerveau, notamment dans les noyaux accumbens et dans le cortex préfrontal (voir les figures 49.15 et 49.16).

Le système de récompense est considérablement perturbé par la toxicomanie, un trouble marqué par la consommation compulsive d'une drogue et l'incapacité de limiter celle-ci. Les substances toxicomanogènes comprennent les stimulants, comme la cocaïne et l'amphétamine, et les sédatifs, comme l'héroïne. Toutes ces substances accentuent l'activité de la voie de la dopamine (voir la figure 49.24). À mesure que la toxicomanie s'installe, le circuit du système de récompense est le siège de changements durables. Il en résulte le besoin de consommer la substance, que le plaisir y soit associé ou non.

Les animaux de laboratoire sont très précieux pour l'étude et la modélisation de la toxicomanie. Les rats, par exemple, se mettent à consommer de la cocaïne, de l'héroïne ou des amphétamines si on met à leur disposition un système distributeur relié à un levier dans leur cage. Ils présenteront un comportement toxicomane dans ces circonstances, c'est-à-dire qu'ils continueront à consommer la drogue plutôt que de chercher à s'alimenter, même au point de s'affamer.

En comprenant mieux le système de récompense de l'encéphale ainsi que les diverses formes de toxicomanie, les scientifiques espèrent mettre au point des méthodes de prévention et de traitement plus efficaces.

▼ **Figure 49.24 Les effets des substances toxicomanogènes sur le système de récompense de l'encéphale mammalien.** Les substances toxicomanogènes altèrent la transmission des signaux dans les voies formées par les neurones de l'aire tegmentale ventrale (ATV), une région située près de la base de l'encéphale.

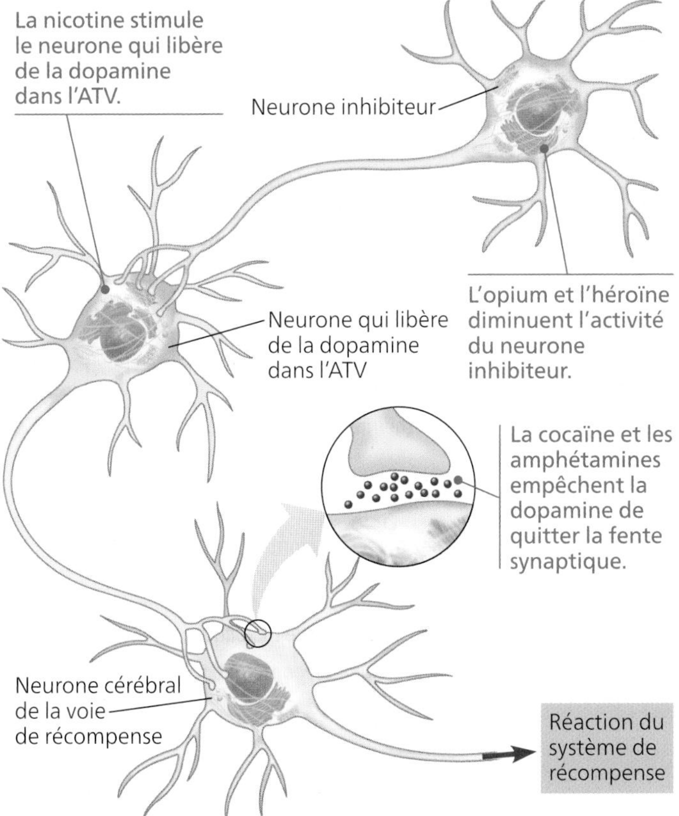
La nicotine stimule le neurone qui libère de la dopamine dans l'ATV.
Neurone inhibiteur
Neurone qui libère de la dopamine dans l'ATV
L'opium et l'héroïne diminuent l'activité du neurone inhibiteur.
La cocaïne et les amphétamines empêchent la dopamine de quitter la fente synaptique.
Neurone cérébral de la voie de récompense
Réaction du système de récompense

FAITES DES LIENS ▶ Quel effet aurait la dépolarisation des neurones de l'ATV, à votre avis (voir le concept 48.3) ? Expliquez votre réponse.

La maladie d'Alzheimer

L'affection aujourd'hui connue sous le nom de **maladie d'Alzheimer** se caractérise par une détérioration des fonctions mentales, ou démence, dont les principales manifestations sont la confusion et la perte de la mémoire. Son incidence est liée à l'âge : elle s'élève à environ 10 % à 65 ans et à environ 35 % à 85 ans. À mesure que la maladie évolue, les victimes perdent progressivement leur autonomie et finissent par ne plus être en mesure de s'habiller, de se laver et de s'alimenter par elles-mêmes. Elles perdent leur capacité de reconnaître les personnes et peuvent devenir méfiantes et hostiles, même à l'endroit des membres de leur famille.

L'autopsie des personnes atteintes de la maladie d'Alzheimer met en évidence deux caractéristiques : la présence de plaques séniles et la dégénérescence neurofibrillaire, comme le montre la **figure 49.25**). On constate également un rapetissement marqué des tissus de l'encéphale, qui reflète la mort de neurones dans plusieurs régions de l'encéphale, notamment l'hippocampe et le cortex cérébral.

Les plaques séniles sont des amas de β-amyloïde, un peptide insoluble résultant du clivage de la portion extracellulaire d'une protéine membranaire normalement présente dans les neurones. Des enzymes membranaires, appelées *sécrétases*, catalysent le clivage, entraînant l'accumulation de la β-amyloïde en plaques

▼ **Figure 49.25 Les signes microscopiques de la maladie d'Alzheimer.** La maladie d'Alzheimer se caractérise par la présence d'une dégénérescence neurofibrillaire dans les tissus cérébraux situés autour de plaques séniles composées de β-amyloïde (MP).

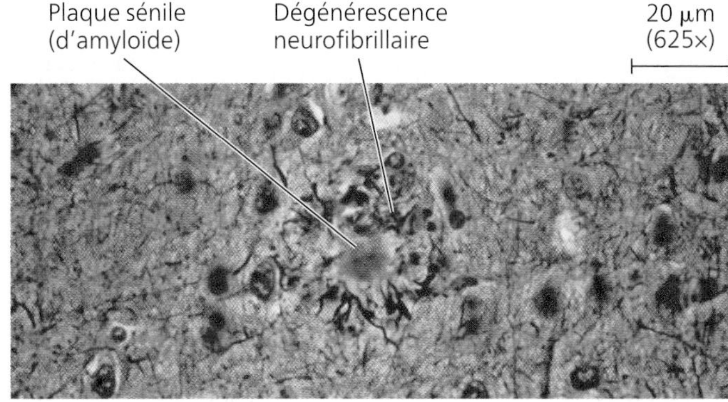
Plaque sénile (d'amyloïde)
Dégénérescence neurofibrillaire
20 μm (625×)

à l'extérieur des neurones. Ces dernières semblent provoquer la mort des neurones voisins.

La dégénérescence neurofibrillaire résulte de la formation, à l'intérieur des neurones, d'écheveaux de filaments constitués de la protéine tau. (Cette protéine n'est aucunement apparentée à la mutation tau qui perturbe le rythme circadien chez les hamsters.) La protéine tau participe normalement à l'assemblage et au maintien des microtubules qui transportent les nutriments le long des axones. Dans la maladie d'Alzheimer, la protéine tau subit des changements qui la font se lier avec elle-même, d'où les écheveaux de filaments. Les observations montrent qu'une altération de la protéine tau est associée à l'apparition précoce de la maladie d'Alzheimer, une forme beaucoup moins courante que celle qui apparaît au cours de la vieillesse.

La maladie d'Alzheimer ne se guérit pas, mais des médicaments récemment mis au point sont relativement efficaces pour soulager certains symptômes. Les médecins commencent également à utiliser l'imagerie cérébrale fonctionnelle pour diagnostiquer la maladie d'Alzheimer chez les patients qui présentent des signes précoces de démence.

La maladie de Parkinson

La **maladie de Parkinson** est un trouble moteur caractérisé par des tremblements musculaires, un manque d'équilibre, une posture repliée et une démarche traînante. Les muscles faciaux deviennent rigides et donnent aux personnes atteintes une expression figée. Des déficits cognitifs peuvent également apparaître. Comme la maladie d'Alzheimer, la maladie de Parkinson est une affection cérébrale dégénérative dont le risque augmente avec l'âge. L'incidence de la maladie de Parkinson est d'environ 1 % à 65 ans et d'environ 5 % à 85 ans. Environ 25 000 personnes en sont atteintes au Québec, et on en compte plus de 100 000 en France.

La maladie de Parkinson se caractérise par la disparition, dans le mésencéphale, des neurones qui normalement libèrent de la dopamine aux synapses des noyaux basaux. Comme dans la maladie d'Alzheimer, des protéines s'accumulent en agrégats. Dans la plupart des cas, la maladie de Parkinson n'a pas de cause clairement discernable. Toutefois, une forme rare de la maladie qui apparaît chez des adultes relativement jeunes a une forte composante génétique. Les études moléculaires des mutations associées à cette forme précoce révèlent une altération des gènes nécessaires pour certaines fonctions mitochondriales. Les scientifiques tentent actuellement de savoir si cette défectuosité mitochondriale contribue aussi à la forme plus courante et plus tardive de la maladie.

À l'heure actuelle, la maladie de Parkinson est traitable mais incurable. Divers moyens sont employés pour faire échec à ses symptômes, notamment la chirurgie du cerveau et la stimulation cérébrale profonde. On fait également appel à un médicament lié à la dopamine: la L-dopa. Contrairement à la dopamine, la L-dopa est capable de franchir la barrière hémato-encéphalique. Une fois la L-dopa dans l'encéphale, l'enzyme dopa-décarboxylase la convertit en dopamine, ce qui diminue la gravité des symptômes de la maladie de Parkinson:

HO, HO, NH_2, CO_2H (L-dopa) —Dopa-décarboxylase→ HO, HO, NH_2 (Dopamine)

Un autre traitement possible consiste à implanter des neurones sécréteurs de dopamine soit dans le mésencéphale, soit dans les noyaux basaux. Les expériences en laboratoire sont prometteuses à cet égard: la transplantation de ces cellules chez des rats atteints d'une affection analogue à la maladie de Parkinson provoquée en laboratoire a conduit au rétablissement du contrôle moteur. On ne sait pas encore si cette forme de traitement régénérateur donnera les mêmes résultats chez les humains.

Les perspectives

En 2014, les National Institutes of Health ainsi que d'autres organismes gouvernementaux américains ont mis en route un projet d'une durée de 12 ans appelé BRAIN Initiative (Brain: **B**rain **R**esearch through **A**dvancing **I**nnovative **N**eurotechnologies). Il a pour objectif de faire progresser les connaissances de la même façon que l'ont fait d'autres projets d'envergure dans le passé, comme le programme Apollo et la cartographie du génome humain. Le projet BRAIN consistera à cartographier les circuits de l'encéphale, à mesurer l'activité dans ces circuits et à découvrir comment cette activité est traduite en pensées et en comportements. Comme dans les projets du premier atterrissage sur la Lune et du génome humain, le développement et l'application de technologies novatrices seront indispensables.

RETOUR SUR LE CONCEPT **49.5**

1. Comparez la maladie d'Alzheimer et la maladie de Parkinson.
2. En quoi l'activité de la dopamine est-elle liée à la schizophrénie, à la toxicomanie et à la maladie de Parkinson?
3. ET SI? ▶ Si vous pouviez détecter la forme précoce de la maladie d'Alzheimer, vous attendriez-vous à trouver des changements cérébraux semblables, quoique moins étendus, à ceux observés chez des patients décédés de la maladie? Expliquez votre réponse.

Voir les réponses proposées à l'appendice A.

RÉVISION DU CHAPITRE 49

Consultez votre MANUEL NUMÉRIQUE, qui vous donne accès aux **animations**, aux **exercices** et à la plateforme d'**anatomie interactive**.

Résumé des concepts clés

CONCEPT 49.1

Les systèmes nerveux sont constitués de circuits de neurones et de cellules de soutien (p. 1194 à 1199)

- Chez les invertébrés, la diversité des systèmes nerveux s'étend des réseaux nerveux simples aux systèmes très centralisés comprenant un cerveau complexe et des cordons nerveux ventraux.

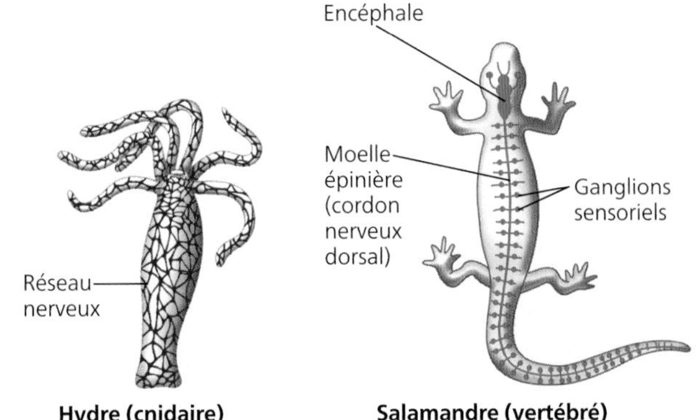

- Chez les vertébrés, le **système nerveux central** (**SNC**) se compose de l'encéphale et de la moelle épinière. Le SNC intègre l'information, tandis que les **nerfs** du **système nerveux périphérique** (**SNP**) transmettent les signaux sensitifs et moteurs entre le SNC et le reste du corps. Les circuits les plus simples du système nerveux contrôlent les **réflexes**, dans lesquels l'information sensorielle reçue est liée à l'information motrice transmise, sans intervention de l'encéphale.

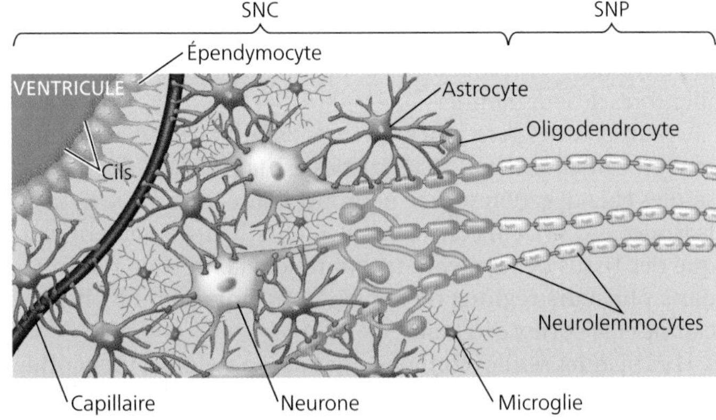

- Les neurones afférents acheminent de l'information sensorielle au SNC, tandis que les neurones efférents se trouvent soit dans le **système nerveux somatique**, qui achemine l'information aux muscles squelettiques, soit dans le **système nerveux autonome**, qui régule les muscles lisses et le muscle cardiaque. Le système nerveux autonome comprend lui-même trois subdivisions : le **système nerveux sympathique** et le **système nerveux parasympathique**, qui ont en général des effets antagonistes sur les organes cibles, et le **système nerveux entérique**, qui régule l'activité de plusieurs organes digestifs.

- Les neurones des vertébrés sont soutenus par divers types de **gliocytes**, dont les astrocytes, les oligodendrocytes, les neurolemmocytes et les épendymocytes. Certains gliocytes servent de cellules souches capables de se différencier en neurones matures.

 En quoi le circuit d'un réflexe permet-il une réponse rapide ?

CONCEPT 49.2

L'encéphale des vertébrés comporte des régions spécialisées (p. 1199 à 1205)

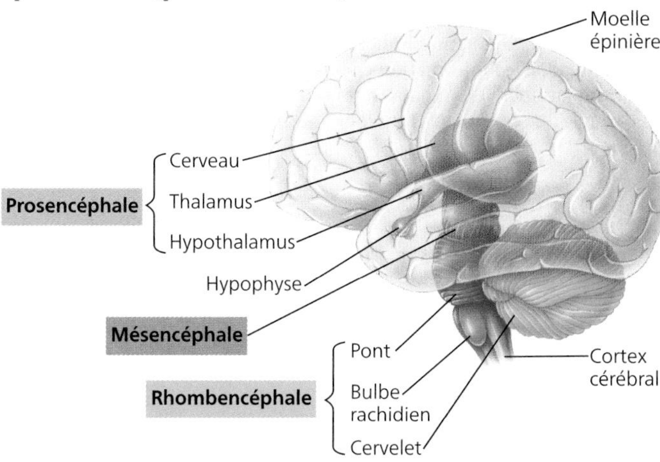

- Le cerveau se divise en deux hémisphères, chacun composé de **substance grise** corticale qui recouvre la **substance blanche** ainsi que les noyaux basaux. Les noyaux basaux sont d'importants centres de planification et d'apprentissage des mouvements. Le **pont** et le **bulbe rachidien** sont des relais pour l'information acheminée entre le SNP et le cerveau. La formation réticulaire, un réseau de neurones dans le **tronc cérébral**, régule le sommeil et l'éveil. Le **cervelet** participe à la coordination des fonctions motrices, perceptuelles et cognitives. Le **thalamus** est le principal centre de relais de l'information sensitive qui arrive au **cerveau** et de l'information motrice qui en part. L'**hypothalamus** régule l'homéostasie et les comportements vitaux fondamentaux. Dans l'hypothalamus, un groupe de neurones appelés **noyaux suprachiasmatiques (NSC)** fonctionne comme un régulateur des rythmes circadiens. Le **corps amygdaloïde** joue un rôle clé dans la reconnaissance et le rappel d'un certain nombre d'émotions.

 Quels sont les rôles du mésencéphale, du cervelet, du thalamus et du cerveau dans la vision et les réactions aux stimulus visuels ?

CONCEPT 49.3

Le cortex cérébral contrôle les mouvements volontaires et les fonctions cognitives (p. 1205 à 1208)

- Chacun des hémisphères du **cortex cérébral** est divisé en quatre lobes : le lobe frontal, le lobe temporal, le lobe occipital et le lobe pariétal. Chacun contient des aires sensitives primaires et des aires associatives. Les aires associatives intègrent l'information provenant de différentes aires sensitives. L'aire de Broca et l'aire de Wernicke jouent un rôle essentiel dans la production et la compréhension du langage. Ces fonctions sont concentrées dans l'hémisphère cérébral gauche, comme les mathématiques et les opérations logiques. L'hémisphère droit se spécialise plutôt dans la reconnaissance des formes et des dimensions émotionnelles des expressions corporelles, de même que dans la production du contenu émotionnel du langage.
- Dans les aires somesthésiques et motrices primaires du cortex cérébral, les neurones sont ordonnés en fonction de la partie du corps qui leur transmet les stimulus sensoriels ou reçoit d'eux les commandes motrices.
- Chez les primates et les cétacés, dotés d'une cognition supérieure, le cortex cérébral comporte beaucoup de circonvolutions. Chez les oiseaux, une région appelée pallium contient des amas de noyaux dont les fonctions sont similaires à celles du cortex cérébral des mammifères. Certains oiseaux peuvent résoudre des problèmes et comprendre des abstractions, ce qui indique une cognition supérieure.

 Après un accident, un patient présente un trouble du langage et une paralysie d'un des côtés de son corps. À votre avis, quel côté est paralysé ? Expliquez votre réponse.

CONCEPT 49.4

La mémoire et l'apprentissage reposent sur des changements dans les connexions synaptiques (p. 1209 et 1210)

- Durant le développement embryonnaire, il y a plus de neurones et de synapses qu'à l'âge adulte. La mort cellulaire programmée des neurones ainsi que l'élimination des synapses dans les embryons établissent la structure de base du système nerveux. Chez l'adulte, un remodelage du système nerveux peut se produire par suite de la perte ou de l'ajout de synapses ou encore d'un renforcement ou d'un affaiblissement de la communication à certaines synapses. Cette capacité de remodelage est appelée **plasticité neuronale**. La **mémoire à court terme** dépend des connexions temporaires dans l'hippocampe. Dans la **mémoire à long terme**, ces connexions temporaires sont remplacées par des connexions dans le cortex cérébral.

 L'apprentissage de plusieurs langues est habituellement plus facile durant l'enfance que plus tard dans la vie. En quoi cela concorde-t-il avec notre connaissance du développement neuronal ?

CONCEPT 49.5

Des dérèglements moléculaires sont à l'origine de nombreuses affections du système nerveux (p. 1210 à 1214)

- La **schizophrénie** se caractérise par des hallucinations, des délires et d'autres symptômes. Elle serait causée notamment par une altération des voies neuronales qui utilisent la dopamine comme neurotransmetteur. On utilise des médicaments qui augmentent l'activité des amines biogènes dans le cerveau pour traiter le **trouble bipolaire** et la **dépression majeure**. La toxicomanie se caractérise par une consommation compulsive de drogues par suite d'une altération de l'activité du système de récompense de l'encéphale, qui ne motive plus les comportements favorables à la survie ou à la reproduction.
- La **maladie d'Alzheimer** et la **maladie de Parkinson** sont des affections neurodégénératives habituellement liées au vieillissement. La maladie d'Alzheimer est une forme de démence qui provoque dans l'encéphale une dégénérescence neurofibrillaire et la formation de plaques séniles. La maladie de Parkinson est un trouble moteur causé par la mort des neurones dopaminergiques et associé à la présence d'agrégats de protéines.

? Le fait que les amphétamines et le PCP provoquent des effets similaires aux symptômes de la schizophrénie donne à penser que la maladie a des causes complexes. Expliquez.

Évaluation

NIVEAU 1 : **CONNAISSANCES ET COMPRÉHENSION**

1. L'activation de la division parasympathique du système nerveux autonome :
a) accélère la fréquence cardiaque.
b) favorise la digestion.
c) déclenche la libération d'adrénaline.
d) amorce la conversion du glycogène en glucose.

2. Parmi les structures ou les régions suivantes, laquelle *n'est pas associée correctement* à sa fonction ?
a) Système limbique : contrôle moteur de la parole.
b) Bulbe rachidien : centre de régulation homéostatique.
c) Cervelet : coordination des mouvements et de l'équilibre.
d) Corps amygdaloïde : mémoire émotionnelle.

3. Les patients qui présentent une lésion dans l'aire de Wernicke ont de la difficulté à :
a) coordonner le mouvement de leurs membres.
b) parler.
c) reconnaître les visages.
d) comprendre le langage.

4. Le cortex cérébral joue un rôle majeur dans toutes les fonctions suivantes, *sauf* une. Laquelle ?
a) La mémoire à court terme.
b) La mémoire à long terme.
c) Le rythme circadien.
d) Retenir son souffle.

NIVEAU 2 : **APPLICATION ET ANALYSE**

5. Après un AVC, un patient peut voir des objets n'importe où devant lui, mais il prête attention uniquement à ceux qui sont dans son champ de vision droit. Lorsqu'on lui demande de décrire ces objets, il a de la difficulté à évaluer leur taille et leur distance. Quelle partie de l'encéphale est probablement endommagée par l'AVC ?
a) Le lobe frontal gauche.
b) Le lobe frontal droit.
c) Le lobe pariétal gauche.
d) Le corps calleux.

6. Une lésion touchant l'hypothalamus perturbera probablement :
a) la régulation de la température corporelle.
b) la mémoire à court terme.
c) les fonctions exécutives, comme la prise de décision.
d) le tri de l'information sensorielle.

7. **FAITES UN DESSIN ▶** Le réflexe qui vous fait retirer votre main quand vous vous piquez au doigt dépend d'un circuit neuronal simple à deux synapses dans la moelle épinière. (a) À l'aide d'un cercle qui représente une coupe transversale de la moelle épinière, dessinez le circuit, puis indiquez les types de neurones, la direction dans laquelle l'information circule dans chacun ainsi que l'emplacement des synapses. (b) Faites également un schéma simple de l'encéphale et indiquez où la douleur serait perçue.

Voir les réponses proposées à l'appendice A.

Les mécanismes sensoriels et moteurs chez les animaux

50

VOS OUTILS INTERACTIFS

Consultez votre MANUEL NUMÉRIQUE, qui vous donne accès aux **animations**, aux **exercices** et à la plateforme d'**anatomie interactive**.

▲ **Figure 50.1** **À quoi donc sert ce nez en forme d'étoile ?**

CONCEPTS CLÉS

50.1 Les récepteurs sensoriels convertissent l'énergie d'un stimulus en signaux qu'ils transmettent au système nerveux central

50.2 Les mécanorécepteurs associés à l'audition et à l'équilibre perçoivent le mouvement des liquides et le dépôt des particules

50.3 Les divers récepteurs visuels des animaux font appel à des pigments photorécepteurs

50.4 Les sens du goût et de l'odorat font appel à des groupes similaires de récepteurs sensoriels

50.5 La fonction musculaire repose sur l'interaction physique de filaments protéiques

50.6 Le squelette transforme la contraction musculaire en locomotion

Les sensations et les réactions

Le condylure étoilé (*Condylura cristata*), ou taupe à nez étoilé, habite les tunnels qu'il creuse dans les terres humides de la partie est de l'Amérique du Nord. Pratiquement aveugle, ce condylure est toutefois un prédateur incroyablement habile, capable de détecter et de dévorer sa proie en aussi peu que 120 millisecondes (ms) ! S'il chasse aussi bien, c'est notamment grâce aux 11 paires d'appendices qui prolongent son museau et forment l'étoile rose très proéminente qui lui tient lieu de nez (**figure 50.1**). Même si ses appendices nasaux ressemblent à des doigts, le condylure ne s'en sert pas plus pour saisir des objets que pour détecter des odeurs. En fait, ce sont des organes hautement spécialisés dans le toucher : juste en dessous de la surface se trouvent quelque 25 000 récepteurs tactiles, soit plus qu'il n'y en a dans toute votre main. Environ 100 000 neurones transmettent l'information tactile du nez du condylure à son encéphale.

La détection et le traitement de l'information sensorielle, ainsi que la transmission de commandes de réactions motrices, constituent les bases physiologiques du comportement animal. Dans le présent chapitre, nous examinerons les mécanismes sensoriels et moteurs de différents groupes d'invertébrés et de vertébrés. Nous étudierons d'abord les mécanismes sensoriels qui transmettent à l'encéphale l'information relative aux milieux interne et externe. Nous verrons ensuite la structure et la fonction du squelette et des muscles qui effectuent les mouvements commandés par l'encéphale et la moelle épinière. Pour finir, nous verrons en détail divers mécanismes responsables du mouvement chez les animaux. Nous serons alors prêts pour l'étude du comportement animal, au chapitre 51.

CONCEPT 50.1

Les récepteurs sensoriels convertissent l'énergie d'un stimulus en signaux qu'ils transmettent au système nerveux central

Tous les processus sensoriels commencent par des stimulus, et tous les stimulus représentent une forme d'énergie. Un récepteur sensoriel convertit l'énergie du stimulus en une modification du potentiel de membrane et régule ainsi la transmission de potentiels d'action au système nerveux central (SNC). Le décodage de cette information par le SNC produit une sensation.

Lorsque le système nerveux reçoit et traite un stimulus, il peut se produire une réponse motrice. Un réflexe, par exemple le réflexe patellaire illustré à la figure 49.7, est un des circuits stimulus-réponse les plus simples. Mais ce n'est pas le cas de nombre de comportements dont l'information sensorielle qui les commande est soumise à un traitement plus élaboré. Par exemple, pensons à la façon dont le condylure creuse des tunnels dans le sol pour trouver de la nourriture (**figure 50.2**). Quand son museau entre en contact avec un objet, les récepteurs tactiles de son nez sont activés et transmettent à l'encéphale l'information sensorielle concernant l'objet (s'il bouge, par exemple). Des circuits de l'encéphale intègrent alors l'information et amorcent l'une des deux voies de réponse, selon qu'il s'agit ou non de nourriture. Si le condylure détecte une proie ou quelque chose d'autre à manger, son encéphale envoie des commandes de réactions motrices aux muscles squelettiques et les mâchoires de l'animal mordent la nourriture. S'il s'agit d'autre chose, les commandes motrices envoyées par l'encéphale font que l'animal continue de creuser son tunnel.

À la lumière de cette introduction, nous allons maintenant aborder l'organisation et l'activité générales des systèmes sensoriels des animaux. Nous nous concentrerons sur les quatre fonctions fondamentales des voies sensorielles: la réception, la transduction, la transmission et la perception.

▼ **Figure 50.2 Une voie de réponse simple: la recherche de nourriture par le condylure.**

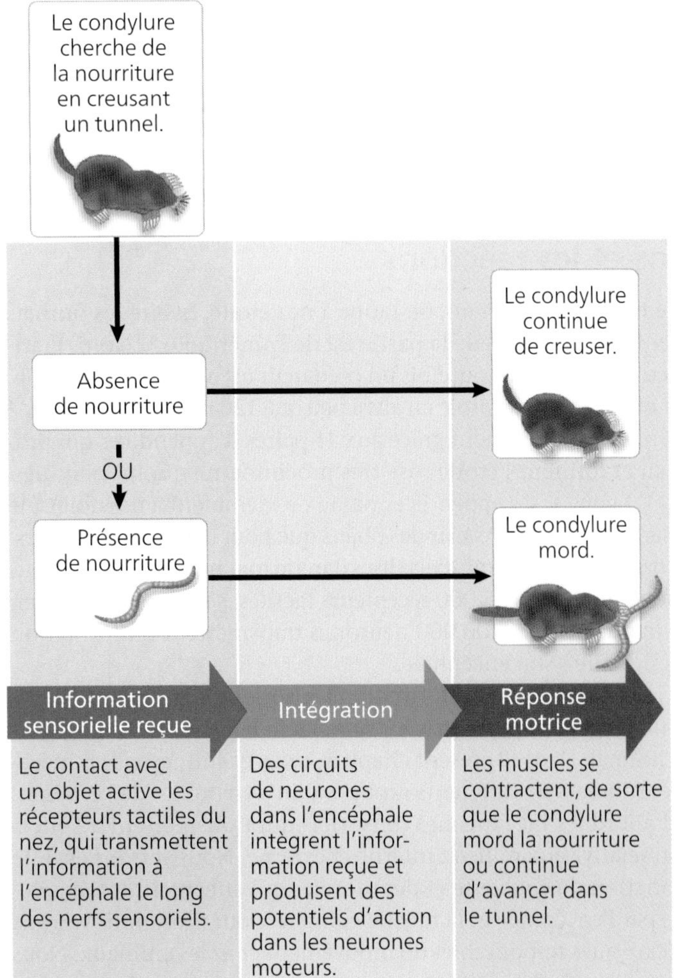

La réception sensorielle et la transduction

Une voie sensorielle commence par la **réception sensorielle**, c'est-à-dire par la détection d'un stimulus par les cellules sensorielles. Chaque cellule sensorielle est soit un neurone spécialisé, soit une cellule non neuronale qui régule un neurone (**figure 50.3**). Certaines agissent individuellement, tandis que d'autres agissent en groupe à l'intérieur d'organes sensoriels tels que le nez étoilé du condylure de la figure 50.1.

Le terme **récepteur sensoriel** désigne une cellule sensorielle ou un organe sensoriel ainsi que la structure cellulaire qui détecte les stimulus. Certains récepteurs sensoriels perçoivent les stimulus provenant du milieu interne, comme la pression artérielle ou la position du corps. D'autres récepteurs perçoivent les stimulus provenant du milieu extérieur, tels que la chaleur, la lumière, la pression et la présence de certaines substances chimiques. Plusieurs de ces récepteurs peuvent détecter la plus

▼ **Figure 50.3 Les catégories de récepteurs sensoriels.**

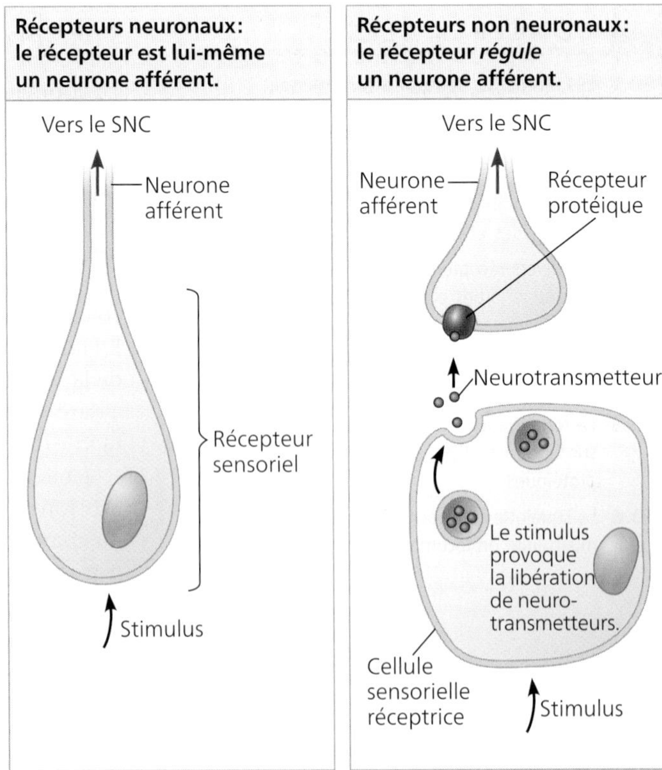

infime unité de stimulus possible. Ainsi, la majorité des récepteurs de lumière sont capables de déceler un seul quantum de lumière (photon).

Les animaux utilisent un grand éventail de récepteurs pour détecter la vaste gamme de stimulus possibles, mais l'effet est le même dans tous les cas : l'ouverture ou la fermeture des canaux ioniques. Le déplacement d'ions qui en résulte de part et d'autre de la membrane modifie le potentiel de membrane. La modification du potentiel de membrane se nomme **potentiel de récepteur**, tandis que la conversion de l'énergie physique ou chimique d'un stimulus en une modification du potentiel de membrane d'un récepteur sensoriel porte le nom de **transduction du signal sensoriel**. Les potentiels de récepteur sont des potentiels gradués, car leur amplitude varie en fonction de l'intensité du stimulus.

La transmission

L'information sensorielle circule dans le système nerveux sous forme de potentiels d'action. Ces potentiels sont produits soit directement par des récepteurs sensoriels formés de neurones dont les axones se rendent jusqu'au SNC (voir la figure 50.3), soit indirectement par les récepteurs sensoriels non neuronaux qui acheminent l'information à des neurones sensoriels (afférents) par l'intermédiaire de synapses chimiques. Comme la signalisation chimique modifie la vitesse à laquelle les neurones afférents produisent les potentiels d'action, l'information sensorielle arrive au cerveau au SNC sous forme de potentiels d'action.

Le potentiel de récepteur est d'autant plus grand que le stimulus est intense. Lorsque le récepteur est un neurone sensoriel, les potentiels d'action sont plus fréquents si le potentiel de récepteur est intense (**figure 50.4a**). Dans les cas où le récepteur n'est pas un neurone sensoriel, plus le potentiel de récepteur est intense, plus la quantité de neurotransmetteurs libérés est grande.

De nombreux neurones sensoriels engendrent spontanément des potentiels d'action espacés dans le temps, de sorte qu'un stimulus ne déclenche pas ou n'interrompt pas vraiment la production de potentiels d'action : il module plutôt leur *fréquence*. Ainsi, ces neurones informent le SNC non seulement de la présence ou de l'absence de stimulus, mais aussi des variations de leur intensité.

Une différence d'intensité du stimulus peut modifier l'activité de chacun des récepteurs et avoir en outre une incidence sur le nombre de récepteurs activés (**figure 50.4b**). Lorsqu'un stimulus fort déclenche une réponse d'un plus grand nombre de récepteurs, un nombre accru d'axones transmettent des potentiels d'action. Cette augmentation du nombre d'axones transmetteurs de potentiels d'action est alors décodée par le système nerveux comme étant un stimulus plus fort.

Le traitement de l'information sensorielle peut avoir lieu avant, pendant ou après la transmission des potentiels d'action au SNC. Dans un grand nombre de cas, l'*intégration* se fait dès la réception de l'information. Les potentiels de récepteur produits par les stimulus transmis à différentes parties d'une cellule sensorielle réceptrice sont intégrés par sommation, comme le sont les potentiels postsynaptiques dans les neurones sensoriels qui forment des synapses avec de nombreux récepteurs (voir la figure 48.17). Comme nous le verrons sous peu, les structures sensorielles telles que les yeux présentent des niveaux d'intégration supérieurs, et l'encéphale poursuit le traitement de tous les signaux qui lui parviennent.

La perception

Lorsque les neurones sensoriels acheminent les potentiels d'action jusqu'à l'encéphale, des circuits de neurones interprètent l'information reçue et créent une **perception** des stimulus. Un potentiel d'action produit par la lumière qui atteint l'œil est de même nature qu'un potentiel d'action créé dans l'oreille par les vibrations de l'air. Par conséquent, comment distinguons-nous les stimulus visuels, sonores et autres ? La réponse réside dans les connexions qui relient les récepteurs sensoriels à l'encéphale. Les potentiels d'action des récepteurs sensoriels se propagent le long de neurones associés à certains stimulus ; ces neurones forment des synapses avec certains neurones de l'encéphale ou de la moelle épinière. Ainsi, l'encéphale peut distinguer un stimulus visuel d'un stimulus sonore simplement par la voie que les potentiels d'action empruntent pour se rendre au cerveau.

Les perceptions telles que les couleurs, les odeurs, les sons et les goûts sont des créations de l'encéphale qui n'existent pas en dehors de lui. S'il n'y a personne pour entendre la chute d'un arbre, y a-t-il un bruit ? L'arbre qui tombe produit sans aucun

▼ **Figure 50.4** **Le codage de l'intensité d'un stimulus.**

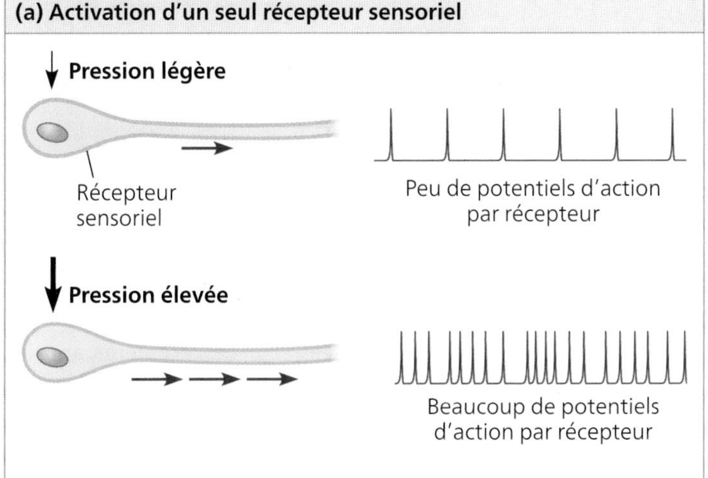

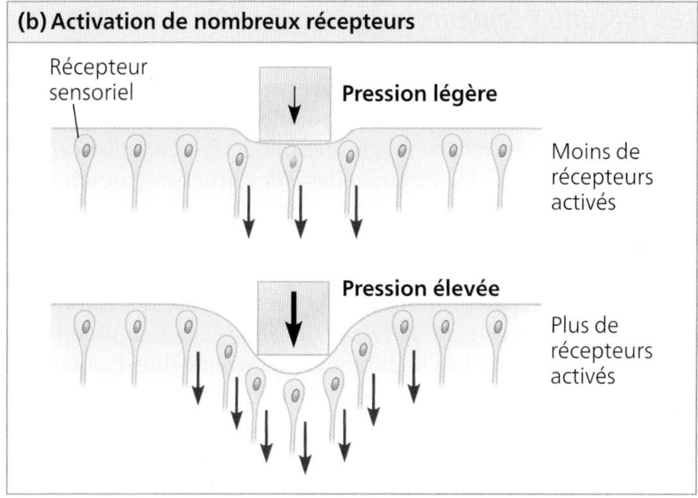

doute des ondes de pression dans l'air. Mais si on définit le son comme une perception, il n'existe que si les récepteurs sensoriels d'un animal détectent des ondes que l'encéphale perçoit.

L'amplification et l'adaptation

La transduction du signal par les récepteurs sensoriels est sujette à deux types de modifications : l'amplification et l'adaptation. L'**amplification** est l'intensification d'un stimulus sensoriel durant la transduction. L'effet peut être considérable. Ainsi, la transmission d'un potentiel d'action de l'œil au cerveau humain représente une énergie qui est près de 100 000 fois supérieure à celle des quelques photons qui ont donné naissance au potentiel d'action.

L'amplification qui se produit dans les cellules sensorielles réceptrices nécessite souvent des voies de transduction du signal, et ces voies comportent des réactions catalysées par des enzymes (voir le concept 11.3). Comme une seule molécule d'enzyme catalyse la formation de nombreuses molécules de produits, ces voies amplifient considérablement la force du signal. L'amplification peut aussi avoir lieu dans les structures annexes d'un organe sensoriel. Ainsi, le système de levier formé par trois petits os dans l'oreille fait en sorte que l'amplitude des ondes sonores est multipliée par 20 au moins avant que celles-ci atteignent les récepteurs de l'oreille interne.

Lorsqu'ils sont stimulés de façon continue, un grand nombre de récepteurs présentent une diminution de réactivité appelée **adaptation sensorielle** (à ne pas confondre avec l'*adaptation* évolutive). L'adaptation sensorielle est indispensable à la perception de soi et de son environnement. Sans elle, vous sentiriez chacun des battements de votre cœur et vous seriez à tout instant conscient du frottement de chaque fibre de vêtement sur votre corps. Grâce à cette forme d'adaptation, vous pouvez voir, entendre et sentir des changements dans l'environnement qui présentent une grande gamme d'intensité de stimulus, sans être distraits par des informations inutiles provenant de votre corps.

Les types de récepteurs sensoriels

On classe les divers types de récepteurs sensoriels en cinq catégories, selon la nature des stimulus qu'ils convertissent : les mécanorécepteurs, les chimiorécepteurs, les récepteurs d'ondes électromagnétiques, les thermorécepteurs et les nocicepteurs (ou récepteurs de la douleur).

Les mécanorécepteurs

Notre réaction à la pression, au toucher, à l'étirement, au mouvement et au son relève des **mécanorécepteurs**, qui perçoivent les déformations physiques attribuables à des phénomènes représentant des formes d'énergie mécanique. Les mécanorécepteurs sont des canaux ioniques reliés à des structures membranaires s'étendant à l'extérieur de la cellule, tels des cils, ou encore situés dans des structures cellulaires internes, tel le cytosquelette. La courbure (ou inflexion) et l'étirement de la structure externe d'un mécanorécepteur modifient la perméabilité des canaux ioniques. Ce changement dans la perméabilité aux ions modifie à son tour le potentiel de membrane et provoque une dépolarisation ou une hyperpolarisation (voir le concept 48.3).

Le réflexe patellaire est déclenché par le récepteur qui réagit à l'étirement chez les vertébrés, soit un mécanorécepteur qui perçoit les mouvements des muscles (voir la figure 49.7). Ce récepteur est constitué de dendrites de neurones sensoriels qui s'enroulent autour de la partie centrale de petits myocytes squelettiques. L'allongement des myocytes dépolarise les neurones sensoriels, ce qui déclenche des potentiels d'action qui sont envoyés à la moelle épinière, où sont activés les neurones moteurs déclenchant un réflexe.

Chez les mammifères, le sens du toucher met en œuvre des mécanorécepteurs qui sont en fait des dendrites de neurones sensoriels, souvent enfouies dans des couches de tissu conjonctif. La structure du tissu conjonctif et l'emplacement des récepteurs ont une incidence considérable sur le type d'énergie mécanique (pression légère, vibration ou forte pression) qui les stimule le plus efficacement (**figure 50.5**). Près de la surface de la peau se trouvent les récepteurs qui perçoivent les pressions légères ou les faibles vibrations. Ces récepteurs convertissent de très faibles stimulus mécaniques en potentiels de récepteur. Les récepteurs qui réagissent aux pressions élevées ou aux fortes vibrations sont situés plus profondément dans la peau.

Certains animaux utilisent des mécanorécepteurs pour réellement sentir leur environnement. Par exemple, les félins et de nombreux rongeurs ont des mécanorécepteurs extrêmement sensibles à la base de leurs moustaches, qui sont des récepteurs tactiles au même titre que les appendices du condylure étoilé.

▼ **Figure 50.5 Les récepteurs sensoriels de la peau chez les humains.** La plupart des récepteurs du derme sont encapsulés dans du tissu conjonctif. Les récepteurs de l'épiderme sont des dendrites dénudées. C'est aussi le cas des récepteurs du mouvement des poils, enroulés autour de la racine des poils dans le derme.

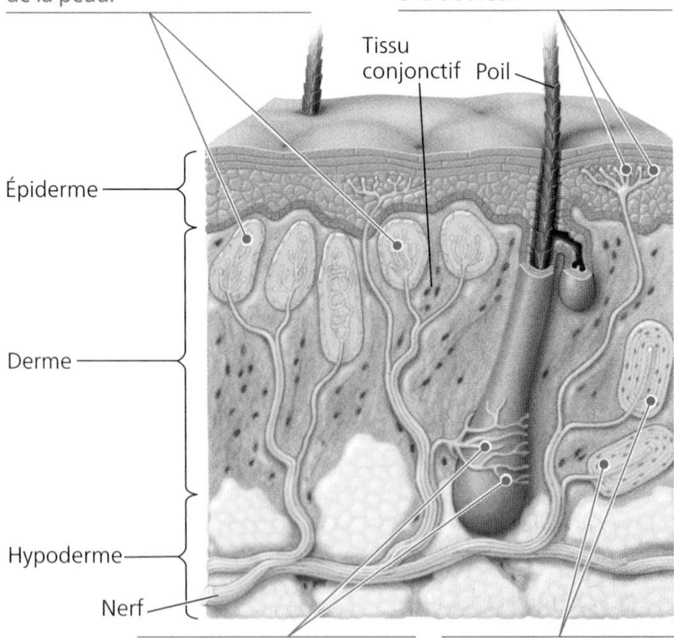
Les récepteurs, appelés corpuscules tactiles capsulés, qui détectent les pressions légères et les faibles vibrations sont proches de la surface de la peau.
Les dendrites dénudées situées dans l'épiderme, appelées terminaisons nerveuses libres, réagissent à la température et à la douleur.
Tissu conjonctif
Poil
Épiderme
Derme
Hypoderme
Nerf
Les dendrites dénudées, appelées récepteurs du follicule pileux, s'enroulent autour de la base des poils dont ils détectent les mouvements.
Les récepteurs, appelés corpuscules lamelleux, qui détectent les pressions fortes sont situés dans les couches profondes de la peau.

Le mouvement de différents poils des moustaches déclenche des potentiels d'action qui se rendent à différentes cellules dans l'encéphale, si bien que les moustaches renseignent précisément l'animal sur les objets à proximité.

Les chimiorécepteurs

Les **chimiorécepteurs** comprennent deux grandes catégories de récepteurs. Certains fournissent de l'information sur la concentration totale de solutés dans une solution. Ainsi, les osmorécepteurs situés dans l'encéphale des mammifères sont des récepteurs généraux qui détectent les variations de la concentration totale de solutés dans le sang et qui provoquent la sensation de soif en cas d'augmentation de l'osmolarité (voir la figure 44.19). D'autres chimiorécepteurs réagissent à des molécules spécifiques comme le glucose, l'oxygène (O_2), le dioxyde de carbone (CO_2) et les acides aminés.

Deux des chimiorécepteurs les plus sensibles et les plus spécifiques que l'on connaisse se trouvent dans les antennes d'un papillon mâle appelé bombyx du mûrier (*Bombyx mori*) (**figure 50.6**). Ces chimiorécepteurs détectent les composants chimiques des phéromones sexuelles libérées par la femelle à plusieurs kilomètres de distance. Pour les phéromones et d'autres molécules détectées par les chimiorécepteurs, la molécule qui constitue le stimulus se fixe à un récepteur précis de la membrane de la cellule réceptrice et provoque des changements dans la perméabilité aux ions.

Les récepteurs d'ondes électromagnétiques

Les **récepteurs d'ondes électromagnétiques** détectent des formes d'énergie électromagnétique telles que la lumière, l'électricité et le magnétisme. Par exemple, l'ornithorynque (*Ornithorhyncus anatinus*) a sur son bec des électrorécepteurs grâce auxquels il peut détecter les champs électriques créés par les muscles de ses proies (crustacés, amphibiens, petits poissons, etc.). Dans certains, cas, l'animal qui détecte le stimulus en est également la source: certains poissons produisent des courants électriques et ont recours à leurs électrorécepteurs pour localiser des objets tels que des proies qui modifient ces courants électriques.

De nombreux animaux migrateurs, dont les papillons monarques (*Danaus plexippus*), les pigeons (*Columba spp.*) et les petits rorquals (*Balaenoptera spp.*), utilisent les lignes du champ magnétique de la Terre pour s'orienter (**figure 50.7a**). En 2015, des chercheurs ont identifié une paire de protéines qui serviraient de récepteurs du champ magnétique de la Terre grâce auquel les animaux pourraient s'orienter. L'une de ces protéines se lie au fer; l'autre appartient à une famille de récepteurs sensibles à la radiation électromagnétique.

Les thermorécepteurs

Les **thermorécepteurs** détectent la chaleur et le froid. Par exemple, certains serpents disposent de récepteurs à infrarouge (ou fossettes loréales) extrêmement sensibles qui perçoivent la chaleur corporelle des proies. Ces thermorécepteurs sont situés dans une paire d'organes sous les yeux de l'animal (**figure 50.7b**). Chez l'humain, les thermorécepteurs se trouvent dans la peau et dans la partie antérieure de l'hypothalamus.

▼ **Figure 50.6 Les chimiorécepteurs chez un insecte.** Chez le bombyx du mûrier (*Bombyx mori*), le mâle possède des antennes recouvertes de cils sensoriels visibles dans cet agrandissement au microscope électronique à balayage. Les cils sont pourvus de chimiorécepteurs qui sont extrêmement sensibles aux phéromones sexuelles femelles.

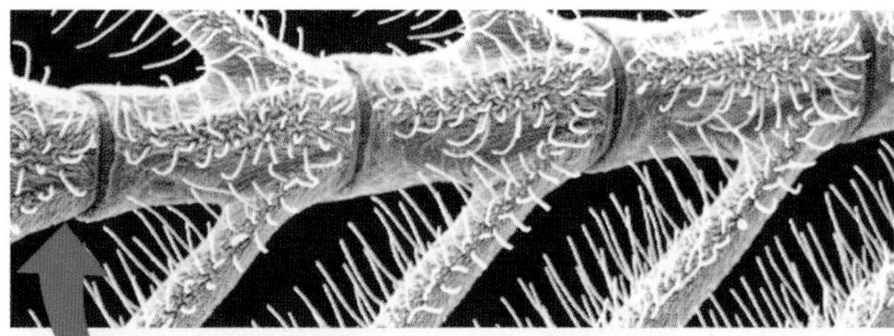

▼ **Figure 50.7 Des exemples de réception d'ondes électromagnétiques et de thermoréception.**

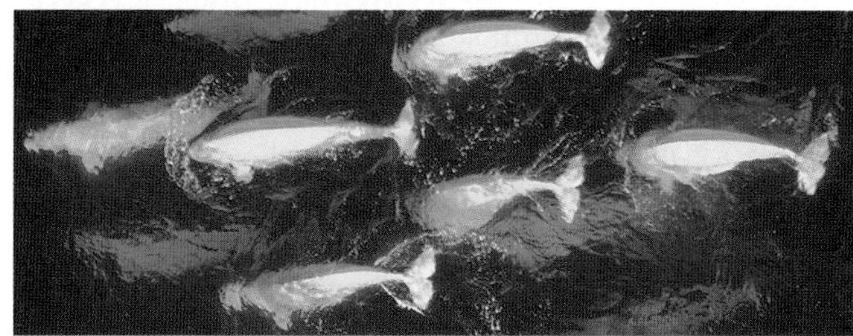

(a) Certains animaux migrateurs tels que ces bélugas (*Delphinapterus leucas*) détecteraient le champ magnétique terrestre grâce à leurs magnétorécepteurs et utiliseraient cette information, avec d'autres indices, pour s'orienter.

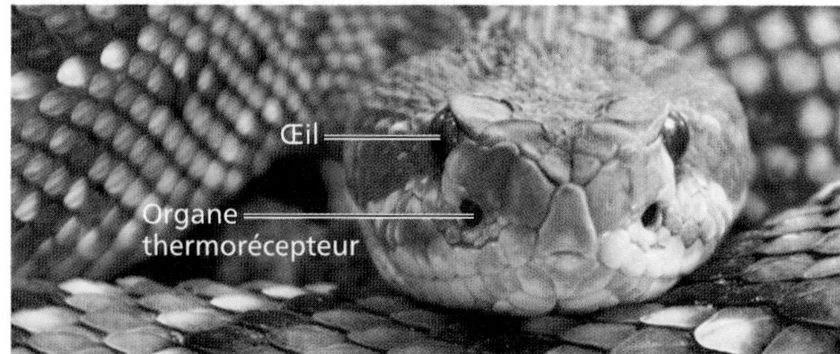

(b) Les vipéridés tels que ce crotale (*Crotalus sp.*) possèdent une paire de thermorécepteurs, appelés fossettes loréales, chacun d'eux étant situé d'un côté de la tête, entre l'œil et la narine. La sensibilité de ces récepteurs permet de détecter le rayonnement infrarouge émis par une souris vivante située à 1 m. Le serpent déplace sa tête d'un côté et de l'autre jusqu'à ce que les deux récepteurs détectent la même intensité de rayonnement, ce qui lui indique alors que la souris se trouve droit devant.

Notre connaissance de la thermoréception s'est considérablement approfondie récemment grâce à des scientifiques qui se sont intéressés aux aliments épicés. Les piments jalapeno et les piments de Cayenne « chauffent » la bouche parce qu'ils contiennent une substance naturelle appelée capsaïcine. L'exposition de neurones sensoriels à la capsaïcine déclenche un flux d'ions calcium. Lorsque les scientifiques ont déterminé le récepteur protéique qui se lie à la capsaïcine, ils ont fait une découverte fascinante : le récepteur qui ouvre un canal ionique à calcium (Ca^{2+}) en réaction à la capsaïcine est le même que celui qui réagit à des températures élevées (42 °C ou plus). En somme, les aliments épicés « chauffent » parce qu'ils activent les mêmes récepteurs qu'une soupe chaude ou du café chaud.

Les mammifères ont plusieurs types de thermorécepteurs, chacun réagissant à un intervalle précis de températures. Le récepteur de la capsaïcine et au moins cinq autres types de thermorécepteurs appartiennent au groupe des TRP (*transient receptor potential*), une classe de protéines de canaux ioniques. De la même façon que le récepteur de type TRP sensible aux températures élevées est également sensible à la capsaïcine, le récepteur des températures inférieures à 28 °C peut être activé par le menthol, une substance végétale qui cause une sensation « rafraîchissante ».

Les nocicepteurs

La pression extrême, la température extrême de même que certaines substances chimiques peuvent endommager les tissus d'un animal. Pour détecter ces stimulus nocifs, les animaux doivent compter sur leurs **nocicepteurs**, aussi appelés **récepteurs de la douleur** (du latin *nocere*, « avoir mal »). La perception de la douleur revêt une très grande importance, parce que le stimulus déclenche une réaction défensive visant, par exemple, à éviter le danger. Chez les mammifères, les récepteurs de la capsaïcine peuvent détecter des températures dangereusement élevées, si bien qu'ils servent aussi de nocicepteurs.

Parfois, le corps de l'animal produit des substances chimiques qui amplifient la perception de la douleur. Par exemple, les tissus endommagés produisent des prostaglandines dont la fonction est de réguler localement l'inflammation (voir le concept 45.1). Les prostaglandines accroissent la sensation de douleur parce qu'elles augmentent la sensibilité des nocicepteurs aux stimulus nocifs. L'aspirine et l'ibuprofène diminuent la sensation de douleur en inhibant la synthèse des prostaglandines.

Dans la prochaine section, nous nous pencherons sur les systèmes sensoriels. Nous commencerons par les systèmes qui maintiennent l'équilibre et perçoivent les sons.

RETOUR SUR LE CONCEPT **50.1**

1. Parmi les cinq classes de récepteurs sensoriels, laquelle est principalement associée aux stimulus externes ?
2. Pourquoi l'ingestion de piments forts peut-elle faire transpirer ?
3. **ET SI ?** ▶ Si vous stimuliez électriquement un neurone sensoriel, comment cette stimulation serait-elle perçue ?

Voir les réponses proposées à l'appendice A.

CONCEPT **50.2**

Les mécanorécepteurs associés à l'audition et à l'équilibre perçoivent le mouvement des liquides et le dépôt des particules

Chez la plupart des animaux, les sens de l'ouïe et de l'équilibre sont étroitement associés. Ils font tous deux intervenir des mécanorécepteurs qui créent des potentiels de récepteur lorsqu'une partie quelconque de leur membrane est déformée par des particules qui se déposent ou par un liquide en mouvement.

La perception de la force gravitationnelle et du son chez les invertébrés

Chez la plupart des invertébrés, ce sont des mécanorécepteurs appelés **statocystes** qui ont pour fonction de percevoir la force gravitationnelle et de maintenir l'équilibre (**figure 50.8**). Dans un statocyste type, des **statolithes**, c'est-à-dire des granules formées par des grains de sable ou d'autres matières denses reposent librement dans une cavité tapissée de cellules ciliées. Chaque fois que l'animal change de position, les statolithes se déplacent, ce qui stimule les mécanorécepteurs présents dans le fond de la cavité.

Comment les scientifiques ont-ils réussi à vérifier l'hypothèse selon laquelle la position des statolithes renseigne sur l'orientation du corps en fonction de la force gravitationnelle ? Dans une des plus importantes expériences sur ce sujet, des chercheurs ont réussi à faire nager des écrevisses sur le dos après avoir remplacé les statolithes par des particules métalliques qu'ils ont attirées à l'aide d'aimants vers l'extrémité supérieure des statocystes situés à la base de leurs antennes.

Les poils sensoriels situés sur le corps de nombreux insectes (peut-être de la plupart) vibrent en réponse à des ondes sonores de certaines fréquences, selon leur rigidité et leur longueur.

▼ **Figure 50.8 Le statocyste d'un invertébré.** L'accumulation de granules appelés statolithes au fond de la cavité fait plier les cils situés sur les cellules réceptrices et donne ainsi à l'encéphale des indications sur l'orientation du corps en fonction de la force gravitationnelle.

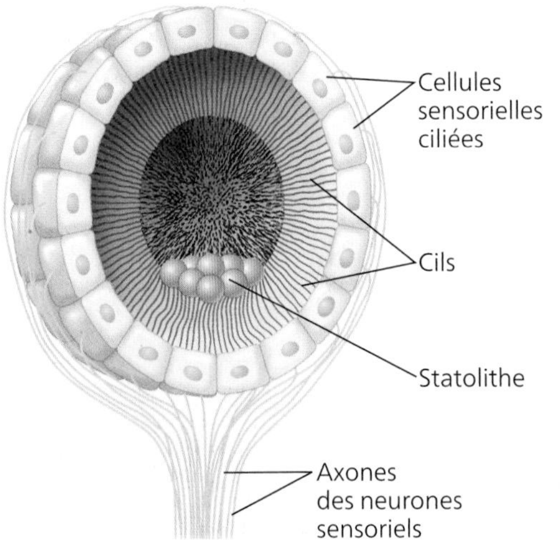

Par exemple, grâce aux poils sensoriels fins qui garnissent leurs antennes, les moustiques (famille des culicidés) mâles détectent le bourdonnement produit par le battement d'ailes des femelles qui volent, ce qui leur permet de trouver une partenaire sexuelle. On peut démontrer facilement l'importance de ce système sensoriel dans l'attirance des mâles vers une partenaire potentielle : un diapason qu'on fait vibrer à la même fréquence que les ailes d'une femelle de moustique attirera lui aussi les mâles.

De nombreux insectes peuvent également détecter les sons à l'aide d'organes sensibles aux vibrations. Chez certaines espèces, ces organes sont formés d'une membrane tympanique (tympan) tendue au-dessus d'une chambre aérifère interne (**figure 50.9**). Plutôt qu'un tympan, les blattes (ou coquerelles, ordre des *Blattodea*) ont dans chaque patte des organes sensibles aux vibrations. La présence de ces structures explique pourquoi il est si difficile d'écraser une blatte : l'insecte perçoit l'approche de votre pied et se déplace très rapidement pour l'éviter.

▼ **Figure 50.9 Une «oreille» d'insecte située sur une patte.** La membrane du tympan, située ici sur la patte antérieure du grillon (de la famille des gryllidés), vibre en présence d'ondes sonores (MEB). Les vibrations stimulent les mécanorécepteurs qui sont fixés à l'intérieur du tympan.

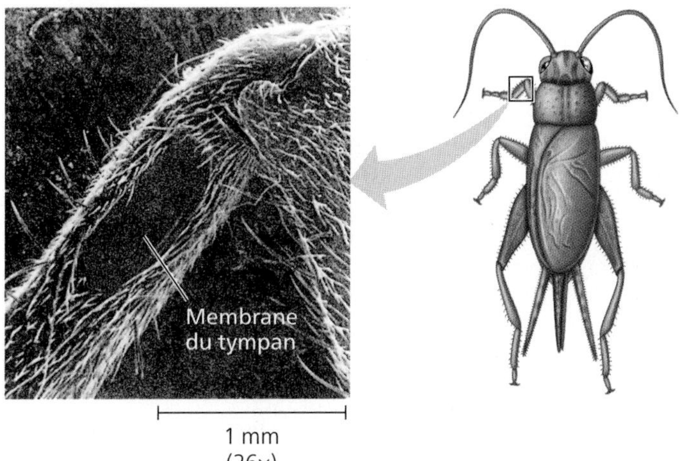

L'audition et l'équilibre chez les mammifères

Chez les mammifères et la plupart des autres vertébrés terrestres, les organes sensoriels de l'audition et de l'équilibre sont étroitement associés dans l'oreille. La **figure 50.10** présente une vue d'ensemble de la structure et des fonctions des organes de l'oreille humaine.

L'audition

Les objets qui vibrent, telles les cordes d'une guitare qu'on pince ou les cordes vocales d'une personne qui parle, créent des ondes de pression dans l'air environnant. On *entend* parce que l'oreille convertit ce stimulus mécanique (les ondes de pression) en potentiels d'action que l'encéphale perçoit comme un son. Si nous pouvons entendre de la musique, des paroles ou d'autres sons de notre environnement, c'est grâce aux **cellules sensorielles ciliées**, des cellules sensorielles dotées de prolongements filiformes qui détectent le mouvement.

Avant d'arriver aux cellules sensorielles ciliées, les ondes de vibration sont amplifiées et converties par plusieurs structures accessoires. Les premiers événements font intervenir des structures de l'oreille qui convertissent les vibrations de l'air en mouvement en ondes de pression dans un liquide. Lorsque l'air en mouvement atteint l'oreille externe, il fait vibrer le tympan. Les mouvements des trois osselets de l'oreille moyenne transmettent ces vibrations à la fenêtre vestibulaire, une membrane située à la surface de la cochlée. Lorsqu'un des osselets de l'oreille, le stapes, déforme la fenêtre vestibulaire, il se crée des ondes de pression dans le liquide (périlymphe) qui se trouve dans la cochlée.

Les ondes de pression qui traversent d'abord la rampe vestibulaire exercent une pression du haut vers le bas sur le conduit cochléaire et la lame basilaire. Sous l'effet des ondes de pression, la lame basilaire et les cellules sensorielles ciliées qui y sont reliées vibrent de haut en bas. Les cils des cellules sensorielles ciliées sont fléchis par la membrana tectoria, située au-dessus (voir la figure 50.10). À chaque vibration, les cils vont d'abord dans une direction puis dans la direction opposée, ce qui provoque l'ouverture ou la fermeture des canaux ioniques des cellules sensorielles ciliées. L'inflexion des cils dans une certaine direction dépolarise les cellules sensorielles ciliées. Cette dépolarisation augmente la quantité de neurotransmetteurs libérés et la fréquence des potentiels d'action qui longent le neurone sensoriel en direction de l'encéphale (**figure 50.11**). L'inflexion des cils dans la direction opposée hyperpolarise les cellules sensorielles ciliées. Cette hyperpolarisation réduit la quantité de neurotransmetteurs libérés et la fréquence des sensations dans le nerf cochléaire.

Qu'est-ce qui empêche les ondes de pression de se réverbérer dans l'oreille et de causer ainsi des sensations prolongées ? Après s'être propagées dans la rampe vestibulaire, les ondes de pression contournent le sommet de la cochlée (région appelée hélicotrème) et se dissipent en atteignant la **fenêtre cochléaire**, ou fenêtre ronde (**figure 50.12a**). Cet amortissement du son réinitialise l'appareil pour les vibrations suivantes.

L'oreille capte de l'information sur deux caractères importants du son : son intensité et sa hauteur. L'*intensité* (volume) est déterminée par l'amplitude de l'onde sonore. Plus un son a une forte amplitude, plus la lame basilaire vibrera de façon énergique, plus les cellules sensorielles ciliées seront déformées et plus les neurones sensoriels produiront de potentiels d'action. La *hauteur* dépend de la fréquence des ondes sonores, c'est-à-dire du nombre de vibrations (ou cycles) par seconde, et s'exprime habituellement en hertz (Hz). La détection d'une fréquence d'onde sonore a lieu dans la cochlée et dépend de la structure asymétrique de cet organe.

La cochlée distingue les différentes hauteurs parce que la lame basilaire n'est pas uniforme. En effet, l'extrémité proximale de cette dernière, située près de la fenêtre vestibulaire, est relativement étroite et rigide, alors que l'extrémité distale, qui se trouve près de l'hélicotrème, est plus large et plus flexible. Chaque région de la lame basilaire est sensible à une fréquence de vibration donnée (**figure 50.12b**). De plus, chaque région est reliée par des axones à un emplacement différent du cortex cérébral. Ainsi, lorsqu'une onde sonore provoque la vibration d'une région donnée de la lame basilaire, les potentiels d'action sont transportés vers un site donné de l'aire auditive du cortex, et on perçoit alors un son d'une certaine hauteur.

▼ Figure 50.10

PANORAMA La structure de l'oreille humaine

▼ 1 Vue d'ensemble de la structure de l'oreille

L'oreille se divise en trois régions : l'oreille externe, l'oreille moyenne et l'oreille interne. L'**oreille externe** comporte une auricule (ou pavillon), située à l'extérieur du corps et ayant perdu sa mobilité chez les primates, ainsi qu'un méat (conduit) auditif externe. Ces deux structures concentrent les ondes sonores et les dirigent vers le **tympan**, ou membrane tympanique, un tissu mince qui forme la limite entre l'oreille externe et l'oreille moyenne. Dans l'**oreille moyenne**, trois osselets, le malléus (marteau), l'incus (enclume) et le stapes (étrier), transmettent les vibrations à la **fenêtre vestibulaire** (ou fenêtre ovale), une membrane située sous le stapes. L'oreille moyenne s'ouvre aussi sur la **trompe auditive** (ou trompe d'Eustache), un conduit relié au pharynx qui équilibre la pression de l'air de chaque côté du tympan. L'**oreille interne** comprend des canaux remplis de liquide, notamment les **canaux semi-circulaires**, qui jouent un rôle dans l'équilibre, et un conduit osseux de forme enroulée, la **cochlée** (du latin *cochlea*, « escargot »), qui intervient dans l'audition.

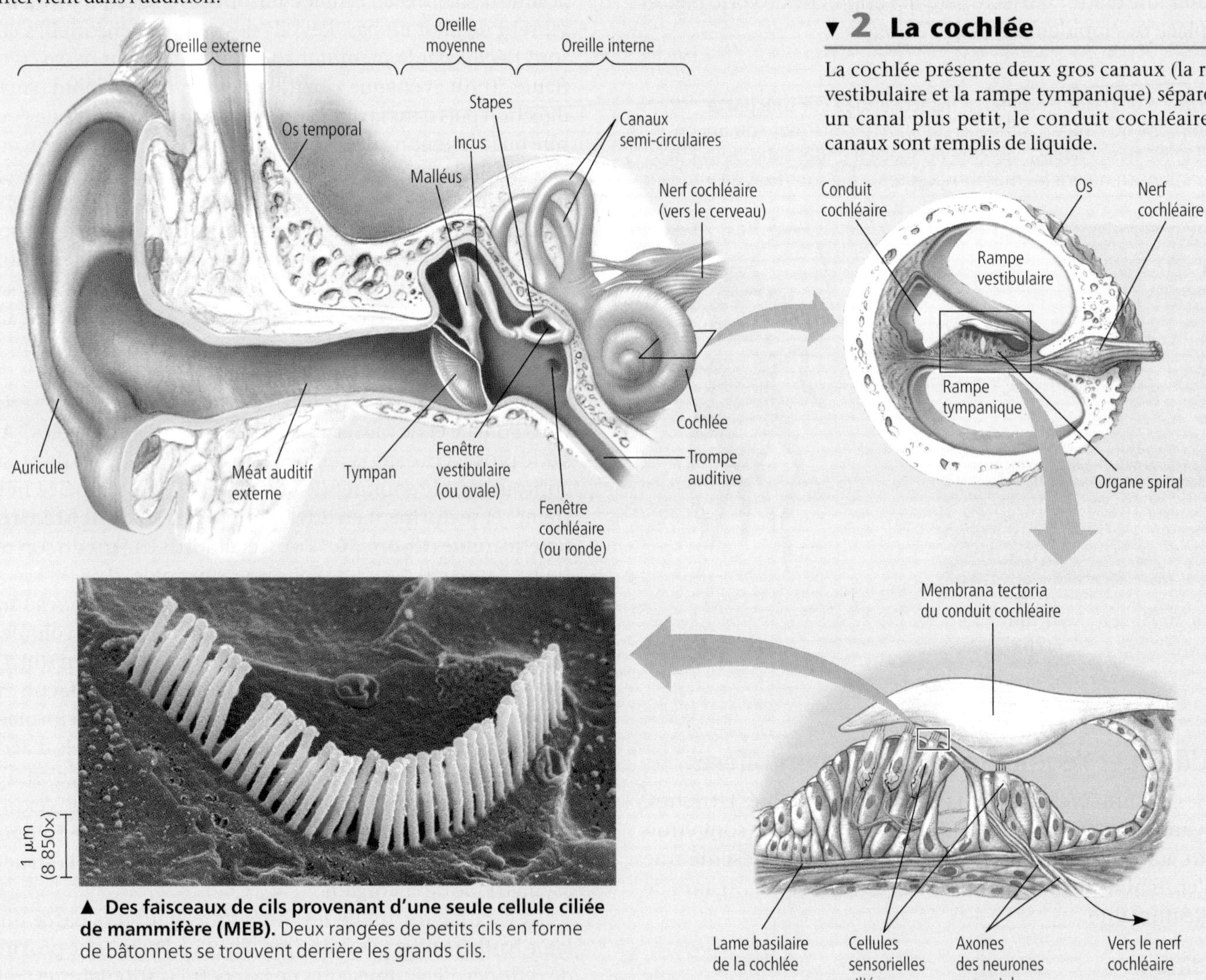

▼ 2 La cochlée

La cochlée présente deux gros canaux (la rampe vestibulaire et la rampe tympanique) séparés par un canal plus petit, le conduit cochléaire. Ces canaux sont remplis de liquide.

▲ **Des faisceaux de cils provenant d'une seule cellule ciliée de mammifère (MEB).** Deux rangées de petits cils en forme de bâtonnets se trouvent derrière les grands cils.

▲ 4 Les cellules sensorielles ciliées

Chaque cellule sensorielle ciliée possède un prolongement qui constitue un faisceau de « cils » en forme de bâtonnets. Chacun de ces cils contient des filaments d'actine. La vibration de la lame basilaire en réaction au son élève ou abaisse les cellules sensorielles, ce qui cause l'inclinaison des cils contre le liquide environnant et la membrana tectoria. Lorsque les cils sont déplacés, les mécanorécepteurs sont activés, ce qui change le potentiel de membrane de la cellule ciliée.

▲ 3 L'organe spiral

Sur le plancher du conduit cochléaire, la lame basilaire de la cochlée, se situe l'**organe spiral** (ou organe de Corti), qui contient les mécanorécepteurs de l'oreille, soit quatre rangées de cellules sensorielles ciliées (environ 15 000 cellules au total) dont les cils se projettent dans le conduit cochléaire. L'apex d'un grand nombre de ces cils se rattache à la membrana tectoria (*tectum*, « toit ») du conduit cochléaire, qui surplombe l'organe spiral comme une corniche. Les ondes sonores font vibrer la lame basilaire de la cochlée, ce qui fait courber les cils et entraîne la dépolarisation des cellules sensorielles ciliées.

▼ Figure 50.11 La réception par les cellules sensorielles ciliées. Les cellules sensorielles ciliées des vertébrés qui sont responsables de l'audition et de l'équilibre possèdent des «cils» disposés en un faisceau, qui fléchit au gré des mouvements du liquide environnant. Chaque cellule sensorielle ciliée libère un neurotransmetteur excitateur à une synapse dotée d'un neurone sensoriel, lequel transmet des potentiels d'action au SNC. L'inflexion du faisceau dans une direction dépolarise la cellule sensorielle, de sorte que celle-ci libère une plus grande quantité du neurotransmetteur et augmente la fréquence des potentiels d'action dans le neurone sensoriel. L'inflexion dans l'autre direction produit l'effet opposé.

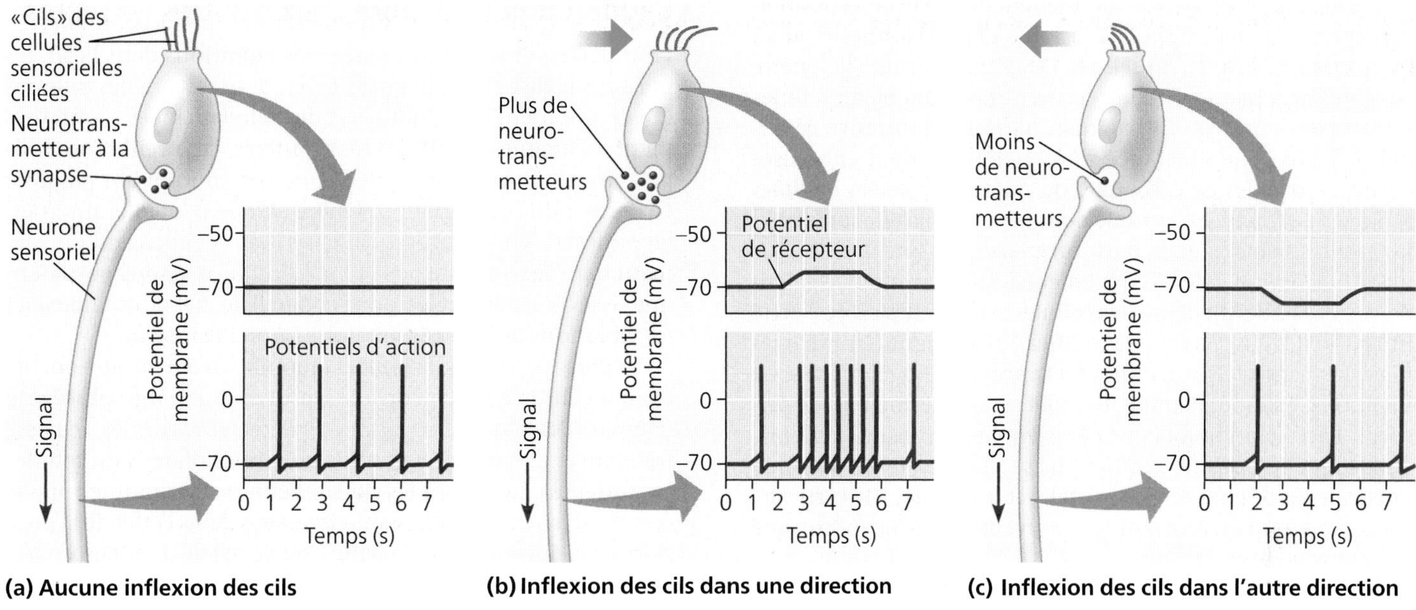

(a) Aucune inflexion des cils

(b) Inflexion des cils dans une direction

(c) Inflexion des cils dans l'autre direction

▼ Figure 50.12 La transduction des ondes sonores dans la cochlée.

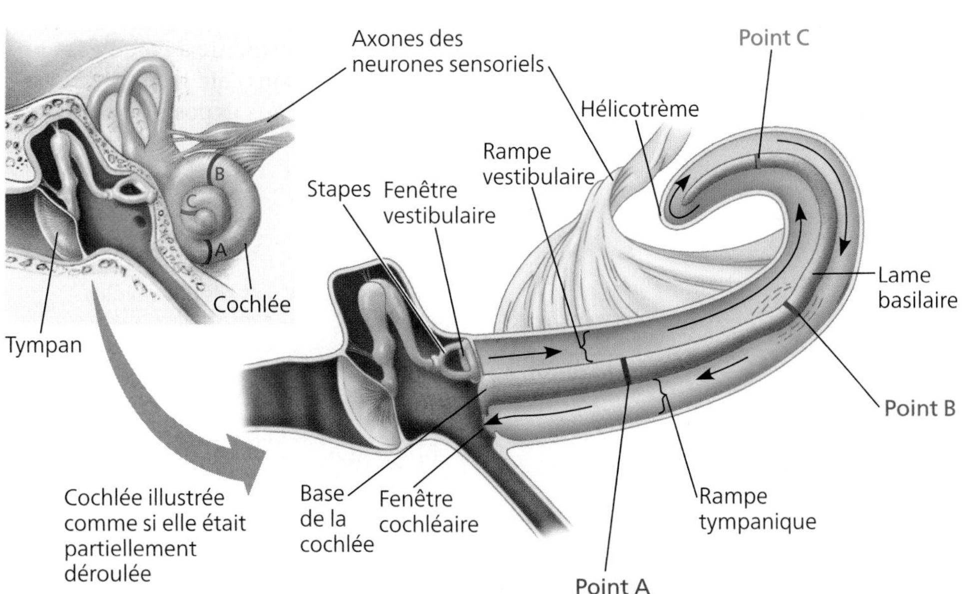

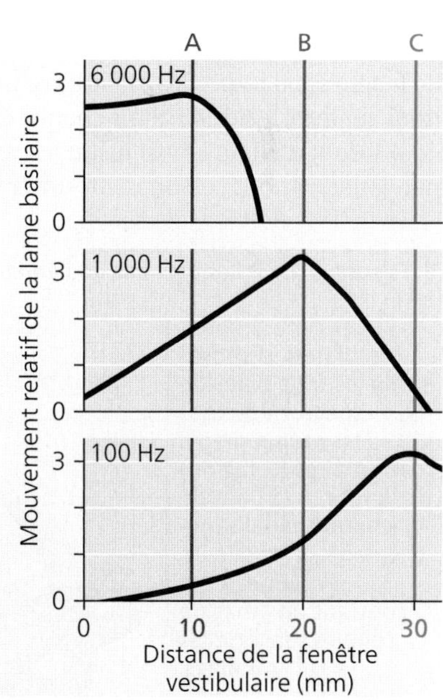

(a) Les vibrations du stapes sur la fenêtre vestibulaire produisent des ondes de pression (flèches noires) dans le liquide (la périlymphe, en bleu) de la cochlée. (Pour simplifier l'illustration, la cochlée, à droite, a été dessinée comme si elle était partiellement déroulée.) Les ondes se propagent jusqu'à l'hélicotrème en passant par la rampe vestibulaire, puis reviennent vers la base de la cochlée par la rampe tympanique. L'énergie des ondes fait vibrer la lame basilaire (en rose), ce qui stimule les cellules sensorielles ciliées (non montrées). Comme la lame basilaire n'a pas la même rigidité sur toute sa longueur, la vibration maximale de chaque partie de la lame correspond aux ondes d'une certaine fréquence.

(b) Ces courbes représentent la vibration en différents points de la lame basilaire pour trois fréquences différentes: haute (en haut), moyenne (au milieu) et basse (en bas). Plus la fréquence est élevée, plus la vibration est proche de la fenêtre vestibulaire.

INTERPRÉTEZ LES DONNÉES ▶ Un accord musical est une association de plusieurs notes, chacune étant formée par une onde sonore d'une fréquence particulière. Si un accord se compose de notes dont les fréquences sont de 100, 1 000 et 6 000 Hz, qu'arrivera-t-il à la lame basilaire? Comment cela influerait-il sur l'écoute de cet accord?

L'équilibre

Chez les humains et la plupart des autres mammifères, plusieurs organes de l'oreille interne perçoivent le mouvement, la position du corps et l'équilibre. Par exemple, l'**utricule** et le **saccule** sont deux vésicules qui nous permettent de percevoir la position de notre corps par rapport à la force gravitationnelle ou au mouvement linéaire (**figure 50.13**). Située derrière la fenêtre vestibulaire, chaque vésicule contient une couche de cellules sensorielles dont les cils baignent dans une substance gélatineuse. Dans cette substance sont enchâssées de nombreuses petites particules de carbonate de calcium appelées *otolithes* («pierres de l'oreille»). Lorsque nous penchons la tête sur le côté, les otolithes changent de position et exercent une pression sur un autre ensemble de cils qui émergent de la substance gélatineuse. Par l'intermédiaire des cellules sensorielles ciliées, cette inflexion des cils cause une modification du signal émis par les neurones sensoriels, qui indique à l'encéphale que notre tête est inclinée. Ce sont également les otolithes qui permettent de percevoir l'accélération lorsque, par exemple, la voiture immobile dans laquelle nous nous trouvons se met à avancer. Comme l'utricule est orienté à l'horizontale, et le saccule, à la verticale, nous pouvons détecter tant les mouvements horizontaux que les mouvements verticaux.

Dans l'utricule prennent naissance les trois canaux semi-circulaires qui forment le reste de l'organe de l'équilibre. Ils détectent les mouvements de rotation de la tête et les autres formes d'accélération rotationnelle. Dans chaque canal, les cellules sensorielles ciliées forment un seul amas, et leurs cils sont entourés d'une masse gélatineuse appelée cupule (voir la figure 50.13). Comme les trois canaux sont disposés selon les trois plans de l'espace, ils peuvent détecter le mouvement angulaire de la tête dans toutes les directions. Lorsque nous tournons sur nous-mêmes, le liquide dans chaque canal finit par atteindre un équilibre et demeure ainsi jusqu'à ce que nous cessions de tourner. Lorsque nous cessons de tourner, le liquide en mouvement entre en contact avec la cupule immobile; nous éprouvons alors une fausse sensation de mouvement angulaire, qu'on appelle étourdissement.

L'audition et l'équilibre chez d'autres vertébrés

Pour percevoir le mouvement et les vibrations dans l'eau, les poissons utilisent plusieurs systèmes, dont des oreilles internes qui contiennent des otolithes et des cellules ciliées. Contrairement à l'organe auditif des mammifères, ces oreilles ne comportent ni tympan ni cochlée et ne communiquent pas avec l'extérieur du corps; pour se rendre aux deux oreilles internes, les ondes sonores qui voyagent dans l'eau se propagent directement dans le squelette de la tête. Certains poissons possèdent une série d'os, portant le nom d'appareil de Weber, qui transmet les vibrations de la vessie natatoire à l'oreille interne.

La plupart des poissons et des amphibiens aquatiques ont, de chaque côté du corps, un organe sensoriel appelé **ligne latérale** (**figure 50.14**) qui leur permet de détecter les ondes de basse fréquence. Ces récepteurs sont constitués d'amas de cellules sensorielles ciliées dont les cils sont enfermés dans une cupule, comme dans nos canaux semi-circulaires. Sous l'effet de la pression, l'eau qui entre dans la ligne latérale par de nombreux pores fait fléchir la cupule, ce qui dépolarise les cellules sensorielles ciliées et crée des potentiels d'action. Grâce à cette information, les poissons perçoivent leur propre mouvement dans la masse d'eau, ou la direction et la vitesse des courants à la surface de leur corps. La ligne latérale détecte aussi les mouvements de l'eau ou les vibrations créées par des proies, des prédateurs et d'autres objets en mouvement.

Les grenouilles et les crapauds ont un tympan à la surface du corps et un seul osselet pour transmettre à l'oreille interne les ondes sonores qui se propagent dans l'air. Il en est de même des oiseaux et des autres reptiles, même s'ils possèdent aussi une cochlée, tout comme les mammifères.

▼ **Figure 50.13 Les organes de l'équilibre dans l'oreille interne.**

Les canaux semi-circulaires, disposés selon les trois plans de l'espace, détectent les mouvements angulaires (rotation) de la tête. À la base de chaque canal semi-circulaire se trouve un renflement qui contient un amas de cellules sensorielles ciliées.

L'utricule et le saccule indiquent à l'encéphale où se trouvent le haut et le bas, et l'informent également de la position fixe du corps dans l'espace ou de toute accélération linéaire attribuable à un mouvement.

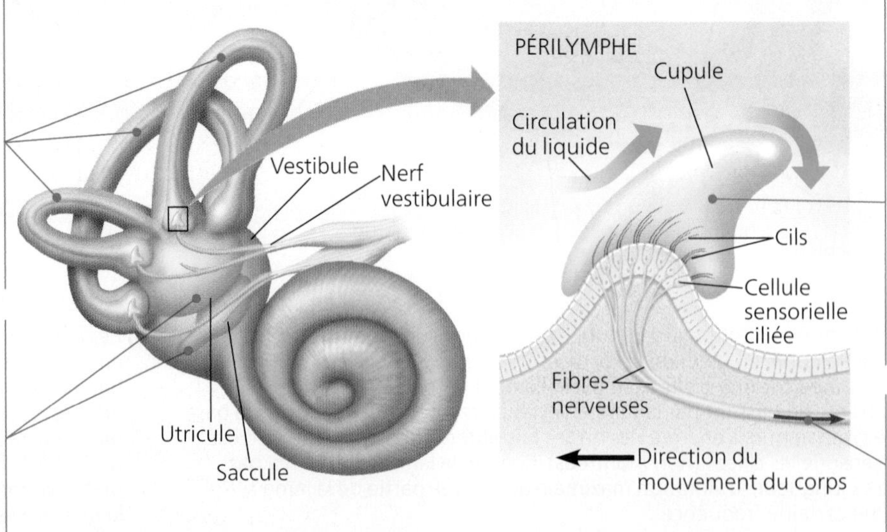

Les cils des cellules sensorielles ciliées sont entourés d'une masse gélatineuse appelée cupule. Lorsque la tête tourne ou s'arrête, l'inertie empêche l'endolymphe présente dans les canaux semi-circulaires d'accompagner le mouvement, de sorte que le liquide exerce une pression sur la cupule et fait fléchir les cellules sensorielles ciliées.

L'inflexion des cils augmente la fréquence des potentiels d'action des neurones sensoriels proportionnellement à l'accélération de la rotation.

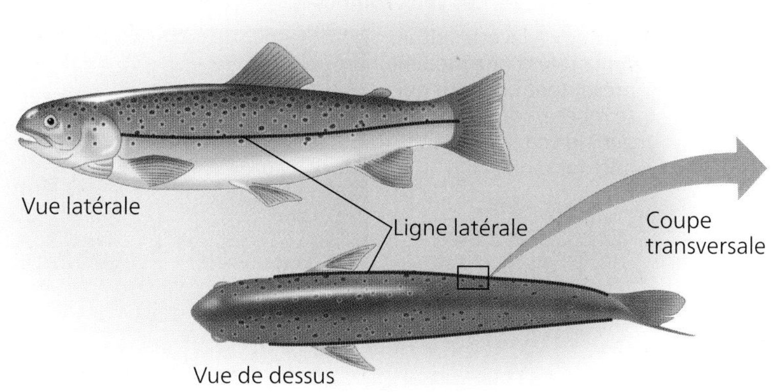

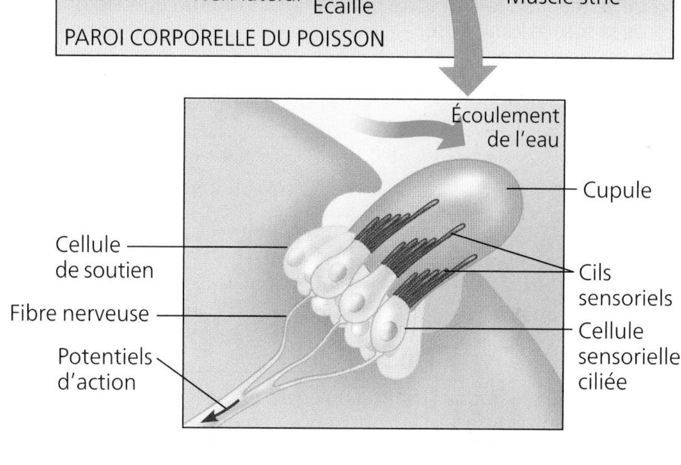

▲ **Figure 50.14 La ligne latérale chez les poissons.** Les organes sensoriels de la ligne latérale s'étendent de la tête à la queue, de chaque côté du poisson. Sous l'effet de la pression, l'eau qui entre et passe dans le canal de la ligne latérale comprime la cupule gélatineuse, ce qui fait fléchir les cellules sensorielles ciliées situées à l'intérieur, et celles-ci produisent des potentiels de récepteur. Ces derniers déclenchent des potentiels d'action qui se propagent jusqu'à l'encéphale. L'information ainsi transmise permet aux poissons de percevoir les courants, les ondes de pression produites par les objets en mouvement et les sons graves qui se déplacent dans l'eau.

RETOUR SUR LE CONCEPT 50.2

1. En quoi les otolithes constituent-ils une adaptation pour les animaux fouisseurs comme le condylure étoilé ?
2. **ET SI ?** ▶ Supposons qu'une série d'ondes de pression produit une vibration dans la lame basilaire de votre cochlée qui se déplace progressivement de l'hélicotrème vers la base de la cochlée. Comment votre cerveau interprétera-t-il ce stimulus ?
3. **ET SI ?** ▶ Si le stapes fusionnait avec les autres osselets de l'oreille moyenne ou avec la fenêtre vestibulaire, en quoi cela modifierait-il l'audition ? Expliquez votre réponse.
4. **FAITES DES LIENS** ▶ Les plantes utilisent des statolithes pour détecter la force gravitationnelle (voir la figure 39.22). Qu'est-ce qui distingue les végétaux et les animaux en ce qui concerne le type de compartiment renfermant les statolithes et le mécanisme physiologique permettant de détecter la force gravitationnelle ?

Voir les réponses proposées à l'appendice A.

CONCEPT 50.3

Les divers récepteurs visuels des animaux font appel à des pigments photorécepteurs

La capacité de détecter la lumière joue un rôle primordial dans l'interaction de presque tous les animaux avec leur milieu. Les organes utilisés pour la vision varient considérablement d'un animal à l'autre, mais le mécanisme qui permet de capter la lumière est le même, ce qui donne à penser qu'ils ont une origine commune.

L'évolution de la perception visuelle

ÉVOLUTION Au cours de l'évolution sont apparus dans le règne animal de nombreux types de détecteurs de lumière, allant de simples amas de cellules qui ne captent que la direction et l'intensité de la lumière aux organes complexes qui produisent des images. Malgré leur diversité, tous ces détecteurs de lumière contiennent des **photorécepteurs**, c'est-à-dire des cellules sensorielles renfermant des molécules de pigment qui absorbent les ondes lumineuses. De plus, les plathelminthes, les annélides, les arthropodes et les vertébrés possèdent les mêmes gènes anciens qui précisent où et quand les photorécepteurs se forment au cours du développement embryonnaire. Ainsi, les bases génétiques de tous les photorécepteurs seraient peut-être apparues chez les premiers animaux à symétrie bilatérale.

Les organes détecteurs de lumière

La plupart des invertébrés possèdent des organes détecteurs de lumière. Ceux des planaires (vers plats) font partie des récepteurs visuels les plus simples (**figure 50.15**). Ils consistent en une paire d'ocelles, parfois appelés yeux primitifs, qui sont des yeux simples localisés dans la région de la tête. Les photorécepteurs reçoivent de la lumière uniquement par une ouverture située sur le côté de l'ocelle qui est dépourvu de cellules pigmentées. En comparant la fréquence des potentiels d'action issus des deux ocelles, la planaire peut s'éloigner d'une source de lumière jusqu'à ce qu'elle arrive dans un endroit sombre, où l'objet qui lui fournit de l'ombre est susceptible de la protéger des prédateurs.

▼ **Figure 50.15** **Les ocelles et le comportement d'orientation d'une planaire.**

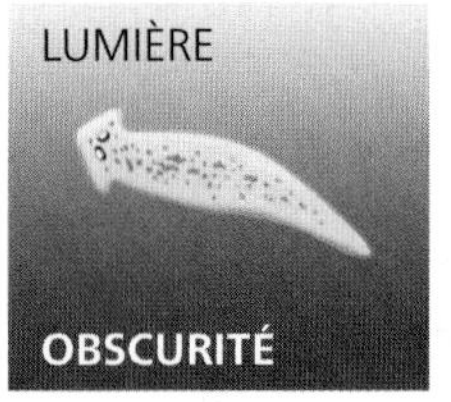

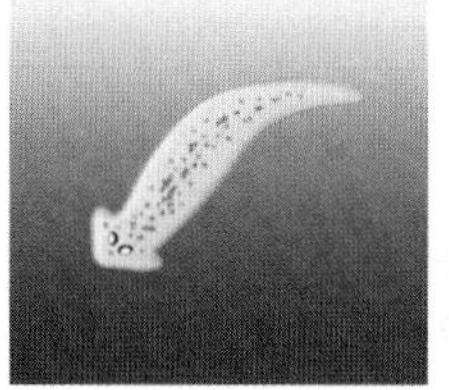
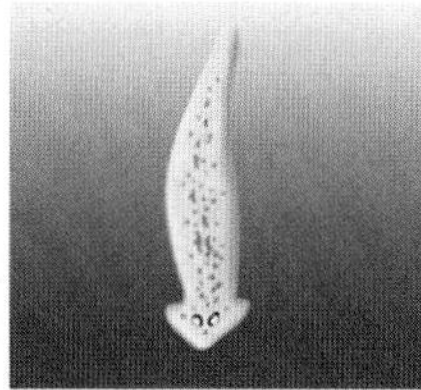

(a) Les ganglions cérébraux de la planaire commandent au corps de se déplacer jusqu'à ce que les sensations provenant des deux ocelles soient de même intensité et aussi faibles que possible. Cette réaction fait en sorte que l'animal s'oriente en s'éloignant de la source lumineuse.

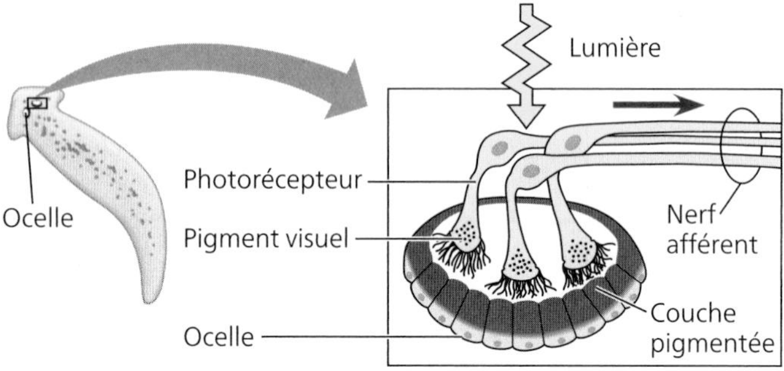

(b) La lumière qui frappe l'avant d'un ocelle excite les photorécepteurs, tandis que la lumière qui frappe l'arrière est bloquée par la couche pigmentée. Ainsi, l'ocelle indique la direction d'une source de lumière et déclenche le comportement qui permet de l'éviter.

▼ **Figure 50.16** **Les yeux composés.**

(a) Les yeux à facettes situés sur la tête d'une mouche présentent un motif qui se répète, comme on peut le voir sur cette micrographie.

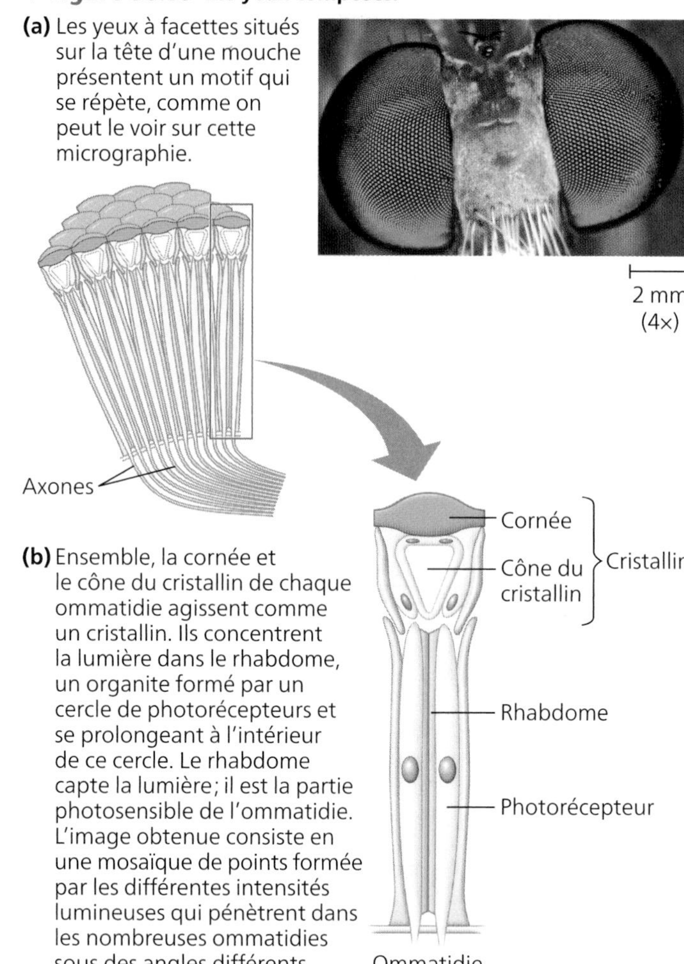

(b) Ensemble, la cornée et le cône du cristallin de chaque ommatidie agissent comme un cristallin. Ils concentrent la lumière dans le rhabdome, un organite formé par un cercle de photorécepteurs et se prolongeant à l'intérieur de ce cercle. Le rhabdome capte la lumière; il est la partie photosensible de l'ommatidie. L'image obtenue consiste en une mosaïque de points formée par les différentes intensités lumineuses qui pénètrent dans les nombreuses ommatidies sous des angles différents.

L'œil composé

L'**œil composé** se trouve chez les insectes, les crustacés et certains polychètes. Il comprend plusieurs milliers de détecteurs de lumière appelés **ommatidies** (**figure 50.16**). Chacune de ces «facettes» de l'œil est pourvue d'une cornée et d'un cône cristallin et reçoit la lumière provenant d'une minuscule portion du champ visuel. L'œil composé détecte très bien le mouvement. C'est une adaptation importante pour les insectes volants et les petits animaux constamment menacés par des prédateurs. Très souvent, l'œil composé offre un très large champ visuel, comme chez la mouche de la figure 50.16.

Les insectes ont une excellente perception des couleurs. Certains d'entre eux, comme les abeilles, perçoivent les rayons ultraviolets du spectre électromagnétique. Comme les rayons ultraviolets sont invisibles aux humains, il nous est impossible de détecter dans l'environnement des différences que les abeilles et d'autres insectes voient. Dans l'étude du comportement animal, nous ne pouvons pas utiliser notre expérience sensorielle pour l'appliquer aux autres animaux. En effet, les animaux n'ont pas tous la même sensibilité ni la même organisation du système nerveux.

L'œil simple

L'**œil simple** (à cristallin unique), un autre type d'œil présent chez les invertébrés, se trouve chez certaines méduses, certains polychètes, les araignées et de nombreux mollusques. Son mode de fonctionnement ressemble à celui d'un appareil photo. Par exemple, l'œil de la pieuvre (*Octopus sp.*) ou du calmar (par exemple, *Loligo sp.* et *Illex sp.*) comporte une petite ouverture, la **pupille**, qui laisse entrer la lumière. Semblable au diaphragme d'un appareil photo dont l'ouverture peut se régler, l'**iris** de l'œil simple s'ouvre ou se ferme, modifiant ainsi le diamètre de la pupille. Cela permet de laisser entrer plus ou moins de lumière. Derrière la pupille, le cristallin dirige la lumière sur une couche de cellules photoréceptrices. Dans l'œil simple d'un invertébré, des muscles ciliaires déplacent le cristallin vers l'avant ou l'arrière pour faire la mise au point sur les objets à différentes distances, là encore comme dans un appareil photo.

Chez tous les vertébrés, l'œil possède un seul cristallin. Chez les poissons, la mise au point se fait comme chez les invertébrés, c'est-à-dire que le cristallin se déplace vers l'avant ou l'arrière. Chez d'autres espèces, dont les mammifères, la mise au point se fait par déformation du cristallin. C'est ce mécanisme que nous allons maintenant étudier en détail, de même que la perception visuelle, dans la section qui suit, consacrée à l'appareil visuel des vertébrés.

L'appareil visuel des vertébrés

L'œil humain servira ici à illustrer la vision chez les vertébrés. Comme le montre de façon détaillée la **figure 50.17**, la vision commence lorsque des photons entrent dans l'œil et frappent les bâtonnets et les cônes. L'énergie de chaque photon est alors captée par le rétinal, la molécule qui absorbe la lumière dans le pigment visuel appelé rhodopsine.

La détection de la lumière par l'œil constitue la première étape de la vision, mais rappelons-nous que c'est le cerveau qui « voit ». Pour comprendre la vision, il nous faut donc étudier, dans un premier temps, la façon dont la captation de lumière par la rétine modifie la production des potentiels d'action, puis suivre ces stimulus jusqu'aux centres de la vision situés dans le cerveau, où s'effectue la perception visuelle.

La transduction du signal sensoriel dans l'œil

La transduction de l'information visuelle par le système nerveux commence par la conversion, déclenchée par la lumière, du rétinal *cis* en rétinal *trans* dans les cônes et les bâtonnets. Comme les autres paires *cis-trans*, les isomères du rétinal ne diffèrent que par la disposition spatiale d'une liaison double carbone-carbone (voir la figure 4.7).

Comme le montre la figure 50.17, le rétinal *trans* et le rétinal *cis* n'ont pas la même forme. Cette conversion active le pigment visuel (la rhodopsine, dans les bâtonnets). Celui-ci active alors une protéine G, qui à son tour active l'enzyme phosphodiestérase dont le substrat est le GMP cyclique (GMPc) contenu dans les bâtonnets et dans les cônes. À l'obscurité, le GMPc se lie aux canaux ioniques à sodium (Na^+) et les maintient ouverts (**figure 50.18a**). Quand cette voie dépendante de la protéine G est ainsi activée, le GMPc est dégradé, les canaux ioniques à Na^+ se ferment et la cellule s'hyperpolarise (**figure 50.18b**). La voie de transduction du signal se ferme quand les enzymes reconvertissent le rétinal à sa forme *cis*, ce qui inactive le pigment visuel.

Lorsque la lumière est très intense, la rhodopsine demeure active, c'est-à-dire que le rétinal reste sous sa forme *trans*, de sorte que les bâtonnets en deviennent saturés. Si la quantité de lumière qui entre dans l'œil diminue brusquement, les bâtonnets mettent quelques minutes à redevenir fonctionnels. Voilà pourquoi vous ne voyez presque rien lorsque vous pénétrez dans un endroit sombre, par exemple une salle de cinéma, et que vous arrivez de dehors par une journée ensoleillée. (Comme l'activation par la lumière fait passer la couleur de la rhodopsine du violet au jaune, les bâtonnets dans lesquels la réponse à la lumière devient saturée sont souvent qualifiés de « décolorés ».)

Le traitement de l'information visuelle dans la rétine

Le traitement de l'information visuelle commence dans la rétine même, où les bâtonnets et les cônes forment des synapses avec des neurones bipolaires (voir la figure 50.17). Dans l'obscurité, les bâtonnets et les cônes, qui sont dépolarisés, libèrent sans cesse le neurotransmetteur glutamate à ces synapses (**figure 50.19**). En présence de lumière, les bâtonnets et les cônes subissent une hyperpolarisation et cessent de libérer du glutamate. Il s'ensuit un changement dans le potentiel de membrane des cellules bipolaires, qui régulent alors différemment la transmission des potentiels d'action à l'encéphale.

Dans la rétine, l'information visuelle provenant des bâtonnets et des cônes peut emprunter diverses voies. Une partie de l'information passe directement des cellules réceptrices aux neurones bipolaires, pour ensuite arriver aux cellules ganglionnaires. Dans d'autres cas, les cellules horizontales transmettent l'information d'un bâtonnet ou d'un cône à d'autres cellules réceptrices du même type et à plusieurs neurones bipolaires.

En quoi le fait de suivre plusieurs voies est-il adaptatif, pour l'information visuelle ? Examinons un exemple pour mieux comprendre. Lorsqu'un bâtonnet ou un cône illuminé stimule une cellule horizontale, cette dernière inhibe les photorécepteurs plus éloignés et les neurones bipolaires qui ne reçoivent pas de lumière. De ce fait, le point lumineux paraît plus brillant, et la zone non éclairée qui l'entoure semble encore plus sombre. Cette sorte d'intégration, qu'on appelle *inhibition latérale*, rend les contours plus nets et améliore le contraste de l'image. Essentielle au traitement de l'information visuelle, l'inhibition latérale a lieu à la fois dans l'encéphale et la rétine.

Une cellule ganglionnaire unique reçoit de l'information d'un grand nombre de bâtonnets et de cônes, et chaque bâtonnet ou cône réagit à l'énergie lumineuse venant d'une certaine direction. L'ensemble des bâtonnets et des cônes qui envoient de l'information à une cellule ganglionnaire unique forme le *champ récepteur* de cette cellule, c'est-à-dire la partie du champ visuel à laquelle la cellule est réceptive. Plus le nombre de bâtonnets ou de cônes dont une cellule ganglionnaire reçoit de l'information est petit, plus le champ récepteur est petit. Un petit champ récepteur donne une image plus nette, parce que l'information sur l'endroit où la lumière a atteint la rétine est plus précise. Les cellules ganglionnaires de la macula ont un champ récepteur très étroit, de sorte que l'acuité visuelle (netteté) est très élevée dans cette zone.

Le traitement de l'information visuelle dans l'encéphale

Les axones des cellules ganglionnaires forment les nerfs optiques, qui transmettent à l'encéphale les potentiels d'action provenant des yeux (**figure 50.20**). Les nerfs optiques qui partent des deux yeux se croisent à la hauteur du *chiasma optique*, situé vers le centre de la base du cortex cérébral. Les axones des nerfs optiques sont acheminés vers le chiasma optique de telle sorte que les sensations provenant de la partie gauche du champ visuel sont transmises au côté droit du cerveau, et que les sensations provenant de la partie droite du champ visuel sont acheminées au côté gauche du cerveau. (Il importe de noter que chaque champ, droit ou gauche, est perçu par les deux yeux.)

À l'intérieur de l'encéphale, la plupart des axones des cellules ganglionnaires conduisent aux *corps géniculés latéraux*, dont les axones vont jusqu'au *cortex visuel primaire* du cerveau. D'autres neurones acheminent l'information jusqu'à des centres visuels situés ailleurs dans le cortex et où l'information visuelle subit un traitement et une intégration plus poussés. Selon des chercheurs, au moins 30 % du cortex cérébral, c'est-à-dire des centaines de millions de neurones probablement situés dans plusieurs douzaines de centres d'intégration, participe à la formation de ce que nous « voyons » véritablement. On cherche actuellement à comprendre comment ces centres combinent les composantes de notre vision telles que la couleur, le mouvement, la profondeur, la forme et le détail.

La vision des couleurs

Chez les vertébrés, la plupart des poissons, des amphibiens, des reptiles et des oiseaux voient très bien les couleurs. Les mammifères, en revanche, ne possèdent pas ce type de vision, à l'exception d'un petit nombre d'espèces dont font partie les humains

▼ Figure 50.17

PANORAMA La structure de l'œil humain

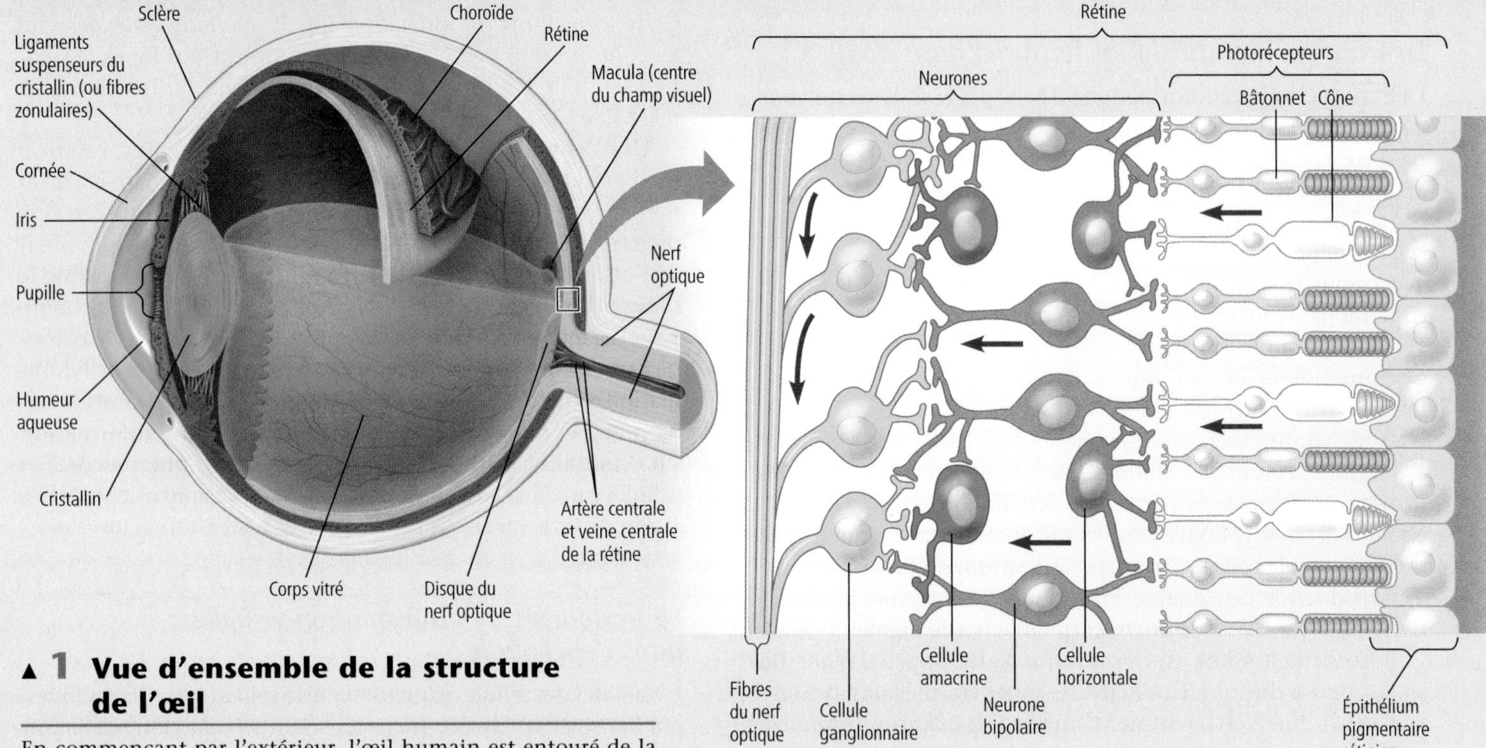

▲ 1 Vue d'ensemble de la structure de l'œil

En commençant par l'extérieur, l'œil humain est entouré de la conjonctive, une muqueuse (non montrée); de la sclère, un tissu conjonctif; et de la choroïde, une fine couche pigmentée. Sur le devant de l'œil, la sclère devient la *cornée*, la partie transparente, et la choroïde devient l'*iris*, la partie colorée. En changeant de taille, l'iris règle la quantité de lumière qui arrive dans la pupille, l'ouverture visible en son centre. Situés à l'intérieur de la choroïde, les neurones et les photorécepteurs de la **rétine** constituent la couche la plus profonde de l'œil, ou globe oculaire. Le nerf optique sort de l'œil au niveau du disque optique, ou papille optique.

Le **cristallin** est un disque protéique transparent qui divise l'œil en deux chambres. Devant le cristallin se trouve l'*humeur aqueuse*, un liquide transparent et incolore. Lorsque les conduits qui permettent l'écoulement de l'humeur aqueuse sont bouchés, il peut se former un glaucome. Cette maladie de l'œil cause une augmentation de la pression qui comprime la rétine, endommageant ainsi le nerf optique, ce qui peut entraîner la cécité. Derrière le cristallin se trouve le *corps vitré* (ou humeur vitrée), une substance gélatineuse (montrée ici dans la partie inférieure du globe oculaire).

▲ 2 La rétine

La lumière (venant de la gauche dans l'illustration ci-dessus) frappe la rétine et doit traverser plusieurs couches transparentes de neurones pour atteindre les bâtonnets et les cônes, deux types de photorécepteurs dont la forme diffère autant que la fonction. Les neurones de la rétine transmettent ensuite au nerf optique et au cerveau l'information visuelle captée par les photorécepteurs (les flèches rouges indiquent les voies empruntées). Chaque *neurone bipolaire* reçoit de l'information de plusieurs bâtonnets et cônes, et chaque *cellule ganglionnaire* en reçoit de plusieurs neurones bipolaires. Les *cellules horizontales* et les *cellules amacrines* intègrent l'information de part et d'autre de la rétine.

Le disque optique fait partie de la rétine. Comme il est dépourvu de photorécepteurs, il forme une « tache aveugle », c'est-à-dire une zone qui ne perçoit pas la lumière.

et d'autres primates. Pour les félins et les autres mammifères qui sont plus actifs la nuit, la présence d'un grand nombre de bâtonnets dans la rétine représente une adaptation qui leur procure une excellente vision dans l'obscurité. Leur vision des couleurs est toutefois limitée, et ils voient probablement le monde dans des tons de pastel pendant le jour.

Chez les humains, la perception des couleurs dépend de la présence de trois sous-groupes de cônes, chacun ayant son propre pigment visuel : rouge, vert ou bleu. Les trois pigments visuels, appelés *photopsines*, sont formés par la liaison du rétinal à trois différents types d'opsine. Les légères différences entre les opsines font que chaque photopsine absorbe certaines ondes

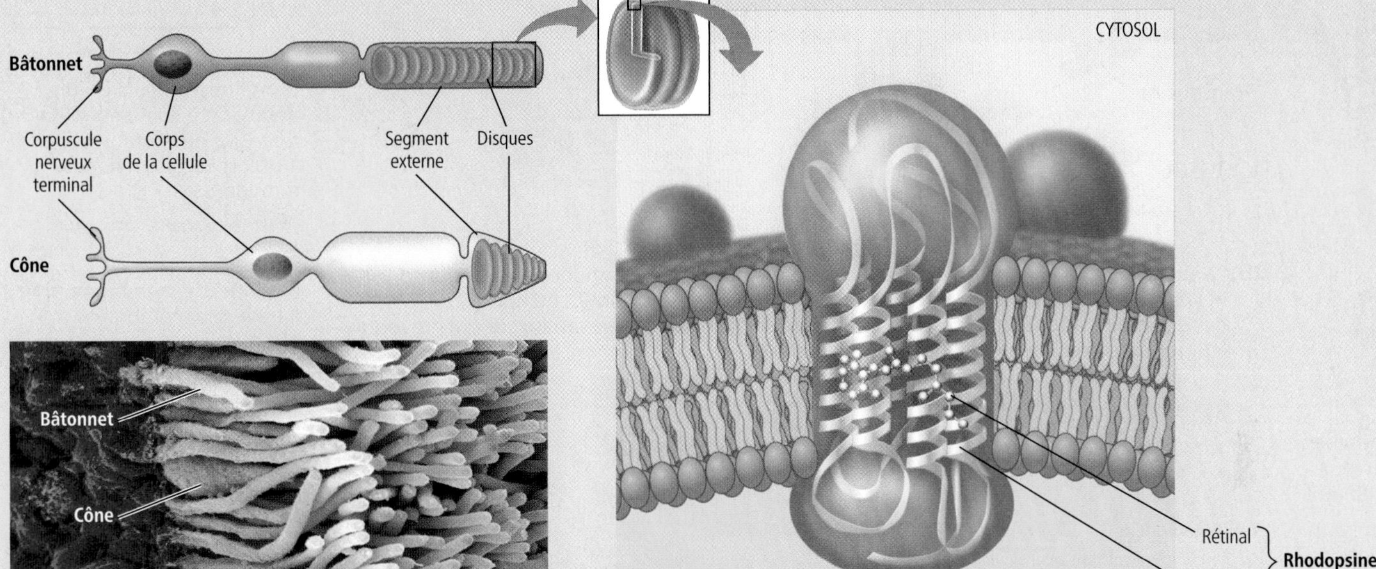

▲ 3 Les cellules photoréceptrices

Les humains ont deux types de cellules photoréceptrices : les bâtonnets et les cônes. À l'intérieur du segment externe d'un bâtonnet ou d'un cône se trouve un amas de disques membraneux dans lesquels sont enchâssés des *pigments visuels*. Les **bâtonnets** sont plus sensibles à la lumière que les **cônes**, mais ils ne distinguent pas les couleurs. Ils permettent la vision nocturne, mais seulement en noir et blanc. Les cônes, eux, permettent la vision des couleurs, mais n'interviennent presque pas dans la vision nocturne. Il existe trois types de cônes. Chaque type est sensible à une partie différente du spectre visible et permet une réception optimale de la lumière rouge, verte et bleue.

Le cliché artificiellement coloré (MEB) ci-dessus montre des cônes (en vert), des bâtonnets (en beige) et les neurones adjacents (en rouge). L'épithélium pigmentaire, qu'on a retiré pour les besoins de l'illustration, se trouve à droite.

▲ 4 Les pigments visuels

Chez les vertébrés, les pigments visuels sont constitués d'une molécule qui absorbe la lumière, appelée **rétinal** (un dérivé de la vitamine A), et qui est liée à une protéine membranaire appelée **opsine**. Sept hélices α de chaque molécule d'opsine traversent la membrane du disque. Le pigment visuel des bâtonnets, montré ici, est appelé **rhodopsine**.

Le rétinal se présente sous forme de deux isomères. Lorsque la lumière est absorbée, le pigment passe de l'isomère *cis* à l'isomère *trans*, ce qui provoque un changement de configuration du rétinal, qui passe d'une forme anguleuse à une forme droite. Ce changement de configuration active l'opsine, la protéine à laquelle le rétinal est lié.

Rétinal : isomère *cis*

Lumière ↓ ↑ Enzymes

Rétinal : isomère *trans*

HABILETÉS VISUELLES ▶ Les isomères du rétinal ont le même nombre d'atomes et de liaisons, mais une de leurs liaisons doubles carbone-carbone (C=C) occupe une position différente dans l'espace. Encerclez cette liaison C=C de chaque isomère. Examinez les atomes autour de cette liaison, puis indiquez à quels atomes les termes *cis* (même côté) et *trans* (côté opposé) font référence.

lumineuses mieux que d'autres. Bien que l'on qualifie les pigments visuels de rouges, verts ou bleus, leurs spectres d'absorption se chevauchent, de sorte que la perception de teintes intermédiaires résulte de la stimulation différentielle de deux types de cônes, ou des trois. Par exemple, si les cônes rouges et verts sont stimulés en même temps, nous percevons du jaune ou de l'orange, selon le type de cônes qui reçoit la plus forte stimulation.

Les anomalies de la perception des couleurs sont généralement associées à des mutations génétiques d'une ou de plusieurs photopsines. Chez l'humain, le daltonisme touche presque exclusivement la perception du rouge ou du vert, et il est plus

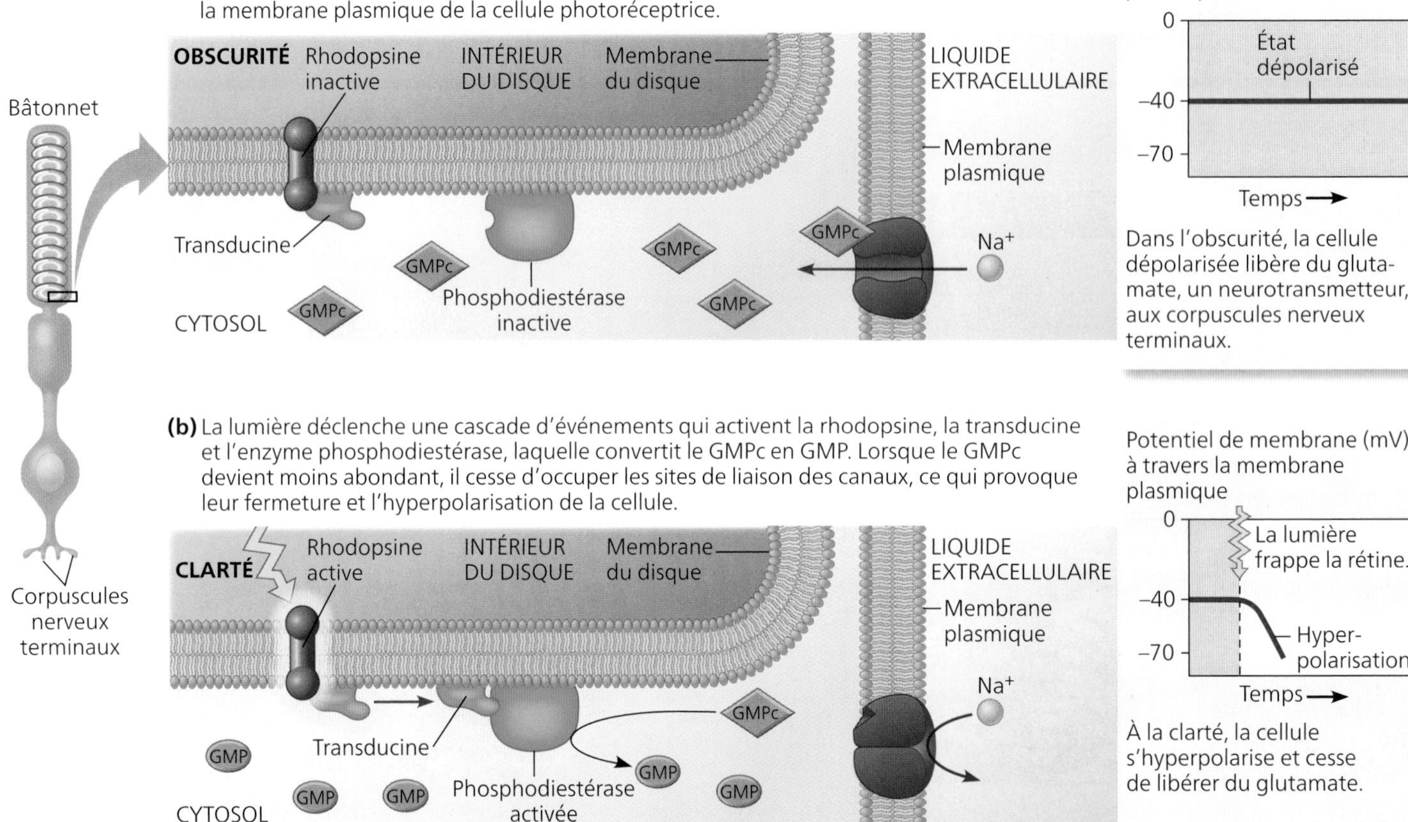
Bâtonnet
Corpuscules nerveux terminaux
(a) Dans l'obscurité, la liaison du GMPc et du Na+ abondant dans le cytosol déclenche l'ouverture des canaux par lesquels passe un flux de Na+ qui maintient dépolarisée la membrane plasmique de la cellule photoréceptrice.
OBSCURITÉ
Rhodopsine inactive
INTÉRIEUR DU DISQUE
Membrane du disque
LIQUIDE EXTRACELLULAIRE
Membrane plasmique
Transducine
GMPc
Na+
Phosphodiestérase inactive
CYTOSOL
Potentiel de membrane (mV) à travers la membrane plasmique
0
–40
–70
État dépolarisé
Temps
Dans l'obscurité, la cellule dépolarisée libère du glutamate, un neurotransmetteur, aux corpuscules nerveux terminaux.
(b) La lumière déclenche une cascade d'événements qui activent la rhodopsine, la transducine et l'enzyme phosphodiestérase, laquelle convertit le GMPc en GMP. Lorsque le GMPc devient moins abondant, il cesse d'occuper les sites de liaison des canaux, ce qui provoque leur fermeture et l'hyperpolarisation de la cellule.
CLARTÉ
Rhodopsine active
INTÉRIEUR DU DISQUE
Membrane du disque
LIQUIDE EXTRACELLULAIRE
Membrane plasmique
Transducine
GMP
GMPc
Na+
Phosphodiestérase activée
CYTOSOL
Potentiel de membrane (mV) à travers la membrane plasmique
0
–40
–70
La lumière frappe la rétine.
Hyper-polarisation
Temps
À la clarté, la cellule s'hyperpolarise et cesse de libérer du glutamate.

▲ **Figure 50.18 La réaction d'une cellule photoréceptrice à la lumière.** La lumière déclenche un potentiel de récepteur dans un bâtonnet (montré ici) ou un cône. Notez que, pour les photorécepteurs, ce changement dans le potentiel de membrane correspond à une *hyperpolarisation* de la membrane, et non à une dépolarisation.

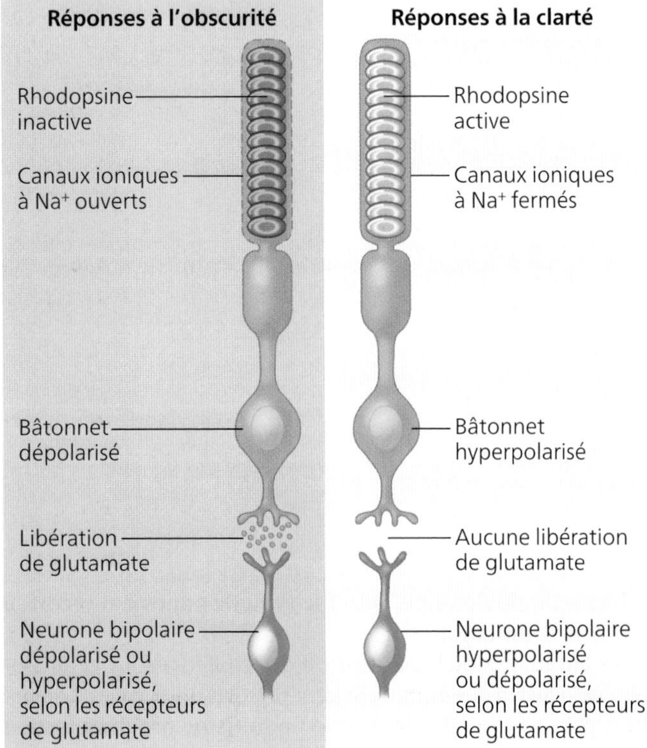
Réponses à l'obscurité
Rhodopsine inactive
Canaux ioniques à Na+ ouverts
Bâtonnet dépolarisé
Libération de glutamate
Neurone bipolaire dépolarisé ou hyperpolarisé, selon les récepteurs de glutamate
Réponses à la clarté
Rhodopsine active
Canaux ioniques à Na+ fermés
Bâtonnet hyperpolarisé
Aucune libération de glutamate
Neurone bipolaire hyperpolarisé ou dépolarisé, selon les récepteurs de glutamate

◄ **Figure 50.19 L'activité synaptique des bâtonnets à la lumière et à l'obscurité.**

? Comme les bâtonnets, les cônes sont dépolarisés quand leurs molécules d'opsine sont inactives. Dans le cas d'un cône, pourquoi pourrait-il être trompeur de parler de réaction à l'obscurité ?

▼ Figure 50.20 Les voies nerveuses de la vision. Chaque nerf optique contient environ un million d'axones qui forment des synapses avec les interneurones dans les corps géniculés latéraux. Ces derniers acheminent les sensations jusqu'au cortex visuel primaire, considéré comme le premier des nombreux centres cérébraux qui participent à l'élaboration de nos perceptions visuelles.

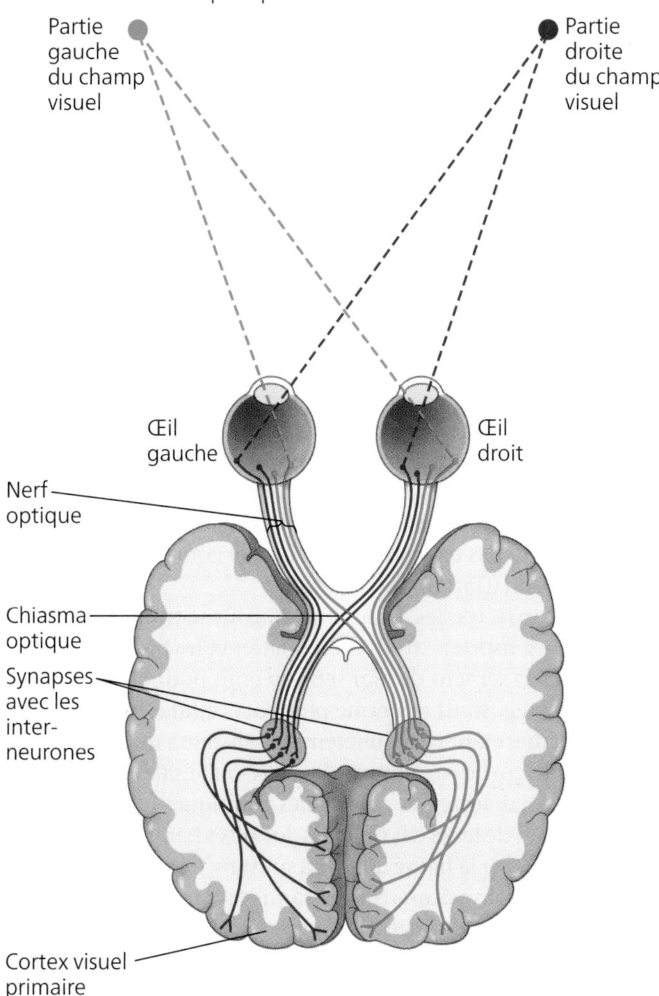

▼ Figure 50.21 La correction de la vision des couleurs par la thérapie génique. Autrefois daltonien, ce singe mâle adulte est maintenant capable de distinguer le rouge du vert grâce au traitement génique qu'il a reçu.

FAITES DES LIENS ▶ Le daltonisme rouge-vert est lié à l'X chez les singes-écureuils et les humains (voir la figure 15.7). Pourquoi le mode de transmission de l'anomalie chez les humains ne se manifeste-t-il pas de la même façon chez les singes-écureuils ?

courant chez les hommes que chez les femmes (5 à 8 % des hommes, contre moins de 1 % des femmes). Pourquoi ? Parce que les gènes humains pour les pigments rouges et verts sont situés sur le chromosome X. (Rappelez-vous que les hommes n'ont qu'un seul chromosome X.) De ce fait, il suffit d'une seule copie défectueuse de l'un ou l'autre pour altérer la perception des couleurs chez les garçons, tandis que les deux copies doivent être défectueuses pour causer un daltonisme chez les filles. (Le gène du pigment bleu se trouve sur le chromosome 7.)

Des expériences portant sur le daltonisme chez les singes-écureuils (*Saimiri sciureus*) ont permis à des chercheurs de faire une découverte importante dans le domaine de la thérapie génique. Ces singes possèdent seulement deux gènes pour l'opsine ; l'un est sensible à la lumière bleue, l'autre, à la lumière verte ou rouge, selon l'allèle. Comme le gène de l'opsine sensible au rouge ou au vert est lié au chromosome X, tous les mâles ne possèdent que la version sensible au rouge ou celle sensible au vert, et sont donc daltoniens pour le rouge et le vert. Toujours est-il que les chercheurs ont injecté un virus contenant le gène de la version manquante dans la rétine des singes mâles adultes. Après 20 semaines, le nouvel allèle d'opsine s'exprimait dans les cônes, et les singes avaient commencé à distinguer le rouge du vert dans un champ de points colorés (**figure 50.21**).

Ces expériences sur la thérapie génique montrent qu'il est possible de créer ou d'activer les circuits neuronaux nécessaires au traitement de l'information visuelle même chez des adultes. Elles ouvrent une avenue prometteuse quant au traitement génique de plusieurs troubles de la vue. En fait, la thérapie génique a déjà été utilisée pour traiter l'amaurose congénitale de Leber, une affection héréditaire dégénérative de la rétine qui entraîne une grave perte de la vision à la naissance. Après avoir utilisé la thérapie génique pour corriger la vision chez des chiens et des souris atteints d'amaurose congénitale, des chercheurs ont réussi à traiter cette maladie chez des humains en injectant le gène fonctionnel dans un vecteur viral (voir la figure 20.22).

Le champ visuel

En plus de traiter l'information visuelle, le cerveau contrôle l'information captée, notamment par la mise au point. Comme nous l'avons vu précédemment et comme le montre la **figure 50.22**, le cristallin change de forme pour faire la mise au point. Ainsi, lorsqu'on regarde un objet rapproché, le cristallin devient presque sphérique. Pour faire la mise au point sur un objet éloigné, il s'aplatit.

Bien que notre vision périphérique nous permette de voir des objets sur presque 180°, la répartition des photorécepteurs dans l'œil limite ce que nous voyons de même que l'acuité avec laquelle nous voyons. La rétine humaine comprend environ 125 millions de bâtonnets et 6 millions de cônes. Dans la **macula**, le centre du champ visuel, il n'y a aucun bâtonnet, mais une très forte densité de cônes, soit environ 150 000 récepteurs par mm^2. La quantité de cônes par rapport aux bâtonnets diminue à mesure qu'on s'éloigne de la macula ; dans les régions périphériques, il n'y a que des bâtonnets. Le jour, on voit mieux en regardant directement les objets, parce que la lumière frappe directement les cônes densément disposés dans la macula. Par contre, la nuit,

▼ **Figure 50.22 La mise au point dans un œil de mammifère.** Des muscles lisses ciliaires régulent la forme du cristallin, qui dévie la lumière et la concentre sur la rétine. Plus le cristallin est épais (sphérique), plus l'angle de réfraction (déviation) de la lumière augmente.

(a) Vision rapprochée (accommodation)

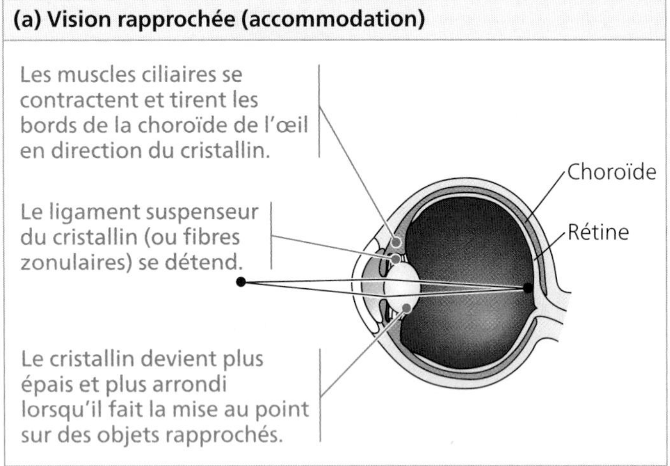

Les muscles ciliaires se contractent et tirent les bords de la choroïde de l'œil en direction du cristallin.
Choroïde
Le ligament suspenseur du cristallin (ou fibres zonulaires) se détend.
Rétine
Le cristallin devient plus épais et plus arrondi lorsqu'il fait la mise au point sur des objets rapprochés.

(b) Vision éloignée

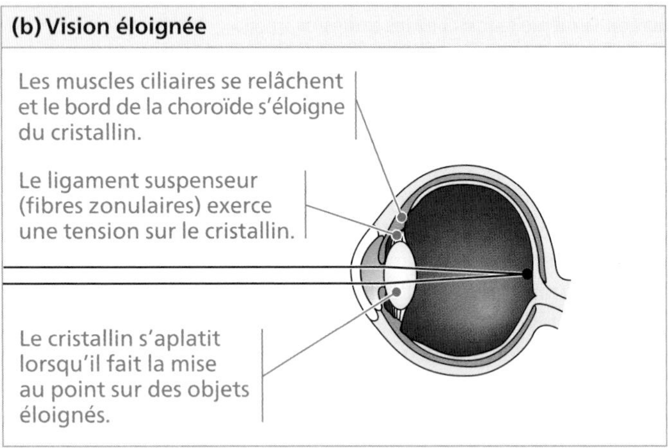

Les muscles ciliaires se relâchent et le bord de la choroïde s'éloigne du cristallin.
Le ligament suspenseur (fibres zonulaires) exerce une tension sur le cristallin.
Le cristallin s'aplatit lorsqu'il fait la mise au point sur des objets éloignés.

on voit moins bien si on regarde directement un objet faiblement éclairé, car les bâtonnets (les plus sensibles des photorécepteurs) se trouvent à l'extérieur de la macula. Ainsi, on verra mieux une étoile pâle si on fait la mise au point juste à côté.

RETOUR SUR LE CONCEPT 50.3

1. Comparez les organes photorécepteurs des planaires et des mouches. Expliquez comment chacun est adapté au mode de vie de l'animal.
2. Dans la presbytie, le cristallin perd son élasticité et demeure constamment aplati. D'après vous, comment cette affection se répercute-t-elle sur la vision d'une personne ?
3. **ET SI ?** ▶ Notre cerveau reçoit plus de potentiels d'action quand nos yeux sont exposés à la lumière, même si nos photorécepteurs libèrent plus de neurotransmetteurs dans l'obscurité. Comment expliqueriez-vous ce phénomène ?
4. **FAITES DES LIENS** ▶ Comparez la fonction du rétinal dans votre œil avec celle de la chlorophylle, un pigment de la photosynthèse des végétaux (voir le concept 10.2).

Voir les réponses proposées à l'appendice A.

CONCEPT **50.4**

Les sens du goût et de l'odorat font appel à des groupes similaires de récepteurs sensoriels

Les animaux ont recours à leurs organes de détection chimique pour toutes sortes de besoins, comme trouver des partenaires sexuels, reconnaître un territoire marqué ou se repérer pendant leur migration. La « communication » de nature chimique est particulièrement importante pour les animaux qui, comme les fourmis (famille des formicidés) et les abeilles (famille des apidés), vivent en grands groupes sociaux.

Chez tous les animaux, le goût et l'odorat jouent un rôle important dans le comportement alimentaire. Les sens du **goût** et de l'**odorat** reposent sur l'existence de chimiorécepteurs qui détectent des substances particulières dans le milieu. Chez les animaux terrestres, le goût permet de distinguer des substances chimiques appelées **molécules gustatives** sous forme de solutions, et l'odorat sert à reconnaître les substances chimiques volatiles, les **molécules odorantes**, qui sont transportées par l'air. Il n'existe pas de distinction entre le goût et l'odorat dans les milieux aquatiques.

Chez les insectes, les récepteurs du goût se trouvent à l'intérieur de cils sensoriels situés sur les pattes et les pièces buccales. Les insectes se servent de leur sens du goût pour choisir les aliments. Un cil gustatif renferme plusieurs cellules chimioréceptrices, chacune étant particulièrement sensible à un certain type de molécule gustative, comme le sucré ou le salé. Les insectes peuvent aussi détecter les substances chimiques présentes dans l'air au moyen de leurs cils olfactifs, localisés habituellement sur les antennes (voir la figure 50.6). La substance chimique appelée DEET (*N*,*N*-diéthyl-3-méthylbenzamide), qu'on vend comme répulsif à insectes, protège des piqûres en bloquant le récepteur olfactif des moustiques qui détecte l'odeur humaine.

Le goût chez les mammifères

Les humains et autres mammifères perçoivent cinq types de molécules gustatives : le sucré, l'aigre, le salé, l'amer et l'umami. L'umami (du mot japonais signifiant « savoureux ») provient d'une stimulation engendrée par le glutamate, un acide aminé excitateur. Le glutamate monosodique (MSG) est souvent utilisé comme exhausteur de goût, mais certains aliments, tels que la viande et le fromage vieilli, en contiennent naturellement, ce qui leur confère une saveur particulière.

Pendant des décennies, un grand nombre de chercheurs croyaient qu'une cellule gustative pouvait avoir plus d'un type de récepteur. D'autres estimaient que chaque cellule gustative avait un seul type de récepteur, ce qui programmait la cellule à reconnaître un seul des cinq goûts. Pour tester cette hypothèse, des scientifiques ont utilisé un clone du récepteur de goût amer pour reprogrammer génétiquement la perception des saveurs chez une souris (**figure 50.23**). Cette expérience de reprogrammation et d'autres études ont montré qu'une cellule gustative exprime un seul type de récepteur et détecte des molécules gustatives correspondant uniquement à une des cinq sensations gustatives.

DÉMARCHE SCIENTIFIQUE

INVESTIGATION

▼ **Figure 50.23**

Comment les mammifères détectent-ils les molécules gustatives?

■ **HYPOTHÈSE** ■ Pour mieux comprendre la perception des saveurs chez les mammifères, des chercheurs ont utilisé une substance chimique appelée phényl-β-D-glucopyranoside (PBDG). Les humains trouvent le goût du PBDG extrêmement amer. Toutefois, les souris ne semblent pas posséder de récepteur pour le PBDG; elles évitent de boire de l'eau contenant d'autres substances amères, mais elles n'ont aucune aversion pour l'eau contenant du PBDG. Les chercheurs ont formulé l'hypothèse que des souris mutantes possédant un récepteur pour le PBDG réagiraient à sa présence, soit en l'évitant, soit en en consommant davantage.

■ **EXPÉRIENCE** ■ À l'aide d'une stratégie de clonage moléculaire, les chercheurs ont produit des souris qui fabriquaient le récepteur de PBDG des humains dans des cellules qui, normalement, ont un récepteur du goût sucré ou un récepteur du goût amer. On donnait aux souris le choix entre deux bouteilles, l'une remplie d'eau pure et l'autre remplie d'eau contenant du PBDG à diverses concentrations. Les chercheurs observaient alors les souris pour voir si elles avaient une attirance ou une aversion pour le PBDG.

■ **RÉSULTATS** ■

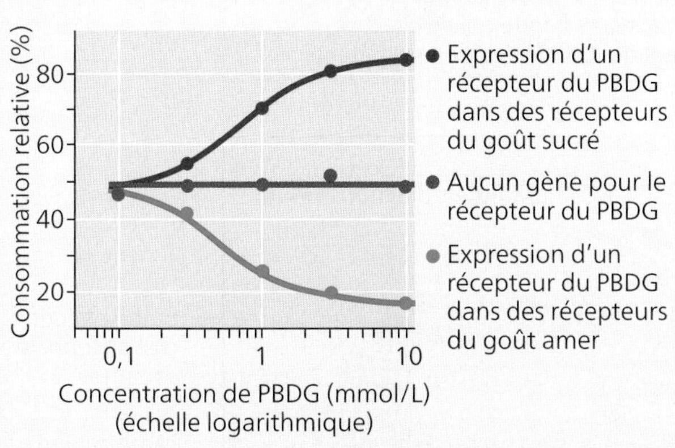

■ **CONCLUSION** ■ Les chercheurs ont constaté que la présence d'un récepteur du goût amer dans des cellules réceptrices du goût sucré suffit pour attirer les souris vers la substance chimique amère. Ils ont conclu que l'encéphale mammalien doit donc percevoir le goût sucré ou amer uniquement en raison de l'activation de certains neurones sensoriels.

Source des données: K. L. Mueller et coll., The receptors and coding logic for bitter taste, *Nature* 434: 225-229 (2005).

ET SI? ▶ Supposons qu'au lieu d'un récepteur de PBDG, les chercheurs avaient utilisé le récepteur d'un édulcorant dont les humains raffolent, mais que les souris détestent. En quoi les résultats de l'expérience auraient-ils été différents?

Chez les mammifères, les cellules réceptrices du goût (ou cellules gustatives) sont des cellules épithéliales groupées en **bourgeons gustatifs** dispersés dans plusieurs régions de la langue et de la bouche (**figure 50.24**). La plupart des bourgeons gustatifs qui se trouvent à la surface de la langue sont associés à des papilles, qui font saillie sur la langue. Toutes les parties de la langue qui portent des bourgeons gustatifs peuvent détecter les cinq types de goûts. (Les «cartes des sensations gustatives» qu'on nous présente souvent ne sont donc pas exactes.)

Les scientifiques ont identifié les protéines réceptrices des cinq sensations gustatives. La sensation du sucré, celle de l'umami et celle de l'amer requièrent chacune un ou plusieurs gènes codant pour un récepteur couplé à une protéine G, ou RCPG (voir les figures 11.7 et 11.8). Les humains possèdent un seul type de récepteur du goût sucré et un seul type de récepteur de l'umami, chacun étant composé d'une paire de protéines G différentes. Par contre, ils ont plus de 30 récepteurs différents pour

▼ **Figure 50.24** **Les récepteurs du goût chez les humains.**

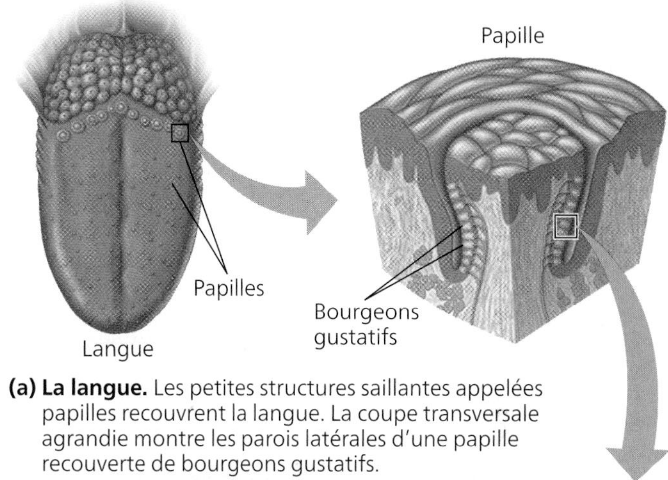

(a) La langue. Les petites structures saillantes appelées papilles recouvrent la langue. La coupe transversale agrandie montre les parois latérales d'une papille recouverte de bourgeons gustatifs.

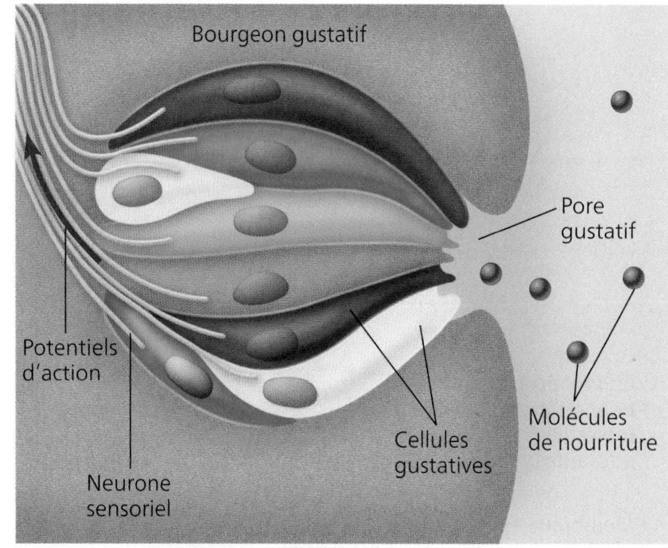

(b) Les bourgeons gustatifs. Les bourgeons gustatifs de toutes les parties de la langue contiennent des cellules sensorielles réceptrices, ou cellules gustatives, pour chacun des cinq types de goûts.

le goût amer, et chacun de ces récepteurs peut reconnaître plusieurs saveurs amères. D'autres protéines RCPG interviennent dans l'odorat, comme nous le verrons dans la prochaine section.

Le récepteur du goût aigre appartient au groupe des TRP et ressemble au récepteur de capsaïcine et à d'autres protéines thermoréceptrices. Dans les bourgeons gustatifs, les protéines TRP du récepteur du goût aigre s'assemblent en un canal ionique de la membrane plasmique de la cellule gustative. La liaison d'une substance aigre au récepteur déclenche un changement dans le canal ionique. La dépolarisation a lieu et active un neurone sensoriel.

Il s'avère que le récepteur du goût salé est un canal à sodium. Comme on pourrait s'y attendre, ce récepteur détecte spécifiquement les sels de sodium, comme le NaCl utilisé en cuisine.

L'odorat chez les humains

Contrairement aux cellules gustatives, les cellules olfactives sont des neurones. Les cellules olfactives garnissent la partie supérieure de la cavité nasale et envoient des signaux directement au bulbe olfactif de l'encéphale (**figure 50.25**). Les extrémités réceptrices de ces cellules comportent des cils qui s'étendent dans la couche de mucus recouvrant la paroi de la cavité nasale. Lorsqu'une molécule odorante arrive dans cette région par diffusion, elle se lie à une protéine RCPG spécifique appelée récepteur olfactif, qui se trouve sur la membrane plasmique des cils olfactifs. Ce couplage amorce une voie de transduction du signal qui mène à la production d'AMP cyclique (AMPc). Dans les cellules olfactives, l'AMPc entraîne l'ouverture des canaux ioniques qui se trouvent dans la membrane plasmique, et qui sont perméables à la fois aux ions Na^+ et aux ions Ca^{2+}. L'entrée de ces ions dépolarise la membrane, de sorte que le récepteur olfactif produit des potentiels d'action.

Les mammifères peuvent distinguer des milliers d'odeurs, chacune étant produite par une molécule odorante distincte par sa structure. Mais comment une discrimination sensorielle aussi large est-elle possible ? La réponse a été trouvée par Richard Axel et Linda Buck à la suite d'expériences effectuées sur des souris qui ont conduit à la découverte d'une famille de plus de 1 200 gènes de récepteurs olfactifs. Axel et Buck ont d'ailleurs reçu un prix Nobel pour leurs travaux en 2004. Les humains possèdent uniquement 380 gènes de récepteurs olfactifs ; c'est beaucoup moins que les souris, mais cela représente tout de même presque 2 % de tout notre génome. L'identification des odeurs repose sur deux propriétés fondamentales du système olfactif. En premier lieu, chaque cellule olfactive exprime un seul gène de récepteur olfactif. En second lieu, les cellules qui expriment un même gène de récepteur olfactif transmettent les potentiels d'action à une même petite région du bulbe olfactif.

Une fois qu'une molécule odorante est détectée, l'information captée par les récepteurs olfactifs est transmise et intégrée. Des études génétiques sur les souris, les vers et les mouches ont montré que les signaux du système nerveux régulent ce processus en amplifiant ou en réduisant la réaction aux molécules odorantes détectées. C'est ce qui permet aux animaux de trouver l'emplacement des sources de nourriture même si la concentration d'une molécule odorante importante est très faible ou, au contraire, très élevée.

▼ **Figure 50.25 L'odorat chez l'humain.** Les molécules odorantes se fixent à des récepteurs protéiques particuliers dans la membrane plasmique des cellules chimioréceptrices et créent des potentiels d'action. Chaque cellule olfactive ne porte qu'un type de chimiorécepteur. Comme on le voit ici, les cellules qui expriment des chimiorécepteurs différents détectent des molécules odorantes différentes.

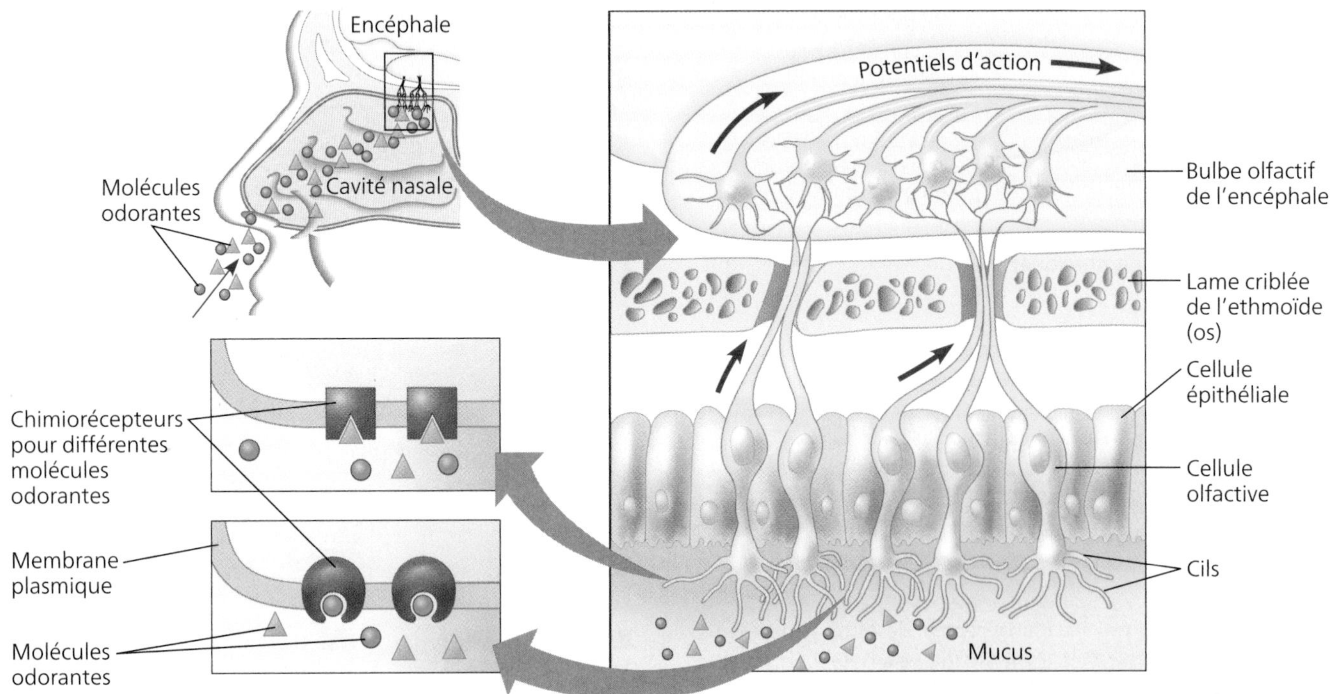

ET SI ? ▶ Si vous pulvérisez un désodorisant dans une pièce qui sent le moisi, cela modifiera-t-il la détection, la transmission ou la perception des molécules odorantes responsables de cette odeur de moisi ?

L'étude d'organismes modèles montre aussi que l'encéphale ne traite pas les mélanges complexes de molécules odorantes en additionnant simplement les signaux individuels. Il intègre plutôt l'information olfactive de différents récepteurs en une seule et même sensation, ce qui contribue à la perception de l'environnement à l'instant même, mais aussi au souvenir des événements et des émotions.

Bien que les récepteurs et les voies nerveuses du goût et de l'odorat soient indépendants, il existe des interactions entre les deux sens. En fait, une grande partie de ce que nous attribuons au goût dépend de l'odorat. Ainsi, si l'organe olfactif est congestionné en raison d'un rhume, les sensations du goût sont considérablement réduites.

RETOUR SUR LE CONCEPT **50.4**

1. Expliquez pourquoi certains récepteurs gustatifs et tous les récepteurs olfactifs utilisent des récepteurs couplés à des protéines G, alors que seules les cellules olfactives produisent des potentiels d'action.
2. Les voies qui font intervenir les protéines G permettent une intensification du signal durant la transduction de ce dernier, un changement qu'on appelle amplification. En quoi cela peut-il être avantageux dans l'odorat ?
3. **ET SI ?** ▶ Si vous découvrez chez des souris une mutation qui modifie la capacité de goûter le sucré, l'amer et l'umami, mais pas l'aigre ni le salé, que pouvez-vous supposer à propos de l'endroit où la mutation agit dans les voies de signalisation empruntées par ces récepteurs ?

Voir les réponses proposées à l'appendice A.

CONCEPT **50.5**

La fonction musculaire repose sur l'interaction physique de filaments protéiques

Tout au long de l'explication des mécanismes sensoriels, nous avons constaté que l'arrivée de l'information sensorielle dans le système nerveux peut déclencher certains comportements chez les animaux. Nous avons vu, comme exemples, le condylure étoilé qui trouve sa nourriture par sensations tactiles, l'écrevisse qui nage sur le dos lors d'une expérience portant sur ses statocystes et la planaire qui s'éloigne de la lumière. Les divers comportements des animaux reposent sur des mécanismes fondamentaux universels : pour qu'un animal se nourrisse, nage ou rampe, son système nerveux doit déclencher une activité musculaire.

La contraction des cellules musculaires repose sur l'interaction entre les structures protéiques appelées myofilaments minces et myofilaments épais. Le principal constituant des **myofilaments minces** est l'actine, une protéine globulaire. Dans les myofilaments minces, deux brins d'actine polymérisée sont enroulés l'un sur l'autre ; des structures d'actine semblables appelées microfilaments jouent un rôle important dans la mobilité cellulaire. Quant aux **myofilaments épais**, ce sont des groupes décalés de molécules de myosine. La contraction musculaire est le résultat du mouvement des myofilaments activés par l'énergie chimique ; par contre, l'extension musculaire se produit uniquement de manière passive. Pour comprendre le rôle des myofilaments dans la contraction musculaire, étudions les muscles squelettiques des vertébrés.

Les muscles squelettiques des vertébrés

Les **muscles squelettiques** des vertébrés, qui sont rattachés aux os et produisent le mouvement, se caractérisent par un emboîtement d'unités de plus en plus petites (**figure 50.26**).

▼ **Figure 50.26** **La structure d'un muscle squelettique.**

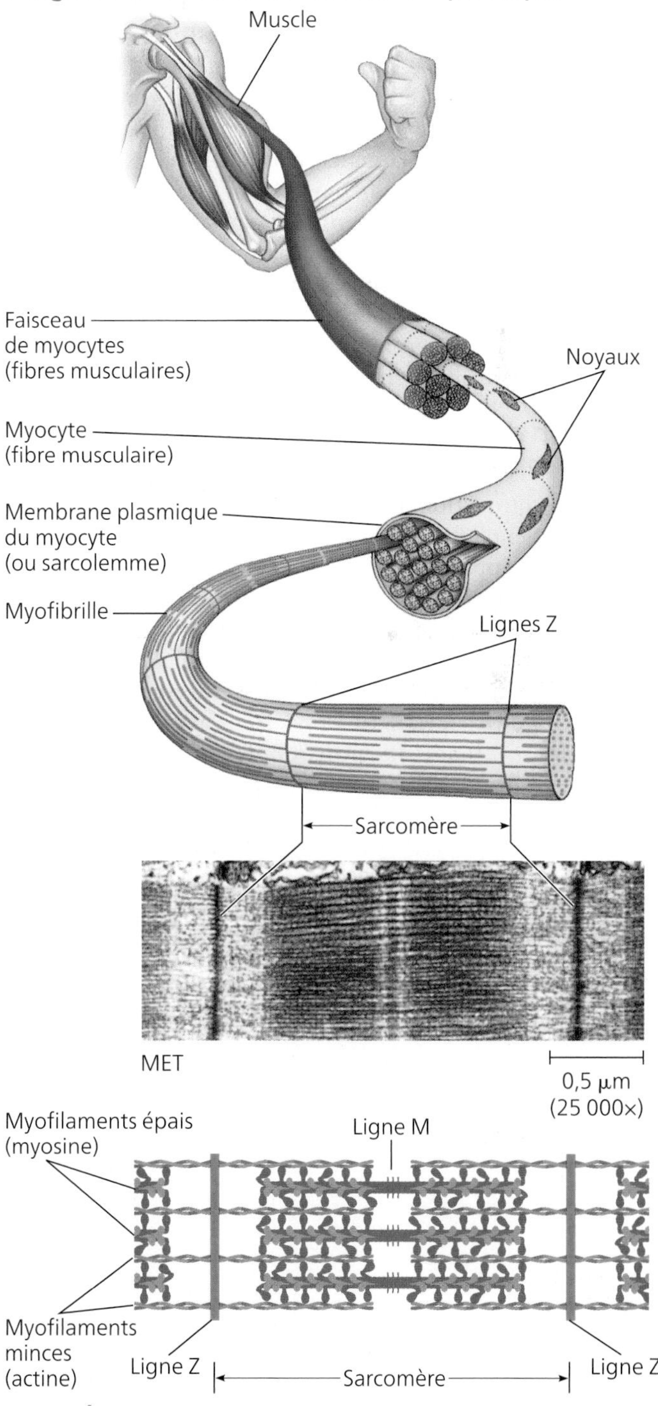

HABILETÉS VISUELLES ▶ En examinant cette figure, diriez-vous que chaque myofibrille comprend plusieurs sarcomères ou que chaque sarcomère comprend plusieurs myofibrilles ? Expliquez votre réponse.

Un muscle squelettique consiste en un faisceau de longues fibres disposées dans le sens de la longueur. Chacune de ces fibres, appelée myocyte, est une cellule qui renferme de nombreux noyaux, chaque noyau provenant d'une des cellules embryonnaires qui ont fusionné pour former le myocyte. Ces noyaux sont entourés de **myofibrilles** disposées dans le sens de la longueur. Les myofibrilles sont des faisceaux de myofilaments minces et de myofilaments épais.

Les myofibrilles des myocytes (fibres musculaires) sont composées de sections répétitives appelées sarcomères. Le **sarcomère** est l'unité contractile fondamentale du muscle. L'alignement des extrémités du sarcomère, appelées lignes Z, avec les myofibrilles voisines donne des bandes (stries) visibles au microscope photonique. C'est pour cette raison que le muscle squelettique porte aussi le nom de *muscle strié*. Les myofilaments minces sont reliés aux lignes Z et se prolongent jusqu'au centre du sarcomère. Les myofilaments épais, quant à eux, sont reliés aux lignes M au centre du sarcomère.

Au repos, les myofilaments minces et épais ne se recouvrent pas complètement. Près du bord du sarcomère, il y a uniquement des myofilaments minces, tandis que la zone du centre ne contient que des myofilaments épais. Cette disposition des myofilaments nous permet de comprendre la façon dont le sarcomère, et donc l'ensemble du muscle, se contracte.

Le modèle de contraction musculaire par glissement des myofilaments

Pendant sa contraction, le muscle raccourcit, mais la longueur des myofilaments qui causent la contraction ne change pas. Pour expliquer cet apparent paradoxe, examinons le fonctionnement du muscle à l'échelle du sarcomère. Comme le montre la **figure 50.27**, les myofilaments s'emboîtent les uns dans les autres, à la manière d'un bâton de randonnée télescopique. Selon la **théorie de la contraction par glissement des myofilaments**, formulée par H. E. Huxley, J. Hanson et A. F. Huxley en 1954, ni les myofilaments minces ni les myofilaments épais ne changent de longueur lorsque le sarcomère raccourcit; ils glissent plutôt les uns sur les autres dans le sens de la longueur et se chevauchent de plus en plus.

La **figure 50.28** illustre les cycles de changements qui ont lieu dans la molécule de myosine qui convertissent l'énergie chimique de l'ATP en glissement longitudinal des myofilaments.

Comme le montre la figure, ce type de molécule comporte une «queue», longue région fibreuse, et une «tête» globulaire pointant sur le côté. La queue adhère aux queues des autres molécules de myosine qui forment le myofilament épais. Les réactions bioénergétiques qui engendrent les contractions ont lieu dans la tête de la molécule de myosine, ou tête de myosine. Celle-ci peut se lier à l'ATP. L'hydrolyse de l'ATP lié convertit la myosine en sa configuration de haute énergie et la lie à l'actine, formant un pont et tirant le myofilament mince vers le centre du sarcomère. Lorsqu'une nouvelle molécule d'ATP se lie à la tête de myosine, le pont est rompu, libérant ainsi la tête de myosine du filament d'actine.

Durant la contraction musculaire, le cycle suivant se répète à de nombreuses reprises: la tête libre de la molécule de myosine dissocie le nouvel ATP, puis s'associe à un nouveau site de liaison situé sur une autre molécule d'actine, plus loin le long du myofilament mince. Chacune des quelque 300 têtes présentes sur un myofilament épais forme et reforme environ 5 ponts par seconde, ce qui provoque le glissement des myofilaments les uns sur les autres.

Un myocyte au repos contient en général juste assez d'ATP pour quelques contractions (la réserve d'ATP se vide en six secondes). L'énergie nécessaire aux contractions répétées est emmagasinée dans deux autres composés: la phosphocréatine et le glycogène. La phosphocréatine fabrique rapidement de l'ATP en ajoutant un groupement phosphate à l'ADP. La réserve de phosphocréatine est suffisante pour alimenter les contractions pendant 15 à 30 secondes environ. Le glycogène, un composé formant un peu plus de 1 % de la masse d'un myocyte, est décomposé en glucose, lequel peut servir à produire de l'ATP. Lors d'une activité musculaire légère ou modérée, le glucose est métabolisé par l'intermédiaire de la respiration aérobie. Ce

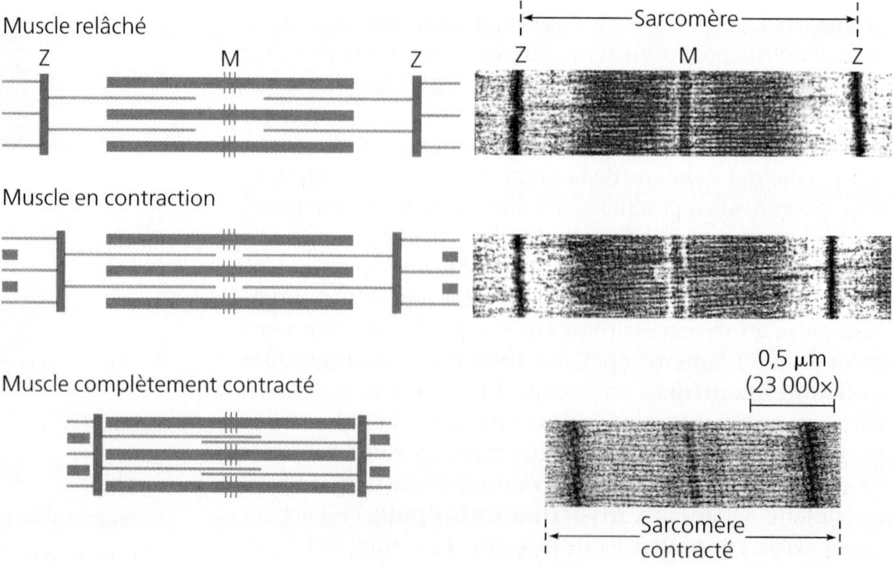

▶ **Figure 50.27 Le modèle de contraction musculaire par glissement des myofilaments.** Comme le montrent les illustrations de gauche, la longueur des myofilaments épais (myofilaments de myosine, représentés en violet) et des myofilaments minces (myofilaments d'actine, en orangé) reste la même pendant le raccourcissement d'un sarcomère et la contraction d'un myocyte.

▼ Figure 50.28 Les interactions entre la myosine et l'actine à l'origine des contractions des myocytes.

Myofilament épais

Myofilaments minces

❶ Avant la contraction musculaire, la tête de myosine est liée à l'ATP, et la molécule a une configuration de basse énergie.

Myofilament mince

ATP

Tête de myosine (configuration de basse énergie)

Myofilament épais

❷ La tête de myosine hydrolyse l'ATP en ADP et en phosphate inorganique (Ⓟi), et la molécule adopte sa configuration de haute énergie (tête redressée).

Actine

Sites de liaison de la myosine sur l'actine

ADP

Ⓟi

Tête de myosine (configuration de haute énergie)

❸ La tête de myosine se lie à l'actine en formant un pont avec le myofilament mince.

ADP

Ⓟi

Pont

❹ La myosine libère de l'ADP et du Ⓟi puis revient à sa configuration de basse énergie, ce qui cause le glissement du myofilament mince.

ADP + Ⓟi

Déplacement du myofilament mince vers le centre du sarcomère

Tête de myosine (configuration de basse énergie)

❺ La liaison d'une nouvelle molécule d'ATP libère la tête de myosine liée à l'actine. Un nouveau cycle peut alors commencer.

ATP

? Quand l'ATP se lie à la tête de molécules de myosine, qu'est-ce qui empêche les myofilaments de glisser pour reprendre leurs positions initiales?

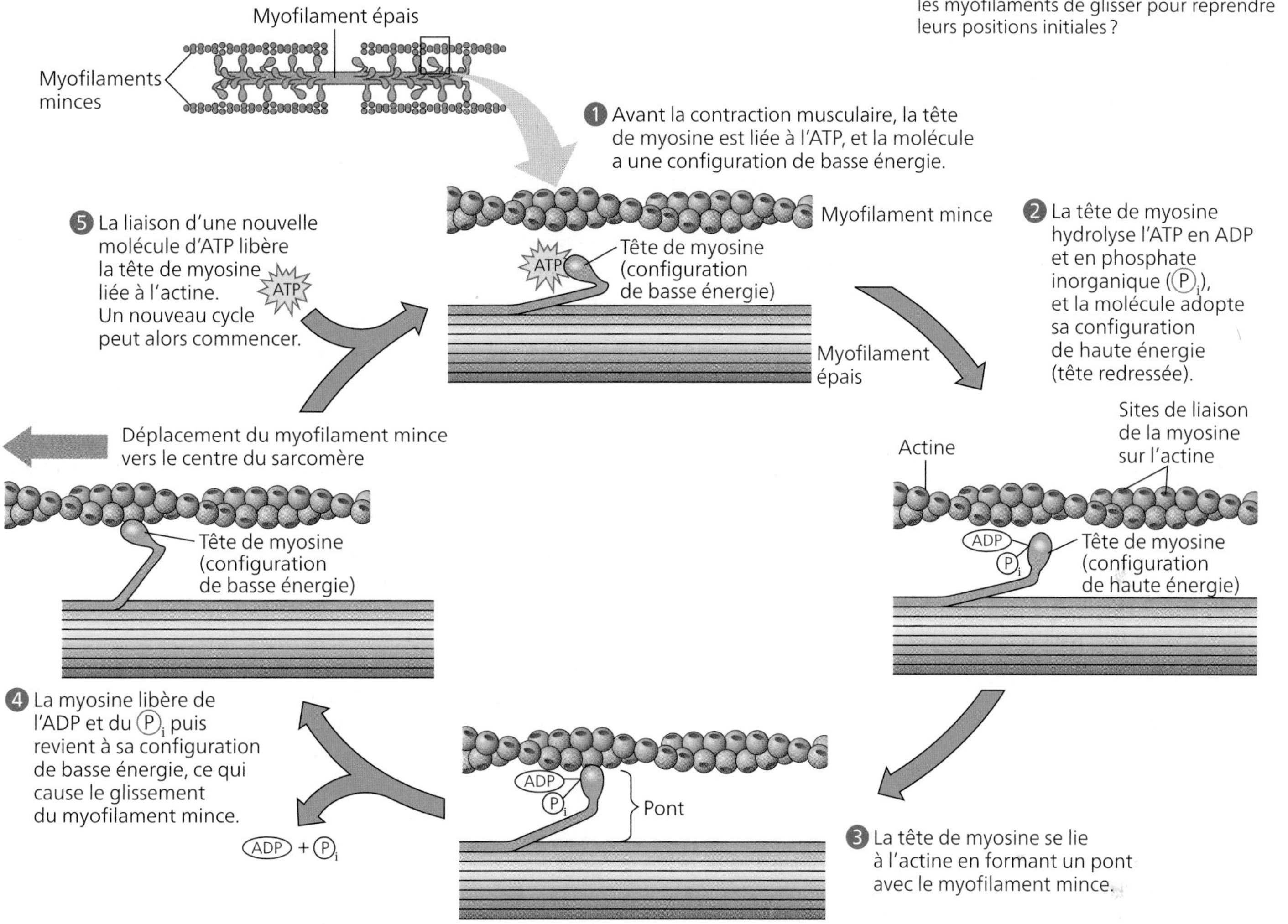

processus métabolique hautement efficace permet environ 1 heure de contractions soutenues. Lors d'une activité musculaire intense, l'O_2 devient un facteur limitant, si bien que l'ATP est plutôt produite par fermentation lactique (voir le concept 9.5). Quoique très rapide, cette voie anaérobie produit beaucoup moins d'ATP par molécule de glucose et n'alimente qu'environ 1 minute de contractions soutenues.

Le rôle du calcium et des protéines régulatrices

Les protéines liées à l'actine jouent des rôles essentiels dans la régulation de la contraction d'un muscle. Dans un myocyte au repos, la **tropomyosine**, une protéine régulatrice, et le **complexe de troponine**, un ensemble de protéines régulatrices d'un autre type, sont liés aux brins d'actine des myofilaments minces. Les sites de liaison de la myosine sur l'actine sont recouverts de tropomyosine, ce qui empêche l'actine et la myosine d'interagir (**figure 50.29a**).

Les neurones moteurs amorcent l'interaction entre l'actine et la myosine en déclenchant la libération de Ca^{2+} dans le cytosol. Une fois dans le cytosol, le Ca^{2+} se lie au complexe de troponine, et cette liaison a pour effet d'exposer les sites de liaison de la myosine sur l'actine (**figure 50.29b**). Notons que l'effet du

▼ Figure 50.29 Le rôle des protéines régulatrices et du calcium dans la contraction des myocytes. Chaque myofilament mince est constitué de deux brins d'actine, de deux longues molécules de tropomyosine et de nombreuses copies du complexe de troponine.

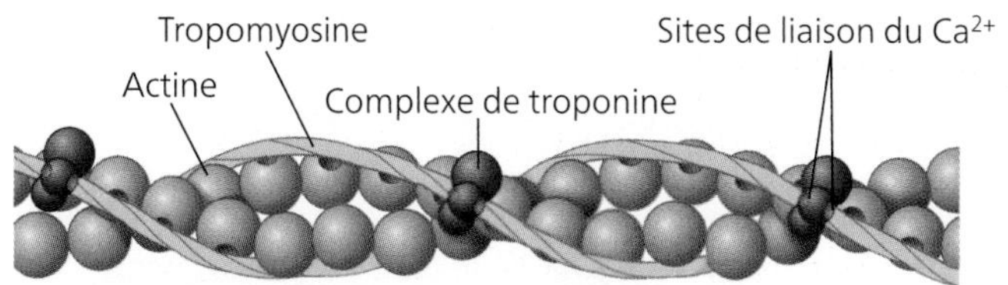

(a) Les sites de liaison de la myosine sur l'actine sont recouverts par la tropomyosine; la contraction est empêchée.

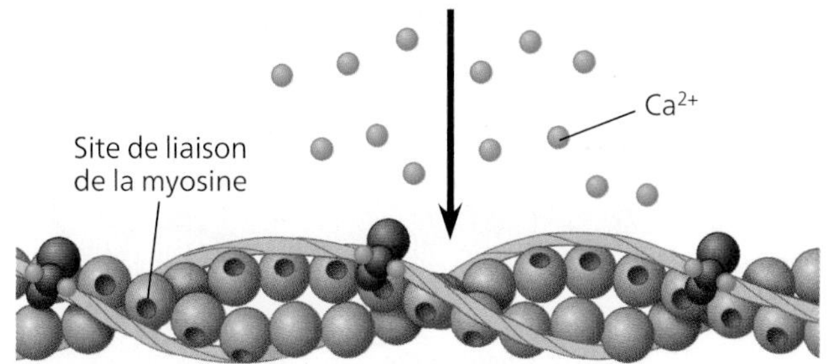

(b) Les sites de liaison de la myosine sur l'actine sont découverts (exposés); la contraction peut se produire.

Ca^{2+} est indirect : la liaison au Ca^{2+} provoque un changement de forme du complexe de troponine, ce qui déloge la tropomyosine des sites de liaison de la myosine.

Lorsque la concentration de Ca^{2+} augmente dans le cytosol, le glissement des myofilaments minces et épais devient possible, et le muscle se contracte. Lorsque la concentration cytoplasmique de calcium diminue, les sites de liaison sont recouverts, et la contraction cesse.

Les neurones moteurs effectuent la contraction musculaire par un processus à plusieurs étapes qui concourent au mouvement du Ca^{2+} dans le cytosol des cellules musculaires (**figure 50.30**). Le schéma de la **figure 50.31** résume les événements de la contraction musculaire. Premièrement, l'arrivée d'un potentiel d'action aux corpuscules nerveux terminaux du neurone moteur ❶ libère un neurotransmetteur, l'acétylcholine. La liaison de l'acétylcholine aux récepteurs du myocyte provoque une dépolarisation qui déclenche dans celle-ci un potentiel d'action. Ce potentiel d'action se propage jusque dans les profondeurs du myocyte en suivant des replis de la membrane plasmique, les **tubules transverses**. ❷ Ces derniers entrent en contact avec le **réticulum sarcoplasmique** (**RS**), un réticulum endoplasmique spécialisé. À mesure que le potentiel d'action se propage dans les tubules transverses, il provoque dans le RS des changements qui entraînent l'ouverture des canaux ioniques à Ca^{2+} ❸. Les ions Ca^{2+} accumulés à l'intérieur du RS empruntent alors les canaux ouverts, pénètrent dans le cytosol ❹ et se lient au complexe de troponine, ❺ ce qui déclenche la contraction du myocyte.

Lorsque le potentiel d'action du neurone moteur cesse, la cellule musculaire se relâche, et les myofilaments reprennent alors leur position initiale. Le relâchement du muscle commence quand les protéines de transport du RS retirent des ions Ca^{2+} du cytosol ❻. Lorsque la concentration de Ca^{2+} dans le cytosol diminue, les protéines régulatrices liées au myofilament mince retournent à leur position de départ, ❼ bloquant de nouveau les sites de liaison de la myosine sur l'actine. Au même moment, les ions Ca^{2+} retirés du cytosol s'accumulent dans le RS et forment les réserves qui serviront au prochain potentiel d'action.

Plusieurs maladies entraînent la paralysie parce qu'elles entravent l'excitation des myocytes squelettiques par les neurones moteurs. La sclérose latérale amyotrophique (SLA), par exemple, se caractérise par la dégénérescence des neurones moteurs de la moelle épinière et du tronc cérébral ainsi que par l'atrophie des myocytes ; c'est une maladie progressive qui entraîne généralement la mort dans les cinq années qui suivent l'apparition des symptômes. La myasthénie, elle, se distingue par la production d'anticorps dirigés contre les récepteurs d'acétylcholine présents sur les myocytes squelettiques. À mesure que la maladie progresse, le nombre de ces récepteurs diminue, et la transmission synaptique entre les neurones moteurs et les myocytes se détériore. Heureusement, il est possible de traiter la maladie avec des médicaments qui inhibent l'acétylcholinestérase ou bloquent le fonctionnement de certaines activités immunitaires.

▼ **Figure 50.30 Les rôles du réticulum sarcoplasmique et des tubules transverses dans la contraction des myocytes.** Le corpuscule nerveux terminal du neurone moteur libère un neurotransmetteur, l'acétylcholine, ce qui dépolarise la membrane plasmique du myocyte. Cette dépolarisation génère des potentiels d'action (flèches rouges) qui se propagent jusque dans les profondeurs du myocyte en suivant les replis formés par les tubules transverses. Ces potentiels d'action déclenchent la libération de calcium (points verts) dans le cytosol par le réticulum sarcoplasmique. Les ions Ca^{2+} amorcent alors le glissement des myofilaments puisque la myosine peut maintenant se lier à l'actine.

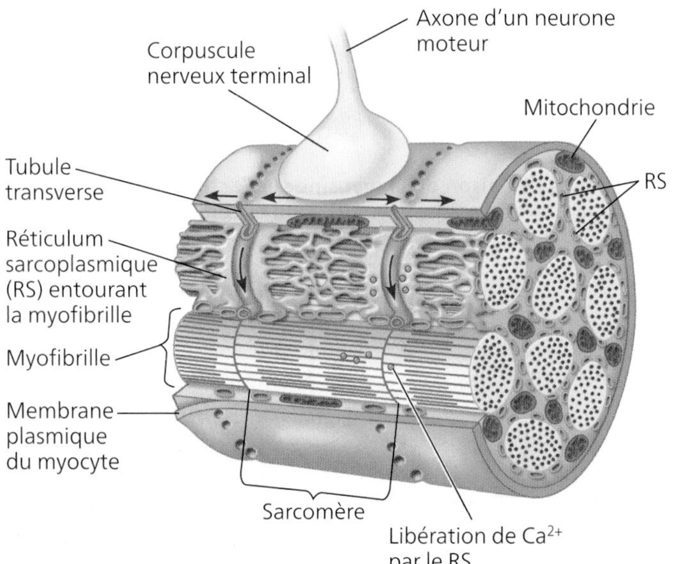

La régulation de la tension musculaire par les neurones

Alors que la contraction d'un myocyte squelettique est une brève contraction du type tout ou rien, la contraction d'un *muscle entier* tel que le biceps brachial est graduée ; nous pouvons faire varier volontairement l'étendue et la force de la contraction. Le système nerveux produit des contractions graduées dans des muscles entiers en faisant varier (1) le nombre de myocytes qui se contractent et (2) la fréquence à laquelle les myocytes sont stimulés. Examinons chacun de ces mécanismes.

Chez les vertébrés, chaque myocyte squelettique est innervé par un seul neurone moteur, mais chaque neurone moteur se ramifie et peut être en contact, au moyen de synapses, avec un grand nombre de myocytes. Une **unité motrice** comprend un neurone moteur et tous les myocytes qu'il régit (**figure 50.32**). Lorsque le neurone moteur produit un potentiel d'action, tous les myocytes de l'unité motrice se contractent simultanément. La force de la contraction dépend donc du nombre de myocytes avec lesquels le neurone moteur est en contact.

Dans le muscle entier, il peut y avoir des centaines d'unités motrices. L'activation d'un nombre croissant de neurones moteurs commandant un muscle fait augmenter progressivement la force de contraction (tension) du muscle, un processus appelé *recrutement* des neurones moteurs. Selon le nombre de neurones moteurs que recrute notre système nerveux pour un travail donné et selon la taille des unités motrices, nous pouvons soulever une fourchette ou un objet beaucoup plus lourd, comme votre manuel de biologie. Certains muscles, en particulier ceux grâce auxquels nous restons debout et maintenons notre posture, sont presque toujours partiellement contractés. Dans ces muscles, le système nerveux peut alterner l'activation des unités et réduire ainsi la durée de contraction des différents groupes de myocytes.

Le second mécanisme par lequel le système nerveux fait se contracter un muscle entier de manière graduée consiste à modifier la fréquence de la stimulation des myocytes. Un potentiel d'action unique produira une secousse musculaire élémentaire

▼ Figure 50.31 La contraction d'un myocyte squelettique: résumé.

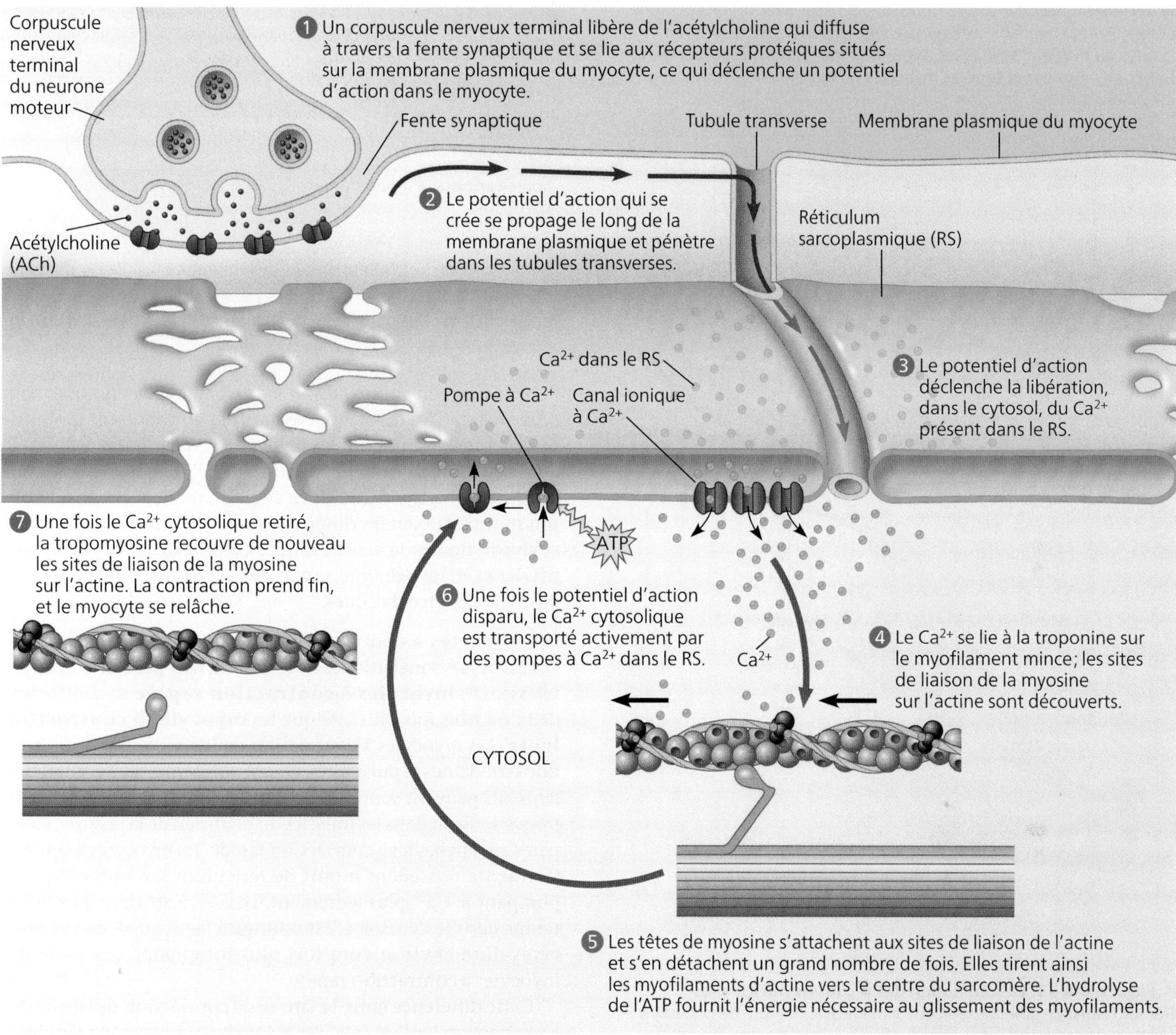

d'une durée de 100 millisecondes (ms) ou moins. Si un deuxième potentiel d'action survient avant le relâchement complet du myocyte, les secousses s'ajouteront l'une à l'autre, et la tension augmentera (**figure 50.33**). Si la fréquence de la stimulation augmente, la sommation se poursuivra. Lorsque la fréquence de la stimulation est assez élevée pour que tout relâchement du myocyte soit impossible entre les stimulus, les secousses fusionnent en une contraction uniforme et continue qu'on appelle **tétanie**. Les potentiels d'action des neurones moteurs se présentent habituellement sous la forme de salves rapides. Les tensions que crée leur sommation produisent une contraction continue qui ressemble plus à la tétanie qu'à des secousses musculaires distinctes. (Une contraction uniforme et continue fait partie de la fonction musculaire normale, tandis que le *tétanos* – caractérisé par des contractures intenses – est le nom d'une contraction musculaire persistante et incontrôlée, causée par une toxine bactérienne, la tétanospasmine, produite par *Clostridium tetani*.)

Corpuscule nerveux terminal du neurone moteur
1 Un corpuscule nerveux terminal libère de l'acétylcholine qui diffuse à travers la fente synaptique et se lie aux récepteurs protéiques situés sur la membrane plasmique du myocyte, ce qui déclenche un potentiel d'action dans le myocyte.
Fente synaptique
Tubule transverse
Membrane plasmique du myocyte
Acétylcholine (ACh)
2 Le potentiel d'action qui se crée se propage le long de la membrane plasmique et pénètre dans les tubules transverses.
Réticulum sarcoplasmique (RS)
Ca2+ dans le RS
Pompe à Ca2+
Canal ionique à Ca2+
3 Le potentiel d'action déclenche la libération, dans le cytosol, du Ca2+ présent dans le RS.
ATP
7 Une fois le Ca2+ cytosolique retiré, la tropomyosine recouvre de nouveau les sites de liaison de la myosine sur l'actine. La contraction prend fin, et le myocyte se relâche.
6 Une fois le potentiel d'action disparu, le Ca2+ cytosolique est transporté activement par des pompes à Ca2+ dans le RS.
Ca2+
4 Le Ca2+ se lie à la troponine sur le myofilament mince; les sites de liaison de la myosine sur l'actine sont découverts.
CYTOSOL
5 Les têtes de myosine s'attachent aux sites de liaison de l'actine et s'en détachent un grand nombre de fois. Elles tirent ainsi les myofilaments d'actine vers le centre du sarcomère. L'hydrolyse de l'ATP fournit l'énergie nécessaire au glissement des myofilaments.

Les types de myocytes squelettiques

Jusqu'à maintenant, nous nous sommes concentrés sur les propriétés générales des muscles squelettiques des vertébrés. Il existe cependant plusieurs types de myocytes squelettiques, chacun étant adapté à certaines fonctions. Les scientifiques classent généralement ces types de myocytes selon la source d'ATP qui alimente l'activité musculaire ou selon la vitesse de contraction (**tableau 50.1**).

Les myocytes oxydatifs et les myocytes glycolytiques Les myocytes qui utilisent surtout la respiration aérobie sont appelés myocytes oxydatifs. Ces myocytes sont spécialisés dans la mise à profit d'un apport énergétique constant: bien irrigués, ils possèdent de nombreuses mitochondries et une grande quantité d'une protéine d'entreposage de l'O_2, nommée **myoglobine**. La myoglobine, un pigment rouge-brun, a plus d'affinité pour l'O_2 que pour l'hémoglobine, de sorte qu'elle peut retirer efficacement

▼ **Figure 50.32 Les unités motrices dans un muscle squelettique de vertébré.** Chaque myocyte forme une synapse avec un seul neurone moteur. Par contre, habituellement, chaque neurone moteur est en contact, au moyen de synapses, avec un grand nombre de myocytes. Un neurone moteur et tous les myocytes qu'il commande constituent une unité motrice.

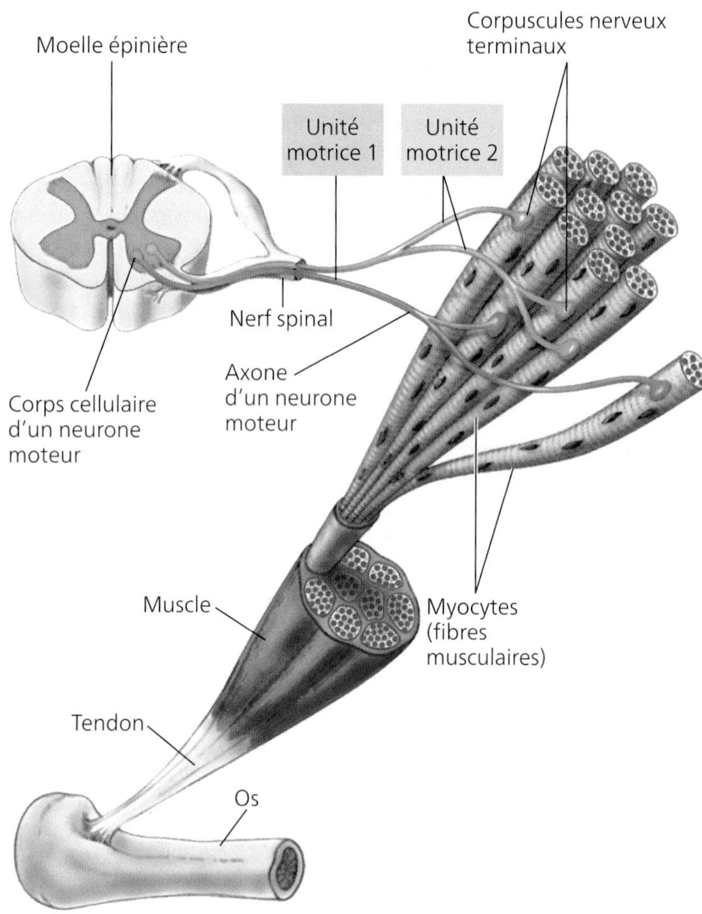

▼ **Figure 50.33 La sommation des secousses musculaires élémentaires.** Ce graphique illustre comment le nombre de potentiels d'action rapprochés dans le temps influe sur l'augmentation de la tension musculaire.

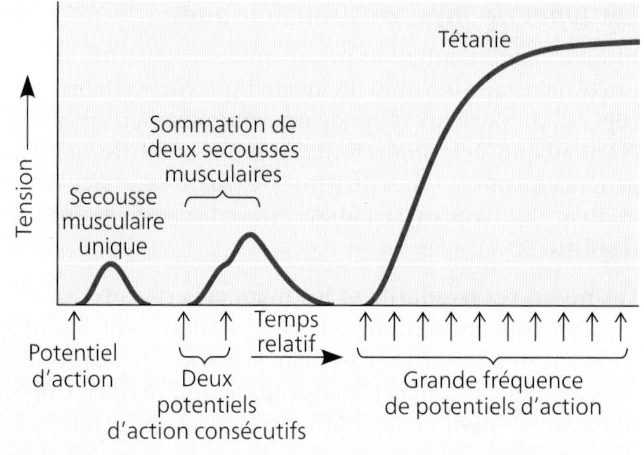

? Comment le système nerveux peut-il provoquer la contraction la plus puissante dont un muscle squelettique est capable ?

Tableau 50.1 Les types de myocytes squelettiques

	Myocytes oxydatifs à contraction lente	Myocytes oxydatifs à contraction rapide	Myocytes glycolytiques à contraction rapide
Vitesse de contraction	Lente	Rapide	Rapide
Source principale d'ATP	Respiration aérobie	Respiration aérobie	Glycolyse
Endurance	Forte	Moyenne	Faible
Mitochondries	Nombreux	Nombreux	Peu
Contenu en myoglobine	Élevé (muscle rouge)	Élevé (muscle rouge)	Faible (muscle blanc)

l'O_2 du sang. En comparaison, les myocytes glycolytiques sont plus gros que les myocytes oxydatifs et contiennent moins de myoglobine. Par ailleurs, les myocytes glycolytiques utilisent la glycolyse comme principale source d'ATP ; ils se fatiguent donc beaucoup plus rapidement. La chair du poulet et celle du poisson montrent bien les différences entre les myocytes oxydatifs et glycolytiques : la viande foncée est faite de myocytes oxydatifs riches en myoglobine, tandis que la viande claire se compose de myocytes glycolytiques.

Les myocytes à contraction rapide et à contraction lente

Les myocytes squelettiques ne se contractent pas tous à la même vitesse. Les **myocytes à contraction rapide** se contractent deux ou trois fois plus vite que les **myocytes à contraction lente**. Les myocytes à contraction rapide servent aux contractions soudaines et puissantes. Quant aux myocytes à contraction lente, ils peuvent soutenir des contractions prolongées. On les trouve souvent dans les muscles du maintien de la posture. Comparés aux myocytes à contraction rapide, les myocytes à contraction lente possèdent moins de réticulum sarcoplasmique et pompent le Ca^{2+} plus lentement. Le Ca^{2+} reste donc plus longtemps dans le cytosol. C'est pourquoi la secousse de ces myocytes dure environ cinq fois plus longtemps que celle des myocytes à contraction rapide.

Cette différence entre la vitesse de contraction des myocytes à contraction lente et celle des myocytes à contraction rapide est principalement attribuable à la vitesse à laquelle les têtes de myosine hydrolysent l'ATP, vitesse qui elle-même dépend du type d'enzyme présent dans le myocyte. Il n'existe toutefois pas de relation biunivoque entre la vitesse de contraction et la source d'ATP. Alors que tous les myocytes à contraction lente sont oxydatifs, les myocytes à contraction rapide peuvent être soit glycolytiques, soit oxydatifs.

La plupart des muscles squelettiques humains contiennent à la fois des myocytes à contraction lente et des myocytes à contraction rapide. Cependant, les muscles des yeux et de la main ne contiennent que des myocytes à contraction rapide. Dans les muscles qui contiennent les deux types de myocytes, la proportion de chacun des types est déterminée par les gènes. Toutefois, si de tels muscles sont sollicités à maintes reprises pour des activités qui demandent une grande endurance, certains myocytes glycolytiques à contraction rapide peuvent se transformer en myocytes oxydatifs à contraction rapide. Comme les myocytes oxydatifs à contraction rapide résistent plus longtemps à la fatigue que les myocytes glycolytiques à contraction rapide, tout le muscle acquerra une plus grande endurance.

Chez certains vertébrés, les myocytes squelettiques se contractent beaucoup plus rapidement que chez les humains. Par exemple, ce sont des muscles extrêmement rapides qui permettent au crotale (*Crotalus sp.*) de faire trembler sa queue et à la colombe (sous-famille des columbidés) de chanter. Encore plus rapides sont les muscles qui entourent la vessie natatoire remplie de gaz du poisson-crapaud (*Opsanus tau*) mâle (**figure 50.34**). Lorsque le poisson-crapaud produit son chant nuptial, semblable au bruit d'une corne de brume, il peut contracter et relâcher ces muscles plus de 200 fois par seconde !

Les autres types de muscles

Il existe de nombreux types différents de muscles dans le règne animal. Cependant, comme nous l'avons remarqué, ils ont tous en commun le même mécanisme fondamental de contraction, c'est-à-dire le glissement de myofilaments d'actine et de myosine les uns sur les autres. À titre d'exemple, outre les muscles squelettiques, les vertébrés ont des muscles lisses et un muscle cardiaque (voir la figure 40.5).

Chez les vertébrés, le **muscle cardiaque** ne se trouve qu'à un endroit : le cœur. À l'instar du muscle squelettique, il est strié. Contrairement aux myocytes des muscles squelettiques, les myocytes du muscle cardiaque peuvent se dépolariser et se contracter de façon rythmique indépendamment d'un stimulus envoyé par le système nerveux. En temps normal, toutefois, ce sont les cellules d'une seule partie du cœur qui servent de « *pacemaker* », autrement dit qui déclenchent les contractions. Les signaux émis par ces cellules se propagent dans tout le cœur grâce à des régions spécialisées appelées *disques intercalaires*, à la hauteur desquelles des jonctions ouvertes établissent un couplage électrique direct entre les cellules. Ainsi, lorsqu'il est produit dans une partie du cœur, par exemple dans l'oreillette droite, un potentiel d'action se propage aux cellules musculaires des deux oreillettes, qui se contractent alors. Même si les potentiels d'action du muscle cardiaque peuvent durer 20 fois plus longtemps que ceux des myocytes squelettiques, une longue période réfractaire prévient la sommation et la tétanie.

Chez les vertébrés, on trouve les **muscles lisses** surtout dans la paroi des organes creux, comme les vaisseaux sanguins et les conduits des systèmes circulatoire, digestif et reproducteur. L'œil renferme également du tissu musculaire lisse, qui y contrôle la mise au point et le diamètre de la pupille. Ils ne présentent pas les stries qu'on peut observer sur les muscles squelettiques et cardiaque, parce que leurs myofilaments d'actine et de myosine ne sont pas tous disposés de façon régulière le long de la cellule, sous forme de sarcomères. En effet, les myofilaments épais sont dispersés dans le cytoplasme, et les myofilaments minces sont attachés à des structures appelées granules denses, dont certaines sont ancrées dans la membrane plasmique. Les muscles lisses contiennent moins de myosine que les muscles squelettiques et cardiaque, et cette myosine n'est pas associée à des myofilaments d'actine spécifiques. Certains myocytes de muscles lisses ne se contractent que s'ils sont stimulés par les neurones du système nerveux autonome. D'autres sont électriquement liés les uns aux autres et peuvent engendrer des potentiels d'action sans stimulation neuronale. Les muscles lisses se contractent et se relâchent plus lentement que les muscles striés.

Bien que le Ca^{2+} régule la contraction des muscles lisses, les myocytes des muscles lisses ne possèdent ni de complexe de troponine ni de système de tubules transverses, et leur réticulum sarcoplasmique n'est pas très développé. Pendant le potentiel d'action, le Ca^{2+} pénètre dans le cytosol principalement par la membrane plasmique. Les ions Ca^{2+} provoquent la contraction en se liant à la calmoduline, laquelle active une enzyme qui phosphoryle la tête de myosine. La formation de ponts est alors possible.

Les invertébrés possèdent des cellules musculaires semblables aux cellules musculaires squelettiques et lisses des vertébrés ; en fait, les muscles squelettiques des arthropodes sont presque identiques à ceux des vertébrés. Toutefois, étant donné que les muscles du vol des insectes peuvent se contracter en réaction à l'étirement, les ailes de certains insectes peuvent battre plus rapidement (jusqu'à 1 000 battements/seconde) que n'arrivent du système nerveux central les potentiels d'action. On a découvert une autre adaptation issue de l'évolution dans les muscles adducteurs qui enferment les bivalves dans leur coquille. Une modification de certaines protéines dans ces muscles leur permet de rester dans un état fixe de contraction, tout en consommant peu d'énergie, durant un mois.

▼ **Figure 50.34 La spécialisation des muscles squelettiques.** Le poisson-crapaud (*Opsanus tau*) mâle utilise des muscles extrêmement rapides pour produire son chant nuptial.

RETOUR SUR LE CONCEPT 50.5

1. Comparez le rôle des ions Ca^{2+} dans la contraction des myocytes de muscle squelettique et de muscle lisse.
2. **ET SI ?** ▶ Pourquoi les muscles d'un animal qui vient de mourir sont-ils habituellement raides ?
3. **FAITES DES LIENS** ▶ Quelle différence pouvez-vous établir entre l'activité de la tropomyosine et de la troponine durant la contraction musculaire et l'activité d'un inhibiteur compétitif durant une action enzymatique ? (Voir la figure 8.18b.)

Voir les réponses proposées à l'appendice A.

CONCEPT **50.6**

Le squelette transforme la contraction musculaire en locomotion

Pour que la contraction musculaire donne lieu au mouvement, il faut un squelette, c'est-à-dire une structure rigide à laquelle les muscles sont attachés. Un animal modifie la rigidité de son corps, sa forme ou sa position en contractant les muscles qui relient deux parties de son squelette. Souvent, les muscles sont attachés à l'os indirectement par du tissu conjonctif formant un tendon.

Comme les muscles exercent une force seulement durant leur contraction, le mouvement de va-et-vient (en sens contraires) d'une partie du corps requiert habituellement deux muscles attachés à la même partie du squelette. La partie supérieure du bras humain et la patte d'une sauterelle (famille des tettigoniidés) sont des exemples de ce type d'arrangement musculaire (**figure 50.35**). Ces paires de muscles sont dites antagonistes, mais ceux-ci fonctionnent en collaboration, le tout étant coordonné par le système nerveux. Par exemple, lorsque nous étirons le bras, des neurones moteurs déclenchent la contraction de notre triceps alors que l'inaction d'autres neurones moteurs permet à notre biceps de se relâcher.

Le squelette remplit trois fonctions principales : le soutien, la protection et le mouvement. La plupart des animaux terrestres s'affaisseraient sous leur propre masse s'ils n'avaient pas de squelette pour les soutenir. Un animal aquatique ne serait qu'une masse informe sans structure pour lui donner sa conformation. De nombreuses espèces possèdent un squelette rigide qui protège leurs tissus mous. Ainsi, les vertébrés ont un crâne qui recouvre leur encéphale et des côtes qui forment une cage autour de leur cœur, de leurs poumons et de leurs autres organes internes.

▼ **Figure 50.35 L'interaction des muscles et du squelette dans le mouvement.** En général, des muscles antagonistes génèrent les mouvements de va-et-vient d'une partie du corps, chacun ayant un effet opposé par rapport à l'autre. Ce principe vaut aussi bien pour un squelette interne, comme chez les mammifères, que pour un squelette externe, comme chez les insectes.

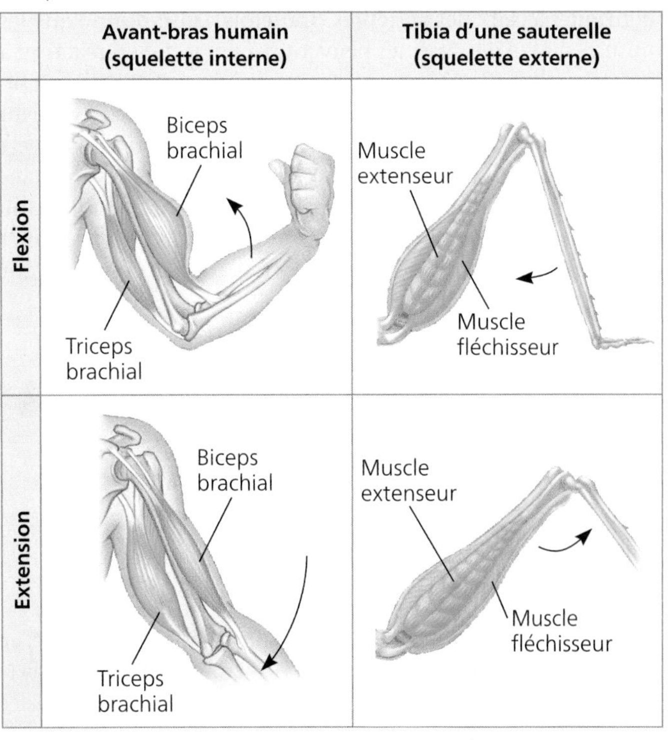

Les types de squelette

Un squelette n'est pas toujours un groupe d'os reliés ensemble ; il en existe plusieurs types. Les structures de soutien rigides sont parfois externes (comme les exosquelettes), internes (comme les endosquelettes) ou même absentes (comme les hydrosquelettes, remplis de liquide).

Les hydrosquelettes

Un **hydrosquelette**, ou squelette hydrostatique, est un compartiment fermé de l'organisme qui contient un liquide maintenu sous pression. La plupart des cnidaires, des plathelminthes, des nématodes et des annélides ont un squelette de ce type (voir la figure 33.3). Ces animaux se déplacent en se servant de leurs muscles pour modifier la forme des compartiments remplis de liquide. Par exemple, chez l'hydre, qui fait partie des cnidaires, c'est le liquide de la cavité gastrovasculaire qui sert d'hydrosquelette. Ainsi, l'animal s'allonge en fermant la bouche et en resserrant sa cavité gastrovasculaire au moyen des cellules contractiles de sa paroi corporelle. Comme l'eau est incompressible, la cavité ne peut que s'allonger quand son diamètre diminue.

Les vers se meuvent de diverses façons. Chez les planaires et d'autres vers plats (plathelminthes), c'est le liquide interstitiel maintenu sous pression dans la cavité gastrovasculaire qui joue le rôle d'hydrosquelette principal. Pour se déplacer, les planaires contractent les muscles de leur paroi corporelle et exercent ainsi des forces localisées sur cet hydrosquelette. Chez les vers ronds (nématodes), c'est le liquide présent dans la cavité corporelle qui joue le rôle d'hydrosquelette. Ils maintiennent ce liquide sous pression, et l'action de leurs muscles longitudinaux produit des mouvements ondulatoires. Chez les vers de terre (lumbricidés) et autres annélides, des muscles circulaires et longitudinaux modifient séparément la forme de chacun des segments remplis de liquide, qui sont divisés par des cloisons. Ces annélides se servent de leur hydrosquelette pour se déplacer par **péristaltisme**, un type de locomotion produit par des ondes rythmiques de contractions musculaires le long du corps, de la tête à la queue (**figure 50.36**).

Les hydrosquelettes conviennent bien à la vie en milieu aquatique. Chez les animaux terrestres, ils peuvent protéger les organes internes contre les chocs et offrir un appui pour ramper et creuser la terre. Cependant, ils n'offrent aucun soutien aux formes de locomotion terrestre, telles que la marche ou la course, dans lesquelles le corps de l'animal est maintenu au-dessus du sol.

Les exosquelettes

Les coquilles que l'on trouve sur la plage ont déjà servi d'exosquelettes. L'**exosquelette** est une enveloppe rigide qui se trouve à la surface du corps de certains animaux. Par exemple, une coquille calcaire (trioxocarbonate de calcium, $CaCO_3$) enferme la plupart des mollusques. Sécrétée par le manteau, elle constitue un prolongement, en forme d'enveloppe, de la paroi corporelle (voir la figure 33.16). Les palourdes et autres bivalves

▼ **Figure 50.36 Ramper par péristaltisme.** La contraction des muscles longitudinaux épaissit et raccourcit le ver de terre, alors que la contraction des muscles circulaires le comprime et l'allonge.

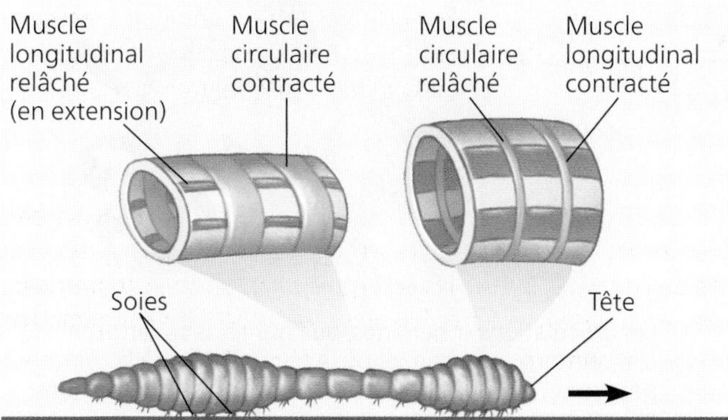

❶ Au moment décrit ici, les segments corporels du ver de terre situés au niveau de la tête et de la queue raccourcissent et s'épaississent (muscles longitudinaux contractés, muscles circulaires relâchés), et s'ancrent au sol au moyen des soies. Les autres segments se compriment et s'allongent (muscles circulaires contractés, muscles longitudinaux relâchés).

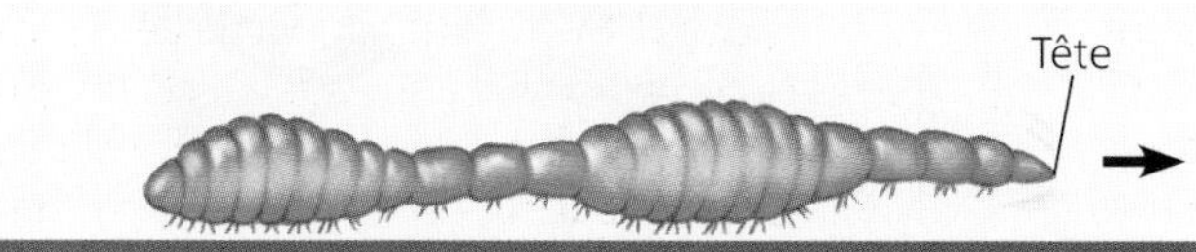

❷ La tête a avancé parce que les muscles circulaires des segments de la tête se sont contractés. Les segments situés derrière la tête et devant la queue se sont alors épaissis et ancrés, ce qui empêche le ver de reculer en glissant.

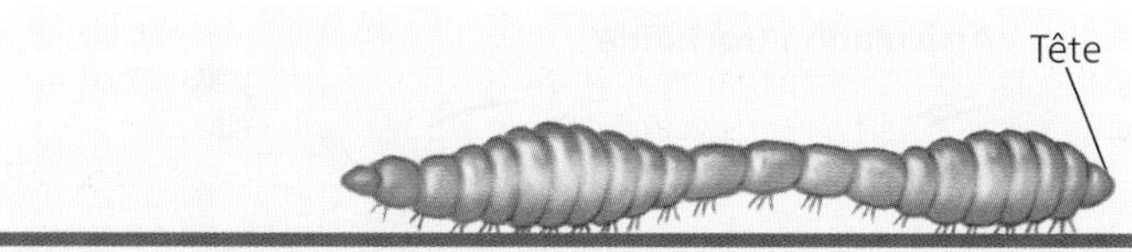

❸ Les segments de la tête s'épaississent de nouveau et s'ancrent dans une nouvelle position. Les autres segments ont lâché leur prise sur le sol et ont été tirés vers l'avant.

ferment leur coquille, qui est articulée, en actionnant les muscles (muscles adducteurs) situés à l'intérieur de cet exosquelette. Au fur et à mesure qu'il grossit, l'animal agrandit le diamètre de sa coquille en élargissant le bord extérieur.

Les insectes et autres arthropodes ont un exosquelette articulé appelé *cuticule*, c'est-à-dire une enveloppe inerte qui est sécrétée par l'épiderme. Environ 30 à 50 % de la cuticule des arthropodes se compose de **chitine**, un polysaccharide semblable à la cellulose (voir la figure 5.8). Une matrice protéique enrobe les fibrilles de chitine, formant ainsi un matériau composite qui allie solidité et flexibilité. Là où la protection est la plus importante, des composés organiques et, dans certains cas, des sels de calcium renforcent la cuticule. Toutefois, dans les parties du corps qui doivent demeurer flexibles, par exemple les articulations des pattes, la cuticule ne durcit pas. Les muscles sont attachés à des appendices et à des plaques de la cuticule qui se prolongent à l'intérieur du corps. À chaque poussée de croissance, un arthropode doit se séparer de son exosquelette (mue) et le remplacer par un exosquelette plus grand.

Les endosquelettes

L'**endosquelette** se compose d'éléments de soutien rigides, tels que des os, qui sont enveloppés par les tissus mous de l'animal. Divers animaux, des éponges aux mammifères, possèdent un endosquelette. Les éponges (embranchement des porifères) ont des spicules rigides constitués de matériaux inorganiques ou des fibres plus souples faites de protéines pour renforcer leur structure. Les échinodermes sont pourvus d'un ensemble de plaques rigides, les ossicules, qui sont situées sous la peau. Ces ossicules comprennent des cristaux de trioxocarbonate de magnésium et de calcium. Les oursins ont un squelette formé d'ossicules étroitement reliés, tandis que les étoiles de mer ont des ossicules reliés de manière plus lâche, ce qui leur permet de modifier la forme de leurs bras.

Les vertébrés ont un endosquelette qui se compose de tissu cartilagineux, de tissu osseux ou d'une combinaison des deux (voir la figure 40.5). Le squelette des mammifères compte plus de 200 os. Certains de ces os sont fusionnés ; d'autres sont reliés par des articulations pourvues de ligaments et offrant une certaine liberté de mouvement (**figures 50.37** et **50.38**). Des cellules appelées *ostéoblastes* sécrètent de la matrice osseuse et ainsi synthétisent et réparent le tissu osseux (voir la figure 40.5). Les *ostéoclastes* remplissent la fonction inverse : ils dégradent et réabsorbent les constituants osseux au cours du remodelage osseux.

Quelle épaisseur un endosquelette doit-il avoir pour remplir ses fonctions ? On peut répondre à cette question à l'aide des principes de la physique utilisés en génie civil. Ainsi, le poids d'un édifice augmente en fonction du cube de ses dimensions. Toutefois, la solidité des structures de soutien des édifices dépend de leur section transversale, qui augmente seulement en fonction du carré de leur diamètre. On peut donc prédire qu'une souris de la taille d'un éléphant aurait des pattes beaucoup trop fines pour supporter son poids si elle avait les mêmes proportions qu'une souris de taille normale. Les proportions corporelles d'un animal de grande taille sont bien différentes de celles d'un petit animal.

En partant de l'analogie avec la construction d'édifices, on pourrait prédire que la taille des os des pattes d'un animal devrait être directement proportionnelle à la force qu'exerce la masse du corps. Mais le corps d'un animal peut être complexe et n'est généralement pas rigide, et la relation entre la taille des pattes et celle du corps ne constitue qu'une partie de la problématique. Ainsi, la posture, c'est-à-dire la position des pattes par rapport au reste du corps, est une caractéristique structurale plus importante que la taille de pattes pour le soutien de la masse corporelle, du moins chez les mammifères et les oiseaux. Les muscles et les tendons, qui maintiennent les pattes des gros mammifères à peu près droites sous leur corps, supportent la majeure partie de la charge.

Les types de locomotion

Le mouvement est l'un des caractères distinctifs des animaux. Même les animaux fixés à une surface doivent mouvoir des parties de leur corps ; ainsi, les éponges font battre leurs flagelles de façon à créer des courants leur permettant d'attirer et de piéger de petites particules de nourriture ; et les cnidaires sessiles sont munis de tentacules préhensiles qui leur permettent de capturer leurs proies. Cependant, la plupart des animaux sont mobiles, et consacrent une partie importante de leur temps et de leur

▼ **Figure 50.37** **Les os et les articulations du squelette humain.**

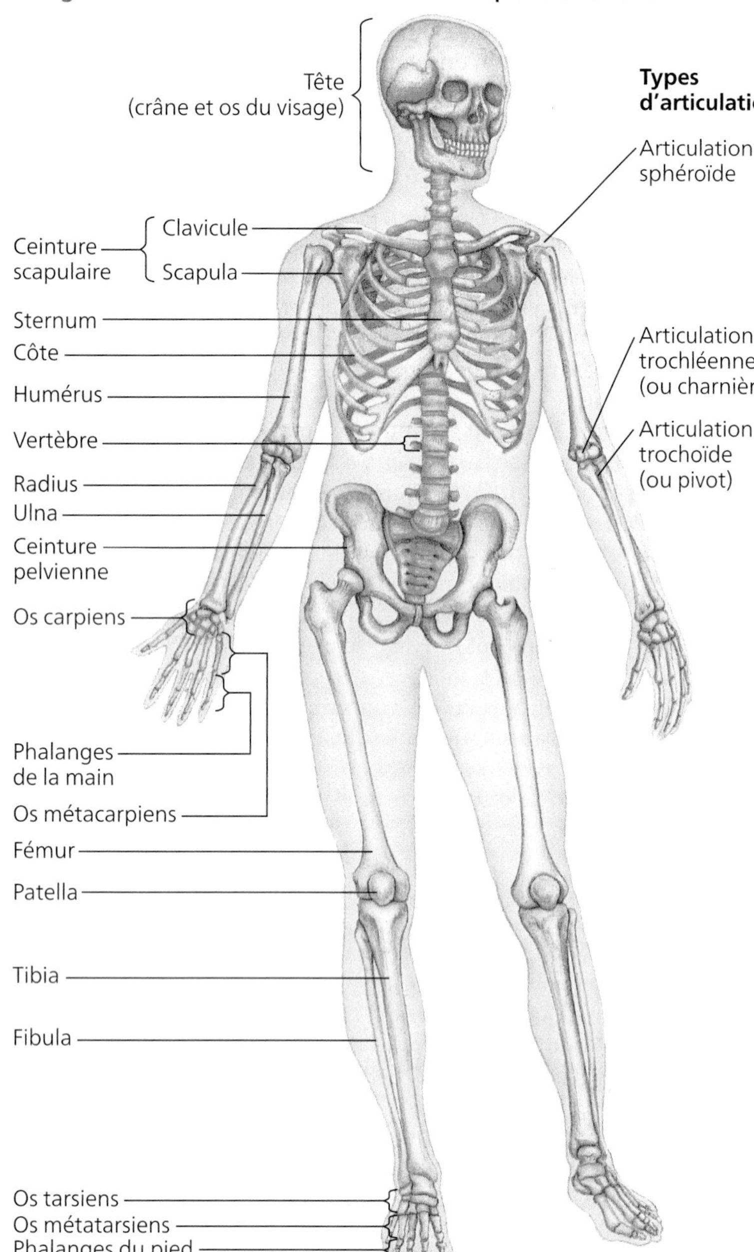

▼ **Figure 50.38** **Les types d'articulations.**

Articulation sphéroïde

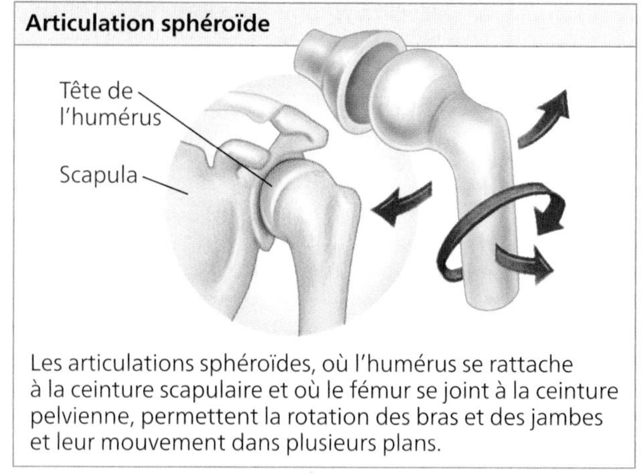

Les articulations sphéroïdes, où l'humérus se rattache à la ceinture scapulaire et où le fémur se joint à la ceinture pelvienne, permettent la rotation des bras et des jambes et leur mouvement dans plusieurs plans.

Articulation trochléenne

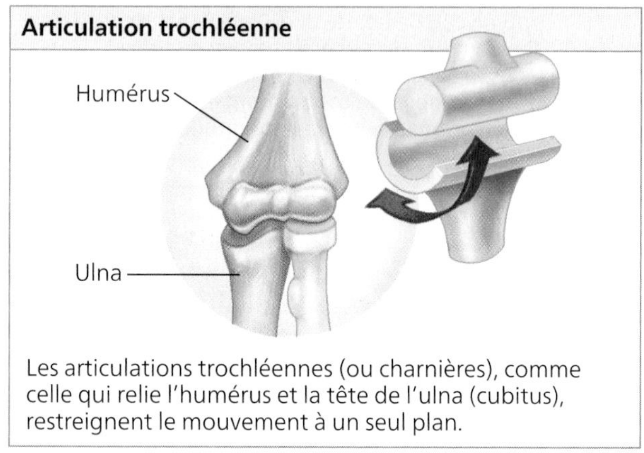

Les articulations trochléennes (ou charnières), comme celle qui relie l'humérus et la tête de l'ulna (cubitus), restreignent le mouvement à un seul plan.

Articulation trochoïde

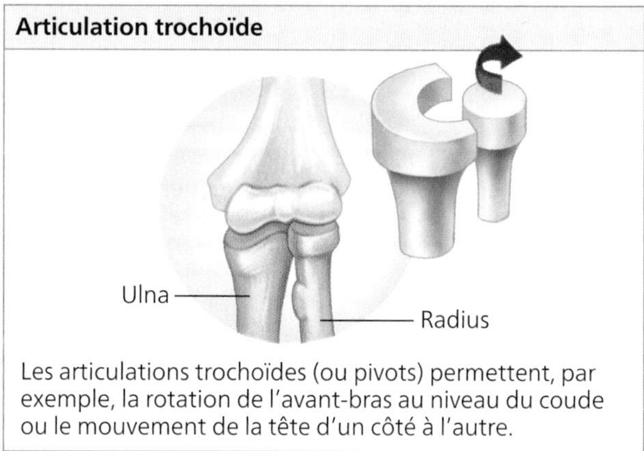

Les articulations trochoïdes (ou pivots) permettent, par exemple, la rotation de l'avant-bras au niveau du coude ou le mouvement de la tête d'un côté à l'autre.

énergie à chercher activement de la nourriture, à échapper au danger et à tenter de trouver des partenaires sexuels. Ces activités supposent la **locomotion**, c'est-à-dire le déplacement actif d'un lieu à un autre.

La friction et la force gravitationnelle sont des forces qui tendent à garder un animal immobile. Elles s'opposent donc à la locomotion. Pour se déplacer, un animal doit dépenser de l'énergie afin de vaincre ces deux forces. Comme nous allons le voir, la quantité d'énergie nécessaire pour vaincre la friction ou la force gravitationnelle est souvent réduite par le plan d'organisation corporelle de l'animal, qui est adapté au mouvement dans un milieu donné.

La locomotion sur la terre ferme

Sur le sol, un animal qui marche, court, saute ou rampe doit être capable de supporter sa propre masse et de vaincre la force gravitationnelle. L'air, du moins à vitesse modérée, présente une résistance relativement faible. Lorsqu'un animal terrestre marche, court ou saute, les muscles de ses pattes consomment de l'énergie tant pour le propulser que pour l'empêcher de tomber. À chaque pas, lorsqu'il court ou marche, l'animal doit aussi vaincre l'inertie en faisant bouger l'une de ses pattes à partir d'une vitesse nulle. Pour le déplacement sur le sol, des muscles puissants et un squelette robuste sont donc plus importants qu'une forme aérodynamique.

Pour leurs déplacements au sol, les vertébrés ont acquis et développé diverses adaptations. Par exemple, se déplaçant surtout par sauts, les kangourous (famille des macropodidés) possèdent de grands muscles qui donnent beaucoup de puissance à leurs pattes arrière (**figure 50.39**). Quand ils retombent au sol, les tendons de leurs pattes arrière emmagasinent momentanément de l'énergie. Plus ils sautent haut, plus leurs tendons emmagasinent d'énergie pour le saut suivant, de la même façon que le mécanisme d'échasses à ressort retient une tension. Tout cela réduit d'autant la quantité d'énergie que ces animaux doivent dépenser pour leurs déplacements. L'analogie avec les échasses à ressort s'applique à de nombreux animaux terrestres. Ainsi, les pattes des insectes, des chiens et des humains retiennent une certaine énergie pendant la marche ou la course, bien que l'effet soit bien moindre que dans le cas des kangourous quand ils sautent.

▲ **Figure 50.39 La locomotion terrestre écoénergétique.** Le principal mode de déplacement des kangourous consiste à sauter vers l'avant à l'aide de leurs fortes pattes arrière. L'énergie cinétique emmagasinée temporairement dans les tendons après chaque saut permet de réduire le coût énergétique du saut suivant. En fait, un gros kangourou qui se déplace à une vitesse de 30 km/h en sautant ne dépense pas plus d'énergie par minute que s'il se déplaçait à 6 km/h. Sa grande queue lui permet de garder son équilibre lorsqu'il saute ou qu'il est assis.

Garder son équilibre constitue une autre condition de la marche, de la course et du saut. Les chats, les chiens et les chevaux (*Equus caballus*) utilisent le principe du trépied quand ils marchent, c'est-à-dire qu'ils gardent toujours trois pattes en contact avec le sol. Les animaux bipèdes, comme les humains et les oiseaux, utilisent le même principe et gardent au moins une partie de pied ou de patte en contact avec le sol quand ils marchent. Quand ils courent, les animaux peuvent faire quitter le sol à leurs quatre membres (ou à leurs deux membres dans le cas des bipèdes) pendant un instant. Dans ce cas, c'est leur élan plus que le contact des membres avec le sol qui maintient leur corps érigé. Les kangourous ont une grande queue qui leur sert d'organe d'équilibre. Elle forme, avec les pattes arrière, un trépied quand ces animaux s'assoient ou se déplacent lentement. Des études récentes indiquent que leur queue produit également une force considérable durant le saut, si bien qu'elle aide à propulser le kangourou vers l'avant.

La reptation pose un tout autre défi. Comme une grande partie de son corps est en contact avec le sol, l'animal qui rampe doit faire un effort considérable pour vaincre la friction. Comme vous l'avez vu, les vers de terre rampent grâce au péristaltisme. De nombreux serpents rampent en faisant onduler latéralement tout leur corps. Les ondes de flexion se propagent de la tête à la queue, et chaque portion du corps suit tour à tour le même ondoiement que la tête et le cou. Par contre, d'autres serpents, comme les boas (*Boa spp.*) et les pythons (*Python spp.*), rampent en ligne droite. Ils sont poussés par des muscles qui soulèvent leurs écailles ventrales, les rabattent vers l'avant, puis les repoussent vers l'arrière en prenant appui sur le sol.

La nage

Comme la plupart des animaux ont une assez bonne flottabilité, les espèces qui nagent ont moins de difficulté à vaincre la force gravitationnelle que celles qui doivent se déplacer sur la terre ferme ou dans les airs. Cependant, l'eau est un milieu qui présente une masse volumique et une viscosité beaucoup plus grandes que l'air, et la résistance au mouvement (friction) représente une entrave importante pour les animaux aquatiques. L'évolution a doté de nombreux animaux nageurs rapides (voir la figure 40.2) d'une forme élancée et fuselée (forme de torpille).

Les animaux ne nagent pas tous de la même façon. De nombreux insectes et vertébrés quadrupèdes se servent de leurs pattes comme de rames pour avancer sur l'eau. Les requins et les poissons osseux nagent en bougeant leur corps et leur queue d'un côté puis de l'autre, tandis que les baleines et les dauphins (de l'ordre des cétacés) se déplacent en faisant onduler leur corps et leur queue de haut en bas. Quant aux calmars (ordre des teuthides), aux pétoncles (famille des pectinidés) et à certains cnidaires, ils se propulsent en aspirant de l'eau puis en l'expulsant par jets. En comparaison, les méduses semblent créer une région de basse pression dans l'eau qui se trouve devant elles, de sorte qu'elles sont tirées vers l'avant plutôt que poussées.

Le vol

Au cours de l'évolution, le vol actif (par opposition au fait de planer du haut d'un arbre) est apparu chez quelques groupes d'animaux seulement : des insectes, des reptiles (dont les oiseaux) et, parmi les mammifères, les chauves-souris (ordre des chiroptères). Depuis l'extinction des ptérosaures, un groupe de reptiles volants, il y a des millions d'années, les seuls vertébrés qui volent sont les oiseaux et les chauves-souris.

Pour qu'un animal puisse voler, ses ailes doivent créer une poussée suffisante pour vaincre complètement la force gravitationnelle. Ainsi, l'élément fondamental du vol est la forme des ailes. Tous les types d'ailes, même celles des avions, ont une allure profilée, c'est-à-dire que ce sont des structures dont la forme modifie les courants d'air de façon à créer une portance, soit une force perpendiculaire au déplacement. En ce qui concerne le corps sur lequel les ailes sont attachées, une forme fuselée réduit la trainée dans l'air comme elle le fait dans l'eau.

Les animaux volants sont relativement légers. Leur masse corporelle varie de moins de 1 g, pour certains insectes, à environ 20 kg, pour les plus gros oiseaux volants. Beaucoup d'animaux volants possèdent des adaptations structurales qui réduisent leur masse corporelle. Les oiseaux, par exemple, présentent une structure osseuse lacunaire, et sont dépourvus de dents et de vessie (voir la figure 34.30).

Voler, courir, nager : chaque type de locomotion a son coût énergétique pour l'animal. Dans la rubrique **Habiletés scientifiques**, vous interpréterez un diagramme qui compare les coûts énergétiques relatifs de ces types de locomotion.

DÉMARCHE SCIENTIFIQUE

HABILETÉS SCIENTIFIQUES

Interpréter un diagramme à échelles logarithmiques

■ QUELS SONT LES COÛTS ÉNERGÉTIQUES DE LA LOCOMOTION ? ■ Durant les années 1960, Knut Schmidt-Nielsen, physiologiste animal et chercheur à la Duke University, s'est intéressé à la bioénergétique de la locomotion. Il s'est demandé si des principes généraux gouvernaient les coûts énergétiques des divers types de locomotion au sein des espèces animales. Pour répondre à cette question, il s'est appuyé sur ses propres expériences et sur celles d'autres chercheurs. Dans le présent exercice, vous analyserez les résultats combinés de ces expériences et vous découvrirez pourquoi il peut être utile de représenter des résultats expérimentaux à l'aide de diagrammes dont les axes sont des échelles logarithmiques.

■ MÉTHODE ■ Des chercheurs ont mesuré la consommation d'O_2 ou la production de CO_2 chez des animaux qu'on faisait courir sur un tapis roulant, nager dans une glissoire hydraulique ou voler dans une soufflerie aérodynamique. Par exemple, ils ont montré à des perroquets à voler dans une soufflerie aérodynamique avec un masque sur le bec. En reliant le masque à un tube qui recueille l'air expiré pendant que le perroquet vole (voir la photo), ils ont pu mesurer les échanges gazeux et calculer la dépense énergétique de l'oiseau. À partir de ces mesures, Schmidt-Nielsen a calculé le coût énergétique de la locomotion: la quantité d'énergie nécessaire pour transporter une masse corporelle donnée sur une distance déterminée (calories/[kilogramme · mètre]).

■ RÉSULTATS ■ Schmidt-Nielsen a représenté graphiquement les coûts énergétiques de la course, du vol et de la nage en fonction de la masse corporelle dans un seul diagramme dont les deux axes sont des échelles logarithmiques. Il a ensuite tracé la droite la mieux ajustée pour relier les coordonnées de chaque mode de locomotion. (Le diagramme ci-dessous ne montre pas les coordonnées individuellement.)

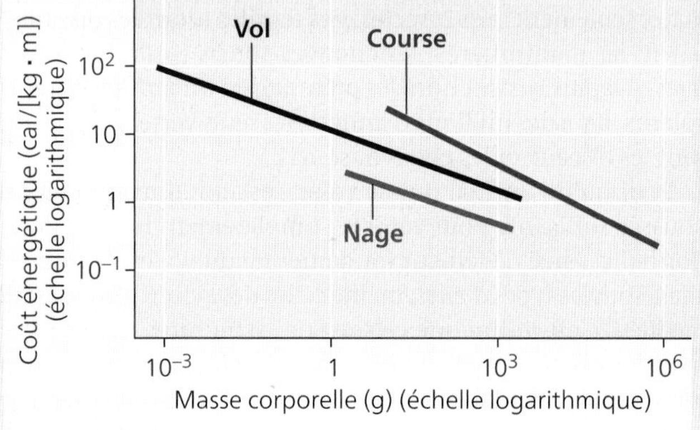

INTERPRÉTEZ LES DONNÉES ▼

La masse corporelle des animaux utilisés dans ces expériences variait d'environ 0,001 g à 1 000 000 g, et leur dépense énergétique, d'environ 0,1 cal/(kg · m) à 100 cal/(kg · m). Si vous deviez représenter ces données dans un diagramme avec des axes comportant des échelles linéaires plutôt que logarithmiques, comment construiriez-vous les axes pour que toutes les données puissent apparaître ? Quel est l'avantage d'utiliser des échelles logarithmiques pour représenter des données dont l'étendue est très grande ? (Pour en savoir davantage sur les diagrammes, consultez l'appendice F.)

1. D'après ce diagramme, quel est le rapport entre le coût énergétique du vol d'un animal pesant 10^{-3} g et celui d'un animal pesant 1 g ? Quel animal se déplace le plus efficacement, nonobstant son mode de locomotion: l'animal plus gros ou l'animal plus petit ?

Les pentes des droites du vol et de la nage sont très semblables. D'après votre réponse à la question 2, si le coût énergétique de la nage d'un animal de 2 g est de 1,2 cal/(kg · m), à combien estimez-vous celui d'un animal de 2 kg ?

2. Pour des animaux dont la masse corporelle est d'environ 100 g, ordonnez les trois types de locomotion selon les coûts énergétiques engendrés, du plus élevé au moins élevé. Arrivez-vous aux résultats que vous auriez prévus à partir de votre propre expérience ? Comment expliqueriez-vous le coût énergétique de la course comparativement à celui du vol ou de la nage ?
3. Schmidt-Nielsen a calculé le coût de la nage pour un canard colvert et a constaté qu'il est de presque 20 fois plus élevé que celui de la nage d'un saumon de même masse. Comment expliqueriez-vous l'efficacité supérieure de la nage du saumon ?

Source des données: K. Schmidt-Nielsen, Locomotion: Energy cost of swimming, flying, and running, *Science* 177: 222-228 (1972).

RETOUR SUR LE CONCEPT 50.6

1. Comparez la nage et le vol en fonction des principaux problèmes qu'ils posent et des adaptations qui permettent aux animaux de surmonter ces problèmes.
2. **FAITES DES LIENS ▶** Le péristaltisme contribue à la locomotion de nombreux annélides tout comme à la progression du bol alimentaire dans le tube digestif (voir le concept 41.3). Si vous faites une démonstration du péristaltisme en utilisant les muscles de votre main et un tube de dentifrice, en quoi votre démonstration différera-t-elle selon qu'elle montre la locomotion et le mouvement du bol alimentaire ?
3. **ET SI ? ▶** Lorsque vous posez vos mains sur les accoudoirs d'un fauteuil et que vous utilisez vos bras pour vous asseoir, vous fléchissez les bras sans utiliser vos biceps. Expliquez comment cela est possible. (*Indice:* Pensez à la force gravitationnelle comme à une force antagoniste.)

Voir les réponses proposées à l'appendice A.

RÉVISION DU CHAPITRE 50

Consultez votre MANUEL NUMÉRIQUE, qui vous donne accès aux **animations**, aux **exercices** et à la plateforme d'**anatomie interactive**.

Résumé des concepts clés

CONCEPT 50.1

Les récepteurs sensoriels convertissent l'énergie d'un stimulus en signaux qu'ils transmettent au système nerveux central (p. 1218 à 1222)

- La détection d'un stimulus par les cellules sensorielles précède la **transduction du signal sensoriel**, c'est-à-dire la modification du potentiel de membrane d'un **récepteur sensoriel** en réponse à un stimulus. Le **potentiel de récepteur** ainsi produit contrôle la transmission des potentiels d'action au système nerveux central (SNC), où l'information sensorielle est intégrée pour produire des **perceptions**. La fréquence des potentiels d'action dans un axone ainsi que le nombre d'axones activés déterminent l'intensité du stimulus. Le type d'axone qui transmet l'information détermine la nature ou la qualité du stimulus.
- Les **mécanorécepteurs** réagissent aux stimulus comme la pression, l'étirement, le mouvement et le bruit. Les **chimiorécepteurs** détectent la concentration totale de solutés dans une solution ou des molécules spécifiques. Les **récepteurs d'ondes électromagnétiques** captent différentes formes de rayonnement électromagnétique. Les **thermorécepteurs** donnent de l'information sur les températures superficielle et interne de l'organisme. La douleur est détectée par un groupe de **nocicepteurs** qui réagissent à la chaleur excessive, à la pression ou à certaines substances chimiques.

? Afin de simplifier la classification des récepteurs sensoriels, pourquoi pourrait-il être approprié de ne plus ranger les nocicepteurs dans une classe distincte ?

CONCEPT 50.2

Les mécanorécepteurs associés à l'audition et à l'équilibre perçoivent le mouvement des liquides et le dépôt des particules (p. 1222 à 1227)

- La plupart des invertébrés perçoivent l'orientation de leur corps en fonction de la force gravitationnelle au moyen de **statocystes**. Des **cellules sensorielles ciliées** sont spécialisées dans l'audition et l'équilibre chez les mammifères ainsi que dans la détection du mouvement de l'eau chez les poissons et les amphibiens aquatiques. Chez les mammifères, le **tympan** transmet les ondes sonores aux osselets de l'**oreille moyenne**, qui les transmettent à leur tour à la **fenêtre vestibulaire**, puis au liquide contenu dans la **cochlée**, organe de forme enroulée qui se trouve dans l'**oreille interne**. Les ondes de pression présentes dans le liquide font vibrer la lame basilaire, ce qui entraîne la dépolarisation des cellules sensorielles ciliées de l'organe spiral et le déclenchement de potentiels d'action qui se propagent jusqu'à l'encéphale par le nerf auditif. Les récepteurs situés dans l'oreille interne sont les organes de l'équilibre.

? Comment le volume de la musique ainsi que la hauteur des notes sont-ils codés dans les signaux transmis à l'encéphale ?

CONCEPT 50.3

Les divers récepteurs visuels des animaux font appel à des pigments photorécepteurs (p. 1227 à 1234)

- Parmi les organes qui détectent la lumière chez les invertébrés, on trouve les ocelles photosensibles, les **yeux composés** produisant des images et les **yeux simples**, à cristallin unique. Dans l'œil des vertébrés, un seul **cristallin** sert à projeter la lumière sur les **photorécepteurs** de la **rétine**. Les **bâtonnets** et les **cônes** contiennent un pigment appelé **rétinal**, lié à une protéine (**opsine**). L'absorption de la lumière par le rétinal établit une voie de transduction du signal qui hyperpolarise les photorécepteurs, de sorte qu'ils libèrent moins de neurotransmetteurs. Les synapses transmettent l'information provenant des photorécepteurs à des cellules qui intègrent l'information avant de l'envoyer à l'encéphale par des axones groupés en un nerf optique.

? En quoi le traitement d'une information visuelle transmise au cerveau d'un vertébré diffère-t-il du traitement d'une information auditive ou olfactive ?

CONCEPT 50.4

Les sens du goût et de l'odorat font appel à des groupes similaires de récepteurs sensoriels (p. 1234 à 1237)

- Le **goût** et l'**odorat** proviennent de la stimulation de chimiorécepteurs par de petites molécules dissoutes qui se lient à des protéines présentes dans la membrane plasmique. Chez les humains, chaque cellule sensorielle des **bourgeons gustatifs** exprime un seul type de récepteur gustatif correspondant à une des cinq sensations gustatives : le sucré, l'amer, le salé, l'aigre et l'umami (qui provient d'une stimulation attribuable au glutamate). Des cellules olfactives garnissent la partie supérieure de la cavité nasale et envoient, par l'intermédiaire de leur axone, des signaux au bulbe olfactif de l'encéphale. Plus de 1 000 gènes codent pour des protéines membranaires qui se lient à certaines classes de **molécules odorantes**, et chaque cellule olfactive exprime seulement un de ces gènes.

? Pourquoi la nourriture vous semble-t-elle fade lorsque vous avez le rhume ?

CONCEPT 50.5

La fonction musculaire repose sur l'interaction physique de filaments protéiques (p. 1237 à 1243)

- Chez les vertébrés, les myocytes des **muscles squelettiques** contiennent des **myofibrilles** constituées de **myofilaments minces** d'actine (principalement) et de **myofilaments épais** de myosine. Ces filaments sont disposés en unités appelées **sarcomères**. Les têtes de molécules de myosine, alimentées par l'hydrolyse de l'ATP, se lient aux myofilaments minces pour former des ponts. Lorsqu'elles se replient sur elles-mêmes, elles exercent une tension sur les myofilaments minces.

Lorsque l'ATP se lie aux têtes de myosine, celles-ci se relâchent, prêtes à commencer un nouveau cycle. La répétition des cycles fait glisser les myofilaments épais et les myofilaments minces les uns sur les autres, ce qui a pour effet de raccourcir le sarcomère et de contracter le myocyte.

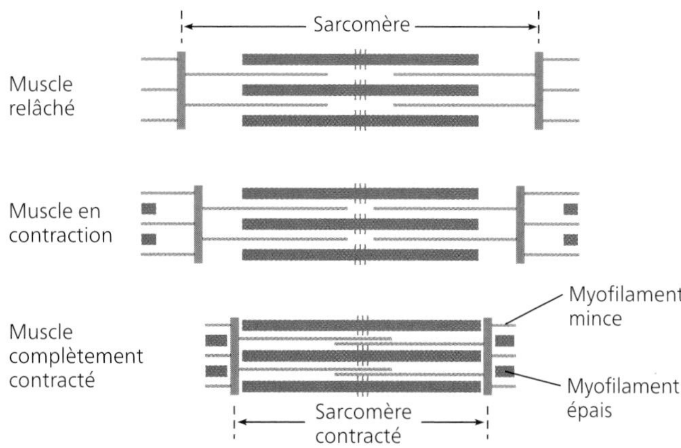

- Les neurones moteurs libèrent de l'acétylcholine, ce qui produit des potentiels d'action qui stimulent la libération de Ca^{2+} par le **réticulum sarcoplasmique**. Lorsque les ions Ca^{2+} se lient au **complexe de troponine**, la **tropomyosine** se déplaçe, entraînant ainsi l'exposition des sites de liaison de la myosine sur l'actine et permettant la formation de ponts. L'**unité motrice** comprend un neurone moteur et tous les myocytes (fibres) qu'il innerve. La secousse musculaire élémentaire est produite par un seul potentiel d'action dans un neurone moteur. Lorsque des potentiels d'action se suivent rapidement, une contraction graduée se produit par sommation. Les myocytes peuvent être à **contraction lente** ou à **contraction rapide**, et ils peuvent être oxydatifs ou glycolytiques.
- Le **muscle cardiaque**, qu'on ne trouve que dans le cœur, se compose de cellules striées. Des disques intercalaires établissent un couplage électrique entre ces cellules. Les signaux provenant du système nerveux régulent la fréquence à laquelle le cœur se contracte, mais au sens strict, ils ne sont pas requis dans la contraction du muscle cardiaque. Les contractions des **muscles lisses** sont lentes et peuvent être déclenchées par les muscles eux-mêmes ou par un stimulus provenant des neurones du système nerveux autonome.

? Quelles sont les deux principales fonctions de l'hydrolyse de l'ATP dans l'activité des muscles squelettiques ?

CONCEPT 50.6

Le squelette transforme la contraction musculaire en locomotion (p. 1244 à 1248)

- Les muscles squelettiques, qui se présentent souvent par paires antagonistes, se contractent et prennent appui sur le squelette. Il existe divers types de squelette : l'**hydrosquelette** est un compartiment fermé de l'organisme qui contient un liquide maintenu sous pression (comme chez les vers) ; l'**exosquelette** est une enveloppe rigide qui se trouve à la surface du corps (comme chez les insectes) ; et l'**endosquelette** se compose d'éléments de soutien rigides enveloppés par les tissus mous de l'animal (comme chez les vertébrés).
- Chaque mode de **locomotion** (nage, déplacement sur la terre ferme ou vol) présente ses propres difficultés. Par exemple, la friction représente une entrave importante pour les animaux nageurs, qui ont toutefois moins de difficulté à combattre la force gravitationnelle que les animaux qui se déplacent sur la terre ferme ou qui volent.

? Expliquez comment l'ancrage microscopique et macroscopique des myofilaments vous permet de fléchir le coude.

Évaluation

NIVEAU 1 : CONNAISSANCES ET COMPRÉHENSION

1. Quelle association de termes, parmi les suivantes se rapportant aux récepteurs sensoriels, est *erronée* ?
a) Cellule sensorielle ciliée – mécanorécepteur.
b) Fossette loréale du serpent – thermorécepteur.
c) Cellule gustative – chimiorécepteur.
d) Cellule olfactive – récepteur d'ondes électromagnétiques.

2. L'oreille moyenne convertit :
a) les ondes de pression dans l'air en ondes de pression dans un liquide.
b) les ondes de pression dans l'air en potentiels d'action.
c) les ondes de pression dans un liquide en potentiels d'action.
d) les ondes de pression en mouvements des cellules sensorielles ciliées.

3. Durant la contraction d'un myocyte squelettique, la fonction des ions Ca^{2+} consiste à :
a) dissocier les ponts en tant que cofacteurs de l'hydrolyse de l'ATP.
b) se lier à la troponine pour en modifier la configuration, de sorte que les sites de liaison de la myosine sur le myofilament d'actine soient découverts.
c) transmettre les potentiels d'action du neurone moteur au myocyte.
d) propager les potentiels d'action par les tubules transverses.

NIVEAU 2 : APPLICATION ET ANALYSE

4. Parmi les discriminations sensorielles suivantes, laquelle *n'est pas* codée par une différence dans le type de neurone ?
a) Le blanc et le rouge.
b) Le rouge et le vert.
c) Un son fort et un son faible.
d) Le salé et le sucré.

5. La transduction des ondes sonores en potentiels d'action se produit :
a) à l'intérieur de la membrana tectoria, lorsqu'elle est stimulée par les cellules sensorielles ciliées.
b) lorsque les cellules sensorielles ciliées sont déformées au contact de la membrana tectoria, ce qui provoque une dépolarisation et la libération d'un neurotransmetteur qui stimule les neurones sensoriels.
c) lorsque la lame basilaire de la cochlée vibre à différentes fréquences, réagissant ainsi aux variations de l'intensité du son.
d) à l'intérieur de l'oreille moyenne, lorsque les vibrations sont amplifiées par le malléus, l'incus et le stapes.

NIVEAU 3 : SYNTHÈSE ET ÉVALUATION

6. Quelques espèces de requins ferment les yeux juste avant de mordre. Bien qu'ils ne voient pas leur proie, ils ne ratent pas leur cible. Des chercheurs ont remarqué que les requins sont attirés par les objets métalliques et qu'ils peuvent trouver des piles enfouies dans le sable d'un aquarium. Ces observations semblent indiquer que les requins localisent leur proie jusqu'à la dernière fraction de seconde avant de mordre, de la même façon :
a) que le crotale trouve une souris dans son trou.
b) qu'un insecte évite qu'on lui marche dessus.
c) qu'un condylure étoilé repère sa proie dans les tunnels qu'il creuse.
d) que l'ornithorynque repère sa proie dans une rivière boueuse.

7. **FAITES UN DESSIN ▶** À partir de l'information contenue dans le présent chapitre, complétez le graphique ci-dessous. Utilisez une droite pour représenter les bâtonnets et une autre pour représenter les cônes.

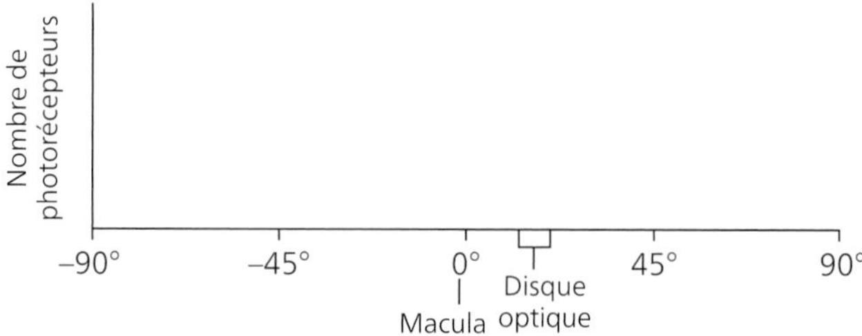

Voir les réponses proposées à l'appendice A.

Le comportement animal

51

VOS OUTILS INTERACTIFS

Consultez votre MANUEL NUMÉRIQUE, qui vous donne accès aux **animations**, aux **exercices** et à la plateforme d'**anatomie interactive**.

▲ **Figure 51.1** **Qu'est-ce qui pousse un crabe violoniste mâle à exhiber sa pince géante ?**

CONCEPTS CLÉS

51.1 Des stimulus sensoriels, même de faible intensité, peuvent déclencher des comportements simples ou complexes

51.2 L'apprentissage établit des liens précis entre l'expérience et le comportement

51.3 La sélection naturelle peut expliquer divers comportements qui favorisent la survie et le succès reproducteur de l'individu

51.4 L'étude de l'évolution du comportement se fonde notamment sur les analyses génétiques et sur le concept de valeur d'adaptation inclusive

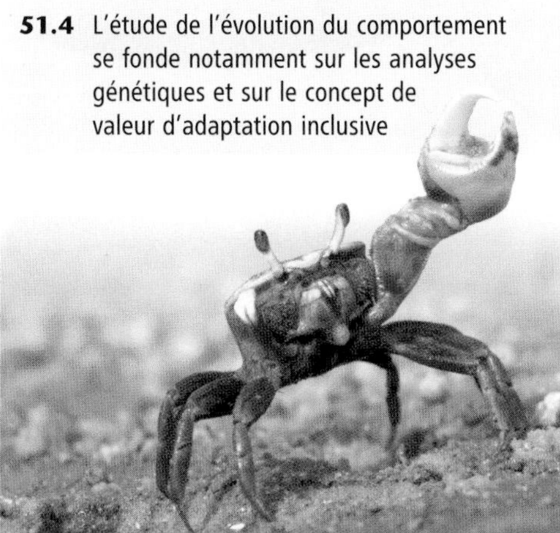

Le comment et le pourquoi du comportement animal

Contrairement à la plupart des animaux, le crabe violoniste (*Uca sp.*) mâle est très asymétrique : une de ses pinces atteint des proportions géantes, jusqu'à la moitié de sa masse corporelle (**figure 51.1**). On l'appelle crabe *violoniste* en raison de ce qu'évoque son comportement quand il mange des algues sur les vasières où il vit : sa pince antérieure, plus petite, porte les aliments à sa bouche devant sa pince géante, comme s'il jouait du violon. De temps à autre, il agite sa grande pince, comme s'il saluait de la main. Qu'est-ce qui suscite ce comportement et à quoi sert-il ?

Lorsqu'il agite sa pince, qui lui sert à se défendre, le crabe *repousse* les mâles qui s'approchent trop de son terrier. Lorsqu'il l'agite vigoureusement, il peut aussi *attirer* une femelle parmi celles qui parcourent la colonie à la recherche d'un partenaire. Après avoir attiré une femelle dans son terrier, le crabe violoniste en scelle l'ouverture avec de la boue ou du sable en vue de l'accouplement.

Qu'il soit solitaire ou social, constant ou variable, le comportement animal repose sur les systèmes et les processus physiologiques. Le **comportement** individuel est une action exécutée par des muscles et régie par le système nerveux. Ainsi, un animal utilisera les muscles de sa gorge pour émettre un chant, libérera une odeur pour marquer son territoire ou, comme on l'a vu plus haut, agitera sa pince. Un comportement adapté est essentiel pour trouver à manger et pour repérer un partenaire avec qui se reproduire. Le comportement contribue aussi à l'homéostasie, comme chez les abeilles mellifères qui s'entassent pour conserver leur chaleur (voir le concept 40.3). En somme, toute la physiologie d'un animal participe à son comportement, et le comportement d'un animal influe sur toute sa physiologie.

Comme le comportement est essentiel à la survie et à la reproduction, il est soumis à une importante sélection naturelle au fil du temps. Le processus évolutif de la sélection influe également sur l'anatomie, puisque la reconnaissance et la communication qui dictent beaucoup de comportements reposent sur la forme du corps et sur son apparence. Ainsi, la pince démesurée du crabe violoniste mâle est une adaptation qui lui permet de présenter des caractéristiques reconnaissables par les autres individus de l'espèce. De même, la position de ses yeux, au bout de pédoncules situés bien au-dessus de sa tête, lui permet de voir de loin d'éventuels intrus.

Dans le présent chapitre, nous verrons comment le comportement est régulé, comment il se développe au cours de la vie d'un animal, et comment il est influencé par les gènes et par l'environnement. Nous verrons également comment le comportement évolue sur plusieurs générations. Dans les chapitres précédents, nous avons étudié le fonctionnement interne de l'animal. En passant maintenant à l'étude de ses interactions avec le monde extérieur, nous nous dirigeons vers le sujet de la huitième partie : l'écologie.

CONCEPT **51.1**

Des stimulus sensoriels, même de faible intensité, peuvent déclencher des comportements simples ou complexes

Quelle méthode les biologistes utilisent-ils pour déterminer les déclencheurs d'un comportement et les fonctions de ce comportement ? Le scientifique hollandais Nikolaas Tinbergen, un pionnier de la biologie du comportement animal, a proposé quatre questions dont les réponses sont essentielles à la compréhension de tout comportement. On peut résumer ses questions comme suit :

1. Quel stimulus déclenche le comportement et quels mécanismes physiologiques participent à la réponse ?
2. Comment l'expérience d'un animal au cours de sa croissance et de son développement influe-t-elle sur la réponse ?
3. Comment le comportement contribue-t-il à la survie et à la reproduction ?
4. Quelle est l'histoire de l'évolution du comportement ?

Les deux premières questions portent sur les *causes immédiates* ou *proximales*, c'est-à-dire sur la façon dont un comportement a lieu ou est modifié, autrement dit le « *comment* ». Les deux autres portent sur les *causes fondamentales* ou *ultimes*, c'est-à-dire sur les raisons du comportement dans le contexte de l'évolution, en d'autres termes le « *pourquoi* ».

Les expériences menées par Tinbergen pour étudier les causes immédiates lui ont valu un prix Nobel en 1973, qu'il a partagé avec deux autres pionniers du comportement animal : Karl von Frisch et Konrad Lorenz. Dans la première partie de ce chapitre, nous nous intéresserons à ces expériences ainsi qu'à des travaux de recherche connexes. Quant au concept de causes fondamentales, il est au cœur de l'**écologie comportementale**, qui analyse les fondements écologiques et évolutifs du comportement animal. C'est ce domaine très dynamique de la recherche en biologie que nous explorerons dans la seconde section du chapitre.

Le schème d'action spécifique

Pour étudier la première question de Tinbergen, à propos de la nature des stimulus qui déclenchent le comportement, nous examinerons d'abord les réponses comportementales à des stimulus bien définis. Commençons par un exemple issu d'une des expériences de Tinbergen.

Dans le cadre de ses recherches, Tinbergen a mis des épinoches à trois épines (*Gasterosteus aculeatus*) dans des aquariums. Chez cette espèce, les mâles ont un abdomen rouge, mais jamais les femelles. Ils attaquent les autres mâles qui empiètent sur leur territoire de nidification (**figure 51.2a**). Tinbergen a constaté que ses épinoches mâles réagissaient agressivement au passage d'un camion rouge à proximité de leur aquarium. Grâce à cette observation inattendue, Tinbergen a mené des expériences qui ont montré que la coloration rouge d'un intrus est la cause immédiate du comportement agressif chez l'épinoche à trois épines mâle. Cette épinoche mâle n'attaque pas les intrus dépourvus d'abdomen rouge, mais il foncera sur tout ce qui porte du rouge, même s'il s'agit d'un leurre (**figure 51.2b**).

▼ **Figure 51.2 Le rôle du stimulus-signal dans un schème d'action spécifique typique.**

(a) Une épinoche à trois épines mâle attaque d'autres mâles qui empiètent sur son territoire de nidification. L'abdomen rouge de l'intrus (à gauche) est le stimulus-signal du comportement agressif.

(b) Le leurre de forme réaliste, mais n'ayant pas l'abdomen rouge, en haut de la figure, ne provoque aucune réaction de la part de l'épinoche à trois épines mâle. Par contre, tous les autres leurres, qui sont plutôt difformes, mais dont la partie inférieure est colorée en rouge, provoquent de fortes réactions.

? Expliquez pourquoi l'évolution a favorisé ce comportement (quelle en est la cause fondamentale).

La réaction territoriale des épinoches mâles est un exemple de **schème d'action spécifique** (**SAS**), aussi appelé mode d'action fixe, une suite d'actions non apprises qui sont liées à un seul stimulus. Les SAS sont essentiellement invariables. Une fois le SAS déclenché, l'animal le mène habituellement à terme. C'est un stimulus sensoriel externe, appelé **stimulus-signal** (stimulus clé), qui provoque un SAS, par exemple la couleur rouge qui déclenche le comportement agressif d'une épinoche à trois épines mâle.

La migration

En plus de déclencher des comportements, les stimulus environnementaux constituent des signaux que les animaux utilisent pour adopter ces comportements. Par exemple, un grand nombre d'oiseaux, de poissons et d'autres animaux attendent certains signaux de leur environnement pour entreprendre leur **migration**, c'est-à-dire le déplacement périodique d'une espèce animale sur une grande distance (**figure 51.3**). Durant leur migration, de nombreux animaux migrateurs passent par des endroits où ils ne sont jamais allés auparavant. Comment font-ils, alors, pour trouver leur chemin ?

Certains animaux migrateurs s'orientent par rapport au Soleil, même si la position du Soleil relativement à la Terre change tout au long de la journée. Les animaux s'adaptent à ces changements grâce à leur *horloge biologique*, un mécanisme interne qui maintient un rythme d'activité, ou cycle, de 24 heures (voir le concept 49.2). Par exemple, des expériences ont montré que les oiseaux migrateurs s'orientent de manière différente par rapport au Soleil selon le moment de la journée. Les animaux nocturnes utilisent plutôt l'étoile du Nord (étoile Polaire), dont la position est constante la nuit.

Bien que le Soleil et les étoiles fournissent des repères utiles pour la navigation, la présence de nuages peut obscurcir ces repères. Comment les animaux migrateurs surmontent-ils cette difficulté ? Une expérience toute simple avec des pigeons voyageurs (*Columbia livia*) a fourni une partie de la réponse : si on place un petit aimant sur la tête d'un pigeon voyageur, celui-ci est incapable de retourner efficacement jusqu'à son aire de repos quand le temps est nuageux. Les chercheurs en ont conclu que les pigeons perçoivent leur position par rapport au champ magnétique terrestre et peuvent ainsi naviguer sans repères solaires ou célestes.

▼ **Figure 51.3 La migration.** Deux fois par an, les troupeaux de gnous (*Connochaetes sp.*) migrent sur de longues distances et coordonnent leurs déplacements vers les pâturages en fonction de la saison sèche et de la saison des pluies.

Les rythmes du comportement

Si l'horloge biologique joue un rôle mineur – bien qu'important – dans la navigation de quelques espèces migratrices, elle remplit cependant une fonction majeure dans l'activité quotidienne de tous les animaux. Comme nous l'avons vu aux concepts 40.2 et 49.2, cette horloge maintient un rythme circadien, c'est-à-dire un cycle quotidien de repos et d'activité. Cette horloge est normalement synchronisée avec les cycles de clarté et d'obscurité de l'environnement, mais elle peut maintenir une activité rythmique dans des conditions environnementales constantes telles que l'hibernation.

Certains comportements, tels que la migration et la reproduction, obéissent à des rythmes biologiques dont le cycle, ou période, dure plus longtemps que le rythme circadien. Les rythmes comportementaux liés au cycle annuel des saisons sont appelés *rythmes circannuels*. La migration et la reproduction sont habituellement liées à la disponibilité de la nourriture, mais ces comportements ne sont pas des réactions directes à une modification de l'apport alimentaire. À l'instar des rythmes circadiens, les rythmes circannuels sont plutôt influencés par les périodes de clarté et d'obscurité de l'environnement. Par exemple, des études sur plusieurs espèces d'oiseaux ont montré qu'un environnement artificiel dans lequel on prolonge la durée de la clarté peut déclencher un comportement migratoire hors saison.

Ce ne sont pas tous les rythmes biologiques qui sont liés aux cycles de clarté et d'obscurité de l'environnement. Pensons, par exemple, au crabe violoniste de la figure 51.1. Le comportement que le mâle adopte pour la parade nuptiale, qui consiste à agiter sa pince géante, est lié au moment de la nouvelle lune et de la pleine lune, parce que ce moment favorise le développement des petits. Les crabes violonistes commencent leur vie sous forme de larves, puis s'installent dans des vasières au terme de plusieurs stades larvaires. Les marées dispersent les larves dans des eaux plus profondes, là où elles terminent le début de leur développement en relative sécurité avant de retourner aux estrans (replats de marée). En effectuant leur parade nuptiale au moment de la nouvelle lune ou de la pleine lune, les crabes synchronisent leur reproduction avec les mouvements de marée les plus forts.

Les signaux et la communication chez les animaux

L'agitation de la pince par le crabe violoniste durant la parade nuptiale illustre comment un animal (le crabe mâle) émet un stimulus qui guide le comportement d'un autre animal (le crabe femelle). Un **signal** peut être un stimulus qui est transmis d'un animal à l'autre, c'est-à-dire un comportement d'un individu servant à transmettre des informations à un autre individu, qui peut provoquer une modification de comportement chez ce dernier. La transmission et la réception d'un signal entre les animaux constituent la **communication**, laquelle joue souvent un rôle dans la cause immédiate d'un comportement.

Les formes de communication animale

Pour commencer notre exploration des quatre modes de communication courants des animaux, soit visuel, chimique, tactile et auditif, examinons la parade nuptiale de la drosophile (*Drosophila melanogaster*).

La parade nuptiale de la drosophile forme une *chaîne stimulus-réponse* dans laquelle la réponse à chaque stimulus est elle-même le stimulus du comportement suivant. D'abord, le mâle repère une femelle de la même espèce dans son champ visuel et se tourne vers elle. Ainsi, il utilise la communication visuelle. Puis, pour confirmer qu'elle est de la même espèce que lui, il utilise son appareil olfactif pour détecter les substances chimiques que la femelle a libérées dans l'air. Il s'agit alors d'une communication chimique, marquée par la transmission et la réception de signaux sous la forme de molécules particulières. Enfin, il s'approche de la femelle et lui tapote l'abdomen avec une de ces pattes antérieures (**figure 51.4**). Ce toucher, ou *communication tactile*, indique à la femelle la présence du mâle. En troisième lieu, le mâle étire son aile et la fait vibrer, ce qui émet un chant nuptial. Ce chant est un exemple de *communication auditive*; il informe la femelle que le mâle est de la même espèce. La femelle laissera le mâle tenter la copulation seulement si toutes ces communications réussissent.

En général, le mode de communication utilisé par un animal est étroitement lié à son mode de vie et à son environnement. Par exemple, étant donné que les mammifères terrestres sont pour la plupart nocturnes, les signaux visuels sont relativement inefficaces. C'est pourquoi ils recourent le plus souvent aux signaux olfactifs et auditifs qui se propagent aussi bien dans l'obscurité que dans la clarté. Les oiseaux, au contraire, sont presque tous diurnes (actifs surtout le jour) et emploient donc principalement des signaux visuels et auditifs. Les humains sont également diurnes; comme les oiseaux, ils utilisent principalement la communication visuelle et auditive. Par conséquent, nous détectons les chants et les couleurs vives avec lesquels les oiseaux communiquent entre eux, mais nous sommes incapables de détecter la multitude de signaux chimiques qui dictent le comportement d'autres mammifères.

L'information transmise dans la communication animale varie considérablement d'un animal à l'autre. Un des exemples les plus remarquables est le langage symbolique de l'abeille mellifère (*Apis mellifera*), découvert au début des années 1900 par le chercheur autrichien Karl von Frisch. À l'aide de ruches d'observation en verre, lui et ses étudiants ont passé plusieurs décennies à observer les abeilles. Les enregistrements méthodiques des mouvements des abeilles ont permis à von Frisch de déchiffrer le « langage de la danse » que les butineuses revenant à la ruche utilisent pour prévenir leurs congénères de la direction à prendre et la distance à parcourir pour atteindre la source de nectar découverte.

Lorsqu'une abeille butineuse revient à la ruche à la suite d'une recherche fructueuse de nourriture, ses mouvements ainsi que les odeurs et les sons qu'elle émet deviennent vite le centre d'attention des autres abeilles, appelées abeilles suiveuses (**figure 51.5**). Sur la face verticale de la ruche, l'abeille butineuse exécute une « dance frétillante » qui indique aux suiveuses à la fois la direction, la distance de la source de nourriture par rapport à la ruche ainsi que l'abondance de la nourriture disponible. Durant cette danse, elle fait un demi-cercle dans une direction, puis un trajet rectiligne durant lequel elle frétille de l'abdomen, puis un demi-cercle dans l'autre direction. Von Frisch et ses collègues ont déduit que l'angle du trajet rectiligne qu'elle décrit par rapport à la surface verticale de la ruche est le même que l'angle horizontal de la source de nourriture par rapport au Soleil. Par exemple, si l'abeille butineuse décrit un trajet à un angle de 30° à droite de la verticale, les abeilles suiveuses quittent la ruche à un angle de 30° à droite du Soleil à l'horizontale.

Et comment la danse frétillante indique-t-elle la distance de la source de nectar ? Il s'avère que plus la partie rectiligne de la danse est longue et plus les frétillements abdominaux sont nombreux durant cette partie, plus la source de nourriture est éloignée de la ruche. Quand les abeilles suiveuses quittent la ruche, elles volent presque directement vers l'endroit indiqué par la danse frétillante. Grâce à l'odeur des fleurs et à d'autres indices, elles repèrent la source de nourriture à cet endroit.

Si la source de nourriture est proche de la ruche (moins de 50 m), l'abeille butineuse exécute des mouvements qui décrivent de petits cercles tout en remuant son abdomen latéralement. Ce comportement, appelé « danse en rond », incite les abeilles suiveuses à quitter la ruche et à chercher, dans toutes les directions, des fleurs riches en nectar à proximité.

▼ **Figure 51.4 La parade nuptiale de la drosophile (*Drosophila melanogaster*).** La parade nuptiale de la drosophile comprend une série de comportements qui se succèdent dans un ordre invariable.

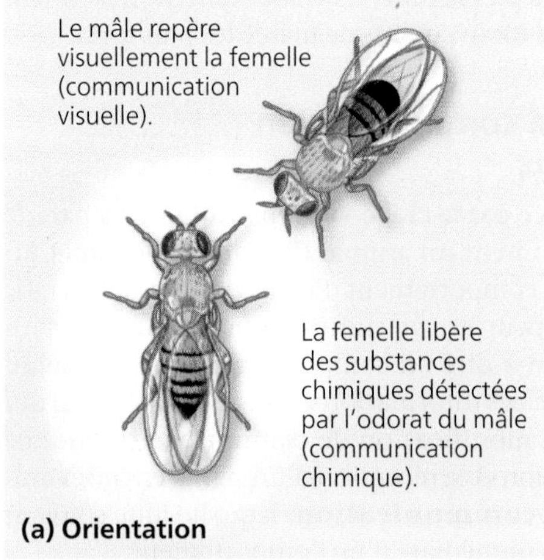

Le mâle repère visuellement la femelle (communication visuelle).
La femelle libère des substances chimiques détectées par l'odorat du mâle (communication chimique).
(a) Orientation

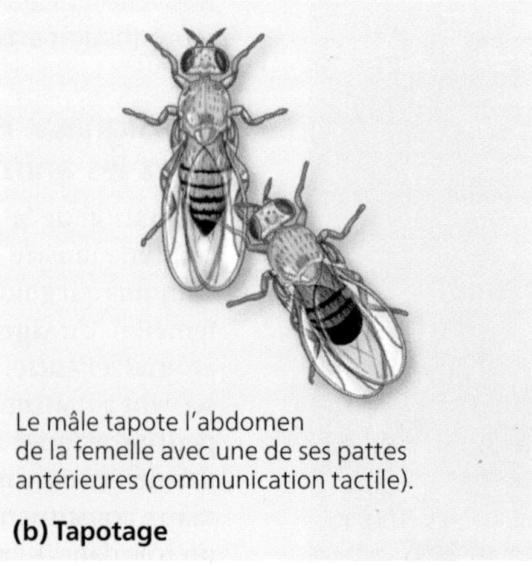

Le mâle tapote l'abdomen de la femelle avec une de ses pattes antérieures (communication tactile).
(b) Tapotage

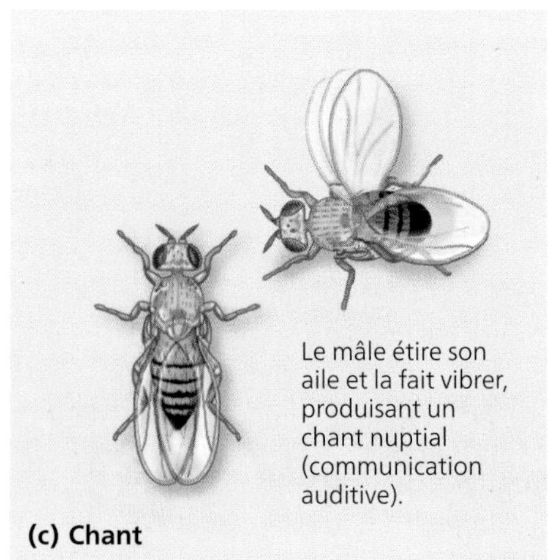

Le mâle étire son aile et la fait vibrer, produisant un chant nuptial (communication auditive).
(c) Chant

▶ Figure 51.5 Le langage de la danse chez les abeilles mellifères. Les abeilles qui reviennent à la ruche au terme d'une recherche de nourriture indiquent l'emplacement de la source de nourriture à l'aide du langage symbolique d'une danse.

HABILETÉS VISUELLES ▶ Les mouvements de la danse frétillante exécutés entre les parties rectilignes transmettent-ils des éléments d'information ? Indiquez lesquels, le cas échéant, et expliquez votre réponse.

Des abeilles ouvrières se regroupent autour d'une abeille qui vient de rentrer à la ruche après avoir trouvé une source de nourriture.

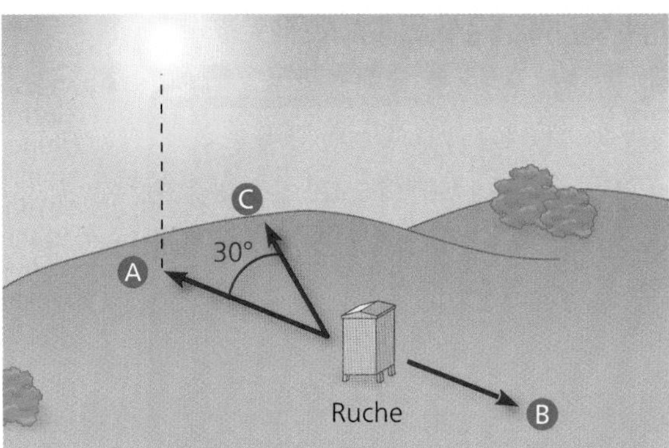

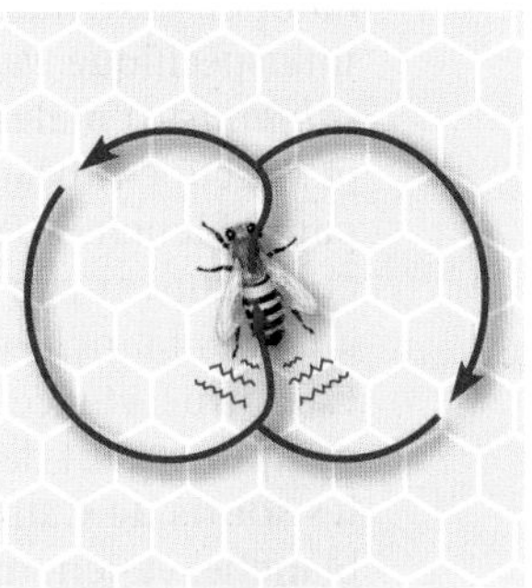

Emplacement A : La source de nourriture est dans la même direction que le Soleil.

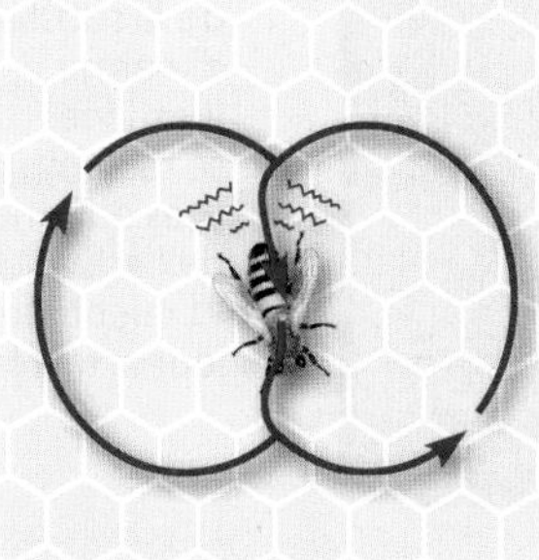

Emplacement B : La source de nourriture est dans la direction opposée au Soleil.

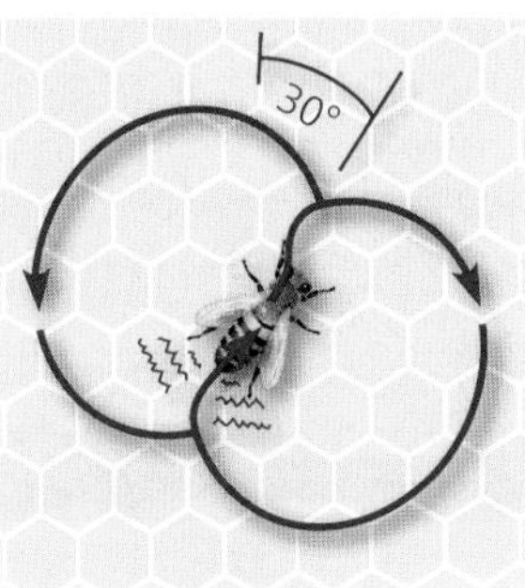

Emplacement C : La source de nourriture est à 30° à droite du Soleil.

L'abeille exécute la danse frétillante si la source de nourriture est éloignée. Cette danse ressemble à une figure en huit. Le nombre de frétillements abdominaux exécutés durant la partie rectiligne de la danse indique la distance, alors que la direction est donnée par l'angle (par rapport à la verticale de la ruche) du trajet rectiligne.

Les phéromones

Les animaux qui communiquent par l'odeur ou le goût produisent des substances (signaux) chimiques appelées **phéromones**. La sécrétion de phéromones est particulièrement répandue parmi les mammifères et les insectes. De plus, elle est fréquemment liée à la reproduction. Par exemple, la communication chimique qui s'établit durant la parade de la drosophile repose sur les phéromones (voir la figure 51.4). Les phéromones ne se limitent toutefois pas à la communication d'informations sur de courtes distances. Par exemple, les bombyx du mûrier femelles (*Bombyx mori*) émettent une phéromone que les mâles peuvent sentir à plusieurs kilomètres de distance (voir la figure 50.6).

Dans une colonie d'abeilles mellifères, les phéromones produites par la reine et ses filles, les ouvrières, maintiennent l'ordre social. Une des phéromones (autrefois appelée substance royale) a plusieurs effets : elle attire les ouvrières vers la reine, inhibe le développement des ovaires chez les ouvrières et attire les mâles (ou faux-bourdons) auprès de la reine durant ses vols nuptiaux à l'extérieur de la ruche.

Les phéromones peuvent aussi servir de signaux d'alarme. Ainsi, lorsqu'un méné (de la famille des cyprinidés) ou un poisson-chat (par exemple, *Ictalurus sp.*) est blessé, une substance stockée dans ses glandes cutanées est dispersée dans l'eau afin de donner l'alerte. Ce signal provoque une réponse de frayeur chez les autres poissons qui se trouvent à proximité : ils deviennent alors plus vigilants et forment des bancs serrés, souvent près du fond, où ils risquent moins d'être attaqués (**figure 51.6**). Les phéromones peuvent être très efficaces, même à très faible concentration. Ainsi, la quantité de cette substance d'alarme contenue dans seulement 1 cm^2 de peau du méné à tête-de-boule (*Pimephales promelas*) est suffisante pour provoquer une réponse de frayeur, même si elle est diluée dans 58 000 L d'eau.

Jusqu'ici, nous avons exploré les types de stimulus qui déclenchent des comportements, un sujet qui correspond à la première partie de la première question de Tinbergen. La seconde partie de cette question (les mécanismes physiologiques qui participent à la réaction) relève des systèmes nerveux, musculaire et squelettique : des stimulus activent les systèmes sensoriels, sont traités par le système nerveux central et donnent lieu à des réponses motrices qui constituent le comportement. Nous sommes donc prêts à explorer la deuxième question de Tinbergen, à savoir comment l'expérience influe sur le comportement.

▼ Figure 51.6 Des ménés réagissant à la présence d'une substance d'alarme.

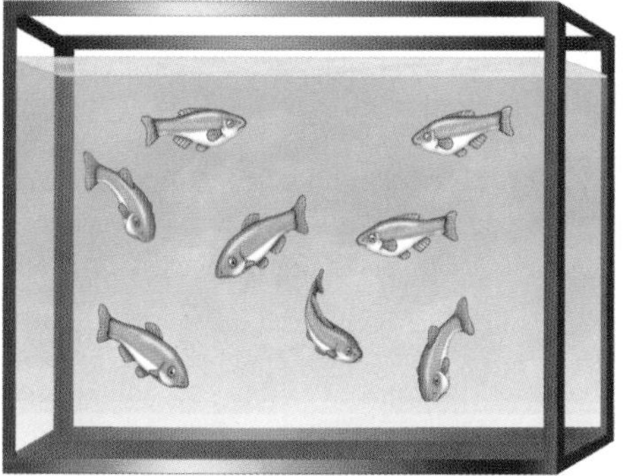

❶ Avant l'introduction d'une substance chimique destinée à donner l'alarme, les ménés sont dispersés dans l'aquarium.

❷ Quelques secondes après l'introduction de la substance d'alarme, les ménés se rassemblent près du fond de l'aquarium et ralentissent leur activité.

RETOUR SUR LE CONCEPT **51.1**

1. Si un de ses œufs roule à l'extérieur du nid, l'oie cendrée (*Anser anser*) le récupérera en le poussant délicatement de son bec et de sa tête. Si des chercheurs retirent l'œuf ou le remplacent par une balle au cours de ce processus, l'oie continuera de pousser de son bec et de la tête jusqu'au nid. De quel type de comportement s'agit-il ? Expliquez-le par une cause immédiate et par une cause fondamentale.
2. **ET SI ?** ▶ Imaginez que vous exposez diverses espèces de poissons à la substance d'alarme libérée par les ménés. À partir de ce que vous savez sur la sélection naturelle, expliquez pourquoi certaines espèces pourraient réagir comme des ménés, d'autres pourraient accroître leur activité et d'autres encore pourraient ne pas réagir du tout.
3. **FAITES DES LIENS** ▶ Au regard du mécanisme et de la fonction, en quoi la parade nuptiale d'un crabe violoniste en lien avec le cycle lunaire est-elle semblable à la période de floraison d'une plante par rapport aux saisons ? (Voir le concept 39.3.)

Voir les réponses proposées à l'appendice A.

CONCEPT **51.2**

L'apprentissage établit des liens précis entre l'expérience et le comportement

Pour un certain nombre de comportements – tels que les schèmes d'action spécifique, la chaîne stimulus-réponse d'une parade nuptiale et la communication par phéromones –, presque tous les individus d'une population présentent le même comportement. Un comportement fixé de cette façon au cours du développement est appelé **comportement inné**. D'autres comportements, cependant, varient selon l'expérience.

L'expérience et le comportement

La deuxième question de Tinbergen porte sur l'influence des expériences qu'un animal vit au cours de sa croissance et de son développement sur sa réaction aux stimulus. Les **expériences d'adoption interspécifique**, dans lesquelles les petits d'une espèce sont placés dans les nids d'une autre espèce vivant dans le même environnement ou dans un environnement comparable, font partie des méthodes qui leur permettent d'en savoir davantage. Les modifications que cette situation engendre dans le comportement des petits renseignent les chercheurs sur l'influence du milieu social et physique sur le comportement d'un animal.

Certaines espèces de souris présentent des différences comportementales qui facilitent les expériences d'adoption interspécifique. Par exemple, les souris de Californie (*Peromyscus californicus*) mâles sont très agressives envers les autres souris et s'occupent beaucoup de leurs petits, tandis que les souris à pattes blanches (*Peromyscus leucopus*) mâles sont peu agressives et s'occupent peu de leurs petits. Lorsqu'on a placé des souris à pattes blanches nouveau-nées dans des nids de souris de Californie, et vice versa, l'adoption interspécifique a modifié le comportement des deux espèces (**tableau 51.1**). Par exemple, les souris de Californie mâles élevées par des souris à pattes blanches étaient moins agressives envers les intrus. L'expérience vécue durant le développement peut donc fortement influer sur le comportement agressif de ces rongeurs.

Les expériences d'adoption interspécifique avec les souris ont permis de faire une découverte encore plus importante : l'influence de l'expérience sur le comportement peut être transmise à la progéniture. En effet, quand les souris de Californie d'adoption interspécifique avaient elles-mêmes des petits, elles passaient moins de temps à ramener ceux qui se glissaient hors du nid que les souris de Californie élevées par leur propre espèce. Donc, l'expérience vécue durant le développement peut changer la physiologie d'une manière qui modifie le comportement

Tableau 51.1 L'influence de l'adoption interspécifique sur des souris mâles*

Espèce	Agressivité envers un intrus	Agressivité en situation neutre	Comportement parental
Souris de Californie élevées par des souris à pattes blanches	Diminution	Aucune différence	Diminution
Souris à pattes blanches élevées par des souris de Californie	Aucune différence	Augmentation	Aucune différence

* Ces souris ont été comparées avec des souris élevées par des parents de leur propre espèce.

parental. Autrement dit, l'influence de l'environnement se transmet à la génération suivante.

Chez les humains, ce sont les **études sur les jumeaux** qui permettent d'étudier l'influence des gènes et de l'environnement sur le comportement. Dans ces études, les chercheurs comparent le comportement de vrais jumeaux (monozygotes) élevés séparément avec le comportement de ceux qui ont été élevés ensemble. Ce type d'étude a été déterminant dans la compréhension des affections qui perturbent le comportement humain, tels les troubles anxieux, la schizophrénie et l'alcoolisme.

▶ **De vraies jumelles qui ont été élevées séparément.**

L'apprentissage

L'**apprentissage**, c'est-à-dire la modification d'un comportement à la suite d'expériences particulières, est une puissante influence de l'environnement sur le comportement. La capacité d'apprendre dépend de la façon dont le système nerveux s'est organisé durant le développement embryonnaire à partir des directives du génome. L'apprentissage lui-même implique la formation de souvenirs induits par des changements spécifiques intervenus dans les connexions neuronales (voir le concept 49.4). Par conséquent, dans les recherches sur l'apprentissage, le principal défi n'est pas de faire un choix entre l'influence de la nature (gènes) et l'influence de la culture (environnement), mais, au contraire, d'explorer le rôle des *deux* influences dans l'apprentissage et, plus généralement, dans le comportement.

L'imprégnation

Chez certaines espèces, la capacité des petits de reconnaître un parent et d'être reconnus par lui est une condition essentielle à la survie. Cet apprentissage se fait souvent par **imprégnation**, qui consiste en une réaction comportementale durable vis-à-vis d'un individu ou d'un objet particulier. L'imprégnation se distingue des autres types d'apprentissage par le fait qu'elle est limitée à une **période critique**, ou période sensible, dans la vie de l'animal, un laps de temps pendant lequel l'apprentissage d'un comportement peut se faire. Au cours de cette période critique, les petits apprennent par imprégnation les comportements élémentaires, tandis que le parent apprend à reconnaître sa progéniture. Chez les goélands (*Larus spp.*), par exemple, la période critique de formation des liens entre le parent et les petits dure un jour ou deux. S'il ne s'établit pas de liens, le parent ne prendra pas soin du petit, ce qui entraînera une mort certaine pour ce dernier et un succès reproducteur moindre pour le parent.

Comment les jeunes savent-ils sur qui – ou sur quoi – prendre modèle pour l'imprégnation ? Des expériences effectuées sur de nombreuses espèces de sauvagine (oiseaux aquatiques sauvages) indiquent que chez elles la reconnaissance de la « mère » n'est pas innée. Ces oiseaux réagissent et s'identifient au premier objet qu'ils rencontrent, pour peu que ce dernier possède certaines caractéristiques essentielles. Dans les années 1930, des expériences menées par Konrad Lorenz ont montré que le principal stimulus d'imprégnation chez l'oie cendrée (*Anser anser*) est le mouvement d'un objet proche qui s'éloigne. Ainsi, des oisons couvés en incubateur ont passé les premières heures de leur vie avec une personne plutôt qu'avec leur mère oie : ayant appris à reconnaître cette personne par imprégnation, ils la suivaient fidèlement (**figure 51.7**). De plus, ils ne reconnaissaient pas leur mère biologique.

L'imprégnation a été utilisée dans le cadre de programmes d'élevage en captivité destinés à sauver des espèces en voie de disparition, comme les grues blanches d'Amérique (*Grus americana*). Des chercheurs ont tenté d'élever ces grues en captivité en leur donnant des grues du Canada (*Grus canadensis*) comme parents adoptifs. Toutefois, comme les grues blanches d'Amérique ont subi l'imprégnation de leurs parents adoptifs, aucune de ces grues blanches n'a formé de couple (lien d'attachement fort et durable) avec un autre membre de son espèce. Aujourd'hui, pour les besoins des programmes de reproduction en captivité, on isole donc les jeunes grues, et on leur fait voir et entendre les membres de leur propre espèce.

Par ailleurs, jusqu'à récemment, l'imprégnation a aussi été utilisée pour enseigner à des grues nées en captivité à emprunter

▼ **Figure 51.7 L'imprégnation.** Ces jeunes oies cendrées ont reconnu un homme, Konrad Lorenz sur cette photo, par imprégnation et le suivent fidèlement.

ET SI ? ▶ Imaginez que les oies qui suivent l'homme sur la photo s'accouplent entre elles. Comment l'imprégnation par un homme pourrait-elle influer sur leur progéniture ? Expliquez votre réponse.

de nouvelles voies de migration plus sûres. De jeunes grues blanches d'Amérique ayant subi une imprégnation de la part d'humains costumés en grues ont appris à suivre ces parents de substitution qui, aux commandes d'avions ultralégers, empruntaient de nouvelles voies de migration. Depuis 2016, la stratégie qui vise à protéger les populations de grues autonomes réduit les interventions humaines au minimum.

L'apprentissage spatial et les cartes cognitives

Tout milieu naturel présente une certaine variation spatiale, notamment l'emplacement des sites de nidification, des dangers, de la nourriture et des partenaires potentiels. En conséquence, la valeur d'adaptation d'un individu peut être améliorée grâce à sa capacité d'**apprentissage spatial**, soit la formation d'une mémoire qui rende compte de la structure spatiale du milieu.

Tinbergen s'est intéressé à l'idée d'un apprentissage de l'espace durant ses études de troisième cycle aux Pays-Bas. À cette époque, il étudiait les femelles d'une espèce de philanthes apivores (guêpes fouisseuses européennes, *Philanthus triangulum*) qui nichent à l'intérieur de petits tunnels creusés dans des dunes. Au moment de quitter son nid pour aller chasser, cette guêpe cache l'entrée de son nid avec un peu de sable pour le protéger des intrus. À son retour, elle vole directement vers son nid sans se tromper, même si elle en a dissimulé l'entrée, et même s'il y a des centaines d'autres nids semblables à proximité. Comment fait-elle ? Tinbergen a posé l'hypothèse selon laquelle une guêpe retrouve son nid en apprenant sa position par rapport à des repères visibles. Pour vérifier son hypothèse, il a réalisé une expérience dans l'habitat naturel de ces guêpes (**figure 51.8**). En déplaçant des objets autour des entrées des nids, il a pu démontrer que ces guêpes fouisseuses s'adonnent à l'apprentissage spatial. Son expérience était si simple et si éloquente qu'il a pu la résumer très succinctement. Tellement, en fait, que sa thèse de doctorat de 32 pages, écrite en 1932, demeure à ce jour la thèse la plus courte jamais approuvée par l'Université Leiden !

Chez certaines espèces animales, l'apprentissage spatial comporte l'établissement d'une **carte cognitive**, c'est-à-dire une représentation que le système nerveux de l'animal se fait des relations spatiales entre les objets situés dans son environnement. Un exemple remarquable de carte cognitive nous vient des casse-noix d'Amérique (*Nucifraga columbiana*), cousins des corbeaux, des corneilles et des geais. À l'automne, les casse-noix d'Amérique mettent en réserve des pignons en prévision de l'hiver. Dans certaines expériences, des chercheurs ont modifié la distance entre les repères et découvert que pour retrouver leurs réserves de nourriture, les oiseaux observés se basaient sur le point médian plutôt que sur la distance fixe entre ces repères. Ce comportement semble indiquer que les casse-noix d'Amérique sont capables d'appliquer une règle de géométrie universelle, abstraite, qui ressemble en gros à celle-ci : « Les caches se trouvent à mi-chemin entre certains repères. » Les cartes cognitives se fondent sur des règles de ce genre, dont l'avantage est de réduire la quantité de détails à mémoriser pour retrouver un objet.

L'apprentissage associatif

L'apprentissage s'effectue souvent par associations entre les expériences. Prenons l'exemple du geai bleu (*Cyanocitta cristata*) qui ingère un monarque (*Danaus plexippus*) très coloré. Les substances que le monarque accumule dans son organisme en se nourrissant d'asclépiade (*Asclepias syriaca*) font vomir le geai presque

DÉMARCHE SCIENTIFIQUE
INVESTIGATION

▼ Figure 51.8
Le philanthe apivore utilise-t-il des repères pour retrouver son nid ?

■ HYPOTHÈSE ■ Cette guêpe fouisseuse femelle dissimule l'entrée de son nid avant de s'absenter pour chercher de la nourriture, mais elle retrouve toujours son propre nid à son retour, 30 minutes plus tard ou davantage. Selon l'hypothèse de Niko Tinbergen, cette guêpe fouisseuse utilise des repères visuels pour localiser l'endroit où est situé son nid.

■ EXPÉRIENCE ■ Pour vérifier cette hypothèse, il a commencé par marquer un nid en l'encerclant de cônes de pin. Après avoir quitté son nid pour chercher de la nourriture, la guêpe l'a retrouvé.

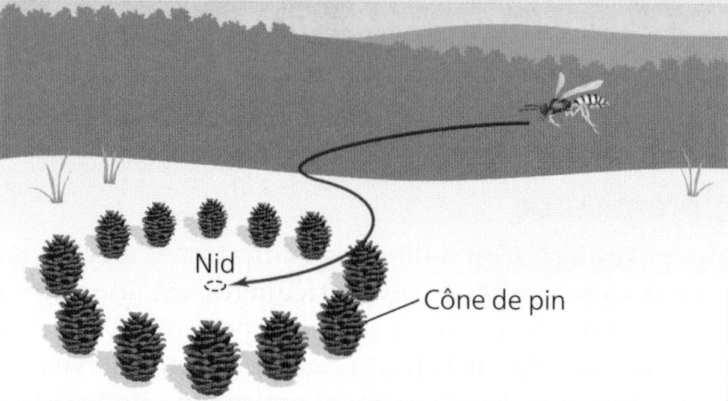

Deux jours plus tard, lorsque la guêpe s'est absentée de nouveau, Tinbergen a déplacé latéralement le cercle de cônes de pin de quelques mètres. Il a ensuite attendu pour observer le comportement de la guêpe.

■ RÉSULTATS ■ Lorsqu'elle est revenue, la guêpe s'est dirigée vers le centre du cercle de cônes de pin et non vers le nid qui était tout près. Tinbergen a répété l'expérience avec de nombreuses guêpes et a obtenu les mêmes résultats.

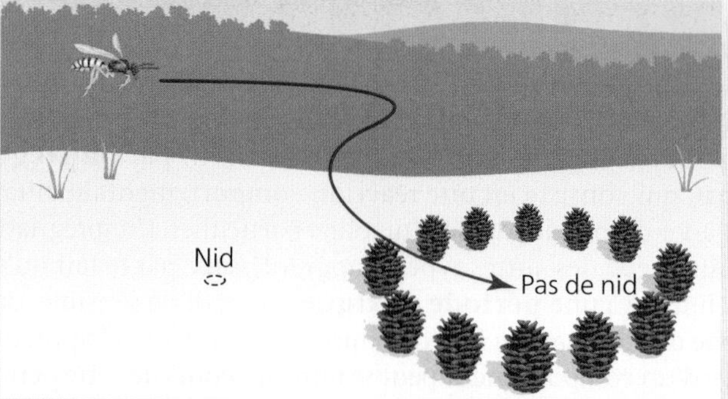

■ CONCLUSION ■ L'expérience a confirmé l'hypothèse selon laquelle les guêpes fouisseuses utilisent des repères visuels pour retrouver leurs nids.

Source des données : N. Tinbergen, *The Study of Instinct*, Clarendon Press, Oxford (1951).

ET SI ? ▶ Imaginez que la guêpe fouisseuse étudiée par Tinbergen retourne à son nid d'origine, même si les cônes de pin ont été déplacés. Quelles hypothèses pourriez-vous formuler pour expliquer comment la guêpe retrouve son nid et pourquoi le déplacement des cônes de pin ne l'empêche pas de s'orienter ?

immédiatement après qu'il l'a ingéré (**figure 51.9**). À la suite de cette expérience, le geai bleu évitera d'attaquer des monarques et d'autres papillons semblables. La capacité qu'ont de nombreux animaux à associer une caractéristique de l'environnement (par exemple, une couleur) à une autre caractéristique (par exemple, un goût désagréable) est appelée **apprentissage associatif**.

L'apprentissage associatif convient particulièrement bien aux expériences en laboratoire. En général, ces expériences font appel soit au conditionnement classique (ou répondant), soit au conditionnement opérant. Dans le *conditionnement classique*, l'animal établit un lien entre un stimulus arbitraire et une récompense ou une punition. Le physiologiste russe Ivan Pavlov a réalisé les premières expériences de conditionnement classique. Il a montré que, s'il faisait toujours tinter une cloche juste avant de nourrir un chien, le chien finissait par saliver quand la cloche tintait, sachant qu'on allait le nourrir. Dans le *conditionnement opérant*, aussi appelé apprentissage par essais et erreurs, un animal apprend à associer l'un de ses propres comportements à une récompense ou à une punition, puis il tend à répéter ou à éviter ce comportement (voir la figure 51.9). B. F. Skinner, un des premiers à avoir étudié le conditionnement opérant, a exploré ce type d'apprentissage en laboratoire. Par essais et erreurs, il a notamment montré à un rat à obtenir sa nourriture en actionnant un levier.

Des études révèlent que certains animaux peuvent apprendre à apparier des caractéristiques de leur environnement, mais pas toutes. Par exemple, les pigeons (*Columba spp.*) peuvent apprendre à associer le danger à un son, mais pas à une couleur. Ils peuvent toutefois associer une couleur à de la nourriture. Que faut-il comprendre de cela ? Il semble que le développement et l'organisation du système nerveux des pigeons restreignent les associations pouvant être faites. Par ailleurs, ces restrictions ne se limitent pas aux oiseaux. Les rats, par exemple, peuvent apprendre à éviter les aliments qui les rendent malades d'après leur odeur, mais pas d'après leurs caractéristiques visuelles ou sonores.

Considérant l'évolution du comportement, il paraît logique que certains animaux ne puissent pas apprendre à faire certaines associations. Les associations qu'un animal peut effectuer facilement rendent compte des relations susceptibles d'exister dans la nature. À l'inverse, les associations qui ne peuvent pas être faites sont celles qui ont peu de chance de représenter un avantage sélectif dans l'environnement natif de l'animal. Par exemple, dans le cas d'un rat dans son milieu naturel, il est plus probable qu'un aliment toxique soit associé à une certaine odeur qu'à un son en particulier.

▼ **Figure 51.9 L'apprentissage associatif.** Après avoir ingéré et vomi un monarque, ce geai bleu a probablement appris à éviter cette espèce.

La cognition et la résolution de problème

Les types d'apprentissage les plus complexes font appel à la **cognition**, le processus qui consiste à acquérir des connaissances par la perception, le raisonnement, la mémoire et le jugement. On croyait autrefois que seuls les primates et certains mammifères marins avaient des processus mentaux d'ordre supérieur, mais des études de laboratoire semblent aujourd'hui montrer que la cognition est présente chez beaucoup d'autres groupes d'animaux, notamment chez les insectes. Par exemple, une expérience comportant des labyrinthes en Y a montré que les abeilles mellifères étaient capables de pensée abstraite. Dans un des labyrinthes, les ouvertures portaient des couleurs ; dans l'autre labyrinthe, les ouvertures portaient des rayures noires et blanches, soit verticales ou horizontales. Deux groupes d'abeilles ont été dressés dans le labyrinthe de couleur. En entrant, une abeille voyait une certaine couleur et elle avait ensuite le choix entre un embranchement du labyrinthe dont l'ouverture portait la même couleur ou un embranchement d'une autre couleur. Un seul des deux embranchements renfermait une récompense sous forme de nourriture. Les abeilles du premier groupe étaient récompensées lorsqu'elles volaient dans le bras de la *même* couleur que celle de l'entrée principale (**figure 51.10** ❶), tandis que les abeilles du second groupe étaient récompensées lorsqu'elles choisissaient l'embranchement de couleur *différente*. Après les avoir ainsi dressées, on leur faisait essayer le labyrinthe à rayures, qui ne renfermait aucune nourriture en guise de récompense. Après avoir passé dans une entrée ornée de rayures noires et blanches, l'abeille avait le choix entre un embranchement dont l'ouverture portait le même motif et un autre portant un motif différent. Les abeilles du premier groupe ont le plus souvent choisi de passer par l'ouverture portant le même motif (**figure 51.10** ❷), tandis que les abeilles du second groupe choisissaient habituellement l'ouverture ayant un motif différent.

Les résultats de ces expériences semblent appuyer l'hypothèse selon laquelle les abeilles mellifères sont capables de distinguer deux objets selon qu'ils sont « pareils » ou « différents ». Fait étonnant, une étude publiée en 2010 indique que les abeilles peuvent également apprendre à distinguer des visages humains.

L'aptitude d'un système nerveux à traiter l'information peut également se mesurer à la capacité dont il fait preuve dans la **résolution de problème**, c'est-à-dire dans l'activité cognitive qui consiste à concevoir une méthode visant à modifier une situation en présence d'obstacles, apparents ou réels. Par exemple, si on place un chimpanzé (*Pan troglodytes*) dans une pièce où une banane est suspendue hors de portée et où plusieurs boîtes se trouvent sur le sol, l'animal est capable d'évaluer la situation et d'empiler les boîtes afin d'atteindre la nourriture. Le comportement de résolution de problème est fortement développé chez certains mammifères, surtout chez les primates et chez les dauphins (famille des delphinidés) ; on en a aussi observé des exemples remarquables chez les corvidés, particulièrement chez les corneilles (*Corvus brachyrhynchos*), les corbeaux (*Corvus corax*) et les geais (*Cyanocitta spp.*). Dans une certaine expérience, les corbeaux devaient atteindre des aliments suspendus à une

▶ **Figure 51.10 L'épreuve du labyrinthe servant à mesurer la pensée abstraite chez les abeilles mellifères.** Ces labyrinthes sont conçus pour vérifier si les abeilles mellifères sont capables de distinguer deux objets selon qu'ils sont «pareils» ou «différents».

HABILETÉS VISUELLES ▶ Décrivez comment vous arrangeriez le labyrinthe pour vérifier si les abeilles ont une préférence innée quant à l'orientation des rayures noires.

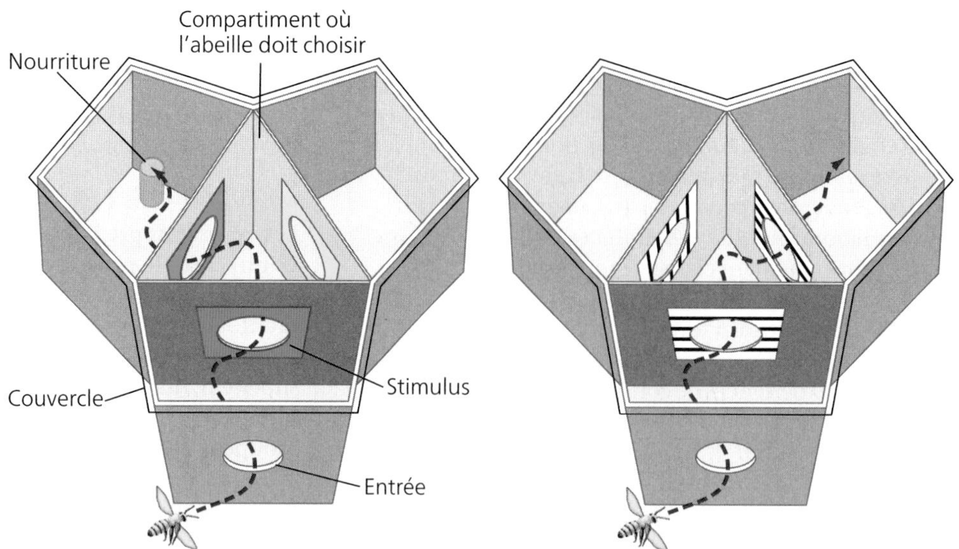

1 Les abeilles sont dressées dans un labyrinthe dont les ouvertures portent des couleurs. Comme on le voit ici, les abeilles d'un des groupes sont récompensées lorsqu'elles choisissent la même couleur que le stimulus de départ.

2 Les abeilles sont ensuite dirigées vers le labyrinthe dont les ouvertures portent des rayures noires et blanches. Les abeilles qui avaient été récompensées d'avoir choisi la même couleur choisissent le plus souvent l'ouverture portant le même motif que le stimulus de départ.

branche par un fil. Après avoir échoué dans sa tentative d'attraper la nourriture en vol, un des corbeaux a résolu le problème en utilisant une patte pour tirer progressivement sur le fil tout en retenant celui-ci à l'aide de l'autre patte pour que la nourriture ne retombe pas. D'autres corbeaux ont trouvé des solutions semblables. Cependant, certains corbeaux n'ont pas réussi à résoudre le problème, ce qui donne à penser que la capacité de résolution de problème, chez cette espèce comme chez d'autres, varie selon l'expérience et les capacités individuelles.

Le développement des comportements appris

La plupart des comportements appris que nous avons vus s'acquièrent dans un laps de temps relativement court. Certains comportements se développent toutefois sur une période plus longue. Par exemple, certaines espèces d'oiseaux apprennent leurs chants par étape.

Dans le cas du bruant à couronne blanche (*Zonotrichia leucophrys*), la première étape d'apprentissage a lieu au début de son développement, lorsque le jeune bruant entend le chant pour la première fois. Si un jeune bruant à couronne blanche est isolé pendant les 50 premiers jours de sa vie et qu'il n'entend ni les vrais bruants chanter ni des enregistrements de leurs chants, il ne réussit pas à produire le chant adulte caractéristique de son espèce. Bien que le jeune oiseau ne chante pas durant la période critique, il mémorise les chants de son espèce en écoutant les autres bruants à couronne blanche. Pendant cette période critique, il pépie davantage en entendant les chants propres à son espèce que ceux d'autres espèces. Donc, les jeunes bruants à couronne blanche apprennent les chants qu'ils émettront à l'âge adulte, mais cet apprentissage semble circonscrit par des préférences génétiques.

Après la période critique, pendant laquelle le bruant à couronne blanche apprend le chant caractéristique de son espèce, une deuxième étape d'apprentissage a lieu: l'oiseau juvénile essaie alors de chanter quelques notes que les chercheurs appellent préchant. Au cours de cette étape, l'oiseau juvénile s'écoute chanter et compare son chant à celui qu'il a mémorisé durant la période critique d'apprentissage. Lorsque le chant correspond au modèle mémorisé, il se fixe en tant que chant définitif. Pendant toute sa vie, l'oiseau ne reproduit plus que le chant du bruant à couronne blanche adulte.

Le processus d'apprentissage du chant peut être très différent chez d'autres espèces d'oiseaux. Ainsi, chez les serins des Canaries (*Serinus canaria*), l'apprentissage n'est pas limité à une seule période critique. Le jeune serin commence par un préchant, mais la totalité de son chant ne se fixe pas de la même manière que chez le bruant à couronne blanche. Entre les périodes de reproduction, le chant redevient flexible et un mâle adulte peut apprendre chaque année de nouvelles «syllabes», qui prolongent le chant déjà appris.

L'apprentissage des chants est un des nombreux exemples de la façon dont les animaux apprennent des autres individus de leur espèce. Pour clore notre exploration de l'apprentissage, nous allons examiner un certain nombre d'exemples qui illustrent de manière plus générale le phénomène de l'apprentissage social.

L'apprentissage social

Un grand nombre d'animaux apprennent à résoudre des problèmes en observant le comportement d'autres individus de leur espèce. Ce type d'apprentissage par l'observation d'autres individus est appelé **apprentissage social**. Les jeunes chimpanzés sauvages, par exemple, apprennent à ouvrir des noix de palmier à huile (*Elaeis guineensis*) au moyen de deux pierres, en imitant leurs congénères expérimentés (**figure 51.11**).

Les expériences effectuées avec des vervets (*Chlorocebus pygerythrus*) dans le parc national d'Amboseli, au Kenya, nous donnent un autre exemple de l'influence de l'apprentissage social sur le comportement. Ces singes, dont la taille est à peu près celle d'un chat domestique, émettent un ensemble complexe de cris d'alarme, qui diffèrent selon le prédateur qu'ils voient: léopard, aigle ou serpent. Quand ils aperçoivent un léopard (*Panthera pardus*), ils lancent un aboiement sonore. Quand ils voient un aigle (famille des accipitridés), ils émettent une toux à double syllabe. Enfin, quand ils repèrent un serpent (sous-ordre des serpentes), ils le signalent par un cri aigu et saccadé. Selon le cri d'alarme qu'ils entendent, les vervets se comportent de la façon appropriée : ils courent escalader un arbre s'ils entendent le cri d'alarme pour un léopard (ils sont plus agiles que les léopards dans un arbre) ; ils lèvent les yeux lorsqu'ils entendent le cri pour un aigle ; et ils regardent par terre quand la présence d'un serpent leur est signalée (**figure 51.12**).

Les jeunes vervets lancent des cris d'alarme, mais manquent de discernement. Ainsi, ils donnent le signal de la présence d'un aigle dès qu'ils aperçoivent un oiseau, même s'il s'agit d'un inoffensif guêpier (famille des méropidés). En vieillissant, ils s'améliorent et deviennent plus précis. En fait, les vervets adultes ne lancent le cri d'alarme qu'à la vue d'un aigle qui appartient à l'une des deux espèces qui s'attaquent à eux. Le mécanisme par lequel les jeunes apprennent à donner le bon signal d'alarme comporte probablement l'observation des autres membres du groupe et une confirmation sociale. En effet, si le jeune lance le cri au bon moment, c'est-à-dire s'il lance le cri d'alarme pour un aigle quand il y en a effectivement un qui survole le groupe, un autre membre du groupe crie aussi. Mais s'il lance le cri pour un aigle quand ce n'est qu'un guêpier qui survole le groupe, les adultes restent silencieux. Par conséquent, les vervets ont au départ une tendance innée à lancer un cri d'alarme quand ils voient des objets potentiellement menaçants dans leur environnement. Ensuite, l'apprentissage leur permet de perfectionner leur cri, de sorte que, parvenus à l'âge adulte, ils sont en mesure de donner l'alarme seulement en cas de danger réel et de perfectionner les cris d'alarme de la génération suivante.

▼ Figure 51.11 Un jeune chimpanzé apprend à ouvrir les noix du palmier à huile en observant un chimpanzé plus âgé.

▼ Figure 51.12 Les vervets apprennent le bon usage des cris d'alarme. Quand ils aperçoivent un python (au premier plan), les vervets poussent le cri d'alarme correspondant à la présence d'un serpent (en médaillon). Les membres du groupe se tiennent alors debout et regardent par terre.

L'apprentissage social constitue le fondement de la **culture**, un système de transfert d'information qui, par l'apprentissage social ou l'enseignement, influe sur le comportement des individus d'une population. Le transfert culturel d'information est susceptible de modifier les phénotypes comportementaux et, par ricochet, d'agir sur la valeur d'adaptation des individus.

Les modifications de comportement qui résultent de la sélection naturelle prennent beaucoup plus de temps que l'apprentissage à se produire. Dans le concept 51.3, nous examinerons les rapports entre les comportements particuliers et les processus de sélection qui touchent la survie et la reproduction.

RETOUR SUR LE CONCEPT **51.2**

1. Comment l'apprentissage associatif permet-il d'expliquer pourquoi des espèces différentes d'insectes piqueurs ou désagréables au goût présentent des couleurs similaires ?
2. **ET SI ?** ▶ Comment pourriez-vous placer et manipuler des objets dans un laboratoire dans le but de vérifier si un animal peut utiliser une carte cognitive pour se rappeler l'emplacement d'une source de nourriture ?
3. **FAITES DES LIENS** ▶ Comment un comportement appris contribue-t-il à la spéciation ? (Voir le concept 24.1.)

Voir les réponses proposées à l'appendice A.

CONCEPT **51.3**

La sélection naturelle peut expliquer divers comportements qui favorisent la survie et le succès reproducteur de l'individu

ÉVOLUTION Nous allons maintenant tenter de répondre à la troisième question de Tinbergen : comment le comportement améliore-t-il les chances de survie et le succès reproducteur d'une population ? L'objet de notre étude passera donc des causes immédiates (les « comment ») aux causes fondamentales (les « pourquoi »). Nous commencerons par une activité essentielle tant à la survie qu'au succès reproducteur : la quête de nourriture. Le comportement alimentaire, ou **quête de nourriture**, ne se résume pas à se nourrir, mais comprend aussi tous les mécanismes qu'un animal utilise pour rechercher, reconnaître et saisir des aliments ou capturer des proies.

L'évolution des comportements de quête de nourriture

La drosophile permet de mieux comprendre comment la quête de nourriture peut évoluer. Une variation dans un gène nommé *forager* (*for*) régule la distance que parcourt la larve pour chercher de la nourriture. En moyenne, les larves porteuses de l'allèle for^R (pour *Rover*, « Routier ») se déplacent sur une distance deux fois plus grande pour se nourrir que les larves porteuses de l'allèle for^S (pour *Sitter*, « Sédentaire »).

Les allèles for^R et for^S sont tous deux présents dans les populations naturelles. Quels facteurs peuvent favoriser l'un plutôt que l'autre ? Des chercheurs ont répondu à cette question en faisant des expériences dans lesquelles ils maintenaient des populations de mouches soit en faible ou en forte densité pendant plusieurs générations. Les larves maintenues au sein d'une population de faible densité sur plusieurs générations parcouraient des distances plus courtes pour se nourrir que celles qui étaient gardées dans des populations de forte densité (**figure 51.13**). De plus, des tests génétiques ont montré que la fréquence de l'allèle for^S avait augmenté dans les populations de faible densité, tandis que c'est la fréquence de l'allèle for^R qui avait augmenté dans les populations de forte densité. Ces modifications sont logiques. Dans une population peu dense, la quête de nourriture sur de courtes distances fournit suffisamment de nourriture, sans compter que sur de longues distances elle représenterait une dépense énergétique inutile. Dans une population très dense, par contre, un long parcours permettrait aux larves d'atteindre des endroits plus riches en nourriture. Un changement comportemental évolutif qu'on peut expliquer a donc eu lieu chez les populations élevées en laboratoire.

La théorie de la quête optimale de nourriture

Pour étudier les causes fondamentales des stratégies de quête de nourriture, certains biologistes ont recours à une analyse de rendement semblable à celle qu'on utilise en économie. Dans cette optique, on considère la quête de nourriture comme un compromis entre les bénéfices de la nutrition et les coûts liés à l'obtention de la nourriture, tels que la dépense énergétique ou le risque d'être mangé par un prédateur au cours de cette activité. Selon la **théorie de la quête optimale de nourriture**, la sélection naturelle doit favoriser un comportement qui réduit au minimum les coûts de la quête de nourriture tout en maximisant ses bénéfices. Dans la rubrique **Habiletés scientifiques**, vous verrez comment il est possible d'appliquer cette théorie aux animaux sauvages.

L'équilibre entre le risque et la récompense

L'un des principaux coûts possibles de la quête de nourriture est le risque de prédation. Il ne sert à rien de maximiser le gain d'énergie et de réduire au minimum la dépense énergétique si le comportement de quête de nourriture d'un animal fait en sorte qu'il devient lui-même la proie d'un prédateur. Il paraît donc logique que le risque de prédation influe également sur

▼ Figure 51.13 L'évolution du comportement de quête de nourriture chez des populations de *Drosophila melanogaster* élevées en laboratoire. Après 74 générations passées au sein d'une population de faible densité, les larves de *D. melanogaster* (populations R1 à R3) parcouraient des distances beaucoup plus courtes pour se nourrir que les larves de *D. melanogaster* de la population de forte densité (populations K1 à K3).

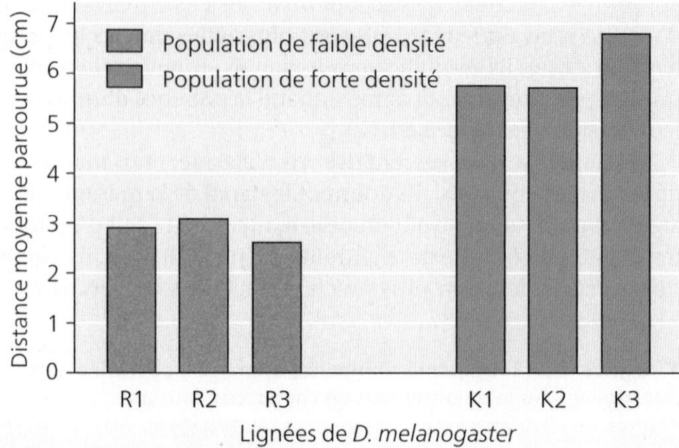

INTERPRÉTEZ LES DONNÉES ▶ D'après vous, pourquoi est-il important d'étudier trois populations R et trois populations K plutôt qu'une seule de chacune ?

le comportement de quête de nourriture. Il semble que ce soit le cas chez le cerf-mulet (*Odocoileus hemionus*), qui vit dans les régions montagneuses de l'Ouest de l'Amérique du Nord. Une équipe de chercheurs a constaté que la nourriture était répartie à peu près uniformément dans les aires où les cerfs-mulets étaient susceptibles de s'alimenter, la quantité étant toutefois un peu moindre dans les endroits ouverts, non boisés. Par contre, le risque de prédation différait grandement d'un endroit à l'autre ; les pumas (*Puma concolor*), les principaux prédateurs, tuent la plupart des cerfs-mulets à la lisière des forêts et seulement un petit nombre dans les endroits ouverts et à l'intérieur des forêts.

Quel lien peut-on faire entre le comportement alimentaire du cerf-mulet et la variation du risque de prédation selon les endroits ? Les cerfs-mulets se nourrissent surtout dans les endroits ouverts. On peut donc penser que leur comportement alimentaire dépend davantage de l'importante variation du risque de prédation que de la faible variation de la disponibilité des aliments. Ce résultat met en évidence le fait que le comportement est souvent le reflet d'un compromis entre des pressions de sélection concurrentes.

Le comportement d'accouplement et le choix d'un partenaire

Le comportement d'accouplement et le choix d'un partenaire sont tout aussi déterminants pour le succès reproducteur que la quête de nourriture l'est pour la survie de l'individu. Ces comportements comprennent la recherche ou la conquête de partenaires, le choix parmi les partenaires potentiels, la concurrence pour la conquête des partenaires et les soins parentaux. Ces comportements comportent un coût énergétique pour chacun des partenaires. L'*investissement parental* correspond aux dépenses énergétiques des mâles et des femelles lors de chaque événement reproducteur.

DÉMARCHE SCIENTIFIQUE

HABILETÉS SCIENTIFIQUES

Vérifier une hypothèse à l'aide d'un modèle quantitatif

■ LES CORNEILLES PRÉSENTENT-ELLES UN COMPORTEMENT DE QUÊTE OPTIMALE DE NOURRITURE ? ■ Sur des îles au large de la Colombie-Britannique, les corneilles d'Alaska (*Corvus caurinus*) fouillent les bassins d'eau laissés à marée basse, à la recherche de gastéropodes appelés buccins (*Buccinum spp.*). Elles saisissent leur proie dans leur bec, puis s'envolent et laissent tomber le buccin sur les rochers pour en briser la coquille. Si l'opération réussit, elles peuvent se nourrir de la partie molle du gastéropode. Si la coquille ne se brise pas, elles saisissent de nouveau le buccin et le laissent encore tomber. Elles continuent ainsi jusqu'à ce que la coquille se brise. Qu'est-ce qui détermine la hauteur du vol de la corneille ? Si le choix du comportement alimentaire de la corneille était dicté par des considérations énergétiques, la hauteur de vol moyenne représenterait un compromis entre les coûts liés à un vol plus haut et les bénéfices de repas plus fréquents. Dans le présent exercice, vous déterminerez dans quelle mesure la théorie de la quête optimale de nourriture permet de prédire la hauteur de vol moyenne observée chez des corneilles en liberté.

■ MÉTHODE ■ La hauteur à laquelle les corneilles laissaient tomber les buccins a été mesurée par rapport à un poteau marqué planté à proximité. Pour vérifier leur hypothèse, les chercheurs ont imité le comportement des corneilles avec un appareil qui laissait tomber des coquilles de buccins sur un rocher à partir d'une plateforme qu'on pouvait régler à différentes hauteurs. Ils ont noté le nombre de tentatives de chutes nécessaires pour briser la coquille à partir des différentes hauteurs. Pour chaque hauteur, ils ont calculé le nombre moyen de tentatives. Après avoir combiné les résultats pour chaque hauteur, ils ont calculé la *hauteur totale de vol*, c'est-à-dire la hauteur de la chute multipliée par le nombre moyen de tentatives.

■ RÉSULTATS ■ Le diagramme de droite résume les résultats de l'expérience.

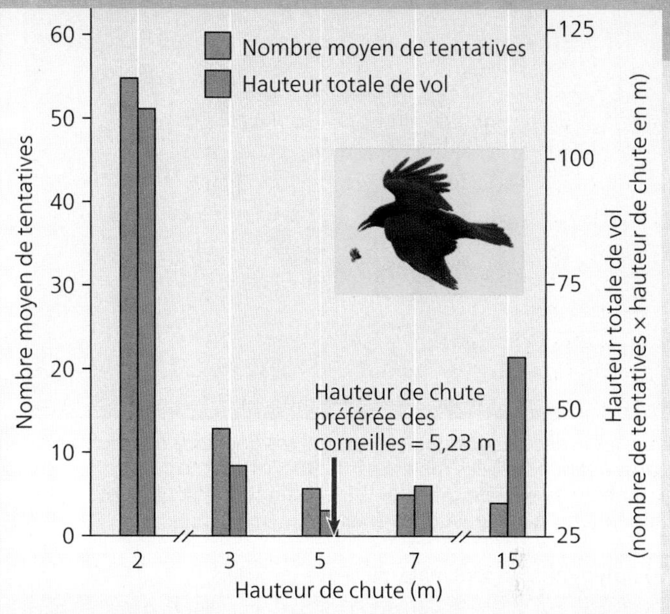

Source des données : R. Zach, Shell-dropping : Decision-making and optimal foraging in northwestern crows, *Behavior* 68 : 106-117 (1979).

INTERPRÉTEZ LES DONNÉES ▼

1. De quelle façon le nombre moyen de chutes nécessaires pour briser la coquille dépend-il de la hauteur de la plateforme pour une chute de 5 m ou moins ? Pour une chute de plus de 5 m ?
2. On peut assimiler la hauteur totale de vol à une mesure de l'énergie totale requise pour briser une coquille de buccin. Pourquoi cette valeur est-elle moindre pour une plateforme réglée à 5 m que pour une plateforme réglée à 2 ou à 15 m ?
3. À l'aide du diagramme de la hauteur totale de vol, comparez les hauteurs de chute que les corneilles semblent adopter de préférence. Les données sont-elles compatibles avec l'hypothèse de la quête optimale de nourriture ? Expliquez votre réponse.
4. Dans le cadre de l'expérience, on présumait qu'en changeant la hauteur de vol, on ne faisait que changer l'énergie totale requise. Selon vous, s'agit-il d'une limite réaliste, ou y a-t-il des facteurs autres que l'énergie totale qui pourraient varier en fonction de la hauteur ?
5. Les chercheurs ont constaté que les corneilles récoltaient et laissaient tomber seulement les plus gros buccins. Nommez quelques avantages possibles de cette préférence.
6. Selon les chercheurs, il n'y a pas de différences dans les probabilités que la coquille du buccin se brise lors de la première tentative ou après plusieurs tentatives. Si la probabilité qu'elle se brise augmentait à chaque tentative, quel changement la corneille apporterait-elle à son comportement, d'après vous ?

Les systèmes d'accouplement et le dimorphisme sexuel

L'accouplement ne se résume pas à l'union du mâle et de la femelle, car les *systèmes d'accouplement* varient beaucoup d'une espèce à l'autre en ce qui a trait à la durée des relations et à leur nombre. Chez certaines espèces animales, l'accouplement est fondé sur la promiscuité, et les liens d'attachement entre mâles et femelles ne sont ni forts ni durables. Chez d'autres espèces, les deux individus forment un couple plutôt durable qui est **monogame** (les deux mêmes individus forment le couple) ou **polygame** (un individu s'accouple avec plusieurs autres). La polygamie peut prendre la forme de la *polygynie*, qui est l'accouplement d'un mâle avec plusieurs femelles, ou encore de la *polyandrie*, c'est-à-dire d'accouplement d'une femelle avec plusieurs mâles.

Le **dimorphisme sexuel**, c'est-à-dire la différence de morphologie entre le mâle et la femelle d'une même espèce, varie généralement en fonction du système d'accouplement (**figure 51.14**). Chez les espèces monogames, les mâles et les femelles se ressemblent souvent beaucoup. À l'opposé, chez les espèces polygames, le sexe qui attire les partenaires sexuels multiples est habituellement le plus voyant et le plus gros des deux. Nous verrons bientôt le rôle de l'évolution dans ces différences.

▼ **Figure 51.14 Les rapports entre le système d'accouplement et la morphologie des mâles et des femelles.**

(a) Monogamie (un seul mâle et une seule femelle)

Chez les espèces monogames, comme ces goélands d'Audubon (*Larus occidentalis*), les mâles et les femelles sont souvent si semblables qu'il est difficile de les distinguer uniquement d'après leurs caractéristiques externes.

(b) Polygynie (un seul mâle, plusieurs femelles)

Chez les espèces polygynes, comme le wapiti (*Cervus canadensis*), le mâle (à droite) est souvent très orné.

(c) Polyandrie (une seule femelle, plusieurs mâles)

Chez les espèces polyandres, comme ces phalaropes à bec étroit (*Phalaropus lobatus*), les femelles (à droite) sont généralement plus ornées que les mâles.

Les systèmes d'accouplement et les soins parentaux

Les besoins des petits constituent un important facteur limitatif de l'évolution des systèmes d'accouplement. La plupart des oisillons, par exemple, n'ont aucune autonomie et leurs besoins nutritifs sont tels qu'un seul parent ne peut y pourvoir. Les mâles ont alors avantage, afin de favoriser la survie de leur progéniture, à aider une seule femelle. C'est sans doute pourquoi de nombreux oiseaux sont monogames. Chez les oiseaux dont les petits deviennent autonomes très tôt après la naissance, comme le faisan et la caille (tous deux de la famille des phasianidés), le mâle retire moins d'avantages à rester avec la femelle. Les mâles de ces espèces maximisent alors leur succès reproducteur en approchant plusieurs femelles. De fait, la polygynie est relativement répandue parmi ces espèces. Dans le cas des mammifères, le lait de la femelle constitue la seule nourriture des petits, et les mâles ne jouent souvent aucun rôle. Parmi les espèces où les mâles protègent les femelles et les petits, comme chez le lion (*Panthera leo*), le mâle entretient souvent un harem de plusieurs femelles, seul ou en petit groupe.

La *certitude de paternité* est également un facteur déterminant dans le système d'accouplement et les soins parentaux. Les petits ou les œufs d'une femelle contiennent forcément les gènes de la femelle. Cependant, même chez les animaux habituellement monogames, il y a toujours la possibilité que les rejetons proviennent d'un autre mâle que le mâle habituel de la femelle. La certitude de paternité est relativement faible chez la plupart des espèces à fécondation interne, parce qu'un long délai sépare l'accouplement de la mise bas (ou l'accouplement de la ponte). Telle est peut-être la raison pour laquelle les soins des petits relèvent très rarement exclusivement des mâles chez les oiseaux et les mammifères. En revanche, les mâles de nombreuses espèces à fécondation interne ont des comportements qui semblent renforcer la certitude de paternité, notamment monter la garde auprès des femelles, débarrasser l'appareil reproducteur de la femelle de tout sperme avant la copulation et déloger le sperme des autres mâles en y introduisant de grandes quantités de sperme.

La certitude de paternité est beaucoup plus forte lorsque la ponte et l'accouplement se font simultanément, comme dans la fécondation externe. Voilà peut-être pourquoi, parmi les espèces d'invertébrés aquatiques, de poissons et d'amphibiens à fécondation externe, les soins parentaux, s'ils existent, proviennent autant des mâles que des femelles (**figure 51.15** ; voir aussi la figure 46.6). Les mâles s'occupent des petits dans moins de 10 % des familles de poissons et d'amphibiens à fécondation interne, mais dans plus de la moitié des familles à fécondation externe.

Il est important de souligner que la certitude de paternité ne signifie pas que les animaux ont conscience des facteurs qui interviennent dans leur comportement. Il existe un lien entre le comportement parental et la certitude de paternité parce que la sélection naturelle l'a favorisé au fil des générations. Ce lien demeure un domaine qui fait l'objet de recherches actives.

La sélection sexuelle et le choix d'un partenaire

Le dimorphisme sexuel au sein d'une espèce résulte de la sélection sexuelle, une forme de sélection naturelle dans laquelle les différences entre les individus en fait de succès reproducteur

▼ **Figure 51.15 Des soins parentaux donnés par l'opistognate à tête jaune (*Opistognathus aurifrons*).** L'opistognate mâle, qui vit dans les milieux marins tropicaux, garde dans sa bouche les œufs qu'il a fécondés afin d'assurer leur aération et de les protéger des prédateurs jusqu'à la naissance des petits.

▶ **Figure 51.16 Un affrontement entre deux mouches aux yeux pédonculés mâles pour attirer une femelle.**

▶ **Figure 51.17 Des diamants mandarins tels qu'ils sont dans la nature.** Le mâle (à gauche) est orné de motifs plus frappants que ceux de la femelle, et il est plus coloré qu'elle.

sont une conséquence des différences relatives au succès de l'accouplement (voir le concept 23.4). La sélection sexuelle peut prendre la forme d'une *sélection intersexuelle* dans laquelle des individus de même sexe choisissent leurs partenaires en fonction de caractéristiques particulières de l'autre sexe, comme les chants nuptiaux (ce sont généralement les femelles qui choisissent les mâles), ou d'une *sélection intrasexuelle*, laquelle implique une concurrence entre des individus de même sexe pour gagner les faveurs d'un partenaire du sexe opposé.

Le choix du partenaire par les femelles Les préférences des femelles pour leurs partenaires jouent sans doute un rôle crucial dans l'évolution du comportement et de l'anatomie du mâle, par sélection intersexuelle. Pour prendre un autre exemple de la façon dont le choix des femelles influe sur l'évolution des mâles, considérons la parade nuptiale des mouches aux yeux pédonculés (*Teleopsis dalmanni*). Les yeux de ces insectes sont situés aux extrémités de pédoncules qui sont plus longs chez les mâles que chez les femelles. Durant la parade nuptiale, le mâle se présente face à une femelle. Or, les chercheurs ont remarqué que les femelles s'accouplaient davantage avec les mâles qui avaient des pédoncules oculaires assez longs. Pourquoi les femelles favoriseraient-elles ce caractère en apparence arbitraire ? Il semblerait bien que les ornements comme les longs pédoncules oculaires chez ces mouches ou les plumes de couleur vive chez les oiseaux aient en général un rapport avec leur santé et leur vitalité. Une femelle qui choisit un mâle sain augmente ses chances d'engendrer des petits en bonne santé qui survivent et se reproduisent. C'est pourquoi les mâles rivalisent entre eux dans des rituels de combat pour attirer l'attention d'une femelle (**figure 51.16**). Dans les affrontements entre deux *Teleopsis dalmanni* mâles, le mâle aux pédoncules les moins longs bat habituellement en retraite avant même qu'un combat ait lieu.

L'imprégnation parentale peut aussi influencer le choix d'un partenaire, comme le révèlent des expériences réalisées avec des diamants mandarins (*Taeniopygia guttata*). Ces passereaux n'ont normalement pas d'aigrette sur la tête (**figure 51.17**). Pour savoir si l'aspect parental influait sur le choix d'un partenaire, indépendamment de tout facteur génétique, des chercheurs ont pourvu des diamants mandarins d'ornements artificiels. Ils ont fixé avec du ruban adhésif une plume rouge de 2,5 cm de long sur les plumes frontales des deux parents, ou uniquement sur celles du parent mâle ou du parent femelle, alors que les oisillons étaient âgés de 8 jours, soit approximativement 2 jours avant qu'ils ouvrent les yeux. Des diamants mandarins faisant partie d'un groupe témoin ont été élevés par des parents dépourvus d'ornement. Lorsque les oisillons de l'expérimentation sont parvenus à l'âge adulte, on leur a donné le choix entre des partenaires ornés d'une plume rouge ou non (**figure 51.18**). Les mâles n'ont montré aucune préférence. Les femelles n'ont montré aucune préférence si elles avaient été élevées par un couple dont le mâle n'était pas orné. Toutefois, les femelles élevées par un couple dont le mâle était orné ont choisi des mâles ornés pour partenaires. En conséquence, ces expériences semblent indiquer que les femelles subissent l'influence de leur père dans leur choix d'un partenaire.

L'**imitation du choix du partenaire**, en vertu de laquelle les individus d'une population imitent le choix de partenaire d'autres individus, a fait l'objet d'études chez le guppy (*Poecilia reticulata*). Lorsqu'une femelle guppy choisit un mâle en l'absence d'autres femelles, elle choisit presque toujours le mâle dont la coloration orangée est la plus marquée (ayant la plus grande proportion de coloration sur l'ensemble de son corps). Pour vérifier si le comportement des autres femelles pouvait influer sur cette préférence, des chercheurs ont réalisé une expérience qui comportait des guppys femelles réels et des guppys femelles factices (**figure 51.19**). Si un guppy femelle voyait une femelle factice « courtiser » un mâle ayant une coloration moins marquée, elle imitait souvent la préférence de la femelle factice. Autrement dit,

▶ **Figure 51.18 La sélection sexuelle influencée par l'imprégnation.** Des expériences ont montré que, chez le diamant mandarin, les oisillons femelles ayant subi l'imprégnation de la part de pères ornés ont préféré les mâles ornés d'une plume, une fois parvenus à l'âge adulte. Dans tous les groupes expérimentaux, les oisillons mâles parvenus à l'âge adulte n'ont montré aucune préférence pour les femelles ornées ou pour celles qui ne l'étaient pas.

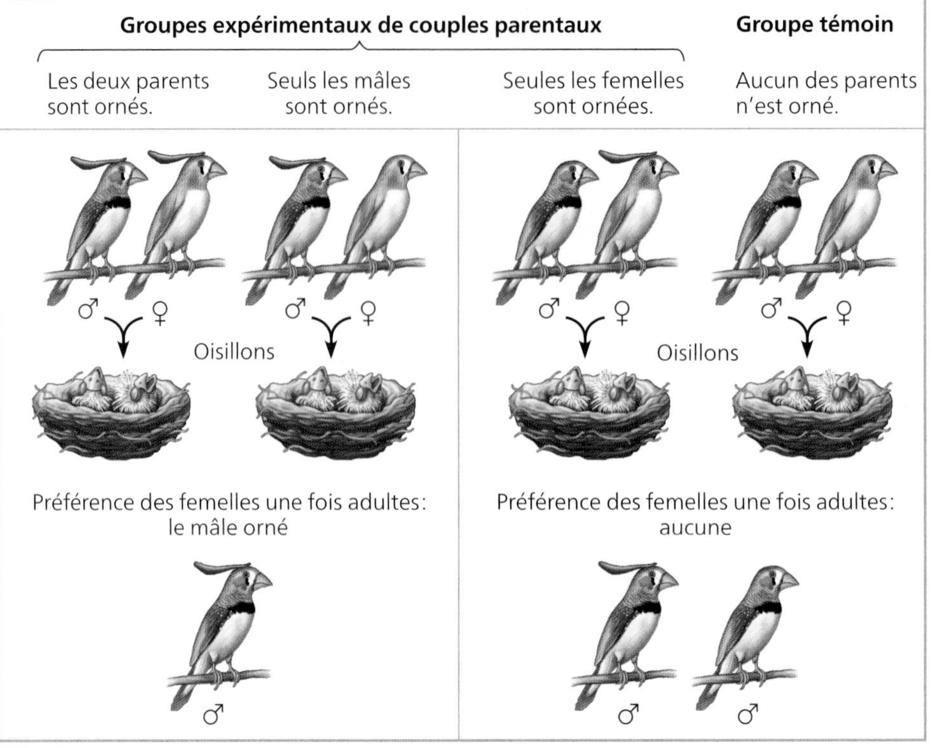

la femelle choisissait le mâle accompagné du guppy factice plutôt que le mâle ayant une coloration plus marquée. Les exceptions ont également fourni des informations. Le choix du partenaire ne changeait généralement pas quand la différence de coloration était particulièrement importante. En deçà d'un certain seuil de différence dans la couleur des mâles, l'imitation du choix du partenaire chez les guppys femelles peut donc masquer leurs préférences génétiques, dans ce cas pour les mâles orangés.

L'imitation du choix du partenaire, un type d'apprentissage social, a aussi été observée chez d'autres espèces de poissons et d'oiseaux. Quelle est l'influence de la sélection naturelle sur un tel mécanisme? Il se pourrait qu'une femelle qui s'accouple avec des mâles que d'autres femelles trouvent attirants augmente ses chances d'avoir une progéniture mâle attirante qui obtiendra un plus grand succès reproducteur.

La concurrence des mâles pour le choix des femelles Les exemples précédents montrent comment le choix du partenaire effectué par la femelle peut favoriser l'évolution d'un type de mâle idéal dans une situation donnée, un phénomène aboutissant à une faible variation entre les mâles. La concurrence des mâles pour le choix des femelles constitue une source de sélection intrasexuelle également susceptible de réduire cette variation chez les mâles. Cette concurrence peut donner lieu à un *comportement agonistique*, qui prend souvent la forme d'un combat ritualisé pour déterminer quel opposant aura accès à une ressource, par exemple à des aliments ou à des partenaires (**figure 51.20**; voir aussi la figure 51.16).

Bien que cette concurrence tende à atténuer la variation entre les mâles, certains vertébrés, dont des poissons et des cervidés, ainsi qu'un grand nombre d'invertébrés, présentent des variations extrêmement prononcées quant au comportement et à la morphologie des mâles. Chez certaines espèces, la sélection sexuelle a donné lieu à l'évolution d'une autre possibilité de comportement d'accouplement et de morphologie. Comment les scientifiques analysent-ils ces situations où plus d'un comportement d'accouplement peut permettre la reproduction? Une des méthodes utilisées consiste à examiner les règles auxquelles les jeux obéissent.

L'application de la théorie des jeux

Souvent, la valeur d'adaptation d'un phénotype comportemental particulier est influencée par d'autres phénotypes comportementaux présents dans la population. Les écoéthologistes (biologistes étudiant l'écologie comportementale) qui étudient cette question utilisent une gamme d'outils, dont la théorie des jeux. À l'origine élaborée par le mathématicien américain John Nash et par d'autres mathématiciens afin de décrire le comportement économique des humains, la **théorie des jeux** évalue les différentes stratégies possibles dans des situations dont l'issue dépend de tous les individus qui participent à la situation.

Pour illustrer l'application de la théorie des jeux au comportement d'accouplement, examinons la situation des lézards à flancs maculés (*Uta stansburiana*) de Californie. En raison de variations génétiques, il existe trois types de mâles: les mâles à gorge orangée, les mâles à gorge bleue et les mâles à gorge jaune (**figure 51.21**). On pourrait penser que la sélection naturelle favorise l'un de ces trois types de mâles, mais ce n'est pas le cas, car les trois types coexistent. Pourquoi? La réponse réside dans le fait que chaque couleur de gorge est associée à un comportement différent. Les mâles à gorge orangée sont les plus agressifs et défendent de vastes territoires contenant de nombreuses femelles. Les mâles à gorge bleue sont aussi territoriaux, mais ils défendent des territoires plus restreints et contenant de moins nombreuses femelles. Pour leur part, les mâles à gorge jaune sont des animaux non territoriaux qui imitent les femelles et utilisent des tactiques «sournoises» pour arriver à s'accoupler.

▼ Figure 51.19 L'imitation du choix du partenaire chez les guppys femelles. En l'absence d'autres femelles (groupe témoin), les guppys femelles choisissent généralement les mâles présentant une coloration orangée plus marquée. Toutefois, lorsqu'on place une femelle factice près d'un des mâles (groupe expérimental), les guppys femelles ont souvent tendance à imiter le choix présumé de cette femelle factice, même si le mâle choisi présente moins de coloration orangée que les autres mâles. Les femelles négligent le choix présumé de la femelle factice uniquement quand un autre mâle a beaucoup plus de coloration orangée.

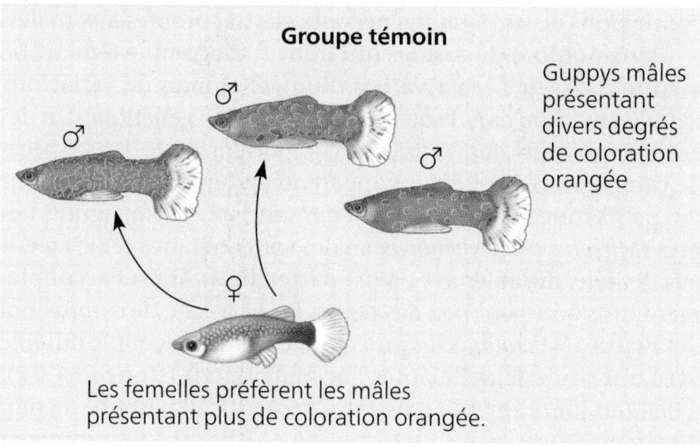
Groupe témoin
Guppys mâles présentant divers degrés de coloration orangée
♂
♂
♂
♀
Les femelles préfèrent les mâles présentant plus de coloration orangée.

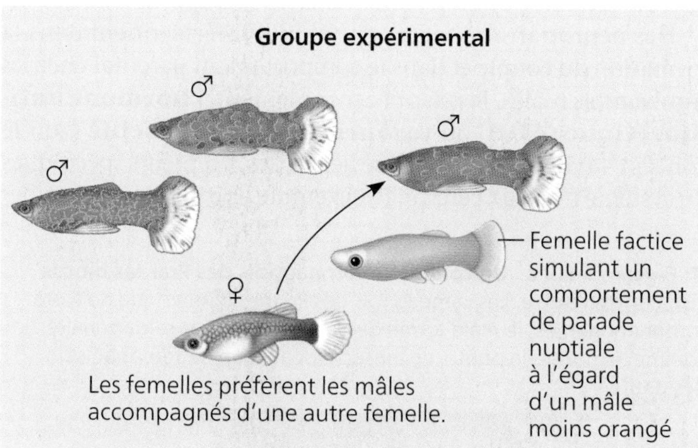
Groupe expérimental
♂
♂
♂
♀
Femelle factice simulant un comportement de parade nuptiale à l'égard d'un mâle moins orangé
Les femelles préfèrent les mâles accompagnés d'une autre femelle.

Des chercheurs ont constaté que le succès d'accouplement relatif de chaque type de mâle varie selon l'abondance relative des autres types de mâles au sein de la population. Il s'agit d'un exemple de sélection liée à la fréquence. Sur une période de plusieurs années, une des populations étudiées a compté tour à tour des nombres élevés de mâles à gorge bleue, de mâles à gorge orangée, puis de mâles à gorge jaune, et de nouveau un nombre élevé de mâles à gorge bleue.

Les chercheurs ont établi un lien entre les cycles de variation de la population des lézards à flancs maculés et la théorie des jeux. Ils ont comparé la concurrence entre les mâles chez cette espèce de lézards au jeu d'enfant appelé *roche, papier, ciseaux*. Dans ce jeu, le papier gagne contre la roche, la roche contre les ciseaux et les ciseaux contre le papier. Chaque élément figuré par la main gagne contre un des deux autres et perd contre le troisième. Selon des règles semblables, chaque type de mâle a un avantage sur un des deux autres. Quand les mâles à gorge bleue sont nombreux, ils réussissent à défendre les quelques femelles de leurs territoires des avances des sournois mâles à gorge jaune. Toutefois, les mâles à gorge bleue ne peuvent défendre leurs territoires contre les mâles à gorge orangée

▼ Figure 51.20 Un comportement agonistique. Il arrive souvent que les kangourous géants mâles (*Macropus giganteus*) se battent pour déterminer celui qui s'accouplera avec une femelle. Habituellement, un des deux mâles émet un grognement fort avant de frapper l'autre avec ses pattes antérieures. Si le mâle attaqué ne bat pas en retraite, le combat peut s'intensifier et devenir très rude : chaque mâle prend appui sur sa queue pour frapper son rival de ses pattes avant et de ses pattes postérieures, qui portent des griffes acérées.

▼ Figure 51.21 Le polymorphisme chez les lézards à flancs maculés mâles (*Uta stansburiana*). Un mâle à gorge orangée, à gauche ; un mâle à gorge bleue, au centre ; un mâle à gorge jaune, à droite.

hyperagressifs. Quand ces derniers deviennent les plus abondants, le plus grand nombre de femelles dans chaque territoire permet aux mâles à gorge jaune de se reproduire davantage. Les mâles à gorge jaune deviennent alors plus nombreux, mais ils perdent ensuite contre les mâles à gorge bleue dont les tactiques pour défendre de petits territoires leur permettent un meilleur succès reproducteur. En somme, lorsqu'on suit la population au fil du temps, on constate que les lézards aux trois couleurs de gorge coexistent et que chacune prédomine périodiquement.

La théorie des jeux permet de réfléchir à des problèmes complexes dans lesquels l'évolution du comportement s'explique par la réussite relative (succès reproducteur par rapport aux autres phénotypes), et non par la réussite absolue. Cette théorie constitue un outil important, puisque c'est en comparant la réussite relative d'un phénotype à celle d'autres phénotypes que la valeur d'adaptation darwinienne peut être mesurée.

RETOUR SUR LE CONCEPT 51.3

1. Pourquoi y a-t-il une corrélation entre le mode de fécondation et la présence ou l'absence de soins parentaux donnés par le mâle ?
2. **FAITES DES LIENS ▶** Une sélection équilibrée peut maintenir la variation sur un locus (voir le concept 23.4). À partir des expériences décrites dans le présent chapitre au sujet de la quête de nourriture, énoncez une hypothèse simple qui pourrait expliquer la présence des allèles for^R et for^S dans les populations naturelles de mouches.
3. **ET SI ? ▶** Imaginez qu'une infection tue beaucoup plus de mâles que de femelles dans une population de lézards à flancs maculés. Quel en serait l'effet immédiat sur la concurrence que se font les mâles pour se reproduire ?

Voir les réponses proposées à l'appendice A.

CONCEPT 51.4

L'étude de l'évolution du comportement se fonde notamment sur les analyses génétiques et sur le concept de valeur d'adaptation inclusive

ÉVOLUTION Nous allons maintenant explorer la quatrième question de Tinbergen : l'histoire évolutive des comportements. Pour commencer, nous examinerons les fondements génétiques du comportement. Nous nous intéresserons ensuite aux variations génétiques qui sous-tendent l'évolution de certains comportements. Enfin, nous verrons comment le fait d'élargir la définition du concept de valeur d'adaptation afin qu'il comprenne plus que la survie individuelle permet d'expliquer le comportement altruiste.

Les fondements génétiques du comportement

Pour explorer les fondements génétiques du comportement, nous allons d'abord examiner le comportement de parade nuptiale de la drosophile (voir la figure 51.4). Durant sa parade nuptiale, la mouche mâle accomplit une série complexe d'actions sous l'effet de multiples stimulus sensoriels. Des études génétiques ont montré qu'un seul gène, appelé *fru*, régit toute la parade nuptiale. Si le gène *fru* mute dans sa forme inactive, les mâles ne font pas de parade nuptiale ou ne s'accouplent pas avec des femelles. (Le nom *fru* vient de *fruitless*, qui signifie « sans fruit », en référence à l'absence de progéniture de ces mâles mutants.) Les mouches mâles et femelles normales expriment des formes distinctes du gène *fru*. Les femelles génétiquement modifiées pour exprimer la version mâle du gène *fru* courtisent d'autres femelles et jouent le rôle normalement dévolu au mâle.

Comment le gène *fru* régule-t-il des activités aussi différentes ? Des expériences réalisées conjointement dans plusieurs laboratoires ont montré que le gène *fru* est un gène régulateur, appelé gène maître, qui dirige l'expression et l'activité de plusieurs autres gènes secondaires dotés de fonctions plus limitées. Du haut de cette hiérarchie génétique, le gène *fru* régit un ensemble de gènes secondaires dont dépendent diverses fonctions sexuelles du système nerveux de la mouche. Le gène *fru* programme la mouche pour la parade nuptiale du mâle en coordonnant des connexions de son système nerveux central propres aux mâles.

Dans nombre de cas, les différences de comportement ne viennent pas de l'inactivation d'un gène, mais de variations dans l'activité ou dans la quantité d'un produit génétique. Un des exemples les plus éloquents est le comportement de deux espèces de campagnols étroitement apparentées. Les campagnols sont des petits rongeurs semblables à des souris. Les campagnols des prés (*Microtus pennsylvanicus*) mâles sont solitaires et ne créent pas de liens durables avec leurs partenaires. Après l'accouplement, ils s'occupent peu des petits. En revanche, le campagnol des Prairies (*Microtus ochrogaster*) mâle forme un couple durable avec une seule femelle après l'accouplement (**figure 51.22**). Quelques jours après la naissance des petits, il passe beaucoup de temps à tourner autour d'eux, à les lécher et à les promener tout en veillant à ce qu'aucun intrus ne s'en approche.

Des neurotransmetteurs peptidiques interviennent dans la formation du couple et dans le comportement parental chez les campagnols mâles. Pendant l'accouplement, l'**hormone antidiurétique** (**ADH**) ou **vasopressine** et l'**ocytocine** (voir le concept 44.5) sont libérées et se lient à des récepteurs spécifiques du système nerveux central. Par exemple, lorsqu'on donne à des

▼ **Figure 51.22 Un couple de campagnols des Prairies blottis l'un contre l'autre.** Les campagnols des Prairies d'Amérique du Nord sont monogames ; le mâle forme des liens étroits avec sa partenaire, comme le montre la photo, et consacre beaucoup de temps au soin des petits.

campagnols des Prairies mâles une substance qui inhibe le récepteur détectant l'ADH dans l'encéphale, ils ne forment pas de liens d'attachement durables après l'accouplement. De façon similaire, lorsqu'on injecte un bloqueur du récepteur de l'ocytocine à des campagnols des Prairies femelles, elles n'établissent pas de liens d'attachement durables avec un seul mâle.

Le gène du récepteur de l'ADH s'exprime beaucoup plus fortement chez les campagnols des Prairies que chez les campagnols des prés. Pour vérifier si la quantité de récepteurs de l'ADH dans le cerveau régule le comportement des campagnols après l'accouplement, des chercheurs ont introduit le gène du récepteur de l'ADH des campagnols des Prairies dans des campagnols des prés mâles. Non seulement les campagnols des prés transgéniques présentaient un encéphale dans lequel les récepteurs étaient plus nombreux, mais ils manifestaient aussi bon nombre des comportements d'accouplement des campagnols des Prairies, dont la formation de liens d'attachement durables. Par conséquent, bien que de nombreux gènes influent sur la formation de liens d'attachement durables et sur le comportement parental, un changement dans le degré d'expression des récepteurs de l'ADH suffit pour modifier le développement de ces comportements.

La variation génétique et l'évolution du comportement

Les différences de comportement entre des espèces étroitement apparentées sont fréquentes. On observe aussi d'importantes différences de comportement *au sein* d'une même espèce, mais elles ne sont pas toujours évidentes. Lorsqu'elle est en corrélation avec une variation des conditions environnementales, la variation comportementale observée chez une même espèce peut témoigner de l'effet de la sélection naturelle.

Étude de cas: *la variation dans le choix des proies*

L'un des exemples les mieux connus d'une variation comportementale déterminée par les gènes au sein d'une même espèce est le choix des proies chez la couleuvre de l'Ouest (*Thamnophis elegans*). Le régime alimentaire naturel de cette espèce diffère grandement au sein de son aire de répartition géographique, en Californie. Les populations des régions côtières se nourrissent surtout de limaces terrestres (*Ariolimax californicus*) (**figure 51.23**). Pour leur part, les populations des régions intérieures se nourrissent de grenouilles, de sangsues et de poissons, mais pas de limaces. En fait, dans les habitats intérieurs, les limaces terrestres sont rares ou absentes.

Lorsque les chercheurs présentaient des limaces terrestres à des couleuvres de l'Ouest des deux populations sauvages, la plupart des couleuvres des régions côtières mangeaient volontiers les limaces, tandis que les couleuvres des régions intérieures avaient tendance à les refuser. Jusqu'à quel point la variation génétique influe-t-elle sur la préférence alimentaire des couleuvres ? Pour répondre à cette question, les chercheurs ont recueilli des couleuvres gestantes des deux populations sauvages et les ont installées en laboratoire, dans des cages séparées. Alors qu'elles étaient encore très jeunes, les couleuvres nées en laboratoire ont reçu un petit morceau de limace terrestre chaque jour pendant 10 jours consécutifs. Plus de 60 % des jeunes nés de mères des régions côtières ont mangé les limaces 8 fois sur 10 ou plus, alors que moins de 20 % des jeunes nés de mères des

▼ **Figure 51.23 Une couleuvre de l'Ouest d'un habitat côtier mangeant une limace.** Des expériences indiquent que la préférence de ces couleuvres pour les limaces terrestres peut relever davantage des gènes que du milieu.

régions intérieures en ont mangé à peine une fois. Sans surprise, le goût pour les limaces semble être génétiquement acquis.

Comment se fait-il qu'une différence de comportement alimentaire déterminée par les gènes concorde aussi bien avec l'habitat de ces couleuvres ? Il se trouve que les populations des régions côtières et intérieures sont différentes également en ce qui concerne leur capacité de reconnaître les molécules odorantes produites par les limaces terrestres et de réagir à ces molécules. Les chercheurs ont avancé l'hypothèse que, lorsque les couleuvres des régions intérieures ont colonisé les habitats côtiers il y a plus de 10 000 ans, une partie de la population possédait la faculté de reconnaître les limaces terrestres grâce à des chimiorécepteurs. Ces couleuvres, qui ont profité de cette abondante source de nourriture, se sont mieux adaptées que celles des populations qui dédaignaient les limaces ; par conséquent, la fréquence de la capacité à reconnaître les limaces comme des proies a augmenté dans la population des régions côtières au fil de centaines ou de milliers de générations. La différence de comportement entre les deux populations qu'on observe aujourd'hui semble témoigner de cette évolution.

Étude de cas: *la variation des habitudes migratoires*

La fauvette à tête noire (*Sylvia atricapilla*), une petite fauvette (ou paruline) migratrice, nous fournit d'autres données éclairantes sur les variations de comportement. Les fauvettes à tête noire qui se reproduisent en Allemagne migrent généralement vers le sud-ouest jusqu'en Espagne, puis vers le sud jusqu'en Afrique, où elles passent l'hiver. Dans les années 1950, quelques fauvettes à tête noire ont commencé à passer leurs hivers en Grande-Bretagne et, avec le temps, elles ont formé une population comptant des milliers d'individus. Les bagues portées par certaines d'entre elles ont révélé que quelques-unes de ces fauvettes avaient migré vers l'ouest depuis le centre de l'Allemagne. Ce changement migratoire est-il le fait de la sélection naturelle ? Si c'est le cas, ces oiseaux devraient présenter une différence de nature génétique quant au comportement migratoire. Pour vérifier cette hypothèse, des chercheurs de l'Institut Max Planck d'ornithologie à Radolfzell, en Allemagne, ont conçu une stratégie pour étudier l'orientation migratoire en laboratoire (**figure 51.24**). Les résultats ont montré que les deux trajectoires de migration (vers l'ouest et vers le sud-ouest) reflétaient effectivement des différences génétiques entre les deux populations.

Cette étude indique que la modification du comportement migratoire des fauvettes à tête noire de l'Ouest de l'Europe est à la fois récente et rapide. En effet, avant 1950, la migration des fauvettes à tête noire vers l'ouest était inconnue en Allemagne, mais dès les années 1990 ces mêmes fauvettes migratrices représentaient une proportion de 7 à 11 % des populations de fauvettes à tête noire de l'Allemagne. Une fois commencée, la migration vers l'ouest a persisté et est devenue plus fréquente, peut-être en raison de l'usage répandu des mangeoires pour les oiseaux qui hivernent dans ce pays ainsi que de la distance de migration plus courte.

L'altruisme

On considère généralement que les animaux ont des comportements égocentriques, c'est-à-dire qu'ils agissent dans leur propre intérêt, au détriment de l'intérêt des autres, particulièrement des concurrents. Par exemple, l'individu qui adopte les stratégies de quête de nourriture les plus efficaces laisse moins de nourriture aux autres. On comprend facilement la fréquence de l'égocentrisme si on admet que la sélection naturelle façonne le comportement, mais comment expliquer les manifestations d'altruisme, ou comportements «désintéressés»? Comment ces comportements peuvent-ils apparaître dans le contexte de la sélection naturelle? Pour répondre à cette question, examinons de plus près quelques exemples de comportement altruiste et voyons comment ils ont pu apparaître.

Il arrive que des animaux accomplissent des actes qui compromettent leur propre bien-être, mais profitent aux autres. Pour désigner ce type de comportement, nous emploierons le terme

DÉMARCHE SCIENTIFIQUE
INVESTIGATION

▼ **Figure 51.24**
Les différences d'orientation migratoire au sein d'une espèce sont-elles déterminées génétiquement?

■ **HYPOTHÈSE** ■ Les fauvettes à tête noire qui vivent en Allemagne n'y passent pas l'hiver. La plupart migrent en Espagne et en Afrique, mais une partie d'entre elles volent jusqu'en Grande-Bretagne où elles se nourrissent dans les mangeoires installées par les citadins. Le scientifique allemand Peter Berthold et ses collègues ont formulé l'hypothèse que cette différence migratoire serait d'origine génétique.

■ **EXPÉRIENCE** ■ Pour vérifier leur hypothèse, ils ont capturé des fauvettes qui hivernaient en Grande-Bretagne et les ont élevées en Allemagne dans une volière extérieure. Ils ont également capturé de jeunes oiseaux dans des nids en Allemagne et les ont élevés en volière. À l'automne, l'équipe de Berthold a placé des fauvettes appartenant aux deux groupes de l'étude dans de grandes cages en forme d'entonnoir recouvertes d'une vitre et doublées de papier carbone. Une fois les cages installées dehors la nuit, les marques que les oiseaux laissaient sur le papier carbone en se déplaçant dans les entonnoirs indiquaient la direction vers laquelle ils essayaient de «migrer».

■ **RÉSULTATS** ■ Les oiseaux adultes en hivernage capturés en Grande-Bretagne de même que leurs petits élevés en laboratoire ont tenté de migrer vers l'ouest. Par contre, les jeunes oiseaux capturés dans des nids du Sud-Ouest de l'Allemagne ont tenté de migrer vers le sud-ouest.

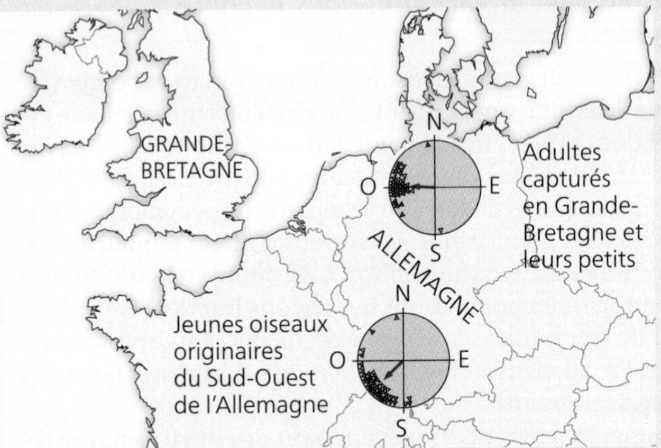

■ **CONCLUSION** ■ L'étude indique que l'orientation migratoire est déterminée par les gènes, puisque les petits des fauvettes à tête noire de Grande-Bretagne et les oisillons originaires d'Allemagne (groupe témoin), qui ont été élevés dans des conditions semblables, présentaient des orientations migratoires très différentes.

Source des données: P. Berthold et coll., Rapid microevolution of migratory behaviour in a wild bird species, *Nature* 360: 668-670 (1992).

ET SI? ▶ Si les deux groupes d'oiseaux avaient eu la même orientation migratoire dans cette expérience, pourriez-vous en conclure que leur comportement migratoire n'est pas déterminé par les gènes? Expliquez votre réponse.

altruisme. Considérons l'exemple du spermophile de Belding (*Spermophilus beldingi*), un petit rongeur voisin de l'écureuil qui vit dans l'Ouest des États-Unis et qui est pourchassé par les coyotes (*Canis latrans*), les faucons et d'autres rapaces diurnes (*Falco spp.*). Si un prédateur arrive, le spermophile pousse un cri d'alarme aigu et les autres se cachent dans leur terrier. Des observations minutieuses ont confirmé que le cri augmentait le risque de capture, car il révèle la position de son émetteur.

Les sociétés d'abeilles mellifères fournissent un autre exemple de comportement altruiste. En effet, les ouvrières sont stériles, mais travaillent pour le compte d'une reine unique qui, elle, est féconde. De plus, elles piquent les intrus, défendant ainsi la ruche au prix de leur vie.

Le comportement altruiste existe aussi chez l'hétérocéphale glabre, ou rat-taupe glabre (*Heterocephalus glaber*), un petit rongeur au comportement social très développé qui vit dans des galeries souterraines en Afrique australe et en Afrique du Nord-Est. Presque totalement dépourvu de fourrure et pratiquement aveugle, cet animal vit en colonies de 20 à 300 individus (**figure 51.25**). Chaque colonie ne comporte qu'une seule femelle reproductrice, la reine, qui s'accouple avec un à trois mâles, les rois. Le reste de la colonie se compose de femelles et de mâles non reproducteurs qui parfois sacrifient leur vie pour protéger la reine ou les rois contre les serpents ou les autres prédateurs qui envahissent la colonie.

La valeur d'adaptation inclusive

En gardant à l'esprit les exemples des spermophiles de Belding, des abeilles ouvrières et des hétérocéphales glabres, revenons à la question de savoir comment l'altruisme est apparu durant l'évolution. Il est très facile de comprendre que la sélection naturelle favorise un tel comportement lorsqu'on pense à des parents qui se dévouent pour leur progéniture. En effet, des parents qui sacrifient leur bien-être pour engendrer et aider des petits augmentent leur propre valeur d'adaptation, car ils maximisent leur représentation génétique dans la population. C'est ainsi que l'évolution peut maintenir le comportement altruiste, même s'il n'améliore pas la survie et le succès reproducteur des individus qui se sacrifient.

Alors qu'en est-il des individus qui aident d'autres individus qui ne sont pas leurs petits ? Le biologiste William Hamilton a trouvé une réponse en examinant cette question sous l'angle de la « famille étendue » plutôt que du seul point de vue de la « famille nucléaire ». Il a été le premier à se rendre compte que les animaux pouvaient augmenter leur représentation génétique dans la génération suivante en aidant de manière « altruiste » des parents proches qui ne sont pas leurs descendants. Comme les parents et leurs petits, les frères et sœurs ont la moitié de leurs gènes en commun. Par conséquent, il peut être avantageux pour un animal d'aider ses parents à produire d'autres petits ou d'aider directement ses frères et sœurs. De cette constatation est né le concept de **valeur d'adaptation inclusive**, qui se définit comme l'effet global qu'a un individu sur la prolifération de ses gènes en produisant une descendance *et* en fournissant une aide qui permet à ses proches parents de se reproduire aussi.

▼ **Figure 51.25 Le comportement altruiste de l'hétérocéphale glabre (*Heterocephalus glaber*), une espèce de mammifère vivant en colonies.** On voit ici une reine qui nourrit la progéniture tout en étant entourée d'autres membres de la colonie.

POUR APPROFONDIR ■ La probabilité qu'un individu pose un geste altruiste envers un autre individu de la même population est liée au degré de parenté entre ces deux individus, selon une relation nommée « règle de Hamilton ».

La règle de Hamilton et la sélection de parentèle

L'hypothèse de Hamilton a eu le grand avantage de proposer une façon de mesurer (ou de quantifier) l'effet de l'altruisme sur la valeur d'adaptation. Hamilton a proposé trois variables clés dans un acte altruiste : le bénéfice qu'en retire l'individu bénéficiaire, le coût pour l'individu altruiste et le coefficient de parenté. Le bénéfice (B) est le nombre moyen de descendants *supplémentaires* que le bénéficiaire d'un acte altruiste produit. Le coût (C) est le nombre de descendants produits *en moins* par l'altruiste. Le **coefficient de parenté** (r, pour *relatedness*, « parenté ») est la probabilité qu'un individu ait reçu la même portion de gènes d'un parent qu'un autre individu. La sélection naturelle favorise l'altruisme si l'avantage qu'en retire l'individu bénéficiaire multiplié par le coefficient de parenté est supérieur au coût pour l'individu altruiste, c'est-à-dire si $rB > C$. Cette inégalité est appelée **règle de Hamilton**.

Pour mieux comprendre la règle de Hamilton, appliquons-la à une population humaine dans laquelle les individus comptent en moyenne deux enfants chacun. Imaginons qu'un jeune homme est sur le point de se noyer dans une mer agitée. Sa sœur risque sa propre vie en nageant et en le ramenant sain et sauf. Si le jeune homme s'était noyé, son efficacité de reproduction aurait été nulle ; mais maintenant, si on utilise le nombre moyen de descendants, il peut engendrer 2 enfants. Son bénéfice est donc de 2 descendants ($B = 2$). Qu'en est-il du coût du comportement de sa sœur ? Supposons qu'elle avait 25 % de risques de se noyer en tentant de sauver son frère. Le coût de son comportement altruiste est de 0,25 fois 2, soit le nombre de descendants qu'elle aurait pu avoir en théorie si elle était restée sur la rive ($C = 0{,}25 \times 2 = 0{,}5$). Enfin, on considère qu'un frère et une sœur ont en commun la moitié de leurs gènes en moyenne ($r = 0{,}5$). Une révision de la séparation des chromosomes homologues, qui a lieu quand des parents produisent des gamètes par méiose, permet de comprendre ce calcul (**figure 51.26** ; voir aussi le concept 13.7).

Nous pouvons utiliser les valeurs de B, C et r pour voir si la sélection naturelle favorise l'acte altruiste de notre scénario fictif. Dans le cas étudié, $rB = 0{,}5 \times 2 = 1$ et $C = 0{,}5$. Étant donné que rB est supérieur à C, la règle de Hamilton est respectée, ce qui signifie que la sélection naturelle favoriserait cet acte altruiste.

▼ **Figure 51.26 Le coefficient de parenté entre frères et sœurs.** La bande rouge indique la position d'un allèle (version d'un gène) donné sur un chromosome, mais pas de son homologue, chez le parent A. Le frère ou la sœur 1 a hérité de l'allèle du parent A. Il y a une probabilité de 50 % que le frère ou la sœur 2 hérite aussi de cet allèle du parent A. Tout allèle présent sur un chromosome d'un des parents se comportera de la même façon. Le coefficient de parenté entre les deux frères ou sœurs est de 50 %, ou 0,5.

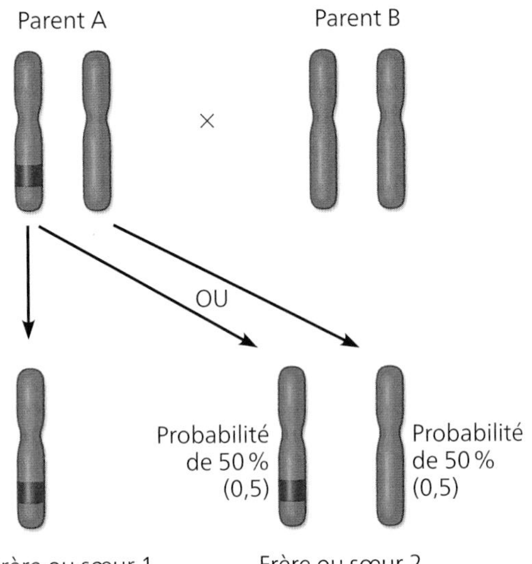

ET SI ? ▶ Le coefficient de parenté entre un individu et son frère ou sa sœur (non jumeaux) est le même qu'entre l'individu et un de ses parents, soit 0,5. Cette valeur est-elle la même dans les cas de polyandrie et de polygynie ?

En moyenne, sur plusieurs individus et générations, la femme altruiste transmettra chacun de ses gènes à un plus grand nombre de descendants si elle tente le sauvetage que si elle ne le fait pas. Et parmi les gènes ainsi transmis, certains peuvent en fait contribuer au comportement altruiste. La sélection naturelle qui favorise l'altruisme en accroissant le succès reproducteur de parents est appelée **sélection de parentèle**.

La sélection de parentèle s'affaiblit lorsque le lien de parenté est plus faible. Ainsi, alors que le coefficient de parenté r entre frères et sœurs est de 0,5, il est de 0,25 (25 %) entre une tante et sa nièce et de 0,125 (12,5 %) entre des cousins germains. Notez qu'à mesure que le degré de parenté diminue, le terme rB de l'inégalité de Hamilton diminue également. La sélection naturelle favoriserait-elle notre excellente nageuse si elle sauvait son cousin ? Non, pas dans une mer aussi agitée ; pour cet acte altruiste, $rB = 0{,}125 \times 2 = 0{,}25$, soit seulement la moitié de la valeur de C (0,5). Le généticien britannique J. B. S. Haldane a anticipé les concepts de valeur d'adaptation inclusive et de sélection de parentèle en déclarant à la blague qu'il ne risquerait pas sa vie pour un frère, mais qu'il le ferait pour deux frères ou huit cousins. ■

Si la sélection de parentèle explique l'altruisme des animaux, alors les comportements désintéressés que nous observons devraient avoir lieu entre parents proches. C'est effectivement ce qui se produit, mais selon des modalités complexes. Ainsi, chez les spermophiles de Belding comme chez la plupart des mammifères, les femelles s'établissent à proximité de leur terrier natal, tandis que les mâles s'en éloignent (**figure 51.27**). Étant donné que presque tous les signaux d'alarme proviennent des femelles, elles ont plus de chances d'aider de proches parents.

▼ **Figure 51.27 La sélection de parentèle et l'altruisme chez le spermophile de Belding.** Ce graphique sert à expliquer les différences entre les spermophiles de Belding mâles et les spermophiles de Belding femelles en matière de comportement altruiste. Une fois sevrés (les petits sont allaités pendant environ un mois), les mâles s'établissent loin de leur terrier natal, tandis que les femelles restent à proximité. Par conséquent, les femelles ont plus de chances que les mâles de côtoyer des parents proches et de les prévenir du danger par des cris d'alarme ; elles augmentent ainsi leur propre valeur d'adaptation inclusive.

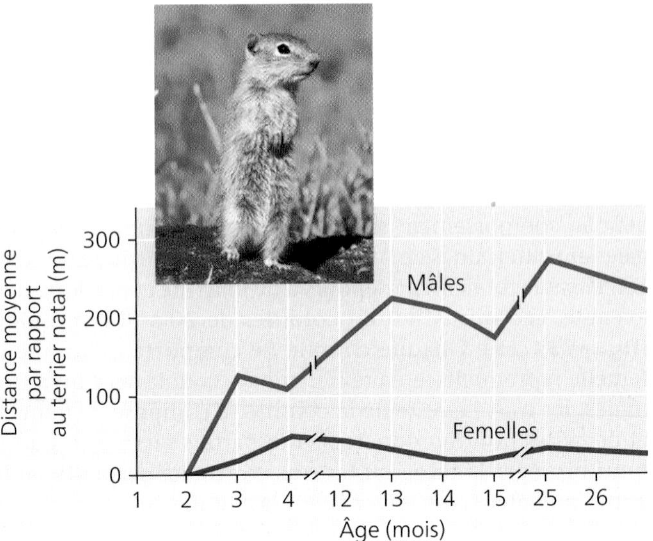

Dans le cas des abeilles, les ouvrières sont stériles, et tout ce qu'elles font au bénéfice de la ruche entière profite au seul membre permanent fécond, la reine, qui est leur mère.

Dans le cas de l'hétérocéphale glabre, les analyses d'ADN ont montré que tous les individus d'une colonie étaient parents proches. Génétiquement, il semble bien que la reine soit la sœur, la fille ou la mère des rois, et que les congénères non reproducteurs soient les descendants directs de la reine ou ses frères et sœurs. Par conséquent, quand un individu non reproducteur augmente les chances de reproduction d'une reine ou d'un roi, il augmente les chances que des gènes identiques aux siens soient transmis à la génération suivante.

L'altruisme réciproque

Il arrive que des animaux manifestent de l'altruisme envers des individus avec lesquels ils ne sont pas apparentés. On voit ainsi des babouins (*Papio spp.*) aider un congénère dans un combat et des loups (*Canis lupus*) offrir de la nourriture à d'autres loups qui n'appartiennent pas à leur famille. Ce comportement est adaptatif dans la mesure où l'individu altruiste en bénéficie ultérieurement. On traduit cet échange d'aide par l'expression **altruisme réciproque** et on l'invoque fréquemment pour expliquer l'altruisme de l'humain. L'altruisme réciproque est rare chez les animaux. Il ne s'observe que chez les espèces (les chimpanzés, par exemple) qui forment des groupes sociaux assez stables pour que les individus aient de nombreuses occasions de s'aider mutuellement. On estime généralement que l'altruisme réciproque est d'autant plus probable que les individus ont des chances de se revoir et que des conséquences défavorables peuvent être liées au fait de ne pas rendre les faveurs reçues par le passé, un modèle de comportement que les écoéthologistes appellent « tricherie ».

Toutefois, étant donné que la tricherie est susceptible de procurer un bénéfice important au tricheur, comment l'altruisme réciproque pourrait-il évoluer ? On peut trouver une réponse dans la théorie des jeux, plus précisément dans une stratégie comportementale nommée *un prêté pour un rendu*. Selon cette stratégie, un individu réserve à un autre le traitement qu'il en a reçu la dernière fois qu'ils se sont rencontrés. Les individus qui adoptent ce comportement sont toujours altruistes, ou coopératifs, à leur première rencontre avec un autre et ils le restent tant que l'altruisme est réciproque. Néanmoins, lorsque la coopération n'est pas mutuelle, ces individus se vengent immédiatement, mais reviennent à la coopération dès que l'autre se montre altruiste. La stratégie « un prêté pour un rendu » a été utilisée pour expliquer les quelques interactions apparemment altruistes observées chez les animaux, que ce soit le partage de sang entre des chauves-souris vampires (sous-famille des desmodontinés) non apparentées ou les activités sociales de toilettage chez les primates.

L'évolution et la culture humaine

Le comportement animal inclut le comportement humain, qui varie beaucoup d'une personne à l'autre, de la même façon que les caractères anatomiques varient entre les individus. Le passage du génotype au phénotype est soumis à l'influence du milieu pour les caractères physiques et, dans une plus large mesure encore, pour les caractéristiques comportementales. De plus, étant donné notre grande capacité d'apprentissage, nous avons probablement la capacité, plus que tout autre animal, d'acquérir de nouveaux comportements et de nouvelles habiletés (**figure 51.28**).

Au regard de la survie et de la reproduction, l'importance de certaines activités, telles que la recherche de nourriture ou les rapports sexuels, est évidente, mais il est difficile de trouver la signification et le rôle de plusieurs autres. L'une de ces activités est le jeu, qu'on définit parfois comme une activité gratuite sans véritable utilité. Nous savons reconnaître le jeu chez les enfants et nous savons également reconnaître ce qui nous apparaît comme du jeu chez les petits des autres vertébrés. Les biologistes du comportement distinguent trois types de jeux : le « jeu avec objet » (un chimpanzé jouant avec des feuilles, par exemple), le « jeu locomoteur » (une antilope faisant des acrobaties, par exemple) et le « jeu social » (des lionceaux qui interagissent et se jouent des tours, par exemple). Ce classement nous en dit toutefois bien peu sur la fonction du jeu. Une des hypothèses avancées est que le jeu, plutôt que de mener à l'acquisition d'expériences ou de nouvelles aptitudes, sert à préparer l'animal aux événements inattendus ou sur lesquels il n'a pas prise.

▼ Figure 51.28 **L'apprentissage d'un nouveau comportement.**

La discipline de la **sociobiologie** applique la théorie de l'évolution à l'étude du comportement et de la culture humaine. La principale prémisse de la sociobiologie est que certaines caractéristiques du comportement existent parce qu'elles sont l'expression de gènes qui ont été perpétués par la sélection naturelle. Dans son ouvrage précurseur, publié en 1975 et intitulé *Sociobiology: The New Synthesis*, E. O. Wilson s'interroge sur l'origine de certains comportements sociaux chez les animaux en général, de même que chez l'humain, notamment la culture. Le lien entre l'évolution biologique et la culture humaine fait encore l'objet d'un vif débat.

Au cours de notre évolution récente, nous avons construit des sociétés qui, avec leurs gouvernements, leurs lois, leurs valeurs culturelles et leurs religions, permettent certains comportements et en interdisent d'autres, même si ces derniers ont le potentiel d'augmenter la valeur d'adaptation darwinienne d'un individu. Ce sont peut-être nos institutions sociales et culturelles qui nous différencient vraiment du reste du monde vivant. Il se pourrait fort bien que ces institutions nous confèrent des caractéristiques qui rendent parfois moins manifeste le continuum entre l'humain et les autres animaux. Une de ces caractéristiques est notre grande aptitude à l'altruisme réciproque, qui nous sera indispensable pour surmonter les difficultés de l'ère moderne, notamment les changements climatiques, face auxquelles les intérêts individuels et les intérêts collectifs sont souvent conflictuels.

RETOUR SUR LE CONCEPT 51.4

1. Expliquez pourquoi la variation géographique dans le choix des proies observée chez les couleuvres de l'Ouest semble montrer que ce comportement a évolué par sélection naturelle.
2. Supposons qu'un individu favorise la survie et le succès reproducteur des enfants de ses frères et sœurs. Comment ce comportement peut-il donner lieu à une sélection indirecte pour certains des gènes de cet individu ?
3. **ET SI ?** ▶ Supposons que vous appliquiez le raisonnement de Hamilton à une situation où un individu a passé l'âge de se reproduire. La sélection favorisera-t-elle un acte altruiste de la part de cet individu, malgré son âge ?

Voir les réponses proposées à l'appendice A.

RÉVISION DU CHAPITRE 51

Consultez votre MANUEL NUMÉRIQUE, qui vous donne accès aux **animations**, aux **exercices** et à la plateforme d'**anatomie interactive**.

Résumé des concepts clés

CONCEPT 51.1

Des stimulus sensoriels, même de faible intensité, peuvent déclencher des comportements simples ou complexes (p. 1252 à 1256)

- Le **comportement**, qui englobe l'activité musculaire et non musculaire, est l'ensemble des réactions aux stimulus externes et internes. Dans les études sur le comportement, les questions portant sur les causes immédiates, le « comment », s'appliquent aux stimulus qui déclenchent le comportement, de même qu'aux mécanismes génétiques, physiologiques et anatomiques qui les sous-tendent. Les questions portant sur les causes fondamentales, sur le « pourquoi », s'appliquent à la signification d'un comportement sur le plan de l'évolution.
- Un **schème d'action spécifique** (**SAS**) est un comportement essentiellement invariable, déclenché par un seul stimulus appelé **stimulus-signal**. Les mouvements **migratoires** font intervenir la navigation, qui peut s'appuyer sur l'orientation par rapport au Soleil, aux étoiles ou au champ magnétique de la Terre. Le comportement animal est parfois synchronisé avec le cycle circadien de clarté et d'obscurité de l'environnement ou avec des signaux environnementaux périodiques au cours des saisons.
- La **communication** chez les animaux est la transmission et la réception de **signaux** ainsi que la réaction qui en résulte. Les animaux communiquent au moyen de signaux visuels, auditifs, chimiques et tactiles. Des substances chimiques appelées **phéromones** transmettent dans l'environnement des informations propres à une espèce par des comportements variés, allant de la quête de nourriture à la parade nuptiale.

? Dans quelle mesure la migration déterminée par les rythmes circannuels est-elle mal assortie au changement climatique mondial ?

CONCEPT 51.2

L'apprentissage établit des liens précis entre l'expérience et le comportement (p. 1256 à 1261)

- Les **expériences d'adoption interspécifique** peuvent servir à mesurer l'influence du milieu social et de l'expérience sur le comportement.
- L'**apprentissage** est la modification d'un comportement à la suite d'expériences particulières. Il existe divers types d'apprentissage.

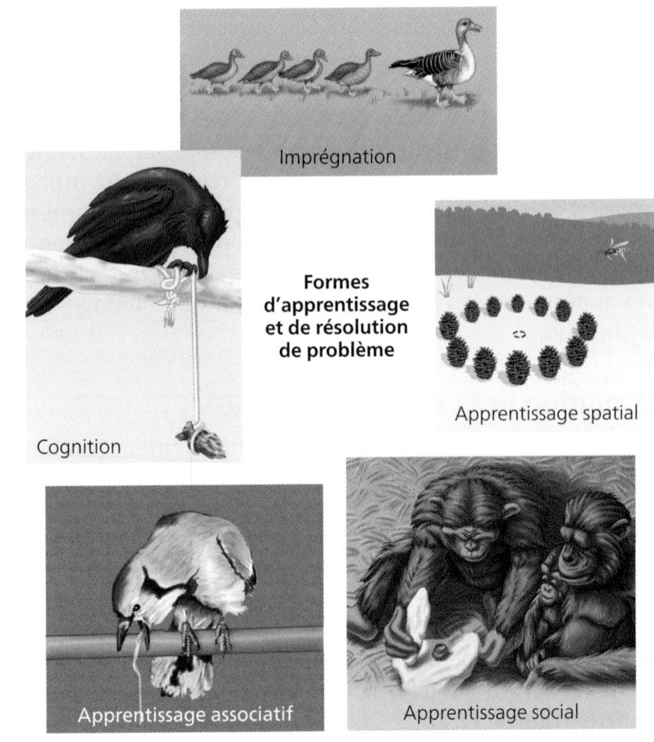

? En quoi l'imprégnation chez les oies et le développement du chant chez les bruants diffèrent-ils quant au comportement qui en résulte ?

CONCEPT 51.3

La sélection naturelle peut expliquer divers comportements qui favorisent la survie et le succès reproducteur de l'individu (p. 1261 à 1268)

- Les expériences contrôlées en laboratoire peuvent donner lieu à des changements comportementaux évolutifs qu'on peut expliquer.
- La **théorie de la quête optimale de nourriture** s'appuie sur l'idée que la sélection naturelle favorise les comportements qui réduisent au minimum les coûts de la **quête de nourriture** tout en maximisant ses bénéfices.
- Il y a une corrélation entre le dimorphisme sexuel et les systèmes d'accouplement entre les mâles et les femelles, notamment la **monogamie** et la **polygamie**. Le système d'accouplement et le mode de fécondation influent sur la certitude de paternité, laquelle influe à son tour considérablement sur le comportement avec le partenaire et les soins parentaux.
- La **théorie des jeux** représente une manière d'envisager l'évolution dans des situations où la valeur d'adaptation d'un phénotype comportemental particulier est influencée par d'autres phénotypes comportementaux présents dans la population.

? Chez certaines espèces d'araignées, la femelle mange le mâle presque immédiatement après l'accouplement. À votre avis, comment ce comportement trouve-t-il sa raison d'être dans l'évolution ?

CONCEPT 51.4

L'étude de l'évolution du comportement se fonde notamment sur les analyses génétiques et sur le concept de valeur d'adaptation inclusive (p. 1268 à 1273)

- Des expériences de laboratoire portant sur des populations d'insectes ont révélé l'existence de gènes régulateurs appelés gènes maîtres, qui régissent les comportements complexes. Subordonnés à ces gènes maîtres, de nombreux gènes secondaires influent sur des comportements particuliers, comme le chant nuptial. Des études portant sur des campagnols montrent comment la variation dans un seul gène suffit parfois pour expliquer des différences dans des comportements complexes.
- Lorsqu'une variation de comportement au sein d'une espèce correspond à une variation dans les conditions environnementales, elle peut témoigner d'une évolution antérieure. Des études sur le terrain et en laboratoire ont montré les fondements génétiques d'une modification du comportement migratoire de certains oiseaux ; elles ont révélé, chez des serpents, des différences comportementales qui sont liées à la variation géographique de la disponibilité de la nourriture (proies).
- L'**altruisme** peut s'expliquer par le concept de la **valeur d'adaptation inclusive**, qui se définit comme l'effet global qu'a un individu sur la prolifération de ses gènes en produisant une descendance *et* en fournissant une aide qui permet à ses proches parents de se reproduire aussi. Le **coefficient de parenté** et la **règle de Hamilton** permettent de mesurer l'influence de la sélection sur l'altruisme par rapport à son coût potentiel. La **sélection de parentèle** favorise l'altruisme, car elle accroît le succès reproducteur des proches parents.

? Supposons que vous ayez étudié les effets des mutations de la parade nuptiale chez les mouches et les effets des liens d'attachement durables chez les campagnols. Quelles connaissances sur les fondements génétiques du comportement auriez-vous acquises ?

Évaluation

NIVEAU 1 : CONNAISSANCES ET COMPRÉHENSION

1. Parmi les énoncés suivants, lequel s'applique aux comportements innés ?
a) Les gènes ont très peu d'influence sur l'expression des comportements innés.
b) Les comportements innés ont lieu avec ou sans stimulus environnementaux.
c) Les comportements innés s'expriment chez la plupart des individus d'une population.
d) Les invertébrés et certains vertébrés ont des comportements innés, mais pas les mammifères.

2. Selon la règle de Hamilton :
a) La sélection naturelle ne favorise pas l'altruisme si l'individu altruiste perd la vie.
b) La sélection naturelle favorise les actes altruistes quand le bénéfice qu'en retire l'individu bénéficiaire multiplié par le coefficient de parenté est supérieur au coût pour l'individu altruiste.
c) La sélection naturelle tend à favoriser les comportements altruistes dont bénéficie un descendant plutôt que ceux dont bénéficient un frère ou une sœur.
d) La sélection de parentèle est un facteur de sélection plus puissant que le succès reproducteur d'un individu favorisé par la sélection naturelle.

3. La femelle du chevalier grivelé (*Actitis macularia*) courtise les mâles de façon agressive, puis, après l'accouplement, elle laisse le mâle assurer l'incubation de la couvée. Elle peut répéter cela plusieurs fois auprès de différents partenaires, jusqu'à ce qu'il n'y ait plus de mâles disponibles. Cela l'oblige alors à assurer l'incubation de sa dernière couvée. Parmi les termes suivants, lequel décrit le mieux ce comportement ?
a) Polygynie.
b) Polyandrie.
c) Promiscuité.
d) Certitude de paternité.

NIVEAU 2 : APPLICATION ET ANALYSE

4. Chez le serin des Canaries (*Serinus canaria*), une région du prosencéphale rapetisse et se régénère à chaque saison de reproduction. Cette découverte permet d'établir une corrélation avec :
a) la phase de modification du chant qui donne un nouveau chant, plus complexe.
b) la fixation du chant adulte à partir du préchant.
c) la période critique au cours de laquelle les parents imprègnent les nouveaux petits.
d) l'élimination ou la suppression des chants mémorisés l'année précédente.

5. Bien que de nombreuses populations de chimpanzés vivent dans des milieux où on trouve des noix de palmier à huile, seuls les membres de certaines populations utilisent des pierres pour les ouvrir. L'explication la plus plausible pour cette différence de comportement entre populations est que :
a) elle résulte d'une différence génétique entre ces populations.
b) les besoins nutritionnels varient selon les populations.
c) l'utilisation des pierres est une tradition culturelle qui ne s'est imposée que dans certaines populations.
d) la capacité d'apprentissage varie selon les populations.

6. Parmi les énoncés suivants, lequel *ne s'applique pas* à l'évolution d'une caractéristique comportementale par sélection naturelle ?
a) Chez chaque individu, le type de comportement est entièrement déterminé par les gènes.
b) Le comportement diffère d'un individu à l'autre.
c) Le succès reproducteur d'un individu dépend en partie de la façon dont il se comporte.
d) Le comportement est en partie héréditaire.

NIVEAU 3 : SYNTHÈSE ET ÉVALUATION

7. **FAITES UN DESSIN ▶** Vous étudiez deux modèles de quête optimale de nourriture chez l'huîtrier, un oiseau côtier qui se nourrit notamment de moules. Dans le modèle A, la récompense énergétique augmente uniquement en fonction de la taille des moules. Dans le modèle B, vous devez tenir compte du fait que les moules plus grosses sont plus difficiles à ouvrir. Pour chaque modèle, faites un diagramme de la récompense (bénéfice énergétique sur une échelle de 0 à 10) en fonction de la longueur de la moule (échelle de 0 à 70 mm). Supposez que les moules de moins de 10 mm de longueur ne donnent aucun bénéfice et que les oiseaux les ignorent. Supposez également que les moules commencent à être difficiles à ouvrir lorsqu'elles atteignent 40 mm et qu'elles sont impossibles à ouvrir lorsqu'elles mesurent 70 mm ou plus. À partir des graphiques que vous avez dessinés, indiquez quelles observations et quelles mesures de l'habitat de l'huîtrier vous aideraient à déterminer le modèle le plus juste.

Voir les réponses proposées à l'appendice A.

L'écologie et la biosphère : introduction

52

VOS OUTILS INTERACTIFS

Consultez votre MANUEL NUMÉRIQUE, qui vous donne accès aux **animations**, aux **exercices** et à la plateforme d'**anatomie interactive**.

▲ **Figure 52.1 Qu'est-ce qui limite la répartition de cette minuscule grenouille ?**

CONCEPTS CLÉS

52.1 Le climat de la Terre varie selon la latitude et la saison, et change rapidement

52.2 Le climat et les perturbations déterminent la répartition des biomes terrestres

52.3 Les biomes aquatiques sont des systèmes diversifiés et dynamiques qui couvrent la majeure partie de la planète

52.4 Les interactions des organismes entre eux et avec leur milieu limitent la répartition des espèces

52.5 Les changements écologiques et l'évolution s'influencent mutuellement sur de longues et de courtes périodes de temps

À la découverte de l'écologie

En 2008, accroupi sur le bord d'un ruisseau en Papouasie-Nouvelle-Guinée, Michael Grundler, aspirant bachelier à la Cornell University, a entendu une série de cliquetis. Sur le coup, il a cru qu'il s'agissait d'un grillon qui stridulait non loin. En cherchant des yeux et en écoutant attentivement, il a fini par repérer une minuscule grenouille qui gonflait son sac vocal pour attirer une partenaire. Grundler apprendra plus tard qu'il venait de découvrir une des deux espèces de grenouilles auparavant inconnues dans cette région : *Paedophryne swiftorum* et *Paedophryne amauensis* (**figure 52.1**). Toutes les espèces appartenant au genre *Paedophryne* ne vivent que dans cette péninsule papouane de l'Est de la Nouvelle-Guinée. D'une longueur moyenne d'à peine 8 mm, les grenouilles adultes de ce genre font partie des plus petits vertébrés adultes de la planète.

Quels sont les facteurs environnementaux limitant la répartition géographique des grenouilles du genre *Paedophryne* ? En quoi la taille de leurs populations est-elle influencée par les variations de leurs sources de nourriture et les interactions avec d'autres espèces, comme les agents pathogènes et les prédateurs ? Ce type de questions relève de l'**écologie** (du grec *oikos*, « maison », et *logos*, « discours sur, science de »), l'étude scientifique des interactions entre les organismes, d'une part, et entre les organismes et leur milieu, d'autre part. (Notez qu'ici et tout au long de cet ouvrage, le terme *environnement* fait référence aussi bien aux aspects physiques du milieu de vie d'un organisme qu'aux autres organismes qui s'y trouvent.) Les interactions étudiées par les écologistes (ou écologues) se produisent à diverses échelles, de celle de l'organisme jusqu'à l'échelle planétaire (**figure 52.2**).

▼ Figure 52.2

PANORAMA L'étendue de la recherche en écologie

Les écologistes travaillent à divers niveaux de la hiérarchie biologique, de l'organisme à la planète. Nous présentons ci-dessous une question de recherche représentative de chaque niveau de la hiérarchie.

L'autécologie

L'**autécologie**, ou autoécologie, englobe les sous-domaines suivants : l'écophysiologie, l'écologie de l'évolution et l'éthologie (ou biologie du comportement). Elle se penche sur la manière dont les aspects morphologiques, physiologiques et comportementaux d'un organisme répondent aux contraintes de son milieu.

◄ **Comment le flamant rose (*Phoenicopterus ruber*) choisit-il un partenaire ?**

L'écologie des populations

Une **population** est un groupe d'individus de la même espèce vivant dans une région. L'**écologie des populations** analyse les facteurs qui influent sur la taille d'une population et sur les causes et les mécanismes des changements qu'elle subit au fil du temps.

◄ **Quels facteurs environnementaux influent sur le taux de fécondité des flamants roses ?**

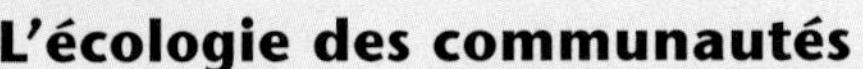

L'écologie des communautés

Une **communauté** est un groupe de populations de différentes espèces d'une même région. L'**écologie des communautés** examine l'organisation de cette communauté et l'influence qu'exercent les interactions entre les espèces, telles que la prédation et la compétition, sur la structure.

◄ **Quels facteurs influent sur la diversité des espèces en interaction avec ce lac africain ?**

L'écologie des écosystèmes

Un **écosystème** est la communauté d'organismes habitant une région et les facteurs physiques avec lesquels ces organismes interagissent. L'**écologie des écosystèmes** traite surtout des questions comme les transferts d'énergie et les cycles biochimiques entre les organismes et leur milieu.

◄ **Dans cet écosystème aquatique, quels facteurs contrôlent la productivité photosynthétique ?**

L'écologie du paysage

Un **paysage** (terrestre ou marin) est une mosaïque d'écosystèmes reliés les uns aux autres. La recherche en **écologie du paysage** s'intéresse aux facteurs régissant les échanges d'énergie, de matière et d'organismes entre plusieurs écosystèmes.

◄ **Dans quelle mesure les nutriments provenant des écosystèmes terrestres influent-ils sur les organismes qui vivent dans ce lac ?**

L'écologie planétaire

La **biosphère** constitue l'écosystème planétaire, qui englobe l'ensemble des écosystèmes et des paysages de la planète. L'**écologie planétaire** analyse la façon dont les échanges régionaux d'énergie et de matière influent sur le fonctionnement et la répartition des organismes dans la biosphère.

◄ **En quoi les configurations de la circulation de l'air autour du globe influencent-elles la répartition des organismes ?**

Dans le présent chapitre, nous verrons d'abord comment le climat terrestre et d'autres facteurs déterminent l'emplacement des principales zones de vie sur terre et dans les océans. Nous examinerons ensuite comment les écologistes étudient les variables qui régissent la répartition et l'abondance des espèces. Les quatre chapitres suivants portent sur l'écologie des populations, des communautés et des écosystèmes ainsi que sur l'écologie planétaire. Plus particulièrement, nous y verrons comment les écologistes utilisent les connaissances en biologie pour prédire les conséquences mondiales des activités humaines et pour préserver la biodiversité de la planète.

CONCEPT **52.1**

Le climat de la Terre varie selon la latitude et la saison, et change rapidement

Le **climat**, c'est-à-dire l'ensemble des conditions météorologiques à long terme propres à une région donnée, est ce qui influe le plus sur la répartition des organismes sur la Terre. Quatre facteurs abiotiques – la température, les précipitations, la lumière et le vent – constituent les principaux éléments du climat. Pour mieux comprendre l'influence du climat (et des changements climatiques) sur le vivant, nous examinerons d'abord les régimes climatiques sur le plan du macroclimat, donc à l'échelle planétaire, régionale et locale, puis sur le plan du microclimat, qui concerne de très petites régions géographiques, comme ceux que connaît une communauté d'organismes vivant dans un microhabitat sous un arbre mort.

Les régimes climatiques à l'échelle planétaire

À l'échelle planétaire, les régimes climatiques sont en grande partie déterminés par l'apport d'énergie solaire et par les mouvements de la Terre dans l'espace. Les rayons solaires réchauffent l'atmosphère, le sol et l'eau. Ce réchauffement détermine les différences de température, les mouvements de l'air et de l'eau, et l'évaporation de l'eau à l'origine des phénomènes qui causent les grandes variations latitudinales du climat. La **figure 52.3** résume les régimes climatiques de la Terre et la façon dont ils se forment.

Les facteurs régionaux et locaux agissant sur le climat

Le climat varie au fil des saisons et en fonction d'autres facteurs, comme la présence de grandes étendues d'eau ou de chaînes de montagnes. Examinons chacun de ces facteurs.

Les variations saisonnières

Sous les latitudes moyennes et élevées, l'axe incliné de la Terre et sa course annuelle autour du Soleil entraînent d'importants cycles saisonniers de la photopériode, du rayonnement solaire et de la température (**figure 52.4**). La variation de l'angle d'incidence des rayons solaires au cours de l'année provoque aussi des variations locales dans l'environnement. Par exemple, les ceintures d'air humide et d'air sec situées de part et d'autre de l'équateur se déplacent quelque peu vers le nord et vers le sud à mesure que l'angle d'incidence des rayons solaires change. Par conséquent, les régions situées aux environs de 20° de latitude N. et de 20° de latitude S., où croissent les forêts décidues tropicales, connaissent une saison sèche et une saison des pluies bien délimitées. En outre, les changements saisonniers des vents font varier les courants marins, causant parfois une remontée des eaux de fond froides. Ces eaux riches en nutriments stimulent la croissance du phytoplancton qui vit à la surface de l'eau et des organismes qui s'en nourrissent. Ces zones de remontée des eaux ne comptent que pour une petite partie de l'étendue océanique, mais c'est de là que provient plus du quart des poissons pêchés chaque année sur la planète.

Les étendues d'eau

Les courants marins influent sur le climat des côtes, car ils réchauffent ou refroidissent les masses d'air marin qui passent au-dessus des continents. Les régions côtières reçoivent d'ailleurs généralement plus de pluie que les régions intérieures de même latitude. Le courant froid de la Californie qui circule du nord au sud le long de la côte ouest de l'Amérique du Nord crée un climat frais et brumeux propice aux forêts pluvieuses de conifères le long de la côte du Pacifique et aux peuplements de séquoias géants (*Sequoia sempervirens*), un peu plus au sud. Inversement, le courant chaud du Gulf Stream, provenant de l'équateur, circule vers le nord et traverse l'Atlantique (**figure 52.5**), ce qui tempère le climat de la côte ouest de l'Europe du Nord. Par conséquent, le Nord-Ouest de l'Europe est plus chaud pendant l'hiver que le Sud-Est du Canada, qui se situe pourtant plus au sud, mais subit l'influence d'un courant froid, le courant du Labrador qui descend du Groenland.

En raison de la chaleur spécifique élevée de l'eau (voir le concept 3.2), les océans et les grandes étendues d'eau intérieures ont sur le climat des milieux terrestres voisins un effet modérateur. Ainsi, quand la terre ferme est plus chaude que l'eau, l'air situé au-dessus du sol se réchauffe et s'élève, et une brise fraîche venant de l'eau souffle vers la terre ferme (**figure 52.6**). La nuit, au contraire, parce que les températures baissent plus vite au-dessus du sol qu'au-dessus de l'eau, l'air au-dessus des eaux maintenant plus chaudes s'élève et crée une circulation qui attire l'air froid du sol vers l'eau et le remplace par de l'air chaud venu du large. Cependant, cet effet modérateur sur le climat se limite parfois à la côte. L'été, dans le Sud de la Californie et le Sud-Ouest de l'Australie, les brises de mer fraîches et sèches se réchauffent au contact de la terre ferme. Elles absorbent l'humidité, et créent un climat chaud et sec à quelques kilomètres des côtes (voir la figure 3.5). Ce régime climatique, qui existe aussi autour de la mer Méditerranée, est appelé *climat méditerranéen*.

Les montagnes

Comme les grandes étendues d'eau, les montagnes influent sur la circulation d'air sur la terre ferme. À l'approche d'une montagne, l'air chaud et humide s'élève et refroidit. Il libère alors son humidité sur le versant ascendant, exposé au vent (voir la figure 52.6). Sur le versant descendant, protégé du vent, l'air frais et sec descend, absorbe l'humidité, de sorte que cette région reçoit peu de précipitations (ombre pluviométrique). Ce vent réchauffé et asséché est appelé foehn. C'est pourquoi les

▼ Figure 52.3

PANORAMA Les régimes climatiques à l'échelle planétaire

La variation de l'intensité de la lumière solaire en fonction de la latitude

La rondeur de la Terre fait en sorte que l'intensité de la lumière solaire varie selon la latitude. Comme la lumière solaire frappe plus directement les **tropiques** (régions situées entre 23,5° de latitude N. et 23,5° de latitude S.), il parvient à cet endroit plus de chaleur et de lumière par unité de surface. À des latitudes plus élevées, la lumière solaire atteint la Terre obliquement, si bien que l'énergie lumineuse est plus diffuse à sa surface.

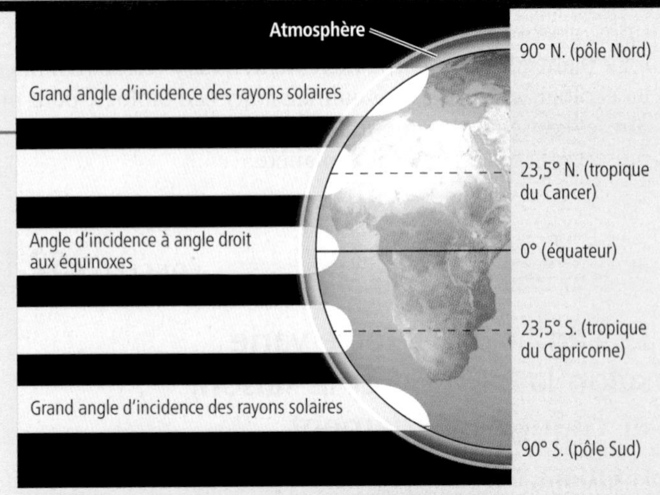

La circulation de l'air et les précipitations à l'échelle planétaire

L'intense rayonnement solaire près de l'équateur déclenche un système de circulation d'air et de précipitations autour du globe. Sous l'effet de la chaleur qui règne dans les régions tropicales, l'eau de la surface terrestre s'évapore. Des masses d'air chaud et humide s'élèvent dans l'atmosphère (flèches bleues) et se dirigent vers les pôles. À mesure que ces masses d'air ascendantes s'étendent et refroidissent, elles libèrent la majeure partie de leur contenu en eau et provoquent d'abondantes précipitations dans ces régions. Une fois asséchées, les masses d'air circulant à haute altitude redescendent vers la Terre (flèches jaunes) à environ 30° de latitude N. et de latitude S. Elles absorbent alors l'humidité du sol et créent un climat aride propice à la formation des déserts, qui sont communs sous ces latitudes. Une partie de l'air qui descend se dirige vers les pôles. Autour de 60° de latitude N. et de latitude S., les masses d'air s'élèvent à nouveau et libèrent d'abondantes précipitations (moins importantes toutefois que sous les tropiques). Une partie de l'air froid et sec qui s'élève se dirige vers les pôles. Là, il redescend et retourne vers l'équateur, absorbant de l'humidité et créant le climat sec et glacial des régions polaires.

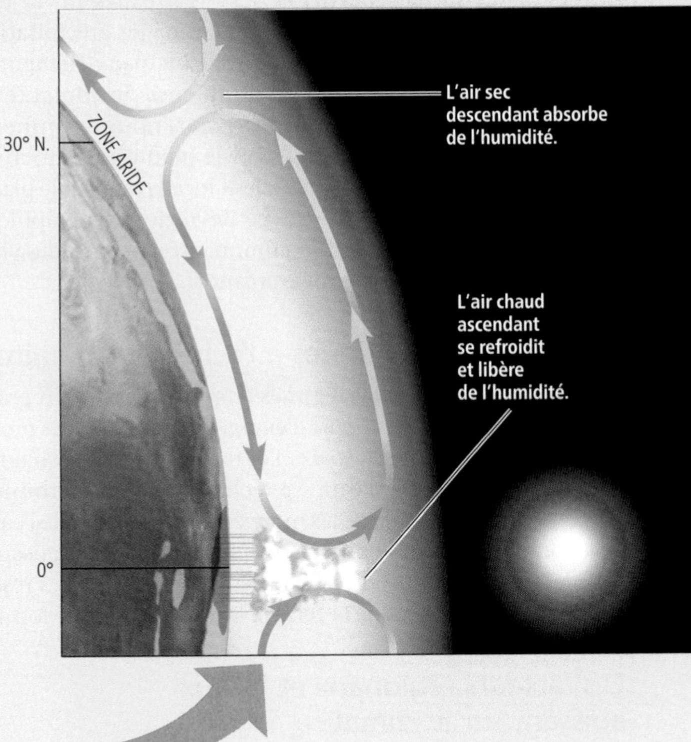

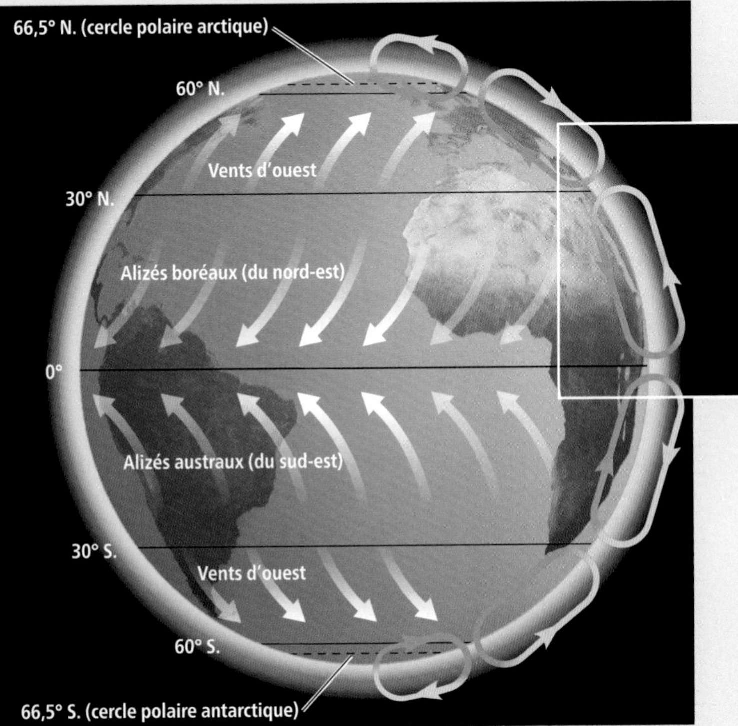

L'air qui circule près de la surface terrestre crée des configurations de vents prévisibles à l'échelle planétaire. Mais comme la Terre tourne sur son axe, la rotation près de l'équateur est plus rapide que dans les régions polaires. Sous l'effet de ce déplacement, les vents dévient par rapport aux trajets verticaux représentés ci-dessus et soufflent vers l'est et vers l'ouest ; c'est l'effet Coriolis (voir ci-contre). Dans les régions tropicales, des vents rafraîchissants appelés alizés soufflent d'est en ouest. Dans les zones tempérées, soit dans les régions situées entre le tropique du Cancer (23,5° N.) et le cercle polaire arctique (66,5° N.), et entre le tropique du Capricorne (23,5° S.) et le cercle polaire antarctique (66,5° S.), au contraire, les vents dominants soufflent d'ouest en est.

▼ Figure 52.4 La variation saisonnière en fonction de l'intensité de la lumière solaire. Comme l'axe de la Terre est incliné par rapport au plan de l'orbite autour du Soleil, l'intensité du rayonnement solaire varie selon la saison. C'est dans les régions tropicales que la variation saisonnière est la plus faible, alors qu'elle augmente à mesure qu'on s'approche des pôles.

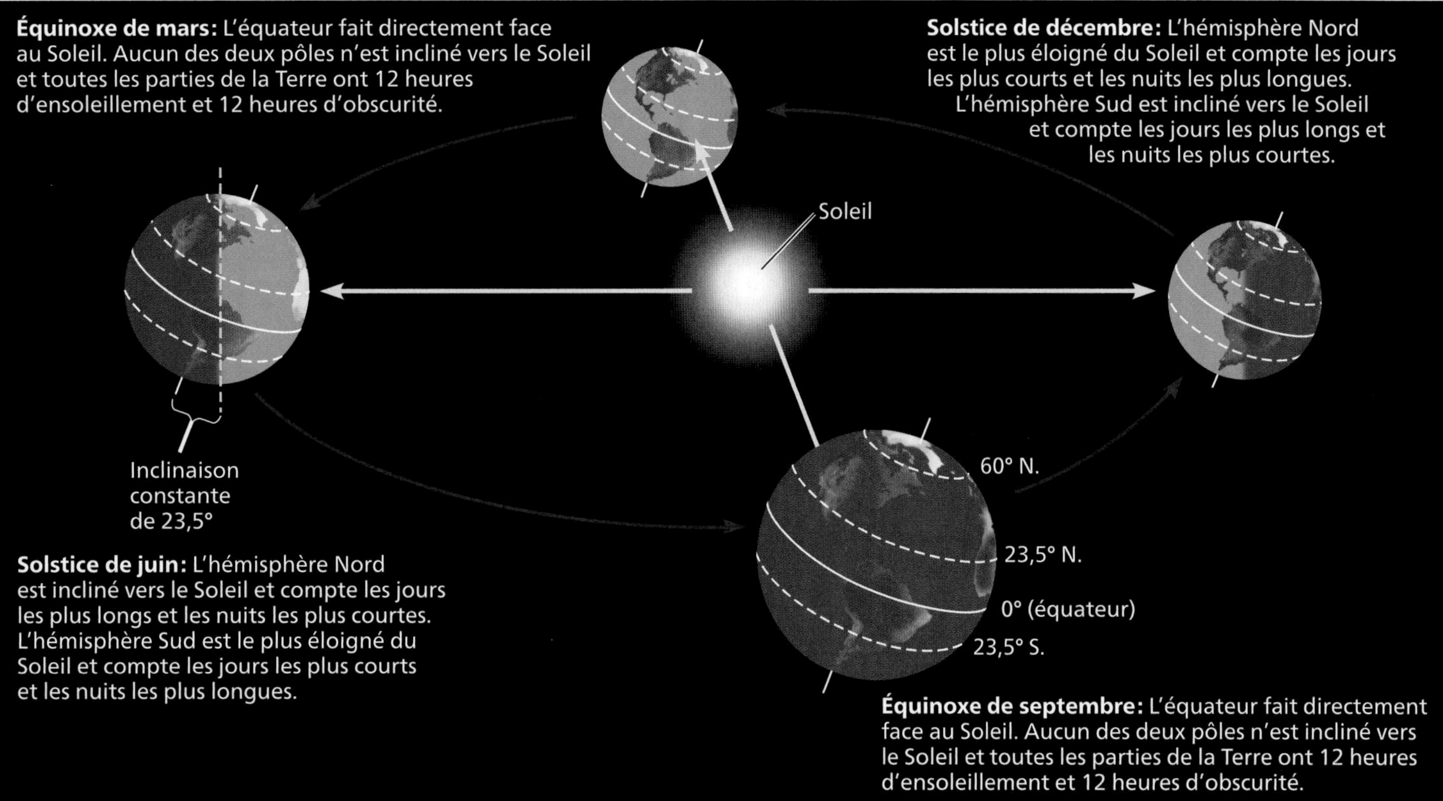

Équinoxe de mars: L'équateur fait directement face au Soleil. Aucun des deux pôles n'est incliné vers le Soleil et toutes les parties de la Terre ont 12 heures d'ensoleillement et 12 heures d'obscurité.
Solstice de décembre: L'hémisphère Nord est le plus éloigné du Soleil et compte les jours les plus courts et les nuits les plus longues. L'hémisphère Sud est incliné vers le Soleil et compte les jours les plus longs et les nuits les plus courtes.
Soleil
Inclinaison constante de 23,5°
60° N.
23,5° N.
0° (équateur)
23,5° S.
Solstice de juin: L'hémisphère Nord est incliné vers le Soleil et compte les jours les plus longs et les nuits les plus courtes. L'hémisphère Sud est le plus éloigné du Soleil et compte les jours les plus courts et les nuits les plus longues.
Équinoxe de septembre: L'équateur fait directement face au Soleil. Aucun des deux pôles n'est incliné vers le Soleil et toutes les parties de la Terre ont 12 heures d'ensoleillement et 12 heures d'obscurité.

▼ Figure 52.5 La circulation des eaux de surface des océans. L'eau se réchauffe à l'équateur et circule vers les pôles Nord et Sud, où elle refroidit. On remarque les ressemblances entre le sens de la circulation de l'eau dans les tourbillons océaniques et le sens des alizés de la figure 52.3.

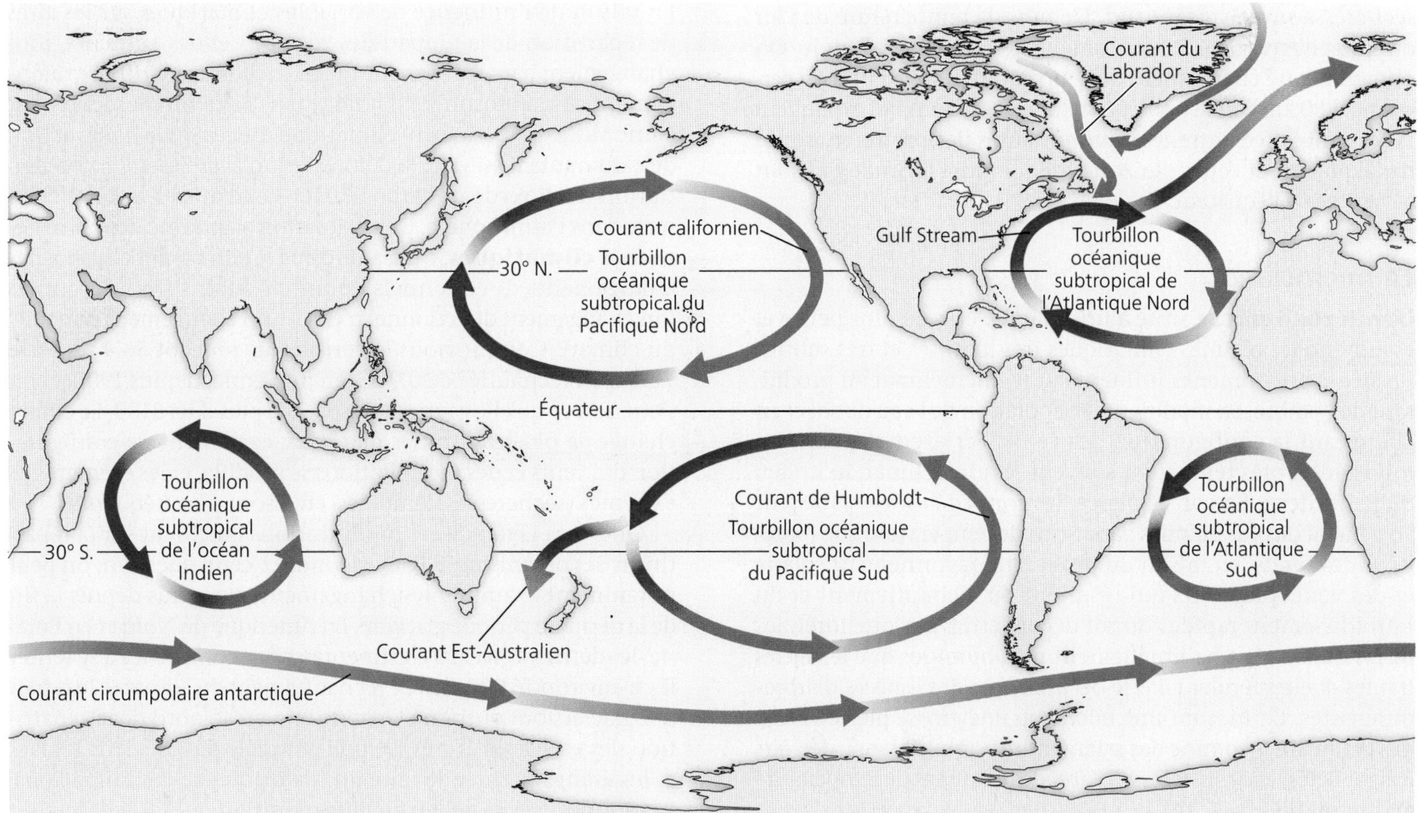

▼ **Figure 52.6 L'effet des grandes étendues d'eau et des montagnes sur le climat.** Cette figure illustre ce qui se passe par une chaude journée d'été.

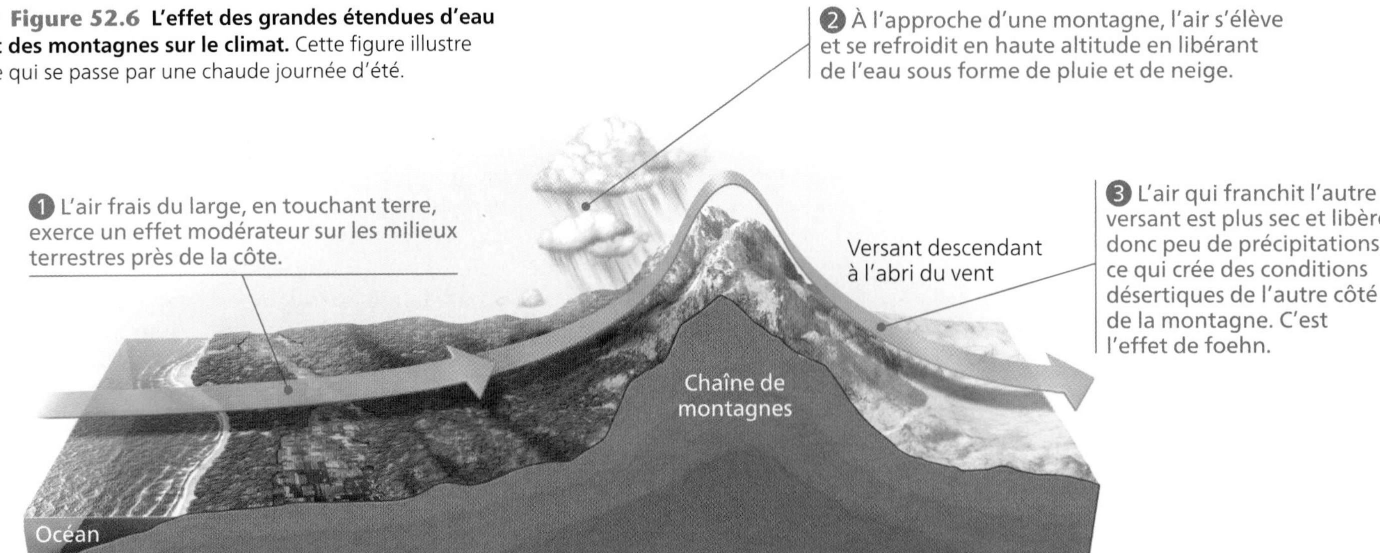

2 À l'approche d'une montagne, l'air s'élève et se refroidit en haute altitude en libérant de l'eau sous forme de pluie et de neige.
1 L'air frais du large, en touchant terre, exerce un effet modérateur sur les milieux terrestres près de la côte.
Versant descendant à l'abri du vent
3 L'air qui franchit l'autre versant est plus sec et libère donc peu de précipitations, ce qui crée des conditions désertiques de l'autre côté de la montagne. C'est l'effet de foehn.
Chaîne de montagnes
Océan

déserts sont généralement situés au pied du versant des chaînes de montagnes situé à l'abri du vent. C'est notamment le cas du désert Mojave, dans l'Ouest de l'Amérique du Nord, et du désert de Gobi, en Asie.

Les montagnes ont aussi un effet important sur le rayonnement solaire, la température et les précipitations locales. Dans l'hémisphère Nord, le versant sud des montagnes reçoit plus de lumière solaire que le versant nord et est par conséquent plus chaud et plus sec. Ces différences physiques influent sur la répartition des espèces. Par exemple, sur de nombreuses montagnes de l'Ouest de l'Amérique du Nord, on trouve des épinettes (*Picea spp.*) et d'autres conifères sur le versant nord qui est plus frais, mais une végétation arbustive et résistante à la sécheresse sur le versant sud. De plus, la température de l'air diminue d'environ 6 °C par tranche de 1 000 m d'altitude. On obtiendrait un changement de température équivalent si on parcourait 880 km vers le nord. C'est l'une des raisons qui expliquent la ressemblance entre les communautés des montagnes près de l'équateur et celles des zones de moindre altitude qui sont éloignées de l'équateur.

Le microclimat

Le **microclimat** se situe à une échelle encore plus petite et comprend les régimes climatiques très localisés et très subtils. Plusieurs phénomènes influent sur le microclimat en produisant de l'ombre, en modifiant l'évaporation de l'eau du sol et en changeant la configuration des vents. Par exemple, dans les forêts, les arbres tempèrent souvent le microclimat du milieu qu'ils abritent. En conséquence, les zones déboisées subissent en général de plus grandes variations de température que l'intérieur des forêts, en raison du plus grand rayonnement solaire et des vents plus forts qui résultent du réchauffement et du refroidissement rapides du sol découvert. Dans une forêt, les terres basses sont habituellement plus humides que les terres hautes et elles tendent à être occupées par des espèces d'arbres différentes. Enfin, sous une bûche ou une grosse pierre vivent des organismes comme des salamandres (amphibiens), des vers (oligochètes) et des insectes, à l'abri des extrêmes de température et d'humidité.

Dans tous les milieux de la planète, on trouve ainsi de petites différences entre les caractéristiques chimiques et physiques telles que la température, la lumière, l'eau et les nutriments. Plus loin dans le présent chapitre, nous verrons comment ces facteurs **abiotiques**, ou non vivants, influent sur la répartition et l'abondance locales des organismes. Nous examinerons également les facteurs **biotiques**, ou vivants, c'est-à-dire les autres organismes qui composent l'environnement d'un individu et qui influent sur la répartition et l'abondance de la vie sur Terre.

Les changements climatiques à l'échelle planétaire

En raison de l'influence de variables climatiques sur les aires de répartition de la plupart des végétaux et des animaux, tout changement à grande échelle du climat terrestre influe profondément sur la biosphère. En fait, nous assistons actuellement à une vaste « expérience » climatique du genre : la combustion de carburants fossiles et la déforestation accroissent la concentration de dioxyde de carbone (CO_2) et d'autres gaz à effet de serre dans l'atmosphère. Cette situation a entraîné des **changements climatiques**, c'est-à-dire que le climat global a subi des changements directionnels durant au moins trois décennies (un changement directionnel n'est pas un changement ponctuel du climat). Comme nous le verrons au concept 56.4, la Terre s'est ainsi réchauffée de 0,9 °C, en moyenne, depuis 1900, et on s'attend à ce qu'elle gagne de 1 à 6 °C de plus d'ici 2100. Le climat change de plusieurs autres manières, également : la configuration des vents et des précipitations se modifie, et les événements extrêmes (sécheresses, tempêtes, etc.) sont plus fréquents.

Quel sera l'effet de ces modifications du climat sur la répartition des organismes ? Pour répondre à cette question, on peut notamment examiner les changements survenus depuis la fin de la dernière période glaciaire. En Amérique du Nord et en Eurasie, les derniers glaciers continentaux ont commencé à se retirer il y a environ 16 000 ans. Le réchauffement du climat et le retrait des glaciers ont entraîné l'extension vers le nord de la répartition des espèces d'arbres. Le pollen fossile déposé dans les lacs et les étangs permet de faire un historique de ces migrations. Les données sur ce pollen fossilisé montrent que le déplacement vers le nord s'est fait rapidement pour certaines espèces, mais plus lentement pour d'autres. L'aire de répartition des espèces qui se sont déplacées lentement s'est étendue avec quelques milliers d'années de retard par rapport aux changements qui ont rendu possible ce nouvel habitat.

Les végétaux et les autres espèces pourront-ils s'adapter au réchauffement beaucoup plus rapide que les scientifiques projettent pour notre siècle ? Prenons l'exemple du hêtre à grandes feuilles (*Fagus grandifolia*). Les modèles écologiques prédisent que la limite septentrionale de l'aire de répartition du hêtre à grandes feuilles se déplacera de 700 à 900 km vers le nord au cours du siècle à venir, et que la limite méridionale de son aire de répartition se déplacera également vers le nord sur une distance encore plus grande. La **figure 52.7** illustre les aires de répartition géographique actuelles et prévues du hêtre à grandes feuilles selon deux scénarios de changements climatiques. Dans le meilleur des cas, le hêtre à grandes feuilles devrait avancer vers le nord de 7 à 9 km par an pour suivre la vitesse du réchauffement climatique. Or, depuis la fin de la période glaciaire, il n'a migré qu'à une vitesse de 0,2 km par an pour atteindre son aire de répartition actuelle. Sans l'aide des humains pour se déplacer vers de nouveaux habitats, des espèces comme le hêtre à grandes feuilles risquent de voir leur aire de répartition géographique diminuer grandement, voire disparaître.

En fait, les changements climatiques qui ont *déjà* été observés ont perturbé les aires de répartition géographique de centaines d'organismes terrestres, marins et dulcicoles. Par exemple, parallèlement au réchauffement climatique, 22 des 35 espèces de papillons européennes qui font l'objet d'études se sont déplacées de 35 à 240 km vers le nord au cours des dernières décennies. Dans l'Ouest de l'Amérique du Nord, près de 200 espèces de végétaux ont migré vers des aires de moindre altitude, probablement à cause de la diminution des précipitations à plus haute altitude. D'autres études montrent qu'une espèce de diatomée du Pacifique, *Neodenticula seminae*, a récemment colonisé l'océan Atlantique pour la première fois depuis 800 000 ans. Dans ces cas et dans beaucoup d'autres, lorsque les changements climatiques poussent une espèce à gagner une nouvelle aire de répartition géographique, ce déplacement peut être nuisible aux organismes vivant déjà dans cette aire (voir la figure 56.30).

En outre, à mesure que le climat change, certaines espèces ne trouvent pas d'habitats adéquats, tandis que d'autres sont incapables de migrer assez rapidement. Par exemple, une étude effectuée en 2015 a mis en évidence la réduction progressive des aires de répartition géographique de 67 espèces de bourdons de l'hémisphère Nord : les bourdons s'éloignent de la limite sud de leurs aires, mais sans être capables de s'installer plus au nord (**figure 52.8**). Dans l'ensemble, les changements climatiques font en sorte que les populations de nombreuses espèces comptent de moins en moins d'individus ou finissent par disparaître (voir la figure 1.12). Dans la prochaine section, nous continuerons d'explorer les effets du climat sur la répartition des espèces dans le monde.

RETOUR SUR LE CONCEPT 52.1

1. Expliquez comment le réchauffement inégal de la surface de la Terre par les rayons solaires entraîne la création de déserts aux environs de 30° de latitude au nord et au sud de l'équateur.
2. Nommez quelques différences entre le microclimat d'une terre agricole non cultivée et celui d'un cours d'eau bordé d'arbres et situé à proximité.
3. **ET SI ?** ▶ Les changements climatiques survenus à la fin de la dernière période glaciaire se sont produits graduellement, au cours de centaines et de milliers d'années. Si, comme on le prédit, le réchauffement planétaire auquel nous assistons survient très rapidement, quelle incidence pourrait-il avoir sur l'évolution des arbres ayant une longue durée de vie, comparativement à l'évolution des plantes annuelles, dont la durée de maturation est beaucoup plus courte ?
4. **FAITES DES LIENS** ▶ En ne considérant que les effets de la température, diriez-vous que la répartition planétaire des plantes de type C_4 risque de s'étendre ou de diminuer sous l'effet du réchauffement planétaire ? Pourquoi ? (Voir le concept 10.4.)

Voir les réponses proposées à l'appendice A.

▼ **Figure 52.7 Les aires de répartition géographique actuelle et prévue du hêtre à grandes feuilles selon deux scénarios de changements climatiques.**

► **Hêtre à grandes feuilles (*Fagus grandifolia*).**

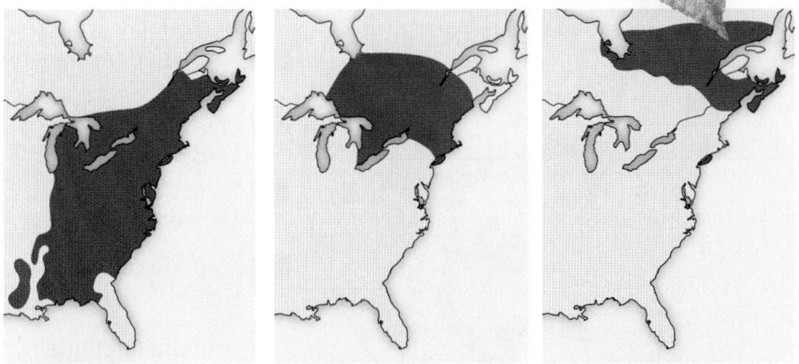

(a) Aire de répartition actuelle **(b) Réchauffement de 4,5 °C au cours du prochain siècle** **(c) Réchauffement de 6,5 °C au cours du prochain siècle**

? Ces scénarios ne s'appuient que sur des facteurs climatiques pour prédire de telles aires de répartition. Quels autres facteurs pourraient modifier la répartition de cette espèce ?

► **Figure 52.8 Le bourdon à tache rousse (*Bombus affinis*).** Incapable de repousser son aire de répartition, cette espèce est maintenant en voie de disparition.

CONCEPT 52.2

Le climat et les perturbations déterminent la répartition des biomes terrestres

La vie terrestre est répartie à grande échelle dans les **biomes** terrestres, qui sont d'importants écosystèmes caractérisés par un type de végétation (dans les biomes terrestres) ou par le milieu physique (dans les biomes aquatiques, comme nous le verrons dans le concept 52.3). Qu'est-ce qui détermine l'emplacement de ces biomes ?

Le climat et les biomes terrestres

Comme le climat joue un rôle déterminant dans la répartition des espèces végétales, il constitue également un facteur d'importance dans l'emplacement des biomes terrestres (**figure 52.9**). On peut se rendre compte de l'effet important du climat sur la répartition des biomes en construisant un **climatogramme**, c'est-à-dire une représentation graphique des températures et des précipitations mesurées dans une région donnée et exprimées en moyennes annuelles. La **figure 52.10** présente le climatogramme de quelques-uns des principaux biomes d'Amérique du Nord. Notez, par exemple, que la forêt de conifères (la taïga) reçoit presque autant de précipitations que la forêt décidue tempérée, mais que cette dernière connaît généralement des températures plus chaudes. Les prairies, en revanche, sont généralement plus sèches que les deux types de forêt, mais moins que les déserts.

D'autres facteurs que la température et les précipitations moyennes jouent un rôle dans la situation géographique des biomes. Par exemple, il existe en Amérique du Nord des régions où la combinaison de la température et des précipitations est propice à la forêt décidue tempérée, mais aussi des régions qui ont les mêmes températures et précipitations, mais où on trouve la forêt de conifères (voir le chevauchement dans la figure 52.10). Comment pourrait s'expliquer cette divergence ? Rappelez-vous qu'un climatogramme se fonde sur des *moyennes* annuelles. Or, il arrive souvent que les variations dans les régimes climatiques aient autant d'importance que le climat. Par exemple, certaines régions reçoivent des précipitations régulières pendant toute l'année, tandis que d'autres ont des saisons sèches et des saisons humides. Un phénomène semblable peut se produire avec la température. De plus, d'autres caractéristiques abiotiques telles que le substrat rocheux influent grandement sur la disponibilité des minéraux et sur la structure du sol, deux conditions déterminantes pour la composition de la végétation.

Les caractéristiques générales des biomes terrestres

On nomme souvent les biomes terrestres selon leurs principales caractéristiques physiques ou climatiques et selon la végétation qui y prédomine. Ainsi, les prairies tempérées sont dominées par différentes espèces de plantes herbacées et se situent généralement aux latitudes médianes, où le climat est plus modéré que dans les régions tropicales ou polaires (voir la figure 52.9). Chaque biome se caractérise aussi par des microorganismes, des eumycètes et des animaux qui y sont adaptés. Ainsi, par rapport aux forêts tempérées, les prairies tempérées sont plus susceptibles d'être peuplées de grands mammifères herbivores et d'abriter des mycorhizes à arbuscules (voir la figure 37.15).

▼ **Figure 52.9 La répartition des principaux biomes terrestres.** Bien que sur cette carte les biomes terrestres aient des limites nettement définies, dans la réalité, ils s'interpénètrent, sur des étendues parfois relativement vastes.

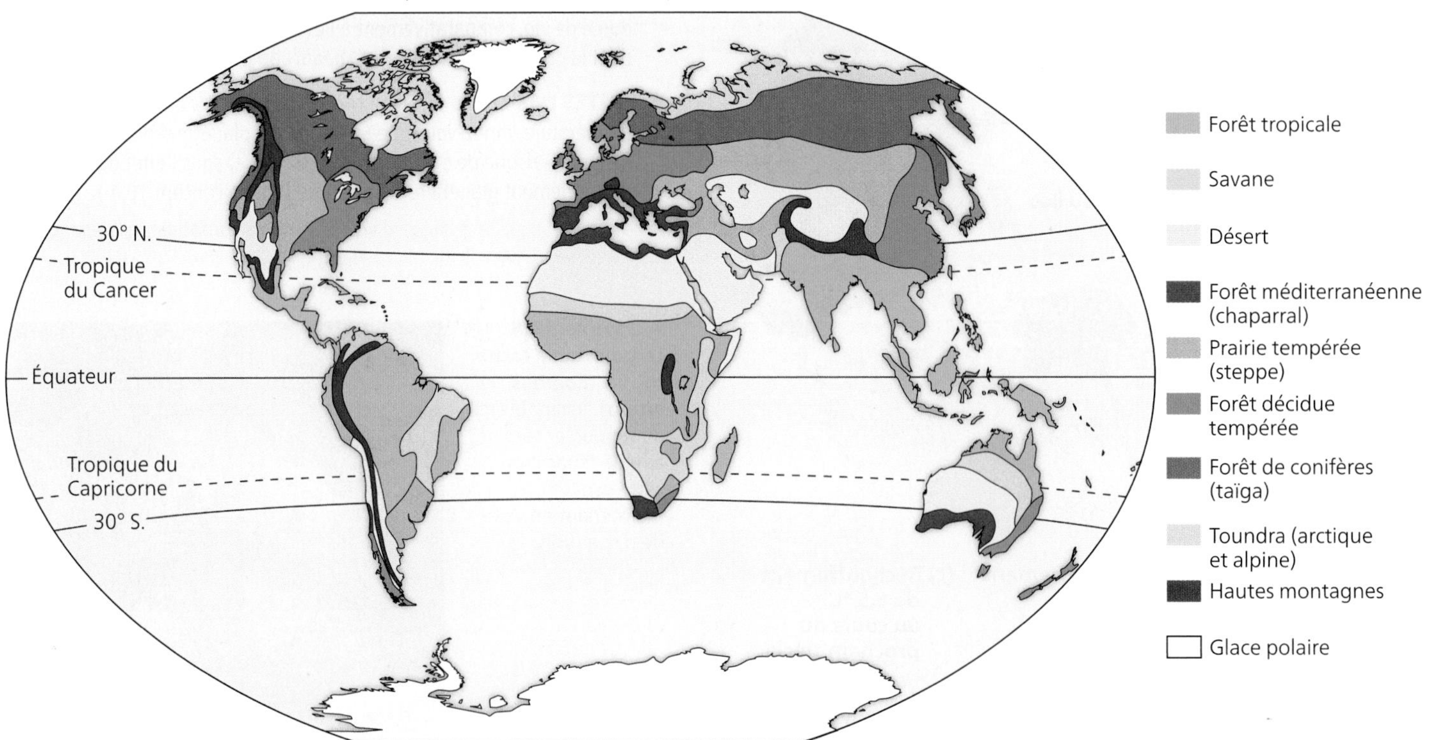

Bien que la figure 52.9 montre des limites bien nettes entre les biomes, les biomes terrestres s'interpénètrent généralement, parfois sur de grandes superficies. Les zones de chevauchement, appelées **écotones**, ou zones de transition, peuvent être larges ou étroites.

▼ **Figure 52.10 Le climatogramme de quelques-uns des principaux biomes d'Amérique du Nord.** Les régions colorées de ce graphique représentent les températures et les précipitations annuelles moyennes des biomes considérés.

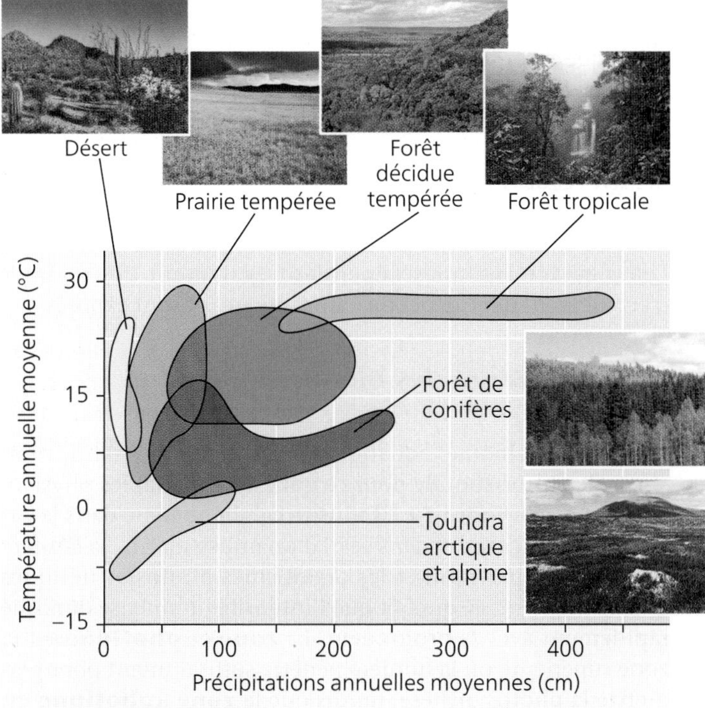

INTERPRÉTEZ LES DONNÉES ▶ Certains écosystèmes de la toundra arctique reçoivent aussi peu de pluie qu'un désert, et pourtant ils abritent une végétation beaucoup plus dense. Quel facteur climatique pourrait expliquer cette différence ? Expliquez votre réponse.

La stratification verticale constitue une caractéristique importante des biomes terrestres. Ainsi, de nombreuses forêts comportent plusieurs strates : une strate arborescente supérieure, appelée **canopée**, une strate arborescente inférieure, une strate arbustive, une strate herbacée, la litière (le sol forestier) et, enfin, une strate racinaire. Les autres biomes (non forestiers) présentent aussi une stratification verticale, mais comprennent généralement moins de strates. Ainsi, les prairies ont une strate herbacée dominante composée de graminées et de plantes herbacées à feuilles larges, une litière et une strate racinaire. La stratification verticale de la végétation d'un biome fournit de nombreux habitats pour les animaux, en fonction de leur régime alimentaire. Ainsi, les chauves-souris (*Chiroptera spp.*) et les oiseaux insectivores se nourrissent dans la strate arborescente, tandis que les petits mammifères, de nombreux vers et les arthropodes fouillent la litière et la strate racinaire pour trouver de la nourriture.

Les espèces qui composent un biome varient d'un endroit à l'autre. Ainsi, dans la forêt de conifères (taïga) d'Amérique du Nord, l'épinette rouge (*Picea rubens*) se trouve en abondance dans l'Est, mais n'existe pas dans les autres régions, où ce sont l'épinette noire (*Picea mariana*) et l'épinette blanche (*Picea glauca*) qui dominent. Comme l'illustre la **figure 52.11**, les cactus vivant dans les déserts d'Amérique du Nord et d'Amérique du Sud ressemblent beaucoup, sur le plan morphologique, aux euphorbes qu'on trouve dans les déserts d'Afrique. Or, puisque les cactus (famille des cactacées) et les euphorbes (familles des euphorbiacées) proviennent de lignées différentes, leurs ressemblances sont les fruits d'une évolution convergente plutôt que d'un ancêtre commun (voir le concept 22.3).

Les perturbations et les biomes terrestres

Un biome est dynamique. C'est la perturbation naturelle qui est la règle générale, et non la stabilité. En écologie, une **perturbation** est un événement – tempête, incendie, activité humaine, etc. – qui transforme une communauté, fait disparaître des organismes qui la composent et modifie la disponibilité des

▼ **Figure 52.11 L'évolution convergente d'un cactus et d'une euphorbe.** On trouve les cactus du genre *Cereus* dans les Amériques. *Euphorbia canariensis*, une euphorbe, est une plante indigène des îles Canaries, au large de la côte nord-ouest de l'Afrique.

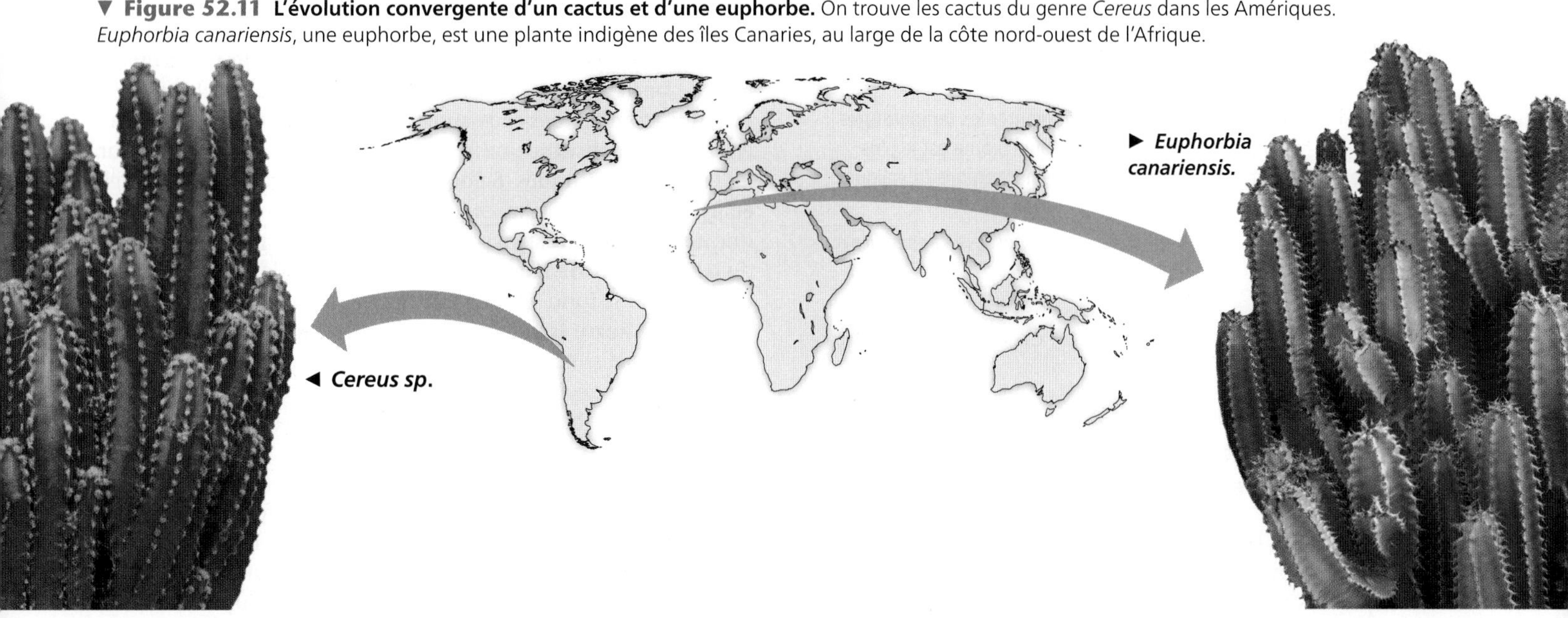

ressources. Des incendies fréquents peuvent tuer les plantes ligneuses et empêcher une savane de devenir le boisé qui pourrait s'y trouver grâce au seul climat. Dans de nombreuses forêts tropicales et tempérées, les ouragans et autres tempêtes créent des ouvertures pour de nouvelles espèces et peuvent ainsi modifier la composition des forêts. Par exemple, après le passage de l'ouragan Katrina sur la côte américaine du golfe du Mexique en 2005, le cyprès chauve (*Taxodium distichum*) et le tupélo aquatique (*Nyssa aquatica*) sont devenus dominants dans les forêts marécageuses mixtes de cette région, car ces espèces sont moins sensibles que les autres de cette région aux dommages causés par le vent. Les perturbations entraînent souvent une grande discontinuité dans les biomes, qui présentent plusieurs communautés au sein d'une même région.

Dans de nombreux biomes, même les végétaux dominants dépendent d'une perturbation périodique. Ainsi, le feu fait partie intégrante des prairies, des savanes, de la forêt méditerranéenne et de nombreuses forêts de conifères. Avant le développement agricole et urbain, la majeure partie du Sud-Est des États-Unis était dominée par une seule espèce de conifère, le pin des marais (*Pinus palustris*). Or, sans des incendies périodiques, les feuillus tendaient à remplacer les pins. De nos jours, on a toutefois compris qu'il est possible de se servir du feu comme outil pour entretenir de nombreuses forêts de conifères.

La **figure 52.12** présente les principales caractéristiques des biomes terrestres. Rappelez-vous, pendant votre lecture, que les humains ont transformé de nombreux endroits dans le monde en remplaçant les biomes naturels par des espaces urbains ou agricoles. Par exemple, le centre des États-Unis, classé comme prairies, a déjà abrité d'immenses prairies à herbes hautes. Or, très peu des prairies originales y sont encore de nos jours, ayant été converties en terres agricoles.

RETOUR SUR LE CONCEPT 52.2

1. D'après le climatogramme de la figure 52.10, quelle est la principale différence entre les prairies tempérées et les forêts décidues tempérées ?
2. À l'aide de la figure 52.12, déterminez le biome naturel dans lequel vous vivez et résumez ses caractéristiques abiotiques et biotiques. Ces caractéristiques correspondent-elles à votre environnement réel ? Expliquez votre réponse.
3. **ET SI ?** ▶ Si le réchauffement planétaire fait monter les températures moyennes de 4 °C au cours du présent siècle, quel biome est le plus susceptible de remplacer la toundra dans certaines régions ? Expliquez votre réponse.

Voir les réponses proposées à l'appendice A.

CONCEPT 52.3

Les biomes aquatiques sont des systèmes diversifiés et dynamiques qui couvrent la majeure partie de la planète

Contrairement aux biomes terrestres, les biomes aquatiques se caractérisent principalement par leur milieu physique et chimique. Ils présentent en outre moins de variations latitudinales puisqu'on les trouve dans toutes les parties du globe. Les écologistes distinguent les biomes dulcicoles (d'eau douce) et marins (d'eau salée) selon leurs différences physiques et chimiques. Les biomes marins ont généralement une concentration saline moyenne de 3 %, contre moins de 0,1 % pour les biomes dulcicoles.

Les océans, qui sont les plus grands biomes, recouvrent environ 75 % de la surface terrestre et ont ainsi une influence énorme sur la biosphère. L'évaporation de l'eau de mer est à l'origine de presque toutes les précipitations de la planète. En outre, les algues marines et les bactéries photosynthétiques produisent une partie substantielle des molécules d'oxygène (O_2) atmosphérique et consomment de très grandes quantités de molécules de dioxyde de carbone (CO_2). Les températures océaniques ont un effet marqué sur le climat et les vents (voir la figure 52.3) ; les grands lacs et les océans ont tendance à modérer le climat des rives et des littoraux.

Les biomes dulcicoles sont étroitement reliés aux sols et aux composantes biotiques des biomes terrestres qui les entourent. Leurs caractéristiques dépendent également des régimes d'écoulement des eaux et du climat auquel ils sont exposés.

La classification des biomes aquatiques en zones

De nombreux biomes aquatiques présentent une stratification verticale et horizontale pour ce qui est des variables physicochimiques ; la **figure 52.13** illustre ce phénomène dans le cas d'un milieu lacustre et dans celui d'un milieu marin. La lumière est absorbée par l'eau et les organismes photosynthétiques qu'elle contient, ce qui fait que l'intensité lumineuse diminue rapidement avec la profondeur. La **zone euphotique** est la zone supérieure où la lumière pénètre suffisamment pour permettre la photosynthèse, tandis que la **zone aphotique** est la zone inférieure qui est privée de lumière. Ces deux zones combinées composent la **zone pélagique**. Tout au fond de la zone aphotique se trouve la **zone abyssale**, la partie de l'océan qui se situe à une profondeur de 2 000 à 6 000 m. Le substrat qui se trouve au fond de tous les biomes aquatiques, profonds ou peu profonds, est appelé **zone benthique**. Composée de sable et de sédiments organiques et inorganiques (« boue »), cette zone est occupée par un ensemble de communautés d'organismes qu'on appelle **benthos**. La matière organique morte, appelée **détritus**, qui « tombe » des eaux superficielles productives de la zone euphotique, constitue une importante source de nourriture pour les espèces benthiques. Selon la distance par rapport au rivage et la profondeur de l'eau, on distingue dans les milieux lacustres une **zone littorale**, peu profonde, éclairée et située en bordure du lac, et une **zone limnétique**, plus profonde, éclairée et sans contact avec le fond. De la même façon, les milieux marins possèdent une **zone intertidale**, peu profonde, exposée à l'air à marée basse et submergée à marée haute, une **zone néritique**, plus profonde, éclairée et couvrant la limite de la partie submergée à marée basse jusqu'au bord du plateau continental, et une **zone océanique**, profonde, éclairée et sans contact avec le plateau continental.

L'eau de surface (épilimnion) est réchauffée par l'énergie thermique du rayonnement solaire jusqu'à la limite de pénétration de la lumière. L'eau profonde (hypolimnion), quant à elle, reste très froide. Dans l'océan et dans la plupart des lacs,

▼ Figure 52.12

PANORAMA Les biomes terrestres

La forêt tropicale

Répartition Les forêts tropicales se trouvent dans les régions équatoriales et subéquatoriales.

Précipitations Dans les **forêts tropicales humides**, les précipitations relativement constantes atteignent entre 200 et 400 cm par année. Dans les **forêts tropicales sèches**, les précipitations, très saisonnières, totalisent entre 150 et 200 cm annuellement ; la saison sèche y dure de 6 à 7 mois.

Température La température de l'air est élevée toute l'année ; elle se situe entre 25 et 29 °C et présente peu de variations saisonnières.

Végétaux Les forêts tropicales sont stratifiées, et la compétition pour la lumière y est intense. Les forêts humides présentent une strate d'arbres dont la cime dépasse le couvert serré des autres arbres, une strate arborescente supérieure (la canopée), une ou deux strates arborescentes inférieures, de même qu'une strate arbustive et une strate herbacée (composée de végétaux non ligneux de petite taille). Dans les forêts tropicales sèches, les strates sont généralement moins nombreuses. Les arbres à feuilles larges persistantes dominent les forêts tropicales humides, tandis que dans les forêts tropicales sèches les arbres perdent leurs feuilles durant la saison sèche. Des plantes épiphytes telles que des orchidacées et des broméliacées couvrent en général les arbres de la forêt tropicale, mais elles sont moins abondantes dans les forêts sèches, où les arbustes épineux et les plantes succulentes (familles des crassulacées) sont répandus.

Animaux Les forêts tropicales de la planète abritent des millions d'espèces, dont quelque 5 à 30 millions d'espèces d'insectes, d'araignées et d'autres arthropodes qui restent encore à décrire. En fait, la forêt tropicale est le biome terrestre qui présente la plus grande diversité animale. Les animaux qui y vivent, notamment des amphibiens, des oiseaux, des reptiles, des mammifères et des arthropodes, sont adaptés à ce milieu stratifié où ils passent souvent inaperçus.

▲ Forêt tropicale humide, au Costa Rica.

Conséquences de l'activité humaine Les humains ont pendant longtemps établi des communautés florissantes dans les forêts tropicales. Aujourd'hui, les forêts tropicales sont détruites et converties en terres agricoles, en zones urbaines et en d'autres types d'espaces.

Le désert

Répartition Les **déserts** se trouvent dans une bande située entre 30° de latitude N. et 30° de latitude S. environ, ou parfois à d'autres latitudes, à l'intérieur des continents (par exemple, le désert de Gobi, situé au nord de l'Asie centrale).

Précipitations Les précipitations sont faibles et très variables ; elles totalisent en général moins de 30 cm par année.

Température La température varie à la fois en fonction des saisons et du moment de la journée. Dans les déserts chauds, la température maximale de l'air peut dépasser 50 °C ; dans les déserts froids, il peut faire jusqu'à –30 °C.

Végétaux Les paysages des déserts sont dominés par une végétation basse, dispersée sur de grandes étendues ; comparativement aux autres biomes terrestres, la proportion de sols dénudés y est élevée. Les déserts abritent des plantes succulentes, comme les cactus ou les euphorbes, des arbustes profondément enracinés et des herbes qui croissent pendant les rares périodes humides. Parmi les adaptations issues de l'évolution des plantes désertiques, on trouve la tolérance à la chaleur et à la sécheresse, la capacité d'emmagasiner de l'eau et la réduction de la surface des feuilles. Les moyens de défense physiques, telles les épines, et les moyens de défense chimiques, telles les toxines sécrétées par les feuilles des arbustes, sont fréquents. De nombreuses plantes désertiques présentent une adaptation photosynthétique : elles sont de type C_4 ou CAM (voir le concept 10.4).

Animaux Les serpents et les lézards (classe des reptiles), les scorpions (classe des arachnides), les fourmis et les coléoptères (classe des insectes), les oiseaux migrateurs et résidants (classe des oiseaux) ainsi que les rongeurs granivores (classe des mammifères) sont des animaux courants dans les déserts. Beaucoup de ces espèces sont nocturnes. Chez ces animaux, la conservation de l'eau est une adaptation répandue ; en effet, certaines espèces survivent grâce à l'eau provenant de la dégradation métabolique des glucides contenus dans les graines.

Conséquences de l'activité humaine Grâce au transport de l'eau sur de grandes distances et à des puits profonds permettant d'atteindre les nappes d'eau souterraine, les humains ont maintenu des populations importantes dans les déserts. Le passage à la culture irriguée et l'urbanisation ont réduit la biodiversité naturelle de ces biomes.

◀ Paysage du Monument national Organ Pipe Cactus, en Arizona.

Suite ▶

PANORAMA

▼ Figure 52.12

Les biomes terrestres (*suite*)

La savane

Répartition La **savane** se trouve dans les régions équatoriales et subéquatoriales.

Précipitations Les précipitations, qui sont saisonnières, atteignent en moyenne de 30 à 50 cm par année. La saison sèche peut durer jusqu'à 8 ou 9 mois.

Température Chaude toute l'année, la température de la savane se situe en moyenne entre 24 et 29 °C. La variation saisonnière est toutefois un peu plus marquée que dans les forêts tropicales.

Végétaux Les arbres dispersés qu'on trouve en groupes plus ou moins denses dans la savane sont souvent épineux et présentent de petites feuilles, une adaptation évidente aux conditions de relative sécheresse. Les incendies sont fréquents pendant la saison sèche, et les espèces végétales dominantes possèdent des adaptations leur permettant de résister au feu et à la sécheresse saisonnière. Les plantes qui couvrent le sol sont en majorité des graminées et des petites plantes herbacées à feuilles larges appelées herbes non graminéennes; elles croissent rapidement par suite des pluies saisonnières et tolèrent le broutage effectué par les grands mammifères et d'autres herbivores.

Animaux Les grands mammifères herbivores, comme les gnous (*Connochaetes spp.*) et les zèbres (*Equus zebra*), ainsi que leurs prédateurs, notamment les lions (*Panthera leo*) et les hyènes (*Hyaena spp.*, *Crocuta spp.* et autres), sont des espèces communes dans la savane. Toutefois, les herbivores qui dominent ce milieu sont en réalité les insectes, particulièrement les termites (ordre des dictyoptères). Les grands mammifères herbivores migrent souvent vers des pâturages plus verts et des points d'eau dispersés pendant les sécheresses saisonnières.

▲ Savane typique, au Kenya.

Conséquences de l'activité humaine Les tout premiers humains ont vraisemblablement vécu dans la savane. Les incendies allumés par les humains pourraient contribuer à la préservation de ce biome, quoique leur trop grande fréquence réduise la régénération des arbres en tuant les semis et les gaules (ou jeunes arbres). L'élevage des bestiaux et la chasse excessive ont entraîné des baisses dans les populations de grands mammifères.

La forêt méditerranéenne (chaparral)

Répartition La **forêt méditerranéenne** occupe les régions côtières de latitude moyenne de plusieurs continents, et ses nombreuses appellations témoignent de sa très vaste répartition: *chaparral* en Amérique du Nord, *matorral* en Espagne et au Chili, *garrigue* et *maquis* dans le Sud de la France, et *fynbos* en Afrique du Sud.

Précipitations Les précipitations de la forêt méditerranéenne sont très saisonnières: les hivers y sont pluvieux, et les étés, secs. Les précipitations annuelles atteignent en général entre 30 et 50 cm.

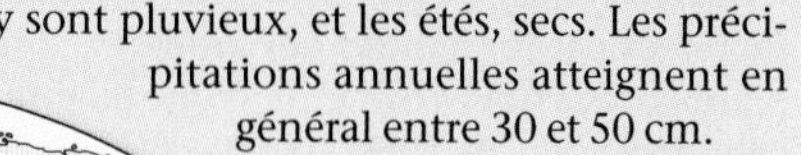

Température L'automne, l'hiver et le printemps sont frais, avec des températures moyennes se situant entre 10 et 12 °C. En été, la température moyenne peut atteindre 30 °C, et la température diurne maximale dépasse parfois 40 °C.

Végétaux La végétation de ce biome se compose principalement d'arbustes et de petits arbres, ainsi que d'une très grande variété de graminées et d'herbes. Beaucoup des espèces extrêmement diverses qui y vivent se limitent à un territoire qui leur est spécifique, d'une superficie relativement petite. Les robustes feuilles persistantes des plantes ligneuses sont un exemple d'adaptation à la sécheresse, car elles permettent de mieux conserver l'eau. Les adaptations au feu sont aussi remarquables. En effet, certains arbustes produisent des graines qui ne germent qu'après une exposition au feu; ils emmagasinent des réserves de nourriture dans leur système racinaire résistant au feu, ce qui leur permet de repousser rapidement et d'utiliser les nutriments devenus disponibles grâce au feu.

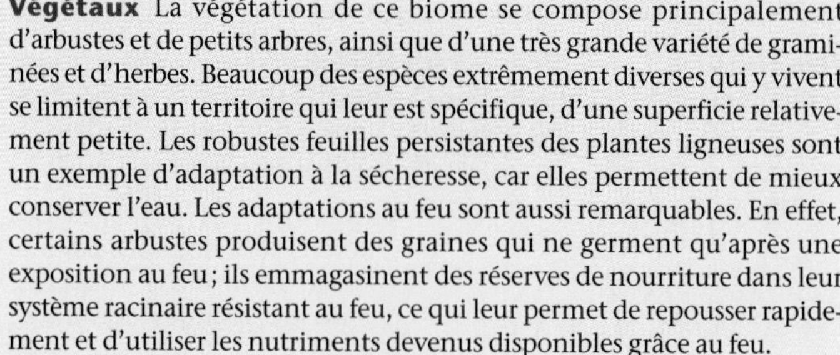

Animaux Les mammifères indigènes de la forêt méditerranéenne comprennent des cerfs (*Cervus spp.*) et des chèvres (*Capra spp.*), qui se nourrissent des ramilles et des bourgeons des plantes ligneuses, de même qu'une grande diversité de petits mammifères. Ce biome abrite aussi de très nombreuses espèces d'amphibiens, d'oiseaux, de reptiles et d'insectes.

Conséquences de l'activité humaine Fortement colonisées, les forêts méditerranéennes ont beaucoup reculé à cause de l'agriculture et de l'urbanisation. Les humains contribuent au déclenchement des incendies qui balaient ce biome.

◀ Végétation typique de chaparral, en Californie.

La prairie tempérée (steppe)

▲ Parc national des Prairies, en Saskatchewan au Canada.

Répartition Les **prairies tempérées** comprennent les *veldts* d'Afrique du Sud, les *pusztas* de Hongrie, les *pampas* d'Argentine et d'Uruguay, les *steppes* de Russie et les *plaines* et *prairies* du centre de l'Amérique du Nord.

Précipitations Les précipitations sont très saisonnières, les hivers étant relativement secs, et les étés, humides. Les précipitations annuelles atteignent en moyenne entre 30 et 100 cm. Les sécheresses périodiques sont fréquentes.

Température En général, les hivers sont froids: les températures moyennes sont souvent inférieures à –10 °C. Les étés, dont les températures moyennes atteignent souvent près de 30 °C, sont chauds.

Végétaux Les végétaux dominants sont les graminées et les herbes non graminéennes; certaines plantes ne mesurent que quelques centimètres, mais dans les hautes prairies, d'autres peuvent atteindre 2 m. Un grand nombre de ces plantes présentent des adaptations relatives aux sécheresses périodiques prolongées et au feu. Après un incendie, les graminées repoussent rapidement. La présence de grands mammifères herbivores est l'un des facteurs qui empêchent l'implantation d'arbustes et d'arbres ligneux.

Animaux Les mammifères indigènes comprennent de grands herbivores comme le bison (*Bison bison*) et le cheval sauvage (*Equus ferus*). Les prairies tempérées sont aussi habitées par des mammifères fouisseurs, comme les chiens de prairie (*Cynomys spp.*) en Amérique du Nord.

Conséquences de l'activité humaine Comme il est riche et épais, le sol des prairies est propice à l'agriculture, notamment à la culture des céréales. Ainsi, la plupart des prairies de l'Amérique du Nord et un grand nombre de celles de l'Eurasie ont été converties en terres agricoles. Dans certaines prairies plus arides, le bétail et d'autres animaux brouteurs ont transformé une partie du biome en désert.

La forêt de conifères (taïga)

Répartition Formant une large bande qui s'étend de l'Amérique du Nord à l'Eurasie, jusqu'à la limite méridionale de la toundra arctique, la **forêt de conifères**, ou taïga, est le plus vaste biome terrestre.

Précipitations Les précipitations annuelles atteignent en général entre 30 et 70 cm, et les sécheresses périodiques sont fréquentes. Toutefois, les forêts de conifères côtières des États du Nord-Ouest des États-Unis bordés par le Pacifique sont en fait des forêts pluviales tempérées qui peuvent recevoir plus de 300 cm d'eau par année.

◄ Forêt de conifères, en Norvège.

Température Les hivers sont habituellement froids; les étés sont parfois chauds. Dans certaines forêts de conifères de la Sibérie, les températures peuvent varier entre –50 °C l'hiver et plus de 20 °C l'été.

Végétaux Les pins (*Pinus spp.*), les épinettes (*Picea spp.*), les sapins (*Abies spp.*) et les pruches (*Tsuga spp.*) dominent les forêts de conifères. Certains d'entre eux dépendent des incendies pour se régénérer. Grâce à la forme conique de nombreux conifères, la neige ne peut s'accumuler sur les branches et les briser; leurs aiguilles et leurs feuilles en écailles réduisent la déshydratation. Dans ces forêts, la diversité des végétaux des strates arbustive et herbacée est moins grande que dans les forêts décidues tempérées.

Animaux De nombreux oiseaux migrateurs nichent dans les forêts de conifères, et d'autres espèces y demeurent toute l'année. Ce biome abrite une grande variété de mammifères, dont les orignaux (*Alces alces*), les ours bruns (*Ursus arctos*) et les tigres de Sibérie (*Panthera tigris altaica*). Des pullulements périodiques d'insectes qui se nourrissent des espèces d'arbres dominantes peuvent en détruire de vastes étendues.

Conséquences de l'activité humaine Bien que les forêts de conifères n'aient pas été intensément colonisées par les humains, on y coupe du bois à un rythme tel que les peuplements anciens sont fortement menacés et pourraient disparaître en peu de temps.

Suite ►

▼ Figure 52.12

PANORAMA Les biomes terrestres (*suite*)

La forêt décidue tempérée

▲ Forêt décidue tempérée en automne, dans le New Jersey aux États-Unis.

Répartition Les **forêts décidues tempérées** se situent principalement dans les régions de latitude moyenne de l'hémisphère Nord ; on en trouve aussi au Chili, en Afrique du Sud, en Nouvelle-Zélande et en Australie, mais en moins grande quantité.

Précipitations Les précipitations annuelles moyennes peuvent varier entre 70 cm environ et plus de 200 cm. Toutes les saisons connaissent d'abondantes précipitations, y compris l'été, où il pleut, et l'hiver, où il neige (dans certaines forêts).

Température Les températures hivernales moyennes sont d'environ 0 °C. Chauds et humides, les étés connaissent des températures maximales de près de 35 °C.

Végétaux Les forêts décidues tempérées matures ont plusieurs strates de végétation distinctes, c'est-à-dire une canopée fermée, une ou deux autres strates arborescentes inférieures, une strate arbustive, une strate herbacée, une litière et une strate racinaire. Elles comptent peu d'épiphytes. Dans l'hémisphère Nord, les végétaux dominants sont des arbres à feuillage caduc, qui perdent leurs feuilles en automne, quand les températures sont trop basses pour une photosynthèse efficace et quand la perte d'eau par transpiration n'est pas facilement compensée, car le sol est gelé. En Australie, les eucalyptus à feuilles persistantes (*Eucalyptus spp.*) dominent ces forêts.

Animaux Dans l'hémisphère Nord, de nombreux mammifères hibernent pendant l'hiver, et certaines espèces d'oiseaux migrent vers des climats plus chauds. Les mammifères, les oiseaux et les insectes présents dans ces forêts profitent de toutes les strates verticales.

Conséquences de l'activité humaine Sur tous les continents, la forêt décidue tempérée a été intensément colonisée. Presque toutes les forêts décidues tempérées naturelles d'Amérique du Nord ont été réduites ou complètement détruites par la coupe du bois et le défrichage pour l'agriculture et le développement urbain. Toutefois, grâce à leur capacité de récupération, elles regagnent la majeure partie de leur ancienne aire de répartition.

La toundra

Répartition Les **toundras** couvrent une grande partie de l'Arctique, totalisant 20 % des terres émergées de la planète. Les vents et le froid façonnent des communautés végétales semblables, appelées *toundras alpines*, sur les très hauts sommets, à toutes les latitudes, y compris les tropiques.

Précipitations Dans la toundra arctique, les précipitations atteignent en moyenne entre 20 et 60 cm par année, mais elles peuvent être supérieures à 100 cm dans la toundra alpine.

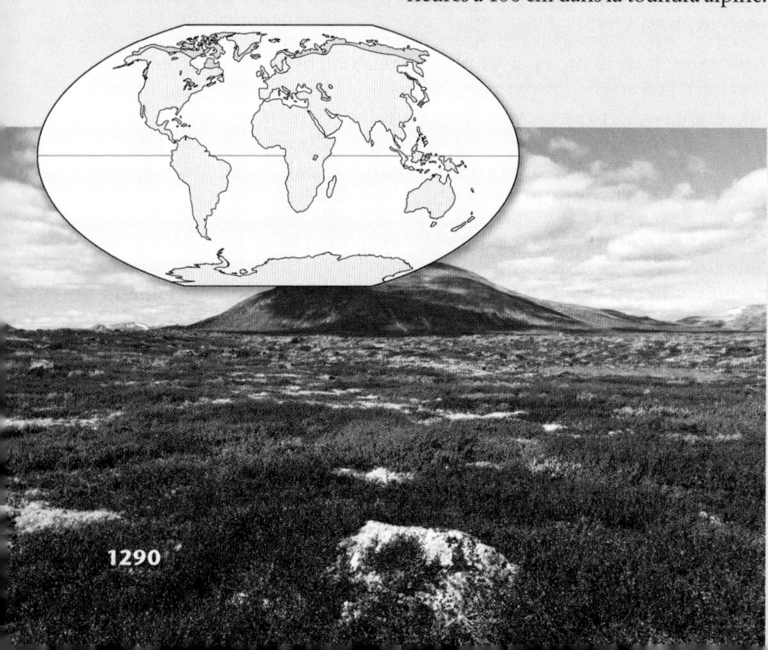

◄ Parc national de Dovrefjell-Sunndalsfjella, en Norvège.

Température Les hivers sont froids, les températures moyennes étant de –30 °C dans certaines régions. Les températures estivales moyennes sont en général inférieures à 10 °C.

Végétaux La végétation de la toundra est en majeure partie herbacée. Elle se compose d'un mélange de mousses, de graminées et d'herbes non graminéennes, de même que de quelques arbres et arbustes nains, et des lichens. Une couche de sol gelé en permanence, appelé **pergélisol**, restreint la croissance des racines.

Animaux Parmi les grands herbivores qui habitent la toundra, on trouve les bœufs musqués (*Ovibos moschatus*), qui constituent une espèce résidante, et les caribous et les rennes (deux sous-espèces de *Rangifer tarandus*), qui sont des espèces migratrices. Des prédateurs tels que les ours (*Ursus spp.*), les loups (*Canis lupus*) et les renards (*Vulpes spp.*) y vivent aussi. Pendant l'été, les oiseaux migrateurs qui utilisent la toundra comme site de nidification sont extrêmement nombreux.

Conséquences de l'activité humaine Peu colonisée, la toundra est cependant devenue au cours des dernières années le siège d'une importante exploitation minière et pétrolière.

▼ Figure 52.13 Les zones des milieux aquatiques. Les biomes aquatiques présentent une stratification horizontale et verticale et sont divisés en zones.

(a) Zones d'un milieu lacustre (lac)

Zone littorale
Zone limnétique
Zone euphotique
Zone benthique
Zone aphotique
Zone pélagique

On divise en général le milieu lacustre en diverses zones, d'après trois critères physiques : la pénétration de la lumière (zones euphotique et aphotique), la distance par rapport à la rive et la profondeur de l'eau (zones littorale et limnétique), et la distinction entre eau libre (zone pélagique) et fond lacustre (zone benthique).

(b) Zones d'un milieu marin

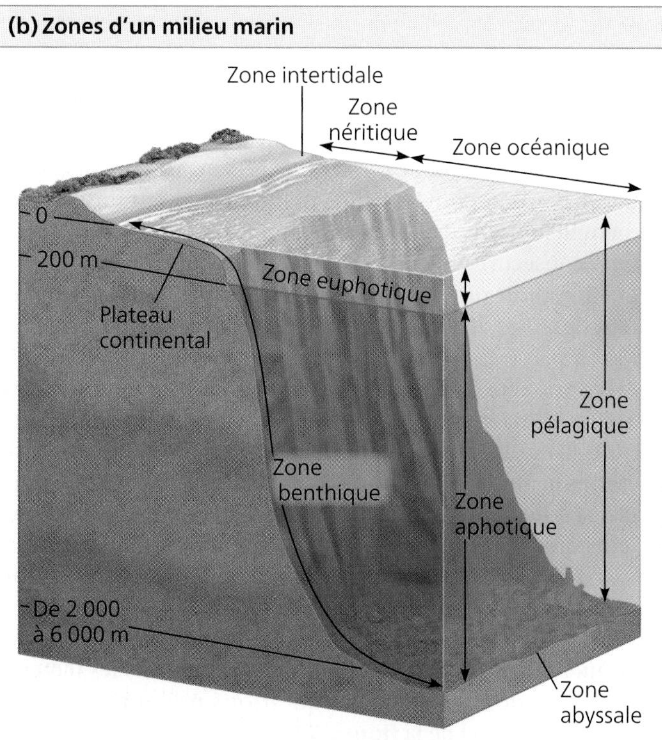

Comme celles d'un lac, les diverses zones d'un milieu marin sont déterminées en fonction de la pénétration de la lumière (zones euphotique et aphotique), de la distance par rapport au rivage et de la profondeur de l'eau (zones intertidale, néritique et océanique), et de la distinction entre eau libre (zone pélagique) et fond marin (zones benthique et abyssale).

la couche superficielle uniformément chaude et la couche profonde uniformément froide sont séparées par une mince couche, la **thermocline** (métalimnion), où le gradient thermique est abrupt. La température de l'eau dans les lacs est particulièrement sujette à la stratification, surtout durant l'été et l'hiver. Cependant, les eaux de nombreux lacs tempérés se mélangent deux fois par année à cause des changements de température (**figure 52.14**). Ce **brassage saisonnier des eaux** ou inversion, comme on l'appelle, envoie l'eau enrichie en O_2 de la surface vers le fond, et amène l'eau riche en nutriments du fond vers la surface, au printemps (inversion de printemps) et à l'automne (inversion d'automne).

La répartition des communautés lacustres et marines est fonction de la profondeur de l'eau, de la pénétration de la lumière, de la distance par rapport à la rive ou au rivage, et de la distinction entre l'eau libre et le fond lacustre ou marin. Les communautés marines illustrent très clairement les limites que fixent ces facteurs abiotiques sur la répartition des espèces. La zone euphotique, relativement peu profonde, est habitée par le plancton et de nombreuses espèces de poissons (voir la figure 52.13b). Comme l'eau absorbe beaucoup la lumière et que l'océan est très profond, l'obscurité règne dans la majeure partie de l'océan (zone aphotique), où les organismes vivants sont relativement peu abondants. Des facteurs semblables limitent la répartition des espèces dans les lacs profonds.

La **figure 52.15** présente un tour d'horizon des caractéristiques des principaux biomes aquatiques.

RETOUR SUR LE CONCEPT 52.3

1. Pourquoi est-ce le phytoplancton, et non les algues benthiques ou les plantes aquatiques à racines, qui constitue le principal ensemble d'organismes photosynthétiques dans la zone océanique pélagique ? (Voir la figure 52.15.)
2. **FAITES DES LIENS ▶** De nombreux organismes vivant dans les estuaires se retrouvent quotidiennement dans l'eau douce, puis dans l'eau salée, au gré des marées. Expliquez de quelle façon ces conditions changeantes posent un défi à la survie de ces organismes (voir le concept 44.1).
3. **FAITES DES LIENS ▶** Comme l'indique la figure 52.15, l'enrichissement en nutriments d'un lac peut causer l'apparition d'une fleur d'eau. Lorsque les algues meurent, des microorganismes décomposeurs font appel à la respiration aérobie pour dégrader les molécules complexes qui les constituent. Expliquez pourquoi la quantité d'O_2 du lac s'en trouve alors réduite (voir le concept 9.1).

Voir les réponses proposées à l'appendice A.

CONCEPT 52.4

Les interactions des organismes entre eux et avec leur milieu limitent la répartition des espèces

La répartition des espèces s'explique par des facteurs écologiques et par l'histoire évolutive. Prenons l'exemple des kangourous, des mammifères marsupiaux de la famille des macropodidés, qu'on trouve seulement en Australie. Les archives fossiles montrent que les kangourous et leurs proches parents sont

▼ Figure 52.14 Le brassage saisonnier des eaux des lacs recouverts de glace en hiver. Le brassage saisonnier fait en sorte que les eaux lacustres sont bien oxygénées au printemps et à l'automne ; durant l'hiver et l'été, lorsque l'eau subit une stratification thermique, la concentration d'O_2 diminue avec la profondeur.

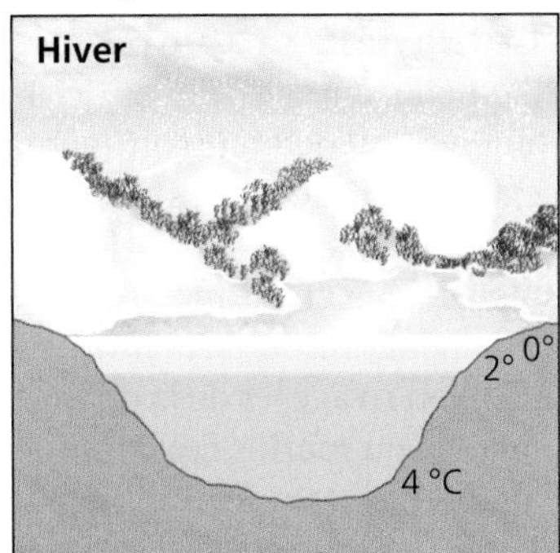

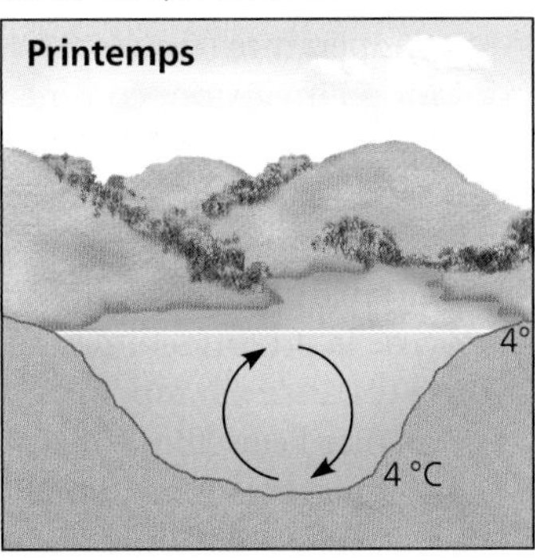

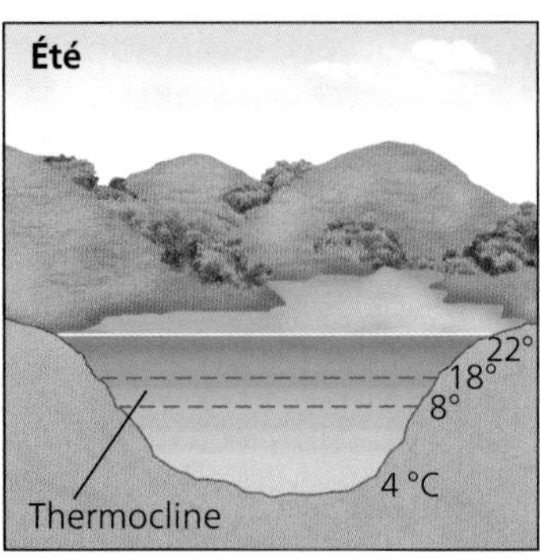

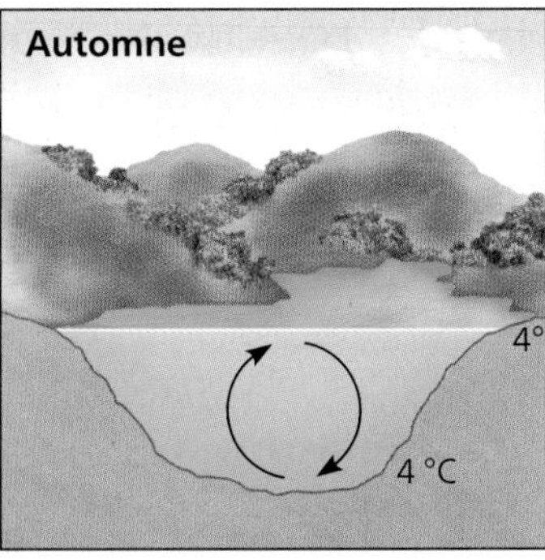

1 En hiver, les eaux les plus froides du lac (0 °C) se trouvent juste sous la couche de glace superficielle. L'eau se réchauffe en profondeur, pour atteindre habituellement autour de 4 °C dans le fond.

2 Au printemps, la fonte de la glace amène la température de la couche superficielle à 4 °C. L'eau de cette couche superficielle se mélange aux couches sous-jacentes, ce qui fait disparaître la stratification thermique qui s'est établie pendant l'hiver. Les vents printaniers contribuent au brassage des eaux ; ainsi, les eaux profondes reçoivent de l'O_2, et les eaux superficielles, des nutriments.

3 Pendant l'été, une stratification thermique réapparaît : l'eau chaude de la surface est séparée de l'eau froide du fond par la thermocline, une mince couche d'eau du lac où le gradient thermique est abrupt.

4 À l'automne, l'eau de la couche superficielle refroidit rapidement au contact de l'air froid, et s'enfonce sous les couches sous-jacentes. Les eaux du lac se mélangent de nouveau, jusqu'à ce que la surface gèle. La stratification thermique hivernale se rétablit alors.

apparus en Australie il y a quelque 5 millions d'années. À cette époque, l'Australie avait déjà atteint l'emplacement qu'elle occupe actuellement (par dérive des continents ; voir le concept 25.4) et n'était reliée à aucune autre masse terrestre. Si on ne trouve des kangourous qu'en Australie, c'est en partie à cause d'un accident de l'histoire géologique : ils y sont apparus à un moment où le continent était géographiquement isolé.

Toutefois, il est important de prendre également en compte les facteurs écologiques. Jusqu'à maintenant, les kangourous ne se sont pas dispersés (par eux-mêmes) sur d'autres continents et ne sont présents que sur le continent où ils sont apparus. De plus, en Australie, on trouve des kangourous dans certains habitats, mais pas dans d'autres. Par exemple, le kangourou roux (*Macropus rufus*) vit dans les prairies arides du centre de l'Australie, mais pas dans les hautes forêts à couvert ouvert de l'Est de l'Australie. Cela dit, les kangourous ne font pas exception à cet égard : toutes les espèces peuplent certains habitats, mais pas d'autres. C'est pourquoi les écologistes ne cherchent pas seulement à savoir *où* se trouvent les espèces, mais aussi *pourquoi* elles s'y trouvent : quels sont les facteurs écologiques (biotiques et abiotiques) qui déterminent leur répartition ?

La plupart du temps, la répartition géographique d'une espèce dépend à la fois de facteurs biotiques et abiotiques. Il en est ainsi pour le cactus saguaro (*Carnegiea gigantea*), présent presque exclusivement dans le désert de Sonora, qui couvre le Sud-Ouest des États-Unis et le Nord-Ouest du Mexique (**figure 52.16**). Au nord, l'aire de répartition de ces cactus est limitée par un facteur abiotique : la température. En effet, les saguaros ne tolèrent le gel que brièvement, généralement moins d'une journée, et la plupart ne survivent pas à des températures inférieures à –4 °C. C'est pour cette même raison qu'on trouve rarement les saguaros à une altitude dépassant les 1 200 m.

Toutefois, la température n'explique pas à elle seule la répartition des saguaros, notamment leur absence dans la région ouest du désert de Sonora. C'est que la présence d'eau est cruciale pour cette espèce, dont les jeunes plants ne peuvent survivre s'ils ne bénéficient pas de conditions humides pendant quelques années consécutives, ce qui arrive seulement quelques fois par siècle. Il est fort probable aussi que certains facteurs biotiques jouent des rôles déterminants dans la répartition des saguaros. Par exemple, les souris et les animaux de pâturage comme la chèvre se nourrissent des jeunes plants, tandis que les chauves-souris pollinisent les grandes fleurs blanches qui éclosent la nuit. Par ailleurs, les saguaros sont sensibles à une maladie bactérienne fatale. En somme, pour les saguaros comme pour la plupart des espèces, de nombreux facteurs entrent en jeu, et les écologistes doivent en tenir compte et considérer différentes hypothèses lorsqu'ils tentent d'expliquer la répartition d'une espèce.

Pour comprendre comment les écologistes peuvent arriver à expliquer la répartition d'une espèce, examinons les facteurs écologiques dont relèvent les questions présentées dans le schéma conceptuel de la **figure 52.17**.

L'expansion et la répartition

Le déplacement par lequel les individus ou les gamètes s'éloignent des centres où leur population est dense ou de leur région d'origine est appelé **expansion**. Ce facteur contribue grandement à la répartition mondiale des organismes. Par exemple, si les kangourous, qui sont des animaux terrestres, n'ont pu atteindre l'Afrique par leurs propres moyens, il en est autrement pour d'autres organismes adaptés à l'expansion à grande distance, comme certains oiseaux. L'expansion des

▼ Figure 52.15

PANORAMA Les biomes aquatiques

Les lacs

Milieu physique Les étendues d'eau dormante vont des étangs de quelques mètres carrés aux lacs s'étendant sur plusieurs milliers de kilomètres carrés. L'intensité de la lumière diminue avec la profondeur, ce qui crée une stratification verticale. Dans les lacs des zones tempérées, la thermocline peut être saisonnière; dans les lacs des basses terres tropicales, la thermocline est présente toute l'année.

Milieu chimique La salinité, la concentration en O_2 et la teneur en nutriments diffèrent beaucoup d'un lac à l'autre et peuvent varier selon les saisons. Les **lacs oligotrophes** sont pauvres en nutriments et généralement riches en O_2; les **lacs eutrophes**, quant à eux, sont riches en nutriments et présentent souvent une concentration d'O_2 réduite lorsqu'ils sont recouverts de glace durant l'hiver, et dans leur partie la plus profonde au cours de l'été. La quantité de matière organique décomposable dans les sédiments benthiques est faible dans les lacs oligotrophes et élevée dans les lacs eutrophes; le taux élevé de décomposition dans les strates plus profondes des lacs eutrophes entraîne régulièrement une perte d'O_2.

Caractéristiques géologiques Les lacs oligotrophes tendent à avoir une moins grande superficie par rapport à leur profondeur que les lacs eutrophes. Avec le temps, les lacs oligotrophes peuvent devenir eutrophes, à mesure que le ruissellement y apporte des sédiments et des nutriments.

▲ Lac oligotrophe dans le Parc national Jasper, en Alberta.

▲ Lac eutrophe dans le delta de l'Okavango, au Botswana.

Organismes photosynthétiques Les plantes aquatiques enracinées et flottantes abondent dans la **zone littorale**, soit dans les eaux peu profondes et bien éclairées qui se situent à proximité de la rive. Plus loin de la rive, la **zone limnétique**, où les eaux sont trop profondes pour permettre aux plantes aquatiques de s'enraciner, contient diverses espèces de phytoplancton, dont des cyanobactéries.

Organismes hétérotrophes Dans la zone limnétique, de petits hétérotrophes flottants, le zooplancton, se nourrissent de phytoplancton. La zone benthique est habitée par divers invertébrés, dont la composition en espèces dépend en partie des taux d'O_2. Des poissons vivent dans toutes les zones des lacs qui contiennent suffisamment d'O_2.

Conséquences de l'activité humaine L'enrichissement en nutriments des lacs, attribuable à la pollution causée par le ruissellement provenant des terres fertilisées et le déversement des déchets urbains, peut donner lieu à la prolifération des algues (fleur d'eau), à la réduction de la quantité d'O_2 et à la mort des poissons.

Les terres humides

Milieu physique Au sens large, une **terre humide** est un habitat inondé au moins une partie de l'année où vivent des plantes adaptées aux sols saturés d'eau. Certaines terres humides sont inondées de façon permanente, alors que d'autres ne le sont que périodiquement.

Milieu chimique En raison de la production élevée, par les plantes, de matières organiques et de leur décomposition par les microorganismes et autres organismes, l'eau et le sol sont périodiquement pauvres en O_2 dissous. Les terres humides possèdent une capacité élevée de filtrer les nutriments dissous et les polluants chimiques.

Caractéristiques géologiques Les *terres humides de bassin* se forment dans des mares peu profondes, et varient de dépressions dans des milieux secs à des lacs et à des étangs envahis par la végétation. Les *terres humides riveraines* se forment le long des rives peu profondes et périodiquement inondées des rivières et des cours d'eau peu profonds. Enfin, les *terres humides du littoral* se trouvent le long des côtes des grands lacs et océans, où l'eau effectue un mouvement de va-et-vient résultant du niveau d'eau des lacs qui s'élève ou de l'action des marées. Ainsi, ces terres humides font partie aussi bien du biome dulcicole que du biome marin.

Organismes photosynthétiques Les terres humides comptent parmi les biomes les plus productifs de la planète. Leurs sols saturés d'eau favorisent la croissance de plantes telles que les nénuphars (par exemple, *Nuphar spp.* et *Nymphaea spp.*), les quenouilles (*Typha spp.*), de nombreuses cypéracées, les cyprès chauves (*Taxodium distichum*), les mélèzes (*Larix laricina*) et les épinettes noires (*Picea mariana*), qui sont spécialement adaptées pour vivre dans l'eau ou dans un sol rendu périodiquement anaérobie par la présence de l'eau. Les plantes ligneuses dominent la végétation des marécages, et les sphaignes (*Sphagnum spp.*), celle des tourbières.

Organismes hétérotrophes Les terres humides constituent le milieu de vie d'une communauté variée d'invertébrés, d'oiseaux et de nombreux autres organismes. Les herbivores, des crustacés aux rats musqués (*Ondatra zibethicus*), en passant par les larves d'insectes aquatiques, consomment des algues, des détritus et des végétaux. Les terres humides abritent aussi de nombreuses espèces carnivores, dont les libellules (classe des insectes), les loutres (classe des mammifères), les grenouilles (classe des amphibiens), les alligators et les hérons (classe des reptiles).

Conséquences de l'activité humaine Les terres humides contribuent à purifier l'eau et à réduire les pointes de crues. L'assèchement et le remblayage ont détruit jusqu'à 90 % des terres humides en Europe.

◄ Terre humide de bassin, au Royaume-Uni.

Suite ►

PANORAMA ▼ Figure 52.15

Les biomes aquatiques (*suite*)

Les ruisseaux, les rivières et les fleuves

Milieu physique La principale caractéristique physique des ruisseaux, des rivières et des fleuves est le courant, c'est-à-dire le volume et la vitesse de leur écoulement. Tout en amont, l'eau des ruisseaux est froide, claire, agitée et coule rapidement. En aval, lorsque plusieurs affluents se sont rejoints pour former une rivière, l'eau est généralement plus chaude et plus trouble, car les rivières charrient d'ordinaire plus de sédiments que leurs eaux d'amont. Les fleuves, les rivières et les ruisseaux se stratifient en zones verticales, qui s'étendent de l'eau de surface à l'eau de fond.

Milieu chimique La teneur en sel et en nutriments des ruisseaux, des rivières et des fleuves est plus élevée en amont qu'à l'embouchure. L'eau d'amont est en général riche en O_2. En aval, l'eau peut aussi contenir une importante quantité d'O_2, sauf là où l'eau est enrichie de matières organiques. Une grande partie des matières organiques contenues dans les fleuves et les rivières se compose de matières dissoutes ou très fragmentées qui sont transportées par le courant depuis les ruisseaux forestiers.

Caractéristiques géologiques En amont, les chenaux des ruisseaux sont souvent étroits; ils présentent un fond rocheux formé alternativement de portions peu profondes et de fosses. En aval, l'écoulement des eaux des rivières et des fleuves s'effectue dans des tronçons qui sont généralement larges et sinueux. Leur fond est souvent limoneux: des sédiments s'y sont déposés au fil du temps.

▲ Ruisseau d'amont dans l'État de Washington, aux États-Unis.

Organismes photosynthétiques En amont des ruisseaux qui coulent dans les prairies ou les déserts, l'eau est parfois riche en algues ou en plantes aquatiques à racines.

Organismes hétérotrophes Une grande diversité de poissons et d'invertébrés vivent dans les ruisseaux, les rivières et les fleuves non pollués. La répartition des espèces s'effectue selon les zones verticales. Dans les ruisseaux qui coulent dans les forêts tempérées ou tropicales, les matières organiques provenant de la végétation terrestre constituent la principale source d'alimentation des organismes aquatiques.

▲ Fleuve Loire, en France, loin de ses eaux d'amont.

Conséquences de l'activité humaine La pollution urbaine, agricole et industrielle dégrade la qualité de l'eau et tue les organismes aquatiques. L'endiguement et la lutte contre les crues perturbent le fonctionnement naturel des écosystèmes que constituent les ruisseaux, les rivières et les fleuves, et menacent les espèces migratrices comme le saumon (famille des salmonidés).

Les estuaires

Milieu physique Un **estuaire** est une zone de transition entre un fleuve et l'océan. Lorsque la marée monte, l'eau de mer remonte le chenal de l'estuaire, puis se retire lorsque la marée descend. Souvent, le fond du chenal contient de l'eau de mer, de forte densité, qui se mélange peu avec l'eau fluviale de densité moindre, à la surface.

Milieu chimique Dans les estuaires, la salinité de l'eau n'est pas la même partout: elle varie de celle de l'eau douce à celle de l'eau de mer. La salinité varie également suivant le cycle quotidien des marées. Enrichis par les nutriments provenant des fleuves, les estuaires, comme les terres humides, comptent parmi les biomes les plus productifs de la planète.

Caractéristiques géologiques Les mouvements de l'eau des estuaires, conjugués aux sédiments charriés par les fleuves et les marées, créent un réseau complexe de chenaux de marée, d'îles, de levées alluviales naturelles et de vasières.

Organismes photosynthétiques Les graminées des marais maritimes (ou salés) et les algues, y compris le phytoplancton, sont les principaux producteurs des estuaires.

Organismes hétérotrophes Des vers (classe des oligochètes), des huîtres (classe des bivalves), des crabes (classe des malacostracés) et de nombreuses espèces de poissons comestibles habitent aussi les estuaires. De nombreux invertébrés et poissons marins s'y reproduisent ou s'y arrêtent au cours de leur migration vers les habitats dulcicoles situés en amont. Enfin, les estuaires constituent des aires de nutrition pour les oiseaux de rivage et certains mammifères marins.

Conséquences de l'activité humaine Partout dans le monde, les polluants déversés en amont, de même que les travaux de remblayage et de dragage, portent atteinte aux estuaires.

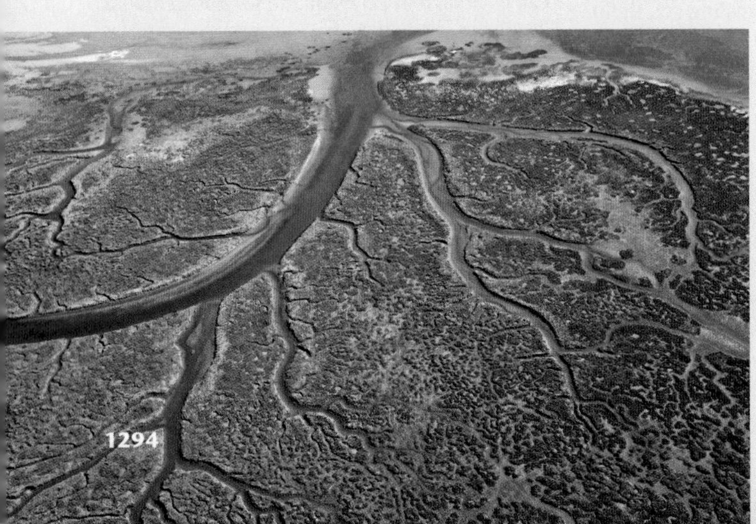

◄ Estuaire, dans le Sud de l'Espagne.

Les zones intertidales

Milieu physique Une **zone intertidale** est tour à tour submergée et découverte au cours du cycle biquotidien des marées dans la plupart des rivages marins. Les zones supérieures sont plus longtemps exposées à l'air, et leur milieu physique présente de plus grandes variations de température et de salinité. Les différences dans les conditions physiques qui caractérisent les zones intertidales supérieure et inférieure limitent la répartition de nombreuses espèces d'organismes à certaines strates, comme l'illustre la photo.

Milieu chimique Les concentrations d'O_2 et de nutriments sont généralement élevées et se renouvellent à chaque retour de la marée.

Caractéristiques géologiques Les substrats des zones intertidales, qui sont en général rocheux ou sableux, déterminent des adaptations comportementales et anatomiques chez les organismes de la zone intertidale. La configuration des baies ou du littoral influe sur l'amplitude des marées et l'exposition relative des organismes intertidaux à l'action des vagues.

Organismes photosynthétiques Les zones intertidales rocheuses, surtout dans leur partie inférieure, abritent des algues marines enracinées dont la diversité et la biomasse sont considérables. En raison de l'instabilité du substrat, les zones sablonneuses exposées à de fortes vagues ne contiennent pas de plantes ni d'algues enracinées, alors que celles qui se trouvent dans des baies protégées ou des lagunes portent souvent de riches bancs d'algues et de plantes herbacées marines.

Organismes hétérotrophes Un grand nombre des animaux vivant dans les zones intertidales rocheuses possèdent des adaptations structurales qui leur permettent de se fixer au substrat dur. Dans la partie supérieure des zones intertidales, la composition, la densité et la diversité des espèces animales sont sensiblement différentes de celles de la partie inférieure. Là où les substrats sont sablonneux ou vaseux, de nombreux animaux, tels les vers, les palourdes (classe des bivalves) et les crustacés prédateurs (classe des malacostracés), s'enfouissent dans le sable ou dans la vase et se nourrissent grâce à la nourriture apportée par la marée. On y trouve habituellement des éponges (classe des démosponges), des anémones de mer (classe des anthozoaires), des échinodermes, de même que de petits poissons.

Conséquences de l'activité humaine La pollution par le pétrole a eu des effets nuisibles sur de nombreuses zones intertidales. La construction de murs de roches et autres barrières pour réduire l'érosion par les vagues et les ondes de tempête a perturbé ces zones à certains endroits.

▲ Zone intertidale rocheuse du littoral de l'Oregon, aux États-Unis.

La zone océanique pélagique

Milieu physique La **zone océanique pélagique** est une vaste étendue d'eaux libres bleues, sans cesse agitées par les courants causés par les vents. En raison de la plus grande limpidité de ces eaux, la zone euphotique est plus profonde que celle des eaux côtières.

Milieu chimique En général, ces eaux présentent un taux d'O_2 élevé et sont généralement plus pauvres en nutriments que les eaux côtières. Dans certaines régions tropicales, les eaux de la zone pélagique sont plus pauvres en nutriments que celles des océans tempérés parce que leur stratification thermique se maintient pendant toute l'année. Dans les zones euphotiques des zones océaniques tempérées et proches des pôles, le brassage des eaux qui se produit entre l'automne et le printemps permet le renouvellement des nutriments.

Caractéristiques géologiques Ce biome couvre approximativement 70 % de la surface de la Terre, et sa profondeur moyenne atteint près de 4 000 m. Le point le plus profond de l'océan se situe à plus de 10 000 m de la surface.

Organismes photosynthétiques Le phytoplancton, qui comprend les bactéries photosynthétiques, forme le principal ensemble d'organismes photosynthétiques qui sont transportés par les courants océaniques. Le brassage printanier des eaux renouvelle les nutriments, ce qui provoque, dans les océans tempérés, une prolifération du phytoplancton. En raison de l'étendue de son biome, le plancton photosynthétique est à l'origine d'environ la moitié de l'activité photosynthétique effectuée sur Terre.

Organismes hétérotrophes L'ensemble d'organismes hétérotrophes le plus abondant dans ce biome est le zooplancton. Il est constitué de protistes, de vers, de copépodes, de krill (*Euphausia superba*), de méduses (classe des scyphozoaires), ainsi que des petites larves d'invertébrés et de certains poissons qui se nourrissent de phytoplancton. Le biome océanique pélagique comprend aussi des animaux qui nagent librement, comme les calmars (classe des céphalopodes), les poissons, les tortues de mer (classe des reptiles) et les mammifères marins.

Conséquences de l'activité humaine La surpêche a appauvri les stocks de poissons de tous les océans de la Terre. La pollution, l'acidification des océans et le réchauffement de la planète ont également nui à la vie marine.

Suite ▶

▶ Pleine mer, au large de l'Islande.

▼ Figure 52.15

PANORAMA Les biomes aquatiques (*suite*)

Les récifs coralliens

Milieu physique Les **récifs coralliens** sont formés en grande partie du carbonate de calcium provenant des squelettes des coraux. Les récifs coralliens en eau peu profonde se trouvent dans la zone euphotique des milieux marins tropicaux relativement stables dont les eaux sont très limpides, notamment autour des îles et le long de côtes de certains continents. Ils sont affectés par les températures de moins de 18 à 20 °C et de plus de 30 °C. Moins connu, le récif corallien en eau profonde, que l'on trouve à une profondeur variant de 200 à 1 500 m, présente une diversité comparable à celle de nombreux récifs coralliens en eau peu profonde.

Milieu chimique Les coraux nécessitent des taux d'O_2 élevés et ne peuvent vivre dans les milieux où l'apport en eau douce et en nutriments est important.

Caractéristiques géologiques Pour se fixer, les coraux ont besoin d'un substrat solide. D'abord *récif frangeant* sur une jeune île haute, il devient plus tard au cours de l'histoire de l'île un *récif-barrière* extracôtier, puis un *atoll*, une fois que l'île est submergée.

Organismes photosynthétiques Des algues unicellulaires vivent dans les tissus des coraux et créent une association mutualiste permettant à ces derniers d'obtenir des molécules organiques. Diverses algues marines multicellulaires rouges et vertes prolifèrent sur les récifs et sont responsables d'une grande partie de la photosynthèse effectuée sur les récifs coralliens.

Organismes hétérotrophes Les coraux eux-mêmes, constitués de divers groupes de cnidaires, sont les animaux qui prédominent sur les récifs coralliens. Toutefois, on y trouve aussi une diversité exceptionnelle de poissons et d'invertébrés. À l'échelle planétaire, la diversité des animaux vivant sur les récifs coralliens rivalise avec celle des forêts tropicales.

Conséquences de l'activité humaine La cueillette des squelettes coralliens et la surpêche ont réduit les populations de coraux et de poissons de récifs. Le réchauffement de la planète et la pollution sont aussi susceptibles de contribuer à la destruction à grande échelle des coraux. Le développement de zones de mangroves pour l'aquaculture a également réduit les frayères de nombreuses espèces de poissons de récifs.

▲ Récif de corail de la mer Rouge.

La zone océanique benthique

Milieu physique La **zone océanique benthique** est constituée du plancher océanique qui se trouve sous les eaux de surface de la zone côtière, ou **zone néritique**, et sous celles de la zone extracôtière, ou zone pélagique. À l'exception des eaux côtières peu profondes, la zone océanique benthique ne reçoit pas de lumière solaire. Dans ce milieu, plus on s'enfonce, plus la température est basse et plus la pression est élevée. Par conséquent, les organismes qui occupent la zone très profonde, ou zone abyssale, sont adaptés à un froid continu (environ 3 °C) et à une pression extrêmement élevée.

Milieu chimique Sauf en certains endroits riches en matières organiques, les concentrations d'O_2 sont suffisantes pour faire vivre des animaux très divers.

Caractéristiques géologiques La majeure partie de la zone benthique est couverte de sédiments meubles. Toutefois, il existe des zones de substrat rocheux sur les récifs, les montagnes sous-marines et la nouvelle croûte océanique.

Organismes autotrophes Les organismes photosynthétiques, principalement le varech et les algues filamenteuses, n'occupent que les endroits peu profonds où la lumière parvient en quantité suffisante. Des communautés uniques d'organismes, comme celle qui apparaît sur la photo, prolifèrent près des **bouches hydrothermales sous-marines** d'origine volcanique qui se trouvent sur les dorsales océaniques. Dans ces milieux obscurs, chauds et pauvres en O_2, les organismes producteurs de nutriments sont des procaryotes chimioautotrophes qui obtiennent leur énergie en oxydant le H_2S issu de la réaction entre l'eau chaude et le sulfate dissous (ou ion tétraoxosulfate, SO_4^{2-}).

Organismes hétérotrophes Les communautés de la zone benthique néritique se composent d'un grand nombre d'invertébrés et de poissons. Au-delà de la zone euphotique, la plupart des animaux dépendent entièrement des matières organiques qui proviennent des zones supérieures. Parmi les animaux des communautés vivant près des bouches hydrothermales sous-marines, on trouve des vers tubicoles géants (*Riftia pachyptyla*) atteignant parfois plus de 1 m de long. Il semble que ces vers se nourrissent grâce à l'activité de procaryotes chimioautotrophes qui vivent en symbiose en leur sein. De nombreux autres invertébrés, notamment des arthropodes et des échinodermes, abondent aux alentours des bouches hydrothermales.

Conséquences de l'activité humaine Dans la zone océanique benthique, la surpêche a décimé d'importantes populations de poissons, comme la morue (*Gadus morhua*) des Grands Bancs de Terre-Neuve. De plus, le déchargement de déchets organiques y a créé des zones privées d'O_2.

◄ Communauté d'organismes vivant à proximité d'une bouche hydrothermale sous-marine.

organismes est un processus crucial qui permet de comprendre à la fois l'isolement géographique au cours de l'évolution (voir le concept 24.2) et les schémas actuels de répartition géographique des espèces, notamment celle des diatomées du Pacifique, mentionnée plus tôt dans ce chapitre.

L'extension de l'aire naturelle et la radiance adaptative

L'importance de l'expansion devient évidente lorsque des organismes étendent leur aire naturelle en atteignant des régions qu'ils n'habitaient pas auparavant, un déplacement appelé *extension de l'aire.* Il y a 200 ans, par exemple, on ne trouvait le héron garde-bœufs (*Bubulcus ibis*) qu'en Afrique et dans le Sud-Ouest de l'Europe. Mais à la fin du 19e siècle, certains de ces robustes oiseaux ont réussi à traverser l'océan Atlantique et à coloniser le Nord-Est de l'Amérique du Sud. De là, les hérons garde-bœufs se sont progressivement dispersés vers le sud et le nord : via l'Amérique centrale, ils sont parvenus jusqu'en Amérique du Nord, atteignant la Floride à la fin des années 1960 (**figure 52.18**). Aujourd'hui, on trouve des populations de ces oiseaux nicheurs à l'ouest jusque sur la côte du Pacifique des États-Unis et au nord jusque dans le Sud du Canada.

Dans de rares cas, ce type d'expansion sur de longues distances peut donner lieu à des radiances adaptatives, c'est-à-dire à l'évolution rapide d'une espèce ancestrale en de nouvelles espèces qui comblent de nombreuses niches écologiques. La diversité des sabres d'argent (*Argyroxiphium spp.*) originaires d'Hawaï est un exemple de radiance adaptative qui n'a été possible que grâce à l'expansion sur de longues distances d'une espèce ancestrale, *Carlquistia muirii*, originaire d'Amérique du Nord (voir la figure 25.22).

L'extension de l'aire naturelle montre clairement l'influence de l'expansion sur la répartition. Cependant, les occasions d'observer cette expansion sont rares, et les écologistes se tournent souvent vers les méthodes expérimentales pour mieux comprendre comment l'expansion contribue à limiter la répartition des espèces.

La transplantation d'espèces

Pour déterminer si l'expansion est un facteur limitant de la répartition d'une espèce, les écologistes peuvent observer ce qui se passe quand les humains transplantent accidentellement ou intentionnellement une espèce dans des régions où elle était absente. Pour qu'une transplantation soit réussie, certains organismes doivent non seulement survivre dans la nouvelle région, mais aussi pouvoir s'y reproduire de manière durable. Si une transplantation réussit, l'aire de répartition *potentielle* de l'espèce est alors plus étendue que son aire de répartition *réelle* ; en d'autres termes, l'espèce *pourrait* vivre dans certaines régions où elle n'habite pas actuellement.

Les espèces introduites dans de nouvelles zones géographiques peuvent perturber les communautés et les écosystèmes de ces zones (voir le concept 56.1). Par conséquent, les écologistes déplacent rarement des espèces dans de nouvelles régions. Ils documentent plutôt les résultats obtenus lors de transplantations visant d'autres buts, comme l'introduction d'un prédateur pour contrôler une espèce nuisible ou la transplantation accidentelle d'une espèce.

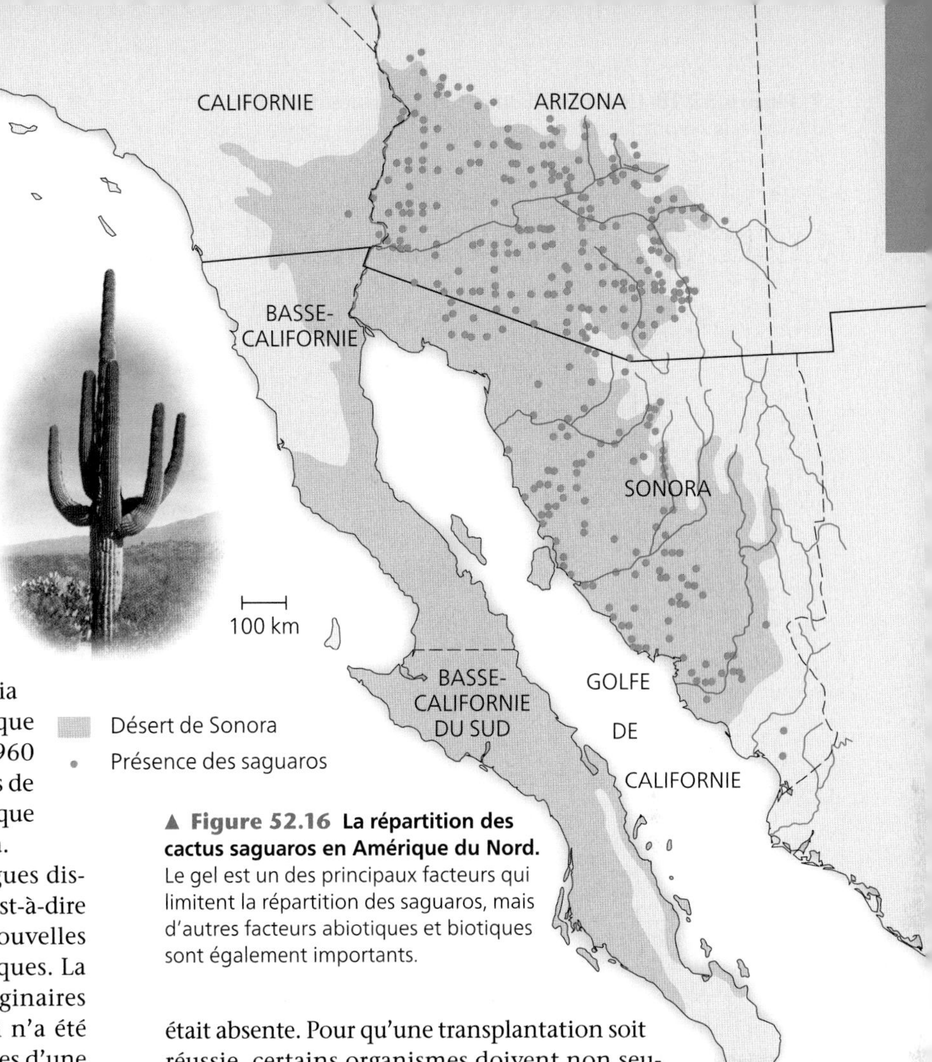

CALIFORNIE
ARIZONA
BASSE-CALIFORNIE
SONORA
100 km
BASSE-CALIFORNIE DU SUD
GOLFE DE CALIFORNIE
Désert de Sonora
Présence des saguaros

▲ **Figure 52.16 La répartition des cactus saguaros en Amérique du Nord.** Le gel est un des principaux facteurs qui limitent la répartition des saguaros, mais d'autres facteurs abiotiques et biotiques sont également importants.

▼ **Figure 52.17 Le schéma conceptuel des facteurs limitant la répartition géographique.** Les écologistes qui étudient les facteurs limitant la répartition d'une espèce donnée doivent souvent se poser des questions comme celles ci-dessous. Les flèches qui suivent les réponses aux « Oui » montrent qu'il leur faudrait répondre à toutes ces questions, car plus d'un facteur peut limiter la répartition d'une espèce.

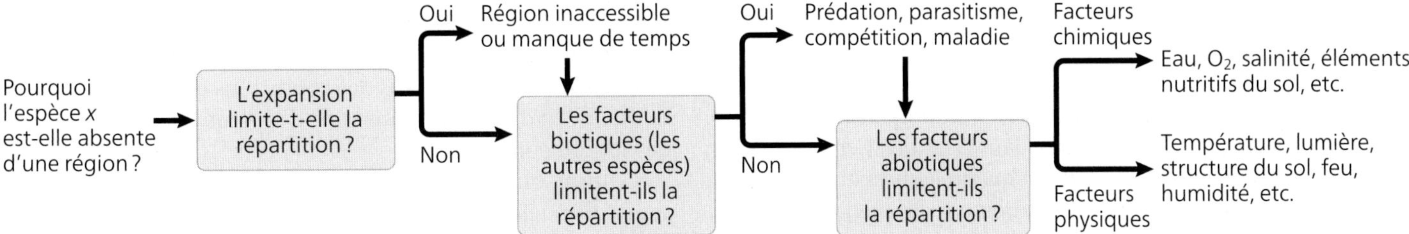

? En quoi les effets des facteurs abiotiques sur les écosystèmes aquatiques et terrestres diffèrent-ils ?

▼ **Figure 52.18 L'expansion du héron garde-bœufs.** Originaire d'Afrique, le héron garde-bœufs a été signalé pour la première fois en Amérique du Sud en 1877.

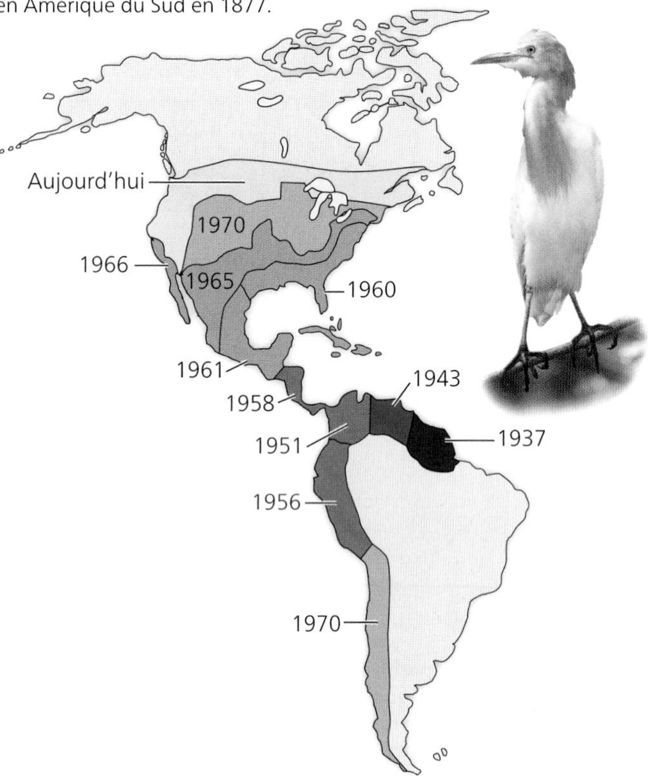

▼ **Figure 52.19 Les effets de l'alimentation des oursins sur la répartition du varech.** Le varech était beaucoup plus abondant dans les régions où l'on avait retiré les oursins à longues épines (*Centrostephanus rodgersii*) que dans les zones voisines d'une aire témoin où l'on avait laissé les oursins.

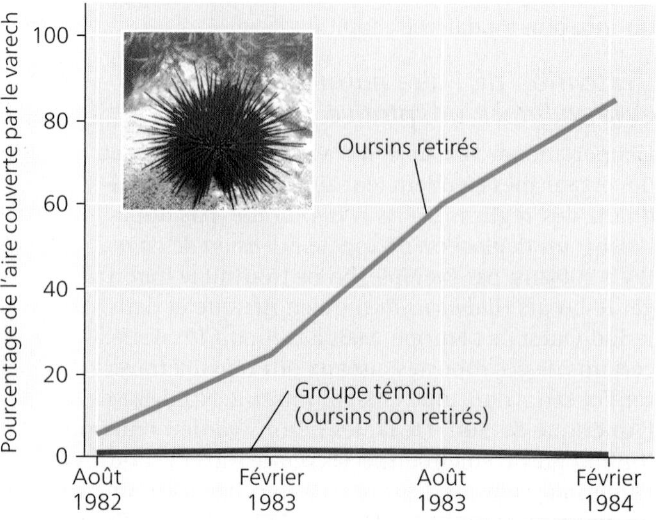

Les facteurs biotiques

La prochaine étape consiste à se demander si des facteurs biotiques – c'est-à-dire d'autres espèces – limitent la répartition d'une espèce donnée. Souvent, l'aptitude d'une espèce à survivre et à se reproduire dans un habitat est entravée par ses interactions avec d'autres espèces, comme des prédateurs (des organismes qui tuent leurs proies) ou des herbivores (des organismes qui mangent des plantes ou des algues). La **figure 52.19** décrit le cas particulier d'un herbivore, l'oursin à longues épines (*Centrostephanus rodersii*), qui peut limiter la répartition d'un groupe d'espèces dont il se nourrit. Dans certains écosystèmes marins, on observe souvent une relation inverse entre l'abondance des oursins tels que *C. rodgersii* et celle de certaines algues, comme les algues brunes qui forment le varech. Il n'y a pas d'importants peuplements de varech là où les oursins qui s'en nourrissent vivent en grand nombre. Comme l'explique la figure 52.20, des chercheurs australiens ont vérifié si l'espèce *C. rodgersii* constitue un facteur biotique limitant la répartition du varech. Lorsqu'ils ont retiré les oursins des zones étudiées, l'aire couverte par le varech s'est accrue de façon considérable, prouvant ainsi que *C. rodgersii* limite la répartition du varech.

En plus de la prédation et de l'herbivorisme, la présence ou l'absence d'agents de pollinisation, de ressources alimentaires, de parasites, d'agents pathogènes et d'organismes compétiteurs sont des facteurs biotiques susceptibles de limiter la répartition des espèces, laquelle est très courante dans la nature. Certains des cas les plus remarquables s'observent quand les humains introduisent accidentellement ou volontairement des prédateurs ou des agents pathogènes exotiques dans de nouvelles régions, et anéantissent les espèces indigènes.

Les facteurs abiotiques

La dernière question du schéma conceptuel de la figure 52.17 s'applique au rôle des facteurs abiotiques – tels que la température, l'eau, l'O_2, la salinité, la lumière et le sol – dans la limitation de la répartition. Une espèce est introuvable sur un site dont les conditions physiques ne lui permettent pas de survivre et de se reproduire. Tout au long de cette section, rappelez-vous que la plupart des facteurs abiotiques varient considérablement dans l'espace et dans le temps. Les fluctuations journalières et annuelles des facteurs abiotiques peuvent atténuer ou accentuer les différences entre les régions. De plus, les organismes peuvent adopter certains comportements, comme la dormance ou l'hibernation, pour se mettre temporairement à l'abri de conditions difficiles (voir le concept 40.4).

La température

La température constitue un important facteur dans la répartition des organismes puisqu'elle influe sur les processus biologiques : les cellules se rompent si l'eau qu'elles contiennent gèle (à des températures inférieures à 0 °C), et les protéines de la plupart des organismes se dénaturent à des températures supérieures à 45 °C. En général, les organismes ont un fonctionnement optimal à l'intérieur d'un intervalle de température précis. Lorsque la température du milieu sort de cet intervalle, certains animaux, notamment les mammifères et les oiseaux, doivent déployer de l'énergie pour maintenir leur température interne (voir la figure 40.17). Des adaptations extraordinaires permettent à certains organismes, comme les bactéries thermophiles, de survivre dans des conditions de température qui se situent en dehors de l'intervalle dans lequel les autres formes de vie sont confinées.

Comme on l'a vu précédemment, les changements climatiques ont déjà obligé des centaines d'espèces à modifier leurs aires de répartition géographiques. La modification de l'aire de répartition d'une espèce peut elle-même avoir des effets considérables sur la répartition d'autres espèces. Examinons les effets de l'augmentation des températures océaniques sur l'aire de répartition géographique des oursins de l'espèce *C. rodgersii*. Depuis 1950, la température des eaux le long du littoral de la Tasmanie, une île située au sud de la partie continentale de l'Australie, est passée de 11,5 °C à 12,5 °C. Ce réchauffement a permis à *C. rodgersii* (dont les larves ne se développent bien qu'à des températures supérieures à 12 °C) d'étendre son aire de répartition vers le sud (**figure 52.20**). L'oursin étant un consommateur vorace de varech et d'autres algues, les communautés d'algues qui autrefois abritaient une abondante diversité d'espèces ont été complètement détruites dans les régions plus au sud où l'oursin s'est établi (ces régions sont indiquées par une ligne continue orange dans la figure 52.20).

L'eau et l'oxygène

La disponibilité de l'eau varie considérablement selon les habitats. Il s'agit là d'un autre facteur qui influe fortement sur la répartition des espèces. Les espèces vivant sur la grève ou dans des marais côtiers peuvent se déshydrater à marée basse. Les organismes terrestres doivent presque constamment combattre la déshydratation, et leur répartition à l'échelle de la planète témoigne de leur aptitude à obtenir de l'eau et à la conserver. De nombreux amphibiens, dont la minuscule grenouille de la figure 52.1, sont particulièrement vulnérables à la déshydratation parce que leur peau mince et humide sert aux échanges gazeux. Les organismes qui vivent en milieu désertique présentent diverses adaptations leur permettant d'obtenir et de conserver suffisamment d'eau, comme l'explique le concept 44.4.

▼ **Figure 52.20 L'extension de l'aire naturelle de l'oursin à longues épines.** Depuis 1950, l'aire de répartition de l'oursin *C. rodgersii* vers le sud s'est étendue à la suite de l'élévation de la température des eaux le long de la côte de Tasmanie. Les dates en orangé indiquent les années où des oursins de cette espèce ont été observés à cet endroit pour la première fois. Lorsque les populations d'oursins sont bien établies, elles éliminent les communautés de varech.

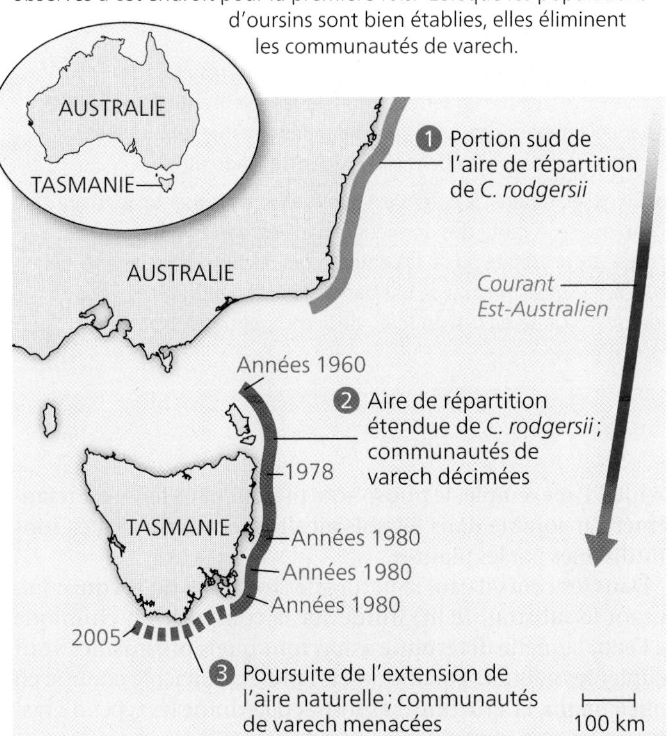

L'eau influe sur la disponibilité de l'O_2 dans les milieux aquatiques et les sols inondés, car la diffusion lente de l'O_2 dans l'eau peut limiter la respiration cellulaire et d'autres processus physiologiques. La concentration d'O_2 peut s'avérer particulièrement faible dans l'eau des océans et des lacs profonds ainsi que dans les sédiments, où l'on trouve des matières organiques en abondance. Les sols des terres humides inondées présentent également de faibles concentrations d'O_2. Les palétuviers (des eudicotylédones) et d'autres arbres sont dotés de racines particulières qui émergent de l'eau et assurent un apport en O_2 adéquat au système racinaire (voir la figure 35.4). Contrairement à de nombreuses terres humides inondées, les eaux de surface des ruisseaux, des rivières et des fleuves contiennent généralement une importante quantité d'O_2 grâce à l'échange rapide de gaz avec l'atmosphère.

La salinité

La concentration saline de l'eau dans le milieu influe sur l'équilibre hydrique des organismes par effet d'osmose. La plupart des organismes aquatiques ne peuvent vivre que dans des habitats d'eau douce ou des habitats d'eau salée, en fonction de leur capacité limitée d'osmorégulation (voir le concept 44.1). Bien que la plupart des organismes terrestres soient capables d'excréter l'excès de sel soit par des glandes spécialisées, soit dans l'urine ou les excréments, les habitats très salins abritent généralement peu d'espèces végétales ou animales. Dans la rubrique **Habiletés scientifiques**, vous pourrez interpréter les données d'une expérience qui consistait à évaluer les effets de la salinité sur la répartition de deux espèces de plantes.

Le saumon, qui migre de l'eau douce des ruisseaux vers l'océan, recourt à des comportements et à des mécanismes physiologiques pour effectuer l'osmorégulation. Il équilibre sa teneur en sel en ajustant la quantité d'eau qu'il ingère et en utilisant ses branchies tantôt pour absorber le sel en eau douce, tantôt pour l'excréter en eau salée.

La lumière solaire

La lumière solaire fournit l'énergie qui anime presque tous les écosystèmes. En quantité insuffisante, elle peut limiter la répartition des espèces photosynthétiques. En forêt, l'ombre créée par la couverture végétale (la canopée) provoque une très forte compétition dans le sous-étage, particulièrement pour les semis qui recouvrent le sol. Dans les milieux aquatiques, chaque mètre de profondeur d'eau absorbe environ 45 % de la lumière rouge et environ 2 % de la lumière bleue qui le traversent. Par conséquent, la majeure partie de la photosynthèse se produit relativement près de la surface.

En trop grande quantité, la lumière peut aussi restreindre la survie des organismes. Dans certains écosystèmes, tels les déserts, l'intensité élevée de la lumière peut accroître le stress thermique chez les animaux et les végétaux qui ne peuvent s'en protéger ou qui ne peuvent faire descendre leur température interne par évaporation (voir la figure 40.12). En haute altitude, les rayons du soleil risquent davantage d'endommager l'ADN et les protéines parce que l'atmosphère est plus mince et absorbe donc moins de rayons ultraviolets (UV). Combinés à d'autres stress abiotiques, les dommages que causent les rayons UV empêchent la survie des arbres au-delà d'une certaine altitude, ce qui explique la limite forestière observable à flanc de montagne (**figure 52.21**).

DÉMARCHE SCIENTIFIQUE

HABILETÉS SCIENTIFIQUES

Utiliser un diagramme à bandes et un diagramme linéaire pour interpréter des données

■ COMMENT LA SALINITÉ ET LA COMPÉTITION AFFECTENT-ELLES LA RÉPARTITION DES PLANTES DANS UN ESTUAIRE ? ■ Des observations faites en milieu naturel montrent que *Spartina patens* (spartine étalée) est une plante dominante dans les marais salés et que *Typha angustifolia* (quenouille à feuilles étroites) est une plante dominante dans les marais d'eau douce. Dans le présent exercice, vous représenterez graphiquement et vous interpréterez les données d'une expérience qui a permis d'évaluer les effets d'un facteur abiotique (la salinité) et d'un facteur biotique (la compétition) sur la croissance de ces deux plantes.

■ MÉTHODE ■ Les chercheurs ont planté *S. patens* et *T. augustifolia* dans des marais salés et des marais d'eau douce, avec et sans végétaux avoisinants. Après deux saisons de croissance (1,5 an), ils ont mesuré la biomasse de chaque espèce, avec et sans végétaux avoisinants. Par ailleurs, les chercheurs ont fait pousser les deux espèces dans une serre en les exposant à six degrés de salinité différents. Ils ont ensuite mesuré la biomasse pour chacun de ces degrés après huit semaines de croissance.

■ RÉSULTATS DE L'EXPÉRIENCE RÉALISÉE EN MILIEU NATUREL (moyennes de 16 sous-échantillons) **■**

	Biomasse moyenne (g/100 cm²)			
	Spartina patens		*Typha angustifolia*	
	Marais salés	Marais d'eau douce	Marais salés	Marais d'eau douce
Avec d'autres	8	3	0	18
Sans autres végétaux	10	20	0	33

■ RÉSULTATS DE L'EXPÉRIENCE RÉALISÉE EN SERRE ■

Salinité (parties par millier)	0	20	40	60	80	100
Biomasse maximale en % (*S. patens*)	77	40	29	17	9	0
Biomasse maximale en % (*T. angustifolia*)	80	20	10	0	0	0

Source des données : C. M. Crain et coll., Physical and biotic drivers of plant distribution across estuarine salinity gradients. *Ecology* 85 : 2539-2549 (2004).

▲ *Spartina patens.*

▲ *Typha angustifolia.*

INTERPRÉTEZ LES DONNÉES ▼

1. Tracez un diagramme à bandes qui représente les résultats de l'expérience réalisée en milieu naturel. (Pour plus d'information sur les diagrammes à bandes, consultez l'appendice F.) Qu'est-ce que ces données indiquent au sujet de la tolérance de *S. patens* et de *T. angustifolia* à la salinité ?
2. Qu'est-ce que les résultats de l'expérience réalisée en milieu naturel indiquent au sujet des effets de la compétition sur la croissance des deux espèces ? Quelle est l'espèce dont la croissance a été la plus limitée par la compétition ?
3. Tracez un diagramme linéaire qui représente les résultats de l'expérience réalisée en serre. Choisissez les valeurs qui deviendront la variable dépendante et la variable indépendante, puis utilisez ces valeurs pour construire les axes de votre diagramme.
4. (a) En milieu naturel, *S. patens* est habituellement absente des marais d'eau douce. À partir des données recueillies, diriez-vous que c'est à cause de la salinité ou de la compétition ? Expliquez votre réponse. (b) *T. angustifolia* ne pousse pas dans les marais salés. Diriez-vous que c'est à cause de la salinité ou de la compétition ? Expliquez votre réponse.

Les roches et le sol

Dans les milieux terrestres, le pH, la composition minérale et la structure physique des roches et du sol limitent la répartition des végétaux et des animaux herbivores, et contribuent ainsi à la microrépartition des écosystèmes terrestres. Le pH du sol peut limiter la répartition d'organismes soit directement, par la présence de conditions acides ou basiques extrêmes, ou indirectement, en agissant sur la solubilité des nutriments et des toxines. Par exemple, le phosphore présent dans le sol est relativement insoluble dans les sols alcalins, et ses précipités sont inutilisables par les plantes.

Dans les cours d'eau, la nature des roches et du sol qui composent le substrat (le lit) influe sur la composition chimique de l'eau, laquelle détermine à son tour quels organismes vont peupler les habitats aquatiques. En milieu dulcicole comme en milieu marin, la structure du substrat détermine les types d'organismes qui pourront s'y fixer ou s'y enfouir.

▼ **Figure 52.21 Vue des montagnes au-dessus de la limite forestière, au Parc national Banff, en Colombie-Britannique au Canada.** Les organismes qui vivent en haute altitude sont exposés à un rayonnement ultraviolet d'intensité élevée ainsi qu'à des températures glaciales, à un manque d'eau et à de forts vents. Au-dessus de la limite forestière, la combinaison de tels facteurs restreint la croissance et la survie des arbres.

RETOUR SUR LE CONCEPT **52.4**

1. Donnez des exemples d'interventions humaines susceptibles de produire une extension de l'aire de répartition d'une espèce en modifiant (a) son expansion ou (b) ses interactions biotiques.
2. **ET SI ?** ▶ Vous soupçonnez les cerfs de restreindre la répartition d'une espèce d'arbre parce qu'ils sont friands des semis. Comment pourriez-vous vérifier cette hypothèse ?
3. **FAITES DES LIENS** ▶ Le sabre d'argent a connu une remarquable radiance adaptative après que ses ancêtres ont colonisé l'archipel d'Hawaï, alors que les îles étaient encore jeunes (voir la figure 25.22). Selon vous, les hérons garde-bœufs pourraient-ils connaître une radiance adaptative analogue dans les Amériques (voir la figure 52.18) ? Expliquez votre réponse.

Voir les réponses proposées à l'appendice A.

CONCEPT **52.5**

Les changements écologiques et l'évolution s'influencent mutuellement sur de longues et de courtes périodes de temps

Les biologistes savent depuis longtemps que les interactions écologiques peuvent entraîner des changements évolutifs, et inversement (**figure 52.22**). L'histoire du vivant regorge d'exemples de ces effets réciproques qui se produisent sur de longues périodes de temps. Pensons notamment à l'origine et à la diversification des végétaux. Comme vous l'avez vu dans le concept 29.3, l'origine des végétaux dans le cours de l'évolution a modifié le cycle chimique du carbone en retirant des quantités de plus en plus grandes de CO_2. La radiance adaptative des végétaux a donné naissance à de nouvelles espèces qui ont procuré aux insectes et aux autres animaux de nouveaux habitats et de nouvelles sources de nourriture. Ces nouveaux habitats

▼ **Figure 52.22 Les effets réciproques des changements écologiques et évolutifs.** Un changement écologique (par exemple, l'extension de l'aire de répartition d'un prédateur) peut modifier les pressions de sélection auxquelles font face les populations de proies. Il peut s'ensuivre un changement évolutif, par exemple une augmentation de la fréquence d'un nouveau mécanisme de défense dans une population de proies. À son tour, ce changement évolutif peut influer sur le résultat des interactions écologiques.

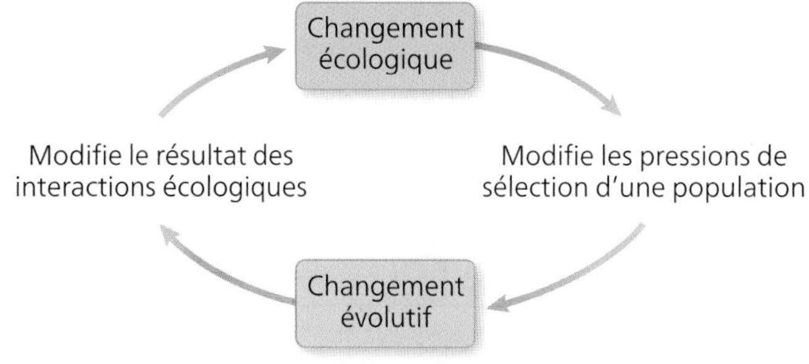

et ces nouvelles sources de nourriture ont à leur tour permis l'apparition de nouvelles espèces animales et, ce faisant, elles ont ouvert la voie vers d'autres changements écologiques. Cet exemple parmi une foule d'autres montre que les changements écologiques et évolutifs s'influencent mutuellement de manière intense et continue.

Les interactions « écoévolutives » que nous venons d'illustrer avec l'exemple de l'origine des végétaux se sont étendues sur des millions d'années. On sait qu'il s'est également produit des interactions écoévolutives au cours de périodes beaucoup moins longues, soit quelques centaines ou milliers d'années, comme le montrent les exemples de la gambusie et de la mouche de la pomme dont il a été question dans le concept 24.2. On peut donc se demander si ces interactions se produisent fréquemment sur des périodes de temps beaucoup plus courtes. Comme nous l'avons vu dans les chapitres précédents, notamment à propos de l'évolution de la longueur du bec chez les punaises à épaules rouges (voir la figure 22.13) et de la formation de nouvelles espèces de tournesols (voir la figure 24.18), les changements écologiques peuvent effectivement donner lieu à des changements évolutifs en quelques décennies, voire quelques années.

Des études récentes montrent que l'inverse se produit également : une évolution rapide peut aussi entraîner un changement écologique. Par exemple, les populations de guppys (*Poecilia reticulata*) vivant dans l'île de Trinidad évoluent rapidement lorsqu'on retire les prédateurs de leur milieu (voir la rubrique Habiletés scientifiques du chapitre 22) : leurs motifs colorés changent, et leurs descendants deviennent moins nombreux mais plus gros. Ce changement de taille cause à son tour une augmentation de la quantité d'azote disponible dans les écosystèmes des ruisseaux où vivent les guppys (**figure 52.23**), car les poissons plus gros excrètent plus d'azote, et l'augmentation des déchets azotés qui en résulte favorise la croissance de producteurs primaires tels que les algues. Cette étude sur les guppys ainsi que d'autres travaux de recherche montrent que les changements écologiques et évolutifs peuvent s'influencer mutuellement sur de courtes périodes de temps. Il s'agit là d'un niveau de complexité supplémentaire dont les chercheurs doivent tenir compte lorsqu'ils tentent de prédire comment l'activité humaine ou d'autres événements influeront sur le monde naturel.

▼ **Figure 52.23 Exemple d'interactions écoévolutives.** Dans les étangs où il y a peu de prédateurs, l'évolution du guppy (*Poecilia reticulata*) conduit à une augmentation de la taille des poissons. Les populations de gros guppys excrètent plus d'azote que les populations de petits guppys vivant dans des étangs où il y a beaucoup de prédateurs.

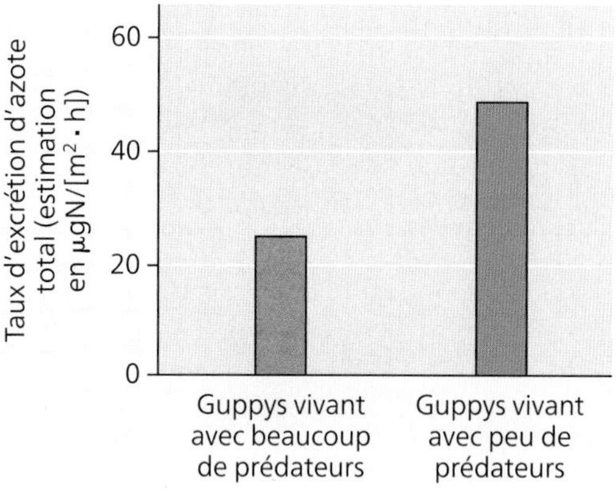

RETOUR SUR LE CONCEPT **52.5**

1. Décrivez un scénario qui montre comment des changements écologiques et évolutifs peuvent s'influencer mutuellement.

2. **FAITES DES LIENS ▶** Puisque l'industrie de la pêche recherche des morues plus âgées et plus grosses, les morues qui se reproduisent alors qu'elles sont plus jeunes et plus petites sont favorisées par la sélection naturelle. Or, les morues plus jeunes et plus petites ont une progéniture moins nombreuse que les morues plus âgées et plus grosses. Prédisez comment, dans le contexte de cette industrie, l'évolution pourrait influencer la capacité d'une population de morues de résister à la surpêche. Quelles autres interactions écoévolutives peuvent se produire ? (Voir le concept 23.3.)

Voir les réponses proposées à l'appendice A.

RÉVISION DU CHAPITRE 52

Consultez votre MANUEL NUMÉRIQUE, qui vous donne accès aux **animations**, aux **exercices** et à la plateforme d'**anatomie interactive**.

Résumé des concepts clés

CONCEPT **52.1**

Le climat de la Terre varie selon la latitude et la saison, et change rapidement (p. 1279 à 1283)

- Les régimes climatiques à l'échelle planétaire sont en grande partie déterminés par l'apport d'énergie solaire et par la rotation de la Terre autour du Soleil.
- La variation de l'angle d'incidence des rayons solaires au cours de l'année, les étendues d'eau et les montagnes exercent des effets saisonniers, régionaux et locaux sur le macroclimat.
- Des variations à petite échelle de certains facteurs **abiotiques** (non vivants), comme la lumière et la température, déterminent le **microclimat**.
- L'augmentation de la concentration des gaz à effet de serre réchauffe la Terre et modifie la répartition de nombreuses espèces. Certaines espèces ne parviendront pas à déplacer leur aire de répartition assez rapidement pour atteindre un nouvel habitat approprié.

? Imaginez que la circulation de l'air à l'échelle planétaire change brusquement de direction, entraînant l'ascension des masses d'air à 30° de latitude N. et à 30° de latitude S., et la descente de l'air au-dessus de l'équateur. Selon ce scénario, à quelle latitude finirait-on probablement par trouver des déserts ?

CONCEPT **52.2**

Le climat et les perturbations déterminent la répartition des biomes terrestres (p. 1284 à 1286)

- Les **climatogrammes** montrent que la température et les précipitations sont en corrélation avec les **biomes**. Puisque d'autres facteurs abiotiques jouent un rôle dans l'emplacement géographique des biomes, ceux-ci se chevauchent.
- On nomme souvent les biomes terrestres selon leurs principales caractéristiques physiques ou climatiques et selon la végétation qui y prédomine. La stratification verticale est une caractéristique importante des biomes terrestres.
- Les **perturbations**, qu'elles soient naturelles ou causées par les humains, influent sur le type de végétation des biomes. Les humains ont transformé la majeure partie de la surface de la planète, en remplaçant des communautés terrestres naturelles présentées à la figure 52.12 par des communautés urbaines ou agricoles.

? En quoi les perturbations sont-elles importantes pour les écosystèmes de la savane et les végétaux qui y vivent ?

CONCEPT **52.3**

Les biomes aquatiques sont des systèmes diversifiés et dynamiques qui couvrent la majeure partie de la planète (p. 1286 à 1291)

- Les biomes aquatiques se caractérisent principalement par leur milieu physique plutôt que par le climat, et présentent souvent une stratification verticale, pour ce qui est de la pénétration de la lumière, de la température et de la structure des communautés. Dans les biomes marins, la teneur en sel est plus élevée que dans les biomes dulcicoles.
- Dans l'océan et dans la plupart des lacs, la **thermocline**, un gradient thermique abrupt, sépare la couche superficielle, uniformément chaude, et la couche profonde, uniformément froide.
- Plusieurs lacs tempérés subissent un **brassage saisonnier des eaux**, un mélange des eaux survenant au printemps et à l'automne, de sorte que l'eau riche en nutriments du fond remonte vers la surface et l'eau riche en O_2 descend de la surface vers le fond.

? Dans quel biome aquatique pourrait-on trouver une zone aphotique ?

CONCEPT 52.4

Les interactions des organismes entre eux et avec leur milieu limitent la répartition des espèces (p. 1291 à 1301)

- Les écologistes ne cherchent pas seulement à savoir *où* se trouvent les espèces, mais aussi *pourquoi* elles s'y trouvent.

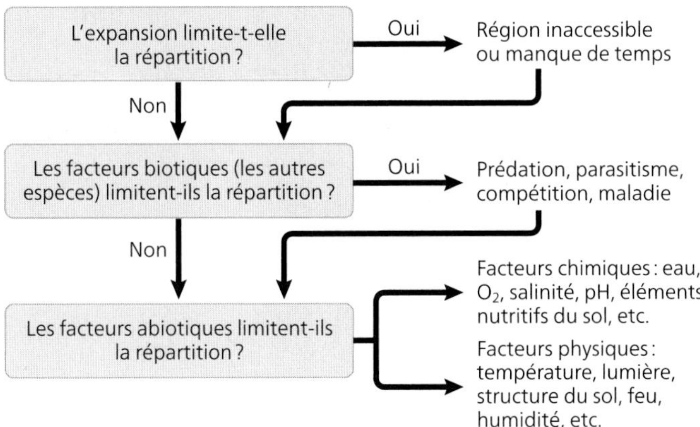

HABILETÉS VISUELLES ▶ Si, à titre d'écologiste, vous vous intéressiez aux limites chimiques et physiques de la répartition des espèces, comment modifieriez-vous le schéma ci-dessus ?

CONCEPT 52.5

Les changements écologiques et l'évolution s'influencent mutuellement sur de longues et de courtes périodes de temps (p. 1301 et 1302)

- Les interactions écologiques peuvent entraîner des changements évolutifs, comme cela se produit lorsque les prédateurs favorisent la sélection naturelle dans une population de proies.
- Inversement, un changement évolutif, comme l'augmentation de la fréquence d'un nouveau mécanisme de défense dans une population de proies, peut modifier le résultat d'interactions écologiques.

? Imaginez que des humains introduisent une espèce sur un nouveau continent où elle a peu de prédateurs ou de parasites. Comment cette introduction pourrait-elle entraîner des interactions écoévolutives ?

Évaluation

NIVEAU 1 : CONNAISSANCES ET COMPRÉHENSION

1. Parmi les domaines d'étude suivants, lequel s'intéresse à l'échange d'énergie, d'organismes et de matière entre les écosystèmes ?
a) Autécologie.
b) Écologie du paysage.
c) Écologie des écosystèmes.
d) Écologie des communautés.

2. Laquelle des zones suivantes serait absente d'un lac très peu profond ?
a) Zone benthique.
b) Zone aphotique.
c) Zone pélagique.
d) Zone littorale.

NIVEAU 2 : APPLICATION ET ANALYSE

3. Parmi les caractéristiques suivantes, laquelle est commune à tous les biomes terrestres ?
a) Répartition déterminée presque entièrement par la composition et la structure des roches et du sol.
b) Limites nettes entre des biomes adjacents.
c) Végétation présentant une stratification verticale.
d) Mois d'hiver froids.

4. Les océans influent sur la biosphère de toutes les façons suivantes, *sauf* :
a) en produisant une partie importante du O_2 de la biosphère.
b) en diminuant la quantité de CO_2 de l'atmosphère.
c) en modérant le climat des biomes terrestres.
d) en régulant le pH des biomes dulcicoles et des eaux souterraines.

5. Lequel des énoncés suivants concernant l'expansion est *inexact* ?
a) L'expansion est une composante commune des cycles de développement des végétaux et des animaux.
b) La colonisation de zones dévastées par des inondations ou des éruptions volcaniques dépend de l'expansion.
c) L'expansion n'a lieu qu'à l'échelle du temps de l'évolution.
d) La capacité à se disperser peut accroître la répartition géographique d'une espèce.

6. En escaladant les montagnes, on observe, dans les communautés biologiques, des transitions qui sont analogues aux changements que l'on rencontre :
a) dans les biomes à différentes latitudes.
b) à différentes profondeurs dans l'océan.
c) dans une communauté au fil des saisons.
d) dans un écosystème selon son évolution dans le temps.

7. Si on tient pour acquis que le nombre d'espèces d'oiseaux est principalement fonction du nombre de strates verticales se trouvant dans le milieu, dans lequel des biomes suivants trouverait-on le plus grand nombre d'espèces d'oiseaux ?
a) Forêt tropicale humide.
b) Savane.
c) Taïga.
d) Forêt décidue tempérée.

NIVEAU 3 : SYNTHÈSE ET ÉVALUATION

8. **ET SI ? ▶** Si le sens de rotation de la Terre se renversait, quel serait l'effet le plus prévisible ?
a) L'année serait beaucoup plus longue.
b) Les vents souffleraient d'ouest en est le long de l'équateur.
c) Les variations saisonnières diminueraient sous les latitudes élevées.
d) Il n'y aurait plus de courants océaniques.

9. **INTERPRÉTEZ DES DONNÉES ▶** Après avoir examiné la figure 52.19, vous décidez de mener votre propre étude sur les relations alimentaires entre les loutres de mer, les oursins et le varech. Vous savez que les loutres mangent des oursins et que les oursins mangent des algues. Vous mesurez l'abondance du varech, c'est-à-dire le pourcentage de l'aire couverte par les algues dans quatre sites côtiers. Vous passez ensuite une journée sur chaque site et relevez la présence ou l'absence de loutres toutes les cinq minutes, jusqu'au coucher du soleil. À partir des données ci-dessous, tracez un diagramme qui montre la relation entre l'abondance des algues (axe des *y*) et la densité de population des loutres (axe des *x*). Formulez ensuite une hypothèse pour expliquer la tendance observée.

Site	Densité des loutres (nombre d'observations/jour)	Abondance du varech (% de l'aire couverte)
1	98	75
2	18	15
3	85	60
4	36	25

Voir les réponses proposées à l'appendice A.

L'écologie des populations

53

VOS OUTILS INTERACTIFS

Consultez votre MANUEL NUMÉRIQUE, qui vous donne accès aux **animations**, aux **exercices** et à la plateforme d'**anatomie interactive**.

▲ **Figure 53.1 Pourquoi la survie des bébés tortues varie-t-elle grandement d'une année à l'autre ?**

CONCEPTS CLÉS

53.1 Des facteurs biotiques et abiotiques influent sur la densité et la dispersion des populations et sur leur démographie

53.2 Le modèle exponentiel décrit la croissance démographique dans un environnement idéal aux ressources illimitées

53.3 Le modèle logistique décrit comment la croissance démographique ralentit lorsqu'une population atteint la capacité limite du milieu

53.4 Les caractéristiques des cycles biologiques sont le produit de la sélection naturelle

53.5 Des facteurs dépendants de la densité régissent la croissance démographique

53.6 La population humaine n'augmente plus de manière exponentielle, mais croît néanmoins rapidement

La piste des tortues

Bon an mal an, sur la côte de la Floride, des milliers de tortues caouanes (*Caretta curette*) nouvellement écloses sous le sable se frayent un chemin vers la surface et descendent la plage afin d'entrer pour la première fois dans l'océan (**figure 53.1**). Combien de tortues réussissent à éclore, à vaincre les dangers qui les guettent sur la plage et à se rendre jusqu'à l'eau ? À vrai dire, ce nombre varie énormément d'une année à l'autre. Le nombre de femelles qui reviennent pour pondre fluctue, tout comme le nombre d'œufs dévorés par des ratons laveurs et d'autres prédateurs. Parmi tous les bébés tortues qui réussissent à sortir du sable, certains sont désorientés par la lumière et s'éloignent sans le savoir de l'océan ou sont mangés par des oiseaux ou des crabes avant de l'atteindre.

Lorsque des scientifiques se demandent comment des facteurs tels que les prédateurs et la lumière influent sur les populations de tortues caouanes, ils font de l'**écologie des populations**, une discipline qui étudie les populations sous l'angle de l'environnement. Cette discipline explore l'influence de facteurs biotiques et abiotiques sur l'abondance, la dispersion et la pyramide des âges des populations.

Rappelez-vous que les populations évoluent au gré des effets de la sélection naturelle sur les variations génétiques parmi les individus, en modifiant la fréquence des allèles et des caractères au fil du temps (voir le concept 23.3). L'évolution reste un fil conducteur tandis que nous entreprenons, dans ce chapitre, l'étude des populations dans un contexte écologique.

Nous aborderons ce chapitre en examinant quelques-unes des caractéristiques fondamentales des populations. Nous explorerons ensuite les outils et les modèles qu'utilisent les écologistes pour analyser les populations, ainsi que les facteurs qui peuvent déterminer l'abondance des organismes. Enfin, nous examinerons certaines tendances récentes quant à la taille et à la composition de la population humaine à la lumière de ces principes fondamentaux.

CONCEPT **53.1**

Des facteurs biotiques et abiotiques influent sur la densité et la dispersion des populations et sur leur démographie

Une **population** est un groupe d'individus de la même espèce vivant dans une aire géographique donnée, à un moment précis. Ces individus consomment les mêmes ressources et sont influencés par les mêmes facteurs écologiques. De plus, la probabilité qu'ils interagissent et se reproduisent entre eux est très élevée. Cette définition de la population convient bien lorsque les organismes étudiés sont unitaires, comme les humains, les chiens ou les éléphants. Par contre, elle est moins appropriée quand on veut l'appliquer aux organismes modulaires, comme plusieurs espèces végétales qui se reproduisent par bouturage et produisent de multiples clones de façon asexuée (voir le concept 38.2, et les figures 38.12 et 38.13). Il faut alors distinguer les individus génétiquement différents des clones. Habituellement, pour faciliter le travail, les clones sont comptés comme des individus à part entière. Certains animaux, comme les coraux et les éponges, ainsi que plusieurs eumycètes et eucaryotes unicellulaires sont eux aussi des organismes modulaires. On décrit souvent les populations selon leurs frontières et leur taille (soit le nombre d'individus vivant à l'intérieur de ces frontières). Pour étudier la dynamique des populations, les écologistes commencent par définir des limites géographiques appropriées aux organismes observés et aux questions posées. Les limites d'une population peuvent être naturelles, comme dans le cas d'une île ou d'un lac. Elles peuvent aussi être définies de façon arbitraire par les chercheurs, par exemple un comté du Sud du Québec destiné à l'étude des chênes blancs (*Quercus alba*).

La densité et la dispersion

La **densité de population** est le nombre d'individus par unité d'aire ou de volume, par exemple le nombre de chênes blancs par kilomètre carré dans un comté du Sud du Québec ou le nombre de bactéries *Escherichia coli* par millilitre d'eau dans une éprouvette. La **dispersion**, quant à elle, définit le mode d'espacement des individus à l'intérieur des limites géographiques de la population.

La densité de population : une perspective dynamique

Dans certains cas, on détermine la taille et la densité d'une population en comptant tous les individus qui se trouvent à l'intérieur de ses limites. Par exemple, on peut compter toutes les étoiles de mer (classe des astéridés) qui se trouvent dans une mare d'eau de mer laissée par la marée (ou étang à marée). On peut également dénombrer avec exactitude les troupeaux de grands mammifères en les comptant du haut des airs, comme on le fait notamment pour les caribous des bois (*Rangifer tarandus caribou*), les buffles africains (*Syncerus caffer*) et les éléphants de savane d'Afrique (*Loxodonta africana*).

Cependant, dans la plupart des cas, il est impossible de compter tous les individus d'une population. Les écologistes ont alors recours à diverses techniques d'échantillonnage pour estimer la densité et la taille des populations. Ainsi, pour évaluer la taille de la population de chênes blancs dans la totalité d'une zone, ils peuvent compter le nombre d'arbres qui se trouvent dans plusieurs lots (échantillons) de 100 m × 100 m choisis au hasard. Ils calculent ensuite la densité moyenne des arbres dans ces lots, puis ils estiment la taille de la population dans la totalité de la zone. L'exactitude des estimations augmente avec le nombre de lots étudiés et avec le degré d'homogénéité de l'habitat. Dans d'autres cas, au lieu de compter les organismes eux-mêmes, les écologistes estiment la densité à partir d'un quelconque indice de la taille de la population, comme le nombre de nids, de terriers, de traces ou de déjections. La **technique de capture-recapture** est une technique d'échantillonnage que les écologistes utilisent communément pour estimer les populations d'animaux sauvages (**figure 53.2**).

La densité n'est pas une propriété statique ; elle change au gré des ajouts et des retraits d'individus d'une population (**figure 53.3**). Les processus d'adjonction sont la natalité (quel que soit le mode de reproduction) et l'**immigration**, soit l'arrivée d'individus provenant d'autres régions. Les processus de soustraction sont la mortalité et l'**émigration**, soit le départ d'individus vers d'autres régions.

La densité de toutes les populations ne dépend pas uniquement de la natalité et de la mortalité : elle est également tributaire de l'immigration et de l'émigration, qui peuvent la faire varier de façon importante. Par exemple, des études portant sur la population de dauphins d'Hector (voir la figure 53.2) en Nouvelle-Zélande ont montré que l'immigration comptait pour environ 15 % de la taille de la population chaque année. L'émigration des dauphins dans cette région tend à survenir durant l'hiver, lorsque les animaux s'éloignent du littoral. À long terme, l'immigration et l'émigration correspondent toutes deux à des échanges importants entre les populations sur le plan biologique.

Les modes de dispersion d'une population

À l'intérieur de l'aire de répartition géographique, la densité de population peut présenter des variations locales considérables et produire des modes de dispersion différents. Les variations de la densité locale comptent parmi les principales caractéristiques étudiées par les écologistes des populations, car elles permettent de comprendre les facteurs biotiques et abiotiques qui influent sur les individus de la population.

Le mode de dispersion le plus courant est la dispersion *en agrégats*, les individus formant des groupes. Les végétaux et les eumycètes sont regroupés en agrégats dans certains sites, parce que les conditions du sol et les autres facteurs écologiques favorisent la germination et la croissance. Par exemple, des champignons peuvent se développer en groupes à l'intérieur ou à la surface de billes de bois en décomposition. Des insectes et des salamandres se regroupent sous les bûches, où l'humidité a tendance à être plus élevée que dans les endroits plus exposés.

DÉMARCHE SCIENTIFIQUE

MÉTHODE DE RECHERCHE

▼ **Figure 53.2**

Comment déterminer la taille d'une population à l'aide de la technique de capture-recapture ?

■ **APPLICATION** ■ Les écologistes ne peuvent compter tous les individus d'une population si ceux-ci se déplacent trop rapidement ou s'ils ne sont pas visibles. Dans de telles situations, les chercheurs ont souvent recours à la technique de capture-recapture pour estimer la taille d'une population. Andrew Gormley et ses collègues de la University of Otago ont appliqué cette méthode à une population menacée de dauphins d'Hector (*Cephalorhynchus hectori*) près de la péninsule de Banks, en Nouvelle-Zélande.

► **Dauphins d'Hector.**

■ **TECHNIQUE** ■ Les scientifiques commencent généralement par capturer un échantillon aléatoire d'individus. Ils marquent les animaux à l'aide d'étiquettes, puis les relâchent. Pour certaines espèces, les chercheurs identifient des individus sans les capturer pour autant. Par exemple, Gormley et ses collègues ont identifié 180 dauphins d'Hector en photographiant, de leurs bateaux, les nageoires dorsales caractéristiques de cette espèce.

Après avoir laissé le temps aux individus marqués, ou identifiés autrement, de se mêler à la population – c'est-à-dire quelques jours ou quelques semaines –, les scientifiques capturent ou échantillonnent un deuxième groupe d'individus. Près de la péninsule de Banks, Gormley et son équipe sont tombés sur 44 dauphins lors de leur second échantillonnage, dont 7 qu'ils avaient photographiés la première fois. Le nombre d'animaux marqués capturés pour ce second échantillonnage (x), divisé par le nombre total d'individus capturés lors de cet échantillonnage (n), devrait correspondre au nombre d'individus marqués et relâchés lors du premier échantillonnage (s), divisé par la taille estimée de la population (N) :

$$\frac{x}{n} = \frac{s}{N} \text{ ou, pour connaître la taille de la population, } N = \frac{sn}{x}$$

Cette méthode présume que les individus marqués et non marqués présentent la même probabilité d'être capturés ou échantillonnés, que les organismes marqués ont bien réintégré la population et qu'aucun individu n'est né, n'a immigré ou émigré entre les deux échantillonnages.

■ **RÉSULTATS** ■ Selon ces données initiales, la population estimée de dauphins d'Hector près de la péninsule de Banks correspondrait à 180 × 44/7 = 1 131 individus. Les échantillons pris ultérieurement par Gormley et ses collègues laissent supposer que la population tourne plutôt autour de 1 100 individus.

Source des données: A. M. Gormley et coll., Capture-recapture estimates of Hector's dolphin abundance at Banks Peninsula, New Zealand, *Marine Mammal Science* 21 : 204-216 (2005).

INTERPRÉTEZ LES DONNÉES ► Si aucun des 44 dauphins capturés lors du second échantillonnage n'avait été photographié au premier échantillonnage, seriez-vous capable de résoudre l'équation et de trouver la valeur de N ? Que pourriez-vous conclure au sujet de la taille de la population, dans ce cas ?

▼ **Figure 53.3 La dynamique des populations.**

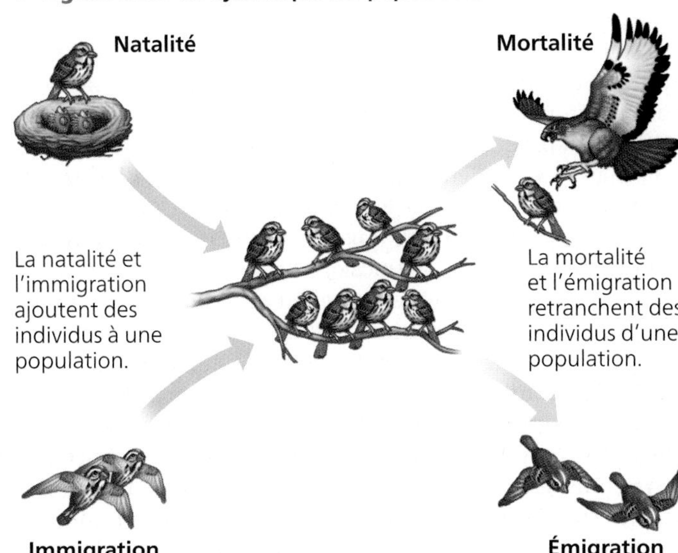

Natalité
Mortalité
La natalité et l'immigration ajoutent des individus à une population.
La mortalité et l'émigration retranchent des individus d'une population.
Immigration
Émigration

L'agrégation d'animaux est aussi liée au comportement d'accouplement. Ainsi, les étoiles de mer se regroupent dans des bâches (petits étangs formés à marée descendante), où elles trouvent de la nourriture et peuvent se reproduire facilement (**figure 53.4a**). L'agrégation peut également améliorer l'efficacité de prédation ou de défense ; par exemple, une meute de loups a plus de chances qu'un individu seul de capturer une grosse proie comme un orignal, et une volée d'oiseaux a de meilleures chances qu'un seul d'être avertie d'un danger imminent.

La dispersion *uniforme*, dans laquelle les individus sont également répartis, résulte souvent d'interactions directes entre les membres de la population. Par exemple, certaines plantes sécrètent des substances chimiques qui inhibent autour d'elles la germination et la croissance d'espèces avec lesquelles elles sont en compétition pour les ressources. Dans les populations animales, une dispersion uniforme peut résulter d'interactions sociales agressives, notamment de la **territorialité**, un comportement qui consiste à empêcher d'autres individus de pénétrer dans un espace physique circonscrit (**figure 53.4b**).

▼ **Figure 53.4** **Les modes de dispersion à l'intérieur de l'aire de répartition géographique d'une population.**

(a) Dispersion en agrégats

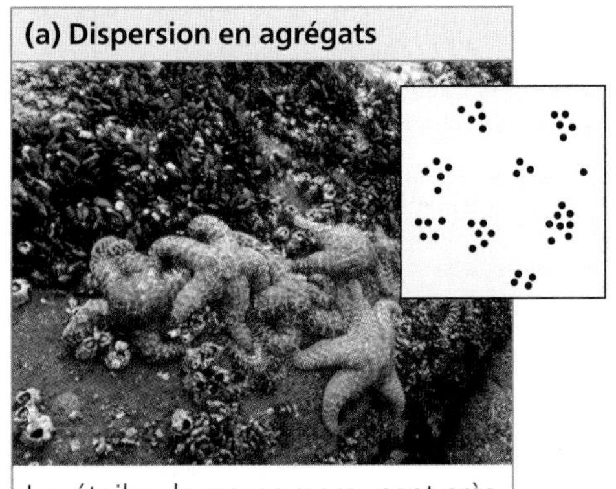

Les étoiles de mer se regroupent près de sources de nourriture.

(b) Dispersion uniforme

Les manchots royaux (*Aptenodytes patagonica*) présentent une dispersion presque uniforme, maintenue par des interactions agressives entre voisins.

(c) Dispersion aléatoire

Transportées par le vent, les graines de pissenlit (*Taraxacum sp.*) se posent au hasard avant de germer.

? Les modes de dispersion peuvent sembler différents selon l'échelle. Vu d'un avion survolant la banquise, à quoi pourrait ressembler le mode de dispersion des manchots royaux ?

Selon la dispersion *aléatoire* (dispersion imprévisible), l'endroit qu'occupe chaque individu est indépendant de celui des autres. On observe ce mode de dispersion en l'absence d'attirances ou de répulsions marquées entre les individus d'une population ou quand les principaux facteurs physiques ou chimiques sont relativement homogènes dans le territoire étudié. Ainsi, les plantes qui poussent à partir de graines transportées par le vent, comme les pissenlits (*Taraxacum sp.*), sont quelquefois réparties au hasard dans un habitat assez uniforme (**figure 53.4c**).

La démographie

Les facteurs biotiques et abiotiques qui influent sur la densité et le mode de dispersion des populations ont aussi une incidence sur d'autres caractéristiques, telles que les taux de natalité, de mortalité et de migration. L'étude quantitative des populations et de leurs variations au fil du temps est appelée **démographie**. Les tables de survie constituent un moyen efficace de résumer les données démographiques d'une population.

Les tables de survie

Une **table de survie** permet de calculer les taux de survie et de reproduction des individus d'une population, par groupes d'âge. Pour construire une telle table, les chercheurs suivent souvent, de la naissance jusqu'à la mort, la destinée d'une **cohorte,** c'est-à-dire d'un groupe d'individus du même âge. Ils déterminent la proportion de la cohorte qui survit, d'un groupe d'âge à l'autre, et calculent le nombre de descendants produits par les femelles de chaque groupe d'âge.

Les démographes qui étudient des espèces à reproduction sexuée choisissent souvent de ne tenir compte que des femelles d'une population, car seules les femelles ont des petits. Selon cette méthode, une population se compose des femelles donnant naissance à de nouvelles femelles. Le **tableau 53.1** présente une table de survie construite selon cette méthode pour les spermophiles de Belding (*Urocitellus beldingi*) provenant d'une population vivant dans les montagnes de la Sierra Nevada en Californie. Dans la prochaine section, nous examinerons les données présentées dans une table de survie.

Les courbes de survie

On peut représenter graphiquement les taux de survie d'une table de survie en traçant une **courbe de survie**, c'est-à-dire en indiquant la proportion ou le nombre de survivants d'une cohorte en fonction de l'âge. À l'aide des données se rapportant aux spermophiles de Belding femelles présentées au tableau 53.1, construisons une courbe de survie pour cette population. Souvent, on commence avec une cohorte de taille pertinente, disons 1 000 individus. Pour obtenir les autres points de la courbe pour la population de spermophiles de Belding, on multiplie la proportion de survivants du début de chaque intervalle (troisième colonne du tableau 53.1) par 1 000 (la cohorte de départ hypothétique). On obtient ainsi le nombre de survivants au début de chaque intervalle. La **figure 53.5** montre un graphique opposant ces nombres à l'âge des femelles. Les lignes assez droites du graphique indiquent un taux de mortalité relativement constant.

La figure 53.5 ne représente qu'une des nombreuses courbes de survie qu'on peut observer chez les populations naturelles. À travers toute cette diversité, on peut distinguer trois grands types de courbes de survie (**figure 53.6**). La courbe de type I présente un segment initial relativement plat qui correspond à de faibles taux de mortalité chez les jeunes et les adultes. Puis, elle s'infléchit brusquement lorsque les taux de mortalité augmentent dans les groupes d'individus âgés. De nombreux grands mammifères qui produisent un nombre relativement faible de rejetons mais leur prodiguent beaucoup de soins, dont l'humain et l'éléphant, ont une courbe de survie de type I.

À l'opposé, la courbe de type III montre un segment initial très incliné, proche de la verticale, reflétant un fort taux de mortalité chez les jeunes. Puis elle s'aplatit à mesure que les taux de mortalité diminuent chez les rares individus qui ont survécu à ces premières années où ils étaient exposés à de grands dangers. Ce type de courbe s'observe chez des organismes qui, tels les végétaux de grande longévité, de nombreux poissons et la plupart des invertébrés marins, produisent un très grand nombre de rejetons mais ne s'en occupent à peu près pas. Par exemple, une huître du genre *Ostrea* libère des millions d'œufs, mais la plupart des larves sont dévorées ou meurent. Cependant, les

Tableau 53.1 Table de survie d'une cohorte de spermophiles de Belding femelles (Tioga Pass, dans la chaîne de la Sierra Nevada, en Californie)

Âge (années)	Nombre d'individus vivants au début de l'intervalle	Proportion d'individus vivants au début de l'intervalle*	Taux de mortalité†	Nombre moyen de descendants femelles par femelle
0-1	653	1,000	0,614	0,00
1-2	252	0,386	0,496	1,07
2-3	127	0,197	0,472	1,87
3-4	67	0,106	0,478	2,21
4-5	35	0,054	0,457	2,59
5-6	19	0,029	0,526	2,08
6-7	9	0,014	0,444	1,70
7-8	5	0,008	0,200	1,93
8-9	4	0,006	0,750	1,93
9-10	1	0,002	1,00	1,58

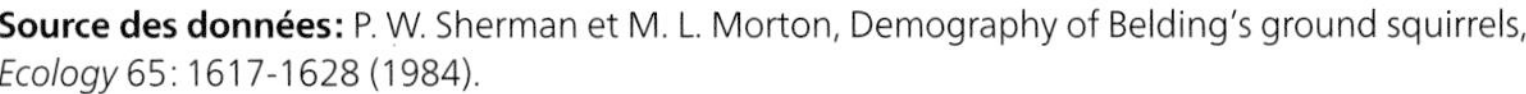

Source des données: P. W. Sherman et M. L. Morton, Demography of Belding's ground squirrels, *Ecology* 65: 1617-1628 (1984).

* Indique la proportion de la cohorte initiale de 653 individus encore en vie au début de l'intervalle.

† Le taux de mortalité est la proportion d'individus qui meurent durant l'intervalle.

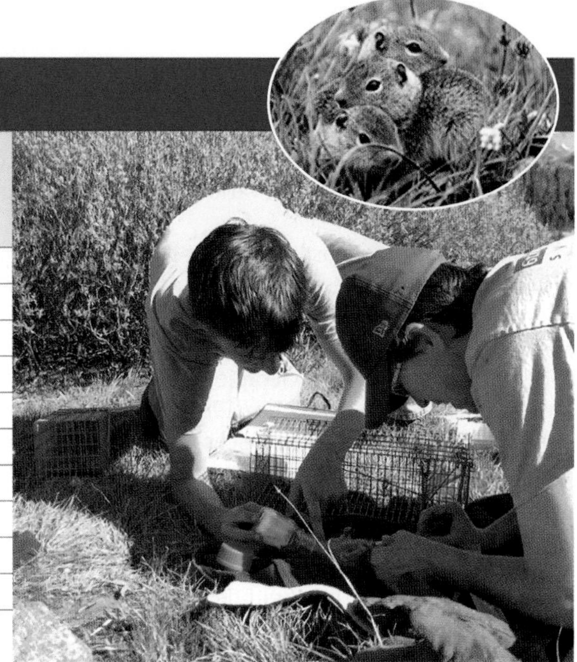

▲ **Chercheurs travaillant avec un spermophile de Belding.**

rares individus qui survivent assez longtemps pour se fixer à un substrat approprié et pour sécréter une coquille rigide ont une espérance de vie relativement longue. Enfin, la courbe de type II se situe à mi-chemin entre les deux autres. Elle correspond à un taux de mortalité constant au cours de la vie des individus d'une population. On obtient ce type de courbe pour les spermophiles de Belding de même que pour certains autres rongeurs, de nombreux invertébrés, les lézards et les plantes annuelles.

De nombreuses espèces se caractérisent par des courbes intermédiaires ou plus complexes que les courbes I, II et III. Ainsi, les oiseaux ont un taux de mortalité souvent élevé parmi les individus les plus jeunes (comme dans la courbe de type III), mais plutôt constant parmi les adultes (comme dans la courbe de type II). Certains invertébrés, tels que les crabes, ont une courbe «en escalier»: le taux de mortalité s'élève pendant les périodes de mue (durant lesquelles ces animaux sont vulnérables ou présentent des troubles physiologiques), puis il diminue pendant les périodes où leur exosquelette protecteur est rigide.

Lorsque l'immigration et l'émigration sont minimes, la survie constitue l'un des deux facteurs importants qui déterminent les variations de taille des populations. Nous allons maintenant étudier le taux de reproduction, l'autre facteur qui influe de façon marquée sur la variation de la taille d'une population au fil du temps.

Le taux de reproduction

Comme nous l'avons mentionné plus tôt, les démographes ne tiennent généralement pas compte des mâles et s'occupent surtout des femelles de la population, parce qu'elles seules donnent

▼ **Figure 53.5 La courbe de survie des femelles chez le spermophile de Belding.** L'échelle logarithmique employée ici permet d'observer les changements dans le nombre de survivants d'un bout à l'autre de l'intervalle de variation (de 2 à 1 000 individus) du graphique.

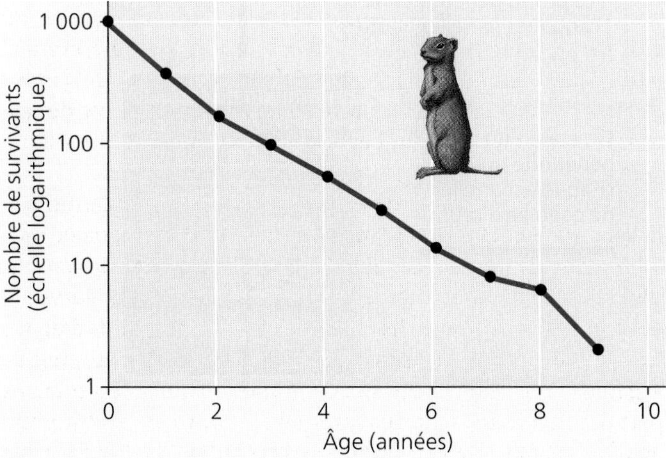

? Quel pourcentage des femelles atteignent trois années de vie?

▼ **Figure 53.6 Les courbes de survie: types I, II et III.** L'axe des *y* est logarithmique et l'axe des *x* est relatif, si bien qu'on peut comparer sur un même graphique des espèces dont la durée de vie varie grandement.

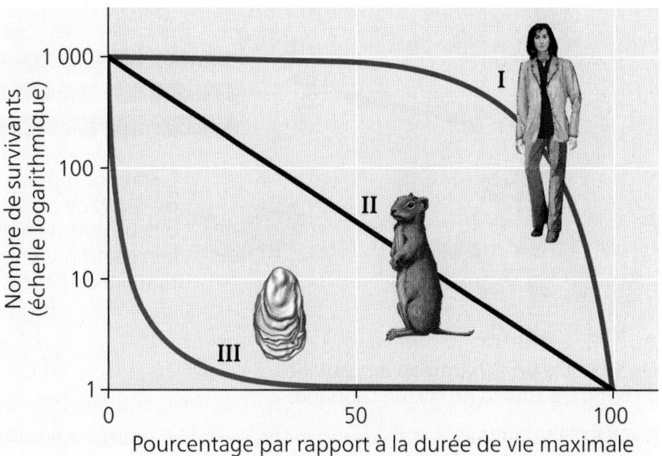

naissance à des rejetons. Ils envisagent donc les populations en fonction des femelles qui donnent naissance à de nouvelles femelles. La manière la plus simple de décrire le modèle de reproduction d'une population consiste à se demander comment l'efficacité de la reproduction varie avec le nombre de génitrices et leur âge.

Comment les écologistes estiment-ils le nombre de génitrices d'une population ? Il est possible de procéder soit par recensement direct, soit par capture-recapture (voir la figure 53.2), mais aussi de recourir aux outils moléculaires. Par exemple, des scientifiques qui travaillent en Géorgie, aux États-Unis, ont recueilli des échantillons de peau chez 198 tortues caouanes femelles entre 2005 et 2009. À partir de ces échantillons, ils ont multiplié des séquences répétitives courtes en tandem (STR) de l'ADN génomique correspondant à 14 locus, par amplification en chaîne par polymérase (PCR), puis ils ont établi le profil génétique de chaque femelle (**figure 53.7**). Ils ont ensuite extrait de l'ADN d'une coquille d'œuf de chaque nid de tortue sur les plages étudiées et, après avoir comparé avec les profils génétiques de leur base de données, ils ont fait correspondre chaque nid à une femelle. Grâce à cette méthode, les chercheurs ont pu déterminer la proportion des 198 femelles qui avait pondu (et le nombre de rejetons produits par chacune) sans avoir à déranger les femelles durant la ponte.

Pour les espèces à reproduction sexuée comme les oiseaux et les mammifères, l'efficacité de la reproduction correspond habituellement au nombre moyen de rejetons femelles produits par les femelles d'un groupe d'âge donné. Dans certains cas, les chercheurs peuvent compter directement le nombre de rejetons de chaque femelle; autrement, ils peuvent recourir à des méthodes moléculaires (voir la figure 53.7). C'est ainsi qu'on a pu recenser les rejetons des spermophiles de Belding, qui commencent à se reproduire à l'âge d'un an. Le nombre de rejetons augmente jusqu'à atteindre un maximum chez les femelles âgées de quatre ou cinq ans. Puis il diminue chez les plus vieilles (voir le tableau 53.1).

Les taux de reproduction en fonction des groupes d'âge varient beaucoup selon les espèces. Les écureuils (de la famille des sciuridés), par exemple, ont des portées de deux à six petits par année pendant moins d'une décennie, alors que les chênes blancs laissent tomber des milliers de glands chaque année pendant des dizaines ou des centaines d'années. Les moules

▼ **Figure 53.7 L'utilisation des profils génétiques à partir de coquilles d'œufs de tortues caouanes pour recenser les femelles qui ont pondu.**

Étape 1 : Établir la base de données

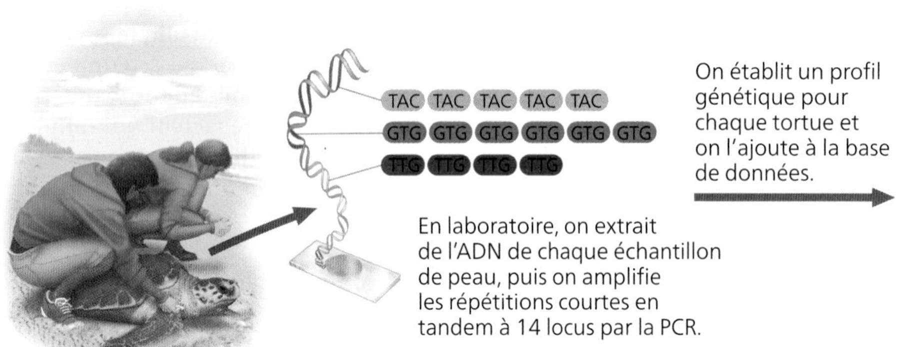
TAC TAC TAC TAC TAC
GTG GTG GTG GTG GTG GTG
TTG TTG TTG TTG
En laboratoire, on extrait de l'ADN de chaque échantillon de peau, puis on amplifie les répétitions courtes en tandem à 14 locus par la PCR.
On établit un profil génétique pour chaque tortue et on l'ajoute à la base de données.
Génitrice n° 108
Génitrice n° 109

On prélève des échantillons de peau des tortues caouanes femelles.

On compare le profil génétique de l'échantillon de coquille d'œuf avec les profils génétiques d'une base de données contenant les profils génétiques de tortues caouanes femelles adultes.

Un appariement permet de reconnaître la femelle qui a pondu les œufs du nid.

Étape 2 : Comparer les échantillons de la base de données

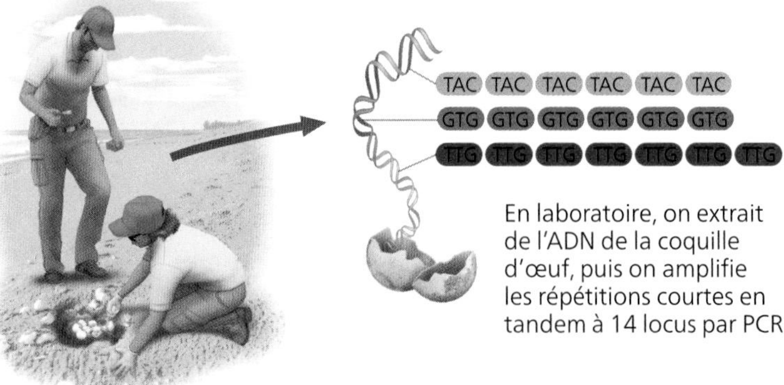
TAC TAC TAC TAC TAC TAC
GTG GTG GTG GTG GTG GTG
TTG TTG TTG TTG TTG TTG TTG
En laboratoire, on extrait de l'ADN de la coquille d'œuf, puis on amplifie les répétitions courtes en tandem à 14 locus par PCR.

On recueille un échantillon de coquille d'œuf dans un nid de tortue caouane.

On établit un profil génétique pour chaque échantillon de coquille d'œuf.

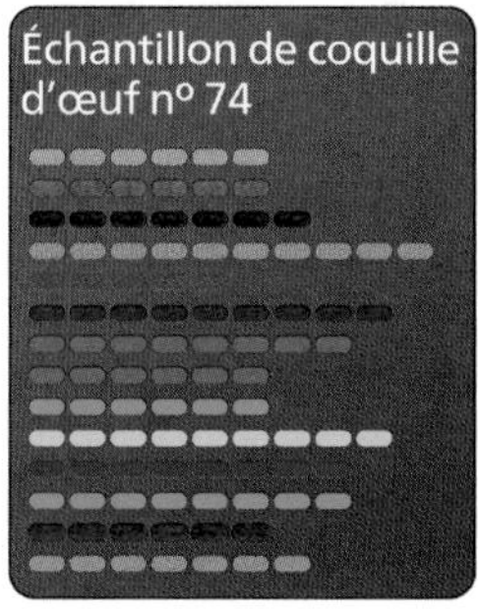
Échantillon de coquille d'œuf n° 74

HABILETÉS VISUELLES ▶ À l'aide des profils illustrés ici, indiquez quelle femelle a pondu les œufs du nid où l'on a recueilli l'échantillon de coquille d'œuf n° 74.

et d'autres invertébrés peuvent libérer des millions d'œufs et de spermatozoïdes dans un cycle de frai. Néanmoins, un taux de reproduction élevé n'entraînera pas une croissance rapide de la population à moins que les rejetons ne jouissent de conditions à peu près idéales à leur croissance et à leur survie. C'est ce que nous verrons dans la prochaine section.

RETOUR SUR LE CONCEPT 53.1

1. **FAITES UN DESSIN ▶** Chaque femelle d'une certaine espèce de poissons produit chaque année des millions d'œufs. Dessinez la courbe de survie la plus plausible pour cette espèce et expliquez votre choix.
2. **ET SI ? ▶** Imaginez que vous construisez une table de survie comme celle du tableau 53.1, mais pour une population différente de spermophiles de Belding. Si 485 individus sont en vie au début de l'année 0-1 et que 218 sont toujours en vie au début de l'année 1-2, quelle est la proportion d'individus en vie au début de chacune de ces années (voir la colonne 3 du tableau 53.1) ?
3. **FAITES DES LIENS ▶** L'épinoche à trois épines (*Gasterosteus aculeatus*) mâle attaque les autres mâles qui empiètent sur son territoire de reproduction (voir la figure 51.2a). Présumez le mode de dispersion probable des mâles de cette espèce et expliquez votre raisonnement.

Voir les réponses proposées à l'appendice A.

CONCEPT 53.2

Le modèle exponentiel décrit la croissance démographique dans un environnement idéal aux ressources illimitées

Toutes les populations, quelle que soit l'espèce, font preuve d'un extraordinaire potentiel de développement lorsque les ressources sont abondantes. Pour avoir une idée du potentiel de croissance d'une population, imaginons une seule bactérie qui se reproduirait par scissiparité toutes les 20 minutes dans des conditions de laboratoire idéales. Il y aurait 2 bactéries au bout de 20 minutes, puis 4 au bout de 40 minutes et 8 au bout de 60 minutes. Si le processus se poursuivait à ce rythme pendant un jour et demi sans mortalité, la population bactérienne serait si nombreuse qu'elle formerait une couche de 30 cm d'épaisseur autour de la Terre. Mais la croissance sans limite ne dure jamais longtemps dans la nature, car les ressources auxquelles les individus ont habituellement accès deviennent moins abondantes à mesure que la population croît. Néanmoins, les écologistes étudient la croissance démographique dans un environnement idéal aux ressources illimitées afin de découvrir les capacités maximales de croissance des populations et les conditions dans lesquelles cette croissance rapide peut s'exprimer.

La variation de la taille de la population

Imaginons une population composée de quelques individus vivant dans un milieu idéal, sans limites de ressources. Dans ces conditions, rien n'entrave l'obtention d'énergie, la croissance ni la reproduction de ces organismes. La taille de la population augmente chaque fois qu'un organisme naît ou immigre ; elle diminue chaque fois qu'un organisme meurt ou émigre. L'équation descriptive suivante exprime la variation de la taille de la population au cours d'une période donnée :

$$\begin{matrix}\text{Variation}\\\text{de la taille}\\\text{de la}\\\text{population}\end{matrix} = \text{Naissances} + \text{Immigrants} - \text{Morts} - \text{Émigrants}$$

Pour l'instant, nous allons simplifier nos calculs et ne pas tenir compte de l'immigration ou de l'émigration.

La notation mathématique permet de décrire cette équation simplifiée de façon plus concise. Ainsi, si N représente la taille de la population, et t, le temps, alors ΔN est la variation de taille de la population, et Δt, la période considérée (appropriée à la longévité et au temps de génération de l'espèce) durant laquelle nous évaluons la croissance de la population. La lettre grecque Δ indique une variation, comme dans la variation du temps. En utilisant B (pour *birth*, « naissance ») pour indiquer le nombre de naissances survenues dans la population pendant la période, et M, pour le nombre de morts, nous pouvons récrire l'équation descriptive comme suit :

$$\frac{\Delta N}{\Delta t} = B - M$$

Habituellement, les écologistes des populations s'intéressent surtout aux variations de la taille d'une population, c'est-à-dire au nombre d'individus qui s'ajoutent à une population, ou qui s'en soustraient, au cours d'une période donnée, représenté par R. Ici, R correspond à la *différence* entre le nombre de naissances (B) et le nombre de morts (M) qui surviennent au cours de cette période. Donc, $R = B - M$, ce que l'on peut simplifier comme suit :

$$\frac{\Delta N}{\Delta t} = R$$

Nous pouvons maintenant convertir cette équation en un modèle dans lequel on exprime par individu (*per capita*) la variation de la taille de la population. La variation de la taille de la population *par individu* ($r_{\Delta t}$) est la part de chaque membre représentatif de la population par rapport au nombre d'individus qui s'ajoutent à la population ou qui s'en retranchent durant l'intervalle de temps Δt. Par exemple, si une population de 1 000 individus s'accroît de 16 individus par année, alors la variation annuelle de sa taille, par individu, est de 16/1 000, ou 0,016. Si nous connaissons la variation annuelle de la taille d'une population, par individu, nous pouvons utiliser la formule $R = r_{\Delta t}N$ pour calculer le nombre d'individus qui s'ajouteront à population ou qui en disparaîtront annuellement. Par exemple, si $r_{\Delta t} = 0{,}016$ et si la taille de la population est de 500,

$$R = r_{\Delta t}N = 0{,}016 \times 500 = 8 \text{ par année}$$

Puisque le nombre d'individus dont la population s'accroît ou décroît (R) peut s'exprimer par individu avec l'équation $R = r_{\Delta t}N$, nous pouvons récrire l'équation exprimant la croissance démographique en tenant compte de ceci :

$$\frac{\Delta N}{\Delta t} = r_{\Delta t}N$$

Gardez à l'esprit que cette équation s'applique pour un intervalle de temps précis (souvent établi à un an). De nombreux écologistes préfèrent cependant employer la notation du calcul différentiel pour exprimer la croissance démographique sous forme de taux de variation *à n'importe quel moment dans le temps* :

$$\frac{dN}{dt} = rN$$

Dans ce dernier cas, r désigne simplement la variation de la taille d'une population, par individu, qui se produit à n'importe quel moment dans le temps (alors que $r_{\Delta t}$ représentait la variation par individu qui se produisait durant l'intervalle de temps Δt). Si vous ne connaissez pas le calcul différentiel, ne vous laissez pas intimider par cette dernière équation. Elle est semblable à la précédente, sauf que la période Δt est très courte et est exprimée dans l'équation par dt. En fait, lorsque Δt raccourcit, la variable $r_{\Delta t}$ est de plus en plus proche de la valeur r.

La croissance exponentielle

Au début de la section, nous avons évoqué une population dont les membres ont tous accès à une nourriture abondante et se reproduisent autant que leur capacité physiologique le permet. Dans certains cas, une population vivant dans ces conditions idéales s'accroît selon une proportion constante à n'importe quel moment dans le temps. Lorsqu'il en est ainsi, on qualifie ce modèle de croissance de **croissance démographique exponentielle**. L'équation exprimant la croissance démographique exponentielle est celle présentée à la fin de la section précédente, soit :

$$\frac{dN}{dt} = rN$$

Dans cette équation, dN/dt représente le taux de croissance de la taille de la population à n'importe quel moment dans le temps (aussi appelé potentiel biotique), un peu comme l'indicateur de vitesse d'une voiture indique la vitesse à laquelle la voiture roule à l'instant où on y jette un œil. Comme nous l'avons vu plus haut, dN/dt correspond à la taille actuelle de la population, N, multipliée par une constante, r. Les écologistes appellent r le **taux intrinsèque de croissance**, qui est le taux, par individu, auquel augmente la taille d'une population qui croît de façon exponentielle à tout moment.

La taille d'une population qui s'accroît de façon exponentielle augmente à une vitesse constante par individu. Quand on la représente sous forme graphique en fonction du temps, on obtient une courbe en J (**figure 53.8**). Bien que le taux de croissance de la population, par individu, soit constant (et égal à r), une grande population s'adjoint en fait plus de nouveaux individus par unité de temps qu'une petite population. Par conséquent, la pente des courbes montrées à la figure 53.8 devient plus prononcée avec le temps. En effet, la croissance dépend autant de N que de r, et donc les grandes populations connaissent plus de naissances (et de morts) que les petites populations ayant pourtant le même taux de croissance par individu. Il est également clair, d'après la figure 53.8, que sur deux populations celle qui a un taux de croissance plus élevé ($dN/dt = 1{,}0N$) s'accroîtra plus rapidement que celle qui a un taux de croissance plus faible ($dN/dt = 0{,}5N$).

▼ **Figure 53.8 La croissance démographique selon le modèle exponentiel.** Ce graphique compare la croissance d'une population dont la valeur $r = 1{,}0$ (courbe bleue) à la croissance d'une population dont la valeur $r = 0{,}5$ (courbe rouge).

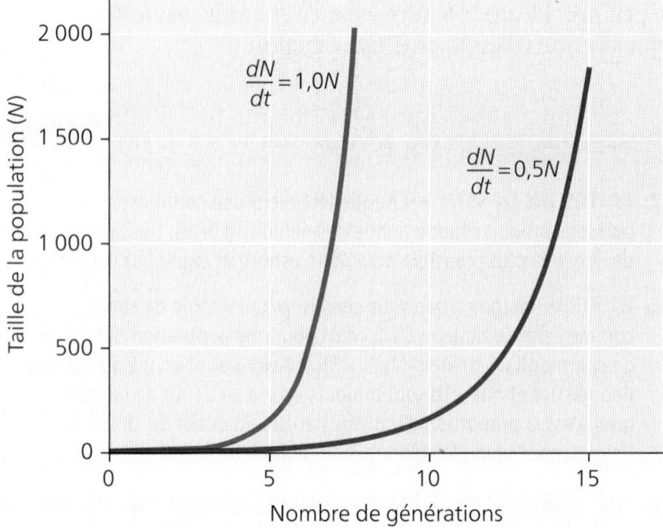

? Dans combien de générations ces populations atteindront-elles la taille de 1 500 individus ?

La courbe de croissance exponentielle en forme de J est caractéristique de certaines populations introduites dans de nouveaux habitats ou de populations qui se mettent à augmenter après avoir été décimées par un événement catastrophique. Par exemple, la population d'éléphants dans le Kruger National Park, en Afrique du Sud, a connu une croissance exponentielle pendant environ 60 ans après qu'on a pris des mesures pour les protéger des chasseurs (**figure 53.9**). La population de plus en plus grande d'éléphants a fini par endommager la végétation du parc à un point tel que la nourriture aurait pu commencer à manquer. La famine aurait alors mis fin à la croissance démographique. Pour protéger d'autres espèces et l'écosystème du parc avant que cela ne se produise, les autorités ont décidé de limiter la population d'éléphants en administrant des agents contraceptifs aux femelles et en déportant des individus vers d'autres pays.

▼ **Figure 53.9 La croissance exponentielle de la population d'éléphants dans le Kruger National Park, en Afrique du Sud.**

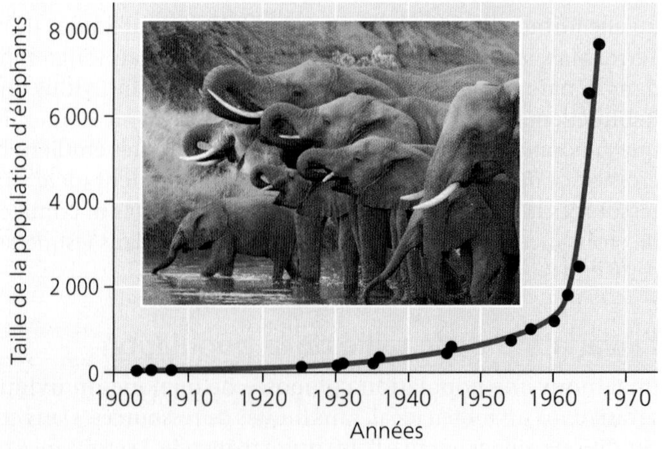

RETOUR SUR LE CONCEPT 53.2

1. Expliquez pourquoi, dans une population, un taux de croissance constant par individu (r) se traduit par une courbe en forme de J.

2. Sur quel territoire une population de plantes a-t-elle le plus de chances de connaître une croissance exponentielle : sur le site d'une forêt détruite par le feu ou dans une forêt humide mature, exempte de perturbations ? Pourquoi ?

3. **ET SI ?** ▶ En 2014, la population des États-Unis comptait environ 320 millions d'individus. Si la variation (annuelle) de la taille de la population par individu ($r_{\Delta t}$) était de 0,005, combien d'individus se sont ajoutés à la population cette année-là (sans tenir compte de l'immigration et de l'émigration) ? Que devriez-vous savoir pour être en mesure de déterminer si la population des États-Unis connaît actuellement une croissance exponentielle ? Expliquez votre réponse.

Voir les réponses proposées à l'appendice A.

CONCEPT 53.3

Le modèle logistique décrit comment la croissance démographique ralentit lorsqu'une population atteint la capacité limite du milieu

Le modèle de croissance exponentielle suppose que les ressources demeurent abondantes, ce qui se produit rarement dans la réalité. Lorsque la densité d'une population augmente, il s'avère plutôt que la part des ressources revenant à chacun des membres s'amenuise. Par conséquent, le nombre d'individus qui peuvent occuper un habitat n'est pas infini. Les écologistes appellent **capacité limite du milieu** (ou capacité de support) le nombre maximal d'individus d'une population capables de vivre dans un milieu au cours d'une période donnée, sans dégradation de l'habitat. La capacité limite du milieu, notée K, varie dans le temps et dans l'espace en fonction de l'abondance des ressources. Cependant, l'énergie, les abris, les refuges contre les prédateurs, la disponibilité des éléments nutritifs, l'eau et les sites appropriés de nidification peuvent être des facteurs limitants. Par exemple, pour des chauves-souris, la capacité limite du milieu peut être élevée dans un habitat où les insectes aériens sont abondants et où il y a des cavernes pour le repos, et plus faible dans un habitat où la nourriture est abondante mais où les abris convenables font défaut.

La surpopulation et l'épuisement des ressources peuvent avoir un effet marqué sur le taux de croissance démographique. Si les individus n'obtiennent pas les ressources en quantité suffisante pour se reproduire, le taux de natalité par individu décroît. De même, si la famine ou la maladie augmentent avec la densité, le taux de mortalité par individu s'élèvera. Une diminution du taux de natalité par individu ou une augmentation du taux de mortalité par individu fera baisser le taux de croissance par individu. Il s'agit là d'une situation très différente de la croissance exponentielle où le taux de croissance par individu (r) est constant.

Le modèle logistique de croissance démographique

Nous pouvons modifier notre modèle mathématique pour lui faire exprimer la diminution du taux de croissance de la population par individu à mesure que N augmente. Selon le **modèle logistique de croissance démographique**, le taux de croissance par individu s'approche de zéro lorsque la taille de la population s'approche de sa capacité limite (K).

Mathématiquement, nous pouvons construire le modèle logistique en ajoutant au modèle exponentiel une expression qui réduit la valeur du taux de croissance par individu quand N augmente. Si la capacité limite du milieu est K, alors l'expression $K - N$ indique le nombre d'individus qui peuvent s'ajouter au milieu, et l'expression $(K - N)/K$ représente le pourcentage de K qui admet encore une croissance démographique. En multipliant le taux exponentiel de croissance démographique rN par $(K - N)/K$, nous réduisons la valeur du taux de croissance à mesure que N augmente :

$$\frac{dN}{dt} = rN\frac{(K - N)}{K}$$

Lorsque la valeur de N est faible comparée à celle de K, la valeur de $(K - N)/K$ s'approche de 1. Dans ce cas, le taux de croissance par individu $r\,(K - N)/K$ s'approche du taux intrinsèque de croissance que nous avons vu dans la croissance exponentielle de la population. Mais quand la valeur de N est élevée et que les ressources diminuent, la valeur de $(K - N)/K$ avoisine 0, et le taux de croissance par individu est faible. La population se stabilise lorsque N égale K. Le **tableau 53.2** présente les taux de croissance démographique pour une population hypothétique qui croît selon le modèle logistique, où r = 1,0 par individu par année. Remarquez que le taux de croissance démographique global est à son maximum, soit +375 individus par année, lorsque la population atteint 750, ce qui équivaut à la moitié de la capacité limite du milieu. Lorsque la taille de la population arrive à 750 individus, le taux de croissance par individu demeure relativement élevé (la moitié de la valeur de r), et les individus reproducteurs (N) sont alors beaucoup plus nombreux que dans des populations de plus petite taille.

Tableau 53.2 La croissance logistique d'une population hypothétique (K = 1 500)

Taille de la population N	Taux intrinsèque de croissance r	$\frac{(K-N)}{K}$	Taux de croissance par individu $r\frac{(K-N)}{K}$	Taux de croissance démographique* $rN\frac{(K-N)}{K}$
25	1,0	0,983	0,983	+25
100	1,0	0,933	0,933	+93
250	1,0	0,833	0,833	+208
500	1,0	0,667	0,667	+333
750	1,0	0,500	0,500	+375
1 000	1,0	0,333	0,333	+333
1 500	1,0	0,000	0,000	0

* Arrondi au nombre entier près.

Comme le montre la **figure 53.10**, le modèle logistique de croissance démographique produit une courbe sigmoïde (en forme de S) quand on représente N sous forme graphique en fonction du temps (ligne rouge). L'accroissement est plus rapide dans le cas d'une population de taille intermédiaire, c'est-à-dire lorsque les individus reproducteurs sont nombreux, mais que l'espace et les autres ressources sont encore abondants. Le nombre d'individus qui s'ajoutent à la population diminue radicalement quand N s'approche de K.

▼ **Figure 53.10 La prédiction de la croissance démographique au moyen du modèle logistique.** Le taux de croissance démographique diminue au fur et à mesure que la taille de la population (N) s'approche de la capacité limite du milieu (K). La ligne rouge représente l'accroissement logistique d'une population pour laquelle r = 1,0 et K = 1 500 individus. Afin d'établir une comparaison, la ligne bleue représente la croissance d'une population qui continue de s'accroître de façon exponentielle avec le même r.

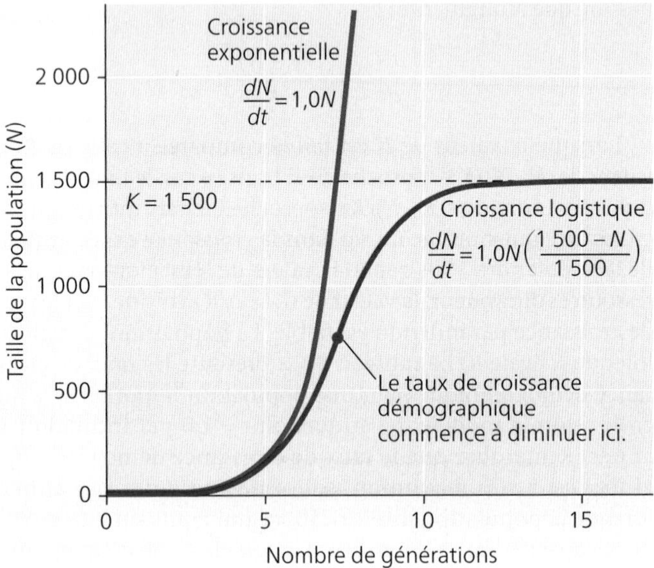

Par conséquent, le taux de croissance démographique (dN/dt) diminue également quand N s'approche de K.

Notez que nous n'avons rien dit de la cause du ralentissement de la croissance démographique quand N s'approche de K. Pour que la croissance d'une population ralentisse, le taux de natalité doit diminuer, ou le taux de mortalité doit augmenter, ou encore les deux à la fois. Plus loin dans le chapitre, nous examinerons quelques-uns des facteurs qui ont une incidence sur ces taux, notamment la présence de maladies et de prédateurs, ainsi que la quantité limitée de nourriture et d'autres ressources.

Le modèle logistique et les populations naturelles

En laboratoire, la croissance des populations de certains petits animaux, tels les coléoptères et les crustacés, et de microorganismes, telles les bactéries, les paramécies et les levures, suit une courbe plus ou moins sigmoïde sous des conditions de ressources limitées (**figure 53.11a**). Toutefois, ces populations expérimentales croissent dans un milieu constant où il n'y a ni prédation ni compétition susceptible de réduire la croissance démographique; or, ces conditions idéales existent rarement dans la nature.

Certains des postulats sur lesquels repose le modèle logistique ne s'appliquent manifestement pas à toutes les populations. Ainsi, ce modèle suppose que les populations s'ajustent instantanément à la croissance et s'approchent de la capacité limite du milieu par une croissance régulière. En réalité, il s'écoule un certain temps avant que les inconvénients de l'accroissement se fassent sentir. Ainsi, quand la nourriture vient à manquer pour une population, la reproduction finira par diminuer, mais les femelles utiliseront leurs réserves d'énergie pour continuer à se reproduire pendant une courte période. La population peut alors dépasser temporairement la capacité limite du milieu, comme le montre la **figure 53.11b** pour une population de daphnies ou puces d'eau (*Daphnia spp.*). Dans la rubrique **Habiletés scientifiques**, vous aurez l'occasion de représenter par un modèle ce qui peut arriver à une telle population lorsque N devient plus grand que K. Bien d'autres populations fluctuent grandement. Il est alors difficile d'estimer la capacité limite du milieu. Les

► **Figure 53.11 Le modèle logistique rend-il bien compte de la croissance de ces populations?** Dans chaque graphique, les points noirs représentent la croissance réelle de la population, tandis que la ligne rouge représente la croissance prédite par le modèle logistique.

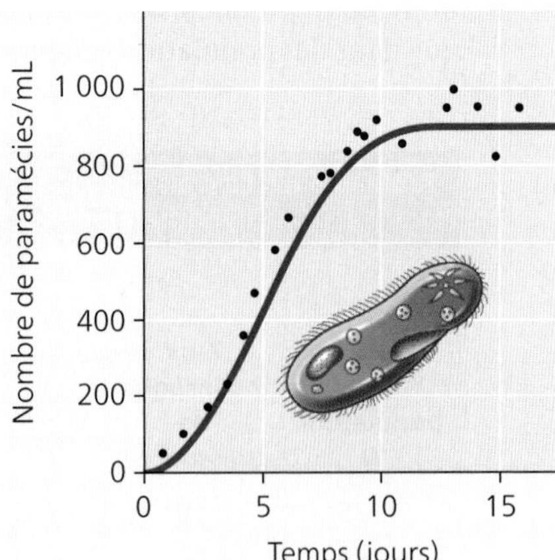

(a) Population de paramécies en culture. La croissance d'une population de paramécies (*Paramecium aurelia*) dans de petites cultures (points noirs) est presque conforme au modèle logistique (courbe en rouge) quand on maintient des conditions constantes.

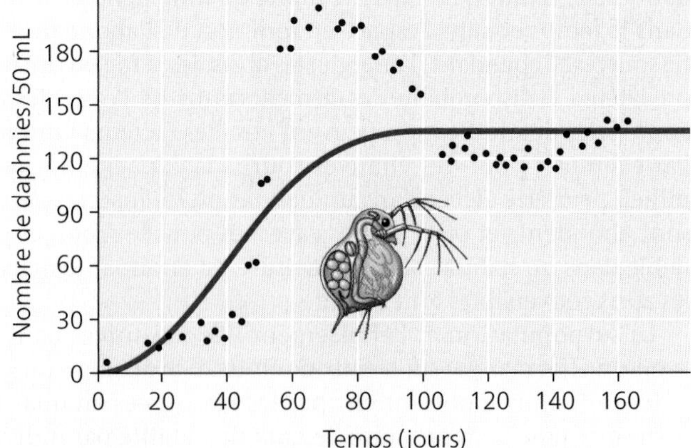

(b) Population de daphnies en culture. La croissance d'une population de puces d'eau (*Daphnia spp.*) dans une petite culture (points noirs) n'est pas tout à fait conforme au modèle logistique (courbe en rouge). En effet, la population s'est accrue si rapidement qu'elle a dépassé la capacité limite de son milieu artificiel, avant de revenir à une taille relativement stable.

conséquences d'un dépassement de la capacité limite du milieu varient selon les modifications affectant le milieu. Celles-ci peuvent être mineures et sans gravité, ou encore majeures et diminuer la capacité limite du milieu ou mener à l'extinction de la population. Plus loin dans le chapitre, nous étudierons quelques raisons qui peuvent expliquer ces fluctuations.

Le modèle logistique veut aussi que chaque ajout d'individus exerce toujours le même effet négatif sur le taux d'accroissement, quelle que soit la densité de la population. Mais en réalité, certaines populations subissent l'*effet Allee* (nommé en l'honneur du chercheur W. C. Allee, de la University of Chicago, qui l'a découvert), selon lequel la survie et la reproduction sont difficiles quand la taille de la population est trop petite. Par exemple, une plante isolée subit l'assaut du vent et risque la déshydratation, alors qu'une plante faisant partie d'un groupe est protégée.

Le modèle logistique constitue un bon point de départ pour l'étude de la croissance démographique et pour l'élaboration de modèles plus complexes. Son rôle est similaire à celui joué par le modèle de Hardy-Weinberg pour se représenter l'évolution des populations. Ce modèle est également utile dans le domaine de la biologie de conservation, car il permet d'évaluer la rapidité d'accroissement d'une population après qu'elle a beaucoup diminué, ou d'estimer des taux de récolte durables pour des populations d'espèces sauvages. Les biologistes de la conservation peuvent utiliser ce modèle pour estimer la taille critique en deçà de laquelle les populations de certaines espèces, comme le rhinocéros blanc (*Ceratotherium simum*), risquent de disparaître (**figure 53.12**).

▼ **Figure 53.12 Un rhinocéros blanc (*Ceratotherium simum*) femelle et son petit.** Ces deux spécimens font partie d'une sous-espèce du Sud dont la population dépasse 20 000 individus. La sous-espèce du Nord est menacée de disparition et compte seulement quelques individus connus.

RETOUR SUR LE CONCEPT 53.3

1. Expliquez pourquoi une population qui correspond au modèle logistique de croissance démographique s'accroît plus rapidement lorsqu'elle est de taille moyenne que lorsqu'elle est de grande ou de petite taille.

DÉMARCHE SCIENTIFIQUE
HABILETÉS SCIENTIFIQUES

Représenter la croissance d'une population à l'aide du modèle logistique

▶ *Daphnia.*

■ **QU'ARRIVE-T-IL À LA TAILLE D'UNE POPULATION LORSQU'ELLE EXCÈDE LA CAPACITÉ LIMITE DU MILIEU ?** ■ Dans le modèle logistique de croissance démographique, le taux de croissance par individu tend vers zéro à mesure que la taille de la population (N) s'approche de la capacité limite du milieu (K). Dans certaines conditions, toutefois, une population qui croît en laboratoire ou dans son milieu naturel peut dépasser K, du moins temporairement. Par exemple, si une population vient à manquer de nourriture, il peut se passer un certain temps avant que le taux de reproduction commence à diminuer, de sorte que N peut alors brièvement excéder K. Dans le présent exercice, vous utiliserez le modèle logistique pour représenter la croissance de la population hypothétique du tableau 53.2 lorsque $N > K$.

INTERPRÉTEZ LES DONNÉES ▼

1. En supposant que $r = 1{,}0$ et que $K = 1\ 500$, calculez le taux de croissance démographique pour les quatre cas suivants où la taille de la population (N) est supérieure à la capacité limite (K) : $N = 1\ 510$; $N = 1\ 600$; $N = 1\ 750$; et $N = 2\ 000$. Pour effectuer ce calcul, écrivez d'abord l'équation du taux de croissance démographique, indiquée dans le tableau 53.2. Insérez-y les valeurs de chacun des quatre cas, en commençant par $N = 1\ 510$, et résolvez chaque équation. Laquelle des quatre populations présente le plus haut taux de croissance ?
2. En supposant que r est deux fois plus grand, prédisez comment changeront les taux de croissance des quatre populations de la question 1. Après quoi, calculez les taux de croissance démographique des mêmes quatre populations avec $r = 2{,}0$ (K ne change pas et est égale à 1 500).
3. Maintenant, voyons comment la croissance d'une vraie population de *Daphnia* correspond à ce modèle. Dans la figure 53.11b, à quels moments la population de *Daphnia* change-t-elle conformément aux valeurs que vous avez calculées ? Formulez une hypothèse qui pourrait expliquer pourquoi la population devient brièvement inférieure à la capacité limite du milieu vers la fin de l'expérience.

2. **ET SI ?** ▶ Étant donné que l'intensité de l'ensoleillement varie selon la latitude (voir la figure 52.3), quelle comparaison feriez-vous entre la capacité limite des espèces végétales vivant à l'équateur et la capacité limite de celles vivant à des latitudes élevées ?

3. **FAITES DES LIENS** ▶ Imaginez qu'un changement brusque des conditions environnementales entraîne une baisse notable de la capacité limite d'une population. Prédisez les effets de la sélection naturelle et de la dérive génétique sur cette population (voir le concept 22.2).

Voir les réponses proposées à l'appendice A.

CONCEPT **53.4**

Les caractéristiques des cycles biologiques sont le produit de la sélection naturelle

ÉVOLUTION La sélection naturelle favorise, chez les organismes, les caractéristiques qui améliorent les chances de survie et le succès reproducteur. Chez toutes les espèces, il s'effectue des compromis entre la survie et les caractéristiques de reproduction telles que la fréquence de reproduction, le nombre de rejetons (nombre de graines produites chez les végétaux supérieurs et taille de la portée ou de la couvée chez les animaux) et l'investissement dans les soins parentaux. Les facteurs qui influent sur la reproduction et la survie déterminent le **cycle biologique** de tout organisme. Les caractéristiques du cycle biologique d'un organisme sont le résultat de l'évolution tel qu'il se manifeste dans son développement, sa physiologie et son comportement.

La diversité des cycles biologiques

Nous allons ici examiner les trois aspects clés du cycle biologique d'un organisme : le moment où la reproduction débute (l'âge lors de la première reproduction ou l'âge de la maturité), la fréquence de la reproduction et le nombre de rejetons produits au cours d'une période de reproduction. L'idée fondamentale voulant que l'évolution explique la diversité du vivant s'exprime dans la grande variété des caractéristiques des cycles biologiques observables dans la nature. Par exemple, l'âge auquel la reproduction débute varie considérablement d'une espèce à l'autre. Une tortue caouane a habituellement une trentaine d'années lorsqu'elle monte sur la plage pour y pondre ses premiers œufs (voir la figure 53.1). À l'autre extrême, le saumon coho (*Oncorhynchus kisutch*) a souvent trois ou quatre ans seulement lorsqu'il fraye.

La fréquence de la reproduction varie elle aussi d'une espèce à l'autre. Le saumon coho est un exemple d'organisme qui connaît une seule période de reproduction. Il s'agit d'un cycle biologique appelé **sémelparité** (du latin *semel*, « une fois », et *pario*, « engendrer »). Ces saumons éclosent en amont d'un cours d'eau, puis ils migrent vers la pleine mer (océan Pacifique), où ils atteignent leur maturité en une à quatre années. Ensuite, ils retournent vers leur cours d'eau natal, y frayent une seule fois et produisent des millions d'œufs avant de mourir. La sémelparité existe aussi chez certains végétaux, dont l'agave (*Agave americana*) (**figure 53.13a**). L'agave croît généralement dans des régions au climat aride, où les pluies sont imprévisibles, et le sol, pauvre. Il se développe pendant des années en emmagasinant des nutriments dans ses tissus, jusqu'à ce que survienne une année inhabituellement humide. Il produit alors une hampe florale et des graines, avant de mourir. Le cycle biologique de l'agave semble être une adaptation aux rigueurs de son environnement désertique.

L'**itéroparité** (du latin *itero*, « répéter ») ou périodes de reproduction multiples, s'oppose à la sémelparité. Par exemple, une tortue caouane femelle pond quatre fois dans une même année, ce qui représente environ 300 œufs, puis elle attend généralement deux ou trois ans avant de pondre à nouveau, vraisemblablement parce que les ressources ne suffiraient pas pour lui permettre de pondre autant d'œufs chaque année. À partir de l'âge de la maturité, une tortue peut pondre pendant 30 ans après sa première ponte. Les chevaux et d'autres grands mammifères se reproduisent également plusieurs fois au cours de leur vie, tout comme beaucoup de poissons, les oursins de mer et les arbres à grande longévité, tels les érables et les chênes (**figure 53.13b**).

Enfin, le nombre de rejetons produits par période de reproduction varie également d'une espèce à l'autre ce qui constitue le troisième aspect du cycle biologique. Certaines espèces, comme

▼ **Figure 53.13 La sémelparité et l'itéroparité.**

(a) La sémelparité, ou période de reproduction unique. L'agave (*Agave americana*) est dit sémelpare, son mode de reproduction étant la sémelparité. Les feuilles de la plante sont visibles à la base de la tige géante en fleurs qui est produite seulement à la fin de sa vie.

(b) L'itéroparité, ou périodes de reproduction multiples. Les organismes qui se reproduisent plusieurs fois, comme le chêne à gros fruits (*Quercus macrocarpa*), sont dits itéropares. Un seul chêne peut produire des milliers de glands par année (voir en médaillon), et ce, durant plusieurs décennies.

le rhinocéros blanc (voir la figure 53.12), ont un seul petit lorsqu'elles se reproduisent, alors que la plupart des insectes et beaucoup de végétaux produisent un grand nombre de rejetons. Ces différences ont plusieurs conséquences. Comme on l'a déjà mentionné, les espèces qui produisent un rejeton ou quelques-uns seulement ont tendance à veiller davantage sur eux que les espèces qui en produisent un grand nombre. Nous étudierons ce phénomène en détail à la section suivante.

Quels facteurs contribuent, du point de vue de l'évolution, à la sémelparité et à l'itéroparité? Selon une hypothèse, deux facteurs sont déterminants: le taux de survie des rejetons et la probabilité que l'adulte survive et se reproduise à nouveau. Lorsque ce taux est faible, par exemple dans les milieux où les conditions sont très variables ou imprévisibles, la sémelparité est favorisée. Les chances de survie des adultes sont également plus faibles dans ce type d'environnement, si bien que la production d'un grand nombre de rejetons augmente la probabilité de survie d'au moins quelques-uns d'entre eux. L'itéroparité, par contre, est favorisée dans des milieux plus stables, où les adultes ont de meilleures chances de survivre et de se reproduire, et où la compétition pour les ressources est parfois intense. Dans de tels milieux, quelques rejetons relativement gros, bien nourris, ont davantage de chances de survivre jusqu'à l'âge de la reproduction.

La nature abonde d'exemples de cycles de vie qui sont des compromis entre les deux extrêmes que représentent la sémelparité et l'itéroparité. C'est notamment le cas du chêne et de l'oursin, qui peuvent vivre longtemps tout en produisant de façon répétée une quantité relativement importante de descendants.

Les «compromis» et les cycles biologiques

Il n'existe aucun organisme capable, à maintes reprises, de produire des milliers de rejetons tout en s'en occupant aussi bien que le fait un rhinocéros blanc avec son unique petit. Un compromis s'impose donc entre le nombre de rejetons et la quantité de ressources qu'un parent peut donner à ses petits. Ces compromis sont nécessaires, car les organismes ne disposent pas de ressources illimitées. L'utilisation de ressources pour une seule fonction (comme la reproduction) peut ainsi diminuer les ressources disponibles pour une autre fonction (comme la survie). Par exemple, chez les faucons crécerelles d'Eurasie (*Falco tinnunculus*), les parents qui prennent soin de nombreux petits voient leur taux de survie diminuer (**figure 53.14**). Dans une autre étude portant sur des cerfs élaphe (*Cervus elaphus*) en Écosse, des chercheurs ont découvert que les femelles qui se reproduisent l'été présentent, l'hiver suivant, un taux de mortalité plus élevé que celles qui ne se sont pas reproduites.

La pression de sélection influe également sur les compromis entre le nombre et la taille des rejetons. Les végétaux et les animaux dont les jeunes ont peu de chances de survie engendrent souvent beaucoup de jeunes de petite taille. Ainsi, les végétaux qui colonisent des milieux inhospitaliers produisent habituellement beaucoup de petites graines dont très peu atteindront un milieu favorable. En effet, ces graines très légères ont plus de chances de se disséminer sur de longues distances et de permettre à certaines d'entre elles d'atteindre un éventail d'habitats plus large (**figure 53.15a**). Il en est de même des animaux soumis à une intense prédation qui engendrent également de nombreux rejetons. Citons en exemple les cailles japonaises (*Coturnix japonica*), les sardines (*Sardina pilchardus*) et les souris communes (*Mus musculus*).

DÉMARCHE SCIENTIFIQUE

INVESTIGATION

▼ **Figure 53.14**

Chez les faucons crécerelles, quelle incidence les soins prodigués aux petits ont-ils sur la survie des parents?

■ HYPOTHÈSE ■ Puisque les ressources disponibles sont limitées et qu'elles doivent être utilisées soit pour la reproduction, soit pour la survie, on devrait constater que les chances de survie sont plus faibles chez les individus qui investissent davantage dans la reproduction (une couvée plus nombreuse) et qu'elles sont plus élevées chez les individus investissant moins dans la reproduction (une couvée moins nombreuse).

■ EXPÉRIENCE ■ Aux Pays-Bas, Cor Dijkstra et ses collègues ont étudié les effets des soins parentaux chez les faucons crécerelles d'Eurasie sur une période de cinq ans. Ils ont changé les petits de nids de façon à obtenir des couvées moins nombreuses (trois ou quatre petits), des couvées normales (cinq ou six) et des couvées plus nombreuses (sept ou huit). Ils ont ensuite mesuré le pourcentage de parents mâles et femelles ayant survécu à l'hiver suivant. (Le mâle et la femelle s'occupent tous deux des petits.)

■ RÉSULTATS ■

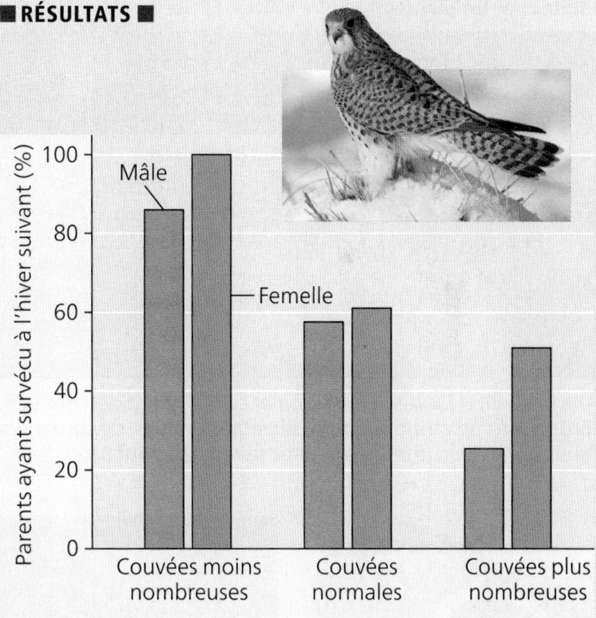

■ CONCLUSION ■ Les taux de survie plus bas des faucons crécerelles dont les couvées sont les plus nombreuses indiquent que plus le nombre de rejetons est élevé, plus les chances de survie des parents qui en prennent soin sont réduites.

Source des données: C. Dijkstra et coll., Brood size manipulations in the kestrel (*Falco tinnunculus*): Effects on offspring and parent survival, *Journal of Animal Ecology* 59: 269-285 (1990).

INTERPRÉTEZ LES DONNÉES ▶ Chez certaines espèces d'oiseaux, les mâles ne donnent aucun soin aux petits. En supposant que c'est le cas du faucon crécerelle, prédisez de quelle façon un tel comportement modifierait les résultats ci-dessus.

Chez d'autres organismes, un investissement supplémentaire fourni par les parents augmente considérablement les chances de survie des rejetons. Ainsi, les noyers (*Juglans spp.*) et les noyers du Brésil (*Bertholletia excelsa*) produisent de grosses graines renfermant d'importantes réserves de nutriments que les jeunes plants peuvent utiliser pour s'établir (**figure 53.15b**). Les primates n'ont généralement qu'un ou deux rejetons à la fois. Or, pour le succès reproducteur de ces derniers, le soin parental et une période prolongée d'apprentissage dans les premières années de vie sont cruciaux. Ces soins additionnels s'avèrent particulièrement importants dans les habitats très densément peuplés.

On peut décrire la variation des caractéristiques d'un cycle biologique en se servant du modèle logistique de croissance démographique présenté au concept 53.3. Lorsque la sélection favorise des caractéristiques qui sont avantageuses dans des populations denses, on parle de **sélection *K***. Par contre, lorsque la sélection favorise les caractéristiques qui maximisent le succès de reproduction dans les populations peu denses, on parle de **sélection *r***. Ces termes proviennent des variables de l'équation logistique. La sélection *K* est réputée agir dans des populations vivant à une densité proche de la limite imposée par les ressources (capacité limite du milieu *K*), où règne une intense compétition entre les individus. Des arbres matures qui croissent dans une forêt primaire (ou forêt vierge) sont un exemple d'organismes à sélection *K*. De son côté, la sélection *r* maximise *r*, autrement dit le taux de croissance. On l'observe dans des milieux variables où les densités de population fluctuent bien au-dessous de la capacité limite ou lorsque les individus affrontent peu de compétition. On trouve souvent ces conditions dans les habitats perturbés qui sont en cours de recolonisation. Les racines qui envahissent une terre agricole abandonnée sont un exemple d'organismes de sélection *r*.

Les concepts de la sélection *r* et de la sélection *K* représentent les deux extrêmes d'une gamme de cycles biologiques réels. Les principes qui sous-tendent l'utilisation de la sélection *r* et de la sélection *K* s'appuient sur la notion de capacité limite du milieu et nous ramènent à l'importante question que nous avons éludée plus tôt: *pourquoi* le taux de croissance démographique diminue-t-il lorsque la population s'approche de la capacité limite du milieu ? C'est ce que nous verrons dans la prochaine section.

▼ **Figure 53.15 Variation en nombre et en grosseur des graines produites par les plantes.**

(a) Les pissenlits (*Taraxacum officinale*) croissent rapidement et produisent un grand nombre de petites graines, de sorte qu'au moins quelques-unes germent et se reproduisent à leur tour.

(b) Certaines espèces végétales, comme le noyer du Brésil (à droite), produisent un petit nombre de graines volumineuses insérées dans une gousse (ci-dessus). De grandes quantités d'albumen fournissent des nutriments à l'embryon, une adaptation qui favorise la survie d'une proportion relativement forte de rejetons.

RETOUR SUR LE CONCEPT **53.4**

1. Nommez trois caractéristiques importantes d'un cycle biologique et donnez trois exemples d'organismes qui présentent de grandes différences quant à chacune de ces caractéristiques.
2. *Symphodus tinca* est une espèce de poisson dont les femelles dispersent une partie de leurs œufs dans la nature et pondent les autres dans un nid. Seuls les rejetons qui naîtront dans le nid bénéficieront de soins de la part des parents. Expliquez le compromis qu'illustre ce comportement sur le plan de la reproduction.
3. **ET SI ?** ▶ Il arrive que des souris abandonnent leurs petits lorsqu'elles subissent un stress, par exemple un manque de nourriture. Expliquez comment ce comportement pourrait être un produit de l'évolution dans le contexte des compromis relatifs à la reproduction et des cycles biologiques.

Voir les réponses proposées à l'appendice A.

CONCEPT **53.5**

Des facteurs dépendants de la densité régissent la croissance démographique

Quels facteurs écologiques empêchent une population de croître indéfiniment ? Pourquoi la taille de certaines populations demeure-t-elle à peu près stable alors que celle d'autres populations ne l'est pas ?

Les réponses à ces questions peuvent améliorer certaines applications pratiques. Par exemple, les agriculteurs peuvent souhaiter réduire la quantité d'insectes nuisibles dans leurs champs ou freiner la croissance envahissante d'une mauvaise herbe. Les écologistes de la conservation doivent connaître les facteurs environnementaux qui créent un habitat propice à l'alimentation ou à la reproduction d'une espèce en voie de disparition, comme le rhinocéros blanc (*Ceratotherium simum*) ou la grue blanche d'Amérique (*Grus americana*). En somme, qu'il s'agisse de chercher à réduire la taille d'une population indésirable ou d'augmenter la taille d'une population menacée, il importe de comprendre les facteurs qui exercent une influence sur l'abondance d'une population.

Les variations démographiques et la densité de population

Pour comprendre pourquoi une population se stabilise lorsqu'elle atteint une certaine taille, les écologistes étudient les variations des taux de natalité et de mortalité, de l'immigration et de l'émigration lorsque la densité de population augmente. Si l'immigration et l'émigration s'annulent, alors la population s'accroît quand le taux de natalité est supérieur au taux de mortalité, et diminue dans le cas contraire.

Un taux de natalité ou de mortalité qui *ne varie pas* avec la densité de population est dit **indépendant de la densité**. Par exemple, des chercheurs ont découvert que la mortalité de la vulpie à une seule glume (*Vulpia fasciculata*), une sorte de graminée qui pousse dans les dunes, découle principalement de facteurs physiques qui tuent la même proportion d'individus dans une population locale, peu importe sa densité. Une sécheresse qui survient lorsque les racines des plantes sont dénudées est un exemple d'un facteur indépendant de la densité. À l'opposé, on dit d'un taux de mortalité qui s'élève quand la densité de population augmente et d'un taux de natalité qui diminue à mesure que la densité augmente qu'ils sont **dépendants de la densité**. Des chercheurs ont observé que, chez la vulpie à une seule glume, la reproduction baisse lorsque la densité de population augmente, notamment parce que l'eau et la nourriture se font plus rares. Donc, dans cette population, les principaux facteurs de régulation du taux de natalité sont dépendants de la densité, tandis que les facteurs de régulation du taux de mortalité sont indépendants de celle-ci. La **figure 53.16** montre comment la reproduction dépendante de la densité combinée à la mortalité indépendante de la densité peut freiner la croissance démographique d'espèces comme la vulpie à une seule glume et conduire à un point d'équilibre.

En variant, des facteurs indépendants de la densité tels que la température et les précipitations peuvent provoquer des changements radicaux dans la taille d'une population. Par exemple, une sécheresse ou une canicule peut faire grimper le taux de mortalité de façon considérable, réduisant d'autant la taille d'une population. Notez cependant qu'un facteur indépendant de la densité ne peut pas, de façon constante, réduire la taille d'une grande population ou augmenter la taille d'une petite population; seul un facteur *dépendant* de la densité peut exercer un effet constant. On dira donc d'une population qu'elle est *régulée* lorsqu'au moins un facteur dépendant de la densité réduit sa taille lorsqu'elle est grande (ou l'augmente lorsqu'elle est petite).

Les mécanismes de régulation dépendants de la densité

Le principe de la régulation par rétroaction (voir le concept 40.2) s'applique à la dynamique des populations. Aucune population ne cesserait de croître sans l'intervention d'une certaine forme de rétro-inhibition entre la densité de population et les taux de natalité et de mortalité. Aucune population ne peut croître indéfiniment. À un moment donné, lorsque la taille d'une population est grande, la régulation dépendante de la densité fournit cette rétro-inhibition par l'intermédiaire de mécanismes permettant de réduire le taux de natalité ou d'augmenter le taux de mortalité. Par exemple, une étude portant sur des populations de perche de varech (*Brachyistius frenatus*) a montré que le taux de mortalité de ce poisson croît proportionnellement à l'augmentation de la densité de la population (**figure 53.17**). Lorsque le varech n'est plus assez abondant pour permettre à la perche de se cacher, celle-ci devient vulnérable à la prédation par une autre espèce de poisson, la cabrilla (*Paralabrax clathratus*). La **figure 53.18** présente plus en détail la prédation et d'autres mécanismes de régulation dépendants de la densité.

▼ Figure 53.16 La détermination du point d'équilibre de la densité de population. Ce modèle graphique simple ne tient compte que des taux de natalité et de mortalité (il suppose que les taux d'immigration et d'émigration sont soit nuls, soit égaux). Dans cet exemple, le taux de natalité varie selon la densité de population, tandis que le taux de mortalité est constant. Au point de densité à l'équilibre (*Q*), les taux de natalité et de mortalité s'équivalent.

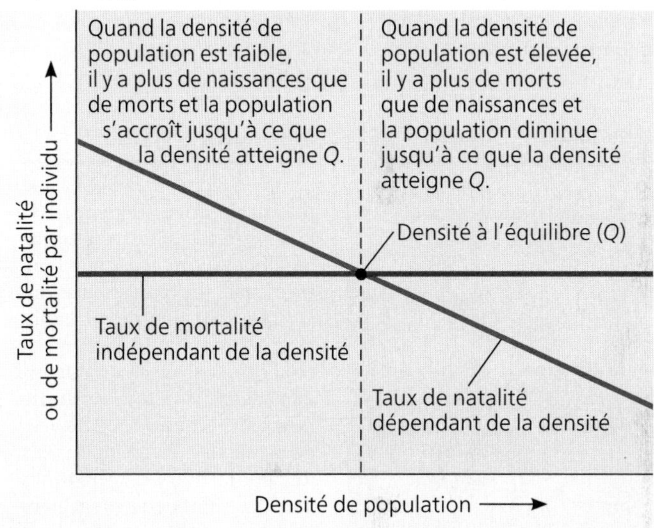

FAITES UN DESSIN ▶ Redessinez ce diagramme selon un scénario où les taux de natalité et de mortalité sont dépendants de la densité, comme on l'observe chez beaucoup d'espèces.

▼ Figure 53.17 La prédation: un mécanisme de régulation dépendant de la densité. À mesure que la population de perche de varech se densifie, la prédation par la cabrilla s'intensifie, augmentant d'autant le taux de mortalité de la perche de varech.

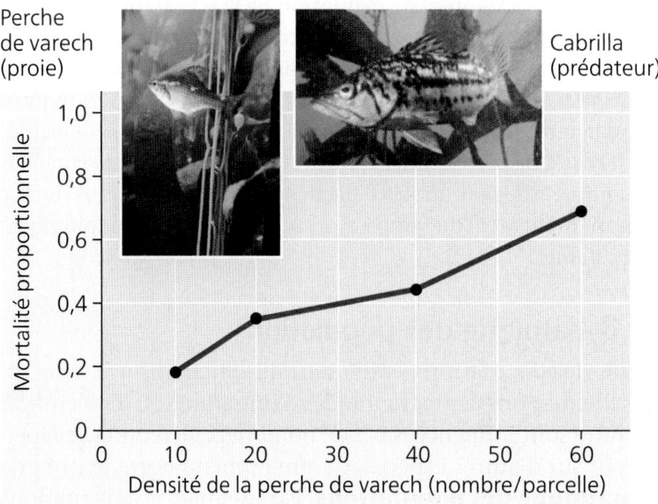

▼ Figure 53.18

PANORAMA Les mécanismes de régulation dépendants de la densité

Lorsque la population s'accroît, de nombreux mécanismes dépendants de la densité ralentissent ou freinent la croissance démographique en réduisant le taux de natalité ou en augmentant le taux de mortalité.

► La compétition pour l'obtention des ressources

L'augmentation de la densité de population intensifie la compétition pour l'obtention de la nourriture et des autres ressources, ce qui entraîne une baisse des taux de reproduction. Les agriculteurs réduisent ces effets sur la croissance du blé (*Triticum aestivum*) et d'autres cultures en appliquant des engrais pour réduire les contraintes nutritives sur le rendement des récoltes.

◄ La maladie

L'impact d'une maladie sur une population peut dépendre de la densité si la vitesse de transmission de la maladie augmente avec la taille de cette population. Chez les humains, des maladies respiratoires comme l'influenza et la tuberculose se propagent dans l'air lorsqu'une personne infectée éternue ou tousse. Ces deux maladies frappent un plus fort pourcentage de personnes dans les villes densément peuplées qu'en milieu rural.

► La prédation

Pour certaines populations, la prédation constitue aussi un important facteur de mortalité dépendant de la densité. En effet, un prédateur trouve et capture un nombre croissant de proies lorsque la densité de population des proies augmente. Il peut alors manifester une préférence pour cette espèce et capturer un pourcentage plus élevé d'individus. Ainsi, chez le lemming à collerette (*Dicrostonyx groenlandicus*), les augmentations de population sont suivies d'une prédation dépendante de la densité par plusieurs prédateurs, dont le harfang des neiges (*Bubo scandiacus*).

Ces divers exemples de régulation de la population par rétro-inhibition montrent que l'augmentation de la densité provoque la diminution du taux de croissance démographique par ses effets sur la reproduction, la croissance et la survie des individus. Or, si la rétro-inhibition contribue à expliquer les raisons entraînant l'arrêt de la croissance d'une population, elle ne permet pas de comprendre pourquoi la taille de certaines populations fluctue énormément au fil du temps, alors que celle d'autres populations reste stable.

La dynamique des populations

Toutes les populations présentent des fluctuations d'effectif. Ces fluctuations démographiques d'une année ou d'un endroit à l'autre sont influencées par de nombreux facteurs et se répercutent sur d'autres espèces. Ce phénomène porte le nom de **dynamique des populations**. Par exemple, les fluctuations des populations de poissons influent sur les populations d'oiseaux marins qui se nourrissent de poissons. L'étude de la dynamique des populations s'applique aux interactions complexes entre les facteurs biotiques et les facteurs abiotiques responsables des variations de la taille des populations.

La stabilité et la fluctuation

On présumait auparavant que les populations de grands mammifères étaient plus ou moins stables, mais des études à long terme ont mis en doute cette idée. Par exemple, la population d'orignaux (*Alces americanus*) de l'île Royale, dans le lac Supérieur, a considérablement fluctué depuis 1900 environ. À cette époque, des orignaux du continent (rive ontarienne, à 25 km de distance) sont venus peupler l'île, vraisemblablement en traversant le lac gelé. Les loups, qui s'alimentent principalement d'orignal, ont fait de même vers 1950. Toutefois, comme les eaux du lac n'ont pas gelé au cours des dernières années, les deux populations

◀ La territorialité

La territorialité peut limiter la densité de population lorsque l'espace où un animal établit un territoire devient la ressource qui fait l'objet d'une compétition. Les guépards (*Acinonyx jubatus*) utilisent un marqueur chimique contenu dans leur urine pour faire connaître les limites de leur territoire aux autres membres de cette espèce. Le territoire améliore les chances de l'animal de trouver suffisamment de nourriture pour se reproduire. La présence d'individus en surplus ou non reproducteurs constitue un bon indice que la territorialité restreint la croissance démographique.

◀ Les facteurs intrinsèques

Des facteurs intrinsèques (physiologiques) déterminent parfois la taille des populations. Le taux de reproduction des souris à pattes blanches (*Peromyscus leucopus*) vivant dans une petite parcelle de terrain peut chuter même lorsque la nourriture et les gîtes y sont abondants. Ce déclin de la reproduction est associé à des interactions agressives et à des changements hormonaux qui retardent la maturation sexuelle et affaiblissent le système immunitaire. Dans ce cas, les fortes densités provoquent une augmentation de la mortalité et une diminution des taux de natalité.

▶ Les déchets toxiques

Dans la fabrication du vin, les levures comme la levure de bière *Saccharomyces cerevisiae* servent à convertir les glucides en éthanol. L'éthanol accumulé dans le vin est toxique pour les levures et contribue à la régulation dépendante de la densité de la population de levures. La teneur du vin en alcool est généralement inférieure à 13 %, car c'est la concentration maximale d'éthanol que peuvent tolérer la plupart des levures utilisées en vinification.

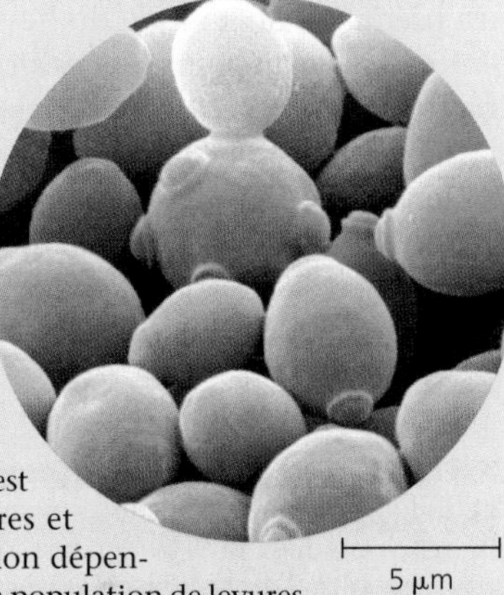

sont restées isolées, sans immigration ni émigration depuis ce temps. Malgré cet isolement, la population d'orignaux a connu deux augmentations et diminutions majeures au cours des 50 dernières années (**figure 53.19**).

Quels facteurs expliquent un changement aussi radical de la taille de cette population d'orignaux ? Les rigueurs du climat, particulièrement les hivers froids et les abondantes chutes de neige, peuvent affaiblir les orignaux et réduire la disponibilité de la nourriture, ce qui entraîne une diminution de la taille de la population. Lorsque la population d'orignaux est petite, la nourriture ne manque pas et la population croît rapidement. À l'inverse, lorsque la population d'orignaux est élevée, des facteurs comme la prédation et la prolifération des populations de tiques, telles que la tique d'hiver (*Dermacentor albipictus*), ou d'autres parasites entraînent une réduction du troupeau. La figure 53.19 présente les effets de certains de ces facteurs. La première chute de population que ces orignaux ont connue

▼ **Figure 53.19 Les fluctuations des populations d'orignaux et de loups dans l'île Royale, de 1959 à 2011.**

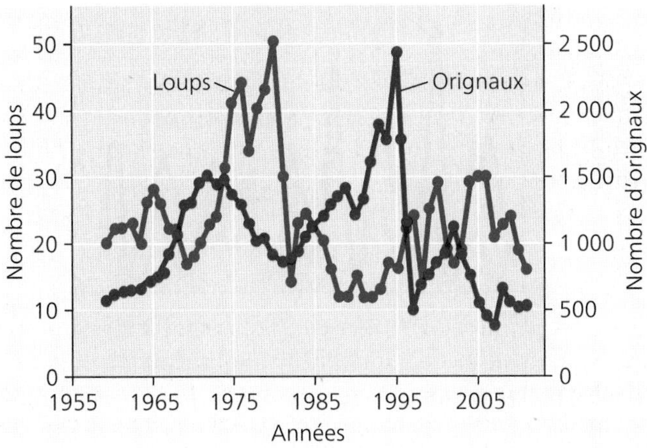

coïncide avec un sommet dans la population de loups, de 1975 à 1980. La deuxième, survenue vers 1995, coïncide avec des conditions hivernales particulièrement rigoureuses, qui ont accru les besoins en énergie des bêtes et réduit l'accès à la nourriture, ensevelie sous une épaisse couche de neige.

Les cycles démographiques : investigation

Si de nombreuses populations fluctuent de façon imprévisible, d'autres connaissent des cycles d'augmentation et de diminution d'une remarquable régularité. Ainsi, certains petits mammifères herbivores, comme le campagnol des champs (*Microtus pennsylvanicus*) et le lemming d'Ungava (*Dicrostonyx hudsonius*), présentent des cycles démographiques de 3 ou 4 ans, tandis que certains oiseaux, comme la gélinotte huppée (*Bonasa umbellus*) et le lagopède des saules (*Lagopus lagopus*), ont des cycles allant de 9 à 11 ans.

Parmi les cycles démographiques les plus remarquables, on compte les cycles de 10 ans du lièvre d'Amérique (*Lepus americanus*) et du lynx du Canada (*Lynx canadensis*), dans les forêts septentrionales du Canada et de l'Alaska. Le lynx du Canada est un prédateur spécifique du lièvre d'Amérique ; la corrélation entre le cycle du premier et celui du second n'est donc pas étonnante (**figure 53.20**).

Mais pourquoi l'augmentation et la diminution du nombre de lièvres d'Amérique se conforment-elles à un cycle d'environ 10 ans ? Il y a deux grandes hypothèses. Selon la première, c'est la pénurie de nourriture pendant l'hiver qui serait la cause des cycles. En effet, les lièvres d'Amérique se nourrissent alors des brindilles qui se trouvent à l'extrémité des branches d'arbrisseaux comme le saule (*Salix spp.*) et le bouleau (*Betula spp.*), mais il n'y a pas d'explication satisfaisante quant au fait que cette source de nourriture suive un cycle de 10 ans. Selon la seconde hypothèse, les cycles seraient dus aux interactions entre le prédateur et sa proie. De nombreux prédateurs autres que le lynx du Canada mangent le lièvre d'Amérique, et il se peut que ces proies soient surexploitées.

▼ **Figure 53.20 Les cycles démographiques du lièvre d'Amérique et du lynx du Canada.** L'effectif des populations se fonde sur le nombre de peaux vendues par les trappeurs à la Compagnie de la Baie d'Hudson.

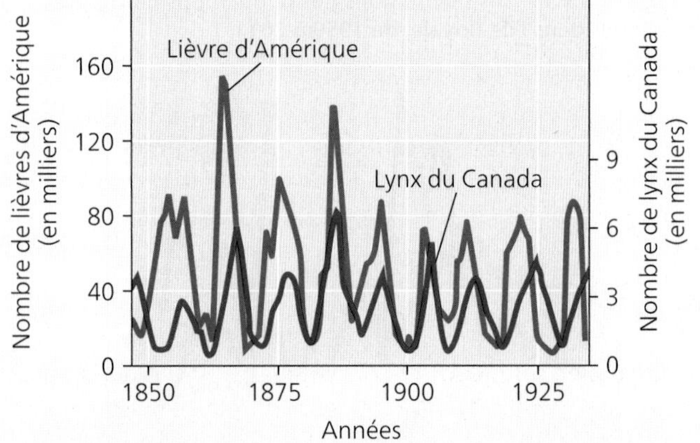

INTERPRÉTEZ LES DONNÉES ▶ Qu'observez-vous à propos de la relative correspondance des pointes de population de lièvres et de lynx ? Qu'est-ce qui pourrait expliquer cette observation ?

Examinons les faits à l'appui de ces deux hypothèses. Si les cycles du lièvre d'Amérique sont dus à la pénurie de nourriture en hiver, l'apport d'un supplément d'aliments devrait y mettre fin. Des chercheurs ont fait l'expérience au Yukon, pendant 20 ans, ce qui correspond à 2 cycles du lièvre d'Amérique. Ils ont constaté que la densité des populations du lièvre d'Amérique dans les aires où il y a eu un supplément de nourriture a triplé, mais que leur cycle est resté le même que celui des populations témoin qui n'ont pas reçu de nourriture supplémentaire. Par conséquent, les disponibilités alimentaires ne sont pas la cause du cycle du lièvre d'Amérique illustré à la figure 53.20. On peut donc écarter la première hypothèse.

Dans le but d'étudier les effets de la prédation, des chercheurs ont utilisé des colliers émetteurs pour trouver des lièvres d'Amérique dès leur mort et déterminer la cause de leur mort. Quelque 95 % des lièvres morts avaient été tués par des prédateurs, dont des lynx, des coyotes, des faucons et des chouettes. Aucun lièvre ne semblait être mort de faim. Ces résultats confirment la seconde hypothèse. Lorsque les écologistes ont posé des clôtures électriques pour exclure les prédateurs de certaines aires, il n'y a pratiquement pas eu de diminution du taux de survie lors de la phase de déclin du cycle. La prédation excessive semble donc être une partie essentielle du cycle du lièvre d'Amérique ; sans prédateurs, les populations de lièvres d'Amérique ne démontreraient probablement pas de cycle démographique dans le Nord du Canada.

L'immigration, l'émigration et les métapopulations

Jusqu'ici, notre étude de la dynamique des populations s'est attachée principalement aux effets de la natalité et de la mortalité. Toutefois, comme nous l'avons déjà mentionné, l'immigration et l'émigration peuvent aussi modifier la taille des populations. L'émigration augmente souvent lorsqu'une population devient importante au point d'accroître la compétition pour les ressources.

L'immigration et l'émigration sont particulièrement importantes lorsque des populations locales interagissent et forment une **métapopulation**. Les populations locales d'une métapopulation peuvent être vues comme occupant des zones particulières d'un habitat approprié dispersées parmi bien d'autres habitats inappropriés. Ces zones varient selon leur taille, leur qualité et leur degré d'isolement par rapport aux autres, autant de facteurs qui influent sur le nombre d'individus qui se déplacent d'une population vers une autre. Si une population disparaît, la parcelle d'habitat qu'elle occupait pourra être colonisée à nouveau par des immigrants d'une autre population. Il arrive que certains habitats permettent aux populations de survivre à long terme contrairement à d'autres, plus pauvres en ressources. Lorsque de grandes populations situées dans des habitats riches (sources) enrichissent continuellement des habitats pauvres (puits) d'individus émigrants, il s'agit alors de *métapopulations source-puits*.

La mélitée du plantain (*Melitaea cinxia*) illustre bien le mouvement des individus entre des populations. On trouve ce papillon dans environ 500 prés des îles Åland, en Finlande, mais son habitat potentiel dans les îles est beaucoup plus vaste et compte environ 4 000 zones convenables. De nouvelles populations de ce papillon font régulièrement leur apparition, pendant que disparaissent les populations existantes, si bien que les 500 zones colonisées changent constamment (**figure 53.21**). Cet équilibre entre les extinctions et les recolonisations permet à l'espèce de survivre.

La capacité d'un individu de se déplacer d'une population à une autre dépend d'un certain nombre de facteurs, dont sa constitution génétique. Le gène *GPI*, qui code pour l'enzyme glucose-6-phosphate isomérase, est un des gènes qui influe fortement sur la capacité de la mélitée du plantain de se déplacer. Cette enzyme catalyse la deuxième étape de la glycolyse (voir la figure 9.9), et son activité est associée au taux de production de dioxyde de carbone (CO_2) du papillon au cours de la respiration. Des écologistes ont étudié des papillons hétérozygotes et homozygotes pour le polymorphisme d'un seul nucléotide (SNP) du gène *GPI*. Ils ont suivi les déplacements de plusieurs papillons au moyen d'un radar et de transpondeurs fixés sur les papillons et émettant un signal de localisation. Les déplacements ont varié considérablement (de 10 m à 4 km) au cours des périodes d'observation de deux heures. Les chercheurs ont constaté que les individus hétérozygotes se déplaçaient plus de deux fois plus loin le matin et à des températures plus basses que les individus homozygotes. Selon les résultats de cette étude, le génotype hétérozygote est avantageux sur le plan de l'adaptabilité aux basses températures et les hétérozygotes ont plus de chances de coloniser de nouvelles aires dans la métapopulation.

▼ **Mélitée du plantain (*Melitae cinxia*) portant un transpondeur de localisation.**

Le concept de métapopulation permet de comprendre l'importance de l'immigration et de l'émigration au sein des populations de papillons comme la mélitée du plantain ainsi que chez plusieurs autres espèces. Il aide en outre les écologistes à étudier la dynamique des populations et la circulation des gènes entre des zones d'habitat, et leur procure un cadre de travail pour la conservation des espèces vivant dans un réseau d'habitats fragmentés et de réserves.

RETOUR SUR LE CONCEPT **53.5**

1. Décrivez trois attributs de zones d'habitat qui sont susceptibles d'influer sur la densité de population et les taux d'immigration et d'émigration.
2. **ET SI ?** ▶ Imaginez que vous étudiez une espèce ayant un cycle démographique d'environ 10 ans. Combien de temps votre étude devrait-elle durer pour déterminer si la population est en déclin ? Expliquez votre réponse.
3. **FAITES DES LIENS** ▶ La rétro-inhibition est un processus de régulation des systèmes biologiques (voir le concept 40.2). Expliquez en quoi le taux de natalité dépendant de la densité, chez la vulpie à une seule glume, est un exemple de rétro-inhibition.

Voir les réponses proposées à l'appendice A.

▼ **Figure 53.21 La mélitée du plantain: une métapopulation.** Sur les îles Åland, des populations locales de ce papillon (les cercles noircis) se trouvent dans une fraction des parcelles d'habitats qui lui conviendrait. Les individus peuvent se déplacer d'une population à une autre et coloniser des parcelles inoccupées (les cercles blancs).

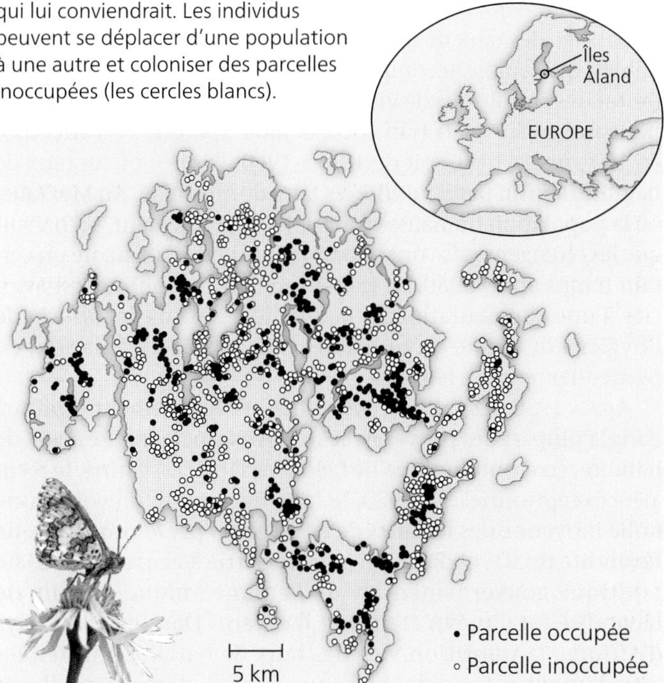

CONCEPT **53.6**

La population humaine n'augmente plus de manière exponentielle, mais croît néanmoins rapidement

Au cours des derniers siècles, la population humaine a crû à une vitesse sans précédent, plus proche de celle de la population d'éléphants du Kruger National Park (voir la figure 53.9) que de la vitesse de croissance des populations régulées par des facteurs liés à la densité. Cependant, aucune population ne peut s'accroître indéfiniment. Dans la dernière section de ce chapitre, nous allons appliquer les concepts de la dynamique des populations au cas particulier de la population humaine.

La population humaine à l'échelle mondiale

La population humaine a crû de manière explosive depuis quatre siècles (**figure 53.22**). En 1650, elle comptait environ 500 millions d'individus, puis elle a doublé au cours des deux siècles suivants. Elle avait à nouveau doublé en 1930, pour atteindre 2 milliards, puis à nouveau en 1975, dépassant 4 milliards de personnes. Remarquez que le temps nécessaire au doublement de la population est passé de 200 ans en 1650 à seulement 45 ans en 1930. La croissance de la population a donc été plus *rapide* encore que la croissance exponentielle, dont le taux de croissance et par conséquent le temps de doublement sont constants.

La population humaine mondiale compte aujourd'hui plus de 7,8 milliards de personnes. Elle s'accroît de quelque 78 millions d'individus chaque année, c'est-à-dire d'environ 200 000 personnes par jour, un chiffre qui équivaut à un peu plus de la population d'une agglomération de la taille de la ville de Sherbrooke, au Québec, ou du Havre, en France. À ce rythme, il ne faudra que quatre ans pour ajouter à la population mondiale l'équivalent de la population des États-Unis. Selon les écologistes, la Terre comptera entre 8,1 et 10,6 milliards d'humains en 2050.

Bien que la population mondiale continue d'augmenter, son *taux* de croissance a commencé à ralentir au cours des années 1960 (**figure 53.23**). Le taux de croissance annuelle de la population mondiale a culminé à 2,2 % en 1962, alors qu'il était de 1,1 % seulement en 2014. Les modèles actuels annoncent un taux de croissance de 0,5 % d'ici 2050, un taux qui ajouterait néanmoins 45 millions de personnes chaque année si la population atteint les 9 milliards projetés. Cette baisse du taux de croissance des quatre dernières décennies indique que la population humaine croît maintenant plus lentement que le prédisait le modèle de croissance exponentielle. Elle est la conséquence des changements fondamentaux que des maladies, comme le sida, et la régulation démographique volontaire ont entraînés dans la dynamique des populations.

Les variations démographiques régionales

Nous avons parlé des variations de la population mondiale, mais la dynamique des populations est très différente d'une région à l'autre. Dans une population régionale stable, le taux de natalité équivaut au taux de mortalité (en ne tenant pas compte des effets de l'émigration et de l'immigration). Ce type de population présente l'une ou l'autre des deux configurations suivantes :

Croissance démographique nulle = Taux de natalité élevés − Taux de mortalité élevés

ou

Croissance démographique nulle = Taux de natalité faibles − Taux de mortalité faibles

Le passage des taux de natalité et de mortalité élevés à des taux faibles, qui semble accompagner l'industrialisation et l'amélioration des conditions de vie, est appelé **transition démographique**. En Suède, la transition démographique s'est effectuée en 150 ans environ, soit de 1810 à 1960, l'année où les taux de natalité ont fini par rejoindre les taux de mortalité. Au Mexique, où la population humaine croît toujours rapidement, on prévoit que les changements vont se poursuivre pendant encore un certain temps après 2050. La transition démographique est associée à une augmentation de la qualité des soins de santé et de l'hygiène de même qu'à un accès plus facile à l'éducation, en particulier pour les femmes.

Après 1950, les taux de mortalité ont rapidement diminué dans la plupart des pays en voie de développement. Les taux de natalité, eux, ont diminué de façon variable. En Chine, le recul a été exceptionnel. En 1970, le taux de natalité prévoyait une taille moyenne des familles de 5,9 enfants par femme (taux de fécondité total) ; en 2011, en grande partie à cause de la stricte politique gouvernementale de l'enfant unique, le taux de fécondité total prévu était de 1,6 enfant. Dans certains pays d'Afrique, la transition vers des taux de natalité plus faibles a également été rapide, bien que ceux-ci demeurent élevés

▼ Figure 53.23 Le pourcentage d'augmentation annuelle de la population humaine mondiale (données de 2014). Le fléchissement marqué des années 1960 est principalement imputable à une famine au cours de laquelle environ 60 millions de personnes sont mortes en Chine.

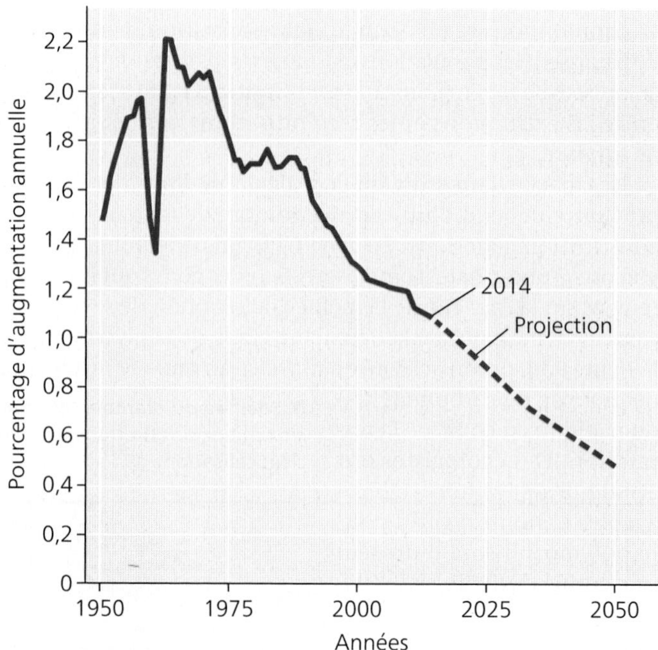

▼ Figure 53.22 L'accroissement de la population humaine (données de 2015). À l'échelle mondiale, la population humaine s'est accrue presque continuellement au cours de son histoire, mais elle est montée en flèche après la révolution industrielle. Bien que cela ne soit pas visible à cette échelle, son taux de croissance démographique a ralenti au cours des dernières décennies, surtout à cause de la baisse des taux de natalité survenue un peu partout dans le monde. (Par souci de concision, nous avons remplacé «avant Jésus-Christ» par «AD» (*ante Domino*) et «après Jésus-Christ» par «PD» (*post Domino*), des emprunts de l'anglosaxon.)

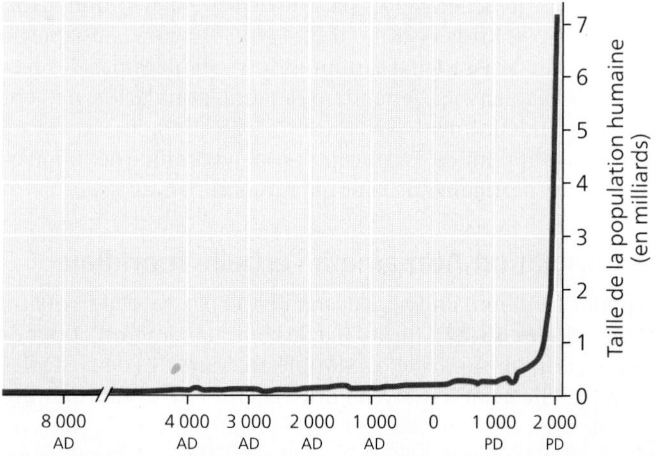

dans la plupart des pays de l'Afrique subsaharienne. En Inde, les taux de natalité ont décru plus lentement.

Comment des taux de natalité aussi disparates influent-ils sur la croissance de la population mondiale? Dans les pays industrialisés, les populations tendent vers un équilibre, les taux de fécondité étant proches du niveau de remplacement, qui s'élève à 2,1 enfants par femme (au cours de sa vie). En fait, dans de nombreux pays industrialisés, dont le Canada, la France, l'Allemagne, le Japon et le Royaume-Uni, le taux de fécondité se situe *sous* le niveau de remplacement. Les populations en question vont tôt ou tard décroître s'il n'y a pas d'immigration et si le taux de natalité ne change pas. En fait, dans de nombreux pays de l'Est et du centre de l'Europe, la population a déjà commencé à décroître. Actuellement, environ 80% de la population mondiale vit dans les pays en voie de développement. De plus, la majeure partie de la croissance démographique mondiale se produit dans ces pays.

La croissance de la population humaine a ceci de particulier qu'elle peut être limitée par la contraception volontaire et par les programmes de planification familiale. Dans plusieurs cultures, les changements sociaux, une plus grande instruction des femmes et leur aspiration à faire carrière les encouragent à retarder leur mariage et leur première grossesse. Les taux de croissance démographique s'en trouvent réduits. Or, il est plus facile de planifier une **croissance démographique nulle** lorsque les taux de natalité et de mortalité sont faibles. La solution, pour la transition démographique, réside dans la réduction de la taille des familles. Cependant, il existe de grandes divergences d'opinions sur l'importance du soutien à fournir aux programmes globaux de planification familiale et à l'éducation.

La pyramide des âges

La **pyramide des âges**, qui indique le pourcentage d'individus d'une population dans chacun des groupes d'âge, peut également avoir un effet important sur la croissance démographique d'un pays. La **figure 53.24** présente trois pyramides des âges. Celle de l'Afghanistan se caractérise par une base très large, ce qui signifie que le pays compte un très grand nombre de jeunes qui grandiront et qui, en engendrant des enfants, prolongeront l'explosion démographique. Pour leur part, les États-Unis ont une pyramide des âges relativement uniforme jusqu'aux groupes d'âge dépassant l'âge de procréation. Bien que le taux de fécondité totale actuel y soit de 2,1 enfants par femme, soit à peu près le niveau de remplacement, on prévoit que la population s'accroîtra lentement jusqu'en 2050 en raison de l'immigration. Quant à la pyramide de l'Italie, avec sa base étroite, elle indique que les individus qui n'ont pas encore atteint l'âge de procréation sont relativement sous-représentés. Cette situation confirme la projection selon laquelle la population future continuera de décroître dans ce pays.

Les pyramides des âges ne révèlent pas seulement les tendances de la croissance démographique; elles peuvent également indiquer quelles seront les conditions sociales dans l'avenir. À l'aide des diagrammes de la figure 53.24, par exemple, on peut prédire que l'emploi et l'éducation continueront de représenter, dans un avenir prévisible, un problème important en Afghanistan. En Italie et aux États-Unis, une proportion décroissante de personnes en âge de travailler supportera bientôt une proportion croissante de personnes prenant leur retraite. Aux États-Unis, cette caractéristique démographique a fait de l'avenir des

▼ **Figure 53.24 Les pyramides des âges des populations humaines de trois pays (données de 2019).** Le taux de croissance annuelle de la population de l'Afghanistan était approximativement de 2,8%, celui des États-Unis, de 0,8%, alors que celui de l'Italie était nul. (© Populationpyramide.net.)

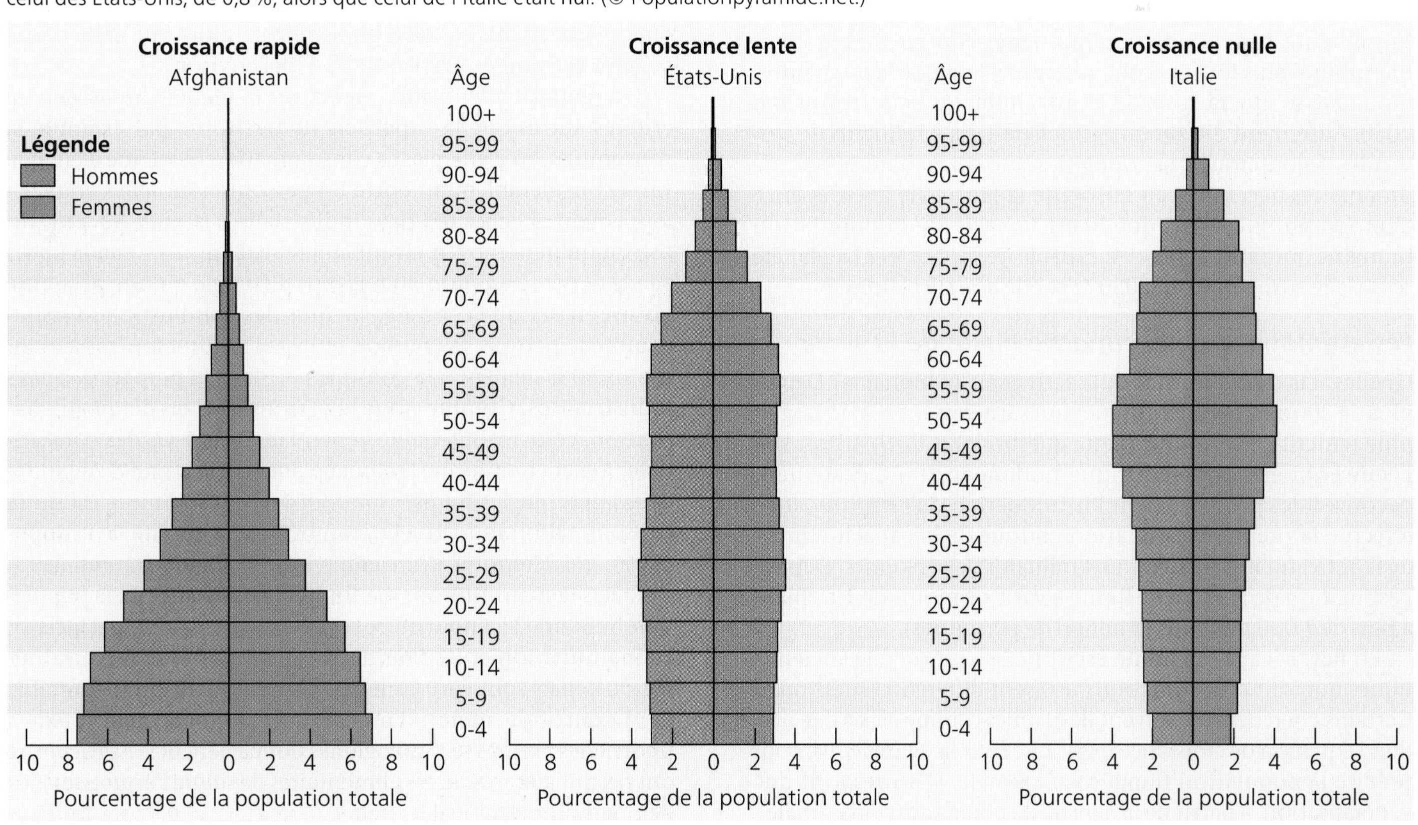

programmes de sécurité sociale et d'assurance maladie un enjeu politique majeur. Une bonne compréhension de la pyramide des âges peut nous aider à planifier l'avenir.

La mortalité infantile et l'espérance de vie

Les populations des différents pays se distinguent les unes des autres par des variations importantes dans la *mortalité infantile*, qui se définit comme le nombre de décès d'enfants au cours de la première année de vie pour 1 000 naissances vivantes, et dans l'*espérance de vie*, soit la durée moyenne de vie prévue à la naissance. En 2011, par exemple, le taux de mortalité infantile en Afghanistan était de 149 (14,9 %), alors qu'il n'était que de 2,8 (0,28 %) au Japon. De plus, l'espérance de vie à la naissance était de 48 ans en Afghanistan comparativement à 82 ans au Japon. Ces écarts témoignent de la qualité de vie dont jouissent les enfants à la naissance et influent sur les choix des parents quant à leur reproduction. Si la mortalité infantile est élevée, les parents sont plus susceptibles d'avoir plus d'enfants pour accroître les chances que certains atteignent l'âge adulte.

À l'échelle mondiale, l'espérance de vie est à la hausse depuis environ 1950, mais plus récemment, elle a diminué dans un certain nombre de régions, dont certains pays de l'ex-Union soviétique et de l'Afrique subsaharienne. En effet, dans ces régions, les bouleversements sociaux, la détérioration des infrastructures et les maladies infectieuses comme le sida et la tuberculose ont contribué à la régression de l'espérance de vie. En Angola, un pays d'Afrique, par exemple, l'espérance de vie était approximativement de 43 ans en 2011, soit environ la moitié de celle du Japon, du Canada, de la Suède, de la France, de l'Italie et de l'Espagne.

La capacité limite de la Terre

Le problème écologique le plus important est sans contredit la future taille de la population humaine. Comme nous l'avons mentionné plus tôt, les écologistes prévoient que la population mondiale se situera entre 8,1 et 10,6 milliards de personnes en 2050. Autrement dit, on estime que de 1,2 à 4 milliards de personnes s'ajouteront à la population mondiale dans les quatre prochaines décennies en raison de la lancée de la croissance démographique. Mais quelle est la taille de la population humaine que la biosphère est capable de supporter ? La planète sera-t-elle surpeuplée en 2050 ? Est-elle *déjà* surpeuplée ?

Les estimations de la capacité limite de la Terre

Quelle est la capacité limite de la Terre pour les humains ? Depuis plus de 300 ans, les scientifiques qui s'intéressent à la démographie tentent de répondre à cette question. En 1679, Anton Van Leeuwenhoek (un scientifique hollandais qui a également découvert les protistes ; voir l'introduction du chapitre 28), a effectué la première estimation connue de la capacité limite de la Terre, qu'il a évaluée à 13,4 milliards de personnes. Depuis, l'estimation de la capacité limite a varié de moins de 1 milliard à plus de 1 000 milliards (1 billion de personnes).

En fait, la capacité limite est difficile à estimer. Les scientifiques qui font ces estimations utilisent différentes méthodes. Certains chercheurs se servent de courbes comme celles que produit l'équation de croissance logistique (voir la figure 53.10) pour prédire la population humaine maximale. D'autres font une généralisation, à partir de la densité de population « maximale » existante, qu'ils multiplient par la superficie de territoire habitable. D'autres encore s'appuient sur un seul facteur limitant, comme la nourriture, et tiennent compte de nombreuses variables, comme la superficie des terres agricoles disponibles, le rendement moyen des récoltes, les habitudes alimentaires dominantes (végétarisme ou consommation de viande) et le nombre de calories nécessaires chaque jour à une personne.

Les limites à la taille de la population humaine

Une approche plus globale pour estimer la capacité limite de la Terre consiste à considérer que nous faisons face à de multiples contraintes : nourriture, combustibles, matériaux de construction et autres nécessités comme les vêtements et le transport. Selon le concept d'**empreinte écologique**, on calcule, pour chaque personne, ville ou pays, la superficie totale des terres et des eaux requises pour la production de toutes les ressources consommées et pour l'assimilation de tous les déchets.

À quoi ressemble une empreinte écologique durable pour la population humaine mondiale ? L'une des façons d'estimer l'empreinte écologique consiste à diviser la somme de tous les milieux écologiquement productifs de la planète par la taille de la population humaine. En général, cette estimation s'exprime en *hectares globaux*, une unité de mesure selon laquelle un hectare global (gha) représente un hectare de terre ou d'eau dont la productivité est égale à la superficie de productivité biologique moyenne à l'échelle mondiale (1 hectare = 10 000 m^2). Ce calcul donne environ 1,7 gha par personne. Cette valeur sert de référence dans la comparaison d'empreintes écologiques. Quiconque consomme des ressources dont la production monopolise plus de 1,7 gha est réputé pour consommer une portion non renouvelable des ressources de la planète, comme c'est le cas des citoyens de nombreux pays (**figure 53.25**). Par exemple, l'empreinte écologique type d'une personne vivant au Canada ou aux États-Unis est de 8 gha environ, alors que celle d'une personne vivant en France est de 5 gha environ.

On peut calculer notre impact sur la planète au moyen de critères autres que la superficie de territoire, par exemple la consommation d'énergie. La consommation moyenne d'énergie varie considérablement entre les personnes des pays en développement et celles des pays industrialisés (**figure 53.26**). Un consommateur moyen vivant aux États-Unis, au Canada ou en Suède dépense environ 30 fois plus d'énergie qu'une personne vivant en Afrique centrale. De plus, les combustibles fossiles comme le pétrole, le charbon et le gaz naturel fournissent au moins 80 % de l'énergie consommée dans la plupart des pays industrialisés. Comme nous le verrons plus en détail au chapitre 56, cette insoutenable dépendance vis-à-vis des combustibles fossiles transforme le climat planétaire et accroît la quantité de déchets que les humains produisent. En somme, c'est notre consommation individuelle, combinée à la densité de la population, qui détermine notre empreinte écologique mondiale.

Quels facteurs finiront par limiter la croissance de la population humaine ? La nourriture sera peut-être le principal facteur. La malnutrition et les famines sont courantes dans certaines régions, mais sont surtout le fait d'une répartition inéquitable de la nourriture, et non d'une production inadéquate. Jusqu'à présent, les progrès technologiques dont a bénéficié l'agriculture ont permis aux ressources alimentaires de suivre l'accroissement démographique global.

▼ **Figure 53.25** **L'empreinte écologique par individu et par pays.**

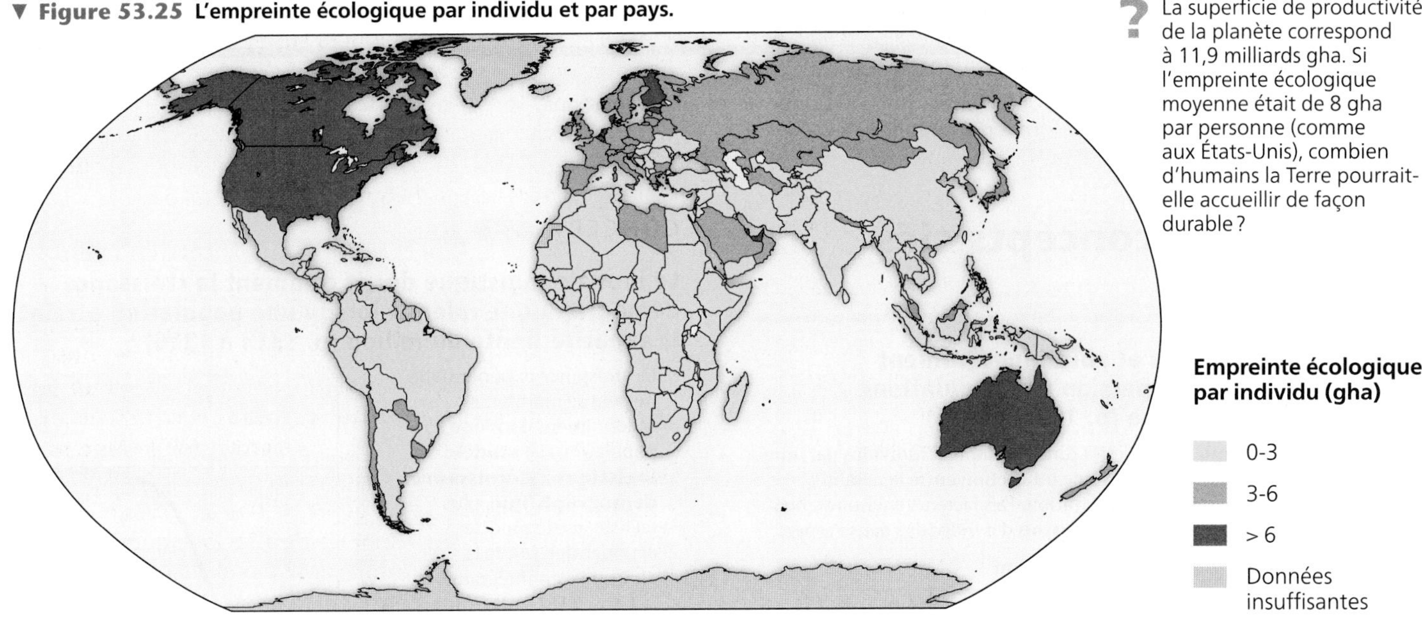

? La superficie de productivité de la planète correspond à 11,9 milliards gha. Si l'empreinte écologique moyenne était de 8 gha par personne (comme aux États-Unis), combien d'humains la Terre pourrait-elle accueillir de façon durable ?

Dans de nombreuses populations, toutefois, les besoins dépassent déjà de beaucoup les réserves locales et même régionales de la ressource renouvelable qu'est l'eau douce. En effet, plus de 1 milliard de personnes n'ont pas accès à des quantités d'eau suffisantes pour satisfaire leurs besoins de base en matière d'hygiène. Il est également possible que la population humaine se retrouve limitée par la capacité de l'environnement à assimiler tous ses déchets. Les occupants actuels de la planète pourraient ainsi faire baisser à long terme la capacité limite de la Terre pour les générations futures.

Les progrès techniques ont sans aucun doute repoussé la capacité limite de la Terre pour les humains, mais, comme nous l'avons souligné, aucune population ne peut croître indéfiniment. Au terme de ce chapitre, vous devriez avoir compris que la capacité limite de la Terre n'est pas unique partout. Le nombre de personnes que notre planète peut accueillir dépend de la qualité de vie que nous souhaitons et de la distribution des richesses entre les individus et les pays. Ces sujets font l'objet de grandes inquiétudes et de débats politiques. Nous pouvons choisir le moyen qui nous permettra d'arrêter notre croissance démographique : nous pouvons opter pour les changements sociaux issus des décisions que nous aurons prises, ou pour une augmentation de la mortalité attribuable au manque de ressources, aux fléaux, aux guerres et à la dégradation de l'environnement.

RETOUR SUR LE CONCEPT 53.6

1. Quelle incidence la pyramide des âges d'une population a-t-elle sur son taux de croissance ?
2. Quels changements la croissance de la population mondiale a-t-elle connus au cours des dernières décennies ? Votre réponse doit tenir compte du taux de croissance et du nombre de personnes qui s'ajoutent chaque année.
3. **ET SI ?** ▶ Tapez les mots clés « calcul empreinte écologique personnelle » dans un moteur de recherche et utilisez un des calculateurs proposés pour estimer votre empreinte écologique. Votre mode de vie est-il durable ? Quels choix pouvez-vous faire pour modifier votre propre empreinte écologique ?

Voir les réponses proposées à l'appendice A.

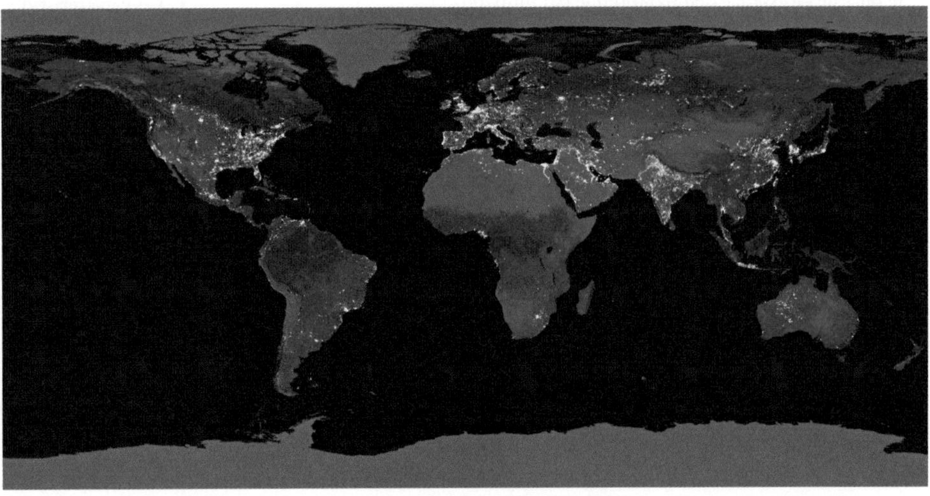

▶ **Figure 53.26** **La répartition inéquitable de l'électrification sur la planète.** Cette image composite de la surface de la Terre, prise la nuit depuis l'espace, montre la densité inégale de l'éclairage électrique dans le monde, une des utilisations de l'énergie par les humains.

RÉVISION DU CHAPITRE 53

Consultez votre MANUEL NUMÉRIQUE, qui vous donne accès aux **animations**, aux **exercices** et à la plateforme d'**anatomie interactive**.

Résumé des concepts clés

CONCEPT **53.1**

Des facteurs biotiques et abiotiques influent sur la densité et la dispersion des populations et sur leur démographie (p. 1306 à 1311)

- La **densité de population**, c'est-à-dire le nombre d'individus par unité d'aire ou de volume, est le reflet d'une interaction entre la natalité, la mortalité, l'immigration et l'émigration. Des facteurs environnementaux ou sociaux influent sur la **dispersion** des individus dans l'espace.

Modes de dispersion

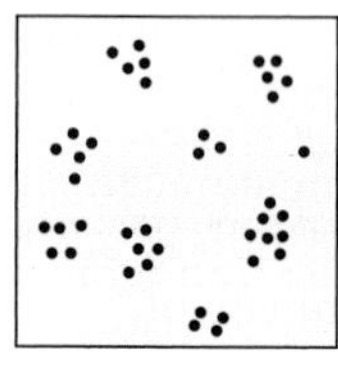

En agrégats

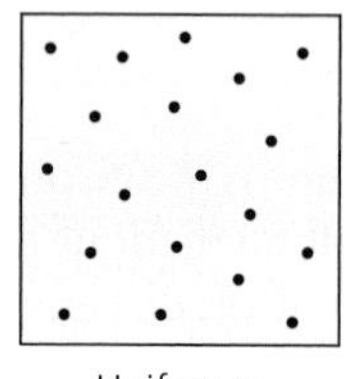

Uniforme

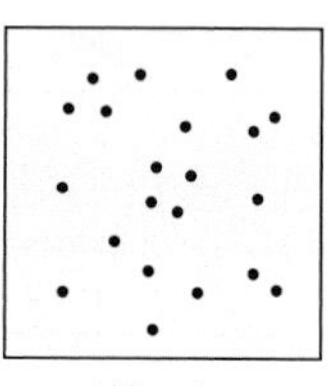

Aléatoire

- La natalité et l'**immigration** sont des facteurs d'accroissement des populations, et la mortalité et l'**émigration**, des facteurs de diminution. Les **tables de survie** et les **courbes de survie** permettent d'obtenir une vue d'ensemble de certaines tendances en matière de **démographie**.

? Des baleines grises (*Eschrichtius robustus*) convergent chaque hiver près de Baja California (ou péninsule de Basse-Californie, au Mexique) pour donner naissance à leurs petits. En quoi un tel comportement facilite-t-il la tâche des écologistes qui souhaitent estimer les taux de natalité et de mortalité de l'espèce?

CONCEPT **53.2**

Le modèle exponentiel décrit la croissance démographique dans un environnement idéal aux ressources illimitées (p. 1311 à 1313)

- Si on ne tient pas compte de l'immigration et de l'émigration, la différence entre le taux de natalité et le taux de mortalité détermine le taux de croissance démographique par individu.
- L'équation de **croissance démographique exponentielle** $dN/dt = rN$ représente la croissance d'une population lorsque les ressources sont relativement abondantes: r est le **taux intrinsèque de croissance** et N est le nombre d'individus dans une population.

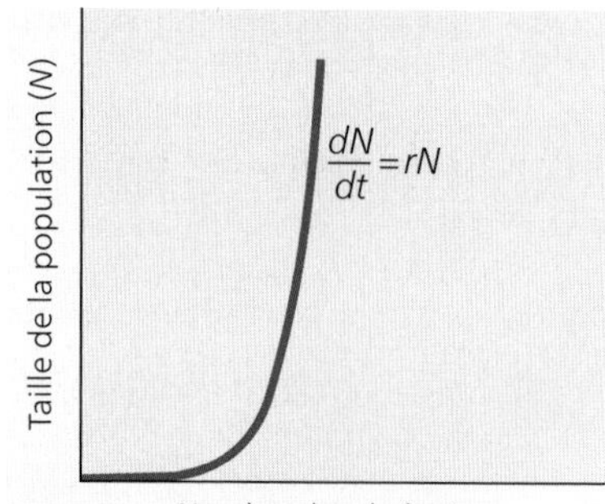

? Supposons que le r d'une population soit deux fois plus important que celui d'une autre population. Quelle est la taille maximale qu'atteindront les deux populations avec le temps, selon le modèle exponentiel?

CONCEPT **53.3**

Le modèle logistique décrit comment la croissance démographique ralentit lorsqu'une population atteint la capacité limite du milieu (p. 1313 à 1316)

- La croissance exponentielle ne peut se maintenir indéfiniment dans une population. Le **modèle logistique de croissance démographique**, plus réaliste que le modèle exponentiel, limite la croissance en intégrant la **capacité limite du milieu** (K), qui correspond à la taille maximale de population que les ressources disponibles peuvent supporter.

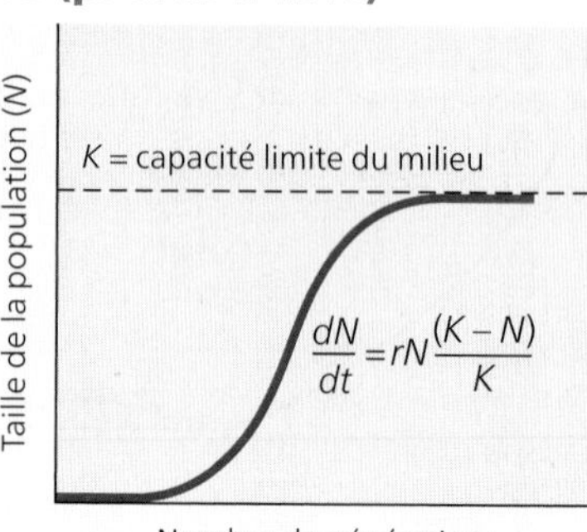

- Selon l'équation de la croissance logistique $dN/dt = rN\,(K - N)/K$, la croissance de la population plafonne lorsque la taille de la population s'approche de la capacité limite du milieu.
- Le modèle logistique décrit fort peu de populations naturelles avec exactitude, mais il permet d'estimer leurs possibilités de croissance.

? À titre d'écologiste gestionnaire d'une réserve faunique, vous souhaitez accroître la capacité limite du milieu pour une espèce menacée. Comment vous y prendrez-vous?

CONCEPT **53.4**

Les caractéristiques des cycles biologiques sont le produit de la sélection naturelle (p. 1316 à 1318)

- Les caractéristiques des **cycles biologiques** résultent de l'évolution et se reflètent sur le développement, la physiologie et le comportement d'un organisme.
- La **sémelparité** s'applique aux organismes qui se reproduisent une seule fois, puis meurent. À l'opposé, l'**itéroparité** se rapporte aux organismes qui produisent des rejetons à maintes reprises.
- Les caractéristiques des cycles biologiques, comme le nombre et la taille des rejetons, l'âge de la maturité et les soins donnés aux rejetons par les parents, représentent des compromis entre les besoins divergents de temps, d'énergie et de nourriture, qui sont des ressources limitées. Il existe deux modèles de sélection naturelle qui favorisent les caractéristiques des cycles biologiques: la **sélection *K*** et la **sélection *r***.

 Expliquez pourquoi les compromis écologiques sont courants.

CONCEPT **53.5**

Des facteurs dépendants de la densité régissent la croissance démographique (p. 1318 à 1323)

- Selon la régulation de population **dépendante de la densité**, les taux de mortalité augmentent et les taux de natalité baissent au fur et à mesure que la densité augmente. Un taux de natalité ou de mortalité qui ne varie pas en fonction de la densité est dit **indépendant de la densité**.

- Les variations des taux de natalité et de mortalité dépendantes de la densité freinent par rétro-inhibition la croissance démographique et peuvent à la longue stabiliser une population autour de sa capacité limite. Il existe de nombreux facteurs de régulation dépendants de la densité : la compétition intraspécifique pour une nourriture et un espace limités, l'augmentation de la prédation, la maladie, les facteurs physiologiques intrinsèques et l'accumulation de substances toxiques.
- Toutes les populations connaissent des fluctuations plus ou moins importantes de leur taille en raison des perturbations qu'entraîne périodiquement la modification des conditions environnementales. De nombreuses populations connaissent des cycles réguliers d'accroissement et de diminution qui sont influencés par des interactions complexes entre les facteurs biotiques et abiotiques. Une **métapopulation** est un groupe de populations interreliées par l'immigration et l'émigration.

? Nommez un facteur biotique et un facteur abiotique qui contribuent chaque année aux fluctuations de la taille de la population humaine.

CONCEPT 53.6

La population humaine n'augmente plus de manière exponentielle, mais croît néanmoins rapidement (p. 1323 à 1327)

- Depuis environ 1650, la population humaine a connu une croissance exponentielle, mais au cours des 50 dernières années, son taux de croissance a diminué de moitié. Les différences dans les **pyramides des âges** révèlent que si la taille de certaines populations croît rapidement, celle d'autres est stable ou en baisse. Dans les pays industrialisés et les pays en voie de développement, les taux de mortalité infantile et l'espérance de vie à la naissance sont sensiblement différents.
- L'**empreinte écologique** se définit comme la superficie totale des terres et des eaux requises pour produire toutes les ressources que consomment une personne ou un groupe de personnes et absorber tous leurs déchets. C'est une mesure qui indique à quel point nous nous approchons de la capacité limite de la Terre, que nous ignorons. Alors que la population mondiale compte plus de 7,2 milliards de personnes, nous consommons déjà de nombreuses ressources d'une façon non durable.

? Qu'est-ce qui distingue les humains des autres espèces au chapitre de l'aptitude à «choisir» la capacité limite de leur milieu ?

Évaluation

NIVEAU 1 : CONNAISSANCES ET COMPRÉHENSION

1. Les écologistes des populations suivent l'évolution des cohortes d'individus du même âge afin de déterminer :
a) la capacité limite du milieu pour une population.
b) le taux de natalité et de mortalité de chaque groupe dans une population.
c) si une population est régulée par des processus dépendants de la densité.
d) les facteurs qui régulent la taille d'une population.

2. La capacité limite du milieu pour une population :
a) peut varier selon les conditions du milieu.
b) peut être déterminée de manière précise à l'aide du modèle logistique de croissance démographique.
c) augmente lorsque le taux de croissance par individu diminue.
d) ne peut jamais être dépassée.

3. Les études scientifiques des cycles démographiques du lièvre d'Amérique et de son prédateur, le lynx du Canada, ont démontré que :
a) les prédateurs sont le principal facteur qui régule la taille des populations de proies.
b) les deux espèces ont évolué parallèlement, et sont si dépendantes l'une de l'autre que chacune ne peut survivre sans l'autre.
c) les deux populations sont régulées par des facteurs abiotiques.
d) la population de lièvres d'Amérique est à sélection *r*, tandis que la population de lynx du Canada est à sélection *K*.

4. Selon l'analyse des empreintes écologiques :
a) la capacité limite de la planète augmenterait si la consommation de viande par individu augmentait.
b) la demande courante en ressources de la part des pays industrialisés est bien inférieure à leur empreinte écologique.
c) il est impossible que les progrès techniques accroissent la capacité limite de la Terre pour la population humaine.
d) les États-Unis et le Canada ont une grande empreinte écologique parce que la consommation de ressources par individu est élevée.

5. D'après les taux de croissance actuels (supposons 1,2 %), la taille de la population humaine mondiale en 2025 sera près de :
a) 2 milliards.
b) 4 milliards.
c) 8 milliards.
d) 10 milliards.

NIVEAU 2 : APPLICATION ET ANALYSE

6. Une population qui présente une dispersion uniforme :
a) vit dans un milieu où les ressources sont réparties de manière hétérogène.
b) est formée d'individus qui se font compétition pour les ressources.
c) est formée d'individus entre lesquels il n'y a ni attirance ni répulsion marquée.
d) a une faible densité.

7. Selon l'équation du modèle logistique

$$\frac{dN}{dt} = rN\,\frac{(K - N)}{K}$$

a) le nombre d'individus qui s'ajoutent par unité de temps est plus grand quand N s'approche de zéro.
b) le taux de croissance par individu augmente quand N s'approche de K.
c) la population stagne quand N est égal à K.
d) la croissance démographique devient exponentielle quand K est faible.

8. Une population qui croît de façon exponentielle :
a) a un taux de croissance constant par individu.
b) atteint rapidement la capacité limite du milieu.
c) connaît des cycles.
d) perd des individus par phénomène d'émigration.

9. Parmi les énoncés suivants sur la population humaine dans les pays industrialisés, lequel est *incorrect* ?
a) Les taux de natalité et de mortalité sont élevés.
b) La famille moyenne est relativement petite.
c) La population a connu une transition démographique.
d) La courbe de survie est de type I.

NIVEAU 3 : SYNTHÈSE ET ÉVALUATION

10. **INTERPRÉTEZ LES DONNÉES** ▶ Pour estimer quelle cohorte d'âges, dans une population de femelles, produit le plus de rejetons femelles, vous devez connaître le nombre de rejetons engendrés par individu au sein de cette cohorte et le nombre d'individus vivants qui la composent. Faites cette estimation pour le spermophile de Belding en multipliant le nombre de femelles vivantes au début de l'intervalle (colonne 2 du tableau 53.1) par le nombre moyen de rejetons femelles par femelle (colonne 5 du tableau 53.1). Dessinez un diagramme en bâtons en plaçant l'âge des femelles sur l'axe des x (0-1, 1-2, etc.) et le nombre total de rejetons femelles engendrés pour chaque cohorte sur l'axe des y. Quelle cohorte de spermophiles de Belding femelles produit le plus de rejetons femelles ?

Voir les réponses proposées à l'appendice A.

L'écologie des communautés

54

VOS OUTILS INTERACTIFS

Consultez votre MANUEL NUMÉRIQUE, qui vous donne accès aux **animations**, aux **exercices** et à la plateforme d'**anatomie interactive**.

▲ **Figure 54.1** **Laquelle des deux espèces sort gagnante de cette interaction ?**

CONCEPTS CLÉS

54.1 Les interactions d'une communauté sont classées selon qu'elles sont utiles, nuisibles ou sans effet sur les espèces concernées

54.2 La diversité et la structure trophique caractérisent les communautés biologiques

54.3 Les perturbations ont une incidence sur la diversité des espèces et sur la composition des communautés

54.4 Des facteurs biogéographiques influent sur la biodiversité des communautés

54.5 Des agents pathogènes modifient la structure des communautés locales et mondiales

Les communautés en mouvement

Au premier coup d'œil, on dirait que les choses vont mal tourner pour ce petit labre nettoyeur (*Labroides dimidiatus*) qui s'est aventuré dans la bouche d'une murène javanaise (*Gymnothorax javanicus*), un vorace prédateur qui vit dans les récifs coralliens (**figure 54.1**). Un seul coup de mâchoire suffirait à la murène pour ne faire qu'une bouchée du poisson. Mais il n'a rien à craindre : la murène demeure immobile et laisse entrer le labre qui « picore » et mange les minuscules parasites qui vivent dans la bouche et sur la peau du prédateur.

Dans cette interaction, les deux espèces sont gagnantes : le labre nettoyeur a accès à une source de nourriture, tandis que la murène est débarrassée des parasites qui pourraient l'affaiblir ou la rendre malade. On trouve dans les habitats marins beaucoup d'autres exemples de ces interactions mutuellement bénéfiques entre « nettoyeur » et « client », comme celle entre la crevette nettoyeuse (*Lysmata sp.*) et la murène, qu'on voit sur la photo du bas. D'autres associations sont moins bénéfiques pour une des deux espèces, et d'autres encore peuvent carrément nuire à la reproduction et à la survie des deux espèces concernées.

Nous avons vu au chapitre 53 l'effet que peuvent avoir les individus d'une population sur leurs semblables. Ce chapitre s'intéresse aux interactions écologiques entre les populations d'espèces différentes. Les espèces qui vivent assez près les unes des autres pour interagir forment une **communauté**.

Les écologistes déterminent les limites d'une communauté selon les besoins de leurs recherches. Par exemple, ils peuvent étudier la communauté de détritivores et d'autres organismes dans une souche d'arbre, la communauté benthique du lac Léman ou la communauté des arbres et des arbustes dans le parc Forillon, au Québec.

Nous commençons ce chapitre en explorant les types d'interactions entre les espèces qui forment une communauté, par exemple le labre nettoyeur et la murène javanaise de la figure 54.1. Nous étudierons ensuite les facteurs les plus importants qui structurent une communauté, c'est-à-dire ceux qui déterminent le nombre d'espèces qui y vivent, leurs types et leur abondance relative. Enfin, nous appliquerons certains des principes de l'écologie des communautés à l'étude des maladies qui frappent les humains.

CONCEPT **54.1**

Les interactions d'une communauté sont classées selon qu'elles sont utiles, nuisibles ou sans effet sur les espèces concernées

Les interactions d'un organisme avec les autres espèces de sa communauté comptent parmi les relations déterminantes de sa vie. Ces interactions entre espèces, ou **interactions interspécifiques**, sont la compétition, la prédation, l'herbivorisme, le parasitisme, le mutualisme et le commensalisme. Nous consacrerons cette section à les décrire, et nous utiliserons les signes + et – pour indiquer l'effet que produit chaque interaction interspécifique sur la survie et la reproduction des deux espèces concernées.

Par exemple, la prédation est une interaction +/–, car elle a un effet positif sur la survie et la reproduction de la population d'une espèce (le prédateur) et un effet négatif sur la population de l'autre (la proie). Le mutualisme, lui, est une interaction +/+, parce que la survie et la reproduction de chaque espèce s'améliorent en présence de l'autre. Le signe 0 indique que l'interaction n'a aucun effet connu sur une population. Nous examinerons trois grandes catégories d'interactions écologiques : la compétition (–/–), l'exploitation (+/–) et les interactions positives (+/+ ou +/0).

Par le passé, la plupart des recherches en écologie étaient axées sur les interactions produisant un effet négatif sur au moins une espèce, comme la compétition et la prédation. Toutefois, les interactions positives sont omniprésentes et leurs effets sur la structure d'une communauté sont considérables.

La compétition

La **compétition** est une interaction –/– qui se manifeste quand deux espèces se disputent des ressources essentielles à leur survie et à leur reproduction. Ainsi, dans un jardin, les mauvaises herbes sont en compétition avec les plantes potagères pour les nutriments du sol et l'eau. De même, dans les forêts septentrionales de l'Alaska et du Canada, les lynx (*Lynx canadensis*) et les renards (*Vulpes fulva*) se disputent une proie comme le lièvre d'Amérique (*Lepus americanus*). Certaines ressources, comme les molécules d'oxygène (O_2), ne sont généralement pas limitées dans les habitats terrestres ; la plupart des espèces l'utilisent, mais elles ne se la disputent généralement pas.

L'exclusion compétitive

Qu'advient-il dans une communauté lorsque deux espèces se disputent des ressources limitées ? En 1934, l'écologiste russe G. F. Gause a étudié cette question en laboratoire en expérimentant sur deux espèces de ciliés étroitement apparentées : *Paramecium aurelia* et *P. caudatum* (voir la figure 28.17a). Il a cultivé les deux espèces séparément en leur fournissant des conditions constantes et un apport alimentaire régulier. Les deux populations se sont accrues et ont plafonné à un niveau correspondant apparemment à la **capacité limite du milieu** (la figure 53.11a présente une illustration du modèle de croissance logistique d'une population de *Paramecium*). Gause a ensuite cultivé les deux espèces ensemble. *P. caudatum* a alors disparu de la boîte de Petri, sans doute parce que ce cilié était incapable de soutenir la compétition avec *P. aurelia* pour l'obtention de nourriture. De manière plus générale, l'expérience a permis à Gause de confirmer l'hypothèse voulant que deux espèces ayant des besoins pour les mêmes ressources limitées ne peuvent cohabiter de façon permanente au même endroit. En l'absence de perturbation, l'une des deux espèces utilise les ressources de façon plus efficace et se reproduit par conséquent plus rapidement. Même un léger avantage reproductif finira par entraîner l'élimination locale du concurrent inférieur, un phénomène qu'on appelle **exclusion compétitive**.

Les niches écologiques et la sélection naturelle

ÉVOLUTION La compétition pour des ressources limitées peut être à l'origine de changements évolutifs au sein des populations. L'étude de la **niche écologique** d'un organisme, qui représente l'utilisation globale qu'une espèce fait des ressources biotiques et abiotiques de son milieu, peut aider à comprendre comment se déroulent ces changements. La niche écologique d'un lézard arboricole des régions tropicales, par exemple, se caractérise notamment par l'intervalle de température qu'il tolère, la taille des branches où il se perche, le moment de la journée où il s'active ainsi que le type et la taille des insectes qu'il dévore. Ces facteurs définissent la niche du lézard, ou son rôle écologique, c'est-à-dire la place qu'il occupe dans un écosystème.

Nous pouvons maintenant reformuler le principe d'exclusion compétitive à l'aide du concept de la niche écologique : deux espèces ne peuvent coexister de façon permanente dans une communauté si leurs niches écologiques sont identiques. Toutefois, des espèces écologiquement semblables *peuvent* cohabiter si au moins une différence importante entre leurs niches émerge avec le temps. L'évolution par la sélection naturelle peut amener l'une des espèces à adopter d'autres ressources, ou alors à utiliser les mêmes ressources, mais à des moments différents de la journée ou de l'année. La différenciation des niches, qui permet à des espèces semblables de coexister dans une communauté, est appelée **partage des ressources** (**figure 54.2**).

En raison de la compétition, la *niche fondamentale* d'une espèce, c'est-à-dire la niche qu'elle peut théoriquement occuper, peut être différente de sa *niche réelle*, soit la portion de la niche fondamentale qu'elle habite effectivement dans un milieu donné. Les écologistes peuvent déterminer la niche fondamentale d'une espèce en testant la gamme des conditions dans lesquelles elle vit et se reproduit en l'absence de compétiteurs. Ils peuvent aussi savoir si un compétiteur potentiel limite la niche réelle d'une espèce en le retirant pour voir si cette dernière

▼ **Figure 54.2 Le partage des ressources entre des lézards de la République dominicaine.** Sept espèces de lézards du genre *Anolis* vivent à proximité les unes des autres, et toutes se nourrissent d'insectes et d'autres petits arthropodes. Cependant, la compétition pour la nourriture se trouve réduite par le fait que chaque espèce se perche à des endroits différents, occupant ainsi une niche distincte.

A. distichus se perche sur les poteaux de clôture et sur d'autres surfaces exposées au Soleil.

A. insolitus a l'habitude de se percher sur des branches ombragées.

A. ricordii

A. insolitus
A. christophei

A. aliniger
A. distichus

A. cybotes
A. etheridgei

se développe et occupe l'espace ainsi libéré. L'expérience classique décrite dans la **figure 54.3** montre clairement que la compétition entre deux espèces de balanes (des cirripèdes) empêche l'une d'elles d'occuper toute sa niche fondamentale.

Les espèces peuvent partager leur niche non seulement pour ce qui est de l'espace, comme le font les lézards et les balanes, mais aussi selon le temps. Par exemple, la souris épineuse (*Acomys cahirinus*) et la souris épineuse dorée (*A. russatus*) vivent dans les habitats rocheux du Moyen-Orient et de l'Afrique, et partagent des microhabitats et des sources de nourriture semblables. Dans les endroits où les deux espèces coexistent, *A. cahirinus* est de type nocturne, alors qu'*A. russatus* est de type diurne (active durant le jour). Or, la recherche a montré qu'*A. russatus* est naturellement une espèce nocturne. En présence de sa rivale, elle doit ignorer son horloge biologique pour s'activer durant le jour. Lorsque des chercheurs en Israël ont retiré toutes les souris *A. cahirinus* d'un site situé dans leur habitat naturel, les souris *A. russatus* qui y vivaient ont retrouvé un mode de vie nocturne, comme l'avait montré l'expérience en laboratoire. Cette modification du comportement permet de croire qu'il existe une compétition entre les deux espèces et qu'elles arrivent à coexister en adoptant un horaire de veille différent.

▶ **Souris épineuse dorée (*Acomys russatus*).**

DÉMARCHE SCIENTIFIQUE

INVESTIGATION

▼ **Figure 54.3**

La compétition interspécifique peut-elle avoir un effet sur la niche d'une espèce ?

■ **HYPOTHÈSE** ■ L'écologiste Joseph Connell a étudié deux espèces de balanes (des cirripèdes), *Balanus balanoides* et *Chthamalus stellatus*, qui se répartissent de façon stratifiée sur des rochers de la côte de l'Écosse. *Chthamalus* colonise habituellement des strates rocheuses plus élevées que *Balanus*. Selon Connell, la niche réelle de *Chtalamus* était limitée par la présence du compétiteur *Balanus*.

■ **EXPÉRIENCE** ■ Pour déterminer si la répartition de *Chthamalus* est le résultat d'une compétition interspécifique avec *Balanus*, Connell a enlevé des spécimens de *Balanus* de la roche en plusieurs endroits.

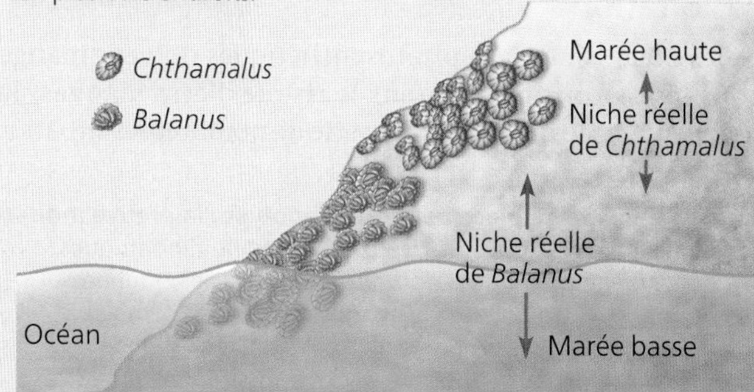

■ **RÉSULTATS** ■ *Chthamalus* s'est répandu dans les zones libérées par *Balanus*.

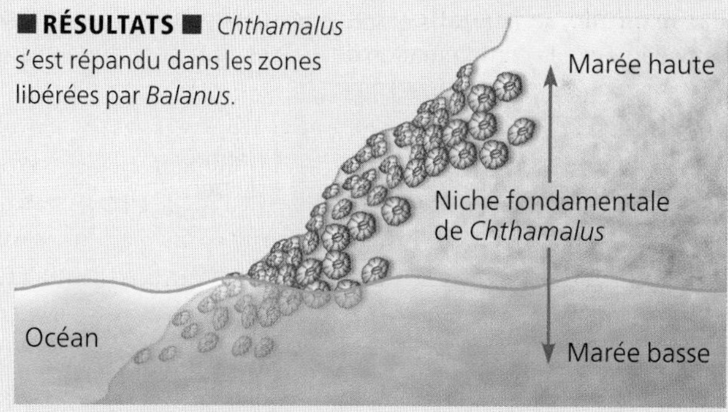

■ **CONCLUSION** ■ En raison de la compétition interspécifique, la niche réelle de *Chthamalus* est beaucoup plus petite que sa niche fondamentale.

Source des données : J. H. Connell, The influence of interspecific competition and other factors on the distribution of the barnacle *Chtamalus stellatus*, *Ecology* 42 : 710-723 (1961).

ET SI ? ▶ D'autres études ont montré que *Balanus* ne peut survivre sur les rochers les plus hauts, car il se dessèche quand la marée est basse. Comment pourriez-vous comparer la niche réelle avec la niche fondamentale de *Balanus* ?

Le déplacement du phénotype

Des comparaisons d'espèces étroitement apparentées dont les populations sont allopatriques en certains endroits (voir le concept 24.2) et sympatriques ailleurs (donc apparues dans la même aire géographique que l'espèce mère) fournissent des données probantes démontrant l'importance de la compétition pour structurer les communautés. Dans certains cas, les populations allopatriques ont des morphologies semblables et utilisent les mêmes ressources. Au contraire, les populations sympatriques, qui pourraient être en compétition pour les ressources, présentent des disparités morphologiques et exploitent des ressources différentes. La tendance à une plus grande divergence entre les caractéristiques des populations sympatriques des deux espèces qu'entre les caractéristiques des populations allopatriques des mêmes deux espèces est appelée **déplacement du phénotype**. La variation de la taille des becs de deux populations différentes de géospizes des Galápagos, *Geospiza fuliginosa* et *G. fortis*, fournit un bon exemple de déplacement du phénotype. Les becs de ces deux espèces ont des épaisseurs semblables dans les populations allopatriques, mais elles sont considérablement différentes dans les populations sympatriques (**figure 54.4**).

L'exploitation

Tous les organismes non photosynthétiques doivent manger, et tous les organismes courent le risque d'être mangés. Par conséquent, la vie naturelle comporte de nombreuses situations

▼ **Figure 54.4 Le déplacement du phénotype: la preuve indirecte d'une compétition antérieure.** Deux populations allopatriques de *Geospiza fuliginosa* et de *G. fortis* vivant sur les îles Daphne et Los Hermanos (archipel des Galápagos) ont un bec semblable (voir les deux graphiques supérieurs) et, croit-on, mangent des graines de même taille. Mais les deux espèces sont sympatriques sur les îles Floreana et San Cristóbal. Là, *G. fuliginosa* a un petit bec, et *G. fortis*, un bec plus haut, plus épais (voir le graphique inférieur). Les deux espèces se sont adaptées à la consommation de graines de tailles différentes.

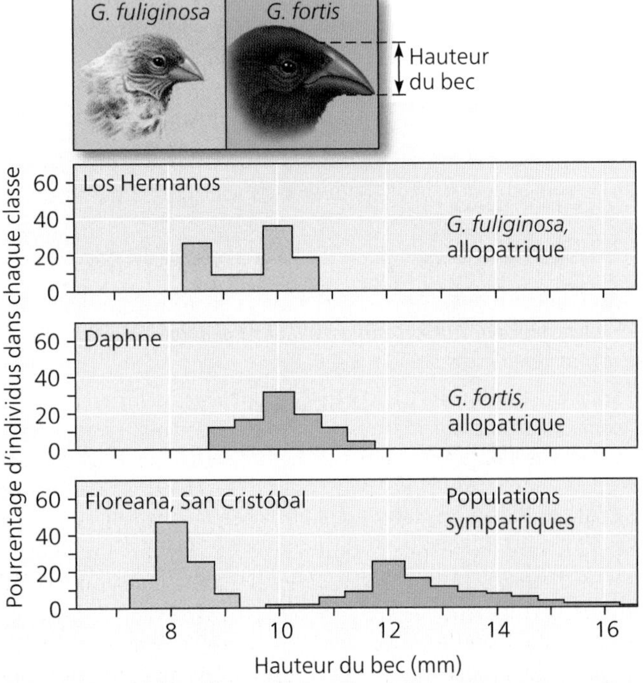

INTERPRÉTEZ LES DONNÉES ▶ Si la longueur du bec de *G. fortis* est normalement de 12 % plus grande que l'épaisseur, quelle devrait être la longueur du bec la plus courte des individus de *G. fortis* observés sur les îles de Floreana et de San Cristobal?

d'**exploitation**, un terme général qui désigne toute interaction +/– dans laquelle une des deux espèces tire avantage de se nourrir d'autres espèces, qui, elles, s'en trouvent désavantagées. Les interactions qui sont de l'ordre de l'exploitation incluent la prédation, l'herbivorisme et le parasitisme.

La prédation

La **prédation** est une interaction +/– dans laquelle une espèce, le prédateur, tue et dévore une autre espèce, la proie. Le terme *prédation* évoque des images comme celle du lion qui tue et dévore l'antilope, mais il s'applique à un large éventail d'interactions. Un rotifère (animal aquatique minuscule, plus petit en fait que beaucoup d'eucaryotes unicellulaires) qui tue un eucaryote unicellulaire pour le manger est également un prédateur. Dévorer et éviter de se faire dévorer sont des conditions du succès reproducteur; c'est pourquoi la sélection naturelle améliore autant les adaptations des prédateurs que celles des proies par un processus de **coévolution**. Dans la rubrique **Habiletés scientifiques**, vous évaluerez l'incidence de la sélection naturelle sur une interaction prédateur-proie bien particulière.

Du côté des prédateurs, les adaptations importantes sont nombreuses, évidentes et familières. Ainsi, grâce à leurs sens développés, les prédateurs repèrent et reconnaissent les proies potentielles. Par exemple, les crotales (*Crotalus spp.*) et d'autres vipéridés ont entre les yeux et les narines des organes thermosensibles qui leur permettent de repérer leurs proies (voir la figure 50.7b). Les hiboux ont de grands yeux qui les aident à repérer leurs proies la nuit, tandis que d'autres prédateurs se servent de serres, de dents, de crochets, d'aiguillons ou de venin pour capturer, immobiliser et mastiquer leurs prises. Les prédateurs qui pourchassent leurs proies sont généralement rapides et agiles, tandis que ceux qui tendent des embuscades se camouflent dans leur milieu.

Si les prédateurs possèdent des adaptations qui leur permettent de capturer leurs proies, les proies potentielles en possèdent d'autres qui les aident à échapper à leurs prédateurs. Chez les animaux, ces adaptations comprennent les comportements défensifs comme se cacher, s'enfuir ou se regrouper en hardes ou en bancs. Le combat est moins répandu que la fuite, bien que certains mammifères herbivores de grande taille défendent leurs jeunes avec acharnement contre les prédateurs. Les cris d'alarme font partie des comportements de défense qui attirent de nombreux individus de l'espèce poursuivie, lesquels houspillent ensuite le prédateur.

Diverses adaptations morphologiques et physiologiques permettent aussi aux animaux de se défendre. Les défenses mécaniques ou chimiques protègent des espèces comme le porc-épic d'Amérique (*Erethizon dorsatum*) et la mouffette rayée (*Mephitis mephitis*) (**figure 54.5a** et **b**). Certains animaux, comme la salamandre tachetée (*Salamandra salamandra*), synthétisent des toxines, tandis que d'autres acquièrent des défenses chimiques passivement, en accumulant dans leurs tissus les toxines des végétaux dont ils se nourrissent. Les animaux qui possèdent des défenses chimiques efficaces arborent souvent une coloration d'avertissement, ou **coloration aposématique**, comme celle des dendrobates (**figure 54.5c**). La coloration d'avertissement semble adaptative puisque les prédateurs évitent souvent d'attaquer une proie potentielle vivement colorée (voir le chapitre 1). L'homochromie, ou **coloration cryptique**, une forme

DÉMARCHE SCIENTIFIQUE

HABILETÉS SCIENTIFIQUES

Construire un diagramme à bandes et un diagramme de dispersion

■ UN PRÉDATEUR NATIF PEUT-IL S'ADAPTER RAPIDEMENT À UNE PROIE NOUVELLEMENT INTRODUITE ? ■ Les crapauds buffles (*Rhinella marina*) ont été introduits en Australie en 1935 dans une tentative infructueuse de combattre un insecte ravageur. Depuis, les crapauds buffles se sont répandus dans tout le Nord-Est de l'Australie, et à l'heure actuelle, leur population compte plus de 200 millions d'individus. Les crapauds buffles possèdent des glandes qui produisent une toxine nocive pour les serpents et d'autres prédateurs potentiels. Dans le présent exercice, vous représenterez graphiquement les données d'une étude comportant deux expériences réalisées par des chercheurs qui voulaient déterminer si des prédateurs australiens natifs avaient acquis une résistance à la toxine du crapaud buffle.

■ MÉTHODE ■ Dans l'expérience 1, les chercheurs ont capturé 12 serpents noirs à collier rouge (*Pseudechis porphyriacus*) dans des régions où les crapauds buffles étaient établis depuis 40 à 60 ans et 12 autres serpents noirs à collier rouge provenant de régions sans crapauds buffles. Les chercheurs ont noté le pourcentage de serpents de chaque région qui mangeaient une grenouille native fraîchement tuée (*Limnodynastes peronii*, une espèce que les serpents mangent souvent) et le pourcentage de serpents qui mangeaient un crapaud buffle fraîchement tué dont on avait retiré la glande produisant la toxine (ce qui rendait le crapaud inoffensif). Dans l'expérience 2, les chercheurs ont capturé des serpents dans des régions où les crapauds buffles vivaient depuis 5 à 60 ans. Pour déterminer comment la toxine des crapauds buffles perturbait l'activité physiologique de ces serpents, les chercheurs ont injecté une petite quantité de toxine dans leur estomac, puis ils ont mesuré la vitesse à laquelle nageaient ces reptiles dans un petit bassin.

■ RÉSULTATS ■

Première partie de l'expérience

Type de proie offerte aux serpents	Pourcentage de serpents de chaque région qui ont mangé la proie	
	Région avec crapauds buffles depuis 40 à 60 ans	Région sans crapauds buffles
Grenouille native	100	100
Crapaud buffle	0	50

Seconde partie de l'expérience

Nombre d'années depuis l'introduction des crapauds buffles	5	10	10	20	50	60	60	60	60	60
Pourcentage de diminution de la vitesse de nage des serpents	52	19	30	30	5	5	9	11	12	22

Source des données: B. L. Phillips et R. Shine, An invasive species induces rapid adaptive change in a native predator: Cane toads and black snakes in Australia, *Proceedings of the Royal Society B* 273: 1545-1550 (2006).

INTERPRÉTEZ LES DONNÉES ▼

1. Représentez les données de la première partie de l'expérience dans un diagramme à bandes. (Pour en savoir plus sur les diagrammes, consultez l'appendice F.)
2. Examinez votre diagramme à bandes. Que laisse-t-il présumer au sujet de l'effet de la présence des crapauds sur le comportement de prédation des serpents à collier rouge dans les régions avec et sans crapauds buffles ?
3. Supposons qu'une nouvelle enzyme qui désactive la toxine des crapauds buffles est apparue au cours de l'évolution d'une population exposée à ces crapauds. Si les chercheurs refaisaient la première partie de l'expérience, en quoi les résultats seraient-ils différents, à votre avis ?
4. Indiquez la variable dépendante et la variable indépendante dans l'expérience 2, puis construisez un diagramme de dispersion. Concluriez-vous que l'exposition des serpents aux crapauds buffles a un effet de sélection sur les serpents ou n'en a pas ? Expliquez votre réponse.
5. Expliquez pourquoi il est approprié de présenter les données de la première partie par un diagramme à bandes et pourquoi il est tout aussi approprié de présenter les données de la seconde partie au moyen d'un diagramme de dispersion.

de camouflage, rend difficile pour les prédateurs de détecter des proies (**figure 54.5d**).

Certaines proies sont protégées par leur ressemblance à d'autres espèces. Le **mimétisme batésien** est l'imitation d'une espèce inappétente (espèce nocive) par une espèce appétente (espèce inoffensive) qui n'est pas proche parente. Par exemple, la larve d'une espèce de sphinx (*Hemeroplanes ornatus*) gonfle sa tête et son thorax quand on la perturbe, ce qui lui donne l'allure de la tête d'un petit serpent venimeux comme le serpent liane (*Leptophis ahaetulla*; **figure 54.5e**). Dans ce cas, le mimétisme fait même intervenir le comportement: la larve oscille de la tête et siffle comme un serpent. On croit que ces cas de mimétisme batésien sont le fait de la sélection naturelle: les individus de l'espèce inoffensive qui ont la chance de ressembler à l'espèce nocive échappent aux prédateurs qui ont appris à ne pas manger l'espèce nocive. Au fil du temps, des individus de plus en plus semblables à l'espèce nocive apparaissent. Le **mimétisme müllérien** est une ressemblance entre deux espèces inappétentes ou plus, comme l'abeille nomade (*Nomada sp.*) et la guêpe de l'Est (*Vespula maculifrons*; **figure 54.5f**). Il semble que plus les proies inappétentes sont nombreuses, plus les prédateurs apprennent rapidement et efficacement à éviter toutes les proies présentant cette particularité. Le mimétisme a également évolué chez de nombreux prédateurs. Ainsi, la pieuvre-mime *Thaumoctopus*

▼ **Figure 54.5** **Des exemples d'adaptations de défense chez les animaux.**

(a) Défense mécanique

► **Porc-épic (*Erethizon dorsatum*).**

(b) Défense chimique

► **Mouffette (*Mephitidae*).**

(c) Coloration aposématique: coloration d'avertissement

► **Dendrobate (*Ranitomeya amazonica*).**

(d) Coloration cryptique: homochromie

► **Rainette arénicolore (*Hyla arenicolor*).**

(e) Mimétisme batésien: une espèce inoffensive imite une espèce nuisible

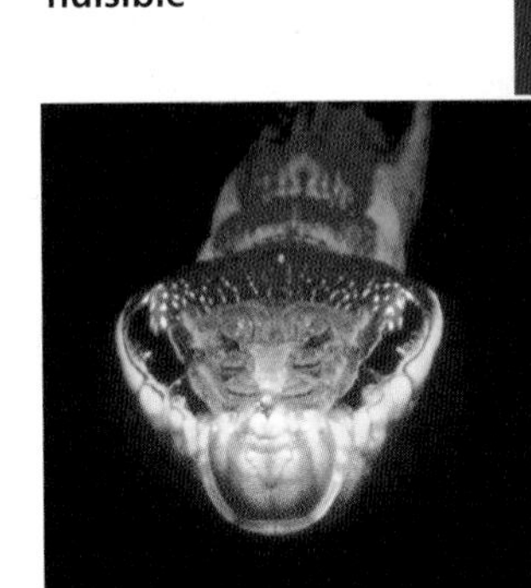

▲ **Serpent liane (*Leptophis ahaetulla*).**

◄ **Larve de sphinx.**

(f) Mimétisme müllérien: ressemblance entre deux espèces inappétentes

▲ **Guêpe de l'Est (*Vespula maculifrons*).**

◄ **Abeille nomade (*Nomada sp.*).**

FAITES DES LIENS ► Expliquez comment la sélection naturelle peut mener à une ressemblance de plus en plus grande entre une espèce inoffensive et une espèce nocive qui n'est pas proche parente. À part la sélection, quel autre facteur peut expliquer qu'une espèce inoffensive ressemble à une espèce nocive qui est proche parente? (Voir le concept 22.2.)

mimicus (**figure 54.6**) peut adopter l'apparence et le mouvement de plus d'une douzaine d'animaux marins dont le crabe, l'étoile de mer, le serpent de mer, certains poissons et la pastenague (raie). Grâce à ses multiples camouflages, cette pieuvre arrive à s'approcher des proies sans les faire fuir. Par exemple, elle imitera un crabe pour s'approcher d'un crabe et le manger. Elle peut également se servir du mimétisme pour se défendre des prédateurs. Par exemple, lorsqu'elle est attaquée par un poisson appelé «demoiselle» (famille des pomacentridés), elle se dépêche d'imiter le tricot rayé à lèvres jaunes (*Laticauda colubrina*, un serpent), un habituel prédateur des demoiselles.

L'herbivorisme

Les écologistes utilisent le terme **herbivorisme** pour désigner une interaction +/– d'exploitation dans laquelle un herbivore se nourrit de parties de végétaux ou d'algues, nuisant à ces organismes. Les grands mammifères herbivores, comme les bovins, les ovins et les buffles d'Asie (*Bubalus bubalis*), sont bien connus; pourtant, la plupart des herbivores sont en fait des invertébrés, comme les sauterelles, les chenilles et les coléoptères. Parmi les espèces d'herbivores qui habitent les océans, on compte les escargots, les oursins, des poissons tropicaux et certains mammifères (**figure 54.7**).

Tout comme les prédateurs, les herbivores présentent des adaptations spécialisées. De nombreux insectes herbivores ont sur les pattes des chimiorécepteurs qui leur permettent de distinguer les végétaux selon leur toxicité et leur valeur nutritive. Certains mammifères herbivores, comme les chèvres, utilisent leur odorat pour détecter les végétaux qu'ils doivent rejeter et ceux qu'ils peuvent consommer. D'autres animaux ne se

▼ **Figure 54.6 La pieuvre-mime (*Thaumoctopus mimicus*).** **(a)** Après avoir dissimulé six de ses huit tentacules dans un trou du fond marin, cette pieuvre-mime fait onduler ses deux tentacules libres pour imiter le serpent de mer. **(b)** Ici, la pieuvre-mime aplatit son corps et plaque tous ses tentacules contre elle pour imiter une sole (un poisson plat). **(c)** La pieuvre-mime peut aussi imiter une pastenague (raie) en gardant tous ses tentacules collés contre son corps, sauf une qu'elle étend derrière.

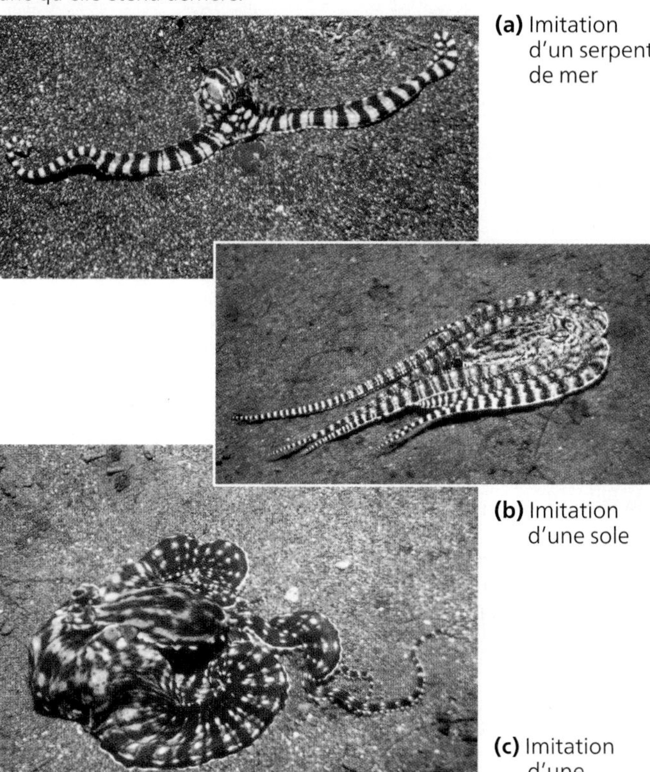

(a) Imitation d'un serpent de mer

(b) Imitation d'une sole

(c) Imitation d'une pastenague

nourrissent que d'une certaine partie de la plante, comme les fleurs. Enfin, de nombreux herbivores sont aussi munis d'une dentition ou d'un système digestif spécialement adaptés au déchiquetage et à l'assimilation de la végétation (voir le concept 41.4).

Contrairement aux animaux, les végétaux ne peuvent fuir leurs prédateurs. Leur principal arsenal contre la prédation qui les menace consiste donc en des toxines chimiques ou en des épines. Parmi les défenses chimiques, on compte les poisons suivants: la strychnine, produite par une plante grimpante tropicale, *Strychnos toxifera*; la nicotine, dérivée du tabac (*Nicotiana tabacum*); et les tanins provenant de différentes espèces végétales. Les végétaux du genre *Astragalus* emmagasinent du sélénium; les bovins et les moutons qui en mangent s'intoxiquent et souffrent de locoïsme, qui compromet leur coordination et peut entraîner la mort. D'autres substances défensives non toxiques pour les humains peuvent avoir un goût désagréable pour les herbivores. C'est à cette catégorie de substances qu'appartiennent la cannelle, le clou de girofle et la menthe, aux saveurs particulières. Des végétaux produisent même des composés chimiques qui perturbent le développement de certains des insectes qui s'en nourrissent. La figure 39.27 Faites des liens, intitulée « Les stratégies de défense des végétaux contre les herbivores », présente des exemples des mécanismes de défense des végétaux.

▼ **Figure 54.7 Un herbivore marin dans les eaux de la Floride.** Ce lamantin des Antilles (*Trichechus manatus*), qui vit en Floride, se nourrit de *Hydrilla verticillata*, une espèce non indigène.

Le parasitisme

Le **parasitisme** est une interaction +/– d'exploitation dans laquelle un organisme, le **parasite**, se nourrit aux dépens de son **hôte** et lui porte préjudice. Les parasites qui vivent à l'intérieur des tissus de leurs hôtes, comme le ténia, ou ver solitaire (*Taenia solium*), sont appelés **endoparasites**. Ceux qui, pour se nourrir, font un court séjour sur la face externe de leurs hôtes, comme les moustiques et les pucerons, sont appelés **ectoparasites**. Selon un type spécial de parasitisme, des insectes parasitoïdes – généralement de petites guêpes – déposent leurs œufs sur un hôte vivant. Les larves se nourrissent alors du corps de l'hôte, qu'elles peuvent tuer. Certains écologistes estiment que le tiers, au moins, des espèces vivantes sont des parasites.

De nombreux parasites ont un cycle de vie complexe dans lequel un certain nombre d'hôtes interviennent. Le schistosome (*Schistosoma mansoni*), qui infecte environ 200 millions de personnes dans le monde, a besoin de deux hôtes à différents moments de son cycle de développement: l'humain et l'escargot (voir la figure 33.11). Certains parasites modifient le comportement de leurs hôtes de façon à augmenter leurs chances d'être transportés d'un hôte à un autre. Par exemple, la présence d'un ver parasite appelé acanthocéphale (ver à tête épineuse) conduit les crustacés qui lui servent d'hôtes à adopter divers comportements atypiques, dont quitter leur abri pour se déplacer à découvert. En agissant ainsi, les crustacés risquent davantage d'être dévorés par des oiseaux qui constituent les seconds hôtes associés au cycle de vie de l'acanthocéphale.

Les parasites peuvent avoir, directement ou indirectement, une forte incidence sur la survie, la reproduction et la densité de population de leurs hôtes. Par exemple, les tiques, des ectoparasites qui vivent sur les orignaux, affaiblissent leurs hôtes en se nourrissant de leur sang et en leur faisant perdre leurs poils. Affaiblis de la sorte, les orignaux risquent davantage de mourir de froid ou d'être la proie des loups.

Les interactions positives

Les histoires d'exploitation sanglantes ne manquent pas dans la nature, mais les communautés écologiques regorgent également d'**interactions positives**, un terme qui fait référence aux interactions +/+ ou +/0 qui avantagent au moins une des espèces et n'en désavantagent aucune. Le mutualisme et le commensalisme font partie de ces interactions positives. Comme nous le verrons, elles peuvent influer sur la diversité des espèces qui composent une communauté écologique.

Le mutualisme

Le **mutualisme** est une relation interspécifique qui profite aux deux organismes (+/+). Le mutualisme est courant dans la nature, comme plusieurs exemples l'ont montré dans les chapitres antérieurs. Citons notamment: la digestion de la cellulose par des microorganismes dans l'intestin des termites et des ruminants; les animaux qui pollinisent les fleurs ou dispersent les graines; l'échange de nutriments dans les mycorhizes; et la photosynthèse par les algues unicellulaires dans les tissus du corail. Dans certaines relations mutualistes, comme celle de la **figure 54.8** entre les acacias (*Acacia spp.*) et les fourmis porte-aiguillon (*Pseudomyrmex spp.*), chaque espèce dépend de l'autre pour sa survie et sa reproduction. Dans d'autres cas, les deux espèces peuvent vivre sans l'autre.

Habituellement, les deux espèces en relation mutualiste en subissent le coût, mais en soutirent un avantage. Chez les mycorhizes, par exemple, la plante achemine souvent des glucides à l'eumycète, tandis que ce dernier lui apporte des nutriments essentiels comme le phosphore. Chaque espèce tire un avantage, donc, mais chacune subit un coût: elle fournit à l'autre une substance qu'elle aurait pu utiliser pour sa propre croissance et son propre métabolisme. Pour qu'une relation soit mutualiste, ses avantages doivent excéder ses désavantages, et ce, pour chaque partenaire.

Le commensalisme

Le **commensalisme** est une interaction avantageuse pour une espèce et sans effet pour l'autre (+/0). Comme le mutualisme, le commensalisme est courant dans la nature. Par exemple, beaucoup d'espèces de fleurs sauvages qui croissent mieux à l'ombre ne poussent que dans les sols ombragés des milieux forestiers. Ces « spécialistes » de l'ombre dépendent entièrement des arbres environnants qui leur fournissent l'ombre dont elles ont besoin. En revanche, la survie et la reproduction de ces arbres ne dépendent en rien de ces fleurs. Ces espèces participent donc à une interaction +/0 avantageuse pour les fleurs, mais sans effet pour les arbres.

Autre exemple de commensalisme: les hérons garde-bœufs (*Bubulcus ibis*) qui se nourrissent des insectes que les grands herbivores, tels les bisons, les bovins et les chevaux, font sortir de la végétation (**figure 54.9**). Ces oiseaux, qui augmentent leur apport alimentaire en suivant le bétail, bénéficient manifestement de l'association. La plupart du temps, la relation n'apporte ni bénéfice ni préjudice aux herbivores. Cependant, à certaines occasions, les herbivores en tirent quelque bénéfice. En effet, les oiseaux qui s'alimentent des ressources disponibles enlèvent et mangent les tiques et autres ectoparasites qui vivent sur eux. Ils peuvent aussi avertir les herbivores de l'approche d'un prédateur. Cet exemple illustre un autre élément important au sujet des interactions écologiques: leurs effets peuvent changer avec le temps. Dans ce cas, une interaction dont les effets sont habituellement +/0 (commensalisme) peut à l'occasion devenir une interaction +/+ (mutualisme).

▼ **Figure 54.8 Le mutualisme entre les acacias et les fourmis.**

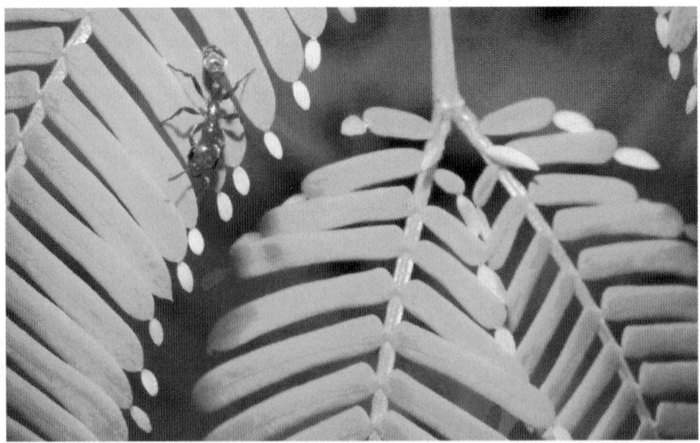

(a) Certains acacias (*Acacia hindsii*) d'Amérique centrale et d'Amérique du Sud portent des épines creuses (non montrées) dans lesquelles s'introduisent les fourmis porte-aiguillon du genre *Pseudomyrmex*. Ces fourmis se nourrissent des glucides produits par les nectaires et les corps de Belt (jaunes sur la photographie), des renflements riches en protéines situés à l'extrémité des folioles.

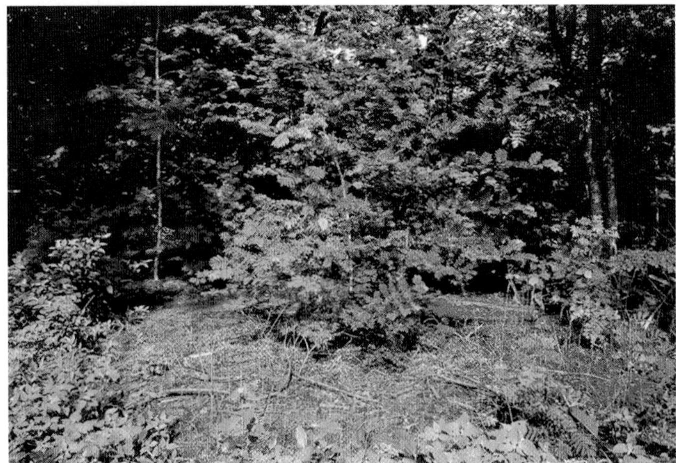

(b) L'association est bénéfique pour les acacias, car les fourmis porte-aiguillon attaquent tout ce qui touche à leur source de nourriture, éliminent les spores fongiques, les petits herbivores et les débris, et détruisent le feuillage des plantes qui entrent en contact avec les acacias. Elles éliminent aussi la végétation qui pousse près de ces derniers.

Les interactions positives peuvent exercer une influence considérable sur la structure des communautés écologiques. Par exemple, le jonc de Gérard (*Juncus gerardi*) rend le sol plus accueillant pour d'autres espèces de végétaux dans certains marais salés de la Nouvelle-Angleterre (**figure 54.10a**). Grâce à l'ombre qu'ils procurent, les joncs préviennent l'accumulation de sel dans le sol en réduisant l'évaporation. En transportant l'O_2 dans les couches souterraines, les joncs préviennent aussi l'anoxie des sols des marais salés. Au cours d'une étude, des chercheurs ont constaté que l'élimination des joncs dans les zones situées dans la zone intertidale moyenne supérieure entraînait une diminution de 50 % de la diversité des espèces végétales (**figure 54.10b**).

La compétition et l'exploitation (prédation, herbivorisme et parasitisme) peuvent influer fortement sur la structure des communautés écologiques, au même titre que les interactions positives. Vous en verrez des exemples dans tout le reste du chapitre.

▼ Figure 54.9 Un exemple de commensalisme entre des hérons garde-bœufs et des buffles d'Asie.

▼ Figure 54.10 La facilitation exercée par le jonc de Gérard (*Juncus gerardi*) dans les marais salés de la Nouvelle-Angleterre. Le jonc de Gérard facilite l'occupation de la zone moyenne supérieure du marais, ce qui augmente le nombre d'espèces de végétaux présentes.

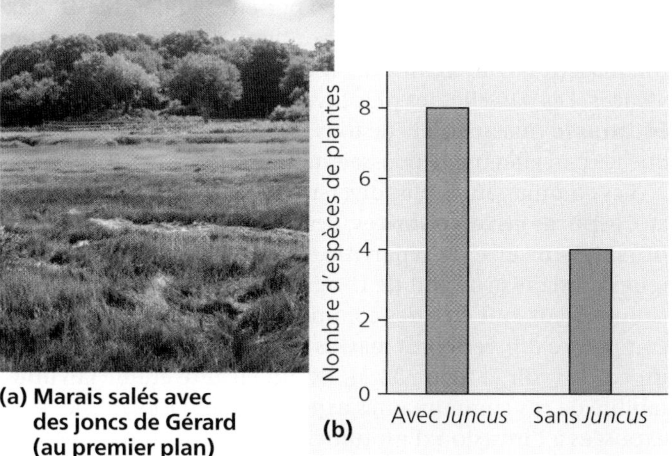

(a) Marais salés avec des joncs de Gérard (au premier plan)

RETOUR SUR LE CONCEPT **54.1**

1. Expliquez en quoi diffèrent les effets de la compétition, de la prédation et du mutualisme sur les populations de deux espèces.
2. Selon le principe d'exclusion compétitive, quelle est l'issue prévue lorsque deux espèces possédant une niche identique sont en compétition pour une même ressource ? Pourquoi ?
3. **FAITES DES LIENS ▶** La figure 24.14 montre comment une zone hybride peut changer au fil du temps. Imaginez que deux espèces de roselins colonisent une nouvelle île et sont capables de se reproduire par hybridation (de s'accoupler et de produire des descendants viables). L'île abrite deux espèces de végétaux vivant dans des habitats isolés ; l'une produit de grosses graines, et l'autre, de petites graines. En supposant que chaque espèce de roselin se spécialise et consomme uniquement une seule sorte de graines, dites si les barrières à la reproduction, dans la zone hybride, s'en trouveraient renforcées, affaiblies ou inchangées. Expliquez votre réponse.

Voir les réponses proposées à l'appendice A.

CONCEPT **54.2**

La diversité et la structure trophique caractérisent les communautés biologiques

Les communautés écologiques peuvent se caractériser par des attributs plus généraux, dont leur degré de diversité et les relations alimentaires de leurs espèces. Dans certains cas, comme vous le verrez, quelques espèces ont une forte influence sur la structure d'une communauté, particulièrement sur la composition, l'abondance relative et la diversité de ses espèces.

La diversité des espèces

La **diversité des espèces** d'une communauté, c'est-à-dire la variété de types d'organismes qu'elle comporte, a deux composantes : la **richesse spécifique**, ou le nombre total d'espèces dans la communauté, et l'**abondance relative** des espèces, ou la proportion de chaque espèce par rapport au nombre total d'individus dans la communauté.

Imaginons, par exemple, 2 petites communautés forestières comprenant chacune 100 organismes, des arbres appartenant à 4 espèces (A, B, C et D) :

Communauté 1 : 25 A, 25 B, 25 C, 25 D
Communauté 2 : 80 A, 5 B, 5 C, 10 D

La richesse spécifique est la même pour les deux communautés, qui comportent toutes les deux quatre espèces. Mais l'abondance relative est très différente (**figure 54.11**). Si nous observons la communauté 1, nous remarquons au premier coup d'œil la présence de quatre espèces. Mais si nous examinons la

▼ Figure 54.11 Quelle forêt est la plus diversifiée ? Pour les écologistes, la communauté 1 présente une plus grande diversité spécifique, mesure déterminée à la fois par la richesse et l'abondance relative des espèces.

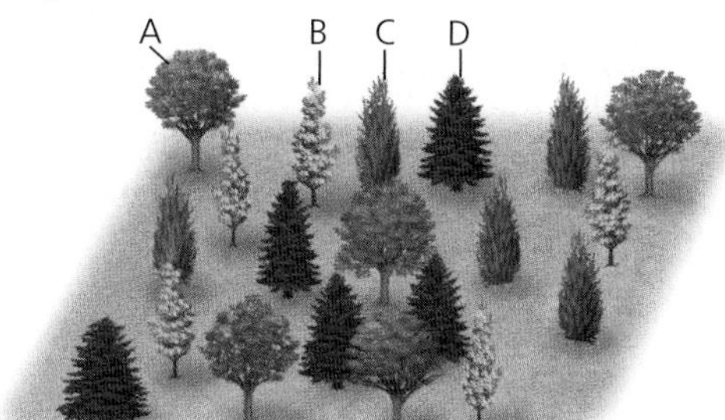

Communauté 1
A : 25 % B : 25 % C : 25 % D : 25 %

Communauté 2
A : 80 % B : 5 % C : 5 % D : 10 %

communauté 2, nous remarquons surtout la prédominance de l'espèce A. La plupart des gens diraient spontanément que la communauté 1 est plus diversifiée.

Les écologistes recourent à de nombreux outils pour comparer de façon quantitative la diversité de communautés dans le temps et l'espace. Ils calculent souvent des indices de diversité prenant en compte la richesse et l'abondance relative des espèces. À cet égard, on a fréquemment recours à l'**indice de diversité de Shannon** (*H*) :

$$H = -(p_A \ln p_A + p_B \ln p_B + p_C \ln p_C + ...)$$

où A, B, C, etc., sont les espèces de la communauté, *p* est l'abondance relative de chaque espèce et ln est le logarithme naturel ; pour chaque valeur de *p*, le ln peut se calculer à l'aide de la touche « ln » d'une calculatrice scientifique. Une valeur élevée de *H* indique une communauté plus diversifiée. Nous pouvons utiliser cette équation pour calculer l'indice de diversité de Shannon pour les deux communautés de la figure 54.11. Pour la communauté 1, $p = 0{,}25$ pour chaque espèce, alors

$$H = -4(0{,}25 \ln 0{,}25) = 1{,}39$$

Pour la communauté 2,

$$H = -[0{,}8 \ln 0{,}8 + 2(0{,}05 \ln 0{,}05) + 0{,}1 \ln 0{,}1] = 0{,}71$$

Ces calculs confirment notre estimation d'une plus grande diversité de la communauté 1.

Il peut être compliqué de déterminer le nombre d'espèces dans une communauté ainsi que leur abondance relative. Comme la plupart des espèces d'une communauté sont relativement rares, il peut être difficile d'obtenir des échantillons assez importants pour être représentatifs. Il arrive aussi que l'identification de certaines des espèces de la communauté s'avère difficile. Si les caractéristiques morphologiques d'un organisme inconnu ne permettent pas de l'identifier, il est utile de comparer son génome ou une partie de son génome avec les séquences d'ADN contenues dans les bases de données sur les organismes connus. Par exemple, même si les deux échantillons montrés ici peuvent donner l'impression qu'il s'agit de deux espèces d'algues rouges différentes, la comparaison des séquences d'un court segment d'ADN (*code-barres d'ADN*) avec celles d'une base de données montre que ces algues appartiennent à la même espèce. Les chercheurs utilisent de plus en plus le séquençage d'ADN pour identifier des espèces, car non seulement cette méthode est de moins en moins coûteuse, mais les bases de données comptent de plus en plus d'organismes dont les séquences d'ADN sont répertoriées.

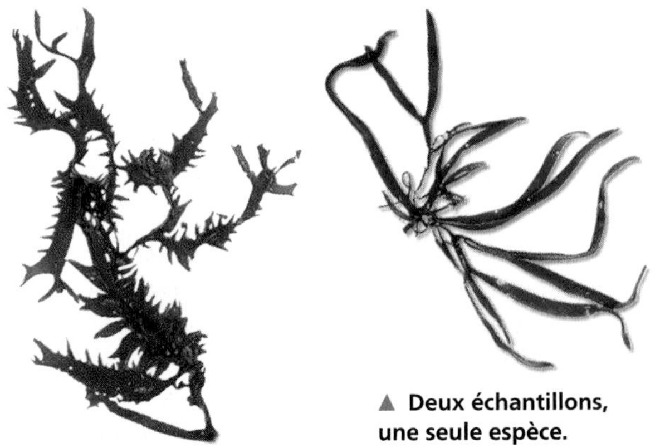

▲ **Deux échantillons, une seule espèce.**

Il peut être particulièrement ardu de dénombrer les espèces très mobiles ou peu visibles, comme les microorganismes, les créatures vivant au fond de la mer et les espèces nocturnes. La taille des microorganismes en rend le prélèvement particulièrement difficile, si bien que les écologistes utilisent maintenant des outils moléculaires pour déterminer la diversité microbienne (**figure 54.12**).

La diversité et la stabilité de la communauté

En plus de mesurer la diversité des espèces, les écologistes manipulent aussi la diversité de communautés expérimentales dans la nature et en laboratoire. Beaucoup d'expériences visent à évaluer les avantages potentiels de la diversité, notamment l'amélioration de la productivité et de la stabilité des communautés biologiques.

Les chercheurs du secteur d'histoire naturelle de la réserve scientifique de Cedar Creek, au Minnesota, manipulent depuis plus de deux décennies la diversité des végétaux dans des communautés expérimentales (**figure 54.13**). Les communautés les plus diversifiées sont généralement plus productives et plus aptes à affronter les stress environnementaux, comme les sécheresses, et à s'en remettre. Les communautés plus diversifiées sont aussi plus stables d'une année à l'autre sur le plan de la productivité. Au cours d'une expérience étalée sur 10 ans, des chercheurs de Cedar Creek ont créé 168 petites parcelles (ou placettes) contenant 1, 2, 4, 8 ou 16 espèces de graminées vivaces. Les parcelles les plus diversifiées produisaient plus de **biomasse** (masse totale de tous les organismes d'un habitat) que les parcelles où ne poussait qu'une espèce.

Les communautés plus diversifiées résistent souvent mieux aux **espèces envahissantes**, des organismes qui s'établissent hors de leur aire de répartition naturelle. Des chercheurs œuvrant dans le détroit de Long Island, au large des côtes du Connecticut, ont créé des communautés de diversité variable composées d'invertébrés marins sessiles, dont le tunicier (un urocordé ; voir la figure 34.5). Ils ont ensuite étudié la vulnérabilité de ces communautés expérimentales lorsqu'elles sont exposées à l'invasion d'un tunicier exotique. Ils ont constaté que les chances de survie du tunicier exotique étaient de quatre fois supérieures dans les communautés peu diversifiées que dans les communautés plus diversifiées. Les chercheurs en ont conclu que les communautés relativement diversifiées accaparent davantage les ressources disponibles du système, ce qui en laisse moins à l'espèce envahissante et réduit ses chances de survie.

La structure trophique

La structure et la dynamique d'une communauté dépendent non seulement de la diversité des espèces, mais aussi en grande partie des relations alimentaires entre les organismes, c'est-à-dire de la **structure trophique** de la communauté. On désigne par l'expression **chaîne alimentaire** la circulation de l'énergie des nutriments vers le niveau trophique supérieur, depuis leur source dans les végétaux et les autres autotrophes (producteurs) en passant par les herbivores (consommateurs primaires) jusqu'aux carnivores (consommateurs secondaires, tertiaires et quaternaires) et finalement aux détritivores (**figure 54.14**). La position occupée par un organisme dans la chaîne alimentaire est appelée **niveau trophique**.

DÉMARCHE SCIENTIFIQUE

MÉTHODE DE RECHERCHE

▼ **Figure 54.12**

Les outils moléculaires pour déterminer la diversité microbienne

■ **APPLICATION** ■ Les écologistes recourent de plus en plus aux techniques moléculaires pour déterminer la diversité microbienne et la richesse d'échantillons environnementaux. L'une de ces méthodes produit un profil d'ADN pour des taxons microbiens reposant sur des variations de séquences dans l'ADN qui code pour la sous-unité d'ARN ribosomique. À l'époque où ils travaillaient à la Duke University, Noah Fierer et Rob Jackson ont utilisé cette méthode pour comparer la diversité bactérienne des sols dans 98 habitats d'Amérique du Nord et d'Amérique du Sud. Ils souhaitaient ainsi déterminer les variables environnementales qui vont de pair avec une grande diversité bactérienne.

■ **TECHNIQUE** ■ Les chercheurs ont d'abord extrait l'ADN de la communauté microbienne de chaque échantillon, avant de le purifier. Ils ont ensuite multiplié l'ADN ribosomique par la technique de l'amplification en chaîne par polymérase (PCR, de l'anglais *polymerase chain reaction*; voir la figure 20.8) et procédé au marquage de l'ADN à l'aide d'un produit fluorescent. Après avoir coupé l'ADN marqué en fragments de différentes longueurs par des enzymes de restriction, ces fragments ont été séparés par électrophorèse sur gel. (On montre ici un gel de polyacrylamide; voir également les figures 20.6 et 20.7.) Leur nombre et leur abondance caractérisent le profil génétique de l'échantillon. À partir de leur analyse, Fierer et Jackson ont calculé la diversité de chaque échantillon selon l'indice de diversité de Shannon (*H*). Ils ont ensuite cherché une éventuelle corrélation entre *H* et diverses variables environnementales, comme le type de végétation, la température et les précipitations annuelles moyennes ainsi que le taux d'acidité du sol de chaque site.

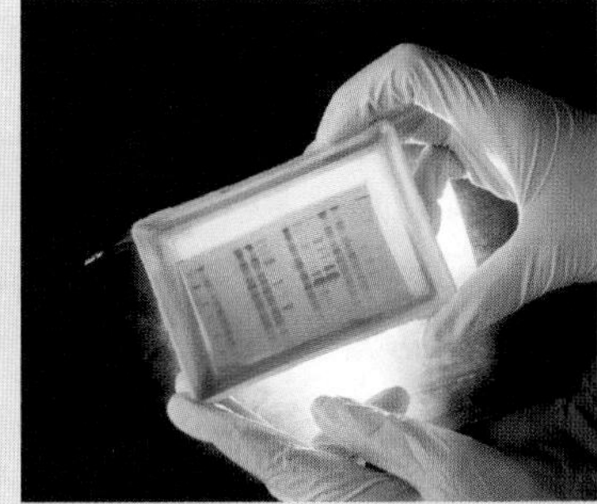

■ **RÉSULTATS** ■ La diversité des communautés bactériennes dans les sols d'Amérique du Nord et d'Amérique du Sud était presque exclusivement corrélée au pH du sol; les sols neutres présentaient la plus grande diversité selon l'indice de diversité de Shannon. Les échantillons de sols provenant des forêts tropicales d'Amazonie, caractérisées par une très grande diversité végétale et animale, présentaient les sols les plus acides et la plus faible diversité bactérienne.

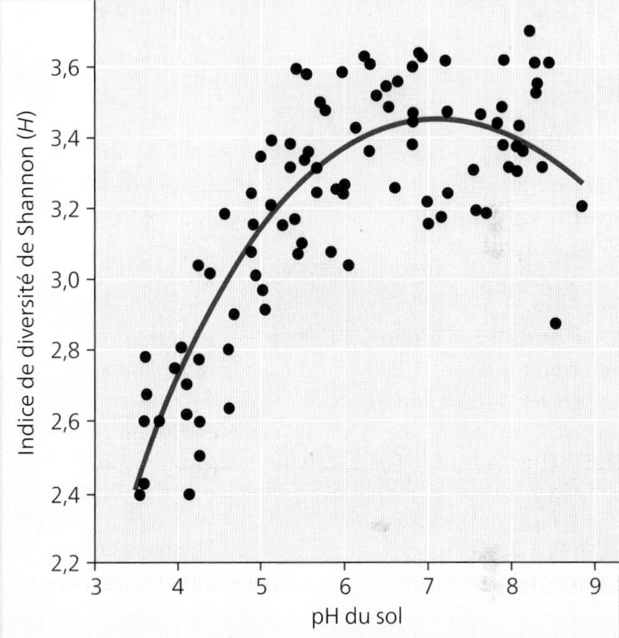

Source des données: N. Fierer et R. B. Jackson, The diversity and biogeography of soil bacterial communities, *Proceedings of the National Academy of Sciences* 103 : 626-631 (2006).

▲ **Figure 54.13**
Les parcelles expérimentales du secteur d'histoire naturelle de Cedar Creek, un site d'essais de longue durée pour la manipulation de la diversité végétale.

Les réseaux trophiques

Les chaînes alimentaires ne sont pas des unités isolées. Elles sont plutôt interreliées et forment des **réseaux trophiques**. Pour résumer les relations trophiques d'une communauté, les écologistes utilisent un diagramme qui représente le réseau alimentaire dans lequel des flèches établissent les liens entre les espèces et indiquent qui mange qui. Par exemple, dans une communauté pélagique antarctique, les producteurs constituent le phytoplancton. Celui-ci sert de nourriture aux herbivores dominants qui forment le zooplancton, surtout le krill et les copépodes, deux espèces de crustacés (**figure 54.15**). À leur tour, ces organismes sont la proie de différents carnivores parmi lesquels on trouve notamment d'autres espèces de plancton, les pingouins, les phoques, des poissons et les cétacés à fanons. Un autre lien important dans ce réseau trophique est celui des calmars (*Loligo spp.*) : ces carnivores se nourrissent de poissons aussi

▼ Figure 54.14 Des exemples de chaîne alimentaire terrestre et de chaîne alimentaire marine. Les flèches indiquent le transfert de nourriture d'un niveau trophique à l'autre, dans une communauté, au fur et à mesure que les organismes s'alimentent. Les détritivores, qui se nourrissent des restes d'organismes à tous les niveaux trophiques, n'apparaissent pas ici.

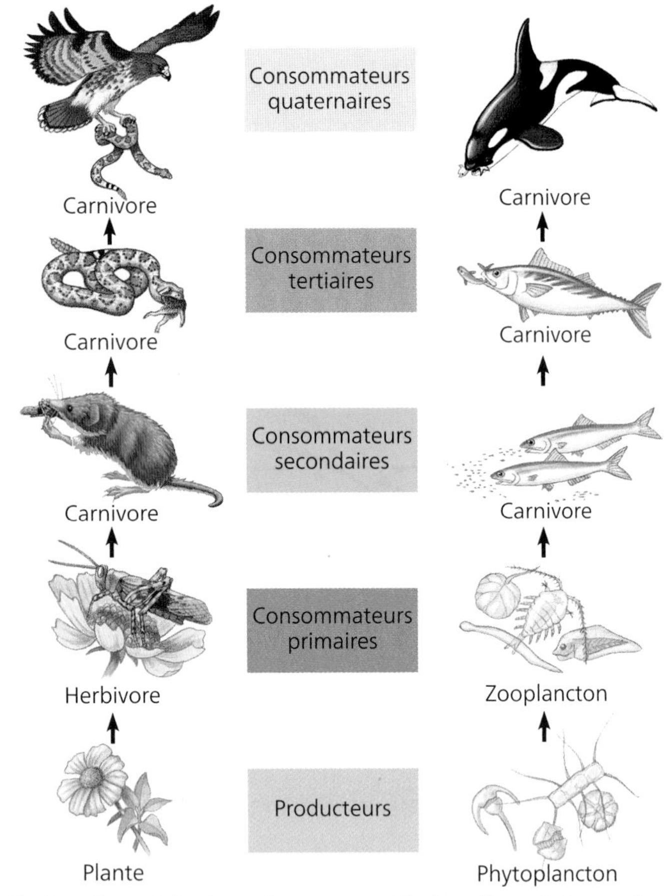

Consommateurs quaternaires

Carnivore ↑ Carnivore ↑

Consommateurs tertiaires

Carnivore ↑ Carnivore ↑

Consommateurs secondaires

Carnivore ↑ Carnivore ↑

Consommateurs primaires

Herbivore ↑ Zooplancton ↑

Producteurs

Plante Phytoplancton

Chaîne alimentaire terrestre **Chaîne alimentaire marine**

HABILETÉS VISUELLES ▶ Supposons que le nombre de carnivores qui mangent du zooplancton augmente fortement. À l'aide du schéma ci-dessus, indiquez les effets de cette augmentation sur l'abondance du phytoplancton.

▼ Figure 54.15 Le réseau trophique marin de l'Antarctique. Les flèches suivent la circulation de nourriture à partir des producteurs (phytoplancton) et d'un niveau trophique à l'autre. Par souci de simplicité, ce diagramme ne montre pas les détritivores. À divers moments au cours des deux derniers siècles, les humains ont eu une influence sur le réseau trophique marin de l'Antarctique en tant que consommateurs de poisson, de krill et de cétacés.

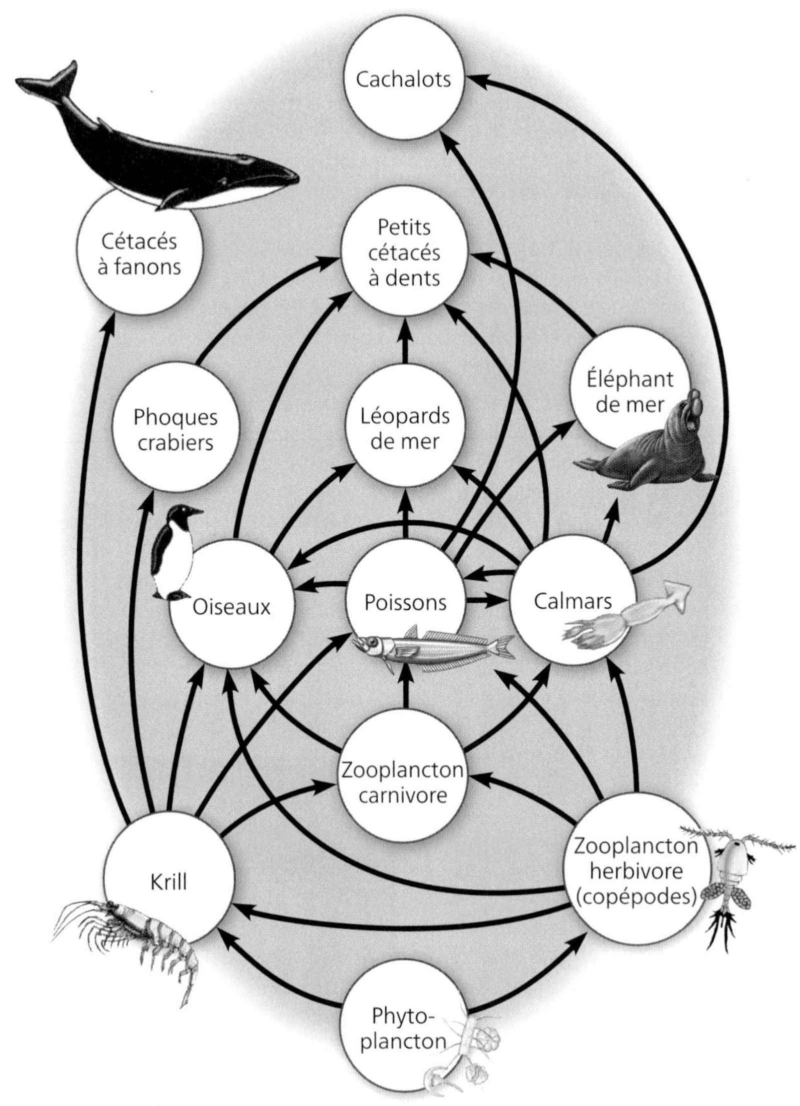

HABILETÉS VISUELLES ▶ Pour chaque organisme de ce réseau trophique, indiquez combien d'autres genres d'organismes il mange. Nommez les deux organismes qui sont à la fois prédateurs et proies l'un pour l'autre.

bien que de zooplancton et ils sont à leur tour mangés par des éléphants de mer et par des cétacés à dents.

Comment les chaînes alimentaires sont-elles reliées en réseaux trophiques ? Une espèce donnée peut s'introduire dans le réseau à plus d'un niveau trophique. Ainsi, dans le réseau trophique de la figure 54.15, le krill se nourrit de phytoplancton, de même que d'espèces appartenant au zooplancton herbivore, comme les copépodes. On trouve aussi dans les communautés terrestres de tels consommateurs « non exclusifs ». Ainsi, les renards (*Vulpes spp.*) sont omnivores. Leur régime comporte des baies et d'autres matières végétales, des herbivores comme des souris, et d'autres prédateurs, comme des belettes (*Mustela spp.*). Les humains comptent parmi les omnivores les plus polyvalents.

Les réseaux trophiques peuvent être très complexes, mais on peut en simplifier l'étude de deux façons. Premièrement, on peut regrouper les espèces en groupes fonctionnels assez vastes si leurs relations trophiques dans une communauté sont similaires. Dans le réseau trophique présenté à la figure 54.15, le groupe des producteurs comporte plus de 100 espèces de phytoplancton. Deuxièmement, on peut isoler une partie du réseau qui interagit très peu avec le reste de la communauté. La **figure 54.16** illustre un réseau trophique partiel de l'estuaire de la baie de Chesapeake, sur la côte atlantique des États-Unis, comprenant l'ortie-des-eaux (*Chrysaora quinquecirrha*, une méduse) et le bar rayé juvénile (*Morone saxatilis*).

Les facteurs limitant le nombre de niveaux de la chaîne alimentaire

Au sein d'un réseau trophique, chacune des chaînes alimentaires ne possède habituellement que quelques niveaux. Par exemple, dans le réseau de l'Antarctique de la figure 54.15, il y a rarement plus de sept liens depuis les producteurs jusqu'à un prédateur

▼ Figure 54.16 Le réseau trophique partiel de l'estuaire de la baie de Chesapeake. L'ortie-des-eaux (*Chrysaora quinquecirrha*), une méduse, et le bar rayé juvénile (*Morone saxatilis*) sont les principaux prédateurs des larves de poissons (anchois américain, *Anchoa mitchilli*, et plusieurs autres espèces). Notez que les orties-des-eaux sont des consommatrices secondaires (flèches noires) du zooplancton et des consommatrices tertiaires (flèches rouges) des larves de poissons, qui elles-mêmes sont des consommatrices secondaires du zooplancton.

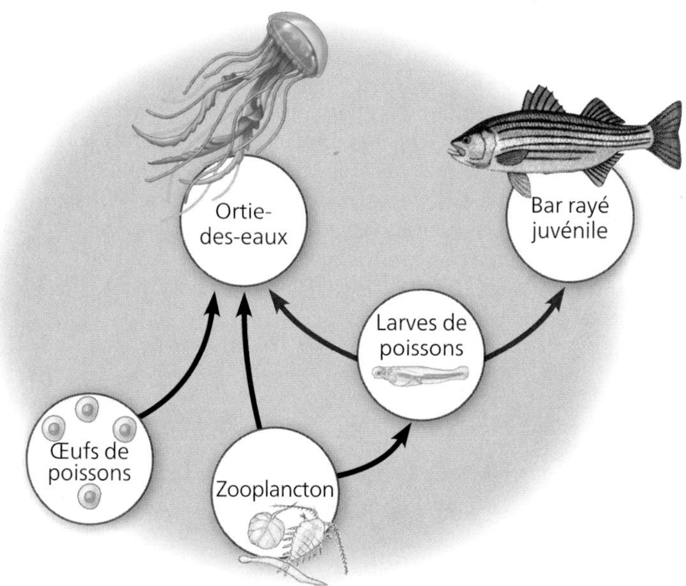

▼ Figure 54.17 La vérification de l'hypothèse énergétique sur la restriction du nombre de niveaux trophiques des chaînes alimentaires. Dans le Queensland, en Australie, des chercheurs ont modifié expérimentalement la productivité de communautés vivant dans des cavités d'arbres. Ils ont utilisé trois niveaux d'approvisionnement de feuilles mortes. La réduction de l'apport énergétique diminue le nombre de niveaux trophiques de la chaîne alimentaire, résultat qui est conforme à l'hypothèse énergétique.

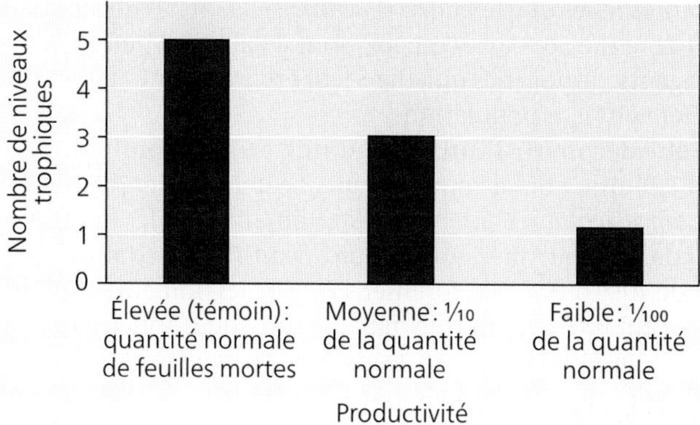

de niveau supérieur, et ces liens sont encore moins nombreux dans la plupart des chaînes. En fait, presque tous les réseaux trophiques que les écologistes ont étudiés jusqu'à maintenant comportent au maximum cinq liens.

Pourquoi les chaînes alimentaires comportent-elles si peu de niveaux ? L'explication la plus souvent avancée est l'**hypothèse énergétique**, selon laquelle l'inefficacité du transfert d'énergie le long d'une chaîne alimentaire limite le nombre de ses niveaux. En moyenne, seulement 10 % environ de l'énergie emmagasinée dans la matière organique de tout niveau trophique est convertie en matière organique au niveau trophique suivant (voir le concept 55.3). Ainsi, sur 100 kg de matière végétale, seulement 10 kg sont transformés en biomasse herbivore et 1 kg en biomasse carnivore. Conformément à l'hypothèse énergétique, les chaînes alimentaires sont plus élaborées dans les habitats à production photosynthétique élevée, car la quantité d'énergie emmagasinée dans les producteurs primaires y est plus importante.

Les écologistes ont voulu vérifier l'hypothèse énergétique en utilisant des communautés colonisant les cavités creusées dans les troncs d'arbres des forêts tropicales. Ces cavités se forment quand les cicatrices laissées par les branches tombées se mettent à pourrir. L'eau retenue dans ces anfractuosités abrite de minuscules communautés composées de microorganismes détritivores, d'insectes qui se nourrissent de morceaux de feuilles mortes, ainsi que d'insectes prédateurs. La **figure 54.17** présente les résultats d'une série d'expériences dans lesquelles on a modifié la productivité en faisant varier la quantité de feuilles mortes dans une expérience utilisant des cavités artificielles (en l'occurrence, des pots remplis d'eau placés autour des arbres) ; des études antérieures avaient montré que les communautés qui colonisaient ces pots étaient semblables à celles s'établissant dans les cavités naturelles. Comme le prédit l'hypothèse énergétique, les trous renfermant la plus grande quantité de feuilles mortes, et fournissant par conséquent le plus grand apport alimentaire au niveau des producteurs, favorisaient les chaînes alimentaires les plus élaborées.

Il existe un autre facteur susceptible de restreindre le nombre de niveaux des chaînes alimentaires : les carnivores qui en font partie tendent à être plus gros en montant les niveaux trophiques. La taille d'un carnivore et son mécanisme d'alimentation déterminent les dimensions maximales des aliments qu'il peut ingérer. Sauf dans de rares cas, les grands carnivores ne peuvent vivre en se nourrissant de très petits aliments, car il leur est impossible d'en absorber assez pendant une période donnée pour satisfaire les besoins de leur métabolisme. Parmi les exceptions, on trouve les cétacés à fanons, d'énormes animaux filtreurs pourvus d'adaptations leur permettant de consommer des quantités énormes de krill et d'autres petits organismes (voir la figure 41.5).

Les espèces ayant une grande influence

Certaines espèces peuvent avoir une influence particulièrement cruciale sur des communautés entières, soit en raison de leur abondance, soit en raison de leur rôle central dans la dynamique des communautés. Ces espèces agissent par l'intermédiaire soit de leurs interactions trophiques, soit des effets qu'elles produisent sur le milieu physique.

Les **espèces dominantes** sont les espèces les plus nombreuses dans une communauté ou encore celles dont la biomasse est la plus élevée. Ces espèces influent largement sur la présence et la répartition d'autres espèces. Par exemple, l'érable à sucre (*Acer saccharum*) est l'espèce végétale dominante dans de nombreuses communautés forestières de l'Est de l'Amérique du Nord et du Sud du Québec. Son abondance influe grandement sur des facteurs abiotiques, comme la lumière qui atteint les strates inférieures et la composition du sol, qui à leur tour ont une incidence sur les autres espèces vivant dans la communauté. On a avancé plusieurs hypothèses pour expliquer pourquoi certaines espèces deviennent dominantes au sein d'une communauté.

Certains croient que les espèces qui sont les plus compétitives dans l'exploitation de ressources limitées comme l'eau ou les nutriments ont le plus de chances de devenir dominantes. Pour d'autres, les espèces dominantes sont celles qui réussissent le mieux à éviter l'herbivorisme et les conséquences des maladies. Cette dernière hypothèse pourrait expliquer la forte biomasse qu'atteignent, dans certains environnements, des espèces envahissantes telles que le kudzu (*Pueraria spp.*), ou vigne japonaise (voir la figure 56.8). Ces espèces sont à l'abri des herbivores ou des agents pathogènes qui, dans leur environnement d'origine, limiteraient leur population.

Pour découvrir l'influence d'une espèce dominante, on peut l'éliminer de sa communauté. Le châtaignier d'Amérique (*Castanea dentata*) était un arbre dominant dans les forêts décidues de l'Est de l'Amérique du Nord avant 1910. Il comptait pour plus de 40 % du couvert forestier. En 1910, les humains ont introduit accidentellement une maladie fongique, appelée brûlure du châtaignier, à New York, transportée par des arbustes importés de pépinières asiatiques. Entre 1910 et 1950, la maladie a tué presque tous les châtaigniers de l'Est de l'Amérique du Nord. Dans ce cas, les effets de la suppression de l'espèce dominante semblent avoir été mineurs sur certaines espèces, mais plus graves sur d'autres. Les forêts se sont remplies de diverses espèces déjà présentes : chênes (*Quercus sp.*), caryers (*Carya sp.*), hêtres (*Fagus grandifolia*) et érables rouges (*Acer rubrum*). Ces arbres sont devenus plus abondants et ont remplacé le châtaignier d'Amérique. Ni les mammifères ni les oiseaux n'ont paru être sérieusement affectés par la disparition de cette espèce dominante. Malgré tout, sept espèces de papillons qui se nourrissaient du châtaignier d'Amérique ont disparu.

Contrairement aux espèces dominantes, la plupart des **espèces clés de voûte**, aussi appelées espèces pivots, sont habituellement peu nombreuses dans une communauté. Elles conditionnent fortement la structure d'une communauté non pas tant par leur nombre que par leur rôle écologique. La **figure 54.18** souligne l'importance d'une espèce clé de voûte, une étoile de mer, dans le maintien de la diversité d'une communauté intertidale.

D'autres organismes exercent leur influence non pas par l'intermédiaire de leurs interactions trophiques, mais en provoquant dans le milieu des changements physiques. Les espèces qui transforment radicalement leur environnement sont qualifiées d'**ingénieurs d'écosystèmes**. Le castor (*Castor canadensis*) en est un exemple bien connu (**figure 54.19**). Ces ingénieurs d'écosystèmes peuvent exercer des effets positifs ou négatifs sur les autres espèces, selon les besoins de ces dernières.

La détermination ascendante et la détermination descendante

Pour étudier l'organisation des communautés biologiques, il peut être utile de comprendre comment chaque niveau trophique influence les niveaux voisins. Considérons les trois relations possibles entre les végétaux (V) et les herbivores (H) :

$$V \rightarrow H \qquad V \leftarrow H \qquad V \leftrightarrow H$$

Les flèches indiquent qu'une variation de la biomasse d'un niveau trophique provoque une variation dans l'autre niveau trophique. Ainsi, $V \rightarrow H$ signifie qu'une augmentation de la végétation entraînera un accroissement du nombre d'herbivores

DÉMARCHE SCIENTIFIQUE

INVESTIGATION

▼ Figure 54.18

L'étoile de mer *Pisaster ochraceus* est-elle une espèce clé de voûte ?

■ HYPOTHÈSE ■ Dans les communautés de la zone intertidale rocheuse de l'Ouest de l'Amérique du Nord, *Pisaster ochraceus*, une étoile de mer peu répandue, est un prédateur de la moule commune (*Mytilus californianus*), une espèce dominante et une concurrente importante pour l'espace disponible. Selon Robert Paine, de la University of Washington, *P. ochraceus* serait une espèce clé de voûte, qui peut avoir une influence sur les autres espèces de la communauté même si elle est peu abondante.

■ EXPÉRIENCE ■ Pour vérifier son hypothèse, Paine a retiré *P. ochraceus* d'une aire de la zone intertidale pour examiner l'effet de son absence sur la richesse spécifique.

■ RÉSULTATS ■ En l'absence de *P. ochraceus*, la moule commune réussit à monopoliser l'espace et à exclure les autres invertébrés et les algues des sites de fixation, réduisant ainsi la richesse spécifique de la zone étudiée. Celle-ci est restée relativement stable dans une aire témoin d'où l'étoile de mer n'avait pas été retirée.

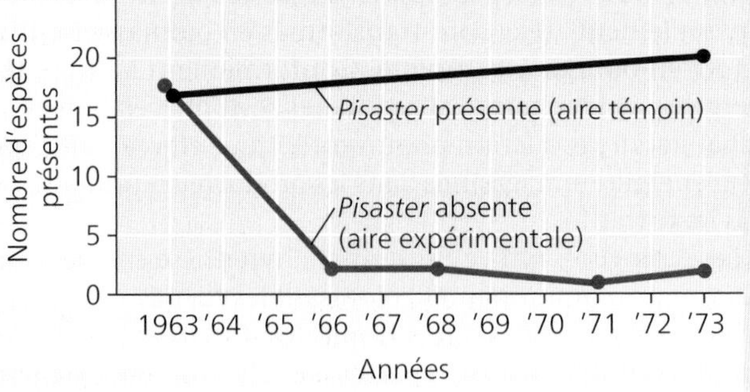

■ CONCLUSION ■ *Pisaster ochraceus* est une espèce clé de voûte dont l'influence sur sa communauté n'est pas subordonnée à son abondance.

Source des données : R. T. Paine, Food web complexity and species diversity, *American Naturalist* 100 : 65-75 (1966).

ET SI ? ▶ Imaginons qu'un eumycète envahissant tue la plupart des moules dans cette région. Quel effet le retrait de l'étoile de mer aurait-il alors sur la richesse spécifique du milieu ?

▼ **Figure 54.19 Les castors, « ingénieurs » d'écosystèmes.** Ces animaux, qui abattent des arbres, construisent des barrages et créent des étangs, peuvent transformer de grandes superficies de forêt en milieux humides inondés.

ou de leur biomasse, et que cette influence s'exerce dans ce sens-là seulement. La végétation limite les herbivores, mais n'est pas limitée par l'herbivorisme. En revanche, $V \leftarrow H$ signifie qu'une augmentation de la biomasse des herbivores réduira la végétation, et que la relation est à sens unique. Enfin, une flèche double indique que chaque niveau trophique réagit aux variations de biomasse de l'autre.

En s'appuyant sur ces interactions possibles, on peut distinguer deux modèles d'organisation d'une communauté : le modèle ascendant et le modèle descendant. Le **modèle ascendant**, qui se caractérise par des liens $V \rightarrow H$, suppose une influence unidirectionnelle de bas en haut des niveaux trophiques. Dans ce cas, la présence ou l'absence de nutriments minéraux (*N*) déterminent le nombre de végétaux (*V*), lesquels déterminent à leur tour le nombre d'herbivores (*H*), qui déterminent eux-mêmes le nombre de prédateurs (*P*). Le modèle ascendant simplifié est donc $N \rightarrow V \rightarrow H \rightarrow P$. Pour modifier la structure d'une communauté ascendante, il faut faire varier la biomasse aux niveaux trophiques inférieurs afin que l'effet des changements se propage aux autres niveaux. Par exemple, si on ajoute des nutriments minéraux pour stimuler la croissance des végétaux, alors tous les autres niveaux trophiques augmenteront également leur biomasse. Mais la modification du nombre de prédateurs dans une communauté ascendante ne se répercutera pas de manière notable sur les niveaux trophiques inférieurs.

Le **modèle descendant**, lui, suppose le contraire : la prédation conditionne en grande partie l'organisation d'une communauté. Ainsi, les prédateurs limitent le nombre d'herbivores, lesquels à leur tour limitent le nombre de végétaux, ce qui détermine finalement la quantité de nutriments absorbés. Le modèle descendant simplifié, aussi appelé *modèle de la cascade trophique*, est donc $N \leftarrow V \leftarrow H \leftarrow P$. Ainsi, dans une communauté lacustre à quatre niveaux trophiques, le modèle de la cascade trophique prédit que l'élimination des carnivores supérieurs entraînera l'augmentation du nombre de carnivores primaires, la diminution du nombre d'herbivores, l'augmentation de la quantité de phytoplancton et finalement la diminution de la quantité de nutriments minéraux. L'effet se répercutera donc de manière descendante sur la structure trophique, sous forme d'effets +/–.

Des écologistes ont appliqué le modèle descendant pour améliorer la qualité de l'eau des lacs comportant une forte abondance d'algues. Cette approche, appelée **biomanipulation**, vise à prévenir la prolifération d'algues en modifiant la densité des consommateurs de niveau supérieur. Dans les lacs à trois niveaux trophiques, par exemple, l'élimination des poissons améliore la qualité de l'eau en augmentant la quantité de zooplancton et, par conséquent, en diminuant les populations de phytoplancton (**figure 54.20**). Dans les lacs à quatre niveaux trophiques, l'ajout de prédateurs clés devrait avoir le même effet.

Des écologistes ont pratiqué la biomanipulation dans le lac Vesijärvi, situé dans le Sud de la Finlande. Jusqu'en 1976, ce grand lac (110 km^2) peu profond était fortement pollué par l'eau des égouts municipaux et des effluents industriels. Les luttes contre la pollution ont réduit ces rejets dans le lac, et la qualité de l'eau a commencé à s'améliorer. Or, dès 1986, des cyanobactéries se sont mises à proliférer massivement, un phénomène appelé *fleur d'eau*. Cette prolifération bactérienne coïncidait avec une population très dense de petits poissons appelés gardons (*Rutilus rutilus*). Ces poissons se sont multipliés au cours des années de pollution, marquées par un apport de nutriments minéraux. Le gardon mange le zooplancton qui, en temps normal, limite la quantité de cyanobactéries et d'autres algues, qui se font alors plus abondantes. Pour inverser ces changements, les écologistes ont éliminé, entre 1989 et 1993, 1 018 tonnes de poissons du lac Vesijärvi. Ils ont ainsi réduit la population de gardons d'environ 80 %. En même temps, ils ont introduit dans le lac des dorés (*Stizostedion sp.*), qui sont des poissons prédateurs des gardons. L'eau est devenue claire, et la dernière fleur d'eau remonte à 1989. Les écologistes continuent de surveiller le lac et de rechercher les signes de réapparition des algues et de faible disponibilité d'O_2, mais le lac continue d'être clair, bien que l'élimination du gardon ait pris fin en 1993.

Comme l'illustrent ces exemples, le degré de la détermination descendante et ascendante varie d'une communauté à l'autre. Pour prendre des mesures à l'égard des terres agricoles, des parcs nationaux, des réservoirs et des pêcheries marines, les scientifiques doivent comprendre la dynamique de chacune des communautés qui y vivent.

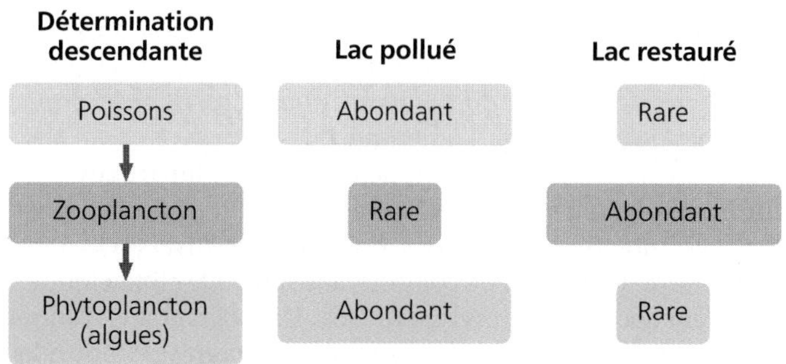

▼ **Lac Vesijärvi, Finlande.**

▼ **Figure 54.20 Les résultats de la biomanipulation d'un lac par détermination descendante de l'organisation d'une communauté.** La diminution du nombre de poissons qui mangeaient du zooplancton entraîne une diminution de la biomasse d'algues, ce qui améliore la qualité de l'eau.

Détermination descendante	Lac pollué	Lac restauré
Poissons	Abondant	Rare
↓ Zooplancton	Rare	Abondant
↓ Phytoplancton (algues)	Abondant	Rare

RETOUR SUR LE CONCEPT 54.2

1. Décrivez les deux composantes de la diversité des espèces. Expliquez comment deux communautés contenant le même nombre d'espèces peuvent être différentes sur le plan de la diversité des espèces.
2. En quoi une chaîne alimentaire diffère-t-elle d'un réseau trophique ?
3. **ET SI ?** ▶ Imaginons une prairie à cinq niveaux trophiques : des végétaux, des souris, des serpents, des ratons laveurs et des lynx roux. Quel effet une augmentation de la population de lynx roux dans la prairie aurait-elle sur la biomasse des végétaux selon le modèle descendant ? Quel serait l'effet selon le modèle ascendant ?
4. **FAITES DES LIENS** ▶ L'augmentation du taux de dioxyde de carbone (CO_2) atmosphérique entraîne une acidification des océans (voir la figure 3.12) et un réchauffement des océans. Ces deux changements réduisent la quantité de krill. Prédisez comment une moindre abondance de krill pourrait nuire à d'autres organismes du réseau trophique illustré à la figure 54.15. Quels organismes sont tout particulièrement vulnérables ? Expliquez votre réponse.

Voir les réponses proposées à l'appendice A.

CONCEPT 54.3

Les perturbations ont une incidence sur la diversité des espèces et sur la composition des communautés

Il y a des dizaines d'années, la plupart des écologistes favorisaient la conception classique selon laquelle les communautés biologiques connaissent un équilibre plus ou moins stable, sauf si elles sont sérieusement perturbées par des activités humaines. Cette idée d'« équilibre naturel » suppose que la compétition interspécifique constitue le principal facteur déterminant la composition des communautés et qu'elle en maintient la stabilité. Dans ce contexte, le modèle de la *stabilité* exprime la tendance d'une communauté à atteindre et à maintenir un équilibre, c'est-à-dire à garder une composition relativement constante pour ce qui est des espèces.

Au début du 20ᵉ siècle, l'un des premiers défenseurs de ce point de vue, F. E. Clements, de la Carnegie Institution à Washington, affirmait que la communauté de végétaux d'un site donné n'avait qu'un état d'équilibre, et que cette *communauté végétale climacique* n'était soumise qu'à l'influence du climat. Selon Clements, les interactions biotiques permettent aux espèces vivant dans cette communauté de fonctionner de façon intégrée, en fait, comme un superorganisme. Le chercheur appuyait son raisonnement sur le fait que certaines espèces de végétaux semblent toujours pousser ensemble. C'est le cas du chêne, de l'érable, du bouleau et du hêtre, dans les forêts décidues du Nord-Est de l'Amérique du Nord.

D'autres écologistes se sont demandé si la plupart des communautés étaient en état d'équilibre ou fonctionnaient comme des touts intégrés. A. G. Tansley, de la Oxford University, a remis en question le concept de communauté végétale climacique en rappelant que les différents types de sols, la topographie et d'autres facteurs créaient de nombreuses communautés potentielles stables au sein d'une même région. Plutôt que des superorganismes, H. A. Gleason, de la University of Chicago, envisage plutôt les communautés comme des assemblages aléatoires d'espèces réunies par des exigences abiotiques semblables, notamment la température, les précipitations et le type de sol. Gleason et d'autres écologistes ont aussi constaté que les perturbations empêchent de nombreuses communautés d'atteindre un état d'équilibre sur le plan de la diversité ou de la composition. Ces **perturbations** sont des événements comme les tempêtes, les incendies, les inondations, les sécheresses et les activités humaines. Tous ces phénomènes endommagent les communautés, en éliminent des organismes et modifient la disponibilité des ressources.

Considérant cette importance du changement dans les communautés, on a conçu le **modèle du déséquilibre**, selon lequel la plupart des communautés, à la suite des perturbations qu'elles connaissent, sont en continuel changement. Même les communautés relativement stables peuvent devenir rapidement déséquilibrées. Nous allons maintenant parler de l'incidence des perturbations sur la structure et la composition des communautés.

Les types de perturbations

Les types de perturbations, leur fréquence et leur intensité varient d'une communauté à l'autre. Les tempêtes perturbent presque toutes les communautés, même dans les eaux peu profondes des océans, où se fait sentir l'action des vagues. Les incendies sont à l'origine d'importantes perturbations ; en fait, les biomes que sont les prairies tempérées et la forêt méditerranéenne dépendent des incendies pour maintenir leur structure et leur composition spécifique. De nombreux cours d'eau et étangs sont perturbés par des inondations printanières et des sécheresses saisonnières. Les niveaux importants de perturbations sont en général déterminés par une intensité et une fréquence élevées, tandis que les bas niveaux de perturbations peuvent l'être soit par une faible intensité, soit par une faible fréquence.

Selon l'**hypothèse des perturbations de niveau intermédiaire**, les perturbations modérées peuvent créer des conditions qui favorisent une plus grande diversité des espèces que celles de niveau bas ou élevé. En effet, les perturbations d'intensité élevée réduisent la diversité des espèces de la communauté, car elles créent des contraintes environnementales qui dépassent leur seuil de tolérance ou se produisent à une fréquence telle que les espèces dont l'installation ou la croissance est lente ne peuvent vivre. À l'autre extrême, les perturbations de faible intensité peuvent amoindrir la diversité des espèces en permettant aux plus dominantes sur le plan de la compétition d'écarter les moins compétitives. Par contre, les perturbations modérées peuvent favoriser la diversité des espèces en permettant aux moins compétitives d'occuper de nouveaux habitats. Les conditions qu'elles provoquent ne sont pas défavorables au point de dépasser le seuil de tolérance du milieu ou la vitesse de régénération de membres potentiels de la communauté.

Les résultats de nombreuses études portant sur des communautés terrestres et aquatiques appuient l'hypothèse des perturbations modérées. L'une d'elles a été réalisée en Nouvelle-Zélande, où des écologistes ont comparé la richesse spécifique de taxons d'invertébrés vivant dans le lit de cours d'eau exposés à des inondations de fréquence et d'intensité variées (**figure 54.21**). La

▼ Figure 54.21 L'hypothèse des perturbations modérées mise à l'épreuve. Des chercheurs ont identifié les taxons (espèces ou genre) d'invertébrés en 2 endroits dans chacun des 27 cours d'eau de la Nouvelle-Zélande. Ils ont évalué l'intensité des inondations en chaque endroit à l'aide d'un indice de perturbation des lits de rivière. Le nombre d'invertébrés atteignait un sommet dans les endroits où l'intensité des inondations atteignait un niveau intermédiaire.

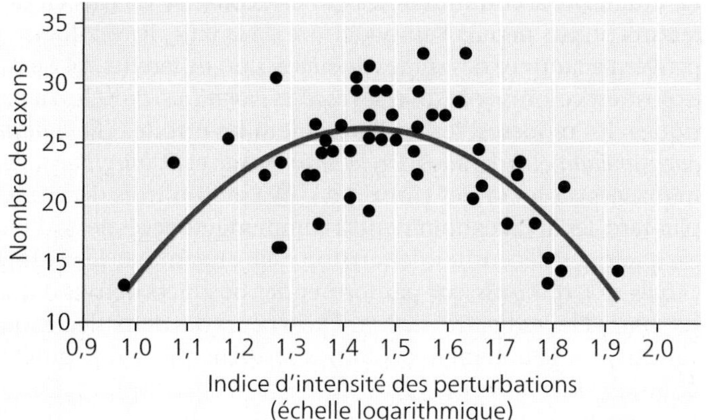

richesse spécifique était faible lorsque les inondations survenaient très fréquemment ou très rarement. Les inondations fréquentes empêchaient certaines espèces de s'établir dans le lit des rivières étudiées, mais en situation de rareté, certaines espèces étaient délogées par des compétiteurs plus forts. La richesse spécifique des invertébrés atteignait un sommet dans les cours d'eau inondés à une fréquence et selon une intensité modérées, comme le prédisait l'hypothèse.

Si les perturbations modérées semblent optimiser la diversité des espèces dans certains cas, les petites et grosses perturbations peuvent entraîner des effets importants sur la structure des communautés. Les petites perturbations peuvent créer dans un territoire donné des zones d'habitats différents qui contribuent à maintenir la diversité dans la communauté. Les perturbations à grande échelle sont aussi le lot naturel de nombreuses communautés. La majeure partie du parc national de Yellowstone, par exemple, était occupée par le pin tordu (*Pinus contorta*), une espèce d'arbre qui a besoin des effets rajeunissants d'incendies périodiques. Les cônes du pin tordu restent fermés tant qu'ils ne sont pas exposés à une chaleur intense. Quand un incendie de forêt détruit les arbres reproducteurs, les cônes s'ouvrent et libèrent les graines. La nouvelle génération de pins tordus peut ensuite pousser et se développer grâce aux nutriments libérés par les arbres brûlés et grâce à la lumière que masquaient les plus grands arbres.

Au cours de l'été 1988, de vastes portions du parc national de Yellowstone ont brûlé lors d'une grave sécheresse (**figure 54.22a**). Dès 1989, plusieurs des zones incendiées du parc étaient déjà couvertes d'une généreuse végétation, ce qui donne à penser que les espèces de cette communauté sont adaptées pour se remettre rapidement d'un incendie (**figure 54.22b**). Depuis des milliers d'années, en fait, les incendies rasent périodiquement les forêts de pins tordus de Yellowstone et d'autres régions situées plus au nord. À l'opposé, les forêts de pins situées plus au sud ont toujours essuyé des incendies plus fréquents mais de faible intensité. Dans ces forêts, un siècle d'interventions humaines pour étouffer les petits incendies a entraîné une accumulation importante de matières combustibles dans certaines régions et accru le risque d'incendie à grande échelle, auquel les espèces ne sont pas adaptées.

▼ Figure 54.22 La régénération après une perturbation à grande échelle. En 1988, l'incendie du parc national de Yellowstone a détruit de grandes surfaces de forêts dominées par le pin tordu (*Pinus contorta*).

(a) Peu de temps après l'incendie. Tous les arbres en avant-plan ont été détruits par le feu, mais on peut voir les arbres intacts en arrière-plan.

(b) Un an après l'incendie. La communauté a commencé à se régénérer. Des plantes herbacées, différentes des espèces qui occupaient le tapis de l'ancienne forêt, recouvrent le sol.

Des études portant sur la communauté forestière de Yellowstone, ainsi que sur de nombreuses autres, indiquent que ces communautés ne connaissent pas l'équilibre, car elles changent sans cesse en raison de perturbations naturelles et de processus internes de croissance et de reproduction. En outre, il est de plus en plus évident que les conditions de déséquilibre constituent en fait la norme pour la plupart des communautés.

La succession écologique

Les modifications de la composition et de la structure des communautés terrestres sont surtout manifestes lorsqu'une perturbation importante comme un glacier ou une éruption volcanique a rasé la végétation. Après de tels bouleversements, diverses espèces pionnières colonisent le territoire, puis, progressivement, cèdent leur place à d'autres espèces, lesquelles à leur tour sont remplacées par d'autres. On appelle ce processus **succession écologique**. Lorsqu'il s'amorce dans un territoire stérile encore dépourvu de sol, par exemple sur une île volcanique nouvellement formée ou sur les débris de roches (till ou moraine) laissés par le retrait d'un glacier, ce processus porte le nom de **succession écologique primaire**.

Durant la succession écologique primaire, les seules formes de vie présentes alors sont souvent des eucaryotes unicellulaires et des procaryotes. Puis, des lichens et des mousses croissant à partir de spores amenées par le vent constituent les premiers organismes photosynthétiques macroscopiques à coloniser le territoire. Le sol se développe graduellement, au fur et à mesure que se désagrège la roche et que s'accumule la matière organique en décomposition des espèces pionnières. Une fois que le sol s'est formé, les lichens et les mousses sont remplacés progressivement par un autre type de végétation, tels les herbes, les arbustes et les arbres qui poussent à partir des graines transportées par le vent ou des animaux. Pour finir, des végétaux peuvent coloniser un territoire et devenir la forme végétale dominante de la communauté. Pour qu'une succession écologique primaire donne une telle communauté, il faut des centaines, voire des milliers d'années.

Trois grands processus peuvent intervenir dans la succession écologique entre les espèces pionnières et celles qui s'établissent ultérieurement. Les espèces pionnières peuvent *faciliter* l'apparition des espèces plus tardives en leur rendant le milieu plus favorable. Par exemple, elles peuvent rendre le sol plus fertile. Par ailleurs, les espèces pionnières peuvent *inhiber* l'établissement des espèces qui les remplacent. Ainsi, ces dernières réussissent à coloniser un territoire en dépit des activités des espèces pionnières et non à cause d'elles. Enfin, les espèces pionnières peuvent être complètement indépendantes de celles qui les suivent; autrement dit, ces dernières *tolèrent* les conditions créées plus tôt, mais ne sont ni favorisées ni gênées par leurs prédécesseurs.

La recherche la plus complète que les écologistes ont menée a porté sur la succession écologique primaire du till (dépôt glaciaire) de Glacier Bay, dans le Sud-Est de l'Alaska, d'où les glaciers se sont retirés sur plus de 100 km depuis 1760 (**figure 54.23**). En étudiant les communautés qui ont colonisé les tills en différents points depuis l'embouchure de la baie, les écologistes peuvent examiner des stades de succession différents. ❶ Le till exposé est colonisé par diverses *espèces pionnières*, dont les hépatiques, les mousses, les épilobes à feuilles étroites (*Epilobium angustifolium*), les dryades (*Dryas drummondii* et *D. integrifolia*, des herbacées) et les saules (*Salix spp.*). ❷ Environ trois décennies plus tard, les dryades dominent la communauté végétale. ❸ Puis, en quelques décennies, le territoire est envahi par les aulnes (*Alnus sp.*), qui finissent par former des bosquets denses d'une hauteur s'élevant parfois à 9 m. ❹ Au cours des deux siècles qui suivent, ces peuplements d'aulnes sont envahis par l'épinette de Sitka (*Picea sitchensis*), puis par des pruches de l'Ouest (*Tsuga heterophylla*) et subalpines (*T. mertensiana*). Sur les surfaces mal drainées, les sphaignes (*Sphagnum spp.*), qui contiennent de l'eau et acidifient le sol, envahissent le tapis forestier de cette forêt d'épinettes et de pruches, et finissent par les tuer. Ainsi, environ 300 ans après le retrait du glacier, la végétation se compose de tourbières à sphaignes sur les plateaux mal drainés et de forêts d'épinettes et de pruches sur les pentes bien drainées.

La succession sur les tills est reliée aux changements qui se produisent dans les nutriments du sol et à d'autres facteurs

▼ **Figure 54.23 Le retrait d'un glacier et la succession primaire à Glacier Bay, en Alaska.** Les différents tons de bleu sur la carte illustrent le recul du glacier depuis 1760, d'après des descriptions historiques.

environnementaux découlant de la transformation de la végétation. Comme le sol dénudé après le retrait du glacier contient peu d'azote, presque toutes les espèces pionnières commencent la succession écologique par une faible croissance et des feuilles jaunes, en raison de cet apport insuffisant. Les dryades et, particulièrement, les aulnes, font exception à cette règle. Ces espèces abritent des bactéries symbiotiques qui fixent le diazote (N_2) atmosphérique (voir la photographie de cette page et la figure 37.12). Dans le sol, la teneur en azote s'élève rapidement au cours du stade de succession des aulnes et continue d'augmenter durant le stade des épinettes (**figure 54.24**). Les plantes pionnières modifient les propriétés du sol, qui facilite alors la colonisation par de nouvelles espèces durant la succession écologique.

Contrairement à la succession primaire, la **succession écologique secondaire** se met en place après une perturbation qui a détruit la végétation, tout en laissant le sol intact. C'est ce qui s'est produit dans le parc de Yellowstone après les incendies de 1988 (voir la figure 54.22). Il arrive parfois que la succession écologique secondaire ramène le territoire à son état original ou presque. Par exemple, dans les régions déboisées à des fins agricoles et laissées à l'abandon, la végétation qui recolonise initialement le territoire est souvent constituée d'espèces herbacées qui poussent à partir de graines transportées par le vent ou les animaux. Si le territoire n'a pas subi d'incendie ou de pâturage excessif, des arbustes finissent par remplacer la plupart des espèces herbacées. Par la suite, des peuplements d'arbres succèdent aux arbustes.

▶ **Racine d'aulne montrant un amas de nodules contenant des bactéries fixatrices d'azote.**

▼ **Figure 54.24 Les changements dans la concentration d'azote du sol durant la succession écologique à Glacier Bay.**

Teneur du sol en azote (g/m²) : 0, 10, 20, 30, 40, 50, 60

Plantes pionnières — Dryades — Aulnes — Épinettes

1 → 2 → 3 → 4

Stade de la succession écologique

FAITES DES LIENS ▶ La figure 37.12 illustre deux types de fixation de l'azote atmosphérique par des procaryotes. Quel type de fixation de l'azote se produira durant les premiers stades de succession primaire, avant l'apparition de végétation ?

Les perturbations d'origine humaine

La succession écologique est une réaction à la perturbation de l'environnement, et le plus grand facteur de perturbation est aujourd'hui l'activité humaine. L'aménagement agricole a bouleversé ce qui était auparavant les vastes plaines herbeuses des prairies tempérées d'Amérique du Nord.

On décime à une vitesse effrénée les forêts tropicales humides pour la production du bois de construction, pour le pâturage et pour les terres agricoles. En Afrique, des siècles de surpâturage et d'exploitation agricole anarchique ont transformé les prairies à rythme saisonnier en étendues stériles. Cette détérioration n'est sans doute pas étrangère aux famines qui frappent une partie de ce continent.

Les activités humaines perturbent les écosystèmes marins tout autant que les écosystèmes terrestres. Le chalutage, une technique de pêche qui consiste à draguer le fond à l'aide de grands filets en forme d'entonnoir, produit des effets comparables à ceux de la coupe à blanc ou du labourage d'un champ. Le chalut racle le fond océanique et déloge les coraux et les autres organismes qui y vivent ainsi que les sédiments marins (**figure 54.25**). Au cours d'une année type, les chalutiers draguent l'équivalent de la superficie de l'Amérique du Sud, une zone 150 fois plus grande que la superficie de coupe à blanc effectuée chaque année.

Comme les perturbations d'origine humaine sont souvent graves, elles diminuent généralement la diversité spécifique au sein des communautés. Au chapitre 56, nous examinerons de plus près les conséquences des perturbations causées par les activités humaines sur la diversité de la vie.

▼ **Figure 54.25 La perturbation du fond de l'océan par le chalutage.** Ces photos montrent le fond de l'océan du Nord-Ouest de l'Australie, avant et après le passage des chalutiers de pêche hauturière.

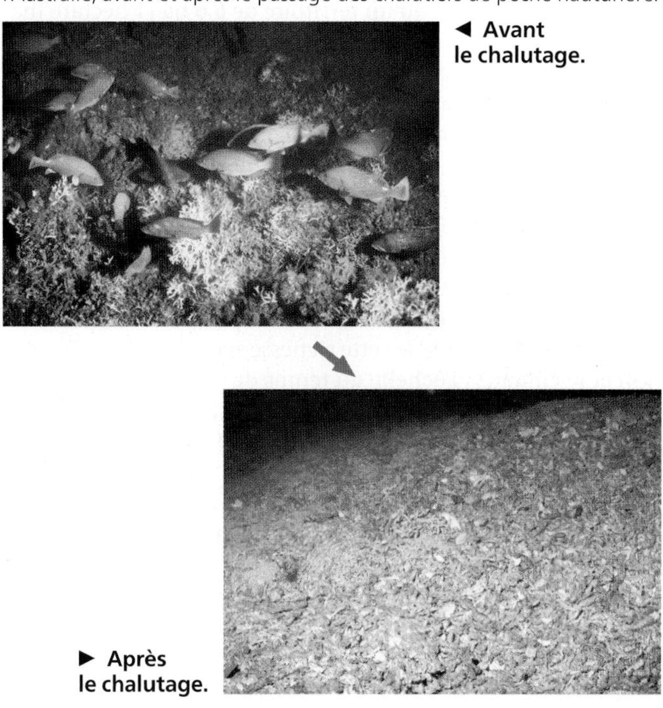

◀ **Avant le chalutage.**

▶ **Après le chalutage.**

RETOUR SUR LE CONCEPT **54.3**

1. Pourquoi les perturbations de forte intensité et de faible intensité réduisent-elles la diversité des espèces ? Pourquoi les perturbations d'intensité modérée la favorisent-elles ?
2. Pendant la succession écologique, comment les espèces pionnières peuvent-elles faciliter l'arrivée d'autres espèces ?
3. ET SI ? ▶ La plupart des prairies subissent périodiquement des incendies. Si ces perturbations étaient relativement modestes, en quoi la diversité des espèces de la prairie serait-elle probablement affectée si aucun incendie ne se produisait pendant 100 ans ? Expliquez votre réponse.

Voir les réponses proposées à l'appendice A.

CONCEPT **54.4**

Des facteurs biogéographiques influent sur la biodiversité des communautés

Nous avons examiné jusqu'à maintenant les facteurs à petite échelle, ou locaux, qui influent sur la diversité des communautés, y compris les effets imputables aux interactions des espèces, aux espèces dominantes et aux nombreux types de perturbations. Des facteurs biogéographiques à grande échelle contribuent à la prodigieuse diversité que présentent les communautés biologiques. Les contributions de deux facteurs biogéographiques en particulier – la latitude d'une communauté et l'étendue qu'elle occupe – font l'objet d'études depuis plus d'un siècle.

Les gradients latitudinaux

Dans les années 1850, Charles Darwin et Alfred Wallace ont tous les deux signalé que la vie végétale et animale était généralement plus abondante et plus diversifiée dans les régions tropicales que dans les autres parties de la planète. Depuis, de nombreux chercheurs ont confirmé cette observation. Par exemple, une étude a permis de découvrir qu'un territoire de 6,6 ha (1 hectare [ha] = 10 000 m^2), en Malaisie tropicale, compte 711 espèces d'arbres. Comparez cette richesse spécifique avec une forêt décidue tempérée du Michigan, aux États-Unis, qui contient généralement de 10 à 15 espèces sur un terrain de 2 ha. L'Europe de l'Ouest au nord des Alpes, soit un territoire d'une superficie de plus de 2 millions de kilomètres carrés, ne possède, quant à elle, que 50 espèces d'arbres. Plusieurs groupes d'animaux démontrent des gradients latitudinaux similaires. Par exemple, on trouve plus de 200 espèces de fourmis au Brésil contre 7 en Alaska.

Les deux facteurs déterminants susceptibles d'influer sur les gradients latitudinaux de cette richesse spécifique sont l'évolution et le climat. À l'échelle du temps de l'évolution, une série d'événements de spéciation peut entraîner l'augmentation de la richesse spécifique dans une communauté (voir le concept 24.2). De plus, les communautés tropicales sont généralement plus vieilles que les communautés tempérées ou polaires, qui, elles, ont dû « repartir à zéro » plusieurs fois à la suite de perturbations majeures comme les glaciations. Il se peut donc que la diversité des espèces soit plus grande dans les communautés tropicales simplement parce que les événements de spéciation ont eu plus de temps pour s'y produire que dans les communautés tempérées ou polaires.

Le climat est un autre facteur susceptible d'influer sur les gradients latitudinaux de richesse spécifique et de diversité. Dans les communautés terrestres, les deux principaux facteurs climatiques qui influent sur la biodiversité sont la lumière du soleil et les précipitations, que les régions tropicales reçoivent en abondance. On peut combiner ces facteurs en mesurant la vitesse d'**évapotranspiration** d'une communauté, soit l'évaporation de l'eau du sol et de celle des végétaux. L'évapotranspiration, qui est déterminée par le rayonnement solaire, la température et la disponibilité de l'eau, est beaucoup plus élevée dans les régions chaudes, où les précipitations sont abondantes, que dans les régions froides ou de faibles précipitations. L'*évapotranspiration potentielle*, une mesure de la perte potentielle d'eau qui suppose que l'eau est toujours disponible, dépend de l'importance du rayonnement solaire et de la température ; c'est dans les régions chaudes où le rayonnement solaire est important qu'elle est la plus élevée. Il existe une corrélation entre la richesse spécifique des végétaux et des animaux et les deux mesures d'évapotranspiration, comme on le voit dans la **figure 54.26**.

Les effets de l'étendue géographique

En 1807, l'explorateur et naturaliste Alexander von Humboldt a décrit l'un des premiers profils de richesse spécifique, la **courbe aire-espèces** : tous les autres facteurs étant égaux, plus la région géographique d'une communauté est grande, plus le nombre d'espèces y est élevé. Une des explications possibles de cette courbe est que les régions étendues offrent une plus grande diversité d'habitats et de microhabitats que les petits territoires. En biologie de la conservation, les courbes aire-espèces qui représentent les taxons importants d'une communauté aident à prédire comment la perte d'un certain habitat influera sur la biodiversité.

POUR APPROFONDIR ■ La première description mathématique de la relation aire-espèces remonte à une centaine d'années et elle reste la plus utilisée. Elle a pour formule :

$$S = cA^z$$

où S est le nombre d'espèces vivant dans un habitat, c, une constante, et A, l'aire de cet habitat. L'exposant z indique combien d'espèces de plus on devrait trouver dans un habitat à mesure que son aire augmente. Dans un graphique log-log de S en fonction de A, z est la pente de la droite qui relie les points. Lorsque la valeur de $z = 1$, la relation entre le nombre d'espèces et l'aire est linéaire, ce qui signifie qu'on devrait trouver 10 fois plus d'espèces dans un habitat dont l'aire est 10 fois plus grande. Dans les années 1960, les écologistes américains Robert H. MacArthur et Edward O. Wilson ont vérifié les prédictions de la relation aire-espèces en examinant le nombre d'animaux et de végétaux vivant sur différentes chaînes d'îles. Par exemple, sur les îles de la Sonde, en Malaisie, ils ont constaté que le nombre d'espèces d'oiseaux augmentait avec l'aire de l'île, la valeur de z atteignant 0,4 (**figure 54.27**). Cette étude et plusieurs autres ont montré que z se situe habituellement entre 0,2 et 0,4.

Si les pentes des différentes courbes aire-espèces varient, le concept fondamental de l'augmentation de la biodiversité en fonction de l'aire s'applique dans une multitude de situations, qui vont de l'étude de la diversité des fourmis en Nouvelle-Guinée au nombre d'espèces végétales présentes sur des îles de tailles différentes. ■

▼ **Figure 54.26 L'énergie, l'eau et la richesse spécifique.** **(a)** La mesure la plus prévisible de l'augmentation de la richesse spécifique des arbres d'Amérique du Nord est l'évapotranspiration réelle, tandis que **(b)** la mesure la plus prévisible de l'augmentation de la richesse spécifique des vertébrés d'Amérique du Nord est l'évapotranspiration potentielle. Les valeurs d'évapotranspiration sont exprimées sous forme d'équivalents de précipitations (mm/année).

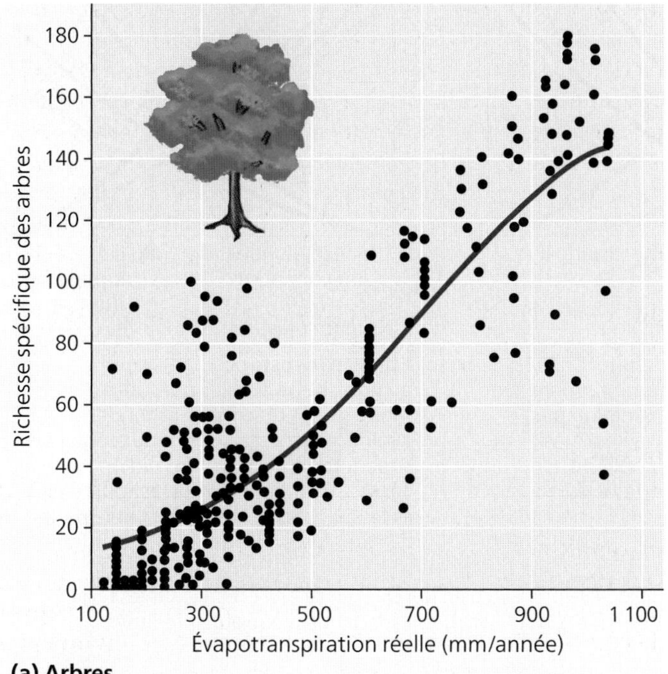

(a) Arbres

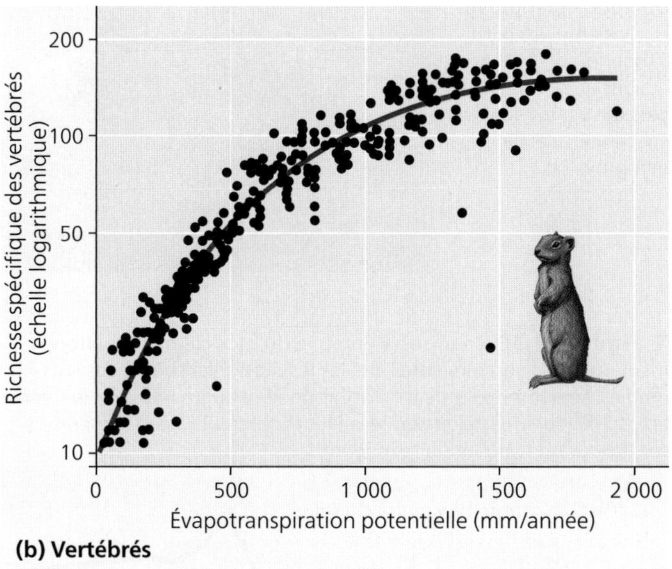

(b) Vertébrés

Le modèle de l'équilibre insulaire

Étant donné leur isolement et leurs petites dimensions, les îles constituent d'excellents sites pour l'étude des facteurs biogéographiques qui influent sur la diversité spécifique. Par «îles», nous entendons non seulement les terres émergées de l'océan, mais aussi les enclaves du milieu terrestre comme les lacs et les pics montagneux séparés par des basses terres, ou des fragments d'habitats, c'est-à-dire, toute parcelle entourée d'un milieu non favorable pour les espèces de l'«île». Au cours de leurs travaux sur la relation aire-espèces, MacArthur et Wilson ont également proposé une méthode permettant de prédire la richesse spécifique insulaire (**figure 54.28**). Selon cette méthode, la richesse spécifique d'une population insulaire dépend de l'équilibre entre le taux d'immigration des nouvelles espèces et le taux d'extinction des espèces déjà présentes.

▼ **Figure 54.27 La richesse spécifique et l'aire d'une île.** Le nombre d'espèces d'oiseaux vivant sur les îles de la Sonde, en Malaisie, augmente proportionnellement à l'aire de l'île. La pente de la droite la mieux ajustée qui relie les points (le paramètre *z*) est d'environ 0,4.

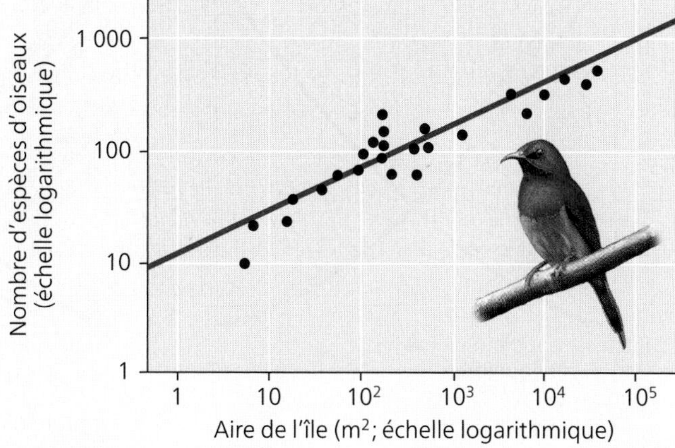

Dans la figure 54.28a, remarquez que le taux d'immigration *diminue* à mesure que le nombre d'espèces sur l'île grandit, tandis que le taux d'extinction *augmente*. Pour comprendre pourquoi il en est ainsi, considérons une île océanique nouvellement formée. En tout temps, les taux d'immigration et d'extinction dépendent du nombre d'espèces déjà présentes dans l'île. Le taux d'immigration diminue au fur et à mesure qu'augmente le nombre d'espèces insulaires, car les nouveaux arrivants ont de plus en plus de chances d'appartenir à une espèce déjà représentée. Parallèlement, le taux d'extinction augmente, car la probabilité d'exclusion compétitive s'accroît au fur et à mesure qu'augmente le nombre d'espèces habitant l'île.

Les taux dépendent eux-mêmes de deux variables importantes: les dimensions de l'île et la distance qui la sépare du continent. En règle générale, le taux d'immigration est faible dans les petites îles, car les colonisateurs potentiels ont plus de difficulté à «trouver» une petite île qu'une grande île (figure 54.28b). En outre, le taux d'extinction est plus élevé dans les petites îles que dans les grandes, car elles contiennent généralement peu de ressources et d'habitats, et leurs populations ont des tailles plus petites. Quant à la distance entre l'île et le continent, elle importe dans la mesure où, à superficie égale, le taux d'immigration est généralement plus élevé dans une île rapprochée que dans une île éloignée (figure 54.28c). Grâce à l'arrivée de nouveaux individus, les espèces peuvent plus facilement maintenir leur présence sur une île rapprochée et éviter l'extinction.

Le modèle de MacArthur et Wilson est appelé *modèle de l'équilibre insulaire*, car il cherche à montrer qu'un équilibre est atteint lorsque le taux d'immigration équivaut au taux d'extinction. À l'atteinte du point d'équilibre, le nombre d'espèces vivant sur l'île dépend des dimensions de l'île et de la distance qui la sépare du continent. Un équilibre écologique est, cela va de soi,

▼ Figure 54.28 Le modèle de l'équilibre de la biogéographie insulaire de MacArthur et de Wilson. Le triangle noir montre la richesse spécifique d'équilibre prédite.

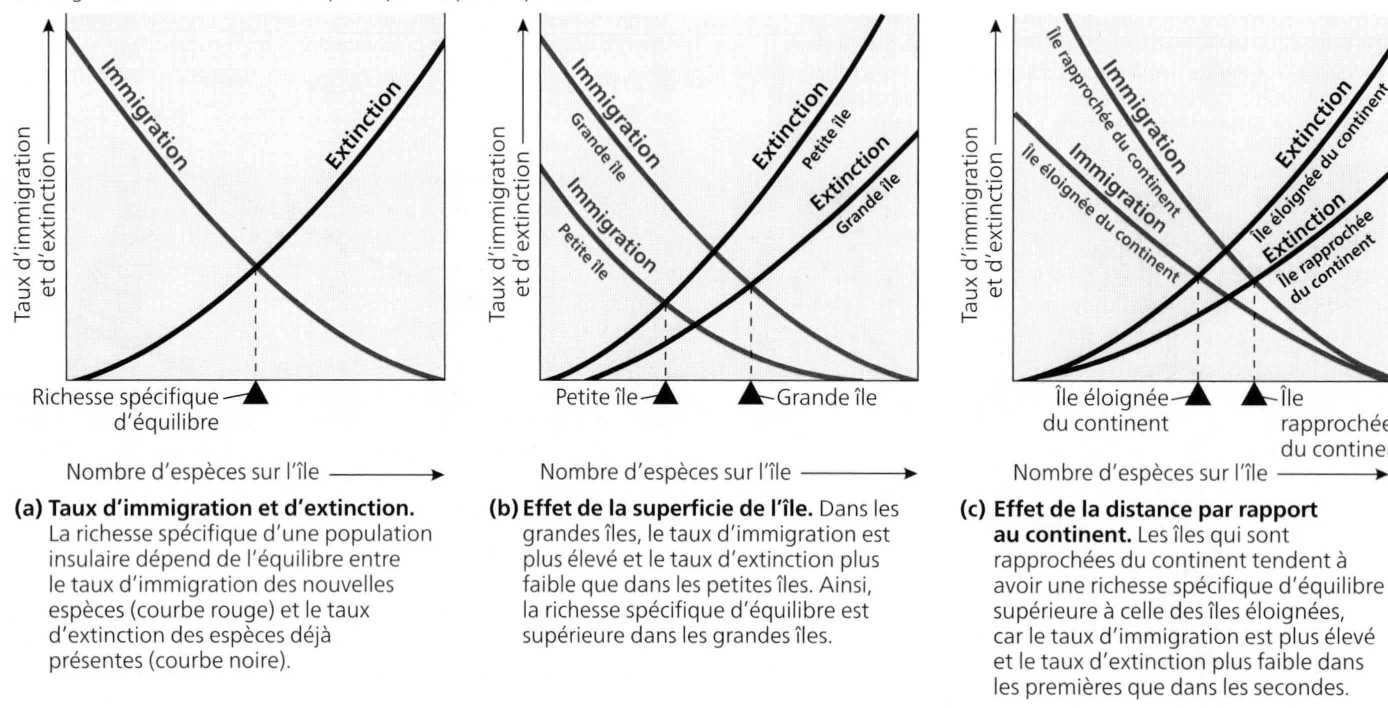

(a) Taux d'immigration et d'extinction. La richesse spécifique d'une population insulaire dépend de l'équilibre entre le taux d'immigration des nouvelles espèces (courbe rouge) et le taux d'extinction des espèces déjà présentes (courbe noire).

(b) Effet de la superficie de l'île. Dans les grandes îles, le taux d'immigration est plus élevé et le taux d'extinction plus faible que dans les petites îles. Ainsi, la richesse spécifique d'équilibre est supérieure dans les grandes îles.

(c) Effet de la distance par rapport au continent. Les îles qui sont rapprochées du continent tendent à avoir une richesse spécifique d'équilibre supérieure à celle des îles éloignées, car le taux d'immigration est plus élevé et le taux d'extinction plus faible dans les premières que dans les secondes.

ET SI ? ▶ Supposons que les niveaux de la mer diminuent considérablement la taille de l'île présentée en (a). Quel en serait l'effet (1) sur les tailles des populations déjà présentes sur l'île ; (2) sur la courbe d'extinction montrée ci-dessus ; et (3) sur la richesse spécifique d'équilibre prédite ?

toujours dynamique. Bien que le nombre d'espèces finisse par se stabiliser à une valeur constante, l'immigration et l'extinction se poursuivent ; c'est pourquoi la composition spécifique varie légèrement avec le temps.

En 1967, Dan Simberloff, alors étudiant sous la direction d'Edward O. Wilson, à la Harvard University, a testé le modèle de l'équilibre insulaire dans une expérience effectuée sur six îlots de mangrove dans la région des Keys en Floride (**figure 54.29**). Les chercheurs ont d'abord méticuleusement identifié et dénombré toutes les espèces d'arthropodes sur chaque îlot. Comme le prédisait le modèle, ils ont trouvé plus d'espèces sur les îlots plus grands et plus rapprochés du continent. Ils ont ensuite traité par fumigation quatre des six îlots avec du bromure de méthyle afin de tuer tous les arthropodes. Après environ une année, la richesse spécifique des arthropodes sur ces îlots avait augmenté et atteignait pratiquement les valeurs d'avant la fumigation (**figure 54.30**). L'îlot le plus rapproché du continent est celui qui s'est rétabli le plus rapidement, et c'est dans l'îlot le plus éloigné que le rétablissement a été le plus lent. Sur les deux autres îlots (qui n'avaient pas été soumis à la fumigation et qui, donc, étaient les îlots témoins) le nombre d'espèces d'arthropodes est demeuré à peu près constant au cours de l'expérience.

Sur de longues périodes, les perturbations abiotiques survenant sur les îles, comme les tempêtes, les adaptations évolutives et la spéciation, modifient généralement la composition spécifique et la structure des communautés. Néanmoins, le modèle de l'équilibre insulaire est largement utilisé en biologie de la conservation, particulièrement pour la conception de réserves et comme point de départ pour prédire les effets de la perte d'habitats sur la diversité spécifique.

▶ Figure 54.29 Un îlot de mangrove. Les îles étudiées par Simberloff et Wilson étaient en fait de petits îlots qui comptaient chacun une seule mangrove ou quelques-unes.

▼ Figure 54.30 La mise à l'épreuve du modèle de l'équilibre insulaire. Ce diagramme présente les résultats relatifs à un des îlots étudiés. Le nombre d'espèces d'arthropodes a augmenté avec le temps ; après 240 jours, il atteignait une valeur comparable à celle observée sur l'îlot avant le début de l'expérience.

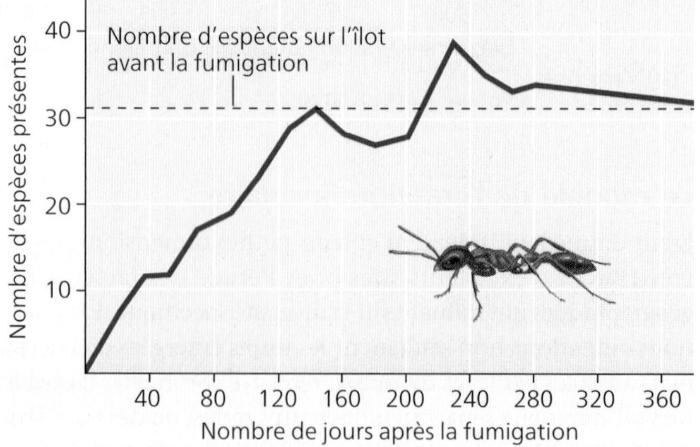

RETOUR SUR LE CONCEPT **54.4**

1. Formulez deux hypothèses qui expliquent pourquoi la diversité des espèces est plus grande dans les régions tropicales que dans les régions tempérées et polaires.
2. Précisez comment les dimensions d'une île et la distance qui la sépare du continent influent sur sa richesse spécifique.
3. ET SI ? ▶ Selon le modèle de l'équilibre insulaire de MacArthur et Wilson, à quelles différences pourrait-on s'attendre entre la richesse spécifique d'oiseaux sur les îles et la richesse spécifique de serpents et de lézards ? Expliquez votre réponse.

Voir les réponses proposées à l'appendice A.

CONCEPT **54.5**

Des agents pathogènes modifient la structure des communautés locales et mondiales

Après avoir décrit plusieurs facteurs importants dans la structuration des communautés biologiques, nous terminons ce chapitre en examinant les interactions dans lesquelles interviennent des **agents pathogènes**, qu'il s'agisse de microorganismes, de virus, de viroïdes ou de prions. (Les viroïdes et les prions sont des molécules d'ARN et des protéines qui possèdent toutes deux un pouvoir infectieux ; voir le concept 19.3.) Comme les scientifiques en sont venus à le constater au cours des dernières décennies, les effets des agents pathogènes sur la structuration des communautés sont universels.

Comme nous le verrons plus loin, les agents pathogènes peuvent modifier rapidement et en profondeur la structure d'une communauté. Leurs effets sont particulièrement évidents lorsqu'ils sont introduits dans un nouvel habitat, comme dans le cas du chancre du châtaignier et du champignon parasite qui l'a causé (voir le concept 54.2). La virulence d'un agent pathogène dans un nouvel habitat s'explique par le fait que les populations hôtes n'ont pas eu le temps d'acquérir une résistance par la sélection naturelle. Le champignon responsable du chancre du châtaignier a eu des effets beaucoup plus remarquables sur le châtaignier d'Amérique que sur les espèces de châtaigniers asiatiques que l'on trouve dans son habitat d'origine. Il en est de même des humains, eux aussi très vulnérables aux maladies émergentes que notre économie de plus en plus mondialisée tend à répandre. Les écologistes mettent leurs connaissances à profit pour tenter de dépister et de contrôler les agents pathogènes à l'origine de ces maladies.

Les agents pathogènes et la structure de la communauté

On peut mettre en lumière l'incidence écologique de la maladie en montrant comment les agents pathogènes affectent les communautés des récifs coralliens. La maladie des bandes blanches, causée par un agent pathogène inconnu, a profondément transformé la structure et la composition des récifs des Caraïbes. La maladie tue les coraux en détruisant des bandes de tissus allant de la base du corail jusqu'à l'extrémité de ses branches. Elle a ainsi entraîné la disparition de la corne de cerf (*Acropora cervicornis*) des Caraïbes depuis les années 1980. Les populations de cornes d'élan (*Acropora palmata*) ont également été décimées. Or, ces coraux constituent des habitats déterminants pour les homards (*Homarus spp.*), les vivaneaux (*Lutjanidae spp.*) et pour d'autres espèces de poissons aussi. Les coraux qui meurent sont rapidement envahis par les algues, et les poissons-chirurgiens (*Acanthuridae sp.*) ainsi que d'autres herbivores friands d'algues finissent par dominer la communauté. Tôt ou tard, les coraux s'étiolent sous l'effet des tempêtes et d'autres perturbations. La structure tridimensionnelle complexe des récifs coralliens disparaît, au détriment de la diversité.

Les agents pathogènes influent aussi sur la structure des communautés des écosystèmes terrestres. Prenons l'exemple de l'encre des chênes rouges (*Quercus rubra*), une maladie découverte récemment causée par un eucaryote unicellulaire de type oomycète, *Phytophthora ramorum* (voir le concept 28.6). L'encre des chênes rouges a été décrite pour la première fois en 1995 en Californie, lorsque des randonneurs ont signalé la présence d'arbres mourants autour de la baie de San Francisco. En 2014, la maladie s'était propagée sur plus de 1 000 km et avait tué plus d'un million de chênes et d'autres arbres du centre de la côte californienne jusqu'au sud de l'Oregon. La disparition de ces arbres a causé une diminution de l'abondance d'au moins cinq espèces d'oiseaux, dont le pic glandivore (*Melanerpes formicivorus*) et la mésange unicolore (*Baeolophus inornatus*), qui trouvaient dans ces forêts de chênes un habitat propice et une source d'alimentation. S'il n'existe pour l'instant aucun moyen d'enrayer l'encre des chênes rouges, les scientifiques ont récemment séquencé le génome de *P. ramorum* dans l'espoir de trouver un moyen de combattre cet agent pathogène.

Par leurs activités, les humains transportent les agents pathogènes partout dans le monde et le font à un rythme sans précédent. Les analyses génétiques de séquences d'ADN donnent à penser que *P. ramorum* a probablement été introduit en Amérique du Nord depuis l'Europe par le commerce horticole. D'autres envahisseurs ont été suivis à la trace. C'est le cas d'*Ophiostoma ulmi*, originaire d'Asie, qui a été introduit aux Pays-Bas, où il a commencé à attaquer les ormes, d'où le nom de *maladie hollandaise de l'orme* (graphiose de l'orme). Après s'être répandue dans toute l'Europe, la graphiose a fait son apparition en Amérique du Nord en 1928, causant d'immenses dégâts dans les populations d'ormes américains (*Ulmus americana*). À cause des échanges commerciaux et de la circulation des personnes d'un continent à l'autre, les agents pathogènes responsables de maladies humaines se répandent également. Récemment, le virus H1N1, responsable de la « grippe porcine » chez l'humain, a été détecté pour la première fois à Veracruz, au Mexique, au début de 2009. Il a rapidement fait le tour du monde lorsque des personnes infectées ont pris l'avion pour se rendre dans d'autres pays. En 2011, cette pandémie mondiale de grippe avait tué plus de 18 000 personnes, mais il se peut que le nombre de morts ait été beaucoup plus élevé, en réalité, puisque bon nombre de personnes qui présentaient des symptômes grippaux et qui sont décédées n'ont pas subi de tests de dépistage du virus H1N1.

L'écologie des communautés et les zoonoses

Les **agents zoonotiques** sont à l'origine des trois quarts des maladies humaines émergentes et d'un grand nombre de maladies établies parmi les plus dévastatrices. Ces agents sont transmis aux humains par l'intermédiaire de certains animaux, soit par contact direct avec un animal infecté ou par l'entremise d'un **vecteur**, c'est-à-dire une espèce qui sert d'intermédiaire. Les vecteurs responsables de la propagation de zoonoses sont souvent des parasites, notamment les tiques, les poux et les moustiques.

En déterminant la communauté dans laquelle vivent les hôtes et les vecteurs d'un agent pathogène, on peut prévenir des maladies telles que la maladie de Lyme, transmise par les tiques. Les scientifiques ont cru pendant des années que la souris à pattes blanches (*Peromyscus leucopus*) était l'hôte principal de l'agent pathogène responsable de la maladie de Lyme, la bactérie *Borrelia burgdorferi*, car les souris sont une cible de choix pour les jeunes tiques. Or, après avoir relâché dans la nature des souris vaccinées contre la maladie de Lyme, les chercheurs ont constaté que le nombre de tiques infectées ne changeait pratiquement pas. Ce constat a poussé des biologistes de New York à chercher d'autres hôtes de l'agent zoonotique. À leur grande surprise, ils ont découvert que deux espèces de musaraignes avaient été les hôtes de plus de la moitié des tiques examinées (**figure 54.31**). L'identification des espèces hôtes dominantes d'un agent pathogène fournit de l'information qu'on peut ensuite utiliser pour contrôler les principaux hôtes responsables de la propagation de maladies.

Les connaissances sur les interactions des communautés permettent aux écologistes de suivre la dissémination des zoonoses. La grippe aviaire, par exemple, est causée par des virus très contagieux transmis par la salive et les excréments des oiseaux (voir le concept 19.3). La plupart de ces virus sont peu virulents chez les oiseaux sauvages, mais ils causent souvent des symptômes beaucoup plus importants chez les oiseaux domestiques, qui constituent le réservoir le plus courant d'infections humaines. Depuis 2003, une souche virale en particulier, appelée H5N1, a décimé des centaines de millions de volailles et tué plus de 300 personnes. En 2015, par exemple, H5N1 était l'une des trois souches de grippe aviaire qui se sont propagées dans les fermes aviaires des États-Unis, tuant plus de 40 millions d'oiseaux. Cette épidémie a été dévastatrice pour l'industrie avicole, sans toutefois affecter les humains.

Les programmes de lutte qui consistent à mettre les oiseaux domestiques en quarantaine ou à suivre leurs déplacements risquent de s'avérer inefficaces si le virus de la grippe aviaire voyage naturellement grâce aux oiseaux sauvages. De 2003 à 2006, la souche virale H5N1 s'est propagée rapidement de l'Asie du Sud-Est vers l'Europe et l'Afrique, mais elle ne s'était toujours pas manifestée en Australie et dans les Amériques au milieu de l'année 2010. L'Alaska est le point d'entrée des Amériques le plus probable pour les oiseaux sauvages infectés, soit les canards, les oies et les oiseaux de rivage, qui migrent d'Asie en traversant la mer de Béring chaque année. Les écologistes étudient la propagation du virus en piégeant et en testant les oiseaux migrateurs et résidents en Alaska (**figure 54.32**).

Nous nous sommes ici attardés à l'écologie des communautés, mais les agents pathogènes sont également très sensibles aux modifications de l'environnement physique. Pour contrôler des agents pathogènes et les maladies qu'ils causent, les scientifiques doivent adopter une perspective écosystémique: celle-ci leur fournit une connaissance intime des modes d'interaction des agents pathogènes avec les autres espèces ainsi qu'avec tous les aspects de leur environnement. Les écosystèmes sont le sujet du chapitre 55.

▼ **Figure 54.31 Deux hôtes inattendus de l'agent pathogène responsable de la maladie de Lyme.** Des données écologiques combinées à des analyses génétiques ont permis aux scientifiques de montrer que plus de la moitié des tiques porteuses de la maladie de Lyme ont contracté l'infection en se nourrissant sur la grande musaraigne (*Blarina brevicauda*) et la musaraigne cendrée (*Sorex cinereus*).

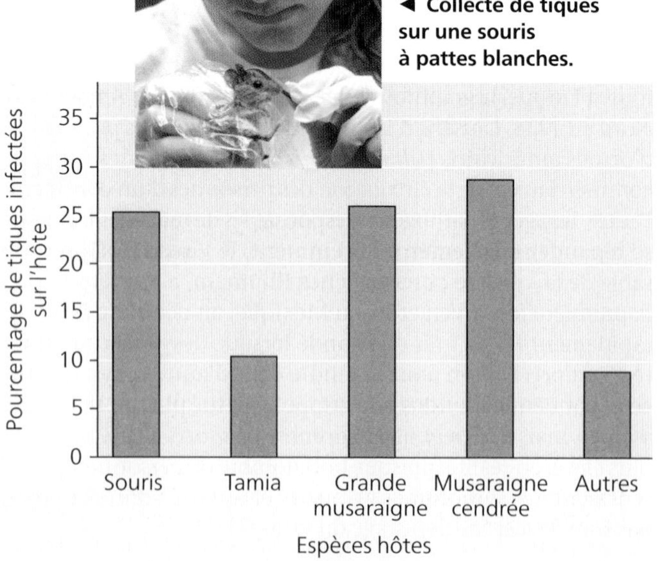

FAITES DES LIENS ▶ Le concept 23.1 décrit la variation des caractères héréditaires au sein des populations. Dans les populations de musaraignes de différentes régions, comment la variation des caractères héréditaires pourrait-elle influer sur le nombre de tiques infectées ?

▼ **Figure 54.32 Sur la piste de la grippe aviaire.** Dans le cadre d'un projet de dépistage de la maladie, Travis Booms, étudiant de 3e cycle, place une bague sur la patte d'un faucon gerfaut (*Falco rusticolus*).

RETOUR SUR LE CONCEPT 54.5

1. Qu'est-ce qu'un agent pathogène ?
2. **ET SI ?** ▶ La rage, une maladie virale chez les mammifères, n'existe pas dans les îles Britanniques. Si vous y étiez responsable de la lutte contre les maladies, quelles mesures pratiques pourriez-vous adopter pour empêcher le virus de la rage d'atteindre ces côtes ?

Voir les réponses proposées à l'appendice A.

RÉVISION DU CHAPITRE 54

Consultez votre MANUEL NUMÉRIQUE, qui vous donne accès aux **animations**, aux **exercices** et à la plateforme d'**anatomie interactive**.

Résumé des concepts clés

CONCEPT 54.1

Les interactions d'une communauté sont classées selon qu'elles sont utiles, nuisibles ou sans effet sur les espèces concernées (p. 1332 à 1339)

- Les **interactions interspécifiques** ont une incidence sur la survie et la reproduction des espèces concernées. Comme le montre le tableau, ces interactions sont regroupées dans trois grandes catégories : la compétition, l'exploitation et les interactions positives.

Interaction interspécifique	Description
Compétition (–/–)	Deux espèces ou plus se disputent une ressource en quantité limitée.
Exploitation (+/–)	Une espèce est avantagée par le fait qu'elle se nourrit d'autres espèces, qui s'en trouvent désavantagées. L'exploitation inclut les interactions suivantes :
Prédation	Une espèce (le prédateur) en tue une autre (la proie) pour la manger.
Herbivorisme	Un herbivore mange une partie d'une plante ou d'une algue.
Parasitisme	Le parasite obtient sa nourriture au détriment d'un autre organisme, appelé hôte.
Interactions positives (+/+ ou +/0)	Ces interactions procurent un avantage aux deux espèces, ou alors à une seule espèce, mais sans nuire à l'autre. Les interactions positives incluent les suivantes :
Mutualisme (+/+)	L'interaction bénéficie aux deux espèces.
Commensalisme (+/0)	L'interaction bénéficie à l'une des deux espèces, mais n'influe pas sur l'autre.

- L'**exclusion compétitive** pose que deux espèces se disputant les mêmes ressources ne peuvent coexister indéfiniment au même endroit. Le **partage des ressources** est la différenciation des **niches écologiques** qui permet à des espèces de coexister dans une communauté.

? Pour chacune des interactions énumérées dans le tableau, nommez deux espèces qui illustrent la situation.

CONCEPT 54.2

La diversité et la structure trophique caractérisent les communautés biologiques (p. 1339 à 1346)

- La **diversité des espèces** dépend du nombre d'espèces présentes dans une communauté (sa **richesse spécifique**) et de leur **abondance relative**.
- Les communautés plus diversifiées produisent généralement plus de **biomasse** et leur croissance varie moins d'une année à l'autre que les communautés moins diversifiées. Elles résistent également mieux à l'envahissement par des espèces exotiques.
- La **structure trophique** est un facteur déterminant dans la dynamique des communautés. Les **chaînes alimentaires** lient les niveaux trophiques, des producteurs aux carnivores de niveaux supérieurs. Les chaînes alimentaires ramifiées et les interactions trophiques complexes forment des **réseaux trophiques**.
- Les **espèces dominantes** sont celles qui deviennent les plus abondantes dans une communauté. Les **espèces clés de voûte** sont des espèces relativement rares qui exercent une influence disproportionnée sur la structure d'une communauté. Les **ingénieurs d'écosystèmes** influent sur la structure d'une communauté par les changements qu'ils apportent au milieu physique.
- Le **modèle ascendant** suppose une influence unidirectionnelle de bas en haut des niveaux trophiques ; selon ce modèle, les nutriments et d'autres facteurs abiotiques sont les principaux déterminants de la structure d'une communauté, y compris de l'abondance des producteurs primaires. Quant au **modèle descendant**, il suppose que chacun des niveaux trophiques est commandé par le niveau supérieur, ce qui fait que les prédateurs déterminent le nombre des herbivores, lesquels déterminent celui des producteurs primaires.

? En vous aidant d'indices comme celui de la diversité de Shannon, diriez-vous qu'une communauté dotée d'une grande richesse spécifique est toujours plus diversifiée qu'une communauté d'une richesse spécifique moins élevée ? Expliquez votre réponse.

CONCEPT 54.3

Les perturbations ont une incidence sur la diversité des espèces et sur la composition des communautés (p. 1346 à 1350)

- Il est de plus en plus évident que ce sont les **perturbations** et le déséquilibre, et non la stabilité et l'équilibre, qui sont la norme pour la plupart des communautés. Selon l'**hypothèse des perturbations de niveau intermédiaire**, les perturbations de moyenne importance peuvent favoriser une plus grande diversité que les perturbations de faible intensité ou celles d'intensité élevée.
- La série de changements que connaissent une communauté et un écosystème après une perturbation constitue la **succession écologique**. La **succession écologique primaire** se produit là où le sol n'est pas formé au début du processus. La **succession écologique secondaire** commence dans une aire où le sol est épargné après une perturbation.

? La perturbation illustrée à la figure 54.25 est-elle davantage susceptible d'entraîner une succession écologique primaire ou secondaire ? Expliquez votre réponse.

CONCEPT 54.4

Des facteurs biogéographiques influent sur la biodiversité des communautés (p. 1350 à 1353)

- La richesse spécifique, qui est particulièrement grande dans les tropiques, diminue généralement selon un gradient latitudinal allant des tropiques aux pôles. Le climat influe sur ce gradient de diversité par l'intermédiaire des facteurs que sont l'énergie (chaleur et lumière) et l'eau. L'âge plus avancé des milieux tropicaux pourrait aussi expliquer leur plus grande richesse spécifique.
- La richesse spécifique dépend directement de l'étendue géographique d'une communauté. Ce principe écologique se représente sous forme de **courbes aire-espèces**.

- Sur les îles, la richesse spécifique dépend de la superficie et de la distance par rapport au continent. Le modèle de l'équilibre insulaire soutient que la richesse spécifique sur une île atteint un équilibre dynamique dans lequel le taux d'immigration équivaut au taux d'extinction.

? Quelle influence les périodes de glaciation ont-elles exercée sur les modèles de diversité latitudinaux ?

CONCEPT 54.5

Des agents pathogènes modifient la structure des communautés locales et mondiales (p. 1353 et 1354)

- Des études récentes ont mis en lumière le rôle des **agents pathogènes** dans la structure des communautés terrestres et aquatiques.
- Les **agents zoonotiques** sont transmis aux humains par d'autres animaux et sont responsables de la plus vaste classe de maladies humaines émergentes. L'écologie des communautés fournit un cadre de travail pour déterminer les interactions interspécifiques associées à ces agents pathogènes et pour nous aider à suivre leur progression afin de mieux la contrôler.

? Supposons qu'un agent pathogène attaque une espèce clé de voûte. Décrivez ce qu'en serait l'effet sur la structure de la communauté.

Évaluation

NIVEAU 1 : CONNAISSANCES ET COMPRÉHENSION

1. Les relations alimentaires entre les espèces d'une communauté déterminent :
a) sa succession écologique secondaire.
b) sa niche écologique.
c) sa richesse spécifique.
d) sa structure trophique.

2. Selon le principe d'exclusion compétitive :
a) deux espèces ne peuvent pas cohabiter dans le même habitat.
b) l'extinction et l'émigration sont les seuls résultats possibles de la compétition.
c) deux espèces occupant exactement la même niche ne peuvent coexister dans une communauté.
d) deux espèces cesseront de se reproduire jusqu'à ce que l'une des deux quitte l'habitat.

3. Selon l'hypothèse de la perturbation intermédiaire, la diversité des espèces d'une communauté augmente :
a) lorsqu'elle connaît fréquemment des perturbations majeures.
b) lorsqu'elle connaît des conditions stables, exemptes de perturbations.
c) lorsqu'elle connaît des perturbations modérées.
d) lorsque les humains interviennent pour éliminer les perturbations.

4. Selon la théorie de l'équilibre insulaire, la richesse spécifique est maximale sur une île :
a) grande et éloignée du continent.
b) petite et éloignée du continent.
c) grande et proche du continent.
d) petite et proche du continent.

NIVEAU 2 : APPLICATION ET ANALYSE

5. Dans une communauté, les prédateurs appartenant aux espèces clés de voûte maintiennent la diversité des espèces s'ils :
a) excluent par la compétition tous les autres prédateurs.
b) s'attaquent à l'espèce dominante de la communauté.
c) réduisent le nombre de perturbations dans la communauté.
d) ne s'attaquent qu'aux espèces les moins abondantes de la communauté.

6. Dans les communautés, les chaînes alimentaires comportent parfois peu de niveaux, parce que :
a) il se peut que deux espèces herbivores ne se nourrissent pas des mêmes espèces de plantes.
b) l'extinction locale d'une espèce voue à leur perte toutes les autres espèces d'un réseau alimentaire.
c) il y a une perte d'énergie d'un niveau trophique à l'autre, quand on monte dans les chaînes alimentaires.
d) la plupart des espèces végétales ne sont pas comestibles.

7. Parmi les propositions suivantes, laquelle peut être considérée comme un facteur de détermination descendante de la structure d'une communauté de prairie ?
a) La limitation de la biomasse végétale par l'importance des précipitations.
b) L'influence de la température sur la compétition entre les végétaux.
c) L'influence des nutriments du sol sur l'abondance des graminées par opposition à celle des autres herbacées.
d) L'effet de l'intensité du broutement effectué par les bisons sur la diversité spécifique des plantes.

8. Parmi les hypothèses suivantes qui expliquent pourquoi la richesse spécifique est plus grande dans les régions tropicales que dans les régions tempérées, laquelle est la plus plausible ?
a) Les communautés tropicales sont plus jeunes.
b) Les régions tropicales présentent un rayonnement solaire plus intense et une plus grande disponibilité de l'eau.
c) Les températures élevées donnent lieu à une spéciation plus rapide.
d) La diversité augmente à mesure que l'évapotranspiration diminue.

9. La communauté 1 contient 100 individus répartis en 4 espèces : 5A, 5B, 85C et 5D. La communauté 2 contient 100 individus répartis en 3 espèces : 30A, 40B et 30C. Calculez l'indice de diversité de Shannon (H) pour chaque communauté. Quelle communauté est la plus diversifiée ?

NIVEAU 3 : SYNTHÈSE ET ÉVALUATION

10. **FAITES UN DESSIN** ▶ Dans l'estuaire de la baie de Chesapeake, le crabe bleu (*Callinectes sapidus*) est un omnivore qui se nourrit de zostère marine (une algue) et d'autres producteurs primaires, ainsi que de palourdes. C'est aussi un cannibale. Par ailleurs, le crabe sert de nourriture aux humains et aux tortues de Kemp (*Lepidochelys kempii*), une espèce menacée. En tenant compte de ces données, tracez un réseau alimentaire incluant le crabe bleu. En présumant que ce réseau observe le modèle descendant, qu'adviendrait-il de l'abondance de la zostère marine si les humains cessaient de consommer du crabe bleu ?

Voir les réponses proposées à l'appendice A.

Les écosystèmes et l'écologie de la restauration

55

VOS OUTILS
INTERACTIFS

Consultez votre MANUEL NUMÉRIQUE, qui vous donne accès aux **animations**, aux **exercices** et à la plateforme d'**anatomie interactive**.

▲ **Figure 55.1 Comment des renards polaires peuvent-ils transformer une prairie en toundra ?**

CONCEPTS CLÉS

55.1 Les lois de la physique gouvernent le flux d'énergie et les cycles des éléments chimiques dans les écosystèmes

55.2 La productivité primaire dans les écosystèmes est limitée par l'énergie et d'autres facteurs

55.3 L'efficacité du transfert d'énergie entre les niveaux trophiques est d'environ 10 %

55.4 Des processus biologiques et géochimiques recyclent les nutriments et l'eau dans les écosystèmes

55.5 L'écologie de la restauration contribue à ramener les écosystèmes dégradés à un état plus naturel

◀ **Les sternes arctiques (*Sterna paradisaea*) sont d'importants producteurs de guano.**

La transformation d'une prairie en toundra

Le renard polaire (*Vulpes lagopus*) est un prédateur natif des régions arctiques de l'Amérique du Nord, d'Europe et d'Asie (**figure 55.1**). Prisé pour sa fourrure, il a été introduit sur des centaines d'îles subarctiques situées entre l'Alaska et la Russie, vers 1900, par les trappeurs du Grand Nord, qui souhaitaient y établir des populations facilement exploitables. L'introduction de ce renard a eu un effet étonnant : elle a transformé en toundra plusieurs des habitats insulaires qui étaient des prairies.

Comment la présence de ces renards a-t-elle pu faire passer la végétation de ces îles d'un biome à un autre ? La réponse réside dans l'alimentation des renards, qui, année après année, se sont voracement nourris des oiseaux marins de ces îles. Résultat : la densité des populations de ces oiseaux est devenue presque 100 fois inférieure à celle des îles sans renards. Or, la présence de moins d'oiseaux marins signifie moins de guano (déjections des oiseaux), la principale source de nutriments essentiels pour les plantes de ces îles. La part qu'occupaient les graminées, dont la croissance dépend de ces nutriments devenus rares, a ainsi été fortement réduite au profit des herbes non graminéennes à croissance plus lente et des arbustes typiques de la toundra. Pour vérifier cette explication, des scientifiques ont répandu de l'engrais dans certaines régions de toundra d'une des îles envahies par les renards. Trois ans plus tard, ces régions étaient redevenues des prairies.

Chacune de ces « îles aux renards » ainsi que la communauté d'organismes qui y vit constituent un exemple d'**écosystème**, c'est-à-dire la somme des organismes vivant dans un milieu donné et les facteurs abiotiques avec lesquels ils interagissent.

Un écosystème peut être très vaste, tels un lac ou une forêt, ou constituer un microcosme, comme celui qu'on trouve sous un tronc tombé au sol ou dans une oasis (**figure 55.2**). Comme celles des populations et des communautés, les limites d'un écosystème ne sont pas toujours précises. Un grand nombre d'écologistes considèrent la biosphère comme un écosystème planétaire composé de tous les écosystèmes locaux de la Terre.

Quelle que soit l'étendue de l'écosystème, sa dynamique comporte deux propriétés émergentes que les mécanismes et les phénomènes relatifs aux populations et aux communautés ne peuvent complètement décrire : le flux d'énergie et les cycles biogéochimiques. L'énergie pénètre dans la plupart des écosystèmes principalement sous forme de lumière solaire. Cette énergie lumineuse est convertie en énergie chimique par les organismes autotrophes, transmise aux hétérotrophes par l'intermédiaire des composés organiques de la nourriture et dissipée sous forme de chaleur. Pour ce qui est des cycles biogéochimiques, les éléments chimiques comme le carbone (C) et l'azote (N) circulent de manière cyclique entre les composants biotiques et abiotiques de l'écosystème. Les organismes photoautotrophes et chimioautotrophes tirent ces éléments de l'air, du sol et de l'eau sous forme inorganique. Ils les incorporent à leur biomasse, dont une partie est consommée par des animaux. Les éléments retournent dans l'environnement sous forme organique ou inorganique après avoir été métabolisés par des organismes, et finalement soumis à l'action des décomposeurs qui dégradent les déchets organiques et les organismes morts.

L'énergie et les substances chimiques sont transformées dans les écosystèmes par la photosynthèse et les relations alimentaires. Mais contrairement aux substances chimiques, l'énergie ne peut être recyclée. Un écosystème doit donc continuellement recevoir de l'énergie d'une source externe, le Soleil dans la plupart des cas. Comme nous le verrons, l'énergie traverse les écosystèmes, alors que les substances chimiques y sont recyclées.

Ce sont les processus qui se déroulent dans les écosystèmes qui produisent les ressources essentielles à la survie et au bien-être des humains, par exemple les aliments que nous consommons et les molécules d'oxygène (O_2) que nous respirons. Dans le présent chapitre, nous allons décrire la dynamique du flux d'énergie et des cycles des éléments chimiques dans les écosystèmes en présentant les résultats d'expériences menées à ce propos. Nous examinerons également comment l'activité humaine influe sur ces processus. Enfin, nous explorerons l'écologie de la restauration, une discipline scientifique en plein essor, qui s'intéresse aux moyens de ramener des écosystèmes dégradés à un état plus naturel.

▲ **Figure 55.2 Cette oasis forme un écosystème.**

CONCEPT **55.1**

Les lois de la physique gouvernent le flux d'énergie et les cycles des éléments chimiques dans les écosystèmes

Les cellules transforment l'énergie et la matière sous l'influence des principes de la thermodynamique (voir le concept 8.1). Les biologistes cellulaires étudient les transformations qui ont lieu dans les organites et les cellules, et mesurent les quantités d'énergie et de composés chimiques qui traversent les frontières des cellules. Les écologistes qui s'intéressent aux écosystèmes, eux, font la même chose, mais leur « cellule » est un écosystème. En déterminant les niveaux trophiques des espèces d'une communauté selon leur principale source de nourriture et d'énergie (voir le concept 54.2), les écologistes peuvent suivre la transformation de l'énergie dans l'ensemble de l'écosystème et la circulation des éléments chimiques.

La conservation de l'énergie

Pour étudier le flux d'énergie et les cycles biogéochimiques, les écologistes s'appuient en grande partie sur les lois de la physique et de la chimie. Selon le premier principe de la thermodynamique, l'énergie n'est ni créée ni détruite, mais seulement transférée ou transformée (voir le concept 8.1). Les végétaux et les autres organismes photosynthétiques convertissent l'énergie solaire en énergie chimique, mais la quantité totale d'énergie ne change pas. La quantité d'énergie contenue dans les molécules organiques doit donc équivaloir à l'énergie solaire totale captée par les végétaux, moins la quantité réfléchie et dissipée sous forme de chaleur. Pour déterminer le nombre d'organismes que peut soutenir un habitat ou la quantité de nourriture que les humains peuvent tirer d'un site, les écologistes mesurent les transferts d'énergie au sein des écosystèmes et entre les écosystèmes, notamment.

Le deuxième principe de la thermodynamique stipule que tout échange d'énergie augmente l'entropie de l'Univers. En vertu de ce principe, les processus de conversion d'énergie sont inefficaces et une partie de l'énergie est toujours perdue sous forme de chaleur. Donc, chaque unité d'énergie qui entre dans un écosystème finit par en sortir sous forme de chaleur. L'énergie qui traverse les écosystèmes n'y reste pas longtemps : elle finit par se dissiper dans l'espace sous forme de chaleur. C'est pourquoi les écosystèmes disparaîtraient si la Terre ne recevait pas constamment de l'énergie.

La conservation de la masse

La matière, comme l'énergie, ne peut être créée ni détruite. Cette **loi de la conservation de la masse** est aussi importante pour les écosystèmes que celle des principes de la thermodynamique. Parce que la masse est conservée, nous pouvons déterminer la portion d'un élément chimique qu'un écosystème recycle, ou qu'il perd ou gagne au fil du temps.

Contrairement à l'énergie, les éléments chimiques sont continuellement recyclés au sein des écosystèmes. Par exemple, un atome de carbone contenu dans le dioxyde de carbone (CO_2) peut être libéré du sol par un décomposeur, capté par une plante herbacée grâce à la photosynthèse, puis consommé par un herbivore avant de retourner dans le sol avec les excréments de l'animal. La mesure et l'analyse des cycles des éléments chimiques dans les écosystèmes et dans l'ensemble de la biosphère constituent un aspect important de l'écologie des écosystèmes.

En plus d'être recyclés au sein des écosystèmes, les éléments chimiques peuvent être obtenus ou perdus par un écosystème particulier. Par exemple, dans un écosystème forestier, la plupart des nutriments minéraux – les éléments essentiels qu'une plante tire du sol – entrent sous forme de poussière ou de solutés présents dans l'eau de pluie ou détachés de roches dans le sol. L'azote découle aussi de processus biologiques de fixation de l'azote (voir la figure 37.12). En ce qui concerne les pertes, certains éléments réintègrent l'atmosphère sous forme gazeuse, alors que d'autres sont entraînés hors de l'écosystème par les cours d'eau ou le vent. Comme les organismes, les écosystèmes sont des systèmes ouverts qui absorbent de l'énergie et de la masse, et libèrent de la chaleur et des déchets.

Les gains et les pertes des écosystèmes sont généralement faibles comparativement à la somme des éléments qui y circulent. Il est néanmoins important de faire un bilan entre les entrées et les sorties, car cela détermine si un écosystème s'enrichit ou s'appauvrit d'un élément donné. En particulier, si la sortie d'un nutriment minéral dépasse son entrée, celui-ci limitera tôt ou tard la production dans cet écosystème. Souvent, les activités humaines modifient considérablement le bilan des entrées et des sorties, comme nous le verrons plus loin dans ce chapitre et au concept 56.4.

L'énergie, la masse et les niveaux trophiques

Pour déterminer à quel niveau trophique appartiennent les espèces d'un écosystème, les écologistes se fondent sur les relations d'ordre alimentaire qui existent entre ces espèces (voir le concept 54.2). Le niveau trophique sur lequel reposent en fin de compte tous les autres comprend les organismes autotrophes, appelés **producteurs**, ou *producteurs primaires*. La plupart des autotrophes sont des organismes photosynthétiques (photoautotrophes) qui, grâce à l'énergie lumineuse, synthétisent des glucides et d'autres composés organiques destinés à servir de nutriments pour leur respiration cellulaire et de matériaux de base pour leur croissance. Les principaux autotrophes sont les végétaux, les algues et les procaryotes photosynthétiques, même si les procaryotes chimioautotrophes sont les producteurs dans des écosystèmes comme les bouches hydrothermales sous-marines (voir la figure 52.15) et les endroits profondément enfouis sous la roche ou la glace.

Les organismes des niveaux trophiques situés au-dessus des producteurs sont des hétérotrophes. Ils se nourrissent directement ou indirectement des produits photosynthétiques des producteurs, leur source d'énergie. Les herbivores, qui se nourrissent de végétaux et d'autres producteurs, sont des **consommateurs primaires**. Les carnivores qui se nourrissent d'herbivores sont des **consommateurs secondaires**. Ils sont à leur tour dévorés par d'autres carnivores, les **consommateurs tertiaires**.

Les **détritivores** constituent un autre groupe d'organismes hétérotrophes important. Ce sont des consommateurs qui puisent leur énergie des **détritus**, matières organiques non vivantes comme les restes d'organismes morts, les excréments, les feuilles mortes et le bois. La plupart des animaux détritivores sont des invertébrés (comme les vers de terre, les nématodes et certains arthropodes), bien que quelques vertébrés (comme les vautours) se nourrissent également de matières organiques mortes. Toutefois, les principaux détritivores sont des **décomposeurs** et comprennent les procaryotes et les eumycètes (**figure 55.3**). Ces organismes sécrètent des enzymes qui dégradent la matière organique; ils peuvent ensuite absorber les produits de cette décomposition. Beaucoup de détritivores sont à leur tour mangés par des consommateurs secondaires et tertiaires; ils servent donc de lien entre les producteurs et les consommateurs d'un écosystème. Ainsi, dans la forêt, des oiseaux mangent des vers de terre qui se sont nourris de la litière de feuilles mortes ainsi que des bactéries et des eumycètes associés à cette litière. Les substances chimiques initialement synthétisées par les végétaux sont donc transférées d'un groupe à l'autre: des végétaux, elles se retrouvent dans la litière feuillue, puis elles passent chez les détritivores, et enfin, chez les oiseaux.

Les détritivores jouent également un rôle crucial dans les relations trophiques d'un écosystème en recyclant les éléments chimiques et en les rendant disponibles pour les producteurs (**figure 55.4**). Les détritivores convertissent la matière organique de tous les niveaux trophiques en composés inorganiques qu'utilisent les producteurs primaires. Lorsque les détritivores excrètent des déchets ou meurent, ils produisent des composés inorganiques qui retournent au sol. Les producteurs peuvent alors recycler ces éléments en les transformant en composés organiques. Si la décomposition s'arrêtait, toute vie terrestre cesserait, car les détritus s'accumuleraient, tandis que s'épuiserait la réserve d'éléments chimiques nécessaires à la formation de nouvelles matières organiques.

▼ **Bactéries en forme de bâtonnets et de sphères qui vivent dans le compost (MEB colorisée).**

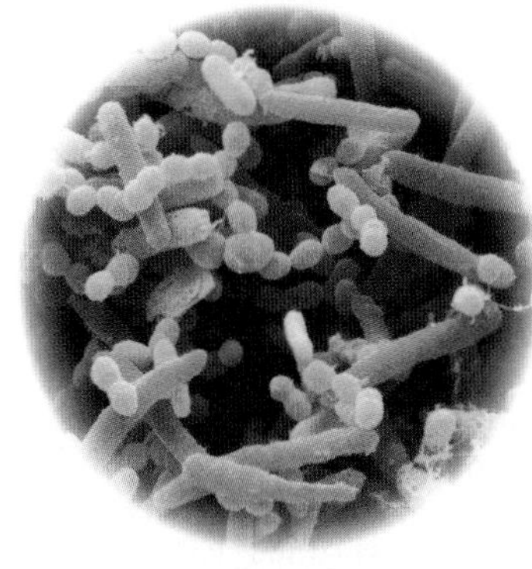

▼ **Eumycètes décomposant un tronc d'arbre.**

▲ **Figure 55.3 Les décomposeurs, un type de détritivores.**

▶ **Figure 55.4 Vue d'ensemble de la dynamique de l'énergie et des nutriments dans un écosystème.** L'énergie pénètre dans l'écosystème, y circule et en ressort, tandis que les nutriments chimiques y sont constamment recyclés. Provenant du Soleil sous forme de rayonnement, l'énergie est transférée sous forme d'énergie chimique dans le réseau trophique (flèches orangées); chacune de ces unités d'énergie finit par se dissiper en chaleur dans l'espace. La plupart des transferts de nutriments (flèches bleues) qui ont lieu dans le réseau trophique aboutissent à la formation de détritus; les nutriments recyclés reviennent ensuite aux producteurs primaires.

HABILETÉS VISUELLES ▶ Dans ce schéma, une flèche bleue mène à la case «Consommateurs primaires», tandis que trois flèches bleues partent de cette case. Décrivez un exemple de transfert de nutriments que chacune de ces flèches pourrait représenter.

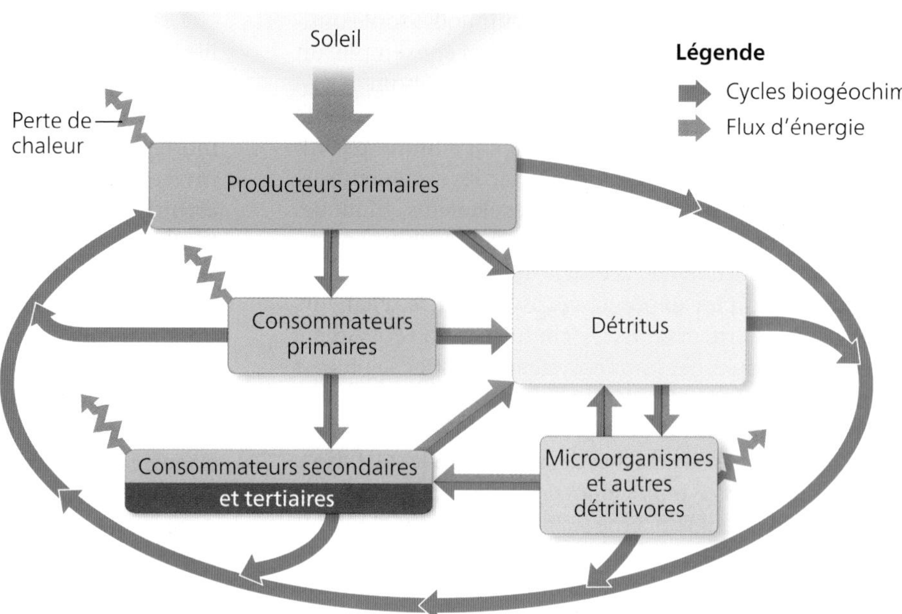

RETOUR SUR LE CONCEPT **55.1**

1. Pourquoi parle-t-on de flux d'énergie et non de cycle énergétique lorsqu'on fait référence au transfert d'énergie qui a lieu dans un écosystème ?
2. **ET SI ?** ▶ Vous étudiez le cycle de l'azote dans la plaine du Serengeti, en Afrique. Au cours de votre expérience, un troupeau de gnous (*Connochaetes spp.*) en migration s'arrête dans votre parcelle d'échantillonnage pour brouter. Que devriez-vous connaître pour mesurer l'effet de leur présence sur le bilan azoté de votre parcelle ?
3. **FAITES DES LIENS** ▶ En vous basant sur le deuxième principe de la thermodynamique, expliquez pourquoi la réserve d'énergie d'un écosystème doit être constamment renouvelée.

Voir les réponses proposées à l'appendice A.

CONCEPT **55.2**

La productivité primaire dans les écosystèmes est limitée par l'énergie et d'autres facteurs

Le transfert d'énergie est le thème à la base de toutes les interactions biologiques (voir le concept 1.1). Dans la plupart des écosystèmes, la **productivité primaire** est la quantité d'énergie chimique (composés organiques) issue de la conversion de l'énergie lumineuse par les organismes autotrophes d'un écosystème, pendant une période déterminée. Dans les écosystèmes où les producteurs sont des chimioautotrophes, l'énergie initiale est d'ordre chimique et les produits initiaux sont les composés organiques que synthétisent ces microorganismes.

Le bilan énergétique des écosystèmes

Dans la plupart des écosystèmes, les producteurs primaires utilisent l'énergie lumineuse pour synthétiser des molécules organiques riches en énergie, et les consommateurs se procurent leurs nutriments organiques de seconde (voire de troisième ou de quatrième) main par l'intermédiaire d'un réseau trophique (voir la figure 54.15). Par conséquent, l'intensité de l'activité photosynthétique détermine le «bilan énergétique» de l'écosystème tout entier.

Le bilan énergétique planétaire

Chaque jour, l'atmosphère terrestre reçoit environ 10^{22} joules (1 J = 0,239 cal) d'énergie sous forme de rayonnement solaire. Cette quantité d'énergie suffirait pour satisfaire les besoins de toute la population humaine pendant au moins 20 ans, selon les niveaux de consommation de 2016. L'intensité du rayonnement solaire qui atteint la Terre varie selon la latitude, de telle sorte que les tropiques constituent la partie de la planète qui en reçoit le plus (voir le concept 52.3). Environ 50 % du rayonnement solaire est absorbé, réfracté ou réfléchi par les nuages et la poussière contenus dans l'atmosphère. La quantité de rayonnement solaire qui atteint la surface terrestre limite l'activité photosynthétique des différents écosystèmes.

Toutefois, seule une petite fraction de la lumière qui atteint la Terre sert à la photosynthèse. La majeure partie du rayonnement solaire atteint des matières non photosynthétiques, comme la glace ou le sol. Quant à la lumière qui parvient à des organismes photosynthétiques, seules quelques longueurs d'onde sont absorbées par les pigments photosynthétiques (voir la figure 10.9); le reste est transmis, reflété ou perdu sous forme de chaleur. Ainsi, seulement 1 % environ de la lumière visible qui atteint les organismes photosynthétiques est convertie en énergie chimique par la photosynthèse. Malgré tout, les producteurs fabriquent environ 150 milliards de tonnes (1,5 × 10^{14} kg) de matière organique chaque année.

La productivité primaire brute et la productivité primaire nette

La productivité primaire totale pour un écosystème est ce qu'on appelle la **productivité primaire brute** (**PPB**), c'est-à-dire la quantité d'énergie provenant de la lumière (ou de substances chimiques, dans les systèmes chimioautotrophes) et convertie en énergie chimique sous forme de molécules organiques, par unité de temps. Les producteurs n'emmagasinent pas toute l'énergie chimique sous forme de matière organique. En effet, ils en utilisent une partie pour leur respiration cellulaire. Si on soustrait de la productivité primaire brute (PPB) cette énergie utilisée par les producteurs primaires (autotrophes) pour leur respiration cellulaire (R_a, où « a » correspond à autotrophes), on obtient la **productivité primaire nette (PPN)** :

$$PPN = PPB - R_a$$

La PPN correspond en moyenne à la moitié de la PPB. C'est une mesure importante, car elle représente la quantité d'énergie chimique emmagasinée que les consommateurs de l'écosystème pourront utiliser. Si l'on fait une comparaison avec un chèque de paye, on dirait que la PPN est votre salaire net, c'est-à-dire la PPB (votre salaire brut) moins la respiration (R_a) (les impôts).

On peut exprimer la PPN sous forme de quantité d'énergie par unité de surface et par unité de temps ($J/m^2 \cdot an$). On peut aussi l'exprimer sous forme de quantité de biomasse de producteurs ajoutée par unité de surface et par unité de temps ($g/m^2 \cdot an$). (On exprime généralement la biomasse sous forme de masse sèche de matière organique.) Il ne faut pas confondre la PPN d'un écosystème avec la biomasse totale des organismes autotrophes photosynthétiques présents. La PPN représente la quantité de la *nouvelle* biomasse qu'ajoutent les producteurs à un écosystème, pendant une période déterminée. Bien qu'une forêt ait une très grande biomasse mesurable, sa PPN est possiblement plus faible que celle d'une prairie tempérée. En effet, dans une prairie tempérée, la biomasse accumulée est plus faible que celle d'une forêt, car de nombreuses plantes sont dévorées par les herbivores, et les plantes herbacées se décomposent plus rapidement que les arbres.

Les satellites fournissent un moyen efficace d'étudier la répartition des zones de productivité primaire. Les images produites par les données satellitaires montrent que la PPN varie considérablement selon les écosystèmes (**figure 55.5**). Les forêts tropicales humides comptent parmi les écosystèmes terrestres les plus productifs et fournissent une importante partie de la PPN. Les estuaires et les récifs coralliens présentent aussi une PPN très élevée, mais leur contribution à l'échelle planétaire est petite parce que ces écosystèmes ne représentent qu'un dixième de la surface couverte par les forêts tropicales humides. À l'opposé, alors que la haute mer est relativement peu productive, la surface importante qu'elle occupe fait que dans son ensemble elle fournit une PPN planétaire comparable à celle des écosystèmes terrestres.

Alors qu'on peut définir la PPN comme étant la quantité de nouvelle biomasse ajoutée par les producteurs pendant une période déterminée, la **productivité nette de l'écosystème (PNE)** est une mesure de l'*accumulation totale de biomasse* au cours de la même période. On obtient la PNE en soustrayant de la PPB la respiration totale de tous les organismes de l'écosystème (R_T) – c'est-à-dire des détritivores et des autres hétérotrophes, et non seulement celle des producteurs comme on le fait pour calculer la PPN :

$$PNE = PPB - R_T$$

La PNE est utile aux écologistes parce que sa valeur détermine les gains et les pertes de carbone des écosystèmes au fil du temps. Une forêt peut présenter une PPN positive, mais perdre néanmoins du carbone si les hétérotrophes le libèrent sous forme de CO_2 avant que les producteurs l'aient intégré aux composés organiques.

La façon la plus courante d'estimer la PNE consiste à mesurer le flux net de CO_2 ou d'O_2 qui pénètre ou quitte l'écosystème. Celui-ci emmagasine du carbone si le CO_2 entrant est supérieur au CO_2 sortant. Puisque les émissions d'O_2 sont directement associées à la photosynthèse et à la respiration (voir la figure 9.2), un écosystème qui libère de l'O_2 emmagasine aussi du carbone. En milieu terrestre, les écologistes ne mesurent généralement que le flux net de CO_2 des écosystèmes, car il est difficile de détecter des changements mineurs dans un vaste bassin atmosphérique d'O_2.

Nous allons maintenant examiner les facteurs qui limitent la productivité dans les écosystèmes, en commençant par les écosystèmes aquatiques.

La productivité primaire dans les écosystèmes aquatiques

Dans les écosystèmes aquatiques (marins et dulcicoles), la lumière et les nutriments déterminent en grande partie la productivité primaire.

L'effet limitatif de la lumière

Dans les océans, comme on s'y attend, la première variable qui détermine la productivité primaire est la lumière, puisque le rayonnement solaire alimente la photosynthèse. La profondeur à laquelle parvient la lumière influe sur la productivité primaire dans toute la zone euphotique d'un océan ou d'un lac (voir la figure 52.13). Les 15 premiers mètres d'eau absorbent environ

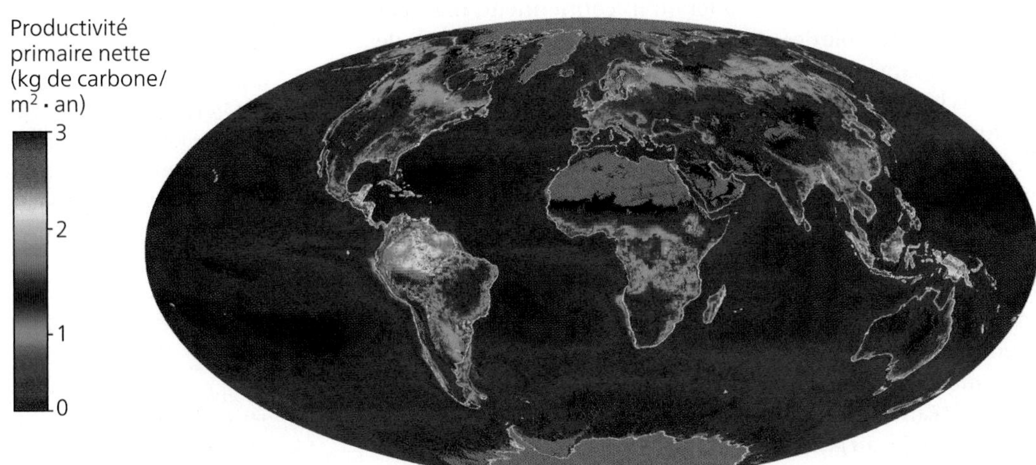

Figure 55.5 La productivité primaire nette planétaire. La carte est produite à partir de données satellitaires, comme la quantité de lumière absorbée par la végétation. On remarque que les régions terrestres tropicales présentent le taux de productivité le plus élevé (les zones jaunes et rouges).

HABILETÉS VISUELLES ▶ Cette carte du monde reflète-t-elle avec justesse l'importance des milieux humides, des récifs coralliens et des zones côtières, qui sont des habitats très productifs ? Expliquez votre réponse.

la moitié du rayonnement solaire. Même dans l'eau « claire », de 5 à 10 % seulement du rayonnement atteint une profondeur de 75 m.

Si la lumière était la principale variable limitant la productivité primaire dans l'océan, on s'attendrait à une augmentation de la productivité le long d'un gradient partant des pôles allant jusqu'à l'équateur, où l'intensité lumineuse est la plus forte. Mais, à l'examen de la figure 55.5, on peut constater qu'un tel gradient n'existe pas. Quel autre facteur influence fortement la productivité primaire des océans ?

L'effet limitatif des nutriments

Ce sont les nutriments, plus que la lumière, qui limitent la productivité primaire dans la plupart des océans et des lacs. Les écologistes utilisent l'expression **nutriment limitant** pour désigner la substance chimique qu'il faut ajouter pour stimuler la productivité d'un milieu. L'azote et le phosphore, éléments majeurs, sont les deux nutriments qui limitent le plus souvent la productivité primaire marine. Les concentrations d'azote et de phosphore sont généralement faibles dans la zone euphotique, parce que ces éléments sont rapidement consommés par le phytoplancton et que les détritus ont tendance à descendre au fond de l'eau.

Dans une étude, décrite dans la **figure 55.6**, des expériences d'enrichissement en éléments nutritifs ont confirmé que l'azote limitait la croissance du phytoplancton au large de la côte sud de Long Island, dans l'État de New York. La prévention de la prolifération d'algues, causée par la pollution par l'azote qui fertilise le phytoplancton, est l'une des applications pratiques de cette étude. Il est primordial de prévenir la prolifération d'algues, qui risque d'entraîner la formation de vastes « zones mortes », c'est-à-dire des régions où la diminution de la concentration d'O_2 est telle qu'elle devient fatale pour de nombreux organismes (voir la figure 56.24).

D'autres nutriments que l'azote et le phosphore limitent la productivité aquatique. Plusieurs régions étendues de l'océan ont une faible densité de population de phytoplancton, en dépit des concentrations relativement élevées d'azote. L'eau de la mer des Sargasses, une région subtropicale de l'océan Atlantique, est l'une des plus claires au monde, en raison de la très faible densité de phytoplancton. Une série d'expériences sur l'enrichissement en éléments nutritifs a révélé que, dans ce cas, c'était la disponibilité du fer (Fe), un élément mineur, qui limitait la productivité primaire (**tableau 55.1**). La poussière que les vents balaient du continent vers les océans procure à ces derniers la majeure partie du fer qu'ils contiennent, mais par rapport à l'ensemble des océans, certaines régions, dont celle de la mer des Sargasses, en contiennent peu.

Dans les océans, les zones de remontée des eaux, où les eaux profondes riches en nutriments viennent à la surface, ont une productivité primaire exceptionnellement élevée ; ce phénomène confirme l'hypothèse selon laquelle la disponibilité des nutriments détermine la productivité primaire. Comme la remontée des eaux stimule la production de phytoplancton à la base des réseaux trophiques, ces zones abritent généralement des écosystèmes très productifs et diversifiés, et constituent des sites de pêche de premier ordre. Les plus grandes zones de remontée des eaux se situent dans l'océan Austral (aussi appelé océan Antarctique), le long de l'équateur et dans les eaux côtières situées au large du Pérou, de la Californie et de certaines parties de l'Afrique de l'Ouest.

L'effet limitatif des nutriments s'observe aussi communément dans les milieux dulcicoles. Au cours des années 1970, des scientifiques ont remarqué que les eaux usées et les eaux de ruissellement contenant des engrais, provenant des fermes et des jardins,

DÉMARCHE SCIENTIFIQUE

INVESTIGATION

▼ **Figure 55.6**

Quel nutriment limite la production de phytoplancton dans les eaux côtières de Long Island ?

■ HYPOTHÈSE ■ Les fermes d'élevage de canards qui polluent les eaux côtières de Long Island (État de New York) en rejetant des composés azotés et phosphorés sont concentrées près de Moriches Bay. John Ryther et William Dunstan, chercheurs à la Woods Hole Oceanographic Institution, ont voulu vérifier que certains nutriments limitaient la croissance du phytoplancton dans cette zone.

■ EXPÉRIENCE ■ Pour ce faire, les chercheurs ont préparé des cultures de l'algue verte *Nannochloris atomus*, un phytoplancton, qu'ils ont placées dans de l'eau provenant de plusieurs sites désignés par les lettres A à G. Ils ont ajouté de l'ammonium (NH_4^+) ou des phosphates (PO_4^{3-}) à certaines cultures.

■ RÉSULTATS ■ L'addition d'ammonium a provoqué une forte croissance du phytoplancton dans les cultures, mais l'addition de phosphates n'a pas provoqué cet effet.

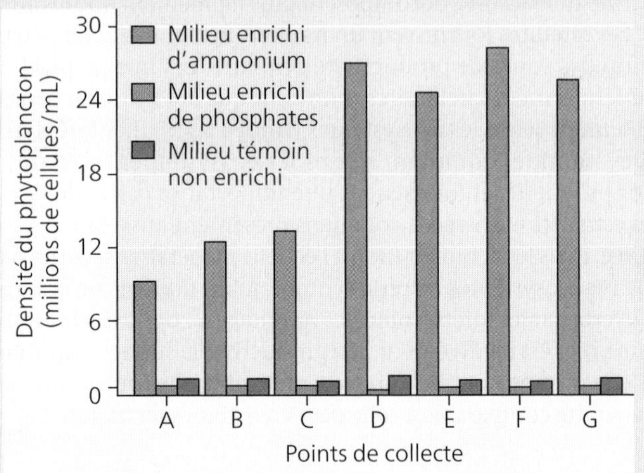

■ CONCLUSION ■ Les chercheurs ont conclu que l'azote était le nutriment qui limitait la croissance du phytoplancton dans cet écosystème puisque l'addition de phosphore (sous forme de phosphates), lequel se trouvait déjà en concentration élevée, n'a pas accru la croissance de *N. atomus*, tandis que l'addition d'azote (sous forme d'ammonium) en a augmenté considérablement la densité.

Source des données: J. H. Ryther et W. M. Dunstan, Nitrogen, phosphorus and eutrophication in the coastal marine environment, *Science* 171 : 1008-1013 (1971).

ET SI ? ▶ Si de nouvelles fermes d'élevage de canards augmentaient la pollution de l'eau de façon substantielle, quel effet cette pollution aurait-elle sur les résultats de l'expérience, d'après vous ? Expliquez votre raisonnement.

Tableau 55.1 Les expériences d'enrichissement en éléments nutritifs sur des échantillons de phytoplancton provenant de la mer des Sargasses

Nutriments ajoutés à une culture en laboratoire	Absorption relative de ^{14}C par les cultures*
Aucun (témoins)	1,00
Azote (N) + phosphore (P) seulement	1,10
N + P + métaux (excepté Fe)	1,08
N + P + métaux (incluant Fe)	12,90
N + P + Fe	12,00

* L'absorption du ^{14}C par les cultures permet de mesurer la productivité primaire.

Source des données: D. W. Menzel et J. H. Ryther, Nutrients limiting the production of phytoplancton in the Sargasso sea, with special reference to iron, *Deep Sea Research* 7: 276-281 (1961).

INTERPRÉTEZ LES DONNÉES ▶ Le molybdène (Mo) est un autre microélément qui peut limiter la production primaire dans les océans. Si les chercheurs obtenaient les résultats suivants pour des ajouts de Mo, que pourriez-vous conclure au sujet de son importance relative dans la croissance?

N + P + Mo	6,0
N + P + Fe + Mo	72,0

ajoutent de grandes quantités de nutriments aux lacs, favorisant d'autant la croissance des producteurs primaires. Ceux-ci sont décomposés par les détritivores, ce qui retire de l'eau une grande partie, sinon la totalité, de son O_2. La disparition de nombreuses espèces de poissons (voir la figure 52.15) compte parmi les conséquences écologiques de ce processus, appelé **eutrophisation** (du terme grec *eutrophos*, qui signifie «bien nourri»).

Pour empêcher l'eutrophisation, les scientifiques doivent savoir quel nutriment est responsable. Alors que l'azote est rarement le nutriment qui limite la productivité primaire dans les lacs, une série d'expériences menées sur des lacs entiers a montré que la disponibilité en phosphore limitait la prolifération de cyanobactéries. Ces résultats et d'autres études écologiques ont conduit à l'utilisation de détergents sans phosphate et à des changements de normes quant à la qualité de l'eau.

La productivité primaire dans les écosystèmes terrestres

À l'échelle régionale et planétaire, la température et l'humidité sont les principaux facteurs qui déterminent la productivité primaire des écosystèmes terrestres. Les forêts tropicales humides sont les écosystèmes terrestres les plus productifs, en raison de leurs conditions de chaleur et d'humidité, qui sont favorables à la croissance des végétaux (voir la figure 55.5). À l'opposé, les écosystèmes qui ont une faible productivité sont généralement chauds et secs, comme de nombreux déserts, ou froids et secs, comme la toundra arctique. Entre ces extrêmes se trouvent les forêts et les prairies tempérées dont le climat est modéré, et le degré de productivité, moyen.

Les variables climatiques que sont les précipitations et la température sont très utiles pour prédire la PPN des écosystèmes terrestres. En effet, la PPN est plus grande dans les écosystèmes plus humides, comme le montre la **figure 55.7**. La PPN augmente aussi en fonction de la température et de l'énergie solaire disponible pour produire l'évaporation et la transpiration.

▼ **Figure 55.7 À l'échelle planétaire, le rapport entre la productivité primaire nette et la moyenne annuelle de précipitations dans les écosystèmes terrestres.**

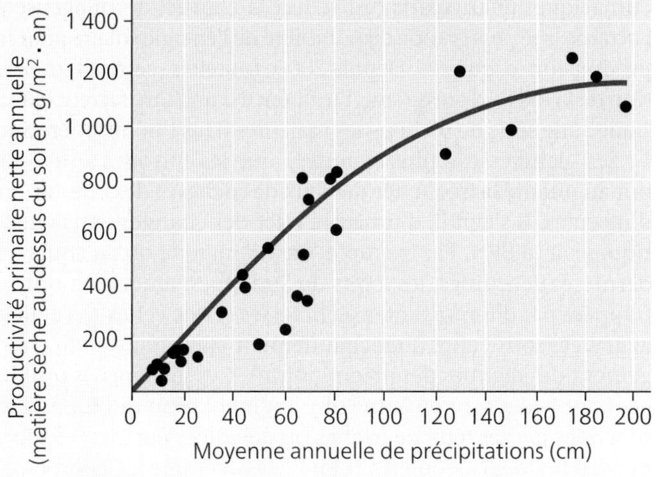

L'effet limitatif des nutriments et les adaptations pour y remédier

ÉVOLUTION Les nutriments du sol peuvent aussi jouer un rôle important dans la limitation de la productivité primaire des écosystèmes terrestres. Comme dans les écosystèmes aquatiques, l'azote et le phosphore sont les principaux nutriments limitant la productivité primaire terrestre. De façon générale, l'azote est l'élément qui limite le plus la croissance des végétaux. L'effet limitatif du phosphore est répandu dans les sols plus vieux où les molécules de phosphate ont été lessivées par l'eau, comme dans de nombreux écosystèmes tropicaux. Notons que l'ajout d'un nutriment non limitant, même rare, ne stimulera pas la productivité. En revanche, l'ajout d'un nutriment limitant augmentera la productivité jusqu'à ce qu'un autre nutriment devienne limitant.

Diverses adaptations évolutives ont permis aux plantes d'accroître leur absorption de nutriments limitants. Nous avons vu que la symbiose entre les racines d'une plante et des bactéries fixatrices d'azote constitue une forme importante d'adaptation appelée mutualisme, tout comme l'association mycorhizienne entre les racines des plantes et des eumycètes, qui procurent aux plantes le phosphore et d'autres nutriments limitants dont elles ont besoin (voir la figure 37.15). Les racines des plantes possèdent en outre des poils absorbants et d'autres caractéristiques anatomiques qui augmentent la superficie de leur zone de contact avec le sol (voir les figures 33.9 et 35.3). En outre, de nombreux végétaux libèrent dans le sol des enzymes et d'autres substances qui augmentent la disponibilité des nutriments limitants, notamment les phosphatases, des enzymes qui séparent un groupement phosphate de molécules plus grosses, et des chélateurs, qui rendent des éléments mineurs comme le fer plus solubles dans le sol.

Les effets des changements climatiques sur la productivité

Comme nous l'avons vu, les facteurs climatiques tels que la température et les précipitations influent sur la PPN terrestre. Nous pourrions donc nous attendre à ce que les changements climatiques se répercutent sur la productivité des écosystèmes terrestres. Et c'est effectivement le cas. Par exemple, les données satellitaires ont montré que, de 1982 à 1999, la PPN a augmenté de 6 % dans les écosystèmes terrestres. Près de la moitié de cette hausse a été observée dans les forêts tropicales amazoniennes où les régimes climatiques changeants ont réduit la couverture nuageuse et entraîné une plus grande disponibilité de l'énergie solaire pour les producteurs primaires. Depuis 2000, toutefois, cette augmentation de la PPN a régressé sous l'influence d'un autre facteur climatique : une série de sécheresses majeures dans l'hémisphère Sud.

Les sécheresses « plus chaudes » que les épisodes antérieurs ont augmenté la fréquence des feux de friches et des infestations d'insectes. Il s'agit là d'un autre effet des changements climatiques sur la PPN. Par exemple, on a remarqué qu'au cours des dernières décennies, les forêts du Sud-Ouest américain ont été frappées par d'importantes sécheresses et que celles-ci s'étaient aggravées sous l'effet du réchauffement climatique et du changement des régimes des précipitations. Ces sécheresses prolongées ont à leur tour entraîné une augmentation des superficies touchées par les feux de friches ou dévastées par des éclosions de scolytes (des coléoptères xylophages), comme le dendroctone du pin ponderosa (*Dendroctonus ponderosae*) (**figure 55.8**). Il en a résulté une augmentation de la mortalité au sein des populations d'arbres et une diminution de la PPN de ces forêts.

Il arrive également qu'un écosystème gagne ou perde du carbone avec le temps sous l'effet des changements climatiques. Comme nous l'avons vu plus haut, la productivité nette d'un écosystème (PNE) reflète la quantité totale de biomasse qui s'est accumulée au cours d'une période donnée. Quand la PNE > 0, l'écosystème gagne plus de carbone qu'il n'en perd ; ces écosystèmes qui stockent le carbone sont appelés *bassins* de carbone. Inversement, quand la PNE < 0, l'écosystème perd plus de carbone qu'il n'en absorbe ; ces écosystèmes sont des *sources* de carbone.

Des études scientifiques récentes montrent que les changements climatiques peuvent transformer un bassin de carbone en une source de carbone. Par exemple, dans certains écosystèmes arctiques, le réchauffement du climat a intensifié l'activité métabolique des microorganismes du sol, provoquant une légère hausse de la quantité de CO_2 issue de la respiration cellulaire. Dans ces écosystèmes, la quantité totale de CO_2 produite par la respiration cellulaire excède maintenant la quantité absorbée par photosynthèse. Autrement dit, des écosystèmes autrefois des bassins de carbone sont aujourd'hui des sources de carbone. Lorsqu'un écosystème subit une telle transformation, il peut contribuer aux changements climatiques en libérant plus de CO_2 qu'il n'en absorbe. Dans la rubrique **Résolution de problème**, vous pourrez constater comment les infestations d'insectes influent sur la PNE des écosystèmes forestiers.

▼ **Figure 55.8 Les changements climatiques, les feux de friches et les infestations d'insectes.** Les forêts du Sud-Ouest américain subissent de longs épisodes de sécheresse accompagnés de températures plus élevées qu'auparavant parce que les étés sont plus chauds, et les hivers, moins neigeux. L'indice du stress causé par la sécheresse montre à quel point ces conditions fragilisent les arbres. Plus la valeur de l'indice est élevée, plus la sécheresse est grave et plus la superficie touchée par les feux de friches (en haut) et infestée par les scolytes (en bas) est élevée. Ces coléoptères xylophages (mangeurs de bois) s'attaquent spécifiquement aux arbres dont les défenses sont affaiblies par le stress occasionné par le manque d'eau.

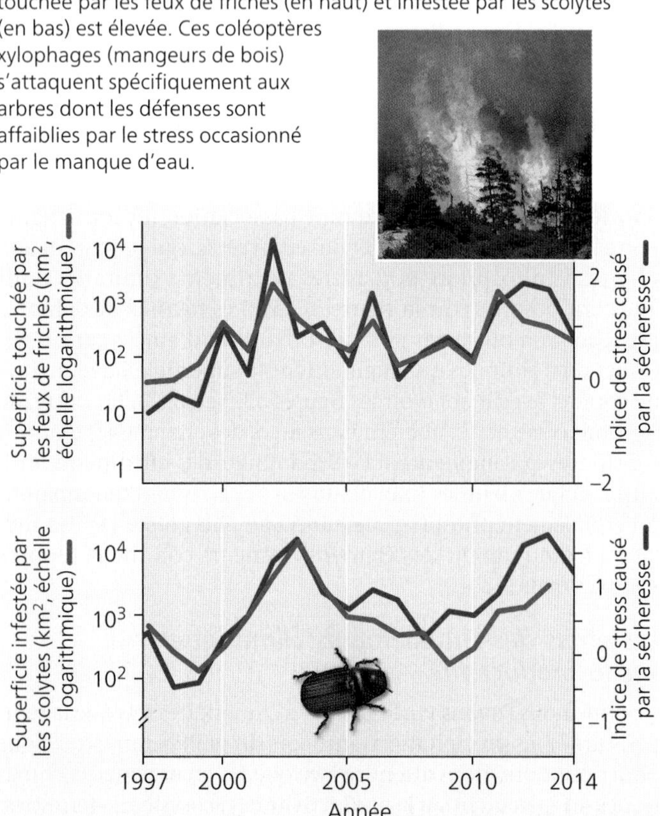

RETOUR SUR LE CONCEPT 55.2

1. Pourquoi les producteurs n'emmagasinent-ils qu'une petite partie de l'énergie solaire qui atteint l'atmosphère terrestre ?
2. Comment les écologistes peuvent-ils déterminer expérimentalement le facteur qui limite la productivité primaire dans un écosystème ?
3. **ET SI ?** ▶ Supposons qu'une forêt a été gravement touchée par un feu de friches. Selon vous, comment la PNE de cette forêt est-elle susceptible de changer au fil du temps ?
4. **FAITES DES LIENS** ▶ Expliquez le rôle de l'azote et du phosphore, les nutriments limitants les plus courants, dans le fonctionnement du cycle de Calvin dans la photosynthèse (voir le concept 10.3).

Voir les réponses proposées à l'appendice A.

CONCEPT 55.3

L'efficacité du transfert d'énergie entre les niveaux trophiques est d'environ 10 %

On appelle **productivité secondaire** l'augmentation, par conversion de l'énergie chimique de la nourriture, de la biomasse des consommateurs d'un écosystème pendant une période déterminée. Considérons le transfert de matière organique des producteurs aux herbivores, qui sont les consommateurs primaires. Dans la plupart des écosystèmes, les herbivores mangent seulement une petite fraction de la matière végétale produite ; ils ne consomment, mondialement, qu'environ un sixième de la production végétale totale. De plus, ils ne digèrent pas toute la matière végétale qu'ils ingèrent. Par conséquent, la grande majorité de la production d'un écosystème finit par être consommée par les détritivores. Examinons de plus près ce processus de transfert d'énergie.

RÉSOLUTION DE PROBLÈME Une infestation d'insectes peut-elle compromettre la capacité d'une forêt d'absorber du CO_2 atmosphérique ?

Une des façons de lutter contre les changements climatiques est de planter des arbres, car ceux-ci absorbent de grandes quantités de CO_2 atmosphérique et le convertissent en biomasse par photosynthèse. Puisque les infestations d'insectes sont de plus en plus fréquentes sous l'effet des changements climatiques, on peut se demander ce que devient ce carbone emmagasiné dans les arbres sous forme de biomasse quand une population d'insectes connaît une explosion.

▲ **Un arbre présentant des douzaines de bouchons de résine, un signe d'infestation par les dendroctones du pin ponderosa (en médaillon).**

Dans cet exercice, vous déterminerez si une épidémie de dendroctones du pin ponderosa (*Dendroctonus ponderosae*) modifie la quantité de CO_2 qu'un écosystème forestier absorbe de l'atmosphère et retourne à l'atmosphère.

Votre méthode

Le principe qui guidera votre recherche est le suivant : tous les écosystèmes absorbent du CO_2 de l'atmosphère et retournent du CO_2 à l'atmosphère. La productivité nette de l'écosystème (PNE) indique si un écosystème est un bassin de carbone (il absorbe plus de CO_2 atmosphérique qu'il en libère, ce qui est le cas quand la PNE > 0) ou une source de carbone (il libère plus de CO_2 qu'il en absorbe ; PNE < 0). Pour savoir si le dendroctone du pin ponderosa cause une modification de la PNE, vous devez calculer la PNE de la forêt avant et après une récente infestation de cet insecte.

Vos données

De 2000 à 2006, une infestation de dendroctones du pin ponderosa a tué des millions d'arbres en Colombie-Britannique, au Canada. Il était difficile de savoir si cette épidémie faisait gagner du carbone (PNE > 0) aux forêts ou lui en faisait perdre (PNE < 0). Pour tenter de le découvrir, des écologistes ont estimé la production primaire nette (PPN) et la respiration cellulaire par les détritivores et autres hétérotrophes (R_h), et ce, pour les périodes précédant et suivant cette infestation. Ces données permettent de calculer la PNE à partir de l'équation suivante : PNE = PPN – R_h.

	PPN (g/[m^2 · année])	R_h (g/[m^2 · année])
Avant l'infestation	440	408
Après l'infestation	400	424

Votre analyse

1. Avant l'infestation, la forêt était-elle un bassin de carbone ou une source de carbone ? Qu'en est-il après l'infestation ?
2. On exprime souvent la PNE par l'équation PNE = PPB – R_T, où la PPB est la productivité primaire brute, et R_T, la respiration cellulaire par les autotrophes (R_a) *plus* la respiration cellulaire par les hétérotrophes (R_h). À l'aide de la relation PNE = PPB – R_a, montrez que les deux équations introduites dans cet exercice pour représenter la PNE sont équivalentes.
3. À partir de votre réponse à la question 1, prédisez si l'infestation de dendroctones du pin ponderosa pourrait avoir des effets rétroactifs sur le climat planétaire. Expliquez votre réponse.

L'efficacité écologique

Examinons d'abord la productivité secondaire chez un organisme en particulier, la chenille (larve des lépidoptères). Lorsque la chenille se nourrit de la feuille d'une plante, seuls environ 33 des 200 J de la feuille, soit un sixième de son énergie potentielle, servent à la productivité secondaire, ou croissance (**figure 55.9**). La chenille emmagasine une partie de l'énergie qui reste dans des composés organiques qui seront utilisés pour la respiration cellulaire et élimine la partie restante sous forme d'excréments. L'énergie contenue dans les excréments demeure temporairement dans l'écosystème, mais la plus grande partie est perdue sous forme de chaleur une fois qu'ils ont été consommés par les détritivores. L'énergie qui sert à la respiration cellulaire de la chenille est, elle aussi, perdue sous forme de chaleur. Seule l'énergie chimique que les herbivores emmagasinent sous forme de biomasse, par la croissance ou la production de descendants, peut servir de nourriture aux consommateurs secondaires.

On peut mesurer l'efficacité des animaux d'un écosystème, en tant que transformateurs d'énergie, à l'aide de l'équation suivante :

$$\text{Efficacité écologique} = \frac{\text{Productivité secondaire nette} \times 100\,\%}{\text{Assimilation de la productivité primaire}}$$

La productivité secondaire nette est l'énergie emmagasinée dans la biomasse représentée par la croissance et la reproduction. L'assimilation comprend la quantité totale d'énergie qu'un organisme a absorbée et qu'il a utilisée pour la croissance, la reproduction et la respiration cellulaire. En d'autres mots,

▼ **Figure 55.9 La répartition de l'énergie dans un niveau de chaîne trophique.**

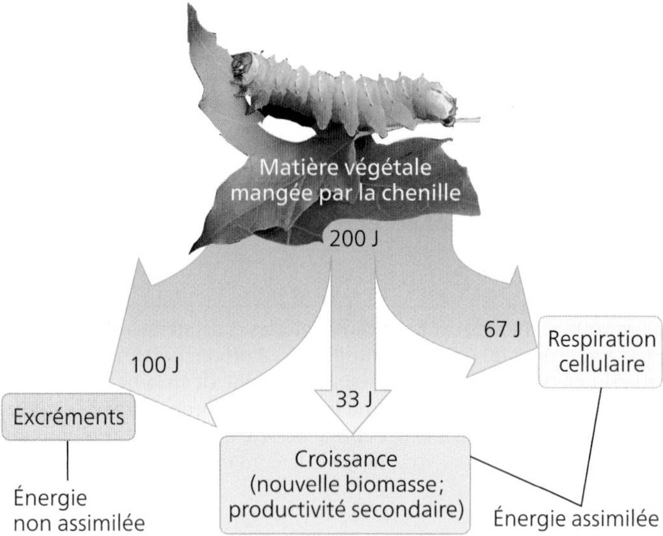

INTERPRÉTEZ LES DONNÉES ▶ Quel pourcentage de l'énergie contenue dans la nourriture de la chenille est réellement utilisé pour la productivité secondaire (croissance)?

l'**efficacité écologique** est le pourcentage de l'énergie emmagasinée dans la nourriture assimilée qui est utilisé pour la croissance et la reproduction, et *non* pour la respiration cellulaire. Pour la chenille de la figure 55.9, l'efficacité écologique est de 33%; 67 des 100 J assimilés sont utilisés pour la respiration cellulaire. (L'énergie contenue dans la matière non digérée et éliminée sous forme d'excréments est exclue de l'assimilation.) Les oiseaux et les mammifères ont une faible efficacité écologique, qui varie de 1 à 3%, car ils utilisent beaucoup d'énergie pour maintenir leur température corporelle à un niveau élevé. Les poissons, qui sont des organismes essentiellement ectothermes (voir le concept 40.3), ont une efficacité écologique d'environ 10%. Les insectes et les microorganismes sont encore plus efficaces: leur efficacité écologique, en tant que consommateurs, s'élève en moyenne à 40% ou plus.

L'efficacité trophique et les pyramides écologiques

Après avoir examiné l'efficacité écologique à l'échelle des consommateurs, étudions le flux d'énergie dans l'ensemble des niveaux trophiques.

L'**efficacité trophique** est le pourcentage de la productivité qui est transférée d'un niveau trophique donné au niveau supérieur. Cette efficacité est toujours inférieure à l'efficacité écologique, parce qu'elle tient compte non seulement de l'énergie perdue par la respiration cellulaire et dans les excréments, mais également de l'énergie qui se trouve dans la matière organique d'un niveau trophique inférieur et qui n'est pas consommée par le niveau trophique supérieur. L'efficacité trophique varie habituellement d'environ 5 à 20%, selon le type d'écosystème, mais elle s'élève en moyenne à seulement 10% environ. Autrement dit, 90% de l'énergie disponible à un niveau trophique *ne se rend pas* au niveau supérieur. Cette perte s'accroît sur toute la chaîne alimentaire. Si 10% de l'énergie des producteurs vont aux consommateurs primaires, par exemple des chenilles, et que 10% de ces 10% vont aux consommateurs secondaires (carnivores), cela signifie donc que ces derniers ne peuvent utiliser que 1% de la productivité primaire nette (10% de 10%). Dans la rubrique **Habiletés scientifiques**, vous calculerez l'efficacité trophique et d'autres mesures du flux d'énergie qui existent dans l'écosystème d'un marais salé.

La perte progressive d'énergie le long d'une chaîne alimentaire limite sérieusement l'abondance de carnivores des niveaux supérieurs que peut soutenir un écosystème. À peine 0,1% de l'énergie chimique fixée par photosynthèse arrive à traverser le réseau trophique jusqu'aux consommateurs tertiaires que sont les serpents (des reptiles) ou les requins (des poissons cartilagineux). Voilà qui explique pourquoi la plupart des réseaux trophiques ne comptent que quatre ou cinq niveaux trophiques (voir la figure 54.15).

On peut représenter les pertes d'énergie successives au moyen d'une *pyramide d'énergie*, où les productivités nettes des différents niveaux trophiques sont présentées en étages (**figure 55.10**). La largeur de chaque étage est proportionnelle à la productivité nette, exprimée en unités d'énergie (joules), du niveau trophique correspondant. Le niveau le plus élevé, représentant les prédateurs du niveau trophique supérieur, contient relativement peu d'individus. La faible population des espèces situées à ce niveau trophique explique qu'elles soient sujettes à l'extinction (ainsi qu'aux conséquences évolutives associées à une démographie réduite; voir le concept 23.3).

La faible efficacité de chaque niveau trophique a une conséquence écologique importante qu'on peut représenter à l'aide d'une *pyramide des biomasses*, dans laquelle la largeur de chaque étage est proportionnelle à la masse sèche totale des organismes du niveau trophique correspondant. En général, la pyramide des biomasses se rétrécit considérablement entre les producteurs de la base et les carnivores du sommet, étant donné l'inefficacité des transferts d'énergie entre les niveaux trophiques (**figure 55.11a**). Cependant, certains écosystèmes aquatiques ont une pyramide des biomasses inversée, la biomasse des consommateurs primaires étant supérieure à celle des producteurs dans ces écosystèmes (**figure 55.11b**). En effet, le zooplancton consomme le phytoplancton si rapidement que la biomasse totale demeure relativement faible. Toutefois, comme le phytoplancton remplace continuellement sa biomasse, il peut servir de nourriture à une biomasse de zooplancton plus grosse

▼ **Figure 55.10 Une pyramide d'énergie théorique.** Dans cet exemple d'écosystème, 10% de l'énergie disponible à chaque niveau trophique sont convertis en nouvelle biomasse au niveau suivant, ce qui représente une efficacité trophique de 10%. On remarque que les producteurs convertissent seulement 1% de l'énergie solaire qui leur parvient; ce pourcentage représente la productivité primaire.

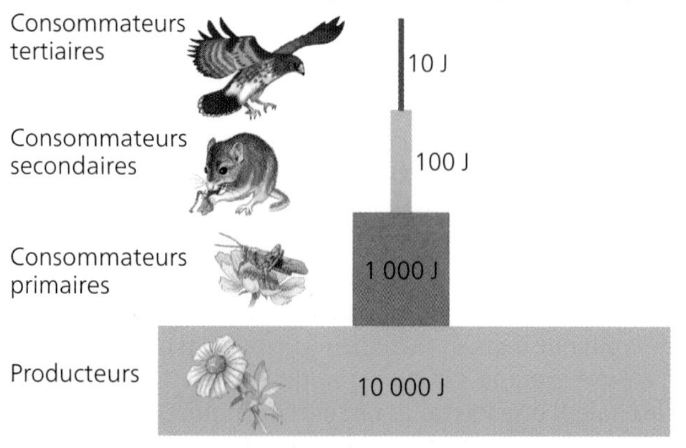

que la sienne. De même, comme le phytoplancton se reproduit rapidement et que sa productivité est beaucoup plus grande que celle du zooplancton, la pyramide d'*énergie* de cet écosystème est plus large à sa base, comme l'illustre la figure 55.10.

La dynamique du flux d'énergie dans les écosystèmes s'applique aussi aux consommateurs humains. Par exemple, la consommation de viande représente un moyen relativement inefficace d'exploiter la production photosynthétique. Les 500 g de soja qu'une personne mange pour consommer des protéines végétales ne lui fourniraient qu'un cinquième ou moins de cette quantité en viande s'ils servaient d'abord à nourrir une vache. L'agriculture à l'échelle planétaire pourrait fournir de la nourriture à bien plus de gens et utiliser beaucoup moins de terres cultivables si nous étions tous végétariens et nous nourrissions plus efficacement, en tant que consommateurs primaires.

DÉMARCHE SCIENTIFIQUE
HABILETÉS SCIENTIFIQUES

Interpréter des données quantitatives

■ QUELLE EST L'EFFICACITÉ DU TRANSFERT D'ÉNERGIE DANS L'ÉCOSYSTÈME D'UN MARAIS SALÉ ? ■
Dans le cadre d'une expérience classique, John Teal a étudié le flux d'énergie entre producteurs, consommateurs et détritivores dans un marais salé. Dans cet exercice, vous utiliserez les données de cette étude pour mesurer le transfert d'énergie entre les niveaux trophiques de cet écosystème.

■ MÉTHODE ■ Teal a mesuré la quantité de rayonnement solaire qui pénétrait dans un marais salé situé dans l'État de Géorgie, aux États-Unis, au cours d'une année. Il a également mesuré les trois éléments suivants: la biomasse aérienne des producteurs primaires dominants, en l'occurrence des graminées; la biomasse des consommateurs dominants, dont les insectes, les araignées et les crabes; et la biomasse des détritus qui se déversent dans les eaux côtières environnantes. Pour déterminer la quantité d'énergie dans chaque unité de biomasse, il a fait sécher la biomasse, l'a brûlée dans un calorimètre et a mesuré la quantité de chaleur produite.

■ RÉSULTATS ■

Forme d'énergie	kcal (m^2 · année)
Rayonnement solaire	600 000
Productivité brute, graminées	34 580
Productivité nette, graminées	6 585
Productivité brute, insectes	305
Productivité nette, insectes	81
Détritus sortant du marais	3 671

Source des données: J. M. Teal, Energy flow in the salt marsh ecosystem of Georgia, *Ecology* 43: 614-624 (1962).

INTERPRÉTEZ LES DONNÉES ▼

1. Quel pourcentage de l'énergie solaire atteignant le marais est incorporé à la productivité primaire brute ? À la productivité primaire nette ?
2. Quelle quantité d'énergie est perdue par la respiration cellulaire des producteurs primaires dans cet écosystème ? Quelle quantité est perdue par la respiration cellulaire de la population d'insectes ?
3. Si tous les détritus sortant du marais sont d'origine végétale, quel pourcentage de toute la productivité primaire nette quitte le marais sous forme de détritus chaque année ?

▼ **Figure 55.11 Les pyramides des biomasses.** Les nombres indiquent la masse sèche totale des organismes de chaque niveau trophique.

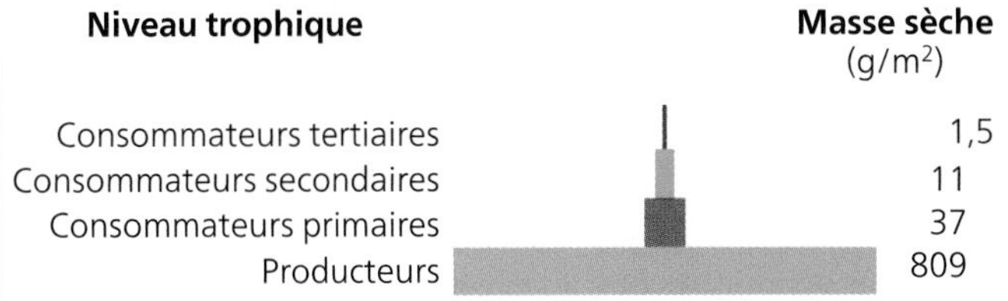

Niveau trophique	Masse sèche (g/m^2)
Consommateurs tertiaires	1,5
Consommateurs secondaires	11
Consommateurs primaires	37
Producteurs	809

(a) Comme la plupart des pyramides des biomasses, celle d'une tourbière située en Floride présente une diminution marquée de la biomasse d'un niveau trophique à l'autre, en partant de la base vers les niveaux supérieurs.

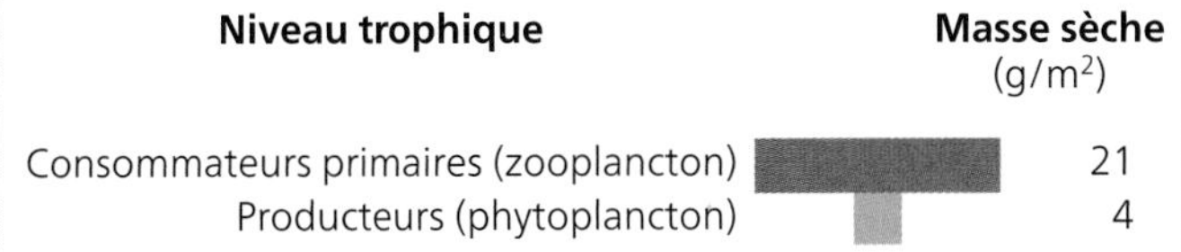

Niveau trophique	Masse sèche (g/m^2)
Consommateurs primaires (zooplancton)	21
Producteurs (phytoplancton)	4

(b) Dans certains écosystèmes aquatiques, par exemple dans la Manche, une petite biomasse mesurable de producteurs (phytoplancton) sert de nourriture à une grande biomasse mesurable de consommateurs primaires (zooplancton).

RETOUR SUR LE CONCEPT 55.3

1. Un insecte mange des graines contenant 100 J d'énergie. Il utilise 30 J de cette énergie pour sa respiration et en élimine 50 J dans ses excréments. Quelle est sa productivité secondaire nette ? Quelle est son efficacité écologique ?
2. Les feuilles de tabac renferment de la nicotine, une substance nocive dont la production exige beaucoup d'énergie de la part de la plante. Quel avantage celle-ci peut-elle tirer de l'utilisation d'une partie de ses ressources pour produire de la nicotine ?
3. **ET SI ?** ▶ Les détritivores sont des consommateurs qui puisent leur énergie dans les détritus. Combien de joules d'énergie sont potentiellement utilisables par les détritivores dans l'écosystème représenté à la figure 55.10 ?

Voir les réponses proposées à l'appendice A.

CONCEPT 55.4

Des processus biologiques et géochimiques recyclent les nutriments et l'eau dans les écosystèmes

Bien que la plupart des écosystèmes reçoivent de l'énergie solaire en grande quantité, les réserves d'éléments chimiques sont limitées. Par conséquent, la vie repose sur le recyclage des éléments chimiques essentiels. Presque toutes les réserves de substances chimiques d'un organisme sont renouvelées continuellement par l'absorption de nutriments et le rejet de déchets. Quand l'organisme meurt, les décomposeurs dégradent les molécules de son corps et renvoient les atomes dans l'atmosphère, l'eau ou le sol. En libérant des nutriments contenus dans la matière organique, la décomposition reconstitue les réserves d'éléments nutritifs inorganiques que les végétaux et les autres autotrophes utilisent pour fabriquer de la nouvelle matière organique.

Les vitesses de décomposition et de recyclage des nutriments

Les détritivores sont des hétérotrophes qui puisent leur énergie dans les détritus. Leur croissance est fonction des mêmes facteurs qui limitent la productivité primaire dans les écosystèmes, notamment la température, l'humidité et la disponibilité des nutriments. De façon générale, les décomposeurs (un type de détritivores) se développent et décomposent la matière plus rapidement dans les écosystèmes chauds et humides (**figure 55.12**). Dans les forêts tropicales humides, la majeure partie de la matière organique se décompose en quelques années, voire en quelques mois. En revanche, dans les forêts tempérées, la décomposition prend en moyenne de quatre à six ans. Cette différence est en grande partie attribuable aux températures plus chaudes et aux précipitations plus abondantes des forêts tropicales. Puisque la décomposition se produit rapidement dans les forêts tropicales humides, une faible proportion de la matière organique s'accumule sur le sol sous forme de litière de feuilles mortes ; les troncs ligneux des arbres renferment environ 75 % des nutriments de l'écosystème, et le sol n'en contient qu'environ 10 %. Par conséquent, les concentrations relativement faibles de certains nutriments dans le sol des forêts tropicales humides sont attribuables à un temps de recyclage court, et non pas à la rareté des éléments dans l'écosystème. Dans les forêts tempérées, où la décomposition est beaucoup plus lente, le sol peut contenir 50 % de toute la matière organique de l'écosystème. Une bonne partie des nutriments présents dans les forêts tempérées se trouvent donc dans les détritus et dans le sol. Ils peuvent y rester longtemps avant que des végétaux les assimilent.

La décomposition au sol est également plus lente lorsque le manque d'humidité nuit à la prolifération des décomposeurs ou

DÉMARCHE SCIENTIFIQUE

INVESTIGATION

▼ Figure 55.12

Quelle influence la température exerce-t-elle sur la décomposition de la litière d'un écosystème ?

■ HYPOTHÈSE ■ Des chercheurs du Service canadien des forêts (ou Forêts Canada) ont voulu déterminer l'influence de la température sur la vitesse de décomposition de la litière d'un écosystème. Ils ont postulé que plus la température était élevée, plus la décomposition était rapide.

■ EXPÉRIENCE ■ Pour vérifier leur hypothèse, les chercheurs ont déposé une litière – des échantillons identiques de matière organique – sur le sol de 21 sites répartis dans tout le pays (et désignés par des lettres sur la carte ci-dessous). Trois ans plus tard, ils sont retournés sur les lieux pour constater l'état de décomposition de chaque échantillon.

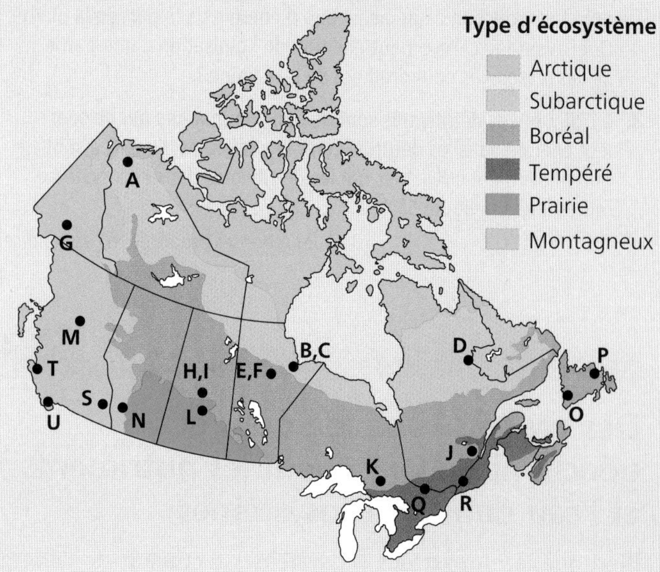

■ RÉSULTATS ■ La masse de litière s'est décomposée quatre fois plus vite dans l'écosystème le plus chaud que dans l'écosystème le plus froid.

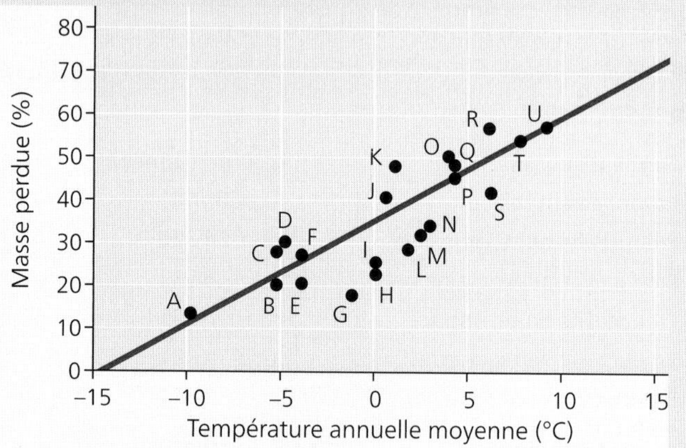

■ CONCLUSION ■ Presque partout au Canada, la décomposition s'accélère à mesure qu'augmente la température.

Sources des données : J. A. Trofymow et le groupe de travail de la CIDET, *Expérience canadienne sur la décomposition interstationnelle (CIDET) : Rapport sur l'implantation des stations et sur le projet* (Rapport d'information BC-X-378F), Ressources naturelles Canada, Service canadien des Forêts, Centre de foresterie du Pacifique (1998) ; et T. R. Moore et coll., Litter decomposition rates in Canadian forest, *Global Change Biology* 5 : 75-82 (1999).

ET SI ? ► À l'exception de la température, quels facteurs pourraient avoir varié d'un site à l'autre ? En quoi cette variation a-t-elle pu influer sur l'interprétation des résultats ?

qu'un excès d'humidité prive ces derniers d'O_2. Les écosystèmes froids et humides, comme les tourbières, emmagasinent d'importantes quantités de matière organique; les décomposeurs ne s'y développent pas bien et la productivité primaire nette dépasse de beaucoup la décomposition.

Dans les écosystèmes aquatiques, la décomposition qui se produit dans les boues anaérobies peut s'étendre sur 50 ans ou plus. Les sédiments du fond sont comparables à la couche de détritus des écosystèmes terrestres. Mais, généralement, les algues et les végétaux aquatiques tirent les nutriments directement de l'eau. Par conséquent, les sédiments constituent souvent des puits d'éléments nutritifs. Les écosystèmes aquatiques ne peuvent donc être très productifs que s'il y a des échanges entre les couches d'eau du fond et celles de la surface (comme cela se produit dans les zones de remontée des eaux mentionnées plus tôt).

Les cycles biogéochimiques

Comme les cycles des nutriments comportent des éléments tant biotiques qu'abiotiques, ils sont appelés **cycles biogéochimiques**. Les cycles biogéochimiques peuvent être planétaires ou locaux. D'une part, le carbone, l'oxygène, le soufre et l'azote circulent dans l'atmosphère à l'état gazeux; leur cycle se réalise essentiellement à l'échelle planétaire. Ainsi, une partie des atomes de carbone et d'oxygène qu'une plante retire de l'air sous forme de CO_2 peut avoir été libérée dans l'atmosphère par la respiration d'une autre plante ou d'un animal vivant loin de cette plante. D'autres éléments comme le phosphore, le potassium et le calcium sont trop lourds pour se retrouver à l'état gazeux à la surface de la Terre, bien qu'ils soient transportés sous forme de poussière. Dans les écosystèmes terrestres, ces éléments sont recyclés plus localement et sont absorbés par les racines des plantes avant de retourner dans le sol grâce aux décomposeurs. Leur cycle se fait cependant à une plus grande échelle dans les écosystèmes aquatiques où, sous forme dissoute, ils sont transportés par les courants.

Penchons-nous d'abord sur un modèle général du recyclage des nutriments qui montre les réservoirs de nutriments, de même que les processus de transfert entre ces réservoirs (**figure 55.13**). Les nutriments contenus dans les organismes vivants eux-mêmes

COUP D'ŒIL ▼ Figure 55.13 Les cycles biogéochimiques

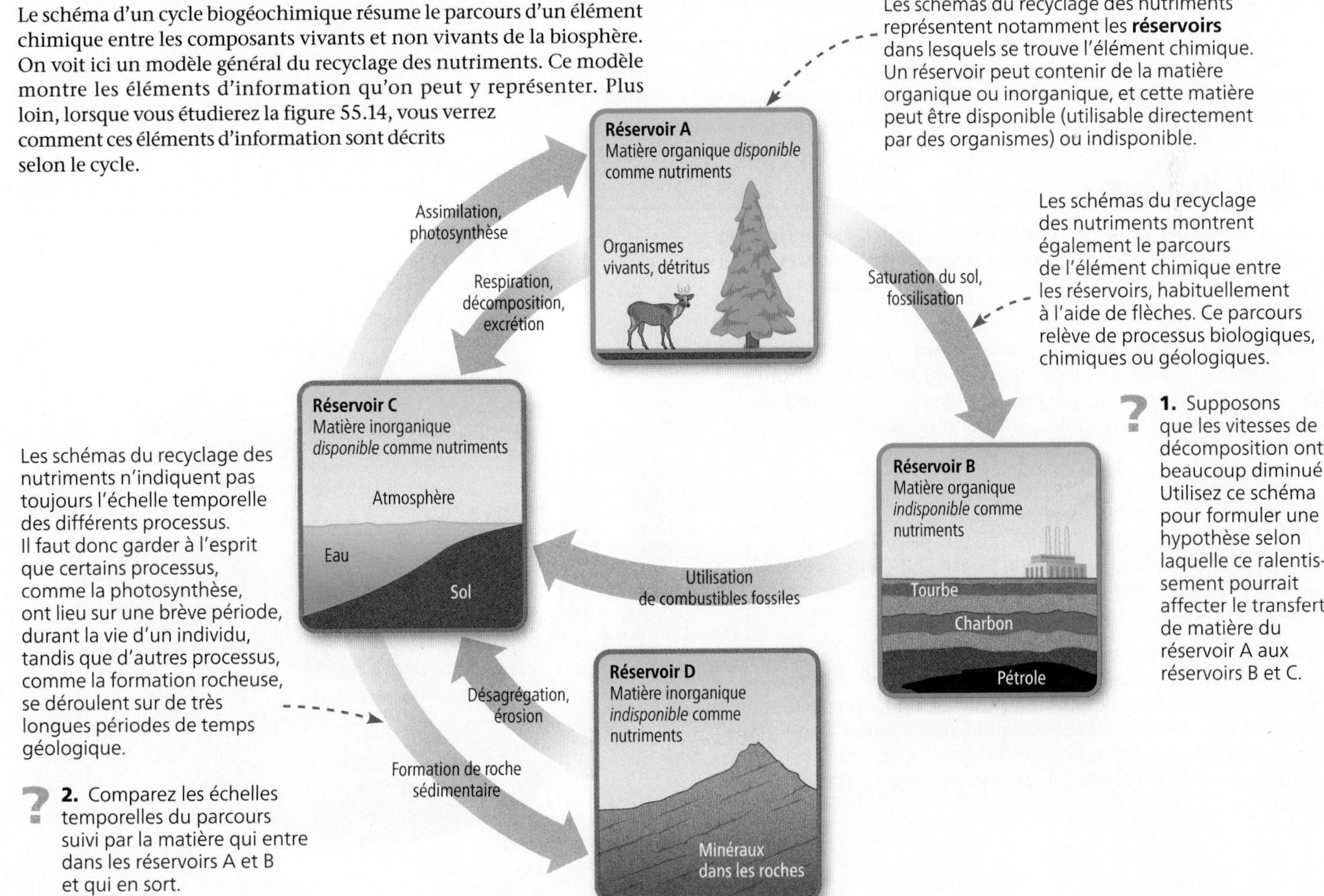

Le schéma d'un cycle biogéochimique résume le parcours d'un élément chimique entre les composants vivants et non vivants de la biosphère. On voit ici un modèle général du recyclage des nutriments. Ce modèle montre les éléments d'information qu'on peut y représenter. Plus loin, lorsque vous étudierez la figure 55.14, vous verrez comment ces éléments d'information sont décrits selon le cycle.
Les schémas du recyclage des nutriments représentent notamment les **réservoirs** dans lesquels se trouve l'élément chimique. Un réservoir peut contenir de la matière organique ou inorganique, et cette matière peut être disponible (utilisable directement par des organismes) ou indisponible.
Réservoir A
Matière organique *disponible* comme nutriments
Organismes vivants, détritus
Assimilation, photosynthèse
Respiration, décomposition, excrétion
Saturation du sol, fossilisation
Les schémas du recyclage des nutriments montrent également le parcours de l'élément chimique entre les réservoirs, habituellement à l'aide de flèches. Ce parcours relève de processus biologiques, chimiques ou géologiques.
Réservoir C
Matière inorganique *disponible* comme nutriments
Atmosphère
Eau
Sol
Réservoir B
Matière organique *indisponible* comme nutriments
Tourbe
Charbon
Pétrole
Utilisation de combustibles fossiles
Les schémas du recyclage des nutriments n'indiquent pas toujours l'échelle temporelle des différents processus. Il faut donc garder à l'esprit que certains processus, comme la photosynthèse, ont lieu sur une brève période, durant la vie d'un individu, tandis que d'autres processus, comme la formation rocheuse, se déroulent sur de très longues périodes de temps géologique.
Désagrégation, érosion
Formation de roche sédimentaire
Réservoir D
Matière inorganique *indisponible* comme nutriments
Minéraux dans les roches
? **1.** Supposons que les vitesses de décomposition ont beaucoup diminué. Utilisez ce schéma pour formuler une hypothèse selon laquelle ce ralentissement pourrait affecter le transfert de matière du réservoir A aux réservoirs B et C.
? **2.** Comparez les échelles temporelles du parcours suivi par la matière qui entre dans les réservoirs A et B et qui en sort.

et dans les détritus (le réservoir A) sont disponibles pour d'autres organismes quand les consommateurs se nourrissent et quand les détritivores consomment de la matière organique non vivante. Le faible pH des sédiments gorgés d'eau des marais ainsi que leur faible teneur en O_2 peuvent inhiber la décomposition et entraîner la formation de tourbe. Lorsque cela se produit, la matière organique des organismes morts peut passer du réservoir A au réservoir B ; la tourbe finit par se transformer en combustibles fossiles comme le charbon et le pétrole. Des substances inorganiques dissoutes dans l'eau ou présentes dans le sol ou l'air (réservoir C) sont disponibles comme nutriments. Bien que la plupart de ces organismes ne puissent pas utiliser directement les éléments retenus dans la roche (réservoir D), les nutriments sont lentement mis à leur disposition par la désagrégation et l'érosion.

La **figure 55.14** illustre en détail les cycles de l'eau, du carbone, de l'azote et du phosphore. En étudiant chaque cycle, demandez-vous quelles étapes relèvent d'un processus biologique. Pour le cycle du carbone, par exemple, la plupart des étapes clés, dont la photosynthèse et la décomposition, dépendent des végétaux, des animaux et d'autres organismes. En revanche, pour le cycle de l'eau, ce sont des processus purement physiques qui interviennent dans plusieurs des étapes clés, comme l'évaporation des océans. Notez également que les activités humaines, comme la combustion de combustibles fossiles et la production d'engrais, ont des conséquences majeures sur le recyclage du carbone et de l'azote à l'échelle planétaire.

Comment les écologistes s'y sont-ils pris pour comprendre les cycles des éléments chimiques à l'œuvre dans les écosystèmes ? Selon une première méthode répandue, on suit le mouvement d'isotopes non radioactifs naturels dans les composants biotiques (organiques) et abiotiques (inorganiques) d'un écosystème. Une seconde méthode courante consiste à ajouter de faibles quantités d'isotopes radioactifs à des éléments ciblés et à suivre leur déplacement. Les scientifiques ont également réussi à utiliser le carbone radioactif (^{14}C) libéré dans l'atmosphère lors des essais atomiques réalisés dans les années 1950 et 1960. Ces « pointes » de ^{14}C permettent de voir les zones et la vitesse de circulation du carbone dans les composants des écosystèmes, notamment dans les végétaux, les sols et les océans.

▼ **Figure 55.14**

PANORAMA Les cycles de l'eau et des nutriments

Examinez attentivement chacun de ces cycles, en prêtant attention aux principaux réservoirs d'eau, de carbone, d'azote et de phosphore, ainsi qu'aux processus qui les définissent. La largeur des flèches dans les schémas reflète la contribution relative de chaque processus au mouvement de l'eau ou d'un nutriment dans la biosphère.

Le cycle de l'eau

Importance biologique L'eau est essentielle à tous les organismes, et sa disponibilité influe sur la vitesse des processus des écosystèmes, en particulier sur la productivité primaire et la décomposition dans les écosystèmes terrestres.

Formes utilisables par les organismes vivants Tous les organismes sont capables d'échanger de l'eau directement avec leur environnement. C'est à l'état liquide que l'eau est le plus souvent utilisée, quoique certains organismes soient en mesure de recueillir la vapeur d'eau. Le gel de l'eau du sol peut limiter la disponibilité de l'eau pour les végétaux terrestres.

Réservoirs Les océans contiennent 97 % de l'eau de la biosphère. Approximativement 2 % de l'eau est retenue dans les glaciers et les calottes polaires. Les lacs, les cours d'eau et les nappes d'eau souterraines représentent le 1 % qui reste, la quantité d'eau contenue dans l'atmosphère étant négligeable.

Processus clés Les principaux processus responsables du cycle de l'eau sont l'évaporation de l'eau grâce à l'énergie solaire, la formation des nuages par condensation de la vapeur d'eau et les précipitations. La transpiration des plantes terrestres fait aussi circuler d'importants volumes d'eau dans l'atmosphère. Enfin, les eaux de surface et les eaux souterraines peuvent se déverser dans les océans, ce qui complète le cycle de l'eau.

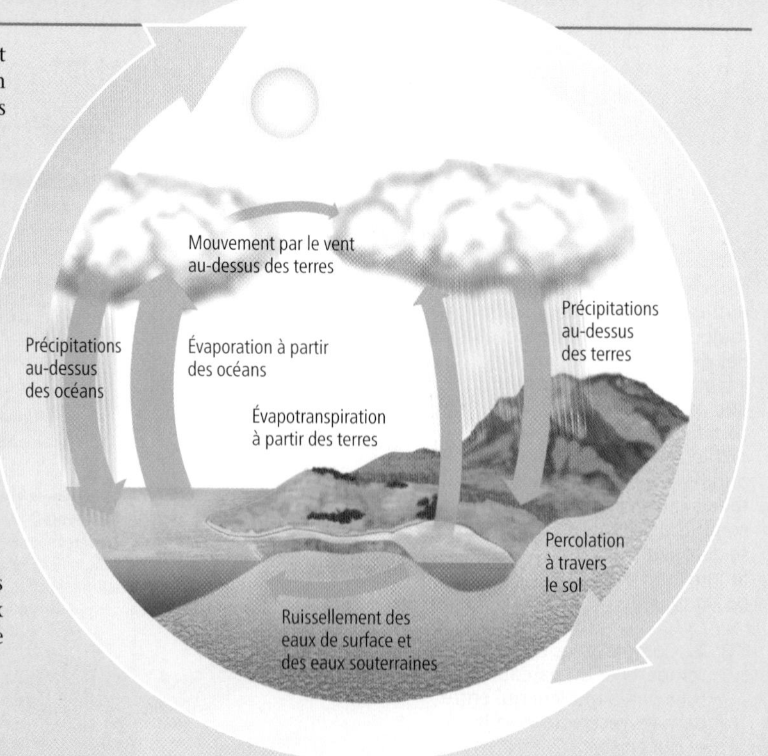

Étude de cas: le recyclage des nutriments dans la forêt expérimentale de Hubbard Brook

Depuis 1963, l'écologiste Gene Likens et ses collègues étudient les cycles des nutriments dans la forêt expérimentale de Hubbard Brook, située dans les White Mountains du New Hampshire, aux États-Unis. Ce site de recherche est une forêt décidue tempérée qui s'étend sur six petites vallées, chacune étant drainée par un seul ruisseau. Le sol de la forêt repose sur un substrat rocheux imperméable.

Les chercheurs ont commencé par établir le bilan minéral des six vallées. Pour ce faire, ils ont mesuré les apports et les pertes de quelques nutriments essentiels. Pour mesurer la quantité d'eau et de minéraux dissous qui entrait dans l'écosystème, ils ont recueilli l'eau de pluie en différents endroits. Pour calculer les pertes d'eau et de minéraux, ils ont construit un petit barrage de béton, muni d'un déversoir en forme de V, en travers du ruisseau situé au fond de chaque vallée (**figure 55.15a**). Ils ont constaté qu'environ 60 % des eaux que recevait l'écosystème sous forme de pluie et de neige en ressortaient par le ruisseau. Les 40 % restants étaient perdus par évapotranspiration.

Les études préliminaires ont confirmé le fait que les cycles se déroulant à l'intérieur d'un écosystème terrestre conservaient la majeure partie des nutriments minéraux. Ainsi, la quantité de calcium (Ca^{2+}) qui sort d'une vallée par son ruisseau ne dépasse que d'environ 0,3 % la quantité fournie par l'eau de pluie. Or, cette perte minime est probablement compensée par la décomposition chimique du substrat rocheux. Au cours de la plupart des années, la forêt a connu de faibles gains nets pour quelques nutriments minéraux, notamment des composés azotés.

Le déboisement expérimental d'un **bassin versant**, c'est-à-dire la surface terrestre qui reçoit les eaux alimentant un cours d'eau, a accru considérablement la sortie de l'eau et des minéraux de la vallée (**figure 55.15b**). En trois ans, le ruissellement des eaux dans le bassin versant déboisé a augmenté de 30 à 40 % par rapport à un bassin versant témoin, manifestement parce qu'il n'y avait pas de plantes pour absorber l'eau du sol et l'évaporer par transpiration. Les pertes de minéraux dans le bassin versant modifié ont été très importantes. La perte la plus importante a été celle des nitrates, dont la concentration dans le ruisseau a été multipliée par 60, au point de rendre l'eau impropre à la consommation (**figure 55.15c**). L'expérience de déboisement

Le cycle du carbone

Importance biologique Le carbone constitue la charpente des molécules organiques essentielles à tous les organismes.

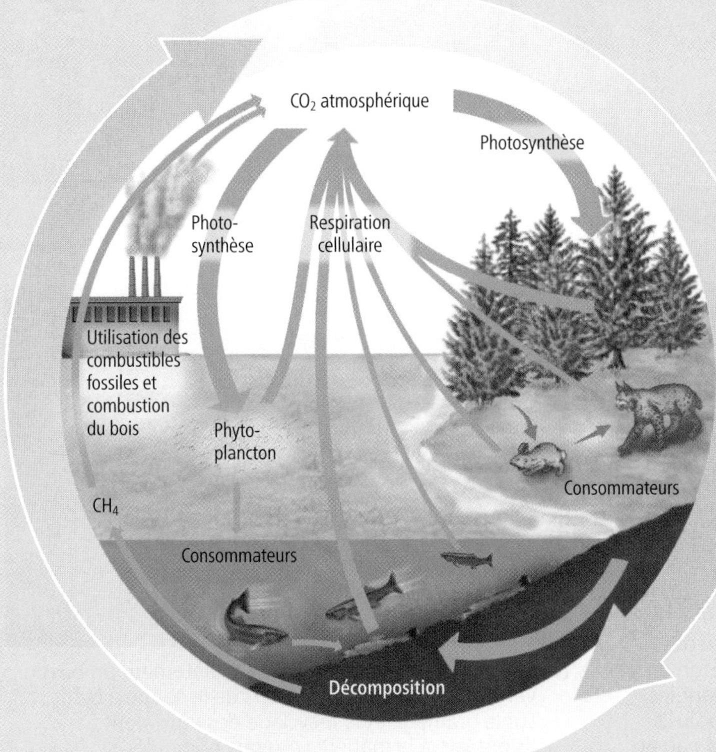

Formes utilisables par les organismes vivants Les organismes photosynthétiques utilisent du CO_2 au cours de la photosynthèse et convertissent le carbone en matière organique utilisée par les consommateurs, dont les animaux, les eumycètes, ainsi que les eucaryotes unicellulaires et les procaryotes hétérotrophes.

Réservoirs Les principaux réservoirs de carbone sont les combustibles fossiles, les sols, les sédiments des écosystèmes aquatiques, les océans (composés de carbone dissous), la biomasse des végétaux et des animaux ainsi que l'atmosphère (CO_2). Ce sont les roches sédimentaires comme le calcaire qui constituent le plus important réservoir de carbone; ce carbone y demeure toutefois très longtemps. Presque tous les organismes sont capables de retourner directement le carbone dans leur environnement, sous sa forme originale (CO_2) par la respiration.

Processus clés La photosynthèse effectuée par les végétaux et le phytoplancton élimine chaque année de l'atmosphère une quantité considérable de CO_2. Cette quantité est à peu près égale à celle du CO_2 qui s'ajoute à l'atmosphère par l'intermédiaire de la respiration cellulaire des producteurs et des consommateurs. L'utilisation des combustibles fossiles et la combustion du bois envoient dans l'atmosphère beaucoup de CO_2 supplémentaire. À l'échelle du temps géologique, les volcans représentent une importante source de CO_2. Certains procaryotes vivant en conditions anaérobies, des archées *méthanogènes*, produisent et libèrent du méthane (CH_4). On les trouve dans les zones humides comme les sédiments au fond des lacs, dans les tourbières et les océans, ou à l'intérieur des systèmes digestifs de nombreux animaux, dont l'humain et les ruminants. Ce CH_4 est libéré dans l'atmosphère où il est oxydé lentement et transformé en CO_2. À l'échelle planétaire, le CH_4 libéré dans l'atmosphère contribue grandement à l'effet de serre.

Suite ▶

▼ **Figure 55.14**

PANORAMA Les cycles de l'eau et des nutriments (*suite*)

Le cycle de l'azote

Importance biologique L'azote entre dans la composition des acides aminés, des protéines et des acides nucléiques; il constitue souvent pour les végétaux un nutriment limitant.

Formes utilisables par les organismes vivants Les végétaux peuvent métaboliser deux formes inorganiques d'azote – l'ammonium (NH_4^+) et le nitrate (NO_3^-) – et certaines formes organiques, comme les acides aminés. Diverses bactéries peuvent métaboliser toutes ces formes ainsi que le nitrite (NO_2^-). Chez les animaux, seules les formes organiques de l'azote sont utilisables.

Réservoirs Le principal réservoir d'azote est l'atmosphère, qui se compose de 80 % d'azote gazeux (N_2). Les autres réservoirs de composés azotés organiques et inorganiques sont les sols, les sédiments des lacs, des cours d'eau et des océans, les eaux de surface et les eaux souterraines, ainsi que la biomasse des organismes vivants.

Processus clés La principale voie qu'emprunte l'azote pour pénétrer dans un écosystème est la *fixation de l'azote*, processus par lequel des bactéries transforment le N_2 de manière qu'il puisse servir à la synthèse de composés organiques azotés. La foudre fixe l'azote naturellement, de même que l'activité volcanique et certaines bactéries. L'apport d'azote découlant des activités humaines dépasse aujourd'hui les contributions naturelles en milieu terrestre. Les engrais industriels et les cultures de légumineuses dont les nodules de racines contiennent des bactéries fixatrices d'azote constituent à cet égard deux sources importantes. D'autres bactéries dans le sol convertissent l'azote en différentes formes. Il existe par exemple des bactéries qui effectuent la nitrification, c'est-à-dire la conversion de l'ammonium en nitrates, et d'autres bactéries qui effectuent la dénitrification, c'est-à-dire la conversion des nitrates en azote gazeux. Cette activité bactérienne, indésirable sur les terres cultivables, est pourtant favorisée par des ajouts massifs d'engrais riches en nitrates. Les activités humaines libèrent en outre d'importantes quantités d'azote gazeux réactif dans l'atmosphère, notamment des oxydes d'azote.

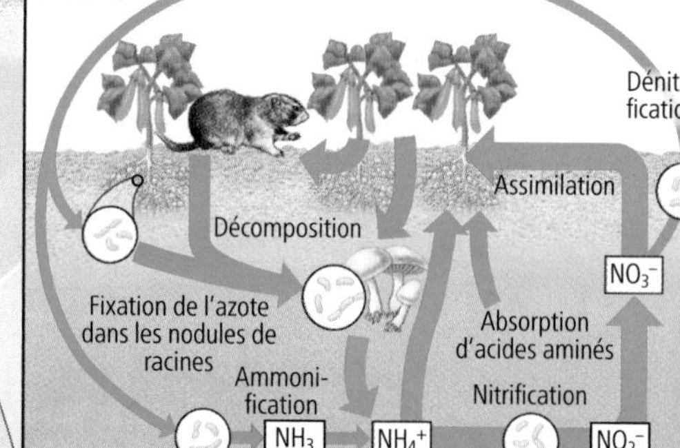

► **Figure 55.15 L'étude du recyclage des nutriments dans la forêt expérimentale de Hubbard Brook: un exemple de recherche écologique à long terme.**

(a) Les chercheurs ont fait construire des barrages et des déversoirs de béton en travers des ruisseaux qui drainaient les bassins versants de Hubbard Brook. Ils ont ainsi pu mesurer les sorties d'eau et de nutriments minéraux de l'écosystème.

(b) Les chercheurs ont déboisé complètement un bassin versant pour étudier les effets de la coupe à blanc sur le drainage et le recyclage des nutriments. Ils ont laissé la matière végétale originale se décomposer sur place.

Le cycle du phosphore

Importance biologique Les organismes ont besoin de phosphore, un des principaux éléments des acides nucléiques, des phospholipides, de l'ATP et d'autres molécules qui emmagasinent l'énergie ; le phosphore entre également dans la constitution des os et des dents.

Formes utilisables par les organismes vivants La forme inorganique de phosphore la plus importante sur le plan biologique est le phosphate (PO_4^{3-}), que les végétaux absorbent et utilisent pour synthétiser les composés organiques.

Réservoirs Les plus importantes accumulations de phosphore se trouvent dans les roches sédimentaires d'origine marine. Les sols, les organismes et les océans contiennent aussi de grandes quantités de phosphore, sous forme dissoute dans le dernier cas. Comme les particules du sol se lient au PO_4^{3-}, le cycle du phosphore tend à être localisé dans les écosystèmes terrestres.

Processus clés La désagrégation des roches enrichit progressivement le sol en PO_4^{3-} ; une partie des phosphates parvient par lessivage aux eaux souterraines et aux eaux de surface, et aboutit à la mer. Les phosphates absorbés par les producteurs et incorporés à des molécules biologiques peuvent être ingérés par les consommateurs. Les phosphates retournent dans le sol ou dans l'eau par l'intermédiaire de la décomposition de la biomasse ou de l'excrétion des consommateurs. Comme il existe peu de gaz contenant du phosphore, seules de petites quantités de phosphore circulent dans l'atmosphère, habituellement sous forme de poussière ou d'embrun.

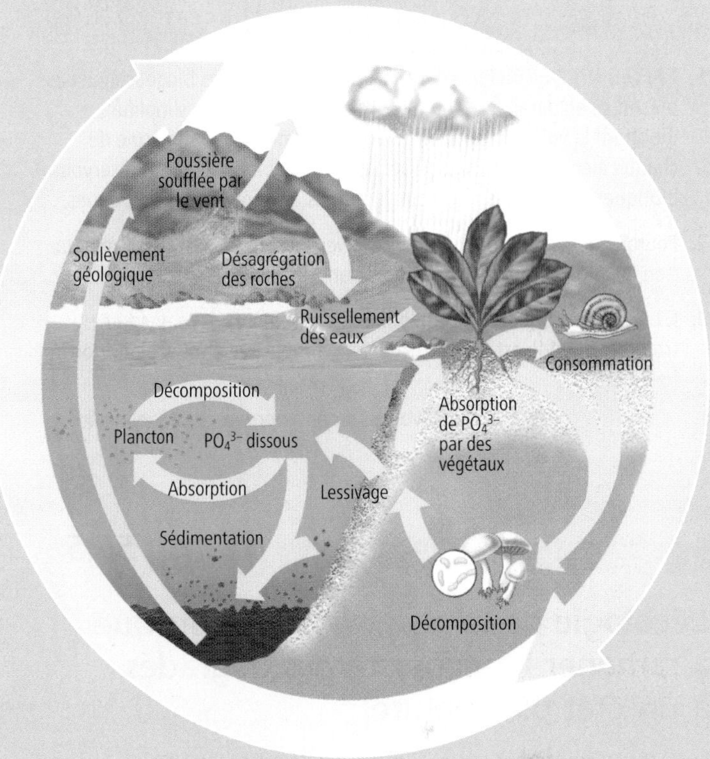

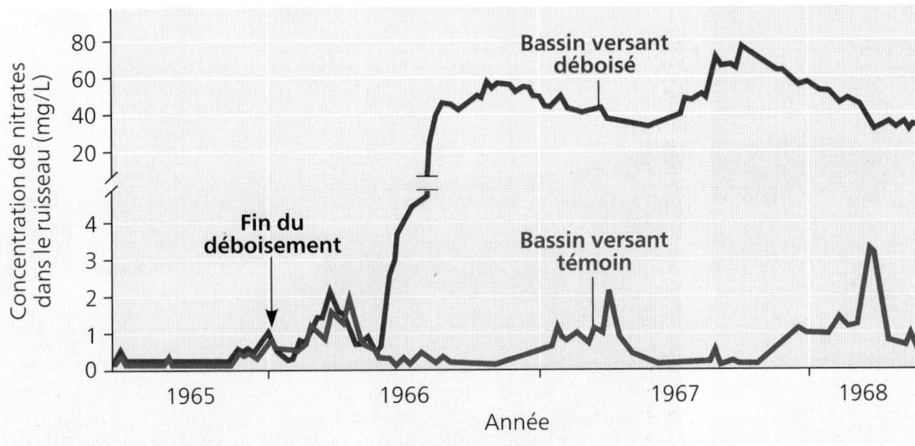

(c) Les eaux de ruissellement provenant du bassin versant déboisé contenaient 60 fois plus de nitrates que les eaux de ruissellement provenant d'un bassin versant témoin (non déboisé).

de Hubbard Brook a montré que la quantité de nutriments quittant un écosystème forestier intact dépend principalement de la végétation en place. La conservation des nutriments d'un écosystème contribue à soutenir la productivité des écosystèmes et à éviter les fleurs d'eau ainsi que d'autres problèmes causés par le ruissellement des eaux contenant des nutriments en quantités excessives.

RETOUR SUR LE CONCEPT 55.4

1. **FAITES UN DESSIN ▶** Pour chacun des quatre cycles biogéochimiques présentés en détail à la figure 55.14, tracez un schéma simplifié montrant la voie que pourrait suivre un atome ou une molécule de chaque élément chimique, de ses réservoirs abiotiques à ses réservoirs biotiques, puis de ses réservoirs biotiques à ses réservoirs abiotiques.
2. Pourquoi le déboisement d'un bassin versant provoque-t-il l'augmentation de la concentration de nitrates dans les ruisseaux qui le drainent ?
3. **ET SI ? ▶** Pourquoi la disponibilité des nutriments dans une forêt tropicale humide est-elle particulièrement touchée par l'exploitation forestière ?

Voir les réponses proposées à l'appendice A.

CONCEPT 55.5

L'écologie de la restauration contribue à ramener les écosystèmes dégradés à un état plus naturel

Les écosystèmes peuvent se remettre naturellement de la plupart des perturbations (y compris le déboisement expérimental de Hubbard Brook) grâce aux stades de succession écologique (voir le concept 54.3). Cependant, il faut parfois des siècles pour rétablir la situation, particulièrement lorsque les humains ont dégradé l'environnement. Les régions tropicales défrichées à des fins agricoles peuvent devenir rapidement improductives en raison de la perte de nutriments. Les activités d'une exploitation minière peuvent s'étendre sur plusieurs décennies, après quoi les terres sont abandonnées, dans un mauvais état. De nombreux écosystèmes peuvent également être endommagés par l'accumulation de sels dans les sols trop irrigués ou par des produits chimiques toxiques ou des déversements de pétrole. Les biologistes sont de plus en plus appelés en renfort pour restaurer les écosystèmes endommagés.

L'écologie de la restauration vise à lancer ou à accélérer le rétablissement des écosystèmes endommagés. Selon une des hypothèses fondamentales, les dommages qu'a subis l'environnement sont partiellement réversibles. Cependant, une autre hypothèse fondamentale nuance cet optimisme : les écosystèmes ne résistent pas indéfiniment aux dommages. C'est pourquoi les écologistes de la restauration cherchent à découvrir et à modifier les processus qui limitent le plus le rétablissement des écosystèmes perturbés. Lorsque la perturbation est trop importante pour qu'il soit envisageable de restaurer tout l'habitat, les écologistes tentent de rétablir le maximum d'un habitat ou d'un processus écologique, selon le budget et le temps dont ils disposent.

Dans les cas extrêmes, il peut être nécessaire de rétablir la structure physique d'un écosystème avant qu'une restauration biologique soit possible. Ainsi, pour contrer l'érosion des berges d'un ruisseau que l'on a redressé pour canaliser plus rapidement l'eau vers une banlieue, les écologistes peuvent redonner au cours d'eau un parcours sinueux afin de ralentir le courant. Et pour restaurer une mine à ciel ouvert, des ingénieurs peuvent d'abord devoir niveler le site au moyen d'équipement lourd afin de rétablir une pente douce, avant d'y répandre une couche de terre superficielle (**figure 55.16**).

Une fois achevée, la reconstruction physique doit être suivie d'une restauration biologique. L'objectif à long terme est de ramener l'écosystème à un état le plus près possible de celui dans lequel il était avant la perturbation. La **figure 55.17** présente

▼ Figure 55.16 Un site comprenant une carrière de gravier et une mine d'argile dans l'État du New Jersey, aux États-Unis, avant et après la restauration.

(a) En 1991, avant la restauration

(b) En 2000, vers la fin de la restauration

▼ Figure 55.17

PANORAMA L'écologie de la restauration dans le monde

Les exemples présentés dans ces pages ne représentent que quelques-uns des nombreux projets réalisés dans le domaine de l'écologie de la restauration un peu partout dans le monde.

La rivière Kissimmee, en Floride (États-Unis)

Dans les années 1960, la rivière Kissimmee, qui était à l'origine un cours d'eau sinueux, a été transformée en un canal de 90 km afin de contrôler les inondations. Cette intervention détournait l'eau de la plaine inondable, causant l'assèchement des milieux humides, ce qui a eu d'importants effets nuisibles sur des populations de poissons et d'oiseaux. Pour restaurer la rivière Kissimmee, on a remblayé 12 km du canal de drainage et rétabli 24 des 167 km sur lesquels s'étendait à l'origine le lit naturel de ce cours d'eau. Sur la photo, on voit une partie du canal qui a été comblée (la large bande claire, à droite) ; cette opération a permis de détourner le cours de la rivière vers les branches résiduelles (qui figurent au centre de la photo). Grâce à ce projet, le régime d'écoulement naturel sera aussi rétabli, ce qui permettra aux populations d'oiseaux des milieux humides et de poissons de subvenir à leurs propres besoins.

Le Succulent Karoo, en Afrique du Sud

Dans cette région désertique d'Afrique du Sud, comme dans beaucoup de régions arides, le surpâturage a endommagé de vastes zones. Des propriétaires terriens et des organismes gouvernementaux sud-africains restaurent de grandes étendues de cette région unique, en rétablissant la végétation des terres et en employant une gestion des ressources plus durable. La photo donne un aperçu de l'exceptionnelle diversité végétale de Succulent Karoo ; parmi les 5 000 espèces de plantes que compte cette région, on trouve la plus grande variété de plantes succulentes (famille des crassulacées) au monde.

Maungatautari, en Nouvelle-Zélande

Les belettes, les rats, les porcs et d'autres espèces introduites en Nouvelle-Zélande menacent sérieusement certains végétaux et certains animaux indigènes, notamment les kiwis (*Apteryx spp.*), des espèces d'oiseaux terrestres incapables de voler. Le projet de restauration de Maungatautari, dans l'île du Nord, vise à exclure tous les mammifères exotiques d'une réserve de 3 400 hectares située sur un cône volcanique boisé. Une clôture conçue à cette fin entoure la réserve et élimine la nécessité de placer des pièges ou d'utiliser des poisons susceptibles de nuire aux espèces indigènes. En 2006, un couple de takahés (*Porphyrio hochstetteri*, de la famille des rallidés), des oiseaux coureurs menacés d'extinction, a été relâché dans la réserve dans l'espoir de rétablir une population féconde de cet oiseau coloré sur l'île du Nord de la Nouvelle-Zélande.

Les côtes du Japon (Asie)

Les bancs d'algues et de graminées marines sont d'importantes zones de reproduction pour une grande variété de poissons, de mollusques et de crustacés. Autrefois très étendus, mais aujourd'hui réduits par le développement, ces bancs sont en voie de restauration dans les régions côtières du Japon. Les techniques utilisées sont notamment la construction d'habitats de fond convenables, la transplantation de peuplements naturels à l'aide de substrats artificiels et l'ensemencement manuel (illustré par la photo).

quatre projets de restauration qui, s'ils paraissaient ambitieux au départ, ont été couronnés de succès. Ces projets, comme beaucoup d'autres de ce genre sur la planète, s'articulent autour de deux grandes stratégies : la biorestauration et l'accélération des processus écosystémiques.

La biorestauration

La **biorestauration** repose sur l'utilisation d'organismes, généralement des bactéries, des eumycètes ou des végétaux, pour détoxiquer les écosystèmes pollués. Certaines plantes et certains lichens adaptés à des sols renfermant des métaux lourds ont la capacité d'emmagasiner des concentrations élevées de métaux potentiellement toxiques, comme le plomb et le cadmium, dans leurs tissus. Les écologistes introduisent de telles espèces dans les sites pollués par l'exploitation minière et d'autres activités humaines, puis les récoltent pour débarrasser l'écosystème de ces métaux. Des chercheurs du Royaume-Uni ont découvert une espèce de lichen qui croît sur des sols pollués par la poussière d'uranium laissée par l'exploitation des mines. Ce lichen, qui peut être utile pour la biosurveillance de l'uranium et éventuellement comme restaurateur des sols, concentre l'uranium dans un pigment foncé.

Les écologistes mettent déjà les propriétés de nombreux procaryotes au service de la biorestauration des sols et de l'eau (voir le concept 27.6). Des scientifiques ont d'ailleurs séquencé le génome d'au moins 10 espèces de procaryotes spécialement pour leur potentiel en matière de biorestauration. L'une d'elles, la bactérie *Shewanella oneidensis*, semble particulièrement prometteuse. Capable de métaboliser au moins une douzaine d'éléments dans des conditions aérobies et anaérobies, elle convertit ainsi des formes solubles d'uranium, de chrome et d'azote en des formes non solubles et donc moins susceptibles de s'infiltrer dans les ruisseaux et les nappes phréatiques. Des chercheurs du Oak Ridge National Laboratory, dans le Tennessee, ont stimulé la croissance de *Shewanella* et d'autres bactéries réductrices d'uranium en ajoutant de l'éthanol à une nappe phréatique contaminée par l'uranium ; l'éthanol devient alors une source d'énergie pour la bactérie. En cinq mois seulement, la concentration d'uranium soluble dans l'écosystème a chuté de 80 % (**figure 55.18**).

L'accélération des processus écosystémiques

Contrairement à la biorestauration, une stratégie qui consiste à enlever les substances nocives d'un écosystème, l'**accélération des processus écosystémiques** repose sur la présence d'organismes pour *ajouter* des matières essentielles à un écosystème dégradé. Pour accélérer les processus d'un écosystème, il faut déterminer quels nutriments chimiques ont été perdus par cet écosystème et limitent sa restauration.

En favorisant la croissance de végétaux qui poussent bien dans des sols pauvres en nutriments, on accélère souvent la succession écologique et le rétablissement des écosystèmes. Dans

▼ **Figure 55.18 La biorestauration d'une nappe phréatique contaminée par l'uranium, au Oak Ridge National Laboratory, dans l'État du Tennessee, aux États-Unis.**

(a) Les déchets contenant de l'uranium ont été déversés dans 4 bassins sans revêtement pendant plus de 30 ans. Cette pratique a contaminé les sols et la nappe phréatique.

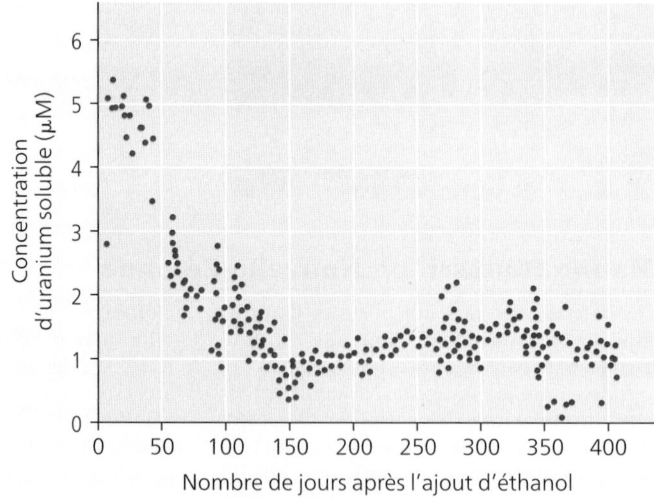

(b) Après l'addition d'éthanol, l'activité microbienne a fait chuter la concentration d'uranium soluble dans la nappe phréatique près des puits.

les écosystèmes alpins de l'Ouest des États-Unis, on plante souvent des végétaux fixateurs d'azote, comme des lupins (*Lupinus spp.*), pour accroître la concentration d'azote dans les sols perturbés par l'exploitation minière ou d'autres activités. Une fois ces premiers végétaux bien établis, les espèces indigènes ont plus de facilité à trouver l'azote nécessaire à leur survie. Dans des écosystèmes où le sol a été gravement perturbé ou qui sont totalement dépourvus de couche de terre superficielle, les racines des végétaux ne trouvent pas les symbiotes mycorhiziens nécessaires pour combler leurs besoins nutritionnels (voir le concept 31.1). Les écologistes s'intéressant à la restauration d'une prairie d'herbes hautes dans l'État du Minnesota, aux États-Unis, ont constaté ce fait et ont accéléré le rétablissement des espèces indigènes en ajoutant des symbiotes mycorhiziens au sol qu'ils ont ensemencé.

La restauration de la structure physique et de la communauté végétale d'un écosystème ne garantit pas le retour et l'établissement des espèces animales qui y vivaient. Comme les animaux jouent un rôle essentiel dans l'écosystème, notamment pour ce qui est de la pollinisation, de la dissémination des graines et de l'herbivorisme, les écologistes de la restauration aident parfois la faune à réintégrer et à utiliser les écosystèmes restaurés. Ils relâchent des animaux sur le site, par exemple, ou aménagent des corridors biologiques pour relier le site restauré à d'autres sites où vivent les animaux recherchés. Ils peuvent aussi installer des perchoirs pour les oiseaux ou creuser des terriers. Ce ne sont là que quelques-unes des mesures susceptibles d'améliorer la biodiversité des écosystèmes restaurés et de soutenir la communauté.

Les écosystèmes: *un résumé*

La **figure 55.19** illustre le transfert d'énergie, le recyclage des nutriments et d'autres processus clés qui se déroulent dans un écosystème de toundra arctique. Vous remarquerez les similarités entre cette figure et la figure 10.23 intitulée « La cellule au travail ». L'échelle des deux figures est différente, mais les lois physiques et biologiques qui gouvernent la vie sont les mêmes.

RETOUR SUR LE CONCEPT 55.5

1. Quel est l'objectif principal de l'écologie de la restauration ?
2. ET SI ? ▶ De quelle manière le projet de la rivière Kissimmee constitue-t-il une restauration plus complète que le projet de Maungatautari ? (Voir la figure 55.17.)

Voir les réponses proposées à l'appendice A.

FAITES DES LIENS

▼ **Figure 55.19**
L'écosystème au travail

Cet écosystème de toundra arctique regorge de vie chaque été, durant les deux mois de la courte saison de croissance. Dans tout écosystème, les organismes interagissent les uns avec les autres ainsi qu'avec leur environnement. Ces interactions sont de toutes sortes, dont celles présentées ici.

Les populations sont dynamiques (chapitre 53)

1. La natalité et la mortalité, de même que l'immigration et l'émigration, font varier la taille des populations. Chaque année, les caribous migrent dans la toundra vers leur aire de mise bas afin d'y donner naissance. (Voir la figure 53.3.)
2. Les oies des neiges et beaucoup d'autres espèces migrent en Arctique chaque printemps pour profiter de l'abondante nourriture qui s'y trouvera en été. (Voir le concept 51.1.)
3. Les taux de natalité et de mortalité influent sur la densité de toutes les populations. Les causes de mortalité dans la toundra sont de toutes sortes, dont la prédation, la compétition pour les ressources et le manque de nourriture en hiver. (Voir la figure 53.18.)

Les espèces interagissent de diverses façons (chapitre 54)

4. La prédation est une interaction dans laquelle une espèce en tue une autre pour s'en nourrir. (Voir le concept 54.1.)
5. L'herbivorisme est une interaction dans laquelle une espèce mange une partie d'une plante ou d'un autre producteur primaire. Par exemple, le caribou broute le lichen. (Voir le concept 54.1.)
6. Le mutualisme est une interaction dans laquelle deux espèces ont une relation mutuellement avantageuse. Dans certaines associations mutualistes, les deux partenaires vivent en contact direct l'un avec l'autre, formant une symbiose. Par exemple, le lichen est un cas de mutualisme symbiotique entre un eumycète et une algue ou une cyanobactérie. (Voir le concept 54.1 et les figures 31.22 et 31.23.)
7. La compétition est une interaction dans laquelle des espèces veulent la même ressource limitée. Par exemple, les oies des neiges et les caribous mangent tous deux de l'ériophoron (herbe à coton). (Voir le concept 54.1.)

Les organismes transfèrent l'énergie et la matière dans les écosystèmes (chapitre 55)

❽ Les producteurs primaires convertissent l'énergie lumineuse du Soleil en énergie chimique par photosynthèse. Leur croissance est souvent limitée par des facteurs abiotiques tels que les basses températures, la rareté des nutriments dans le sol et le manque de lumière en hiver. (Voir les figures 10.6, 52.12 et 55.4.)

❾ Les chaînes alimentaires sont habituellement courtes dans la toundra, car la productivité primaire y est plus faible que dans la plupart des autres écosystèmes. (Voir la figure 54.14.)

❿ Lorsqu'un organisme en mange un autre, le transfert d'énergie d'un niveau trophique au niveau suivant est généralement de 10 % seulement. (Voir la figure 55.10.)

⓫ En recyclant les éléments chimiques, les détritivores les rendent disponibles aux producteurs primaires. (Voir les figures 55.3 et 55.4.)

⓬ Les éléments chimiques comme le carbone et l'azote se déplacent suivant des cycles entre l'environnement physique et les organismes. (Voir les figures 55.13 et 55.14.)

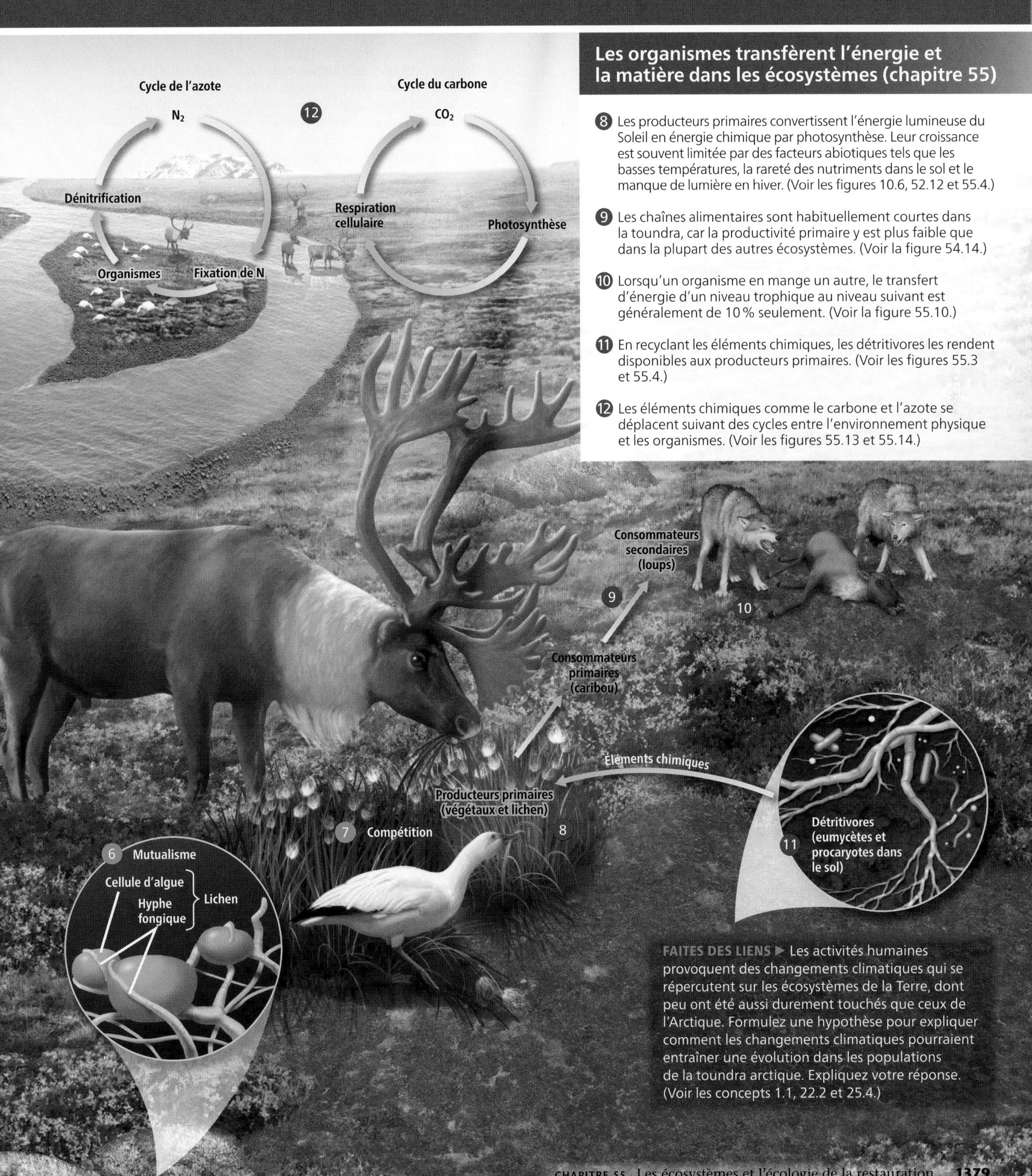

FAITES DES LIENS ▶ Les activités humaines provoquent des changements climatiques qui se répercutent sur les écosystèmes de la Terre, dont peu ont été aussi durement touchés que ceux de l'Arctique. Formulez une hypothèse pour expliquer comment les changements climatiques pourraient entraîner une évolution dans les populations de la toundra arctique. Expliquez votre réponse. (Voir les concepts 1.1, 22.2 et 25.4.)

RÉVISION DU CHAPITRE 55

Consultez votre MANUEL NUMÉRIQUE, qui vous donne accès aux **animations**, aux **exercices** et à la plateforme d'**anatomie interactive**.

Résumé des concepts clés

CONCEPT 55.1

Les lois de la physique gouvernent le flux d'énergie et les cycles des éléments chimiques dans les écosystèmes (p. 1358 à 1360)

- Un **écosystème** comprend tous les organismes d'une communauté ainsi que tous les facteurs abiotiques avec lesquels ils interagissent. Au cours des processus qui ont lieu dans les écosystèmes, l'énergie est conservée, mais elle est libérée sous forme de chaleur. L'énergie parcourt les écosystèmes (au lieu d'être recyclée).
- Les éléments chimiques entrent et circulent dans un écosystème et en sortent selon la **loi de la conservation de la masse**. Les gains et les pertes sont généralement faibles, comparativement aux quantités recyclées, mais leur bilan indique si un écosystème s'enrichit ou s'appauvrit d'un élément au fil du temps.

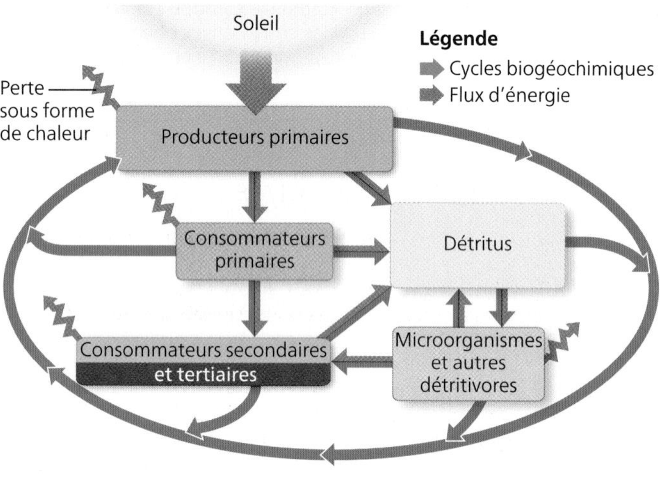

? Selon le deuxième principe de la thermodynamique, diriez-vous que la biomasse type des producteurs d'un écosystème est plus grande ou plus faible que celle des consommateurs primaires du même système ? Expliquez votre raisonnement.

CONCEPT 55.2

La productivité primaire dans les écosystèmes est limitée par l'énergie et d'autres facteurs (p. 1360 à 1364)

- La **productivité primaire** fixe les limites du bilan énergétique planétaire. La **productivité primaire brute** (**PPB**) est l'énergie totale assimilée par un écosystème pendant une période déterminée. La **productivité primaire nette** (**PPN**), qui est l'énergie accumulée dans la biomasse des organismes autotrophes, c'est-à-dire les producteurs, correspond à la différence entre la productivité primaire brute et l'énergie utilisée par les producteurs pour la respiration cellulaire. La **productivité nette de l'écosystème** (**PNE**) est l'accumulation totale de la biomasse d'un écosystème, définie par la différence entre la productivité primaire brute et la respiration totale de l'écosystème.
- Dans les écosystèmes aquatiques, la lumière et les nutriments limitent la productivité primaire. Dans les écosystèmes terrestres, des facteurs climatiques comme la température et l'humidité déterminent la productivité primaire sur un vaste territoire géographique. À l'échelle locale, un nutriment du sol est souvent le facteur limitant de la productivité primaire.

? Quelle autre variable doit-on connaître pour estimer la PNE à partir de la PPN ? Pourquoi cette variable peut-elle s'avérer difficile à mesurer dans un échantillon d'eau océanique, par exemple ?

CONCEPT 55.3

L'efficacité du transfert d'énergie entre les niveaux trophiques est d'environ 10 % (p. 1364 à 1367)

- La quantité d'énergie disponible à chaque niveau trophique dépend de la productivité primaire nette et de l'**efficacité écologique**, c'est-à-dire l'efficacité avec laquelle l'énergie alimentaire est convertie en biomasse à chaque niveau de la chaîne alimentaire.
- Le pourcentage d'énergie transférée d'un niveau trophique à l'autre, appelé **efficacité trophique**, est généralement de 10 %. Les pyramides d'énergie et de biomasses rendent compte de la faiblesse relative de l'efficacité trophique.

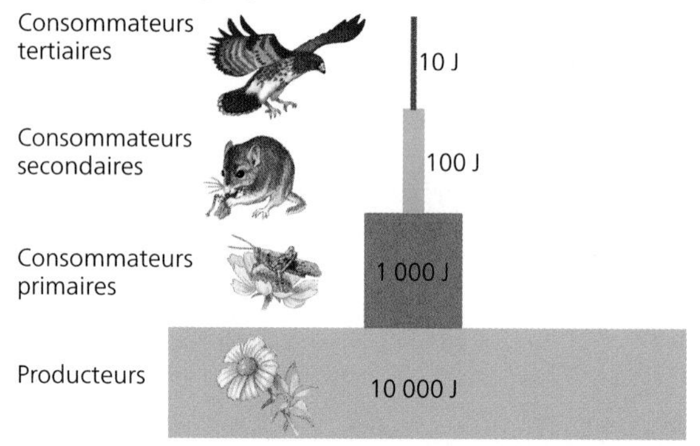

? Pourquoi la réserve énergétique (son efficacité écologique) d'un coureur de fond serait-elle normalement inférieure à celle d'une personne sédentaire ?

CONCEPT 55.4

Des processus biologiques et géochimiques recyclent les nutriments et l'eau dans les écosystèmes (p. 1367 à 1374)

- Activé par l'énergie solaire, le cycle de l'eau se produit à l'échelle planétaire. Le cycle du carbone repose surtout sur la réciprocité de la photosynthèse et de la respiration cellulaire. L'azote entre dans les écosystèmes principalement par l'intermédiaire de dépôts atmosphériques et de la fixation de l'azote par des procaryotes.
- La proportion d'un nutriment sous une forme donnée varie d'un écosystème à l'autre, surtout à cause de différences dans la vitesse de décomposition.

- Le recyclage des nutriments est fortement déterminé par la végétation. L'étude menée dans la forêt de Hubbard Brook a montré que le déboisement augmente le ruissellement des eaux et entraîne des pertes considérables de minéraux.

? Si les décomposeurs se développent et décomposent la matière plus rapidement dans les écosystèmes plus chauds, pourquoi la décomposition se produit-elle relativement lentement dans les déserts ?

CONCEPT 55.5

L'écologie de la restauration contribue à ramener les écosystèmes dégradés à un état plus naturel (p. 1374 à 1379)

- Les écologistes de la restauration recourent à des organismes vivants pour détoxiquer les écosystèmes pollués selon l'approche de la **biorestauration**.
- Les écologistes facilitent l'**accélération des processus écosystémiques** en utilisant certains organismes pour ajouter des matières essentielles aux écosystèmes.

? Dans le cadre de la préparation d'un site minier en vue d'une exploitation à ciel ouvert et des travaux de restauration qui suivront, quels avantages y aurait-il à retirer d'abord la couche superficielle du sol pour l'entreposer séparément des couches inférieures, plutôt que de creuser et de tout mélanger dans un seul tas ?

Évaluation

NIVEAU 1 : CONNAISSANCES ET COMPRÉHENSION

1. Laquelle des associations suivantes est *inexacte* ?
a) Cyanobactérie : producteur.
b) Sauterelle : consommateur primaire.
c) Zooplancton : producteur.
d) Eumycète : détritivore.

2. Lequel des écosystèmes ou biomes suivants a la *plus faible* productivité primaire nette par m^2 ?
a) Un marais salé.
b) Un océan, en haute mer.
c) Un récif corallien.
d) Une forêt tropicale humide.

3. La discipline qui consiste à appliquer les principes écologiques pour ramener un écosystème dégradé à un état plus naturel s'appelle :
a) écologie de la restauration.
b) thermodynamique.
c) eutrophisation.
d) biogéochimie.

NIVEAU 2 : APPLICATION ET ANALYSE

4. Le rôle des bactéries nitrifiantes dans le cycle de l'azote consiste surtout :
a) à convertir l'azote à l'état gazeux en ammoniac (NH_3).
b) à libérer l'ammonium des composés organiques et, ce faisant, à le renvoyer dans le sol.
c) à convertir l'ammonium en nitrates que les plantes pourront absorber.
d) à incorporer l'azote à des acides aminés et à des composés organiques.

5. Parmi les phénomènes suivants, lequel contribue le plus à la vitesse du recyclage des nutriments dans un écosystème ?
a) La vitesse de décomposition dans l'écosystème.
b) L'efficacité écologique des consommateurs.
c) L'efficacité trophique de l'écosystème.
d) L'endroit où se trouvent les réservoirs de nutriments dans l'écosystème.

6. Parmi les conclusions suivantes, laquelle *n'est pas* issue du déboisement expérimental d'un bassin versant de la forêt de Hubbard Brook ?
a) La majeure partie des minéraux sont recyclés dans un écosystème forestier.
b) Dans le sol des zones déboisées, les concentrations de calcium demeurent élevées.
c) Le déboisement augmente le ruissellement des eaux.
d) La concentration de nitrates augmente dangereusement dans les cours d'eau qui drainent un territoire déboisé.

7. Parmi les mesures suivantes, laquelle constitue un exemple de biorestauration ?
a) L'ajout de microorganismes fixateurs d'azote dans un écosystème dégradé afin d'accroître la disponibilité de l'azote.
b) L'utilisation d'un bouteur (bulldozer) pour niveler une mine à ciel ouvert.
c) La reconfiguration du lit d'un cours d'eau.
d) L'ensemencement d'un sol contaminé au chrome par une espèce végétale qui emmagasine ce métal.

8. Quel effet l'application d'un fongicide sur un champ de maïs aurait-elle sur la vitesse de décomposition et sur la productivité nette de l'écosystème (PNE) ?
a) La vitesse de décomposition et la PNE diminueraient.
b) Elle n'aurait aucun effet.
c) La vitesse de décomposition augmenterait et la PNE diminuerait.
d) La vitesse de décomposition diminuerait et la PNE augmenterait.

NIVEAU 3 : SYNTHÈSE ET ÉVALUATION

9. **FAITES UN DESSIN ▶** (a) Tracez un schéma simple du cycle de l'eau à l'échelle planétaire en y montrant les océans, les terres, l'atmosphère et le ruissellement des eaux, du continent vers les océans. Intégrez à votre schéma les données annuelles suivantes :
- évaporation de l'eau des océans, 425 km^3 ;
- évaporation de l'eau des océans qui retourne dans les océans sous forme de précipitations, 385 km^3 ;
- évaporation de l'eau des océans qui tombe sous forme de précipitations sur le continent, 40 km^3 ;
- évapotranspiration des plantes et du sol qui tombe sous forme de précipitations au sol, 70 km^3 ;
- ruissellement des eaux vers les océans, 40 km^3.

(b) Quel est le rapport entre l'évaporation de l'eau des océans qui tombe sous forme de précipitations sur le continent et le ruissellement des eaux du continent vers les océans ?
(c) Comment ce rapport changerait-il s'il y avait une période glaciaire ?

Voir les réponses proposées à l'appendice A.

La biologie de la conservation et les changements à l'échelle planétaire

56

VOS OUTILS INTERACTIFS

Consultez votre MANUEL NUMÉRIQUE, qui vous donne accès aux **animations**, aux **exercices** et à la plateforme d'**anatomie interactive**.

▲ **Figure 56.1 Quel sera le sort de cette espèce de lézard nouvellement découverte ?**

CONCEPTS CLÉS

56.1 Les activités humaines menacent la biodiversité de la Terre

56.2 La conservation des populations est axée sur leur taille, leur diversité génétique et leur habitat essentiel

56.3 La conservation des paysages et la conservation à l'échelle régionale contribuent à maintenir la biodiversité

56.4 La Terre change rapidement sous l'effet des activités humaines

56.5 Le développement durable permet à la fois d'améliorer la condition humaine et de conserver la biodiversité

◄ **Orchidée Daklak.**

Un trésor psychédélique

Un lézard détale sur un affleurement rocheux et s'immobilise brusquement sous le soleil. Un biologiste de la conservation le regarde, ravi d'observer ce gecko bigarré dont l'orangé des pattes, du ventre et de la queue tranche sur le bleuté de son dos, surmonté par un cou et une tête jaune et vert. Ce lézard, le gecko psychédélique (*Cnemaspis psychedelica*), a été découvert en 2010 au cours d'une expédition dans la région du Grand Mékong en Asie du Sud-Est (**figure 56.1**). L'habitat qu'on lui connaît se limite à celui d'une île ne dépassant pas 8 km^2 située dans le Sud du Vietnam. La même expédition a permis de découvrir d'autres nouvelles espèces, dont la ravissante orchidée Daklak (*Dendrobium daklakense*), du nom de la province vietnamienne où on l'a observée. Entre 2000 et 2010, les biologistes ont identifié plus de 1 000 nouvelles espèces, et ce, dans la seule région du Grand Mékong.

À ce jour, les scientifiques ont décrit et nommé officiellement environ 1,8 million d'espèces d'organismes. Il en reste une multitude à découvrir. Certains biologistes croient qu'il existe actuellement environ 5 millions d'espèces ; d'autres encore estiment ce nombre à 100 millions. Les plus grandes concentrations d'espèces se situent dans les régions tropicales. Malheureusement, on déboise les forêts tropicales humides à une vitesse alarmante pour faire place à la population humaine en pleine croissance et la faire vivre. Le rythme du déboisement au Vietnam est l'un des plus élevés au monde (**figure 56.2**). Qu'adviendra-t-il du gecko psychédélique et des autres espèces récemment découvertes au Vietnam si la déforestation se poursuit à ce rythme ?

▲ **Figure 56.2 Le déboisement de la forêt tropicale du Vietnam.** Autrefois recouvertes de forêt tropicale, ces collines ont été déboisées pour y établir des cultures en terrasse, comme les rizières qui s'étendent sur la partie inférieure des pentes.

Dans toute la biosphère, les activités humaines modifient les perturbations naturelles, les structures trophiques, le flux d'énergie et les cycles biogéochimiques. Or, comme les autres espèces, nous dépendons des processus qui se déroulent dans les écosystèmes. Nous avons modifié près de 50 % des terres émergées de la planète et nous utilisons plus de la moitié de l'eau douce de surface accessible. Dans les océans, les stocks des principales ressources halieutiques sont en train de s'épuiser à cause de la surpêche. Selon certaines estimations, nous infligeons plus de dommages à la biosphère et entraînons plus d'espèces vers la disparition que ne l'a fait l'énorme astéroïde vraisemblablement responsable des extinctions de masse vers la fin de la période du Crétacé, il y a 66 millions d'années (voir la figure 25.18).

Dans le présent chapitre, nous examinerons les changements qui touchent notre planète du point de vue de la **biologie de la conservation**. Cette discipline, qui intègre l'écologie, la physiologie, la biologie moléculaire, la génétique et la biologie de l'évolution, a pour but de préserver la diversité biologique à tous les niveaux. De plus, les mesures prises pour maintenir les processus naturels des écosystèmes et freiner la perte de biodiversité établissent un lien entre les sciences de la vie et les sciences sociales, économiques et humaines.

Nous commencerons par étudier plus en détail la crise de la biodiversité et examiner quelques stratégies de conservation et de restauration que les biologistes utilisent dans leurs tentatives pour ralentir la disparition d'espèces. Nous verrons aussi les transformations qu'infligent les activités humaines à l'environnement par les changements climatiques, l'appauvrissement de l'ozone et d'autres processus planétaires. Enfin, nous nous demanderons comment les décisions prises actuellement au sujet des priorités de la conservation à long terme pourraient se répercuter sur la planète.

CONCEPT **56.1**

Les activités humaines menacent la biodiversité de la Terre

L'extinction est un phénomène naturel qui se produit depuis que la vie est apparue. Cependant, le taux *élevé* d'extinction est à l'origine de la crise actuelle de la biodiversité. Plus de 1 000 espèces ont disparu au cours des 400 dernières années, soit un taux de 100 à 1 000 fois plus élevé que le taux d'extinction « naturel » dont témoignent les registres fossiles (voir le concept 25.4). Cette différence donne à penser que le taux d'extinction est actuellement élevé et que les activités humaines menacent la biodiversité terrestre à tous les niveaux.

Les trois niveaux de la biodiversité

La biodiversité, ou diversité biologique, est étudiée à trois niveaux : la diversité génétique, la diversité des espèces et la diversité des écosystèmes (**figure 56.3**).

La diversité génétique

La diversité génétique englobe non seulement la variation génétique individuelle *au sein* d'une population, mais aussi la variation génétique *entre* les populations, laquelle est souvent associée à des adaptations aux conditions locales. La disparition

▼ **Figure 56.3 Les trois niveaux de la biodiversité.** Les gros chromosomes illustrés dans le schéma du haut symbolisent la variation génétique au sein d'une population.

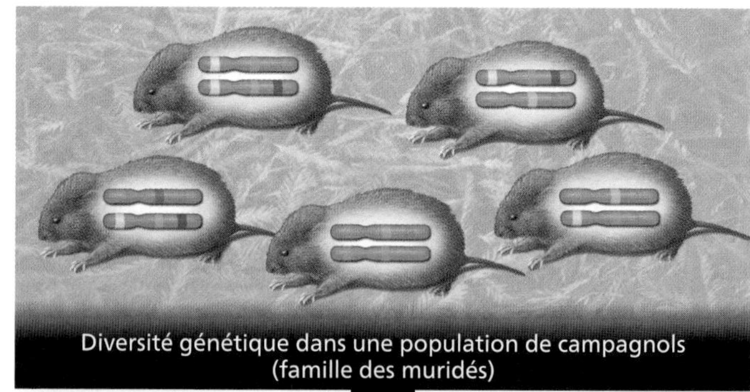

d'une population locale entraîne chez l'espèce la perte d'une partie de la diversité génétique responsable de la microévolution. Cette érosion de la diversité génétique nuit, bien entendu, aux perspectives d'adaptation de l'espèce.

La diversité des espèces

Une grande partie du débat public suscité par la crise de la biodiversité est centrée sur la diversité des espèces, c'est-à-dire le nombre d'espèces et leur abondance relative dans un écosystème ou dans toute la biosphère. On s'inquiète tout particulièrement des espèces en voie de disparition ou menacées. Une **espèce en voie de disparition** est une espèce qui risque de disparaître dans l'ensemble ou dans une partie de son aire de répartition (**figure 56.4**). Toute espèce qui sera vraisemblablement en voie de disparition dans un avenir prévisible dans l'ensemble ou dans une partie de son aire de répartition est considérée comme une **espèce menacée**. Au Canada, la *Loi sur la protection d'espèces animales ou végétales sauvages* et la réglementation de leur commerce international et interprovincial ont pour but de protéger les espèces en voie de disparition et les espèces menacées. Cette loi est en vigueur depuis 1996. Les quelques statistiques suivantes illustrent le problème que soulève la disparition d'espèces :

- Selon l'Union internationale pour la conservation de la nature (UICN), 12 % des quelque 10 000 espèces d'oiseaux connues dans le monde et 21 % des quelque 5 500 espèces de mammifères connues sont menacées.
- Une enquête menée par le Center for Plant Conservation a démontré que, parmi les 20 000 espèces végétales connues aux États-Unis, 200 ont disparu depuis qu'on enregistre des données, et 730 autres espèces végétales sont en voie de disparition ou menacées.
- Depuis 1900, 123 espèces animales dulcicoles ont disparu en Amérique du Nord, et des centaines d'autres sont menacées. Le taux d'extinction pour la faune dulcicole d'Amérique du Nord est environ cinq fois supérieur à celui des animaux terrestres.
- Selon la revue *Science*, qui a publié en 2004 un rapport s'appuyant sur une évaluation globale effectuée par plus de 500 scientifiques, 32 % de toutes les espèces d'amphibiens connues sont à l'heure actuelle en voie de disparition, et un grand nombre sont très proches de l'extinction.

Les populations locales d'une espèce peuvent également être victimes d'extinction. Par exemple, les populations d'une espèce peuvent disparaître d'un réseau hydrographique, mais survivre dans un réseau voisin. L'extinction à l'échelle planétaire d'une espèce signifie qu'elle a disparu de *tous* les écosystèmes où elle vivait et que ceux-ci en sont privés définitivement.

La diversité des écosystèmes

La variété des écosystèmes de la planète constitue le troisième niveau de la biodiversité. Dans tout écosystème, la communauté présente un réseau d'interactions reliant les populations des différentes espèces. L'extinction de populations d'une espèce peut donc avoir des effets négatifs sur d'autres espèces de l'écosystème (voir la figure 54.18). Le renard volant des Mariannes (*Pteropus mariannus*), par exemple, est une chauve-souris des îles du Pacifique qui joue un rôle important sur le plan de la pollinisation et de la dissémination des graines. Or, cette espèce est de plus en plus considérée comme un aliment de luxe et fait l'objet d'une chasse intense (**figure 56.5**). Les biologistes de la conservation craignent que la disparition du renard volant nuise également aux plantes indigènes des îles Samoa, puisqu'il pollinise et dissémine les graines de la très grande majorité des arbres (les quatre cinquièmes des espèces).

Certains écosystèmes ont déjà été gravement perturbés par les humains, et d'autres sont actuellement transformés à un rythme effréné. Depuis la colonisation européenne des États continentaux de l'Amérique du Nord, plus de la moitié des milieux humides ont été asséchés et convertis à des fins agricoles ou autres. En Californie, en Arizona et au Nouveau-Mexique,

▼ **Figure 56.4 À 100 battements de cœur de l'extinction.** Voici deux exemples parmi les nombreuses espèces comptant moins de 100 individus. Elles font partie de ce que E. O. Wilson, un biologiste de l'Université Harvard, appelle lugubrement le Hundred Heartbeat Club (le Club des 100 battements de cœur). Le dauphin d'eau douce de Chine est peut-être déjà disparu, mais il semble qu'on ait signalé la présence de quelques individus en 2007.

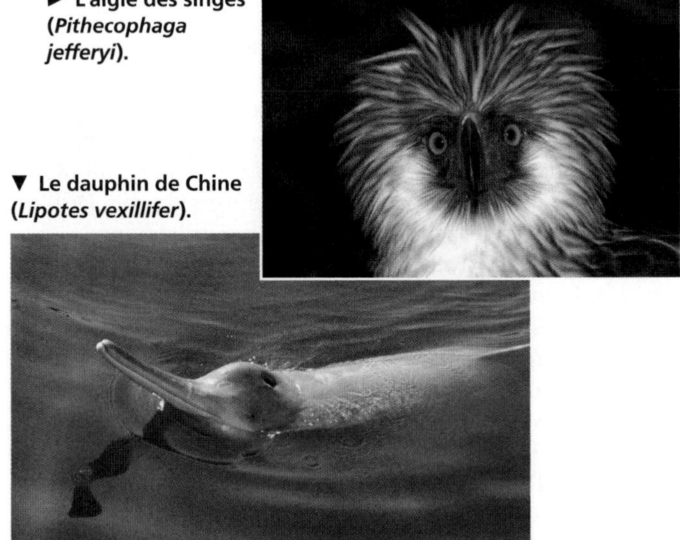

► **L'aigle des singes (*Pithecophaga jefferyi*).**

▼ **Le dauphin de Chine (*Lipotes vexillifer*).**

? Quels facteurs devriez-vous examiner pour documenter la disparition d'une espèce ?

▼ **Figure 56.5 Le renard volant des Mariannes (*Pteropus mariannus*), une espèce en voie de disparition, est un important agent de pollinisation.**

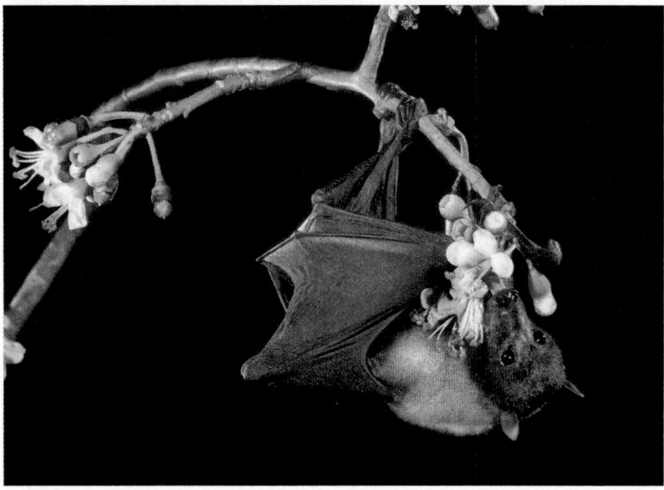

ainsi que dans les prairies de l'Ouest canadien (Manitoba, Alberta et Saskatchewan), approximativement 90 % des communautés riveraines naturelles ont été transformées par le surpâturage, la lutte contre les inondations, la dérivation des cours d'eau, l'abaissement du niveau des nappes phréatiques et l'envahissement par des plantes non indigènes.

▶ **Figure 56.6** **La pervenche de Madagascar (*Catharanthus roseus*) : une plante qui sauve des vies.**

La biodiversité et le bien-être des humains

Pourquoi s'inquiéter de la perte de biodiversité ? D'abord pour la *biophilie*, c'est-à-dire notre sentiment d'appartenance à la nature et notre conscience de ce qui nous lie à tous les organismes vivants. En outre, l'idée selon laquelle les autres espèces sont importantes et devraient être protégées est un grand thème dans de nombreuses religions. C'est aussi le fondement de l'éthique qui nous dicte de protéger la biodiversité. Nous devons nous préoccuper également des générations futures. Voici une citation d'un vieux proverbe par l'écrivain Antoine de Saint-Exupéry : « Nous n'héritons pas de la terre de nos parents, nous l'empruntons à nos enfants. » Outre ces raisons philosophiques et morales, la biodiversité présente aussi pour nous de nombreux avantages pratiques.

Les bienfaits de la diversité des espèces et de la diversité génétique

Parmi les espèces menacées, nombreuses sont celles qui pourraient fournir des aliments, des fibres et des médicaments aux humains, ce qui fait de la biodiversité une ressource naturelle primordiale. Une foule de produits nous viennent des végétaux et d'autres organismes vivants, par exemple l'aspirine et les antibiotiques. La perte de populations de végétaux sauvages qui sont proches parentes d'espèces agricoles signifie la perte de ressources génétiques qui pourraient servir à améliorer la qualité des récoltes, notamment par la résistance aux maladies. Dans les années 1970, par exemple, devant les épidémies dévastatrices du virus du rabougrissement herbeux du riz (*Oryza sativa*), les phytogénéticiens ont scruté 7 000 populations de cette espèce et de ses proches parentes pour trouver une forme résistante au virus. Une population d'un riz indien (*Oryza nivara*) s'est avérée la bonne, et les chercheurs ont réussi à reproduire le caractère de résistance dans des variétés commerciales de riz. Aujourd'hui, la population résistante d'origine semble avoir disparu de la nature.

Aux États-Unis, 25 % de toutes les ordonnances préparées dans les pharmacies contiennent des substances issues de végétaux. Des chercheurs ont découvert que la pervenche de Madagascar (*Catharanthus roseus*) renfermait des alcaloïdes qui inhibaient la croissance de cellules cancéreuses (**figure 56.6**). Cette découverte a permis la mise au point de traitements contre deux formes de cancer parmi les plus mortelles – la maladie de Hodgkin et la leucémie infantile –, avec rémission dans la plupart des cas. Il existe cinq autres espèces de pervenches à Madagascar, et l'une d'entre elles est en voie de disparition. Or, si ces espèces disparaissaient, la possibilité de profiter de leurs propriétés médicinales disparaîtrait avec elles.

Chaque nouvelle disparition d'espèce signifie la perte de gènes uniques dont certains codent peut-être pour des protéines d'une prodigieuse utilité. La Taq polymérase, une enzyme, a été extraite pour la première fois d'une bactérie, *Thermus aquaticus*, que l'on trouve dans les sources chaudes du parc national de Yellowstone. Cette enzyme est essentielle à l'amplification en chaîne par polymérase (PCR) en raison de sa stabilité aux hautes températures requises pour la PCR automatisée (voir la figure 20.8). Par ailleurs, on utilise l'ADN de nombreuses autres espèces de procaryotes vivant dans divers environnements pour la production de masse de protéines destinées à la création de nouveaux médicaments, produits alimentaires, substituts du pétrole, produits chimiques industriels, etc. Toutefois, comme une foule d'espèces de procaryotes et d'autres organismes disparaîtront avant même que nous ayons pris connaissance de leur existence, nous risquons de perdre de façon irréversible le précieux potentiel génétique que renferment leurs génothèques respectives, qui sont uniques.

Les écoservices

Les bienfaits que des espèces particulières apportent aux humains sont substantiels. Mais la sauvegarde de certaines espèces n'est qu'une des raisons pour lesquelles il faut préserver les écosystèmes. Les humains ont évolué dans les écosystèmes de la Terre, et notre survie tient à ces écosystèmes et à leurs habitants. Les **écoservices** englobent tous les processus par lesquels les écosystèmes naturels contribuent à maintenir la vie humaine. Les écosystèmes purifient notre eau et notre air. Ils détoxiquent et décomposent nos déchets, et réduisent la gravité des sécheresses et des inondations. Les organismes des écosystèmes pollinisent nos cultures, limitent les parasites et préservent nos sols. De plus, les écosystèmes nous rendent ces services gratuitement.

S'il nous fallait payer pour les services des écosystèmes naturels, combien coûteraient-ils ? En 1997, des scientifiques ont estimé la valeur des écoservices à 33 000 milliards de dollars par année, soit près du double du produit national brut de tous les pays de la planète à ce jour (18 000 milliards de dollars). Il est peut-être plus réaliste d'en faire la comptabilité à petite échelle. En 1996, la Ville de New York investissait plus de 1 milliard de dollars dans l'achat de terres et la restauration d'habitats dans les montagnes Catskill, principale source d'eau douce de la métropole. Cet investissement était motivé par la pollution croissante de l'eau par les égouts, les pesticides et les engrais. En misant sur les écoservices pour purifier son eau naturellement,

New York a économisé 8 milliards de dollars, ce qu'aurait coûté la construction d'une nouvelle usine de traitement de l'eau, et 300 millions de dollars par année pour la gestion de l'usine.

On dispose de plus en plus de preuves montrant que le fonctionnement des écosystèmes, et donc leur capacité à fournir des services, joue un rôle clé dans la biodiversité. Plus les activités humaines réduisent la biodiversité, plus nous réduisons la capacité des écosystèmes à accomplir des processus essentiels à notre survie.

Les menaces pour la biodiversité

Un grand nombre d'activités humaines menacent la biodiversité tant à l'échelle locale qu'à l'échelle régionale et planétaire. Les menaces que posent ces activités sont de quatre types, soit la disparition d'habitats, l'introduction d'espèces, la surexploitation et les changements à l'échelle planétaire.

La disparition des habitats

La transformation des habitats par les activités humaines constitue à elle seule la plus grande menace pour la biodiversité, dans toute la biosphère. La disparition des habitats est causée par des activités comme l'agriculture, le développement urbain, la foresterie, l'exploitation minière et la pollution de l'environnement. Comme nous le verrons sous peu, les changements climatiques à l'échelle planétaire modifient déjà les habitats, et leurs effets seront beaucoup plus importants plus tard dans ce siècle. Lorsqu'une espèce ne dispose d'aucun habitat de remplacement ou qu'elle est incapable de se déplacer, la disparition d'un habitat peut mener à la disparition de cette espèce. Selon l'UICN, la destruction des habitats serait responsable de la situation de 73 % des espèces disparues, en voie de disparition, ou devenues vulnérables ou rares au cours des derniers siècles.

La disparition et la fragmentation des habitats peuvent se produire sur de grands territoires. Ainsi, approximativement 98 % des forêts tropicales sèches de l'Amérique centrale et du Mexique ont été déboisées. Le déboisement de la forêt tropicale humide autour de Veracruz, au Mexique, surtout pour l'élevage des bovins, a entraîné la perte d'environ 90 % de la forêt originale et n'a laissé qu'un archipel de petits îlots forestiers. Beaucoup d'autres habitats naturels ont également été fragmentés par les activités humaines (**figure 56.7**).

▼ **Figure 56.7 La fragmentation des habitats dans les contreforts de Los Angeles, aux États-Unis.** Le développement dans les vallées peut confiner les organismes habitant les bandes étroites des collines.

La fragmentation d'habitats cause souvent la disparition d'espèces, car les petites populations des habitats fragmentés sont davantage exposées à l'extinction. Quand les premiers Européens sont arrivés dans le Sud du Wisconsin, la prairie couvrait environ 800 000 hectares de cet État, contre 800 seulement aujourd'hui ; la majeure partie des prairies originales sert désormais à l'agriculture. De 1948 à 1954, puis de 1987 à 1988, on a effectué des relevés sur la diversité végétale dans 54 vestiges de prairies du Wisconsin. Au cours des quelques décennies qui séparent les deux études, les parcelles de prairies étudiées ont perdu entre 8 et 60 % de leurs espèces végétales.

La disparition d'habitats constitue une menace importante pour la biodiversité aquatique, surtout le long des côtes continentales et près des récifs de corail. Environ 70 % des récifs coralliens, qui comptent parmi les communautés aquatiques possédant la plus grande richesse spécifique de la planète, ont été endommagés par les activités humaines. Si la destruction se poursuit au rythme actuel, jusqu'à 50 % des récifs, qui abritent le tiers des espèces de poissons marins, pourraient disparaître au cours des 30 à 40 prochaines années. Les habitats dulcicoles sont aussi menacés, notamment par les barrages et les réservoirs, la modification du lit et la régularisation du débit qui touchent aujourd'hui la plupart des fleuves et des rivières du monde. Par exemple, les quelque 30 barrages et écluses construits sur le bassin fluvial du Mobile, dans le Sud-Est des États-Unis, ont modifié la profondeur et le débit du fleuve. Ces barrages et écluses ont procuré de l'hydroélectricité et facilité la circulation des bateaux, mais ils ont également contribué à la disparition de plus de 40 espèces de moules et d'escargots (embranchement des mollusques).

L'introduction d'espèces

Les **espèces introduites**, aussi appelées espèces non indigènes ou exotiques, sont les espèces que les humains déplacent intentionnellement ou accidentellement de leur aire de répartition normale jusque dans de nouvelles régions géographiques. Les déplacements par bateau et par avion ont accéléré la transplantation d'espèces. En l'absence des prédateurs, des parasites et des agents pathogènes qui limitent leurs populations dans leurs habitats naturels, les espèces transplantées peuvent se répandre rapidement dans leur nouvelle région.

Certaines espèces introduites perturbent la communauté soit parce qu'elles se nourrissent des espèces indigènes, soit parce qu'elles rivalisent avec ces dernières pour les ressources. On a introduit accidentellement dans l'île de Guam le serpent brun arboricole (*Boiga irregularis*), provenant d'autres régions du Pacifique Sud, comme « passager clandestin » de cargos militaires après la Seconde Guerre mondiale. L'île de Guam, qui n'abritait aucun serpent jusqu'alors, a perdu depuis 12 espèces d'oiseaux et 6 espèces de lézards, devenues les proies de ce serpent. En 1988, la moule zébrée (*Dreissena polymorpha*), un mollusque filtreur dévastateur, a été pour sa part découverte dans les Grands Lacs de l'Amérique du Nord, fort probablement rejetée accidentellement avec l'eau de lestage de navires en provenance d'Europe. Cette moule, qui atteint de fortes densités de population, a profondément perturbé des écosystèmes dulcicoles et menace la survie d'espèces aquatiques indigènes. En outre, elle a bouché des prises d'eau, ce qui a compromis des réserves d'eau domestiques et industrielles, et causé des milliards de dollars de dommages.

Beaucoup d'espèces introduites par les humains avec de bonnes intentions ont également produit des effets désastreux. Une plante grimpante japonaise appelée kudzu (*Pueraria lobata*), que le ministère de l'Agriculture des États-Unis a introduite dans le Sud du pays pour contrer l'érosion, a envahi de grandes étendues du paysage (**figure 56.8**). En 1890 à New York, un groupe de citoyens désireux d'introduire dans Central Park tous les végétaux et les animaux que mentionnent les pièces de Shakespeare y a libéré l'étourneau sansonnet (*Sturnus vulgaris*). Celui-ci s'est répandu rapidement dans toute l'Amérique du Nord, si bien que sa population y dépasse maintenant 100 millions d'individus, chassant une multitude d'espèces d'oiseaux chanteurs indigènes.

Les espèces introduites constituent un problème international. Elles sont responsables d'environ 40 % des espèces disparues enregistrées depuis 1750. De plus, le coût des dommages qu'elles occasionnent et des mesures prises pour les combattre atteint chaque année des milliards de dollars. La France compte un peu plus de 300 espèces introduites, comparativement à plus de 275 au Canada ; aux États-Unis seulement, il y a plus de 50 000 espèces introduites.

La surexploitation

La *surexploitation* est l'exploitation d'organismes sauvages à une vitesse qui dépasse la capacité de rétablissement des populations visées. Les espèces dont les habitats sont restreints, comme celles habitant les petites îles, sont particulièrement vulnérables à la surexploitation. C'est le sort qu'a connu le grand pingouin (*Pinguinus impennis*), un oiseau de mer incapable de voler et vivant sur des îles de l'Atlantique Nord. Recherché pour ses plumes, ses œufs et sa chair, le grand pingouin avait déjà disparu dans les années 1840.

Les grands organismes dont le taux de reproduction est faible, tels les éléphants, les baleines et les rhinocéros, sont également vulnérables à la surexploitation. Le déclin des populations d'éléphants d'Afrique (*Loxodonta africana*), les plus grands animaux terrestres qui existent encore, est un exemple classique des conséquences de la chasse excessive. Principalement à cause du commerce de l'ivoire, les populations d'éléphants ont diminué dans presque toute l'Afrique au cours des 50 dernières années. Une interdiction internationale relative à la vente de nouvel ivoire a provoqué une augmentation du braconnage, de sorte que cette mesure a eu peu d'effet dans la majorité des pays du centre et de l'Est de l'Afrique. Il n'y a qu'en Afrique du Sud, où les troupeaux jadis décimés ont été bien protégés pendant presque un siècle, que les populations d'éléphants sont demeurées stables ou ont augmenté (voir la figure 53.9).

▼ Figure 56.8 **Le kudzu, une espèce introduite qui prospère dans le Sud-Est des États-Unis.**

Les biologistes de la conservation misent de plus en plus sur les outils de la génétique moléculaire pour retracer l'origine de tissus prélevés sur des espèces en voie de disparition. Par exemple, des chercheurs ont dressé une carte de référence génétique de l'éléphant d'Afrique à partir d'ADN isolé d'excréments d'éléphant. En comparant cette carte de référence et de l'ADN isolé d'échantillons d'ivoire prélevé illégalement ou par braconnage, les chercheurs peuvent déterminer, à quelques centaines de kilomètres près, l'endroit où les éléphants ont été tués (**figure 56.9**). Réalisés en Zambie, ces travaux donnent à penser que les taux de braconnage étaient 30 fois supérieurs à ce qui avait été estimé, un constat qui a incité le gouvernement zambien à améliorer les mesures anti-braconnage. De même, à partir des analyses phylogénétiques de l'ADN mitochondrial (ADNmt), des biologistes ont montré que certains vendeurs des marchés poissonniers japonais vendaient de la chair de baleine provenant d'espèces chassées illégalement, notamment du rorqual commun (*Balaenoptera physalus*) et de la baleine à bosse (*Megaptera novaeangliae*), tous deux en voie de disparition (voir la figure 26.6).

De nombreuses populations de poissons marins d'importance commerciale, qu'on croyait inépuisables, ont été décimées par la surpêche. En effet, en raison de la demande croissante de protéines pour une population humaine en pleine explosion démographique et des nouvelles techniques, comme la pêche à la palangre (ligne de fond) et les chalutiers modernes, leurs populations atteignent aujourd'hui des niveaux qui ne peuvent pas supporter une exploitation plus poussée. Le thon rouge de l'Atlantique (*Thunnus thynnus*) en est un exemple. Il y a encore quelques décennies, on considérait le thon rouge comme un

▼ Figure 56.9 **L'écologie médicolégale et le braconnage des éléphants.** Cet étalage de défenses d'éléphant fait partie d'une cargaison illégale d'ivoire interceptée en 2002, en route vers Singapour depuis l'Afrique. Les analyses d'ADN ont montré que les milliers d'éléphants abattus pour leurs défenses en ivoire ne provenaient pas d'un peu partout en Afrique, mais d'une bande étroite s'étendant d'est en ouest de la Zambie.

FAITES DES LIENS ▶ La figure 26.6 décrit une utilisation semblable des analyses d'ADN pour comparer des échantillons de chair de baleine avec une base de données de référence. En quoi ces exemples se ressemblent-ils, et qu'est-ce qui les distingue ? Quelles contraintes ces méthodes d'enquête médicolégales peuvent-elles présenter dans d'autres cas soupçonnés de braconnage ?

poisson de pêche sportive de faible valeur commerciale (il valait quelques cents le kilogramme et servait de nourriture pour chats). Puis, au début des années 1980, des grossistes ont commencé à transporter par avion, vers le Japon, du thon rouge frais conservé dans la glace, pour les sushis et les sashimis. Dans ce marché, le thon rouge rapporte maintenant jusqu'à 100 $ le kilogramme (**figure 56.10**). Propulsée par ces prix élevés, il n'a fallu à la surpêche que 10 ans pour réduire la population du thon rouge de la partie ouest de l'Atlantique à moins de 20 % de sa taille de 1980.

Les changements à l'échelle planétaire

La quatrième menace pour la biodiversité, les changements à l'échelle planétaire, transforme la trame des écosystèmes régionaux sur toute la planète. Les changements à l'échelle planétaire sont notamment les modifications du climat, de la chimie atmosphérique et des grands systèmes écologiques qui réduisent la capacité de la Terre à assurer le maintien de la vie.

L'un des premiers types de changements planétaires préoccupants a été les *précipitations acides*, c'est-à-dire la pluie, la neige, la bruine ou le brouillard présentant un pH inférieur à 5,2. La combustion du bois et l'utilisation de combustibles fossiles libèrent des oxydes de soufre et d'azote qui, lorsqu'ils entrent en contact avec l'eau contenue dans l'air, forment des acides sulfuriques et nitriques. Ceux-ci finissent par retomber sur la Terre, où ils provoquent des réactions chimiques qui diminuent les réserves de nutriments et augmentent les concentrations de métaux toxiques. Évidemment, ces changements qui se produisent dans le sol et l'eau nuisent à certains organismes aquatiques et terrestres.

Dans les années 1960, des écologistes ont déterminé que des organismes dulcicoles de l'Est du Canada mouraient des suites de la pollution de l'air causée par les usines du Midwest des États-Unis. Les jeunes touladis (*Salvelinus namaycush*), par exemple, meurent lorsque le pH descend au-dessous de 5,4. Dans le Sud de la Suède et de la Norvège, les populations de poissons des lacs et des ruisseaux diminuaient en raison de la pollution produite en Grande-Bretagne et en Europe centrale. En 1980, le pH moyen des précipitations que recevaient de vastes régions d'Amérique du Nord et d'Europe oscillait entre 4,0 et 4,5, et descendait parfois à 3,0. (Le concept 3.3 explique en détail le pH.)

Au cours des dernières décennies, la réglementation environnementale et les nouvelles technologies ont permis à de nombreux pays de réduire leurs émissions de dioxyde de soufre (SO_2). Aux États-Unis, elles ont diminué de 75 % entre 1990 et 2013, ce qui a graduellement réduit l'acidité des précipitations (**figure 56.11**). Cependant, les écologistes estiment que les écosystèmes aquatiques mettront des décennies à s'en remettre. Pendant ce temps, les émissions d'oxyde d'azote (NO_x) augmentent aux États-Unis, et celles de SO_2 ainsi que les précipitations acides continuent d'endommager les forêts d'Europe centrale et d'Europe de l'Est.

Le concept 56.4 traite de l'importance, pour la biodiversité, des changements à l'échelle planétaire ; il y sera question de facteurs comme les changements climatiques et l'appauvrissement de l'ozone. Dans la section suivante, nous verrons plus en détail comment les scientifiques travaillent à protéger les populations et les espèces menacées.

▼ **Figure 56.10 La surexploitation.** Thon rouge de l'Atlantique vendu aux enchères sur un marché japonais.

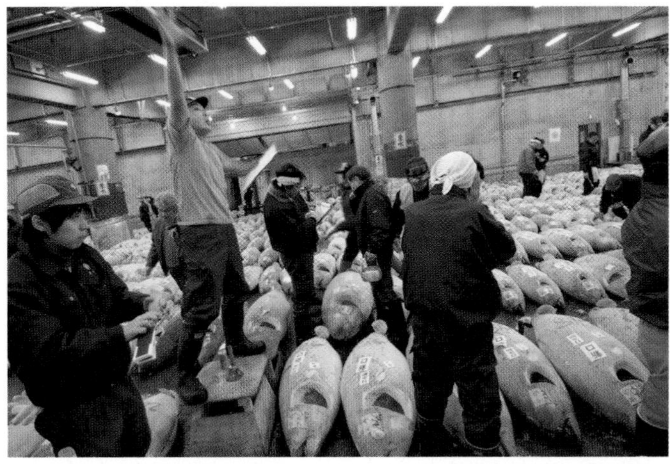

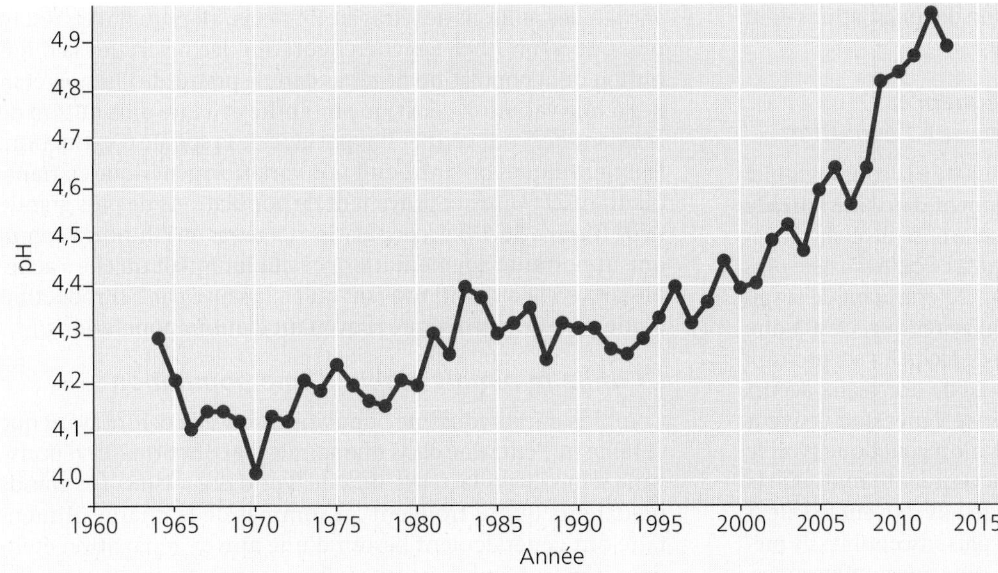

◀ **Figure 56.11 Le changement du pH des précipitations dans la forêt expérimentale de Hubbard Brook, dans l'État du New Hampshire.**

FAITES DES LIENS ▶ Décrivez la relation entre le pH et l'acidité. (Voir le concept 3.3.) Dans l'ensemble, les précipitations que reçoit cette forêt deviennent-elles plus acides ou moins acides ?

RETOUR SUR LE CONCEPT 56.1

1. Expliquez pourquoi il est trop restrictif de définir la crise de la biodiversité comme une simple disparition d'espèces.
2. Indiquez les quatre principales menaces pour la biodiversité et précisez les effets dommageables de chacune sur celle-ci.
3. **ET SI ?** ▶ Imaginez deux populations d'une espèce de poisson, l'une vivant dans la Méditerranée, et l'autre, dans la mer des Caraïbes. Imaginez maintenant deux scénarios : (1) les populations se reproduisent séparément ; (2) les adultes des deux populations migrent chaque année vers l'Atlantique Nord pour se reproduire. Quel scénario entraînerait une plus grande perte de diversité génétique si la population méditerranéenne faisait l'objet d'une surpêche jusqu'à l'extinction ? Expliquez votre réponse.

Voir les réponses proposées à l'appendice A.

▼ **Figure 56.12 Le processus menant à une spirale d'extinction.**

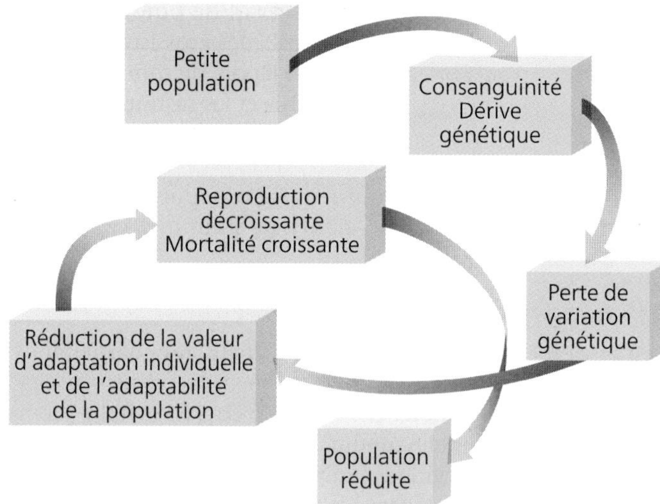

CONCEPT 56.2

La conservation des populations est axée sur leur taille, leur diversité génétique et leur habitat essentiel

Les biologistes qui s'intéressent à la conservation des populations et des espèces ont recours à deux grandes approches. La première cible les populations qui sont petites et, donc, vulnérables dans bien des cas, tandis que la seconde cible les populations qui déclinent rapidement, même si elles ne sont pas encore petites.

L'approche des petites populations

Les petites populations sont particulièrement vulnérables à la surexploitation, à la disparition d'habitats et aux autres menaces pour la biodiversité dont traite le concept 56.1. C'est la petite taille même d'une population qui conduit finalement à sa disparition, une fois que des facteurs comme ceux mentionnés plus haut ont réduit la population à un petit nombre d'individus. L'approche des petites populations met en évidence les divers processus qui peuvent causer la disparition des populations dont la taille a été gravement réduite.

La spirale d'extinction : les conséquences de la petite taille des populations sur l'évolution

ÉVOLUTION Une petite population est sujette à la consanguinité et à la dérive génétique. Celles-ci l'entraînent dans une **spirale d'extinction** au cours de laquelle sa taille et sa diversité génétique se réduisent progressivement, jusqu'à ce qu'il n'existe plus aucun individu (**figure 56.12**). Le facteur déterminant de la spirale d'extinction est la perte de variation génétique, c'est-à-dire de la capacité de la population d'évoluer de façon à s'adapter aux changements du milieu, comme l'arrivée de nouveaux agents pathogènes. La consanguinité et la dérive génétique peuvent toutes les deux causer une perte de variation génétique (voir le concept 23.3), et ces deux processus s'accentuent tandis que la population diminue. La consanguinité réduit souvent la valeur d'adaptation parce que les rejetons sont plus susceptibles de présenter des caractères récessifs nuisibles qui sont homozygotes.

Toutes les petites populations ne sont pas condamnées à une faible diversité génétique, et une variation génétique faible ne signifie pas nécessairement que la population sera petite de façon permanente. Ainsi, la chasse excessive de l'éléphant de mer boréal (*Mirounga angustirostris*), dans les années 1890, a réduit la population de l'espèce à seulement 20 individus. Il s'agit manifestement d'un effet de goulot d'étranglement qui a entraîné une faible variation génétique. Mais depuis, les populations d'éléphants de mer boréaux ont connu une forte augmentation et comptent aujourd'hui environ 150 000 individus. La variation génétique demeure relativement faible dans ces populations.

Étude de cas : *le tétras des prairies et la spirale d'extinction*

Quand les Européens sont arrivés en Amérique du Nord, le tétras des prairies (*Tympanuchus cupido*) était une espèce répandue de la Nouvelle-Angleterre à la Virginie et dans toutes les prairies de l'Ouest du continent nord-américain. L'agriculture a fragmenté les populations de tétras des prairies, qui ont rapidement décru en abondance (voir la figure 23.11). À lui seul, l'Illinois abritait des millions de tétras au 19e siècle, alors qu'il n'en restait plus que 50 en 1993. Les chercheurs ont découvert que la diminution de la population de tétras dans la prairie de l'Illinois était liée à une variation génétique moindre et à une diminution de la fécondité. Pour vérifier l'hypothèse de la spirale d'extinction, les scientifiques ont introduit une variation génétique en transplantant 271 oiseaux provenant de populations de plus grande taille (**figure 56.13**). La population de tétras de l'Illinois a connu une importante augmentation, ce qui indiquait qu'elle s'acheminait vers la disparition avant qu'on la sauve par l'introduction d'une variation génétique provenant d'autres populations.

La taille minimale viable d'une population

Combien d'individus une population doit-elle perdre avant que sa taille ne l'entraîne dans une spirale d'extinction ? La réponse varie selon divers facteurs, dont le type d'organisme. Les grands prédateurs qui se trouvent au sommet de la chaîne alimentaire ont généralement besoin d'une aire de répartition étendue, et présentent donc une faible densité de population. Par

DÉMARCHE SCIENTIFIQUE

INVESTIGATION

▼ Figure 56.13

Qu'est-ce qui a causé la forte diminution de la population de tétras des prairies de l'Illinois ?

■ **HYPOTHÈSE** ■ Les chercheurs ont découvert que l'effondrement de la population de tétras des prairies dans l'État de l'Illinois (États-Unis) correspondait à une réduction de la fécondité, mesurée par le taux d'éclosion des œufs. En comparant des échantillons d'ADN provenant de la population de Jasper County, en Illinois, avec de l'ADN extrait des plumes de spécimens de musée, les biologistes sont arrivés à la conclusion que la variation génétique avait effectivement diminué dans la population étudiée (voir la figure 23.11). Pour ces chercheurs, la réduction de la variation génétique serait responsable de la forte diminution de la population.

■ **EXPÉRIENCE** ■ En 1992, pour vérifier leur hypothèse, Ronald Westemeier, Jeffrey Brawn et leurs collègues ont entrepris de transplanter des tétras des prairies provenant du Minnesota, du Kansas et du Nebraska en vue d'accroître la variation génétique.

■ **RÉSULTATS** ■ Après la transplantation (indiquée par la flèche noire), la viabilité des œufs s'est rapidement améliorée, et la population a connu une importante augmentation.

■ **CONCLUSION** ■ La diminution de la variation génétique pourrait avoir entraîné la population de tétras des prairies de Jasper County dans une spirale d'extinction puisqu'une augmentation de la variation génétique a permis à la population de retrouver sa fécondité.

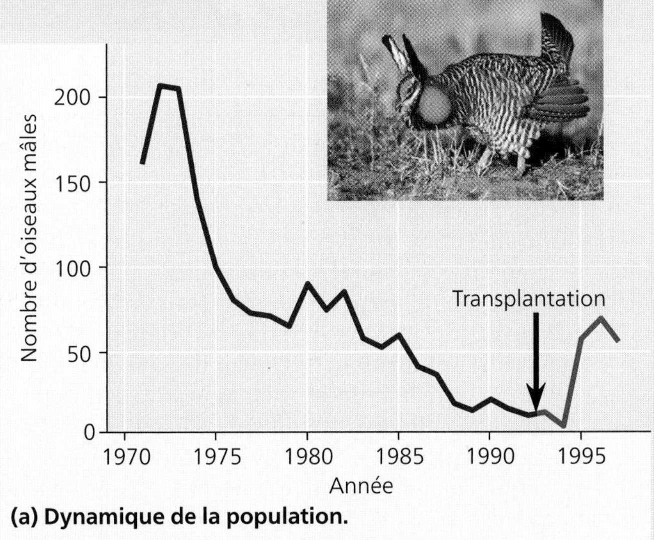

(a) Dynamique de la population.

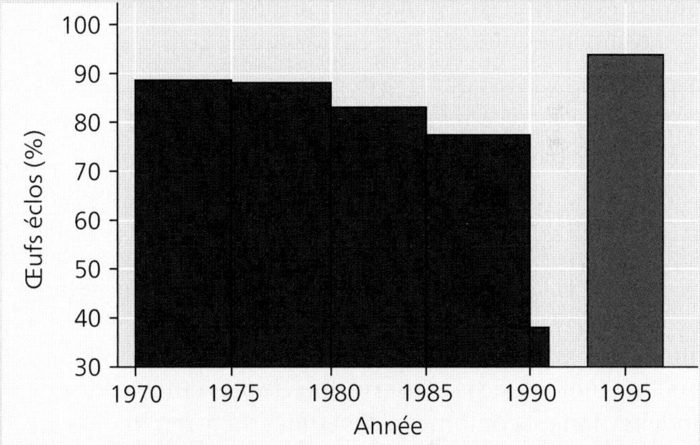

(b) Taux d'éclosion des œufs. La hauteur de chaque bande représente le taux moyen pour les années contenues dans la bande.

Source des données : R. L. Westemeier et coll., Tracking the long-term decline and recovery of an isolated population, *Science* 282 : 1695-1698 (1998).

ET SI ? ▶ Comme la transplantation de tétras des prairies s'est montrée efficace pour accroître le pourcentage d'œufs éclos en Illinois, pourquoi n'y transplanterait-on pas dès maintenant plus d'individus ? Expliquez.

conséquent, la rareté chez les espèces n'est pas toujours un sujet d'inquiétude, bien que toutes les populations aient besoin d'un nombre minimal d'individus pour rester viables.

La taille minimale à laquelle une espèce arrive à maintenir son nombre et à survivre est appelée **population minimum viable** (**PMV**). Pour une espèce donnée, on évalue habituellement la PMV à l'aide de modèles informatiques combinant de nombreux facteurs. Par exemple, le calcul peut inclure une estimation du nombre d'individus d'une petite population susceptibles d'être tués par une catastrophe naturelle comme une tempête. Une fois la spirale d'extinction amorcée, deux ou trois années de suite de climat défavorable peuvent achever une population dont la taille est déjà inférieure à sa PMV.

La taille efficace d'une population

La variation génétique est l'enjeu principal de l'approche des petites populations. La taille *totale* d'une population peut être trompeuse, parce que seuls certains membres se reproduisent avec succès et transmettent leurs allèles à leur progéniture. Par conséquent, pour faire une estimation significative de la PMV, les chercheurs doivent déterminer la **taille efficace d'une population**, fondée sur le potentiel de reproduction.

POUR APPROFONDIR ■ La formule ci-dessous montre une des méthodes utilisées pour estimer la taille efficace d'une population, symbolisée par N_e :

$$N_e = \frac{4\,N_f N_m}{N_f + N_m}$$

où N_f et N_m sont respectivement le nombre de femelles et le nombre de mâles qui se reproduisent avec succès. Si on applique cette formule à une population théorique comptant au total 1 000 individus, on obtient également 1 000 pour N_e si chaque individu se reproduit et si la proportion des sexes est de 500 femelles pour 500 mâles. En effet, dans ce cas : $N_e = (4 \times 500 \times 500)/(500 + 500) = 1\,000$. Tout écart par rapport à ces conditions (si tous les individus ne se reproduisent pas ou si la proportion des sexes n'est pas de 1:1) réduit N_e. Par exemple, si la taille totale de la population est de 1 000 individus, mais que seules 400 femelles se reproduisent avec 400 mâles, alors: $N_e = (4 \times 400 \times 400)/(400 + 400) = 800$. N_e équivaut ainsi à 80 % de la taille totale de la population. De nombreux facteurs peuvent influer sur N_e. Ainsi, d'autres formules pour l'évaluation de N_e tiennent compte de facteurs comme l'âge de la maturation, la parenté génétique entre les membres de la population, les effets du flux génétique et les fluctuations de la population.

Dans les études réelles de populations, N_e est toujours une fraction de la population totale. Par conséquent, la simple détermination du nombre total d'individus d'une petite population ne permet pas forcément de savoir si elle est suffisamment importante pour éviter l'extinction. Dans la mesure du possible, les programmes de conservation visent à soutenir des tailles de population totale qui comprennent au moins le nombre minimal viable d'individus qui sont des *reproducteurs actifs*. Il faut se rappeler qu'on veut maintenir une taille efficace de population (N_e) supérieure à la PMV afin de s'assurer que les populations conservent une diversité génétique suffisante pour s'adapter aux changements que subit leur environnement. ■

On se base souvent sur la PMV d'une population pour effectuer une analyse de la viabilité de cette population. Le but de cette analyse est de prévoir ses chances de survie, laquelle est généralement exprimée en tant que probabilité spécifique de survie, comme 95 % des chances, sur un intervalle précis, par exemple 100 ans. Une telle approche de modélisation permet aux biologistes de la conservation d'étudier les conséquences possibles de divers plans de gestion. Étant donné que la modélisation s'appuie sur des informations précises à propos de la population à l'étude, la biologie de la conservation est plus efficace lorsque la modélisation est combinée à des études sur le terrain.

Étude de cas: *l'analyse de populations de grizzlis*

En 1978, Mark Shaffer a effectué l'une des premières analyses de viabilité d'une population dans le cadre d'une étude à long terme sur les grizzlis (*Ursus arctos horribilis*) du parc national de Yellowstone, dans le Wyoming (États-Unis), et de ses environs (**figure 56.14**). Espèce menacée aux États-Unis, le grizzli n'habite que 4 des 48 États continentaux. De plus, sa population y a subi une réduction et une fragmentation majeures. En 1800, 100 000 grizzlis vivaient dans un habitat d'environ 500 millions d'hectares, alors qu'aujourd'hui 6 populations presque isolées d'à peine 1 000 individus au total occupent un territoire de moins de 5 millions d'hectares.

Dans sa tentative pour déterminer la taille viable des populations de grizzlis de Yellowstone, Shaffer a utilisé des données sur leur cycle biologique couvrant une période de 12 ans. Il a ensuite simulé les effets des facteurs écologiques sur la survie et la reproduction du grizzli. Selon ses modèles, une population totale de grizzlis comptant de 70 à 90 individus dans un habitat favorable a 95 % de chances de survivre pendant 100 ans. À peine plus grosse, une population de 100 individus aurait 95 % de chances de survivre deux fois plus longtemps, soit pendant près de 200 ans.

La population réelle de grizzlis dans le parc national de Yellowstone est-elle comparable aux estimations de la PMV faites par Shaffer? Selon l'estimation actuelle, la population totale

▼ Figure 56.14 La surveillance à long terme d'une population de grizzlis. Cet écologiste installe un émetteur radio à un grizzli anesthésié, afin de pouvoir comparer ses déplacements à ceux d'autres grizzlis de la population du parc national de Yellowstone.

de grizzlis dans l'ensemble de l'écosystème de Yellowstone compterait environ 400 individus. La relation entre cette estimation de la population totale de grizzlis et la taille efficace d'une population, N_e, repose sur plusieurs facteurs. En général, seuls quelques mâles dominants se reproduisent. Or, ils peuvent avoir de la difficulté à trouver des femelles parce que la population est dispersée sur un très grand territoire. En outre, il se peut que les femelles ne se reproduisent que lorsque la nourriture est abondante. Par conséquent, N_e ne représente qu'environ 25 % de la taille totale de la population, soit environ 125 individus.

Étant donné que la variation génétique des petites populations tend à s'affaiblir avec le temps, des chercheurs ont utilisé les séquences de protéines, de l'ADN mitochondrial et des répétitions courtes en tandem (voir le concept 21.4) pour évaluer la variation génétique chez la population de grizzlis de Yellowstone. À ce jour, tous les résultats indiquent que cette population possède une variation génétique moindre que d'autres populations de grizzlis d'Amérique du Nord. Toutefois, l'isolement et la diminution de la variation génétique de la population de grizzlis de Yellowstone, qui se sont effectués progressivement au cours du 20ᵉ siècle, ne sont pas aussi prononcés qu'on le craignait. Les spécimens de musée analysés au début des années 1900 montrent que la variation génétique des grizzlis de Yellowstone a toujours été faible.

Comment les biologistes de la conservation peuvent-ils arriver à augmenter la taille efficace et la variation génétique de la population de grizzlis de Yellowstone? La taille efficace et la taille totale pourraient augmenter s'il y avait des migrations entre les populations isolées de grizzlis. Les modèles informatiques prédisent que l'introduction, tous les 10 ans, de 2 ours non apparentés dans des populations de 100 individus réduirait de près de la moitié la perte de variation génétique. Pour le grizzli, et probablement pour beaucoup d'autres espèces dont les populations sont très petites, l'un des besoins les plus urgents en matière de conservation est de trouver des façons de favoriser l'expansion des populations.

Cette étude de cas ainsi que celle portant sur le tétras des prairies font le lien entre la théorie des petites populations et les applications pratiques en biologie de la conservation.

Nous allons maintenant examiner une autre approche biologique permettant de comprendre le phénomène qu'est l'extinction d'espèces.

L'approche des populations en déclin

L'approche des populations en déclin s'intéresse aux populations menacées ou en voie de disparition dont la taille tend à diminuer même si elle est bien supérieure à sa population minimum viable. La distinction entre une population en déclin, qui n'est pas toujours petite, et une petite population, qui peut ne pas être en déclin, est moins importante que les différences entre les priorités des deux approches. Alors que l'approche des petites populations fait valoir que la petite taille même est la cause première de la disparition des populations, l'approche des populations en déclin met surtout l'accent sur les facteurs environnementaux qui causent le déclin d'une population. Si, par exemple, un secteur est déboisé, l'abondance des espèces qui dépendent des arbres diminuera et ces dernières disparaîtront localement, qu'elles conservent ou non une variation génétique.

L'approche des populations en déclin nécessite que les chercheurs analysent minutieusement les causes avant d'entreprendre des mesures correctives. Une des étapes clés de cette démarche consiste à étudier le cycle biologique de l'espèce en déclin, notamment à l'aide de comptes rendus de recherches, pour déterminer ses besoins environnementaux. Ensuite, les chercheurs se basent sur les données obtenues pour formuler et vérifier des hypothèses permettant d'expliquer toutes les causes possibles du déclin, dont les activités humaines et les événements naturels. L'étude de cas qui suit est un exemple d'application de l'approche des populations en déclin à une espèce en voie de disparition.

Étude de cas : *le déclin des populations de pics à face blanche*

On ne trouve le pic à face blanche (*Picoides borealis*) que dans le Sud-Est des États-Unis. Cette espèce a besoin d'une forêt de pins arrivée à maturité et de préférence dominée par le pin des marais (*Pinus palustris*). En matière d'habitat, il existe un facteur déterminant pour le pic à face blanche : la végétation du sous-bois autour des troncs de pins des marais doit être de faible hauteur (**figure 56.15a**). Les pics à face blanche nicheurs abandonnent leur nid quand la végétation autour des pins est dense et dépasse 4,5 m (**figure 56.15b**). Ces oiseaux semblent avoir besoin d'une trajectoire de vol dégagée entre l'arbre où ils nichent et les aires d'alimentation voisines. Par le passé, des incendies périodiques nettoyaient les forêts de pins des marais, ce qui maintenait le sous-bois à une hauteur adéquate.

En outre, contrairement à la plupart des pics qui nichent dans des arbres morts, le pic à face blanche creuse une cavité dans des arbres vivants et matures. Il creuse aussi de petites cavités autour de l'entrée du nid. La résine coule alors et finit par enduire le tronc, ce qui semble décourager certains prédateurs, tel le serpent des blés (*Pantherophis guttatus*), qui dévore les œufs et les oisillons.

L'un des facteurs ayant conduit au déclin des populations de pics à face blanche est la destruction ou la fragmentation des habitats qui lui conviennent par l'exploitation forestière et l'agriculture. La reconnaissance des facteurs clés en matière d'habitat et la protection d'un certain nombre de forêts de pins des marais, ainsi que le recours à des incendies contrôlés pour réduire la végétation du sous-bois, ont permis de restaurer des habitats où les populations peuvent atteindre une taille viable.

▼ Figure 56.15 Le pic à face blanche a des besoins particuliers en matière d'habitat.

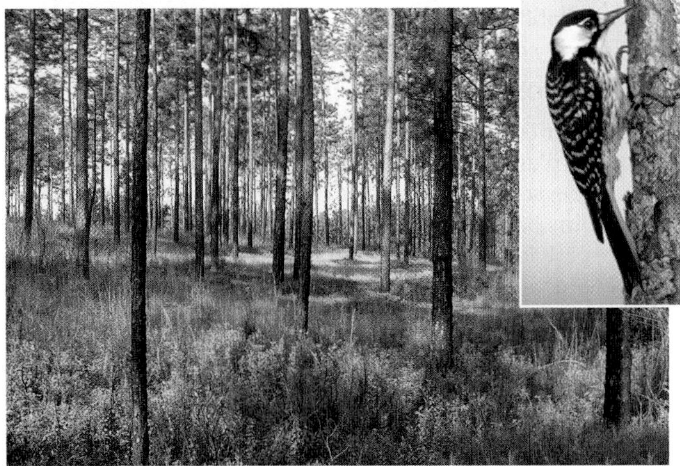

(a) Dans les forêts pouvant abriter les pics à face blanche la végétation de sous-bois est de faible hauteur.

(b) Dans les forêts qui ne peuvent abriter de pics à face blanche, la végétation de sous-bois est haute et dense, ce qui empêche les oiseaux d'accéder aux aires d'alimentation.

? Pourquoi la perturbation de l'habitat du pic à face blanche est-elle essentielle à la survie à long terme de cette espèce ?

Parfois, les gestionnaires des programmes de protection de la nature aident des espèces à coloniser des habitats restaurés. Dans la mesure où il peut falloir des mois à un pic à face blanche pour creuser les cavités où il nichera, des chercheurs ont réalisé une expérience pour déterminer si le fait de creuser de telles cavités les inciterait à nicher dans un habitat restauré. Les chercheurs ont donc creusé des cavités dans des pins des marais répartis dans 20 sites. Les résultats ont été remarquables : les pics à face blanche ont colonisé 18 des 20 sites, et de nouveaux groupes reproducteurs se sont formés uniquement aux endroits où on avait creusé des cavités artificielles. À la suite de cette expérience, des agents de protection de la nature ont mis en place un programme d'entretien des habitats comprenant le déclenchement d'incendies contrôlés et le creusage de nouvelles cavités de nidification. Ces mesures ont permis aux populations d'une espèce en voie de disparition de connaître un accroissement et de se rétablir peu à peu.

L'évaluation de besoins incompatibles

Déterminer l'effectif des populations et les besoins en matière d'habitat n'est qu'un aspect de l'effort visant à préserver des espèces. Les scientifiques doivent également évaluer, d'une part, les besoins biologiques et écologiques de chaque espèce et, d'autre part, les besoins incompatibles des humains. La biologie de la conservation met souvent au premier plan la relation entre les sciences, les technologies et la société. Par exemple, dans les États du Nord-Ouest des États-Unis bordés par le Pacifique a lieu un débat parfois animé : il oppose la préservation des habitats pour les populations de loups gris (*Canis lupus*), de grizzlis (*Ursus arctos horribilis*) et d'ombles à tête plate (*Salvelinus confluentus*) et les besoins en matière d'emploi dans le domaine de l'élevage du bétail et celui de l'extraction des ressources naturelles. De plus, quelques amateurs de plein air et de nombreux éleveurs s'opposent aux programmes qui ont reconstitué les populations de loups gris à Yellowstone et soutenu celles des grizzlis et d'autres grands mammifères : les premiers s'inquiètent pour leur sécurité, tandis que les seconds craignent d'éventuelles pertes de bétail hors du parc.

Les grands vertébrés vedettes ne sont pas toujours au centre des conflits, mais l'utilisation des habitats est presque toujours en cause. Faut-il poursuivre les travaux de construction d'un pont pour une nouvelle route s'ils menacent de détruire le seul habitat restant d'une espèce de moule d'eau douce ? Si vous étiez propriétaire d'une plantation de café où croissent des variétés qui ont besoin de beaucoup de lumière, croyez-vous que vous seriez disposé à changer pour des variétés tolérant l'ombre qui sont moins productives et moins payantes, mais qui poussent sous des arbres abritant de nombreux oiseaux chanteurs ?

Le rôle écologique des espèces représente aussi un facteur important. Étant donné notre incapacité à sauver toutes les espèces en voie de disparition, nous devons déterminer lesquelles sont les plus importantes pour la conservation de la biodiversité dans son ensemble. En déterminant les espèces clés de voûte et en trouvant des moyens pour maintenir leurs populations, on assure la survie de communautés et d'écosystèmes. Toutefois, dans la plupart des situations, la conservation ne doit pas limiter ses préoccupations à des espèces prises séparément, mais prendre en considération une communauté ou un écosystème en entier comme unité importante de la biodiversité.

RETOUR SUR LE CONCEPT 56.2

1. En quoi la diversité génétique réduite des petites populations les rend-elle plus vulnérables à l'extinction ?
2. Si une population de tétras des prairies compte 100 individus et que 30 femelles et 10 mâles s'accouplent, quelle sera la taille efficace de la population (N_e) ?
3. **ET SI ?** ▶ En 2005, au moins 10 grizzlis de l'ensemble de l'écosystème de Yellowstone ont été tués par les humains. La plupart des décès sont survenus selon l'un des trois scénarios suivants : il s'est produit une collision avec une voiture ; des chasseurs (d'autres animaux) ont abattu une femelle qui les avait attaqués parce que ses petits se trouvaient à proximité ; des gestionnaires de la conservation des ressources ont tué des ours qui s'attaquaient continuellement au bétail. Si vous étiez gestionnaire de la conservation des ressources, quelles mesures pourriez-vous prendre pour réduire de telles rencontres dans le parc de Yellowstone et ses environs ?

Voir les réponses proposées à l'appendice A.

CONCEPT 56.3

La conservation des paysages et la conservation à l'échelle régionale contribuent à maintenir la biodiversité

Si presque tous les efforts de conservation se sont traditionnellement concentrés sur la sauvegarde de certaines espèces, de nos jours, la biologie de la conservation vise de plus en plus à assurer la biodiversité de communautés, d'écosystèmes et de paysages entiers. Un objectif aussi large demande non seulement l'application des principes écologiques, mais aussi ceux qui se rapportent à la dynamique et à l'économie des populations humaines.

La structure des paysages et la biodiversité

La biodiversité d'un paysage est fortement influencée par ses caractéristiques physiques, c'est-à-dire par sa *structure*. Comprendre la structure des paysages est d'une importance capitale pour la conservation, car de nombreuses espèces utilisent plus d'un type d'écosystème, et un grand nombre d'espèces vivent à la limite de deux écosystèmes.

La fragmentation et les lisières

Les zones de transition, aussi appelées *lisières* (ou écotones), entre les écosystèmes (entre un lac et la forêt environnante, par exemple, ou entre une terre cultivée et une zone d'habitation en banlieue) sont des caractéristiques qui définissent les paysages (**figure 56.16**). Une lisière possède son propre ensemble de conditions physiques, qui diffèrent de celles existant de part et d'autre. Dans une zone de transition entre une parcelle de forêt et un secteur incendié, la surface du sol reçoit plus de rayonnement solaire et est généralement plus chaude et plus sèche que l'intérieur de la forêt, mais est par ailleurs plus fraîche et plus humide que la surface du sol incendié.

Certains organismes se développent dans des communautés de lisières parce qu'ils ont besoin de ressources provenant des deux zones adjacentes. Ainsi, la gélinotte huppée (*Bonasa umbellus*) a besoin d'un habitat forestier pour nicher, se nourrir en hiver et s'abriter, mais elle a également besoin d'éclaircies dans la forêt, occupées par des arbustes et des herbes denses pour se nourrir en été.

Les écosystèmes où les lisières sont le résultat de l'intervention des humains ont souvent une biodiversité réduite et une prépondérance des espèces adaptées aux lisières. Par exemple, le cerf de Virginie (*Odocoileus virginianus*) vit dans des habitats de zones de transition, où il peut brouter les buissons. Les populations de cerfs de Virginie s'accroissent souvent quand les forêts sont exploitées, car les zones de transition sont alors plus

▼ **Figure 56.16 Lisières naturelles entre des écosystèmes en Sibérie.**

HABILETÉS VISUELLES ▶ Quelles lisières distinguez-vous sur cette photo ?

nombreuses. De même, le vacher à tête brune (*Molothrus ater*) est une espèce adaptée aux lisières qui pond ses œufs dans les nids d'autres oiseaux, souvent ceux de certains oiseaux chanteurs migrateurs. Les vachers à tête brune ont besoin de forêts pour parasiter les nids d'autres oiseaux et aussi de champs pour trouver les graines et les insectes dont ils se nourrissent. Le nombre de vachers à tête brune augmente là où les forêts sont exploitées et fragmentées, des endroits où il y a beaucoup d'habitats de lisières et de champs. Le parasitisme croissant du vacher à tête brune et la disparition d'habitats expliquent le déclin des populations de plusieurs espèces hôtes de cet oiseau.

L'influence de la fragmentation sur la structure des communautés a été examinée de près depuis 1979 dans le cadre d'une étude à long terme appelée Biological Dynamics of Forest Fragments Project. Située au cœur du bassin fluvial de l'Amazone, la région étudiée se compose de fragments de forêt tropicale humide séparés de la forêt non morcelée par des distances de 80 à 1 000 m (**figure 56.17**). De nombreux chercheurs de partout dans le monde ont clairement démontré les effets tant physiques que biologiques de cette fragmentation sur des organismes aussi variés que des bryophytes, des coléoptères et des oiseaux. Ils ont constaté à maintes reprises que les espèces adaptées aux habitats de l'intérieur de la forêt présentent les plus importantes diminutions de population lorsque les fragments sont les plus petits, ce qui semble indiquer que les paysages dominés par de petits fragments abritent un moins grand nombre d'espèces.

Les corridors entre les fragments d'habitats

Dans les habitats fragmentés, la présence d'un **corridor de déplacement**, soit une bande de terre étroite ou une série de petits massifs d'habitats naturels ou aménagés faisant le lien entre des parcelles autrement isolées, peut être un facteur déterminant pour la conservation de la biodiversité. Les habitats riverains, c'est-à-dire les habitats situés le long d'un cours d'eau, servent souvent de corridors de déplacement, et les politiques gouvernementales de certains pays interdisent la destruction de ces aires riveraines. Dans les zones où les activités humaines sont importantes, des corridors artificiels sont parfois construits. Ainsi, des ponts ou des tunnels peuvent réduire le nombre d'animaux tués alors qu'ils tentent de traverser une autoroute (**figure 56.18**).

Les corridors de déplacement peuvent également favoriser l'expansion et réduire la consanguinité dans des populations en déclin. On sait aussi qu'ils facilitent les échanges d'individus entre les populations de nombreux organismes comme les papillons, les campagnols (des rongeurs) et divers végétaux aquatiques. Ils sont particulièrement importants pour les espèces qui se déplacent entre différents habitats au fil des saisons. Toutefois, ils peuvent également être nuisibles. En effet, ils favorisent par exemple la propagation de maladies. Selon une étude menée en 2003 par un chercheur de l'Université de Saragosse, en Espagne, les corridors naturels facilitent les déplacements des tiques, vectrices de microorganismes pathogènes, dans des parcelles de forêt situées dans le Nord de l'Espagne. On ne comprend pas encore très bien tous les effets des corridors, mais ils font l'objet d'actives recherches en biologie de la conservation.

▼ **Figure 56.17 Des fragments de la forêt tropicale humide de l'Amazone créés dans le cadre du Biological Dynamics of Forest Fragments Project.**

▼ **Figure 56.18 Un corridor de déplacement artificiel.** Ce pont construit aux Pays-Bas permet aux animaux de traverser un obstacle créé par les humains.

L'établissement de zones protégées

Pour l'heure, les gouvernements ont mis en réserve, sous différentes formes, environ 7 % des terres émergées de la planète. Lorsqu'ils choisissent des endroits et la façon d'aménager des réserves naturelles, les biologistes de la conservation ont de nombreux défis à relever. Faut-il gérer la réserve de façon à réduire au minimum les risques d'incendie et de prédation pour les espèces menacées ? Ou doit-on garder la réserve la plus naturelle possible et laisser des processus comme les incendies allumés par la foudre jouer leur rôle ? Ce n'est qu'un des problèmes qui se posent pour les gens ayant à cœur la santé écologique des parcs nationaux et des autres zones protégées.

La préservation des points chauds de biodiversité

Quand vient le moment de déterminer les priorités en matière de conservation, les biologistes concentrent souvent leur attention sur les **points chauds de biodiversité** (aussi appelés zones critiques de biodiversité), c'est-à-dire sur des zones relativement petites dans lesquelles vivent de nombreuses espèces endémiques (des espèces qui n'existent nulle part ailleurs) et un grand nombre d'espèces menacées ou en voie de disparition (**figure 56.19**). Près de 30 % de toutes les espèces d'oiseaux se trouvent dans des points chauds qui n'occupent que 2 % de la zone émergée du globe. Dans l'ensemble, les régions terrestres les plus « chaudes » comptent pour moins de 1,5 % des terres de la planète, mais abritent le tiers de toutes les espèces de végétaux, d'amphibiens, de reptiles (dont les oiseaux) et de mammifères. Les écosystèmes aquatiques comptent aussi des points chauds, tels les récifs coralliens et certains réseaux hydrographiques.

Les points chauds de biodiversité constituent de bons choix pour des réserves naturelles. Cependant, il n'est pas toujours simple de reconnaître quelles sont ces zones. En effet, une région peut être un point chaud pour un groupe taxinomique donné, comme les oiseaux, mais pas pour un autre groupe, comme les papillons (ordre des lépidoptères). Le fait de désigner une zone comme un point chaud favorise souvent un groupe taxinomique comme les vertébrés ou les végétaux, aux dépens des invertébrés et des microorganismes, auxquels on accorde moins d'attention. Certains biologistes craignent par ailleurs que la stratégie des points chauds draine tout l'effort de conservation sur une très petite partie de la surface terrestre.

Les changements climatiques compliquent d'autant plus la préservation des points chauds que les conditions qui favorisent une communauté particulière peuvent disparaître de cet endroit plus tard. Le point chaud de biodiversité de la pointe Sud-Ouest de l'Australie (voir la figure 56.19) recèle des milliers d'espèces végétales endémiques et de nombreux vertébrés également endémiques. Les chercheurs ont récemment conclu qu'entre 5 et 25 % des espèces végétales qu'ils ont étudiées risquaient de disparaître d'ici 2080 parce qu'elles ne pourront tolérer l'aridité accrue qui menace cette région.

L'optique des réserves naturelles

Les réserves naturelles sont des îlots protégés de biodiversité dans une mer d'habitats modifiés ou dégradés par l'activité humaine. Une ancienne politique préconisait qu'on tienne à l'écart les zones protégées pour les garder indéfiniment intactes. Elle était fondée sur le concept selon lequel un écosystème est une unité possédant son équilibre et son autorégulation propres. Cependant, la perturbation est une composante naturelle de tous les écosystèmes (voir le concept 54.3). C'est pourquoi les politiques de gestion qui ne tiennent pas compte des perturbations naturelles ou tentent de les empêcher ont généralement échoué. Par exemple, mettre en réserve l'aire d'une communauté tributaire du feu, comme une partie d'une prairie d'herbes hautes, d'un chaparral ou d'une pinède sèche, avec l'intention de la préserver n'est pas réaliste si on empêche les incendies périodiques. Faute de perturbation dominante, les espèces qui sont adaptées au feu sont éliminées par la compétition avec les autres espèces. La biodiversité se trouve donc réduite.

En biologie de la conservation, la question suivante est importante : vaut-il mieux aménager un grand nombre de petites réserves ou un petit nombre de grandes réserves ? L'un des arguments en faveur des petites réserves est que ce type de réserve peut ralentir la propagation de maladies entre les populations. L'un des arguments en faveur des grandes réserves est que les grands animaux qui se déplacent sur de longues distances et dont les populations sont de faible densité, comme le grizzli, ont besoin de vastes habitats. En outre, les grandes réserves

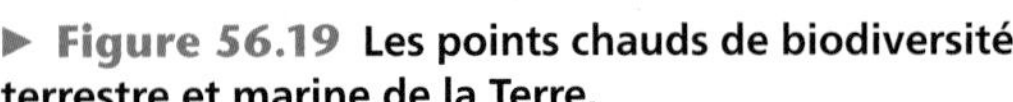

▶ **Figure 56.19 Les points chauds de biodiversité terrestre et marine de la Terre.**

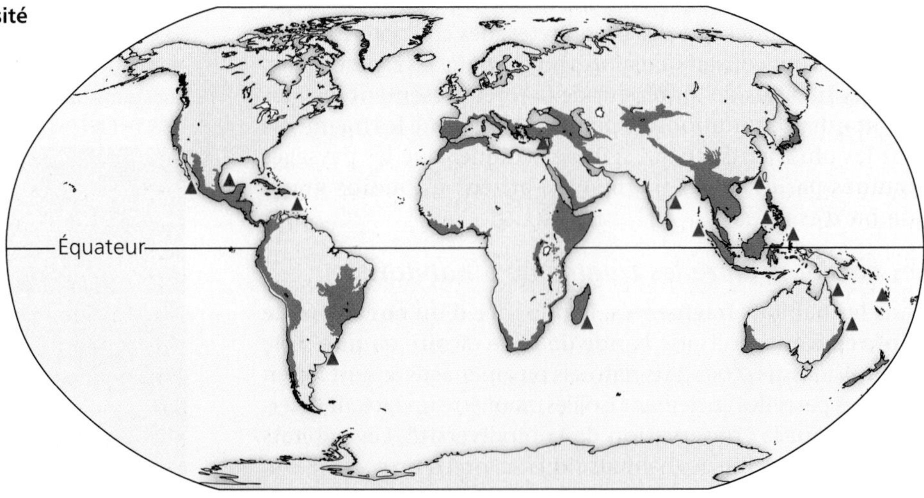

Légende

■ Points chauds terrestres ▲ Points chauds marins

possèdent des périmètres proportionnellement plus petits que les petites réserves; les lisières les touchent donc moins.

Au fur et à mesure que les biologistes de la conservation ont appris à connaître les exigences rattachées aux populations minimums viables des espèces en voie de disparition, ils se sont rendu compte que la plupart des parcs nationaux et des réserves sont beaucoup trop petits. L'aire nécessaire à la survie à long terme de la population de grizzlis de Yellowstone est plus de 11 fois supérieure à l'aire du parc national de Yellowstone. Les terres publiques et privées qui entourent les réserves devront donc contribuer à la conservation de la biodiversité.

Les réserves zonées

Plusieurs pays ont adopté une approche de la gestion des paysages fondée sur les réserves zonées. Une **réserve zonée** est une région qui a généralement une grande superficie et qui comprend au moins une zone non perturbée par les humains. Cette dernière est entourée de zones modifiées par l'activité humaine et servant à des fins économiques. Le défi principal du concept des réserves zonées est l'instauration d'un climat social et économique dans les terres environnantes qui soit compatible avec la viabilité à long terme de la zone centrale protégée. Les zones environnantes continuent de servir les activités humaines, mais des règlements empêchent les types de modifications qui pourraient endommager la zone protégée. Par conséquent, les habitats environnants servent de zones tampons empêchant une intrusion au cœur de la zone non perturbée.

Le Costa Rica, petit pays d'Amérique centrale, est devenu un chef de file mondial dans l'établissement de réserves zonées. Une entente négociée en 1987 a réduit la dette internationale du Costa Rica en échange de la préservation de terres. Le pays est maintenant divisé en 11 zones de conservation qui contiennent des parcs nationaux et d'autres aires protégées, tant terrestres que marines (**figure 56.20**). Le Costa Rica améliore constamment la gestion de ses réserves zonées. De plus, les zones tampons assurent un approvisionnement stable et durable en produits forestiers, en eau et en énergie hydroélectrique, tout en favorisant une agriculture et un tourisme durables, deux secteurs d'emploi importants pour la population locale.

Le Costa Rica compte sur son système de réserves zonées pour garder au moins 80% de ses espèces indigènes, mais ce système entraîne tout de même des problèmes. En 2003, une analyse portant sur les changements dans la couverture végétale entre 1960 et 1997 a révélé que le déboisement était négligeable à l'intérieur des parcs nationaux du Costa Rica et que la couverture forestière s'était accrue dans la zone tampon de 1 km autour des parcs. On a néanmoins découvert d'importantes pertes de couverture forestière dans les zones tampons de 10 km qui entourent tous les parcs nationaux, ce qui risque de faire de ces derniers des habitats isolés.

Bien que les écosystèmes marins soient profondément touchés par l'exploitation humaine, on trouve beaucoup moins de réserves dans les océans que sur la terre ferme. Partout dans le monde, de nombreuses populations de poissons se sont effondrées en raison de l'utilisation d'un matériel de plus en plus perfectionné permettant l'accès à presque tous les lieux de pêche potentiels. Devant cette situation, des scientifiques de la University of York, en Angleterre, ont proposé d'établir un peu partout dans le monde des réserves marines où la pêche serait interdite. Selon eux, il existe de fortes indications que ces

▼ **Figure 56.20 Les aires protégées du Costa Rica.**

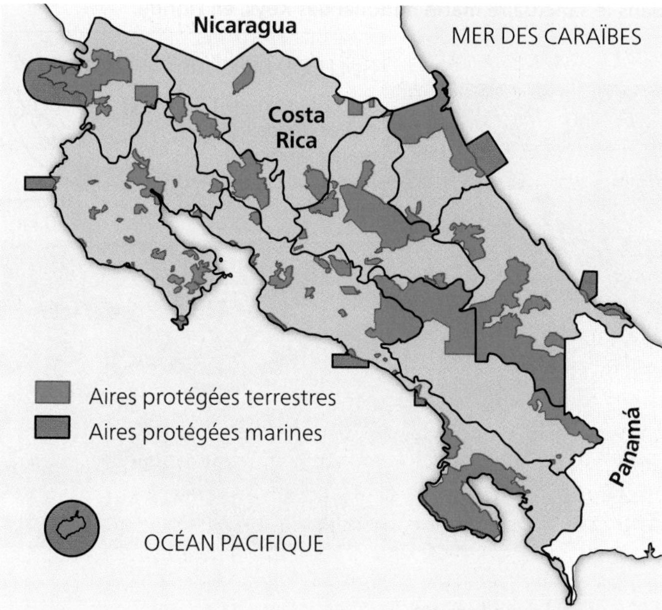

(a) Les lignes noires indiquent les limites des zones de conservation.

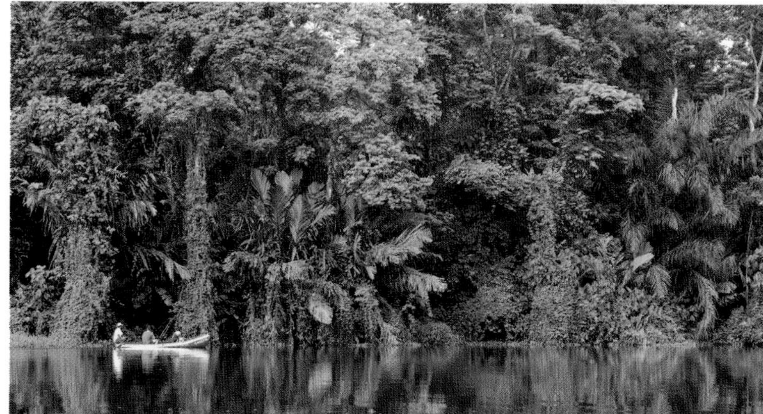

(b) Des touristes s'émerveillent de la diversité de la vie dans une aire protégée du Costa Rica.

réserves marines seraient un moyen d'augmenter les populations de poissons et d'améliorer le rendement de la pêche dans les zones adjacentes. Le système qu'ils proposent est une application contemporaine d'une pratique vieille de plusieurs siècles aux îles Fidji, où certaines zones ont traditionnellement été interdites à la pêche. Cet exemple démontre que le concept des réserves zonées ne date pas d'hier.

Les États-Unis ont adopté un tel système en créant un ensemble de 13 sanctuaires marins, dont le Florida Keys National Marine Sanctuary (sanctuaire marin national des Keys de la Floride), fondé en 1990 (**figure 56.21**). Les populations d'organismes marins, y compris celles de poissons et de homards, se sont rapidement rétablies une fois que la pêche a été interdite dans une réserve de 9 500 km^2. Aujourd'hui, des poissons plus gros et plus nombreux produisent des larves qui contribuent à repeupler les récifs coralliens et à améliorer la pêche à l'extérieur du sanctuaire. Ce regain de la vie marine dans le sanctuaire en fait aussi une destination prisée pour la plongée, ce qui accroît la valeur économique de cette réserve zonée.

▼ **Figure 56.21** **Cette plongeuse mesure la taille du corail dans le sanctuaire marin national des Keys, en Floride.**

▼ **Figure 56.22** **Des bénévoles éliminent des plantes invasives le long des rives du ruisseau urbain Guichon Creek.**

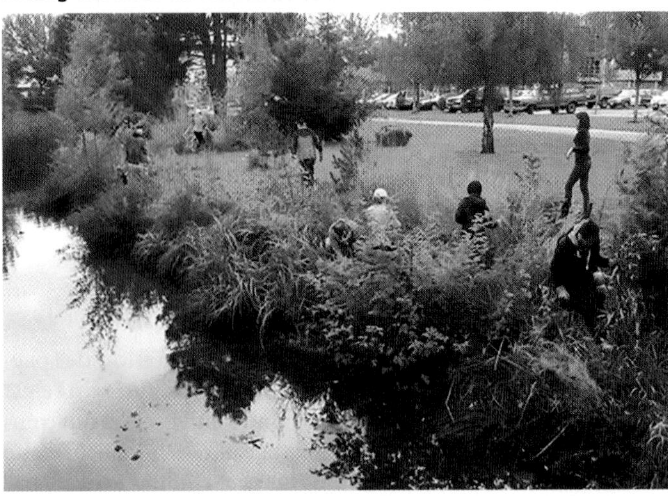

L'écologie urbaine

Les réserves zonées que nous venons de décrire combinent des habitats relativement peu perturbés par l'activité humaine avec des habitats abondamment utilisés par les humains pour des raisons économiques. C'est pourquoi de plus en plus de projets de préservation des espèces prennent en compte les zones urbaines. Ce champ d'études, appelé **écologie urbaine**, se penche sur les organismes et leurs habitats en milieu urbain.

Pour la première fois de l'histoire, plus de la moitié de la population mondiale vit dans des villes. On estime qu'en 2030, 5 milliards de personnes vivront en milieu urbain. À mesure que les villes augmentent en nombre et s'agrandissent, les aires protégées qui se trouvaient à l'origine à l'extérieur des limites des villes deviennent partie intégrante des paysages urbains. À l'heure actuelle, les milieux urbains sont des laboratoires écologiques que les scientifiques étudient en recherchant l'équilibre entre les besoins des gens et la préservation des espèces et les autres impératifs écologiques.

Les cours d'eau urbains sont l'objet de recherches importantes, notamment celles qui touchent la qualité et la circulation de leur eau et des organismes qui y vivent. Sous l'effet des pluies, le niveau des cours d'eau urbains a tendance à monter et à descendre plus rapidement que les cours d'eau naturels. Cette fluctuation rapide du niveau de l'eau est due à l'imperméabilisation des surfaces qu'on trouve dans les villes ainsi qu'aux systèmes de drainage qui acheminent l'eau le plus vite possible hors des villes pour éviter les inondations. Les cours d'eau urbains ont également tendance à contenir beaucoup de nutriments et de contaminants, et ils sont souvent détournés ou redirigés dans des réseaux souterrains.

Près de Vancouver, en Colombie-Britannique, des écologistes et une équipe de volontaires ont travaillé ensemble à la restauration d'un ruisseau appelé Guichon Creek. Après avoir stabilisé les berges, ils ont retiré les végétaux envahissants et planté des arbres et des arbustes indigènes le long du ruisseau (**figure 56.22**). Grâce à leurs efforts, l'écoulement de l'eau et les communautés d'invertébrés et de poissons vivant dans ce ruisseau ont retrouvé, à peu de choses près, le niveau qu'ils avaient il y a une cinquantaine d'années, avant la dégradation du ruisseau. Il y a quelques années, les écologistes ont également réussi à réintroduire la truite fardée (*Oncorhynchus clarkii*) dans ce cours d'eau. On l'y trouve maintenant en abondance.

À mesure que les villes s'étendront, notre compréhension des effets écologiques de cette expansion se fera plus pressante, de même que la recherche sur les habitats urbains et sur la conservation de ces habitats.

RETOUR SUR LE CONCEPT 56.3

1. En quoi consiste un point chaud de biodiversité ?
2. Comment les réserves zonées offrent-elles des incitations économiques pour la préservation à long terme des zones protégées ?
3. **ET SI ?** ▶ Imaginons qu'un promoteur suggère de déboiser une forêt qui tient lieu de corridor entre deux parcs. Le promoteur propose de compenser la disparition de la forêt en ajoutant une aire de forêt équivalente à l'un des deux parcs. En tant qu'écologiste de la conservation, comment défendriez-vous le maintien du corridor ?

Voir les réponses proposées à l'appendice A.

CONCEPT 56.4

La Terre change rapidement sous l'effet des activités humaines

Nous avons vu que la conservation des paysages et la conservation à l'échelle régionale contribuent à protéger les habitats et à préserver les espèces. Cependant, les modifications de l'environnement qu'entraînent les activités humaines posent de nouveaux défis. À cause des changements climatiques d'origine humaine, par exemple, certaines espèces vulnérables pourraient devoir vivre ailleurs, pour survivre, que dans les habitats qu'elles occupent actuellement. Que se produirait-il si un *grand nombre* d'habitats changeaient tellement vite que l'emplacement des réserves actuelles devenait inadéquat dans 10, 50 ou 100 ans pour les espèces qu'elles abritent ? Ce scénario est de plus en plus envisageable.

La présente section décrit quatre types de modifications de l'environnement causées par les activités humaines : l'enrichissement en nutriments, l'accumulation de toxines, le changement climatique et l'appauvrissement de l'ozone. Les conséquences de ces modifications et de bien d'autres sont observables non seulement dans les écosystèmes dominés par les humains, comme les villes et les régions agricoles, mais aussi dans les écosystèmes les plus reculés de la Terre.

L'enrichissement en nutriments

L'activité humaine retire souvent des nutriments d'une zone de la biosphère et les introduit ailleurs. Une personne qui mange du brocoli à Montréal, au Québec, consomme des nutriments qui se trouvaient peu de temps auparavant dans le sol d'une autre région. Quelques jours plus tard, une partie de ces nutriments se retrouvera dans les eaux du fleuve Saint-Laurent, après être passée dans le système digestif de la personne et dans l'usine d'épuration municipale. De la même façon, les nutriments contenus dans le sol des terres agricoles peuvent atteindre par ruissellement des cours d'eau et des lacs, provoquant ainsi un appauvrissement dans une région et un excès dans l'autre, et perturbant les cycles biogéochimiques naturels dans les deux.

L'exemple de l'agriculture permet de comprendre comment des activités humaines peuvent entraîner un enrichissement en nutriments. Lorsqu'on vient de retirer la végétation d'une parcelle de terre en culture, celle-ci perd une très grande partie des nutriments qu'elle contenait, car ils sont exportés vers la biomasse des récoltes. Après une période qui varie beaucoup d'un milieu à l'autre, il devient nécessaire d'amender le sol en y ajoutant des engrais. Ainsi, au début de la colonisation des prairies d'Amérique du Nord, les agriculteurs ont obtenu de bonnes récoltes pendant des décennies, car les grandes réserves de matière organique du sol continuaient à fournir des nutriments grâce à la décomposition. À l'opposé, les terres agricoles des tropiques ne sont productives que pendant une ou deux années, parce que le sol contient peu de nutriments. Malgré ces différences, la réserve de nutriments naturels finit par s'épuiser partout où on pratique la culture intensive.

Pensons à l'azote, le nutriment qui se perd le plus à cause des pratiques agricoles modernes (voir la figure 55.14). En mélangeant la terre, le labourage du sol accélère la vitesse de décomposition de la matière organique. L'azote libéré pendant la décomposition est retiré des écosystèmes au moment de la récolte. Pour compenser cette perte d'azote, il faut recourir à des engrais contenant des nitrates ou d'autres formes d'azote que les végétaux sont capables d'absorber (**figure 56.23**). Après la récolte, toutefois, il ne reste pas assez de végétaux pour absorber ces nitrates, si bien que ceux-ci sont entraînés hors de l'écosystème avec les eaux de ruissellement, comme le montre la figure 55.15.

Des études récentes indiquent que les activités humaines ont plus que doublé la réserve mondiale d'azote fixé disponible pour les producteurs. Les engrais industriels fournissent l'apport d'azote le plus important. L'utilisation de combustibles fossiles libère aussi des oxydes d'azote qui pénètrent dans l'atmosphère et se dissolvent dans l'eau de pluie ; l'azote finit par pénétrer dans les écosystèmes sous forme de nitrates. L'augmentation de la culture des légumineuses avec leurs symbiotes fixateurs d'azote est également une cause importante de l'enrichissement en azote des sols.

▼ **Figure 56.23 La fertilisation d'un champ de maïs.** Pour remplacer les nutriments retirés par les cultures, les agriculteurs doivent épandre des engrais organiques – du fumier ou du compost, par exemple – ou pulvériser des engrais synthétiques, comme ci-dessous.

Les choses se compliquent lorsque la quantité d'un nutriment dans un écosystème dépasse la **charge critique**, c'est-à-dire la quantité du nutriment ajouté – en général l'azote ou le phosphore – que les végétaux peuvent absorber sans que cela nuise à l'intégrité des écosystèmes. Par exemple, lorsque les minéraux azotés contenus dans le sol dépassent la charge critique, ils finissent par se retrouver dans les eaux souterraines ou par atteindre les écosystèmes dulcicoles ou marins par ruissellement ; ils contaminent alors les réserves d'eau et tuent les poissons. Dans la plupart des zones agricoles, les concentrations de nitrates des eaux souterraines sont aussi de plus en plus élevées et atteignent parfois des teneurs qui rendent l'eau impropre à la consommation.

De nombreux fleuves contaminés par les nitrates et l'ammonium contenus dans les eaux de ruissellement et les égouts se déversent à leur tour dans l'océan Atlantique. Les plus importantes contributions à cet égard proviennent du Nord de l'Europe et des États centraux des États-Unis. L'azote qui se déverse dans le Mississippi se retrouve dans le golfe du Mexique et entraîne chaque été une prolifération du phytoplancton. Lorsque le phytoplancton meurt, sa décomposition par les détritivores crée une vaste zone morte (ou anoxique) le long de la côte (**figure 56.24**). Dans ces conditions, les poissons et autres animaux marins disparaissent de zones marines comptant parmi les plus importantes des États-Unis sur le plan économique. Pour réduire l'étendue de la zone morte, les agriculteurs ont commencé à faire un usage plus éclairé des engrais, et les gestionnaires de la conservation des ressources restaurent les milieux humides du bassin versant du Mississippi.

Les nutriments contenus dans les eaux de ruissellement entraînent aussi l'eutrophisation des lacs (voir le concept 55.2). La prolifération des algues et des cyanobactéries ainsi que l'anoxie qui survient lorsqu'elles meurent ressemblent étroitement à ce qui se produit dans les zones marines mortes. Ces conditions menacent la survie de nombreux organismes. Ainsi, dès les années 1960, l'eutrophisation du lac Érié, combinée à la surpêche, a causé la disparition d'espèces de poissons à valeur commerciale telles que le doré bleu (*Stizostedion vitreum glaucum*), le grand corégone (*Coregonus clupeaformis*) et le touladi

▼ **Figure 56.24 La prolifération du phytoplancton causée par l'excès d'azote dans le bassin du Mississippi crée une zone morte.** Dans ces images satellites datant de 2004, le rouge et l'orange représentent des concentrations élevées de phytoplancton dans le golfe du Mexique.

(*Salvelinus namaycush*). Depuis, les règlements relatifs au rejet de déchets dans le lac sont devenus plus sévères. Quelques populations de poissons ont connu une importante augmentation. Cependant, plusieurs des espèces indigènes de poissons et d'invertébrés ne se sont pas rétablies.

La présence de produits toxiques dans l'environnement

Les humains produisent une extraordinaire variété de substances toxiques, notamment des milliers de composés synthétiques qui n'ont jamais existé à l'état naturel. Ils déversent ces substances dans la nature sans s'inquiéter des conséquences écologiques de leur geste. Les organismes absorbent les substances toxiques en même temps que l'eau et les nutriments. Ils en métabolisent ou en excrètent certaines, mais en accumulent d'autres dans leurs tissus, souvent dans les tissus adipeux. Ces substances sont particulièrement nocives, notamment parce que leur concentration tissulaire augmente à chaque niveau d'un réseau trophique. Ce phénomène de **bioamplification** s'explique par le fait que la biomasse d'un niveau trophique donné est produite à partir de la biomasse beaucoup plus grande du niveau inférieur (voir le concept 55.3). Ainsi, les organismes carnivores des niveaux supérieurs du réseau trophique sont ceux qui subissent le plus les méfaits des composés toxiques libérés dans le milieu.

Les hydrocarbures chlorés, un groupe de composés synthétisés à l'échelle industrielle, fournissent un bon exemple de bioamplification. Ces composés comprennent des substances chimiques industrielles appelées BPC (biphényles polychlorés) et de nombreux pesticides, comme le DDT (dichlorodiphényltrichloroéthane). Des recherches en cours mettent en cause beaucoup de ces composés dans les troubles du système endocrinien chez un grand nombre d'espèces animales, notamment l'humain. La bioamplification des BPC a été observée dans le réseau trophique des Grands Lacs, où les concentrations de BPC dans les œufs de goéland argenté (*Larus argentatus*), qui occupe le niveau supérieur du réseau trophique, sont presque 5 000 fois plus élevées que dans le phytoplancton, qui se trouve à la base du réseau (**figure 56.25**).

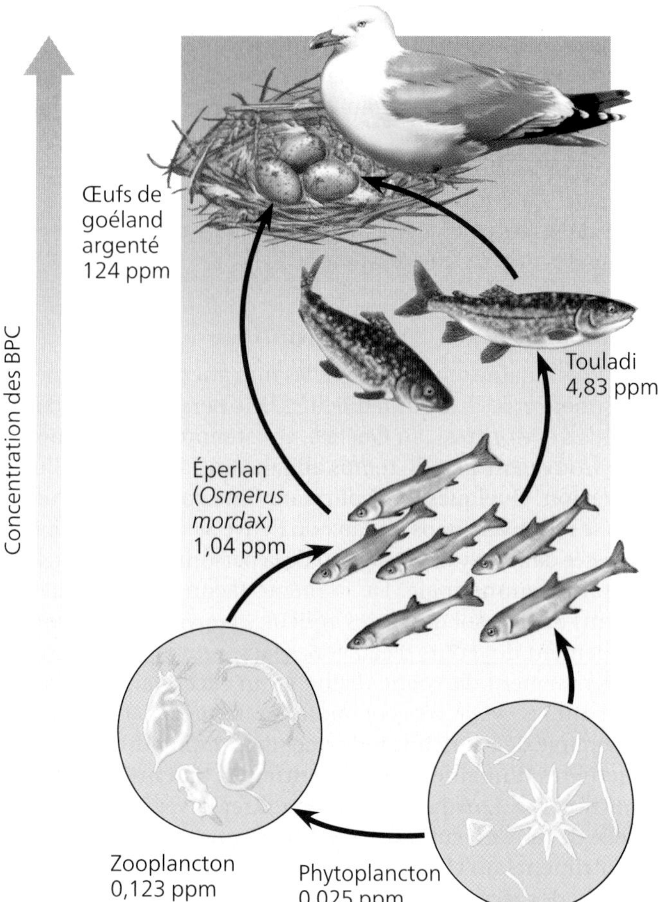

▲ **Figure 56.25 La bioamplification des BPC dans un réseau trophique des Grands Lacs.** (ppm = parties par million)

? Calculez par quel facteur la concentration de BPC a augmenté à chaque niveau du réseau trophique.

Le DDT offre un exemple tristement célèbre de bioamplification ayant porté atteinte à des carnivores des niveaux supérieurs. Le DDT servait à éliminer des insectes piqueurs, comme les moustiques (famille des culicidés), ou des parasites des cultures. Dans la décennie qui a suivi la Seconde Guerre mondiale, son utilisation s'est répandue rapidement alors que l'on ne comprenait pas encore bien ses conséquences écologiques. Dès le début des années 1950, les scientifiques ont commencé à comprendre la persistance du DDT dans l'environnement et son transport dans l'eau loin des zones d'épandage. L'un des premiers indices des graves effets écologiques du DDT a été le déclin des populations de pélicans (*Pelecanus spp.*), de balbuzards pêcheurs (*Pandion haliaetus*), de pygargues (*Haliaeetus spp.*) et d'aigles royaux (*Aquila chrysaetos*), des consommateurs quaternaires qui se trouvent au sommet de divers réseaux trophiques. L'accumulation de DDT (et de DDE, un produit de sa dégradation) dans les tissus de ces consommateurs quaternaires entravait la calcification des coquilles d'œufs. En effet, ces oiseaux brisaient leurs œufs en les couvant, et leur taux de reproduction diminuait de façon catastrophique. La publication de *Printemps silencieux*, de Rachel Carson, a contribué à alerter l'opinion publique dans les années 1960 (**figure 56.26**). Ainsi le DDT a-t-il été banni aux États-Unis en 1971. On a alors observé un spectaculaire rétablissement des populations d'espèces d'oiseaux touchées.

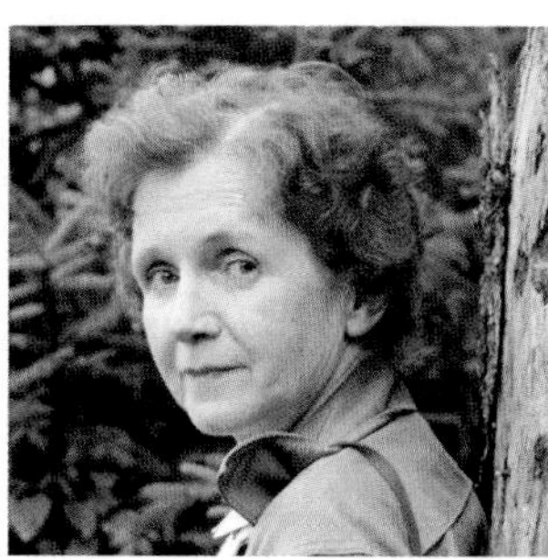

▶ Figure 56.26 Rachel Carson. Grâce à son livre et à son témoignage devant le Congrès américain, la biologiste et auteure Rachel Carson a favorisé l'émergence d'une nouvelle éthique en environnement. Ses démarches ont entraîné l'interdiction du DDT aux États-Unis et la mise en place d'une réglementation plus sévère à l'égard de l'utilisation des substances chimiques.

Dans la plupart des régions tropicales, on utilise encore le DDT pour contrôler les moustiques responsables de la transmission du paludisme et d'autres maladies. Dans ces régions, les sociétés doivent choisir entre sauver des vies humaines ou protéger d'autres espèces. L'usage parcimonieux du DDT, combiné à l'utilisation de toiles moustiquaires et d'autres moyens de protection reposant sur une technologie simple, semble constituer la meilleure approche. Le passé sombre du DDT illustre l'importance de comprendre les liens écologiques entre les maladies et les communautés (voir le concept 54.5).

Les produits pharmaceutiques forment un autre groupe de produits toxiques pour l'environnement, ce qui soulève l'inquiétude des écologistes. L'utilisation de médicaments d'ordonnance et en vente libre s'est accrue au cours des dernières années, particulièrement dans les pays industrialisés, si bien que les écosystèmes dulcicoles de la planète contiennent de nombreux produits pharmaceutiques en faibles concentrations. En effet, les gens qui utilisent ces produits en éliminent naturellement les résidus dans leurs matières fécales et leurs urines, sans compter qu'ils jettent parfois les médicaments non utilisés de manière inappropriée, par exemple dans la toilette ou l'évier. Ces médicaments et ces résidus non dégradés dans les usines de traitement des eaux usées sont alors entraînés dans les rivières et les lacs en même temps que l'eau quittant ces usines. Par ailleurs, les médicaments qu'on donne aux animaux de ferme pour stimuler leur croissance peuvent également s'introduire dans les rivières et les lacs par lessivage des terres cultivées (**figure 56.27**).

Parmi les produits pharmaceutiques étudiés par les écologistes actuellement, citons les hormones stéroïdes sexuelles, notamment les œstrogènes utilisés dans les contraceptifs. Plusieurs espèces de poissons sont si sensibles à certains œstrogènes que des concentrations d'à peine quelques parties par trillion dans leur eau suffisent pour altérer leur différenciation sexuelle et augmenter la proportion femelles-mâles de la population. Des chercheurs en Ontario, au Canada, ont réalisé une expérience d'une durée de sept ans au cours de laquelle ils ont ajouté de l'œstrogène synthétique de type contraceptif dans un lac, à des concentrations très faibles (5 ou 6 ng/L). Résultat : dans le lac étudié, l'exposition chronique des têtes-de-boule (une sorte de méné, *Pimephales promelas*) à cet œstrogène a entraîné la féminisation des mâles et la presque extinction de la population de cette espèce.

De nombreuses substances toxiques qui ne peuvent être dégradées par les microorganismes demeurent dans l'environnement pendant des années, voire des décennies. Dans d'autres cas, les composés chimiques introduits dans l'environnement sont relativement inoffensifs ; toutefois, leur réaction avec d'autres substances, l'exposition à la lumière ou le métabolisme des microorganismes les transforment en produits plus toxiques. Le mercure, un sous-produit de la fabrication du plastique et des centrales thermiques au charbon, a été systématiquement évacué dans les cours d'eau et la mer sous une forme insoluble. Or, les bactéries présentes dans les sédiments convertissent ce déchet en méthylmercure (CH_3Hg^+), un composé soluble dans l'eau extrêmement toxique qui s'accumule dans les tissus de certains organismes, dont les humains qui consomment des poissons provenant des eaux contaminées.

Les gaz à effet de serre et les changements climatiques

De nombreuses activités humaines produisent des déchets gazeux, que nous pensions autrefois pouvoir impunément libérer dans l'immensité de l'atmosphère. Aujourd'hui, évidemment, nous savons que ces déchets peuvent entraîner des **changements climatiques**, c'est-à-dire une modification directionnelle que subit le climat planétaire et qui dure au moins trois décennies (par opposition aux changements météorologiques de courte durée).

▶ Figure 56.27 Sources et déplacements des produits pharmaceutiques dans l'environnement.

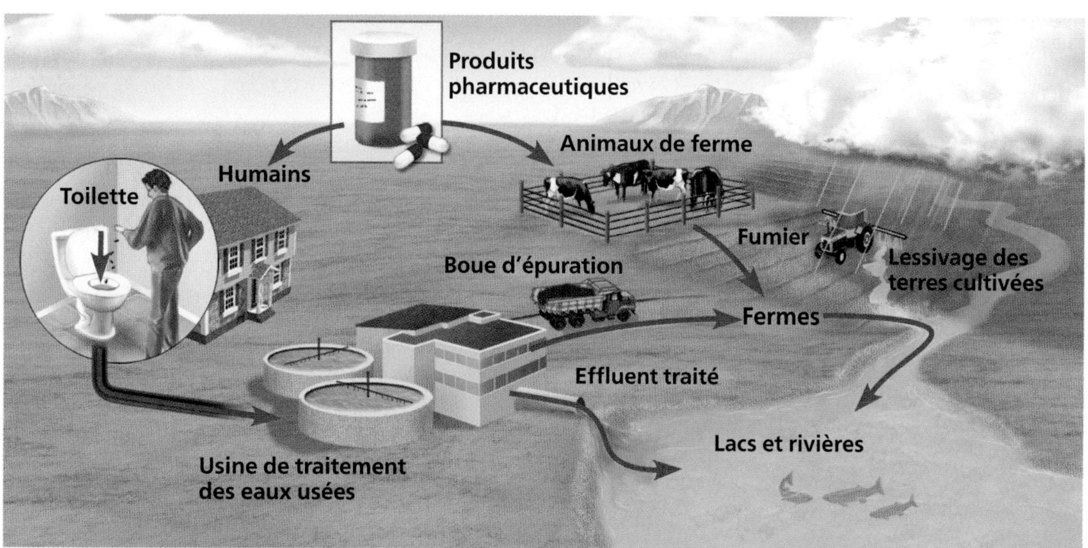

L'augmentation du CO_2 atmosphérique

Pour comprendre comment les activités humaines peuvent causer des changements climatiques, considérons la concentration atmosphérique de dioxyde de carbone (CO_2). Au cours des 150 dernières années, la concentration de CO_2 n'a cessé d'augmenter, à cause de l'utilisation des combustibles fossiles et du déboisement. Les scientifiques estiment que la concentration atmosphérique moyenne de CO_2 était d'environ 274 ppm avant 1850. En 1958, on commença à prendre des mesures très précises dans une station située au sommet du mont Mauna Loa, à Hawaï, à une altitude où l'air ne présente pas de variations attribuables aux grands centres urbains. Comme le montre la **figure 56.28**, la concentration était alors de 316 ppm. À l'heure actuelle, elle dépasse 400 ppm, ce qui représente une augmentation de plus de 45 % depuis la moitié du 19e siècle. Dans la rubrique **Habiletés scientifiques**, vous représenterez graphiquement et vous interpréterez la variation des concentrations de CO_2 sur une année et sur de plus longues périodes.

Si l'augmentation de la concentration de CO_2 des 150 dernières années préoccupe les scientifiques, c'est en raison de son lien avec l'élévation des températures sur la planète. La majeure partie du rayonnement solaire qui atteint la planète est réfléchie et renvoyée dans l'espace sous forme de rayonnement infrarouge. Mais bien que le CO_2, la vapeur d'eau et d'autres gaz à effet de serre présents dans l'atmosphère laissent passer la lumière visible, ils interceptent, absorbent et renvoient vers la Terre une bonne partie du rayonnement infrarouge préalablement réfléchi par cette dernière. Une partie de la chaleur solaire se trouve ainsi emprisonnée, un phénomène appelé **effet de serre** (**figure 56.29**). Sans l'effet de serre, la température annuelle moyenne de l'air à la surface de la Terre ne dépasserait pas −18 °C, et la vie telle que nous la connaissons n'existerait pas.

À mesure que les concentrations de CO_2 et d'autres gaz à effet de serre augmentent, une plus grande quantité de chaleur solaire est emprisonnée, ce qui élève la température de notre planète. Depuis 1900, la température de la Terre a augmenté de 0,9 °C. Selon les modèles planétaires, si le CO_2 et les autres gaz à effet de serre continuent d'augmenter au même rythme, la Terre se sera réchauffée d'au moins 3 °C encore d'ici la fin du 21e siècle.

Sous l'effet de ce réchauffement, le climat subit d'autres modifications : les vents et les régimes de précipitations sont chamboulés, et les événements météorologiques extrêmes (sécheresses, tempêtes, etc.) sont de plus en plus fréquents. Quelles sont les conséquences de ces changements sur le climat de la Terre ?

Les effets biologiques des changements climatiques

De nombreux organismes, notamment les végétaux qui ne peuvent pas se disperser rapidement sur de grandes distances ne survivront probablement pas aux rapides changements climatiques qui découleront du réchauffement planétaire. De plus, de nombreux habitats sont aujourd'hui plus fragmentés que jamais, ce qui réduit d'autant plus la capacité actuelle et future de nombreux organismes à migrer. De fait, les changements climatiques qui se sont produits jusqu'à maintenant ont *déjà* modifié les aires de répartition géographique de centaines d'espèces, entraînant parfois une diminution de la taille des populations et des aires elles-mêmes (voir le concept 52.1). Par exemple, une étude réalisée en 2015 sur 67 espèces de bourdons a montré que la distribution géographique de ces importants pollinisateurs a rétréci proportionnellement au réchauffement climatique.

Les écosystèmes du Grand Nord, particulièrement les forêts de conifères (taïgas) et la toundra sont les écosystèmes où le climat a le plus changé. La fonte de la neige et des glaces expose des surfaces plus sombres et plus absorbantes, qui renvoient moins de rayons vers l'atmosphère, ce qui accentue le réchauffement (voir la figure 56.29). À l'été 2012, un record de fonte a été enregistré : les glaces de l'océan couvraient la plus petite surface jamais mesurée ; ce record a été brisé plusieurs fois depuis, en 2016, en 2018, et bien que les glaces de l'Antarctique

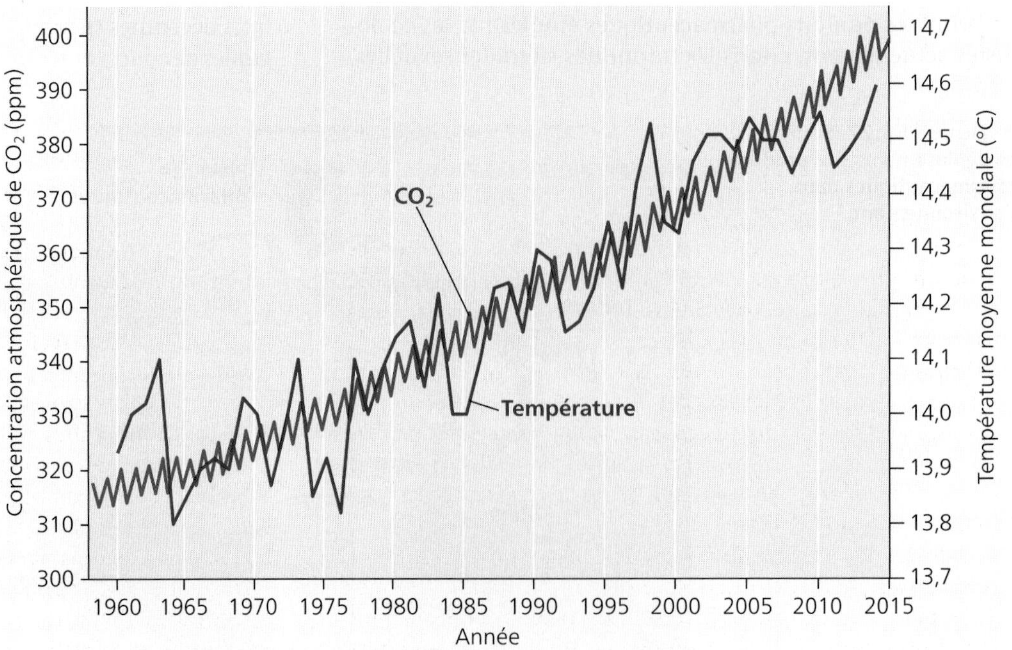

▶ **Figure 56.28 L'augmentation de la concentration atmosphérique de CO_2, à Mauna Loa (Hawaï), et températures moyennes mondiales.** En plus des fluctuations saisonnières normales, la concentration de CO_2 (en bleu) a augmenté de façon constante de 1958 à 2015. Bien que les températures moyennes fluctuent grandement (en rouge) au cours de la même période, il y a une nette tendance au réchauffement.

DÉMARCHE SCIENTIFIQUE
HABILETÉS SCIENTIFIQUES

Représenter graphiquement des données cycliques

■ COMMENT LA CONCENTRATION ATMOSPHÉRIQUE DE CO_2 VARIE-T-ELLE AU COURS D'UNE MÊME ANNÉE ET D'UNE DÉCENNIE À L'AUTRE ? ■ La courbe bleue de la figure 56.28 montre la variation de la concentration de CO_2 dans l'atmosphère de la Terre sur une période de plus de 50 ans. Pour chaque année de cette période, deux coordonnées sont représentées graphiquement, soit celle de mai et celle de novembre. On peut obtenir une représentation plus détaillée de la variation de la concentration de CO_2 avec des mesures prises à intervalles plus fréquents. Dans le présent exercice, vous représenterez graphiquement les concentrations mensuelles de CO_2 pour chacune des trois périodes d'un an.

■ RÉSULTATS ■ Le tableau ci-dessous présente les concentrations moyennes de CO_2 (en parties par million) mesurées à l'Observatoire du Mauna Loa pour chaque mois des années 1990, 2000 et 2010.

Mois	1990	2000	2010
Janvier	353,79	369,25	388,45
Février	354,88	369,50	389,82
Mars	355,65	370,56	391,08
Avril	356,27	371,82	392,46
Mai	359,29	371,51	392,95
Juin	356,32	371,71	392,06
Juillet	354,88	369,85	390,13
Août	352,89	368,20	388,15
Septembre	351,28	366,91	386,80
Octobre	351,59	366,91	387,18
Novembre	353,05	366,99	388,59
Décembre	354,27	369,67	389,68

Source des données : National Oceanic & Atmospheric Administration, Earth System Research laboratory, Global Monitoring Division.

► Un chercheur prélève un échantillon d'air à l'Observatoire du Mauna Loa, à Hawaï.

INTERPRÉTEZ LES DONNÉES ▼

1. Représentez graphiquement les données de chaque année dans un seul diagramme (ce qui donnera trois courbes, soit une courbe pour chaque année). Choisissez un type de diagramme qui convient à ces données. Pour l'axe vertical, choisissez une échelle qui vous permet de bien mettre en évidence la tendance de la variation de la concentration de CO_2, tant sur une année que d'une décennie à l'autre. (Pour en savoir davantage sur les diagrammes, consultez l'appendice F.)
2. Pour chaque année, comment varie la concentration de CO_2 ? Comment expliqueriez-vous cette tendance ?
3. Les mesures prises à l'Observatoire du Mauna Loa sont les concentrations atmosphériques moyennes de CO_2 dans l'hémisphère Nord. Supposons que vous mesuriez les concentrations de CO_2 dans des conditions semblables, mais dans l'hémisphère Sud. D'après vous, quelle tendance se dégagerait des concentrations mesurées au cours d'une année ? Expliquez votre réponse.
4. En plus des changements survenus au cours d'une même année, quel changement remarquez-vous dans la concentration de CO_2 entre 1990 et 2010 ? Calculez la concentration moyenne de CO_2 pour les 12 mois de chaque année. Par quel pourcentage cette moyenne a-t-elle changé de 1990 à 2000 et de 1990 à 2010 ?

soient relativement stables, celles de l'Arctique continuent de diminuer au cours d'étés qui se prolongent. Les modèles climatiques prévoient que d'ici quelques décennies, les glaces fondront complètement l'été venu, privant ainsi les ours polaires (*Ursus maritimus*), les phoques (famille des phocidés) et les oiseaux marins d'une partie de leur habitat. En outre, comme nous l'avons appris précédemment (voir le concept 55.2), l'augmentation des températures a fait en sorte que plusieurs régions arctiques qui étaient des *bassins* de carbone (qui absorbaient plus de CO_2 atmosphérique qu'elles n'en libéraient dans l'atmosphère) sont devenues des *sources* de carbone (qui libèrent plus de CO_2 dans l'atmosphère qu'elles n'en absorbent). Il s'agit là d'un changement préoccupant qui pourrait aggraver le réchauffement du climat.

Les forêts de conifères de l'Ouest de l'Amérique du Nord sont également gravement touchées, notamment par les températures plus chaudes, par les hivers moins neigeux et par de plus longs épisodes de sécheresse en été. Il en résulte qu'au cours de la seconde moitié du 20e siècle, les arbres sont morts en plus grand nombre chaque année dans des forêts par ailleurs en bonne santé. Les températures plus chaudes et les sécheresses plus longues et plus fréquentes ont également augmenté le risque de feux de forêt. Au cours des récentes décennies, le feu a détruit le double de la superficie habituelle des forêts boréales de l'Ouest de l'Amérique du Nord et de la Russie. Comme le climat continue de se réchauffer, il est à prévoir que la distribution géographique des précipitations connaîtra d'autres changements et que les régions agricoles du centre des États-Unis deviendront beaucoup plus sèches.

Les changements climatiques ont causé des bouleversements dans beaucoup d'autres écosystèmes. En Europe et en Asie, par exemple, la feuillaison se produit plus tôt au printemps, tandis que dans les régions tropicales, la croissance et la survie de certaines espèces de corail connaissent un déclin depuis que la température de l'eau a commencé à s'élever. La **figure 56.30** décrit plusieurs autres effets des changements climatiques.

▶ **Figure 56.29 L'effet de serre.** Le CO_2 et les autres gaz à effet de serre contenus dans l'atmosphère absorbent la chaleur émise par la surface de la Terre, puis ils la réfléchissent, de sorte qu'une bonne partie de cette chaleur est renvoyée vers la Terre.

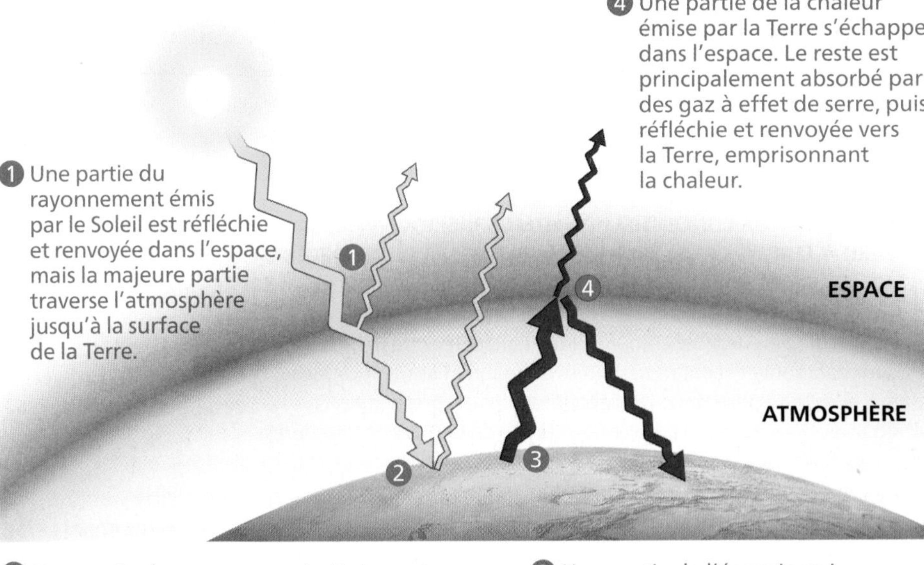

1 Une partie du rayonnement émis par le Soleil est réfléchie et renvoyée dans l'espace, mais la majeure partie traverse l'atmosphère jusqu'à la surface de la Terre.
4 Une partie de la chaleur émise par la Terre s'échappe dans l'espace. Le reste est principalement absorbé par des gaz à effet de serre, puis réfléchie et renvoyée vers la Terre, emprisonnant la chaleur.
ESPACE
ATMOSPHÈRE
1
2
3
4
2 Une partie du rayonnement atteignant la surface de la Terre est réfléchie et renvoyée dans l'espace. Le reste est majoritairement absorbé, ce qui réchauffe la surface de la Terre.
3 Une partie de l'énergie qui réchauffe la surface est ensuite émise par la Terre sous forme de chaleur.

Ce que nous devons en retenir, c'est que chacun des effets des changements climatiques peut à son tour causer une série de changements biologiques. La nature exacte de ces répercussions en cascade n'est pas toujours facile à prédire. Chose certaine, plus notre planète se réchauffera, plus ses écosystèmes s'en ressentiront.

La recherche de solutions aux changements climatiques

Nous ne pourrons ralentir le réchauffement planétaire et les autres changements climatiques qu'au prix de nombreux efforts selon différentes approches. Les progrès les plus rapides passent par l'utilisation plus efficace de l'énergie et le remplacement des combustibles fossiles par des sources d'énergie renouvelable comme l'énergie solaire, éolienne et nucléaire, bien que cette dernière soit controversée. Le charbon, le pétrole, le bois et d'autres combustibles de source organique occupent toujours une place de choix dans les sociétés industrialisées, et leur combustion libère invariablement du CO_2. La concertation internationale et des changements radicaux tant des modes de vie que des procédés industriels sont nécessaires pour stabiliser les émissions de CO_2. La concertation internationale n'a pas encore permis d'arriver à un accord mondial sur la façon de réduire les émissions de gaz à effet de serre.

La réduction du déboisement dans le monde, particulièrement dans les tropiques, constitue une autre approche importante pour ralentir le réchauffement planétaire. À l'heure actuelle, 10 % des émissions de gaz à effet de serre sont imputables au déboisement. Une recherche récente a montré qu'il était possible de réduire la vitesse du déboisement de moitié en 10 à 20 ans en payant les pays concernés afin qu'ils *cessent* de déboiser. En plus de réduire l'accumulation de gaz à effet de serre dans l'atmosphère, la diminution du déboisement permet aussi de sauvegarder les forêts indigènes et de préserver la biodiversité, ce dont tout le monde profiterait.

L'appauvrissement de l'ozone atmosphérique

Comme le CO_2 et d'autres gaz à effet de serre, la concentration d'ozone atmosphérique (O_3) a également changé en raison des activités humaines. La couche d'ozone protège la vie sur Terre contre les effets nocifs du rayonnement ultraviolet (UV). Elle se situe dans la stratosphère, à une altitude variant entre 17 et 25 km. Or, des études de l'atmosphère faites par satellite révèlent que la couche d'ozone observée au printemps au-dessus de l'Antarctique s'est amincie considérablement depuis le milieu des années 1970 (**figure 56.31**). La destruction de l'ozone atmosphérique découle principalement de l'accumulation de chlorofluorocarbones (CFC), des substances auparavant très utilisées dans les appareils réfrigérants et dans certains procédés industriels. Les atomes de chlore que libèrent les CFC dans la stratosphère réagissent avec d'autres molécules d'ozone et réduisent celles-ci en molécules d'oxygène (O_2) (**figure 56.32**). D'autres réactions chimiques libèrent ensuite le chlore, qui réagit alors avec d'autres molécules d'ozone dans une réaction catalytique en chaîne.

L'amincissement de la couche d'ozone est particulièrement visible au-dessus de l'Antarctique au printemps, alors que l'air froid et stable favorise ces réactions atmosphériques en chaîne (**figure 56.33**). L'appauvrissement en ozone ainsi que la dimension du trou de la couche d'ozone ont légèrement diminué depuis quelques années par rapport à la moyenne des 20 dernières années, mais le trou s'étend encore quelquefois jusqu'au-dessus des régions de l'extrême sud de l'Australie, de la Nouvelle-Zélande et de l'Amérique du Sud. Dans les régions plus peuplées se trouvant à des latitudes moyennes, la concentration de l'ozone a subi une diminution variant de 2 à 10 % au cours des 20 dernières années.

La diminution de la concentration d'ozone dans la stratosphère accroît l'intensité des rayons UV qui atteignent la Terre et pourrait avoir de graves conséquences pour la vie terrestre, particulièrement pour les végétaux, les animaux et les microorganismes.

▼ **Figure 56.30**

FAITES DES LIENS

Les changements climatiques ont des effets à tous les niveaux de l'organisation biologique

L'utilisation de combustibles fossiles a entraîné une dangereuse augmentation des concentrations atmosphériques de CO_2 et d'autres gaz à effet de serre (voir la figure 56.28), et cette hausse transforme progressivement le climat de la planète. Depuis 1900, la température moyenne de la Terre a augmenté d'environ 1 °C, et les événements météorologiques extrêmes sont de plus en plus fréquents dans certaines régions du globe. Quels sont les effets de ces changements sur le monde vivant ?

Les effets sur les cellules

La température influe sur la vitesse des réactions enzymatiques (voir la figure 8.17) et, par conséquent, sur la vitesse à laquelle s'effectuent la réplication de l'ADN, la division cellulaire et d'autres processus primordiaux qui se déroulent dans la cellule.

Le réchauffement de la planète et les autres changements climatiques altèrent également les réactions de défense à l'échelle cellulaire chez certains organismes. Par exemple, dans les vastes forêts de conifères de l'Ouest de l'Amérique du Nord, les changements climatiques ont affaibli la capacité des pins de se défendre contre les attaques du dendroctone du pin ponderosa (*Dendroctonus ponderosae*).

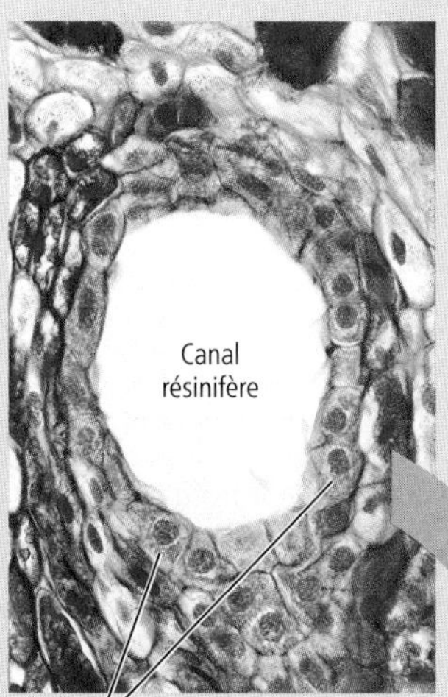

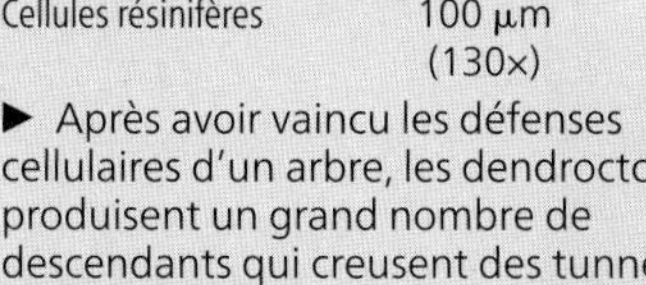

◀ Les pins ponderosa se défendent à l'aide de cellules résinifères spécialisées qui sécrètent une substance collante (résine) qui emprisonne et tue les dendroctones. Malheureusement, les cellules résinifères produisent moins de résine quand l'arbre est stressé par des températures de plus en plus chaudes et des sécheresses.

▶ Après avoir vaincu les défenses cellulaires d'un arbre, les dendroctones produisent un grand nombre de descendants qui creusent des tunnels dans le bois et blessent gravement l'arbre. De plus, les températures plus chaudes favorisent le développement des dendroctones. Ceux-ci parviennent à maturité et se reproduisent plus rapidement, si bien qu'ils deviennent de plus en plus nombreux à attaquer l'arbre. Les dendroctones peuvent également infecter l'arbre par l'intermédiaire d'un champignon nuisible qui apparaît sur le bois sous la forme de taches bleutées.

◀ Cette vue aérienne montre l'ampleur des dommages causés par les dendroctones dans une seule forêt nord-américaine. Les arbres orangés et rouges sont morts.

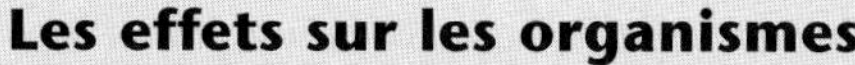

Les effets sur les organismes

Pour survivre, les organismes doivent maintenir des conditions internes relativement constantes (voir le concept 40.2). Ainsi, un individu meurt si sa température corporelle devient trop élevée. Le réchauffement de la planète augmente ce risque chez certaines espèces, ce qui entraîne une diminution de l'apport alimentaire et l'échec de reproduction.

Par exemple, le pica d'Amérique (*Ochotona princeps*) meurt si sa température corporelle augmente d'à peine 3 °C au-dessus de sa température au repos, et cela peut se produire rapidement dans les régions où les changements climatiques ont déjà causé un réchauffement notable des températures.

▶ À cause de l'augmentation des températures estivales, les picas d'Amérique passent plus de temps dans leurs tanières pour se protéger de la chaleur, de sorte qu'ils disposent de moins de temps pour trouver de la nourriture. Ce manque de nourriture a causé une augmentation du taux de mortalité et une baisse du taux de natalité. Les populations de picas ont chuté, et certaines sont en voie de disparaître. (La figure 1.12 montre un autre exemple.)

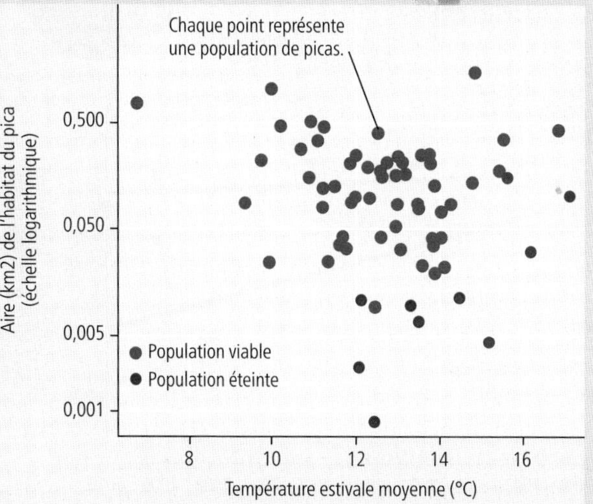

▲ Ce diagramme représente les conditions en 2015 dans 67 sites où vivaient auparavant des populations de picas. Dans 10 de ces sites, la population de picas a disparu. La plupart des extinctions ont eu lieu dans les sites où les températures estivales étaient élevées, et les habitats, petits. Les températures continuant à augmenter, l'extinction d'autres populations est à prévoir.

Suite ▶

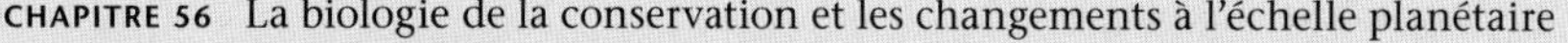

▼ Figure 56.30

FAITES DES LIENS Les changements climatiques ont des effets à tous les niveaux de l'organisation biologique (*suite*)

Les effets sur les populations

Les changements climatiques ont contribué soit à augmenter la taille de certaines populations, soit à la réduire (voir les concepts 1.1 et 46.1). En effet, certaines espèces se sont adaptées aux changements climatiques en ce qui concerne leur croissance, leur reproduction ou leur migration, mais d'autres ne se sont pas adaptées, de sorte que leurs populations font face à des pénuries de nourriture et à une réduction de leur taux de survie et de leur succès reproducteur.

Par exemple, les chercheurs ont montré qu'il existe un lien entre l'augmentation des températures et la diminution des populations de caribous (*Rangifer tarandus*) dans l'Arctique.

▲ Les populations de caribous migrent vers le nord au printemps pour donner naissance et pour se nourrir des nouvelles pousses des végétaux.

► Le céraiste des Alpes (*Cerastium alpinum*) est une plante à floraison hâtive dont dépend le caribou.

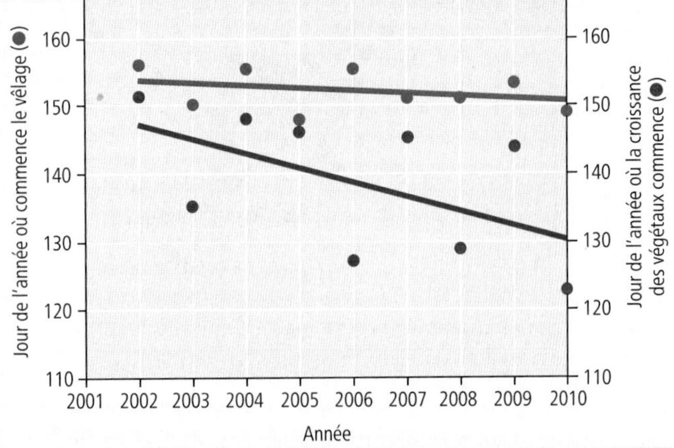

▲ Avec le réchauffement du climat, les végétaux dont dépendent les caribous émergent plus tôt au printemps. Les caribous n'ont pas modifié de façon similaire le moment où ils migrent et donnent naissance. En raison du manque de nourriture, la production de descendants a chuté par un facteur de quatre.

Les effets sur les communautés et les écosystèmes

Le climat influe sur le milieu de vie d'une espèce (voir la figure 52.9). Il n'est donc pas étonnant que les changements climatiques aient obligé des centaines d'espèces à trouver de nouveaux habitats et entraîné des modifications radicales dans les communautés écologiques. Les changements climatiques ont également altéré la productivité primaire (voir la figure 28.30) de même que le recyclage des nutriments dans les écosystèmes.

Dans l'exemple montré ici, les températures plus chaudes ont permis à une espèce d'oursin de mer d'envahir des régions au sud des côtes australiennes, si bien que les communautés marines qui occupaient les lieux ont subi des changements catastrophiques.

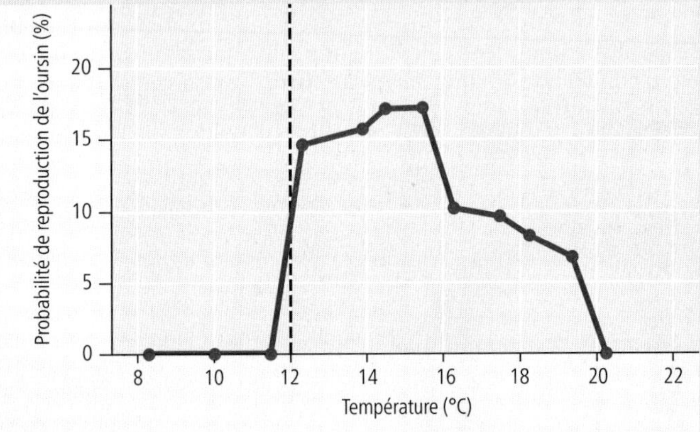

▲ Pour se reproduire avec succès, l'oursin de mer *Centrostephanus rodgersii* doit vivre dans une eau dont la température est supérieure à 12 °C, comme le montre le diagramme. Depuis que la température des eaux océaniques s'est élevée au-dessus de cette température critique, l'aire de répartition géographique de l'oursin s'est étendue vers le sud, ravageant à mesure les peuplements d'algues brunes.

◄ Cette colonisation progressive des régions du sud a causé la destruction des communautés d'algues hautement diversifiées, laissant derrière elle des régions stériles.

FAITES DES LIENS ► En plus de causer des changements climatiques, l'augmentation des concentrations de CO_2 contribue à l'acidification des océans (voir la figure 3.12). Expliquez comment l'acidification des océans peut nuire aux organismes et comment cela peut, à son tour, provoquer des bouleversements catastrophiques dans les communautés écologiques.

▼ **Figure 56.31 L'épaisseur de la couche d'ozone, en octobre, au-dessus de l'Antarctique, en unités Dobson.**

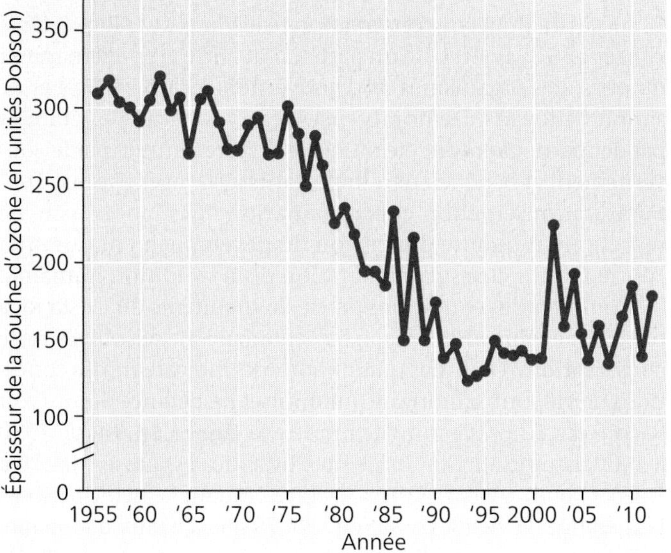

▼ **Figure 56.32 La destruction de l'ozone par le chlore libéré dans l'atmosphère.**

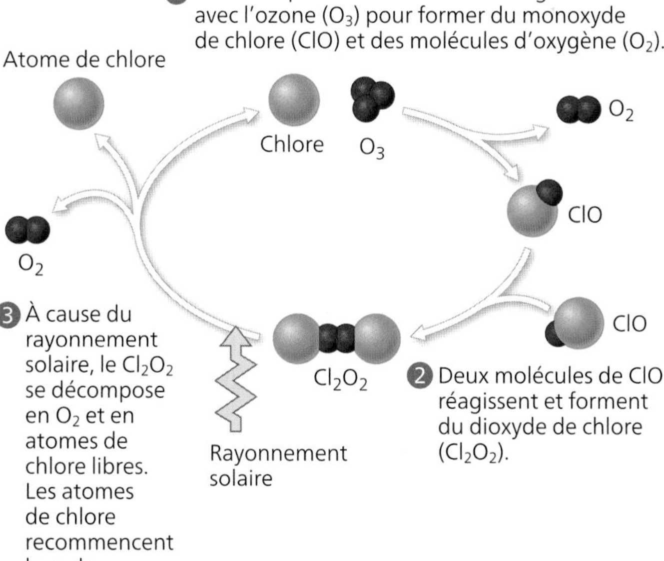

1 Le chlore provenant des CFC interagit avec l'ozone (O_3) pour former du monoxyde de chlore (ClO) et des molécules d'oxygène (O_2).
Atome de chlore
Chlore
O_3
O_2
ClO
ClO
O_2
3 À cause du rayonnement solaire, le Cl_2O_2 se décompose en O_2 et en atomes de chlore libres. Les atomes de chlore recommencent le cycle.
Cl_2O_2
2 Deux molécules de ClO réagissent et forment du dioxyde de chlore (Cl_2O_2).
Rayonnement solaire

▼ **Figure 56.33 L'amincissement de la couche protectrice d'ozone.** La tache bleue qui apparaît dans ces images est le résultat d'analyses de l'atmosphère. Elle correspond à un trou dans la couche d'ozone au-dessus de l'Antarctique.

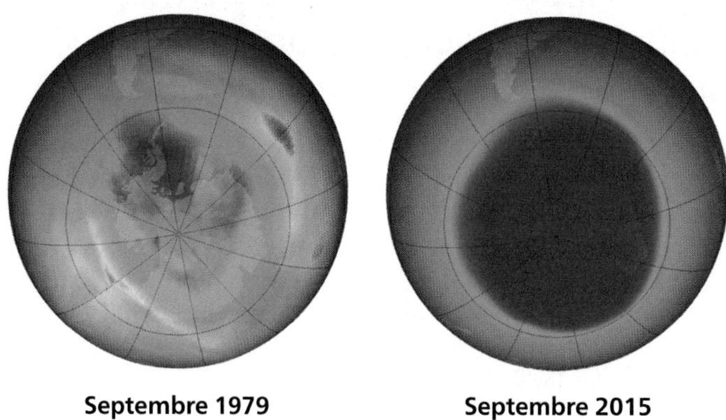

Certains scientifiques prévoient une augmentation des cataractes et de certaines formes non létales de cancers de la peau chez les humains. Ils s'attendent aussi à ce que les cultures et les communautés naturelles, particulièrement le phytoplancton qui est à l'origine d'une forte proportion de la productivité primaire, subissent des dommages difficiles à prévoir.

Afin d'étudier les conséquences de l'appauvrissement de l'ozone, des écologistes ont mené des expériences sur le terrain dans lesquelles ils ont utilisé des filtres pour réduire ou bloquer les rayons UV du soleil. L'une de ces expériences a été réalisée dans un écosystème formé de broussailles situé près de la pointe de l'Amérique du Sud. Elle a permis de constater que la quantité de rayons UV atteignant la Terre augmentait brusquement lorsque le trou de la couche d'ozone se trouvait au-dessus de la région, entraînant une hausse des dommages à l'ADN chez les végétaux qui n'étaient pas protégés par un filtre. Des scientifiques ont rapporté des dommages à l'ADN semblables et une réduction de la croissance du phytoplancton au moment de l'année où le trou de la couche d'ozone se situe au-dessus de l'océan Antarctique.

Heureusement, de nombreux gouvernements ont réagi promptement à l'égard du trou de la couche d'ozone. Depuis 1987, au moins 197 pays, dont le Canada, la France et les États-Unis, ont ratifié le Protocole de Montréal, qui régit l'utilisation des substances chimiques responsables de l'appauvrissement de la couche d'ozone. La majorité des pays, y compris le Canada, ont cessé la production de CFC. Depuis l'application de ces mesures, les concentrations de chlore dans la stratosphère se sont stabilisées, et l'appauvrissement de l'ozone a ralenti. Cependant, même si les émissions de CFC sont maintenant quasi nulles, les molécules de chlore déjà présentes dans l'atmosphère continueront d'influer sur la concentration d'ozone stratosphérique pendant au moins 50 ans.

La destruction partielle de la couche d'ozone n'est qu'un autre exemple montrant à quel point les activités humaines peuvent perturber la dynamique des écosystèmes et la biosphère. Elle montre aussi notre capacité à résoudre des problèmes environnementaux lorsque nous nous y attaquons sérieusement.

RETOUR SUR LE CONCEPT 56.4

1. Comment la présence d'un excès de nutriments minéraux dans un lac peut-elle menacer les populations de poissons qui y vivent ?
2. **FAITES DES LIENS ▶** Les sols des forêts de conifères (taïgas) et de la toundra contiennent de vastes réserves de matière organique. Expliquez pourquoi les scientifiques qui étudient le réchauffement planétaire surveillent étroitement ces réserves (voir la figure 55.14).
3. **FAITES DES LIENS ▶** Les mutagènes sont des agents chimiques ou physiques qui provoquent des mutations génétiques (voir le concept 17.5). Comment la réduction de la concentration d'ozone atmosphérique augmente-t-elle la probabilité de mutations chez divers organismes ?

Voir les réponses proposées à l'appendice A.

CONCEPT **56.5**

Le développement durable permet à la fois d'améliorer la condition humaine et de conserver la biodiversité

Devant la disparition et la fragmentation croissantes des habitats, les changements que subit l'environnement physique de la planète, les changements climatiques et l'accroissement de la population humaine (voir le concept 53.6), nous n'avons d'autres choix que de faire de difficiles compromis en matière de gestion des ressources mondiales. Il est impossible de préserver toutes les parcelles d'habitat, si bien que les biologistes doivent aider les sociétés à établir des priorités en matière de conservation en déterminant les parcelles les plus cruciales. Idéalement, le respect de ces priorités devrait améliorer la qualité de vie des populations locales. Les écologistes utilisent le concept de *durabilité* pour définir des priorités de conservation à long terme.

Le développement durable

Pour sauver des espèces de l'extinction et améliorer la qualité de la vie humaine, nous devons comprendre les relations d'interdépendance au sein de la biosphère. À cette fin, un grand nombre de pays, sociétés scientifiques et autres regroupements ont adopté le concept de **développement durable**, c'est-à-dire un développement économique qui répond aux besoins des sociétés humaines actuelles sans diminuer la capacité des générations futures de combler les leurs. Par exemple, l'Ecological Society of America, qui est la plus grande association d'écologistes professionnels au monde, a adopté un programme de recherche appelé Sustainable Biosphere Initiative (Initiative pour une biosphère durable). L'objectif est de définir et d'acquérir les connaissances écologiques fondamentales nécessaires à la gestion, à la conservation et au développement des ressources de la Terre de manière aussi responsable que possible. Il est question d'effectuer des études sur les changements à l'échelle planétaire, notamment sur les rapports entre le climat et les processus écologiques, sur la biodiversité et sur son rôle dans le maintien des processus écologiques, ainsi que sur les moyens de maintenir la productivité des écosystèmes naturels et artificiels. Le programme exige un engagement ferme de ressources humaines et économiques.

Le développement durable est un ambitieux projet. Pour maintenir les processus des écosystèmes et freiner la perte de biodiversité, nous devons faire le lien entre les sciences de la vie et les sciences sociales, économiques et humaines. Nous devons également réévaluer nos valeurs personnelles. Les personnes qui vivent dans les pays les plus riches ont une empreinte écologique plus grande que les populations des pays en voie de développement (voir le concept 53.6). En tenant compte, dans nos décisions, de ce que coûte la consommation à long terme, nous pouvons redécouvrir la valeur des écosystèmes qui assurent notre survie. L'étude de cas qui suit illustre comment, en alliant les efforts scientifiques et les efforts personnels, on peut apporter les importants changements indispensables à la création d'un monde véritablement durable.

Étude de cas: *le développement durable au Costa Rica*

Le succès du projet de conservation réalisé au Costa Rica (voir le concept 56.3) a nécessité un partenariat entre le gouvernement du pays, des organismes non gouvernementaux (ONG) et de simples citoyens. De nombreuses réserves naturelles établies par des particuliers ont été officiellement reconnues par le gouvernement et bénéficient d'importants avantages fiscaux. Toutefois, la conservation et la restauration de la biodiversité ne représentent qu'une dimension du développement durable; l'autre facteur clé est l'amélioration de la condition humaine.

Comment les conditions de vie des habitants du Costa Rica ont-elles évolué alors que le pays poursuivait ses objectifs de conservation? Deux des plus importants indicateurs des conditions de vie sont la mortalité infantile et l'espérance de vie (voir le concept 53.6). Comme le montre la **figure 56.34**, de 1930 à 2009, la mortalité infantile du Costa Rica est passée de 170 à 9 décès pour 1 000 naissances vivantes; durant la même période, l'espérance de vie est passée de 43 à 79 ans. Le taux d'alphabétisme est un autre indicateur des conditions de vie. En 2011, ce taux était de 96 % au Costa Rica, comparativement à 82 % dans les six autres pays d'Amérique centrale. Ces statistiques montrent que les conditions de vie au Costa Rica se sont grandement améliorées pendant la période au cours de laquelle le pays s'est consacré à la conservation et à la restauration. Bien que ces résultats ne prouvent pas que la conservation *entraîne* l'amélioration du bien-être des humains, on peut affirmer que le développement de ce pays a été axé à la fois sur la nature *et* sur les personnes.

L'avenir de la biosphère

La vie moderne est très différente de celle des humains primitifs, qui étaient chasseurs-cueilleurs. Les premières murales peintes sur les parois des cavernes (**figure 56.35a**) et les représentations stylisées de la vie qu'ils sculptaient dans les os ou l'ivoire (**figure 56.35b**) témoignent de leur lien étroit avec la nature.

▼ **Figure 56.34 La mortalité infantile et l'espérance de vie à la naissance au Costa Rica.**

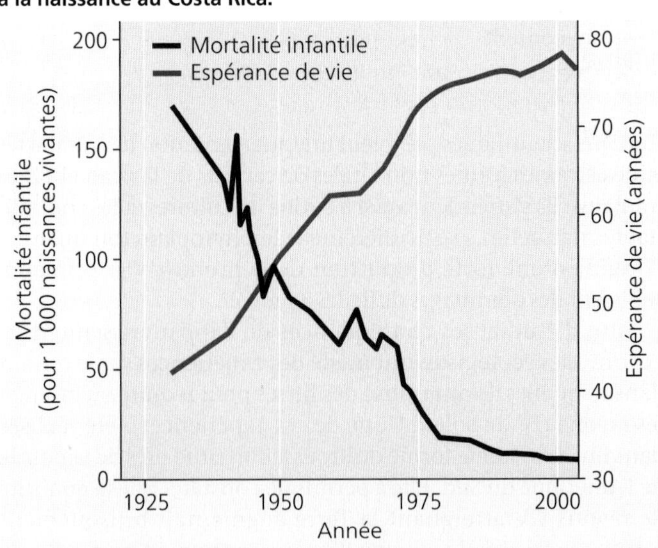

▼ Figure 56.35 **La biophilie passée et présente.**

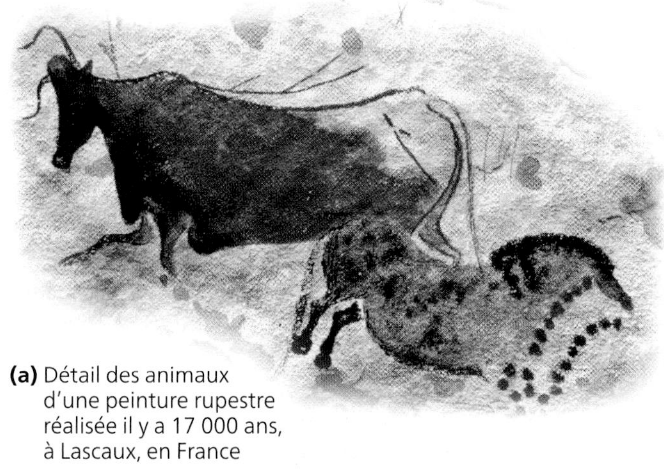

(a) Détail des animaux d'une peinture rupestre réalisée il y a 17 000 ans, à Lascaux, en France

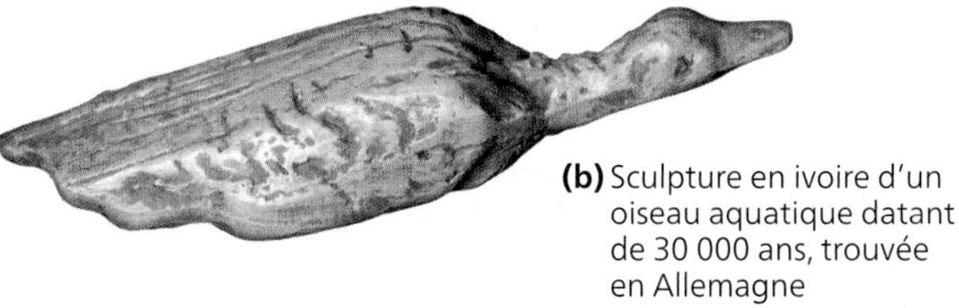

(b) Sculpture en ivoire d'un oiseau aquatique datant de 30 000 ans, trouvée en Allemagne

(c) Des amants de la nature lors d'une excursion d'observation

(d) Un jeune biologiste et un oiseau chanteur

Nos habitudes de vie reflètent l'attachement ancestral que nous avons pour la nature et la biodiversité, attachement que décrit le concept de *biophilie* que nous avons abordé au début du chapitre. Notre évolution s'est faite dans des milieux naturels riches en biodiversité, auxquels nous sommes toujours attachés (**figure 56.35c** et **d**). En fait, notre biophilie pourrait bien être innée. Elle est un produit qui a évolué avec la sélection naturelle et qui a agi sur des espèces intelligentes dont la survie dépendait d'un lien étroit avec l'environnement et de la connaissance pratique des végétaux et des animaux.

Notre amour de la vie guide le domaine de la biologie d'aujourd'hui. Nous célébrons la vie lorsque nous déchiffrons le code génétique propre à chaque espèce. Nous embrassons la vie lorsque nous utilisons les fossiles et l'ADN pour documenter l'évolution dans le temps. Nous préservons la vie lorsque nous classifions et protégeons les millions d'espèces de la Terre. Nous respectons la vie lorsque nous faisons un usage responsable et respectueux de la nature pour améliorer notre mieux-être.

La biologie est l'expression scientifique de notre désir de connaître la nature. Nous préserverons très probablement ce que nous apprécions, et apprécierons très probablement ce que nous comprenons. En étudiant les processus et la diversité de la vie, nous ne pourrons faire autrement qu'approfondir notre connaissance de nous-mêmes et de notre place dans la biosphère. Nous espérons que ce manuel vous aidera dans cette aventure de toute une vie.

RETOUR SUR LE CONCEPT 56.5

1. Qu'entend-on par *développement durable* ?
2. Comment la biophilie peut-elle nous pousser à conserver les espèces et à restaurer les écosystèmes ?
3. **ET SI ?** ▶ Imaginons qu'on découvre une nouvelle activité de pêche et qu'on vous désigne responsable de son développement durable. Quelles données écologiques relatives à la population de poissons concernée souhaiterez-vous connaître ? Selon quels critères définirez-vous le développement de cette pêche ?

Voir les réponses proposées à l'appendice A.

RÉVISION DU CHAPITRE 56

Consultez votre MANUEL NUMÉRIQUE, qui vous donne accès aux **animations**, aux **exercices** et à la plateforme d'**anatomie interactive**.

Résumé des concepts clés

CONCEPT **56.1**

Les activités humaines menacent la biodiversité de la Terre (p. 1384 à 1390)

- La biodiversité comprend trois niveaux:

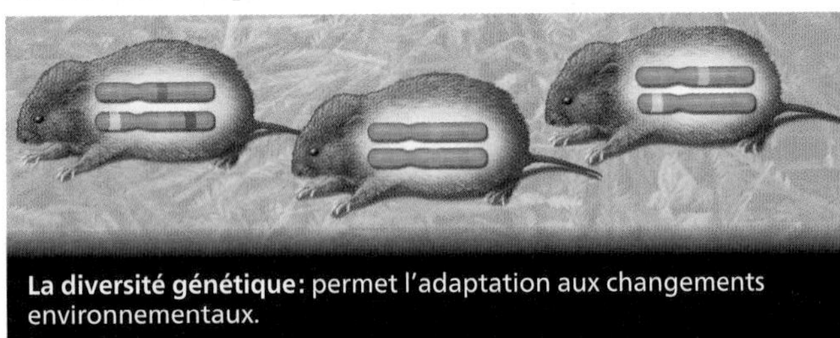

La diversité génétique: permet l'adaptation aux changements environnementaux.

La diversité des espèces: assure le maintien des communautés et des réseaux trophiques.

La diversité des écosystèmes: rend des services essentiels à la vie.

- Notre biophilie nous porte à valoriser la biodiversité pour ce qu'elle est. De plus, les autres espèces fournissent aux humains de la nourriture, des fibres, des médicaments ainsi que des **écoservices**.
- Les quatre principales menaces pour la biodiversité sont la disparition d'habitats, les **espèces introduites**, la surexploitation et les changements à l'échelle planétaire.

? Donnez au moins trois exemples d'écoservices essentiels que la nature nous procure.

CONCEPT **56.2**

La conservation des populations est axée sur leur taille, leur diversité génétique et leur habitat essentiel (p. 1390 à 1394)

- Quand une population diminue au point d'atteindre une valeur inférieure à celle de la **population minimum viable** (**PMV**), sa perte de variation génétique attribuable aux accouplements sélectifs et à la dérive génétique peut l'enfermer dans une **spirale d'extinction**.
- L'approche des populations en déclin s'intéresse aux facteurs écologiques qui causent le déclin, sans égard à la taille absolue de la population. C'est une stratégie de conservation proactive qui s'applique étape par étape.
- La conservation des espèces nécessite souvent la résolution de conflits entre les besoins en habitats des **espèces en voie de disparition** et les besoins des humains.

? Pourquoi la population minimale viable est-elle plus petite pour une population génétiquement diverse que pour une population présentant une diversité génétique moindre?

CONCEPT **56.3**

La conservation des paysages et la conservation à l'échelle régionale contribuent à maintenir la biodiversité (p. 1394 à 1398)

- La structure d'un paysage peut avoir une forte incidence sur la biodiversité. Lorsque la fragmentation des habitats augmente et que les lisières s'étendent, la biodiversité tend à diminuer. Les **corridors de déplacement** peuvent favoriser la dispersion et contribuer à maintenir les populations.
- Les territoires qu'on appelle **points chauds de biodiversité** sont également les points chauds de l'extinction. Par conséquent, ce sont des candidats de premier ordre pour la protection. La préservation de la biodiversité dans les parcs et les réserves nécessite l'application de mesures visant à faire en sorte que les activités humaines dans les paysages environnants ne nuisent pas aux habitats protégés. Le système des **réserves zonées** tient compte du fait que les initiatives de conservation impliquent souvent une intervention dans des paysages que l'activité humaine a considérablement transformés.
- L'**écologie urbaine** est l'étude des organismes et de leurs habitats en milieu essentiellement urbain.

? À l'aide de deux exemples, démontrez comment la fragmentation des habitats peut nuire à long terme à certaines espèces.

CONCEPT **56.4**

La Terre change rapidement sous l'effet des activités humaines (p. 1398 à 1407)

- L'agriculture retire des nutriments des écosystèmes et nécessite l'utilisation de grandes quantités d'engrais. Les nutriments contenus dans les engrais peuvent polluer les eaux souterraines et les eaux de surface des écosystèmes aquatiques, où ils peuvent favoriser la prolifération excessive d'algues (eutrophisation).
- Le rejet de déchets toxiques et de produits pharmaceutiques a pollué l'environnement avec des substances nocives qui y restent souvent longtemps et deviennent de plus en plus concentrées par **bioamplification** dans les niveaux supérieurs des réseaux trophiques.
- L'utilisation de combustibles fossiles ainsi que d'autres activités humaines sont à l'origine d'une augmentation constante de la concentration atmosphérique de CO_2 et d'autres gaz à effet de serre. Cette augmentation a entraîné des **changements climatiques**, dont un réchauffement planétaire important et une modification des régimes de précipitation. Les changements climatiques ont déjà commencé à nuire à de nombreux écosystèmes.

- La couche d'ozone réduit la pénétration du rayonnement ultraviolet dans l'atmosphère. Les activités humaines, particulièrement le rejet de polluants chlorés, ont aminci la couche d'ozone, mais les politiques gouvernementales contribuent à remédier au problème.

? Au regard de la bioamplification des substances toxiques, est-il plus sain de s'alimenter aux niveaux trophiques inférieurs ou supérieurs ? Expliquez votre réponse.

CONCEPT 56.5

Le développement durable permet à la fois d'améliorer la condition humaine et de conserver la biodiversité (p. 1408 et 1409)

- L'objectif de la Sustainable Biosphere Initiative (Initiative pour une biosphère durable) est d'acquérir les connaissances écologiques nécessaires au développement, à la gestion et à la conservation des ressources de la Terre.
- Le succès du projet de conservation de la biodiversité du Costa Rica a nécessité un partenariat entre le gouvernement, divers organismes et de simples citoyens. Dans ce pays, les conditions de vie se sont améliorées parallèlement à la poursuite des objectifs de conservation.
- En connaissant mieux les processus biologiques et la diversité de la vie, nous prenons conscience de notre lien étroit avec l'environnement et de la valeur des autres organismes qui y vivent.

? Pourquoi la durabilité est-elle un objectif important pour les biologistes de la conservation ?

Évaluation

NIVEAU 1 : CONNAISSANCES ET COMPRÉHENSION

1. Parmi les propositions suivantes, laquelle indique le mieux qu'une population est dans une spirale d'extinction ?
a) Il s'agit d'un prédateur rare, de niveau supérieur.
b) Sa taille efficace est inférieure à sa taille totale.
c) Sa diversité génétique est très faible.
d) Elle est mal adaptée aux lisières.

2. La principale cause de l'augmentation de la concentration de CO_2 dans l'atmosphère au cours des 150 dernières années est :
a) l'augmentation de la productivité primaire à l'échelle mondiale.
b) l'augmentation de la récolte sur pied à l'échelle mondiale.
c) une augmentation de la quantité de rayonnement infrarouge absorbé par l'atmosphère.
d) la combustion de quantités accrues de bois et de combustibles fossiles.

3. Quelle est la plus grande menace pour la biodiversité ?
a) La surexploitation d'espèces d'importance commerciale.
b) L'altération, la fragmentation et la destruction des habitats.
c) Les espèces introduites qui entrent en compétition avec les espèces indigènes.
d) Les nouveaux agents pathogènes.

NIVEAU 2 : APPLICATION ET ANALYSE

4. Parmi les phénomènes suivants, lequel est une conséquence de la bioamplification ?
a) Les prédateurs qui occupent les niveaux trophiques supérieurs sont les plus touchés par les substances toxiques.
b) Les populations de prédateurs des niveaux supérieurs sont généralement plus petites que les populations de producteurs.
c) Dans un écosystème, la biomasse des producteurs est en général plus élevée que celle des consommateurs primaires.
d) Seule une petite partie de l'énergie absorbée par les producteurs est transmise aux consommateurs.

5. Parmi les stratégies suivantes, laquelle ferait augmenter le plus rapidement la diversité génétique d'une population se trouvant dans une spirale d'extinction ?
a) Établir une réserve pour protéger l'habitat de la population.
b) Introduire des individus provenant d'autres populations de la même espèce.
c) Stériliser les individus les plus mal adaptés dans la population.
d) Limiter les populations de prédateurs et de compétiteurs de l'espèce en voie de disparition.

6. Parmi les énoncés suivants sur les aires protégées établies pour préserver la biodiversité, lequel est *faux* ?
a) Actuellement, nous protégeons 25 % des terres émergées de la planète.
b) Les parcs nationaux ne constituent qu'un des nombreux types d'aires protégées.
c) La gestion d'une aire protégée doit être coordonnée avec la gestion des terres situées en périphérie de cette aire.
d) Il est particulièrement important de protéger les points chauds de biodiversité.

NIVEAU 3 : SYNTHÈSE ET ÉVALUATION

7. **FAITES UN DESSIN ▶** Imaginez que vous devez faire le plan d'une réserve forestière. L'un de vos principaux objectifs consiste à sauvegarder les populations locales d'oiseaux forestiers du parasitisme des vachers à tête brune. Vous savez que les femelles des vachers à tête brune hésitent généralement à pénétrer à plus de 100 m dans une forêt et que le parasitisme diminue lorsque les oiseaux forestiers limitent leur aire de nidification aux régions centrales plus denses des forêts. La réserve dont vous vous occupez mesure environ 6 000 m d'est en ouest et 3 000 m du nord au sud. À l'ouest, elle est bordée par un pâturage déboisé et, dans le coin sud-ouest, par une terre agricole de 500 m. Une forêt intacte entoure la réserve sur le reste du pourtour. Vous devrez aménager une route de 10 m de large qui traversera la réserve sur une distance de 3 000 m, du nord au sud, et construire un petit bâtiment d'entretien qui devrait occuper environ 100 m^2. Tracez une carte de la réserve et indiquez-y où vous construirez la route et le bâtiment afin de réduire au minimum le potentiel d'intrusion des vachers à tête brune par les ouvertures ainsi créées. Expliquez votre raisonnement.

Voir les réponses proposées à l'appendice A.

Appendice A Réponses

CHAPITRE 1

Questions des figures

Figure 1.4 L'échelle graphique mesure environ 8,5 mm de longueur et correspond à 1 μm. La cellule procaryote mesure environ 2 cm de longueur, soit 20 mm. En divisant cette valeur par 8,5 mm/échelle graphique, on trouve que la longueur de la cellule procaryote correspond à environ 2,4 échelles graphiques. Chaque échelle graphique représente 1 μm, donc la cellule procaryote mesure 2,4 μm de longueur. La cellule eucaryote mesure environ 82 μm dans sa plus longue dimension (du coin inférieur gauche au coin supérieur droit), divisé par 8,5 mm/échelle graphique = 9,6 échelles graphiques, donc 9,6 μm.
Figure 1.10 La réponse de l'organisme est l'absorption de glucose par les cellules et le stockage de glucose par les cellules du foie. Le stimulus initial est l'augmentation de la glycémie (taux de glucose sanguin), qui diminue lorsque les cellules absorbent le glucose.
Figure 1.18

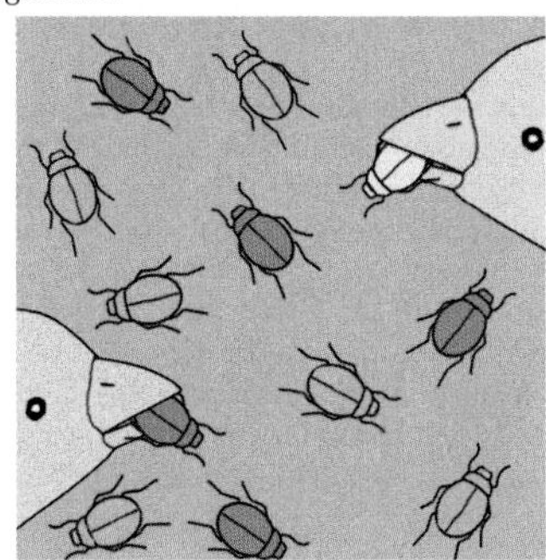

À mesure que le sol pâlira, les coccinelles dont la couleur s'en rapprochera échapperont à la vue des oiseaux et, donc, ne se feront pas manger. Par exemple, lorsque le sol sera brun moyen, les oiseaux verront et mangeront les coccinelles plus foncées et les coccinelles plus pâles qu'il restera (la plupart des coccinelles plus pâles, sinon toutes, auront déjà été mangées, mais d'autres naîtront en raison de la variation au sein de la population). Donc, au fil du temps, à mesure que le sol pâlira, la population de coccinelles deviendra plus pâle également.
Figure 1.25 Sur la plage, les prédateurs ont attaqué environ 25 souris de couleur claire et 75 souris de couleur foncée. À l'intérieur des terres, c'est le contraire : ils ont attaqué environ 75 souris de couleur claire contre 25 souris de couleur foncée.

Retour sur le concept 1.1

1. Exemples : Une molécule est un groupe d'*atomes* liés ensemble. Un organite est un arrangement ordonné de *molécules* à l'intérieur d'une cellule. Les cellules végétales photosynthétiques contiennent des *organites* appelés chloroplastes. Un tissu animal est un groupe de *cellules* similaires. Un organe comme le cœur est formé de plusieurs *tissus*. Un organisme complexe se compose de plusieurs types d'*organes*, par exemple les feuilles et les racines dans le cas d'une plante. Une population est un groupe d'*organismes* de la même espèce. Une communauté biologique est un groupe de *populations* de différentes espèces vivant dans une même région. Un écosystème comprend à la fois une *communauté* biologique et les facteurs non vivants nécessaires à la vie, comme l'air, le sol et l'eau. La biosphère se compose de tous les *écosystèmes* de la planète. **2.** (a) De nouvelles propriétés émergent quand on passe d'un niveau d'organisation biologique au niveau supérieur. La structure et la fonction sont corrélées. (b) Les processus de la vie comprennent l'expression et la transmission de l'information génétique. (c) Le transfert et la transformation d'énergie et de matière sont essentiels à la vie. **3.** Quelques réponses possibles : *Organisation (propriétés émergentes) :* Pour pouvoir pomper du sang, le cœur humain doit être en état de fonctionner ; cette aptitude n'est pas attribuable à l'un des tissus cardiaques ou au seul travail des cellules. *Organisation (structure et fonction) :* Grâce à ses puissantes mâchoires et à ses dents acérées, le loup est capable de mordre dans sa proie et de la démembrer. *Information :* La couleur de l'œil humain est déterminée par la combinaison des gènes transmis par les deux parents. *Transfert d'énergie et de matière :* Un végétal, comme l'herbe, absorbe l'énergie du soleil et la transforme en molécules qui servent de réserves de carburant. Les animaux peuvent manger de l'herbe et en tirer l'énergie nécessaire pour mener à bien leurs activités. *Mécanismes de régulation :* Lorsque vous avez assez mangé, votre estomac avertit votre cerveau de réduire votre appétit. *Interactions (écosystèmes) :* Une souris mange de la nourriture, par exemple des noix ou de l'herbe, et rejette une partie de la nourriture consommée sous forme d'excréments ou d'urine. La construction d'un nid modifie l'environnement physique et peut hâter la dégradation de certains de ses composants. La souris peut être un prédateur ou constituer une source de nourriture.

Retour sur le concept 1.2

1. La sélection naturelle fait un « tri » parmi les variations spontanées des caractères héréditaires au sein d'une population parce que les individus qui présentent les caractères les mieux adaptés à l'environnement survivent et leur descendance est plus nombreuse que celle de leurs congénères. Au fil des générations, les individus les mieux adaptés se perpétuent et leur pourcentage au sein de la population augmente, alors que le nombre d'individus moins adaptés diminue. Nous assistons donc à une forme de tri. **2.** Voici une explication possible : L'ancêtre du géospize olive a vécu longtemps sur une île où les insectes formaient une abondante source de nourriture. Les individus de la population ancestrale présentaient vraisemblablement des variations dans la forme et la taille du bec, mais les individus dotés d'un long bec effilé parvenaient davantage à saisir les insectes et à s'en nourrir, de sorte qu'ainsi mieux nourris, ils ont donné naissance à plus de petits que les géospizes au bec trapu. Leurs nombreux descendants ont hérité de longs becs effilés (en raison de l'information génétique transmise de génération en génération, ce que Darwin ignorait alors). D'une génération à l'autre, les oiseaux dont la forme du bec était la mieux adaptée pour saisir des insectes ont mangé davantage et ont eu plus de descendants. Et donc, le géospize olive d'aujourd'hui possède un bec effilé parfaitement adapté à sa source de nourriture, en l'occurrence des insectes. **3.**

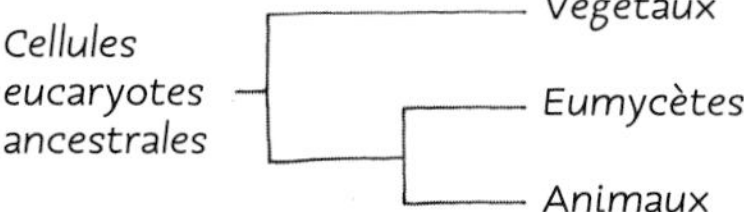

Retour sur le concept 1.3

1. L'observation selon laquelle la couleur du pelage des souris, dans chacune des deux populations, ressemble à celle de l'environnement. **2.** Le raisonnement inductif découle de généralisations formulées à partir de cas particuliers ; le raisonnement déductif prédit des résultats particuliers à partir de prémisses générales. **3.** La théorie scientifique est habituellement plus générale qu'une hypothèse et s'appuie sur un ensemble de données beaucoup plus vaste. La sélection naturelle est une notion explicative qui s'applique à tous les types d'organismes et qui s'appuie sur une quantité colossale de preuves de toutes sortes. **4.** D'après les résultats présentés à la figure 1.25, vous pourriez prédire que le pelage des souris des régions sablonneuses serait plus clair et que celui des souris des régions rocheuses serait plus foncé. Et, en fait, c'est exactement ce que les chercheurs ont constaté. Vous pourriez prédire que les souris sont capturées moins souvent dans leur habitat natif que dans un autre habitat. (Les travaux de recherche confirment également cette observation.) Vous pourriez reproduire l'expérience de Hoekstra avec de fausses souris dont les couleurs ressembleraient aux deux types de souris. Vous pourriez également essayer de transplanter quelques individus de chaque population dans l'autre habitat et compter combien d'entre elles seraient encore là après quelques jours, puis comparer les quatre échantillons comme dans l'expérience de Hoekstra. (Les fausses souris sont plus faciles à capturer, évidemment !) Dans l'expérience consistant à transplanter des souris vivantes, vous auriez à contrôler certaines conditions pour tenir compte du fait que les souris transplantées sont dans un nouveau territoire qu'elles ne connaissent pas. Vous pourriez contrôler les conditions en transplantant quelques souris foncées d'une partie de la région rocheuse à une partie plus éloignée, et quelques souris claires d'une partie de la région sablonneuse à une partie plus éloignée.

Retour sur le concept 1.4

1. La science vise à comprendre les phénomènes naturels et leur fonctionnement, alors que la technologie produit et utilise des applications de découvertes scientifiques à des fins particulières ou pour résoudre un problème précis. **2.** Il pourrait s'agir d'un effet de la sélection naturelle. La malaria sévit en Afrique subsaharienne, si bien que les personnes porteuses du gène de l'anémie falciforme détiennent peut-être un avantage qui améliore leurs chances de survivre et de transmettre leurs gènes à leur progéniture. Les descendants africains vivant aux États-Unis, où la malaria n'existe pas, n'ont cependant aucun avantage à être porteurs de ce gène, si bien que ceux qui en sont porteurs seront davantage pénalisés que les autres, jusqu'à ce que leur nombre diminue.

Questions du résumé des concepts clés

1.1 Le mouvement des doigts relève de la coordination de plusieurs composantes structurales de la main (muscles, nerfs, os, etc.), chacune étant elle-même tributaire d'éléments appartenant à des niveaux inférieurs de l'organisation *biologique* (cellules, molécules). Le développement des mains est déterminé par l'*information* génétique codée dans les chromosomes, eux-mêmes contenus dans les cellules de tout l'organisme. Pour faire bouger les doigts de façon à pouvoir écrire un texto, les cellules musculaires et nerveuses ont besoin d'*énergie* chimique qui servira à la contraction musculaire ou à la transmission nerveuse. L'activité qui consiste à écrire un texto est essentiellement une activité de communication, c'est-à-dire une *interaction* qui transmet de l'information entre deux organismes qui, dans le cas présent, appartiennent à la même espèce. **1.2** On peut penser que les ancêtres de la souris des plages présentaient des variations dans la couleur du pelage. Comme les prédateurs se servent surtout de leur vision, les souris les mieux camouflées sur la plage (celles au pelage clair) ont vraisemblablement survécu plus longtemps, de sorte qu'elles se sont reproduites davantage. Avec le temps, une proportion de plus en plus importante d'individus de cette population a présenté l'adaptation salutaire du pelage clair. **1.3** La collecte et l'interprétation des données sont des activités primordiales de la démarche scientifique qui influent sur trois autres volets de la démarche scientifique, de même qu'elles en subissent l'influence : l'exploration et la découverte ; les analyses et la rétroaction du milieu scientifique ; et les avantages et les résultats au regard de la société. **1.4** En adoptant des approches différentes, les scientifiques qui étudient des phénomènes naturels sous divers angles se complètent, si bien qu'ils en apprennent plus sur chaque problème étudié. La diversité d'expériences et d'origines parmi les scientifiques contribue au foisonnement des idées, comme en témoignent les innovations importantes qui ont vu le jour sous l'influence de l'amalgame des différentes cultures, grâce aux points de vue diversifiés.

Évaluation

1. b ; **2.** c ; **3.** c ; **4.** b ; **5.** c ; **6.** a ; **7.** d.

8. Voici ce que votre figure devrait montrer : (1) Pour la biosphère, la Terre avec une flèche émergeant d'un océan tropical ; (2) pour l'écosystème, une vue éloignée d'un récif de corail ; (3) pour la communauté, une collection de représentants de la faune et de la flore du récif, des algues, des coraux, des poissons, du varech et tout autre organisme pertinent qui vous vient à l'esprit ; (4) pour la population, un groupe de poissons de la même espèce ; (5) pour l'organisme, un poisson de la population illustrée ; (6) pour l'organe, l'estomac du poisson ; (7) pour un tissu, un groupe de cellules semblables provenant de l'estomac ; (8) pour la cellule, une cellule du tissu avec un noyau et quelques autres organites ; (9) pour l'organite, le noyau, où se trouve l'essentiel de l'ADN ; et (10) pour la molécule, une double hélice d'ADN. Vos croquis peuvent être très sommaires !

CHAPITRE 2

Questions des figures et tableau

Figure 2.7 Numéro atomique = 12 ; 12 protons, 12 électrons ; 3 couches électroniques ; 2 électrons de valence. **Figure 2.14** Une des réponses possibles :

Figure 2.17

Lumière du Soleil

Feuille

Bulles d'O_2

Tableau 2.1 Comme vous le savez probablement, le corps humain est en grande partie constitué d'eau (H_2O). Les atomes d'oxygène dans l'eau (un atome par molécule d'eau) comptent probablement pour une vaste proportion de l'oxygène (65 %) que l'on trouve dans le corps humain.

Retour sur le concept 2.1

1. Le sel de table (chlorure de sodium) est constitué de sodium et de chlore. Le composé est comestible, ce qui montre que ses propriétés sont différentes de celles d'un métal (sodium) et d'un gaz toxique (chlore). **2.** Oui, parce qu'un organisme a besoin des oligoéléments, même s'ils sont présents seulement en infimes quantités. **3.** Une personne présentant une carence en fer souffrira probablement de fatigue et d'autres effets dus à un faible taux d'oxygène sanguin. (Cet état est appelé anémie et peut résulter également d'un nombre trop faible de globules rouges ou d'une hémoglobine anormale.) **4.** Les variantes ancestrales des plantes pouvant tolérer une concentration élevée des éléments présents dans les sols de serpentine pourraient pousser et se reproduire sur ces sols. (Les plantes bien adaptées aux sols dépourvus de serpentine ne survivraient probablement pas dans un tel environnement.) Les descendants de ces variantes ancestrales présenteraient également un certain nombre de variations qui favoriseraient leur capacité de croître sur des sols de serpentine, de se développer et de se reproduire plus facilement. Après de nombreuses générations, ce processus a probablement conduit aux espèces adaptées à la serpentine que nous observons aujourd'hui.

Retour sur le concept 2.2

1. 7. **2.** $^{15}_{7}N$. **3.** Neuf électrons ; deux couches électroniques ; 1*s*, 2*s* et trois orbitales 2*p* ; un électron est célibataire, donc un électron célibataire nécessaire pour combler le dernier niveau énergétique. **4.** Les éléments d'une rangée possèdent tous le même nombre de couches électroniques. Dans une colonne, tous les éléments ont le même nombre d'électrons à leur dernier niveau énergétique.

Retour sur le concept 2.3

1. Dans cette structure, chaque atome de carbone n'établit que trois liaisons covalentes au lieu des quatre requises. **2.** L'attraction entre des ions de charges opposées forme des liaisons ioniques. **3.** Si vous pouviez synthétiser des molécules possédant des structures tridimensionnelles analogues aux messagers chimiques naturels, vous seriez capable de traiter des personnes dont les maladies ou les états pathologiques résultent d'une incapacité de l'organisme à synthétiser lui-même ces molécules.

Retour sur le concept 2.4

1.

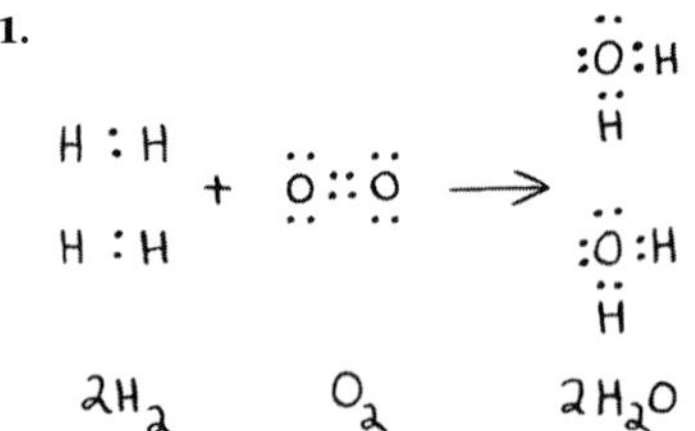

2. À l'équilibre, les réactions directe et inverse se produisent à la même vitesse. **3.** $C_6H_{12}O_6 + 6\ O_2 \rightarrow 6\ CO_2 + 6\ H_2O$ + énergie. Le glucose et l'oxygène réagissent pour former le dioxyde de carbone et l'eau, libérant de l'énergie. Nous inhalons l'oxygène parce qu'il est nécessaire pour que cette réaction se produise, et nous exhalons du dioxyde de carbone parce que c'est un produit secondaire de cette réaction. (Nous en apprendrons davantage sur cette réaction, la respiration cellulaire, au chapitre 9.)

Questions du résumé des concepts clés

2.1 Un composé comprend au moins deux éléments combinés selon une proportion fixe, tandis qu'un élément est une substance qui ne se décompose pas en d'autres substances.
2.2

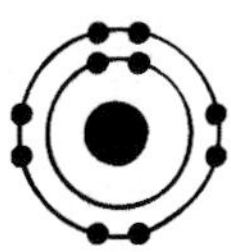
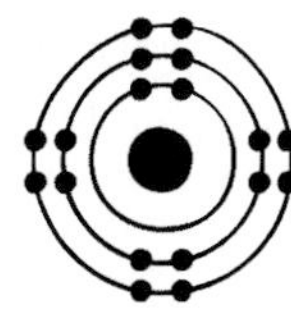

Néon ($_{10}$Ne) *Argon ($_{18}$Ar)*

Avec huit électrons, les deux derniers niveaux énergétiques du néon et de l'argon sont tous saturés. Ils ne possèdent pas d'électrons célibataires qui pourraient participer à la formation de liaisons chimiques. **2.3** Dans une liaison covalente non polaire, les électrons sont partagés également entre les deux atomes. Dans une liaison covalente polaire, les électrons sont attirés à proximité de l'atome le plus électronégatif. Lors de la formation d'un ion, un électron est complètement transféré d'un atome à un autre beaucoup plus électronégatif. **2.4** La concentration des produits augmente à mesure que les réactifs ajoutés sont convertis en produits. À la fin, un nouvel équilibre s'établit, et les réactions directe et inverse se déroulent à la même vitesse. Les concentrations des réactifs et des produits reviennent aux valeurs proportionnelles qu'elles avaient à l'équilibre avant l'ajout de réactifs.

Évaluation

1. a; **2.** d; **3.** b; **4.** a; **5.** d; **6.** b; **7.** c; **8.** d.
9.

a. *Cette structure est possible parce que tous les derniers niveaux énergétiques sont saturés et que toutes les liaisons ont le nombre correct d'électrons.*

b.

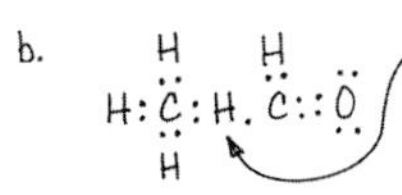

Cette structure est impossible. Puisque H n'a qu'un seul électron à partager, il ne peut former de liaisons avec 2 atomes.

CHAPITRE 3

Questions des figures

Figure 3.2 Une réponse possible:

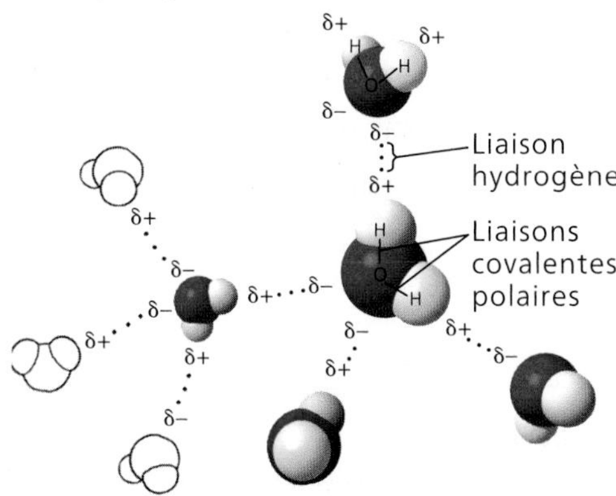

Figure 3.5 La température ambiante est moins élevée près de l'océan (20-25 °C) en raison de la chaleur spécifique élevée de l'eau : l'océan absorbe une bonne partie de la chaleur ambiante et l'air plus humide du littoral est plus difficile à réchauffer que l'air plus sec de l'intérieur des terres. À mesure qu'on s'éloigne du bord de mer, les températures moyennes sont plus élevées, puisque l'air sec se réchauffe plus facilement et que l'absence de plan d'eau empêche l'absorption de l'excès d'énergie thermique. **Figure 3.6** Sans liaisons hydrogène, l'eau se comporterait comme d'autres petites molécules, et la phase solide (glace) aurait une masse volumique supérieure à celle de l'eau liquide. La glace coulerait au fond et ne protégerait plus entièrement l'étendue d'eau, qui finirait par geler sur toute sa profondeur en raison des conditions glaciales qui règnent dans l'océan Austral près de l'Antarctique. Le krill ne survivrait pas. **Figure 3.8** Chauffer la solution ferait évaporer l'eau plus vite que si on la laissait s'évaporer à température ambiante. Au bout d'un certain temps, il n'y aurait plus assez de molécules d'eau pour dissoudre les ions du sel. Le sel commencerait à précipiter de la solution et à reformer des cristaux. Toute l'eau finirait par s'évaporer, laissant un amas de sel comme avant la dissolution. **Figure 3.12** Un excès de CO_2 dans les océans finirait par ralentir la calcification (par des organismes).

Retour sur le concept 3.1

1. L'électronégativité est l'attraction qu'un atome exerce sur les électrons qu'il partage avec un autre atome dans une liaison covalente. En raison de son électronégativité plus grande que celle de l'hydrogène, un atome d'oxygène de l'eau attire les électrons vers lui, créant ainsi une charge partielle négative sur l'oxygène et des charges partielles positives sur les atomes d'hydrogène. Les atomes dans les molécules d'eau avoisinantes portant des charges partielles opposées s'attirent mutuellement pour former une liaison hydrogène. **2.** En raison de ses deux liaisons covalentes, une molécule d'eau possède quatre régions partiellement chargées : deux régions positives sur les deux atomes d'hydrogène et deux régions négatives sur l'atome d'oxygène. Chaque région peut former une liaison avec une région de charge partielle opposée d'une autre molécule d'eau. **3.** Les atomes d'hydrogène d'une molécule, avec leurs charges partielles positives, repousseraient les atomes d'hydrogène de la molécule voisine. **4.** Les liaisons covalentes des molécules d'eau seraient non polaires ; aucune région de la molécule ne porterait de charge partielle et les molécules d'eau ne formeraient pas de liaisons hydrogène entre elles, ce qui modifierait sensiblement ses propriétés.

Retour sur le concept 3.2

1. Des liaisons hydrogène maintiennent ensemble les molécules d'eau voisines. Cette cohésion permet aux chaînes de molécules d'eau de contrer la force gravitationnelle et de monter dans les cellules conductrices à mesure que l'eau s'évapore des feuilles. L'adhérence entre les molécules d'eau et les parois des cellules conductrices contribue également à contrer la force gravitationnelle. **2.** L'humidité élevée empêche le refroidissement du corps en ralentissant ou en arrêtant l'évaporation de la sueur. **3.** Lorsque l'eau gèle, elle se dilate parce que ses molécules s'éloignent les unes des autres. S'il y a de l'eau dans la fissure d'une roche, les cristaux de glace exercent une pression qui agrandit la fissure et finit par faire éclater la roche. **4.** La substance hydrophobe repousse l'eau, ce qui contribue probablement à empêcher que les extrémités des pattes se recouvrent d'eau et s'enfoncent sous la surface. Si les pattes étaient recouvertes d'une substance hydrophile, l'eau les attirerait, rendant probablement plus difficile la marche du patineur sur l'eau. **5.** Un litre de sang contiendrait $7{,}8 \times 10^{13}$ molécules de ghréline ($1{,}3 \times 10^{-10}$ mole par litre $\times$ $6{,}02 \times 10^{-23}$ molécules par mole).

Retour sur le concept 3.3

1. 10^5 ou 100 000. **2.** $[H^+] = 0{,}01$ mol/L $= 10^{-2}$ mol/L, donc pH = 2. **3.** $CH_3COOH \rightarrow CH_3COO^- + H^+$. CH_3COOH est l'acide (donneur de H^+) et CH_3COO^- est la base (accepteur de H^+). **4.** Le pH de l'eau devrait diminuer de 7 à 2 (comme il est mentionné dans le texte) ; le pH de la solution d'acide acétique diminuerait faiblement parce que l'acide acétique est un acide faible ; par conséquent, il agit comme un tampon (tel l'acide carbonique). La réaction illustrée pour la question 3 se déplacerait vers la gauche, CH_3COO^- acceptant l'apport supplémentaire de H^+ et se transformant en CH_3COOH.

Questions du résumé des concepts clés

3.1

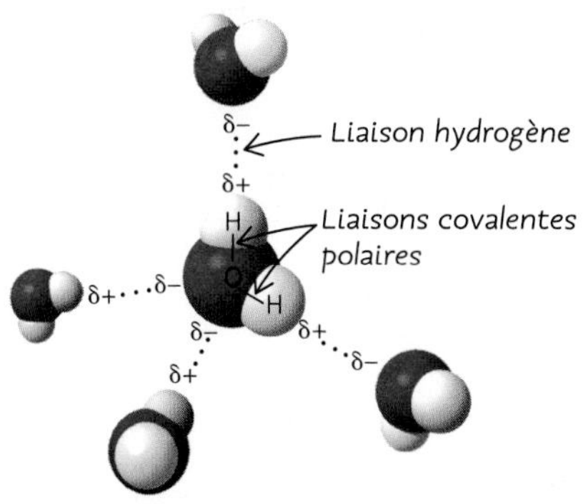

Non. Une liaison covalente est une liaison forte entre deux atomes qui partagent des électrons. Une liaison hydrogène est une liaison faible sans partage d'électrons, où il y a simplement une attraction entre deux charges partielles d'atomes voisins. **3.2** Les ions se dissolvent dans l'eau lorsque les molécules d'eau polaires forment une couche d'hydratation autour d'elles, car les régions de charges partielles des molécules d'eau sont attirées par les ions de charges opposées. Les molécules polaires se dissolvent à mesure que les molécules d'eau forment des liaisons hydrogène avec elles et les entourent. Les solutions sont des mélanges homogènes de soluté et de solvant. **3.3** La concentration d'ions hydrogène (H^+) augmenterait à 10^{-11}, tandis que le pH de la solution serait de 11.

Évaluation

1. c; **2.** d; **3.** c; **4.** a; **5.** d.
6.

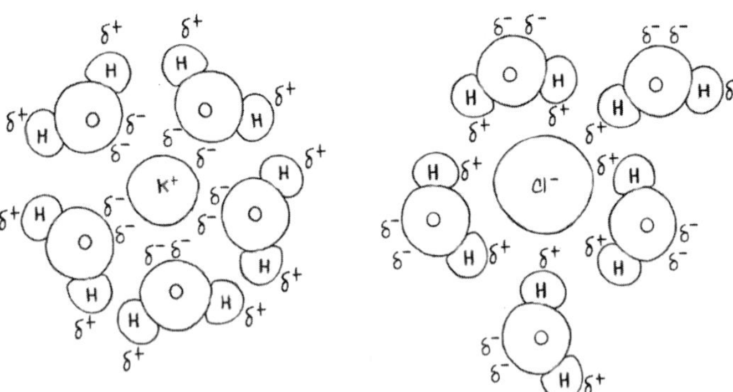

7. La présence de liaisons hydrogène intermoléculaires confère à l'eau une chaleur spécifique élevée (la quantité de chaleur requise pour augmenter la température de l'eau de 1 °C). Lorsqu'on chauffe de l'eau, une grande partie de la chaleur est absorbée lors de la rupture des liaisons hydrogène. Après quoi, les molécules d'eau augmentent leur vitesse de mouvement et la température s'élève. Réciproquement, lorsqu'on refroidit de l'eau, il se forme beaucoup de liaisons hydrogène, ce qui libère une quantité importante de chaleur. C'est ce dégagement de chaleur qui procure une certaine protection contre le gel. Sinon, le contenu des cellules gèlerait et celles-ci éclateraient. (Tant que de l'eau continue de geler, la température se maintient aux alentours de 0 °C.) **8.** L'accumulation du CO_2 dans l'atmosphère, une conséquence de l'utilisation des combustibles fossiles, cause le réchauffement climatique et l'acidification des océans.

CHAPITRE 4

Questions des figures

Figure 4.2 Parce que la concentration des réactifs influe sur l'équilibre (voir le concept 2.4), il aurait pu y avoir plus de HCN par rapport à CH_2O, étant donné que la concentration du réactif gazeux contenant l'azote aurait été plus élevée.
Figure 4.4

Na· ·P· ·S: ·Cl:

Figure 4.6 Les chaînes hydrocarbonées des graisses ne comportent que des liaisons carbone-hydrogène dont la polarité est relativement faible. Comme les chaînes hydrocarbonées constituent la majeure partie d'une molécule de graisse, elles rendent la molécule globalement non polaire et, par conséquent, incapable de former des liaisons hydrogène avec l'eau.
Figure 4.7

```
        H
        |
      H-C-H
   H    |    H
   |    |    |
 H-C ---C ---C-H
   |    |    |
   H    |    H
      H-C-H
        |
        H
```

Retour sur le concept 4.1

1. Avant l'expérience de Wöhler, l'opinion couramment admise était que seuls les êtres vivants pouvaient synthétiser des composés « organiques ». Wöhler a fabriqué de l'urée, un composé organique, sans l'intervention d'organismes vivants. **2.** Les étincelles ont fourni l'énergie nécessaire à la réaction des molécules inorganiques de l'atmosphère. (Vous en apprendrez davantage sur l'énergie et les réactions chimiques au chapitre 8.)

Retour sur le concept 4.2

1.

```
a. H     H        b. H     Cl
    \   /             \   /
     C=C               C=C
    /   \             /   \
   H     H           Cl    H
```

2. Les butanes en (b) sont des isomères de structure, de même que les butènes (des formes de C_4H_8) en (c). **3.** Les deux substances sont constituées principalement de chaînes d'hydrocarbures, lesquelles fournissent du carburant : essence pour les moteurs et graisses pour les embryons végétaux et les animaux. La dégradation des deux types de molécules libère de l'énergie. **4.** Non. Il n'y a pas assez de diversité dans les atomes du propane. Le propane ne peut pas former d'isomères de structure parce qu'il n'existe qu'une seule façon d'attacher les trois atomes de carbone l'un à l'autre (en ligne). Il n'y a pas de liaisons doubles, de sorte que l'isomérie *cis-trans* est impossible. Chaque atome de carbone est attaché à au moins deux atomes d'hydrogène, de sorte que la molécule est symétrique et ne peut pas avoir d'énantiomères.

Retour sur le concept 4.3

1. Il contient à la fois un groupement carboxyle (–COOH), d'où son appellation d'*acide*, et un groupement amine ($–NH_2$), d'où le terme *aminé*. **2.** La molécule d'ATP perd un groupement phosphate et devient de l'ADP.
3.

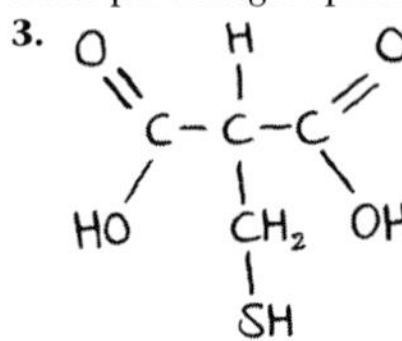

Un groupement chimique qui peut agir comme un acide a remplacé un groupement chimique qui peut agir comme une base, ce qui augmente les propriétés acides de la molécule. La configuration de la molécule changerait également, modifiant vraisemblablement les molécules avec lesquelles elle pourrait interagir. Le carbone central de la molécule originale de cystéine est asymétrique. Après le remplacement du groupement amine par un groupement carboxylique, ce carbone n'est plus asymétrique.

Questions du résumé des concepts clés

4.1 Miller a démontré que les molécules organiques pouvaient se former dans des conditions physicochimiques qu'il estimait présentes sur la Terre primitive. La synthèse abiotique des molécules organiques aurait été une première étape dans l'origine de la vie. **4.2** L'acétone et le propanal sont des isomères de structure. L'acide acétique et la glycine n'ont pas de carbone asymétrique, alors que le glycérophosphate en a un. Par conséquent, le glycérophosphate peut exister sous forme d'énantiomères, mais pas l'acide acétique ni la glycine. **4.3** Le groupement méthyle est non polaire et n'est pas réactif. Les six autres groupes sont appelés groupements fonctionnels parce qu'ils peuvent participer à des réactions chimiques. Et, à l'exception du groupement thiol, tous sont hydrophiles et augmentent la solubilité des composés organiques dans l'eau.

Évaluation

1. b; **2.** b; **3.** c; **4.** c; **5.** a; **6.** b; **7.** a; **8.** La molécule à droite; le carbone central est asymétrique.
9. ·Si· Le silicium a quatre électrons de valence comme le carbone. Par conséquent, le silicium pourrait former de longues chaînes, comportant des ramifications, qui pourraient jouer le rôle de squelette dans de grosses molécules. Il serait capable de le faire beaucoup mieux que le néon (car celui-ci n'a aucun électron de valence et par conséquent ne peut former de liaisons) ou l'aluminium (qui n'en a que trois, ce qui génère moins de possibilités de liaisons).

CHAPITRE 5

Questions des figures

Figure 5.3 Le glucose et le fructose sont des isomères de structure.
Figure 5.4

Forme linéaire → Forme cyclique → Forme cyclique

```
      H
      |
   H-¹C-OH
      |
     ²C=O
      |
  HO-³C-H
      |
   H-⁴C-OH
      |
   H-⁵C-OH
      |
   H-⁶C-OH
      |
      H
```

Notez que l'oxygène fixé sur le carbone 5 a perdu son proton et que l'oxygène sur le carbone 2, qui appartenait au groupement carbonyle, a gagné un proton. Quatre carbones font partie du cycle du fructose et deux n'en font pas partie. (Ces deux derniers sont attachés aux carbones 2 et 5 qui sont dans le cycle.) Le cycle du fructose diffère de celui du glucose, qui comporte cinq atomes de carbone dans son cycle et un à l'extérieur. (Notez que l'orientation de cette molécule de fructose est inversée de droite à gauche, par rapport à celle de la figure 5.5b.)

Figure 5.5

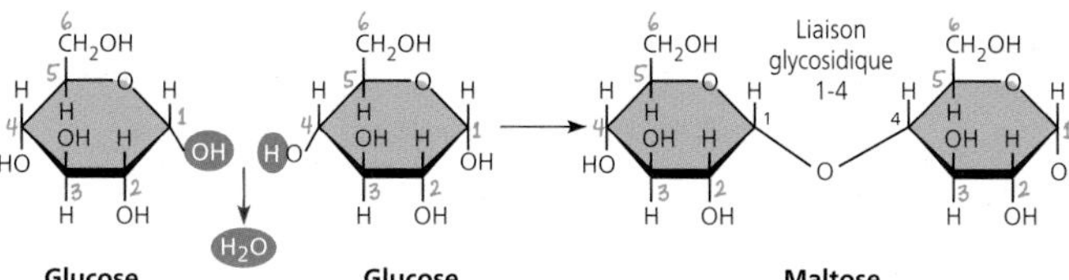

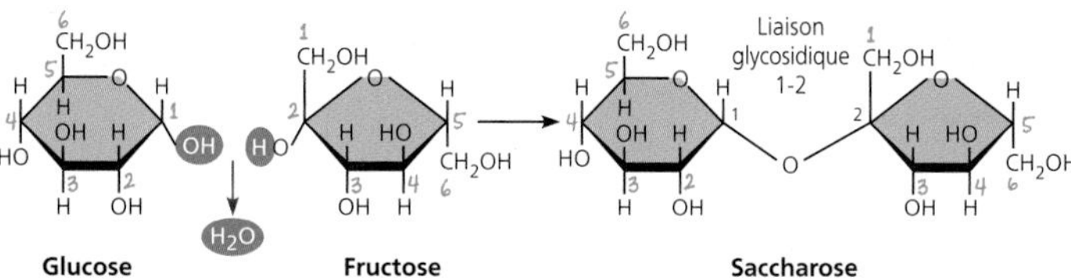

(a) Dans le maltose, la liaison est appelée liaison glycosidique 1-4 parce que le carbone 1 du monosaccharide de gauche (glucose) est lié au carbone 4 du monosaccharide de droite (aussi un glucose). (b) Dans le saccharose, la liaison est appelée liaison glycosidique 1-2 parce que le carbone 1 du monosaccharide de gauche (glucose) est lié au carbone 2 du monosaccharide de droite (fructose). (Notez que la molécule de fructose est orientée différemment de celle du glucose dans la figure 5.5b et de celle du fructose dans la réponse à la figure 5.4, ci-dessus. Dans la figure 5.5b et dans la présente réponse, le carbone 2 du fructose est à proximité du carbone 1 du glucose.)

Figure 5.11

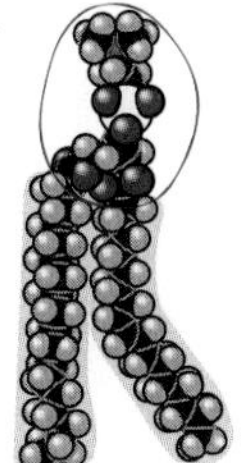

Figure 5.12

Figure 5.15

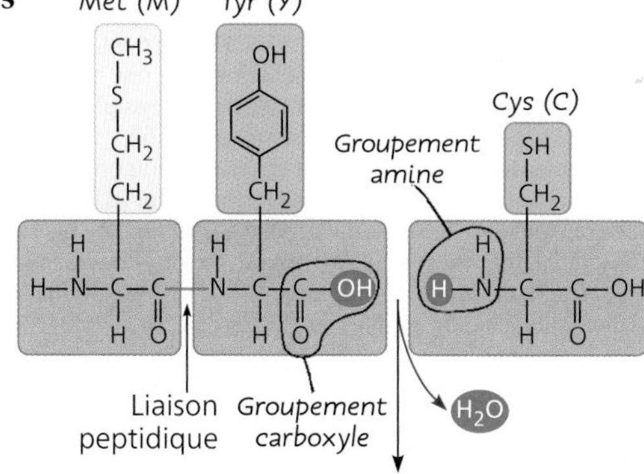

Figure 5.16 (1) C'est dans le modèle en ruban qu'il est le plus facile de suivre la chaîne polypeptidique.

(2)

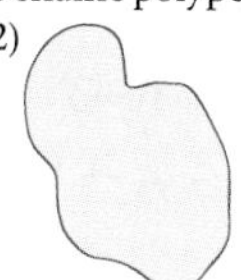

(3) Le but du schéma étant de montrer qu'une cellule pancréatique sécrète une protéine (l'insuline), la forme importe peu dans l'illustration du processus. **Figure 5.17** Les modèles montrent que les formes complémentaires des deux protéines leur permettent de s'unir avec beaucoup de précision. **Figure 5.19** Le radical R porté par l'acide glutamique est acide et hydrophile, alors que celui de la valine est non polaire et hydrophobe. Il est donc peu probable que la valine puisse participer aux mêmes interactions intramoléculaires que l'acide glutamique. Un changement dans ces interactions peut provoquer (et c'est le cas) une modification très importante au sein de la structure moléculaire. **Figure 5.26** La génomique permet d'utiliser les séquences des gènes pour identifier des espèces et mieux comprendre la relation entre deux espèces dans l'évolution. En effet, toutes les espèces sont reliées du point de vue de l'évolution, et les séquences d'ADN en fournissent des preuves. La protéomique (l'étude des protéines exprimées) permet de mieux comprendre comment les organismes ou les cellules fonctionnent dans des circonstances données ou en association avec d'autres espèces.

Retour sur le concept 5.1

1. Les quatre principales catégories : les protéines, les glucides, les lipides et les acides nucléiques. Les lipides ne sont pas des polymères. **2.** Neuf. Il faut une molécule d'eau pour hydrolyser chaque liaison entre deux monomères.
3. Des réactions d'hydrolyse libèrent les acides aminés des protéines de poisson et des réactions de déshydratation assemblent ces acides aminés pour former les protéines de votre organisme.

Retour sur le concept 5.2

1. $C_3H_6O_3$ ou $C_3(H_2O)_3$. **2.** $C_{12}H_{22}O_{11}$. **3.** Le traitement aux antibiotiques a probablement tué les procaryotes qui digèrent la cellulose dans l'intestin de la vache. L'absence de ces procaryotes peut empêcher l'animal d'obtenir de l'énergie de ses aliments et entraîner une perte de poids, voire la mort. Les espèces procaryotes sont donc réintroduites, en combinaisons appropriées, dans la culture de flore intestinale donnée aux vaches traitées.

Retour sur le concept 5.3

1. Les deux sont composés d'une molécule de glycérol liée à des acides gras. Le glycérol d'une graisse est lié à trois acides gras, tandis que celui d'un phospholipide est lié à deux acides gras et à un groupement phosphate. **2.** Les hormones sexuelles des êtres humains sont des stéroïdes, un type de composés hydrophobes, ce qui les associe aux lipides. **3.** La membrane de la gouttelette d'huile peut consister en une seule couche de phospholipides au lieu d'une bicouche, parce qu'un arrangement dans lequel les queues hydrophobes des phospholipides de la membrane sont en contact avec les régions hydrocarbonées des molécules d'huile serait plus stable.

Retour sur le concept 5.4

1. La structure secondaire fait intervenir des liaisons hydrogène entre les atomes (oxygène et hydrogène) de la chaîne polypeptidique. La structure tertiaire met en jeu des liaisons entre les atomes des chaînes latérales des acides aminés.
2. Les deux formes cycliques du glucose sont appelées α et β, selon la position conférée au groupement hydroxyle par la liaison glycosidique. Les protéines ont des hélices α et des feuillets plissés β. Ces deux types de structures se répètent dans les polypeptides en raison des interactions entre les éléments répétitifs de la chaîne (pas les chaînes latérales). La molécule d'hémoglobine se compose de deux types de polypeptides : elle contient deux molécules d'α-globine et deux molécules de β-globine. **3.** Ce sont tous des acides aminés non polaires ; on s'attend donc à ce que cette région soit située à l'intérieur du polypeptide replié (zone hydrophobe), où elle n'entrerait pas en contact avec le milieu aqueux dans la cellule.

Retour sur le concept 5.5

1.

Extrémité 5′

5′C
3′C
OH

Extrémité 3′

2.

5′-T A G G C C T-3′
3′-A T C C G G A-5′

Retour sur le concept 5.6

1. L'ADN d'un organisme, qu'il soit unicellulaire ou multicellulaire, code pour toutes ses protéines, et les protéines sont les molécules qui assurent le fonctionnement des cellules. Une fois que les scientifiques connaissent la séquence de l'ADN d'un organisme, ils sont en mesure de déterminer également les séquences des protéines. Connaître la séquence d'une protéine aide à comprendre sa structure et, par conséquent, certaines caractéristiques de son fonctionnement. **2.** La séquence de l'ADN renferme l'information nécessaire pour fabriquer les protéines qui, elles, déterminent les caractères d'une espèce donnée. Si les caractères de deux espèces sont semblables, vous pouvez prédire que leurs protéines sont semblables également et que les séquences géniques sont aussi très semblables.

Réponses aux questions du résumé des concepts clés

5.1 Les polymères des glucides complexes (polysaccharides), des protéines et des acides nucléiques sont élaborés à partir de trois types différents de monomères : monosaccharides, acides aminés et nucléotides, respectivement. **5.2** L'amidon et la cellulose sont tous les deux des polymères du glucose, mais, dans l'amidon, ces derniers prennent la configuration α, tandis que, dans la cellulose, ils présentent la configuration β. Les liaisons glycosidiques adoptent donc des géométries différentes, donnant aux polymères des formes différentes et, par conséquent, des fonctions différentes. L'amidon est un composé de réserve d'énergie pour les végétaux, alors que la cellulose est une composante structurale de leurs parois cellulaires. Les êtres humains hydrolysent l'amidon pour obtenir de l'énergie, mais ils sont incapables d'hydrolyser la cellulose. La cellulose aide au passage des aliments dans le système digestif. **5.3** Les lipides ne sont pas des polymères, car ils n'existent pas sous forme de chaînes de monomères. De façon générale, on ne les considère pas comme des macromolécules parce qu'ils n'atteignent pas la taille considérable de nombreux polysaccharides, des protéines et des acides nucléiques. **5.4** Un polypeptide, qui peut être constitué de centaines d'acides aminés arrangés dans une séquence spécifique (structure primaire), possède des régions hélicoïdales et plissées (structure secondaire) qui sont repliées en contorsions irrégulières (structure tertiaire) et peut être associé à d'autres polypeptides (structure quaternaire) par des liaisons non covalentes. L'enchaînement des acides aminés, dont les propriétés des chaînes latérales (radicaux R) sont différentes, détermine la forme que prendront les structures secondaires et tertiaires pour produire une protéine. Les formes tridimensionnelles uniques que prennent les protéines sont la clé de leurs fonctions spécifiques et diverses. **5.5** La formation de paires de bases complémentaires des deux brins d'ADN rend possible la réplication précise de l'ADN chaque fois qu'une cellule se divise, permettant que l'information génétique soit fidèlement transmise aux descendants. Dans certains types d'ARN, la formation de paires de bases complémentaires rend les molécules d'ARN capables d'adopter des formes tridimensionnelles spécifiques qui leur permettent de remplir diverses fonctions. **5.6** Vous pourriez vous attendre à ce que la ressemblance avec la séquence du gène humain soit classée de la façon suivante, en ordre décroissant de similitude : gène de la souris (qui est aussi un mammifère), gène du poisson (qui est aussi un vertébré) et gène de la drosophile (qui est un invertébré).

Évaluation

1. d; **2.** a; **3.** b; **4.** a; **5.** b; **6.** b; **7.** c.

8.

	Monomères ou composés	Polymères ou molécules complexes	Type de liaisons
Glucides	Monosaccharides	Polysaccharides	Liaisons glycosidiques
Lipides	Acides gras	Triglycérides	Liaisons ester
Protéines	Acides aminés	Polypeptides	Liaisons peptidiques
Acides nucléiques	Nucléotides	Polynucléotides	Liaisons phosphodiester

9.

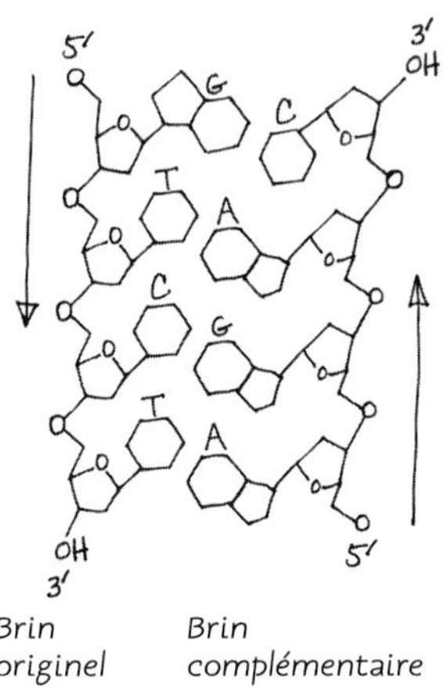

CHAPITRE 6

Questions des figures

Figure 6.3 Les cils de la photo à gauche ont été coupés dans le sens de la longueur, tandis que ceux de la photo à droite ont été coupés dans le sens de la largeur (perpendiculairement). La photo à gauche montre donc une coupe longitudinale, et à droite, une coupe transversale. **Figure 6.4** Vous utiliseriez le culot de la dernière fraction, qui est riche en ribosomes, dans lesquels s'effectue la traduction des protéines. **Figure 6.6** Les bandes foncées de la MET correspondent aux têtes hydrophiles des phospholipides, tandis que la bande claire correspond à la queue hydrophobe des acides gras des phospholipides. **Figure 6.9** L'ADN contenu dans un chromosome donne les directives pour la synthèse d'une molécule d'ARN messager (ARNm), laquelle est ensuite expédiée dans le cytoplasme, où cette information sert à la production sur le ribosome des protéines qui remplissent des fonctions cellulaires. **Figure 6.10** On peut encercler n'importe lequel des ribosomes liés (attachés au réticulum endoplasmique), puisqu'ils peuvent tous être en train de fabriquer une protéine qui sera sécrétée. **Figure 6.22** Chaque centriole possède 9 ensembles de 3 microtubules (triplets), de sorte que le centrosome entier (2 centrioles) en a 54. Chaque microtubule consiste en une colonne hélicoïdale de dimères de tubuline (comme on le voit au tableau 6.1).

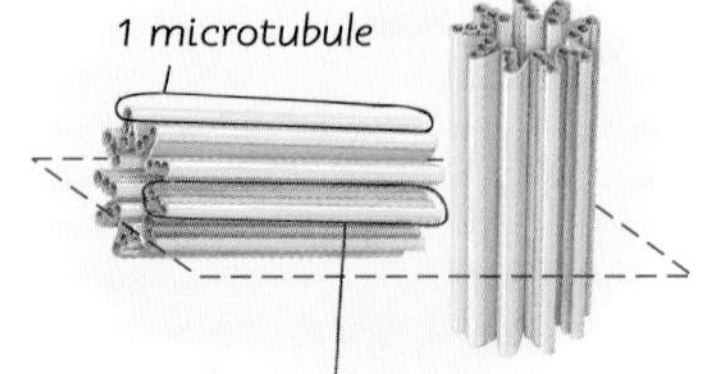

Figure 6.24 Les deux microtubules centraux se terminent au-dessus du corpuscule basal, de sorte qu'on ne les voit pas dans la coupe transversale du corpuscule basal (rectangle rouge au bas de la micrographie de gauche).

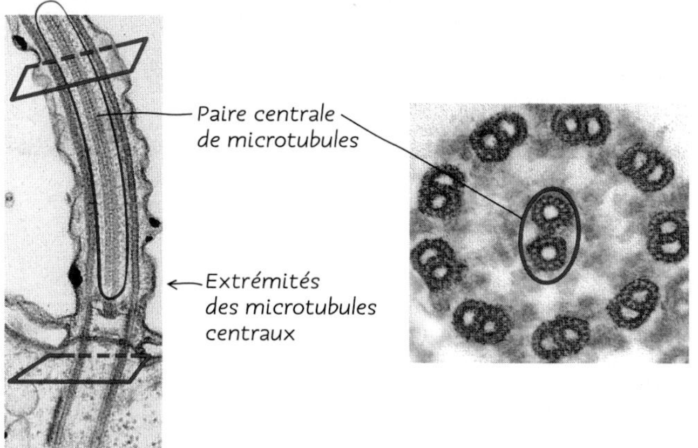

Figure 6.32 (1) pore nucléaire, ribosome, pompe à protons, cytochrome *c*. (2) Comme le montre la figure, l'enzyme ARN-polymérase se déplace le long de l'ADN, transcrivant l'information génétique en une molécule d'ARNm. Comme l'ARN-polymérase est un peu plus grosse qu'un nucléosome, elle ne peut s'insérer entre les histones du nucléosome et l'ADN proprement dit. Par conséquent, le groupe d'histones doit être séparé de l'ADN ou se repositionner le long de l'ADN pour que l'ARN-polymérase ait accès à l'ADN. (3) Une mitochondrie.

Retour sur le concept 6.1

1. En microscopie photonique, on emploie des molécules colorées qui s'attachent aux constituants cellulaires et modifient la façon dont la lumière les traverse. En microscopie électronique, on utilise des métaux lourds qui se fixent à certaines structures cellulaires et qui modifient la trajectoire des faisceaux d'électrons quand ils traversent les différentes structures de l'échantillon.
2. (a) Un microscope photonique, (b) un microscope électronique à balayage.

Retour sur le concept 6.2

1. Voir la figure 6.8.
2.

Cette cellule aurait le même volume que les cellules de la deuxième et de la troisième colonne de la figure 6.7, mais une surface proportionnellement plus grande que la cellule de la deuxième colonne et plus petite que celle de la troisième colonne. Par conséquent, le rapport surface/volume serait supérieur à 1,2, mais inférieur à 6. Pour calculer l'aire totale de la cellule, il faut additionner les aires de ses six faces (le haut, le bas, les côtés et les extrémités : 125 + 125 + 125 + 125 + 1 + 1 = 502). Le rapport surface/volume est donc égal à 502 divisé par un volume de 125, soit 4,0.

Retour sur le concept 6.3

1. Lorsqu'une molécule d'ARNm rejoint le cytoplasme, les ribosomes traduisent le message génétique qu'elle porte en chaîne polypeptidique. **2.** Les nucléoles sont constitués d'ADN et d'ARN ribosomique (ARNr), fabriqué selon ses instructions. Ils contiennent aussi des protéines importées du cytoplasme. L'ARNr et les protéines sont assemblés pour former de grandes et de petites sous-unités ribosomiques. Ces sous-unités quittent le noyau par les pores nucléaires et se rendent dans le cytoplasme où elles participent à la synthèse polypeptidique. **3.** Chaque chromosome comporte une longue molécule d'ADN attachée à de nombreuses protéines, un complexe appelé chromatine. Pendant la division cellulaire, chaque chromosome se « condense » à mesure que sa masse diffuse de chromatine s'enroule.

Retour sur le concept 6.4

1. Fondamentalement, le RE rugueux se distingue du RE lisse par la présence de ribosomes liés à sa surface. Les deux types de RE synthétisent des phospholipides, mais toutes les protéines membranaires et les protéines destinées à la sécrétion sont produites par les ribosomes sur le RE rugueux. Le RE lisse contribue à la détoxication, au métabolisme des glucides et au stockage d'ions calcium.
2. Les vésicules de transport déplacent les membranes et les matières qu'elles renferment entre les divers constituants du réseau de membranes intracellulaires. **3.** L'ARNm est synthétisé dans le noyau, puis il traverse un pore nucléaire jusqu'au cytoplasme pour se rendre sur un ribosome fixé à la surface du RE rugueux où il est traduit. La protéine synthétisée passe dans la lumière du RE où elle peut subir des modifications. Une vésicule de transport achemine la protéine jusqu'au complexe golgien. La protéine y est encore modifiée, puis une autre vésicule de transport la ramène au RE, où elle remplira sa fonction cellulaire.

Retour sur le concept 6.5

1. Les deux organites participent à la conversion de l'énergie : les mitochondries dans la respiration cellulaire et les chloroplastes dans la photosynthèse. Chacun de ces organites est compartimenté par plusieurs membranes internes qui déterminent les crêtes et les replis de la membrane interne des mitochondries et les membranes thylakoïdiennes des chloroplastes. Ces membranes forment de grandes surfaces sur lesquelles se trouvent des enzymes qui remplissent les principales fonctions de ces organites. **2.** Oui. Les cellules végétales peuvent produire leurs propres glucides par photosynthèse, mais dans ces cellules eucaryotes, les mitochondries sont les organites capables de produire des molécules d'ATP qui serviront à générer de l'énergie à partir des sucres, une fonction essentielle dans toutes les cellules. **3.** Les mitochondries et les chloroplastes ne viennent pas du RE, pas plus qu'ils ne sont liés physiquement ou par des vésicules de transport à des organites du réseau de membranes intracellulaires. Les mitochondries et les chloroplastes sont structuralement assez différents des vésicules entourées d'une membrane simple qui proviennent du RE.

Retour sur le concept 6.6

1. Alimentés par de l'ATP, les prolongements des molécules de dynéine d'un doublet de microtubules s'accrochent au doublet voisin, exercent une traction, se détachent un peu plus loin, puis recommencent. Comme ils sont ancrés dans le flagelle ou le cil ainsi que les uns par rapport aux autres, les doublets se courbent au lieu de glisser l'un sur l'autre. La flexion synchronisée des neuf doublets de microtubules entraîne la flexion des cils et des flagelles. **2.** Les sujets atteints de ce syndrome souffrent d'une défectuosité du mouvement généré par les microtubules des cils et des flagelles. Ces personnes sont stériles, car les déficiences touchant les flagelles, voire l'absence de tout flagelle, empêchent les spermatozoïdes de se mouvoir. Leurs voies respiratoires sont souvent le siège d'infections parce que les cils qui tapissent normalement la trachée sont déficients ou inexistants ; ils ne peuvent donc pas évacuer le mucus des poumons.

Retour sur le concept 6.7

1. La principale différence réside dans la communication directe du cytoplasme d'une cellule avec le cytoplasme d'une autre cellule. Cette communication est assurée par les plasmodesmes, dans le cas des cellules végétales, et par les jonctions ouvertes, dans le cas des cellules animales ; ces canaux assurent la continuité entre le cytoplasme des cellules voisines. **2.** La cellule serait incapable de fonctionner adéquatement et ne tarderait probablement pas à mourir. En effet, la paroi cellulaire et la MEC doivent être perméables pour permettre les échanges de matières entre l'intérieur et l'extérieur de la cellule. Les molécules qui participent à la production et à l'utilisation de l'énergie ainsi que les molécules porteuses d'information sur l'environnement cellulaire doivent pouvoir pénétrer dans la cellule. De même, les produits synthétisés par la cellule et destinés à l'exportation ainsi que les sous-produits de la respiration cellulaire doivent pouvoir en sortir. **3.** Les parties de la protéine exposées à des zones aqueuses contiendront des acides aminés chargés, ou polaires (hydrophiles), tandis que les parties qui traversent la membrane renfermeront des acides aminés non polaires (hydrophobes). On peut donc prédire que les acides aminés polaires se trouveront à chacune des extrémités de la chaîne polypeptidique, soit dans les zones de la boucle cytoplasmique et des deux boucles extracellulaires. Quant aux acides aminés non polaires, ils se trouveront dans les quatre hélices transmembranaires.

Retour sur le concept 6.8

1. *Colpidium colpoda* se déplace dans l'eau douce à l'aide de cils, des prolongements de sa membrane plasmique qui contiennent des microtubules dont l'arrangement est de type « 9 + 2 ». Les interactions entre les protéines motrices et les microtubules produisent une flexion synchronisée des cils et permettent à la cellule de se déplacer dans l'eau. L'ATP fournit l'énergie nécessaire grâce à la dégradation des sucres alimentaires qui s'effectue dans la mitochondrie. *C. colpoda* se nourrit de bactéries, vraisemblablement par le même processus (faisant intervenir des filopodes) que celui utilisé par le macrophage de la figure 6.31 : des filaments d'actine et d'autres éléments du cytosquelette permettent à la cellule d'ingérer les bactéries. Une fois absorbées, les bactéries sont décomposées par des enzymes dans les lysosomes. Les protéines qui participent à tous ces processus sont codées par des gènes situés sur l'ADN contenu dans le noyau de *C. colpoda*.

Questions du résumé des concepts clés

6.1 La microscopie photonique et la microscopie électronique permettent toutes deux d'étudier les cellules visuellement, ce qui aide à comprendre la structure cellulaire interne et la disposition de ses principaux constituants. Le fractionnement cellulaire permet d'isoler divers types de constituants cellulaires et d'en faire l'analyse biochimique pour déterminer leurs fonctions. Examiner au microscope la même fraction cellulaire favorise l'établissement d'une corrélation entre une fonction biochimique de la cellule et le constituant cellulaire qui l'effectue. **6.2** La séparation entre les différentes fonctions des divers organites comporte plusieurs avantages : concentration des substrats et des enzymes dans une seule zone au lieu d'être dispersés dans toute la cellule ; déroulement dans des lieux et des conditions adéquates des réactions exigeant des conditions particulières – un pH peu élevé, par exemple ; regroupement des enzymes nécessaires à telle ou telle réaction sur les membranes qui entourent ou séparent un organite. **6.3** Le noyau contient le matériel génétique de la cellule sous la forme de l'ADN qui encode l'ARN messager (ARNm). À son tour, celui-ci fournit les instructions indispensables pour réaliser la synthèse des protéines (y compris des protéines qui constituent une partie des ribosomes). L'ADN encode également l'ARN ribosomique qui est assemblé avec des protéines dans le nucléole pour former des sous-unités ribosomiques. Lorsqu'une molécule d'ARNm rejoint le cytoplasme, les ribosomes traduisent le message génétique en chaîne polypeptidique grâce à l'information génétique contenue dans l'ARNm. **6.4** Les vésicules de transport et de sécrétion déplacent les protéines et les membranes synthétisées par le RE rugueux vers le complexe golgien. Dans cet organite, elles sont encore modifiées, puis les vésicules les emportent vers la membrane plasmique, vers les lysosomes ou vers d'autres endroits dans la cellule, ou encore les rapportent au RE. **6.5** Selon la théorie de l'endosymbiose, un ancêtre lointain des cellules eucaryotes a absorbé une cellule procaryote aérobie. Au fil de l'évolution, la cellule hôte et son endosymbionte ont fusionné pour ne former qu'un organisme unicellulaire, une cellule eucaryote renfermant une mitochondrie. Avec le temps, au moins l'une de ces cellules a acquis un procaryote photosynthétique et est devenue l'ancêtre des cellules eucaryotes contenant des chloroplastes.
6.6 À l'intérieur de la cellule, les protéines motrices interagissent avec des composants du cytosquelette pour déplacer des constituants cellulaires. Les vésicules sont mises en mouvement par les protéines motrices qui se déplacent le long des microtubules. Le mouvement du cytoplasme dans une cellule repose sur l'interaction de la protéine motrice myosine et des microfilaments (filaments d'actine). Des cellules entières peuvent se mouvoir par de rapides flexions successives (ondulations) des flagelles ou des cils ; ces flexions sont rendues possibles par le glissement des microtubules créé par les protéines motrices dans ces structures. Un mouvement cellulaire peut aussi se produire lorsque des pseudopodes se forment (à cause de la polymérisation de l'actine en réseaux filamenteux) à l'une des extrémités de la cellule. Ce mouvement amiboïde résulte de l'interaction des microfilaments d'actine avec la myosine à proximité de la partie postérieure de la cellule. Les interactions des protéines motrices et des microfilaments dans les cellules musculaires peuvent produire des contractions musculaires qui propulsent des organismes entiers (leur permettant de nager ou de marcher, par exemple). **6.7** La paroi cellulaire des cellules végétales se compose principalement de microfibrilles de cellulose insérées dans une matrice renfermant d'autres polysaccharides et des protéines. La matrice extracellulaire (MEC) des cellules animales se compose principalement de collagène et d'autres fibres de protéines, comme les fibronectines et d'autres glycoprotéines. Ces fibres traversent un réseau tissé de protéoglycanes riches en glucides. La paroi cellulaire végétale assure le soutien structural de chaque cellule et, plus globalement, du corps du végétal. Outre le fait qu'elle assure un soutien structural, la MEC d'une cellule animale « informe » le cytosquelette des changements qui se produisent dans son environnement externe et permet l'intégration des changements qui se produisent à l'extérieur et à l'intérieur de la cellule. **6.8** Le noyau renferme les chromosomes. Chaque chromosome se compose de nombreuses protéines et d'une seule molécule d'ADN. Les gènes présents sur la molécule d'ADN contiennent l'information génétique nécessaire pour fabriquer diverses protéines, par exemple les protéines qui participent à l'ingestion d'une cellule bactérienne, comme l'actine des microfilaments faisant partie des pseudopodes (filopodes), ainsi que les protéines composant la mitochondrie responsable de la production d'ATP ou encore les enzymes logées dans les lysosomes qui digéreront la cellule bactérienne.

Évaluation

1. b ; **2.** c ; **3.** b ; **4.** a ; **5.** d ; **6.** Voir la figure 6.8.

CHAPITRE 7

Questions des figures

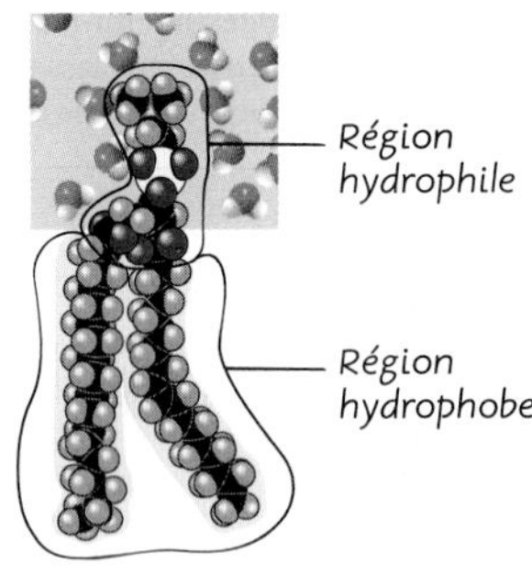

Figure 7.2 La partie hydrophile est en contact avec un milieu aqueux (cytosol ou liquide extracellulaire), et la partie hydrophobe, avec les parties hydrophobes des autres phospholipides à l'intérieur de la bicouche.
Figure 7.4 Vous ne pourriez pas exclure le mouvement des protéines à l'intérieur des membranes d'une même espèce. Vous pourriez proposer comme explication que les lipides et les protéines membranaires d'une espèce n'ont pas pu se mélanger avec ceux de l'autre espèce à cause d'une quelconque incompatibilité. **Figure 7.7** Une protéine transmembranaire comme le dimère en (f) pourrait modifier sa forme en se fixant à une molécule particulière de la matrice extracellulaire (MEC). La nouvelle forme de la protéine permettrait à sa partie interne de se fixer à une autre protéine, cytoplasmique celle-là, qui relaierait le message à l'intérieur de la cellule, comme on le voit en (c). **Figure 7.8** La forme d'une protéine à la surface du VIH pourrait être complémentaire de la forme du récepteur (CD4), de même que de celle du corécepteur (CCR5). Une molécule de forme similaire à celle de la protéine de surface du VIH pourrait se fixer au CCR5, empêchant le VIH de s'y attacher. (On pourrait aussi envisager de trouver ou de créer une molécule qui se fixerait au CCR5 et en changerait la forme, de sorte qu'elle deviendrait incapable de se lier au VIH ; en fait, c'est ainsi que le maraviroc agit.)
Figure 7.9

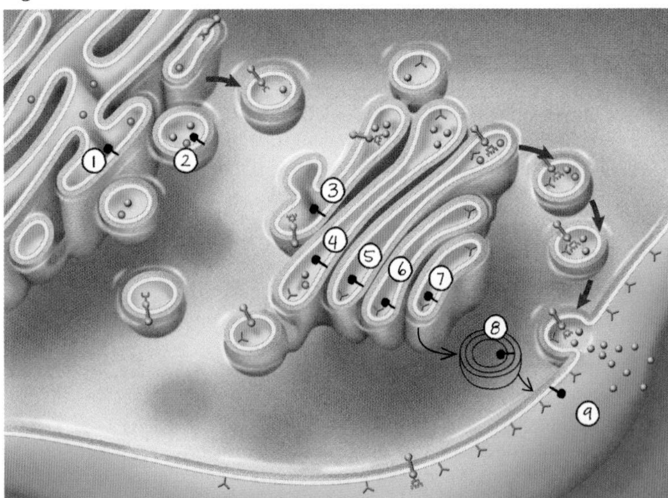

La protéine devrait être en contact avec le liquide extracellulaire. (Comme une des extrémités de la protéine est dans la membrane du RE, aucune partie de la protéine ne se trouve dans le cytoplasme.) La partie de la protéine qui n'est pas dans la membrane pénètre dans la lumière du RE. Une fois que la vésicule a fusionné avec la membrane plasmique, l'« intérieur » de la membrane du RE (la face en contact avec la lumière) devient l'« extérieur » de la membrane plasmique, en contact avec le liquide extracellulaire.
Figure 7.11 À la fin de l'expérience, le colorant orangé serait distribué également dans la solution des deux côtés de la membrane. Le niveau des solutions contenues dans le tube ne serait pas modifié parce que le colorant orangé peut diffuser à travers la membrane et égaliser sa concentration. Par conséquent, il n'y aurait pas d'osmose additionnelle, ni dans un sens ni dans l'autre.
Figure 7.16 Les solutés en forme de losanges entrent dans la cellule (vers le bas), et les solutés en forme de ronds sortent de la cellule (vers le haut) ; chacun va à l'encontre de son gradient de concentration. **Figure 7.19** (a) Sur la micrographie de la cellule d'algue, le diamètre de la cellule est environ 2,3 fois plus long que l'échelle graphique, qui représente 5 μm ; le diamètre de la cellule est donc d'environ 11,5 μm. (b) Sur la micrographie de la vésicule enrobée, le diamètre de la vésicule est environ 1,2 fois plus long que l'échelle graphique, qui représente 0,25 μm ; le diamètre de la vésicule est donc d'environ 0,3 μm. (c) Donc, le phagosome autour de la cellule d'algue est environ 40 fois plus grand que la vésicule enrobée.

Retour sur le concept 7.1

1. Les glucides sont sur la couche interne de la membrane de la vésicule de sécrétion. **2.** Les plantes adaptées à la région la plus froide devraient renfermer plus d'acides gras insaturés dans leur membrane cellulaire, car ces acides gras restent liquides aux températures plus basses. Les plantes adaptées à la région la plus chaude devraient avoir plus d'acides gras saturés, ce qui permettrait aux acides gras de se tasser plus étroitement, rendant ainsi les membranes moins liquides et les aidant par le fait même à rester intactes à haute température. (En général, les végétaux n'utilisent pas le cholestérol pour modérer les effets de la température sur la fluidité membranaire; il y a peu de cholestérol dans les membranes des végétaux comparativement aux membranes des animaux.)

Retour sur le concept 7.2

1. Les molécules d'O_2 et de CO_2 traversent facilement l'intérieur hydrophobe d'une membrane parce qu'elles ne sont pas chargées (non polaires). **2.** L'eau étant une molécule chargée (polaire), elle ne peut pas traverser très rapidement le centre hydrophobe de la bicouche de phospholipides. **3.** L'ion hydronium est chargé, tandis que le glycérol ne l'est pas. La charge est probablement un critère d'exclusion plus important que la taille pour le canal protéique de l'aquaporine.

Retour sur le concept 7.3

1. Le CO_2 est une molécule non polaire qui peut diffuser à travers la membrane plasmique. Tant qu'il diffuse assez loin pour que la concentration reste faible à l'extérieur de la cellule, il continuera à sortir de la cellule de cette façon (le contraire de ce qui se passe dans le cas de l'O_2 décrit dans cette section). **2.** L'activité de la vacuole pulsatile de la paramécie diminuera. La vacuole expulse le surplus d'eau qui s'accumule dans sa cellule; cette accumulation ne se produit que dans un milieu hypotonique.

Retour sur le concept 7.4

1. Ces pompes utilisent de l'ATP. Pour établir une différence de potentiel électrique, les ions doivent traverser d'un côté à l'autre de la membrane à l'encontre de leur gradient électrochimique, ce qui nécessite de l'énergie. **2.** Chaque ion est transporté contre son gradient électrochimique. Si un des ions traversait suivant son gradient électrochimique, on pourrait dire qu'il s'agit de cotransport. **3.** L'intérieur d'un lysosome est acide et présente donc une concentration plus forte d'H^+ que le cytoplasme. C'est pourquoi on peut s'attendre à ce que la membrane du lysosome soit dotée d'une pompe à protons, comme celle qu'on voit à la figure 7.17, pour transporter les H^+ à l'intérieur du lysosome.

Retour sur le concept 7.5

1. Ce processus relève de l'exocytose. Quand une vésicule de sécrétion fusionne avec la membrane plasmique, la membrane de la vésicule présente une continuité avec la membrane plasmique.

2.

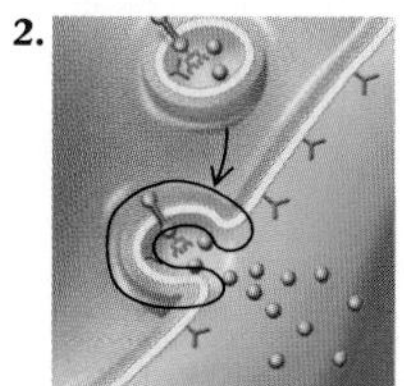

3. La glycoprotéine serait synthétisée dans la lumière du réticulum endoplasmique, passerait dans le complexe golgien, puis serait transportée dans des vésicules de sécrétion jusqu'à la membrane plasmique, où elle subirait une exocytose pour s'intégrer à la MEC.

Questions du résumé des concepts clés

7.1 La membrane plasmique délimite la cellule en séparant les constituants cellulaires du milieu extracellulaire. De ce fait, les conditions internes sont déterminées par les protéines membranaires, lesquelles régulent l'entrée et la sortie des molécules, et même le fonctionnement cellulaire (voir la figure 7.7). La membrane plasmique est d'une importance cruciale, puisqu'elle permet aux processus vitaux de se dérouler dans le milieu contrôlé de la cellule. Chez les eucaryotes, les membranes ont également pour fonction de diviser le cytoplasme en compartiments distincts où des processus différents peuvent avoir lieu même dans des conditions différentes – des pH élevés ou faibles, par exemple. **7.2** Les aquaporines sont des canaux qui augmentent considérablement la perméabilité d'une membrane aux molécules d'eau. En effet, celles-ci sont polaires et ne traverseraient pas facilement la couche interne hydrophobe de la membrane sans les aquaporines. **7.3** Il y aura une diffusion nette d'eau hors de la cellule dans une solution hypertonique. La concentration d'eau libre est plus élevée à l'intérieur de la cellule que dans la solution (où il y a moins de molécules d'eau libres, car beaucoup d'entre elles sont agglomérées autour de particules de soluté en plus forte concentration qu'à l'intérieur de la cellule). **7.4** L'un des solutés déplacés par le cotransporteur est transporté activement à l'encontre de son gradient de concentration. L'énergie requise pour ce transport vient du gradient de concentration de l'autre soluté, lequel a été établi par une pompe électrogène qui a utilisé l'énergie pour le transporter à travers la membrane. Comme ce processus requiert de l'énergie (l'ATP est utilisée pour établir le gradient de concentration), on considère qu'il s'agit d'un transport actif. **7.5** L'endocytose par récepteur interposé. Dans ce processus, des molécules spécifiques se fixent aux récepteurs de la membrane plasmique dans une région où un puits tapissé se forme. La cellule peut acquérir de très grandes quantités de ces molécules spécifiques lorsqu'un puits tapissé forme une vésicule qui en contient et les transporte dans la cellule.

Évaluation

1. b; **2.** c; **3.** a; **4.** c; **5.** b.
6. (a)

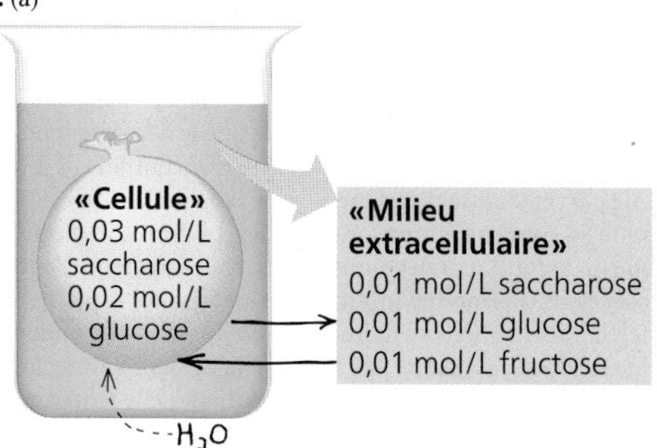

(b) La solution du milieu extracellulaire est hypotonique. Elle contient moins de saccharose, un soluté non pénétrant. (c) Voir la réponse fournie en (a). (d) La cellule artificielle deviendra plus turgescente. (e) Les deux solutions finiront par avoir la même concentration en solutés. Même si le saccharose ne peut pas atteindre la même concentration de part et d'autre de la membrane, le passage de l'eau (osmose) rendra les conditions isotoniques.

CHAPITRE 8

Questions des figures

Figure 8.5 La pompe à protons (figure 7.17) permet à l'énergie emmagasinée dans l'ATP de faire passer des protons à travers la membrane et d'augmenter la concentration (non aléatoire) à l'extérieur de la cellule. Il s'agit donc d'un processus qui augmente l'énergie libre. Lorsque des molécules de soluté (comme des ions hydrogène) se dispersent uniformément, un peu comme la dispersion aléatoire qu'on voit au bas de l'illustration (b), le système possède moins d'énergie libre qu'il en avait au haut de l'illustration (b). Le système du bas ne peut pas effectuer de travail. Comme le gradient de concentration établi par une pompe à protons (figure 7.17) représente une plus grande quantité d'énergie libre, ce système a le potentiel d'effectuer du travail une fois que la concentration de protons est plus élevée d'un côté de la membrane (comme nous le verrons dans la figure 9.15). **Figure 8.9** L'acide glutamique possède un groupement carboxyle à l'extrémité de son groupement R. La structure de la glutamine est identique à celle de l'acide glutamique, à la différence qu'un groupement amine a pris la place du —O^- dans le groupement R. (L'atome O dans le groupement R se retire durant la réaction de synthèse.) Donc, dans cette figure, la molécule de Gln est dessinée comme une molécule de Glu à laquelle est attaché NH_2.

Figure 8.12

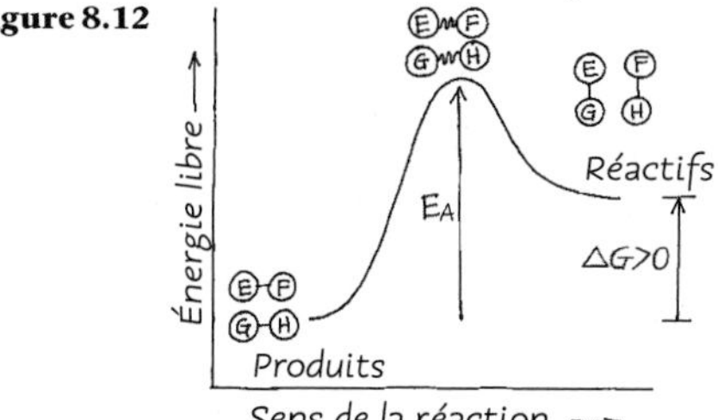

Figure 8.15

Substrats
Complexe enzyme-substrat
État de transition
Enzyme
Produits

Figure 8.16
Le pH optimal de la pepsine est de 2. Étant donné la présence de sécrétions acides dans l'estomac, la sélection naturelle a probablement exercé des pressions contre les organismes qui digéraient les protéines moins efficacement. Comme la pepsine participe à la dégradation gastrique des protéines (tout comme la forte acidité), un pH optimal égal à celui de l'estomac est avantageux et a dû être sélectionné. Le pH optimal de la trypsine est de 8. Cette enzyme est sécrétée dans l'intestin, où le pH est plus près de 8 que de 2. Par conséquent, une fois dans l'intestin, la pepsine cesse de fonctionner.

Retour sur le concept 8.1

1. Le deuxième principe de la thermodynamique stipule que le désordre tend à augmenter ou que l'entropie augmente. Par exemple, si les concentrations d'une substance sont égales de part et d'autre d'une membrane, la distribution est plus désordonnée que lorsque les concentrations sont inégales. La diffusion d'une substance vers une zone où la substance est moins concentrée augmente l'entropie, ce qui en fait un processus thermodynamiquement favorisé sur le plan énergétique (spontané), conformément au deuxième principe de la thermodynamique. Cela explique le processus illustré à la figure 7.10. **2.** Dans l'arbre, la pomme accrochée à la branche possède de l'énergie potentielle ; elle renferme de l'énergie chimique dans les sucres et les autres nutriments qu'elle contient. Lorsqu'elle tombe de l'arbre, elle a de l'énergie cinétique. Enfin, une fois que la pomme est digérée et que ses molécules ont été dégradées, une partie de l'énergie chimique est utilisée et le reste se perd sous forme d'énergie thermique. **3.** Les cristaux de sucre deviennent moins ordonnés (l'entropie augmente) à mesure qu'ils se dissolvent et se distribuent de manière aléatoire dans l'eau. Avec le temps, l'eau s'évapore et les cristaux se reforment, car le volume d'eau est insuffisant pour les garder en solution. La réapparition des cristaux de sucre peut représenter une augmentation « spontanée » de l'ordre (diminution de l'entropie), mais elle est compensée par la diminution de l'ordre (augmentation de l'entropie) des molécules d'eau. En effet, ces molécules passent de la disposition relativement compacte et ordonnée qu'elles avaient dans l'eau liquide à celle, beaucoup plus dispersée et désordonnée, qu'elles ont dans la vapeur d'eau.

Retour sur le concept 8.2

1. La respiration cellulaire est un processus spontané et exergonique. L'énergie libérée par le glucose sert à effectuer du travail dans la cellule ou se perd sous forme de chaleur. **2.** Le catabolisme dégrade les molécules organiques, libérant leur énergie chimique ; il en résulte des produits plus petits et plus d'entropie, comme ce qui se passe entre le haut et le bas de la figure 8.5c. L'anabolisme consomme de l'énergie pour synthétiser des molécules à partir de molécules plus petites, comme ce qui se passe du bas au haut de la figure 8.5c. **3.** La réaction est exergonique parce qu'elle dégage de l'énergie, ici sous forme de lumière. (Il s'agit de la version non biologique de la bioluminescence illustrée à la figure 8.1.)

Retour sur le concept 8.3

1. L'ATP transfère l'énergie au processus endergonique par la phosphorylation (ajout d'un groupement phosphate) d'une autre molécule. (Les processus exergoniques, eux, permettent la phosphorylation de l'ADP pour régénérer l'ATP.) **2.** En une série de réactions couplées, le premier groupe (réactifs) peut se transformer et devenir le deuxième (produits). Comme il s'agit, dans l'ensemble, d'un processus exergonique, la valeur de ΔG est négative et le premier groupe doit avoir davantage d'énergie libre (voir la figure 8.10). **3.** Un transport actif. Le soluté est transporté à l'encontre de son gradient de concentration, ce qui exige de l'énergie, laquelle est fournie par l'hydrolyse de l'ATP.

Retour sur le concept 8.4

1. Une réaction spontanée est une réaction exergonique. Cependant, si son énergie d'activation est élevée, donc rarement atteinte, la réaction sera plutôt lente. **2.** Seuls les substrats spécifiques peuvent entrer dans le site actif d'une enzyme, la partie de l'enzyme qui effectue la catalyse. **3.** En présence de malonate, on peut augmenter la concentration du substrat normal (le succinate) et déterminer si la vitesse de la réaction augmente. Le cas échéant, le malonate est un inhibiteur compétitif.

4.

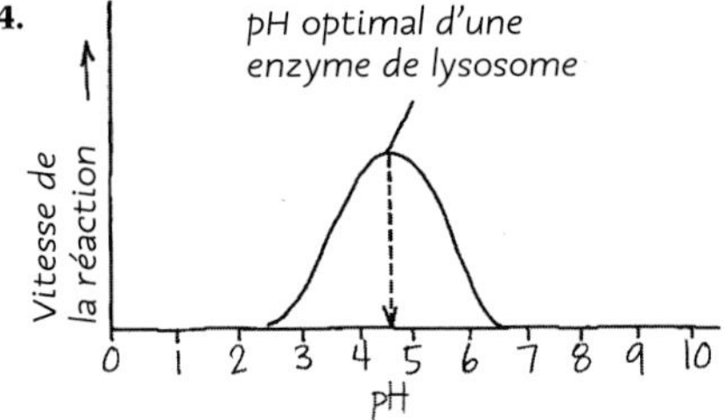

Retour sur le concept 8.5

1. La liaison de l'activateur est telle qu'elle stabilise la forme active d'une enzyme, tandis que la liaison de l'inhibiteur stabilise sa forme inactive. **2.** Une voie catabolique dégrade des molécules organiques et l'énergie libérée est emmagasinée dans les molécules d'ATP. Dans la rétro-inhibition d'une telle voie, l'ATP (un produit) se comporterait comme l'inhibiteur allostérique d'une enzyme qui catalyse une étape du début du processus catabolique. Une fois obtenue une quantité suffisante d'ATP, la voie se désactiverait, ce qui mettrait fin à la production d'ATP.

Questions du résumé des concepts clés

8.1 Le processus d'organisation (ordre) de la structure d'une cellule s'accompagne d'une augmentation de l'entropie (désordre) de l'Univers. Ainsi, une cellule animale utilise des molécules organiques très organisées comme source de matière et d'énergie pour construire et préserver ses structures. Cependant, au cours de ce même processus, la cellule libère dans l'environnement de la chaleur ainsi que des molécules simples de CO_2 et d'eau. L'augmentation de l'entropie qui résulte de ce dernier processus annule la diminution de l'entropie qui résultait du premier. **8.2** Une réaction spontanée a un ΔG négatif et elle est exergonique. Pour qu'une réaction chimique se déroule en produisant une libération nette d'énergie libre ($-\Delta G$), l'enthalpie (énergie totale) du système doit diminuer ($-\Delta H$) et/ou son entropie (désordre) doit augmenter (ce qui donnera un terme $-T\Delta S$ encore plus négatif). Les réactions spontanées sont importantes, car elles fournissent l'énergie nécessaire pour produire du travail cellulaire. **8.3** L'énergie libre dégagée par l'hydrolyse de l'ATP peut déclencher des réactions endergoniques par le transfert d'un groupement phosphate à une molécule de réactif, ce qui procure un intermédiaire phosphorylé plus réactif. L'hydrolyse de l'ATP est aussi à l'origine du travail mécanique et du travail de transport d'une cellule, souvent en modifiant la forme de la protéine motrice en cause. La respiration cellulaire (ou dégradation catabolique de glucose) fournit l'énergie utilisée dans la régénération endergonique de l'ATP à partir de l'ADP et d'un Ⓟ$_i$. **8.4** Les barrières de l'énergie d'activation (E_A) empêchent les molécules complexes de la cellule, riches en énergie libre, de se décomposer spontanément en molécules moins ordonnées et plus stables. Les enzymes permettent la régulation du métabolisme en se liant à des substrats spécifiques et en formant des complexes enzyme-substrat qui abaissent de manière sélective l'énergie d'activation des réactions chimiques dans la cellule. **8.5** Une cellule régule étroitement ses voies métaboliques afin de répondre à ses besoins fluctuants d'énergie et de matériaux. La liaison d'activateurs ou d'inhibiteurs à des sites régulateurs sur des enzymes allostériques stabilise soit la forme active, soit la forme inactive des sous-unités. Par exemple, la liaison de l'ATP avec une enzyme catabolique dans une cellule où il y a trop d'ATP inhibe cette voie. Ce type de rétro-inhibition préserve les ressources chimiques de la cellule. Si les réserves d'ATP sont épuisées, la liaison de l'ADP au site régulateur des enzymes cataboliques active cette voie, produisant plus d'ATP.

Évaluation

1. b ; **2.** c ; **3.** b ; **4.** a ; **5.** c ; **6.** d ; **7.** c.

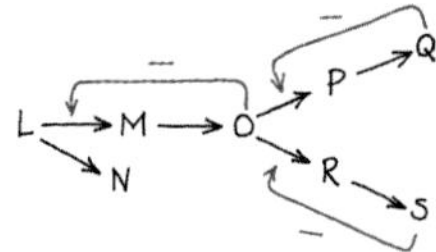

8.

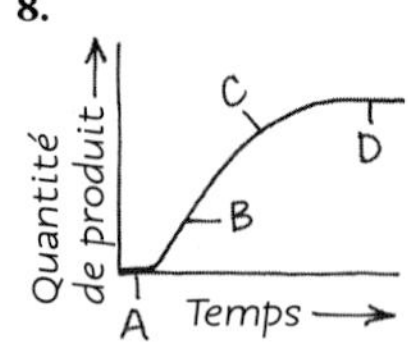

A. Les molécules de substrat pénètrent dans les cellules pancréatiques, de sorte qu'aucun produit ne s'est encore formé.
B. Comme il y a suffisamment de substrat, la réaction se déroule à sa vitesse optimale.
C. Le substrat s'épuise et la vitesse de la réaction ralentit (la pente de la courbe est moins prononcée).
D. La courbe est complètement plate parce qu'il ne reste plus de nouveau substrat, de sorte qu'aucun nouveau produit n'apparaît.

CHAPITRE 9

Questions des figures

Figure 9.4 La forme réduite a un atome d'hydrogène de plus (en rose), ainsi que 2 électrons, lié au carbone de la partie supérieure de la structure du nicotinamide (en face du N). Le nombre de liaisons doubles et leurs positions diffèrent dans les deux formes : dans la forme oxydée, il y a trois liaisons doubles dans l'anneau, mais seulement deux dans la forme réduite. (En chimie organique, vous avez peut-être appris, ou vous apprendrez, que trois liaisons doubles dans un anneau sont capables de « résonance », ou d'agir comme un anneau d'électrons. Il y a plus d'oxydation avec trois liaisons doubles « résonantes » qu'avec deux liaisons doubles dans l'anneau.) Dans la forme oxydée, N porte une charge + (parce qu'il partage 4 paires d'électrons), tandis que dans la forme réduite, N partage seulement 3 paires d'électrons (il a 1 paire pour lui). **Figure 9.7** Comme cette réaction ne dispose pas d'une source d'énergie externe, elle doit être exergonique et les réactifs doivent avoir une énergie potentielle supérieure à celle des produits. **Figure 9.9** Le retrait du phosphodihydroxyacétone (PDHA) stopperait probablement la glycolyse, ou du moins la ralentirait, puisqu'il pousserait l'équilibre de l'étape 5 vers le bas (vers le PDHA). S'il y avait moins de 3-phosphoglycéraldéhyde (PGAL) disponible (ou s'il n'y en avait pas), l'étape 6 se déroulerait plus lentement (ou ne se produirait pas). **Figure 9.15** Au début, de l'ATP pourrait être produite, puisque le transport des électrons pourrait continuer jusqu'au complexe III et qu'il pourrait s'établir un faible gradient de H^+. Très rapidement, néanmoins, la situation serait telle qu'aucun électron ne pourrait plus parvenir au complexe III parce que celui-ci serait incapable de se réoxyder en passant ses électrons au complexe IV. **Figure 9.16** Premièrement, on compte 2 NADH résultant de l'oxydation du pyruvate, plus 6 NADH provenant du cycle de l'acide citrique (CAC), d'où 8 NADH × 2,5 ATP/NADH, soit 20 ATP. Deuxièmement, on ajoute 2 $FADH_2$ provenant du CAC, ce qui donne 2 $FADH_2$ × 1,5 ATP/$FADH_2$, soit 3 ATP. Troisièmement, les 2 NADH résultant de la glycolyse entrent dans la mitochondrie en empruntant deux types de navette. Ils passent leurs électrons soit aux 2 FAD, qui deviennent $FADH_2$ et donnent 3 ATP, soit aux 2 NAD^+, qui se transforment en NADH et donnent 5 ATP. Par conséquent, 20 + 3 + 3 = 26 ATP, ou 20 + 3 + 5 = 28 ATP à partir de l'ensemble des NADH et des $FADH_2$.

Retour sur le concept 9.1

1. Les deux processus reposent sur la glycolyse, l'oxydation du pyruvate et le cycle de l'acide citrique ainsi que sur la phosphorylation oxydative. Dans la respiration aérobie, le dernier accepteur d'électrons est l'O_2 ; dans la respiration anaérobie, le dernier accepteur d'électrons est une autre substance. **2.** Le $C_4H_6O_5$ est oxydé et le NAD^+ est réduit.

Retour sur le concept 9.2

1. Le NAD^+ sert d'agent oxydant à l'étape 6 ; il accepte les électrons du 3-phosphoglycéraldéhyde (PGAL), qui est donc l'agent réducteur.

Retour sur le concept 9.3

1. Le NADH et la $FADH_2$; ils céderont des électrons à la chaîne de transport d'électrons. **2.** Le CO_2 est extrait du pyruvate, le produit terminal de la glycolyse, et il est aussi engendré par l'oxydation du pyruvate et le cycle de l'acide citrique. **3.** Dans les deux cas, la molécule du précurseur a perdu une molécule de CO_2, puis a donné des électrons à un transporteur d'électrons à l'étape de l'oxydation. De plus, dans les deux cas, le produit a été activé par liaison à une CoA.

Retour sur le concept 9.4

1. La phosphorylation oxydative cesserait complètement et, du même coup, la production d'ATP. Sans O_2 pour « faire descendre » les électrons le long de la chaîne de transport, les ions H^+ ne seraient pas pompés dans l'espace intermembranaire des mitochondries et il n'y aurait pas de chimiosmose. **2.** Étant donné que l'addition d'ions H^+ (diminution du pH) établirait un gradient même si la chaîne de transport d'électrons ne fonctionnait pas, on peut prévoir que l'ATP synthase fonctionnerait et synthétiserait de l'ATP. (En fait, ce sont des expériences comme celle-ci qui ont permis aux scientifiques de confirmer que la chimiosmose était un mécanisme de couplage énergétique.) **3.** L'un des composants de la chaîne de transport d'électrons, l'ubiquinone (Q), doit pouvoir diffuser dans la membrane, ce qui serait impossible si la membrane était rigide et immobile.

Retour sur le concept 9.5

1. Durant la fermentation alcoolique, le dernier accepteur est un dérivé du pyruvate, soit l'acétaldéhyde ; durant la fermentation lactique, c'est le pyruvate lui-même qui agit comme dernier accepteur d'électrons ; durant la respiration aérobie, le dernier accepteur est l'O_2 ; durant la respiration anaérobie, il y aura un autre accepteur d'électrons à la fin d'une chaîne de transport d'électrons, comme le sulfate (SO_4^{2-}) ou le CO_2. **2.** La cellule devra consommer du glucose à une vitesse 16 fois plus élevée environ que dans un milieu aérobie (la fermentation produit 2 ATP, comparativement à 32 ATP dans la respiration cellulaire).

Retour sur le concept 9.6

1. Le lipide est beaucoup plus réduit ; il possède de nombreuses unités (CH_2) et dans les liaisons C—H, les électrons sont également partagés. Les électrons présents dans une molécule de glucide sont déjà quelque peu oxydés (les électrons sont inégalement partagés ; il y a plus de liaisons C—O et O—H), étant donné que certains d'entre eux sont liés à l'oxygène. Les électrons qui sont également partagés, comme dans les lipides, ont un niveau énergétique plus élevé que les électrons qui sont inégalement partagés, comme dans les glucides. **2.** Lorsque notre consommation d'aliments dépasse nos besoins métaboliques, notre organisme synthétise des lipides pour constituer des réserves. **3.** L'AMP s'accumulera. Cette accumulation stimulera la phosphofructokinase, ce qui augmentera la vitesse de la glycolyse. Comme il n'y a pas d'O_2, la cellule convertira le pyruvate en lactate au cours de la fermentation lactique, ce qui produira de l'ATP. **4.** En présence d'O_2, les chaînes d'acides gras qui recèlent la majeure partie de l'énergie d'un lipide sont oxydées et alimentent le cycle de l'acide citrique et la chaîne de transport d'électrons. Cependant, lors d'un exercice *intense*, l'O_2 se raréfie dans les cellules musculaires, et seule la glycolyse peut générer de l'ATP. Or, ce processus ne peut oxyder qu'une très petite partie de la molécule lipidique, le glycérol. Il s'ensuit que la quantité d'énergie ainsi libérée est infime, par comparaison à celle que libèrent les chaînes d'acide gras (ainsi, l'exercice *modéré* – en deçà de 70 % de la fréquence cardiaque maximale – brûle davantage de graisse que l'exercice *intense*, parce que les muscles disposent de suffisamment d'O_2).

Questions du résumé des concepts clés

9.1 La majeure partie de l'ATP produite dans la respiration cellulaire vient de la phosphorylation oxydative, dans laquelle l'énergie libérée par des réactions d'oxydoréduction dans une chaîne de transport d'électrons sert à produire de l'ATP. Dans la phosphorylation au niveau du substrat, une enzyme transfère directement à l'ADP un groupement phosphate d'un substrat intermédiaire. Toute production d'ATP par glycolyse se fait par phosphorylation au niveau du substrat ; cette forme de production d'ATP a aussi lieu lors d'une étape du cycle de l'acide citrique (voir l'étape 5 de la figure 9.12). **9.2** L'oxydation du glucide à trois atomes de carbone, le 3-phosphoglycéraldéhyde (PGAL), produit de l'énergie. Dans cette oxydation, des électrons et des H^+ sont transférés au NAD^+ ; il se forme du NADH et un groupement phosphate est attaché au substrat oxydé. L'ATP est ensuite formée par phosphorylation au niveau du substrat lorsque le groupement phosphate est transféré à l'ADP. **9.3** La libération de six molécules de CO_2 indique une oxydation complète du glucose. Au cours du processus de conversion des deux pyruvates en acétyl-CoA, les groupements carboxyle (—COO^-) pleinement oxydés sont libérés sous forme de 2 CO_2. Les quatre carbones restants seront libérés sous forme de CO_2 dans le cycle de l'acide citrique à mesure que le citrate est oxydé et reconverti en oxaloacétate. **9.4** Le flux de H^+ dans le complexe de l'ATP synthase entraîne la rotation du rotor et de la tige (arbre) qui y est attachée, exposant les sites catalytiques dans la « tête » qui produit de l'ATP à partir de l'ADP et du phosphate inorganique $(P)_i$. On trouve l'ATP synthase dans la membrane mitochondriale interne, dans la membrane plasmique des procaryotes et dans les membranes des chloroplastes. **9.5** La respiration anaérobie produit davantage d'ATP. Les 2 ATP produites par phosphorylation au niveau du substrat durant la glycolyse correspondent à l'énergie totale de la fermentation. Les NADH transfèrent leurs électrons hautement énergétiques au pyruvate ou à un dérivé du pyruvate, ce qui recycle les NAD^+ et permet à la glycolyse de se poursuivre. Dans la respiration anaérobie, le NADH produit durant la glycolyse ainsi que les molécules additionnelles de NADH formées à mesure que le pyruvate est oxydé servent à générer des molécules d'ATP. Une chaîne de transport d'électrons capte l'énergie des électrons dans le NADH par une série de réactions d'oxydoréduction ; au bout de la chaîne, les électrons sont transférés à une molécule électronégative autre que l'O_2. **9.6** L'ATP produite par les voies cataboliques sert à faire fonctionner les voies anaboliques. En outre, de nombreux intermédiaires de la glycolyse et du cycle de l'acide citrique sont utilisés dans la biosynthèse des molécules de la cellule.

Évaluation

1. c ; **2.** c ; **3.** a ; **4.** b ; **5.** d ; **6.** a ; **7.** b.
8. Comme l'ensemble du processus de la glycolyse a pour résultat net une production d'ATP, il serait logique que le processus ralentisse lorsque le niveau de l'ATP augmente de manière importante. On peut donc s'attendre à ce que l'ATP entraîne une inhibition allostérique de la phosphofructokinase.
9. La pompe à protons des figures 7.17 et 7.18 effectue un transport actif en utilisant l'hydrolyse de l'ATP pour pomper des protons contre leur gradient de concentration. Étant donné que de l'ATP est nécessaire, il s'agit d'un transport actif de protons. L'ATP synthase de la figure 9.14 utilise le flux de protons suivant leur gradient de concentration pour alimenter la synthèse de l'ATP. Comme les protons se déplacent en suivant leur gradient de concentration, aucune énergie n'est requise ; il s'agit de transport passif.

10.

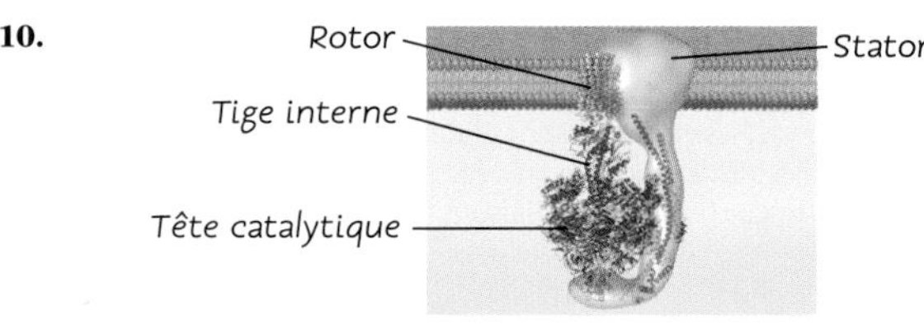

11.

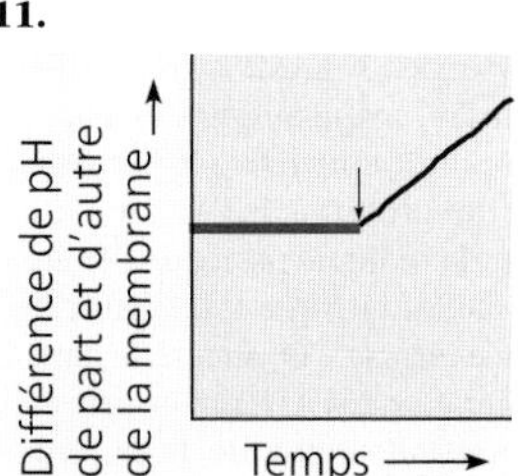

Les ions H^+ continueraient d'être pompés dans la membrane jusque dans l'espace intermembranaire, ce qui accentuerait la différence entre le pH de la matrice et le pH de l'espace intermembranaire. Les ions H^+ seraient incapables de rebrousser chemin à travers l'ATP synthase puisque le poison inhibe cette enzyme. Donc, au lieu de maintenir constante la différence de pH dans la membrane, celle-ci continuerait d'augmenter. (La concentration de H^+ dans l'espace intermembranaire finirait par devenir si élevée que plus aucun ion H^+ ne pourrait être pompé contre le gradient, mais le graphique ne montre pas cela.)

CHAPITRE 10

Questions des figures

Figure 10.3 Placer des contenants d'algues à proximité de sources d'émission de CO_2 est une bonne idée parce que ces algues ont besoin de CO_2 pour la photosynthèse. Plus leur taux de photosynthèse est élevé, plus elles produiront d'huile végétale. Entre-temps, les algues absorberont les émissions de CO_2 des usines et des moteurs des automobiles, réduisant d'autant la quantité de CO_2 qui entre dans l'atmosphère (et réduisant, donc, la contribution de ce CO_2 au changement climatique global). **Figure 10.10** Les longueurs d'onde les plus favorables à la photosynthèse vont de 400 à 500 nm et de 600 à près de 700 nm. **Figure 10.12** Dans la feuille, la plupart des électrons de la chlorophylle excités par l'absorption des photons sont utilisés pour activer les réactions de la photosynthèse. **Figure 10.16** La personne au sommet de la tour du photosystème I ne jetterait pas son électron dans le seau de NADPH, mais plutôt au sommet de la rampe posée sur la tour du photosystème II. L'électron dévalerait alors jusqu'en bas de la rampe, serait énergisé par un photon et reviendrait entre ses mains. Ce cycle continuerait tant qu'il y aurait de la lumière (d'où son appellation : transport cyclique d'électrons). **Figure 10.17** Il vous faudrait (a) diminuer le pH à l'extérieur de la mitochondrie (ce qui élèverait la concentration de H^+) et (b) augmenter le pH dans le stroma du chloroplaste (réduisant ainsi la concentration de H^+). Dans les deux cas, il se créerait un gradient de protons à travers la membrane qui amènerait l'ATP synthase à synthétiser de l'ATP. **Figure 10.23** Le gène qui code pour l'hexokinase fait partie de l'ADN d'un chromosome dans le noyau. Là, le gène est transcrit en ARNm, lequel est transporté dans le cytoplasme jusque sur un ribosome libre, où il est traduit en polypeptide. Ce polypeptide se replie en protéine fonctionnelle dotée d'une structure secondaire et d'une structure tertiaire. Une fois fonctionnelle, la protéine accomplit la première réaction de la glycolyse dans le cytoplasme.

Retour sur le concept 10.1

1. Le CO_2 entre dans les feuilles par les stomates. Cette molécule étant non polaire, elle peut traverser la membrane cellulaire de la feuille et les membranes du chloroplaste pour atteindre le stroma du chloroplaste. **2.** En employant comme marqueur du ^{18}O, un isotope lourd de l'oxygène, les chercheurs ont pu confirmer l'hypothèse de Van Niel, selon laquelle l'O_2 produit au cours de la photosynthèse vient de l'eau et non du CO_2. **3.** Les réactions photochimiques dépendent du $NADP^+$, de l'ADP et du Ⓟ_i que le cycle de Calvin génère. Les deux cycles sont interdépendants.

Retour sur le concept 10.2

1. La lumière verte, parce qu'elle est en grande partie transmise et réfléchie (et non absorbée) par les pigments photosynthétiques. **2.** L'eau (H_2O) est le donneur d'électrons ; le $NADP^+$ accepte des électrons à la fin de la chaîne de transport d'électrons, ce qui le réduit en NADPH. **3.** Dans cette expérience, la synthèse de l'ATP ralentirait et finirait par cesser. Comme le composé ajouté ne permettrait pas la formation d'un gradient de protons à travers la membrane, l'ATP synthase ne pourrait pas catalyser la production d'ATP.

Retour sur le concept 10.3

1. 6, 18, 12. **2.** Plus une molécule emmagasine de l'énergie potentielle et un potentiel réducteur, plus sa formation nécessite d'énergie et de potentiel réducteur. Le glucose est une excellente source d'énergie parce qu'il est fortement réduit (nombreuses liaisons C—H) et accumule de grandes quantités d'énergie potentielle dans ses électrons. Pour réduire le CO_2 en glucose, il faut beaucoup d'énergie et de potentiel réducteur, soit un grand nombre de molécules d'ATP et de NADPH, respectivement. **3.** Les réactions photochimiques requièrent de l'ADP et du $NADP^+$, lesquels ne seraient pas produits à partir de l'ATP et du NADPH si le cycle de Calvin s'arrêtait.

4.

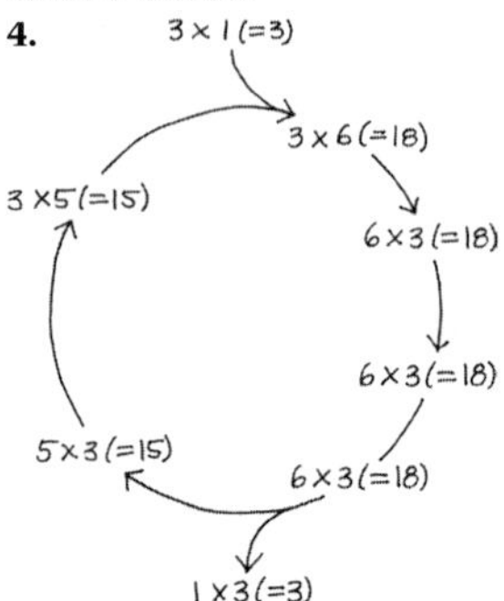

Trois atomes de carbone entrent dans le cycle, un à un, sous la forme de molécules individuelles de CO_2 et quittent le cycle sous celle d'une molécule à trois atomes de carbone (PGAL) après trois cycles. **5.** Dans la glycolyse, le PGAL agit comme intermédiaire. Le fructose 1,6-disphosphate à six atomes de carbone est scindé en deux sucres à trois atomes de carbone, dont l'un est le PGAL. L'autre est un isomère appelé phosphodihydroxyacétone (PDHA), qui peut être converti en PGAL par une isomérase. Comme le PGAL est le substrat de l'enzyme suivante, il est constamment retiré et l'équilibre de la réaction tend vers la conversion du PDHA en PGAL supplémentaire. Dans le cycle de Calvin, le PGAL est à la fois intermédiaire et produit. Pour chaque trois molécules de CO_2 qui entrent dans le cycle, il se forme six molécules de PGAL, dont cinq doivent rester dans le cycle et se réarranger pour générer trois molécules de RuDP à cinq atomes de carbone. Le sixième PGAL est un produit qu'on peut considérer comme le résultat de la « réduction » des trois molécules de CO_2 qui sont entrées dans le cycle en monosaccharide à trois atomes de carbone ; ce PGAL pourra être réutilisé pour générer de l'énergie.

Retour sur le concept 10.4

1. La photorespiration ralentit la photosynthèse en ajoutant au cycle de Calvin de l'O_2 plutôt que du CO_2. Aucun sucre n'est donc produit (aucun carbone n'est fixé), et le processus consomme de l'O_2 au lieu d'en libérer. **2.** Sans PS II, il n'y a pas de formation d'O_2 dans les cellules de la gaine fasciculaire, ce qui permet d'éviter le problème de la compétition de l'O_2 avec le CO_2 pour la liaison avec la rubisco dans ces cellules. **3.** Les deux problèmes sont causés par le changement radical de l'atmosphère terrestre résultant de l'utilisation des combustibles fossiles. L'augmentation de la concentration de CO_2 perturbe la chimie des océans en diminuant leur pH, ce qui nuit à la calcification des organismes marins. Sur la terre ferme, les végétaux se sont adaptés à la concentration accrue de CO_2 et au réchauffement de la planète, mais ces variations se traduisent par des répercussions importantes sur leur photosynthèse. Si la concentration de CO_2 et la température continuent à changer, cela pourrait avoir des effets cruciaux sur les organismes vivant dans tous les habitats de la planète. **4.** Les plantes de types C_4 et CAM prendraient la place d'un grand nombre de plantes de type C_3.

Retour sur le concept 10.5

1. Oui, les plantes peuvent dégrader ce glucide (alors sous forme de glucose) par la respiration cellulaire et produire des molécules d'ATP pour effectuer diverses activités cellulaires, comme les réactions chimiques endergoniques, le transport transmembranaire de substances et le mouvement des molécules dans la cellule. Les molécules d'ATP servent également au déplacement des chloroplastes durant le mouvement de cyclose de certaines cellules végétales (voir la figure 6.26).

Questions du résumé des concepts clés

10.1 Le CO_2 et l'eau sont des produits dans la respiration cellulaire et des réactifs dans la photosynthèse. Dans la respiration, le glucose est oxydé en CO_2 et les électrons sont transférés du glucose à l'O_2 par la chaîne de transport d'électrons, ce qui produit de l'eau. Dans la photosynthèse, l'eau est la source d'électrons, lesquels sont énergisés par la lumière, temporairement stockés dans le NADPH, puis utilisés pour réduire le CO_2 en glucides. **10.2** Le spectre d'action de la photosynthèse montre que certaines longueurs d'onde qui ne sont pas absorbées par la chlorophylle *a* peuvent néanmoins favoriser la photosynthèse. Les complexes collecteurs de lumière des photosystèmes contiennent des pigments accessoires, comme la chlorophylle *b* et les caroténoïdes, qui absorbent diverses longueurs d'onde et transfèrent l'énergie à la chlorophylle *a*, élargissant ainsi le spectre de la lumière utilisable pour la photosynthèse.

10.3

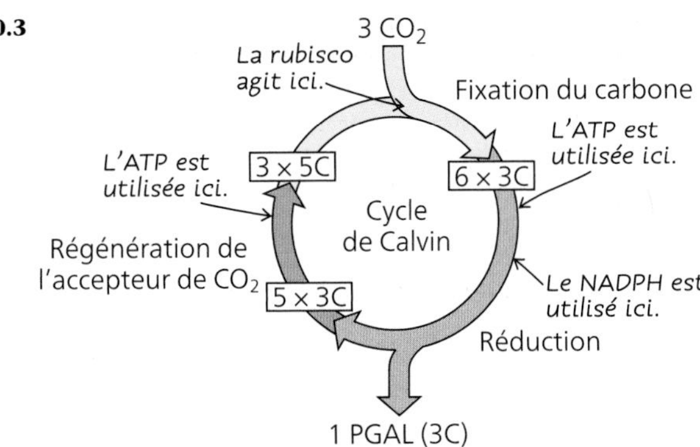

Dans la phase de réduction du cycle de Calvin, l'ATP phosphoryle les composés à trois atomes de carbone et le NADPH les réduit en PGAL. L'ATP sert également durant la phase de régénération, lorsque cinq molécules de PGAL sont converties en trois molécules du composé à cinq atomes de carbone, le RuDP. La rubisco catalyse la première étape de la fixation du carbone : l'ajout de CO_2 au RuDP. **10.4** La photosynthèse en C_4 et la photosynthèse des CAM supposent la fixation de CO_2 pour produire un composé à quatre carbones (dans les cellules du mésophylle chez les plantes de type C_4 et durant la nuit chez les plantes de type CAM). Ces composés sont ensuite dégradés pour libérer du CO_2 (dans les cellules de la gaine fasciculaire chez les plantes de type C_4 et durant le jour chez les plantes de type CAM). Il faut de l'ATP pour recycler la molécule utilisée initialement pour se combiner au CO_2. Ces adaptations évitent le recours à la photorespiration qui consomme de l'ATP et qui réduit le rendement photosynthétique chez les plantes de type C_3 lorsqu'elles referment leurs stomates sous le soleil par temps chaud et sec. Les climats chauds et arides favorisent donc les plantes de type C_4 et de type CAM. **10.5** Les organismes photosynthétiques fournissent de la nourriture (principalement sous forme de glucides) à tous les autres organismes vivants, soit directement, soit indirectement. Ils captent l'énergie du Soleil et peuvent ainsi synthétiser des glucides, ce dont sont incapables les organismes non photosynthétiques. Les organismes photosynthétiques produisent également l'O_2 nécessaire à tous les organismes qui accomplissent la respiration aérobie.

Évaluation

1. d ; **2.** b ; **3.** c ; **4.** a ; **5.** c ; **6.** b ; **7.** c.

8.

Forte concentration de H^+ (pH = 4)
H^+
Faible concentration de H^+ (pH = 8) ADP + P_i H^+ ATP

La synthèse de l'ATP se terminerait hors du thylakoïde. Les thylakoïdes ont pu synthétiser de l'ATP dans le noir parce que les chercheurs ont créé un gradient de concentration de protons artificiel à travers leur membrane ; les réactions photochimiques n'étaient donc plus nécessaires pour établir le gradient de H^+ requis pour la synthèse de l'ATP par l'ATP synthase.

CHAPITRE 11

Questions des figures

Figure 11.6 L'adrénaline est une molécule de signalisation ; vraisemblablement, elle se lie à un récepteur protéique de surface. **Figure 11.8** Il s'agit d'un exemple de transport passif. L'ion se déplace suivant son gradient de concentration, et aucune énergie n'est nécessaire. **Figure 11.9** La molécule d'aldostérone est un stéroïde hydrophobe (liposoluble) et peut donc passer directement à travers la bicouche lipidique hydrophobe de la membrane plasmique pour entrer dans la cellule (ce que ne pourraient faire des molécules hydrophiles). **Figure 11.10** La cascade de phosphorylations dans son ensemble ne fonctionnerait pas. En effet, que la molécule de signalisation soit liée ou non, la protéine kinase 2 demeurerait inactive et serait incapable d'activer la protéine (en violet) qui aboutit à la réponse cellulaire. **Figure 11.11** La molécule de signalisation (AMPc) garderait sa forme active et continuerait à produire son signal.

Figure 11.12

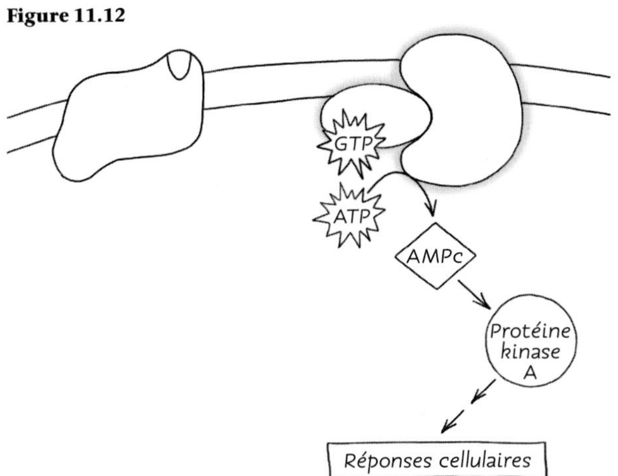

Figure 11.16 Il y a libération de 100 000 000 (cent millions, ou 10^8) molécules de glucose. La première étape amplifie la réponse par un facteur de 100 (une molécule d'adrénaline active 100 protéines G) ; l'étape suivante n'amplifie pas la réponse ; l'étape suivante l'amplifie par un facteur de 100 (de 10^2 molécules d'adénylate cyclase à 10^4 AMPc) ; l'étape suivante n'amplifie pas la réponse ; chacune des deux étapes suivantes amplifie la réponse par un facteur de 10 ; et la dernière étape l'amplifie par un facteur de 100. **Figure 11.17** La voie de transduction que montre la figure 11.14 mène à la scission de PIP_2 en DAG et IP_3, des seconds messagers qui induisent des réponses différentes. La voie montrée pour la cellule B est similaire, car elle aussi est scindée et peut produire deux réponses.

Retour sur le concept 11.1

1. Les deux cellules de type sexuel opposé (**a** et α) sécrètent chacune une molécule de signalisation qui ne peut se lier qu'à des récepteurs portés par des cellules du type sexuel opposé. Un facteur de reconnaissance sexuelle **a** ne peut donc pas se lier à une autre cellule **a** et l'inciter à se développer en direction de la première cellule **a**. Seule une cellule **α** peut « recevoir » la molécule de signalisation et y répondre par une croissance orientée. **2.** La glycogène phosphorylase agit à la troisième étape, celle de la réponse au signal de l'adrénaline. **3.** Aucun glucose-1-phosphate n'est produit, car l'enzyme est activée seulement en présence d'une cellule intacte, dont la membrane plasmique, les récepteurs membranaires et la voie de transduction du signal sont intacts. L'enzyme ne peut pas être activée directement par interaction avec la molécule de signalisation dans le mélange acellulaire.

Retour sur le concept 11.2

1. Contrairement aux hormones stéroïdes hydrophobes, cette molécule hydrosoluble (hydrophile) ne peut pas traverser la membrane lipidique pour atteindre des récepteurs intracellulaires. On peut donc en déduire que le récepteur NGF se trouve dans la membrane plasmique. **2.** La cellule porteuse du récepteur défectueux ne pourrait pas répondre de manière appropriée à la présence de la molécule de signalisation. Les conséquences seraient très graves pour cette cellule, car elle serait incapable de réguler normalement les activités cellulaires. **3.** La liaison d'un ligand avec un récepteur modifie la forme du récepteur et, par conséquent, sa capacité à transmettre un signal. La liaison d'un régulateur allostérique à une enzyme modifie la forme de cette dernière, favorisant ou inhibant son activité.

Retour sur le concept 11.3

1. Une protéine kinase est une enzyme qui transfère un groupement phosphate de l'ATP à une protéine, qu'elle active habituellement (et qui est souvent un second type de protéine kinase). De nombreuses voies de transduction du signal font intervenir une série d'interactions de ce genre, durant laquelle chaque protéine kinase phosphorylée phosphoryle à son tour la protéine kinase suivante. Une telle cascade de phosphorylations transmet un signal de l'extérieur de la cellule vers les protéines cellulaires responsables de la réponse. **2.** Les protéines phosphatases ont des effets inverses à ceux des kinases ; les kinases retournent toutes à leur état inactif par les phosphatases. **3.** Le signal qui subit une transduction est l'information qu'une molécule de signalisation vient de se fixer au récepteur de surface. Cette information est convertie au cours d'interactions séquentielles de protéine à protéine. Ces interactions provoquent des modifications de la forme de ces protéines et les rendent capables de transmettre le signal (l'information). **4.** Les canaux ligand-dépendants à ouverture régulée par l'IP_3 s'ouvriraient et laisseraient sortir les ions calcium du RE vers le cytosol, ce qui augmenterait la concentration de Ca^{2+} cytosolique.

Retour sur le concept 11.4

1. À chaque étape d'une cascade d'activations successives, une seule molécule ou un seul ion peut activer de nombreuses molécules intervenant dans l'étape suivante. Il s'ensuit que la réponse est amplifiée à chacune de ces étapes. Il en résulte donc, dans l'ensemble, une importante amplification du signal initial. **2.** Les protéines d'échafaudage rassemblent des composants moléculaires de voies de transduction pour former des complexes protéiques. Différentes protéines d'échafaudage pourraient alors assembler des ensembles différents de protéines, ce qui faciliterait diverses interactions moléculaires et entraînerait des réponses cellulaires différentes dans les deux cellules. **3.** Une protéine phosphatase dysfonctionnelle aurait été incapable de déphosphoryler un récepteur ou une molécule intermédiaire en particulier, de sorte qu'une fois activée, la voie de transduction n'aurait pas pu s'arrêter. (De fait, une étude a révélé la présence de protéines phosphatases dysfonctionnelles dans les cellules de 25 % des tumeurs colorectales.)

Retour sur le concept 11.5

1. Lors de la formation de la main ou de la patte chez les mammifères, les cellules des espaces interdigitaux sont programmées pour mourir (apoptose) afin de façonner les doigts et les orteils, et d'éviter qu'ils soient palmés. (Chez les oiseaux aquatiques, toutefois, l'absence d'apoptose dans ces espaces entraîne l'apparition de pattes palmées.) **2.** Si le récepteur protéique d'une molécule porteuse d'un signal d'autodestruction était défectueux et s'activait en l'absence de ce signal, il en résulterait une apoptose inopportune. Il en serait de même d'un dysfonctionnement similaire de n'importe quelle des protéines de la voie de transduction qui activerait ces protéines intermédiaires ou protéines de réponse en l'absence d'interaction avec la protéine en amont ou le second messager de la voie. Inversement, si n'importe quelle des protéines de la voie de transduction était incapable de réagir à une interaction avec une protéine en amont ou une autre molécule ou ion, l'apoptose ne pourrait se produire. Par exemple, le récepteur protéique d'un ligand porteur d'un signal d'autodestruction pourrait ne pas être activé même s'il se liait avec ce ligand, ce qui empêcherait la transduction du signal dans la cellule.

Questions du résumé des concepts clés

11.1 Une cellule ne peut réagir à une hormone que si elle est dotée d'un récepteur protéique intracellulaire ou de surface capable de se lier à cette hormone. La réponse à une hormone dépend de la voie de transduction du signal dans la cellule, voie qui aboutira à la réponse cellulaire spécifique. Cette réponse peut varier selon le type de cellule. **11.2** Les RCPG et les RTK sont dotés d'un site de liaison extracellulaire destiné à une molécule de signalisation (ligand) ainsi que d'une ou de plusieurs régions comportant des hélices α sur le polypeptide qui traversent la membrane. Les RCPG fonctionnent individuellement, tandis que les RTK tendent à dimériser ou à former de grands groupes de RTK. Les RCPG déclenchent habituellement une seule voie de transduction, tandis que les multiples tyrosines activées sur un dimère de RTK peuvent déclencher simultanément plusieurs voies de transduction. **11.3** Une protéine kinase est une enzyme qui permet l'incorporation d'un groupement phosphate sur une autre protéine. Les protéines kinases participent souvent à une cascade de phosphorylations qui provoque la transduction d'un signal. Un second messager est une petite molécule non protéique ou un ion qui diffuse rapidement et transmet un signal à l'intérieur d'une cellule. Les protéines kinases et les seconds messagers peuvent intervenir simultanément dans la même voie. Ainsi, le second messager AMPc active souvent la protéine kinase A, qui phosphoryle ensuite d'autres protéines. **11.4** Dans les voies couplées avec une protéine G, la sous-unité GTPase d'une protéine G convertit le GTP en GDP et inactive la protéine G. Les protéines phosphatases retirent les groupements phosphate des protéines activées, ce qui stoppe une cascade de phosphorylations de protéines kinases. Les phosphodiestérases transforment l'AMPc en AMP, réduisant ainsi l'effet de l'AMPc dans une voie de transduction du signal. **11.5** Le mécanisme de base du suicide cellulaire programmé remonte très loin dans l'évolution des eucaryotes, et la base génétique des voies apoptotiques a été préservée au cours de l'évolution des animaux. Ce mécanisme est essentiel au développement et à l'entretien de tous les animaux.

Évaluation

1. d ; **2.** a ; **3.** b ; **4.** a ; **5.** c ; **6.** c ; **7.** c.

8. Voici un schéma possible de cette voie (des schémas similaires peuvent aussi être adéquats).

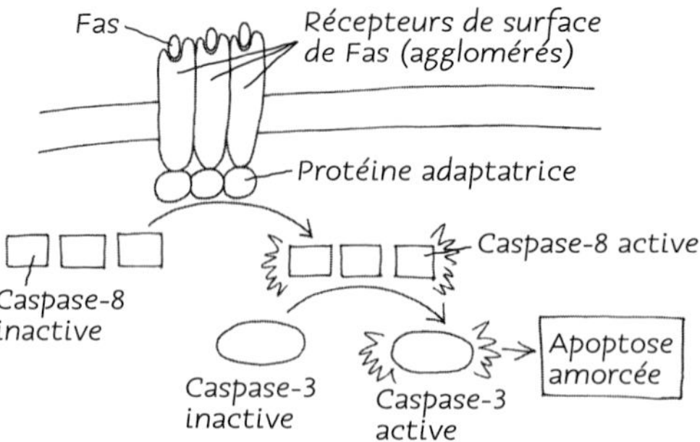

CHAPITRE 12

Questions des figures

Figure 12.4

Une chromatide sœur

On aurait aussi pu encercler l'autre chromatide. **Figure 12.5** Le chromosome a quatre bras (deux bras *p* et deux bras *q*). Le chromosome (répliqué) de l'étape 2 se divise en deux chromosomes (non répliqués) à l'étape 3. Le chromosome répliqué de l'étape 2 est considéré comme un seul chromosome. **Figure 12.7** 12 ; 2 ; 2 ; 1.

Figure 12.8

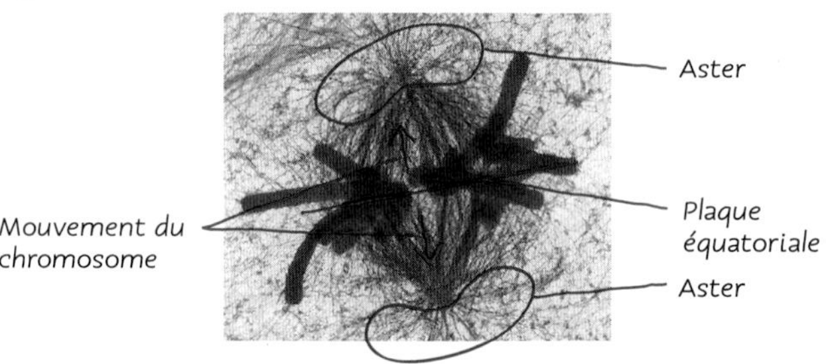

Figure 12.9 La marque se serait déplacée vers le pôle le plus proche. La longueur des microtubules fluorescents entre ce pôle et la marque aurait diminué, tandis que leur longueur entre les chromosomes et la marque serait restée la même. **Figure 12.14** Dans les deux cas, le noyau en phase G_1 serait resté en phase G_1 jusqu'au moment où il serait normalement entré en phase S. La condensation chromosomique et la formation du fuseau de division ne se seraient pas produites avant la fin des phases S et G_2. **Figure 12.16** Le passage du point de contrôle G_2 dans le diagramme correspond au début de l'axe « Temps » du graphique, et l'entrée dans la phase mitotique (la section jaune du diagramme) correspond au pic de l'activité du MPF et de la concentration de cycline dans le graphique (voir les M jaunes au-dessus des pics). Durant les phases G_1 et S, la Cdk est présente en l'absence de cycline dans le diagramme, de sorte que la concentration de cycline et l'activité du MPF sont faibles dans le graphique. Dans le diagramme, la flèche violette indique une concentration accrue de cycline à la fin de la phase S et durant toute la phase G_2 dans le graphique. Après quoi, le cycle cellulaire recommence. **Figure 12.17** La cellule se serait divisée dans des conditions inappropriées. Si les cellules filles et leurs descendantes avaient elles aussi ignoré les points de contrôle et s'étaient divisées, il y aurait bientôt eu une masse anormale de cellules. (Ce type de division cellulaire inappropriée peut contribuer au développement du cancer.) **Figure 12.18** Les cellules du récipient avec PDGF seraient incapables de répondre au signal du facteur de croissance et ne se diviseraient donc pas. La culture ressemblerait à celle du flacon dépourvu de PDGF.

Retour sur le concept 12.1

1. 1 ; 1 ; 2. **2.** 39 ; 39 ; 78.

Retour sur le concept 12.2

1. 6 chromosomes; répliqués; 12 chromatides. **2.** Après la mitose, la cytocinèse donne deux cellules filles génétiquement identiques tant chez les animaux que chez les végétaux, mais le mécanisme de division du cytoplasme n'est pas le même dans les cellules végétales et dans les cellules animales. Dans une cellule animale, la cytocinèse a lieu par segmentation, un processus au cours duquel un anneau contractile de filaments d'actine divise la cellule en deux. Dans une cellule végétale, une plaque se forme au milieu de la cellule et grossit jusqu'à ce que sa membrane fusionne avec la membrane plasmique de la cellule mère. Une nouvelle paroi cellulaire est également produite à partir de cette plaque et finira par séparer les deux nouvelles cellules. **3.** De la fin de la phase S de l'interphase jusqu'à la fin de la métaphase de la mitose. **4.** Au cours de la division cellulaire eucaryote, la tubuline participe à la formation du fuseau de division et au déplacement des chromosomes, alors que l'actine intervient durant la cytocinèse. Dans la scissiparité bactérienne, c'est apparemment le contraire : des molécules similaires à l'actine déplacent les chromosomes bactériens fils aux extrémités opposées de la cellule et des molécules similaires à la tubuline semblent intervenir dans la séparation des cellules filles. **5.** Un kinétochore relie le fuseau (attelage; notez qu'il comporte des protéines motrices) à un chromosome (le chargement qu'il déplace). **6.** Dans la cellule, les microtubules constitués de tubuline servent de voies le long desquelles les vésicules et autres organites peuvent se déplacer grâce aux interactions des protéines motrices et de la tubuline des microtubules. Dans les cellules musculaires, l'actine des microfilaments interagit avec les filaments de myosine pour produire la contraction musculaire.

Retour sur le concept 12.3

1. Initialement, le noyau à droite était dans la phase G_1 ; ses chromosomes n'étaient donc pas encore répliqués. Le noyau à gauche était dans la phase M, ce qui signifie qu'il avait déjà répliqué ses chromosomes. **2.** Une quantité suffisante de MPF doit s'accumuler pour que la cellule franchisse le point de contrôle G_2 ; cela se produit grâce à l'accumulation des protéines cyclines qui se combinent au Cdk pour former du MPF (actif). Ce dernier phosphoryle alors d'autres protéines, ce qui amorce la mitose. **3.** Une fois activé, le récepteur intracellulaire pourrait agir comme un facteur de transcription dans le noyau, activant des gènes qui permettraient à la cellule de franchir un point de contrôle et de se diviser. Une fois activé par un ligand, le RTK formerait un dimère, et chaque sous-unité du dimère phosphorylerait l'autre, déclenchant alors une série d'étapes de transduction du signal qui finirait par activer des gènes dans le noyau. Comme dans le cas du récepteur d'œstrogènes, ces gènes coderaient pour des protéines qui obligeraient les cellules à se diviser.

Questions du résumé des concepts clés

12.1 L'ADN d'une cellule eucaryote est emballé dans des structures appelées *chromosomes*. Chaque chromosome est une longue molécule d'ADN qui contient des centaines ou des milliers de gènes, et à laquelle sont associées des protéines qui maintiennent la structure chromosomique et contribuent à la régulation de l'activité des gènes. Ce complexe ADN-protéines s'appelle la *chromatine*. La chromatine de chaque chromosome est longue et fine lorsque la cellule n'est pas en train de se diviser. Avant la division cellulaire, chaque chromosome est répliqué, et les *chromatides* sœurs qui résultent de la réplication sont retenues par des protéines à leurs centromères et, pour de nombreuses espèces, sur toute leur longueur (cohésion des chromatides sœurs). **12.2** Les chromosomes existent à l'état de molécules d'ADN non répliquées durant la phase G_1 de l'interphase, ainsi que durant l'anaphase et la télophase de la mitose. Au cours de la phase S, la réplication de l'ADN produit des chromatides sœurs qui traversent la phase G_2 de l'interphase ainsi que la prophase, la prométaphase et la métaphase de la mitose. **12.3** Les points de contrôle permettent aux mécanismes de surveillance cellulaire de déterminer si la cellule est prête à passer au stade suivant. Les signaux internes et externes amènent la cellule au-delà de ces points de contrôle. Le point de contrôle G_1 détermine si une cellule peut poursuivre le cycle cellulaire et se diviser ou si elle peut passer à la phase G_0. Les signaux incitant à passer ce point de contrôle sont souvent des signaux externes comme des facteurs de croissance. Le passage du point de contrôle G_2 exige un nombre suffisant de complexes MPF actifs, lesquels orchestrent à leur tour plusieurs événements mitotiques. Le MPF amorce également la dégradation de sa composante cycline, mettant ainsi fin à la phase M. La phase M ne recommencera pas avant qu'une quantité suffisante de cycline soit produite durant les prochaines phases S et G_2. Le signal autorisant le point de contrôle de la phase M n'est pas activé tant que tous les chromosomes ne seront pas attachés aux microtubules kinétochoriens et alignés sur la plaque équatoriale. Ce n'est qu'alors que la séparation des chromatides sœurs a lieu.

Évaluation

1. b; **2.** a; **3.** c; **4.** c; **5.** a; **6.** b; **7.** a; **8.** d.
9. Voir la figure 12.7 pour une description des principaux événements. Une seule cellule est indiquée pour chaque étape, mais d'autres bonnes réponses sont possibles.

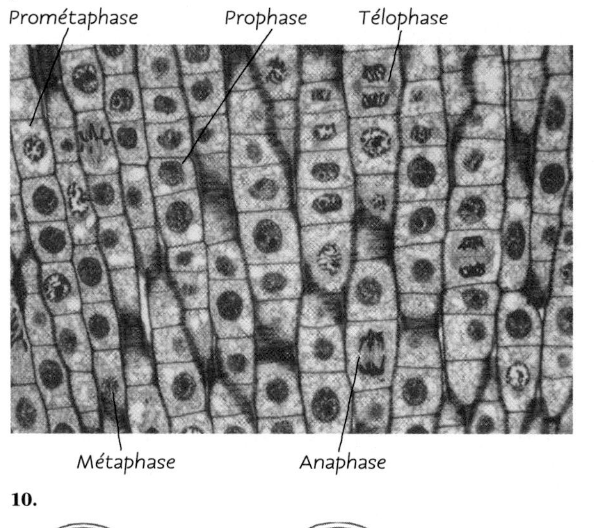

10.

Chromatine
Enveloppe nucléaire
Interphase
Prophase
Enveloppe nucléaire en cours de formation
Microtubules
Prométaphase
Métaphase
Anaphase
Télophase et cytocinèse

CHAPITRE 13

Questions des figures

Figure 13.4 Deux jeux de chromosomes sont présents. On compte également trois paires de chromosomes homologues. **Figure 13.6** Dans (a), les cellules haploïdes ne subissent pas la mitose. Dans (b), les spores haploïdes subissent la mitose pour former un gamétophyte, et les cellules haploïdes du gamétophyte subissent la mitose pour former des gamètes. Dans (c), les cellules haploïdes subissent la mitose pour former un organisme haploïde multicellulaire ou un nouvel organisme haploïde unicellulaire, et des cellules haploïdes subissent la mitose pour former des gamètes.
Figure 13.7

(Un court brin d'ADN est illustré ici dans un but de simplification, mais chaque chromosome ou chromatide contient une très longue molécule d'ADN enroulée et repliée.) **Figure 13.8** Si une cellule possédant six chromosomes subissait deux cycles de mitose, chacune des quatre cellules résultantes aurait six chromosomes, alors que les quatre cellules résultant de la méiose dans la figure 13.8 auraient chacune trois chromosomes. À la mitose, la réplication de l'ADN (et par conséquent la duplication des chromosomes) précède chaque prophase, assurant ainsi un nombre égal de chromosomes chez les cellules filles et chez la cellule mère. À la méiose, au contraire, la réplication de l'ADN a lieu seulement avant la prophase I (pas avant la prophase II). Donc, au cours de deux mitoses, les chromosomes se répliquent deux fois et se divisent deux fois, alors qu'à la méiose les chromosomes se répliquent une fois et se divisent deux fois. **Figure 13.10** Oui. Chacun des six chromosomes (trois par cellule) illustrés à la télophase I a une chromatide non recombinée et une chromatide recombinée. Par conséquent, huit jeux possibles de chromosomes peuvent être créés pour la cellule à gauche et huit pour la cellule à droite.

Retour sur le concept 13.1

1. Les parents transmettent à leurs enfants des gènes ; en commandant la production d'ARN messager (ARNm), les gènes programment les cellules pour qu'elles synthétisent des enzymes spécifiques et d'autres protéines, dont l'effet cumulatif produit les caractères héréditaires d'un individu. **2.** De tels organismes se reproduisent par mitose, qui donne des descendants dont les génomes sont des copies virtuellement exactes du génome des parents (en l'absence de mutations). **3.** Elle devrait la cloner. Le croisement avec une autre plante créerait des descendants qui auraient une variation additionnelle qu'elle ne désire plus alors qu'elle a obtenu l'orchidée recherchée.

Retour sur le concept 13.2

1. Chacun des six chromosomes est répliqué, de sorte que chacun contient deux chromatides sœurs, donc deux doubles hélices d'ADN. Par conséquent, il y a 12 molécules d'ADN dans la cellule. Le nombre haploïde (n) est de 3. Un seul jeu de chromosomes est toujours haploïde. **2.** On compte 23 paires de chromosomes et 2 jeux. **3.** Cet organisme possède le cycle de développement illustré à la figure 13.6c. Par conséquent, il doit s'agir d'un eumycète ou d'un protiste, peut-être d'une algue.

Retour sur le concept 13.3

1. Les chromosomes sont semblables dans la mesure où chacun est composé de deux chromatides sœurs, et les chromosomes individuels sont placés de façon identique sur la plaque équatoriale. Les chromosomes diffèrent dans la mesure où, dans une cellule qui se divise par mitose, les chromatides sœurs de chaque chromosome sont génétiquement identiques. Par contre, dans une cellule qui se divise par méiose, les chromatides sœurs sont génétiquement distinctes à cause de l'enjambement survenu durant la méiose I. En outre, les chromosomes dans la métaphase de la méiose II sont normalement constitués d'un jeu haploïde. **2.** En l'absence d'enjambement, les deux chromosomes homologues ne seraient liés d'aucune façon ; en plus d'être entièrement d'origine maternelle ou paternelle, chaque chromatide sœur serait uniquement liée à sa chromatide sœur, et non à une chromatide non sœur. Cela pourrait entraîner un arrangement incorrect des chromosomes homologues pendant la métaphase I et ultimement dans la formation de gamètes, qui contiendraient un nombre anormal de chromosomes.

Retour sur le concept 13.4

1. Les mutations dans un gène conduisent à différentes versions de ce gène, appelées allèles. **2.** Même en l'absence d'enjambement, l'assortiment indépendant des chromosomes pendant la méiose I peut théoriquement générer 2^n gamètes haploïdes possibles, et la fécondation aléatoire peut produire $2^n \times 2^n$ zygotes diploïdes possibles. Étant donné que le nombre haploïde (n) des sauterelles est de 23 et que celui des drosophiles est de 4, on peut s'attendre à ce que deux sauterelles produisent une plus grande variété de zygotes que deux drosophiles. **3.** Si les segments des chromatides maternelles et paternelles qui subissent un enjambement étaient génétiquement identiques et avaient donc les mêmes deux allèles pour chaque gène, alors les chromosomes recombinés seraient génétiquement équivalents aux chromosomes parentaux. L'enjambement contribue à la variation génétique seulement quand il met en jeu le réarrangement de différents allèles.

Questions du résumé des concepts clés

13.1 Les gènes programment des caractères spécifiques et les enfants héritent des gènes de chacun de leurs parents, ce qui explique les ressemblances physiques qu'ils peuvent avoir avec l'un ou l'autre de leurs parents. Les humains se reproduisent par voie sexuée, ce qui permet de nouvelles combinaisons de gènes (donc de caractères) chez les descendants. En conséquence, les descendants ne sont pas des clones de leurs parents (ce qui serait le cas si les humains se reproduisaient par voie asexuée). **13.2** Les animaux et les végétaux se reproduisent par voie sexuée, alternant la méiose avec la fécondation. Les deux ont des gamètes haploïdes qui s'unissent pour former un zygote diploïde ; celui-ci se divise alors par mitose et forme un organisme multicellulaire diploïde. Chez les animaux, les cellules haploïdes deviennent des gamètes et ne subissent pas de mitose, alors que chez les végétaux les cellules haploïdes résultant de la méiose subissent la mitose pour former un organisme multicellulaire haploïde, le gamétophyte. Cet organisme crée alors des gamètes haploïdes. **13.3** À la fin de la méiose I, les deux membres d'une paire de chromosomes homologues se retrouvent dans des cellules différentes, de sorte qu'ils ne peuvent pas s'apparier et subir un enjambement pendant la prophase II. **13.4** Premièrement, pendant l'assortiment indépendant dans la métaphase I, chaque paire de chromosomes homologues s'aligne indépendamment de chaque autre paire à la plaque équatoriale, de sorte qu'une cellule fille de la méiose I hérite au hasard soit d'un chromosome maternel, soit d'un chromosome paternel de chaque paire. Deuxièmement, à cause de l'enjambement, chaque chromosome n'est pas exclusivement maternel ou paternel, mais comporte des régions aux extrémités des chromatides provenant d'une chromatide non sœur (une chromatide d'un autre chromosome homologue). Notez que le segment non sœur peut également être une région interne de la chromatide si un deuxième enjambement se déroule loin du premier avant l'extrémité de la chromatide. Cela apporte beaucoup de diversité additionnelle sous la forme de nouvelles combinaisons d'allèles. Troisièmement, la fécondation aléatoire permet encore plus de variation. En effet, un spermatozoïde parmi un grand nombre comportant de nombreuses combinaisons génétiques possibles peut féconder un ovule ayant également un grand nombre de combinaisons possibles.

Évaluation

1. a ; **2.** b ; **3.** a ; **4.** d ; **5.** c.
6. (a)

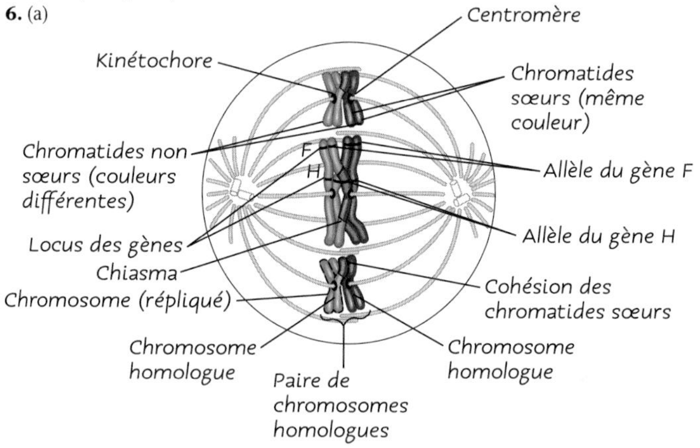

(b) Un jeu haploïde est composé d'un chromosome long, d'un chromosome moyen et d'un chromosome court, peu importe l'assortiment de couleurs. Par exemple, un chromosome long rouge, un chromosome moyen bleu et un chromosome court rouge forment un jeu haploïde. (Si un enjambement a eu lieu, un jeu haploïde d'une couleur peut inclure des segments de chromatides de l'autre couleur.) Ensemble, tous les chromosomes rouges et bleus forment un jeu diploïde. (c) Métaphase I. **7.** Cette cellule doit subir une méiose, car les deux chromosomes homologues d'une paire sont liés l'un à l'autre sur la plaque équatoriale, un processus qui ne survient pas pendant la mitose. De plus, les chiasmas sont clairement visibles, ce qui signifie que l'enjambement a eu lieu ; il s'agit d'un autre processus propre à la méiose.

CHAPITRE 14

Questions des figures

Figure 14.3 Tous les descendants auront des fleurs violettes. (Le rapport serait une violette par rapport à zéro blanche.) Les plants de la génération P sont de lignée pure, de sorte que le croisement de plants à fleurs violettes produit le même résultat que l'autofécondation : tous les descendants ont le même caractère. Si Mendel avait mis un terme à ses recherches après la génération F_1, il aurait pu en conclure que le facteur des fleurs blanches était complètement disparu et qu'il ne réapparaîtrait jamais.

Figure 14.8

Si assortiment dépendant :

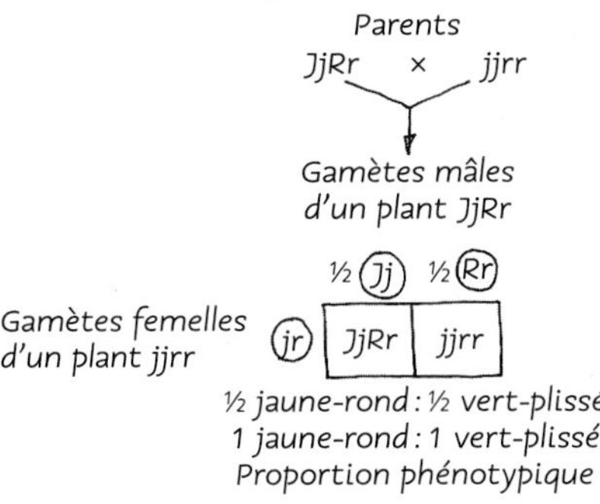

Si assortiment indépendant :

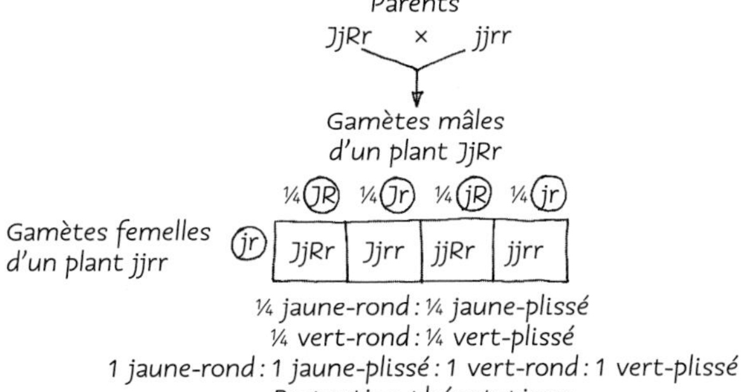

Oui, ce croisement aurait permis à Mendel de faire différentes prévisions pour les deux hypothèses, et ces résultats auraient permis de confirmer l'assortiment indépendant. **Figure 14.10** Votre compagnon affirmerait probablement que les hybrides de la génération F_1 présentent un phénotype intermédiaire entre ceux des parents homozygotes, ce qui corrobore l'hypothèse du mélange. Vous pourriez lui répondre que le croisement des hybrides de la génération F_1 produit la réapparition du phénotype blanc plutôt que des descendants roses identiques, ce qui ne confirme pas l'idée du mélange de caractères dans l'hérédité. **Figure 14.11** Les allèles I^A et I^B sont dominants par rapport à l'allèle *i*, puisqu'aucun glucide ne se fixe à la surface des érythrocytes du groupe O en présence de l'allèle *i*. Les allèles I^A et I^B sont codominants ; les deux sont exprimés dans le phénotype des hétérozygotes I^AI^B, qui sont du groupe sanguin AB. **Figure 14.12** Les deux derniers chiffres du rapport 9:3:3:1 (« 3 » et « 1 ») d'un croisement standard sont, pour ce croisement, regroupés en un seul phénotype. Cela s'explique du fait qu'il ne se dépose aucun pigment chez les chiens dont le phénotype est *ee*. Par conséquent, il devient impossible de faire la distinction entre les chiens possédant un allèle *N* (normalement noirs) et ceux dont le génotype est *nn* (normalement bruns). **Figure 14.16** Dans la grille de Punnett, deux des trois individus avec une coloration normale sont des porteurs sains, de sorte que la probabilité est ⅔. (Notez que vous devez prendre en compte tout ce que vous savez quand vous calculez une probabilité : vous savez qu'elle n'est pas *aa*, donc il ne reste que trois génotypes possibles à considérer.)

Retour sur le concept 14.1

1. Selon la loi de l'assortiment indépendant, on peut prédire que 25 plantes (1/16 des descendants) seraient *aatt*, ou récessives pour les deux caractères. Le résultat réel est susceptible de différer quelque peu de cette valeur.

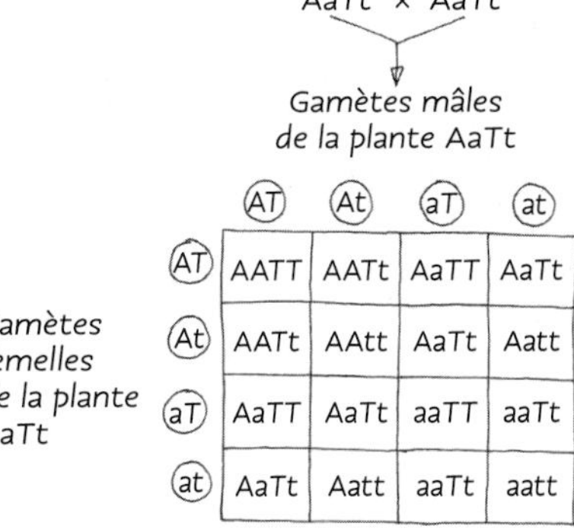

2. La plante peut produire huit gamètes différents (*JRG*, *JRg*, *JrG*, *Jrg*, *jRG*, *jRg*, *jrG* et *jrg*). Pour mettre en évidence tous les gamètes possibles dans une autofécondation, une grille de Punnett devrait avoir 8 rangées et 8 colonnes. La grille aurait 64 cases pour les 64 unions possibles de gamètes chez les descendants. **3.** L'autofécondation est une reproduction sexuée parce que la méiose intervient dans la formation des gamètes qui s'unissent au cours de la fécondation. C'est pourquoi, dans l'autofécondation, les descendants sont génétiquement différents du parent. (Comme nous l'avons mentionné au concept 14.1, nous avons simplifié l'explication en faisant référence à un seul plant de pois comme parent. Techniquement, les gamétophytes dans la fleur sont les deux « parents ».)

Retour sur le concept 14.2

1. ½ homozygote dominant (*AA*), 0 homozygote récessif (*aa*) et ½ hétérozygote (*Aa*). **2.** ¼ *BBDD* ; ¼ *BbDD* ; ¼ *BBDd* ; ¼ *BbDd*. **3.** Les génotypes qui peuvent remplir cette condition sont *vvjjGg*, *vvJjgg*, *Vvjjgg*, *vvJJgg* et *vvjjgg*. Appliquez la règle de la multiplication pour trouver la probabilité d'obtenir chaque génotype, puis utilisez la règle de l'addition pour trouver la probabilité globale de satisfaire aux conditions de ce problème :

vvjjGg ½ (probabilité de vv) × ¼ (jj) × ½ (gg)	= 1/16
vvJjgg ½ (vv) × ½ (Jj) × ½ (gg)	= 2/16
Vvjjgg ½ (Vv) × ¼ (jj) × ½ (gg)	= 1/16
vvJJgg ½ (vv) × ¼ (JJ) × ½ (gg)	= 1/16
vvjjgg ½ (vv) × ¼ (jj) × ½ (gg)	= 1/16
Fraction des descendants homozygotes récessifs pour au moins deux caractères	= 6/16 ou 3/8

Retour sur le concept 14.3

1. La dominance incomplète décrit la relation entre deux allèles d'un seul gène, alors que l'épistasie a trait à la relation génétique entre deux gènes (et les allèles respectifs de chacun). **2.** On s'attendrait à ce que la moitié des enfants soient du groupe sanguin A et l'autre moitié du groupe sanguin B. **3.** Dominance incomplète, les hétérozygotes étant de couleur grise. Le croisement d'un coq gris avec une poule noire devrait produire des poussins gris et des poussins noirs en nombre à peu près égal.

Retour sur le concept 14.4

1. 1/9 ; étant donné que la fibrose kystique est causée par un allèle récessif, les frères et sœurs d'Élisabeth et de Thomas qui ont la maladie doivent être homozygotes récessifs. Par conséquent, chacun de leur parent doit être un porteur sain de l'allèle récessif. Ni Élisabeth ni Thomas ne souffrent de la maladie, ce qui signifie que la probabilité qu'ils soient tous deux porteurs sains est de ⅔. Si tous les deux sont des porteurs sains, la probabilité qu'ils donnent naissance à un enfant atteint de fibrose kystique est de ¼ (⅔ × ⅔ × ¼ = 1/9). Si Élisabeth n'est pas porteuse de l'allèle de la fibrose kystique, la probabilité avoisine le 0 ; pour donner naissance à un enfant atteint de la maladie, les parents doivent être tous les deux des porteurs sains, à moins qu'une mutation (changement) très rare survienne dans l'ADN des cellules constituant les gamètes femelles ou les gamètes mâles d'un parent qui n'est pas porteur et que cette mutation entraîne l'apparition de l'allèle de la fibrose kystique. **2.** Dans l'hémoglobine normale, le sixième acide aminé est l'acide glutamique (Glu), qui est acide (possède une charge négative sur sa chaîne latérale). Dans l'hémoglobine de l'anémie à hématies falciformes, Glu est remplacé par la valine (Val), un acide aminé non polaire très différent de Glu. La structure primaire de la protéine (sa séquence d'acides aminés) détermine ultimement la forme de la protéine et, par conséquent, sa fonction. Les acides aminés non polaires ayant tendance à s'agglutiner, la substitution de Glu par Val favorise les interactions entre les molécules d'hémoglobine et la formation de longues fibres plus ou moins rigides. Ce changement cause la fonction déficiente de la protéine et la déformation des érythrocytes. **3.** Le génotype de Johanne est *Dd*. Parce que l'allèle de la polydactylie (*D*) est dominant par rapport à l'allèle des cinq doigts par membre (*d*), les personnes de génotype *DD* ou *Dd* expriment ce caractère. Mais le père de Johanne n'ayant pas la polydactylie, il doit avoir le génotype *dd*, ce qui signifie que Johanne a hérité d'un allèle *d* de lui. Par conséquent, Johanne, qui a le caractère, doit être hétérozygote. **4.** Dans le croisement monohybride mettant en jeu la couleur des fleurs, le rapport est de 3,15 violette pour 1 blanche, alors que dans le lignage de la famille, le rapport à la troisième génération est de 1 personne pouvant goûter le PTC pour 1 personne ne pouvant goûter le PTC. La différence est due au petit échantillonnage (deux enfants) dans la famille humaine. Si le couple de la deuxième génération dans le lignage pouvait avoir 929 descendants, comme dans le croisement de plants de pois, le rapport serait vraisemblablement plus près de 3:1. (Remarquez qu'aucun des croisements des plants de pois dans le tableau 14.1 ne donne exactement un rapport de 3:1.)

Questions du résumé des concepts clés

14.1 Au cours de la reproduction sexuée, des versions alternatives de gènes, appelées allèles, sont transmises des parents aux descendants. Dans un croisement entre des parents homozygotes à fleurs violettes et à fleurs blanches, les descendants de la génération F_1 sont tous hétérozygotes, chacun recevant un allèle violet d'un parent et un allèle blanc de l'autre. Puisqu'il est dominant, l'allèle violet détermine le phénotype des descendants de la génération F_1, qui sont tous violets, et masque l'expression de l'allèle blanc. C'est seulement à la génération F_2 que l'allèle blanc se retrouvera à l'état homozygote, ce qui cause l'expression du caractère blanc.

14.2

Gamètes femelles \ Gamètes mâles	½ J	½ j
½ J	JJ	Jj
½ j	Jj	jj

¾ jaune
¼ verte

Gamètes femelles \ Gamètes mâles	½ R	½ r
½ R	RR	Rr
½ r	Rr	rr

¾ ronde
¼ ridée

¾ jaune × ¾ ronde = $9/16$ jaune-ronde
¾ jaune × ¼ ridée = $3/16$ jaune-ridée
¼ verte × ¾ ronde = $3/16$ verte-ronde
¼ verte × ¼ ridée = $1/16$ verte-ridée
= 9 jaune-ronde : 3 jaune-ridée : 3 verte-ronde : 1 verte-ridée

14.3 Les groupes sanguins du système ABO sont un exemple d'allèles multiples parce que ce gène unique a plus de deux allèles (I^A, I^B et i). Deux des allèles, I^A et I^B, sont codominants, étant donné que les deux glucides (A et B) sont présents quand ces deux allèles existent ensemble dans un génotype. Par ailleurs, I^A et I^B présentent chacun une dominance complète par rapport à l'allèle i. Cette situation n'est pas un exemple de dominance incomplète parce que chaque allèle influe sur le phénotype d'une façon distincte, de sorte que le résultat n'est pas intermédiaire entre les deux phénotypes. Parce que la situation met en jeu un gène unique, ce n'est pas un exemple d'épistasie ou d'hérédité polygénique.
14.4 Le risque que le quatrième enfant souffre de fibrose kystique est de ¼, comme ce l'était pour chacun des autres enfants, parce que chaque naissance est un événement indépendant. Nous savons déjà que les deux parents sont des porteurs sains ; de ce fait, cela n'influe d'aucune manière sur la probabilité que leur prochain enfant soit atteint de la maladie, que leurs trois premiers enfants soient eux-mêmes des porteurs sains ou non. Le génotype des parents fournit la seule information pertinente.

Évaluation

1.

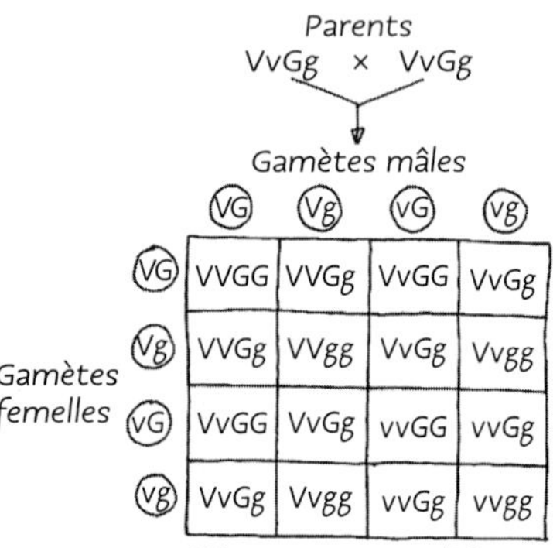

9 verte-gonflée : 3 verte-moniliforme
3 jaune-gonflée : 1 jaune-moniliforme

2. Homme I^Ai ; femme I^Bi ; enfant ii. Les génotypes des autres enfants sont ¼ I^AI^B, ¼ I^Ai, ¼ I^Bi, ¼ ii. **3.** ½. **4.** Un croisement *Gg* × *gg* donnerait des descendants avec un rapport génotypique de 1 *Gg* : 1 *gg* (2:2 est une réponse équivalente) et un rapport phénotypique de 1 gonflé : 1 moniliforme (2:2 est équivalent).

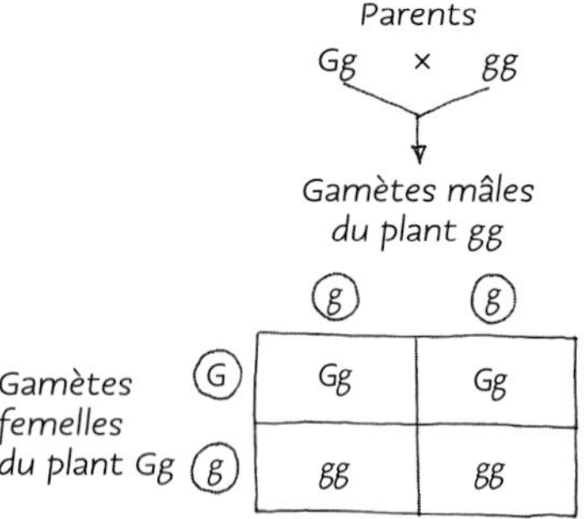

Proportion génotypique 1 Gg : 1 gg
(2:2 est équivalent)

Proportion phénotypique 1 gonflée : 1 moniliforme
(2:2 est équivalent)

5. (a) $1/64$; (b) $1/64$; (c) $1/8$; (d) $1/32$. **6.** (a) ¾ × ¾ × ¾ = $27/64$; (b) 1 − $27/64$ = $37/64$; (c) ¼ × ¼ × ¼ = $1/64$; (d) 1 − $1/64$ = $63/64$. **7.** (a) $1/256$; (b) $1/16$; (c) $1/256$; (d) $1/64$; (e) $1/128$. **8.** (a) 1 ; (b) $1/32$; (c) $1/8$; (d) ½. **9.** $1/9$ (soit ⅔ × ⅔ × ¼). **10.** Il s'agit de croiser le chat aux oreilles courbées avec un autre aux oreilles droites et de lignée pure. Si le caractère oreilles courbées est dominant, il apparaîtra dans la progéniture. Si le caractère est récessif, aucun chaton n'aura les oreilles courbées. On pourrait obtenir des chats homozygotes (lignée pure) pour l'allèle « oreilles courbées vers l'intérieur » dans la génération F_2 issue du croisement décrit précédemment, que le caractère oreilles courbées soit dominant ou récessif. On sait que ces chats appartiennent à une lignée pure lorsque des croisements oreilles courbées × oreilles courbées ne produisent que des individus aux oreilles courbées. En fait, l'allèle à l'origine des oreilles courbées est dominant. **11.** Le strabisme touchera 25 % des descendants (¼) et tous les tigres strabiques (100 %) auront également une fourrure blanche. Il s'agit d'un exemple de pléiotropie. **12.** L'allèle dominant *I* est épistasique par rapport au locus *P/p* et, par conséquent, les rapports génotypiques pour la génération F_1 seront : 9 *I-P-* (incolore) : 3 *I-pp* (incolore) : 3 *iiP-* (pourpre) : 1 *iipp* (rouge). Les rapports phénotypiques seront donc : 12 graines incolores : 3 graines pourpres : 1 graine rouge. **13.** Récessif ; tous les individus touchés (Hélène, Louis, Marie et Charlotte) sont homozygotes récessifs (*aa*). Georges est *Aa* puisque certains des enfants qu'il a eus avec Hélène (*aa*) sont atteints. Paul, Anne, Daniel et Alain sont tous *Aa* : aucun d'eux n'est touché par la maladie, alors qu'un des parents en est atteint. Michel est également *Aa*, étant donné qu'il a eu un enfant atteint (Charlotte) avec son épouse Anne, qui est hétérozygote. Sandrine, Line et Christophe peuvent avoir le génotype *AA* ou *Aa*. **14.** Charles est nécessairement un porteur sain et Hélène a deux chances sur trois d'être une porteuse saine ; la réponse est $1/6$ (soit 1 × ⅔ × ¼). **15.** La probabilité que les allèles létaux dominants se répandent dans la descendance sera moins grande puisque les porteurs de ces allèles risquent de mourir avant d'avoir pu se reproduire. La fréquence de ces allèles létaux aura donc tendance à diminuer à mesure que l'âge moyen de reproduction augmente.

CHAPITRE 15

Questions des figures

Figure 15.2 La proportion serait 1 jaune-ronde : 1 verte-ronde : 1 jaune-plissée : 1 verte-plissée. **Figure 15.4** Les ¾ environ des descendants de la génération F_2 auraient des yeux rouges et environ ¼ auraient des yeux blancs. Environ la moitié des drosophiles aux yeux blancs seraient des femelles, et l'autre moitié, des mâles ; de même, environ la moitié des drosophiles aux yeux rouges seraient des femelles, et l'autre moitié, des mâles. (Il est à noter que dans la grille de Punnett, les homologues possédant les allèles de la couleur des yeux présenteraient la même forme, et que chaque descendant hériterait de deux allèles. Le sexe des mouches serait déterminé de façon distincte par la transmission des chromosomes sexuels. Par conséquent, la grille de Punnett présenterait 4 combinaisons possibles dans les spermatozoïdes, et 2 dans les ovules (un X et allèle yeux rouges, un X et allèles yeux blancs) ; elle comporterait donc un total de 8 cases.) **Figure 15.7** Tous les fils seraient daltoniens et toutes les filles seraient des porteuses saines. (En d'autres mots, la moitié des descendants seraient des hommes daltoniens, et l'autre moitié, des femmes porteuses.) **Figure 15.9** Les deux classes les plus grandes seraient encore celles des descendants avec les phénotypes des drosophiles de lignée pure de la génération P. Cela donnerait donc surtout des individus au corps gris avec des ailes vestigiales et au corps noir avec des ailes normales, soit les types parentaux, parce que c'était la combinaison d'allèles spécifiques de la génération P. **Figure 15.10** Les deux chromosomes à gauche ci-dessous sont comme les deux chromosomes transmis à la femelle de la génération F_1, un de chaque drosophile de la génération P. Ils sont transmis intacts par la femelle de la génération F_1 aux descendants et peuvent donc être appelés chromosomes « parentaux ». Les deux autres chromosomes résultent d'un enjambement durant la méiose chez une femelle de la génération F_1. Parce qu'ils ont des combinaisons d'allèles qui n'apparaissent dans aucun des chromosomes des femelles de la génération F_1, on peut les appeler chromosomes « recombinés ». (Notez que, dans cet exemple, les allèles des chromosomes recombinés, $b^+ \, vg^+$ et $b \, vg$, sont les combinaisons d'allèles qui étaient sur les chromosomes parentaux dans les croisements illustrés aux figures 15.9 et 15.10. Le fondement pour les appeler chromosomes parentaux est la combinaison d'allèles qui était présente sur les chromosomes de la génération P.)

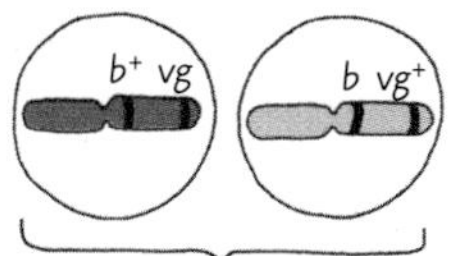

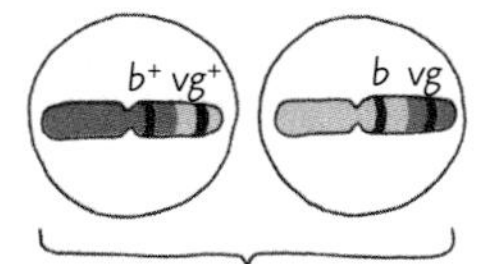

Retour sur le concept 15.1

1. La loi de la ségrégation concerne la transmission des allèles d'un seul caractère. La loi de l'assortiment indépendant des allèles concerne la transmission des allèles de deux caractères. **2.** Le fondement physique de la loi de la ségrégation est la séparation des homologues lors de l'anaphase I. Le fondement physique de la loi de l'assortiment indépendant est l'arrangement différent de toutes les paires de chromosomes homologues distinctes à la métaphase I. **3.** Pour présenter le phénotype mutant, lorsque l'allèle est récessif, il doit n'y avoir qu'une seule copie d'allèle ; l'allèle mutant doit donc être porté sur un chromosome sexuel (X ou Y), chez un mâle (les femelles ayant deux chromosomes X). Si ce gène avait été situé sur une paire d'autosomes, il aurait fallu que deux allèles soient mutants pour qu'un individu présente le phénotype mutant récessif, une situation beaucoup moins probable. On aurait pu observer un allèle mutant dominant plus facilement, qu'il soit lié au sexe ou non.

Retour sur le concept 15.2

1. Étant donné que le gène de ce caractère de la couleur des yeux se trouve sur le chromosome X, toutes les femelles de la descendance auront les yeux rouges et seront hétérozygotes ($X^{w^+}X^w$) ; tous les descendants mâles recevront un chromosome Y du père et auront les yeux blancs (X^wY). (Autrement dit, la moitié des descendants seront des femelles hétérozygotes aux yeux rouges [porteuses], et l'autre moitié, des mâles aux yeux blancs.) **2.** ¼, soit la probabilité de ½ que l'enfant hérite d'un chromosome Y du père et soit un mâle × la probabilité de ½ qu'il hérite de sa mère du chromosome X portant l'allèle de la maladie ; si l'enfant est un garçon, la probabilité qu'il ait la maladie est de ½ ; dans le cas d'une fille, la probabilité est de 0 (mais la probabilité qu'elle soit une porteuse saine est de ½). **3.** Avec une maladie causée par un allèle dominant, il n'y a pas de porteur sain, car les individus qui possèdent l'allèle sont atteints de la maladie. Parce que l'allèle est dominant, les femelles perdent tout « avantage » à avoir deux chromosomes X, étant donné qu'un allèle associé à une maladie suffit pour causer la maladie. Tous les pères porteurs de l'allèle dominant le transmettent à *toutes* leurs filles et celles-ci seront toutes atteintes de la maladie. Une mère qui a l'allèle (et par conséquent la maladie) la transmet à la moitié de ses fils et à la moitié de ses filles.

Retour sur le concept 15.3

1. C'est l'enjambement pendant la méiose I chez le parent hétérozygote qui produit des gamètes ayant des génotypes de type recombiné pour les deux gènes. Des descendants présentant un phénotype de type recombiné sont alors issus de la fécondation des gamètes recombinés par des gamètes homozygotes récessifs du parent double mutant. **2.** Dans chaque cas, les allèles parentaux fournis par la femelle (dans l'ovule) déterminent le phénotype des descendants parce que le mâle ne contribue que par des allèles récessifs lors de ce croisement. Par conséquent, la détermination du phénotype de la descendance indique quels étaient les allèles présents dans l'ovule. **3.** Non. La séquence pourrait être *ACB* ou *CAB*. Pour déterminer quelle possibilité est la bonne, il faut connaître la fréquence de recombinaison entre *B* et *C*.

Retour sur le concept 15.4

1. À la méiose, un chromosome combiné 14-21 se comporte comme un seul chromosome. Si un gamète reçoit le chromosome 14-21 et une copie normale du chromosome 21 (ce qui constitue une des six combinaisons possibles), la trisomie 21 apparaîtra lorsque ce gamète se combinera avec un gamète normal (avec son propre chromosome 21) au cours de la fécondation. **2.** Non ; l'enfant peut être soit I^AI^Ai, soit I^Aii. Un spermatozoïde ayant le génotype I^AI^A proviendrait d'une non-disjonction pendant la méiose II chez le père, alors qu'un ovule ayant le génotype *ii* résulterait d'une non-disjonction survenue pendant la méiose I ou II chez la mère. **3.** L'activation de ce gène peut provoquer la production d'une trop grande quantité de cette kinase. Si elle intervient dans une voie de communication cellulaire qui déclenche la division cellulaire, une trop grande concentration de kinase peut déclencher une division cellulaire anarchique. Par ricochet, celle-ci pourrait contribuer au développement d'un cancer (dans le cas présent, un cancer d'un type de globules blancs).

Retour sur le concept 15.5

1. L'inactivation d'un chromosome X chez les femelles et l'empreinte génomique. À cause de l'inactivation des chromosomes X, la dose effective de gènes sur le chromosome X est la même chez les mâles que chez les femelles. À la suite de l'empreinte génomique, un seul allèle de certains gènes s'exprime dans un phénotype. **2.** Les gènes de la coloration des feuilles sont situés dans des plastes contenus dans le cytoplasme. Normalement, seule la mère transmet les gènes des plastes aux descendants. Étant donné que les individus panachés ne sont produits que lorsque la mère est de la variété B, on peut conclure que la variété B contient à la fois les allèles mutants et de type sauvage des gènes de la pigmentation, ce qui donne des feuilles panachées. (La variété A ne contient que l'allèle de type sauvage des gènes de la pigmentation.) **3.** Chaque cellule contient de nombreuses mitochondries et, chez les individus atteints, la plupart des cellules contiennent un mélange variable de mitochondries normales et anormales. Les mitochondries normales effectuent assez de respiration cellulaire pour assurer la survie. (La situation est semblable à celle des chloroplastes.)

Questions du résumé des concepts clés

15.1 Parce que les chromosomes sexuels sont différents l'un de l'autre et parce qu'ils déterminent le sexe des descendants, Morgan a été capable d'utiliser le sexe des descendants comme un caractère phénotypique pour suivre les chromosomes parentaux. (Il aurait pu également les suivre au microscope étant donné que les chromosomes X et Y ont une apparence différente.) En même temps, il a pu enregistrer la couleur des yeux pour suivre les allèles correspondants. **15.2** Les hommes n'ont qu'un seul chromosome X, accompagné d'un chromosome Y (ils sont hémizygotes), alors que les femmes ont deux chromosomes X. Le chromosome Y porte très peu de gènes (78), alors que le chromosome X en porte environ 1 000. Lorsqu'un allèle récessif lié au chromosome X responsable d'une maladie est transmis à un homme par l'intermédiaire du chromosome X provenant de sa mère, l'absence d'un second allèle sur le Y fait que l'homme est atteint de la maladie. Parce que les femmes possèdent deux chromosomes X, elles doivent recevoir deux allèles récessifs pour avoir la maladie, une occurrence plus rare. **15.3** L'enjambement donne naissance à de nouvelles combinaisons d'allèles. L'enjambement est une occurrence aléatoire, et plus la distance est grande entre deux gènes, plus la probabilité qu'un enjambement se produise entre eux augmente, conduisant à une nouvelle combinaison d'allèles. **15.4** Dans les inversions et les translocations réciproques, le même matériel génétique est présent dans les mêmes quantités relatives, mais organisé différemment. L'aneuploïdie, les duplications, les délétions et les translocations non réciproques s'accompagnent d'une rupture de l'équilibre du matériel génétique, car de grands segments de chromosomes sont soit absents, soit présents en plus de deux copies. Apparemment, ce type de déséquilibre est très dommageable pour l'organisme. (Bien qu'elle ne soit pas létale chez l'embryon en croissance, la translocation réciproque qui produit le chromosome Philadelphie peut conduire à un état pathologique grave, le cancer, en modifiant l'expression de gènes importants.) **15.5** Dans ces cas, le sexe du parent qui contribue à un allèle influe sur le mode de transmission héréditaire. Pour les gènes ayant reçu une empreinte, l'allèle soit paternel, soit maternel est exprimé, selon l'empreinte. Pour les gènes présents dans les mitochondries et les chloroplastes, seule la contribution maternelle influera sur le phénotype des descendants parce que les descendants reçoivent ces organites de la mère, par l'intermédiaire du cytoplasme de l'ovule.

Évaluation

1. 0 ; ½ ; ¼ (il y a deux événements indépendants à considérer simultanément ; il faut d'abord calculer la probabilité d'avoir un fils [½], puis la probabilité que ce fils soit normal [½] ; ensuite, on applique la règle de la multiplication) ; 1/16. **2.** Récessif ; si la maladie était un caractère dominant, elle toucherait au moins l'un des parents d'un enfant né avec le caractère. Hérédité liée au sexe ; cette maladie affecte les garçons. Une fille ne peut être touchée que si elle reçoit les allèles récessifs de ses *deux* parents, ce qui est très peu probable, d'autant plus que les garçons nés avec cet allèle meurent au début de leur adolescence. **3.** 17 % (soit 320 recombinants/1 883 descendants au total × 100) ; oui, ces résultats sont comparables. (Il faut s'attendre à ce résultat puisqu'il s'agit des deux mêmes gènes et que la distance entre eux ne changerait pas d'une expérience à l'autre, à moins de réarrangements chromosomiques.) **4.** Entre *G* et *A*, 12 % ; entre *A* et *R*, 5 %. **5.** Entre *G* et *R*, 18 %. La séquence des gènes est *G-A-R*. **6.** 6 %. Type sauvage (hétérozygote pour ailes normales et yeux rouges) × homozygote récessif avec ailes vestigiales et yeux pourpres. **7.** 50 % des descendants auraient des phénotypes résultant d'un enjambement. Les résultats seraient identiques à ceux d'un croisement où *A* et *B* ne seraient pas liés et, d'après votre interprétation des résultats, les gènes ne seraient pas liés. (On pourrait démontrer l'existence de la liaison et cartographier les gènes après avoir effectué des croisements faisant intervenir d'autres gènes situés sur le même chromosome.) **8.** 450 pétales bleus-étamines ovales, 450 pétales blancs-étamines rondes (phénotypes parentaux), 50 pétales bleus-étamines rondes et 50 pétales blancs-étamines ovales (phénotypes recombinés). **9.** Entre le locus des ailes vestigiales et le locus des yeux bruns, à environ le tiers de la distance entre ces deux locus. **10.** Parce que les bananes sont triploïdes, les paires homologues ne peuvent pas s'aligner pendant la méiose. Par conséquent, il n'est pas possible de générer des gamètes qui peuvent fusionner pour produire un zygote avec un nombre triploïde (3*n*) de chromosomes. **11.** (a) Pour chaque paire de gènes, vous deviez générer une mouche dihybride de génération F_1. Prenons l'exemple des gènes *A* et *B*. Vous obtenez des mouches homozygotes de type parental : la première présente les allèles dominants des deux gènes (*AABB*) et la seconde présente les allèles récessifs (*aabb*), ou la première présente les allèles dominants du gène *A* et les allèles récessifs du gène *B* (*AAbb*), et la seconde présente les allèles récessifs du gène *A* et les allèles dominants du gène *B* (*aaBB*). En croisant l'une ou l'autre de ces paires de mouches de la génération P, vous obtenez des descendants dihybrides de la génération F_1. Vous effectuez ensuite un croisement de contrôle entre ces dihybrides de la génération F_1 et des mouches homozygotes récessives pour les deux gènes. Vous classez les descendants comme étant de type parental ou recombinant, d'après les génotypes des parents de la génération P (l'une ou l'autre des deux paires décrites ci-dessus). Vous additionnez le nombre de types recombinant, et vous divisez la somme par le nombre total de descendants. Vous obtenez ainsi le pourcentage de recombinaison (dans cet exemple, 8 %). Vous pouvez convertir ce pourcentage en unités cartographiques (8 unités cartographiques) pour dresser votre carte.
(b)

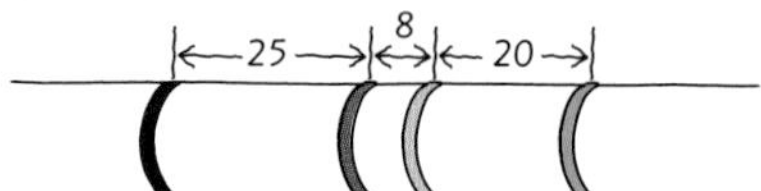

CHAPITRE 16

Questions des figures

Figure 16.2 Les cellules S vivantes trouvées dans l'échantillon de sang ont été capables de se reproduire pour donner d'autres cellules S, ce qui indique que le caractère S est un changement héréditaire permanent et non une utilisation unique des capsules des cellules mortes de la souche S. **Figure 16.4** Une fois les protéines marquées à l'aide d'isotopes radioactifs (milieu 1), la radioactivité aurait dû être détectée dans le culot des cellules bactériennes parce qu'il aurait fallu que les protéines entrent dans les cellules bactériennes pour les programmer avec les instructions génétiques. Il est difficile pour nous d'imaginer cela aujourd'hui, mais l'ADN aurait pu jouer un rôle structural qui aurait permis à certaines des protéines de pénétrer à l'intérieur de la cellule bactérienne pendant qu'il restait à l'extérieur (on n'aurait donc pas détecté de radioactivité liée au phosphore dans le culot du milieu 2). **Figure 16.7** (1) Les nucléotides d'un brin d'ADN sont reliés par des liaisons covalentes entre une molécule d'oxygène située sur le carbone 3′—OH d'un nucléotide et le groupement phosphate situé sur le carbone 5′—Ⓟ du nucléotide suivant dans la chaîne. Toutefois, les liaisons covalentes ne permettent pas de maintenir ensemble deux brins d'ADN. Cette fonction est plutôt assurée par des liaisons hydrogène entre la base azotée d'un brin et la base azotée du brin complémentaire. (Les liaisons hydrogène sont plus faibles que les liaisons covalentes, mais elles sont si nombreuses dans la double hélice de l'ADN qu'ensemble, elles parviennent à relier les deux brins.) (2) Le schéma de gauche est plus détaillé. Il montre que chaque squelette désoxyribose-phosphate est constitué de glucides (pentagones bleus) et de phosphates (cercles jaunes) liés par des liaisons covalentes (lignes noires). Le schéma simplifié du milieu n'offre aucun renseignement sur ce qui se trouve dans le squelette. Dans les schémas de gauche et du milieu, les bases sont indiquées et leur complémentarité est représentée par la forme complémentaire des extrémités des bases (courbes/retraits pour G/C ou V/encoches pour T/A). Le schéma de droite est celui qui présente le moins de détails. Bien que l'association des paires de bases soit illustrée, toutes les paires sont représentées par la même forme, de sorte qu'on ne dispose d'aucun renseignement concernant la spécificité et la complémentarité, des éléments qui sont visibles dans les deux autres diagrammes. Les schémas de gauche et de droite montrent que le brin de gauche a été synthétisé plus récemment, comme l'indique la couleur bleu clair. Les trois schémas présentent les extrémités 5′—Ⓟ et 3′—OH des brins. **Figure 16.11** Le tube provenant de la première réplication aurait la même apparence, avec une bande d'ADN hybride ($^{15}N^{14}N$) au milieu, mais le deuxième tube ne présenterait pas la bande du haut avec les deux brins bleu clair. On observerait plutôt une bande inférieure de deux brins bleu foncé, comme la bande inférieure dans le résultat prédit après une réplication dans le modèle conservateur. **Figure 16.12** Dans l'œil de réplication tout à fait en haut de la micrographie en (b), les flèches doivent être dessinées pointant à gauche et à droite pour indiquer les deux fourches de réplication. **Figure 16.14** En regardant n'importe quel brin d'ADN, on voit qu'une extrémité est appelée extrémité 5′—Ⓟ, et l'autre, extrémité 3′—OH. Si l'on se déplace de l'extrémité 5′ vers l'extrémité 3′ sur le brin le plus à gauche, par exemple, on énumère les composants dans l'ordre suivant : groupement phosphate → C 5′ du désoxyribose → C 3′ → phosphate → C 5′ → C 3′—OH. En allant dans le sens contraire sur le même brin, les composants sont orientés dans l'ordre inverse : C 3′—OH → C 5′ → phosphate. Donc, les deux sens sont différents : voilà pourquoi on dit que les brins ont une directionnalité. (Revoyez la figure 16.5, si nécessaire.)
Figure 16.17

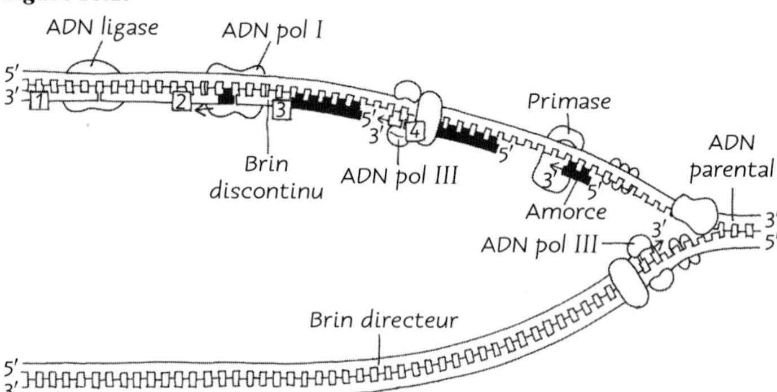

Figure 16.18

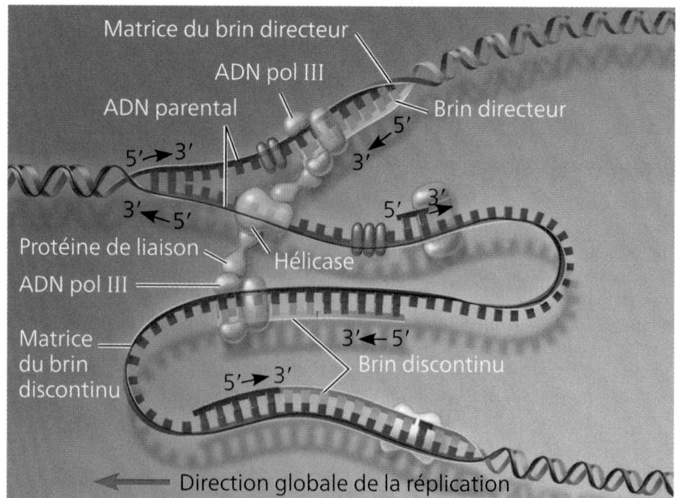

Figure 16.23 Les deux membres de la paire de chromosomes homologues (qui seraient de la même couleur) seraient étroitement associés au niveau de la plaque équatoriale pendant la métaphase I de la méiose I. Cependant, à la métaphase de la mitose, chaque chromosome s'alignerait indépendamment de son homologue, de sorte que les deux chromosomes de la même couleur se retrouveraient à des endroits différents sur la plaque équatoriale.

Retour sur le concept 16.1

1. On ne peut pas dire laquelle est l'extrémité 5′ sans savoir quelle extrémité porte un groupement phosphate sur le carbone 5′ (extrémité 5′—Ⓟ) ou quelle extrémité porte un groupement —OH sur le carbone 3′ (extrémité 3′—OH).
2. Il s'attendait à ce que la souris qu'il avait inoculée avec le mélange de cellules R vivantes et de cellules S tuées et lysées par l'action de la chaleur survive, étant donné que ni l'un ni l'autre type de cellules seules ne sont pathogènes.

Retour sur le concept 16.2

1. L'appariement des bases complémentaires fait en sorte que les deux molécules filles sont des copies exactes de la molécule mère. Lorsque les deux brins de la molécule mère se séparent, chacun d'eux devient une matrice sur laquelle des nucléotides peuvent être ordonnés par appariement des bases et former un nouveau brin complémentaire. **2.** L'ADN pol III ajoute des nucléotides qui se fixent au nouveau brin d'ADN en formation par des liaisons covalentes. Elle fait ensuite la relecture de chaque nucléotide ajouté afin d'assurer l'appariement adéquat des bases. **3.** Dans le cycle cellulaire, la synthèse de l'ADN se produit pendant la phase S, entre les phases G_1 et G_2 de l'interphase. La réplication de l'ADN est donc terminée avant que la phase mitotique ne commence.
4. La synthèse du brin directeur est entreprise par une amorce d'ARN, qui doit être enlevée et remplacée par de l'ADN ; cette tâche ne peut pas être accomplie si l'ADN pol I de la cellule n'est pas fonctionnelle. Dans la petite illustration de la figure 16.17, juste à gauche de l'origine de réplication du haut, une ADN pol I fonctionnelle remplacerait l'amorce d'ARN du brin directeur (en rouge) par des nucléotides d'ADN (en bleu). Les nucléotides seraient ajoutés à l'extrémité 3′ du premier fragment d'Okazaki du brin discontinu supérieur (moitié droite de l'œil de réplication).

Retour sur le concept 16.3

1. Un nucléosome est constitué de huit protéines histones, deux molécules de chacun des quatre types différents, autour desquelles l'ADN est enroulé. L'ADN internucléosomique relie les nucléosomes entre eux. **2.** L'euchromatine est la chromatine qui devient moins compacte pendant l'interphase et est accessible aux structures cellulaires assurant l'activité génique. L'hétérochromatine, au contraire, reste très condensée pendant l'interphase et contient des gènes qui sont généralement inaccessibles à ces structures. **3.** La lamina nucléaire est un réseau protéique fibreux qui fournit un soutien mécanique à la membrane interne de l'enveloppe nucléaire et maintient donc la forme du noyau. L'existence d'une matrice nucléaire, une structure de fibres protéiques qui s'étend à travers tout l'intérieur du noyau, contribuerait également à la disposition des chromosomes interphasiques.

Questions du résumé des concepts clés

16.1 Chaque brin dans la double hélice a une polarité, l'extrémité avec un groupement phosphate sur le carbone 5′—Ⓟ du désoxyribose étant appelée extrémité 5′, et l'extrémité avec un groupement —OH sur le carbone 3′ du désoxyribose étant appelée extrémité 3′—OH. Les deux brins sont orientés en sens opposés, c'est-à-dire qu'un brin est orienté dans la direction 5′→ 3′, et l'autre brin, dans la direction 3′ → 5′. Par conséquent, chaque extrémité de la molécule a une extrémité 5′—Ⓟ et une extrémité 3′—OH. Cet arrangement est appelé « antiparallèle ». Si les brins étaient parallèles, ils seraient tous les deux orientés dans la même direction 5′→ 3, de sorte qu'une extrémité de la molécule aurait soit deux extrémités 5′—Ⓟ, soit deux extrémités 3′—OH.
16.2 Sur les brins directeur et discontinu, l'ADN polymérase III se fixe à l'extrémité 3′—OH d'une amorce d'ARN produite par la primase, synthétisant l'ADN dans le sens 5′→ 3′. Cependant, comme les brins parentaux sont antiparallèles, la synthèse se produit de façon continue dans la fourche de réplication seulement sur le brin directeur. Le brin discontinu est synthétisé à rebours morceau par morceau en une série de fragments d'Okazaki, plus courts. Ceux-ci sont ensuite reliés ensemble par l'ADN ligase. Chaque fragment est ébauché par la synthèse d'une amorce d'ARN par la primase aussitôt qu'un segment donné d'un brin matrice monocaténaire est rendu disponible comme matrice à la fourche de réplication. Bien que les deux brins soient synthétisés à la même vitesse, la synthèse du brin discontinu est décalée parce que l'amorce de chaque fragment commence seulement lorsqu'une longueur suffisante du brin matrice est disponible. **16.3** La majeure partie de la chromatine dans un noyau interphasique n'est pas condensée. On la trouve surtout sous forme de fibre de 30 nm, avec une certaine quantité sous forme d'une fibre de 10 nm et sous forme de domaines en boucle de la fibre de 30 nm. (Ces différents niveaux de compactage de la chromatine peuvent refléter les différences dans l'expression génique qui a lieu dans ces régions.) Par ailleurs, un faible pourcentage de la chromatine, comme celle des centromères et des télomères, est de l'hétérochromatine hautement condensée.

Évaluation

1. c ; **2.** c ; **3.** b ; **4.** d ; **5.** a ; **6.** d ; **7.** b ; **8.** a.
9. Comme pour les histones, on s'attendrait à ce que les protéines d'*E. coli* contiennent beaucoup d'acides aminés basiques (chargés positivement), comme la lysine et l'arginine, qui peuvent former des liaisons faibles avec les groupements phosphate de charge négative sur le squelette désoxyribose-phosphate de la molécule d'ADN.
10.

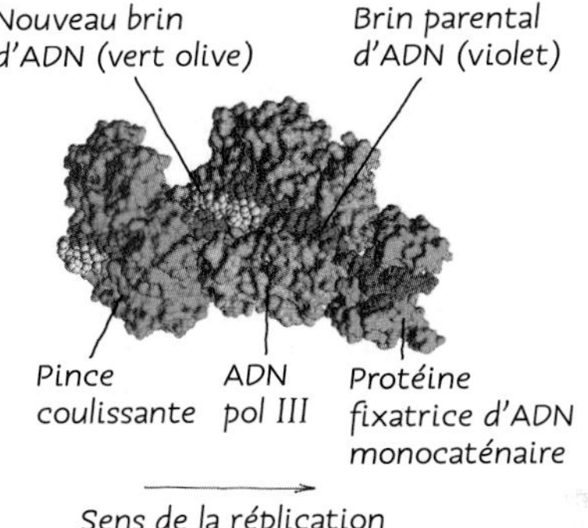

CHAPITRE 17

Questions des figures

Figure 17.3 La voie présumée auparavant aurait été fausse. Les nouveaux résultats confirmeraient la voie suivante : précurseur → citrulline → ornithine → arginine. Ils indiqueraient également que les mutants de la catégorie I ont une anomalie à la deuxième étape et que les mutants de la catégorie II ont une anomalie à la première étape. **Figure 17.5** La séquence de l'ARNm (5′-UGGUUUGGCUCA-3′) est la même que le brin d'ADN non transcrit (5′-TGGTTTGGCTCA-3′). Toutefois, l'ARNm comporte la base U et l'ADN comporte la base T. On utilise probablement le brin d'ADN non transcrit pour représenter une séquence d'ADN parce qu'il représente la séquence d'ARNm, qui contient les codons. (Voilà pourquoi on l'appelle « brin codant ».)
Figure 17.6 Arg–Glu–Pro–Arg (ou R–E–P–R). **Figure 17.8** Les deux processus sont semblables : les polymérases forment des polynucléotides complémentaires à un brin matrice d'ADN antiparallèle. Dans la réplication, toutefois, les deux brins agissent comme matrices, alors que dans la transcription seul un brin d'ADN est utilisé. **Figure 17.9** L'ARN polymérase se fixerait directement au promoteur au lieu de dépendre de la liaison préalable d'autres facteurs.
Figure 17.12

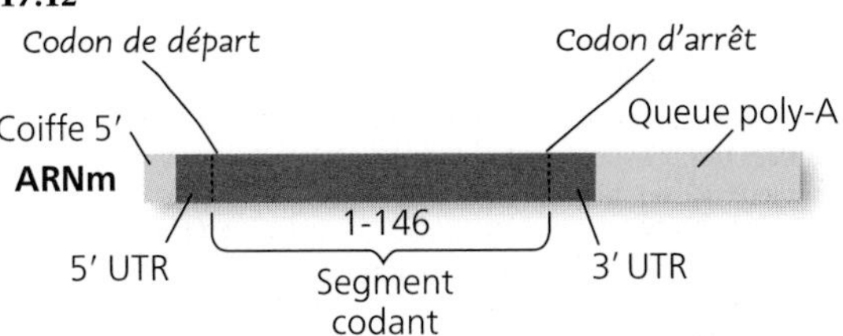

Figure 17.16 L'anticodon de l'ARNt est 3′-AAG-5′, donc il se fixerait au codon 5′-UUC-3′ de l'ARNm. Ce codon code pour la phénylalanine, soit l'acide aminé transporté par l'ARNt. **Figure 17.22** La protéine serait emballée dans une vésicule avant d'être transportée dans le complexe golgien en vue de subir d'autres modifications. Elle serait ensuite transportée par une vésicule vers la membrane plasmique. La vésicule fusionnerait avec la membrane, ce qui libérerait la protéine à l'extérieur de la cellule. **Figure 17.24** L'ARNm le plus à droite (le plus long) a commencé la transcription en premier. Le ribosome en haut, le plus près de l'ADN, a commencé la traduction en premier et possède donc le polypeptide le plus long.

Retour sur le concept 17.1

1. Récessif. **2.** Un polypeptide composé de 10 acides aminés Gly (glycine).
3. « *Séquence de la matrice* »
(d'après la séquence non transcrite dans le problème, écrite dans le sens 3' → 5'): 3'-ACGACTGAA-5'

Séquence de l'ARNm: 5'-UGCUGACUU-3'

Protéine traduite: Cys-(Arrêt)

Si la séquence d'ADN non transcrit avait pu être utilisée comme matrice pour la transcription de l'ARNm, la séquence d'acides aminés d'une protéine traduite à partir de l'ARNm serait complètement différente et fort probablement non fonctionnelle. (Elle serait également plus courte à cause du signal d'arrêt UGA illustré dans la séquence d'ARNm ci-dessus – et peut-être à cause d'autres signaux d'arrêt qui précèdent dans la séquence d'ARNm.)

Retour sur le concept 17.2

1. Le promoteur est la région de l'ADN à laquelle l'ARN polymérase se lie pour commencer la transcription; il est situé à l'extrémité en amont du gène (unité de transcription). **2.** Dans une cellule bactérienne, une partie de l'ARN polymérase reconnaît le promoteur d'un gène et s'y fixe. Dans une cellule eucaryote, les facteurs de transcription doivent se fixer au promoteur avant que l'ARN polymérase se lie à eux. Dans les deux cas, les séquences dans le promoteur se fixent précisément sur l'ARN polymérase, de sorte que l'enzyme est au bon endroit et placée dans le bon sens. **3.** Le facteur de transcription qui reconnaît la séquence TATA serait incapable de se lier, de sorte que l'ARN polymérase ne pourrait pas se fixer et la transcription de ce gène ne se produirait probablement pas.

Retour sur le concept 17.3

1. À cause de l'épissage différentiel des exons, chaque gène peut produire de multiples ARNm différents et peut donc diriger la synthèse de multiples protéines différentes. **2.** Lorsque vous visionnez une émission enregistrée en différé, vous regardez des segments de l'émission (exons) et vous faites « avance rapide » pendant les pauses publicitaires (introns). Toutefois, contrairement aux introns, les pauses publicitaires restent enregistrées, alors que les introns sont éliminés du transcrit d'ARN pendant la maturation de l'ARN. **3.** Une fois que l'ARNm est sorti du noyau, la coiffe l'empêche d'être dégradé par les enzymes hydrolytiques et facilite son rattachement aux ribosomes. Si la coiffe de tous les ARNm était enlevée, la cellule ne pourrait plus synthétiser ses protéines et mourrait probablement.

Retour sur le concept 17.4

1. Premièrement, chaque aminoacyl-ARNt synthétase reconnaît spécifiquement un seul acide aminé et ne l'apparie qu'à un ARNt approprié. Deuxièmement, un ARNt chargé de son propre acide aminé ne se lie qu'à un codon de l'ARNm spécifique à cet acide aminé. **2.** La particule de reconnaissance du signal reconnaît une séquence signal sur la première extrémité du polypeptide en voie de formation et transporte le ribosome à la membrane du RE. Le ribosome se fixe à cette membrane et poursuit la synthèse du polypeptide, puis le dépose dans la lumière du RE.
3. À cause de l'oscillation, l'ARNt peut se lier soit à 5'-GCA-3', soit à 5'-GCG-3', les deux codant pour l'alanine (Ala). L'alanine serait attachée à l'ARNt (voir sur le schéma ci-contre en haut à droite).

4. Une fois la traduction terminée, et après la dissociation du ribosome, les deux sous-unités seraient situées très près de la coiffe. Cela pourrait faciliter leur réassemblage et l'initiation de la synthèse d'un nouveau polypeptide, ce qui augmenterait l'efficacité de la traduction.

Retour sur le concept 17.5

1. Dans l'ARNm, il y a décalage du cadre de lecture en aval de la délétion, ce qui entraîne la synthèse d'une longue chaîne d'acides aminés erronés dans le polypeptide (mutation faux sens); dans la plupart des cas, la terminaison est prématurée (mutation non-sens) et le polypeptide n'est fort probablement pas fonctionnel. **2.** Les individus hétérozygotes considérés comme porteurs du caractère de l'anémie falciforme possèdent une copie de l'allèle de type normal et de l'allèle de l'anémie falciforme. Les deux allèles seront exprimés, de sorte que ces individus auront à la fois les molécules d'hémoglobine normales et celles de l'anémie falciforme. Il semble que la présence d'un mélange des deux formes de la β-globine soit sans effet la plupart du temps. Toutefois, ces personnes peuvent présenter certains signes de l'anémie falciforme si elles sont exposées à de faibles concentrations d'oxygène pendant de longues périodes (comme en haute altitude).

3. *Séquence normale de l'ADN (le brin matrice est en haut)*: 3'-TACTTGTCCGATATC-5'
Brin codant: 5'-ATGAACAGGCTATAG-3'

Séquence de l'ARNm: 5'-AUGAACAGGCUAUAG-3'

Séquence d'acides aminés: Met–Asn–Arg–Leu–(Arrêt)

Séquence de l'ADN mutant (le brin matrice est en haut): 3'-TACTTGTCCAATATC-5'
Brin codant: 5'-ATGAACAGGTTATAG-3'

Séquence de l'ARNm: 5'-AUGAACAGGUUAUAG-3'

Séquence d'acides aminés: Met–Asn–Arg–Leu–(Arrêt)

Aucun effet: la séquence d'acides aminés est Met–Asn–Arg–Leu avant et après la mutation parce que les codons de l'ARNm 5'-CUA-3' et 5'-UUA-3' codent tous les deux pour Leu. (Le cinquième codon est un codon de terminaison.)

Questions du résumé des concepts clés

17.1 Un gène contient l'information génétique sous la forme d'une séquence de nucléotides. Le gène est d'abord transcrit en une molécule d'ARN, et une molécule d'ARN messager est par la suite traduite en polypeptide. Le polypeptide constitue une partie ou l'ensemble d'une protéine, qui remplit une fonction dans la cellule et contribue au phénotype de l'organisme. **17.2** Les gènes bactériens et eucaryotes ont des promoteurs, des régions où l'ARN polymérase se fixe et commence la transcription. Chez les bactéries, l'ARN polymérase se fixe directement au promoteur; chez les eucaryotes, les facteurs de transcription se lient d'abord au promoteur, puis l'ARN polymérase se fixe en même temps aux facteurs de transcription et au promoteur. **17.3** La coiffe 5' et la queue poly-A aident l'ARNm à sortir du noyau, contribuent à le stabiliser une fois rendu dans le cytosol et facilitent sa fixation aux ribosomes. **17.4** Dans le ribosome, les ARNt agissent comme traducteurs du langage des bases des nucléotides de l'ARNm à celui des acides aminés des polypeptides. Un ARNt achemine un acide aminé spécifique au ribosome, son anticodon étant complémentaire au codon de l'ARNm qui code pour cet acide aminé. Dans le ribosome, l'ARNt se lie d'abord au site A. Son acide aminé est ensuite attaché au polypeptide en cours de synthèse (présentement situé sur l'ARNt lié au site P); ce nouvel acide aminé devient la nouvelle extrémité (carboxyle) du polypeptide. Ensuite, l'ARNt lié au site A se déplace vers le site P. L'ARNt qui s'y trouvait précédemment, maintenant vide, se déplace vers le site E; il sortira du ribosome lorsque l'ARNm glissera au codon suivant. **17.5** Lorsqu'une base nucléotidique est modifiée chimiquement, ses caractéristiques d'appariement des bases peuvent changer. Dans ce cas, un nucléotide incorrect sera probablement incorporé dans le brin complémentaire lors de la réplication suivante de l'ADN; cette mutation se perpétuera par l'intermédiaire des autres processus de réplication. Une fois que le gène est transcrit, le codon muté peut coder pour un acide aminé différent qui inhibe ou modifie la fonction d'une protéine. Si la modification chimique de la base est détectée et réparée par le système de réparation de l'ADN avant la réplication suivante, il n'en résulte aucune mutation.

Évaluation

1. b; **2.** c; **3.** a; **4.** a; **5.** b; **6.** c; **7.** d; **8.** Non. Dans une cellule eucaryote, la membrane nucléaire sépare, dans l'espace et le temps, les processus de transcription et de traduction.
9.

Type d'ARN	*Fonctions*
ARN messager (ARNm)	*Transmet aux ribosomes l'information de l'ADN définissant les séquences d'acides aminés des polypeptides.*
ARN de transfert (ARNt)	*Sert de traducteur et transporteur d'acides aminés lors de la synthèse des protéines; traduit les codons d'ARNm en acides aminés.*
ARN ribosomique (ARNr)	*Dans un ribosome, joue un rôle structural et surtout, en tant que ribozyme, joue un rôle catalytique (catalyse la formation de liaisons peptidiques).*
Transcrit primaire (ARN prémessager)	*Précurseur de l'ARNm, de l'ARNr ou de l'ARNt, avant de subir une maturation. Certaines molécules d'ARN provenant des introns agissent comme des ribozymes et catalysent leur propre épissage.*
Petit ARN dans le complexe d'épissage	*Joue un rôle structural et catalytique (pARNn) dans les complexes d'épissage (formés de protéines et d'ARN) qui effectuent l'épissage de l'ARN prémessager.*

CHAPITRE 18

Questions des figures

Figure 18.3 Lorsque la concentration du tryptophane diminue dans la cellule, il finit par ne plus avoir de molécules de l'acide aminé liées aux molécules de répresseur. Ces dernières adoptent alors leurs structures inactives et se dissocient de l'opérateur, permettant la reprise de la transcription de l'opéron. La production des enzymes responsables de la synthèse du tryptophane recommencera et la cellule se remettra à synthétiser du tryptophane dans la cellule. **Figure 18.9** Chacun des deux polypeptides comporte deux régions : l'une forme une partie du domaine de liaison à l'ADN de la protéine MyoD, et l'autre, une partie du domaine d'activation. Chaque domaine fonctionnel de la protéine MyoD complète est constitué de certaines parties des deux polypeptides. **Figure 18.11** Dans les deux types de cellules, l'amplificateur du gène de l'albumine a les trois éléments de contrôle colorés en jaune, en gris et en rouge. Les séquences dans la cellule hépatique et dans celle du cristallin seraient identiques, étant donné que les cellules sont dans le même organisme. **Figure 18.18** Même si la protéine MyoD d'un génotype mutant était incapable d'activer le gène *myoD*, elle pourrait quand même activer les gènes d'autres protéines de la voie (d'autres facteurs de transcription, qui activeraient les gènes des protéines spécifiques des muscles, par exemple). Par conséquent, une différenciation pourrait se produire. Mais à moins que d'autres activateurs puissent compenser la perte de l'activation de la protéine MyoD du gène *myoD*, la cellule serait incapable de maintenir son état différencié. **Figure 18.22** La protéine Bicoïd normale serait produite à l'extrémité antérieure et compenserait la présence de l'ARNm mutant placé dans l'ovocyte par la mère. Le développement serait normal, avec la présence d'une tête. C'est bien ce qui a été observé dans les faits. **Figure 18.25** Il y a de bonnes chances que la mutation soit récessive. Il est manifestement plus probable qu'elle exerce un effet si les deux copies du gène ont muté et codent pour des protéines non fonctionnelles. Si une copie normale du gène est présente, son produit pourrait inhiber le cycle cellulaire. (Cependant, il existe également des cas connus de mutations de *p53* dominant.) **Figure 18.27** Le cancer est une maladie dans laquelle la régulation de la division cellulaire est défectueuse. La division cellulaire peut être exacerbée par des facteurs de croissance (voir la figure 12.18), qui se lient aux récepteurs de surface cellulaire (voir la figure 11.8). Les cellules cancéreuses échappent aux mécanismes de contrôle normaux et, souvent, se divisent même en l'absence de facteurs de croissance (voir la figure 12.19). On peut donc penser que les protéines réceptrices ou d'autres composants dans la voie de signalisation présentent des anomalies (voir, par exemple, la protéine Ras mutante à la figure 18.24) ou que leur niveau d'expression est anormal, comme le montrent les récepteurs illustrés dans cette figure. Dans l'organisme d'un mammifère, les hormones stéroïdes comme l'œstrogène et la progestérone peuvent également, sous certaines conditions, accélérer la division cellulaire. Ces molécules utilisent également les voies de signalisation cellulaire, comme on l'explique au concept 11.2 (voir la figure 11.9). Étant donné que les récepteurs de signaux incitent les cellules à amorcer la division cellulaire, il n'est pas étonnant que l'altération des gènes encodant ces protéines puisse jouer un rôle important dans l'apparition du cancer. Par ailleurs, les gènes peuvent être altérés par une mutation qui perturbe la fonction du produit protéique ou par une mutation associée à une expression génétique anormale, laquelle interrompt la régulation globale de la voie de signalisation.

Retour sur le concept 18.1

1. La liaison par le corépresseur de *trp* (tryptophane) active le répresseur de *trp*, qui se lie à l'opérateur *trp*, interrompant la transcription de l'opéron *trp*. La liaison par l'inducteur de *lac* (allolactose) inactive le répresseur de *lac*, ce qui empêche ce dernier de se lier à l'opérateur *lac* et, par conséquent, entraîne la transcription de l'opéron *lac*. **2.** Lorsque le glucose est rare, l'AMPc se lie à la protéine CRP, laquelle se fixe au promoteur *lac*, favorisant ainsi la liaison de l'ARN polymérase. Cependant, en l'absence de lactose, le répresseur *lac* est lié à l'opérateur *lac*, ce qui bloque la liaison de l'ARN polymérase au promoteur *lac*. Par conséquent, les gènes de l'opéron *lac* ne sont pas transcrits. **3.** La cellule produirait de la β-galactosidase et les deux autres enzymes sans interruption pour l'utilisation du lactose, même en l'absence de lactose, gaspillant ainsi les ressources de la cellule.

Retour sur le concept 18.2

1. L'acétylation des histones contribue généralement à l'expression génétique, alors que la méthylation de l'ADN est la plupart du temps associée à l'absence d'expression. **2.** Une même enzyme ne peut méthyler à la fois une histone et une base d'ADN. Chaque enzyme possède une structure très spécifique, et celles dont le site actif pourrait accueillir l'acide aminé d'une protéine pour le méthyler ne pourraient en même temps avoir un site actif adapté à une base de nucléotide de l'ADN. **3.** La fonction des facteurs de transcription généraux est l'assemblage du complexe d'initiation de la transcription sur le promoteur de tous les gènes. Les facteurs de transcription spécifiques se lient aux éléments de contrôle associés à un gène particulier et, une fois liés, soit ils augmentent (activateurs), soit ils diminuent (répresseurs) la transcription de ce gène. **4.** La régulation de l'initiation de la traduction, de la vitesse de dégradation de l'ARNm, du taux d'activation de la protéine (par modification chimique, par exemple) et de la vitesse de dégradation de la protéine. **5.** Les trois gènes doivent avoir quelques séquences similaires ou identiques dans les éléments de contrôle de leurs amplificateurs. En raison de cette similarité, les mêmes facteurs de transcription spécifiques dans les cellules musculaires pourraient se lier aux amplificateurs des trois gènes et stimuler leur expression de façon coordonnée.

Retour sur le concept 18.3

1. Les miARN et les pARNi sont de petits ARN monocaténaires qui s'associent à un complexe protéique. Ils peuvent alors se lier avec des ARNm portant une séquence complémentaire. Cette association par appariement de bases mène soit à la dégradation de l'ARNm ou au blocage de sa traduction. Chez certaines levures, des pARNi associés aux protéines dans un complexe différent peuvent se lier de nouveau à la chromatine centromérique en recrutant des enzymes qui provoquent la condensation de la chromatine en hétérochromatine. Les miARN et les pARNi subissent une maturation à partir de précurseurs d'ARN bicaténaire dont la structure varie légèrement. **2.** L'ARNm persisterait et serait traduit en la protéine qui favorise la division cellulaire, et la cellule se diviserait probablement. Si un miARN intact est nécessaire pour inhiber la division cellulaire, alors la division de cette cellule pourrait être anormale. Une division cellulaire incontrôlée pourrait mener à la formation d'une masse de cellules (tumeur) qui nuirait au bon fonctionnement de l'organisme et pourrait contribuer à l'apparition du cancer. **3.** L'ARN *XIST* est transcrit à partir du gène *XIST* sur le chromosome X qui sera inactivé. Il se lie alors au chromosome et induit la formation de l'hétérochromatine. Un modèle vraisemblable est que l'ARN *XIST* recrute d'une certaine façon des enzymes de modification de la chromatine qui mènent à la formation d'hétérochromatine.

Retour sur le concept 18.4

1. Les cellules subissent la différenciation au cours du développement embryonnaire et deviennent différentes les unes des autres grâce à l'expression différentielle. La spécialisation et la différenciation cellulaire se poursuivent tout au long du développement. Aussi, l'organisme adulte est formé de nombreux types de cellules hautement spécialisées. **2.** Les molécules se lient à un récepteur situé à la surface de la cellule ; elles déclenchent une voie de transduction du signal dans laquelle interviennent des molécules intracellulaires, par exemple des seconds messagers et des facteurs de transcription, qui influent sur l'expression génétique. **3.** Les produits des gènes à effet maternel, formés et déposés dans l'œuf par l'organisme maternel, déterminent la position des extrémités antérieure et postérieure, de même que celle des extrémités dorsale et ventrale de l'embryon (et, par conséquent, de la drosophile adulte). **4.** La cellule du bas synthétise des molécules de signalisation parce que le gène qui les code est activé. Cela signifie que les facteurs de transcription spécifiques appropriés se lient à l'amplificateur du gène. Les gènes codant pour ces facteurs de transcription spécifiques sont également exprimés dans cette cellule parce que les activateurs de transcription pouvant les activer ont été exprimés dans le précurseur de cette cellule. Une explication similaire s'applique également aux cellules qui expriment les protéines réceptrices. Ce scénario a commencé avec des déterminants cytoplasmiques particuliers localisés dans des régions spécifiques de l'ovule. Ces déterminants cytoplasmiques ont été répartis inégalement dans les cellules filles, obligeant ainsi les cellules à passer par des voies différentes de développement.

Retour sur le concept 18.5

1. Généralement, une mutation cancérigène dans un protooncogène rend le produit génique hyperactif, alors qu'une mutation causant le cancer dans un gène suppresseur de tumeurs rend le gène non fonctionnel.**2.** La composante héréditaire peut être un oncogène ou l'allèle mutant d'un gène suppresseur de tumeurs. **3.** La protéine p53 signale l'apoptose des cellules dont l'ADN est fortement endommagé. L'apoptose joue donc un rôle protecteur en éliminant des cellules qui risqueraient de se transformer en cellules cancéreuses. Si les mutations des gènes de la voie de l'apoptose bloquent ce processus de destruction, une cellule endommagée peut continuer à se diviser et mener à la formation de tumeurs.

Questions du résumé des concepts clés

18.1 Un corépresseur et un inducteur sont tous les deux de petites molécules qui se lient à la protéine répressive dans un opéron, ce qui cause le changement de structure du répresseur. Dans le cas d'un corépresseur (comme le tryptophane), la modification de structure permet au répresseur de se lier à l'opérateur, bloquant ainsi la transcription. Par contre, un inducteur provoque la dissociation du répresseur de l'opérateur, ce qui permet à la transcription de commencer. **18.2** La chromatine ne doit pas être fermement condensée afin de rester accessible aux facteurs de transcription. Les facteurs de transcription spécifiques appropriés (activateurs) doivent se lier aux éléments de contrôle dans l'amplificateur du gène, alors que les répresseurs ne doivent pas être liés. L'ADN doit être replié par une molécule responsable de la courbure de l'ADN afin de permettre aux activateurs d'entrer en contact avec les protéines médiatrices et de former un complexe avec des facteurs de transcription généraux sur le promoteur. L'ARN polymérase doit se lier et commencer la transcription. **18.3** Les miARN ne « codent » pas pour les acides aminés d'une protéine (ils ne sont jamais traduits). Chaque miARN s'associe avec un groupe de protéines pour former un complexe. La liaison du complexe à un ARNm ayant une séquence complémentaire cause la dégradation de cet ARNm ou bloque sa traduction. Cela est considéré comme de la régulation génique parce que ce complexe contrôle la quantité d'un ARNm particulier qui peut être traduit en protéine fonctionnelle. **18.4** Le premier processus met en jeu les déterminants cytoplasmiques, incluant les ARNm et les protéines, placés dans des endroits spécifiques de l'œuf par la mère. Les cellules embryonnaires qui sont formées dans différentes régions de l'œuf au cours des premières divisions cellulaires contiendront des protéines différentes, lesquelles commanderont différents programmes d'expression génétique. Le deuxième processus fait intervenir la cellule en question qui réagit à des molécules de signalisation sécrétées par des cellules voisines (induction). La voie de signalisation dans la cellule qui réagit conduit également à un mode différent d'expression génétique. La coordination de ces deux processus permet à chaque cellule de suivre une voie particulière dans l'embryon en développement. **18.5** Le produit protéique d'un protooncogène intervient généralement dans une voie qui stimule la division cellulaire. Le produit protéique d'un gène suppresseur de tumeurs intervient généralement dans une voie qui inhibe la division cellulaire.

Évaluation

1. c; **2.** a; **3.** b; **4.** c; **5.** c; **6.** d; **7.** a; **8.** c; **9.** b; **10.** d.

11. (a)

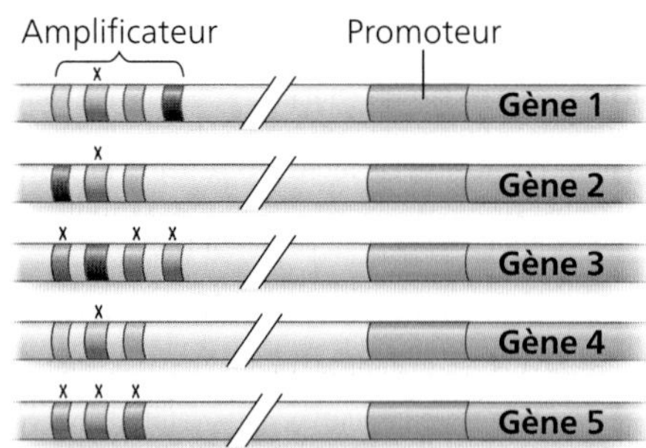

Les protéines activatrices en violet, en bleu et en rouge seraient présentes.

(b)

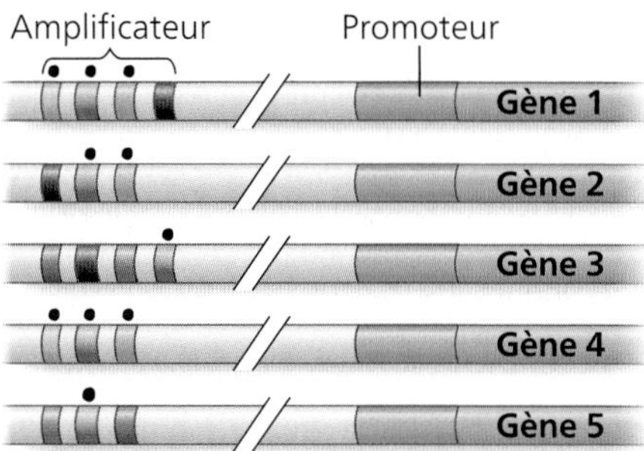

Seul le gène 4 serait transcrit.

(c) Dans les cellules nerveuses, les activateurs en jaune, en bleu, en vert et en noir doivent être présents, activant alors la transcription des gènes 1, 2 et 4. Dans les cellules de la peau, les activateurs en rouge, en noir, en violet et en bleu doivent être présents, ce qui stimulerait alors les gènes 3 et 5.

CHAPITRE 19

Questions des figures

Figure 19.2 Beijerinck aurait peut-être conclu que l'agent était une toxine produite par la plante, que cette toxine était capable de passer à travers un filtre, mais que celle-ci finissait par se diluer de plus en plus. Dans ce cas, il aurait conclu que l'agent infectieux ne pouvait pas se répliquer.

Figure 19.4

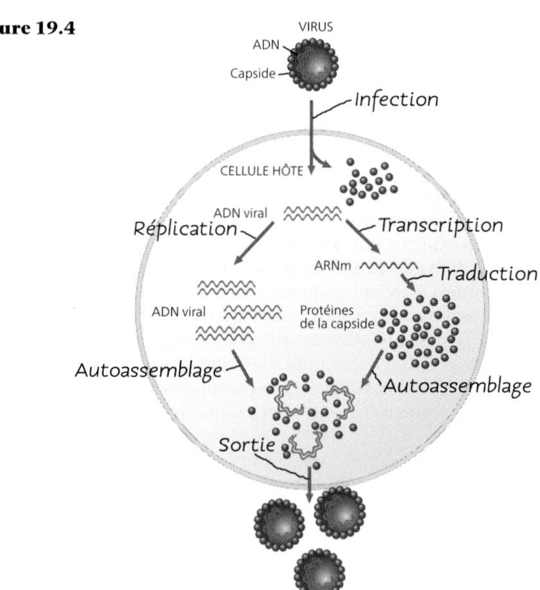

Figure 19.9 La principale protéine à la surface cellulaire à laquelle se lie le VIH porte le nom de CD4. Cependant, le VIH nécessite également un « corécepteur » qui, dans de nombreux cas, est une protéine appelée CCR5. Le VIH se lie à ces deux protéines ensemble, puis il pénètre dans la cellule. Les chercheurs ont découvert cette exigence en étudiant des individus qui semblaient résistants à l'infection par le VIH, malgré de multiples expositions. Il s'est avéré que chez ces individus, le gène qui code pour CCR5 a subi des mutations, de sorte que la protéine ne peut apparemment pas agir comme un corécepteur, ce qui empêche le VIH de pénétrer dans les cellules et de les infecter.

Retour sur le concept 19.1

1. Le virus de la mosaïque du tabac est constitué d'une molécule d'ARN entourée par des protéines disposées en hélice. Le virus de la grippe possède huit molécules d'ARN, chacune étant associée à des protéines et disposée en hélice. Autre différence entre les virus : celui de la grippe possède une enveloppe qui entoure sa capside et celui de la mosaïque du tabac n'en a pas. **2.** Les phages T2 étaient un excellent choix dans l'expérience de Hershey et Chase, car ils sont constitués seulement d'ADN protégé par une coque de protéines, et on pensait que les deux macromolécules susceptibles de transmettre les informations génétiques étaient l'ADN et les protéines. Hershey et Chase ont été capables de marquer par radioactivité chaque type de molécule seule et de la suivre au cours d'infections distinctes de cellules d'*E. coli* avec T2. Seul l'ADN pénétrait dans la cellule bactérienne au cours de l'infection, et seul l'ADN marqué apparaissait dans certains phages descendants. Hershey et Chase ont donc conclu que l'ADN devait transmettre les informations génétiques nécessaires pour que le phage reprogramme la cellule et produise des phages descendants.

Retour sur le concept 19.2

1. Les phages lytiques effectuent la lyse de la cellule hôte, alors que les phages lysogéniques peuvent soit lyser la cellule hôte, soit s'insérer dans le chromosome de l'hôte. Dans ce dernier cas, l'ADN viral (prophage) est simplement répliqué en même temps que le chromosome de l'hôte, ce qui ne semble pas avoir d'effet apparent sur celui-ci. Sous certaines conditions, un prophage peut quitter le chromosome bactérien et amorcer un cycle lytique. **2.** Le système CRISPR-Cas et les miARN fonctionnent de façon similaire : des molécules d'ARN se lient pour former un complexe protéique qui sert de dispositif d'autoguidage afin que le complexe se fixe à une séquence complémentaire. Toutefois, les miARN interviennent dans la régulation de l'expression génétique (en dégradant les ARNm), alors que le système CRISPR-Cas protège les cellules bactériennes contre les envahisseurs étrangers (phages envahisseurs). Par conséquent, le système CRISPR-Cas s'apparente plus à un système immunitaire que les miARN. **3.** L'ARN polymérase virale et l'ARN polymérase dans la figure 17.10 synthétisent toutes les deux une molécule d'ARN complémentaire d'un brin matrice. Cependant, l'ARN polymérase de la figure 17.10 utilise un des brins de la double hélice d'ADN comme matrice, alors que l'ARN polymérase virale utilise l'ARN d'un génome viral comme matrice. Dans les deux cas, la fonction globale de la polymérase est de contribuer à l'expression génétique, mais pour l'enzyme virale il s'agit en plus de répliquer le génome du virus. **4.** Le VIH est un rétrovirus parce qu'il utilise son génome d'ARN comme matrice pour synthétiser l'ADN, ce qui est l'inverse (« rétro ») du flux d'information que l'on observe habituellement dans la synthèse ADN $\rightarrow$ ARN. **5.** Il y a de nombreuses étapes durant lesquelles l'interférence est possible : la liaison du virus à la cellule, la fonction de la transcriptase inverse, l'intégration dans le chromosome de la cellule hôte, la synthèse du génome (dans ce cas la transcription provenant de l'ARN du provirus inséré), l'assemblage du virus à l'intérieur de la cellule et le bourgeonnement du virus. (La plupart de ces étapes, sinon toutes, sont des cibles de stratégies médicales actuelles pour bloquer le progrès de l'infection chez les personnes infectées par le VIH.)

Retour sur le concept 19.3

1. Des mutations peuvent créer une nouvelle souche de virus que le système immunitaire est incapable de combattre efficacement, même si un animal a été exposé à la souche initiale ; une recombinaison virale ne peut se produire que lorsque deux virus infectent simultanément une même cellule, créant ainsi un nouveau virus ; un virus peut aussi se propager d'une espèce à un nouvel hôte ; enfin, un virus rare peut se disséminer si une population infectée devient moins isolée. **2.** Dans la transmission horizontale, une plante est infectée par une source externe de virus. Le virus peut pénétrer dans la plante par une blessure de l'épiderme causée par des herbivores ou des insectes. Dans la transmission verticale, une plante hérite d'un virus transmis par une plante mère, soit par des semences infectées (reproduction sexuée), soit par l'intermédiaire d'une bouture infectée (reproduction asexuée). **3.** Les humains ne font pas partie du spectre d'hôtes du virus de la mosaïque du tabac, de sorte qu'ils ne peuvent pas contracter la maladie. (Le virus de la mosaïque du tabac est incapable de se lier aux récepteurs des cellules humaines et, par conséquent, de les infecter.)

Questions du résumé des concepts clés

19.1 Les virus sont généralement considérés comme non vivants, parce qu'ils sont incapables de se répliquer à l'extérieur d'une cellule hôte et d'accomplir les réactions métaboliques nécessaires à la transformation de l'énergie. Pour se répliquer, ils dépendent totalement des enzymes et des ressources d'une cellule hôte. **19.2** Les virus à ARN monocaténaire nécessitent une ARN polymérase qui peut produire un ARN en utilisant une matrice d'ARN. (Les ARN polymérases cellulaires produisent un ARN en utilisant une matrice d'ADN.) Les rétrovirus ont besoin de transcriptases inverses pour produire l'ADN en utilisant une matrice d'ARN. (Une fois que le premier brin d'ADN est produit, la même enzyme peut favoriser la synthèse du deuxième brin d'ADN.) **19.3** La vitesse de mutation des virus à ARN est plus élevée que celle des virus à ADN parce que l'ARN polymérase n'a pas de fonction de « correction d'épreuves », de sorte que les erreurs dans la réplication ne sont pas corrigées. Le taux de mutation plus élevé signifie que les virus à ARN se modifient plus rapidement que les virus à ADN, ce qui facilite le développement d'un spectre d'hôtes modifié et l'esquive des défenses immunitaires chez les hôtes possibles.

Évaluation

1. c ; **2.** d ; **3.** c ; **4.** d ; **5.** b.
6. Comme l'illustre la figure ci-dessous, le génome viral serait traduit en protéines de capsides et en glycoprotéines d'enveloppe directement, plutôt qu'après la production d'une copie d'un ARN complémentaire. Un brin d'ARN complémentaire serait quand même produit ; toutefois, il pourrait être utilisé comme matrice pour de nombreuses copies du génome viral.

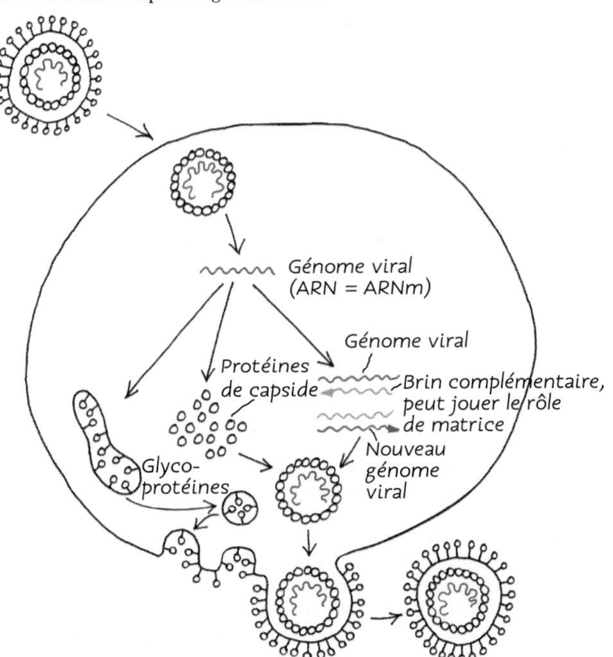

CHAPITRE 20

Questions des figures

Figure 20.3 Comme la hauteur du sommet correspond à l'intensité du signal lumineux, elle reflète le nombre consécutif de bases d'un type particulier qui s'ajoutent. La séquence des 25 premiers nucléotides est TCAGCGTAAGGTGATGTATAGGGGC.
Figure 20.5

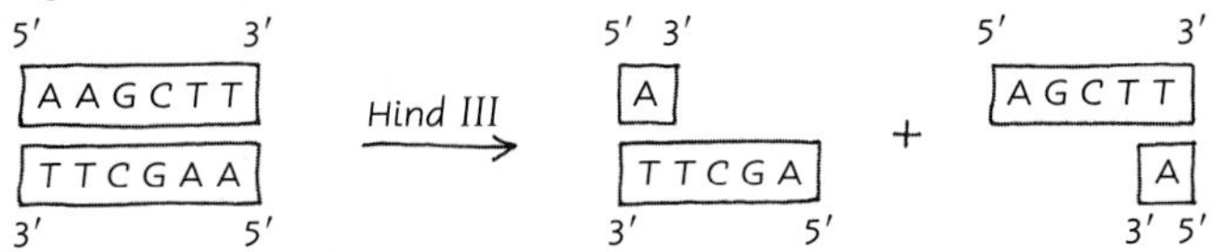

Figure 20.16 Aucun des œufs ayant les noyaux transplantés de l'embryon à quatre cellules dans le haut à gauche n'aurait donné un têtard. En outre, le résultat ne contiendrait que quelques tissus du têtard, qui différeraient selon le noyau transplanté. (Cela suppose qu'il existe un moyen de distinguer les quatre cellules, comme il est possible de le faire chez certaines espèces de grenouilles.) **Figure 20.21** L'utilisation de cellules SPi converties ne comporterait pas le même risque, ce qui est son principal avantage. Étant donné que les cellules donneuses proviendraient du patient, elles correspondraient parfaitement. Le système immunitaire du patient les reconnaîtrait comme des cellules du « soi » et ne déclencherait pas de réaction (c'est ce qui provoque le rejet). Par contre, les cellules qui se divisent rapidement risquent, dans une certaine mesure, de favoriser l'apparition de certains types de tumeurs ou la croissance d'un cancer.

Retour sur le concept 20.1

1. Des liaisons covalentes désoxyribose-phosphate sur chacun des brins d'ADN.
2. Oui, *PuvI* peut couper la molécule.

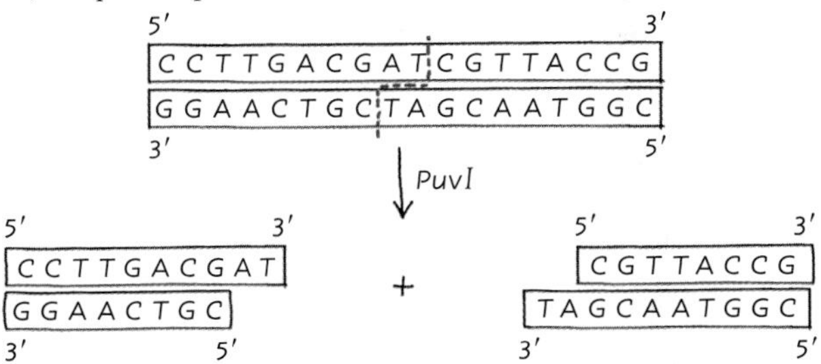

3. Certains gènes eucaryotes sont trop gros pour être insérés dans des plasmides bactériens. Les cellules bactériennes ne disposent d'aucun moyen pour transformer les transcrits d'ARN en ARNm (pas d'épissage d'introns) et, même s'il est possible de pallier ce problème en utilisant l'ADNc, les bactéries ne possèdent pas les enzymes nécessaires pour catalyser, après la traduction, le processus de maturation essentiel au fonctionnement de nombreuses protéines eucaryotes. (C'est souvent le cas pour les protéines humaines, qui constituent un pôle d'intérêt de la biotechnologie.) **4.** Au cours de la réplication des extrémités des molécules linéaires d'ADN (voir la figure 16.20), on utilise une amorce d'ARN à l'extrémité 5′ de chaque nouveau brin. L'ARN doit être remplacé par des nucléotides d'ADN, mais l'ADN polymérase est incapable de commencer la synthèse à l'extrémité 5′ du nouveau brin d'ADN. Au cours de la PCR, comme les amorces sont constituées de nucléotides d'ADN, il n'est pas nécessaire de les remplacer ; elles constituent seulement des parties de chaque nouveau brin. Par conséquent, au cours de la PCR, la réplication des extrémités ne pose pas de problèmes et les fragments ne sont pas raccourcis à chaque réplication.

Retour sur le concept 20.2

1. L'appariement des bases complémentaires intervient dans la synthèse de l'ADN, qui est nécessaire aux trois premières techniques : RT-PCR, tests sur microréseaux à ADN et séquençage de l'ARN. La transcriptase inverse utilise l'ARNm comme matrice pour synthétiser le premier brin d'ADNc en ajoutant les nucléotides complémentaires à ceux de l'ARNm. L'appariement des bases complémentaires intervient également dans la synthèse du deuxième brin d'ADNc par l'ADN polymérase. De plus, les bases des amorces utilisées pour la RT-PCR doivent également s'apparier à celles des séquences cibles dans le mélange d'ADN, en situant une région spécifique parmi tant d'autres. Lors d'un test sur microréseaux à ADN, la sonde d'ADNc marquée se lie uniquement à une séquence cible spécifique, un phénomène qui s'explique par l'hybridation des acides nucléiques complémentaires (hybridation ADN-ADN). En ce qui concerne le séquençage de l'ARN (ARN-seq), la complémentarité des bases intervient dans le séquençage des ADNc. Enfin, pendant l'édition du génome avec le système CRISPR-Cas9, les bases d'un ARN guide situé dans le complexe CRISPR-Cas9 doivent s'apparier à celles d'une séquence complémentaire dans le génome (dans le gène cible) pour que l'édition puisse avoir lieu. Le système de réparation utilise également la complémentarité des bases lorsqu'il se sert d'un brin matrice pour réparer les cassures. **2.** En tant que chercheur intéressé par le développement du cancer, vous pourriez étudier les gènes représentés par les points en vert et aussi ceux en rouge parce que ce sont les gènes pour lesquels le niveau d'expression diffère entre les deux types de tissus. Quelques-uns de ces gènes peuvent être exprimés différemment à la suite d'un cancer, mais d'autres pourraient jouer un rôle dans la cause du cancer. Aussi, les deux types de gènes méritent qu'on s'y intéresse.

Retour sur le concept 20.3

1. La chromatine du noyau issu des cellules intestinales avait probablement subi plus de modifications que celle d'un noyau provenant d'un œuf fécondé (zygote). C'est pourquoi le nombre de noyaux reprogrammés est beaucoup plus faible. À l'opposé, la chromatine dans un noyau provenant d'une cellule embryonnaire au stade des quatre cellules aurait davantage ressemblé à celle du noyau d'un œuf fécondé. Par conséquent, il aurait été beaucoup plus facile de la programmer pour commander le développement. **2.** Non, surtout à cause de différences subtiles (et peut-être pas si subtiles) dans l'environnement dans lequel le clone se développe et vit par rapport à celui dans lequel évolue l'animal d'origine (voir les différences énumérées dans la figure 20.18). Cela soulève des questions éthiques. Pour créer Dolly, qui est également un mammifère, les scientifiques ont cloné plusieurs centaines d'embryons. Pourtant, seulement un d'entre eux a survécu jusqu'à l'âge adulte. Si l'un des embryons de chien rejetés survivait à la naissance, mais qu'il présentait des anomalies, serait-il euthanasié ? Est-il éthique de créer des animaux vivants, mais anormaux ? D'autres questions éthiques vous viennent probablement à l'esprit. **3.** Étant donné qu'un gène maître régulateur (*MyoD*) intervient dans la différenciation des cellules musculaires, vous pourriez commencer par introduire la protéine MyoD ou un vecteur d'expression du gène *MyoD* dans des cellules souches. (Cela ne fonctionnera probablement pas, car la cellule embryonnaire précurseur de la figure 18.18 se différencie davantage que les cellules souches avec lesquelles vous travaillez. Il faudrait également introduire d'autres changements. Cependant, c'est un excellent point de départ ! Vous pourriez également envisager autre chose.)

Retour sur le concept 20.4

1. Les cellules souches continuent de se reproduire spontanément, ce qui maintient la production du gène correcteur. **2.** La résistance aux herbicides, la résistance aux ravageurs, la résistance à la maladie, la résistance à la salinité et le retard de la maturation. **3.** L'hépatite A étant causée par un virus à ARN, vous pourriez isoler l'ARN à partir des cellules sanguines et essayer de détecter des copies de l'ARN de l'hépatite A par RT-PCR. D'abord, il vous faudrait rétrotranscrire l'ARNm sanguin en ADNc pour ensuite amplifier l'ADNc par PCR en utilisant des amorces spécifiques des séquences de l'hépatite A. Par la suite, il vous faudrait soumettre les produits à l'électrophorèse sur gel. La présence d'une bande de la taille appropriée viendrait appuyer votre hypothèse. Vous pourriez également préparer un ARN-seq pour séquencer tous les ARN se trouvant dans les cellules sanguines de votre patient et ainsi vérifier si certaines séquences correspondent à celles de l'hépatite A. (Toutefois, comme vous ne cherchez qu'une seule séquence, la RT-PCR serait probablement un choix plus judicieux.)

Questions du résumé des concepts clés

20.1 Pour obtenir un clone cellulaire contenant un plasmide recombiné, on commence par s'assurer que le vecteur plasmidique choisi et que la source d'ADN étranger à cloner sont tous les deux coupés par la même enzyme de restriction afin de générer des fragments de restriction avec des extrémités cohésives compatibles. Ces fragments sont mélangés, liés, puis réinsérés dans des cellules bactériennes. Le plasmide possède un gène conférant une résistance à un antibiotique donné. Cet antibiotique est ajouté aux cellules hôtes, et seules les cellules ayant capté le plasmide pourront croître. (Une autre technique permet aux chercheurs de choisir uniquement les cellules dotées d'un plasmide recombiné, plutôt que le plasmide d'origine sans gène inséré.) **20.2** Les gènes qui sont exprimés dans un tissu donné ou par un certain type de cellules déterminent quelles sont les protéines (ou l'ARN non codant) à la base de la structure et des fonctions de ce tissu ou du type de cellules. Le fait de connaître les groupes de gènes qui interagissent entre eux pour définir des structures données ou pour accomplir certaines fonctions nous aide à comprendre comment les différentes parties d'un organisme travaillent de concert. Ultimement, cela permettra d'améliorer le traitement des maladies qui apparaissent lorsqu'un gène responsable du dysfonctionnement de certains tissus est exprimé. **20.3** (1) Le clonage d'une souris nécessite la transplantation d'un noyau d'une cellule différenciée de souris dans un ovule énucléé provenant d'une autre souris. Il faut ensuite favoriser le développement du zygote en un embryon. Celui-ci est alors transplanté chez une mère porteuse. Le souriceau est génétiquement identique à la souris qui a donné le noyau. Dans ce cas, le noyau différencié a été reprogrammé sous l'influence de facteurs présents dans le cytoplasme de l'ovule. (2) Les cellules SE de la souris étant générées par les cellules internes dans les blastocystes, les cellules sont « naturellement » reprogrammées par les processus de reproduction et de développement. (Les embryons de souris clonés peuvent également être utilisés comme sources de cellules SE.) (3) On peut produire des cellules SPi sans utiliser d'embryons, car des cellules différenciées de souris adulte peuvent se transformer en cellules souches. Il faut toutefois ajouter certains facteurs de transcription dans la cellule afin de reprogrammer les cellules pour qu'elles acquièrent leur pluripotence. **20.4** Premièrement, la maladie doit être causée par un seul gène, et il faut posséder une bonne connaissance de la base moléculaire du problème. Deuxièmement, les cellules que l'on veut introduire chez le patient doivent être capables de s'insérer dans les tissus de l'organisme et de poursuivre leur multiplication une fois en place (tout en fournissant le produit génique nécessaire). Troisièmement, il faut s'assurer que le gène sera inséré dans les cellules en question de façon sécuritaire, car certains patients ont souffert de cancers à l'issue de plusieurs essais de thérapie génique. (Notez que cela exige de tester la méthode chez des souris ; de plus, on ne comprend pas encore très bien la nature des facteurs déterminant si un vecteur est sécuritaire ou non. Peut-être que l'un d'entre vous pourra résoudre ce problème !)

Évaluation

1. d ; **2.** b ; **3.** c ; **4.** b ; **5.** c ; **6.** b ; **7.** a ; **8.** b.
9. Vous utiliseriez la PCR pour amplifier le gène. Vous pourriez le faire à partir de l'ADN génomique ou encore en isolant l'ARNm à partir des cellules du cristallin et en le rétrotranscrivant par transcriptase inverse pour produire de l'ADNc. Vous pourriez ensuite l'amplifier par PCR. Dans un cas comme dans l'autre, on insérerait finalement le gène dans un vecteur d'expression pour produire et étudier la protéine. **10.** L'enjambement, qui déclenche la recombinaison, est un événement aléatoire. Les chances qu'un enjambement survienne entre deux locus augmentent avec la distance qui les sépare. Si un SNP est situé très près d'un allèle causant une maladie, on dit qu'il est génétiquement lié. Un enjambement survient rarement entre un SNP et un allèle. Par conséquent, on peut utiliser un SNP comme marqueur génétique de la présence d'un allèle particulier.
11.

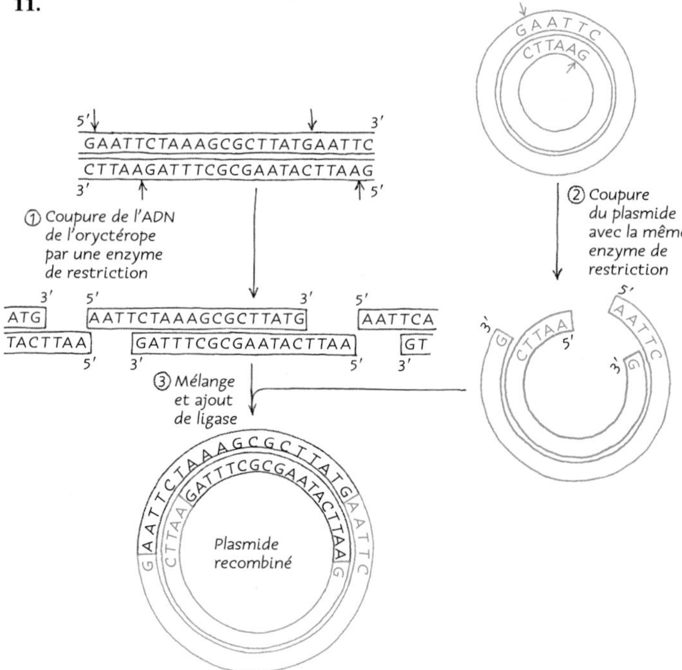

CHAPITRE 21

Questions des figures

Figure 21.2 À l'étape 2 de cette figure, on ignore quel est l'ordre des fragments les uns par rapport aux autres. Il sera établi ultérieurement par un ordinateur. Dans le diagramme, la dispersion des fragments reflète leur nature désordonnée. **Figure 21.8** Le transposon serait excisé de l'ADN au site d'origine plutôt que copié, de sorte que la figure illustrerait le segment d'ADN sans le transposon d'origine (à gauche) après l'excision du transposon mobile. **Figure 21.10** Les transcrits d'ARN qui se détachent de l'ADN dans chaque unité de transcription sont plus courts à gauche et plus longs à droite. Cela signifie que l'ARN polymérase doit commencer à l'extrémité gauche de l'unité et se déplacer vers la droite.

Figure 21.13

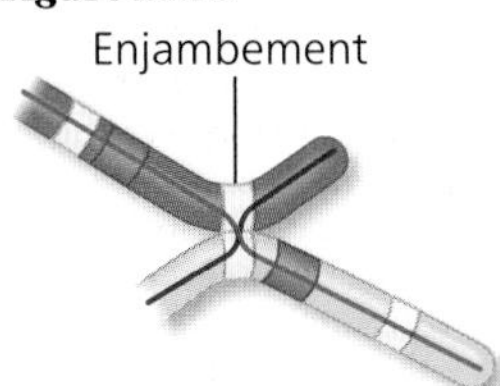

Figure 21.14 Les peudogènes sont non fonctionnels. Ils seraient apparus à la suite d'une duplication puis de mutations dans la deuxième copie du gène, entraînant la destruction de la fonction de son produit (la protéine). Les exemples comportent des changements de bases qui introduisent des codons d'arrêt dans la séquence, modifient les acides aminés ou changent une région du promoteur du gène de sorte que celui-ci ne peut plus être exprimé. **Figure 21.15** Par exemple, à la position 5, on trouve un R (arginine) dans le lysozyme et un K (lysine) dans l'α-lactalbumine; il s'agit de deux acides aminés basiques. **Figure 21.16** Supposons qu'un élément transposable (ET) existe dans l'intron à gauche de l'exon EGF dans le gène EGF et que le même ET était présent dans l'intron à droite de l'exon F indiqué dans le gène de la fibronectine. Au cours de la recombinaison méiotique, ces ET pourraient faire en sorte que les chromatides non sœurs sur les chromosomes homologues ne s'apparient pas correctement, comme on le voit à la figure 21.13. Un gène pourrait porter un exon F à proximité d'un exon EGF. D'autres erreurs d'appariement sur de nombreuses générations pourraient provoquer la séparation de ces deux exons du reste du gène et les placer près d'un exon K unique ou dupliqué. En général, la présence de séquences répétées dans des introns et entre des gènes facilite ces processus parce qu'elle permet l'appariement incorrect des chromatides sœurs, menant à de nouvelles combinaisons d'exons. **Figure 21.18** Étant donné que nous savons que les chimpanzés ne parlent pas, contrairement aux humains, on voudrait peut-être savoir de combien d'acides aminés diffèrent la protéine humaine FOXP2 de type sauvage et celle du chimpanzé, et savoir si ces modifications influent sur la fonction de la protéine. (Comme nous l'expliquons plus loin dans le manuel, il y a deux différences d'acides aminés.) Vous savez que les humains dont ce gène a subi des mutations présentent de graves troubles de langage. On voudrait en apprendre davantage sur les mutations chez l'humain, en vérifiant si elles influent sur les mêmes acides aminés dans le produit du gène que les différences qui caractérisent la séquence du chimpanzé. Si cela s'avérait, ces acides aminés pourraient jouer un rôle important dans la participation de cette protéine dans le langage. En allant plus loin, on pourrait analyser les différences entre les protéines FOXP2 du chimpanzé et de la souris. On pourrait se poser la question suivante: sont-elles plus semblables que les protéines du chimpanzé et de l'humain? (Il se trouve que les protéines du chimpanzé et de la souris ne diffèrent que par un seul acide aminé; elles sont donc plus semblables que les protéines du chimpanzé et de l'humain, qui présentent deux différences, et que celles de l'humain et de la souris, qui présentent trois différences.)

Retour sur le concept 21.1

1. Dans l'approche de séquençage en aveugle sur l'ensemble du génome, on obtient de courts fragments en découpant le génome à l'aide de différentes enzymes de restriction. Ces fragments sont ensuite clonés, séquencés et ordonnés par des logiciels pouvant identifier les régions présentant un chevauchement.

Retour sur le concept 21.2

1. Internet permet la centralisation des bases de données comme GenBank et les ressources en logiciels comme BLAST, ce qui les rend librement accessibles. L'introduction de toutes les données dans une base de données centrale, facilement accessible sur internet, réduit le risque d'erreurs et évite que des chercheurs travaillent sur des données différentes. Le processus scientifique est simplifié puisque tous les chercheurs sont en mesure d'utiliser les mêmes programmes plutôt que des logiciels différents. La diffusion des données s'en trouve grandement accélérée et fait en sorte que les erreurs soient corrigées autant que possible de façon opportune. Nous ne proposons qu'un petit nombre de réponses; vous pouvez probablement en trouver d'autres. **2.** Le cancer est une maladie causée par une multitude de facteurs. En portant toute son attention sur un seul gène ou un seul défaut, on ignore d'autres facteurs qui peuvent influer sur le cancer ou même sur le comportement de l'unique gène étudié. Parce qu'elle prend en compte de nombreux facteurs en même temps, l'approche de la biologie des systèmes est plus susceptible de mener à la compréhension des causes du cancer et à l'établissement des traitements les plus utiles. **3.** Quelques-unes des régions transcrites sont considérées comme des introns ou des ARN non traduits (ARNt, ARNr). Le reste est transcrit en ARN non codants, dont les petits ARN, comme les microARN (miARN), les pARNi. Ces ARN contribuent à la régulation de l'expression génétique en bloquant la traduction, ce qui cause la dégradation de l'ARNm, en se liant au promoteur et en réprimant la transcription, ou encore en remodelant la structure de la chromatine. Les ARN non codants plus longs (lARNnc) peuvent également intervenir dans la régulation des gènes ou dans le remodelage de la chromatine. **4.** Les études portant sur l'association du génome entier font appel à la biologie des systèmes. Cette approche permet d'établir des corrélations entre de nombreux polymorphismes mononucléotidiques (SNP) et des maladies particulières – les maladies cardiaques et le diabète, par exemple –, dans le but de trouver des SNP qui sont associés à chaque maladie.

Retour sur le concept 21.3

1. L'épissage différentiel de transcrits d'ARN provenant d'un gène et la maturation post-traductionnelle de polypeptides peuvent expliquer cette divergence. **2.** Dans le haut du site internet, un diagramme en barres présente le nombre de génomes complètement séquencés et celui des génomes considérés comme des ébauches permanentes, par année. En déroulant la page, vous trouverez le nombre de projets de séquençage terminés et incomplets, par année, le nombre de projets par domaine par année (les génomes des virus et les métagénomes sont également inclus, même s'il ne s'agit pas de «domaines»), la distribution phylogénétique des projets de séquençage de génomes bactériens et les projets par centre de séquençage. Enfin, près du bas de la page, on trouve le diagramme à secteurs «*Project Relevance of Bacterial Genome Projects*», qui montre qu'environ 59% des projets sont pertinents sur le plan médical. Le site internet se termine avec un autre diagramme à secteurs des centres de séquençage pour les projets portant sur les archées et les bactéries. **3.** Les cellules procaryotes sont généralement plus petites que les cellules eucaryotes, et elles se reproduisent par fission binaire. Le processus d'évolution en jeu est la sélection naturelle pour les cellules qui se reproduisent plus rapidement; plus vite elles peuvent répliquer leur ADN et se diviser, plus grande sera la probabilité qu'elles soient en mesure de dominer une population de procaryotes. Moins elles ont d'ADN à répliquer, plus vite elles se reproduiront.

Retour sur le concept 21.4

1. Le nombre de gènes est plus grand chez les mammifères, et la quantité d'ADN non codant est plus élevée. La présence d'introns dans les gènes des mammifères les rend plus longs, en moyenne, que les gènes procaryotes. **2.** Le mécanisme de type «copier-coller» du transposon et la rétrotransposition. **3.** Dans la famille des gènes des ARNr, des unités de transcription identiques pour les trois ARN différents produits sont présentes dans de longs réseaux répétés les uns après les autres. Le grand nombre de copies de gènes d'ARNr confère aux organismes la capacité de produire de l'ARNr pour qu'un nombre suffisant de ribosomes accomplissent la synthèse de protéines actives, et l'unique unité de transcription des trois ARN fait en sorte que les quantités relatives des différentes molécules d'ARNr produites soient correctes – chaque fois qu'un ARNr est produit, une copie des deux autres types d'ARN est également produite. Chaque famille de gènes de la globine est constituée d'un nombre relativement faible de gènes non identiques plutôt que de plusieurs unités identiques. Les différences des globines codées par ces gènes entraînent la production de molécules d'hémoglobine adaptées à des stades de développement particuliers de l'organisme. **4.** Les exons seront classés comme exons (1,5%); la région des amplificateurs comportant les éléments de contrôle distal, la région plus près du promoteur contenant les éléments de contrôle proximal et le promoteur lui-même seraient classés comme séquences régulatoires (5%); et les introns seraient classés comme introns (20%).

Retour sur le concept 21.5

1. Si la méiose ne se déroule pas correctement, que deux chromosomes homologues restent appariés et migrent dans la même cellule (non-disjonction d'un ou de plusieurs chromosomes), il se peut que deux exemplaires des gènes présents sur ces chromosomes se retrouvent dans une seule cellule. Des erreurs dans l'enjambement au cours de la méiose peuvent mener à la duplication d'un segment sur un chromosome et à sa délétion sur un autre. Durant la réplication de l'ADN, un glissement vers l'arrière le long du brin matrice peut produire une duplication. **2.** Pour les deux gènes, une erreur a pu se produire durant l'enjambement de deux exemplaires de ce gène au cours de la méiose, de sorte que l'un des deux s'est retrouvé avec un exon dupliqué. (L'autre exemplaire s'est probablement retrouvé avec un exon supprimé.) Si la même erreur se produit plusieurs fois, on obtient de multiples exemplaires d'un exon particulier dans chaque gène. **3.** Les éléments transposables homologues dispersés dans tout le génome fournissent des sites où peut se produire la recombinaison entre différents chromosomes. Le déplacement de ces éléments dans les séquences codantes ou régulatrices peut modifier l'expression des gènes. Les éléments transposables peuvent également transporter des gènes avec eux, ce qui provoque la dispersion des gènes et, dans certains cas, entraîne différents modes d'expression. Il arrive également que le transport d'un exon durant la transposition et son insertion dans un gène ajoutent un nouveau domaine fonctionnel à la protéine originalement codée, ce qui constitue un type de brassage d'exons. (Afin que chacune de ces modifications soit transmissible, elles doivent se produire dans les cellules souches des gamètes.) **4.** Parce que les femmes qui présentent cette inversion donnent naissance à plus de descendants, elle doit fournir un certain avantage pendant le processus de reproduction et de développement. Étant donné le nombre proportionnellement plus élevé de descendants présentant cette inversion, on pourrait s'attendre à ce qu'elle persiste et se répande dans la population. (En fait, des résultats de l'étude ont permis aux chercheurs de conclure qu'elle a augmenté en proportion dans la population. Vous en apprendrez davantage sur la génétique des populations dans la prochaine partie.)

Retour sur le concept 21.6

1. Parce que les humains et les macaques sont des primates, on s'attend à ce que leurs génomes se ressemblent plus que les génomes des macaques et des souris. La lignée des souris a divergé de la lignée des primates avant la lignée des humains et des macaques. **2.** Les gènes homéotiques diffèrent par leurs séquences non homéotiques, ce qui détermine les interactions entre les produits de ces gènes homéotiques et les autres facteurs de transcription et, par conséquent, établit quels gènes sont ainsi soumis à la régulation. De plus, ces gènes commandés par les gènes homéotiques ne sont pas les mêmes chez ces deux espèces, de même que les modes d'expression des gènes contenant une boîte homéotique. **3.** Les éléments *Alu* doivent avoir subi une transposition plus activement dans le génome humain pour une certaine raison. Leur présence en grand nombre peut avoir causé plus d'erreurs de recombinaison dans le génome humain, entraînant plus de duplications ou des duplications différentes. La divergence de l'organisation et du contenu des deux génomes a probablement rendu les chromosomes de chaque génome de moins en moins comparables à ceux de l'autre. Étant donné la discordance du matériel génétique, il devient alors peu probable que l'accouplement aboutisse à une descendance fertile, ce qui accélère la divergence des deux espèces.

Questions du résumé des concepts clés

21.1 Le projet Génome humain avait notamment pour objectif d'améliorer la technologie de séquençage afin d'accélérer le processus. Pendant le projet, plusieurs avancées réalisées dans la technologie de séquençage ont permis d'accélérer les réactions et la détection des produits, ce qui a diminué le coût des techniques. **21.2** La découverte la plus importante de ce projet a été que plus de 75 % du génome humain semblait être transcrit, à un certain moment, dans au moins un des types de cellules à l'étude. De plus, au moins 80 % du génome contient un élément fonctionnel intervenant dans la régulation des gènes ou préservant, d'une certaine façon, la structure de la chromatine. Le projet a été étendu pour inclure d'autres espèces, car, pour mieux évaluer les fonctions de ces éléments transcrits d'ADN, il est nécessaire d'effectuer ce type d'analyse sur le génome d'espèces qui peuvent être utilisées dans des expériences de laboratoire. **21.3** (a) En général, les génomes des bactéries et des archées sont plus petits ; ils renferment un plus petit nombre de gènes et leur densité génique est plus élevée que celle des eucaryotes. (b) Parmi les eucaryotes, il n'y a pas de relation systématique apparente entre la taille du génome et le phénotype. Le nombre de gènes est souvent plus faible qu'on pourrait s'y attendre compte tenu de la taille du génome ; autrement dit, la densité génique est souvent plus faible dans les génomes plus volumineux. (Les humains en constituent un exemple.) **21.4** Les séquences apparentées à des éléments transposables peuvent se copier et se déplacer de site en site dans le génome. Par conséquent, il n'est pas surprenant qu'elles constituent un pourcentage important du génome, et on pourrait s'attendre à ce que ce pourcentage augmente au fil de l'évolution. **21.5** Les réarrangements chromosomiques dans une espèce mènent à des arrangements chromosomiques différents chez certains individus. Chacun de ces individus peut encore subir une méiose et produire des gamètes, et la fécondation faisant intervenir des gamètes avec des arrangements chromosomiques différents peut aboutir à une descendance viable. Cependant, au cours de la méiose chez les descendants, les chromosomes maternels et paternels risquent de ne pas pouvoir s'apparier, causant la formation de gamètes ayant des jeux incomplets de chromosomes. En général, les zygotes produits à partir de tels gamètes ne survivent pas. En fin de compte, une nouvelle espèce pourrait se former si deux arrangements chromosomiques différents devenaient prévalents dans une population et si les individus réussissaient à s'accoupler seulement avec les individus ayant le même arrangement. **21.6** La comparaison de deux espèces étroitement apparentées peut révéler des informations sur des événements plus récents dans l'évolution, peut-être des événements qui ont abouti à des caractéristiques distinctives des deux espèces. La comparaison de génomes de deux espèces très distantes peut nous renseigner sur des événements de l'évolution qui sont survenus il y a très longtemps. Par exemple, des gènes qui sont partagés entre deux espèces distantes doivent être apparus avant la divergence de ces deux espèces.

Évaluation

1. b ; **2.** a ; **3.** c

4.
1. ATETI... PKSSD... TSSTT... NARRD
2. ATETI... PKSSE... TSSTT... NARRD
3. ATETI... PKSSD... TSSTT... NARRD
4. ATETI... PKSSD... TSSNT... SARRD
5. ATETI... PKSSD... TSSTT... NARRD
6. VTETI... PKSSD... TSSTT... NARRD

(a) Les lignes 1, 2 et 5 sont les espèces C, G et R. (b) La ligne 4 est la séquence de l'humain. Examinez la figure ci-contre pour relever les différences entre la séquence humaine et celle de C, G et R – acides aminés soulignés où la séquence humaine présente un N, alors que celles de C, G et R présentent un T, et où la séquence humaine présente un S, alors que celles de C, G et R présentent un N. (c) La ligne 6 est la séquence O. (d) Voir la figure ci-dessus. Il y a une différence d'acides aminés entre la souris (le E encerclé sur la ligne 2) et les espèces C, G et R (qui ont un D à cette position). La souris et l'humain se distinguent par trois acides aminés. (Les E, T et N encadrés dans la séquence de la souris sont plutôt D, N et S dans la séquence de l'humain.) (e) Parce que la différence apparue au cours des 60 à 100 millions d'années depuis la divergence de la souris et des espèces C, G et R ne tient qu'à un seul acide aminé, il est quelque peu surprenant que deux différences d'acides aminés soient apparues au cours des 6 millions d'années depuis la divergence des chimpanzés et des humains. Cela signifie que le gène *FOXP2* a évolué plus rapidement dans la lignée humaine que dans les lignées des autres primates.

CHAPITRE 22

Questions des figures

Figure 22.6 L'oiseau à encercler est le premier à gauche, sur la figure 1.20. Non, l'ancêtre commun aux trois espèces de la figure 22.6 a des descendants granivores et frugivores aussi, sur cette figure. **Figure 22.8** Il y a plus de 5,5 millions d'années. **Figure 22.12** Les couleurs et la forme du corps de ces mantes leur permettent de se fondre dans leur environnement, ce qui illustre l'adéquation entre les organismes et leur environnement. Ces mantes ont également en commun (entre elles et avec d'autres espèces de mantes) des caractéristiques (six pattes, des membres antérieurs préhensiles ainsi que des yeux volumineux) qui illustrent l'unité du vivant découlant d'une ascendance commune. À mesure qu'elles s'éloignaient de leur ancêtre commun, les mantes accumulaient des adaptations différentes qui les rendaient mieux adaptées à la vie dans leurs milieux respectifs. À la longue, ces différences sont devenues assez importantes pour que de nouvelles espèces apparaissent, contribuant ainsi à la diversité du vivant. **Figure 22.13** Ces résultats montrent que le fait d'avoir été pondu, d'avoir éclos et d'avoir grandi sur une espèce de plante n'a pas modifié le rostre de l'adulte pour rendre sa longueur plus appropriée à la plante hôte. La longueur du rostre de l'adulte était principalement déterminée par les caractères génétiques de la population d'où il provenait. Comme les œufs prélevés sur un faux persil (*Cardiospermum corindum*) avaient été très probablement pondus par des parents à long bec, ces résultats indiquent que la longueur du rostre est un caractère héréditaire. **Figure 22.14** Ces deux stratégies devraient allonger le temps nécessaire que prendra *S. aureus* pour devenir résistant à un nouveau médicament. Si un médicament est nocif seulement pour *S. aureus*, la sélection naturelle ne favorisera pas la résistance à ce médicament chez les autres espèces de bactéries. Cela réduira les risques que *S. aureus* acquière les gènes de résistance de ces autres bactéries, et ralentira donc l'évolution de la résistance. De même, la sélection pour la résistance à un médicament qui ralentit la croissance de *S. aureus* sans le tuer sera beaucoup plus faible que la sélection pour la résistance à un médicament fatal pour *S. aureus*, ce qui là encore ralentira l'évolution de la résistance. **Figure 22.17** Cet arbre montre que les crocodiles sont plus étroitement reliés aux oiseaux qu'aux lézards parce que l'ancêtre qu'ils ont en commun avec les oiseaux (ancêtre 5) est plus récent que celui qu'ils ont en commun avec les lézards (ancêtre 4). **Figure 22.20** Les modifications structurales des membres postérieurs se sont produites en premier. *Rodhocetus* était dépourvu de nageoire caudale, mais ses os pelviens et ses membres postérieurs avaient changé substantiellement par rapport à la forme et à la disposition des os chez *Pakicetus*. Par exemple, chez *Rodhocetus*, le bassin et les membres postérieurs semblent disposés pour la nage, tandis que chez *Pakicetus* ils semblent destinés à la marche.

Retour sur le concept 22.1

1. Hutton et Lyell ont soutenu que les événements du passé étaient causés par les mêmes mécanismes que ceux qui se déroulent aujourd'hui, ce qui semblait indiquer que l'âge de la Terre dépassait largement les quelques milliers d'années qu'on lui donnait à l'époque. Hutton et Lyell croyaient également que les changements géologiques se produisaient graduellement, ce qui a amené Darwin à penser qu'une lente accumulation de petits changements pouvait finir par produire les profondes modifications dont témoignaient les archives fossiles. Dans ce sens, l'âge de la Terre avait beaucoup d'importance pour Darwin, car si elle n'avait pas été très vieille, l'évolution comme il l'envisageait n'aurait pas eu le temps de se produire. **2.** Selon ces critères, l'explication de Cuvier sur les archives fossiles et l'hypothèse de Lamarck sur l'évolution sont toutes deux scientifiques. Cuvier croyait que les espèces restaient inchangées au fil du temps. Selon lui, les catastrophes naturelles et les extinctions d'espèces qui en résultaient étaient habituellement confinées à certaines régions, de sorte qu'une région dévastée finissait par être repeuplée par des espèces venues d'ailleurs. On a vérifié ces affirmations en les confrontant aux archives fossiles et démontré la fausseté de la croyance selon laquelle les espèces n'évoluaient pas. Quant à Lamarck, son principe d'usage et de non-usage permet de formuler des prédictions vérifiables (hypothèses) sur les fossiles de certains groupes comme les ancêtres des baleines et sur les changements évolutifs qui leur ont permis de s'adapter à de nouveaux habitats. Le principe d'usage et de non-usage de Lamarck et le principe connexe de l'héritabilité des caractères acquis peuvent aussi être vérifiés chez des organismes vivants.

Retour sur le concept 22.2

1. Les organismes présentent des caractéristiques communes (unité du vivant) parce qu'ils ont des ancêtres communs. La grande diversité du vivant s'explique par le fait que de nouvelles espèces se sont formées à mesure que les descendants s'adaptaient graduellement à divers environnements et devenaient de plus en plus différents de leurs ancêtres. **2.** Les espèces de mammifères dont on trouve les fossiles (ou leurs ancêtres) dans les Andes provenaient probablement d'Amérique du Sud, et les ancêtres des mammifères qu'on trouve actuellement dans les montagnes d'Afrique étaient probablement originaires d'autres régions de l'Afrique. Les espèces dont les fossiles sont présents dans les Andes auraient donc un ancêtre commun plus récent avec les mammifères actuels d'Amérique du Sud qu'avec les mammifères d'Afrique. Par conséquent, pour plusieurs de ses caractères, l'espèce de mammifère dont on a trouvé un fossile ressemblerait davantage aux mammifères peuplant les jungles d'Amérique du Sud qu'aux mammifères vivant dans les montagnes d'Afrique. Il est aussi possible, cependant, qu'elles ressemblent aussi aux mammifères des montagnes d'Afrique avec qui elles n'ont qu'une lointaine parenté à cause de leur adaptation à un milieu semblable (les montagnes). **3.** Tant que la sélection naturelle favorise le phénotype blanc (encodé par le génotype *pp*), la fréquence de l'allèle *p* dans la population augmentera probablement au fil du temps. En effet, si la population d'individus blancs augmente par rapport à celle des individus mauves, la fréquence de l'allèle *p* récessif augmentera aussi par rapport à celle de l'allèle *P*, qui n'apparaît que chez les individus mauves (dont certains possèdent aussi l'allèle *p*).

Retour sur le concept 22.3

1. Un facteur environnemental comme un médicament *ne crée pas* de nouveaux caractères, comme la pharmacorésistance ; il ne fait que favoriser la sélection naturelle de caractères de résistance déjà présents dans la population. **2.** (a) Malgré leurs fonctions différentes, les membres postérieurs des divers mammifères sont structurellement similaires parce qu'il s'agit toujours de modifications des membres de leur ancêtre commun. (b) Il s'agit d'évolution convergente : les similarités entre le phalanger du sucre et l'écureuil volant indiquent que des environnements similaires ont favorisé la sélection naturelle pour des adaptations similaires malgré des ascendances différentes. **3.** Les dinosaures sont apparus à l'époque où il n'y avait sur Terre qu'un seul immense continent, la Pangée. Comme de nombreux dinosaures étaient grands et mobiles, il est probable que les premiers membres de ces groupes vivaient dans diverses parties de la Pangée. Quand la Pangée s'est séparée, les fossiles de ces organismes ont été emportés avec les rochers qui les contenaient. On peut donc affirmer que les fossiles des premiers dinosaures ont une vaste distribution géographique.

Questions du résumé des concepts clés

22.1 Darwin pensait que la descendance avec modification était un processus graduel, qui se déroulait par étapes. L'âge de la Terre lui importait, car si la Terre n'était vieille que de quelques milliers d'années (comme on le croyait généralement à son époque), l'évolution comme il l'envisageait n'aurait pas eu le temps de se produire. **22.2** Les espèces ont le potentiel de produire plus de descendants que ne peut en accueillir le milieu. La surpopulation entraîne une lutte pour les ressources limitées et une partie de la descendance est dévorée, meurt de faim ou de maladie ou n'arrive pas à se reproduire pour diverses raisons. Les membres d'une population présentent un éventail de variations héréditaires dont certaines augmentent la probabilité que leurs porteurs aient une descendance plus nombreuse que celle des individus dépourvus de ces caractères (parce que les porteurs peuvent plus facilement échapper à leurs prédateurs ou tolèrent mieux les conditions physiques de leur environnement). À la longue, cette sélection naturelle peut produire une proportion supérieure de caractères favorables chez une population (évolution adaptative). **22.3** De nombreuses données soutiennent l'hypothèse selon laquelle les cétacés descendent de mammifères terrestres et sont étroitement reliés aux artiodactyles. Par exemple, des fossiles indiquent que les premiers cétacés avaient des membres postérieurs, comme on pouvait s'y attendre d'un organisme qui descend d'un mammifère terrestre ; ces fossiles montrent aussi que les membres postérieurs des cétacés ont rapetissé avec le temps. D'autres fossiles montrent que les premiers cétacés avaient un type d'astragale (os de la cheville) qu'on ne trouve que chez les artiodactyles. On peut donc penser que ceux-ci représentent les mammifères terrestres les plus étroitement reliés aux cétacés, ce que confirment des données de séquençage d'ADN.

Évaluation

1. b ; **2.** d ; **3.** c ; **4.** b ; **5.** a.
6. (a)

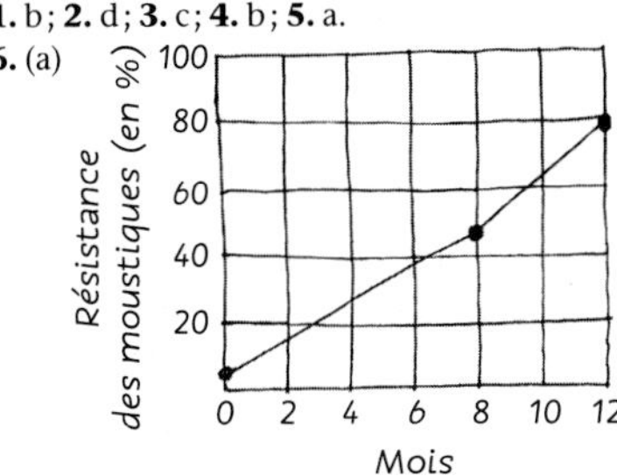

(b) L'augmentation rapide du pourcentage de moustiques résistants au DDT était probablement causée par la sélection naturelle : les moustiques résistants au DDT pouvaient survivre et se reproduire, et pas les autres. (c) La résistance au DDT est apparue en premier en Inde ; à la longue, la sélection naturelle a fait augmenter le nombre d'insectes résistants. Les moustiques résistants se sont ensuite propagés à d'autres pays (transportés par le vent ou dans les avions, les trains et les bateaux), où la fréquence de la résistance au DDT a également augmenté.

CHAPITRE 23

Questions des figures

Figure 23.4 Une substitution du troisième nucléotide d'un codon peut souvent donner exactement le même acide aminé, étant donné la redondance du code. Une insertion dans un exon qui ne modifie pas le cadre de lecture (dont le nombre de nucléotides est un multiple de trois) peut ne pas avoir d'effet sur l'activité de la protéine si les ajouts ne modifient pas significativement sa structure tridimensionnelle. **Figure 23.7** Le récipient devrait contenir 24 balles rouges. **Figure 23.8** Ces fréquences seront de 36 % de C^RC^R, 48 % de C^RC^B et 16 % de C^BC^B. **Figure 23.9** En somme, par hasard, la fréquence de l'allèle C^B croît tout d'abord à la génération 2, puis tombe à zéro à la génération 3 ; l'allèle C^R devient donc fixé dans la population (il persiste à une fréquence de 100 %). **Figure 23.12** La fréquence des allèles de rayures augmenterait probablement dans les populations insulaires. Puisque les populations continentales ne diminuent pas en importance, le nombre d'individus migrant du continent aux îles ne diminuerait vraisemblablement pas non plus. Par conséquent, après l'introduction des populations insulaires, les allèles de rayures apportés par les animaux du continent contribueraient à une plus grande part du bassin génétique des populations insulaires. Il s'ensuivrait une augmentation de la proportion des allèles de rayures dans les populations insulaires. **Figure 23.13** La sélection directionnelle : puisque les fruits de *Koelreuteria elegans* sont plus petits que ceux du faux persil (*Cardiospermum corindum*), les punaises à épaules rouges qui s'en nourrissent sont avantagées par des pièces buccales plus courtes, ce qui résulte en une sélection directionnelle (défavorisant les punaises à pièces buccales plus longues). **Figure 23.16** En fécondant les œufs d'une même femelle avec le sperme d'un mâle CA et d'un mâle LA, les chercheurs pourraient comparer directement les effets de la contribution de chaque type de mâle à la nouvelle génération, puisque la contribution de la femelle sur chaque groupe d'œufs est la même. En isolant ainsi la contribution de chaque type de mâle, les chercheurs ont pu tirer des conclusions sur les différences dans la « qualité » génétique des mâles CA et LA. **Figure 23.17** Les chercheurs ont mesuré pour chaque phénotype le pourcentage d'adultes qui réussissaient à se reproduire dans la population. Cette façon de déterminer quel phénotype la sélection avait favorisé suppose (1) que le succès reproducteur était un indicateur suffisant de la valeur d'adaptation (contrairement au dénombrement des œufs pondus ou des œufs éclos, par exemple) et (2) que le phénotype de l'orientation de la bouche était le facteur qui déterminait la capacité reproductive. Puisque les mangeurs d'écailles les plus nombreux étaient ceux dont les proies se méfiaient le plus, les années où les mangeurs d'écailles gauchers étaient les plus nombreux correspondaient également aux années où ils étaient moins nombreux à se reproduire (puisque les droitiers avaient alors plus de facilité à se nourrir). **Figure 23.18** Dans des conditions prolongées de faible taux d'O_2, certaines des hématies d'un hétérozygote peuvent devenir falciformes, ce qui occasionne divers symptômes de gravité variable (voir le chapitre 14). Ces problèmes ne se produisent pas chez des individus porteurs des deux allèles d'hémoglobine normale, ce qui laisse penser qu'il peut y avoir une sélection défavorisant les hétérozygotes dans les régions exemptes de paludisme (où l'avantage hétérozygote ne se produit pas). Cependant, comme les hétérozygotes sont en bonne santé dans la plupart des conditions, il est peu probable que la sélection à leur encontre soit forte.

Retour sur le concept 23.1

1. Au sein d'une population, les différences génétiques entre les individus fournissent le matériau brut sur lequel la sélection naturelle et les autres mécanismes peuvent agir. Sans ces différences, les fréquences alléliques ne pourraient pas changer avec le temps – et la population ne pourrait donc pas évoluer. **2.** De nombreuses mutations surviennent dans les cellules somatiques qui ne produisent pas de gamètes, de sorte qu'elles s'éteignent avec la mort de l'organisme. Parmi les mutations qui ont lieu dans les lignées cellulaires produisant des gamètes, plusieurs n'ont pas d'effet phénotypique sur lequel la sélection pourrait agir ; d'autres ont des effets dommageables qui rendent l'augmentation de leur fréquence improbable puisqu'elles réduisent le succès reproducteur de leurs porteurs. **3.** Sa variation génétique (mesurée soit sur le plan du gène, soit sur les séquences nucléotidiques) diminuerait probablement avec le temps. Au cours de la méiose, l'enjambement et l'assortiment indépendant de chromosomes produisent de nombreuses nouvelles combinaisons d'allèles. De plus, une population offre un grand nombre de combinaisons possibles, et la fécondation réunit des gamètes d'individus dont les antécédents génétiques diffèrent. Par conséquent, par l'enjambement, l'assortiment indépendant de chromosomes et la fécondation, la reproduction sexuée brasse les allèles et amène de nouvelles combinaisons à chaque génération. Sans la reproduction sexuée, le taux de formation de nouvelles combinaisons d'allèles serait considérablement réduit, ce qui diminuerait la variation génétique.

Retour sur le concept 23.2

1. Chaque individu possède deux allèles, ce qui porte le total des allèles de la population à 1 400. Pour calculer la fréquence de l'allèle A, notez que les 85 individus possédant le génotype AA ont chacun deux allèles A, les 320 individus hétérozygotes en ont chacun un, et les 295 individus aa n'en ont aucun. La fréquence de l'allèle A (représenté par p) est donc :

$$p = \frac{(2 \times 85) + (1 \times 30) + (0 \times 295)}{1\,400} = 0{,}35$$

Comme il n'y a que deux allèles possibles (A et a) dans la population, la fréquence de l'allèle a doit compléter celle de A pour totaliser 1 : $q = (1 - p) = 0{,}65$. **2.** La fréquence de l'allèle a (q) est de 0,45 ; celle de l'allèle A doit donc être de 0,55 ($p = 1 - 0{,}45$). Par conséquent, les fréquences attendues des différents génotypes devraient être $p^2 = 0{,}325$ pour le génotype AA, $2pq = 0{,}495$ pour le génotype Aa et $q^2 = 0{,}2025$ pour le génotype aa. **3.** La population compte 120 individus, donc 240 allèles. Parmi ceux-ci, on compte 124 allèles A : 32 des 16 individus AA et la totalité des individus Aa, soit 92. Par conséquent, la fréquence de l'allèle A est $p = 124/240 = 0{,}52$; la fréquence de l'allèle a est $q = 0{,}48$. Selon l'équation de Hardy-Weinberg, si la population n'évoluait pas, la fréquence du génotype AA devrait être $p^2 = 0{,}52 \times 0{,}52 = 0{,}27$; la fréquence du génotype Aa devrait être $2pq = 2 \times 0{,}52 \times 0{,}48 = 0{,}5$; et la fréquence du génotype aa devrait être $q^2 = 0{,}48 \times 0{,}48 = 0{,}23$. Dans une population de 120 individus, ces fréquences génotypiques attendues nous amènent à prédire qu'il y aurait 32 individus AA ($0{,}27 \times 120$), 60 individus Aa ($0{,}5 \times 120$) et 28 individus aa ($0{,}23 \times 120$). Or, les nombres d'individus qu'on trouve dans la population réelle (16 AA, 92 Aa, 12 aa) s'écartent de ces prévisions (il y a moins d'homozygotes et plus d'hétérozygotes que prévu). Cela indique que la population n'est pas en équilibre de Hardy-Weinberg et qu'elle pourrait être en évolution pour ce locus.

Retour sur le concept 23.3

1. La sélection naturelle est plus « prévisible » en ce qu'elle modifie les fréquences alléliques d'une manière non aléatoire. En effet, elle tend à augmenter la fréquence des allèles qui favorisent le succès reproducteur de l'organisme dans son environnement et à faire baisser la fréquence des allèles qui le réduisent. La fréquence des allèles soumis à la dérive génétique augmente ou diminue de manière strictement aléatoire, qu'ils soient bénéfiques ou non. **2.** La dérive génétique résulte de phénomènes aléatoires qui font fluctuer les fréquences alléliques au hasard de génération en génération. Au sein d'une population, ce processus tend à réduire la variation génétique avec le temps. Le flux génétique consiste en un échange d'allèles entre deux ou plusieurs populations, un processus qui peut introduire de nouveaux allèles dans une population et en accroître ainsi la variation génétique (quoique légèrement, car le taux de flux génétique est généralement faible). **3.** La sélection n'est pas importante à ce locus ; de plus, les populations ne sont pas petites, et les effets de la dérive génétique ne devraient pas être prononcés. Le flux génétique se fait par le mouvement du pollen et des graines. En raison du flux génétique, les fréquences alléliques et génotypiques devraient donc devenir de plus en plus semblables dans les deux populations, avec le temps.

Retour sur le concept 23.4

1. Il n'y en a aucune, parce que la valeur d'adaptation inclut la contribution reproductive à la génération suivante, et qu'un mulet est stérile par définition. **2.** Même s'ils peuvent tous deux augmenter la fréquence des allèles avantageux dans une population, le flux génétique et la dérive génétique peuvent aussi diminuer leur fréquence ou augmenter celle des allèles dommageables. Seule la sélection naturelle produit constamment une augmentation de la fréquence des allèles qui améliorent la survie ou la reproduction. La sélection naturelle est donc le seul mécanisme qui entraîne constamment une évolution adaptative. **3.** Les trois modes de sélection naturelle (la sélection directionnelle, la sélection stabilisante et la sélection divergente) se définissent sur le plan des avantages sélectifs de différents *phénotypes*, et non en termes de différents génotypes. Par conséquent, le type de sélection découlant de l'avantage hétérozygote dépend du phénotype des hétérozygotes. Dans cette question, comme les individus hétérozygotes ont un phénotype plus extrême que tout homozygote, l'avantage hétérozygote représente une sélection directionnelle.

Questions du résumé des concepts clés

23.1 Une bonne partie de la variabilité génétique d'un locus se situe au niveau des introns et de l'ADN non codant. Une variation nucléotidique à ces sites n'affecte généralement pas le phénotype : n'étant pas traduits ; les introns ne se retrouvent pas dans les produits des gènes. De plus, même lorsque la variabilité se situe au niveau des exons, il est possible qu'elle n'entraîne pas de différence au niveau des acides aminés en raison de la redondance du code. (*Note :* En certaines circonstances, un changement au niveau d'un intron peut affecter l'épissage de l'ARN et ultimement modifier le phénotype d'un organisme, mais nous ne décrirons pas ces mécanismes ici.) **23.2** Non, ce n'est pas un exemple de raisonnement circulaire. Calculer p et q à partir des fréquences génotypiques observées ne suppose pas que ces fréquences génotypiques doivent être dans un équilibre de Hardy-Weinberg. Pensons à une population composée de 195 individus du génotype AA, de 10 individus du génotype Aa et de 195 individus du génotype aa. Calculer p et q à partir de ces valeurs donne $p = q = 0{,}5$. Selon l'équation de Hardy-Weinberg, les fréquences d'équilibre prévues sont $p^2 = 0{,}25$ pour le génotype AA, $2pq = 0{,}5$ pour le génotype Aa et $q^2 = 0{,}25$ pour le génotype aa. Comme il y a 400 individus dans la population, ces fréquences génotypiques prévues indiquent qu'il devrait y avoir 100 individus AA, 200 individus Aa et 100 individus aa – données qui diffèrent grandement des valeurs que nous avons utilisées pour calculer p et q. **23.3** Il est peu probable que de telles populations évoluent de manière similaire. Comme leurs environnements sont très différents, les allèles favorisés par la sélection naturelle différeraient probablement entre les deux populations. La dérive génétique peut avoir d'importants effets sur chacune de ces petites populations, mais les changements de fréquences alléliques qu'elle entraîne sont imprévisibles ; il est donc improbable que les deux populations connaissent une évolution similaire. Enfin, comme ces populations sont isolées géographiquement, le flux génétique entre elles sera probablement inexistant ou très faible et risque peu de les faire évoluer dans le même sens. **23.4** Les femelles de ces espèces sont probablement plus grosses et plus colorées que les mâles ; leur ornementation est probablement plus élaborée (par exemple, une caractéristique morphologique spectaculaire, comme la queue du paon) et elles sont susceptibles d'adopter des comportements destinés à attirer les mâles ou à empêcher leurs rivales d'obtenir des partenaires.

Évaluation

1. d ; **2.** c ; **3.** b ; **4.** a ; **5.** c.
6. Bien que la sélection naturelle puisse améliorer l'adéquation entre les organismes et leur environnement, l'évolution peut aussi entraîner l'apparition d'imperfections chez ces organismes. La principale raison de cette situation est que l'évolution ne produit pas les organismes à partir de rien pour qu'ils s'adaptent à leur environnement et à leur mode de vie. Elle travaille plutôt selon un processus de descendance avec modification : les organismes héritent de la structure ancestrale et celle-ci se modifie au fil du temps sous l'effet de la sélection naturelle. Il s'ensuit, par exemple, qu'un mammifère volant comme la chauve-souris possède des ailes dont la structure est imparfaite. Ces ailes témoignent plutôt des modifications subies par les membres antérieurs que les ancêtres des chauves-souris utilisaient pour marcher. Les imperfections que présentent les organismes résultent de diverses contraintes, notamment d'un manque de variation génétique pour le caractère génétique en cause. Ces imperfections résultent également du fait que les adaptations sont souvent le fruit de compromis (puisque les organismes doivent effectuer un certain nombre de choses et que la conception « parfaite » convenant à la réalisation d'une fonction risque de compromettre l'efficacité d'une autre activité). **7.** (a) et (b) La population de moules varie graduellement le long de la côte : la fréquence de l'allèle lap^{94} croît à mesure que l'on se déplace du sud-ouest vers le nord-est le long du détroit de Long Island et que la salinité augmente.

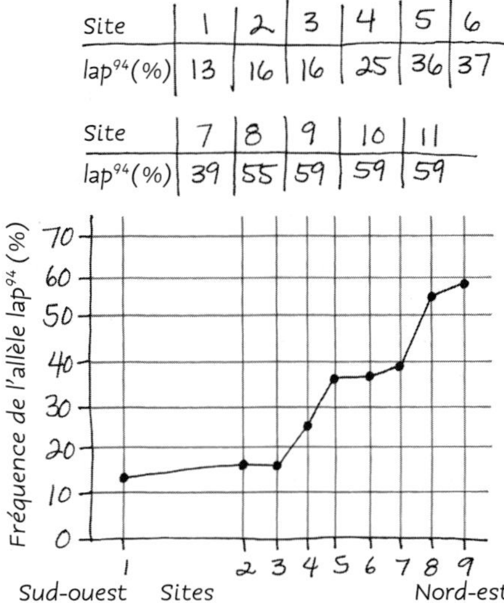

(c) Pour rendre compte des observations rapportées dans l'énoncé et du lien entre la fréquence de l'allèle *lap*^{94} et la salinité de l'eau (qui augmentent ensemble), on pourrait prendre pour hypothèse que cette gradation est maintenue par une interaction entre la sélection et le flux génétique. Selon cette hypothèse, dans la zone sud-ouest du détroit, la salinité est relativement basse et la sélection contre l'allèle *lap*^{94} est forte. Lorsqu'on se déplace vers le nord-est, jusqu'à la pleine mer, où la salinité est relativement haute, la sélection favorise une fréquence élevée pour *lap*^{94}. Cependant, comme les larves des moules se dispersent sur de longues distances, le flux génétique empêche l'allèle *lap*^{94} de devenir fixé en zone de pleine mer ou de tomber à zéro dans la zone sud-ouest du détroit de Long Island.

CHAPITRE 24

Questions des figures

Figure 24.7. Si les chercheurs ne l'avaient pas fait, la forte préférence des « mouches à amidon » et des « mouches à maltose » pour l'accouplement avec des mouches adaptées à la même nourriture aurait pu s'expliquer par le simple fait qu'elles pouvaient détecter (grâce à leur odorat, par exemple) ce que leurs partenaires potentiels avaient mangé quand ils étaient à l'état larvaire – et qu'elles préféraient s'accoupler avec des mouches qui avaient les mêmes odeurs qu'elles. **Figure 24.12** Dans des eaux troubles où il est difficile de distinguer les couleurs, les femelles de chaque espèce peuvent s'accoupler souvent avec les mâles de l'autre espèce. Comme les hybrides entre ces espèces sont viables et fertiles, il se peut que les patrimoines génétiques des deux espèces continuent de se rapprocher au fil du temps. **Figure 24.13** Le graphique indique en effet que le flux génétique a permis à certains allèles du sonneur à ventre de feu (*B. bombina*) de se propager dans le territoire du sonneur à ventre jaune (*B. variegata*). Sinon, les fréquences alléliques de tous les individus à gauche de la portion « zone hybride » du graphique se situeraient à 1,0. **Figure 24.14** Comme les populations viennent juste de commencer à diverger, il est probable que toute barrière reproductive existante s'affaiblirait avec le temps. **Figure 24.18** Avec le temps, les chromosomes des hybrides expérimentaux ont fini par ressembler à ceux de *H. anomalus*. Ce phénomène s'est produit même si les conditions environnementales du laboratoire différaient considérablement de celles du milieu naturel où l'on trouve *H. anomalus*. La sélection en fonction des conditions environnementales du laboratoire n'était pas forte, puisque la lumière, l'eau et les nutriments étaient fournis en abondance ; il est donc improbable que ces conditions expliquent la plus grande fertilité observée chez les hybrides expérimentaux. **Figure 24.19** La présence de plants de *M. cardinalis* porteurs de l'allèle *yup* de *M. lewisii* rendrait plus probable le transfert de pollen entre les deux espèces de mimules par les bourdons. On s'attendrait donc à ce que le nombre de descendants hybrides augmente.

Retour sur le concept 24.1

1. (a) À part le concept biologique de l'espèce, tous les concepts de l'espèce peuvent s'appliquer à la fois aux espèces sexuées et asexuées, car ils définissent les espèces à partir de caractéristiques autres que la capacité de se reproduire. (b) Le concept de l'espèce le plus facile à appliquer sur le terrain est le concept morphologique, car il repose uniquement sur l'apparence de l'organisme. Il n'est pas nécessaire de recueillir des données sur les habitudes écologiques ou la reproduction. **2.** Comme les oiseaux vivent dans un environnement relativement semblable et s'accouplent facilement en captivité, la barrière reproductive qui existe dans la nature est forcément prézygotique. Étant donné que les deux espèces ont une préférence pour différents habitats, la barrière reproductive est sans doute l'isolement écologique.

Retour sur le concept 24.2

1. Dans la spéciation allopatrique, une nouvelle espèce se forme quand elle est isolée géographiquement de son espèce mère ; dans la spéciation sympatrique, une nouvelle espèce se forme en l'absence d'isolement géographique. L'isolement géographique réduit considérablement le flux génétique entre populations ; un flux génétique continu est plus probable dans les populations sympatriques. La spéciation allopatrique est donc plus courante que la spéciation sympatrique. **2.** Divers facteurs peuvent réduire le flux génétique entre des sous-groupes d'une population qui vivent dans le même lieu. Chez certaines espèces – surtout végétales –, des changements du nombre de chromosomes peuvent bloquer le flux génétique et instaurer l'isolement reproducteur en une seule génération. Dans les populations sympatriques, le flux génétique peut aussi être réduit par la différenciation des habitats (comme dans le cas de la larve de la mouche) et par la sélection sexuelle (comme dans le cas des cichlidés du lac Victoria). **3.** La spéciation allopatrique serait moins susceptible de se produire sur une île voisine du continent que sur une île plus éloignée de la même taille. En effet, le flux génétique continuel entre les populations du continent et celles d'une île relativement proche réduit la probabilité d'une divergence génétique suffisante pour entraîner une spéciation allopatrique. **4.** Si tous les chromosomes homologues n'ont pas réussi à se séparer au cours de l'anaphase I de la méiose, certains gamètes se retrouveront avec un jeu de chromosomes en surnombre (et d'autres, sans chromosomes). Si un gamète avec un jeu de chromosomes en surnombre fusionne avec un gamète normal, il en résultera un triploïde ; si deux gamètes avec un jeu de chromosomes en surnombre fusionnent, il en résultera un tétraploïde.

Retour sur le concept 24.3

1. Les zones hybrides sont des régions où les membres d'espèces différentes se rencontrent et s'accouplent, produisant une descendance mixte. Les zones hybrides sont des « laboratoires naturels » pour l'étude de la spéciation parce que les scientifiques peuvent y observer directement les facteurs qui causent (ou ne causent pas) l'isolement reproducteur. **2.** (a) Il peut y avoir renforcement si les descendants hybrides survivent et sont peu nombreux à se reproduire, comparativement aux descendants des partenaires intraspécifiques. Le cas échéant, la sélection naturelle consoliderait les barrières reproductives prézygotiques entre les espèces parentales, ce qui réduirait la production d'hybrides fragiles et finirait par entraîner l'achèvement du processus de spéciation. (b) Si les descendants hybrides survivent et se reproduisent aussi bien que les descendants des partenaires intraspécifiques, les accouplements survenant indifféremment entre les espèces parentales entraîneraient la production d'un grand nombre de descendants hybrides. Comme ces hybrides s'accouplent entre eux et avec des membres des deux espèces parentales, les patrimoines génétiques de celles-ci finiraient par fusionner, ce qui renverserait le processus de spéciation.

Retour sur le concept 24.4

1. La durée des phénomènes de spéciation comprend : (1) le temps qu'il faut aux populations d'une espèce nouvellement formée pour commencer à diverger sur le plan reproducteur ; et (2) le temps écoulé entre le début de la divergence et l'achèvement de la spéciation. Même si la spéciation peut se produire relativement rapidement une fois que les populations ont commencé à diverger, il peut s'écouler des millions d'années avant que cette divergence s'amorce. **2.** Les chercheurs ont transféré des allèles du locus *yup* (qui influe sur la couleur des fleurs) de chacune des espèces parentales à l'autre. Les plants de *M. lewisii* avec un allèle *yup* de *M. cardinalis* ont reçu beaucoup plus de visites de colibris que la normale ; habituellement, les colibris pollinisent *M. cardinalis*, mais évitent *M. lewisii*. De même, les plants de *M. cardinalis* portant un allèle *yup* de *M. lewisii* ont reçu beaucoup plus de visites de bourdons que la normale ; d'habitude, les bourdons pollinisent *M. lewisii* et évitent *M. cardinalis*. Par conséquent, les allèles au locus *yup* peuvent influer sur le choix du pollinisateur, un facteur qui, chez ces espèces, est la principale barrière aux croisements interspécifiques. Néanmoins, cette expérience ne prouve pas que le locus *yup* régit à lui seul les barrières reproductives entre *M. lewisii* et *M. cardinalis*. En effet, d'autres gènes peuvent renforcer son influence (en modifiant la couleur des fleurs) ou dresser des barrières reproductives entièrement différentes (l'isolement gamétique ou une barrière postzygotique, par exemple). **3.** L'enjambement. Sans enjambement, chaque chromosome d'un hybride expérimental resterait tel qu'il était dans la génération F_1, c'est-à-dire entièrement composé d'ADN de l'une ou l'autre des deux espèces parentales.

Questions du résumé des concepts clés

24.1 Selon le concept biologique de l'espèce, une espèce est un groupe de populations dont les membres s'accouplent entre eux et produisent des descendants viables et féconds; le flux génétique circule entre ces populations d'une même espèce. En revanche, il ne peut y avoir d'accouplement entre les membres d'espèces différentes; il n'y a aucun flux génétique entre leurs populations. Somme toute, selon le concept biologique de l'espèce, c'est cette *absence* de flux génétique qui caractérise l'espèce. Ce concept est donc fortement marqué par l'importance accordée au flux génétique. **24.2** Oui. La spéciation sympatrique peut être favorisée par des facteurs entraînant la réduction du flux génétique entre les sous-populations d'une plus grande population. Ces facteurs sont notamment la polyploïdie, la sélection sexuelle et la différenciation des habitats. Mais de tels facteurs peuvent aussi intervenir dans des populations allopatriques, donc favoriser également la spéciation allopatrique. **24.3** Si la sélection défavorise les hybrides, la zone hybride pourrait tout de même continuer d'exister, mais à condition que des individus des espèces parentales y pénètrent et s'y accouplent régulièrement, produisant des descendants hybrides. Si la sélection ne défavorise pas les hybrides, la production d'hybrides ne coûte rien, et il est possible de produire un grand nombre de descendants hybrides. Cependant, dans des environnements différents, la sélection naturelle peut faire en sorte que les patrimoines génétiques des deux espèces parentales restent distincts, ce qui évite la perte (par fusion) des espèces parentales et maintient la stabilité à long terme de la zone hybride. **24.4** Comme le montre notamment l'exemple des salsifis, des poissons-moustiques des Bahamas et des mouches de la pomme, la spéciation continue de se produire de nos jours. Une nouvelle espèce peut commencer à se former dès que le flux génétique entre les populations de l'espèce parentale diminue, et ce, pour diverses raisons qui existent encore aujourd'hui : quelques colonisateurs peuvent fonder une nouvelle population isolée géographiquement; certains membres de l'espèce parentale peuvent commencer à utiliser un nouvel habitat; la sélection sexuelle peut isoler des populations ou sous-populations jadis reliées; etc.

Évaluation

1. c; **2.** c; **3.** b; **4.** a; **5.** d; **6.** c.
7. Voici une possibilité :

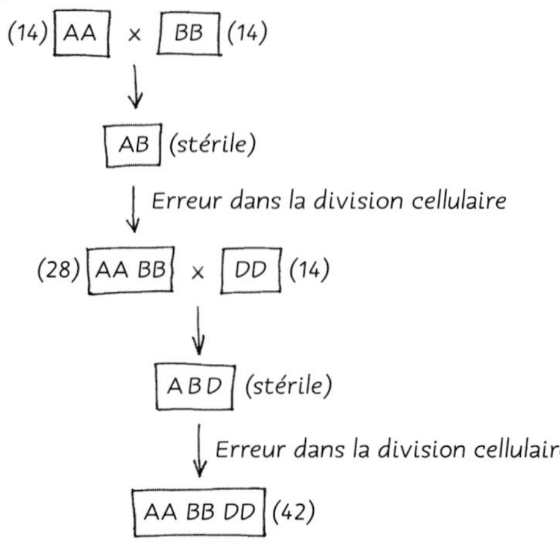

CHAPITRE 25

Questions des figures

Figure 25.2 Les protéines sont presque toujours composées des 20 acides aminés que montre la figure 5.14. Cependant, de nombreux autres acides aminés pourraient se former au cours de cette expérience (ou d'autres). Par exemple, n'importe quelle molécule possédant un groupe R différent de ceux des acides aminés listés dans la figure 5.14 peut être un acide aminé si elle possède aussi un carbone α, un groupement amine et un groupement carboxyle, mais elle ne serait pas un des 20 acides aminés que l'on trouve communément dans la nature. **Figure 25.4** Les régions hydrophobes de telles molécules s'attirent entre elles et repoussent les molécules d'eau, tandis que les régions hydrophiles ont de l'affinité pour l'eau. C'est pourquoi de telles molécules peuvent former une bicouche dont les régions hydrophiles sont orientées vers l'extérieur (faisant face à l'eau sur chaque face de la bicouche), tandis que les régions hydrophobes pointent les unes vers les autres (autrement dit, vers l'intérieur de la bicouche). **Figure 25.6** Comme l'uranium 238 a une demi-vie de 4,5 milliards d'années, l'axe des abscisses devrait être marqué en milliards d'années de la façon suivante : 4,5; 9; 13,5; et 18. **Figure 25.8** (1) L'« horloge à rebours » et la ligne de temps horizontale indiquent que les procaryotes sont apparus il y a 3,5 milliards d'années et que la colonisation des milieux terrestres a eu lieu il y a 500 millions d'années. Sur une durée de 1 heure, cela signifie que les procaryotes sont apparus il y a 46 minutes et que la colonisation des milieux terrestres a eu lieu il y a 7 minutes. (2) Au cours de la période comprise entre 3,5 milliards d'années et 1,5 milliard d'années, la vie sur Terre était exclusivement constituée d'organismes unicellulaires. En fait, entre 3,5 milliards d'années et 1,8 milliard d'années, tous les organismes terrestres étaient des procaryotes unicellulaires; et il y a 1,8 milliard d'années, des eucaryotes unicellulaires se sont ajoutés à ces procaryotes. La colonisation des milieux terrestres n'a eu lieu qu'il y a 500 millions d'années. Donc, on peut également supposer que la totalité ou la majorité de ces organismes unicellulaires ont vécu dans les océans ou dans l'eau douce au cours des deux premiers milliards d'années de la vie sur Terre. **Figure 25.11** Vous devriez avoir encerclé l'intersection qui mène à la lignée échinodermes/cordés et à la lignée qui a donné naissance aux brachiopodes, aux annélides, aux mollusques et aux arthropodes (à environ 635 millions d'années dans le diagramme). Pour estimer l'âge minimal de l'ancêtre représenté par l'intersection, notez que le plus récent ancêtre commun des cordés et des annélides doit être au moins aussi vieux que n'importe lequel de ses descendants. Étant donné que les fossiles des mollusques ont environ 560 millions d'années, l'ancêtre commun représenté par l'intersection encerclée doit avoir au moins 560 millions d'années. **Figure 25.16** La plaque de l'Australie se déplace actuellement dans une direction nord-est similaire à celle qu'elle suit depuis 66 millions d'années. **Figure 25.17** La courbe bleue représente les familles, qui regroupent plusieurs espèces; pour qu'une famille disparaisse, il faut que toutes les espèces qui en font partie disparaissent. Lors d'une extinction, il est donc normal que le nombre de familles soit moins affecté que le nombre d'espèces. **Figure 25.26** La séquence codante du gène *Pitx1* différerait entre les populations marines et les populations lacustres, mais le mode d'expression des gènes serait le même pour les deux populations.

Retour sur le concept 25.1

1. L'hypothèse selon laquelle les conditions sur la Terre primitive auraient permis la synthèse de molécules organiques à partir d'ingrédients inorganiques. **2.** Parce que les membranes des protocellules jouaient un rôle crucial. Alors que dans une solution sans compartiments toutes les molécules se mélangent aléatoirement, les membranes isolent du milieu externe certains systèmes moléculaires dans lesquels peuvent se concentrer des molécules organiques. Cette concentration facilite le déroulement des réactions biochimiques. **3.** De nos jours, l'information génétique va généralement de l'ADN vers l'ARN, comme lorsque la séquence d'ADN d'un gène sert de patron pour synthétiser l'ARNm qui encode une protéine en particulier. Cependant, le cycle de vie des rétrovirus comme le VIH montre que l'information génétique peut circuler en sens inverse (de l'ARN à l'ADN). Dans ces virus, l'enzyme transcriptase inverse utilise de l'ARN comme patron pour la synthèse de l'ADN, ce qui semble indiquer qu'une enzyme similaire pourrait avoir joué un rôle clé dans la transition du monde de l'ARN au monde de l'ADN.

Retour sur le concept 25.2

1. Les archives fossiles montrent que différents groupes d'organismes ont dominé la vie sur la Terre à différents moments, et que de nombreux organismes qui ont vécu sont maintenant éteints; la figure 25.5 donne des exemples précis de ces deux phénomènes. Les archives fossiles indiquent aussi que la modification graduelle d'organismes qui existaient autrefois peut entraîner l'apparition de nouveaux groupes d'organismes, comme en témoignent les fossiles qui montrent que les mammifères sont issus d'ancêtres cynodontes (voir la figure 25.7). **2.** 22 920 ans (quatre demi-vies : 5 730 ans × 4).

Retour sur le concept 25.3

1. L'O_2 brise les liaisons chimiques et peut inhiber les enzymes et endommager les cellules. Par conséquent, son apparition dans l'atmosphère a probablement fait en sorte qu'un grand nombre de procaryotes qui avaient prospéré auparavant dans des milieux anaérobies ont eu du mal à survivre et à se reproduire dans un environnement riche en O_2. Ce changement aurait causé l'extinction de nombreuses espèces. **2.** Tous les eucaryotes possèdent des mitochondries ou des vestiges de ces organites, mais les eucaryotes ne contiennent pas tous des plastes. **3.** Les archives fossiles d'aujourd'hui incluraient les nombreux organismes dotés de structures corporelles dures (comme les vertébrés et de nombreux invertébrés marins). En revanche, elles pourraient ne pas inclure certaines espèces que nous connaissons bien, mais qui sont confinées à de petits territoires géographiques ou qui forment des populations très restreintes (par exemple, les espèces menacées d'extinction comme le panda géant, le tigre et plusieurs espèces de rhinocéros).

Retour sur le concept 25.4

1. Le modèle de la tectonique des plaques décrit le mouvement des continents, lequel transforme la géographie physique et climatique de la Terre, ainsi que l'isolement géographique relatif des organismes. Comme ces facteurs influent sur les taux de spéciation et d'extinction, la tectonique des plaques a des répercussions très importantes sur la vie sur la Terre. **2.** Les extinctions massives ; des innovations évolutives majeures ; la diversification d'un autre groupe d'organismes (qui peut fournir de nouvelles sources de nourriture) ; la migration vers de nouveaux endroits où il y a peu d'espèces concurrentes. **3.** En théorie, on devrait trouver des fossiles des espèces communes et des espèces rares jusqu'au moment de la catastrophe ; après quoi, on observerait l'absence totale de ces fossiles. La réalité est cependant plus complexe parce que les archives fossiles ne sont pas parfaites. Les fossiles les plus récents d'une espèce peuvent donc dater d'un million d'années avant l'extinction massive – même si cette espèce n'a disparu qu'au moment de l'extinction massive. Ce problème est particulièrement plausible pour les espèces rares parce que peu de leurs fossiles seront conservés et encore moins découverts. Par conséquent, pour de nombreuses espèces rares, on ne peut compter sur les archives fossiles pour prouver qu'elles étaient vivantes immédiatement avant l'extinction (même si c'était le cas).

Retour sur le concept 25.5

1. L'hétérochronie peut causer toutes sortes de changements morphologiques. Par exemple, une variation du moment du début de la maturité sexuelle peut entraîner la persistance de certaines caractéristiques juvéniles (pédomorphose). La pédomorphose résulte de petites modifications génétiques qui entraînent d'importants changements morphologiques, comme on le voit chez la salamandre axolotl. **2.** Chez les embryons animaux, les gènes *Hox* influent sur le développement de structures comme les membres et les appendices servant à l'alimentation. Une modification de ces gènes ou une variation dans leur régulation risque donc d'avoir des effets importants sur la morphologie. **3.** Par la génétique, nous savons que l'efficacité avec laquelle les facteurs de transcription se lient à des séquences d'ADN non codant appelées éléments régulateurs influe sur la régulation des gènes. Par conséquent, si les changements dans la morphologie sont souvent causés par des variations dans la régulation des gènes, il est probable que des portions de la séquence d'ADN non codant qui contient ces éléments régulateurs soient fortement touchées par la sélection naturelle.

Retour sur le concept 25.6

1. Les structures complexes n'évoluent pas d'un seul coup, mais petit à petit, la sélection naturelle sélectionnant les variantes adaptatives des versions antérieures. **2.** Même si le virus de la myxomatose est hautement létal, au début, certains des lapins y résistent (0,2 % des lapins infectés ne meurent pas). Comme cette résistance est un trait héréditaire, on peut s'attendre à ce que la population de lapins affiche une tendance à une résistance accrue au virus. On peut aussi présumer que le virus affichera une tendance évolutive vers une moindre létalité puisqu'un lapin infecté par un virus moins létal est plus susceptible de vivre assez longtemps pour qu'un moustique le pique et transmette le virus à un autre lapin (un virus mourra avec son hôte s'il le tue avant qu'un moustique l'ait transmis à un autre lapin.)

Questions du résumé des concepts clés

25.1 Les particules de montmorillonite peuvent avoir fourni des surfaces sur lesquelles des molécules organiques se sont concentrées, améliorant ainsi la probabilité qu'elles réagissent les unes avec les autres. Les particules de montmorillonite peuvent aussi avoir facilité le transport de molécules clés, comme des brins courts d'ARN, dans les vésicules. Ces vésicules peuvent se former spontanément à partir de simples précurseurs moléculaires, se « reproduire », « croître » d'elles-mêmes et maintenir des concentrations internes de molécules qui diffèrent de celles de l'environnement. Ces caractéristiques des vésicules sont des étapes clés dans l'émergence des protocellules et (ultimement) des premières cellules vivantes. **25.2** L'une des difficultés est que les organismes n'incorporent pas les radio-isotopes à très longue demi-vie quand ils forment leurs os ou leurs coquilles. Il est donc impossible de dater directement les fossiles dont l'âge dépasse 75 000 ans. Les fossiles se trouvent souvent dans les roches sédimentaires, mais typiquement ces roches contiennent des sédiments de différents âges, ce qui représente une difficulté de plus lorsqu'on essaie de dater des fossiles très anciens. Pour contourner ces difficultés, les géologues ne datent pas les fossiles, mais les couches de roches volcaniques qui les entourent. Cette approche donne des estimations minimales et maximales quant à l'âge des fossiles comprimés entre ces couches. **25.3** L'explosion du Cambrien est une période relativement courte (de 535 à 525 millions d'années) au cours de laquelle de nombreux embranchements d'animaux contemporains de grande taille apparaissent pour la première fois dans les archives fossiles. Les changements évolutifs qui se sont produits durant cette période, comme l'apparition des grands prédateurs et des proies qui ont de bonnes défenses, ont été cruciaux parce qu'ils ont ouvert la voie à un certain nombre d'événements parmi les plus importants dans l'histoire des 500 millions d'années qui viennent de s'écouler. **25.4** Les grands changements évolutifs étayés par les archives fossiles correspondent à l'ascension et au déclin des principaux groupes d'organismes. L'ascension et le déclin de n'importe quel groupe dépendent de l'équilibre entre les taux de spéciation et d'extinction. L'ascension d'un groupe d'organismes se produit lorsque ce groupe comprend plus de nouvelles espèces que d'espèces qui s'éteignent ; le déclin d'un groupe survient lorsque ce groupe comprend plus d'espèces qui s'éteignent que de nouvelles espèces. **25.5** Un changement dans la séquence ou la régulation d'un gène développemental peut produire des changements morphologiques majeurs. Dans certains cas, de tels changements permettent aux organismes de remplir de nouvelles fonctions dans de nouveaux environnements ; ils peuvent donc mener à une radiance adaptative et à la formation d'un nouveau groupe d'organismes. **25.6** Le changement évolutif résulte des interactions entre les organismes et leur environnement actuel, et ce processus ne vise aucun objectif. Comme les milieux changent avec le temps, les caractéristiques que la sélection naturelle favorise chez les organismes peuvent également changer. Lorsque cela se produit, ce qui avait pu sembler être un « but de l'évolution » (par exemple, une amélioration de la fonction d'une caractéristique) peut cesser d'être un avantage et peut même se révéler nuisible.

Évaluation

1. b ; **2.** a ; **3.** d ; **4.** b ; **5.** c ; **6.** c ; **7.** a.

CHAPITRE 26

Questions des figures

Figure 26.5 (1) Dans cet arbre, les grenouilles sont plus étroitement apparentées au groupe formé par les lézards, les chimpanzés et les humains. (2) Vous devriez avoir encerclé le dernier point de bifurcation séparant la lignée des grenouilles de celle qui comprend les lézards, les chimpanzés et les humains. (3) Quatre : chimpanzés – humains ; lézards – groupe englobant chimpanzés/humains ; grenouilles – groupe englobant lézards/chimpanzés/humains ; poissons – groupe englobant grenouilles/lézards/chimpanzés/humains.

(4)

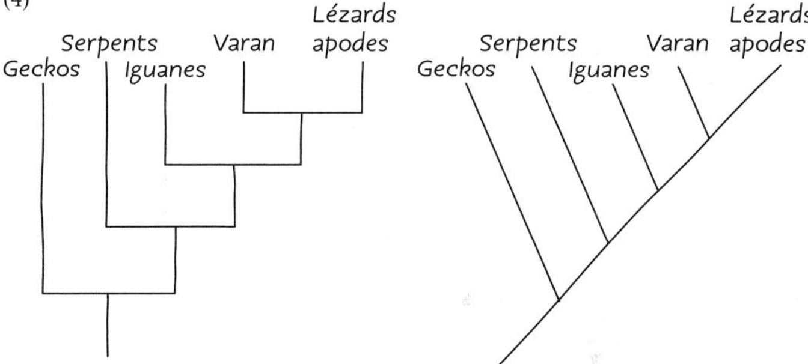

(5)

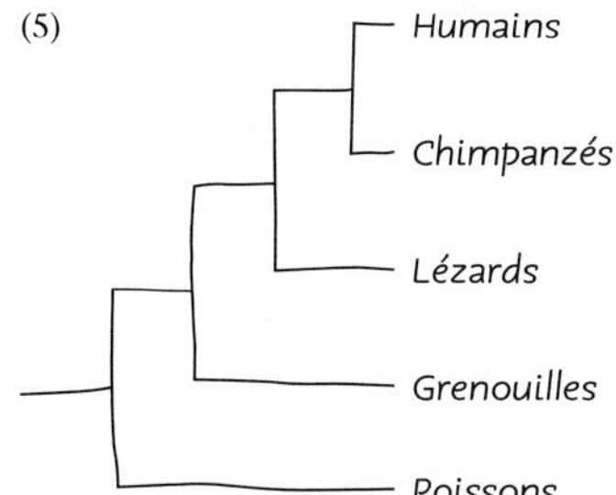

Dans chacun des trois arbres, les chimpanzés et les lézards sont les espèces le plus étroitement apparentées aux humains puisqu'il s'agit des groupes représentés avec lesquels nous avons les ancêtres communs les plus récents.

Figure 26.6 L'inconnu 1b (une portion de l'échantillon 1) et les inconnus 9 à 13 devraient tous apparaître sur la branche de l'arbre qui mène actuellement au petit rorqual (hémisphère Sud) et aux inconnus 1a et 2 à 8. **Figure 26.11** Vous devriez avoir encerclé le point de bifurcation le plus à gauche (ancêtre commun de tous les taxons représentés). Tant les cétacés que les phoques proviennent d'une lignée de mammifères terrestres, ce qui démontre que leur ancêtre commun n'avait pas un corps aérodynamique et qu'il ne pouvait donc pas faire partie de leur groupe. **Figure 26.12** Les mâchoires articulées sont un caractère ancestral commun du groupe formé par les achigans, les grenouilles, les tortues et les léopards. Par conséquent, vous devriez avoir encerclé les lignées de l'achigan, de la grenouille, de la tortue et du léopard, ainsi que leur ancêtre commun le plus récent. **Figure 26.13** La lignée du poisson-zèbre est celle du vertébré qui a évolué le plus rapidement, puisqu'elle se trouve à l'extrémité de la branche la plus longue. **Figure 26.16** Les crocodiliens forment un groupe frère du clade des dinosaures (qui inclut les oiseaux) parce qu'ils ont en commun un ancêtre récent qui n'appartient à aucun autre groupe. **Figure 26.19** Le point sur la droite correspondant à 30 mutations en ordonnée indique une date approximative de 45 millions d'années sur l'abscisse. **Figure 26.21** Cet arbre montre que les séquences des gènes d'ARNr et d'autres gènes des mitochondries sont plus étroitement apparentées à celles des protéobactéries, alors que les séquences des gènes des chloroplastes sont plus étroitement liées à celles des cyanobactéries.

Ces liens entre les séquences géniques correspondent aux prévisions qui auraient été faites conformément à la théorie endosymbiotique voulant que les mitochondries et les chloroplastes soient d'abord apparus sous forme de cellules procaryotes absorbées par des cellules plus volumineuses.

Retour sur le concept 26.1

1. Nous appartenons à la même classe; le léopard et l'humain sont tous deux des mammifères. Nous appartenons aussi au même embranchement (cordés), au même règne (animal) et au même domaine (eucaryotes). Par contre, nous n'appartenons pas au même ordre; les léopards sont des carnivores, pas les humains. **2.** L'arbre présenté en (c) révèle des liens évolutifs différents: en (c), les taxons C et B y sont des groupes frères, alors qu'en (a) et en (b) les taxons C et D sont les groupes frères. **3.** Voici la version redessinée de la figure 26.4:

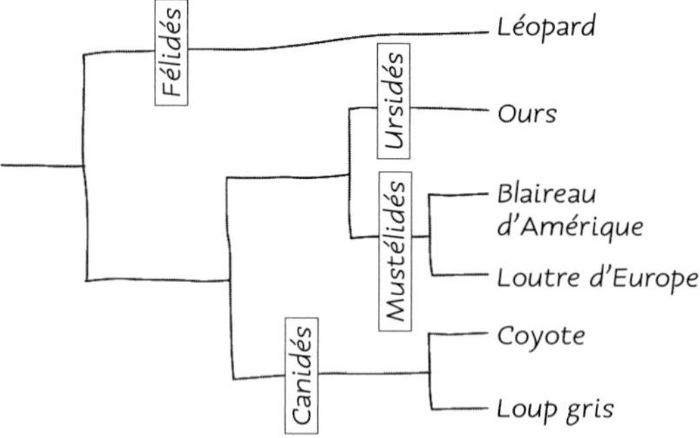

Retour sur le concept 26.2

1. (a) Une analogie, parce que les hérissons et les cactus ne sont pas étroitement apparentés, et aussi parce que la plupart des autres animaux et végétaux n'ont pas de structures semblables; (b) une homologie, parce que les chats et les humains sont tous deux des mammifères et ont des membres antérieurs homologues, la main et la patte en constituant l'extrémité distale; (c) une analogie, parce que les hiboux et les frelons sont peu apparentés, et aussi parce que la structure de leurs ailes est très différente. **2.** Les espèces B et C sont plus susceptibles d'être étroitement liées. Des changements génétiques mineurs (comme ceux qui sont survenus entre ces deux espèces) peuvent produire des morphologies divergentes; par contre, l'existence d'une grande divergence entre les gènes (comme entre ceux des espèces A et B) donnerait à penser que les lignées ont évolué séparément depuis longtemps.

Retour sur le concept 26.3

1. Non, le poil est un caractère ancestral commun à tous les mammifères; il ne peut donc pas aider à différencier des sous-groupes de mammifères. **2.** Selon le principe de parcimonie maximale, la meilleure hypothèse est celle qui constitue l'explication la plus simple des faits étudiés. Cependant, des facteurs comme l'évolution convergente peuvent faire en sorte que les liens évolutifs réels ne correspondent pas à ceux qu'indique le principe de parcimonie. **3.** La classification classique ne se prête pas à l'histoire évolutive, car elle contredit le principe de la cladistique, à savoir que la classification devrait s'articuler autour d'un ancêtre commun. Les oiseaux et les mammifères proviennent de groupes traditionnellement associés aux reptiles, ce qui faisait de ces derniers (dans la classification classique) un groupe paraphylétique. On peut résoudre le problème en retirant le dimétrodon et les cynodontes du groupe des reptiles (pour en faire un groupe de dinosaures).

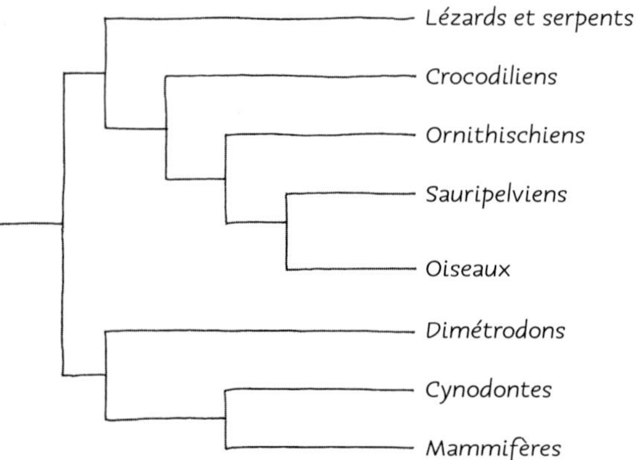

Retour sur le concept 26.4

1. Les protéines sont les produits des gènes. Leurs séquences d'acides aminés sont déterminées par les séquences de nucléotides de l'ADN qui code pour ces gènes. Donc, les différences entre les protéines comparables de deux espèces correspondent à des différences génétiques qui se sont accumulées lorsque les espèces ont divergé. Par conséquent, les différences entre les protéines peuvent refléter l'histoire évolutive des espèces. **2.** Ces observations donnent à penser que les lignées ayant mené à l'espèce 1 et à l'espèce 2 ont divergé avant qu'une duplication génétique chez l'espèce 1 n'entraîne la production du gène B à partir du gène A. **3.** Durant la maturation de l'ARN, les exons, ou régions codantes d'un gène, peuvent être réunis par épissage de diverses façons, produisant ainsi différents ARNm, donc des protéines distinctes. Par conséquent, un même gène pourrait produire différentes protéines dans différents tissus, ce qui lui permettrait d'en réguler différentes fonctions.

Retour sur le concept 26.5

1. L'horloge moléculaire est une méthode servant à estimer le moment réel auquel sont survenus des changements évolutifs en prenant en compte le nombre de changements de bases survenus dans les gènes orthologues. Cette méthode suppose que les régions des génomes comparés ont évolué à des vitesses constantes. **2.** Il existe plusieurs portions du génome ne codant pas pour des gènes; des mutations qui modifient la séquence des bases dans ces régions peuvent s'accumuler par dérive sans causer d'effet notable sur la capacité adaptative d'un organisme. Même dans les régions codantes du génome, certaines mutations peuvent n'avoir que peu d'effet sur les gènes ou sur les protéines. **3.** Le ou les gènes utilisés pour l'horloge moléculaire peuvent avoir évolué plus lentement chez ces deux taxons que chez les espèces qui ont servi à calibrer l'horloge; le cas échéant, l'horloge sous-estimerait le temps écoulé depuis que ces deux taxons ont divergé.

Retour sur le concept 26.6

1. Le règne des monères comprenait les bactéries et les archées, mais nous savons aujourd'hui que ces organismes proviennent de domaines différents. Les règnes sont des sous-ensembles des domaines et un règne (comme celui des monères) ne peut renfermer des taxons issus de domaines distincts. **2.** À cause du transfert horizontal, certains gènes des eucaryotes sont plus étroitement liés aux bactéries, alors que d'autres ont une parenté plus étroite avec les archées; c'est pourquoi, selon les gènes utilisés, les arbres phylogénétiques construits à partir de données génétiques peuvent produire des résultats contradictoires. **3.** On croit que les eucaryotes sont apparus après qu'un procaryote hétérotrophe (une cellule hôte archéale) ait absorbé une bactérie; celle-ci serait ensuite devenue une mitochondrie, un organite présent dans tous les eucaryotes. Au fil du temps, les organismes ont fusionné lorsque la cellule hôte archéale et son endosymbiote bactérien ont évolué pour ne former qu'un seul organisme. On pourrait donc s'attendre à ce que la cellule d'un eucaryote soit à la fois constituée d'ARN archéen et d'ADN bactérien. L'origine des eucaryotes serait ainsi un exemple de transfert horizontal.

Questions du résumé des concepts clés

26.1 Le fait que les humains et les chimpanzés sont des groupes frères signifie que nous avons avec eux un ancêtre commun plus récent qu'avec toute autre espèce de primates encore vivante. Cela ne veut pas dire pour autant que l'humain est le produit de l'évolution du chimpanzé, ou vice versa, mais bien que l'humain et le chimpanzé descendent de cet ancêtre commun. **26.2** Les caractères homologues découlent d'un ancêtre commun. Les organismes divergent avec le temps, tout comme certains de leurs caractères homologues. Les caractères homologues des organismes qui ont divergé depuis longtemps diffèrent généralement davantage que les caractères homologues des organismes qui ont divergé plus récemment. Par conséquent, les différences concernant des caractères homologues peuvent servir à prédire une phylogenèse. À l'opposé, les caractères analogues découlent d'une évolution convergente, et non d'un ancêtre commun; ils peuvent donc donner lieu à des estimations de phylogenèse qui seraient trompeuses. **26.3** Toutes les caractéristiques des organismes se sont manifestées à un moment ou à un autre de l'histoire du vivant. Lorsqu'une nouvelle caractéristique émerge d'un groupe, elle constitue un caractère dérivé commun propre à ce groupe, ou clade. Il est possible de déterminer le groupe au sein duquel un caractère dérivé commun est apparu pour la première fois; le modèle qui en découle peut servir à énoncer une hypothèse phylogénétique. **26.4** Il vaut mieux recourir aux gènes orthologues; l'homologie de ces gènes découle de la spéciation et reflète donc l'histoire évolutive. **26.5** Les horloges moléculaires présupposent principalement que la vitesse de substitution des nucléotides est constante, donc que le nombre de différences nucléotidiques entre deux séquences d'ADN est proportionnel au temps écoulé depuis que celles-ci ont divergé. Voici quelques limites des horloges moléculaires: aucun gène ne marque le temps avec précision; la sélection naturelle peut favoriser certaines modifications génétiques au détriment d'autres modifications ; la vitesse de substitution nucléotidique peut changer au cours des longues périodes (et rendre très incertaines les estimations relatives aux modifications les plus anciennes) ; enfin, un même gène peut évoluer à un rythme différent d'un organisme à l'autre. **26.6** Les données génétiques indiquent qu'un grand nombre de procaryotes ont divergé de leurs semblables tout autant que des eucaryotes. C'est donc dire que nous devrions regrouper les organismes selon trois « super-règnes », ou domaines, soit les archées, les bactéries et les eucaryotes. Ces données indiquent aussi que le règne des monères (qui réunissait tous les procaryotes) n'était pas plausible, biologiquement parlant, et qu'il convient de l'abandonner. Enfin, des données génétiques et morphologiques ultérieures montrent que nous devrions laisser tomber l'ancien règne des protistes (qui, à l'origine, contenait des organismes unicellulaires) en raison de son caractère polyphylétique. En effet, certains protistes sont plus étroitement apparentés aux végétaux, aux eumycètes ou aux animaux qu'à d'autres protistes.

Évaluation

1. a ; **2.** c ; **3.** b ; **4.** c ; **5.** d ; **6.** a ; **7.** d.

8.

(a)

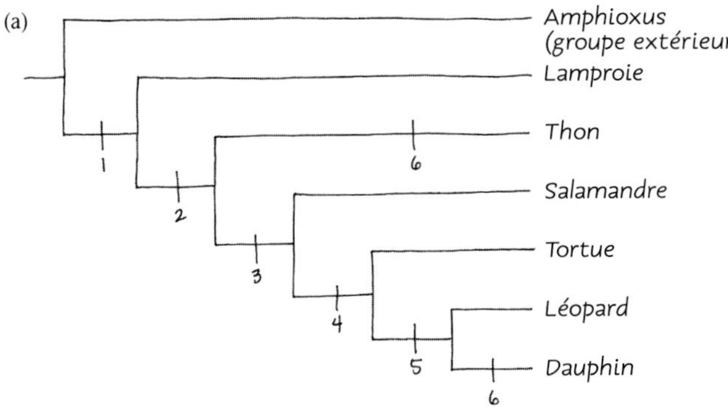

(b)

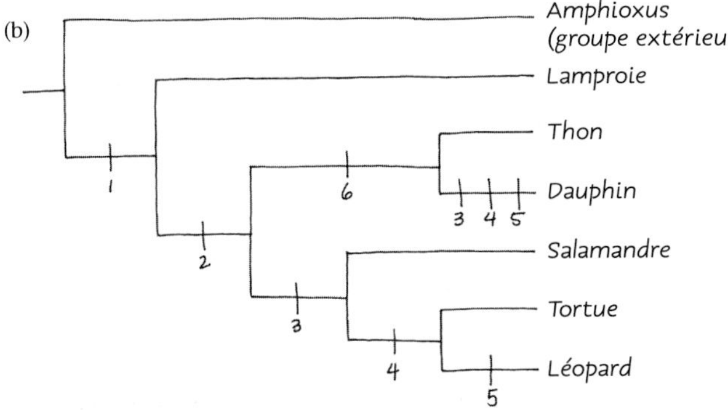

(c) L'arbre représenté en (a) doit comprendre sept modifications d'ADN, alors que l'arbre dessiné en (b) en requiert neuf. L'arbre en (a) est donc plus simple, puisqu'il nécessite moins de modifications d'ADN.

CHAPITRE 27

Questions des figures

Figure 27.7 L'anneau du haut, auquel le crochet est relié, est enchâssé dans la partie interne et hydrophobe de la bicouche lipidique de la membrane externe, ce qui laisse croire qu'il est hydrophobe. De même, le troisième anneau est également enchâssé dans la bicouche lipidique de la membrane plasmique, ce qui porte à croire qu'il est également hydrophobe. **Figure 27.10** Les fonctions acquises seraient probablement liées à une optimisation de la croissance malgré la faible quantité de glucose. Les gènes des mécanismes métaboliques qui ne sont plus utiles aux cellules ont peut-être aussi subi des mutations. **Figure 27.11** La transduction provoque un transfert horizontal lorsque la bactérie donneuse n'est pas de la même espèce que la bactérie receveuse. **Figure 27.15** Les eucaryotes. **Figure 27.17** Les thermophiles vivent dans des environnements très chauds ; il est donc probable que leurs enzymes fonctionnent normalement à des températures plus élevées que ne peuvent le faire les enzymes d'autres organismes. À des températures plus basses, en revanche, les enzymes des thermophiles risquent de ne pas fonctionner aussi bien que celles des autres organismes. **Figure 27.18** D'après le diagramme, on peut estimer la quantité de potassium absorbée à 0,72, 0,62 et 0,96 mg pour les souches 1, 2 et 3, respectivement, selon une moyenne de 0,77 mg de potassium. Si la bactérie n'avait eu aucun effet, l'absorption moyenne de potassium par les plants devrait être de l'ordre de 0,51 mg pour les trois souches, soit la valeur observée pour les plants cultivés dans un sol dépourvu de cette bactérie.

Retour sur le concept 27.1

1. La capsule (qui protège les procaryotes du système immunitaire de leur hôte) et la formation d'endospores (qui permettent aux cellules de survivre dans des milieux hostiles et de reprendre leur métabolisme lorsque les conditions redeviennent favorables). **2.** Les cellules procaryotes ne possèdent pas la compartimentation complexe associée aux organites membraneux des cellules eucaryotes. Leur génome contient beaucoup moins d'ADN que celui des cellules eucaryotes ; presque tout cet ADN se trouve dans un seul chromosome, de forme circulaire, situé dans une région nommée nucléoïde et non dans un véritable noyau entouré d'une membrane. De plus, beaucoup de procaryotes contiennent des plasmides, qui sont formés de petites molécules d'ADN circulaires renfermant seulement quelques gènes. **3.** Les plastes, tels que les chloroplastes, auraient évolué d'un procaryote photosynthétique et endosymbiotique. L'arbre phylogénétique de la figure 26.21 montre que les plastes sont étroitement apparentés aux cyanobactéries. Nous pouvons donc formuler l'hypothèse que les thylakoïdes des chloroplastes ressemblent à ceux des cyanobactéries parce que les chloroplastes ont évolué d'une cyanobactérie endosymbiote.

Retour sur le concept 27.2

1. Les populations procaryotes sont immenses, notamment en raison de leur temps de génération très court. Le grand nombre d'individus que compte une population procaryote accroît la probabilité qu'à chaque génération des milliers d'individus subissent de nouvelles mutations génétiques, ce qui augmente considérablement la diversité génétique de la population. **2.** Lors de la transformation, une cellule bactérienne capte un ADN étranger libre provenant du milieu environnant. La transduction est le transfert de gènes bactériens d'une cellule à l'autre à l'aide d'un phage. La conjugaison est le transfert direct par une cellule bactérienne de l'ADN d'un plasmide ou de l'ADN chromosomique à une autre cellule par l'intermédiaire d'un pont de conjugaison temporaire qui unit les deux cellules. **3.** La population qui comprend des individus capables de conjugaison présentera probablement les meilleures chances de survie, puisque certains d'entre eux pourront former des bactéries recombinées. Dans un nouvel environnement, ces bactéries tireront profit de ces nouvelles combinaisons génétiques. **4.** Oui. Des gènes de résistance aux antibiotiques peuvent être transférés (par transformation, transduction ou conjugaison) de la bactérie non pathogène vers une bactérie pathogène, ce qui rendrait cette dernière encore plus dangereuse pour la santé humaine. La transformation, la transduction et la conjugaison ont tendance à accroître la propagation des gènes de résistance.

Retour sur le concept 27.3

1. Les espèces phototrophes tirent leur énergie de la lumière, alors que les espèces chimiotrophes l'obtiennent de substances chimiques. Les espèces autotrophes synthétisent le carbone à partir de CO_2, d'HCO_3^- ou d'autres composés apparentés, alors que les espèces hétérotrophes se procurent le carbone sous forme organique, comme le glucose. On observe donc quatre modes de nutrition : photoautotrophe, chimiohétérotrophe, photohétérotrophe et chimioautotrophe (ces deux derniers modes étant particuliers aux procaryotes). **2.** Le mode de nutrition chimiohétérotrophe ; cette bactérie doit tirer son énergie de substances chimiques, car elle n'a pas accès à la lumière ; de plus, si elle a besoin d'une source organique de carbone plutôt que de CO_2 (ou d'un composé apparenté comme l'HCO_3^-), elle est nécessairement hétérotrophe. **3.** Si l'humain pouvait fixer l'azote, nous pourrions tirer des protéines du N_2 atmosphérique et n'aurions donc pas besoin d'aliments à haute teneur en protéines comme la viande, le poisson ou le soya. Notre régime alimentaire devrait cependant comprendre une source de carbone ainsi que des minéraux et de l'eau. Un repas type se composerait de glucides (la source de carbone) ainsi que de fruits et de légumes, qui procureraient les minéraux essentiels (et du carbone).

Retour sur le concept 27.4

1. Les études de systématique moléculaire montrent que certains organismes déjà classés parmi les bactéries sont plus étroitement apparentés aux eucaryotes et appartiennent à un domaine qui leur est propre, celui des archées. Ces études ont également démontré que les transferts horizontaux étaient fréquents et qu'ils ont joué un rôle important dans l'évolution des procaryotes. Les études métagénomiques ont permis de découvrir une immense diversité d'espèces procaryotes encore jamais observées, car il n'était plus nécessaire de cultiver ces organismes en laboratoire, comme on le devait auparavant. Au fil du temps, la métagénomique pourrait améliorer grandement notre connaissance de la phylogenèse des procaryotes en favorisant la découverte de nouvelles espèces. **2.** À ce jour, tous les méthanogènes connus sont des archées du clade des euryarchées, ce qui donne à penser que cette voie métabolique unique trouve probablement sa source auprès d'une espèce ancestrale d'euryarchées. Puisque les lignées des bactéries et des archées se sont séparées il y a plusieurs milliards d'années, la découverte d'un méthanogène du domaine des bactéries semblerait indiquer que les adaptations permettant l'utilisation de CO_2 pour oxyder le H_2 se seraient produites deux fois : une fois dans le domaine des archées (chez les euryarchées) et une fois dans le domaine des bactéries. (Il se peut aussi qu'un méthanogène bactérien découvert récemment ait acquis les gènes de cette voie métabolique par transfert horizontal d'un méthanogène du domaine des archées. Cette hypothèse n'est cependant pas l'explication la plus plausible en raison du grand nombre de gènes en cause, mais aussi parce que les transferts génétiques entre des espèces appartenant à des domaines différents sont rares.)

Retour sur le concept 27.5

1. Bien que les procaryotes soient des organismes minuscules, leur grand nombre et leurs aptitudes métaboliques leur permettent de remplir d'importantes fonctions au sein des écosystèmes : ils décomposent les déchets, recyclent les éléments chimiques et influent sur la concentration des nutriments accessibles aux autres organismes. **2.** Les cyanobactéries produisent de l'O_2 lorsque les molécules d'eau sont scindées par les réactions de photosynthèse. Le cycle de Calvin incorpore le CO_2 contenu dans l'air aux molécules organiques, qui sont alors converties en glucides.

Retour sur le concept 27.6

1. Exemples de réponses : Obtenir des aliments fermentés, comme le yogourt, le pain au levain ou le fromage ; disposer d'une eau propre provenant d'une usine de traitement des eaux usées ; utiliser des médicaments produits par des procaryotes. **2.** Non. Si le poison est une exotoxine, des bactéries vivantes pourraient être transmises d'une personne à une autre. On peut en dire autant si le poison est une endotoxine, sauf qu'alors les bactéries transmises descendent peut-être des bactéries (mortes à présent) qui ont produit le poison. **3.** Parmi les nombreuses espèces de procaryotes vivant dans votre intestin, certaines se disputent les ressources (en l'occurrence, ce que vous mangez). Dans la mesure où les espèces procaryotes présentent diverses adaptations, une modification de votre alimentation peut avoir des effets sur la rapidité de la croissance de certaines espèces, ce qui modifiera l'abondance relative des différentes espèces.

Questions du résumé des concepts clés

27.1 Parmi les caractéristiques structurales permettant aux procaryotes de survivre dans divers milieux, on doit mentionner la paroi cellulaire (qui leur confère leur forme et qui les protège), les flagelles (qui permettent un mouvement dirigé) et la capacité à former des capsules ou des endospores (qui peuvent tous deux les protéger contre des conditions hostiles). Les procaryotes présentent également diverses adaptations biochimiques qui rendent possible leur croissance dans différentes conditions ou qui leur permettent de survivre à des températures très élevées ou dans un milieu salin. **27.2** Bon nombre de procaryotes se reproduisent très, très rapidement, et leurs populations se comptent en billions. Aussi, bien que les mutations soient rares, les procaryotes produisent chaque jour de nombreux descendants présentant des mutations sur des locus précis. De plus, même si leur mode de reproduction est asexué – et donc que la vaste majorité de ces descendants sont génétiquement identiques à leur parent –, les phénomènes de transduction, de transformation et de conjugaison accroissent les variations génétiques au sein de leurs populations. Chacun de ces phénomènes (non reproductifs) peut accroître la variation génétique en transférant de l'ADN d'une cellule à une autre, même entre des cellules d'espèces différentes. **27.3** Les procaryotes présentent une gamme exceptionnellement vaste d'adaptations métaboliques. Leur groupe fait appel à quatre modes nutritionnels (photoautotrophe, chimioautotrophe, photohétérotrophe et chimiohétérotrophe), alors que les eucaryotes n'en utilisent que deux (photoautotrophe et chimiohétérotrophe). Les procaryotes peuvent aussi métaboliser l'azote sous diverses formes (ce que ne peuvent faire les eucaryotes) et ils coopèrent fréquemment avec d'autres cellules procaryotes de leur espèce ou d'espèces différentes. **27.4** Les critères phénotypiques, comme la forme, la motilité et le mode de nutrition, ne rendent pas compte clairement de l'histoire évolutive des procaryotes. En comparaison, les données moléculaires ont permis de comprendre les liens de parenté qui existaient entre de grands groupes de procaryotes. Elles ont aussi permis aux chercheurs de prélever des échantillons directement de l'environnement ; l'utilisation des gènes ainsi prélevés pour construire des phylogenèses a mené à la découverte de nouveaux groupes importants de procaryotes. **27.5** Les procaryotes tiennent des rôles clés dans les cycles chimiques essentiels à la vie. Par exemple, les procaryotes sont des décomposeurs efficaces ; ils dégradent des cadavres, des végétaux morts et des déchets, libérant du même coup dans l'environnement des nutriments utiles à d'autres organismes. Les procaryotes transforment également des composés inorganiques que d'autres organismes peuvent absorber. En matière d'interactions écologiques, de nombreux procaryotes entretiennent une relation mutualiste vitale avec d'autres espèces. Dans certains cas, comme chez les communautés vivant autour des cheminées hydrothermales, les activités métaboliques des procaryotes procurent une source d'énergie dont dépendent des centaines d'autres espèces ; sans les procaryotes, la communauté ne pourrait survivre. **27.6** Notre bien-être dépend de nos associations avec les procaryotes, par exemple avec les nombreuses espèces qui peuplent notre intestin et transforment les aliments que nous sommes incapables de digérer. Nous pouvons également tirer profit des remarquables capacités métaboliques des procaryotes pour produire une vaste gamme de produits utiles et pour accomplir des tâches essentielles comme la biorestauration. Les principaux effets négatifs des procaryotes viennent des agents pathogènes bactériens qui causent des maladies.

Évaluation

1. d ; **2.** a ; **3.** c ; **4.** c ; **5.** d ; **6.** a.

CHAPITRE 28

Questions des figures

Figure 28.2 Voici la version simplifiée de l'arbre de la figure 28.2, de même que l'arbre modifié dans lequel les unichontes constituent le groupe frère de tous les autres eucaryotes :

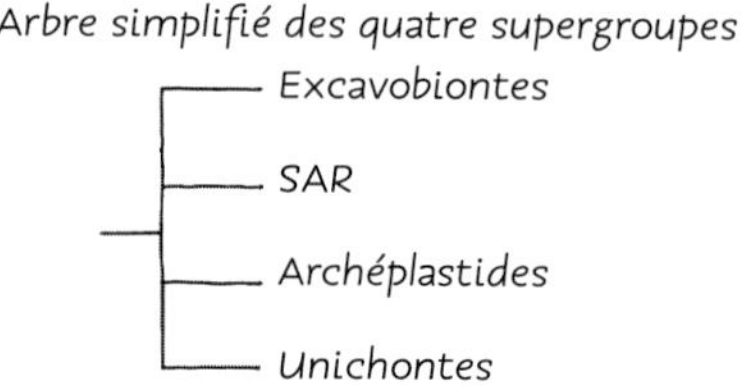

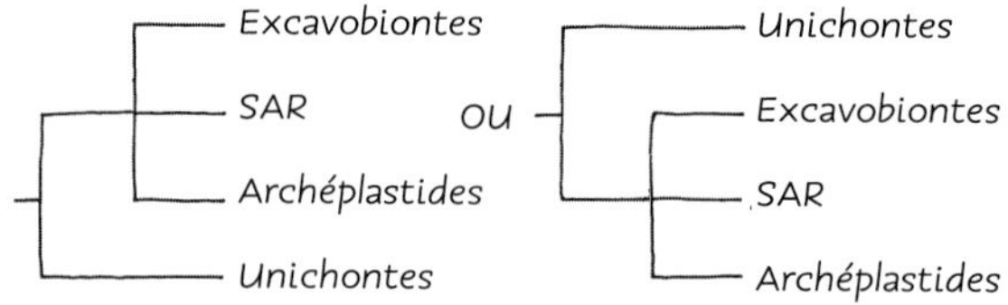

Figure 28.3 Le schéma montre qu'une endosymbiose secondaire unique a donné naissance aux straménopiles et aux alvéolobiontes ; par conséquent, ces groupes tirent leur origine d'un protiste hétérotrophe unique (représenté en jaune) qui a absorbé une algue rouge. En revanche, les euglénobiontes et les chlorarachniophytes ont pour ancêtre deux protistes hétérotrophes différents (l'un est représenté en gris, et l'autre, en brun). Par conséquent, les straménopiles et les alvéolobiontes sont probablement plus étroitement apparentés que ne le sont les euglénobiontes et les chlorarachniophytes. **Figure 28.13** Les anthérozoïdes illustrés dans le schéma sont produits par division asexuée d'un seul gamétophyte mâle, formé lui aussi par la division asexuée d'une seule zoospore. Aussi les anthérozoïdes sont-ils le fruit d'une seule zoospore, et donc génétiquement identiques. **Figure 28.16** Les mérozoïtes sont produits par division cellulaire asexuée (mitose) de sporozoïtes haploïdes ; de même, les gamétocytes sont produits par division cellulaire asexuée de mérozoïtes. Il est donc probable que les individus aient, à ces trois stades, les mêmes gènes et que leurs différences morphologiques découlent de changements survenus dans l'expression des gènes. **Figure 28.17** Cet événement exerce un effet global comparable à celui de la fécondation. Dans les deux cas, les noyaux haploïdes provenant au départ de deux cellules génétiquement distinctes fusionnent pour former un noyau diploïde. **Figure 28.23** Vous devriez avoir encerclé le stade 6, car c'est à ce moment que la cellule mature se divise deux fois et engendre quatre cellules filles, ou plus. Au stade 7, les zoospores deviennent des cellules matures haploïdes, mais elles ne donnent pas naissance à de nouvelles cellules filles. De même, au stade 2, les cellules se transforment en gamètes, mais elles ne forment pas de cellules filles. **Figure 28.24** Si l'hypothèse de Strechmann et Cavalier-Smith est juste, alors les résultats qu'ils ont obtenus indiquent que la fusion des gènes codant pour la DHFR et la TS pourrait être un caractère dérivé commun aux membres des trois supergroupes d'eucaryotes (excavobiontes, SAR et archéplastides). En revanche, si la fusion ou la fragmentation a eu lieu plusieurs fois, la présence ou l'absence de la fusion des gènes ne nous apprend pas grand-chose sur l'arbre phylogénétique. Par exemple, si les gènes ont fusionné plusieurs fois, un caractère commun à plus

d'un groupe» pourrait découler d'une évolution convergente plutôt que d'une descendance commune. Si les gènes se séparent plutôt une deuxième fois, un groupe présentant cette deuxième division pourrait être placé erronément avec les unichontes plutôt qu'à sa juste place dans l'un des trois autres supergroupes. **Figure 28.26** Ces cellules seraient haploïdes puisque, au départ, il s'agissait d'amibes haploïdes solitaires.

Retour sur le concept 28.1

1. Exemples de réponses: Les protistes comprennent des organismes unicellulaires, vivant en colonies et multicellulaires; des organismes photoautotrophes, hétérotrophes et mixotrophes; des organismes qui se reproduisent par voie asexuée, par voie sexuée et à la fois par voie asexuée et sexuée; des organismes présentant une grande variété de formes physiques et adaptations. **2.** Des preuves solides montrent que les eucaryotes ont acquis des mitochondries après qu'une cellule hôte (une archée ou un autre organisme étroitement apparenté aux archées) ait absorbé une α-protéobactérie et formé avec elle une association endosymbiotique. De même, les chloroplastes des algues rouges et des algues vertes semblent descendre d'une cyanobactérie photosynthétique absorbée par un ancêtre eucaryote hétérotrophe. L'endosymbiose secondaire a également joué un rôle important: diverses lignées de protistes ont acquis des plastes en absorbant des algues rouges ou des algues vertes unicellulaires. **3.** Quatre. Le premier (et principal) génome correspond à l'ADN situé dans le noyau du chlorarachniophyte. Cet unicellulaire contient également, dans son nucléomorphe, des vestiges de l'ADN nucléaire d'une algue verte. Enfin, les mitochondries et les chloroplastes renferment de l'ADN provenant de différentes bactéries à partir desquelles ils ont évolué. Ces deux génomes de procaryotes comprennent le troisième et le quatrième génome que l'on trouve dans un chlorarachniophyte.

Retour sur le concept 28.2

1. Leurs mitochondries sont plus petites; elles ne possèdent pas de chaînes de transport d'électrons et ne peuvent donc pas effectuer de respiration aérobie. **2.** Puisque le protiste inconnu est plus étroitement apparenté aux diplomonadines qu'aux euglénophytes, il a dû apparaître après que les lignées de diplomonadines et de parabasaliens ont divergé des euglénobiontes. De plus, on peut penser que l'espèce inconnue descend du dernier ancêtre commun de ces deux derniers groupes, puisque l'espèce inconnue présente des mitochondries parfaitement fonctionnelles, contrairement aux diplomonadines et aux parabasaliens.

Retour sur le concept 28.3

1. Leurs tests étant solidifiés par du carbonate de calcium, les foraminifères forment des fossiles durables dans les sédiments marins et les roches sédimentaires. **2.** D'après l'hypothèse, fort bien étayée, selon laquelle les plastes eucaryotes (notamment ceux que présentent les groupes eucaryotes énumérés) sont le fruit d'une relation endosymbiotique au cours de laquelle un eucaryote a absorbé une cyanobactérie, l'ADN des plastes serait probablement plus proche de l'ADN chromosomique des cyanobactéries. **3.** La figure 13.6b. Les algues et les végétaux qui présentent une alternance de générations ont un stade haploïde et un stade diploïde multicellulaires. Dans les deux autres cycles de développement, l'un de ces deux stades est unicellulaire. **4.** Au cours de la photosynthèse, les algues aérobies produisent de l'O_2 et utilisent le CO_2. L'O_2 est un sous-produit des réactions lumineuses, alors que le CO_2 constitue le point de départ du cycle de Calvin (dont le produit final est le glucose). Les algues aérobies accomplissent aussi la respiration cellulaire, qui consomme de l'O_2 et produit du CO_2.

Retour sur le concept 28.4

1. Beaucoup d'algues rouges contiennent un pigment photosynthétique, la phycoérythrine, qui leur donne une teinte rougeâtre et leur permet d'effectuer la photosynthèse dans des eaux côtières assez profondes. De plus, contrairement à celui des algues brunes, le cycle de développement des algues rouges ne comporte pas de stade flagellé, de sorte que les gamètes se rencontrent à la faveur des courants marins. **2.** *U. lactuca* contient de nombreuses cellules; son corps comprend des frondes semblables à des feuilles et un crampon ressemblant à des racines. Le corps de *C. taxifolia* est composé de filaments multicellulaires sans paroi intercellulaire: il constitue en réalité une seule grosse cellule. **3.** Le cycle de développement des algues rouges ne comporte pas de stade flagellé et, par conséquent, les gamètes se rencontrent à la faveur des courants marins. Cette caractéristique de leur biologie rend sans doute plus difficile la reproduction en milieu terrestre. À l'opposé, les gamètes des algues vertes sont flagellés, ce qui leur permet de nager dans une fine pellicule d'eau. De plus, le cytoplasme, la paroi cellulaire ou l'enveloppe du zygote de certaines espèces d'algues vertes contiennent des composés antirayonnement qui les protègent de la lumière intense et des autres conditions terrestres défavorables. Ces composés pourraient avoir amélioré les chances de survie des descendants des algues vertes en milieu terrestre.

Retour sur le concept 28.5

1. Les pseudopodes des amibozoaires sont en forme de lobe ou de tube, tandis que ceux des foraminifères sont filiformes. **2.** Les mycétozoaires ressemblent aux eumycètes, car ils produisent des sporocarpes qui permettent la dispersion des spores; ils ressemblent aussi aux animaux, car ils sont mobiles et ingèrent de la nourriture. Toutefois, ces organismes sont plus étroitement apparentés aux tubulinés et aux entamibes qu'aux eumycètes et aux animaux.
3.

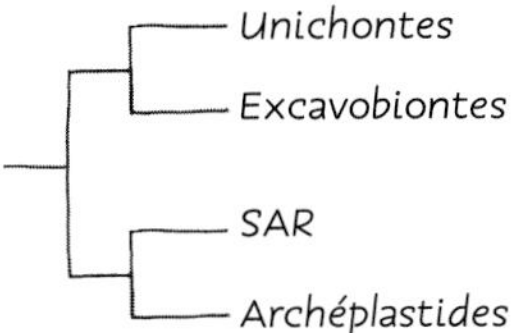

Retour sur le concept 28.6

1. Étant donné que les protistes photosynthétiques constituent le fondement des réseaux trophiques aquatiques, de nombreux organismes ont besoin d'eux, directement ou indirectement, pour se nourrir. De plus, les protistes photosynthétiques produisent un pourcentage important de l'O_2 engendré par la photosynthèse. **2.** Les protistes forment des associations mutualistes et parasitaires avec d'autres organismes. C'est le cas des dinophytes photosynthétiques, qui établissent des relations symbiotiques mutualistes avec les polypes des coraux; c'est aussi celui des parabasaliens, qui forment une symbiose mutualiste avec les termites, ou des protistes photosynthétiques qui vivent en symbiose avec une cyanobactérie devenue plaste. **3.** Le corail dépend de ses symbiontes dinophytes pour se nourrir; le blanchiment du corail pourrait entraîner sa mort. À mesure que disparaîtront les coraux, les poissons et les autres espèces qui s'en nourrissent perdront leur source de nourriture. Leurs populations risquent donc de décliner, ce qui entraînera le déclin des populations de leurs prédateurs, et donc une chute de la diversité des espèces marines. **4.** Les deux approches se distinguent par les changements évolutifs qu'elles pourraient engendrer. Une souche de la bactérie *Wolbachia* qui conférerait aux moustiques une résistance aux infections par *Plasmodium* sans nuire aux insectes se propagerait rapidement dans la population des moustiques. Le cas échéant, la sélection naturelle favoriserait tout organisme du genre *Plasmodium* qui pourrait vaincre la résistance aux infections conférée par *Wolbachia*. Par contre, avec l'emploi d'insecticides, la sélection naturelle favoriserait les moustiques capables de résister à ces produits. L'utilisation de *Wolbachia* entraînerait donc une évolution dans les populations de *Plasmodium*, alors que celle des insecticides entraînerait l'évolution des populations de moustiques.

Questions du résumé des concepts clés

28.1 Exemple de réponse: Les protistes, les végétaux, les animaux et les eumycètes sont semblables, car leurs cellules ont un noyau et des organites membraneux, contrairement aux cellules des procaryotes. Ces organites membraneux rendent les cellules eucaryotes beaucoup plus complexes que les cellules procaryotes. Les protistes et les autres eucaryotes ont aussi en commun un cytosquelette perfectionné qui leur permet de maintenir des formes asymétriques et de changer de forme lorsqu'ils se nourrissent, se déplacent ou grossissent. En ce qui a trait aux différences entre les protistes et les autres eucaryotes, la plupart des protistes sont unicellulaires, contrairement aux animaux, aux végétaux et à la plupart des eumycètes. Les protistes jouissent en outre d'une diversité nutritionnelle plus grande que d'autres eucaryotes. **28.2** De nombreux excavobiontes présentent des caractéristiques cytosquelettiques communes. Certains membres du groupe se nourrissent grâce à un cytostome, une structure qui ressemble à un entonnoir et qui est située sur un côté du corps cellulaire. De plus, les résultats d'études génomiques récentes confirment la monophylie du supergroupe des excavobiontes. **28.3** On suppose que les straménopiles et les alvéolobiontes tirent leur origine d'une endosymbiose secondaire. Cette hypothèse nous permet de déduire que l'ancêtre commun de ces deux groupes présentait un plaste et qu'il provenait, dans ce cas précis, d'une algue rouge. On peut donc imaginer que les apicomplexés (et protistes appartenant aux alvéolobiontes ou aux straménopiles) ont des plastes ou qu'ils en ont eu et les ont perdus au cours de l'évolution. **28.4** Les algues rouges, les algues vertes et les végétaux figurent dans le même supergroupe parce qu'une masse considérable de données indique que ces organismes descendent tous du même ancêtre, un protiste hétérotrophe ayant acquis un endosymbionte cyanobactérien. **28.5** Les unichontes réunissent un groupe diversifié d'eucaryotes comprenant de nombreux protistes, les animaux et les eumycètes. La plupart des protistes unichontes sont des amibozoaires, un clade d'amibes dont les pseudopodes sont en forme de lobe ou de tube (contrairement aux pseudopodes filiformes des rhizariens). Les unichontes réunissent aussi plusieurs groupes de protistes étroitement apparentés aux eumycètes, d'une part, et aux animaux, d'autre part. **28.6** Exemple de réponse: Les dinophytes photosynthétiques sont des protistes déterminants sur le plan de l'écologie, car ils procurent une source d'énergie essentielle à leurs partenaires symbiotiques, les coraux qui construisent les récifs. Les protistes symbiontes qui permettent aux termites de digérer le bois et *Plasmodium*, l'agent pathogène à l'origine du paludisme, sont d'autres exemples. Les protistes photosynthétiques, comme les diatomées, comptent parmi les plus importants producteurs des communautés aquatiques ; de nombreuses autres espèces des environnements aquatiques se nourrissent grâce à eux.

Évaluation

1. d ; **2.** b ; **3.** b ; **4.** d ; **5.** d ; **6.** c.
7.

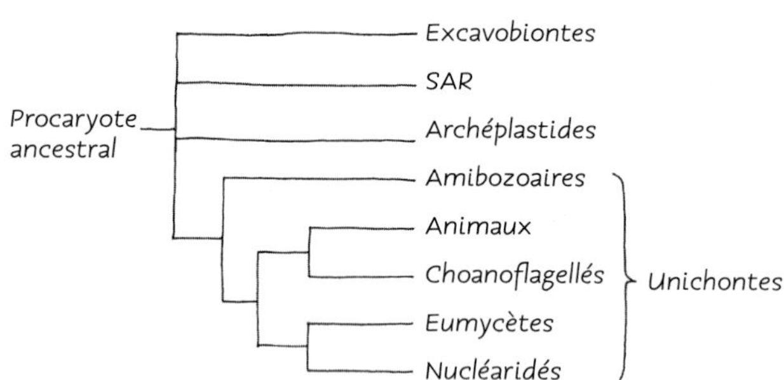

Les agents pathogènes qui ont avec les humains un ancêtre commun relativement récent sont également susceptibles de présenter des caractéristiques métaboliques et structurales communes. Le fait de partager une histoire évolutive récente rend donc plus difficile la mise au point des médicaments ciblant le métabolisme ou la structure de l'agent pathogène capables d'éliminer cet agent infectieux sans nuire à l'hôte. En procédant à rebours, nous pouvons utiliser l'arbre phylogénétique pour déterminer l'ordre dans lequel les humains ont un ancêtre commun avec des agents pathogènes de divers taxons. Ce procédé permet d'avancer qu'il devrait être plus difficile de mettre au point des médicaments contre des agents pathogènes d'origine animale que, dans l'ordre, des agents pathogènes appartenant aux groupes des choanoflagellés, des eumycètes, des nucléaridés, des amibozoaires, d'autres protistes et, enfin, des procaryotes.

CHAPITRE 29

Questions des figures

Figure 29.3 Les cycles de développement des végétaux et de certaines algues (voir la figure 13.6b) reposent sur l'alternance de générations, alors que ce n'est pas le cas pour les autres cycles de développement. Contrairement à ce que l'on observe dans le cycle de développement des animaux (figure 13.6a), la méiose qui survient pendant le cycle de développement des végétaux et des algues produit des spores, non des gamètes. Par la suite, ces spores haploïdes se divisent par mitose, pour former des individus multicellulaires haploïdes qui produisent des gamètes. Le cycle de développement des animaux ne comporte pas de stade multicellulaire haploïde. Un cycle avec alternance de générations comporte aussi un stade diploïde multicellulaire, ce qui n'est pas le cas de celui des eumycètes et des protistes de la figure 13.6c. **Figure 29.6** Les végétaux, les vasculaires et les vasculaires à graines forment un groupe monophylétique parce que chacun de ces groupes comprend l'ancêtre commun du groupe et tous les descendants de cet ancêtre commun. Les deux autres catégories de végétaux, les plantes non vasculaires et les vasculaires sans graines, sont paraphylétiques, car elles ne regroupent pas tous les descendants du plus récent ancêtre commun du groupe. **Figure 29.7** Oui. Comme le montre le schéma, le spermatozoïde et l'oosphère qui fusionnent sont nés tous les deux de la division mitotique de spores produites par le même sporophyte. Cependant, ces spores sont génétiquement différentes l'une de l'autre parce qu'elles ont été produites par méiose, un processus de division cellulaire qui entraîne des variations génétiques entre les cellules filles. **Figure 29.9** Puisque la mousse réduit la perte d'azote dans l'écosystème, les espèces qui viennent habituellement coloniser les sols après la mousse jouissent sans doute d'un taux d'azote supérieur à ce qu'elles trouveraient autrement. Dans la mesure où l'azote est un nutriment essentiel à la croissance des végétaux, la présence de la mousse s'avère bénéfique pour eux, car habituellement les sols ne contiennent pas d'azote en quantité suffisante. **Figure 29.12** L'eau ne serait pas nécessaire pour permettre la fécondation chez une fougère dont les spermatozoïdes se disperseraient sous l'effet du vent. Cette adaptation constituerait un avantage pour les espèces qui poussent en milieu aride. La sélection naturelle exercerait une forte pression vers la production aérienne de spermatozoïdes (par opposition à la situation actuelle, où les gamétophytes de certaines fougères sont enfouis dans le sol), et le cycle de développement pourrait être complété dans des milieux beaucoup plus secs.

Retour sur le concept 29.1

1. Les végétaux possèdent des caractères qu'ils partagent seulement avec les charophytes : présence d'anneaux de protéines producteurs de cellulose, spermatozoïdes flagellés et formation d'un phragmoplaste au cours de la division cellulaire. Les comparaisons des séquences d'ADN nucléaire, chloroplastique et mitochondrial indiquent aussi que certains groupes de charophytes (comme *Zygnema* et *Coleochaete*) sont les organismes le plus étroitement apparentés aux végétaux. **2.** Les parois cellulaires des spores renforcées par la sporopollénine offrent une protection contre la rigueur des conditions environnementales ; les embryons multicellulaires dépendants se développent à l'intérieur de la plante mère qui leur fournit protection et nutriments ; la cuticule réduit la perte hydrique ; les stomates régissent les échanges gazeux et diminuent la perte hydrique. **3.** Le stade diploïde multicellulaire du cycle de développement ne produirait pas de gamètes. Les hommes et les femmes produiraient plutôt des spores haploïdes par méiose. Ces spores donneraient lieu à des stades haploïdes multicellulaires masculin et féminin, ce qui constituerait une transformation majeure par rapport aux stades haploïdes unicellulaires (spermatozoïdes et ovules) qui nous caractérisent. Les stades haploïdes multicellulaires produiraient des gamètes, par mitose, et se reproduiraient de façon sexuée. Un individu au stade haploïde multicellulaire du cycle de développement humain pourrait ressembler à un être humain ou à quelque chose de tout à fait différent.

Retour sur le concept 29.2

1. Les bryophytes sont pour la plupart considérées comme des plantes non vasculaires parce qu'elles ne possèdent pas de système de transport vasculaire complexe. Elles diffèrent aussi des autres végétaux par leur cycle de développement, qui est dominé par le stade du gamétophyte plutôt que par celui du sporophyte. **2.** Exemples de réponses : la surface étendue du protonéma favorise l'absorption de l'eau et des minéraux ; les archégones en forme de vase protègent les oosphères pendant la fécondation et fournissent les nutriments aux embryons grâce à des cellules de transfert ; le pédicelle, semblable à une tige, achemine les nutriments provenant du gamétophyte jusqu'à la capsule, où les spores sont produites ; la structure et le mouvement des dents du péristome permettent la libération progressive des spores ; les stomates permettent l'échange de CO_2 et d'O_2, tout en réduisant au minimum la déperdition d'eau ; les spores légères sont dispersées par le vent. **3.** Le réchauffement planétaire pourrait avoir un effet de rétroactivation dans les tourbières. Une rétroactivation survient lorsque le produit final d'un processus accroît sa propre production. Dans ce cas-ci, on s'attend à ce que le réchauffement planétaire cause une diminution du niveau d'eau dans certaines tourbières. La tourbe serait alors exposée à l'air, ce qui entraînerait sa décomposition et la libération, dans l'atmosphère, du CO_2 emprisonné. La libération d'une plus grande quantité de CO_2 dans l'atmosphère accentuerait le réchauffement planétaire, ce qui provoquerait de nouveau une diminution des niveaux d'eau, la libération d'une plus grande quantité de CO_2 dans l'atmosphère et ainsi de suite : il s'agit d'un exemple de rétroactivation.

Retour sur le concept 29.3

1. Les lycophytes possèdent des microphylles alors que les vasculaires à graines et les monilophytes (les fougères et leurs proches parents) portent des mégaphylles. Les monilophytes et les vasculaires à graines partagent aussi des caractères que ne présentent pas les lycophytes, comme le développement asymétrique et la capacité de produire des ramifications en divers endroits le long de la racine principale. **2.** Les vasculaires sans graines et les bryophytes produisent des spermatozoïdes flagellés qui doivent se déplacer dans un film d'eau pour rejoindre l'oosphère ; cette caractéristique commune constitue un défi pour les espèces qui poussent en milieu aride. Au chapitre des différences importantes, les vasculaires sans graines ont des tissus vasculaires lignifiés bien développés, une caractéristique qui permet aux sporophytes de pousser en hauteur et qui a transformé la vie sur Terre (par la formation de forêts). Les vasculaires sans graines ont également des feuilles et des racines véritables. Comparativement aux bryophytes, ces plantes disposent d'une surface accrue pour la photosynthèse et sont en mesure de tirer plus facilement les nutriments du sol. **3.** Trois mécanismes contribuent à la variation génétique par reproduction sexuée : l'assortiment indépendant de chromosomes, l'enjambement et la fécondation aléatoire. Si deux gamètes du même gamétophyte devaient fusionner, tous les descendants seraient génétiquement identiques puisque toutes les cellules que produit un gamétophyte – y compris ses spermatozoïdes et ses oosphères – descendent, par mitose, d'une même spore. Même si l'enjambement et l'assortiment indépendant de chromosomes continuaient d'entraîner des variations génétiques pendant la production des spores (qui, ultimement, se transforment en gamétophytes), dans l'ensemble, le nombre de variations générées par reproduction sexuée chuterait.

Questions du résumé des concepts clés

29.1

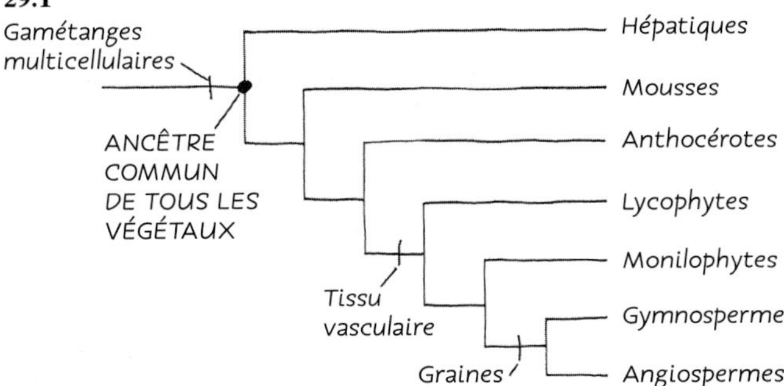

29.2 Certaines espèces de mousses colonisent des sols nus et sablonneux, permettant ainsi une meilleure rétention de l'azote dans ces milieux, qui en sont généralement dépourvus. D'autres mousses entretiennent une association symbiotique avec des cyanobactéries fixatrices d'azote, ce qui accroît la disponibilité de l'azote dans l'écosystème. La sphaigne est souvent un composant majeur des tourbières (constituées de matières organiques partiellement décomposées). Les milieux humides formés d'épaisses couches de tourbe que sont les tourbières couvrent de vastes régions et contiennent d'importantes réserves de carbone. Les tourbières influent sur le climat planétaire par leur capacité de fixer de grandes quantités de carbone – c'est-à-dire en soustrayant du CO_2 de l'atmosphère. Elles remplissent donc un rôle écologique considérable. **29.3** Le tissu vasculaire lignifié procure la solidité requise pour résister à la force gravitationnelle. Il constitue aussi une voie de transport de l'eau et des nutriments vers les parties aériennes des plantes. Les racines ont également joué un rôle clé en ancrant les plantes dans le sol et en leur procurant un soutien structural additionnel propice à la croissance en hauteur. Les plantes de grande taille gardaient les plantes plus courtes à l'ombre et, ce faisant, remportaient la compétition pour la lumière. Et parce que les spores d'une plante de grande taille se dispersent plus loin que celles d'une plante basse, il est également probable que les plantes les plus grandes ont colonisé de nouveaux habitats plus rapidement que les plantes basses.

Évaluation

1. b; **2.** d; **3.** c; **4.** a; **5.** b; **6.** (a) diploïde; (b) haploïde; (c) haploïde; (d) diploïde. **7.** D'après notre compréhension actuelle de l'évolution des grands groupes de végétaux, la phylogenèse comporte les quatre points de bifurcation suivants:

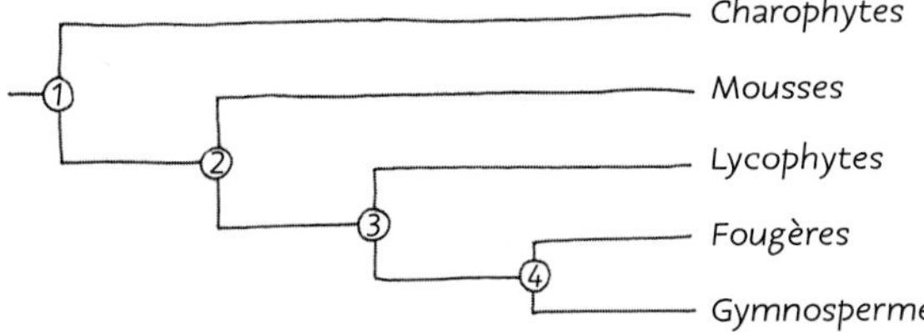

Les caractères dérivés propres au clade des charophytes et des végétaux (indiqué par le point de bifurcation 1) sont les anneaux de cellulose synthase, la structure des spermatozoïdes flagellés et la formation d'un phragmoplaste. Les caractères dérivés propres au clade des végétaux (point de bifurcation 2) sont l'alternance de générations, les embryons multicellulaires dépendants, la production de spores entourées d'une paroi dans des sporanges, les gamétanges multicellulaires et les méristèmes apicaux. Les caractères dérivés propres au clade des vasculaires (point de bifurcation 3) sont le cycle de développement dominé par les sporophytes, les systèmes vasculaires complexes (xylème et phloème) et la présence de racines et de feuilles bien développées. Les caractères dérivés propres au clade des monilophytes et des vasculaires à graines (point de bifurcation 4) sont les mégaphylles et les racines capables de se ramifier en divers endroits le long d'une racine existante. **8.** (a)

Taux de fixation de l'azote (kg N/[ha · année])
0 1 2 3
1 50 100 150 200 250 300 350 400
Années
(nombre écoulé depuis les feux de forêt)

(b) Durant les 40 années qui suivent un incendie de forêt, le taux de fixation de l'azote se situe au-dessous de 0,01 kg par hectare par année, ce qui représente moins de 1 % de la quantité des dépôts d'azote provenant de l'atmosphère. C'est donc dire que durant la première décennie qui suit un incendie de forêt, *Pleurozium schreberi* et la cyanobactérie fixatrice d'azote qu'elle porte ont relativement peu d'effet sur la quantité d'azote ajoutée à la forêt. Avec le temps, cependant, *P. schreberi* et sa partenaire symbiotique jouent un rôle de plus en plus important. Environ 170 ans après l'incendie, le pourcentage de surface au sol couverte par la mousse a cru de 70 %, entraînant une augmentation équivalente de la population de la bactérie symbiotique. Comme ces données le laissent deviner, le taux d'azote ajouté par fixation plutôt que par dépôts atmosphériques est considérablement plus important (de 130 à 300 % de plus) dans les forêts les plus vieilles.

CHAPITRE 30

Questions des figures

Figure 30.2 Enfermé dans le sporophyte, le gamétophyte renfermant l'oosphère n'est pas exposé aux effets mutagènes des rayons ultraviolets. Les cellules reproductrices contenues dans le gamétophyte ainsi protégé devraient donc subir moins de mutations, dont la plupart sont néfastes. La valeur adaptative des embryons devrait par conséquent s'améliorer puisqu'un plus petit nombre d'entre eux présenteraient de ces mutations néfastes. **Figure 30.3** La graine contient des cellules de trois générations: (1) le sporophyte de la génération actuelle (cellules $2n$, contenues dans l'enveloppe de la graine et dans les restes du mégasporange qui tapissent la paroi de la spore), (2) le gamétophyte femelle (cellules n, contenues dans la réserve de nourriture), (3) le sporophyte de la génération suivante (cellules $2n$, contenues dans l'embryon). **Figure 30.4** La division mitotique. Une mégaspore haploïde se divise par mitose pour produire un gamétophyte femelle haploïde multicellulaire. (Une microspore haploïde se divise de la même façon, par mitose, pour produire un gamétophyte mâle multicellulaire.) **Figure 30.9**

Figure 30.14 Non. L'ordre des ramifications présenté pourrait toujours convenir si l'origine des lignées d'angiospermes et de magnoliidées primitives remontait à plus de 150 millions d'années, et que les fossiles des lignées datant de cette époque n'avaient pas encore été découverts. Si tel était le cas, il serait toutefois inexact de fixer l'origine des angiospermes à 140 millions d'années.

Retour sur le concept 30.1

1. Pour pouvoir atteindre les oosphères, les spermatozoïdes flagellés des vasculaires sans graines doivent nager dans une mince couche d'eau, et leur parcours est de l'ordre de quelques centimètres seulement. Pour leur part, les spermatozoïdes des vasculaires à graines n'ont pas besoin d'eau parce qu'ils se forment dans des grains de pollen résistants et que le vent ou les animaux pollinisateurs peuvent transporter sur de très longues distances. Bien qu'ils soient flagellés chez certaines espèces, les spermatozoïdes de la plupart des vasculaires à graines ne le sont pas, puisqu'ils n'ont pas besoin de se déplacer dans l'eau: les tubes polliniques leur permettent de parvenir directement aux oosphères (près des ovules). **2.** Les minuscules gamétophytes des vasculaires à graines sont nourris par les sporophytes, qui les protègent des facteurs de stress, comme la sécheresse et les rayons ultraviolets. Les grains de pollen sont entourés de deux enveloppes, l'une interne et l'autre externe; cette dernière renferme de la sporopollénine, une substance qui les protège lors de leur transport par le vent ou les animaux. Les graines sont entourées d'une ou deux couches de tissu protecteur constituant une enveloppe qui améliore leur survie en les protégeant mieux des agressions du milieu que ne le feraient les parois des spores. Les graines contiennent aussi une réserve de nourriture, qui assure la croissance de l'embryon devenu plantule. **3.** Si une graine ne pouvait entrer en état de dormance, l'embryon entreprendrait son développement après la fécondation. Par conséquent, il pourrait rapidement devenir trop gros pour être transporté passivement, ce qui limiterait son déplacement. Les chances de survie de l'embryon pourraient également être réduites puisque sa croissance ne pourrait être retardée jusqu'à l'apparition de conditions favorables.

Retour sur le concept 30.2

1. Les gymnospermes se ressemblent en ce que leurs graines ne sont pas enfermées dans des ovaires et dans des fruits, mais les structures qui portent ces graines varient beaucoup d'un embranchement à l'autre. Ainsi, les cycadophytes possèdent des cônes volumineux, tandis que chez les ginkgophytes et les gnétophytes, les cônes sont de petite taille et ressemblent un peu à des baies, bien qu'il ne s'agisse pas de fruits. La forme des feuilles des gymnospermes varie aussi grandement : chez de nombreux conifères, ce sont des aiguilles, chez les cycadophytes, elles ressemblent à des feuilles de palmier, et chez les gnétophytes, elles sont semblables à celles des plantes à fleurs. **2.** Le cycle de développement du pin illustre l'hétérosporie. En effet, les cônes femelles produisent des mégaspores, et les cônes mâles, des microspores. Le schéma montre les minuscules gamétophytes mâles à l'intérieur de grains de pollen microscopiques et un gamétophyte femelle microscopique à l'intérieur d'une mégaspore. On y voit aussi une oosphère qui se développe dans un ovule et le tube pollinique contenant les spermatozoïdes. Le schéma montre également l'enveloppe protectrice et la réserve de nourriture de la graine.
3.

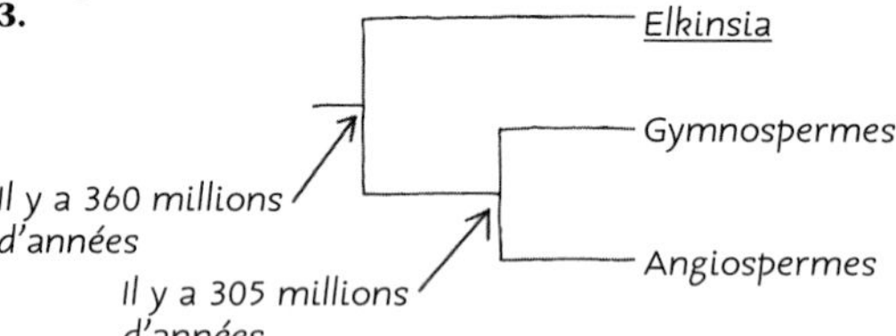

Retour sur le concept 30.3

1. Dans le cycle de développement du chêne, l'arbre (le *sporophyte*) produit des fleurs, qui contiennent des *gamétophytes* enfermés dans des grains de pollen et dans des ovules ; les oosphères des *ovules* sont fécondées ; les *ovaires* matures deviennent des *fruits* secs appelés glands. On peut considérer le début du cycle de développement du chêne au moment où les *graines* des glands germent, permettant à des embryons de devenir des plantules puis des arbres matures, lesquels produisent des fleurs puis d'autres glands. **2.** Les cônes de pin et les fleurs possèdent tous deux des sporophylles, c'est-à-dire des feuilles modifiées produisant des spores. Les pins portent des cônes mâles (contenant des grains de pollen) et des cônes femelles (dont l'écaille porte des ovules) distincts. Dans les fleurs, les grains de pollen sont produits par les anthères des étamines, et les ovules sont compris dans les ovaires des carpelles. Contrairement aux cônes de pin, beaucoup de fleurs engendrent à la fois du pollen et des ovules. **3.** Le fait que le clade des fleurs à symétrie bilatérale comporte plus d'espèces établit une corrélation entre la forme des fleurs et la vitesse de spéciation. La forme de la fleur (symétrie bilatérale ou radiaire) n'est cependant pas nécessairement responsable de cette vitesse puisqu'elle est peut-être corrélée avec un autre facteur qui, lui, est la cause véritable du résultat observé. Remarquez néanmoins qu'on a établi un lien entre la forme de la fleur et la vitesse de spéciation accrue, et ce, pour 19 paires de lignées différentes. Dans la mesure où ces 19 paires étaient indépendantes les unes des autres, cette association donne à penser – sans le confirmer – que des différences sur le plan de la forme causent la modification de la vitesse de spéciation. Les expériences contrôlées fournissent de solides preuves en ce sens, mais elles sont habituellement impossibles à réaliser pour des événements évolutifs passés.

Retour sur le concept 30.4

1. On peut envisager la diversité des végétaux comme une ressource parce que ceux-ci procurent de nombreux avantages importants aux humains ; or, cette ressource est non renouvelable parce que l'extinction des espèces végétales est irréversible. **2.** Une phylogenèse détaillée des vasculaires à graines permettrait de recenser de nombreux groupes monophylétiques. À partir d'une telle phylogenèse, les chercheurs pourraient chercher des clades dont les espèces renferment des composés médicinaux déjà découverts. En identifiant ces clades, il serait possible de restreindre les recherches de nouveaux composés à certains groupes de plantes au lieu de chercher à l'aveuglette parmi les quelque 215 000 espèces végétales connues.

Questions du résumé des concepts clés

30.1 Le tégument de l'ovule devient l'enveloppe protectrice de la graine. La mégaspore de l'ovule devient un gamétophyte femelle haploïde et deux parties de la graine sont liées au gamétophyte : la réserve de nourriture de la graine provient des cellules haploïdes du gamétophyte et son embryon se développe après que l'oosphère du gamétophyte femelle a été fécondée par un spermatozoïde. Ce qui reste du mégasporange de l'ovule entoure la paroi de la spore qui renferme la réserve de nourriture et l'embryon. **30.2** Les gymnospermes sont apparues il y a quelque 305 millions d'années, ce qui leur confère une remarquable longévité sur le plan de l'évolution. Elles présentent les cinq caractères dérivés propres à toutes les vasculaires à graines (petits gamétophytes, hétérosporie, ovules, pollen et graines), ce qui les rend bien adaptées à la vie sur la terre ferme. Enfin, les gymnospermes dominent de vastes régions géographiques, et leur distribution géographique est donc imposante. **30.3** Darwin s'est montré préoccupé par l'apparition relativement soudaine et géographiquement répandue des angiospermes, tel qu'en témoignaient les fossiles dont il disposait à l'époque. Toutefois, des données paléontologiques récentes montrent que l'apparition et la diversification des angiospermes sont survenues sur une période de 20 à 30 millions d'années, donc moins soudainement que ne le laissaient croire les fossiles dont disposait Darwin à l'époque. La découverte de nouveaux fossiles a également permis d'observer des lignées disparues de vasculaires à graines ligneuses que l'on croit plus étroitement apparentées aux angiospermes qu'aux gymnospermes ; parmi ces lignées, on compte les bennettitales, qui présentent des structures florales et que les insectes auraient pollinisées. De plus, des analyses phylogénétiques ont également permis d'établir qu'*Amborella trichopoda*, une espèce ligneuse, serait la lignée la plus primitive des angiospermes modernes. Le fait que certains ancêtres des angiospermes, des vasculaires à graines maintenant disparues, et que le taxon le plus primitif des angiospermes modernes réunissait des plantes ligneuses laissent croire que l'ancêtre commun des angiospermes était également une plante ligneuse. **30.4** La disparition des forêts tropicales pourrait contribuer au réchauffement planétaire (qui aurait des effets négatifs sur plusieurs sociétés). La biodiversité est par ailleurs essentielle à l'existence de nombreux produits et services, et les humains souffriraient de la disparition d'espèces causée par l'abattage de ce qui reste des forêts tropicales. Celles-ci abritent au moins 50 % des espèces de la planète, et il est donc justifié de considérer leur éventuelle disparition collective comme une extinction massive. Si les dernières forêts tropicales étaient détruites, nombre des espèces qu'elles abritent disparaîtraient avec elles. Une telle extinction serait comparable à ce qui s'est produit lors des cinq extinctions massives documentées dans les archives géologiques.

Évaluation

1. c ; **2.** a ; **3.** b ; **4.** d ; **5.** c.
6.

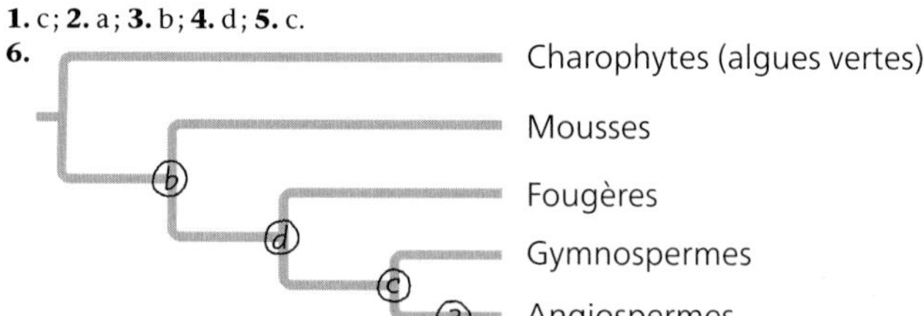

7. La structure protectrice des graines et leur capacité à entrer en dormance ont certainement permis à de nombreuses espèces végétales de traverser des périodes où régnaient des conditions défavorables à la germination, puis de germer une fois les conditions redevenues propices. De façon générale, les animaux n'ont pas cette capacité, de sorte qu'ils ont été plus durement touchés par les bouleversements à l'origine des extinctions.

8. (a)

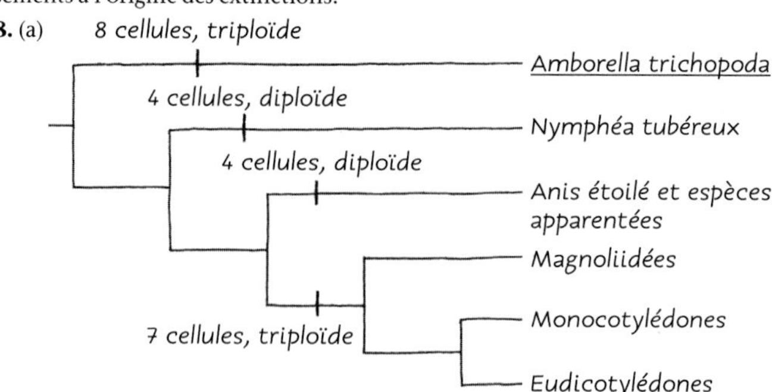

(b) La phylogenèse indique que les angiospermes basales se distinguent des autres angiospermes par le nombre de cellules que contiennent les gamétophytes femelles et par la ploïdie de l'albumen. Il est impossible de déterminer la constitution ancestrale des angiospermes à partir de ces seules données. L'ancêtre commun des angiospermes présentait peut-être des gamétophytes femelles à sept cellules et un albumen triploïde, alors que les gamétophytes à huit ou à quatre cellules observés chez les espèces basales représentent des caractères dérivés de ces lignées. Il se peut également que les gamétophytes à huit ou à quatre cellules aient constitué une caractéristique ancestrale.

CHAPITRE 31

Questions des figures

Figure 31.2 L'ADN de chacun de ces champignons sera identique s'ils font tous partie du même mycélium, ce qui est fort probable. **Figure 31.5** Les spores haploïdes formées au cours de la phase sexuée du cycle de développement proviennent de noyaux haploïdes produits par méiose. Comme des recombinaisons génétiques ont lieu durant la méiose, ces spores sont génétiquement différentes les unes des autres. En revanche, les spores haploïdes formées au cours de la phase asexuée du cycle de développement proviennent de noyaux générés par mitose; par conséquent, ces spores sont génétiquement identiques. **Figure 31.15** L'une des deux preuves suivantes (ou les deux) s'applique à toutes les espèces d'ascomycètes: les analyses d'ADN révéleraient que cet eumycète fait partie du clade des ascomycètes; des aspects de son cycle de développement indiqueraient qu'il s'agit d'un ascomycète (par exemple, il produirait des asques et des ascospores). **Figure 31.16** L'hyphe est constituée de cellules haploïdes (n), comme le montre la flèche de couleur bleu-vert en arrière-plan. **Figure 31.18** Cet eumycète est un basidiocarpe, ou un carpophore, formé de mycélium dicaryote. Par conséquent, les cellules de son pied seraient plutôt diploïdes, mais d'un type particulier, car elles sont dicaryotes ($n + n$). **Figure 31.20** Vous pourriez constituer deux groupes témoins, soit E–P– et E+P–. Il serait possible de comparer les résultats du groupe témoin E–P– avec ceux du groupe expérimental E–P+, tandis que les résultats du groupe témoin E+P– pourraient être comparés avec ceux du groupe E+P+. Ensemble, ces deux comparaisons permettraient de déterminer si l'introduction de l'agent pathogène entraîne une augmentation de la mortalité foliaire. Vous pourriez aussi comparer les résultats du groupe E–P– à ceux du deuxième groupe témoin (E+P–) pour déterminer si l'ajout des endophytes fongiques produit un effet négatif sur la plante. **Figure 31.25** Les données indiquent qu'il existe une corrélation entre le déclin des grenouilles et la présence du chytridiomycète. Pour vérifier que le mycète pourrait bien être la cause de mortalité, il faudrait confirmer sa présence chez les grenouilles mortes.

Retour sur le concept 31.1

1. Les eumycètes et les humains sont hétérotrophes. De nombreux eumycètes sécrètent des enzymes qui digèrent les nutriments qui se trouvent encore dans l'environnement; ensuite, ils absorbent les petites molécules issues de cette digestion. D'autres eumycètes absorbent de telles petites molécules provenant directement de l'environnement. Pour leur part, les humains (et la plupart des autres animaux) ingèrent des morceaux d'aliments relativement gros et les digèrent à l'intérieur de leur organisme. **2.** L'ancêtre de cet eumycète mutualiste sécrétait probablement des enzymes assez puissantes pour digérer le corps de son hôte. Puisque ce type d'enzymes nuirait à un hôte vivant, on peut penser que l'eumycète mutualiste en question ne produirait pas ces enzymes ou qu'il en limiterait la sécrétion et l'utilisation. **3.** Le carbone qu'absorbe la plante par les stomates est fixé sous forme de glucose par photosynthèse. Une partie du glucose est absorbée par l'eumycète partenaire de la plante pour former des mycorhizes; le reste est transporté dans les autres parties de la plante. Le carbone peut donc se déposer dans le corps de la plante ou dans celui de l'eumycète.

Retour sur le concept 31.2

1. Chez les eumycètes, le stade haploïde domine la majorité du cycle de développement. Chez les humains, c'est le stade diploïde qui est le plus important. **2.** Les deux champignons sont peut-être des structures reproductrices appartenant au même mycélium (au même organisme). Ils peuvent aussi appartenir à deux organismes distincts issus d'un seul parent qui se serait reproduit de manière asexuée (par exemple, de deux spores asexuées génétiquement identiques), d'où la similitude de leur information génétique.

Retour sur le concept 31.3

1. Les données génétiques indiquent que les eumycètes, les protistes qui leur sont apparentés et les animaux forment un clade, celui des opisthochontes. De plus, certains chytridiomycètes et d'autres eumycètes que l'on croit appartenir à des lignées fondamentales portent des flagelles postérieurs, comme la plupart des opisthochontes. Il se pourrait donc que les autres lignées d'eumycètes aient perdu leurs flagelles après avoir divergé d'ancêtres dotés de flagelles. **2.** Les mycorhizes forment de vastes réseaux d'hyphes dans le sol, ce qui permet aux plantes d'absorber plus efficacement les nutriments qu'elles ne le feraient par elles-mêmes; c'est ce que nous observons aujourd'hui, mais il est probable que des associations similaires étaient également très importantes pour les premiers végétaux (dépourvus de racines). Parmi les preuves d'associations mycorhiziennes ancestrales, on compte certains fossiles qui révèlent la présence d'endomycorhizes chez *Aglaophyton*, une plante ancestrale, ainsi que des données moléculaires indiquant que les hépatiques et d'autres lignées végétales fondamentales possédaient les gènes nécessaires à la formation de mycorhizes. **3.** Les eumycètes sont hétérotrophes. Avant la colonisation des milieux terrestres par les végétaux, les eumycètes terrestres auraient vécu au même endroit que d'autres organismes (ou leurs restes), et ceux-ci auraient été leur source de nourriture. Ils auraient donc pu se nourrir de procaryotes ou de protistes vivant alors sur la terre ferme ou près de l'eau, mais pas des espèces végétales ou animales actuelles dont se nourrissent aujourd'hui de nombreux eumycètes.

Retour sur le concept 31.4

1. Les spores flagellées; des données moléculaires semblent en outre indiquer que les chytridiomycètes comptent des espèces appartenant aux lignées ayant divergé d'autres eumycètes tôt dans l'histoire évolutive du groupe. **2.** Exemples de réponses possibles: Chez les zygomycètes, le zygosporange résistant, aux parois épaisses, peut supporter des conditions inhospitalières; lorsque les conditions du milieu sont favorables à la reproduction, les zygospores subissent la caryogamie et la méiose. Au moyen de leurs hyphes spécialisées, les gloméromycètes forment des endomycorhizes qui s'associent aux racines des végétaux. Chez les ascomycètes, les spores asexuées (les conidies) sont souvent produites aux extrémités des conidiophores où elles forment des chaînes ou des grappes que le vent disperse facilement. Généralement en forme de coupe, les ascocarpes portent des appareils sporifères appelés asques. Chez les basidiomycètes, le basidiocarpe soutient et protège une grande surface de basides d'où se détachent les spores qui seront dispersées. **3.** Un changement de cet ordre dans le cycle de développement d'un ascomycète réduirait le nombre et la diversité génétique des ascospores produites à la suite d'une union d'une hyphe et d'une conidie de type sexuel opposé. Le nombre d'ascospores diminuerait parce que cet événement ne pourrait conduire qu'à la formation d'un seul asque. La diversité génétique des ascospores s'affaiblirait également parce que chez les ascomycètes chaque union d'hyphes de type sexuel opposé mène à la formation d'asques par plusieurs cellules dicaryotes différentes. Par conséquent, la recombinaison génétique et la méiose se produisent à des moments différents, indépendamment l'une de l'autre, ce qui ne pourrait se produire si un seul asque était formé. On peut également penser que si un tel ascomycète formait un ascocarpe, la forme de ce dernier serait considérablement différente de celle de ses parents proches.

Retour sur le concept 31.5

1. Un milieu qui favorise la croissance, la rétention de l'eau et des minéraux, une protection contre les rayons intenses du soleil et les prédateurs. **2.** La résistance de leurs spores leur permet de se propager chez l'hôte au moyen de divers mécanismes ou de rester en dormance le temps qu'un nouvel hôte se présente; grâce à leur capacité de croître rapidement dans un nouvel environnement favorable, ils sont en mesure de tirer profit des ressources de leur hôte. **3.** Plusieurs scénarios sont envisageables. Les organismes qui forment aujourd'hui des associations mutualistes avec des eumycètes pourraient avoir acquis des aptitudes à accomplir eux-mêmes des tâches qui incombent actuellement à leurs partenaires, ou ils auraient peut-être établi une relation mutualiste avec d'autres organismes (des bactéries, par exemple). On peut aussi imaginer que des organismes qui ont aujourd'hui une relation mutualiste avec des eumycètes auraient plus de difficulté à vivre dans leur environnement actuel si la relation mutualiste n'avait jamais évolué. La colonisation des milieux terrestres par les végétaux, par exemple, aurait peut-être été plus ardue. Et si les végétaux avaient réussi à coloniser les milieux terrestres sans l'aide des eumycètes mutualistes, la sélection naturelle aurait peut-être favorisé les plantes qui développent des systèmes racinaires plus ramifiés et plus étendus (de façon à remplacer partiellement les mycorhizes).

Questions du résumé des concepts clés

31.1 Le corps d'un eumycète multicellulaire est généralement formé de minces filaments appelés hyphes. Ces filaments forment une masse enchevêtrée (le mycélium) qui pénètre dans le substrat sur lequel cet eumycète croît et se nourrit. La finesse des filaments maximise le rapport entre la surface et le volume du mycélium.

31.2

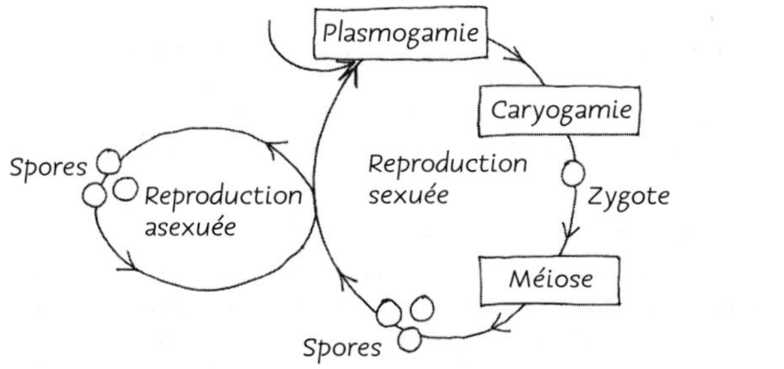

31.3 Les analyses phylogénétiques montrent que les eumycètes et les animaux sont plus étroitement apparentés qu'ils ne le sont aux autres eucaryotes multicellulaires (comme les végétaux ou les algues multicellulaires). Ces analyses montrent aussi que les eumycètes présentent des liens plus étroits avec les nucléaridés, des protistes unicellulaires, qu'avec les animaux. Mais ces derniers présentent des liens plus étroits avec les choanoflagellés, un autre groupe de protistes unicellulaires, qu'avec les eumycètes. Ces résultats combinés permettent d'affirmer que la multicellularité a évolué de façon indépendante chez les eumycètes et les animaux, depuis des ancêtres unicellulaires différents.

31.4

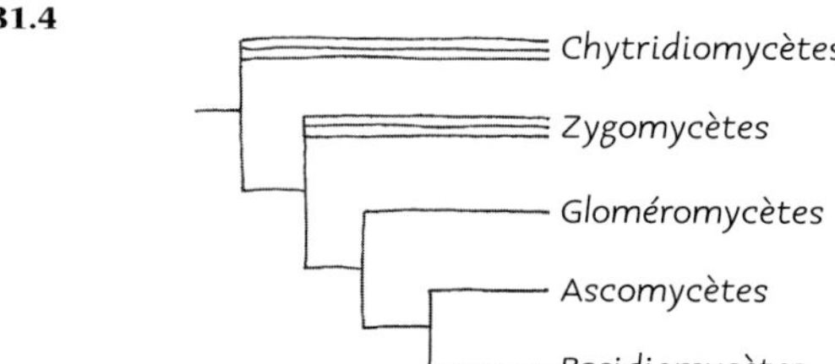

31.5 En décomposant les débris d'organismes morts, les eumycètes recyclent des éléments entre les environnements vivants et non vivants. Sans l'action des bactéries et des eumycètes décomposeurs, des nutriments essentiels resteraient emprisonnés dans la matière organique, et la vie telle que nous la connaissons cesserait. Le rôle clé des eumycètes mutualistes prend de nombreuses formes, dont les associations mycorhiziennes avec les végétaux. En améliorant la croissance et la survie des végétaux, ces associations influent indirectement sur les nombreuses autres espèces (y compris l'espèce humaine) dont la survie dépend des végétaux. Les eumycètes pathogènes nuisent à d'autres espèces. Dans certains cas, ils ont provoqué le déclin des populations hôtes sur de vastes régions, comme cela a été le cas pour l'orme d'Amérique.

Évaluation

1. b; **2.** d; **3.** a; **4.** d.

CHAPITRE 32

Questions des figures

Figure 32.3 Tel que nous le décrivons en ❶ et en ❷, les choanoflagellés et une vaste gamme d'animaux possèdent des choanocytes. Puisque ceux-ci n'ont jamais été observés chez les végétaux, les eumycètes ou d'autres protistes que les choanoflagellés, on peut penser que ces derniers sont plus étroitement apparentés aux animaux qu'à d'autres eucaryotes. Si les choanoflagellés sont plus étroitement liés aux animaux qu'à tout autre groupe d'eucaryotes, ils devraient partager avec eux d'autres caractères communs que l'on ne trouve pas chez les autres eucaryotes. Les données décrites en ❸ sont cohérentes avec cette description. **Figure 32.10** Les cellules d'un jeune embryon à développement deutérostomien ne présentent généralement pas de destinée développementale particulière, contrairement aux cellules d'un jeune embryon à développement protostomien. Par conséquent, un embryon à développement deutérostomien est plus susceptible de contenir des cellules souches, aptes à produire n'importe quel type de cellule. **Figure 32.11** Dans cet arbre, les cnidaires constituent le groupe frère des bilatériens.

Retour sur le concept 32.1

1. Chez la plupart des animaux, le zygote subit la segmentation, entraînant la formation de la blastula. Lors de la gastrulation, l'une des extrémités de l'embryon s'invagine pour produire les feuillets embryonnaires. De la spécialisation des cellules de ces feuillets embryonnaires découle une grande variété de formes animales. Malgré cette diversité, le développement animal est régi par une même famille de gènes, les gènes *Hox*. **2.** Cette plante imaginaire devrait être dotée de tissus dont les cellules sont analogues aux cellules musculaires et nerveuses que l'on trouve chez les animaux : les tissus « musculaires » permettraient à la plante de chasser ses proies, alors que les tissus « nerveux » seraient nécessaires à la coordination de ses mouvements pendant la chasse. Pour digérer ses proies, la plante devrait pouvoir sécréter des enzymes dans une ou plusieurs cavités digestives (qui pourraient être des feuilles modifiées, comme celles de la dionée attrape-mouches) ou à l'extérieur de son corps pour se nourrir par absorption. Pour extraire des nutriments du sol – tout en étant capable de chasser des proies –, la plante aurait besoin d'attributs autres que des racines qui l'immobilisent ; peut-être devrait-elle posséder des racines rétractables ou acquérir l'aptitude à ingérer le sol ? Pour réaliser la photosynthèse, la plante aurait besoin de chloroplastes. En fait, une telle plante ressemblerait beaucoup à un animal doté de chloroplastes et de racines rétractables.

Retour sur le concept 32.2

1. c, b, a, d. **2.** Le segment rouge de l'arbre représente les ancêtres des animaux qui ont vécu il y a 1 milliard d'années à 770 millions d'années. Même si ces ancêtres sont plus étroitement apparentés aux animaux qu'aux eumycètes, ils ne seraient pas classés au sein des animaux. Parmi les ancêtres représentés par ce segment rouge, on compte l'ancêtre commun le plus récent des choanoflagellés et des animaux. **3.** La descendance avec modification se définit par la présence de caractéristiques communes entre un organisme et ses ancêtres (en raison de leur ascendance commune). On observe également certaines différences entre eux (parce que les organismes accumulent des caractéristiques distinctes au fil du temps, alors qu'ils s'adaptent à leur environnement). Par exemple, l'évolution des cadhérines chez les animaux constitue une étape importante au regard de l'origine des animaux multicellulaires. Ces protéines illustrent les deux aspects de la descendance avec modification : les cadhérines animales possèdent de nombreux domaines protéiques également présents dans les protéines similaires observées chez les choanoflagellés ancestraux, mais elles possèdent aussi un domaine « CCD » unique que l'on ne trouve pas chez les choanoflagellés.

Retour sur le concept 32.3

1. Les caractéristiques des grades sont communes à de multiples lignées, sans égard à l'histoire de leur évolution. Certaines de ces caractéristiques peuvent être apparues à maintes reprises, de façon indépendante. Les caractéristiques des clades sont des caractères dérivés provenant d'un ancêtre commun, qui les a transmis aux divers descendants. **2.** L'escargot se développe par segmentation spirale et déterminée, et l'humain par segmentation radiaire et indéterminée. Chez l'escargot, le cœlome se forme à partir des tissus provenant du mésoderme, et celui de l'humain, à partir des replis de l'archentéron. Chez l'escargot, le blastopore devient la bouche, et chez l'humain, il devient l'anus. **3.** Chez la plupart des cœlomates triploblastes, le tube digestif est muni de deux orifices, la bouche et l'anus. De ce fait, leur corps présente une structure en forme de beignet : le tube digestif (le trou du beignet) s'étend de la bouche à l'anus et il est entouré de divers tissus (la partie solide du beignet). Notez que cette structure en forme de beignet est plus évidente dans les stades précoces du développement. (Voir la figure 32.10c.)

Retour sur le concept 32.4

1. Contrairement aux éponges, les cnidaires possèdent des tissus et présentent une symétrie corporelle, bien que celle-ci soit radiaire et non bilatérale, comme chez la plupart des autres embranchements d'animaux.

2.

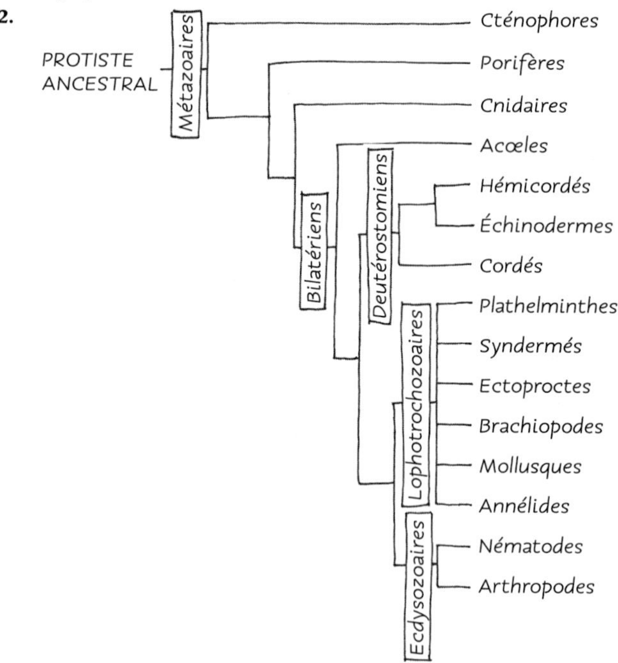

Si l'hypothèse voulant que les cténophores soient des métazoaires primitifs était vraie, les éponges (qui n'ont pas de tissu) appartiendraient à un clade dont les membres posséderaient des tissus. Par conséquent, un groupe constitué d'animaux possédant des tissus ne formerait pas un clade. **3.** La phylogenèse de la figure 32.11 indique que les mollusques font partie des lophotrochozoaires, l'un des trois principaux groupes de bilatériens (les autres étant les deutérostomiens et les ecdysozoaires). Comme l'illustre la figure 25.11, les données fossiles montrent que les mollusques existaient des dizaines de millions d'années avant l'explosion du Cambrien. C'est donc dire que le clade des lophotrochozoaires a pris forme bien avant l'explosion du Cambrien et qu'il a évolué indépendamment des lignées qui ont produit les deutérostomiens et les ecdysozoaires.

Toujours d'après la phylogenèse de la figure 32.11, nous pouvons aussi conclure que les lignées qui ont produit ces deux derniers embranchements ont évolué indépendamment l'une de l'autre avant l'explosion du Cambrien. Puisque les lignées ayant mené aux trois principaux clades de bilatériens ont évolué de façon indépendante les unes des autres avant l'explosion du Cambrien, on peut dire que cette dernière a consisté en trois explosions plutôt qu'en une seule.

Questions du résumé des concepts clés

32.1 Contrairement aux animaux, des organismes hétérotrophes qui ingèrent leur nourriture, les végétaux sont autotrophes et les eumycètes sont des organismes hétérotrophes qui se développent sur leur source d'approvisionnement et s'en nourrissent par absorption. Les cellules animales sont dépourvues de parois, contrairement aux cellules des végétaux et des eumycètes. Les animaux sont également dotés de tissus musculaires et nerveux, ce dont sont dépourvus les végétaux et les eumycètes. De plus, les spermatozoïdes et les ovules des animaux sont produits par division méiotique, contrairement à ce qui se produit chez les végétaux et les eumycètes (dont les cellules reproductrices, comme les spermatozoïdes et les oosphères, sont produites par division mitotique). Chez les animaux, enfin, le développement de la morphologie est régi par les gènes *Hox,* une famille de gènes inexistante chez les végétaux et les eumycètes. **32.2** Trois hypothèses tentent d'expliquer la cause de l'explosion du Cambrien, soit la nouvelle relation prédateur-proie, l'augmentation de la concentration d'O_2 dans l'atmosphère et la nouvelle flexibilité du développement causée par l'évolution du groupe des gènes *Hox* et d'autres changements génétiques. **32.3** Le plan d'organisation corporelle est une façon pratique de comparer les caractéristiques clés des organismes. Cependant, les analyses phylogénétiques montrent que les différents plans d'organisation corporelle sont apparus indépendamment chez différents groupes d'organismes. Des plans d'organisation corporelle semblables pourraient donc s'expliquer par l'évolution convergente, ce qui ne nous renseignerait pas sur de possibles liens évolutifs. **32.4** Les êtres humains appartiennent aux clades suivants, énumérés du plus inclusif au moins inclusif: métazoaires, eumétazoaires, bilatériens, deutérostomiens et cordés.

Évaluation

1. a; **2.** d; **3.** c; **4.** b.

CHAPITRE 33

Questions des figures

Figure 33.8 Le cycle de développement d'*Obelia sp.* ressemble davantage à celui que présente la figure 13.6a. Chez *Obelia sp.*, le polype et la méduse sont tous deux des organismes diploïdes. Seuls les gamètes unicellulaires sont haploïdes, une caractéristique typique des animaux. En revanche, les végétaux et certaines algues (figure 13.6b) comptent une génération haploïde multicellulaire et une génération diploïde multicellulaire. *Obelia sp.* se distingue également des eumycètes et de certains protistes (figure 13.6c) qui comptent un stade diploïde unicellulaire. **Figure 33.9** Parmi les exemples, on compte, à l'intérieur des cellules, le réticulum endoplasmique (forme aplatie; augmente la surface de biosynthèse) et la crête mitochondriale (repli; augmente la surface consacrée à la respiration cellulaire) ainsi que le chevelu racinaire des plantes (projections; augmente la surface d'absorption) et les systèmes cardiovasculaires des animaux (ramifications; ces dispositifs augmentent la surface permettant l'échange de matières dans les tissus). **Figure 33.11** L'ajout d'engrais à la réserve d'eau augmenterait probablement la population d'algues, ce qui entraînerait une augmentation de la population d'escargots (qui se nourrissent d'algues). Si l'eau était en outre contaminée par des excréments provenant d'humains atteints de schistosomiase, une augmentation du nombre d'escargots conduirait probablement à une augmentation du nombre de schistosomes (qui utilisent l'escargot comme hôte intermédiaire). Par conséquent, on observerait une augmentation de la prévalence de cette maladie. **Figure 33.22** L'extinction des bivalves dulcicoles pourrait entraîner une augmentation des populations de protistes et de bactéries photosynthétiques. Puisque ces organismes se trouvent à la base des réseaux trophiques aquatiques, l'augmentation de leurs populations pourrait avoir des effets majeurs sur les communautés aquatiques (notamment l'augmentation des populations de certaines espèces au détriment de celles d'autres espèces). **Figure 33.30** Un tel résultat aurait été cohérent avec l'hypothèse selon laquelle l'apparition des gènes *Hox Ubx* et *abd-A* aurait joué un rôle important dans l'évolution vers la diversification de la segmentation corporelle chez les arthropodes. Il ne l'aurait cependant pas confirmé pour autant, pas plus qu'il n'aurait permis d'affirmer que ces gènes *Hox* ont *causé* la diversification de la segmentation corporelle des arthropodes. Il aurait simplement montré une *corrélation* entre la présence des gènes *Hox Ubx* et *abd-A* et cette plus grande diversification. **Figure 33.36** Vous devriez avoir encerclé le clade regroupant les insectes, les rémipèdes et les autres crustacés ainsi que le point de bifurcation représentant leur ancêtre commun le plus récent.

Retour sur le concept 33.1

1. Les choanocytes sont pourvus de flagelles dont le mouvement attire l'eau dans des collerettes qui retiennent les particules de nourriture. Les particules sont ensuite absorbées par phagocytose puis digérées, soit par les choanocytes, soit par les amibocytes. **2.** Les choanocytes des éponges ressemblent fortement aux cellules des choanoflagellés. Cet indice nous porte à croire que le dernier ancêtre commun des animaux et des protistes, leur groupe frère, pourrait avoir ressemblé à un choanoflagellé. Quoi qu'il en soit, les mésomycétozoaires pourraient quand même être un groupe frère des animaux. Le cas échéant, l'absence de choanocytes chez les mésomycétozoaires indiquerait qu'avec le temps leur structure a tellement évolué qu'elle ne ressemble plus à celle d'un choanoflagellé. Il se peut aussi que les choanoflagellés et les éponges présentent des choanocytes semblables en raison d'une évolution convergente.

Retour sur le concept 33.2

1. Les formes polype et méduse comportent un feuillet externe, l'épiderme, et un feuillet interne, le gastroderme, qui sont séparés par une couche gélatineuse, appelée mésoglée. Le polype est cylindrique et adhère au substrat par son extrémité aborale; la méduse est aplatie et se déplace librement dans l'eau; sa bouche pointe vers le bas. **2.** Les cnidocytes sont situées aux endroits stratégiques pour attraper des proies, soit sur les tentacules de la forme polype et de la forme méduse. **3.** L'évolution ne vise pas un objectif particulier; il serait donc erroné d'affirmer que les cnidaires ne sont pas «très évolués» simplement parce que leur forme a relativement peu changé au cours des derniers 560 millions d'années. À vrai dire, la pérennité des cnidaires indique que leur plan d'organisation corporelle est remarquablement réussi et bien adapté à leur milieu.

Retour sur le concept 33.3

1. Les cestodes ayant un corps très plat – en partie parce qu'ils n'ont pas de cœlome –, ils sont en mesure d'absorber les nutriments présents dans le milieu et d'éliminer les déchets azotés par toute leur surface corporelle. **2.** Le tube intérieur correspond au tube digestif qui fait toute la longueur du corps. Le tube extérieur constitue la paroi corporelle. Les deux tubes sont séparés par le cœlome. **3.** Tous les mollusques tiennent leur pied de leur ancêtre commun. D'un groupe à l'autre, cependant, la structure du pied s'est modifiée avec le temps par sélection naturelle. Les gastéropodes utilisent leur pied pour se cramponner à leur substrat ou se déplacer lentement. Chez les céphalopodes, le pied forme un ensemble comprenant des tentacules et un siphon exhalant par lequel l'eau est propulsée (entraînant un mouvement dans la direction contraire).

Retour sur le concept 33.4

1. Contrairement à celui des annélides, le corps des nématodes ne possède ni segments ni vrai cœlome. **2.** L'exosquelette qui était apparu chez les arthropodes marins a permis aux espèces terrestres de prévenir la déshydratation et leur a procuré la rigidité nécessaire pour vivre sur la terre ferme. Grâce à leurs ailes, les insectes ont pu atteindre rapidement de nouveaux habitats, où ils ont trouvé de la nourriture et des partenaires. Le système trachéen assure les échanges gazeux malgré la présence d'un exosquelette. **3.** Oui. Selon l'hypothèse classique, on présume que la segmentation corporelle est régie par des gènes *Hox* similaires chez les annélides et les arthropodes. Cependant, si les annélides font partie des lophotrochozoaires alors que les arthropodes sont des ecdysozoaires (comme les données actuelles le laissent croire), il se pourrait que la segmentation corporelle ait évolué de façon indépendante chez ces deux groupes. Dans ce cas, il se peut que le développement de la segmentation corporelle relève de gènes *Hox* différents chez les deux clades.

Retour sur le concept 33.5

1. Chaque pied ambulacraire est constitué d'une ampoule et d'une ventouse. Lorsqu'elle se comprime, l'ampoule expulse l'eau qu'elle contient dans le pied, qui s'allonge et se contracte sur le substrat. L'ampoule sécrète alors des substances chimiques adhésives qui la font adhérer à ce substrat. **2.** Les insectes et les nématodes font partie des ecdysozoaires, l'un des trois grands clades de bilatériens. Par conséquent, une caractéristique présente à la fois chez *D. melanogaster* et chez *C. elegans* peut nous renseigner sur d'autres membres de leur clade, mais pas nécessairement sur les deutérostomiens. D'après la figure 33.2, il faudrait plutôt chercher du côté des échinodermes ou des cordés pour trouver un organisme modèle invertébré susceptible de nous renseigner sur les humains et d'autres vertébrés. **3.** Les échinodermes comprennent des espèces présentant des morphologies très variées. Or, même les échinodermes qui ne se ressemblent pas du tout – par exemple l'étoile et le concombre de mer – possèdent des caractéristiques propres à leur embranchement, notamment un système ambulacraire (réseau de canaux hydrauliques) et des pieds ambulacraires. Les différences observables entre les espèces d'échinodermes illustrent la diversité du vivant, alors que leurs caractéristiques communes en illustrent l'unité. On peut observer l'harmonie entre les organismes et leur environnement dans certaines caractéristiques des échinodermes, comme la capacité de l'étoile de mer à dévaginer son estomac (ce qui lui permet de digérer des proies dont le diamètre est supérieur à celui de sa bouche) et l'anneau de structures complexes qui permet aux oursins de manger des algues marines.

Questions du résumé des concepts clés

33.1 Le corps d'une éponge est formé de deux feuillets de cellules toujours en contact avec l'eau. Par conséquent, les échanges gazeux et l'expulsion des excréments peuvent se faire par diffusion à travers la membrane de ces cellules. Les choanocytes et les amibocytes ingèrent des particules de nourriture en suspension. Les choanocytes en libèrent aussi aux amibocytes, qui les digèrent et transmettent les nutriments aux autres cellules. **33.2** Le plan d'organisation corporelle des cnidaires a l'aspect d'un sac renfermant un compartiment digestif central, la cavité gastrovasculaire. L'orifice unique sert à la fois de bouche et d'anus. Les deux principales variations de ce plan d'organisation corporelle sont les polypes (qui adhèrent au substrat par l'extrémité aborale de leur corps) et les méduses (qui se déplacent librement dans l'eau et ressemblent à une version aplatie et renversée du polype). **33.3** Non. Certains lophotrochozoaires présentent une couronne de tentacules ciliés qui servent à la nutrition (des lophophores), alors que d'autres comportent un stade de développement au cours duquel ils se transforment en une larve ciliée appelée trochophore. De nombreux autres lophotrochozoaires ne présentent pas ces caractéristiques. Aussi le clade est-il principalement défini par ses ressemblances génétiques plutôt que par des ressemblances morphologiques. **33.4** De nombreuses espèces de nématodes vivent dans le sol et dans les sédiments accumulés au fond des lacs et des océans. Ces espèces libres (non parasites) jouent un rôle important dans la décomposition et le recyclage des nutriments. D'autres espèces sont parasites, et un grand nombre s'attaquent aux racines des plantes, alors que d'autres s'attaquent plutôt aux animaux (humains compris). Les arthropodes ont une très grande influence sur tous les aspects de l'écologie. Dans les environnements aquatiques, les crustacés jouent un rôle clé à titre de brouteurs (d'algues), de charognards et de prédateurs. Certaines espèces comme le krill constituent d'importantes sources alimentaires pour les baleines, rorquals et autres vertébrés. Sur la terre ferme, les insectes et autres arthropodes, comme les araignées et les tiques, exercent leur influence d'une façon ou d'une autre sur presque tous les environnements. Il existe plus d'un million d'espèces d'insectes – herbivores, prédateurs, parasites, décomposeurs ou vecteurs de maladies –, dont un grand nombre ont des effets écologiques considérables. Les insectes constituent aussi une source de nourriture importante pour beaucoup d'organismes, incluant les humains de certaines régions du monde. **33.5** Les échinodermes et les cordés sont deux embranchements des deutérostomiens, l'un des trois principaux clades de bilatériens. À ce titre, les cordés (dont font partie les humains) sont plus étroitement liés aux échinodermes qu'aux animaux de tout autre clade présenté dans ce chapitre. Cela dit, les échinodermes et les cordés ont évolué de façon indépendante pendant plus de 500 millions d'années. Cette affirmation n'est pas contradictoire avec les liens étroits qu'entretiennent les deux groupes, mais elle montre bien que le terme « étroit » est relatif.

Évaluation

1. a; **2.** c; **3.** b; **4.** d; **5.** c; **6.** d.

CHAPITRE 34

Questions des figures

Figure 34.2

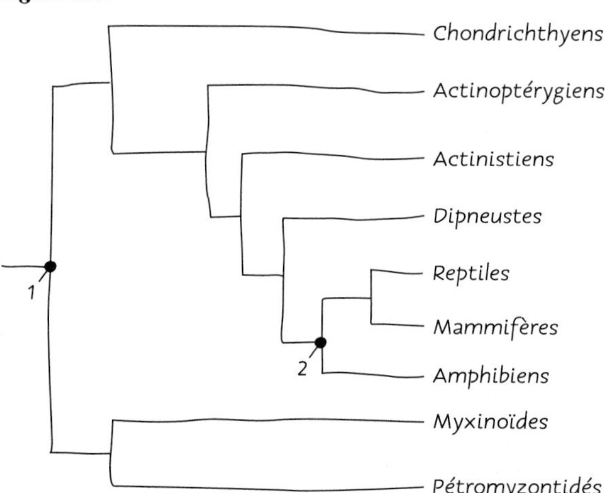

D'après l'arbre des vertébrés redessiné, les mammifères (y compris les humains) sont regroupés près du centre. En représentant l'arbre des vertébrés de cette façon, on illustre le fait que l'histoire évolutive des vertébrés ne consiste pas en une série d'étapes menant aux humains. **Figure 34.6** Les résultats présentés donnent à penser que des gènes *Hox* particuliers, et l'ordre selon lequel ils s'expriment, ont été remarquablement préservés au fil de l'évolution. **Figure 34.20** *T. roseae* était un sarcoptérygien qui présentait des caractères propres aux poissons et aux tétrapodes. Comme un poisson, il avait des nageoires, des écailles et des branchies. Comme le veut le concept darwinien de descendance avec modification, on peut attribuer ce type de caractères communs à des espèces ancestrales; dans ce cas-ci, les ancêtres de *T. roseae* étaient des poissons. Il présente aussi des traits absents chez les poissons, mais spécifiques des tétrapodes, notamment un crâne aplati, un cou, une cage thoracique complète et la structure osseuse de ses nageoires. Ces caractères illustrent la seconde partie du concept de descendance avec modification, qui montre comment des caractéristiques ancestrales se sont modifiées avec le temps. **Figure 34.21** Quelque part entre 370 et 340 millions d'années avant notre ère. Cette déduction s'appuie sur le fait que les amphibiens n'ont pas pu émerger avant l'apparition de l'ancêtre commun le plus récent de *Tulerpeton spp.* et des tétrapodes actuels (et on dit que cet ancêtre vivait il y a 370 millions d'années), sans dépasser la date des plus anciens fossiles connus d'amphibiens (il y a 340 millions d'années, selon la figure). **Figure 34.25** Les ptérosauriens ne descendent pas de l'ancêtre commun de tous les dinosaures. Il ne s'agit donc pas de dinosaures. Toutefois, les oiseaux descendent de l'ancêtre commun des dinosaures. Un clade monophylétique de dinosaures doit donc compter les oiseaux. En ce sens, les oiseaux font partie des dinosaures. **Figure 34.37** Dans une voie catabolique, comme le processus aérobie de respiration cellulaire, l'eau libérée est un sous-produit lorsqu'un composé organique comme le glucose réagit avec de l'O_2 (H_2O est le produit final de la chaîne respiratoire). Le rat-kangourou peut préserver et utiliser cette eau, ce qui diminue son besoin de boire. **Figure 34.38** En général, l'exaptation se produit lorsqu'une structure remplissant une fonction acquiert une fonction différente au cours d'une série de stades intermédiaires. Ces structures intermédiaires remplissent généralement une nouvelle fonction dans l'organisme. L'intégration des os articulaire et carré dans l'oreille intermédiaire des mammifères est un exemple d'exaptation puisqu'à l'origine ces os faisaient partie de la mâchoire, où ils tenaient lieu d'articulation. Avec le temps, cependant, ils ont été affectés à une autre fonction : la transmission du son. **Figure 34.44** Comme l'illustre cette phylogenèse, les chimpanzés et les humains se situent à l'extrémité de branches distinctes de l'évolution. Par conséquent, les lignées des humains et des chimpanzés ont évolué séparément après avoir divergé de leur ancêtre commun – un événement qui serait survenu il y a entre 7 et 6 millions d'années. Il est donc inexact d'affirmer que les humains descendent des chimpanzés (ou l'inverse). Si c'était le cas, la lignée humaine apparaîtrait dans la suite de la lignée du chimpanzé, tout comme les oiseaux sont rangés dans le clade des reptiles (voir la figure 34.25). **Figure 34.51** D'après les archives géologiques, les néandertaliens n'ont pas vécu en Afrique. Il est donc peu probable qu'un croisement (échange de gènes) ait eu lieu entre les néandertaliens et les humains de l'Afrique. Cependant, après le départ des humains de l'Afrique, des croisements auraient pu se produire entre les néandertaliens et les humains dans la première région où les deux espèces sont entrées en contact, soit le Moyen-Orient. Par la suite, les humains porteurs de gènes néandertaliens auraient pu se déplacer dans d'autres régions, ce qui expliquerait pourquoi les néandertaliens sont également apparentés aux humains de la France, de la Chine et de la Papouasie-Nouvelle-Guinée.

Retour sur le concept 34.1

1. Les quatre caractères sont la notocorde, le tube neural dorsal creux, les rainures ou fentes branchiales et la queue musculaire postanale. **2.** Chez les humains, ces caractères ne sont présents qu'au stade embryonnaire. Au stade adulte, la notocorde ne subsiste que sous forme de disques intervertébraux; le tube neural dorsal creux donne naissance au cerveau et à la moelle épinière; les fentes branchiales donnent naissance à diverses structures de la tête et du cou; et la queue disparaît presque complètement. **3.** Vous pourriez vous attendre à ce que les actinoptérygiens, les actinistiens, les dipneustes, les amphibiens, les reptiles et les mammifères aient des poumons ou des organes apparentés. Tous ces groupes sont situés à droite du trait (ont évolué après) indiquant l'apparition de ce trait dérivé au sein de leur lignée.

Retour sur le concept 34.2

1. Les lamproies parasites possèdent une bouche circulaire et une langue râpeuse à l'aide de laquelle elles s'agrippent aux poissons pour se nourrir en suçant leur sang. Les lamproies non parasites ne se nourrissent qu'à l'état larvaire; ces larves ressemblent à des amphioxus et sont suspensivores. Les conodontes présentaient deux séries d'éléments dentaires minéralisés qu'ils utilisaient, semble-t-il, pour embrocher leurs proies et les découper. **2.** Cette constatation donne à penser que la sélection naturelle a favorisé les premiers organismes dotés d'une tête, et ce, dans plusieurs lignées. Or, s'il peut sembler logique d'affirmer que le fait d'avoir une tête constituait un avantage, les fossiles ne suffisent pas pour en faire la preuve. **3.** Chez les vertébrés cuirassés dépourvus de mâchoires, le tissu osseux formait une protection externe contre les prédateurs. Certaines espèces présentaient aussi des éléments dentaires minéralisés qui leur ont permis de devenir des charognards et des prédateurs.

Retour sur le concept 34.3

1. Les requins et les thons sont des gnathostomes qui possèdent des mâchoires, quatre groupes de gènes *Hox*, un cerveau antérieur plus gros que celui des vertébrés non gnathostomes et un organe sensoriel de la ligne latérale. Chez les requins, le squelette osseux a fait place à un squelette constitué en grande partie de cartilage, tandis que chez les thons il est demeuré osseux. De plus, les requins possèdent une valvule spirale. Les thons, de leur côté, ont un opercule et une vessie natatoire, de même que des nageoires soutenues par des rayons flexibles. **2.** Les gnathostomes aquatiques possèdent des mâchoires (une adaptation qui facilite l'alimentation), des nageoires jumelées et une queue (une adaptation qui facilite la nage). Ils présentent en outre une forme généralement aérodynamique qui optimise le déplacement dans l'eau, une vessie natatoire et d'autres mécanismes (comme l'emmagasinage d'huile chez les requins) qui augmentent la flottabilité. **3.**

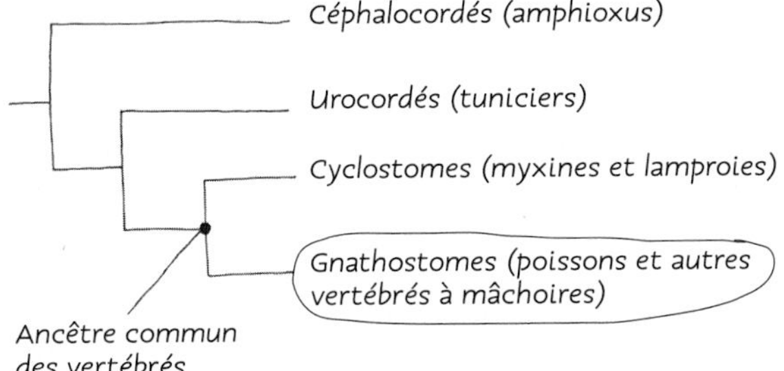

4. Cela aurait pu effectivement se produire. Les nageoires jumelées des gnathostomes aquatiques autres que les sarcoptérygiens auraient pu servir de point de départ à l'évolution de membres. La colonisation terrestre par ces gnathostomes aurait peut-être été plus aisée pour les lignées dotées de poumons, qui auraient permis la respiration.

Retour sur le concept 34.4

1. L'origine des tétrapodes remonte à quelque 365 millions d'années, lorsque l'évolution a transformé les nageoires de certains sarcoptérygiens. En plus de leurs quatre membres munis de doigts – le caractère dérivé auquel ils doivent leur nom –, les tétrapodes ont aussi un cou (formé de vertèbres qui séparent la tête du reste du corps) et une ceinture pelvienne soudée à la colonne vertébrale. **2.** Certaines espèces uniquement aquatiques se développent selon un processus de pédomorphose, c'est-à-dire qu'elles conservent des caractéristiques larvaires à l'âge adulte. Les espèces qui vivent dans des environnements secs peuvent éviter la déshydratation en demeurant dans des terriers ou sous des feuilles humides; des adaptations comme la fabrication de nids mousseux et l'ovoviviparité ou la viviparité leur permettent de protéger les œufs. **3.** De nombreux amphibiens passent une partie de leur vie en milieu aquatique, pour ensuite vivre en milieu terrestre. Ils risquent donc d'être exposés à une grande variété de problèmes environnementaux, notamment la pollution de l'eau et de l'air ainsi que la perte ou la dégradation d'habitats aquatiques et terrestres. De plus, les amphibiens ont une peau extrêmement perméable qui les protège peu des conditions externes, et leurs œufs sont dépourvus de coquille protectrice.

Retour sur le concept 34.5

1. L'œuf amniotique protège l'embryon et rend possible son développement sur la terre ferme, éliminant la nécessité d'un environnement aquatique pour la reproduction. La ventilation par la cage thoracique constitue aussi une adaptation clé puisqu'elle améliore l'entrée d'air et aurait permis aux premiers amniotes de respirer autrement que par la peau. Enfin, en ne servant plus à la respiration, la peau est devenue relativement imperméable, ce qui a permis aux amniotes d'éviter les pertes d'eau. **2.** Oui. Bien qu'ils soient dépourvus de membres, les serpents descendent de lézards qui en ont. Certains serpents ont conservé des vestiges des os qui formaient le bassin et les pattes, ce qui confirme leur ascendance. **3.** Les oiseaux présentent des adaptations qui favorisent la réduction de la masse, comme l'absence de dents et de vessie, et la présence d'un seul ovaire chez les femelles. Le vol est aussi facilité par les adaptations suivantes: les ailes et les plumes, et des systèmes respiratoire et cardiovasculaire qui favorisent un métabolisme élevé. **4.** (a) synapsides; (b) tuataras; (c) tortues.

Retour sur le concept 34.6

1. Les monotrèmes pondent des œufs. Les marsupiaux donnent naissance à de minuscules petits qui s'agrippent à un mamelon de la mère dans sa poche ventrale, où ils terminent leur développement fœtal. Les euthériens mettent au monde des petits bien développés. **2.** Des mains et des pieds qui permettent de s'agripper; des ongles plats; un cerveau volumineux; des yeux rapprochés situés sur le devant d'un visage plat; des soins parentaux; un gros orteil et un pouce mobiles. **3.** Les mammifères sont endothermes, ce qui leur permet de vivre dans divers habitats. Le lait procure aux petits un apport équilibré de nutriments, et le poil et la couche de graisse sous la peau permettent aux mammifères de garder leur chaleur. Les mammifères ont des dents différenciées, ce qui leur permet de manger toutes sortes d'aliments. Leur cerveau est aussi relativement volumineux, et de nombreuses espèces sont capables d'apprendre. Après l'extinction massive survenue à la fin du Crétacé, l'absence de grands dinosaures terrestres a peut-être libéré des niches écologiques pour les mammifères et favorisé leur radiation adaptative. La dérive des continents a en outre isolé de nombreux groupes de mammifères, ce qui a favorisé la formation d'un grand nombre de nouvelles espèces.

Retour sur le concept 34.7

1. À l'intérieur du clade des grands singes, les homininés forment un clade groupant les humains et toutes les espèces plus étroitement apparentées aux humains qu'aux autres grands singes actuels. Les caractères dérivés des homininés sont la bipédie et un cerveau relativement volumineux. **2.** Chez les homininés, la bipédie est survenue bien avant que le cerveau augmente de volume. *Homo ergaster*, par exemple, se tenait complètement droit; il était bipède et aussi grand que l'humain moderne, mais son cerveau était beaucoup plus petit que le nôtre. **3.** Oui, les deux sont justes. *Homo sapiens* pourrait avoir fondé des populations hors de l'Afrique aussi tôt qu'il y a 115 000 ans, comme l'indiquent les archives géologiques. Cependant, il ne reste peut-être pas de descendants de ces populations (ou alors très peu) aujourd'hui. Tous les humains modernes descendent peut-être d'Africains qui se sont disséminés depuis l'Afrique, il y a environ 50 000 ans, comme l'indiquent les données génétiques.

Questions du résumé des concepts clés

34.1 Les céphalocordés constituent le groupe le plus fondamental des cordés actuels et présentent, au stade adulte, des caractères dérivés des cordés. On peut donc penser que l'ancêtre commun des cordés aurait pu ressembler à un céphalocordé, avec une bouche sur sa partie antérieure ainsi que les quatre caractères dérivés suivants: une notocorde, un tube neural dorsal creux, des rainures ou fentes branchiales et une queue musculaire postanale. **34.2** Les vertébrés primitifs avaient tous des formations osseuses. Par exemple, les conodontes, qui comptent parmi les premiers vertébrés relevés dans les archives géologiques, étaient dépourvus de mâchoires, mais leurs dents fort bien développées constituent les premiers signes de formation osseuse. D'autres espèces de vertébrés sans mâchoires se sont dotés d'une cuirasse qui recouvrait leur corps et les protégeait probablement des prédateurs. **34.3** L'apparition des mâchoires a changé la façon dont les gnathostomes se procuraient leur nourriture, ce qui a eu des effets importants sur les interactions écologiques. Les prédateurs pouvaient utiliser leurs mâchoires pour saisir des proies ou mordre dans leur chair, ce qui a stimulé l'évolution de moyens de défense de plus en plus complexes chez les proies. Les archives géologiques en témoignent d'ailleurs, notamment par des fossiles de prédateurs atteignant 10 m de longueur et dotés de mâchoires très puissantes, ainsi que par des lignées d'espèces dont le corps était recouvert de plaques cuirassées pour se protéger de l'attaque des prédateurs. **34.4** Les amphibiens ont besoin de l'eau pour se reproduire; leur corps peut se déshydrater rapidement, car leur peau est très perméable et doit rester humide; enfin, les œufs des amphibiens sont dépourvus de coquille, donc sujets à la déshydratation. **34.5** Les oiseaux descendent de dinosaures appelés théropodes, et les dinosaures font partie de la lignée des archosauriens, l'une des deux lignées principales des reptiles. Les autres reptiles archosauriens actuels, les crocodiliens, sont plus proches parents des oiseaux qu'ils ne le sont des reptiles des autres lignées, comme le lézard. Par conséquent, les oiseaux sont considérés comme des reptiles. (Notez que, si l'on excluait les oiseaux du groupe des reptiles, ceux-ci ne formeraient pas un clade, mais un groupe paraphylétique.) **34.6** Les mammifères font partie d'un groupe d'amniotes appelés synapsides. Les synapsides primitifs (qui n'étaient pas des mammifères) pondaient des œufs et avaient une démarche bancale. Les archives géologiques montrent que les caractéristiques des mammifères sont apparues graduellement au cours d'une période de plus de 100 millions d'années. Par exemple, les mâchoires se sont modifiées avec le temps chez les synapsides non mammaliens jusqu'à finir par ressembler à celles des mammifères. Les premiers mammifères ont fait leur apparition il y a 180 millions d'années, mais la plupart étaient petits et peu abondants, et n'étaient pas des membres dominants de leur communauté. Il a fallu l'extinction des dinosaures pour que les mammifères prennent leur place. **34.7** Les archives géologiques indiquent que entre 4,5 et 2,5 millions d'années avant notre ère, une grande variété d'homininés marchaient en position verticale, mais possédaient un cerveau relativement petit. Il y a environ 2,5 millions d'années, les premiers représentants du genre *Homo* ont fait leur apparition. Ces espèces utilisaient des outils et leur cerveau était plus volumineux que celui de leurs prédécesseurs. Selon les archives géologiques, de nombreux représentants du genre *Homo* ont vécu à différentes époques. De plus, jusqu'à il y a environ 1,3 million d'années, ces diverses espèces d'*Homo* coexistaient avec des homininés de lignées antérieures, comme *Paranthropus*. Ces diverses espèces se distinguaient par la taille, le volume du cerveau, la morphologie dentaire et l'aptitude à utiliser des outils. Parmi toutes ces espèces, seul *Homo sapiens* a survécu. Dans l'ensemble, l'évolution humaine peut être vue comme un arbre aux nombreuses ramifications – et dont une seule lignée a survécu.

Évaluation

1. d; **2.** c; **3.** b; **4.** c; **5.** d; **6.** a.

7. (a) Puisque le volume du cerveau a tendance à augmenter de façon constante dans ces lignées, nous pouvons conclure que la sélection naturelle a favorisé l'évolution vers un cerveau volumineux, donc que les avantages ont dépassé les coûts. (b) Tant que les avantages d'un cerveau volumineux sont supérieurs aux coûts, le cerveau peut évoluer en augmentant de volume. La sélection naturelle peut favoriser l'évolution de cerveaux volumineux par rapport à la taille parce qu'ils confèrent un avantage sur le plan de la reproduction et/ou de la survie.

(c)

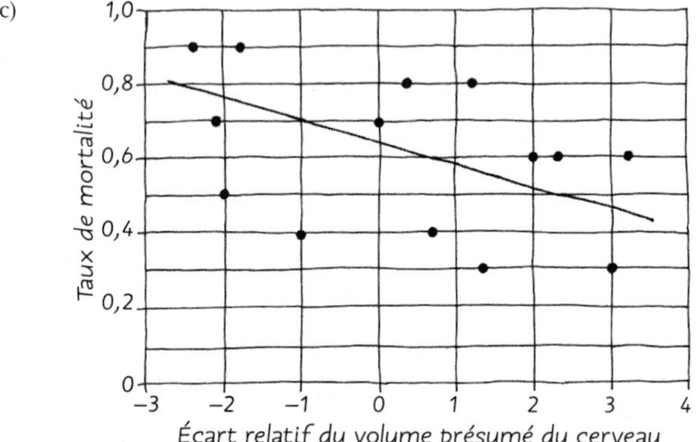

Le taux de mortalité à l'âge adulte semble moins élevé chez les oiseaux dotés d'un cerveau plus volumineux.

CHAPITRE 35

Questions des figures

Figure 35.11

1.

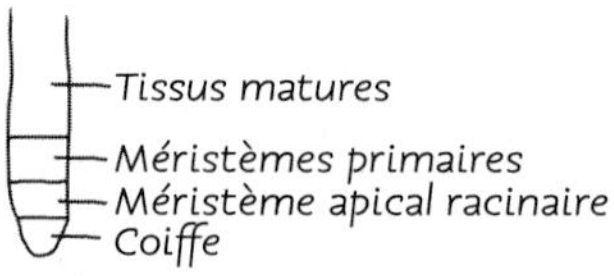

Tissus matures
Méristèmes primaires
Méristème apical racinaire
Coiffe

2.

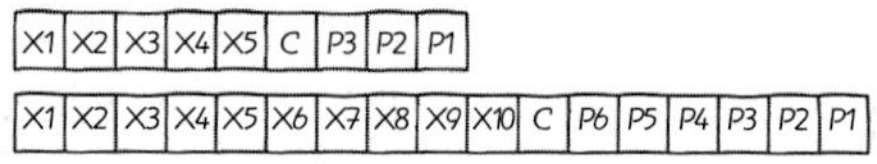

X1 X2 X3 X4 X5 C P3 P2 P1

X1 X2 X3 X4 X5 X6 X7 X8 X9 X10 C P6 P5 P4 P3 P2 P1

À mesure que s'ajoutent des cellules de xylème secondaire, le cambium est repoussé vers l'extérieur.

Figure 35.15

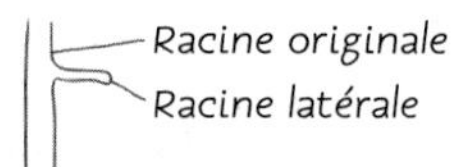

Figure 35.17 La moelle et le cortex sont définis respectivement comme le tissu fondamental à l'intérieur et le tissu fondamental à l'extérieur des tissus conducteurs. Comme les faisceaux libéroligneux des tiges des monocotylédones sont répartis dans tout le tissu fondamental, il n'y a pas de distinction claire entre l'extérieur et l'intérieur par rapport au tissu conducteur. **Figure 35.19** Le cambium produit une croissance qui augmente le diamètre de la tige ou de la racine. Les tissus situés sur la face extérieure du cambium ne peuvent pas suivre le rythme de la croissance, étant donné que leurs cellules ne se divisent plus. Il en résulte la rupture de ces tissus. **Figure 35.21** La période de croissance maximale s'étend de 1974 à 1993, et 17 des 20 années de plus grande croissance sont survenues depuis 1946, ce qui semble indiquer qu'un réchauffement inhabituel est survenu au cours des années 1900. **Figure 35.23** Périderme (principalement suber et phellogène), phloème primaire, phloème secondaire, cambium, xylème secondaire (aubier et duramen), xylème primaire et moelle. À la base de ce vieux séquoia âgé de plusieurs siècles, les vestiges de la croissance primaire (phloème primaire, xylème primaire et moelle) seraient plutôt minimes. **Figure 35.33** Chaque cellule épidermique de racine développerait un poil absorbant. **Figure 35.35** Un autre exemple de mutation d'un gène homéotique est la mutation du gène *Hox* qui provoque la formation de pattes à la place d'antennes chez *Drosophila melanogaster* (voir la figure 18.20).

Figure 35.36

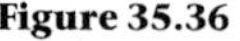

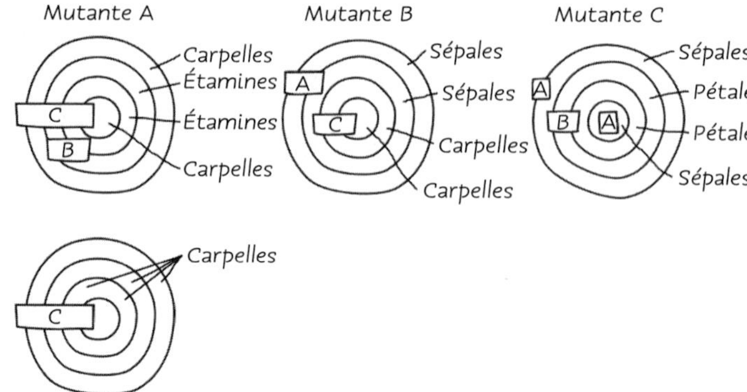

Retour sur le concept 35.1

1. Les tissus conducteurs relient les feuilles et les racines, ce qui permet aux glucides de passer des feuilles aux racines dans le phloème, et à l'eau et aux minéraux de circuler des racines jusqu'aux feuilles par le xylème. **2.** Afin d'obtenir suffisamment d'énergie de la photosynthèse, il nous faudrait exposer de très grandes surfaces au soleil. Le grand rapport surface-volume, cependant, créerait un nouveau problème : la perte d'eau par évaporation. Il nous faudrait être reliés constamment à une source d'eau : le sol, qui serait également notre source de minéraux. Bref, nous aurions probablement l'apparence et le comportement d'une plante. **3.** À mesure qu'elles grossissent, les cellules des plantes forment généralement une grande vacuole centrale qui contient une sève aqueuse diluée. Les vacuoles centrales permettent aux cellules végétales de prendre du volume en n'ajoutant qu'une petite quantité de nouveau cytoplasme. L'orientation des microfibrilles de cellulose dans les parois des cellules végétales influe sur les schémas de croissance des cellules.

Retour sur le concept 35.2

1. Oui. Dans une plante ligneuse, la croissance secondaire se déroule dans les vieilles parties des tiges et des racines, tandis que la croissance primaire a lieu dans les parties les plus jeunes (apex) des racines et des tiges. **2.** Si la croissance des feuilles était indéfinie, alors les feuilles les plus grandes et les plus vieilles seraient situées dans la partie la plus inférieure des tiges. Comme elles seraient probablement peu exposées à la lumière en raison de l'ombre créée par les feuilles nouvellement formées, elles ne participeraient que très peu à la photosynthèse, malgré leur grande taille. La croissance définie est avantageuse pour la plante parce qu'elle l'empêche de consacrer une quantité sans cesse plus grande de ressources à des organes qui rapportent peu sur le plan photosynthétique. **3.** Non, les racines des carottes seront probablement plus petites à la fin de la deuxième année parce que les éléments nutritifs emmagasinés dans les racines seront utilisés pour produire des fleurs, des fruits et des graines.

Retour sur le concept 35.3

1. Dans les racines, la croissance primaire se déroule en trois étapes successives, en partant de l'apex de la racine : les zones de division, d'allongement et de différenciation des cellules. Dans les tiges, elle a lieu à l'extrémité des bourgeons apicaux, et les primordiums foliaires se forment sur les côtés des méristèmes apicaux. La majeure partie de l'allongement survient dans les entrenœuds les plus vieux sous l'apex de la tige. **2.** Non. Parce que les feuilles orientées verticalement, comme le maïs, peuvent capter la lumière également des deux côtés de la feuille, on s'attendrait à ce que leurs cellules du mésophylle ne se soient pas différenciées en couches de parenchyme palissadique et de parenchyme lacuneux. C'est généralement le cas. De plus, les feuilles orientées verticalement ont habituellement des stomates sur leurs deux faces. **3.** Les poils absorbants sont des prolongements des cellules qui augmentent la surface de l'épiderme de la racine, accroissant ainsi l'absorption des minéraux et de l'eau. Les microvillosités sont des prolongements qui accroissent l'absorption des nutriments en augmentant la surface de l'intestin.

Retour sur le concept 35.4

1. La pancarte se trouvera encore à 2 m du sol, puisque cette partie de l'arbre ne croît plus en longueur (croissance primaire); elle ne croît qu'en épaisseur (croissance secondaire). **2.** Les stomates doivent être capables de se fermer, car l'évaporation d'eau par les feuilles est beaucoup plus intense que celle par les troncs des arbres ligneux, en raison du rapport surface-volume plus élevé dans les feuilles. **3.** Étant donné qu'il n'y a que de très faibles variations saisonnières de la température dans les régions tropicales, il serait difficile de discerner les anneaux de croissance d'un arbre tropical, à moins que l'arbre provienne d'une zone géographique qui présente des saisons sèches et humides marquées. **4.** L'arbre mourrait lentement. L'annélation suppose l'élimination d'un anneau entier de phloème secondaire (partie de l'écorce), ce qui bloque complètement le transport des glucides et de l'amidon des tiges vers les racines. Après quelques semaines, les racines auraient épuisé toutes leurs réserves glucidiques et mourraient.

Retour sur le concept 35.5

1. Toutes les cellules végétales vivantes d'une plante ont le même génome, mais elles acquièrent des formes et des fonctions variables en raison de l'expression génique différentielle. **2.** Les végétaux montrent une croissance indéfinie; les phases juvéniles et matures se trouvent sur le même plant; la différenciation cellulaire chez les végétaux est plus dépendante de la position finale que de la lignée. **3.** Une des hypothèses en cours veut que des tépales se forment si l'activité du gène *B* est présente dans les trois verticilles externes de la fleur.

Questions du résumé des concepts clés

35.1 Voici quelques exemples. La cuticule des feuilles et des tiges protège ces structures du dessèchement. Les cellules collenchymateuses et sclérenchymateuses ont d'épaisses parois qui contribuent au soutien de la plante. Des systèmes racinaires forts aident à ancrer la plante dans le sol. **35.2** La croissance primaire s'effectue à partir des méristèmes apicaux et comprend la production et l'allongement des organes. La croissance secondaire s'effectue à partir des méristèmes latéraux et augmente le diamètre des racines et des tiges. **35.3** Les racines latérales émergent du péricycle et détruisent les cellules végétales en se formant. Dans les tiges, les ramifications viennent des bourgeons axillaires et ne détruisent aucune cellule. **35.4** Avec l'évolution de la croissance secondaire, les plantes ont été capables de croître plus haut et de faire de l'ombre aux compétiteurs. **35.5** L'orientation des microfibrilles de cellulose dans les couches les plus internes de la paroi cellulaire entraîne une croissance le long d'un axe. Les microtubules du cytoplasme le plus externe de la cellule jouent un rôle clé dans la régulation de l'axe de l'expansion cellulaire, car c'est leur orientation dans le cytoplasme qui détermine l'orientation des microfibrilles de cellulose.

Évaluation

1. d; **2.** c; **3.** c; **4.** a; **5.** b; **6.** d; **7.** d.

8.

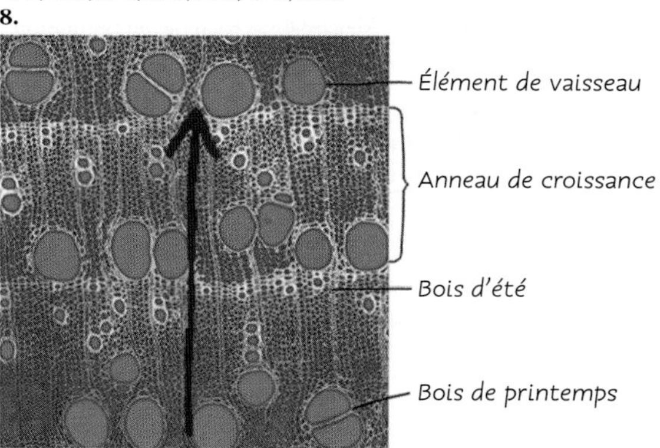

CHAPITRE 36

Questions des figures

Figure 36.2 Dans une plante en croissance, la respiration cellulaire a lieu dans toutes les parties et en tout temps. Les mitochondries libèrent continuellement du CO_2 et absorbent de l'O_2. Dans les cellules photosynthétiques, le CO_2 produit par les mitochondries durant le jour est utilisé par les chloroplastes, qui puisent également leur CO_2 dans l'air. Pendant ce temps, les mitochondries obtiennent de l'O_2 des chloroplastes, qui libèrent également de l'O_2 dans l'air. La nuit, lorsque la photosynthèse cesse, les mitochondries doivent échanger des gaz avec l'air plutôt qu'avec les chloroplastes. Par conséquent, durant la nuit, les cellules photosynthétiques *libèrent* du CO_2 dans l'air et *absorbent* de l'O_2 de l'air. C'est exactement le contraire de ce qui se produit le jour. **Figure 36.3** Les feuilles se forment en spirale, dans le sens inverse des aiguilles d'une montre. Le prochain primordium foliaire apparaîtra vers l'intérieur dans la région comprise entre les feuilles 8 et 13. **Figure 36.4** Un indice foliaire plus élevé n'augmenterait pas nécessairement la photosynthèse, à cause des feuilles du haut qui font de l'ombrage aux feuilles du bas. **Figure 36.6** Un inhibiteur de pompes à protons diminuerait le potentiel de membrane, parce qu'il sortirait moins d'ions hydrogène (H^+) de la cellule en traversant la membrane plasmique. Un inhibiteur du transporteur de H^+ et de saccharose provoquerait immédiatement une augmentation du potentiel de membrane, parce que les ions H^+ seraient moins nombreux à retourner dans la cellule avec ces cotransporteurs. Un inhibiteur du cotransporteur des ions H^+ et des ions NO_3^- n'aurait aucun effet sur le potentiel de membrane, parce que le transport simultané d'un ion chargé positivement et d'un ion chargé négativement n'a aucun effet sur la différence de charge à travers la membrane. Un inhibiteur des canaux ioniques à potassium (K^+) diminuerait le potentiel de membrane parce qu'il ne s'accumulerait pas plus d'ions chargés positivement à l'extérieur de la cellule. **Figure 36.8** L'immense majorité des cellules de mésophylle, sinon toutes, sont séparées d'une nervure par au plus trois cellules. **Figure 36.9** La bande de Caspary bloque le déplacement de l'eau et des minéraux entre les cellules endodermiques ou leur contournement d'une cellule endodermique par la paroi de la cellule. Par conséquent, l'eau et les minéraux doivent traverser la membrane plasmique de la cellule endodermique. **Figure 36.18** Parce que le xylème est sous une pression négative (tension), le fait d'amputer un stylet introduit dans une trachéide ou un élément de vaisseau ferait probablement entrer de l'air dans la cellule. Il n'exsuderait pas de sève brute à moins que la pression racinaire positive soit prédominante.

Retour sur le concept 36.1

1. Les plantes vasculaires doivent transporter les minéraux et l'eau absorbés par les racines vers toutes les autres parties de la plante. Elles doivent également transporter les glucides des zones de production aux régions où ils sont utilisés. **2.** L'augmentation de l'allongement des tiges élèverait les feuilles du haut de la plante. Des feuilles dressées et la réduction des ramifications latérales rendraient la plante moins sujette à l'ombrage des voisines envahissantes. **3.** La taille des apex des tiges enlève la dominance apicale, ce qui entraîne la croissance de tiges latérales (branches) à partir des bourgeons axillaires (voir le concept 35.3). Cette ramification produit une plante plus touffue ayant un indice foliaire plus élevé.

Retour sur le concept 36.2

1. Le Ψ_P de la cellule est de 0,7 MPa. Dans une solution dont le Ψ est de –0,4 MPa, le Ψ_P de la cellule à l'équilibre serait de 0,3 MPa. **2.** La cellule réagirait encore aux changements dans son milieu osmotique, mais plus lentement. Bien que les aquaporines n'influent pas sur le gradient de potentiel hydrique à travers les membranes, elles permettent des ajustements osmotiques plus rapides. **3.** Si les trachéides et les éléments de vaisseau étaient vivants à maturité, leur cytoplasme gênerait la circulation de l'eau, ce qui empêcherait le transport rapide sur de longues distances. **4.** Les protoplastes éclateraient. Parce que le cytoplasme contient de nombreux solutés en solution, l'eau entrerait continuellement sans atteindre l'équilibre. (Lorsqu'elle est présente, la paroi cellulaire empêche la rupture en limitant l'expansion du protoplaste.)

Retour sur le concept 36.3

1. À l'aube, une goutte est exsudée de l'extrémité sectionnée parce que le xylème est sous une pression positive par l'action de la pression racinaire. À midi, le xylème est sous une pression négative (tension) quand il est coupé, et la sève brute redescend dans la tige sectionnée. La pression racinaire ne peut pas suivre le rythme de la vitesse accrue de la transpiration, à midi. **2.** Des masses racinaires plus grandes aideraient peut-être à compenser la perméabilité plus faible des membranes plasmiques à l'égard de l'eau. **3.** La bande de Caspary et les jonctions serrées empêchent le déplacement des fluides entre les cellules.

Retour sur le concept 36.4

1. L'ouverture des stomates à l'aube est régulée principalement par la lumière, la concentration de CO_2 et le rythme circadien. Les stress environnementaux comme la sécheresse, la température élevée et le vent peuvent stimuler la fermeture des stomates durant le jour. Le manque d'eau en plein cœur de la journée peut déclencher la libération d'acide abscissique, un régulateur de croissance végétal qui commande aux cellules stomatiques de fermer les stomates. **2.** L'activation des pompes à protons des cellules stomatiques causerait l'absorption d'ions K^+ par les cellules stomatiques. L'augmentation de la turgescence des cellules stomatiques garderait les stomates ouverts et conduirait à l'évaporation extrême par la feuille. **3.** Une fois que les fleurs sont coupées, la transpiration des feuilles et des pétales (qui sont des feuilles modifiées) continue de provoquer l'aspiration de la sève brute dans le xylème. Si l'on coupe la tige à l'air libre pour la mettre directement dans un vase, les bulles d'air présentes dans le xylème empêchent l'eau du vase d'atteindre la fleur. Si, par contre, on coupe la tige à quelques centimètres de la base (c'est-à-dire de la première coupe), tout en la tenant immergée, on sectionne le xylème au-dessus de la bulle d'air qui a pu s'y former pendant le transport ou l'emballage. De plus, les gouttes d'eau empêchent l'air de pénétrer dans le xylème et de former de nouvelles bulles avant que l'on mette la fleur dans le vase. **4.** Les molécules d'eau sont constamment en mouvement, se déplaçant à des vitesses différentes. Si les molécules d'eau acquièrent assez d'énergie, les molécules les plus énergétiques près de la surface du liquide auront une vitesse suffisante et, par conséquent, assez d'énergie cinétique pour quitter le liquide sous la forme de molécules gazeuses ou, plus simplement, de vapeur d'eau. À mesure que les molécules possédant les niveaux d'énergie cinétique les plus élevés s'évaporent, l'énergie cinétique moyenne du liquide restant diminue. Comme la température d'un liquide est directement reliée à l'énergie cinétique moyenne de ses molécules, elle baisse à mesure que l'évaporation se fait.

Retour sur le concept 36.5

1. Dans les deux cas, le transport sur une longue distance est assuré par le courant de masse, lui-même créé par une différence de pression aux extrémités opposées des tubes. Dans le phloème, à l'extrémité située près de l'organe source, la pression est générée par l'entrée du saccharose et par l'entrée d'eau qui s'ensuit par osmose. Cette pression *pousse* la sève élaborée vers l'extrémité des tubes criblés située près de l'organe cible. À l'opposé, dans le xylème, la circulation est commandée par la transpiration, qui est à l'origine d'une tension (potentiel de pression négatif) au sommet qui *aspire* la sève brute vers le haut. **2.** Les principaux organes sources sont les feuilles matures (produisant des glucides par photosynthèse) et les organes de stockage complètement développés (produisant des glucides par décomposition de l'amidon). Les racines, les bourgeons, les tiges, les feuilles en croissance et les fruits sont des organes cibles puissants, parce qu'ils sont en croissance active. Un organe de stockage peut être un organe cible en été lorsqu'il accumule des glucides, mais un organe source au printemps lorsqu'il décompose l'amidon en glucides pour les apex des pousses en croissance. **3.** La pression positive, que ce soit dans le xylème quand la pression racinaire prédomine ou dans les éléments de tube criblé du phloème, nécessite un transport actif. La majeure partie du transport sur de longues distances dans le xylème dépend du courant de masse créé par un potentiel de pression négatif généré à la fin par l'évaporation de l'eau des feuilles et n'a pas besoin de cellules vivantes. **4.** L'entaille en spirale empêche un courant de masse optimal de la sève élaborée vers les organes cibles des racines. Par conséquent, il se déplace plus de sève élaborée des organes sources (feuilles) vers les organes cibles (fruits), ce qui rend ceux-ci plus sucrés.

Retour sur le concept 36.6

1. Les plasmodesmes, contrairement aux jonctions communicantes, possèdent la capacité de faire passer l'ARN, les protéines et les virus d'une cellule à l'autre. **2.** Les signaux sur de longues distances sont essentiels au fonctionnement intégré de tous les grands organismes, mais la vitesse de cette signalisation est beaucoup moins critique pour les végétaux, parce que leurs réactions à l'environnement, contrairement à celles des animaux, n'impliquent généralement pas de mouvements rapides. **3.** Cette stratégie pourrait éliminer la dissémination systémique des infections virales, mais elle aurait aussi de graves conséquences sur le développement des plantes. En effet, les protéines et les ARN végétaux ne pourraient plus circuler d'une cellule à l'autre par les plasmodesmes. L'interruption de la voie symplastique risque de perturber le développement, tout comme la circulation des glucides et des messagers chimiques.

Questions du résumé des concepts clés

36.1 Les plantes ayant de grandes parties aériennes et formant des couverts forestiers élevés avaient généralement un avantage sur les compétiteurs plus petits. Une plus grande distance entre les feuilles et les racines était une conséquence de la pression sélective pour les grandes tiges. Cette distance a créé des problèmes pour le transport des substances entre les systèmes racinaires et caulinaires. Les plantes dotées de cellules du xylème ont réussi à transporter plus efficacement les ressources du sol (eau et minéraux) jusqu'aux systèmes caulinaires. De même, les végétaux possédant du phloème se sont avérés efficaces pour fournir des glucides aux organes cibles. **36.2** La sève brute est habituellement aspirée vers le haut de la plante par la transpiration, beaucoup plus souvent qu'elle n'est poussée vers le haut de la plante par la pression racinaire. **36.3** Les liaisons hydrogène sont nécessaires à la cohésion des molécules d'eau entre elles et à l'adhérence de l'eau aux autres matériaux, comme les parois cellulaires. L'adhérence et la cohésion des molécules d'eau participent toutes deux à la montée de la sève brute dans des conditions de pression négative. **36.4** Bien que la majeure partie de la perte d'eau s'effectue par les stomates, ceux-ci sont nécessaires pour les échanges gazeux, par exemple en permettant l'absorption du CO_2 essentiel à la photosynthèse. La perte d'eau par les stomates stimule également le transport de l'eau sur de longues distances, ce qui permet de fournir à toute la plante les nutriments du sol absorbés par les racines. **36.5** Bien que la circulation de la sève élaborée dépende du courant de masse, le gradient de pression qui assure le transport du phloème dépend de l'absorption par osmose de l'eau en réaction à l'entrée des glucides dans les éléments de tube criblé à proximité des organes sources. L'entrée des substances dans le phloème dépend des processus de cotransport des ions H^+, lesquels dépendent à leur tour des gradients de H^+ établis par le pompage actif de ces ions. **36.6** La signalisation électrique entre les cellules, le pH cytoplasmique, la concentration de calcium cytoplasmique et les protéines virales de mouvement sont des facteurs qui influent tous sur la communication symplastique, comme le font les modifications liées au développement quant au nombre de plasmodesmes.

Évaluation

1. a ; **2.** b ; **3.** b ; **4.** c ; **5.** b ; **6.** c ; **7.** a ; **8.** d.

CHAPITRE 37

Questions des figures et tableau

Figure 37.3 Les cations. À un faible pH, plus de protons (H^+) délogeraient les cations minéraux des particules du sol négativement chargées, et les cations se retrouveraient dans la solution du sol. **Figure 37.4** L'horizon A, qui est le sol de surface. **Tableau 37.1** Durant la photosynthèse, le CO_2 est fixé et transformé en glucides, qui contribuent à la masse sèche. Durant la respiration cellulaire, l'O_2 est réduit en H_2O et ne contribue pas à la masse sèche. **Figure 37.10** Voici d'autres exemples de mutualisme. *Poisson « lampe de poche » et bactéries bioluminescentes :* le poisson protège et nourrit les bactéries, en échange de quoi la bioluminescence qu'elles produisent attire les proies et les partenaires sexuels que recherche le poisson. *Plantes à fleurs et pollinisateurs :* les animaux transportent le pollen d'une fleur à l'autre ; en échange, ils reçoivent du nectar ou du pollen. *Herbivores vertébrés et certaines bactéries du tube digestif :* les microorganismes du tube alimentaire dégradent la cellulose en glucose et, dans certains cas, fournissent des acides aminés ou des vitamines à l'animal ; en échange, ils vivent dans un milieu chaud et reçoivent un apport constant de nourriture. *Humains et certaines bactéries du tube digestif :* certaines bactéries fournissent des vitamines aux humains, tandis qu'elles puisent des nutriments dans la nourriture digérée. **Figure 37.11** (a) Les communautés de bactéries vivant à l'intérieur des racines (endophytes) présentent des différences plus importantes, comparativement aux autres. (b) La zone de prélèvement a le plus grand effet sur la composition des communautés bactériennes, le type de sol a un effet moindre et le stade de développement n'a que peu d'effet. **Figure 37.12** Les deux (ammonium et nitrate). Un animal en décomposition libère des acides aminés dans le sol et ceux-ci seront convertis en NH_4^+ par des bactéries ammonifiantes. Une partie de ce NH_4^+ pourrait être utilisé directement par la plante. La majeure partie du NH_4^+, toutefois, serait convertie en ions nitrate par des bactéries nitrifiantes, et ces NO_3^- pourraient également être absorbés par le système racinaire de la plante. **Figure 37.13** Les légumineuses en tirent profit parce que les bactéries fixent l'azote que ces végétaux absorbent par leurs racines. Les bactéries en tirent profit parce qu'elles acquièrent les produits de la photosynthèse des légumineuses. **Figure 37.14** Les trois systèmes tissulaires végétaux sont touchés. Les poils absorbants (tissu de revêtement) sont modifiés pour permettre la pénétration du *Rhizobium*. Le cortex (tissu fondamental) et le péricycle (tissu conducteur) prolifèrent au cours de la formation des nodules. Le tissu conducteur du nodule communique avec le cylindre vasculaire de la racine pour permettre un échange efficace de nutriments.

Retour sur le concept 37.1

1. Un arrosage trop abondant prive les racines d'O_2, tandis qu'une fertilisation excessive peut entraîner la salinisation des sols et polluer l'eau. **2.** Quand les déchets de coupe de gazon se décomposent, ils retournent les minéraux dans le sol. S'ils sont enlevés, les minéraux perdus par le sol doivent être remplacés par la fertilisation. **3.** À cause de leur petite taille et de leur charge négative, les particules d'argile augmenteraient le nombre de sites de liaison pour les cations et les molécules d'eau, et favoriseraient ainsi l'échange des cations et la rétention d'eau dans le sol. **4.** L'eau se dilate quand elle gèle en raison des liaisons hydrogène entre les molécules d'eau, et cela cause le bris mécanique des roches. L'eau adhère également à de nombreux objets, et cette cohésion combinée à d'autres forces, comme la force gravitationnelle, peut contribuer à arracher des particules de la roche. Enfin, l'eau, parce qu'elle est polaire, est un excellent solvant qui permet à de nombreuses substances, dont des composés ioniques, de se dissoudre.

Retour sur le concept 37.2

1. Non, parce que même si les éléments majeurs sont nécessaires en plus grandes quantités, la plante a besoin de tous les éléments essentiels pour accomplir son cycle de développement. **2.** Non. Le fait que l'ajout d'un élément provoque une augmentation de la vitesse de croissance d'une culture ne signifie pas que l'élément est strictement requis pour que la plante complète son cycle de développement. **3.** Une aération inadéquate des racines d'une plante hydroponique favorise la fermentation alcoolique, un processus qui produit moins d'énergie et qui peut mener à l'accumulation de l'éthanol, un produit toxique de la fermentation.

Retour sur le concept 37.3

1. La rhizosphère est une zone étroite dans le sol immédiatement adjacente aux racines vivantes. Cette zone abrite beaucoup de rhizobactéries avec lesquelles le système racinaire forme des associations mutualistes bénéfiques. Certaines rhizobactéries produisent des antibiotiques qui protègent les racines contre les maladies. D'autres absorbent les métaux toxiques ou rendent des nutriments plus absorbables par les racines. D'autres encore convertissent l'azote gazeux en formes utilisables par la plante ou produisent des substances chimiques qui stimulent la croissance des végétaux. **2.** Les bactéries et les mycorhizes du sol améliorent la nutrition des végétaux en rendant certains minéraux plus disponibles pour les végétaux. Par exemple, de nombreux types de bactéries du sol jouent un rôle dans le cycle de l'azote, et les hyphes des mycorhizes fournissent une grande surface de contact pour l'absorption des nutriments, notamment les ions phosphate. **3.** On appelle mixotrophie la stratégie qui consiste à utiliser la photosynthèse et l'hétérotrophie pour la nutrition. Les euglénophytes sont des eucaryotes unicellulaires mixotrophes bien connus. **4.** Des pluies qui causent la saturation du sol peuvent en réduire la teneur en O_2. L'absence d'O_2 dans le sol pourrait inhiber la fixation de l'azote par les nodules des racines d'arachides et réduire l'apport d'azote assimilable nécessaire à la plante. Ou encore, une pluie torrentielle peut lessiver les nitrates du sol. Le jaunissement des vieilles feuilles est un symptôme de carence en azote.

Questions du résumé des concepts clés

37.1 Le terme *écosystème* fait référence aux communautés d'organismes dans une zone donnée et à leurs interactions avec le milieu physique autour d'elles. De nombreuses communautés d'organismes abondent dans les sols, dont des espèces de bactéries, d'eumycètes, d'animaux et les systèmes racinaires des végétaux. La vigueur de chacune de ces communautés dépend de facteurs non vivants relatifs au sol, comme les minéraux, l'O_2 et l'eau, de même que des interactions, positives ou négatives, entre les différentes communautés d'organismes. **37.2** Non, les plantes peuvent compléter leur cycle de développement quand elles croissent de façon hydroponique, c'est-à-dire dans des solutions aérées de sels contenant les bonnes proportions de tous les minéraux nécessaires à la plante. **37.3** Non, certaines plantes parasites obtiennent leur énergie en siphonnant les nutriments de carbone aux autres organismes.

Évaluation

1. b; **2.** b; **3.** a; **4.** d; **5.** b; **6.** b; **7.** d; **8.** c; **9.** d.

10.

H^+ Particule de sol

K^+

Poil absorbant

CHAPITRE 38

Questions des figures

Figure 38.4 Un pollinisateur spécifique est plus efficace parce que cela réduit la quantité de pollen transportée sur des fleurs de la mauvaise espèce. Cependant, c'est également une stratégie risquée: si la population de pollinisateurs souffre de prédation ou de maladie à un degré inhabituel ou si elle devient vulnérable à des changements climatiques, alors la plante pourrait être incapable de produire des graines. **Figure 38.6** Dans le cycle de développement d'une angiosperme, l'étape comportant le plus de divisions mitotiques est celle qui se déroule entre la germination de la graine et le sporophyte mature. **Figure 38.8** En plus d'avoir un seul cotylédon, les monocotylédones ont des feuilles avec des nervures parallèles, une disposition complexe des faisceaux libéroligneux dans leurs tiges, un système racinaire fasciculé, des pièces florales habituellement organisées en multiples de trois et des grains de pollen monocolpés (à une seule aperture pour le passage du tube pollinique). Par contre, les eudicotylédones possèdent deux cotylédons, des feuilles à nervures ramifiées, des faisceaux libéroligneux disposés en anneau, des racines pivotantes, des pièces florales organisées en multiples de quatre ou cinq et des grains de pollen tricolpés (à trois apertures). **Figure 38.8** La graine mature du haricot commun n'a pas d'albumen à maturité. Son albumen est consommé durant le développement de la graine, et ses nutriments sont de nouveau stockés dans les cotylédons. **Figure 38.9** Les haricots percent le sol grâce à un hypocotyle incurvé. Les feuilles délicates et le méristème apical caulinaire sont également protégés en étant entourés de deux gros cotylédons. Le coléoptile des plantules de maïs aide à protéger les feuilles émergentes.

Retour sur le concept 38.1

1. Chez les angiospermes, la pollinisation est le transport du pollen d'une anthère à un stigmate. C'est le développement subséquent du tube pollinique, à partir du grain de pollen, qui permet la fécondation, c'est-à-dire la fusion de l'oosphère et du spermatozoïde pour former le zygote. **2.** Les longs styles aident à éliminer les grains de pollen génétiquement faibles et incapables de faire croître de longs tubes polliniques. **3.** Non. La génération haploïde (gamétophyte) des végétaux est multicellulaire et provient des spores. La phase haploïde des cycles de développement chez les animaux est un gamète unicellulaire (ovule ou spermatozoïde) qui provient directement de la méiose: il n'y a pas de spores.

Retour sur le concept 38.2

1. Les plantes à fleurs peuvent éviter l'autofécondation par l'auto-incompatibilité, en portant leurs fleurs mâles et femelles sur des plants séparés (espèces dioïques) ou en possédant des étamines et des styles de hauteurs différentes sur des plants séparés (« fleurs longistylées » et « fleurs brévistylées »). **2.** Les cultures qui se reproduisent de façon asexuée manquent de diversité génétique. Les populations qui affichent une diversité génétique sont moins susceptibles de s'éteindre en cas d'épidémie, parce qu'il y a plus de chances qu'elles comptent quelques individus résistants. **3.** À court terme, l'autofécondation peut être avantageuse dans une population si dispersée et clairsemée que la dissémination du pollen n'est pas fiable. À long terme, cependant, l'autofécondation est une impasse évolutive, parce qu'elle réduit peu à peu la diversité génétique; par le fait même, elle peut empêcher l'évolution adaptative.

Retour sur le concept 38.3

1. Autant dans les techniques traditionnelles de sélection que dans le génie génétique, on a recours à la sélection artificielle pour obtenir des plantes pourvues de certaines caractéristiques recherchées. Cependant, les techniques de génie génétique accélèrent le transfert de gènes et ne se limitent pas au transfert de gènes entre des variétés ou des espèces étroitement apparentées. **2.** Le maïs *Bt* est moins assailli par les insectes; par conséquent, les plantes sont moins susceptibles d'être infectées par les eumycètes produisant la fumonisine qui infectent les plantes blessées. **3.** Chez ces espèces, modifier génétiquement le transgène dans l'ADN du chloroplaste n'empêcherait pas son évasion dans le pollen; cette méthode exige que l'ADN du chloroplaste ne se trouve que dans l'oosphère. Une méthode entièrement différente d'empêcher l'évasion transgénique est donc nécessaire, comme la stérilité mâle, l'apomixie ou l'autopollinisation des fleurs fermées.

Questions du résumé des concepts clés

38.1 Après la pollinisation et la fécondation, une fleur se transforme en fruit. Les fleurs perdent généralement leurs pétales, leurs sépales et leurs étamines. Les stigmates du carpelle fanent et l'ovaire commence à gonfler. Les ovules (graines embryonnaires) à l'intérieur de l'ovaire commencent leur développement jusqu'à maturité. **38.2** La reproduction asexuée peut être avantageuse dans un milieu stable, parce que les individus bien adaptés à ce milieu peuvent transmettre tous leurs gènes à leur descendance. En outre, la reproduction asexuée donne généralement naissance à une descendance moins fragile que les plantules produites par reproduction sexuée. Cependant, la reproduction sexuée a l'avantage de disséminer des graines résistantes. De plus, la reproduction sexuée engendre une diversité génétique qui peut être avantageuse dans les milieux instables. En effet, il y a plus de chances qu'au moins un descendant issu de la reproduction sexuée survive dans un milieu dont les conditions auront changé. **38.3** Bien qu'il ne soit pas encore sur le marché, le « riz doré » a été modifié génétiquement pour produire plus de vitamine A, améliorant ainsi la valeur nutritionnelle du riz. Un gène de la protoxine produite par une bactérie du sol a été introduit dans le maïs *Bt*. Cette protoxine est létale pour les invertébrés, mais inoffensive pour les vertébrés. Les cultures *Bt* nécessitent moins de pulvérisations de pesticides, et sont moins sensibles aux toxines et aux infections fongiques. Le génie génétique augmente la valeur nutritionnelle du manioc de nombreuses façons: le manioc génétiquement modifié contient plus de fer et de bêta-carotène (un précurseur de la vitamine A), et ses racines ont été presque complètement débarrassées des substances chimiques produisant du cyanure.

Évaluation

1. a; **2.** c; **3.** c; **4.** c; **5.** d; **6.** d; **7.** d.

8.

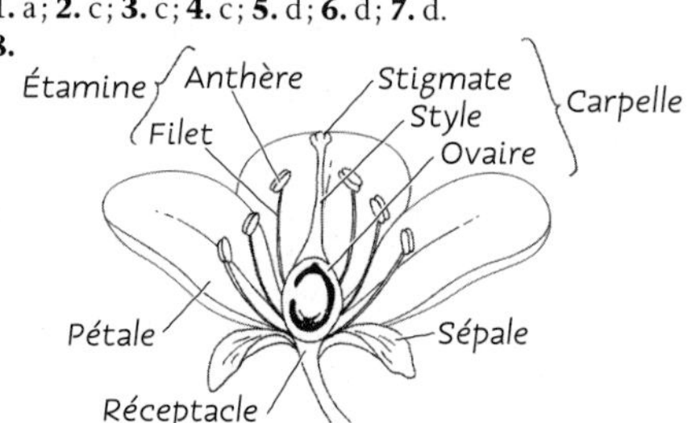

CHAPITRE 39

Questions des figures

Figure 39.4 La case B de la figure 11.17 illustre une voie de transduction du signal qui se subdivise, comme la voie dépendante du phytochrome, jouant un rôle dans le verdissement. **Figure 39.5** Pour déterminer quelles longueurs d'onde de la lumière sont les plus efficaces dans le phototropisme, on pourrait utiliser un prisme de verre pour séparer la lumière blanche en ses composants de couleur et trouver quelles couleurs causent la courbure le plus rapidement (la réponse est le bleu; voir la figure 39.15). **Figure 39.6** Non. Le transport polaire de l'auxine dépend de la répartition des protéines de transport de l'auxine à l'extrémité basale des cellules. **Figure 39.12** Non. Puisque la mutation *ein* rend la plantule « insensible » à l'éthylène, l'augmentation de la production d'éthylène par l'ajout de la mutation *eto* n'aurait aucun effet sur le phénotype comparativement à la mutation *ein* seule. **Figure 39.16** Oui. La lumière blanche, qui comprend la lumière rouge, stimulerait la germination des graines dans tous les traitements. **Figure 39.20** Puisque la lumière rouge lointain, comme l'obscurité, entraîne une accumulation de la forme P_r du phytochrome, un seul éclair de lumière rouge lointain durant la nuit n'aurait aucun autre effet sur la floraison, sinon ceux que produisent normalement les périodes d'obscurité. **Figure 39.21** Si c'était le cas, le florigène serait un inhibiteur de la floraison, et non un inducteur. **Figure 39.27** Les adaptations photosynthétiques peuvent apparaître à l'échelle moléculaire, comme dans le cas des plantes C_3 qui utilisent la rubisco pour fixer le CO_2, et des plantes C_4 et CAM, qui utilisent la PEP carboxylase. Les plantes qui ont des densités stomatiques différentes selon leur génotype et les conditions environnementales sont un exemple d'adaptation à l'échelle tissulaire. À l'échelle de l'organisme, il y a des plantes qui modifient l'architecture de leurs pousses pour rendre la photosynthèse plus efficace. Par exemple, l'élagage naturel débarrasse les arbres et les arbustes des branches et des feuilles dont les activités respiratoires dépassent celles de la photosynthèse.

Retour sur le concept 39.1

1. Les plantules qui croissent dans l'obscurité sont étiolées: elles ont de longues tiges, des systèmes racinaires sous-développés, de petites feuilles, et leurs pousses ne possèdent pas de chlorophylle. La croissance étiolée est avantageuse pour les graines qui germent dans l'obscurité dans le sol. En consacrant plus d'énergie à l'allongement de la tige et moins au déploiement des feuilles et à la croissance des racines, une plante accroît la probabilité que la pousse atteigne la lumière du soleil avant l'épuisement de ses réserves de nutriments. **2.** Le cycloheximide devrait inhiber le verdissement en empêchant la synthèse des nouvelles protéines nécessaires au verdissement. **3.** Non. Comme l'injection de GMP cyclique décrite dans le chapitre, le Viagra ne devrait causer qu'un léger verdissement. Le verdissement complet exigerait l'activation de la partie du calcium de la voie de transduction du signal.

Retour sur le concept 39.2

1. La capacité de la fusicoccine à accroître l'activité des pompes à protons (H^+) de la membrane plasmique a un effet comparable à celui de l'auxine et favorise l'allongement des cellules de la tige. **2.** La plante présentera une triple réponse constitutive. Comme la kinase qui inhibe normalement la triple réponse est dysfonctionnelle, la plante aura une triple réponse, peu importe si l'éthylène est présent ou si le récepteur d'éthylène est fonctionnel. **3.** Étant donné que l'éthylène stimule souvent sa propre synthèse, il est sous la régulation d'une rétroactivation (rétroaction positive).

Retour sur le concept 39.3

1. Pas nécessairement. De nombreux facteurs environnementaux dans les champs, comme la température et la lumière, changent au cours d'une période de 24 heures. Pour déterminer si l'enzyme est sous régulation circadienne, il faut démontrer que son activité oscille même quand les conditions environnementales restent constantes. **2.** C'est impossible à dire. Pour savoir si cette espèce est une plante de jours courts, il faut évaluer la durée critique de la nuit pour la floraison et déterminer si cette espèce fleurit uniquement quand la nuit est plus longue que cette durée critique. **3.** D'après le spectre d'action de la photosynthèse, la lumière rouge et la lumière bleue sont les plus efficaces dans la photosynthèse. Donc, il n'est pas étonnant que les végétaux évaluent leur environnement lumineux à l'aide des photorécepteurs qui absorbent la lumière rouge et la lumière bleue.

Retour sur le concept 39.4

1. Une plante qui produit de l'ABA en excès se refroidit moins par évaporation parce que ses stomates sont moins ouverts. **2.** Les plantes près des allées sont plus exposées aux contraintes mécaniques causées par les déplacements des employés et les courants d'air. Les plantes situées plus au milieu des tablettes peuvent aussi être plus hautes à cause de l'ombre et du fait qu'elles subissent moins de stress par évaporation. **3.** Non. Comme les coiffes des racines contribuent à la perception de la force gravitationnelle, les racines dont les coiffes ont été enlevées sont presque complètement insensibles à la force gravitationnelle.

Retour sur le concept 39.5

1. Certains insectes accroissent la productivité des plantes en se nourrissant d'insectes nuisibles ou en aidant à la pollinisation. **2.** Les lésions mécaniques franchissent la première ligne de défense de la plante contre l'infection, soit ses tissus de revêtement. **3.** Non. Si les agents pathogènes tuaient leurs hôtes, ils viendraient à manquer de victimes et pourraient eux-mêmes disparaître. **4.** Le vent fait peut-être diminuer localement la concentration d'un composé volatil de défense que les plantes ont produit.

Questions du résumé des concepts clés

39.1 Les voies de transduction du signal activent souvent les protéines kinases, les enzymes qui effectuent la phosphorylation d'autres protéines. Les protéines kinases peuvent activer directement certaines enzymes déjà existantes en les phosphorylant, ou elles peuvent réguler la transcription génique (et la production d'enzymes) en phosphorylant des facteurs de transcription spécifiques. **39.2** Oui, il y a du vrai dans le vieil adage selon lequel une pomme pourrie gâte tout le panier. L'éthylène, un régulateur de croissance gazeux qui stimule la maturation, est produit par les fruits endommagés, infectés ou trop mûrs. L'éthylène peut alors diffuser vers les fruits sains dans le « panier » et stimuler leur maturation rapide. **39.3** Les phytophysiologistes ont proposé l'existence d'un facteur qui favorise la floraison (le florigène) en s'appuyant sur le fait qu'une plante induite à fleurir peut déclencher la floraison dans une deuxième plante à laquelle elle a été greffée, même si cette deuxième plante ne se trouve pas dans des conditions environnementales qui provoquent normalement la floraison de cette espèce. **39.4** Les plantes soumises à la sécheresse sont souvent plus résistantes au gel parce que ces deux types de stress sont très semblables. Le gel de l'eau dans les espaces extracellulaires provoque la diminution des concentrations de l'eau libre à l'extérieur des cellules. Cela force alors l'eau à sortir de la cellule par osmose, entraînant la déshydratation du cytoplasme, ce qui est tout à fait semblable à ce qui se passe lors de la sécheresse. **39.5** Les insectes broyeurs rendent les végétaux plus vulnérables aux attaques des agents pathogènes en brisant la cuticule cireuse des pousses, créant dès lors une ouverture pour l'infection. De plus, les substances libérées par les cellules endommagées peuvent servir de nutriments pour les agents pathogènes invasifs.

Évaluation

1. b; **2.** c; **3.** d; **4.** c; **5.** b; **6.** b; **7.** c.
8.

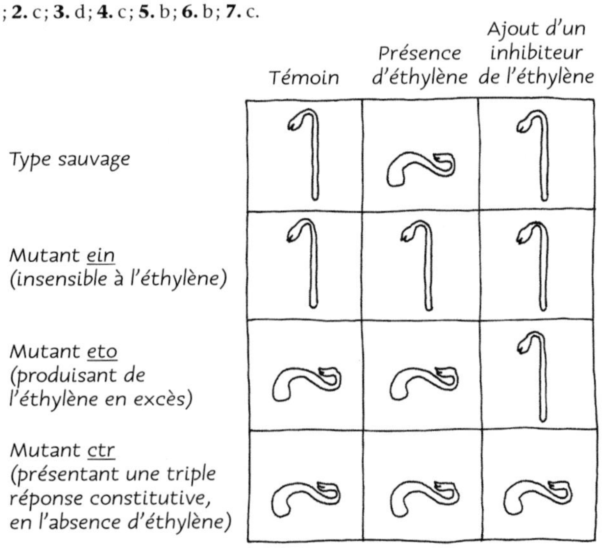

Témoin
Présence d'éthylène
Ajout d'un inhibiteur de l'éthylène
Type sauvage
Mutant ein (insensible à l'éthylène)
Mutant eto (produisant de l'éthylène en excès)
Mutant ctr (présentant une triple réponse constitutive, en l'absence d'éthylène)

CHAPITRE 40

Questions des figures

Figure 40.4 Ces surfaces d'échange sont qualifiées d'« internes » du fait qu'elles se trouvent à l'intérieur du corps, mais elles communiquent également avec des ouvertures qui débouchent sur la surface externe du corps, donc sur le milieu externe. **Figure 40.6** Dans le système nerveux, les signaux empruntent une voie directe entre la cellule émettrice et la cellule réceptrice, alors que les hormones qui se rendent aux cellules cibles peuvent agir indépendamment de la voie par laquelle elles arrivent et du nombre de fois qu'elles se déplacent dans la circulation. **Figure 40.8** Les stimulus (encadrés gris) sont l'augmentation de la température de la pièce dans la boucle du haut (flèches grises) et la diminution de la température de la pièce dans la boucle du bas. En réponse à ces stimulus, le centre de régulation peut soit fermer le système de chauffage, auquel cas la température baissera dans la boucle du haut, soit le mettre en route, auquel cas la température augmentera dans la boucle du bas. Le centre de régulation est le thermostat. Le climatiseur formerait un second circuit de commande, refroidissant la maison lorsque la température de l'air dépasse la valeur de référence. Des circuits de commande en sens opposés, ou antagonistes, augmentent l'efficacité d'un mécanisme homéostatique. **Figure 40.12** Les flèches de la conduction pointeraient dans la direction opposée, afin d'illustrer que le morse transfère de la chaleur à la glace puisqu'il est plus chaud qu'elle. **Figure 40.17** Si un python birman femelle ne couvait pas d'œufs, sa consommation d'O_2 diminuerait lorsque la température diminue, comme chez les autres ectothermes. **Figure 40.18** L'eau glacée refroidirait les tissus de votre tête, y compris le sang qui circulerait ensuite ailleurs dans votre corps. Cela contribuerait à ramener la température corporelle à sa valeur normale. Mais si de l'eau glacée parvenait au tympan et refroidissait le vaisseau sanguin qui dessert l'hypothalamus, le thermostat de l'hypothalamus réagirait en inhibant la transpiration et en provoquant la contraction des vaisseaux sanguins de la peau, ce qui aurait finalement pour effet de ralentir le refroidissement de votre corps. **Figure 40.19** L'acheminement des nutriments de part et d'autre des membranes ainsi que la synthèse de l'ARN et des protéines sont couplés à l'hydrolyse de l'ATP. Ces réactions ont lieu spontanément parce qu'il y a une perte globale d'énergie libre ; l'énergie excédentaire se dissipe sous forme de chaleur. De la même façon, moins de la moitié de l'énergie libre du glucose est utilisée dans les réactions couplées de la respiration cellulaire. L'énergie restante est libérée sous forme de chaleur. **Figure 40.21** Si on utilise les données de (a), le rapport est le suivant : $(10\ L\ O_2/h)/(10^{-1}\ L\ O_2/h) = 100$. Si on utilise les données de (b), le rapport approximatif est le suivant : $(0{,}25\ L\ O_2/h \cdot kg)/(0{,}9\ L\ O_2/h \cdot kg) = 0{,}3$. Par conséquent, même si le métabolisme basal du mouton est 100 fois plus élevé que celui du rat des moissons, son métabolisme basal par *unité de masse corporelle* correspond environ au tiers, seulement, de celui du rat des moissons. **Figure 40.22** Aucune conclusion. En effet, même si des gènes dont les taux d'expression démontrent des variations circadiennes durant l'euthermie comportent des taux constants d'ARN durant l'hibernation, il est tout à fait possible qu'un gène s'exprime de manière constante durant l'hibernation et durant l'euthermie. **Figure 40.23** Dans des environnements très chauds, les plantes et les animaux abaissent leur température de plusieurs façons : les plantes, par évaporation lors de la transpiration ; les animaux, par immersion dans l'eau, par transpiration et par halètement. Tant les plantes que les animaux synthétisent des protéines de choc thermique qui protègent les autres protéines contre la chaleur. Enfin, les animaux ont également recours à divers comportements qui réduisent l'absorption de chaleur. Dans les environnements très froids, les plantes et les animaux possèdent des mécanismes qui augmentent la proportion d'acides gras insaturés des lipides de leurs membranes ; ils ont également des protéines antigel qui préviennent ou réduisent la formation de cristaux de glace dans les cellules. Chez les plantes, l'augmentation de la concentration de certains solutés dans le cytoplasme contribue à réduire la perte d'eau intracellulaire en cas de gel extracellulaire. Les animaux augmentent leur production de chaleur métabolique et mettent en œuvre divers mécanismes permettant d'isoler leurs tissus profonds ; ils possèdent également des adaptations circulatoires qui réduisent les pertes de chaleur (comme les échanges thermiques à contre-courant) et font appel à des réactions comportementales spécifiquement destinées à s'adapter aux changements environnementaux.

Retour sur le concept 40.1

1. Tous les types d'épithéliums se composent de cellules densément groupées qui tapissent une surface, sont situées sur une lame basale et forment une interface vivante et protectrice avec le milieu externe. **2.** Une molécule d'O_2 doit traverser une membrane plasmique lorsqu'elle entre dans le corps par une surface d'échange de l'appareil respiratoire, puis lorsqu'elle pénètre dans la circulation et en ressort, et enfin lorsqu'elle passe du liquide interstitiel au cytoplasme de la cellule. **3.** Votre système nerveux doit percevoir le danger et provoquer une réaction musculaire extrêmement rapide pour vous empêcher de tomber. Toutefois, le système nerveux n'est pas en communication directe avec les vaisseaux sanguins ou avec les cellules qui stockent le glucose dans le foie. Il déclenche plutôt la libération par le système endocrinien d'une hormone (appelée adrénaline) qui active presque instantanément une modification de ces tissus.

Retour sur le concept 40.2

1. Dans la thermorégulation, le produit de la voie (un changement de température) ralentit l'activité de la voie en atténuant le stimulus. Dans cette réaction biosynthétique déclenchée par l'enzyme, le produit d'une voie (ici l'isoleucine) inhibe le processus biosynthétique qui l'a produit. **2.** Il faudrait placer le thermostat près de l'endroit où vous passez le plus de temps. Il ne doit pas être exposé aux perturbations environnementales telles que la lumière directe du soleil ni placé trop près du radiateur. De la même façon, les centres de contrôle de l'homéostasie situés dans le cerveau humain ne sont pas exposés directement aux perturbations environnementales. C'est ainsi qu'ils peuvent surveiller les conditions de cet organe vital et sensible. **3.** Dans l'évolution convergente, le même trait biologique émerge de manière indépendante chez deux espèces, ou plus. L'analyse génétique peut montrer que ces origines sont indépendantes. Plus précisément, si la séquence des nucléotides des gènes auquel est lié ce caractère chez une espèce ne ressemble pas suffisamment à celle des gènes correspondants chez une autre espèce, on peut conclure que l'origine génétique de ce caractère est distincte chez les deux espèces, donc indépendante. Dans le cas des rythmes circadiens, les gènes de l'horloge chez les cyanobactéries ne semblent pas présenter de lien avec ceux qu'on trouve chez les humains.

Retour sur le concept 40.3

1. Le « refroidissement éolien » est une perte de chaleur par convection : l'air en mouvement contribue à la perte de chaleur par la surface de la peau. **2.** Comme le colibri est un endotherme de très petite taille, la vitesse de son métabolisme est très élevée. Lorsque certaines fleurs absorbent la chaleur du soleil et réchauffent ainsi leur nectar, le colibri qui le butine économise la dépense métabolique qu'il aurait dû faire pour le réchauffer lui-même. **3.** Pour augmenter la température du corps et provoquer la fièvre, l'hypothalamus déclenche la production de chaleur par des contractions musculaires qui produisent les frissons. La personne fiévreuse dira souvent qu'elle a froid, même si la température de son corps est en réalité supérieure à la normale.

Retour sur le concept 40.4

1. Étant un animal endotherme, la souris a un métabolisme basal plus élevé que le métabolisme standard du lézard, qui est un ectotherme. **2.** Le chat domestique ; plus l'animal est petit, plus la vitesse du métabolisme par kilogramme de masse corporelle est élevée. Par conséquent, la demande en aliments par unité de masse augmente. **3.** La température corporelle de l'alligator diminuerait en même temps que la température de l'air. Donc, son métabolisme ralentirait, car les réactions chimiques se dérouleraient plus lentement. Par contre, la température corporelle du lion ne changerait pas. Son métabolisme s'accélérerait, car l'animal frissonnerait et produirait de la chaleur pour garder constante sa température corporelle.

Questions du résumé des concepts clés

40.1 Les animaux échangent des substances avec leur environnement par la surface de leur corps ; or, la forme sphérique est celle qui possède la plus petite surface par unité de volume. À mesure que la taille augmente, le rapport surface/volume diminue. **40.2** Non ; l'environnement interne d'un animal fluctue légèrement autour d'une valeur ou d'un intervalle de référence. L'homéostasie est un état dynamique. Certains changements, par exemple les augmentations radicales de la concentration d'hormones, se produisent à des moments précis au cours de la croissance d'un animal, car ils sont ainsi programmés. **40.3** L'échange de chaleur par la peau est un mécanisme de régulation de la température centrale du corps ; c'est pourquoi la température de la peau est plus basse que la température centrale. **40.4** Les petits animaux ont le rapport MB par unité de masse le plus élevé et consomment donc plus d'O_2 par unité de masse que les grands animaux. Une fréquence respiratoire plus rapide est donc nécessaire pour permettre cette consommation d'O_2 accrue.

Évaluation

1. b ; **2.** c ; **3.** a ; **4.** b ; **5.** c ; **6.** b ; **7.** d.

8.

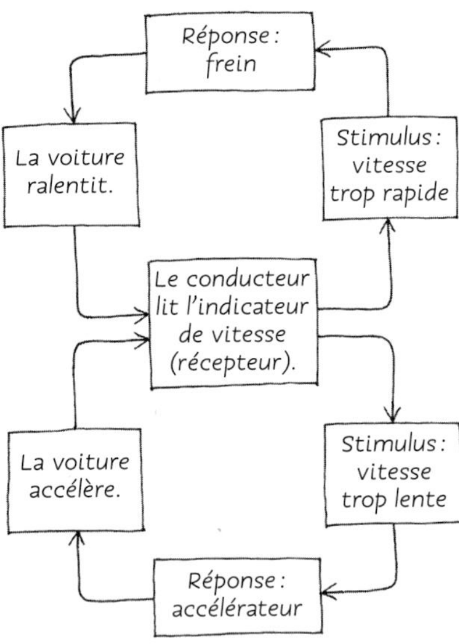

CHAPITRE 41

Questions des figures

Figure 41.4 Puisque les femmes du groupe expérimental avaient déjà eu un ou plusieurs bébés atteints de malformations du tube neural, il se peut que, chez elles, le risque génétique d'avoir un autre enfant atteint de ce trouble ait été plus élevé. La prise de suppléments d'acide folique a duré au moins quatre semaines chez les participantes de l'étude, alors qu'elle était probablement plus longue chez les femmes de la population américaine. Des différences peuvent aussi être liées à la petite taille de l'échantillon de l'étude comparativement à la population américaine. **Figure 41.6** Votre schéma doit montrer que la nourriture entre par la bouche de l'hydre et qu'elle est digérée en nutriments (particules plus petites) dans la grande partie de la cavité gastrovasculaire. Les nutriments diffusent ensuite dans les prolongements de cette cavité qui pénètrent dans les tentacules, là où ils sont absorbés par les cellules du gastroderme et transportés aux cellules de l'épiderme d'un tentacule. **Figure 41.9** Les voies respiratoires doivent être ouvertes pour que l'expiration puisse se produire. Or, si l'épiglotte est levée, l'eau qui arrive dans la gorge se heurte à l'air expulsé des poumons et elle est emportée avec lui jusqu'aux cavités nasales d'où elle sort en même temps que l'air. Le rire fait également descendre l'uvule palatine, ce qui permet à l'eau de sortir par le nez. **Figure 41.11** Puisque les enzymes sont des protéines et que les protéines sont hydrolysées dans l'intestin grêle, les enzymes digestives de ce compartiment doivent résister à toutes les ruptures de liaisons, sauf à celles qui leur permettent de s'activer. **Figure 41.12** Aucune. Comme la digestion se déroule dans l'intestin grêle, ces vers absorbent simplement les nutriments prédigérés grâce à la grande surface de leur corps. **Figure 41.13** Oui. La sortie de chylomicrons fait intervenir l'exocytose, un processus actif qui consomme de l'énergie sous forme d'ATP, tandis que l'entrée de monoglycérides et d'acides gras par diffusion dans la cellule est un processus passif qui ne consomme pas d'énergie. **Figure 41.17** Le pourcentage d'actinobactéries est différent entre les deux organes d'un adulte en bonne santé. Les actinobactéries sont peu présentes dans l'intestin, alors qu'elles sont assez présentes (40 %) dans l'estomac. Les conditions environnementales varient dans la lumière de ces deux organes. L'estomac est très acide, alors que le pH de l'intestin est plus neutre, voire légèrement alcalin. Les actinobactéries semblent mieux adaptées à un environnement acide. **Figure 41.21** L'insuline et le glucagon interviennent toutes deux dans la rétro-inhibition.

Retour sur le concept 41.1

1. Les seuls acides aminés essentiels sont ceux qu'un animal est incapable de synthétiser à partir d'autres molécules. Chez l'humain adulte, par exemple, 8 acides aminés sont essentiels et 12 peuvent être synthétisés à partir d'autres molécules. **2.** Plusieurs vitamines sont des cofacteurs enzymatiques qui, comme les enzymes elles-mêmes, ne sont pas modifiés par les réactions chimiques auxquelles ils participent. Voilà pourquoi seules de très petites quantités de vitamines sont nécessaires. **3.** Pour déterminer quel est le nutriment essentiel qui manque à l'alimentation d'un animal, un chercheur peut supplémenter l'alimentation en divers nutriments, un à la fois, et déterminer lequel élimine les signes de malnutrition.

Retour sur le concept 41.2

1. Une cavité gastrovasculaire est une cavité digestive en forme de sac à une seule ouverture ; cette cavité sert à la fois à la digestion et à l'élimination. Un tube digestif est un canal alimentaire doté d'une bouche et d'un anus aux extrémités opposées. **2.** Tant qu'ils se trouvent dans la cavité du tube digestif, les nutriments se déplacent dans un compartiment qui communique avec l'extérieur par l'intermédiaire de la bouche et de l'anus ; ils n'ont pas encore traversé de membrane pour entrer dans l'organisme. **3.** Dans les deux cas, des combustibles riches en énergie sont consommés, des molécules complexes sont décomposées en molécules plus simples et des déchets sont évacués. De plus, l'essence, comme la nourriture, est dégradée dans un compartiment spécialisé, de sorte que le reste de la voiture (du corps) ne se dégrade pas. Enfin, tout comme la nourriture demeure dans le tube digestif du corps, l'essence se déplace du réservoir au moteur et les déchets sont évacués par le tuyau d'échappement sans jamais pénétrer dans l'habitacle de la voiture.

Retour sur le concept 41.3

1. Étant donné que les cellules pariétales pompent les ions hydrogène(H^+) vers la lumière de l'estomac où ils se combinent avec des ions chlorure (Cl^-) pour produire du HCl, un inhibiteur de pompe à protons ralentit l'excrétion des ions H^+, réduisant ainsi l'acidité du chyme et l'irritation causée par le reflux du chyme acide dans l'œsophage. **2.** En rendant possible la libération de sucres provenant d'amidon ou de glycogène dans la bouche, l'amylase nous permet peut-être de reconnaître les aliments qui nous fournissent un apport d'énergie immédiat. **3.** Les protéines seraient dénaturées et dégradées en peptides. Pour obtenir une digestion plus avancée, produisant des acides aminés, il faudrait ajouter les sécrétions enzymatiques de l'intestin grêle. Aucune digestion de glucides n'aurait lieu.

Retour sur le concept 41.4

1. La nourriture qui séjourne plus longtemps dans le tube digestif peut subir une digestion plus poussée. En outre, les surfaces d'absorption sont plus grandes. **2.** Le système digestif d'un mammifère abrite des microorganismes mutualistes qui bénéficient d'un environnement dans lequel ils sont protégés des autres microorganismes par la salive et les sucs gastriques. De plus, la température est constante et propice à l'action enzymatique, et l'apport de nutriments est régulier. **3.** Pour que le traitement au yogourt soit efficace, les bactéries du yogourt doivent établir une relation mutualiste avec l'intestin grêle, où les disaccharides sont dégradés, et les glucides simples, absorbés. Les conditions de l'intestin grêle sont probablement très différentes de celles de la culture bactérienne du yogourt. Les bactéries seraient tuées avant d'arriver à l'intestin grêle, ou alors elles seraient incapables de s'y multiplier suffisamment pour faciliter la digestion.

Retour sur le concept 41.5

1. À long terme, le corps transforme l'énergie excédentaire en triglycérides, qu'elle ait été consommée sous forme de triglycérides, de glucides ou de protéines. **2.** Chez les personnes présentant un poids santé, les taux de leptine baissent durant le jeûne. Les personnes du groupe dont les taux de leptine sont bas présentent probablement un déficit en leptine, de sorte que les taux de cette hormone demeureront bas, quel que soit l'apport de nourriture. Les personnes du groupe dont les taux de leptine sont élevés présentent probablement un déficit du récepteur de la leptine, mais elles peuvent tout de même inhiber la production de leptine quand les réserves de triglycérides sont épuisées. **3.** La production excessive d'insuline abaissera la glycémie sous les valeurs physiologiques normales. Elle déclenchera également la synthèse de glycogène dans le foie, ce qui abaissera encore plus la glycémie. Toutefois, une glycémie faible stimule la libération de glucagon par les cellules alpha du pancréas, ce qui amorce la dégradation du glycogène. Donc, des effets opposés auront lieu dans le foie.

Questions du résumé des concepts clés

41.1 Étant donné que le cofacteur est nécessaire chez tous les animaux, ceux qui ne le tirent pas de leur alimentation doivent être capables de le synthétiser eux-mêmes à partir d'autres molécules organiques. **41.2** Un régime alimentaire liquide, contenant du glucose, des acides aminés et d'autres nutriments, pourrait être ingéré et absorbé sans digestion mécanique ou chimique. **41.3** La surface d'absorption de l'intestin grêle est beaucoup plus grande que celle de l'estomac. **41.4** Notre dentition et la faible longueur de notre cæcum donnent à penser que les systèmes digestifs de nos ancêtres n'étaient pas spécialisés dans la digestion de matières végétales. **41.5** Quand l'heure du repas approche, les potentiels d'action du cerveau indiquent à l'estomac de se préparer à digérer de la nourriture, c'est-à-dire de libérer ses sécrétions et de se contracter.

Évaluation

1. b ; **2.** a ; **3.** b ; **4.** c ; **5.** b ; **6.** d ; **7.** b.

8.

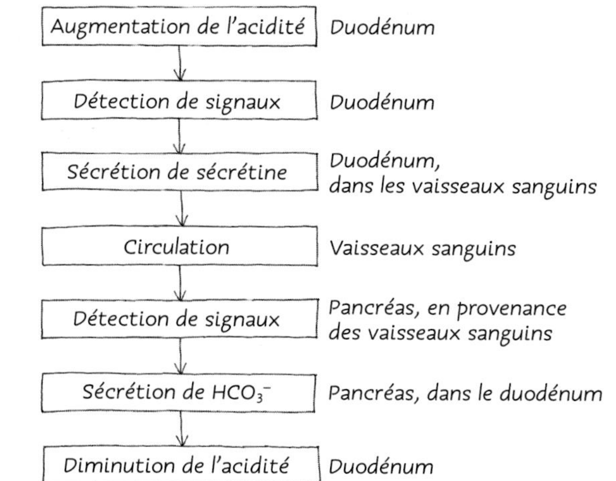

CHAPITRE 42

Questions des figures

Figure 42.2 L'écoulement régulier du liquide dans une seule direction améliorerait peut-être les échanges gazeux, mais si le liquide s'écoulait ainsi dans la cavité, il se pourrait que la nourriture et les nutriments n'aient pas le temps d'être digérés et absorbés. **Figure 42.5** Deux lits capillaires. La molécule de CO_2 devrait entrer dans un lit capillaire du pouce avant de retourner dans l'oreillette droite et le ventricule droit, d'où elle se rendrait au poumon pour entrer alors dans un capillaire duquel elle pourrait diffuser dans une alvéole et être expirée. **Figure 42.8** Chaque partie du tracé de l'ECG, par exemple le pic très marqué, se produit une seule fois par révolution cardiaque. Si vous utilisez l'axe des *x* pour calculer le temps en secondes entre les pics successifs et que vous divisez ce nombre par 60, vous obtiendrez la fréquence cardiaque, c'est-à-dire le nombre de révolutions par minute. **Figure 42.25** La présence du surfactant explique la diminution de la tension superficielle. Il est donc possible de prévoir que la quantité de surfactant chez les bébés décédés de SDR sera pratiquement nulle. Chez les bébés décédés d'autres causes, la quantité de surfactant serait pratiquement nulle chez les bébés de moins de 1 200 g, mais beaucoup plus importante chez les bébés de plus de 1 200 g. **Figure 42.27** Étant donné que l'expiration est surtout passive, les fibres élastiques des alvéoles permettent à ces petites cavités de se rétracter et de chasser l'air des poumons. Lorsque les alvéoles ont perdu de leur élasticité, comme c'est le cas dans l'emphysème, l'expiration de l'air est moins efficace. Comme il reste davantage d'air dans les poumons après l'expiration, le volume d'air nouveau insufflé à l'inspiration suivante est plus faible. Il s'ensuit une diminution du gradient de pression partielle qui détermine les échanges gazeux. **Figure 42.28** Quand on respire à une fréquence supérieure à la fréquence nécessaire pour répondre aux besoins métaboliques (hyperventilation), la concentration sanguine de CO_2 diminue. Les chimiorécepteurs des gros vaisseaux sanguins et du bulbe rachidien enverraient donc aux centres de régulation de la respiration des informations permettant de ralentir la fréquence de la contraction du diaphragme et celle des muscles intercostaux. Il s'ensuivrait une diminution de la fréquence respiratoire et le rétablissement de la concentration normale de CO_2 dans le sang et les autres tissus. **Figure 42.29** Il en résulterait une augmentation du volume courant qui améliorerait la ventilation dans les poumons et augmenterait la P_{O_2} et abaisserait la P_{CO_2} dans les alvéoles.

Retour sur le concept 42.1

1. Dans un système ouvert, tout comme dans une fontaine, le liquide est pompé dans un conduit, puis retourne à la pompe après avoir été recueilli dans un bassin. **2.** La capacité de cesser l'apport sanguin aux poumons quand l'animal est immergé. **3.** Le contenu en O_2 serait anormalement bas parce qu'une partie du sang pauvre en O_2 renvoyé à l'oreillette droite depuis la circulation systémique se mélangerait au sang riche en O_2 dans l'oreillette gauche.

Retour sur le concept 42.2

1. Les veines pulmonaires transportent du sang qui vient de passer dans les lits capillaires des poumons, où il a absorbé de l'O_2. La veine cave transporte du sang qui vient juste de passer dans les lits capillaires du reste du corps, où il s'est déchargé de son O_2 dans les tissus. **2.** Ce retard permet à l'oreillette de se vider complètement et de remplir le ventricule avant sa contraction. **3.** Comme tout autre muscle, le cœur se renforce quand on fait de l'exercice. Votre cœur serait plus fort et votre volume systolique serait plus élevé, d'où le maintien du débit cardiaque malgré la diminution de la fréquence cardiaque.

Retour sur le concept 42.3

1. L'importance de l'aire de la section transversale totale des capillaires. **2.** L'élévation de la pression sanguine par suite de l'augmentation du débit cardiaque associée au détournement de la majeure partie de la circulation du sang vers les muscles squelettiques accroît la capacité d'agir en accélérant la vitesse de la circulation sanguine ainsi que de l'apport d'O_2 et de nutriments aux muscles squelettiques. **3.** La présence de cœurs supplémentaires peut améliorer le retour du sang depuis les jambes. Toutefois, il peut être difficile de coordonner l'activité de plusieurs cœurs, de même que de maintenir une circulation sanguine adéquate en direction des cœurs situés loin des organes où s'effectuent les échanges gazeux.

Retour sur le concept 42.4

1. L'augmentation des leucocytes peut indiquer que le sujet combat une infection. **2.** Les facteurs de coagulation n'activent pas le mécanisme de la coagulation, mais ils sont essentiels aux étapes de la coagulation. **3.** La douleur thoracique est causée par un apport sanguin insuffisant dans les artères coronaires. La vasodilatation causée par le monoxyde d'azote de la nitroglycérine augmente la circulation sanguine, ce qui permet au cœur de recevoir davantage d'O_2 et soulage ainsi la douleur. **4.** Les cellules souches embryonnaires sont pluripotentes plutôt que multipotentes, ce qui signifie qu'elles peuvent donner naissance à de nombreux types de cellules plutôt qu'à seulement quelques-uns.

Retour sur le concept 42.5

1. Ce repliement vers l'intérieur permet aux surfaces respiratoires de rester humides. Si ces prolongements étaient tournés vers l'extérieur, dans le milieu aérien, les surfaces s'assécheraient rapidement, ce qui bloquerait la diffusion et les échanges d'O_2 et de CO_2 à travers la membrane. **2.** Les vers de terre doivent garder leur peau humide pour assurer leurs échanges gazeux, mais ils ont aussi besoin de l'air qui se trouve à l'extérieur de la couche humide. Quand il pleut, ils doivent quitter leurs galeries remplies d'eau. S'ils restaient dans la terre, ils suffoqueraient, car ils seraient incapables d'obtenir autant de O_2 en puisant dans l'eau qu'en puisant dans l'air. **3.** Chez les poissons, l'eau passe sur les lamelles des branchies dans la direction opposée à celle du sang dans les capillaires, maximisant ainsi l'extraction d'O_2 de l'eau sur toute la longueur de la surface d'échange. De la même façon, dans les extrémités des membres de certains vertébrés, le sang des veines s'écoule dans la direction opposée à celui qui s'écoule dans les artères. Cet agencement à contre-courant permet de récupérer la chaleur du sang qui arrive du centre du corps par les artères, une adaptation importante pour la thermorégulation dans les environnements froids.

Retour sur le concept 42.6

1. L'augmentation de la concentration de CO_2 du sang accroît la vitesse de diffusion du CO_2 dans le liquide cérébrospinal. Dans ce liquide, le CO_2 réagit avec l'eau pour former de l'acide carbonique. La dissociation de l'acide carbonique libère des ions hydrogène (H^+), ce qui a pour effet d'abaisser le pH du liquide cérébrospinal. **2.** Une fréquence cardiaque accrue augmente la vitesse à laquelle le sang riche en CO_2 est acheminé vers les poumons où il est libéré. **3.** Une petite déchirure laisserait entrer l'air dans l'espace entre le feuillet interne et le feuillet externe de la double membrane. Il en résulterait une affection appelée pneumothorax. Les deux feuillets n'adhéreraient plus l'un à l'autre, et le poumon situé du côté de la déchirure s'affaisserait et cesserait de fonctionner.

Retour sur le concept 42.7

1. Les variations de la pression partielle entre les capillaires et les tissus ou le milieu environnant; la diffusion nette d'un gaz s'effectue toujours du milieu où sa pression partielle est la plus élevée vers le milieu où elle est la plus faible. **2.** L'effet Bohr incite l'hémoglobine à libérer de l'O_2 à un pH plus faible, comme celui qu'on trouve à proximité de tissus dont les taux de respiration cellulaire et de libération de CO_2 sont élevés. **3.** Le médecin estime que la respiration rapide est une réaction de l'organisme à une baisse du pH sanguin. L'acidose métabolique, c'est-à-dire la baisse du pH sanguin, peut avoir plusieurs causes d'ordre métaboliques, dont les complications de certains types de diabète, l'état de choc (pression sanguine extrêmement basse) et l'intoxication.

Questions du résumé des concepts clés

42.1 Dans un système cardiovasculaire clos, une pompe musculaire alimentée par l'ATP déplace habituellement les liquides dans une seule direction, sur une distance allant de quelques millimètres à quelques mètres. L'échange de substances entre les cellules et leur milieu dépend de la diffusion, à laquelle participent des molécules qui se déplacent au hasard. Les gradients de concentration des molécules sur les surfaces d'échange peuvent donner lieu à une diffusion nette qui est rapide sur de courtes distances, de l'ordre de 1 mm ou moins. **42.2** Le remplacement d'une valve défectueuse devrait augmenter le débit systolique. Une fréquence cardiaque plus faible suffirait alors pour maintenir le même débit cardiaque. **42.3** La pression sanguine dans ce bras chuterait de 25 à 30 mm Hg, la même différence que celle qui est observée entre votre cœur et votre cerveau. **42.4** Un litre de sang contient environ 5×10^{12} érythrocytes et 5×10^{9} leucocytes ; ces derniers représentent donc 0,1 % environ des cellules sanguines, en l'absence d'infection. **42.5** Étant donné que le CO_2 représente une très petite fraction des gaz atmosphériques (0,29 mm Hg/760 mm Hg, soit moins de 0,04 %), le gradient de pression partielle du CO_2 entre la surface respiratoire et l'environnement favorise toujours de beaucoup la libération de CO_2 dans l'atmosphère. **42.6** Puisque les poumons ne se vident pas complètement à chaque expiration, l'air qui entre et celui qui sort se mélangent, de sorte que les poumons contiennent un mélange d'air frais et d'air non frais. **42.7** Une enzyme accélère une réaction sans en perturber l'équilibre et sans être détruite. De la même façon, un pigment respiratoire accélère les échanges gazeux entre le corps et l'environnement externe sans perturber l'état d'équilibre et sans être détruit.

Évaluation

1. c ; **2.** a ; **3.** d ; **4.** c ; **5.** c ; **6.** a ; **7.** a.
8.

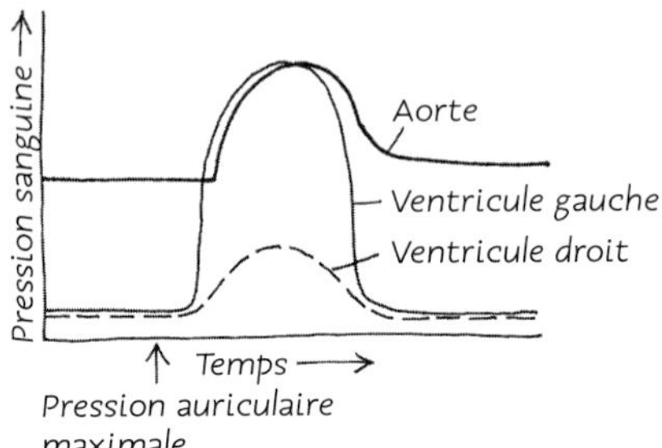

CHAPITRE 43

Questions des figures

Figure 43.4 L'enzyme Dicer-2 se lie à l'ARN double brin sans tenir compte de la taille ou de la séquence, puis elle découpe l'ARN en fragments qui possèdent chacun 21 nucléotides. Le complexe Argo se lie aux fragments d'ARN double brin qui possèdent chacun 21 nucléotides, déplace un des brins et utilise le brin restant pour l'apparier avec une séquence cible dans un ARNm simple brin. **Figure 43.5** Les récepteurs de type Toll à la surface des cellules reconnaissent des molécules situées à la surface des agents pathogènes, tandis que les TLR présents dans les vésicules reconnaissent les molécules internes des agents pathogènes détectables après leur dégradation. **Figure 43.7** Puisque la sensation de douleur causée par une écharde s'estompe presque immédiatement après qu'on l'a retirée de la peau, vous pourriez correctement déduire que les signaux qui participent à la réaction inflammatoire sont d'assez courte durée. **Figure 43.10** Une partie de l'enzyme ou du récepteur d'antigène fournit une « armature » qui maintient la forme générale, tandis que l'interaction a lieu à la surface, à la manière d'une clé dans une serrure, avec le substrat ou l'antigène. L'effet combiné des interactions non covalentes multiples au site actif ou au site de fixation est une interaction de haute affinité caractérisée par une grande spécificité. **Figure 43.13** Après le remaniement des gènes, un lymphocyte et ses cellules filles donnent une seule version du récepteur d'antigène. En revanche, l'épissage alternatif n'est pas héréditaire et peut donner naissance à divers produits génétiques dans une même cellule. **Figure 43.14** Un seul lymphocyte B possède plus de 100 000 récepteurs d'antigènes identiques à sa surface, et non 4, et il existe plus de 1 million de lymphocytes B dont la spécificité antigénique diffère, et non 3. **Figure 43.15** Environ 1 lymphocyte B sur 100 serait spécifique de l'antigène A au jour 36. **Figure 43.17** Ces récepteurs permettent aux lymphocytes B mémoire de présenter un antigène de surface à un lymphocyte T auxiliaire. Cette présentation de l'antigène est nécessaire pour activer des cellules mémoire dans une réponse immunitaire secondaire. **Figure 43.22** Réponse immunitaire primaire : les flèches qui partent d'Antigène (1re exposition), Cellule présentatrice d'antigène, Lymphocyte T auxiliaire, Lymphocyte B, Plasmocytes, Lymphocyte T cytotoxique et Lymphocytes T cytotoxiques activés. Réponse immunitaire secondaire : les flèches qui partent d'Antigène (2e exposition), Lymphocytes T auxiliaires mémoire, Lymphocytes B mémoire, Lymphocytes T cytotoxiques mémoire, Plasmocytes et Lymphocytes T cytotoxiques activés. **Figure 43.24** Les résultats ne changeraient pas. Comme les deux sites de liaison antigénique d'un anticorps ont la même spécificité, les deux bactériophages liés présenteraient le même peptide viral.

Retour sur le concept 43.1

1. Étant donné que le pus contient des leucocytes, du liquide et des débris cellulaires, il indique une réaction inflammatoire active et au moins partiellement efficace contre les agents pathogènes envahisseurs. **2.** Le ligand du récepteur de type Toll est une molécule étrangère, contrairement au ligand de plusieurs voies de transduction du signal, qui est une molécule produite par l'organisme lui-même. **3.** Le déploiement d'une réponse immunitaire nécessiterait la reconnaissance d'une structure moléculaire de l'œuf de guêpe qui n'est pas dans l'hôte. Il se peut que les récepteurs possédant la bonne spécificité ne se trouvent que chez certains hôtes.

Retour sur le concept 43.2

1. Voir la figure 43.9. Les régions transmembranaires se trouvent dans les régions C, qui portent également les ponts disulfures. Les sites de fixation de l'antigène se trouvent toutefois dans les régions V. **2.** La production de cellules mémoire permet deux choses : qu'un récepteur spécifique d'un épitope donné soit présent et que le nombre de lymphocytes munis de cette spécificité soit plus élevé que dans un hôte n'ayant jamais rencontré l'antigène. **3.** Si chaque lymphocyte produisait deux chaînes légères et lourdes différentes pour ses récepteurs antigéniques, les diverses combinaisons donneraient quatre récepteurs différents. Si un des lymphocytes était autoréactif, il serait éliminé à l'apparition de la tolérance au soi. Donc, un plus grand nombre de lymphocytes B seraient éliminés, et la réponse de ceux qui pourraient réagir avec un antigène étranger serait moins efficace à cause de la variété des récepteurs (et des anticorps) qu'ils exprimeraient.

Retour sur le concept 43.3

1. Un enfant dépourvu de thymus ne posséderait pas de lymphocytes T fonctionnels. Sans lymphocytes T auxiliaires pour aider à activer les lymphocytes B, il serait incapable de produire des anticorps contre les bactéries extracellulaires. Sans lymphocytes T cytotoxiques ou lymphocytes T auxiliaires pour aider à les activer, le système immunitaire serait incapable de tuer les cellules infectées par des virus. **2.** Étant donné que le site de fixation de l'antigène est intact, les fragments d'anticorps pourraient neutraliser des virus et opsoniser des bactéries. **3.** Si la victime acquérait une sensibilité aux protéines contenues dans un sérum antirabique, une autre injection pourrait provoquer une réponse immunitaire grave. Par ailleurs, le système immunitaire de la victime pourrait maintenant produire des anticorps qui neutraliseraient le virus.

Retour sur le concept 43.4

1. La myasthénie est considérée comme une maladie auto-immune parce que le système immunitaire produit des anticorps contre les molécules du soi (les récepteurs de l'acétylcholine des jonctions neuromusculaires). **2.** Une personne ayant un rhume produit des sécrétions nasales et buccales qui facilitent le transfert viral. De plus, étant donné qu'une maladie peut causer une perte fonctionnelle ou même la mort, un virus programmé pour sortir de l'hôte en période de stress physiologique a l'occasion de trouver de nouveaux hôtes advenant que son hôte actuel meure. **3.** Une personne qui présente un déficit de macrophagocytes souffrirait de fréquentes infections. Cela serait attribuable à des réponses immunitaires innées inadéquates, notamment un affaiblissement de la phagocytose et de la réaction inflammatoire. De plus, les réponses immunitaires adaptatives seraient inexistantes ou insuffisantes étant donné le rôle des macrophagocytes dans la présentation des antigènes aux lymphocytes T auxiliaires.

Questions du résumé des concepts clés

43.1 Le lysozyme dans la salive détruit les parois des cellules bactériennes ; la viscosité du mucus aide à emprisonner les bactéries ; le pH acide de la muqueuse de l'estomac détruit beaucoup de bactéries ; et la densité des cellules qui tapissent la muqueuse intestinale constitue une barrière physique à l'infection. **43.2** Il y a toujours un nombre suffisant de cellules participant à une réponse immunitaire innée, tandis que la réponse adaptative requiert la sélection et la prolifération d'une population cellulaire spécifique de l'agent pathogène responsable de l'infection qui est très petite au départ. **43.3** Non. La mémoire immunologique acquise après une infection naturelle et celle acquise après la vaccination sont très semblables. Il existe de légères différences dans les antigènes particuliers susceptibles d'être reconnus dans une infection subséquente. **43.4** Non. Le sida désigne la perte de la fonction immunitaire qui peut se produire au fil du temps chez une personne infectée par le VIH. Cependant, chez les personnes infectées par le VIH, certaines combinaisons de médicaments ou de rares variations génétiques empêchent habituellement l'évolution du sida.

Évaluation

1. b; **2.** c; **3.** c; **4.** b; **5.** b; **6.** b; **7.** c.
8. Une des réponses possibles:

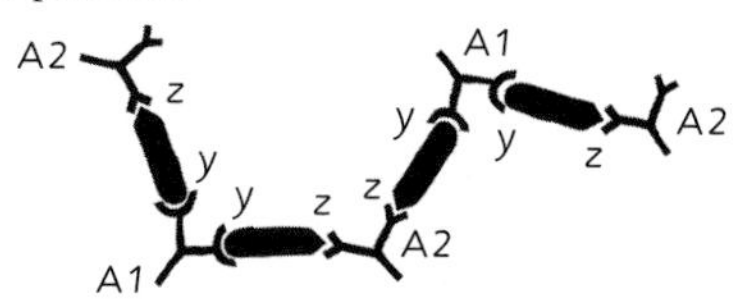

CHAPITRE 44

Questions des figures

Figure 44.13 Ces cellules tapissent les tubules à l'endroit où ils traversent la médulla rénale. Étant donné que l'osmolarité du liquide extracellulaire de la médulla rénale est très forte, la production de solutés organiques par les cellules tubulaires dans cette région maintient l'osmolarité intracellulaire à une valeur élevée et, donc, un volume normal. **Figure 44.14** Le furosémide augmente le volume urinaire. (C'est donc un médicament diurétique.) L'absence de transport d'ions dans la partie ascendante laisse le filtrat trop concentré pour qu'il y ait une diminution substantielle de volume dans le tubule contourné distal et le tubule rénal collecteur. **Figure 44.17** Lorsque la concentration d'un ion diffère de part et d'autre de la membrane, la différence de concentration entre l'intérieur et l'extérieur correspond à l'énergie potentielle chimique, tandis que la différence qui en résulte quant à la charge à l'intérieur et à l'extérieur correspond à l'énergie potentielle électrique. **Figure 44.20** Les taux d'ADH seraient probablement élevés chez les patients des deux groupes présentant des mutations, car chacune des mutations empêche la réabsorption de l'eau qui pourrait ramener l'osmolarité sanguine à une valeur normale. **Figure 44.21** Les flèches étiquetées «sécrétion» sont les flèches indiquant la sécrétion d'aldostérone, d'angiotensinogène et de rénine.

Retour sur le concept 44.1

1. Parce que le sel se déplace contre le gradient de concentration, d'un milieu hypoosmotique (eau douce) vers un milieu hyperosmotique (sang). **2.** Un osmotolérant dulcicole aurait des liquides corporels trop dilués pour effectuer les processus vitaux. **3.** S'il est privé de sa couche de fourrure isolante, le chameau doit recourir à l'effet rafraîchissant de la perte d'eau par évaporation pour maintenir sa température corporelle; on constate là le lien entre la thermorégulation et l'osmorégulation.

Retour sur le concept 44.2

1. Étant donné son insolubilité dans l'eau, l'acide urique peut être excrété sous forme de pâte semi-solide, ce qui a pour effet de réduire la perte d'eau chez un animal. **2.** Les humains produisent de l'acide urique au cours de la dégradation de la purine; une diminution de purine de source alimentaire aide souvent à atténuer la goutte. Toutefois, les oiseaux produisent de l'acide urique comme déchet du métabolisme azoté général. Ils auraient donc besoin d'une alimentation faible en composés azotés, et non seulement en purine.

Retour sur le concept 44.3

1. Chez les vers plats, les cellules ciliées entraînent les liquides interstitiels contenant des déchets dans les protonéphridies. Chez les vers de terre, les déchets passent du liquide interstitiel au cœlome, où des cils les déplacent dans des métanéphridies par un entonnoir situé autour de l'ouverture interne des métanéphridies. Chez les insectes, les tubes de Malpighi pompent les liquides de l'hémolymphe, qui reçoit les déchets au cours des échanges avec les cellules. **2.** Le filtrat se forme lorsque les glomérules filtrent le sang de l'artère rénale dans la capsule glomérulaire. Une partie du contenu du filtrat est réabsorbée, entre dans les capillaires et ressort par la veine rénale; le reste demeure dans le filtrat et ressort du rein par l'uretère. **3.** S'il y avait du Na^+ et d'autres ions (électrolytes) dans le dialysat, il serait plus difficile de les enlever du filtrat durant la dialyse. La bonne concentration des électrolytes dans le dialysat initial permet de restaurer la concentration adéquate d'électrolytes dans le plasma. De la même façon, l'absence d'urée et d'autres déchets dans le dialysat initial permet de débarrasser le filtrat des déchets.

Retour sur le concept 44.4

1. Les nombreux néphrons et les glomérules bien développés des poissons d'eau douce permettent de produire de l'urine rapidement, contrairement aux néphrons peu nombreux et aux glomérules peu développés des poissons marins qui fabriquent l'urine plus lentement. **2.** La médulla rénale réabsorbera moins d'eau, donc le médicament augmentera la perte d'eau dans l'urine. **3.** Une baisse de la pression artérielle dans l'artériole afférente réduirait la vitesse de filtration en déplaçant moins de substances dans les vaisseaux.

Retour sur le concept 44.5

1. L'alcool inhibe la libération d'ADH, ce qui cause une augmentation de la perte d'eau urinaire et une augmentation des risques de déshydratation. **2.** La consommation d'une très grande quantité d'eau dans un court laps de temps, et sans un apport adéquat de solutés, peut abaisser le taux de sodium dans le sang à un niveau dangereux. Il en résulte un déséquilibre appelé hyponatrémie, qui cause de la désorientation et, parfois, une détresse respiratoire. Elle survient à l'occasion chez des coureurs de marathon qui ont bu de l'eau plutôt que des boissons pour sportifs. (Cette affection a aussi causé la mort d'un étudiant dans un rituel d'initiation où il fallait boire beaucoup d'eau, ainsi que la mort d'un participant à un concours de consommation d'eau.) **3.** L'hypertension artérielle.

Questions du résumé des concepts clés

44.1 L'eau entre dans une cellule par osmose quand le liquide à l'extérieur des cellules est hypoosmotique (dont la concentration de solutés est inférieure à celle du cytosol).
44.2

Caractéristique du déchet	Ammoniac	Urée	Acide urique
Toxicité	Élevée	Faible	Très faible
Coût énergétique	Faible	Moyen	Élevé
Perte d'eau par excrétion	Élevée	Moyenne	Faible

44.3 La filtration produit un liquide qui sera soumis à des processus d'échanges et qui est dépourvu de cellules et de grosses molécules. Ces cellules et ces molécules sont bénéfiques pour l'animal et seraient difficilement réabsorbées. **44.4** Les deux types de néphrons possèdent des tubules contournés proximaux qui peuvent réabsorber des nutriments, mais seuls des néphrons juxtamédullaires ont des anses qui pénètrent très profondément dans la médulla rénale. Donc, seuls les reins dotés de néphrons juxtamédullaires peuvent produire de l'urine plus concentrée que le sang. **44.5** Les patients qui ne produisent pas d'ADH sont soulagés par un traitement de remplacement de cette hormone, mais chez beaucoup de patients souffrant de diabète insipide, les récepteurs pour l'ADH ne sont pas fonctionnels.

Évaluation

1. c; **2.** a; **3.** c; **4.** d; **5.** c; **6.** b.

CHAPITRE 45

Questions des figures

Figure 45.4

HO, CH_3, N, H, OH, HO

Adrénaline

Figure 45.5 L'hormone est hydrosoluble et possède un récepteur de surface. Ce type de récepteur, contrairement à celui des hormones liposolubles, peut causer des changements observables dans les cellules sans transcription de gène dépendante des hormones. **Figure 45.6** L'ATP est converti en AMPc par un mécanisme enzymatique. Les autres étapes sont des réactions de liaison. **Figure 45.21** La gonade embryonnaire peut devenir soit un testicule, soit un ovaire. Selon les conditions, les conduits forment une structure particulière ou dégénèrent, et la vessie se forme tant chez les garçons que chez les filles.

Retour sur le concept 45.1

1. Les hormones hydrosolubles, qui ne peuvent pas traverser la membrane plasmique, se fixent à des récepteurs de surface. Cette interaction déclenche une suite d'événements à l'intérieur de la cellule: une transduction du signal qui, au bout du compte, modifie l'activité d'une protéine cytoplasmique préexistante ou change la transcription de gènes spécifiques dans le noyau. Étant liposolubles, les hormones stéroïdes peuvent traverser la membrane plasmique et pénétrer dans la cellule, où elles se fixent à des récepteurs situés dans le cytoplasme ou le noyau. Dans les deux cas, le complexe hormone-récepteur agit directement comme facteur de transcription qui se fixe à l'ADN de la cellule cible et active ou inhibe la transcription de gènes spécifiques. **2.** Par une glande exocrine, parce que les phéromones ne sont pas sécrétées dans le liquide interstitiel ; en général, elles sont plutôt libérées à la surface du corps ou dans l'environnement. **3.** Étant donné que les récepteurs des hormones hydrosolubles sont situés à la surface de la cellule en contact avec l'espace extracellulaire, l'injection de l'hormone dans le cytoplasme ne déclencherait pas de réponse.

Retour sur le concept 45.2

1. La prolactine régule la production de lait, tandis que l'ocytocine est responsable de sa sécrétion. **2.** La neurohypophyse est un prolongement de l'hypothalamus où se terminent les axones des cellules neurosécrétoires. Elle constitue le site dans lequel sont emmagasinées et libérées deux neurohormones : l'ocytocine et l'hormone antidiurétique (ADH). L'adénohypophyse est composée de cellules endocrines qui synthétisent au moins six hormones différentes. La sécrétion des hormones adénohypophysaires est régulée par les hormones hypothalamiques qui sont apportées à l'adénohypophyse par l'intermédiaire de vaisseaux sanguins. **3.** L'hypothalamus et l'hypophyse participent à de nombreuses voies endocrines. La présence de plusieurs anomalies dans ces glandes, par exemple des anomalies qui perturbent la croissance ou l'organisation, est donc susceptible de toucher plusieurs voies hormonales. Seule une anomalie très précise, par exemple une mutation touchant tel ou tel récepteur d'hormone, altérera une seule voie endocrine. La situation est très différente si le problème touche la glande qui termine une voie, par exemple la glande thyroïde. Dans ce cas, un vaste éventail d'anomalies qui perturbent le fonctionnement de la glande empêchera seulement le fonctionnement de la voie de la glande ou un petit ensemble de voies dans lesquelles cette glande joue un rôle. **4.** Les deux diagnostics pourraient être corrects. Un de ces diagnostics suppose que la glande thyroïde produit trop d'hormones thyroïdiennes malgré un apport hormonal adéquat de l'hypothalamus et de l'adénohypophyse. L'autre diagnostic suppose qu'une production anormalement élevée d'hormone (TSH) pourrait causer l'hyperactivité de la glande thyroïde.

Retour sur le concept 45.3

1. Si la fonction de cette voie est de produire une réponse transitoire, une diminution de la durée du stimulus ferait en sorte que le stimulus dépendrait moins d'une rétro-inhibition. **2.** Vous exploiteriez l'activité anti-inflammatoire des glucocorticoïdes. En injectant le médicament localement, on limite son action aux tissus atteints en exploitant l'action anti-inflammatoire du glucocorticoïde. En même temps, le traitement localisé évite les effets que produirait l'action du glucocorticoïde sur le métabolisme du glucose et le système immunitaire si on l'administrait oralement et qu'il allait partout dans le corps par la circulation sanguine. **3.** Les deux hormones produisent des effets opposés dans différents tissus cibles : dans la réaction de lutte ou de fuite, l'adrénaline augmente l'apport sanguin aux muscles squelettiques et diminue l'apport sanguin aux muscles lisses du système digestif ; en établissant la dominance apicale, l'auxine stimule la croissance des bourgeons apicaux et inhibe la croissance des bourgeons latéraux.

Questions du résumé des concepts clés

45.1 Comme le montre la figure 43.16, la communication autocrine autant que la communication paracrine interviennent dans l'activation des lymphocytes T auxiliaires par des cytokines qui agissent comme des régulateurs locaux. **45.2** Les activités du pancréas, des glandes parathyroïdes et de la glande pinéale sont régulées sans l'intervention de l'hypothalamus et de l'hypophyse. Dans le cas du pancréas, la régulation de la sécrétion s'effectue par l'intermédiaire de deux hormones antagonistes qui maintiennent la glycémie constante. Dans celui des glandes parathyroïdes, les variations de sécrétion de la parathormone sont commandées par la variation de la calcémie. Enfin, la sécrétion de mélatonine par la glande pinéale est sous le contrôle d'un noyau particulier de l'hypothalamus, mais l'hypophyse n'intervient pas dans ce contrôle. **45.3** L'hypophyse et les glandes surrénales se forment par fusion de tissu nerveux et de tissu glandulaire. L'ADH est sécrétée par la portion neurosécrétoire de l'hypophyse, tandis que l'adrénaline est sécrétée par la portion neurosécrétoire de la glande surrénale.

Évaluation

1. c ; **2.** d ; **3.** d ; **4.** b ; **5.** b ; **6.** b ; **7.** a.

8.

L'hormone de libération
de la prolactine circule dans les
vaisseaux sanguins de l'organisme.

↓

L'adénohypophyse sécrète
de la prolactine (o).

La prolactine circule
dans les vaisseaux
sanguins de l'organisme.

↓

Glandes mammaires

↓

Production de lait

CHAPITRE 46

Questions des figures

Figure 46.3 Le tracé serait semblable à celui qui est illustré, mais les taux d'hormones seraient décalés vers la gauche. Ainsi, lorsque le lézard gris se comporte comme un mâle, son taux de progestérone est maximal, mais il devient minimal lorsqu'il se comporte comme une femelle, alors que son taux d'œstradiol augmente. **Figure 46.7** Les spermatozoïdes nouvellement formés entrent dans la vésicule séminale en provenance des testicules. Ils passent ensuite dans le conduit éjaculatoire lors de l'accouplement. Les spermatozoïdes entrent dans la spermathèque après l'accouplement et, après avoir été entreposés, ils sont libérés dans l'oviducte pour féconder l'ovule qui se dirige vers l'utérus. **Figure 46.8** Après un accouplement réussi avec un second mâle, quel que soit son génotype, environ un tiers des femelles rejetteraient tous les spermatozoïdes du premier accouplement. En d'autres mots, les deux tiers conserveraient une partie des spermatozoïdes du premier accouplement. Nous pourrions donc prédire que les deux tiers des femelles auraient des descendants qui sont issus de la mutation portée par les mâles du premier accouplement et qui posséderaient le phénotype des yeux de petite taille. **Figure 46.11** L'analyse serait révélatrice, car les globules polaires contiennent tous les chromosomes maternels qui ne sont pas dans l'ovule. Par exemple, la présence de deux copies du gène défectueux dans les globules polaires indiquerait son absence dans l'ovule. On utilise parfois cette méthode de dépistage génétique lorsque les ovocytes recueillis d'une femelle sont fécondés avec des spermatozoïdes dans une boîte de Petri, au laboratoire. **Figure 46.15** Normalement, l'embryon flotte dans l'utérus pendant une semaine environ après la fécondation, nourri par l'endomètre, avant de s'implanter. Donc, on pourrait cultiver l'ovule fécondé pendant plusieurs jours dans un liquide à la température du corps et contenant les mêmes nutriments que ceux fournis par l'endomètre avant l'implantation. **Figure 46.16** La testostérone peut emprunter la circulation placentaire et passer ainsi du sang fœtal au sang maternel, perturbant temporairement l'équilibre hormonal de la mère. **Figure 46.18** L'ocytocine déclencherait probablement le travail parce qu'elle activerait une boucle de rétroactivation qui régulerait le travail jusqu'à la fin. En fait, l'ocytocine synthétique est souvent utilisée pour déclencher le travail quand la grossesse se prolonge et devient risquée pour la mère ou le fœtus.

Retour sur le concept 46.1

1. Du point de vue génétique, les descendants provenant de la reproduction sexuée sont beaucoup plus diversifiés. Toutefois, la reproduction asexuée peut produire plus de descendants après plusieurs générations. **2.** Contrairement à d'autres formes de reproduction asexuée, la parthénogenèse comporte une production de gamètes. En vérifiant si les ovules haploïdes sont fécondés ou non, des espèces comme les abeilles mellifères peuvent aisément passer de la reproduction asexuée à la reproduction sexuée. **3.** Non. En raison de la répartition aléatoire des chromosomes durant la méiose, les descendants peuvent recevoir la même copie ou différentes copies d'un chromosome parental particulier provenant du spermatozoïde et de l'ovule. De plus, la recombinaison génétique durant la méiose donnera un nouvel ensemble de gènes entre les paires de chromosomes parentaux. **4.** La fragmentation existe tant chez les végétaux que chez les animaux. Aussi, le bourgeonnement chez les animaux ainsi que la croissance de racines adventices chez les plantes conduisent à la formation de nouveaux individus à partir d'excroissances parentales.

Retour sur le concept 46.2

1. La fécondation interne permet au spermatozoïde d'atteindre l'ovule sans qu'aucun des deux gamètes ne se dessèche. **2.** (a) Les animaux à fécondation externe libèrent simultanément de nombreux gamètes, ce qui entraîne la production de nombres élevés de zygotes. Cette stratégie a pour effet d'augmenter les chances de survie de quelques-uns jusqu'à l'âge adulte. (b) Les animaux à fécondation interne produisent moins de descendants. Toutefois, les embryons bénéficient généralement d'une plus grande protection, et les jeunes, de soins parentaux. **3.** Comme l'utérus d'un insecte, l'ovaire d'une plante est le siège de la fécondation. Contrairement à l'ovaire de la plante, l'utérus de l'insecte n'est pas le lieu où les ovules sont produits. Ils sont produits dans l'ovaire de l'insecte. De plus, le zygote de l'insecte est expulsé de l'utérus, alors que l'embryon de la plante se développe dans une graine à l'intérieur de l'ovaire.

Retour sur le concept 46.3

1. La spermatogenèse a normalement lieu seulement lorsque les testicules sont à une température moins élevée que la température corporelle normale. L'utilisation fréquente d'un spa (ou le port de sous-vêtements très serrés) peut causer une diminution de la qualité des spermatozoïdes et de leur nombre, par suite de l'élévation de la température du scrotum. **2.** Chez les humains, l'ovocyte de second ordre fusionne avec un spermatozoïde avant de terminer sa deuxième division méiotique. Par conséquent, l'ovogenèse se termine après la fécondation, et non avant. **3.** Le seul effet de la fermeture de chaque conduit déférent est l'absence de spermatozoïdes dans l'éjaculat. La réponse sexuelle et le volume de l'éjaculat demeurent inchangés. La ligature de ces conduits, appelée *vasectomie*, est une intervention chirurgicale courante pour les hommes qui ne souhaitent pas (ou plus) concevoir d'enfant.

Retour sur le concept 46.4

1. Dans les testicules, la FSH stimule les épithéliocytes de soutien qui nourrissent les spermatozoïdes en croissance. La LH stimule la production d'androgènes (surtout la testostérone), qui eux-mêmes activent la production de spermatozoïdes. Chez la femelle et le mâle, la FSH favorise la croissance de cellules qui nourrissent les gamètes en croissance (cellules folliculaires chez la femelle et épithéliocytes de soutien chez le mâle) et leur permettent de survivre. Quant à la LH, elle stimule la production d'hormones sexuelles qui interviennent dans la gamétogenèse (les œstrogènes, surtout l'œstradiol, chez les femelles et les androgènes, notamment la testostérone, chez les mâles). **2.** Dans le cycle œstral, qui se produit chez la plupart des mammifères femelles, la couche fonctionnelle de l'endomètre est réabsorbée (au lieu d'être expulsée) en l'absence de fécondation. Le cycle œstral ne se produit souvent qu'une ou quelques fois dans une année, et la femelle n'est habituellement réceptive à la copulation que pendant la période entourant l'ovulation. Seules les femmes et les femelles de quelques autres primates ont un cycle menstruel. Il régule l'épaississement et la dégradation de l'endomètre, mais pas la réceptivité sexuelle. **3.** La combinaison de l'œstradiol et de la progestérone aurait un effet de rétro-inhibition sur l'hypothalamus, ce qui bloquerait la libération de GnRH. Cela interférerait avec la sécrétion de LH par l'adénohypophyse et, donc, empêcherait l'ovulation. C'est d'ailleurs un des principes d'action de la plupart des contraceptifs hormonaux. **4.** Dans le cycle de réplication virale, la production de nouveaux génomes viraux est coordonnée avec l'expression de la capside protéique et avec la production des phospholipides des enveloppes virales. Dans le cycle de reproduction de la femme, le développement de l'ovocyte est coordonné du point de vue hormonal avec le développement des tissus de soutien de l'utérus.

Retour sur le concept 46.5

1. La sécrétion de hCG par le jeune embryon favorise la production de progestérone par le corps jaune; cette hormone contribue au maintien de la grossesse. Au cours du deuxième trimestre, cependant, la production de hCG diminue, le corps jaune dégénère et le placenta prend le contrôle complet de la production de progestérone. **2.** La ligature des trompes et la vasectomie bloquent le déplacement des gamètes des gonades vers le lieu de fécondation. **3.** L'introduction d'un noyau de spermatozoïde directement dans un ovocyte permet d'éviter l'étape où le spermatozoïde acquiert sa mobilité dans l'épididyme, celle où il nage à la rencontre de l'ovocyte dans la trompe et celle où il fusionne avec l'ovule.

Questions du résumé des concepts clés

46.1 Non. Étant donné que la parthénogenèse comporte une méiose, la mère transmettra à chacun de ses descendants une combinaison aléatoire, donc distincte, des chromosomes qu'elle a elle-même reçus de ses parents. **46.2** Aucun de ces éléments. **46.3** Le spermatozoïde a une petite taille et est dépourvu de cytoplasme: ce sont là des adaptations qui conviennent bien à sa fonction, qui est de transporter de l'ADN. L'ovule, lui, est gros et pourvu d'un cytoplasme riche, ce qui rend possible la croissance et le développement de l'embryon. **46.4** Les stéroïdes anabolisants qui circulent dans le sang imitent la régulation par rétroaction de la testostérone, ce qui inhibe les signaux émis par l'adénohypophyse aux testicules. Il s'ensuivra un blocage de la libération des hormones nécessaires à la spermatogenèse. **46.5** Le sang riche en O_2 des artères maternelles circule dans les espaces intervilleux de l'endomètre et l'O_2 diffuse dans les capillaires fœtaux des villosités choriales du placenta; de là, il entre dans le système circulatoire du fœtus.

Évaluation

1. d; **2.** b; **3.** a; **4.** c; **5.** a; **6.** b; **7.** c; **8.** d.

9.

(a)

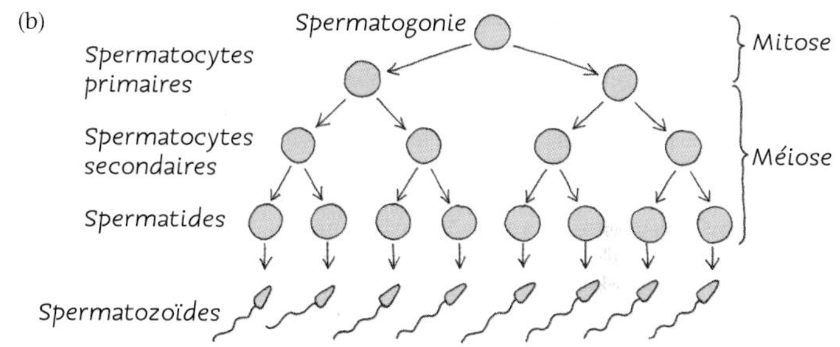

(b)

(c) La réserve de cellules souches (spermatogonies souches) serait épuisée et la spermatogenèse ne pourrait continuer.

CHAPITRE 47

Questions des figures

Figure 47.4 Vous pourriez injecter le composé dans un ovotide non fécondé, exposer cet ovotide aux spermatozoïdes et vérifier si la membrane de fécondation se forme. **Figure 47.6** Il y aurait moins de cellules, et elles seraient plus près les unes des autres. **Figure 47.8** (1) Le blastocèle forme un compartiment unique qui entoure l'intestin, un peu comme un beigne. (2) L'ectoderme forme l'enveloppe externe de l'animal; l'endoderme tapisse les organes internes (comme le tube digestif) et le mésoderme remplit une bonne partie de l'espace entre les deux. **Figure 47.19** Huit divisions cellulaires doivent se produire pour donner naissance à la cellule intestinale la plus proche de la bouche. **Figure 47.22** Quand les chercheurs ont permis à la rotation corticale normale de se produire, les déterminants qui « forment le dos » ont été activés. Quand ils ont ensuite provoqué la rotation opposée, il s'est formé un autre dos sur la face opposée. Les molécules sur la face normale étant déjà activées, le fait de provoquer la rotation opposée n'a apparemment pas « annulé » l'établissement du dos amorcé par la première rotation. **Figure 47.23 Faites un dessin.**

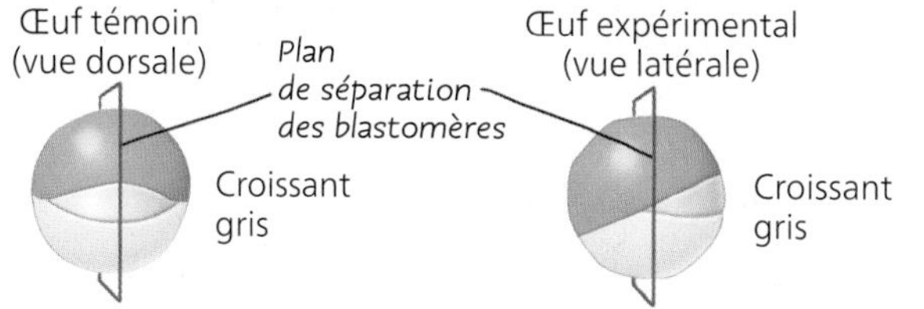

Et si? Dans le groupe témoin de Spemann, les deux blastomères étaient séparés physiquement, et chacun se développait dans un embryon entier. Dans l'expérience de Roux, les restes du blastomère détruit étaient encore en contact avec le blastomère vivant, lequel est devenu un demi-embryon. Par conséquent, les molécules présentes dans les restes de la cellule détruite pourraient avoir communiqué avec la cellule vivante, l'empêchant de fabriquer toutes les structures embryonnaires. **Figure 47.24** Vous pourriez injecter la protéine isolée (ou un ARNm qui code pour cette protéine) dans les cellules ventrales d'une jeune gastrula. La formation de structures dorsales sur la face ventrale étayerait l'idée selon laquelle cette protéine est la molécule de communication sécrétée ou présentée par la lèvre dorsale. Vous devriez également concevoir une expérience contrôlée pour vous assurer que ce n'est pas le processus d'injection lui-même qui a provoqué la formation des structures dorsales. **Figure 47.26** L'ARNm de SHH ou la SHH peuvent servir de marqueur de la ZAP. L'absence de l'une ou de l'autre molécule après l'élimination de la CEA appuierait votre hypothèse. Vous pourriez aussi bloquer le fonctionnement du FGF et voir si la ZAP se forme (en cherchant la SHH).

Retour sur le concept 47.1

1. La membrane de fécondation se forme une fois que les granules corticaux ont rejeté leur contenu à l'extérieur de l'ovotide : la membrane vitelline s'écarte alors et durcit. **2.** L'augmentation de la concentration de Ca^{2+} provoquera la fusion des granules corticaux avec la membrane plasmique. Les granules libéreront alors leur contenu et une membrane de fécondation se formera, même si aucun spermatozoïde n'a pénétré à l'intérieur. Cela empêcherait la fécondation. **3.** Elle fluctuera. La fluctuation du MPF détermine la transition entre la réplication de l'ADN (phase S) et la mitose (phase M), laquelle est encore nécessaire dans le cycle cellulaire abrégé de la segmentation.

Retour sur le concept 47.2

1. Les cellules de la notocorde migrent vers la ligne médiane de l'embryon (elles convergent) ; elles se réarrangent d'une telle manière qu'il y a moins de cellules dans l'épaisseur de la notocorde, mais davantage de cellules dans son grand axe. De ce fait, la notocorde s'allonge (voir la figure 47.17). **2.** Étant donné que les microfilaments seraient incapables de se contracter et de réduire les dimensions de l'une des extrémités de la cellule, le repli vers l'intérieur au milieu du tube neural de même que le repli vers l'extérieur des régions postérieures sur la bordure seraient tous deux bloqués. Par conséquent, le tube neural ne se formerait probablement pas. **3.** L'apport alimentaire d'acide folique réduit grandement la fréquence des anomalies du tube neural.

Retour sur le concept 47.3

1. La formation des axes établit l'emplacement et la polarité des trois axes qui constituent les coordonnées du développement. Les plans d'organisation indiquent la position de certains tissus et organes dans l'espace tridimensionnel défini par ces coordonnées. **2.** Les gradients morphogénétiques ont pour fonction de préciser la destinée d'une cellule parmi d'autres en faisant varier la quantité de déterminants. Les gradients morphogénétiques agissent donc plus globalement que les déterminants cytoplasmiques ou les interactions inductives entre les paires de cellules. **3.** Oui, un second embryon pourrait se développer parce que l'inhibition de la BMP4 aurait le même effet que la transplantation d'un organisateur. **4.** Le membre qui se développerait aurait probablement une position inversée : les doigts les plus postérieurs seraient au milieu et les doigts les plus antérieurs seraient à l'autre extrémité.

Questions du résumé des concepts clés

47.1 La liaison d'un spermatozoïde à un récepteur de surface de l'ovule est très spécifique et ne se produira probablement pas si les deux gamètes n'appartiennent pas à la même espèce. Or, sans la liaison du spermatozoïde, il ne peut y avoir de fusion des membranes du spermatozoïde et de l'ovule. **47.2** L'apoptose sert à éliminer les structures qui sont nécessaires seulement avant le stade adulte, les cellules non fonctionnelles d'un groupe qui comprend plus de cellules que nécessaire, ainsi que les tissus issus d'un programme de développement non adapté à l'organisme qui a évolué. **47.3** Les mutations qui entravent à la fois le développement des membres et des reins seraient plus susceptibles d'altérer le fonctionnement des monocils, car ces organites sont importants dans plusieurs voies de signalisation. Les mutations qui gênent uniquement le développement des membres seraient plus susceptibles d'altérer une seule voie, par exemple la voie de la SHH.

Évaluation

1. a ; **2.** b ; **3.** d ; **4.** a ; **5.** d ; **6.** c ; **7.** b.

8.

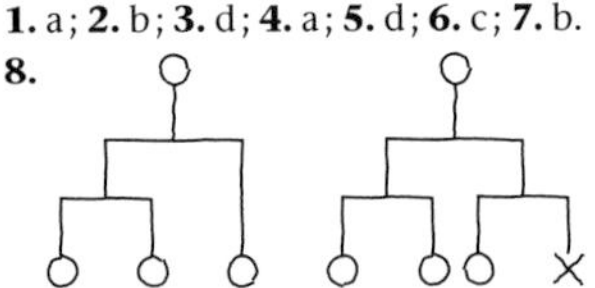

CHAPITRE 48

Questions des figures

Figure 48.7 L'ajout de canaux à chlorure rendrait le potentiel de membrane moins positif. L'ajout de canaux à potassium n'aurait aucun effet, car il n'y a pas d'ions potassium présents. **Figure 48.9** En l'absence d'autres forces, ce sont les gradients de concentration chimiques qui déterminent la diffusion nette. Dans ce cas, la concentration des ions est plus grande à l'extérieur de la cellule et ceux-ci y pénètrent quand le canal s'ouvre.

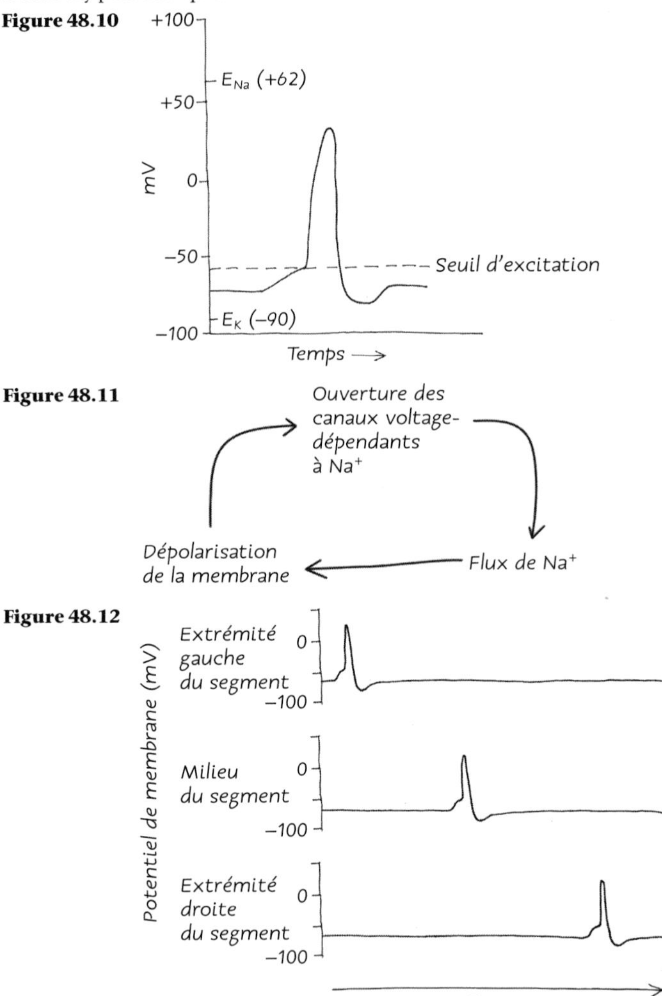

Figure 48.10

Figure 48.11

Figure 48.12

Figure 48.15 La production et la transmission de potentiels d'action ne changeraient pas. Toutefois, les potentiels d'action arrivant aux synapses chimiques ne pourraient pas déclencher la libération de neurotransmetteurs. La communication à ces synapses serait donc bloquée. **Figure 48.17** La sommation a lieu seulement si des stimulus arrivent simultanément ou presque. Donc, une sommation spatiale dans laquelle un stimulus parvient de deux sources différentes est une sommation temporelle également.

Retour sur le concept 48.1

1. Les axones et les dendrites sont des prolongements du corps cellulaire du neurone et contribuent à la transmission de l'information. Les dendrites transfèrent l'information qui se dirige vers le corps cellulaire du neurone, tandis que les axones transfèrent l'information qui quitte le corps cellulaire du neurone. Un neurone type possède plusieurs dendrites et un seul axone. **2.** Les récepteurs sensoriels de l'oreille transmettent l'information à votre cerveau, où l'activité des interneurones dans les centres de traitement vous permet de reconnaître votre nom. En réponse, des signaux transmis par les neurones moteurs font contracter les muscles qui vous permettent de tourner la tête. **3.** Des ramifications plus nombreuses permettraient de contrôler un plus grand nombre de cellules postsynaptiques, améliorant ainsi la coordination des réponses aux signaux du système nerveux.

Retour sur le concept 48.2

1. Les ions peuvent se déplacer à l'encontre d'un gradient de concentration chimique s'il y a un gradient électrique opposé d'une amplitude plus grande. **2.** Une diminution de la perméabilité de la membrane au K^+, une augmentation de la perméabilité de la membrane au Na^+, ou les deux. **3.** Des molécules de colorant électriquement chargées pourraient s'équilibrer seulement si d'autres molécules chargées peuvent aussi traverser la membrane. Si ce n'est pas le cas, un potentiel de membrane peut se former et contrebalancer le gradient chimique.

Retour sur le concept 48.3

1. L'amplitude du potentiel gradué varie en fonction de l'intensité du stimulus, tandis que celle du potentiel d'action, qui est un processus du type tout ou rien, est indépendante de l'intensité du stimulus. **2.** La perte des propriétés isolantes de la gaine de myéline altère la propagation des potentiels d'action le long des axones. Les canaux voltage-dépendants à sodium se trouvent seulement aux nœuds de Ranvier, et sans la propriété isolante de la myéline, le courant vers l'intérieur produit à un nœud durant un potentiel d'action ne peut pas dépolariser la membrane jusqu'au seuil d'excitation au prochain nœud. **3.** La rétroactivation est responsable de l'ouverture rapide de beaucoup de canaux voltage-dépendants à sodium, ce qui entraîne l'afflux rapide d'ions sodium qui donne lieu à la phase de dépolarisation du potentiel d'action. À mesure que le potentiel de membrane devient positif, des canaux voltage-dépendants à potassium s'ouvrent, amorçant une rétro-inhibition qui favorise la repolarisation du potentiel d'action. **4.** La fréquence maximale diminuerait parce que la période réfractaire serait prolongée.

Retour sur le concept 48.4

1. Il peut se lier à différents types de récepteurs, chacun déclenchant une réponse spécifique dans les cellules postsynaptiques. **2.** Ces toxines prolongent les PPSE produits par l'acétylcholine, car ce neurotransmetteur demeure plus longtemps dans la fente synaptique. **3.** La fécondation et la neurotransmission ont en commun la dépolarisation de la membrane, l'exocytose et la fusion des membranes.

Questions du résumé des concepts clés

48.1 Cette rupture empêcherait l'information d'être transmise loin du corps cellulaire du neurone le long de l'axone. **48.2** Comme il y a très peu de canaux à sodium ouverts dans un neurone au repos, le potentiel de repos ne changerait pas ou deviendrait un peu plus négatif (hyperpolarisation). **48.3** En considérant que le potentiel d'action a une durée d'environ 2,5 ms, la fréquence serait de 12 000 potentiels d'action par minute. **48.4** Un neurotransmetteur donné peut se lier à de nombreux récepteurs qui diffèrent par leur localisation et leur action. Les médicaments qui ciblent l'action d'un récepteur plutôt que la libération ou la stabilité d'un neurotransmetteur ont donc plus de chances d'être spécifiques et d'avoir moins d'effets secondaires indésirables.

Évaluation

1. c ; **2.** c ; **3.** c ; **4.** b ; **5.** a ; **6.** d.
7. Le fonctionnement de la pompe à sodium et à potassium est essentiel au maintien du potentiel de repos. Lorsque la pompe est inactivée, les gradients de concentration du sodium et du potassium disparaissent progressivement, de sorte que le potentiel de repos est très bas. **8.** Comme cet acide est un neurotransmetteur inhibiteur du SNC, la substance qui l'imite freinerait l'activité cérébrale. Une diminution de l'activité cérébrale pourrait ralentir ou réduire l'activité comportementale. Beaucoup de sédatifs exercent cet effet. **9.** Comme le montrent les deux illustrations ci-dessous, une paire de potentiels d'action se déplacerait vers l'extérieur dans les deux directions à partir de chaque électrode. (Les potentiels d'action sont unidirectionnels seulement s'ils commencent à une extrémité d'un axone.) Toutefois, en raison de la période réfractaire, les deux potentiels d'action entre les électrodes cesseraient tous deux à leur point de rencontre. Donc, un seul potentiel d'action atteindrait les corpuscules nerveux terminaux.

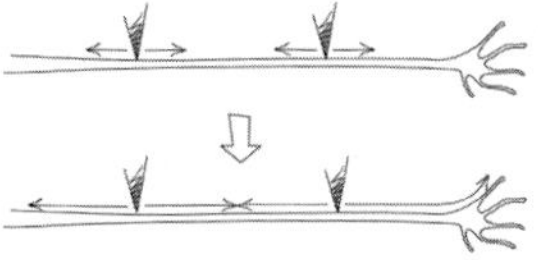

CHAPITRE 49

Questions des figures

Figure 49.7 Durant la déglutition, les muscles de la paroi de l'œsophage se contractent et se décontractent alternativement, causant ainsi le péristaltisme. On peut expliquer cette alternance par le modèle suivant : chaque section du muscle reçoit des signaux qui provoquent une succession d'excitations et d'inhibitions, tout comme le quadriceps et les ischiojambiers reçoivent des signaux opposés dans le réflexe patellaire. **Figure 49.15** Les régions grises ont des formes et des motifs différents, ce qui indique des plans différents. Cela veut dire que le noyau accumbens et le corps amygdaloïde se situent dans des plans différents. **Figure 49.17** On a représenté une main plus grosse que l'avant-bras parce que, comparativement à l'avant-bras, la main envoie plus d'information sensorielle vers l'encéphale et reçoit plus de commandes motrices provenant de l'encéphale. **Figure 49.23** La probabilité serait de 17 %. Si les deux partagent les variantes génétiques qui contribuent à la schizophrénie, alors la probabilité se rapprochera de celle de jumeaux identiques. **Figure 49.24** Si la dépolarisation amène le potentiel de membrane au seuil ou au-delà de celui-ci, elle devrait déclencher des potentiels d'action qui provoquent la libération de dopamine par les neurones de l'ATV. Ces potentiels devraient imiter la stimulation naturelle du système de récompense du cerveau, d'où les sensations positives et peut-être agréables.

Retour sur le concept 49.1

1. Le système nerveux sympathique, qui est responsable de la réaction de lutte ou de fuite dans des situations stressantes. **2.** Les nerfs contiennent des faisceaux d'axones, dont certains appartiennent aux neurones moteurs, qui acheminent les signaux provenant du SNC vers la périphérie, et d'autres appartiennent aux neurones sensitifs, qui acheminent les signaux de la périphérie vers le SNC. Par conséquent, on peut s'attendre à des effets à la fois sur le contrôle moteur et la sensation. **3.** Les cellules neurosécrétoires de la médulla surrénale sécrètent l'adrénaline et la noradrénaline, des hormones, en réaction aux signaux préganglionnaires provenant des neurones sympathiques. Ces hormones circulent dans tout le corps et déclenchent des réactions dans de nombreux tissus.

Retour sur le concept 49.2

1. Le cortex cérébral de l'hémisphère gauche du cerveau amorce le mouvement volontaire du côté droit du corps. **2.** L'alcool inhibe l'activité du cervelet. **3.** Un coma reflète une altération des cycles du sommeil et d'éveil régulés par la communication entre le mésencéphale et le pont (la formation réticulaire) et le cerveau. Vous pourriez supposer que ces patients souffrent de lésions touchant la formation réticulaire, le cerveau ou une partie de l'encéphale située entre ces deux structures. La paralysie traduit l'incapacité d'exécuter les commandes motrices que le cerveau transmet à la moelle épinière. Vous pourriez supposer que ces patients présentent des lésions dans la région du SNC qui s'étend de la moelle épinière à la formation réticulaire, mais sans l'atteindre.

Retour sur le concept 49.3

1. Une lésion cérébrale qui affecte le comportement, la cognition, la mémoire ou d'autres fonctions indique que la région touchée par la lésion intervient de façon importante dans l'activité normale, qui est bloquée ou altérée. **2.** L'aire de Broca, qui s'active quand des mots sont articulés, est située près de la partie du cortex moteur qui commande les muscles squelettiques, incluant ceux du visage. L'aire de Wernicke, qui est active pendant l'audition des mots, est située près de la partie du lobe temporal associée à l'audition. **3.** Chaque hémisphère cérébral est spécialisé dans différentes parties de cette tâche : l'hémisphère droit intervient dans la reconnaissance des visages, et le gauche, dans le langage. Lorsque le corps calleux est sectionné, aucun des deux hémisphères ne peut profiter des capacités de traitement de l'autre.

Retour sur le concept 49.4

1. Les mécanismes peuvent être une augmentation du nombre de synapses entre les neurones ou un accroissement de la force des connexions synaptiques existantes. **2.** Si la conscience est une propriété émergente provenant de l'interaction entre les diverses régions de l'encéphale, alors il est peu probable qu'une lésion cérébrale localisée ait un effet précis sur cet état de conscience. **3.** L'hippocampe est responsable de l'organisation des informations nouvellement acquises. Sans lui, les liens nécessaires pour rappeler une information du cortex cérébral ne pourraient s'établir, empêchant ainsi la mémorisation d'informations, que ce soit à court ou à long terme.

Retour sur le concept 49.5

1. Les deux sont des affections cérébrales évolutives dont l'incidence augmente avec l'âge. Elles résultent toutes deux de la mort des neurones cérébraux et sont associées à une accumulation d'agrégats de peptides ou de protéines.
2. Les symptômes de la schizophrénie peuvent être provoqués par une drogue qui stimule les neurones dopaminergiques. Le système de récompense du cerveau, qui intervient dans la toxicomanie, se compose de neurones dopaminergiques qui relient l'aire tegmentale ventrale à des régions du cerveau. La maladie de Parkinson est causée par la mort de neurones dopaminergiques. **3.** Pas nécessairement. Les plaques, les écheveaux et les régions manquantes de l'encéphale qu'on observe après le décès sont des effets secondaires, des conséquences de changements invisibles qui sont les réels responsables de la défectuosité du cerveau.

Questions du résumé des concepts clés

49.1 Étant donné que les circuits d'un réflexe font intervenir quelques neurones seulement (le plus simple fait intervenir un neurone sensitif et un neurone moteur), la voie du transfert d'information est courte et simple, ce qui accélère la production de la réponse. **49.2** Le mésencéphale coordonne les réflexes visuels; le cervelet contrôle la coordination des mouvements dépendant des stimulus visuels; le thalamus est un centre d'acheminement pour l'information visuelle; et le cerveau assure la conversion des stimulus visuels en images. **49.3** On peut s'attendre à ce que le côté droit du corps soit paralysé, car il est contrôlé par l'hémisphère cérébral gauche, où la parole et l'interprétation du langage sont situées. **49.4** L'apprentissage d'une nouvelle langue requiert habituellement le maintien de synapses qui sont formées au début du développement, mais qui sont perdues avant de parvenir à l'âge adulte. **49.5** Les amphétamines stimulent la libération de dopamine, tandis que le PCP bloque les récepteurs d'acide glutamique, ce qui donne à penser que la schizophrénie n'est pas associée à une altération de la fonction d'un seul neurotransmetteur.

Évaluation

1. b; **2.** a; **3.** d; **4.** c; **5.** c; **6.** a.

7.

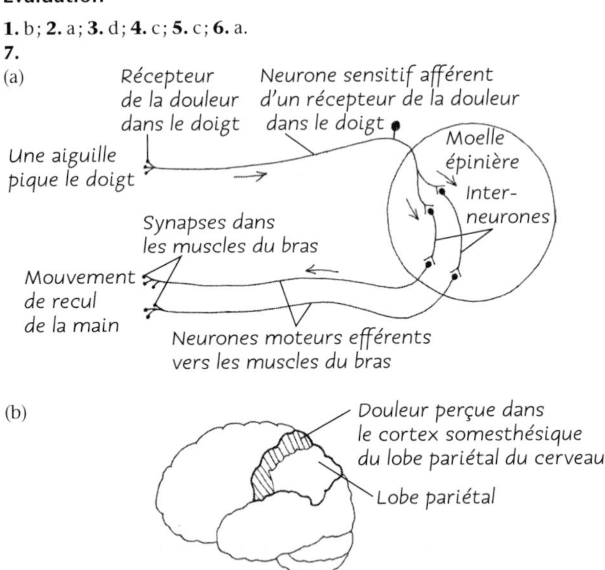

CHAPITRE 50

Questions des figures

Figure 50.12 Chaque note est détectée séparément dans l'oreille, et chacune provoque une vibration de la lame basilaire de la cochlée, puis une inflexion des cellules ciliées dans une certaine direction. Les neurones sensoriels de chaque région transmettent l'information sous la forme de potentiels d'action qui se propagent le long de certains axones du nerf auditif. Ce n'est qu'une fois arrivées au cerveau que les notes individuelles sont détectées et perçues comme un accord musical. **Figure 50.17** Les atomes d'hydrogène (H) sont du même côté de la liaison double carbone-carbone dans l'isomère *cis* et du côté opposé dans l'isomère *trans*.

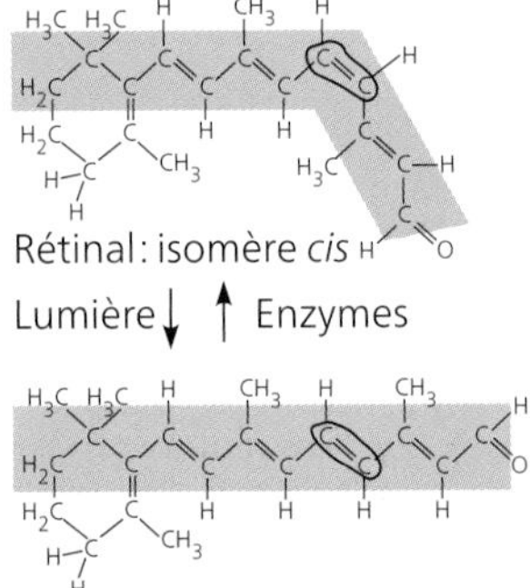

Figure 50.19 Chacun des trois types de cônes est particulièrement sensible à un type de longueur d'onde de la lumière. Un cône peut être totalement dépolarisé en présence de lumière si cette lumière a une longueur d'onde éloignée de sa sensibilité optimale. **Figure 50.21** Chez les humains, un chromosome X dont le gène pour le rouge ou le vert est défectueux est beaucoup moins courant que le chromosome X de type sauvage. Le daltonisme saute habituellement une génération, car l'allèle défectueux est transmis d'un homme atteint à une femme porteuse, puis à un petit-fils, qui est alors atteint. Chez les singes-écureuils, aucun chromosome X ne confère la pleine vision des couleurs. Par conséquent, tous les mâles sont daltoniens et aucun mode héréditaire anormal n'est observé. **Figure 50.23** Les résultats de cette expérience auraient été identiques. L'important est l'activation d'un certain groupe de neurones, et non la façon dont ils sont activés. Tout stimulus venant d'un récepteur du goût amer sera interprété par le cerveau comme une sensation amère, quelle que soit la nature du composé et du récepteur qui participent à la sensation. **Figure 50.25** Seulement la perception. La liaison d'une molécule odorante à son récepteur produira des potentiels d'action qui seront transmis à l'encéphale. Même si un excès de cette molécule peut réduire la réponse par adaptation, une autre molécule odorante peut masquer la première seulement au niveau de la perception de l'encéphale. **Figure 50.26** Les deux. Un myocyte contient de nombreuses myofibrilles rassemblées et réparties dans le sens de la longueur en nombreux sarcomères. Un sarcomère est une unité contractile qui se compose de parties de nombreuses myofibrilles, et chaque myofibrille est une partie de nombreux sarcomères. **Figure 50.28** Des centaines de têtes de myosine participent en faisant glisser les paires de myofilaments épais et mince les unes sur les autres. Comme la formation des ponts et leur dissociation ne sont pas synchronisées, un grand nombre de têtes de myosine exercent une force sur les myofilaments minces à tout moment durant la contraction musculaire. **Figure 50.33** En incitant tous les neurones moteurs qui contrôlent le muscle à produire des potentiels d'action à une fréquence suffisamment élevée pour causer une tétanie dans tous les myocytes.

Retour sur le concept 50.1

1. En général, les récepteurs d'ondes électromagnétiques détectent seulement les stimulus externes. Les récepteurs non électromagnétiques, comme les chimiorécepteurs ou les mécanorécepteurs, peuvent agir comme capteurs internes ou externes. **2.** La capsaïcine, présente dans les piments, active le thermorécepteur des températures élevées. En réponse à une température élevée, le système nerveux déclenche la sudation afin qu'il y ait refroidissement par évaporation. **3.** Vous percevriez le stimulus électrique comme si les récepteurs sensoriels qui régulent ce neurone avaient été activés. Par exemple, la stimulation électrique du neurone sensoriel contrôlé par le thermorécepteur activé par le menthol serait probablement perçue comme un rafraîchissement local.

Retour sur le concept 50.2

1. Les otolithes détectent l'orientation du corps de l'animal en fonction de la force gravitationnelle. Une telle information est essentielle dans des environnements comme les tunnels qu'habitent les condylures étoilés, où les indications lumineuses n'existent pas. **2.** Comme un son qui passe progressivement d'une hauteur très basse à une hauteur très élevée. **3.** Le stapes et les autres osselets de l'oreille moyenne transmettent à la fenêtre vestibulaire les vibrations provenant du tympan. La fusion de ces osselets (comme dans le cas d'une maladie appelée otosclérose) empêche cette transmission, ce qui entraîne une perte auditive. **4.** Chez les animaux, les statolithes sont extracellulaires. Chez les végétaux, au contraire, les statolithes se trouvent à l'intérieur d'un organite intracellulaire. Les mécanismes pour percevoir la position du corps en fonction de la force gravitationnelle diffèrent également: chez les animaux, cette perception se fait à l'aide de mécanorécepteurs situés sur des cellules ciliées, tandis que chez les végétaux, elle semble faire intervenir des flux de calcium.

Retour sur le concept 50.3

1. Les planaires possèdent des ocelles qui ne forment pas d'images, mais qui perçoivent l'intensité et la direction de la lumière. Elles obtiennent ainsi assez d'information pour s'abriter dans des endroits ombragés. Les mouches possèdent des yeux composés qui forment des images et détectent très bien les mouvements. **2.** Sans lunettes, la personne atteinte de presbytie est capable de distinguer les objets éloignés, mais non les objets rapprochés, car la vision rapprochée exige que le cristallin prenne une forme presque sphérique. Ce problème est fréquent chez les personnes âgées de 50 ans et plus. **3.** La molécule de signalisation produite par les bâtonnets et les cônes est le glutamate, et la libération de glutamate par ces cellules diminue lorsque celles-ci sont exposées à la lumière. Toutefois, quand la production de glutamate diminue, d'autres cellules du rétinal augmentent la fréquence à laquelle des potentiels d'action sont transmis à l'encéphale, si bien que celui-ci reçoit plus de potentiels d'action à la clarté que dans l'obscurité. **4.** L'absorption de lumière par le rétinal convertit une structure isomère dans sa configuration *cis* en sa configuration *trans*, ce qui amorce le processus de la détection de la lumière. Par contre, un photon absorbé par la chlorophylle ne provoque pas d'isomérisation; il fait plutôt monter un électron à une orbitale de niveau énergétique plus élevé, ce qui provoque le flux d'électrons qui produit l'ATP et le NADPH.

Retour sur le concept 50.4

1. Les cellules gustatives et les cellules olfactives ont toutes deux, dans leur membrane plasmique, des récepteurs protéiques qui fixent certaines substances de façon à dépolariser la membrane en établissant une voie de transduction du signal où intervient une protéine G. Cependant, les cellules olfactives sont des neurones sensoriels, tandis que les cellules gustatives n'en sont pas. **2.** Étant donné que les animaux dépendent de stimulus chimiques pour des comportements tels que la recherche d'un partenaire sexuel, le marquage du territoire et l'évitement de substances dangereuses, le système olfactif est adapté de manière à déployer une réponse intense à un très petit nombre de molécules odorantes. **3.** Comme le sucré, l'amer et l'umami font intervenir des récepteurs couplés à une protéine G mais pas le goût aigre, vous pourriez prédire que la mutation est dans une molécule qui intervient dans la voie de transduction du signal que partagent les divers RCPG.

Retour sur le concept 50.5

1. Dans un myocyte de muscle squelettique, les ions Ca^{2+} se lient au complexe de troponine, qui éloigne la tropomyosine des sites de liaison de la myosine sur l'actine et permet la formation de ponts. Dans une cellule de muscle lisse, les ions Ca^{2+} se lient à la calmoduline, laquelle active une enzyme qui phosphoryle la tête de myosine et, par conséquent, permet la formation de ponts. **2.** La *raideur cadavérique* est due à la disparition complète d'ATP dans un muscle squelettique. Comme l'ATP est nécessaire pour libérer la myosine de l'actine et pour retirer du Ca^{2+} du cytosol, les muscles deviennent rigides en se contractant une dernière fois trois ou quatre heures après la mort. **3.** Un inhibiteur compétitif se lie au même site que le substrat de l'enzyme. Au contraire, la tropomyosine et le complexe de troponine masquent les sites de liaison de la myosine sur l'actine, mais ne s'y lient pas.

Retour sur le concept 50.6

1. Le principal problème posé par la nage est la résistance au mouvement (ou friction) ; un corps fusiforme permet de réduire cette résistance. Dans le cas du vol, le principal problème consiste à vaincre la force gravitationnelle ; les ailes, qui ont une allure profilée, créent une portance, et des adaptations comme la structure lacunaire des os réduisent la masse corporelle. **2.** Pour illustrer le péristaltisme, vous presseriez le tube de dentifrice en différents endroits sur sa longueur, la main refermée autour du tube et pressant de façon concentrique. Pour démontrer le mouvement du bol alimentaire dans le tube digestif, vous enlèveriez le bouchon du tube de dentifrice, tandis que vous laisseriez le bouchon fermé pour illustrer le mode de déplacement du ver. **3.** Quand vous saisissez les accoudoirs du fauteuil, vous contractez les triceps pour garder vos bras en extension contre la force gravitationnelle sur votre corps. À mesure que vous laissez descendre votre corps dans le fauteuil, vous diminuez graduellement le nombre d'unités motrices qui sont en contraction dans vos triceps. Si vos biceps étaient contractés, vous tomberiez, car vous ne vous opposeriez plus à la force gravitationnelle.

Questions du résumé des concepts clés

50.1 Les nocicepteurs détectent certains des stimulus perçus par d'autres classes de récepteurs. Ils ne diffèrent des autres récepteurs que par la façon dont certains stimulus sont perçus. **50.2** L'intensité du son (le volume de la musique) est codée par la fréquence des potentiels d'action transmis à l'encéphale, tandis que la hauteur du son (des notes) est codée par le type d'axones qui transmettent des potentiels d'action. **50.3** La principale différence est que les neurones de la rétine intègrent l'information de nombreux récepteurs sensoriels (photorécepteurs) avant de la transmettre au SNC. **50.4** Notre sens de l'odorat intervient dans la plupart des goûts distincts que nous percevons. Une congestion nasale causée par un rhume ou un autre problème bloque l'accès des molécules odorantes aux récepteurs qui tapissent certaines parties de la cavité nasale. **50.5** L'hydrolyse de l'ATP est nécessaire à la conversion de la myosine en sa configuration de haute énergie qui lui permet de se lier à l'actine et d'alimenter la pompe à Ca^{2+} qui retire des ions Ca^{2+} du cytosol durant le relâchement musculaire. **50.6** Les mouvements du corps humain dépendent de la contraction des muscles attachés à un endosquelette rigide. Les tendons relient les os et les muscles, qui se composent de fibres faites à partir d'une unité organisationnelle fondamentale, le sarcomère. Les myofilaments minces et épais ont des points d'attache séparés dans le sarcomère. Sous l'effet de réponses motrices commandées par le système nerveux, la formation et la dissociation des ponts entre les têtes de myosine et l'actine créent un glissement de ces myofilaments les uns sur les autres. Étant donné que les myofilaments sont attachés, ce mouvement de glissement raccourcit les myocytes. En outre, comme les myocytes eux-mêmes font partie des muscles attachés à chaque extrémité des os, la contraction musculaire fait bouger les os du corps les uns par rapport aux autres. C'est ainsi que les attaches structurales des muscles et des myofilaments permettent la fonction musculaire, par exemple fléchir le coude en contractant le biceps.

Évaluation

1. d ; **2.** a ; **3.** b ; **4.** c ; **5.** b ; **6.** d.
7.

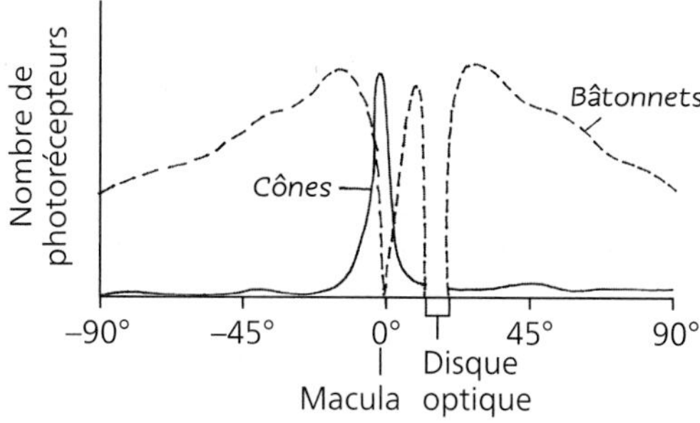

Ce graphique montre la répartition réelle des bâtonnets et des cônes de l'œil humain. Votre graphique peut différer de celui-ci, mais il devrait avoir les caractéristiques suivantes : seulement des cônes dans la macula ; moins de cônes et plus de bâtonnets aux deux extrémités de l'axe des *x* ; aucun photorécepteur dans le disque optique.

CHAPITRE 51

Questions des figures

Figure 51.2 Le schème d'action spécifique provoqué par le stimulus-signal « ventre rouge » permet au mâle de chasser tout mâle de son espèce qui empiète sur son territoire. **Figure 51.5** La partie rectiligne de la danse transmet deux éléments d'information : la direction, par l'angle de ce trajet par rapport à la face verticale de la ruche, et la distance, par le nombre de frétillements abdominaux exécutés durant ce trajet. Les trajets entre les parties rectilignes de la danse indiquent à tout le moins que l'activité est une danse frétillante. Comme cela permet également un contact avec les ouvrières situées de part et d'autre, il est possible que l'information se transmette ainsi à plus d'abeilles. **Figure 51.7** Il devrait n'y avoir aucun effet. L'imprégnation est un comportement inné qui se reproduit à chaque génération. Si le nid n'a pas été perturbé, les oisillons qui suivent l'humain subiront l'imprégnation de leur vraie mère oie. **Figure 51.8** La guêpe n'utiliserait peut-être pas de repères visuels. Ou alors la guêpe reconnaîtrait les objets qui appartiennent naturellement à son territoire, mais pas les objets étrangers tels que les cônes de pin. Tinbergen a étudié ces questions avant de faire l'expérience des cônes de pin. Lorsqu'il a déplacé les pierres et les brindilles autour du nid, les guêpes n'arrivaient plus à trouver leur nid. S'il déplaçait les objets naturels qui appartenaient à l'environnement naturel, le déplacement des repères entraînait un déplacement du site auquel les guêpes retournaient. Enfin, s'il remplaçait les objets naturels autour du nid par des cônes de pin pendant que la guêpe était dans le nid, la guêpe retrouvait quand même son nid à son retour. **Figure 51.10** En changeant l'orientation du motif dans les trois ouvertures, on pourrait vérifier s'il existe une préférence innée ou un évitement quant à l'orientation. S'il n'existe aucune préférence, l'expérience devrait fonctionner aussi bien après chaque changement. **Figure 51.13** L'expérience réalisée en triplicata permet de réduire les probabilités que les résultats soient simplement dus au hasard et que la population à faible densité ait par hasard hérité seulement de l'allèle for^S et que la population à grande densité ait hérité de l'allèle for^R. **Figure 51.24** Il se pourrait que les oiseaux aient besoin d'un stimulus durant le vol pour exprimer leur préférence migratoire. Si c'était le cas, les oiseaux auraient alors la même orientation de vol dans l'expérience de l'entonnoir, malgré leur bagage génétique différent. **Figure 51.26** Cette valeur est juste dans certains cas, mais pas dans tous. Si un parent a plus d'un partenaire pour se reproduire, la progéniture des différents partenaires aura un coefficient de parenté inférieur à 0,5.

Retour sur le concept 51.1

1. Ce comportement est un exemple de schème d'action spécifique. Sa cause immédiate pourrait être que la vue d'un objet se trouvant à l'extérieur du nid représente un stimulus-signal qui déclenche chez l'oie cendrée une série de mouvements qu'elle exécute jusqu'au bout. La cause fondamentale de ce comportement pourrait être une tentative de la part de l'oie d'augmenter ses chances d'avoir des rejetons en bonne santé en s'assurant que les œufs demeurent dans le nid. **2.** Il se pourrait que la sélection incite d'autres poissons-proies à détecter les poissons blessés parce que la source de la blessure peut les mettre en danger eux-mêmes. Parmi les prédateurs, la sélection peut favoriser ceux qui sont attirés par la substance d'alarme parce qu'ils seront plus susceptibles de repérer le poisson blessé. Les poissons qui peuvent se défendre adéquatement peuvent ne présenter aucun changement, parce qu'ils bénéficient d'un avantage sélectif s'ils ne gaspillent pas leur énergie à répondre à la substance. **3.** Dans les deux cas, la détection de la variation périodique dans l'environnement permet de coordonner le cycle reproducteur et les conditions environnementales qui maximisent les chances de succès.

Retour sur le concept 51.2

1. La sélection naturelle tend à favoriser la convergence des motifs colorés, car un prédateur qui apprend à associer un motif particulier à une piqûre ou à un goût désagréable évitera tous les autres individus présentant ce motif, peu importe leur espèce. **2.** Vous pourriez déplacer des objets autour afin d'établir une règle abstraite, par exemple « à partir du repère A, la même distance qu'entre A et le point de départ », tout en gardant un minimum de relations métriques fixes, c'est-à-dire en évitant de placer la nourriture immédiatement à côté du point de repère ou à une distance fixe. Comme vous pouvez le voir, il n'est pas facile de concevoir une expérience qui produira des données éclairantes. **3.** Le comportement appris, tout comme le comportement inné, peut contribuer à l'isolement reproducteur et donc à la spéciation. Par exemple, les chants d'oiseaux appris contribuent à la reconnaissance de l'espèce durant la parade nuptiale, ce qui permet de s'assurer que seuls des individus de la même espèce s'accouplent ensemble.

Retour sur le concept 51.3

1. La certitude de paternité est plus forte chez les espèces à fécondation externe. **2.** Il se peut que la sélection équilibrée maintienne les deux allèles sur le locus *forager* (« comportement de quête de nourriture ») si la densité de population fluctue d'une génération à l'autre. Durant les périodes où la densité de population est faible, la larve sédentaire (porteuse de l'allèle *for*^{S}), qui conserve son énergie, serait favorisée, tandis qu'en période de forte densité de population la larve routière (allèle *for*^{R}), plus mobile, serait avantagée sur le plan de la sélection. **3.** Étant donné que les femelles seraient alors plus nombreuses que les mâles, les trois types de mâles devraient avoir un certain succès reproducteur. Cependant, comme l'avantage sur lequel comptent les mâles à gorge bleue (un nombre limité de femelles dans leur territoire) serait absent, les mâles à gorge jaune deviendraient probablement plus nombreux à court terme.

Retour sur le concept 51.4

1. Cette variation géographique correspond à des différences dans la disponibilité des proies dans deux habitats de couleuvres de l'Ouest. Il semble donc que les couleuvres dotées de caractéristiques leur permettant de se nourrir de proies abondantes dans leur milieu particulier aient augmenté leurs chances de survie et leur succès reproducteur, et que la sélection naturelle ait ainsi donné lieu à des comportements de quête de nourriture différents. **2.** Le fait que cet individu ait des gènes en commun avec les enfants de ses frères et sœurs (ses nièces et ses neveux, dans le cas des humains) signifie que le succès reproducteur de ces enfants augmente (favorise) la représentation de ces gènes dans la population. **3.** L'individu âgé ne peut pas être le bénéficiaire parce qu'il ne peut plus avoir de petits. Toutefois, le coût est bas pour un individu âgé qui se montre altruiste, puisqu'il s'est déjà reproduit (mais peut-être prend-il encore soin d'un enfant ou d'un petit-enfant). La sélection peut donc favoriser un acte altruiste qui est posé par un individu ayant dépassé l'âge de se reproduire et qui profite à un individu plus jeune.

Questions du résumé des concepts clés

51.1 Les rythmes circannuels reposent habituellement sur les cycles de clarté et d'obscurité de l'environnement. Au fur et à mesure que le climat de la planète change, les animaux qui migrent en réaction à ces rythmes peuvent migrer dans un autre endroit avant ou après que les conditions environnementales locales soient optimales pour la reproduction et la survie. **51.2** L'oie a seulement besoin d'acquérir la reconnaissance d'un objet sur lequel elle dirigera son comportement, c'est-à-dire suivre cet objet. Dans le cas du bruant, le comportement sera façonné par l'apprentissage qui aura lieu. **51.3** Comme l'alimentation de la femelle est susceptible d'améliorer son succès reproducteur, les gènes du mâle sacrifié ont ainsi plus de chances de se trouver en abondance dans la progéniture. **51.4** L'étude des fondements génétiques de ces comportements vous montrerait que des modifications qui surviennent dans un seul gène suffisent parfois à entraîner des effets à grande échelle, même sur des comportements complexes.

Évaluation

1. c; **2.** b; **3.** b; **4.** a; **5.** c; **6.** a.

7.

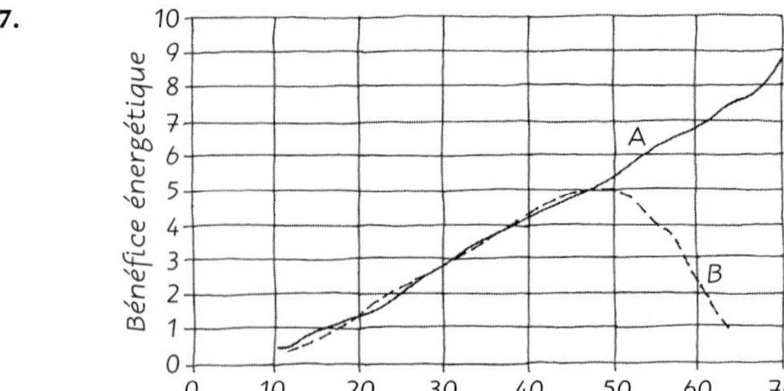

Vous pourriez mesurer la longueur de la moule que les huîtriers arrivent à ouvrir, puis comparer cette mesure avec la répartition des moules de différentes dimensions dans l'habitat.

CHAPITRE 52

Questions des figures

Figure 52.7 La répartition de cette espèce pourrait être modifiée par les limites à l'expansion, par l'activité humaine (comme la conversion à grande échelle de forêts pour l'agriculture et la cueillette sélective) et par de nombreux autres facteurs, notamment ceux présentés plus loin dans ce chapitre (voir la figure 52.18). **Figure 52.10** Bien que les valeurs annuelles moyennes de précipitation soient semblables, les cycles de précipitations peuvent varier. Ainsi, dans la toundra, les précipitations sont régulières, alors que, dans le désert, les précipitations sont concentrées à un moment bien précis de l'année. La régularité des précipitations, bien que faibles, permet de soutenir une flore plus dense. Par ailleurs, la température élevée du désert limite également la croissance. **Figure 52.17** Certains facteurs comme le feu ne s'appliquent qu'aux systèmes terrestres. On pourrait penser à première vue qu'il en est de même de la disponibilité de l'eau. Cependant, les espèces vivant dans les zones intertidales des océans et sur les rives des lacs ne sont pas à l'abri de la déshydratation. Par ailleurs, les espèces vivant dans certains systèmes aquatiques et terrestres subissent un stress salin important. La disponibilité d'O_2 est un facteur important surtout pour les espèces vivant dans certains systèmes aquatiques, dans le sol et dans les sédiments.

Retour sur le concept 52.1

1. Sous les tropiques, les températures élevées entraînent l'évaporation de l'eau et font monter l'air chaud et humide. En s'élevant, l'air se refroidit et libère la majeure partie de son eau sous forme de pluie sur les zones tropicales. L'air sec qui se forme alors descend à environ 30° de latitude N. et de latitude S., où il crée un climat aride typique du désert. **2.** Le microclimat près du cours d'eau sera plus frais, plus humide et plus ombragé que celui de la terre agricole non cultivée. **3.** Les arbres qui ont besoin de plusieurs années pour arriver à maturité risquent d'évoluer plus lentement que les plantes annuelles en réaction aux changements climatiques, ce qui limitera leur capacité à s'adapter à des changements rapides. **4.** Les plantes à photosynthèse en C_4 sont plus susceptibles d'étendre leur aire de répartition sous l'effet du réchauffement climatique. La photosynthèse en C_4 réduit au minimum la photorespiration et favorise la production de glucides, un atout particulièrement avantageux dans les régions chaudes du globe, où prolifèrent de nos jours les plantes de type C_4.

Retour sur le concept 52.2

1. La principale différence entre ces deux biomes est la plus grande quantité de précipitations que la forêt reçoit. **2.** Les réponses, qui varieront nécessairement selon les régions, doivent cependant se fonder sur l'information donnée à la figure 52.12. Plus l'état naturel de votre biome a été modifié, moins ses caractéristiques correspondront à celles de votre environnement réel, surtout en ce qui concerne les végétaux et les animaux qu'on devrait y trouver. **3.** Les forêts de conifères risquent de remplacer la toundra le long des lignes de chevauchement de ces biomes. Pour comprendre pourquoi, notez que ces forêts longent la toundra partout en Amérique du Nord, dans le Nord de l'Europe et en Asie (voir la figure 52.9) et que l'intervalle de température de la forêt de conifères se situe tout juste au-dessus de celui de la toundra (voir la figure 52.10).

Retour sur le concept 52.3

1. Dans la zone océanique pélagique, le fond de l'océan se trouve sous la zone euphotique, si bien que la lumière y est insuffisante pour que des algues benthiques ou des plantes aquatiques à racines puissent y vivre. **2.** Les organismes aquatiques absorbent ou perdent de l'eau par osmose si l'osmolarité de leur milieu diffère de leur osmolarité interne. Les gains hydriques provoquent le gonflement des cellules, alors que les pertes entraînent leur rétrécissement. Pour éviter les écarts excessifs du volume de leurs cellules, les organismes qui vivent dans les estuaires doivent pouvoir pallier les gains (dans des conditions dulcicoles) et les pertes (dans des conditions marines) hydriques. **3.** L'O_2 sert de réactif dans la décomposition des algues mortes par les décomposeurs (par respiration aérobie). Après l'apparition d'une fleur d'eau, beaucoup d'algues mortes sont présentes, et les décomposeurs peuvent devoir utiliser beaucoup d'O_2 pour décomposer ces algues, d'où la diminution de la quantité d'O_2 dans le lac.

Retour sur le concept 52.4

1. (a) Les humains peuvent transplanter une espèce dans une région qui lui était inaccessible à cause d'une barrière géographique (modification de l'expansion). (b) Les humains peuvent modifier les interactions biotiques d'une espèce en éliminant d'une région une espèce prédatrice, comme les oursins. **2.** Vous pourriez clôturer une parcelle de terrain dans une région où pousse cette espèce d'arbre, de façon qu'aucun cerf n'y ait accès. Il ne vous resterait plus qu'à comparer l'abondance de semis de cette espèce d'arbre à l'intérieur et à l'extérieur de la zone clôturée au bout d'un certain temps. **3.** L'ancêtre du sabre d'argent a colonisé l'archipel d'Hawaï alors que les îles étaient encore jeunes ; la compétition y était sans doute faible et il a pu remplir de nombreuses niches écologiques encore inoccupées. Il en va différemment des hérons garde-bœufs, qui ne se sont installés dans les Amériques que récemment alors qu'un groupe d'espèces y étaient déjà bien établies. Les possibilités de radiance adaptative y sont probablement beaucoup plus limitées.

Retour sur le concept 52.5

1. Les changements qui touchent la façon dont les organismes interagissent entre eux et avec leur environnement peuvent entraîner des changements évolutifs. Un changement évolutif (comme l'amélioration de la capacité d'un prédateur à repérer sa proie) peut à son tour causer des changements dans les interactions écologiques. **2.** À mesure que la morue s'adapte à la pression de la pêche commerciale en se reproduisant à un plus jeune âge, alors qu'elle est plus petite, sa progéniture est chaque année moins nombreuse. C'est ainsi que la population de morues peut diminuer d'année en année et devenir de moins en moins capable de se repeupler. Si la taille de la population décline avec le temps, la dérive génétique peut avoir de plus en plus d'effets. Elle peut, par exemple, entraîner la fixation d'allèles défavorables qui empêchent la population de morues de se reconstituer dans le contexte de la surpêche.

Questions du résumé des concepts clés

52.1 Puisque l'air sec descendrait sur l'équateur plutôt qu'à 30° de latitude N. et de latitude S. (où l'on trouve des déserts aujourd'hui), on finirait probablement par trouver les déserts le long de l'équateur (voir la figure 52.3). **52.2** Les plantes dominantes des écosystèmes de la savane ont tendance à s'adapter au feu et à tolérer les sécheresses saisonnières. Le biome de la savane est maintenu par des feux périodiques, tant naturels que d'origine humaine, mais les humains détruisent également les savanes pour les transformer en terres agricoles et d'autres types d'espace. **52.3** La zone aphotique se trouve plus vraisemblablement dans les eaux profondes d'un lac, ou encore dans les zones pélagiques ou benthiques de l'océan. **52.4** Vous pourriez tracer un schéma conceptuel débutant par les facteurs abiotiques limitants, de façon à déterminer d'abord les conditions physiques et chimiques permettant la survie d'une espèce, puis continuer le schéma avec les autres facteurs énumérés dans le schéma. **52.5** Comme l'espèce nouvellement introduite a peu de prédateurs ou de parasites, elle pourrait supplanter les espèces indigènes en produisant une descendance plus nombreuse et en étendant son aire de répartition dans la nouvelle région. À mesure que sa population deviendrait plus nombreuse, la sélection naturelle pourrait produire des changements évolutifs dans les populations des espèces concurrentes, c'est-à-dire favoriser les individus dont les caractéristiques les rendraient plus efficaces en présence de l'espèce nouvellement introduite. La sélection pourrait également entraîner l'évolution de prédateurs ou de parasites potentiels, c'est-à-dire favoriser les individus possédant des caractéristiques qui leur permettraient de profiter de la nouvelle source potentielle de nourriture. Ces changements évolutifs pourraient à leur tour modifier le résultat des interactions écologiques et donner lieu à d'autres changements évolutifs, et ainsi de suite.

Évaluation

1. b ; **2.** b ; **3.** c ; **4.** d ; **5.** c ; **6.** a ; **7.** a ; **8.** b.

9.

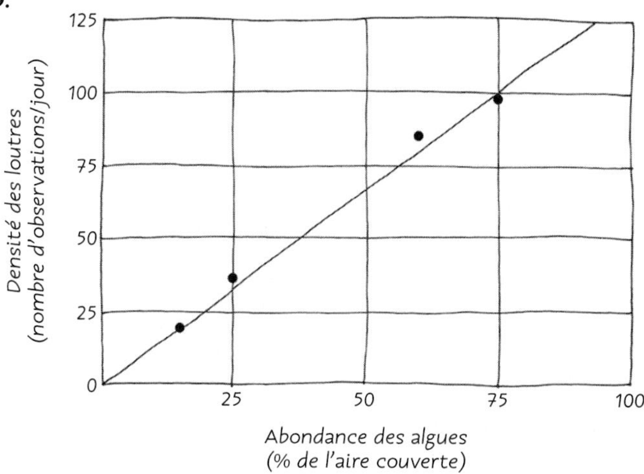

Selon ce que vous avez appris de la figure 52.19 et d'après la corrélation positive que vous avez observée sur le site entre l'abondance des algues et la densité des loutres, vous pourriez avancer que les loutres de mer réduisent la densité des oursins, ce qui réduit la consommation d'algues par les oursins.

CHAPITRE 53

Questions des figures

Figure 53.2 Dans ce cas, le calcul 180 × 44/0 est impossible à effectuer. Par conséquent, il est impossible de déterminer la taille de la population (N) et de tirer une conclusion quant à la taille de la population ; il faudrait poursuivre les échantillonnages. **Figure 53.4** Les manchots sembleraient probablement dispersés en agrégats si vous voliez au-dessus d'îles densément peuplées disséminées sur un océan peu peuplé. **Figure 53.5** Dix pour cent (100/1 000) des femelles survivent jusqu'à l'âge de trois ans. **Figure 53.7** La femelle n° 109. **Figure 53.8** Il faudra environ 7,5 générations pour que la population dont la valeur $r = 1{,}0$ (courbe bleue) compte 1 500 individus, mais il en faudra environ 14,5 pour que la population dont $r = 0{,}5$ (courbe rouge) compte 1 500 individus. **Figure 53.14** Le pourcentage de parents mâles ayant survécu à l'hiver suivant serait similaire, peu importe la taille des couvées.
Figure 53.16

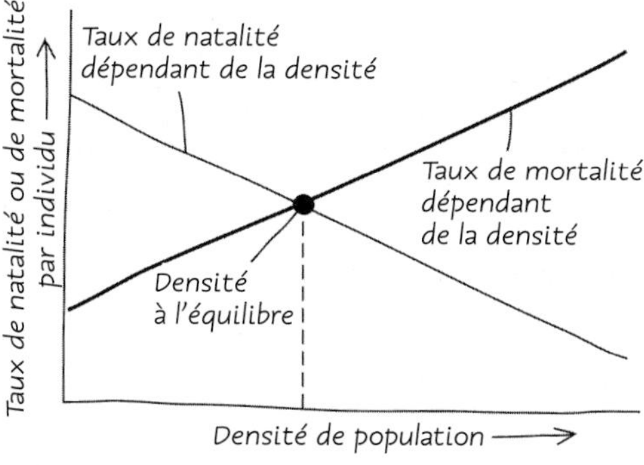

Figure 53.20 Les pointes de population de lièvres et de lynx surviennent à intervalles réguliers et sont légèrement décalées. Ainsi, les pointes de populations de lynx surviennent peu après celles des lièvres. Le taux de prédation des lièvres par les lynx est dépendant de la densité des lièvres. Par conséquent, lorsque la population de lièvres augmente, ces derniers sont plus facilement capturés par les lynx. Comme les lynx ont plus de facilité à se nourrir, leur population augmente plus rapidement. L'augmentation de la prédation fait diminuer la population des lièvres. Cette diminution des proies entraîne une diminution de la population des lynx. **Figure 53.25** Si l'empreinte écologique moyenne était de 8 gha par personne, la Terre pourrait accueillir environ 1,5 milliard de personnes de façon durable. Pour obtenir cette estimation, on divise la superficie de productivité totale de la Terre (11,9 milliards de gha) par le nombre d'hectares globaux utilisés par personne (8 gha/personne), ce qui donne 1,49 milliard de personnes.

Retour sur le concept 53.1

1.

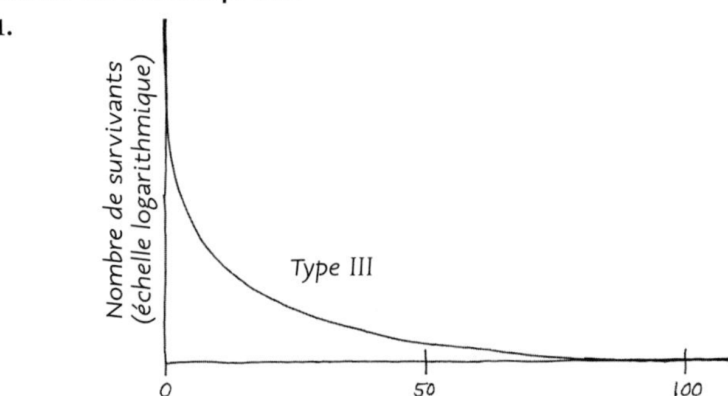

La probabilité d'obtenir une courbe de survie de type III est plus grande puisque les jeunes qui survivent risquent d'être très peu nombreux. **2.** La proportion d'individus en vie au début de l'intervalle 0-1 est de 485/485 = 1,0. La proportion d'individus en vie au début de l'intervalle 1-2 est de 218/485 = 0,449. **3.** L'épinoche mâle à trois épines a probablement un mode de dispersion uniforme puisque ses interactions antagonistes contribuent au maintien d'un espace relativement constant entre lui et ses semblables.

Retour sur le concept 53.2

1. Bien que r soit constant, il y a augmentation de la taille de la population (N). Comme r s'applique à une valeur N de plus en plus élevée, la croissance démographique (rN) s'accentue et la courbe de croissance présente une pente plus prononcée, d'où sa forme en J. **2.** La croissance exponentielle est plus probable dans une zone forestière détruite par le feu. Les premiers végétaux à s'y établir trouveront de l'espace, des nutriments et de la lumière en abondance. Dans la forêt intacte, la compétition pour ces ressources serait intense. **3.** L'équation qui représente le nombre de personnes s'ajoutant à la population chaque année est: $\Delta N/\Delta t = r_{\Delta t}N$. Par conséquent, la croissance nette de la population en 2014 a été de:

$$\Delta N/\Delta t = 0{,}005 \times 320\,000 = 1\,600\,000$$

ou 1,6 million de personnes. Pour déterminer si une population connaît une croissance exponentielle, il vous faut savoir si $r > 0$ et si sa valeur est constante avec le temps (sur plusieurs années).

Retour sur le concept 53.3

1. Lorsque la valeur de la taille de la population (N) est faible, le nombre d'individus qui se reproduisent est relativement bas. Lorsque la valeur de N est élevée, s'approchant de la capacité limite du milieu, le taux de croissance par individu est relativement faible parce qu'il est limité par les ressources disponibles. Selon le modèle logistique de croissance démographique, le segment de la courbe dont la pente est la plus prononcée correspond à une population qui compte un nombre considérable d'individus reproducteurs, mais qui ne s'approche pas encore de sa capacité limite. **2.** Toutes proportions gardées, vous pourriez vous attendre à ce que la capacité limite du milieu d'une espèce végétale soit plus grande à l'équateur qu'à des latitudes plus élevées, parce que l'ensoleillement incident est plus important près de l'équateur. **3.** Le changement soudain des conditions environnementales pourrait modifier les caractéristiques phénotypiques que favorise la sélection naturelle. En présumant que les caractéristiques nouvellement favorisées relèvent des gènes, du moins en partie, la sélection naturelle pourrait modifier les fréquences géniques dans cette population. De plus, une diminution notable de la capacité limite du milieu pourrait entraîner une baisse considérable de la taille de cette population. Les effets de la dérive génétique pourraient alors s'exercer de façon plus marquée, ce qui pourrait mener à la fixation de certains allèles défavorables et nuire à la capacité de cette population de se reconstituer.

Retour sur le concept 53.4

1. Les trois principales caractéristiques du cycle biologique sont le moment où la reproduction débute, la fréquence de la reproduction et le nombre de rejetons par période de reproduction. Ces caractéristiques varient grandement d'un organisme à l'autre. Par exemple, la reproduction commence habituellement à l'âge de 3 ou 4 ans chez le saumon coho, comparativement à 30 ans chez la tortue caouane. De même, l'agave se reproduit une seule fois au cours de sa vie, tandis que le chêne se reproduit de nombreuses fois. Enfin, le rhinocéros blanc produit un seul rejeton, alors que la plupart des insectes donnent une descendance considérable chaque fois qu'ils se reproduisent. **2.** En prenant soin des œufs pondus dans le nid, *Symphodus tinca* accroît leurs chances de survie, contrairement à ceux que les femelles dispersent dans la nature. Comme elles ne s'en occupent pas, les chances de survie de ces œufs sont beaucoup plus faibles, du moins en certaines périodes, mais ils exigent beaucoup moins d'investissement de la part des adultes. (À cet égard, les adultes évitent de mettre tous leurs œufs dans le même panier, pour reprendre une formule populaire.) **3.** Si la santé du parent en situation de stress est grandement compromise par la nécessité de s'occuper de ses petits, le fait de les abandonner lui permet éventuellement de survivre, de recouvrer la santé et de donner naissance à de nouvelles portées dans des conditions plus favorables, améliorant ainsi son succès reproducteur.

Retour sur le concept 53.5

1. La taille, la qualité et l'isolement sont trois attributs des zones d'habitat. Une zone plus grande ou de meilleure qualité a plus de chances d'attirer des immigrants et de fournir des immigrants aux autres parcelles. Une zone relativement isolée enregistrera des flux moins fréquents. **2.** Il vous faudrait étudier la population pendant plus d'un cycle (plus de 10 ans, probablement au moins 20) avant d'avoir suffisamment de données pour examiner les fluctuations dans le temps. Autrement, vous ne pourriez déterminer si une diminution de la taille de la population reflète une tendance à long terme ou si elle s'inscrit dans un cycle normal. **3.** Dans une régulation par rétro-inhibition, un processus est ralenti par le produit fabriqué. Dans une population dont le taux de natalité est dépendant de la densité, comme dans le cas de la vulpie à une seule glume, l'accroissement de la densité de population (plus d'individus) correspond à une accumulation du produit et ralentit le processus (la croissance démographique) en réduisant le taux de natalité.

Retour sur le concept 53.6

1. Une pyramide des âges très large dans sa partie inférieure, où les jeunes sont surreprésentés, signifie que la population connaîtra une croissance continue lorsque ces jeunes commenceront à se reproduire. Par contre, une pyramide plus uniforme signifie que la taille de la population demeurera stable, et une pyramide inversée annonce une décroissance démographique parce que seul un nombre relativement faible de jeunes se reproduiront. **2.** Le taux de croissance de la population humaine mondiale a diminué depuis les années 1960, passant de 2,2 % en 1962 à 1,1 % aujourd'hui. Quoi qu'il en soit, la croissance démographique annuelle n'a pas ralenti autant parce que le plus faible taux de croissance est annulé par la taille accrue de la population ; par conséquent, le nombre d'individus qui s'ajoutent chaque année demeure énorme, soit environ 78 millions. **3.** Chaque étudiante ou étudiant calculera sa propre empreinte écologique. Nous exerçons tous une influence sur notre empreinte écologique individuelle par notre mode de vie, c'est-à-dire notre alimentation, notre consommation d'énergie et la quantité de déchets que nous produisons, et par le nombre d'enfants que nous avons. Nous réduisons notre empreinte écologique en réduisant notre consommation des ressources.

Questions du résumé des concepts clés

53.1 Les écologistes peuvent estimer le taux de natalité en comptant le nombre de nouveaux rejetons chaque année, et estimer le taux de mortalité d'après les fluctuations du nombre d'adultes chaque année. **53.2** Selon le modèle de croissance exponentielle, les deux populations continueront à croître indéfiniment, quelle que soit la valeur de r (voir la figure 53.8). **53.3** Plusieurs avenues s'offrent à vous pour accroître la capacité limite de la réserve pour certaines espèces : augmenter la disponibilité de la nourriture, protéger ces espèces de leurs prédateurs et leur procurer plus de sites de nidification ou de reproduction. **53.4** Les « compromis » écologiques sont courants, car les organismes n'ont pas accès à des quantités illimitées d'énergie et de ressources. L'utilisation d'énergie ou de ressources pour une fonction (comme la reproduction) peut donc diminuer l'énergie et les ressources disponibles pour d'autres fonctions (la survie ou la croissance, par exemple). **53.5** Une maladie causée par un agent pathogène est un exemple de facteur biotique. Une catastrophe naturelle, comme une inondation ou un tremblement de terre, est un exemple de facteur abiotique. **53.6** Seuls les humains ont l'aptitude potentielle de réduire leur population mondiale par la contraception et la planification des naissances. Les humains peuvent aussi faire en toute conscience des choix alimentaires et modifier leur mode de vie, et ces choix ont une incidence sur le nombre d'individus dont la Terre peut soutenir le développement.

Évaluation

1. b ; **2.** a ; **3.** a ; **4.** d ; **5.** c ; **6.** b ; **7.** c ; **8.** a ; **9.** a.

10.

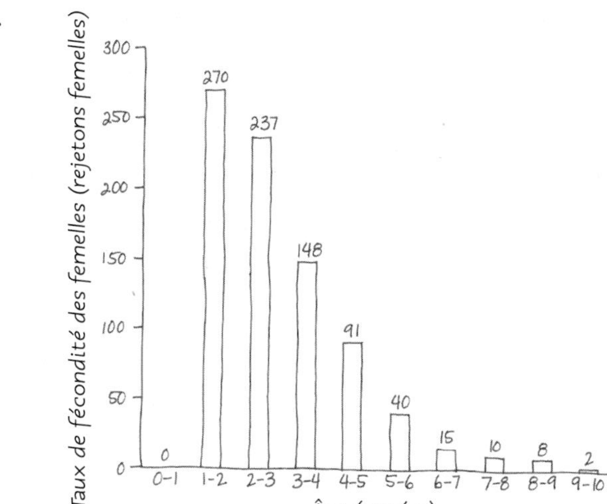

Le total de rejetons femelles produit est plus élevé chez les femelles de 1 à 2 ans. L'échantillon calculé pour les femelles de cette cohorte : 252 individus × 1,07 rejeton femelle/individu = 270 rejetons femelles.

CHAPITRE 54

Questions des figures

Figure 54.3 Ses niches réelle et fondamentale seraient semblables, contrairement à celles de *Chthamalus*. **Figure 54.4** 11,2 mm puisque les becs les plus minces ont une épaisseur d'environ 10 mm. **Figure 54.5** Les individus d'une espèce inoffensive qui ressemblent à une lointaine parente nocive pourraient subir moins d'attaques des prédateurs que d'autres individus qui ne ressemblent pas à l'espèce nocive. À la génération suivante, les individus de l'espèce inoffensive ressemblant à une espèce nocive auraient donc tendance à produire plus de descendants que les autres individus de l'espèce inoffensive. Avec le temps, à mesure que la sélection naturelle par les prédateurs continue de favoriser les individus de l'espèce inoffensive qui ressemblent le plus à l'espèce nocive, l'espèce inoffensive ressemblera de plus en plus à l'espèce nocive. Toutefois, la sélection n'est pas le seul processus qui ferait en sorte qu'une espèce inoffensive ressemble à une espèce proche parente nocive. Dans le cas présent, les deux espèces pourraient également se ressembler parce qu'elles ont un ancêtre commun récent, de sorte qu'elles partagent un grand nombre de caractères (y compris la ressemblance). **Figure 54.14** Une augmentation du nombre de carnivores mangeant du zooplancton pourrait réduire l'abondance de zooplancton et accroître celle du phytoplancton. **Figure 54.15** Le nombre de types d'organismes mangés est : zéro pour le phytoplancton ; un pour les copépodes, les phoques crabiers et les baleines à fanons ; deux pour le krill, le plancton carnivore, les éléphants de mer et les cachalots ; trois pour les calmars, les poissons et les léopards de mer ; et cinq pour les oiseaux et les petits cétacés à dents. Les poissons et les calmars sont les deux groupes qui mangent l'autre groupe et se font manger par l'autre groupe. **Figure 54.18** La mort d'individus de l'espèce dominante *Mytilus* devrait permettre l'arrivée d'autres espèces et accroître la richesse spécifique, malgré l'absence de *Pisaster*. **Figure 54.24** Aux premiers stades de succession primaire, les bactéries vivant librement dans le sol transformeraient le N_2 de l'atmosphère en ammoniac (NH_3). La fixation de l'azote par symbiose ne pourrait se produire qu'en présence de végétaux. **Figure 54.28** On pourrait prévoir que : (1) les tailles des populations diminueraient, car les ressources seraient moins abondantes, et les habitats, moins appropriés ; (2) le taux d'extinction s'élèverait plus rapidement lorsque le nombre d'espèces sur l'île augmenterait, puisque les petites îles ont généralement moins de ressources, des habitats moins diversifiés et des populations moins nombreuses ; et (3) la richesse spécifique d'équilibre prédite serait plus petite que celle montrée à la figure 54.28. **Figure 54.31** Les populations de musaraignes pourraient présenter des variations génétiques substantielles sur le plan de la vulnérabilité à l'agent pathogène selon leur provenance et leur habitat. Il pourrait donc y avoir moins de tiques infectées là où les populations de musaraignes sont moins vulnérables à la maladie de Lyme, et plus de tiques infectées là où les musaraignes y sont plus vulnérables.

Retour sur le concept 54.1

1. La compétition interspécifique produit des effets négatifs sur les deux espèces (-/-). La prédation profite à la population des prédateurs et nuit à celle des proies (+/-) ; c'est là un exemple d'exploitation. Quant au mutualisme, il s'agit d'une interaction positive pour les deux espèces (+/+). **2.** L'une des espèces subira une élimination locale parce que le concurrent le plus efficace connaîtra un plus grand succès reproducteur. **3.** En se spécialisant dans la consommation d'espèces végétales différentes, les individus de chaque espèce sont moins susceptibles d'avoir des contacts puisqu'ils occuperont des habitats distincts, ce qui renforcera les barrières à la reproduction.

Retour sur le concept 54.2

1. La richesse spécifique est le nombre d'espèces que compte une communauté. L'abondance relative est la proportion de la communauté représentée par chacune des diverses espèces qui la composent. Les deux contribuent à la diversité des espèces. Une communauté où toutes les espèces sont en proportions égales est considérée comme plus diversifiée qu'une communauté dans laquelle une espèce compte pour une proportion très élevée du total des individus. **2.** Une chaîne alimentaire comporte une série de transferts unidirectionnels de nourriture et entre les différents niveaux trophiques. Un réseau alimentaire décrit la façon dont les chaînes alimentaires sont reliées entre elles, les espèces se trouvant souvent à plus d'un niveau trophique. **3.** Selon le modèle ascendant, l'ajout de prédateurs aura peu d'effets sur les niveaux trophiques inférieurs, particulièrement sur la végétation. Si le modèle descendant s'appliquait, l'augmentation du nombre de lynx roux réduirait le nombre de ratons laveurs, augmenterait le nombre de serpents, réduirait le nombre de souris et augmenterait la biomasse des végétaux. **4.** Une moindre abondance de krill pourrait accroître l'abondance d'organismes consommés par le krill (du phytoplancton et des copépodes) tout en diminuant l'abondance d'organismes qui mangent du krill (les baleines à fanons, les phoques crabiers, les oiseaux, les poissons et le plancton carnivore) ; les baleines à fanons et les phoques crabiers pourraient être particulièrement vulnérables, car ils se nourrissent exclusivement de krill. Cependant, beaucoup de ces changements pourraient entraîner des répercussions imprévues, de sorte qu'il est difficile de prédire le résultat d'ensemble. Par exemple, une diminution de la quantité de krill pourrait causer une augmentation de l'abondance de copépodes, mais une augmentation de la quantité de copépodes pourrait compenser certains des effets d'une diminution du krill (puisque comme le krill, les copépodes mangent du phytoplancton et sont mangés par le plancton carnivore et les poissons).

Retour sur le concept 54.3

1. Les perturbations de forte intensité sont en général assez importantes pour éliminer de nombreuses espèces de la communauté, qui se trouve ainsi dominée par quelques espèces résistantes. Quant aux perturbations de faible intensité, elles permettent à des espèces dominantes d'exclure d'autres espèces de la communauté. En revanche, les perturbations d'intensité modérée peuvent faciliter la coexistence d'un plus grand nombre d'espèces dans la communauté en empêchant les espèces dominantes de devenir assez abondantes pour éliminer d'autres espèces. **2.** Les espèces pionnières peuvent faciliter l'installation d'autres espèces de nombreuses façons : elles peuvent notamment augmenter la fertilité du sol ou sa capacité de retenir l'eau, ou protéger les plantules du vent ou d'une exposition trop intense à la lumière. **3.** L'absence d'incendie pendant 100 ans constituerait un changement vers un niveau faible de perturbation. Selon l'hypothèse des perturbations modérées, ce changement devrait entraîner un déclin de la diversité puisque les espèces compétitives dominantes auront le temps d'écarter les espèces moins compétitives.

Retour sur le concept 54.4

1. Les écologistes avancent que la plus grande richesse spécifique des régions tropicales résulte d'une évolution plus longue, de même que d'un apport d'énergie solaire et d'une disponibilité de l'eau plus importants. **2.** Plus une île est éloignée du continent, moins le taux d'immigration y est élevé ; plus la superficie de cette île est grande, et plus le taux d'immigration y est élevé. Plus une île est grande et moins elle est isolée, moins le taux d'extinction y est élevé. Comme le nombre d'espèces présentes dans les îles est en grande partie déterminé par la différence entre les taux d'immigration et d'extinction, on en compte un grand nombre dans les grandes îles rapprochées du continent et un nombre réduit dans les petites îles éloignées du continent. **3.** Plus mobiles, les oiseaux se dispersent vers les îles plus souvent que ne le font les serpents et les lézards ; la richesse spécifique des oiseaux devrait donc être plus grande.

Retour sur le concept 54.5

1. Les agents pathogènes sont des microorganismes, des virus, des viroïdes ou des prions qui causent des maladies. **2.** Pour empêcher le virus de la rage d'entrer sur votre territoire, vous pourriez interdire l'importation de tout mammifère, y compris les animaux de compagnie. Vous pourriez aussi recommander la vaccination obligatoire contre la rage de tous les chiens des îles Britanniques. L'approche la plus pratique consisterait cependant à mettre en quarantaine tous les animaux de compagnie importés au pays et susceptibles d'être porteurs du virus. C'est d'ailleurs l'approche qu'utilise le gouvernement britannique.

Questions du résumé des concepts clés

54.1 Remarque: Les réponses sont des exemples; d'autres réponses sont possibles. Compétition: un renard et un lynx roux se disputant les mêmes proies. Prédation: un épaulard mangeant une loutre de mer. Herbivorisme: un bison broutant (des végétaux) dans la prairie. Parasitisme: une guêpe parasitoïde pondant ses œufs sur une chenille. Mutualisme: un eumycète et une algue qui s'associent pour former un lichen. Commensalisme: une plante à fleurs poussant dans une érablière et un érable. **54.2** Pas nécessairement si la communauté qui compte plus d'espèces est dominée par une ou quelques espèces. **54.3** Comme lorsqu'on fait une coupe à blanc ou qu'on laboure un champ, quelques espèces seraient présentes initialement. En raison de cette présence antérieure, la perturbation entraînera une succession secondaire, et ce, malgré l'allure dévastée de la zone. **54.4** Les glaciations sont des perturbations majeures susceptibles de détruire complètement des communautés dans les régions tempérées et polaires. C'est pourquoi les communautés tropicales sont plus vieilles que les communautés tempérées ou polaires. La diversité des espèces peut ainsi être supérieure dans les régions tropicales simplement parce que les événements de spéciation ont eu plus de temps pour se produire. **54.5** Une espèce clé de voûte est une espèce qui joue un rôle écologique central dans une communauté. Donc, un agent pathogène qui rend moins abondante une espèce clé de voûte ou qui lui nuit d'une quelconque façon pourrait altérer considérablement la structure de la communauté. Par exemple, si un nouvel agent pathogène fait en sorte qu'une espèce clé de voûte s'éteint, la diversité des espèces pourrait subir des changements radicaux.

Évaluation

1. d; **2.** c; **3.** c; **4.** c; **5.** b; **6.** c; **7.** d; **8.** b.
9. Communauté 1: $H = -(0{,}05 \ln 0{,}05 + 0{,}05 \ln 0{,}05 + 0{,}85 \ln 0{,}85 + 0{,}05 \ln 0{,}05) = 0{,}59$. Communauté 2: $H = -(0{,}30 \ln 0{,}30 + 0{,}40 \ln 0{,}40 + 0{,}30 \ln 0{,}30) = 1{,}1$. La communauté 2 est plus diversifiée. **10.** Le nombre de crabes devrait augmenter, ce qui réduira l'abondance des zostères marines.

Tortue de Kemp
Humain
Crabe bleu
(Cannibalisme)
Zostère
Palourde marine

CHAPITRE 55

Questions des figures

Figure 55.4 La flèche bleue qui mène aux *Consommateurs primaires* pourrait représenter une sauterelle qui mange une partie d'une plante. La flèche bleue qui va de *Consommateurs primaires* à *Détritus* pourrait représenter les restes d'un consommateur primaire mort (comme une sauterelle) qui s'incorpore aux détritus se trouvant dans l'écosystème. La flèche bleue qui va de *Consommateurs primaires* à *Consommateurs secondaires et tertiaires* pourrait représenter un oiseau (le consommateur secondaire) qui mange une sauterelle (le consommateur primaire). Enfin, la flèche bleue qui va de *Consommateurs primaires* à *Producteurs primaires* pourrait représenter le CO_2 libéré par la respiration cellulaire d'une sauterelle. **Figure 55.5** Les milieux humides, les récifs coralliens et les zones côtières couvrent des superficies trop petites pour apparaître clairement sur les cartes mondiales. **Figure 55.6** La présence des nouvelles fermes d'élevage de canards se traduirait par une augmentation de la concentration d'azote et de phosphore dans les échantillons d'eau utilisés dans l'expérience. On pourrait prévoir que l'addition de phosphore ne modifie pas les résultats (car dans l'expérience originale, la concentration de phosphore était *déjà* si élevée que l'addition de phosphore n'a pas augmenté la croissance du phytoplancton). Toutefois, les nouvelles fermes d'élevage de canards pourraient faire augmenter la concentration d'azote à un point tel que l'addition d'azote dans une expérience n'augmenterait pas la densité de phytoplancton. **Tableau 55.1** On pourrait conclure que le molybdène seul est un élément mineur limitant la productivité primaire d'un écosystème. Toutefois, il est utilisé en synergie avec le fer, car, lorsque les deux éléments mineurs sont ajoutés, l'effet sur la productivité primaire est très important. **Figure 55.9** 16,5 %, soit (33 J/200 J) × 100, de la nourriture d'une chenille sert réellement à la productivité secondaire (croissance). **Figure 55.12** La disponibilité de l'eau et l'exposition à la lumière sont probablement aussi des facteurs pouvant varier d'un site à l'autre. L'absence de tels facteurs du cadre de l'expérience pourrait compliquer l'interprétation des résultats. Puisque certains facteurs peuvent aussi présenter des covariations, les écologistes doivent s'assurer que le facteur à l'étude cause vraiment le résultat observé et qu'il ne s'agit pas plutôt d'une corrélation. **Figure 55.13** (1) Si la vitesse de décomposition diminuait, une plus grande quantité de matière organique passerait du réservoir A au réservoir B; à la longue, une plus grande quantité de matière organique pourrait se fossiliser et devenir du combustible fossile. En outre, un ralentissement de la décomposition ferait en sorte que moins de matières inorganiques se transformeraient en nutriments utilisables dans le réservoir C, ce qui aboutirait à une diminution du taux d'assimilation des nutriments et de la photosynthèse par les organismes vivants. (2) La matière entre dans le réservoir A et en sort selon une échelle temporelle beaucoup plus courte que pour le réservoir B. La matière peut demeurer dans le réservoir B pendant une très longue période, sauf si les humains l'en retirent à un rythme rapide et en utilisent les combustibles fossiles. **Figure 55.19** Les populations évoluent à mesure que les organismes interagissent les uns avec les autres et avec les conditions physiques et chimiques de leur environnement. Par conséquent, toute activité humaine qui modifie l'environnement a le potentiel d'entraîner un changement évolutif. En particulier, comme les changements climatiques ont eu des effets considérables sur les écosystèmes de l'Arctique, on peut s'attendre à ce que ces changements provoquent une évolution des populations de la toundra arctique.

Retour sur le concept 55.1

1. L'énergie circule dans un écosystème: elle y pénètre sous forme de lumière solaire et le quitte sous forme de chaleur. Elle n'est pas recyclée à l'intérieur de l'écosystème. **2.** Vous devriez connaître la quantité de biomasse mangée par les gnous sur votre parcelle, ainsi que la quantité d'azote que contenait cette biomasse. Vous devriez également connaître la quantité d'azote qu'ils ont déposée sous forme d'urine ou de fèces. **3.** Selon le deuxième principe de la thermodynamique, dans tout transfert ou toute transformation d'énergie, une partie de l'énergie se dissipe dans l'air ambiant sous forme de chaleur. Pour que l'écosystème demeure intact, la perte de l'énergie qui « s'échappe » d'un écosystème doit être contrebalancée par le constant rayonnement solaire.

Retour sur le concept 55.2

1. Seule une partie du rayonnement solaire atteint les plantes ou les algues; seule une fraction de cette partie a des longueurs d'onde propices à la photosynthèse, et une grande partie de l'énergie est perdue sous forme de réflexion ou de chaleur. **2.** En modifiant les facteurs importants, comme la disponibilité du phosphore ou l'humidité du sol, et en mesurant les réactions des producteurs. **3.** La PNE diminuera probablement après l'incendie. Pour comprendre pourquoi, rappelez-vous que PNE = PPB – R_T, où la PPB est la production primaire brute et R_T est la quantité totale de respiration cellulaire dans l'écosystème. En détruisant des arbres et d'autres plantes, le feu réduirait la PPB par rapport à sa valeur d'avant l'incendie. De plus, la quantité totale de respiration cellulaire (R_T) dans l'écosystème pourrait augmenter à mesure que les décomposeurs dégraderont les restes des arbres brûlés (en raison de la respiration cellulaire accrue de ces décomposeurs). **4.** L'enzyme rubisco, qui catalyse la première étape du cycle de Calvin, est la protéine la plus abondante sur la planète. Les organismes photosynthétiques ont besoin d'une grande quantité d'azote pour produire cette enzyme. Le phosphore est par ailleurs un composant de plusieurs métabolites du cycle de Calvin, de même que de l'ATP et du NADPH (voir la figure 10.19).

Retour sur le concept 55.3

1. 20 J; 40 %. **2.** La nicotine protège la plante des herbivores. **3.** La productivité primaire nette totale est de 10 000 + 1 000 + 100 + 10 J = 11 110 J. C'est la quantité d'énergie théoriquement utilisable par les détritivores.

Retour sur le concept 55.4

1. Voici, à titre d'exemple, un schéma pour le cycle du carbone :

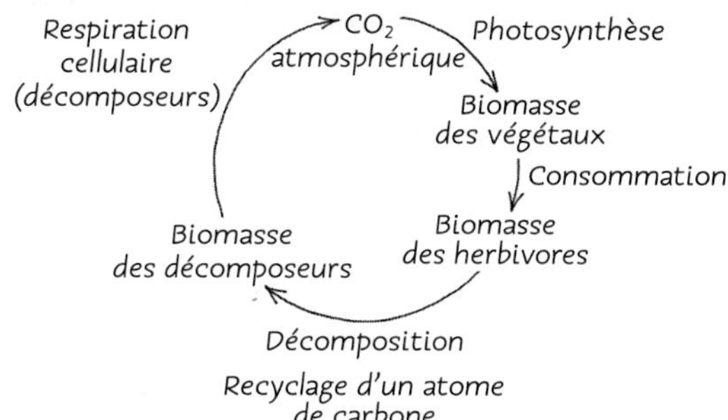

2. Le déboisement interrompt l'absorption de l'azote par le sol, ce qui permet l'accumulation de nitrates à cet endroit. Les nitrates sont ensuite emportés par les précipitations vers les ruisseaux. **3.** Dans une forêt tropicale humide, la plupart des nutriments se trouvent dans les arbres, si bien que le déboisement prive rapidement l'écosystème des nutriments dont il a besoin. Les précipitations abondantes ont tôt fait d'emporter les nutriments qui restent dans le sol vers les ruisseaux et les nappes phréatiques.

Retour sur le concept 55.5

1. L'objectif principal est de ramener les écosystèmes dégradés à un état plus naturel. **2.** Le projet de la rivière Kissimmee redirige le courant vers le canal d'origine, ce qui rétablira le régime d'écoulement naturel sans nécessiter d'autres interventions. Les écologistes de la réserve de Maungatautari devront cependant maintenir la clôture en place indéfiniment, et l'écosystème ne sera jamais autosuffisant.

Questions du résumé des concepts clés

55.1 Puisque les processus de conversion d'énergie, en entraînant une perte inévitable de chaleur, sont inefficaces, on peut prévoir que la biomasse des producteurs sera plus importante que la biomasse des consommateurs primaires. **55.2** Pour estimer la PNE, on doit mesurer la respiration de tous les organismes de l'écosystème et non uniquement celle des producteurs. Dans un échantillon d'eau océanique, les producteurs et les autres organismes sont mélangés, si bien qu'il n'est pas facile de distinguer leur respiration respective. **55.3** Les coureurs utilisent beaucoup plus d'énergie pour la respiration cellulaire que les sédentaires, ce qui réduit leur réserve énergétique (efficacité écologique). **55.4** Outre la température, le manque d'eau et de nutriments ralentit la décomposition dans les déserts chauds. **55.5** Si la couche superficielle du sol est séparée des couches plus profondes, les ingénieurs peuvent remettre ces dernières en premier, puis recouvrir le site de la couche superficielle, plus fertile, pour améliorer les chances de végétalisation et des autres activités de restauration.

Évaluation

1. c ; **2.** b ; **3.** a ; **4.** c ; **5.** a ; **6.** b ; **7.** d ; **8.** d.

9. (a)

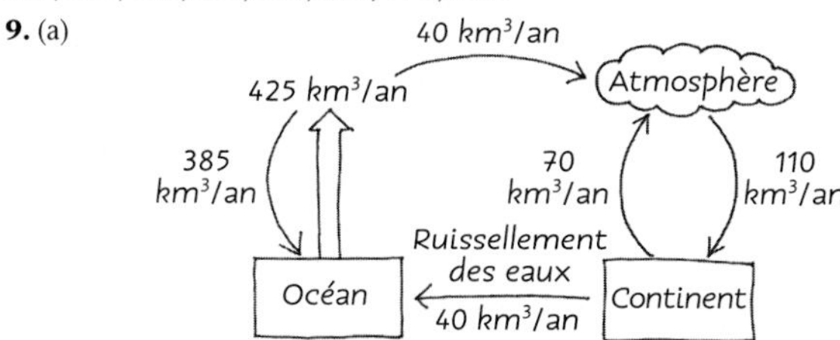

(b) En moyenne, le rapport est de 1, puisque des quantités égales d'eau passent des océans aux continents sous forme de précipitations et des continents aux océans par ruissellement. (c) Durant une période glaciaire, la quantité d'eau qui s'évaporerait des océans pour retomber ensuite sur les continents sous forme de précipitations serait supérieure à la quantité d'eau qui retournerait aux océans par ruissellement. Donc, le rapport serait supérieur à 1. La différence s'accumulerait sur les continents sous forme de glace.

CHAPITRE 56

Questions des figures

Figure 56.4 Vous devriez connaître l'aire de répartition complète de l'espèce et savoir que cette dernière ne s'y trouve plus nulle part. Vous devriez pouvoir confirmer que l'espèce n'est pas simplement « cachée », comme le serait un animal qui hiberne sous terre ou une plante présente uniquement sous forme de graines ou de spores. **Figure 56.9** Dans les deux exemples, des segments d'ADN provenant d'échantillons récoltés ont été analysés et comparés avec des segments prélevés sur des spécimens dont on connaissait l'origine. Ce qui différencie les deux exemples, c'est que, d'une part, les chercheurs qui étudient les baleines ont examiné la parenté des spécimens selon l'espèce et la population dont elles faisaient partie pour déterminer s'il s'agissait d'espèces dont la chasse est interdite. D'autre part, les chercheurs qui s'intéressent aux éléphants ont déterminé la parenté des spécimens selon la population dont ils font partie pour déterminer le lieu exact des activités de braconnage. Par ailleurs, l'étude sur les baleines a porté sur l'ADN mitochondrial, alors que celle sur les éléphants portait plutôt sur l'ADN nucléaire. Ces méthodes comportent des contraintes, notamment la nécessité de consulter (ou de constituer) une base de données de référence. De plus l'ADN des organismes doit présenter suffisamment de variations pour qu'il soit possible de démontrer la parenté entre des échantillons. **Figure 56.11** Plus le pH est élevé, plus l'acidité est faible : les précipitations dans cette forêt deviennent moins acides. **Figure 56.13** Les réponses peuvent varier, mais il y aurait deux raisons de ne pas transplanter d'autres oiseaux. Premièrement, la population de tétras des prairies de l'Illinois ne présente pas les mêmes caractéristiques génétiques que les populations d'autres régions, et il importe de maintenir le plus possible la fréquence de gènes ou d'allèles bénéfiques qui lui sont exclusifs. Deuxièmement, la transplantation d'oiseaux provenant d'autres États a déjà entraîné une forte augmentation du pourcentage d'œufs éclos, ce qui indique que la transplantation d'oiseaux additionnels n'est pas nécessaire. **Figure 56.15** Le régime naturel de perturbations de cet habitat comprend de fréquents incendies qui détruisent la végétation de sous-bois sans endommager les grands pins matures. Sans ces incendies, la végétation du sous-bois prend rapidement toute la place et rend l'habitat inadéquat pour le pic à face blanche. **Figure 56.16** La photo montre des lisières entre l'écosystème de la forêt et celui de la prairie, entre l'écosystème de la prairie et celui de la rivière, et entre l'écosystème de la prairie et celui de la rivière. **Figure 56.25** La concentration de BPC a augmenté par un facteur de 4,9 entre le phytoplancton et le zooplancton, de 41,6 entre le phytoplancton et l'éperlan, de 8,5 entre le zooplancton et l'éperlan, de 4,6 entre l'éperlan et le touladi, de 119,2 entre l'éperlan et les œufs de goéland argenté, et de 25,7 entre le touladi et les œufs de goéland argenté. **Figure 56.30** L'acidification des océans diminue la disponibilité des ions carbonate (CO_3^{2-}). Les coraux et plusieurs autres organismes marins requièrent des ions carbonate pour synthétiser leur squelette ou leur coquille. Comme la survie de ces organismes en dépend, les scientifiques prédisent que l'acidification des océans fera mourir beaucoup d'organismes pourvus d'une coquille et que cette augmentation du taux de mortalité provoquera à son tour beaucoup de changements dans les communautés écologiques. Par exemple, l'augmentation du taux de mortalité des coraux nuira aux nombreuses espèces qui cherchent refuge dans les récifs de corail pour se protéger ou qui se nourrissent d'espèces qui y vivent.

Retour sur le concept 56.1

1. En plus de la disparition d'espèces, la crise de la biodiversité implique la perte de diversité génétique au sein des populations et des espèces, ainsi que la dégradation d'écosystèmes entiers. **2.** La destruction des habitats, notamment par le déboisement, la modification du lit des rivières ou la transformation d'écosystèmes naturels pour les besoins de l'agriculture ou du développement urbain, prive les espèces d'endroits où vivre. Les espèces introduites, qui sont transportées par les humains à l'extérieur de leur aire de répartition normale, ne sont pas limitées par leurs agents pathogènes ou leurs prédateurs naturels et réduisent souvent la taille des populations d'espèces indigènes par la compétition ou la prédation. La surexploitation réduit les populations de végétaux et d'animaux ou provoque leur extinction. Enfin, les changements à l'échelle planétaire modifient l'environnement en réduisant la capacité de la planète à rendre la vie possible. **3.** Si les deux populations se reproduisaient séparément, il n'y aurait pas de flux génétique entre elles, et celles-ci présenteraient un plus grand nombre de différences génétiques. Par conséquent, on assisterait à une plus grande perte de diversité génétique que si les deux populations se croisaient.

Retour sur le concept 56.2

1. Une population dont la diversité génétique est réduite est moins en mesure d'évoluer de manière à s'adapter aux changements. **2.** La taille efficace de la population, N_e, sera de $4(30 \times 10)/(30 + 10) = 30$ oiseaux. **3.** Des millions de personnes fréquentent l'ensemble de l'écosystème de Yellowstone chaque année, si bien qu'il serait impossible d'éliminer tout contact entre les humains et les ours. Vous devriez plutôt tenter de réduire le type de rencontres entraînant la mort d'ours. Vous pourriez recommander de réduire la limite de vitesse sur les routes du parc et modifier les dates de la saison de la chasse ou le territoire de chasse afin de réduire le risque de contact avec des mères et leurs petits. Vous pourriez aussi offrir un encouragement financier aux propriétaires de bétail afin qu'ils essaient d'autres façons de protéger leurs bêtes, par exemple en recourant à des chiens bergers.

Retour sur le concept 56.3

1. Un point chaud de biodiversité est une petite zone abritant un grand nombre d'espèces endémiques ainsi qu'un grand nombre d'espèces en voie de disparition ou menacées. **2.** Les réserves zonées peuvent assurer de façon durable l'approvisionnement en produits forestiers, en eau et en énergie hydroélectrique, ainsi que des occasions de s'instruire et des revenus provenant du tourisme. **3.** Les corridors naturels peuvent favoriser les déplacements ou la dispersion des organismes entre les parcelles d'habitat et, par conséquent, activer le flux génétique entre les sous-populations. Ils contribuent à prévenir la réduction de la valeur d'adaptation associée à la consanguinité. Ils peuvent aussi réduire les interactions entre les organismes et les humains lorsque les organismes se dispersent ; la réduction de ces interactions est particulièrement souhaitable lorsque les organismes en question sont des prédateurs potentiels comme des ours ou des grands félins.

Retour sur le concept 56.4

1. L'ajout de nutriments entraîne la prolifération d'algues et d'organismes qui s'en nourrissent. L'augmentation de la respiration par les algues et les consommateurs, y compris les détritivores, réduit la concentration d'O_2 dont les poissons ont besoin. **2.** Les détritivores sont des consommateurs qui puisent dans la matière organique morte l'énergie de la respiration cellulaire, dont le CO_2 est le produit. La hausse des températures entraîne l'accélération de la décomposition, si bien que la matière organique contenue dans ces sols pourrait se décomposer et générer du CO_2 plus rapidement, ce qui accélérerait le réchauffement planétaire. **3.** La concentration réduite d'ozone dans l'atmosphère accroît la quantité de rayons UV qui atteignent la Terre, et donc les organismes qui y vivent. Les rayons UV peuvent causer des mutations par la formation de dimères de thymine dans l'ADN.

Retour sur le concept 56.5

1. Le développement durable est orienté vers la prospérité à long terme des sociétés humaines et des écosystèmes qui les abritent. Cette approche exige qu'on fasse le lien entre les sciences de la vie et les sciences sociales, économiques et humaines. **2.** La biophilie, soit l'affinité qui existe entre les humains et la nature ainsi que toutes les formes de vie, peut être une importante motivation pour l'instauration d'une éthique environnementale dont l'objectif consiste à empêcher la disparition des espèces et la destruction des écosystèmes. Cette éthique est indispensable si nous voulons devenir des gardiens plus attentifs et plus efficaces de l'environnement. **3.** Vous devriez au moins connaître la taille de la population et le taux de reproduction moyen par individu. Pour garantir une activité de pêche durable, vous devrez fixer un taux d'exploitation qui assure le maintien de la population près de sa taille originale et qui permet d'en jouir à long terme plutôt qu'à court terme.

Questions du résumé des concepts clés

56.1 La nature nous rend de nombreux services, notamment en nous procurant une réserve d'eau potable, en produisant de la nourriture et des fibres, et en diluant et détoxiquant nos polluants. **56.2** Une population qui présente une plus grande diversité génétique est plus apte à affronter les maladies et les modifications de l'environnement, ce qui la rend moins sujette à une éventuelle disparition. **56.3** La fragmentation des habitats peut isoler les populations et favoriser la consanguinité et la dérive génétique ; en outre, elle expose davantage les populations à l'extinction locale causée par les effets des lisières, comme le changement des conditions physiques et l'augmentation de la compétition ou de la prédation avec les espèces adaptées aux lisières. **56.4** Il est plus sain de se nourrir à un niveau trophique inférieur parce que la bioamplification accroît la concentration de toxines aux niveaux supérieurs. **56.5** L'un des objectifs de la biologie de la conservation est de préserver le plus grand nombre d'espèces possible. La survie à long terme des organismes passe par l'adoption d'approches durables qui assurent le maintien de la qualité des habitats.

Évaluation

1. c ; **2.** d ; **3.** b ; **4.** a ; **5.** b ; **6.** a.

7.

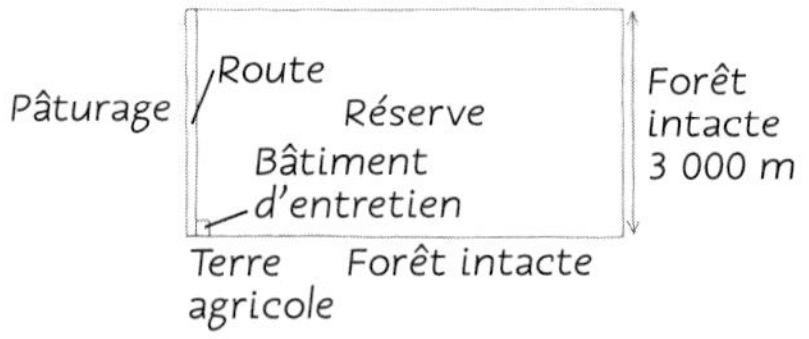

Pour réduire la zone de pénétration de la forêt par les vachers à tête brune, vous devriez aménager la route le long du côté ouest de la réserve (car ce côté jouxte le pâturage déboisé et un champ agricole). Tout autre emplacement augmenterait la zone touchée de l'habitat. De même, pour réduire au minimum la zone exposée aux vachers à tête brune, le bâtiment d'entretien devrait être construit dans le coin sud-ouest de la réserve.

Appendice B Tableau périodique des éléments

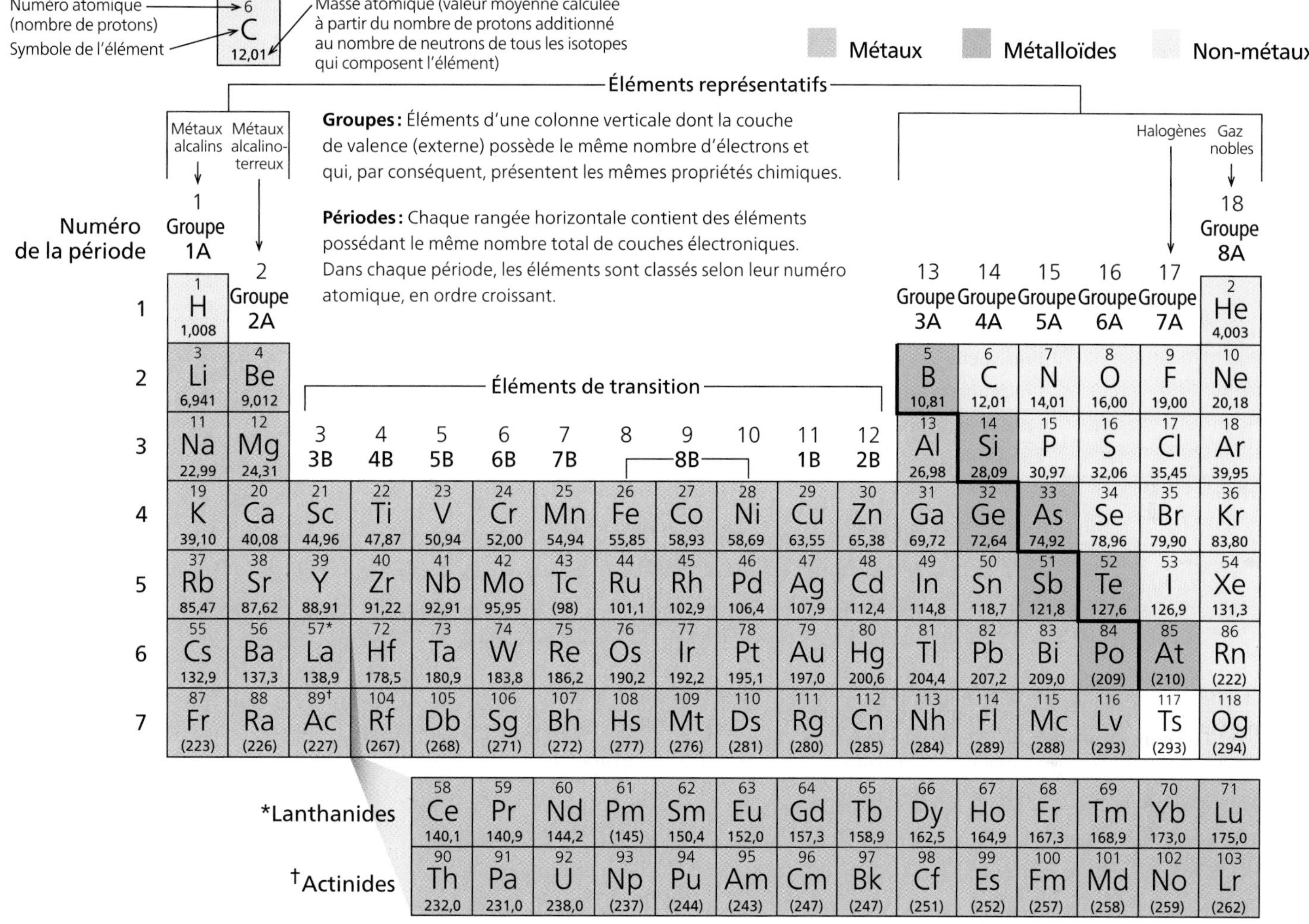

Nom (symbole)	Numéro atomique	Nom (symbole)	Numéro atomique	Nom (symbole)	Numéro atomique	Nom (symbole)	Numéro atomique	Nom (symbole)	Numéro atomique
Actinium (Ac)	89	Cobalt (Co)	27	Iode (I)	53	Osmium (Os)	76	Seaborgium (Sg)	106
Aluminium (Al)	13	Copernicium (Cn)	112	Iridium (Ir)	77	Oxygène (O)	8	Sélénium (Se)	34
Américium (Am)	95	Cuivre (Cu)	29	Krypton (Kr)	36	Palladium (Pd)	46	Silicium (Si)	14
Antimoine (Sb)	51	Curium (Cm)	96	Lanthane (La)	57	Phosphore (P)	15	Sodium (Na)	11
Argent (Ag)	47	Darmstadium (Ds)	110	Lawrencium (Lr)	103	Platine (Pt)	78	Soufre (S)	16
Argon (Ar)	18	Dubnium (Db)	105	Lithium (Li)	3	Plomb (Pb)	82	Strontium (Sr)	38
Arsenic (As)	33	Dysprosium (Dy)	66	Livermorium (Lv)	116	Plutonium (Pu)	94	Tantale (Ta)	73
Astate (At)	85	Einsteinium (Es)	99	Lutétium (Lu)	71	Polonium (Po)	84	Technécium (Tc)	43
Azote (N)	7	Erbium (Er)	68	Magnésium (Mg)	12	Potassium (K)	19	Tellure (Te)	52
Barium (Ba)	56	Étain (Sn)	50	Manganèse (Mn)	25	Praséodyme (Pr)	59	Tennessine (Ts)	117
Berkélium (Bk)	97	Fer (Fe)	26	Meitnérium (Mt)	109	Prométhium (Pm)	61	Terbium (Tb)	65
Béryllium (Be)	4	Fermium (Fm)	100	Mendélévium (Md)	101	Protactinium (Pa)	91	Thallium ((Tl)	81
Bismuth (Bi)	83	Flérovium (Fl)	114	Mercure (Hg)	80	Radium (Ra)	88	Thorium ((Th)	90
Bore (B)	5	Fluor (F)	9	Molybdène (Mo)	42	Radon (Rn)	86	Thulium (Tm)	69
Borhrium (Bh)	107	Francium (Fr)	87	Moscovium (Mc)	115	Rhénium (Re)	75	Titane (Ti)	22
Brome (Br)	35	Gadolinium (Gd)	64	Néodyme ((Nd)	60	Rhodium (Rh)	45	Tungstène (W)	74
Cadmium (Cd)	48	Gallium (Ga)	31	Néon (Ne)	10	Roentgénium (Rg)	111	Uranium (U)	92
Calcium (Ca)	20	Germanium (Ge)	32	Neptunium (Np)	93	Rubidium (Ru)	37	Vanadium (V)	23
Californium (Cf)	98	Hafnium (Hf)	72	Nickel (Ni)	28	Ruthénium (Ru)	44	Xénon (Xe)	54
Carbone (C)	6	Hassium (Hs)	108	Nihonium (Nh)	113	Rutherfordium (Rf)	104	Ytterbium (Y)	39
Cérium (Ce)	58	Hélium (He)	2	Niobium (Nb)	41	Samarium (Sm)	62	Zinc (Zn)	30
Césium (Cs)	55	Holmium (Ho)	67	Nobélium (No)	102	Scandium (Sc)	21	Zirconium (Zr)	40
Chlore (Cl)	17	Hydrogène (H)	1	Oganesson (Og)	118				
Chrome (Cr)	24	Indium (In)	49	Or (Au)	79				

Appendice C Système international d'unités

Préfixes dans le système international d'unités:	10^9 = giga (G)	10^{-2} = centi (c)	10^{-9} = nano (n)
	10^6 = méga (M)	10^{-3} = milli (m)	10^{-12} = pico (p)
	10^3 = kilo (k)	10^{-6} = micro (μ)	10^{-15} = femto (f)

Grandeur	Unités et abréviations	Équivalents
Longueur	1 kilomètre (km)	= 1 000 (10^3) mètres
	1 mètre (m)	= 100 (10^2) centimètres = 1 000 millimètres
	1 centimètre (cm)	= 0,01 (10^{-2}) mètre
	1 millimètre (mm)	= 0,001 (10^{-3}) mètre
	1 micromètre (μm)	= 0,000 001 (10^{-6}) mètre
	1 nanomètre (nm)	= 0,000 000 001 (10^{-9}) mètre
	1 angström (Å)	= 0,000 000 000 1 (10^{-10}) mètre
Superficie	1 mètre carré (m^2)	= 10 000 centimètres carrés
	1 centimètre carré (cm^2)	= 100 millimètres carrés
Masse	1 tonne (t)	= 1 000 kilogrammes
	1 kilogramme (kg)	= 1 000 grammes
	1 gramme (g)	= 1 000 milligrammes
	1 milligramme (mg)	= 0,001 gramme
	1 microgramme (μg)	= 0,000 001 gramme
Volume (solides)	1 mètre cube (m^3)	= 1 000 000 centimètres cubes
	1 centimètre cube (cm^3)	= 10^{-6} mètre cube
	1 millimètre cube (mm^3)	= 10^{-9} mètre cube = 10^{-3} centimètre cube
Volume (liquides et gaz)	1 kilolitre (kL)	= 1 000 litres
	1 litre (L)	= 1 000 millilitres
	1 millilitre (mL)	= 10^{-3} litre = 1 centimètre cube
	1 microlitre (μL)	= 10^{-6} litre
Pression	1 mégapascal	= 1 000 kilopascals
	1 kilopascal	= 1 000 pascals
	1 pascal	= 1 newton/m^2 (N/m^2)
Temps	1 seconde (s)	= $^1/_{60}$ minute
	1 milliseconde (ms)	= 10^{-3} seconde
Énergie	1 kilojoule (kJ)	= 1 000 joules
Température	Degré Celsius (°C) (0 K [Kelvin] = –273,15 °C)	

Appendice D Comparaison entre le microscope photonique et le microscope électronique

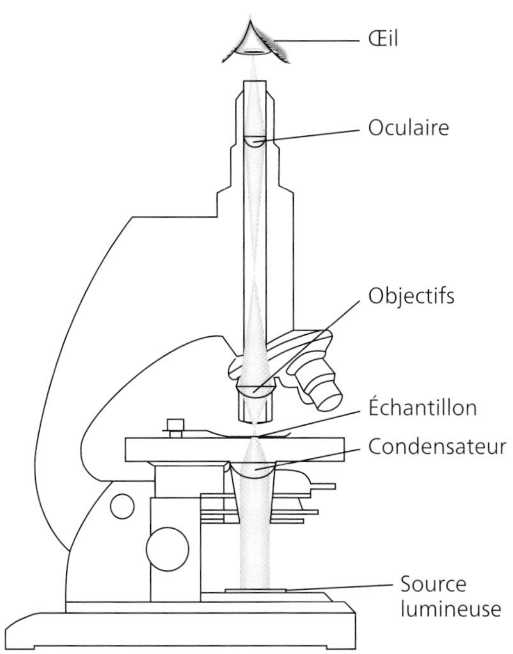

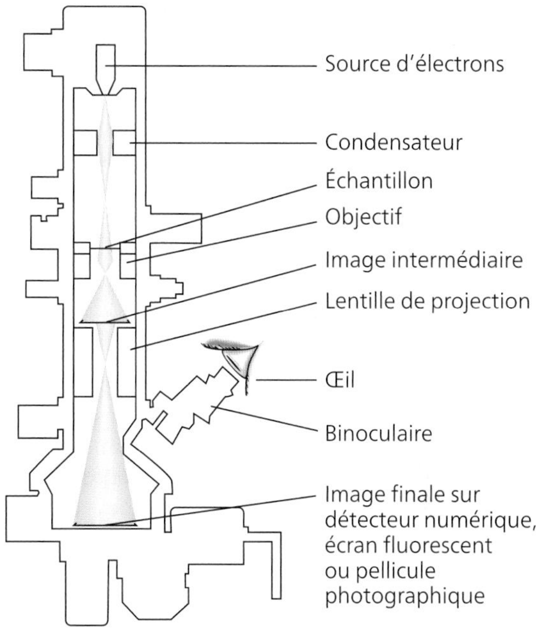

Microscope photonique

En microscopie photonique, un condensateur de verre concentre sur l'échantillon la lumière provenant de la source lumineuse (partie inférieure du microscope). Puis, un objectif et un oculaire grossissent l'image et la projettent dans l'œil, dans un appareil photo ou dans une caméra vidéo numérique.

Microscope électronique

En microscopie électronique, un condensateur qui est un électroaimant concentre sur l'échantillon un faisceau d'électrons (partie supérieure du microscope) qui se déplacent à l'intérieur d'une colonne où un vide poussé a été réalisé. Puis, les lentilles de l'objectif et une lentille de projection, qui sont elles aussi des électroaimants, grossissent l'image et la projettent sur un détecteur numérique, un écran fluorescent ou une pellicule photographique. Ce manuel contient des images prises avec un microscope à transmission (MET) ou avec un microscope à balayage (MEB), deux types de microscopes électroniques.

Appendice E

Classification des êtres vivants

Cet appendice présente la classification taxinomique des principaux groupes actuels dont il a été question dans ce manuel; tous les embranchements ne sont pas inclus. Cette taxinomie fondée sur trois domaines répartit les procaryotes en deux domaines, celui des bactéries et celui des archées, et établit un troisième domaine regroupant tous les eucaryotes.

La cinquième partie du manuel présente les systèmes de classification selon différentes perspectives. Des débats ont lieu à propos du nombre de règnes et de leurs limites, et au sujet de la correspondance entre la classification hiérarchique de Linné et les données fournies par l'analyse cladistique moderne. Dans cette présentation d'une taxinomie des êtres vivants, les astérisques (*) indiquent les embranchements que certains systématiciens considèrent comme paraphylétiques.

DOMAINE DES BACTÉRIES

- **Protéobactéries**
- **Chlamydies**
- **Spirochètes**
- **Cyanobactéries**
- **Bactéries à Gram positif**

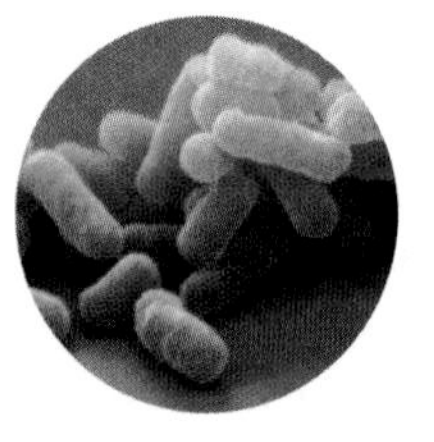

DOMAINE DES ARCHÉES

- **Euryarchées** (méthanogènes, halophiles, quelques thermophiles)
- **Thaumarchées**
- **Aigarchées**
- **Crénarchées** (la plupart des thermophiles)
- **Korarchées**

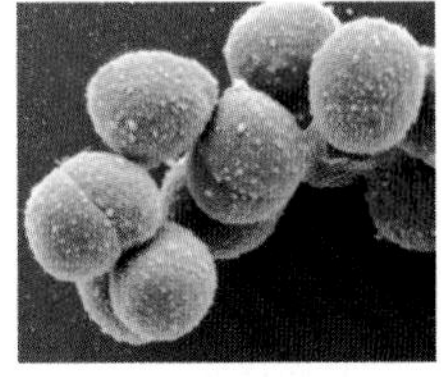

DOMAINE DES EUCARYOTES

Selon l'hypothèse phylogénétique présentée au chapitre 28, les principaux clades d'eucaryotes sont rassemblés dans quatre supergroupes présentés ci-dessous et ci-contre en caractères gras. Auparavant, tous les eucaryotes généralement appelés protistes étaient rassemblés dans un seul règne. Toutefois, la recherche en systématique a prouvé que certains protistes sont plus proches parents des végétaux, des eumycètes ou des animaux qu'ils ne le sont des autres protistes. Le règne des protistes a donc été abandonné.

Excavobiontes
- Diplomonadines
- Parabasaliens
- Euglénobiontes (ou euglénozoaires)
  - Kinétoplastidés
  - Euglénophytes

SAR
- Straménopiles
  - Chrysophytes (algues dorées)
  - Phéophycées (algues brunes)
  - Bacillariophytes (diatomées)

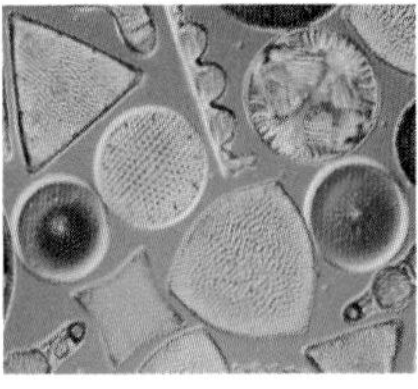

- Alvéolobiontes
  - Dinophytes
  - Apicomplexés
  - Ciliés
- Rhizariens
  - Radiolaires
  - Foraminifères
  - Cercozoaires

Archéplastides
- Algues rouges : rhodophytes
- Algues vertes : chlorophytes
- Algues vertes : charophytes
- Végétaux terrestres
  - Plantes non vasculaires (bryophytes)
    - Embranchement des hépatiques
    - Embranchement des bryophytes (mousses et sphaignes)
    - Embranchement des anthocérotes
  - Plantes vasculaires sans graines
    - Embranchement des lycophytes (lycopodes, sélaginelles, isoètes)
    - Embranchement des monilophytes (fougères, prêles, psilotes)
  - Plantes vasculaires à graines
    - Gymnospermes
      - Embranchement des ginkgophytes (*Ginkgo biloba*)
      - Embranchement des cycadophytes (p. ex., *Cycas*)
      - Embranchement des gnétophytes (*Welwitschia*, *Gnetum* et *Ephedra*)
      - Embranchement des pinophytes (conifères)
    - Angiospermes
      - Embranchement des anthophytes (plantes à fleurs)

DOMAINE DES EUCARYOTES (*suite*)

Unichontes

- Amibozoaires
  - Myxomycètes
  - Acrasiomycètes
  - Tubulinés
  - Entamibes
- Nucléaridés
- Eumycètes
  - Embranchement des chytridiomycètes*
  - Embranchement des zygomycètes*
  - Embranchement des gloméromycètes
  - Embranchement des ascomycètes
  - Embranchement des basidiomycètes

- Choanoflagellés
- Animaux
  - Embranchement des porifères (éponges)
  - Embranchement des cténophores (cténaires)
  - Embranchement des cnidaires
    - Classe des méduzoaires (p. ex., hydres, méduses, cuboméduses)
    - Classe des anthozoaires (p. ex., anémones de mer et la plupart des coraux)
  - Embranchement des acoeles (vers plats)
  - Embranchement des placozoaires (seule espèce connue : *Tricoplax adaerens*)

Lophotrochozoaires

- Embranchement des plathelminthes (vers plats)
  - Classe des catenulida
  - Classe des rhabditophores (planaires, trématodes, cestodes)
- Embranchement des némertes (vers rubannés)
- Embranchement des ectoproctes
- Embranchement des brachiopodes
- Embranchement des syndermés (rotifères et vers à tête épineuse)
- Embranchement des cycliophores (*Symbion pandora*)
- Embranchement des mollusques
  - Classe des polyplacophores (chitons)
  - Classe des gastéropodes (escargots, limaces)
  - Classe des bivalves (palourdes, moules, pétoncles, huîtres)
  - Classe des céphalopodes (calmars, pieuvres, nautilus)
- Embranchement des annélides (vers annelés)
  - Classe des errantes
  - Classe des sédentaires

Ecdysozoaires

- Embranchement des loricifères
- Embranchement des priapulides
- Embranchement des nématodes (vers ronds)
- Embranchement des arthropodes (Les taxonomistes regroupent traditionnellement tous les arthropodes dans un seul embranchement, mais certains zoologistes préfèrent les diviser en plusieurs embranchements.)
  - Sous-embranchement des chélicérates (limules, arachnides)
  - Sous-embranchement des myriapodes (millipèdes, centipèdes)
  - Sous-embranchement des pancrustacés (crustacés, insectes)
- Embranchement des tardigrades
- Embranchement des onychophores

Deutérostomiens

- Embranchement des hémicordés (p. ex., vers à gland)
- Embranchement des échinodermes
  - Classe des astérides (étoiles de mer)
  - Classe des ophiurides (ophiures)
  - Classe des échinides (oursins et dollars des sables)
  - Classe des crinoïdes (lis de mer)
  - Classe des holothuroïdes (concombres de mer)
- Embranchement des cordés
  - Sous-embranchement des céphalocordés (amphioxus)
  - Sous-embranchement des urocordés (tuniciers)
  - Sous-embranchement des vertébrés:
    - Infraembranchement des cyclostomes
      - Classe des myxinoïdes (myxines)
      - Classe des céphalaspidomorphes (lamproies)
    - Infraembranchement des gnathostomes
      - Classe des chondrichthyens (poissons cartilagineux : requins et raies)
      - Classe des actinoptérygiens (poissons à nageoires rayonnées)
      - Classe des actinistiens (poissons à nageoires creuses)
      - Classe des dipneustes (poissons pulmonés)
      - Classe des amphibiens (p. ex., grenouilles, salamandres, cécilies)
      - Classe des reptiles (tortues, tuataras, lézards, serpents, crocodiliens, oiseaux)
      - Classe des mammifères (p. ex., ordre des carnivores, ordre des marsupiaux, ordre des rongeurs)

Appendice F Révision des habiletés scientifiques

Graphiques

Les graphiques permettent d'obtenir une représentation visuelle de données numériques. Ils peuvent mettre en évidence des profils ou des tendances qui ne sont pas clairement visibles dans un tableau. Un graphique est un diagramme qui montre comment une variable dans un ensemble de données est reliée, ou non, à une autre variable. La **variable indépendante** est le facteur que les chercheurs ont modifié. La **variable dépendante** est le facteur que les chercheurs évaluent en lien avec la variable indépendante. En général, la variable indépendante est placée sur l'axe des *x*, et la variable dépendante, sur l'axe des *y*. Parmi les types de graphiques souvent utilisés en biologie, on compte les diagrammes de dispersion, les diagrammes linéaires, les diagrammes à bandes et les histogrammes.

▶ Un **diagramme de dispersion** est utilisé lorsque les données de toutes les variables sont numériques et continues. Chaque donnée est représentée par un point. Dans un **diagramme linéaire**, chaque donnée est reliée à la donnée suivante par une ligne droite, comme dans le diagramme de droite. (Pour vous exercer à tracer et à interpréter un diagramme de dispersion et un diagramme linéaire, voir la rubrique Habiletés scientifiques des chapitres 2, 3, 7, 8, 10, 13, 19, 24, 34, 43, 47, 49, 50, 52, 54 et 56.)

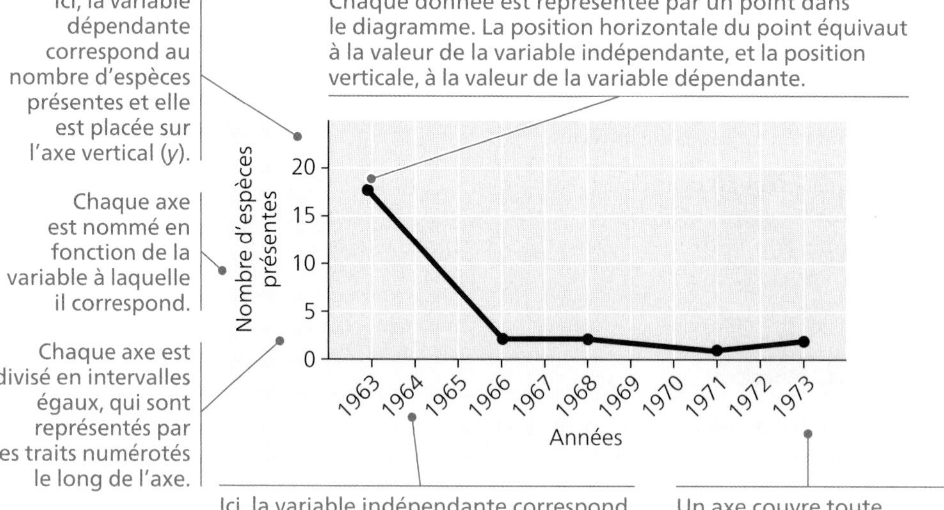
Ici, la variable dépendante correspond au nombre d'espèces présentes et elle est placée sur l'axe vertical (*y*).
Chaque axe est nommé en fonction de la variable à laquelle il correspond.
Chaque axe est divisé en intervalles égaux, qui sont représentés par les traits numérotés le long de l'axe.
Chaque donnée est représentée par un point dans le diagramme. La position horizontale du point équivaut à la valeur de la variable indépendante, et la position verticale, à la valeur de la variable dépendante.
Nombre d'espèces présentes
0
5
10
15
20
1963
1964
1965
1966
1967
1968
1969
1970
1971
1972
1973
Années
Ici, la variable indépendante correspond au temps (année) et elle est placée sur l'axe horizontal (*x*).
Un axe couvre toute la plage des données tracées dans le diagramme.

▼ Il est possible de tracer deux ou plusieurs ensembles de données dans un même diagramme linéaire pour illustrer comment deux variables dépendantes sont reliées à la même variable indépendante. (Pour vous exercer à tracer et à interpréter un diagramme linéaire illustrant deux ou plusieurs ensembles de données, voir la rubrique Habiletés scientifiques des chapitres 7, 43, 47, 49, 50, 52 et 56.)

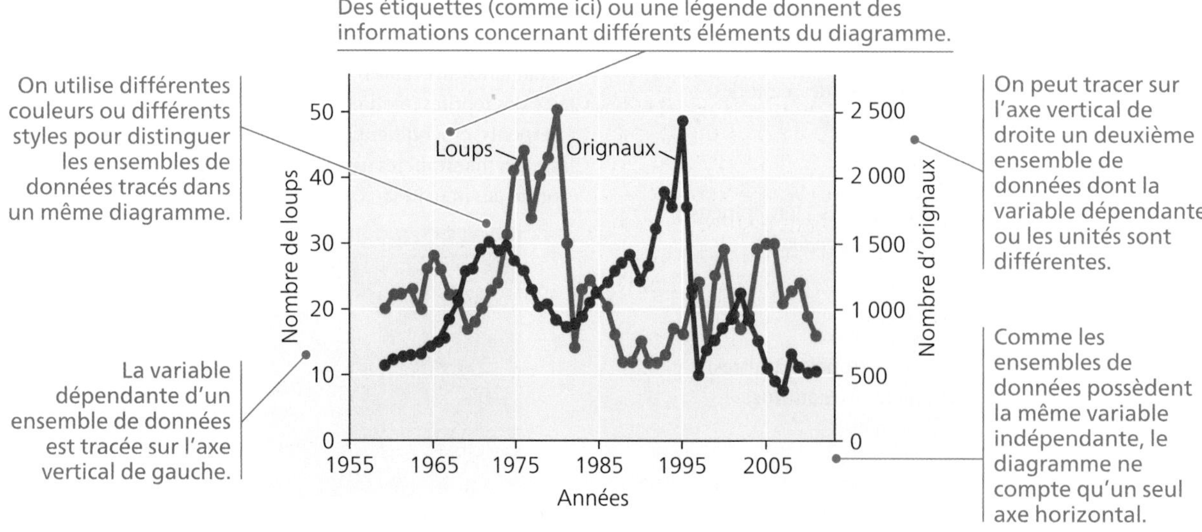
Des étiquettes (comme ici) ou une légende donnent des informations concernant différents éléments du diagramme.
On utilise différentes couleurs ou différents styles pour distinguer les ensembles de données tracés dans un même diagramme.
La variable dépendante d'un ensemble de données est tracée sur l'axe vertical de gauche.
Loups
Orignaux
Nombre de loups
0
10
20
30
40
50
Nombre d'orignaux
0
500
1 000
1 500
2 000
2 500
1955
1965
1975
1985
1995
2005
Années
On peut tracer sur l'axe vertical de droite un deuxième ensemble de données dont la variable dépendante ou les unités sont différentes.
Comme les ensembles de données possèdent la même variable indépendante, le diagramme ne compte qu'un seul axe horizontal.

▼ Dans certains diagrammes de dispersion, une ligne droite ou une courbe relie l'ensemble des points de données afin de mettre en évidence la tendance générale. Une *droite de régression* est une ligne droite qui, du point de vue mathématique, décrit le mieux les données. Dans certains cas, une fonction mathématique pouvant correspondre à la meilleure description d'un ensemble de données produit une ligne courbe, également appelée *courbe de meilleur ajustement.* (Pour vous exercer à tracer et à interpréter des droites de régression, voir la rubrique Habiletés scientifiques des chapitres 3, 10 et 34.)

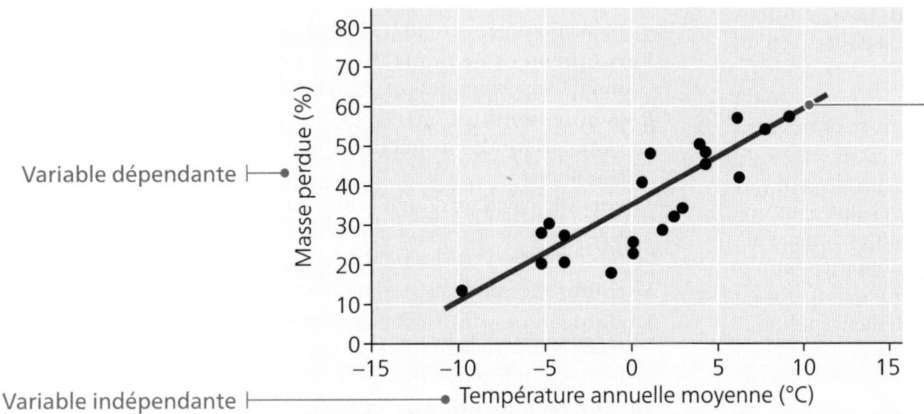

▼ Un **diagramme à bandes** est un type de graphique dans lequel la variable indépendante représente des groupes ou des catégories non numériques et où les variables dépendantes sont illustrées par des bandes. (Pour vous exercer à tracer et à interpréter un diagramme à bandes, voir la rubrique Habiletés scientifiques des chapitres 1, 9, 18, 22, 25, 29, 33, 35, 39, 51, 52 et 54.)

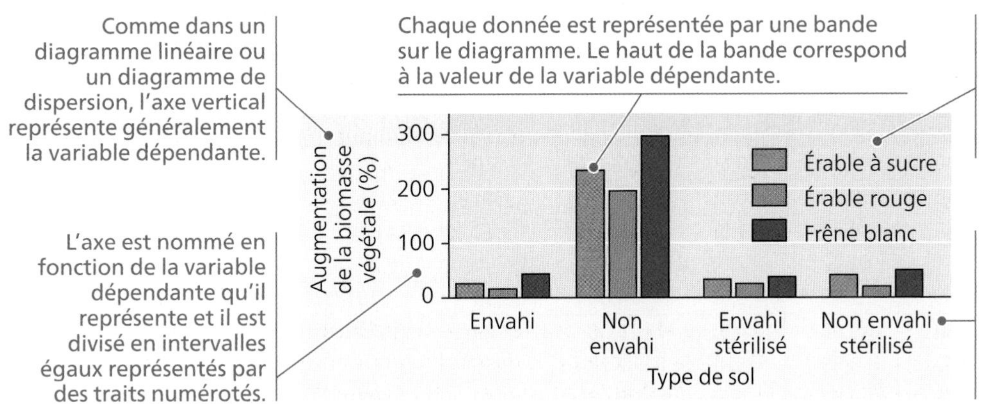

Comme dans un diagramme linéaire ou un diagramme de dispersion, l'axe vertical représente généralement la variable dépendante.
Chaque donnée est représentée par une bande sur le diagramme. Le haut de la bande correspond à la valeur de la variable dépendante.
Lorsqu'un même diagramme à bandes comporte plusieurs ensembles de données, on identifie ces ensembles par des étiquettes ou par une légende, et les bandes apparaissent sous différentes couleurs ou différents styles.
Augmentation de la biomasse végétale (%)
300
200
100
0
Érable à sucre
Érable rouge
Frêne blanc
L'axe est nommé en fonction de la variable dépendante qu'il représente et il est divisé en intervalles égaux représentés par des traits numérotés.
Envahi
Non envahi
Envahi stérilisé
Non envahi stérilisé
Type de sol
Les groupes ou les catégories de la variable indépendante sont généralement espacés à distance égale le long de l'axe horizontal. (Dans certains diagrammes à bandes, l'axe horizontal représente la variable dépendante, et l'axe vertical, la variable indépendante.)

▶ Un **histogramme** est un type de diagramme à bandes dans lequel on trace des données numériques, d'abord en les regroupant (par classe) sur l'axe des *x* et en les disposant à des intervalles d'une même largeur. Les classes peuvent être des nombres entiers ou des plages de valeurs. Dans l'histogramme de droite, les intervalles sont de 25 mg/dL. La taille de chaque bande illustre le pourcentage (ou le nombre) de sujets expérimentaux dont on peut décrire les caractéristiques par l'un des intervalles de l'axe des *x*. (Pour vous exercer à tracer et à interpréter un histogramme, voir la rubrique Habiletés scientifiques des chapitres 12, 14 et 42.)

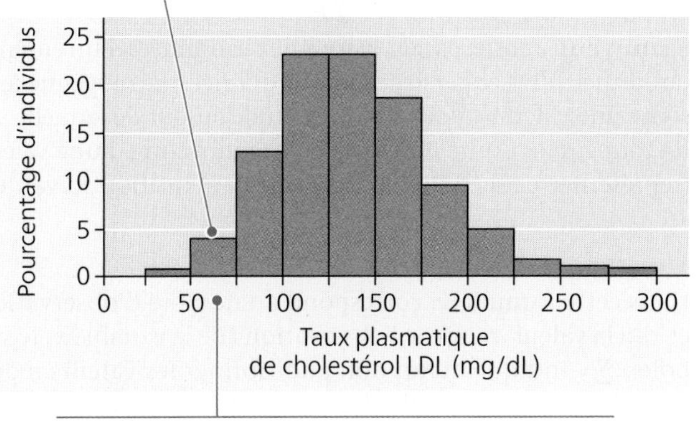

Taux plasmatique de cholestérol LDL (mg/dL)
Cet intervalle couvre une plage de 50 à 74 mg/dL.

Glossaire des termes relatifs à la démarche scientifique

Pour de plus amples renseignements concernant la démarche scientifique, voir le concept 1.3.

Données Observations consignées.

Enquête Recherche de renseignements et d'une explication qui portent souvent sur des questions spécifiques.

Étude Expérience scientifique souvent réalisée dans des conditions contrôlées, pendant laquelle on manipule un facteur donné d'un système afin d'en étudier les effets.

Étude contrôlée Étude visant à comparer un groupe expérimental et un groupe témoin. Idéalement, les deux groupes ne se distinguent que par le facteur évalué.

Groupe expérimental Ensemble de sujets soumis à un élément spécifique à l'étude ou présentant un facteur donné évalué dans une étude contrôlée. Idéalement, un groupe expérimental doit par ailleurs présenter les mêmes caractéristiques que le groupe témoin.

Groupe témoin Dans une étude contrôlée, groupe réunissant un ensemble de sujets qui ne sont pas exposés à un élément spécifique à l'étude ou qui sont dépourvus d'un facteur donné évalué. Idéalement, un groupe témoin doit par ailleurs présenter les mêmes caractéristiques que le groupe expérimental.

Hypothèse Supposition qu'il est possible d'évaluer et qui vise à expliquer un ensemble d'observations. Une hypothèse repose sur un raisonnement inductif et elle est posée en fonction des données disponibles. Sa portée est plus étroite que celle d'une théorie.

Modèle Représentation physique ou conceptuelle d'un phénomène naturel.

Prédiction Dans un raisonnement déductif, prévision qui découle logiquement d'une hypothèse. Les études qui visent à évaluer des prédictions permettent parfois de rejeter certaines hypothèses.

Raisonnement déductif Type de logique qui permet de prédire des résultats spécifiques à partir d'une prémisse générale.

Raisonnement inductif Type de logique qui permet d'effectuer des généralisations en fonction d'un grand nombre d'observations spécifiques.

Théorie Explication dont la portée est plus vaste que celle d'une hypothèse. Une théorie permet d'élaborer de nouvelles hypothèses et elle repose sur un vaste éventail de données.

Variable Facteur qui varie durant une étude.

Variable dépendante Facteur dont on évalue la valeur durant une étude visant à déterminer s'il varie lorsqu'on modifie un autre facteur (variable indépendante).

Variable indépendante Facteur dont on modifie ou on manipule la valeur durant une étude afin de mettre en évidence ses effets potentiels sur un autre facteur (variable dépendante).

Tableau de répartition des valeurs du khi carré (χ^2)

Pour utiliser ce tableau, trouvez la rangée équivalant au degré de liberté de votre ensemble de données. (Le degré de liberté équivaut au nombre de catégories de données, moins 1.) Dans cette rangée, trouvez la paire de valeurs entre lesquelles se situe la valeur calculée de χ^2. Par la suite, déterminez l'intervalle des probabilités dans lequel la valeur de χ^2 se situe en trouvant les probabilités correspondant à la paire de valeurs dans le haut des colonnes. On considère généralement qu'une probabilité de 0,05 ou moins est significative. (Pour vous exercer à réaliser le test du khi carré, voir la rubrique Habiletés scientifiques du chapitre 15.)

Degrés de liberté (V)	Probabilité										
	0,95	**0,90**	**0,80**	**0,70**	**0,50**	**0,30**	**0,20**	**0,10**	**0,05**	**0,01**	**0,001**
1	0,004	0,02	0,06	0,15	0,45	1,07	1,64	2,71	3,84	6,64	10,83
2	0,10	0,21	0,45	0,71	1,39	2,41	3,22	4,61	5,99	9,21	13,82
3	0,35	0,58	1,01	1,42	2,37	3,66	4,64	6,25	7,82	11,34	16,27
4	0,71	1,06	1,65	2,19	3,36	4,88	5,99	7,78	9,49	13,28	18,47
5	1,15	1,61	2,34	3,00	4,35	6,06	7,29	9,24	11,07	15,09	20,52
6	1,64	2,20	3,07	3,83	5,35	7,23	8,56	10,64	12,59	16,81	22,46
7	2,17	2,83	3,82	4,67	6,35	8,38	9,80	12,02	14,07	18,48	24,32
8	2,73	3,49	4,59	5,53	7,34	9,52	11,03	13,36	15,51	20,09	26,12
9	3,33	4,17	5,38	6,39	8,34	10,66	12,24	14,68	16,92	21,67	27,88
10	3,94	4,87	6,18	7,27	9,34	11,78	13,44	15,99	18,31	23,21	29,59

Moyenne et écart type

La **moyenne** correspond à la somme des données d'un ensemble de données divisée par le nombre de données. La moyenne représente une valeur « typique » ou centrale autour de laquelle sont regroupées les données. On calcule la moyenne d'une valeur x (représentée par le symbole $\bar{x}$) à l'aide de l'équation suivante :

$$\bar{x} = \frac{1}{n}\sum_{i=1}^{n} x_i$$

Dans cette formule, n correspond au nombre d'observations, et x_i, à la valeur (rang) de l'observation i de la variable x ; le symbole « $\sum$ » indique qu'on doit additionner les valeurs n de x_i. (Pour vous exercer à calculer une moyenne, voir la rubrique Habiletés scientifiques des chapitres 27, 32 et 34.)

L'**écart type** permet de mesurer la variation au sein d'un ensemble de données. On calcule l'écart type d'une variable x (représentée par le symbole s_x) à l'aide de l'équation suivante :

$$s_x = \sqrt{\frac{\sum_{i=1}^{n}(x_i - \bar{x})^2}{n - 1}}$$

Dans cette formule, n correspond au nombre d'observations, x_i, à la valeur (rang) de l'observation i de la variable x, et $\bar{x}$, à la moyenne de x ; le symbole « $\sum$ » indique qu'on doit additionner les valeurs n de $(x_i - \bar{x})^2$. (Pour vous exercer à calculer un écart type, voir la rubrique Habiletés scientifiques des chapitres 27, 32 et 34.)

Sources

Photographies

Couverture gornostay/Shutterstock.

Chapitre 1 **1.1** J. B. Miller/Florida Park Service; **p. 1 Bas** Shawn P. Carey/Migration Productions; **1.2 Haut gauche** John Foxx/Image State Media Partners; **Haut centre** R. Dirscherl/OceanPhoto/Frank Lane Picture Agency; **Haut droite** Joe McDonald/Encyclopedia/Corbis; **Bas gauche** Malcolm Schuyl/Frank Lane Picture Agency; **Centre** Maximilian Weinzierl/Alamy Stock Photo; **Bas centre** Toshiaki Ono/AmanaImages Inc./Alamy Stock Photo; **Bas droite** Frederic Didillon/Garden Picture Library/Getty Images; **p. 3** Survivalphotos/Alamy Stock Photo; **1.3 Biosphère** Leonello Calvetti/Stocktrek Images/Getty Images; **Écosystèmes** Terry Donnelly/Alamy Stock Photo; **Communautés** Floris van Breugel/Nature Picture Library; **Populations** Floris van Breugel/Nature Picture Library; **Organismes** Greg Vaughn/Alamy Stock Photo; **Organes** Pat Burner/Pearson Education; **Tissus** Science Source; **Cellules** Andreas Holzenburg/Stanislav Vitha, Dept. of Biology and Microscopy, Imaging Center, Texas A&M University, College Station; **Organites** Jeremy Burgess/Science Source; **1.4 Haut** Steve Gschmeissner/Science Source **Bas** A. Barry Dowsett/Science Source; **1.5** Conly L. Rieder; **1.6 Bébé** Gelpi/Fotolia; **1.7a** Photodisc/Getty Images; **1.8a Haut** Carol Yepes/Moment/Getty Images; **1.8a Bas** Ralf Dahm/Max Planck Institute of Neurobiology; **1.11** James Balog/Aurora/Getty Images; **1.12** Rod Williams/Nature Picture Library; **1.13a** Eye of Science/Science Source; **1.13b** Eye of Science/Science Source; **1.13c Haut gauche** Kunst Scheidulin/AGE Fotostock; **Bas gauche** M. I. Walker/Science Source; **Centre** Daksel/Fotolia; **Droite** Anup Shah/Nature Picture Library; **1.14 Haut gauche** Basel101658/Shutterstock; **Bas gauche** SPL/Science Source; **Centre** W. L. Dentler/Biological Photo Service; **Droite** Omikron/Science Source; **1.15** Dede Randrianarisata/Macalester College; **1.16 Gauche** ARCHIV/Science Source; **Droite** Science Source; **1.17 Buse** Steve Byland/Fotolia; **Flamant** Zhaoyan/Shutterstock; **Manchot** Volodymyr Goinyk/Shutterstock; **Rouge-gorge** Sebastian Knight/Shutterstock; **1.19** Frank Greenaway/Dorling Kindersley, Ltd.; **1.21 Haut** Tim Ridley/Dorling Kindersley, Ltd.; **Bas** Karl Ammann/Terra/Corbis; **1.23 Haut** Martin Shields/Alamy Stock Photo; **Centre** xPACIFICA/The Image Bank/Getty Images; **Bas droite** Maureen Spuhler/Pearson Education; **Bas gauche** All Canada Photos/Alamy Stock Photo; **1.24 Plage** Darwin to DNA: The Genetic Basis of Color Adaptations. *In* Losos, J. *In the Light of Evolution: Essays from the Laboratory and Field*, Roberts and Co. Photo par Sacha Vignier; **Souris blanche** Hopi Hoekstra, Harvard University; **Terres** Shawn P. Carey/Migration Productions; **Souris de terre** Vignieri Sacha; **1.25 Images** The selective advantage of cryptic coloration in mice. Vignieri, S. N., J. Larson, et H. E. Hoekstra. 2010. *Evolution* 64 : 2153-2158, fig. 1; **p. 24 Démarche scientifique** magebroker/Frank Lane Picture Agency; **1.26** Jay Janner/Austin American-Statesman/AP Images; **p. 26 Haut gauche** Photodisc/Getty Images; **Haut droite** James Balog/Aurora/Getty Images.

Chapitre 2 **2.1** Paul Quagliana/Bournemouth News & Picture Service; **p. 29 Bas** Paul Quagliana/Bournemouth News & Picture Service; **2.2 Gauche** Chip Clark; **Centre droite** Stephen Frisch/Pearson Education; **2.3 Gauche** C. Michael Hogan; **Haut droite** Rick York/California Native Plant Society; **Bas droite** Andrew Alden; **2.5** National Library of Medicine; **p. 34 Démarche scientifique Image** Pascal Goetgheluck/Science Source; **2.13 Gauche** Stephen Frisch/Pearson Education; **p. 41 Bas gauche** Martin Harvey/Photolibrary/Getty Images; **2.17** Nigel Cattlin/Science Source.

Chapitre 3 **3.1** Jeff Schmaltz/MODIS Rapid Response Team/NASA; **p. 47 Bas** Erni/Fotolia; **3.3 Centre** N. C. Brown Center for Ultrastructure Studies, SUNY, Syracuse; **3.4** Alasdair James/E+/Getty Images; **3.6 Centre** Jan van Franeker, Alfred Wegener Institute fur Polar und Meeresforschung, Germany; **3.10** NASA/JPL-Caltech/University of Arizona; **3.11 Citron** Paulista/Fotolia; **Boisson** Fotofermer/Fotolia; **Cellules sanguines** SCIEPRO/SPL/AGE Fotostock; **Eau de javel** Beth Van Trees/Shutterstock; **p. 58 Démarche scientifique** Vlad61/Shutterstock.

Chapitre 4 **4.1** Florian Möllers/Nature Picture Library; **p. 64 Démarche scientifique Image gauche** The Register of Stanley Miller Papers (Laboratory Notebook 2, page 114, Serial number 655, MSS642, Box 122), Mandeville Special Collections Library, UC San Diego; **Droite** Jeffrey Bada, Scripps Institution of Oceanography, University of California, San Diego; **4.6 Haut** David M. Phillips/Science Source.

Chapitre 5 **5.1** Mark J. Winter/Science Source; **p. 73 Bas** T. Naeser, Patrick Cramer Laboratory, Gene Center Munich, Ludwig-Maximilians-Universität München, Munich, Germany; **5.6 Haut gauche** Dougal Waters/Photodisc/Getty Images; **Bas gauche** John Durham/Science Source; **5.6a** Biological Photo Service; **5.6b** Paul B. Lazarow; **5.6c** Biophoto Associates/Science Source; **5.8 Gauche** blickwinkel/Alamy Stock Photo; **5.10a Beurre** Dorling Kindersley, Ltd.; **5.10b Huile** David Murray/Dorling Kindersley, Ltd.; **5.13 Œuf** Andrey Stratilatov/Shutterstock; **Muscle, tissu** Nina Zanetti/Pearson Education; **5.16 Droite** Pearson Education; **5.17** Peter M. Colman; **p. 88 Bas** Dieter Hopf/Imagebroker/AGE Fotostock; **p. 89 Globules rouges** SCIEPRO/SPL/AGE Fotostock; **5.19 Haut droite** Eye of Science/Science Source; **Bas droite** Eye of Science/Science Source; **5.21a Haut** CC-BY-3.0 Photo par Dsrjsr/Jane Shelby Richardson, Duke University; **5.21b** Laguna Design/Science Source; **5.25** P. Morris/Garvan Institute of Medical Research; **5.26 ADN** Alfred Pasieka/Science Source; **Néanderthal** Viktor Deak; **Consultation** BSIP SA/Alamy Stock Photo; **Hippopotame** Frontline Photography/Alamy Stock Photo; **Globicéphale** WaterFrame/Alamy Stock Photo; **Plante** David Read, Department of Animal and Plant Sciences, University of Sheffield, UK; **Éléphants** ImageBroker/Frank Lane Picture Agency; **p. 97 Démarche scientifique Gauche** lanych/Shutterstock; **Centre** David Bagnall/Alamy Stock Photo; **Droite** Eric Isselee/Shutterstock; **p. 99 Beurre** Dorling Kindersley, Ltd.; **Huile** David Murray/Dorling Kindersley, Ltd.

Chapitre 6 **6.1** Don W. Fawcett/Science Source; **p. 101 Bas** M. I. Walker/Science Source; **6.3 Fond clair, contraste de phase, contraste interférentiel** Elisabeth Pierson, Pearson Education; **Fluorescence** Michael W. Davidson/The Florida State University Research Foundation; **Confocale** Karl Garsha; **Déconvolution** Avec l'autorisation de James G. Evans, Whitehead Institute, MIT, Boston et Hans van der Voort SVI; **Superrésolution** STED microscopy reveals that synaptotagmin remains clustered after synaptic vesicle exocytosis. Katrin I. Willig, Silvio O. Rizzoli, Volker Westphal, Reinhard Jahn & Stefan W. Hell. *Nature*, 440(13), Apr 2006, fig. 1d; **MEB** J. L. Carson Custom Medical Stock Photo/Newscom; **MET haut** William Dentler/Biological Photo Service; **MET bas** CNRI/Science Source; **6.6a** Daniel S. Friend; **p. 108 Démarche scientifique** Kelly Tatchell; **p. 109** Thomas Deerinck/Mark Ellisman/NCMIR; **6.8 Cellules animales** S. Cinti/Science Source; **Cellules d'eumycètes** SPL/Science Source; **Droite** A. Barry Dowsett/Science Source; **Cellules végétales** Biophoto Associates/Science Source; **Eucaryote unicellulaire** SPL/Science Source; **Droite** Flagellar microtubule dynamics in Chlamydomonas : cytochalasin D induces periods of microtubule shortening and elongation; and colchicine induces disassembly of the distal, but not proximal, half of the flagellum, W. L. Dentler, C. Adams. *J Cell Biol.* 1992 Jun; 117(6) : 1289-1298, fig. 10d; **6.9 Haut** Reproduit avec la permission de Freeze-Etch Histology, par L. Orci et A. Perrelet, Springer-Verlag, Heidelberg, 1975; Plate 25, page 53. © 1975 par Springer-Verlag GmbH & Co KG; **Centre gauche** Don W Fawcett/Science Source; **Bas** Ueli Aebi; **6.10 Gauche** Don W. Fawcett/Science Source; **Droite** Harry Noller; **6.11** R. W. Bolender; Don W. Fawcett/Science Source; **6.12** Don W. Fawcett/Science Source; **6.13a-b** Daniel S. Friend; **6.14** Eldon H. Newcomb; **6.17a** Daniel S. Friend; **6.17b** Provient de : The shape of mitochondria and the number of mitochondrial nucleoids during the cell cycle of *Euglena gracilis*. Y. Hayashi et K. Ueda. *Journal of Cell Science*, 93 : 565-570, fig. 3. © 1989 par Company of Biologists; **6.18a Droite** Jeremy Burgess/Mary Martin/Science Source; **6.18b** Franz Golig/Philipps University, Marburg, Germany; **6.19** Eldon H. Newcomb; **6.20** Albert Tousson; **6.21b** Bruce J. Schnapp; **Tableau 6.1 Gauche** Mary Osborn; **Centre** Frank Solomon; **Droite** Mark Ladinsky; **6.22** Kent L. McDonald; **6.23a** Biophoto Associates/Science Source; **6.23b** Oliver Meckes/Nicole Ottawa/Science Source; **6.24a** OMIKRON/Science Source; **6.24b** Dartmouth College Electron Microscope Facility; **6.24c** Provient de : Functional protofilament numbering of ciliary, flagellar, and centriolar microtubules. R. W. Linck, R. E. Stephens. *Cell Motil Cytoskeleton.* Juillet 2007; 64(7) : 489-495, fig. 1B; **6.25** Provient de : Cross-linker system between neurofilaments, microtubules, and membranous organelles in frog axons revealed by the quick-freeze, deep-etching method. Hirokawa Nobutaka. *Journal of Cell Biology* 94(1) : 129-142, 1982. Reproduit avec l'autorisation de Rockefeller University Press; **6.26a** Clara Franzini-Armstrong/University of Pennsylvania; **6.26b** M. I. Walker/Science Source; **6.26c** Michael Clayton/University of Wisconsin; **6.27** G. F. Leedale/Biophoto Associates/Science Source; **6.29** Wm. P. Wergin, avec l'autorisation de Eldon H. Newcomb; **6.30 Haut** Reproduit avec l'autorisation de Freeze-Etch Histology, par L. Orci et A. Perrelet, Springer-Verlag, Heidelberg, 1975. Plate 32, page 68. © 1975 par Springer-Verlag GmbH & Co KG; **Centre** Provient de : Fine structure of desmosomes, hemidesmosomes, and an adepidermal globular layer in developing newt epidermis. D. E. Kelly. *Journal of Cell Biology*, janvier 1966; 28(1) : 51-72, fig. 7; **Bas** Provient de : Low resistance junctions in crayfish. Structural changes with functional uncoupling. C. Peracchia et A. F. Dulhunty, *The Journal of Cell Biology*. Août 1976; 70(2 pt 1) : 419-439, fig. 6. Reproduit avec l'autorisation de Rockefeller University Press; **6.31** Eye of Science/Science Source; **p. 134 Vacuole** Eldon H. Newcomb; **p. 135 Peroxysome** Eldon H. Newcomb.

Chapitre 7 **7.1** Bert L. de Groot; **p. 137 Bas** Crystal structure of a mammalian voltage-dependent Shaker family K1 channel. S. B. Long, *et al.*, *Science*. 5 août 2005; 309(5736) : 897-903. Epub 7 juillet 2005; **p. 140 Bas** camerawithlegs/Fotolia; **7.13** Michael Abbey/Science Source; **p. 148 Démarche scientifique**

Image Teddies Photo Fun/Shutterstock ; **7.19 Amibe** Biophoto Associates/ Science Source ; **Vésicules** Don W. Fawcett/Science Source ; **Puits tapissé, vésicule enrobée** Provient de : M. M. Perry et A. B. Gilbert, *Journal of Cell Science* 39 : 257-272, fig. 11 (1979). © 1979 The Company of Biologists Ltd.

Chapitre 8 8.1 Doug Perrine/Nature Picture Library ; **p. 157 Bas** James Jordan Photography/Getty Images ; **8.2** Stephen Simpson/Getty Images ; **8.3** Robert N. Johnson/RnJ Photography ; **8.4 Gauche** Image Quest Marine ; **Droite** asharkyu/ Shutterstock ; **8.10b** Bruce J. Schnapp ; **8.14** Thomas Steitz ; **p. 172 Démarche scientifique** Image Fer Gregory/Shutterstock ; **8.16** Jack Dykinga/Nature Picture Library ; **8.21 Droite** Nicolae Simionescu.

Chapitre 9 9.1 Sue Heaton/Alamy Stock Photo ; **p. 179 Bas** Paul R. Sterry/ Nature Photographers Ltd./Alamy Stock Photo ; **9.4 Pomme** Dionisvera/Fotolia ; **p. 194 Démarche scientifique Image** Thomas Kitchin & Victoria Hurst/ Design Pics Inc./Alamy Stock Photo.

Chapitre 10 10.1 Aflo/Nature Picture Library ; **p. 203 Bas** George Grall/National Geographic Creative/Alamy Stock Photo ; **10.2a** STILLFX/Shutterstock ; **10.2b** Lawrence Naylor/Science Source ; **10.2c** M. I. Walker/Science Source ; **10.2d** Susan M. Barns ; **10.2e** National Library of Medicine ; **10.3** Qiang Hu ; **10.4 Haut** Andreas Holzenburg et Stanislav Vitha, Dept. of Biology and Microscopy & Imaging Center, Texas A&M University, College Station ; **Bas** Jeremy Burgess/Science Source ; W. P. Wergin/Biological Photo Service ; **10.12b** Christine Case ; **p. 222 Démarche scientifique Image** Ohio State Weed Lab Archive, The Ohio State University, Bugwood.org ; **10.21 Haut gauche** Doukdouk/Alamy Stock Photo ; **Haut droite** Keysurfing/Shutterstock ; **10.22 Arbre** Andreas Holzenburg et Stanislav Vitha, Dept. of Biology and Microscopy & Imaging Center, Texas A&M University, College Station.

Chapitre 11 11.1 Federico Veronesi/Gallo Images/Alamy Stock Photo ; **p. 231 Bas** molekuul.be/Shutterstock ; **11.3** Dale A. Kaiser (3) ; **Bas** Michiel Vos ; **p. 234 Résolution de problème Image** Bruno Coignard/Jeff Hageman/ CDC ; **11.7** The Scripps Research Institute ; **11.19** Gopal Murti/Science Source ; **11.21** William Wood.

Chapitre 12 12.1 George von Dassow ; **p. 255 Bas** Jane Stout et Claire Walczak, Indiana University, Gagnantes de la compétition GE Healthcare Life Sciences' 2012 Cell Imaging ; **12.2a** Biophoto Associates/Science Source ; **12.2b** Biology Pics/Science Source ; **12.2c** Biophoto/Science Source ; **12.3** John M. Murray, School for Medicine, University of Pennsylvania, Philadelphia ; **12.4** Biophoto/ Science Source ; **12.5 Centre** Biophoto/Science Source ; **12.7** Conly L. Rieder ; **12.8 Droite** J. Richard McIntosh, University of Colorado, Boulder ; **Gauche** Reproduit avec l'autorisation de Matthew Schibler, Protoplasma 137. © 1987 : 29-44 par Springer-Verlag GmbH & Co KG ; **12.10a** Don W. Fawcett/Science Source ; **12.10b** Eldon H Newcomb ; **12.11** Elisabeth/Pearson Education ; **12.18 Bas** Guenter Albrecht-Buehler, Northwestern University,Chicago ; **12.19** Lan Bo Chen ; **12.20 Droite** Anne Weston/Wellcome Institute Library ; **p. 273 Démarche scientifique Image** Mike Davidson ; **p. 275** J. L. Carson/Newscom.

Chapitre 13 13.1 Mango Productions/Getty Images ; **p. 277 Bas** Don W. Fawcett/ Science Source ; **13.2a** Roland Birke/Science Source ; **13.2b** George Ostertag/ SuperStock ; **13.3 Haut** Ermakoff/Science Source ; **Bas** CNRI/Science Source ; **p. 288 Démarche scientifique Image** SciMAT/Science Source ; **13.12** Mark Petronczki et Maria Siomos ; **13.13** John Walsh, Micrographia.

Chapitre 14 14.1 John Swithinbank/AGE Fotostock ; **p. 293 Bas** Mendel Museum, Augustinian Abbey, Brno ; **14.14a** Maximilian Weinzierl/Alamy Stock Photo ; **14.14b** Paul Dymond/Alamy Stock Photo ; **p. 308 Démarche scientifique Image** Apomares/E+/Getty Images ; **14.15** Pearson Education ; **14.16** Rick Guidotti/Positive Exposure ; **14.18** Michael Ciesielski Photography ; **14.19** CNRI/Science Source ; **p. 317 Bas** Pearson Education ; **p. 319 Haut** Norma JubinVille/Patricia Speciale.

Chapitre 15 15.1 Peter Lichter et David Ward, *Science* 247 (1990). © 1990 American Association for the Advancement of Science ; **p. 321 Bas** Zellsubstanz, Kern und Zelltheilung, par Walther Flemming, 1882, avec l'autorisation de Yale University, Harvey Cushing/John Hay Whitney Medical Library ; **15.3** Martin Shields/Alamy Stock Photo ; **15.5** Andrew Syred/Science Source ; **15.6b** Li Jingwang/E+/Getty Images ; **15.6c** Kosam/Shutterstock ; **15.6d** Creative Images/ Fotolia ; **15.8** Jagodka/Shutterstock ; **p. 333 Démarche scientifique Image** Oliver911119/Shutterstock ; **15.15 Gauche** CNRI/Science Source ; **Droite** Denys_Kuvaiev/Fotolia ; **15.18** Phomphan/Shutterstock.

Chapitre 16 16.1 Andrey Prokhorov/E+/GettyImages ; **p. 345 Bas** A. Barrington Brown/Science Source ; **16.3** Oliver Meckes/Science Source ; **16.6 Gauche** Library of Congress Prints and Photographs Division ; **Droite** Cold Spring Harbor Laboratory Archives ; **p. 350 Démarche scientifique Image** Scott Ling ; **16.12a** Micrographie par Jerome Vinograd. Provient de : *Molecular Biology of the Cell*. 4th edition. DNA Replication Mechanisms. Figure 5-6 ; **16.12b** Provient de : Enrichment and visualization of small replication units from cultured mammalian cells. D. J. Burks *et al. Journal of Cell Biology*. Juin 1978 ; 77(3) : 762-773, fig. 6A ; **16.21** Peter Lansdorp ; **16.22 De gauche à droite** Gopal Murti/ Science Source, Victoria E. Foe, Barbara Hamkalo, U. Laemmli/Science Source, Biophoto/Science Source ; **16.23a** Thomas Reid, Genetics Branch/CCR/NCI/ NIH ; **16.23b** Michael R. Speicher/Medical University of Graz ; **p. 368** Thomas A. Steitz/Yale University.

Chapitre 17 17.1 ANGELO CUCCA/AFP/Getty Images ; **p. 369 Bas** Richard Stockwell ; **17.7a** Keith V Wood ; **17.7b** Simon Lin/AP Images ; **17.17 Bas droite** Joachim Frank ; **17.23b** Barbara Hamkalo ; **17.24** Oscar L. Miller/SPL/ Science Source ; **17.26 Cellule** Eye of Science/Science Source ; **p. 395** ABC News Video.

Chapitre 18 18.1 Andreas Werth ; **p. 399 Bas** Gallimaufry/Shutterstock ; **p. 409 Démarche scientifique** hidesy/E+/Getty Images ; **18.12** Medical University of Graz ; **18.16** Mike Wu ; **18.20** F. Rudolf Turner, Indiana University ; **18.21** Wolfgang Driever, University of Freiburg, Freiburg, Germany ; **18.22 Haut gauche** Ruth Lahmann, The Whitehead Institution ; **18.27 Haut** Bloomberg/ Getty Images.

Chapitre 19 19.1 Richard Bizley/Science Source ; **p. 396 Bas** Thomas Deerinck, NCMIR/Science Source ; **19.2** Peter von Sengbusch, Botanik ; **19.3a** Science Source ; **19.3b** Linda M. Stannard, University of Cape Town/Science Source ; **19.3c** Hazel Appleton, Health Protection Agency Centre for Infections/Science Source ; **19.3d** Ami Images/Science Source ; **19.7** molekuul.be/Fotolia ; **19.9 Haut** Charles Dauguet/Science Source ; **Bas** Petit Format/Science Source ; **19.10a** National Institute of Allergy and Infectious Diseases (NIAID) ; **19.10b** Cynthia Goldsmith/Centers for Disease Control ; **19.10c** Lei Sun, Richard J. Kuhn and Michael G. Rossmann, Purdue University, West Lafayette ; **p. 449 Démarche scientifique Image** Dong yanjun/Imaginechina/AP Images ; **19.11 Droite** Olivier Asselin/Alamy Stock Photo ; **Gauche** James Gathany/Centers for Disease Control and Prevention ; **19.12** Nigel Cattlin/Alamy Stock Photo.

Chapitre 20 20.1 Ian Derrington ; **p. 455 Bas** John Elk III/Alamy Stock Photo ; **20.2** P. Morris, Garvan Institute of Medical Research ; **20.6b** Repligen Corporation ; **20.9** Ethan Bier ; **20.12** George S. Watts et Bernard W. Futscher, University of Arizona Cancer Center, Phoenix ; **20.17** Roslin Institute ; **20.18** Pat Sullivan/ AP Images ; **20.19 Gauche** Steve Gschmeissner/Science Source ; **Centre** SPL/ Science Source ; **Droite** Steve Gschmeissner/Science Source ; **20.23** Brad DeCecco Photography ; **20.24** Steve Helber/AP Images.

Chapitre 21 21.1 Karen Huntt/Corbis ; **p. 483 Bas** Image Quest Marine ; **21.4** University of Toronto Lab ; **21.5** Avec l'autorisation de Affymetrix ; **21.7 Gauche** AP Images ; **Droite** Virginia Walbot ; **21.10 Haut** Oscar L. Miller Jr. ; **21.18 Haut droite** Nicholas Bergkessel, Jr./Science Source ; **Bas** Provient de : Altered ultrasonic vocalization in mice with a disruption in the Foxp2 gene. W. Shu *et al. Proc Natl Acad Sci U S A*. 2005 Jul 5 ; 102(27) : 9643-9648, fig. 3 ; **p. 507 Haut** WaterFrame/Alamy Stock Photo.

Chapitre 22 22.1 William Mullins/Alamy Stock Photo ; **p. 511 Bas** Reinaldo Aguilar, Vascular Plants of the Osa Peninsula, Costa Rica ; **22.2 Haut gauche** Recherches sur les ossemens fossiles, Atlas G Cuvier, pl. 17 1836 ; **Bas gauche** Wayne Lynch/All Canada Photos/AGE Fotostock ; **Haut centre** Alfred Russel Wallace Memorial Fund ; **Haut droite** The Natural History Museum/Alamy Stock Photo ; **Bas droite** American Museum of Natural History ; **22.4** Karen Moskowitz/Stone/Getty Images ; **22.5 Gauche** ARCHIV/Science Source ; **Droite** Science Source ; **22.6a** Michael Gunther/Science Source ; **22.6b** David Hosking/Frank Lane Picture Agency ; **22.6c** David Hosking/Alamy Stock Photo ; **22.7** Croquis de l'Arbre de vie de Darwin, MS. DAR.121 : p. 36. Reproduit avec l'autorisation de Cambridge University Library ; **22.9 Chou de Bruxelles** Arena Photo UK/Fotolia ; **Chou frisé (kale)** Željko Radojko/Fotolia ; **Chou cabus** Guy Shapira/Shutterstock ; **Moutarde sauvage** Gerhard Schulz/ Naturephoto ; **Brocoli** YinYang/E+/Getty Images ; **Chou-rave (kohlrabi)** Motorolka/Shutterstock ; **22.10** Laura Jesse ; **22.11** Richard Packwood/Oxford Scientific/Getty Images ; **22.12 Haut** Lighthouse/UIG/AGE Fotostock ; **Bas** Gallo Images/Brand X Pictures/Getty Images ; **22.13 Haut** Scott P. Carroll ; **22.16 Gauche** Keith Wheeler/Science Source ; **Droite** Omikron/Science Source ; **22.18 Gauche** Photo Library/Science Source ; **Droite** Steve Bloom Images/Alamy Stock Photo ; **22.19** Chris Linz, Thewissen lab, Northeastern Ohio Universities College of Medicine (NEOUCOM).

Chapitre 23 23.1 Sylvain Cordier/Science Source ; **p. 531 Bas** Rosemary B. Grant ; **23.3** David Stoecklein /Lithium/AGE Fotostock ; **23.5** Erick Greene ; **23.6 Gauche** Gary Schultz/Photoshot ; **Droite** Patrick Valkenburg /Alaska Department of Fish and Game ; **p. 539 Démarche scientifique Image** DLeonis/Fotolia ; **23.11 Image** William Ervin/Science Source ; **23.12 Image haut** Kristin Stanford, Stone Laboratory, Ohio State University, Columbus ; **Image Bas** Kent Bekker, United States Fish and Wildlife Service ; **23.14 Image** John Visser/BruceColeman/Photoshot ; **23.15** Dave Blackey/All Canada Photos/ AGE Fotostock ; **23.18 Cellules sanguines** Eye of Science/Science Source ; **Personnes** Caroline Penn/Alamy Stock Photo ; **Moustique** Kletr/Shutterstock.

Chapitre 24 24.1 Joel Sartore/National Geographic/Getty Images ; **p. 553 Bas** Karin Duthie/Alamy Stock Photo ; **24.2a Gauche** Malcolm Schuyl/Alamy Stock Photo ; **Droite** Wave RF/Getty Images ; **24.2b Haut gauche** Robert Kneschke/ Kalium/AGE Fotostock ; **Haut centre** Justin Horrocks/E+/Getty Images ; **Haut droite** Ryan McVay/Stockbyte/Getty Images ; **Bas gauche** Dragon Images/ Shutterstock ; **Bas centre** arek malang/Shutterstock ; **Bas droite** jaki good/ Moment open/Getty Images ; **24.3a-b** Phil Huntley Franck ; **24.3c** Hogle Zoo ; **24.3d** Jerry A. Payne, USDA Agricultural Research Service, Bugwood.org ; **24.3e** Imagebroker/Alamy Stock Photo ; **24.3f** Reproduit avec l'autorisation de : Evolution : single-gene speciation by left-right reversal. Ueshima R, Asami T. *Nature*. 2003. Oct. 16 ; 425(6959) : 679 ; fig.1 © 2003 Macmillan Magazines Limited ; **24.3g** William E. Ferguson ; **24.3h** Charles W. Brown ; **24.3i** Eyewire Collection/ Getty Images ; **24.3j** Corbis ; **24.3k** Dawn YL/Fotolia ; **24.3l** Kazutoshi Okuno ; **24.4 Haut** CLFProductions/Shutterstock ; **Centre** Boris Karpinski/Alamy Stock Photo ; **Bas** Troy Maben/AP Images ; **24.6a Image** Brian Langerhans ; **p. 561 Démarche scientifique image** John Shaw/Photoshot ; **24.11** Pam Soltis ; **24.12 Images** Ole Seehausen ; **24.13 Images** Jeroen Speybroeck, Research Institute for Nature and Forest ; **p. 566 Résolution de problème** Philimon Bulawayo/Reuters ; **24.15** Ole Seehausen ; **24.17** Jason Rick et Loren Rieseberg ; **24.19a-d** Reproduit avec autorisation à partir de : Allele substitution at a flower colour locus produces a pollinator shift in monkeyflowers. Bradshaw HD, Schemske DW. *Nature*. 2003 Nov. 12 ; 426(6963) : 176-178, fig. 1. © 2003 Macmillan Magazines Limited.

Chapitre 25 **25.1** Juergen Ritterbach/Alamy Stock Photo ; **p. 575 Bas** B. O'Kane/ Alamy Stock Photo ; **25.3 Gauche** NASA ; **Droite** Deborah S. Kelley ; **25.4b** F. M. Menger et Kurt Gabrielson ; **25.4c** Experimental models of primitive cellular compartments : encapsulation, growth, and division. M. M. Hanczyc *et al. Science*. 2003 Oct. 24 ; 302(5645) : 618-622, fig. 2i ; **25.5** ***Dimetrodon*** Maureen Spuhler/ Pearson Education ; **Stromatolites** Roger Jones ; **Gros plan de stromatolites** S. M. Awramik/Biological Photo Service ; **Fossile** Sinclair Stammers/Science Source ; **Plésiosaure** Franz Xaver Schmidt ; ***Hallucigenia*** Ted Daeschler/ Academy of Natural Sciences ; ***Dickensonia*** Chip Clark ; ***Tappania*** Lisa-Ann Gershwin/Museum of Paleontology ; **Coupe** Andrew H. Knoll ; **25.12** Provient de : Four hundred-million-year-old vesicular arbuscular mycorrhizae. Remy W., Taylor T. N., Hass H., Kerp H., *Proc Natl Acad Sci U S A.*, 1994 Dec. 6 ; 91(25) : 11841-11843, figures 1 et 4 ; **p. 589 Démarche scientifique** Biophoto Associates/ Science Source ; **25.22** ***Dubautia laxa, sandwicense, linearis, scabra, waialealae*** Gerald D. Carr ; ***Carlquistia muirii*** Bruce G. Baldwin ; **25.23** Jean Kern ; **25.24** Juniors Bildarchiv GmbH/Alamy Stock Photo ; **25.26 Haut** David Horsley ; **Bas** Provient de : Genetic and developmental basis of evolutionary pelvic reduction in threespine sticklebacks. M. D. Shapiro *et al. Nature*. Erratum. 23 fév. 2006 ; 439(7079) : 1014, fig. 1 ; **25.27** Sinclair Stammers/Science Source.

Chapitre 26 **26.1** Trapp/blickwinkel/Alamy Stock Photo ; **26.17a** Mick Ellison ; **26.17b** Ed Heck ; **26.22 Droite** Gerald Schoenknecht ; **Gauche** Gary Crabbe/ Enlightened Images/Alamy Stock Photo ; **p. 623 Démarche scientifique Image** Nigel Cattlin/Alamy Stock Photo.

Chapitre 27 **27.1** Zastolskiy Viktor/Shutterstock ; **p. 627 Bas** NASA ; **27.2a** Janice Haney Carr/Centers for Disease Control and Prevention ; **27.2b** Kari Lounatmaa/ Science Source ; **27.2c** Stem Jems/Science Source ; **27.3 Centre** L. Brent Selinger/ Pearson ; **27.4** Immo Rantala/SPL/Science Source ; **27.5** H. S. Pankratz/T. C. Beaman/Biological Photo Service ; **27.6** Kwangshin Kim/Science Source ; **27.7 Droite** Julius Adler ; **27.8a** Provient de : Taxonomic Considerations of the Family *Nitrobacteraceae* Buchanan : Requests for Opinions. Stanley W. Watson, IJSEM (*International Journal of Systematic and Evolutionary Microbiology* formerly (in 1971) *Intl. Journal of Systematic Bacteriology*), juillet 1971, 21(3) : 254-270, fig. 14 ; **27.8b** Biological Photo Service ; **27.9** Huntington Potter ; **27.12** Charles C. Brinton, Jr. ; **27.14** Susan M. Barns ; **27.16** ***Rhizobium*** Biological Photo Service ; ***Nitrosomonas*** Yuichi Suwa ; ***Thiomargarita namibiensis*** National Library of Medicine ; ***Chondromyces crocatus*** Patricia Grilione ; ***Heliobacter pylori*** A Barry Dowsett/Science Source ; ***Chlamydia*** Moredon Animal Health/ SPL/Science Source ; ***Leptospira*** CNRI/SPL/Science Source ; ***Oscillatoria*** CCALA/ Institute of Botany ; CAS ; ***Streptomyces*** Paul Alan Hoskisson ; **Mycoplasmes** David M. Phillips/Science Source ; **27.17** Shaeri Mukherjee ; **27.18 Image** Pascale Frey-Klett ; **27.19** Ken Lucas/Biological Photo Service ; **27.20 Bas gauche** Scott Camazine/Science Source ; **Haut** David M. Phillips/Science Source ; **Bas droite** James Gathany/Centers for Disease Control and Prevention ; **p. 645 Démarche scientifique Image** Slava Epstein ; **27.21a-b** RNA-directed gene editing specifically eradicates latent and prevents new HIV-1 infection. W. Hu *et al., Proc Natl Acad Sci USA*. 25 août 2014 ; 111(31) : 11461-11466, fig. 3D ; **27.22** Metabolix Media ; **27.23** Accent Alaska/Alamy Stock Photo.

Chapitre 28 **28.1** Provient de : The molecular ecology of microbial eukaryotes unveils a hidden world, Moreira D., López-García P., *Trends Microbiol*. Janvier 2002 ; 10(1) : 31-38, fig. 4. Photo par Brian S. Leander et Mark Farmer ; **p. 649 Bas** Eric V. Grave/Science Source ; **p. 652** Joel Mancuso, University of California, Berkeley ; **p. 653 Haut gauche** M. I. Walker/Photoshot ; **Haut droite** Frank Fox/Science Source ; **Haut centre** David J. Patterson ; **Bas gauche** Howard J. Spero ; **Bas centre** National Oceanic and Atmospheric Administration ; **Bas droite** Michael Abbey/Science Source ; **p. 654 Démarche scientifique Image** Shutterstock ; **28.4 Droite** Ken Ishida ; **28.5** David M. Phillips/Science Source ; **28.6** David J. Patterson ; **28.7** Oliver Meckes/Science Source ; **28.8** David J. Patterson ; **28.9** Centers for Disease Control and Prevention ; **28.10** Steve Gschmeissner/Science Source ; **28.11** Stephen Durr ; **28.12** Colin Bates ; **28.13 Gauche** J. R. Waaland/Biological Photo Service ; **28.14** Guy Brugerolle ; **28.15a** Virginia Institute of Marine Science ; **28.15b** Science Source ; **28.16** Masamichi Aikawa ; **28.17a Gauche** M. I. Walker/Science Source ; **28.18** Robert Brons/Biological Photo Service ; **28.19** Nature Picture Library ; **28.20** Eva Nowack ; **28.21a** D. P. Wilson ; Eric Hosking ; David Hosking/Science Source ; **28.21b** Michael Guiry ; **28.21c** Biophoto Associates/Science Source ; **28.21d** David Murray/Dorling Kindersley, Ltd. ; **28.22a** M. I. Walker/Science Source ; **28.22b** Laurie Campbell/Photoshot License Limited ; **28.22c** David L. Ballantine ; **28.23 Gauche** William L. Dentler ; **28.25 Droite** Ken Hickman ; **28.26** Robert Kay ; **28.27** Kevin Carpenter et Patrick Keeling ; **28.28** David Rizzo.

Chapitre 29 **29.1** Exactostock/SuperStock ; **p. 677 Bas** Belinda Images/SuperStock ; **p. 678 Centre** R. Malcolm Brown, Jr. ; **29.3 Embryon** Linda E. Graham ; **Cellule de transfert** Karen S. Renzaglia ; **Sporophyte gauche** Arterra Picture Library/Alamy Stock Photo ; **Sporophyte droite** Mike Peres RBP SPAS/CMSP Biology/Newscom ; **Hépatique** David John Jones ; **Racine** Ed Reschke/Getty Images ; **Pousse** Ed Reschke/Getty Images ; **29.4** Charles H. Wellman ; **29.5** Provient de : A vascular conducting strand in the early land plant Cooksonia, D. Edwards, K. L. Davies & L. Axe. *Nature* 357 : 683-685 (25 juin 1992). Figure 1A ; **p. 685** Provient de : Mosses and Other Bryophytes, an Illustrated Glossary (2006), Bill et Nancy Malcolm, Micro-optics Press ; **29.8 Haut gauche** Alvin E. Staffan/Science Source ; **Haut centre** Graham, Linda E. ; **Haut droite** The Hidden Forest ; **Bas gauche** The Hidden Forest ; **Bas droite** Tony Wharton/Fundamental Photographs ; **29.10a** John Warburton-Lee Photography/Alamy Stock Photo ; **29.10b** Thierry Lauzun/Iconotec/Alamy Stock Photo ; **p. 688 Démarche scientifique Image** Richard Becker/Fundamental Photographs ; **29.11 Droite** Hans Kerp ; **29.13a** Maureen Spuhler/Pearson Education ; **29.13b** FloralImages/Alamy Stock Photo ; **29.14 Haut gauche** Jody Banks, Purdue University, West Lafayette ; **Haut centre** Murray Fagg/Australian National Botanic Gardens ; **Haut droite** Helga Rasbach ; Kurt Rasbach ; **Bas gauche** John Martin/Alamy Stock Photo ; **Bas centre** Stephen P. Parker/Science Source ; **Bas droite** Francisco Javier Yeste Garcia ; **29.15** Open University, Department of Earth Sciences.

Chapitre 30 **30.1** Lyn Topinka, USGS, U.S. Geological Survey Library ; **p. 697 Bas** Marlin Harms ; **p. 701 Démarche scientifique Image** Guy Eisner ; **30.5** Rudolph Serbet, Natural History and Biodiversity Institute, University of Kansas, Lawrence ; **30.6** Copyright ESRF/PNAS/C. Soriano ; **30.7 Cycadophyte** Warren Price Photography/Shutterstock ; **Haut Ginkgophyte** Travis Amos/Pearson ; **Bas Ginkgophyte** Kurt Stueber ; ***Welwitschia*** Jeroen Peys/Getty Images ; ***Welwitschia* cônes** Thomas Schoepke ; ***Gnetum*** Michael Clayton ; ***Ephedra*** Bob Gibbons/Frank Lane Picture Agency Limited ; **Douglas taxifolié** vincentlouis/Fotolia ; **Genévier** Svetlana Tikhonova/Shutterstock ; **Mélèze** Adam Jones/Getty Images ; **Séquoia** Daniel Acevedo/AGE Fotostock/Alamy Stock Photo ; **Fossile du pin de Wollemi** Jaime Plaza, Royal Botanic Gardens Sydney ; **Pin de Wollemi** Jaime Plaza/Wildlight Photo Agency/Alamy Stock Photo ; **Pin aristé** Russ Bishop/Alamy Stock Photo ; **30.9 Haut** Zee/Fotolia ; **Bas** Paul Atkinson/Shutterstock ; **30.10 Tomate** Dave King/Dorling Kindersley, Ltd. ; **Pamplemousse** Andy Crawford/Dorling Kindersley, Ltd. ; **Nectarine** Dave King/Dorling Kindersley Ltd. ; **Noix** Diana Taliun/Fotolia ; **Asclépiade** Maria Dryfhout/123RF ; **30.11 Graines** Mike Davis ; **Ailes** PIXTAL/AGE Fotostock ; **Souris** Eduard Kyslynskyy/Shutterstock ; **Lampourde** Derek Hall/ Dorling Kindersley, Ltd. ; **Chien** Scott Camazine/Science Source ; **30.13** David L. Dilcher and Ge Sun ; **30.15** D. Wilder ; **30.17 Nymphéa tubéreux** Howard Rice/Dorling Kindersley, Ltd. ; **Anis étoilé** Floridata.com ; ***Amborella*** Jack Scheper/Floridata.com ; ***Magnolia*** Andrew Butler/Dorling Kindersley, Ltd. ; **Orchidée** Eric Crichton/Dorling Kindersley, Ltd. ; **Dattier** John Dransfield ; **Orge** kenjii/Fotolia ; **Chêne tauzin** Maria Dattola/Getty Images ; **Églantier** Glam/Shutterstock ; **Pois mange-tout** Matthew Ward/Dorling ; Kindersley, Ltd. ; **30.18** NASA.

Chapitre 31 **31.1** vvuls/123RF ; **p. 717 Bas** Matthijs Wetterauw/Alamy Stock Photo ; **31.2 Haut** Nata-Lia/Shutterstock ; **Centre** George L. Barron ; **Bas** Fred Rhoades ; **31.4a** G. L. Barron et N. Allin, University of Guelph/Biological Photo Service ; **p. 721 Démarche scientifique Image** U.S. Department of Energy/DOE Photo ; **31.6 Gauche** Olga Popova/123RF ; **Droite** Biophoto Associates/Science Source ; **31.7** Stephen J. Kron ; **31.9** Dirk Redecker ; **31.10 Chytridiomycète** John Taylor ; **Zygomycète** Ray Watson ; **Gloméromycète** Mutualistic stability in the arbuscular mycorrhizal symbiosis : Exploring hypotheses of evolutionary cooperation. E. T. Kiers, M. G. van der Heijden. *Ecology*. Juillet 2006 ; 87(7) : 1627-1636, fig. 1a. Image par Marcel van der Heijden, Swiss Federal Research Station for Agroecology and Agriculture ; **Pézize** blickwinkel/Alamy Stock Photo ; **Basidiomycète** Science Source ; **31.11** William E. Barstow ; **31.12 Pain** Antonio D'Albore/Getty Images ; ***Rhizopus*** Alena Kubatova/Culture Collection of Fungi (CCF) ; **Sporange** George L. Barron ; **Zygosporange** Ed Reschke/Getty Images ; **31.13** George L. Barron/Biological Photo Service ; **31.14** Biological Photo Service ; **31.15 Gauche** Bryan Eastham/ Fotolia ; **Droite** Science Source ; **31.16** Fred Spiegel ; **31.17 Haut** Frank Paul/ Alamy Stock Photo ; **Centre** kichigin19/Fotolia ; **Bas** Fletcher and Baylis/Science Source ; **31.18** Biophoto Associates/Science Source ; **31.19** University of Tennessee Entomology and Plant Pathology ; **31.21** Mark Bowler/Science Source ; **31.22 Haut** Benvie/Wild Wonders of Europe/Nature Picture Library ; **Centre** Geoff Simpson/Nature Picture Library ; **Bas** Ralph Lee Hopkins/National Geographic/Getty Images ; **31.23** Eye of Science/Science Source ; **31.24a** Scott Camazine/Alamy Stock Photo ; **31.24b** Peter Chadwick/Dorling Kindersley, Ltd. ; **31.24c** Blickwinkel/Alamy Stock Photo ; **31.25 Image** Vance T. Vredenburg/ San Francisco State University ; **31.26** Gary Strobel.

Chapitre 32 **32.1** Thomas Marent/Rolf Nussbaumer Photography/Alamy Stock Photo ; **p. 739 Bas** Nigel Downer/Photoshot ; **32.5a** Lisa-Ann Gershwin/Museum of Paleontology ; **32.5b** Provient de : The Late Precambrian fossil *Kimberella* is a mollusc-like bilaterian organism. Mikhail A. Fedonkin et Benjamin M. Waggoner. *Nature* 388, 28 août 1997, 868-871, fig. 1 ; **32.6** Provient de Predatorial borings in late precambrian mineralized exoskeletons. Bengtson S., Zhao Y. *Science*. 17 juillet 1992 ; 257(5068) : 367-369. Image reproduite avec l'autorisation de l'AAAS ; **32.7 Haut** The Natural History Museum Trading Company Ltd. ; **Bas** Chip Clark ; **32.12** Blickwinkel/Alamy Stock Photo.

Chapitre 33 **33.1** Paul Anthony Stewart ; **33.3 Éponge** Andrew J. Martinez/ Science Source ; **Méduse** Robert Brons/Biological Photo Service ; **Vers plats** Teresa Zuberbühler ; **Placozoaire** Stephen Dellaporta ; **Cténophores** Gregory G. Dimijian/Science Source ; **Ver plat marin** Ed Robinson/Perspectives/Getty images ; **Ectoproctes** Hecker/blickwinkel/Alamy Stock Photo ; **Rotifère** M. I. Walker/Science Source ; **Brachiopode** Image Quest Marine ; **Gastrotriche** Sinclair Stammers/Nature Picture Library ; **Ver rubané** Erling Svensen/ UWPhoto ANS ; **Cycliophore** Peter Funch ; **Annélide marin** Fredrik Pleijel ; **Pieuvre** Photonimo/Shutterstock ; **Loricifère** Reinhart Mobjerg Kristensen ; **Priapulide** Erling Svensen/UWPhoto ANS ; **Onychophore** Thomas Stromberg ; **Ver rond** London Scientific Films/Oxford Scientific/Getty Images ; **Tardigrade** Andrew Syred/Science Source ; **Araignée** Reinhard Hölzl/ ImageBroker/AGE Fotostock ; **Ver à gland** Leslie Newman & Andrew Flowers/ Science Source ; **Tunicier** Robert Brons/Biological Photo Service ; **Oursin**

Louise Murray/Robert Harding World Imagery; **33.4** Andrew J. Martinez/Science Source; **33.7a Gauche** Robert Brons/Biological Photo Service; **Droite** David Doubilet/National Geographic Creative/Getty Images; **33.7b Gauche** Neil G. McDaniel/Science Source; **Droite** Mark Conlin/V&W/Image Quest Marine; **33.8** Robert Brons/Biological Photo Service; **33.9 Ver plat** Amar and Isabelle Guillen, Guillen Photo LLC/Alamy Stock Photo; **Mycélium d'un champignon** blickwinkel/Alamy Stock Photo; **Chloroplastes** Cytochemical localization of catalase in leaf microbodies (peroxisomes). S. E. Frederick, E. H. Newcomb. *Journal of Cell Biology* 1969 Nov.; 43(2): 343-353, fig. 6.; **Villosité** MedicalRF.com/AGE Fotostock; **33.11** Centers for Disease Control and Prevention; **33.12** Eye of Science/Science Source; **33.13** M. I. Walker/Science Source; **33.14** Holger Herlyn, Université de Mainz, Allemagne; **33.15a** blickwinkel/Alamy Stock Photo; **33.15b Image** Quest Marine; **33.17 Image** Quest Marine; **33.18a** Lubos Chlubny/Fotolia; **33.18b** Robert Marien/Corbis; **p. 768 Démarche scientifique Image** Christophe Courteau/Nature Picture Library; **33.19** Harold W. Pratt/Biological Photo Service; **33.21 Haut** Image Quest Marine; **Centre** Photonimo/Shutterstock; **Bas** Jonathan Blair/Corbis; **33.22 Gauche** Dave Clarke/Zoological Society of London; **Droite** The U.S. Bureau of Fisheries; **33.23** Fredrik Pleijel; **33.24** Wolcott Henry/National Geographic Creative/Getty Images; **33.25** Astrid Michler, Hanns-Frieder Michler/Science Source; **33.26** Photoshot; **33.27** London Scientific Films/Oxford Scientific/Getty Images; **33.28** Power and Syred/Science Source; **33.29** Dan Cooper; **33.30 Image** Stephen Paddock; **33.32** Mark Newman/Frank Lane Picture Agency; **33.33 Haut** Tim Flach/The Image Bank/Getty Images; **Bas gauche** Andrew Syred/Science Source; **Bas droite** Reinhard Hölzl/Imagebroker/AGE Fotostock; **33.34** Tim Flach/The Image Bank/Getty Images; **33.35a** PREMAPHOTOS/Nature Picture Library; **33.35b** Tom McHugh/Science Source; **33.37** Maximilian Weinzierl/Alamy Stock Photo; **33.38** Peter Herring/Image Quest Marine; **33.39** Peter Parks/Image Quest Marine; **33.41** Meul/ARCO/Nature Picture Library; **33.42a** Cathy Keifer/Shutterstock; **33.42b** Cathy Keifer/Shutterstock; **33.42c** Jim Zipp/Science Source; **33.42d** Cathy Keifer/Shutterstock; **33.42e** Cathy Keifer/Shutterstock; **33.43 Archéognathe** Kevin Murphy; **Thysanoure** Perry Babin; **Coléoptère** PREMAPHOTOS/Nature Picture Library; **Diptère** Bruce Marlin; **Hyménoptère** John Cancalosi/Nature Picture Library; **Lépidoptère** Hans Christoph Kappel/Nature Picture Library; **Hémiptère** Dante Fenolio/Science Source; **Orthoptère** Chris Mattison/Alamy Stock Photo; **33.44** Andrey Nekrasov/Image Quest Marine; **33.45** Daniel Janies; **33.46** Jeff Rotman/Science Source; **33.47** Louise Murray/Robert Harding World Imagery; **33.48** Jurgen Freund/Nature Picture Library; **33.49** Hal Beral/Corbis.

Chapitre 34 **34.1** Derek Siveter; **34.4** Natural Visions/Alamy Stock Photo; **34.5** Biological Photo Service; **34.8** Tom McHugh/Science Source; **34.9 Bas** Marevision/AGE Fotostock; **Haut** A. Hartl/AGE Fotostock; **34.10 Haut** Nanjing Institute of Geology and Palaeontology; **34.14** Field Museum Library/Premium Archive/Getty Images; **34.15a** Carlos Villoch/Image Quest Marine; **34.15b** Masa Ushioda/Image Quest Marine; **34.15c** Andy Murch/Image Quest Marine; **34.17 Thon** James D. Watt/Image Quest Marine; **Poisson scorpion** Jez Tryner/Image Quest Marine; **Hippocampe** George Grall/National Geographic/Getty Images; **Murène maculée** Fred McConnaughey/Science; **34.18 Haut** The oldest articulated osteichthyan reveals mosaic gnathostome characters. M. Zhu. *Nature*. 26 mars 2009; 458(7237): 469-474. doi:10.1038/nature07855. fig. 2.; Source; **34.19** Laurent Ballesta/www.blancpain-ocean-commitment.com/www.andromede-ocean.com et iSimangaliso Wetland Park Authority; **34.20 Tête, côtes, écailles** Ted Daeschler, Academy of Natural Sciences; **Squelette** Kalliopi Monoyios Studio; **34.22a** Alberto Fernandez/AGE Fotostock; **34.22b** Paul A. Zahl/Science Source; **34.22c** Zeeshan Mirza/photocorp/Alamy Stock Photo; **34.23a** DP Wildlife Vertebrates/Alamy Stock Photo; **34.23b** FLPA/Alamy Stock Photo; **34.23c** John Cancalosi/Photolibrary/Getty Images; **34.24** Hinrich Kaiser/Victor Valley College; **p. 804 Résolution de problème Gauche** David L. Brill Photography; **34.27** Nobumichi Tamura; **34.28** Chris Mattison/Alamy Stock Photo; **34.29a** Heather Angel/Natural Visions/Alamy Stock Photo; **34.29b-c** Matt T. Lee; **34.29d** Nick Garbutt/Nature Picture Library; **34.29e** Carl & Ann Purcell/Corbis; **34.30a** Visceralimage/Fotolia; **34.30b** The Natural History Museum /Alamy Stock Photo; **34.32** Boris Karpinski/Alamy Stock Photo; **34.33** DLILLC/Corbis; **34.34** Mariusz Blach/Fotolia; **34.35 Gauche** The Africa Image Library/Alamy Stock Photo; **Droite** Paolo Barbanera/AGE Fotostock; **34.36** Gianpiero Ferrari/Frank Lane Picture Agency Limited; **34.39 Gauche** clearviewstock/Shutterstock; **Droite** Mervyn Griffiths, Commonwealth Scientific and Industrial Research Organization; **34.40a** John Cancalosi/Alamy Stock Photo; **34.40b** Martin Harvey/AlamyStock Photo; **34.43** Imagebroker/Alamy Stock Photo; **34.45a** Kevin Schafer/AGE Fotostock; **34.45b** J & C Sohns/Picture Press/Getty Images; **34.46a** Morales/AGE Fotostock; **34.46b** Juniors Bildarchiv GmbH/Alamy Stock Photo; **34.46c** T. J. RICH/Nature Picture Library; **34.46d** E. A. Janes/AGE Fotostock; **34.46e** Martin Harvey/Photolibrary/Getty Images; **34.48** David L. Brill Photography; **34.49a** John Reader/Science Source; **34.49b** John Gurche Studios; **p. 822 Démarche scientifique Image** Golfx/Shutterstock; **34.50** Alan Walker (2); **34.52** Erik Trinkaus; **34.53** *Homo naledi,* a new species of the genus *Homo* from the Dinaledi Chamber, South Africa. L. R. Berger *et al.* eLife 2015; 4: e09560, fig. 6 et 9; **34.54** C. Henshilwood.

Chapitre 35 **35.1** O.Bellini/Shutterstock; **p. 829 Bas** John Walker; **35.3** Jeremy Burgess/Science Source; **35.4 Racines échasses** Natalie Bronstein; **Racines tubéreuses** Rob Walls/Alamy Stock Photo; **Pneumatophores** Geoff Tompkinson/SPL/Science Source; **Racines aériennes** Dana Tezarr/Photodisc/Getty Images; **Racines contreforts** Karl Weidmann/Science Source; **35.5 Rhizomes** Donald Gregory Clever; **Stolons** Dorling Kindersley, Ltd.; **Tubercules** Imagenavi/sozaijiten/AGE Fotostock; **p. 833 Démarche scientifique Image** Matthew Ward/Dorling Kindersley, Ltd.; **35.7 Haut droite** Neil Cooper/Alamy Stock Photo; **Haut gauche** Martin Ruegner/Photodisc/Getty Images; **Bas droite** Gusto Production/Science Source; **Bas gauche** Jerome Wexler/Science Source; **35.9** Steve Gschmeissner/SPL/AGE Fotostock; **35.10 Cellules parenchymateuses** M. I. Spike Walker/Alamy Stock Photo; **Cellules collenchymateuses** Clouds Hill Imaging/Last Refuge Limited; **Sclérites cellules fibreuses** Graham Kent/Pearson Education; **Vaisseaux** N. C. Brown Center for Ultrastructure Studies; **MET** Brian Gunning; **Tube** Ray F. Evert; **Plaque** Graham Kent/Pearson Education; **35.13 Cellules mitotiques** Provient de: *Arabidopsis* TCP20 links regulation of growth and cell division control pathways. C. Li *et al. Proc Natl Acad Sci USA.* 6 septembre 2005; 102(36): 12978-12983. Epub 25 août 2005. Photo: Peter Doerner; **35.14a-b** Ed Reschke; **35.14c** Natalie Bronstein; **35.15 et 35.16** Michael Clayton; **35.17 et 35.18b-c** Ed Reschke; **35.20a** Michael Clayton; **35.20b** Alison W. Roberts; **35.23** California Historical Society Collection (CHS-1177), University of Southern California de la part de the USC Specialized Libraries and Archival Collections; **35.25** WILDLIFE GmbH/Alamy Stock Photo; **35.26** Natural variation in Arabidopsis: From molecular genetics to ecological genomics. D. Weigel. *Plant Physiol.* Janvier 2012; 158(1): 2-22. doi:10.1104/pp.111, fig. 1A; **35.27** Microtubule plus-ends reveal essential links between intracellular polarization and localized modulation of endocytosis during division-plane establishment in plant cells. P. Dhonukshe *et al., BMC Biol.* avril 2005 14; 3:11, fig. 4M; **35.28** University of California, San Diego; **35.30** Provient de: U. Mayer *et al., Development* 117(1): 149-162, fig. 1a. © 1993 The Company of Biologists, Ltd.; **35.31 Gauche** B. Wells and K. Roberts; **Droite** Provient de: Microtubule plus-ends reveal essential links between intracellular polarization and localized modulation of endocytosis during division-plane establishment in plant cells. P. Dhonukshe *et al. BMC Biol.* 14 avril 2005; 3:11, fig. 4B; **35.32** Provient de: The dominant developmental mutants of tomato, Mouse-ear and Curl, are associated with distinct modes of abnormal transcriptional regulation of a Knotted gene. A. Parnis *et al. Plant Cell.* Décembre 1997; 9(12): 2143-2158, fig. 1; **35.33** Reproduite avec l'autorisation de Hung *et al., Plant Physiology* 117: 73-84, fig. 2g. © 1998 American Society of Plant Biologists. Image fournie par JohnSchiefelbein/University of Michigan; **35.34** James B. Friday; **35.35** Provient de: Genetic interactions among floral homeotic genes of Arabidopsis. J. L. Bowman, D. R. Smyth, E. M. Meyerowitz. *Development.* Mai 1991; 112(1): 1-20, fig. 1A; **p. 856 Gauche** Provient de: Anatomy of the vessel network within and between tree rings of *Fraxinus lanuginosa* (*Oleaceae*). Peter B. Kitin, Tomoyuki Fujii, Hisashi Abe and Ryo Funada. *American Journal of Botany*. 2004; 91: 779-788.

Chapitre 36 **36.1** Dennis Frates/Alamy Stock Photo; **p. 857 Bas** Bjorn Svensson/Science Source; **36.3** Rolf Rutishauser; **p. 864 Bas** Nigel Cattlin/Science Source; **36.8 Droite** Holger Herlyn, Université de Mainz, Allemagne; **Gauche** Benjamin Blonder et David Elliott; **36.10** Scott Camazine/Science Source; **36.13** Power and Syred/Science Source; **36.15 Ocotillo** Gerald Holmes, California Polytechnic State University at San Luis Obispo, Bugwood.org; **Centre gauche** Steven Baskauf, Nature Conservancy Tennessee Chapter Headquarters; **Ocotillo sans feuilles** Kate Shane, Southwest School of Botanical Medicine; **Coupe du laurier rose** Natalie Bronstein; **Laurier rose** Andrew de Lory/Dorling Kindersley, Ltd.; **Cactus** Danita Delimont/Alamy Stock Photo; **36.18 Images** M. H. Zimmerman, de P. B. Tomlinson, Harvard University; **36.19** Provient de: A coiled-coil interaction mediates cauliflower mosaic virus cell-to-cell movement. L. Stavolone *et al. Proc Natl Acad Sci USA.* 26 avril 2005; 102(17): 6219-6224, fig. 5C.

Chapitre 37 **37.1 Droite** Noah Elhardt; **Gauche** Wilhelm Barthlott; **p. 879 Bas** Bartosz Plachno; **37.2** ARS/USDA; **37.4** National Oceanic and Atmospheric Administration (NOAA); **37.5** USGS Menlo Park; **37.6** Kevin Horan/The Image Bank/Getty Images; **37.8 Feuille saine** View Stock RF/AGE Fotostock; **Carence en azote** Guillermo Roberto Pugliese/International Plant Nutrition Institute (IPNI); **Carence en phosphore** C. Witt/International Plant Nutrition Institute (IPNI); **Carence en potassium** M. K. Sharma et P. Kumar/International Plant Nutrition Institute (IPNI); **p. 887 Démarche scientifique** Nigel Cattlin/Science Source; **37.9** Provient de: Changes in gene expression in Arabidopsis shoots during phosphate starvation and the potential for developing smart plants, J. P. Hammond *et al. Plant Physiol.* Juin 2003; 132(2): 578-596, fig. 4; **37.10 Lichen** David T. Webb/University of Montana; **Bactérie photosynthétique** Ralf Wagner; **Poisson-globe** Andrey Nekrasov/Pixtal/AGE Fotostock; **Fougère flottante** Daniel L. Nickrent; **Fourmis** Tim Flach/The Image Bank/Getty Images; **Sorgho** USDA/Science Source; ***Azolla*** Alex Wild; **Fourmis coupe-feuille** Martin Dohrn/Nature Picture Library; **37.11 Image** Sarah Lydia Lebeis; **37.13** Scimat/Science Source; **37.15 Haut gauche** Mark Brundrett; **Haut droite** Hugues B. Massicotte/University of Northern British Columbia Ecosystem and Management Program, Prince George, BC, Canada; **Bas droite** Mark Brundrett; **37.16 Corne d'élan** David Wall/Alamy Stock Photo; **Gui de chêne** Peter Lane/Alamy Stock Photo; **Cuscute** Emilio Ereza/Alamy Stock Photo; **Monotrope uniflore** Martin Shields/Alamy Stock Photo; **Droséra** Fritz Polking/Frank Lane Picture Agency Limited; **Sarracénie** Philip Blenkinsop/Dorling Kindersley, Ltd.; **Fourmi** Paul Zahl/Science Source; **Dionée attrape-mouches** Chris Mattison/Nature Picture Library.

Chapitre 38 **38.1** Ch'ien Lee; **38.4 Fleurs mâles du noisetier** Wildlife GmbH/Alamy Stock Photo; **Fleur femelle du noisetier (carpelles)** Friedhelm Adam/Imagebroker/Getty Images; **Pissenlit** Bjorn Rorslett; **Pissenlit sous lumière ultraviolette** Bjorn Rorslett; **Fleur de yucca** Doug Backlund/WildPhotos-Photography.com; ***Stapelia*** Kjell B. Sandved/Science

Source; **Chauve-souris à long nez** Rolf Nussbaumer/Imagebroker/AGE Fotostock; **Colibri** Rolf Nussbaumer/Nature Picture Library; **38.5** W. Barthlott et W. Rauh, Nees Institute for Biodiversity of Plants; **38.10** Blickwinkel/Alamy Stock Photo; **38.12 Noix de coco** Kevin Schafer/Alamy Stock Photo; **Zanonie** Aquiya/Fotolia; **Pissenlit** Steve Bloom Images/Alamy Stock Photo; **Fruit ailé de l'érable** Chrispo/Fotolia; **Virevoltant** Nurlan Kalchinov/Alamy Stock Photo; **Tribulus terrestris** California Department of Food and Agriculture's Plant Health and Pest Prevention Services; **Graines** Kim A Cabrera; **Écureuil** Alan Williams/Alamy Stock Photo; **Fourmi** Benoit Guénard; **38.13** Dennis Frates/Alamy Stock Photo; **p. 912 Démarche scientifique Image** Toby Bradshaw; **38.14a** Marcel Dorken; **38.14b** Nobumitsu Kawakubo; **38.15** Meriel G. Jones/University of Liverpool School of Biological Sciences; **38.16** Andrew McRobb/Dorling Kindersley, Ltd.; **38.17** Gary P. Munkvold; **38.18** Ton Koene/ Lineair/Still Pictures/Robert Harding World Imagery.

Chapitre 39 39.1 Courtoisie de: the De Moraes and Mescher labs; **p. 921 Bas** Emilio Ereza/Alamy Stock Photo; **39.2** Natalie Bronstein; **39.6** Images provenant de: Regulation of polar auxin transport by AtPIN1 in *Arabidopsis* vascular tissue. L. Gälweiler *et al. Science.* 18 décembre 1998; 282(5397): 2226-30; fig. 4ac; **39.9a** Richard Amasino; **39.9b** Fred Jensen, Kearney Agricultural Center; **39.11 Gauche** Mia Molvray; **Droite** Karen E. Koch; **39.13a** Kurt Stepnitz; **39.13** Joseph J. Kieber; **39.14** Ed Reschke; **39.16 Images** Nigel Cattlin/Alamy Stock Photo; **39.18** Martin Shields/Alamy Stock Photo; **39.22** Michael L. Evans, Ohio State University, Columbus; **39.23** Gregory Jensen et Elizabeth Haswell; **39.24** Martin Shields/Science Source; **39.25** J. L. Basq/M. C. Drew; **39.26 Droite** New York State Agricultural Experiment Station/Cornell University; **39.27 Pavot** Johan De Meester/Arterra Picture Library/Alamy Stock Photo; **Raphides** David T. Webb; **Coupe feuille d'olivier** Steve Gschmeissner/ Science Source; **Épines** Susumu Nishinaga/Science Source; **Feuille du flocon de neige** Giuseppe Mazza; **Passiflora** E. Gilbert/University of Texas, Austin; **Colibri** Danny Kessler; **Bambou** Kim Jackson/Mode Images/Alamy Stock Photo; **Chenille** Custom Life Science Images/Alamy Stock Photo; **Guêpe** Custom Life Science Images/Alamy Stock Photo.

Chapitre 40 40.1 Matthias Wittlinger; **p. 955 Bas** Premaphotos/Alamy Stock Photo; **40.2 Phoque** Dave Fleetham/Robert Harding World Imagery; **Pingouin** Duncan Usher/Alamy Stock Photo; **Thon** Andre Seale/Image; Quest Marine; **40.4 Gauche** Eye of Science/Science Source; **Haut droite** Susumu Nishinaga/ Science Source; **Bas droite** Susumu Nishinaga/Science Source; **40.5 p. 960** Steve Downing/Pearson Education; **p. 961 Haut gauche** Nina Zanetti/ Pearson Education; **Centre gauche** Ed Reschke/PeterArnold/Alamy Stock Photo; **Bas gauche** Nina Zanetti/Pearson Education; **Bas centre** Nina Zanetti/ Pearson Education; **Haut droite** Gopal Murti/Science Source; **Bas droite** Chuck Brown/Science Source; **p. 962 Haut gauche** Nina Zanetti/Pearson Education; **Haut centre** Ed Reschke/Photolibrary/Getty Images; **Haut droite** Ed Reschke/Photolibrary/Getty Images; **Bas gauche** Ulrich Gartner; **Bas droite** Thomas Deerinck; **40.7 Haut** Jeffrey Lepore/Science Source; **40.7 Bas** Neil McNicoll/Alamy Stock Photo; **40.10** Meiqianbao/Shutterstock; **40.11a** John Shaw/Science Source; **40.11b** Matt T. Lee; **40.14** Carol Walker/Nature Picture Library; **40.15** Robert Ganz; **40.16** Provient de: Assessment of oxidative metabolism in brown fat using PET imaging. Otto Muzik, Thomas J. Mangner et James G. Granneman. *Front. Endocrinol.*, 08 Fev. 2012 | http://dx.doi.org/10.3389/ fendo.2012.00015, fig. 2; **40.20** Jeff Rotman/Alamy Stock Photo; **p. 975 Bas** Andrew Cooper/Nature Picture Library; **40.23 p. 978 Feuilles** Irin-K/ Shutterstock; **Lynx** Thomas Kitchin/Victoria Hurst/All Canada Photos/AGE Fotostock; **Tournesols** Phil_Good/Fotolia; **Yeux de mouche** WildPictures/ Alamy Stock Photo; **Plante** Bogdan Wankowicz/Shutterstock; **Mue** Nature's Images/Science Source; **40.23 p. 979 Xylème** Last Refuge/Robert Harding Picture Library Ltd./Alamy Stock Photo; **Vaisseaux sanguins** Susumu Nishinaga/Science Source; **Poils racinaires** Rosanne Quinnell © The University of Sydney. eBot http://hdl.handle.net/102.100.100/1463; **Intestins** David M. Martin/Science Source; **Pois** Scott Rothstein/Shutterstock; **Porcelets** Walter Hodges/Lithium/AGE Fotostock; **Mésophylle spongieux** Rosanne Quinnell; **Alvéoles** David M. Phillips/Science Source.

Chapitre 41 41.1 Jeff Foott/Discovery Channel Images/Getty Images; **41.3** Stefan Huwiler/Rolf Nussbaumer Photography/Alamy Stock Photo; **41.5 Baleine** Hervey Bay Whale Watch; **Chenille** Thomas Eisner; **Mouche** Peter Parks/Image Quest Marine; **Python** Gunter Ziesler/Photolibrary/Getty Images; **41.16 Gauche** Fritz Polking/Alamy Stock Photo; **Droite** Tom Brakefield/Stockbyte/Getty Images; **41.18** Juergen Berger/Science Source; **p. 1001 Haut** Peter Batson/Image Quest Marine; **p. 1005 Démarche scientifique** The Jackson Laboratory.

Chapitre 42 42.1 John Cancalosi/Alamy Stock Photo; **42.2a** Reinhard Dirscherl/ Water-Frame/Getty Images; **42.2b** Eric Grave/Science Source; **42.9 Haut** Indigo Instruments; **42.9 Bas** Ed Reschke/Photolibrary/Getty Images; **42.18** Eye of Science/Science Source; **42.19** Image Source/Exactostock.1598/ SuperStock; **p. 1028 Démarche scientifique Image** Fotolia; **42.21a** Peter Batson/Image Quest Marine; **42.21b** Olgysha/Shutterstock; **42.21c** Jez Tryner/ Image Quest Marine; **42.23 Droite** Hong Y. Yan, Université du Kentucky et Peng Chai, Université du Texas; **42.24** Motta/Macchiarelli, Anatomy Dept./ Univ. La Sapienza, Rome/SPL/Science Source; **42.26 Droite** Hans-Rainer Duncker, Institute of Anatomy and Cell Biology, Justus-Liebig-University Giessen; **p. 1039** Doug Allan/Nature Picture Library.

Chapitre 43 43.1 SPL/Science Source; **p. 1045 Bas** Juergen Berger/Science Source; **p. 1058 Bas** Steve Gschmeissner/Science Source; **43.26** CNRI/Science Source; **p. 1068 Démarche scientifique Image** Eye of Science/Science Source; **43.28** Stephen C. Harrison/The Laboratory of Structural Cell Biology/ Harvard Medical School.

Chapitre 44 44.1 David Wall/Alamy Stock Photo; **p. 1073 Bas** David Wall/ Alamy Stock Photo; **44.3** Mark Conlin/Image Quest Marine; **44.5** Eye of Science/Science Source; **p. 1077 Démarche scientifique Image** Jiri Lochman/Lochman Transparencies; **44.7 Bas gauche** GeorgePeters/E+/Getty Images; **Bas centre** Eric Isselée/Fotolia; **Bas droite** Maksym Gorpenyuk/ Shutterstock; **44.12 p. 1085 Bas droite** Steve Gschmeissner /Science Source; **44.15** Michael Lynch/Shutterstock; **44.16** v_blinov/Fotolia; **44.17 Morue** Roger Steene/Image Quest Marine; **Grenouille** F. Rauschenbach/F1online digitale Bildagentur GmbH/Alamy Stock Photo; **Stomate** Power and Syred/ Science Source; **Bactérie** Eye of Science/Science Source.

Chapitre 45 45.1 Phillip Colla/Oceanlight.com; **p. 1097 Bas** Craig K. Lorenz/ Science Source; **45.3** Volker Witte/Ludwig-Maximilians-Universitat Munchen; **45.11** Cathy Keifer/123RF; **45.17** AP Images; **p. 1109 Résolution de problème** angellodeco/Fotolia; **45.22 Gauche** Blickwinkel/Alamy Stock Photo; **Droite** Jurgen and Christine Sohns/Frank Lane Picture Agency Limited.

Chapitre 46 46.1 Auscape/UIG/Getty Images; **46.2** Colin Marshall/Frank Lane Picture Agency; **46.3** P. de Vries; **46.5** Andy Sands/Nature Picture Library; **46.6** John Cancalosi/Alamy Stock Photo; **p. 1132 Démarche scientifique Image** Tierbild Okapia/Science Source; **46.12** Design Pics Inc./Alamy Stock Photo; **46.17** Lennart Nilsson/Scanpix; **46.21** Phanie/SuperStock.

Chapitre 47 47.1 Brad Smith/Stamps School of Art & Design, University of Michigan; **p. 1147 Bas** Oxford Scientific/Getty Images; **47.4 Gauche** Proviennent de: Methods for quantitating sea urchin sperm-egg binding. V. D. Vacquier et J. E. Payne. *Exp Cell Res.* 1973 Nov.; 82(1): 227-235; **Droite** Proviennent de: Wave of Free Calcium at Fertilization in the Sea Urchin Egg Visualized with Fura-2. M. Hafner *et al. Cell Motil. Cytoskel.*, 1988; 9: 271-277; **47.6** George von Dassow; **47.7 Haut** Jurgen Berger; **Bas** Andrew J. Ewald; **47.8a** Charles A. Ettensohn; **47.13b** Alejandro Díaz Díez/AGE Fotostock/Alamy Stock Photo; **47.14 Gauche** Huw Williams; **Droite** Thomas Poole; **47.15b** Keith Wheeler/Science Source; **47.18b** Hiroki Nishida; **47.19 Bas** Medical Research Council; **47.20** MDC Biology Sinsheimer Labs; **47.21** MDC Biology Sinsheimer Labs; **47.24** Provient de: Dorsal-ventral patterning and neural induction in *Xenopus* embryos. E. M. De Robertis et H. Kuroda. *Annu Rev Cell Dev Biol.* 2004; 20: 285-308, fig. 1; **47.25a** Kathryn W. Tosney; **47.26 Image** Dennis Summerbell.

Chapitre 48 48.1 Franco Banfi/Science Source; **48.3** Thomas Deerinck; **48.13** Alan Peters; **48.16** Edwin R. Lewis, Y. Y. Zeevi et T. E., Everhart, University of California, Berkeley.

Chapitre 49 49.1 Tamily Weissman; **49.4** Image par Sebastian Jessberger. Fred H. Gage, Laboratory of Genetics LOG-G, The Salk Institute for Biological Studies; **49.11** Larry Mulvehill/Corbis; **49.15** Provient de: A functional MRI study of happy and sad affective states induced by classical music, M. T. Mitterschiffthaler *et al. Hum Brain Mapp.* Nov. 2007; 28(11): 1150-1162, fig. 1; **49.18** Marcus E. Raichle; **49.19** Provient de: Dr. Harlow's Case of Recovery from the passage of an Iron Bar through the Head, H. Bigelow. *Am. J of the Med. Sci.* Juillet 1850; XXXIX. Image provenant de the History of Medicine (NLM); **49.25** Martin M. Rotker/Science Source.

Chapitre 50 50.1 Kenneth Catania; **50.6 Haut** CSIRO Publishing; **Bas** R. A. Steinbrecht; **50.7a** Michael Nolan/Robert Harding World Imagery; **50.7b** Grischa Georgiew/AGE Fotostock; **50.9** Richard Elzinga; **50.10** SPL/Science Source; **50.16a** USDA/APHIS Animal and Plant Health Inspection Service; **50.17 p. 1231 Gauche** Steve Gschmeissner/Science Source; **50.21** Neitz Laboratory, University of Washington Medical School, Seattle; **50.26 Image** Clara Franzini-Armstrong; **50.27** H. E. Huxley; **50.34** George Cathcart Photography; **50.39** Dave Watts/NHPA/Science Source; **p. 1248 Démarche scientifique Image** Vance A. Tucker.

Chapitre 51 51.1 Manamana/Shutterstock; **p. 1251 Bas** van Kuzmin/Alamy Stock Photo; **51.2a** Martin Harvey/Photolibrary/Getty Images; **51.3** Denis-Huot/ Hemis/Alamy Stock Photo; **51.5** Kenneth Lorenzen; **p. 1257 Haut** Dustin Finkelstein/Getty Images; **51.7** Thomas D. McAvoy/The LIFE Picture Collection/ Getty Images; **51.9** Lincoln Brower/Sweet Briar College; **51.11** Clive Bromhall/ Oxford Scientific/Getty Images; **51.12 Gauche** Richard Wrangham; **Droite** Alissa Crandall/Encyclopedia/Corbis; **p. 1263 Démarche scientifique Image** Matt Goff; **51.14a** Matt T. Lee; **51.14b** David Osborn/Alamy Stock Photo; **51.14c** David Tipling/Frank Lane Picture Agency Limited; **51.15** James D. Watt/Image Quest Marine; **51.16** Gerald S. Wilkinson; **51.17** Cyril Laubscher/Dorling Kindersley, Ltd.; **51.20** Martin Harvey/Photolibrary/Getty Images; **51.21** Erik Svensson/Lund University, Sweden; **51.22** Lowell Getz; **51.23** Rory Doolin; **51.25** Jennifer Jarvis; **51.27** Marie Read/NHPA/Photoshot; **51.28** Jupiterimages/Creatas/Thinkstock/Getty Images.

Chapitre 52 52.1 Christopher Austin; **p. 1277 Bas** Christopher Austin; **52.2 De haut en bas** Peter Blackwell/Nature Picture Library; Barrie Britton/ Nature Picture Library; Oleg Znamenskiy/Fotolia; Juan Carlos Muñoz/AGE Fotostock; John Downer/Nature Picture Library; 1xpert/Fotolia; **52.7 Hêtre** Rick Koval; **52.8** Susan Carpenter; **52.10 Désert** Anton Foltin/123RF; **Prairie** David Halbakken/AGE Fotostock; **Forêt décidue** Gary718/Shutterstock; **Forêt tropicale** Siepmann/Imagebroker/Alamy Stock Photo; **Conifères** Bent Nordeng/Shutterstock; **Toundra** Juan Carlos Munoz/Nature Picture Library; **52.11 Gauche** JTB Media Creation, Inc./Alamy Stock Photo; **Droite** Krystyna Szulecka/Alamy Stock Photo; **52.12 Forêt tropicale** Siepmann/Imagebroker/ Alamy Stock Photo; **Désert** Anton Foltin/123RF; **Savane** Robert Harding Picture Library Ltd./Alamy Stock Photo; **Chaparral** The California Chaparral

Institute ; **Prairies** David Halbakken/AGE Fotostock ; **Conifères** Bent Nordeng/Shutterstock ; **Forêt décidue** Gary718/Shutterstock ; **Toundra** Juan Carlos Munoz/Nature Picture Library ; **52.15 Lac gauche** Susan Lee Powell ; **Lac droite** AfriPics.com/Alamy Stock Photo ; **Terre humide** David Tipling/Nature Picture Library ; **Ruisseau gauche** Ron Watts/Corbis ; **Ruisseau droite** Photononstop/SuperStock ; **Estuaire** Juan Carlos Munoz/AGE Fotostock ; **Zone intertidale** Stuart Westmorland/Danita Delimont/Alamy Stock Photo ; **Mer** Tatonka/Shutterstock ; **Récif** Digital Vision/Photodisc/Getty Images ; **Benthique** William Lange/Woods Hole Oceanographic Institute ; **52.16** JLV Image Works/Fotolia ; **52.18 Photo droite** Sylvain Oliveira/Alamy Stock Photo ; **52.19 Photo** Scott Ling ; **p. 1300 Démarche scientifique Image gauche** John W. Bova/Science Source ; **Droite** Dave Bevan/Alamy Stock Photo ; **52.21** Daniel Mosquin.

Chapitre 53 **53.1** Harpe/Robert Harding World Imagery ; **p. 1305 Bas** Luiz Claudio Marigo/Nature Picture Library ; **53.2** Todd Pusser/Nature Picture Library ; **53.4a** Bernard Castelein/Nature Picture Library/Alamy Stock Photo ; **53.4b** Michael S. Nolan/AGE Fotostock ; **53.4c** Alexander Chaikin/Shutterstock ; **Tableau 53.1 Haut** Jill M. Mateo ; **Bas** Jennifer Dever ; **53.9** Villiers Steyn/Shutterstock ; **53.12** Photolibrary/Getty Images ; **p. 1315 Démarche scientifique Image** Laguna Design/Science Source ; **53.13a** Stone Nature Photography/Alamy Stock Photo ; **53.13b Bas** Kent Foster/Science Source ; **Haut** Robert D. and Jane L. Dorn ; **53.14 Image** Dietmar Nill/Nature Picture Library ; **53.15a** Steve Bloom Images/AlamyStock Photo ; **53.15b Gauche** Fernanda Preto/Alamy Stock Photo ; **53.15b Droite** Edward Parker/Alamy Stock Photo ; **53.17 Image gauche** Chris Menjou ; **Image droite** Peter Brueggeman ; **53.18 Blé** FotoVoyager/E+/Getty Images ; **Foule** Jorge Dan/Reuters ; **Harfand** Hellio & Van Ingen/NHPA/Photoshot ; **Guépard** Gregory G. Dimijian/Science Source ; **53.20** Alan & Sandy Carey/Science Source ; **Souris** Nicholas Bergkessel Jr./Science Source ; **Levure** Andrew Syred/Science Source ; **p. 1323 Papillon centre** Provient de : Tracking butterfly movements with harmonic radar reveals an effect of population age on movement distance. O. Ovaskainen *et al. Proc Natl Acad Sci USA*. 9 décembre 2008 ; 105(49) : 19090-19095. doi:10.1073/pnas.0802066105. Epub 2008 Dec. 5, fig. 1 ; **53.21 Bas gauche** Niclas Fritzen ; **53.26** NASA.

Chapitre 54 **54.1** Jeremy Brown/123RF ; **p. 1331 Bas** Kristina Vackova/Shutterstock ; **54.2 Photo gauche** Joseph T. Collins/Science Source ; **Photo droite** National Museum of Natural History/Smithsonian Institution ; **p. 1333 Bas** Frank W. Lane/Frank Lane Picture Agency Limited ; **p. 1335 Démarche scientifique Image** Johan Larson/Shutterstock ; **54.5a** Tony Heald/Nature Picture Library ; **54.5b** Tom Brakefield/Getty Images ; **54.5c** Dante Fenolio/Science Source ; **54.5d** Barry Mansell/Nature Picture Library ; **54.5e Gauche** Dante Fenolio/Science Source ; **Droite** Robert Pickett/Papilio/Alamy Stock Photo ; **54.5f Gauche** Edward S. Ross ; **Droite** James K. Lindsey ; **54.6** Roger Steene/Image Quest Marine ; **54.7** Douglas Faulkner/Science Source ; **54.8a** Bazzano Photography/Alamy Stock Photo ; **54.8b** Nicholas Smythe/Science Source ; **54.9** Daryl Balfour/Photoshot ; **54.10a** Sally D. Hacker ; **p. 1340 Bas gauche** Gary W. Saunders ; **54.13** Cedar Creek Ecosystem Science Reserve, University of Minnesota ; **54.12 Image** Dung Vo Trung/Science Source ; **54.18 Image** Genny Anderson ; **54.19** Adam Welz ; **p. 1345 Centre droit** DEA/T e G BALDIZZ/AGE Fotostock ; **54.22a-b** National Park Service ; **54.23 Haut gauche** Charles D. Winters/Science Source ; **Haut droite** Keith Boggs ; **Bas droite** Terry Donnelly/Mary Liz Austin ; **Bas gauche** Glacier Bay National Park and Preserve ; **p. 1349 Centre** Custom Life Science Images/Alamy Stock Photo ; **54.24 Images de gauche à droite** Charles D. Winters/Science Source ; Keith Boggs ; Terry Donnelly ; Mary Liz Austin ; Glacier Bay National Park and Preserve ; **54.25 Haut** R. Grant Gilmore/Dynamac Corporation ; **54.25 Bas** Lance Horn, National Undersea Research Center, University of North Carolina, Wilmington ; **54.29** Tim Laman/National Geographic/Getty Images ; **54.31** Nelish Pradhan, Bates College, Lewiston ; **54.32** Josh Spice.

Chapitre 55 **55.1** Steven Kazlowski/Nature Picture Library ; **p. 1357 Bas** AGE Fotostock/Alamy Stock Photo ; **55.2** Stone Nature Photography/Alamy Stock Photo ; **55.3 Gauche** Scimat/Science Source ; **Droite** Justus de Cuveland/imagebroker/AGE Fotostock ; **55.5** Image par Reto Stöckli, basée sur des données fournies par MODIS Science Team/Earth Observatory/NASA ; **55.8** A. T. Willett/Alamy Stock Photo ; **p. 1365 Résolution de problème Gauche** Steven Katovich, USDA Forest Service, Bugwood.org ; **Droite** British Columbia Ministry of Forests, Lands and Natural Resource Operations ; **p. 1367 Démarche scientifique Image** David R. Frazier Photolibrary, Inc./Science Source ; **55.15a-b** Hubbard Brook Research Foundation/USDA Forest Service ; **55.16a-b** Mark Gallagher/Princeton Hydro, LLC/Ringoes, NJ ; **55.17a** Kissimmee Division, South Florida Water Management District ; **55.17b** Jean Hall/Holt Studio/Science Source ; **55.17c** Tim Day, Xcluder Pest Proof Fencing Company ; **55.17d** Kenji Morita/Environment Division, Tokyo Kyuei Co., Ltd. ; **55.18a** U.S. Department of Energy.

Chapitre 56 **56.1** Phung My Trung, vncreatures.net ; **p. 1383 Bas** Eerika Schultz ; **56.2** Trinh Le Nguyen /Shutterstock ; **56.4 Haut** Neil Lucas/Nature Picture Library ; **Bas** Mark Carwardine/Photolibrary/Getty Images ; **56.5** Merlin D. Tuttle/Science Source ; **56.6** Scott Camazine/Science Source ; **56.7** Michael Edwards/The Image Bank/Getty Images ; **56.8** Chuck Pratt/Alamy Stock Photo ; **56.9** Benezeth Mutayoba University of Washington Center for Conservation Biology ; **56.10** Travel Pictures/Alamy Stock Photo ; **56.13** William Ervin/Science Source ; **56.14** Craighead Institute ; **56.15a Gauche** Chuck Bargeron, University of Georgia, Bugwood.org ; **Droite** William Leaman/Alamy Stock Photo ; **56.15b** William D. Boyer/USDA ; **56.16** Vladimir Melnikov/Fotolia ; **56.17** R. O. Bierregaard, Jr., Département de biologie, Université de Caroline du Nord, Charlotte ; **56.18** Frans Lemmens/Alamy Stock Photo ; **56.20b** Edwin Giesbers/Nature Picture Library ; **56.21** Mark Chiappone ; **56.22** Lower Mainland Green Team ; **56.23** Fotokostic/Shutterstock ; **56.24** NASA/Goddard Space Flight Center ; **56.26** Erich Hartmann/Magnum Photos ; **p. 1403 Démarche scientifique** Hank Morgan/Science Source ; **56.30 Canal résinifère** Biophoto Associates/Science Source ; **Tunnels** Ladd Livingston, Idaho Department of Lands, Bugwood.org ; **Arbres morts** Dezene Huber, University of Northern British Columbia, Canada ; **Picas** Becka Barkley, courtoisie de Chris Ray, Université du Colorado, Boulder ; **Caribous** Rangifer tarandus E. A. Janes/Robert Harding World Imagery ; ***Cerastium alpinum*** Gilles Delacroix/Garden World Images/AGE Fotostock ; **56.33** NASA ; **56.35a** Serge de Sazo/Science Source ; **56.35b** Javier Trueba/MSF/Science Source ; **56.35c** Gabriel Rojo/Nature Picture Library ; **56.35d** Titus Lacoste/The Image Bank/Getty Images.

Illustrations et texte

Chapitre 1 **1.23 Graphique** Adapté de *The Real Process of Science* (2013), Understanding Science website. The University of California Museum of Paleontology, Berkeley, et the Regents of the University of California. Récupéré de http://undsci.berkeley.edu/article/howscienceworks_02.

Chapitre 3 **3.7 Illustration** Reproduite avec la permission de American Association for the Advancement of Science, provient de Boom & Bust in the Great White North, *Science* par Eli Kintisch, 349(6248) : 578-581 ; permission obtenue par Copyright Clearance Center, Inc. ; adaptée de la figure à la p. 580 ; carte basée sur la NOAA Fisheries. Baleine boréale (*Balaena mysticetus*) ; **3.9 Illustration** Basée sur Simulating water and the molecules of life, Mark Gerstein et Michael Levitt, *Scientific American*, novembre 1998.

Chapitre 4 **4.7 Illustration** Adaptée de Becker, Wayne M., Reece, Jane B., Poenie, Martin F., *The World of the Cell*, 3e éd., © 1996. Reproduit avec l'autorisation de Pearson Education, Inc., Upper Saddle River, New Jersey.

Chapitre 5 **5.11 Illustration** Adaptée de Wallace/Sanders/Ferl, *Biology: The Science of Life*, 3e éd., © 1991. Reproduit avec l'autorisation de Pearson Education, Inc., Upper Saddle River, New Jersey ; **5.13 Collagène** Données provenant de la Banque de données sur les protéines ID 1CGD : Hydration structure of a collagen peptide par Jordi Bella *et al.*, *Structure*, septembre 1995, 3(9) ; **5.16 Centre gauche** Données de PDB ID 2LYZ : R. Diamond. Real-space refinement of the structure of hen egg-white lysozyme. *Journal of Molecular Biology* 82(3) : 371-391 (Jan. 25, 1974) ; **5.18 Transthyrétine** Données de PDB ID 3GS0 : S. K. Palaninathan, N. N. Mohamedmohaideen, E. Orlandini, G. Ortore, S. Nencetti, A. Lapucci, A. Rossello, J. S. Freundlich, J. C. Sacchettini. Novel transthyretin amyloid fibril formation inhibitors : Synthesis, biological evaluation, and x-ray structural analysis. *Public Library of Science* ONE 4 :e6290-e6290 (2009) ; **5.18 Collagène** Données de PDB ID 1CGD : J. Bella, B. Brodsky, and H. M. Berman. Hydration structure of a collagen peptide, *Structure* 3 : 893-906 (1995) ; **5.18 Hémoglobine** Données de PDB ID 2HHB : G. Fermi, M. F. Perutz, B. Shaanan, R. Fourme. The crystal structure of human deoxyhaemoglobin at 1.74 A resolution. *J. Mol. Biol.* 175 : 159-174 (1984).

Chapitre 6 **6.6 Illustration** Adaptée de Becker, Wayne M., Reece, Jane B., Poenie, Martin F., *The World of the Cell*, 3e éd., © 1996. Reproduit avec l'autorisation de Pearson Education, Inc. Upper Saddle River, New Jersey ; **6.8 Illustration Cellule animale** Adaptée de Marieb, Elaine N., Hoehn, Katja, *Human Anatomy and Physiology*, 8e éd., © 2010. Reproduit avec l'autorisation de Pearson Education, Inc., Upper Saddle River, New Jersey ; **6.9 Illustration Noyau** Adaptée de Marieb, Elaine N., Hoehn, Katja, *Human Anatomy and Physiology*, 8e éd., © 2010. Reproduit avec l'autorisation de Pearson Education, Inc., Upper Saddle River, New Jersey ; **6.10 Illustration Cellule** Adaptée de Marieb, Elaine N., Hoehn, Katja, *Human Anatomy and Physiology*, 8e éd., © 2010. Reproduit avec l'autorisation de Pearson Education, Inc., Upper Saddle River, New Jersey ; **6.11 Illustration** Adaptée de Marieb, Elaine N., Hoehn, Katja, *Human Anatomy and Physiology*, 8e éd., © 2010. Reproduit avec l'autorisation de Pearson Education, Inc., Upper Saddle River, New Jersey ; **6.12 Illustration Petite cellule** Adaptée de Marieb, Elaine N., Hoehn, Katja, *Human Anatomy and Physiology*, 8e éd., © 2010. Reproduit avec l'autorisation de Pearson Education, Inc., Upper Saddle River, New Jersey ; **6.13 Illustration Petite cellule** Adaptée de Marieb, Elaine N., Hoehn, Katja, *Human Anatomy and Physiology*, 8e éd., © 2010. Reproduit avec l'autorisation de Pearson Education, Inc., Upper Saddle River, New Jersey ; **6.15 Illustration** Adaptée de Marieb, Elaine N., Hoehn, Katja, *Human Anatomy and Physiology*, 8e éd., © 2010. Reproduit avec l'autorisation de Pearson Education, Inc., Upper Saddle River, New Jersey ; **6.17 Illustration Petite cellule** Adaptée de Marieb, Elaine N., Hoehn, Katja, *Human Anatomy and Physiology*, 8e éd., © 2010. Reproduit avec l'autorisation de Pearson Education,Inc., Upper Saddle River, New Jersey ; **Tableau 6.1** Adapté de Hardin Jeff, Bertoni Gregory Paul, Kleinsmith, Lewis J., *Becker's World of the Cell*, 8e éd., © 2012, p. 423. Reproduit avec l'autorisation de Pearson Education, Inc., Upper Saddle River, New Jersey ; **6.22 Illustration Petite cellule** Adaptée de Marieb, Elaine N., Hoehn, Katja, *Human Anatomy and Physiology*, 8e éd., © 2010. Reproduit avec l'autorisation de Pearson Education, Inc., Upper Saddle River, New Jersey ; **6.24 Illustration Petite cellule** Adaptée de Marieb, Elaine N., Hoehn, Katja, *Human Anatomy and Physiology*, 8e éd., © 2010. Reproduit avec l'autorisation de Pearson Education, Inc., Upper Saddle River, New Jersey ; **6.32 Données Pompe à protons** PDB ID 3B8C : Crystal structure of the plasma membrane proton pump, Pedersen, B. P., Buch-Pedersen, M. J., Morth, J. P., Palmgren, M. G., Nissen, P. (2007) *Nature* 450 : 1111-1114 ; **Canal calcique** PDB ID 5E1J : Structure of the voltage-gated two-pore channel TPC1 from *Arabidopsis thaliana*, Guo, J., Zeng, W., Chen, Q., Lee, C., Chen, L., Yang, Y., Cang, C., Ren, D., Jiang, Y. (2016) *Nature* 531 : 196-201 ; **Aquaporine** PDB ID 5I32 : Crystal structure of an ammonia-permeable aquaporin, Kirscht, A., Kaptan, S. S., Bienert, G. P., Chaumont, F., Nissen, P., de Groot, B. L., Kjellbom, P., Gourdon, P., Johanson, U. (2016) *Plos Biol.* 14 : e1002411-e1002411 ; **Co-récepteurs BRI1 et SERK1** PDB ID 4LSX : Molecular mechanism for plant steroid receptor activation by somatic embryogenesis co-receptor kinases, Santiago, J., Henzler, C., Hothorn, M. (2013) *Science* 341 : 889-892 ; **BRI1 kinase domain** PDB ID 4OAC : Crystal structures of the phosphorylated BRI1 kinase domain and implications for brassinosteroid signal initiation, Bojar, D., Martinez, J., Santiago, J., Rybin, V., Bayliss, R., Hothorn, M. (2014) *Plant J.* 78 : 31-43 ; **BAK1 kinase domain** PDB ID 3UIM : Structural basis for the impact of phosphorylation on the activation of plant receptor-like kinase BAK1, Yan, L., Ma, Y.Y., Liu, D., Wei, X., Sun, Y., Chen, X., Zhao, H., Zhou, J., Wang, Z., Shui, W., Lou, Z. Y. (2012) *Cell Res.* 22 : 1304-1308 ; **BSK8 pseudokinase** PDB ID : 4I92 Structural characterization of the RLCK family member BSK8 : A Pseudokinase with an unprecedented architecture, Grutter, C., Sreeramulu, S., Sessa, G., Rauh, D. (2013) *J. Mol. Biol.* 425 : 4455-4467 ; **ATP-synthase** PDB ID 1E79 : The Structure of the central stalk in bovine F(1)-ATPase at 2.4 A resolution, Gibbons, C., Montgomery, M. G., Leslie, A. G. W., Walker, J. E. (2000) *Nat. Struct. Biol.* 7 : 1055 ; **ATP-synthase** PDB ID 1C17 : Structural changes linked to proton translocation by subunit c of the ATP synthase, Rastogi, V. K., Girvin, M. E. (1999) *Nature* 402 : 263-268 ; **ATP-synthase** PDB ID 1L2P : The "Second Stalk" of Escherichia coli ATP synthase : Structure of the isolated dimerization domain, Del Rizzo, P. A., Bi, Y., Dunn, S. D., Shilton, B. H. (2002) *Biochemistry* 41 : 6875-6884 ; **ATP-synthase** PDB ID 2A7U : Structural characterization of the interaction of the delta and alpha subunits of the Escherichia coli F(1)F(0)-ATP synthase by NMR spectroscopy, Wilkens, S., Borchardt, D., Weber, J., Senior, A. E. (2005) *Biochemistry* 44 : 11786-11794 ; **Phosphofructokinase** PDB ID 1PFK : Crystal structure of the complex of phosphofructokinase from *Escherichia coli* with its reaction products, Shirakihara, Y., Evans, P. R. (1988) *J. Mol. Biol.* 204 : 973-994 ; **Hexokinase** PDB ID 4QS8 : Biochemical and structural study of arabidopsis hexokinase 1, Feng, J., Zhao, S., Chen, X., Wang, W., Dong, W., Chen, J., Shen, J.-R., Liu, L., Kuang, T. (2015) *Acta Crystallogr.*, Sect. D 71 : 367-375 ; **Isocitrate déhydrogénase** PDB ID 3BLW : Allosteric motions in structures of yeast NAD⁺-specific isocitrate dehydrogenase, Taylor, A.B., Hu, G., Hart, P.J., McAlister-Henn, L. (2008) *J. Biol. Chem.* 283 :10872-10880 ; **NADH-quinone oxidoréductase** PDB ID 3M9S : The architecture of respiratory complex I, Efremov, R.G., Baradaran, R., Sazanov, L.A. (2010) *Nature* 465 : 441-445 ; **NADH-quinone oxidore-ductase** PDB ID 3RKO : Structure of the membrane domain of respiratory complex I, Efremov R.G., Sazanov, L.A. (2011) *Nature* 476 : 414-420 ; **Succinate déhydrogénase** PDB ID 1NEK : Architecture of succinate dehydrogenase and reactive oxygen species generation, Yankovskaya, V., Horsefield, R., Tornroth, S., Luna-Chavez, C., Miyoshi, H., Leger, C., Byrne, B., Cecchini, G., Iwata, S. (2003) *Science* 299 : 700-704 ; **Ubiquinone** http://www.proteopedia.org/wiki/index.php/Image : Coenzyme_Q10.pdb ; **Cytochrome *bc1*** PDB ID 1BGY : Complete structure of the 11-subunit bovine mitochondrial cytochrome bc1 complex, Iwata, S., Lee, J. W., Okada, K., Lee, J. K., Iwata, M., Rasmussen, B., Link, T. A., Ramaswamy, S., Jap, B. K. (1998) *Science* 281 : 64-71 ; **Cytochrome *c*** PDB ID 3CYT : Redox conformation changes in refined tuna Cytochrome c, Takano, T., Dickerson, R. E. (1980) *Proc. Natl. Acad. Sci. USA* 77 : 6371-6375 ; **Cytochrome *c* oxidase** PDB ID 1OCO : Redox-coupled crystal structural changes in bovine heart Cytochrome c oxidase, Yoshikawa, S., Shinzawa-Itoh, K.,Nakashima, R., Yaono, R., Yamashita, E., Inoue, N., Yao, M., Fei, M. J., Libeu, C. P., Mizushima, T., Yamaguchi, H., Tomizaki, T., Tsukihara, T. (1998) *Science* 280 : 1723-1729 ; **Rubisco** PDB ID 1RCX : The structure of the complex between Rubisco and its natural substrate ribulose 1,5-bisphosphate, Taylor, T. C., Andersson, I. (1997) *J. Mol. Biol.* 265 : 432-444 ; **Photosystème II** PDB ID 1S5L : Architecture of the photosynthetic oxygen-evolving center, Ferreira, K. N., Iverson, T. M., Maghlaoui, K., Barber, J., Iwata, S. (2004) *Science* 303 : 1831-1838 ; **Plastoquinone** http://www.rcsb.org/pdb/ligand/ligandsummary.do?hetId=PL9 ; **Photosystème I** PDB ID 1JB0 : Three-dimensional structure of cyanobacterial photosystem I at 2.5 A resolution, Jordan, P., Fromme, P., Witt, H. T., Klukas, O., Saenger, W., Krauss, N. (2001) *Nature* 411 : 909-917 ; **Ferrédoxine-NADP⁺ réductase** PDB ID 3W5V : Concentration-dependent oligomerization of cross-linked complexes between ferredoxin and ferredoxin-NADP(+) reductase ; **DNA** PDB ID 1BNA : Structure of a B-DNA dodecamer : Conformation and dynamics, Drew, H. R., Wing, R. M., Takano, T., Broka, C., Tanaka, S., Itakura, K., Dickerson, R. E. (1981) *Proc. Natl. Acad. Sci. USA* 78 : 2179-2183 ; **ARN polymérase** PDB ID 2E2I : Structural basis of transcription : role of the trigger loop in substrate specificity and catalysis, Wang, D., Bushnell, D. A., Westover, K. D., Kaplan, C. D., Kornberg, R. D. (2006) *Cell* (Cambridge, Mass.) 127 : 941-954 ; **Nucléosome** PDB ID 1AOI : Crystal structure of the nucleosome core particle at 2.8 A resolution, Luger, K., Mader, A. W., Richmond, R. K., Sargent, D. F., Richmond, T. J. (1997) *Nature* 389 : 251-260 ; **ARNt** PDB ID 4TNA : Further refinement of the structure of yeast tRNAPhe, Hingerty, B., Brown, R. S., Jack, A. (1978) *J. Mol. Biol.* 124 : 523-534 ; **Ribosome** PDB ID 1FJF : Structure of the 30S ribosomal subunit, Wimberly, B. T., Brodersen, D. E., Clemons Jr., W. M., Morgan-Warren, R. J., Carter, A. P., Vonrhein, C., Hartsch, T., Ramakrishnan, V. (2000) *Nature* 407 : 327-339 ; **Ribosome** PDB ID 1JJ2 : The kink-turn : A new RNA secondary structure motif, Klein, D. J., Schmeing, T. M., Moore, P. B., Steitz, T. A. (2001) *EMBO J.* 20 : 4214-4221 ; **Microtubule** PDB ID 3J2U : Structural model for tubulin recognition and deformation by Kinesin-13 microtubule depolymerases, Asenjo, A. B., Chatterjee, C., Tan, D., Depaoli, V., Rice, W. J., Diaz-Avalos, R., Silvestry, M., Sosa, H. (2013) *Cell Rep.* 3 : 759-768 ; **Filament d'actine** PDB ID 1ATN : Atomic structure of the actin : DNase I complex. Kabsch, W., Mannherz, H. G., Suck, D., Pai, E. F., Holmes, K. C. (1990) *Nature* 347 : 37-44 ; **Myosine** PDB ID 1M8Q : Molecular modeling of averaged rigor crossbridges from tomograms of insect flight muscle, Chen, L. F., Winkler, H., Reedy, M. K., Reedy, M. C., Taylor, K. A. (2002) *J. Struct. Biol.* 138 : 92-104 ; **Phosphoglucose isomérase** PDB ID 1IAT : The crystal structure of human phosphoglucose isomerase at 1.6 A resolution : Implications for catalytic mechanism, cytokine activity and haemolytic anaemia, Read, J., Pearce, J., Li, X., Muirhead, H., Chirgwin, J., Davies, C. (2001) *J. Mol. Biol.* 309 : 447-463 ; **Aldolase** PDB ID 1ALD : Activity and specificity of human aldolases, Gamblin, S. J., Davies, G. J., Grimes, J. M., Jackson, R. M., Littlechild, J. A., Watson, H. C. (1991) *J. Mol. Biol.* 219 : 573-576 ; **Triosephosphate isomérase** PDB ID 7TIM : Structure of the triosephosphate isomerase-phosphoglycolohydroxamate complex : An analogue of the intermediate on the reaction pathway, Davenport, R. C., Bash, P. A., Seaton, B. A., Karplus, M., Petsko, G. A., Ringe, D. (1991) *Biochemistry* 30 : 5821-5826 ; **Glycéraldéhyde-3-phosphate déshydrogénase** PDB ID 3GPD : Twinning in crystals of human skeletal muscle D-glyceraldehyde-3-phosphate dehydrogenase, Mercer, W. D., Winn, S. I., Watson, H. C. (1976) *J. Mol. Biol.* 104 : 277-283 ; **Phosphoglycérate kinase** PDB ID 3PGK : Sequence and structure of yeast phosphoglycerate kinase, Watson,H. C., Walker, N. P., Shaw, P. J., Bryant, T. N., Wendell, P. L., Fothergill, L. A., Perkins, R. E., Conroy, S. C., Dobson, M. J., Tuite, M. F. (1982) *Embo J.* 1 : 1635-1640 ; **Phosphoglycérate mutase** PDB ID 3PGM : Structure and activity of phosphoglycerate mutase, Winn, S. I., Watson, H. C., Harkins, R. N., Fothergill, L. A. (1981) *Philos. Trans. R. Soc. London, Ser. B* 293 : 121-130 ; **Enolase** PDB ID 5ENL : Inhibition of enolase : The crystal structures of enolase-Ca2(+)- 2-phosphoglycerate and enolase-Zn2(+)-phosphoglycolate complexes at 2.2-A resolution, Lebioda, L., Stec, B., Brewer, J. M., Tykarska, E. (1991) *Biochemistry* 30 : 2823-2827 ; **Pyruvate kinase** PDB ID 1A49 : Structure of the Bis(Mg2+)-ATP-oxalate complex of the rabbit muscle pyruvate kinase at 2.1 A resolution : ATP binding over a barrel, Larsen, T. M., Benning, M. M., Rayment, I., Reed, G. H. (1998) *Biochemistry* 37 : 6247-6255 ; **Citrate synthase** PDB ID 1CTS : Crystallographic refinement and atomic models of two different forms of citrate synthase at 2.7 and 1.7 A resolution, Remington, S., Wiegand, G., Huber, R. (1982) *J. Mol. Biol.* 158 : 111-152 ; **Succinyl-CoA synthétase** PDB ID 2FP4 : Interactions of GTP with the ATP-grasp domain of GTP-specific succinyl-CoA synthetase, Fraser, M. E., Hayakawa, K., Hume, M. S., Ryan, D. G., Brownie, E. R. (2006) *J. Biol. Chem.* 281 : 11058-11065 ; **Malate déshydrogénase** PDB ID 4WLE : Crystal structure of citrate bound MDH2, Eo, Y. M., Han, B. G., Ahn, H. C., à paraître.

Chapitre 7 **7.6 Illustration** Basée sur Similar energetic contributions of packing in the core of membrane and water-soluble proteins par Nathan H. Joh *et al.*, *Journal of the American Chemical Society*, 131(31).

Chapitre 8 **8.19 Illustration** Données de la Banque de données sur les protéines ID 1MDYO : Crystal structure of MyoD bHLH domain-DNA complex : Perspectives on DNA recognition and implications for transcriptional activation, *Cell*, mai 1994, 77(3) ; **8.21 Illustration Petite cellule** Adaptée de Marieb, Elaine N., Hoehn, Katja, *Human Anatomy and Physiology*, 8ᵉ éd., © 2010. Reproduit avec l'autorisation de Pearson Education, Inc., Upper Saddle River, New Jersey.

Chapitre 9 **9.5 Illustration** Adaptation de la figure 2.69 provenant de *Molecular Biology of the Cell*, 4ᵉ éd., par Bruce Alberts *et al.*, Garland Science/Taylor & Francis LLC ; **9.9 Illustration** Figure adaptée de *Biochemistry*, 4ᵉ éd., par Christopher K. Mathews *et al.* Pearson Education, Inc.

Chapitre 10 **10.13b** Données de Architecture of the photosynthetic oxygen-evolving center par Kristina N. Ferreira *et al.*, *Science*, mars 2004, 303(5665) ; **10.15 Illustration** Adaptation de la figure 4.1 provenant de *Energy, Plants, and Man*, par Richard Walker et David Alan Walker. © 1992 par Richard Walker et David Alan Walker. Reproduit avec la permission de Richard Walker.

Chapitre 11 **11.8 Illustration** Adaptée de Becker, Wayne M., Reece, Jane B., Poenie, Martin F., *The World of the Cell*, 3ᵉ éd., © 1996. Reproduit avec l'autorisation de Pearson Education, Inc., Upper Saddle River, New Jersey ; **11.12 Illustration** Adaptée de Becker, Wayne M., Reece, Jane B., Poenie, Martin F., *The World of the Cell*, 3ᵉ éd., © 1996. Reproduit avec l'autorisation de Pearson Education, Inc., Upper Saddle River, New Jersey.

Chapitre 12 **12.13 Illustration** Adaptation de la figure 18.41 provenant de *Molecular Biology of the Cell*, 4ᵉ éd., Bruce Alberts *et al.*, Garland Science/Taylor & Francis LLC.

Chapitre 17 **17.12 Illustration** Adaptée de Becker, Wayne M., Reece, Jane B., Poenie, Martin F., *The World of the Cell*, 3ᵉ éd., © 1996. Reproduit avec l'autorisation de Pearson Education, Inc., Upper Saddle River, New Jersey ; **17.14 Illustration** Adaptée de Kleinsmith, Lewis J., Kish, Valerie M. *Principles of Cell and Molecular Biology*. Reproduit avec l'autorisation de Pearson Education, Inc., Upper Saddle River, New Jersey ; **17.18 Illustration** Adaptée de Mathews, Christopher K., Van Holde, Kensal E., *Biochemistry*, 2ᵉ éd., © 1996. Reproduit avec l'autorisation de Pearson Education, Inc., Upper Saddle River, New Jersey.

Chapitre 18 **18.9 Illustration** Données provenant de PDB ID 1MDY : P. C. Ma *et al.* Crystal structure of MyoD bHLH domain-DNA complex : Perspectives on DNA recognition and implications for transcriptional activation, *Cell* 77 : 451-459 (1994) ; **18.26 Illustration** Adaptée de Becker, Wayne M., Reece, Jane B., Poenie, Martin F., *The World of the Cell*, 3ᵉ éd., © 1996. Reproduit avec l'autorisation de Pearson Education, Inc., Upper Saddle River, New Jersey.

Chapitre 20 **20.7 Illustration** Adaptée de Becker, Wayne M., Reece, Jane B., Poenie, Martin F., *The World of the Cell*, 3e éd., © 1996. Reproduit avec l'autorisation de Pearson Education, Inc., Upper Saddle River, New Jersey.

Chapitre 21 **21.3 Captures d'écran** Simulées et basées sur Mac OS X et des données provenant de NCBI, U.S. National Library of Medicine utilisant le Conserved Domain Database (CDD), le Sequence Alignment Viewer et le Cn3D ; **21.8 Illustratio**n Adaptée de Becker, Wayne M., Reece, Jane B., Poenie, Martin F., *The World of the Cell*, 3e éd., © 1996. Reproduit avec l'autorisation de Pearson Education, Inc., Upper Saddle River, New Jersey ; **21.9 Illustratio**n Adaptée de Becker, Wayne M., Reece, Jane B., Poenie, Martin F., *The World of the Cell*, 3e éd., © 1996. Reproduit avec l'autorisation de Pearson Education, Inc., Upper Saddle River, New Jersey ; **Hémoglobine** Données provenant de PDB ID 2HHB : G. Fermi, M. F. Perutz, B. Shaanan et R. Fourme. The crystal structure of human deoxyhaemoglobin at 1.74 A resolution. *J. Mol. Biol.* 175 : 159-174 (1984) ; **p. 498 Démarche scientifique Hémoglobine** PDB ID 2HHB : G. Fermi, M. F. Perutz, B. Shaanan et R. Fourme. The crystal structure of human deoxyhaemoglobin at 1.74 A resolution. *J. Mol. Biol.* 175 : 159-174 (1984) ; **21.15a** Dessin provenant de données de la Banque de données sur les protéines ID 1LZ1 : Refinement of human lysozyme at 1.5 A resolution analysis of non-bonded and hydrogen-bond interactions par P. J. Artymiuk et C. C. Blake, *Journal of Molecular Biology*, 1981, 152 : 737-762 ; **21.15b Dessin** Provenant de données de la Banque de données sur les protéines ID 1A4V : Structural evidence for the presence of a secondary calcium binding site in human alpha-lactalbumin par N. Chandra *et al.*, *Biochemistry*, 1998, 37 : 4767-4772 ; **21.19 Illustration** Adaptée de *The Homeobox : Something Very Precious That We Share with Flies, From Egg to Adult* par Peter Radetsky, © 1992. Reproduit avec l'autorisation de William McGinnis ; **21.20 Illustration** Adaptation de Hox genes and the evolution of diverse body plans par Michael Akam, *Philosophical Transactions of the Royal Society B : Biological Sciences*, 29 septembre 1995, 349(1329) : 313-319. Reproduit avec l'autorisation de The Royal Society.

Chapitre 22 **22.8 Illustration** Œuvre de Utako Kikutani telle que parue dans What Can make a four-ton mammal a most sensitive beast ? par Jeheskel Shoshani, *Natural History*, novembre 1997, 106(1), 36-45. © 1997 par Utako Kikutani. Reproduit avec l'autorisation de l'artiste ; **22.14 Illustration** Figure créée par Dr Binh Diep à la demande de Michael Cain. © 2011 par Binh Diep. Reproduit avec autorisation.

Chapitre 23 **23.4 Illustration** Basée sur des données de *Evolution*, par Douglas J. Futuyma. Sinauer Associates, 2006 ; et Nucleotide polymorphism at the alcohol dehydrogenase locus of *Drosophila melanogaster* par Martin Kreitman, *Nature*, août 1983, 304(5925) ; **23.11 Cartes** Adaptées de la figure 20.6 provenant de *Discover Biology*, 2e éd., édité par Michael L. Cain, Hans Damman, Robert A. Lue, et Carol Kaesuk Loon. W. W. Norton & Company, Inc. ; **23.12 Graphique** Données de Joseph H. Camin et Paul R. Ehrlich, Natural selection in water snakes *(Natrix sipedon L.)* on islands in Lake Erie, *Evolution* 12 : 504-511 (1958) ; **23.14 Illustration** *Evolution* par Douglas J. Futuyma. Sinauer Associates 2005 ; et *Vertebrate Paleontology and Evolution* par Robert L. Carroll. W.H. Freeman & Co., 1988 ; **23.17** Adaptée de Frequency-dependent natural selection in the handedness of scale-eating cichlid fish par Michio Hori, *Science*, avril 1993, 260(5105).

Chapitre 24 **24.6b Graphique** Original non publié par Brian Langerhans ; **24.13 Graphique** Basé sur *Hybrid Zone and the Evolutionary Process*, édité par Richard G. Harrison. Oxford University Press.

Chapitre 25 **25.2 Illustration** Basée sur des données de The Miller volcanic spark discharge experiment, par Adam P. Johnson *et al.*, *Science*, octobre 2008, 322(5900) ; **25.4a Graphique** Basé sur Experimental models of primitive cellular compartments : Encapsulation, growth, and division par Martin M. Hanczyc, Shelly M. Fujikawa et Jack W. Szostak, *Science*, octobre 2003, 302(5645) ; **25.6 Graphique** Eicher, D. L., *Geologic Time*, 2e éd., © 1976, p. 119. Adapté et reproduit avec l'autorisation de Pearson Education, Inc., Upper Saddle River, New Jersey ; **25.7 Quatre premiers crânes** Adaptés de plusieurs sources : D. J. Futuyma, *Evolution*, fig. 4.10, Sunderland, MA : Sinauer Associates, Sunderland, MA (2005) et R. L. Carroll, *Vertebrate Paleontology and Evolution*. W.H. Freeman & Co. (1988) ; **Dernier crâne** Adapté de Z. Luo *et al.*, A new mammaliaform from the early Jurassic and evolution of mammalian characteristics, *Science* 292 : 1535 (2001) ; **25.8 Illustration** Adaptée de When did photosynthesis emerge on Earth ? par David J. Des Marais, *Science*, septembre 2000, 289(5485) ; **25.9 Graphique** Adapté de The rise of atmospheric oxygen par Lee R. Kump, *Nature*, janvier 2008, 451(7176) ; **25.15 Carte** Basée sur *Earthquake Information Bulletin*, décembre 1977, 9(6), éditée par Henry Spall ; **25.17 Graphique** Basé sur plusieurs sources : D. M. Raup et J. J. Sepkoski, Jr., Mass extinctions in the marine fossil record, *Science* 215 : 1501-1503 (1982) ; J. J. Sepkoski, Jr., A kinetic model of Phanerozoic taxonomic diversity. III. Post-Paleozoic families and mass extinctions, *Paleobiology* 10 : 246-267 (1984) ; et D. J. Futuyma, *The Evolution of Biodiversity*, p. 143, fig. 7.3a, et p. 145, fig. 7.6, Sinauer Associates, Sunderland, MA ; **25.19 Graphique** Basé sur les données de A Long-term association between global temperature and biodiversity, origination and extinction in the fossil record par P. J. Mayhew, G. B. Jenkins et T. G. Benton, *Proceedings of the Royal Society B : Biological Sciences* 275(1630) : 47-53. The Royal Society, 2008 ; **25.20 Graphique** Adapté de Anatomical and ecological constraints on phanerozoic animal diversity in the marine realm par Richard K. Bambach *et al.*, *Proceedings of the National Academy of Sciences USA*, mai 2002, 99(10) ; **25.25 Illustration** Basée sur des données de The Miller volcanic spark discharge experiment par Adam P. Johnson *et al.*, *Science*, octobre 2008, 322(5900) ; **25.28 Illustrations** Adaptations de la figure 3-1(a-d, f) provenant de *Evolution*, 3e éd., par Monroe W. Strickberger. Jones & Bartlett Learning, Burlington, MA.

Chapitre 26 **26.13 Illustration** Basée sur The evolution of the hedgehog gene family in chordates : Insights from amphioxus hedgehog, par Sebastian M. Shimeld, *Developmental Genes and Evolution*, janvier 1999, 209(1) ; **26.19 Graphique** Basé sur *Molecular Markers, Natural History, and Evolution*, 2e éd., par J. C. Advise. Sinauer Associates, 2004 ; **26.20 Graphique** Adapté de timing the ancestor of the HIV-1 pandemic strains, par B. Korber *et al.*, *Science* 288(5472) : 1789-1796 (6/9/00).

Chapitre 27 **27.18 Graphique** Données de Root-associated bacteria contribute to mineral weathering and to mineral nutrition in trees : A budgeting analysis, par Christophe Calvaruso *et al.*, *Applied and Environmental Microbiology*, février 2006, 72(2).

Chapitre 28 **28.17 Illustration** Adaptation d'une illustration de Kenneth X. Probst, *Microbiology*, par R. W. Bauman. © 2004 par Kenneth X. Probst ; **28.30 Illustration** Basée sur Global phytoplankton decline over the past century, par Daniel G. Boyce *et al.*, *Nature*, 29 juillet 2010, 466(7306) ; et communications personnelles entre les auteurs.

Chapitre 30 **30.14a Illustration** Adaptée de A revision of *Williamsoniella* par T. M. Harris, *Proceedings of the Royal Society B : Biological Sciences*, octobre 1944, 231(583) : 313-328 ; **30.14b Illustration** Adaptation de la figure 2.3, *Phylogeny and Evolution of Angiosperm*, 2e éd., par Douglas E. Soltis *et al.* (2005). Sinauer Associates, Inc.

Chapitre 31 **31.25 Illustration** Adaption de la figure 1 provenant de Reversing introduced species effects : Experimental removal of introduced fish leads to rapid recovery of a declining frog, par Vance T. Vredenburg, *Proceedings of the National Academy of Sciences USA*, mai 2004, 101(20). © 2004 National Academy of Sciences, USA.

Chapitre 33 **33.22 Graphique** Adaptation de la figure 3 provenant de The global decline of nonmarine mollusks par Charles Lydeard *et al.*, *Bioscience*, avril 2004, 54(4). American Institute of Biological Sciences. Oxford University Press.

Chapitre 34 **34.10 Illustration** Adaptation de la figure 1a provenant de Fossil sister group of craniates : Predicted and found par Jon Mallatt et Jun-yuan Chen, *Journal of Morphology*, 15 mai 2003, 258(1). John Wiley & Sons, Inc. ; **34.12 Illustration** Adaptée de *Vertebrates : Comparative Anatomy, Function, Evolution* (2002) par Kenneth Kardong. The McGraw-Hill Companies, Inc. ; **34.18 Illustration** Adaptation de la figure 3 provenant de The oldest articulated Osteichthyan reveals mosaic gnathostome characters par Min Zhu *et al.*, *Nature*, 26 mars 2009, 458(7237) ; **34.21 Illustration** Adaptation de la figure 4 provenant de The pectoral fin of Tiktaalik roseae and the origin of the tetrapod limb par Neil H. Shubin *et al.*, *Nature*, 6 avril 2006, 440(7085). Macmillan Publishers Ltd. ; **Illustration *Acanthostega*** Adaptation de la figure 27 provenant de The devonian tetrapod Acanthostega gunnari jarvik : Postcranial anatomy, basal tetrapod relationships and patterns of skeletal evolution par Michael I. Coates, *Transactions of the Royal Society of Edinburgh : Earth Sciences*, 87 : 398 ; **34.38a Illustration** Basée sur plusieurs sources : Figure 4.10 provenant de *Evolution*, par Douglas J. Futuyma. Sinauer Associates, 2005 ; et *Vertebrate Paleontology and Evolution* par Robert L. Carroll. W. H. Freeman & Co., 1988 ; **34.47 Graphique** Basé sur plusieurs photos de fossiles : *O. tugenensis* photo dans Early hominid sows division par Michael Balter, *ScienceNow*, 22 fév. 2001 ; *A. garhi* et *H. neanderthalensis* basés sur *The Human Evolution Coloring Book* par Adrienne L. Zihlman et Carla J. Simmons. HarperCollins, 2001 ; *K. platyops* basé sur une photo dans New hominin genus from Eastern Africa shows diverse middle pliocene lineages par Meave Leakey *et al.*, *Nature*, mars 2001, 410(6827) ; *P. boisei* basé sur une photo par David Bill ; *H. ergaster* basé sur une photo provenant de www.museumsinhand.com ; *S. tchadensis* basé sur la figure 1b provenant de A new hominid from the Upper Miocene of Chad, Central Africa par Michel Brunet *et al.*, *Nature*, juillet 2002, 418(6894).

Chapitre 39 **39.15a Graphique** Basé sur *Plantwatching : How Plants Remember, Tell Time, Form Relationships and More* par Malcolm Wilkins. Facts on File, 1988.

Chapitre 41 **41.8 Illustration** Adaptée de Marieb, Elaine, Hoehn, Katja, *Human Anatomy and Physiology*, 8e éd., © 2010, p. 852. Reproduit avec l'autorisation de Pearson Education, Inc., Upper Saddle River, New Jersey ; **41.17 Illustration** Adaptée de Ottman N., Smidt H., de Vos W. M. et Belzer C. (2012) The function of our microbiota : Who is out there and what do they do ?, *Front. Cell. Inf. Microbiol.* 2 : 104. doi:10.3389/fcimb.2012.00104 ; **41.22 Illustration** Reproduit avec l'autorisation de l'American Association for the Advancement of Science, provenant de Cellular warriors at the battle of the bulge par Kathleen Sutliff et Jean Marx, *Science*, février 2003, 299(5608) ; permission obtenue à l'aide de Copyright Clearance Center, Inc.

Chapitre 43 **43.6 Illustration** Adaptée de Marieb, Elaine N., Hoehn, Katja, *Human Anatomy and Physiology*, 8e éd., © 2010. Reproduit avec l'autorisation de Pearson Education, Inc., Upper Saddle River, New Jersey ; **43.7 Illustration** Adaptée de *Microbiology : An Introduction*, 11e éd., par Gerard J. Tortora, Berdell R. Funke, et Christine L. Case. Pearson Education, Inc. ; **43.23 Graphiques** Basés sur plusieurs sources : *WHO/UNICEF Coverage Estimates 2014 Revision*. Juillet 2015. *Map Production : Immunization Vaccines and Biologicals* (IVB). World Health Organization, 16 juillet 2015 ; *Our Progress Against Polio*, 1er mai, 2014. Centers for Disease Control and Prevention.

Chapitre 44 **44.7 Graphique** Adapté de Mitchell, Lawrence G., *Zoology*, © 1998. Reproduit avec l'autorisation de Pearson Education, Inc., Upper Saddle River, New Jersey; **44.12 Illustration Structure du rein** Adaptée de Marieb, Elaine N., Hoehn, Katja, *Human Anatomy and Physiology*, 8e éd., © 2010. Reproduit avec l'autorisation de Pearson Education, Inc., Upper Saddle River, New Jersey; **44.13 Illustration Structure du rein** Adaptée de Marieb, Elaine N., Hoehn, Katja, *Human Anatomy and Physiology*, 8e éd., © 2010. Reproduit avec l'autorisation de Pearson Education, Inc., Upper Saddle River, New Jersey; **p.1095 Figure Résumé du concept 44.1** Adaptée de Beck, *Life: An Introduction to Biology*, 3e éd., © 1991, p. 643. Reproduite avec l'autorisation de Pearson Education, Inc., Upper Saddle River, New Jersey.

Chapitre 46 **46.16 Illustration** Adaptée de Marieb, Elaine N., Hoehn, Katja, *Human Anatomy and Physiology*, 8e éd., © 2010. Reproduit avec l'autorisation de Pearson Education, Inc., Upper Saddle River, New Jersey.

Chapitre 47 **47.10 Illustration** Adaptée de Keller, R. E. 1986. The cellular basis of amphibian gastrulation. *In* L. Browder (dir.), *Developmental Biology: A Comprehensive Synthesis*, vol. 2. Plenum, New York, p. 241-327; **47.14 Illustration** Basée sur Cell commitment and gene expression in the axolotl embryo par T. J. Mohun *et al.*, *Cell*, novembre 1980, 22(1); **47.17 Illustration** *Principles of Development*, 2e éd. par Wolpert (2002), fig. 8.26, p. 275. Avec l'autorisation de Oxford University Press; **47.19 Graphique** Reproduit avec l'autorisation de Garland Science, Taylor & Francis Group, provient de *Molecular Biology of the Cell*, Bruce Alberts *et al.*, 4e éd., © 2002; **47.27 Illustration** Adaptée de Marieb, Elaine N., Hoehn, Katja, *Human Anatomy and Physiology*, 8e éd., © 2010. Reproduit avec l'autorisation de Pearson Education, Inc., Upper Saddle River, New Jersey.

Chapitre 48 **48.11 Graphique** Basé sur la figure 6-2d provenant de *Cellular Physiology of Nerve and Muscle*, 4e éd., par Gary G. Matthews. Wiley-Blackwell, 2003.

Chapitre 49 **49.9 Illustration** Adaptée de Marieb, Elaine N., Hoehn, Katja, *Human Anatomy and Physiology*, 8e éd., © 2010. Reproduit avec l'autorisation de Pearson Education, Inc., Upper Saddle River, New Jersey; **49.13 Tableau** Basé sur Sleep in marine mammals par L. M. Mukhametov, *Sleep Mechanisms*, édité par Alexander A. Borberly et J. L. Valatx. Springer; **49.15** Provient de: A functional MRI study of happy and sad affective states induced by classical music, M. T. Mitterschiffthaler *et al. Hum Brain Mapp.* novembre 2007; 28(11): 1150-1162, fig. 1.; **49.20 Illustration** Adaptation de la figure 1c provenant de Avian brains and a new understanding of vertebrate brain evolution par Erich D. Jarvis *et al.*, *Nature Reviews Neuroscience*, février 2005, 6(2); **49.23 Graphique** Adaptation de la figure 10 provenant de *Schizophrenia Genesis: The Origins of Madness* par Irving I. Gottesman. Worth Publishers.

Chapitre 50 **50.12a Illustration** Adaptée de Marieb, Elaine N., Hoehn, Katja, *Human Anatomy and Physiology*, 8e éd., © 2010. Reproduit avec l'autorisation de Pearson Education, Inc., Upper Saddle River, New Jersey; **50.13 Illustration** Adaptée de Marieb, Elaine N., Hoehn, Katja, *Human Anatomy and Physiology*, 8e éd., © 2010. Reproduit avec l'autorisation de Pearson Education, Inc., Upper Saddle River, New Jersey; **50.17 Illustration Structure de l'œil** Adaptée de Marieb, Elaine N., Hoehn, Katja, *Human Anatomy and Physiology*, 8e éd., © 2010. Reproduit avec l'autorisation de Pearson Education, Inc., Upper Saddle River, New Jersey; **50.24a Illustration** Adaptée de Marieb, Elaine N., Hoehn, Katja, *Human Anatomy and Physiology*, 8e éd., © 2010. Reproduit avec l'autorisation de Pearson Education, Inc., Upper Saddle River, New Jersey; **50.26 Illustration** Adaptée de Marieb, Elaine N., Hoehn, Katja, *Human Anatomy and Physiology*, 8e éd., © 2010. Reproduit avec l'autorisation de Pearson Education, Inc., Upper Saddle River, New Jersey; **50.31 Illustration** Adaptée de Marieb, Elaine N., Hoehn, Katja, *Human Anatomy and Physiology*, 8e éd., © 2010. Reproduit avec l'autorisation de Pearson Education, Inc., Upper Saddle River, New Jersey; **50.35 Illustration Sauterelle** Basée sur Hickman *et al.*, *Integrated Principles of Zoology*, 9e éd., p. 518, fig. 22.6, McGraw-Hill Higher Education, NY (1993).

Chapitre 51 **51.4 Illustration** Basée sur Drosophila: Genetics meets behavior par Marla B. Sokolowski, *Nature Reviews: Genetics*, novembre 2001, 2(11); **51.10 Illustration** Adaptée de Prospective and retrospective learning in honeybees par Martin Giurfa et Julie Bernard, *International Journal of Comparative Psychology*, 2006, 19(3); **51.13 Graphique** Adapté de Evolution of foraging behavior in *Drosophila* by density dependent selection, par Maria B. Sokolowski *et al.*, *Proceedings of the National Academy of Sciences USA*, 8 juillet, 1997, 94(14); **51.18 Illustration** Reproduit avec l'autorisation de Klaudia Witte; **51.24 Illustration** Adaptation d'une photographie de Jonathan Blair, Figure/PhotoID: 3.14, telle qu'elle apparaît dans *Animal Behavior: An Evolutionary Approach*, 8e éd., John Alcock, p. 88. Reproduit avec autorisation.

Chapitre 52 **52.18 Illustration** Basée sur des données provenant de *Ecology and Field Biology* par Robert L. Smith. Pearson Education, 1974; et *Sibley Guide to Birds* par David Allen Sibley. Random House, 2000; **52.19 Graphique** Basé sur des données provenant de W. J. Fletcher, Interactions among subtidal Australian sea urchins, gastropods and algae: Effects of experimental removals, *Ecological Monographs* 57: 89-109 (1987); **52.20 Illustration** Basée sur S. D. Ling *et al.* Climate-driven range extension of a sea urchin: Inferring future trends by analysis of recent population dynamics, *Global Change Biology* (2009) 15: 719-731, doi:10.1111/j.1365-2486.2008.01734.x; **52.23 Graphique** Basé sur Rana W. El-Sabaawi *et al.*, Assessing the effects of guppy life history evolution on nutrient recycling: From experiments to the field, *Freshwater Biology* (2015) 60: 590-601, doi:10.1111/fwb.12507.

Chapitre 53 **53.5 Graphique** Basé sur Demography of Belding's ground squirrels par Paul W. Sherman et Martin L. Morton, *Ecology*, octobre 1984, 65(5); **53.16 Graphique** Basé sur Climate and population regulation: The biogeographer's dilemma par J. T. Enright, *Œcologia*, 1976, 24(4); **53.17 Graphique** Basé sur les données provenant de Predator responses, prey refuges, and density-dependent mortality of a marine fish par T. W. Anderson, *Ecology* 82(1): 245-257 (2001); **53.19 Graphique** Basé sur des données fournies par Dr Rolf O. Peterson; **53.22 Graphique** Basé sur la base de données internationale du Bureau du recensement des États-Unis; **53.23 Graphique** Basé sur la base de données internationale du Bureau du recensement des États-Unis; **53.24** https://www.populationpyramid.net/; **53.25 Illustration** Basée sur Ewing B., D. Moore, S. Goldfinger, A. Oursler, A. Reed et M. Wackernagel. 2010. *The Ecological Footprint Atlas 2010*. Oakland: Global Footprint Network, p. 33 (www.footprintnetwork.org).

Chapitre 54 **54.2 Illustration** Basée sur A. Stanley Rand et Ernest E. Williams. The anoles of La Palma: Aspects of their ecological relationships, *Breviora*, 327: 1-19. Museum of Comparative Zoology, Harvard University; **54.10 Graphique** Basé sur des données provenant de Sally D. Hacker et Mark D. Bertness, Experimental evidence for factors maintaining plant species diversity in a New England salt marsh. *Ecology*, septembre 1999, 80(6); **54.15 Illustration** Basée sur George A. Knox. Antarctic marine ecosystems, *Antarctic Ecology*, 1, édité par Martin W. Holdgate. Academic Press, 1970; **54.16 Illustration** Adaptée de Denise L. Breitburg *et al.*, Varying effects of low dissolved oxygen on trophic interactions in an estuarine food web. *Ecological Monographs*, novembre 1997, 67(4). Utilisée avec l'autorisation de Ecological Society of America; **54.17 Graphique** Basé sur B. Jenkins *et al.*, Productivity, disturbance and food web structure at a local spatial scale in experimental container habitats. *OIKOS*, novembre 1992, 65(2); **54.21** Graphique basé sur des données provenant de C. R. Townsend, M. R. Scarsbrook et S. Doledec, The intermediate disturbance hypothesis, refugia, and biodiversity in streams, *Limnology and Oceanography* 42: 938-949 (1997); **54.23** Carte basée sur Robert L. Crocker et Jack Major. Soil development in relation to vegetation and surface age at Glacier Bay, Alaska. *Journal of Ecology*, juillet 1955, 43(2); **54.24 Graphique** Adapté de F. Stuart Chapin *et al.*, Mechanisms of primary succession following deglaciation at Glacier Bay. *Ecological Monographs*, mai 1994, 64(2). Ecological Society of America; **54.26 Graphiques** Adaptés de D. J. Currie. Energy and large-scale patterns of animal- and plant-species richness. *American Naturalist*, janvier 1991, 137(1): 27-49; **54.27 Graphique** Adapté de Robert H. MacArthur et Edward O. Wilson, An equilibrium theory of insular zoogeography. *Evolution*, décembre 1963, 17(4). Society for the Study of Evolution; **54.30 Graphique** Basé sur Daniel S. Simberloff et Edward O. Wilson. 1969. Experimental zoogeography of islands: The colonization of empty islands. *Ecology*, mars 1969, 50(2): 278-296.

Chapitre 55 **55.4 Illustration** Basée sur la figure 1.2 provenant de Donald L. DeAngelis (1992), *Dynamics of Nutrient Cycling and Food Webs*. Taylor & Francis; **55.7 Graphique** Basé sur des données de la fig. 4.1, p. 82, dans R. H. Whittaker (1970), *Communities and Ecosystems*. Macmillan,New York; **55.8 Graphique** Basé sur les fig. 3c et 3d provenant de Temperate forest health in an era of emerging megadisturbance, Constance I. Millar et Nathan L. Stephenson, *Science* 349: 823 (2015); doi:10.1126/science.aaa9933; **55.14 Illustration** Adaptée de la figure 7.4 provenant de Robert E. Ricklefs (2001), *The Economy of Nature*, 5e éd. W.H. Freeman and Company; **55.18b** Graphique basé sur des données de Wei-Min Wu *et al.* (2006), Pilot-Scale in situ bioremediation of uranium in a highly contaminated aquifer. 2. Reduction of U(VI) and geochemical control of U(VI) bioavailability. *Environmental Science Technology* 40(12): 3986-3995 (5/13/06).

Chapitre 56 **56.11** Graphique basé sur des données provenant de Gene Likens; **56.12 Illustration** Krebs, Charles J., *Ecology: The Experimental Analysis of Distribution and Abundance*, 5e éd., © 2001. Reproduit avec l'autorisation de Pearson Education, Inc., Upper Saddle River, New Jersey; **56.19 Illustration** Adaptée de Norman Myers *et al.* (2000). Biodiversity hotspots for conservation priorities, *Nature*, 24 février 2000, 403(6772); **56.28** Graphique basé sur des données sur le CO_2 provenant de www.esrl.noaa.gov/gmd/ccgg/trends. Les données sur la température proviennent de www.giss.nasa.gov/gistemps/graphs/fig.A.lrg.gif; **56.31** Graphique basé sur des données de « History of the Ozone Hole », site web de la NASA, 26 février 2013; et « Antarctic Ozone », site web de British Antarctic Society, 7 juin 2013; **56.34** Graphique basé sur des données de Instituto Nacional de Estadistica y Censos de Costa Rica and Centro Centroamericano de Poblacion, Universidad de Costa Rica.

Glossaire

3-phosphoglycéraldéhyde – PGAL (n. masc.) Monosaccharide à trois atomes de carbone produit durant le cycle de Calvin.

A

Abiotique (adj.) Se dit d'un environnement non vivant ou dont les propriétés physiques et chimiques rendent la vie impossible.

Abondance relative (n. fém.) Abondance proportionnelle des diverses espèces formant une communauté.

Absorption (n. fém.) Troisième étape du traitement des aliments chez les animaux, qui survient après la digestion; mode de nutrition qui consiste à laisser passer les petites molécules organiques vers les cellules.

Acanthodiens (n. masc.) Groupe d'anciens vertébrés aquatiques pourvus de mâchoires et vivant au Silurien et au Dévonien, aujourd'hui disparus.

Accélération des processus écosystémiques (n. fém.) Principe écologique de régénération qui fait appel à des organismes pour augmenter l'apport de matières essentielles à un écosystème dégradé. Aussi appelée *augmentation biologique*.

Accepteur primaire d'électrons (n. masc.) Dans la membrane des thylakoïdes d'un chloroplaste ou dans la membrane de certaines cellules procaryotes, molécule spécialisée qui, avec une molécule de chlorophylle *a* dont elle accepte l'un des électrons, forme le complexe du centre réactionnel d'un photosystème.

Accident vasculaire cérébral – AVC (n. masc.) Rupture ou obstruction d'une artère dans la tête qui entraîne la mort des tissus nerveux de l'encéphale.

Acclimatation (n. fém.) Réaction physiologique d'adaptation des organismes vivants au changement d'un facteur du milieu sur une période de plusieurs jours ou de plusieurs semaines.

Acétylation des histones (n. fém.) Ajout d'un groupement acétyle (—$COCH_3$) à certains acides aminés des histones, ce qui permet aux facteurs de transcription d'accéder aux gènes.

Acétyl-CoA – acétyl coenzyme A (n. masc.) Composé constitué d'un fragment du pyruvate et de la coenzyme A; provient de la glycolyse et de l'oxydation des lipides, et constitue le point de départ du cycle de l'acide citrique de la respiration cellulaire.

Acétylcholine (n. fém.) L'un des neurotransmetteurs les plus répandus; se fixe à des récepteurs modifiant la perméabilité membranaire de la cellule postsynaptique, soit par dépolarisation, soit par hyperpolarisation de la membrane plasmique.

Acide (n. masc.) Substance qui accroît la concentration molaire volumique des protons d'une solution.

Acide abscissique (n. masc.) Régulateur de croissance végétal qui ralentit la croissance, inhibant souvent les actions des autres régulateurs de croissance. Ce régulateur stimule notamment la dormance et la résistance à la sécheresse.

Acide aminé (n. masc.) Molécule organique portant un groupement carboxyle et un groupement amine. Il existe une vingtaine d'acides aminés différents qui constituent les monomères des polypeptides.

Acide aminé essentiel (n. masc.) Acide aminé qu'un animal ne peut pas synthétiser lui-même et qui doit être apporté par l'alimentation. Huit acides aminés sont essentiels dans le régime alimentaire d'un humain adulte.

Acide désoxyribonucléique – ADN (n. masc.) Molécule d'acides nucléiques, généralement constituée de deux chaînes hélicoïdales enroulées dans laquelle chaque brin de polynucléotides est formé de nucléotides monomères comportant chacun un désoxyribose, une base azotée adénine (A), cytosine (C), guanine (G) ou thymine (T) et un groupement phosphate; fournit les directives de sa propre réplication et détermine la structure des protéines cellulaires ainsi que leur niveau d'expression.

Acide gras (n. masc.) Acide carboxylique à chaîne hydrocarbonée, dont la longueur varie, de même que le nombre et la position des liaisons doubles; trois acides gras liés à une molécule de glycérol forment une molécule de lipide, aussi appelée *triacylglycérol* ou *triglycéride*.

Acide gras essentiel (n. masc.) Acide gras insaturé que les animaux ne peuvent fabriquer eux-mêmes.

Acide gras insaturé (n. masc.) Acide gras qui comporte une liaison double (mono-insaturé), ou plusieurs (polyinsaturé), entre les atomes de carbone de la chaîne hydrocarbonée. Ce type de liaison réduit le nombre d'atomes d'hydrogène liés au squelette carboné.

Acide gras saturé (n. masc.) Acide gras dans lequel tous les atomes de carbone de la chaîne hydrocarbonée sont unis par des liaisons simples, ce qui maximise le nombre d'atomes d'hydrogène fixés à cette chaîne.

Acide ribonucléique – ARN (n. masc.) Macromolécule composée de nucléotides (monomères) eux-mêmes constitués d'une molécule de ribose liée à un phosphate et à l'une des bases azotées suivantes : adénine (A), guanine (G), cytosine (C), uracile (U); habituellement monocaténaire; joue un rôle dans la synthèse des protéines et la régulation génétique, et sert de génome à certains virus.

Acide salicylique (n. masc.) Chez les végétaux, molécule de signalisation qui peut être partiellement responsable de l'activation de la résistance systémique acquise.

Acide urique (n. masc.) Produit du métabolisme des protéines et des purines, et principal déchet azoté qu'excrètent les escargots terrestres, les insectes et de nombreux reptiles. L'acide urique est relativement non toxique et très insoluble.

Acides nucléiques (n. fém.) Classe de macromolécules (polynucléotides) composées de nombreux nucléotides (monomères); servent de plan pour la synthèse des protéines et, par l'intermédiaire des protéines, régulent toutes les activités cellulaires. Les deux types d'acides nucléiques sont l'ADN et l'ARN.

Acidification des océans (n. fém.) Processus par lequel le pH des eaux de l'océan diminue (devient plus acide). L'acidification des océans se produit lorsqu'un excès de CO_2 atmosphérique se dissout dans l'eau de mer et forme de l'acide carbonique (H_2CO_3).

Acœlomate (n. masc.) Animal triploblastique dont les organes sont situés dans un tissu appelé mésenchyme et non dans un cœlome, c'est-à-dire sans cavité située entre le tube digestif et l'enveloppe externe (p. ex., vers plats).

Acrosome (n. masc.) Chez la plupart des espèces d'animaux, vésicule située dans la tête du spermatozoïde et contenant des hydrolases et d'autres protéines qui dissolvent l'enveloppe de l'ovocyte de deuxième ordre.

Actine (n. fém.) Protéine globulaire dont les sous-unités s'associent pour constituer des chaînes. Chez les eucaryotes, chacune de ces chaînes torsadées deux à deux forme des microfilaments (filaments d'actine) dans les myocytes et dans d'autres types de cellules.

Actinoptérygiens (n. masc.) Poissons à nageoires rayonnées; classe de poissons osseux munis de nageoires soutenues par de longs rayons flexibles et à laquelle appartient la totalité ou presque des poissons actuels.

Activateur (n. masc.) Protéine régulatrice qui se lie à l'ADN et stimule la transcription d'un gène. Chez les procaryotes, les activateurs se fixent en amont du promoteur. Chez les eucaryotes, ils se fixent généralement aux éléments de contrôle dans les amplificateurs.

Adaptation (n. fém.) Ensemble de caractères héréditaires conférant à un organisme la capacité de survivre et de se reproduire dans un environnement particulier.

Adaptation sensorielle (n. fém.) Diminution de la réactivité d'un récepteur sous l'effet d'une stimulation continue.

Adénohypophyse (n. fém.) Voir *Lobe antérieur de l'hypophyse*.

Adénosine triphosphate (n. masc.) Voir *ATP (adénosine triphosphate)*.

Adénylate cyclase (n. fém.) Enzyme de la membrane plasmique qui catalyse la conversion de l'ATP en AMPc en réponse à un signal extracellulaire.

Adhérence (n. fém.) Attraction mutuelle entre deux substances, comme celle entre l'eau et les parois cellulaires des plantes, assurée par des liaisons hydrogène.

ADN (n. masc.) Voir *Acide désoxyribonucléique.*

ADN complémentaire – ADNc (n. masc.) Molécule d'ADN à double brin fabriquée *in vitro* à partir d'un ARNm et de réactions faisant intervenir des transcriptases inverses et des ADN polymérases. Une molécule d'ADNc correspond aux exons d'un gène.

ADN de simple séquence (n. masc.) Séquence d'ADN renfermant de nombreux exemplaires de courtes séquences répétitives en tandem.

ADN gyrase (n. fém.) Voir *Topo-isomérase.*

ADN ligase (n. fém.) Enzyme qui relie les courts segments d'ADN (fragments d'Okazaki) pour former un seul brin d'ADN; catalyse la formation d'une liaison covalente entre l'extrémité 3′ d'un nouveau fragment d'ADN et l'extrémité 5′ du brin d'ADN en croissance.

ADN polymérase (n. fém.) Enzyme qui catalyse l'élongation d'un nouveau brin d'ADN, au niveau de la fourche de réplication, en ajoutant des nucléotides à l'extrémité 3′ d'une chaîne déjà formée. Il existe différentes ADN polymérases; l'ADN polymérase III et l'ADN polymérase I jouent un rôle important dans la réplication de l'ADN d'*Escherichia coli*.

ADN recombiné (n. masc.) ADN qui résulte de la combinaison *in vitro* de gènes provenant de diverses sources (souvent d'espèces différentes).

ADN répétitif (n. masc.) Séquences nucléotidiques de l'ADN non codant présentes en multiples copies dans un génome eucaryote et formant soit une série de courtes séquences maintes fois copiées (en tandem), soit une série de longues séquences dispersées dans le génome.

Adrénaline (n. fém.) Hormone catécholamine sécrétée par la médulla surrénale en réponse à un facteur de stress et produisant de nombreux effets; a aussi un rôle de neurotransmetteur.

Aérobie strict (n. masc.) Organisme qui utilise l'O_2 pour la respiration cellulaire et qui ne peut vivre sans celui-ci.

Agent oxydant (n. masc.) Accepteur d'électrons dans une réaction d'oxydoréduction.

Agent pathogène (n. masc.) Organisme procaryote ou eucaryote, virus, viroïde ou prion qui peut causer une maladie.

Agent réducteur (n. masc.) Donneur d'électrons dans une réaction d'oxydoréduction.

Agent zoonotique (n. masc.) Agent à l'origine de maladies infectieuses humaines transmises aux humains par des animaux, soit par contact direct, soit par l'intermédiaire d'un vecteur.

Agriculture durable (n. fém.) Ensemble de méthodes de culture fondées sur la conservation des ressources, la préservation de l'environnement et la rentabilité.

Agriculture intégrée (n. fém.) Ensemble de méthodes de culture fondées sur la conservation des ressources, le respect de l'environnement et la rentabilité.

Agriculture sans labour (n. fém.) Méthode traditionnelle de culture, sans travail du sol, minimisant les perturbations, donc l'érosion, et exigeant moins de fertilisants.

Ajustement induit (n. masc.) Transformation structurale que subit le site actif d'une enzyme en positionnant ses groupements fonctionnels de manière à s'adapter précisément au contour du substrat et à favoriser leur capacité à catalyser la réaction chimique. La transformation est provoquée par l'entrée du substrat dans le site actif.

Albumen (n. masc.) Chez les angiospermes, tissu riche en nutriments formé par l'union d'un spermatozoïde avec deux noyaux polaires au cours de la double fécondation; source de nourriture pour l'embryon dans les graines d'angiospermes.

Algues (n. fém.) Terme général désignant les espèces appartenant aux protistes photosynthétiques, comportant à la fois des formes unicellulaires et multicellulaires. Les espèces d'algues sont classées dans six super groupes eucaryotes (excavobiontes, straménopiles, alvéolobiontes, rhizariens, unichontes et archéplastides).

Algues brunes (n. fém.) Protistes photosynthétiques multicellulaires de couleur brune ou olive sous l'effet des pigments caroténoïdes contenus dans leurs plastes; vivent en eau salée pour la plupart et certaines possèdent des organes qui ressemblent à ceux des végétaux.

Algues dorées (n. fém.) Algues flagellées dont le nom provient de leur couleur brun-jaune, attribuable aux pigments accessoires que sont les caroténoïdes.

Algues rouges (n. fém.) Protistes multicellulaires pour la plupart, marins et photosynthétiques, qui doivent leur couleur rougeâtre à un pigment photosynthétique qui masque le vert de la chlorophylle.

Algues vertes (n. fém.) Protistes photosynthétiques qui doivent leur nom à la couleur verte de leurs chloroplastes dont la structure et la composition en pigments sont semblables à celles des végétaux. Les algues vertes forment un groupe paraphylétique, dont certains des membres sont plus étroitement apparentés aux végétaux qu'à d'autres algues vertes. Aussi appelées *chlorophytes* ou *charophytes*.

Allèle dominant (n. masc.) Allèle qui s'exprime pleinement dans le phénotype d'un organisme, même en présence d'un allèle différent du même gène, dont il peut masquer le phénotype.

Allèle récessif (n. masc.) Allèle qui, lorsqu'en présence d'un allèle dominant, ne produit pas d'effet notable sur le phénotype d'un organisme hétérozygote.

Allèles (n. masc.) Formes possibles d'un même gène qui produisent des effets phénotypiques reconnaissables.

Allergène (n. masc.) Antigène qui déclenche une allergie, c'est-à-dire une réaction immunitaire inopportune.

Allopolyploïde (n. masc.) Se dit d'un individu fertile possédant plus de deux chromosomes et issu du croisement de deux espèces différentes combinant leurs chromosomes.

Alternance de générations (n. fém.) Caractéristique des cycles de développement marqués par la coexistence d'une forme diploïde multicellulaire, le sporophyte, et d'une forme haploïde multicellulaire, le gamétophyte; caractéristique des végétaux et de certaines algues.

Altruisme (n. masc.) Comportement par lequel des animaux accomplissent des actions qui compromettent leur propre bien-être, mais qui sont bénéfiques pour d'autres.

Altruisme réciproque (n. masc.) Comportement altruiste que manifestent des animaux envers des individus de la même espèce avec lesquels ils n'ont pas de liens sociaux; comportement adaptatif, dans la mesure où l'individu altruiste en tire des bénéfices ultérieurement.

Alvéole pulmonaire (n. fém.) Sac aérien multilobé et en cul-de-sac qui sert de surface d'échanges gazeux dans les poumons des mammifères.

Alvéolobiontes (n. masc.) Membres d'un des trois sous-groupes du SAR, un supergroupe d'eucaryotes unicellulaires; clades des eucaryotes, apparus par endosymbiose secondaire; ses membres ont des vésicules délimitées par une membrane (alvéoles) et situées juste sous la membrane plasmique.

Amibes (n. fém.) Classe de protistes répartis dans de nombreux taxons d'eucaryotes et caractérisés par la présence de pseudopodes.

Amibocytes (n. masc.) Sorte de cellules qui se déplacent au moyen de pseudopodes. Présents dans le corps de la plupart des invertébrés (éponges, échinodermes, mollusques), les amibocytes remplissent des fonctions variables selon les espèces: digestion et distribution des nutriments, élimination des déchets, constitution des fibres squelettiques, lutte contre les infections ou transformation en d'autres types de cellules.

Amibozoaires (n. masc.) Divers groupes de protistes rassemblant de nombreuses espèces dotées de pseudopodes tubulaires d'aspect lobé.

Amidon (n. masc.) Polysaccharide de réserve glucidique des végétaux, entièrement formé de molécules de glucose (monomères) unies par des liaisons glycosidiques α.

Aminoacyl-ARNt synthétase (n. fém.) Enzyme spécifique qui lie un type donné d'acide aminé à l'ARNt correspondant. Il existe une aminoacyl-ARNt synthétase pour chacun des 20 acides aminés présents dans les protéines.

Ammoniac (n. masc.) Molécule composée d'azote et d'hydrogène, produite lors de la dégradation des acides aminés et des acides nucléiques; constitue un déchet toxique du métabolisme.

Ammonites (n. fém.) Membres d'un groupe de céphalopodes (classe de mollusques) à coquille qui ont été d'importants prédateurs marins durant des centaines de millions d'années jusqu'à leur extinction à la fin du Crétacé (il y a 65,5 millions d'années).

Amniocentèse (n. fém.) Technique de diagnostic prénatal, qui s'effectue entre la 14e et la 16e semaine de grossesse, et qui consiste à prélever par aspiration un échantillon de liquide amniotique à l'aide d'une aiguille insérée dans la cavité utérine. Le liquide et les cellules de l'échantillon prélevé sont analysés afin de déterminer la présence de certaines anomalies génétiques ou congénitales.

Amniotes (n. masc.) Membres d'un clade de tétrapodes dont le nom provient du principal caractère du clade, l'œuf amniotique contenant des membranes spécialisées qui protègent l'embryon. Les reptiles (y compris les oiseaux) et les mammifères font partie de ce clade.

Amorce (n. fém.) Court nucléotide doté d'une extrémité 3′ libre qui se lie au brin matrice d'ADN et permet le début de la synthèse d'un nouveau brin d'ADN.

AMP cyclique – AMPc (n. masc.) Adénosine monophosphate cyclique, dérivée de l'ATP. Molécule de communication intracellulaire (second messager) courante chez les eucaryotes (p. ex., dans les cellules endocrines des vertébrés); régule aussi certains opérons bactériens.

AMPc (n. masc.) Voir *AMP cyclique.*

Amphibiens (n. masc.) Clade de tétrapodes regroupant les grenouilles, les salamandres et les cécilies.

Amphioxus (n. masc.) Membres du sous-embranchement des céphalocordés; petits cordés en forme de lame et dépourvus de colonne vertébrale.

Amphipathique (adj.) Se dit d'une substance comportant une partie hydrophile et une partie hydrophobe.

Amplificateur (n. masc.) Séquence d'ADN eucaryote comportant de multiples éléments de contrôle, généralement situés loin du gène dont il régule la transcription.

Amplification (n. fém.) Augmentation de l'énergie d'un stimulus au cours de la transduction.

Amplification en chaîne par polymérase – PCR (n. fém.) Technique qui permet d'obtenir rapidement et *in vitro* un grand nombre de copies d'un segment spécifique d'ADN par incubation avec des amorces particulières, en présence de molécules d'ADN polymérase résistantes à la chaleur et d'une certaine quantité de nucléotides. L'acronyme PCR vient de l'anglais: *Polymerase Chain Reaction.*

Amylase salivaire (n. fém.) Enzyme digestive qui hydrolyse l'amidon (polymère de glucose élaboré par les végétaux) et le glycogène (polymère de glucose synthétisé par les animaux) afin de les transformer en polysaccharides plus petits, puis en maltose, un disaccharide.

Anaérobie facultatif (n. masc.) Organisme qui peut fabriquer de l'ATP par respiration cellulaire aérobie quand l'O_2 est disponible, mais qui fait appel à la respiration anaérobie ou à la fermentation si cette molécule est absente.

Anaérobie strict (n. masc.) Organisme qui fait appel à la fermentation ou à la respiration anaérobie pour produire de l'énergie. Ces organismes ne peuvent pas utiliser d'O_2, qui peut même les empoisonner. Aussi appelé *anaérobie obligatoire.*

Analogie (n. fém.) Ressemblance entre deux espèces attribuable à l'évolution convergente plutôt qu'à un ancêtre commun possédant le même caractère; différent de l'homologie.

Analogue (adj.) Qui possède des caractéristiques semblables à cause de l'évolution convergente.

Anaphase (n. fém.) Quatrième phase de la mitose marquée par la séparation des chromatides sœurs de chaque chromosome qui deviennent des chromosomes fils se dirigeant vers les pôles de la cellule.

Anatomie (n. fém.) Étude de la structure d'un organisme ou d'un organe.

Androgènes (n. masc.) Groupe d'hormones stéroïdes surtout synthétisées par les testicules, la principale étant la testostérone; déclenchent la formation et la maturation du système reproducteur mâle et en assurent le fonctionnement; chez l'humain, provoquent l'apparition des caractères sexuels secondaires à la puberté.

Anémie à hématies falciformes (n. fém.) Maladie héréditaire causée par un allèle récessif du gène de la β-globine dans lequel la modification d'un seul nucléotide entraîne la production d'une hémoglobine anormale, qui tend à s'agglomérer et à déformer les érythrocytes, et qui occasionne de nombreux symptômes chez les individus atteints. Aussi appelée *anémie falciforme* ou *drépanocytose.*

Aneuploïdie (n. fém.) Aberration chromosomique dans laquelle les cellules possèdent un nombre anormal de chromosomes.

Angiospermes (n. fém.) Plantes à fleurs portant des graines à l'intérieur d'un réceptacle protecteur appelé *ovaire.*

Angiospermes basales (n. fém.) Membres de l'un des trois clades de lignées de plantes à fleurs anciennement regroupées avec les dicotylédones dont font partie *Amborella,* le nymphéa tubéreux ainsi que l'anis étoilé et les espèces apparentées.

Anhydrobiose (n. fém.) État d'inactivité de certains organismes qui entraîne la perte de presque toute leur eau.

Anion (n. masc.) Ion de charge négative.

Annotation d'un gène (n. fém.) Analyse des séquences génomiques en vue d'identifier les gènes codant pour des protéines et de déterminer leur fonction.

Anse du néphron (n. fém.) Dans le rein des vertébrés, longue boucle aplatie du néphron, formée d'une partie descendante et d'une partie ascendante, qui intervient dans la réabsorption de l'eau et du sel. Aussi appelée *anse de Henle.*

Antagonisme microbien (n. masc.) Forme d'immunité innée de la peau et des muqueuses, prodiguée par le microbiote normal qui empêche les agents pathogènes de s'installer sur ces surfaces par divers mécanismes, tels que la compétition pour les mêmes ressources, la sécrétion de substances antibactériennes ou la production de déchets qui transforment l'environnement. Aussi appelé *effet barrière.*

Antérieure (adj.) Se dit de la région située à l'avant (tête) d'un animal à symétrie bilatérale, par opposition à *postérieure,* désignant la région du côté opposé.

Anthère (n. fém.) Dans la fleur des angiospermes, sac situé à l'extrémité de l'étamine où se forment les grains de pollen contenant les gamétophytes mâles qui produisent les spermatozoïdes.

Anthéridie (n. fém.) Chez les végétaux, gamétange mâle qui produit les spermatozoïdes.

Anthocérophytes (n. fém.) Embranchement regroupant de petits végétaux non vasculaires herbacés, les anthocérotes.

Anthropoïdés (n. masc.) Sous-ordre des primates dont font partie les singes de l'Ancien Monde, les singes du Nouveau Monde, les grands singes (gibbons, orangs-outans, gorilles, chimpanzés et bonobos) ainsi que les humains.

Anticodon (n. masc.) Triplet de nucléotides à l'extrémité d'une molécule d'ARN de transfert qui se lie au codon complémentaire de l'ARNm en obéissant aux règles d'appariement des bases azotées.

Anticorps (n. masc.) Protéine sécrétée par des plasmocytes (lymphocytes B différenciés) qui se lie spécifiquement à un antigène donné. Tous les anticorps ont la même structure en forme de Y et, dans la forme de monomère, sont constitués de deux chaînes lourdes identiques et de deux chaînes légères identiques. Aussi appelé *immunoglobuline (Ig).*

Anticorps monoclonal (n. masc.) Anticorps préparé en laboratoire à partir d'une seule lignée clonale de lymphocytes B mis en culture. Comme ces lymphocytes sont tous identiques, les anticorps monoclonaux produits à partir de la culture sont spécifiques d'un épitope donné d'un antigène.

Antigène (n. masc.) Substance qui déclenche une réaction immunitaire en se liant aux récepteurs des cellules immunitaires (lymphocytes B et lymphocytes T).

Antiparallèle (adj.) Se dit de deux chaînes de polymères disposées en sens inverse, comme les squelettes sucre-phosphate de la double hélice de l'ADN (dans le sens opposé 5′ → 3′).

Apicomplexés (n. masc.) Groupe de protistes alvéolés qui comporte de nombreuses espèces parasites des animaux. Certains causent de graves maladies chez l'humain (le paludisme, notamment).

Apoenzyme (n. masc.) Partie protéinique d'une enzyme.

Apomixie (n. fém.) Mode de reproduction asexuée observé chez certaines espèces de végétaux, dans lequel les graines se développent sans fécondation préalable par un spermatozoïde.

Apoplasme (n. masc.) Chez les cellules végétales, toute structure externe aux membranes plasmiques d'une cellule végétale, ce qui inclut les parois cellulaires, les espaces extracellulaires et l'intérieur des cellules mortes comme les éléments de vaisseaux et les trachéides. Aussi appelé *apoplaste.*

Apoptose (n. fém.) Destruction cellulaire programmée sous l'action d'une cascade d'enzymes activées par divers signaux et résultant de la dégradation de nombreuses substances chimiques dans la cellule.

Appareil juxtaglomérulaire – AJG (n. masc.) Dans les néphrons, tissu spécialisé qui libère dans le sang une enzyme (la *rénine*) à la suite d'une chute de la pression sanguine ou du volume sanguin; joue un rôle déterminant dans le contrôle du flux sanguin rénal et de la filtration glomérulaire.

Appendice vermiforme (n. masc.) Section du gros intestin; prolongement digitiforme porté par un cæcum relativement petit, notamment chez l'humain, dont les tissus abritent de nombreux leucocytes chargés de défendre l'organisme.

Apprentissage (n. masc.) Modification d'un comportement qui résulte d'expériences particulières.

Apprentissage associatif (n. masc.) Capacité qu'ont de nombreux animaux à apprendre à associer un signal de l'environnement (p. ex., une couleur) à une autre caractéristique (p. ex., un danger).

Apprentissage social (n. masc.) Modification du comportement par observation de congénères expérimentés.

Apprentissage spatial (n. masc.) Formation d'une mémoire qui rend compte de la structure spatiale du milieu.

Aquaporine (n. fém.) Protéine de la membrane cellulaire intervenant dans la formation de canaux assurant la circulation de l'eau par osmose et la diffusion de l'eau libre à travers la membrane.

Arachnides (n. masc.) Membres d'un sous-groupe du principal clade d'arthropodes, les chélicérates. Les arachnides ont six paires d'appendices, dont trois paires de péréiopodes (pattes servant à la marche), et incluent les araignées, les scorpions, les tiques et les mites.

Arbre phylogénétique (n. masc.) Diagramme arborescent hypothétique qui rend compte de l'histoire évolutive d'un groupe d'organismes et dans lequel chaque nœud représente l'ancêtre commun de ses descendants.

Arbuscules (n. masc.) Hyphes à ramifications spécialisées caractéristiques de certains eumycètes mutualistes; facilitent les échanges de nutriments entre les cellules végétales et le sol.

Archées (n. fém.) L'un des deux domaines de procaryotes, l'autre étant celui des bactéries.

Archégone (n. masc.) Chez les végétaux, gamétange femelle en forme de vase qui produit une oosphère restant à sa base.

Archentéron (n. masc.) Chez l'animal, cavité tapissée d'endoderme qui apparaît au cours de la gastrulation pour donner l'intestin primitif de l'embryon et qui participe à la formation du tube digestif de l'adulte.

Archéplastides (n. masc.) Membres d'un des supergroupes proposés dans le cadre d'une hypothèse récente de l'histoire évolutive des eucaryotes. Ce groupe monophylétique, qui comprend les algues rouges et vertes, ainsi que les végétaux terrestres, descend d'un ancêtre protiste qui a absorbé et incorporé une cyanobactérie (endosymbiose). Voir aussi *Alvéolobiontes*, *Excavobiontes*, *Rhizariens*, *Straménopiles* et *Unichontes*.

Archives géologiques (n. fém.) Échelle temporelle qui divise l'histoire de la Terre en périodes, elles-mêmes regroupées en trois éons – l'Archéen, le Protérozoïque et le Phanérozoïque –, eux-mêmes subdivisés en ères, en périodes et en époques.

Archosauriens (n. masc.) Groupe des reptiles qui compte les crocodiliens et les dinosauriens, dont il ne reste plus que les oiseaux.

ARN de transfert – ARNt (n. masc.) Type de molécule d'ARN qui joue le rôle de traducteur entre le langage des acides nucléiques et celui des protéines en captant et en acheminant des molécules d'acides aminés spécifiques vers un ribosome, où ils reconnaissent les codons appropriés alignés sur une molécule d'ARNm.

ARN interférence – ARNi (n. masc.) Méthode utilisant un ARN pour inhiber l'expression de certains gènes. Des molécules synthétiques d'ARN bicaténaire dont la séquence est identique à celle d'un gène particulier sont transformées en ARNi (monocaténaires) qui bloquent la traduction de l'ARN messager du gène ou qui en déclenchent la désactivation. Cette interférence se produit naturellement dans certaines cellules et on peut également la provoquer expérimentalement.

ARN messager – ARNm (n. masc.) Type d'ARN synthétisé à partir d'une matrice d'ADN. S'attache à des ribosomes du cytoplasme et spécifie la structure primaire d'une protéine. Chez les eucaryotes, le transcrit primaire d'ARN doit subir une maturation de l'ARN avant de devenir l'ARNm.

ARN polymérase (n. masc.) Enzyme qui lie les ribonucléotides à une chaîne d'ARN en cours de synthèse; assemble les nucléotides de l'ARN complémentaire au brin matrice de l'ADN.

ARN ribosomique – ARNr (n. masc.) Type de molécule d'ARN le plus abondant qui, avec des protéines, entre dans la composition des ribosomes.

Artère (n. fém.) Vaisseau qui transporte le sang que le cœur propulse vers les organes du corps.

Artériole (n. fém.) Petit vaisseau qui transporte le sang entre une artère et un lit capillaire.

Arthropodes (n. masc.) Cœlomates dont le corps est formé de différents groupes de segments, portant des appendices articulés et recouvert d'un exosquelette rigide. Les exemples familiers incluent les insectes, les araignées, les millipèdes et les crabes.

Ascocarpe (n. masc.) Appareil sporifère renfermant les asques des ascomycètes.

Ascomycètes (n. masc.) Embranchement des eumycètes dont les membres produisent des spores sexuées dans des asques, qui sont des structures en forme de sac.

Asque (n. masc.) Structure sporifère en forme de sac contenue dans un ascocarpe et située à l'extrémité de l'hyphe dicaryotique d'un ascomycète.

Astrocyte (n. masc.) Cellule gliale qui exerce diverses fonctions auxiliaires des neurones, notamment le soutien structural, la régulation du milieu extracellulaire et de l'apport sanguin au cerveau. Les astrocytes contribuent également à la formation de la barrière hématoencéphalique, à l'établissement de connexions entre les neurones et au transfert de l'information vers les synapses.

Athérosclérose (n. fém.) Maladie cardio-vasculaire dans laquelle des amas lipidiques appelés *plaques* (*athéromes*) se déposent sur la tunique interne des artères qu'ils obstruent et qu'ils durcissent.

Atome (n. masc.) La plus petite unité de matière possédant les propriétés de l'élément auquel elle appartient.

ATP – adénosine triphosphate (n. masc.) Nucléoside triphosphate contenant de l'adénine; libère de l'énergie au cours de l'hydrolyse de ses liaisons phosphate. Par couplage énergétique, cette énergie libre alimente les réactions endergoniques qui ont lieu dans les cellules.

ATP synthase (n. masc.) Complexe formé de plusieurs protéines membranaires qui fonctionne par chimiosmose en association avec une chaîne adjacente de transport d'électrons. Cette « turbine » moléculaire utilise un flux de protons (H^+) pour fabriquer l'ATP. Les ATP synthases se trouvent dans les membranes *mitochondriale* interne et *thylakoïdienne* des cellules eucaryotes ainsi que dans la membrane plasmique des procaryotes.

Autécologie (n. fém.) Branche de l'écologie qui étudie les aspects morphologiques, physiologiques et comportementaux des réactions d'un organisme aux conditions biotiques et abiotiques de son milieu. Aussi appelée *autoécologie*.

Autocrine (adj.) Se dit d'une molécule qui agit sur la cellule qui l'a sécrétée.

Auto-incompatibilité (n. fém.) Capacité qu'ont les végétaux de rejeter leur propre pollen ou celui d'un proche parent; mécanisme qui empêche le plus souvent l'autofécondation.

Autopolyploïde (adj.) Se dit d'un individu possédant plus de deux ensembles de chromosomes provenant d'une même espèce.

Autosome (n. masc.) Tout chromosome qui n'intervient pas directement dans la détermination du sexe, autrement dit, qui n'est pas un chromosome sexuel.

Autotrophie (n. fém.) Mode de nutrition par lequel des organismes fabriquent des molécules organiques sans devoir ingérer d'autres organismes ou les substances qui les composent. Les organismes autotrophes utilisent l'énergie provenant du Soleil ou de l'oxydation de substances inorganiques pour synthétiser leurs molécules organiques à partir de molécules inorganiques.

Auxines (n. fém.) Composés désignant surtout l'acide indolacétique, un régulateur de croissance végétal naturel qui exerce différents effets, notamment l'allongement des cellules, la croissance secondaire et le développement des pousses, des feuilles et des fruits.

Avantage hétérozygote (n. masc.) Avantage dont bénéficient les individus hétérozygotes pour un locus donné et qui leur procure de meilleures chances de survie et de reproduction que les homozygotes; protège la variation dans le patrimoine génétique.

Avortement – IVG (n. masc.) Interruption volontaire d'une grossesse.

Axone (n. masc.) Prolongement du neurone qui est généralement plus long que les dendrites et qui transmet aux autres cellules des signaux émis par le corps du neurone.

B

Bactéries (n. fém.) L'un des deux domaines de procaryotes, l'autre étant celui des archées.

Bactériophage (n. masc.) Virus infectant une bactérie.

Bactéroïde (adj.) Chez les légumineuses, forme que prend, dans une nodosité, la bactérie *Rhizobium*, qui se trouve dans des vésicules apparaissant à l'intérieur de certaines cellules racinaires.

Bande de Caspary (n. fém.) Chez les végétaux, cadre composé de cire et imperméable à l'eau ceinturant les cellules endodermiques afin d'empêcher l'eau et les solutés de pénétrer passivement dans la stèle, en passant à travers la paroi cellulaire.

Barrière postzygotique (n. fém.) Mécanisme d'isolement reproducteur intervenant après la fécondation d'un ovule par un spermatozoïde d'une autre espèce afin d'empêcher le zygote hybride de devenir un adulte viable et fécond. Par exemple, un mulet ne peut pas se reproduire avec d'autres mulets ni avec les espèces parentales (âne et jument).

Barrière prézygotique (n. fém.) Mécanisme d'isolement reproducteur qui empêche la fécondation en rendant impossible l'accouplement entre membres d'espèces différentes, en faisant échouer une tentative d'accouplement avant qu'elle réussisse, ou encore en bloquant la fécondation si l'accouplement a eu lieu.

Base (n. fém.) Substance qui réduit la concentration molaire volumique des protons d'une solution soit en acceptant des ions hydrogène (p. ex., NH_3), soit en libérant des ions hydroxyde qui se combinent par la suite aux ions hydrogène de la solution (p. ex., NaOH).

Baside (n. fém.) Structure en forme de massue qui produit les spores sexuées sur les lamelles des basidiomycètes.

Basidiocarpe (n. masc.) Appareil sporifère complexe d'un mycélium dicaryotique, chez les basidiomycètes.

Basidiomycètes (n. masc.) Embranchement des eumycètes dont les membres possèdent une structure en forme de massue, la baside, qui apparaît pendant le stade diploïde du cycle de développement. Les « champignons à chapeau » font partie de ce groupe.

Bassin versant (n. masc.) Surface terrestre qui reçoit les eaux qui alimentent un cours d'eau.

Bâtonnet (n. masc.) L'une des deux sortes de photorécepteurs qui se trouvent dans la rétine des vertébrés et de certains invertébrés; permet la vision nocturne, mais seulement en noir et blanc.

Benthos (n. masc.) Ensemble de communautés d'organismes qui occupent la zone benthique d'un plan d'eau.

Bêta-oxydation (n. fém.) Processus catabolique au cours duquel les acides gras sont dégradés en fragments à deux atomes de carbone sous forme d'acétyl-CoA, lequel est dirigé vers le cycle de l'acide citrique.

Bicoïd (n. masc.) Gène à effet maternel codant pour une protéine responsable de l'établissement de l'extrémité antérieure de *Drosophila melanogaster*.

Bilatériens (n. masc.) Membres d'un clade d'animaux possédant une symétrie bilatérale et trois feuillets embryonnaires.

Bile (n. fém.) Mélange alcalin de substances produites dans le foie qui est emmagasiné dans la vésicule biliaire. Sécrétée dans le duodénum, elle émulsifie les lipides, qui forment de très fines gouttelettes de graisses, ce qui facilite la digestion et l'absorption de ces composés.

Bioamplification (n. fém.) Processus par lequel la concentration tissulaire des toxines augmente d'un niveau trophique à l'autre, dans une chaîne alimentaire.

Biocarburant (n. masc.) Carburant produit à partir de biomasse.

Bioénergétique (n. fém.) (1) Circulation et transformation de l'énergie dans un organisme. (2) Étude de la circulation de l'énergie dans les cellules et les organismes.

Biofilm (n. masc.) Colonie formée d'une ou de plusieurs espèces de procaryotes formant un film adhérant à un substrat. Ces procaryotes amorcent une coopération métabolique.

Biogéographie (n. fém.) Étude scientifique de la répartition géographique des espèces.

Bio-informatique (n. fém.) Domaine de recherche multidisciplinaire faisant appel aux compétences des biologistes, des informaticiens et des mathématiciens dans le but de traiter et d'intégrer des données biologiques provenant de grands ensembles de données.

Biologie (n. fém.) Étude scientifique des êtres vivants.

Biologie de la conservation (n. fém.) Étude intégrée de l'écologie, de la biologie évolutive, de la physiologie, de la biologie moléculaire et de la génétique, dont l'objectif est de soutenir la biodiversité à tous les niveaux.

Biologie des systèmes (n. fém.) Méthode d'étude de la biologie qui vise à décrire le comportement dynamique de systèmes biologiques entiers en étudiant les interactions entre les différents éléments du système.

Biomanipulation (n. fém.) Approche fondée sur le modèle descendant de l'organisation des communautés dans le but de transformer les caractéristiques d'un écosystème. Par exemple, les écologistes peuvent empêcher la prolifération des algues et l'eutrophisation en modifiant la densité des consommateurs de niveau supérieur dans des lacs plutôt qu'en faisant des traitements chimiques.

Biomasse (n. fém.) Masse totale de matière organique de tous les individus d'une population, d'un habitat ou d'un écosystème.

Biome (n. masc.) Toute importante région écologique souvent classée selon le type de végétation (biomes terrestres) et l'environnement physique (biomes aquatiques), qui se caractérise par les adaptations des organismes à cet environnement particulier.

Biome océanique pélagique (n. masc.) Majeure partie des eaux de l'océan qui se situent loin du rivage, où elles sont continuellement brassées par les courants; comporte de la vie à toute profondeur.

Biopsie des villosités choriales (n. fém.) Technique de diagnostic prénatal permettant de dépister des maladies héréditaires. Pratiquée entre la 8e et la 10e semaine de grossesse, la biopsie consiste à insérer un tube mince dans l'utérus par le col utérin et à aspirer une petite quantité de tissu fœtal en provenance du placenta en vue de l'analyser.

Biorestauration (n. fém.) Technique de restauration des écosystèmes pollués et dégradés qui repose sur l'utilisation d'organismes pour réduire ou éliminer les composés toxiques accumulés.

Biosphère (n. fém.) Superécosystème qui englobe l'ensemble des écosystèmes de la planète.

Biotechnologie (n. fém.) Ensemble des méthodes et des applications recourant à la manipulation d'organismes ou de leurs composants à des fins théoriques, techniques ou industrielles.

Biotique (adj.) Relatif aux facteurs vivants – les organismes – dans un environnement.

Blastocèle (n. masc.) Cavité remplie de liquide qui se forme au centre de la blastula.

Blastocyste (n. masc.) Stade de blastula du développement embryonnaire mammalien, constitué d'un amas interne de cellules, d'une cavité et d'une couche externe, le trophoblaste. Chez l'humain, le blastocyste se forme une semaine environ après la fécondation.

Blastomère (n. masc.) Chacune des nombreuses petites cellules issues de la segmentation du zygote, au début de la formation de l'embryon.

Blastopore (n. masc.) Première ouverture de l'archentéron qui se forme au stade de gastrula et qui donne naissance à la bouche chez les protostomiens et à l'anus chez les deutérostomiens.

Blastula (n. fém.) Chez la plupart des animaux, stade multicellulaire du développement qui prend la forme d'une sphère creuse et qui marque la fin du stade de la segmentation.

Boîte homéotique (n. fém.) Séquence d'ADN d'environ 180 nucléotides composant des gènes homéotiques et certains autres gènes développementaux, qui est généralement conservée chez les animaux. Les végétaux et les levures possèdent également de telles séquences.

Boîte TATA (n. fém.) Séquence de l'ADN des promoteurs eucaryotes essentielle dans la formation du complexe d'initiation de la transcription.

Bol alimentaire (n. masc.) Masse de nourriture mastiquée, en forme de boule, que prépare la langue avant la déglutition.

Bouche hydrothermale (n. fém.) Région des fonds marins où de l'eau chaude provenant de l'intérieur de la Terre et chargée de minéraux se mêle à l'eau de mer; caractérisée par un environnement chaud, obscur et pauvre en oxygène. Les producteurs d'une communauté vivant dans une source hydrothermale sont des procaryotes chimioautotrophes.

Bourgeon apical (n. masc.) Bourgeon situé à l'extrémité de la tige d'une plante. Aussi appelé *bourgeon terminal*.

Bourgeon axillaire (n. masc.) Chez les végétaux, excroissance située à l'intersection (aisselle) d'une feuille et de la tige, et capable de donner une pousse latérale (branche).

Bourgeon gustatif (n. masc.) Regroupement de cellules épithéliales modifiées qui constituent les cellules réceptrices du goût (ou cellules gustatives) et qui sont disséminées sur plusieurs régions de la langue et de la bouche, chez les humains et la plupart des autres mammifères. Aussi appelé *calicule gustatif*.

Bouturage (n. masc.) Séparation d'une plante mère en parties qui engendreront des plantes entières génétiquement identiques. Voir *Multiplication végétative*.

Brachiopodes (n. masc.) Lophophoriens marins dont la coquille se compose de deux valves, l'une dorsale et l'autre ventrale.

Brassage saisonnier des eaux (n. masc.) Mélange printanier ou automnal des eaux des lacs et des étangs qui sont situées dans la zone tempérée, par lequel l'eau enrichie en O_2 de la surface s'enfonce et l'eau riche en nutriments du fond remonte; phénomène attribuable aux changements de température. Aussi appelé *inversion* ou *renversement*.

Brassinostéroïde (n. masc.) Stéroïde végétal exerçant divers effets ; provoque l'allongement cellulaire, retarde la chute des feuilles (abscission) et favorise la différenciation du xylème.

Brin codant (n. masc.) Brin non complémentaire d'ADN qui a la même séquence que l'ARNm, à la différence qu'il porte une thymine (T) à la place de l'uracile (U).

Brin directeur (n. masc.) Nouveau brin d'ADN complémentaire continu synthétisé le long du brin matrice vers la fourche de réplication dans le sens obligatoire, c'est-à-dire $5' \rightarrow 3'$.

Brin discontinu (n. masc.) Nouveau brin d'ADN synthétisé par segments ; son élongation se réalise au moyen de fragments d'Okazaki, chacun étant synthétisé dans le sens $5' \rightarrow 3'$ en s'éloignant de la fourche de réplication.

Brin matrice (n. masc.) Brin d'ADN qui sert de matrice pour l'agencement des séquences de nucléotides du transcrit d'ARN par appariement de bases complémentaires. L'autre brin, qui équivaut à la séquence de l'ARNm transcrit à partir de la matrice (les T étant remplacés par des U), est appelé *brin codant*.

Bronche (n. fém.) L'un des deux conduits respiratoires qui sont issus de la division de la trachée et qui conduisent chacun à un poumon.

Bronchiole (n. fém.) Chacune des ramifications étroites des bronches qui conduisent l'air jusqu'aux alvéoles.

Bryophytes (n. fém.) Terme général désignant les mousses, les hépatiques et les anthocérotes ; plantes non vasculaires vivant sur la terre ferme, mais sans posséder certaines des adaptations terrestres caractéristiques des vasculaires.

Bulbe rachidien (n. masc.) Partie inférieure de l'encéphale des vertébrés. Renflement du rhombencéphale situé au sommet de la moelle épinière dans lequel se trouvent les centres de régulation de diverses fonctions viscérales (automatiques et homéostatiques), notamment la respiration, l'activité cardiovasculaire, la déglutition, le vomissement et la digestion.

Buvardage de Northern (n. masc.) Technique permettant de détecter la présence de certaines séquences de nucléotides dans un échantillon d'ARNm. Des molécules d'ARNm sont séparées par électrophorèse sur gel, transférées sur une membrane de nitrocellulose (buvardage), puis hybridées avec une sonde marquée qui reconnaîtra spécifiquement les séquences recherchées.

C

Cadre de lecture (n. masc.) Mode de regroupement des nucléotides d'une molécule d'ARNm lors de la traduction (trois par trois, sans chevauchement), à partir d'un codon de départ (AUG), dans le bon ordre.

Cæcum (n. masc.) Segment en cul-de-sac formant une section du gros intestin.

Cal (n. masc.) Masse de cellules peu spécialisées semblable à du tissu parenchymateux plus ou moins organisé qui se forme sur une lésion ou dans une culture de cellules végétales.

Calcitonine (n. fém.) Hormone sécrétée par la glande thyroïde, qui abaisse la concentration de calcium (Ca^{2+}) sanguin en favorisant les dépôts de calcium dans les os et l'excrétion de calcium par les reins ; n'est pas essentielle chez l'humain adulte.

Calorie – cal (n. fém.) Unité de mesure qui équivaut à la quantité de chaleur nécessaire (une calorie) pour élever de 1 °C la température de 1 g d'eau ; aussi quantité de chaleur libérée quand 1 g d'eau refroidit de 1 °C. La calorie équivaut à 4,184 joules dans un environnement à 15 °C environ.

Cambium libéroligneux (n. masc.) Chez les végétaux ligneux, cylindre de cellules méristématiques entourant le xylème et la moelle ; produit le xylème secondaire (bois) et le phloème secondaire (liber).

Canal alimentaire (n. masc.) Chez la plupart des animaux, succession de compartiments reliant deux ouvertures, la bouche et l'anus. Aussi appelé *tube digestif* ou *tractus digestif*.

Canal ionique (n. masc.) Canal protéique transmembranaire qui permet à un ion donné de diffuser à travers la membrane dans le sens de son gradient de concentration ou de son gradient électrochimique.

Canal ionique à ouverture contrôlée (n. masc.) Canal ionique spécifique à un ion qui s'ouvre ou se ferme en réponse à un stimulus, ce qui produit des changements dans le potentiel de membrane. Aussi appelé *canal ionique à fonction active* ou *canal sélectif*.

Canal ionique ligand-dépendant (n. masc.) Type de récepteur membranaire dont le canal protéique s'ouvre ou se ferme en réponse à une molécule de communication (ligand), pour faire pénétrer ou non des ions spécifiques tels que Na^+, K^+ ou Ca^{2+}. Aussi appelé *canal ionique à ouverture régulée par un ligand* ou encore *récepteur ionotrope*.

Canal sélectif (n. masc.) Voir *Canal ionique à ouverture contrôlée*.

Canal semi-circulaire (n. masc.) Chez les humains et la plupart des autres mammifères, l'un des trois conduits situés dans l'oreille interne, qui constitue une partie de l'organe de l'équilibre.

Canal voltage-dépendant (n. masc.) Canal ionique spécialisé qui s'ouvre ou se ferme en réaction à une variation du potentiel de membrane. Aussi appelé *canal tensiodépendant*.

Canopée (n. fém.) Strate arborescente supérieure dans un biome terrestre. Aussi appelée *couvert forestier*.

Capacité limite du milieu (n. fém.) Nombre maximal d'individus d'une population qui peuvent vivre dans un milieu au cours d'une période donnée, sans dégradation de l'habitat. Cette capacité, notée K, varie dans le temps et dans l'espace en fonction de l'abondance des ressources. Aussi appelée *capacité de support du milieu*.

Capacité vitale – CV (n. fém.) Volume maximal d'air inspiré et expiré au cours d'une respiration forcée.

Capillaire (n. masc.) Vaisseau sanguin microscopique dont la paroi comporte une seule couche de cellules endothéliales. Les capillaires s'associent pour former des réseaux qui pénètrent dans tous les tissus et sont le siège des échanges entre le sang et le liquide interstitiel.

Capillaires péritubulaires (n. masc.) Réseau de capillaires qui prolonge l'artériole efférente et qui s'enchevêtre avec les tubules contournés proximal et distal du néphron.

Capside (n. fém.) Coque de protéines qui entoure le génome d'un virus. Selon le type de virus, la capside peut être de forme hélicoïdale (ressemblant à un bâtonnet), polyédrique ou plus complexe encore.

Capsule (n. fém.) (1) Chez de nombreux procaryotes, couche gluante, dense et bien délimitée, composée de polysaccharides ou de protéines. En entourant la paroi cellulaire, elle protège la cellule et permet à une bactérie d'adhérer à son substrat ou à d'autres cellules. (2) Sporange d'un bryophyte (mousses, hépatiques ou anthocérotes).

Capsule glomérulaire (n. fém.) Dans le rein des vertébrés, réceptacle sphérique et creux formant le segment initial du néphron et recevant le filtrat provenant du sang. Aussi appelée *capsule de Bowman*.

Caractère (n. masc.) Propriété héréditaire observable qui peut varier d'un individu à un autre.

Caractère ancestral commun (n. masc.) Caractère partagé par les membres d'un clade particulier, mais provenant d'un ancêtre qui n'est pas membre de ce clade.

Caractère dérivé commun (n. masc.) Innovation apparue au cours de l'évolution qui relève exclusivement d'un clade particulier.

Caractère quantitatif (n. masc.) Dans une population d'individus, caractère qui présente une variation continue sur une étendue plutôt qu'une variation dichotomique (p. ex., la couleur de la peau).

Caractères polygéniques plurifactoriels (n. masc.) Caractères influencés par des gènes multiples et différents facteurs environnementaux.

Carnivore (n. masc.) Animal qui se nourrit principalement d'autres animaux.

Caroténoïde (n. masc.) Pigment accessoire dont la couleur varie du jaune à l'orangé et qui est présent dans les chloroplastes des végétaux ou chez certains procaryotes. En absorbant la lumière de longueurs d'onde qui sont différentes de celles de la lumière absorbée par la chlorophylle, les caroténoïdes élargissent le spectre des longueurs d'onde de la lumière visible qui alimentent la photosynthèse. Comme antioxydants, les caroténoïdes protègent les molécules constituantes du chloroplaste contre les effets néfastes des radicaux libres.

Carpelle (n. masc.) Organe reproducteur de la fleur composé du stigmate, du style et de l'ovaire, dans lequel sont produites les mégaspores donnant naissance aux gamétophytes.

Carte cognitive (n. fém.) Représentation que le système nerveux se fait des relations spatiales entre les objets se trouvant dans l'environnement de l'animal.

Carte de liaison génétique (n. fém.) Carte des gènes dressée à partir des fréquences de recombinaison entre les marqueurs au cours de l'enjambement entre des chromosomes homologues ; représente les positions relatives des gènes situés sur le même chromosome.

Carte des territoires présomptifs (n. fém.) Schéma du développement embryonnaire par territoires, qui montre à quelles structures chaque région de l'embryon donne naissance.

Carte génétique (n. fém.) Liste ordonnée des locus (gènes ou autres marqueurs génétiques) situés sur un chromosome.

Caryogamie (n. fém.) Chez les eumycètes, fusion des noyaux haploïdes provenant de chacun des parents ; une des étapes de la reproduction sexuée, précédée par la plasmogamie.

Caryotype (n. masc.) Représentation standard des paires de chromosomes d'une cellule selon leur forme et leur taille.

Cascade de phosphorylation (n. fém.) Suite de réactions chimiques qui se produisent durant la signalisation cellulaire par enzymes interposées (kinases) et dans lesquelles chaque kinase, à son tour, phosphoryle et active une autre enzyme. Le mécanisme conduit à la phosphorylation de nombreuses protéines.

Catalyse (n. fém.) Processus par lequel un agent chimique appelé catalyseur accélère certaines réactions sans subir de modification.

Catalyseur (n. masc.) Agent chimique qui modifie la vitesse d'une réaction sans être altéré par cette réaction. Les enzymes sont des catalyseurs biologiques.

Catégorie de tissus (n. fém.) Groupe d'au moins un type de tissus formant une unité fonctionnelle qui relie les organes d'une plante.

Cation (n. masc.) Ion de charge positive (p. ex., Na^+, Ca^{2+}).

Cavité buccale (n. fém.) Bouche d'un animal.

Cavité corporelle (n. fém.) Chez la plupart des animaux, espace rempli de liquide ou d'air situé entre le tube digestif et l'enveloppe corporelle. Aussi appelée *cœlome*.

Cavité gastrovasculaire (n. fém.) Cavité centrale digestive ayant une seule ouverture, chez les cnidaires et certains plathelminthes. Structure en forme de sac qui sert à la fois à la digestion des nutriments et à leur circulation dans l'organisme.

Cavité palléale (n. fém.) Chez les mollusques, compartiment rempli d'eau dans lequel se trouvent les branchies, l'anus et les pores excréteurs.

Cellule (n. fém.) Unité structurale et fonctionnelle fondamentale de la vie ; plus petite unité d'organisation capable de vie.

Cellule compagne (n. fém.) Type de cellule végétale qui communique avec une cellule d'un tube criblé par l'intermédiaire de nombreux plasmodesmes. Son noyau et ses ribosomes peuvent servir à une ou plusieurs cellules criblées voisines, qui en sont dépourvues.

Cellule de la gaine fasciculaire (n. fém.) Chez les plantes de type C_4, type de cellule photosynthétique qui s'entasse avec d'autres autour des nervures de la feuille.

Cellule de soutien (n. fém.) Voir *Gliocyte*.

Cellule dendritique (n. fém.) Un des types de cellules présentatrices d'antigène, situées principalement dans les tissus lymphatiques et la peau, et particulièrement efficaces dans la présentation des antigènes aux lymphocytes T auxiliaires, ce qui déclenche une réaction immunitaire primaire.

Cellule diploïde (n. fém.) Cellule contenant deux jeux haploïdes de chromosomes ($2n$) dont les gènes proviennent habituellement des lignées paternelle et maternelle.

Cellule effectrice (n. fém.) (1) Clone de lymphocytes ayant une courte durée de vie et capable d'assister une réponse immunitaire adaptative. (2) Cellule musculaire ou glandulaire qui effectue les réactions du corps aux stimulus ; répond aux commandes du SNC.

Cellule eucaryote (n. fém.) Type de cellule d'organisation complexe qui renferme divers organites membraneux et un noyau véritable délimité par une enveloppe nucléaire. Le noyau contient l'ADN ; caractérise l'organisation cellulaire des eucaryotes unicellulaires, des végétaux, des eumycètes et des animaux.

Cellule fibreuse (n. fém.) Cellule sclérenchymateuse longue, mince et fusiforme qui s'organise généralement avec d'autres pour former des faisceaux. Ce type de cellules mortes renferme de la lignine et renforce le xylème des angiospermes. Elles sont spécialisées dans le soutien des structures végétales.

Cellule gliale (n. fém.) Voir *Gliocyte*.

Cellule haploïde (n. fém.) Cellule qui renferme un seul jeu de chromosomes (n).

Cellule mémoire (n. fém.) Lymphocyte à longue durée de vie produit au cours de la réaction immunitaire primaire. Les cellules mémoire forment des clones et séjournent dans un organe lymphatique avant d'être activées à la suite d'une nouvelle exposition à l'antigène qui en a déclenché la production. La cellule mémoire activée déclenche la réaction immunitaire secondaire.

Cellule parenchymateuse (n. fém.) Chez les végétaux, type de cellule végétale peu différenciée dans laquelle se déroule la majeure partie des réactions métaboliques, et qui synthétise et emmagasine des substances organiques ; se différencie à la maturité.

Cellule présentatrice d'antigène (n. fém.) Cellule spécialisée qui ingère un agent pathogène ou des protéines d'agents pathogènes et les découpe en petits fragments peptidiques. Ces fragments d'antigène exogène sont ensuite associés à des molécules du CMH de classe II et présentés sur la surface membranaire aux lymphocytes T. Les principales cellules présentatrices d'antigène sont les macrophagocytes, les cellules dendritiques et les lymphocytes B.

Cellule procaryote (n. fém.) Type de cellule dépourvue de noyau et d'organites entourés d'une membrane. Seuls les organismes faisant partie des bactéries et des archées sont des cellules procaryotes.

Cellule reproductrice (n. fém.) – **gamète** (n. masc.) Cellule haploïde, telle qu'un spermatozoïde ou un ovule, formée par méiose ou provenant de cellules formées par méiose. Les gamètes s'unissent pendant la reproduction sexuée pour produire un zygote diploïde.

Cellule sclérenchymateuse (n. fém.) Type de cellule végétale rigide qui perd généralement son protoplaste après s'être dotée d'une paroi secondaire épaisse composée de lignine à maturité ; constitue un tissu de soutien.

Cellule sensorielle ciliée (n. fém.) Type de mécanorécepteur qui modifie la transmission au système nerveux lorsque les prolongements filiformes à la surface de la cellule sont déformés.

Cellule somatique (n. fém.) Toute cellule d'un organisme multicellulaire qui n'est pas un spermatozoïde ou un ovule.

Cellule souche (n. fém.) Cellule peu spécialisée, chez l'embryon ou l'adulte, qui, en une seule division, peut produire deux cellules filles identiques ou alors deux cellules filles plus spécialisées qui peuvent par la suite se différencier davantage.

Cellule souche hématopoïétique – CSH (n. fém.) Cellule non différenciée multipotente dont la fonction est de réapprovisionner le sang en éléments figurés.

Cellule tueuse naturelle (n. fém.) Type de leucocyte qui n'attaque pas directement les microorganismes, mais détruit les cellules de l'organisme infectées notamment par des virus, ainsi que les cellules anormales qui pourraient devenir cancéreuses ; composant important de l'immunité innée.

Cellules collenchymateuses (n. fém.) Cellules de soutien des parties en croissance des végétaux qui forment des cylindres ou des fibres et qui sont capables de s'allonger tant que la plante croît.

Cellules stomatiques (n. fém.) Chez les végétaux, deux cellules qui bordent l'ostiole d'un stomate et régissent l'ouverture et la fermeture de ce pore.

Cellulose (n. fém.) Polysaccharide structural de la paroi cellulaire des végétaux, constitué de monomères de glucose unis par des liaisons glycosidiques β.

Cénocyte (n. masc.) Hyphe sans cloison de certains eumycètes ; masse cytoplasmique multinucléée qui résulte de divisions répétées du noyau, sans division cytoplasmique.

Centriole (n. masc.) Structure dans le centrosome d'une cellule animale composée de neuf triplets de microtubules disposés selon un arrangement « 9 + 0 ». Un centrosome contient une paire de centrioles.

Centromère (n. masc.) Région d'un chromosome qui maintient étroitement réunies les chromatides sœurs par l'intermédiaire de protéines, elles-mêmes fixées à l'ADN du centromère. D'autres protéines condensent la chromatine dans cette région, de sorte que le chromosome semble resserré en son milieu comme le serait une taille par une ceinture. (Un chromosome, dupliqué ou non, possède un seul centromère, identifié par les protéines liées à cet endroit.

Centrosome (n. masc.) Structure cytoplasmique des cellules animales qui organise les microtubules et qui joue un rôle important dans la division cellulaire. Un centrosome possède deux centrioles.

Cercozoaires (n. masc.) Protistes amiboïdes et flagellés qui se nourrissent à l'aide de pseudopodes filiformes.

Cerveau (n. masc.) Régions dorsales gauche et droite du prosencéphale des vertébrés ; centre d'intégration de la mémoire, de l'apprentissage, des émotions et des autres fonctions complexes associées au SNC.

Cervelet (n. masc.) Organe du rhombencéphale des vertébrés situé en arrière du tronc cérébral ; participe à la coordination inconsciente des mouvements et de l'équilibre.

Chaîne alimentaire (n. fém.) Circulation de l'énergie des nutriments vers le niveau trophique supérieur depuis leur source dans les végétaux et d'autres organismes photosynthétiques (producteurs) jusqu'aux carnivores (consommateurs secondaires, tertiaires et quaternaires), puis aux détritivores, en passant par les herbivores (consommateurs primaires).

Chaîne de transport d'électrons (n. fém.) Ensemble de molécules protéiques complexes situées dans la membrane interne des mitochondries, qui transportent des électrons au cours d'une cascade de réactions d'oxydoréduction libérant à plusieurs niveaux de l'énergie pour la synthèse de l'ATP.

Chaîne légère (n. fém.) Chacune des deux chaînes polypeptidiques qui composent un anticorps et un récepteur de lymphocyte B; formée d'une région variable, qui contribue au site de liaison à l'antigène, et d'une région constante, très semblable d'un anticorps à l'autre.

Chaîne lourde (n. fém.) Chacune des deux chaînes polypeptidiques qui contribuent à la structure d'un anticorps et d'un récepteur de lymphocyte B; comprend une région variable, qui est le site de liaison à l'antigène, et une région constante.

Chaleur (n. fém.) Énergie thermique transférée d'un corps à un autre.

Chaleur d'évaporation (n. fém.) Quantité de chaleur que doit absorber 1 g de liquide, à température constante, pour passer de l'état liquide à l'état gazeux.

Chaleur spécifique (n. fém.) Nombre de joules nécessaire pour augmenter de 1 °C la température de 1 g d'une substance donnée.

Changement climatique (n. masc.) Changement directionnel de la température, des précipitations ou d'autres aspects du climat planétaire, qui dure depuis au moins trois décennies.

Changement de phase (n. masc.) (1) Passage d'un stade de développement à un autre. (2) Chez les végétaux, changement morphologique qui se produit après une transition dans l'activité du méristème apical caulinaire.

Chaperonines (n. fém.) Complexe protéique qui favorise le repliement adéquat des autres protéines.

Charge critique (n. fém.) Quantité d'un nutriment ajouté par les humains, habituellement de l'azote ou du phosphore, que les végétaux peuvent absorber sans nuire à l'intégrité des écosystèmes.

Chélicérates (n. masc.) Arthropodes qui possèdent des pièces buccales appelées chélicères et dont le corps se compose d'un céphalothorax et d'un abdomen; comprennent notamment les araignées de mer, les limules et les scorpions, les tiques et les araignées.

Chélicère (n. fém.) Pièce buccale en forme de pince qui permet aux chélicérates (araignées, scorpions, limules) de s'alimenter.

Chiasma (n. masc.) Région en forme de X visible au microscope où un enjambement s'est produit au stade initial de la prophase I entre des chromatides non sœurs de chromosomes homologues. Les chiasmas deviennent visibles à la fin de la synapsis, les deux chromosomes homologues demeurant appariés par la cohésion des chromatides sœurs.

Chimie organique (n. fém.) Branche de la chimie qui étudie les composés du carbone (composés organiques).

Chimioautotrophe (adj.) Se dit d'un organisme qui obtient son énergie en oxydant des substances inorganiques et dont la seule source de carbone est le CO_2.

Chimiohétérotrophe (adj.) Se dit d'un organisme qui doit consommer des molécules organiques pour se procurer énergie et carbone.

Chimiorécepteur (n. masc.) Type de récepteur sensoriel des animaux qui répond à des stimulus chimiques comme un soluté ou une phéromone.

Chimiosmose (n. fém.) Mécanisme de couplage énergétique par lequel certaines membranes utilisent l'énergie chimique pour déplacer des protons, puis l'énergie emmagasinée dans le gradient de protons pour des activités cellulaires, notamment la synthèse de l'ATP. Dans des conditions aérobies, la majeure partie de la synthèse de l'ATP dans les cellules se produit par chimiosmose.

Chitine (n. fém.) Polysaccharide structural dont le monomère de glucose possède une chaîne latérale contenant de l'azote; constituant de la paroi cellulaire de nombreux eumycètes et de l'exosquelette de tous les arthropodes.

Chlorophylle (n. fém.) Pigment vert contenu dans les membranes des chloroplastes des végétaux et des algues et dans les membranes de certains procaryotes. La chlorophylle *a* participe directement aux réactions photochimiques qui convertissent l'énergie solaire en énergie chimique.

Chlorophylle *a* (n. fém.) Type de pigment photosynthétique bleu-vert qui participe directement aux réactions photochimiques qui convertissent l'énergie solaire en énergie chimique.

Chlorophylle *b* (n. fém.) Type de pigment accessoire jaune-vert qui transfère à la chlorophylle *a* l'énergie captée pendant la photosynthèse.

Chloroplaste (n. masc.) Organite présent chez les végétaux et les eucaryotes unicellulaires photosynthétiques qui absorbe la lumière du Soleil et l'utilise pour synthétiser des composés organiques à partir du CO_2 et de l'eau.

Choanocyte (n. masc.) Chez les éponges, cellule flagellée tapissant l'intérieur du spongocœle. Aussi appelé *cellule à collerette*, en raison du cylindre membraneux qui entoure la base de son flagelle.

Cholestérol (n. masc.) Stéroïde présent dans les cellules animales et jouant d'importants rôles structuraux dans la membrane plasmique, dont il assure la stabilité et la rigidité, et remplissant des fonctions métaboliques, en particulier en tant que précurseur des hormones stéroïdiennes.

Chondrichthyens (n. masc.) Clade de poissons cartilagineux au squelette relativement flexible presque entièrement cartilagineux dont font partie les requins et les raies.

Chromatides sœurs (n. fém.) Deux exemplaires d'un chromosome dupliqué qui sont unis par des protéines au centromère et, parfois, le long des bras. Lorsqu'elles sont unies, deux chromatides sœurs forment un chromosome avant de se séparer pendant la mitose ou la méiose II.

Chromatine (n. fém.) Masse de matériel génétique composée d'ADN et de protéines qu'on observe chez les eucaryotes, sauf durant l'interphase, où elle existe sous forme de fibres minces et très longues constituant un amas diffus invisible au microscope photonique. Voir aussi *Euchromatine* et *Hétérochromatine*.

Chromosome (n. masc.) Structure cellulaire qui porte une seule molécule d'ADN et des molécules de protéines associées. Dans certains contextes, comme le séquençage d'un génome, le terme peut faire référence à l'ADN à proprement parler. Les cellules eucaryotes contiennent généralement plusieurs chromosomes linéaires, logés dans le noyau. Les cellules procaryotes renferment souvent un seul chromosome, circulaire et situé dans le nucléoïde. Voir aussi *Chromatine*.

Chromosome recombiné (n. masc.) Chromosome qui est issu d'un enjambement, lequel se produit pendant la synapsis, à la prophase I de la méiose, et qui porte des gènes provenant de chacun des deux parents.

Chromosomes homologues (n. masc.) Chromosomes d'une même paire, identiques par leur longueur, la position de leurs centromères et la disposition de leurs bandes de couleur; portent les gènes qui déterminent les mêmes caractères héréditaires. Chacun des parents transmet un chromosome de chaque paire.

Chromosomes sexuels – hétérochromosomes (n. masc.) Chromosomes qui déterminent le sexe de l'individu.

Chylomicron (n. masc.) Globule de transport des lipides composé de triglycérides et de cholestérol associés et recouverts de protéines spéciales.

Chyme (n. masc.) Mélange d'aliments et de sucs gastriques partiellement digérés qui se forme dans l'estomac.

Chytridiomycètes (n. masc.) Eumycètes primitifs généralement aquatiques qui produisent des spores (zoospores) et des gamètes flagellés; représentent la lignée fongique la plus primitive.

Cil (n. masc.) Dans les cellules eucaryotes, court appendice contenant des microtubules. Un cil mobile est spécialisé dans la locomotion et le déplacement de l'eau autour de la cellule. Il se compose généralement d'un groupe de neuf doublets de microtubules qui forment un anneau autour de deux microtubules non jumelés (la disposition « 9 + 2 ») engainés dans un prolongement de la membrane plasmique. Un cil primaire est généralement non mobile et joue un rôle sensoriel et de transmission des signaux. Il est dépourvu de la paire de microtubules centraux (disposition de « 9 + 0 »).

Ciliés (n. masc.) Groupe de protistes, appartenant aux alvéolobiontes, qui se déplacent et se nourrissent à l'aide de milliers de cils.

Circulation double (n. fém.) Mode de circulation sanguine à deux circuits, l'un étant pulmonaire ou pulmocutané, l'autre étant systémique, dans lequel le sang passe par le cœur après avoir complété chaque circuit.

Circulation simple (n. fém.) Système circulatoire constitué d'une pompe simple et d'un circuit simple dans lesquels le sang passe des sites d'échanges gazeux au reste du corps avant de retourner au cœur.

Circulation systémique (n. masc.) Partie de l'appareil circulatoire transportant le sang oxygéné aux organes avant d'acheminer le sang pauvre en O_2 par les veines vers l'oreillette droite.

Clade (n. masc.) Groupe d'espèces monophylétique comprenant une espèce ancestrale et tous ses descendants. Un clade est l'équivalent d'un taxon monophylétique.

Cladistique (n. fém.) Approche de la systématique dans laquelle les organismes sont rassemblés dans des groupes appelés *clades*. Le principal critère de la classification est l'ancêtre commun.

Classe (n. fém.) Dans la classification de Linné, catégorie taxonomique située au-dessus de l'ordre.

Climat (n. masc.) Ensemble des conditions météorologiques à long terme propres à une région donnée, c'est-à-dire la température, les précipitations, la lumière et le vent principalement.

Climatogramme (n. masc.) Tracé de la température et des précipitations pour une région donnée.

Clitoris (n. masc.) Dans le système reproducteur de la femme, organe composé d'un corps caverneux court portant un gland arrondi recouvert de peau, le prépuce. Situé à l'extrémité antérieure du vestibule, cet organe érectile se gorge de sang et gonfle pendant l'excitation sexuelle.

Cloaque (n. masc.) Chambre dans laquelle aboutissent les systèmes digestif, urinaire et reproducteur chez de nombreux vertébrés, à l'exception de la plupart des mammifères; communique avec l'extérieur par une seule ouverture.

Cloison (n. fém.) Paroi transverse qui divise les hyphes des eumycètes en cellules; possède généralement des pores assez grands pour que les ribosomes, les mitochondries et même les noyaux puissent circuler d'une cellule à l'autre.

Clonage (n. masc.) Processus permettant d'obtenir un grand nombre de copies d'un organisme, d'une cellule, d'un gène ou d'une molécule (clonage moléculaire). Dans le cas du clonage génique, production d'un grand nombre de copies d'un gène.

Clone (n. masc.) (1) Lignée de cellules génétiquement identiques, produites par mitose. (2) En langage populaire, organisme génétiquement identique à un autre.

Cnidocyte (n. masc.) Cellule spécialisée propre aux cnidaires qui assure la défense de l'organisme et la capture des proies. Le cnidocyte se compose d'une capsule (le nématocyste) dans laquelle se trouve un filament urticant. Un contact avec une proie déclenche la projection de ce filament et la libération d'une substance toxique qui paralyse les proies.

Cochlée (n. fém.) Organe complexe de l'audition, de forme enroulée, qui est situé dans l'oreille interne de certains vertébrés et qui renferme l'organe spiral.

Code à triplets (n. masc.) Système d'information génétique dans lequel une série de « mots » composés de trois nucléotides détermine une séquence d'acides aminés pour les chaînes polypeptidiques.

Codominance (n. fém.) Situation dans laquelle les phénotypes de deux allèles différents se manifestent chez l'hétérozygote parce que ces allèles influent tous deux sur le phénotype de manière indépendante.

Codon (n. masc.) Triplet de nucléotides d'un ARN messager qui détermine quel acide aminé sera inséré à une position donnée du polypeptide; unité de base du code génétique. L'équivalent du codon dans la molécule d'ADN se nomme *génon*.

Coefficient de parenté (n. masc.) Fraction des gènes qui, en moyenne, sont partagés par deux individus.

Cœlomates (n. masc.) Animaux dotés d'un vrai cœlome (p. ex., les annélides). Voir *Cœlome*.

Cœlome (n. masc.) Cavité remplie de liquide et enfouie dans les tissus dérivés du mésoderme, chez les animaux.

Coenzyme (n. fém.) Molécule organique qui joue le rôle de cofacteur dans les réactions enzymatiques. La plupart des vitamines sont des coenzymes dans des réactions métaboliques importantes.

Cœur (n. masc.) Chez les animaux, pompe musculaire qui fait circuler le sang en utilisant de l'énergie métabolique, afin d'élever la pression hydrostatique du liquide circulatoire (sang ou hémolymphe). Le sang circule dans l'organisme en suivant un gradient de pression, puis revient au cœur.

Coévolution (n. fém.) Influence réciproque qui s'exerce entre deux espèces pendant leur évolution.

Cofacteur (n. masc.) Substance non protéique (vitamine ou dérivé de vitamine) ou ion (Mg, Cu, Fe, Zn, etc.) nécessaire au fonctionnement d'une enzyme; peut se lier fortement au site actif de façon permanente ou s'y lier faiblement et de manière réversible, en même temps que le substrat, pendant la catalyse.

Cognition (n. fém.) Capacité que possède le cerveau d'un animal et de l'humain à percevoir, à mémoriser, à traiter et à utiliser l'information recueillie et qui rend possibles le raisonnement et le jugement.

Cohésion (n. fém.) Association des molécules d'une substance qui se fait généralement au moyen de liaisons hydrogène.

Cohorte (n. fém.) En démographie, groupe d'individus du même âge.

Coiffe (n. fém.) Partie d'une racine semblable à un dé à coudre qui en recouvre l'extrémité et protège le méristème fragile contre la rugosité du sol dans lequel elle s'enfonce.

Coiffe 5′ (n. fém.) Forme modifiée de la guanine, par suite de l'incorporation d'un groupement méthyle, qui s'ajoute à l'extrémité 5′ d'une molécule d'ARN prémessager pendant la maturation.

Coït (n. masc.) Pénétration du pénis dans le vagin. Aussi appelé *rapport sexuel*.

Col utérin (n. masc.) Orifice étroit par lequel l'utérus communique avec le vagin.

Coléoptile (n. masc.) Gaine qui enserre la tige embryonnaire des graines de graminées.

Coléorhize (n. fém.) Gaine qui recouvre la racine de l'embryon des graines de graminées.

Collagène (n. masc.) Glycoprotéine de la matrice extracellulaire qui forme des fibres résistantes à l'extérieur des cellules animales; abondant dans le tissu conjonctif et les os; protéine la plus abondante dans le règne animal.

Côlon (n. masc.) Partie tubulaire du tube digestif des vertébrés située entre l'intestin grêle et l'anus. Sa fonction consiste à absorber l'eau et à former les matières fécales.

Coloration aposématique (n. fém.) Signal d'avertissement sous forme de couleurs vives arborées par des animaux dotés de défenses physiques ou chimiques efficaces pour se protéger des prédateurs. Aussi appelée *coloration d'avertissement*.

Coloration cryptique (n. fém.) Camouflage qui rend difficile, pour les prédateurs, la détection de proies potentielles, lesquelles harmonisent leur couleur à celle du milieu ambiant. Aussi appelée *homochromie*.

Coloration de Gram (n. fém.) Technique de coloration différentielle qui permet de distinguer deux catégories de bactéries d'après l'une des caractéristiques de leur paroi cellulaire; utile en médecine pour déterminer le traitement à administrer en cas d'infection. Voir *Gram négatif* et *Gram positif*.

Commensalisme (n. masc.) Interaction écologique positive de type +/0 dans laquelle un seul organisme retire des avantages, sans toutefois nuire à l'autre ou l'aider de manière importante.

Communauté (n. fém.) Ensemble des organismes de la même espèce ou des groupes de populations de différentes espèces qui habitent une aire donnée et qui vivent assez près les uns des autres pour pouvoir établir des interactions.

Communication (n. fém.) (1) Dans le comportement animal, processus intégrant la transmission et la réception d'un signal ainsi que la réponse qui en résulte. (2) Le terme décrit également les relations établies entre des organismes, de même qu'entre les cellules individuelles d'organismes multicellulaires.

Compétition (n. fém.) Interaction écologique de type –/– dans laquelle des individus de différentes espèces se font concurrence pour des ressources qui limitent la survie et la reproduction de chaque espèce.

Complexe collecteur de lumière (n. masc.) Ensemble constitué de protéines associées à des molécules de pigments (notamment la chlorophylle *a*, la chlorophylle *b* et des caroténoïdes) qui captent l'énergie lumineuse et la transfèrent au complexe du centre réactionnel d'un photosystème.

Complexe d'épissage (n. masc.) Ensemble volumineux de protéines et de petites ribonucléoprotéines nucléaires (pRNPn) qui effectue l'épissage de l'ARN en interagissant avec les extrémités d'un intron d'ARN; libère l'intron, puis unit les deux exons voisins. Aussi appelé *splicéosome*.

Complexe d'initiation de la transcription (n. masc.) Chez les eucaryotes, ensemble constitué de l'ARN polymérase II et des facteurs de transcription liés au promoteur.

Complexe de troponine (n. masc.) Dans les muscles des vertébrés, ensemble de protéines régulatrices qui déterminent la position de la tropomyosine sur le myofilament mince.

Complexe du centre réactionnel (n. masc.) Complexe protéique associé à deux molécules spéciales de chlorophylle *a* et à un accepteur primaire d'électrons. Situé au centre d'un photosystème, ce complexe déclenche les réactions photochimiques de la photosynthèse. Stimulée par l'énergie lumineuse, la paire de molécules de chlorophylle *a* cède un électron à l'accepteur primaire d'électrons, qui transmet alors un électron à une chaîne de transport d'électrons.

Complexe enzyme-substrat (n. masc.) Complexe temporaire qui se forme lorsqu'une enzyme se lie aux molécules de son substrat.

Complexe golgien (n. masc.) Organite caractéristique des eucaryotes constitué d'un empilement de saccules membraneux aplatis et dont la fonction consiste à modifier, à entreposer et à expédier les produits de sécrétion du réticulum endoplasmique et à synthétiser certaines substances, notamment des glucides non cellulosiques. Aussi appelé *appareil de Golgi*.

Complexe majeur d'histocompatibilité – CMH (n. masc.) Système de reconnaissance du soi immunologique génétiquement codé; intervient dans la présentation des antigènes, la détection des cellules anormales et cancéreuses ainsi que dans le rejet des greffes.

Complexe synaptonémal (n. masc.) Structure ressemblant à une fermeture éclair et composée de protéines associant étroitement un chromosome et son homologue sur toute leur longueur durant la prophase I de la méiose.

Comportement (n. masc.) Individuellement, action exécutée par des muscles ou des glandes commandés par le système nerveux en réaction à un stimulus; collectivement, l'ensemble des réponses d'un animal aux stimulus externes et internes.

Comportement inné (n. masc.) Comportement animal lié au développement et génétiquement contrôlé. Se manifeste de façon stéréotypée chez tous les individus d'une population malgré les différences environnementales internes et externes prévalant au cours du développement et toute leur vie durant.

Composé (n. masc.) Substance formée de deux ou de plusieurs éléments combinés dans des proportions définies (p. ex., NaCl, H_2O, $C_6H_{12}O_6$).

Composé ionique (n. masc.) Composé formé de liaisons ioniques (p. ex., NaCl, $MgCl_2$); aussi appelé *sel*.

Concentration molaire volumique – c (n. fém.) Mesure de la concentration des solutions aqueuses exprimée en nombre de moles de soluté par litre de solution (p. ex., solution de glucose de 2 mol/L).

Concept biologique de l'espèce (n. masc.) Définition selon laquelle l'espèce est une population ou un groupe de populations dont les individus sont en mesure de se reproduire entre eux dans la nature, pour produire une descendance viable et fertile, sans pouvoir en faire autant avec les membres d'autres populations. Voir aussi *Concept écologique de l'espèce* et *Concept morphologique de l'espèce*.

Concept écologique de l'espèce (n. masc.) Définition de l'espèce établie en fonction de la niche écologique, de la somme des interactions des membres d'une espèce avec les parties biotiques et abiotiques de son milieu. Voir aussi *Concept biologique de l'espèce* et *Concept morphologique de l'espèce*.

Concept morphologique de l'espèce (n. masc.) Définition de l'espèce en fonction d'un ensemble unique de caractéristiques structurales (forme du corps, de la taille). Voir aussi *Concept biologique de l'espèce* et *Concept écologique de l'espèce*.

Condom (n. masc.) Préservatif masculin. Fine membrane naturelle ou étui de latex imperméable au sang et aux sécrétions, qui s'ajuste sur le pénis de façon à recueillir le sperme.

Conduction (n. fém.) Transfert direct de chaleur (mouvement thermique) entre les molécules de deux corps en contact.

Conduction saltatoire (n. fém.) Propagation rapide d'un courant d'ions Na^+ d'un nœud de Ranvier à l'autre, le long de l'axone du neurone. Créé par un potentiel d'action dans un nœud, ce courant se transmet au nœud suivant où il provoque une dépolarisation et la production d'un nouveau potentiel d'action. Le potentiel d'action semble « sauter » d'un nœud à l'autre, le long de l'axone.

Conduit déférent (n. masc.) Tube du système reproducteur mâle dans lequel se déplacent les spermatozoïdes de l'épididyme jusqu'à l'urètre.

Cône (n. masc.) Dans la rétine, cellule d'aspect conique (photorécepteur) spécialisée dans la détection des couleurs.

Conidie (n. fém.) Spore haploïde qui apparaît à l'extrémité d'hyphes spécialisés, chez les ascomycètes, au cours de la reproduction asexuée.

Conifères (n. masc.) Membres du plus grand embranchement des gymnospermes. La plupart des conifères sont des arbres dont l'appareil reproducteur est le cône, comme le pin et le sapin.

Conjugaison (n. fém.) (1) Chez les procaryotes, transfert direct de matériel génétique entre deux cellules temporairement réunies. Lorsque les deux cellules sont membres d'espèces différentes, la conjugaison provoque un transfert de gènes horizontal. (2) Chez les ciliés, processus sexuel au cours duquel deux cellules échangent des micronoyaux haploïdes, mais ne se reproduisent pas.

Conodontes (n. masc.) Vertébrés primitifs caractérisés par un corps flexible, des yeux proéminents et des structures minéralisées semblables à des dents.

Consommateur (n. masc.) Organisme qui se nourrit de producteurs, d'autres consommateurs ou de matière organique non vivante. Dans ce dernier cas, on parle alors de *détritivore*.

Consommateur primaire (n. masc.) Dans une chaîne ou dans le réseau alimentaire d'un écosystème, organisme du niveau trophique des herbivores qui se nourrit de producteurs (végétaux, algues ou procaryotes photosynthétiques).

Consommateur secondaire (n. masc.) Dans une chaîne ou dans le réseau alimentaire d'un écosystème, organisme carnivore qui se nourrit d'herbivores.

Consommateur tertiaire (n. masc.) Dans une chaîne ou dans le réseau alimentaire d'un écosystème, organisme carnivore qui se nourrit surtout d'autres carnivores.

Contraceptif oral (n. masc.) Méthode de contraception visant à empêcher, de manière temporaire, la libération des gamètes. Composé d'œstrogènes et de progestines synthétiques, le contraceptif oral inhibe l'ovulation, retarde le développement folliculaire ou modifie la glaire cervicale pour qu'elle bloque l'accès de l'utérus au sperme.

Contraception (n. fém.) Fait de provoquer une infécondité temporaire chez la femme ou chez l'homme.

Convection (n. fém.) Processus par lequel l'air ou un liquide qui se réchauffe à la surface d'un corps se dilate et tend à s'éloigner de ce corps, faisant place à de l'air ou à du liquide plus froids.

Coopérativité (n. fém.) Type de régulation allostérique dans lequel un changement de structure de l'une des sous-unités d'une protéine causé par la liaison du substrat est transmis à toutes les autres sous-unités, favorisant la liaison de molécules additionnelles de substrat avec ces sous-unités.

Cordés (n. masc.) Membres d'un embranchement d'animaux caractérisés par la présence, à une étape ou à une autre de leur vie – au stade embryonnaire bien souvent –, d'une notocorde, d'un tube neural dorsal creux, de fentes branchiales et d'une queue musculaire postanale.

Corépresseur (n. masc.) Petite molécule organique qui se fixe à un répresseur bactérien et modifie la structure de la protéine lui permettant de se lier à l'opérateur et d'inactiver un opéron.

Corps amygdaloïde (n. masc.) Structure dans le lobe temporal de l'encéphale qui joue un rôle important dans le traitement des émotions.

Corps calleux (n. masc.) Faisceau épais de neurofibres (substance blanche cérébrale) qui relie les hémisphères droit et gauche chez les mammifères, permettant aux hémisphères d'établir la communication entre eux.

Corps cellulaire du neurone (n. masc.) Partie du neurone qui contient le noyau et la plupart des autres organites.

Corps jaune (n. masc.) Masse compacte de tissu folliculaire qui croît à l'intérieur de l'ovaire après l'ovulation et qui sécrète de la progestérone et des œstrogènes.

Corpuscule basal (n. masc.) Dans la cellule eucaryote, structure constituée de neuf triplets de microtubules disposés en cercle; semblable à un centriole; organise et fixe à la cellule l'ensemble des microtubules d'un cil ou d'un flagelle.

Corpuscule de Barr (n. masc.) Chez la femelle des mammifères, masse compacte de chromatine accolée sur la face interne de l'enveloppe nucléaire et constituée du chromosome X inactif de chaque cellule.

Corridor de déplacement (n. masc.) Bande de terre étroite ou série de petits massifs d'habitats naturels ou aménagés qui fait le lien entre des parcelles autrement isolées et qui facilite la circulation des individus ou les échanges.

Cortex (n. masc.) Couche périphérique du cytoplasme dans les cellules eucaryotes, située juste sous la membrane plasmique, qui a une consistance plus gélatineuse que les couches internes en raison de la présence de multiples microfilaments.

Cortex cérébral (n. masc.) Surface du cerveau; partie la plus volumineuse et la plus complexe de l'encéphale des mammifères et aussi celle qui a subi le plus de changements au cours de l'évolution; renferme les corps cellulaires de neurones du cerveau.

Cortex rénal (n. masc.) Région externe du rein des vertébrés.

Cotransport (n. masc.) Couplage du transport «ascendant» d'une substance se déplaçant contre son gradient de concentration (transport actif) et de la diffusion «descendante» d'une seconde substance (transport passif).

Cotylédon (n. masc.) Chez les angiospermes, feuille embryonnaire contenant des substances de réserves permettant à l'embryon de poursuivre son développement. Les monocotylédones en possèdent un seul, et les eudicotylédones en ont deux.

Couche d'hydratation (n. fém.) Enveloppe de molécules d'eau entourant chaque ion dissous.

Couche électronique (n. fém.) Niveau énergétique qui est fonction de la distance à laquelle se trouve un électron par rapport au noyau d'un atome.

Couplage énergétique (n. masc.) Dans le métabolisme cellulaire, processus qui consiste à employer l'énergie dégagée par une réaction exergonique pour déclencher une réaction endergonique.

Courant de masse (n. masc.) Mouvement d'un fluide causé par une différence de pression entre deux endroits.

Courbe aire-espèces (n. fém.) Modèle de biodiversité selon lequel la région géographique d'une communauté échantillonnée est d'autant plus grande que le nombre d'espèces y est élevé; décrite en premier par Alexander von Humboldt.

Courbe de survie (n. fém.) Représentation graphique qui indique la proportion ou le nombre de survivants d'une cohorte en fonction de l'âge; façon de représenter le taux de mortalité au cours de la vie des individus d'une population.

Crampon (n. masc.) Structure semblable à une racine et faisant partie d'un thalle; permet aux algues de s'agripper aux rochers.

Crête (n. fém.) Dans les mitochondries, repli formé par la membrane interne. La membrane interne renferme la chaîne de transport d'électrons et les molécules des enzymes catalysant la synthèse de l'ATP (ATP synthase).

Crête ectodermique apicale (n. fém.) Région d'ectoderme épaissie située au sommet du bourgeon d'un membre, qui contrôle la croissance du bourgeon de membre.

Crête neurale (n. fém.) Chez les vertébrés, région située près des replis dorsaux du tube neural en développement. Les cellules de la crête neurale migrent vers diverses parties de l'embryon et forment notamment les cellules pigmentaires de la peau, différentes parties du crâne, les dents, les glandes surrénales et le SNP.

Cristallin (n. masc.) Lentille biconvexe de l'œil des vertébrés et de certains invertébrés qui focalise la lumière sur la rétine.

Cristallographie par diffraction de rayons X (n. fém.) Technique employée pour déterminer la structure tridimensionnelle d'une molécule; permet de détecter la déviation (diffraction) d'un faisceau de rayons X sur chacun des atomes présents dans une molécule cristallisée.

Croisement de contrôle (n. masc.) Croisement d'un homozygote récessif et d'un individu ayant un phénotype dominant, mais un génotype inconnu; permet de déterminer si le génotype du parent au phénotype dominant est homozygote ou hétérozygote.

Croisement dihybride (n. masc.) Croisement entre deux organismes qui sont chacun hétérozygote pour les deux caractères observés (ou autopollinisation d'une plante qui est hétérozygote pour les deux caractères).

Croisement monohybride (n. masc.) Croisement entre deux organismes hétérozygotes pour le caractère étudié (ou autopollinisation d'une plante hétérozygote).

Croissance définie (n. fém.) Mode de croissance caractéristique des animaux et de certains organes végétaux dont la croissance s'achève dès qu'ils atteignent une taille déterminée.

Croissance démographique exponentielle (n. fém.) Augmentation illimitée d'une population dans des conditions idéales, lorsque tous ses membres ont accès à une nourriture abondante et se reproduisent autant que leur capacité physiologique le permet. Représentée sous forme graphique en fonction du temps, cette croissance prend l'allure d'une courbe en J.

Croissance démographique nulle (n. fém.) Période de stabilité dans la taille d'une population qui se produit lorsque la croissance de la population par les naissances et l'immigration est équilibrée par la soustraction due à la mortalité et à l'émigration.

Croissance indéfinie (n. fém.) Croissance qui ne se limite pas aux périodes embryonnaire et juvénile, mais qui peut durer toute la vie; caractéristique de certains végétaux.

Croissance primaire (n. fém.) Chez les végétaux, croissance en longueur des racines et des pousses produite par les méristèmes apicaux.

Croissance secondaire (n. fém.) Chez plusieurs plantes ligneuses, élargissement des racines et des pousses par suite de la croissance en épaisseur des méristèmes latéraux.

Culture (n. fém.) Système de transfert d'information qui, par l'intermédiaire de l'observation et de l'enseignement, influe sur le comportement des individus d'une population.

Culture hydroponique (n. fém.) Technique consistant à faire pousser des végétaux sans sol, dans des solutions minérales.

Cuticule (n. fém.) (1) Chez les végétaux, couche de substance cireuse recouvrant les feuilles et les tiges, et grâce à laquelle les plantes ont pu s'adapter à la vie terrestre en se protégeant du dessèchement. (2) Tissu résistant qui recouvre le corps d'un nématode.

Cycle biogéochimique (n. masc.) Tout cycle chimique varié se déroulant dans un écosystème qui fait intervenir des composantes biotiques et abiotiques.

Cycle biologique (n. masc.) Ensemble des caractéristiques qui influent sur la reproduction et la survie (la naissance, la reproduction et la mort) de tout organisme. Aussi appelé *histoire naturelle*.

Cycle cellulaire (n. masc.) Suite ordonnée d'événements qui marquent la vie d'une cellule, depuis la division de sa cellule mère jusqu'à sa propre division en deux cellules filles. Chez les eucaryotes, le cycle cellulaire est composé de l'interphase (comportant les sous-phases G_1, S et G_2) et de la phase M (comprenant la mitose et la cytocinèse).

Cycle de Calvin (n. masc.) Seconde phase de la photosynthèse (après celle des réactions photochimiques), qui comprend la fixation du CO_2 atmosphérique et la réduction du carbone fixé en 3-phosphoglycéraldéhyde (PGAL).

Cycle de développement (n. masc.) Suite d'étapes se déroulant depuis le moment où un organisme est conçu jusqu'au moment où il produit ses propres descendants.

Cycle de l'acide citrique (n. masc.) Voie métabolique conduisant à la dégradation complète des molécules de glucose amorcée dans la glycolyse par l'oxydation de l'acétyl-CoA (provenant du pyruvate) ultimement transformé en CO_2. Ce processus, qui comprend huit étapes, se déroule dans les mitochondries des cellules eucaryotes et dans le cytosol des procaryotes. Avec l'oxydation du pyruvate, il constitue le deuxième stade important de la respiration cellulaire. Aussi appelé *cycle de Krebs*.

Cycle de l'azote (n. masc.) Processus naturel par lequel l'azote provenant soit de l'atmosphère, soit de la matière organique décomposée, est converti par les bactéries du sol en composés assimilés par les végétaux. Cet azote assimilé est alors absorbé par les autres organismes puis libéré, sous l'action des bactéries, et de nouveau rendu disponible dans le milieu non vivant.

Cycle lysogénique (n. masc.) Une des deux voies de la réplication virale dans laquelle le génome viral s'intègre au chromosome bactérien sous forme de prophage, sans entraîner la destruction de la bactérie ou de la cellule hôte.

Cycle lytique (n. masc.) Une des deux voies de la réplication virale dans laquelle la cellule hôte meurt ou éclate (lyse) en libérant de nouveaux phages qu'elle avait fabriqués avant de mourir.

Cycle menstruel (n. masc.) Succession des phénomènes qui ont lieu chez la plupart des primates au terme de laquelle, en l'absence de grossesse, la couche fonctionnelle de l'endomètre se détache de l'utérus et est expulsée par le col utérin et le vagin, ce qui produit un saignement appelé *menstruation*.

Cycle œstral (n. masc.) Cycle reproducteur des femelles des mammifères, à l'exception des humains et de certains primates, caractérisé par une réponse sexuelle des femelles seulement durant l'ovulation (au cours d'une période appelée *œstrus*) et, en l'absence de grossesse, par la réabsorption par l'utérus de la couche fonctionnelle de l'endomètre sans entraîner de saignement, ou presque.

Cycle ovarien (n. masc.) Dans l'ovaire des mammifères, répétition cyclique, régulée par des hormones, de la phase folliculaire, de l'ovulation et de la phase lutéale.

Cycle utérin (n. masc.) Chez les mammifères, ensemble des changements cycliques qui se produisent dans l'endomètre (revêtement de l'utérus) en l'absence de grossesse. Chez certains primates, dont les humains, le cycle utérin est le cycle menstruel.

Cycline (n. fém.) Protéine régulatrice du cycle cellulaire dont la concentration dans la cellule fluctue de façon cyclique; régit le cycle cellulaire en s'unissant avec des kinases cyclines-dépendantes avec lesquelles elle forme des complexes.

Cyclose (n. fém.) Mouvement circulaire du cytoplasme mettant en jeu des microfilaments d'actine et des filaments de myosine; accélère la distribution intracellulaire des substances.

Cyclostomes (n. masc.) Un des deux principaux clades de vertébrés. Dépourvus de mâchoires, ils incluent les lamproies, les myxines et autres myxinoïdes. Voir aussi *Gnathostomes*.

Cytochrome – cyt (n. masc.) Protéine contenant du fer et faisant partie de la chaîne de transport d'électrons des mitochondries et des chloroplastes des cellules eucaryotes et des membranes plasmiques des cellules procaryotes.

Cytocinèse (n. fém.) Division du cytoplasme et de ses éléments constitutifs immédiatement après la mitose, la méiose I ou la méiose II, dont le résultat est la formation de deux cellules filles.

Cytokinines (n. fém.) Catégorie de régulateurs de croissance végétaux qui retardent la sénescence et agissent de concert avec l'auxine pour provoquer la division cellulaire, influer sur la différenciation et régir la dominance apicale.

Cytoplasme (n. masc.) Substance semi-liquide dans laquelle baignent les organites cellulaires qui est limitée par la membrane plasmique. Dans la cellule eucaryote, le noyau ne fait pas partie du cytoplasme.

Cytosol (n. masc.) Portion semi-liquide du cytoplasme.

Cytosquelette (n. masc.) Réseau de microtubules, de microfilaments et de filaments intermédiaires qui parcourt le cytoplasme et assure le soutien structural, la motilité de la cellule et la transmission de signaux.

D

DACU Acronyme de l'expression *dernier ancêtre commun universel* (ou LUCA, en anglais); forme de vie la plus récente qui serait à l'origine de toutes les espèces vivant actuellement.

Dalton (n. masc.) Mesure de la masse des atomes et des particules élémentaires; identique à l'unité de masse atomique, ou *u*.

Datation radiométrique (n. fém.) Méthode utilisée en paléontologie pour déterminer l'âge des roches et des fossiles suivant une chronologie absolue, fondée sur la demi-vie des isotopes radioactifs.

Débit cardiaque – D_c (n. masc.) Volume de sang expulsé par le ventricule gauche chaque minute dans la circulation systémique.

Décalage du cadre de lecture (n. masc.) Type de mutation qui apparaît chaque fois que le nombre de nucléotides insérés ou enlevés n'est pas un multiple de trois. Tous les nucléotides situés en aval de la modification sont alors groupés en codons erronés.

Décomposeur (n. masc.) Organisme détritivore (eumycète, bactérie) qui se nourrit de matières organiques mortes, tels des cadavres, des débris de plantes et des déchets d'organismes vivants, qu'il décompose et transforme en matières inorganiques.

Délétion (n. fém.) (1) Pour un chromosome, perte d'un fragment au cours de la division cellulaire, à la suite d'une cassure. (2) Perte par mutation, dans un gène, d'une paire ou plus de nucléotides.

Demi-vie (n. fém.) Temps nécessaire à la désintégration de 50 % de la masse initiale d'un isotope radioactif. Ce temps peut varier (selon l'isotope) d'une milliseconde à des millions d'années, voire plus.

Démographie (n. fém.) Étude quantitative des populations et de leurs variations au fil du temps, qui s'intéresse notamment aux taux de natalité et de mortalité.

Dénaturation (n. fém.) Dans le cas des protéines, processus au cours duquel une molécule se déroule et perd sa conformation originelle, devenant alors biologiquement inactive. Dans le cas de l'ADN, séparation de deux brins de la double hélice. Se produit *in vitro* dans des conditions extrêmes de pH, de concentration de sel et de température; peut être réversible ou irréversible.

Dendrite (n. fém.) L'un des nombreux prolongements du neurone. Fibre courte, ramifiée et afférente, qui reçoit de l'information de l'environnement et du milieu interne ainsi que des signaux transmis par d'autres cellules nerveuses et les conduit jusqu'au corps du neurone.

Densité de population (n. fém.) Nombre d'organismes par unité d'aire ou de volume.

Dépendant de la densité (adj.) En démographie, se dit d'un taux de natalité ou de mortalité qui varie à mesure que la densité de population augmente.

Déplacement du phénotype (n. masc.) Tendance à une plus grande divergence entre les caractéristiques des populations sympatriques (qui sont apparues dans la même aire géographique que l'espèce mère) de deux espèces qu'entre les caractéristiques des populations allopatriques (qui sont apparues à d'autres endroits que l'espèce mère) des mêmes espèces.

Dépolarisation (n. fém.) Variation du potentiel de membrane qui rend l'intérieur de la membrane moins négatif par rapport à l'extérieur. Par exemple, la membrane d'un neurone est dépolarisée si un stimulus augmente son potentiel de repos de –70 mV tendant vers zéro.

Dépression majeure (n. fém.) Trouble neurologique caractérisé par l'abattement, le manque d'estime de soi, une humeur morose et la perte d'intérêt à faire des activités.

Dérive génétique (n. fém.) Processus dans lequel des événements aléatoires causent des fluctuations imprévisibles dans les fréquences alléliques d'une génération à l'autre. Les effets de la dérive génétique sont plus marqués dans les petites populations.

Dernier niveau énergétique (n. masc.) Couche périphérique d'un atome contenant les électrons de valence qui participent aux réactions chimiques de l'atome.

Désert (n. fém.) Biome terrestre caractérisé par un taux de précipitation très faible.

Desmosome (n. masc.) Type de jonction ressemblant à un rivet qui retient solidement les cellules animales et confère une grande résistance aux tissus.

Désoxyribose (n. fém.) Glucide entrant dans la structure de l'ADN; possède un groupement hydroxyle de moins que le ribose, glucide entrant dans la structure de l'ARN.

Déterminant cytoplasmique (n. masc.) Substance maternelle contenue dans l'ovocyte secondaire, par exemple une protéine ou un ARN, qui influe sur le déroulement du début du développement; assure la régulation de l'expression des gènes qui déterminent la destinée des cellules.

Détermination (n. fém.) Restriction progressive du potentiel de développement au cours de laquelle la destinée de chaque cellule devient plus limitée à mesure qu'un embryon se développe. À la fin de la détermination, la destinée d'une cellule est scellée.

Détritivore (n. masc.) Organisme qui tire son énergie et ses nutriments à partir de matières organiques inertes, tels des cadavres, des débris de plantes et des déchets d'organismes vivants. Un détritivore *décomposeur* participe à la dégradation des molécules organiques en molécules inorganiques.

Détritus (n. masc.) Matière organique morte.

Deutéromycètes (n. masc.) Dans la taxonomie classique, groupe de mycètes dans lequel sont classées les espèces dont le stade sexuel est encore inconnu.

Deutérostomiens (n. masc.) Une des trois principales lignées d'animaux appartenant au clade des bilatériens. Voir aussi *Ecdysozoaires* et *Lophotrochozoaires*.

Deuxième principe de la thermodynamique (n. masc.) Principe selon lequel tout échange ou toute transformation d'énergie augmente le désordre (entropie) de l'Univers. Les formes utilisables de l'énergie sont au moins partiellement converties en chaleur.

Développement (n. masc.) Somme de toutes les transformations qui façonnent graduellement le corps d'un organisme, passant d'une forme simple à une forme plus complexe ou spécialisée.

Développement deutérostomien (n. masc.) Chez les animaux, mode de développement au cours duquel l'anus se forme à partir du blastopore. Ce développement s'accompagne souvent d'une segmentation radiaire et indéterminée et de la formation de la cavité corporelle à partir d'évaginations du mésoderme.

Développement durable (n. masc.) Développement économique qui répond aux besoins des sociétés humaines actuelles sans diminuer la capacité des générations futures de combler les leurs.

Développement protostomien (n. masc.) Chez les animaux, mode de développement généralement caractérisé par la formation de la bouche à partir du blastopore, par la segmentation spirale et déterminée et par la formation de la cavité corporelle à partir de fentes situées dans les masses du mésoderme.

Diabète – diabète sucré (n. masc.) Affection endocrinienne caractérisée par l'incapacité de maintenir une glycémie normale. Le diabète de type I est attribuable à une destruction auto-immune des cellules sécrétrices d'insuline; le traitement habituel comprend plusieurs injections quotidiennes d'insuline. Le diabète de type II est généralement dû à une réactivité réduite des cellules cibles de l'insuline; l'obésité et le manque d'exercice sont des facteurs de risque.

Diacylglycérol – DAG (n. masc.) Second messager produit par l'hydrolyse d'un phospholipide de la membrane plasmique, qui joue un rôle dans une voie de transduction.

Diagramme à bandes (n. masc.) Graphique dans lequel la variable indépendante représente des groupes ou des catégories non numériques et dans lequel la hauteur des bandes correspond aux valeurs de la (des) variable(s) dépendante(s). Aussi appelé *diagramme en bâtons*.

Diagramme de dispersion (n. masc.) Graphique dans lequel chaque donnée est représentée par un point. On utilise un diagramme de dispersion quand toutes les variables sont des valeurs numériques et continues.

Diagramme linéaire (n. masc.) Graphique dans lequel chaque donnée de l'ensemble de données est reliée par une droite à la donnée suivante.

Diaphragme (n. masc.) (1) Chez les mammifères, muscle plat et large formant le plancher de la cavité thoracique et participant à la ventilation pulmonaire. (2) Coupole de caoutchouc mince qu'on place dans la partie profonde du vagin avant le rapport sexuel; sert de barrière mécanique afin d'empêcher les spermatozoïdes d'atteindre l'ovocyte de deuxième ordre.

Diapsides (n. masc.) L'un des trois groupes d'amniotes dont les membres se différencient par une ouverture de chaque côté du crâne et auxquels appartiennent les lépidosauriens et les archosauriens.

Diastole (n. fém.) Phase de relaxation et de remplissage des cavités du cœur pendant la révolution cardiaque.

Diatomées (n. masc.) Protistes photosynthétiques appartenant au clade des straménopiles. Les diatomées possèdent une paroi unique semblable à du verre et composée de dioxyde de silicium enchâssé dans une matrice organique.

Dicaryon (n. masc.) Mycélium des eumycètes dans lequel les différents noyaux haploïdes provenant des parents se sont appariés sans toutefois fusionner; cas particulier d'hétérocaryon.

Dicotylédones (n. fém.) Sous-groupe des angiospermes dont les membres possèdent deux feuilles embryonnaires, nommées *cotylédons*; désormais séparées en eucotylédones, en magnoliidées et en plusieurs lignées d'angiospermes basales sur la base de recherches moléculaires récentes.

Différenciation cellulaire (n. fém.) Processus par lequel les cellules acquièrent des structures et des fonctions spécialisées au cours du développement d'un organisme multicellulaire.

Diffusion (n. fém.) Mécanisme de transport entraînant la dispersion de particules de liquides, de gaz ou de solides dans un milieu donné sous l'effet de l'agitation thermique, dans lequel elles se répartissent uniformément; l'énergie cinétique en est le moteur. En présence d'un gradient de concentration ou d'un gradient électrochimique, la diffusion provoque le déplacement net d'une substance d'une zone où elle est plus concentrée vers une zone où elle l'est moins.

Diffusion facilitée (n. fém.) Passage de molécules ou d'ions à travers une membrane biologique suivant leur gradient électrochimique, à l'aide de protéines de transport transmembranaire (canaux ou transporteurs), sans dépense d'énergie.

Digestion (n. fém.) Deuxième étape du traitement de la nourriture par les animaux au cours de laquelle celle-ci est dégradée en molécules suffisamment petites pour être absorbées par l'organisme animal. La digestion peut être intracellulaire ou extracellulaire, et peut comprendre des processus mécaniques ou chimiques.

Digestion extracellulaire (n. fém.) Processus de dégradation des aliments qui a lieu dans des compartiments communiquant avec l'extérieur du corps des animaux.

Digestion intracellulaire (n. fém.) Processus de dégradation des aliments qui a lieu dans des compartiments, des phagosomes, à l'intérieur des cellules animales, après leur ingestion par phagocytose ou par pinocytose.

Dihybride (adj.) Organisme hétérozygote pour deux gènes particuliers. Tous les descendants issus d'un croisement entre des parents doublement homozygotes pour des allèles différents de mêmes gènes sont des individus dihybrides. Par exemple, des parents de génotypes *AABB* et *aabb* produisent un dihybride de génotype *AaBb*.

Dimorphisme sexuel (n. masc.) Ensemble des différences morphologiques dépendantes des caractères sexuels secondaires des mâles et des femelles d'une même espèce, qui touchent notamment la taille, la couleur, l'ornementation et le comportement.

Dinophytes (n. masc.) Membres d'un groupe appartenant aux alvéolobiontes et rassemblant principalement des protistes unicellulaires photosynthétiques ou hétérotrophes. Les dinophytes possèdent deux flagelles fixés perpendiculairement dans deux sillons creusés sur une armure composée de plaques de cellulose.

Dinosauriens (n. masc.) Groupe extrêmement divers de reptiles anciens chez qui la taille, la forme du corps et l'habitat variaient considérablement. Les oiseaux sont les seuls dinosauriens encore vivants.

Dioïque (adj.) Se dit d'une espèce végétale dont les organes reproducteurs mâles et femelles sont portés par des individus distincts de la même espèce (p. ex., les peupliers et les saules).

Diploblastique (adj.) Se dit d'un animal qui ne possède que deux feuillets embryonnaires (p. ex., les cnidaires).

Diplomonadines (n. fém.) Sous-groupe de métamonadines pourvu de plusieurs flagelles, de deux noyaux distincts et d'un cytosquelette simple (comparé à celui d'autres eucaryotes), mais dépourvu de plastes et de mitochondries.

Disaccharide (n. masc.) Glucide formé de deux monosaccharides unis par une liaison glycosidique au cours d'une réaction de condensation (p. ex., le saccharose formé par l'union du glucose et du fructose).

Dispersion (n. fém.) Mode de répartition des organismes à l'intérieur des limites géographiques de la population.

Diversité des espèces (n. fém.) Nombre d'espèces et leur abondance relative dans une communauté biologique. Appelée *hétérogénéité* par les écologistes.

Division cellulaire (n. fém.) Mode de reproduction des cellules.

Domaine (n. masc.) (1) Catégorie taxonomique la plus vaste, au-dessus du règne. Les trois domaines établis à ce jour sont les archées, les bactéries et les eucaryotes. (2) Région structurale et fonctionnelle d'un polypeptide codée par un exon précis; région globulaire d'une protéine dotée d'une structure tertiaire.

Dominance apicale (n. fém.) Phénomène par lequel la croissance tend à se concentrer à l'extrémité de la pousse d'une plante parce que le bourgeon apical inhibe partiellement la croissance des bourgeons axillaires.

Dominance complète (n. fém.) Forme d'hérédité qui ne permet pas de distinguer le phénotype d'un hétérozygote de celui d'un homozygote dominant.

Dominance incomplète (n. fém.) Forme d'hérédité dans laquelle aucun des allèles n'est complètement dominant, faisant en sorte que les hybrides de la génération F_1 expriment un phénotype intermédiaire, situé entre les phénotypes de chacune des deux variétés parentales.

Données (n. fém.) Observations enregistrées constituant une base pour la recherche scientifique.

Dormance (n. fém.) Chez les végétaux, état métabolique extrêmement lent marqué par l'interruption de la croissance et du développement.

Dorsale (adj.) Se dit de la moitié supérieure (dessus) d'un animal à symétrie radiaire ou bilatérale, par opposition à *ventrale*, qui désigne la moitié inférieure (abdomen) du même animal.

Double fécondation (n. fém.) Chez les angiospermes, processus de fécondation dans lequel deux spermatozoïdes s'unissent à deux cellules du sac embryonnaire pour donner le zygote et l'albumen.

Double hélice (n. fém.) Forme que prend spontanément l'ADN nouvellement synthétisé, dont les deux brins de polynucléotides sont enroulés en spirale autour d'un axe central.

Duodénum (n. masc.) Premier segment de l'intestin grêle où le chyme acide venant de l'estomac se mélange aux sucs digestifs sécrétés par le pancréas et par les cellules glandulaires de la muqueuse intestinale, et à la bile sécrétée par le foie et libérée par la vésicule biliaire.

Duplication (n. fém.) Aberration chromosomique attribuable à des mutagènes ou à une erreur au cours de la méiose ; résulte de la fixation, sur l'un des deux chromosomes homologues, d'un fragment chromosomique, à la suite de l'enjambement, ce qui entraîne la présence d'une copie supplémentaire de certains gènes.

Dynamique des populations (n. fém.) Étude des fluctuations démographiques d'une année ou d'un endroit à l'autre influencées par des interactions complexes entre les facteurs biotiques et abiotiques.

Dynéine (n. fém.) Dans les cils et les flagelles, complexe protéique à fonction motrice associé à un doublet de microtubules s'accrochant au doublet voisin. L'hydrolyse de l'ATP fournit l'énergie nécessaire aux changements de forme des dynéines qui participent à la flexion des cils et des flagelles.

E

Écart type (n. masc.) Mesure de la variation qui existe dans un ensemble de données.

Ecdysozoaires (n. masc.) Une des trois principales lignées d'animaux bilatériens. Beaucoup d'ecdysozoaires sont des animaux qui muent. Voir aussi *Deutérostomiens* et *Lophotrochozoaires*.

Échange à contre-courant (n. masc.) Transfert d'une substance ou de chaleur entre deux liquides qui s'écoulent dans des directions opposées. Par exemple, le sang circule dans les capillaires dans une direction opposée à celle de l'eau dans les branchies, ce qui maximise le captage d'O_2 et le rejet de CO_2.

Échange de cations (n. masc.) Mécanisme par lequel les végétaux peuvent absorber des minéraux chargés positivement, les protons du sol venant déloger ces minéraux à la surface des particules d'argile.

Échange gazeux (n. masc.) Processus qui assiste la respiration cellulaire en lui fournissant les molécules d'O_2 puisées dans l'environnement et en recueillant les molécules de CO_2 de l'organisme pour les rejeter dans l'environnement.

Échinodermes (n. masc.) Deutérostomiens marins regroupant les astérides (étoiles de mer), les ophiurides (ophiures), les échinides (oursins et dollars des sables), les comatulides, les crinoïdes (lis de mer) et les holothurides (concombres de mer). Ces animaux sont sessiles ou se déplacent lentement. Ils possèdent un système aquifère et les larves présentent une symétrie bilatérale.

Écologie (n. fém.) Étude scientifique des interactions entre les organismes, d'une part, et entre les organismes et leur milieu, d'autre part.

Écologie comportementale (n. fém.) Étude des causes écologiques et évolutives du comportement animal.

Écologie des écosystèmes (n. fém.) Étude des flux d'énergie et des cycles biogéochimiques des diverses composantes biotiques et abiotiques d'un écosystème.

Écologie des populations (n. fém.) Analyse des facteurs qui influent sur la taille d'une population et sur les causes et les mécanismes de changement dans le temps.

Écologie du paysage (n. fém.) Étude des profils d'utilisation des paysages passés, présents et futurs, de la gestion des écosystèmes et de la biodiversité des écosystèmes en interaction.

Écologie planétaire (n. fém.) Étude de la façon dont les échanges régionaux d'énergie et de matériaux influent sur le fonctionnement et la distribution des organismes dans la biosphère.

Écologie urbaine (n. fém.) Étude des organismes vivant en milieu urbain ou suburbain et de leur environnement.

Écorce (n. fém.) Chez les végétaux, dans une racine ou une tige de dicotylédone, tissu situé entre le tissu vasculaire et l'épiderme.

Écoservice (n. masc.) Tout processus par l'intermédiaire duquel les écosystèmes naturels et les espèces qui les habitent contribuent à maintenir la vie humaine sur Terre.

Écosystème (n. masc.) Ensemble des organismes vivant dans une aire donnée et des facteurs abiotiques avec lesquels ils interagissent. Une ou plusieurs communautés et le milieu physique qui les entoure.

Écotone (n. masc.) Zone de transition d'un type d'habitat ou d'un écosystème à un autre (p. ex., la transition entre une forêt et une prairie).

Ectoderme (n. masc.) Chez les animaux, feuillet embryonnaire externe dont dérivent l'enveloppe externe et, dans certains cas, le SNC, l'oreille interne et le cristallin de l'œil.

Ectomycorhize (n. fém.) Type de mycorhize dans lequel le mycélium forme une enveloppe dense, ou manchon, qui s'étend à la surface de la racine, mais sans provoquer l'invagination des membranes plasmiques des cellules de la plante hôte.

Ectoparasite (n. masc.) Parasite qui, pour se nourrir, séjourne brièvement sur la face externe de ses hôtes.

Ectopique (adj.) Qui se produit dans un endroit anormal ou qui n'occupe pas sa position normale.

Ectoprocte (n. masc.) Lophophorien sessile et colonial généralement appelé *bryozoaire*, dont plusieurs espèces sont d'importants constructeurs de récifs de corail.

Ectotherme (adj.) Se dit d'un organisme qui absorbe la chaleur externe, au lieu de produire entièrement sa propre chaleur, et qui utilise des adaptations comportementales pour réguler sa température corporelle. Les reptiles (autres que les oiseaux), les poissons et les amphibiens sont ectothermes.

Effecteur (n. masc.) Protéine encodée par un agent pathogène, qui affaiblit le système immunitaire inné de l'hôte.

Effet Bohr (n. masc.) Diminution de l'affinité de l'hémoglobine à l'égard de l'O_2 lors d'une chute de pH. Ce phénomène favorise la libération d'O_2 par les molécules d'hémoglobine se trouvant à proximité de tissus actifs.

Effet de goulot d'étranglement (n. masc.) Dérive génétique résultant de la réduction de taille d'une population, généralement causée par un désastre, et faisant en sorte que la population survivante n'est plus représentative de la population initiale quant à sa composition génétique.

Effet de serre (n. masc.) Réchauffement de la Terre causé par l'accumulation atmosphérique de molécules de CO_2 et de certains autres gaz, qui absorbent les rayons infrarouges réfléchis par la Terre et en retournent une bonne partie vers la surface terrestre.

Effet fondateur (n. masc.) Dérive génétique qui résulte de l'établissement d'une colonie par un petit nombre d'individus provenant d'une population de départ, de sorte que la population de la colonie n'est pas représentative de la population de départ.

Efficacité écologique (n. masc.) Pourcentage de l'énergie tirée de la nourriture qui n'est pas utilisée pour la respiration cellulaire ni éliminée sous forme de déchet.

Efficacité trophique (n. fém.) Dans un écosystème, pourcentage de la productivité qui est transférée d'un niveau trophique donné au niveau supérieur.

Éjaculation (n. fém.) Projection du sperme, de l'épididyme à l'urètre, en passant par le conduit déférent et le conduit éjaculateur, jusqu'à l'extérieur des voies spermatiques du mâle.

Électrocardiogramme – ECG (n. masc.) Enregistrement graphique des influx électriques qui se propagent dans les tissus du cœur au cours du cycle cardiaque.

Électron (n. masc.) Particule élémentaire constitutive gravitant autour du noyau d'un atome, possédant une unité de charge négative et une masse d'environ 1/2 000 de celle d'un neutron ou d'un proton. Le nombre d'électrons d'un atome est généralement égal au nombre de protons.

Électron de valence – électron périphérique (n. masc.) Électron présent dans la couche électronique périphérique.

Électronégativité (n. fém.) Attraction qu'un atome exerce sur les électrons qu'il met en commun avec un autre atome dans le cadre d'une liaison covalente. L'oxygène est un des éléments les plus électronégatifs.

Électrophorèse sur gel (n. fém.) Technique de séparation des acides nucléiques ou des protéines en fonction de leur taille, de leur charge électrique et d'autres propriétés physiques en mesurant la vitesse de leur déplacement dans un gel sous l'effet d'une tension électrique.

Électroporation (n. fém.) Technique d'introduction d'ADN recombiné dans les cellules consistant à soumettre une suspension de cellules à de brèves impulsions électriques. Le courant électrique crée dans la membrane plasmique des trous temporaires qui permettent à l'ADN de pénétrer dans les cellules.

Élément (n. masc.) Matière impossible à décomposer en substances plus simples par des réactions chimiques. On compte 92 éléments naturels, dont l'oxygène, le carbone, l'hydrogène et l'azote, qui sont les plus abondants dans la matière vivante.

Élément de contrôle (n. masc.) Segment d'ADN non codant qui contribue à réguler la transcription d'un gène en servant de site de liaison pour un facteur de transcription. De nombreux éléments de contrôle sont présents dans l'amplificateur d'un gène eucaryote.

Élément de tube criblé (n. fém.) Chez les angiospermes, cellule vivante qui achemine les sucres et les autres nutriments organiques dans le phloème ; forme des chaînes avec d'autres unités pour constituer les tubes criblés du phloème.

Élément de vaisseau (n. masc.) Cellule morte spécialisée, courte et large, présente dans le xylème de la plupart des angiospermes et chez quelques gymnospermes et plantes vasculaires sans graines. Les éléments de vaisseau se juxtaposent pour former des tubes continus assurant la circulation de la sève brute.

Élément essentiel (n. masc.) Élément chimique dont un organisme a besoin pour survivre, croître et se reproduire.

Élément majeur (n. masc.) Élément nutritif essentiel dont une plante a besoin en quantités relativement importantes (p. ex., l'azote). Aussi appelé *macroélément*. Voir aussi *Élément mineur*.

Élément mineur (n. masc.) Élément nutritif essentiel dont un organisme a besoin en très petite quantité. Aussi appelé *microélément*. Voir aussi *Élément majeur*.

Élément transposable (n. masc.) Segment d'ADN qui peut se déplacer d'un endroit à l'autre à l'intérieur du génome par l'intermédiaire d'un ADN ou d'un ARN. Aussi appelé *élément génétique transposable*.

Élimination (n. fém.) Quatrième et dernière étape du traitement des aliments par les animaux au cours de laquelle les matières qui n'ont pas subi de digestion ou d'absorption sont rejetées hors de l'organisme.

Embranchement (n. masc.) Dans la classification de Linné, catégorie taxonomique située au-dessus de la classe.

Embryoblaste (n. masc.) Amas de cellules faisant saillie à une extrémité de la cavité du blastocyste mammalien ; deviendra plus tard l'embryon proprement dit et certaines des membranes extra-embryonnaires. Aussi appelé *masse interne de l'embryon* ou *bouton embryonnaire*.

Embryophytes (n. masc.) Clade qui rassemble des organismes dont le caractère dérivé commun est l'existence d'embryons multicellulaires dépendants. Terme synonyme de *végétaux terrestres*.

Émigration (n. fém.) Déplacement des individus qui quittent une population vers d'autres lieux.

Empreinte écologique (n. fém.) Superficie totale des terres et des eaux requises pour la production de toutes les ressources consommées et pour l'assimilation de tous les déchets calculée pour chaque personne, ville ou pays.

Empreinte génomique (n. fém.) Effet parental sur l'expression des gènes par lequel les mêmes allèles peuvent avoir différents effets selon que l'allèle provient de la mère ou du père.

Énantiomères (n. masc.) Composés qui forment une image l'un de l'autre dans un miroir et dont la structure est différente en raison de la présence d'un carbone asymétrique.

Encéphale (n. masc.) Organe du SNC assurant le traitement et l'intégration de l'information.

Endémique (adj.) Se dit d'une espèce animale ou végétale confinée dans une région géographique précise et relativement petite.

Endocytose (n. fém.) Processus de transport actif permettant l'entrée de nutriments dans une cellule par l'intermédiaire de vacuoles qui se forment à même des régions spécialisées de la membrane plasmique.

Endocytose par récepteur interposé (n. fém.) Transport actif de substances vers l'intérieur de la cellule, au moyen de vésicules membraneuses tapissées de protéines dont les sites récepteurs sont spécifiques aux molécules introduites ; permet à une cellule d'acquérir des quantités appréciables de substances données, même si celles-ci ne sont pas très concentrées dans le liquide extracellulaire.

Endoderme (n. masc.) (1) Chez les animaux, le plus profond des trois feuillets embryonnaires ; tapisse l'intestin primitif et donne naissance, notamment, aux poumons des vertébrés, ainsi qu'au revêtement intérieur du tube digestif et à ses glandes annexes, tels le foie et le pancréas. (2) Chez les végétaux, couche la plus profonde dans le cortex des racines ; couche de cellules formant une barrière entre l'écorce et le cylindre vasculaire.

Endomètre (n. masc.) Muqueuse richement vascularisée qui tapisse la surface interne de l'utérus.

Endométriose (n. fém.) Affection résultant de la présence de tissu endométrial à l'extérieur de l'utérus.

Endomycorhize (n. masc.) Type de mycorhize dans lequel les hyphes s'enfoncent dans la paroi des cellules des racines végétales pour s'introduire dans les cellules de la racine et croître dans des tubes formés par l'invagination de la membrane plasmique de ces cellules. Aussi appelé *mycorhize à arbuscules*.

Endonucléase (n. fém.) Enzyme qui découpe l'ADN ou l'ARN, soit en enlevant une ou quelques bases, soit en hydrolysant complètement l'ADN ou l'ARN en nucléotides.

Endoparasite (n. masc.) Parasite qui vit à l'intérieur des tissus de son hôte.

Endophyte (n. masc.) Eumycète (ou, parfois, autre organisme) qui vit entre les cellules d'une partie d'une plante ou d'une algue multicellulaire, mais sans lui nuire.

Endorphines (n. fém.) Hormones (neuropeptides) produites par le lobe antérieur de l'hypophyse et par certains neurones d'autres parties de l'encéphale, dont la fonction est d'inhiber la perception de la douleur.

Endospore (n. fém.) Cellule résistante entourée d'une épaisse enveloppe protectrice que produisent certaines bactéries quand elles sont exposées à des milieux hostiles.

Endosquelette (n. masc.) Squelette interne constitué d'un ensemble d'éléments de soutien rigides, tels que les os, qui sont enveloppés par les tissus mous des animaux.

Endosymbiose (n. fém.) Relation entre deux espèces dans laquelle un organisme vit à l'intérieur de la cellule d'un autre organisme. Voir aussi *Théorie de l'endosymbiose*.

Endosymbiose en série (n. fém.) Hypothèse selon laquelle une séquence d'événements endosymbiotiques serait à l'origine de la formation de certains organites eucaryotes, dont les mitochondries et les chloroplastes, et peut-être d'autres structures cellulaires, à la suite de la transformation de petits organismes procaryotes ayant vécu dans des cellules plus grandes.

Endosymbiose secondaire (n. fém.) Phénomène qui se produit dans l'évolution eucaryote après qu'une cellule eucaryote photosynthétique ayant été phagocytée par un protiste hétérotrophe a survécu en symbiose dans ce protiste.

Endothélium (n. masc.) Couche simple de cellules aplaties (squameuses) formant la tunique interne d'un vaisseau sanguin parfaitement lisse, réduisant ainsi au minimum la résistance à l'écoulement du sang ; seul tissu de la paroi très mince des capillaires.

Endotherme (adj.) Se dit d'un animal qui tire la majeure partie de sa chaleur corporelle de son propre métabolisme. Cette chaleur maintient généralement une température corporelle stable plus élevée que celle du milieu. Les oiseaux et les mammifères sont endothermes.

Endotoxine (n. fém.) Lipopolysaccharide toxique situé dans la membrane externe de la paroi de certaines bactéries à Gram négatif qui est libéré lors de la rupture de la paroi, quand la bactérie meurt ; responsable de divers symptômes tels que la fièvre, la diarrhée, une inflammation, un état de faiblesse ou de choc, etc.

Énergie (n. fém.) Capacité d'un système physique ou chimique de produire un changement, par exemple un travail (pour imprimer un mouvement à la matière et vaincre les forces qui s'y opposent).

Énergie chimique (n. fém.) Forme d'énergie potentielle emmagasinée dans les liaisons chimiques des molécules.

Énergie cinétique (n. fém.) Énergie de mouvement qui est directement proportionnelle à la vitesse de ce mouvement.

Énergie d'activation (n. fém.) Quantité d'énergie que doivent absorber des réactifs pour qu'une réaction chimique se déclenche. Le rôle des enzymes consiste à abaisser l'énergie d'activation. Aussi appelée *énergie libre d'activation*.

Énergie libre (n. fém.) Portion de l'énergie d'un système qui peut produire du travail à une température et à une pression constantes. La variation de l'énergie libre d'un système (ΔG) est calculée à l'aide de l'équation $\Delta G = \Delta H - T\Delta S$, où ΔH est la variation d'enthalpie (dans les systèmes biologiques, équivaut à l'énergie totale), T est la température absolue et ΔS est la variation d'entropie.

Énergie potentielle (n. fém.) Énergie emmagasinée par la matière grâce à sa structure ou à sa position par rapport à d'autres objets.

Énergie thermique (n. fém.) Énergie cinétique produite par le mouvement aléatoire des atomes et des molécules ; forme la plus aléatoire de l'énergie. Voir aussi *Chaleur*.

Enjambement (n. masc.) Mécanisme d'échange de gènes entre deux chromatides non sœurs pendant la synapsis, qui se produit à la prophase I de la méiose.

Enraciné (adj.) Se dit d'un arbre phylogénétique qui contient un nœud (souvent dessiné à la base de l'arbre) représentant l'ancêtre commun le plus récent de tous les taxons de l'arbre.

Entre-nœuds (n. masc.) Segment de la tige des plantes situé entre deux nœuds.

Entropie (n. fém.) Fonction que les scientifiques utilisent pour mesurer le désordre moléculaire de l'Univers. Symbolisée par *S*.

Enveloppe nucléaire (n. fém.) Dans les cellules eucaryotes, membrane double entourant le noyau, perforée de pores qui régulent les échanges avec le cytoplasme. La membrane nucléaire externe est prolongée par le réticulum endoplasmique.

Enveloppe virale (n. fém.) Membrane qui recouvre la capside abritant le génome viral, constituée d'une partie de la membrane plasmique de la cellule hôte.

Enzyme (n. fém.) Macromolécule généralement de nature protéique servant de catalyseur, c'est-à-dire d'agent chimique augmentant la vitesse d'une réaction (en abaissant l'énergie d'activation) sans intervenir à proprement parler dans la réaction et sans être modifié par elle.

Enzyme de restriction (n. fém.) Endonucléase bactérienne qui reconnaît et découpe un ADN étranger, par exemple l'ADN d'un phage, afin de restreindre la capacité d'infection de ce phage ou d'un ADN étranger. L'enzyme coupe l'ADN au niveau d'une séquence spécifique de nucléotides (sites de restriction).

Éosinophile (n. masc.) Type de leucocyte doué de phagocytose. Les éosinophiles sont des granulocytes souvent présents dans les tissus recouverts d'un épithélium. Ils jouent un rôle essentiel dans la défense contre des envahisseurs multicellulaires, comme les vers parasites, qu'ils combattent au moyen d'enzymes destructrices.

Épicotyle (n. masc.) Dans les graines des angiospermes, partie de l'axe embryonnaire située au-dessus du point d'attache des cotylédons et au-dessous de la première paire de feuilles miniatures.

Épidémie (n. fém.) Éclosion brutale, dans une région donnée, d'un nombre de cas élevé et simultané d'une maladie infectieuse.

Épiderme (n. masc.) (1) Chez les végétaux non ligneux, tissu de revêtement des organes jeunes consistant habituellement en une couche unique de cellules serrées. (2) Chez les animaux, enveloppe externe formée d'un tissu épithélial.

Épididyme (n. masc.) Petit organe allongé accolé au testicule constitué de canalicules efférents dans lesquels les spermatozoïdes séjournent et acquièrent leur mobilité et leur fécondité.

Épigénétique (n. fém.) Étude des changements héréditaires causés par l'activation et la désactivation des gènes, sans altération de la séquence ADN.

Épiphyte (n. masc.) Plante qui, tout en ayant la capacité de se nourrir par elle-même, croît sur une autre plante, généralement sur les branches ou les troncs des arbres.

Épissage (n. masc.) Après la synthèse d'un transcrit primaire (ARN prémessager) dans la cellule eucaryote, processus au cours duquel des parties non codantes (introns) sont exclues de l'ARNm, et les parties restantes (exons) sont réunies.

Épissage différentiel (n. masc.) Pendant la maturation de l'ARN prémessager, type de régulation dans lequel un même transcrit primaire produit différentes molécules d'ARNm, selon que les segments d'ARN prémessager sont traités en exons ou en introns.

Épistasie (n. fém.) Phénomène d'interaction par lequel un gène situé sur un locus donné agit sur les effets phénotypiques d'un autre gène situé sur un autre locus.

Épithélium (n. masc.) Voir *Tissu épithélial*.

Épithélium de transport (n. masc.) Chez la plupart des animaux, tissu composé d'une ou de plusieurs couches de cellules épithéliales spécialisées qui effectuent et régulent le mouvement des solutés.

Épitope (n. masc.) Fragment accessible de la surface de l'antigène à laquelle se lient les anticorps ou les récepteurs d'antigène.

Équilibre chimique (n. masc.) Situation d'une réaction chimique réversible, lorsque la réaction directe et la réaction inverse s'effectuent à la même vitesse, de sorte que les concentrations relatives des réactifs et des produits demeurent constantes.

Équilibre de Hardy-Weinberg (n. fém.) État d'une population dans lequel les fréquences alléliques et les génotypes restent constants de génération en génération, lorsque seules la ségrégation mendélienne et la recombinaison d'allèles sont à l'œuvre.

Équilibre ponctué (n. masc.) Modèle théorique de l'évolution selon lequel les espèces divergent au cours de changements soudains et relativement brefs alternant avec de longues périodes d'apparente stabilité (absence de changement).

Érythrocyte (n. masc.) Cellule sanguine de certains invertébrés et des vertébrés qui contient de l'hémoglobine, laquelle sert au transport de l'O_2 et d'une partie du CO_2. Communément appelé *globule rouge*.

Érythropoïétine – EPO (n. fém.) Hormone qui stimule la production d'érythrocytes; produite par les reins quand les tissus ne reçoivent pas suffisamment d'O_2.

Espèce (n. fém.) Selon le concept biologique, population ou groupe de populations dont les membres sont en mesure de se reproduire entre eux dans un environnement naturel pour produire une descendance viable et fertile, mais qui ne peuvent pas en faire autant avec les membres d'autres populations. Chez les organismes se reproduisant de façon asexuée, l'appartenance à une espèce se définit selon des critères génétiques le plus souvent. Voir aussi *Concept écologique de l'espèce* et *Concept morphologique de l'espèce*.

Espèce clé de voûte (n. fém.) Espèce qui n'est pas particulièrement abondante dans une communauté, mais qui en conditionne fortement la structure, non pas tant par le nombre de ses membres que par son rôle écologique, ou niche. Une communauté peut contenir plusieurs espèces clés de voûte. Aussi appelée *espèce pivot*.

Espèce dominante (n. fém.) Espèce qui est la plus nombreuse dans une communauté ou dont la biomasse est la plus élevée. Elle exerce une influence déterminante sur la présence d'autres espèces et leur distribution. Il peut y avoir plusieurs espèces dominantes dans une communauté.

Espèce en voie d'extinction – de disparition (n. fém.) Espèce qui risque de disparaître dans un avenir rapproché dans l'ensemble ou dans une partie de son aire de répartition.

Espèce envahissante (n. fém.) Espèce qui s'établit à l'extérieur de son aire de répartition indigène. Habituellement introduite par des humains.

Espèce introduite (n. fém.) Espèce que les humains déplacent intentionnellement ou accidentellement de son aire de répartition normale jusque dans une nouvelle aire géographique. Aussi appelée *espèce non indigène* ou *espèce exotique*.

Espèce menacée (n. fém.) Toute espèce qui sera vraisemblablement menacée d'extinction dans un avenir prévisible dans l'ensemble ou dans une partie de son aire de répartition.

Estomac (n. masc.) Organe volumineux situé dans la cavité abdominale supérieure, sous le diaphragme; entrepose la nourriture durant un certain temps et s'acquitte de fonctions digestives importantes; sécrète le suc gastrique.

Estuaire (n. masc.) Zone de transition entre un fleuve et l'océan dans lequel il se jette.

Étamine (n. fém.) Organe reproducteur de la fleur, composé d'un filet et d'une anthère dans laquelle le pollen est produit et entreposé.

Éthylène (n. masc.) Seul régulateur de croissance végétal sous forme gazeuse; responsable de la réaction au stress mécanique, de la mort cellulaire programmée, de la maturation des fruits et de l'abscission des feuilles.

Étiolement (n. masc.) Ensemble d'adaptations morphologiques et physiologiques qui permettent à une plante de s'allonger de façon exagérée dans l'obscurité.

Étude d'association sur l'ensemble du génome (n. fém.) Analyse à grande échelle des génomes d'un grand nombre de personnes atteintes d'une anomalie ou d'une maladie phénotypique pour essayer de repérer des particularités génétiques qu'elles ont en commun en comparant leur génome avec celui de personnes exemptes de ces maladies. Les variations du génome ne touchant qu'une seule paire de bases sont appelées polymorphismes mononucléotidiques (SNP) et sont des marqueurs très utiles dans ces études.

Étude sur les jumeaux (n. fém.) Étude dans laquelle les chercheurs comparent le comportement de vrais jumeaux (monozygotes) élevés séparément avec le comportement de ceux élevés ensemble, afin de déterminer l'influence des gènes et de l'environnement sur le comportement.

Eucaryotes (n. masc.) Domaine du vivant qui regroupe les protistes, les eumycètes, les végétaux et les animaux.

Euchromatine (n. fém.) Chez les eucaryotes, type de chromatine destinée à la transcription qui est moins compacte que l'hétérochromatine.

Eudicotylédones (n. fém.) Clade réunissant la majorité des dicotylédones, plantes à fleurs avec deux feuilles embryonnaires ou cotylédons, qui comprend notamment les roses, les pois, les renoncules, les tournesols, les chênes et les érables.

Euglénobiontes (n. masc.) Forment un clade diversifié de protistes flagellés dont font partie des prédateurs hétérotrophes, des autotrophes photosynthétiques et des parasites pathogènes.

Euglénophytes (n. masc.) Groupe de protistes auquel appartiennent l'euglène et les espèces apparentées, qui se distinguent par la présence de chloroplastes et de deux flagelles émergeant d'une dépression antérieure, ainsi que par la production de paramylon, un polymère de glucose qui leur sert de substance de réserve.

Eumétazoaires (n. masc.) Membres d'un clade du règne animal rassemblant tous les animaux, sauf les éponges. Leurs membres possèdent de vrais tissus.

Eumycètes (n. masc.) Membres d'un règne rassemblant tous les organismes hétérotrophes qui se nourrissent en absorbant les nutriments par leur paroi externe (champignons, levures, moisissures).

Eumycètes ectomycorhiziens (n. masc.) Voir *Ectomycorhize*.

Eumycètes mycorhiziens à arbuscules (n. masc.) Voir *Endomycorhize*.

Euryptérides (n. masc.) Groupe aujourd'hui disparu de chélicériformes carnivores, des prédateurs appelés aussi *scorpions de mer* pouvant atteindre 3 m de longueur.

Euthériens (n. masc.) Mammifères placentaires dont l'embryon se développe complètement dans l'utérus, où un placenta bien développé le relie à sa mère.

Eutrophisation (n. fém.) Dégradation d'un milieu aquatique par suite de l'accumulation excessive de certains nutriments, surtout le phosphore et l'azote d'origine agricole, ce qui entraîne une croissance accrue d'organismes tels que les algues.

Évaporation (n. fém.) Passage d'un corps de l'état liquide à l'état gazeux.

Évapotranspiration (n. fém.) Quantité totale d'eau qui s'évapore annuellement des plantes par transpiration, dans un écosystème, et qu'on mesure habituellement en millimètres.

Évent alcalin (n. masc.) Source hydrothermale sous-marine d'où sort de l'eau tiède ou chaude (de 40 à 90 °C) et de pH élevé (alcalin). Les évents alcalins sont de minuscules pores recouverts de fer et d'autres minéraux catalytiques. Selon certains scientifiques, les évents alcalins pourraient avoir été le foyer des plus anciennes synthèses abiotiques de composés organiques.

Évo-dévo (n. masc.) En biologie de l'évolution du développement, domaine d'étude dont l'objet consiste à comparer les processus de développement de divers organismes multicellulaires pour comprendre comment ces mécanismes sont apparus et comment des changements dans ceux-ci peuvent modifier les caractéristiques existantes d'un organisme ou en créer de nouvelles.

Évolution (n. fém.) Descendance avec modification ; théorie selon laquelle les espèces vivantes descendent d'espèces ancestrales différentes des espèces contemporaines. Au sens plus strict, peut se définir comme l'ensemble des changements dans la composition génétique d'une population de génération en génération.

Évolution adaptative (n. fém.) Processus dynamique continu qui favorise l'acquisition de traits facilitant la survie et la reproduction des organismes dans un environnement donné.

Évolution convergente (n. fém.) Évolution de caractéristiques analogues dans des lignées évolutives indépendantes.

Excavobiontes (n. masc.) Membres d'un des six supergroupes d'eucaryotes rendant compte d'une hypothèse récente de l'histoire évolutive des eucaryotes, proposée à la suite d'études révélant une caractéristique cytosquelettique unique. Certaines espèces d'excavobiontes s'alimentent par un cytostome, une zone creusée sur le côté du corps cellulaire. Voir aussi *Alvéolobiontes*, *Archéplastides*, *Rhizariens*, *Straménopiles* et *Unichontes*.

Exclusion compétitive (n. fém.) Concept selon lequel des populations de deux espèces semblables ne peuvent cohabiter lorsqu'elles sont en compétition pour les mêmes ressources limitées : une des populations utilisera les ressources plus efficacement et acquerra un avantage reproducteur qui finira par éliminer l'autre population.

Excrétion (n. fém.) Phénomène par lequel le produit de la sécrétion est acheminé en dehors de la structure qui l'a élaboré, généralement par l'intermédiaire d'un conduit excréteur.

Exocytose (n. fém.) Transport actif de macromolécules vers le milieu extracellulaire, par la fusion de vésicules de sécrétion avec la membrane plasmique.

Exon (n. masc.) Séquence dans un transcrit primaire qui reste dans l'ARN après sa maturation ; désigne également le segment d'ADN situé à l'intérieur de la séquence codante d'un gène, dans la cellule eucaryote.

Exosquelette (n. masc.) Revêtement solide du corps d'un animal, comme la coquille des mollusques ou la cuticule des arthropodes ; protège l'animal et fournit des points d'attache aux muscles.

Exotoxine (n. fém.) Protéine toxique sécrétée par un procaryote ou un autre agent pathogène et qui peut avoir des effets sur l'organisme hôte même en l'absence de l'agent qui l'a sécrétée.

Expansine (n. fém.) Enzyme végétale qui rompt les ponts transversaux (liaisons hydrogène) entre les microfibrilles de cellulose et d'autres composants de la paroi cellulaire et qui en affaiblit la trame.

Expansion (n. fém.) Mouvement d'individus ou de gamètes qui s'éloignent de leur aire d'origine, ce qui contribue à la répartition géographique d'une population ou d'une espèce.

Expérience (n. fém.) Test scientifique ; souvent effectué dans des conditions contrôlées qui consistent à manipuler un facteur dans un système afin d'en déterminer les effets.

Expérience contrôlée (n. fém.) Expérience conçue pour comparer un groupe expérimental avec un groupe témoin. Idéalement, les deux groupes ne diffèrent que par le facteur étudié.

Expérience d'adoption interspécifique (n. fém.) Étude de comportement en vertu de laquelle les petits d'une espèce sont placés dans les nids d'une autre espèce.

Exploitation (n. fém.) Interaction écologique de type +/− dans laquelle une espèce tire un bénéfice en se nourrissant d'une autre espèce à qui, ce faisant, elle cause un préjudice. Les interactions d'exploitation incluent la prédation, l'herbivorisme et le parasitisme.

Explosion du Cambrien (n. fém.) Période de temps relativement courte dans l'histoire géologique, il y a entre 542 et 525 millions d'années environ, marquée par l'apparition soudaine dans les archives géologiques (fossiles) de nombreux embranchements d'animaux existant encore actuellement. Cette augmentation phénoménale des changements évolutifs a permis l'émergence des premiers grands animaux munis de structures externes dures.

Expression génétique (n. fém.) Processus par lequel l'ADN régit la synthèse de protéines ou, dans certains cas, de molécules d'ARN qui ne sont pas traduites en protéines.

Expression génétique différentielle (n. fém.) Expression de différents ensembles de gènes par des cellules possédant le même génome.

Extension convergente (n. fém.) Au cours de la morphogenèse et de la différenciation cellulaire, processus par lequel des cellules d'une couche de tissu se réarrangent de telle manière que la couche de cellules rétrécit dans le sens de l'intercalation (convergence) tout en s'allongeant (extension).

Extinction massive (n. fém.) Disparition soudaine d'un nombre considérable d'espèces de la surface de la Terre sous l'effet de modifications environnementales planétaires brutales.

Extrémité cohésive (n. fém.) Extrémité monocaténaire (constituée d'une seule chaîne) d'un fragment de restriction d'ADN, qui est bicaténaire (constitué de deux chaînes). Ces extrémités peuvent former des liaisons hydrogène avec leurs parties complémentaires.

Extrêmophiles (n. masc.) Organismes capables de vivre dans des milieux aux conditions extrêmes que la plupart des autres espèces sont incapables de supporter ; comprennent les halophiles extrêmes et les thermophiles extrêmes.

F

Facteur de croissance (n. masc.) (1) Protéine qui doit être présente dans le milieu extracellulaire (milieu de culture ou corps d'un animal) pour qu'aient lieu la croissance et le développement normal de certains types de cellules. (2) Protéine régulatrice produite localement par certaines cellules qui agit sur les cellules voisines pour en stimuler la prolifération et la différenciation.

Facteur F (n. masc.) Chez les bactéries, segment d'ADN qui contrôle la formation de pili pour la conjugaison et les fonctions associées requises pour le transfert d'ADN de la cellule donneuse à la cellule receveuse. Le facteur F peut exister sous forme de plasmide ou être intégré dans un chromosome bactérien.

Facteur natriurétique auriculaire – FNA (n. masc.) Hormone peptidique sécrétée par les cellules de l'oreillette droite du cœur en réaction à une pression sanguine élevée.

Les effets du FNA sur les reins modifient le mouvement des ions et de l'eau, et abaisse la pression sanguine.

Facteurs de transcription (n. masc.) Chez les eucaryotes, ensemble de protéines qui se lient à l'ADN et qui permettent la liaison de l'ARN polymérase et le début de la transcription.

Famille (n. fém.) Dans la classification de Linné, catégorie taxonomique située au-dessus du genre.

Famille multigénique (n. fém.) Ensemble de gènes identiques ou très semblables probablement issus d'un même gène ancestral.

Faune de l'Édiacarien (n. fém.) Fossiles faisant partie d'un groupe primitif d'eucaryotes multicellulaires macroscopiques à corps mou et âgés de 635 à 535 millions d'années.

Fécondation (n. fém.) Union de gamètes haploïdes produisant un zygote diploïde. Aussi appelée *syngamie*.

Fécondation *in vitro* – FIV (n. fém.) Technique de procréation consistant à stimuler la croissance des follicules par un traitement hormonal, puis à prélever les ovocytes matures par voie chirurgicale. On féconde ensuite ces ovocytes en laboratoire dans des boîtes de Petri, puis on les introduit dans l'utérus.

Fenêtre cochléaire (n. fém.) Dans l'oreille des mammifères, point de contact où les vibrations du stapes créent une série d'ondes de pression dans le liquide de la cochlée.

Fenêtre vestibulaire (n. fém.) Dans l'oreille moyenne de certains vertébrés, membrane située sous le stapes, qui reçoit les vibrations produites par les trois os de l'oreille moyenne et les conduit à l'oreille interne. Aussi appelée *fenêtre ovale*.

Fentes branchiales (n. fém.) Chez les embryons des cordés, fentes qui se forment à partir des rainures branchiales et qui s'ouvrent sur l'extérieur; peuvent se développer par la suite en branchies chez de nombreux vertébrés.

Fermentation (n. fém.) Catabolisme anaérobie qui produit une quantité limitée d'ATP à partir du glucose (ou d'autres molécules organiques), sans faire appel à une chaîne de transport d'électrons; produit de l'éthanol ou du lactate.

Fermentation alcoolique (n. fém.) Glycolyse suivie de la réduction du pyruvate en alcool éthylique régénérant le NAD^+ et libérant du CO_2.

Fermentation lactique (n. fém.) Mode de production d'énergie anaérobie faisant appel à la glycolyse, à l'issue de laquelle le pyruvate est réduit en lactate, une réaction qui régénère du NAD^+ sans libération de CO_2.

Fertilisation (n. fém.) Ajout de nutriments inorganiques au sol.

Feuille (n. fém.) Principal organe photosynthétique des plantes vasculaires.

Feuillet embryonnaire (n. masc.) Chacun des tissus concentriques et superposés qui se forment dans un embryon, au cours de la gastrulation, et dont dérivent les différents tissus et organes des animaux. Certains animaux se développent à partir de deux feuillets, les autres, à partir de trois.

Feuillet plissé bêta – β (n. masc.) Type de structure secondaire des protéines dans laquelle deux ou plusieurs brins d'une chaîne polypeptidique forment une série de plis tout en se côtoyant dans le même plan, grâce à la formation de liaisons hydrogène entre les atomes du squelette polypeptidique (et non ceux des chaînes latérales).

Fibroblastes (n. masc.) Type de cellules qui sont dispersées dans la trame fibreuse du tissu conjonctif lâche et qui sécrètent les ingrédients protéiques des fibres extracellulaires.

Fibronectine (n. fém.) Glycoprotéine extracellulaire sécrétée par les cellules animales qui concourt à fixer celles-ci à la matrice.

Fibrose kystique (n. fém.) Chez l'humain, maladie héréditaire touchant les enfants ayant reçu deux allèles récessifs pour la protéine assurant le transport des ions chlorure. Caractérisée par une sécrétion abondante de mucus qui contribue à l'apparition d'infections, cette maladie est mortelle si elle n'est pas traitée. Aussi appelée *mucoviscidose*.

Filament intermédiaire (n. masc.) Élément du cytosquelette dont le diamètre est supérieur à celui des microfilaments mais inférieur à celui des microtubules; constitué de protéines dont font partie les kératines.

Filet (n. masc.) Chez les angiospermes, tige de l'étamine, l'organe producteur de pollen dans la fleur.

Filtrat (n. masc.) Liquide sans cellules que le système excréteur extrait des liquides corporels.

Filtration (n. fém.) Extraction par les néphrons de l'eau et de petites molécules, notamment les déchets métaboliques, provenant du sang, pour les faire passer dans le système urinaire.

Fimbriae (n. fém.) Courts et fins appendices permettant à certains procaryotes d'adhérer les uns aux autres ou à un substrat.

Fixation de l'azote (n. fém.) Processus au cours duquel un organisme convertit la molécule d'azote atmosphérique (N_2) en ammoniac (NH_3). La fixation du N_2 est effectuée par des procaryotes dont certains entretiennent des relations mutualistes avec les végétaux.

Fixation du carbone (n. fém.) Processus métabolique effectué par un organisme autotrophe (une plante, un autre organisme photosynthétique ou un procaryote chimiotrophe) quand il incorpore du carbone provenant du CO_2 dans les molécules organiques.

Flagelle (n. masc.) Long appendice cellulaire spécialisé dans la locomotion. Comme les cils mobiles, les flagelles des eucaryotes comportent neuf doublets de microtubules externes disposés autour de deux microtubules non jumelés (disposition de type «9 + 2»). Ce groupe de microtubules est recouvert par un prolongement de la membrane plasmique. Les flagelles des procaryotes ont une structure différente.

Flasque (adj.) Qui manque de rigidité ou de fermeté. Se dit d'une plante poussant dans un milieu où elle a tendance à perdre son eau. La cellule végétale devient flasque si son potentiel hydrique est supérieur à celui de son milieu, ce qui entraîne une déperdition d'eau.

Flétrissement (n. masc.) Chez les végétaux, perte de rigidité des feuilles et des tiges non ligneuses causée par un manque d'eau ou sous l'effet d'autres facteurs.

Fleur (n. fém.) Chez les angiospermes, structure composée de quatre verticilles de feuilles modifiées qui sert à la reproduction.

Fleur complète (n. fém.) Fleur possédant les quatre principaux organes floraux, c'est-à-dire les sépales, les pétales, les étamines et les carpelles.

Fleur incomplète (n. fém.) Fleur chez laquelle au moins un ensemble de pièces florales (sépales, pétales, étamines ou carpelles) est manquant ou non fonctionnel.

Florigène (n. fém.) Régulateur de croissance végétal de floraison. De nature protéique, la florigène produite dans les feuilles dans certaines conditions migre vers les méristèmes apicaux de la pousse, ce qui fait passer ces tissus de l'état végétatif à l'état de croissance reproductive.

Flux génétique (n. masc.) Migration d'individus féconds ou échange de gamètes entre des populations différentes. Entraîne une perte ou un gain d'allèles dans une population.

Fœtus (n. masc.) Mammifère en cours de développement qui possède les principales structures de l'adulte. Chez l'humain, ce terme désigne l'embryon depuis la neuvième semaine de développement jusqu'à la naissance.

Foie (n. masc.) Chez les vertébrés, le plus gros des organes; remplit une multitude de fonctions, notamment la production de bile, le maintien de la glycémie et la détoxication des poisons dans le sang.

Follicule (n. masc.) (1) Structure en forme de sac enfouie dans un tissu. (2) Structure microscopique de l'ovaire qui renferme un ovocyte en développement et sécrète des œstrogènes.

Foraminifères (n. masc.) Protistes marins qui sécrètent une coque poreuse dure contenant du carbonate de calcium et de laquelle émergent des pseudopodes.

Forçage génétique (n. masc.) Processus qui favorise un allèle donné, de sorte que celui-ci devient plus susceptible que les autres allèles d'être transmis et se répand dans la population.

Force de Van der Waals (n. fém.) Attraction faible entre des molécules ou entre différentes régions d'une même molécule résultant de changements localisés des charges.

Force protonmotrice (n. fém.) Énergie potentielle présente sous la forme d'un gradient électrochimique produit par le passage de protons (H^+) à travers les membranes biologiques au cours de la chimiosmose.

Forêt de conifères (n. fém.) Biome terrestre caractérisé par des hivers longs et froids, et dominé par des arbres porteurs de cônes.

Forêt décidue tempérée (n. fém.) Biome terrestre situé dans les régions de latitude moyenne où l'humidité est suffisante pour supporter la croissance de grands arbres décidus à feuilles larges.

Forêt méditerranéenne (n. fém.) Biome composé de bosquets d'arbrisseaux, de buissons épineux à feuilles persistantes et de broussailles; occupe les régions côtières de latitude moyenne où circulent les courants froids de l'océan; caractérisé par des hivers doux et pluvieux et des étés longs, chauds et secs.

Forêt tropicale humide (n. fém.) Biome terrestre caractérisé par des températures et des précipitations relativement élevées toute l'année.

Forêt tropicale sèche (n. fém.) Biome terrestre caractérisé par des températures et des précipitations relativement élevées dans l'ensemble, mais en alternance avec une saison sèche bien délimitée.

Formation réticulaire (n. fém.) Réseau de neurones diffus situé au centre du tronc cérébral. Régit notamment le sommeil et l'éveil, et agit comme un filtre sensitif en sélectionnant l'information qui atteint le cortex cérébral.

Forme polype (n. fém.) Forme sessile et cylindrique de la structure corporelle des cnidaires. L'autre forme est la méduse.

Fossile (n. masc.) Vestige ou empreinte d'organisme ancien conservé dans une roche sédimentaire ou dans un autre matériau durable.

Fourche de réplication (n. fém.) Région en forme de Y située à chaque extrémité d'un œil de réplication, où les brins parentaux sont déroulés et les nouveaux brins d'ADN sont synthétisés.

Fractionnement cellulaire (n. masc.) Technique de séparation des organites et des structures intracellulaires en soumettant les cellules d'un échantillon à des centrifugations successives effectuées à des vitesses de plus en plus rapides.

Fragment d'Okazaki (n. masc.) Court segment d'ADN synthétisé en s'éloignant de la fourche de réplication sur un brin complémentaire pendant la réplication de l'ADN. Un brin discontinu d'ADN nouvellement synthétisé se compose de plusieurs fragments d'Okazaki.

Fragment de restriction (n. masc.) Portion d'ADN obtenue après coupure de l'ADN par une enzyme de restriction.

Fragmentation (n. fém.) Étape d'un mécanisme de reproduction asexuée dans laquelle le corps se scinde en plusieurs morceaux, dont certains ou l'ensemble se transformeront, par régénération, en adultes complets. S'observe chez plusieurs porifères, cnidaires, polychètes (annélides) et tuniciers (urocordés).

Fréquence cardiaque – f_c (n. fém.) Nombre de battements cardiaques par unité de temps (généralement une minute).

Fronde (n. fém.) (1) Chez les algues, structure semblable à une feuille et constituant la majeure partie de la surface de photosynthèse. (2) Feuille des fougères.

Fruit (n. masc.) Ovaire mature de la fleur qui protège les graines en dormance et contribue à leur dispersion.

Fruit accessoire (n. masc.) Faux fruit, formé par l'hypertrophie d'autres pièces florales que l'ovaire, comme les réceptacles charnus de la pomme et de la fraise.

Fruit agrégé (n. masc.) Fruit qui, comme la framboise, provient d'une fleur unique qui possédait plus d'un carpelle.

Fruit multiple (n. masc.) Fruit qui, comme l'ananas, se forme à partir d'une inflorescence.

Fruit simple (n. masc.) Fruit formé par un seul carpelle ou par plusieurs carpelles fusionnés.

Fuseau de division (n. masc.) Ensemble de fibres constituées de microtubules associés à des protéines; régit les déplacements des chromosomes au cours de la division cellulaire, chez les eucaryotes.

G

Gaine de myéline (n. fém.) Couche isolante formée par l'enroulement de la membrane plasmique des neurolemmocytes ou des oligodendrocytes et entourant l'axone d'un neurone. Elle est interrompue par les nœuds de Ranvier où les potentiels d'action sont générés.

Gamétange (n. masc.) Structure végétale multicellulaire dans laquelle se forment les gamètes. Les *archégones* sont des gamétanges femelles et les *anthéridies* sont des gamétanges mâles.

Gamète (n. masc.) Voir *Cellule reproductrice.*

Gamétogenèse (n. fém.) Processus par lequel les gamètes sont produits.

Gamétophore (n. masc.) Chez les mousses, structure qui porte les gamètes; avec le protonéma, constitue le gamétophyte.

Gamétophyte (n. masc.) Forme haploïde multicellulaire chez les végétaux et certaines algues dont le cycle de développement comporte une alternance de générations; produit par mitose des gamètes haploïdes qui fusionnent pour donner des sporophytes.

Ganglion (n. masc.) Amas (groupe fonctionnel) de corps de neurones.

Gastrula (n. fém.) Stade de développement associé à la gastrulation et caractérisé par la formation d'un embryon à trois feuillets: l'ectoderme, le mésoderme et l'endoderme.

Gastrulation (n. fém.) Dans le développement animal, série de migrations de cellules et de tissus que subit un embryon quand la blastula s'invagine et que se différencient les feuillets des tissus embryonnaires des diverses parties d'un organisme animal.

Gène (n. masc.) Unité d'information génétique située sur les chromosomes et constituée d'une séquence spécifique de nucléotides dans l'ADN (ou dans l'ARN, chez certains virus).

Gène à effet maternel (n. masc.) Gène de l'ovocyte contrôlant la régulation de l'orientation (polarité) de l'œuf; aussi appelé *gène de polarité de l'œuf.*

Gène d'identité des organes (n. masc.) Gène homéotique d'une plante qui établit le type de structure florale qui se formera à partir d'un méristème, selon l'information de positionnement.

Gène d'identité du méristème floral (n. masc.) Gène végétal codant pour des facteurs de transcription qui régulent les gènes nécessaires à la conversion des méristèmes végétatifs indéfinis en méristèmes floraux définis.

Gène homéotique (n. masc.) Gène maître régulateur intervenant au cours du développement embryonnaire qui dirige l'emplacement et le plan d'organisation des parties du corps chez les animaux, les végétaux et les eumycètes en commandant la destinée des groupes de cellules.

Gène lié au chromosome X (n. masc.) Gène situé sur le chromosome X; ces gènes entraînent un mode de transmission héréditaire différent.

Gène lié au sexe (n. masc.) Gène porté par un chromosome sexuel. La majorité des gènes liés au sexe sont situés sur le chromosome X – il y en a très peu sur le chromosome Y – et présentent des modes de transmission héréditaire qui leur sont propres.

Gène régulateur (n. masc.) Gène codant pour une protéine, tel un répresseur, qui régule la transcription d'un autre gène ou d'un groupe de gènes.

Gène suppresseur de tumeurs (n. masc.) Gène contrôlant la synthèse de protéines qui inhibent la division cellulaire, contribuant ainsi à empêcher une croissance cellulaire anarchique qui risque de déclencher un cancer.

Génération F_1 (n. fém.) Première génération filiale, constituée des hybrides (hétérozygotes) issus du croisement parental (génération P).

Génération F_2 (n. fém.) Deuxième génération filiale, constituée des descendants issus d'un croisement (ou de l'autofécondation) entre des hybrides F_1.

Génération P (n. fém.) Génération des parents de lignée pure (homozygotes) desquels sont issus les descendants hybrides de la génération F_1, dans une expérience de croisement. P signifie «parentale».

Gènes liés (n. masc.) Gènes localisés tellement proches l'un de l'autre sur le même chromosome qu'ils sont habituellement transmis ensemble.

Gènes orthologues (n. masc.) Gènes homologues présents dans des espèces différentes, et dont la divergence remonte aux événements de spéciation qui les ont produites.

Gènes paralogues (n. masc.) Gènes homologues présents dans le même génome en raison de la duplication génétique.

Génétique (n. fém.) Étude scientifique de l'hérédité et de la variation entre les individus.

Génie génétique (n. masc.) Ensemble de techniques portant sur la manipulation directe des gènes à des fins pratiques.

Génome (n. masc.) Matériel génétique d'un organisme ou d'un virus; ensemble complet des gènes d'un organisme ou d'un virus, ainsi que ses séquences d'acides nucléiques non codantes.

Génomique (n. fém.) Étude des ensembles complets de génomes (gènes et autre ADN) et de leurs interactions dans une espèce, ainsi que des comparaisons des génomes de différentes espèces.

Génotype (n. masc.) Constitution allélique d'un individu pour un ou plusieurs caractères.

Genre (n. masc.) Catégorie taxonomique située au-dessus de l'espèce. Dans la nomenclature binominale, le genre est désigné par le premier mot du nom scientifique de l'espèce.

Géotropisme (n. masc.) Réaction d'une plante ou d'un animal à la force gravitationnelle; les racines ont un géotropisme positif – elles sont attirées vers le bas – et les tiges un géotropisme négatif.

Gestation (n. fém.) Voir *Grossesse.*

Ghréline (n. fém.) Hormone produite principalement par des cellules de l'estomac qui déclenche la sensation de faim.

Gibbérellines (n. fém.) Catégorie de régulateurs de croissance végétaux qui provoquent la croissance de la tige et des feuilles, déclenchent la germination des graines, mettent un terme à la dormance des bourgeons et, de concert avec l'auxine, stimulent le développement du fruit.

Gland (n. masc.) Structure arrondie à l'extrémité du clitoris ou du pénis sensible à la stimulation sexuelle.

Glande endocrine (n. fém.) Glande dépourvue de conduit, qui libère les hormones qu'elle sécrète directement dans le liquide interstitiel, d'où elles diffusent dans la circulation sanguine.

Glande mammaire (n. fém.) Glande exocrine caractéristique des mammifères qui comporte de petites alvéoles de tissu épithélial sécrétant le lait pour nourrir la progéniture.

Glande parathyroïde (n. fém.) Chacune des quatre petites glandes endocrines enchâssées dans la thyroïde ; joue un rôle primordial dans la régulation de la concentration sanguine du calcium en sécrétant la parathormone (PTH).

Glande pinéale (n. fém.) Petite glande endocrine située sur la face dorsale de l'encéphale, chez les mammifères. Sécrète la mélatonine, une hormone.

Glande salivaire (n. fém.) Glande exocrine associée à la cavité buccale dont la sécrétion contient des substances qui lubrifient les aliments et commencent le processus de la digestion chimique.

Glande surrénale (n. fém.) Chez les mammifères, glande endocrine coiffant chaque rein et composée d'une portion externe (le cortex) et d'une portion interne (la médulla). En réponse à la corticotrophine (ACTH), le cortex sécrète des hormones stéroïdiennes qui aident à maintenir l'homéostasie pendant un stress prolongé. Les cellules neurosécrétrices de la médulla sécrètent de l'adrénaline et de la noradrénaline en réponse aux potentiels d'action provoqués par un stress de courte durée.

Glande thyroïde (n. fém.) Glande endocrine située sur la face antérieure de la trachée et composée de deux lobes ; sécrète des hormones contenant de l'iode, soit la triiodothyronine (T_3) et la thyroxine (T_4), ainsi que la calcitonine.

Gliocyte (n. masc.) Cellule du système nerveux assurant le soutien, la régulation et le fonctionnement normal des neurones. Aussi appelé *cellule gliale* ou *cellule de soutien*.

Gloméromycètes (n. masc.) Embranchement d'eumycètes dont les membres forment un type distinct d'endomycorhize appelé *mycorhize à arbuscules*.

Glomérule (n. masc.) Amas de capillaires artériels associés à la capsule glomérulaire du néphron et servant de site de filtration dans les reins des vertébrés.

Glucagon (n. masc.) Hormone sécrétée par les cellules endocrines pancréatiques alpha afin d'élever la concentration de glucose sanguin ; favorise la dégradation du glycogène et la libération du glucose par le foie.

Glucides (n. masc.) Classe de composés organiques qui comprend les monosaccharides (un seul monomère), les disaccharides (deux monomères) et les polysaccharides (polymères).

Glucocorticoïdes (n. masc.) Groupe d'hormones sécrétées par le cortex surrénal et agissant sur le métabolisme du glucose et la fonction immunitaire.

Glycogène (n. masc.) Polysaccharide de réserve très ramifié emmagasiné dans les cellules du foie et des muscles, chez les animaux.

Glycolipide (n. masc.) Lipide uni par covalence à un ou à plusieurs glucides.

Glycolyse (n. fém.) Voie catabolique présente dans presque toutes les cellules à l'issue de laquelle une mole de glucose est dégradée en deux moles de pyruvate ; premier stade de la fermentation et de la respiration cellulaire.

Glycoprotéine (n. fém.) Protéine unie par covalence à un ou à plusieurs glucides. Par exemple, les glycoprotéines situées sur la membrane des érythrocytes qui déterminent les groupes sanguins.

Gnathostomes (n. masc.) Un des deux principaux clades de vertébrés ; pourvus de mâchoires, ils comprennent les requins et les raies, les poissons à nageoires rayonnées, les cœlacanthes, les dipneustes, les amphibiens, les reptiles et les mammifères. Voir aussi *Cyclostomes*.

Gonade (n. fém.) Chez les animaux, organes dans lesquels sont élaborés les gamètes femelles (ovaires) et mâles (testicules).

Gonadotrophine chorionique humaine – hCG (n. fém.) Hormone fabriquée par l'embryon afin de maintenir la sécrétion de progestérone et d'œstrogènes par le corps jaune au long du premier trimestre de la grossesse.

Goût (n. masc.) Sens qui repose sur l'existence de chimiorécepteurs qui permettent de percevoir la saveur des aliments et de ce qui est porté à la bouche.

Gradient de concentration (n. masc.) Expression utilisée pour exprimer la variation de la concentration molaire volumique d'une substance chimique entre deux points, par exemple de part et d'autre d'une membrane.

Gradient électrochimique (n. masc.) Combinaison du gradient chimique (relié à la concentration d'un soluté) et du gradient électrique (relié aux charges électriques des ions et au potentiel de membrane) ; détermine la direction nette de la diffusion des ions.

Grain de pollen (n. masc.) Chez les plantes vasculaires à graines, structure formée d'une paroi résistante et contenant les gamétophytes mâles.

Graine (n. fém.) Structure composée d'un embryon végétal et d'une réserve de nourriture protégée par une enveloppe résistante ; adaptation des végétaux terrestres.

Graisse (n. fém.) Lipide formé d'une molécule de glycérol et de trois molécules d'acides gras, généralement solide à la température de la pièce. Aussi appelée *triacylglycérol* ou *triglycéride*.

Gram négatif (n. masc.) Réaction négative à la coloration de Gram des bactéries dont la paroi présente une structure plus complexe et moins riche en peptidoglycane que celle des bactéries à Gram positif. Les bactéries à Gram négatif sont souvent plus toxiques que celles à Gram positif.

Gram positif (n. masc.) Réaction positive à la coloration de Gram des bactéries qui possèdent une paroi de structure plus simple et contenant une forte proportion de peptidoglycane. Les bactéries à Gram positif sont souvent moins toxiques que celles à Gram négatif, mais, dans certains cas, causent de graves dégâts.

Grandes lèvres (n. fém.) Dans le système reproducteur de la femme, replis épais et charnus qui recouvrent et protègent le reste de la vulve.

Granum (n. masc.) Empilement de membranes thylakoïdiennes à l'intérieur du chloroplaste. Les grana (pluriel de *granum*) jouent un rôle dans les réactions photochimiques de la photosynthèse.

Gras *trans* (n. masc.) Gras insaturé, produit artificiellement au cours de l'hydrogénation des huiles, qui comporte une ou plusieurs liaisons doubles *trans*.

Greffon (n. masc.) Chez les végétaux, ramille ou bourgeon qu'on implante sur un porte-greffe.

Grille de Punnett (n. fém.) Tableau qui permet de prédire facilement les résultats de croisements génétiques entre individus de génotypes connus.

Gros intestin (n. masc.) Partie tubulaire du tube digestif des vertébrés située entre l'intestin grêle et l'anus. Sa fonction consiste à absorber l'eau et à former les matières fécales. Comprend le cæcum, le côlon et le rectum.

Grossesse (n. fém.) Chez la femme, processus au cours duquel se développent un ou plusieurs embryons et qui s'étend de la fécondation jusqu'à l'accouchement. Aussi appelée *gestation*.

Groupe à l'étude (n. masc.) Espèce ou groupe d'espèces dont on étudie les relations découlant de l'évolution dans le cadre d'une analyse donnée.

Groupe expérimental (n. fém.) Dans une expérience contrôlée, ensemble des sujets chez qui on modifie le facteur que l'expérience vise à mesurer. Idéalement, le groupe expérimental et le groupe témoin doivent être identiques à tout autre égard.

Groupe extérieur (n. masc.) Espèce ou groupe d'espèces d'une lignée ayant divergé avant celle dont font partie les espèces à l'étude. On choisit un groupe extérieur (ou groupe de référence) en considérant que ses membres sont proches du groupe des espèces étudiées, tout en ayant avec ces dernières un lien plus lâche que celui qui unit ses membres.

Groupe témoin (n. masc.) Dans une expérience contrôlée, ensemble des sujets chez qui on ne modifie pas le facteur que l'expérience vise à mesurer. Idéalement, le groupe témoin doit être identique au groupe expérimental à tout autre égard.

Groupement fonctionnel (n. masc.) Composant des molécules organiques qui participe à des réactions chimiques (p. ex., groupement hydroxyle, groupement amine).

Groupes frères (n. masc.) Deux groupes d'organismes ayant le même ancêtre direct. Chacun des deux groupes est donc le plus proche parent de l'autre.

Guttation (n. fém.) Écoulement de gouttelettes d'eau qu'on peut observer le matin à l'extrémité des brins d'herbe ou sur la bordure des feuilles de certaines plantes ; phénomène causé par la pression racinaire.

Gymnospermes (n. fém.) Végétaux vasculaires portant des graines nues, c'est-à-dire qui ne sont pas enfermées dans un compartiment spécialisé.

H

Halophiles extrêmes (n. masc.) Microorganismes (du domaine des archées) vivant dans des milieux à très forte salinité, tels que la mer Morte, au Proche-Orient, et le Grand Lac Salé, aux États-Unis.

Hélicase (n. fém.) Enzyme qui intervient dans l'angle de la fourche de réplication pour dérouler la double hélice et séparer les deux brins parentaux d'ADN, ce qui les rend disponibles pour servir de brins matrices.

Hélice alpha – α (n. fém.) Agencement en spirale d'une chaîne polypeptidique stabilisée par des liaisons hydrogène situées à intervalles réguliers entre les spires et constituant un type de structure secondaire des protéines.

Hémisphère cérébral (n. masc.) Chacune des deux parties, gauche et droite, du cerveau des vertébrés.

Hémoglobine (n. fém.) Type de pigment respiratoire des érythrocytes de la plupart des vertébrés; comporte quatre sous-unités, dont chacune possède un cofacteur appelé *groupement hème*, portant en son centre un ion ferreux (Fe^{2+}) qui assure la fixation de l'O_2.

Hémolymphe (n. fém.) Liquide biologique dans lequel baignent directement les organes internes chez les invertébrés dotés d'un système cardiovasculaire ouvert.

Hémophilie (n. fém.) Chez l'humain, affection héréditaire de la coagulation sanguine attribuable à un caractère récessif lié au sexe; se caractérise par un saignement excessif à la moindre lésion.

Hépatophytes (n. fém.) Embranchement des bryophytes regroupant des petites plantes herbacées (non ligneuses) non vasculaires qui doivent leur nom au fait que la forme de leurs gamétophytes évoque un foie. Aussi appelées *marchantiophytes* ou *hépatiques*.

Herbivore (n. masc.) Animal qui se nourrit principalement de végétaux ou d'algues.

Herbivorisme (n. masc.) Interaction écologique d'exploitation de type +/– au cours de laquelle un herbivore mange des parties de végétaux ou des algues.

Hérédité (n. fém.) Ensemble des phénomènes par lesquels des caractères des êtres vivants sont transmis d'une génération à la suivante.

Hérédité épigénétique (n. fém.) Hérédité de traits transmis par des mécanismes dans lesquels la séquence des nucléotides n'intervient pas directement.

Hérédité polygénique (n. fém.) Effet cumulatif de deux gènes ou plus sur un même phénotype.

Hermaphrodisme (n. masc.) Présence chez un même individu d'un appareil génital mâle et d'un appareil génital femelle qui lui permettent de produire des spermatozoïdes et des ovules. L'hermaphrodisme existe chez de nombreuses espèces animales.

Hermaphrodite (adj.) Se dit d'un individu qui possède à la fois un système reproducteur mâle et un système reproducteur femelle, et qui produit donc des spermatozoïdes et des ovules.

Hétérocaryon (n. masc.) Mycélium fongique comportant deux ou plusieurs noyaux haploïdes par noyau.

Hétérochromatine (n. fém.) Chez les eucaryotes, type de chromatine interphasique non transcrite, visible au microscope photonique en raison de sa forte condensation et situé notamment au niveau des centromères.

Hétérochronie (n. fém.) Ensemble des changements qui, au cours de l'évolution, touchent le rythme ou le déroulement des étapes du développement d'un organisme.

Hétérocyste (n. fém.) Chez quelques cyanobactéries filamenteuses, cellule spécialisée qui fixe l'azote atmosphérique (N_2).

Hétéromorphe (adj.) Se dit des générations dans lesquelles le gamétophyte et le sporophyte ont une structure différente au cours de l'alternance des générations qui marque le cycle de développement de tous les végétaux actuels et de certaines algues.

Hétérosporée (adj.) Se dit d'une plante dont le sporophyte produit deux types de spores: des mégaspores, qui deviennent des gamétophytes femelles, et des microspores, qui deviennent des gamétophytes mâles.

Hétérotrophe (n. masc.) Dans une chaîne ou le réseau alimentaire d'un écosystème, organisme qui se nourrit directement ou indirectement des produits photosynthétiques des producteurs.

Hétérozygote (n. masc.) Individu qui possède une paire d'allèles différents pour un gène (qui code pour un caractère donné).

Hibernation (n. fém.) État de torpeur saisonnier caractérisé par une diminution de la vitesse du métabolisme, un ralentissement du système cardiovasculaire et du système respiratoire ainsi qu'une baisse de la température corporelle à un niveau inférieur à la normale.

Histamine (n. fém.) Médiateur chimique libéré par les cellules lésées (des leucocytes appelés *basophiles* et les mastocytes) et qui cause une vasodilatation au cours de la réaction inflammatoire et allergique.

Histone (n. fém.) Chez les eucaryotes, petite protéine qui joue un rôle clé dans la structure de la chromatine. Très riche en acides aminés chargés positivement, elle se lie solidement à l'ADN, chargé négativement.

Holoenzyme (n. masc.) Enzyme active et complète, constituée d'une apoenzyme et d'une coenzyme.

Homéostasie (n. fém.) État d'équilibre dynamique de tout organisme; maintien de la stabilité du milieu interne en dépit des fluctuations du milieu externe.

Homininés (n. fém.) Groupe comprenant les humains ainsi que les espèces disparues qui sont plus étroitement apparentées à notre espèce qu'à celles des chimpanzés.

Homologie (n. fém.) Ressemblance de caractères résultant d'une ascendance commune.

Homoplasie (n. fém.) Structure ou séquence moléculaire semblable (analogue) qui a évolué indépendamment chez deux espèces.

Homosporée (adj.) Se dit d'une plante, telles les fougères, dont le sporophyte produit un seul type de spores. Chaque spore devient un gamétophyte qui porte à la fois des organes sexuels femelles et des organes sexuels mâles.

Homozygote (adj.) Se dit d'un individu qui possède une paire d'allèles identiques pour un gène donné.

Horizon (n. masc.) Couche d'un sol dont les caractéristiques physiques diffèrent de celles des couches se trouvant au-dessus ou au-dessous d'elle.

Horloge biologique (n. fém.) Horloge interne qui régit les rythmes biologiques d'un être vivant, dont le rythme veille-sommeil. Elle mesure le temps avec ou sans indices externes, mais nécessite souvent des stimulus externes pour maintenir les cycles synchronisés avec une période appropriée. Voir aussi *Rythme circadien*.

Horloge moléculaire (n. fém.) Méthode de datation qui sert à situer l'origine des groupes taxonomiques dans le temps; se fonde sur le principe voulant que certaines régions du génome évoluent à des rythmes constants.

Hormone (n. fém.) L'un des nombreux signaux chimiques qui circulent dans tous les organismes multicellulaires. Synthétisée dans des cellules spécialisées, une hormone circule dans les liquides biologiques et se rend jusqu'à des cellules cibles, avec lesquelles elle interagit afin d'en réguler les activités.

Hormone antidiurétique – ADH (n. fém.) Hormone peptidique, aussi appelée *vasopressine*, qui favorise la rétention d'eau par les reins. Produite dans l'hypothalamus et libérée par le lobe postérieur de l'hypophyse, l'ADH joue également un rôle dans le comportement social.

Hormone de croissance – GH (n. fém.) Hormone protéique produite et sécrétée par le lobe antérieur de l'hypophyse; agit directement ou en tant que stimuline sur un large éventail de tissus cibles; intervient directement dans la croissance, en particulier celle du squelette et des muscles, mais aussi indirectement en provoquant la synthèse de différents facteurs de croissance.

Hormone folliculostimulante – FSH (n. fém.) Glycoprotéine sécrétée par le lobe antérieur de l'hypophyse qui déclenche la production d'ovocytes par les ovaires et de spermatozoïdes par les testicules.

Hormone lutéinisante – LH (n. fém.) Glycoprotéine produite et sécrétée par le lobe antérieur de l'hypophyse qui déclenche l'ovulation chez la femelle et la production d'androgènes chez le mâle.

Hormone mélanotrope – MSH (n. fém.) Hormone produite et sécrétée par le lobe antérieur de l'hypophyse qui commande de nombreuses activités, notamment le comportement des cellules pigmentaires de la peau chez certains vertébrés.

Hormone prothoracotrope – PTTH (n. fém.) Hormone que produisent les neurones sécrétoires du cerveau des insectes et qui assure le développement en provoquant la sécrétion d'ecdysone par les glandes prothoraciques.

Hormone thyroïdienne (n. fém.) Chez les vertébrés, chacune des deux hormones contenant de l'iode (triiodothyronine et thyroxine) qui sont sécrétées par la glande thyroïde et qui contribuent à la régulation du métabolisme, du développement et de la maturation.

Hôte (n. masc.) Dans une relation symbiotique, organisme le plus gros qui fournit souvent abri et nourriture à l'organisme plus petit.

Humus (n. masc.) Résidu de matière organique partiellement décomposée.

Hybridation (n. fém.) En génétique, croisement entre deux individus différant par un ou plusieurs caractères héréditaires.

Hybridation *in situ* (n. fém.) Méthode qui utilise l'hybridation des acides nucléiques avec des sondes marquées pour repérer le site d'un ARNm spécifique dans un organisme intact.

Hybridation moléculaire (n. fém.) Appariement des bases d'un brin d'acide nucléique et d'une séquence complémentaire d'un brin d'une *autre* molécule d'acide nucléique.

Hybride (n. masc.) Descendant qui provient de l'accouplement entre individus de deux espèces différentes ou de deux variétés de lignée pure de la même espèce.

Hydrocarbure (n. masc.) Molécule organique formée uniquement de carbone et d'hydrogène (p. ex., C_5H_{12}).

Hydrolyse (n. fém.) Réaction chimique au cours de laquelle des liaisons entre deux molécules sont rompues sous l'action de l'eau; décompose les polymères en monomères.

Hydrolyse enzymatique (n. fém.) Chez les animaux, réaction chimique de décomposition des macromolécules contenues dans les fragments de nourriture au cours de laquelle interviennent des molécules d'eau.

Hydrophile (adj.) Se dit d'une substance ayant une affinité pour l'eau. Les groupements polaires sont hydrophiles.

Hydrophobe (adj.) Se dit d'une substance qui ne se dissout pas dans l'eau et n'a aucune affinité pour elle (p. ex., les lipides).

Hydrosquelette (n. masc.) Soutien apporté par un compartiment fermé de l'organisme qui contient un liquide maintenu sous pression; présent chez la plupart des cnidaires, des plathelminthes, des nématodes et des annélides. Aussi appelé *squelette hydrostatique*.

Hyperpolarisation (n. fém.) Augmentation de l'amplitude du potentiel de membrane qui rend l'intérieur de la membrane plasmique plus négatif que l'extérieur; réduit la possibilité pour un neurone de transmettre un potentiel d'action.

Hypertension (n. fém.) Pression artérielle chroniquement trop élevée.

Hypertonique (adj.) Se dit d'une solution qui, lorsqu'elle entoure une cellule, lui fait perdre de l'eau.

Hyphe (n. fém.) Réseau de filaments qui compose le mycélium et forme l'appareil végétatif des eumycètes.

Hypocotyle (n. masc.) Dans les graines des angiospermes, partie de l'axe embryonnaire située sous le point d'attache des cotylédons et se terminant par la radicule.

Hypophyse (n. fém.) Glande endocrine située à la base de l'hypothalamus; formée d'un lobe postérieur (neurohypophyse), qui emmagasine et libère deux hormones produites par l'hypothalamus, et d'un lobe antérieur (adénohypophyse), qui produit et sécrète de nombreuses hormones régulatrices de diverses fonctions de l'organisme.

Hypothalamus (n. masc.) Région de l'encéphale des vertébrés formée à partir du diencéphale embryonnaire (l'une des divisions du prosencéphale); participe au maintien de l'homéostasie, notamment dans l'intégration des systèmes endocrinien et nerveux; sécrète les hormones que libère le lobe postérieur de l'hypophyse ainsi que des hormones de libération dont la cible est le lobe antérieur de l'hypophyse.

Hypothèse (n. fém.) Supposition vérifiable d'un ensemble d'observations reposant sur les données disponibles et guidée par un raisonnement inductif. La portée d'une hypothèse est beaucoup moins vaste que celle d'une théorie.

Hypothèse ABC (n. fém.) Hypothèse concernant le développement floral qui définit trois classes d'identité des organes régissant la formation des quatre types d'organes floraux.

Hypothèse de cohésion-tension (n. fém.) Explication principale de la montée de la sève brute du xylème selon laquelle la transpiration crée un effet d'aspiration, ce qui met la sève brute sous une pression négative et crée un mouvement ascendant. La cohésion des molécules d'eau transmet ce mouvement ascendant sur toute la longueur du xylème, des racines jusqu'aux feuilles.

Hypothèse des perturbations de niveau intermédiaire (n. fém.) Concept selon lequel des perturbations de niveau modéré peuvent favoriser une diversité d'espèces plus grande que celles de niveau faible ou élevé.

Hypothèse énergétique (n. fém.) Hypothèse selon laquelle l'inefficacité du transfert d'énergie le long d'une chaîne alimentaire limite le nombre de ses niveaux trophiques.

Hypotonique (adj.) Se dit d'une solution qui, lorsqu'elle entoure une cellule, lui fait gagner de l'eau.

I

Imbibition (n. fém.) Chez les végétaux, processus physique par lequel une graine ou une autre structure absorbe de l'eau lors de la germination en raison de son faible potentiel hydrique, produisant un gonflement.

Imitation du choix du partenaire (n. fém.) Comportement en vertu duquel les individus d'une population imitent le choix de partenaire d'autres individus, apparemment le résultat d'un apprentissage social.

Immigration (n. fém.) Arrivée dans une population de nouveaux individus venant d'autres régions.

Immunisation (n. fém.) Processus par lequel un individu acquiert un état de résistance à l'égard d'un agent infectieux par des moyens artificiels. Dans la vaccination, on administre des toxines ou des agents microbiens rendus inoffensifs dans le but d'activer les lymphocytes B et T et la mémoire immunologique. Dans l'immunisation passive, on administre les anticorps spécifiques d'un microbe donné, ce qui confère une protection immédiate mais temporaire.

Immunité active (n. fém.) État de résistance résultant de l'action des lymphocytes B et T et de la formation de cellules mémoires B et T spécifiques d'un agent pathogène. Généralement de longue durée, cette forme d'immunité s'obtient naturellement par la guérison d'une maladie infectieuse ou artificiellement par la vaccination.

Immunité adaptative (n. fém.) Forme de défense immunitaire exclusive aux vertébrés, qui repose sur l'intervention des lymphocytes B et T et qui se caractérise par sa spécificité, la reconnaissance du soi et du non-soi et la mémoire immunologique. Aussi appelée *immunité acquise* ou *spécifique*.

Immunité innée (n. fém.) Forme de défense commune à tous les animaux, qui se met en branle dès l'exposition aux agents pathogènes et qui demeure la même, que l'organisme ait déjà rencontré l'agent pathogène auparavant ou non. Aussi appelée *immunité non spécifique*.

Immunité passive (n. fém.) Immunité temporaire qui s'obtient par l'administration d'anticorps préparés ou par le transfert des anticorps maternels au fœtus ou au bébé nourri au sein.

Immunoglobulines - Ig (n. fém.) Voir *Anticorps*.

Imprégnation (n. fém.) Dans le comportement animal, installation, à un stade précis du développement appelé période critique, d'une réponse comportementale durable à l'égard d'un individu ou d'un objet particulier. Voir aussi *Empreinte génomique*.

Indépendant de la densité (adj.) En démographie, se dit d'un taux de natalité ou de mortalité qui ne varie pas à mesure que la densité de population augmente.

Indice de diversité de Shannon (n. fém.) Indice de la diversité de communautés symbolisé par H et représenté par l'équation $H = -(p_A \ln p_A + p_B \ln p_B + p_C \ln p_C + ...)$, où A, B, C... sont des espèces, p est l'abondance relative de chaque espèce, et ln, le logarithme naturel.

Inducteur (n. masc.) Petite molécule spécifique qui se lie à un répresseur protéique bactérien et modifie sa structure pour l'empêcher de se fixer au promoteur, ce qui désactive un opéron.

Induction (n. fém.) Mécanisme par lequel un groupe de cellules ou de tissus influe sur le développement d'un autre par l'intermédiaire d'interactions étroites.

Infarctus du myocarde (n. masc.) Destruction du tissu musculaire cardiaque par suite de la privation d'O_2 résultant de l'obstruction prolongée d'une des artères coronaires, ou des deux. Communément appelé *crise cardiaque*.

Inflorescence (n. fém.) Groupe de fleurs étroitement regroupées sur une même tige.

Information de positionnement (n. fém.) Dans la structure embryonnaire d'un animal ou d'un végétal, ensemble des signaux moléculaires qui déterminent le plan d'organisation de l'organisme en indiquant la position de chaque cellule par rapport aux axes du corps. Ces signaux déclenchent une réponse sous le contrôle des gènes régulateurs du développement.

Ingénieur d'écosystème (n. masc.) Organisme qui influe positivement ou négativement sur la structure d'une communauté par les changements qu'il apporte au milieu physique.

Ingestion (n. fém.) Première étape du traitement de la nourriture par les animaux: action de manger.

Ingestion du substrat (n. fém.) Mécanisme d'ingestion chez certains animaux, comme des chenilles, qui vivent sur leur source de nourriture ou dans les tissus de celle-ci, se frayant un chemin en mangeant.

Ingestion en vrac (n. fém.) Mécanisme d'ingestion chez certains animaux, comme les serpents, qui absorbent des morceaux de nourriture relativement volumineux, voire des proies entières.

Ingestion par aspiration (n. fém.) Mécanisme d'ingestion chez certains animaux, comme les moustiques, qui aspirent des liquides riches en nutriments, chez des hôtes vivants.

Ingestion par filtration (n. fém.) Mécanisme d'ingestion chez certains animaux aquatiques, comme les baleines, qui filtrent les petits organismes ou des particules en suspension dans l'eau.

Inhibiteur compétitif (n. masc.) Substance qui réduit l'activité d'une enzyme en déformant le site actif ou en prenant la place du substrat auquel elle ressemble.

Inhibiteur non compétitif (n. masc.) Substance qui entrave les réactions enzymatiques en se liant à une région de l'enzyme éloignée du site actif. Cette interaction déforme la molécule enzymatique de telle manière que le site actif catalyse la réaction moins efficacement.

Inhibition de contact (n. fém.) Phénomène, observé dans une culture de cellules animales normales, par lequel des cellules qui entrent en contact étroit les unes avec les autres cessent de se diviser.

Inositol triphosphate – IP_3 (n. masc.) Second messager produit par l'hydrolyse d'un phosphoglycérolipide de la membrane plasmique et jouant le rôle d'intermédiaire entre certaines molécules de communication et un second messager subséquent, Ca^{2+}, en provoquant une augmentation de la concentration cytoplasmique des ions Ca^{2+}.

Insertion (n. fém.) Mutation correspondant à l'ajout d'une ou de plusieurs paires de nucléotides dans un gène.

Insuline (n. fém.) Hormone peptidique aux effets hypoglycémiants sécrétée par les cellules endocrines bêta des îlots pancréatiques; active la captation du glucose sanguin par presque toutes les cellules de l'organisme, ainsi que la synthèse et le stockage du glycogène par celles du foie; stimule également la synthèse des protéines et des graisses.

Intégrine (n. fém.) Dans les cellules animales, protéine réceptrice transmembranaire comportant deux sous-unités qui réunit la matrice extracellulaire et le cytosquelette. Du fait de sa position, cette protéine transmet des informations de part et d'autre de la membrane plasmique qui peuvent modifier l'action de la cellule.

Interaction hydrophobe (n. fém.) Type d'interaction chimique faible causée lorsque des molécules hydrophobes, c'est-à-dire qui ne se mélangent pas avec l'eau, forment un agrégat pour repousser l'eau.

Interaction interspécifique (n. fém.) Relation entre les individus de deux ou de plusieurs espèces dans une communauté.

Interaction positive (n. fém.) Interaction écologique de type +/+ ou +/0, qui bénéficie à au moins une des espèces concernées et ne nuit à aucune. Le mutualisme et le commensalisme sont des interactions positives.

Interféron (n. masc.) Protéine aux fonctions antivirales ou régulatrices de l'immunité. Par exemple, les interférons sécrétés par des cellules infectées par des virus aident les cellules adjacentes à résister aux infections virales.

Intermédiaire phosphorylé (n. masc.) Molécule (souvent un réactif) qui a reçu un groupement phosphate, ce qui la rend plus réactive (moins stable) que la même molécule non phosphorylée.

Interneurone (n. masc.) Neurone d'association; cellule nerveuse du SNC qui forme des synapses avec des neurones sensitifs ou des neurones moteurs et qui intègre l'information sensorielle et les commandes motrices.

Interphase (n. fém.) Phase du cycle cellulaire pendant laquelle la cellule ne se divise pas. Représente généralement 90 % de la durée du cycle. Pendant l'interphase, l'activité métabolique est élevée, la cellule croît (phases G_1, S et G_2) et copie ses chromosomes (phase S) en préparation de la division cellulaire.

Intestin grêle (n. masc.) Partie de l'intestin située entre l'estomac et le gros intestin, formant le segment le plus long du tube digestif, dans lequel se produit la majeure partie de l'hydrolyse enzymatique des macromolécules alimentaires et la majeure partie de l'absorption des éléments nutritifs dans le sang.

Intron (n. masc.) Séquence non codante située à l'intérieur d'un transcrit primaire qui est enlevé du transcrit au cours de la maturation de l'ARN; désigne également la région d'ADN à partir de laquelle cette séquence a été transcrite.

Inversion (n. fém.) Aberration chromosomique attribuable à une erreur au cours de la méiose ou à des mutagènes; survient lorsque, après une cassure, un fragment chromosomique se rattache à son chromosome d'origine, mais à contresens.

Invertébrés (n. masc.) Animaux dépourvus de colonne vertébrale. Les invertébrés constituent 95 % des espèces animales.

Ion (n. masc.) Atome (ou molécule) chargé, qui a gagné ou perdu au moins un électron (p. ex., Na^+, Cl^-, Ca^{2+}).

Ion hydrogène – H^+ (n. masc.) Atome d'hydrogène qui a perdu son unique électron; est généralement appelé *proton*. La dissociation d'une molécule d'eau (H_2O) génère un ion hydroxyde (OH^-) et un ion hydrogène (H^+). H^+ n'existe pas seul dans l'eau, mais il est associé avec une autre molécule d'eau pour former un ion hydronium.

Ion hydronium – H_3O^+ (n. masc.) Proton qui se lie à une molécule d'eau; H_3O^+ est représenté par convention par H^+.

Ion hydroxyde – OH^- (n. masc.) Molécule d'eau qui a perdu un proton (H^+).

Iris (n. masc.) Dans l'œil des vertébrés et de certains invertébrés, membrane circulaire et contractile, percée en son centre d'un orifice, la pupille, dont le diamètre varie de manière à régler la quantité de lumière qui pénètre dans l'œil; donne sa couleur à l'œil.

Isolement reproducteur (n. masc.) Mécanisme reposant sur divers facteurs biologiques (barrières) qui empêchent les membres de deux espèces de produire des hybrides viables et féconds.

Isomères (n. masc.) Composés formés des mêmes éléments, mais selon une configuration différente, et présentant donc des propriétés différentes.

Isomères *cis-trans* (n. masc.) Composés qui possèdent la même formule moléculaire brute et le même ensemble de liaisons covalentes avec les mêmes atomes ou groupes d'atomes, mais dont l'arrangement spatial de ces derniers diffère en raison de la rigidité de la liaison double. Anciennement appelés *isomères géométriques*.

Isomères de structure (n. masc.) Composés qui possèdent la même formule moléculaire brute, mais qui diffèrent par la disposition de leurs liaisons covalentes.

Isomorphe (adj.) Dans l'alternance de générations chez les végétaux et certaines algues, se dit des générations dans lesquelles le sporophyte et le gamétophyte semblent identiques, mais ne possèdent pas le même nombre de chromosomes.

Isotonique (adj.) Se dit d'une solution qui, lorsqu'elle entoure une cellule, ne cause aucune entrée ou sortie nettes d'eau de la cellule.

Isotope (n. masc.) L'une des nombreuses formes atomiques d'un élément. Chaque isotope contient le même nombre de protons, mais un nombre différent de neutrons, de sorte que chacun possède une masse atomique propre (p. ex., ^{12}C, ^{13}C et ^{14}C sont trois isotopes du carbone).

Itéroparité (n. fém.) Cycle biologique pendant lequel des adultes produisent des descendances nombreuses sur une période de plusieurs années. Aussi appelée *reproduction répétée*.

J

Jasmonates (n. masc.) Chez les végétaux, classe de régulateurs de croissance qui régissent de nombreux processus développementaux et jouent un rôle protecteur important contre les herbivores.

Jonction ouverte (n. fém.) Type de jonction intercellulaire constituée de protéines entourant un pore que peuvent franchir de petits ions et de petites molécules pour circuler entre les cellules. Aussi appelée *jonction communicante*.

Jonction serrée (n. fém.) Jonction entre les cellules animales qui empêche le liquide extracellulaire de passer entre deux cellules.

Joule – J (n. masc.) Unité de mesure servant à quantifier toute énergie. Un joule équivaut à 0,239 cal.

K

Kilocalorie – kcal (n. fém.) 1 000 calories; quantité de chaleur requise pour élever de 1 °C la température de 1 kg d'eau.

Kinase cycline-dépendante – Cdk (n. fém.) Protéine kinase qui joue un rôle dans la régulation du cycle cellulaire et qui n'est active que lorsqu'elle est liée à une cycline particulière.

Kinétochore (n. masc.) Structure constituée de protéines associées à certaines portions d'ADN du centromère qui lie chaque chromatide sœur au fuseau de division mitotique.

Kinétoplastidés (n. masc.) Groupe de protistes symbiotiques, appartenant aux euglénobiontes, dont fait partie le genre *Trypanosoma*; se distinguent par leur unique mitochondrie volumineuse associée à un seul organite, le kinétoplaste, qui contient l'ADN extranucléaire.

L

Lac eutrophe (n. masc.) Lac peu profond et riche en matières nutritives. Son phytoplancton est très productif et ses eaux sont troubles.

Lactation (n. fém.) Chez les mammifères, production et sécrétion de lait par les glandes mammaires.

Lamelle moyenne (n. fém.) Chez les végétaux, mince couche riche en polysaccharides adhésifs appelés *pectines* placée entre les parois primaires des jeunes cellules végétales voisines.

Lamina nucléaire (n. fém.) Revêtement qui tapisse la face interne de l'enveloppe nucléaire; se compose d'un entrelacement de filaments protéiques, les filaments intermédiaires, grâce auquel le noyau acquiert sa forme.

Lamproie (n. fém.) Membre des vertébrés dépourvu de mâchoires et doté de vertèbres très réduites qui vit dans l'eau douce et les environnements marins. Presque la moitié des espèces de lamproies actuelles se nourrissent en fixant leur bouche sans mâchoires sur le flanc d'un poisson vivant. Les lamproies non parasites sont des suspensivores (mangeurs de matières en suspension) qui se nourrissent à l'état de larves exclusivement.

Larve (n. fém.) Forme sexuellement immature qui vit à l'état libre, dans quelques cycles de développement animaux. Sa morphologie, ses besoins nutritifs et son habitat diffèrent parfois de ceux de l'animal adulte.

Larve trochophore (n. masc.) Stade larvaire distinctif observé chez certains lophotrochozoaires, notamment, certains annélides et mollusques.

Larynx (n. masc.) Partie supérieure du système respiratoire de certains vertébrés; organe de phonation renfermant les cordes vocales.

Latéralisation (n. fém.) Séparation des fonctions dans le cortex de l'hémisphère gauche ou droit du cerveau.

Lenticelle (n. fém.) Ouverture, en des endroits localisés, du périderme des végétaux; permet aux cellules vivantes situées à l'intérieur du tronc d'effectuer des échanges respiratoires avec l'air ambiant.

Lépidosauriens (n. masc.) Groupe des reptiles réunissant les lézards, les serpents et deux espèces animales néo-zélandaises appelées *tuataras*.

Leptine (n. fém.) Hormone produite par les cellules adipeuses qui assure la régulation de l'appétit en influant sur le « centre de la satiété ».

Létale au stade embryonnaire (adj.) Se dit d'une mutation qui produit un phénotype conduisant à la mort d'un embryon ou d'une larve.

Leucocyte (n. masc.) Chez certains invertébrés et des vertébrés, élément figuré du sang dont la fonction consiste à lutter contre les agents pathogènes et les cellules identifiées au non-soi. Communément appelé *globule blanc*.

Lèvre dorsale (n. fém.) Région au-dessus du blastopore sur la face dorsale de l'embryon chez les amphibiens.

Levures (n. fém.) Eumycètes unicellulaires qui se reproduisent par voie asexuée, par scissiparité ou bourgeonnement des cellules parentales.

Liaison chimique (n. fém.) Force d'attraction entre deux atomes résultant du partage d'électrons périphériques ou de la présence de charges de signes opposés dans les atomes. Par cette mise en commun, les atomes liés remplissent leur dernier niveau énergétique, ou leur dernière orbitale.

Liaison covalente (n. fém.) Liaison chimique forte entre deux atomes qui mettent en commun une ou plusieurs paires d'électrons de valence.

Liaison covalente non polaire (n. fém.) Type de liaison covalente dans lequel les électrons se répartissent également entre deux atomes de même électronégativité dans une molécule (p. ex., entre deux atomes d'hydrogène ou deux atomes d'oxygène).

Liaison covalente polaire (n. fém.) Liaison covalente entre deux atomes d'électronégativité différente. Les électrons engagés dans la liaison sont davantage attirés par l'atome le plus électronégatif. Ainsi, celui-ci a une charge partielle négative, tandis que l'autre atome a une charge partielle positive (p. ex., entre l'atome d'oxygène et les deux atomes d'hydrogène dans la molécule d'eau).

Liaison double (n. fém.) Liaison covalente double dans laquelle deux atomes partagent deux paires d'électrons de valence.

Liaison glycosidique (n. fém.) Liaison covalente établie entre deux monosaccharides à la suite d'une réaction de déshydratation.

Liaison hydrogène (n. fém.) Liaison chimique faible se produisant lorsqu'un atome d'hydrogène (de charge partielle positive) déjà lié par covalence à un atome électronégatif dans une molécule subit l'attraction d'un autre atome électronégatif dans une autre molécule ou une autre position de la même molécule; s'établit le plus souvent entre l'hydrogène et l'oxygène ou entre l'hydrogène et l'azote.

Liaison ionique (n. fém.) Liaison chimique produite par l'attraction entre des ions de charges opposées (p. ex., entre Na^+ et Cl^- pour former le composé NaCl).

Liaison peptidique (n. fém.) Liaison covalente qui s'établit entre le groupement carboxyle d'un acide aminé et le groupement amine d'un autre au cours d'une réaction de déshydratation.

Liaison simple (n. fém.) Liaison covalente simple; partage d'un doublet d'électrons entre deux atomes.

Lichen (n. masc.) Structure symbiotique fondée sur le mutualisme entre un eumycète et une chlorophycée photosynthétique (algue verte) ou une cyanobactérie.

Ligament (n. masc.) Bande de tissu conjonctif dense régulier qui relie des os, des cartilages et des viscères.

Ligand (n. masc.) Molécule qui se lie spécifiquement et de façon généralement réversible à une autre molécule, généralement plus grosse.

Ligature des trompes (n. fém.) Chez la femme, méthode de contraception qui consiste à cautériser ou à lier une section des trompes utérines ainsi qu'à en exciser un segment afin d'empêcher la progression des ovocytes matures jusqu'à l'utérus.

Lignage (n. masc.) Arbre généalogique qui représente à l'aide de symboles conventionnels la transmission des caractères entre parents et enfants d'une génération à l'autre.

Ligne latérale (n. fém.) Voir *Organe sensoriel de la ligne latérale.*

Lignée pure (n. fém.) Groupe d'individus qui, au fil des générations, n'engendrent après autofécondation que des descendants de la même variété pour un caractère particulier.

Lignine (n. fém.) Robuste polymère phénolique enchâssé dans la matrice cellulosique de la paroi cellulaire secondaire des vasculaires, qui constitue une adaptation importante pour le soutien des plantes terrestres.

Limbe (n. masc.) Partie principale de la feuille des plantes, généralement plane et large, qui prolonge le pétiole.

Limon argileux-sableux (n. masc.) Voir *Loam.*

Lipides (n. masc.) Classe de composés organiques généralement insolubles dans l'eau, dont font partie les graisses, les phospholipides et les stéroïdes.

Lipoprotéine de faible densité – LDL (n. fém.) Particule composée de milliers de molécules de cholestérol et d'autres lipides entourés d'une couche simple de phospholipides dans lesquels sont encastrées des protéines. Les lipoprotéines de ce type transportent le cholestérol du foie vers les membranes cellulaires dans lesquelles ils seront incorporés. Un taux sanguin élevé de ces lipoprotéines correspond à une augmentation du risque d'obstruction vasculaire et de cardiopathie.

Lipoprotéine de haute densité – HDL (n. fém.) Particule en suspension dans le sang constituée de milliers de molécules de cholestérol et d'autres lipides liés à une protéine; ramène le cholestérol en excès au foie, qui en assure l'élimination.

Liquide interstitiel (n. masc.) Milieu interne dans lequel baignent les cellules des vertébrés.

Lit capillaire (n. masc.) Réseau de capillaires dans un tissu ou un organe.

Loam (n. masc.) Type de sol de surface le plus fertile et composé de parts à peu près égales de sable, de limon et d'argile. Aussi appelé *limon argileux-sableux* ou *terre franche* au Québec.

Lobe antérieur de l'hypophyse (n. masc.) Portion de l'hypophyse qui se développe à partir de tissu non neuronal; constitué de cellules endocrines qui synthétisent et sécrètent plusieurs hormones tropiques (stimulines) et non tropiques. Aussi appelé *adénohypophyse.*

Lobe postérieur de l'hypophyse (n. masc.) Prolongement de l'hypothalamus composé de cellules nerveuses dans lequel sont temporairement emmagasinées l'ocytocine et l'hormone antidiurétique, produites par l'hypothalamus. Aussi appelé *neurohypophyse.*

Locomotion (n. fém.) Déplacement actif d'un lieu à un autre.

Locus (n. masc.) Emplacement exact d'un gène sur un chromosome.

Loi de l'assortiment indépendant des caractères (n. fém.) Deuxième loi de Mendel, selon laquelle les paires d'allèles sont indépendantes les unes des autres et se séparent de manière aléatoire au moment de la formation des gamètes. Cette loi s'applique quand les allèles correspondant à deux ou à plusieurs caractères sont situés sur différentes paires de chromosomes homologues ou lorsqu'ils sont suffisamment éloignés l'un de l'autre sur le même chromosome pour se comporter comme s'ils se trouvaient sur des chromosomes différents.

Loi de la conservation de la masse (n. fém.) Loi physique selon laquelle la matière peut changer de forme, mais ne peut être créée ou détruite. Dans un système fermé, la masse du système est constante.

Loi mendélienne de la ségrégation (n. fém.) Première loi de Mendel, selon laquelle les deux allèles du gène que possède un individu se séparent au cours de la formation des gamètes.

Long ARN non codant – lARNnc (n. masc.) ARN qui peut compter de 200 à plusieurs centaines ou milliers de nucléotides et qui ne code pas pour une protéine, mais intervient dans la régulation de l'expression génétique et dans certains processus physiologiques.

Longueur d'onde (n. fém.) Distance qui sépare deux crêtes d'ondes électromagnétiques.

Lophophore (n. masc.) Chez certains lophophoriens, dont les brachiopodes, appendice de nutrition circulaire recouvert d'une couronne de tentacules ciliés entourant la bouche.

Lophotrochozoaires (n. masc.) Membres d'une des trois principales lignées de bilatériens. Rassemblent des organismes caractérisés par la présence d'un lophophore ou d'un stade distinctif appelé larve trochophore. Voir aussi *Deutérostomes* et *Ecdysozoaires*.

LUCA – *Last Universal Common Ancestor* Voir *DACU (dernier ancêtre commun universel)*.

Lumière visible (n. fém.) Segment du spectre électromagnétique que l'œil humain interprète comme des couleurs ; bande de longueurs d'onde comprises entre 380 et environ 750 nm.

Lycophytes (n. masc.) Embranchement des vasculaires sans graines qui rassemble les lycopodes, les sélaginelles et les isoètes.

Lymphe (n. fém.) Chez les vertébrés, liquide incolore dont la composition ressemble à celle du liquide interstitiel et que le système lymphatique draine et ramène au système circulatoire.

Lymphocyte B (n. masc.) Chez les vertébrés, lymphocyte qui parvient à maturité dans la moelle osseuse. Sous l'effet d'une stimulation appropriée, les lymphocytes B se transforment en cellules effectrices qui interviennent dans l'immunité humorale.

Lymphocyte T (n. masc.) Lymphocyte qui achève son développement dans le thymus, où il acquiert l'immunocompétence le rendant apte à intervenir dans l'immunité à médiation cellulaire.

Lymphocyte T auxiliaire – LTA (n. masc.) Lymphocyte T dont l'activation déclenche la sécrétion de cytokines, des substances qui accroissent la réaction des lymphocytes B (immunité humorale) et des lymphocytes T cytotoxiques (immunité à médiation cellulaire) à l'égard des antigènes.

Lymphocyte T cytotoxique – LTC (n. masc.) Lymphocyte T qui participe à la réponse immunitaire à médiation cellulaire et dont l'activation déclenche la sécrétion d'enzymes qui détruisent des cellules présentant un antigène endogène.

Lymphocytes (n. masc.) Leucocytes qui produisent deux types de réponses immunitaires à médiation humorale et à médiation cellulaire. Les deux classes principales sont les lymphocytes B et les lymphocytes T.

Lysosome (n. masc.) Sac membraneux rempli d'enzymes hydrolytiques et présent dans le cytoplasme des cellules animales et de certains eucaryotes unicellulaires ; dégrade des macromolécules et parfois certains organites de la cellule.

Lysozyme (n. masc.) Enzyme qui détruit les parois cellulaires des bactéries ; chez les mammifères, entre dans la composition de la sueur, des larmes et de la salive.

M

Macroévolution (n. fém.) Étude des changements évolutifs à un niveau supérieur à l'espèce, comme le clade, tels que l'émergence de nouveaux groupes d'organismes qui résulte d'une série de phénomènes de spéciation ou encore les conséquences des extinctions de masse sur la diversité de la vie et son rétablissement subséquent. Comparer avec *microévolution*.

Macromolécule (n. fém.) Molécule organique de très grosse taille et constituée d'un grand nombre de molécules plus petites ; généralement formée par une série de réactions de déshydratation (p. ex., protéines, acides nucléiques).

Macrophagocyte (n. masc.) Cellule amiboïde qui s'infiltre dans les tissus, ou résidant dans certains organes, afin de capturer et de digérer les agents pathogènes et les débris de cellules mortes ; intervient dans l'immunité innée en détruisant les microorganismes et dans l'immunité adaptative en agissant comme cellule présentatrice d'antigène. Aussi appelé *macrophage*.

Macula (n. fém.) Centre du champ visuel de l'œil des humains ; région de la rétine dépourvue de bâtonnets qui possède la plus forte densité de cônes.

Magnoliidées (n. fém.) Membres du clade des angiospermes qui sont plus étroitement apparentées aux monocotylédones et aux eudicotylédones. Parmi celles qui existent encore, on compte les magnolias, les lauriers et le poivrier noir.

Maladie auto-immune (n. fém.) Maladie causée par des réactions inappropriées du système immunitaire dirigées contre les molécules du soi.

Maladie cardiovasculaire (n. fém.) Maladie touchant le cœur et les vaisseaux sanguins.

Maladie d'Alzheimer (n. fém.) Maladie neurodégénérative observée chez les personnes âgées et caractérisée par une détérioration progressive des fonctions cognitives, entraînant confusion, perte de mémoire et plusieurs autres symptômes.

Maladie de Huntington (n. fém.) Maladie héréditaire attribuable à un allèle dominant létal ; se caractérise par des mouvements incontrôlables du corps et une détérioration du système nerveux ; généralement fatale de 10 à 20 ans après l'apparition des symptômes.

Maladie de Parkinson (n. fém.) Affection neurologique dégénérative d'apparition progressive marquée par des troubles moteurs provoquant une difficulté à amorcer des mouvements, la lenteur des mouvements et la rigidité.

Maladie de Tay-Sachs (n. fém.) Maladie neurodégénérative mortelle chez les homozygotes récessifs, qui fabriquent une enzyme défectueuse incapable de métaboliser un certain type de lipides (gangliosides) dans le cerveau ; se manifeste quelques mois après la naissance par des crises convulsives, la cécité et une dégénérescence des capacités motrices et mentales.

Mammifères (n. masc.) Classe de vertébrés endothermes ; amniotes qui possèdent des glandes mammaires (qui produisent du lait) et des poils.

Mandibule (n. fém.) Appendice mobile de la mâchoire présent chez les myriapodes, les hexapodes et les crustacés ; maxillaire inférieur des vertébrés.

Manteau (n. masc.) Une des trois principales parties constituant le corps des mollusques ; tunique de tissu recouvrant la masse viscérale et pouvant sécréter une coquille. Voir aussi *Pied* et *Masse viscérale*.

Marsupiaux (n. masc.) Mammifères, tels les koalas, les kangourous et les opossums, dont les petits, chez la plupart des espèces, terminent leur développement fœtal dans une poche ventrale maternelle appelée *marsupium*.

Masse atomique (n. fém.) Masse totale d'un atome, qui équivaut numériquement à la masse en grammes d'une mole de cet atome. Pour un élément ayant plus d'un isotope, la masse atomique est la masse moyenne des isotopes naturels, laquelle est fonction de leur abondance.

Masse moléculaire (n. fém.) Somme des masses de tous les atomes dans une molécule. Parfois appelée *poids moléculaire*.

Masse viscérale (n. fém.) Une des trois principales parties d'un mollusque ; masse contenant la plupart des organes internes. Voir aussi *Manteau* et *Pied*.

Mastocyte (n. masc.) Chez les vertébrés, cellule présente dans le tissu conjonctif qui produit l'histamine et d'autres molécules médiatrices de la réaction inflammatoire en réponse à une infection ou à une réaction allergique.

Matière (n. fém.) Tout ce qui occupe un espace et possède une masse.

Matières fécales (n. fém.) Résidus de la digestion.

Matrice extracellulaire (n. fém.) Substance entourant les cellules animales et synthétisée puis sécrétée par elles ; composée de glycoprotéines, de polysaccharides et de protéoglycanes.

Matrice mitochondriale (n. fém.) Compartiment de la mitochondrie situé dans l'espace délimité par la membrane interne ; renferme les enzymes et les substrats nécessaires au cycle de l'acide citrique, ainsi que des ribosomes et de l'ADN.

Maturation de l'ARN (n. fém.) Modifications que subissent les transcrits primaires de l'ARN, notamment l'excision des introns, la réunion des exons par épissage et la modification des extrémités 5′ et 3′.

Mécanisme de régulation du cycle cellulaire (n. masc.) Mécanisme faisant intervenir un ensemble de molécules qui, de manière périodique, déclenchent et coordonnent les événements clés de ce cycle.

Mécanorécepteur (n. masc.) Récepteur sensoriel qui perçoit les déformations physiques attribuables à des phénomènes représentant des formes d'énergie mécanique, telles que la pression, le toucher, l'étirement, le mouvement corporel et le son.

Médulla rénale (n. fém.) Chez les vertébrés, région interne du rein située sous le cortex rénal.

Méduse (n. fém.) Forme motile des cnidaires, flottante, aplatie, avec la bouche tournée vers le bas et un plan d'organisation corporelle des cnidaires. L'autre forme est la forme fixe nommée polype.

Mégapascal – MPa (n. masc.) Unité de pression équivalant à une pression de 10 atmosphères environ.

Mégaphylle (n. fém.) Grande feuille des plantes vasculaires contemporaines qui renferme un réseau vasculaire très ramifié. Voir *Microphylle*.

Mégaspore (n. fém.) Spore produite par le sporophyte d'une plante hétérosporée ; devient un gamétophyte femelle.

Méiose (n. fém.) Division cellulaire en deux étapes qu'effectuent des organismes à reproduction sexuée, mais comportant une seule étape de réplication de l'ADN ; produit des cellules filles non identiques et contenant deux fois moins de chromosomes que la cellule mère.

Méiose I (n. fém.) Première des deux étapes de la division cellulaire qu'effectuent des organismes à reproduction sexuée ; s'achève à la séparation des chromosomes homologues et donne deux cellules filles contenant deux fois moins de chromosomes que la cellule mère.

Méiose II (n. fém.) Seconde des deux étapes de la division cellulaire des organismes à reproduction sexuée ; mène à la séparation des chromatides sœurs.

Mélatonine (n. fém.) Hormone sécrétée par le corps pinéal et intervenant dans la régulation des fonctions associées aux rythmes biologiques et au sommeil.

Membrane extraembryonnaire (n. fém.) L'une des quatre enveloppes spécialisées (le sac vitellin, l'amnios, le chorion et l'allantoïde) qui protègent l'embryon des reptiles et des mammifères ; permet les échanges gazeux, l'entreposage des déchets et le transfert des nutriments mis en réserve.

Membrane plasmique (n. fém.) Enveloppe extérieure de la cellule, constituée de phospholipides et de protéines, qui tient lieu de barrière sélective et qui joue un rôle dans la composition chimique de la cellule.

Mémoire à court terme (n. fém.) Capacité des animaux les plus évolués à conserver et à réutiliser l'information, les attentes et les objectifs pendant un temps relativement court, puis à les effacer quand ils sont devenus inutiles.

Mémoire à long terme (n. fém.) Capacité des animaux les plus évolués de conserver, d'associer et de se rappeler certains éléments d'information tout au long de leur vie.

Ménopause (n. fém.) Chez la femme, période où l'ovulation et la menstruation s'arrêtent, ce qui marque la fin de la capacité de se reproduire (entre l'âge de 46 et 54 ans).

Menstruation (n. fém.) Dans le cycle menstruel, saignement accompagnant le détachement de la couche fonctionnelle de l'endomètre et expulsé par le col utérin et le vagin.

Méristème (n. masc.) Tissu végétal qui conserve ses propriétés embryonnaires durant toute la vie d'une plante, rendant ainsi possible une croissance indéfinie.

Méristème apical (n. masc.) Zone de croissance située à une extrémité des pousses, où au moins une cellule se divise continuellement. Les cellules en division permettent à la plante de croître en longueur.

Méristème latéral (n. masc.) Méristème qui épaissit les racines et les pousses des plantes ligneuses. Le cambium libéroligneux et le phellogène sont des méristèmes latéraux.

Méristème primaire (n. masc.) Chacune des trois structures issues du méristème apical (protoderme, méristème fondamental et procambium).

Mésencéphale (n. masc.) (1) L'une des trois régions embryonnaires de l'encéphale produites au cours de l'évolution des vertébrés. (2) Partie inférieure de l'encéphale des vertébrés située au-dessus du pont ; renferme les centres de perception et d'intégration de plusieurs types d'information sensorielle. Aussi appelé *cerveau moyen*.

Mésoderme (n. masc.) Dans l'embryon des animaux triploblastiques, feuillet embryonnaire situé entre l'endoderme et l'ectoderme ; donne naissance à la notocorde, à la muqueuse du cœlome, aux muscles, au squelette, aux gonades, aux reins et à la plus grande partie du système cardiovasculaire chez les espèces qui possèdent ces structures.

Mésoglée (n. fém.) Couche gélatineuse qui sépare les deux feuillets de cellules, dans le corps des éponges.

Mésophylle (n. masc.) Tissu foliaire fondamental spécialisé dans la photosynthèse. Dans les plantes de type C_3 et de type CAM, les cellules du mésophylle sont situées entre l'épiderme supérieur et l'épiderme inférieur. Dans les plantes de type C_4, elles sont situées entre les cellules de la gaine fasciculaire et l'épiderme.

Métabolisme (n. masc.) Ensemble des réactions biochimiques d'un organisme, comprenant des voies cataboliques et des voies anaboliques qui transforment la matière et l'énergie de l'organisme.

Métabolisme acide crassulacéen – CAM (n. masc.) Voir *Plante de type CAM*.

Métabolisme basal – MB (n. masc.) Vitesse du métabolisme d'un endotherme qui a terminé sa croissance et qui est au repos, à jeun et ne subit aucun stress ; se mesure dans un environnement dans lequel une température est « confortable » pour l'animal.

Métabolisme standard – MS (n. masc.) Vitesse du métabolisme d'un ectotherme qui est au repos, à jeun et ne subit aucun stress, à une température donnée.

Métagénomique (n. fém.) Technique d'analyse consistant à extraire et à séquencer l'ADN d'un groupe d'espèces provenant généralement d'un échantillon de microorganismes prélevé dans l'environnement, puis à utiliser un logiciel pour trier les séquences fragmentaires et les assembler en séquences de génomes des espèces individuelles composant l'échantillon.

Métamorphose (n. fém.) Transformation développementale que subit la larve et qui permet à un animal d'acquérir soit sa forme adulte, soit une forme juvénile d'adulte sans la maturité sexuelle.

Métamorphose complète (n. fém.) Type de développement de certains insectes qui passent par un stade larvaire, qu'on appelle notamment *asticot* ou *chenille*, au cours duquel l'apparence et la structure du corps juvénile diffèrent radicalement de celles de l'insecte adulte.

Métamorphose incomplète (n. fém.) Type de développement de certains insectes, comme les sauterelles, dans lequel le corps de la larve (appelée *nymphe*) ressemble à celui de l'adulte, bien qu'il soit plus petit et proportionné différemment. Une série de mues amène le jeune à ressembler progressivement à l'adulte, jusqu'à ce qu'il atteigne sa taille définitive.

Métanéphridie (n. fém.) Chez de nombreux invertébrés, organe excréteur constitué généralement de tubules qui relient les néphrostomes à des tubules collecteurs communiquant avec des vessies qui débouchent dans des ouvertures externes.

Métaphase (n. fém.) Troisième phase de la mitose caractérisée par la présence d'un fuseau complet et des chromosomes attachés à des microtubules kinétochoriens et tous alignés sur la plaque équatoriale.

Métapopulation (n. fém.) Groupe de populations d'individus d'une espèce qui vivent isolées les unes des autres, mais qui sont interreliées par l'immigration et l'émigration.

Métastase (n. fém.) Foyer secondaire d'une affection (p. ex., le cancer) qui s'est propagée par les vaisseaux sanguins ou lymphatiques.

Méthanogènes (n. masc.) Groupe d'archées qui obtiennent leur énergie en utilisant le dioxyde de carbone pour oxyder la molécule d'hydrogène (H_2) et produire ainsi du méthane.

Méthylation de l'ADN (n. fém.) Réaction au cours de laquelle des groupements méthyle se fixent sur les bases de l'ADN (généralement la cytosine) des végétaux, des animaux et des eumycètes. Le terme désigne également le processus d'addition de groupements méthyle aux bases de l'ADN.

MicroARN – miARN (n. masc.) Petite molécule d'ARN simple brin produite à partir d'un précurseur d'ARN double brin. Le miARN s'associe à une ou à plusieurs protéines dans un complexe qui peut décomposer ou empêcher la traduction de l'ARN messager ayant une séquence complémentaire.

Microbiome (n. masc.) Ensemble des génomes des microorganismes qui vivent dans ou sur le corps d'un organisme.

Microbiote (n. masc.) Ensemble des microorganismes, ainsi que leur matériel génétique, qui vivent dans ou sur le corps d'un organisme.

Microclimat (n. masc.) Conditions climatiques localisées qui s'appliquent à une zone très petite et à des communautés d'organismes vivant dans un microhabitat, par exemple sous une roche ou sous un tronc d'arbre tombé sur le sol.

Microévolution (n. fém.) Étude des changements évolutifs à un niveau inférieur à l'espèce qui se produisent dans les fréquences alléliques d'une population d'une génération à l'autre. Comparer avec *Macroévolution*.

Microfilament (n. masc.) Cylindre composé d'actine présent dans le cytoplasme de presque toutes les cellules eucaryotes ; fait partie du cytosquelette et joue, seul ou avec la myosine, un rôle dans la contraction cellulaire. Aussi appelé *filament*.

Microphylle (n. fém.) Petite feuille allongée parcourue d'une seule nervure non ramifiée ; surtout présente chez les lycophytes. Voir aussi *Mégaphylle*.

Micropyle (n. masc.) Chez les végétaux, pore dans le ou les téguments d'un ovule par lequel pénètre le tube pollinique.

Microscope électronique – ME (n. masc.) Microscope qui utilise un faisceau d'électrons dirigé vers une préparation (l'échantillon) qu'il traverse ou dont il balaie la surface, ce qui donne un pouvoir de résolution 100 fois supérieur à celui d'un microscope photonique.

Microscope électronique à balayage – MEB (n. masc.) Microscope électronique permettant de balayer à l'aide d'un faisceau d'électrons la surface d'un échantillon préalablement recouvert d'une pellicule d'atomes métalliques, afin de révéler les détails de la surface d'une structure cellulaire.

Microscope électronique à transmission – MET (n. masc.) Microscope permettant d'étudier l'ultrastructure interne de cellules en projetant un faisceau d'électrons à travers une coupe très mince d'un spécimen coloré au moyen d'atomes de métaux lourds.

Microscope photonique – MP (n. masc.) Instrument d'optique muni de lentilles de verre qui réfractent (dévient) la lumière de façon à grossir l'image projetée dans l'œil.

Microspore (n. fém.) Spore produite par le sporophyte d'une plante hétérosporée ; devient un gamétophyte mâle.

Microtubule (n. masc.) Cylindre creux faisant partie du cytosquelette et composé de tubuline, une protéine globulaire ; présent dans le cytoplasme de tous les eucaryotes, de même que dans les cils et les flagelles.

Microvillosité (n. fém.) L'un des très nombreux replis microscopiques situés à la surface des cellules épithéliales d'une villosité intestinale, qui augmentent considérablement la surface d'absorption.

Migration (n. fém.) Déplacement saisonnier qu'effectuent les animaux migrateurs sur des distances relativement longues.

Milieu respiratoire (n. masc.) Environnement, air ou eau, dans lequel se font les échanges gazeux.

Mimétisme batésien (n. masc.) Phénomène par lequel une espèce inoffensive prend l'apparence d'une espèce nocive ou désagréable au goût à laquelle elle n'est pas étroitement apparentée.

Mimétisme müllérien (n. masc.) Ressemblance (couleurs, motifs) entre deux espèces inappétentes destinée à éloigner les prédateurs.

Minéralocorticoïdes (n. masc.) Groupe d'hormones sécrétées par le cortex surrénal, qui agissent sur l'équilibre des sels minéraux et de l'eau.

Minéraux (n. masc.) (1) Éléments chimiques essentiels que les végétaux puisent dans le sol sous forme d'ions inorganiques. (2) Nutriments inorganiques qui ne peuvent donc pas être synthétisés par un organisme animal. Les besoins en minéraux, comme les besoins en vitamines, varient d'une espèce à l'autre.

Mise en place du plan d'organisation (n. masc.) Dans un organisme multicellulaire, processus d'induction contribuant au développement d'une organisation spatiale dans laquelle les tissus et les organes occupent un emplacement caractéristique.

Mitochondrie (n. fém.) Chez les eucaryotes, organite dans lequel se déroule la respiration cellulaire ; utilise de l'O_2 pour la décomposition des molécules organiques et la synthèse de l'ATP.

Mitose (n. fém.) Mécanisme de division cellulaire des eucaryotes qui comprend cinq phases : la prophase, la prométaphase, la métaphase, l'anaphase et la télophase. Les chromosomes répliqués sont répartis également entre les cellules filles, et le nombre de chromosomes reste le même d'une génération à l'autre.

Mixotrophe (adj.) Se dit des protistes qui tirent leur énergie à la fois de la photosynthèse et de la nutrition hétérotrophe.

Modèle (n. masc.) Représentation physique ou conceptuelle d'un phénomène naturel.

Modèle ascendant (n. masc.) Modèle d'organisation d'une communauté dans lequel les nutriments minéraux sont les facteurs les plus importants, parce qu'ils déterminent la grandeur des populations de plantes et de phytoplancton, lesquelles déterminent à leur tour le nombre d'herbivores, ceux-ci déterminant par ailleurs le nombre de prédateurs.

Modèle de la mosaïque fluide (n. masc.) Modèle le plus représentatif des connaissances actuelles sur la structure des membranes cellulaires, selon lequel la membrane est constituée d'une « mosaïque » de protéines diverses incorporées à sa bicouche fluide de phospholipides dans laquelle elles flottent.

Modèle descendant (n. masc.) Modèle d'organisation d'une communauté dans lequel la prédation conditionne en grande partie cette organisation, parce que les prédateurs déterminent le nombre d'herbivores, lesquels à leur tour déterminent le nombre de végétaux, lesquels enfin déterminent la quantité de nutriments. Aussi appelé *modèle de la cascade trophique*.

Modèle du déséquilibre (n. masc.) Modèle selon lequel les communautés sont en continuel changement sous l'effet des perturbations auxquelles elles sont exposées.

Modèle logistique de croissance démographique (n. masc.) Taux de croissance par individu qui s'approche de zéro lorsque le milieu atteint sa capacité limite. La croissance est plus rapide dans le cas d'une population de taille intermédiaire, c'est-à-dire lorsque les individus reproducteurs sont nombreux, mais que l'espace et les autres ressources sont encore abondants.

Modèle semi-conservateur (n. masc.) Modèle de réplication de l'ADN selon lequel chacune des deux molécules filles doit être formée d'un brin de la molécule parentale et d'un nouveau brin complémentaire.

Moelle (n. fém.) Dans une tige, tissu fondamental situé au cœur du tissu vasculaire ; dans les racines de nombreuses monocotylédones, cellules parenchymateuses qui forment le»cœur du cylindre vasculaire.

Moisissures (n. fém.) Terme courant désignant des eumycètes qui se reproduisent de façon asexuée en se développant sous forme de filaments produisant des spores haploïdes par mitose ; forment un mycélium visible.

Mole – mol (n. fém.) Unité de mesure correspondant au nombre de grammes d'une substance qui est égal à sa masse molaire ou atomique en unités de masse atomique et qui contient le nombre d'Avogadro de molécules ou des atomes concernés.

Molécule (n. fém.) Deux atomes ou plus unis par des liaisons covalentes.

Molécule gustative (n. masc.) Substance chimique qui stimule les récepteurs sensoriels du goût dans les calicules gustatifs.

Molécule odorante (n. fém.) Molécule détectée par les récepteurs sensoriels du système olfactif.

Molécule polaire (n. fém.) Molécule (comme la molécule d'eau) dont la charge électrique globale est inégalement distribuée dans ses différentes régions.

Monilophytes (n. masc.) Groupe de végétaux vasculaires sans graines qui inclut les fougères, les prêles, les psilotes et les espèces apparentées.

Monocotylédones (n. masc.) Membres d'un clade des angiospermes qui ne possèdent qu'une seule feuille embryonnaire, nommée *cotylédon* ; portent des feuilles parallélinerves, c'est-à-dire des feuilles aux nervures principales disposées longitudinalement, grossièrement parallèles et convergeant à la base et au sommet du limbe.

Monogame (adj.) Se dit d'une relation entre animaux dans laquelle un mâle s'accouple de façon durable avec une seule femelle.

Monohybride (n. masc.) Organisme hétérozygote pour un seul gène particulier, donc pour un seul caractère. Tous les descendants d'un croisement entre des parents homozygotes pour des allèles différents d'un même gène sont monohybrides. Par exemple, les parents de génotypes *AA* et *aa* produisent un monohybride de génotype *Aa*.

Monomère (n. masc.) Unité structurale de base des polymères (p. ex., un acide aminé est un monomère des protéines).

Monophylétique (adj.) Se dit d'un groupe de taxons qui comprend l'espèce ancestrale et tous ses descendants. Un taxon monophylétique est équivalent à un clade.

Monosaccharide (n. masc.) Glucide le plus simple, qui peut jouer un rôle par lui-même ou entrer en tant que monomère dans la composition d'un disaccharide ou d'un polysaccharide ; possède habituellement une formule moléculaire qui est un multiple de CH_2O.

Monosomique (adj.) Se dit d'une cellule diploïde contenant une seule copie d'un chromosome particulier au lieu de deux.

Monotrèmes (n. masc.) Mammifères qui pondent des œufs, comme l'ornithorynque et les échidnés. Comme tous les mammifères, les monotrèmes sont poilus et produisent du lait pour nourrir leurs petits, mais ils sont dépourvus de mamelons.

Monoxyde d'azote – NO (n. masc.) Gaz que produisent de nombreux types de cellules et qui agit comme régulateur local et comme neurotransmetteur.

Morphogène (n. masc.) Substance, comme la protéine bicoïd chez la drosophile, dont le gradient fixe l'orientation des axes de l'embryon et d'autres caractéristiques de sa forme.

Morphogenèse (n. fém.) Processus qui donne sa forme à un tissu, à un organe ou à un organisme et qui détermine les positions des différents types de cellules.

Motifs moléculaires associés aux pathogènes – PAMP (n. masc.) Séquence moléculaire spécifique d'un agent pathogène.

Moyenne (n. fém.) Somme de toutes les valeurs d'un ensemble de données, divisée par le nombre de données.

Muscinées – mousses (n. fém.) Plantes herbacées de petite taille, non vasculaires, membres de l'embranchement des bryophytes.

MPF – *maturation-promoting factor* (n. masc.) Complexe protéique qui permet à la cellule de passer de la fin de l'interphase (phase G_2) à la mitose. Le MPF actif se compose de deux protéines, une kinase cycline-dépendante et une cycline.

Mucus (n. masc.) Mélange visqueux et fluide composé de glycoprotéines, de cellules, de sels et d'eau; lubrifie et protège les membranes qui tapissent les cavités du corps ouvertes vers l'extérieur.

Mue (n. fém.) Processus qui permet aux ecdysozoaires de se débarrasser de leur exosquelette pour croître et d'en sécréter un nouveau, plus grand.

Multiplication végétative (n. fém.) Chez les végétaux, mode de reproduction asexuée qui permet d'engendrer des clones; peut être stimulé ou induit par l'humain.

Muscle cardiaque (n. masc.) Type de muscle strié qui forme la paroi contractile (myocarde) du cœur. Les extrémités de ses myocytes sont réunies par des disques intercalaires qui permettent de transmettre d'un myocyte cardiaque à l'autre le potentiel d'action qui commande la contraction musculaire.

Muscle lisse (n. masc.) Chez les vertébrés, type de tissu musculaire dépourvu des stries présentes dans les muscles squelettiques et le muscle cardiaque, qui sont dues à la disposition régulière des filaments de myosine dans les myocytes; responsable des mouvements involontaires.

Muscle squelettique (n. masc.) Faisceau de longues fibres disposées dans le sens de la longueur. Aussi appelé *muscle strié* en raison de la disposition régulière des myofilaments, qui crée un motif répétitif de bandes claires et sombres.

Mutagène (n. masc. et adj.) Agent chimique ou physique qui interagit avec l'ADN et provoque des mutations.

Mutagenèse *in vitro* (n. fém.) Technique utilisée pour découvrir la fonction d'un gène en le clonant. Après avoir effectué des changements spécifiques dans la séquence du gène cloné, on réintroduit ce gène muté dans une cellule et on étudie le phénotype du mutant.

Mutation (n. fém.) Modification de la séquence nucléotidique dans l'ADN d'un organisme ou dans l'ADN ou l'ARN d'un virus.

Mutation faux sens (n. fém.) Mutation résultant de la substitution d'un nucléotide par un autre faisant en sorte que le codon transcrit sera traduit en un acide aminé différent et que la chaîne polypeptidique sera modifiée.

Mutation non-sens (n. fém.) Mutation causée par la substitution d'un codon correspondant à un acide aminé donné par un codon d'arrêt, ce qui interrompt prématurément la traduction. Plus courte que la normale, la protéine synthétisée est généralement non fonctionnelle.

Mutation ponctuelle (n. fém.) Modification chimique touchant une seule paire de nucléotides au sein d'un gène.

Mutation silencieuse (n. fém.) Substitution d'une paire de nucléotides (changement de deux bases complémentaires) qui n'a aucun effet observable sur le phénotype; par exemple, à l'intérieur du gène, mutation qui peut donner un codon qui se traduit par le même acide aminé.

Mutualisme (n. masc.) Interaction écologique positive de type +/+ qui bénéficie aux deux symbiontes.

Mycélium (n. masc.) Chez les eumycètes, réseau dense d'hyphes ramifiés.

Mycorhize (n. fém.) Association mutualiste entre des eumycètes et les racines de certains végétaux.

Mycose (n. fém.) Terme général désignant les infections fongiques.

Myocyte à contraction lente (n. fém.) Chez les vertébrés, myocyte qui peut soutenir des contractions prolongées.

Myocyte à contraction rapide (n. fém.) Chez les vertébrés, myocyte qui sert aux contractions soudaines et puissantes.

Myofibrille (n. fém.) Sous-unité d'un myocyte qui s'assemble avec d'autres dans le sens de la longueur; constituée de myofilaments épais de myosine, de myofilaments minces d'actine et de microfilaments de tropomyosine, une protéine régulatrice.

Myofilament épais (n. masc.) Dans les muscles squelettiques des vertébrés et de certains invertébrés, type de myofilament composé d'ensembles décalés de molécules de myosine.

Myofilament mince (n. masc.) Dans les muscles squelettiques des vertébrés et de certains invertébrés, le plus petit des deux types de myofilaments; se compose de deux brins d'actine et d'un brin de protéine régulatrice qui sont enroulés les uns autour des autres; composant des myofibrilles dans les myocytes.

Myoglobine (n. fém.) Protéine de mise en réserve de l'O_2 présente dans les muscles des vertébrés.

Myopathie de Duchenne (n. fém.) Maladie dont la transmission est liée au sexe et qui se caractérise par un type progressif et létal de dystrophie musculaire (affaiblissement progressif des muscles et perte de la coordination). Aussi appelée *dystrophie musculaire progressive de Duchenne*.

Myosine (n. fém.) Type de protéine motrice formant des filaments qui interagissent avec d'autres filaments pour produire la contraction de la cellule.

Myriapodes (n. masc.) Arthropodes terrestres composés de nombreux segments corporels, chacun d'eux portant une ou deux paires de pattes (p. ex., millepattes). Les diplopodes et les chilopodes constituent les deux classes de myriapodes actuels.

Myxines (n. fém.) Vertébrés marins dépourvus de mâchoires et dotés de vertèbres très réduites ainsi que d'un crâne cartilagineux. La plupart des myxines sont des détritivores vivant dans les fonds marins.

N

NAD^+ (n. masc.) Forme oxydée du nicotinamide adénine dinucléotide, une coenzyme qui peut accepter des électrons, devenant du NADH. Le NADH emmagasine temporairement des électrons durant la respiration cellulaire.

NADH (n. masc.) Forme réduite du nicotinamide adénine dinucléotide qui stocke temporairement les électrons durant la respiration cellulaire. Dans le transfert d'électrons, le NADH agit comme donneur d'électrons.

$NADP^+$ (n. masc.) Forme oxydée du nicotinamide adénine dinucléotide phosphate, un transporteur d'électrons qui peut accepter des électrons, devenant du NADPH. Lors des réactions photochimiques, le NADPH stocke temporairement les électrons libérés riches en énergie.

NADPH (n. masc.) Forme réduite de nicotinamide adénine dinucléotide phosphate. Le NADPH exerce un « pouvoir réducteur » qui peut être transmis à un accepteur d'électrons et le réduire. Le NADPH stocke temporairement les électrons libérés riches en énergie lors des réactions photochimiques.

Nématocyste (n. masc.) Dans les cnidocytes des cnidaires, capsule urticante contenant un filament enroulé qui peut être projeté et s'enfoncer dans la proie et lui injecter un poison.

Néphron (n. masc.) Unité tubulaire excrétrice du rein des vertébrés.

Néphron cortical (n. masc.) Chez les mammifères et les oiseaux, néphron qui possède une anse raccourcie et qui est presque entièrement confiné au cortex rénal.

Néphron juxtamédullaire (n. masc.) Chez les mammifères et les oiseaux, néphron qui possède une anse allongée qui descend, profondément chez les mammifères, dans la médulla rénale.

Nerf (n. masc.) Fibre composée surtout d'axones de neurones du SNP groupés en faisceaux.

Nervure (n. fém.). Tissu conducteur formant des saillies parallèles ou ramifiées sur le limbe d'une feuille.

Neurohormone (n. fém.) Hormone sécrétée par un neurone, qui se rend aux cellules cibles par la circulation sanguine et modifie leurs fonctions.

Neurohypophyse (n. fém.) Voir *Lobe postérieur de l'hypophyse*.

Neurolemmocyte (n. masc.) Gliocyte qui forme avec d'autres une gaine isolante de myéline autour de l'axone de nombreux neurones du SNP. Aussi appelé *cellule de Schwann*.

Neurone (n. masc.) Cellule nerveuse. Dans le système nerveux des animaux, unité fonctionnelle dont la structure et les propriétés permettent la propagation des potentiels d'action en tirant profit des variations de tension de part et d'autre de sa membrane plasmique.

Neurone moteur (n. masc.) Cellule nerveuse qui achemine les signaux issus de l'encéphale ou de la moelle épinière jusqu'aux cellules effectrices (musculaires ou glandulaires). Aussi appelé *neurone efférent*.

Neurone sensitif (n. masc.) Cellule nerveuse qui reçoit l'information d'un récepteur sensoriel détectant les changements que connaît une variable (p. ex., la lumière, la pression ou la concentration d'une substance chimique) ; transmet cette information au SNC. Aussi appelé *neurone afférent*.

Neuropeptide (n. masc.) Classe de neurotransmetteurs composés d'une chaîne relativement courte d'acides aminés.

Neurotransmetteur (n. masc.) Substance libérée par les corpuscules nerveux terminaux d'un neurone dans une synapse chimique ; traverse la fente synaptique par diffusion et se lie à une cellule postsynaptique, ce qui déclenche une réponse.

Neutron (n. masc.) Particule élémentaire constitutive du noyau d'un atome n'ayant pas de charge électrique (électriquement neutre) et ayant une masse d'environ $1{,}7 \times 10^{-24}$ g.

Neutrophile (n. masc.) Type le plus abondant de leucocytes. Les neutrophiles sont des granulocytes doués de phagocytose, mais leur durée de vie est limitée à quelques jours en raison de leur tendance à s'autodétruire avec les envahisseurs étrangers qu'ils éliminent.

Niche écologique (n. fém.) Utilisation globale qu'une espèce fait des ressources biotiques et abiotiques de son milieu.

Nocicepteur (n. masc.) Récepteur sensoriel qui réagit à des stimulations nocives ou douloureuses. Aussi appelé *récepteur de la douleur*.

Nodule (n. masc.) Dans les racines de certaines légumineuses, comme les pois ou les haricots, renflement de la racine renfermant des cellules végétales abritant des bactéries fixatrices d'azote du genre *Rhizobium* qui incorporent l'azote atmosphérique dans des substances organiques.

Nœud (n. masc.) (1) Point d'attache d'une feuille ou d'une branche le long de la tige des plantes. (2) Le *nœud* d'un arbre d'évolution (arbre phylogénétique) se nomme aussi *point de bifurcation*.

Nœud auriculoventriculaire (n. masc.) Chez les mammifères, région spécialisée du tissu musculaire cardiaque située entre l'oreillette droite et la gauche dans laquelle les influx électriques s'arrêtent temporairement durant 0,1 s environ avant de se propager aux ventricules et d'en provoquer la contraction.

Nœud de Ranvier (n. masc.) Petit intervalle dénudé dans la gaine de myéline de certains axones où sont générés des potentiels d'action qui se déplacent en « sautant » d'un nœud à l'autre le long de l'axone durant la conduction saltatoire.

Nœud lymphatique (n. masc.) Chez les vertébrés, organe situé le long des vaisseaux lymphatiques ; filtre la lymphe et contribue à la défense de l'organisme contre des virus et des bactéries.

Nœud sinusal (n. masc.) Chez les mammifères, région spécialisée du tissu musculaire cardiaque, située dans la paroi de l'oreillette droite, qui fixe la fréquence et la synchronisation des contractions de toutes les cellules du muscle cardiaque. Aussi appelé *centre rythmogène*.

Nombre d'oxydation (n. masc.) Capacité de liaison d'un atome correspondant au nombre d'électrons que cet atome doit perdre (signe +), gagner (signe –) ou mettre en commun pour conserver une couche de valence complète.

Nombre de masse (n. masc.) Somme des protons et des neutrons que contient le noyau d'un atome ; s'écrit au moyen d'un exposant situé à gauche du symbole de l'élément.

Nomenclature binominale (n. fém.) Nomenclature utilisée par les taxonomistes pour nommer chaque espèce. Appellation formée de deux mots latins : le premier indique le genre auquel l'espèce appartient ; le second désigne l'espèce en tant que telle.

Non-disjonction (n. fém.) Erreur durant la méiose ou la mitose faisant en sorte que des chromosomes homologues ou des chromatides sœurs ne se séparent pas. Par conséquent, l'un des gamètes ou l'une des cellules reçoit les deux chromosomes de la même paire, alors que l'autre n'en reçoit aucun.

Noradrénaline (n. fém.) Catécholamine chimiquement et fonctionnellement semblable à l'adrénaline, agissant comme une hormone ou un neurotransmetteur.

Notocorde (n. fém.) Dans l'embryon des cordés, tige flexible longitudinale composée de cellules du mésoderme qui s'étend sous la face dorsale selon l'axe antéropostérieur. Aussi appelée *corde dorsale*.

Noyau (n. masc.) (1) Centre d'un atome contenant les protons et les neutrons. (2) Organite d'une cellule eucaryote contenant le matériel génétique sous forme de chromosomes. (3) Regroupement de corps de neurones dans l'encéphale des vertébrés.

Noyau atomique (n. masc.) Centre dense de l'atome, contenant des protons et des neutrons.

Noyaux suprachiasmatiques – NSC (n. masc.) Chez les mammifères, groupe de neurones de l'hypothalamus qui fonctionnent comme une horloge biologique.

Nucléaridés (n. masc.) Membres d'un groupe de protistes amiboïdes unicellulaires, plus étroitement apparentés aux eumycètes qu'aux autres groupes de protistes.

Nucléoïde (n. masc.) Dans une cellule procaryote, région où se trouve concentré l'ADN, mais qui n'est pas délimitée par une membrane.

Nucléole (n. masc.) Dans le noyau d'une cellule eucaryote, structure spécialisée constituée de régions chromosomiques contenant des gènes d'ARN ribosomal (ARNr) ainsi que des protéines importées du cytoplasme produites par les ribosomes ; site de la synthèse de l'ARNr et des sous-unités ribosomiques. Voir aussi *Ribosome*.

Nucléosome (n. masc.) Chez les eucaryotes, unité de base de la condensation de l'ADN constituée d'un segment d'ADN enroulé autour d'un noyau protéique, lui-même composé de deux molécules de chacun des quatre types d'histones.

Nucléotide (n. masc.) Constituant d'un acide nucléique composé d'un glucide à cinq carbones lié par des liaisons covalentes à une base azotée et à un ou à plusieurs groupements phosphate ; monomère dont l'assemblage forme les acides nucléiques (ADN et ARN).

Numéro atomique (n. masc.) Nombre de protons constituant le noyau d'un atome. Propre à chaque élément, il s'écrit au moyen d'un indice situé à gauche du symbole de l'élément.

Nutriment essentiel (n. masc.) Substance que les animaux doivent trouver à l'état préformé dans leurs aliments, parce que leurs cellules ne sont pas en mesure de la fabriquer à partir de matières brutes, quelles qu'elles soient. Chez les humains, les nutriments essentiels sont les vitamines, les minéraux, des acides aminés et des acides gras.

Nutriment limitant (n. masc.) Substance chimique qu'il faut ajouter pour stimuler la productivité d'un milieu (p. ex., le phosphore ou l'azote).

Nutrition (n. fém.) Ensemble des processus par lequel un animal ou un végétal absorbe des substances alimentaires pour entretenir son métabolisme.

O

Ocytocine (n. fém.) Chez les vertébrés, hormone produite par l'hypothalamus et libérée par la le lobe postérieur de l'hypophyse ; provoque la contraction des muscles utérins pendant l'accouchement et déclenche l'éjection du lait par les glandes mammaires au cours de l'allaitement. Cette hormone influe aussi sur certains comportements (soins maternels, activité sexuelle, etc.).

Odorat (n. masc.) Sens permettant de percevoir les odeurs par le biais de chimiorécepteurs qui détectent certaines substances dans le milieu ; chez les animaux terrestres, sert à reconnaître les substances chimiques volatiles transportées par l'air.

Œil composé (n. masc.) Chez les insectes et les crustacés, type d'œil à facettes multiples qui comprend plusieurs milliers de lentilles convergentes (les ommatidies) pouvant détecter la lumière.

Œil simple (n. masc.) Œil à cristallin unique dont le mode de fonctionnement ressemble à celui d'un appareil photo ; présent chez les méduses, les polychètes, les araignées et de nombreux mollusques.

Œsophage (n. masc.) Tube musculomembraneux qui, grâce au péristaltisme, fait passer les aliments du pharynx à l'estomac, sans leur faire subir de transformations.

Œstradiol (n. masc.) Hormone stéroïde qui stimule le développement et le fonctionnement du système reproducteur femelle et l'apparition des caractères sexuels secondaires ; le plus important œstrogène chez les mammifères.

Œstrogènes (n. masc.) Hormones stéroïdes, notamment l'œstradiol, qui stimulent le développement et le fonctionnement du système reproducteur femelle et l'apparition des caractères sexuels secondaires.

Œuf amniotique (n. masc.) Œuf dans lequel l'embryon est entouré de membranes spécialisées protectrices et intervenant dans le transfert de nutriments et les échanges gazeux ; constitue une innovation déterminante puisqu'il a, au cours de l'évolution, rendu possible le développement de l'embryon des tétrapodes sur la terre ferme dans un sac rempli de liquide et non plus dans un environnement aqueux.

Oligodendrocyte (n. masc.) Gliocyte qui forme avec d'autres une gaine isolante de myéline autour de l'axone de nombreux neurones du SNC.

Oligotrophe (adj.) Se dit d'un lac profond pauvre en nutriments et riche en O_2, dont le phytoplancton de la zone limnétique est rare et peu productif, et dont les eaux sont claires.

Ommatidie (n. fém.) Chacune des facettes de l'œil composé des arthropodes et de certains polychètes ; pourvue d'une cornée et d'un cristallin, reçoit la lumière provenant d'une minuscule portion du champ visuel. Les différences d'intensité lumineuse arrivant jusqu'aux nombreuses ommatidies donnent une image en mosaïque.

Omnivore (n. masc.) Animal hétérotrophe qui se nourrit régulièrement d'animaux, de végétaux ou d'algues.

Oncogène (n. masc.) Gène présent dans les génomes viraux ou cellulaires participant directement au déclenchement d'événements moléculaires à l'origine de la cancérisation.

Opérateur (n. masc.) Dans l'ADN des bactéries et des phages, séquence de nucléotides située près de l'origine d'un opéron à laquelle peut se fixer un répresseur actif. La liaison du répresseur empêche l'ARN polymérase de se lier au promoteur et de transcrire les gènes de l'opéron.

Opercule (n. masc.) Chez les ostéichthyens, plaque osseuse qui protège les branchies.

Opéron (n. masc.) Unité fonctionnelle de gènes de structure présente chez les bactéries et les phages ; constitué d'un promoteur, d'un opérateur et d'un ensemble de gènes à régulation coordonnée dont les produits interviennent dans une voie commune.

Opisthochontes (n. masc.) Clade extrêmement diversifié d'eucaryotes qui comprend les eumycètes, les animaux et plusieurs groupes de protistes étroitement apparentés.

Opsine (n. fém.) Dans l'œil des vertébrés et de certains invertébrés, protéine membranaire à laquelle se lie le rétinal.

Orbitale (n. fém.) Espace tridimensionnel où l'électron passe 90 % de son temps.

Ordre (n. masc.) Dans la classification de Linné, catégorie taxonomique située au-dessus de la famille.

Oreille externe (n. fém.) L'une des trois principales régions de l'oreille des reptiles (y compris les oiseaux) et des mammifères ; comporte le méat acoustique externe et, chez de nombreux oiseaux et mammifères, le pavillon.

Oreille interne (n. fém.) L'une des trois principales régions de l'oreille de certains vertébrés ; labyrinthe de conduits et de canaux creusés dans l'os temporal du crâne, qui sont enveloppés d'une membrane et dans lesquels un liquide se déplace en réponse aux sons ou aux mouvements de la tête ; comporte la cochlée (qui comprend l'organe spiral) et les canaux semi-circulaires.

Oreille moyenne (n. fém.) L'une des trois principales régions de l'oreille de certains vertébrés ; chez les mammifères, forme une cavité contenant trois osselets (petits os), le malléus, l'incus et le stapes, qui amplifient et transmettent les vibrations du tympan à la fenêtre du vestibule.

Oreillette (n. fém.) Cavité du cœur des vertébrés qui reçoit le sang des veines et le transfère au ventricule.

Organe (n. masc.) Chez la plupart des animaux et des végétaux, centre fonctionnel spécialisé constitué de différents tissus disposés selon une organisation précise.

Organe cible (n. masc.) Chez les végétaux, organe dans lequel des glucides sont consommés ou emmagasinés. Les racines en croissance, l'extrémité des pousses axillaires et de la tige ainsi que les fruits constituent des organes cibles alimentés en glucides par le phloème. Aussi appelé *organe puits*.

Organe sensoriel de la ligne latérale (n. masc.) Chez les poissons et les amphibiens aquatiques, organe composé de mécanorécepteurs sensibles aux variations de la pression ambiante, qui comprennent des pores et des unités réceptrices disposés longitudinalement, de chaque côté du corps ; détecte les vibrations de l'eau causées par l'animal lui-même, par des proies, des prédateurs ou d'autres objets en mouvement.

Organe source (n. masc.) Chez les végétaux, organe dans lequel des glucides sont produits soit par photosynthèse, soit par hydrolyse de l'amidon. Les feuilles matures sont les principaux organes sources.

Organe spiral (n. masc.) Organe de l'audition proprement dit de l'oreille de certains vertébrés ; situé dans l'oreille interne sur le plancher du conduit cochléaire, ou lame basilaire ; renferme les cellules réceptrices (cellules sensorielles ciliées) de l'oreille. Aussi appelé *organe de Corti*.

Organe vestigial (n. masc.) Type de structure homologue atrophiée dont l'utilité pour l'organisme est devenue secondaire ou nulle ; représente un témoignage historique d'une structure qui remplissait une fonction importante chez les ancêtres des organismes qui le portent (p. ex., l'appendice vermiforme, chez l'humain).

Organisme (n. masc.) Tout être vivant constitué d'au moins une cellule.

Organisme filtreur (n. masc.) Animal qui se nourrit en utilisant un mécanisme de filtration pour capturer de petits organismes ou des particules de nourriture.

Organisme génétiquement modifié – OGM (n. masc.) Organisme auquel on a ajouté un ou plusieurs gènes par des moyens artificiels. Ces gènes peuvent provenir ou non d'une autre espèce.

Organisme modèle (n. masc.) Espèce qu'on choisit d'étudier dans le but d'établir les principes biologiques généraux du développement en raison de sa facilité de manipulation en laboratoire et du fait que les découvertes réalisées sur un organisme modèle s'avèrent souvent transférables à beaucoup d'autres espèces (p. ex., la drosophile et l'arabette des dames).

Organites (n. masc.) Diverses structures limitées par une ou des membranes dans le cytosol des cellules eucaryotes, exerçant une fonction déterminée.

Organogenèse (n. fém.) Processus dans lequel les rudiments d'organes se forment à partir des trois feuillets embryonnaires après la gastrulation ; s'effectue au premier trimestre de la grossesse.

Origine de réplication (n. fém.) Région d'une molécule d'ADN où commence la réplication, constituée d'une séquence spécifique de nucléotides.

Oscillation (n. fém.) Relâchement des règles d'appariement des bases azotées qui permet à la troisième base (extrémité 5′) d'un anticodon d'ARNt de former des liaisons hydrogène avec plus d'une sorte de base se trouvant en troisième position (extrémité 3′) d'un codon d'ARNm.

Oscule (n. masc.) Chez les éponges, grande ouverture qui relie le spongocœle au milieu environnant.

Osmolarité (n. fém.) Concentration molaire volumique totale des solutés, exprimée en moles de solutés par litre de solution.

Osmorégulateur (n. masc.) Animal qui régule son osmolarité interne, indépendamment de son milieu externe.

Osmorégulation (n. fém.) Régulation des concentrations de solutés et de l'équilibre hydrique par une cellule ou un organisme.

Osmose (n. fém.) Diffusion de l'eau libre à travers une membrane à perméabilité sélective.

Osmotolérant (adj.) Se dit d'un animal dont l'osmolarité interne est la même que celle du milieu et qui, de ce fait, n'a pas tendance à acquérir ni à perdre de l'eau.

Ostéichthyens (n. masc.) Poissons membres d'un clade de vertébrés pourvus de mâchoires et, pour la majorité, d'un squelette osseux.

Ostiole (n. masc.) Pore d'un stomate entouré de deux cellules stomatiques (ou cellules de garde).

Ovaire (n. masc.) (1) Chez les fleurs, partie du carpelle dans laquelle se développent les ovules contenant des oosphères. (2) Chez les animaux, structure qui produit les gamètes femelles et les hormones sexuelles.

Ovipare (adj.) Se dit d'un type de développement dans lequel les femelles pondent des œufs qui vont éclore en dehors de leur corps.

Ovocyte (n. masc.) Cellule du système reproducteur femelle qui se différencie pour former un ovule.

Ovocyte de deuxième ordre (n. masc.) Ovocyte qui a complété la méiose.

Ovocyte de premier ordre (n. masc.) Cellule sexuelle diploïde qui se forme avant la fin de la méiose I.

Ovogenèse (n. fém.) Processus de formation d'ovocytes dans les ovaires.

Ovogonie (n. fém.) Cellule sexuelle diploïde des ovaires qui, après s'être multipliée par mitose, donne naissance aux ovocytes de premier ordre.

Ovovivipare (adj.) Se dit d'un type de développement dans lequel les femelles gardent les œufs fécondés dans l'oviducte jusqu'à l'éclosion.

Ovulation (n. fém.) Expulsion d'un ovule ou d'un ovocyte de deuxième ordre par un ovaire. Chez la femme, un follicule ovarien libère un ovocyte de deuxième ordre à chaque cycle utérin (menstruel).

Ovule (n. masc.) (1) Chez les plantes vasculaires à graines, ensemble constitué par le tégument, le mégasporange (organe du sporophyte, siège de la méiose) et la mégaspore. (2) Chez les animaux, gamète femelle, cellule sexuelle haploïde non fécondée qui est habituellement une cellule relativement grosse et immobile. Terme parfois employé pour désigner l'*ovocyte de deuxième ordre*.

Oxydation (n. fém.) Perte complète ou partielle des électrons par une substance participant à une réaction d'oxydoréduction.

P

Paire homologue (n. fém.) Voir *Chromosomes homologues*.

Paléoanthropologie (n. fém.) Étude de l'origine de l'humain et de son évolution.

Paléontologie (n. fém.) Science fondée sur l'étude des fossiles, qui étudie les êtres vivants ayant existé au cours des temps géologiques et leurs relations évolutives.

Pancréas (n. masc.) Glande exocrine et endocrine. La partie exocrine sécrète des enzymes digestives et une solution alcaline dans l'intestin grêle, par l'intermédiaire d'un conduit; la partie endocrine, sans conduit, participe à l'homéostasie, et sécrète et libère des hormones dans le sang, l'insuline et le glucagon, notamment.

Pancrustacés (n. masc.) Membres d'un clade diversifié d'arthropodes comprenant les homards, les crabes, les pouces-pieds et d'autres crustacés, ainsi que des insectes et les espèces à six pattes qui leur sont apparentées.

Pandémie (n. fém.) Épidémie à l'échelle mondiale.

Pangée (n. fém.) Mégacontinent qui s'est formé, à la fin du Paléozoïque (il y a environ 250 millions d'années), lorsque les mouvements des plaques tectoniques ont réuni tous les continents.

Parabasaliens (n. masc.) Groupe de protistes dépourvus de mitochondries comprenant les trichomonadines (microorganismes flagellés parasites dont le plus connu, *Trichomonas vaginalis*, cause des infections vaginales).

Paracrine (adj.) Se dit d'une glande ou d'une sécrétion dont l'action est locale.

Paraphylétique (n. masc.) Se dit d'un groupe d'espèces qui comprend un ancêtre et une partie seulement de ses descendants.

Parareptiles (n. masc.) Premier groupe important de reptiles, la plupart des herbivores quadrupèdes massifs, disparu il y a environ 200 millions d'années, à la fin du Trias.

Parasite (n. masc.) Organisme vivant à l'intérieur ou à l'extérieur d'un organisme hôte qui se nourrit des contenus cellulaires, des tissus ou des liquides corporels de cet hôte; porte préjudice à son hôte, mais généralement sans le tuer.

Parasitisme (n. masc.) Interaction écologique d'exploitation de type +/– dans laquelle l'un des organismes (le parasite) vit aux dépens d'un autre, l'hôte, à l'intérieur ou à l'extérieur de ce dernier.

Parathormone – PTH (n. fém.) Hormone peptidique que sécrètent les glandes parathyroïdes et qui accroît la concentration de Ca^{2+} sanguin en favorisant la libération de calcium par les os et la rétention de calcium par les reins.

Parcimonie maximale (n. masc.) En science, principe selon lequel toute théorie doit proposer l'explication la plus simple possible dans le respect des faits.

Paroi cellulaire (n. fém.) Nom donné à la couche externe protectrice de la membrane plasmique de la cellule végétale, des procaryotes, des eumycètes et de certains protistes. Les composants structuraux importants des parois cellulaires sont des polysaccharides: la cellulose (chez les végétaux et certains protistes), la chitine (chez les eumycètes) et le peptidoglycane (chez les bactéries).

Paroi primaire (n. fém.) Paroi relativement mince et flexible qui entoure la membrane plasmique d'une cellule végétale immature.

Paroi secondaire (n. fém.) Matrice résistante et durable, souvent constituée de couches successives de fibres de cellulose, d'autres polysaccharides et de protéines, qui protège et soutient la cellule végétale.

Partage des ressources (n. masc.) Différenciation des niches écologiques qui permet à des espèces semblables de coexister dans une communauté.

Parthénogenèse (n. fém.) Mode de reproduction asexuée dans lequel les femelles donnent naissance à une progéniture à partir d'œufs (ovules) non fécondés.

Particule de reconnaissance du signal (n. fém.) Complexe moléculaire constitué de six protéines et d'un petit ARN; responsable de la reconnaissance de la séquence signal d'un peptide, au moment où il émerge du ribosome; assiste le transport du peptide vers une protéine réceptrice située sur le RE.

Patrimoine génétique (n. masc.) Ensemble de toutes les copies de chaque type d'allèle à tous les locus dans chaque individu d'une population. Dans un sens plus restreint, le terme désigne également l'ensemble des allèles pour seulement un ou quelques locus dans une population. Aussi appelé *pool génétique* ou *fonds génétique*.

Paysage (n. masc.) En écologie, mosaïque d'écosystèmes reliés les uns aux autres par des échanges d'énergie, de matière et d'organismes.

Pédicelle (n. masc.) Chez les végétaux, tige allongée du sporophyte d'un bryophyte, telle une mousse. Aussi appelé *soie*.

Pédomorphose (n. fém.) Persistance, chez un organisme adulte, de structures qui étaient strictement juvéniles chez son ancêtre (p. ex., la persistance des branchies chez la salamandre adulte).

Pelvis rénal (n. masc.) Compartiment en forme d'entonnoir qui reçoit le filtrat traité des tubules collecteurs du rein et l'achemine vers l'uretère.

Pénis (n. masc.) Chez les mammifères mâles, organe de la copulation.

PEP carboxylase (n. masc.) Avant la photosynthèse, dans les cellules du mésophylle des plantes de type C_4, enzyme qui ajoute du CO_2 au phosphoénolpyruvate (PEP), pour donner de l'oxaloacétate, lequel entre dans le cycle de Calvin.

Pepsine (n. fém.) Enzyme du suc gastrique qui amorce l'hydrolyse des protéines.

Pepsinogène (n. masc.) Forme inactive sous laquelle est sécrétée la pepsine par les cellules principales situées dans les cryptes de la muqueuse de l'estomac.

Peptidoglycane (n. masc.) Type de polymère situé dans la paroi cellulaire des bactéries; se compose de monosaccharides modifiés et réunis transversalement par de courts polypeptides variant d'une espèce à l'autre.

Perception (n. fém.) Interprétation que donne le cerveau des sensations chez les animaux.

Pergélisol (n. masc.) Couche de sol gelée en permanence.

Péricycle (n. masc.) Dans la racine des végétaux, couche de cellules la plus extérieure du cylindre vasculaire d'où émergent les racines latérales.

Périderme (n. masc.) Couche protectrice, composée de phellogène et de suber, qui remplace l'épiderme des plantes ligneuses pendant la croissance secondaire; remplit notamment des fonctions de protection.

Période critique (n. fém.) Laps de temps limité dans la vie de l'animal pendant lequel celui-ci peut faire l'apprentissage d'un comportement. Aussi appelée *période sensible*.

Période réfractaire (n. fém.) Court intervalle de temps qui suit immédiatement un potentiel d'action et pendant lequel le neurone reste insensible à tout stimulus par suite de l'inactivation des canaux à sodium.

Péristaltisme (n. masc.) (1) Chez les animaux, ondes rythmiques produites par la contraction et la relaxation des muscles lisses de la paroi du tube digestif qui forcent les aliments à avancer. (2) Mode de déplacement terrestre produit par les ondes rythmiques de contractions musculaires allant de l'avant vers l'arrière, typiques de nombreux annélides.

Péristome (n. masc.) Chez les mousses, anneau de structures dentelées qui s'interpénètrent sur la partie supérieure du sporange couverte d'un opercule; libère progressivement les spores.

Perméabilité sélective (n. fém.) Propriété permettant aux membranes biologiques de se laisser traverser plus facilement par certaines substances que par d'autres.

Peroxysome (n. masc.) Organite contenant des enzymes qui transfèrent les atomes d'hydrogène de divers substrats à l'O_2, produisant du peroxyde d'hydrogène (H_2O_2) qu'il dégrade par la suite.

Perturbation (n. fém.) Événement naturel ou causé par des activités humaines comme les tempêtes ou les incendies, qui décime les communautés, en élimine des organismes et modifie la disponibilité des ressources.

Pétale (n. masc.) Chez les angiospermes, pièce florale entourant l'appareil reproducteur, formée d'une feuille modifiée généralement de couleur vive; contribue à attirer les insectes et les autres pollinisateurs.

Pétiole (n. masc.) Queue de la feuille des plantes, qui relie la feuille à un nœud de la tige.

Petit ARN interférant – pARNi (n. masc.) Une des nombreuses molécules d'ARN monocaténaire de petite taille générées par les structures cellulaires à partir d'une longue molécule linéaire d'ARN bicaténaire. Le pARNi forme un complexe avec une ou plusieurs protéines qui peuvent dégrader un ARNm ou empêcher sa traduction avec une séquence complémentaire.

Petites lèvres (n. fém.) Dans le système reproducteur de la femme, replis de peau mince qui délimitent les ouvertures du vagin et de l'urètre.

pH (n. masc.) Mesure de la concentration des ions hydrogène égale à –log $[H^+]$ (logarithme négatif, en base 10, de la concentration molaire volumique des protons en solution aqueuse). Sa valeur se situe entre 0 et 14. Une solution acide a un pH inférieur à 7; une solution alcaline ou basique a un pH supérieur à 7.

Phage (n. masc.) Virus infectant une bactérie. Abréviation de *bactériophage*.

Phage virulent (n. masc.) Phage qui se multiplie uniquement suivant un cycle lytique.

Phagocytose (n. fém.) Forme d'endocytose accomplie par certains eucaryotes unicellulaires et par certaines cellules immunitaires des animaux (chez les mammifères, surtout par les macrophagocytes, les neutrophiles et les cellules dendritiques) au cours de laquelle ces cellules ingèrent de grosses particules ou de petits organismes.

Pharynx (n. masc.) (1) Chez les vertébrés, région de la gorge qui constitue un carrefour entre les voies digestives (œsophage) et les voies respiratoires (trachée). (2) Chez le ver de terre, tube musculeux saillant du côté ventral de l'animal et se terminant dans la bouche.

Phase de croissance accélérée de l'endomètre (n. fém.) Partie du cycle utérin (menstruel) au cours de laquelle la fine couche basale de l'endomètre commence à régénérer la couche fonctionnelle, qui s'épaissit durant une ou deux semaines.

Phase G_0 (n. fém.) Stade durant lequel une cellule ne se divise plus et est dans un état de «repos».

Phase G_1 (n. fém.) Première période de croissance de l'interphase et du cycle cellulaire; précède la phase S de synthèse de l'ADN.

Phase G_2 (n. fém.) Troisième période de croissance de l'interphase et du cycle cellulaire; suit la synthèse de l'ADN.

Phase menstruelle (n. fém.) Partie du cycle utérin (menstruel) au cours de laquelle se produisent les saignements.

Phase mitotique – phase M (n. fém.) Phase du cycle cellulaire qui comprend la mitose et la cytocinèse.

Phase S (n. fém.) Deuxième période de croissance de l'interphase et du cycle cellulaire; phase de synthèse de l'ADN pendant laquelle a lieu la réplication de l'ADN, après la phase G_1 et avant la phase G_2.

Phellogène (n. masc.) Tissu méristématique de forme cylindrique chez les plantes; produit des cellules de suber (liège) et les cellules de phelloderme destinées à remplacer l'épiderme des tiges et des racines, au cours de la croissance secondaire. Aussi appelé *cambium subérophellodermique*.

Phénotype (n. masc.) Ensemble des caractères physiques et physiologiques observables d'un organisme, déterminé par son patrimoine génétique.

Phénotype sauvage (n. masc.) Phénotype normal (le plus répandu) pour un caractère donné, dans les populations naturelles; désigne également l'individu qui exprime ce phénotype.

Phéromone (n. fém.) Chez les animaux et les eumycètes, petite molécule libérée dans l'environnement qui joue un rôle dans la communication entre les membres d'une même espèce; chez les animaux, agit comme une hormone pour influer sur la physiologie et le comportement d'un autre individu de la même espèce.

Phloème (n. masc.) Chez les végétaux, tissu vasculaire composé de cellules vivantes en forme de tube allongé par lequel les glucides et les autres nutriments organiques sont acheminés dans l'ensemble de la plante.

Phosphoglycérolipide (n. masc.) Lipide composé de glycérol lié à deux acides gras et à un groupement phosphate.

Phospholipide (n. masc.) Lipide composé de deux acides gras et d'un groupement phosphate reliés ensemble par une molécule variable: un glycérol dans le cas des phospho-glycérolipides ou une sphingosine dans les cas des sphingolipides. Les chaînes hydrocarbonées des acides gras se comportent comme des queues non polaires hydrophobes, et le reste de la molécule, comme une tête polaire hydrophile. Les phospholipides forment des bicouches qui donnent aux membranes biologiques leur structure fondamentale.

Phosphorylation au niveau du substrat (n. fém.) Mode de synthèse de l'ATP dans lequel une enzyme transfère directement un groupement phosphate d'un substrat à l'adénosine diphosphate (ADP).

Phosphorylation oxydative (n. fém.) Synthèse de l'ATP alimentée par les réactions d'oxydoréduction de la chaîne de transport d'électrons; troisième stade de la respiration cellulaire.

Photoautotrophe (adj.) Se dit d'un organisme qui utilise la lumière comme source d'énergie pour synthétiser des composés organiques à partir du CO_2.

Photohétérotrophe (adj.) Se dit d'un organisme qui utilise la lumière pour produire de l'ATP, mais qui doit se procurer son carbone sous forme organique.

Photomorphogenèse (n. fém.) Action de la lumière sur la morphologie des végétaux.

Photon (n. masc.) Quantum, ou quantité discrète, d'énergie lumineuse, qui se comporte comme s'il était une particule.

Photopériodisme (n. masc.) Chez les végétaux et les animaux, réaction physiologique à la photopériode, c'est-à-dire à l'intervalle, dans une période de 24 heures, durant lequel un organisme est exposé à la lumière (p. ex., la floraison des plantes, l'hibernation ou le comportement sexuel des animaux).

Photophosphorylation (n. fém.) Production d'ATP par l'ajout d'un groupement phosphate à l'ADP au cours des réactions photochimiques de la photosynthèse; processus réalisé par chimiosmose et au moyen de la force proton-motrice engendrée à travers les membranes thylakoïdiennes du chloroplaste ou les membranes de certains procaryotes.

Photorécepteur (n. masc.) Récepteur d'ondes électromagnétiques qui détecte la lumière visible chez certains animaux et certains eucaryotes unicellulaires.

Photorécepteur sensible à la lumière bleue (n. masc.) Chez les plantes, type de photorécepteurs qui active diverses réactions comme le phototropisme et le ralentissement de l'élongation de l'hypocotyle.

Photorespiration (n. fém.) Voie métabolique qui consomme de l'O_2 et de l'ATP, libère du CO_2 et réduit le rendement de la photosynthèse; provoquée par la chaleur, la sécheresse et l'ensoleillement, lorsque les stomates se ferment et que le rapport O_2/CO_2 dans la feuille augmente, favorisant la fixation de l'O_2 plutôt que celle du CO_2 par la rubisco.

Photosynthèse (n. fém.) Conversion de l'énergie lumineuse en énergie chimique, laquelle est emmagasinée dans des glucides et d'autres molécules organiques; a lieu chez les végétaux, les algues et certaines cellules procaryotes.

Photosystème (n. masc.) Unité photoréceptrice constituée d'un complexe du centre réactionnel entouré de nombreux complexes collecteurs de lumière et présente dans la membrane thylakoïdienne du chloroplaste ou dans la membrane de certains procaryotes. Il y a deux types de photosystèmes, I et II, chacun absorbant mieux la lumière à des longueurs d'onde particulières.

Photosystème I – PS I (n. masc.) L'une des deux unités photoréceptrices de la membrane thylakoïdienne du chloroplaste ou de la membrane de certains procaryotes. Son complexe du centre réactionnel est constitué de deux molécules de chlorophylle *a* P700; seul photosystème à intervenir dans le transport cyclique des électrons.

Photosystème II – PS II (n. masc.) L'une des deux unités photoréceptrices de la membrane thylakoïdienne du chloroplaste ou de la membrane de certains procaryotes. Son complexe du centre réactionnel est constitué de deux molécules de chlorophylle *a* P680.

Phototropisme (n. masc.) Réaction de croissance de la pousse d'une plante en direction de la lumière (phototropisme positif) ou dans la direction opposée (phototropisme négatif).

Phyllotaxie (n. fém.) Disposition des feuilles sur la tige des plantes.

Phylogenèse (n. fém.) Histoire de l'évolution d'une espèce ou d'un groupe d'espèces apparentées.

Physiologie (n. fém.) Étude des processus et des fonctions d'un organisme.

Phytochrome (n. masc.) Type de photo-récepteurs chez les végétaux. Les phytochromes absorbent surtout la lumière rouge et régissent plusieurs des réactions de la plante, y compris la germination des graines et l'héliophilie.

Phytoremédiation (n. fém.) Nouvelle technique de biotechnologie qui respecte le paysage et fait appel à la capacité de certaines espèces végétales d'absorber des polluants du sol et de les concentrer dans des parties de la plante faciles à récolter, ce qui permet de récupérer les polluants et de les éliminer de façon sécuritaire.

Pied (n. masc.) (1) Partie du sporophyte par lequel une mousse obtient les éléments nutritifs fournis par l'organisme maternel par l'intermédiaire de cellules de transfert. (2) Chez les mollusques, organe musculeux servant habituellement au déplacement. Voir aussi *Manteau* et *Masse viscérale*.

Pied ambulacraire (n. masc.) Chez les échinodermes, chacun des nombreux prolongements érectiles du réseau de canaux hydrauliques qui compose le système ambulacraire. Sert à la locomotion et à la capture des proies.

Pigment (n. masc.) Substance qui absorbe la lumière visible, chez les organismes photoautotrophes (p. ex., la chlorophylle *a*).

Pigment respiratoire (n. masc.) Chez les animaux, type de protéine qui transporte la plus grande partie de l'O_2 dans le sang ou l'hémolymphe.

Pili (n. masc.) Chez les bactéries, structures qui servent à réunir deux cellules au début de la conjugaison. Aussi appelés *pili sexuels*. (Au singulier : *pilus*.)

Pinocytose (n. fém.) Type d'endocytose dans lequel la cellule absorbe des gouttelettes de liquide extracellulaire avec les solutés qui y sont dissous.

Pistil (n. masc.) Organe reproducteur femelle de la fleur qui se compose d'un seul carpelle (pistil simple) ou de plusieurs carpelles groupés (pistil composé).

Placenta (n. masc.) Structure formée d'une partie de la muqueuse utérine des mammifères euthériens femelles en gestation et des membranes extraembryonnaires, et à travers laquelle les nutriments gagnent le sang de l'embryon ou du fœtus.

Placodermes (n. masc.) Classe de poissons fossiles dotés de mâchoires et protégés par une cuirasse.

Plan d'organisation corporelle (n. masc.) Chez les eucaryotes multicellulaires, le plan corporel fixe la disposition des éléments constitutifs d'un organisme pour en faire un ensemble intégré déterminé par les gènes homéotiques.

Planaire (n. fém.) Plathelminthe libre qui vit dans les étangs et les ruisseaux non pollués.

Plante de jour court (n. fém.) Plante qui fleurit habituellement à la fin de l'été, à l'automne ou en hiver, lorsque la durée de la nuit dépasse celle du jour. Voir *Plante de jour long*.

Plante de jour long (n. fém.) Plante qui semble fleurir uniquement lorsque la période de clarté dépasse une durée critique, habituellement à la fin du printemps ou au début de l'été. Voir *Plante de jour court*.

Plante de type CAM (n. fém.) Plante qui utilise une adaptation photosynthétique à l'aridité. Découvert chez les crassulacées et, pour cette raison, qualifié de métabolisme acide crassulacéen (CAM, pour *crassulacean acid metabolism*), ce processus transforme le CO_2 entré dans les stomates ouverts pendant la nuit en acides organiques. Pendant le jour (lorsque les stomates sont fermés), ces acides organiques libèrent le CO_2 mis en réserve pour alimenter le cycle de Calvin.

Plante indifférente (n. fém.) Plante dont la floraison ne dépend pas de la photopériode ni de la longueur du jour.

Plantes de type C_3 (n. fém.) Plantes chez lesquelles le CO_2 atmosphérique est incorporé à la matière organique dès la première étape du cycle de Calvin, produisant ainsi un composé à trois carbones comme premier intermédiaire stable.

Plantes de type C_4 (n. fém.) Plantes chez lesquelles des réactions commencent par incorporer le CO_2 dans un composé à quatre atomes de carbone avant de le rendre disponible pour le cycle de Calvin.

Plantes vasculaires (n. fém.) Voir *Vasculaires*.

Plaque cellulaire (n. fém.) Vésicule aplatie située à l'équateur de la cellule mère pendant la cytocinèse, au cours de la division des cellules végétales ; siège de la formation de la nouvelle paroi cellulaire durant la cytocinèse.

Plaque criblée (n. masc.) Chez les angiospermes, paroi poreuse qui joint les extrémités de deux cellules d'un tube criblé ; facilite la circulation du liquide d'une cellule à l'autre.

Plaque équatoriale (n. fém.) À la métaphase, plan imaginaire situé à mi-chemin entre les deux pôles de la cellule sur lequel se trouvent les centromères de tous les chromosomes répliqués.

Plaque perforée (n. masc.) Chez les angiospermes, perforations qui joignent les extrémités de deux éléments de vaisseau et qui facilitent la circulation de la sève brute dans les vaisseaux du xylème.

Plasma (n. masc.) Matrice liquide du sang des vertébrés renfermant plusieurs types de cellules en suspension.

Plasmide (n. masc.) Petite molécule d'ADN circulaire distincte du chromosome bactérien et capable de se répliquer de façon autonome ; utilisé comme vecteur de clonage permettant de transporter environ 10 000 paires de bases (10 kn) d'ADN ; présent aussi dans certaines cellules eucaryotes, comme les levures.

Plasmide F (n. masc.) Forme plasmidique du facteur F, un facteur permettant la conjugaison chez certaines bactéries.

Plasmocyte (n. masc.) Cellule effectrice de l'immunité humorale qui sécrète des anticorps ; provient de la différenciation d'un lymphocyte B activé par un antigène.

Plasmodesme (n. masc.) Canal qui traverse la paroi des cellules végétales et relie les cytoplasmes de cellules voisines, ce qui permet à l'eau et aux petits solutés ainsi qu'à certaines molécules plus grosses de diffuser librement entre les cellules.

Plasmogamie (n. fém.) Fusion des cytoplasmes de cellules provenant de deux mycéliums ; première étape de l'union des cellules de deux organismes, chez de nombreux eumycètes dont le cycle de développement comporte une phase sexuée ; suivie du stade de la caryogamie.

Plasmolyse (n. fém.) Dans les cellules dotées d'une paroi, phénomène qui se produit lorsque la cellule perd de l'eau au profit d'un milieu hypertonique : la membrane plasmique s'écarte de la paroi et la cellule prend un aspect ratatiné.

Plastes (n. masc.) Famille d'organites végétaux comprenant les chloroplastes, les chromoplastes et les amyloplastes (leucoplastes) ; présents dans les cellules eucaryotes photosynthétiques.

Plasticité neuronale (n. fém.) Capacité du système nerveux à se remodeler sous l'effet de sa propre activité.

Pléiotropie (n. fém.) Faculté de la plupart des gènes de produire des effets phénotypiques multiples.

Pluripotente (adj.) Se dit d'une cellule souche qui vient d'un embryon ou d'un organisme adulte et qui peut donner naissance à plusieurs types cellulaires mais pas à tous.

Poil absorbant (n. masc.) Chacun des prolongements minuscules des cellules épidermiques qui se forment près de l'extrémité des racines des plantes et qui augmentent considérablement la surface d'absorption de l'eau et des minéraux.

Point chaud de biodiversité (n. masc.) Aire relativement petite abritant une concentration exceptionnelle d'espèces endémiques et un grand nombre d'espèces menacées ou en voie d'extinction.

Point d'ancrage (n. masc.) Substrat auquel une cellule animale doit adhérer avant de pouvoir entreprendre sa division. Ce substrat peut être la paroi d'un récipient de culture ou la matrice extracellulaire d'un tissu.

Point de bifurcation (n. masc.) Sur un arbre phylogénétique, représentation de la divergence de deux ou de plusieurs taxons issus d'un ancêtre commun ; souvent représenté selon un schéma dichotomique dans lequel un embranchement représentant la lignée ancestrale se sépare au point de bifurcation, formant un embranchement pour chacune des deux lignées de descendants. Aussi appelé *nœud évolutif*.

Point de contrôle (n. masc.) Moment du cycle cellulaire où un signal commande l'arrêt ou la poursuite du cycle.

Point de départ (n. masc.) Dans la transcription, nucléotide situé sur le promoteur à partir duquel l'ARN polymérase commence la synthèse de l'ARN.

Polarité (n. fém.) Chez les végétaux, fait qu'il existe un axe bien développé dont les deux extrémités sont différentes : l'une est une racine, l'autre, une pousse.

Pôle animal (n. masc.) Chez de nombreux animaux, exception faite des mammifères, point à l'extrémité de l'ovocyte de deuxième ordre dans l'hémisphère où la concentration de vitellus est la plus faible ; pôle opposé au pôle végétatif.

Pôle végétatif (n. masc.) Chez de nombreux animaux, exception faite des mammifères, pôle de l'ovocyte de deuxième ordre où la concentration de vitellus est la plus forte ; pôle opposé au pôle animal.

Pollinisation (n. fém.) Transfert du pollen à la partie des plantes abritant les ovules, un processus requis pour la fécondation.

Pollinisation croisée (n. fém.) Transfert du pollen de l'anthère de la fleur d'une plante au stigmate de la fleur d'une autre plante de la même espèce ; mode de reproduction le plus courant chez les angiospermes.

Polygame (adj.) Se dit d'une relation entre animaux dans laquelle un individu s'accouple avec plusieurs autres.

Polymère (n. masc.) Molécule constituée d'un grand nombre d'unités structurales identiques ou semblables rattachées les unes aux autres par des liaisons covalentes (p. ex., un polypeptide est un polymère constitué de plusieurs acides aminés).

Polymorphisme mononucléotidique (n. masc.) Site d'une seule paire de bases présentant une variation chez au moins 1 % de la population.

Polynucléotide (n. masc.) Polymère composé de plusieurs nucléotides (monomères) qui entre dans la composition de l'ADN et de l'ARN, les acides nucléiques ; sert de plan pour la synthèse des protéines et, par l'intermédiaire des protéines, régule toutes les activités cellulaires.

Polypeptide (n. masc.) Polymère d'acides aminés unis par des liaisons peptidiques.

Polyphylétique (adj.) Se dit d'un groupe de plusieurs taxons qui inclut des organismes de parenté éloignée, mais pas leur plus récent ancêtre commun.

Polyploïdie (n. fém.) Anomalie chromosomique d'organismes possédant plus de deux jeux complets de chromosomes ; résulte d'un accident lors de la division cellulaire.

Polyribosome – polysome (n. masc.) Groupe de ribosomes disposés en file le long d'une même molécule d'ARNm qu'ils traduisent simultanément.

Polysaccharide (n. masc.) Macromolécule résultant de la condensation de nombreux monosaccharides unis par des liaisons glycosidiques formées par des réactions de déshydratation (p. ex., amidon, glycogène, cellulose).

Polyspermie (n. fém.) Fécondation d'un ovule par plus d'un spermatozoïde.

Polytomie (n. fém.) Dans un arbre phylogénétique, nœud duquel émergent plus de deux groupes de descendants ; indique que les liens évolutifs entre ces taxons ne sont pas encore clairement établis.

Pompe à protons (n. fém.) Protéine de transport actif située dans une membrane cellulaire, qui utilise l'ATP pour transporter des protons hors d'une cellule contre leur gradient de concentration, engendrant ainsi un potentiel de membrane.

Pompe à sodium et à potassium (n. fém.) Protéine de transport actif enchâssée dans la membrane plasmique des cellules animales, qui expulse les ions sodium de la cellule tout en faisant entrer les ions potassium.

Pompe électrogène (n. fém.) Protéine de transport actif qui engendre un potentiel électrique de part et d'autre d'une membrane en pompant les ions.

Pont (n. masc.) Chez les vertébrés, renflement du tronc cérébral situé dans la partie inférieure de l'encéphale, devant le cervelet, et comportant des noyaux qui régulent les centres de respiration dans le bulbe rachidien.

Pont disulfure (n. masc.) Liaison covalente forte qui se forme quand le soufre d'un monomère de cystéine se lie au soufre d'un autre monomère de cystéine. C'est l'une des interactions qui assure le maintien de la structure tertiaire des protéines.

Population (n. fém.) Groupe localisé d'individus de la même espèce biologique qui vivent dans la même zone, pouvant se reproduire et engendrer une descendance féconde.

Population minimale viable (n. fém.) Nombre minimal d'individus qui permet à une espèce de maintenir son nombre et de survivre.

Porte-greffe (n. masc.) Plante qui fournit le système racinaire dans une greffe.

Porteur sain (n. masc.) En génétique, individu hétérozygote pour un locus génétique donné à l'origine d'une maladie héréditaire récessive. Il a généralement un phénotype normal, mais peut transmettre l'allèle récessif à ses enfants.

Postérieure (adj.) Se dit de la région située à l'arrière (queue) d'un animal à symétrie bilatérale, par opposition à *antérieure*, désignant la région opposée.

Potentialisation à long terme – PLT (n. fém.) Dans les phénomènes de mémoire et d'apprentissage, type de changement synaptique qui se traduit par une augmentation durable de la force de la transmission synaptique.

Potentiel d'action (n. masc.) Signal électrique généré par une dépolarisation brusque (du type tout ou rien) et qui se propage le long de la membrane d'un neurone ou d'une autre cellule excitable. Aussi appelé *influx nerveux*.

Potentiel d'équilibre – E_{ion} (n. masc.) Valeur du potentiel de membrane à l'équilibre, c'est-à-dire lorsque le gradient électrique compense exactement le gradient de concentration ; se calcule à l'aide de l'équation de Nernst.

Potentiel de membrane (n. masc.) Différence de potentiel électrique (tension), entre le milieu extracellulaire et le cytosol de toutes les cellules, attribuable à une répartition inégale des ions ; influe sur l'activité des cellules excitables et sur le passage de toutes les substances chargées à travers la membrane.

Potentiel de pression – Ψ_p (n. masc.) Composante du potentiel hydrique qui consiste en la pression physique sur une solution ; peut être positive, nulle ou négative.

Potentiel de récepteur (n. masc.) Modification graduée du potentiel de membrane d'un récepteur sensoriel qui réagit à un stimulus.

Potentiel de repos (n. masc.) Potentiel de membrane caractéristique d'un neurone non stimulé. L'intérieur de la cellule a une charge négative par rapport à l'extérieur.

Potentiel gradué (n. masc.) Dans un neurone, variation de tension de part et d'autre de la membrane plasmique dont l'amplitude dépend de l'intensité du stimulus et qui diminue à mesure qu'elle s'éloigne de sa source.

Potentiel hydrique – Ψ (n. masc.) Propriété physique qui permet de prédire la direction de l'écoulement de l'eau ; régie par la concentration des solutés qui engendre une pression osmotique et par la pression qu'exerce la paroi cellulaire.

Potentiel osmotique – Ψ_o (n. masc.) Composante du potentiel hydrique qui est proportionnelle au nombre de molécules de solutés dissoutes dans une solution et qui mesure l'effet des solutés sur la direction du mouvement de l'eau. Aussi appelé *potentiel de soluté*, il est égal à zéro ou a une valeur négative.

Potentiel postsynaptique excitateur – PPSE (n. masc.) Phénomène électrique de dépolarisation qui se produit dans la membrane plasmique d'un neurone postsynaptique à la suite de la liaison du neurotransmetteur excitateur d'un neurone présynaptique à un récepteur membranaire postsynaptique. Il est alors plus probable que l'axone de la cellule postsynaptique puisse déclencher un potentiel d'action.

Potentiel postsynaptique inhibiteur – PPSI (n. masc.) Phénomène électrique d'hyperpolarisation produit dans la membrane plasmique d'un neurone postsynaptique quand ses récepteurs membranaires se lient au neurotransmetteur inhibiteur d'un neurone présynaptique. Il est alors plus difficile pour un neurone postsynaptique de produire un potentiel d'action.

Pouce opposable (n. masc.) Pouce qui peut toucher l'extrémité intérieure des doigts (du côté des circonvolutions de la peau) d'une même main avec sa propre face intérieure ; propriété caractéristique des humains et des autres primates anthropoïdes.

Pouls (n. masc.) Dilatation rythmique des artères avec chaque battement de cœur.

Poumon (n. masc.) Chez les vertébrés terrestres, les escargots terrestres ou les araignées, organe respiratoire localisé dont la surface repliée vers l'intérieur détermine une multitude d'alvéoles ; communique avec l'extérieur par un système de conduits ramifiés ; siège des échanges gazeux.

Poumon lamellaire (n. masc.) Chez les araignées, organe d'échanges gazeux constitué d'un ensemble de lamelles empilées dans une chambre interne.

Pousse (n. fém.) Partie aérienne d'une plante comprenant une tige, ses feuilles ainsi que les structures reproductrices.

Prairie tempérée (n. fém.) Biome terrestre, situé dans les régions de latitude moyenne, dominé par les graminées et les plantes herbacées dicotylédones.

Prédation (n. fém.) Interaction écologique d'exploitation de type +/– entre des espèces dans laquelle une espèce, le prédateur, dévore l'autre, la proie.

Prédiction (n. fém.) Dans le raisonnement déductif, prévision dont la logique obéit à une hypothèse. En testant des prédictions, les expériences permettent de rejeter certaines hypothèses.

Premier principe de la thermodynamique (n. masc.) Principe de conservation de l'énergie selon lequel la quantité d'énergie dans l'Univers est constante. L'énergie peut être transférée et transformée : elle ne peut être ni détruite ni créée.

Prépuce (n. masc.) Chez l'humain, repli de peau qui recouvre le clitoris et le gland du pénis.

Présentation de l'antigène (n. fém.) Processus de la réaction immunitaire au cours duquel une molécule du complexe majeur d'histocompatibilité se lie à un fragment d'antigène protéique intracellulaire et le transporte jusqu'à la surface de la cellule, où il est présenté pour être reconnu par un lymphocyte T.

Pression de turgescence (n. fém.) Force qui s'exerce sur la paroi d'une cellule après l'entrée d'eau et le gonflement de la cellule causé par l'osmose.

Pression diastolique (n. fém.) Pression artérielle résiduelle dans les artères lorsque les ventricules sont relâchés.

Pression partielle (n. fém.) Pression exercée par un des gaz d'un mélange de gaz (p. ex., la pression exercée par l'O_2 dans l'air).

Pression racinaire (n. fém.) Pression ascendante exercée sur la sève brute dans le xylème.

Pression systolique (n. fém.) Pression sanguine atteinte dans les artères au moment où le ventricule se contracte (à la systole ventriculaire).

Primase (n. fém.) Lors de la réplication de l'ADN, enzyme qui synthétise l'amorce d'ARN nécessaire à la synthèse d'un nouveau brin d'ADN en utilisant le brin d'ADN parental comme matrice.

Primordiums foliaires (n. masc.) Renflements le long des méristèmes apicaux des pousses, d'où émergent les feuilles.

Prion (n. masc.) Variante mal configurée de protéines cérébrales normales douée de pouvoir infectieux. Dépourvu d'acide nucléique, un prion peut se multiplier en convertissant en d'autres prions des versions correctement configurées de la protéine; cause diverses maladies neurologiques dégénératives chez certaines espèces animales et chez l'humain (p. ex., l'encéphalopathie spongiforme bovine ou « maladie de la vache folle »).

Probabilité maximale (n. masc.) Principe selon lequel, dans l'étude d'hypothèses phylogénétiques multiples, on doit considérer l'hypothèse qui représente la séquence évolutive la plus probable, à partir de certaines règles sur la façon dont l'ADN change au fil du temps.

Processus bioénergétique (n. masc.) Voir *Bioénergétique*.

Processus spontané (n. masc.) Processus thermodynamiquement favorisé qui peut se produire sans apport énergétique extérieur.

Producteur (n. masc.) Organisme qui utilise l'énergie lumineuse (dans la photosynthèse) ou qui oxyde des composés chimiques inorganiques (dans les réactions de chimiosynthèse par les procaryotes) pour la conversion de CO_2 en composés organiques.

Producteur primaire (n. masc.) Organisme autotrophe, généralement photosynthétique, qui se situe au niveau trophique sur lequel reposent tous les niveaux.

Productivité nette de l'écosystème – PNE (n. fém.) Mesure de l'accumulation totale de biomasse au cours d'une période donnée qu'on calcule en soustrayant de la production primaire brute d'un écosystème l'énergie utilisée pour la respiration par tous les autotrophes et les hétérotrophes.

Productivité primaire (n. fém.) Quantité d'énergie chimique (composés organiques) issue de la transformation de l'énergie lumineuse par les organismes autotrophes d'un écosystème, dans une période donnée.

Productivité primaire brute – PPB (n. fém.) Énergie totale assimilée par un écosystème pendant une période déterminée, c'est-à-dire quantité totale de matière organique issue de la transformation de l'énergie lumineuse en énergie chimique au cours de la photosynthèse (ou de l'énergie chimique dans les systèmes chimioautotrophes).

Productivité primaire nette – PPN (n. fém.) Quantité de nouvelle biomasse ajoutée pendant une période déterminée; ce qui reste de la productivité primaire brute après qu'on y a soustrait l'énergie utilisée pour la respiration cellulaire des autotrophes.

Productivité secondaire (n. fém.) Augmentation, par transformation de l'énergie chimique de la nourriture, de la biomasse des consommateurs d'un écosystème (herbivores, carnivores et détritivores) pendant une période déterminée.

Produit (n. masc.) Substance résultant d'une réaction chimique.

Profil génétique (n. masc.) Ensemble des marqueurs génétiques propres à un individu, détectés le plus souvent par la PCR (amplification en chaîne par polymérase) ou, auparavant, par électrophorèse et au moyen de sondes d'acides nucléiques.

Progestérone (n. fém.) Hormone stéroïde qui participe au cycle menstruel et prépare l'utérus à la grossesse; la plus importante du groupe des progestines chez les mammifères.

Progestines (n. fém.) Famille d'hormones stéroïdes dont l'activité est semblable à celle de la progestérone.

Projet génome humain (n. masc.) Projet mis sur pied par un consortium international, lancé en 1990 et achevé en 2003, et visant à cartographier l'ensemble du génome humain et à déterminer les séquences nucléotidiques de chacun des chromosomes.

Prolactine – PRL (n. fém.) Hormone produite et sécrétée par le lobe antérieur de l'hypophyse qui exerce divers effets selon les espèces de vertébrés; chez les mammifères, stimule la croissance des glandes mammaires et la synthèse du lait.

Prométaphase (n. fém.) Deuxième phase de la mitose pendant laquelle l'enveloppe nucléaire se fragmente et des microtubules du fuseau s'attachent aux kinétochores des chromosomes.

Promoteur (n. masc.) Séquence spécifique de nucléotides de l'ADN à laquelle l'ARN polymérase se lie pour commencer la transcription de l'ARN au bon endroit.

Prophage (n. masc.) ADN phagique qui, par recombinaison génétique, s'intègre à un site spécifique du chromosome bactérien.

Prophase (n. fém.) Première phase de la mitose marquée par la condensation de la chromatine en chromosomes visibles au microscope photonique, par le début de la formation du fuseau de division et par la disparition des nucléoles, mais sans modification apparente du noyau.

Propriétés émergentes (n. fém.) Nouvelles propriétés qui émergent à chaque niveau supérieur dans la hiérarchie de la vie, découlant de l'arrangement et des interactions des parties de l'organisme à mesure que celui-ci se complexifie.

Prosencéphale (n. masc.) L'une des trois régions embryonnaires de l'encéphale qui ont été produites au cours de l'évolution des vertébrés; donne naissance au thalamus, à l'hypothalamus et au cerveau. Aussi appelé *cerveau antérieur*.

Prostaglandines – PG (n. fém.) Groupe d'acides gras modifiés que produisent et libèrent dans le liquide interstitiel la plupart des types de cellules; jouent le rôle de régulateurs locaux et agissent de diverses façons sur les cellules voisines.

Prostate (n. fém.) Chez les mammifères mâles, glande annexe qui sécrète un composant du sperme neutralisant l'acidité.

Protéase (n. fém.) Enzyme qui rompt par hydrolyse les liens peptidiques dans les protéines.

Protéine (n. fém.) Molécule ou macromolécule constituée d'un ou de plusieurs polypeptides, chacun étant replié et enroulé dans une structure tridimensionnelle spécifique; classe de composés biologiques fonctionnels importants chez les organismes vivants.

Protéine d'échafaudage (n. fém.) Protéine intermédiaire de grande taille qui rassemble plusieurs autres intermédiaires protéiques pour augmenter l'efficacité des voies de transduction. Aussi appelée *protéine adaptatrice*.

Protéine de choc thermique (n. fém.) Protéine qui préviendrait la dénaturation en enveloppant une enzyme ou d'autres protéines quand elles sont exposées à des températures élevées (un choc thermique); présente chez les végétaux, les animaux et les microorganismes.

Protéine de transport (n. fém.) Protéine transmembranaire qui aide les substances hydrophiles (certains ions et molécules polaires) à traverser la membrane.

Protéine G (n. fém.) Protéine liée à une molécule de guanosine triphosphate qui sert d'intermédiaire entre les récepteurs membranaires, appelés *récepteurs couplés à une protéine G*, et d'autres protéines de transduction situées à l'intérieur de la cellule.

Protéine intramembranaire (n. fém.) Protéine transmembranaire dont les parties hydrophobes sont enchâssées dans la couche hydrophobe de la membrane et dont les parties hydrophiles sont en contact avec les solutions aqueuses de part et d'autre de la membrane (ou le revêtement du canal dans le cas d'un canal protéique).

Protéine kinase (n. fém.) Enzyme qui catalyse le transfert d'un groupement phosphate de l'ATP à une protéine (phosphorylation).

Protéine motrice (n. fém.) Protéine qui interagit avec les éléments du cytosquelette et d'autres composants cellulaires, produisant la motilité d'une cellule ou de certaines parties des cellules.

Protéine périphérique (n. fém.) Protéine qui ne pénètre pas dans la bicouche lipidique, mais qui est plutôt rattachée à la surface membranaire ou à une région d'une protéine intramembranaire.

Protéine phosphatase (n. fém.) Enzyme qui catalyse le retrait des groupements phosphate des protéines (déphosphorylation); effet inverse de la protéine kinase.

Protéines fixatrices d'ADN monocaténaire (n. fém.) Pendant la réplication de l'ADN, molécules protéiques qui s'attachent aux brins d'ADN non appariés et les empêchent de s'enrouler à nouveau jusqu'à ce qu'ils servent de matrices pour la synthèse de nouveaux brins complémentaires. Aussi appelées *protéines SSB* (de l'anglais *single-strand binding proteins*).

Protéoglycane (n. masc.) Macromolécule constituée d'une petite protéine centrale liée à de nombreuses chaînes de glucides, présente dans la matrice extracellulaire des cellules animales; peut comporter jusqu'à 95 % de glucides.

Protéome (n. masc.) Ensemble de toutes les protéines exprimées par une cellule, un tissu ou un organisme.

Protéomique (n. fém.) Étude systématique d'ensembles de protéines et de leurs propriétés, y compris leur nombre, leurs modifications chimiques et leurs interactions.

Protistes (n. masc.) Terme non officiel désignant tous les eucaryotes qui n'appartiennent pas aux végétaux, aux animaux ou aux eumycètes. La plupart des protistes sont unicellulaires, mais certains sont coloniaux ou multicellulaires simples.

Protocellule (n. fém.) Agrégat de molécules produites par voie abiotique entourées d'une membrane ou d'une structure apparentée à une membrane. Précurseurs abiotiques des cellules vivantes, les protocellules présentent certaines des propriétés associées à la vie, dont une capacité de reproduction et un métabolisme rudimentaires, ainsi que la conservation d'un milieu chimique interne distinct du milieu externe.

Proton (n. masc.) Particule élémentaire constitutive du noyau d'un atome et possédant une unité de charge électrique positive. Chaque élément a un nombre caractéristique de protons contribuant à la masse atomique.

Protonéma (n. masc.) Chez les mousses, structure haploïde constituée d'un filament vert et ramifié qui n'a qu'une cellule d'épaisseur et qui est produit par la germination de la spore.

Protonéphridie (n. fém.) Type de système urinaire, comme le système à cellule-flamme des vers plats, constitué d'un réseau de tubules se terminant en cul-de-sac.

Protooncogène (n. masc.) Gène qui code pour des protéines stimulant une croissance et une division normales de la cellule, mais qui, dans certaines conditions, peut devenir un oncogène, c'est-à-dire un gène provoquant le cancer.

Protooncogène *Ras* (n. masc.) Gène qui code pour la protéine Ras, une protéine G qui transmet un stimulus de croissance d'un récepteur de facteurs de croissance situé sur la membrane plasmique à une cascade de protéines kinases, laquelle déclenche la synthèse d'une protéine stimulant le cycle cellulaire.

Protoplaste (n. masc.) Partie vivante de la cellule végétale, qui comprend également la membrane plasmique.

Provirus (n. masc.) Génome viral qui s'est intégré au génome d'une cellule hôte et qui y reste de façon permanente.

Pseudocœlomates (n. masc.) Animaux, comme les rotifères et les vers ronds, dont le cœlome est partiellement recouvert de tissu provenant du mésoderme, mais aussi de tissus dérivés de l'endoderme.

Pseudogène (n. masc.) Segment d'ADN qui comporte des séquences ressemblant beaucoup à celles des véritables gènes (c'est-à-dire des gènes fonctionnels), mais ne s'exprimant pas ; gène qui s'est inactivé chez une espèce donnée en raison d'une mutation.

Pseudopode (n. masc.) Prolongement cytoplasmique qu'utilisent les cellules amiboïdes pour se déplacer et se nourrir.

Ptérosauriens (n. masc.) Reptiles ailés qui vivaient pendant le Mésozoïque.

Pupille (n. fém.) Dans l'œil des vertébrés et de certains invertébrés, ouverture visible au centre de l'iris qui laisse entrer la lumière. Semblable au diaphragme d'un appareil photo, l'iris se ferme ou s'ouvre à l'aide de muscles involontaires, modifiant ainsi le diamètre de la pupille afin de laisser entrer plus ou moins de lumière.

Purine (n. fém.) L'une des deux familles de bases azotées constituées d'un cycle à six atomes fusionné à un cycle à cinq atomes, présentes dans les nucléotides. L'adénine (A) et la guanine (G) sont des purines.

Pyramide des âges (n. fém.) En démographie, représentation graphique du pourcentage d'individus d'une population répartie selon le sexe et le groupe d'âge des individus qui la composent.

Pyrimidine (n. fém.) L'une des deux familles de bases azotées constituées d'un seul cycle à six atomes, présentes dans les nucléotides. La cytosine (C), la thymine (T) et l'uracile (U) sont des pyrimidines.

Q

Quête de nourriture (n. fém.) Ensemble de comportements d'un animal visant à reconnaître et à rechercher des aliments, et à s'en saisir.

Queue poly-A (n. fém.) Séquence comprenant de 50 à 250 nucléotides d'adénine qui s'ajoute à l'extrémité 3′ de la molécule d'ARN prémessager pendant la maturation.

R

Racine (n. fém.) Chez les vasculaires, organe qui ancre la plante dans le sol et lui permet d'en absorber l'eau et les nutriments.

Racine latérale (n. fém.) Chez les végétaux, racine qui prend naissance dans la couche périphérique de la stèle. Aussi appelée *racine fasciculée*.

Racine pivotante (n. masc.) Chez les eudicotylédones, racine principale de grande taille, issue d'une racine embryonnaire, donnant naissance à de nombreuses petites racines latérales secondaires.

Radiance adaptative (n. fém.) Période de changement évolutif durant laquelle des groupes d'organismes engendrent de nombreuses espèces nouvelles dotées d'adaptations qui leur permettent d'occuper des niches écologiques différentes dans leurs communautés.

Radical libre (n. masc.) Substance qui se forme dans l'organisme, caractérisée par sa très grande réactivité et par son instabilité en raison de la présence d'électrons de valence non appariés (ou célibataires) dans ses atomes ou ses molécules.

Radicule (n. fém.) Racine embryonnaire d'une plante.

Radio-isotope (n. masc.) Isotope (l'une des formes atomiques d'un élément chimique) dont le noyau se désintègre spontanément en libérant des particules et de l'énergie (p. ex., ^{14}C, ^{40}K).

Radiolaires (n. masc.) Protistes étroitement apparentés aux cercozoaires, généralement marins, dont le centre du corps est pourvu de pseudopodes (axopodes) et dont le squelette est composé le plus souvent de silice.

Radula (n. fém.) Organe rugueux en forme de râpe utilisé par de nombreux mollusques pour ramasser leur nourriture.

Rainures branchiales (n. fém.) Chez les embryons des cordés, sillons qui séparent une série d'arcs situés sur la face externe du pharynx et qui peuvent devenir des fentes branchiales lors du développement.

Raisonnement déductif (n. masc.) Raisonnement logique qui consiste à prédire des résultats particuliers à partir d'une prémisse générale.

Raisonnement inductif (n. masc.) Raisonnement logique qui consiste à faire des généralisations à partir d'un grand nombre d'observations spécifiques.

Ratites (n. masc.) Membres d'un groupe d'oiseaux incapables de voler parce que leur sternum est dépourvu de bréchet.

Rayonnement (n. masc.) Émission d'ondes électromagnétiques par tous les objets dont la température est supérieure au zéro absolu.

Réabsorption (n. fém.) Dans le système urinaire des animaux, processus par lequel des solutés et de l'eau du filtrat sont retournés aux liquides corporels.

Réactif (n. masc.) Substance de départ dans une réaction chimique.

Réaction acrosomiale (n. fém.) Chez les animaux, réaction au cours de laquelle l'acrosome du spermatozoïde libère les hydrolases qu'il contient lorsqu'il approche de la couche gélatineuse entourant un ovocyte de deuxième ordre, ou qu'il entre en contact avec elle.

Réaction chimique (n. fém.) Formation et rupture de liaisons chimiques, qui provoquent des modifications dans la composition de la matière.

Réaction d'hypersensibilité (n. fém.) (1) Chez les végétaux, réaction de défense localisée causant la destruction des cellules et des tissus situés près du site d'infection, qui se produit lorsque l'agent pathogène est un agent avirulent reconnu par la relation *R-Avr*. (2) Chez les humains, réaction immunitaire exagérée (réaction allergique) à une substance étrangère (allergène).

Réaction d'oxydoréduction (n. fém.) Réaction chimique associée au transfert complet ou partiel d'un ou de plusieurs électrons d'un réactif à l'autre. Aussi appelée *réaction rédox*.

Réaction de déshydratation (n. fém.) Réaction dans laquelle deux molécules s'associent par une liaison covalente tout en perdant une molécule d'eau. Aussi appelée *réaction de condensation*.

Réaction endergonique (n. fém.) Réaction chimique non spontanée qui absorbe de l'énergie libre de son environnement.

Réaction exergonique (n. fém.) Réaction chimique spontanée (thermodynamiquement favorisée) qui s'accompagne d'un dégagement d'énergie libre.

Réaction inflammatoire localisée (n. fém.) Défense immunitaire innée qui est déclenchée par une lésion physique ou une infection et au cours de laquelle la paroi des petits vaisseaux sanguins adjacents subit des modifications favorisant l'infiltration de leucocytes, de protéines antimicrobiennes et de facteurs de coagulation qui contribuent à la réparation des tissus et à la destruction des agents pathogènes ; peut aussi induire des effets systémiques tels que la fièvre et l'accroissement de la production de leucocytes.

Réaction rédox (n. fém.) Voir *Réaction d'oxydoréduction*.

Réactions photochimiques (n. fém.) Première phase de la photosynthèse (précède le cycle de Calvin), qui se déroule dans les membranes thylakoïdiennes du chloroplaste ou sur les membranes de certains procaryotes et qui transforme l'énergie solaire en énergie chimique pour synthétiser de l'ATP et du NADPH et produire de l'O_2.

Réceptacle (n. masc.) Chez les angiospermes, site d'attachement des pièces florales à la tige.

Récepteur (n. masc.) Dans l'homéostasie, composant qui détecte un stimulus.

Récepteur à activité tyrosine kinase – RTK (n. masc.) Récepteur protéique situé dans la membrane plasmique, dont la partie cytoplasmique (intracellulaire) catalyse le transfert de groupements phosphate de l'ATP à la tyrosine. Souvent, lorsqu'une molécule de signalisation se lie à un récepteur à activité tyrosine kinase, celui-ci dimérise puis phosphoryle une tyrosine sur la face cytoplasmique de l'autre récepteur à l'intérieur du dimère.

Récepteur couplé à une protéine G – RCPG (n. masc.) Récepteur protéique de signal transmembranaire. Lorsqu'une molécule de communication se lie à lui, ce récepteur change de conformation et permet ainsi la fixation d'une protéine G et son activation.

Récepteur d'antigène (n. masc.) Terme général désignant une protéine de surface située sur des lymphocytes B et T, qui se lie à un antigène, amorçant des réponses immunitaires spécifiques. Les récepteurs d'antigènes sur les lymphocytes B sont appelés *récepteurs de lymphocytes B* (ou immunoglobulines de membrane), et les récepteurs sur les lymphocytes T sont appelés *récepteurs des lymphocytes T*.

Récepteur d'ondes électromagnétiques (n. masc.) Type de récepteur sensoriel qui détecte différentes formes d'énergie électromagnétique, telles que la lumière visible, l'électricité et le magnétisme.

Récepteur de la douleur (n. masc.) Voir *Nocicepteur*.

Récepteur de type toll – TLR (n. masc.) Récepteur de la membrane plasmique situé à la surface des phagocytes qui reconnaît des fragments de molécules caractéristiques d'un ensemble d'agents pathogènes.

Récepteur sensoriel (n. masc.) Cellule ou structure spécialisée qui répond à un stimulus provenant du milieu externe ou interne d'un animal.

Réception (n. fém.) Dans la communication cellulaire, première étape d'une voie de signalisation, lors de laquelle une molécule de signalisation est détectée par une molécule réceptrice située sur la cellule ou à l'intérieur de la cellule.

Recherche (n. fém.) Ensemble des activités et des travaux entrepris dans le but d'acquérir des informations et des explications, souvent axées sur des questions précises.

Récif de corail (n. masc.) Dans la zone néritique des eaux tropicales chaudes, biome caractéristique constitué de divers groupes de cnidaires sécrétant un squelette externe de calcaire. Certains récifs de corail existent également dans des eaux profondes et froides.

Recombinaison génétique (n. fém.) Brassage de gènes entraînant dans la descendance l'apparition de nouvelles combinaisons d'allèles, par rapport aux combinaisons des deux parents.

Recombiné (adj.) Se dit d'un individu présentant une combinaison de caractères différente de celle des parents.

Rectum (n. masc.) Section terminale du gros intestin où les matières fécales sont entreposées jusqu'à leur élimination.

Réduction (n. fém.) Gain complet ou partiel d'électrons par une substance participant à une réaction d'oxydoréduction.

Réflexe (n. masc.) Réaction automatique à un stimulus par l'intermédiaire de la moelle épinière ou du tronc cérébral.

Refroidissement par évaporation (n. masc.) Retrait de chaleur à la surface d'un liquide quand il perd certaines de ses molécules du fait de leur passage à l'état gazeux, ce changement d'état nécessitant un apport d'énergie. L'évaporation de l'eau sur la peau a un effet de refroidissement important.

Règle de Hamilton (n. fém.) Principe selon lequel le bénéfice de l'animal qui tire avantage d'un acte altruiste multiplié par le coefficient de parenté doit être supérieur au coût de l'altruisme.

Règle de l'addition (n. fém.) Règle selon laquelle on calcule la probabilité que survienne l'un de deux ou de plusieurs événements mutuellement exclusifs en additionnant leurs probabilités individuelles.

Règle de la multiplication (n. fém.) Règle selon laquelle on calcule la probabilité que deux ou plusieurs événements indépendants se produisent ensemble en multipliant leurs probabilités individuelles.

Règne (n. masc.) Catégorie taxonomique la plus vaste après le domaine.

Régulateur (adj.) Concernant une variable environnementale particulière, se dit d'un animal qui utilise des mécanismes homéostatiques pour atténuer le changement de son milieu interne lorsque son environnement externe est soumis à des variations.

Régulateur de croissance végétal (n. masc.) Composé organique, soit naturel, soit synthétique, qui modifie ou régit un ou plusieurs processus physiologiques précis dans une plante. Aussi appelé *hormone végétale*.

Régulateur local (n. masc.) Molécule messagère agissant sur les cellules situées à proximité.

Régulation allostérique (n. fém.) Mode de régulation enzymatique dans lequel le fonctionnement d'un des sites de liaison d'une enzyme est modifié par suite de la fixation d'une molécule régulatrice à un autre site distant, dans cette même enzyme.

Régulation par rétroaction (n. fém.) Mécanisme de régulation par lequel le produit final d'un processus est le régulateur de ce même processus.

Rein (n. masc.) Chez les vertébrés, organe excréteur dans lequel le filtrat du sang se forme et est transformé en urine. Intervient dans l'équilibre hydrique et électrolytique de l'organisme.

Renforcement (n. masc.) En biologie de l'évolution, processus dans lequel la sélection naturelle renforce les barrières reproductives prézygotiques, ce qui réduit la possibilité qu'un hybride apparaisse. Un tel processus est susceptible de se produire seulement si les descendants hybrides sont moins aptes que les membres de l'espèce parentale.

Réparation des mésappariements des bases (n. fém.) Mécanisme par lequel les cellules font appel à des enzymes pour enlever et remplacer les paires de nucléotides mal appariées à la suite d'erreurs de réplication.

Réparation par excision de nucléotides (n. fém.) Système cellulaire de réparation constitué d'endonucléases, d'ADN polymérase et d'ADN ligase, qui enlèvent et remplacent correctement un segment endommagé de l'ADN à l'aide d'un brin non endommagé comme guide.

Répétitions courtes en tandem – STR (n. fém.) ADN de simples séquences comportant de multiples unités de deux à cinq nucléotides répétées en tandem. Les variations des STR agissent comme marqueurs génétiques dans l'analyse des profils génétiques.

Réplication de l'ADN (n. fém.) Processus au cours duquel une molécule d'ADN est copiée ; aussi appelée *synthèse de l'ADN*.

Réponse (n. fém.) (1) Dans la communication cellulaire, changement survenant dans une activité cellulaire après la transduction d'un signal provenant de l'extérieur de la cellule. (2) Dans une rétroaction, activité physiologique qui favorise le retour de la variable à la valeur de référence.

Réponse immunitaire à médiation cellulaire (n. fém.) Réaction immunitaire adaptative dans laquelle les lymphocytes T cytotoxiques sont activés pour défendre l'organisme contre les cellules infectées.

Réponse immunitaire humorale (n. fém.) Réaction immunitaire adaptative caractérisée par l'activation des lymphocytes B et la production d'anticorps dirigés contre les bactéries et les virus présents dans les liquides corporels.

Réponse immunitaire primaire (n. fém.) Réponse immunitaire adaptative induite par une première exposition à un antigène ; se produit de 10 à 17 jours après l'exposition à l'antigène.

Réponse immunitaire secondaire (n. fém.) Réponse produite par le système immunitaire lorsque l'organisme rencontre une nouvelle fois l'antigène auquel il a été exposé, laquelle se caractérise par sa plus grande rapidité, son intensité et sa durée, qui sont supérieures à celles de la réaction immunitaire primaire.

Répresseur (n. masc.) Protéine qui inhibe la transcription d'un gène. Chez les procaryotes, les répresseurs se fixent à l'ADN à l'intérieur ou près du promoteur. Chez les eucaryotes, les répresseurs peuvent se fixer aux éléments de contrôle des amplificateurs, aux activateurs ou à d'autres protéines de façon à empêcher les activateurs de se fixer à l'ADN.

Reproduction asexuée (n. fém.) Production de descendants à partir d'un seul individu et sans fusion de gamètes. Dans la plupart des cas, les descendants sont génétiquement identiques aux parents.

Reproduction sexuée (n. fém.) Mécanisme de reproduction nécessitant la fusion de deux gamètes.

Reptiles (n. masc.) Membres du clade des amniotes qui comprend les tuataras, les lézards, les serpents, les tortues, les crocodiles et les oiseaux.

Réseau de membranes intracellulaires (n. masc.) Ensemble des membranes à l'intérieur d'une cellule eucaryote, liées soit par contact physique direct, soit par l'intermédiaire du transfert de vésicules (sacs membraneux); comprennent la membrane plasmique, l'enveloppe nucléaire, le réticulum endoplasmique lisse et rugueux, le complexe golgien, les lysosomes, les vésicules et les vacuoles.

Réseau trophique (n. masc.) Relations entre les chaînes alimentaires dans un écosystème.

Réserve zonée (n. fém.) Région généralement de grande surface qui inclut des aires non perturbées par les humains entourées d'un territoire modifié par l'activité humaine et servant à des fins économiques.

Réservoir (n. masc.) Dans les cycles biogéochimiques, lieu où se trouve un élément chimique, c'est-à-dire une substance organique ou inorganique directement utilisable par des organismes ou inutilisable en tant que nutriment.

Résistance systémique acquise (n. fém.) Chez les végétaux, réponse non spécifique résultant de l'expression de gènes de défense qui se traduit par la production de substances chimiques, dont l'acide méthylsalicylique, et qui fournit une protection de plusieurs jours à une plante contre divers agents pathogènes.

Résolution de problème (n. fém.) Capacité cognitive à trouver une méthode pour modifier une situation en présence d'obstacles apparents ou réels.

Respiration (n. fém.) Processus de ventilation des poumons qui consiste en une inspiration et une expiration alternées de l'air.

Respiration cellulaire (n. fém.) Voies cataboliques de la respiration aérobie et anaérobie qui décomposent les molécules organiques et utilisent une chaîne de transport d'électrons pour la production d'ATP.

Respiration cellulaire aérobie (n. fém.) Voie catabolique des molécules organiques utilisant l'O_2 comme accepteur d'électrons dans une chaîne de transport d'électrons dans laquelle l'énergie libérée sert à produire de l'ATP. C'est la voie catabolique la plus efficace, et elle a lieu dans la plupart des cellules eucaryotes et chez de nombreux organismes procaryotes.

Respiration cellulaire anaérobie (n. fém.) Voie catabolique dans laquelle des molécules inorganiques autres que l'O_2 (ions nitrate ou ions sulfate, notamment) acceptent des électrons dans la phase « descendante » de la chaîne de transport d'électrons.

Réticulum endoplasmique – RE (n. masc.) Vaste réseau membraneux étendu dans les cellules eucaryotes, qui prolonge la membrane externe de l'enveloppe nucléaire; composé de zones rugueuses (parsemées de ribosomes) et de zones lisses (sans ribosomes).

Réticulum endoplasmique lisse – REL (n. masc.) Partie du réticulum endoplasmique dépourvu de ribosomes.

Réticulum endoplasmique rugueux – RER (n. masc.) Région du réticulum endoplasmique parsemée de ribosomes.

Réticulum sarcoplasmique (n. masc.) Réticulum endoplasmique spécialisé qui régule la concentration de calcium dans le cytosol des myocytes.

Rétinal (n. masc.) Dans l'œil des vertébrés et de certains invertébrés, pigment visuel des bâtonnets et des cônes qui absorbe la lumière; synthétisé à partir de la vitamine A.

Rétine (n. fém.) Chez les vertébrés, couche la plus profonde de l'œil portant les photorécepteurs (bâtonnets et cônes) et divers neurones; au niveau du disque du nerf optique, transmet au cerveau les images formées par le cristallin.

Rétroactivation (n. fém.) Forme de régulation dans laquelle un produit final d'un processus entraîne une accélération de ce processus; en physiologie, mécanisme de contrôle dans lequel un changement dans une variable déclenche une réponse qui renforce ou amplifie le changement.

Rétro-inhibition (n. fém.) (1) Mécanisme de régulation métabolique par lequel le produit final d'une voie métabolique inhibe une enzyme et bloque cette voie. (2) Mécanisme de régulation homéostatique par lequel un changement se produisant dans une variable physiologique déclenche une réponse de sens contraire à celui du changement initial. (3) Mécanisme de régulation de la taille d'une population qui intervient lorsque le taux de mortalité s'élève, quand la densité de population augmente, et lorsque le taux de natalité diminue, à mesure que la densité augmente.

Rétrotransposon (n. masc.) Dans les génomes eucaryotes, segment d'ADN capable de se déplacer à l'intérieur du génome par l'intermédiaire d'un ARN qui en est une transcription.

Rétrovirus (n. masc.) Virus à ARN qui se reproduit en synthétisant de l'ADN à partir d'une matrice d'ARN et à l'aide d'une transcriptase inverse, puis en insérant l'ADN nouvellement fabriqué dans un chromosome cellulaire; classe importante de virus causant le cancer et le sida.

Révolution cardiaque (n. fém.) Cycle complet du fonctionnement du cœur comportant une phase de contraction musculaire (systole) et d'expulsion du sang, et une autre de relaxation (diastole) et de remplissage.

Rhizariens (n. masc.) Membres d'un des trois sous-groupes du SAR, un supergroupe d'eucaryotes unicellulaires. Beaucoup d'espèces de ce clade sont des amibes caractérisées par des pseudopodes filiformes.

Rhizobactérie (n. fém.) Bactérie du sol dont la population est particulièrement abondante dans la rhizosphère, la couche de sol entourant les racines des végétaux.

Rhizoïde (n. masc.) Longue cellule tubulaire (chez les hépatiques et les anthocérotes) ou filament de cellules (chez les mousses) qui ancre les bryophytes dans le sol. Contrairement aux racines, le rhizoïde n'est pas formé de tissus, ne possède pas de cellules conductrices spécialisées et ne joue pas un rôle important dans l'absorption de l'eau et des minéraux.

Rhizosphère (n. fém.) Couche de sol entourant les racines des végétaux; caractérisée par un niveau d'activité microbienne élevée.

Rhodopsine (n. fém.) Dans l'œil des vertébrés et de certains invertébrés, pigment visuel des bâtonnets constitué de rétinal et d'opsine. En absorbant la lumière, le rétinal change de forme et se dissocie de l'opsine.

Rhombencéphale (n. masc.) L'une des trois régions embryonnaires de l'encéphale produites au cours de l'évolution des vertébrés; donne naissance au bulbe rachidien, au pont et au cervelet. Aussi appelé *cerveau postérieur.*

Ribose (n. masc.) Glucide entrant dans la structure de l'ARN; monosaccharide à cinq carbones (pentose).

Ribosome (n. masc.) Particule dont les sous-unités sont synthétisées dans le nucléole et qui est constituée d'ARN ribosomique et de protéines; composé de deux sous-unités (une grande et une petite) qui sont le siège de la synthèse des protéines dans le cytoplasme. Voir aussi *Nucléole.*

Ribozyme (n. masc.) Molécule d'ARN agissant comme une enzyme, comme l'intron qui catalyse sa propre excision au cours de l'épissage de l'ARN.

Richesse spécifique (n. fém.) Nombre d'espèces que comporte une communauté biologique.

Rotation des cultures (n. fém.) Pratique culturale consistant à faire alterner d'une année à l'autre et dans le même sol les espèces plantées, essentiellement pour préserver la capacité de production de ce sol.

RuDP carboxylase/oxygénase – rubisco (n. fém.) Ribulose diphosphate (RuDP) carboxylase-oxygénase, enzyme qui catalyse la première étape du cycle de Calvin, c'est-à-dire la liaison de CO_2 au RuDP. En présence d'un excès d'O_2 ou d'un faible taux de CO_2, la rubisco peut se lier à l'O_2, ce qui donne lieu à la photorespiration.

Ruminant (n. masc.) Animal, comme les cerfs, les bovins et les ovins, dont l'estomac comporte des cavités complexes spécialisées qui sont adaptées à un régime herbivore en permettant la remastication des aliments ingérés.

Rythme circadien (n. masc.) Cycle physiologique d'une durée de 24 heures environ observé chez tous les organismes eucaryotes, même en l'absence de stimulus extérieurs.

S

Sac embryonnaire (n. masc.) Gamétophyte femelle des angiospermes issu de la croissance et de la division par mitose de la mégaspore et doté de huit noyaux haploïdes dont l'un est celui de l'oosphère.

Saccule (n. masc.) Dans l'oreille interne des humains et de la plupart des autres mammifères, chambre située derrière la fenêtre vestibulaire qui participe au sens de l'équilibre.

Sang (n. masc.) Tissu conjonctif dont la matrice est un liquide appelé *plasma*, où baignent les érythrocytes (globules rouges), les leucocytes (globules blancs) et des fragments de cellules appelés thrombocytes (plaquettes). Aussi appelé *tissu sanguin.*

Sarcomère (n. masc.) Unité structurale fondamentale des muscles squelettiques et cardiaque des vertébrés; élément de répétition délimité par les lignes Z.

Sarcoptérygiens (n. masc.) Membres du clade des ostéichthyens dont les nageoires pectorales et pelviennes sont pourvues d'os en forme de tige et entourées d'une épaisse couche musculaire. Le clade comprend les cœlacanthes, les dipneustes et les tétrapodes.

Savane (n. fém.) Zone semi-aride composée d'une prairie tropicale peuplée d'arbres dispersés, conservée par des feux et des sécheresses occasionnelles; est occupée par de grands mammifères herbivores.

Schème d'action spécifique – SAS (n. masc.) Dans le comportement animal, suite d'actions non apprises qui est toujours la même et qu'un animal termine une fois qu'il l'a entreprise.

Schizophrénie (n. fém.) Trouble mental grave qui se manifeste par des épisodes psychotiques au cours desquels les patients deviennent incapables de faire la distinction entre la réalité et les hallucinations.

Science (n. fém.) Approche pour comprendre le monde naturel.

Scissiparité – fissiparité (n. fém.) Chez des organismes unicellulaires, mode de reproduction asexuée par lequel la cellule grossit pour ensuite se diviser en deux cellules. Chez les eucaryotes unicellulaires, ce processus suppose une mitose, ce qui n'est pas le cas chez les procaryotes.

Sclérite (n. fém.) Une des cellules sclérenchymateuses assez courtes et de forme irrégulière, éparpillées dans les parenchymes de certaines plantes et dans la coquille des noix et l'enveloppe des graines, auxquelles elles donnent leur dureté.

Scrotum (n. masc.) Enveloppe de peau située à l'extérieur de la cavité pelvienne qui renferme les testicules. Permet de préserver la viabilité des spermatozoïdes en les maintenant à une température inférieure à celle du corps.

Second messager (n. masc.) Petite molécule non protéique et hydrosoluble, comme l'AMP cyclique, ou ion, comme l'ion calcium (Ca^{2+}), qui transmet au cytoplasme l'information d'une molécule de signalisation extracellulaire (premier messager) captée par un récepteur protéique situé à la surface d'une cellule.

Sécrétion (n. fém.) (1) Libération par une cellule des molécules qu'elle a synthétisées. (2) Transport actif qui achemine dans le filtrat les déchets du sang et certains de ses solutés.

Segmentation (n. fém.) (1) Dans les cellules animales, processus de la cytocinèse, qui se caractérise par une invagination de la membrane plasmique. (2) Au début du développement embryonnaire, succession rapide de divisions cellulaires sans croissance qui transforme le zygote en une sphère creuse. (3) Processus de digestion mécanique qui a lieu dans l'intestin grêle et qui consiste en une série de contractions fragmentant et mélangeant le chyme avec les sucs digestifs.

Segmentation déterminée (n. fém.) Chez les protostomiens, type de développement embryonnaire qui fixe précocement le sort de chaque cellule embryonnaire.

Segmentation indéterminée (n. fém.) Type de développement embryonnaire chez les deutérostomiens, dans lequel chaque cellule produite lors des premières divisions conserve la capacité de se développer en un embryon complet.

Segmentation radiaire (n. fém.) Type de développement embryonnaire chez les deutérostomiens, dans lequel la division cellulaire qui transforme le zygote en une sphère de cellules s'effectue parallèlement ou perpendiculairement à l'axe vertical.

Segmentation spirale (n. fém.) Mode de développement embryonnaire chez les protostomiens, dans lequel la division cellulaire qui transforme le zygote en une sphère de cellules s'effectue en diagonale par rapport à l'axe vertical et produit des cellules de taille inégale.

Sel (n. masc.) Composé formé par des liaisons ioniques. Aussi appelé *composé ionique* (p. ex., NaCl, $MgCl_2$, $NaHCO_3$, Na_2HPO_4).

Sélection artificielle (n. fém.) Pratique dont le but est de croiser les organismes possédant les caractères qu'on désire perpétuer; procédé auquel ont eu recours les humains au cours de l'histoire, dans la culture et l'élevage.

Sélection clonale (n. fém.) Processus au cours duquel un antigène se lie de façon sélective aux lymphocytes portant des récepteurs spécifiques de cet antigène et active ces lymphocytes. Ceux-ci prolifèrent alors et se différencient en deux clones: un clone de cellules effectrices et un clone de cellules mémoires spécifiques de l'antigène déjà rencontré.

Sélection de parentèle (n. fém.) Phénomène de sélection naturelle qui favorise le comportement altruiste en accroissant le succès reproducteur des parents.

Sélection directionnelle (n. fém.) Mode de sélection naturelle qui favorise les phénotypes situés à une seule extrémité de la courbe normale de sélection.

Sélection divergente (n. fém.) Mode de sélection naturelle qui favorise les phénotypes situés aux deux extrémités de la courbe normale de sélection.

Sélection équilibrée (n. fém.) Sélection naturelle qui maintient une fréquence stable d'au moins deux formes de phénotypes dans une population (polymorphisme équilibré).

Sélection intersexuelle (n. fém.) Forme de sélection naturelle qu'effectue un individu en se montrant sélectif dans le choix d'un partenaire de sexe opposé. Ce sont généralement les femelles qui sélectionnent les mâles.

Sélection intrasexuelle (n. fém.) Forme de sélection naturelle qui a lieu entre individus de même sexe; passe par la concurrence directe pour gagner les faveurs d'un partenaire de sexe opposé. Chez les vertébrés, ce sont généralement les mâles qui entrent directement en compétition l'un avec l'autre.

Sélection *K* (n. fém.) En démographie, sélection qui favorise les caractéristiques des cycles biologiques dépendant de la densité de population. Aussi appelée *sélection dépendante de la densité.*

Sélection naturelle (n. fém.) Processus dans lequel les individus dotés de certains caractères héréditaires tendent à avoir des taux de survie et de reproduction plus élevés que les autres, en raison de ces caractères.

Sélection *r* (n. fém.) En démographie, sélection qui favorise les caractéristiques qui maximisent le succès de reproduction dans les milieux où il y a peu d'individus (faible densité). Aussi appelée *sélection indépendante de la densité.*

Sélection selon la fréquence (n. fém.) Diminution des taux de survie et de reproduction des individus exprimant un phénotype particulier par suite de l'expression excessive de ce dernier dans la population; est à l'origine du polymorphisme équilibré.

Sélection sexuelle (n. fém.) Processus de l'évolution dans lequel les individus dotés de certaines caractéristiques héréditaires sont plus susceptibles que d'autres de trouver des partenaires.

Sélection stabilisante (n. fém.) Mode de sélection naturelle qui élimine les phénotypes situés aux deux extrémités de la courbe normale de sélection et favorise ceux qui sont au centre de la courbe et plus courants.

Sémelparité (n. fém.) Cycle biologique dans lequel la vie d'un organisme comprend une seule période de reproduction.

Sénescence (n. fém.) Phase de croissance dans une plante ou une partie d'une plante (comme une feuille) qui s'étend de la maturité complète à la mort.

Sépale (n. masc.) Chez les angiospermes, feuille modifiée de l'appareil de reproduction qui entoure et protège le bouton floral.

Séquençage de l'ADN (n. masc.) Détermination de la séquence de nucléotides complète d'un gène ou d'un segment d'ADN.

Séquençage de l'ARN (n. masc.) Technologie d'analyse de grands ensembles d'ARN qui consiste à retranscrire l'ARN en ADNc et à séquencer l'ADNc.

Séquençage en aveugle de l'ensemble d'un génome (n. masc.) Technique de séquençage d'un génome consistant à fragmenter aléatoirement un génome en plusieurs segments courts qui se chevauchent et à les séquencer. Un logiciel permet ensuite d'assembler la séquence dans son intégrité.

Séquence signal (n. fém.) Séquence d'environ 20 acides aminés située à l'extrémité N-terminale du polypeptide ou près de celle-ci; oriente la protéine vers le réticulum endoplasmique ou d'autres organites, dans une cellule eucaryote. Aussi appelé *peptide signal.*

Seuil d'excitation (n. masc.) Valeur de tension de part et d'autre de la membrane plasmique qui déclenche un potentiel d'action.

Sève brute (n. fém.) Solution diluée d'eau et de minéraux transportée dans les vaisseaux et les trachéides.

Sève élaborée (n. fém.) Solution riche en glucides qui circule par les tubes criblés d'une plante.

Sida – syndrome d'immunodéficience acquise (n. masc.) Stade final de l'infection par le virus de l'immunodéficience humaine (VIH) caractérisé notamment par une réduction considérable du nombre de lymphocytes T et par l'apparition d'infections opportunistes.

Signal (n. masc.) En écologie comportementale, comportement d'un animal qui provoque un changement de comportement chez un autre animal. Le terme est également utilisé dans le contexte de la communication chez d'autres sortes d'organismes et dans la communication intercellulaire chez tous les organismes multicellulaires.

Sillon de division (n. masc.) Premier signe de la segmentation dans une cellule animale; invagination de la surface cellulaire à l'endroit occupé précédemment par la plaque équatoriale.

Site A – site aminoacyl-ARNt (n. masc.) L'un des trois sites de liaison du ribosome pendant la traduction. Retient l'ARNt et incorpore à la chaîne polypeptidique l'acide aminé qu'il transporte.

Site actif (n. masc.) Partie spécifique d'une enzyme qui se lie au substrat et qui forme une dépression ou un sillon dans lequel se déroule la réaction catalytique.

Site de restriction (n. masc.) Séquence d'ADN reconnue par une enzyme de restriction pour le découpage.

Site E – site de sortie, *exit* (n. masc.) L'un des trois sites de liaison du ribosome pendant la traduction; site par lequel l'ARNt se détache du ribosome.

Site P – site peptidyl-ARNt (n. masc.) L'un des trois sites de liaison du ribosome pendant la traduction; retient l'ARNt qui porte la chaîne polypeptidique en formation.

Sociobiologie (n. fém.) Science qui applique la théorie de l'évolution à l'étude et à l'interprétation du comportement social.

Sol de surface (n. masc.) Couche superficielle du sol composée d'un mélange de particules provenant de fragments de roche, d'organismes vivants et du résidu de matière organique (humus). Aussi appelé *terre arable*.

Soluté (n. masc.) Substance dissoute dans une solution.

Solution (n. fém.) Liquide formé d'un mélange homogène de deux ou de plusieurs substances.

Solution aqueuse (n. fém.) Solution dont l'eau est le solvant.

Solution tampon (n. fém.) Solution composée d'un acide faible et de sa base correspondante. Réduit au minimum les changements de pH lorsqu'on y ajoute un acide ou une base.

Solvant (n. masc.) Agent dissolvant d'une solution. L'eau est le solvant le plus polyvalent.

Somite (n. masc.) Chacun des blocs de mésoderme à l'origine des myomères qui se trouvent de chaque côté de la notocorde de l'embryon, chez les cordés.

Sommation (n. fém.) Phénomène d'intégration du neurone dans lequel le potentiel de membrane de la cellule postsynaptique est déterminé par les effets cumulatifs des PPSE et des PPSI produits presque simultanément par différentes synapses.

Sonde nucléique (n. fém.) Dans les techniques d'analyse de l'ADN, molécule d'acide nucléique monocaténaire de composition connue utilisée pour détecter une séquence nucléotidique spécifique dans un échantillon d'acides nucléiques. Un marqueur radioactif, fluorescent ou enzymatique permet de localiser cette séquence.

Sore (n. masc.) Amas de sporanges produits par les fougères et situés sous les feuilles vertes ou sur des feuilles spécialisées et d'une autre couleur (sporophylles). La disposition des sores, en lignes parallèles ou en points, facilite l'identification des différentes espèces de fougères.

Sorédie (n. fém.) Petit amas d'hyphes incrustés d'algues; structure qui sert à la reproduction asexuée des lichens.

Souffle cardiaque (n. masc.) Sifflement que produit le tourbillonnement du sang refluant par une valve cardiaque mal fermée par suite d'une lésion anatomique.

Spéciation (n. fém.) Au cours de l'évolution, processus par lequel une espèce se divise en deux ou en plusieurs espèces.

Spéciation allopatrique (n. fém.) Formation de nouvelles espèces dans des populations géographiquement isolées les unes des autres.

Spéciation sympatrique (n. fém.) Formation de nouvelles espèces dans des populations vivant dans la même aire géographique.

Spectre d'absorption (n. masc.) Capacité d'une substance à absorber diverses longueurs d'onde et grâce à laquelle il est possible de déterminer la nature de cette substance; désigne aussi le graphique qui représente cette capacité d'absorption en fonction de la longueur d'onde.

Spectre d'action (n. masc.) Graphique représentant l'efficacité relative des différentes longueurs d'onde des radiations intervenant dans un processus particulier (p. ex., la photosynthèse).

Spectre d'hôtes (n. masc.) Nombre limité de cellules hôtes qu'un parasite (p. ex., un virus) peut infecter et dans lesquelles il peut se développer.

Spectre électromagnétique (n. masc.) Ensemble du spectre de rayonnement, dont les longueurs d'onde varient de moins de 1 nm (pour les rayons gamma) à plus de 1 km (pour certaines ondes radio).

Spectrophotomètre (n. masc.) Appareil qui sert à mesurer la capacité d'un pigment à absorber et à transmettre diverses longueurs d'onde.

Spermathèque (n. fém.) Chez plusieurs insectes, sac situé dans le système reproducteur de la femelle qui permet l'entreposage des spermatozoïdes.

Spermatogenèse (n. fém.) Processus continu et très productif de formation de spermatozoïdes mûrs dans les testicules.

Spermatogonie (n. fém.) Cellule sexuelle diploïde et immature, produite par une spermatogonie souche, qui donne naissance à un spermatozoïde après avoir subi la méiose; se trouve à la périphérie de chaque tubule séminifère contourné, dans les testicules.

Spermatozoïde (n. masc.) Gamète mâle, qui est généralement une petite cellule flagellée et qui participe à la reproduction chez les végétaux et les animaux.

Sperme (n. masc.) Liquide qu'éjacule le mâle pendant l'orgasme et qui contient des spermatozoïdes et diverses sécrétions provenant des trois types de glandes annexes du système reproducteur.

Sphincter (n. masc.) Chez les animaux, muscle circulaire en forme d'anneau situé à certains points de jonction de segments spécialisés d'un conduit, comme le passage entre l'œsophage et l'estomac dans le tube digestif, dont la contraction permet d'en régler l'ouverture.

Sphingolipide (n. masc.) Lipide composé de sphingosine liée à deux acides gras et à un groupement phosphate.

Spirale d'extinction (n. fém.) Modèle théorique en forme d'hélice décroissante permettant de décrire les causes d'extinction des petites populations dont la taille se réduit progressivement, jusqu'à ce qu'il n'existe plus aucun individu, à moins d'une inversion de la spirale; phénomène amplifié par la consanguinité et la dérive génétique.

Spongocœle (n. masc.) Cavité digestive centrale des éponges.

Sporange (n. masc.) Organe multicellulaire des eumycètes et du sporophyte des végétaux à l'intérieur duquel se produisent la méiose et le développement des spores haploïdes. Aussi appelé *capsule*.

Spore (n. fém.) (1) Chez les végétaux ou les algues dont le cycle de développement comporte une alternance de générations, cellule haploïde produite par méiose par le sporophyte et formant par mitose un individu multicellulaire haploïde, le gamétophyte, sans fusionner avec une autre cellule. (2) Chez les eumycètes, cellule haploïde, produite au cours d'un cycle de développement sexué ou asexué, qui forme des réseaux mycéliens après avoir germé.

Sporocyte (n. masc.) Cellule diploïde contenue dans un sporange qui subit une méiose et engendre des spores haploïdes. Aussi appelé *cellule mère des spores*.

Sporophylle (n. fém.) Feuille modifiée spécialisée dans la reproduction, qui porte des sporanges.

Sporophyte (n. masc.) Forme diploïde multicellulaire chez les organismes dont le cycle de développement comporte une alternance de générations (végétaux et quelques algues); résulte de la fusion des gamètes et produit par méiose des spores haploïdes qui donnent des gamétophytes.

Sporopollénine (n. fém.) Polymère naturel très résistant présent dans la paroi des spores végétales et dans les zygotes exposés à l'air chez les charophytes, qui permet de prévenir le dessèchement.

Statocyste (n. masc.) Chez la plupart des invertébrés, type de mécanorécepteur sensible à la force gravitationnelle et permettant de maintenir l'équilibre; se compose d'une cavité tapissée de cellules ciliées et de statolithes.

Statolithe (n. masc.) (1) Chez les végétaux, plaste spécialisé contenant des grains d'amidon lourds et pouvant jouer un rôle dans la détection de la force gravitationnelle. (2) Chez la plupart des invertébrés, particule lourde qui se dépose sous l'effet de la force gravitationnelle et qui est présente dans les organes sensoriels jouant un rôle dans l'équilibre.

Stèle (n. fém.) Tissu vasculaire d'une tige ou d'une racine.

Stéroïde (n. masc.) Lipide dont le squelette carboné se compose de quatre cycles accolés auxquels sont attachés divers groupements fonctionnels (p. ex., cholestérol, œstrogène, testostérone).

Stigmate (n. masc.) Partie supérieure gluante du carpelle de la fleur sur laquelle se dépose le pollen.

Stimulus (n. masc.) Dans la régulation par rétroaction, fluctuation d'une variable qui déclenche une réponse.

Stimulus-signal (n. masc.) Stimulus sensoriel externe qui engendre un schème d'action spécifique. Aussi appelé *stimulus clé*.

Stipe (n. masc.) Structure des algues semblable à une tige et faisant partie de leur thalle.

Stomate (n. masc.) Chez les végétaux, complexe pluricellulaire épidermique constitué d'un pore, l'ostiole, et entouré des cellules stomatiques, dans l'épiderme des feuilles et des tiges; permet les échanges gazeux entre l'air ambiant et l'intérieur de la feuille.

Straménopiles (n. masc.) Membres d'un des trois sous-groupes du SAR, un supergroupe d'eucaryotes unicellulaires. Ce clade est apparu par endosymbiose secondaire et comprend les diatomées et les algues brunes.

Strate (n. fém.) Chacune des couches de roches sédimentaires superposées formées quand de nouvelles couches de sédiments recouvrent les anciennes et les compriment.

Strigolactones (n. fém.) Classe de régulateurs de croissance végétaux qui inhibent la ramification des pousses, déclenchent la germination de graines végétales parasites et stimulent l'association des racines avec les eumycètes mycorhiziens.

Strobile (n. masc.) Terme technique décrivant un bouquet de sporophylles chez les végétaux vasculaires, généralement nommés *cônes*, chez les gymnospermes.

Stroma (n. masc.) Liquide dense dans le chloroplaste entourant la membrane thylakoïde et contenant des ribosomes et de l'ADN; participe à la synthèse de molécules organiques au cours de la photosynthèse, à partir du CO_2 et de l'eau.

Stromatolite (n. masc.) Roche calcaire formée par certains procaryotes lorsque se déposent au fil du temps des films de sédiments en minces couches successives.

Structure primaire (n. fém.) Dans une protéine, niveau de structure correspondant à la séquence linéaire d'acides aminés d'une protéine.

Structure quaternaire (n. fém.) Dans une protéine, structure générale complexe déterminée par l'agencement tridimensionnel caractéristique de ses sous-unités, les chaînes polypeptidiques, sous l'effet des liaisons et des interactions qui les réunissent.

Structure secondaire (n. fém.) Dans une protéine, ensemble des repliements et des enroulements de la chaîne polypeptidique résultant des liaisons hydrogène formées entre diverses parties d'un polypeptide (pas entre les chaînes latérales). L'hélice α et le feuillet plissé β sont deux types de structure secondaire.

Structure tertiaire (n. fém.) Dans une protéine, forme globale déterminée par l'ensemble des repliements irréguliers de la molécule résultant des interactions entre les acides aminés des chaînes latérales, notamment les interactions hydrophobes, les liaisons ioniques, des liaisons hydrogène ou des ponts disulfure.

Structure trophique (n. fém.) Ensemble des relations alimentaires existant entre les organismes d'une communauté naturelle; détermine la circulation de l'énergie et le mode de recyclage des nutriments.

Structures homologues (n. fém.) Structures similaires chez des espèces différentes, en raison d'une ascendance commune.

Style (n. masc.) Tige du carpelle de la fleur qui relie le stigmate à l'ovaire, lequel se trouve à la base du carpelle.

Substance blanche (n. fém.) Dans le SNC, faisceaux d'axones entourés de gaines de myéline.

Substance grise (n. fém.) Matière du SNC formée de regroupements de corps cellulaires de neurones appelés *noyaux*.

Substitution d'une paire de bases (n. fém.) Type de mutation ponctuelle dans laquelle la base azotée d'un nucléotide dans un brin d'ADN (A, C, G ou T) et son vis-à-vis dans le brin complémentaire sont remplacés par une autre paire de bases. On dit aussi *substitution d'une paire de nucléotides*.

Substrat (n. masc.) Réactif sur lequel agit une enzyme.

Suc gastrique (n. masc.) Sécrétions des glandes de l'estomac qui participent à la digestion.

Succession écologique (n. fém.) Après une perturbation, transition que connaît la composition spécifique d'une communauté; établissement d'une communauté dans une région pratiquement privée d'êtres vivants.

Succession écologique primaire (n. fém.) Type de succession écologique qui s'amorce dans un territoire stérile encore dépourvu de sol et d'organismes.

Succession écologique secondaire (n. fém.) Type de succession écologique qui se met en place après la destruction de la végétation, alors que le sol ou le substrat sont restés intacts.

Suralimentation (n. fém.) Apport alimentaire supérieur à l'apport nécessaire aux besoins métaboliques.

Surfactant (n. masc.) Substance sécrétée par les alvéoles pulmonaires qui diminue la tension superficielle dans le liquide qui tapisse la surface de ces minuscules cavités afin d'empêcher qu'elles ne s'affaissent.

Suspensivore (adj.) Se dit d'un organisme qui fait appel à un mécanisme de captation, de piégeage ou de filtration pour se nourrir de particules en suspension dans son environnement.

Symbionte (n. masc.) Dans une relation symbiotique, le plus petit participant vivant à l'intérieur ou à l'extérieur de l'hôte.

Symbiose (n. fém.) Relation écologique d'interdépendance qu'entretiennent des organismes d'espèces différentes vivant en contact direct les uns avec les autres.

Symétrie bilatérale (n. fém.) Symétrie d'un corps dans laquelle un plan central longitudinal (plan médian) divise le corps en deux moitiés semblables mais opposées; définit le clade des bilatériens.

Symétrie radiaire (n. fém.) Symétrie qui caractérise un corps animal dont les éléments structuraux sont symétriques par rapport à un axe central. Ces animaux ressemblent à une tarte ou à un baril, avec un dessus et un dessous, mais ni devant ni derrière, ni côté droit ni côté gauche; présente chez les cnidaires et les cténophores; peut aussi faire référence à la structure d'une fleur.

Symplasme (n. masc.) Chez les végétaux, réseau des cytosols des cellules mises en communication par des plasmodesmes. Aussi appelé *symplaste*.

Synapse (n. fém.) Partie terminale d'un axone par l'intermédiaire de laquelle un neurone communique avec une autre cellule à travers un espace étroit au moyen d'un neurotransmetteur (synapse chimique) ou d'un couplage électrique (synapse électrique).

Synapsides (n. masc.) Membres d'un clade d'amniotes dont les membres se différencient par leur anatomie crânienne (ouverture de chaque côté du crâne); comprennent les mammifères.

Synapsis (n. fém.) Appariement et connexion physique d'un chromosome répliqué à son homologue pendant la prophase I de la méiose.

Syndrome de Down (n. masc.) Maladie génétique causée par la présence d'un chromosome 21 surnuméraire chez l'humain; se caractérise notamment par un retard de développement et par des malformations cardiorespiratoires; ces troubles sont généralement soignables et ne mettent pas la vie en danger. Aussi appelé *trisomie 21*.

Syndrome d'immunodéficience acquise – sida (n. masc.) Voir *Sida – syndrome d'immunodéficience acquise*.

Systématique (n. fém.) Discipline scientifique portant principalement sur la classification des organismes et la détermination de leurs relations au cours de l'évolution.

Système à contre-courant multiplicateur (n. masc.) Système dans lequel de l'énergie est dépensée en transport actif pour faciliter l'échange de substances circulant à contresens en créant des gradients de concentration.

Système ambulacraire (n. masc.) Chez les échinodermes, système composé d'un réseau de canaux hydrauliques ramifiés en prolongements érectiles appelés *pieds ambulacraires*. Ces derniers servent à la locomotion et à la capture des proies.

Système cardiovasculaire (n. masc.) Système circulatoire clos (dans lequel le sang qui circule à l'intérieur des vaisseaux diffère du liquide de la cavité corporelle) caractéristique des vertébrés, composé d'un cœur et d'un réseau ramifié d'artères, de capillaires et de veines.

Système cardiovasculaire clos (n. masc.) Système circulatoire dans lequel le sang circule uniquement dans des vaisseaux et constitue un liquide dont la composition chimique diffère de celle du liquide interstitiel.

Système cardiovasculaire ouvert (n. masc.) Chez les arthropodes et de nombreux mollusques, système circulatoire dont le liquide, appelé *hémolymphe*, sort des vaisseaux pour entourer directement les organes internes, sans l'aide de capillaires.

Système caulinaire (n. masc.) Partie généralement aérienne des plantes qui comprend une ou plusieurs pousses formées de tiges, de feuilles et (chez les angiospermes) de fleurs.

Système CRISPR-cas9 (n. masc.) Outil de génie génétique permettant de modifier des gènes dans des cellules vivantes et faisant intervenir une protéine bactérienne appelée Cas9, associée à une molécule d'ARN-guide complémentaire de la séquence du gène à modifier.

Système du complément (n. masc.) Groupe d'une trentaine de protéines sériques intervenant dans la défense de l'organisme en amplifiant la réaction inflammatoire, en stimulant la phagocytose ou en lysant directement les agents pathogènes.

Système endocrinien (n. masc.) Chez les animaux, système interne de communication et de régulation qui comprend les hormones, des glandes endocrines qui sécrètent les hormones et des récepteurs moléculaires sur ou dans les cellules cibles qui répondent aux hormones; assure la régulation interne et le maintien de l'homéostasie en association avec le système nerveux.

Système immunitaire (n. fém.) Système de défense d'un organisme contre les agents pathogènes.

Système lymphatique (n. masc.) Chez les vertébrés, réseau de vaisseaux et de nœuds qui est distinct du système cardiovasculaire et qui ramène au sang des liquides, des protéines et des cellules.

Système nerveux (n. masc.) Chez les animaux, système rapide de communication interne qui fait intervenir des récepteurs sensoriels, des réseaux de cellules nerveuses et des connexions avec les muscles et les glandes qui répondent aux potentiels d'action; fonctionne de concert avec le système endocrinien pour assurer la régulation interne et maintenir l'homéostasie.

Système nerveux autonome – SNA (n. masc.) Chez les vertébrés, composante efférente du SNP dont la fonction consiste à réguler le milieu interne; comprend trois subdivisions: sympathique, parasympathique et entérique.

Système nerveux central – SNC (n. masc.) Chez les vertébrés, complexe structural formé de l'encéphale et de la moelle épinière dans lequel l'information qui lui parvient est traitée et intégrée.

Système nerveux entérique (n. masc.) Partie du système nerveux autonome qui exerce des effets directs ou partiellement indépendants sur le tube digestif, le pancréas et la vésicule biliaire.

Système nerveux parasympathique (n. masc.) Chez les vertébrés, l'une des trois subdivisions du SNA qui stimule les mécanismes permettant de gagner ou d'économiser de l'énergie, comme la digestion et le ralentissement de la fréquence cardiaque.

Système nerveux périphérique – SNP (n. masc.) Ensemble des nerfs qui transmettent l'information sensorielle et les commandes motrices entre le SNC et le reste du corps.

Système nerveux somatique (n. masc.) Branche efférente du SNP des vertébrés composée de neurones moteurs qui apportent les potentiels d'action aux muscles squelettiques en réponse aux signaux externes.

Système nerveux sympathique (n. masc.) Chez les vertébrés, l'une des trois subdivisions du SNA qui augmente généralement les dépenses d'énergie et qui prépare l'individu à l'action, notamment en élevant la fréquence cardiaque et l'activité métabolique.

Système organique (n. fém.) Ensemble complexe constitué de plusieurs organes remplissant chacun une fonction spécifique mais devant être accomplie de manière coordonnée.

Système racinaire (n. masc.) Ensemble des racines qui fixent solidement les plantes au sol, absorbent et transportent les minéraux et l'eau, et entreposent des réserves nutritives.

Système rénine-angiotensine-aldostérone – RRAA (n. masc.) Voie de cascade d'hormones qui débute au niveau de l'appareil juxtaglomérulaire et qui contribue à la régulation de la pression et du volume sanguins.

Système tégumentaire (n. masc.) Enveloppe du corps des mammifères, qui comprend la peau, les poils et les ongles, les griffes ou les sabots.

Système trachéen (n. masc.) Système respiratoire qui assure les échanges gazeux chez les insectes; composé d'un ensemble de tubes tapissés de chitine qui se ramifient dans le corps et acheminent l'O_2 directement aux cellules.

Systole (n. fém.) Phase de contraction de la révolution cardiaque pendant laquelle le sang est éjecté d'une oreillette ou d'un ventricule.

T

Table de survie (n. fém.) En démographie, recensement pour chaque âge du nombre d'individus vivants et du taux de reproduction dans une population.

Taille efficace d'une population (n. fém.) Détermination, en nombre d'individus, du potentiel de reproduction d'une population; se fonde sur une formule qui utilise la proportion des individus reproducteurs par sexe; généralement plus petite que la population totale.

Taux intrinsèque de croissance – *r* (n. masc.) Dans les modèles de populations, taux de croissance, par individu et en temps réel, de la taille d'une population dont la croissance est exponentielle.

Taxie (n. fém.) Réaction de locomotion orientée par laquelle un organisme se rapproche ou s'éloigne d'un stimulus quelconque.

Taxonomie (n. fém.) Discipline scientifique qui vise à nommer et à classifier les diverses formes d'êtres vivants.

Taxon (n. masc.) Unité de classification; rang taxonomique identifié d'un groupe partageant un certain nombre de caractères, quel que soit le niveau hiérarchique de ce groupe (p. ex., *Drosophila* est un taxon de genre).

Taxon fondamental (n. masc.) Dans un groupe donné d'organismes, désigne une lignée qui diverge tôt dans l'histoire de ce groupe.

Technique de capture-recapture (n. fém.) Technique d'échantillonnage permettant d'estimer les populations d'animaux sauvages. Lors d'un premier échantillonnage, des animaux sont capturés, marqués ou identifiés autrement, puis relâchés. Quelque temps après, un second échantillonnage est effectué. En dénombrant le nombre d'animaux marqués capturés de nouveau, il est possible d'évaluer approximativement la taille de la population.

Technologie (n. fém.) Application d'un savoir scientifique à des fins précises, faisant souvent intervenir l'industrie et le commerce, mais comprenant également les utilisations en recherche fondamentale.

Tectonique des plaques (n. fém.) Théorie selon laquelle les continents font partie d'immenses plaques de croûte terrestre qui flottent sur la roche en fusion du manteau et dont le lent déplacement au fil du temps est causé par les mouvements dans le manteau.

Tégument (n. masc.) (1) Chez les plantes vasculaires à graines, ensemble de couches de tissu du sporophyte qui contribuent à la structure d'un ovule; entoure et protège le mégasporange. (2) Enveloppe extérieure résistante d'une graine, provenant des téguments d'un ovule. Chez les angiospermes, le tégument enferme et protège l'embryon et l'albumen.

Télomère (n. masc.) Courte séquence nucléotidique particulière et répétée un grand nombre de fois, située à l'extrémité des molécules d'ADN chromosomique des eucaryotes; protège les gènes des organismes contre l'érosion au cours de multiples réplications successives. Voir aussi *ADN répétitif*.

Télophase (n. fém.) Cinquième et dernière phase de la mitose marquée par le début de la formation des noyaux fils et par la cytocinèse.

Température (n. fém.) Mesure, en degrés, de l'énergie cinétique moyenne (énergie thermique) des atomes et des molécules d'un corps.

Tendon (n. masc.) Bande de tissu conjonctif dense régulier qui attache un muscle à un os.

Tension superficielle (n. fém.) Force résultant de la cohésion, qui exprime la difficulté d'étirer ou de briser la surface d'un liquide par suite de l'attraction qui retient les molécules entre elles et s'oppose à leur séparation. La tension superficielle de l'eau est élevée parce que les molécules sont attirées par les molécules situées en dessous grâce aux liaisons hydrogène.

Terminateur (n. masc.) Séquence spécifique de nucléotides de l'ADN qui marque la fin de la transcription d'un gène chez les bactéries et donne le signal à l'ARN polymérase de libérer et de détacher de l'ADN la molécule d'ARN nouvellement synthétisée.

Terre humide (n. fém.) Habitat inondé au moins une partie de l'année où vivent des plantes adaptées aux sols saturés d'eau.

Territorialité (n. fém.) Comportement par lequel un animal s'approprie un espace physique délimité et l'interdit à d'autres individus, habituellement ses congénères, soit en les agressant, soit par des mécanismes indirects, comme le marquage odorant ou le chant.

Test (n. masc.) Chez les protistes foraminifères, enveloppe poreuse composée d'une seule substance organique rendue rigide par le carbonate de calcium.

Test sur microréseau à ADN (n. masc.) Technique permettant de détecter et de mesurer simultanément l'expression de milliers de gènes, qui peuvent représenter l'ensemble du génome d'un organisme. Dans ce test, on fixe sur une plaque de verre d'infimes quantités d'un grand nombre de fragments d'ADN monocaténaire représentant différents gènes, puis on les met en présence de divers échantillons de molécules d'ADN complémentaire avec lesquelles ils peuvent s'hybrider. Des marqueurs de différents types sont ensuite utilisés pour révéler les fragments hybridés et identifier les gènes recherchés.

Testicule (n. masc.) Chez les animaux, organe reproducteur ou gonade mâle, dans lequel sont produits les spermatozoïdes et les hormones sexuelles.

Testostérone (n. fém.) Hormone stéroïde nécessaire au développement du système reproducteur mâle et des caractères sexuels secondaires; principale hormone du groupe des androgènes chez les mammifères.

Tétanie (n. masc.) Chez les vertébrés, état physiologique se manifestant par une contraction uniforme et continue d'un muscle squelettique produite par une fréquence élevée de potentiels d'action déclenchés par une stimulation persistante.

Tétrapodes (n. masc.) Membres d'un clade de vertébrés possédant pour la plupart, au stade adulte, deux paires de membres munis de doigts, comme les amphibiens, les mammifères, les oiseaux et d'autres reptiles.

Thalamus (n. masc.) Région de l'encéphale des vertébrés qui dérive du diencéphale embryonnaire (l'une des divisions du prosencéphale) ; un des deux centres d'intégration du prosencéphale des vertébrés ; principal centre de relais pour l'information sensitive arrivant au cerveau et l'information motrice partant de celui-ci.

Théorie (n. fém.) Explication de vaste portée qui engendre de nouvelles hypothèses et qui est appuyée par un solide ensemble de preuves.

Théorie chromosomique de l'hérédité (n. fém.) Principe fondamental en biologie voulant que les gènes occupent des locus (emplacements précis) sur les chromosomes et que le comportement des chromosomes au cours de la méiose explique les modes de transmission héréditaire.

Théorie de l'endosymbiose (n. fém.) Théorie selon laquelle les mitochondries et les plastes, incluant les chloroplastes, sont apparus lorsqu'un ancêtre lointain des cellules eucaryotes a absorbé une cellule procaryote. Avec le temps, la cellule absorbée et sa cellule hôte ont formé un seul organisme. Voir aussi *Endosymbiose*.

Théorie de la contraction par glissement des myofilaments (n. fém.) Modèle selon lequel la contraction musculaire résulte du mouvement de minces myofilaments (actine) le long d'épais myofilaments (myosine), ce qui raccourcit le sarcomère, l'unité de base de l'organisation musculaire, sans modifier la longueur des myofilaments.

Théorie de la quête optimale de nourriture (n. fém.) Analyse d'un comportement de recherche de nourriture basée sur le principe selon lequel la quête de nourriture est un compromis entre les coûts et les bénéfices associés à cet ensemble de comportements.

Théorie des jeux (n. fém.) Méthode pour évaluer les stratégies possibles dans des situations dont l'issue dépend non seulement de la stratégie de chaque individu, mais aussi des stratégies de tous les individus qui participent à ces situations.

Thérapie génique (n. fém.) Traitement d'une maladie attribuable à un seul gène défectueux consistant à introduire un allèle normal dans les cellules somatiques à la place du gène endommagé.

Thermocline (n. fém.) Mince couche d'un plan d'eau constituant une zone de transition thermique présentant un gradient thermique abrupt ; sépare la couche superficielle uniformément chaude et la couche profonde uniformément froide.

Thermodynamique (n. fém.) Étude des transformations d'énergie qui se produisent dans une portion de matière. Voir aussi *Premier principe de la thermodynamique* et *Deuxième principe de la thermodynamique*.

Thermophiles extrêmes (n. masc.) Organismes qui prospèrent dans des milieux où la température est très élevée (entre 60 et 80 °C, ou plus).

Thermorécepteur (n. masc.) Chez les animaux, type de récepteur sensoriel qui réagit à la chaleur ou au froid et intervient dans la régulation thermique en donnant de l'information sur les températures superficielle et interne de l'organisme.

Thermorégulation (n. fém.) Chez les animaux, processus servant à maintenir la température interne dans un intervalle compatible avec la vie.

Théropodes (n. masc.) Membres d'un groupe de dinosaures carnivores bipèdes dont faisaient partie les ancêtres des oiseaux.

Thigmomorphogenèse (n. fém.) Processus au cours duquel une plante présente des variations de forme par suite de son exposition à des perturbations mécaniques continues (p. ex., l'épaississement des tiges en réaction à de forts vents). Ces variations morphologiques sont dues à une production accrue d'éthylène.

Thigmotropisme (n. masc.) Chez les végétaux, réaction d'orientation consécutive au contact.

Thrombocyte (n. masc.) Fragment de cellules sanguines dépourvues de noyau qui contribue à la coagulation ; résulte de la fragmentation du cytoplasme de grandes cellules dans la moelle osseuse rouge. Aussi appelé *plaquette*.

Thrombus (n. masc.) Amas de thrombocytes et de fibrine formé dans un vaisseau sanguin durant la coagulation, qui bloque la circulation du sang.

Thylakoïde (n. masc.) Sac membraneux aplati situé à l'intérieur du chloroplaste. Les thylakoïdes s'empilent souvent et forment des structures interreliées appelées *grana*. Leurs membranes contiennent notamment les molécules de chlorophylle qui transforment l'énergie lumineuse en énergie chimique.

Thymus (n. masc.) Chez les vertébrés, petit organe de la cavité thoracique dans lequel les lymphocytes T terminent leur maturation et acquièrent l'immunocompétence.

Thyroxine – T_4 (n. fém.) L'une des deux hormones contenant de l'iode que produit la glande thyroïde. Comme la triiodothyronine, elle contribue, chez les vertébrés, à la régulation du métabolisme, du développement et de la maturation.

Tige (n. fém.) Organe vasculaire de la plante qui consiste en une alternance de nœuds et d'entrenœuds et qui soutient les feuilles et les structures reproductives.

Tissu (n. masc.) Ensemble de cellules dotées d'une structure et d'une fonction communes.

Tissu adipeux (n. masc.) Tissu conjonctif contenant des cellules adipeuses, qui emmagasinent les graisses ; isole le corps et sert de réserve d'énergie.

Tissu cartilagineux (n. masc.) Tissu conjonctif souple contenant de nombreuses fibres collagènes enchâssées dans une substance fondamentale appelée *chondroïtine sulfate*.

Tissu conducteur (n. masc.) Chez les végétaux, tissu dont les cellules forment des tubes qui transportent l'eau et les nutriments dans la plante.

Tissu conjonctif (n. masc.) Tissu animal constitué de cellules peu abondantes et dispersées dans une matrice extracellulaire, dont le rôle consiste surtout à fixer et à soutenir les autres tissus.

Tissu de revêtement (n. masc.) Chez les végétaux, enveloppe protectrice généralement constituée d'une seule couche de cellules de l'épiderme étroitement juxtaposées qui recouvre et protège toutes les jeunes parties des plantes formées au cours de la croissance primaire.

Tissu épithélial (n. masc.) Tissu formé d'une ou de plusieurs couches de cellules étroitement juxtaposées qui forment l'enveloppe extérieure du corps et tapissent les organes et les cavités internes.

Tissu musculaire (n. masc.) Tissu animal composé de cellules allongées, les myocytes, qui peuvent se contracter spontanément ou sous l'effet d'un potentiel d'action.

Tissu musculaire cardiaque (n. masc.) Tissu musculaire d'aspect strié qui forme la paroi contractile du cœur et dont les fibres sont ramifiées et séparées par des disques intercalaires.

Tissu musculaire lisse (n. masc.) Tissu musculaire dépourvu de stries dont les myocytes sont fusiformes et qui intervient généralement dans les activités corporelles involontaires.

Tissu musculaire squelettique (n. masc.) Tissu musculaire d'aspect strié qui intervient généralement dans les mouvements volontaires du corps.

Tissu nerveux (n. masc.) Chez la plupart des animaux, tissu composé de neurones et de gliocytes ; perçoit les stimulus et transmet des messages d'une partie à l'autre de l'organisme.

Tissu osseux (n. masc.) Tissu conjonctif minéralisé, composé de cellules vivantes contenues dans une matrice rigide de fibres collagènes enchâssées dans des sels de calcium.

Tissu sanguin (n. masc.) Voir *Sang*.

Tissus fondamentaux (n. masc.) Tissus végétaux situés entre les tissus de revêtement et les tissus conducteurs, qui remplissent diverses fonctions, notamment le stockage, la photosynthèse et le soutien.

Tolérant (adj.) Se dit d'un animal qui supporte des variations de son milieu interne attribuables à certains changements de l'environnement externe.

Tonicité (n. fém.) Capacité d'une solution de faire gagner ou perdre de l'eau à une cellule.

Topo-isomérase – ADN gyrase (n. fém.) Enzyme qui effectue des coupures dans les brins d'ADN, les fait pivoter puis répare les coupures ; au cours de la réplication de l'ADN, contribue à faire diminuer la tension dans la double hélice en amont de la fourche de réplication.

Torpeur (n. fém.) Chez les animaux, état physiologique caractérisé par une activité réduite au minimum et par une diminution du métabolisme.

Totipotente (adj.) Se dit d'une cellule qui a la capacité de former toutes les parties de l'embryon et de l'organisme adulte ainsi que les membranes extraembryonnaires chez les espèces qui en possèdent.

Toundra (n. fém.) Biome terrestre situé aux limites extrêmes de la croissance des végétaux. Dans les régions les plus au nord, elle est appelée *toundra arctique*, et sur les très hauts sommets, *toundra alpine*, là où les formes des plantes se limitent à des arbustes nains ou à une végétation rase.

Tourbe (n. fém.) Matière organique spongieuse, brune ou noirâtre, provenant de la décomposition partielle de matières végétales, en milieu humide, surtout des sphaignes, qui forment d'immenses dépôts dans les tourbières.

Trachée (n. fém.) Tube aérien renforcé d'anneaux de cartilage qui va du larynx jusqu'aux bronches, chez certains vertébrés.

Trachéide (n. fém.) Chez les végétaux, élément du xylème qui assure la circulation de la sève brute et une fonction de soutien; longue cellule mince, morte à maturité, dont les extrémités sont en pointe et dont les parois sont durcies par la lignine.

Traduction (n. fém.) Synthèse d'un polypeptide à partir des informations contenues dans l'ARNm. À cette étape, il y a passage du «langage» des nucléotides à celui des acides aminés.

Transcriptase inverse (n. fém.) Enzyme typique de certains virus (rétrovirus) qui synthétise de l'ADN à partir de leur matrice d'ARN.

Transcription (n. fém.) Synthèse d'ARN dirigée par l'ADN.

Transcription inverse suivie d'une amplification en chaîne par polymérase – RT-PCR (n. fém.) Méthode de détermination de l'expression d'un gène particulier en synthétisant l'ADNc de tous les ARNm dans un échantillon sous l'action de la transcriptase inverse et de l'ADN polymérase, puis en soumettant l'ADNc à une amplification PCR à l'aide d'amorces spécifiques pour le gène recherché.

Transcrit primaire (n. masc.) Chez les eucaryotes, première version d'ARN qui résulte de la transcription de n'importe quel gène. Aussi appelé *ARN prémessager* lorsqu'il provient d'un gène codant pour des protéines.

Transduction (n. fém.) Processus dans lequel les virus bactériophages transportent de l'ADN d'une cellule bactérienne à une autre. Lorsque ces deux cellules appartiennent à des espèces différentes, la transduction entraîne un transfert horizontal d'un gène. Voir aussi *Transduction du signal*.

Transduction du signal (n. fém.) Mécanisme par lequel un stimulus mécanique, chimique ou électromagnétique produit une réaction cellulaire spécifique.

Transduction du signal sensoriel (n. fém.) Mécanisme de conversion de l'énergie physique ou chimique d'un stimulus en une modification du potentiel de membrane d'un récepteur sensoriel.

Transfert horizontal (n. masc.) Transfert de gènes d'un génome à un autre au moyen de mécanismes comme l'échange d'éléments transposables et de plasmides, une infection virale, voire la fusion d'organismes différents.

Transformation (n. fém.) (1) Processus par lequel une cellule en culture acquiert la capacité de se diviser indéfiniment, à la manière d'une cellule cancéreuse. (2) Modification du génotype et du phénotype d'une cellule par suite de l'incorporation d'ADN étranger. Lorsque l'ADN étranger provient d'un membre d'une espèce différente, la transformation entraîne le transfert horizontal d'un gène.

Transgénique (adj.) Se dit d'un organisme qui a reçu l'ADN d'un autre organisme, que cet organisme soit ou non de la même espèce.

Transition démographique (n. fém.) Dans une population stable, passage de taux de natalité et de mortalité élevés à des taux de natalité et de mortalité faibles.

Translocation (n. fém.) (1) Aberration chromosomique attribuable à une erreur au cours de la méiose ou à des mutagènes; résulte de la fixation, sur un chromosome non homologue, d'un fragment chromosomique, à la suite d'un bris. (2) Au cours de la synthèse des protéines, troisième étape du cycle d'élongation, lorsque l'ARN transportant le polypeptide en formation se déplace du site A au site P, sur le ribosome. (3) Chez les plantes vasculaires, transport de nutriments organiques dans le phloème.

Transpiration (n. fém.) (1) Chez les végétaux, évaporation du surplus d'eau par les feuilles et les parties aériennes. (2) Chez les animaux, évacuation de la sueur permettant de réguler la température corporelle.

Transport actif (n. masc.) Mouvement d'une substance à travers une membrane cellulaire qui se fait contre son gradient de concentration ou son gradient électrochimique; nécessite l'intervention de protéines de transport appelées pompes et une dépense d'énergie.

Transport cyclique d'électrons (n. masc.) Transport d'électrons au cours des réactions photochimiques de la photosynthèse. Ne fait intervenir qu'un seul photosystème et n'engendre que de l'ATP; ne produit ni NADPH ni O_2.

Transport non cyclique d'électrons (n. masc.) Transport d'électrons au cours des réactions photochimiques de la photosynthèse; fait intervenir les deux photosystèmes (I et II) et produit de l'ATP, du NADPH et de l'O_2. Les électrons passent continuellement de l'eau au $NADP^+$.

Transport passif (n. masc.) Diffusion d'une substance à travers une membrane biologique, selon son gradient de concentration, et sans nécessiter de dépense d'énergie de la part de la cellule.

Transporteur (n. masc.) Protéine ou complexe protéique intervenant dans le passage de solutés à travers la membrane plasmique en suivant son gradient de concentration. Le transporteur change de forme et transfère son site de liaison sur lequel le soluté est lié d'un côté à l'autre de la membrane.

Transposon (n. masc.) Élément transposable qui se déplace d'un endroit à l'autre à l'intérieur du génome cellulaire par l'intermédiaire d'un ADN.

Triacylglycérol (n. masc.) Lipide constitué de trois acides gras liés à une molécule de glycérol. Aussi appelé *triglycéride*.

Trichome (n. masc.) Chez les plantes, cellule épidermique hautement spécialisée en forme de fine excroissance.

Triiodothyronine – T_3 (n. fém.) L'une des hormones contenant de l'iode que produit la glande thyroïde; chez les vertébrés, aide à la régulation du métabolisme, du développement et de la maturation.

Triple réponse (n. fém.) Chez les végétaux, manœuvre de croissance qu'effectue une plantule quand elle se heurte à un obstacle afin de le contourner. La réaction est déclenchée par l'éthylène produit par la plantule et comprend trois étapes: le ralentissement de l'allongement de la tige, son épaississement, qui la rend plus forte, et sa courbure, qui la fait croître horizontalement.

Triploblastique (adj.) Se dit d'un animal qui possède trois feuillets embryonnaires: l'endoderme, le mésoderme et l'ectoderme. Tous les animaux bilatériens sont triploblastiques.

Trisomique (adj.) Se dit d'une cellule diploïde renfermant trois copies d'un même chromosome au lieu de deux (p. ex., les cellules trisomiques d'un individu atteint du syndrome de Down).

Trompe auditive (n. fém.) Chez certains vertébrés, conduit qui relie l'oreille moyenne au pharynx; équilibre la pression de l'air entre l'oreille moyenne et l'atmosphère. Aussi appelée *trompe d'Eustache*.

Trompe utérine (n. fém.) Conduit du système reproducteur femelle qui s'étend de l'ovaire jusqu'au vagin chez les invertébrés ou jusqu'à l'utérus chez les vertébrés. Aussi appelée *trompe de Fallope* chez certains vertébrés.

Tronc cérébral (n. masc.) Dans l'encéphale des vertébrés, ensemble de structures constitué du bulbe rachidien, du pont et du mésencéphale; contribue à l'homéostasie, à la coordination des mouvements et à la transmission de l'information jusqu'aux centres d'intégration supérieurs.

Trophoblaste (n. masc.) Chez les mammifères, épithélium externe qui entoure le blastocyste et qui constituera, avec le tissu du mésoderme, la portion fœtale du placenta.

Tropiques (n. fém.) Régions situées entre 23,5° de latitude Nord et 23,5° de latitude Sud.

Tropisme (n. masc.) Toute réaction de croissance qui oriente une plante vers un stimulus ou en direction opposée, en raison d'une différence dans la vitesse d'allongement des différentes cellules.

Tropomyosine (n. fém.) Dans les muscles des vertébrés, protéine régulatrice se présentant sous la forme d'un microfilament. Quand le myocyte est au repos, la tropomyosine recouvre les sites de liaison de la myosine sur l'actine, ce qui empêche l'actine et la myosine d'interagir.

Trouble bipolaire (n. masc.) Maladie mentale dépressive qui se manifeste par des sautes d'humeur très marquées alternant avec des périodes de profonde dépression. Aussi appelé *maniacodépression*.

Tube de Malpighi (n. masc.) Organe excréteur typique des arthropodes; en déversant son contenu dans le tube digestif, permet l'élimination des déchets métaboliques de l'hémolymphe et participe à l'osmorégulation.

Tube neural (n. masc.) Chez les vertébrés, tube de cellules de l'ectoderme organisé selon l'axe antéropostérieur et situé juste au-dessus de la notocorde en formation; deviendra le SNC lors du développement.

Tube pollinique (n. masc.) Tube qui se forme après la germination du grain de pollen et qui déverse les spermatozoïdes dans le gamétophyte femelle.

Tubule contourné distal (n. masc.) Dans le rein des vertébrés, partie du néphron qui joue un rôle clé dans la régulation de la concentration du K^+ et du NaCl dans les liquides corporels et qui communique avec un tubule rénal collecteur.

Tubule contourné proximal (n. masc.) Dans le rein des vertébrés, région du néphron située immédiatement en aval de la capsule glomérulaire qui transfère le filtrat en contribuant à le raffiner.

Tubule rénal collecteur (n. masc.) Dans le rein de certains vertébrés, conduit qui reçoit le filtrat de nombreux tubules rénaux. Le filtrat prend alors le nom d'*urine*.

Tubule séminifère contourné (n. masc.) Conduit des testicules enroulé de façon compacte et entouré de plusieurs épaisseurs de tissu conjonctif, dans lequel se forment les spermatozoïdes.

Tubule transverse (n. masc.) Chez les vertébrés, repli de la membrane plasmique du myocyte.

Tumeur bénigne (n. fém.) Masse de cellules transformées qui ont une croissance anormale mais plus lente que celle d'une tumeur maligne ; se présente sous forme compacte souvent encapsulée et reste localisée ; généralement sans gravité.

Tumeur maligne (n. fém.) Tumeur cancéreuse comportant des cellules qui, à cause de modifications génétiques et cellulaires, se multiplient de façon anarchique et se propagent à de nouveaux tissus, nuisant ainsi au fonctionnement d'un ou de plusieurs organes. Aussi appelée *néoplasme malin*.

Turgescente (adj.) Se dit d'une cellule végétale qui se gonfle et dont la paroi se distend au maximum. Une cellule à paroi devient turgescente lorsque son potentiel hydrique est inférieur à celui de son environnement, ce qui entraîne l'entrée d'eau.

Tympan (n. fém.) Membrane entre l'oreille externe et l'oreille moyenne.

Type parental (n. masc.) Qualifie un individu qui a un phénotype identique à celui de l'un des deux phénotypes parentaux (génération P) ; désigne aussi le phénotype lui-même.

Type recombinant (n. masc.) Descendant dont le phénotype diffère de celui des parents de la génération P de lignée pure ; désigne également le phénotype lui-même. Voir aussi *Recombiné*.

U

Unichontes (n. masc.) Membres d'un des six supergroupes nouvellement proposés dans une hypothèse récente de l'histoire évolutive des eucaryotes. Créé à partir des données fournies par la systématique moléculaire, ce clade rassemble les amibozoaires et les opisthochontes. Voir aussi *Alvéolobiontes*, *Archéplastides*, *Excavobiontes*, *Rhizariens* et *Straménopiles*.

Unité cartographique (n. fém.) Unité de mesure servant à exprimer la distance entre les gènes. Une unité cartographique équivaut à une fréquence de recombinaison de 1 %.

Unité de transcription (n. fém.) Segment d'ADN transcrit en molécule d'ARN.

Unité motrice (n. fém.) Chez les vertébrés, unité composée d'un neurone moteur et de tous les myocytes qu'il régit.

Urée (n. fém.) Déchet azoté soluble qu'excrètent les mammifères, la plupart des amphibiens adultes, des requins, quelques poissons osseux marins et quelques tortues marines ; produite dans le foie par un cycle métabolique qui combine l'ammoniac et le CO_2.

Uretère (n. masc.) Conduit dans lequel se déverse l'urine produite dans les reins de certains vertébrés et qui débouche dans la vessie.

Urètre (n. masc.) Canal excréteur de la vessie qui mène l'urine vers l'extérieur du corps de certains vertébrés ; débouche près du vagin chez la femme et à l'extrémité du pénis chez l'homme, dont il draine aussi le système reproducteur.

Urocordés – tuniciers (n. masc.) Cordés marins sessiles qui n'ont pas d'épine dorsale ; nommés en raison de la tunique constituée de tunicine, un polysaccharide semblable à la cellulose, qui les revêt entièrement.

Utérus (n. masc.) Chez les animaux, organe épais et musculeux du système reproducteur femelle dans lequel ont lieu la fécondation et le développement embryonnaire.

Utricule (n. masc.) Dans l'oreille interne des vertébrés, chambre située derrière la fenêtre vestibulaire qui s'ouvre sur les trois canaux semi-circulaires ; participe au sens de l'équilibre.

V

Vaccin (n. masc.) Variante ou dérivé inoffensif d'un agent pathogène qui a pour effet de stimuler le système immunitaire de l'hôte et de lui permettre de combattre l'organisme pathogène.

Vacuole (n. fém.) Vésicule entourée d'une membrane dont la fonction spécialisée varie selon les sortes de cellules.

Vacuole centrale (n. fém.) Dans une cellule végétale mature, grand sac membraneux qui joue divers rôles dans la croissance, le stockage et la séquestration des substances toxiques.

Vacuole digestive (n. fém.) Sac membraneux formé lors de la phagocytose de microorganismes ou de particules dont la cellule se nourrit. Aussi appelée *phagosome*.

Vacuole pulsatile (n. fém.) Sac membraneux qui expulse l'excès d'eau de certains eucaryotes unicellulaires d'eau douce afin de maintenir constante la pression osmotique intracellulaire.

Vagin (n. masc.) Cavité à la paroi mince du système reproducteur femelle qui est localisée entre l'utérus et le milieu externe ; reçoit le pénis et les spermatozoïdes au cours des rapports sexuels et permet le passage du bébé à l'accouchement.

Vaisseau chylifère (n. masc.) Minuscule vaisseau lymphatique situé au centre de chaque villosité de la muqueuse intestinale dans lequel pénètrent les chylomicrons absorbés.

Vaisseaux (n. masc.) Chez la plupart des angiospermes et quelques vasculaires sans fleurs, tubes microscopiques continus qui acheminent l'eau dans la plante.

Valence (n. fém.) Nombre d'électrons non appariés présents dans la couche périphérique d'un atome (couche de valence), généralement égal au nombre de liaisons covalentes que cet atome peut engager ; capacité de liaison d'un atome.

Valeur d'adaptation (n. fém.) Contribution d'un individu au patrimoine génétique de la génération suivante par rapport à la contribution d'autres individus dans la population.

Valeur d'adaptation inclusive (n. fém.) Effet global d'un individu sur la prolifération de ses gènes en produisant une descendance et en fournissant une aide qui permet à ses proches parents de se reproduire aussi.

Valeur de référence (n. fém.) Dans l'homéostasie chez les animaux, valeur déterminée pour une variable donnée maintenue constante par des mécanismes régulateurs, comme la température du corps ou la concentration des solutés.

Valve aortique (n. fém.) Valve semi-lunaire qui ferme l'artère à la sortie du ventricule gauche du cœur.

Valve auriculoventriculaire – valve AV (n. fém.) Chez les mammifères, valve cardiaque située entre une oreillette et un ventricule qui empêche le sang de retourner dans l'oreillette quand le ventricule se contracte.

Valve mitrale (n. fém.) Valve AV située entre l'oreillette gauche et le ventricule gauche.

Valve pulmonaire (n. fém.) Valve semi-lunaire qui sépare le tronc pulmonaire du ventricule droit du cœur. Le tronc pulmonaire est une courte artère du cœur qui se subdivise en artères pulmonaires gauche et droite.

Valve semi-lunaire (n. fém.) Chez les mammifères, valve composée de trois valvules et située à la sortie du cœur. Elle empêche le sang de refluer dans le ventricule quand il se relâche.

Valve triscupide (n. fém.) Valve AV située entre l'oreillette droite et le ventricule droit.

Variable (n. fém.) Facteur qui varie dans une expérience.

Variable dépendante (n. fém.) Facteur dont on mesure la valeur dans le cadre d'une expérience ou d'un autre type de test afin de vérifier s'il est influencé par la modification d'un autre facteur (la variable indépendante).

Variable indépendante (n. fém.) Facteur dont la valeur est manipulée ou modifiée lors d'une expérience dans le but de révéler les effets possibles sur un autre facteur (la variable dépendante).

Variation (n. fém.) Différences entre les membres de la même espèce.

Variation génétique (n. fém.) Différences entre les individus dans la composition de leurs gènes ou d'autres segments d'ADN.

Variation neutre (n. fém.) Diversité génétique qui ne procure ni avantage ni désavantage sélectif à certains individus, par rapport à d'autres.

Vasa recta (n. fém.) Réseau de capillaires dans le rein entourant l'anse du néphron.

Vasculaires (n. fém.) Végétaux pourvus d'un tissu conducteur. Rassemblent toutes les espèces de plantes vivantes à l'exception des hépatiques, des anthocérotes et des mousses. Aussi appelées *plantes vasculaires*.

Vasculaires sans graines (n. fém.) Nom familier désignant les plantes qui possèdent un tissu conducteur, mais qui ne produisent pas de graines ; forment un groupe paraphylétique qui réunit les lycophytes (lycopodes et autres plantes apparentées) et les monilophytes (fougères et plantes apparentées).

Vasectomie (n. fém.) Méthode de contraception chez l'homme consistant à ligaturer les conduits déférents afin d'empêcher les spermatozoïdes d'entrer dans l'urètre.

Vasoconstriction (n. fém.) Réduction du diamètre des vaisseaux sanguins sous l'effet de potentiels d'action provoquant la contraction des muscles de la paroi des vaisseaux.

Vasodilatation (n. fém.) Augmentation du diamètre des vaisseaux sanguins sous l'effet de potentiels d'action provoquant la relaxation des muscles de la paroi des vaisseaux.

Vasopressine (n. fém.) Voir *Hormone antidiurétique – ADH*.

Vecteur (n. masc.) Organisme qui transmet les agents pathogènes d'un hôte à un autre.

Vecteur d'expression (n. masc.) Vecteur de clonage qui contient un promoteur très actif, juste en amont d'un site de restriction où l'on peut insérer le gène (provenant d'un eucaryote, d'un procaryote ou d'un virus), ce qui en permet l'expression dans une cellule hôte.

Vecteur de clonage (n. masc.) En génie génétique, molécule d'ADN qui transporte un ADN étranger dans une cellule hôte dans laquelle il peut se répliquer. Les vecteurs sont généralement des plasmides et des chromosomes artificiels bactériens et servent à transférer dans les cellules l'ADN préalablement recombiné dans des éprouvettes. Quant aux virus, ils transfèrent l'ADN recombiné en infectant les cellules.

Veine (n. fém.) (1) Chez les animaux, vaisseau qui ramène au cœur le sang provenant des capillaires. (2) Chez les végétaux, chacun des faisceaux vasculaires de la feuille.

Veine porte hépatique (n. fém.) Vaisseau qui amène le sang riche en nutriments de l'intestin grêle jusqu'au foie, qui régule la composition nutritionnelle du sang.

Veinule (n. fém.) Petit vaisseau qui transporte le sang entre un lit capillaire et une veine.

Ventilation (n. fém.) Circulation d'air ou d'eau sur une surface respiratoire (poumons ou branchies).

Ventilation à pression négative (n. fém.) Chez les mammifères, mécanisme de respiration qui fonctionne selon le principe d'une pompe aspirante et qui attire l'air dans les poumons.

Ventilation à pression positive (n. fém.) Chez les amphibiens, mécanisme de respiration qui pousse l'air dans les poumons, forçant ceux-ci à se gonfler.

Ventilation pulmonaire (n. fém.) Processus de ventilation des poumons qui consiste en une inspiration et une expiration alternées de l'air.

Ventral (adj.) Se dit de la moitié inférieure d'un animal à symétrie radiaire ou bilatérale, par opposition à *dorsal*, qui désigne la moitié supérieure (dos) du même animal.

Ventricule (n. masc.) (1) Cavité qui pompe le sang hors du cœur. (2) Cavité de l'encéphale des vertébrés qui est remplie de liquide cérébrospinal.

Verdissement (n. masc.) Changements morphologiques et biochimiques d'une pousse exposée à la lumière du Soleil.

Vernalisation (n. fém.) Exposition d'une plante au froid pour l'inciter à fleurir.

Vertébrés (n. masc.) Cordés pourvus de vertèbres, qui sont chacun des petits os formant la colonne vertébrale.

Vésicule (n. fém.) Sac membraneux dans le cytoplasme d'une cellule eucaryote.

Vésicule biliaire (n. fém.) Organe qui emmagasine la bile et la libère dans l'intestin grêle au besoin.

Vésicule de transport (n. fém.) Dans le cytosol des cellules eucaryotes, petit sac membraneux servant à transporter des molécules produites par la cellule.

Vésicule séminale (n. fém.) Chez les animaux, glande exocrine du mâle dont les sécrétions constituent la majeure partie du sperme. Le liquide qu'elle produit lubrifie les conduits et nourrit les spermatozoïdes.

Vessie (n. fém.) Chez certains vertébrés, organe extensible composé de muscle lisse dans lequel l'urine est emmagasinée avant d'être éliminée.

Vessie natatoire (n. fém.) Chez les ostéichthyens aquatiques, sac membraneux qui permet au poisson d'ajuster sa masse volumique en fonction de celle de l'eau, et ainsi de contrôler la flottabilité, en accumulant dans ce sac des gaz provenant du sang.

Villosité (n. fém.) (1) Prolongement digitiforme de la surface interne de l'intestin grêle. Appelé *villosité intestinale*. (2) Prolongement digitiforme du chorion placentaire mammalien. En grand nombre, les villosités augmentent la surface de ces organes.

Virus (n. masc.) Particule infectieuse incapable de se répliquer à l'extérieur d'une cellule ; constitué d'un génome d'ARN ou d'ADN recouvert d'une coque de protéines (capside) et, pour certains virus, d'une enveloppe membraneuse.

Virus de l'immunodéficience humaine – VIH (n. masc.) Virus responsable du syndrome d'immunodéficience acquise, ou sida ; fait partie des rétrovirus.

Virus tempéré (n. masc.) Virus capable de suivre les deux modes de réplication dans la cellule hôte (cycle lytique et cycle lysogénique).

Vitamine (n. fém.) Molécule organique indispensable pour le métabolisme ; nécessaire en très faible quantité et servant généralement de coenzyme ou de partie de coenzyme.

Vitellus (n. masc.) Chez les animaux, réserve de nutriments que contient un ovocyte de deuxième ordre.

Vitesse du métabolisme (n. fém.) Quantité totale d'énergie utilisée par un animal pendant un intervalle de temps donné ; correspond à la somme de toutes les réactions biochimiques nécessaires à une dépense d'énergie qui surviennent pendant la période en question.

Vivipare (adj.) Se dit d'un type de développement dans lequel l'embryon se développe dans l'utérus et se nourrit, jusqu'à la naissance, des nutriments qui lui parviennent par le placenta le reliant au sang de sa mère.

Voie anabolique (n. fém.) Voie métabolique qui consomme de l'énergie pour la synthèse de molécules complexes à partir de composés simples.

Voie catabolique (n. fém.) Voie métabolique dans laquelle des molécules complexes sont décomposées en composés simples pour libérer l'énergie qu'elles contiennent.

Voie de transduction du signal (n. fém.) Séquence d'événements survenant entre un stimulus mécanique, électrique ou chimique et une réaction cellulaire.

Voie métabolique (n. fém.) Chaîne de réactions chimiques qui permet la synthèse d'une molécule complexe (voie anabolique) ou la décomposition d'une molécule complexe en composés simples (voie catabolique). Chaque étape de la voie est catalysée par une enzyme spécifique. La voie métabolique peut être linéaire, ramifiée ou cyclique.

Volume courant – VC (n. masc.) Volume d'air qu'un animal inspire et expire à chaque respiration.

Volume résiduel – VR (n. masc.) Volume d'air restant dans les poumons même après une expiration forcée.

Volume systolique – V_s (n. masc.) Volume de sang que le ventricule gauche expulse chaque fois qu'il se contracte.

Vulve (n. fém.) Terme désignant l'ensemble des organes génitaux externes de la femme et des femelles des autres mammifères.

X

Xérophyte (n. masc.) Plante adaptée à un climat aride.

Xylème (n. masc.) Chez les végétaux, tissu conducteur composé de cellules mortes en forme de tubes dans lesquels circulent l'eau et les minéraux qui vont des racines aux feuilles.

Z

Zone abyssale (n. fém.) Partie de la zone benthique de l'océan s'étendant entre 2 000 et 6 000 m de profondeur.

Zone aphotique (n. fém.) Zone d'un océan située sous la zone photique où la lumière est insuffisante pour permettre la photosynthèse.

Zone benthique (n. fém.) Zone la plus basse de tous les biomes aquatiques, à proximité du fond d'un plan d'eau.

Zone benthique marine (n. fém.) Plancher océanique.

Zone critique de biodiversité (n. fém.) Région relativement petite où se trouvent un grand nombre d'espèces endémiques ainsi qu'un grand nombre d'espèces menacées.

Zone d'activité polarisante (n. fém.) Masse de tissu mésodermique située sous l'ectoderme, à l'endroit où le bourgeon du membre rejoint le tronc, du côté postérieur, qui permettra la réalisation des plans d'organisation le long de l'axe antéropostérieur du membre.

Zone euphotique (n. fém.) Mince couche d'eau d'un océan ou d'un lac où la lumière est suffisante pour permettre la photosynthèse.

Zone hybride (n. fém.) Région géographique dans laquelle se rencontrent les membres de différentes espèces qui peuvent s'accoupler et produire au moins un descendant hybride.

Zone intertidale (n. fém.) Zone tour à tour submergée et découverte au cours du cycle quotidien des marées dans la plupart des rivages marins.

Zone limnétique (n. fém.) Dans un lac, zone d'eaux superficielles, libres et bien éclairées qui se situent loin du rivage. Les eaux y sont trop profondes pour permettre aux plantes aquatiques de s'enraciner ; contient diverses espèces de phytoplancton, dont des cyanobactéries.

Zone littorale (n. fém.) Dans un plan d'eau, zone d'eaux tempérées, peu profondes et bien éclairées qui se situent à proximité du rivage.

Zone néritique (n. fém.) Zone relativement peu profonde de l'océan située au-dessus du plateau continental (partie relativement plate et surélevée des fonds marins qui délimite un continent).

Zone pélagique (n. fém.) Partie des biomes aquatiques comprenant la zone euphotique et la zone aphotique.

Zone pellucide (n. fém.) Chez les mammifères, matrice extracellulaire de l'ovocyte de deuxième ordre.

Zoospore (n. fém.) Spore flagellée caractéristique des représentants de l'embranchement des chytrides et de certains protistes.

Zygomycètes (n. masc.) Membres d'un embranchement des eumycètes dont un groupe important forme des mycorhizes; caractérisés par la formation d'une structure résistante appelée *zygosporange* au cours de la reproduction sexuée.

Zygosporange (n. masc.) Chez les zygomycètes, structure multinucléaire résistante issue de la plasmogamie, dans laquelle se produisent la caryogamie et la méiose pour libérer des spores haploïdes lorsque les conditions sont propices.

Zygote (n. masc.) Cellule diploïde qui résulte de l'union des gamètes haploïdes au cours de la fécondation; ovule fécondé.

Index

Les nombres en caractères gras renvoient à la page où le terme est défini dans le texte.
Les nombres suivis d'un *f* ou d'un *t* renvoient respectivement à une figure ou à un tableau.

A

B

C

D

E

F

G

H

I

N

O

P

Q

R

T

U

V

Y

Z